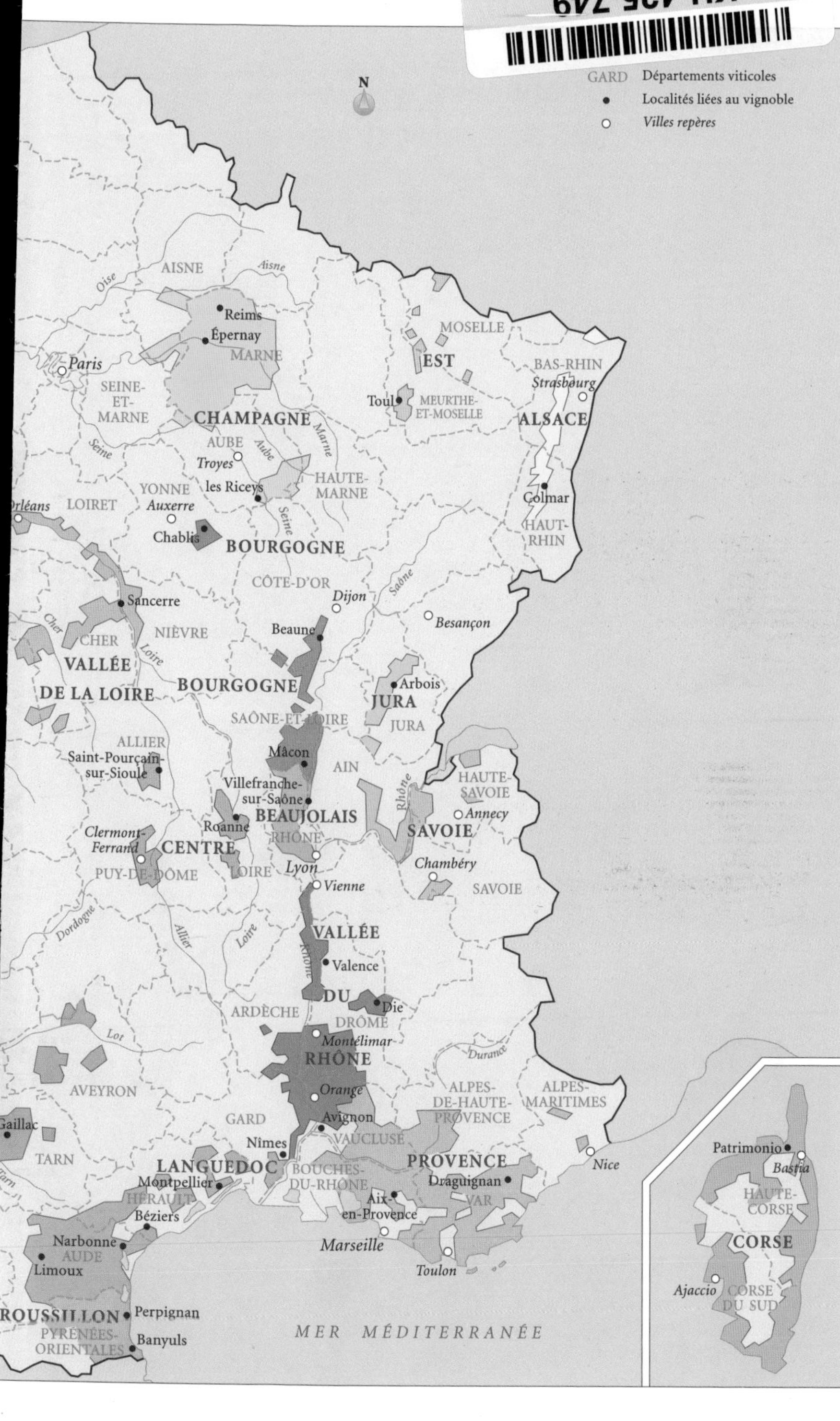

N
GARD Départements viticoles
Localités liées au vignoble
Villes repères
Oise
AISNE
Aisne
Reims
Épernay
MARNE
Paris
SEINE-ET-MARNE
CHAMPAGNE
AUBE
Aube
Marne
Seine
Troyes
les Riceys
HAUTE-MARNE
YONNE
LOIRET
Orléans
Auxerre
Chablis
BOURGOGNE
Seine
MOSELLE
EST
Toul
MEURTHE-ET-MOSELLE
BAS-RHIN
Strasbourg
ALSACE
Colmar
HAUT-RHIN
CÔTE-D'OR
Dijon
Saône
Besançon
Sancerre
Cher
CHER
NIÈVRE
Loire
VALLÉE DE LA LOIRE
Beaune
BOURGOGNE
Arbois
JURA
JURA
SAÔNE-ET-LOIRE
ALLIER
Saint-Pourçain-sur-Sioule
Mâcon
AIN
Villefranche-sur-Saône
BEAUJOLAIS
HAUTE-SAVOIE
Rhône
Annecy
SAVOIE
Clermont-Ferrand
Roanne
CENTRE
RHÔNE
LOIRE
Lyon
PUY-DE-DÔME
Chambéry
Vienne
SAVOIE
Dordogne
Allier
Loire
VALLÉE
Rhône
Valence
DU
Die
ARDÈCHE
DRÔME
Lot
Montélimar
RHÔNE
Durance
AVEYRON
Orange
ALPES-DE-HAUTE-PROVENCE
ALPES-MARITIMES
Gaillac
GARD
Avignon
Nîmes
VAUCLUSE
TARN
Tarn
LANGUEDOC
PROVENCE
Nice
Montpellier
BOUCHES-DU-RHÔNE
Draguignan
VAR
HÉRAULT
Aix-en-Provence
Béziers
Narbonne
AUDE
Marseille
Limoux
Toulon
ROUSSILLON
Perpignan
PYRÉNÉES-ORIENTALES
Banyuls
MER MÉDITERRANÉE
Patrimonio
Bastia
HAUTE-CORSE
CORSE
Ajaccio
CORSE DU SUD

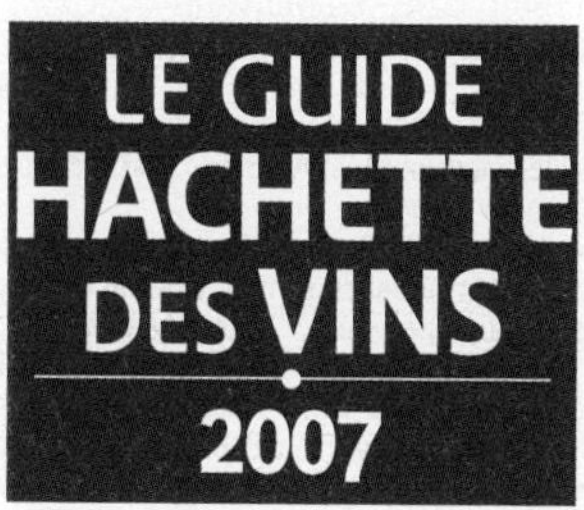
LE GUIDE
HACHETTE
DES VINS
2007

GUIDE HACHETTE DES VINS

Direction de l'ouvrage : Catherine Montalbetti.

Ont collaboré : Christian Asselin, INRA, *Unité de recherche vigne et vin ;* François Bachelot ; Jean-François Bazin ; Claude Bérenguer ; Richard Bertin *œnologue ;* Pierre Bidan, *professeur à l'ENSA de Montpellier ;* Jean Bisson, *ancien directeur de station viticole de l'INRA ;* Jean-Jacques Cabassy, *œnologue ;* Pierre Carbonnier ; Pierre Casamayor ; Jean-Pierre Cathala ; Béatrice de Chabert, *œnologue ;* César Compadre ; Robert Cordonnier, *directeur de recherche à l'INRA ;* Michel Dovaz ; Régis d'Espinay ; Michel Feuillat, *professeur à la Faculté des Sciences de Dijon ;* Bernard Hébrard, *œnologue ;* Pierre Huglin, *directeur de recherche à l'INRA ;* Robert Lala, *œnologue ;* Antoine Lebègue ; Jean-Pierre Martinez, *chambre d'Agriculture du Loir-et-Cher ;* Marc Médevielle ; Pierre Pérez ; Mariska Pezzutto, *œnologue ;* Pascal Ribéreau-Gayon, *ancien doyen de la faculté d'œnologie de l'université de Bordeaux II ;* André Roth, *ingénieur des travaux agricoles ;* Alex Schaeffer, *œnologue ;* Anne Seguin ; Bernard Thévenet, *ingénieur des travaux agricoles ;* Yves Zier.

Editeurs assistants : Christine Cuperly, Anne Le Meur.

Avec : Patricia Abbou ; Christelle Barbereau ; Nicole Chatelier ; Bénédicte Gaillard ; Sylvie Hano ; Corinne Julien ; Micheline Martel ; François Merveilleau.

Informatique éditoriale : Marie-Line Gros-Desormeaux ; Luc Audrain ; Martine Lavergne ; Sylvie Clochez ; Michèle Boucher.

Nous exprimons nos très vifs remerciements aux 900 membres des commissions de dégustation réunies spécialement pour l'élaboration de ce guide, et qui, selon l'usage, demeurent anonymes, ainsi qu'aux organismes qui ont bien voulu apporter leur appui à l'ouvrage ou participer à sa documentation générale : l'Institut National des Appellations d'Origine, INAO ; l'Institut National de la Recherche Agronomique, INRA ; la Direction de la Concurrence de la Consommation et de la Répression des Fraudes ; UBIFRANCE ; la DGDDI ; les Comités, Conseils, Fédérations et Unions interprofessionnels ; Viniflhor ; l'Institut des Produits de la Vigne de Montpellier et l'ENSAM ; l'Université Paul Sabatier de Toulouse et l'ENSAT ; les Syndicats viticoles ; les Chambres d'agriculture ; les laboratoires départementaux d'analyse ; Les lycées agricoles d'Amboise, d'Avize, de Blanquefort, de Bommes, de Montagne-Saint-Émilion, de Montreuil-Bellay, de Nîmes-Rodilhan, d'Orange ; le lycée hôtelier de Tain-l'Hermitage ; le CFPPA d'Hyères ; l'Institut Rhodanien ; le Grand Hôtel de Cala Rossa ; l'Union française des œnologues et les Fédérations régionales d'œnologues ; les Syndicats des Courtiers de vins ; l'Union de la Sommellerie française ; pour la Suisse, l'Office fédéral de l'agriculture, la Commission fédérale du Contrôle du commerce des vins, les responsables des Services de la viticulture cantonaux, l'OVV, l'OPAV, l'OPAGE ; pour le Grand-Duché de Luxembourg, l'institut viti-vinicole luxembourgeois ; la Marque nationale du vin luxembourgeois ; le Fonds de solidarité.

Couverture : Bruno Bayol, Nicole Dassonville.

Maquette : François Huertas.

Cartographie : Frédéric Clémençon. **Illustrations :** Véronique Chappée.

Production : Patricia Coulaud, Charles De Roy, Adrian Hurst, Nathalie Lautout, Nicole Thiériot-Pichon.

Composition et photogravure : Maury.

Impression : Rotolito Lombarda, Italie. **Façonnage :** BRUN, 45331 Malesherbes. **Papier :** Royal Press Mat, SAPPI.

Crédits iconographiques : Charlus (p. 37, 50) ; Scope/J.-L. Barde (p. 14, 19, 27, 32, 40, 42, 44, 53, 142, 724, 813, 865) ; Scope/J. Guillard (p. 9, 11, 18, 23, 30, 31, 38, 61, 71, 422, 621, 804, 928, 1089, 1177, 1227, 1234, 1261) ; Scope/Noël Hautemanière (p. 73) ; Scope/Sara Matthews (p. 199) ; Ph. Bruniaux/CIVJ (p. 694).

Photo de couverture : Scope/J.-L. Barde.

Imprimé en Italie. – Dépôt légal n° 75918/Septembre 2006
Édition n° 01 – 23.7074.0 – ISBN 2.01.237074.8

LE GUIDE HACHETTE DES VINS

2007

SOMMAIRE

TABLE DES CARTES

SOMMAIRE

10 000 vins à découvrir

SYMBOLES

SYMBOLES UTILISÉS DANS LE GUIDE

La reproduction d'une étiquette signale un « coup de cœur » décerné à l'aveugle par les jurys.

★★★ vin exceptionnel
★★ vin remarquable
★ vin très réussi
vin cité (sans étoile)
2005 millésime ou année du vin dégusté
■ vin tranquille blanc
■ vin tranquille rosé
■ vin tranquille rouge
● vin effervescent blanc
● vin effervescent rosé
● vin effervescent rouge
50 000, 12 500... nombre moyen de bouteilles du vin présenté
4 ha superficie de production du vin présenté
élevage en cuve
élevage en fût
vente à la propriété
gîte rural
dégustation
chambre d'hôte
visite
(r.-v. = sur rendez-vous)
adresse, téléphone, fax, e-mail
nom du propriétaire, si différent de celui figurant dans l'adresse
n.c. information non communiquée.

LES PRIX

- Les prix (prix moyen de la bouteille en France par carton de 12) sont donnés sous toutes réserves. L'indication de la fourchette de prix **en rouge signale un bon rapport qualité/prix 11 à 15 €**.

- 3 €	3 à 5 €	5 à 8 €	8 à 11 €	11 à 15 €	15 à 23 €	23 à 30 €	30 à 38 €	38 à 46 €	46 à 76 €	+ 76 €

- Chambre d'hôte
Prix moyen par nuit en haute saison
1 = – 35 €
2 = 35 à 45 €
3 = 46 à 55 €
4 = 56 à 65 €
5 = 66 à 75 €
6 = 76 à 85 €
7 = + de 85 €

- Gîte rural
Prix moyen par semaine en haute saison
A = – 200 €
B = 200 à 300 €
C = 301 à 400 €
D = 401 à 500 €
E = + de 500 €

LES MILLÉSIMES (82) 83 85 |**86**| **89** |90| 91 |92| 93 |**95**| |**96**| |97| **98 99 00** (01) 02 **03** 04 **05**

83 01 — les millésimes en rouge sont à boire (01 = millésime 2001)

99 05 — les millésimes en noir sont à garder (05 = millésime 2005)

|**95**| |02| — les millésimes en noir entre deux traits verticaux sont à boire pouvant attendre

83 95 — les meilleurs millésimes sont en gras

(90) — le millésime exceptionnel est dans un cercle

Les millésimes indiqués n'impliquent pas une disponibilité à la vente chez le producteur. On pourra les trouver chez les cavistes ou les restaurateurs.

Tous les vins présentés dans le Guide ont été sélectionnés à l'aveugle par des jurys d'experts.
Ceux-ci jugent les vins en toute indépendance. Seul un numéro d'anonymat figure sur les bouteilles.
Aucune participation financière n'est demandée aux producteurs.
La reproduction d'une étiquette signale un vin élu coup de cœur – à l'aveugle – par le jury.

AVERTISSEMENT

Comment le *Guide Hachette des Vins* est-il élaboré ?

Ce guide présente les 10 800 meilleurs vins de France, du Luxembourg et de Suisse, tous dégustés en 2006. Il s'agit d'une **sélection entièrement nouvelle**, portant sur le dernier millésime mis en bouteilles. Ces vins ont été élus pour vous par **900 experts au cours des commissions de dégustation à l'aveugle**, parmi plus de 35 000 vins de toutes les appellations. 6 500 producteurs ont été ainsi sélectionnés.

Un guide objectif

L'absence de toute participation publicitaire et financière des producteurs, coopératives ou négociants retenus assure **l'impartialité de l'ouvrage**, dont l'unique ambition est d'être un guide d'achat au service des consommateurs.
Les notes de dégustation doivent être comparées au sein d'une même appellation : il est en effet impossible de juger des appellations différentes avec le même barème.

Un classement par étoiles

Les bouteilles portent seulement un numéro afin de préserver l'**anonymat**. Chaque vin est examiné par un jury qui décrit sa couleur, ses qualités olfactives et gustatives et lui attribue une note de 0 à 5.

0 vin à défaut, il est éliminé ;
1 petit vin ou vin moyen, il est éliminé ;
2 vin réussi, il est cité sans étoile ;
3 vin très réussi, une étoile ;
4 vin remarquable par sa structure, deux étoiles ;
5 vin exceptionnel, modèle de l'appellation, trois étoiles.

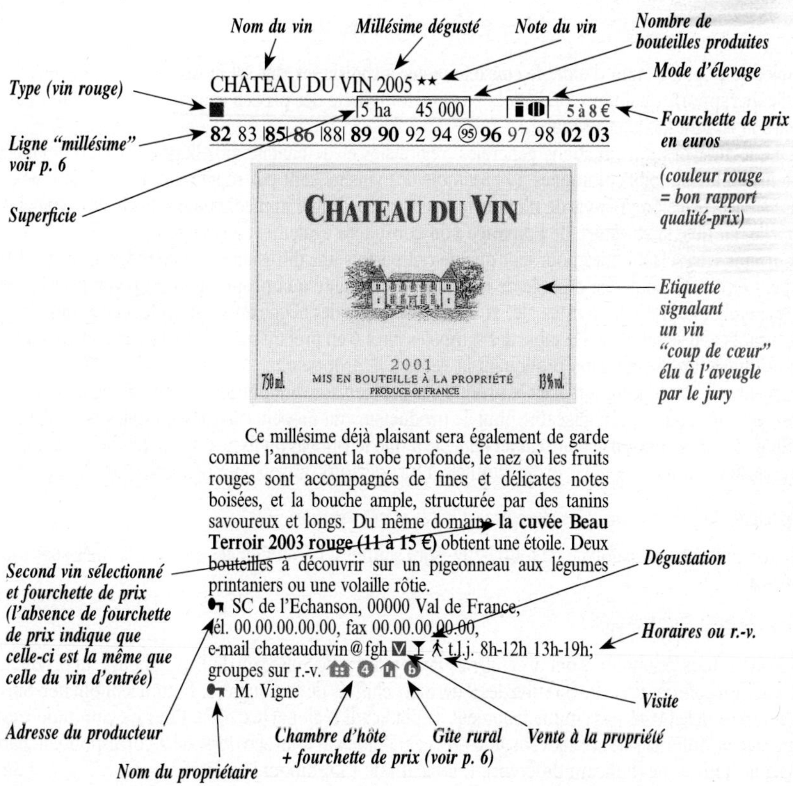

Les étiquettes coups de cœur

Les vins dont l'étiquette est reproduite constituent les « coups de cœur », librement élus, eux aussi à l'aveugle, par les dégustateurs du Guide.

Une lecture claire

Les vins sélectionnés sont répertoriés :
- par régions, classées alphabétiquement ;
- par appellations ;
- par ordre alphabétique à l'intérieur de chaque appellation.

Quelque 2 000 vins sélectionnés, sans faire l'objet d'une entrée, sont mentionnés en **caractères gras** dans la notice consacrée au vin le mieux noté du producteur. L'absence de prix signale que celui-ci se situe dans la même fourchette que l'entrée vedette.

– Quatre index en fin d'ouvrage permettent de retrouver les appellations, les communes, les producteurs et les vins.

– Les temps de garde : ils sont indiqués par les dégustateurs sous réserve de bonnes conditions de garde. On les prendra en compte à partir de l'année d'édition et non du millésime.

Les raisons de certaines absences

Des vins connus, parfois même réputés, peuvent être absents de cette édition : soit parce que les producteurs ne les ont pas présentés ; soit parce qu'ils ont été éliminés lors des dégustations.

800 gîtes ruraux et 450 chambres d'hôtes chez les producteurs sélectionnés

Le guide de l'acheteur

L'objet de ce guide étant d'**aider le consommateur à choisir ses vins** selon ses goûts et à découvrir les meilleurs rapports qualité/prix (signalés par une fourchette des prix en rouge), tout a été fait pour en rendre la lecture facile et pratique.

– Une lecture des introductions générales, régionales et de chaque appellation est recommandée : certaines informations communes à l'ensemble des vins ne sont pas répétées pour chacun d'eux.

– Le signet, placé en vis-à-vis de n'importe quelle page, donne immédiatement la **clé des symboles** et rappelle, au dos, la structure de l'ouvrage ; on consultera également les pages 4, 5 et 6.

– Certains vins sélectionnés pour leur qualité ont parfois une diffusion quasi confidentielle. L'éditeur ne peut être tenu pour responsable de leur non-disponibilité à la propriété, mais invite les lecteurs à les rechercher auprès des cavistes, des grandes surfaces et des négociants, ou sur les cartes des vins des restaurants. On se référera à la table des symboles page 6 en prêtant une attention particulière au picto ☒ qui signale les producteurs pratiquant la vente à la propriété.

– Un conseil : la dégustation chez le producteur est bien souvent gratuite. On n'en abusera pas : elle représente un coût non négligeable pour le producteur qui ne peut ouvrir ses vieilles bouteilles.

– Enfin, **les amateurs qui conduisent un véhicule** n'oublieront pas qu'ils ne doivent pas boire le vin, mais le recracher comme le font les professionnels. Des crachoirs doivent être proposés dans les caves.

Important : le prix des vins, des chambres d'hôtes et gîtes ruraux

Les prix présentés sous forme de fourchette, sont soumis à l'**évolution des cours** et donnés **sous toutes réserves**.

Numérotation téléphonique

En France, tous les numéros ont dix chiffres. Pour joindre de Suisse ou du Luxembourg un producteur français, on composera le 00.33 suivi des 9 derniers chiffres de son numéro. Pour téléphoner en Suisse, on composera le 00.41 suivi immédiatement de l'indicatif régional (ex. : 27). Pour les communications nationales à l'intérieur de la Suisse, on fera précéder l'indicatif d'un zéro lorsque le correspondant habite dans une autre zone (indicatif différent). L'indicatif du Luxembourg est le 352.

ACTUALITÉ DE LA FRANCE VITICOLE

Alors que la France a fêté en 2005 le soixante-dixième anniversaire des appellations d'origine, le mot “crise” est dans toutes les bouches. S'agit-il d'une crise structurelle ou conjoncturelle ? La viticulture française, suivant le chemin du textile, est-elle en train de se dissoudre dans l'économie mondialisée, où les pays producteurs de l'hémisphère Sud ont conquis 21 % de part de marché (10 % en 1995, 1,7 % au début des années 1980) ?

L'offre française serait-elle trop complexe, ses étiquettes incompréhensibles, ses appellations et dénominations trop nombreuses ? Certains avancent même que les petites structures familiales de production ne peuvent plus être viables. Tous les observateurs sont conscients que les marchés ont évolué ; les consommateurs sont multiples, mais deux grandes familles se dégagent, inspirant un certain nombre de propositions de réformes. Ainsi est envisagée une segmentation de l'offre en deux catégories : d'une part les vins d'appellation d'origine contrôlée « ayant un lien fort au terroir », régis par des conditions de production très strictes, et d'autre part une catégorie qu'encadrerait un système plus souple, autorisant des méthodes de vinification plus technologiques et comprenant à la fois les vins de pays et certaines appellations qui n'auraient plus droit à l'AOC.
La France, comme tous les pays viticoles jusqu'à l'Australie, subit les conséquences de la surproduction : une chute des cours ruineuse pour les producteurs. Le résultat d'une « folie de plantations » non seulement dans l'hémisphère Sud, mais aussi dans certains vignobles hexagonaux au moment où la baisse de la consommation intérieure s'accélérait. Nombre d'appellations régionales subissent de plein fouet la concurrence des vins du Nouveau Monde sur les marchés émergents, ceux des pays nouveaux consommateurs dont on dit qu'ils sont plus sensibles aux marques et aux cépages qu'à la subtile géographie des terroirs.
« Dans le monde des vins fins, il y aura toujours une France », tel est le cri du cœur d'Éric Asimov, critique spécialisé du *New York Times* dans un article de juillet 2006 ; ce vibrant plaidoyer en faveur de la diversité de la production française vient d'un pays où les ventes de vins français sont en nette reprise selon Ubifrance. En 2005, le chiffre global de l'exportation des vins de France reste considérable avec 5,594 milliards d'euros.

Quant au *Guide Hachette des vins*, soucieux de servir ses lecteurs curieux de découvertes, il continue à se faire, par l'étendue de ses sélections, l'avocat de la diversité de la production.

QUOI DE NEUF EN ALSACE ?

La crise mondiale de surproduction a touché aussi l'Alsace, même si la fin de la campagne est plus encourageante. Le millésime 2005 ? Fort honnête et même très favorable aux vins liquoreux. Le crémant reste l'un des piliers de la filière vitivinicole alsacienne. Un débat reprend de l'ampleur dans ce vignoble où le bio a le vent en poupe : celui suscité par la reprise des essais de porte-greffes OGM confiés à l'Inra de Colmar.

Ni trop ni trop peu
Ainsi dira-t-on du millésime 2005. Le gel a été intense en décembre comme en janvier, la neige abondante sur les hauteurs. Le déficit en eau s'est poursuivi cependant (150 mm seulement entre novembre et mars). Doux et humide, avril a vu le débourrement. La fleur a débuté fin mai sous des températures très élevées, jusqu'à + 30° C. De la mi-juin à la fin-juillet, la vigne a connu une poussée de végétation en raison de fortes chaleurs. Le recours aux vendanges en vert a été fréquent. Août a bien démarré et fini maussade : un soleil timide, des températures fraîches. Au moins le taux d'acidité aura-t-il été préservé. Le temps est revenu au beau les derniers jours du mois, puis s'est montré changeant jusqu'en octobre, d'où des résultats divers : ici une excellente maturité, là un peu de dilution. Les raisins destinés au crémant ont été vendangés dès le 7 septembre, ceux réservés à l'alsace et à l'alsace grand cru à partir du 22 septembre.

Pourriture noble
Le riesling affiche des résultats assez contrastés selon les secteurs, un peu juste lorsqu'il est issu de sols légers. Le gewurztraminer devrait don-

ner des vins aromatiques. Sylvaner, pinots blanc, gris et noir, auxerrois et muscat d'Alsace s'en tirent plutôt bien. Les vendanges tardives et sélections de grains nobles ont bénéficié entre le 6 et le 20 octobre d'une arrière-saison ensoleillée l'après-midi, après dissipation des brouillards matinaux : les conditions propices au développement de la pourriture noble. La possibilité d'enrichissement des moûts (la chaptalisation) a été réduite.

La récolte globale est inférieure à celle de 2004 (1 155 000 hl, soit -8,6 %) et à celles des premières années du millénaire, 2003 excepté. Le crémant représente près d'un quart de la production (274 000 hl, 23,7 %), l'alsace près de 73 % avec 840 000 hl, tandis que les grands crus fournissent moins de 4 % avec 41 600 hl. La production de liquoreux devrait être bien supérieure à celle des dernières années.

Reprise au second semestre

Toutes AOC confondues, l'Alsace a vendu 1 088 000 hl en 2005, soit 145 millions de bouteilles. Une légère hausse (+ 1,3 %) sur l'année précédente, grâce à une reprise au second semestre. Le chiffre d'affaires est de l'ordre de 480 millions d'euros. En progression de 1,6 % en volume (822 000 hl), le marché français constitue le principal débouché du vignoble ; le crémant contribue beaucoup à cette situation (153 000 hl, + 2,5 %).

Avec 29,5 % des bulles, il reste leader sur le marché français des effervescents (hors champagne). C'est aussi le crémant qui a permis à l'export (216 000 hl, - 0,2 %) de rester stable avec 266 000 hl. Celui-ci (27 600 hl) progresse de 7,7 % et de 21 % sur deux ans. En Belgique d'abord, première destination de l'effervescent alsacien, le marché est en très forte croissance (près de 20 %). L'Allemagne est à la deuxième place, mais ses achats continuent à régresser. Puis viennent le Danemark, les États-Unis, la Suède et les Pays-Bas.

En vins tranquilles, la Belgique est également le premier client de l'Alsace avec près d'un quart de parts de marché (55 500 hl). Les Pays-Bas se maintiennent en n° 2 (45 200 hl), mais sont en retrait tant en volume qu'en valeur, tout comme l'Allemagne, troisième marché qui poursuit son érosion (29 100 hl, - 9,2 % en volume, - 6,8 % en valeur). Même retrait au Danemark, en Norvège. En revanche les États-Unis (21 000 hl) progressent, notamment en valeur (cinquième client en volume mais troisième en valeur) et la Grande-Bretagne, sixième client, poursuit la même tendance, avec une progression en volume et en valeur (respectivement + 4,6 % et + 5,9 %). Peu de changements dans le classement des douze premiers clients, mais de nouveaux amateurs, à un niveau modeste : Irlande (+ 81 %), Russie (+ 54 %) et Australie (+ 14 %).

Viticulteurs biologiques et OGM

La question des organismes génétiquement modifiés se pose avec acuité en Alsace car l'Inra de Colmar, chargé des études, a obtenu l'autorisation du ministre de l'Agriculture de mener des essais en plein champ de porte-greffes de vignes transgéniques résistant au court-noué, une maladie virale mortelle pour la plante. Les recherches, engagées depuis une dizaine d'années par l'Institut, avaient été suspendues en 2000. La plantation a débuté en 2005 dans les propres champs de l'Inra.

Sans doute la polémique n'est-elle pas considérable. Dans l'esprit du combat d'Anne-Claude Leflaive en Bourgogne, Christophe Ehrhart (Domaine Josmeyer à Wintzenheim) a créé *Terre et Vin d'Alsace*, association abritée par la Maison des Vins à Colmar, et qui conteste la pertinence d'essais conduits en plein champ, soulignant les risques de diffusion. Il faut préciser que l'agriculture biologique est particulièrement dévelop-

pée dans la région, puisqu'en 2006, elle concerne 8,5 % des metteurs en marché – une cinquantaine de producteurs. Dans le contexte de la levée du moratoire sur les cultures OGM décidée l'année précédente par la Commission européenne, des interrogations se font jour : l'image du vin, déjà brouillée, risque d'être… contaminée par ces manipulations. Ces pratiques représentent-elles une menace contre la biodiversité et la variété de la production viticole ? La vigne va-t-elle suivre le chemin du maïs ?
L'Inra avait d'ailleurs mis en place une instance de concertation comprenant des vignerons et viticulteurs, chargée d'émettre des recommandations. Son rapport a été rendu public. À l'Institut, on assure que ces recherches n'ont pas d'objet commercial (on serait loin du maïs et du colza…) ; que le risque de contamination par le pollen est négligeable, puisqu'il ne s'agit que de porte-greffes ; qu'on ne produira donc pas de vin à partir de ces plants. En tout cas, ces travaux seront suivis avec une vigilance aiguë…

Kaefferkopf rejoint le grand cru
Lieu-dit au sud d'Ammerschwihr, le Kaefferkopf, délimité dès 1932, vient d'obtenir après un long combat sa reconnaissance au sein de l'AOC alsace grand cru. Aire de production : 70 ha 17 a. Les cépages autorisés sont le gewurztraminer, le pinot gris et le riesling en cépages purs, le gewurztraminer et le riesling étant obligatoires en assemblage. Seuls ces deux cépages pourront être à l'origine de vendanges tardives ou de sélections de grains nobles.

QUOI DE NEUF EN BEAUJOLAIS ?

Sur fond de débats pour sortir le vignoble de la crise, l'unanimité se fait à propos du millésime 2005 : tout le monde s'accorde à le considérer comme historique, à tout le moins dans les crus et les meilleurs villages. Le beaujolais de garde marque des points.

Volumes raisonnables
Une maturité superbe n'ayant pas souffert d'un léger stress hydrique et des vins qui seront sans doute éblouissants dans cinq à dix ans. Les morgon et moulin-à-vent culminent, mais on trouve aussi d'excellents juliénas, brouilly, côte-de-brouilly… Outre la qualité de la récolte, les vinifications sont soignées et l'élevage sous bois généralement bien maîtrisé. On parle ici principalement du beaujolais de garde, qui mérite d'être redécouvert. L'année climatique et végétative a été peu différente de celle de la Bourgogne (en un peu plus méridionale) et les vendanges ont ommencé le 5 septembre pour les 40 000 coupeurs et porteurs.
Une récolte 2005 modeste en volume (1 111 444 hl, la moyenne s'établissant naguère à 1,3 million d'hectolitre) : hormis 2003, nettement en dessous du million d'hectolitres, c'est la plus faible en volume depuis dix ans. Quantités peu considérables pour les blancs (fort remarqués cependant par les jurys du Guide), peu de beaujolais supérieurs rouges et de rosés. En beaujolais, 500 000 hl environ, en beaujolais-villages près de 300 000 hl. Les crus ? Près de 300 000 hl, avec de fortes variations entre le brouilly (61 500 hl), le morgon (56 000 hl), le fleurie (40 000 hl), et chénas, saint-amour, chiroubles ou régnié entre 10 et 20 000 hl.

It's beaujolais nouveau time !
Les exportations ont globalement diminué en 2005, par rapport à l'année précédente. Cette baisse est celle du beaujolais nouveau, qui perd 13,5 % en volume, passant de 215 500 hl à 186 500 hl. Un déclin inégal selon les pays : il dépasse les 20 % aux États-Unis et dans l'ensemble de l'UE : - 32 % en Grande-Bretagne, - 28 % en Allemagne. À l'inverse, progrès spectaculaires en Russie (+ 46 %), au Canada (+ 25,5 %), en Irlande (+ 15 %). Le vignoble vise des marchés émergents comme la Chine : on a découvert le beaujolais nouveau 2005 dans des bars branchés à Shanghai et à Pékin. On ne dit plus : « Le beaujolais nouveau est arrivé », mais *It's beaujolais nouveau time !* En France le produit demeure assez stable. En grande distribution par exemple, les ventes sont passées de 73 100 hl en 2004 à 73 781 hl en 2005.

Si l'on considère tous les types de vins, et non plus seulement les primeurs, la diminution à l'export est moins sensible (- 5,69 % en volume dans le monde et - 10,64 % dans l'UE entre 2004 et 2005). Progressent la Suisse (+ 20 %), la Russie (+ 22 %), le Canada, la Grande-Bretagne, l'Irlande. Ailleurs la baisse est générale, mais avec des nuances. Tant dans le monde qu'en Europe, les crus progressent souvent de quelques points (sauf au Japon et en Russie). La situation

est surtout préoccupante au Japon, devenu premier client avec plus de 100 000 hl (dont 87 000 hl de beaujolais nouveau). En France et pour la grande distribution, sur les neuf dernières campagnes, la vente est passée de 51 200 hl à 37 900 hl dans les crus, de 53 100 hl à 32 632 hl en villages et de 154 000 hl à 81 700 hl en beaujolais. Sauf en 2001-2002 où une reprise s'était produite, la baisse est continue.
Ces difficultés sont plus structurelles que conjoncturelles. L'Interprofession souhaite différencier les familles beaujolaises, en les distinguant notamment de l'image d'un vin de primeur. Difficile de changer une image dans l'esprit du public...

Tous ensemble ?
Crise assez vive au sein de l'Union viticole du Beaujolais, sur fond de rendements. L'affaire a éclaté en août 2005, à quelques jours des vendanges. Près d'un millier de viticulteurs répondant à l'appel de l'association *Beaujolais tous ensemble* ont manifesté devant le siège de l'UVB à Villefranche-sur-Saône pour obtenir la démission de l'équipe dirigeante. Le président, Ghislain de Longevialle, et son secrétaire général se sont démis de leurs fonctions.
Pourquoi ? L'Amicale des beaujolais-villages venait de décider, avec le soutien de l'UVB, une diminution du rendement autorisé de 57 à 52 hl/ha. Réaction hostile du porte-parole de *Beaujolais tous ensemble,* Bruno Matray, également président de l'appellation fleurie. À une voix de majorité, il est devenu ensuite le président d'une UVB favorable au rendement malgré un discours plus nuancé (arrachage avec une prime de 10 000 €/ha, libre choix pour la machine à vendanger proscrite traditionnellement en Beaujolais, aides à la reconversion).

Brèves du vignoble
Le comédien Pierre Arditi a reçu à Juliénas le Prix Victor-Peyret, tandis que le trophée 2005 a été attribué à l'œnologue Patrick Vivier (Mommessin, groupe J.-Cl. Boisset).
Les Vins Georges Dubœuf ont admis que, sur le site de Lancié, des confusions s'étaient produites entre crus et villages. « Aucun vin n'a été commercialisé et dès qu'on s'est rendu compte de cette erreur tout a été bloqué, indique Georges Dubœuf. Le directeur du site s'est démis de ses fonctions. Les volumes concernés ne représentent que 5 % de notre production. Nous avons depuis amélioré encore la traçabilité de nos vins. » Une pléiade de personnalités est venue soutenir le négociant lors de l'audience du tribunal du 4 avril 2006. Le 4 juillet, Georges Dubœuf a été condamné à une sentence beaucoup moins lourde que ce qui avait été requis. Cette affaire ne concerne que le millésime 2004.
La 210e édition de la vente des vins des Hospices de Beaujeu aura lieu le 13 mai 2007. Depuis sa reprise récente par l'équipe beaujolaise de J.-Cl. Boisset (Mommessin), les enchères portent sur des lots de bouteilles. Certains brouilly se sont vendus à 17 € la bouteille, un morgon à 16 € et un régnié dépassait les 13 €, pour un millésime 2005 apprécié notamment par des acheteurs venus d'Irlande et des Pays-Bas. L'approche est nouvelle, jouant le client plutôt que le négociant à partir de prix attractifs. L'hôpital de Beaujeu a reçu en 2006 près de 22 000 € (+ 10 %). Mieux valoriser son image et ses ventes, l'objectif est atteint.

QUOI DE NEUF EN BORDELAIS ?

Le millésime 2005 et l'année 2006 resteront marqués d'une pierre blanche en Bordelais. La qualité de la récolte autorise les adjectifs les plus dithyrambiques, d'où une campagne des primeurs record. Mais le vignoble offre un visage plus contrasté que jamais avec quelques locomotives et beaucoup de wagons à la peine : si les prix en primeur de quelques grands vins ont atteint des sommets, une crise profonde traverse la viticulture de masse et pour la première fois dans le plus grand département viticole de France, avec l'Hérault, on encourage l'arrachage primé de vignes, venu compléter une nouvelle distillation de crise.

Le millésime rêvé
Les dieux étaient avec les vignerons, et il n'y a finalement pas grand chose à dire de la météo. Sauf un mot : parfait ! Les plus anciens producteurs, ceux qui comptabilisent 40 ou 50 récoltes, utilisent alors les adjectifs les plus osés. « Seuls les mauvais vignerons ont pu rater le millésime 2005 », indiquent en chœur les techniciens.
De janvier à septembre, la saison a été marquée par plusieurs facteurs positifs. D'abord, un ensoleillement bien supérieur à la moyenne trentenaire avec des températures mensuelles plus

élevées (de 1 à 4,2 °C suivant les mois), mais sans canicule. Ensuite, une pluviométrie bien en dessous des moyennes trentenaires (- 305 mm) : une relative sécheresse à laquelle la vigne, plante rustique et résistante, a su s'adapter sans dommage réel.

Ainsi, les premières fleurs sont apparues fin mai et la floraison – rapide – s'est généralisée début juin. Juillet et août ont été superbes, mais surtout septembre, le mois crucial des vendanges : il n'est tombé que 56 mm de pluie, soit près d'un tiers en dessous de la moyenne trentenaire.

Les bans des vendanges se sont succédé alors sans pression. D'abord le 5 septembre pour les blancs. Le sauvignon, aromatique et équilibré, a tiré parti, comme les autres cépages, des bienfaisants différentiels de températures entre jour et nuit. De même pour le sémillon, avec une belle botrytisation des baies, indispensable pour confectionner les vins liquoreux. Les premières tries, pour ces vins-là, ont eu lieu à partir du 23 septembre.

Toutes les couleurs à la fête

Côté rouges, le merlot a ouvert de bal le 14 septembre, puis ont suivi les cabernets. Le millésime 2005 n'a pas fait la fortune des sucriers : les hauts degrés naturels obtenus sont l'une des principales caractéristiques de l'année. Alliés à une fraîcheur (acidité) remarquable, ils sont à l'origine de grands bordeaux. Les rouges avaient en outre des peaux riches en composés phénoliques et une puissance aromatique rarement égalée. Les bons vins venant de bons raisins, les œnologues dans les chais n'avaient plus qu'à se frotter les mains. Et les 2005 seront assurément des vins de longue garde. Au final, un fait rarissime : tous les types de vin tirent également parti du millésime. Les blancs secs comme les liquoreux, les rouges comme les rosés, la rive droite comme la rive gauche.

Campagne primeur historique

Du coup, la campagne des ventes en primeur a atteint des sommets. Comme tous les ans, plus de 5 000 acheteurs et journalistes du monde entier sont venus découvrir le millésime durant la première semaine d'avril. Et les sourires étaient sur tous les visages : les vins s'annonçaient magnifiques. Rappelons que l'opération des primeurs consiste pour l'acheteur à acquérir dès les mois de mai ou de juin (et plus tard s'il en reste…) des vins du millésime précédent qui ne seront livrés qu'un an et demi plus tard, après élevage et mise en bouteilles : pour le 2005, livraison fin 2007, voire début 2008. Suivant le principe que ce qui est rare devient cher et se réserve en amont, le client commande et paye. Les producteurs, plus les courtiers et les négociants en tant qu'intermédiaires, sont alors payés avant même que les vins soient finis. Et tout le monde est content.

Ce système, unique en France (d'autres vignobles s'y essayent timidement) semblait avoir atteint son apogée avec le très symbolique millésime 2000. Il a fait encore mieux avec le 2005. Les hausses de prix frisent les 60 % en moyenne pour le 2005 et les 25 % pour le 2 000 ! « C'était la folie, tout le monde en voulait » ont commenté en chœur les courtiers et négociants spécialisés. Ces vins mis sur le marché en primeur ont représenté quelque 400 étiquettes cette année – les plus prestigieuses. Ils totalisent moins de 5 % des volumes produits en Gironde. Une niche haut de gamme qui ne doit pas occulter la crise malgré sa couverture médiatique.

Spéculation

À près de 80 %, ce sont les étrangers qui ont acheté en primeur, Britanniques et Américains en tête. Avec pour beaucoup, l'idée de spéculer : ce qui s'achète 100 en juin peut se revendre trois ou quatre fois plus cher les années suivantes. Ici, le vin est plutôt l'équivalent d'un yearling à Deauville ou d'un Renoir chez Christie's. Un autre monde duquel beaucoup vont se sentir exclus. Les très grands (Latour, Margaux...) sont en effet sortis sur la place de Bordeaux à des prix inégalés. Une fois ajoutées les marges des intermédiaires et les taxes, le client final aura déboursé autour de 500 € la bouteille ! Soit, pour un seul flacon, plus que le tonneau de 900 litres de l'AOC bordeaux blanc 2005, à son cours de juin dernier !

L'arrachage après la distillation

L'année 2006 aura vu le vignoble bordelais s'enfoncer globalement dans la crise. La plus grave depuis le début des années 1970, même si la santé économique peut varier chez les 6 400 exploitations recensées (pour 12 600 châteaux) et les 200 négociants actifs. Certaines propriétés manquent de vin alors que d'autres ne trouvent plus de clients. La plupart des caves coopératives (un quart de la production totale) sont en difficulté. Le vignoble traîne les stocks de l'abondante récolte 2004 et les efforts consentis sur les rendements 2005 (la récolte est de 6,3 millions d'hectolitres, soit -18 % par rapport à 2004) n'ont pas permis un rééquilibrage de la situation. Et ce malgré une légère reprise des exportations les derniers mois.

Il ne faut pas oublier que le vignoble bordelais est passé de 100 000 ha à 125 000 ha entre 1992 et 2006 : la surproduction explique la crise. Il a fallu recourir à des instruments jusqu'alors inusités dans un vignoble glorieux habitué à d'autres égards. Avec la distillation de crise et l'arrachage primé, le Bordelais se « méridionalise ». Après l'échec de la distillation de 2005 (le prix proposé par Bruxelles étant en dessous des coûts de production, peu de producteurs ont souscrit à cette mesure volontaire), il a fallu recommencer en 2006.

Sur le front de l'arrachage, c'est 1 820 ha qui ont vu passer le bulldozer en cette année 2006, pour un vignoble bordelais comptant 125 000 ha. Les volontaires ont touché jusqu'à 15 000 €/ha, un prix jamais proposé en France (sauf pendant quelques campagnes dans les Charentes). Cela a été possible grâce à un emprunt – garanti par l'État – souscrit par l'interprofession pour abonder la prime européenne. Une mesure inédite dans l'Hexagone. Alors que les dossiers ne sont pas encore déposés pour les arrachages 2007, les spécialistes tablent sur trois à quatre fois plus d'hectares souscrits. Rappelons que l'objectif est d'éliminer 10 000 ha en trois campagnes.

2005 ne profite pas au vrac

Cette situation tendue a amené des actions de protestation tout au long de la campagne. En décembre 2005, en plein centre-ville de Bordeaux, les portes d'accès des locaux de l'interprofession ont été murées par des manifestants issus des rangs FNSEA/JA, mécontents des cours trop bas. Quelques jours plus tard, le syndicat des bordeaux et bordeaux supérieurs, qui totalise la moitié des volumes girondins, a instauré pendant les premiers mois de 2006 un blocus des ventes au négoce du bordeaux rouge 2005 à moins de 1 000 € le tonneau (unité de mesure professionnelle de 900 l).

Une mesure sans précédent en France, mais qui n'a pas atteint les résultats escomptés. Malgré l'engagement officiel du négoce à valoriser à son juste prix ce millésime haut de gamme, ce coup de poker échoua. En quelques mois le volume des transactions s'est écroulé sur le 2005 (alors que le 2004 tirait son épingle du jeu). Encore une fois, il est démontré que ce sont la succession des millésimes et les quantités produites qui déterminent les cours en gros, plus que la qualité intrinsèque d'une année. Très bien valorisé en primeur, le 2005 ne l'a pas été sur les marchés de vrac, qui font vivre bien plus de professionnels. Peut-être le sera-t-il, pour les volumes restants, dans les prochains mois. Cela dépend essentiellement de la vendange 2006.

La pression, de la part de la base, est allée jusqu'à la détérioration d'installations chez des négociants, le vidage d'une remorque de fumier devant les locaux d'un courtier, et le vol de listings de transactions (entre producteurs et négociants) au siège de l'interprofession, ce qui a entraîné un dépôt de plainte. Las de la situation, le négociant Christian Delpeuch, pourtant pressenti pour être reconduit une troisième année à la tête de l'interprofession, le poste-clef du vignoble, a jeté l'éponge. Il a été remplacé le 10 juillet 2006 par le vigneron Alain Vironneau, président du syndicat des bordeaux-bordeaux supérieurs, et qui a bien du pain sur la planche

Brèves du vignoble

Dans cette situation agitée, les ventes de châteaux prestigieux passent pour des épiphénomènes : Château Guiraud (1er cru classé de sauternes,

128 ha) est acquis par la FFP, holding industrielle et financière dirigée par Robert Peugeot, premier actionnaire de PSA ainsi que par Xavier Planty, ancien directeur du cru, les Neipperg et le domaine de Chevalier ; Château Cantenac-Brown (3e cru classé de margaux), acheté à Axa par Simon Halabi, homme d'affaires britannique d'origine syrienne ; Château Montrose (2e cru classé de saint-estèphe), acquis par les frères Bouygues qui en confient la direction à Jean-Bernard Delmas, ancien régisseur de Haut-Brion ; Château Marquis d'Alesme-Becker (3e cru classé de margaux) par Hubert Perrodo (Château Labégorce-Zédé). Au moment où nous mettons sous presse, Château Soutard, cru classé de saint-émilion, est en passe de changer de mains.

QUOI DE NEUF EN BOURGOGNE ?

La Bourgogne retrouve sur son chemin un grand vin. En rouge comme en blanc, les 2005 sont remarquables à ce stade de leur évolution. « Un millésime top model », lançait Roland Masse, régisseur des Hospices de Beaune à la veille d'une vente historique, confiée pour la première fois à un professionnel des ventes aux enchères, Christie's.

Sous le signe du soleil

Si la précocité de 2003 reste dans les annales, les vendanges 2005 ont été ici rapides. Elles se sont déroulées pour l'essentiel du 10 au 20 septembre, les Maranges fermant le ban. La disparité des niveaux de précipitations d'un vignoble à l'autre, parfois d'une commune à sa voisine, explique la réduction cette année des écarts de maturité entre les différentes « sous-régions » : quinze jours du sud au nord, contre trois semaines habituellement.

L'hiver a été en dents de scie mais sans difficultés. À partir de début juillet a régné un beau temps ensoleillé et sec, frais durant la nuit. La grêle de juillet n'a pas eu trop de conséquences sur le raisin sauf en Côte de Beaune. La sécheresse a ralenti çà et là la maturité, mais de petites pluies ont arrangé les choses. La bise, le vent du nord, très présent en été, a préservé la Bourgogne des maladies. Le pinot noir présente une pellicule très épaisse : bon signe. Le chardonnay est parfait. Tous deux ont un excellent équilibre sucre-acidité et les quelques foyers de pourriture n'ont pas créé de difficultés. En Chablisien, après un hiver plus marqué, on a observé un bon départ de végétation, quelques précipitations puis beaucoup de soleil. Le cumul annuel de l'insolation 2005 (1 211 heures) dépasse de 130 heures 2004 et de 90 heures la normale sur trente ans. La pluviométrie est restée faible, d'où cette qualité pour les cépages bourguignons.

Bilan positif à l'export

Malgré des conditions climatiques assez favorables à l'expansion de la végétation, la récolte de 1 514 800 hl est en diminution de 3,5 % en volume par rapport à 2004 (-1,6 % pour les rouges et -4,3 % pour les blancs et les crémants). Variable, cette baisse est surtout sensible en Côte-d'Or (-5,1 %) et particulièrement dans les villages blancs de la Côte de Beaune, parfois grêlés. Elle atteint 11,5 % pour les blancs de Côte-d'Or, Elle est de 3,1 % en Saône-et-Loire, de 2 % dans l'Yonne.

La Bourgogne joue l'export. C'est l'une des rares régions à afficher des chiffres positifs sur 2005 : + 1,5 % en valeur. Cette année, les chiffres sont également positifs en volume : + 6 %, presque 5,5 millions de bouteilles. Blancs et rouges sont au coude à coude et le crémant-de-bourgogne s'envole (+27 %). Les exportations se concentrent sur douze marchés qui représentent plus de 90 % des ventes et onze sont en croissance. Aux États-Unis (deuxième client), les rouges explosent, en raison d'un nouvel effet de mode. La Bourgogne s'implante dans les pays émergents (Russie, Corée du Sud).

En France, la consommation au restaurant s'effrite depuis trois ans. La Bourgogne semble s'en tirer un peu mieux, avec une perte de 2 % sur trois ans. Curieusement, l'effet-gendarme jouerait beaucoup plus sur le rouge (- 18 %) que sur le blanc (+ 9 %).

Annonces de réformes

Les limitations de production, recommandées par les instances économiques, la réforme des agréments, envisagée par le ministère de l'Agriculture et approuvée par l'interprofession se heurtent à l'hostilité des vignerons confrontés à la crise. Début septembre 2005, plusieurs centaines de vignerons du Mâconnais saccagent les locaux de l'INAO. Comme partout en France, au millésime 2008, les syndicats d'appellation devront laisser la place à des organismes de gestion agréés qui procéderont à des audits du vignoble et de chaque cuverie. Volnay, Chassagne-Montrachet, Meursault et Viré-Clessé appliquent déjà cette réforme. Ici comme ailleurs, contrairement aux principes fondateurs des AOC, les syndicats ne feront plus la loi. L'interprofession admet la division des appellations entre AO et AOC. Le but de ce clivage ? Permettre aux AO, qui relèveraient de contraintes de production assouplies, de se battre contre la concurrence étrangère – sans trop s'inspirer des usages loyaux, locaux et constants : les producteurs pourraient avoir recours aux copeaux, à la règle des 85/15 (15 % d'un autre millésime que celui indiqué sur l'étiquette)… comme les y autoriseraient les derniers règlements de l'OCM. Tout cela fait débat…Le consommateur y gagnera-t-il ?

Christie's saisit le marteau

Christie's réussit à vendre, le 2 mars 2006 à New York, six magnums de romanée-conti 1985 pour 170 000 dollars. En novembre 2005, la maison a animé la vente des vins des Hospices de Beaune. Les ventes sont en hausse (+11 %). Innovation : une vente de bouteilles la veille, toujours par Christie's : 3 000 bouteilles de « vieux vins de la Réserve des Hospices ». Autre nouveauté : on pouvait acheter la première pièce d'un lot sans acquérir les autres... Aux Hospices de Nuits-Saint-Georges, pas de changement. Le millésime 2005 a produit 460 000 € (+7,67 %).

Brèves du vignoble

L'INAO sacre l'AOC bourgogne Tonnerre blanc au sud de l'Yonne : six communes en chardonnay et en AOC sous-régionale, sur une aire de production de 750 ha.

La Confrérie des Chevaliers du tastevin fêtera son 1000e chapitre au printemps 2007.

La prochaine Saint-Vincent tournante aura lieu à Nuits-Saint-Georges les 27 et 28 janvier 2007. En 2007, la Saint-Vincent tournante du Chablisien se déroulera à la Chapelle-Vautelpeigne, dont le grand seigneur est Fourchaume. Les Grands Jours 2006 ont eu un réel succès.

Un événement : Bouchard Père & Fils (Champagne Henriot) inaugure une immense cuverie (20 000 hl) à Savigny-lès-Beaune, sur des caves creusées à plus de 10 m sous le sol. Jean-Claude Boisset, avec Louis Bouillot (sa filiale de crémants), crée à Nuits-Saint-Georges, sur 1 200 m², *l'Imaginarium/Magie des Bulles :* un site touristique inédit. Jean-Claude Boisset achète Saint-Raphaël à Bacardi Martini. Belvédère (Beaune) acquiert 69 % de Marie-Brizard.

Michel Laroche (Chablis) s'installe en Afrique du Sud, dans la région de Stellenbosch (achat de Avenir Wine Estate sur 55 ha de vignobles, en association avec Axa).

Une nouvelle maison est fondée à Meursault par Michel Roucher-Sarrazin et l'Américain Michael Shaps, tous deux venus de Chartron & Trébuchet. La Maison Remoissenet Père & Fils (Beaune) est cédée à deux Américains, Edward et Howard Milstein (partenaires minoritaires : l'agent canadien Todd Halpern et la maison Louis Jadot). Veuve Ambal (Éric Piffaut) rachète la maison Delorme à Rully (crémant) dont les vignes restent la propriété des Delorme. Alex Gambal s'installe dans les anciens locaux de Bouchard Aîné & Fils à Beaune. Lord Sainsbury of Turville, ministre des Sciences et de l'innovation au sein du gouvernement de T. Blair et membre de la famille qui a donné son nom à une chaîne de supermarchés, acquiert un vignoble à Vosne-Romanée. De taille modeste, celui-ci est désormais géré par le Domaine Dujac. Ce dernier ainsi que plusieurs investisseurs privés et Étienne de Montille acquièrent les Domaines du Clos de Thorey et Charles Thomas (clos-de-vougeot, corton Clos du roi, Malconsorts à Vosne, sur 18 ha dont 10 en 1ers crus et grands crus). Michel Picard (ici au Château de Chassagne-Montrachet) acquiert les 7,5 ha du domaine Bernard Colin, en chassagne et en puligny village et 1er cru. David Duband reçoit le métayage du domaine Jacky Truchot à Morey-Saint-Denis, acquis par François Feuillet, le patron de Trigano (7 ha sur Gevrey, Morey et Chambolle, dont charmes-chambertin et clos-de-la-roche).

QUOI DE NEUF EN CHAMPAGNE ?

Sur l'océan du vin, il reste une île au trésor. Pour la deuxième fois de son histoire, la Champagne a vendu plus de 300 millions de cols. Le millésime 2005 offre d'excellentes perspectives, même si toutes les maisons ne sortiront pas de cuvées millésimées.

Le beau temps des vendanges

L'année commence par un temps doux et sec. On connaît le dicton peu risqué : « À la Saint-Vincent, l'hiver meurt ou reprend. » En effet, dès le 23 janvier, les frimas s'installent. Jusqu'à la mi-mars, la neige est assez fréquente et elle retarde la taille. Puis vient un printemps mitigé, où soufflent le chaud et le froid. Le déficit hydrique demeure important (-40 % par rapport à la moyenne sur huit mois). Le débourrement accuse un léger retard (quelques jours) : 15 avril en chardonnay, 17 en pinot noir, 19 en pinot meunier.

Début mai connaît une période estivale, puis la végétation marque le pas avec une chute des températures. Après le retour de fortes chaleurs, la floraison intervient du 15 au 19 juin. Le mildiou apparaît dès la fin juin en raison de pluies très abondantes (jusqu'à 150 mm entre le 20 juin et le 10 juillet dans plusieurs secteurs) et de chaleurs importantes. La Côte des Bar est particulièrement touchée et ces attaques se poursuivent en août.

L'inquiétude s'installe aux premiers jours de septembre, tant la météo est chaotique. Les vendanges commencent le 10 par un temps frais et sec. Le soleil revient sur scène. Sauf durant la dernière période (fin septembre), les vendanges sont satisfaisantes, d'autant que les nuits fraîches freinent les foyers de botrytis observés quelquefois en pinots noir et meunier.

L'année des blancs de blancs ?

Le rendement maximum autorisé est fixé à 13 000 kg/ha dont 1 500 kg de réserve qualitative. Les grappes affichent un poids supérieur à la moyenne ainsi qu'une très belle richesse en sucres. Le degré potentiel moyen des moûts s'établit à 9,9 % vol. et l'acidité totale à un bon niveau. Le rendement moyen est de 12 880 kg/ha. La récolte s'élève à 1 287 000 pièces.

Les moûts de chardonnay apparaissent exceptionnels. Le pinot noir est un peu moins heureux, avec une maturité phénolique moyenne. Quant au pinot meunier, s'il a produit d'énormes raisins, il a souvent déçu (dilution, pourriture). Les blancs de blancs seront donc millésimés assez souvent, comme Comte de Champagne de Taittinger ou Dom Ruinart, mais pas chez Krug. On trouvera du Cristal 2005 chez Roederer, du Laurent Perrier, du Bollinger et du Deutz 2005.

Les vins de fête toujours à la fête

Les expéditions atteignent les 307 millions de cols, dont 207 millions par les maisons de Champagne et 100 millions par les coopératives et les récoltants. La France représente 58 % du marché – un marché occupé en assez forte proportion par les coopératives et récoltants (47 % du total). En revanche, l'export (42 % du marché) est largement dominé par les maisons (87,5 % du total).

En tête, la Grande-Bretagne avec 36,3 millions de cols, suivie par les États-Unis (20,6 millions), l'Allemagne (11,9 millions), la Belgique (9,3 millions), l'Italie (8,8 millions), le Japon (5,9 millions) ; la Suisse, les Pays-Bas, l'Espagne et… l'Australie (plus de 2 millions).

Brèves du vignoble

Le Comité interprofessionnel ouvre trois nouveaux bureaux en Inde, en Chine et en Russie (mars 2006). Le groupe Deutz-Delas (Roederer) achète 18 ha en crozes-hermitage. Le groupe Boizel-Chanoine-Champagne reprend le groupe Lanson International (Lanson, Besserat de Bellefon, Alfred Rothschild, Massé et Gauthier) ; un accord a été conclu avec les Armagnacs Castarède. Le fonds d'investissement Starwood Capital acquiert Taittinger-Société du Louvre pour ses hôtels et cède un peu plus tard le Champagne Taittinger au Crédit agricole du Nord-Est venu apporter son aide aux membres de la famille désireux de reprendre cette maison (590 millions d'euros) avec des partenaires. Le vignoble des Carneros en Californie ferait partie du lot. Karl Lagerfeld a signé la campagne publicitaire de Dom Pérignon vintage 1998 (à la mi-2005). Première promotion (Lionel Poilâne) de l'Institut des hautes études du goût, de la gastronomie et des arts de la table créé sous l'égide de l'Université de Reims-Champagne-Ardenne.

QUOI DE NEUF DANS LE JURA ?

Si le vignoble jurassien vit des relations passionnées et parfois conflictuelles avec la météo, une sorte de miracle s'est produit en 2005 : une belle année de garde, tant en rouge qu'en blanc.

Modestie des volumes, qualité de la récolte
Avec une floraison en avance, du 2 au 10 juin selon les cépages, la vigne a conservé sa précocité par temps chaud et sec. Les vendanges s'annoncent sous de bons auspices en septembre : les raisins sont sains, les foyers de pourriture rares. Les vendanges débutent le 5 septembre en crémant, le 15 septembre pour l'arbois, l'étoile et les côtes-du-jura, un peu plus tard pour le château-chalon. Acidité, richesse en sucre, bel état sanitaire, l'optimum est atteint. En rouges, le poulsard est d'une maturité exceptionnelle. Le trousseau peut-être un cran en-dessous, mais on connaît sa capacité d'adaptation à des vinifications plus modernes. Le pinot est assez complexe, tout en finesse. En blancs, le savagnin possède une architecture remarquable et le chardonnay se montre opulent. Les experts prédisent une excellente garde en rouge. La récolte s'élève à 88 765 hl (loin des 112 000 hl du millésime précédent).

Des produits identitaires
Le Jura connaît lui aussi des difficulté commerciales. Par rapport à 2003-2004, la campagne 2004-2005 est en diminution de 4,67 %. Cependant les produits identitaires se portent bien. Ainsi le macvin-du-jura progresse-t-il de 4,55 %, le château-chalon de près de 23 %, l'étoile (en vin jaune) de 84 % ! Le vin de paille de 5,25 %. Malheureusement, ces spécialités sont produites en faibles volumes. Les crémants (+ 6,8 %) ont pris le relais des mousseux.
Sans doute le Jura a-t-il misé avec succès sur la vente en bouteilles, la vente en vrac représentant moins de 5 % des sorties. Mais l'export reste son point faible (2,88 % des ventes). Le marché se répartit entre 24,29 % pour les coopératives, 34,83 % pour les producteurs et 40,89 % pour les négociants.

Brèves du vignoble
Le patrimoine culturel réuni par Henri Maire a été entièrement dispersé aux enchères. Sa fille Marie-Christine Tardy-Maire dirige la maison et redevient la présidente du Comité interprofessionnel des vins du Jura. Elle se déclare favorable à la promotion commune avec le fromage de Comté, à des objectifs de commercialisation sur le Nord-Pas-de-Calais et l'Île-de-France. À l'étude, une AOC côtes-du-jura-villages. La Percée du Vin Jaune 2007 aura lieu les 3 et 4 février à Salins-les-Bains.

QUOI DE NEUF EN SAVOIE ?

Sauf sur les bords du Léman affectés par la grêle, 2005 laisse d'heureux souvenirs en Savoie. La crise mondiale affectant aussi la région, ce millésime devrait permettre de contrer une diminution des ventes qui devient préoccupante.

Après un hiver plutôt sec et froid jusqu'à la mi-mars, la douceur s'est installée jusqu'à la fin mai. Dès le début, l'été s'est montré très chaud, avec un déficit de précipitations. Des orages parfois violents ont éclaté en juillet, affectant les vignobles de Marin, Ripaille et Marignan sur les rives du Lac Léman.
En août, des pluies fréquentes ont permis d'éviter le stress hydrique sans affecter l'état sanitaire des raisins : on n'a pas déploré de pourriture grise. Une belle arrière-saison a facilité les vendanges, qui se sont déroulées de la mi-septembre à la mi-octobre. Sur la période végétative, les températures sont restées dans la moyenne, et la pluviométrie a été inférieure à la normale. La récolte est de 133 000 hl. Elle était de 140 000 hl en 2001 et 2002, de 122 000 hl en 2003, de 145 000 hl en

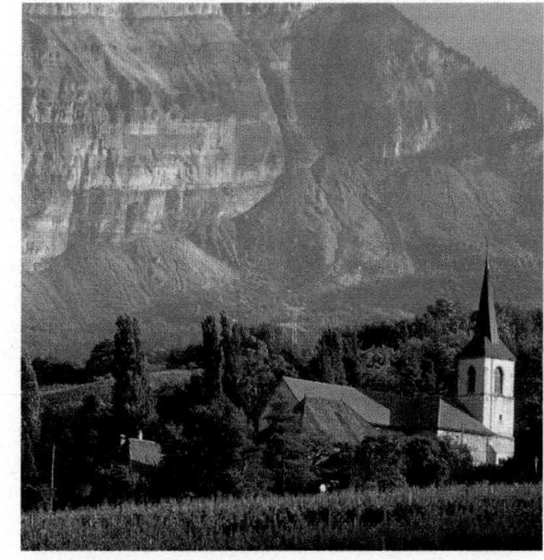

2004. Les rendements ont été maîtrisés, et la Savoie s'engage dans la lutte raisonnée.

Réagir à la crise

Les vins sont sincères, pourvus naturellement en sucre et en acidité. En rouge, la mondeuse se taille la part du lion, devant le gamay et le pinot noir. En blanc, l'altesse mérite bien son nom : c'est la tête couronnée de l'année. La jacquère est moyenne, le bergeron de qualité. Dans l'ensemble, l'année a donné de bons vins capables d'une garde honorable.

Le marché accuse une diminution légère, mais constante depuis 2003. Le problème de la Savoie n'est pas sans rappeler celui du Beaujolais qui pâtit de la saisonnalité de son beaujolais nouveau : ses vins de sports d'hiver n'intéressent guère la clientèle le reste de l'année. Réussiront-ils à sortir de la Savoie pour conquérir les marchés ?

QUOI DE NEUF EN LANGUEDOC-ROUSSILLON ?

Après un 2004 qui n'était pas sans vertus, 2005, marqué par la sécheresse, promet des vins élégants. Pourtant, trente ans après les émeutes tragiques de Montredon, des saccages et voies de fait ont terni le début de l'année, comme en 2005. Le retour de la violence souligne le caractère aigu de la crise dans la région. Les AOC consacrées ces dernières décennies, si elles ont permis des progrès qualitatifs et de belles réussites individuelles, ont-elles tenu leurs promesses économiques ? La création d'une appellation régionale languedoc, le langage des simplificateurs conjureront-t-ils la friche ?

2005 sous le signe de l'élégance…

Un hiver déficitaire en pluie, un été chaud et venté mais gardant des nuits fraîches, des orages début septembre suivis d'un retour du beau temps, les conditions climatiques de l'année ont généralement abouti à une maturité équilibrée, tout au moins lorsque les vignerons ont été attentifs à l'état sanitaire de leur vendange.

Une fois de plus, les cépages languedociens (carignan, grenache, cinsault, mourvèdre), grâce à leur résistance au vent et à la sécheresse, se sont particulièrement bien comportés. En AOC coteaux-du-languedoc, comme en corbières, côtes-du-roussillon ou fitou, les rouges à majorité de grenache et de carignan sont souvent superbes, avec du fruit, des tanins ronds et un bel équilibre porté par l'acidité. Pour les blancs de la région, 2005 restera comme un millésime de référence, tant pour leur richesse aromatique que pour la finesse de leur texture.

Du fait de la sécheresse, la récolte 2005 est en baisse de 9 % par rapport à la moyenne des cinq dernières années. La production régionale 2005 est de 15,9 millions d'hectolitres, dont les deux tiers en vins de pays (10,6 Mhl) et 19 % revendiqués en AOC (3 Mhl).

Les AOC et vins de pays en difficulté

Les statistiques donnent la mesure de la crise que traversent les AOC du Languedoc-Roussillon. À l'exception du hard discount (15 à 18 % des ventes), il n'est pas un créneau de commercialisation qui échappe au recul. En 2005, les AOC du Languedoc ont encore régressé de trois millions de bouteilles (douze millions en cinq ans !) dans la grande distribution française, leur principal débouché avec un peu plus de 50 millions de bouteilles (contre 12 millions pour les cavistes). Les ventes ont également chuté de 17 % dans la restauration française. À l'export aussi, les AOC du Languedoc sont en nette baisse, en volume et surtout en valeur… à l'exception des effervescents de Limoux (+12,75 % en volume et +15,6 en valeur selon Ubifrance). La distillation de 120 000 hl d'AOC du Languedoc, en août 2005, a supprimé des stocks sans assainir le marché : en deux ans, les ventes de vins en vrac ont chuté de 200 000 hl ; le prix moyen s'établissait à 80 €/hl, soit près de 16 millions d'euros.

Côté vins de pays, si la demande reste soutenue pour les vins de cépage, notamment dans la grande distribution française (+15%) qui représente le tiers des ventes, le contexte général pèse là encore et les prix sont tirés vers le bas. Le sauvignon et la syrah sont les cépages les mieux rémunérés, mais chardonnay et merlot restent les plus vendus en volume.

Le spectre de la friche

La chute des ventes, tant en volume qu'en valeur, a évidemment de lourdes conséquences sur les exploitations de la région. Plus des trois quarts d'entre elles seraient désormais en difficulté. L'arrachage définitif primé fait peser de lourdes menaces, non seulement sur la viticulture, mais également sur l'économie et le paysage de la région. En 2006, le vignoble du

Languedoc-Roussillon sera amputé de 12 000 ha (sur un total de 275 000) ; les deux départements les plus touchés sont l'Aude (4 000 ha) et l'Hérault (3 555 ha). Mais, déjà, les experts s'attendent à des arrachages plus massifs encore l'an prochain.

L'AOC régionale

La reconnaissance par l'INAO d'une appellation régionale languedoc (couvrant le Languedoc et le Roussillon), qui pourrait être validée en novembre 2006, est pour certains un motif d'espoir. Philippe Coste, le nouveau président du Conseil interprofessionnel des vins du Languedoc, y voit une « occasion de reconstruire une complémentarité et une identité commune régionales, avec une AOC faisant office de produit référent dans une gamme régionale intégrant les crus et les vins de pays ».

Pour les AOC, l'enjeu est de taille, tant elles ont connu une forte régression ces dernières années, revenant au niveau de production de 1994 – sans que cette baisse ait un effet positif sur les prix puisqu'un tiers des vins vendus en vrac en 2004-2005 l'a été à 60 € l'hectolitre alors que la moitié des volumes s'était négociée dans la fourchette 80-90 € dix ans plus tôt. L'appellation régionale pourrait permettre de reconstituer le segment dominant dit du « cœur de gamme », à 90 € l'hectolitre de vrac (soit environ 3 € la bouteille pour le consommateur). Cela clarifiera-t-il le positionnement des AOC ?

Sud de France, bannière commune

Aiguillonnée par le conseil régional, dont le président Georges Frêche en avait fait une condition préalable à l'octroi des aides publiques au secteur, la naissance d'une marque régionale Sud de France/South of France, servant d'ombrelle à toute la production du Languedoc-Roussillon, a été officialisée en février lors du salon Vinisud à Montpellier. Quatre mois plus tard, le 30 juin, s'est mise en place Inter Sud de France, fédération des quatre interprofessions de la région (CIVL et CIVR pour les AOC, Inter'Oc et Anivit régionale pour les vins de pays). Celle-ci est chargée de piloter l'ensemble de la filière vin régionale : gestion de l'offre, promotion et communication, suivi de la qualité des produits mis en marché…

Signe des temps et du désarroi des représentants des producteurs, c'est l'un des négociants de la région – dont certains ont encore été victimes cette année d'attentats du Comité régional d'action viticole –, le président régional du négoce, Guy Sarton du Jonchay (directeur des achats de la société Chais beaucairois) qui a pris la présidence d'Inter Sud de France. Avec l'ambition aussitôt affichée d'obtenir une modification des conditions de production (rendements, pratiques œnologiques) permettant au Languedoc-Roussillon de retrouver la compétitivité sur le marché international. Le consommateur est en droit de se demander si une telle inflexion ira dans le sens de la qualité…

QUOI DE NEUF EN PROVENCE ?

Une Provence en bleu et rose. Couleur bleue du ciel estival, pur mais vraiment avare en eau. Pluie venue à contretemps, récolte abondante mais contrastée, et qui donne une prime au savoir-faire. Couleur rose des vins dans un vignoble qui mise plus que jamais sur un rosé très populaire, cheval de bataille de la région.

De l'eau !

Une nouvelle fois, le bleu du ciel a dominé durant la période végétative de la vigne. Ce ciel pur, combiné à un été particulièrement venté, a entraîné une sécheresse à laquelle ont répondu des restrictions préfectorales visant à préserver les maigres ressources en eau. Les vignes, pour la troisième année consécutive, ont souffert de ce déficit hydrique et y ont répondu par une fructification accrue. Si certains cépages, comme le cinsault, n'ont guère été atteints, d'autres variétés, tel le grenache, plant pourtant méridional, ont vu dépérir leurs rameaux, et même leurs pieds.

Dès lors s'est posée, une fois de plus, la question de l'irrigation. Ses promoteurs ne sont pas animés par des soucis productivistes mais cherchent à préserver leur outil de production et la qualité de la récolte. Ils plaident pour un apport d'eau raisonné, pour une irrigation pratiquée à seule fin d'éviter les phases de blocage de la maturation des baies. En juillet 2006, un décret est en préparation : il maintiendrait l'interdiction de l'irrigation, en admettant des dérogations. Une question connexe à celle de l'irrigation, celle des modes de conduite, voire des choix de variétés adaptées à ces nouvelles conditions climatiques. Les pluies tant attendues sont arrivées trop tard et surtout au plus mauvais moment, venant perturber de nombreuses vendanges. La vinification a nécessité, encore plus qu'à l'accoutumée, la mise en œuvre de tout le savoir-faire des producteurs.

Le vin dans le rouge, la Provence en rose
Au sein d'une récolte abondante (près de 1 Mhl en AOC côtes-de-provence), les vins rosés affirment plus que jamais leur prééminence : 85 %, pour 12 % de rouges (en baisse) et 3 % de blancs. Leur pourcentage dans la production atteint des chiffres jamais égalés jusqu'alors. Cette place des rosés répond à l'évolution de la consommation qui leur accorde une part croissante (notamment à l'étranger, où les côtes-de-provence sont à la hausse, tant en volume qu'en valeur – respectivement de 9,3 % et de 12,9 % selon Ubifrance, les transactions portant cependant sur des volumes assez faibles, 59 000 hl). La Provence a donc misé sur sa couleur dominante. Cependant, même sur ce marché, des signes de tassement mettent les producteurs en alerte.
Face à cette crise, les professionnels recherchent une meilleure gestion des stocks (incitation à la distillation de crise) et des récoltes (maîtrise des rendements, diminution des possibilités de plantation…).

Dans le même bassin que le Rhône…
Ces réflexions régionales s'inscrivent au sein des évolutions nationales : elles sont tributaires des réformes gouvernementales contenues dans la loi d'orientation agricole instaurant des conseils de bassins viticoles et des mutations qui touchent l'INAO (réécriture des décrets, segmentation de l'offre, réforme de l'agrément). Forts de l'identité du vignoble provençal et de la place tenue par ses rosés, les acteurs locaux de la filière vin souhaitaient presque unanimement voir reconnaître un conseil de bassin viticole propre à la région. Pourtant, les nouveaux textes gouvernementaux l'ont intégré dans un vaste bassin comprenant aussi la vallée du Rhône, comme il y a un peu plus de vingt ans, avant la séparation des deux comités régionaux.

Brèves du vignoble
La réécriture des décrets s'est poursuivie, donnant lieu à des projets en attente d'examen par le comité national. Ces projets, pour la quasi-totalité des appellations, tendent à resserrer les règles de production, à affirmer l'identité de la région dans son encépagement et les assemblages et à renforcer le lien au terroir.
Les travaux de hiérarchisation au sein de l'appellation côtes-de-provence se poursuivent. Le décret officialisant la dénomination Fréjus est paru en octobre 2005 (récolte 2005). Pour La Londe, le projet de décret devrait être examiné fin 2006 ou tout début 2007. Autres chantiers en attente : Pierrefeu-Cuers, Cotignac-Montfort, Saint-Tropez. Quant aux coteaux varois, ils s'appellent à partir de 2005 « coteaux-varois-en-provence ». Des baux-de-provence blancs ? Les producteurs de cette AOC ont formulé une demande de reconnaissance en ce sens.
Même s'il ne s'agit pas de célébrer le premier anniversaire de l'AOC côtes-de-provence Sainte-Victoire mais de fêter l'année Cézanne, un concert a réuni le 5 juillet 2006, au pied de la Montagne Sainte-Victoire, 10 000 spectateurs venus écouter la Ve Symphonie de Mahler interprétée par l'Orchestre philarmonique de Berlin.

QUOI DE NEUF EN CORSE ?

Récolte 2005 : un début inquiétant, une fin magnifique. Le ban des vendanges 2005 a été célébré sous la pluie. Heureusement, le beau temps est revenu. Les vignerons ont poursuivi leur récolte dans la sérénité. En fin d'année, un nouveau syndicat viticole a été mis en place.

Rosés insulaires
Après une campagne viticole plutôt calme, on a pu croire, dans la dernière décade d'août, que 2002 recommençait : 200 mm d'eau sont venus contrarier l'organisation des vendanges. Ces perturbations sont survenues alors que les vignerons, touchés eux aussi par la crise, avaient de gros besoins en trésorerie ; elles ont conduit nombre d'entre eux à se tourner vers le rosé, commercialisable plus rapidement. L'encépagement de toutes les appellations permet en effet de vinifier de magnifiques rosés. La tentation était grande, cependant, de céder à une certaine facilité en gommant l'originalité des cépages locaux. Niellucciu et sciaccarellu ont une personnalité propre. Les meilleurs vinificateurs l'ont compris en élaborant des rosés de caractère, subtils et aromatiques, à consommer jusqu'aux premiers frimas.

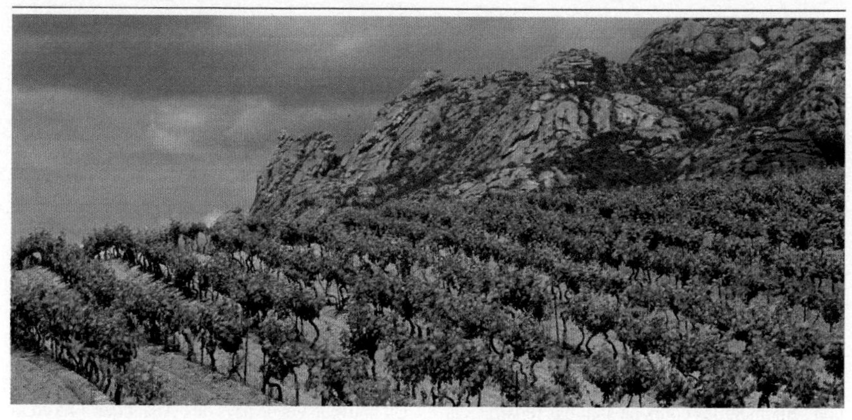

Rouges sur le fruit et blancs de garde

D'autres ont choisi la voie du rouge. Patience et excellentes connaissances œnologiques leur ont permis d'exprimer le meilleur du raisin, dont la maturité phénolique a tardé à venir. Souvent vinifiés à l'aide de techniques modernes, ces rouges iront vers le fruit, sans posséder un potentiel de garde très élevé. Verdict dans l'édition 2008. Les blancs, quant à eux, sont excellents toutes appellations confondues, et comme dans les millésimes précédents. Méconnus, les vins blancs corses sont pourtant souvent exceptionnels et possèdent un potentiel de garde surprenant. Paradoxe pour une région si ensoleillée.

Unification syndicale

Après ces vendanges mouvementées, un Syndicat de défense de l'Appellation corse a été créé en novembre – présidé par Éric Poli. Depuis la reconnaissance de l'AOC vin-de-corse en 1974, cinq petits syndicats de producteurs qui correspondaient à autant de coopératives défendaient non pas l'AOC en général mais les intérêts des producteurs de microrégions. Plus de trente ans ont été nécessaires pour fédérer les différents acteurs de la première AOC corse en production.

Dans le cadre des réformes conduites par le Comité national des vins et eaux-de-vies de l'INAO, l'existence de ce syndicat de défense est apparu comme une priorité. Le Groupement intersyndical des AOC de Corse représenté par Pierre Acquaviva, a grandement contribué à cette création majeure pour l'avenir de l'AOC. Face à la concurrence mondiale de vins produits selon des règles extrêmement lâches, il est fondamental de relire la genèse des AOC voulues par Joseph Capus. Force est de constater que la Corse possède bel est bien les trois fondamentaux énoncés par ce défenseur de l'AOC : terroirs, cépages et qualité. Au début du siècle dernier, l'absence totale de rigueur et de discipline a conduit la viticulture française au chaos. La Corse, aidée par sa petite production et la cohésion de sa profession a en mains les atouts majeurs pour la préservation de ses AOC viticoles. Dans la réforme gouvernementale des bassins de production, la Corse possède sa propre organisation.

QUOI DE NEUF DANS LE SUD-OUEST ?

Comme dans le Bordelais, les vignobles du Sud-Ouest ont bénéficié d'une météo favorable en 2005, amenant un millésime de qualité. Malheureusement, malgré quelques distillations, les surstocks issus de la forte récolte 2004 ont continué à peser sur les cours. Pour la plupart des producteurs, la situation économique s'est dégradée ces derniers mois.

Millésime de plaisir et de garde

Après 2003, année de la canicule, 2005, année de la sécheresse. En Aquitaine, l'été, qui a vu se succéder des journées plutôt chaudes et des nuits plus fraîches, s'est avéré bien sec : le déficit hydrique était de 60 % par rapport à la moyenne des trente dernières années, d'après une analyse réalisée par des œnologues pour le bilan annuel des caves coopératives vinicoles de France (CCVF). Ces conditions se sont révélées favorables à une bonne évolution de la maturité, un peu plus précoce que la moyenne, et à un bon état sanitaire des raisins.

Les blancs sont fruités et aromatiques, les rouges le plus souvent colorés et soutenus par une très belle structure. 2005 est le type de millésime qui procure un plaisir immédiat, tout en affichant un réel potentiel de garde, quels que soient les cépages. Une bonne nouvelle pour les amateurs de montravel, de cahors, de madiran ou autre irouléguy.

Bons rapports qualité-prix

À Bergerac, le principal vignoble du Sud-Ouest (hors Bordelais), la récolte 2005 est en très fort repli sur la précédente. Avec par exemple 305 000 hl, l'AOC bergerac rouge (la plus volumineuse de ce vignoble comptant 12 500 ha) est en baisse de 22 % par rapport à 2004. Pourtant, non seulement les cours ne sont pas repartis à la hausse, mais les sorties sont en recul. À mi-campagne 2005-2006, celles de l'AOC bergerac rouge étaient en retrait de 38 %, et c'est pire pour le bergerac sec. Les prix pratiqués lors des transactions en vrac (les seuls disponibles) stagnent à 74 €/hl pour le bergerac rouge.
L'effritement des cours ne fait que se poursuivre : en 1999-2000, cette même AOC s'échangeait à 116 €/hl ! Un chiffre tombé à 78 € en moyenne lors de la campagne 2004-2005. « Le bilan à mi-campagne est alarmant, malgré une situation volumique de début de campagne satisfaisant, une récolte 2005 modérée en volume et un excellent niveau qualitatif » analyse l'interprofession. Comme la plupart des autres vignobles de la région, Bergerac souffre des prix bas pratiqués par un vignoble bordelais dix fois plus grand et lui aussi en crise. La contrepartie est pour le consommateur, qui trouvera de bons rapports qualité-prix dans ce vignoble, pour tous les types de vins, d'autant que les vendeurs directs modèrent eux aussi leurs prix.

Étude terroir à Bergerac

Cette spirale de la dévalorisation n'empêche pas le Bergeracois d'innover. Les AOC côtes-de-bergerac et montravel ont par exemple instauré un agrément à la bouteille. Alors que saussignac a décrété une chaptalisation zéro (une première en France). L'année 2006 restera aussi marquée par la mise à disposition des 1 200 producteurs locaux d'une étude de terroir inédite à cette échelle en France. Après sept ans de travail et un investissement de 625 000 €, les 90 communes de l'aire d'appellation disposent de classeurs précis (et de CD Rom) consultables par tous les intéressés pour mieux connaître les sols, planter les cépages adéquats, avec les porte-greffes adaptés… Un outil qui permet en Bergeracois de donner un contenu réel au mot « terroir ».

Comité de bassin : Bergerac rejoint Bordeaux

Dans le Sud-Ouest comme dans les autres vignobles français, 2006 a été marquée par la création d'un comité de bassin. Ces nouvelles structures, voulues par Dominique Bussereau, ministre de l'Agriculture, ont des prérogatives larges liées à la connaissance des marchés et aux stratégies de développement. Il y a aujourd'hui dix comités de ce type en France. Bergerac a été intégré au Bordelais pour former le comité Bordeaux-Aquitaine. De son côté, le comité de bassin Sud-Ouest compte 19 appellations et 22 vins de pays. En raison de l'éloignement des vignobles entre eux, dans le Sud-Ouest plus qu'ailleurs, cette structure jouera-t-elle un rôle fédérateur ?
Un nouveau vin de pays de l'Atlantique ? La création en est probable. La zone réunirait la Gironde, les deux Charentes, la Dordogne et une partie du Lot-et-Garonne. Ce dernier vignoble, structuré autour de groupes coopératifs dans le Marmandais et le Buzet, connaît de graves difficultés. Début juillet, des manifestants ont même déversé du vin étranger devant la sous-préfecture, en dénonçant « une viticulture lot-et-garonnaise aux abois ».

Gaillac touché à son tour par la crise

Dans le Tarn, le vignoble de Gaillac, qui tirait son épingle du jeu, est rattrapé à son tour par la chute des cours. La récolte 2005, à 187 000 hl, est en baisse sur 2004 mais dans la moyenne des cinq dernières années. Les vins sont agréables et de qualité. À fin avril, après neuf mois de campagne, les sorties des chais se maintiennent à 132 000 hl (-1 % sur la période équivalente de la campagne 2004-2005), mais les cours ont chuté de 21 %, le prix moyen de l'hectolitre étant à 76 €. En juin, quelque 200 manifestants ont défilé à Albi pour demander des aides. Une première dans le Tarn depuis plus de trente ans.
On déplore la même tendance à Cahors. La récolte, de 189 000 hl en 2005, est en net recul par rapport à 2004. Malgré cela, les disponibilités en début de campagne sont record, et le millésime 2005 ne peut alors être estimé à sa juste valeur. Comme à Gaillac, si les volumes de sortie se maintiennent (93 000 hl à fin février), les cours plongent de 25 %, à 72 € en moyenne par hectolitre. Des bouteilles de cahors se sont retrouvées sur les linéaires à un euro l'unité… Des dizaines de milliers d'hectolitres sont partis à la distillation et des viticulteurs, en recherche de fonds, ont arraché des vignes. Pour sortir de la crise et tenter de limiter la production d'AOC cahors, il est envisagé d'affecter des hectares aux vins de pays, voire aux vins de table.

Dans les côtes-du-frontonnais ont été récoltés en 2005 près de 89 000 hl. Une récolte en baisse sur 2004 mais dans la moyenne des cinq dernières années. Malgré la spécificité du cépage négrette et la proximité du gros marché toulousain, les prix commencent, dans cette AOC également, à s'éroder. Certes 47 000 hl ont été vendus à fin mars (en huit mois de campagne), soit une augmentation de 10 %, mais les cours dévissent de 10 % pour une valorisation faible (76 €/hl, comme à Gaillac). Pourtant les rouges comme les rosés sont cette année très avenants.

Madiran et jurançon sereins

À Madiran, la récolte, à 70 000 hl, est dans la moyenne quinquennale. Si les sorties sont à la baisse (41 000 hl à fin mars, soit -16 %), les cours font mieux que se maintenir : +12 % à fin mars, à 131 €/hl. La nouveauté de l'année, au pays du tannat, est le lancement d'une marque collective, unissant coopérateurs et indépendants, une rareté au niveau national. Son nom est « 1907 », allusion aux débuts de l'appellation madiran. Cet assemblage de tannat et de cabernet, dans une bouteille comportant un logo « South-West » pour l'export, est à environ 5 € en grande distribution française et à près de 8 € en Angleterre, pays où la marque a été lancée lors du salon de Londres en mai dernier. Une cuvée « Fruit Passion » conçue pour les nouveaux marchés.

Enfin, le jurançon vit dans sa bulle, à l'écart des turbulences. Ce petit vignoble d'à peine 1 000 ha (moins par exemple que la seule AOC pauillac en Gironde) continue de s'appuyer sur un marché de niche, animé par une coopérative assurant les deux tiers des ventes et par une soixantaine de caves particulières. De multiples fêtes locales dopent les ventes sur place. Fruité et acidité sont au rendez-vous du 2005 autant pour les secs (un tiers de la production) que pour les moelleux. Le marché est équilibré pour cette AOC qui fête son 70e anniversaire.

QUOI DE NEUF DANS LA VALLÉE DE LA LOIRE ?

D'amont en aval, seule la date de départ de la végétation a varié : les vignes ont pointé un peu tard le bout de leurs feuilles dans les terres plus continentales du Sancerrois. Ensuite, une année exceptionnellement sèche et ensoleillée, mais non caniculaire, a permis partout des vendanges précoces. Des raisins sains et bien mûrs ont assuré la qualité dans tous les styles et toutes les couleurs. Sur le marché ? Avec 486 000 hl et 180 millions d'euros, les exportations du Val de Loire sont en hausse à l'export, aussi bien en volume qu'en valeur (+ 1,9 et + 5,9 %), ce qui mérite d'être signalé. Les effervescents, ainsi que les vins rosés de l'Anjou prospèrent, tandis que certains rouges pâlissent. Une ombre au tableau : si le consommateur n'a pas à se plaindre, nombre de producteurs subissent de plein fouet des cours en baisse.

DANS LA RÉGION NANTAISE

L'année 2005 se situe parmi les années les plus chaudes depuis trente ans et la sécheresse reste le principal fait marquant du millésime. Après un hiver assez frais, à l'exception de janvier, et un printemps conforme aux normales saisonnières, juin a été particulièrement chaud, avec des températures moyennes supérieures de 3 à 4 degrés à la normale, et juillet marqué pendant sept jours consécutifs (du 11 au 17) par des températures supérieures à 30° C, ce qui ne s'est produit que trois fois dans ce mois depuis 1946.

Une année sèche et précoce

Hormis en avril, arrosé du 13 au 26, les précipitations accusent un déficit de l'ordre de 30 à 50 % entre mai et septembre. Si l'on considère les 531 mm tombés d'octobre 2004 à septembre 2005, on ne trouve que deux années plus sèches à Nantes : 1949 (508 mm) et surtout 1976 (499 mm). Pourtant, grâce à des températures nocturnes relativement fraîches, seuls quelques jeunes plants ont souffert de stress hydrique. Après un bon démarrage de la végétation en avril, la pleine floraison a été atteinte autour du 12 juin pour le cépage melon. Le cycle végétatif s'est accéléré en été.

Les vendanges ont commencé sous le soleil pour le muscadet, cépage qui a ouvert le ban le 2 septembre (soit 5 jours avant la moyenne des bans des millésimes 1988 à 2004). Toutefois, les vignerons ont attendu presque huit jours avant de récolter. En effet, la météo aidant, la qualité était au rendez-vous, pour tous les cépages : degrés élevés, état sanitaire irréprochable. Ce 2005 est des plus satisfaisants ; pour les blancs, des degrés naturels élevés, une acidité faible mais un peu plus marquée qu'en 2003 ; pour les cépages rouges, il n'était pas rare de dépasser les 13° potentiels ! Aromatiques, puissants et gras, les blancs conservent de la fraîcheur. Quelle que soit la variété, les rouges sont colorés, structurés et de garde, avec des arômes de fruits confits.

Ventes en baisse

Les superficies revendiquées en muscadet sont de l'ordre de 12 500 ha pour un volume d'environ 730 000 hl, en baisse par rapport à la récolte 2004. Le gros-plant continue sa chute en raison d'un programme d'arrachage ; les superficies revendiquées de la récolte 2005 sont de l'ordre de 1 431 ha (-7 à -8 %).

Presque toutes les appellations nantaises réalisent des performances inférieures à celles de l'an dernier en terme de ventes. Avec 660 000 hl pour la campagne 2004-2005, la commercialisation du muscadet stagne. Celle du gros-plant, avec 125 000 h, recule de 22 %. Pour le total des vins de Nantes, 821 000 hl ont été mis sur le marché (- 4 %). Les exportations ? En muscadet, 15 % du volume total. La profession vise les 20 %.

Une filière viticole en restructuration

L'interprofession se renforce et se réorganise. Dans le cadre des réformes de la viticulture, un nouveau projet a été mis en place : réduction du potentiel de production, repositionnement des appellations, accroissement de la force de frappe commerciale. Le travail de segmentation et de hiérarchisation des appellations muscadet se poursuit : quatre AOC communales pourraient voir le jour à terme.

Pour la première fois depuis la création en 1953 de l'interprofession, un président extérieur au pays nantais a été élu à la tête de l'Interprofession : le négociant Pierre Chainier, président d'Interloire. L'amorce d'un rapprochement entre l'Interprofes-sion des vins de Nantes et celle des vins de Loire.

La société Bahuaud (La Chapelle Heulin) a été reprise par la maison Meffre (vallée du Rhône).

En Anjou-Saumur

Si l'on considère les cinquante dernières années, la pluviométrie cumulée de mars à septembre 2005 a été l'une des plus faibles, tandis que les températures ont été supérieures pendant toute la période à la moyenne.

Un début de saison sec et des températures proches de la normale ont entraîné un débourrement assez précoce, aux alentours du 5 avril, soit une semaine en avance par rapport à une année moyenne. En avril et mai, la pression des maladies cryptogamiques a imposé des traitements de protection tôt dans l'année. En juin, grâce à des températures proches de celles de 2003, la floraison s'est déroulée rapidement, du 8 au 17. Juillet a été encore plus chaud, très sec. Le stress hydrique, présent depuis l'hiver, s'est amplifié et a perduré en août ; la plupart des parcelles ont subi un arrêt de croissance végétative précoce, tandis que la véraison a débuté très tôt, dès les premiers jours du mois d'août pour certains cépages ; elle s'est terminée rapidement, en une quinzaine de jours.

Une maturité inhabituelle

Le résultat ? Un étonnant millésime 2005, qui présente à la fois des caractères méridionaux et septentrionaux, et qui conjugue une richesse des vendanges hors normes et une acidité normale pour la région. Les teneurs en sucres sont comparables à celles de 2003 et la teneur en acidité est intermédiaire entre les 2003 et 2004. Les vendanges ont souvent commencé avec deux semaines d'avance par rapport à 2004 : dès le 7 septembre pour les chardonnay et sauvignon, tandis que les bans ont été fixés au 14 pour le grolleau, au 21 pour les premières tries de chenin, à partir du 23 pour le cabernet franc (pour les rosés, au 29 pour les rouges). En chenin, la pourriture noble s'est installée avec le retour de l'humidité à la mi-octobre.

Croissance à deux chiffres pour les rosés

Si au cours de la décennie 1995-2004, la superficie revendiquée en AOC a peu varié et la production globale est restée stable, on assiste ces dernières années à une redistribution des types de vins élaborés. Production traditionnelle du vignoble, les blancs gardent leur position avec un quart des vins produits. Les effervescents, après avoir connu quelques difficultés, redémarrent et les liquoreux maintiennent leur niveau. Les vins rouges, s'ils représentent également un quart des volumes, voient leur part diminuer dans tout le Val de Loire. Le fer de lance de cette production reste le saumur-champigny qui consolide sa position alors que les AOC régionales régressent malgré la stabilité des cours à la production.

Les rosés représentent la moitié des vins produits. Apparus après les ravages du phylloxéra qui ont facilité l'introduction de cépages nouveaux, favorisés par le développement d'une consommation dite populaire, ils sont en expansion depuis cinq ans. Les appellations de cette couleur affichent des taux de croissance à deux chiffres, à l'image des deux locomotives du vignoble, le cabernet-d'anjou (+15,3 %) et le rosé-d'anjou (+25,7 %). Deux AOC de vins tendres représentant 82 % des volumes de rosés et pour lesquelles les achats des négociants sont prépondérants (trois quarts des sorties).

Le rosé, ou la facilité ?

Faut-il résumer cette évolution par la victoire de la quantité sur la qualité et voir dans les professionnels de la région autant de pères Séchard – ce petit vigneron à qui Balzac faisait dire : « Pour moi, la qualité, c'est les écus » ? Pour reprendre les termes d'un débat actuel, prétendra-t-on que le seul avenir des appellations régionales réside dans l'assouplissement de toutes les conditions de production ?

À cet égard, l'exemple de la réussite des rosés d'Anjou-Saumur est riche d'enseignements. Si l'essor de ces vins est lié à l'engouement des consommateurs pour des produits simples d'accès, loin de répondre à un souci de facilité de la part des producteurs, il s'inscrit dans un travail de fond. Celui-ci, ces dix dernières années, a porté sur la connaissance des parcelles et de leurs potentialités : une cartographie des « terroirs viticoles » a été réalisée pour l'ensemble du vignoble d'Anjou-Saumur. Il a également visé l'amélioration des techniques culturales, avec une généralisation de l'enherbement qui permet une maîtrise de la vigueur, une augmentation des surfaces foliaires, une limitation des rendements : depuis 1996 a été instauré un contrôle à la parcelle des vignes revendiquant une appellation (3 000 ha sur les 15 000 du vignoble ont été ainsi vérifiés sur la dernière récolte et plus de 50 ha déclassés). Des recherches ont aussi été menées pour connaître la maturité optimum pour produire des vins rosés et un ban de vendanges spécifique pour ce type de vins a été fixé. Les efforts ont aussi porté sur l'amélioration des conditions de vinification et enfin sur l'agrément : le syndicat des vins rosés s'est engagé à ce que deux membres du syndicat soient présents lors de cette procédure. 10 % des vins sont refusés au premier passage et sont ensuite retravaillés avec les œnologues de la région.

On voit ainsi que la connaissance de son terroir, l'adaptation des techniques de culture et de vinification, l'engagement d'une collectivité autour d'un projet de production sont des facteurs de réussite.

Brève du vignoble

Arrivée de capitaux indiens dans la viticulture française avec le rachat, en juillet 2006, de la maison saumuroise Bouvet-Ladubay par le groupe UB, troisième producteur mondial de bières et de spiritueux et firme aux multiples activités (pharmacie, informatique, transport aérien). Propriété de Taittinger depuis trente ans, Bouvet-Ladubay s'en était séparé cette année lors du rachat par le Crédit Agricole du Nord-Est de la seule maison champenoise.

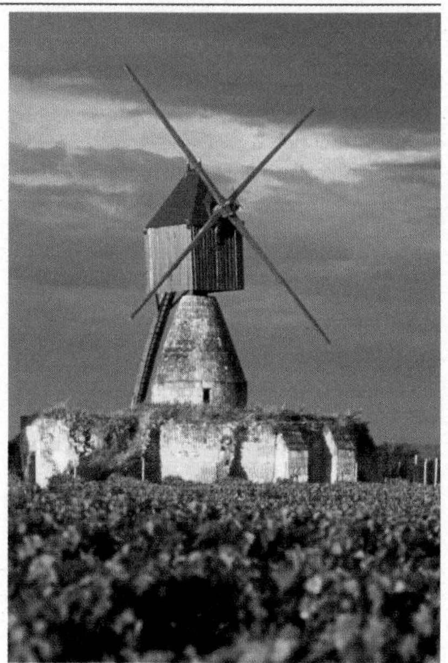

En Touraine

2005, l'année des superlatifs ! Une arrière-saison sans pluie : la météo a été parfaite pour faire grossir les grains, les gorger de sucre et leur apporter cette petite pointe d'acidité qui donne longue vie aux vins. Les anciens comparent 2005 à 1947 et 1959, les plus jeunes à 1989 et 1990. N'exagérons rien : 2005 est simplement un très beau millésime.

L'année 2005 a été parmi les plus chaudes et les plus sèches depuis trente ans. Un repos hivernal complet et un déficit pluviométrique ont favorisé une sortie de végétation en avance (plus d'une semaine). La floraison s'est déroulée sur une période courte, aux alentours du 15 juin ; le déficit hydrique (50 %) s'est poursuivi tout l'été, avec des températures de 1 à 3 degrés au dessus de la moyenne. Les ceps, pas trop chargés, n'ont pas souffert de ce manque d'eau, et la relative fraîcheur du mois d'août a permis la synthèse de notes aromatiques marquées. Les belles journées de septembre – qui ont reçu quelques millimètres de pluies bienvenues – ont redonné vigueur aux plants et permis de parfaire la maturité phénolique.

De beaux vins partout

Récoltés dans des conditions optimales, les blancs ont donné des vins aromatiques, gras avec une certaine vivacité, bien dans le profil

ligérien. Les sauvignons sont expressifs tout en restant délicats, avec une certaine rondeur. Le chenin est au maximum de son expression, et d'une vivacité de bon aloi. Les demi-secs et les moelleux font florès.
Les rouges sont structurés, riches, puissants et soyeux. Ils auront des arômes de fruits rouges bien mûrs, parfois épicés. L'équilibre entre acidité et alcool est parfaitement respecté. Les cabernets seront de garde, les gamays pleins et fruités. Même satisfaction en coteaux-du-vendômois, valençay et cheverny.
Ce très beau 2005 ne doit pas faire oublier 2004, dont le Guide présente ici les meilleures sélections : des effervescents nés de chenin tout en finesse, et des cabernets, encore à attendre, qui développeront des arômes surprenants.

Maintien des rendements

Après la récolte record de 2004, on a vendangé 716 000 hl toutes appellations confondues, soit 8 % de moins. Les volumes restent importants. Quantité et qualité, comme en 1970.
Les blancs tranquilles augmentent de 3 %, vouvray et montlouis en pointe, tandis que le touraine (sauvignon) fléchit légèrement. En effervescent, légère régression, mais bienvenue, car le prolifique 2004 a laissé des réserves en vins de base suffisantes. La récolte 2005 en assemblage avec la précédente accentuera à coup sûr le fruité. Les rouges sont en retrait de près de 10 % (-13 % en chinon et en touraine, -8 % en bourgueil et en saint-nicolas). Les rosés de Touraine connaissent une nette et surprenante diminution (35 400 hl contre 54700 hl en 2004, -35 %). Les coteaux-du-vendômois chutent de 10 % mais ils restent, avec 7 700 hl, largement au-dessus d'une année moyenne. Cheverny accuse une régression de près de 19 %, mais il faut dire qu'en 2004 la production avait presque doublé. Seul valençay augmente ses volumes (7 263 hl, +3 %).

Chute des cours en vins tranquilles

En Touraine, ce sont les rouges qui subissent la crise. Lors de la campagne 2004-2005, achats du négoce et ventes directes, y compris aux restaurateurs, s'étaient nettement ralentis. À mi-campagne 2005-2006, on observe la même tendance, sauf pour chinon dont l'écoulement au négoce progresse. Bourgueil plonge à nouveau. Dans tous les cas, le volume des ventes directes, au mieux, reste stable. Les blancs s'en tirent mieux. Le touraine (sauvignon) maintient ses débouchés au négoce mais les ventes directes diminuent. En vouvray, le négoce multiplie les achats du 2005 en raison de sa qualité, mais les ventes directes ne suivent pas car il reste du 2004. Les rosés ? Stables et loin de connaître la fortune de ceux d'Anjou. Aucune difficulté pour les jasnières et coteaux-du-vendômois qui ont leurs *aficionados* dans la région.
La tendance à la chute des cours ne s'est pas inversée à la mi-campagne 2005-2006 : -21 % en touraine (89 €/hl, un niveau jamais atteint depuis huit ans au moins) ; -11 et -16 % pour chinon et saint-nicolas respectivement. Bourgueil s'en sort mieux avec une baisse de 3 % et un prix (129 €/hl) qui se rapproche du chinon, encore à 150 €. Saint-nicolas est le plus coté (187 €).

Montée des fines bulles

Heureusement, la Touraine produit des effervescents. Stabilité des ventes en vouvray, mais le marché est faussé car les élaborateurs ont rempli leur cuves l'année dernière. Au moins les stocks sont-ils rares et les prix satisfaisants (156,3 €/hl). Forte demande sur le touraine effervescent : sans doute une conséquence de l'essor du crémant-de-loire, dans la composition duquel il entre. Les sorties ont doublé et les cours n'ont jamais atteint un tel niveau (115€/hl).
Les effervescents ont le vent en poupe, en grande distribution, notamment. Si les ventes se contractent pour les vins tranquilles (chinon excepté), elles augmentent pour les fines bulles (+3 % en vouvray, +7 % en montlouis, +12 % en touraine). Ce sont aussi ces vins qui se comportent le mieux à l'export, notamment le crémant-de-loire.

Brèves du vignoble

La coopérative de Saint-Romain, sise sur les coteaux du Cher, adhère à « Alliance Loire », société de commercialisation qui regroupe déjà sept caves du Val de Loire et qui s'engage à proposer une large gamme à la grande distribution et à l'export (200 000 hl commercialisés par an).
Menée depuis deux ans, l'étude de la « segmentation » est prête à déboucher sur un projet. Piloté par Serge Bonnigal, vigneron à Amboise, le groupe de travail du Centre -Val de Loire suggère de rapprocher les communications en matière de vin de pays et d'appellation. En particulier, le nom de « Loire » bénéficierait aussi aux vins de pays. Les interprofessions seraient regroupées.

Dans le Centre

Dans le Centre, le débourrement fut tardif : il eut lieu vers le 20 avril, soit huit jours supplémentaires par rapport à la moyenne des deux dernières décennies. Grâce à des périodes très chaudes, ce retard a été comblé, si bien que

l'année 2005 a été précoce : floraison à une date normale (15-20 juin), véraison autour du 15 août, avec une semaine d'avance. Le déficit hydrique s'est manifesté à partir de la fin mai, la pluie tombant sous forme d'orages.
En raison de la fraîcheur d'août, la maturation a commencé lentement ; les fortes chaleurs de la première quinzaine de septembre l'ont hâtée et les vendanges se sont déroulées par grand beau temps. Production des sucres régulière et soutenue, degrés alcooliques potentiels élevés, acidités suffisantes : la richesse et l'équilibre des vins étaient déjà inscrits dans le raisin. Les arômes des blancs se sont développés en finesse. Les rouges ont accumulé les matières colorantes pour parvenir à un bon niveau d'anthocyanes et à des tanins de belle maturité.

De la puissance, des arômes et du potentiel
À Sancerre, excepté quelques parcelles précoces récoltées à partir du 7 septembre, la majorité des raisins a été cueillie entre le 10 et le 30. Le ban a été proclamé le 9 septembre à Reuilly, le 10 à Quincy, le 15 à Pouilly-sur-Loire et à Châteaumeillant, le 16 à Menetou-Salon et le 17 à Sancerre et dans les coteaux du Giennois.
Les blancs sont intensément aromatiques et fort complexes. Ils expriment particulièrement bien la palette des différents terroirs : plus fruités sur les calcaires, plus floraux avec des touches végétales et épicées sur les marnes kimméridgiennes, plus minéraux sur les sols argilo-siliceux. Puissants, gras, fermes et harmonieux, ils seront souvent de garde. Colorés, tanniques, les rouges expriment les fleurs (violette, pivoine) et les fruits rouges bien mûrs, sans le côté surmûri des 2003. Avec 309 234 hl, la production est en baisse de près de 10 % sur le pléthorique 2004, mais elle reste importante, celle des trois années antérieures étant nettement inférieure à 300 000 hl. La proportion des trois couleurs est stable (près de 80 % pour les blancs, de 15 % pour les rouges et de 6 % pour les rosés). Le sancerre, qui représente 53 % de l'ensemble, a une bonne tenue à l'export (+31,7 % en volume, +25,2 % en valeur selon Ubifrance).

Brève du vignoble
La Maison des Sancerre a ouvert au public son « Jardin des Sancerre », parcours de découverte sensorielle. Y sont rassemblés quelque quatre-vingts essences, plantes et arbustes odorants dont les parfums des feuilles, des fleurs ou des fruits se retrouvent dans les vins de Sancerre.

QUOI DE NEUF DANS LA VALLÉE DU RHÔNE ?

D'octobre 2004 à septembre 2005, le millésime s'est montré beaucoup plus venté, plus ensoleillé et surtout beaucoup plus sec que la normale. Le millésime est de grande qualité, surtout en rouge. Les exportations reprennent, mais la chute des cours met en difficulté les producteurs et provoque des concentrations.

Soleil, vent et sécheresse
En 2005, les jours de vent ont été beaucoup plus nombreux que la normale (+ 30 %), tandis que les pluies étaient inférieures de 30 % (512 mm en 2005 contre 722 mm pour la normale). Les trois premiers mois de l'année ont été très secs, froids et ventés – les plus secs jamais enregistrés sur la station d'Avignon depuis 1871. Les gelées ont été fréquentes de la dernière décade de février à la première de mars (-9,7 °C par exemple sur Orange le 2 mars). Aussi le débourrement a-il été tardif, comme l'année précédente.
Après avril, mois le plus pluvieux de l'année (183 % de la valeur normale), la sécheresse s'est installée jusqu'à la fin de l'été. La floraison a débuté vers le 29 mai ; elle s'est prolongée, en partie à cause des températures qui sont descendues en dessous des 10 °C entre le 8 et le 11 juin. La coulure a parfois été sévère dans les secteurs tardifs. Juillet et août ont totalisé seulement 10 mm de pluie, moins de 10 % de la valeur normale. Le mistral, qui a dominé la période (+ 38 % de vent fort), a accentué la sécheresse. Pas d'excès de températures, cependant. La pluie est revenue la première semaine de septembre.

Des rouges denses et élégants
En été, l'alternance de journées chaudes et de nuits fraîches a donné des raisins aux pellicules bien fermes. La faiblesse de la récolte a accentué la concentration des baies. La maturation s'est déroulée sans à-coup. Les degrés potentiels étaient élevés et les concentrations en matières colorantes ne s'étaient encore jamais rencontrées de manière aussi homogène sur le vignoble. Les pluies de septembre n'ont pas altéré la qualité du raisin. Les vinifications se sont déroulées sans difficulté, tant la matière première a livré facilement tout un

potentiel de couleur, d'arômes et de tanins. La modération des températures estivales a préservé la fraîcheur des vins blancs qui livrent des parfums délicats de fleurs et de fruits blancs. Les rosés ont des robes soutenues et de riches parfums de fruits rouges. Les rouges sont les plus remarquables car ils allient densité et finesse. Des tanins fondus leur donnent du volume, la fraîcheur s'accompagne d'une certaine sucrosité. Déjà très séduisants, ce sont aussi des vins d'avenir par leur structure.

Nouvelles AOC et dénominations géographiques

Deux villages des côtes-du-rhône, Beaumes-de-Venise dans le Vaucluse, jouxtant Gigondas et Vacqueyras, et Vinsobres dans la Drôme sont reconnus en appellations communales. Beaumes-de-Venise avait déjà une AOC de muscat, elle la reçoit pour ses vins rouges. Depuis 2005, l'AOC côtes-du-rhône-villages compte quatre dénominations géographiques supplémentaires, susceptibles de s'inscrire sur l'étiquette à côté de la mention de l'appellation : Plan de Dieu, Massif d'Uchaux et Puyméras dans le Vaucluse, Signargues dans le Gard.

Chute des cours et concentrations

Malgré une récolte 2005 inférieure à 2004, la situation économique a été très tendue. Les cours n'ont pas décollé malgré trois mesures : dans le cadre de la politique nationale, les primes d'arrachage définitif – qui n'ont connu qu'un succès mitigé – et les distillations (150 000 hl) ; le blocage de 200 000 hl de côtes-du-rhône payé au producteur 0,80 €/hl (80 % du prix de l'objectif), financé par l'interprofession en contrepartie d'une augmentation de la cotisation volontaire obligatoire des côtes-du-rhône. On assiste plus que jamais à un mouvement de concentration. Dans la coopération, la cave de Sarras, à l'avenir incertain, et celle de Saint-Désirat se sont rapprochées. À elles deux, les caves représentent 40 % du volume de l'AOC saint-joseph. La maison de négoce Du Peloux a décidé de s'adosser au Bourguignon Boisset, Jérôme Seguin conservant néanmoins la direction de la maison et du site. Le groupe de Nuits-Saint-Georges est également propriétaire de la maison Louis Bernard qui a inauguré récemment ses nouveaux locaux à la Chartreuse de Bonpas. La maison Paul Jaboulet Aîné, créée en 1834 et restée dans la famille, a été rachetée par la Compagnie financière Frey. La lourdeur des droits de succession mais aussi une situation familiale complexe sont à l'origine du rachat de l'affaire, qui commercialise quelque trois millions de bouteilles, dont le célèbre hermitage La Chapelle. L'acquéreur possède déjà un vignoble d'environ 90 ha et une participation chez Billecart-Salmon en Champagne ainsi que le château La Lagune en Bordelais. Si Frédéric Mairesse est nommé directeur général, Louis Jaboulet a accepté le poste de président d'honneur, Frédéric Jaboulet celui de directeur commercial France et Nicolas Jaboulet devient responsable marketing. La gestion des domaines a été confiée à Caroline Frey qui s'appuiera sur Laurent Jaboulet et fera appel à Denis Dubourdieu, œnologue bordelais.

Brève du vignoble

Marcel Guigal, négociant à Ampuis – qui avait été lauréat de la Grappe d'or du Guide Hachette 2005 – a été élu *Man of the year 2006* dans la catégorie *wine-maker* par le magazine *Decanter*.

Le vin n'est pas une simple boisson, mais un produit gastronomique, d'une grande variété gustative tant ses producteurs sont nombreux. Le choisir exige quelques connaissances préalables : comprendre l'étiquette, savoir où l'acheter, tenir compte des conditions de sa conservation en cave.

COMMENT IDENTIFIER UN VIN ?

Les rayons des cavistes et des grandes surfaces offrent une large palette de vins français et étrangers. Chance pour l'amateur, cette variété rend aussi le choix fort difficile : la France produit à elle seule plusieurs dizaines de milliers de vins qui ont tous des caractères propres. Leur carte d'identité ? L'étiquette, que les pouvoirs publics et les instances professionnelles se sont attachés à réglementer. L'acheteur a donc tout intérêt à en percer les arcanes.

Les catégories de vin

Le premier devoir de l'étiquette est d'indiquer l'appartenance du vin à l'une des quatre catégories réglementées en Europe : *vin de table, vin de pays, appellation d'origine vin délimité de qualité supérieure* (AOVDQS) ou *appellation d'origine contrôlée* (AOC), ces deux dernières étant assimilées dans la terminologie européenne au *vin de qualité produit dans des régions déterminées* (VQPRD).

• L'appellation d'origine contrôlée

C'est la classe reine, celle de tous les grands vins. L'étiquette porte obligatoirement la mention « X appellation contrôlée » ou « appellation X contrôlée ». L'appellation désigne expressément une région, un ensemble de communes, une commune, parfois un lieu-dit (*climat* en Bourgogne) dans lequel le vignoble est implanté. Pour avoir droit à l'appellation d'origine contrôlée, un vin doit avoir été élaboré suivant « les usages locaux, loyaux et constants », c'est-à-dire à partir de cépages nobles homologués, plantés dans des sols choisis, et vinifiés selon les traditions régionales. Rendement à l'hectare et titre alcoométrique (minimal et parfois maximal) sont fixés par la loi. Les producteurs choisissent librement de revendiquer l'AOC pour leur production : chaque année, ils soumettent leurs vins à une commission de dégustation qui délivre l'agrément.

Ces règles nationales sont complétées par des usages locaux. Ainsi, en Alsace, l'appellation régionale est-elle pratiquement toujours doublée de la mention du cépage. En Bourgogne, seuls les premiers crus peuvent être mentionnés en caractères d'imprimerie de dimension égale à ceux employés pour l'appellation communale, les *climats* non classés ne pouvant figurer qu'en petits caractères dont la dimension ne peut être supérieure à la moitié de celle employée pour désigner l'appellation. Le nom de la commune ne figure pas sur l'étiquette des grands crus, ceux-ci bénéficiant d'une appellation propre.

COMMENT LIRE UNE ÉTIQUETTE ?

Chaque dénomination catégorielle est astreinte à des règles d'étiquetage spécifiques.

VIN DE TABLE : les mentions du degré alcoolique, du volume, du nom et de l'adresse de l'embouteilleur sont obligatoires ; celle du millésime est interdit.

VIN DE PAYS : catégorie de vin de table ayant une origine géographique. Un vin de pays ne peut porter sur son étiquette les noms « château », « cru » ou « clos », lesquels sont réservés aux AOC.

APPELLATION D'ORIGINE VIN DÉLIMITÉ DE QUALITÉ SUPÉRIEURE (AOVDQS).

APPELLATION D'ORIGINE CONTRÔLÉE (AOC).

AOC Alsace
timbre fiscal (capsule) vert
❶ dénomination catégorielle (obligatoire)
❷ indication du cépage
(autorisée seulement en cas de cépage pur)
❸ volume (obligatoire)
❹ toutes mentions obligatoires
❺ exigé pour l'exportation vers certains pays
❻ degré (obligatoire)
❼ numéro de lot (obligatoire)

AOC Bordelais
timbre fiscal vert
❶ assimilé à une marque (facultatif)
❷ millésime (facultatif)
❸ classement (facultatif)
❹ dénomination catégorielle (obligatoire)
❺ nom et adresse de l'embouteilleur (obligatoire)
le mot « propriétaire » (facultatif)
fixe le statut de l'exploitation
❻ facultatif
❼ volume (obligatoire)
❽ exigé pour l'exportation vers certains pays
❾ degré (obligatoire)
❿ numéro de lot (obligatoire)

AOC Bourgogne
timbre fiscal vert
souvent sur une collerette, le millésime est facultatif
❶ nom du cru (facultatif) ;
la même dimension de caractères
que l'appellation indique qu'il s'agit d'un 1er cru
❷ dénomination catégorielle (obligatoire)
❸ degré (obligatoire)
❹ nom et adresse de l'embouteilleur (obligatoire) ;
indique en outre la mise en bouteilles à la propriété,
et qu'il ne s'agit pas d'un vin de négoce
❺ volume (obligatoire)

AOC Champagne
timbre fiscal vert
❶ obligatoire
tout champagne est AOC : la mention ne figure pas ; c'est la seule exception à la règle exigeant la mention de la dénomination catégorielle
❷ marque et adresse
(obligatoire ; sous-entendu « mis en bouteille par… »)
❸ volume (obligatoire)
❹ statut de l'exploitation
et n° du registre professionnel (facultatif)
❺ type de vin, dosage (obligatoire)

AOVDQS
timbre fiscal vert
❶ millésime (facultatif)
❷ cépage
(facultatif ; autorisé uniquement en cas de cépage pur)
❸ nom de l'appellation (obligatoire)
❹ dénomination catégorielle (obligatoire)
❺ degré (obligatoire)
❻ nom et adresse de l'embouteilleur (obligatoire)
❼ mention « à la propriété » (facultatif)
❽ vignette (obligatoire)
❾ volume (obligatoire)
❿ n° de contrôle (obligatoire en France)

Vins de pays
timbre fiscal bleu
vins de table, ils sont astreints aux mêmes obligations.
Les mots « vin de pays » doivent être suivis de l'unité géographique (obligatoire)
❶ « à la propriété » : mention facultative
❷ unité géographique (obligatoire)
❸ nom et adresse de l'embouteilleur (obligatoire)
❹ degré (obligatoire)
❺ volume (obligatoire)

Les mentions légales figurent parfois sur la contre-étiquette.

• L'appellation d'origine vin délimité de qualité supérieure
Antichambre de l'appellation d'origine contrôlée, cette catégorie est soumise sensiblement aux mêmes règles et les vins sont labellisés après dégustation. L'étiquette porte obligatoirement une vignette AOVDQS. Si ces bouteilles ne sont généralement pas de garde, quelques-unes gagnent pourtant à vieillir.

• Les vins de pays
L'étiquette des vins de pays précise la provenance géographique du vin. On lira donc *Vin de pays de...* suivi d'une mention régionale, départementale ou de zone. Ces vins sont issus de cépages dont la liste est légalement définie et qui sont plantés dans une aire assez vaste certes, mais définie. En outre, leur titre alcoométrique, leur acidité, leur acidité volatile font l'objet de contrôles. D'autres informations, facultatives mais soumises à la réglementation, peuvent compléter les étiquettes.

Le responsable légal du vin
L'étiquette doit permettre d'identifier le vin et son responsable légal en cas de contestation. Le dernier intervenant dans l'élaboration du vin est celui qui le met en bouteilles ; c'est obligatoirement son nom et son adresse qui figure sur l'étiquette. Il peut s'agir d'un négociant, d'une coopérative ou d'un propriétaire-récoltant. Dans certains cas, ces renseignements sont confirmés par les mentions portées au sommet de la capsule de surbouchage.

La mise en bouteilles
L'amateur exigeant ne tolérera que les mises en bouteilles au (ou du) domaine, à (ou de) la propriété, au (ou du) château. Les formules « Mis en bouteilles dans la région de production, mis en bouteilles par nos soins, mis en bouteilles dans nos chais, mis en bouteilles par X (X étant un intermédiaire) », pour exactes qu'elles soient, n'apportent pas la garantie d'origine que procure la mise à la propriété où le vin a été vinifié. Le souci des pouvoirs publics et des comités interprofessionnels a toujours été double : d'abord inciter les producteurs à améliorer la qualité et à soumettre leur vin à une dégustation d'agrément ; ensuite faire en sorte que la bouteille revendiquant l'appellation sur l'étiquette contienne bien le vin agréé, sans mélange, sans coupage, sans substitution. En dépit de toutes les précautions possibles, y compris le contrôle du cheminement des vins, la meilleure garantie d'authenticité du produit demeure la mise en bouteilles à la propriété ; car un propriétaire-récoltant ne doit posséder dans son chai que le vin qu'il produit lui-même ; il n'a pas le droit d'acheter du vin pour l'entreposer. À noter que les mises en bouteilles effectuées à la cave coopérative au bénéfice du coopérateur peuvent être qualifiées de « mise en bouteilles à la propriété ».

Le millésime
La mention du millésime, année de naissance du vin, c'est-à-dire de la vendange, n'est pas obligatoire. Elle est portée soit sur l'étiquette – ce qui est préférable –, soit sur une collerette collée au niveau de l'épaule de la bouteille. Les vins issus d'assemblage de différentes années ne sont pas millésimés, tels certains champagnes et crémants, ou encore certains vins de liqueur et vins doux naturels. Les vins de table ne sont pas autorisés à porter de millésime.

La capsule
La plupart des bouteilles sont coiffées d'une capsule de surbouchage qui porte généralement une vignette fiscale, preuve que les droits de circulation auxquels toute boisson alcoolisée est soumise ont été acquittés. Cette vignette permet aussi de déterminer le statut du producteur (propriétaire ou négociant) et la région de production. À défaut de capsule fiscalisée, les bouteilles doivent être accompagnées d'un document délivré par le producteur (voir ci-après *Le transport du vin*).

L'étampage des bouchons
Les producteurs de vins de qualité ont éprouvé le besoin de marquer leurs bouchons, car si une étiquette peut être décollée et remplacée frauduleusement, le bouchon demeure ; l'origine du vin et le millésime y sont ainsi étampés. Pour les vins effervescents, l'indication de l'AOC sur le bouchon est obligatoire.

COMMENT ACHETER, À QUI ACHETER ?

En grande surface, chez le caviste et chez le producteur... Les circuits de distribution du vin sont multiples, chacun présentant des avantages et des inconvénients. De même, les modes de commercialisation prennent des formes différentes : vente en vrac, en *bag in box* ou en bouteilles, ventes en primeur. A chacun de trouver la formule qui lui convient : bénéficier d'une vaste palette de vins en un seul point de vente, solliciter l'avis d'un expert pour les accords gourmands, aller à la rencontre des hommes qui font le vin. Sur les routes viticoles, l'amateur se souviendra du slogan : « Celui qui conduit est celui qui ne boit pas ». Les producteurs ont prévu des crachoirs pour goûter sans risques.

Vins à boire, vins à encaver

La démarche de l'amateur sera différente selon qu'il souhaite consommer ses vins sur une courte période ou les encaver pour suivre leur évolution dans le temps. S'il recherche une bouteille prête à boire, il lui sera difficile (voire impossible) de trouver sur le marché de grands vins parvenus à leur apogée. Il se tournera plutôt vers des vins de primeur (de type beaujolais nouveau, côtes-du-rhône, touraine ou gaillac primeur), vers des vins de pays ou d'appellation de petite et moyenne origine, vers des millésimes faciles, à évolution rapide.

Les vins de garde méritent d'être achetés jeunes dans le dessein de les faire vieillir en cave. Ils doivent non seulement résister à l'usure du temps, mais aussi se bonifier avec les années. Il est judicieux de privilégier les meilleurs producteurs et les meilleurs millésimes.

L'achat en vrac

Le vin non logé en bouteilles est dit en vrac. L'expression achat en cercle est réservée à l'achat en tonneaux, alors que le vrac peut être transporté en citernes de toute nature, du wagon de 220 hl en acier au cubitainer de plastique d'une contenance de 5 l, en passant par la bonbonne de verre. La vente en vrac est pratiquée par les coopératives, par des propriétaires, par quelques négociants et même par des détaillants qui commercialisent certains vins « à la tireuse ». Il s'agit de vins ordinaires et de qualité moyenne. Dans certaines régions, notamment dans les crus classés du Bordelais, ce type de commercialisation est interdit. Il faut garder en mémoire qu'un vin vendu en vrac par un vigneron n'est jamais tout à fait identique à celui qu'il vend en bouteilles : le producteur sélectionne toujours les meilleures cuves pour ses mises en bouteilles.

L'achat du vin en vrac permet une économie de l'ordre de 25 %, puisqu'il est d'usage de payer au maximum pour un litre de vin le prix facturé pour une bouteille de 0,75 l. L'acheteur réalise également une économie sur les frais de transport. Il lui faut cependant compter les frais (peu élevés) de retour du fût si la transaction s'est faite en cercle.

Les capacités de fûts les plus usitées sont :

Barrique bordelaise	225 l
Pièce bourguignonne	228 l
Pièce mâconnaise	216 l
Pièce de Chablis	132 l
Pièce champenoise	205 l

Le bib

Le *bag-in-box*, ou bib, est une solution intermédiaire entre le vrac et la bouteille. Cette poche en plastique rétractable, enveloppée dans un carton et munie d'un robinet préserve le vin de l'air et permet ainsi de le conserver en bon état après ouverture sur une longue période. Sa capacité varie généralement entre 3 à 5 l.

L'achat en bouteilles

Il est possible d'acheter du vin en bouteilles chez une vigneron, dans une coopérative, chez un négociant et par les circuits de distribution habituels. Où l'amateur doit-il acheter pour réaliser la meilleure affaire ? Il faut savoir que les producteurs et les négociants sont tenus de ne pas concurrencer déloyalement leurs diffuseurs, donc de ne pas commercialiser des bouteilles moins chères qu'eux. Ainsi nombre de châteaux bordelais, peu portés sur la vente au détail, proposent-ils leurs crus à des prix supérieurs à ceux pratiqués par les détaillants, afin de dissuader les acheteurs qui s'obstinent malgré tout, par ignorance ou pour d'inexplicables raisons... D'autant que les revendeurs obtiennent, grâce à des commandes massives, des prix infiniment plus intéressants que le particulier qui n'achète qu'une caisse.

Dans ces conditions, on peut émettre un principe général : les vins de producteurs dont la diffusion est limitée (et ils sont légion...) seront achetés sur place, tandis que les vins de domaines ou de châteaux notoires, largement diffusés, seront acquis auprès des diffuseurs, sauf s'il s'agit de millésimes rares ou de cuvées spéciales.

Alsace Muscadet Anjou Provence

Clavelin Jura Bourgogne Italienne Bordeaux Champagne

L'achat en primeur

La vente par souscription, dite en primeur, a connu un grand succès au cours des années 1980. Le principe est simple : acquérir un vin avant qu'il ne soit élevé et mis en bouteilles à un prix supposé très inférieur à celui qu'il atteindra à sa sortie de la propriété. Les souscriptions sont ouvertes pour un volume contingenté et pour un temps limité, généralement au printemps et au début de l'été qui suit les vendanges. Elles sont organisées directement par les propriétaires ou par des sociétés de négoce et des clubs de vente de vin. L'acheteur s'acquitte de la moitié du prix convenu à la commande et s'engage à verser le solde à la livraison des bouteilles, c'est-à-dire de douze à quinze mois plus tard. Ainsi, le producteur s'assure des rentrées d'argent rapides et l'acheteur réalise une bonne opération lorsque le cours des vins augmente. Ce fut le cas de 1974 à la fin des années 1980. Ce type de transaction s'apparente à ce que l'on nomme, à la Bourse, le marché à terme.

Que se passe-t-il si les cours s'effondrent – en cas de surproduction ou de crise – entre le moment de la souscription et celui de la livraison ? Les souscripteurs paient leurs bouteilles plus cher que ceux qui n'ont pas souscrit. Cela s'est déjà vu, cela se revoit. A ce jeu spéculatif et dans le but d'assurer leur approvisionnement, de grands négociants se sont ruinés ; leur contrat était d'autant plus risqué qu'il portait sur plusieurs années. En revanche, lorsque tout va bien, la vente en primeur est sans doute la seule façon de payer un vin en dessous de son cours (de 20 à 40 % environ).

Chez le producteur

La visite rendue au producteur, indispensable si son vin n'est pas ou peu diffusé, apporte à l'amateur bien d'autres satisfactions que celle d'un simple bon achat. Au contact du vigneron, père de son vin, l'œnophile découvre un terroir, un mode de vinification, l'art de tirer la quintessence d'un cépage, comprend les relations étroites qui existent entre un homme et son vin. Le savoir-boire, le mieux boire, passe par cette irremplaçable rencontre.

En cave coopérative

La qualité des vins élaborés par les coopératives progresse constamment. Ces caves commercialisent des vins en vrac et en bouteilles, à des prix généralement légèrement inférieurs à ceux pratiqués par les autres circuits de vente à qualité égale.

Comment fonctionne une coopérative vinicole ? Les adhérents apportent leur raisin et les responsables techniques, dont un œnologue, se chargent du pressurage, de la vinification, de l'élevage et de la commercialisation. Des systèmes de primes accordées aux raisins nobles et aux raisins les plus mûrs, l'instauration de chartes de qualité avec les vignerons, la possibilité d'élaborer des cuvées selon la qualité spécifique de chaque livraison de raisin ou selon une sélection de terroirs ouvrent aux meilleures coopératives le secteur des vins de qualité, voire de garde.

Chez le négociant

Le négociant, par définition, achète des vins pour les revendre, mais il est souvent lui-même propriétaire de vignobles : il peut donc agir en producteur et commercialiser sa production, ou bien vendre le vin de producteurs indépendants sans autre intervention que le transfert (cas des négociants bordelais qui ont à leur catalogue des vins mis en bouteilles au château), ou encore signer un contrat de monopole de vente avec une unité de production. Le négociant-éleveur assemble des vins de même appellation fournis par divers producteurs et les élève dans ses chais. Il est ainsi le créateur du produit à double titre : par le choix de ses achats et par l'assemblage qu'il exécute.

Les maisons de négoce sont installées dans les grandes zones viticoles, mais rien n'empêche un négociant bourguignon de commercialiser du vin de Bordeaux et inversement. Le propre d'un négociant est de diffuser, donc d'alimenter les réseaux de vente qu'il ne doit pas concurrencer en vendant chez lui ses vins à des prix très inférieurs.

Chez le caviste

C'est le mode d'achat le plus facile et le plus rapide, le plus sûr également lorsque le caviste est qualifié. Il existe nombre de boutiques spécialisées dans la vente de vins de qualité. Mais qu'est-ce qu'un bon caviste ? Celui qui est équipé pour entreposer les vins dans de bonnes conditions, celui qui sait choisir des vins originaux de producteurs amoureux de leur métier. En outre, le bon détaillant saura conseiller l'acheteur, lui faire découvrir des vins que celui-ci ignore et l'inciter à marier mets et vins pour valoriser les uns et les autres.

En grande surface

Si quelques déficiences sont à regretter dans la présentation des vins en grandes surfaces (chaleur, lumière crue des néons, bouteilles rangées à la verticale), elles deviennent de plus en plus rares. Aujourd'hui, nombre d'établissements possèdent un rayon spécialisé bien équipé, où les bouteilles sont couchées et classées par région et appellation. L'amateur trouve dans les grandes surfaces non seulement des vins courants, mais aussi des crus prestigieux. Seuls les appellations confidentielles et les vins de petites propriétés sont moins représentés. Contrairement à une idée assez répandue, il peut être très avantageux d'acheter une grande bouteille en grande surface.

Dans les clubs

Quantité de bouteilles, livrées en cartons ou en caisses, arrivent directement chez l'amateur grâce aux clubs qui offrent à leurs adhérents un certain nombre d'avantages. Le choix est assez vaste et comporte parfois des vins peu courants. Il faut toutefois noter que beaucoup de clubs sont des négociants.

Les ventes aux enchères

De plus en plus fréquentées, ces ventes sont organisées par des commissaires-priseurs assistés d'un expert. Il est de la première importance de connaître l'origine des bouteilles. Si elles proviennent d'un grand restaurant ou de la riche cave d'un amateur qui s'en dessaisit (renouvellement d'une cave, succession, par exemple), leur conservation est probablement parfaite. Si elles constituent un regroupement de petits lots divers, rien ne prouve que leur garde ait été satisfaisante. Seule la couleur du vin et son niveau dans la bouteille peut renseigner l'acheteur. L'amateur averti ne surenchérira jamais lorsque se présentent des bouteilles dont le niveau n'atteint que le bas de l'épaule, ni lorsque la teinte des vins blancs vire au bronze plus ou moins foncé ou que la robe des vins rouges est visiblement usée. Il est rare de pouvoir réaliser de bonnes affaires dans les grandes appellations qui intéressent des restaurateurs pour enrichir leur carte. En revanche, les appellations marginales, moins recherchées par les professionnels, sont parfois très abordables.

Lors des ventes à but caritatif, telles celles des Hospices de Beaune ou de Beaujeu, les vins vendus sont logés en pièces (fûts) et doivent encore être élevés durant douze à quatorze mois. Ils sont de ce fait réservés aux professionnels.

Le transport du vin

Une fois résolu le problème du choix des vins et sachant que l'on pourra les accueillir et les conserver dans de bonnes conditions, il faut les transporter. Le transport des vins de qualité impose quelques précautions et obéit à une réglementation stricte.

Qu'on le transporte soi-même en voiture ou qu'on use des services d'un transporteur, le gros de l'été et le cœur de l'hiver ne sont pas favorables au voyage du vin. Il faut préserver le vin des températures extrêmes, surtout des températures élevées qui l'affectent définitivement, quelle que soit la période de repos (même des années) qu'on lui accorde ultérieurement, quels que soient sa couleur, son type et son origine.

Arrivé à domicile, on déposera tout de suite les bouteilles à la cave. Si l'on a acquis du vin en vrac, on entreposera les récipients directement au lieu de la mise en bouteilles, à la cave si la place le permet, afin de n'avoir plus à les déplacer. Les cubitainers seront déposés à 80 cm du sol (la hauteur d'une table), les fûts à 30 cm, pour permettre de tirer le vin jusqu'à la dernière goutte sans modifier sa position.

Le transport des boissons alcoolisées est soumis à un régime particulier et fait l'objet de taxes fiscales matérialisées soit par une capsule représentative des droits apposée au sommet de chaque bouteille, soit par un document d'accompagnement commercial délivré par le vigneron. Le vin en vrac doit toujours être accompagné du document le concernant.

Sur ce document figurent notamment le nom du vendeur et le cru, le volume et le nombre de récipients, le destinataire. Transporter du vin sans capsule ou document d'accompagnement est assimilé à une fraude fiscale et puni comme telle.

L'exportation du vin

Il est prudent de se renseigner sur les conditions d'importation des vins et alcools dans le pays d'accueil, chacun ayant sa propre réglementation qui s'étend de la taxation douanière au contingentement, voire à l'interdiction pure et simple.

Au sein de l'Union européenne, un particulier peut acheter un volume non limité de vin pour sa consommation personnelle. Le document d'accompagnement lui permettra de justifier auprès de son administration de la régularité de ses achats et du transport.

Hors de l'Union européenne, comme pour tout ce qui est produit ou manufacturé en France, puis exporté, il est possible d'obtenir l'exemption ou le remboursement de la TVA et des accises. Lorsqu'un voyageur veut bénéficier de la détaxe à l'exportation, le vin qu'il achète à la propriété et qu'il transporte par ses propres moyens doit être accompagné de son titre de mouvement ; ce document est visé par le bureau de douane qui constate la sortie de la marchandise du territoire communautaire. Si les bouteilles sont tributaires de capsules, leur détaxation est impossible ; il convient donc, au moment de l'achat, de préciser au vendeur que l'on entend exporter son acquisition et bénéficier de détaxation.

CONSERVER SON VIN

Constituer une cave demande de l'organisation. Avant tout, il est nécessaire d'évaluer le budget dont on dispose et la capacité de sa cave. Ensuite, il convient d'acquérir des vins dont l'évolution n'est pas semblable, afin qu'ils n'atteignent pas tous en même temps leur apogée. Et pour ne pas boire toujours les mêmes vins, fussent-ils les meilleurs, il est judicieux d'élargir sa sélection afin de disposer de bouteilles adaptées à différentes occasions et préparations culinaires.

Aménager sa cave

Une bonne cave est un lieu clos, sombre, à l'abri des trépidations et du bruit, exempte de toutes odeurs, protégée des courants d'air, mais bien ventilée, ni trop sèche ni trop humide, d'un degré hygrométrique de 75 %, et surtout d'une température stable, la plus proche possible de 11 °C.

Les caves citadines présentent rarement de telles caractéristiques. Il faut donc, avant d'encaver du vin, améliorer le local : établir une légère aération ou au contraire obstruer un soupirail trop ouvert ; humidifier l'atmosphère en déposant une bassine d'eau contenant un peu de charbon de bois ou l'assécher par du gravier et en augmentant la ventilation ; tenter de stabiliser la température par des panneaux isolants ; éventuellement, monter les casiers sur des blocs caoutchouc pour neutraliser les vibrations. Mais si une chaudière se trouve à proximité, si des odeurs de mazout se répandent, il n'y a pas grand-chose à espérer.

Si l'on ne dispose pas de cave ou que celle-ci est inutilisable, deux solutions sont possibles :

acheter une armoire à vin, unité d'une capacité de 50 à 500 bouteilles, dont la température et l'hygrométrie sont automatiquement maintenues ; construire de toutes pièces, en retrait dans son appartement, un lieu de stockage dont la température varie sans à-coups et ne dépasse pas 16 °C. Plus la température est élevée, plus le vin évolue rapidement. Or, un vin qui atteint rapidement son apogée dans de mauvaises conditions de garde ne sera jamais aussi bon que s'il avait vieilli lentement dans une cave fraîche. Il appartient à l'amateur de moduler ses achats et le plan d'encavement en fonction des conditions particulières imposées par ses locaux.

Choisir ses casiers

L'expérience prouve qu'une cave est toujours trop petite. Le rangement des bouteilles doit donc être rationnel. Le casier à bouteilles, à un ou deux rangs, offre bien des avantages : il est peu coûteux, s'il est installé immédiatement, et donne accès aisément à l'ensemble des flacons encavés. Malheureusement, il est volumineux au regard du nombre de bouteilles logées. Pour gagner de la place, une seule méthode : l'empilement des bouteilles. Afin de séparer les piles pour avoir accès aux différents vins, il faut construire ou faire construire – ce n'est pas compliqué – des casiers en parpaings pouvant contenir 24, 36 ou 48 bouteilles en pile, sur deux rangs. Si la cave le permet, si le bois ne pourrit pas, il est possible d'élever des casiers en planches. Il faudra alors les surveiller car des insectes peuvent s'y installer, qui attaquent les bouchons et rendent les bouteilles couleuses.
Deux instruments complètent l'aménagement de la cave : un thermomètre à maxima et minima, et un hygromètre. Des dégustations régulières permettent de corriger les défauts détectés et d'estimer l'évolution du vin cave.

Ranger ses bouteilles

Dans la mesure du possible, les principes suivants doivent être respectés : les vins blancs sont entreposés près du sol, les vins rouges au-dessus ; les vins de garde dans les rangées (ou casiers) du fond, les moins accessibles ; les bouteilles à boire, en situation frontale. Si les bouteilles achetées en carton ne doivent pas y demeurer, celles livrées en caisse de bois peuvent y être conservées, notamment si l'on envisage de revendre le vin. Néanmoins, les caisses prennent beaucoup de place et sont une proie aisée des pilleurs de cave. Il convient de repérer casiers et bouteilles par un système de notation (algébrique, par exemple), à reporter dans le livre de cave, indispensable outil pour gérer ses achats, dans lequel sont notés également la date d'entrée des vins, le nombre de bouteilles de chaque cru, leur identification précise, leur prix, leur apogée présumée, les accords gourmands et un commentaire de dégustation.

METTRE SON VIN EN BOUTEILLES

La mise en bouteilles, opération plaisante si on la réalise à plusieurs, ne pose pas de réels problèmes pourvu que l'on se conforme aux règles d'hygiène élémentaires. Si le vin a été transporté en cubitainer, il doit être embouteillé très rapidement ; s'il a voyagé dans un tonneau, il faut impérativement le laisser reposer une quinzaine de jours au préalable. Il convient de mettre le vin en bouteilles par un temps clément, un jour de haute pression, un jour sans pluie ni orage.

Les bonnes bouteilles

Les bouteilles méritent d'être adaptées au vin, sans tomber dans le purisme : bouteilles bordelaises pour les vins du Sud-Ouest et même du Midi, bourguignonne pour ceux du Sud-Est, du Beaujolais et de la Bourgogne, sachant qu'il existe d'autres bouteilles régionales réservées à certaines appellations. Chaque type de bouteille admet des modèles plus ou moins lourds, à fond plat ou presque plat, de hauteur et de diamètre différents.
Si toutes conservent favorablement le vin, les bouteilles les plus légères sont moins aptes au stockage en pile sur une longue durée. Lorsqu'elles sont trop remplies et que l'on enfonce énergiquement le bouchon, elles peuvent en outre éclater. D'une façon générale, mieux vaut utiliser des bouteilles lourdes. Il est incongru d'embouteiller un grand vin dans du verre léger, de même qu'un vin rouge dans des bouteilles blanches, incolores.
Bien que certains vins blancs, dont on souhaite mettre en valeur la robe, soient logés dans des bouteilles transparentes, cet usage n'est pas recommandé car ceux-ci sont sensibles à la lumière. Les maisons de champagne qui commercialisent ainsi leur production protègent toujours les bouteilles par un papier opaque.
Avant la mise, il convient de vérifier que l'on dispose d'un nombre suffisant de bouteilles et de bouchons, car une fois l'opération commencée, elle doit être achevée rapidement. On ne peut laisser le fût ou le cubitainer en vidange au risque que le vin restant ne s'oxyde ou ne devienne acescent et impropre à la consommation.

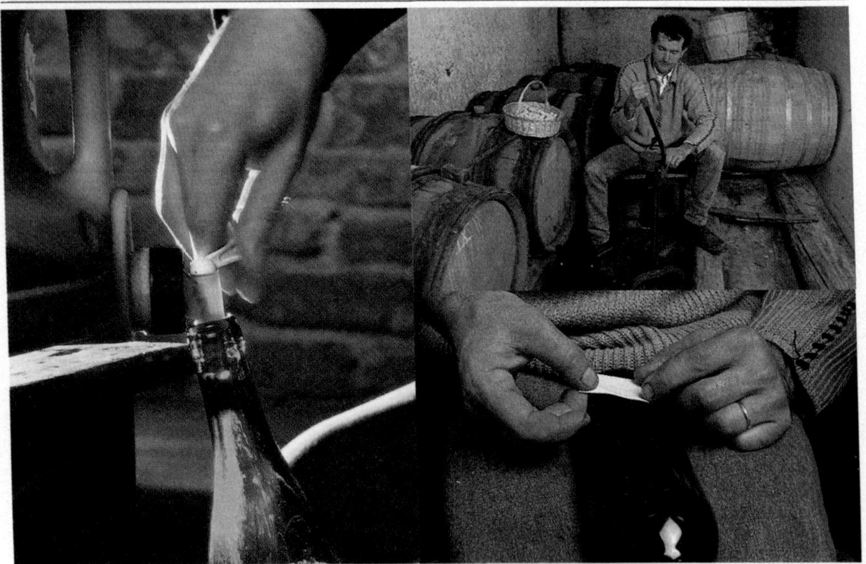

Les bouteilles doivent être parfaitement propres, rincées et séchées.

Les bons bouchons

En dépit de nombreuses recherches et du développement récent des capsules à vis pour résoudre le problème du « goût de bouchon », le liège demeure le matériau privilégié pour obturer les bouteilles. Les bouchons de liège ne sont pas tous identiques ; ils diffèrent en diamètre, en longueur et en qualité. Dans tous les cas, le diamètre du bouchon sera supérieur de 6 mm à celui du goulot. Meilleur est le vin, plus long sera le bouchon : taille nécessaire à une longue garde et hommage rendu au vin comme à ceux qui le boivent.

La qualité du liège est difficile à évaluer. Un liège d'une dizaine d'années a toute la souplesse désirée. Les beaux bouchons ne présentent pas ou peu de ces petites fissures que l'on obstrue parfois avec de la poudre de liège (bouchons améliorés). Des bouchons prêts à l'emploi, stérilisés à l'ozone et conditionnés en emballages stériles sont proposés à la vente. Il n'est plus nécessaire de les humidifier : on bouche à sec, ce qui présente un avantage certain. Il est possible d'acheter des bouchons étampés (ou de les faire étamper), portant le millésime du vin à embouteiller.

Les bons gestes

La tireuse est l'appareil idéal pour remplir la bouteille. Des tireuses à amorçage et à vanne commandées par contact avec la bouteille se vendent dans les grandes surfaces à un prix modique. On veillera à faire couler le vin le long de la paroi de la bouteille, maintenue légèrement oblique, afin de limiter le brassage et l'oxydation. Cette précaution est encore plus nécessaire pour les vins blancs. En aucun cas une écume ne doit apparaître à la surface du liquide. Les bouteilles seront remplies le plus haut possible afin que le bouchon soit en contact avec le vin (bouteille verticale). Le bouchon sera introduit dans la bouteille à l'aide d'une boucheuse, qui le comprimera latéralement avant l'introduction. Il existe une vaste gamme d'appareils, à tous les prix, destinés à cet usage.

L'étiquette

On préparera de la colle de tapissier ou un mélange d'eau et de farine, ou, plus simplement, on humectera les étiquettes avec du lait pour les coller sur le bas de la bouteille, à 3 cm de son pied. Les perfectionnistes habillent le goulot de capsules préformées posées grâce à un petit appareil manuel.

TROIS PROPOSITIONS DE CAVES

Chacun garnit sa cave selon ses goûts et dans le souci de la diversité. Nos propositions de caves n'incluent ni de vins de primeur, ni de vins à boire jeunes. Plus le nombre de bouteilles est restreint, plus l'amateur devra veiller à les renouveler. Les valeurs indiquées ne sont bien sûr que des ordres de grandeur.

CAVE DE 55 BOUTEILLES (environ 880 EUROS)

25 Bordeaux	17 rouges (graves, saint-émilion, médoc, pomerol, fronsac) 8 blancs : 5 secs (graves) 3 liquoreux (sauternes-barsac)
20 Bourgogne	12 rouges (crus de la Côte de Nuits, crus de la Côte de Beaune) 8 blancs (chablis, meursault, puligny)
10 vallée du Rhône	7 rouges (côte-rôtie, hermitage, châteauneuf-du-pape) 3 blancs (hermitage, condrieu)

CAVE DE 150 BOUTEILLES (environ 2 700 EUROS)

Région		Rouge	Blanc
40 Bordeaux	30 rouges 10 blancs	fronsac, pomerol, saint-émilion, graves, médoc (crus classés, crus bourgeois)	5 grands secs 5 { sainte-croix-du-mont sauternes-barsac
30 Bourgogne	15 rouges 15 blancs	crus de la Côte de Nuits, crus de la Côte de Beaune, vins de la Côte chalonnaise	chablis meursault puligny-montrachet
25 vallée du Rhône	19 rouges 6 blancs	côte-rôtie, hermitage rouge, cornas, saint-joseph, châteauneuf-du-pape, gigondas, côtes-du-rhône-villages	condrieu hermitage blanc châteauneuf-du-pape blanc
12 vallée de la Loire	5 rouges 7 blancs	bourgueil, chinon, saumur-champigny	pouilly-fumé, vouvray coteaux-du-layon
10 Sud-Ouest	7 rouges 3 blancs	madiran, cahors	jurançon (secs et doux)
8 Sud-Est	6 rouges 2 blancs	bandol, palette rouge	cassis palette blanc
7 Alsace	(blancs)		gewurztraminer riesling, tokay
4 Jura	(blancs)		vins jaunes côtes-du-jura, arbois
4 Languedoc-Roussillon	2 rouges 2 VDN	coteaux-du-languedoc, corbières, banyuls	banyuls rivesaltes
10 champagnes et autres vins effervescents			Crémants Divers types de champagnes

CAVE DE 300 BOUTEILLES

La création d'une telle cave suppose un investissement d'environ 6 500 euros. On doublera les chiffres de la cave de 150 bouteilles, en se souvenant que plus le nombre de flacons augmente, plus la longévité des vins doit être grande. Ce qui se traduit malheureusement (en général) par l'obligation d'acquérir des vins de prix élevé…

L'ART DE BOIRE

Si boire est une nécessité physiologique, boire du vin est un plaisir. A condition que le vin soit de qualité et que la dégustation se déroule dans de bonnes conditions. Savoir déguster, c'est découvrir toutes les facettes du vin et créer un moment de partage.

LA DÉGUSTATION

Il existe plusieurs types de dégustation aux finalités distinctes : dégustations technique, analytique, comparative, triangulaire en usage chez les professionnels. L'œnophile, lui, pratique une dégustation hédoniste, celle qui lui permet de tirer la quintessence d'un vin, de pouvoir en parler tout en développant l'acuité de son nez et de son palais.

Les conditions de la dégustation

La dégustation ne saurait se faire n'importe où et n'importe comment. Les locaux doivent être agréables, bien éclairés (lumière naturelle ou éclairage ne modifiant pas les couleurs, dit lumière du jour), de couleur claire de préférence, exempts de toutes odeurs parasites telles que parfum, fumée (tabac ou cheminée), odeurs de cuisine ou de bouquets de fleurs. La température ne doit pas dépasser 18-20 °C.

Le choix d'un verre adéquat est extrêmement important. Il doit être incolore afin que la robe du vin soit bien visible, et si possible fin ; sa forme sera celle d'une fleur de tulipe, c'est-à-dire non pas évasée mais légèrement refermée. Le corps du verre doit être séparé du pied par une tige de manière à ce que le vin ne se réchauffe pas lorsqu'on tient le verre par son pied et à ce qu'il puisse être tourné pour s'oxygéner et révéler son bouquet.

La forme du verre a une telle influence sur l'appréciation olfactive et gustative du vin que l'Association française de normalisation (Afnor) et les instances internationales de normalisation (Iso) ont adopté, après étude, un verre qui offre toutes les garanties d'efficacité au dégustateur et au consommateur ; ce type de verre, appelé communément verre INAO, n'est pas réservé qu'aux professionnels. Il est en vente dans les maisons spécialisées. Les verriers français, allemands et autrichiens proposent un vaste choix de verres.

Les étapes de la dégustation

La dégustation fait appel à la vue, à l'odorat, au goût et au sens tactile, non par l'intermédiaire des doigts bien sûr, mais par l'entremise de la bouche, sensible aux effets mécaniques du vin : température, consistance, gaz dissous, etc.

• L'œil

Par l'œil, le consommateur prend un premier contact avec le vin. L'examen de la robe (ensemble des caractères visuels), marquée par le cépage d'origine et le mode d'élaboration, est riche d'enseignements. C'est un premier test.
Quelle que soit sa couleur, le vin doit être limpide, sans trouble. Des traînées ou des brouillards sont signes de maladies : le vin doit être rejeté. Seuls sont admissibles de petits cristaux de bitartrates (insolubles), la gravelle, précipitation que connaissent les vins victimes d'un coup de froid ; leur qualité n'en est pas altérée. L'examen de la *limpidité* se pratique en interposant le verre entre l'œil et une source lumineuse placée si possible à même hauteur. La *transparence* (vin rouge) est déterminée en examinant le vin sur un fond blanc, nappe ou feuille de papier ; cet examen implique que l'on incline son verre. Le disque (la surface) devient elliptique et son observation informe sur l'âge du vin et sur son état de conservation ; on examine alors la nuance de la robe. Tous les vins jeunes doivent être transparents, ce qui n'est pas toujours le cas des vins vieux de qualité.

Vin	Nuance de la robe	Déduction
Blanc	Presque incolore	Très jeune, très protégé de l'oxydation. Vinification moderne en cuve.
	Jaune très clair à reflets verts	Jeune à très jeune. Vinifié et élevé en cuve.
	Jaune paille, jaune or	La maturité. Peut-être élevé dans le bois.
	Or cuivre, or bronze	Déjà vieux.
	Ambré à noir	Oxydé, trop vieux.
Rosé	Blanc taché, œil-de-perdrix à reflets rosés	Rosé de pressurage et vin gris jeune.
	Rose saumon à rouge très clair franc	Rosé jeune et fruité à boire.
	Rose avec nuance jaune à pelure d'oignon	Commence à être vieux pour son type.
Rouge	Violacé	Très jeune. Bonne teinte de gamay de primeur et des beaujolais nouveaux (6 à 18 mois).
	Rouge pur (cerise)	Ni jeune ni évolué. L'apogée pour les vins qui ne sont ni primeurs ni de garde (2-3 ans).
	Rouge à franges orangées	Maturité de vin de petite garde. Début de vieillissement (3-7 ans).
	Rouge brun à brun	Seuls les grands vins atteignent leur apogée vêtus de cette robe. Pour les autres, il est trop tard.

L'examen visuel s'intéresse encore à l'*éclat*, ou *brillance*, du vin. Un vin qui a de l'éclat est gai, vif ; un vin terne est probablement triste... Cette inspection visuelle de la robe s'achève par l'intensité de la couleur, qu'on se gardera de confondre avec la nuance (le ton) de celle-ci.

Intensité de la robe	Vin	Déduction
Robe trop claire	Manque d'extraction Année pluvieuse Rendement excessif Vignes jeunes Raisins insuffisamment mûrs Raisins pourris Cuvaison trop courte Fermentation à basse température	Vins légers et de faible garde Vins de petits millésimes
Robe foncée	Bonne extraction Rendement faible Vieilles vignes, Vinification réussie	Bons ou grands vins Bel avenir

C'est encore l'œil qui découvre les *jambes*, ou larmes, écoulements que le vin forme sur la paroi du verre quand on l'anime d'un mouvement rotatif pour humer les arômes du vin (voir ci-après). Celles-ci rendent compte du degré alcoolique : le cognac et les vins liquoreux en produisent toujours.

Exemple de vocabulaire se rapportant à l'examen visuel

Nuances : pourpre, grenat, rubis, violet, cerise, pivoine.
Intensité : légère, soutenue, foncée, profonde, intense.
Éclat : mat, terne, triste, éclatant, brillant.
Limpidité et transparence : opaque, louche, voilée, cristalline.

Exemple de vocabulaire se rapportant à l'examen olfactif

Fleurs : violette, tilleul, jasmin, sureau, acacia, iris, pivoine.
Fruits : framboise, cassis, cerise, griotte, groseille, abricot, pomme, banane, pruneau.
Végétal : herbacé, fougère, mousse, sous-bois, terre humide, crayeux, champignons divers.
Épicé : toutes les épices, du poivre au gingembre en passant par le clou de girofle et la muscade.
Balsamique : résine, pin, térébenthine.
Animal : viande, viande faisandée, gibier, fauve, musc, fourrure.
Empyreumatique : brûlé, grillé, pain grillé, tabac, foin séché, tous les arômes de torréfaction (café, par exemple).

• Le nez

L'examen olfactif est la deuxième épreuve que le vin doit subir. Certaines odeurs sont éliminatoires, telles l'acidité volatile (acescence, vinaigre), l'odeur du liège moisi (goût de bouchon) ; mais dans la plupart des cas, le bouquet du vin – l'ensemble des odeurs se dégageant du verre – procure des découvertes toujours renouvelées.

Les composants aromatiques s'expriment selon leur volatilité. C'est en quelque sorte une évaporation du vin, ce qui explique que la température de service soit si importante : trop froide, les arômes ne s'expriment pas ; trop chaude, ils s'évaporent trop rapidement, s'oxydent, les parfums très volatils disparaissent, tandis que ressortent des éléments aromatiques lourds, anormaux.

Le nez du vin rassemble un faisceau de parfums en mouvance permanente, qui se présentent successivement selon la température et l'oxydation. Le maniement du verre est donc important. On commencera par humer ce qui se dégage du verre immobile, puis on imprimera au vin un mouvement de rotation : l'air fait alors son effet et d'autres parfums apparaissent.

La qualité d'un vin est fonction de l'intensité et de la complexité du bouquet. Les petits vins n'offrent que peu ou pas de bouquet : ils sont simplistes, monocordes. Au contraire, les grands vins se caractérisent par des bouquets amples, profonds et complexes. Le vocabulaire relatif aux arômes est infini, car il procède par analogie. Divers systèmes de classification des arômes ont été proposés ; pour simplifier, retenons les familles florale, fruitée, végétale (ou herbacée), épicée, balsamique, animale, boisée, empyreumatique (en référence au feu), chimique.

• La bouche

Après avoir triomphé des épreuves de l'œil et du nez, le vin subit un dernier examen. Une faible quantité de vin est mise en bouche. Un filet d'air est aspiré afin de permettre sa diffusion dans l'ensemble de la cavité buccale. A défaut, il est simplement mâché. Dans la bouche, le vin s'échauffe, il diffuse de nouveaux éléments aromatiques recueillis par voie rétronasale, étant entendu que les papilles de la langue ne sont sensibles qu'aux quatre saveurs élémentaires : amer, acide, sucré et salé ; voilà pourquoi une personne enrhumée ne peut goûter un vin (ou un aliment), la voie rétronasale étant alors inopérante.

Outre les quatre saveurs élémentaires, la bouche est sensible à la température du vin, à sa viscosité, à la présence ou à l'absence de gaz carbonique et à l'astringence (effet tactile : absence de lubrification par la salive et contraction des muqueuses sous l'action des tanins). C'est en bouche que se révèlent l'équilibre, l'harmonie ou, au contraire, le caractère de vins mal bâtis qui ne doivent pas être achetés.

Les vins blancs, gris et rosés se caractérisent par un bon équilibre entre acidité et moelleux.

Trop d'acidité : le vin est agressif ;
pas assez, il est plat.
Trop de moelleux : le vin est lourd, épais ;
pas assez, il est mince, terne.

Pour les vins rouges, l'équilibre tient compte de l'acidité, du moelleux et des tanins.

Excès d'acidité :	vin trop nerveux, souvent maigre.
Excès de tanins :	vin dur, astringent.
Excès de moelleux (rare) :	vin lourd.
Carence en acidité :	vin mou.
Carence en tanins :	vin sans charpente, informe.
Carence en moelleux :	vin qui sèche.

Un bon vin se situe au point d'équilibre des trois composantes ci-dessus. Ces éléments supportent sa richesse aromatique ; un grand vin se distingue d'un bon vin par sa construction rigoureuse et puissante, quoique fondue, par son ampleur et sa complexité aromatique.

Exemple de vocabulaire relatif au vin en bouche

Critique : informe, mou, plat, mince, aqueux, limité, transparent, pauvre, lourd, massif, grossier, épais, déséquilibré.
Laudatif : structuré, construit, charpenté, équilibré, corpulent, complet, élégant, fin, qui a du grain, riche.

Après cette analyse en bouche, le vin est avalé. L'œnophile se concentre alors pour mesurer sa persistance aromatique, appelée aussi longueur en bouche. Cette longueur s'exprime en caudalies, unité savante valant tout simplement une seconde. Plus un vin est long, plus il est estimable. La persistance permet de hiérarchiser les vins, du plus petit au plus grand. Cette mesure en secondes est à la fois simple et compliquée ; elle ne porte que sur la longueur aromatique, à l'exclusion des éléments de structure du vin (acidité, amertume, sucre et alcool).

La reconnaissance d'un vin

La dégustation consiste à goûter pleinement un vin et à déterminer s'il est grand, moyen ou petit. Souvent, il est question de savoir s'il est conforme à son type ; mais encore faut-il que son origine soit précisée.

La dégustation d'identification, c'est-à-dire de reconnaissance, est un jeu de société ; mais c'est un jeu injouable sans un minimum d'informations. On peut reconnaître un cépage, par exemple un cabernet-sauvignon. Mais est-ce un cabernet-sauvignon d'Italie, du Languedoc, de Californie, du Chili, d'Argentine, d'Australie ou d'Afrique du Sud ? Lorsqu'on se limite à la France, l'identification des grandes régions est possible, mais il est bien difficile d'être plus précis : si l'on propose six verres de vin en précisant qu'ils représentent les six appellations du Médoc (listrac, moulis, margaux, saint-julien, pauillac, saint-estèphe), combien y aura-t-il de sans fautes ?

Une expérience classique que chacun peut renouveler prouve la difficulté de la dégustation : le dégustateur, les yeux bandés, goûte en ordre dispersé des vins rouges peu tanniques et des vins blancs non aromatiques, de préférence élevés dans le bois. Il doit simplement distinguer le blanc du rouge : il est très rare qu'il ne se trompe pas ! Paradoxalement, il est beaucoup plus facile de reconnaître un vin très typé dont on a encore en tête et en bouche le souvenir ; mais combien a-t-on de chances que le vin proposé soit justement celui-là ?

Régions	Cépages	Caractères
Toutes les AOC de bourgogne rouge	pinot	vins fins de garde
Toutes les AOC de bourgogne blanc	chardonnay	vins fins de garde
Beaujolais	gamay	vins de primeur ou de consommation rapide
Rhône Nord rouge	syrah	vins fins de garde
Rhône Nord blanc	marsanne, roussanne	garde variable
Rhône Nord blanc	viognier	vins fins de garde
Rhône Sud, Languedoc, Côtes de Provence	grenache, cinsault, mourvèdre, syrah	vins plantureux de moyenne ou petite garde
Alsace (chaque cépage,vinifié seul, donne son nom au vin)	riesling, pinot gris, gewurztraminer, sylvaner, muscat...	vins aromatiques à boire rapidement sauf les grands crus, vendanges tardives ou sélections de grains nobles
Champagne	pinot, chardonnay	à boire dès l'achat
Loire blanc	sauvignon	vins aromatiques à boire rapidement
Loire blanc	muscadet	à boire rapidement
Loire blanc	chenin	de longue garde
Loire rouge	cabernet franc (breton)	petite à grande garde
Toutes les AOC de Bordeaux rouges, bergerac et Sud-Ouest	cabernet-sauvignon, cabernet franc et merlot	vins fins de garde
Madiran	tannat, cabernets	vins fins de garde
Bordeaux blanc, bergerac, montravel, monbazillac, duras...	sémillon, sauvignon, muscadelle	secs : de petite à longue garde ; liquoreux : longue garde
Jurançon	petit manseng, gros manseng	secs : petite garde ; moelleux : longue garde

Déguster pour acheter

Lorsque l'on se rend dans le vignoble dans l'intention d'acheter du vin, il convient de déguster les échantillons proposés. Il s'agit alors de pratiquer des dégustations appréciatives et comparatives. Il est fort difficile de présumer de l'évolution d'un vin, d'évaluer leur période d'apogée. Les vignerons eux-mêmes se trompent parfois lorsqu'ils tentent d'imaginer l'avenir de leur vin. Quelques indices peuvent néanmoins fournir des éléments d'appréciation.

Pour se bonifier, les vins doivent être solidement construits. Ils doivent avoir un titre alcoométrique suffisant, et l'ont en fait toujours : la chaptalisation (ajout de sucre réglementé par la loi) y contribue si nécessaire ; il faut donc porter son attention ailleurs, sur l'acidité et les tanins. Un vin trop souple, qui peut être cependant très agréable, dont l'acidité est faible, voire trop faible, sera fragile, et sa longévité ne sera pas assurée. Un vin faible en tanins n'aura guère plus d'avenir. Dans le premier cas, le raisin aura souffert d'un excès de soleil et de chaleur, dans le second, d'un manque de maturité, d'attaques de pourriture ou encore d'une vinification inadaptée.

Ces deux constituants du vin, acidité et tanins, se mesurent : l'acidité s'évalue en équivalence d'acide sulfurique, en grammes par litre, à moins que l'on ne préfère le pH ; les tanins, selon l'indice de Folain, mais il s'agit là d'un travail de laboratoire. L'avenir d'un vin qui comporte moins de 3 g/l d'acidité n'est pas assuré. Quant à l'estimation du seuil de tanins en dessous duquel une longue garde est problématique, elle n'est pas rigoureuse. Cependant, la connaissance de cet indice est utile, car des tanins mûrs, doux, enrobés sont parfois sous-évalués ou ne se révèlent pas toujours à la dégustation.

Dans tous les cas, on dégustera le vin dans de bonnes conditions, sans se laisser influencer par l'atmosphère de la cave du vigneron. On évitera de le goûter au sortir d'un repas, après l'absorption d'eau-de-vie, de café, de chocolat ou de bonbons à la menthe, ou encore après avoir fumé. Si le vigneron propose des noix, méfiance, car elles améliorent tous les vins. Méfiance également à l'égard du fromage qui modifie la sensibilité du palais. Tout au plus mangera-t-on un morceau de pain, nature.

S'exercer à la dégustation

La dégustation s'apprend. On peut la pratiquer chez soi en suivant les principes énoncés ci-avant. On peut aussi, si l'on est passionné, suivre des stages, de plus en plus nombreux. On peut encore s'inscrire à des cycles d'initiation proposés par divers organismes privés : étude de la dégustation, étude de l'accord des mets et des vins, exploration par la dégustation des grandes régions de production françaises ou étrangères, analyse de l'influence des cépages, des millésimes, des sols, incidence des techniques de vinification, dégustations commentées en présence du propriétaire, etc.

LE SERVICE DES VINS

Si au restaurant, le service du vin est l'apanage du sommelier, cette lourde responsabilité revient au maître ou à la maîtresse de maison dans le cadre familial. Il faut choisir les bouteilles les mieux adaptées aux plats composant le repas et qui ont atteint leur apogée. Le goût de chacun intervient bien sûr dans le mariage des mets et des vins, mais des siècles d'expérience ont permis de dégager des principes généraux, des alliances idéales et des incompatibilités majeures.

Quand faut-il boire le vin ?

Un vin de garde connaît trois phases au cours de sa vie en bouteille et de sa conservation en cave : d'abord, une phase d'ascension qui traduit la maturation et l'amélioration du vin, puis une phase de plafonnement correspondant à la meilleure période de la vie du vin, à son point d'épanouissement optimal, c'est-à-dire à l'apogée, enfin une phase de récession révélatrice du déclin du vin.

Les vins évoluent de manière très différente. Selon leur appellation – et donc selon le cépage, le terroir et la vinification –, ils peuvent atteindre leur apogée après une garde plus ou moins longue : de un à vingt ans. La qualité du millésime influe aussi sur leur longévité : un vin de petit millésime peut évoluer deux ou trois fois plus rapidement. Néanmoins, il est possible d'évaluer le potentiel de garde des vins selon leur origine géographique. A chacun, ensuite, de la moduler en fonction des conditions de conservation dans sa cave et de sa connaissance des millésimes.

L'apogée (en années)

B = blanc ; R = rouge	Vallée du Rhône Sud (B) : 2 ; (R) : 4-8
Alsace (B) : dans l'année	Loire (B) : 1-5 ; (R) : 3-10
Alsace grand cru (B) : 1-4	Loire moelleux, liquoreux (B) : 10-15
Alsace vendanges tardives (B) : 8-12	Vins du Périgord (B) : 2-3 ; (R) : 3-4
Jura (B) : 4 ; (R) : 8	Vins du Périgord liquoreux (B) : 6-8
Jura rosé : 6	Bordeaux (B) : 2-3 ; (R) : 6-8
Vin jaune (B) : 20	Grands bordeaux (B) : 4-10 ; (R) : 10-15
Savoie (B) : 1-2 ; (R) : 2-4	Bordeaux liquoreux (B) : 10-15
Bourgogne (B) : 5 ; (R) : 7	Jurançon sec (B) : 2-4
Grands bourgognes (B) : 8-10 ; (R) : 10-15	Jurançon moelleux, liquoreux (B) : 6-10
Mâcon (B) : 2-3 ; (R) : 1-2	Madiran (R) : 5-12
Beaujolais (R) : dans l'année	Cahors (R) : 3-10
Crus du Beaujolais (R) : 1-4	Gaillac (B) : 1-3 ; (R) : 2-4
Vallée du Rhône Nord (B) : 2-3 ; (R) : 4-5	Languedoc (B) : 1-2 ; (R) : 2-4
Côte-rôtie, hermitage, etc. (B) : 8 ; (R) : 8-15	Côtes-de-provence (B) : 1-2 ; (R) : 2-4
	Corse (B) : 1-2 ; (R) : 2-4

Remarques :
– Ne pas confondre l'apogée avec la longévité maximale.
– Une cave chaude ou à température variable accélère l'évolution.

Les règles du service

Rien ne doit être négligé depuis l'enlèvement de la bouteille en cave jusqu'au moment du service dans le verre. Plus un vin est âgé, plus il exige de soins. La bouteille sera prise sur pile et redressée lentement pour être amenée à table, à moins qu'on ne la dépose directement dans un panier verseur. Les vins de peu d'ambition seront servis de la façon la plus simple, tandis que les vins de grand âge, très fragiles, seront versés de la bouteille soigneusement déposée dans le panier, dans l'exacte position qu'elle occupait sur pile. Les vins jeunes comme les vins robustes seront décantés, soit pour les aérer parce qu'ils contiennent encore quelques traces de gaz, souvenir de leur fermentation, soit pour amorcer une oxydation bénéfique pour la dégustation, ou encore pour isoler le vin clair des sédiments déposés au fond de la bouteille. Dans ce cas, le vin sera transvasé avec soin et on le versera devant une source lumineuse, traditionnellement une bougie (habitude qui date d'avant l'éclairage électrique et qui n'apporte aucun avantage) pour laisser dans la bouteille le vin trouble et les matières solides.

Quand déboucher, quand servir ?

Selon le professeur Émile Peynaud, il est inutile d'ôter le bouchon longtemps avant de consommer le vin, la surface en contact avec l'air (le goulot et la bouteille) étant trop petite. Cependant, le tableau ci-dessous résume des usages qui, s'ils n'améliorent pas systématiquement le vin, ne l'abîment jamais.

Vins blancs aromatiques Vins de primeur rouges et blancs Vins courants rouges et blancs Vins rosés	Déboucher, boire sans délai. Bouteille verticale.
Vins blancs de la Loire Vins blancs liquoreux	Déboucher, attendre une heure. Bouteille verticale.
Vins rouges jeunes Vins rouges à leur apogée	Décanter une demi-heure à deux heures avant consommation.
Vins rouges anciens fragiles	Déboucher en panier verseur et servir sans délai ; éventuellement décanter et consommer tout de suite.

Déboucher

La capsule doit être coupée en dessous de la bague ou au milieu. Le vin ne doit pas entrer en contact avec le métal de la capsule. Dans le cas où le goulot est ciré, donner de petits coups afin d'écailler la cire ou, mieux, enlever la cire avec un couteau sur la partie supérieure du col, cette méthode ayant l'avantage de ne pas ébranler la bouteille et le vin.
Pour extraire le bouchon, seul le tire-bouchon à vis en queue de cochon donne satisfaction (avec le tire-bouchon à lames, d'un maniement délicat). Théoriquement, le bouchon ne doit pas être transpercé. Une fois extrait, le humer : il ne doit présenter aucune odeur parasite et ne pas sentir le liège (goût de bouchon). Ensuite, goûter le vin pour une ultime vérification avant de le servir aux convives.

À quelle température ?

On peut tuer un vin en le servant à une température inadéquate ou, au contraire, l'exalter en le servant à la température appropriée. On vérifie la température de service à l'aide d'un thermomètre à vin, de poche si l'on va au restaurant ou à plonger dans la bouteille lorsque l'on opère chez soi. Celle-ci dépend du type de vin, de son âge et, dans une moindre mesure, de la température ambiante. On n'oubliera pas que le vin se réchauffe dans le verre.

Grands vins rouges de Bordeaux à leur apogée	16-17 °C
Grands vins rouges de Bourgogne à leur apogée	15-16 °C
Vins rouges de qualité, grands vins rouges avant leur apogée	14-16 °C
Grands vins blancs secs	14-16 °C
Vins rouges légers, fruités, jeunes	11-12 °C
Vins rosés, vins de primeur	10-12 °C
Vins blancs secs vifs et légers	10-12 °C
Champagne, vins effervescents	7-8 °C
Vins liquoreux	6 °C

Ces températures doivent être augmentées d'un ou deux degrés lorsque le vin est vieux.
On a tendance à servir légèrement plus frais les vins destinés à l'apéritif et à boire les vins de repas légèrement chambrés. On tiendra compte du climat de la région ou de la température qui règne dans la pièce : sous un climat torride, un vin bu à 11 °C paraîtra glacé, il conviendra donc de le porter à 13 ou 14 °C. Néanmoins, on se gardera de dépasser 20 °C car, au-delà, des phénomènes physico-chimiques altèrent les qualités du vin et le plaisir qu'on peut en attendre.

Les verres

À chaque région correspond un type de verre. Dans la pratique, à moins de tomber dans un purisme excessif, on se contentera soit d'un verre universel (de style verre à dégustation), soit des deux types les plus usités, le verre à bordeaux et le verre à bourgogne. Quel que soit le verre choisi, il sera rempli modérément, plus près du tiers que de la moitié. Lavé à l'eau claire ou légèrement savonneuse, il sera bien rincé et séché à l'air libre, tête en bas.

Bourgogne — Alsace — Bordeaux — INAO — Champagne

Au restaurant

Le sommelier s'occupe de la bouteille, hume le bouchon, puis fait goûter le vin à celui qui l'a commandé. Auparavant il aura suggéré des vins en fonction des mets. La lecture de la carte des vins est instructive : elle dévoile non seulement les secrets de la cave, mais aussi éclaire sur les compétences du sommelier, du caviste ou du restaurateur. Une carte correcte doit impérativement comporter, pour chaque vin, les informations suivantes : appellation, millésime, lieu de la mise en bouteille, nom du négociant ou du propriétaire, auteur et responsable du vin. Ce dernier point est malheureusement très souvent omis.

Une belle carte doit présenter un large éventail d'appellations et de millésimes (nombre de restaurateurs ont la fâcheuse habitude de toujours proposer les petites années). Intelligente, elle sera adaptée à la gastronomie de l'établissement ou fera la part belle aux vins régionaux. Il est parfois proposé une cuvée du patron : vin agréable, généralement sans appellation d'origine.

Dans les bistrots à vin

Apparus dans les années 1970, les bistrots à vin ou bars à vin vendent au verre des vins de qualité, bien souvent de propriétaires, sélectionnés par le patron lui-même au cours de ses visites dans les vignobles. La mise au point d'un appareil protégeant le vin dans les bouteilles ouvertes par une couche d'azote – le *cruover* – leur a permis de proposer de grands vins de millésimes prestigieux. Des assiettes de charcuteries et de fromages sont souvent proposées aux clients en accompagnement, mais une restauration moins rudimentaire a complété leurs cartes.

LES MILLÉSIMES

Tous les vins de qualité sont millésimés à l'exception des vins de liqueur, de certains champagnes et vins doux naturels élaborés par assemblage de plusieurs années. Dans ce cas, la qualité du produit dépend du talent de l'assembleur ; généralement le vin assemblé est supérieur à chacun de ses composants, mais il est déconseillé de faire vieillir ces bouteilles.

Qu'est-ce qu'un grand millésime ?

Un vin né d'un grand millésime se révèle concentré et équilibré. Il est généralement issu, mais pas obligatoirement, de faibles rendements et de vendanges précoces. Dans tous les cas, il a été élaboré à partir de raisins parfaitement sains, exempts de pourriture.

Peu importe les conditions météorologiques qui ont marqué le début du cycle végétatif : on peut même soutenir que quelques mésaventures, telles que gel ou coulure (chute de jeunes baies avant maturation) sont favorables puisqu'elles diminuent le nombre de grappes par pied. En revanche, la période qui s'étend du 15 août aux vendanges de la fin septembre est capitale : un maximum de chaleur et de soleil est alors nécessaire. 1961 demeure la grande année du XXe siècle. *A contrario*, les années 1963, 1965 et 1968 furent désastreuses, parce qu'elles cumulèrent froid et pluie, d'où l'absence de maturité et un fort rendement de raisins gorgés d'eau. Pluie et chaleur ne valent guère mieux, car l'eau tiédie favorise la pourriture ; 1976, le grand millésime potentiel du Sud-Ouest, en a pâti. Quant à la canicule de 2003, elle a parfois grillé le raisin et produit des vins lourds.

Les traitements phytosanitaires et fongicides (notamment contre le ver de la grappe et le développement de la pourriture) permettent d'attendre une pleine maturité pour vendanger et de récolter des raisins de qualité malgré des conditions climatiques difficiles. Dès 1978, on a pu enregistrer d'excellents millésimes vendangés tardivement.

Il est d'usage de résumer la qualité des millésimes dans des tableaux de cotation. Ces notes ne représentent que des moyennes : elles ne prennent pas en compte les microclimats, pas plus que les efforts héroïques de tris de raisins à la vendange ou les sélections forcenées des vins en cuve. Le vin de Graves, Domaine de Chevalier 1965 – millésime par ailleurs épouvantable – démontre que l'on peut élaborer un grand vin dans une année cotée zéro.

Propositions de cotation (de 0 à 20)

	Alsace	Beaujolais	Bordeaux rouge	Bordeaux liquoreux	Bordeaux sec	Bourgogne rouge	Bourgogne blanc	Champagne	Jura (vin jaune)	Languedoc-Roussillon	Provence rouge	Sud-Ouest rouge	Sud-Ouest blanc liquoreux	Loire rouge	Loire blanc liquoreux	Rhône (nord)	Rhône (sud)
1945	20		20	20	18	20	18	20					19				
1946	9		14	9	10	10	13	10					12				
1947	17		18	20	18	18	18	18					20				
1948	15		16	16	16	10	14	11					12				
1949	19		19	20	18	20	18	17					16				
1950	14		13	18	16	11	19	16					14				
1951	8		8	6	6	7	6	7					7				
1952	14		16	16	16	16	18	16					15				
1953	18		19	17	16	18	17	17					18				
1954	9	9	10			14	11	15					9				
1955	17	13	16	19	18	15	18	19					16				
1956	9	6	5										9				
1957	13	11	10	15		14	15						13				
1958	12	7	11	14		10	9						12				
1959	20	13	19	20	18	19	17	17					19				
1960	12	5	11	10	10	10	7	14					9				
1961	19	16	20	15	16	18	17	16					16				
1962	14	13	16	16	16	17	19	17					15				
1963		6					10										
1964	18	8	16	9	13	16	17	18					16				
1965					12								8				
1966	12	11	17	15	16	18	18	17					15				
1967	14	13	14	18	16	15	16						13				
1968																	
1969	16	14	10	13	12	19	18	16					15				
1970	14	13	17	17	18	15	15	17					15				
1971	18	15	16	17	19	18	20	16					17				
1972	9	6	10		9	11	13						9				
1973	16	7	13	12		12	16	16					16				
1974	13	8	11	14		12	13	8					11				
1975	15	7	18	17	18		11	18					15				
1976	19	16	15	19	16	18	15	15					18				
1977	12	9	12	7	14	11	12	9					11				
1978	15	12	17	14	17	19	17	16					17				
1979	16	13	16	18	18	15	16	15					14				
1980	10	10	13	17	18	12	12	14					13			15	
1981	17	14	16	16	17	14	15	15					15				
1982	15	12	18	14	16	14	16	16			17	17	15	14		14	15
1983	20	17	17	17	16	15	16	15	16			16	18	12		16	16
1984	15	11	13	13	12	13	14	5		7		10		10		13	15
1985	19	16	18	15	14	17	17	17	17	18	17	17	17	16	16	17	16
1986	10	15	17	17	12	12	15	9	17	15	16	16	16	13	14	15	13
1987	13	14	13	11	16	12	11	10	16	14	14	14		13		16	12
1988	17	15	16	19	18	16	14	18	16	17	17	18	18	16	18	17	15
1989	16	16	18	19	18	16	18	16	17	16	16	17	17	20	19	18	16
1990	18	14	18	20	17	18	16	18	18	17	16	16	18	17	20	19	19
1991	13	15	13	14	13	14	15	11		14	13	14		12	9	15	13

	Alsace	Beaujolais	Bordeaux rouge	Bordeaux liquoreux	Bordeaux sec	Bourgogne rouge	Bourgogne blanc	Champagne	Jura (vin jaune)	Languedoc-Roussillon	Provence rouge	Sud-Ouest rouge	Sud-Ouest blanc liquoreux	Loire rouge	Loire blanc liquoreux	Rhône (nord)	Rhône (sud)
1992	12	9	12	10	14	15	17	12		13	9	9		14		12	11
1993	13	11	13	8	15	14	13	12		14	11	14	14	13	12	11	14
1994	12	14	14	14	17	14	16	12		12	10	14	15	14	12	14	11
1995	12	16	16	18	17	14	16	16	17	15	15	15	16	17	17	15	16
1996	12	14	15	18	16	17	18	19	18	13	14	14	13	17	17	15	13
1997	13	13	14	18	14	14	17	15	16	13	13	13	16	16	16	14	13
1998	13	13	15	16	14	15	15	13	14	17	16	16	13	14		18	15
1999	10	11	14	17	13	13	12	15	17	15	16	14	10	12	10	16	14
2000	12	12	18	10	16	11	15	15	16	16	14	14	13	16	13	17	15
2001	13	11	15	17	16	13	16	9		16	14	16	18	13	16	17	11
2002	10	10	14	18	16	17	17	17	14	12	11	15	14	14	10	8	9
2003	12	15	15	18	13	17	18	14	17	15	13	14	17	15	17	16	14
2004	13	12	14	10	17	13	15	16	13	15	15	13	15	14	10	12	16
2005	13	18	18	17	18	19	18	14	17	15	12	16	17	16	18	16	18

Les zones cernées d'un trait épais indiquent les vins d'AOC communales à mettre en cave.

Quels millésimes boire maintenant ?

Les vins évoluent différemment selon qu'ils sont nés d'une année maussade ou ensoleillée, mais aussi selon leur appellation, leur hiérarchie au sein de cette appellation, leur vinification, leur élevage ; la qualité et la durée de leur vieillissement dépend également de la cave où ils sont entreposés. Le tableau de cotation des millésimes concerne des vins de bonne facture, à leur apogée ; il n'intègre pas l'évolution actuelle des millésimes anciens. Il ne prend en compte ni les vins ni les cuvées exceptionnels.

LA CUISINE AU VIN

La cuisine au vin ne date pas d'aujourd'hui. Au Ier s. av. J.-C., Apicius donne la recette du porcelet à la sauce au vin (il s'agissait de vin de paille). Pourquoi user du vin en cuisine ? Pour les saveurs qu'il apporte et pour les vertus digestives qu'il ajoute aux plats grâce à la glycérine et aux tanins. En outre, l'alcool disparaît presque totalement à la cuisson.

On pourrait retracer une histoire de la cuisine à travers le vin. Les marinades ont été inventées pour conserver des pièces de viande ; aujourd'hui on les perpétue pour l'apport d'éléments sapides. La cuisson, donc la réduction des marinades, est à l'origine des sauces. En cuisant la viande avec la marinade, on a inventé les civets et les daubes.

Quelques conseils
- Inutile de gaspiller de vieux millésimes pour la cuisine.
- Ne jamais user en cuisine de vins ordinaires ou de vins trop légers.
- Boire avec le plat le vin de cuisson ou de la même origine.

LE VINAIGRE DE VIN

Vins et vinaigres jouent chacun leur partie dans l'orchestre des saveurs dont l'homme se régale. Jeter des fonds de bouteilles de qualité serait regrettable. Le vinaigrier est là pour les accueillir. Il s'agit d'un récipient de 3 à 5 l en bois ou, mieux, en terre vernissée, généralement muni d'un robinet. L'acidité du vinaigre est un révélateur. Pour contenir ses ardeurs, le gourmet a inventé le vinaigre aromatisé : ail, échalote, petits oignons, estragon, graines de moutarde, grains de poivre, clous de girofle, fleurs de sureau, de capucine, pétales de roses, laurier, thym, etc.

Quelques conseils
- Ne jamais déposer un vinaigrier dans une cave, au risque de gâter les bouteilles de vin.
- Placer le vinaigrier dans un lieu tempéré (20 °C).
- Éliminer du vinaigrier la mère du vinaigre (masse visqueuse).
- Ne jamais le boucher hermétiquement car l'air contribue à la vie des bactéries acétiques qui transforment l'alcool du vin en acide acétique.
- Le vinaigrier doit vivre. Chaque fois que l'on retire du vinaigre, ajouter un volume équivalent de vin. Un vinaigre laissé en souffrance dans un vinaigrier plus de deux ou trois mois (maximum) n'est plus qu'acétique. Il perd son goût de vin, il n'a plus d'intérêt.
- Ne jamais introduire dans le vinaigrier de vin sans origine.
- Ne jamais placer les aromates dans le vinaigrier. Il faut extraire le vinaigre du vinaigrier et conserver le vinaigre aromatisé dans un autre récipient, de préférence hermétique.

PAIN ET VIN : LES BONS COMPAGNONS

Le sait-on ? Ce sont les mêmes procédés de fermentation qui transforment le raisin en vin et le blé ou le seigle en pain. Lien naturel, lien culturel aussi. Car si la culture des céréales a précédé celle de la vigne en Mésopotamie, 8 000 ans avant notre ère, une longue histoire unit, depuis la préhistoire, le pain et le vin, à la fois aliments de base, offrandes et symboles sacrés. Les Égyptiens, puis les Grecs ont parfait la fabrication du pain au levain comme l'art de la vinification. Dans les banquets, pain et vin font honneur aux hôtes, et l'auteur Athénée, au IIIe s. apr. J.-C., conseille de ne jamais boire sans pain afin de garder tous ses sens.

Dans le monde et tout particulièrement en France, la diversité des pains n'a d'égale que celle des vins. Une richesse régionale que certains boulangers ont remis à l'honneur à partir des années 1970. Lassés du pain noir des temps de guerre, puis d'un pain blanc sans saveur, les consommateurs ont redécouvert le goût du pain d'antan grâce au travail et au savoir-faire de quelques artisans passionnés. Créée à Paris en 1932, la maison Poilâne n'a ainsi jamais renoncé à la fabrication traditionnelle de son pain au levain, référence d'un pain de qualité. Lorsque l'on déguste un vin, quel meilleur compagnon qu'un morceau de bon pain qui laisse les papilles en éveil ?

LES METS ET LES VINS

Rien n'est plus difficile que de trouver « le » vin idéal pour accompagner un plat. D'ailleurs, peut-il y avoir un vin idéal ? Au chapitre du mariage des mets et des vins, la monogamie n'a pas de place ; il faut profiter de l'extrême variété des vins français et faire des expériences : une bonne cave permet par approximations successives d'approcher de la vérité...

HORS-D'ŒUVRE, ENTRÉES

ANCHOÏADE
- côtes du roussillon rosé
- coteaux d'aix-en-provence rosé
- alsace sylvaner

ARTICHAUTS BARIGOULE
- coteaux d'aix-en-provence rosé
- rosé de loire
- bordeaux rosé

ASPERGES SAUCE MOUSSELINE
- alsace muscat

AVOCAT
- champagne
- bugey blanc
- bordeaux sec

CUISSES DE GRENOUILLE
- corbières blanc
- touraine sauvignon
- entre-deux-mers

ESCARGOTS À LA BOURGUIGNONNE
- bourgogne aligoté
- alsace riesling
- touraine sauvignon

FOIE GRAS AU NATUREL
- barsac
- corton-charlemagne
- listrac
- banyuls rimage

FOIE GRAS EN BRIOCHE
- alsace tokay grains nobles
- montrachet
- pécharmant

FOIE GRAS GRILLÉ
- jurançon
- graves rouge

POIVRONS ROUGES GRILLÉS VINAIGRETTE
- clairette de bellegarde
- muscadet
- mâcon Lugny blanc

SALADE NIÇOISE
- coteaux d'aix-en-provence rosé

SALADE DE SOJA
- alsace tokay
- clairette du languedoc
- muscadet

CHARCUTERIE

JAMBON BRAISÉ
- alsace tokay
- côtes du rhône rouge
- côtes du roussillon rosé

JAMBON PERSILLÉ
- chassagne-montrachet blanc
- coteaux du tricastin rouge
- beaujolais rouge

JAMBON DE BAYONNE
- côtes du rhône-villages
- bordeaux clairet
- corbières rosé

JAMBON DE SANGLIER FUMÉ
- côtes de saint-mont rouge
- bandol rouge
- sancerre blanc

PÂTÉ DE LIÈVRE
- côtes de duras rouge
- saumur-champigny
- moulin à vent

RILLETTES
- bourgogne rouge
- alsace pinot noir
- touraine gamay

RILLONS
- touraine cabernet
- beaujolais-villages
- rosé de loire

SAUCISSON
- côtes du rhône-villages
- beaujolais
- côtes du roussillon rosé

TERRINE DE FOIE BLOND
- meursault-charmes
- saint-nicolas de bourgueil
- morgon

COQUILLAGES ET CRUSTACES

BOUQUET MAYONNAISE
- bourgogne blanc
- alsace riesling
- haut-poitou sauvignon

BROCHETTES DE SAINT-JACQUES
- graves blanc
- alsace sylvaner
- beaujolais-villages rouge

CALMARS FARCIS
- mâcon-villages
- premières côtes de bordeaux
- gaillac rosé

CASSOLETTE DE MOULES AUX ÉPINARDS
- muscadet
- bourgogne aligoté bouzeron
- coteaux champenois blanc

CLOVISSES AU GRATIN
- pacherenc du vic bilh
- rully blanc
- beaujolais blanc

COCKTAIL DE CRABE
- jurançon sec
- fiefs vendéens blanc
- bordeaux sec sauvignon

ÉCREVISSES À LA NAGE
- sancerre blanc
- côtes du rhône blanc
- gaillac blanc

HOMARD À L'AMÉRICAINE
- arbois jaune
- juliénas

HOMARD GRILLÉ
- hermitage blanc
- pouilly-fuissé
- savennières

HUÎTRES DE MARENNES
- muscadet
- bourgogne aligoté
- alsace sylvaner
- chablis
- beaujolais primeur rouge

HUÎTRES AU CHAMPAGNE
- bourgogne hautes-côtes de nuits blanc
- coteaux champenois blanc
- rousette de savoie

LANGOUSTE MAYONNAISE
- patrimonio blanc
- alsace riesling
- vin de savoie Apremont

LANGOUSTINES AU COGNAC
- chablis premier cru
- graves blanc
- muscadet sèvre-et-maine

MOUCLADE DES CHARENTES
- saint-véran
- bergerac sec
- haut-poitou chardonnay

Moules (crues) de Bouzigues
- coteaux du languedoc blanc
- muscadet sèvre-et-maine
- coteaux d'aix-en-provence blanc

Moules marinières
- bourgogne blanc
- alsace pinot
- bordeaux sec sauvignon

Palourdes farcies
- graves blanc
- montagny
- anjou blanc

Plateau de fruits de mer
- chablis
- muscadet
- alsace sylvaner

Salade de coquillages au concombre
- graves blanc
- muscadet
- alsace klevner

POISSONS

Anguille poêlée persillade
- corbières rosé
- gros plant du pays nantais
- blaye blanc

Alose à l'oseille
- anjou blanc
- rosé de loire
- haut-poitou chardonnay

Bar (loup) grillé
- auxey-duresses blanc
- bellet blanc
- bergerac sec

Barbue à la dieppoise
- graves blanc
- puligny-montrachet
- coteaux du languedoc blanc

Barquettes girondines
- bâtard-montrachet
- graves supérieurs
- quincy

Baudroie en gigot de mer
- mâcon-villages
- châteauneuf-du-pape blanc
- bandol rosé

Bouillabaisse
- côtes du roussillon blanc
- côteaux d'aix-en-provence blanc
- muscadet des coteaux de la loire

Bourride
- coteaux d'aix-en-provence rosé
- rosé de loire
- bordeaux rosé

Brandade
- haut-poitou rosé
- bandol rosé
- corbières rosé

Carpe farcie
- montagny
- touraine azay-le-rideau blanc
- alsace pinot

Colin froid mayonnaise
- pouilly-fuissé
- vin de savoie Chignin bergeron
- alsace klevner

Coquilles de poissons
- saint-aubin blanc
- saumur sec blanc
- crozes-hermitage blanc

Darnes de saumon grillées
- chassagne-montrachet blanc
- cahors
- côtes du rhône rosé

Filets de sole bonne femme
- graves blanc
- chablis grand cru
- sancerre blanc

Feuilleté de blanc de turbot
- chevalier-montrachet
- crozes-hermitage blanc

Gravettes d'Arcachon à la bordelaise
- graves blanc
- bordeaux sec
- jurançon sec

Koulibiak de saumon
- pouilly-vinzelles
- graves blanc
- rosé de loire

Lamproie à la bordelaise
- graves rouges
- bergerac rouge
- bordeaux rosé

Lisettes au vin blanc
- alsace sylvaner
- haut-poitou sauvignon
- quincy

Matelote de l'Ill
- chablis premier cru
- arbois blanc
- alsace riesling

Merlan en colère
- alsace gutedel
- entre-deux-mers
- seyssel

Morue à l'aïoli
- coteaux d'aix-en-provence rosé
- bordeaux rosé
- haut-poitou rosé

Morue grillée
- gros plant du pays nantais
- rosé de loire
- coteaux d'aix-en-provence rosé

Œufs de saumon
- haut-poitou rosé
- graves rouge
- côtes du rhône rouge

Petite friture
- beaujolais blanc
- béarn blanc
- fiefs vendéens blanc

Petits rougets grillés
- chassagne-montrachet blanc
- hermitage blanc
- bergerac

Pochouse
- meursault
- l'étoile
- mâcon-villages

Quenelle de brochet lyonnaise
- montrachet
- pouilly-vinzelles
- beaujolais-villages rouge

Rouille sétoise
- clairette du languedoc
- côtes du roussillon rosé
- rosé de loire

Sandre au beurre blanc
- muscadet
- saumur blanc
- saint-joseph blanc

Sardines grillées
- clairette de bellegarde
- jurançon sec
- bourgogne aligoté

Saumon fumé
- puligny-montrachet premier cru
- pouilly-fumé
- bordeaux sec sauvignon

Sole meunière
- meursault blanc
- alsace riesling
- entre-deux-mers

Soufflé Nantua
- bâtard-montrachet
- crozes-hermitage blanc
- bergerac sec

Thon rouge aux oignons
- coteaux d'aix blanc
- coteaux du languedoc blanc
- côtes de duras sauvignon

Thon (germon) basquaise
- graves blanc
- pacherenc de vic-bilh
- gaillac blanc

Tourteau farci
- premières côtes de bordeaux blanc
- bourgogne blanc
- muscadet

Truite aux amandes
- chassagne-montrachet blanc
- alsace klevner
- côtes du roussillon

Turbot sauce hollandaise
- graves blanc
- saumur blanc
- hermitage blanc

VIANDES ROUGES ET BLANCHES

Agneau

Baron d'agneau au four
- haut-médoc
- vin de savoie-mondeuse
- minervois

Carré d'agneau Marly
- saint-julien
- ajaccio
- coteaux du lyonnais

Épaule d'agneau boulangère
- hermitage rouge
- côtes de bourg rouge
- moulin à vent

Filet d'agneau en croûte
- pomerol
- mercurey
- coteaux du tricastin

Ragoût d'agneau au thym
- châteauneuf-du-pape rouge
- saint-chinian
- fleurie

Sauté d'agneau provençal
- gigondas
- côtes de provence rouge
- bourgogne passetoutgrain rouge

Selle d'agneau aux herbes
- vin de corse rouge
- côtes du rhône rouge
- coteaux du giennois rouge

Mouton

Curry de mouton
- montagne saint-émilion
- alsace tokay
- côtes du rhône

Daube de mouton
- patrimonio rouge
- côtes du rhône-villages rouge
- morgon

Gigot à la ficelle
- morey-saint-denis
- saint-émilion
- côte de provence rouge

Gigot froid mayonnaise
- saint-aubin blanc
- bordeaux rouge
- entre-deux-mers

Mouton en carbonade
- graves de vayres rouge
- fitou
- crozes-hermitage rouge

Navarin
- anjou rouge
- bordeaux côtes-de-francs rouge
- bourgogne marsannay rouge

Poitrine de mouton farcie
- côtes du jura rouge
- graves rouge
- haut-poitou gamay

Bœuf

Bœuf bourguignon
- rully rouge
- saumur rouge
- côte du marmandais rouge

Chateaubriand
- margaux
- alsace pinot
- coteaux du tricastin

Daube
- buzet rouge
- côtes du vivarais rouge
- arbois rouge

Entrecôte bordelaise
- saint-julien
- saint-joseph rouge
- côtes du roussillon-villages

Filet de bœuf duchesse
- côte rôtie
- gigondas
- graves rouge

Fondue bourguignonne
- bordeaux rouge
- côtes du ventoux rouge
- bourgogne rosé

Gardiane
- lirac rouge
- côtes du luberon rouge
- costières de nîmes rouge

Pot-au-feu
- anjou rouge
- bordeaux rouge
- beaujolais rouge

Rosbif chaud
- moulis
- aloxe-corton
- côtes du rhône rouge

Rosbif froid
- madiran
- beaune rouge
- cahors

Steack maître d'hôtel
- bergerac rouge
- arbois rosé
- chénas

Tournedos béarnaise
- listrac
- saint-aubin rouge
- touraine amboise rouge

Porc

Andouillette à la crème
- touraine blanc
- bourgogne blanc
- saint-joseph blanc

Andouillette grillée
- coteaux champenois blanc
- petit chablis
- beaujolais rouge

Baeckeoffe
- alsace riesling
- alsace sylvaner

Cassoulet
- côtes du frontonnais rouge
- minervois rouge
- bergerac rouge

Chou farci
- côtes du rhône rouge
- touraine gamay
- bordeaux sec sauvignon

Choucroute
- alsace riesling
- alsace sylvaner

Cochon de lait en gelée
- graves de vayres blanc
- costières du gard rosé
- beaujolais-villages rouge

Confit
- tursan rouge
- corbières rouge
- cahors

Côte de porc charcutiere
- bourgogne blanc
- côtes d'auvergne rouge
- bordeaux clairet

Palette au sauvignon
- bergerac sec
- menetou-salon
- bordeaux rosé

Potée
- côtes du luberon
- côte de brouilly
- bourgogne aligoté

Rôti de porc à la sauge
- rully blanc
- côtes du rhône rouge
- minervois rosé

Rôti de porc froid
- bourgogne blanc
- lirac rouge
- bordeaux sec

Saucisse de Toulouse grillée
- saint-joseph ou bergerac rouges
- côtes du frontonnais rosé

Veau

Brochettes de rognons
- cornas
- beaujolais-villages
- coteaux du languedoc rosé

Blanquette de veau à l'ancienne
- arbois blanc
- alsace grand cru riesling
- côtes de provence rosé

Côte de veau grillée
- côtes du rhône rouge
- anjou blanc
- bourgogne rosé

Escalope panée
- côtes du jura blanc
- corbières blanc
- côtes du ventoux rouge

Foie de veau à l'anglaise
- médoc
- coteaux d'aix-en-provence rouge
- haut-poitou rosé

Noix de veau braisée
- mâcon-villages blanc
- côtes de duras rouge
- brouilly

Paupiettes de veau
- anjou gamay
- minervois rosé
- costières de nîmes blanc

Ris de veau aux langoustines
- graves blanc
- alsace tokay
- bordeaux rosé

Rognons sautés au vin jaune
- arbois blanc
- gaillac vin de voile
- bourgogne aligoté

Rognons de veau à la moëlle
- saint-émilion
- saumur-champigny
- coteaux d'aix-en-provence rosé

Veau Marengo
- côtes de duras merlot
- alsace klevner
- coteaux du tricastin rosé

Veau Orloff
- chassagne-montrachet blanc
- chiroubles
- lirac rosé

VOLAILLES ET LAPIN

Barbarie aux olives
- vin de savoie-mondeuse
- canon-fronsac
- anjou cabernet rouge

Brochettes de cœurs de canard
- saint-georges-saint-émilion
- chinon
- côtes du rhône-villages

Canard à l'orange
- côtes du jura jaune
- cahors
- graves rouge

Canard farci
- saint-émilion grand cru
- bandol rouge
- buzet rouge

Canard aux navets
- puisseguin saint-émilion
- saumur-champigny
- coteaux d'aix-en-provence rouge

Canette aux pêches
- banyuls
- chinon rouge
- graves rouge

Chapon rôti
- bourgogne blanc
- touraine-mesland
- côtes du rhône rosé

Coq au vin rouge
- ladoix
- côte de beaune
- châteauneuf-du-pape rouge
- touraine cabernet

Curry de poulet
- montagne saint-émilion
- alsace tokay
- côtes du rhône

Dinde aux marrons
- saint-joseph rouge
- sancerre rouge
- meursault blanc

Dindonneau à la broche
- monthélie
- graves blanc
- châteaumeillant rosé

Escalopes de dinde au roquefort
- côtes du jura blanc
- bourgogne aligoté
- coteaux d'aix-en-provence rosé

Fricassée de lapin
- touraine rosé
- côtes de blaye blanc
- beaujolais-villages rouge

Lapin rôti à la moutarde
- sancerre rouge
- tavel
- côtes de provence blanc

Magret au poivre vert
- saint-joseph rouge
- bourgueil rouge
- bergerac rouge

Oie farcie
- anjou cabernet rouge
- côtes du marmandais rouge
- beaujolais-villages

Pigeonneaux à la printaniere
- crozes-hermitage rouge
- bordeaux rouge
- touraine gamay

Pintadeau à l'armagnac
- saint-estèphe
- chassagne-montrachet rouge
- fleurie

Poularde demi-deuil
- chevalier-montrachet
- arbois blanc
- juliénas

Poularde en croûte de sel
- listrac
- mâcon-villages blanc
- côtes du rhône rouge

Poulet au riesling
- alsace grand cru riesling
- touraine sauvignon
- côtes du rhône rosé

Poulet basquaise
- côtes de duras sauvignon
- bordeaux sec
- coteaux du languedoc rosé

Poulet sauté aux morilles
- savigny-lès-beaune rouge
- arbois blanc
- sancerre blanc

Poussin de la Wantzenau
- côtes de toul gris
- alsace gutedel
- beaujolais

GIBIER

Bécasse flambée
- pauillac
- musigny
- hermitage

Brochette de mauviettes
- pernand-vergelesses rouge
- pomerol
- côtes du ventoux rouge

Civet de lièvre
- canon-fronsac
- bonnes-mares
- minervois rouge

Côtelettes de chevreuil Conti
- lalande de pomerol
- côtes de beaune rouge
- crozes-hermitage rouge

Cuissot de sanglier sauce venaison
- chambertin
- montagne saint-émilion
- corbières rouge

Faisan en chartreuse
- moulis
- pommard
- saint-nicolas de bourgueil

Filet de sanglier bordelaise
- pomerol
- bandol
- gigondas

Gigue de chevreuil grand veneur
- hermitage rouge
- corton rouge
- côtes du roussillon rouge

Grives au genièvre
- échézeaux
- coteaux du tricastin rouge
- chénas

Halbran rôti
- saint-émilion grand cru
- côte rotie
- faugères

Jambon de sanglier braisé
- fronsac
- châteauneuf-du-pape rouge
- moulin à vent

Lapereau rôti
- auxey-duresses rouge
- puisseguin saint-émilion
- crozes-hermitage rouge

Lièvre à la royale
- saint-joseph rouge
- volnay
- pécharmant

Merles à la façon corse
- ajaccio rouge
- côtes de provence rouge
- coteaux du languedoc rouge

Perdreau rôti
- haut-médoc
- vosne-romanée
- bourgueil

Perdrix aux choux
- bourgogne irancy
- arbois rosé
- cornas

Perdrix à la catalane
- maury
- côtes du roussillon rouge
- beaujolais-villages

Râble de lièvre au genièvre
- chambolle musigny
- savoie-mondeuse
- saint-chinian

Salmis de colvert
- côte rôtie
- chinon rouge
- bordeaux supérieur

Salmis de palombe
- saint-julien
- côte de nuits-villages
- patrimonio

LÉGUMES

Beignets d'aubergines
- bourgogne rouge
- beaujolais rouge
- bordeaux sec

Céleri braisé
- côtes du ventoux rouge
- alsace pinot noir
- touraine sauvignon

Champignons
- beaune blanc
- alsace tokay
- coteaux de giennois rouge

Gratin dauphinois
- bordeaux côtes de castillon
- châteauneuf-du-pape blanc
- alsace riesling

Grisets sautés persillade
- beaune blanc
- alsace tokay
- coteaux du giennois rouge

Haricots verts
- côte de beaune blanc
- sancerre blanc
- entre-deux-mers

Pâtes
- côtes du rhône rouge
- coteaux d'aix rosé

Petits pois
- saint-romain blanc
- côtes du jura blanc
- touraine sauvignon

Pois gourmands
- graves blanc
- côtes du rhône rouge
- alsace riesling

Poivrons farcis
- mâcon-villages
- côtes du rhône rosé
- alsace tokay

FROMAGES

Au lait de vache

Beaufort
- arbois jaune
- meursault
- vin de savoie Chignin bergeron

Bleu d'Auvergne
- côtes de bergerac moelleux
- beaujolais
- touraine sauvignon

Bleu de Bresse
- côtes du jura blanc
- mâcon rouge
- côtes de bergerac blanc

Brie
- beaune rouge
- alsace pinot noir
- coteaux du languedoc rouge

Camembert
- bandol rouge
- côtes du roussillon-villages
- beaujolais-villages

Cantal
- coteaux du vivarais rouge
- côtes de provence rosé
- lirac blanc

Carré de l'Est
- saint-joseph rouge
- coteaux d'aix-en-provence rouge
- brouilly

Carré frais
- cahors
- côtes du roussillon rosé
- côtes du rhône blanc

Chaource
- montagne saint-émilion
- cadillac
- chénas

Cîteaux
- aloxe-corton
- coteaux champenois rouge
- fleurie

Comté
- château-chalon, graves blanc
- côtes du luberon blanc

Édam demi-etuvé
- pauillac
- fixin
- costières de nîmes rouge

Époisses
- savigny
- côtes du jura rouge
- côte de brouilly

Fourme d'Ambert
- l'étoile vin jaune
- cérons
- banyuls rimage

Gouda demi-étuvé
- saint-estèphe
- chinon
- coteaux du tricastin

Livarot
- bonnezeaux
- sainte-croix-du-mont
- alsace gewurztraminer

Maroilles
- jurançon
- alsace gewurztraminer vendanges tardives

Mimolette demi-étuvée
- graves rouge
- santenay
- côtes du rhône rouge

Morbier
- gevrey-chambertin
- madiran
- côtes du ventoux rouge

Munster
- coteaux du layon-villages
- loupiac
- alsace gewurztraminer

Pâte fondue (fromages à)
- alsace riesling
- haut-poitou sauvignon
- côtes du rhône-villages

Pont-l'Évêque
- côtes de saint-mont
- bourgueil
- nuits-saint-georges

Raclette
- vin de savoie Apremont
- côtes de duras sauvignon
- juliénas

Reblochon
- mercurey
- lirac rouge
- touraine gamay

Rigotte
- bourgogne hautes-côtes de nuits rouge
- côtes du forez
- saint-amour

Saint-Marcellin
- faugères
- tursan rouge
- chiroubles

Saint-Nectaire
- fronsac
- bourgogne rouge
- mâcon-villages blanc

Vacherin
- corton
- premières côtes de bordeaux
- barsac

Au lait de chèvre

Cabécou
- bourgogne blanc
- tavel
- gaillac blanc

Crottin de Chavignol
- sancerre blanc
- bordeaux sec
- côte roannaise

Chèvre frais
- champagne
- montlouis demi-sec
- crémant d'alsace

Corse (fromage de chèvre de)
- patrimonio blanc
- cassis blanc
- costières de nîmes blanc

Pélardon
- condrieu
- roussette de savoie
- coteaux du lyonnais rouge

Sainte-Maure
- rivesaltes blanc
- alsace tokay
- cheverny gamay

Selles-sur-Cher
- coteaux de l'aubance
- cheverny
- romorantin
- sancerre rosé

Valençay
- vouvray moelleux
- haut-poitou rosé
- valençay gamay

Au lait de brebis

Corse (fromage de brebis de)
- bourgogne irancy
- ajaccio
- côtes du roussillon rouge

Eisbarech
- lalande-de-pomerol
- cornas
- marcillac

Laruns
- bordeaux côtes de castillon
- gaillac rouge
- côtes de provence rouge

Roquefort
- côtes du jura vin jaune
- sauternes
- muscat de rivesaltes

DESSERTS

Brioche
- rivesaltes rouge
- muscat de beaumes-de-venise
- alsace vendanges tardives

Bûche de Noel
- champagne demi-sec
- clairette de die tradition

Crème renversée
- coteaux du layon-villages
- sauternes
- muscat de saint-jean-de-minervois

Far breton
- pineau des charentes
- anjou coteaux de la loire
- cadillac

Fraisier
- muscat de rivesaltes
- maury

Gâteau au chocolat
- banyuls grand cru
- pineau des charentes rosé

Glace à la vanille au coulis de framboise
- loupiac
- coteaux du layon

Île flottante
- loupiac
- rivesaltes blanc
- muscat de rivesaltes

Kouglof
- quarts de chaume
- alsace vendanges tardives
- muscat de mireval

Pithiviers
- maury
- bonnezeaux
- muscat de lunel

Salade d'oranges
- sainte-croix-du-mont
- rivesaltes blanc
- muscat de rivesaltes

Tarte au citron
- alsace sélection de grains nobles
- cérons
- rivesaltes blanc

Tarte Tatin
- pineau des charentes
- arbois vin de paille
- jurançon

DE LA VIGNE AU VIN

À l'origine du vin se trouve une plante domestiquée par l'homme depuis des millénaires, la vigne. Alliée au terroir, elle lègue au vin un caractère incomparable, différent selon sa variété. Au vigneron ensuite de le mettre en valeur. Loin de jouer le simple rôle de faire-valoir, l'homme entretient un lien privilégié avec son vin : il sélectionne les terroirs et les cépages les mieux adaptés aux sols et aux microclimats, étudie les vinifications en fonction de sa matière première, choisit le mode d'élevage. L'élaboration du vin est un art exigeant.

LA VIGNE, UNE CULTURE MONDIALE

C'est en Transcaucasie, région qui correspond à la Géorgie et à l'Arménie actuelles, que la culture de la vigne se serait développée dès les temps préhistoriques. Elle se diffusa ensuite en Asie Mineure, puis sur tout le pourtour méditerranéen, suivant ainsi les peuples dans leurs migrations : Égyptiens, Perses, Grecs, Romains et tant d'autres. L'histoire ne fit que se répéter lorsque, à la fin du XVe siècle, les cépages européens voyagèrent jusqu'en Amérique avec les conquistadores espagnols. Aux Hollandais ensuite de les implanter en Afrique du Sud, puis aux Anglais de les porter jusqu'aux Antipodes.

Vitis vinifera

La vigne appartient au genre *Vitis* dont il existe de nombreuses espèces. Ainsi, *Vitis vinifera*, originaire du continent européen, est l'espèce la mieux adaptée à la production vinicole. La quasi-totalité des vins, dans le monde entier, est issue de différentes variétés de *Vitis vinifera* importées d'Europe. D'autres espèces sont originaires d'Amérique, mais certaines sont infertiles et d'autres donnent des produits au caractère organoleptique très particulier, qualifié de foxé (fourrure de renard) et peu apprécié. Cependant, ces espèces présentent une résistance aux maladies supérieure à celle de *Vitis vinifera*. Dans les années 1930, on a donc cherché à créer, par hybridation, de nouvelles variétés moins vulnérables, comme les espèces américaines, mais produisant des vins de même qualité que ceux de *Vitis vinifera* : ce fut un échec qualitatif. Heureusement, l'analyse chimique de la matière colorante a permis de différencier les vins de *Vitis vinifera* de ceux des vignes hybrides qui ont ainsi pu être éliminées du territoire des appellations d'origine contrôlée.

Le phylloxéra : révolution dans le vignoble

À la fin du XIXe s., un puceron, le phylloxéra, fut introduit en France par importation de plants de vignes américaines infestés, mais qui n'avaient pas manifesté la maladie en raison de leur résistance. Il fut responsable de dévastations incommensurables en Europe, en s'attaquant aux racines de *Vitis vinifera*. Les nombreuses tentatives de protection par des méthodes chimiques se soldèrent par un échec ; le fléau ne put être combattu sans une révolution des modes de culture. Toutes les vignes durent être greffées sur un porte-greffe de vigne américaine résistant au phylloxéra : contrairement à l'hybridation qui crée de nouvelles variétés partageant les caractères des deux parents, le cep garde dans ce cas les propriétés de l'espèce *vinifera*, mais ses racines ne sont pas infectées par l'insecte. *Vitis vinifera* est aussi sensible à d'autres parasites : un champignon, le mildiou, et la cicadelle, sorte de petite cigale originaire d'Amérique qui inocule la flavescence, maladie qui détruit la vigne.

À chaque région ses cépages

L'espèce *Vitis vinifera* comprend de nombreuses variétés, appelées cépages. Alors que dans certains vignobles les vins proviennent d'un seul cépage (riesling, gewurztraminer, pinot gris, sylvaner, muscat en Alsace ou encore pinot et chardonnay en Bourgogne), dans d'autres régions ils peuvent résulter de l'association de plusieurs cépages complémentaires. Chaque aire viticole a sélectionné les plants les mieux adaptés, mais l'encépagement évolue au gré de l'évolution du goût des consommateurs et donc des marchés. Sachant qu'il faut attendre quatre ans après sa plantation pour qu'un cep produise du vin, les vignerons ont de plus en plus recours au surgreffage : les greffons d'un nouveau cépage sont greffés sur les anciens pieds de vigne dont les vins ne correspondaient plus à la demande des consommateurs.

Des progrès constants

Chaque cépage admet différents clones, c'est-à-dire des individus qui se distinguent par certaines caractéristiques : plus grande productivité, maturité plus précoce, plus grande résistance aux maladies. Pour les hommes du vin, il s'est toujours agi de sélectionner les meilleures souches tout en veillant à respecter une certaine diversité des clones plantés qui doit se retrouver dans les caractères du vin. Des recherches sont actuellement en cours pour améliorer la résistance des vignes grâce à des modifications génétiques.

LES TERROIRS VITICOLES

Prise dans son sens le plus large, la notion de terroir viticole regroupe de nombreuses données d'ordre biologique (choix du cépage), géographique, climatique, géologique et pédologique. Il faut ajouter aussi des facteurs humains, historiques et commerciaux.

L'adaptation au climat

La vigne est cultivée dans l'hémisphère Nord entre le 35e et le 50e parallèle ; elle est donc adaptée à des climats très différents. Cependant, les vignobles septentrionaux, les plus froids, permettent essentiellement la culture des cépages blancs, que l'on choisit précoces et dont les fruits peuvent mûrir avant les froids de l'automne ; sous des climats chauds sont cultivés les cépages tardifs. Pour faire du bon vin, il faut un raisin bien mûr, mais la maturation ne doit être ni trop rapide ni trop complète au risque de perdre des éléments aromatiques. Les grands vignobles des zones climatiques marginales sont confrontés à l'irrégularité des conditions climatiques pendant la période de maturation d'une année à l'autre.

Un sol pauvre et bien drainé

La vigne est une plante particulièrement peu exigeante qui pousse sur des sols pauvres, mais équilibrés. Cette pauvreté est d'ailleurs un élément de la qualité des vins, car elle favorise des rendements limités qui évitent la dilution des pigments colorants, des arômes et des constituants sapides.

En climat chaud et sec, la régulation de l'alimentation en eau se fait par le contrôle de l'irrigation. En climat tempéré et océanique, avec les précipitations variables d'une année à l'autre et quelquefois importantes, le sol du vignoble joue un rôle essentiel pour régulariser l'alimentation en eau de la plante par ses propriétés physico-chimiques : il apporte de l'eau au printemps, lors de la croissance, et élimine les excès éventuels de pluie pendant la maturation. Un drainage artificiel peut éventuellement pallier les déficiences du sol.

Certes, les sols graveleux et calcaires assurent particulièrement bien ces régulations, mais il existe aussi des crus réputés sur des sols sableux et même argileux. De fait, d'excellents vins peuvent être produits sur des terroirs en apparence très différents. *A contrario*, des vignobles implantés sur des sols apparemment voisins présentent parfois de grandes disparités de qualité parce que l'aptitude de leur sol à la régularisation de l'eau n'est pas la même.

Tous les goûts sont dans la nature du sol

La couleur ou les caractères aromatiques et gustatifs des vins issus d'un même cépage et produits sous un même climat varient selon la nature du sol et du sous-sol : calcaires, molasses argilo-calcaires, sédiments argileux, sableux ou gravelo-sableux. Par exemple, l'augmentation de la proportion d'argile dans les graves donne des vins plus acides, plus tanniques et corsés, au détriment de la finesse ; le sauvignon blanc prend des arômes plus ou moins puissants sur calcaires, sur graves ou sur marnes.

LE CYCLE DES TRAVAUX DE LA VIGNE

La vigne est une plante bisannuelle, à feuilles caduques, qui se développe selon un cycle régulier au fil des saisons. Tout commence au printemps par la sortie des bourgeons : le débourrement. Puis apparaissent les fleurs au mois de mai, suivies des fruits (la nouaison). En juillet-août, les grains changent progressivement de couleur et les rameaux se couvrent d'une écorce ligneuse : c'est la véraison, puis l'aoûtement. Seule la maturation du raisin décidera du moment optimal pour vendanger. À l'automne, la vigne perd ses feuilles et entre dans sa période de repos, appelée dormance.

Tailler

Destinée à équilibrer la production des fruits, en évitant le développement exagéré du bois, la taille annuelle s'effectue normalement entre décembre et mars. La longueur des sarments, choisie en fonction de la vigueur de la plante, commande directement l'importance de la récolte. Les labours de printemps déchaussent la plante, en ramenant la terre vers le milieu du rang, et créent une couche meuble qui restera aussi sèche que possible. Le décavaillonnage consiste à enlever la terre qui reste, sous le rang, entre les ceps.

CYCLE ANNUEL DE LA VIGNE

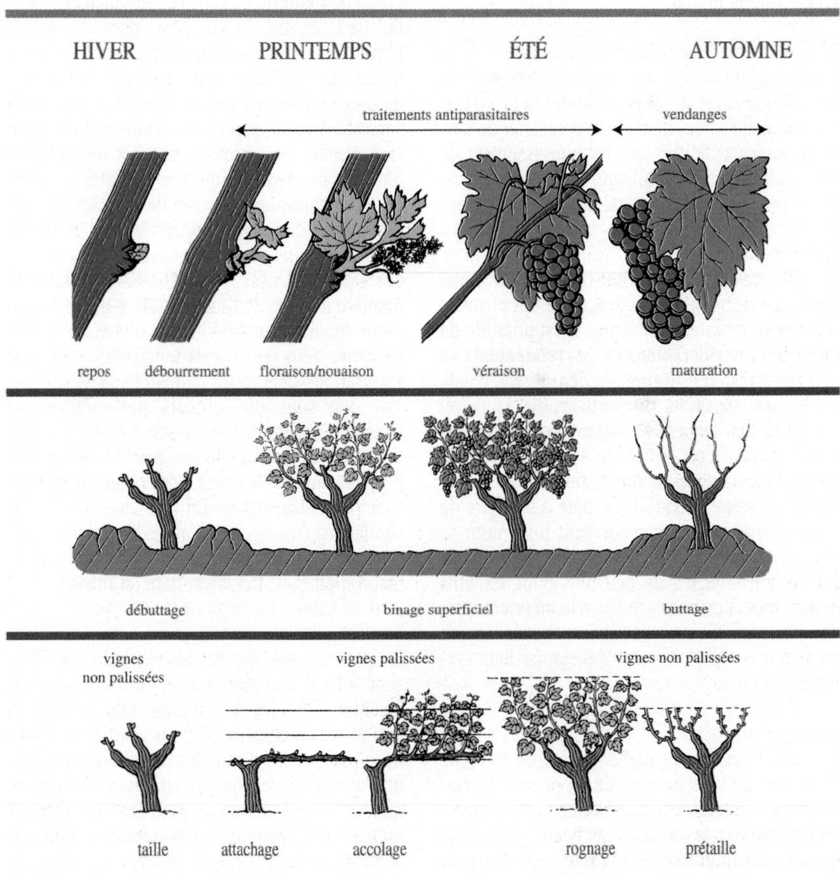

Travailler le sol

Au début de l'hiver, le vigneron laboure son vignoble : il ramène la terre vers les ceps afin de les protéger des gelées ; la formation d'une rigole au centre des rangs permet d'évacuer les eaux de ruissellement. Le labour peut être utilisé pour enfouir des engrais.

En fonction des besoins, les travaux du sol sont poursuivis pendant toute la durée du cycle végétatif ; ils détruisent la végétation adventice, maintiennent le sol meuble et évitent les pertes d'eau par évaporation. Le désherbage peut être effectué chimiquement ; s'il est total, il est effectué à la fin de l'hiver et les travaux aratoires sont complètement supprimés ; on parle alors de non-culture, qui constitue une économie substantielle. Cependant, certains producteurs soucieux de l'environnement préfèrent les vignes enherbées qui permettent de limiter la vigueur de la plante.

Maîtriser la vigne et ses rendements

Pendant toute la période végétative, on procède à différentes opérations pour limiter la prolifération végétale : l'épamprage, suppression de certains rameaux; le rognage, raccourcissement de leur extrémité; l'effeuillage, qui permet une meilleure exposition des raisins au soleil, l'accolage, pour maintenir les sarments dans les vignes palissées.

L'amélioration des conditions de culture a une incidence décisive sur la qualité du vin et sur le rendement de la vigne. Certes, il est possible de modifier considérablement le rendement en agissant sur la fertilisation, la densité des plants à l'hectare, le choix du porte-greffe, la taille. Toutefois, la recherche systématique de forts rendements affecte la qualité. L'abondance doit résulter de facteurs naturels favorables à une vendange saine et équilibrée, apte à produire de grands millésimes. Le rendement maximum se situe entre 45 et 60 hl/ha pour produire de grands vins rouges, un peu plus pour les vins blancs secs. Les bons vins proviennent en outre de vignes suffisamment âgées (trente ans et plus) qui ont parfaitement développé leur système racinaire.

Protéger et traiter

Le viticulteur doit également protéger la vigne des maladies : le Service de la protection des végétaux diffuse des informations qui permettent de prévoir les traitements nécessaires, faits par pulvérisation de produits actifs, qu'ils soient naturels (agrobiologie) ou issus de la chimie industrielle.

La lutte raisonnée

La vigne est une plante sensible à de nombreuses maladies – mildiou, oïdium, blackrot, pourriture – qui compromettent la récolte et communiquent aux raisins de mauvais goûts susceptibles de se retrouver dans le vin. Les viticulteurs disposent de moyens de traitement efficaces, facteurs certains de l'amélioration générale de la qualité. Si, par souci de sécurité, les viticulteurs ont autrefois abusé de l'emploi des pesticides chimiques, ils se sentent aujourd'hui impliqués dans la recherche d'une culture raisonnée qui limite les traitements au strict nécessaire. D'autre part, l'agrobiologie, s'appuyant sur une biodynamique du sol, cherche à créer des conditions naturelles rendant la vigne moins sensible aux maladies.

Évaluer la maturité du raisin

L'état de maturité du raisin est un facteur essentiel de la qualité du vin. Mais dans une même région, les conditions climatiques sont variables d'une année à l'autre, entraînant des différences de constitution des raisins, qui déterminent les caractéristiques propres de chaque millésime. Il faut prendre en compte l'existence de plusieurs phénomènes biochimiques intervenant au cours de la maturation : accumulation des sucres, diminution de l'acidité, accumulation et affinement des tanins des raisins rouges et des arômes des raisins blancs. Ils n'évoluent pas tous de manière identique ; l'idéal est d'atteindre l'optimum qualitatif pour chacun d'eux au même moment. Sous les climats tempérés, une bonne maturation suppose un temps chaud et sec. On sait que sous des climats particulièrement chauds, l'accumulation de sucre dans le raisin, donc de l'alcool dans le vin, peut obliger à vendanger alors que les tanins des raisins rouges ne sont pas encore mûrs. En tout cas, la date des vendanges doit être fixée avec discernement, en fonction de la situation, de l'évolution de la maturation et de l'état sanitaire du raisin.

Vendanger

De plus en plus, les vendanges manuelles laissent place au ramassage mécanique. Les machines, munies de batteurs, font tomber les grains sur un tapis mobile; un ventilateur élimine la plus grande partie des feuilles. La brutalité de l'action sur le raisin n'est pas a priori favorable à la qualité, surtout pour les vins blancs : malgré des progrès considérables dans la conception et la conduite de ces machines, les crus de haute réputation seront les derniers à faire appel à ce procédé de ramassage, parce que

CALENDRIER DU VIGNERON

JANVIER

Si la taille s'effectue
de décembre à mars,
c'est bien « à la Saint-Vincent
que l'hiver s'en va ou se reprend ».

JUILLET

Les traitements contre
les parasites continuent
ainsi que la surveillance du vin
sous les fortes variations
de température !

FEVRIER

Le vin se contracte avec l'abaissement
de la température. Surveiller les tonneaux
pour l'ouillage qui se fait
périodiquement toute l'année.
Les fermentations malolactiques
doivent être alors terminées.

AOUT

Travailler le sol serait nuisible
à la vigne, mais il faut être vigilant
devant les invasions possibles
de certains parasites.
On prépare la cuverie
dans les régions précoces.

MARS

On « débutte ». On finit la taille
(« taille tôt, taille tard,
rien ne vaut la taille de mars »).
On met en bouteilles les vins
qui se boivent jeunes.

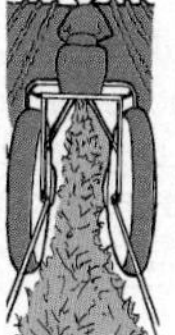

SEPTEMBRE

Étude de la maturation
par prélèvement régulier
des raisins pour fixer la date
des vendanges qui commencent
en région méditerranéenne.

AVRIL

Avant le phylloxéra,
on plantait les paisseaux.
Maintenant on palisse
sur fil de fer, sauf à l'Hermitage,
Côte Rôtie et Condrieu.

OCTOBRE

Les vendanges ont lieu
dans la plupart des vignobles
et la vinification commence.
Les vins de garde vont être
mis en fût pour y être élevés.

MAI

On surveille la vigne
et on la protège
contre les gelées
de printemps. Binage.

NOVEMBRE

Les vins primeurs
sont mis en bouteilles.
On surveille l'évolution
des vins nouveaux.
La prétaille commence.

JUIN

On « accole » les vignes palissées
et on commence à rogner les sarments.
La « nouaison » (= donner des baies)
ou la « coulure » vont commander
le volume de la récolte.

DECEMBRE

La température des caves
doit être maintenue pour
assurer l'achèvement des
fermentations alcoolique
et malolactique.

leurs moyens financiers leur permettent d'effectuer un travail très soigné (de sélection et de trie des raisins), certainement favorable à la qualité, mais relativement onéreux.

Corriger la vendange

Dans le cas d'une maturité excessive de la vendange, l'acidité trop basse peut être compensée par l'addition d'acide tartrique. Si la maturité est insuffisante, on peut au contraire diminuer l'acidité par ajout de carbonate de calcium. Un raisin insuffisamment sucré pourrait donner un vin d'un degré alcoolique insuffisant ; dans ce cas, on procède parfois à une concentration du moût, en éliminant une partie de l'eau du raisin par divers procédés (osmose inverse, évaporation sous vide, cryo-extraction). Enfin, dans des conditions bien précises, la législation permet d'augmenter la richesse saccharine du moût par addition de sucre : c'est la chaptalisation. Sept zones climatiques, du nord au sud (et donc des plus fraîches aux plus chaudes) ont été légalement définies dans le vignoble européen ; les aires les plus septentrionales ont droit de chaptaliser leur moût dans des proportions strictement définies. C'est le cas, par exemple, de l'Allemagne, de l'Alsace ou de la Champagne. Dans tous les cas, un vigneron ne peut jamais acidifier son moût puis le chaptaliser, ou bien le chaptaliser puis le concentrer. Bien que le procédé soit plus onéreux que la chaptalisation, il a été proposé, pour l'enrichissement de la vendange, d'utiliser du moût de raisin concentré et rectifié, ce qui permet de supprimer une partie des excédents de production.

LA NAISSANCE DU VIN

Depuis quand élabore-t-on du vin ? Depuis que l'homme découvrit que des raisins conservés trop longtemps dans une jarre fermentaient et changeaient de goût, soit entre 6 000 et 8 000 ans avant notre ère. Aujourd'hui, le sens que nous donnons au mot vin n'a guère changé, la réglementation européenne le définissant comme « le produit obtenu exclusivement par la fermentation alcoolique, totale ou partielle, de raisins frais, foulés ou non, ou de moûts de raisins ».

La fermentation alcoolique

Le vin naît d'un phénomène microbiologique : des levures de l'espèce *Saccharomyces cerevisae* se développent à l'abri de l'air et décomposent le sucre du raisin en alcool et en gaz carbonique. C'est la fermentation alcoolique. Au cours de ce processus, de nombreux produits secondaires apparaissent (glycérol, acide succinique, esters, etc.), qui participent aux arômes et au goût du vin. Dans la majorité des cas, les levures trouvent dans le moût du raisin tous les constituants chimiques (carbone, azote, éléments minéraux, vitamines, etc.) nécessaires à leur vie ; un apport complémentaire peut être souhaitable (composés azotés) dans certaines situations.

D'où viennent ces levures ? De la nature elle-même : elles ont été déposées sur la peau du raisin ou se sont développées dans la cave à l'occasion des manipulations de la vendange. Elles peuvent aussi provenir de cultures en laboratoire : ces levures sélectionnées, déshydratées, sont ajoutées dans la cuve. Elles favorisent un bon déroulement de la fermentation et évitent certains défauts (odeurs de réduction). Dans certains cas, une souche adaptée permet de révéler les arômes spécifiques d'un cépage, tel le sauvignon, présents à l'état de molécules inodores (les précurseurs d'arômes) dans le raisin. En tout état de cause, la qualité et la typicité du vin reposent essentiellement sur la qualité du raisin, donc sur des facteurs naturels (cépages, crus et terroirs).

Le degré alcoolique du vin

Légalement, le vin a une teneur en alcool minimale de 8,5 % vol. ou de 9,5 % vol. selon les zones viticoles. Ce degré alcoolique est exprimé en pourcentage du volume du vin constitué par de l'alcool pur. Il faut environ 17 g de sucre par litre de moût (jus qui s'écoule lors du pressurage des raisins frais) pour produire 1 % vol. d'alcool par la fermentation.

La température, clé du succès

La fermentation dégage des calories qui provoquent l'échauffement de la cuve. Or, au-delà de 35 °C, le processus risque de s'interrompre brutalement avant que la totalité du sucre ait été transformée en alcool. Les levures meurent et laissent alors le champ libre aux bactéries qui décomposent le sucre restant et produisent de l'acide acétique (acidité volatile) ; il s'agit d'un accident grave, connu sous le nom de piqûre. Le vigneron s'attache donc à maîtriser la température à l'aide de divers mécanismes de thermorégulation : serpentins, échangeurs thermiques, cuves Inox informatisées. Les vins rouges fermentent à 28-32 °C afin d'extraire au mieux les constituants de la pellicule du raisin (couleur, tanins), les vins blancs à 18-20 °C pour protéger les arômes. L'introduction d'oxygène par aération du moût en début de fermentation est nécessaire pour les levures ; c'est une autre condition essentielle pour éviter les arrêts prématurés de la fermentation.

La fermentation malolactique

Dans certains cas, une seconde fermentation intervient après la fermentation alcoolique : c'est la fermentation malolactique. Sous l'influence de bactéries, l'acide malique du raisin est décomposé en acide lactique et en gaz carbonique. La conséquence est une baisse d'acidité et un assouplissement du vin, avec affinement des arômes. Simultanément, le vin acquiert une meilleure stabilité pour sa conservation. Si les vins rouges s'en trouvent toujours améliorés, l'avantage est moins systématique pour les vins blancs.

Comment limiter les risques bactériens ?

Au cours de la conservation, il reste toujours des populations bactériennes résiduelles dans le vin qui peuvent provoquer des accidents graves : décomposition de certains constituants du vin ; oxydation et formation d'acide acétique (processus de fabrication du vinaigre). Les soins apportés aujourd'hui à la vinification permettent d'éviter ces risques. La première condition est une parfaite propreté qui évite les contaminations microbiennes excessives ; elle peut être complétée par des procédés d'élimination des microbes présents dans le vin (soutirage, collage, filtration). Enfin, le dioxyde de soufre (SO_2) est un antiseptique très puissant ; bien utilisé, à faible dose, il ne compromet pas la qualité des vins, tout au contraire.

LES TYPES ET STYLES DE VINS

Au-delà de leur couleur rouge, blanc ou rosé, les vins se distinguent selon leur type : tranquille ou effervescent. Dans un cas, la surpression du CO_2 dans la bouteille est inférieure à 0,5 kg, dans l'autre elle dépasse 3 kg (à 20 °C) et un dégagement de gaz carbonique se produit au débouchage. Les vins ont aussi un style : sec ou doux, avec toutes les nuances imaginables entre les deux saveurs. Un large éventail de sensations gustatives s'offre ainsi au dégustateur.

Les vins secs

Les vins secs contiennent moins de 4 g/l de sucres résiduels ; le goût sucré n'est donc pas perceptible à la dégustation. Ils sont rouges, blancs ou rosés, tranquilles ou effervescents et présentent une grande variété de caractères selon les cépages, les terroirs et les modes de vinification.

Les vins doux

Demi-secs, moelleux ou liquoreux

Les vins doux sont caractérisés par un taux de sucre variable, mais toujours supérieur à 4 g/l : ils peuvent être *demi-secs, moelleux* (entre 12 et 45 g/l de sucres) ou *liquoreux* (plus de 50 g/l). Leur production suppose des raisins très mûrs, riches en sucre, dont une partie seulement est transformée en alcool par la fermentation.

Les vins liquoreux, comme le sauternes, proviennent de raisins surmûris dont l'extrême concentration est due soit à un passerillage sur souche ou sur un lit de paille après la récolte, soit à l'action d'un champignon, le *Botrytis cinerea*, provoquant dans des conditions particulières une forme de pourriture, qualifiée de « noble » : les baies sont alors vendangées à mesure du développement du *Botrytis*, par tries successives. Le titre alcoométrique de ces vins atteint entre 13 et 16 % vol.

Vins de liqueur et vins doux naturels

Un vin de liqueur – à ne pas confondre avec un vin liquoreux – est obtenu par addition, avant, pendant ou après la fermentation, d'alcool neutre, d'eau-de-vie de vin, de moût de raisin concentré ou d'un mélange de ces produits. L'objectif est d'interrompre la fermentation afin de garder une grande quantité de sucres résiduels : cette opération est appelée mutage. Le pineau-des-charentes, le floc-de-gascogne et le macvin-du-jura en France, de même que le porto produit dans la vallée du Douro, au Portugal, sont des vins de liqueur. Certains vins mutés français, héritiers d'une longue tradition, portent le nom de vins doux naturels. Produits par les cépages muscat, grenache, maccabéo et malvoisie, ils sont originaires du Languedoc-Roussillon, de la vallée du Rhône et de la Corse. (Voir les chapitres correspondants dans la sélection).

Les vins effervescents

Les vins effervescents, ou *mousseux*, doivent leur forte teneur en gaz carbonique (pression de l'ordre de 6 à 8 bars) à une seconde fermentation – la prise de mousse – qui peut s'effectuer en bouteille (selon la *méthode traditionnelle*, autrefois dite champenoise) ou en cuve (*méthode en cuve close*). Il existe aussi des vins mousseux gazéifiés, obtenus par addition de gaz, procédé interdit pour les vins de qualité d'appellation.

Les *vins pétillants* possèdent une pression de gaz carbonique comprise entre 1 et 2,5 bars. Leur degré alcoolique est supérieur à 7 % vol. À ne pas confondre avec le pétillant de raisin, obtenu par fermentation partielle du moût de raisin et dont le titre alcoométrique peut être inférieur à 7 % vol. (mais supérieur à 1 % vol.).

LA VINIFICATION

Selon le type de vin souhaité, la couleur et la qualité du raisin vendangé, le vigneron doit choisir un mode de vinification adapté. Un travail patient et méthodique lui permettra d'élaborer un vin équilibré et stable, susceptible de satisfaire le consommateur.

Les vins rouges

La macération et la fermentation

Dans la majorité des cas, le raisin est d'abord égrappé ; les grains sont ensuite foulés et le mélange de pulpe, de pépins et de pellicules est envoyé dans la cuve de fermentation, après légère addition d'anhydride sulfureux pour assurer une protection contre les oxydations et les contaminations microbiennes. Dès le début de la fermentation, le gaz carbonique soulève toutes les particules solides qui forment, à la partie supérieure de la cuve, une masse compacte appelée chapeau ou marc.

Dans la cuve, la fermentation alcoolique se déroule en même temps que la macération des pellicules et des pépins dans le jus. Elle dure en général de cinq à quinze jours. La macération apporte essentiellement au vin rouge sa couleur et sa structure tannique. Les vins destinés à un long vieillissement doivent être riches en tanin et subissent donc une longue macération (de deux à trois semaines) à une température de 25 à 30 °C ; ils supposent des raisins de grande qualité possédant des tanins fondus et souples. En revanche, les vins rouges à consommer jeunes, de type primeurs, doivent être fruités et peu tanniques : leur macération est réduite à quelques jours.

Le pressurage

Après la fermentation, le vinificateur sépare la partie liquide, appelée vin de goutte ou grand vin, des parties solides, le marc : c'est l'écoulage. Il presse le marc de façon à obtenir un vin de presse, plus chargé en extraits, qu'il assemblera éventuellement au vin de goutte, selon les caractères gustatifs souhaités.

Vins de goutte et vins de presse sont remis en cuve séparément pour subir les fermentations d'achèvement : disparition des sucres résiduels et fermentation malolactique. Pour les grands vins, l'écoulage peut être fait directement dans des fûts de chêne, dans lesquels s'effectue la fermentation malolactique. Les vins rouges acquièrent ainsi un caractère boisé plus harmonieux.

La macération carbonique

La technique précédemment décrite est la méthode de base, mais il existe, ou il a existé, d'autres procédés de vinification qui présentent un intérêt particulier dans certains cas (thermovinification, vinification continue, macération carbonique). Seule la macération carbonique a connu un développement certain. Son succès repose sur le fait que la baie de raisin entière, maintenue à l'abri de l'air, subit une fermentation intracellulaire qui apporte, après fermentation alcoolique, des arômes caractéristiques appréciés.

Les vins rosés

Les vins clairets, rosés ou gris sont obtenus par macération d'importance variable de raisins noirs.

Les rosés de pressurage direct

Les raisins noirs sont vinifiés comme pour élaborer un vin blanc, après un léger pressurage afin d'obtenir un moût peu coloré. De couleur assez pâle, les rosés de pressurage direct doivent être consommés jeunes afin de profiter de leur fraîcheur et de leur fruité.

Les rosés de saignée

La cuve est remplie de raisins comme pour une vinification en rouge classique. Au bout de quelques heures, une certaine proportion de jus est tirée et fermente séparément pour donner un rosé. Le reste de la cuve, complété de raisin, poursuit sa fermentation. Cette technique est souvent utilisée pour obtenir, dans la cuve ainsi saignée, un vin rouge de meilleure qualité, car plus concentré en tanins et en couleur du fait de la diminution du volume de jus par rapport au marc. Les vins rosés de saignée ont une couleur

VINIFICATION DES VINS ROUGES

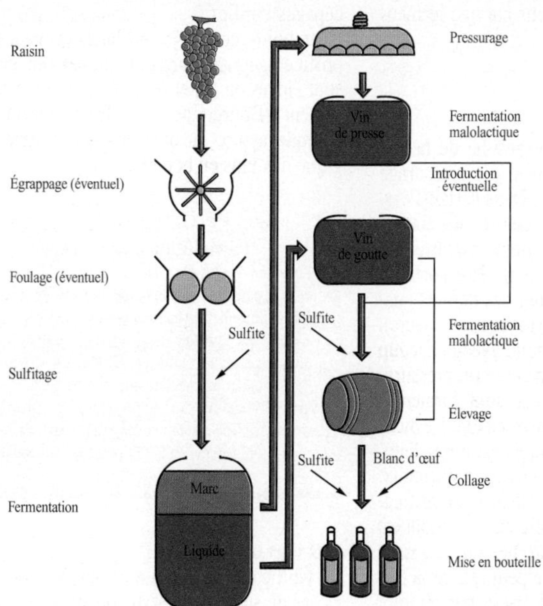

VINIFICATION DES VINS BLANCS

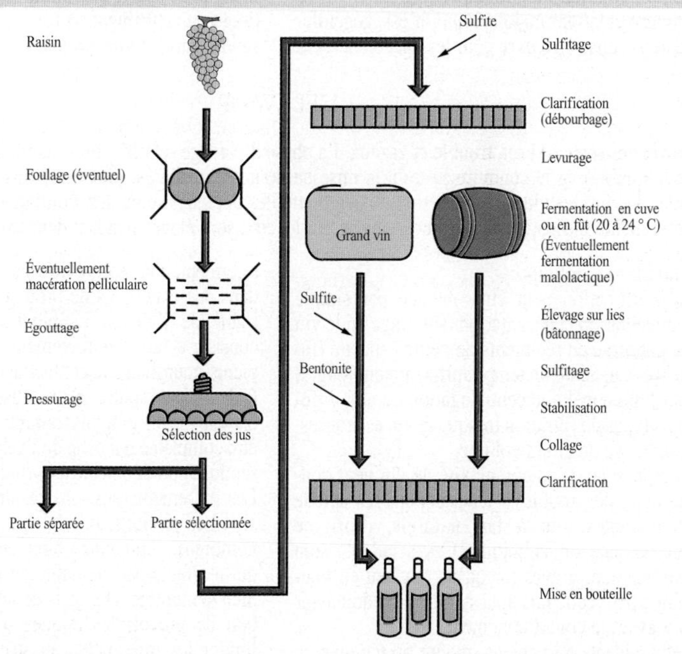

plus soutenue, mais d'intensité variable, allant du rose classique au rouge léger des vins clairets. Plus tanniques que les vins de pressurage direct, ils doivent être assouplis par une fermentation malolactique.

Les vins blancs secs

La fermentation alcoolique

Le plus souvent, le vin blanc résulte de la fermentation d'un pur jus de raisin : le pressurage précède donc la fermentation. Dans certains cas, cependant, on effectue une courte macération pelliculaire préfermentaire pour extraire les arômes ; les raisins doivent donc être parfaitement sains et mûrs afin d'éviter des défauts gustatifs (amertume) et olfactifs (mauvaises odeurs).
L'extraction du jus doit être faite avec beaucoup de soin, par foulage, égouttage et enfin pressurage. Les derniers jus de presse sont fermentés séparément, car de moins bonne qualité. Le moût blanc, très sensible à l'oxydation, est immédiatement protégé par addition d'anhydride sulfureux. Dès l'extraction du jus, on procède à sa clarification par débourbage. La clarification du moût est nécessaire à la qualité des arômes du vin, mais une clarification trop poussée peut rendre la fermentation difficile, surtout à basse température (18-20 °C) nécessaire à la qualité du vin.

La fermentation malolactique

La fermentation malolactique n'est généralement pas mise en œuvre pour les vins blancs, car ceux-ci méritent de conserver leur fraîcheur due à l'acidité. En outre, cette fermentation secondaire tend à diminuer l'intensité aromatique des cépages vinifiés.
Néanmoins, certains vins blancs peuvent en tirer profit en gagnant du gras et du volume lorsqu'ils sont élevés en fût et destinés à un long vieillissement (Bourgogne). La fermentation malolactique assure en outre la stabilisation biologique des vins en bouteille.

La vinification en barrique

Les grands vins blancs sont vinifiés en barrique ; ils acquièrent ainsi un caractère boisé et fondu. Ils sont ensuite élevés sous bois, sur leurs lies fines (levures) que le maître de chai remet régulièrement en suspension par bâtonnage. Cette pratique permet d'accentuer le caractère gras et moelleux du vin. Les vins blancs ne doivent pas être tirés en barriques, surtout si celles-ci sont neuves, après une fermentation en cuve, comme on le fait pour les vins rouges.

Les vins blancs doux

La vinification des vins doux suppose des raisins riches en sucre. Une partie du sucre est transformée en alcool, mais la fermentation est arrêtée avant son achèvement : le vinificateur ajoute du dioxyde de soufre et élimine les levures par soutirage ou centrifugation (ou encore par pasteurisation dans les vins ordinaires seulement).

L'ÉLEVAGE

Le vin nouveau est brut, trouble et gazeux. La phase d'élevage (clarification, stabilisation, affinement de la qualité) va le conduire jusqu'à la mise en bouteilles. Elle est plus ou moins longue selon les types de vin : les vins primeurs sont mis en bouteilles quelques semaines, voire quelques jours après la fin de la vinification ; les grands vins de garde, eux, sont élevés pendant deux ans et plus.

Clarifier et stabiliser

La clarification peut être obtenue par simple sédimentation et décantation (soutirage) si le vin est conservé en récipients de petite capacité (fût de bois), pendant un temps suffisamment long. Il faut faire appel à la centrifugation ou aux différents types de filtration lorsque le vin est conservé en cuve de grand volume.
Compte tenu de sa complexité, le vin peut donner lieu à des troubles et à des dépôts. Il s'agit de phénomènes tout à fait naturels, d'origine microbienne ou chimique. Ces accidents sont extrêmement graves lorsqu'ils ont lieu en bouteille ; pour cette raison la stabilisation doit avoir lieu avant le conditionnement.
Les accidents microbiens (piqûre bactérienne ou refermentation) sont évités en conservant le vin dans des conditions de propreté satisfaisantes, à l'abri de l'air en récipient plein. L'ouillage consiste à faire régulièrement le plein des récipients pour éviter le contact avec l'air. En outre, le dioxyde de soufre est un antiseptique et un antioxydant d'un emploi courant. Son action peut être complétée par celle de l'acide sorbique (antiseptique) ou de l'acide ascorbique (antioxydant).
Les traitements des vins résultent d'une nécessité. Les produits utilisés sont relativement peu nombreux : on connaît bien leur mode d'action, qui n'affecte pas la qualité, et leur innocuité est bien démontrée. Des tests de laboratoire permettent de prévoir les risques d'instabilité et de limiter les traitements au strict nécessaire. La

tendance moderne consiste à agir dès la vinification de façon à limiter autant que possible les traitements ultérieurs des vins et les manipulations qu'ils nécessitent.

Le dépôt de tartre est évité par le froid, avant la mise en bouteilles ; inhibiteur de cristallisation, l'acide métatartrique a un effet immédiat, mais sa protection n'est pas indéfinie. Le collage consiste à ajouter au vin une matière protéique (albumine d'œuf, gélatine) qui flocule dans le vin en éliminant les particules en suspension ainsi que des constituants susceptibles de le troubler. Le collage des vins rouges (au blanc d'œuf) est une pratique ancienne, indispensable pour éliminer l'excès de matière colorante qui floculerait en tapissant l'intérieur de la bouteille. La gomme arabique a un effet similaire ; elle n'est utilisée que pour les vins de table consommés rapidement après la mise en bouteilles. La coagulation des protéines naturelles dans les vins blancs (casse protéique) est évitée en les éliminant par fixation sur une argile colloïdale, la bentonite. L'excès de certains métaux (fer et cuivre) donne également lieu à des troubles ; leur élimination peut être effectuée par le ferrocyanure de potassium. Ces accidents ont été très graves dans les années 1930, au moment de la généralisation de l'emploi dans les chais de matériel en métal (fer, cuivre). Aujourd'hui, l'utilisation systématique de l'acier inoxydable a fait pratiquement disparaître ces différents accidents.

Affiner

L'élevage comprend aussi une phase d'affinage. Il s'agit d'abord d'éliminer le gaz carbonique en excès provenant de la fermentation et dont le taux final dépend du style de vin recherché. Si le gaz carbonique donne de la fraîcheur aux vins blancs secs et aux vins jeunes, il durcit en revanche les vins de garde, particulièrement les grands vins rouges.

L'introduction ménagée d'oxygène assure également une transformation nécessaire des tanins des vins rouges jeunes. Elle est indispensable à leur vieillissement ultérieur en bouteille. L'oxydation ménagée se produit spontanément en fût de chêne ; les techniques dites de microbullage permettent d'introduire, de façon régulière, les quantités d'oxygène juste nécessaires, surtout pour les vins conservés en cuve.

L'influence du chêne

Le chêne a toujours été le meilleur allié du vin. Celui de l'Allier (forêt de Tronçais) est particulièrement réputé dans le monde entier. À la différence du chêne américain, le bois des chênes sessiles et pédonculés européens doit être fendu (et non scié) puis séché à l'air pendant trois ans avant que le tonnelier n'utilise le merrain pour la fabrication de douelles. Le chêne américain (*Quercus alba*) permet d'obtenir rapidement une note boisée, mais qui n'a pas la complexité et la finesse du caractère boisé donné au vin par un élevage de plusieurs mois en chêne de l'Allier.

L'élevage sous bois fait partie de la tradition des grands vins, mais il est onéreux (prix d'achat des fûts, travail manuel, perte par évaporation) et exige une grande rigueur : les fûts devenus vieux peuvent être source de contamination microbienne et apporter au vin plus de défauts que de qualités.

Le bois de chêne apporte aux vins des arômes complexes de vanille, d'épices, de grillé, etc., qui doivent s'harmoniser parfaitement avec ceux du fruit, surtout lorsque le bois est neuf. Il doit donc être réservé à des vins naturellement riches et structurés, capables d'intégrer son caractère sans perdre leur typicité ni s'assécher en vieillissant. Pour nuancer son empreinte, le maître de chai joue sur la durée de l'élevage, sur la proportion de barriques neuves et même sur le degré de chauffe des douelles susceptible de transmettre des arômes plus ou moins torréfiés. Un caractère boisé peut être apporté à moindre frais en laissant macérer dans le vin des copeaux de chêne, mais cette pratique est interdite pour les vins d'appellation d'origine contrôlée.

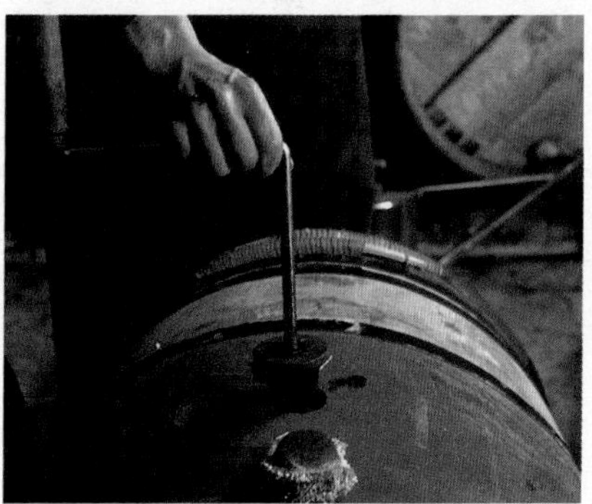

L'ÉVOLUTION DU VIN EN BOUTEILLE

L'expression « vieillissement » est spécifiquement réservée aux transformations lentes du vin conservé en bouteille, à l'abri complet de l'oxygène de l'air. Le vin quitte alors le chai et l'œil bienveillant du vigneron pour rejoindre la cave de l'amateur. Au consommateur, dès lors, de juger de sa qualité.

La mise en bouteille

L'embouteillage demande beaucoup de soin et de propreté : il faut éviter que le vin, parfaitement clarifié, soit contaminé par cette opération. Des précautions doivent également être prises pour respecter le volume indiqué. Aujourd'hui, des chaînes d'embouteillage automatisées assurent les meilleures conditions de mise en bouteille.

Le bouchon de liège

Le liège reste le matériau de choix pour l'obturation des bouteilles. Grâce à son élasticité, il assure une bonne herméticité. Cependant, parce que ce matériau est dégradable, il est recommandé de changer les bouchons tous les vingt-cinq ans de façon à éviter le risque des bouteilles couleuses. Le goût de bouchon est dû à la présence dans le liège d'une molécule odorante, le TCA (trichloro-anisole), formée par un micro-organisme à différentes étapes de la transformation du liège en bouchon. Compte tenu de l'importance de ces défauts, on a cherché des solutions de remplacement : bouchon synthétique ou, mieux, bouchage par capsule à vis dont les qualités s'imposent de plus en plus.

Les transformations du vin

Les transformations du vin en bouteille sont multiples et complexes, mais elles sont lentes, donc difficiles à décrire. Il intervient d'abord une modification de la couleur, parfaitement mise en évidence dans le cas des vins rouges : rouge vif dans les vins jeunes, la teinte évolue vers des tons plus jaunes, tuilés ou brique. Dans les vins très vieux, la nuance rouge a complètement disparu au profit du jaune et du marron et l'on observe un dépôt de matière colorante sur les parois de la bouteille. Les vins rouges connaissent aussi une évolution structurelle : leurs tanins s'arrondissent et laissent une impression de souplesse.
Au cours de la garde en bouteille, les arômes du vin se développent et gagnent en complexité : un bouquet spécifique des vins vieux apparaît.

QU'EST-CE QU'UN VIN DE QUALITÉ

S'il existe une hiérarchie réglementaire bien établie qui classe la production vinicole depuis les vins de table jusqu'aux grands crus, en passant par tous les intermédiaires, la qualité naît avant tout de facteurs naturels et humains. Le savoir-faire de l'homme est indispensable pour valoriser les facteurs de qualité et élaborer un bon vin, mais la création d'un grand vin exige avant tout un environnement spécifique : un sol, un climat, des cépages adaptés.

Déguster pour évaluer

Si l'analyse chimique permet de déceler des anomalies et de mettre en évidence certains défauts du vin, ses limites pour définir la qualité sont bien connues. En dernier ressort, la dégustation est le critère essentiel d'appréciation de la qualité. Des progrès considérables ont été accomplis depuis une vingtaine d'années dans les techniques d'analyse sensorielle permettant de mieux en mieux de s'affranchir des aspects subjectifs ; ils s'appuient sur le développement des connaissances en matière de physiologie de l'odorat et du goût, et des conditions pratiques de la dégustation.

Les contrôles réglementaires

L'expertise gustative intervient de plus en plus dans le contrôle de la qualité pour l'agrément des vins d'appellation d'origine contrôlée ou dans le cadre d'expertises judiciaires. Le contrôle réglementaire de la qualité du vin s'est en effet imposé depuis longtemps. La loi du 1er août 1905 sur la loyauté des transactions commerciales constitue le premier texte officiel, mais la réglementation a été progressivement affinée à mesure que progressaient les connaissances de la constitution du vin et de ses transformations. En s'appuyant sur l'analyse chimique, la réglementation définit une sorte de qualité minimale en évitant les principaux défauts. Elle incite en outre la technique à améliorer ce niveau minimum.
La Direction générale de la concurrence, de la consommation et de la répression des fraudes est responsable de la vérification des normes analytiques ainsi établies et, d'une façon générale, de la conformité du produit à son origine. Cette action est complétée par celle de l'Institut national des appellations d'origine (INAO, composé des organisations professionnelles), chargé, après consultation des syndicats intéressés, de déterminer les conditions de production et d'en assurer le contrôle : aire de production, nature des cépages, mode de plantation et de taille, pratiques culturales, techniques de vinification, constitution des moûts et du vin, rendement. Cet organisme assure également la défense des vins d'appellation d'origine en France et à l'étranger.

Pascal Ribéreau-Gayon.

10 000 VINS
À DÉCOUVRIR

L'Alsace

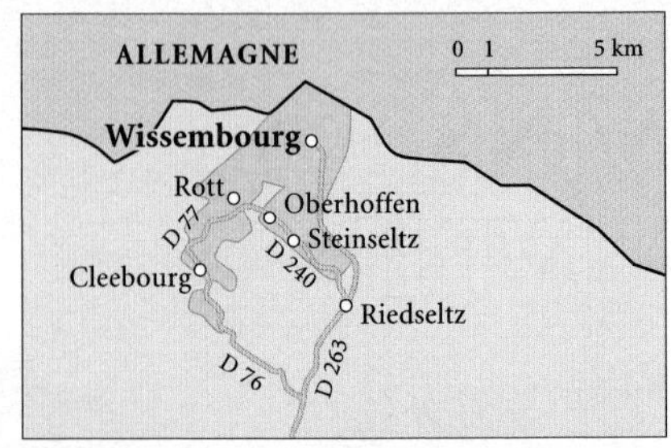

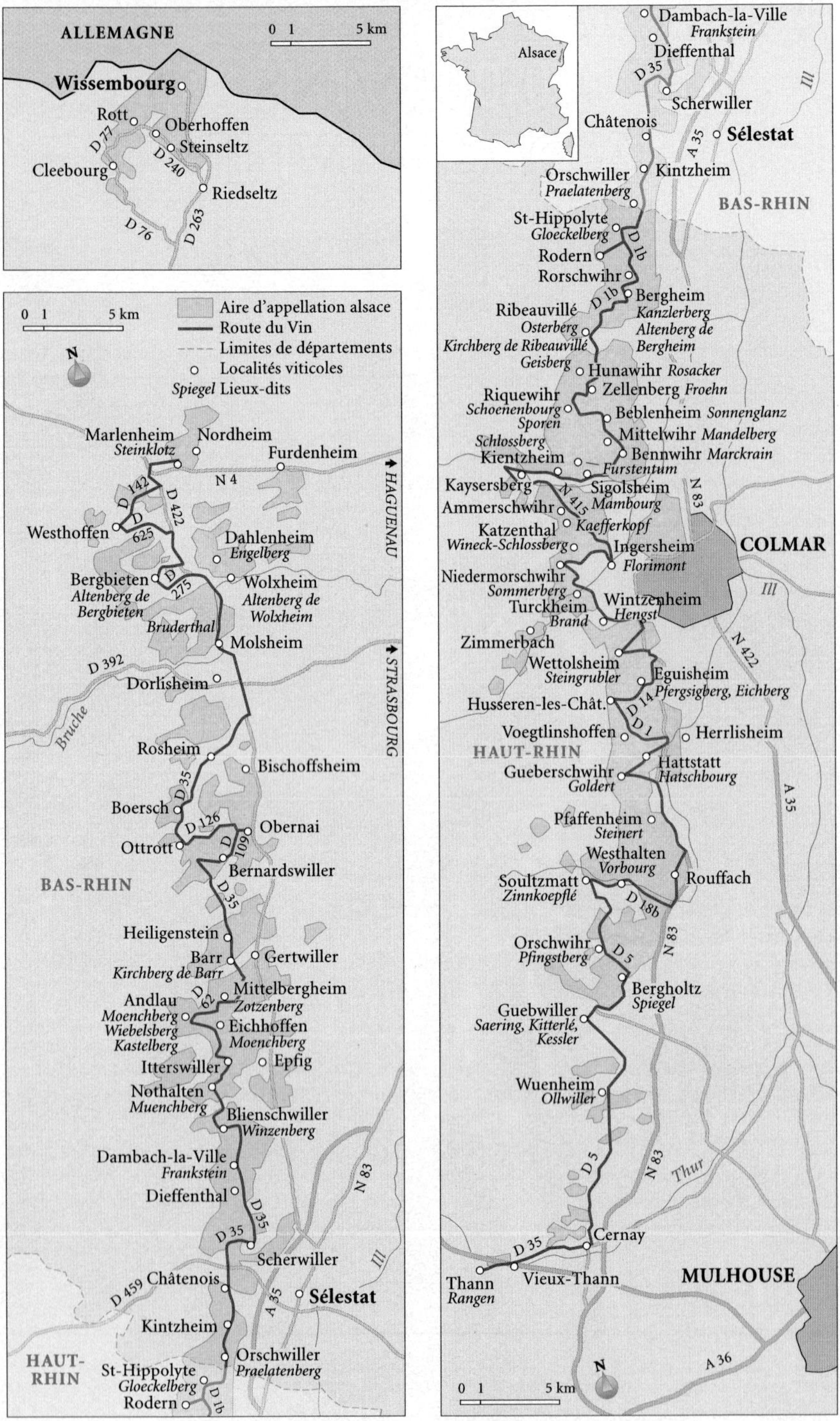

ALLEMAGNE
0 1 5 km
Wissembourg
Rott
Oberhoffen
Steinseltz
Cleebourg
Riedseltz
D 77
D 240
D 76
D 263

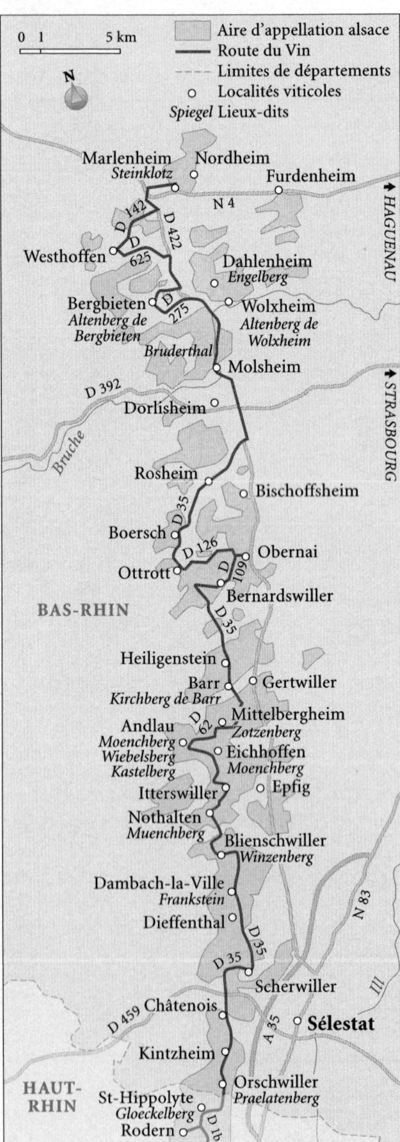

0 1 5 km
N
Aire d'appellation alsace
Route du Vin
Limites de départements
Localités viticoles
Spiegel Lieux-dits
Marlenheim
Steinklotz
Nordheim
Furdenheim
N 4
HAGUENAU
D 142
D 422
Westhoffen
D 625
Dahlenheim
Engelberg
Bergbieten
Altenberg de Bergbieten
D 275
Wolxheim
Altenberg de Wolxheim
Bruderthal
Molsheim
STRASBOURG
D 392
Dorlisheim
Bruche
Rosheim
Bischoffsheim
D 35
Boersch
D 126
Obernai
Ottrott
D 109
Bernardswiller
BAS-RHIN
Heiligenstein
Barr
Kirchberg de Barr
Gertwiller
D 62
Mittelbergheim
Zotzenberg
Andlau
Moenchberg
Wiebelsberg
Kastelberg
Eichhoffen
Moenchberg
Itterswiller
Epfig
Nothalten
Muenchberg
Blienschwiller
Winzenberg
Dambach-la-Ville
Frankstein
Dieffenthal
N 83
Scherwiller
Ill
D 459
Châtenois
A 35
Sélestat
Kintzheim
Orschwiller
Praelatenberg
HAUT-RHIN
St-Hippolyte
Gloeckelberg
Rodern
D 1b

Alsace
Dambach-la-Ville
Frankstein
Dieffenthal
D 35
Scherwiller
Ill
Châtenois
Sélestat
A 35
Kintzheim
Orschwiller
Praelatenberg
BAS-RHIN
St-Hippolyte
Gloeckelberg
D 1b
Rodern
Rorschwihr
Bergheim
Kanzlerberg
Altenberg de Bergheim
Ribeauvillé
Osterberg
Kirchberg de Ribeauvillé
Geisberg
Hunawihr Rosacker
Zellenberg Froehn
Riquewihr
Schoenenbourg
Sporen
Beblenheim Sonnenglanz
Mittelwihr Mandelberg
Schlossberg
Bennwihr Marckrain
Kientzheim
Furstentum
Kaysersberg
Sigolsheim
Mambourg
N 83
N 415
Ammerschwihr
Katzenthal
Kaefferkopf
Wineck-Schlossberg
Ingersheim
Florimont
COLMAR
Niedermorschwihr
Sommerberg
Wintzenheim
Hengst
Turckheim
Brand
Ill
Zimmerbach
N 422
Wettolsheim
Steingrubler
Eguisheim
Pfergsigberg, Eichberg
Husseren-les-Chât.
D 14
D 1
Voegtlinshoffen
Herrlisheim
HAUT-RHIN
Hattstatt
Hatschbourg
Gueberschwihr
Goldert
A 35
Pfaffenheim
Steinert
Westhalten
Vorbourg
Soultzmatt
Zinnkoepflé
Rouffach
D 18b
Orschwihr
Pfingstberg
D 5
N 83
Bergholtz
Spiegel
Guebwiller
Saering, Kitterlé, Kessler
Wuenheim
Ollwiller
D 5
N 83
Thur
Cernay
D 35
Thann
Rangen
Vieux-Thann
MULHOUSE
A 36
N
0 1 5 km

L'ALSACE ET LA LORRAINE

L'Alsace

La plus grande partie du vignoble d'Alsace est implantée sur les collines qui bordent le massif vosgien et qui prennent pied dans la plaine rhénane. Les Vosges, qui se dressent entre l'Alsace et le reste du pays, donnent à la région son climat spécifique, car elles captent la grande masse des précipitations venant de l'Océan. C'est ainsi que la pluviométrie moyenne annuelle de la région de Colmar, avec moins de 500 mm, est la plus faible de France ! En été, cette chaîne fait obstacle à l'influence rafraîchissante des vents atlantiques, mais ce sont surtout les différents microclimats, nés des nombreuses sinuosités du relief, qui jouent un rôle prépondérant dans la répartition et la qualité des vignobles.

Une autre caractéristique de ce vignoble est la grande diversité de ses sols. Alors que dans un passé considéré comme récent par les géologues, même s'il remonte à quelque cinquante millions d'années, Vosges et Forêt-Noire formaient un seul ensemble, issu d'une succession de phénomènes tectoniques (immersions, érosions, plissements...), à partir de l'ère tertiaire, la partie médiane de ce massif a commencé à s'affaisser pour donner naissance, bien plus tard, à une plaine. Par suite de ce tassement, presque toutes les couches de terrain qui s'étaient accumulées au cours des différentes périodes géologiques ont été remises à nu sur la zone de rupture. Or, c'est surtout là que sont localisés les vignobles. C'est ainsi que la plupart des communes viticoles sont caractérisées par au moins quatre ou cinq formations de terrains différents.

L'histoire du vignoble alsacien se perd dans la nuit des temps, et les populations préhistoriques ont sans doute déjà dû tirer parti de la vigne, dont la culture proprement dite ne semble cependant dater que de la conquête romaine. L'invasion des Germains, au V^{e}s., entraîna un déclin passager de la viticulture, mais des documents écrits nous révèlent que les vignobles ont assez rapidement repris de l'importance, sous l'influence déterminante des évêchés, des abbayes et des couvents. Des documents antérieurs à l'an 900 mentionnent déjà plus de cent soixante localités où la vigne était cultivée.

Cette expansion se poursuivit sans interruption jusqu'au XVI^{e}s., qui marqua l'apogée de la viticulture en Alsace. Les magnifiques maisons de style Renaissance que l'on rencontre encore dans maintes communes viticoles témoignent indiscutablement de la prospérité de ce temps, où de grandes quantités de vins d'Alsace étaient déjà exportées dans toute l'Europe. Mais la guerre de Trente Ans, période de dévastation par les armes, le pillage, la faim et la peste, eut des conséquences catastrophiques pour la viticulture, comme pour les autres activités économiques de la région.

La paix revenue, la culture de la vigne reprit peu à peu son essor, mais l'extension des vignobles se fit principalement à partir de cépages communs. Un édit royal de 1731 tenta bien de mettre fin à cette situation, sans grand succès. Cette tendance s'accentua encore après la Révolution, et la superficie du vignoble passa de 23 000 ha en 1808 à 30 000 ha en 1828. Mais l'avènement du chemin de fer et de la concurrence des vins du Midi, ainsi que l'apparition du phylloxéra et de diverses maladies de la vigne entraînèrent un long processus de déclin. Il s'ensuivit, à partir de 1902, une diminution de la superficie du vignoble qui continua jusque vers 1948, année qui le vit tomber à 9 500 ha, dont 7 500 en appellation alsace.

L'essor économique de l'après-guerre et les efforts de la profession influèrent favorablement sur le développement du vignoble alsacien, qui possède actuellement, sur une superficie de quelque 15 230 ha, un potentiel de production de l'ordre de 1,2 million d'hectolitres (1 154 261 hl déclarés en 2005) - dont 41 270 hl en grands crus et 273 529 hl en crémant-d'alsace, les exportations atteignant plus du quart des ventes totales. Ce développement a été l'œuvre de l'ensemble des trois branches professionnelles qui se répartissent harmonieusement le marché. Il s'agit des vignerons indépendants, des coopératives et des négociants (souvent eux-mêmes producteurs), qui achètent des quantités importantes à des viticulteurs ne vinifiant pas eux-mêmes leur récolte.

Tout au long de l'année, de nombreuses manifestations vinicoles se déroulent dans les diverses localités qui bordent la route du Vin. Celle-ci est un des attraits touristiques et culturels majeurs de la province. Le point culminant de ces manifestations est sans doute la Foire annuelle du vin d'Alsace qui a lieu en août à Colmar, précédée par celles de Guebwiller, d'Ammerschwihr, de Ribeauvillé, de Barr et de Molsheim. Mais il convient également de citer l'activité, particulièrement prestigieuse, de la confrérie Saint-Étienne, née au XIVe s. et restaurée en 1947.

Le principal atout des vins d'Alsace réside dans le développement optimal des constituants aromatiques des raisins, qui s'effectue souvent mieux dans des régions à climat tempéré frais, où la maturation est lente et prolongée. Leur spécificité dépend naturellement de la variété, et l'une des particularités de la région est la dénomination des vins d'après la variété qui les a produits, alors qu'en règle générale les autres vins français d'appellation d'origine contrôlée portent le nom de la région ou d'un site géographique plus restreint qui leur a donné naissance.

Les raisins, récoltés courant octobre, sont transportés le plus rapidement possible au chai pour y subir un foulage, parfois un égrappage, puis le pressurage. Le moût qui s'écoule du pressoir est chargé de « bourbes » qu'il importe d'éliminer le plus vite possible par sédimentation ou par centrifugation. Le moût clarifié entre ensuite en fermentation, phase au cours de laquelle on veille tout particulièrement à éviter un excès de température. Par la suite, le vin jeune et trouble demande de la part du viticulteur toute une série de soins : soutirage, ouillage, sulfitage raisonné, clarification. La conservation en cuve ou en fût se poursuit ensuite jusque vers le mois de mai, époque à laquelle le vin subit son conditionnement final en bouteilles. Cette façon de procéder concerne la vendange destinée à l'obtention des vins blancs secs, c'est-à-dire plus de 90 % de la production alsacienne.

Les alsaces « vendanges tardives » et « sélections de grains nobles » sont des productions issues de vendanges surmûries et ne constituent des mentions officielles que depuis 1984. Ils sont soumis à des conditions de production extrêmement rigoureuses, les plus exigeantes de toutes pour ce qui concerne le taux de sucre des raisins. Il s'agit évidemment de vins de classe exceptionnelle, qui ne peuvent être obtenus tous les ans et dont le prix de revient est très élevé. Seuls le gewurztraminer, le pinot gris, le riesling et plus rarement le muscat peuvent bénéficier de ces mentions spécifiques.

Dans l'esprit des consommateurs, le vin d'Alsace doit se boire jeune, ce qui est en grande partie vrai pour le sylvaner, le chasselas, le pinot blanc et l'edelzwicker ; mais cette jeunesse est loin d'être éphémère, et riesling, gewurztraminer, pinot gris ont souvent intérêt à n'être consommés qu'après deux ans d'âge. Il n'existe en réalité aucune règle fixe à cet égard, et certains vins, nés au cours des années de grande maturité des raisins, se conservent beaucoup plus longtemps, des dizaines d'années parfois, en particulier ceux de l'AOC alsace grand cru, qui ajoutent à la typicité du cépage l'empreinte de leur terroir d'origine.

L'appellation alsace, applicable dans l'ensemble des cent vingt aires de production communales, est subordonnée à l'utilisation de douze cépages : gewurztraminer, riesling rhénan, pinot gris, muscats blanc et rose à petits grains, muscat ottonel, pinot blanc vrai, auxerrois blanc, pinot noir, sylvaner blanc, chasselas blanc et rose.

L'AOC crémant-d'alsace, reconnue en 1976, et réservée aux vins effervescents de la région, connaît depuis l'origine un développement spectaculaire.

Alsace klevener-de-heiligenstein

Le klevener-de-heiligenstein n'est autre que le vieux traminer (ou savagnin rose) connu depuis des siècles en Alsace.

Il a fait place progressivement à sa variante épicée ou « gewurztraminer » dans l'ensemble de la région, mais est resté vivace à Heiligenstein et dans cinq communes voisines.

Il constitue une originalité par sa rareté et son élégance. Ses vins sont à la fois très bien charpentés et discrètement aromatiques.

CAVE VINICOLE D'ANDLAU-BARR
Réserve du président 2004 ★

n.c. 41 000 **8 à 11 €**

Chef-lieu de canton et cité viticole, Barr est le siège d'une coopérative qui vinifie aussi des vendanges provenant de la commune voisine de Heiligenstein. C'est pourquoi elle figure souvent en bonne place dans cette appellation. Jaune d'or à reflets dorés, sa réserve du président mêle au nez la rose, la pêche et l'abricot. L'attaque franche annonce un vin ample, équilibré, à la fois puissant et élégant et d'une belle complexité aromatique (la rose encore, avec des notes citronnées et une touche de réglisse). La longue finale laisse un bon souvenir. À déguster pendant deux ou trois ans avec des viandes blanches, du poisson en sauce et même de la cuisine exotique. (Sucres résiduels : 10 g/l.)

🔑 Cave vinicole d'Andlau et environs, 15, av. des Vosges, 67140 Barr, tél. 03.88.08.90.53, fax 03.88.47.60.22 ☑ 🍷 🚶 r.-v.

PAUL DOCK Cuvée prestige 2004 ★★

0,7 ha 2 500 8 à 11 €

VIN D'ALSACE
2004
Klevener de Heiligenstein
SPÉCIALITÉ DU VILLAGE
750 ml
Paul DOCK
13,5% Vol.

Un klevener digne de Heiligenstein ! Sa robe jaune brillant annonce un nez concentré et complexe, où se mêlent le citron confit, le coing, la pêche et l'abricot très mûrs. Ces arômes de surmaturation se prolongent en bouche avec des notes de miel et de cire. Particulièrement riche et ample, sans lourdeur aucune, ce vin persiste longuement, soutenu par une pointe d'acidité qui contribue à son harmonie. Une bouteille que l'on pourra apprécier plusieurs années. (Sucres résiduels : 36 g/l.)

🔑 GAEC Paul Dock et Fils, 55, rue Principale, 67140 Heiligenstein, tél. 03.88.08.02.49, fax 03.88.08.25.65 ☑ 🍷 🚶 t.l.j. 10h-12h 14h-19h

DANIEL RUFF L'Authentique 2004 ★

0,86 ha 5 000 **8 à 11 €**

Trois générations travaillent ensemble sur le domaine familial établi dans la cité du klevener. Du cépage local, elles ont tiré une bouteille des plus réussies. Sa robe jaune à reflets or brillants et son nez intense de citron, de sous-bois et de fruits mûrs, sont fort engageants. Au palais, on retrouve les fruits mûrs, associés à des nuances confites et à une pointe citronnée. L'équilibre est dominé par l'ampleur et la richesse. La finale laisse une impression de souplesse. (Sucres résiduels : 27 g/l.)

🔑 Dom. Daniel Ruff, 64, rue Principale, 67140 Heiligenstein, tél. 03.88.08.10.81, fax 03.88.08.43.61, e-mail ruffvigneron@wanadoo.fr ☑ 🍷 🚶 r.-v.

Alsace chasselas ou gutedel

Il y a une quarantaine d'années, ce cépage occupait encore plus de 20 % du vignoble. Aujourd'hui, ce taux est tombé à 1 %. Il donne un vin aimable, léger et souple, du fait d'une acidité modérée. Il entre essentiellement dans la composition de l'edelzwicker, et, de ce fait, cette appellation ne se trouve que très rarement sur le marché.

ÉMILE HERZOG 2004

0,08 ha 600 ■ **3 à 5 €**

Ville libre dès le début du XIV^e^s., Turckheim, dominée par le riche coteau du Brand, est restée une cité viticole d'importance. Malgré son veilleur de nuit qui lance ses mises en garde à travers les rues de la cité, elle a oublié le feu des batailles qui l'ont ravagée au XVII^e^s. Parmi ses domaines viticoles, celui-ci est resté attaché au chasselas. Jaune clair à reflets verts, ce 2004 présente des arômes floraux que l'on retrouve en bouche avec un fruité légèrement citronné. Sa fraîcheur, sa finesse, sa finale intense et croquante en font une bouteille agréable, qui trouvera sa place à table dès l'apéritif.

🔑 Émile Herzog, 28, rue du Florimont, 68230 Turckheim, tél. et fax 03.89.27.08.79, e-mail e.herzog@laposte.net ☑ 🍷 🚶 r.-v.

DOM. DE LA VIEILLE FORGE
Vieilles Vignes 2004 ★

0,4 ha 1 600 ■ **3 à 5 €**

Denis Wurtz, œnologue, a repris et agrandi l'exploitation de ses grands-parents en association avec son cousin Pascal Wagner, chargé de la commercialisation. Leurs 5 ha de vignes s'étendent autour de Beblenheim, près de Riquewihr. Le chasselas se fait rare en Alsace. En voici un très agréable et qui se mariera avec de nombreux plats. Jaune clair à reflets roses, il séduit par son fruité rappelant

les agrumes, avec une touche muscatée, tandis qu'une nuance briochée marque la bouche. Frais à l'attaque, légèrement perlant, c'est un vin équilibré, sans dureté aucune, avec un gras plaisant en finale.
⊶ Dom. de la Vieille Forge, 5, rue de Hoen, 68980 Beblenheim, tél. 03.89.86.01.58, fax 03.89.47.86.37, e-mail virginie.wurtz@wanadoo.fr
☑ Y ⚲ t.l.j. 10h-12h 16h-19h
⊶ Denis Wurtz

Alsace sylvaner

Les origines du sylvaner sont très incertaines, mais son aire de prédilection a toujours été limitée au vignoble allemand et à celui du Bas-Rhin en France. En Alsace même, où il couvre environ 1 680 ha, c'est un cépage extrêmement intéressant grâce à son rendement et à sa régularité de production.

Son vin est d'une remarquable fraîcheur, assez acide, doté d'un fruité discret. On trouve en réalité deux types de sylvaner sur le marché. Le premier, de loin supérieur, provient de terroirs bien exposés et peu enclins à la surproduction. Le second est apprécié par ceux qui aiment un type de vin sans prétention, agréable et désaltérant. Le sylvaner accompagne volontiers choucroute, hors-d'œuvre et entrées, de même que les fruits de mer, tout spécialement les huîtres.

LAURENT BARTH 2004 *

0,14 ha 1 000 5 à 8 €

Installé à la tête de l'exploitation familiale en 1999, Laurent Barth est sorti de la coopérative et s'est tourné vers l'agriculture biologique. Il vinifie sa propre récolte depuis 2004. Son sylvaner a du caractère ; sa robe jaune doré, ses arômes de pain grillé, sa structure, son ampleur, son gras le rendent un peu original, mais l'ensemble est très agréable. Il s'accordera non seulement avec les produits de la mer et les entrées froides, mais aussi avec les viandes blanches et les entrées chaudes.
⊶ Laurent Barth, 3, rue du Mal-de-Lattre, 68630 Bennwihr, tél. et fax 03.89.47.96.06, e-mail laurent.barth@wanadoo.fr ☑ Y ⚲ r.-v.

CHARLES ET DOMINIQUE FREY
Frauenberg 2004

0,5 ha 2 200 3 à 5 €

Ces vignerons-propriétaires conduisent leur exploitation en biodynamie. Né d'un terroir sablo-limoneux et vêtue d'une robe classique aux reflets verts, leur sylvaner du Frauenberg est encore discret au nez. Équilibré et typé, il gagnera à attendre quelques mois pour s'épanouir et s'exprimer davantage.
⊶ EARL Charles et Dominique Frey, 4, rue des Ours, 67650 Dambach-la-Ville, tél. 03.88.92.41.04, fax 03.88.92.62.23, e-mail frey.dom.bio@wanadoo.fr
☑ Y ⚲ t.l.j. sf dim. 9h-12h 13h30-18h

MAISON MARTIN JUND 2004

0,5 ha 3 000 3 à 5 €

Cette exploitation familiale a quatre siècles d'existence. Elle a son siège au cœur même du vieux Colmar, près de la cathédrale, et dispose d'un vignoble de 7 ha principalement implanté autour de la commune, sur les terrains limono-sablonneux de la Hardt. Son sylvaner s'habille d'une robe jaune-vert à reflets d'or et offre un nez discret, fait de senteurs printanières. D'une agréable souplesse à l'attaque, dépourvu de sucres résiduels, assez puissant, c'est un vin bien né pour la cuisine simple de tous les jours.
⊶ Maison Martin Jund, 12, rue de l'Ange, 68000 Colmar, tél. 03.89.41.58.72, fax 03.89.23.15.83, e-mail martinjund@hotmail.com
☑ Y ⚲ r.-v. 1 B

RENÉ KIENTZ FILS
Blienschwiller Réserve de la Metzig 2004 *

1,1 ha 8 500 3 à 5 €

À Blienschwiller, village situé au milieu des vignes, les caves s'alignent le long de la route des Vins. Celle d'André Kientz est proche de la fontaine fleurie. Vous pourrez y découvrir ce sylvaner jaune pâle au nez d'agrumes frais. Quelques touches minérales s'ajoutent à sa palette aromatique en bouche. On y découvre une bonne matière, vive et persistante.
⊶ René Kientz Fils, 51, rte du Vin, 67650 Blienschwiller, tél. 03.88.92.49.06, fax 03.88.92.45.87, e-mail alsacekientz@wanadoo.fr
☑ Y ⚲ r.-v.

RENÉ KOCH ET FILS Zellberg 2004 *

0,48 ha 4 000 5 à 8 €

Avant d'entrer dans la cave des Koch, qui remonte au XVIII[e]s., arrêtez-vous devant la fontaine Renaissance (1543) de Nothalten. L'exploitation, d'une dizaine d'hectares, est conduite depuis 1970 par René Koch, rejoint en 1996 par son fils Michel. Leur sylvaner du Zellberg est élégamment floral au nez. Il séduit par sa fraîcheur, son fruité, son équilibre et sa tenue. Une bouteille harmonieuse.
⊶ EARL René et Michel Koch, 5, rue de la Fontaine, 67680 Nothalten, tél. 03.88.92.41.03, fax 03.88.92.63.99, e-mail vin.koch@wanadoo.fr ☑ Y ⚲ r.-v. C

ALFRED MEYER ET FILS 2004 **

0,3 ha 2 500 3 à 5 €

Blotti au milieu des vignes au pied de la station des Trois-Épis, le charmant village de Katzenthal abrite de nombreux vignerons, parmi lesquels Daniel Meyer, installé en 2003. Ce dernier propose un sylvaner agréable par ses expressions florales et fruitées. Franc à l'attaque, équilibré et frais, ce 2004 est plaisant par ses arômes citronnés et légèrement anisés. Racé et typé, il pourra accompagner des crustacés.
⊶ EARL Alfred Meyer et Fils, 98, rue des Trois-Épis, 68230 Katzenthal, tél. 03.89.27.24.50, fax 03.89.27.55.40
☑ Y ⚲ t.l.j. sf dim. 9h-12h 13h30-18h
⊶ Daniel Meyer

DOM. ALFRED WANTZ
Cuvée Zo Sylvaner de Mittelbergheim 2004

1,5 ha 9 000 3 à 5 €

Mittelbergheim est l'un des villages les plus pittoresques de la route des Vins. Il est réputé pour son sylvaner du Zotzenberg, terroir argilo-calcaire où ce cépage a acquis ses lettres de noblesse. Une fois de plus, on retrouve cette cuvée Zo d'Alfred Wantz, dont le millésime 87 avait obtenu un superbe coup de cœur. Jaune pâle à reflets verts, le 2004 présente un fruité assez élégant qui rappelle bien le raisin. Sa bonne matière est typée, soutenue par une pointe d'acidité en finale. Cette bouteille accompagnera agréablement les plats régionaux.

Dom. Alfred Wantz, 3, rue des Vosges, 67140 Mittelbergheim, tél. 03.88.08.91.43, fax 03.88.08.58.74, e-mail stephane.wantz@wanadoo.fr
t.l.j. sf dim. 10h-12h 13h30-18h, sam. 17h

Alsace pinot ou klevner

Sous ces deux dénominations (la seconde étant un vieux nom alsacien), le vin de cette appellation peut provenir de deux cépages : le pinot blanc vrai et l'auxerrois blanc. Ce sont deux variétés assez peu exigeantes, capables de donner des résultats remarquables dans des situations moyennes, car leurs vins allient agréablement fraîcheur, corps et souplesse. Cette dénomination couvre 3 184 ha.

Dans la gamme des vins d'Alsace, le pinot blanc représente le juste milieu, et il n'est pas rare qu'il surclasse certains rieslings. Du point de vue gastronomique, il s'accorde avec de nombreux plats, à l'exception des fromages et des desserts.

ALBERT BOHN 2004

0,4 ha 1 400 3 à 5 €

Ammerschwihr prospère grâce à la vigne depuis le Moyen Âge. La cité rassemble de nombreuses exploitations, comme celle d'Albert Bohn, fondée il y a un demi-siècle et qui compte près de 7 ha. Originaire d'un terroir argilo-marneux, son pinot blanc est marqué au nez par des notes de fleurs blanches et de pain grillé. D'une belle attaque, vif et bien équilibré, il s'accordera avec de la charcuterie et des salades composées.

EARL Albert Bohn et Fils, 4, rue du Cerf, 68770 Ammerschwihr, tél. 03.89.78.25.77, fax 03.89.78.16.34, e-mail vins.bohn@wanadoo.fr
r.-v.
Vincent Bohn

DOM. EINHART Westerberg 2004

2,1 ha 8 000 3 à 5 €

Cette propriété d'une dizaine d'hectares, située dans un petit village du nord de la route des Vins, près de Rosheim, figure régulièrement dans le Guide, notamment dans cette appellation. Issu d'auxerrois planté sur un terroir argilo-calcaire, ce 2004 présente un nez très élégant, fait de fleurs et de coing. Équilibré et gouleyant, léger et sans complications, il trouvera facilement sa place. Vous pourrez le découvrir dans le nouveau caveau de dégustation du domaine.

Dom. Einhart, 15, rue Principale, 67560 Rosenwiller, tél. 03.88.50.41.90, fax 03.88.50.29.27, e-mail info@einhart.fr
t.l.j. sf dim. 9h-12h 14h-19h

BRUNO HERTZ 2004

1 ha 2 000 3 à 5 €

Le village d'Eguisheim a gardé un riche patrimoine architectural, en particulier de charmantes maisons vigneronnes. Celle de Bruno Hertz, au cœur de la cité, date des XVe et XVII[e]s. Ce dernier exploite plus de 6 ha de vignes avec sa nièce. Son pinot blanc provient d'un terroir lœssique. Encore très jeune, il est légèrement fumé au nez. Sa vivacité permettra une petite garde et des accords avec les produits de la mer.

Bruno Hertz, 9, pl. de l'Église, 68420 Eguisheim, tél. 03.89.41.81.61, fax 03.89.41.68.32, e-mail lesvinshertz@aol.com r.-v. B

KLÉE FRÈRES Vieilles Vignes 2004 *

0,2 ha 1 200 3 à 5 €

Trois frères : le premier est infirmier, le deuxième informaticien et le troisième œnologue. En 1991, ils se sont associés pour perpétuer et mettre en valeur la petite exploitation (1,80 ha au cœur du village) de leur père, « boulanger-viticulteur » à Katzenthal, près de Colmar. Ils proposent une cuvée née d'un auxerrois planté sur un sol d'arènes granitiques. Déjà bien ouvert au nez, ce vin délivre des notes fruitées, briochées et vanillées. Expressif, équilibré et long, il trouvera sa place avec de nombreux plats : quiches, poisson grillé ou poché.

Klée Frères, 18, Grand-Rue, 68230 Katzenthal, tél. 03.89.47.17.90, e-mail info@klee-freres.com
r.-v.

CLÉMENT KLUR Grain d'Or 2004 *

0,5 ha 3 000 8 à 11 €

Dans le métier depuis de longues années, Clément Klur n'a pas hésité à fonder son exploitation personnelle en 1999, qu'il a résolument orientée vers l'agriculture biodynamique. Ici, on affectionne la spirale, qui orne les étiquettes : la cave est circulaire et enterrée, bâtie avec des matériaux naturels. Vous pourrez y découvrir ce Grain d'or, très beau pinot auxerrois d'origine granitique. Intense au nez avec ses notes fumées et ses nuances de pain grillé, il séduit aussi par son ampleur et par sa persistance.

Clément Klur, 105, rue des Trois-Épis, 68230 Katzenthal, tél. 03.89.80.94.29, fax 03.89.27.30.17, e-mail info@klur.net
r.-v. 5 D

DOM. KUMPF ET MEYER
Auxerrois Cuvée particulière 2004

0,7 ha 6 500 3 à 5 €

Héritiers de vieilles familles de vignerons, Sophie Kumpf, de Molsheim, et Xavier Meyer, de Rosenwiller, unissent leurs destinées puis, en 1996, leurs propriétés. Le résultat ? Un coquet domaine de 16 ha répartis sur plusieurs communes proches de Rosheim et des chais modernes, construits entre 1996 et 2004. Issue d'un terroir de calcaire coquillier, la Cuvée particulière, de pur auxerrois, laisse poindre des parfums de fruit de la Passion. À la fois riche et nerveuse, elle est le produit d'une belle matière.

Dom. Kumpf et Meyer, 34, rte de Rosenwiller, 67560 Rosheim, tél. 03.88.50.20.07, fax 03.88.50.26.75, e-mail kumpfetmeyer@online.fr

t.l.j. 8h30-12h 14h-19h

DOM. LANDMANN
Fronholz Vieilles Vignes 2004 **

0,7 ha 5 000 5 à 8 €

Après une première carrière dans la banque, Armand Landmann s'est lancé dans l'aventure viticole en 1992. Aujourd'hui à la tête de 8 ha, il jouit déjà d'une solide réputation. Né d'un terroir assez caillouteux, son pinot blanc du Fronholz présente un nez de fleurs blanches, élégant et bien typé. D'une belle attaque, ample et structuré, d'une persistance idéale pour le cépage, c'est un vin plaisir par excellence.

EARL Armand Landmann, 74, rte du Vin, 67680 Nothalten, tél. et fax 03.88.92.41.12 r.-v.

RIEFFEL Vieilles Vignes 2004 **

0,41 ha 3 600 5 à 8 €

De nombreux vignerons ont pignon sur rue à Mittelbergheim, village aux coteaux viticoles réputés et dont le riche patrimoine architectural lui a permis d'entrer dans l'association des plus beaux villages de France. Parmi eux, les Rieffel, qui ont tiré de ceps âgés de cinquante ans plantés sur un terroir marneux un superbe pinot blanc. Déjà très expressif au nez, ce 2004 exprime des notes fruitées, florales et briochées. Sa belle attaque introduit un palais ample et long, à la finale grillée.

Rieffel, 11, rue Principale, 67140 Mittelbergheim, tél. 03.88.08.95.48, fax 03.88.08.28.94 r.-v.

FRANÇOIS SCHMITT Bollenberg Auxerrois 2004 *

0,3 ha 2 700 3 à 5 €

François et Marie-France Schmitt se sont lancés en 1972 dans la carrière viticole avec 3 ha de vignes. Ils exploitent aujourd'hui avec leurs deux fils une douzaine d'hectares autour d'Orschwihr, au sud de la route des Vins. Une parcelle sur la colline du Bollenberg, célèbre par son microclimat chaud et sec, est à l'origine de ce 2004 de pur auxerrois, élégant à l'œil avec sa robe dorée. Déjà expressif au nez, ce vin libère des senteurs beurrées et grillées. Intense et équilibré au palais, persistant, il devrait s'accorder avec des viandes blanches.

Cave François Schmitt, 19, rte de Soultzmatt, 68500 Orschwihr, tél. 03.89.76.08.45, fax 03.89.76.44.02, e-mail cavefrancoisschmitt@wanadoo.fr

t.l.j. 8h-12h 13h30-19h30; groupes sur r.-v.

DOM. SCHMITT 2004 *

0,4 ha 3 840 3 à 5 €

Installé depuis une vingtaine d'années, Gérard Schmitt est aujourd'hui à la tête de 20 ha – une superficie importante pour la région. Originaire d'un terroir sablo-limoneux, son pinot blanc se montre expressif au nez avec ses notes de fleurs blanches et ses nuances fruitées. D'une belle attaque, il fait preuve d'une vivacité qui permettra une petite garde.

Dom. Gérard Schmitt, 18, rue Ste-Marguerite, 67680 Epfig, tél. 03.88.85.54.38, fax 03.88.57.82.52, e-mail info@domaine-schmitt.fr

t.l.j. 9h-12h 13h-18h B

CH. WAGENBOURG 2004 **

0,5 ha 5 000 3 à 5 €

La famille Klein travaille la vigne à Soultzmatt depuis quatre siècles. Elle s'est intallée en 1905 au château Wagenbourg, construit au début du XVIes. et qui, avec d'autres forteresses aujourd'hui disparues, gardait la « Vallée noble ». Joseph et Jacky Klein ont élaboré avec un grand savoir-faire ce pinot blanc né sur un terroir argilo-calcaire : bien doré dans le verre, ce 2004 livre avec générosité des notes de fleurs et de noisette. Riche, gras et expressif au palais, il accompagnera volaille et viande blanche.

Joseph et Jacky Klein, Ch. Wagenbourg, 25 A, rue de la Vallée, 68570 Soultzmatt, tél. 03.89.47.01.41, fax 03.89.47.65.61

t.l.j. sf dim. 8h-12h 13h30-18h C

BERNARD WURTZ Auxerrois 2004

0,8 ha 4 000 8 à 11 €

Au cœur de la route des Vins, Mittelwihr compte au nombre des « perles du vignoble ». Sa côte des Amandiers jouit d'un microclimat qui permet à cet arbre du Sud de pousser, et surtout à la vigne de prospérer. Bernard Wurtz a tiré d'un terroir marno-calcaire un 2004 mêlant au nez les fleurs blanches et des touches mentholées. Constitué d'auxerrois, un cépage très précoce, ce vin se montre rond et ample. On pourra l'ouvrir à l'apéritif.

Bernard Wurtz, 12, rue du Château, 68630 Mittelwihr, tél. 03.89.47.93.24, fax 03.89.86.01.69

r.-v.

Jean-Michel Wurtz

Alsace edelzwicker

Parmi les appellations alsaciennes, une place particulière est occupée par l'edelzwicker. Cette dénomination extrêmement ancienne désigne les vins issus d'un assemblage de cépages. N'oublions pas qu'il y a un siècle les parcelles du vignoble alsacien complantées avec une seule variété étaient rares. Les cépages qui entrent dans la composition de l'edelzwicker sont essentiellement les pinot blanc, auxerrois, sylvaner et chasselas. Cette production est particulièrement appréciée par les Alsaciens, et la plupart des restaurants et des cafés mettent un point d'honneur à en servir de très agréables en carafe. Il s'agit d'une appellation qui mériterait davantage de considération. Elle pourrait répondre à l'une des revendications actuelles de certains vignerons pour qui les vertus de l'assemblage semblent évidentes.

DOM. PIERRE HAGER Cuvée Florival 2004

0,4 ha 2 000 5 à 8 €

Pierre Hager est établi au sud de la route des Vins, à quelques kilomètres au nord de Guebwiller où débouche la vallée de la Lauch, plus connue sous le nom de Florival. De là le nom de cette cuvée, née d'un assemblage riesling, pinot gris et gewurztraminer. Le nez discret, fin et floral, annonce une attaque franche, un peu ronde. Le palais est équilibré, gouleyant et fruité. (Sucres résiduels : 5 g/l.)

Pierre Hager, 26, rue de Soultzmatt, 68500 Orschwihr, tél. 03.89.76.11.19, fax 03.89.74.36.76
t.l.j. 9h-12h 14h-18h; dim. sur r.-v.

KUEHN Kaefferkopf 2004 *

1,8 ha 18 000 8 à 11 €

Aujourd'hui filiale pour le négoce de la Cave d'Ingersheim, la maison Kuehn est une ancienne « institution » alsacienne. Sa Cave de l'Enfer n'est pas seulement mythique : ses foudres du XVIIes. sont toujours en service. Issue d'un lieu-dit réputé d'Ammerschwihr, cette cuvée délivre des arômes intenses et racés, floraux et épicés qui reflètent le gewurztraminer, dominant dans l'assemblage (70 %). L'expression de ce cépage est également sensible au palais. Un vin charnu, plaisant par sa finale douce et souple. Pour l'apéritif, les fromages à croûte lavée ou la cuisine exotique. (Sucres résiduels : 25 g/l.)

SA Kuehn, 3, Grand-Rue, 68770 Ammerschwihr, tél. 03.89.78.23.16, fax 03.89.47.18.32, e-mail vin@kuehn.fr t.l.j. 14h-17h30

Alsace riesling

Le riesling est le cépage rhénan par excellence, et la vallée du Rhin est son berceau. Il s'agit d'une variété tardive pour la région, dont la production est régulière et bonne. Elle occupe environ 3 355 ha.

Le riesling alsacien est un vin sec, ce qui le différencie de façon générale de son homologue allemand. Ses atouts résident dans l'harmonie entre son bouquet et son fruité délicats, son corps et son acidité assez prononcée mais extrêmement fine. Mais pour atteindre cet apogée, il doit provenir d'une bonne situation.

Le riesling a essaimé dans de nombreux autres pays viticoles, où la dénomination riesling, sauf si l'on précise « riesling rhénan », n'est pas totalement fiable : une dizaine d'autres cépages ont, de par le monde, été baptisés de ce nom ! Du point de vue gastronomique, le riesling convient tout particulièrement aux poissons, aux fruits de mer, aux fromages de chèvre et, bien entendu, à la choucroute garnie à l'alsacienne ou au coq au riesling chaque fois qu'il ne contient pas de sucres résiduels ; les sélections de grains nobles et vendanges tardives se prêtent aux accords des vins liquoreux.

J.-B. ADAM
Letzenberg Cuvée Jean-Baptiste 2004 ***

0,9 ha 4 500 11 à 15 €

Avec ce riesling, cette ancienne maison d'Ammerschwihr, dans la production et le négoce depuis quatorze générations et qui possède la plus ancienne étiquette d'Alsace (1834), va confirmer sa solide réputation. Aujourd'hui, l'exploitation s'est tournée vers la biodynamie. Originaire d'un terroir argilo-calcaire, fermenté en foudre traditionnel sans levurage et élevé sur lies, ce riesling est marqué au nez par des parfums d'agrumes (citron, pamplemousse). Sa belle attaque introduit une bouche racée, complexe et longue, qui laisse augurer une garde de plusieurs années. (Sucres résiduels : 7 g/l.)

Jean-Baptiste Adam, 5, rue de l'Aigle, 68770 Ammerschwihr, tél. 03.89.78.23.21, fax 03.89.47.35.91, e-mail adam@jb-adam.com
t.l.j. 8h-12h 14h-18h; f. dim de jan. à avr.

DOM. ALLIMANT-LAUGNER
Coteau du Haut-Kœnigsbourg 2004

2,1 ha 17 100 5 à 8 €

Fondée en 1805, cette exploitation rassemble aujourd'hui 12 ha de vignes autour d'Orschwiller, sur les coteaux du Haut-Kœnigsbourg. Conforme à son origine granitique, son riesling est déjà bien ouvert au nez sur des notes de fleurs et de pamplemousse. Frais à l'attaque, vif, équilibré et persistant, ce 2004 aimera la compagnie des fruits de mer. (Sucres résiduels : 4 g/l.)

Allimant-Laugner, 10, Grand-Rue, 67600 Orschwiller, tél. 03.88.92.06.52, fax 03.88.82.76.38, e-mail alaugner@terre-net.fr
t.l.j. sf dim. 9h-12h 14h-18h
Hubert Laugner

DOM. YVES AMBERG
Sélection de grains nobles 2003 **

0,3 ha 350 15 à 23 €

À une dizaine de kilomètres au sud de Barr, Epfig possède aujourd'hui le vignoble AOC le plus étendu d'Alsace. Yves Amberg y est établi à la tête d'une exploitation de plus de 11 ha, conduite en agriculture biologique. Il a élaboré un riesling sélection de grains nobles de toute beauté. La robe jaune d'or soutenu annonce un nez subtil et élégant mêlant cire d'abeille, agrumes et fruits confits. Riche, concentrée et fine avec des nuances de fruits secs, l'attaque introduit une bouche harmonieuse aux arômes d'abricot sec et de mirabelle. La finale délicate s'étire longuement sur une pointe de fraîcheur. Une bouteille de garde qui gagnera à vieillir deux ou trois ans avant d'être servie à l'apéritif. (Sucres résiduels : 65 g/l.)

Yves Amberg, 19, rue Fronholz, 67680 Epfig,
tél. 03.88.85.51.28, fax 03.88.85.52.71
t.l.j. sf dim. 8h-12h 13h30-18h30

ANSTOTZ ET FILS Westerweingarten 2004 *

0,45 ha 2 500 5 à 8 €

Fondée en 1950, cette exploitation du vignoble de la Couronne d'or, proche de Strasbourg, est logée dans un corps de ferme datant de 1580. Marc Anstotz l'a reprise en 1980 et dispose aujourd'hui de près de 15 ha. Originaire d'un terroir marno-calcaire, son riesling du Westerweingarten n'en affiche pas moins une rare complexité au nez : les fleurs blanches y côtoient le citron, les fruits mûrs et le coing. Frais en bouche, harmonieux et long, ce vin donnera la réplique aux poissons et aux fruits de mer. (Sucres résiduels : 4,6 g/l.)

EARL Anstotz et Fils, 51, rue Balbach,
67310 Balbronn, tél. 03.88.50.30.55, fax 03.88.50.58.06,
e-mail anstotz@terre-net.fr
t.l.j. 9h-12h 13h30-18h, dim. sur r.-v.
Marc Anstotz

RENÉ BARTH Rebgarten 2004 *

0,6 ha 5 000 8 à 11 €

Œnologue, Michel Fonné a repris le domaine de son oncle René Barth en 1989. Aujourd'hui à la tête de 13 ha, il développe les vins de terroirs comme ce riesling du Rebgarten. Né d'un terroir sablo-limoneux, ce 2004 se révèle très expressif au nez, à la fois floral et citronné. Harmonieux à l'attaque, équilibré, racé et persistant, il possède matière et finesse. Il appréciera un poisson en sauce. (Sucres résiduels : 10 g/l.)

Dom. Michel Fonné, 24, rue du Gal-de-Gaulle,
68630 Bennwihr, tél. 03.89.47.92.69, fax 03.89.49.04.86,
e-mail michel@michelfonne.com
t.l.j. 9h-12h 13h-18h

A.-L. BAUR Elsbourg 2004

0,35 ha 3 200 5 à 8 €

Vœgtlinshoffen est un village viticole pittoresque qui offre une vue imprenable sur la plaine d'Alsace. Cette exploitation dispose de plus de 6 ha aux alentours. Conforme à son origine argilo-calcaire, son riesling de l'Elsbourg apparaît jeune, réservé au nez, laissant poindre quelques notes florales et minérales. Vif au palais, il se montre plus expressif : on y perçoit des arômes d'agrumes. Riche et harmonieux, un vin armé pour la garde, et qui pourra attendre au moins deux ans. (Sucres résiduels : 8 g/l.)

A. L. Baur, 4, rue Roger-Frémeaux,
68420 Vœgtlinshoffen, tél. 03.89.49.30.97,
fax 03.89.49.21.37, e-mail a-l.baur@wanadoo.fr
r.-v.

BESTHEIM Rebgarten 2004 **

14 ha 90 000 5 à 8 €

Fruit de l'union entre les caves de Bennwihr et de Westhalten, Bestheim a su se hisser au firmament des grandes marques de ce vignoble. Issu d'un terroir de graves, son riesling du Rebgarten se révèle intensément aromatique au nez : les fleurs y côtoient la pêche, avec une touche légèrement mentholée. Vif et d'une belle finesse à l'attaque, harmonieux et long, ce vin de gastronomie se mariera avec les spécialités régionales de poisson (truite au bleu), les crustacés et les fruits de mer. (Sucres résiduels : 8 g/l.)

Bestheim Cave de Bennwihr,
3, rue du Gal-de-Gaulle, 68630 Bennwihr,
tél. 03.89.49.09.29, fax 03.89.49.09.20,
e-mail alsace@bestheim.com
t.l.j. sf dim. 9h-12h 14h-18h

BROBECKER 2004

0,4 ha 3 000 5 à 8 €

Pascal Joblot a repris en 1998 la petite exploitation (3,50 ha) de ses beaux-parents. Il accueille le visiteur au centre du pittoresque bourg d'Eguisheim. Partisan de l'agriculture durable, il a adhéré en 2001 à la charte de la viticulture raisonnée. Originaire d'un terroir marno-calcaire, son riesling présente un nez intense, floral et minéral. Franc à l'attaque, bien équilibré, il est apte à la garde. Il accompagnera la choucroute et d'autres spécialités régionales. (Sucres résiduels : 7 g/l.)

SCEA Vins Brobecker, 3, pl. de l'Église,
68420 Eguisheim, tél. 06.87.52.80.72,
fax 03.89.41.55.93, e-mail pascal.joblot@free.fr
r.-v.
Pascal Joblot

CLOS SAINTE-ODILE 2004 *

n.c. 20 000 5 à 8 €

La Cave vinicole d'Obernai, l'un des plus importants metteurs en marché de la région, détient le célèbre clos dédié à la sainte patronne de l'Alsace, qui domine la cité. Et la race de ce riesling est à la hauteur de la réputation de ce terroir. Intense au nez avec ses parfums d'agrumes et de chèvrefeuille, il est frais, bien équilibré, harmonieux, tout en finesse et persistant. Un vin de gastronomie, pour viandes blanches, poisson et noix de Saint-Jacques. (Sucres résiduels : 7,1 g/l.)

Sté vinicole Sainte-Odile, 30, rue du Gal-Leclerc,
67210 Obernai, tél. 03.88.47.60.29, fax 03.88.47.60.22
r.-v.

EBLIN-FUCHS Ellenwihr 2004 *

0,5 ha 3 000 5 à 8 €

Christian et Joseph Eblin conduisent en biodynamie leur domaine qui compte aujourd'hui 9 ha. Ils proposent un riesling originaire d'un terroir marno-siliceux. Franc et ouvert au nez, ce 2004 associe des arômes floraux (acacia) et minéraux. Ce caractère minéral se retrouve dans un palais persistant, à la fois sec et souple. Pour des viandes blanches et des poissons en sauce. (Sucres résiduels : 4,8 g/l.)

Christian et Joseph Eblin, 19, rte des Vins,
68340 Zellenberg, tél. 03.89.47.91.14,
fax 03.89.49.05.12, e-mail eblin-fuchs@tiscali.fr
r.-v.

JEAN-PAUL ECKLÉ Hinterbourg 2004 *

0,45 ha 5 000 5 à 8 €

Fondé il y a une cinquantaine d'années, ce domaine dispose de près de 9 ha de vignes à Katzenthal, petit village proche de Colmar blotti au pied du donjon du Wineck. On retrouve son riesling du Hinterbourg, régulièrement dis-

tingué dans le Guide – le millésime précédent fut coup de cœur. Avec son fruité plutôt surmûri, ce 2004 affiche une belle maturité qui reflète son origine colluviale. Cette concentration lui confère une certaine rondeur au palais, contrebalancée par une bonne structure. Un vin long et prometteur. (Sucres résiduels : 8 g/l.)
Jean-Paul Ecklé et Fils, 29, Grand-Rue, 68230 Katzenthal, tél. 03.89.27.09.41, fax 03.89.80.86.18, e-mail eckle.jean-paul@wanadoo.fr
t.l.j. sf dim. 9h-12h 13h30-18h30 D

DOM. FERNAND ENGEL Clos des Anges 2004 ★

0,93 ha 8 000 8 à 11 €

Les Anges aiment le bio : ce vaste domaine fondé il y a près de quarante ans s'oriente vers l'agrobiologie. Ses 40 ha de vignes sont répartis sur plusieurs communes proches de Rorschwihr, au cœur de la route des Vins. De ses terroirs variés naissent des cuvées souvent remarquées (un riesling 2002 fut coup de cœur, par exemple). Originaire de sols marno-calcaires, ce riesling révèle déjà au nez une belle concentration, avec des arômes de fleurs, d'agrumes et de fruits confits. Après une attaque fraîche, on découvre un vin puissant et harmonieux. (Sucres résiduels : 12,8 g/l.)
Dom. Fernand Engel et Fils, 1, rte du Vin, 68590 Rorschwihr, tél. 03.89.73.77.27, fax 03.89.73.63.70, e-mail f-engel@wanadoo.fr
t.l.j. 8h-11h45 13h-18h, dim. 10h-12h

DOM. ENGEL 2004

1 ha 7 500 5 à 8 €

Établi à Orschwiller, au pied du Haut-Kœnigsbourg, le domaine Engel a été fondé en 1958. Avec ses 20 ha de vignes, dont 7 ha en grand cru, il fait partie des domaines qui comptent dans le vignoble. Conforme à son origine granitique, son riesling est déjà très ouvert au nez avec ses notes florales et minérales. Plutôt souple à l'attaque, harmonieux, il finit sur des arômes d'agrumes et de fruits mûrs. On pourra le déguster avec du poisson en sauce. (Sucres résiduels : 5 g/l.)
Dom. Engel Frères, 1, rue des Vignes, Haut-Kœnigsbourg, 67600 Orschwiller, tél. 03.88.92.01.83, fax 03.88.92.17.27, e-mail vins-engel@wanadoo.fr
t.l.j. 9h-11h30 14h-18h E

FAHRER-ACKERMANN
Coteaux du Haut-Kœnigsbourg 2004 ★

0,5 ha 4 000 5 à 8 €

En 1999, M. Ackermann a repris l'exploitation de son employeur. Il l'a agrandie et a aménagé un nouveau point de vente dans une demeure du XVIIIe s. à Rorschwihr, petit village dominé par le Haut-Kœnigsbourg. Voulez-vous découvrir le riesling ? Goûtez ce vin bien caractéristique du cépage. Conforme à son origine siliceuse, ce 2004 est très ouvert et typé au nez, sur des notes florales. Équilibré et persistant, un ensemble harmonieux et flatteur. (Sucres résiduels : 7 g/l.)
Dom. Fahrer-Ackermann, 10, rte du Vin, 68590 Rorschwihr, tél. 06.07.19.28.68
r.-v. 2 C
Ackermann

LES FAÎTIÈRES 2004 ★

3,6 ha 36 200 5 à 8 €

Deuis 1957, cette coopérative rassemble des viticulteurs de trois villages situés au pied du Haut-Kœnigsbourg : Orschwiller, Kintzheim et Saint-Hippolyte. Elle vinifie 133 ha de vignes. Une fois de plus sélectionné, son riesling Les Faîtières apparaît dans ce millésime intense au nez. Sa palette aromatique associe agréablement des notes citronnées et minérales. D'une belle attaque, long et harmonieux, c'est un vin conçu pour s'accorder avec poissons et crustacés. (Sucres résiduels : 8 g/l.)
Les Faîtières, 4A, rte du Vin, 67600 Orschwiller, tél. 03.88.92.09.87, fax 03.88.82.30.92, e-mail cave@cave-orschwiller.fr
t.l.j. 10h-12h 14h-17h

DOM. FLEISCHER Breitling 2003 ★

1,29 ha 4 000 8 à 11 €

Le petit viticulteur, apporteur de raisins à la coopérative, s'est fait vigneron. Lorsqu'il a créé sa cave, en 1990, il avait en tout et pour tout 3,5 ha. Aujourd'hui, il est à la tête de près de 9 ha. Né sur un terroir argilo-sableux, son riesling du Breitling est expressif et élégant au nez. D'une belle fraîcheur pour le millésime, c'est un vin typé, équilibré et persistant, qui s'accordera avec des plats mijotés. (Sucres résiduels : 6 g/l.)
Dom. Fleischer, 28, rue du Moulin, 68250 Pfaffenheim, tél. 03.89.49.62.70, fax 03.89.49.50.74, e-mail fleischer@domaine-fleischer.com r.-v. C

FRANÇOIS FLESCH 2004

0,4 ha 4 000 3 à 5 €

Malgré son clocher moderne – les combats de la dernière guerre avaient ruiné l'ancien – Pfaffenheim est un joli village viticole chargé d'histoire. Les Flesch y sont installés depuis trois générations. Issu d'un terroir marneux, leur riesling associe notes minérales et senteurs d'acacia. Assez vif au palais, élégant et léger, il trouvera sa place avec des entrées et des produits de la mer. (Sucres résiduels : 6 g/l.)
François Flesch et Fils, 20, rue du Stade, 68250 Pfaffenheim, tél. 03.89.49.66.36, fax 03.89.49.74.71, e-mail Jean-luc.flesch@wanadoo.fr
t.l.j. 8h-12h 14h-18h; dim. sur r.-v.

ANTOINE FONNÉ 2004

0,6 ha 2 000 5 à 8 €

Berceau de la confrérie Saint-Étienne, le bourg viticole d'Ammerschwihr est un temple à la gloire du vin d'Alsace. Antoine Fonné, qui s'est lancé dans la vente directe en 1970, exploite près de 5 ha de vignes aux alentours. Né sur des sols alluvionnaires caillouteux, ce riesling présente un nez déjà ouvert et bien fruité qui reflète son terroir d'origine. Ample et gras, ce vin harmonieux et prometteur accompagnera volontiers des plats en sauce. (Sucres résiduels : 5 g/l.)
Antoine Fonné, 14, Grand-Rue, 68770 Ammerschwihr, tél. et fax 03.89.47.37.90, e-mail fonne.vins@wanadoo.fr r.-v.

JOSEPH FREUDENREICH Vieilles Vignes 2004

1,1 ha 8 000 5 à 8 €

Une cour pavée et des tourelles : le bâtiment où siège cette exploitation, au centre du pittoresque village d'Eguisheim, remonte au Moyen Âge. Il s'agit d'une cour dîmière, où paysans et propriétaires apportaient l'impôt dû au clergé – du grain et du raisin surtout. Quant aux Freudenreich, leurs ancêtres étaient déjà au service du vin il y a près de quatre siècles et demi. On retrouve leur riesling Vieilles Vignes, né d'un terroir argilo-calcaire. Avec ses parfums de fleurs blanches, son attaque vive, sa bouche fraîche et équilibrée, c'est un classique. (Sucres résiduels : 7 g/l.)

Joseph Freudenreich et Fils, 3, cour Unterlinden, 68420 Eguisheim, tél. 03.89.41.36.87, fax 03.89.41.67.12, e-mail info@joseph-freudenreich.fr

t.l.j. 8h-12h 13h30-19h; groupes sur r.-v.

FERNAND FROEHLICH ET FILS 2004 ★

0,35 ha 4 000 5 à 8 €

Les Froehlich sont installés à Ostheim, commune de la plaine au nord de Colmar, mais à quelque 5 km à l'ouest s'égrènent de célèbres villages de la route des Vins : Riquewihr, Zellenberg, Beblenheim, Ribeauvillé. C'est sur leur territoire que se répartissent les 7,6 ha du domaine familial, qui dispose de terroirs variés. Né de sols granitiques, ce 2004 séduit par ses arômes de surmaturation évoquant les fruits confits. Au palais, il révèle une grande matière, puissante, souple et d'une rare persistance. Sa rondeur permettra à ce riesling d'être dégusté pour lui-même, à l'apéritif. (Sucres résiduels : 7 g/l.)

EARL Fernand Froehlich et Fils, 29, rte de Colmar, 68150 Ostheim, tél. 03.89.86.01.46, fax 03.89.86.01.54

t.l.j. sf dim. 8h-11h45 13h-18h; groupes sur r.-v.

PIERRE HENRI GINGLINGER
Vieilles Vignes 2004 ★

1,4 ha 12 165 5 à 8 €

Eguisheim n'appartient pas pour rien à l'association des plus beaux villages de France : nombreux sont les visiteurs qui se pressent devant ses pittoresques maisons de vignerons, comme celle de la famille Ginglinger, dont le linteau porte une pierre gravée datée de 1684, reproduite sur l'étiquette. Mathieu a rejoint son père en 2001, et s'est lancé dans l'agriculture biologique. Issue d'argilo-calcaires, sa cuvée Vieilles Vignes mêle au nez la pêche, les agrumes et des notes de surmaturation. Ces arômes se prolongent dans une bouche fraîche à l'attaque, puissante et persistante. Un ensemble harmonieux. (Sucres résiduels : 5,2 g/l.)

Pierre Henri Ginglinger, 33, Grand-Rue, 68420 Eguisheim, tél. 03.89.41.32.55, fax 03.89.24.58.91, e-mail gingling@terre-net.fr

t.l.j. 10h-12h 13h-18h

W. GISSELBRECHT Schiefferberg 2004 ★★

0,8 ha 8 000 5 à 8 €

La famille Gisselbrecht est active dans le vignoble alsacien depuis le XVII^{e}s. Son domaine s'étend aujourd'hui sur 17 ha. Au fil des générations, elle a ajouté à l'exploitation de son domaine une entreprise de négoce. Ce 2004 est l'archétype du grand riesling avec son nez élégant, mariage d'agrumes et de notes de pierre à fusil léguées par un terroir schisteux. Bien vif tout en restant très équilibré, d'une rare persistance, il mérite un plat de fête. (Sucres résiduels : 7,75 g/l.)

Willy Gisselbrecht et Fils, 5, rte du Vin, 67650 Dambach-la-Ville, tél. 03.88.92.41.02, fax 03.88.92.45.50, e-mail info@vins-gisselbrecht.com

r.-v.

GUETH Felsen 2002 ★

0,2 ha 1 000 11 à 15 €

La vigne prospère sur les coteaux de Walbach, petit village à l'entrée de la vallée de Munster. Edgard Gueth exploite près de 5 ha de vignes aux environs. Il propose un riesling issu d'un terroir d'arènes granitiques. Un vin d'une rare intensité aromatique : les fruits jaunes y côtoient le coing, le miel et d'autres notes de surmaturation. Assez ronde à l'attaque, la bouche révèle une grande matière et persiste longuement. Par son côté moelleux, ce riesling s'accordera avec des crustacés, du confit de canard ou du fromage de brebis frais. (Sucres résiduels : 20 g/l.)

Edgard Gueth, 5, rue Saint-Sébastien, 68230 Walbach, tél. 03.89.71.19.50, fax 03.89.71.18.13

r.-v.

AIMÉ GUTHMANN 2004 ★★

7,5 ha 50 000 8 à 11 €

Proche de Ribeauvillé, Bergheim est une charmante ville en partie fortifiée, tournée vers la vigne et le vin. La maison Aimé Guthmann y exerce un négoce florissant en exportant 40 % de sa production dans de nombreux pays. Originaire d'un terroir argilo-calcaire, ce riesling est déjà très expressif avec ses notes de pêche et de fruits mûrs. Franc à l'attaque, frais, fruité et complexe, ce vin se montre harmonieux et racé. (Sucres résiduels : 5 g/l.)

Aimé Guthmann, 91, rue des Vignerons, 68750 Bergheim, tél. 03.89.73.22.22, fax 03.89.73.30.49

t.l.j. sf dim. 10h-12h 14h-18h30

Ch. Lorentz

HENRI HAEFFELIN ET FILS Cuvée Paul 2004 ★

0,35 ha 2 000 5 à 8 €

Tout proche de Colmar, le village de Wettolsheim a su préserver sa vocation viticole. Avec sa coquette exploitation (17 ha), le domaine Haeffelin y a pignon sur rue. Issue d'un terroir argilo-calcaire, sa cuvée Paul se distingue par sa concentration. Mêlant au nez des nuances d'agrumes et des notes de surmaturation, elle se révèle ample, bien structurée et très riche au palais. Le fruit d'une grande matière. (Sucres résiduels : 5 g/l.)

Dom. Henri Haeffelin et Fils, 13, rue d'Eguisheim, 68920 Wettolsheim, tél. 03.89.80.76.81, fax 03.89.79.67.05, e-mail guyhaeffelin@wanadoo.fr

r.-v.

DOM. HAEGI Vendanges tardives 2003 ★

0,2 ha 1 300 15 à 23 €

Situé à 2 km au sud de Barr, Mittelbergheim figure au nombre des villages les plus pittoresques de la route des Vins. Le domaine Haegi exploite près de 9 ha aux alentours. Jaune brillant dans le verre, son riesling de vendanges tardives s'ouvre sur des notes d'agrumes (citron et orange). D'une vivacité bienvenue, l'attaque introduit une bouche ronde et bien équilibrée qui finit sur un fruité mentholé. (Sucres résiduels : 47 g/l.)

Dom. Bernard et Daniel Haegi, 33, rue de la Montagne, 67140 Mittelbergheim, tél. 03.88.08.95.80, fax 03.88.08.91.20, e-mail domaine.haegi@mittelbergheim.fr

t.l.j. sf dim. 9h-12h 13h30-18h

ÉMILE ET YVETTE HALBEISEN
Brandhurst de Bergheim 2004 ★★

0,41 ha 5 200 5 à 8 €

Les étiquettes du domaine arborent le blason remis en 1471 à un ancêtre de la famille par l'empereur Frédéric III. Venus du Sundgau, entre Rhin et Jura, les Halbeisen se sont installés à Bergheim au XVII^{e}s. et cultivent la vigne depuis cette époque. Quant au domaine,

il a été créé en 1950. Né d'argilo-calcaires, ce riesling se distingue d'emblée par l'élégance de son nez floral et citronné. Franc à l'attaque, intense et persistant, il laisse une impression de sereine harmonie. (Sucres résiduels : 15,4 g/l.)
Émile et Yvette Halbeisen, 3, rte du Vin, 68750 Bergheim, tél. 03.89.73.63.81, fax 03.89.73.38.81, e-mail info@halbeisen-vins.com
t.l.j. 10h-12h 14h-18h 5 D
Aurélien Halbeisen

LOUIS HAULLER Fronholz Vieilles Vignes 2003

0,5 ha 3 000 8 à 11 €

Avant de s'intéresser au contenu, les Hauller fabriquaient les contenants : des générations de maîtres tonneliers se sont succédé depuis la fin du XVIII[e]s., puis la viticulture est devenue l'activité principale de la famille. Le domaine s'étend sur 10 ha et a été constitué il y a quarante ans. Son riesling du Fronholz affiche déjà une belle évolution avec ses notes florales, minérales et légèrement mentholées. Vif et typé, équilibré et harmonieux, ce vin est à apprécier maintenant. (Sucres résiduels : 6,6 g/l.)
Louis et Claude Hauller, La Cave du Tonnelier, 88, rue Foch, 67650 Dambach-la-Ville, tél. 03.88.92.40.00, fax 03.88.92.65.80, e-mail claude@louishauller.com
r.-v. 2 B

VICTOR HERTZ 2004 ★

0,75 ha 5 000 5 à 8 €

Victor Hertz est vigneron depuis 1954. Il dispose de terroirs variés sur les territoires de Herrlischeim, Wettolsheim et Wintzenheim, communes proches de Colmar. Issu d'un sol argilo-sableux, son riesling est particulièrement expressif au nez avec ses arômes un peu lourds mais agréables de fruits mûrs, voire confits. Franc à l'attaque, il se distingue par son gras, sa richesse et sa longueur qui témoignent d'une grande matière. On l'appréciera dès maintenant avec du poisson en sauce, une lotte au safran par exemple. (Sucres résiduels : 6 g/l.)
Dom. Victor Hertz, 8, rue Saint-Michel, 68420 Herrlisheim, tél. 03.89.49.31.67, fax 03.89.49.22.84, e-mail beatrice@victorhertz.com
t.l.j. 8h-12h 14h-18h; sam. dim. sur r.-v.

MAURICE HEYDMANN
Sonnenberg Cuvée personnelle 2004

0,24 ha 1 800 5 à 8 €

Professeur de lettres passionné d'œnologie, Maurice Heydmann a repris un domaine à une vingtaine de kilomètres de Strasbourg : un peu plus de 5 ha de vignes qu'il vient de transmettre à son fils Vincent. Il a élaboré une cuvée intense au nez, à la fois florale et citronnée. Souple à l'attaque, fruité, ce vin flatteur est le produit d'une belle matière première. (Sucres résiduels : 8,2 g/l.)
Vincent Heydmann, 1, rue des Églantines, 67520 Nordheim, tél. et fax 03.88.87.58.28 r.-v.

HORCHER 2004 ★★

0,6 ha 4 800 8 à 11 €

Étymologiquement, Mittelwihr signifie « la ferme du milieu ». De fait, le village, qui s'est développé à l'emplacement d'une *villa* romaine, occupe une position centrale sur la route des Vins, à 3 km de Riquewihr, et bénéficie d'un microclimat précoce. La commune abrite de nombreux vignerons, comme les Horcher, qui proposent ce riesling né d'un terroir argilo-calcaire. Intense et délicat au nez, ce 2004 associe les fleurs blanches, le tilleul et la poire. Équilibré et harmonieux, il montre une vivacité bienvenue qui en fait un beau vin de poisson. (Sucres résiduels : 7 g/l.)
Alfred Horcher, 8, rue du Vignoble, 68630 Mittelwihr, tél. 03.89.47.93.26, fax 03.89.49.04.92, e-mail info@horcher.fr
t.l.j. sf dim. 8h-12h 14h-19h D

HOSPICES DE COLMAR 2004 ★

1 ha 8 000 5 à 8 €

Fondés au XIII[e]s., les Hospices de Colmar ont constitué un patrimoine au fil des siècles grâce aux dons et aux legs des bienfaiteurs. Le Domaine viticole a repris l'héritage du célèbre Institut viticole Oberlin créé en 1901 pour sauver le vignoble alsacien de la crise phylloxérique. Il compte 25 ha de vignes. Originaire d'un terroir de graves, ce 2004 se montre déjà complexe au nez, mêlant les fleurs blanches et des notes minérales. Frais à l'attaque, il garde cette vivacité appréciée dans les rieslings et persiste longuement. Un très beau type. (Sucres résiduels : 4,5 g/l.)
Dom. viticole de la ville de Colmar, 2, rue du Stauffen, 68000 Colmar, tél. 03.89.79.11.87, fax 03.89.80.38.66, e-mail cave@domaineviticoledecolmar.fr r.-v.

HUEBER Vieilles Vignes 2004 ★★★

0,9 ha 8 500 5 à 8 €

Riquewihr a gardé son visage Renaissance qui en fait l'une des communes les plus visitées du pays. Établie à l'entrée de la cité, la maison Hueber exploite une dizaine d'hectares répartis sur sept communes et mène une activité de négoce. Malgré son origine marno-calcaire, sa cuvée Vieilles Vignes est déjà expressive au nez : des nuances florales y côtoient des senteurs de fruits confits et de coing. Franc à l'attaque, ce riesling révèle une rare concentration et un superbe équilibre. Il mérite un grand poisson cuisiné. (Sucres résiduels : 7 g/l.)
SARL Hueber et Fils, 6, rte du Vin, 68340 Riquewihr, tél. 03.89.47.92.30, fax 03.89.49.04.53
t.l.j. 9h-12h 13h-18h30 1 C

LOUIS IRION 2004 ★

n.c. 55 000 8 à 11 €

Loin d'être seulement une ville musée, Riquewihr figure parmi les bourgs viticoles les plus actifs de la région. De nombreuses maisons y ont pignon sur rue, comme celle-ci qui propose un riesling au nez floral nuancé de notes de surmaturation. D'une belle ampleur, aussi vif qu'opulent, ce 2004 de gastronomie donnera la réplique à un poisson en sauce. (Sucres résiduels : 6,5 g/l.)
Louis Irion, BP 3, 68340 Riquewihr, tél. 03.89.47.92.51

CH. ISENBOURG Le Clos 2004 ★

0,46 ha 2 800 11 à 15 €

Situé sur le territoire de Rouffach, le château Isenbourg, transformé en hôtel de luxe, remonte au XIV[e]s. mais porte la marque d'époques beaucoup plus récentes. Le domaine a longtemps appartenu à l'évêque de Strasbourg, ce qui laisse deviner la qualité de ses terroirs. Conforme à son origine marno-calcaire, ce clos apparaît encore discret au nez, floral et fruité. Assez vif à l'attaque, il révèle rapidement sa puissance tout en restant élégant. Équilibré et persistant, c'est un vin de garde. (Sucres résiduels : 6 g/l.)

🔑 Châteaux et Terroirs, 1, cour du Château, 68340 Riquewihr, tél. 03.89.47.92.22, fax 03.89.47.98.90
☒ Y ⩓ r.-v.

JOSMEYER Les Pierrets 2003 ★

1 ha	7 000	15 à 23 €

Établie à Wintzenheim près de Colmar, cette maison de négoce a plus d'un siècle et demi d'histoire. Elle complète les vendanges de son domaine (27 ha) par des achats de raisins sélectionnés. Son riesling les Pierrets a obtenu un coup de cœur dans le millésime 2001. Quant à ce 2003, avec son nez minéral, son palais équilibré et persistant, c'est un vin harmonieux et racé. (Sucres résiduels : 6,8 g/l.)

🔑 Dom. Josmeyer, 76, rue Clemenceau, 68920 Wintzenheim, tél. 03.89.27.91.90, fax 03.89.27.91.99, e-mail josmeyer@wanadoo.fr
☒ Y ⩓ t.l.j. sf sam. dim. 9h-12h 14h-18h

GEORGES KLEIN 2004

1 ha	8 000	5 à 8 €

Fondée en 1956 par Georges Klein, cette exploitation située à Saint-Hippolyte, en contrebas du Haut-Kœnigsbourg, a été reprise trente ans plus tard par ses enfants. Elle compte aujourd'hui 10 ha de vignes. Son riesling affiche déjà une certaine évolution qui reflète son terroir granitique de naissance : une touche de minéralité vient relever ses senteurs de fleurs blanches. Vif à l'attaque, ce 2004 fait preuve d'un bel équilibre qui permettra de multiples accords gourmands. (Sucres résiduels : 7 g/l.)

🔑 EARL Georges Klein, 10, rte du Vin, 68590 Saint-Hippolyte, tél. 03.89.73.00.28
☒ Y ⩓ r.-v. 🏠 ❷ 🏠 Ⓒ
🔑 Auguste Klein

KNELLWOLF-JEHL Felsberg 2004 ★

0,8 ha	5 000	5 à 8 €

Le nom du lieu-dit, Felsberg ou « montagne rocheuse », suggère l'escarpement de cette parcelle exposée plein sud, qui fait partie d'un domaine de quelque 8 ha de vignes. Le terroir schisteux a donné naissance à un riesling resté très jeune au nez puisqu'il est demeuré sur le fruit. Sa fraîcheur, sa structure puissante et sa longueur lui assurent une bonne longévité. Ce vin devrait s'épanouir avec quelques mois de garde. (Sucres résiduels : 8 g/l.)

🔑 SARL Knellwolf-Jehl, 34, rte du Vin, 68590 Saint-Hippolyte, tél. 03.89.73.09.86, e-mail k.jehl@infonie.fr
☒ Y ⩓ t.l.j. 8h-12h 15h-19h; f. jan. 🏠 ❷
🔑 Frédéric Jehl

PIERRE KOCH ET FILS Zellberg 2004

0,4 ha	1 800	5 à 8 €

Constitué il y a une cinquantaine d'années, ce domaine exploité par la troisième génération compte 14 ha de vignes et s'attache à la valorisation des terroirs locaux. Lieu-dit marno-calcaire, le Zellberg a légué à ce riesling des arômes de citron et de pamplemousse. Sec et bien équilibré, tout en finesse et en légèreté, voilà le vin qu'il faut pour une choucroute – à la viande ou au poisson, comme il vous plaira. (Sucres résiduels : 6 g/l.)

🔑 Dom. Pierre et François Koch, 2, rte du Vin, 67680 Nothalten, tél. 03.88.92.42.30, fax 03.88.92.62.91, e-mail francois.koch@wanadoo.fr
☒ Y ⩓ t.l.j. 9h-12h 13h-19h; dim. sur r.-v. 🏠 Ⓒ

SEPPI LANDMANN
Vallée Noble Soultzmatt 2004 ★

0,6 ha	5 000	5 à 8 €

Installé à Soultzmatt dans une demeure du XVIe s., Seppi Landmann a créé son domaine en 1982. C'est une figure du vignoble, capable d'accueillir chez lui le monde entier, les inconnus comme les célébrités : ses clients désireux de découvrir le travail de la vigne et du vin peuvent participer aux vendanges. Originaire des pentes calcaires de la Vallée Noble, voici un riesling aromatique : les fleurs, les fruits (citron) et des nuances minérales composent une palette typique. D'une belle attaque, structuré et complexe, ce vin est armé pour affronter le temps : on pourra ouvrir cette bouteille dès maintenant ou l'attendre deux ans. (Sucres résiduels : 6 g/l.)

🔑 Seppi Landmann, 20, rue de la Vallée, 68570 Soultzmatt, tél. 03.89.47.09.33, fax 03.89.47.06.99, e-mail contact@seppi-landmann.fr
☒ Y ⩓ r.-v.

ANDRÉ MAULER Schloesselreben 2004 ★

0,3 ha	2 000	8 à 11 €

Tout proche de Riquewihr, Beblenheim constitue l'un des fleurons de la route des Vins. Christian Mauler, aujourd'hui à la tête du domaine familial, y accueille les amateurs dans une demeure à cour intérieure. Ceux-ci pourront découvrir un riesling intensément fruité né sur un terroir marno-calcaire. Assez souple à l'attaque, ample et puissant, marqué par les sucres résiduels, ce 2004 donnera le meilleur de lui-même dans deux ou trois ans. Le 2002 avait obtenu un coup de cœur. (Sucres résiduels : 10,5 g/l.)

🔑 Dom. Christian Mauler, 3, rue Jean-Macé, 68980 Beblenheim, tél. 03.89.47.90.50, fax 03.89.47.80.08, e-mail contact@domaine-mauler.fr
☒ Y ⩓ r.-v. 🏠 ❸

JEAN-PAUL MAULER Vieilles Vignes 2004 ★

0,2 ha	1 600	8 à 11 €

Fondée en 1950, cette propriété est implantée à Mittelwihr, près de Riquewihr. Depuis 2004, c'est Julien Mauler qui conduit les 6,5 ha que compte l'exploitation. Née sur un terroir calcaire, sa cuvée Vieilles Vignes séduit par son élégance. Associant fleurs blanches et agrumes au nez, elle se montre d'une rare opulence au palais. Sa puissance et sa persistance se conjuguent avec une réelle harmonie. Un vin de gastronomie. (Sucres résiduels : 12 g/l.)

🔑 EARL Jean-Paul Mauler, 3, pl. des Cigognes, 68630 Mittelwihr, tél. 03.89.47.93.23, fax 03.89.47.88.29, e-mail mauler.jp@wanadoo.fr
☒ Y ⩓ r.-v. 🏠 ❷
🔑 Julien Mauler

RENÉ MEYER
Croix du Pfoeller Vieilles Vignes Cuvée Joséphine 2004 ★

0,45 ha	3 200	8 à 11 €

René Meyer travaille avec son fils depuis 1999. Leur cave recèle des fûts de plus de deux cents ans, et des cuvées souvent au rendez-vous du Guide, comme cette cuvée Joséphine. Issu d'un terroir argilo-calcaire, c'est un vin bien épanoui. Il est marqué au nez par des arômes de poire, de fruits jaunes et de fruits exotiques, et révèle une grande complexité au palais. Assez moelleux mais suffisamment vif, il est à la fois puissant et harmonieux. (Sucres résiduels : 15 g/l.)

🔑 EARL Dom. René Meyer et Fils, 14, Grand-Rue, 68230 Katzenthal, tél. 03.89.27.04.67, fax 03.89.27.50.59, e-mail domaine.renemeyer@wanadoo.fr ▣ 𝐘 ⛹ r.-v.
🔑 Jean-Paul Meyer

MEYER-FONNÉ Pfloeller 2004 ★★★

	0,49 ha	4 000	◖◗	11 à 15 €

Descendez dans la cave du XVIIᵉs. des Meyer : certains vins y atteignent des sommets. La moitié de la production du domaine est exportée. Né dans le terroir calcaire du Pfoeller, ce riesling est un nouvel exemple du talent de ces vignerons. Le nez intense mêle le pamplemousse et les fruits jaunes (pêche). Cette palette complexe et élégante se prolonge en bouche. Ample, gras et d'une rare puissance, ce vin est parfaitement équilibré par une acidité bien fondue et se distingue par sa persistance. On pourra l'apprécier pendant au moins cinq ans. (Sucres résiduels : 18 g/l.)

🔑 Dom. Meyer-Fonné, 24, Grand-Rue, 68230 Katzenthal, tél. 03.89.27.16.50, fax 03.89.27.34.17 ▣ 𝐘 ⛹ r.-v.
🔑 François et Félix Meyer

MOELLINGER Sélection 2004 ★

	0,75 ha	7 000	◖◗	5 à 8 €

Dès 1945, Joseph Moellinger s'est lancé dans la mise en bouteilles. Son petit-fils Michel assure, depuis 1998, la continuité de l'exploitation qui s'étend sur 14 ha autour de Wettolsheim, près de Colmar. Originaire d'un terroir assez léger, sablo-caillouteux, sa cuvée Sélection livre des arômes de surmaturation (fruits confits) qui annoncent sa concentration. Cette première impression se confirme au palais : ample, rond et persistant, ce riesling s'entendra mieux avec les plats en sauce qu'avec les fruits de mer. (Sucres résiduels : 7 g/l.)

🔑 SCEA Joseph Moellinger et Fils, 6, rue de la 5ᵉ-D.-B., 68920 Wettolsheim, tél. 03.89.80.62.02, fax 03.89.80.04.94 ▣ 𝐘 ⛹ t.l.j. 8h-12h 13h30-19h; dim. sur r.-v.; f. oct.

MUNSCH Burgreben 2004

	2,1 ha	7 000		5 à 8 €

René Meyer a repris en 1985 l'exploitation de son beau-père. Son vignoble de coteau s'étend sur plus de 8 ha, autour de Saint-Hippolyte, village dominé par le Haut-Kœnigsbourg. Les terroirs granitiques, comme ce Burgreben, donnent des rieslings qui s'expriment rapidement : c'est le cas de ce 2004 qui développe des arômes très élégants. Franc et frais à l'attaque, plus souple en finale, il pourra accompagner du poisson grillé. (Sucres résiduels : 7 g/l.)

🔑 Alsace Munsch, René Meyer et Fils, 14, rte du Vin, 68590 Saint-Hippolyte, tél. 03.89.73.00.09, fax 03.89.73.05.46 ▣ 𝐘 ⛹ r.-v.
🔑 René Meyer

FRANCIS MURÉ 2004

	0,4 ha	2 500	▮	5 à 8 €

Proche de Rouffach, Westhalten est un charmant village de la Vallée Noble, blotti entre trois collines calcaires, le Zinnkoepflé, le Bollenberg et le Strangenberg, célèbres par leur microclimat très sec, leur flore, leur faune et leurs vignobles. Ce sont précisément des sols calcaires qui sont à l'origine de ce vin au nez d'abricot fort élégant. Vif à l'attaque, franc, bien structuré et assez long, il offre ce que l'on attend du riesling. Le 2001 avait obtenu un coup de cœur. (Sucres résiduels : 3,5 g/l.)

🔑 Francis Muré, 30, rue de Rouffach, 68250 Westhalten, tél. 03.89.47.64.20, fax 03.89.47.09.39, e-mail mure-francis@club-internet.fr ▣ 𝐘 ⛹ r.-v. 🏠 D

MICHEL NARTZ 2004

	2,21 ha	4 100	◖◗	5 à 8 €

Avec ses fortifications, Dambach-la-Ville a gardé son aspect médiéval. Sa place du Marché, avec son hôtel de ville Renaissance et ses façades classées, mérite une visite. C'est dans une de ces demeures, datée du XVIIᵉs., que Michel Nartz héberge les visiteurs, leur propose des spécialités régionales et les vins du domaine. Déjà très expressif au nez par ses notes florales, son riesling révèle en bouche une pointe minérale traduisant son origine granitique. Assez vif, ce 2004 accompagnera poissons et fruits de mer. (Sucres résiduels : 4,3 g/l.)

🔑 Michel Nartz, 12, pl. du Marché, 67650 Dambach-la-Ville, tél. 03.88.92.41.11, fax 03.88.92.63.01, e-mail nartz.michel@wanadoo.fr ▣ 𝐘 r.-v. 🏠 3 🏠 C

DOM. DE L'ORIEL Tradition 2004 ★

	0,5 ha	3 000	◖◗	5 à 8 €

En 1995, âgé de vingt-huit ans, Claude Weinzorn a dû prendre l'entière responsabilité du domaine viticole après le décès de son père. Ses atouts : une longue tradition viticole, une propriété disposant de parcelles dans trois grands crus et une maison de 1619 classée, dont l'oriel richement sculpté (fenêtre à encorbellement) a donné son nom à l'exploitation. Issue d'un terroir granitique, cette cuvée présente un nez expressif de fleurs blanches. Avec son attaque fraîche, son palais vif et équilibré, c'est le « vrai riesling d'Alsace », selon un dégustateur. Un beau compliment. (Sucres résiduels : 7 g/l.)

🔑 Gérard Weinzorn et Fils, 133, rue des Trois-Épis, 68230 Niedermorschwihr, tél. 03.89.27.40.55, fax 03.89.27.04.23, e-mail contact@weinzorn.fr ▣ 𝐘 ⛹ t.l.j. 9h-12h 14h-18h 🏠 C
🔑 Claude Weinzorn

LES VIGNERONS DE PFAFFENHEIM ET GUEBERSCHWIHR 2004 ★★

	2,3 ha	18 000	▮	5 à 8 €

Fondée en 1957, cette coopérative rassemble aujourd'hui 250 ha de vignes. Toujours à la pointe du progrès, elle s'est dotée en 2003 d'une batterie de pressoirs à basse pression. Elle a tiré d'un terroir calcaire un riesling au nez expressif mêlant agrumes et fruits mûrs avec une touche de surmaturation. Son attaque assez vive, sa

bouche harmonieuse et longue traduisent une superbe matière première. Un vin de garde qui gagnera à attendre un an ou deux. (Sucres résiduels : 5,7 g/l.)
Cave vinicole de Pfaffenheim, 5, rue du Chai, BP 33, 68250 Pfaffenheim, tél. 03.89.78.08.08, fax 03.89.49.71.65, e-mail cave@pfaffenheim.com
t.l.j. 9h-12h 14h-18h

VIGNOBLES REINHART Bollenberg 2004 ★★★

0,8 ha 6 000 5 à 8 €

Chez les Reinhart, on peut festoyer : Pierre Reinhart, qui a rejoint en 1983 son père Paul, a considérablement agrandi la cave pour recevoir des groupes, qui peuvent y prendre des repas. Et ceux qui auront la chance de goûter ce riesling découvriront un grand vin. Ce 2004 est né sur des sols argilo-calcaires du Bollenberg, colline au microclimat particulièrement sec. Son élégante robe jaune annonce sa maturité, son nez intense mêle les fleurs aux fruits exotiques. La très belle attaque révèle un ensemble à la fois gras, concentré et nerveux, qui persiste longuement. Un vin magnifique que l'on appréciera plusieurs années. (Sucres résiduels : 3 g/l.)
Pierre Reinhart, 7, rue du Printemps, 68500 Orschwihr, tél. 03.89.76.95.12, fax 03.89.74.84.08, e-mail reinhart.pierre@wanadoo.fr
t.l.j. sf dim. 8h-12h 14h-18h

CAVE DU ROI DAGOBERT Krittler 2004 ★★★

2,5 ha 20 000 5 à 8 €

Dagobert, le retour ! Il n'a pas mis sa culotte à l'envers... La Coopérative de Traenheim – qui rappelle par son nom que ce tronçon septentrional de la route des Vins était au cœur de l'Austrasie mérovingienne – vinifie 750 ha de vignes et développe ses ventes en bouteilles. Brillante réussite, ce 2004 n'est pas son premier coup d'éclat dans le Guide (voir notamment l'édition 2002). D'origine marneuse, floral et minéral au nez, ce riesling révèle au palais une ampleur remarquable. Harmonieux et bien structuré, il est armé pour une longue garde. (Sucres résiduels : 6,8 g/l.)
Cave du Roi Dagobert, 1, rte de Scharrachbergheim, 67310 Traenheim, tél. 03.88.50.69.00, fax 03.88.50.69.09 r.-v.

WILLY ROLLI-EDEL Silberberg 2004

0,79 ha 2 500 8 à 11 €

Dans le style d'une gravure sur bois, l'étiquette de ce vin représente le petit village de Rorschwihr dominé par la silhouette tutélaire du Haut-Kœnigsbourg. Willy Rolli-Edel exploite 11 ha aux environs. Or à reflets verts, son riesling du Silberberg livre un fruité mûr et chaleureux de melon et de mangue, tandis qu'en bouche se développent des arômes d'agrumes. Franc à l'attaque, il est assez souple au palais. La finale persistante laisse une impression favorable. Une bouteille pour ceux qui n'aiment pas les vins blancs très secs. (Sucres résiduels : 13 g/l.)
Willy Rolli-Edel, 5, rue de l'Église, 68590 Rorschwihr, tél. 03.89.73.63.26, fax 03.89.73.83.50 r.-v.

GILBERT RUHLMANN FILS Vieilles Vignes 2004

0,95 ha 9 000 5 à 8 €

Cette propriété familiale dispose de 11 ha de vignes autour de Scherwiller, charmant petit village proche de Sélestat. La dernière génération est arrivée sur le domaine en 1997. Originaire d'un terroir sableux, ce riesling est très expressif au nez, floral et discrètement muscaté. Assez souple et rond au palais, plutôt long, c'est un vin flatteur que l'on pourra apprécier dès l'apéritif. (Sucres résiduels : 8 g/l.)
Gilbert Ruhlmann Fils, 31, rue de l'Ortenbourg, 67750 Scherwiller, tél. 03.88.92.03.21, fax 03.88.82.30.19, e-mail vin.ruhlmann@terre-net.fr
t.l.j. 9h-11h45 13h30-18h30; dim. sur r.-v.

LOUIS SCHERB ET FILS Cuvée François 2004 ★

0,34 ha 2 500 11 à 15 €

La famille Scherb cultive la vigne à Gueberschwihr depuis 1690. Quant au domaine proprement dit, il remonte au milieu du XIXe s. Issue d'un terroir argilo-calcaire, la cuvée François libère d'intenses arômes de fruits exotiques (mangue) et de fruits jaunes qui se prolongent au palais. D'une belle attaque, elle est riche, avec une pointe de douceur bien fondue, et possède suffisamment d'acidité. On l'appréciera pendant deux ou trois ans au moins avec du poisson en sauce ou des spécialités asiatiques. (Sucres résiduels : 23,3 g/l.)
EARL Louis Scherb et Fils, 1, rte de Saint-Marc, 68420 Gueberschwihr, tél. 03.89.49.30.83, fax 03.89.49.30.65
t.l.j. 8h-12h 13h-19h; dim. 9h-12h
Burner

SCHOENHEITZ Linsenberg 2004

1,2 ha 6 600 5 à 8 €

Le vignoble alsacien remonte dans la vallée de Munster jusqu'au village de Wihr-au-Val. La famille Schoenheitz y détenait des parcelles dès le XVIIe s. Un vignoble qu'elle a restauré après les ravages de la Seconde Guerre mondiale qui a gravement affecté cette commune. Aujourd'hui, Henri Schoenheitz est à la tête de 14 ha. Originaire d'un coteau pentu et granitique, son riesling du Linsenberg affiche une rare maturité. Évolué au nez, il

révèle une belle attaque en bouche. Ample, gras, long et complexe, c'est le fruit d'une grande matière. (Sucres résiduels : 3 g/l.)
Henri Schoenheitz, 1, rue de Walbach,
68230 Wihr-au-Val, tél. 03.89.71.03.96,
fax 03.89.71.14.33, e-mail vins.schoenheitz@calixo.net
r.-v.

VINCENT SPANNAGEL Cuvée réservée 2004

0,6 ha 4 300 5 à 8 €

Installé en 1982, Vincent Spannagel expoite 9 ha autour de Katzenthal, charmant village viticole blotti au creux d'une vallée dominée par le donjon du Wineck. Sa Cuvée réservée est typique de son terroir granitique avec ses arômes aériens, citronnés et mentholés. Plaisant à l'attaque, équilibré et assez long, c'est un vin facile d'accès, à déboucher dès maintenant. (Sucres résiduels : 15,4 g/l.)
Vincent Spannagel, 82, rue du Vignoble,
68230 Katzenthal, tél. 03.89.27.52.13,
fax 03.89.27.56.48 r.-v.

CAVE DE TURCKHEIM Vieilles Vignes 2004 *

2,5 ha 20 000 5 à 8 €

Dominée par son grand cru Brand, la pittoresque ville de Turckheim a gardé l'importance viticole qu'elle avait au Moyen Âge. La cave vinicole vient de fêter son cinquantième anniversaire. Une fois de plus, la voici dans le Guide grâce à une sélection de vieilles vignes plantées sur calcaires. Très flatteur au nez, ce 2004 mêle le coing à des touches finement muscatées. Ce côté aromatique se prolonge dans une bouche à la fois puissante et élégante, fruit d'une grande matière. Cette bouteille procurera un grand plaisir dès maintenant. (Sucres résiduels : 6,8 g/l.)
Cave de Turckheim, 16, rue des Tuileries,
68230 Turckheim, tél. 03.89.30.23.60,
fax 03.89.27.35.33, e-mail brandt@cave-turckheim.com
r.-v.

VIGNOBLE VORBURGER-MEYER 2004 **

0,2 ha 1 500 3 à 5 €

Vœgtlinshoffen est un village viticole très pittoresque qui offre une vue imprenable sur la plaine d'Alsace. Jean-Marie Vorburger y exploite plus de 6 ha de vignes. Malgré son origine argilo-calcaire, ce riesling est déjà très épanoui avec ses arômes d'ananas et de pamplemousse. D'une belle attaque, c'est un vin riche et persistant, d'une puissance qui rime avec élégance. On pourra l'apprécier au moins trois ans. (Sucres résiduels : 5 g/l.)
Jean-Marie Vorburger, 1, pl. de la Mairie,
68420 Vœgtlinshoffen, tél. 03.89.49.29.87,
fax 03.89.49.39.30,
e-mail jean-marie.vorburger@wanadoo.fr
r.-v.

WASSLER Itterswiller 2004

1 ha 4 000 3 à 5 €

Village-rue bien fleuri, Itterswiller est un site fort agréable de la route des Vins. Cette exploitation dispose de 7 ha de vignes aux alentours. Conforme à son origine argilo-calcaire, son riesling est resté dans sa phase de jeunesse : son nez demeure discret, laissant poindre des arômes de pêche. Un ensemble vif et bien équilibré. (Sucres résiduels : 5,6 g/l.)
EARL Wassler Successeurs, 71, rte du Vin,
67140 Itterswiller, tél. et fax 03.88.57.82.19,
e-mail vinswassler@free.fr r.-v.
Sohler

WELTY ET FILS Bollenberg 2004

0,98 ha 10 700 5 à 8 €

Les Welty sont à la tête de 6 ha de vignes répartis sur quatre communes du secteur de la Vallée Noble. Issu de sols argilo-calcaires, ce riesling du Bollenberg exhale des parfums fruités intenses et élégants. Assez souple en attaque, il révèle déjà une pointe de minéralité. Une belle matière. (Sucres résiduels : 4 g/l.)
Welty et Fils, 15-17, Grand-Rue, 68500 Orschwihr,
tél. 03.89.76.95.21, fax 03.89.74.63.53 r.-v.
Guy Welty

WITTMANN Vendanges tardives 2003

0,16 ha 600 11 à 15 €

Vignerons de père en fils depuis 1785, les Wittmann sont installés dans une maison Renaissance à Mittelbergheim, petit bourg pittoresque situé non loin de Barr. Leur riesling vendanges tardives reste sur sa réserve, avec une robe jaune pâle et un nez discret mêlant foin séché, touches végétales et miel d'acacia. Bien équilibré, soutenu par une bonne acidité, ce vin gagnera à attendre au moins deux ans. On le servira à l'apéritif, avec des plats en sauce ou des crustacés. (Sucres résiduels : 26 g/l.)
André Wittmann et Fils, 7, rue Principale,
67140 Mittelbergheim, tél. 03.88.08.95.79,
fax 03.88.08.53.81,
e-mail nicolas.wittmann@wanadoo.fr
r.-v. 2 C

FERNAND ZIEGLER
Muhlforst Vieilles Vignes 2004

0,33 ha 3 500 5 à 8 €

Village superbe dominé par la silhouette de sa célèbre église fortifiée, Hunawihr est tout entier tourné vers la viticulture. Fernand Ziegler a commercialisé sa première bouteille en 1963. Son fils l'a rejoint vingt ans plus tard. Né de vignes de plus de quarante-cinq ans plantées sur un terroir argilo-calcaire, ce riesling est déjà ouvert au nez avec ses nuances fruitées, légèrement muscatées et grillées. Vif et franc à l'attaque, long et bien structuré, il accompagnera poissons et fruits de mer. (Sucres résiduels : 4,1 g/l.)
EARL Fernand Ziegler et Fils, 7, rue des Vosges,
68150 Hunawihr, tél. 03.89.73.64.42,
fax 03.89.73.71.38, e-mail fernand.jrejlu@wanadoo.fr
r.-v. B

JEAN ZIEGLER Seidenfaden 2004 *

0,2 ha 1 500 5 à 8 €

Si Riquewihr attire le monde entier, la cité sait aussi retenir ses enfants. Pour preuve, Jean Ziegler, qui cumule son métier de pilote de ligne avec la gestion de cette exploitation (2,50 ha). Il propose un riesling marqué par son terroir marno-gypseux, au nez très expressif de fleurs blanches et de pierre à fusil. À la fois vif et puissant au palais, il est le fruit harmonieux d'une matière première de qualité. (Sucres résiduels : 6,4 g/l.)
Jean Ziegler, 3, chem. de la Daensch,
68340 Riquewihr, tél. et fax 03.89.47.86.02
r.-v. 2 C
Serge Ziegler

Alsace muscat

Deux variétés de muscat servent à élaborer ce vin sec et aromatique qui donne l'impression que l'on croque du raisin frais. Le premier, dénommé de tout temps muscat d'Alsace, n'est rien d'autre que celui que l'on connaît mieux sous le nom de muscat de Frontignan. Comme il est tardif, on le réserve aux meilleures expositions. Le second, plus précoce et de ce fait plus répandu, est le muscat ottonel. Ces deux cépages occupent un peu plus de 350 ha. Le muscat d'Alsace doit être considéré comme une spécialité aimable et étonnante, à boire en apéritif et lors de réceptions avec, par exemple, du kugelhopf ou des bretzels. Il s'accorde aussi à merveille avec les asperges.

ANDRÉ ACKERMANN
Sélection de grains nobles 2003 ★

0,31 ha 1 500 15 à 23 €

Installé en 1980, André Ackermann exploite plus de 6 ha de vignes autour de Rorschwihr, au sud du Haut-Kœnigsbourg. Il a poussé la surmaturation de ce muscat pour obtenir un vin bien doré au fruité si intense qu'il donne l'impression de croquer du raisin. L'attaque révèle d'emblée un excellent équilibre entre sucres restants et acidité, le fruité se confirme en bouche et la finale est persistante. De l'harmonie et de la finesse. (Sucres résiduels : 63 g/l ; bouteilles de 50 cl.) Par ailleurs, son **gewurztraminer Réserve 2004 (5 à 8 €)** obtient une étoile. Son taux de sucres résiduels : 26 g/l.

EARL André Ackermann, 25, rte du Vin, 68590 Rorschwihr, tél. 03.89.73.63.87, fax 03.89.73.38.16
t.l.j. sf dim. 8h-12h 14h-18h; f. janv.

AUDREY ET CHRISTIAN BINNER
Kaefferkopf Sélection de grains nobles 2003 ★

0,24 ha 1 800 46 à 76 €

À la tête de l'exploitation familiale depuis 2000, Christian Binner conduit ses 7 ha de vignes en biodynamie. De son père, il a hérité le goût de l'innovation. Il est assez rare d'obtenir un muscat en sélection de grains nobles. Celui-ci, issu du Kaefferkopf, le plus célèbre lieu-dit d'Ammerschwihr, se montre très intense au nez, marqué par la surmaturation. Puissant et concentré, il est aussi très bien équilibré, d'une fraîcheur notable pour le millésime. Il finit sur d'élégantes notes de fruit de la Passion. (Sucres résiduels : 105 g/l.)

Audrey et Christian Binner, 2, rue des Romains, 68770 Ammerschwihr, tél. 03.89.78.23.20, fax 03.89.78.14.17, e-mail a-la-tienne@alsace-binner.com
t.l.j. sf dim. 9h-12h 14h-17h

BOTT FRÈRES Cuvée particulière 2004 ★

1,5 ha 8 000 8 à 11 €

Créé en 1898, ce domaine dispose d'une ancienne cave garnie de foudres en chêne plus que centenaires ; elle a aménagé une galerie retraçant les activités du siècle passé et l'histoire de la famille. Sa Cuvée particulière est dominée par le fruité frais du cépage, tant au nez qu'en bouche. Agréable et assez chaleureuse, elle pourra accompagner des fromages frais. (Sucres résiduels : 8,5 g/l.)

Dom. Bott Frères, 18, av. du Gal-de-Gaulle, 68150 Ribeauvillé, tél. 03.89.73.22.50, fax 03.89.73.22.59, e-mail vins@bott-freres.fr
t.l.j. 8h-12h 14h-18h; groupes sur r.-v.

DOM. DOCK Vendanges tardives 2003 ★★

0,2 ha 600 11 à 15 €

À la tête de 10 ha de vignes, André et Christian Dock sont installés à Heiligenstein, village proche de Barr au pied du mont Sainte-Odile. Ils proposent ici un muscat qui a charmé le jury. Sa robe d'un jaune d'or intense signe des vendanges tardives et annonce un nez puissant et complexe, où des notes grillées s'associent à des nuances de confiture de coings avec un soupçon de mangue et de litchi. Au palais, ce 2003 s'impose par sa rondeur moelleuse, son gras et son opulence. La finale fraîche et persistante est marquée par un élégant retour du litchi. Richesse et finesse. (Sucres résiduels : 67 g/l ; bouteilles de 50 cl.)

Dom. Christian Dock, 20, rue Principale, 67140 Heiligenstein, tél. 03.88.08.02.69, fax 03.88.08.19.72 t.l.j. 8h-12h 13h-19h

LUC FALLER Sélection de grains nobles 2002 ★

0,3 ha 2 000 23 à 30 €

Avec ses maisons fleuries à profusion qui s'étirent le long d'une ancienne voie romaine, Itterswiller mérite une visite. Luc Faller y dirige l'exploitation familiale depuis 1989. En se lançant dans la surmaturation du muscat, il s'est livré à un pari audacieux. Pari réussi, car ce vin est des plus prometteurs. D'une couleur dorée engageante, ce 2002 associe au nez les arômes caractéristiques du cépage à des senteurs liées à la pourriture noble. Alliant rondeur et vivacité, c'est un vin harmonieux et long, au fort potentiel de vieillissement. Il pourrait bien être là dans dix ans. (Sucres résiduels : 65 g/l ; bouteilles de 50 cl.)

Henri et Luc Faller, 22, rte des Vins, 67140 Itterswiller, tél. 03.88.85.51.42, fax 03.88.57.83.30 r.-v.

ROBERT FREUDENREICH ET FILS
Cuvée sélectionnée 2004

0,25 ha 2 400 5 à 8 €

Au pied du Schauenberg, lieu de pèlerinage offrant un vaste panorama sur la plaine d'Alsace, s'étend la petite bourgade de Pfaffenheim où sont établis Robert Freudenreich et son fils Christophe. Leur vignoble de 7,50 ha est implanté essentiellement sur des terroirs argilo-calcaires. Il

a donné un 2004 jaune doré au nez épanoui, musqué et fruité. Frais et souple, ample et équilibré, ce vin plaisant est à déguster sans trop attendre. (Sucres résiduels : 9 g/l.)
Robert Freudenreich et Fils, 31, rue de l'Église, 68250 Pfaffenheim, tél. 03.89.49.60.88, fax 03.89.49.69.36 r.-v.

GSELL Vendanges tardives 2003

n.c. 1 000 15 à 23 €

Au pied du ballon de Guebwiller, point culminant des Vosges, Orschwihr est environné de vignobles bien abrités. Ce domaine se signale par une façade Renaissance et un cadran solaire. Jaune paille à reflets verts, son muscat de vendanges tardives est assez discret par ses arômes. Il séduit par sa finesse et son équilibre, fait de rondeur à l'attaque et d'une fraîcheur finale fort agréable. Un vin plaisir à déguster pour lui-même. (Sucres résiduels : 50 g/l ; bouteilles de 50 cl.) La **cuvée Cesar tokay-pinot gris 2004 (8 à 11 €)** obtient une citation. (25 g/l de sucres résiduels)
Joseph Gsell, 26, Grand-Rue, 68500 Orschwihr, tél. 03.89.76.95.11, fax 03.89.76.20.54, e-mail joseph.gsell@wanadoo.fr
t.l.j. 9h-12h 13h30-18h30; dim. sur r.-v.

DOM. HUBER ET BLÉGER 2004

n.c. 8 900 5 à 8 €

Constitué il y a environ quarante ans, ce domaine familial s'étend aujourd'hui sur plus de 22 ha conduits en production intégrée. Il a son siège à Saint-Hippolyte, au pied du Haut-Kœnigsbourg. Son muscat offre les arômes caractéristiques du cépage, avec des nuances florales. Il est souple, net, agréable. Sa finale assez douce en fait une bouteille tout indiquée pour l'apéritif. (Sucres résiduels : 12 g/l.)
Dom. Huber et Bléger, 6, rte des Vins, 68590 Saint-Hippolyte, tél. 03.89.73.01.12, fax 03.89.73.00.81, e-mail domaine@huber-bleger.fr
t.l.j. sf dim. 9h-12h 14h-17h30; f. sam. du 1er jan. à Pâques

LORANG Vendanges tardives 2003

0,55 ha 3 500 11 à 15 €

Si les Lorang cultivent la vigne depuis le milieu du XVIII[e]s., c'est seulement depuis un demi-siècle que l'exploitation familiale s'est développée. Le grand-père de Philippe Lorang a créé le domaine avec 10 ares. Son petit-fils, installé en 1997, exploite 10 ha. Il propose un muscat de vendanges tardives jaune doré, au nez intense et attirant par ses nuances exotiques et muscatées, auxquelles s'ajoutent en bouche des nuances citronnées. Un vin assez long, dominé par la rondeur, l'ampleur et la puissance. (Sucres résiduels : 43 g/l.)
EARL V. Lorang et Fils, Au Florimont, 68230 Katzenthal, tél. 03.89.27.05.29, fax 03.89.27.17.37, e-mail vins.lorang@wanadoo.fr
t.l.j. 8h-12h 14h-18h

JEAN-LUC MEYER 2004

0,4 ha 3 600 5 à 8 €

Avec son plan circulaire, ses ruelles étroites et ses maisons vigneronnes fleuries, Eguisheim est l'un des plus curieux villages de la route des Vins, à découvrir absolument. Jean-Luc Meyer valorise 10 ha de vignobles aux alentours. Il exporte 40 % de sa production. Son muscat aux reflets dorés séduit par son expression aromatique. Franc à l'attaque, gras et ample, frais et croquant en finale, il offre ce que l'on attend d'un muscat d'Alsace. À déguster avec des asperges. (Sucres résiduels : 2 g/l.) Du même producteur, le **grand cru Pfersigberg tokay-pinot-gris 2004 (8 à 11 €)** obtient une citation (sucres résiduels : 16 g/l).
Jean-Luc Meyer, 4, rue des Trois-Châteaux, 68420 Eguisheim, tél. 03.89.24.53.66, fax 03.89.41.66.46, e-mail info@vins-meyer-eguisheim.com
t.l.j. sf dim. 8h-12h 13h30-19h

MOELLINGER Rosenberg 2004 *

0,42 ha 3 000 5 à 8 €

C'est Michel Moellinger, petit-fils de Joseph le fondateur, qui dirige depuis 1998 ce domaine familial proche de Colmar avec ses quelque 14 ha de vignes. Classique par sa robe brillante aux reflets verts qui traduisent sa jeunesse, son muscat du Rosenberg affiche des arômes fins et musqués. Cette finesse se retrouve dans un palais rond à l'attaque, franc et frais en finale. Un vin bien structuré et croquant, pour l'apéritif. Une voix suggère aussi un accord avec certains poissons crus. À essayer, sans forcer sur le wasabi, le raifort japonais... (Sucres résiduels : 8 g/l.)
SCEA Joseph Moellinger et Fils, 6, rue de la 5e-D.-B., 68920 Wettolsheim, tél. 03.89.80.62.02, fax 03.89.80.04.94
t.l.j. 8h-12h 13h30-19h; dim. sur r.-v.; f. oct.

OTTER Sélection de grains nobles 2003 *

0,53 ha 2 000 38 à 46 €

Créée en 1885, cette exploitation compte plus de 11 ha. Installé à la tête du domaine depuis 1998, Jean-François Otter l'a orienté vers l'agriculture biologique. Renforcés par la surmaturation, les petits rendements conviennent parfaitement à ce muscat. Le résultat ? Une robe intense, jaune d'or, une palette aromatique dominée par la pourriture noble et d'ananas, complétée en bouche par des nuances d'agrumes et de menthe. D'une belle attaque, ample, construit sur une grande matière, ce vin de garde mérite d'attendre trois ans. (Sucres résiduels : 80 g/l.)
Dom. François Otter et Fils, 4, rue du Muscat, 68420 Hattstatt, tél. 03.89.49.33.00, fax 03.89.49.38.69, e-mail jf.otter@wanadoo.fr r.-v.

ROLLY GASSMANN
Moenchreben de Rorschwihr
Sélection de grains nobles 2003 *

0,85 ha 3 300 + de 76 €

Rorschwihr est l'un des petits villages que veille le Haut-Kœnigsbourg. C'est là que vous trouverez le siège de ce domaine créé en 1676 et qui bénéficie d'une notoriété internationale. Son important vignoble comporte vingt et un types de sous-sols et douze lieux-dits, comme ce Moenchreben à l'origine de cette sélection de grains nobles. D'un jaune soutenu à reflets dorés, ce 2003 exprime d'intenses et frais arômes de muscat. L'attaque d'une extrême douceur est relevée par une fraîcheur très agréable. On retrouve au palais l'arôme variétal. Une bouteille qui ne pourra que grandir avec le temps. (Sucres résiduels : 65 g/l.)
Rolly Gassmann, 2, rue de l'Église, 68590 Rorschwihr, tél. 03.89.73.63.28, fax 03.89.73.33.06, e-mail rollygassmann@wanadoo.fr
t.l.j. sf dim. 9h-12h 13h30-18h

J.M. SOHLER Vendanges tardives 2003 ★

0,11 ha 660 15 à 23 €

Établi à Blienschwiller, village lové au pied des collines sous-vosgiennes, Jean-Marie et Hervé Sohler exploitent 9 ha de vignes. Leur domaine comprend sept types de sols et les vinifications sont menées par terroir, en foudre de chêne. D'un jaune d'or brillant, ce muscat livre généreusement ses parfums de muscat et d'épices, de fleurs séchées et de fruits secs. Rond et gras à l'attaque, il apparaît ample et riche. La finale est longue avec un retour épicé. (Sucres résiduels : 52 g/l.)

Jean-Marie et Hervé Sohler, 16, rue du Winzenberg, 67650 Blienschwiller, tél. 03.88.92.42.93

r.-v.

AIMÉ STENTZ Vendanges tardives 2003 ★

0,19 ha 1 200 15 à 23 €

Issues d'un terroir marno-calcaire très propice au cépage muscat, ces vendanges tardives d'un jaune d'or engageant s'annoncent par des effluves de marc de raisin accompagnés de touches épicées. Une attaque nette introduit une bouche d'un bel équilibre sucre-acidité, aux arômes confits de surmaturation (abricot). La finale est longue et fondue. (Sucres résiduels : 59 g/l.)

Aimé Stentz, 37, rue Herzog, 68920 Wettolsheim, tél. 03.89.80.63.77, fax 03.89.79.78.68, e-mail contact@vins-stentz.com

t.l.j. sf dim. 8h-12h 14h-18h

WELTY Vendange tardive 2003

0,39 ha 2 100 15 à 23 €

Implantée à Orschwihr, au sud de la route des Vins, cette exploitation est logée dans une ancienne cour dîmière du XVIes. Ses vendanges tardives sont discrètes dans leur approche : la robe de ce 2003 est jaune pâle avec des reflets verts, et le nez ne livre qu'avec parcimonie des effluves fugaces de fruits. En bouche, il reste aussi sur sa retenue, mais son attaque franche, sa rondeur, sa puissance et sa longue finale agréablement fraîche composent un ensemble fin et équilibré, qui pourra attendre quelques années. (Sucres résiduels : 45,9 g/l ; bouteilles de 50 cl.) La **cuvée Bollenberg Auxerrois 2004 (5 à 8 €)** obtient une citation.

Dom. Jean-Michel Welty, 22-24, Grand-Rue, 68500 Orschwihr, tél. 03.89.76.09.03, fax 03.89.76.16.80, e-mail jean-michel.welty@terre-net.fr

t.l.j. 8h30-11h45 13h45-19h; dim. sur r.-v.

MAISON ZOELLER
Sélection de grains nobles Cuvée Louise 2003 ★

0,15 ha 600 38 à 46 €

Vignerons depuis dix générations, les Zoeller sont installés à Wolxheim, sur un tronçon de la route des Vins assez proche de Strasbourg. Partisans de la culture raisonnée, ils exploitent 10 ha de vignes. Une belle couleur dorée habille leur sélection de grains nobles qui associe au nez les arômes muscatés du cépage à ceux de la pourriture noble. Rond à l'attaque, très concentré et marqué pour l'heure par les sucres, ce 2003 trouvera sa parfaite harmonie dans quelques années. (Sucres résiduels : 100 g/l.)

EARL Maison Zoeller, 14, rue de l'Église, 67120 Wolxheim, tél. et fax 03.88.38.15.90, e-mail vins.zoeller@wanadoo.fr

t.l.j. sf dim. 9h-12h 14h-18h

Alsace gewurztraminer

Le cépage qui est à l'origine de ce vin est une forme particulièrement aromatique de la famille des traminer. Un traité publié en 1551 le désigne déjà comme une variété typiquement alsacienne. Cette authenticité, qui s'est de plus en plus affirmée à travers les siècles, est sans doute due au fait qu'il atteint dans ce vignoble un optimum de qualité. Ce qui lui a conféré une réputation unique dans la viticulture mondiale.

Son vin est corsé, bien charpenté, en général sec mais parfois moelleux, et caractérisé par un bouquet merveilleux, plus ou moins puissant selon les situations et les millésimes. Le gewurztraminer, qui a une production relativement faible et irrégulière, est un cépage précoce aux raisins très sucrés. Il occupe environ 2 800 ha. Souvent servi en apéritif, lors de réceptions ou sur des desserts, il accompagne aussi, surtout lorsqu'il est puissant, les fromages à goût relevé comme le roquefort et le munster, ou la cuisine épicée.

DOM. YVES AMBERG
Vendanges tardives Vieilles Vignes 2003 ★

0,5 ha 2 400 15 à 23 €

Epfig est une petite cité très étendue entre Sélestat et Barr. Son vignoble s'est beaucoup développé depuis une trentaine d'années, ce qui en fait aujourd'hui la plus grande commune viticole par sa superficie. Yves Amberg exploite plus de 11 ha aux alentours. Il a fait le choix de l'agriculture biologique. Ses vendanges tardives habillées d'une brillante robe jaune d'or charment par leurs parfums de fruits confits et de fruits secs. L'attaque concentrée révèle un vin puissant et opulent qui persiste longuement sur des arômes d'abricot et de pêche confits. (Sucres résiduels : 55 g/l.)

Yves Amberg, 19, rue Fronholz, 67680 Epfig, tél. 03.88.85.51.28, fax 03.88.85.52.71

t.l.j. sf dim. 8h-12h 13h30-18h30

VIGNOBLE FRÉDÉRIC ARBOGAST
Geierstein 2004 ★★

1 ha 5 000 5 à 8 €

À Westhoffen, il y avait un château ; il n'en subsiste que la porte qui est devenue celle de cette cave. Frédéric Arbogast a pris la suite en 2002 de treize générations de vignerons et a montré d'emblée un réel savoir-faire. Ainsi, ce gewurztraminer né sur un terroir argilo-calcaire a obtenu un coup de cœur dans la dernière édition du Guide. Ce 2004 est dans la lignée du millésime précédent. Le nez expressif évoque un panier de fruits. Ample et souple à l'attaque, la bouche est marquée par une douceur équilibrée par la fraîcheur de la finale. Un ensemble persistant et harmonieux. (Sucres résiduels : 16 g/l.)

Frédéric Arbogast, 3, pl. de l'Église, 67310 Westhoffen, tél. 03.88.50.30.51, fax 03.88.50.36.40, e-mail fredarbogast2@wanadoo.fr

r.-v.

LAURENT BANNWARTH
Lieu-dit Bildstoecklé 2004 ★★

0,86 ha n.c. 5 à 8 €

Créée dans les années 1960 par Laurent Bannwarth, cette propriété s'est agrandie pour atteindre aujourd'hui plus de 10 ha exploités depuis 1987 par la nouvelle génération. Elle est en cours de conversion à l'agriculture biologique. Né de terroirs marno-calcaires, son gewurztraminer du Bildstoecklé s'annonce par une touche de surmaturation. Des arômes de fruits exotiques légèrement confits se retrouvent dans un palais à la fois riche et assez frais. De la personnalité. (Sucres résiduels : 10 g/l.)

Laurent Bannwarth et Fils, 9, rte du Vin, 68420 Obermorschwihr, tél. 03.89.49.30.87, fax 03.89.49.29.02, e-mail laurent@bannwarth.fr
r.-v.

DOM. BAUMANN Mandelkreuz 2003

0,55 ha 2 600 8 à 11 €

Établie à Riquewihr, haut-lieu touristique de l'Alsace viticole, cette maison dispose de plus de 17 ha de vignes en propre et d'une belle cave à foudres où a mûri ce 2003. Ce gewurztraminer présente des nuances de coing et une touche d'évolution. Souple et long au palais, il révèle des arômes typés du millésime. On pourra le servir à l'apéritif, avec du foie gras ou un dessert. (Sucres résiduels : 23 g/l.)

Dom. Baumann, 8, av. Mequillet, 68340 Riquewihr, tél. 03.89.47.92.14, fax 03.89.47.99.31, e-mail info@domaine-baumann.com r.-v.
Sparr

FRANCIS BECK Fronholz 2004 ★

0,36 ha 3 000 5 à 8 €

Francis Beck est à la tête du domaine familial depuis 1983. Il exploite les quelque 7 ha de vignes avec son épouse et, depuis 2004, avec leur fils Julien, œnologue. Son gewurztraminer du Fronholz s'ouvre sur des nuances aromatiques intéressantes : épices, agrumes et miel. Une belle attaque introduit une bouche ample, fraîche et persistante. Un vin de gastronomie et de dessert. (Sucres résiduels : 19 g/l.) Francis Beck propose un **pinot blanc 2004 (3 à 5 €)** ample et bien sec. Il est cité.

EARL Francis Beck et Fils, 79, rue Sainte-Marguerite, 67680 Epfig, tél. 03.88.85.54.84, fax 03.88.57.83.81, e-mail vins@francisbeck.com
t.l.j. 9h-19h; dim. sur r.-v.

JEAN BECKER Rimelsberg 2004 ★★

1,2 ha 10 500 8 à 11 €

La famille Becker est dans la viticulture depuis 1610. Aujourd'hui, Martine et son frère Jean-Philippe gèrent une maison forte de 18 ha de vignes et d'une activité de négoce. Né sur un terroir argilo-marneux, leur gewurztraminer du Rimelsberg affiche un nez fruité, floral, un peu beurré, avec des notes épicées. L'harmonie aromatique se prolonge au palais. Le vin est net, droit, ample et puissant. Un superbe ensemble qu'on appréciera aussi bien à l'apéritif qu'avec du foie gras, ou encore avec des spécialités exotiques comme un tajine d'agneau aux abricots. (Sucres résiduels : 57 g/l.)

SA Jean Becker, 4, rte d'Ostheim, 68340 Zellenberg, tél. 03.89.47.90.16, fax 03.89.47.99.57, e-mail vinsbecker@aol.com
t.l.j. 8h-12h 13h30-18h; dim. 10h-12h 14h-17h de jan. à Pâques

JEAN BOESCH ET PETIT-FILS Vallée Noble 2004

0,25 ha 1 500 5 à 8 €

Installée à Soultzmatt dans la Vallée Noble, la famille Boesch perpétue une tradition viticole qui remonte à 1735. Elle présente un 2004 dont la robe dorée annonce une belle maturité confirmée par un fruité complexe (coing confit, mangue) et épicé. Souple à l'attaque, c'est un vin généreux, rond, gras et persistant. Le jury suggère de le déguster avec un curry. (Sucres résiduels : 35 g/l.)

EARL Jean Boesch et Petit-Fils, 8, rue du Bois, 68570 Soultzmatt, tél. 03.89.47.00.87, fax 03.89.47.08.19, e-mail jean.boesch@wanadoo.fr
t.l.j. 8h-11h30 14h-19h; dim. sur r.-v.

FRANÇOIS BRAUN ET SES FILS
Cuvée Sainte-Cécile 2004 ★

2,85 ha 17 000 8 à 11 €

La famille Braun a oublié jusqu'à la date de fondation de son vignoble tant celle-ci remonte à la nuit des temps. Elle dispose aujourd'hui d'une exploitation de plus de 20 ha développée à partir de 1935 par les générations successives. La propriété est actuellement gérée par les deux frères Philippe et Pascal Braun. Leur cuvée Sainte-Cécile a été récoltée fort avant dans l'automne, le 24 octobre. Jaune or dans le verre, elle offre un nez riche et intense, associant fleurs, pêche, fruits confits, épices et une touche de surmaturation. Tout aussi intense en bouche, elle est puissante et persistante. Un vin de fête pour l'apéritif, le munster ou le dessert. (Sucres résiduels : 20,5 g/l.)

François Braun et ses Fils, 19, Grand-Rue, 68500 Orschwihr, tél. 03.89.76.95.13, fax 03.89.76.10.97
t.l.j. sf dim. 8h-12h 13h30-18h
Philippe et Pascal Braun

DOM. DOCK Cuvée Prestige 2004 ★

0,5 ha 3 000 5 à 8 €

Christian Dock, qui a repris ce domaine en 1983, perpétue une tradition vigneronne qui remonte à 1780. À Heiligenstein, fief du klevener, les autres cépages donnent également naissance à de belles réussites telle cette cuvée Prestige : plutôt jeune dans sa robe pâle, elle doit encore s'ouvrir et libérer ses arômes. Au palais, une pointe de fraîcheur lui confère un équilibre agréable. (Sucres résiduels : 15 g/l.)

Dom. Christian Dock, 20, rue Principale, 67140 Heiligenstein, tél. 03.88.08.02.69, fax 03.88.08.19.72 t.l.j. 8h-12h 13h-19h

GÉRARD DOLDER 2004

n.c. 5 400 5 à 8 €

Ancienne dépendance de l'abbaye d'Andlau, le village de Mittelbergheim est ravissant tant par son paysage

de coteau que par ses vieilles demeures vigneronnes bien fleuries. Ses vins ne sont pas le moindre de ses attraits. Celui-ci présente un nez discret mais prometteur. C'est en bouche qu'il retient l'attention : fruité, structuré, équilibré et persistant, il devrait bien évoluer. (Sucres résiduels : 8,5 g/l.)
Gérard Dolder, 29, rue de la Montagne,
67140 Mittelbergheim, tél. 03.88.08.02.94,
fax 03.88.08.55.86 r.-v.

HENRI EHRHART
Kaefferkopf d'Ammerschwihr 2004 ★★

1,15 ha 7 700 8 à 11 €

Produit sur la zone granitique du Kaefferkopf, célèbre lieu-dit d'Ammerschwihr, ce gewurztraminer semble marqué par le terroir. Expressif au nez, il mêle des notes épicées, des nuances grillées et une touche minérale. Les caractères du cépage sont plus marqués en bouche ; on y trouve de l'élégance et de la finesse, une structure riche et équilibrée et de la persistance. Un ensemble très plaisant, à déguster à l'apéritif ou sur un dessert aux fruits ou au chocolat. (Sucres résiduels : 23 g/l.)
Henri Ehrhart, quartier des Fleurs,
68770 Ammerschwihr, tél. 03.89.78.23.74,
fax 03.89.47.32.59, e-mail henri.ehrhart@wanadoo.fr
r.-v.

MARCEL FREYBURGER 2004

n.c. n.c. 5 à 8 €

Comme nombre d'habitations d'Ammerschwihr, la cave de la famille Freyburger a dû être reconstruite après la guerre. L'activité viticole s'est maintenue et la troisième génération gère l'exploitation qui regroupe 6 ha. Elle propose un gewurztraminer au nez fruité, typé et agréable. Sa matière est plutôt fine mais équilibrée, croquante, avec un plaisant retour du fruité. (Sucres résiduels : 25 g/l.)
Marcel Freyburger, 13, Grand-Rue,
68770 Ammerschwihr, tél. 03.89.78.25.72,
fax 03.89.78.15.50,
e-mail marcel-freyburger@libertysurf.fr
t.l.j. 9h-12h 14h-18h; dim. sur r.-v.

JEAN GINGLINGER
Cuvée Schneckenberg 2004 ★★

0,4 ha 2 500 11 à 15 €

Ce domaine familial, conduit depuis 1999 par Jean-François Ginglinger, compte quelque 6 ha de vignes menées en biodynamie. Sa cuvée Schneckenberg porte l'empreinte du terroir calcaire d'où elle est issue. Une belle matière enveloppée dans une robe jaune doré, des arômes typés et expressifs aux nuances de coing et d'épices, une étoffe ample et généreuse, une longue finale soulignée d'une fraîcheur bienvenue. À déguster à l'apéritif ou avec des desserts au chocolat. (Sucres résiduels : 25 g/l.)
Jean Ginglinger, 6, rue du Fossé,
68250 Pfaffenheim, tél. 03.89.49.62.87,
fax 03.89.49.74.78,
e-mail domaine@ginglinger-jean.com r.-v.

GOCKER Vieilles Vignes 2004

0,5 ha 3 500 8 à 11 €

Philippe Gocker est établi au cœur de la route des Vins dans la commune de Mittelwihr. Détruit en 1945, ce village a été reconstruit mais a gardé son caractère attachant de petite cité viticole. Née de vignes de trente-cinq ans, cette cuvée affirme résolument des notes de surmaturation : fruits confits, pain d'épice, coing, réglisse. Moelleuse au palais, elle est puissante et généreuse, agrémentée en finale d'une touche de fraîcheur. Un vin pour Noël. (Sucres résiduels : 27 g/l.)
Philippe Gocker, 1, pl. des Cigognes,
68630 Mittelwihr, tél. 03.89.49.01.23,
fax 03.89.49.04.72, e-mail philippe.gocker@wanadoo.fr
r.-v.

DOM. ROBERT HAAG ET FILS 2004 ★

1,1 ha 6 500 8 à 11 €

Cette exploitation familiale a son siège dans une maison alsacienne à colombage du XVIIIe s. Depuis 1999, c'est François Haag qui conduit ses 8,5 ha de vignes. Très ouvert et riche dans son expression aromatique, son gewurztraminer affiche au palais une réelle élégance : typé, souple et rond, bien structuré et persistant, il est aussi représentatif du millésime. (Sucres résiduels : 21,6 g/l.)
Dom. Robert Haag et Fils, 21, rue de la Mairie,
67750 Scherwiller, tél. 03.88.92.11.83,
fax 03.88.82.15.85, e-mail vins.haag.robert@tiscali.fr
t.l.j. sf dim. 9h-12h 14h-19h
François Haag

VIGNOBLE HAEFFELIN 2004 ★

0,9 ha 7 000 5 à 8 €

Héritier d'une lignée de vignerons remontant au XVIIIe s., Daniel Haeffelin a installé en 1993 son exploitation hors de la ville tout en gardant le point d'accueil et de vente au cœur de la cité médiévale d'Eguisheim, à quelques pas de la fontaine Saint-Léon. Il propose un gewurztraminer au nez expressif et typique où se mêlent les fleurs, les fruits frais et des nuances exotiques. Souple à l'approche, ce 2004 révèle des arômes de fruits blancs et d'épices poivrées. Son gras, sa puissance et sa fraîcheur lui assurent une bonne tenue en bouche et devraient lui permettre de bien évoluer dans le temps. (Sucres résiduels : 15,1 g/l.)
Vignoble Daniel Haeffelin, 35, Grand-Rue,
68420 Eguisheim, tél. 03.89.41.77.85, fax 03.89.23.32.43
r.-v.

BERNARD HAEGELIN Bollenberg 2004

0,75 ha 7 900 5 à 8 €

Lieu mythique, tenu jadis pour ensorcelé, le Bollenberg est un terroir argilo-calcaire que se partagent cinq villages du sud de la route des Vins. La famille Haegelin exploite 10 ha sur ses pentes ainsi que sur celles du Pfingstberg voisin. Elle s'est convertie à la biodynamie depuis 2005. Ce 2004 se montre assez léger au nez, laissant percer quelques senteurs d'épices et de fruits qui restent quelque peu enfermées dans une structure ronde et onctueuse. Les arômes de fruits sont davantage présents au palais où la persistance est suffisante. (Sucres résiduels : 36 g/l.)
SCEA Bernard Haegelin, 26, rue de l'Église,
68500 Orschwihr, tél. 03.89.76.14.62,
fax 03.89.74.36.46,
e-mail bernard.haegelin@wanadoo.fr
t.l.j. 8h-12h 13h30-19h; dim. sur r.-v.

MATERNE HAEGELIN ET SES FILLES 2004

1,02 ha 13 200 5 à 8 €

À partir du VIIIe s., les vignobles d'Orschwihr étaient convoités par de nombreuses abbayes. Aujourd'hui, ils sont la propriété de vignerons, tels les Haegelin : 18 ha de

vignes conduits, depuis dix ans par les filles de Materne Haegelin. Dans leur cave ancienne dotée de foudres sculptés, on pourra découvrir un gewurztraminer, encore fermé au nez. Ce 2004 libère de timides senteurs de fruits exotiques qui s'affirment au palais. Un vin agréable, de structure plutôt légère. (Sucres résiduels : 16,7 g/l.)
Materne Haegelin et ses Filles, 45-47, Grand-Rue, 68500 Orschwihr, tél. 03.89.76.95.17, fax 03.89.74.88.87, e-mail filles@haegelin-materne.fr
t.l.j. 8h15-18h30; dim. 10h-12h 14h30-18h (mai à sept.)
Régine Garnier

HOSPICES DE STRASBOURG

Cuvée Chloé Élevé en fût de chêne 2004 *

0,5 ha 4 000 8 à 11 €

Ce domaine familial de 6,5 ha est depuis quinze ans aux mains de Jean-Marie Vorburger qui a proposé cette cuvée élevée dans des foudres de la cave historique des hospices de Strasbourg. D'un fruité agréable et typé du cépage, accompagné d'une touche épicée, ce 2004 s'affirme avec puissance au palais. Riche, chaleureux, aromatique, déjà fondu, il mérite ainsi d'être dédié à la fille Chloé ! Il pourra donner la réplique à un munster bien affiné. (Sucres résiduels : 25 g/l.)
Jean-Marie Vorburger, 1, pl. de la Mairie, 68420 Vœgtlinshoffen, tél. 03.89.49.29.87, fax 03.89.49.39.30, e-mail jean-marie.vorburger@wanadoo.fr
r.-v.

MARCEL HUGG Réserve des Chevaliers 2004

9 ha 70 000 8 à 11 €

Enserrée dans ses remparts du XIVe s., la cité Bergheim a gardé l'apparence qu'elle avait à la fin du Moyen Âge, époque où son vignoble était propriété de nombreuses abbayes. Aujourd'hui, beaucoup de maisons y ont pignon sur rue comme celle de Marcel Hugg qui signe un gewurztraminer aux arômes typés du cépage. Au palais, ce 2004 se montre puissant, moelleux. Sa longue finale est soulignée d'une fine amertume. (Sucres résiduels : 15 g/l.)
Marcel Hugg, BP 37, 68750 Bergheim, tél. 03.89.73.25.26 t.l.j. sf dim. 10h-12h 14h-18h

HUNOLD Côte de Rouffach 2004

0,7 ha 6 000 5 à 8 €

Depuis quelques années, la Côte de Rouffach confirme la qualité de ses vins. Ce terroir de sols bruns argilo-calcaires, situé en coteau, est favorable au gewurztraminer. Celui-ci, assez discret au nez, s'ouvre progressivement sur des arômes épicés, assortis de nuances de bergamote. Une attaque ferme, une bouche puissante et chaleureuse composent une bouteille réussie. (Sucres résiduels : 12 g/l.)
EARL Bruno Hunold, 29, rue Aux-Quatre-Vents, 68250 Rouffach, tél. 03.89.49.60.57, fax 03.89.49.67.66, e-mail info@bruno-hunold.com
t.l.j. 9h-12h 14h-18h; dim. 9h-12h

CH. ISENBOURG Le Clos 2004 *

2 ha 13 000 11 à 15 €

Le château Isenbourg, sur les hauteurs de Rouffach, fut résidence royale aux temps mérovingiens. Le vignoble qui l'entoure, et qui remonte sans doute à cette époque, fut mis en valeur pendant plusieurs siècles par des princes-évêques de Strasbourg. Il a donné naissance à un gewurztraminer au nez de fruits mûrs, de pêche et d'épices. Après une attaque souple, ce 2004 apparaît assez puissant et équilibré. La finale est soutenue par une pointe de fraîcheur. (Sucres résiduels : 15,5 g/l.)
Châteaux et Terroirs, 1, cour du Château, 68340 Riquewihr, tél. 03.89.47.92.22, fax 03.89.47.98.90
r.-v.

ROBERT KARCHER ET FILS

Cuvée Nathalie 2004 **

1 ha 7 900 8 à 11 €

L'une des rares exploitations à être située à quelques pas du centre historique de Colmar. Elle est installée dans un corps de ferme de 1602 et sa cave abrite de nombreux fûts en chêne pour certains fort anciens. C'est dans le bois que Georges Karcher, à la tête de cette propriété depuis 1991, a élevé cette cuvée née sur les graves de la Harth. Ce 2004 libère des nuances de fleurs et de miel, puis emplit la bouche avec gras et rondeur et renoue avec des arômes de rose perçus au nez. De la finesse et de la longueur. (Sucres résiduels : 19,1 g/l.)
Dom. Robert Karcher et Fils, 11, rue de l'Ours, 68000 Colmar, tél. 03.89.41.14.42, fax 03.89.24.45.05, e-mail info@vins-karcher.com
t.l.j. 8h-12h 14h-19h; dim. sur r.-v.

JEAN KLACK Réserve 2004 *

0,11 ha 500 8 à 11 €

Ce domaine familial nous fait remonter dans le temps : fondé en 1628, il est logé dans une bâtisse plus ancienne encore (1557), proche de l'ancienne « prison des bourgeois » (la Tour Blanche) située à l'entrée sud de la vieille ville de Riquewihr. Il signe une petite Réserve élégante par son fruité aux facettes multiples : orange, rose, pêche, épices se bousculent au nez et se prolongent dans un palais souple à l'attaque, équilibré et long. À essayer sur une tarte aux pêches ou aux abricots. (Sucres résiduels : 22 g/l.)
EARL Jean Klack et Fils, 18, rue de la 1re-Armée-Française, 68340 Riquewihr, tél. 03.89.47.92.44, fax 03.89.47.84.72, e-mail jean.klack@wanadoo.fr r.-v.
Daniel Klack

ALBERT KLÉE Kaefferkopf Cuvée réservée 2004

0,39 ha 2 500 8 à 11 €

Cette exploitation familiale est située à Katzenthal, à 15 mn du donjon du Wineck. Elle est conduite depuis 1978 par Albert Klée, qui a remodelé l'encépagement en fonction du terroir et vient de rénover la cave de dégustation. Vous pourrez y goûter un 2004 mêlant au nez des nuances florales, fruitées et des notes épicées. Quant au palais, bien équilibré, moelleux et persistant, il est très marqué par la pêche de vigne : un vin à marier à une cuisine épicée. (Sucres résiduels : 20 g/l.)
Albert Klée, 13, Grand-Rue, 68230 Katzenthal, tél. 03.89.27.25.27, fax 03.89.27.52.91, e-mail vinsklee@free.fr r.-v.

KLEIN-BRAND

Lieu-dit Breitenberg Cuvée Lucas 2004

0,6 ha 1 750 8 à 11 €

Au cœur de la vallée de l'Ohmbach, également appelée Vallée Noble, la commune de Soultzmatt est aussi connue pour ses eaux minérales que pour ses vins. Elle abrite nombre d'exploitations viticoles. Celle-ci, qui

compte une dizaine d'hectares, a son siège dans des bâtiments de 1748. Elle a tiré d'un sol calcaro-gréseux un gewurztraminer d'un abord discret qui s'ouvre à l'aération sur des notes exotiques, fumées et grillées. Franc et frais à l'attaque, ce 2004 développe au palais des arômes confits sur une structure bien ronde. (Sucres résiduels : 30 g/l.)
Klein-Brand, 96, rue de la Vallée, 68570 Soultzmatt, tél. 03.89.47.00.08, fax 03.89.47.65.53, e-mail kleinbrand@free.fr t.l.j. sf dim. 8h-12h 13h30-18h

DOM. LOEW Cormier 2004 *

1 ha 5 000 8 à 11 €

Jeune vigneron technicien, Étienne Loew a repris le domaine familial en 1996 et redonne vie à la cave de son grand-père. Il met l'accent sur le terroir et élève les vins selon la personnalité de chacun. Celui-ci, issu de marnes noires, se révèle progressivement sur des nuances complexes. Équilibré au palais, il est puissant, bien épicé et chaleureux en finale. (Sucres résiduels : 15 g/l.)
Dom. Étienne Loew, 28, rue Birris, 67310 Westhoffen, tél. et fax 03.88.50.59.19, e-mail etienne.loew@wanadoo.fr r.-v.

JÉRÔME LORENTZ FILS
Cuvée des Templiers 2004 *

7,2 ha 60 000 8 à 11 €

Bien que dotée d'une structure de négoce, la maison Lorentz exploite en propre un vignoble de 32 ha. Elle signe une cuvée en robe dorée mêlant au nez les notes épicées, caractéristiques du cépage, à des nuances de miel. La bouche ronde est flatteuse ; la finale marquée par une pointe d'amertume fait preuve d'une bonne persistance. (Sucres résiduels : 19 g/l.)
Jérôme Lorentz, 1-3, rue des Vignerons, 68750 Bergheim, tél. 03.89.73.22.22, fax 03.89.73.30.49 t.l.j. sf dim. 10h-12h 14h-18h30
Ch. Lorentz

MADER Muhlforst 2004 *

0,3 ha 1 200 8 à 11 €

Cette exploitation familiale logée dans une demeure du XVIII[e]s. regroupe 8 ha de vignoble et exporte un tiers de sa production. Depuis 2005, Jérôme a rejoint son père Jean-Luc, qui conduit le domaine depuis 1981. Terroir argilo-marno-gréseux, le Muhlforst a marqué ce gewurztraminer de son empreinte : ce 2004 est bien ouvert sur des notes exotiques, des nuances de coing et de fruits confits. Agréable, subtil et équilibré au palais, il est plutôt rond et gras mais garde une touche fraîche en finale. (Sucres résiduels : 36 g/l.)
Jean-Luc Mader, 13, Grand-Rue, 68150 Hunawihr, tél. 03.89.73.80.32, fax 03.89.73.31.22, e-mail vins.mader@laposte.net r.-v.

MALLO 2004

0,35 ha 2 000 5 à 8 €

À Hunawihr, l'église fortifiée entourée de son enceinte hexagonale a été maintes fois représentée : c'est un monument emblématique de l'Alsace viticole. La famille Mallo exploite 7 ha aux alentours. Jaune pâle à reflets verts, cette jeune cuvée s'ouvre sur des parfums de rose et de litchi qui se prolongent au palais. Souple, presque soyeux, c'est un vin de structure assez fine mais agréable et tout en finesse. (Sucres résiduels : 4 g/l.)
EARL F. Mallo et Fils, 2, rue Saint-Jacques, 68150 Hunawihr, tél. 03.89.73.61.41, fax 03.89.73.68.46, e-mail dominique.mallo@libertysurf.fr r.-v.

DOM. GÉRARD METZ Vieilles Vignes 2004 *

1 ha 5 000 8 à 11 €

Ce domaine familial est dirigé depuis 1993 par Éric Casimir, venu du vignoble champenois, qui a pris la succession de son beau-père Gérard Metz. Ce vigneron s'attache à valoriser l'expression des nombreux terroirs que comporte son domaine de 12 ha répartis sur plusieurs communes. Son gewurztraminer Vieilles Vignes présente un nez encore discret mais fin qui commence à s'ouvrir sur des notes assez complexes, exotiques et épicées. Au palais, le fruité s'inscrit dans un équilibre souple et assez rond. Un ensemble élégant qui devrait se marier avec un dessert pas trop sucré aux quetsches et mirabelles, par exemple. (Sucres résiduels : 8 g/l.)
Dom. Gérard Metz, 23, rte du Vin, 67140 Itterswiller, tél. 03.88.57.80.25, fax 03.88.57.81.42, e-mail eric@vinsgerardmetz.net r.-v.

FRANÇOIS MEYER 2004 *

1 ha 4 000 5 à 8 €

Le vignoble de Blienschwiller était déjà mentionné au IX[e]s. Il dépendait alors d'abbayes ou de l'évêché de Strasbourg. À la tête du domaine familial depuis 1981, François Meyer exploite 9 ha aux alentours. Il signe un gewurztraminer au nez fin, mêlant des notes épicées à une touche de banane et à des nuances de fruits confits. En bouche, ce 2004 révèle une bonne matière et se montre équilibré, frais et persistant. (Sucres résiduels : 10 g/l.)
EARL François Meyer, 5, rue du Winzenberg, 67650 Blienschwiller, tél. et fax 03.88.92.45.67 r.-v.

DOM. MOLTÈS Sélection de grains nobles 2002

0,3 ha 500 23 à 30 €

Établi à Pfaffenheim à une dizaine de kilomètres au sud de Colmar, ce domaine est géré depuis 1997 par la nouvelle génération. Stéphane et Mickaël Moltès signent une sélection de grains nobles de couleur jaune d'or, au nez intense mêlant les fruits confits à une touche de mangue et à une pointe épicée. Au palais, on découvre beaucoup de puissance, de gras et de richesse avec un bon soutien acide, ainsi que des arômes de coing. La finale est marquée par une petite amertume. Ce liquoreux pourra être consommé assez rapidement. (Sucres résiduels : 143 g/l ; bouteilles de 50 cl.)
Dom. Antoine Moltès et Fils, 8, rue du Fossé, 68250 Pfaffenheim, tél. 03.89.49.60.85, fax 03.89.49.50.43, e-mail domaine@vin-moltes.com r.-v.

DOM. DU MOULIN DE DUSENBACH
Kaefferkopf 2004 **

0,7 ha 6 000 11 à 15 €

Depuis 1974, Bernard Schwach a constitué un important vignoble : 25 ha répartis sur quinze communes autour de Ribeauvillé et de Riquewihr. Il dispose de vignes implantées en grand cru ou sur des lieux-dits reconnus. Tel le Kaefferkopf situé sur le ban d'Ammerschwihr d'où est issu ce gewurztraminer. Jaune or à reflets plus clairs, ce

2004 joue sur un registre complexe : sa palette mêle les fruits exotiques et d'intenses parfums de rose. Un fruité intense s'épanouit au palais marqué par une note poivrée en finale. Un ensemble harmonieux et flatteur. (Sucres résiduels : 33,6 g/l.)

GAEC Bernard Schwach,
25, rte de Sainte-Marie-aux-Mines, 68150 Ribeauvillé,
tél. 03.89.73.72.18, fax 03.89.73.30.34,
e-mail bernard.schwach@wanadoo.fr r.-v.

JULES MULLER Engelgarden 2004 *

3,69 ha 35 000 8 à 11 €

Cette maison de négoce qui fait partie depuis 1984 du groupe Lorentz accorde un soin particulier aux terroirs argilo-calcaires de Bergheim. Ceux-ci sont à l'origine de cette cuvée de l'Engelgarden ou « jardin des Anges », au nez encore discret mais caractéristique du cépage avec ses notes florales et épicées. Les arômes s'affirment dans un palais frais à l'attaque et harmonieux. Un vin prometteur. (Sucres résiduels : 19 g/l.)

Jules Muller, 91, rue des Vignerons,
68750 Bergheim, tél. 03.89.73.22.22, fax 03.89.73.30.49
t.l.j. sf dim. 10h-12h 14h-18h30

RIEFLÉ Côte de Rouffach 2004 *

n.c. n.c. 8 à 11 €

Créé en 1855, ce domaine familial regroupe aujourd'hui 22 ha. Il est géré par Jean-Claude Rieflé, vigneron très engagé dans la profession viticole et la promotion des exportations. D'ailleurs, la moitié de sa production est écoulée à l'extérieur de l'Hexagone, en Europe du Nord, aux États-Unis et au Japon. Encore sur sa réserve, ce 2004 doit s'ouvrir dans les mois à venir. Sa souplesse et son équilibre le rendent fort agréable. Un vin de gastronomie. (Sucres résiduels : 16 g/l.)

Dom. Rieflé, BP 43, 7, rue du Drotfeld,
68250 Pfaffenheim, tél. 03.89.78.52.21,
fax 03.89.49.50.98, e-mail riefle@riefle.com
t.l.j. sf dim. 8h-12h 14h-18h

RUHLMANN-DIRRINGER Tradition 2004 *

1 ha 7 500 5 à 8 €

Cette exploitation est installée tout près de l'enceinte de Dambach-la-Ville dans une demeure de 1578. Sous les voûtes en ogive de sa cave, vous pourrez peut-être découvrir cette petite cuvée des plus réussies. Sa robe dorée et ses parfums de fruits confits révèlent la surmaturation, même si le nez laisse parler le litchi caractéristique du cépage. Ferme et puissante à l'attaque, la bouche se montre équilibrée, élégante et persistante. (Sucres résiduels : 12 g/l.)

Ruhlmann-Dirringer, 3, imp. Mullenheim,
67650 Dambach-la-Ville, tél. 03.88.92.40.28,
fax 03.88.92.48.05
t.l.j. sf dim. 9h-12h 13h30-18h30

DOM. SAINT-RÉMY Réserve 2004

0,72 ha 5 600 5 à 8 €

Proche de Colmar, Wettolsheim possède un riche patrimoine architectural : des maisons de vignerons et d'artisans du XVII^{e}s. ou du XVIII^{e}s. et l'église Saint-Rémi qui a donné son nom à ce domaine familial dont les origines se situent au XVIII^{e}s. Aujourd'hui, menée en production intégrée, la propriété signe une cuvée Réserve associant un fruité exotique intense à une note de miel. Cette palette aromatique se prolonge dans une bouche harmonieuse, souple et persistante. (Sucres résiduels : 31 g/l.)

François et Philippe Ehrhart, 6, rue Saint-Rémy,
68920 Wettolsheim, tél. 03.89.80.60.57,
fax 03.89.79.74.00, e-mail vins@domainesaintremy.com
t.l.j. 8h-12h 13h30-18h30; dim. sur r.-v.

ANDRÉ SCHERER Holzweg 2004 *

0,5 ha 2 000 11 à 15 €

Le domaine Scherer a son siège dans une demeure datant de 1750. À la cave, les foudres en chêne contribuent à l'élevage des vins. Cette cuvée a ainsi séjourné dans le bois. Originaire du Holzweg, terroir argilo-calcaire, elle s'ouvre sur des parfums de fruits mûrs légèrement confits. On retrouve ces arômes élégants dans une bouche généreuse, ample, fraîche et persistante. Une belle matière bien vinifiée. Le 2001 avait eu un coup de cœur. (Sucres résiduels : 15 g/l.)

Vignoble André Scherer, 12, rte du Vin, BP 4,
68420 Husseren-les-Châteaux, tél. 03.89.49.30.33,
fax 03.89.49.27.48, e-mail contact@andre-scherer.com
t.l.j. sf dim. 8h-12h 13h-18h

CHARLES SCHLÉRET 2004

1,8 ha 15 000 8 à 11 €

Fondé en 1950, ce domaine signe une cuvée née d'un terroir alluvial, argileux et caillouteux. D'un jaune paille soutenu, ce 2004 se distingue par un nez bien ouvert sur des notes florales, exotiques et épicées. Au palais, il montre un caractère assez sec et puissant. Un ensemble harmonieux. (Sucres résiduels : 12 g/l.)

Charles Schléret, 1-3, rte d'Ingersheim,
68230 Turckheim, tél. et fax 03.89.27.06.09
t.l.j. 9h-19h; dim. 10h-13h

ALBERT SCHOECH Lieu-dit Letzenberg 2004 *

3,4 ha 35 600 5 à 8 €

Situé près de la bourgade d'Ingersheim, le lieu-dit Letzenberg est une colline calcaire dont les pentes exposées au levant favorisent la bonne expression des cépages aromatiques, tel ce gewurztraminer. Ce 2004 en témoigne : son nez de fruits et d'épices est bien ouvert ; l'attaque est d'une agréable souplesse, la structure ample et puissante, la finale intense. Ce vin trouvera sa place à l'apéritif. (Sucres résiduels : 15,7 g/l.)

SARL Albert Schoech, pl. du Vieux-Marché,
68770 Ammerschwihr, tél. 03.89.78.23.17,
fax 03.89.27.90.30, e-mail vin@schoech.fr

DOM. MAURICE SCHOECH Kaefferkopf 2004 ★★

1,2 ha 5 000 ▮ 8 à 11 €

Établis à Ammerschwihr depuis 1650, les Schoech ont toujours été au service du vin, comme pépiniéristes, tonneliers, courtiers et vignerons. À la tête de ce domaine depuis 1989, la dernière génération propose un gewurztraminer encore jeune : son nez discret s'ouvre sur des notes d'agrumes. La mise en bouche révèle une bonne matière, riche, sans lourdeur, suffisamment fraîche. Un remarquable équilibre. (Sucres résiduels : 15 g/l.)

Dom. Maurice Schoech, 4, rte de Kientzheim, 68770 Ammerschwihr, tél. 03.89.78.25.78, fax 03.89.78.13.66, e-mail domaine.schoech@free.fr
t.l.j. 8h-12h 13h30-18h; dim. sur r.-v.

SCHOFFIT
Lieu-dit Harth Vieilles Vignes Cuvée Alexandre 2004 ★

2 ha 10 000 11 à 15 €

Bernard et Robert Schoffit exploitent un important domaine familial (17 ha) dont certaines parcelles sont bien éloignées de Colmar, comme celles du grand cru Rangen, à l'extrémité méridionale de la route des Vins. Ce n'est pas le cas des vignes à l'origine de cette cuvée : elles sont implantées sur les sols graveleux de la Harth, au nord-ouest de la ville. La surmaturation des raisins lui donne du caractère et des arômes intenses de mandarine et d'épices. La bouche est ronde, souple, encore dominée par la douceur des sucres restants. Une matière bien mûre qui gagnera en fondu avec les années. (Sucres résiduels : 40 g/l.)

Dom. Schoffit, 66-68, Nonnenholzweg, 68000 Colmar, tél. 03.89.24.41.14, fax 03.89.41.40.52, e-mail domaine.schoffit@free.fr r.-v.
Bernard Schoffit

DOM. J.-L. SCHWARTZ Kritt 2003

0,4 ha 2 500 ▮ 5 à 8 €

Installé dans le petit village très fleuri d'Itterswiller, J.-L. Schwartz conduit en lutte intégrée les 7,5 ha du domaine familial. Les vignes de la propriété sont exposées plein sud. On retrouve cette année son gewurztraminer du Kritt, né sur un sol limono-argileux ; au nez, ce 2003 mêle une note florale à des arômes épicés. En bouche, il est rond, ample, presque un peu lourd mais d'assez bonne persistance. Il conviendra à l'apéritif. (Sucres résiduels : 38,5 g/l.)

Dom. J.-L. Schwartz, 70, rte des Vins, 67140 Itterswiller, tél. 03.88.85.51.59, fax 03.88.85.59.16
t.l.j. 9h-19h; dim. 9h-12h30 B

ALINE ET RÉMY SIMON Silbergrub 2004 ★

0,44 ha 4 000 5 à 8 €

En dix ans, ces deux vignerons, mari et femme, ont déjà doublé la superficie de leur petit vignoble familial. Leurs vins sont déjà reconnus : depuis leur entrée dans le Guide il y a quatre ans, ils sont régulièrement mentionnés. Comme l'an dernier, voici leur gewurztraminer du Silbergrub, un terroir argilo-calcaire. De la robe, aux nuances dorées, émane un fruité complexe et intense (fruits exotiques, fruits jaunes, coing...). Bien étoffé, riche et puissant, ce 2004 est également persistant. Un vin parfait, à déguster sans trop tarder. (Sucres résiduels : 23 g/l.)

Dom. Aline et Rémy Simon, 12, rue Saint-Fulrade, 68590 Saint-Hippolyte, tél. et fax 03.89.73.04.92, e-mail alineremy.simon@wanadoo.fr
r.-v. 2 B

JEAN SIPP Vieilles Vignes 2004 ★

1 ha 5 000 11 à 15 €

Les Sipp sont installés dans la vaste et ancienne demeure des Ribeaupierre, seigneurs de Ribeauvillé, déjà mentionnée en 1416. Aujourd'hui, ce domaine regroupe une vingtaine d'hectares sous la gouverne de Jean Sipp – qui vient d'effectuer sa trente-deuxième vendange – et de son fils Jean-Guillaume. Né de ceps de quarante ans, leur gewurztraminer Vieilles Vignes s'ouvre sur des notes fruitées, florales et épicées, caractéristiques du cépage, que l'on retrouve en bouche. Harmonieux et long, « il a du panache », écrit un dégustateur. Cette bouteille s'accordera avec des spécialités asiatiques (canard laqué) et même antillaises. (Sucres résiduels : 30 g/l.)

Dom. Jean Sipp, 60, rue de la Fraternité, 68150 Ribeauvillé, tél. 03.89.73.60.02, fax 03.89.73.82.38, e-mail domaine@jean-sipp.com
t.l.j. 9h-11h30 14h-18h; dim. et groupes sur r.-v. 4
Jean-Jacques Sipp

E. SPANNAGEL ET FILS
Altenbourg Cuvée Saint-Rémy 2004 ★

0,2 ha 1 700 8 à 11 €

Installé en 1993 à la tête du domaine familial, Rémy Spannagel exploite avec soin un petit vignoble de coteaux. Le lieu-dit Altenbourg, (« mont des Anciens »), aux sols argilo-calcaires, a donné naissance à cette cuvée marquée par des arômes de rose et de fruits exotiques. En bouche, ce vin est dense, ample, riche et franc. Sa vivacité contribue à son bel équilibre et souligne sa persistance. À servir à l'apéritif, avec des spécialités marocaines ou des fromages bleus. (Sucres résiduels : 40 g/l.)

Eugène Spannagel et Fils, 11, rue de Cussac, 68240 Sigolsheim, tél. et fax 03.89.78.25.90, e-mail remy.spannagel@free.fr r.-v.

STRUSS Cuvée Marie-Odile 2004 ★

0,24 ha 1 500 ▮ 8 à 11 €

Le village d'Obermorschwihr, au sud de Colmar, est déjà mentionné au X^e^s. Il consacre aujourd'hui tout son ban communal à la viticulture. Les Struss Père et Fils y exploitent 6 ha de vignes. Récoltée le 3 novembre, leur cuvée Marie-Odile se parfume de rose, de litchi, de mangue et de fruit de la Passion, arômes que l'on retrouve en bouche. Souple et grasse, moelleuse à souhait, elle est harmonieuse jusqu'en finale. (Sucres résiduels : 30 g/l.)

André Struss et Fils, 16, rue Principale, 68420 Obermorschwihr, tél. 03.89.49.36.71, fax 03.89.49.37.30 r.-v. C
Philippe Struss

ACHILLE THIRION Vendanges tardives 2002 ★

0,8 ha 7 000 ▮ 15 à 23 €

À la tête d'un important vignoble (20 ha), Achille Thirion est installé à Saint-Hippolyte, village pittoresque au pied du Haut-Kœnigsbourg et lieu de passage presque obligé pour visiter ce château. Il a élaboré des vendanges tardives jaune or intense, au nez élégant associant les fruits secs, le pain d'épice, le miel avec des nuances florales et mentholées. Des notes confites (raisin sec, orange confite) s'ajoutent à cette palette dans un palais volumineux, racé, puissant et bien équilibré. La finale persistante est soulignée d'une pointe de fraîcheur agréable. (Sucres résiduels : 45 g/l.)

Dom. Achille Thirion, 69, rte du Vin, 68590 Saint-Hippolyte, tél. 03.89.73.00.23, fax 03.89.73.06.46 r.-v.

ANDRÉ THOMAS ET FILS Vieilles Vignes 2004 *

0,4 ha 2 500 11 à 15 €

François Thomas gère ce domaine familial depuis 1980 et conduit ses 6 ha de vignes en agriculture biologique. Il a élaboré, à partir de ceps d'âge respectable, plantés sur un terroir argilo-calcaire, cette cuvée classique par ses arômes de fruits exotiques. Elle fait preuve d'ampleur, d'équilibre et d'une belle persistance. De l'apéritif au dessert ou sur de la cuisine exotique, elle trouvera facilement sa place. (Sucres résiduels : 18 g/l.)

André Thomas et Fils, 3, rue des Seigneurs, 68770 Ammerschwihr, tél. 03.89.47.16.60, fax 03.89.47.37.22 r.-v.

VORBURGER 2004 *

n.c. n.c. 8 à 11 €

Créée dans les années 1950, cette exploitation familiale, conduite en agriculture biologique depuis 2004, propose un gewurztraminer plein de séduction. Jaune pâle à reflets verts et dorés, ce 2004, d'abord discret, gagne en intensité aromatique, jouant sur un registre complexe : les fruits frais y côtoient les fruits confits et les épices avec une touche de miel. L'attaque dévoile une matière souple et assez douce qui conjugue puissance et finesse avec persistance. (Sucres résiduels : 16 g/l.)

EARL Jean-Pierre Vorburger, 3, rue de la Source, 68420 Vœgtlinshoffen, tél. 03.89.49.35.52, fax 03.89.86.40.56 r.-v.

WEHRLÉ Cuvée dorée 2004 **

0,2 ha 1 000 8 à 11 €

Ce domaine créé en 1908 est géré depuis 1998 par la quatrième génération. Il signe une cuvée issue d'un terroir argilo-calcaire. Celle-ci mérite bien son nom car sa robe apparaît dorée à souhait. Ses arômes sont encore discrets mais prometteurs. C'est au palais que ce vin fait grande impression, dévoilant une matière riche et grasse presque moelleuse et une finale épicée. À attendre quelques mois. (Sucres résiduels : 15 g/l.)

Maurice Wehrlé et Fils, 21, rue des Vignerons, 68420 Husseren-les-Châteaux, tél. 03.89.49.30.79, fax 03.89.49.29.60, e-mail vins.wehrle@free.fr r.-v.

JEAN WEINGAND 2004 *

8,5 ha 60 000 5 à 8 €

Une fontaine de Bacchus accueille les visiteurs à l'entrée de Vœgtlinshoffen. Tel un balcon, ce village domine son vignoble et la plaine de Haute Alsace, offrant un point de vue exceptionnel. C'est aux alentours que se trouve le domaine Jean Weingand, repris par la famille Cattin. Jaune doré, ce gewurztraminer apparaît encore timide au nez mais annonce une certaine complexité aromatique. Franc et bien structuré, ce 2004 révèle une fraîcheur qui souligne sa persistance. Il gagnera en expression d'ici fin 2006. (Sucres résiduels : 14 g/l.)

Jean Weingand, 19, rue Roger-Frémeaux, 68420 Vœgtlinshoffen, tél. 03.89.49.30.21, fax 03.89.49.26.02 r.-v.

WOLFBERGER Cuvée St-Léon 2004 *

n.c. 22 000 8 à 11 €

Créée en 1902, la coopérative d'Eguisheim a vendu, durant une cinquantaine d'années, les vins en vrac des vignerons du village. En 1955, elle s'est dotée d'installations de vinification et de conditionnement. Aujourd'hui, le groupe Wolfberger s'affirme parmi les leaders du marché, non seulement en volume mais aussi en qualité. D'un jaune presque doré, ce gewurztraminer livre des arômes caractéristiques du cépage avec une prédominance des notes florales. Franc, gras, puissant, sans lourdeur, bien équilibré, il offre une belle finale. (Sucres résiduels : 13 g/l.)

Wolfberger, Cave vinicole d'Eguisheim, 6, Grande-Rue, 68420 Eguisheim, tél. 03.89.22.20.20, fax 03.89.23.47.09 t.l.j. 8h-18h

W. WURTZ Cuvée Réserve 2004 *

0,5 ha 2 400 8 à 11 €

Construit à l'emplacement d'une *villa* gallo-romaine, le village de Mittelwihr dépendait durant le haut Moyen Âge de l'abbaye de Saint-Dié. Aujourd'hui, il compte plus de 200 ha de vignes essentiellement implantées sur des terroirs calcaires. Issu d'argilo-calcaires, ce gewurztraminer joue sur le registre classique des fruits exotiques et des épices. Franc à l'attaque, il dévoile une matière harmonieuse jusqu'en finale. « Un vin qui fait plaisir ! », écrit un dégustateur. (Sucres résiduels : 12 g/l.)

EARL Willy Wurtz et Fils, 6, rue du Bouxhof, 68630 Mittelwihr, tél. 03.89.47.93.16, fax 03.89.47.89.01 t.l.j. 9h-19h

MAISON ZIMMER Vieilles Vignes 2004

0,26 ha 2 085 11 à 15 €

Fondé en 1848, ce domaine familial a pignon sur rue au cœur de Riquewihr. Il est géré depuis 2001 par Régine Zimmer et ses filles Laure et Carole. L'exploitation a son siège dans une demeure historique, l'auberge *À l'Étoile* (1631). Au vignoble s'ajoutent un restaurant, *Le Tire-Bouchon*, et un gîte rural. Issu de ceps de quarante ans, ce gewurztraminer se montre d'abord assez discret puis s'ouvre sur des arômes de rose, d'épices et d'agrumes confits. Il affiche du gras et de l'ampleur sur une touche fraîche. À déguster sur un fromage bleu relevé. (Sucres résiduels : 40 g/l.)

Maison Zimmer, 42, rue du Gal-de-Gaulle, 68340 Riquewihr, tél. 03.89.47.85.01, fax 03.89.47.99.39, e-mail info@riquewihr-zimmer.com r.-v.

Régine Zimmer

ZINK **

0,23 ha 1 700 8 à 11 €

Dans une demeure datant de 1616, deux anciens pressoirs et une dizaine de foudres traditionnels témoignent de l'attachement séculaire de la famille Zink à la viticulture. Ce gewurztraminer bien doré atteste également le sérieux de ces vignerons qui ont plus d'un coup de cœur à leur actif. Sa palette complexe associe les fruits exotiques bien mûrs (mangue, litchi) et les épices. Une saveur confite s'ajoute au palais en harmonie avec la belle matière de ce vin. (Sucres résiduels : 9 g/l.)

Pierre-Paul Zink, 27, rue de la Lauch, 68250 Pfaffenheim, tél. 03.89.49.60.87, fax 03.89.49.73.05, e-mail pierre-paul.zink@wanadoo.fr r.-v.

Alsace tokay-pinot gris

La dénomination locale tokay donnée au pinot gris depuis quatre siècles est un fait étonnant, puisque cette variété n'a jamais été utilisée en Hongrie orientale... La légende dit cependant que le tokay aurait été rapporté de ce pays par le général L. de Schwendi, grand propriétaire de vignobles en Alsace. Son aire d'origine semble être, comme celle de tous les pinots, le territoire de l'ancien duché de Bourgogne.

Le pinot gris, en forte progression, occupe près de 2 100 ha. Il peut produire un vin capiteux, très corsé, plein de noblesse, susceptible de remplacer un vin rouge sur les plats de viande. Lorsqu'il est somptueux comme en 1989, 1990 ou 2000, années exceptionnelles, c'est l'un des meilleurs accompagnements du foie gras.

DOM. PIERRE ADAM

Katzenstegel Cuvée Théo 2004 *

1 ha 6 000 8 à 11 €

Modeste à sa création au début des années 1950, cette exploitation compte aujourd'hui 12,50 ha et associe viticulture et tourisme. Elle est installée au milieu des vignes, dans une maison de style régional. Son pinot gris du Katzenstegel est timide dans sa présentation, jaune pâle à l'œil et discrètement fruité au nez, avec des arômes de poire et de pomme mûre. Sa rondeur très présente s'associe à une pointe perlante qui apporte suffisamment de fraîcheur. Ample au palais, ce 2004 finit longuement sur des notes de pêche confite. On l'appréciera aussi bien à l'apéritif qu'au cours du repas, et même avec une tarte. (Sucres résiduels : 20 g/l.)

Dom. Pierre Adam, 8, rue du Lt-Louis-Mourier, 68770 Ammerschwihr, tél. 03.89.78.23.07, fax 03.89.47.39.68, e-mail info@domaine-adam.com

t.l.j. 8h-12h 13h-19h

Rémy Adam

COMTE D'ANDLAU-HOMBOURG 2004

0,3 ha 1 000 5 à 8 €

Proche d'Andlau, le village de Saint-Pierre tire son nom d'un prieuré augustin fortifié rattaché au Saint-Siège, fondé au XIIe s. Devenu dépendance épiscopale, le domaine appartint un temps à Pleyel après la Révolution. Il fut enfin acheté par un général d'Empire, ancêtre du propriétaire actuel, qui transforma les bâtiments en château. Dans ce millésime, le pinot gris s'habille d'or vert à reflets cristallins et délivre de discrets parfums de fruits secs et de fleurs blanches. Vif et franc à l'attaque, il est équilibré dans un style assez léger. (Sucres résiduels : 6,6 g/l.)

SC Dom. d'Ittenwiller, 67140 Saint-Pierre, tél. et fax 03.88.08.13.30 r.-v.

Comte d'Andlau

VIGNOBLE FRÉDÉRIC ARBOGAST

Vendanges tardives 2003 ***

0,25 ha 1 100 15 à 23 €

Cette exploitation s'étend sur 15 ha autour de Westhoffen, village de la Couronne d'or de Strasbourg : c'est

ainsi que l'on désigne les communes viticoles les plus proches de la capitale régionale. Pour la troisième année consécutive, la voici en vedette : après un riesling 2002 et un gewurztraminer 2003, voici un pinot gris salué par le jury. Sa couleur jaune d'or lui fait un habit de fête, son nez expressif s'ouvre sur des notes florales et des nuances complexes de surmaturation (abricot sec et mangue). On retrouve les fleurs et les fruits exotiques dans un palais parfaitement équilibré, ample, puissant, riche et fin à la fois. La finale ? Très longue et tout en dentelle. Pour un foie gras poêlé. (Sucres résiduels : 59 g/l.)

Frédéric Arbogast, 3, pl. de l'Église, 67310 Westhoffen, tél. 03.88.50.30.51, fax 03.88.50.36.40, e-mail fredarbogast2@wanadoo.fr

r.-v.

DOM. BARMÈS BUECHER

Rosenberg Calcarius 2004 *

0,7 ha 4 200 15 à 23 €

Ce domaine est né il y a une vingtaine d'années de l'alliance de deux vieilles familles de Wettolsheim, commune viticole proche de Colmar. Il conduit en biodynamie son vignoble (16 ha de vignes répartis sur des terroirs variés, dont plusieurs en grands crus) et élabore ses vins dans des bâtiments réaménagés en 2001. Issu d'un terroir argilo-calcaire, son pinot gris du Rosenberg revêt une livrée à reflets vieil or. Au nez, il est délicatement marqué par le boisé. On retrouve dans une attaque vive des notes léguées par l'élevage, qui masquent un peu le caractère du cépage et suggèrent une petite garde. La bonne structure et la puissance de ce 2004 lui permettront de paraître à table avec une viande blanche en sauce. (Sucres résiduels : 9,1 g/l.)

Dom. Barmès Buecher, 30, rue Sainte-Gertrude, 68920 Wettolsheim, tél. 03.89.80.62.92, fax 03.89.79.30.80, e-mail barmesbuecher@terre-net.fr

r.-v.

LÉON BAUR 2004

1 ha 8 000 5 à 8 €

Pittoresque village par son plan circulaire et ses maisons fleuries avec profusion, Eguisheim abrite à l'intérieur de ses remparts nombre de vignerons, comme Jean-Louis Baur, dont l'ancêtre acheta sa première parcelle en 1738. Ce 2004 se montre discret à l'œil comme au nez, par sa robe or clair à reflets argentés et ses effluves d'abricot cuit. Il se fait vif et corsé à l'attaque, avec une pointe perlante, et finit sur des impressions chaleureuses traduisant sa richesse alcoolique. (Sucre résiduels : 4,9 g/l.)

EARL Jean-Louis Baur, 22 et 71, rue du Rempart-Nord, 68420 Eguisheim, tél. 03.89.41.79.13, fax 03.89.41.93.72, e-mail jean-louis.baur@terre-net.fr

t.l.j. 9h-12h 13h30-18h30

BECK DOMAINE DU REMPART

Steinacker Les Ardentes 2004

	1,1 ha	4 500		8 à 11 €

Gilbert Beck a pignon sur rue tout près des anciens remparts de Dambach-la-Ville (XIVe s.). Sa cuvée Les Ardentes provient d'un des points culminants du vignoble alsacien, puisqu'elle est née des terrasses de schistes et d'ardoise d'Albé, aménagées à 450 m d'altitude et exposées plein sud. Une situation particulièrement adaptée au pinot gris. Or brillant dans le verre, ce 2004 évoque au nez la pêche cuite et la mangue. Vif et vineux à l'attaque, bien sec, délicatement fumé, il est représentatif du cépage et du millésime. Une note minérale rappelle en finale son terroir de naissance. On pourra servir ce vin avec un lapereau en salade ou une blanquette. (Sucres résiduels : 3,6 g/l.)

Gilbert Beck, Dom. du Rempart,
5, rue des Remparts, 67650 Dambach-la-Ville,
tél. 03.88.92.42.43, fax 03.88.92.49.40,
e-mail beck.domaine@wanadoo.fr r.-v.

ANDRÉ BLANCK ET SES FILS

Vendanges tardives 2002

	0,4 ha	3 200		15 à 23 €

Forte de près de 14 ha de vignes, cette propriété est installée dans l'ancienne cour des Chevaliers de Malte (XIVe s.) à 50 m du château qui abrite la confrérie Saint-Étienne et le musée du Vin d'Alsace. De couleur vieil or, son pinot gris de vendanges tardives livre d'intenses arômes de sous-bois et de champignon que l'on retrouve en bouche. Concentré, riche et ample, il est soutenu par une bonne acidité qui assurera son avenir. (Sucres résiduels : 78 g/l.)

EARL André Blanck et Fils,
Ancienne cour des Chevaliers de Malte,
68240 Kientzheim, tél. 03.89.78.24.72,
fax 03.89.47.17.07, e-mail charles.blanck@free.fr
t.l.j. sf dim. 8h-12h 13h30-19h

BOHN Vendanges tardives 2003 ★★

	0,38 ha	2 850		11 à 15 €

Les Bohn sont établis à Blienschwiller, village blotti au fond d'un vallon entre Sélestat et Barr. D'un terroir granitique marqué par la précocité et par des sols légers propices au pinot gris, ils ont su tirer des vendanges tardives pleines de promesses. De couleur jaune doré, ce 2003 au nez encore discret s'ouvre sur des notes de surmaturation. Au palais, il impressionne par son onctuosité et son gras, qui s'allient à des arômes de fruits très mûrs, voire confits. La finale est aérienne. (Sucres résiduels : 45 g/l.)

René Bohn Fils, 67, rte des Vins,
67650 Blienschwiller, tél. et fax 03.88.92.41.33,
e-mail rene.bohn@wanadoo.fr r.-v.

BUTTERLIN 2004

	1,5 ha	4 000		5 à 8 €

Jean Butterlin est établi à Wettolsheim, bourg viticole d'importance situé à quelques kilomètres à l'ouest de Colmar. Il a pris en 1980 la suite de son père qui avait spécialisé l'exploitation et conduit aujourd'hui un vignoble de 8 ha très morcelé et réparti sur plusieurs communes. Il propose un pinot gris de couleur paille, au nez de pêche blanche bien mûre. Un vin qui associe fraîcheur et rondeur. Il gagnera en harmonie avec une petite garde. (Sucres résiduels : 24 g/l.)

Jean Butterlin, 27, rue Herzog, 68920 Wettolsheim,
tél. 03.89.80.60.85, fax 03.89.80.58.61,
e-mail info@butterlin.fr r.-v.

DOM. DU CHÂTEAU DE RIQUEWIHR

Les Maquisards 2004 ★

	3,5 ha	40 000		8 à 11 €

La maison Dopff et Irion a pignon sur rue à Riquewihr, cité emblématique de l'Alsace viticole ; elle possède 27 ha de vignobles en propre sur la commune. Sa cuvée des Maquisards, qui rend hommage aux résistants, provient des parcelles du domaine plantées en pinot gris. Le 2004 revêt une robe dorée aux nuances roses et exprime de puissantes notes de poire confite avec une touche de sous-bois. L'équilibre est dominé par la rondeur ; la finale est marquée par le fruit mûr et la fleur blanche. (Sucres résiduels : 12 g/l.)

Dopff et Irion, Dom. du château de Riquewihr,
68340 Riquewihr, tél. 03.89.47.92.51,
fax 03.89.47.98.90, e-mail post@dopff-irion.com
t.l.j. 9h-19h

DAVID ERMEL Réserve particulière 2004

	0,8 ha	7 500		5 à 8 €

Installé à Hunawihr, à 500 m de l'église fortifiée qui fait le charme de ce petit village, David Ermel a conservé des foudres anciens aux verrous sculptés. Il propose un vin jaune clair à reflets dorés ; ses senteurs fumées, caractéristiques du cépage, sont rehaussées de touches épicées et de notes de sous-bois. Concentré, mais frais et sans lourdeur aucune, c'est un pinot gris de plaisante expression, tout en finesse. (Sucres résiduel : 10 g/l.)

David Ermel, 30, rte de Ribeauvillé,
68150 Hunawihr, tél. 03.89.73.61.71, fax 03.89.73.32.56
t.l.j. 8h-12h 13h-19h

RENÉ FLEITH ESCHARD ET FILS

Dorfbourg Cuvée de la Cigale 2004 ★★

	0,14 ha	1 200		11 à 15 €

Si les bâtiments sont récents, construits au milieu des vignes dans les années 1970, les exploitants cultivent la vigne depuis onze générations... Ils sont installés à quelques kilomètres de Colmar. Leur cuvée de la Cigale a charmé les dégustateurs. Sa robe jaune d'or parle de soleil ; ses senteurs de surmaturation – le coing et d'autres fruits confits, le miel et la noisette – forment une riche palette d'arômes. Ampleur, gras et structure s'allient à une belle finesse dans un palais où l'on retrouve le coing. La finale est tout en dentelle. Un ensemble harmonieux et complexe qui chantera plus d'un été. (Sucres résiduels : 25 g/l.)

🔑 René Fleith-Eschard et Fils, 8, lieu-dit Lange Matten, 68040 Ingersheim, tél. 03.89.27.24.19, fax 03.89.27.56.79, e-mail vins.fleith@free.fr
r.-v.

GEIGER-KŒNIG Spitzheck 2004

1 ha 5 000 3 à 5 €

Proche d'Andlau, le village de Bernardvillé est situé au fond d'un vallon et surmonté par l'un des sommets les plus élevés des Vosges moyennes. Sur ses pentes basses aux sols d'éboulis et de colluvions d'arènes granitiques se développe un vignoble bien exposé. Il a donné ici un vin jaune clair limpide à reflets verts et au nez franc, légèrement grillé avec une nuance fumée. Vif à l'attaque, il se montre souple et ample au palais, un peu fugace cependant. La finale est marquée par des arômes de fruits secs et de coing. (Sucres résiduels : 11 g/l.)

🔑 Simone et Richard Geiger-Kœnig, 21, rue Principale, 67140 Bernardvillé, tél. 03.88.85.56.84 t.l.j. sf dim. 9h-19h

GINGLINGER-FIX 2004

1,05 ha 10 700 5 à 8 €

À Vœgtlinshoffen, au sud de Colmar, on a retrouvé un site paléolithique. Sans remonter à ces temps obscurs, cette propriété a près de quatre siècles d'existence. L'exploitation, dirigée par André Ginglinger et sa fille Éliane, œnologue, compte aujourd'hui 7,5 ha de vignes. Jaune paille dans le verre, leur 2004 libère des senteurs de poire puis de coing. Assez vif, il n'est pas d'une grande ampleur mais se montre typé et plaisant par sa finale aux arômes de coing. Un vin « amical », pour reprendre l'expression d'un dégustateur. (Sucres résiduels : 21,5 g/l.)

🔑 Ginglinger-Fix, 38, rue Roger-Frémeaux, 68420 Vœgtlinshoffen, tél. 03.89.49.30.75, fax 03.89.49.29.98, e-mail ginglinger-fix@wanadoo.fr
r.-v.

🔑 André Ginglinger

HEIM Roemerberg Réserve 2004

3 ha 32 000 5 à 8 €

Une maison d'ancienne notoriété, reprise par le groupe Bestheim qui, réunissant les caves de Bennwihr et de Westhalten, compte parmi les principaux producteurs de la région. De couleur paille aux reflets dorés, ce pinot gris présente un nez de fruits confits nuancé de sous-bois. Accompagnées d'arômes fumés, les notes confites se prolongent dans une bouche dominée par la douceur mais bien équilibrée. (Sucres résiduels : 25 g/l.)

🔑 Heim, 53, rte de Soultzmatt, 68250 Westhalten, tél. 03.89.78.09.08, fax 03.89.49.09.20
t.l.j. sf dim. 14h-18h

VICTOR HERTZ Sélection 2004 ★

0,5 ha 2 500 11 à 15 €

Victor Hertz est établi à Herrlisheim, bourgade située au sud de Colmar au pied d'une colline, l'Elsbourg. Son vignoble est réparti sur plusieurs communes, ce qui lui permet de valoriser l'expression de terroirs variés. Avec sa robe intense, jaune d'or, son nez tout aussi intense, évoluant des fruits secs au sous-bois, son palais puissant, gras, opulent – « majestueux », selon un dégustateur –, cette cuvée rappelle une vendange tardive et accompagnera le foie gras. Une grande matière. (Sucres résiduels : 17 g/l.)

🔑 Dom. Victor Hertz, 8, rue Saint-Michel, 68420 Herrlisheim, tél. 03.89.49.31.67, fax 03.89.49.22.84, e-mail beatrice@victorhertz.com
t.l.j. 8h-12h 14h-18h; sam. dim. sur r.-v.

HERTZOG Cuvée particulière 2004 ★

1,08 ha 9 200 5 à 8 €

Peut-être aurez-vous l'occasion de participer à une dégustation dans les vignobles de Sylvain Hertzog ? Ce dernier exploite 7 ha autour d'Obermoschwihr, village viticole situé au sud-ouest de Colmar. Du pinot gris, il a tiré un vin jaune d'or au nez intensément marqué par des notes de fruits confits et de sous-bois. Ample à l'attaque, concentré, opulent et bien équilibré, ce 2004 finit sur de subtiles notes minérales. Il devrait gagner en expression dans les mois qui viennent. (Sucres résiduels : 30 g/l.) Du même producteur, le **pinot gris Vendanges tardives 2003 (11 à 15 € la bouteille de 50 cl)** reçoit aussi une étoile pour sa richesse et son élégance.

🔑 EARL Sylvain Hertzog, 18, rte du Vin, 68420 Obermorschwihr, tél. 03.89.49.31.93, fax 03.89.49.28.85, e-mail sylvainhertzog@wanadoo.fr
t.l.j. sf dim. 9h-19h

MICHEL HEYBERGER 2004 ★

1,5 ha 6 700 5 à 8 €

Installé depuis trente ans à la tête de l'exploitation familiale (environ 9 ha de vignes autour de Saint-Hippolyte, au pied du Haut-Kœnigsbourg), Michel Heyberger est rejoint cette année par son fils. Jaune à reflets dorés, son pinot gris offre d'intenses arômes confits et miellés avec une touche animale plus lourde. Il se montre assez vif et équilibré au palais, sans le côté généreux que l'on rencontre dans ce type de vin. Une faiblesse ou un atout, suivant les goûts. (Sucres résiduels : 12 g/l.)

🔑 EARL Michel Heyberger, 4, rue de l'Ancien-Abattoir, 68590 Saint-Hippolyte, tél. et fax 03.89.73.00.78, e-mail remy-heyberger@laposte.net r.-v.

JEAN GEILER Vendanges tardives 2003 ★

2,2 ha 11 700 11 à 15 €

Célèbre prédicateur de la cathédrale de Strasbourg au XVe s., Jean Geiler, élevé à Kaysersberg, donne son nom aux cuvées de la cave d'Ingersheim, commune que l'on rencontre à la sortie ouest de Colmar. Signé par l'œnologue P. Sibille, ce 2003 s'annonce par une robe jaune soutenu aux reflets dorés et par un nez intense, floral (bouillon blanc) et exotique (mangue, litchi). Ce caractère puissamment aromatique se prolonge en bouche, où la palette du nez se nuance de fruit de la Passion. Rondes à l'attaque, persistantes, ces vendanges tardives sont un monument de concentration. (Sucres résiduels : 85 g/l., bouteilles de 50 cl.)

🔑 Cave vinicole d'Ingersheim, 45, rue de la République, 68040 Ingersheim, tél. 03.89.27.90.27, fax 03.89.27.90.30, e-mail vin@geiler.fr r.-v.

JOSMEYER Fondation Vieilles Vignes 2001 ★

0,6 ha 4 200 23 à 30 €

Cette cuvée célèbre la fondation de l'exploitation familiale au milieu du XIXe s. Le domaine, situé près de Colmar, s'étend sur 27 ha. Sa cave de foudres de chêne permet la vinification de lots restreints et autorise une sélection fine des raisins. Ce 2001 s'habille d'une robe cristalline, de couleur vieil or. Il attire par sa riche palette que dominent les fruits mûrs (mangue), avec des touches de beurre et de noisette. On retrouve les fruits mûrs, associés au sous-bois, dans une bouche ample à l'attaque, plus ténue en finale mais séduisante par son côté aérien. (Sucres résiduels : 12 g/l.)

🗝 Dom. Josmeyer, 76, rue Clemenceau,
68920 Wintzenheim, tél. 03.89.27.91.90,
fax 03.89.27.91.99, e-mail josmeyer@wanadoo.fr
☑ Y ⛹ t.l.j. sf sam. dim. 9h-12h 14h-18h

KAMM Vieilles Vignes 2004 ★★

0,2 ha 1 200 ▮ 5 à 8 €

Entourée d'un vaste vignoble, la bourgade fortifiée de Dambach-la-Ville abrite de nombreux metteurs en marché, tel Jean-Louis Kamm, qui perpétue l'exploitation familiale fondée il y a un siècle ; il a proposé une petite cuvée bien séduisante. Jaune clair à reflets dorés, ce pinot gris libère des parfums intenses : pomme mûre, puis mie de pain avec une touche de truffe, tandis que le coing marque le palais. Frais, voire nerveux mais sans excès, délicat et persistant, il est fort harmonieux. Un vin de gastronomie, qui donne envie aux jurés de se mettre à table ; les suggestions fusent : pâté en croûte, escargots, lapin en sauce, coquilles Saint-Jacques, et même tarte aux fruits. (Sucres résiduels : 23 g/l.)

🗝 Jean-Louis Kamm, 59, rue du Mal-Foch,
67650 Dambach-la-Ville, tél. et fax 03.88.92.49.03
☑ Y ⛹ t.l.j. 8h-18h; l'hiver sur r.-v.

DOM. KOBLOTH 2004 ★

0,8 ha 4 000 ▮ 5 à 8 €

Fondée il y a un demi-siècle, cette exploitation s'étend sur 19 ha. Son pinot gris n'a pas laissé le jury indifférent, avec sa robe jaune d'or brillant et son nez marqué par la poire, puis par le coing. Une attaque fraîche introduit un palais au très bon équilibre acidité-sucre. La finale, où la pêche rejoint le coing, persiste longuement. Cette bouteille accompagnera toutes sortes de volailles ou de spécialités exotiques. (Sucres résiduels : 21,4 g/l.)

🗝 EARL Dom. Benoît Kobloth, 1, rue des Mimosas,
67680 Nothalten, tél. 03.88.92.44.50, fax 03.88.92.49.20,
e-mail arnaud-kobloth@yahoo.fr ☑ Y ⛹ r.-v.

KUENTZ Réserve 2004 ★

0,8 ha 6 000 ⏸ 5 à 8 €

Romain Kuentz est établi à Pfaffenheim, à une dizaine de kilomètres au sud de Colmar et près de Rouffach. Sa cave du XVII[e]s. a vu mûrir un pinot gris vieil or, attirant par ses fines senteurs d'abricot et de brugnon qui se prolongent au palais. L'attaque est vive, harmonieuse, et la bouche fraîche finit sur une pointe d'amertume. (Sucres résiduels : 5 g/l.)

🗝 GAEC Romain Kuentz et Fils, 22-24, rue du Fossé,
68250 Pfaffenheim, tél. 03.89.49.61.90,
fax 03.89.49.77.17, e-mail vinskuentz@yahoo.fr
☑ Y ⛹ t.l.j. 9h-12h 13h30-19h; dim. sur r.-v. 🏠 B

MARZOLF Vendanges tardives 2003

0,24 ha 1 100 ⏸ 15 à 23 €

Construit autour de sa place centrale ombragée et de son église au clocher roman ouvragé, riche de maisons vigneronnes à colombage, Gueberschwihr compte au nombre des villages pittoresques qui font le charme de la route des Vins. La famille Marzolf y est installée depuis un siècle. Elle propose un 2003 vieil or, au nez intense de sous-bois et de tabac. L'attaque fraîche révèle des arômes de fruits confits (abricot), puis le vin se fait rond, riche, corsé, chaleureux. De bonne longueur, ces vendanges tardives gagneront à attendre. (Sucres résiduels : 38 g/l.)

🗝 GAEC Marzolf, 9, rte de Rouffach,
68420 Gueberschwihr, tél. 03.89.49.31.02,
fax 03.89.49.20.84, e-mail vins@marzolf.fr
☑ Y ⛹ t.l.j. 8h-12h 13h-20h

MEYER-FONNÉ Dorfburg 2004 ★

0,4 ha 2 500 ⏸ 11 à 15 €

François et Félix Meyer exploitent 11 ha de vignes à Katzenthal. Vous trouverez leur propriété à quelques centaines de mètres du donjon du Wineck. Né sur calcaire oolithique, leur pinot gris du Dorfburg s'annonce par une robe jaune vert à reflets d'or et par un nez délicatement floral aux nuances d'abricot en purée. La suite donne toute satisfaction : une belle attaque riche, un corps dense, puissant et une longue finale aux arômes de fruits mûrs et de fruits secs. Un vin de classe que l'on pourra ouvrir à l'apéritif et finir au repas. (Sucres résiduels : 8 g/l.) Sous la marque **Félix Meyer, le pinot gris 2004 (5 à 8 €)** obtient la même note.

🗝 Dom. Meyer-Fonné, 24, Grand-Rue,
68230 Katzenthal, tél. 03.89.27.16.50,
fax 03.89.27.34.17 ☑ Y ⛹ r.-v.
🗝 François et Félix Meyer

ERNEST PREISS Cuvée particulière 2004

n.c. 26 000 ▮ 8 à 11 €

Cette maison est l'une des plus anciennes de Riquewihr. Ne trouve-t-on pas des Preiss dans la cité dès le XV[e]s. ? La société vinifie les vendanges de son vignoble qu'elle complète par des achats de raisins. Jaune franc à reflets verts, sa Cuvée particulière est puissamment marquée au nez par des arômes de fruits mûrs en compote. Après une attaque vive et une pointe perlante, une impression de douceur domine, liée à la présence de sucre résiduel. Un vin qui devrait gagner en harmonie à la faveur d'une petite garde. (Sucres résiduels : 12 g/l.)

🗝 Ernest Preiss, BP 3, 68340 Riquewihr,
tél. 03.89.47.91.21, fax 03.89.47.98.90 ☑ Y r.-v.

HUBERT REYSER Cuvée personnelle 2004 ★

0,5 ha 4 200 ▮ 5 à 8 €

Hubert Reyser exploite 11 ha de vignes autour de Nordheim, village viticole proche de Strasbourg au nord de la route des Vins. Il propose une cuvée jaune d'or au nez complexe mêlant notes minérales, agrumes et une délicate touche fumée. Sa fraîcheur et sa longue finale soutenue par une bonne acidité en font un ensemble agréable et apte à la garde. (Sucres résiduels : 16 g/l.)

🗝 Hubert Reyser, 26, rue de la Chapelle,
67520 Nordheim, tél. 03.88.87.76.38,
fax 03.88.87.59.67, e-mail reyser@reperes.com
☑ Y ⛹ t.l.j. sf dim. 8h30-12h 13h30-18h

DOM. RUNNER 2004 ★★

1 ha 8 000 5 à 8 €

Entre Colmar et Guebwiller, Pfaffenheim se découvre des hauteurs du Schauenberg : un gros bourg viticole où de nombreux vignerons ont pignon sur rue, comme Francis Claude Runner qui a pris la responsabilité de l'exploitation familiale il y a une dizaine d'années. Or pâle à reflets brillants, son pinot gris n'est pas passé inaperçu. Sa palette aromatique captive : on y trouve des épices et des fruits jaunes (pêche et abricot). Abricot mûr qui imprègne aussi le palais, tandis que la finale persistante est soulignée par de fraîches notes d'agrumes. Harmonieux et élégant, un « pinot gris d'initiation », selon un dégustateur. (Sucres résiduels : 13 g/l.)

Dom. François Runner et Fils, 1, rue de la Liberté, 68250 Pfaffenheim, tél. 03.89.49.62.89, fax 03.89.49.73.69, e-mail francoisrunner@aol.com

r.-v.

SAULNIER 2004 **

5,4 ha 2 660 5 à 8 €

Marco Saulnier s'est lancé dans la production viticole en 1992. Il est aujourd'hui à la tête d'un petit vignoble (5 ha) et reçoit l'amateur dans une maison avec cour intérieure située à 300 m de la belle église de grès rose de Gueberschwihr. D'un jaune pâle limpide, son pinot possède un nez accueillant et tout en finesse, aux fraîches senteurs d'agrumes (mandarine). Il possède un excellent équilibre entre le sucre et l'acidité et une finale très longue, fraîche et harmonieuse. Un remarquable ensemble qui peut encore attendre. (Sucres résiduels : 16 g/l.)

Marco Saulnier, 43, rue Haute, 68420 Gueberschwihr, tél. 03.89.86.42.02, fax 03.89.49.34.82, e-mail marco.saulnier@wanadoo.fr

r.-v.

SCHALLER Cuvée Edgard 2004 *

0,35 ha 2 400 8 à 11 €

Cette exploitation implantée au cœur de la route des Vins dispose de 9 ha de vignes. Sa cuvée Edgard s'habille d'or à reflets verts et porte au nez la marque de l'élevage : un boisé toasté, qui se fait vanillé au palais. Une attaque franche, une bouche vineuse, équilibrée, à la finale harmonieuse composent une bouteille de qualité qui pourra attendre deux ans, voire davantage. (Sucres résiduels : 4 g/l.)

Edgard Schaller et Fils, 1, rue du Château, 68630 Mittelwihr, tél. 03.89.47.90.28, fax 03.89.49.02.66

t.l.j. 9h-12h 14h-18h

DOM. JOSEPH SCHARSCH Cuvée des premiers frimas 2004 **

0,25 ha 1 985 5 à 8 €

Wolxheim fait partie de la Couronne d'or de Strasbourg, un joli nom pour désigner les villages viticoles les plus proches de la capitale régionale. La commune est réputée pour ses rieslings, et cette exploitation familiale a décroché un coup de cœur l'an dernier avec ce cépage. Elle montre son savoir-faire en pinot gris dans cette cuvée jaune paille au fruité exotique (mangue) opulent et complexe, accompagné de fines touches minérales. Remarquablement équilibrée, la bouche est construite sur une belle vivacité et persiste longuement sur de frais arômes d'agrumes. Une bouteille prometteuse qui mérite d'attendre deux à trois ans, voire davantage. (Sucres résiduels : 15 g/l.)

Dom. Joseph Scharsch, 12, rue de l'Église, 67120 Wolxheim, tél. 03.88.38.30.61, fax 03.88.38.01.13, e-mail domaine.scharsch@wanadoo.fr

r.-v.

THIERRY SCHERRER Réserve particulière 2004 *

0,15 ha 1 300 5 à 8 €

Lorsqu'il a repris l'exploitation familiale en 1993, Thierry Scherrer a aménagé une cuverie, car ses parents apportaient le raisin à la coopérative. Sa formation d'œnologue est un atout pour réussir régulièrement ses cuvées, comme ce pinot gris. Jaune pâle à reflets dorés, ce vin est intensément marqué au nez par des parfums confits nuancés de sous-bois et de notes minérales. Net à l'attaque, il est puissant, concentré, opulent. Malgré sa grande douceur, il reste harmonieux et long en finale. On pensera à lui pour accompagner le foie gras ou un plat en sauce. (Sucres résiduels : 30 g/l.)

Thierry Scherrer, 1, rue de la Gare, 68770 Ammerschwihr, tél. et fax 03.89.47.15.86, e-mail thierry.scherrer@wanadoo.fr

t.l.j. 9h-12h 14h-18h

EDMOND SCHUELLER Anna 2004 **

0,2 ha 1 190 8 à 11 €

Depuis 1999, Damien Schueller a repris le vignoble familial à Husseren-les-Châteaux. Veillé par ses trois donjons, c'est un village très calme, posé sur les contreforts des Vosges, que vous découvrirez entre Eguisheim et Guebwiller. Anna s'habille de vieil or animé de reflets orangés ; elle se parfume d'effluves délicats et complexes de fleurs blanches, de miel d'acacia et de fruits confits qui se prolongent en bouche. Avec sa rondeur, sa générosité et son riche fruité de poire et de coing, sa finale ample et longue, c'est l'harmonie même. « À chaque instant, une découverte ! », écrit un dégustateur « envoûté ». (Sucres résiduels : 14 g/l.)

Edmond Schueller, 26, rte du Vin, 68420 Husseren-les-Châteaux, tél. 03.89.49.32.60, e-mail damienschueller@aol.com

r.-v.

CHRISTIAN SCHWARTZ 2004 *

0,5 ha 3 000 5 à 8 €

Christian Schwartz est établi à Blienschwiller, village viticole situé à une dizaine de kilomètres au sud de Barr ; il exploite 7,5 ha dans la commune et les villages proches. Les terroirs argileux qui s'étendent à l'est du petit bourg sont très propices au pinot gris. Or franc à l'œil, ce 2004 exprime des arômes de fruits cuits et de pruneau caractéristiques qui se prolongent au palais, associés à des nuances de figue. Racé à l'attaque, c'est un vin équilibré, bien sec et de bonne longueur. Il aimera un civet de lapin ou une viande blanche en sauce. (Sucres résiduels : 4,1 g/l.)

Christian Schwartz, 8, rue de l'Ungersberg, 67650 Blienschwiller, tél. 03.88.92.41.73, fax 03.88.92.63.06 t.l.j. sf dim. 10h-12h 14h-18h

SEILLY Schenkenberg Vendanges tardives 2003 *

2 ha 7 000 11 à 15 €

Il fait bon déambuler à l'intérieur des remparts d'Obernai, entre l'hôtel de ville Renaissance, le beffroi et l'ancienne halle aux blés. Non loin de là, on trouve la cave Seilly, fondée sous le second Empire. Nées sur un coteau orienté au sud-est, ces vendanges tardives associent au nez un fruité surmûri et une légère touche fumée. Leur belle matière séduit, ronde, ample, grasse, opulente et puissante tout en restant équilibrée. La finale persistante renoue avec le fruit confit. Une bouteille apte à la garde. (Sucres résiduels : 53 g/l.)

Dom. Seilly, 18, rue du Gal-Gouraud, 67210 Obernai, tél. 03.88.95.55.80, fax 03.88.95.54.00

r.-v.

ALINE ET RÉMY SIMON Vieilles Vignes 2004 ★★

	0,2 ha	2 000	8 à 11 €

Voilà une dizaine d'années qu'Aline et Rémy Simon ont repris un vignoble à Saint-Hippolyte, au pied du Haut-Kœnigsbourg. On retrouve leur pinot gris de vieilles vignes (plus de quarante ans), remarquable dans ce millésime. Jaune d'or dans le verre, il offre un nez expressif : les notes confites de coing, de pêche, d'abricot et de fruits secs s'y bousculent. L'attaque révèle une matière dense, harmonieuse, d'une grande richesse, avec encore des arômes complexes de fruits confits. La longue finale apporte une note de fraîcheur bienvenue. Une bouteille que l'on peut apprécier dès maintenant ou garder quelques années. (Sucres résiduels : 14,7 g/l.)

Dom. Aline et Rémy Simon, 12, rue Saint-Fulrade, 68590 Saint-Hippolyte, tél. et fax 03.89.73.04.92, e-mail alineremy.simon@wanadoo.fr

r.-v. 2 B

RENÉ SIMONIS 2004 ★

	0,45 ha	3 600	5 à 8 €

La famille Simonis est établie à Ammerschwihr, la plus grande commune viticole du Haut-Rhin, où se tient tous les ans, en avril, la première foire aux vins d'Alsace. Étienne Simonis a pris la succession de son père il y a dix ans. Son pinot gris s'annonce par une robe dorée aux reflets roses. Au nez, il mêle la confiture de coings à une nuance de feuille d'automne. La bonne attaque révèle un vin frais, équilibré, ample et élégant. On retrouve le coing en bouche, et une nuance de sous-bois marque la finale. Beaucoup de personnalité dans cette bouteille que l'on appréciera maintenant. (Sucres résiduels : 20 g/l.)

René et Étienne Simonis, 2, rue des Moulins, 68770 Ammerschwihr, tél. 03.89.47.30.79, fax 03.89.78.24.10, e-mail rene.etienne.simonis@gmail.com r.-v.

BRUNO SORG Vieilles Vignes 2004 ★

	0,45 ha	3 050	8 à 11 €

Bruno Sorg et son fils François sont installés au cœur même de la pittoresque cité d'Eguisheim dans une ancienne cour dîmière du XVII[e]s. On retrouve leur cuvée Vieilles Vignes. Or pâle, le 2004 brille dans le verre. Au nez, il offre un fruité intense et confit d'abricot et de poire. Mêmes arômes de fruits surmûris dans un palais riche, gourmand, gras, enrobé mais sans lourdeur. Une bouteille qui peut encore attendre. (Sucres résiduels : 13 g/l.)

Dom. Bruno Sorg, 8, rue Mgr-Stumpf, 68420 Eguisheim, tél. 03.89.41.80.85, fax 03.89.41.22.64, e-mail vins@domaine-bruno-sorg.com

t.l.j. sf dim. 9h-12h 14h-18h

AIMÉ STENTZ Vendanges tardives 2003 ★

	0,25 ha	1 400	15 à 23 €

Vignerons depuis plus de trois cents ans, les Stentz exploitent 15 ha de vignes dans le respect de l'environnement. Ils proposent un pinot gris complexe, né d'un terroir marno-calcaire. Jaune paille aux reflets or brillants, ce 2003 se montre discret au nez, où l'abricot et la pêche rencontrent le pain grillé. En bouche, il révèle une grande matière, puissante et opulente, et des arômes de fruits confits et de confiture d'abricots. Une note de fraîcheur bienvenue marque la finale. (Sucres résiduels : 74 g/l.)

Aimé Stentz, 37, rue Herzog, 68920 Wettolsheim, tél. 03.89.80.63.77, fax 03.89.79.78.68, e-mail contact@vins-stentz.com

t.l.j. sf dim. 8h-12h 14h-18h

FERNAND STENTZ Steingrube 2004

	0,5 ha	4 500	8 à 11 €

Cette exploitation de 5 ha a son siège à Husseren-les-Châteaux, village du piémont vosgien qui se caractérise par son altitude : il possède sans doute le vignoble le plus élevé de la région. Le domaine a proposé un pinot gris de couleur jaune paille à reflets dorés, qui mêle au nez les fruits et le champignon. L'attaque révèle un vin extrêmement souple, puissant et concentré, qui finit sur une note de fraîcheur. Un 2004 que l'on pourra bientôt apprécier. (Sucres résiduels : 32 g/l.)

Fernand Stentz, 40, rte du Vin, 68420 Husseren-les-Châteaux, tél. 03.89.49.30.04, fax 03.89.42.32.88 r.-v.

STENTZ-BUECHER

Marken Sélection de grains nobles 2003 ★

	0,3 ha	480	46 à 76 €

Cette exploitation familiale établie à Wettolsheim, importante commune viticole aux portes de Colmar, dispose de plus de 11 ha de vignes. De couleur paille doré étincelant, sa sélection de grains nobles s'ouvre sur des notes de miel et de pain d'épice nuancées de senteurs de sous-bois et de fleurs des champs. Puissante, souple et grasse, elle est soutenue par une acidité de bon aloi. La finale assez longue laisse un goût de coing et d'autres fruits confits. Pour l'apéritif ou le foie gras. (Sucres résiduels : 95 g/l.) L'**alsace muscat Rosenberg Vendanges tardives 2003 (23 à 30 €)** obtient une citation. (Sucres résiduels : 43 g/l)

Dom. Stentz-Buecher, 21, rue Kleb, 68920 Wettolsheim, tél. 03.89.80.68.09, fax 03.89.79.60.53, e-mail stentz-buecher@wanadoo.fr

r.-v.

ANDRÉ THOMAS ET FILS

Cuvée particulière 2004 ★★

	0,3 ha	2 000	11 à 15 €

André et François Thomas exploitent leurs 6 ha de vignes en « bio » autour d'Ammerschwihr, bourg viticole d'importance qui a vu renaître la confrérie Saint-Étienne en 1947. François cite volontiers le poète libanais Khalil Gibran : « Travailler avec amour, c'est [...] laisser l'empreinte de son souffle sur toute chose que l'on façonne. » Une belle empreinte dans ce millésime jaune d'or aux reflets brillants, aux senteurs exquises de pêche jaune et de cire, frais et rond au palais. Les arômes ? Encore la pêche, puis du coing, avec délicatesse. La finale ? Persistante, soulignée par une belle vivacité. Un vin qui charmera dès maintenant et pendant plusieurs années. Le 2002 avait obtenu un coup de cœur. (Sucres résiduels : 20 g/l.)

André Thomas et Fils, 3, rue des Seigneurs, 68770 Ammerschwihr, tél. 03.89.47.16.60, fax 03.89.47.37.22 r.-v.

François Thomas

LAURENT VOGT 2004

	0,5 ha	4 000	5 à 8 €

La commune de Wolxheim est l'une des figures de proue de la Couronne d'or, association des villages viticoles les plus proches de Strasbourg. Laurent Vogt a repris

le vignoble familial en 1998 et exploite 11 ha de vignes. Du pinot gris, il a tiré un vin jaune pâle à reflets dorés, au nez vineux exprimant des notes de sous-bois. L'attaque fraîche introduit une bouche ronde, opulente, pleine, puissante. La finale est acidulée, assez longue. On pourra déboucher cette bouteille dès maintenant. (Sucres résiduels : 25 g/l.)
EARL Laurent Vogt, 4, rue des Vignerons, 67120 Wolxheim, tél. et fax 03.88.38.50.41, e-mail thomas@domaine-vogt.com r.-v.

JEAN WACH Vieilles Vignes 2004

0,5 ha 3 000 5 à 8 €

Il faut se rendre à Andlau, bourgade nichée au fond d'un vallon : tant son abbatiale que ses domaines viticoles méritent le détour. Les terroirs y sont de qualité (trois grands crus) et originaux, comme ces sols gréseux à l'origine du pinot gris élaboré par Jean Wach. Ce 2004 or rose libère des senteurs discrètes mais délicates de fruits cuits. L'attaque fraîche révèle un vin caractéristique du cépage, équilibré, marqué en finale par des notes fruitées et confites évoquant la pêche. (Sucres résiduels : 7,5 g/l.)
Jean Wach et Fils, 16, rue du Mal-Foch, 67140 Andlau, tél. et fax 03.88.08.09.73, e-mail raph.wach@wanadoo.fr
t.l.j. 8h-12h 14h-19h; dim. 8h-12h

WINTER 2004

0,35 ha 2 000 5 à 8 €

Établi à Hunawihr, village célèbre par son église fortifiée au milieu des ceps, ce vigneron demeure rue Sainte-Hune, la patronne locale qui transforme miraculeusement l'eau de la fontaine en vin... Celui-ci, jaune d'or, brille dans le verre et s'ouvre sur de puissants parfums de fleurs blanches et de miel. L'attaque massive annonce un vin équilibré et long, quoique dominé par le sucre, aux arômes de coing et de fruits secs. Pour les amateurs de douceur. (Sucres résiduels : 12 g/l.)
Albert Winter, 17, rue Sainte-Hune, 68150 Hunawihr, tél. et fax 03.89.73.62.95 r.-v.

A. WISCHLEN Réserve particulière 2004 ★★

0,3 ha 3 000 8 à 11 €

Le grand-père de François Wischlen a été le premier à Westhalten à vendre son vin en bouteilles. Son petit-fils organise le long du sentier botanique de son village (le premier samedi de juin et le deuxième samedi de septembre) un « repas itinérant » qui permet de découvrir six mets et six vins. On souhaite aux participants de goûter des bouteilles de la qualité de celle-ci, que l'on pourra apprécier plusieurs années. Jaune d'or brillant, ce 2004 exprime avec intensité la pêche puis le coing confit. Il explose en bouche : ample, gras et plein, très bien équilibré grâce à sa fraîcheur, il monte en puissance tout au long de la dégustation et offre une finale longue et élégante. De la délicatesse et de la personnalité. (Sucres résiduels : 23 g/l.)
François Wischlen, 4, rue de Soultzmatt, 68250 Westhalten, tél. 03.89.47.01.24, e-mail alsace@wischlen.com r.-v.

ALBERT ZIEGLER 2004 ★

2 ha 20 000 5 à 8 €

Orschwihr est un bourg situé non loin de l'entrée de la vallée de Guebwiller. De nombreux vignerons y ont élu domicile, tels les Ziegler qui exploitent en famille un coquet domaine de 18 ha. Ces vignerons ont fait grande impression l'an dernier avec leur pinot gris 2003 du Bollenberg, coup de cœur. Quant à ce 2004, il est fort prometteur. De couleur jaune d'or, il séduit d'entrée par un nez complexe de fruits secs et d'agrumes confits nuancés de notes de sous-bois. La bonne attaque révèle un vin gras et harmonieux, qui finit sur une fine pointe de fraîcheur et de minéralité très élégante. (Sucres résiduels : 15,3 g/l.)
Albert Ziegler, 10, rue de l'Église, 68500 Orschwihr, tél. 03.89.76.01.12, fax 03.89.74.91.32, e-mail ziegler.voelklin@wanadoo.fr
t.l.j. 8h-12h 13h-19h

ZIEGLER-FUGLER Cuvée Isabelle 2004

0,12 ha 1 000 8 à 11 €

Un autre pinot gris né à Orschwihr, au sud de la route des Vins. Jaune paille à reflets dorés, il exprime les fruits cuits au premier nez, puis l'abricot sec. Une attaque puissante introduit un palais dominé par la douceur, mais qui reste équilibré. La finale de bonne longueur évoque les fruits en confiture. (Sucres résiduels : 28 g/l.)
EARL Ziegler-Fugler, 16 a, rue de Soultzmatt, 68500 Orschwihr, tél. 03.89.76.96.30, fax 03.89.74.61.09
r.-v. 4 C

ZINK 2004 ★

0,36 ha 2 700 8 à 11 €

Une maison de 1616 où l'on peut voir les vestiges de deux anciens pressoirs à cabestan. La cave est typiquement alsacienne avec ses quinze foudres de chêne. D'un jaune soutenu à reflets d'or, ce 2004 apparaît riche et expressif. Son nez évoque la poire en compote nuancée d'une touche fumée. C'est encore une impression de richesse qu'il donne en bouche, où l'on retrouve les arômes de poire accompagnés de coing. Un ensemble concentré sans lourdeur, à la finale longue et délicate. (Sucres résiduels : 9 g/l.)
Pierre-Paul Zink, 27, rue de la Lauch, 68250 Pfaffenheim, tél. 03.89.49.60.87, fax 03.89.49.73.05, e-mail pierre-paul.zink@wanadoo.fr
r.-v.

Alsace pinot noir

L'Alsace est surtout réputée pour ses vins blancs ; mais sait-on qu'au Moyen Âge les rouges y occupaient une place considérable ?

Après avoir presque disparu, le pinot noir (le meilleur cépage rouge des régions septentrionales) occupe aujourd'hui quelque 1 440 ha et a produit 65 500 hl d'AOC alsace en 2005.

On connaît surtout le type rosé ou rouge léger, vin agréable, sec et fruité, susceptible comme d'autres rosés d'accompagner une foule de mets. On remarque cependant une tendance à élaborer un véritable vin rouge de garde à partir de ce cépage. Cette tendance, en plein essor, se révèle très prometteuse.

J.-B. ADAM
Le Pinot noir de Jean-Baptiste Adam
Élevé en fût de chêne 2003 ★★

■ 0,89 ha 4 000 15 à 23 €

Des caves du XVIIes. recélant de nombreux foudres témoignent de l'ancienneté de cette maison, fondée en 1614 et qui exploite aujourd'hui son domaine en biodynamie. Son pinot noir élevé en fût de chêne a séjourné seize mois dans le bois. Grenat foncé à reflets brillants, il est encore discret au nez mais laisse percevoir d'élégantes notes de griotte. C'est au palais qu'il séduit, ample, riche et puissant, avec de captivants arômes de cerise légèrement vanillés. Sa longue finale d'une rare délicatesse emporte l'adhésion. Du caractère, de la finesse et du potentiel.

Jean-Baptiste Adam, 5, rue de l'Aigle, 68770 Ammerschwihr, tél. 03.89.78.23.21, fax 03.89.47.35.91, e-mail adam@jb-adam.com t.l.j. 8h-12h 14h-18h; f. dim de jan. à avr.

BARON KIRMANN Élevé en fût de chêne 2004 ★

■ 0,15 ha 900 8 à 11 €

Les ancêtres de Philippe Kirmann cultivaient déjà la vigne en 1630. L'un de ses aïeux, François-Antoine, vigneron lui aussi, s'engagea à dix-sept ans et se couvrit de gloire pendant les guerres de la République et de l'Empire ; il fut fait baron et cette cuvée élevée un an dans le bois lui rend hommage. Rouge grenat brillant, fermé au nez, ce vin attire pourtant l'attention par son expression de cerise rehaussée de vanille. Complexe au palais, il est encore dominé par les tanins mais ceux-ci sont de bonne qualité et commencent à s'arrondir. La finale agréable et persistante laisse une bonne impression. Un ensemble jeune et prometteur.

Philippe Kirmann, 2, rue du Gal-de-Gaulle, 67560 Rosheim, tél. 03.88.50.43.01, fax 03.88.50.22.72, e-mail info@baronkirmann.com r.-v.

HUBERT BECK 2004

■ 0,4 ha 3 000 5 à 8 €

Avec sa forme ramassée et les vestiges de ses fortifications, Dambach-la-Ville constitue une étape des plus intéressantes sur la route des Vins. Hubert Beck et son épouse y perpétuent la tradition viticole familiale. Leur pinot noir se signale par une robe très sombre, un fruité fin relevé de quelques épices. Souple à l'attaque, imprégné d'arômes de fruits rouges, il est également bien structuré, avec une certaine acidité qui souligne la finale et lui donne de la tenue. Une belle expression du cépage.

Hubert Beck, 25, rue du Gal-de-Gaulle, 67650 Dambach-la-Ville, tél. 03.88.92.45.90, fax 03.88.92.61.28, e-mail sarl.beck@free.fr r.-v.

J.-PHILIPPE ET J.-FRANÇOIS BECKER
Rouge « F » de Zellenberg 2004 ★★

■ 0,6 ha 3 400 11 à 15 €

On a surnommé Zellenberg la « petite Tolède d'Alsace », car ce village qui fait face à Riquewihr est remarquable par sa situation escarpée. Les Becker y cultivent la vigne depuis bientôt quatre siècles et sont passés il y a quelques années en agrobiologie. Leur cuvée « F » porte l'initiale d'un terroir qui, lorsqu'il est planté de cépages « nobles », s'affiche sur l'étiquette en grand cru – cherchez-le sur la carte ! Cerise noire à l'œil, elle évoque aussi la cerise au nez, même si le boisé de la barrique couvre en partie ces senteurs. On retrouve ce mariage complexe du fruit et du chêne dans un palais frais, gras et charpenté. La finale ? Longue, réglissée, avec des tanins soyeux. Les impatients pourront déjà ouvrir cette bouteille qui gagnera cependant à attendre deux ou trois ans.

GAEC Becker, 2, rte d'Ostheim, 68340 Zellenberg, tél. 03.89.47.87.56, fax 03.89.47.99.57, e-mail vinsbecker@aol.com r.-v.

ROBERT BLANCK
Ottrott rouge Vieilles Vignes 2003

■ 0,64 ha 6 000 8 à 11 €

Située à une quinzaine de kilomètres au sud de Strasbourg et au pied du mont Sainte-Odile, la petite ville d'Obernai a gardé un riche patrimoine architectural, ainsi que les vignobles qui font sa richesse depuis le haut Moyen Âge. La famille Blanck y est établie depuis plusieurs générations et exploite 19 ha de vignes. Une parcelle située à Ottrott, village célèbre par son pinot noir, est à l'origine de ce 2003. D'un grenat foncé intense, ce vin montre quelques reflets tuilés au bord du disque. Au nez, il associe senteurs fruitées et nuances animales. Équilibré, bien fondu, corsé et vineux au palais sur fond de mûre et d'épices, c'est un vin harmonieux, évolué, à déguster dès maintenant.

Robert Blanck, 167, rte d'Ottrott, 67210 Obernai, tél. 03.88.95.58.03, fax 03.88.95.04.03, e-mail info@blanck-obernai.com t.l.j. 8h-12h 14h-18h

BOECKEL
Les Terres rouges Élevé en barrique 2003 ★

■ 0,9 ha 5 000 11 à 15 €

Après quatre siècles d'existence, la maison Boeckel est l'une des pionnières du vignoble alsacien. Implantée à Mittelbergheim depuis les origines, elle y exploite en propre un domaine de 21 ha. Grenat brillant, sa cuvée Les Terres rouges révèle au nez des parfums de fruits rouges sur un fond légèrement végétal. Dès l'attaque, elle affiche puissance et équilibre. Son fruité est dominé par la groseille, avec une pointe épicée. De bonne longueur, ce vin peut attendre un à deux ans.

Dom. Émile Boeckel, 2, rue de la Montagne, 67140 Mittelbergheim, tél. 03.88.08.91.02, fax 03.88.08.91.88, e-mail boeckel@boeckel-alsace.com

BOHN Rouge de Blienschwiller 2003 ★★

■ 0,37 ha 3 000 5 à 8 €

Ce domaine de 7,5 ha se caractérise par des terroirs granitiques d'où naissent des vins typiques et de haute expression comme ce pinot noir. Mûri dix-huit mois dans le bois, ce 2003 a tenu le jury sous son charme. La robe ? Princière, grenat intense aux reflets rubis. Le nez ? Riche et complexe ; épicé et cacaoté dans un premier temps, puis marqué par des parfums de pruneau vanillé. On retrouve cette richesse dans un palais ample et concentré, et ces arômes de torréfaction chocolatés, mêlés de notes de mûre et de cassis. La finale aux tanins déjà soyeux est exquise. Une remarquable constitution, faite pour la garde.

René Bohn Fils, 67, rte des Vins,
67650 Blienschwiller, tél. et fax 03.88.92.41.33,
e-mail rene.bohn@wanadoo.fr r.-v.

DOM. DU BOUXHOF Réserve 2004 *

■ 0,86 ha 8 000 8 à 11 €

Située au milieu des vignes, cette exploitation a huit siècles d'histoire. D'origine monastique, elle a gardé d'intéressants bâtiments classés Monuments historiques, que vous pourrez découvrir en séjournant au domaine. Sa cuvée Réserve s'habille d'une robe grenat foncé animée de vifs reflets rubis. Intense au nez, elle embaume la groseille. L'attaque est ample et riche, le palais charnu et bien structuré, toujours marqué par les fruits rouges. Les tanins soyeux et bien fondus séduisent, tout comme la longueur. Un ensemble à déguster dès maintenant ou à attendre, comme il vous plaira.

EARL François Edel et Fils, Dom. du Bouxhof,
68630 Mittelwihr, tél. 03.89.47.90.34,
fax 03.89.47.84.82, e-mail edel.bouxhof@online.fr
t.l.j. 9h-19h

CAMILLE BRAUN 2003 ***

■ 0,5 ha 2 000 11 à 15 €

VIN D'ALSACE
APPELLATION ALSACE CONTRÔLÉE
PRODUIT DE FRANCE
Rouge d'Alsace
2003
CAMILLE BRAUN
13 % vol MIS EN BOUTEILLE A LA PROPRIÉTÉ 750 ml
VIGNOBLE CAMILLE BRAUN & FILS, VIGNERONS-RÉCOLTANTS A 68500 ORSCHWIHR - FRANCE

Camille Braun perpétue avec talent une tradition viticole inaugurée par ses ancêtres au XVII[e]s. Il exploite 13,5 ha de vignes sur des terroirs variés autour de la petite cité d'Orschwihr, au sud de la route des Vins. Né de sols argilo-calcaires, son rouge d'Alsace a fait grande impression. Grenat profond aux nuances violettes, ce 2003 affiche un nez puissant où la cerise et le sous-bois s'associent à un boisé agréable légué par un séjour de quatorze mois dans le chêne. Harmonieux au palais, charnu et chaleureux, il est encore plein de sève et de jeunesse. Sa richesse tannique et sa persistance laissent augurer une belle longévité. Signalons que le **gewurztraminer cuvée Annabelle 2004 (8 à 11 €)** (32 g/l de sucres résiduels) a obtenu une citation.

Camille Braun, 16, Grand-Rue, 68500 Orschwihr,
tél. 03.89.76.95.20, fax 03.89.74.35.03,
e-mail cbraun@camille-braun.com
t.l.j. sf dim. 8h-12h 13h30-18h30

DOM. DU CHÂTEAU DE RIQUEWIHR
Les Tonnelles 2004 *

■ 0,78 ha 11 000 8 à 11 €

Le nom de la cuvée, Les Tonnelles, rappelle un mode de conduite de la vigne pratiqué par les Romains et qui s'est perpétué en Alsace jusqu'à la Renaissance. Ce pinot noir porte la signature de Dopff et Irion, maison qui a pignon sur rue à Riquewihr depuis le XVI[e]s. C'est un vin grenat foncé tirant sur le violet, au nez développé de fruits rouges. Marqué au palais par une agréable vivacité dès l'attaque, équilibré, il finit sur des tanins épicés.

Dopff et Irion, Dom. du château de Riquewihr,
68340 Riquewihr, tél. 03.89.47.92.51,
fax 03.89.47.98.90, e-mail post@dopff-irion.com
t.l.j. 9h-19h

MICHEL DIETRICH
Coteaux de Dambach-la-Ville 2004

■ 1,5 ha 8 000 8 à 11 €

Environnée d'un vaste vignoble, la petite cité fortifiée de Dambach-la-Ville abrite plusieurs dizaines de vignerons, dont Michel Dietrich, à la tête d'une propriété de 14 ha. Ce dernier propose un pinot noir, rubis clair brillant. Des parfums de fruits rouges, une attaque souple et une bouche légère aux tanins fondus composent un ensemble aromatique et plaisant, à boire sur son fruit.

Michel Dietrich, 3, rue des Ours,
67650 Dambach-la-Ville, tél. 03.88.92.41.31,
fax 03.88.92.62.88
t.l.j. sf dim. 9h-12h 14h-19h

EBLIN-FUCHS Rouge de Zellenberg Moréole 2004 *

■ 0,6 ha 4 000 8 à 11 €

Implanté en plein vignoble autour de Zellenberg, petit village perché situé à quelques kilomètres à l'est de Riquewihr, ce domaine est exploité en biodynamie et s'ordonne autour de bâtiments des années 1960, agrandis en 2003 et 2004 dans un style associant le verre et le béton modernes aux bois et à la tuile traditionnels. Il propose un 2004 rubis foncé à reflets violets. Le nez intéresse, fait de confiture de cerises et de mûres sauvages, agrémenté de quelques notes de vanille, d'épices et de pruneau. L'attaque est franche, le corps bien structuré, l'équilibre excellent. La finale longue laisse percevoir des tanins serrés. Un ensemble prometteur, qui bénéficiera d'une petite garde (deux à trois ans).

Christian et Joseph Eblin, 19, rte des Vins,
68340 Zellenberg, tél. 03.89.47.91.14,
fax 03.89.49.05.12, e-mail eblin-fuchs@tiscali.fr
r.-v.

PIERRE FRICK Rot-Murlé 2004

■ 0,42 ha 2 700 11 à 15 €

Pierre Frick cultive un vignoble de 12,5 ha autour de Pfaffenheim. Pionnier de la culture biologique (dès 1970), il est passé en 1981 à la biodynamie. C'est aussi un précurseur en matière de bouchage puisqu'il a remplacé le liège par une capsule à partir de la récolte 2002. Élevé en foudre, son pinot noir Rot-Murlé affiche une robe rouge profond aux beaux reflets violets et associe au nez fruits rouges et cassis. En bouche, on découvre une bonne attaque, une matière mûre et une finale aux tanins serrés, qui demandent à se fondre. Un ensemble intéressant.

Pierre Frick, 5, rue de Baer, 68250 Pfaffenheim,
tél. 03.89.49.62.99, fax 03.89.49.73.78,
e-mail pierre.frick@wanadoo.fr r.-v.

FRITZ-SCHMITT
Rouge d'Ottrott Vieilles Vignes Élevé en barrique 2004

■ 0,2 ha 1 500 11 à 15 €

Apporté par des moines venus de Bourgogne, le pinot noir est de longue date la spécialité d'Ottrott, village situé au pied du mont Sainte-Odile. Le domaine Fritz-Schmitt exploite plus de 12 ha aux alentours. Grenat foncé, son dernier millésime reste discret au nez. En bouche, des notes fruitées et légèrement torréfiées apparaissent sur un fond plutôt végétal. La finale est dominée par des tanins qui devront se fondre.

EARL Fritz-Schmitt, 1, rue des Châteaux, 67530 Ottrott, tél. 03.88.95.98.06, fax 03.88.95.99.03, e-mail fritzschmitt@wanadoo.fr
t.l.j. 9h-18h; f. vacances scolaires de fév.
Bernard Schmitt

DOM. ROBERT HAAG ET FILS 2004 ★★

■ 0,52 ha 5 000 5 à 8 €

Veillé par les deux forteresses du Ramstein et de l'Ortenberg, Scherwiller est situé à quelques kilomètres à l'ouest de Sélestat. La petite rivière qui traverse le village contribue à son charme, ainsi que les maisons vigneronnes à colombage. Celle de la famille Haag date du XVIII[e]s. L'exploitation compte 8,5 ha. Né de colluvions sablo-granitiques typiques de cette commune, ce pinot noir affiche une robe rubis foncé brillant et un nez bien fruité de groseille et de cassis. Son attaque fraîche, son corps souple et harmonieux, sa longue finale soulignée par des tanins mûrs le rendent très agréable et laissent envisager une petite garde (deux ans).

Dom. Robert Haag et Fils, 21, rue de la Mairie, 67750 Scherwiller, tél. 03.88.92.11.83, fax 03.88.82.15.85, e-mail vins.haag.robert@tiscali.fr
t.l.j. sf dim. 9h-12h 14h-19h
François Haag

HARTWEG Élevé en fût de chêne 2004 ★

■ 0,41 ha 3 500 8 à 11 €

Installée dans la commune de Beblenheim, l'une des « perles » du vignoble au cœur de la route des Vins, cette exploitation née en 1930 a été reprise il y a dix ans par Frank Hartweg. Ce dernier a fait ses études d'œnologie au lycée viticole de Beaune. Un séjour bourguignon sans doute plein d'enseignements pour qui s'intéresse au pinot noir. Grenat profond, ce 2004 présente un nez puissant dominé par un boisé toasté de qualité, hérité d'un élevage d'un an en fût. Sa bouche ample et riche reflète une grande matière première, des arômes de cuir et de sous-bois. La longue finale est marquée par des tanins soyeux. Un vin de garde qui mérite d'attendre deux à trois ans.

Jean-Paul et Frank Hartweg, 39, rue Jean-Macé, 68980 Beblenheim, tél. 03.89.47.94.79, fax 03.89.49.00.83, e-mail frank.hartweg@free.fr
t.l.j. sf dim. 8h-11h30 13h30-18h

JACQUES ILTIS
Rouge de Saint-Hippolyte Burgreben Vieilles Vignes 2004 ★

■ 0,42 ha 2 000 8 à 11 €

Située à la limite nord du Haut-Rhin sur l'une des routes d'accès au château du Haut-Kœnigsbourg, la petite bourgade de Saint-Hippolyte est célèbre par son vin rouge. Christophe et Benoît Iltis y cultivent une dizaine d'hectares. Du Burgreben (les « vignes du château »), ils ont tiré une cuvée rubis foncé aux reflets brillants, au nez séduisant et complexe de myrtille et de mûre rehaussé par une pointe de cacao. Rond à l'attaque, ce 2004 révèle au palais des saveurs fruitées ainsi qu'une belle structure tannique. Une expression très réussie de pinot noir né sur terroir granitique.

Jacques Iltis et Fils, 1, rue Schlossreben, 68590 Saint-Hippolyte, tél. 03.89.73.00.67, fax 03.89.73.01.82, e-mail jacques.iltis@calixo.net
t.l.j. 8h-12h 14h-18h; dim. sur r.-v.

RENÉ KOCH ET FILS Rouge de Nothalten 2003 ★

■ 0,6 ha 4 000 8 à 11 €

Proche de Barr, le village de Nothalten s'étire le long de la route des Vins. À 50 m de la fontaine du XVI[e]s., vous trouverez ce domaine, sa cave du XVIII[e]s. et sa salle de dégustation ornée de vitraux. Son Rouge de Nothalten s'annonce par une robe rouge violacé intense et par un nez fin et complexe mêlant la cerise très mûre à une touche d'herbes aromatiques. Souple à l'attaque, le palais se révèle corsé, structuré, équilibré par une belle acidité qui souligne sa longueur. La finale laisse percevoir des tanins soyeux d'une grande élégance.

EARL René et Michel Koch, 5, rue de la Fontaine, 67680 Nothalten, tél. 03.88.92.41.03, fax 03.88.92.63.99, e-mail vin.koch@wanadoo.fr r.-v.

KOEHLY Hahnenberg Vieilli en fût de chêne 2004

■ 1,15 ha 8 600 5 à 8 €

Ce viticulteur installé à Kintzheim, à 4 km du Haut-Kœnigsbourg, exploite 17 ha de vignes dans dix communes. Son pinot noir lui a valu deux coups de cœur (millésimes 2000 et 1989). Né d'un terroir granitique, ce 2004 grenat intense présente un nez puissant, mais le fruité est masqué par un boisé légué par un élevage dans le chêne, tant au nez qu'en bouche. Si les amateurs de boisé peuvent l'apprécier sans délai, une petite garde devrait lui permettre de gagner en harmonie.

Jean-Marie Koehly, 64, rue du Gal-de-Gaulle, 67600 Kintzheim, tél. 03.88.82.09.77, fax 03.88.82.70.49
t.l.j. 8h-12h 13h-19h

KRESS-BLEGER Pinot noir de Rodern 2004 ★★★

■ 0,35 ha 3 700 5 à 8 €

Au pied du Haut-Kœnigsbourg, le pinot noir a gagné ses lettres de noblesse, comme ici à Rodern, où les vins rouges affichent leur dénomination : « Pinot noir de Rodern ». Le cépage y a sa rue, dans laquelle ce domaine a son siège. Créée en 1980 par des vignerons de vieille souche, cette jeune exploitation grandit : 4,5 ha à sa fondation, 9 ha aujourd'hui. Un domaine à suivre : son vin rouge a conquis le jury. Rubis clair montrant quelques reflets cuivrés, ce 2004 est tout en fruits rouges au nez, avec un soupçon de framboise. Dès l'attaque, il flatte le palais par sa souplesse et son harmonie et révèle toute la chaleur de son terroir granitique. Il a suffisamment de tanins pour assurer sa mâche et une belle longueur en bouche. Un modèle de vin plaisir, déjà prêt à servir sur des grillades, des entrées ou même à l'apéritif.

EARL Kress-Bleger, 10, rue du Pinot-noir, 68590 Rodern, tél. 03.89.73.03.21, fax 03.89.73.04.06, e-mail kress-bleger@wanadoo.fr r.-v.

MARTIN ZAHN Prestige 2004

■ 3,5 ha 30 000 5 à 8 €

Fondée en 1895, la cave vinicole de Ribeauvillé est la plus ancienne coopérative de France. Elle vinifie 260 ha de vignes. Son fleuron ? Le Clos Zahnacker, déjà célèbre sous Louis XIV. Grenat intense, sa cuvée Martin Zahn est encore fermée mais laisse percevoir quelques nuances de fruits rouges. Franche à l'attaque, elle possède un corps riche, onctueux, chaleureux et long. Un vin prometteur qui gagnera à attendre au moins un an.

Cave de Ribeauvillé, 2, rte de Colmar, 68150 Ribeauvillé, tél. 03.89.73.61.80, fax 03.89.73.31.21, e-mail cave@cave-ribeauville.com t.l.j. 8h-12h 14h-18h

ALBERT MAURER Élevé en barrique 2004 *

0,64 ha	4 200	5 à 8 €

Rejoint par son fils Philippe en 1990, Albert Maurer exploite une quinzaine d'hectares autour d'Eichhoffen, près d'Andlau. Issu d'un terroir argilo-calcaire et élevé douze mois en barrique (25 % de bois neuf), son pinot noir s'annonce par une robe grenat foncé et par un nez de cerise. Une attaque harmonieuse, une belle richesse aromatique au palais, où le fruit se nuance d'épices, une longue finale aux accents poivrés composent une bouteille fort agréable et qui mérite d'attendre.

Albert Maurer, 11, rue du Vignoble, 67140 Eichhoffen, tél. 03.88.08.96.75, fax 03.88.08.59.98, e-mail info@vins-maurer.fr t.l.j. sf dim. 8h-12h 13h30-18h

RENÉ MURÉ « V » 2004 *

1,4 ha	10 000	15 à 23 €

Une exploitation pionnière dans le vignoble, conduite en agriculture biologique et sise à Rouffach, au pied du Vorbourg, un terroir qui s'affiche en grand cru sur les étiquettes lorsqu'il est planté de riesling, gewurztraminer, pinot gris ou muscat. A-t-il marqué de son empreinte cette cuvée « V » ? Un vin rubis intense à reflets violets, au fruité élégant de cerise associé à des notes boisées très marquées. L'attaque franche révèle beaucoup de matière ; la finale longue et fine s'appuie sur des tanins serrés. Un ensemble de qualité qui bénéficiera de quelques années de garde.

René Muré, Dom. du Clos Saint-Landelin, rte du Vin, 68250 Rouffach, tél. 03.89.78.58.00, fax 03.89.78.58.01, e-mail rene@mure.com r.-v.

CAVE D'OBERNAI 2003 *

n.c.	80 000	5 à 8 €

Cette entreprise importante est implantée sur la route reliant Obernai à Bischhoffsheim. Elle propose ici un pinot noir de qualité et qui n'a rien de confidentiel. Rubis brillant à reflets grenat, ce 2003 séduit par son nez de groseille aux subtils accents de truffe. La belle attaque introduit une bouche au fruité agréable et complexe. La finale se montre plus austère et tannique mais reflète bien le terroir. Une bonne bouteille que l'on peut déjà consommer sur du bœuf bourguignon.

Cave d'Obernai Divinal, 30, rue du Gal-Leclerc, 67210 Obernai, tél. 03.88.47.60.20, fax 03.88.47.60.22, e-mail cave-obernai@cave-obernai.com r.-v.

RAYMOND RENCK 2004

0,3 ha	2 000	5 à 8 €

Située un peu à l'écart de la route des Vins, entre Riquewihr et Mittelwihr, la commune de Beblenheim, où est établie cette famille vigneronne, n'en occupe pas moins une position centrale dans le vignoble alsacien, et possède deux terroirs à grand cru, dont le Sonnenglanz, délimité dès les années 1930. Voici un pinot noir : rubis intense, ce 2004 présente un nez puissant, fruité, aux nuances vanillées. Franc à l'attaque, souple en bouche avec une pointe de sucre plutôt agréable, il ne s'éternise pas mais se montre plaisant. Il pourra accompagner une tarte flambée.

EARL Raymond Renck, 11, rue de Hoën, 68980 Beblenheim, tél. 03.89.47.91.59, fax 03.89.47.91.75 t.l.j. 9h-19h

Schillinger

EDMOND RENTZ Pièce de chêne 2004 *

0,9 ha	4 800	11 à 15 €

Créé en 1785, ce domaine familial s'est agrandi durant les deux siècles suivants pour atteindre aujourd'hui 20 ha, ce qui est loin d'être négligeable en Alsace. Il a son siège à Zellenberg, joli village perché sur un éperon à l'est de Riquewihr. Son pinot noir vieilli en pièce de chêne s'habille d'une robe grenat foncé et mêle au nez les fruits rouges et le cassis. Vif et tannique à l'attaque, il montre une belle expression et une persistance notable. Une bouteille pleine de promesses qui mérite d'attendre au moins deux ans en cave.

Edmond Rentz, 7, rte des Vins, 68340 Zellenberg, tél. 03.89.47.90.17, fax 03.89.47.97.27, e-mail info@edmondrentz.com t.l.j. sf dim. 8h-12h 14h-18h

PIERRE ET JEAN-PIERRE RIETSCH Les Quatre Éléments 2003 *

0,38 ha	2 350	15 à 23 €

Situé à flanc de coteau, Mittelbergheim est l'un des villages les plus pittoresques de la région de Barr. Il abrite nombre de maisons Renaissance comme celle des Rietsch, qui s'ouvre sur la rue par un porche et dont les parties les plus anciennes remontent à 1576. Le domaine a proposé un 2003 à la robe rubis intense montrant encore des reflets violets. Si ce pinot noir offre les notes de cerise caractéristiques du cépage, accompagnées de nuances mentholées, le boisé se fait jour dès l'attaque et domine la dégustation, donnant à l'ensemble un caractère plutôt austère. À attendre.

EARL Pierre et Jean-Pierre Rietsch, 32, rue Principale, 67140 Mittelbergheim, tél. 03.88.08.00.64, fax 03.88.08.40.91, e-mail rietsch@wanadoo.fr r.-v.

SCHEIDECKER 2004 **

0,15 ha	1 300	8 à 11 €

Cette exploitation familiale de 7 ha est installée à Mittelwihr, petite bourgade située sur la route des Vins non loin de Riquewihr. La commune bénéficie d'un microclimat favorable puisque l'un de ses terroirs les plus célèbres, le grand cru Mandelberg, se signale par sa précocité qui permet aux amandiers – et surtout au vignoble – d'y prospérer. Voici un rouge d'Alsace superbe dans le millésime 2004. D'un rouge intense et limpide, ce vin séduit par ses parfums de fruits rouges (cerise) bien mariés aux notes vanillées de l'élevage. On retrouve la cerise dans une attaque franche. Une belle souplesse ainsi qu'une finale longue et chaleureuse en font une bouteille remarquable que l'on peut déguster dès maintenant.

Philippe Scheidecker, 13, rue des Merles, 68630 Mittelwihr, tél. 03.89.49.01.29, fax 03.89.49.06.63 t.l.j. 8h-12h 13h30-19h

PAUL SCHERER 2004 ★

■ 0,5 ha 3 000 ▮ 5 à 8 €

Installé il y a une douzaine d'années, Didier Scherer exploite avec beaucoup de savoir-faire le domaine familial situé à Husseren-les-Châteaux, le plus haut perché des villages viticoles alsaciens. D'un grenat foncé brillant, son pinot noir libère de puissants parfums de cerise et de framboise. Frais à l'attaque, il est soutenu par une vivacité en harmonie avec le fruité de la cerise que l'on retrouve au palais. Des tanins serrés confortent sa structure et incitent à oublier cette bouteille quelque temps en cave.

EARL Paul Scherer et Fils, 40, rue Principale,
68420 Husseren-les-Châteaux, tél. 03.89.49.30.34,
fax 03.89.86.41.67 r.-v.

JEAN-PAUL SIMONIS 2004

■ 0,22 ha 2 200 5 à 8 €

Proche de Kaysersberg et de Colmar, Ammerschwihr est la commune viticole la plus importante du Haut-Rhin. Les Simonis y sont établis depuis le XVII[e]s. De couleur rubis clair, leur rouge d'Alsace mêle au nez des parfums dominants de cerise noire à des nuances de mûre et révèle en bouche des arômes de fruits rouges. Ses tanins demandent encore à s'arrondir : s'ils apparaissent déjà soyeux en milieu de bouche, ils font sentir leur présence à l'attaque et en finale.

EARL Jean-Paul Simonis et Fils,
1, rue des Chasseurs-Besombes-et-Brunet,
68770 Ammerschwihr, tél. et fax 03.89.47.13.51,
e-mail jmsimonis@cegetel.net
t.l.j. 8h-11h45 13h30-18h; dim. sur r.-v. D
Jean-Marc Simonis

J.M. SOHLER La Pièce de la chapelle 2003 ★★

■ 0,25 ha 1 990 8 à 11 €

Jean-Marie et Hervé Sohler exploitent leurs 9 ha de vignes autour de Blienschwiller, village viticole proche de Dambach-la-Ville. Très morcelé, leur domaine s'étend sur plusieurs terroirs qui sont vinifiés séparément dans leur cave de foudres et de barriques. Leur Pièce de la chapelle, vieillie dix-huit mois dans le bois, s'habille de rouge intense aux nuances plus sombres, cerise noire. Le nez d'abord discret libère à l'aération des notes de fruits rouges (cerise) d'une réelle élégance. Dès l'attaque, on perçoit la classe de ce vin équilibré, finement fruité, bien structuré, ample et chaleureux. Des tanins déjà arrondis marquent la longue finale. « À découvrir absolument » conclut un juré sous le charme. Dès maintenant si vous êtes impatient, ou dans deux à trois ans.

Jean-Marie et Hervé Sohler, 16, rue du Winzenberg,
67650 Blienschwiller, tél. 03.88.92.42.93
r.-v. E

STEINER Elsbourg 2004 ★

■ 0,25 ha 1 000 8 à 11 €

Établie à Herrlisheim, à quelques kilomètres au sud de Colmar, cette exploitation est installée dans des bâtiments de construction récente, au pied de la colline de l'Elsbourg. Ses pentes avaient donné un pinot noir exceptionnel l'an dernier. Le millésime 2004 reste de très bonne tenue, avec sa robe rubis intense à reflets violacés, ses arômes de cerise fermentée caractéristiques du cépage et accompagnés de touches mentholées, son attaque franche, son palais souple, gras et long.

Dom. Steiner, 11, rte du Vin,
68420 Herrlisheim-près-Colmar, tél. 03.89.49.30.70,
fax 03.89.49.29.67, e-mail steiner.vins@wanadoo.fr
t.l.j. sf dim. 8h-11h45 13h30-18h 3

JEAN-CHARLES VONVILLE Rouge d'Ottrott Stéphane 2004 ★★★

■ 1,5 ha 9 000 11 à 15 €

Les vins rouges de pinot noir ont fait la réputation d'Ottrott. Une tradition que perpétue avec talent ce domaine fondé en 1830, qui consacre aux vignes rouges la plus grande partie de sa superficie (7 sur 10,5 ha). Cette année, deux de ses cuvées ont obtenu la note maximale de trois étoiles. Ce 2004 s'habille d'une robe grenat profond. Le nez, exubérant, associe les fruits noirs (cassis) à un boisé vanillé légué par l'élevage. Tout aussi expressif avec ses arômes de mûre et de cerise, le palais est remarquablement charpenté grâce à des tanins serrés, déjà arrondis. La finale apparaît d'une rare longueur. Un vin d'exception, tout comme la **cuvée Tradition 2003 (8 à 11 €)** élevée elle aussi sous bois : sa robe montrant encore des reflets violets, ses arômes de griotte et de fruits noirs légèrement fumés, réglissés et épicés au palais, sa bouche ronde, charnue, charpentée et longue aux tanins fondus qui assureront une belle longévité font de ce vin un représentant hors normes du millésime de la canicule.

Jean-Charles Vonville, 4, pl. des Tilleuls,
67530 Ottrott, tél. 03.88.95.80.25, fax 03.88.95.96.40,
e-mail earl.vonville@wanadoo.fr r.-v.

CH. WAGENBOURG Élevé en fût de chêne 2003 ★★

■ 0,32 ha 2 100 5 à 8 €

Une famille vigneronne au service du vin depuis quatre siècles, installée voici un siècle dans un château vieux de cinq siècles – le seul à subsister sur les sept que comptait le village de Soultzmatt. Voilà pour l'ancrage dans le passé cher à l'Alsace viticole. Le vin ? Excellent : grenat foncé, expressif avec ses parfums de cassis – que l'on retrouve en bouche associés à des arômes de griotte –, harmonieux à l'attaque, riche, velouté et long. Autant de qualités qui révèlent une grande matière et qui laissent augurer une bonne garde.

Joseph et Jacky Klein, Ch. Wagenbourg,
25 A, rue de la Vallée, 68570 Soultzmatt,
tél. 03.89.47.01.41, fax 03.89.47.65.61
t.l.j. sf dim. 8h-12h 13h30-18h C

DOM. DU WINDMUEHL Rouge de Saint-Hippolyte Élevé en barrique 2003 ★

■ 0,8 ha 3 000 8 à 11 €

Implanté à Saint-Hippolyte, ce domaine élabore évidemment des vins de pinot noir, cépage qui fait la fierté de cette commune veillée par le Haut-Kœnigsbourg. Né sur un terroir argilo-granitique, ce 2003 grenat foncé possède un nez expressif où la cerise fermentée se nuance de la vanille de l'élevage. Encore plus ouvert en bouche, il associe le cassis et la mûre aux fruits rouges et séduit par son équilibre, ses tanins fondus et sa longueur. Il donnera toute sa mesure d'ici deux ans.

Claude Bléger, Dom. du Windmuehl, 92, rte du Vin,
68590 Saint-Hippolyte, tél. 03.89.73.00.21,
fax 03.89.73.04.22,
e-mail vins.bleger.claude@wanadoo.fr
r.-v. 3 D

ZEYSSOLFF Cuvée Z 2004 ★★★

■ 0,15 ha n.c. 15 à 23 €

Ce domaine familial exploite avec une grande compétence ses 8 ha de vignes à Gertwiller, village situé au nord-est de Barr : après un coup de cœur l'an dernier pour cette même cuvée, il renouvelle l'exploit dans ce millésime, avec une étoile supplémentaire ! Ce vin affiche une robe d'un grenat presque noir aux reflets violets. A-t-il emprunté aux fabricants de pain d'épice de la commune ses notes poivrées qui viennent rehausser le fruité de la cerise et de la mûre dans un nez de toute beauté ? Des tanins déjà assouplis font une bouche tout en dentelle, d'un parfait équilibre, pas trop capiteuse. On retrouve les nuances exquises de fruits rouges et la touche épicée dans une finale longue et élégante. Une grande matière.

G. Zeyssolff, 156, rte de Strasbourg,
67140 Gertwiller, tél. 03.88.08.90.08,
fax 03.88.08.91.60, e-mail yvan.zeyssolff@wanadoo.fr
r.-v.

Alsace grand cru

Dans le but de promouvoir les meilleures situations du vignoble, un décret de 1975 a institué l'appellation « alsace grand cru », liée à un certain nombre de contraintes plus rigoureuses en matière de rendement et de teneur en sucre. Une appellation réservée au gewurztraminer, au pinot gris, au riesling et au muscat, jusqu'au décret de mars 2005 qui autorise l'introduction du sylvaner, en assemblage avec le gewurztraminer, le pinot gris et le riesling dans le grand cru altenberg-de-bergheim, et en remplacement du muscat dans le grand cru zotzenberg. Les terroirs délimités produisent le *nec plus ultra* des vins d'Alsace.

En 1983, un décret définit un premier groupe de 25 lieux-dits admis dans cette appellation. Il a été complété par deux nouveaux décrets de 1992 et 2001. Le vignoble d'Alsace compte ainsi officiellement 50 grands crus, répartis sur 47 communes et dont les surfaces sont comprises entre 3,23 ha et 80,28 ha, en raison du principe d'homogénéité géologique propre aux grands crus. La production de ces grands crus reste modeste : 41 268 hl ont été déclarés pour le millésime 2005 sur une superficie de 750 ha.

Les disciplines nouvelles, depuis 2001, concernent l'élévation à 11 % vol. du degré minimum des rieslings et des muscats, et à 12,5 % vol. de celui des pinots gris et des gewurztraminers, la codification des règles de conduite de la vigne (densité de plantation, treille), ainsi que la responsabilisation de chacun des 50 syndicats de cru.

Notez qu'à l'heure où nous mettons sous presse il est fortement question de reconnaître le kaefferkopf en grand cru.

Alsace grand cru altenberg-de-bergbieten

FRÉDÉRIC MOCHEL Muscat 2004

0,3 ha 1 500 11 à 15 €

Cette propriété familiale a son siège à Traenheim, village situé à une dizaine de kilomètres à l'ouest de Strasbourg. Fondée au XVIIes., elle a gardé un pressoir de cette époque. Elle est conduite en lutte intégrée par Frédéric Mochel, rejoint en 2001 par son fils. Sur ses 10 ha, la moitié s'étend dans le grand cru Altenberg de Bergbieten. Comme l'an dernier, c'est un muscat qui a été retenu. D'un jaune d'or brillant, ce 2004 présente un nez très fin caractéristique du cépage. Franc et frais à l'attaque, il est puissant et fruité, avec une finale agréable et assez persistante. (Sucres résiduels : 8 g/l.)

Frédéric Mochel, 56, rue Principale,
67310 Traenheim, tél. 03.88.50.38.67,
fax 03.88.50.56.19, e-mail infos@mochel.net
r.-v.

MOCHEL-LORENTZ Gewurztraminer 2004

0,25 ha 2 090 8 à 11 €

Ici, on exploite la vigne de père en fils depuis 1634. Le domaine s'étend aujourd'hui sur plus de 14 ha, avec des parcelles en Altenberg de Bergbieten. Les sols argilo-marneux gypsifères aérés par un cailloutis important sont à l'origine de ce gewurztraminer jaune d'or brillant, au nez encore fermé mais prometteur. Présent en bouche, ce 2004 est frais, assez puissant et bien équilibré. (Sucres résiduels : 20 g/l.)

Mochel-Lorentz, 19, rue Principale,
67310 Traenheim, tél. 03.88.50.38.17,
fax 03.88.50.59.18, e-mail plorentz@mochel-lorentz.com
t.l.j. sf dim. 8h-11h30 13h-18h

DOM. ROLAND SCHMITT
Riesling Cuvée Roland 2004

0,56 ha 3 700 11 à 15 €

À Bergbieten, on a découvert un trésor de monnaies médiévales. Mais le trésor de cette région des coteaux de la Mossig, c'est bien son grand cru Altenberg de Bergbieten. Installée à Bergbieten même, la famille Schmitt exploite plus de 9 ha en agriculture biologique. Elle

propose un riesling jaune-vert brillant, mêlant au nez des senteurs de grillé et de citron assorties de nuances minérales, arômes que l'on retrouve en bouche. Bien structuré autour d'une attaque vive, ce 2004 est gras et doté d'une longue finale sur les agrumes. (Sucres résiduels : 8 g/l.)
Dom. Roland Schmitt, 35, rue des Vosges, 67310 Bergbieten, tél. 03.88.38.20.72, fax 03.88.38.75.84, e-mail rschmitt@terre-net.fr
r.-v.
Anne-Marie Schmitt et Fils

Alsace grand cru altenberg-de-bergheim

LORENTZ Riesling 2004

5,5 ha 15 000 11 à 15 €

Établie depuis deux siècles et demi à Bergheim, la maison Lorentz dispose en propre de 32 ha de vignes, notamment en grand cru. De couleur jaune à reflets dorés, son riesling de l'Altenberg ajoute au fruité du cépage d'agréables parfums de verveine et de bouillon blanc. C'est un vin solide, plein de mâche et bien sec, qui s'accordera avec la choucroute et les produits de la mer. (Sucres résiduels : 6 g/l.)
Gustave Lorentz, 91, rue des Vignerons, 68750 Bergheim, tél. 03.89.73.22.22, fax 03.89.73.30.49, e-mail info@gustavelorentz.com
t.l.j. sf dim. 10h-12h 14h-18h30

Alsace grand cru brand

ALBERT BOXLER Pinot gris 2004 ★★★

n.c. n.c. 15 à 23 €

Ce n'est pas la première fois que cette exploitation se distingue : ses vignes en grand cru lui ont valu déjà trois coups de cœur. Ce pinot gris doré soutenu se place parmi les grands. Sa palette aromatique revêt une belle complexité, mêlant les notes fumées caractéristiques du cépage, les touches miellées et abricotées de la surmaturité, des senteurs florales et ces notes minérales dans lesquelles les dégustateurs reconnaissent l'empreinte d'un terroir granitique. Frais à l'attaque, ample, rond, bien structuré, remarquablement équilibré et persistant, ce 2004 peut être savouré dès maintenant mais il charmera pendant de nombreuses années. (Sucres résiduels : 35 g/l.)
Albert Boxler, 78, rue des Trois-Épis, 68230 Niedermorschwihr, tél. 03.89.27.11.32, fax 03.89.27.70.14
t.l.j. sf dim. 8h30-12h 13h30-18h30

PAUL BUECHER Tokay-pinot gris 2004

0,65 ha 3 000 11 à 15 €

Établie de longue date à Wettolsheim, village viticole jouxtant Colmar au sud-ouest, la famille Buecher dispose d'un important domaine (28 ha) aux terroirs variés. Elle met notamment en valeur le grand cru Brand de Turckheim, tirant de ce coteau exposé plein sud des cuvées très souvent mentionnées dans le Guide. On retrouve cette année encore un pinot gris. Jaune soutenu aux reflets vieil or, ce 2004 est marqué au nez comme en bouche par la surmaturité : on y trouve du coing, de la pâte de fruits et, au palais, des fruits confits et du miel. S'il n'est pas des plus longs, il s'impose dès l'attaque par sa puissance, sa richesse et sa générosité. (Sucres résiduels : 29,3 g/l.)
Paul Buecher et Fils, 15, rue Sainte-Gertrude, 68920 Wettolsheim, tél. 03.89.80.64.73, fax 03.89.80.58.62, e-mail vins@paul-buecher.com
t.l.j. sf dim. 9h-12h 14h-18h

ARMAND HURST Riesling Cuvée de nos 50 ans 2004

0,6 ha 4 000 11 à 15 €

Ce vigneron, négociant à Turckheim, exploite en propre plus de 9 ha de vignes. Il contribue naturellement à mettre en valeur le grand cru Brand, fleuron viticole de la commune dominant l'entrée de la vallée de Munster. Cette terre ardente (Brand) de granite exposée plein sud est à l'origine de ce riesling marqué par la jeunesse. Jaune pâle aux brillants reflets verts, ce 2004 exprime au nez une minéralité naissante. Équilibré, croquant, de structure assez fine et sans excès d'alcool, c'est un vin facile d'accès. (Sucres résiduels : 8 g/l.)
Armand Hurst, 8, rue de la Chapelle, BP 46, 68230 Turckheim, tél. 03.89.27.40.22, fax 03.89.27.47.67, e-mail vinsahurst@wanadoo.fr
r.-v.

Alsace grand cru bruderthal

ROBERT KLINGENFUS Pinot gris 2004

0,63 ha 2 500 11 à 15 €

La renommée de Molsheim tient beaucoup à ses usines Bugatti. La sous-préfecture proche de Strasbourg perpétue également une tradition viticole fort ancienne. La présence d'un grand cru recherché, le Bruderthal, aux sols marno-calcaires reposant sur un substrat calcaire, a certainement contribué à cette permanence. La famille Klingenfus, qui fournissait Ettore Bugatti en vins, propose aujourd'hui un pinot gris jaune clair limpide. Fruité au premier nez, ce 2004 libère ensuite les notes fumées caractéristiques du cépage que l'on retrouve en finale. Gras à l'attaque, il dévoile une matière ample et onctueuse, encore dominée par la douceur. À essayer à l'apéritif sur des toasts au foie gras. (Sucres résiduels : 25 g/l.)
Robert Klingenfus, 60, rue de Saverne, 67120 Molsheim, tél. 03.88.38.07.06, e-mail alsace-klingenfus@wanadoo.fr r.-v.

LES CINQUANTE GRANDS

Grands crus	Communes	Surface délimitée (ha)
Altenberg-de-bergbieten	Bergbieten (67)	30
Altenberg-de-bergheim	Bergheim (68)	35
Altenberg-de-wolxheim	Wolxheim (67)	31
Brand	Turckheim (68)	58
Bruderthal	Molsheim (67)	18
Eichberg	Eguisheim (68)	57
Engelberg	Dahlenheim, Scharrachbergheim (67)	14
Florimont	Ingersheim, Katzenthal (68)	21
Frankstein	Dambach-la-Ville (67)	56
Froehn	Zellenberg (68)	14
Furstentum	Kientzheim, Sigolsheim (68)	30
Geisberg	Ribeauvillé (68)	8
Gloeckelberg	Rodern, Saint-Hippolyte (68)	23
Goldert	Gueberschwihr (68)	45
Hatschbourg	Hattstatt, Voegtlinshoffen (68)	47
Hengst	Wintzenheim (68)	76
Kanzlerberg	Bergheim (68)	3
Kastelberg	Andlau (67)	6
Kessler	Guebwiller (68)	28
Kirchberg-de-barr	Barr (67)	40
Kirchberg-de-ribeauvillé	Ribeauvillé (68)	11
Kitterlé	Guebwiller (68)	25
Mambourg	Sigolsheim (68)	62
Mandelberg	Mittelwihr, Beblenheim (68)	22
Marckrain	Bennwihr, Sigolsheim (68)	53
Moenchberg	Andlau, Eichhoffen (67)	12
Muenchberg	Nothalten (67)	18
Ollwiller	Wuenheim (68)	36
Osterberg	Ribeauvillé (68)	24
Pfersigberg	Eguisheim, Wettolsheim (68)	74
Pfingstberg	Orschwihr (68)	28
Praelatenberg	Kintzheim (67)	18
Rangen	Thann, Vieux-Thann (68)	19
Rosacker	Hunawihr (68)	26
Saering	Guebwiller (68)	27
Schlossberg	Kientzheim (68)	80
Schoenenbourg	Riquewihr, Zellenberg (68)	53
Sommerberg	Niedermorschwihr, Katzenthal (68)	28
Sonnenglanz	Beblenheim (68)	33
Spiegel	Bergholtz, Guebwiller (68)	18
Sporen	Riquewihr (68)	23
Steinert	Pfaffenheim, Westhalten (68)	38
Steingrubler	Wettolsheim (68)	23
Steinklotz	Marlenheim (67)	40
Vorbourg	Rouffach, Westhalten (68)	72
Wiebelsberg	Andlau (67)	12
Wineck-schlossberg	Katzenthal, Ammerschwihr (68)	27
Winzenberg	Blienschwiller (67)	19
Zinnkoepflé	Soultzmatt, Westhalten (68)	68
Zotzenberg	Mittelbergheim (67)	36

CRUS ALSACIENS

Exposition	Sols	Cépages de prédilection
S.-E.	Marnes dolomitiques du keuper	Riesling, gewurztraminer
S.	Sols marno-calcaires caillouteux d'origine jurassique	Gewurztraminer
S.–S.-O.	Terroir du lias, marno-calcaires riches en cailloutis	Riesling
S.	Granite	Riesling, gewurztraminer
S.-E.	Marno-calcaires caillouteux du muschelkalk	Riesling, gewurztraminer
S.-E.	Marnes mêlées de cailloutis calcaires ou siliceux	Gewurztraminer puis riesling, pinot gris
S.	Calcaires du muschelkalk	Gewurztraminer
S. et E.	Marno-calcaires recouverts d'éboulis calcaires du bathonien et du bajocien	Gewurztraminer puis riesling
S.-E.	Arènes granitiques	Riesling
S.	Marnes schisteuses	Gewurztraminer
S.	Sols bruns calcaires caillouteux	Gewurztraminer puis riesling
S.	Marnes dolomitiques du muschelkalk	Riesling
S.-E.	Sols bruns à dominante sableuse de grès vosgien	Gewurztraminer, pinot gris
E.	Marnes riches en cailloutis calcaires	Gewurztraminer
S.-E	Marnes	Gewurztraminer, pinot gris, muscat
S.-E.	Marno-calcaires oligocènes	Gewurztraminer, pinot gris
S. et S.-O.	Marno-calcaires	Riesling, gewurztraminer
S.	Schistes caillouteux	Riesling
S.-E.	Sable de grès rose et matrice argileuse	Gewurztraminer
S.	Calcaires du jurassique moyen	Gewurztraminer, riesling, pinot gris
S.–S.-O.	Marnes dolomitiques	Riesling
S.-O.	Grès	Riesling
S.	Marno-calcaires	Gewurztraminer
S.–S.-E.	Marno-calcaires oligocènes	Riesling, gewurztraminer
E.	Marno-calcaire	Gewurztraminer
S.	Sols limono-sableux du quaternaire	Riesling
S.	Terroirs sablonneux du permien	Riesling
S.–S.-E.	Marnes caillouteuses	Riesling
E.–S.-E.	Sols triasiques assez marneux	Gewurztraminer puis riesling
S.-E.	Sols caillouteux calcaires de l'oligocène	Gewurztraminer puis riesling
S.-E.	Grès et calcaires du buntsandstein et du muschelkalk	Riesling
E.–S.-E.	Sables gneissiques	Riesling
S.	Sols volcaniques	Pinot gris, riesling
E.–S.-E.	Marnes et calcaires du muschelkalk	Riesling
S.-E.	Sols marno-sableux avec cailloutis	Riesling
S.	Arènes granitiques	Riesling
S. et S.-E.	Marnes du keuper recouvertes de calcaires coquilliers	Riesling
S.	Arènes granitiques	Riesling
S.-E.	Conglomérats et marnes de l'oligocène	Gewurztraminer, pinot gris
E.	Marnes de l'oligocène et sables gréseux du trias	Gewurztraminer
S.-E.	Sols marneux du lias	Gewurztraminer
E.	Cailloutis calcaires oolithiques	Gewurztraminer, pinot gris
S.	Marnes oligocènes	Gewurztraminer, riesling, pinot gris
S.	Marnes recouvertes d'éboulis calcaires du muschelkalk	Riesling, gewurztraminer
S.–S.-E.	Marno-calcaires	Gewurztraminer, puis riesling, pinot gris
S.	Sables gréseux triasiques	Riesling
S. et S.-E.	Granite	Riesling
S.–S.-E.	Arènes granitiques	Riesling
S.	Terroir calcaro-gréseux	Gewurztraminer
S.	Calcaires jurassiques et conglomérats marno-calcaires de l'oligocène	Riesling

GÉRARD NEUMEYER Tokay-pinot gris 2004 ★★

n.c. 5 700 11 à 15 €

Cette importante exploitation (16 ha) a son siège tout près du musée Bugatti. Elle produit d'excellents vins du Bruderthal, cette « montagne des Frères » dominant Molsheim et qui tire son nom du monastère cistercien qui la mettait autrefois en valeur. Son pinot gris a une fois de plus bénéficié de l'exposition sud-est de ce coteau. La robe jaune d'or brillant annonce un nez intense et complexe de fruits surmûris, avec des nuances d'abricot et de coing. Ce dernier se mêle en bouche à des arômes de fruits confits. Franc à l'attaque, ce vin affiche un remarquable équilibre. Sa longue finale est soulignée d'une belle acidité qui lui confère beaucoup d'élégance. Pour un foie gras poêlé aux pommes. (Sucres résiduels : 48 g/l.)

Dom. Gérard Neumeyer, 29, rue Ettore-Bugatti, 67120 Molsheim, tél. 03.88.38.12.45, fax 03.88.38.11.27, e-mail domaine.neumeyer@wanadoo.fr

t.l.j. sf dim. 9h-12h 14h-19h

Alsace grand cru eichberg

CHARLES BAUR Riesling 2004 ★

0,4 ha 2 600 11 à 15 €

Armand Baur conduit depuis 1980 la propriété familiale, constituée au milieu du XVIII[e]s. Il dispose d'une cave de cette époque et de locaux modernes. Son vignoble de 14 ha comprend des parcelles dans les deux grands crus d'Eguisheim, notamment dans l'Eichberg, terroir argilo-calcaire aéré par un important cailloutis dont il tire régulièrement des vins intéressants comme ce 2004. La robe jaune étincelante de reflets dorés annonce des parfums de surmaturation (ananas bien mûr et abricot sec). Bien structuré et rond, le palais est dominé par des sucres qui demandent à se fondre ; la longue finale soutenue par une fine acidité laisse espérer une bonne longévité. Ce riesling devrait bien s'entendre avec une spécialité sucrée-salée de poisson cuisiné à l'asiatique. (Sucres résiduels : 12 g/l.)

Dom. Charles Baur, 29, Grand-Rue, 68420 Eguisheim, tél. 03.89.41.32.49, fax 03.89.41.55.79, e-mail cave@vinscharlesbaur.fr

t.l.j. 9h-12h 14h-18h

Armand Baur

HENRI BRECHT Pinot gris 2004

0,4 ha 2 600 8 à 11 €

Eguisheim est souvent considérée comme le berceau du vin d'Alsace. La cité médiévale est en effet une commune viticole de première importance dans laquelle voisinent le négoce, la coopérative et des vignerons metteurs en marché comme Henri Brecht, à la tête de 5 ha de vignes. Ce dernier propose un pinot gris jaune aux reflets verts et au nez discret, mêlant le fumé du cépage à des touches animales. Frais et fruité à l'attaque, ce 2004 dévoile un corps puissant. La finale renoue avec les arômes fumés, relevés de notes de poivre. (Sucres résiduels : 22 g/l.)

Henri Brecht, 4, rue du Vignoble, 68420 Eguisheim, tél. 03.89.41.96.34, fax 03.89.24.45.29 r.-v.

PAUL GASCHY Riesling 2004 ★

0,45 ha 2 500 8 à 11 €

Originaire de Wettolsheim, Paul Gaschy a créé dans les années 1930 son domaine, à quelques kilomètres plus au sud, à Eguisheim. Installés à la porte de la cité médiévale, son fils et son petit-fils exploitent quelque 8 ha de vignes, notamment dans le grand cru Eichberg. Ce terroir marno-calcaire s'étendant au pied des trois châteaux d'Eguisheim est exposé au sud-est. Une situation excellente pour les vins de garde qui commencent le plus souvent à s'exprimer après deux à trois ans. C'est le cas de ce 2004, légèrement floral au nez (chèvrefeuille), fruité en bouche, marqué à l'attaque par des notes de papaye et des nuances de citron vert qui soulignent sa fraîcheur et que l'on retrouve en finale. Ce jeune riesling pourra être apprécié dès maintenant. Pourquoi pas avec du chèvre ? (Sucres résiduels : 12 g/l.)

Maison Paul Gaschy, 16, Grand-Rue, 68420 Eguisheim, tél. 03.89.41.67.34, fax 03.89.24.33.12

r.-v. G

PAUL GINGLINGER Riesling 2004 ★

0,25 ha 2 000 11 à 15 €

Michel Ginglinger, fils de Paul, a repris en 2002 ce domaine créé au XVII[e]s. Il met en valeur 12 ha, notamment cette parcelle, jadis possession de l'abbaye de Marbach, dont le fondateur se flattait d'avoir établi son monastère dans la région la plus ensoleillée d'Alsace. Les rayons du sud-est ont présidé à la naissance de ce riesling jaune à reflets dorés, au nez de citron vert nuancé de menthe. Complexe au palais, ce 2004 gras et ample est encore marqué par les sucres résiduels, mais ceux-ci devraient bientôt se fondre. On retrouve la menthe poivrée dans une longue finale. Un ensemble élégant. (Sucres résiduels : 12 g/l.)

Paul Ginglinger, 8, pl. Charles-de-Gaulle, 68420 Eguisheim, tél. 03.89.41.44.25, fax 03.89.24.94.88, e-mail info@paul-ginglinger.fr

t.l.j. sf dim. 8h-12h 14h-18h

Michel Ginglinger

HAUSHERR Gewurztraminer 2004 ★

0,7 ha 5 369 11 à 15 €

Située à 500 m du centre historique d'Eguisheim, cette exploitation n'a recommencé à vinifier qu'en 2000, après son départ de la cave coopérative locale à laquelle elle avait adhéré en 1951. Ses quelque 5 ha de vignes sont conduits en lutte intégrée. Une parcelle en grand cru Eichberg est à l'origine de ce gewurztraminer jaune d'or étincelant de reflets vieil or. Très ouvert au nez, ce 2004 associe la mangue et des notes minérales. Franc à l'attaque, il dévoile une belle fraîcheur en équilibre avec la douceur. Une pointe d'amertume agréable marque la finale aux arômes de litchi. (Sucres résiduels : 30 g/l.)

Hubert et Heidi Hausherr, 6B, rue Pasteur, 68420 Eguisheim, tél. et fax 03.89.23.40.67, e-mail hubert-et-heidi.hausherr@wanadoo.fr

r.-v. B

CHRISTIAN ET VÉRONIQUE HÉBINGER Gewurztraminer Sélection de grains nobles 2002 ★★

0,43 ha 2 000 23 à 30 €

Christian et Véronique Hébinger exploitent depuis une vingtaine d'années la propriété familiale qui s'étend sur 9,50 ha. Après avoir brillé en rouge, avec un superbe pinot noir 2003, coup de cœur de l'édition précédente, ils ont présenté une sélection de grains nobles qui offre tout ce que l'on attend d'un vin liquoreux : une robe jaune d'or soutenu bien brillante, un nez franc et floral (rose) et réglissé, une rare puissance, de l'ampleur, un remarquable équilibre ménagé par une arête acide bienvenue et enfin une longue et délicate finale épicée. (Sucres résiduels : 99 g/l.)

Christian et Véronique Hébinger, 14, Grand-Rue, 68420 Eguisheim, tél. 03.89.41.19.90, fax 03.89.41.15.61, e-mail hebinger.christian@wanadoo.fr
t.l.j. sf dim. 8h-12h 14h-18h

FRANCOIS LIPP Pinot gris 2004 *

0,18 ha 1 500 5 à 8 €

Village haut perché, Husseren-les-Châteaux domine tout son vignoble et la plaine d'Alsace. François Lipp exploite aux environs un domaine de 7,50 ha fondé par ses ancêtres en 1825. Le nom est connu : la propriété fournit en vins d'Alsace la célèbre brasserie du même nom établie sur le boulevard Saint-Germain à Paris. De couleur jaune d'or, son pinot gris de l'Eichberg retient l'attention par son nez intense et complexe sur le fruit confit. Franc à l'attaque, il est à la fois rond, ample et puissant. Portée par une belle fraîcheur, la finale renoue avec les fruits confits. Un vin bien né, à servir à l'apéritif ou sur du veau en sauce. (Sucres résiduels : 29 g/l.)

François Lipp et Fils, 6, rte du Vin, 68420 Husseren-les-Châteaux, tél. 03.89.49.30.37, fax 03.89.49.32.23, e-mail lipp-francois-etfils@wanadoo.fr r.-v.

PAUL SCHERER Gewurztraminer 2004 *

0,28 ha 2 000 11 à 15 €

Représentant la cinquième génération sur le domaine familial, Didier Scherer, installé en 1994, a su exprimer dans ce gewurztraminer toutes les potentialités de l'Eichberg, grand cru marno-calcaire particulièrement favorable à ce cépage. Jaune paille aux brillants reflets dorés, ce 2004 se montre expressif au nez, où des notes minérales s'associent à des épices. Épices que l'on retrouve en bouche, avec des arômes de litchi mis en valeur par une attaque franche. Marqué par la rondeur, ce vin affiche aussi une grande puissance dans sa finale longue et harmonieuse. (Sucres résiduels : 22 g/l.)

EARL Paul Scherer et Fils, 40, rue Principale, 68420 Husseren-les-Châteaux, tél. 03.89.49.30.34, fax 03.89.86.41.67 r.-v.

STINTZI Tokay-pinot gris 2004 *

0,34 ha 2 500 8 à 11 €

Établi à Husseren-les-Châteaux, Olivier Stintzi a pris en 2004 les rênes de la propriété familiale. Il possède, en contrebas de son village, une vigne en grand cru Eichberg sur un sol de conglomérats marno-calcaires et d'éboulis de galets de grès, qui est à l'origine de cet agréable 2004. De couleur paille, ce vin libère d'intenses parfums de fruits jaunes (pêche et abricot). Agrumes confits et fruits secs dominent la palette aromatique dans un palais équilibré, ample et puissant. La finale longue et fine est soulignée d'une pointe de vivacité très appréciée. (Sucres résiduels : 28 g/l.)

Gérard Stintzi et Fils, 29, rue Principale, 68420 Husseren-les-Châteaux, tél. 03.89.49.30.10, fax 03.89.49.34.99, e-mail gerard.stintzi@wanadoo.fr
t.l.j. sf dim. 10h-12h 14h-18h

ANTOINE STOFFEL Gewurztraminer 2004 *

0,2 ha 1 200 5 à 8 €

La parcelle appelée Scheckenrod, où ce gewurztraminer a été récolté le 24 octobre 2004 après avoir mûri sur un sol riche en cailloutis, fait partie du grand cru Eichberg. Elle a donné naissance à un vin jaune intense aux reflets dorés et au nez expressif évoluant des épices fines à une minéralité élégante. Un peu perlant à l'attaque, le corps est puissant. Un retour épicé marque la finale chaleureuse et longue. (Sucres résiduels : 14 g/l.)

Antoine Stoffel, 21, rue de Colmar, 68420 Eguisheim, tél. 03.89.41.32.03, fax 03.89.24.92.07, e-mail domaine@antoinestoffel.com
t.l.j. sf dim. 8h-12h 14h-18h

PAUL ZINCK Gewurztraminer 2004

0,8 ha 4 000 11 à 15 €

Les ancêtres de Paul Zinck ont vinifié pour la première fois il y a deux cents ans, mais la mise en bouteilles à la propriété a débuté il y a cinquante ans seulement. À présent, l'exploitation, dirigée par Philippe Paul Zinck depuis 1998, mise largement sur le tourisme avec la création ces dernières années d'une boutique et d'un restaurant. Du grand cru Eichberg, ce dernier a tiré un gewurztraminer jaune paille brillant au nez bien ouvert sur des notes épicées, avec une pointe minérale. Souple à l'attaque, ce 2004 dévoile ensuite une certaine fraîcheur. Très ronde, la finale développe des arômes persistants de litchi. À essayer avec une tarte aux fruits exotiques. (Sucres résiduels : 20 g/l.)

Philippe Paul Zinck, 18, rue des Trois-Châteaux, 68420 Eguisheim, tél. 03.89.41.19.11, fax 03.89.24.12.85, e-mail info@zinck.fr r.-v.

Alsace grand cru engelberg

DOM. PFISTER Riesling 2004 **

0,58 ha 3 800 11 à 15 €

Strasbourg a son vignoble dans les villages de la « Couronne d'or » les plus proches de la capitale régionale. Les Pfister y exploitent 9 ha de vignes, dont une parcelle dans le grand cru Engelberg, sur les pentes de la colline du Scharrach. Sur ce terroir marno-calcaire caillouteux et d'expostition plein sud, le riesling acquiert de superbes expressions. Voyez ce 2004, jaune aux reflets verts, et véritable panier d'agrumes : citron et pamplemousse rose au nez, les mêmes arômes de fruits bien mûrs en bouche avec des citrons verts et du kiwi en finale. Le tout dans un palais croquant, équilibré, fondu, harmonieux et tout en finesse. « Voilà du riesling ! », conclut un dégustateur, qui ajoute « caractéristique d'un terroir de marne ». Bien vu ! Le conseil du sommelier ? Dos de cabillaud sauce agrumes. (Sucres résiduels : 7 g/l.)

André Pfister, 53, rue Principale,
67310 Dahlenheim, tél. 03.88.50.66.32,
fax 03.88.50.67.49, e-mail andre.pfister@evc.net
t.l.j. sf dim. 8h-12h 13h30-19h

Alsace grand cru florimont

FRANÇOIS BOHN Gewurztraminer 2004 **

0,6 ha 1 800 11 à 15 €

Installé en 1992 sur son vignoble de 7 ha proche de Colmar, François Bohn ne met ses vins en bouteilles que depuis 1998, et pourtant sa production se détache – une fois de plus – du lot : après un riesling du Sommerberg, coup de cœur l'an dernier, il se distingue grâce à ce gewurztraminer du Florimont, terroir marno-calcaire fort propice à ce cépage. Jaune d'or étincelant de reflets blancs, ce 2004 exprime un fruité de mirabelle surmûri accompagné d'une élégante note épicée. De savoureuses notes de mangue et de litchi viennent compléter cette palette dans un palais gras et riche mais bien équilibré grâce à une pointe de fraîcheur en finale. (Sucres résiduels : 40 g/l.) Le domaine a présenté aussi un jeune **riesling grand cru Florimont 2004 (8 à 11 €)**, fruité et floral, marqué en finale par les sucres résiduels (17 g/l.) et qui sera à son optimum dans deux ou trois ans. Il est cité.

François Bohn, 24, lieu-dit Langematten,
68040 Ingersheim, tél. et fax 03.89.27.31.27 r.-v.

RENÉ MEYER Gewurztraminer 2004 **

0,35 ha 2 200 11 à 15 €

Dirigé depuis 1999 par Jean-Paul Meyer, ce domaine familial ne manque pas d'atouts : un vignoble de plus de 9 ha avec des parcelles en grand cru, une cave dotée de foudres anciens – certains de plus de deux cents ans – et un réel savoir-faire, à en juger par les étoiles qui distinguent régulièrement sa production, notamment celle du Florimont. Jaune d'or à reflets platine, ce 2004 libère des parfums de mangue assortis de nuances minérales. L'attaque ronde dévoile une belle matière, onctueuse, chaleureuse et équilibrée par de la fraîcheur. Un fruité exotique complexe (de nouveau la mangue, avec du litchi) marque la longue finale. De la puissance et de l'avenir. (Sucres résiduels : 45 g/l.)

EARL Dom. René Meyer et Fils, 14, Grand-Rue,
68230 Katzenthal, tél. 03.89.27.04.67,
fax 03.89.27.50.59,
e-mail domaine.renemeyer@wanadoo.fr r.-v.
Jean-Paul Meyer

Alsace grand cru frankstein

YVETTE ET MICHEL BECK-HARTWEG
Riesling 2004

0,3 ha 2 200 8 à 11 €

Cette petite propriété familiale (5,2 ha) a son siège au cœur du pittoresque village fortifié de Dambach-la-Ville, où l'on trouve des Beck, vignerons ou cuvetiers, dès le XVI[e]s. Dans une cave du XVIII[e]s., vous pourrez découvrir ce riesling jaune à reflets verts, très séducteur au nez, avec ses parfums de fruits frais et une minéralité naissante. Un peu fugace, ce 2004 n'en est pas moins équilibré, assez puissant et offre de croquants arômes de raisin. (Sucres résiduels : 6 g/l.)

Yvette et Michel Beck-Hartweg, 5, rue Clemenceau,
67650 Dambach-la-Ville, tél. 03.88.92.40.20,
fax 03.88.92.63.44, e-mail beckhartweg@tiscali.fr
t.l.j. 9h-19h

W. GISSELBRECHT Riesling 2004 *

1,2 ha 9 600 5 à 8 €

Dambach-la-Ville a gardé son apparence médiévale avec son rempart presque continu et ses trois tours d'entrée (la quatrième a disparu). C'est le village où l'on trouve le plus de vignerons indépendants. Cette maison, gérée depuis 1995 par la jeune génération, associe une affaire de négoce et un vignoble de 17 ha. Son riesling du Frankstein affiche une robe d'un jaune lumineux et s'ouvre sur une belle minéralité accompagnée de nuances d'agrumes. Au palais, il est dominé par une vivacité citronnée. Riche, droit, assez ample et rond, il offre une finale épicée. De la personnalité, de la jeunesse et du potentiel. (Sucres résiduels : 9 g/l.)

Willy Gisselbrecht et Fils, 5, rte du Vin,
67650 Dambach-la-Ville, tél. 03.88.92.41.02,
fax 03.88.92.45.50, e-mail info@vins-gisselbrecht.com
r.-v.

KIRSCHNER Riesling 2004

0,25 ha 1 700 8 à 11 €

Installée dans des bâtiments à colombage du XVIII[e]s., la famille Kirschner vend son vin depuis le début du XIX[e]s. ; elle a gardé une étiquette de 1825. Elle possède une parcelle dans le Frankstein, terroir d'arènes granitiques fort propice au riesling. Jaune aux reflets légèrement cuivrés, ce 2004 livre généreusement au nez des brassées de fleurs printanières. La bouche est riche, flatteuse et montre une minéralité typique de ce grand cru. (Sucres résiduels : 8 g/l.)

GAEC Kirschner, 26, rue Théophile-Bader,
67650 Dambach-la-Ville, tél. 03.88.92.40.55,
fax 03.88.92.62.54, e-mail kirschner.pierre@wanadoo.fr
t.l.j. sf dim. 8h-12h 13h-19h

Alsace grand cru froehn

SCHEIDECKER Muscat 2004 **

0,15 ha 1 300 8 à 11 €

Installé à Mittelwihr, au cœur de la route des Vins, Philippe Scheidecker conduit depuis 1990 les 7 ha de l'exploitation familiale. Il possède une vigne en grand cru Froehn dans le proche village de Zellenberg où est né ce muscat. Jaune d'or aux brillants reflets or, ce 2004 séduit d'emblée par son nez qui mêle au fruité caractéristique du cépage des notes de mangue et de pêche de vigne. Un léger grillé vient compléter en bouche cette palette complexe. Frais à l'attaque, souple, ample et bien équilibré, ce vin offre une finale délicate aux nuances minérales. (Sucres résiduels : 15 g/l.)

Philippe Scheidecker, 13, rue des Merles,
68630 Mittelwihr, tél. 03.89.49.01.29, fax 03.89.49.06.63
t.l.j. 8h-12h 13h30-19h

Alsace grand cru furstentum

DOM. JEAN-MARC BERNHARD
Tokay-Pinot gris 2004 ★★★

0,17 ha 1 100 8 à 11 €

Après divers stages en Bordelais, Bourgogne, Suisse et Afrique du Sud, Frédéric Bernhard a rejoint en 2000 le domaine familial, créé en 1802. Longtemps tournée vers le négoce, l'exploitation commercialise depuis 1982 sa propre production : 9 ha environ. Des parcelles en grand cru ont donné ces dernières années de très belles bouteilles, comme ce pinot gris, dans la lignée du millésime précédent. Le Furstentum jouit d'un microclimat de type méditerranéen. Très riches en calcaire, ses sols apportent finesse et puissance aromatique aux vins qui y naissent. De couleur jaune d'or, celui-ci présente un nez charmeur et fin de fruits confits, arômes qui se prolongent en bouche. Au palais, on retrouve le croquant du raisin, de la concentration et de l'équilibre. La longue finale tout en dentelle laisse le souvenir d'un ensemble élégant et pur (destiné à une table de fête). (Sucres résiduels : 23 g/l.)

Dom. Jean-Marc Bernhard, 21, Grand-Rue,
68230 Katzenthal, tél. 03.89.27.05.34,
fax 03.89.27.58.72, e-mail jeanmarcbernhard@online.fr
t.l.j. sf dim. 9h-12h 14h-18h30

DOM. PAUL BLANCK Pinot gris 2002 ★★

n.c. 6 000 23 à 30 €

Le domaine Paul Blanck a beaucoup contribué à promouvoir les grands crus – qui le lui rendent bien. Il présente ici un pinot gris typique du sol marno-calcaro-gréseux qui l'a vu naître. C'est un vin de grande garde qui n'atteindra sa phase de maturité qu'au bout de deux à trois ans. Jaune d'or dans le verre, ce 2002 libère d'intenses parfums de surmaturité associant le fruit confit à une touche de noisette. Les arômes se prolongent dans une bouche franche à l'attaque, d'une belle ampleur et d'une rare puissance. La finale extrêmement longue est accompagnée de nuances complexes rappelant la figue. (Sucres résiduels : 33 g/l.)

Dom. Paul Blanck, 29, Grand-Rue,
68240 Kientzheim, tél. 03.89.78.23.56,
fax 03.89.47.16.45, e-mail info@blanck.com r.-v.
Frédéric et Philippe Blanck

Alsace grand cru geisberg

FALLER Riesling 2004 ★

1,3 ha 6 500 15 à 23 €

Cette ancienne famille de vignerons est établie en plein centre de Ribeauvillé. Une partie importante de son vignoble est située sur le Geisberg, terroir exposé au sud, le long de la cité. Il a donné naissance à ce riesling jaune doré mêlant au nez des parfums de pamplemousse et des touches minérales. Franc à l'attaque, ce 2004 apparaît riche, solidement charpenté, avec un joli retour du pamplemousse dans la longue finale. Très jeune encore, cette bouteille vivra plusieurs années et s'accordera à tous les produits de la mer. (Sucres résiduels : 8 g/l.)

Robert Faller et Fils, 36, Grand-Rue,
68150 Ribeauvillé, tél. 03.89.73.60.47,
fax 03.89.73.34.80, e-mail sarlfaller@aol.com
r.-v.

Alsace grand cru goldert

HENRI GROSS Gewurztraminer 2004

0,36 ha 2 300 11 à 15 €

Gueberschwihr mérite un détour pour son clocher roman de grès rose très ouvragé, ses ruelles paisibles abritant un certain nombre de vignerons. Parmi ceux-ci, Henri Gross met en valeur 6 ha de vignes et accorde un soin particulier à ses parcelles en grand cru, comme en témoignent de nombreuses mentions dans le Guide. Ce gewurztraminer a obtenu un coup de cœur dans le millésime précédent. Jaune pâle brillant, mêlant au nez des notes végétales et épicées, le 2004 a moins d'envergure mais a su se faire apprécier grâce à son attaque franche, sa fraîcheur et sa rondeur, ses arômes épicés et sa finale longue et agréable par son caractère de surmaturation. (Sucres résiduels : 25 g/l.)

EARL Henri Gross et Fils, 11, rue du Nord,
68420 Gueberschwihr, tél. 03.89.49.24.49,
fax 03.89.49.33.58, e-mail vins.gross@wanadoo.fr
r.-v.

JEAN-CLAUDE GUETH Pinot gris 2004

0,24 ha 1 900 8 à 11 €

Vignerons depuis 1970, Jean-Claude et Bernadette Gueth commercialisent leurs vins depuis 1982. Aujourd'hui, les vinifications sont assurées par leur fille Muriel. Du Goldert, celle-ci a tiré un pinot gris jaune paille aux senteurs intenses de fruits très mûrs assorties d'une nuance de fumé. D'abord dominée par la rondeur, la bouche révèle ensuite une acidité très fine et finit sur des arômes fruités. L'ensemble demande à se fondre. (Sucres résiduels : 21 g/l.)

GAEC Jean-Claude Gueth, 3, rue de la Source,
68420 Gueberschwihr, tél. 03.89.49.33.61,
fax 03.89.49.24.82, e-mail cave@vin-alsace-gueth.com
r.-v.

LICHTLE Riesling 2004 ★★

0,25 ha 2 200 5 à 8 €

Cette famille est venue s'installer en Alsace en 1649. Depuis, des générations de vignerons se sont succédé, ajoutant parfois des bâtiments autour de la cour intérieure. Installé en 1991, Éric Lichtle vient d'équiper la cave de fûts de chêne neuf. Du grand cru Goldert, il a tiré un riesling remarquable. Jaune aux brillants reflets verts, ce 2004 présente un nez captivant et intense de fleurs et d'agrumes très mûrs. Une attaque fraîche et typique introduit un vin complexe, racé, croquant, très équilibré. La finale persiste longuement sur une note de poire mûre. Un vin de gastronomie. (Sucres résiduels : 10 g/l.)

Éric Lichtle, 10, rue des Forgerons,
68420 Gueberschwihr, tél. 03.89.49.22.76,
e-mail lichtlewines@hotmail.com
t.l.j. 8h-12h 13h-19h

SCHILLINGER Gewurztraminer 2001 *

0,2 ha 1 000 8 à 11 €

Le Goldert couvre des pentes exposées au sud-est entre 230 et 330 m d'altitude. Constitué de substrats de calcaire oolithique et de conglomérats avec des cailloux calcaro-gréseux, il est propice au gewurztraminer. Jaune doré, celui-ci se montre expressif au nez, mêlant des notes de fumé, des touches mentholées et une agréable nuance de poivre sec. Après une attaque ronde, la bouche révèle des arômes fumés et épicés et persiste longuement sur de fines évocations de litchi. (Sucres résiduels : 37 g/l.)

EARL Émile Schillinger, 2, rue de la Chapelle,
68420 Gueberschwihr, tél. 03.89.47.91.59,
fax 03.89.47.91.75 r.-v.

Alsace grand cru hatschbourg

JOSEPH CATTIN Gewurztraminer 2004 *

1,62 ha 12 000 11 à 15 €

Ce domaine porte le nom du grand-père des frères Cattin, qui fut au début du XXe s. un pionnier du greffage des vignes. Exposée au sud au-dessus du village d'Obermorschwihr, une belle parcelle de gewurztraminer a longuement mûri jusqu'à sa récolte, le 20 octobre 2004. Doré brillant, légèrement cuivré, le vin révèle d'intenses parfums de fruits mûrs et de fruits secs avec une nuance de pourriture noble. En bouche, il apparaît concentré, riche, dominé par des sucres qui demandent à se fondre et par des arômes miellés. La longue finale est marquée par des notes complexes de fruits confits. (Sucres résiduels : 16 g/l.)

Joseph Cattin, 18, rue Roger-Frémeaux,
68420 Vœgtlinshoffen, tél. 03.89.49.30.21,
fax 03.89.49.26.02, e-mail gcattin@terre-net.fr
t.l.j. 8h-12h 14h-18h; dim. sur r.-v.

ANDRÉ HARTMANN
Gewurztraminer Armoirie Hartmann 2004 *

0,64 ha 5 200 11 à 15 €

Établi à Vœgtlingshoffen depuis le XVIIe s., la famille Hartmann valorise notamment des parcelles en grand cru Hatschbourg d'où est issu cet harmonieux gewurztraminer. Jaune doré aux nuances orangées, ce 2004 révèle des senteurs intenses de miel et de fruits secs accompagnées de notes épicées. L'attaque douce et riche annonce une bouche ample et grasse, suffisamment fraîche, qui finit longuement sur du coing confit puis sur des touches minérales. De la matière et de la finesse. (Sucres résiduels : 30 g/l.)

André Hartmann, 11, rue Roger-Frémeaux,
68420 Vœgtlinshoffen, tél. 03.89.49.38.34,
fax 03.89.49.26.18, e-mail andre.hartmann@free.fr
t.l.j. sf dim. 9h-12h 14h-18h; sur r.-v.
pdt les vendanges

GÉRARD ET SERGE HARTMANN
Gewurztraminer Vendanges tardives Françoise 2003

0,55 ha 2 900 15 à 23 €

Créée au XVIIe s., l'exploitation, qui couvre aujourd'hui 7 ha, est conduite depuis vingt ans par Serge Hartmann. Ce dernier signe des vendanges tardives de couleur paille aux nuances vieil or. Charmeur au nez, ce 2003 mêle le miel, le litchi et les baies de sureau. Gras à l'attaque, ample et puissant, il n'est pas très long mais finit sur d'agréables saveurs exotiques. (Sucres résiduels : 96 g/l.)

Gérard et Serge Hartmann, 13, rue Frémeaux,
68420 Vœgtlinshoffen, tél. 03.89.49.30.27,
fax 03.89.49.29.78 r.-v.

LUCIEN MEYER ET FILS Riesling 2004

0,3 ha 2 400 8 à 11 €

Cette exploitation a son siège dans une demeure des XVIe et XVIIe s. en face de la mairie d'Hattstatt, au sud de Colmar. Elle dispose de 9 ha dont certaines parcelles dans le fleuron du vignoble de la commune, le grand cru Hatschbourg, d'où provient ce riesling. Jaune à reflets verts, fruité au nez, ce vin séduit par son attaque très droite révélant une acidité bien marquée. Équilibré et harmonieux, ce 2004 offre une finale citronnée assez longue. Le 2002 avait eu un coup de cœur. (Sucres résiduels : 12,5 g/l.)

EARL Lucien Meyer et Fils,
57, rue du Mal-Leclerc, 68420 Hattstatt,
tél. 03.89.49.31.74, fax 03.89.49.24.81
r.-v.

Alsace grand cru hengst

DOM. ANDRÉ EHRHART
Tokay-pinot gris Cuvée Élise 2004 *

0,7 ha 4 000 8 à 11 €

Proche de Colmar, ce domaine familial dispose de 9,50 ha de vignes, avec des parcelles dans le Hengst. Constitué de conglomérats marno-calcaires, ce terroir confère aux vins qui y naissent un caractère solide et très charpenté. C'est le cas de ce 2004 jaune d'or, expressif et fin au nez avec ses parfums de fruits surmûris, voire confits. Très bien équilibré, ce vin d'une rare ampleur dévoile aussi une fraîcheur qui contribue à son harmonie et assurera sa longévité. Des arômes fruités et floraux (acacia) agrémentent la longue finale. (Sucres résiduels : 28 g/l.)

EARL André Ehrhart et Fils,
68, rue Herzog, 68920 Wettolsheim,
tél. 03.89.80.66.16, fax 03.89.79.44.20,
e-mail ehrhart.andre@neuf.fr
t.l.j. sf dim. 8h-12h 14h-18h
Antoine Ehrhart

HUBERT KRICK Gewurztraminer 2004

0,75 ha	2 400	5 à 8 €

À 5 km à l'ouest de Colmar, la petite ville de Wintzenheim abrite quelques vignerons comme Hubert Krick, installé dans des bâtiments flambant neufs. L'exploitation compte une douzaine d'hectares. Les sols marneux du Hengst, fort propices au gewurztraminer, sont à l'origine de ce vin jaune pâle à reflets verts, qui s'ouvre sur des parfums de fruits mûrs fort agréables. Les fruits secs prennent le relais en bouche, renforçant le caractère riche et généreux de cette bouteille. Si l'attaque est plaisante, la finale n'est pas très longue. Ses arômes de fruits exotiques et de coing laissent tout de même un bon souvenir. (Sucres résiduels : 23 g/l.)

Hubert Krick,
93-95, rue Clemenceau,
68920 Wintzenheim,
tél. 03.89.27.00.01, fax 03.89.27.54.75,
e-mail krick.hubert@wanadoo.fr r.-v.

ALBERT MANN Pinot gris 2004 *

0,7 ha	5 000	15 à 23 €

Le Hengst s'étend au sud de la vallée de Munster. Constitué de conglomérats marno-calcaires qui donnent des vins solides, il a valu à cette exploitation deux coups de cœur en pinot gris (millésimes 1995 et 2001). Jaune d'or brillant, ce 2004 encore discret au nez laisse percer des nuances de sous-bois, tandis que des notes fumées mêlées d'acacia s'épanouissent en bouche. Franc à l'attaque, bien équilibré, frais et persistant, il laisse une impression de puissance. Un ensemble typique et élégant. (Sucres résiduels : 16 g/l.)

Dom. Albert Mann,
13, rue du Château, 68920 Wettolsheim,
tél. 03.89.80.62.00, fax 03.89.80.34.23,
e-mail vins@albertmann.com r.-v.
Barthelmé

Alsace grand cru kastelberg

MARC KREYDENWEISS
Riesling Le Château 2004 *

1 ha	3 600	30 à 38 €

Partisan de longue date de la biodynamie et de la modernité graphique en matière d'étiquettes, Marc Kreydenweiss s'est taillé une belle notoriété à l'étranger : il exporte 70 % de sa production. Autre clé de son succès : il détient des parcelles dans plusieurs grands crus d'Andlau et des environs immédiats, comme le Kastelberg, à l'origine de ce 2004 jaune d'or. Un riesling au nez de fleurs blanches et de fruits confits relevés d'épices (poivre). Marqué aussi par la surmaturation au palais, c'est un vin puissant, riche et long, original et de qualité. (Sucres résiduels : 4 g/l.)

Marc Kreydenweiss, 12, rue Deharbe,
67140 Andlau, tél. 03.88.08.95.83, fax 03.88.08.41.16,
e-mail marc@kreydenweiss.com r.-v.

Alsace grand cru kessler

DOMAINES SCHLUMBERGER
Gewurztraminer 2002

10,56 ha	31 020	15 à 23 €

Est-il encore besoin de présenter cette propriété, fondée en 1810 par Nicolas Schlumberger ? Avec ses 140 ha, dont 70 % classés en grand cru, c'est la plus vaste d'Alsace. Jaune soutenu montrant quelques reflets verts, son gewurztraminer du Kessler affiche un nez puissant de rose, légèrement relevé d'épices. Une attaque fraîche introduit agréablement une bouche riche et ample. Croquante et persistante, la finale présente une pointe poivrée caractéristique du cépage. (Sucres résiduels : 33 g/l.)

Domaines Schlumberger, 100, rue Théodore-Deck,
68500 Guebwiller, tél. 03.89.74.27.00,
fax 03.89.74.85.75,
e-mail mail@domaines-schlumberger.com r.-v.

Alsace grand cru kirchberg-de-barr

DOM. HERING
Riesling Cuvée Émile-Gustave 2004 *

0,4 ha	2 300	11 à 15 €

La vente en bouteilles a commencé ici dès le milieu du XIX[e]s. Féru d'hybridation, l'arrière-grand-père de Jean-Daniel Hering avait aussi créé un certain nombre de porte-greffe. Ce dernier, impliqué dans la défense de la profession, vient de prendre les commandes du domaine familial qui dispose de fleurons viticoles, tels le Gaensbroennel, le Clos de la Folie Marco et encore le grand cru Kirchberg de Barr à l'origine de ce riesling jaune pâle à reflets dorés. Le nez agréable exprime les fruits secs et les fleurs. L'attaque souple et nette dévoile un vin riche, encore marqué par les sucres mais équilibré, qui persiste longuement sur des notes d'acacia. (Sucres résiduels : 12 g/l.)

Dom. Hering, 6, rue Sultzer, 67140 Barr,
tél. 03.88.08.90.07, fax 03.88.08.08.54,
e-mail jdhering@wanadoo.fr r.-v.

KLIPFEL Riesling 2004

3 ha	8 000	8 à 11 €

Créée au début du XIX[e]s. et développée par Louis Klipfel, personnalité importante du vignoble alsacien, cette maison est aujourd'hui dirigée par André Lorentz et ses deux fils. Elle possède une cave dotée de foudres en bois de plus de 20 000 l, une œnothèque riche de vieux millésimes, et surtout un vignoble de 35 ha dont une partie importante est située dans le Kirchberg de Barr. Ce grand cru a donné naissance à un riesling jaune pâle brillant, au nez expressif d'agrumes frais. La fraîcheur des agrumes réapparaît dans une attaque franche, et le fruité du citron vert accompagne toute la dégustation. Encore nerveux, ce vin devrait bien évoluer dans le temps. (Sucres résiduels : 4 g/l.)

Klipfel, 6, av. de la Gare, 67140 Barr,
tél. 03.88.58.59.00, fax 03.88.08.53.18,
e-mail alsacewine@klipfel.com r.-v.
Famille Lorentz

RIEFFEL
Pinot gris Sélection de grains nobles 2003 ★★

0,48 ha 3 600 15 à 23 €

André Rieffel est installé à Mittelbergheim, charmant village qui offre aux yeux un bel ensemble architectural des XVIe et XVIIes. Du Kirchberg de Barr, il a tiré une superbe sélection de grains nobles. Brillant et bien doré dans le verre, ce 2003 libère de subtils effluves de fruits confits (poire et coing). Au palais, il dispense tout ce que l'on attend d'un liquoreux : douceur harmonieuse, puissance, opulence, mais aussi finesse et équilibre, grâce à une bonne acidité. La longue finale laisse le souvenir d'un vin à la fois concentré et délicat. (Sucres résiduels : 140 g/l.)

Rieffel, 11, rue Principale, 67140 Mittelbergheim, tél. 03.88.08.95.48, fax 03.88.08.28.94 r.-v.

DOM. STOEFFLER Riesling 2004 ★

0,6 ha 3 800 8 à 11 €

Œnologue, Vincent Stoeffler dirige depuis vingt ans une exploitation qu'il a convertie en 2000 à l'agriculture biologique. Ses 13 ha sont répartis sur de nombreuses communes, ce qui lui permet de proposer trente-cinq vins différents. Avec son exposition sud et son sol résistant à la sécheresse, le Kirchberg de Barr est l'un de ses terroirs de prédilection. Il a donné ici un riesling jaune à reflets dorés bien brillants. Le nez intense et complexe mêle des senteurs florales à des nuances de fruits confits que l'on retrouve en finale, avec des notes de fruits secs. Cette complexité caractérise aussi la suite de la dégustation qui dévoile un vin riche, concentré, harmonieux et persistant. (Sucres résiduels : 7,5 g/l.)

Dom. Vincent Stoeffler, 1, rue des Lièvres, 67140 Barr, tél. 03.88.08.52.50, fax 03.88.08.17.09, e-mail info@vins-stoeffler.com
t.l.j. 10h-12h 13h30-18h; dim. sur r.-v.

Alsace grand cru kirchberg-de-ribeauvillé

KIENTZLER Pinot gris 2004 ★

0,3 ha 1 600 15 à 23 €

L'un des grands noms de Ribeauvillé. L'exploitation comprend des parcelles dans les trois grands crus de la cité, dont elle tire d'excellents vins, parfois coups de cœur. Avec son coteau donnant sur le sud-sud-est, le Kirchberg est l'un des mieux exposés. Il est à l'origine de ce pinot gris à la robe jeune, de couleur jaune pâle, et au nez fin et complexe, un peu grillé. Frais et franc à l'attaque, bien équilibré, ce 2004 est imprégné d'arômes d'agrumes, de pêche de vigne et de poire. La finale très persistante laisse un bon souvenir. Un vin de gastronomie qui fera plaisir au moins trois ans. (Sucres résiduels : 11,1 g/l.)

André Kientzler, 50, rte de Bergheim, BP 70004, 68151 Ribeauvillé Cedex, tél. 03.89.73.67.10, e-mail domaine@vinskientzler.com r.-v.

JEAN SIPP Riesling 2004 ★

1,5 ha 8 000 15 à 23 €

Établi dans une ancienne demeure seigneuriale du XVes., ce domaine dispose de 20 ha de vignes, avec plusieurs parcelles dans les meilleurs terroirs de la commune, notamment ce Kirchberg qui domine l'église de Ribeauvillé. Exposé au sud et au sud-ouest, ce grand cru engendre des rieslings de haute expression. Jaune pâle à reflets verts bien marqués, ce 2004 charme par ses senteurs exubérantes et complexes de fleurs jaunes, de mangue et de fruit de la Passion. Après une belle attaque, la dégustation évolue sur des notes de fleurs des champs et de fruits très mûrs. Bien construit autour d'une acidité agréable, ce vin finit sur une pointe de minéralité. Il devrait être à son optimum dans deux à trois ans. (Sucres résiduels : 12 g/l.)

Dom. Jean Sipp, 60, rue de la Fraternité, 68150 Ribeauvillé, tél. 03.89.73.60.02, fax 03.89.73.82.38, e-mail domaine@jean-sipp.com
t.l.j. 9h-11h30 14h-18h; dim. et groupes sur r.-v.

LOUIS SIPP
Tokay-pinot gris
Cuvée particulière de nos vignobles 2004

0,34 ha 2 950 11 à 15 €

Logée dans l'ancienne demeure des nobles de Pflixbourg (1512), cette maison est dirigée depuis dix ans par Étienne Sipp, ingénieur passé de la recherche et de l'industrie aux terroirs et aux chais. Si son statut de négociant lui permet d'acheter des raisins aux vignerons locaux, la maison détient aussi un important vignoble de coteaux (40 ha) à Ribeauvillé et dans les environs immédiats. Elle exporte 45 % de sa production, jusqu'en Australie et en Nouvelle-Zélande... Ce grand cru est issu d'une parcelle escarpée, partiellement aménagée en terrasses. Jaune paille brillant, il offre un nez discret mais délicat, floral et fruité. L'attaque vive et citronnée annonce un palais frais, sec et long. Un vin de repas qui s'épanouira dans les deux ans qui viennent. (Sucres résiduels : 8 g/l.)

Louis Sipp, 5, Grand-Rue, 68150 Ribeauvillé, tél. 03.89.73.60.01, fax 03.89.73.31.46, e-mail louis@sipp.com
t.l.j. 8h-12h 14h-18h, sam.-dim. sur r.-v.
Pierre Sipp

Alsace grand cru mambourg

DOM. JEAN-MARC BERNHARD
Gewurztraminer 2004 ★

0,5 ha 3 300 11 à 15 €

Fondé en 1802, ce domaine établi à Katzenthal s'étend sur plus de 9 ha ; il dispose de parcelles dans cinq terroirs réputés : le Wineck-Schlossberg, le Furstentum, le Florimont, le Kaefferkopf et le Mambourg. Ce dernier est particulièrement propice au gewurztraminer et les Bernhard en tirent régulièrement des vins sélectionnés dans le Guide. Le 2002 fut coup de cœur. Jaune d'or à reflets brillants, ce 2004 présente un nez ouvert de fruits exotiques et de coing. Si l'attaque est encore dominée par la douceur, le vin est bien structuré, généreux et gras. La longue finale renoue avec les fruits exotiques. (Sucres résiduels : 46 g/l.)

Dom. Jean-Marc Bernhard, 21, Grand-Rue, 68230 Katzenthal, tél. 03.89.27.05.34, fax 03.89.27.58.72, e-mail jeanmarcbernhard@online.fr
t.l.j. sf dim. 9h-12h 14h-18h30

PIERRE DUMOULIN-STORCH
Tokay-pinot gris 2004 *

n.c. 20 000 11 à 15 €

Lorsque l'on prend la route qui remonte la vallée de la Weiss, vers Kaysersberg, on découvre sur la droite le vaste coteau du Mambourg qui s'avance vers la plaine d'Alsace et domine le village de Sigolsheim. Vinifié par la coopérative, ce pinot gris prend dans le verre une couleur jaune d'or « flamboyant », selon un dégustateur ; il présente une robe qui annonce des parfums de fruits confits (coing et abricot) et une matière ample, grasse, riche mais équilibrée et fondue. Un beau retour du fruit confit en finale laisse le souvenir d'un ensemble à la fois opulent et fin. (Sucres résiduels : 23,8 g/l.)

La Cave de Sigolsheim, 11-15, rue Saint-Jacques, 68240 Sigolsheim, tél. 03.89.78.10.10, fax 03.89.78.21.93 r.-v.

DOM. FRITZ Pinot gris 2004 **

0,12 ha 840 11 à 15 €

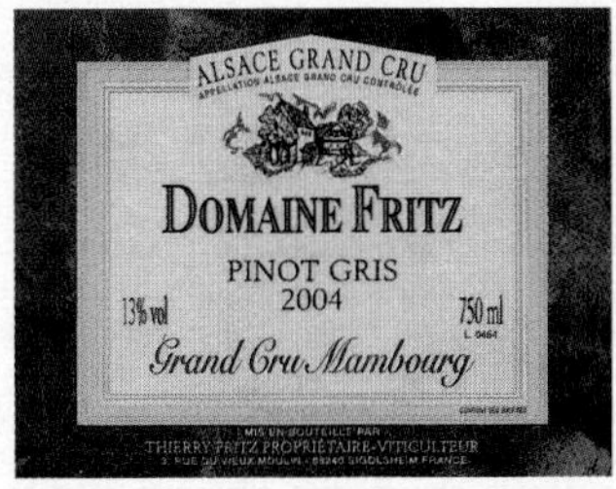

Thierry Fritz vient de s'installer sur le domaine familial (8 ha de vignes). Établi à Sigolsheim, il détient des vignes dans le grand cru de la commune, dont il tire une fois de plus le meilleur : après un gewurztraminer 2004 coup de cœur dans la dernière édition, le jury a couronné ce pinot gris. Intense est sa robe jaune d'or, qui annonce un vin tout en volume. Intense est le nez, où les fruits surmûris se mêlent à une nuance de grillé. Gras, puissant, ample, le palais n'en est pas moins très équilibré. Quant à la finale, elle n'en finit pas. Un vin de fête, qui donnera la réplique à un foie gras poêlé. (Sucres résiduels : 35 g/l.)

EARL Dom. Fritz, 3, rue du Vieux-Moulin, 68240 Sigolsheim, tél. 03.89.47.11.15, fax 03.89.78.17.07, e-mail daniel.fritz@wanadoo.fr r.-v.

JEAN GEILER Gewurztraminer Prestige 2004 **

1,6 ha 11 200 8 à 11 €

Œnologue, Pierre Sibille élabore les vins de la Cave vinicole d'Ingersheim. Ce remarquable gewurztraminer est un exemple de son savoir-faire. Avec son habit jaune doré et ses senteurs complexes, épicées (clou de girofle), fruitées, minérales et un rien fumées, il attire l'attention. C'est en bouche que le fruité s'épanouit, avec des nuances exotiques de mangue et de litchi et des arômes de fruits confits. L'attaque ronde et puissante introduit un vin riche et persistant. Une grande tenue. (Sucres résiduels : 25 g/l.)

Cave vinicole d'Ingersheim, 45, rue de la République, 68040 Ingersheim, tél. 03.89.27.90.27, fax 03.89.27.90.30, e-mail vin@geiler.fr r.-v.

DOM. PIERRE SCHILLÉ Gewurztraminer 2003 *

0,43 ha 3 000 8 à 11 €

Ce vignoble, créé après la Seconde Guerre mondiale, est implanté sur plusieurs communes, ce qui lui permet de disposer d'une riche palette de sols. Il a été repris en 1990 par Christophe Schillé, fils de Pierre. Ce dernier pratique la sélection parcellaire pour valoriser l'expression des terroirs. De couleur jaune paille aux brillants reflets or, son gewurztraminer du Mambourg se montre encore réservé au nez, ne laissant percer que quelques effluves épicés. Rond et franc à l'attaque, il garde la même retenue avant de s'exprimer en finale par de plaisantes notes de pain d'épice. (Sucres résiduels : 34 g/l.)

Pierre Schillé et Fils, 14, rue du Stade, 68240 Sigolsheim, tél. et fax 03.89.47.10.67 t.l.j. sf dim. 9h-12h 14h-19h

ALBERT SCHOECH Tokay-pinot gris 2004 *

1,8 ha 9 700 8 à 11 €

Ammerschwihr, où ce négociant a pignon sur rue, jouxte la commune de Sigolsheim sur le territoire de laquelle se trouve le grand cru Mambourg. De ce terroir a été retenu cette année un pinot gris jaune paille, aux discrètes évocations de fumé et de fruits confits. C'est en bouche que ce vin s'épanouit et séduit, bien fruité, croquant, ample, équilibré malgré une douceur encore dominante. La longue finale laisse augurer une belle évolution. (Sucres résiduels : 24 g/l.)

SARL Albert Schoech, pl. du Vieux-Marché, 68770 Ammerschwihr, tél. 03.89.78.23.17, fax 03.89.27.90.30, e-mail vin@schoech.fr

DOM. STIRN Gewurztraminer 2003 **

0,35 ha 2 600 8 à 11 €

L'Alsace est une mosaïque de terroirs et le domaine des Stirn, fruit du travail de six générations, semble un résumé du vignoble. Très morcelé, il comprend des parcelles dans plusieurs grands crus et sur de nombreux types de sols, que Fabien Stirn et sa femme, jeunes œnologues, ont eu à cœur de mettre en valeur en reprenant les vinifications à la propriété après leur installation. On retrouve cette année leur gewurztraminer du Mambourg, avec une étoile de plus pour ce millésime. Si sa présentation est pleine de retenue – une robe jaune clair limpide et un nez discrètement épicé et poivré –, la bouche apparaît voluptueuse, opulente et bien équilibrée. La finale longue et harmonieuse est marquée par une touche minérale très fine. De la matière et de l'élégance. (Sucres résiduels : 53 g/l.)

Fabien Stirn, Dom. Stirn, 3, rue du Château, 68240 Sigolsheim, tél. 03.89.47.30.50, fax 03.89.47.30.58, e-mail domainestirn@free.fr t.l.j. 13h-18h; dim. sur r.-v.; f. jan

Alsace grand cru mandelberg

BAUMANN ZIRGEL Riesling 2004 **

0,2 ha 1 500 8 à 11 €

Les 8 ha de ce domaine familial sont exploités par deux générations depuis l'installation du fils en 2002. La propriété a présenté un riesling du Mandelberg qui illustre

le remarquable potentiel de ce terroir précoce aux pentes ensoleillées et chaudes. Ce 2004 revêt une robe jaune pâle aux brillants reflets verts d'où il émane des parfums d'une étonnante complexité : les fleurs y côtoient un fruité varié aux notes de mirabelle et de citron. L'attaque révèle un vin souple, riche et équilibré, avec un joli retour en finale de la mirabelle. Une belle harmonie. (Sucres résiduels : 4 g/l.)
EARL Baumann Zirgel, 5, rue du Vignoble,
68630 Mittelwihr, tél. 03.89.47.90.40,
fax 03.89.49.04.89, e-mail baumann-zirgel@wanadoo.fr
t.l.j. 8h30-12h 14h-19h
J.-J. Zirgel

DOM. BOTT-GEYL Riesling 2004 *

0,3 ha 1 500 15 à 23 €

Installé en 1993 sur le domaine familial fondé par son ancêtre en 1825, Jean-Christophe Bott perpétue avec talent l'œuvre de ses prédécesseurs, témoins les nombreux coups de cœur obtenus. Ces distinctions valorisent les diverses parcelles en grand cru qui composent une part non négligeable de ce vignoble de plus de 13 ha, situé au cœur de la route des Vins et exploité en biodynamie. Le Mandelberg a donné naissance à ce riesling dont la robe jaune soutenu aux reflets dorés annonce un nez élégant, floral (acacia) mais aussi confit. Ce fruité surmûri se retrouve dans un palais puissant et long, encore marqué en finale par la présence des sucres résiduels. Un riesling tout en rondeur. (Sucres résiduels : 15 g/l.)
Dom. Bott-Geyl, 1, rue du Petit-Château,
68980 Beblenheim, tél. 03.89.47.90.04,
fax 03.89.47.97.33, e-mail info@bott-geyl.com
r.-v.

CHARLES NOLL Riesling 2004

0,16 ha 1 100 8 à 11 €

Daniel Noll a hérité en 1983 d'un domaine de plus de 6 ha fondé sous le second Empire. Établi à 3 km de Riquewihr dans le village de Mittelwihr, il exploite évidemment des vignes dans le grand cru Mandelberg, terroir d'élection de sa commune. Il en a tiré un riesling jaune pâle mêlant au nez des senteurs florales et fruitées, marquées par le citron vert. Une attaque vive révèle un vin typé, bien structuré et assez long, qui s'affirmera davantage d'ici un à deux ans. (Sucres résiduels : 7 g/l.)
EARL Charles Noll, 2, rue de l'École,
68630 Mittelwihr, tél. 03.89.47.93.21, fax 03.89.47.86.23
t.l.j. 9h-12h 13h30-20h
Daniel Noll

W. WURTZ Gewurztraminer 2004 **

0,25 ha 1 800 11 à 15 €

Le Mandelberg (« côte des Amandiers ») abrite le village de Mittelwihr des vents du nord. C'est ainsi que son versant sud jouit d'un microclimat particulièrement favorable, à tel point que l'amandier y fleurit dès le début du printemps. La vigne aussi, un peu plus tard. Elle a donné ici naissance à un gewurztraminer habillé d'or et richement épicé au nez. En bouche, les épices accompagnent des arômes de fruits mûrs rappelant la mangue. Riche, gras et bien équilibré, ce vin persistant finit sur une fraîcheur fort agréable. (Sucres résiduels : 26 g/l.)
EARL Willy Wurtz et Fils, 6, rue du Bouxhof,
68630 Mittelwihr, tél. 03.89.47.93.16, fax 03.89.47.89.01
t.l.j. 9h-19h

ZIEGLER-MAULER
Gewurztraminer Les Amandiers 2004 **

0,16 ha 1 000 11 à 15 €

Depuis son installation en 1996 sur l'exploitation familiale, Philippe Ziegler pratique le labour et l'enherbement. Il élève ses vins sur lies fines jusqu'à la mise en bouteilles. Ce gewurztraminer, dans la lignée du 2002 provenant du même grand cru, s'habille d'une robe profonde de couleur jaune d'or, qui annonce les effluves fruités de surmaturation perçus au nez. Si l'attaque est dominée par la douceur, la suite de la dégustation révèle un remarquable équilibre, une harmonieuse opulence et une longue finale aromatique, fruitée et épicée. (Sucres résiduels : 41 g/l.)
Dom. J.-J. Ziegler-Mauler et Fils, 2, rue des Merles,
68630 Mittelwihr, tél. 03.89.47.90.37, fax 03.89.47.98.27
r.-v.
Philippe Ziegler

Alsace grand cru marckrain

LAURENT BARTH Gewurztraminer 2004 **

0,4 ha 1 500 11 à 15 €

Après avoir repris l'exploitation familiale en 1999, Laurent Barth est sorti de la coopérative. Il reconvertit son vignoble à l'agriculture biologique et présente son premier vin, qui a impressionné le jury par son élégance. Jaune brillant dans le verre, ce gewurztraminer libère des effluves discrets mais tout en finesse de rose et d'épices. Sa belle attaque dévoile une matière généreuse et riche sans lourdeur, aux arômes de raisin sec, de coing confit et de miel. Une fraîcheur charmeuse porte loin la finale. « On en redemande » écrit un dégustateur qui prédit à cette bouteille plusieurs années de vie. (Sucres résiduels : 40 g/l.)
Laurent Barth, 3, rue du Mal-de-Lattre,
68630 Bennwihr, tél. et fax 03.89.47.96.06,
e-mail laurent.barth@wanadoo.fr r.-v.

RENÉ BARTH Gewurztraminer 2004 *

0,6 ha 3 000 11 à 15 €

Œnologue, Michel Fonné est installé à Bennwihr. Il exploite 13 ha de vignes et s'emploie à développer son domaine ; en 2002, il a construit un nouveau vendangeoir, une cave de vinification et une cave de vieillissement en bouteilles. Attaché au développement des vins de terroir, il propose un gewurztraminer du Marckrain, grand cru qui s'étend au sud du village. Jaune clair aux brillants reflets or, ce 2004 libère de plaisantes senteurs florales nuancées de poire et d'épices. Au palais, il révèle une matière généreuse, riche, fraîche et bien équilibrée. Ses délicieux arômes de rose sont caractéristiques de ce cépage aromatique. Un ensemble agréable et apte à la garde. (Sucres résiduels : 25 g/l.)
Dom. Michel Fonné, 24, rue du Gal-de-Gaulle,
68630 Bennwihr, tél. 03.89.47.92.69, fax 03.89.49.04.86,
e-mail michel@michelfonne.com
t.l.j. 9h-12h 13h-18h

DOM. DU BOUXHOF Pinot gris 2004 **

0,31 ha 2 500 8 à 11 €

Classé Monument historique en 1996, ce domaine d'origine monastique a plus de huit siècles d'âge. Il impressionne par sa situation au milieu des vignes et par ses bâtiments imposants où l'on distille, vinifie et offre le gîte aux visiteurs. Le grand cru Marckrain est à l'origine de ce remarquable pinot gris. Sa robe jaune d'or laissant des larmes sur les parois du verre annonce un nez très pur où l'acacia et les épices se mêlent à des nuances de raisin de Corinthe. L'attaque révèle un vin ample, puissant et équilibré aux arômes de miel, de raisin sec et de prune. La pointe d'acidité contribue à la finesse de l'ensemble et souligne sa persistance. Ce vin de gastronomie traduit une grande maturité à la vendange. Il sera de garde. (Sucres résiduels : 51 g/l.)

EARL François Edel et Fils, Dom. du Bouxhof, 68630 Mittelwihr, tél. 03.89.47.90.34, fax 03.89.47.84.82, e-mail edel.bouxhof@online.fr
t.l.j. 9h-19h

MARTIN SCHAETZEL Tokay-pinot gris 2004 **

0,3 ha 1 500 11 à 15 €

Cette propriété de 8,50 ha exploitée en biodynamie a son siège à Ammerschwihr mais comprend une parcelle de pinot gris dans le Marckrain voisin. Le pinot gris a mûri sur des coteaux d'exposition est-sud-est pour donner un vin d'un jaune d'or engageant, au nez discret mais franc mêlant le fumé du cépage à des nuances de confiture d'abricots que l'on retrouve en bouche. Ample, opulent et gras, le palais très équilibré persiste longuement et laisse le souvenir d'un ensemble soyeux. (Sucres résiduels : 23 g/l.) L'**alsace muscat Réserve 2004 (5 à 8 €)** obtient une citation. Frais, franc, fruité, il est agréable (Sucres résiduels : 3 g/l.)

Martin Schaetzel, 3, rue de la 5e-D.-B., 68770 Ammerschwihr, tél. 03.89.47.11.39, fax 03.89.78.29.77, e-mail jean.schaetzel@wanadoo.fr
r.-v.
Jean Schaetzel

RENÉ SIMONIS Gewurztraminer 2004 *

0,36 ha 1 300 11 à 15 €

Le Marckrain semble être un terroir convoité puisque Étienne Simonis, établi à Ammerschwihr, y est propriétaire. Les sols de ce grand cru, marno-calcaires avec des conglomérats de l'oligocène, conviennent particulièrement au gewurztraminer. D'un jaune d'or brillant, celui-ci offre un nez miellé un peu lourd, qui annonce une bouche dominée par la douceur. Le corps est puissant et la finale marquée par les fruits exotiques. Un vin déjà agréable mais qui gagnera en fondu au cours des deux prochaines années. (Sucres résiduels : 83 g/l.)

René et Étienne Simonis, 2, rue des Moulins, 68770 Ammerschwihr, tél. 03.89.47.30.79, fax 03.89.78.24.10, e-mail rene.etienne.simonis@gmail.com r.-v.

Alsace grand cru moenchberg

RÉMY GRESSER Riesling 2004

0,8 ha 5 000 11 à 15 €

Un des exploitants qui comptent à Andlau : un de ses ancêtres était vigneron et prévôt de la petite cité au début du XVIe s. Son domaine exploité en bio comporte des parcelles dans tous les grands crus de la commune. Situé à l'entrée du vallon d'Andlau, côté sud, le Moenchberg est réputé pour ses rieslings. Jaune pâle à reflets d'or, celui-ci présente un nez d'agrumes déjà marqué par une certaine minéralité, tandis qu'au palais il évoque plutôt les fleurs blanches. C'est un vin assez puissant, ample, au caractère sec et vif. (Sucres résiduels : 5 g/l.)

Dom. Rémy Gresser, 2, rue de l'École, 67140 Andlau, tél. 03.88.08.95.88, fax 03.88.08.55.99, e-mail domaine@gresser.fr
t.l.j. sf dim. 9h-12h 14h30-18h30

ALBERT MAURER Tokay-pinot gris 2004 *

0,6 ha 4 000 5 à 8 €

Situé à l'entrée du val d'Andlau, Eichhoffen est dominé par le grand cru Moenchberg, aux sols limono-argileux ou sableux, à tendance calcaire vers la crête. À la tête d'une exploitation de quelque 14 ha, Albert et Philippe Maurer y possèdent une parcelle de pinot gris d'où est issu ce 2004 jaune doré brillant aussi réussi que dans le millésime précédent. Le nez très fin libère des notes confiturées, mêlées de fruits jaunes (pêche, abricot) avec des nuances plus acidulées. L'attaque souple est équilibrée par une fraîcheur bienvenue en milieu de bouche, où l'on retrouve les arômes perçus à l'olfaction. La finale longue et délicate laisse le souvenir d'un vin harmonieux, qui se bonifiera encore dans les deux ou trois prochaines années. (Sucres résiduels : 18 g/l.)

Albert Maurer, 11, rue du Vignoble, 67140 Eichhoffen, tél. 03.88.08.96.75, fax 03.88.08.59.98, e-mail info@vins-maurer.fr
t.l.j. sf dim. 8h-12h 13h30-18h

GUY WACH Riesling 2004 *

0,32 ha 2 200 11 à 15 €

Établi à Andlau depuis 1979, Guy Wach exploite plus de 7 ha et détient des vignes dans les grands crus de cette commune, comme le Moenchberg à l'origine de ce riesling jaune clair aux brillants reflets verts. Mêlant au nez des senteurs citronnées et végétales, ce vin séduit par son attaque, son ampleur et son équilibre. (Sucres résiduels : 10 g/l.)

Guy Wach, 5, rue de la Commanderie, 67140 Andlau, tél. 03.88.08.93.20, fax 03.88.08.45.59, e-mail guy.wach@tiscali.fr r.-v.

Alsace grand cru osterberg

JOGGERST Riesling 2004 **

0,28 ha 2 250 11 à 15 €

Logée au cœur de Ribeauvillé dans des bâtiments des XVe et XVIIIe s., la famille Joggerts exploite plus de 7 ha. Des vignes plantées dans les sols argilo-calcaires caillouteux de l'Osterberg sont à l'origine de ce riesling jaune à reflets dorés et au nez bien ouvert et complexe associant les fruits confits et des nuances de thym et de citronnelle. Frais à l'attaque, ample, riche, concentré et bien structuré au palais, ce vin offre une longue finale délicate aux arômes de fruits secs et de citron. De la race et de la personnalité. (Sucres résiduels : 9,5 g/l.)

EARL Joggerst et Fils, 19, Grand-Rue, 68150 Ribeauvillé, tél. 03.89.73.66.32, fax 03.89.73.65.45, e-mail info@vins-joggerst.com
t.l.j. sf dim. 9h-12h 14h-18h; f. jan. à mars

DOM. FRANÇOIS SCHWACH ET FILS
Gewurztraminer 2004 *

0,2 ha 1 226 11 à 15 €

Cette exploitation implantée à Hunawihr dispose d'un coquet domaine : 21 ha répartis sur plusieurs communes avoisinantes ; elle développe les vins de terroir. De l'Osterberg – l'un des trois grands crus de Ribeauvillé – est issu ce gewurztraminer jaune à reflets verts. Déjà ouvert et franc au nez, ce 2004 associe la rose et une touche fumée. En bouche, il dévoile une belle matière ample, concentrée et grasse et persiste agréablement sur des notes de fruits confits un rien mentholées. Encore dominé par les sucres restants, ce vin prometteur devrait bénéficier d'une petite garde. (Sucres résiduels : 30 g/l.)

Dom. François Schwach et Fils, 28, rte de Ribeauvillé, 68150 Hunawihr, tél. 03.89.73.62.15, fax 03.89.73.37.84, e-mail info@schwach.com r.-v. 4 C

Alsace grand cru pfersigberg

ÉMILE BEYER Gewurztraminer 2001

2 ha 11 800 11 à 15 €

Établie à Eguisheim depuis 1580 et logée au cœur de la cité médiévale dans une demeure de la même époque, la famille Beyer détient naturellement des vignes dans l'un des fleurons de la commune, le grand cru Pfersigberg. Ce terroir a engendré un gewurztraminer jaune soutenu aux parfums de pêche nuancés d'une touche minérale. L'attaque dévoile une riche matière, souple et suffisamment fraîche, concentrée et chaleureuse, aux arômes de rose, tandis qu'on retrouve une note minérale en finale. (Sucres résiduels : 43 g/l.)

Émile Beyer, 7, pl. du Château, 68420 Eguisheim, tél. 03.89.41.40.45, fax 03.89.41.64.21, e-mail info@emile-beyer.fr
t.l.j. 9h-12h 14h-18h B
Luc et Christian Beyer

PAUL GINGLINGER Gewurztraminer 2004 **

0,7 ha 4 500 11 à 15 €

Michel Ginglinger, œnologue, a pris depuis quatre ans les rênes de l'exploitation familiale qu'il conduit avec un réel talent : après un pinot noir 2003, coup de cœur dans la prédédente édition, ce gewurztraminer grand cru est plébiscité. Une robe jaune d'or soutenu annonce un nez captivant, fait de rose, d'épices (poivre) et de nuances miellées. C'est en bouche que ce vin s'affirme, avec une attaque ronde, une matière riche, concentrée, onctueuse et généreuse aux arômes de coing et de mirabelle. La finale longue, délicate et expressive, sur des notes minérales, est pleine de séduction. (Sucres résiduels : 32 g/l.)

Paul Ginglinger, 8, pl. Charles-de-Gaulle, 68420 Eguisheim, tél. 03.89.41.44.25, fax 03.89.24.94.88, e-mail info@paul-ginglinger.fr
t.l.j. sf dim. 8h-12h 14h-18h

GRUSS Tokay-pinot gris 2004 *

0,26 ha 1 700 8 à 11 €

Ce domaine, dont le siège se trouve au centre d'Eguisheim, dispose de 15 ha. André Gruss, œnologue, élabore les vins avec rigueur et minutie. Celui-ci s'habille d'or clair et séduit par son élégance tout au long de la dégustation : ses parfums d'agrumes confits qui se prolongent en bouche sont d'une grande finesse et la bouche ample, onctueuse, franche et longue laisse une impression d'harmonie. (Sucres résiduels : 20 g/l.)

Joseph Gruss et Fils, 25, Grand-Rue, 68420 Eguisheim, tél. 03.89.41.28.78, fax 03.89.41.76.66, e-mail domainegruss@hotmail.com
r.-v.

KUENTZ-BAS Gewurztraminer 2001 *

0,8 ha 4 600 15 à 23 €

Fondé en 1795, ce domaine a son siège dans une maison du XVIIIe s. et dispose d'environ 10 ha de vignes, conduites en biodynamie depuis 2004. Des ceps de quarante ans ont donné naissance à ce gewurztraminer jaune d'or, mêlant au nez le miel, la rose et les fruits jaunes. On retrouve ces derniers en bouche, avec toute une palette d'arômes : abricot, agrumes... Une attaque fraîche, un palais équilibré et long composent une bouteille harmonieuse. (Sucres résiduels : 26 g/l.)

Kuentz-Bas, 14, rte du Vin, 68420 Husseren-les-Châteaux, tél. 03.89.49.30.24, fax 03.89.49.23.39, e-mail info@kuentz-bas.fr
r.-v.
J.B. Adam

JEAN-LOUIS ET FABIENNE MANN
Gewurztraminer 2004 **

0,46 ha 2 180 11 à 15 €

Affiliés à la coopérative entre 1982 et 1997, Jean-Louis et Fabienne Mann sont repassés à la vente directe

– avec succès puisque, après un coup de cœur décerné l'an dernier à un riesling 2003, ce gewurztraminer sort du lot. Jaune d'or dans le verre, ce 2004 présente un nez très élégant où la rose s'associe au coing confit. Il attaque tout en souplesse pour révéler un palais dense, concentré, où la douceur est équilibrée par la générosité et l'opulence. La longue finale légèrement minérale « donne envie de prolonger la dégustation » écrit un membre du jury. (Sucres résiduels : 39 g/l.)

EARL Jean-Louis Mann, 11, rue du Traminer, 68420 Eguisheim, tél. 03.89.24.26.47, fax 03.89.24.09.41, e-mail mann.jean.louis@wanadoo.fr
r.-v.

PAUL SCHNEIDER Pinot gris 2004

0,43 ha 3 000 8 à 11 €

Chargée d'histoire, la petite cité d'Eguisheim a fêté il y a quatre ans le millénaire de la naissance de « son » pape, Léon IX. Est-elle le berceau des vins d'Alsace ? En tout cas, elle est riche de terroirs d'ancienne réputation, comme le Pfersigberg d'où est issu ce pinot gris jaune d'or, au nez fin et typé, plutôt floral. S'il n'est pas très long, ce 2004 plaît par son attaque franche, son équilibre, sa fraîcheur élégante et sa finale aux nuances d'agrumes confits. (Sucres résiduels : 15 g/l.)

Paul Schneider et Fils, 1, rue de l'Hôpital, 68420 Eguisheim, tél. 03.89.41.50.07, fax 03.89.41.30.57, e-mail vins.paul.schneider@wanadoo.fr
t.l.j. sf dim. 9h30-12h 13h30-18h

BRUNO SORG Riesling Vieilles Vignes 2003 ★

0,32 ha 1 500 15 à 23 €

Ce domaine familial a son siège près de l'église d'Eguisheim dans une ancienne cour dîmière du XVIIes. Il propose un riesling dont la robe jaune pâle traduit la jeunesse. Le nez allie des notes fruitées et des nuances minérales. L'attaque, soutenue par une belle acidité, est fort élégante. Elle introduit une bouche équilibrée et fine. La finale renoue avec la minéralité perçue à l'olfaction, sur des notes grillées. (Sucres résiduels : 7 g/l.)

Dom. Bruno Sorg, 8, rue Mgr-Stumpf, 68420 Eguisheim, tél. 03.89.41.80.85, fax 03.89.41.22.64, e-mail vins@domaine-bruno-sorg.com
t.l.j. sf dim. 9h-12h 14h-18h

WEHRLÉ Riesling 2004 ★

0,4 ha 2 000 8 à 11 €

Ce domaine est implanté à Husseren-les-Châteaux, point culminant de la route des Vins. Le Pfersigberg se déploie aux pieds du village – un superbe coteau où naissent de grands rieslings comme celui-ci. De couleur jaune pâle, ce 2004 apparaît encore discret au nez, laissant percer quelques senteurs citronnées. Après une attaque fraîche et agréable, la dégustation se poursuit sur des notes légèrement végétales, puis apparaissent des arômes d'agrumes (citron, pamplemousse), tandis que des nuances minérales marquent la finale assez longue. (Sucres résiduels : 7 g/l.)

Maurice Wehrlé et Fils, 21, rue des Vignerons, 68420 Husseren-les-Châteaux, tél. 03.89.49.30.79, fax 03.89.49.29.60, e-mail vins.wehrle@free.fr
r.-v.

Alsace grand cru pfingstberg

LUCIEN ALBRECHT Riesling 2004

0,75 ha 10 000 11 à 15 €

La famille Albrecht est mentionnée dès 1425, année où le premier vigneron de la lignée s'est installé à Thann. Elle s'est établie à Orschwihr en 1698 pour y rester jusqu'à nos jours. À la tête de 32 ha, elle possède des vignes dans le Pfingstberg, grand cru réputé pour ses rieslings. Jaune pâle limpide, celui-ci s'ouvre sur des senteurs florales et fruitées, avec des nuances minérales. C'est un vin bien sec, assez persistant, dominé par la vivacité et qui demande à s'assouplir. Il s'accordera avec de nombreux mets. (Sucres résiduels : 7 g/l.)

Lucien Albrecht, 9, Grand-Rue, 68500 Orschwihr, tél. 03.89.76.95.18, fax 03.89.76.20.22, e-mail lucien.albrecht@wanadoo.fr
t.l.j. sf dim. 8h-19h
Jean Albrecht

Alsace grand cru rangen

CLOS SAINT-THÉOBALD
Tokay-pinot gris Vendanges tardives 2002 ★★★

1 ha 3 000 38 à 46 €

Établi à Colmar, le domaine Schoffit est à la tête d'une exploitation de taille respectable (17 ha). Il a diversifié sa production en s'installant au sud de la route des Vins, sur le terroir du Rangen. Un grand cru qui se distingue par ses routes escarpées et par ses sols schisteux et volcaniques, et qui vaut à cette propriété un nouveau coup de cœur. Ces vendanges tardives arborent une tenue de fête : vieil or à reflets orangés, en harmonie avec un nez franc et subtil d'acacia et de fruits confits (coing). L'attaque, aux arômes de raisins secs, impressionne par sa concentration. Elle annonce un corps puissant, ample, onctueux, opulent, qui persiste longuement et laisse une impression de délicate élégance. Un grand liquoreux, qui vivra plus d'une décennie. (Sucres résiduels : 100 g/l.)

Dom. Schoffit, 66-68, Nonnenholzweg, 68000 Colmar, tél. 03.89.24.41.14, fax 03.89.41.40.52, e-mail domaine.schoffit@free.fr r.-v.
Bernard Schoffit

Alsace grand cru rosacker

CAVE VINICOLE DE HUNAWIHR
Pinot gris 2004 ★★

	1,54 ha	10 000	🍷 8 à 11 €

Hunawihr : un village emblématique de la route des Vins, avec son église fortifiée, environnée de vignes. Créée en 1955, la coopérative regroupe cent dix adhérents et vinifie la production de 200 ha. Elle a à cœur d'élaborer des vins du fleuron de la commune, le Rosacker (un terroir de calcaire coquillier aux sols lourds aérés par quelques éboulis siliceux). Dans la lignée du 2001, coup de cœur de l'édition 2004, ce pinot gris s'annonce par une robe jaune d'or et un nez expressif et élégant de fruits secs et de sous-bois. D'un superbe équilibre, il est à la fois riche, puissant, ample et délicat. Sa palette aromatique complexe associe les fruits confits et les épices. La finale très longue est d'une grande finesse. Une vinification sans faute. (Sucres résiduels : 21 g/l.)

🔑 Cave vinicole de Hunawihr, 48, rte de Ribeauvillé, BP 10016, 68150 Hunawihr, tél. 03.89.73.61.67, fax 03.89.73.33.95, e-mail info@cave-hunawihr.com
☑ 🍸 ✝ t.l.j. 8h-12h 14h-18h

SIPP-MACK Riesling 2003 ★

	1,1 ha	9 500	🍷🛢 11 à 15 €

Ce domaine qui regroupe les vignobles de deux familles compte 20 ha répartis sur les communes de Hunawihr, de Ribeauvillé et de Bergheim, avec des parcelles dans plusieurs grands crus. Le Rosacker est à l'origine de ce riesling jaune d'or, au nez minéral nuancé de notes d'acacia. En bouche, ce vin montre d'emblée sa puissance et développe une minéralité liée au terroir. Frais pour le millésime, équilibré, il offre une longue finale qui laisse une impression de richesse. (Sucres résiduels : 12,7 g/l.) L'**alsace riesling Vieilles Vignes 2004 (5 à 8 €)** est un beau vin sec, typique et armé pour la garde. Il obtient une citation. (Sucres résiduels : 4,7 g/l.)

🔑 Dom. Sipp-Mack, 1, rue des Vosges, 68150 Hunawihr, tél. 03.89.73.61.88, fax 03.89.73.36.70, e-mail sippmack@sippmack.com
☑ 🍸 ✝ t.l.j. sf dim. 9h-12h 14h-18h 🏠 ©

Alsace grand cru saering

DIRLER-CADÉ Muscat 2004

	0,34 ha	3 000	🍷 11 à 15 €

Depuis sa création en 1871, l'exploitation s'est agrandie de génération en génération pour atteindre aujourd'hui 16 ha, conduits en biodynamie. Elle possède des parcelles dans plusieurs grands crus des environs de Guebwiller, dont une vigne plantée en muscat sur le Saering, à l'origine de ce 2004. Jaune d'or soutenu aux reflets d'or brillant, ce vin présente un nez discret mais caractéristique du cépage, agrémenté de touches épicées et fumées. Bien structuré, nerveux, un peu fugace, il termine sur une fine pointe de minéralité. (Sucres résiduels : 15 g/l.)

🔑 EARL Dirler-Cadé, 13, rue d'Issenheim, 68500 Bergholtz, tél. 03.89.76.91.00, fax 03.89.76.85.97, e-mail jpdirler@terre-net.fr
☑ 🍸 ✝ t.l.j. sf dim. 8h-12h 13h30-18h; sam. 17h

LOBERGER
Gewurztraminer Vendanges tardives 2002 ★

	0,1 ha	650	🍷🛢 15 à 23 €

Implantée à Bergholtz, village situé à l'entrée de la vallée de Guebwiller, cette exploitation conduite en biodynamie s'étend sur 7,50 ha et dispose de parcelles dans deux grands crus, dont le Saering. Ce terroir a produit un gewurztraminer jaune d'or aux parfums de rose et de fruits exotiques, caractéristiques du cépage, assortis de notes miellées traduisant la surmaturation. Ampleur, rondeur, puissance et générosité se manifestent en bouche, avec des arômes de fruits secs et confits. La finale est marquée par une agréable minéralité. (Sucres résiduels : 58 g/l.)

🔑 EARL Joseph Loberger, 10, rue de Bergholtz-Zell, 68500 Bergholtz, tél. 03.89.76.88.03, fax 03.89.74.16.89, e-mail vin.loberger@wanadoo.fr ☑ 🍸 ✝ r.-v.

Alsace grand cru schlossberg

DOM. PAUL BLANCK Riesling 2002 ★★

	4,3 ha	15 500	15 à 23 €

À la tête d'un important domaine, les Blanck valorisent de longue date les grands crus. Ils détiennent ainsi plus de 4 ha plantés en riesling sur le Schlossberg. Ce terroir situé dans les limites de leur commune a engendré un superbe 2002 jaune d'or. Mûr et d'une rare complexité, le nez associe des notes minérales et des nuances de cire d'abeille, puis des senteurs d'agrumes et de fruits confits. Cette riche palette se prolonge en bouche où l'on retrouve la minéralité et un fruité varié. Bien structuré, puissant, plaisant, ce vin offre une finale persistante et tout en finesse. (Sucres résiduels : 9 g/l.)

🔑 Dom. Paul Blanck, 29, Grand-Rue, 68240 Kientzheim, tél. 03.89.78.23.56, fax 03.89.47.16.45, e-mail info@blanck.com ☑ 🍸 r.-v.
🔑 Frédéric et Philippe Blanck

ANNE BOECKLIN Riesling 2004 ★★

10 ha 55 000 ▮ 8 à 11 €

Fondée en 1955, la Cave de Kientzheim-Kaysersberg vinifie une dizaine d'hectares plantés en riesling sur le Schlossberg, terroir pentu dominant l'entrée de la vallée de Kaysersberg. Ce grand cru aux sols granitiques est particulièrement propice au riesling. Voyez celui-ci, un modèle du genre. D'un jaune pâle cristallin, il charme par son nez subtil aux accents de fruits mûrs. Croquant, d'un excellent équilibre, élégant, c'est un vin sec, bien adapté au repas. Les dégustateurs louent à l'envi sa jeunesse et sa complexité. (Sucres résiduels : 6 g/l.)

Cave de Kientzheim-Kaysersberg,
10, rue des Vieux-Moulins, 68240 Kientzheim,
tél. 03.89.47.13.19, fax 03.89.47.34.38,
e-mail cave-kaysersberg@vinsalsace-kaysersberg.com
r.-v.

BURGHART-SPETTEL Tokay-pinot gris 2004 ★

0,13 ha 1 500 8 à 11 €

Implanté à Mittelwihr, ce domaine familial comprend 8 ha répartis sur cette commune et les villages voisins. Il dispose ainsi de parcelles dans le grand cru Schlossberg qui a vu naître ce pinot gris, présenté en bouteilles de 50 cl ; de couleur or, ce 2004 libère des parfums caractéristiques du cépage : notes fumées et nuances de sous-bois rappelant en bouche le champignon. Souple et riche au palais, il finit longuement sur des notes grillées. (Sucres résiduels : 25 g/l.) Quant au **gewurztraminer grand cru Schlossberg 2004 (11 à 15 €)**, il obtient également une étoile pour sa palette aromatique complexe (orange, mandarine, miel, réglisse, épices, fleurs), pour son élégance et sa longueur. (Sucres résiduels : 35 g/l.)

Burghart-Spettel, 9, rte du Vin, 68630 Mittelwihr,
tél. 03.89.47.93.19, fax 03.89.49.07.62,
e-mail burghart-spettel@wanadoo.fr
t.l.j. sf dim. 10h-19h

CLAUDE DIETRICH Riesling 2004

1,5 ha 1 300 ▮ 8 à 11 €

Installé en 1987 sur l'exploitation familiale, Claude Dietrich dispose de 7 ha de vignes dont la moitié en grand cru. Jaune paille à reflets brillants, son riesling du Schlossberg libère des parfums de surmaturation rappelant les fruits confits. On retrouve ces arômes dans un palais dominé dès l'attaque par des sucres résiduels qui demandent à se fondre. Un ensemble tout en douceur qui pourrait être servi à l'apéritif. (Sucres résiduels : 15 g/l.)

Claude Dietrich, 13, rte du Vin, 68240 Kientzheim,
tél. 03.89.47.19.42, fax 03.89.47.36.67 r.-v.

ALBERT MANN Riesling 2004 ★★

1,5 ha 9 000 15 à 23 €

Implanté à Wettolsheim, à 2 km à l'ouest de Colmar, ce domaine résulte de l'union de deux familles de vieille souche vigneronne, les Mann et les Barthelmé. Conduit en agrobiologie, il s'étend sur 19 ha, avec des parcelles dans cinq grands crus, dont le Schlossberg, très recherché pour l'élaboration des rieslings qui aiment les terroirs précoces aux sols légers. D'un jaune pâle limpide, ce 2004 libère des senteurs de fruits confits. L'attaque dévoile un vin volumineux et généreux, auquel une pointe de sucre résiduel donne un côté suave et tendre. On y trouve aussi de la fraîcheur, de la finesse et de la générosité. Une réelle harmonie. (Sucres résiduels : 9 g/l.)

Dom. Albert Mann, 13, rue du Château,
68920 Wettolsheim, tél. 03.89.80.62.00,
fax 03.89.80.34.23, e-mail vins@albertmann.com
r.-v.
Barthelmé

DOM. STIRN Riesling Cuvée Clément 2004 ★

0,3 ha 2 500 8 à 11 €

En 1999, Odile et Fabien Stirn se sont installés sur l'exploitation familiale et ont décidé d'élaborer eux-mêmes leurs vins. Ils peuvent ainsi mettre à profit leurs compétences d'œnologues dans la valorisation des nombreux terroirs que comporte leur domaine. La cuvée Clément célèbre la naissance de leur premier-né ; elle voit le jour sous une bonne étoile et se révèle pleine de promesses. De couleur jaune-vert, ce riesling exprime une minéralité discrète au nez. Son attaque droite s'associe à des notes citronnées qui communiquent à l'ensemble une bonne vivacité. Puissant, bien charpenté et long, ce 2004 devrait gagner à attendre deux ou trois ans. (Sucres résiduels : 16 g/l.)

Fabien Stirn, Dom. Stirn, 3, rue du Château,
68240 Sigolsheim, tél. 03.89.47.30.50,
fax 03.89.47.30.58, e-mail domainestirn@free.fr
t.l.j. 13h-18h; dim. sur r.-v.; f. jan

DOM. WEINBACH
Riesling Cuvée Sainte-Catherine 2004 ★★

1 ha 4 500 30 à 38 €

Au pied du grand cru Schlossberg s'étend le domaine Weinbach. D'origine monastique, le vignoble est mentionné dès le IXᵉs. Le Clos des Capucins est constitué au début du XVIIᵉs. Sécularisé à la Révolution, le domaine passe dans la famille Faller à la fin du XIXᵉs. Aujourd'hui, Colette Faller et ses filles Catherine et Laurence sont à la tête d'une propriété riche de nombreux terroirs et ont su lui donner une réelle notoriété. D'un jaune d'or intense, la cuvée Sainte-Catherine affiche d'emblée son originalité par des arômes de fleurs séchées évoluant vers des notes toastées, un rien fumées. Volumineuse, complexe et puissante en bouche, dans un très bel équilibre, elle persiste longuement sur des notes minérales. Un ensemble envoûtant. On pourra marier cette bouteille à un poisson en sauce. (Sucres résiduels : 5 g/l.)

Dom. Weinbach-Colette Faller et ses Filles,
Clos des Capucins, 68240 Kaysersberg,
tél. 03.89.47.13.21, fax 03.89.47.38.18,
e-mail contact@domaineweinbach.com r.-v.

Alsace grand cru schoenenbourg

DOPFF AU MOULIN Riesling 2004 ★★

8 ha 44 000 ▮ 11 à 15 €

Les Dopff ont pignon sur rue à Riquewihr depuis le XVIIᵉs. Ils ont constitué un vaste domaine de 63 ha répartis sur différents terroirs, avec pas moins de 8 ha dans le Schoenenbourg, qui représente un de leurs fleurons. Un terroir très adapté au riesling, comme le montre ce remarquable 2004 jaune à reflets verts et aux parfums de fruits confits et de fruits secs. Frais à l'attaque, le palais est généreux, puissant, riche et ample et dévoile des arômes d'ananas, de pêche et de citron vert. La longue finale laisse percevoir une touche de minéralité. (Sucres résiduels : 13 g/l.)

🗝 Dopff au Moulin, 2, av. Jacques-Preiss,
68340 Riquewihr, tél. 03.89.49.09.69,
fax 03.89.47.83.61, e-mail domaines@dopff-au-moulin.fr
⊠ Y ⚲ t.l.j. 9h-12h30 14h-19h

HEIMBERGER Riesling 2004 ★

1,2 ha 6 850 ▮ 8 à 11 €

À l'origine de la coopérative de Beblenheim, en 1952, cinq viticulteurs. Aujourd'hui, la cave rassemble cent trente-cinq adhérents et vinifie 250 ha, dont une parcelle importante dans le Schoenenbourg. Ce grand cru a donné naissance à un riesling jaune-vert intense, au nez vif de citron vert nuancé de fleurs blanches. Dès l'attaque, on retrouve ce côté citronné, puis l'ensemble gagne en complexité avec des notes de fruits mûrs. Rond et long, ce vin est aussi très jeune ; s'il peut déjà être servi, une petite garde devrait lui être bénéfique. (Sucres résiduels : 24 g/l.)

🗝 Cave vinicole de Beblenheim, 14, rue de Hoen,
68980 Beblenheim, tél. 03.89.47.90.02,
fax 03.89.47.86.85
⊠ Y ⚲ t.l.j. 9h-12h 14h-18h30; f. 1er jan.-15 mars

CAVE VINICOLE DE HUNAWIHR
Riesling 2004 ★

1,73 ha 14 000 ▮ 8 à 11 €

La Cave vinicole de Hunawihr a soixante ans d'existence. Les 200 ha qu'elle vinifie sont situés en coteaux et produisent quarante types de vins, dont plusieurs grands crus des « perles » de la route des Vins, autour de Riquewihr. De couleur jaune d'or, son riesling du Schoenenbourg présente un nez puissant, d'une minéralité affirmée. Très agréable, l'attaque dévoile un palais fin, équilibré, concentré, ample, souple et des arômes de fleurs blanches et de citron. Une touche de mandarine marque la finale qui s'enveloppe de douceur. (Sucres résiduels : 30 g/l.)

🗝 Cave vinicole de Hunawihr, 48, rte de Ribeauvillé,
BP 10016, 68150 Hunawihr, tél. 03.89.73.61.67,
fax 03.89.73.33.95, e-mail info@cave-hunawihr.com
⊠ Y ⚲ t.l.j. 8h-12h 14h-18h

PIERRE SPARR Riesling 2004 ★

n.c. 28 800 15 à 23 €

Située près de Colmar, à Sigolsheim, au bord de la route qui mène à Kaysersberg, cette maison de négoce née à la fin du XIXes. possède un vignoble qu'elle complète par des achats auprès des vignerons. Des vignes de trente ans plantées sur les pentes du Schoenenbourg exposées au midi sont à l'origine de ce riesling jaune d'or au nez mûr mêlant des touches rappelant le tabac ou le santal à une minéralité bien développée. La bouche ample et complexe révèle des arômes de fruits exotiques, tandis que la longue finale renoue avec la minéralité perçue à l'olfaction. Un vin de gastronomie. (Sucres résiduels : 4,6 g/l.)

🗝 SA Pierre Sparr et ses Fils,
2, rue de la 1re-Armée-Française, 68240 Sigolsheim,
tél. 03.89.78.24.22, fax 03.89.47.32.62,
e-mail vins-sparr@alsace-wines.com ⊠ Y ⚲ r.-v.

Alsace grand cru sonnenglanz

DOM. BOTT-GEYL Pinot gris 2004 ★★

1,1 ha 5 600 ▮▮ 15 à 23 €

Un peu d'alsacien : *Sonne* : soleil ; *Glanz* : éclat, splendeur. Le soleil brille de tous ses rayons sur ce superbe terroir exposé au sud-est, délimité dès les années 1930. À la tête d'un domaine de 13,50 ha de vignes conduites en biodynamie, Jean-Christophe Bott exprime le meilleur de ce grand cru, qui constitue avec d'autres parcelles en Mandelberg et en Furstentum le fleuron de sa propriété. Il en a tiré son huitième coup de cœur ! Jaune d'or profond, laissant des larmes sur les parois du verre, ce pinot gris charme d'entrée par la complexité élégante de son nez où l'acacia côtoie la figue et le tabac. L'attaque aux puissants arômes de surmaturation (raisins secs) et d'épices dévoile un vin riche, généreux et voluptueux. La finale persistante est soulignée par une fine acidité. Un ensemble remarquable pour l'apéritif ou le foie gras. (Sucres résiduels : 35 g/l.)

🗝 Dom. Bott-Geyl, 1, rue du Petit-Château,
68980 Beblenheim, tél. 03.89.47.90.04,
fax 03.89.47.97.33, e-mail info@bott-geyl.com
⊠ Y ⚲ r.-v. 🏠 ©
🗝 Jean-Christophe Bott

Alsace grand cru spiegel

DOMAINES SCHLUMBERGER Pinot gris 2002 ★

2,47 ha 10 364 ▮ ▮▮ 11 à 15 €

Originaires de Souabe, les Schlumberger se sont installés au sud de l'Alsace au XVIes. Au XVIIIes., Nicolas Schlumberger créa à Guebwiller une fabrique de machines textiles et acheta un vignoble, noyau des domaines actuels développés à partir des années 1920 et qui, avec 140 ha, représentent la plus vaste propriété viticole d'Alsace. La famille détient des parcelles dans quatre grands crus du secteur, dont le Spiegel à l'origine de ce vin charmeur. Jaune d'or intense à reflets vieil or, ce pinot gris s'annonce par de puissantes impressions de grillé mêlées de nuances de fruits surmûris et de notes épicées. Après une flatteuse attaque ronde, une pointe d'acidité relève le corps puissant et gras qui finit sur des nuances fruitées de pêche et de coing. On peut commencer à ouvrir à l'apéritif cette bouteille qui gagnera à attendre un an ou deux. (Sucres résiduels : 33 g/l.)

🗝 Domaines Schlumberger, 100, rue Théodore-Deck,
68500 Guebwiller, tél. 03.89.74.27.00,
fax 03.89.74.85.75,
e-mail mail@domaines-schlumberger.com ⊠ Y r.-v.

Alsace grand cru sporen

HORCHER Gewurztraminer 2004 *

0,13 ha 1 100 11 à 15 €

Cette propriété familiale établie à Mittelwihr détient des vignes dans le Sporen, grand cru rattaché à la toute proche Riquewihr. Le terroir forme un cirque en pente douce regardant le sud-est ; ses sols profonds, argilo-marneux et riches en acide phosphorique sont propices au gewurztraminer. Tout aussi réussi que dans le millésime précédent, celui-ci affiche une robe jaune soutenu ; le nez associe aux arômes exotiques caractéristiques du cépage des notes d'agrumes confits. Ces arômes de surmaturation (coing confit) se prolongent en bouche, accompagnés de notes épicées et poivrées. Équilibré, riche, généreux, ce vin prometteur finit sur une pointe d'amertume. Il bénéficiera d'une petite garde. (Sucres résiduels : 33 g/l.)

Alfred Horcher, 8, rue du Vignoble,
68630 Mittelwihr, tél. 03.89.47.93.26,
fax 03.89.49.04.92, e-mail info@horcher.fr
t.l.j. sf dim. 8h-12h 14h-19h

Alsace grand cru steinert

JEAN GINGLINGER ET FILS
Tokay-pinot gris 2004 *

0,4 ha 2 000 11 à 15 €

Ce domaine familial établi à Pfaffenheim, à une dizaine de kilomètres au sud de Colmar, s'étend sur 6 ha. Depuis 1999, il a opéré sa reconversion en biodynamie. Il possède une vigne dans le Steinert, terroir dont le nom évoque le côté pierreux, le cailloutis important qui recouvre ses sols calcaro-argileux. Sur les fortes pentes de ce grand cru est né ce 2004 jaune pâle brillant, qui s'ouvre au premier nez sur des notes grillées avant de libérer quelques effluves floraux et d'intenses arômes de pêche. Il attaque en souplesse avant de révéler une acidité de bon aloi. Le palais renoue avec les notes fruitées et grillées de l'olfaction et finit sur des impressions chaleureuses. Un vin de garde qui s'accordera avec une viande blanche au curry. (Sucres résiduels : 15 g/l.)

Jean Ginglinger, 6, rue du Fossé,
68250 Pfaffenheim, tél. 03.89.49.62.87,
fax 03.89.49.74.78,
e-mail domaine@ginglinger-jean.com r.-v.

DOM. DU MITTELBURG Riesling 2004

0,16 ha 1 000 5 à 8 €

Installés à Pfaffenheim, importante commune viticole proche de Rouffach, au sud de Colmar, les Martischang cultivent la vigne de père en fils depuis le XVIII^e^s. Attachés aux méthodes ancestrales, ils élèvent leur vins dans le bois. Jaune pâle avec quelques reflets verts, leur riesling du Steinert s'ouvre discrètement sur quelques parfums floraux, tandis que la bouche est l'empreinte d'un léger fruité d'agrumes. Assez gras et souple, il est encore marqué par les sucres résiduels et gagnera à attendre quelques mois. (Sucres résiduels : 10 g/l.)

EARL Henri Martischang, 15, rue du Fossé,
68250 Pfaffenheim, tél. 03.89.49.60.83,
fax 03.89.49.76.61, e-mail vin.h.martischang@free.fr
r.-v.

RIEFLÉ Riesling 2004 *

n.c. n.c. 11 à 15 €

Les Rieflé sont installés au centre de Pfaffenheim, dans une maison datée de 1609. À la tête d'un coquet domaine de 22 ha, ils détiennent des parcelles dans le grand cru de la cité, le Steinert. Déjà mentionné au milieu du XII^e^s., ce terroir viticole était alors partagé entre le couvent des bénédictins de Muri (Suisse), l'évêché de Bâle et celui de Strasbourg. En 2004, il a donné naissance à un riesling jaune doré à reflets verts, au nez intense d'agrumes assorti de notes de coing et d'une touche de pierre à fusil. On retrouve cette palette complexe, dominée par les fruits confits et des notes minérales dans un palais souple, gras, bien structuré et assez long. Un classique pour du poisson en sauce. (Sucres résiduels : 6 g/l.)

Dom. Rieflé, BP 43, 7, rue du Drotfeld,
68250 Pfaffenheim, tél. 03.89.78.52.21,
fax 03.89.49.50.98, e-mail riefle@riefle.com
t.l.j. sf dim. 8h-12h 14h-18h

Alsace grand cru steingrübler

JEAN-PAUL SCHAFFHAUSER Riesling 2004 *

0,34 ha 2 850 5 à 8 €

Le Steingrübler est bien adapté au riesling. Le calcaire de son sol apporte la finesse et l'argile la longévité. Cette exploitation familiale en a tiré un vin jaune à reflets verts, mêlant au nez des notes de fruits blancs et des touches minérales. On retrouve ces arômes dans une bouche ample, bien structurée, persistante. En finale, une présence assez sensible des sucres résiduels incite à attendre quelque temps cette bouteille. (Sucres résiduels : 14 g/l.)

Jean-Paul Schaffhauser, 8, rte du Vin,
68920 Wettolsheim, tél. 03.89.79.99.97,
fax 03.89.80.58.21, e-mail schaffhauser.jpaul@free.fr
r.-v.

ANDRÉ STENTZ Pinot gris 2004 *

0,18 ha 1 300 11 à 15 €

Installé il y a trente ans à la tête de l'exploitation familiale, André Stentz est l'héritier d'une lignée de vignerons qui remonte à 1674. Dès les années 1980, il s'est tourné vers l'agriculture biologique. Son pinot gris du Steingrübler, d'un jaune doré brillant, présente un nez complexe aux nuances de surmaturation. D'une belle fraîcheur à l'attaque, il dévoile un corps riche et puissant et des arômes de sous-bois, d'épices et de cire d'abeille. Ce vin harmonieux s'accordera avec une viande blanche, une selle de veau aux morilles par exemple. (Sucres résiduels : 20 g/l.)

André Stentz, 2, rue de la Batteuse,
68920 Wettolsheim, tél. 03.89.80.64.91,
fax 03.89.79.59.75, e-mail andre-stentz@wanadoo.fr
r.-v.

WUNSCH ET MANN
Riesling Collection Joseph Mann 2004 *

0,8 ha 5 300 8 à 11 €

Installés à Wettolsheim à la fin du XVIII^e^s., les Mann se sont alliés aux Wunsch pour former en 1948 cette maison de négoce qui exploite 20 ha de vignes en propre. Elle propose un riesling issu du Steingrübler, terroir argilo-calcaire aéré par un cailloutis important. D'un jaune pâle brillant, ce 2004 s'annonce par un nez bien fruité, ouvert et franc, aux nuances de fruits blancs. En bouche, il révèle une bonne matière, bien structurée par une superbe acidité, et des arômes citronnés. La longue finale est marquée par une minéralité naissante. Un bel équilibre. (Sucres résiduels : 6 g/l.)

Wunsch et Mann, 2, rue des Clefs, 68920 Wettolsheim, tél. 03.89.22.91.25, fax 03.89.80.05.21, e-mail wunsch-mann@wanadoo.fr t.l.j. sf dim. 8h-12h 13h30-18h30

Alsace grand cru steinklotz

DOM. XAVIER MULLER Pinot gris 2003

1,05 ha 2 600 8 à 11 €

Muller, c'est « meunier » en langue germanique. De fait, l'arrière-grand-père de Xavier Muller était propriétaire d'un moulin à la fin du XIX[e]s., et l'exploitation s'est installée dans une ancienne minoterie. Le domaine, qui élabore son propre vin depuis 2002, est implanté à Marlenheim, à la porte nord de la route des Vins. Du grand cru de la commune, il a tiré un pinot gris de couleur jaune pâle, encore léger au nez. Souple à l'attaque, bien structuré et long, ce 2003 affiche des arômes de foin fraîchement fauché et un fumé caractéristiques du cépage. Honorable pour le millésime, il trouvera sa place à table. (Sucres résiduels : 15,7 g/l.)

Xavier Muller, 1, rue du Moulin, 67520 Marlenheim, tél. et fax 03.88.59.57.90, e-mail xavier.muller3@wanadoo.fr r.-v.

Alsace grand cru vorbourg

RENÉ MURÉ Riesling 2004 ★

1,73 ha 14 100 15 à 23 €

Établi à Rouffach, à 17 km de Colmar, René Muré est à la tête depuis vingt-cinq ans d'un important domaine auquel il a donné une notoriété internationale. Ses 22 ha de vignes comportent de beaux fleurons, notamment dans le Vorbourg – terroir dont le nom, signifiant « avant-mont », désigne le premier contrefort des collines sous-vosgiennes. Exposé au sud-sud-est et protégé des vents humides de l'ouest par les plus hauts sommets vosgiens, ce grand cru a donné naissance à un vin jaune doré, au nez intense de fruits confits (agrumes et abricot). Structuré par une belle acidité, ce riesling est puissant, riche, gras et long. On y retrouve les agrumes très mûrs, un fruité confituré. À essayer sur des plats relevés, une viande blanche cuisinée à l'aigre-doux. (Sucres résiduels : 6 g/l.)

René Muré, Dom. du Clos Saint-Landelin, rte du Vin, 68250 Rouffach, tél. 03.89.78.58.00, fax 03.89.78.58.01, e-mail rene@mure.com r.-v.

Alsace grand cru wineck-schlossberg

HENRI KLÉE Riesling 2004

0,4 ha 3 400 5 à 8 €

La famille Klée perpétue à Katzenthal une tradition viticole qui remonte à 1624. La dernière génération s'est installée il y a une vingtaine d'années. Dans ce village, le grand cru s'appelle Wineck-Schlossberg. Ce « vignoble du château » (Schlossberg) tire son nom du donjon du Wineck que l'on voit encore au milieu des vignes. Ses sols granitiques ont engendré un riesling jaune-vert brillant au fruité intense nuancé d'une touche minérale. Bien équilibré, structuré et assez long, ce 2004 aux arômes citronnés renoue en finale avec des notes minérales. (Sucres résiduels : 12 g/l.)

EARL Henri Klée et Fils, 11, Grand-Rue, 68230 Katzenthal, tél. 03.89.27.03.81, fax 03.89.27.28.17, e-mail contact@vins-klee-henri.com t.l.j. sf dim. 8h-12h 13h30-18h30

CLÉMENT KLUR Riesling 2004 ★

0,35 ha 2 000 11 à 15 €

Clément Klur a orienté son exploitation vers la biodynamie. Il élabore ses vins dans une cave circulaire dont la couverture végétale permet la climatisation naturelle et le maintien d'une hygrométrie favorable. Ses vignes sont implantées sur des terrains en forte pente. Le Wineck-Schlossberg est à l'origine de ce riesling jaune pâle aux brillants reflets dorés. Discret au nez, ce 2004 exprime quelques senteurs de fruits mûrs nuancées de notes minérales. Ces dernières s'affirment au palais, avec des impressions citronnées. Franc et vif à l'attaque, ce vin révèle une matière de qualité, bien équilibrée, marquée jusqu'en finale par une belle fraîcheur. Un ensemble prometteur. (Sucres résiduels : 5 g/l.)

Clément Klur, 105, rue des Trois-Épis, 68230 Katzenthal, tél. 03.89.80.94.29, fax 03.89.27.30.17, e-mail info@klur.net r.-v.

ALFRED MEYER Riesling 2004 ★

0,22 ha 1 600 8 à 11 €

Daniel Meyer s'est installé en 2003 sur l'exploitation familiale implantée à Katzenthal, petit village viticole blotti au fond d'un vallon bien abrité et dominé par les pentes escarpées du Wineck-Schlossberg. Ses vignes exposées au sud-sud-est ont donné naissance à ce riesling jaune d'or aux brillants reflets. Plutôt discret au nez, il associe des effluves citronnés et des notes de surmaturation rappelant les raisins secs. Sa belle attaque confirme ce côté surmûri, qui s'allie avec une douceur importante. La finale persiste longuement sur des nuances de fruits confits. Ce joli vin gagnera à attendre deux ou trois ans. (Sucres résiduels : 25 g/l.)

EARL Alfred Meyer et Fils, 98, rue des Trois-Épis, 68230 Katzenthal, tél. 03.89.27.24.50, fax 03.89.27.55.40 t.l.j. sf dim. 9h-12h 13h30-18h

Daniel Meyer

PAUL SPANNAGEL Tokay-pinot gris 2004 ★

0,25 ha 2 100 11 à 15 €

Des Spannagel étaient déjà établis à Katzenthal à la fin du XVI[e]s. Aujourd'hui, Yves Spannagel s'est installé sur le domaine familial développé par son père Paul au début des années 1960. Il possède une vigne dominée par le donjon du Wineck d'où provient ce pinot gris habillé d'une robe jaune à reflets or. Au nez, ce 2004 associe des notes poivrées et grillées. Franc et frais à l'attaque, il révèle une chair riche, puissante et équilibrée. Les touches grillées du nez se nuancent de fruits secs, tandis que la longue finale termine sur des impressions minérales. (Sucres résiduels : 24 g/l.)

Paul Spannagel et Fils, 1, Grand-Rue,
68230 Katzenthal, tél. 03.89.27.01.70,
fax 03.89.27.45.93, e-mail paul.spannagel@wanadoo.fr
t.l.j. sf dim. 8h-12h 14h-19h

Alsace grand cru winzenberg

KIENTZ Pinot gris 2004 ★★

0,3 ha 2 000 8 à 11 €

Le grand cru Winzenberg domine la commune de Blienschwiller. La forte pente de son coteau et son exposition sud-sud-est lui garantissent un ensoleillement optimal. De ce terroir granitique est issu ce pinot gris de couleur jaune paille limpide, au nez expressif et franc mêlant les fruits jaunes bien mûrs et les fleurs blanches. Ce fruité se prolonge dans une bouche équilibrée, nette à l'attaque, bien structurée par une bonne acidité et assez persistante. Une bouteille à marier avec une viande blanche. (Sucres résiduels : 15 g/l.)

René Kientz Fils, 51, rte du Vin,
67650 Blienschwiller, tél. 03.88.92.49.06,
fax 03.88.92.45.87, e-mail alsacekientz@wanadoo.fr
r.-v.
André Kientz

Alsace grand cru zinnkoepflé

DOM. LÉON BOESCH Gewurztraminer 2004

1 ha 3 700 15 à 23 €

Ce domaine familial est conduit en biodynamie par Gérard et Mathieu Boesch qui font fermenter leurs vins à l'aide de levures indigènes et les élèvent sur lie dans des foudres de chêne. Implanté à Westhalten, à l'entrée de la Vallée Noble, il compte des parcelles dans le grand cru du lieu, le Zinnkoepflé, protégé à l'ouest par les plus hauts sommets des Vosges et ouvert plein sud sur la vallée. Les vignerons en tirent des vins régulièrement mentionnés dans le Guide, notamment ceux issus du gewurztraminer. Après un grand liquoreux (2002) coup de cœur l'an dernier, voici un vin plus modeste, mais réussi, avec sa robe jaune d'or plaisante, son nez encore discret, épicé et minéral, son palais équilibré, riche et puissant, rappelant en finale le clou de girofle. (Sucres résiduels : 22 g/l.)

Dom. Léon Boesch,
6, rue Saint-Blaise, 68250 Westhalten,
tél. 03.89.47.01.83, fax 03.89.47.64.95,
e-mail domaine-boesch@wanadoo.fr r.-v. B
Gérard et Mathieu Boesch

AGATHE BURSIN Gewurztraminer 2004 ★★

0,24 ha 1 685 11 à 15 €

Après ses études d'œnologie, Agathe Bursin a repris le petit domaine familial à Westhalten, dans le tronçon sud de la route des Vins. Elle élabore ses cuvées alors que ses parents étaient apporteurs de raisin. Ce gewurztraminer grand cru révèle sa maîtrise des vinifications. D'un jaune citron limpide, il libère des fragrances discrètes, épicées et florales, avant de s'affirmer sur des nuances fruitées un peu confites. L'attaque dévoile un corps riche, concentré, opulent et généreux qui ne perd pas de son élégance. Ses arômes de pêche au sirop s'accompagnent de notes de fleurs blanches puis d'une touche minérale. « La longue finale donne, avoue un membre du jury, envie de regoûter ce vin », que l'on dégustera aussi bien pour lui-même qu'avec des fromages ou des tartes. (Sucres résiduels : 34 g/l.)

Agathe Bursin, 11, rue de Soultzmatt,
68250 Westhalten, tél. et fax 03.89.47.04.15 r.-v.

RENÉ FLECK Muscat 2004

0,11 ha 850 8 à 11 €

Cette propriété familiale, à l'origine située au cœur de Soultzmatt, est implantée depuis la fin des années 1960 à l'entrée de ce village de la Vallée Noble. Elle a été reprise en 1995 par Nathalie Fleck et son mari Stéphane. C'est la première qui vinifie. Du grand cru Zinnkoepflé, elle a tiré une petite cuvée de muscat jaune pâle limpide. Ce 2004 présente un nez franc, marqué par les arômes délicats du cépage. À la fois souple et frais, c'est un vin ample et harmonieux à la finale élégante. Il fera un bon vin d'apéritif. (Sucres résiduels : 12 g/l.)

René Fleck et Fille,
27, rte d'Orschwihr, 68570 Soultzmatt,
tél. 03.89.47.01.20, fax 03.89.47.09.24,
e-mail renefleck@voila.fr r.-v. C

RAYMOND ET MARTIN KLEIN Tokay-Pinot gris 2004

0,36 ha 2 600 5 à 8 €

La famille Klein se consacre à la viticulture depuis la fin du XVII[e]s. Établie à Soultzmatt, elle possède des parcelles dans le Zinnkoepflé, dont les pentes escarpées et ensoleillées dominent ce village du sud de la route des Vins. De ce grand cru est né un pinot gris à la robe jaune doré limpide et au nez charmeur traduisant d'abord la surmaturation puis des notes grillées et épicées. L'attaque souple dévoile des nuances de fruits surmûris dans le prolongement de l'olfaction, accompagnées d'arômes miellés et exotiques. Si ce vin n'est pas des plus longs, il n'est pas trop lourd malgré la présence de sucres résiduels. (Sucres résiduels : 16 g/l.)

Raymond et Martin Klein,
61, rue de la Vallée, 68570 Soultzmatt,
tél. 03.89.47.01.76, fax 03.89.47.64.53
t.l.j. sf dim. 9h-12h 14h-18h B

ÉRIC ROMINGER Gewurztraminer Les Sinneles 2004

0,5 ha 1 000 11 à 15 €

En vingt ans, Éric Rominger a agrandi la superficie de l'exploitation, qui compte aujourd'hui 11 ha, essentiellement sur le territoire de Westhalten. Il a aménagé de nouveaux chais en 2000 et montré un grand savoir-faire, comme en témoignent trois vins coups de cœur issus de ce grand cru. Sur ce coteau calcaro-gréseux au microclimat très sec, les vignes grimpent jusqu'à 420 m, ce qui représente sans doute l'altitude la plus élevée en Alsace. Elles ont donné ici naissance à un vin jaune doré intense, mêlant au nez des notes de fruits exotiques à des nuances confites. Après une attaque très souple, on découvre un palais marqué lui aussi par la surmaturation (fruits secs et confits) et dominé par la douceur. Une bouteille à attendre au moins deux ans, pour permettre aux sucres de se fondre. (Sucres résiduels : 60 g/l.)

Éric Rominger, 16, rue Saint-Blaise,
68250 Westhalten, tél. 03.89.47.68.60,
fax 03.89.47.68.61,
e-mail vins-rominger.eric@wanadoo.fr r.-v.

DOM. SCHIRMER Gewurztraminer 2004

0,25 ha 2 100 **8 à 11 €**

Au sud de la route des Vins, Soultzmatt possède des sources d'eau minérale. La petite cité de la Vallée Noble est surtout célèbre par ses vins, issus du coteau du Zinnkoepflé qui la domine au nord. Le secteur est tellement baigné de soleil que les Schirmer en tirent un sylvaner liquoreux. Mais c'est, plus classiquement, un gewurztraminer qui est retenu dans le Guide. Jaune clair brillant, il présente un nez discret mais caractéristique du cépage, épicé et floral, et un palais équilibré, quoique très marqué par le sucre. Le 2001 avait obtenu un coup de cœur. (Sucres résiduels : 50 g/l.)

Dom. Lucien Schirmer et Fils,
22, rue de la Vallée, 68570 Soultzmatt,
tél. 03.89.47.03.82, fax 03.89.47.02.33 r.-v.

SCHLEGEL BOEGLIN Riesling 2004 ★★

0,6 ha 4 000 8 à 11 €

Le nom de ce grand cru, appelé parfois Sonnenkoepflé, rappelle les rayons du soleil (*Sonne*) qui frappent ses pentes escarpées exposées au midi. Un terroir propice à la plupart des cépages. Ce domaine familial, fort de ses 12 ha de vignes, y détient des parcelles plantées en pinot gris, riesling et gewurztraminer qui lui ont valu trois coups de cœur. Ce riesling en robe dorée est tout aussi remarquable que dans le millésime précédent. Il charme par ses parfums de fruits confits que l'on retrouve en bouche dans une belle complexité : les agrumes très mûrs y voisinent avec les fruits jaunes, abricot et mirabelle. Bien structuré par une acidité bienvenue, il finit longuement sur des notes de coing. Une bouteille à servir avec langoustines ou homard. (Sucres résiduels : 17 g/l.)

Dom. Schlegel-Boeglin,
22 A, rue d'Orschwihr, 68250 Westhalten,
tél. 03.89.47.00.93, fax 03.89.47.65.32,
e-mail schlegel-boeglin@wanadoo.fr r.-v.

Jean-Luc Schlegel

Alsace grand cru zotzenberg

DOM. ARMAND GILG Gewurztraminer 2004 ★★★

0,96 ha 6 960 8 à 11 €

Originaire de Graz, en Autriche, la famille Gilg est arrivée en Alsace au XVIe s. Elle est installée au centre de Mittelbergheim dans une de ces maisons cossues qui donnent à ce village tout son cachet, et ses caves les plus anciennes datent de 1572 et 1585. Le domaine ne compte pas moins de 22 ha, dont une belle parcelle dans le grand cru Zotzenberg a engendré ce gewurztraminer de toute beauté. D'un jaune paille étincelant de reflets, ce vin dévoile d'emblée sa finesse, qui est le maître mot de la dégustation. Ses arômes de rose sont encore discrets, mais la matière est là, harmonieuse, généreuse, opulente. La longue finale aux nuances minérales laisse une impression d'élégance. Une bouteille appelée à une longue vie – cinq à huit ans. (Sucres résiduels : 25 g/l.)

Dom. Armand Gilg, 2-4, rue Rotland,
67140 Mittelbergheim, tél. 03.88.08.92.76,
fax 03.88.08.25.91
t.l.j. 8h-12h 13h30-18h; sam. 17h;
dim. 9h-11h30; groupes sur r.-v.

PIERRE ET JEAN-PIERRE RIETSCH
Muscat Vendanges tardives 2003 ★

0,12 ha 1 500 15 à 23 €

Situé à flanc de coteau, le village de Mitttelbergheim compte au nombre des plus pittoresques du Bas-Rhin. La famille Rietsch y est logée dans une maison de 1576. Elle possède plusieurs parcelles dans le grand cru de la commune, plantées de divers cépages. Jaunes à reflets verts, ces vendanges tardives assez discrètes au nez laissent percer après aération des notes de fleurs blanches, de miel et de fruits confits. Rond et riche, et chaleureux au palais, ce vin reste élégant et assez long. La finale renoue avec les fruits confits sur une touche épicée (bouteilles de 50 cl.) À déguster en apéritif ou avec un sorbet aux agrumes. (Sucres résiduels : 62 g/l.)

EARL Pierre et Jean-Pierre Rietsch,
32, rue Principale, 67140 Mittelbergheim,
tél. 03.88.08.00.64, fax 03.88.08.40.91,
e-mail rietsch@wanadoo.fr r.-v.

FERNAND SELTZ ET FILS
Gewurztraminer 2004 ★

0,18 ha 1 300 **15 à 23 €**

La notoriété du Zotzenberg remonte au XIVe s. Les vins étaient commercialisés sous le nom de ce cru dès le début du XXe s. Ce terroir a fourni ici un gewurztraminer au nez intensément floral évoquant la rose. Après une attaque douce, le palais se montre puissant et ample, digne d'un grand cru. Une finale marquée de touches minérales signe son élégance. (Sucres résiduels : 49 g/l.)

EARL Fernand Seltz et Fils,
42, rue Principale, 67140 Mittelbergheim,
tél. et fax 03.88.08.93.92,
e-mail seltz.michel@wanadoo.fr r.-v.

Michel Seltz

Crémant-d'alsace

La reconnaissance de cette appellation, en 1976, a donné un nouvel essor à la production de vins effervescents élaborés selon la méthode traditionnelle, qui existait depuis longtemps à une échelle réduite. Les cépages qui peuvent entrer dans la composition de ce produit de plus en plus apprécié sont le pinot blanc, l'auxerrois, le pinot gris, le pinot noir, le riesling et le chardonnay. La production de crémant-d'Alsace atteignait un nouveau record avec 273 527 hl lors de la récolte 2005.

CHARLES BAUR 2003 *

2 ha 22 000 5 à 8 €

Descendant d'une lignée de vignerons remontant au XVIIIe s., Armand Baur est depuis 1980 à la tête de l'exploitation familiale (14 ha) créée par son père en 1947. Assemblage de 80 % de pinot blanc et d'auxerrois complétés par du chardonnay, son crémant trouvera sa place à l'apéritif avec ses bulles fines, son nez subtil, son palais sec, frais, équilibré et de bonne maturité. Un vin harmonieux.

Dom. Charles Baur, 29, Grand-Rue, 68420 Eguisheim, tél. 03.89.41.32.49, fax 03.89.41.55.79, e-mail cave@vinscharlesbaur.fr
t.l.j. 9h-12h 14h-18h
Armand Baur

BERNARD BECHT 2003 *

1,15 ha 10 300 **8 à 11 €**

Établi à Dorlisheim, près de Molsheim, Bernard Becht est à la tête depuis trente ans de l'exploitation familiale (14 ha de vignes). Issu de 70 % de pinot blanc et de 30 % de chardonnay, son crémant s'exprime avec harmonie par une effervescence vive, dans une robe jaune clair à reflets verts et par un nez fruité de pomme verte qui se confirme au palais. Une expression fort avenante.

EARL Bernard Becht, 84, Grand-Rue, 67120 Dorlisheim, tél. 03.88.38.20.37, fax 03.88.38.88.00, e-mail becht.bernard@wanadoo.fr
t.l.j. 8h-12h 13h30-19h; dim. sur r.-v.

PIERRE BECHT 2003

2 ha 20 000 **5 à 8 €**

Dans cette exploitation familiale, le fils Frédéric a rejoint depuis plusieurs années son père, lequel est engagé au sein de la profession viticole de la région. D'une effervescence fine et soutenue, ce crémant 100 % auxerrois s'affirme par un fruité plutôt fin dont l'intensité se retrouve au palais. Un ensemble typé mais assez souple.

Pierre et Frédéric Becht, 26, fbg des Vosges, 67120 Dorlisheim, tél. 03.88.38.18.22, fax 03.88.38.87.81, e-mail info@domaine-becht.com
t.l.j. sf dim. 8h30-11h 14h-18h

BESTHEIM *

15 ha 160 000 5 à 8 €

Bestheim est une importante coopérative regroupant les caves de Bennwihr et de Westhalten. Ses crémants sont élaborés dans cette dernière commune sur un site rénové en 2005. Cette cuvée sans année est l'alliance des millésimes 2004 et 2003. Sa robe jaune paille s'anime d'une belle effervescence. Son intensité, sa netteté et sa pointe de fraîcheur au palais en font un crémant harmonieux et de caractère.

Bestheim Cave de Westhalten, 52, rte de Soultzmatt, 68250 Westhalten, tél. 03.89.49.09.29, fax 03.89.49.09.20, e-mail alsace@bestheim.com r.-v.

LÉON BLEESZ 2004 *

1,5 ha 10 000 5 à 8 €

Proche d'Andlau et de Barr, le petit village de Reichsfeld se niche au fond d'un vallon sur les contreforts des Vosges : un site reposant pour des randonnées en forêt ou dans les vignes. À la tête de l'exploitation familiale depuis plus de quinze ans, Christophe Bleesz accueille les touristes et les amateurs de vins. Né d'un assemblage de pinot blanc (80 %) et de riesling, son crémant présente des bulles fines et régulières qui parlent en sa faveur. Son équilibre, son intensité aromatique et sa fraîcheur en finale confirment sa qualité.

Christophe Bleesz, 1, pl. de l'Église, 67140 Reichsfeld, tél. 03.88.85.53.57, fax 03.88.57.83.44, e-mail christophe.bleesz@wanadoo.fr
r.-v. 3 C

JEAN-CLAUDE BUECHER 2004 *

0,48 ha 5 200 5 à 8 €

Proche de Colmar, une exploitation atypique en Alsace : elle s'est développée après la consécration de l'AOC crémant-d'alsace et ses 5 ha de vignes sont entièrement orientés vers l'élaboration de vins effervescents. Elle propose l'un des rares crémants rosés de cette sélection, né évidemment de pinot noir. Vêtu d'une robe framboise très lumineuse, ce 2004 s'annonce par des arômes de fruits rouges frais évoquant la groseille. Frais, puissant et rond en bouche, il est plaisant par sa jeunesse. Il agrémentera un buffet froid.

Jean-Claude Buecher, 31, rue des Vignes, 68920 Wettolsheim, tél. 03.89.80.14.01, fax 03.89.80.17.78 r.-v.

BURCKEL-JUNG Chardonnay 2003

0,4 ha 4 200 **5 à 8 €**

Charles Burckel et son gendre se sont associés en 1987 pour exploiter quelque 11 ha de vignoble à Gertwiller, cité viticole qui a aussi pour spécialité le pain d'épice. Issu de chardonnay, leur crémant présente des arômes un peu grillés, en évolution. Au palais, il est puissant, frais, et reste sur le même registre aromatique, avec des nuances briochées et des notes de fruits secs. À déguster sans attendre avec... du pain d'épice.

EARL Dom. Burckel-Jung, 67, rue de Barr, 67140 Gertwiller, tél. 03.88.08.49.07, fax 03.88.08.59.99, e-mail burckel-jung@wanadoo.fr
r.-v. B
Thierry Jung

CHARLES KELLNER
Blanc de blancs Pinot gris 2004 **

5,9 ha 63 350 5 à 8 €

En 1956, Jean Hauller hérite d'une entreprise de tonnellerie et d'un vignoble. Il diversifie son activité si bien que l'entreprise est aujourd'hui forte d'un domaine de 15 ha et d'une maison de négoce. La marque Charles Kellner est bien défendue par cette cuvée née du pinot gris. Le cépage signe les expressions aromatiques : intense et fin, frais, le nez délivre des notes grillées et des nuances de fruits bien mûrs. Fraîche et souple à l'attaque, très bien construite, la bouche a beaucoup de volume et persiste longuement. « On en redemande ! », conclut un dégustateur. Ce crémant pourra accompagner un repas.

Jean Hauller et Fils, 3, rue de la Gare, 67650 Dambach-la-Ville, tél. 03.88.92.40.21, fax 03.88.92.45.41, e-mail j.hauller@wanadoo.fr
r.-v.

JEAN DIETRICH Blanc de blancs 2003 ★

0,92 ha 7 000 ▮ 5 à 8 €

Les vestiges du château impérial dominent la vieille ville de Kaysersberg, qui recèle de nombreuses richesses patrimoniales dont la chapelle de l'Oberhof et, au n° 4 de la rue de l'Oberhof, une ancienne maison de vigneron Renaissance, siège de cette exploitation. Son blanc de blancs est bien typé par le pinot (auxerrois 80 %, pinot blanc 20 %). Il séduit par son fruité, ses arômes de fruits mûrs et son équilibre.

Jean Dietrich, 4, rue de l'Oberhof, 68240 Kaysersberg, tél. 03.89.78.25.24, fax 03.89.47.30.72, e-mail dietrich.jean-et-fils@wanadoo.fr t.l.j. 10h-12h 14h-19h

ANDRÉ DUSSOURT 2003 ★

0,73 ha 4 270 ▮ 8 à 11 €

Les Dussourt cultivent la vigne depuis1680. Ils sont aujourd'hui établis à Scherwiller, près de Sélestat et exploitent près de 10 ha de vignes. Ils organisent un « pique-nique du vigneron » à la Pentecôte et un « sentier gourmand » le premier week-end de septembre. Né de pinot blanc (75 %) et d'auxerrois, leur crémant se distingue par sa finesse. Son élégance est liée à sa fraîcheur, qualité appréciable dans ce millésime.

Dom. André Dussourt, 2, rue de Dambach, 67750 Scherwiller, tél. 03.88.92.10.27, fax 03.88.92.18.44, e-mail info@domainedussourt.com t.l.j. sf dim. 9h-12h 13h30-18h

Paul Dussourt

PAUL FAHRER 2003 ★★

0,75 ha 4 000 ▮ 5 à 8 €

Cette exploitation familiale a son siège dans l'ancienne résidence du bailli du Haut-Kœnigsbourg (XVIIe s.). Quant à la célèbre forteresse, elle domine ce coin du vignoble. Né de pinot blanc, le crémant de Paul Fahrer s'habille d'une robe jaune clair aux reflets verts animée d'une bulle fine. Le fruit mûr du millésime 2003 marque les arômes et donne rondeur et finesse à la matière. Un ensemble très typé.

SCEA Paul Fahrer, 3, pl. de la Mairie, 67600 Orschwiller, tél. 03.88.92.86.57, fax 03.88.92.20.41 r.-v. B

FREUDENREICH 2003

0,95 ha 11 000 ▮ 5 à 8 €

Si les bâtiments d'exploitation du domaine Freudenreich, situés en plein vignoble, sont très récents, la famille cultive la vigne depuis près de trois siècles. Hugues s'est installé en 2004, et contribue à l'élaboration des vins. Ce crémant en robe jaune clair présente un nez assez intense, fin et typé. Agréable à boire, il révèle des nuances d'évolution qui suggèrent de l'apprécier sans attendre.

Dom. J.-C. et Hugues Freudenreich, rue du Riesling, 68250 Pfaffenheim, tél. 03.89.49.60.93, fax 03.89.78.54.46, e-mail domfreudenreich@aol.com t.l.j. sf dim. 8h-12h 13h30-18h30 3 B

FREY-SOHLER Riesling 2003 ★★

3 ha 20 000 ▮ 5 à 8 €

À Scherwiller, au pied de l'Ortenbourg, forteresse en ruine du XIIIe s., le riesling est roi. Il est à l'origine de ce crémant jaune pâle aux reflets dorés, d'une belle intensité aromatique sur des notes fraîches et grillées. Au palais, un peu de gras s'associe à de la fraîcheur. Une vivacité qui souligne le fruité jusqu'à la finale. Une superbe bouteille qui trouvera sa place à l'apéritif ou avec des desserts aux fruits.

Frey-Sohler, 72, rue de l'Ortenbourg, 67750 Scherwiller, tél. 03.88.92.10.13, fax 03.88.82.57.11, e-mail freysohl@wanadoo.fr t.l.j. sf dim. 8h-12h 13h-19h C

JOSEPH GRUSS ET FILS Prestige 2003 ★★

0,6 ha 5 000 ▮ 5 à 8 €

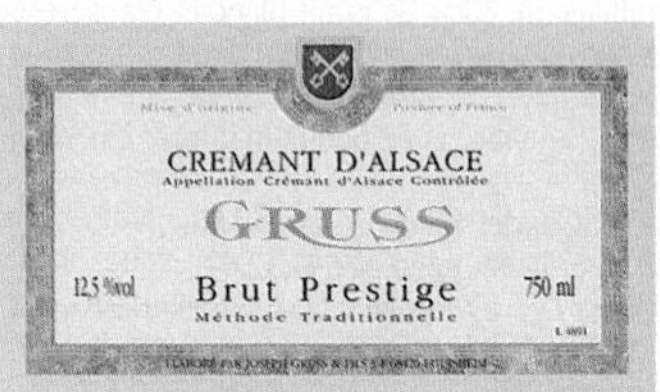

Environnée de vignes, la pittoresque cité d'Eguisheim est chargée d'histoire. Un château construit par le neveu de sainte Odile serait à l'origine de la bourgade, qui a par ailleurs donné un pape à l'Église, Léon IX. Les œnophiles ne manqueront pas cette étape, car Eguisheim abrite de nombreux vignerons. Pour le crémant, voici une bonne adresse, dont les cuvées sont souvent mentionnées en bonne place. Celui-ci s'habille d'une robe jaune brillant un peu dorée, parcourue d'une effervescence fine qui souligne un fruité fin et net. Sa fraîcheur et son équilibre le rendent très agréable.

Joseph Gruss et Fils, 25, Grand-Rue, 68420 Eguisheim, tél. 03.89.41.28.78, fax 03.89.41.76.66, e-mail domainegruss@hotmail.com r.-v.

HABSIGER 2003

0,57 ha 5 500 ▮ 5 à 8 €

À 50 m du musée du Pain d'épice – autre spécialité de Gertwiller – vous trouverez cette propriété, installée dans une maison à colombage du XVIIIe s. Assemblage de chardonnay (70 %) et d'auxerrois, son crémant est tout en effervescence : une pléthore de bulles traverse sa robe jaune clair brillant. C'est un vin assez évolué.

Habsiger, 15, rue Principale, 67140 Gertwiller, tél. 03.88.08.07.54, fax 03.88.08.48.92, e-mail gaec.alsace@wanadoo.fr t.l.j. 8h30-12h 13h30-18h30

HANSMANN 2003 ★

0,27 ha 2 800 5 à 8 €

La famille Hansmann raconte que l'aïeul a hérité de la maison en tirant à la courte paille ! Une demeure du XVIIIe s. sise dans un village bien fleuri qui appartient au cercle restreint des « plus beaux villages de France ». La cave abrite des foudres plus que centenaires fabriqués par l'arrière-grand-père. Cette petite cuvée délivre des arômes discrets mais fins qui s'affirment au palais. Sa belle matière, bien équilibrée, contribue à sa persistance.

Bernard et Frédéric Hansmann, 66, rue Principale, 67140 Mittelbergheim, tél. et fax 03.88.08.07.44, e-mail bernard.hansmann@libertysurf.fr r.-v.

DOM. LÉON HEITZMANN Grande Cuvée 2003 ★

1 ha 8 000 ▮ 5 à 8 €

Cette cave est située à quelques pas de la tour des Fripons, qui garde l'entrée d'Ammerschwihr. Léon Heitz-

mann propose un assemblage peu courant pour ce crémant : chardonnay (60 %), pinot blanc et pinot noir (20 % chacun). Avec sa robe à reflets dorés parcourue d'une mousse fine, son fruité intense, son corps équilibré et sa petite rondeur, c'est une bouteille très séduisante.
Dom. Léon Heitzmann, 2, Grand-Rue, 68770 Ammerschwihr, tél. 03.89.47.10.64, fax 03.89.78.27.76, e-mail leon.heitzmann@wanadoo.fr t.l.j. sf dim. 8h-12h 13h30-18h

ALBERT HERTZ Prince Albert 2003 *

0,61 ha 4 000 5 à 8 €

À la tête de la propriété familiale depuis 1976, Albert Hertz y a développé une démarche qualité et se tient à l'affût des distinctions, trophées et... étoiles Hachette. Élégant dans sa présentation avec sa robe jaune clair à mousse fine, ce crémant doit presque tout au chardonnay (95 %). Il offre des arômes de fleurs blanches et des notes de surmaturation – 2003 oblige ! Son équilibre et une pointe de fraîcheur en font un joli vin.
Albert Hertz, 3, rue du Riesling, 68420 Eguisheim, tél. 03.89.41.30.32, fax 03.89.23.99.23, e-mail info@alberthertz.com r.-v.

DOM. JUX 2004 *

n.c. n.c. 5 à 8 €

Ce domaine de Colmar fait partie du groupe Wolberger, l'un des plus importants élaborateurs de crémant-d'alsace. Or blanc parcouru de bulles fines, celui-ci est un pur chardonnay ; son expression aromatique, fort agréable, est caractéristique : fruits frais, pain grillé, noisette. Puissant, riche et de bonne persistance, il sera très agréable à déguster à l'apéritif, avec des canapés.
Dom. Jux, 5, chem. de la Fecht, 68000 Colmar, tél. 03.89.79.13.76, fax 03.89.79.62.93

ANDRÉ KLEINKNECHT 2002

0,65 ha 6 500 5 à 8 €

Cette exploitation familiale conduite en agriculture biologique s'étend sur 9,50 ha autour de Mittelbergheim, village riche de maisons vigneronnes cossues. Elle a son siège dans une ancienne auberge du XVIIIe s. Son crémant est un assemblage complexe d'auxerrois (60 %), de riesling et de pinot noir. De couleur soutenue, il associe des notes fruitées, grillées et minérales. Sa puissance et sa fraîcheur en font un vin de caractère qui pourra accompagner un repas.
André Kleinknecht, 45, rue Principale, 67140 Mittelbergheim, tél. 03.88.08.49.46, fax 03.88.08.53.87, e-mail andre.kleinknecht@wanadoo.fr r.-v.

KROSSFELDER Riesling 2004 **

n.c. 70 000 5 à 8 €

Cette cave associée au groupe Wolfberger a élaboré à partir de riesling cette cuvée aussi intéressante par les volumes produits que par sa qualité. La robe jaune pâle montre des reflets verts. Les notes citronnées et la fraîcheur reflètent le cépage. La bouche est harmonieuse, droite et plaisante. Un 2004 à apprécier dans sa jeunesse, avec du poisson par exemple.
Cave vinicole Krossfelder, 39, rue de la Gare, 67650 Dambach-la-Ville, tél. 03.88.92.40.03, fax 03.88.92.42.89

JACQUES LINDENLAUB 2003

n.c. 6 500 5 à 8 €

Les Lindenlaub exploitent 10 ha autour de Dorlisheim, village viticole au débouché de la vallée de la Bruche, près de Molsheim. Jacques, le père, s'occupe de la viticulture et Christophe, le fils, des vinifications. Le pinot blanc et l'auxerrois à parts égales composent cette cuvée jaune clair à la mousse fine. Assez discret au nez, ce 2003 délivre avec parcimonie quelques nuances grillées. En bouche, il est agréable par son équilibre et son expression assez classique des deux cépages.
Jacques et Christophe Lindenlaub, 6, fbg des Vosges, 67120 Dorlisheim, tél. 03.88.38.21.78, fax 03.88.38.55.38, e-mail jacques.lindenlaub@estvideo.fr t.l.j. sf dim. 8h-11h30 14h-18h

PREISS-ZIMMER 2004 **

10 ha 100 000 5 à 8 €

La maison Preiss-Zimmer a de longue date pignon sur rue à Riquewihr. Elle est aujourd'hui dans le giron de la cave vinicole de Turckheim. Après un très beau gewurztraminer de vendanges tardives couronné dans la dernière édition, elle brille en crémant. Né de pinot blanc, ce 2004 sait se présenter, avec une robe jaune pâle agrémentée d'un cordon fin et régulier et un nez intense et frais. En bouche, son fruité fin et agréable, et son équilibre sont salués par le jury. « Une belle jeunesse » conclut l'un des dégustateurs.
Preiss Zimmer, BP 20, 68340 Riquewihr, tél. 03.89.47.86.91, fax 03.89.27.35.33, e-mail preiss-zimmer@calixo.net

JEAN RAPP 2004 **

0,85 ha 8 000 5 à 8 €

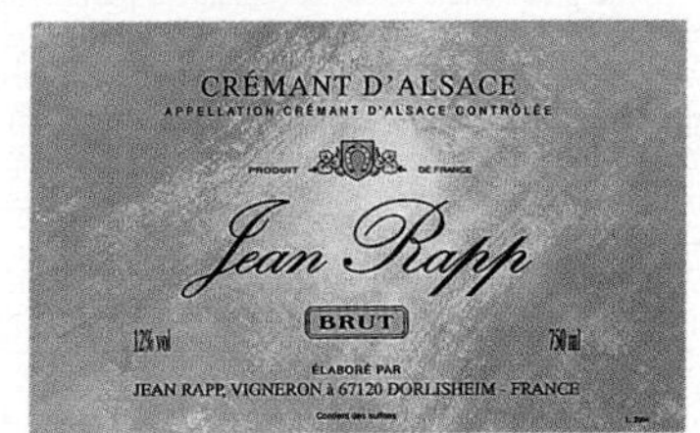

C'est à Dorlisheim que l'on trouve le caveau de la famille Bugatti. Ettore Bugatti avait en effet installé dans la ville voisine, à Molsheim, son atelier d'où sortirent au début du XXe s. de prestigieux modèles d'automobiles. Si cette activité perdure, il reste aussi à Dorlisheim plusieurs vignerons de talent, comme les Rapp qui se succèdent de père en fils depuis le milieu du XVIII[e]s., et qui exploitent aujourd'hui un domaine de 8 ha. Dans la cave rénovée en 2004, a été élevé ce crémant, assemblage d'auxerrois (80 %) et de pinot blanc. Un vin remarquable par son effervescence fine et « vivante », par son fruité frais d'agrumes, et par sa présence au palais.

EARL Jean et Guillaume Rapp, 1, fg des Vosges, 67120 Dorlisheim, tél. et fax 03.88.38.28.43, e-mail vins-rapp@wanadoo.fr
t.l.j. sf dim. 8h30-12h 14h-18h

JEAN VICTOR SCHUTZ Blanc de blancs

5 ha 93 000 5 à 8 €

Créée en 1997, cette marque de négociant est essentiellement commercialisée en grande distribution et à l'export. Elle propose un crémant à dominante de pinot blanc (70 %), cépage complété par du pinot gris et du riesling. Son effervescence est fine, son fruité tout aussi fin et frais. Sa puissance n'exclut pas une certaine élégance. Bonne longueur.

Jean Victor Schutz, 34, rue du Mal-Foch, 67650 Dambach-la-Ville, tél. 03.88.92.41.86, fax 03.88.92.61.81

FRANÇOIS SCHWACH ET FILS
Cuvée Blanc de noirs 2004 *

0,63 ha 6 723 5 à 8 €

Les Schwach accueillent les amateurs et les touristes dans leur exploitation située à Hunawihr, l'un des villages les plus connus de la route des Vins grâce à son église fortifiée. Quant au domaine, il regroupe plus de 20 ha de vignoble répartis sur plusieurs communes. Son blanc de noirs est évidemment né du pinot noir. Sa robe est soutenue et sa palette aromatique évoque les fruits frais : l'abricot et la griotte caractéristique du cépage. Bien structuré, riche et gras avec suffisamment de fraîcheur, c'est un vin harmonieux.

Dom. François Schwach et Fils, 28, rte de Ribeauvillé, 68150 Hunawihr, tél. 03.89.73.62.15, fax 03.89.73.37.84, e-mail info@schwach.com r.-v.

STEINER 2003 **

1,5 ha 15 000 5 à 8 €

Fondé à la fin du XIX[e]s., ce domaine est implanté à Herrlisheim, au sud de Colmar. Il est installé dans des bâtiments récents et fonctionnels, au pied du vignoble. Il propose un crémant dominé par l'auxerrois (60 %) complété par le pinot blanc et le chardonnay à parts égales. Jaune à reflets verts, animé d'une fine bulle, ce 2003 plaît par son fruité frais, sans détour. Franc et vif au palais, il évoque la pomme verte. Un crémant expressif et exemplaire pour le millésime, à marier avec un feuilleté au saumon.

Dom. Steiner, 11, rte du Vin, 68420 Herrlisheim-près-Colmar, tél. 03.89.49.30.70, fax 03.89.49.29.67, e-mail steiner.vins@wanadoo.fr
t.l.j. sf dim. 8h-11h45 13h30-18h

DOM. DE LA TOUR Cuvée Jean-Sébastien 2003 *

0,75 ha 6 000 5 à 8 €

Ici, on se flatte de travailler la vigne depuis près de cinq cents ans. La cave est soutenue par de solides piliers en grès des Vosges. Cette cuvée est dédiée à Jean-Sébastien Straub, le fils qui, ses études terminées, a rejoint l'exploitation familiale en 2005. Né de pur auxerrois, ce crémant ne démérite pas avec sa mousse fine couronnant une robe jaune à reflets verts, avec ses arômes nets et élégants et sa finesse alliée à de la rondeur. Un ensemble raffiné qui pourra accompagner tout un repas.

Jean-François et Marie-Anne Straub, Dom. de la Tour, 35, rte des Vins, 67650 Blienschwiller, tél. 03.88.92.48.72, fax 03.88.92.62.90, e-mail joseph.straub.fils@wanadoo.fr
t.l.j. 9h-12h 14h-18h; sam. dim. sur r.-v.

CUVÉE DU VIEIL ARMAND 2004 *

n.c. 10 000 5 à 8 €

Établie à Soultz, à l'extrémité méridionale de la route des Vins, cette cave fait partie, depuis 1985, du groupe Wolberger, ténor de la production de crémant-d'alsace. Né de pinot blanc, celui-ci offre une bonne approche par son effervescence. Le nez est plutôt discret mais fin et franc. Un peu vif à l'attaque, il est plaisant par son fruité.

Cave du Vieil Armand, 1, rte de Cernay, 68360 Soultz-Wuenheim, tél. 03.89.76.73.75
t.l.j. 8h-12h 14h-18h; groupes sur r.-v.

CH. WANTZ Pinot noir 2004

n.c. 3 000 8 à 11 €

Éliane et Erwin Mozer sont, depuis 1982, à la tête d'une maison de négoce. Ils exploitent aussi un vignoble en propre. Leur crémant est l'un des rares rosés de la sélection. Sa robe a pris des nuances orangées et sa palette aromatique est, elle aussi, un peu évoluée. Au palais, ce vin est de bonne tenue, riche et gras.

Charles Wantz, 36, rue Saint-Marc, 67140 Barr, tél. 03.88.08.90.44, fax 03.88.08.54.61, e-mail charles.wantz@wanadoo.fr
t.l.j. sf dim. 9h-12h30 14h-18h30
E. Moser

JEAN WEINGAND 2003 *

n.c. 180 000 5 à 8 €

Depuis 1979, Jacques Cattin est à la tête de cette entreprise de négoce, reprise à Jean Weingand, un cousin. Le crémant constitue l'un des points forts de la maison. Celui-ci, né d'auxerrois et de pinot blanc, exprime un beau fruité et des notes florales. Franc et croquant en bouche, il sera parfait pour l'apéritif.

Jean Weingand, 19, rue Roger-Frémeaux, 68420 Vœgtlinshoffen, tél. 03.89.49.30.21, fax 03.89.49.26.02 r.-v.

WILLM 2004 **

10 ha 10 000 5 à 8 €

Produit par le groupe Wolfberger, ce crémant est né du cépage auxerrois. Dès l'approche, il montre son élégance par sa mousse persistante et fine. Sa palette aromatique associe un fruité net et intense à des notes briochées. Sa fraîcheur souligne son harmonie générale. Un vin « inoubliable », selon un dégustateur. Il a frôlé le coup de cœur.

Alsace Willm, 32, rue du Dr-Sultzen, 67140 Barr, tél. 03.88.08.19.11, fax 03.88.08.56.21

La Lorraine

Les vignobles des Côtes de Toul et de la Moselle restent les deux seuls témoins d'une viticulture lorraine autrefois florissante. Florissant, le vignoble lorrain l'était par son étendue, supérieure à 30 000 ha en 1890. Il l'était aussi par sa notoriété. Les deux vignobles connurent leur apogée à la fin du XIXᵉs. Dès cette époque, plusieurs facteurs se conjuguèrent pour entraîner leur déclin : la crise phylloxérique, qui introduisit l'usage de cépages hybrides de moindre qualité ; la crise économique viticole de 1907 ; la proximité des champs de bataille de la Première Guerre mondiale ; l'industrialisation de la région, à l'origine d'un formidable exode rural. Ce n'est qu'en 1951 que les pouvoirs publics reconnurent l'originalité de ces vignobles. En 1998, les vins-de-moselle sont devenus AOC sous le nom de moselle. Aujourd'hui, les vins de pays de Meuse ont demandé leur accession à l'AOVDQS.

Côtes-de-toul

Situé à l'ouest de Toul et du coude caractéristique de la Moselle, le vignoble a accédé à l'AOC le 31 mars 1998. Il couvre environ 87 ha et se trouve sur le territoire de huit communes qui s'échelonnent le long d'une côte résultant de l'érosion de couches sédimentaires du Bassin parisien. On y rencontre des sols de période jurassique, composés d'argiles oxfordiennes, avec des éboulis calcaires en notable quantité, très bien drainés et d'exposition sud ou sud-est. Le climat semi-continental qui renforce les températures estivales est favorable à la vigne. Toutefois, les gelées de printemps sont fréquentes.

Le gamay domine toujours, bien qu'il régresse sensiblement au profit du pinot noir. L'assemblage de ces deux cépages produit des vins gris caractéristiques, obtenus par pressurage direct. En outre, le décret précise l'obligation d'assembler au minimum 10 % de pinot noir au gamay en superficie pour la production de gris, ceci conférant au vin une plus grande rondeur. Le pinot noir seul, vinifié en rouge, donne des vins corsés et agréables, l'auxerrois d'origine locale, en progression constante, des vins blancs tendres.

Au départ de Toul, une route du Vin et de la Mirabelle parcourt le vignoble.

FRANCIS DEMANGE Gris 2005 ★

■ 1,1 ha 4 900 3 à 5 €

Francis Demange exploite 2 ha de vignes qu'il tient de son père et de son grand-père. Il a bien réussi son vin gris, assemblage dominé par le gamay (80 %, pour 20 % de pinot noir). La robe pâle, légèrement saumonée, est bien celle que l'on rencontre dans ce style de vin. La palette aromatique est très plaisante, qui associe la fraise des bois et la rose fanée. Le palais fin et délicat laisse une impression d'harmonie. Un vin original et gastronomique, que l'on pourra servir avec un pâté lorrain.

Francis Demange, 93, rue des Triboulottes, 54200 Bruley, tél. et fax 03.83.64.33.47 ☒ Y ⚲ r.-v.

VINCENT LAROPPE
Pinot noir Élevé en fût de chêne 2003 ★★★

■ 5 ha 15 000 ⦶ 5 à 8 €

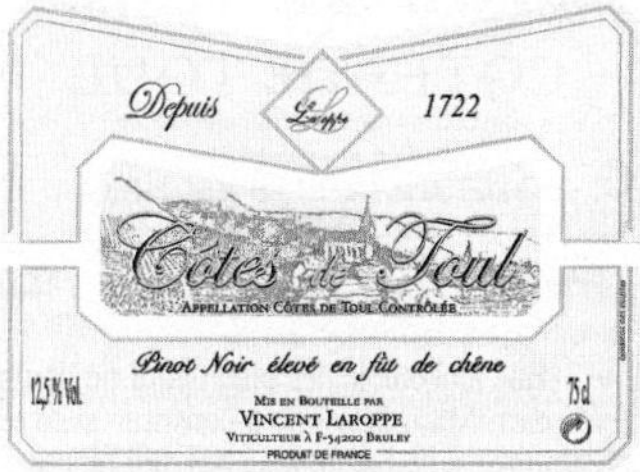

François Laroppe, né en 1722, maître vigneron au château de Bruley au XVIIIᵉs. Et puis Antoine, Claude, Marcel, Alfred... toute une lignée jusqu'à Vincent. Un domaine de 19 ha où l'on valorise tous les produits du terroir lorrain : la mirabelle, la bergamote, et bien sûr les cépages et terroirs du Toulois. On ne compte plus les coups de cœur obtenus par cette famille. Voici le deuxième reçu par Vincent, œnologue, qui a pris les rênes de la propriété. Après un blanc 2003, voici un pinot noir du même millésime salué pour sa puissance, sa complexité, sa persistance et son potentiel. Sa robe sombre a la couleur du cassis, son nez en a les parfums ; s'y ajoutent la griotte et un boisé de qualité. Le palais explose sur des notes de cuir, de torréfaction et de fruits noirs, arômes qui imprègnent longuement la bouche. Un vin déjà prêt et apte à une garde de quatre ou cinq ans.

Michel et Vincent Laroppe,
253, rue de la République, 54200 Bruley,
tél. 03.83.43.11.04, fax 03.83.43.36.92,
e-mail vignoble-laroppe@wanadoo.fr
t.l.j. 8h-12h 14h-19h; dim. et groupes sur r.-v.

VINCENT LAROPPE La Chaponière 2004 ★★★

1,2 ha 4 500 8 à 11 €

Les pinots noirs du domaine Laroppe sont régulièrement d'excellente tenue. Cette Chaponière, déjà remarquable dans le millésime précédent, a été candidate au coup de cœur. Sa robe grenat soutenu, son nez puissant et évolué mêlant les fruits noirs, le cuir et la vanille d'un élevage bien mené, son palais fruité et fumé, puissant, intense et fort long, le velouté de ses tanins lui valent tous les suffrages. On s'intéressera aussi aux autres couleurs : une étoile pour l'**auxerrois 2005 (5 à 8 €)**, un vin élégant aux délicats arômes de fleurs blanches et de fruits jaunes, à la longue finale citronnée soulignée d'une fine acidité ; même note pour le **gris 2005 (5 à 8 €)**, assemblage de trois cépages (gamay 50 %, pinot noir 40 %, auxerrois 10 %), un vin au fruité mûr et élégant, tout en fruits rouges, en finesse et en souplesse.

Michel et Vincent Laroppe,
253, rue de la République, 54200 Bruley,
tél. 03.83.43.11.04, fax 03.83.43.36.92,
e-mail vignoble-laroppe@wanadoo.fr
t.l.j. 8h-12h 14h-19h; dim. et groupes sur r.-v.

DOM. DE LA LINOTTE Gris 2005 ★★★

0,96 ha 9 000 3 à 5 €

Vin Gris
2005
Domaine de la Linotte
CÔTES DE TOUL
APPELLATION CÔTES DE TOUL CONTRÔLÉE
Vinifié & mis en bouteille au
Domaine de la Linotte par Marc Laroppe
90, rue Victor Hugo, 54200 Bruley, tél. 03 83 63 29 02
11,5% Vol.
Produit de France
75 cl

Il y a dans le Toulois des talents qui ne demandent qu'à s'exprimer. Marc Laroppe a constitué avec ténacité son petit empire : à l'issue de ses études, il plante 2 ha de vignes en 1993 ; achète cinq ans plus tard une maison de vigneron équipée d'une cave voûtée ; y aménage deux chambres d'hôtes ; produit des vins régulièrement mentionnés, et de mieux en mieux notés. Édition 2007 du Guide : coup de cœur pour le gris ! Pour la limpidité de sa robe saumon, son fruité de fraise et de mûre, son palais à la fois souple et frais. Un gris de repas, qui n'attend que la quiche lorraine, le pâté en croûte, les poissons... Quant au **pinot noir 2005 (5 à 8 €)**, il obtient deux étoiles. Robe grenat sombre, fruits rouges et nuances animales au nez, palais fruité aux tanins déjà fondus : un ensemble remarquable, qui se bonifiera avec un an de garde.

Marc Laroppe, 90, rue Victor-Hugo, 54200 Bruley,
tél. 03.83.63.29.02, fax 03.83.63.00.39
t.l.j. 9h-12h 13h30-19h

DOM. RÉGINA Auxerrois 2005 ★★

1 ha 6 000 3 à 5 €

Un domaine repris en 2000 par les Mangeot, et déjà de nombreuses mentions dans le Guide. De cette propriété, qui propose des chambres d'hôte dans sa maison vigneronne au large porche, vous pourrez découvrir la route du Vin et de la Mirabelle, ses bois, ses vignes et ses vergers. Ses vins ? Un auxerrois jaune pâle aux brillants reflets verts, un nez doux, tout en finesse, mêlant les fleurs et les fruits, un palais tout aussi fruité, rond et souple qui laisse une impression d'harmonie ; et un **gris 2005** dominé par le gamay, qui offre tout ce que l'on attend de ce style de rosé : une robe saumon pâle, un corps souple et un fruité agréable, tant au nez qu'en bouche. Il a reçu une étoile.

Dom. Régina, 350, rue de la République,
54200 Bruley, tél. 03.83.64.49.52, fax 03.83.64.83.84,
e-mail domaine-regina@wanadoo.fr r.-v.
J.-M. Mangeot

LES VIGNERONS DU TOULOIS Gris 2005

2 ha 14 000 3 à 5 €

Sur la route des Vins et de la Mirabelle, la plus petite coopérative de France a doublé en 2003 la superficie de ses chais, ce qui traduit l'intérêt nouveau pour le vignoble lorrain. Elle propose évidemment un gris (80 % de gamay complété par du pinot noir). Un vin bien équilibré, de couleur saumon assez soutenu, au nez intense de fruits rouges et de bonbon anglais, qui laisse en bouche un goût de fraise et des saveurs acidulées. Cité également, l'**auxerrois 2005** possède les mêmes qualités d'équilibre, de la souplesse et un agréable fruité de mirabelle et de pêche.

Les Vignerons du Toulois, 43, pl. de la Mairie,
54113 Mont-le-Vignoble, tél. et fax 03.83.62.59.93
t.l.j. sf lun.14h-18h

Moselle AOVDQS

Le vignoble représentant 38 ha s'étend sur les coteaux qui bordent la vallée de la Moselle ; ceux-ci ont pour origine les couches sédimentaires formant la bordure orientale du Bassin parisien. L'aire délimitée se concentre autour de trois pôles principaux : le premier au sud et à l'ouest de Metz, le deuxième dans la région de Sierck-les-Bains ; le troisième pôle se situe dans la vallée de la Seille autour de Vic-sur-Seille. La viticulture est influencée par celle du Luxembourg tout proche, avec ses vignes hautes et larges et sa dominante de vins blancs secs et fruités. En volume, cette AOVDQS reste très modeste. Son expansion est contrariée par l'extrême morcellement de la région.

DOM. LES BÉLIERS

Pinot gris Vignobles d'Ancy 2005 ★★

0,58 ha	2 800	▮	5 à 8 €

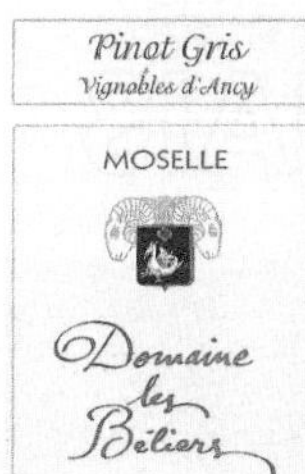

Depuis 1983, Michel Maurice perpétue la tradition viticole de son village d'Ancy-sur-Moselle où la vigne s'étendait sur 230 ha au XIX^e^s. Pionnier du renouveau viticole dans ce pays messin (il s'est installé en1983), c'est l'un des vignerons les plus sérieux du secteur, régulièrement distingué dans le Guide. Le voici salué pour un vin de pinot gris. Brillant dans le verre, ce vin jaune limpide est harmonieux, rond et caractéristique du cépage avec ses notes fumées et miellées. Et l'**auxerrois 2005** de la propriété, qui a obtenu trois coups de cœur ces dernières années ? Son fruité intense, son attaque nette et sa longue finale lui valent une étoile. Quant au **pinot noir 2005**, simple et franc, il mérite d'être cité.

Michel Maurice, 3, pl. Foch,
57130 Ancy-sur-Moselle, tél. 03.87.30.90.07,
fax 03.87.30.91.48, e-mail mauricem@netcourrier.com
r.-v.

VÉRONIQUE DIETRICH Pinot noir 2005

1,25 ha	9 000	▮	5 à 8 €

Le vignoble mosellan comporte plusieurs îlots, dont celui du secteur de Château-Salins et de Vic-sur-Seille. Véronique Dietrich exploite quelque 4 ha aux alentours – un domaine qu'elle a racheté à Claude Gauthier, et dont elle tire six types de vins. Son pinot noir arbore une robe rouge clair qui annonce de jeunes arômes de fruits rouges, un palais lui aussi fruité, puissant et vif.

Véronique Dietrich, 32, rue Meynier,
57630 Vic-sur-Seille, tél. et fax 03.87.01.84.48
t.l.j. 17h-19h sf sam. dim. 10h-19h

OURY-SCHREIBER Maréchal Fabert 2005 ★

0,3 ha	2 400	▮	5 à 8 €

À Marieulles-Vezon, au sud de Metz, il ne restait plus que quelques ceps après la guerre. La viticulture y renaît notamment grâce à Pascal Oury installé en 1991 et aujourd'hui à la tête de 7,5 ha de vignes implantées sur des sols caillouteux argilo-calcaires. Son talent se traduit une fois de plus par deux sélections dans le Guide : cette cuvée Maréchal Fabert, assemblage de pinot gris (50 %), d'auxerrois et de gewurztraminer (25 % chacun), jaune soutenu et limpide, séduisante par son nez miellé, son attaque, son corps harmonieux malgré une pointe d'amertume en finale ; et l'**auxerrois 2005**, un peu dominé par les sucres en finale mais cité pour son fruité.

Pascal Oury, 29, rue des Côtes,
57420 Marieulles-Vezon, tél. 03.87.52.09.02,
fax 03.87.52.09.17,
e-mail oury-pascal-viticulteur@wanadoo.fr r.-v.

MARIE-ANTOINETTE SONTAG

Pinot noir 2004 ★

0,62 ha	n.c.	3 à 5 €

Voilà plus de quarante ans que Marie-Antoinette Sontag a hérité du modeste domaine familial situé aux confins du Luxembourg et de l'Allemagne. Elle l'exploite avec conscience, comme le montre ce rosé issu de pinot noir, intense par sa robe comme par ses parfums de fruits rouges. Très bien équilibré, ce vin séduit par sa fraîcheur et le joli retour fruité qui marque sa longue finale.

Marie-Antoinette Sontag, 3, rue Saint-Jean,
57480 Contz-les-Bains, tél. 03.82.83.80.26,
fax 03.82.83.71.58 r.-v.

DOM. DU STROMBERG Pinot gris 2005

0,4 ha	1 200	▮	5 à 8 €

Au pays des Trois Frontières, dans ce secteur de la vallée de la Moselle proche du Luxembourg et de l'Allemagne, la quatrième génération de Leisen récolte des fruits et les transforme en alcool, produisant mirabelle de Lorraine, liqueurs et vins, comme ce pinot gris de couleur jaune d'or, cité pour sa palette aromatique fruitée et fumée, légèrement épicée au palais et pour son palais frais et long.

Dom. du Stromberg, 21, Grand-Rue,
57480 Petite-Hettange, tél. 03.82.50.10.15,
fax 03.82.50.33.23, e-mail j.marie.leisen@wanadoo.fr
t.l.j. sf dim. 9h-12h 14h-19h

CH. DE VAUX Les Clos Pinot noir 2004 ★

0,45 ha	2 600	11 à 15 €

Depuis que Marie-Geneviève et Norbert Molozay président aux destinées de ce vignoble, acquis en 1999, le château de Vaux est devenu une étape incontournable pour qui veut découvrir des vins de qualité en Moselle, témoin ces sélections dans les trois couleurs. Élevé douze mois en fût et mis en bouteilles sans collage ni filtration, ce pinot noir arbore une robe rubis foncé brillant et libère de subtils parfums fruités et boisés. Au palais, il révèle un harmonieux mariage du chêne et du raisin et évolue sur des tanins soyeux. Deux autres vins sont cités : le **gris 2005 Les Bosères (5 à 8 €)**, dominé par le pinot noir, aux délicats arômes de fruits rouges et d'une agréable rondeur ; et le **blanc Les Gryphées 2005 (5 à 8 €)**, assemblage de quatre cépages régionaux, fruité, harmonieux et long, à servir maintenant sur des poissons ou des crustacés.

Ch. de Vaux, 4, pl. Saint-Rémi, 57130 Vaux,
tél. 03.87.60.20.64, fax 03.87.60.24.67,
e-mail chateaudevauxmoselle@free.fr r.-v.

LE BEAUJOLAIS ET LE LYONNAIS

LE BEAUJOLAIS ET LE LYONNAIS

Le Beaujolais

Officiellement – et légalement – rattachée à la Bourgogne viticole, la région du Beaujolais n'en a pas moins une spécificité largement consacrée par l'usage. Celle-ci est d'ailleurs renforcée par la promotion dynamique de ses vins, menée avec ardeur par tous ceux qui ont rendu le beaujolais célèbre dans le monde entier. Ainsi qui pourrait ignorer, chaque troisième jeudi de novembre, la joyeuse arrivée du beaujolais nouveau ? Déjà, sur le terrain, les paysages diffèrent de ceux de l'illustre voisine ; ici, point de côte linéaire et presque régulière, mais le jeu varié de collines et de vallons, qui multiplient à plaisir les coteaux ensoleillés ; et les maisons elles-mêmes, où les tuiles romaines remplacent les tuiles plates, prennent déjà un petit air du Midi.

Extrême midi de la Bourgogne, et déjà porte du Sud, le Beaujolais s'étend sur 23 000 ha et quatre-vingt-seize communes des départements de Saône-et-Loire et du Rhône, formant une région de 50 km du nord au sud, sur une largeur moyenne d'environ 15 km. Il est plus étroit dans sa partie septentrionale. Au nord, l'Arlois semble être la limite avec le Mâconnais. À l'est, en revanche, la plaine de la Saône, où scintillent les méandres de la majestueuse rivière dont Jules César disait qu'« elle coule avec tant de lenteur que l'œil à peine peut juger de quel côté elle va », est une frontière évidente. À l'ouest, les monts du Beaujolais sont les premiers contreforts du Massif central ; leur point culminant, le mont Saint-Rigaux (1 012 m), apparaît comme une borne entre les pays de Saône et de Loire. Au sud enfin, le vignoble lyonnais prend le relais pour conduire jusqu'à la métropole, irriguée, comme chacun sait, par trois « fleuves » : le Rhône, la Saône et le... beaujolais !

Il est sûr que les vins du Beaujolais doivent beaucoup à Lyon, dont ils alimentent toujours les célèbres « bouchons », et où ils trouvèrent évidemment un marché privilégié après que le vignoble eut pris son essor au XVIII^{e}s. Deux siècles plus tôt, Villefranche-sur-Saône avait succédé à Beaujeu comme capitale du pays, qui en avait pris le nom. Habiles et sages, les sires de Beaujeu avaient assuré l'expansion et la prospérité de leurs domaines, stimulés en cela par la puissance de leurs illustres voisins, les comtes de Mâcon et du Forez, les abbés de Cluny et les archevêques de Lyon. L'entrée du Beaujolais dans l'étendue des cinq grosses fermes royales dispensées de certains droits pour les transports vers Paris (qui se firent longtemps par le canal de Briare) entraîna donc le développement rapide du vignoble.

Aujourd'hui, le Beaujolais produit en moyenne 1 400 000 hl de vins rouges typés (la production de blancs et de rosés est extrêmement limitée), mais – et c'est là une différence essentielle avec la Bourgogne – à partir d'un cépage presque exclusif, le gamay. Cette production se répartit entre les trois appellations beaujolais, beaujolais supérieur et beaujolais-villages, ainsi qu'entre les dix « crus » : brouilly, côte-de-brouilly, chénas, chiroubles, fleurie, morgon, juliénas, moulin-à-vent, saint-amour et régnié. Les appellations beaujolais et beaujolais-villages peuvent être revendiquées pour les vins rouges, rosés ou blancs. Les autres appellations sont réservées aux vins rouges. Seuls les crus, à l'exception du dernier, le régnié, ont légalement la possibilité d'être déclarés en AOC bourgogne. Géologiquement, le Beaujolais a subi successivement les effets des plissements hercyniens à l'ère primaire et alpin à l'ère tertiaire. Ce dernier a façonné le relief actuel, disloquant les couches sédimentaires du secondaire et faisant surgir les roches primaires. Plus près de nous, au quaternaire, les glaciers et les rivières s'écoulant d'ouest en est ont creusé de nombreuses vallées et modelé les terroirs, faisant apparaître des îlots de roches dures résistant à l'érosion, compartimentant le coteau viticole qui, tel un gigantesque escalier, regarde le levant et vient mourir sur les terrasses de la Saône.

De part et d'autre d'une ligne virtuelle passant par Villefranche-sur-Saône, on distingue traditionnellement le Beaujolais Nord du Beaujolais Sud. Le premier présente un relief plutôt doux, aux formes arrondies, aux fonds de vallons en partie comblés par des sables. C'est la région des roches anciennes de type granite, porphyre, schiste, diorite. La lente décomposition du granite donne des sables siliceux, ou « gores », dont l'épaisseur peut varier dans certains endroits d'une dizaine de centimètres à plusieurs mètres, sous forme d'arènes granitiques. Ce sont des sols acides, filtrants et pauvres. Ils retiennent mal les éléments fertilisants en l'absence de matière organique, sont sensibles à la sécheresse mais faciles à travailler. Avec les schistes, ce sont les terrains privilégiés des appellations locales et des beaujolais-villages. Le deuxième secteur, caractérisé par une plus grande proportion de terrains sédimentaires et argilo-calcaires, est marqué par un relief un peu plus accusé. Les sols sont plus riches en calcaire et en grès. C'est le secteur des Pierres dorées, dont la couleur, qui vient des oxydes de fer, donne aux constructions un aspect chaleureux. Les sols sont plus riches et gardent mieux l'humidité. C'est la zone de l'AOC beaujolais. Ces deux entités, où la vigne prospère entre 190 et 550 m d'altitude, ont comme toile de fond le haut Beaujolais, constitué de roches métamorphiques plus dures, couvert à plus de 600 m par des forêts de résineux alternant avec des châtaigniers et des fougères. Les meilleurs terroirs, orientés sud-sud-est, sont situés entre 190 et 350 m.

La région beaujolaise jouit d'un climat tempéré, résultat de trois régimes climatiques différents : une tendance continentale, une tendance océanique et une tendance méditerranéenne. Chaque tendance peut dominer, le temps d'une saison, avec des transitions brutales faisant s'affoler baromètre et thermomètre. L'hiver peut être froid ou humide ; le printemps, humide ou sec ; les mois de juillet et août, brûlants quand souffle le vent desséchant du Midi, ou humides avec des pluies orageuses accompagnées de fréquentes chutes de grêle ; l'automne, humide ou chaud. La pluviométrie moyenne est de 750 mm, la température peut varier de -20 °C à +38 °C. Mais des microclimats modifient sensiblement ces données, favorisant l'extension de la vigne dans des situations *a priori* moins propices. Dans l'ensemble, le vignoble profite d'un bon ensoleillement et de bonnes conditions pour la maturation.

L'encépagement, en Beaujolais, est réduit à sa plus simple expression, puisque 99 % des surfaces sont plantées en gamay noir. Celui-ci est parfois désigné dans le langage courant sous le terme de « gamay beaujolais ». Banni de la Côte-d'Or par un édit de Philippe le Hardi qui, en 1395, le traitait de « très desloyault plant » (très certainement en comparaison du pinot), il s'adapte pourtant à de nombreux sols et prospère sous des climats très divers ; il couvre en France près de 33 000 ha. Remarquablement bien adapté aux sols du Beaujolais, ce cépage à port retombant doit, durant les dix premières années de sa culture, être soutenu pour se former ; d'où les parcelles avec échalas que l'on peut observer dans le nord de la région. Il est assez sensible aux gelées de printemps, ainsi qu'aux principaux parasites et maladies de la vigne. Le débourrement peut se manifester tôt (fin mars), mais le plus souvent on l'observe au cours de la deuxième semaine d'avril. Ne dit-on pas ici : « Quand la vigne brille à la Saint-Georges, elle n'est pas en retard » ? La floraison a lieu dans la première quinzaine de juin, et les vendanges commencent à la mi-septembre.

Les autres cépages ouvrant le droit à l'appellation sont le pinot noir pour les vins rouges et rosés, et, pour les vins blancs, le chardonnay et l'aligoté, ce dernier cépage pour les vignes existantes avant le 28 novembre 2004 est admis jusqu'à la récolte 2024 incluse. Jusqu'en 2015, les parcelles de pinot noir pourront être assemblées dans la limite de 15 % ; l'usage d'incorporer en mélange dans les vignes des plants de pinot noir et gris, de chardonnay, de melon et d'aligoté dans la limite de 15 % reste autorisé pour l'élaboration des vins rouges et rosés. Deux principaux modes de taille sont pratiqués : une taille courte en forme de gobelet en éventail, en cordon simple, double ou charmet pour toutes les appellations, et en plus une taille avec baguette (ou taille guyot simple) pour l'appellation beaujolais et beaujolais supérieur.

Le Beaujolais

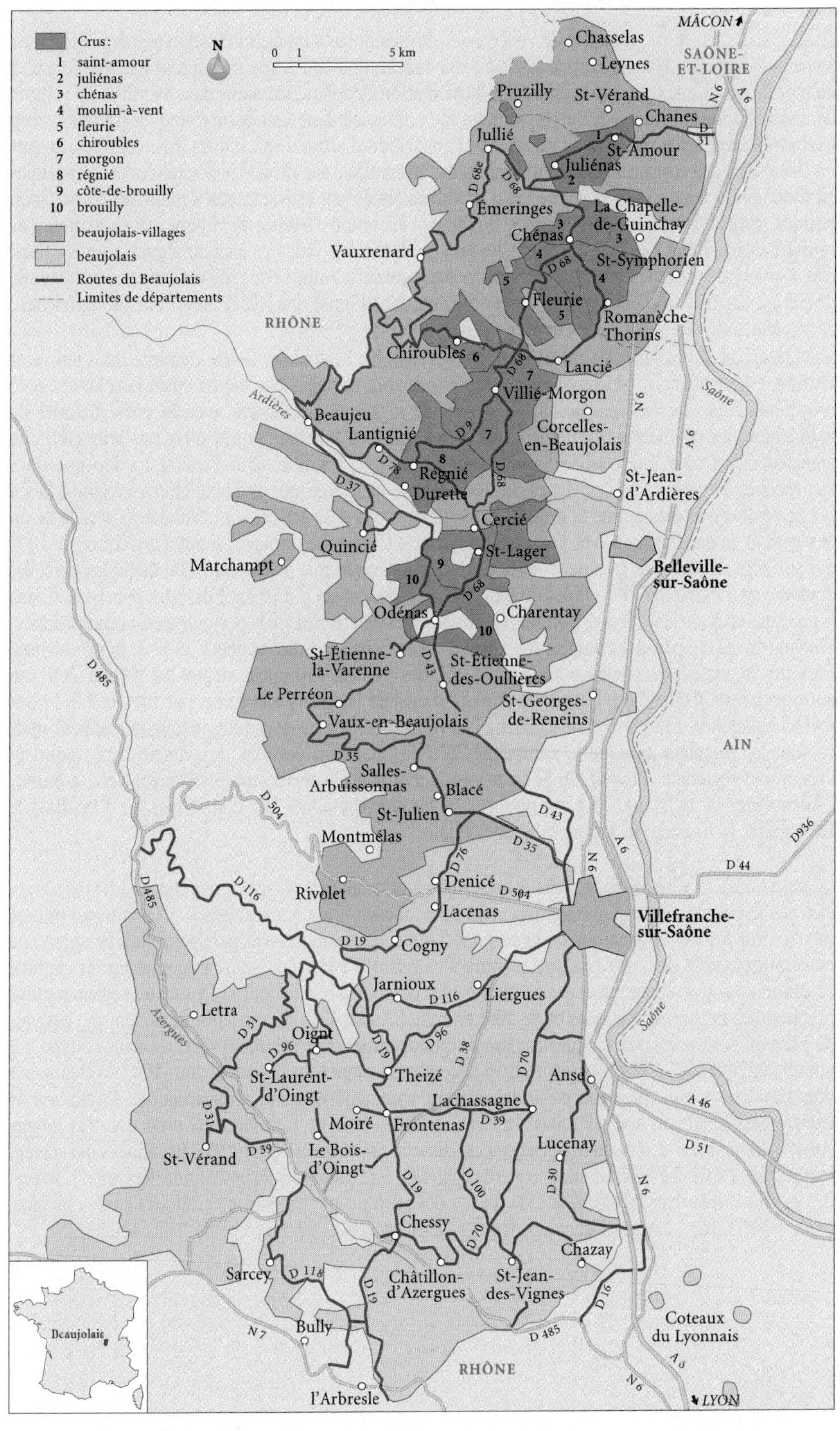

Crus :
1 saint-amour
2 juliénas
3 chénas
4 moulin-à-vent
5 fleurie
6 chiroubles
7 morgon
8 régnié
9 côte-de-brouilly
10 brouilly
beaujolais-villages
beaujolais
Routes du Beaujolais
Limites de départements
N
0 1 5 km
MÂCON
SAÔNE-ET-LOIRE
RHÔNE
AIN
Chasselas
Leynes
Pruzilly
St-Vérand
Chanes
Jullié
St-Amour
Juliénas
Émeringes
La Chapelle-de-Guinchay
Chénas
Vauxrenard
St-Symphorien
Fleurie
Romanèche-Thorins
Chiroubles
Lancié
Villié-Morgon
Beaujeu
Corcelles-en-Beaujolais
Lantignié
Régnié
Durette
St-Jean-d'Ardières
Cercié
Quincié
St-Lager
Marchampt
Belleville-sur-Saône
Odénas
Charentay
St-Étienne-la-Varenne
St-Étienne-des-Oullières
Le Perréon
St-Georges-de-Reneins
Vaux-en-Beaujolais
Salles-Arbuissonnas
Blacé
St-Julien
Montmélas
Rivolet
Denicé
Lacenas
Villefranche-sur-Saône
Cogny
Jarnioux
Liergues
Letra
Oingt
St-Laurent-d'Oingt
Theizé
Anse
Lachassagne
Moiré
Frontenas
Lucenay
Le Bois-d'Oingt
St-Vérand
Chessy
Chazay
Sarcey
Châtillon-d'Azergues
St-Jean-des-Vignes
Bully
Coteaux du Lyonnais
l'Arbresle
LYON
Beaujolais
Ardières
Saône
Azergues
D 68e
D 68
D 9
D 78
D 37
D 43
D 35
D 504
D 485
D 116
D 19
D 76
D 96
D 38
D 70
D 31
D 39
D 100
D 30
D 118
D 16
D 44
D936
D 51
A 46
A 6
N 6
N 7

Une majorité de vins rouges du Beaujolais sont élaborés selon le même principe : respect de l'intégralité de la grappe associé à une macération courte (de trois à sept jours en fonction du type de vin). Cette technique combine la fermentation alcoolique classique dans 10 à 20 % du volume de moût libéré à l'encuvage, et la fermentation intracellulaire qui assure une dégradation non négligeable de l'acide malique du raisin avec l'apparition d'arômes spécifiques. Elle confère aux vins du Beaujolais une constitution ainsi qu'une trame aromatique caractéristiques, exaltées ou complétées en fonction du terroir. Elle explique aussi les difficultés qu'ont les vignerons à maîtriser d'une façon parfaite leurs interventions œnologiques, du fait de l'évolution aléatoire du volume initial du moût par rapport à l'ensemble. Schématiquement, les vins du Beaujolais sont secs, peu tanniques, souples, frais, très aromatiques ; ils présentent un degré alcoolique compris entre 12 et 13 % vol., et une acidité totale de 3,5 g/l exprimée en équivalence de $H_2 SO_4$ ou dans l'unité officielle 5,36 g/l d'acide tartrique.

L'une des caractéristiques du vignoble beaujolais, héritée du passé mais tenace et vivante, est le métayage : la récolte et certains frais sont partagés par moitié entre l'exploitant et le propriétaire, ce dernier fournissant les terres, le logement, le cuvage avec le gros matériel de vinification, les produits de traitement, les plants, mais ce type de contrat n'est pas immuable. Le vigneron ou métayer, qui possède l'outillage pour la culture, assure la main-d'œuvre, les dépenses dues aux récoltes, le parfait état des vignes. Les contrats de métayage, qui prennent effet à la Saint-Martin (11 novembre), intéressent de nombreux exploitants ; 40 % des surfaces sont exploitées de cette façon et viennent en concurrence avec l'exploitation directe (50 %). Le fermage, quant à lui, concerne 10 % des surfaces. Il n'est pas rare de trouver des exploitants à la fois propriétaires de quelques parcelles et métayers. Les exploitations types du Beaujolais s'étendent sur 7 à 10 ha. Elles sont plus petites dans la zone des crus, où le métayage domine, et plus grandes dans le sud, où la polyculture est omniprésente. Dix-huit caves coopératives dans le Rhône et trois en Saône-et-Loire vinifient 30 % de la production. Éleveurs et expéditeurs locaux assurent 85 % des ventes, exprimées depuis la récolte 2001 en euro/hectolitre. Cependant, l'habitude persiste d'évaluer les cours à la pièce, par fûts de 216 l pour l'AOC beaujolais, 215 l pour l'AOC beaujolais-villages et les crus, et ce tout au long de l'année ; mais ce sont les premiers mois de la campagne, avec la libération des vins de primeur, qui marquent l'économie régionale. Près de 50 % de la production sont exportés, essentiellement vers la Suisse, l'Allemagne, la Belgique, le Luxembourg, la Grande-Bretagne, les États-Unis, les Pays-Bas, le Danemark, le Canada, le Japon, la Suède, l'Italie.

Seules les appellations beaujolais et beaujolais-villages ouvrent pour les vins rouges et rosés la possibilité de dénomination « vin de primeur » ou « vin nouveau ». Ces vins, à l'origine récoltés sur les sables granitiques de certaines zones de beaujolais-villages, sont vinifiés après une macération courte de l'ordre de quatre jours, favorisant le caractère tendre et gouleyant du vin, une coloration pas trop soutenue et des arômes fruités comme la banane mûre. Des textes réglementaires précisent les normes analytiques et de mise en marché. Dès le troisième jeudi de novembre, ces vins de primeur sont prêts à être dégustés dans le monde entier. Les volumes présentés dans ce type ont atteint, en 2005, 571 352 hl. À partir du 15 décembre, ce sont tous les autres vins AOC du Beaujolais dont les « crus » qui, après analyse et dégustation, commencent à être commercialisés, l'optimum de leurs ventes se situant après Pâques. Les vins du Beaujolais ne sont pas faits pour une très longue conservation ; mais si, dans la majorité des cas, ils sont appréciés au cours des deux années qui suivent leur récolte, de très belles bouteilles peuvent cependant être savourées au bout d'une décennie. L'intérêt de ces vins réside dans la fraîcheur et la finesse des parfums qui rappellent certaines fleurs – pivoine, rose, violette, iris – et aussi quelques fruits – abricot, cerise, pêche et petits fruits rouges.

Beaujolais et beaujolais supérieur

L'appellation beaujolais est celle de près de la moitié de la production. 9 903 ha, localisés en majorité au sud de Villefranche, ont fourni, en 2005, 508 036 hl – dont 9 501 hl de vins blancs élaborés à partir du chardonnay et récoltés pour 16 % des volumes dans le canton de La Chapelle-de-Guinchay, zone de transition entre les terrains siliceux des crus et les terrains calcaires du Mâconnais. Dans le secteur des Pierres dorées, à l'est du Bois-d'Oingt et au sud de Villefranche, on trouve des vins rouges aux arômes plus fruités que floraux, parfois avec des pointes olfactives végétales ; ces vins colorés, charpentés, un peu rustiques, se conservent assez bien. Dans la partie haute de la vallée de l'Azergues, à l'ouest de la région, on retrouve des roches cristallines qui communiquent aux vins une mâche plus minérale, ce qui les fait apprécier un peu plus tardivement. Enfin, les zones plus en altitude offrent des vins vifs, plus légers en couleur, mais aussi plus frais les années chaudes. Les huit caves coopératives implantées dans ce secteur ont fait considérablement évoluer les technologies et l'économie de cette région, dont sont issus près de 75 % des vins de primeur.

L'appellation beaujolais supérieur ne comporte pas de territoire délimité spécifique, mais une identification des vignes est réalisée chaque année. Elle peut être revendiquée pour des vins dont les moûts présentent, à la récolte, une richesse en équivalent alcool de 0,5 % vol. supérieure à ceux de l'appellation beaujolais. En 2005, ce sont 3 182 hl qui ont été déclarés, principalement sur le territoire de l'AOC beaujolais.

L'habitat est dispersé, et l'on admirera l'architecture traditionnelle des maisons vigneronnes : l'escalier extérieur donne accès à un balcon à auvent et à l'habitation, au-dessus de la cave située au niveau du sol. À la fin du XVIIIe s., on construisit de grands cuvages extérieurs à la maison de maître. Celui de Lacenas, à 6 km de Villefranche, dépendance du château de Montauzan, abrite la confrérie des Compagnons du Beaujolais, créée en 1947 pour servir les vins du Beaujolais, et qui a aujourd'hui une audience internationale. Une autre confrérie, les Grappilleurs des pierres dorées, anime depuis 1968 les nombreuses manifestations beaujolaises. Quant à déguster un « pot » de beaujolais, ce flacon de 46 cl à fond épais qui garnit les tables des bistrots, on le fera avec grattons, tripes, boudin, cervelas, saucisson et toute cochonnaille, ou sur un gratin de quenelles lyonnaises. Les primeurs iront sur les cardons à la moelle ou les pommes de terre gratinées avec des oignons.

Beaujolais

DOM. DES AVERLYS 2004

0,24 ha 2 200 3 à 5 €

À sa création en 1978, ce domaine vendait au négoce. Depuis, il n'a cessé d'évoluer : vente directe, activités touristiques, agriculture raisonnée... Il a présenté un beaujolais blanc or intense aux discrets parfums de fleurs blanches. Charnu, vif et long, ce 2004 possède une structure assez fine qui incite à l'apprécier dans l'année. Il s'accordera avec des crustacés.

Étienne Blanc, Les Averlys, 69640 Lacenas, tél. et fax 04.74.67.35.92, e-mail domainedesaverlys@free.fr r.-v.

DOM. DE BALUCE 2005 ★

3,75 ha 26 000 5 à 8 €

Ce domaine, créé au XVIIIe s., dépendait à l'origine du château de Bagnols, massive forteresse du XIIIe s., remaniée aux époques postérieures et aujourd'hui transformée en hôtel de luxe. Il a gardé des caves voûtées où a été élevé ce beaujolais grenat intense. Complexe au nez, ce 2005 libère des notes de grillé et de cacao, puis des senteurs de confiture de prunes. Après une attaque souple, la bouche ronde et structurée dévoile des arômes fruités intenses et finit sur une note de fraîcheur acidulée fort agréable. Une bouteille d'une grande finesse à déguster pendant un à deux ans avec, par exemple, un jarret de porc braisé ou des fromages affinés. De la même propriété, le **beaujolais blanc 2004** est cité.

Jean-Yves et Annick Sonnery, Dom. de Baluce, 69620 Bagnols, tél. et fax 04.74.71.71.43, e-mail baluce@bagnols.org r.-v.

CAVE DU BEAU VALLON

Au Pays des Pierres dorées 2005 ★

n.c. 70 000 3 à 5 €

1959 : création de la coopérative ; 1961 : premières vinifications. Aujourd'hui, la cave vinifie le produit de 480 ha. Fidèle au rendez-vous du Guide, elle a obtenu une étoile pour son **beaujolais blanc 2005**, qui fait jeu égal avec le rouge. Rubis soutenu, ce dernier délivre des senteurs de framboise fines et élégantes. Bien structuré, il n'en présente pas moins un caractère rond et velouté qui laisse une impression de délicatesse et il persiste agréablement en bouche. On l'appréciera au cours des deux prochaines années.

Cave du Beau Vallon, 69620 Theizé, tél. 04.74.71.48.00, fax 04.74.71.84.46, e-mail cave-du-beauvallon@wanadoo.fr r.-v.

LA BÊCHE 2004 ★

n.c. 5 000 3 à 5 €

À la tête du domaine de la Bêche, situé dans la zone des crus, Olivier Depardon ne possède pas de terrains calcaires propices au chardonnay. Il a développé une activité de négoce et propose ici un beaujolais blanc de couleur jaune pâle au nez intense de fleurs blanches et de beurre agrémenté de touches de poivre et de noisette. En bouche, ce 2004 révèle une chair équilibrée, imprégnée d'arômes d'agrumes. Il semble arrivé à sa plénitude, aussi est-il conseillé de l'apprécier dans l'année. **Le morgon Domaine de La Bêche, Cuvée Vieilles Vignes 2004 (5 à 8 €)** et le **régnié 2004 (5 à 8 €)** obtiennent une citation.

SARL Olivier Depardon, Les Mulins,
69910 Villié-Morgon, tél. 04.74.69.15.89,
fax 04.74.04.21.88,
e-mail depardon.olivier.morgon@wanadoo.fr
r.-v.

DOM. DE BELLEVUE 2005 *

4,6 ha 33 000 3 à 5 €

Des vignes de trente ans cultivées sur des sols argilo-calcaires ont donné naissance à cette cuvée rouge foncé aux parfums discrets de cerise et de fraise des bois. Les arômes s'affirment en bouche, imprégnant une chair volumineuse aux tanins souples. Une bouteille très agréable pour les deux années à venir.

Thierry Saint-Cyr, Les Perelles, 69480 Anse,
tél. 04.74.60.23.69, fax 04.74.69.09.75 r.-v.

DOM. BERGER DES VIGNES 2005 *

6 ha 30 000 5 à 8 €

Le nom de ce domaine familial est un clin d'œil : ses 15 ha de vignes sont depuis quinze ans sous la garde de Claude Berger, qui les conduit selon les principes de l'agriculture raisonnée. Le beaujolais rouge de la propriété affiche une robe grenat et mêle au nez fruits rouges, mûre, cassis et nuances florales. Équilibré, long et acidulé, il est soutenu par des tanins dénués d'agressivité qui laissent présager une belle évolution. Ce vin complet est déjà prêt mais il peut attendre un an. De la même exploitation, le **beaujolais blanc 2004** est cité.

Dom. Berger des Vignes, Le Chalier,
69480 Pommiers, tél. 04.74.65.07.09,
fax 04.74.60.08.72, e-mail bergerco@wanadoo.fr
r.-v.

DOM. DES BORIES 2005 ***

n.c. 105 000 3 à 5 €

Cette sélection destinée aux magasins Cora a fait grande impression. Rubis intense, ce 2005 mêle au nez la fraise des bois et la pivoine. Après une attaque franche, il dévoile une matière riche et ample où s'épanouissent d'élégants arômes fruités agrémentés de nuances minérales et poivrées. Ce vin généreux a beaucoup de présence et la puissance d'un cru ; il se gardera deux à trois ans et se prêtera à de nombreux accords : viande rouge, gibier, fromages affinés. Destinés au même groupe, le **morgon L'Âme du terroir 2005 (5 à 8 €)** et le **brouilly L'Âme du terroir 2005 (5 à 8 €)** ont été retenus, avec une étoile pour le premier et une citation pour le second. Tous ces vins ont été mis en bouteilles par la maison Thorin.

CORA Âme du Terroir, Croissy-Beaubourg,
77423 Marne-la-Vallée, tél. 01.64.62.65.00,
fax 04.74.69.09.75

CH. DE BRIANTE 2005

0,29 ha 1 200 3 à 5 €

Établis à l'est de la colline de Brouilly, les Brochier exploitent leurs 30 ha de vignes en lutte raisonnée. C'est la première fois qu'ils élaborent un rosé : rose pâle aux reflets rouge groseille, ce 2005 associe des arômes de mandarine et de bonbon anglais, et révèle une bonne vivacité qui le fera apprécier aussi bien à l'apéritif que sur des entrées ou des grillades.

GFA Ch. de Briante, 69220 Saint-Lager,
tél. 04.74.66.72.34, fax 04.74.66.78.97,
e-mail chateau.briante@wanadoo.fr r.-v.
Famille Brochier

CAVE DES VIGNERONS DE BULLY
Memoria Tête de Cuvée Vieilles Vignes 2005 **

13 ha 15 000 3 à 5 €

La plus importante coopérative du Beaujolais, avec 43 000 hl de vins produits. Quantité et qualité : voyez cette cuvée, issue d'une sélection parcellaire de vignes de plus de cinquante ans. D'un rouge profond presque noir, elle libère des parfums de fruits rouges aux nuances de bigarreau. Franche à l'attaque, elle révèle des arômes de raisins bien mûrs et, en finale, des tanins enrobés qui lui confèrent une bonne structure. Un ensemble remarquablement équilibré, déjà prêt et apte à la garde. Quant au **beaujolais supérieur 2005** de la cave, il obtient aussi deux étoiles : 100 000 bouteilles d'un vin fruité et élégant. Enfin, le **beaujolais Les Sableux rouge 2005** est cité.

Cave des vignerons de Bully, La Martinière, BP 59,
69210 Bully, tél. 04.74.01.27.77, fax 04.74.01.22.30,
e-mail cavedebully@wanadoo.fr r.-v.

CH. DE BUSSY 2005 *

3 ha 20 000 3 à 5 €

Ancien pavillon de chasse du XVIII[e]s., agrandi et remanié à la fin du siècle suivant, le château de Bussy commande un domaine de 16 ha. Comme le millésime précédent, son 2005 se voit attribuer une étoile. C'est un vin séducteur, rubis intense aux reflets violines, expressif au nez, avec des nuances de fraise, de framboise, de cassis et de fleurs. Une chair ronde et fraîche et des arômes délicats confèrent beaucoup d'élégance à ce beaujolais typé et gai, à apprécier au cours des deux prochaines années.

GFA Bussy, Ch. de Bussy, 69640 Saint-Julien,
tél. 04.74.67.55.54, fax 04.74.69.09.75

MICHEL CARRON Terre noire 2005 *

1 ha 7 000 3 à 5 €

À la tête de 11 ha dans le secteur des Pierres dorées, Michel Carron a obtenu l'an dernier un coup de cœur pour ce même beaujolais rouge. Le millésime suivant reste de très belle tenue avec sa robe grenat brillant, ses parfums de fraise et de framboise, son attaque aromatique, sa bouche équilibrée, ronde et fraîche à la fois, un peu plus tannique en finale. Un vin plaisir à partager dès cet automne, servi avec une assiette de charcuterie. Le **beaujolais blanc Terre noire 2005** du domaine obtient la même note.

Michel Carron, Terre-Noire, 69620 Moiré,
tél. et fax 04.74.71.62.02 r.-v.

CH. DE CERCY Cuvée Prestige 2004

1,7 ha 5 000 5 à 8 €

La propriété, achetée par la famille de Michel Picard en 1909, a conservé des parties du XVI[e]s., en particulier la cave voûtée. C'est une fois de plus un beaujolais blanc qui se voit retenu. Or pâle limpide, ce 2004 libère d'intenses parfums de fruits exotiques et de beurre, qui s'épanouissent dans une bouche équilibrée, accompagnés d'une touche boisée. Il est prêt.

Michel Picard, Ch. de Cercy, 69640 Denicé, tél. 04.74.67.34.44, fax 04.74.67.32.35, e-mail earl-michel.picard@wanadoo.fr r.-v.

DOM. DE CHAMP FLEURY
Cuvée Vieilles Vignes 2005 ★★

n.c. 10 000 3 à 5 €

À Marcy-sur-Anse, ne manquez pas la tour du télégraphe Chappe, mise en service en 1807 : un témoin des débuts des télécommunications. Établi dans cette commune, Pierre Coquard conduit l'exploitation familiale en agriculture raisonnée. Des vignes centenaires sont à l'origine de cette cuvée rouge foncé aux parfums délicats et complexes de fruits très mûrs, de groseille et de cassis, puissante, bien structurée et longue. Une bouteille que l'on pourra savourer pendant au moins un an, avec de la volaille par exemple. Quant au **beaujolais Cuvée Tradition 2005**, il obtient une étoile.

Pierre Coquard, Dom. de Champ Fleury, 69480 Marcy-sur-Anse, tél. 04.74.67.08.20, fax 04.74.67.21.56, e-mail pierre.coquard@free.fr r.-v.

LUCIEN ET JEAN-MARC CHARMET
Cuvée Masfraise 2005 ★

4 ha 15 000 5 à 8 €

À la tête de 27 ha de vignes, Lucien et Jean-Marc Charmet sont les héritiers d'une lignée de vignerons remontant au milieu du XVII[e]s. On retrouve cette année encore leur cuvée Masfraise dans un millésime très réussi. D'un rouge franc, ce 2005 séduit par ses parfums de cassis et de fruits rouges agrémentés de nuances florales. Un fruité intense imprègne aussi la bouche et fait le charme de ce vin, à saisir dans l'année. Du même domaine, le **beaujolais blanc Cuvée de la Goyette d'or 2004** a obtenu lui aussi une étoile.

Vignoble Charmet, La Ronze, 69620 Le Breuil, tél. 04.78.43.92.69, fax 04.78.43.90.31 t.l.j. sf dim. 8h-12h 14h-18h

DOM. CHATELUS Cuvée Terroir 2005

n.c. 130 000 5 à 8 €

Issue de vignes de cinquante ans cultivées sur un terroir granitique, cette cuvée rouge profond et limpide s'ouvre sur des parfums de fruits rouges qui se prolongent en bouche. Dès l'attaque, des tanins denses font sentir leur présence, gage d'un bon potentiel. Ils devraient s'arrondir au bout de quelques mois.

Pascal Chatelus, La Roche, 69620 Saint-Laurent-d'Oingt, tél. 04.74.71.24.78, fax 04.74.71.28.36, e-mail contact@domaine-chatelus.com t.l.j. 8h-12h 14h-20h; f. fin août

DOM. ALAIN CHATOUX
Vieilles Vignes Les Trois Collines 2005

2 ha 10 000 5 à 8 €

Deux semaines ont été nécessaires pour vinifier cette cuvée couleur cerise noire, au joli nez de fruits rouges et de cassis, agrémenté de nuances minérales. Fraîche, souple et équilibrée, cette élégante bouteille présente une structure un peu fine qui incite à l'apprécier dans l'année.

Alain Chatoux, Le Bourg, 69620 Sainte-Paule, tél. 04.74.71.24.02, fax 04.74.71.15.83 r.-v.

MICHEL CHATOUX 2004 ★

0,53 ha 3 000 3 à 5 €

De jeunes vignes de chardonnay (cinq ans) plantées en coteaux sont à l'origine de cette cuvée jaune pâle mêlant des senteurs intenses de fleurs blanches à des arômes de pain beurré. L'attaque est vive, soulignée par des notes d'agrumes, la bouche ronde et équilibrée. Un vin à servir pendant deux ans avec du poisson ou du fromage pas trop fort.

Michel Chatoux, Le Favrot, 69620 Sainte-Paule, tél. 04.74.71.11.95 r.-v.

DOMINIQUE CHERMETTE Vieilles Vignes 2005

2 ha 12 000 3 à 5 €

Née de ceps de soixante ans plantés en coteaux et élaborée dans un cuvage en pierres dorées, cette cuvée arbore une robe d'un rouge intense aux nuances bleutées. Elle s'ouvre à l'agitation sur des notes de framboise et de petits fruits rouges à noyau. Toujours aromatique en bouche, elle révèle quelques tanins encore un peu fermes. On peut l'apprécier dès maintenant ou l'attendre un an.

Dominique Chermette, Le Barnigat, 69620 Saint-Laurent-d'Oingt, tél. et fax 04.74.71.20.05, e-mail dominique.chermette@wanadoo.fr r.-v.

CLOS DES VIEUX MARRONNIERS 2005

5 ha 4 000 3 à 5 €

Ce domaine tire son nom des marronniers bicentenaires qui le bordent. Depuis 1998, Jean-Louis Large conduit ses 13 ha de vignes selon les principes de l'agriculture raisonnée. Il signe une cuvée rouge soutenu au nez généreux fait de fruits rouges, de cassis et de fruits secs. Un vin harmonieux et gouleyant à partager dès l'automne avec des amis autour d'un buffet campagnard. À déboucher lui aussi sans attendre, un **beaujolais blanc 2004** du domaine, friand et frais, obtient la même note.

Ghyslaine et Jean-Louis Large, Le Bourg, 69380 Charnay-lès-Mâcon, tél. et fax 04.78.47.95.28, e-mail jean-louis.large@wanadoo.fr r.-v.

CLOS DU CHÂTEAU LASSALLE 2005 ★

1,5 ha 5 000 5 à 8 €

Construits en 1806 sur une colline, les bâtiments de cette propriété font face au château médiéval de Châtillon-d'Azergues. Le domaine est entré dans la famille Pérol au début du XX[e]s. Rouge profond, cette cuvée exprime de francs parfums de fruits rouges, de mûre et de cassis. Une attaque nette, un corps plein et charnu dessinent les contours d'un vin plaisir à boire dans l'année.

Frédéric Pérol, N 447, chem. de La Colletière, 69380 Châtillon-d'Azergues, tél. et fax 04.78.43.99.84 r.-v.

DOM. DE LA COMBE DES FÉES 2004 ★

0,2 ha 1 500 5 à 8 €

Exploité par Jean-Charles Perrin depuis vingt ans, ce domaine, qui porte le nom de la vallée qui le borde, s'étend sur 7,50 ha. Des vignes de chardonnay âgées de vingt-cinq ans sont à l'origine de cette cuvée joliment vêtue d'une robe or à reflets ambrés. Floral au nez, ce 2004 emplit la bouche d'une matière charnue, ronde et structurée, agrémentée d'une touche muscatée. Doté d'un certain potentiel, il pourra être servi pendant un an avec viandes blanches et volailles à la crème.

Jean-Charles Perrin, La Maison Jaune, 69460 Vaux-en-Beaujolais, tél. 04.74.03.24.55, fax 04.74.02.15.59, e-mail jeancharles.perrin@wanadoo.fr r.-v.

DOM. DES COMMUNES 2005 *

6,05 ha 6 000 3 à 5 €

On connaît la maison de négoce Pierre Dupond à Villefranche. La famille Dupond possède aussi des vignobles en propre. Celui-ci est situé sur les communes de Belleville et de Saint-Lager. Il a donné naissance à un beaujolais d'un rouge soutenu aux reflets violets. Intenses et vineux, ses parfums évoquent le cassis et la mûre, et se prolongent dans un palais riche, rond et persistant, assez vif et tannique en finale. Un ensemble harmonieux à apprécier dans l'année.

GFA Dom. des Communes, 235, rue de Thizy, BP 79, 69220 Belleville, tél. 04.74.65.24.32, fax 04.74.68.04.14
J.-M. Dupond

DOM. COQUARD Élevé en fût de chêne 2004

0,4 ha 3 000 5 à 8 €

Jean Coquard est sorti de la coopérative en 1999 pour commercialiser sa production en bouteilles. Il signe une cuvée d'un or jaune assez intense mêlant au nez un fin boisé et des notes d'amande grillée. Ample et charnu, le palais est vite imprégné d'arômes de bois neuf qui rendent ce beaujolais blanc plutôt atypique. L'ensemble n'en laisse pas moins une bonne impression. Déjà prête, cette bouteille sympathique peut aussi attendre un an.

EARL Dom. Coquard, Glay, 69210 Saint-Germain-sur-l'Arbresle, tél. et fax 04.74.01.41.32, e-mail jean.coquard@free.fr r.-v. G

OLIVIER COQUARD 2005

1 ha 7 000 3 à 5 €

Après avoir travaillé en Afrique du Sud, Olivier Coquard s'est installé en 1998 à la suite de son père. La même année, il s'est engagé dans l'agriculture raisonnée. Il propose un beaujolais rouge violacé intense, au nez encore discret de petits fruits rouges confits au soleil. Rond à l'attaque, ce 2005 dévoile des tanins plutôt soyeux et montre une bonne persistance, mais il apparaît encore fermé. On pourra commencer à l'ouvrir à l'automne et il gagnera à être aéré.

Olivier Coquard, rte de Saint-Fonds, 69480 Pommiers, tél. et fax 04.74.03.92.91, e-mail olivier.coquard@mageos.com r.-v.

DOM. DES COTEAUX DE CRUIX Cuvée Tradition 2005

2 ha 10 000 5 à 8 €

Des vignes de quarante ans implantées sur des sols argilo-calcaires ont donné naissance à cette cuvée rubis profond au nez de cassis très expressif. Ce côté aromatique se manifeste dès l'attaque où l'on découvre un vin tout en rondeur. La structure fondue de ce 2005 plaira au plus grand nombre et appelle une consommation dans l'année. Une dégustatrice essaierait volontiers ce beaujolais avec un ragoût de légumes au vinaigre balsamique.

Paul André Brossette et Fils, Cruix, 69620 Theizé, tél. 04.74.71.24.83, fax 04.74.71.28.98, e-mail beaujolais.brossette.pa@wanadoo.fr t.l.j. 8h-19h

DOM. DE LA COUVETTE 2005

0,49 ha 3 200 3 à 5 €

Les bâtiments d'exploitation en pierre dorée, construits autour d'une cour fermée, datent de 1850 et le vignoble remonte aux années 1870. Claude Marion signe un beaujolais de couleur rubis aux élégants parfums de fruits rouges frais. Ample, gouleyant et vif, ce 2005 sera apprécié pendant au moins un an.

Claude Marion, chem. de la Deverrière, Apinost, 69210 Bully, tél. et fax 04.74.01.22.06, e-mail domainedelacouvette@wanadoo.fr t.l.j. sf dim. 8h-20h; f. août

DOM. DES CRÊTES 2004 **

1 ha 5 000 3 à 5 €

Le domaine a été acheté en 1938 par le grand-père de Jean-François Brondel. Ce dernier a aménagé un gîte rural dans l'un des bâtiments en pierre dorée et installé un nouveau cuvage en 1999. Le domaine, d'une dizaine d'hectares, comporte une vigne blanche à l'origine de cet excellent beaujolais. Jaune pâle limpide, expressif et franc au nez, ce 2004 associe l'aubépine à des notes grillées et beurrées. Bien équilibré et long, il a conservé au palais une vivacité qui met en valeur ses arômes de pamplemousse et de citron, et fait preuve d'une belle longueur. Un dégustateur conclut sur sa fiche : « Je l'achèterais bien volontiers. » Ce vin fera plaisir pendant deux ans. Quant au **beaujolais rosé 2005** de la propriété, il est cité.

Jean-François Brondel, 750, rte des Crêtes, 69480 Graves-sur-Anse, tél. 04.74.67.11.62, fax 04.74.60.24.30, e-mail domaine.descretes@rhonesansfil.net r.-v. B

DOM. DE LA CROIX DE L'ANGE 2004

0,35 ha 2 300 3 à 5 €

Créée en 1818 au lieu-dit de la Croix de l'Ange, la propriété s'étend aujourd'hui sur 16 ha répartis dans six villages des Pierres dorées. Elle a présenté une cuvée or clair limpide au nez expressif et fin mêlant l'abricot, l'amande et des notes muscatées que l'on retrouve à l'attaque. Très vineux, ce 2004 reste équilibré et agréable. Une bouteille à boire dans l'année.

André Sacquin, 570, rte de Saint-Pierre, 69480 Morancé, tél. 04.78.43.02.23, fax 04.72.54.03.85, e-mail sacquin.beaujolais@wanadoo.fr r.-v.

PHILIPPE DESCHAMPS 2005 *

0,7 ha n.c. 3 à 5 €

Établi à deux pas de la capitale historique du Beaujolais, Philippe Deschamps cultive 10 ha de vignes. Il propose un rosé de couleur pâle, limpide et brillant, au nez bien fruité rappelant la mandarine. Ample, vineux et aromatique, c'est un vin harmonieux que vous pourrez convier en de nombreuses occasions : apéritifs, barbecue, repas (entrées et poisson). Sa durée de vie ? Un an, comme nombre de rosés.

Philippe Deschamps, Morne, 69430 Beaujeu, tél. 04.74.04.82.54, fax 04.74.69.51.04 r.-v.

LA CAVE DES VIGNERONS DU DOURY
Cuvée Prestige 2005 *

n.c. 5 000 3 à 5 €

Cette coopérative, fondée en 1957, regroupe des viticulteurs du secteur des Pierres dorées et vinifie les vendanges de 485 ha. Si son **beaujolais supérieur 2005 (5 à 8 €)**, assez tannique, est cité, le jury a préféré ce beaujolais issu de schistes. Avec sa robe couleur cerise noire ourlée de superbes reflets violets et son nez associant la cerise bien mûre, les fleurs et une pointe de minéralité, ce 2005 sait se présenter. Après une attaque vive, il révèle des nuances de pierre sèche qui rappellent le terroir. Une bouteille de caractère à servir au cours des deux prochaines années avec une viande blanche.

Cave des Vignerons du Doury, 69620 Létra, tél. 04.74.71.30.52, fax 04.74.71.35.28, e-mail cavedoury@wanadoo.fr r.-v.

CH. DE L'ÉCLAIR 2005 **

8 ha 5 000 3 à 5 €

Le domaine expérimental créé par Victor Vermorel au début du XX^e^s. revit depuis 1980 sous l'égide de la Sicarex, organisme de recherche appliquée soutenu par les professionnels de la région. Au fil des éditions du Guide, il a obtenu trois coups de cœur. Ce 2005 s'inscrit en bonne place par son fruité et son élégance. D'un rouge profond, il offre au nez une palette complexe où la mûre côtoie la fraise, le cassis et les fleurs. Bien structurée, sa matière charnue et soyeuse s'épanouit longuement en bouche. Un vin plaisir à savourer au cours des deux prochaines années. Quant au **beaujolais rosé 2005** du domaine, il est cité.

Sicarex Beaujolais, Ch. de l'Éclair, 69400 Liergues, tél. et fax 04.74.68.76.27, e-mail sicarex@beaujolais.com r.-v.

JACQUES FERRAND 2005

1 ha 6 000 5 à 8 €

À la tête de 13,50 ha de vignes, Jacques Ferrand a repris l'exploitation familiale créée il y a près d'un siècle. Il propose un beaujolais au nez discret, fait de nuances amyliques, de fruits rouges et de fleurs. Plus aromatique en bouche, doté d'une solide structure, ce 2005 ne manque ni de charme ni de longueur. On pourra le déboucher à la sortie du Guide ou l'attendre un an.

Jacques Ferrand, Porrières, 69380 Saint-Jean-des-Vignes, tél. 04.78.43.72.03, fax 04.78.43.11.04 r.-v.

DOM. DE LA FEUILLATA Élégance 2005

1,5 ha 6 000 5 à 8 €

Issue de vignes de soixante-dix ans, cette cuvée limpide aux beaux reflets violets livre des parfums discrets mais bien typés de fruits rouges frais. Un peu austère à l'attaque, elle se montre ensuite gouleyante et vive. On l'appréciera dans l'année.

Dom. de la Feuillata, 69620 Saint-Vérand, tél. 04.74.71.74.53, fax 04.74.71.83.84 r.-v.
Rollet

DOM. DE FOND-VIEILLE 2004 *

2 ha 3 000 3 à 5 €

Installé depuis 1988, Dominique Guillard élabore lui-même ses vins depuis 2001. Son **beaujolais rouge Cuvée Tradition 2005** est cité, mais, cette année, les dégustateurs lui ont préféré le blanc. D'un jaune pâle limpide et brillant, ce 2004 délivre des parfums bien marqués d'acacia, de grillé et de beurre. Après une attaque franche, ses arômes se développent longuement au palais : fleurs blanches encore, mais aussi agrumes. Très bien équilibré, il se plaira avec un poulet ou une viande blanche à la crème.

Dominique Guillard, Dom. de Fond-Vieille, 69620 Oingt, tél. et fax 04.74.71.11.74 r.-v.

DOM. GARLON 2005

n.c. n.c. 5 à 8 €

Jean-François Garlon est attaché au travail du sol. Il effectue sans soufre ses vinifications et se contente d'une légère filtration avant la mise en bouteilles. Une fois de plus, il se voit sélectionné en beaujolais rouge. Issu de vignes de cinquante ans implantées sur des sols argilo-calcaires, ce 2005 affiche une robe rouge vif typique de l'appellation. Avec son nez assez intense de fruits frais mûrs, son palais charnu, plein, bien structuré et d'une rusticité de bon aloi, il trouvera ses amateurs.

Jean-François Garlon, Le Bourg, 69620 Theizé, tél. 04.74.71.11.97, fax 04.74.71.23.30, e-mail jf.garlon@chello.fr r.-v.

CAVE VINICOLE DE GLEIZÉ
Élevé en fût de chêne 2004 **

1,09 ha 9 300 3 à 5 €

Chef-lieu de canton, Gleizé est limitrophe de Villefranche-sur-Saône. Sa cave vinicole, construite en 1932, figure au nombre des plus anciennes coopératives de la région, mais de nombreux aménagements la rendent performante. Elle a présenté un blanc des plus séduisants. Jaune pâle dans le verre, ce 2004 présente un nez agréable et complexe, fait de fleurs blanches, de pain d'épice, de notes grillées et beurrées. La belle attaque mêle vivacité et rondeur et dévoile des arômes d'agrumes, puis des nuances vanillées. Typée et équilibrée, une bouteille à déboucher dans les deux ans. Un **beaujolais rouge 2005** reçoit par ailleurs une étoile.

Cave vinicole de Gleizé, 1471, rte de Tarare, 69400 Gleizé, tél. 04.74.68.39.49, fax 04.74.62.09.67, e-mail cave.vinicole.gleize@wanadoo.fr r.-v.

LAURENT GOBET 2005 **

n.c. 8 500 3 à 5 €

Des vignes de vingt-cinq ans cultivées sur des cailloutis et des sables sont à l'origine de ce vin rubis étincelant, dominé par des parfums de cassis et de petits fruits rouges. Sa chair ronde, dotée de fins tanins et agrémentée d'arômes de fruits très mûrs, exprime toute la gaieté et la fraîcheur du gamay. Élégante et typée, une bouteille que l'on aura plaisir à déguster pendant deux ans.

Laurent Gobet, 69640 Saint-Julien-sous-Montmélas, tél. 04.74.06.10.10, fax 04.74.66.13.77 r.-v.

DOM. DU GRAND LIÈVRE 2005 **

10 ha 15 000 3 à 5 €

Installés dans le pays des Pierres dorées depuis le début du XX^e^s., les Bouteille sont à la fois pépiniéristes viticoles et vignerons. La troisième génération dispose de 15 ha de vignes. Son **coteaux-du-lyonnais rouge 2005**, bien fruité, a obtenu une étoile et ce beaujolais a été couvert de compliments. D'un rouge soutenu, ce 2005 montre d'emblée sa franchise dans des parfums bien nets de cassis et de fleurs. Sa chair typée emplit le palais d'impressions charnues, rondes et persistantes. Un vin alerte à déguster dans les deux ans.

Bouteille Frères, 1480, rte des Pierres-Dorées, 69380 Saint-Jean-des-Vignes, tél. 04.78.43.73.27, fax 04.78.43.08.94, e-mail bouteillefreres@aol.com r.-v.

CH. DU GRAND TALANCÉ 2005 *

13 ha 95 000 3 à 5 €

Commandé par un château du XIXe s., ce domaine ne compte pas moins de 45 ha de vignes. De couleur sombre, son beaujolais rouge, élevé en foudre, séduit par ses parfums de fraise, de cassis et d'épices. Il révèle en bouche une chair puissante, sévère en finale : un vin au potentiel certain, qui devra mûrir un an. Le **beaujolais blanc 2005** a obtenu une citation.

GFA du Grand Talancé, 69640 Denicé, tél. 04.74.67.55.04, fax 04.74.69.09.75 r.-v.

Truchaud

DOM. DE LA GRANGE BOURBON Clos du Gaillard 2005

3,1 ha 8 000 3 à 5 €

Les lointaines origines de ce domaine remontent au XIe s. et les bâtiments d'exploitation, avec des fenêtres à meneaux, ont gardé un cachet ancien. Quant à ce beaujolais, il est jugé typique et conforme à la tradition avec sa robe sombre, ses discrets parfums de fraise, son attaque ferme et franche, prélude à une bouche puissante, soutenue par une solide structure tannique. Autant de caractères qui dénotent un certain potentiel. On laissera mûrir ce vin six mois et on le servira avec un civet.

Françoise et Benoît Chastel, La Grange-Bourbon, 69220 Charentay, tél. 04.74.66.86.60, fax 04.74.66.73.23, e-mail francoise.chastel@voila.fr r.-v.

DOM. DE LA GRENOUILLÈRE 2005 *

2,5 ha 22 000 3 à 5 €

Une longue lignée de viticulteurs accrochés aux coteaux de Chamelet depuis le milieu du XVIIIe s. Des vignes implantées sur des sols granitiques sont à l'origine de cette cuvée rubis sombre au joli nez fait de cassis, de framboise et de touches épicées. Rond et agréable, ce 2005 ne manque pas de structure, mais on l'appréciera sur son fruit, dans l'année qui vient.

Charles Bréchard, La Grenouillère, 69620 Chamelet, tél. 04.74.71.34.13, fax 04.74.71.36.22, e-mail cbrechard@wanadoo.fr r.-v.

DOM. LES GRYPHÉES Les Gryphées 2004

0,5 ha 4 000 3 à 5 €

Présents dans le sous-sol de ce secteur des Pierres dorées, des fossiles ont donné son nom au domaine. Dans des caves voûtées de 1850 a été élevé pendant dix-huit mois ce vin or pâle aux parfums assez intenses de fleurs blanches. En bouche, il montre une vivacité soulignée par des arômes d'agrumes. Représentatif du beaujolais blanc, ce 2004 sera servi au cours des deux prochaines années.

Pierre Durdilly, 2, rte de Saint-Laurent, 69620 Le Bois-d'Oingt, tél. 04.74.72.49.93, fax 04.74.71.62.95, e-mail domainelesgryphees@wanadoo.fr r.-v.

DOM. LASSALLE Vieilles Vignes 2005 *

3 ha 16 000 5 à 8 €

Tous les bâtiments du domaine ont été construits par un aïeul en 1857. Installé en 1977, Jean-Pierre Lassalle est un partisan résolu de l'agriculture raisonnée, ce mode de conduite de la vigne qui prend en compte le respect de l'environnement, et ses contre-étiquettes signaleront désormais cette démarche. Grenat intense, sa cuvée Vieilles Vignes s'ouvre sur de discrets parfums de mûre. Au palais, elle dévoile sa riche matière soutenue par des tanins puissants mais soyeux. Sa structure et sa persistance laissent augurer une garde de deux ans. Un vin de gibier.

Dom. Jean-Pierre Lassalle, 1, chemin de Tredo, 69480 Morancé, tél. et fax 04.78.43.63.97, e-mail domaine.lassalle@wanadoo.fr r.-v. B

DOM. DU LOUP 2005

7,5 ha 54 000 3 à 5 €

Le loup n'y est pas, mais le vin est prêt. Une cuvée rubis aux parfums complexes de cassis et de pivoine, accompagnés d'une pointe végétale. Après une belle attaque, elle se montre plus austère, mais l'ensemble est bien travaillé. À consommer dans l'année.

Jean Bosse-Platière, Les Places, 69480 Lucenay, tél. 04.74.67.05.54, fax 04.74.69.09.75

DOM. DU MARQUISON Clos de Rapetour 2005 *

1,2 ha 6 000 5 à 8 €

Christian Vivier-Merle exploite 16 ha de vignes en agriculture raisonnée. Des ceps de trente-cinq ans implantés sur des marnes fossiles ont donné naissance à cette cuvée d'un rouge sombre presque noir, au nez complexe mêlant les fruits rouges et des notes vanillées. Après une bonne attaque, sa chair structurée et équilibrée s'épanouit au palais ; elle laisse percevoir en finale quelques tanins. Ce beaujolais très harmonieux accompagnera volontiers une viande blanche.

Christian Vivier-Merle, EARL Au Dom. Marquison, Les Verjouttes, 69620 Theizé, tél. 04.74.71.26.66, fax 04.74.71.10.32, e-mail ncviviermerle@wanadoo.fr r.-v.

DOM. MIOLANE L'Atypique 2005 *

0,64 ha 4 000 5 à 8 €

Cette exploitation, établie dans le village de Salles-Arbuissonnas, riche d'un prieuré roman, a développé l'accueil touristique : gîte rural, salle de réception... Elle propose un beaujolais or pâle aux intenses parfums d'agrumes et de litchi que l'on retrouve en bouche. Très bien équilibré, ce vin présente un potentiel de garde de deux à trois ans. On pourra le servir à l'apéritif.

EARL Dom. Christian Miolane, La Folie, 69460 Salles-Arbuissonnas, tél. 04.74.67.52.67, fax 04.74.67.59.95, e-mail domainemiolane@wanadoo.fr r.-v. C

DOM. DE MONTÉZAIN 2005

9,9 ha 10 000 5 à 8 €

Située à 500 m de la tour du télégraphe de Chappe, curiosité du village de Marcy, cette exploitation familiale remonte à 1863. Elle propose un vin rouge soutenu, au nez

plutôt discret et vif. Cette vivacité se poursuit dans une bouche aux nuances de petits fruits frais et à la finale pointue. Un « vin de soif » de tradition, à boire dès à présent.
Dutilleul, 99, rte d'Anse, 69480 Marcy-sur-Anse, tél. 04.37.55.03.56, fax 04.26.74.37.57, e-mail herve.dutilleul@chello.fr r.-v.

DOM. DU MOULIN BLANC 2005 *

	1,2 ha	10 500		5 à 8 €

Ce domaine, qui a brillé ces dernières années en rouge, avec notamment un coup de cœur, montre ici son savoir-faire en blanc avec ce 2005 or pâle aux reflets verts. Très aromatique, ce vin libère d'intenses nuances muscatées et des notes de fruits exotiques qui se prolongent dans une bouche ample, charnue, ronde et harmonieuse. Une bouteille expressive et fruitée qui trouvera sa place pendant un à deux ans, servie à l'apéritif ou avec du poisson et des crustacés.
Alain Germain, Crière, Dom. du Moulin Blanc, 69380 Charnay-lès-Mâcon, tél. et fax 04.78.43.98.60, e-mail domaine-du-moulin-blanc@wanadoo.fr r.-v.

DOM. DE L'OISILLON 2005

	4 ha	8 000		5 à 8 €

« Couleur gamay », a écrit un membre du jury à propos de la robe de ce vin. Entendez : rubis soutenu. Au nez, ce 2005 associe des parfums fruités à des notes de cannelle et à des touches minérales bien fondues. C'est un vin vif qu'il est conseillé de boire dans l'année.
Michel et Béatrix Canard, Dom. de l'Oisillon, Le Bourg, 69820 Vauxrenard, tél. 04.74.69.90.51, fax 04.26.74.90.51, e-mail beatrix-michel.canard@wanadoo.fr r.-v.

LE PÈRE LA GROLLE 2005 **

	n.c.	130 000		3 à 5 €

Cette sélection pourpre a pris le nom de Gnafron, *alias* le Père la Grolle. Le compagnon de Guignol est gnafre ou regrolleur, cordonnier en argot lyonnais. C'est surtout un grand amateur de beaujolais. Ce Père la Grolle met d'emblée le public de son côté avec son nez de fruits rouges très franc. Sa bonne attaque révèle une chair ronde et structurée, dotée de jeunes tanins fondus qui conservent une fraîcheur de bon aloi. La finale nette est superbe. D'un excellent équilibre, c'est un beaujolais comme on les aime, à marier à la charcuterie lyonnaise. La maison Pellerin a été retenue pour deux autres cuvées : le **juliénas Domaine du Vieux Cerisier 2005 (5 à 8 €)**, complexe et charpenté, qui reçoit deux étoiles, et le **morgon Wine and Art 2005 (5 à 8 €)**, noté une étoile.
Maison Pellerin, Ch. de Pierreux, 69460 Odenas, tél. 04.74.03.18.30, fax 04.74.69.09.75

DOM. DES PERELLES
Cuvée Saveur et Tradition 2005 *

	5 ha	5 000		3 à 5 €

Exploité par un père et son fils, ce domaine s'étend sur 19 ha et propose ici un beaujolais typé, aromatique et complet. Rouge sombre aux reflets violets, ce 2005 exprime des parfums complexes de cerise et de fraise assortis d'une touche amylique. Après une belle attaque fruitée, on découvre une chair structurée, puissante, avec un retour des fruits rouges (cerise encore, et groseille). La longue finale suave laisse un bon souvenir. Prête dès la sortie du Guide, cette bouteille se gardera deux ans. Elle devrait s'entendre avec une côte de bœuf ou du porc en civet.
Dom. des Perelles, Le Boitier, 69620 Theizé, tél. 04.74.71.23.13, fax 04.74.71.11.51, e-mail domainedesperelles@wanadoo.fr r.-v.
Bonnepart

DOM. DES PÉRELLES 2005 **

	2,5 ha	5 000		5 à 8 €

Installé en 1989, Jean-Yves Larochette est à la tête de 11,50 ha de vignes, répartis entre le Mâconnais et le Beaujolais ; ses vins blancs de ces deux secteurs sont souvent retenus dans le Guide. Né de vignes de trente ans implantées sur des sols argilo-limoneux, celui-ci, or pâle brillant, sort du lot. Expressif au nez, il mêle des fragrances de fleurs blanches, des notes grillées, beurrées et des nuances de poire. Sa chair ronde et ample, parfaitement équilibrée, est imprégnée d'arômes d'agrumes et révèle un potentiel intéressant. Une excellente bouteille à servir pendant deux ans avec du poisson ou un fromage de vache.
EARL Jean-Yves Larochette, Les Pérelles, 71570 Chânes, tél. 03.85.37.41.47, fax 03.85.37.15.25, e-mail jylarochette@tiscali.fr r.-v.

DOM. PICOTIN 2005

	n.c.	15 000		3 à 5 €

Le domaine a gardé le nom de l'ancêtre, Marie Picotin, qui, au XIXe s., cultivait quelques ares de vignes à Lucenay ; il s'étend aujourd'hui sur 29 ha. Son beaujolais rouge affiche une couleur cerise à reflets violets. Il libère des parfums assez marqués de cassis, associés à une pointe épicée. Nerveux mais restant équilibré, ce vin de caractère est à partager dans l'année, autour d'un casse-croûte ou d'un repas sans façon. Le **beaujolais blanc 2004** de l'exploitation est également cité.
GAEC Mercier Père et Fils, 260, rue du Genetay, 69480 Lucenay, tél. 04.74.67.04.37, fax 04.37.55.00.91, e-mail christine.mercier11@wanadoo.fr r.-v.

DOM. DES PIERRES DORÉES

La Doyenne 2005 ★

■	1,1 ha	5 000		5 à 8 €

Il y a cinquante ans, cette propriété était exploitée en polyculture : la vigne y côtoyait les céréales et les pâtures. Reflétant les mutations des dernières décennies, elle s'est spécialisée, et ses quelque 13 ha sont exclusivement consacrés à la production de beaujolais. Né de ceps de soixante-dix ans, ce 2005 affiche une robe rouge foncé intense et livre des senteurs épicées, des notes de cassis et de fruits rouges. Charnu et soyeux, il a gardé de la vivacité et fait preuve d'une certaine persistance. Une bouteille à apprécier dans l'année.

Jean-Paul Devay, Bois-Virot, 69620 Le Breuil,
tél. et fax 04.74.71.74.29, e-mail jpdevay@free.fr
t.l.j. sf dim. 8h-12h 14h-19h

DOM. DE LA ROCAILLÈRE 2005

	0,4 ha	3 000		3 à 5 €

Si le domaine n'a pris son nom actuel qu'en 2003, la propriété est transmise de père en fils depuis le XVIII[e]s. Vincent Fontaine, qui représente la dixième génération, a pris les rênes de l'exploitation en 1996. Les 15 ha du vignoble sont entièrement consacrés au beaujolais. De couleur paille claire, ce vin blanc présente un joli nez d'abricot. Aromatique, souple et doux, sans excès d'acidité, il n'est pas conseillé pour la garde mais il fera aujourd'hui un joli vin d'apéritif.

Vincent Fontaine, montée de Corbay,
69480 Pommiers, tél. 04.74.02.59.15, fax 04.74.65.97.68
r.-v.

BRUNO ROLLET 2005

■	n.c.	n.c.		3 à 5 €

Située dans la région des Pierres dorées, cette exploitation familiale, créée dans les années 1960, est conduite depuis 1999 par Bruno Rollet. Son beaujolais rouge revêt une robe profonde et brillante, et délivre de subtils parfums de fruits rouges frais. La bonne attaque révèle une matière structurée, pleine et vive, où les tanins sont perceptibles. S'il n'est pas des plus longs, c'est un vin expressif, à déboucher dès l'automne pour accompagner grillades et fromages à pâte cuite.

Bruno Rollet, Les Rues, 69400 Arnas,
tél. et fax 04.74.65.90.65 r.-v.

DOM. ROMY 2005

	0,65 ha	5 000		5 à 8 €

À la tête de son exploitation depuis trente ans, Dominique Romy exploite quelque 15 ha de vignes. On retrouve encore cette année son beaujolais blanc. De couleur jaune pâle, timide au nez, ce 2005 laisse percer peu à peu des effluves de fleurs blanches. S'il n'est pas très volumineux, il retient l'attention par son attaque aromatique et sa chair ronde et souple. Une bouteille pour maintenant.

Dominique Romy, 1020, rte de Saint-Pierre,
69480 Morancé, tél. et fax 04.78.43.65.06,
e-mail domaineromy@infonie.fr r.-v.

DOM. DE ROTISSON Cuvée Tradition 2005 ★★

■	2 ha	11 000		3 à 5 €

Créé en 1920, ce domaine a été repris en 1998 par Didier Pouget. Ici, on aime l'art : on organise, parmi d'autres manifestations, des expositions de peintures ; on a même décoré les murs et les cuves de représentations de la vigne. Le vin ? On en élabore de nombreux types, et les blancs et les rosés, rares dans la région, ont souvent trouvé leur place dans le Guide. Cette année, plus classiquement, un rouge a été retenu. Sa robe rubis soutenu, ses parfums intenses, vineux et fruités, sa chair équilibrée, à la fois riche, ronde et fraîche, lui ont valu maints compliments. Typé et harmonieux, ce beaujolais est déjà prêt mais il peut attendre un an.

Dom. de Rotisson, rte de Conzy,
69210 Saint-Germain-sur-l'Arbresle, tél. 04.74.01.23.08,
fax 04.74.01.55.41,
e-mail didier.pouget@domaine-de-rotisson.com
t.l.j. 9h-12h30 14h-18h; dim. sur r.-v.
Didier Pouget

CAVE BEAUJOLAISE DE SAINT-LAURENT-D'OINGT

Belvédère des pierres dorées 2005

■	2,1 ha	17 000		5 à 8 €

La coopérative de Saint-Laurent-d'Oingt vinifie les récoltes de 320 ha de vignes. Elle propose ici une petite cuvée rouge soutenu à reflets violets et aux subtils parfums de noyau de cerise. Équilibré avec des tanins souples et fondus, ce 2005 laisse en finale une belle impression de fraîcheur. Il est conseillé de le servir dans l'année avec une pièce de viande rouge.

Cave coop. beaujolaise de Saint-Laurent-d'Oingt,
Le Gonnet, 69620 Saint-Laurent-d'Oingt,
tél. 04.74.71.20.51, fax 04.74.71.23.46 r.-v.

DOM. SÈVE 2005

■	1 ha	5 000		3 à 5 €

Voilà quinze ans que Laurent Sève conduit l'exploitation familiale située dans le pays des Pierres dorées. Il a élaboré, à partir de vignes de trente-cinq ans implantées sur des sols argilo-calcaires, une cuvée pourpre, mêlant au nez des impressions vineuses et des parfums de cassis et de fruits rouges. Charnu et vif, plus sévère en finale, c'est un vin sympathique à apprécier au cours des deux prochaines années.

Laurent Sève, Saint-Pol, 69620 Le Bois-d'Oingt,
tél. et fax 04.74.72.40.16,
e-mail seve.laurent@club-internet.fr r.-v.

CH. TALANCÉ 2005 ★★

■	8 ha	40 000		3 à 5 €

« Messieurs de Talancé, viticulteurs-récoltants depuis 1580 », proclame l'étiquette. L'histoire de ce château, qui a gardé ses châtelains, montre une belle continuité. Son vignoble s'étend sur 26 ha. Des ceps de cinquante ans sont à l'origine de cette cuvée qui a frôlé le coup de cœur. Sa robe grenat profond et son nez complexe aux notes de cerise, de fruits cuits et de cuir incitent à la porter en bouche. L'attaque franche révèle une matière riche, ample et persistante, bien soutenue par une bonne structure tannique et une acidité qui laissent une impression d'équilibre. Ce vin typé et au réel potentiel pourra être apprécié dès l'automne 2006. Il s'accordera avec une viande rouge et, pourquoi pas, avec des brochettes de cœur de canard.

GFA Dom. de Talancé, Ch. du Petit Talancé,
69640 Denicé, tél. et fax 04.74.67.38.93 r.-v.

DOM. DE TANTE ALICE 2005 ★★

	0,66 ha	2 000	▮	5 à 8 €

À son arrivée sur l'exploitation, en 1988, Jean-Paul Peyrard a repéré une parcelle propice au chardonnay et l'a plantée. Bien lui en a pris, puisque ces vignes blanches lui ont valu deux coups de cœur : le millésime 1999 et celui-ci ! De couleur jaune doré, ce 2005 offre une riche palette de parfums : bonbon anglais, pêche, miel, nuances florales et minérales. Il tapisse le palais d'une matière charnue, ample et ronde, et finit longuement sur des impressions de douceur. Un beaujolais blanc typique et harmonieux qui pourra être apprécié dès à présent. Rond et flatteur, le **brouilly Pisse Vieille 2005** de la propriété obtient une étoile.

🔑 Jean-Paul Peyrard, SCEA Dom. de Tante Alice, La Pilonnière, 69220 Saint-Lager, tél. 04.74.66.89.33, fax 04.74.66.86.20, e-mail peyrard.jean-paul@wanadoo.fr ☑ Y ⚲ r.-v.

TERRASSE DES PIERRES DORÉES 2005 ★

■	n.c.	5 000	▮	3 à 5 €

La coopérative du Bois-d'Oingt vinifie la production de 260 ha de vignes. Depuis sa création en 1961, elle a effectué de nombreux aménagements. Elle a ainsi agrandi en 2005 la zone de stockage des bouteilles. La cave propose ici une cuvée rubis sombre aux arômes de cassis suivis de notes grillées. Vif en bouche, ce vin évoque la cerise. Ce côté très aromatique révèle une bonne maîtrise technique des vinifications. Cette bouteille pourra accompagner des grillades dès l'automne 2006.

🔑 Cave beaujolaise du Bois-d'Oingt, Les Coasses, 69620 Le Bois-d'Oingt, tél. 04.74.71.62.81, fax 04.74.71.81.08, e-mail cave.cooperative.beaujolaise@wanadoo.fr ☑ Y ⚲ t.l.j. 8h-12h 13h30-18h

DOM. DES TROIS VALETS 2005 ★

■	9,5 ha	5 000		3 à 5 €

Paul Durdilly a repris en 1976 l'exploitation familiale au moment où celle-ci se lançait dans la mise en bouteilles. À la tête de 10 ha, il pratique l'enherbement et cherche à tirer le maximum du potentiel aromatique des vendanges par une maîtrise technique des vinifications. Il a présenté un 2005 rouge intense, aux parfums très nets de cassis que l'on retrouve dans une bouche charnue et longue. Un vin franc qui fera plaisir pendant les deux prochaines années.

🔑 Paul Durdilly, 980, chem. de Combefort, 69620 Le Bois-d'Oingt, tél. et fax 04.74.71.63.23, e-mail earl.durdilly.paul@wanadoo.fr ☑ Y ⚲ t.l.j. 8h-12h30 13h-20h

DOM. VIDONNEL 2005 ★

■	7,8 ha	25 000		3 à 5 €

Guy Vignat conduit depuis trente ans son domaine qui compte près de 10 ha. S'il a souvent été distingué en beaujolais blanc, il présente ici une importante production de vin rouge qui ne manque pas de qualités : une robe rubis intense, des parfums de fruits rouges agréables et fins, une chair fondante et fraîche aux arômes de fraise et de framboise. Un ensemble fruité et gouleyant pour l'année qui vient.

🔑 Guy Vignat, 70, rte de Chazay, 69480 Morancé, tél. 04.78.43.64.34, fax 04.78.43.77.31, e-mail guy.vignat@wanadoo.fr ☑ Y ⚲ r.-v.

Beaujolais supérieur

DOM. BOURBON Les Terrasses 2005 ★

■	1 ha	6 500	▮	5 à 8 €

C'est dans un cuvage construit en 1857, tout en pierres dorées et surmonté d'une belle charpente, qu'a été élaborée cette cuvée rouge vif aux parfums assez intenses et typés de bonbon anglais. Sa chair est souple, aromatique, gouleyante : un vin plaisir à servir dans l'année.

🔑 Dom. Jean-Luc Bourbon, Le Marquison, 69620 Theizé, tél. et fax 04.74.71.14.13, e-mail domaine-bourbon@wanadoo.fr ☑ Y ⚲ r.-v.

Beaujolais-villages

Le mot « villages » a été adopté pour remplacer la multiplicité des noms de communes qui pouvaient être ajoutés à l'appellation beaujolais pour distinguer des productions considérées comme supérieures. La quasi-totalité des producteurs ont opté pour la formule beaujolais-villages.

Trente-huit communes, dont huit dans le canton de La Chapelle-de-Guinchay, ont droit à l'appellation beaujolais-villages, mais seulement trente peuvent ajouter le nom de la commune à celui de beaujolais. Si le terme de beaujolais-villages facilite la commercialisation depuis 1950, certains noms synonymes d'un cru peuvent créer des confusions. Les 6 455 ha, dont la quasi-totalité est comprise entre la zone des beaujolais et celle des crus, ont assuré en 2005 une production de 299 154 hl de rouges et 3 100 hl de blancs.

Les vins de l'appellation se rapprochent des crus et en ont les contraintes culturales (taille en gobelet ou éventail, cordon simple ou double charmet, degré initial des moûts supérieur de 0,5 % vol. à ceux des beaujolais). Originaires de sables granitiques, ils sont fruités, gouleyants, parés d'une robe d'un beau rouge vif : ce sont les inimitables têtes de cuvée des vins de primeur. Sur les terrains granitiques, plus en altitude, ils apportent la vivacité requise pour l'élaboration de bouteilles consommables toute l'année. Entre ces extrêmes, toutes les nuances sont représentées, alliant finesse, arôme et corps, s'accommodant aux mets les plus variés, pour la plus grande joie des convives : le brochet à la crème, les terrines, le pavé de charolais iront bien avec un beaujolais-villages plein de finesse.

DOM. DE BACARRA 2004

■ 5 ha n.c. ▮ 3 à 5 €

Philippe Bonhomme est depuis 1991 à la tête du domaine familial qui s'étend sur 16 ha. Il propose un beaujolais-villages né de vignes de quarante ans implantées sur des sols sableux. Grenat limpide, cette cuvée libère des parfums légers de mûre, avec des nuances minérales et épicées. Très élégante à l'attaque par sa souplesse et son fruité, elle révèle une chair fine caractéristique du millésime qui la destine à une consommation dans l'année.

🔑 Philippe Bonhomme, La Rivière,
69460 Saint-Étienne-la-Varenne,
tél. et fax 04.74.03.20.80 ☑ Y ⩚ r.-v.

JEAN-PAUL BARITEL Cuvée des Centenaires 2005

■ 1,5 ha 10 000 ▮ 5 à 8 €

Ayant repris les vignes familiales à partir de 1978, Jean-Paul Baritel a peu à peu agrandi son domaine pour exploiter aujourd'hui 11 ha. Il a construit son cuvage en 1999. Sa cuvée des Centenaires est issue de ceps d'âge respectable. Pourpre foncé à reflets violets, elle s'ouvre sur des arômes de groseille et de cassis. Avec sa matière fine, elle n'est pas bâtie pour la garde. Une bouteille tout indiquée pour un buffet de charcuteries.

🔑 EARL Jean-Paul Baritel, La Merlatière,
69220 Lancié, tél. 04.74.69.84.98, fax 04.74.69.82.48
☑ Y ⩚ r.-v.

DOM. DE LA BEAUCARNE Quintessence 2005

■ 1 ha 6 000 ▮ 3 à 5 €

Le nom de ce domaine est un hommage au chanteur et poète Jules Beaucarne. La propriété s'étend sur 11 ha. Issue de ceps de cinquante ans d'âge plantés sur des sols granitiques, la cuvée Quintessence se pare d'une robe rouge soutenu et livre des notes discrètes mais agréables de fruits à noyau. Malgré une finale plus austère, la bouche est d'une bonne harmonie. Sa structure plutôt fine fait de ce 2005 un vin pour maintenant.

🔑 Michel Nesme, Les Vergers, 69430 Lantignié,
tél. 04.74.04.86.23, fax 04.74.04.83.41,
e-mail nesme.goutte@wanadoo.fr ☑ Y ⩚ r.-v.

DOM. DU BREUIL 2005

■ 1 ha 6 000 ▮ 3 à 5 €

Installé en 1993, Franck Large exploite 7,5 ha de vignes. Son domaine est situé à 100 m du prieuré clunisien de Salles-Arbuissonnas qui mérite un détour. D'un rouge assez léger et limpide, son beaujolais-villages libère des parfums de fruits rouges frais. Un agréable fruité qui se prolonge au palais. Un vin à apprécier dans l'année.

🔑 Franck Large, rue du Breuil,
69460 Salles-Arbuissonnas, tél. 04.74.60.51.00,
fax 04.74.67.59.15, e-mail franck.large@libertysurf.fr
☑ Y ⩚ r.-v.

CH. DES BROYERS 2005

■ 1 ha 5 000 3 à 5 €

Racheté il y a quatre ans par Xavier Coquard, le château des Broyers, du XVIIIe s., a été aménagé de façon à accueillir séminaires d'entreprises, stages et événements. Son vignoble a donné une cuvée rouge intense aux parfums friands de fruits rouges. Sa chair ronde, assez vive en finale, destine cette bouteille à une consommation dans l'année.

🔑 GFA des Broyers, Les Broyers,
71570 La Chapelle-de-Guinchay, tél. 03.85.36.70.34,
fax 03.85.33.87.38 ☑ Y ⩚ r.-v.
🔑 Xavier Coquard

DOM. DU CHAI DE LA MERLATIÈRE 2005 ★★

■ 16 ha 20 000 ▮ 5 à 8 €

En 1989, deux frères se sont associés pour mettre en valeur l'exploitation familiale : près de 20 ha répartis entre quatre appellations beaujolaises. Pourpre violacé, ce 2005 s'ouvre sur des parfums de fruits rouges, de cassis et de mûre ; il emplit le palais d'une chair ronde, aromatique et équilibrée. Typée et harmonieuse, une bouteille à déboucher dès l'automne et à servir avec une viande rouge ou du fromage de chèvre pas trop affiné. À signaler encore, le **moulin-à-vent 2005** du domaine, cité par le jury.

🔑 GAEC de La Merlatière,
Dom. du Chai de La Merlatière, 69220 Lancié,
tél. 04.74.04.13.29, fax 04.74.69.86.84,
e-mail gaecdelamerlatiere@wanadoo.fr ☑ Y ⩚ r.-v.
🔑 Gauthier

DOM. DE LA CHAPELLE DE VÂTRE 2005 ★★

■ 3,7 ha 6 500 ▮ 5 à 8 €

Une grande bastide du XVIIe s. entièrement restaurée, une chapelle romane au milieu des ceps, un vignoble de quelque 6 ha, voilà le domaine conduit depuis 1997 par Dominique Capart. Toute sa production de beaujolais-villages a été retenue par le jury. D'un rouge foncé limpide, cette cuvée s'ouvre sur des parfums fruités. Avec sa bonne structure aux tanins déjà arrondis, sa palette aromatique faite d'arômes de fruits rouges et de notes amyliques, son équilibre et sa persistance, c'est un excellent représentant de l'appellation, que l'on peut apprécier dès maintenant ou attendre un an. Du même domaine, le **beaujolais-villages Cuvée Allys 2005**, qui a connu le bois, obtient une citation.

🔑 Dom. de La Chapelle de Vâtre, Le Bourbon,
69840 Jullié, tél. 04.74.04.43.57, fax 04.74.04.40.27,
e-mail capart@wanadoo.fr ☑ Y ⩚ r.-v. 🏠 7 🏠 E
🔑 Dominique Capart

DOM. CHASSAGNE Charme des Bruyères 2005

■ 3 ha 18 000 ▮ 5 à 8 €

Une fois de plus, cette cuvée de beaujolais-villages est retenue par les jurés. Elle est née de vignes de plus de quarante ans plantées sur des cailloutis sablo-argileux. D'un rubis soutenu, ce 2005 livre de discrets parfums de kirsch et de fruits rouges. Un fruité qui s'impose en bouche

avec une pointe de minéralité. Ample et gourmand, ce vin révèle une structure plutôt fine qui invite à l'apprécier dans l'année.
🔑 SCEA Chassagne-Bertoldo, Les Bruyères, 69430 Lantignié, tél. 04.74.04.82.11, fax 04.74.69.25.53, e-mail domaine.chassagne@wanadoo.fr ☑ 🍷 r.-v.

CAVE DU CHÂTEAU DES LOGES 2005

■ 8 ha 12 000 3 à 5 €

Cette coopérative propose un beaujolais-villages né de vignes de quarante ans cultivées sur des arènes granitiques. Rubis soutenu, ce 2005 libère de riches et persistants parfums fruités. Sa belle structure est encore dominée par les tanins. Un ensemble équilibré à apprécier dans l'année.
🔑 Cave du Château des Loges, Le Bourg, 69460 Le Perréon, tél. 04.74.03.22.83, fax 04.74.03.27.60, e-mail caveduperreon@wanadoo.fr ☑ 🍷 t.l.j. 8h-12h 13h30-17h30

DOM. DE COLETTE Coteaux de Colette 2005 ★★

■ 1 ha 5 000 ▮ 5 à 8 €

Régulièrement mentionné dans le Guide, ce domaine dispose de 16 ha de vignes. Sur les coteaux de Colette, des ceps de cinquante ans ont donné naissance à cette cuvée pourpre foncé, aux parfums puissants de groseille. Sa matière ronde, soutenue par de fins tanins et imprégnée d'arômes de fraise, emplit longuement le palais. Un vin harmonieux, prêt à paraître sur la table et apte à une garde d'un à deux ans.
🔑 Jacky Gauthier, Dom. de Colette, 69430 Lantignié, tél. 04.74.69.25.73, fax 04.74.69.25.14, e-mail domainedecolette@wanadoo.fr ☑ 🍷 ✝ r.-v.

LES COLLINES 2005 ★

■ 10 ha 50 000 ⏺ 3 à 5 €

Charmante étiquette pour cette sélection de négoce. D'un rouge vif, ce 2005 exhale des parfums fruités typiques de l'appellation, accompagnés de notes florales (pivoine). Très aromatique aussi au palais, net, délicat et élégant, rond et persistant, c'est un vin flatteur que l'on pourra savourer dès maintenant avec une viande rouge, un rosbif par exemple.
🔑 Spal Boissons, 31, allée des Mousquetaires, Parc de Tréville, 91078 Bondoufle, tél. 01.69.64.22.33, fax 01.69.64.22.38

DOM. ANDRÉ COLONGE ET FILS 2005 ★

■ 17 ha 30 000 ▮ 3 à 5 €

Cette exploitation dispose de 32 ha de vignes. Né de ceps de trente ans, ce beaujolais-villages affiche une robe rubis franc et brillant, et livre de riches parfums vineux équilibrés par des notes de fruits rouges macérés. Sa chair souple, ronde et riche, aux nuances de fruits rouges affirmées, persiste longuement. Puissant et souple à la fois, un ensemble flatteur à apprécier dans l'année.
🔑 Dom. André Colonge et Fils, Les Terres-Dessus, 69220 Lancié, tél. 04.74.04.11.73, fax 04.74.04.12.68, e-mail contact@domaine-andre-colonge-et-fils.com ☑ 🍷 ✝ t.l.j. 8h-12h 14h-19h

CH. DE CORCELLES 2005

■ 30 ha 150 000 ▮ 5 à 8 €

Le château de Corcelles, du XV[e]s., s'entoure d'un vaste domaine : 90 ha. Pas moins de 30 ha sont à l'origine de ce beaujolais-villages habillé d'une pimpante robe rouge. Discret au premier nez, ce 2005 gagne à l'aération. Souple, fruité et frais, il révèle une structure assez fine qui incite à l'apprécier maintenant.
🔑 Ch. de Corcelles, 69220 Corcelles, tél. 04.74.66.00.24
🔑 André Richard

DOM. DES COTEAUX ST-MARTIN Tradition 2004

□ 0,4 ha 3 000 ▮ 5 à 8 €

À la création de la propriété en 1978, l'exploitation comptait 1,5 ha planté en cépages rouges. Aujourd'hui, le vignoble s'est agrandi (8 ha) et diversifié en offrant une production de vins blancs. D'une belle couleur jaune, ce 2004 séduit par des parfums floraux assez fins qui se prolongent assez longuement en bouche. Une bouteille de qualité à apprécier sans tarder.
🔑 Jean-Paul Jomard, Le Gay, 69460 Blacé, tél. et fax 04.74.67.50.91 ☑ 🍷 ✝ r.-v.

MICHÈLE ET FRANÇOIS DESCOMBES Fût de chêne 2005 ★

■ 0,8 ha 2 400 ⏺ 5 à 8 €

Michèle et François Descombes sont installés dans une demeure de la fin du XVIII[e]s. regardant la plaine de la Saône. Ils ont conservé un pressoir Marmonier de 1920 encore en service. Ce beaujolais-villages a été élevé pendant cinq mois dans des foudres de chêne. D'un grenat foncé, ce 2005 libère de délicats parfums fruités. Sa matière ronde et riche s'épanouit longuement au palais, agréablement mise en valeur par une touche boisée. Ce vin très bien fait sera apprécié au cours des deux prochaines années. Le **beaujolais-villages Vieilles Vignes 2005 (3 à 5 €)** n'a pas connu le bois. Il est cité.
🔑 François Descombes, Bel-Air, 69430 Lantignié, tél. et fax 04.74.69.20.33, e-mail descombes.francois@wanadoo.fr ☑ 🍷 ✝ r.-v.

GÉRARD DUCROUX 2005 ★

■ 0,48 ha 3 400 ▮ 3 à 5 €

C'est dans un cuvage rénové en 2005 qu'ont été élaborés un **morgon 2005 (5 à 8 €)**, cité, et cette cuvée pourpre foncé qui s'affirme sur des notes vineuses, des nuances d'amande grillée et de torréfaction. Doté d'une chair riche aux tanins assez marqués, ce vin équilibré et au fort potentiel est à attendre un à deux ans. Il pourra être servi avec de la charcuterie.
🔑 Gérard Ducroux, Saint-Joseph-en-Beaujolais, 69910 Villié-Morgon, tél. et fax 04.74.69.90.14 ☑ 🍷 ✝ r.-v.

DOM. DUPRÉ Vignes de 1940 2005

■ 3 ha 10 000 ▮ 8 à 11 €

Jean-Michel Dupré exploite 120 ha de vignes et accueille les visiteurs dans une cave voûtée. Il propose ici une cuvée obtenue à partir de vignes de plus de cinquante ans. D'un rubis violacé, ce 2005 mêle au nez le cassis, des notes minérales et des nuances de cuir. L'attaque franche et aromatique introduit une bouche aux tanins bien présents qui lui confèrent de la longueur mais aussi une certaine austérité. Ce vin de caractère et de terroir peut attendre deux ans.
🔑 Jean-Michel Dupré, Ranfray, 69430 Les Ardillats, tél. 04.26.74.88.14, fax 04.26.74.88.15 ☑ 🍷 ✝ r.-v. 🏠 2 🏠 B

CH. D'ÉMERINGES Vieilles Vignes 2005

■ 2 ha 13 800 ▮ 5 à 8 €

Entouré d'un vaste parc, un « château du vin » en plein Beaujolais. Il a été construit en 1856 dans le style Napoléon III, sur l'emplacement d'un autre château détruit pendant la Révolution. Son vignoble a donné naissance à ce vin rouge soutenu aux parfums très plaisants de fruits rouges cuits, rond et équilibré au palais, plus austère en finale. Une bouteille agréable à boire dans l'année. Le **beaujolais-villages blanc Vieilles Vignes 2005** a également été cité.

Pierre David, Ch. d'Émeringes, 69840 Émeringes, tél. et fax 04.74.04.44.52 r.-v.

DOM. DES FOUDRES 2005

■ 1,5 ha 11 000 ▮ 3 à 5 €

Ce domaine familial fondé dans les années 1930 dispose de foudres mais aussi de cuves : ce 2005 élevé quatre mois n'a pas connu le bois. Pourpre intense, il livre de légers effluves fruités. L'attaque agréable fait place en milieu de bouche à des sensations tanniques assez fermes, mais l'ensemble reste harmonieux. Une bouteille à boire en 2006.

Roger et Jean-Philippe Sanlaville, Le Plageret, 69460 Vaux-en-Beaujolais, tél. 04.74.03.20.67, fax 04.74.03.21.77, e-mail info@domainedesfoudres.com t.l.j. 9h-20h

DOM. DES FOURQUIÈRES 2004 *

■ 5 ha 28 000 ▮ 3 à 5 €

Cette exploitation de 9 ha environ est implantée à proximité de sentiers pédestres et d'un point de vue sur le vignoble. Des ceps de trente ans plantés sur sols granitiques sont à l'origine de ce 2004 rouge vif intense, aux puissantes notes fruitées. La bonne attaque ronde révèle une charpente que l'on trouve rarement dans ce millésime. Un vin resté jeune que l'on appréciera dans l'année.

Daniel Basset, Le Fourque, 69460 Saint-Étienne-la-Varenne, tél. 04.74.03.48.79, fax 04.74.03.31.14 r.-v.

GUY ET HÉLÈNE GAILLETON 2004

■ 3 ha 2 500 ▮ 3 à 5 €

La quatrième génération de viticulteurs installée aux Bonnerues a fêté en 2005 la centième récolte. Quant à ce 2004 rubis limpide, il exprime sans se faire prier des parfums de fruits frais, d'abord subtils puis concentrés. Un fruité généreux marque encore l'attaque soutenue par de fins tanins. Équilibré et souple, ce vin typé est à boire dans l'année.

Hélène et Guy Gailleton, Les Bonnerues, 69220 Lancié, tél. et fax 04.74.69.83.98 t.l.j. 8h-20h

DOM. DE LA GARENNE 2005 *

■ 10 ha 40 000 ▮ 3 à 5 €

Deux vins de ce domaine de 17 ha ont été retenus : un **brouilly 2005 (5 à 8 €)**, cité, et ce beaujolais-villages. Rubis soutenu aux reflets violets, ce dernier libère de très puissantes notes de cassis. Souple et onctueux, dominé en bouche par les fruits rouges, c'est un vin bien fait : « Il me convient », conclut un dégustateur. À apprécier dans l'année qui vient.

Marc Goguet, La Garenne-Charentay, 69220 Charentay, tél. 04.74.03.48.32, fax 04.74.03.51.53

GÉRARD GENTY Récolte Chermieux 2005

■ 3,45 ha 5 000 ▮ 5 à 8 €

Voilà trente ans que Gérard Genty conduit son exploitation de près de 10 ha, entièrement située dans l'AOC beaujolais-villages. Cette cuvée avait obtenu un coup de cœur dans le millésime 2003. D'un rubis intense, le 2005 mêle au nez le cassis, la mûre et les fruits rouges. Sa matière ronde et volumineuse révèle une bonne structure tannique. Assez longue, cette bouteille sera appréciée au cours des deux prochaines années avec une assiette de charcuterie ou de la viande blanche.

Gérard Genty, Vaugervan, 69430 Lantignié, tél. et fax 04.74.69.23.56 r.-v.

DOM. GOUILLON 2005

■ 4,6 ha 8 000 ▮ 3 à 5 €

Dans la cave de cette maison typique du XIXe s. ont été élevés un **beaujolais-villages blanc 2004 (5 à 8 €)** et ce vin rouge de couleur soutenue, au fruité fin, vif à l'attaque et équilibré. Ces deux bouteilles agréables, qui font jeu égal, sont à boire.

Dominique Gouillon, Les Vayvolets, 69430 Quincié-en-Beaujolais, tél. 04.74.04.38.50, fax 04.74.69.00.67 r.-v.

DOM. DES HAYES 2005 *

■ 18 ha 40 000 ▮ 3 à 5 €

À la tête de son exploitation depuis 1971, Pierre Deshayes a tiré de vignes de cinquante ans un vin d'une couleur rouge violet fort engageante, tout comme le nez fin et floral. Souple et charnue, la bouche révèle d'originales notes épicées. Ce 2005 très bien fait est prêt mais il peut attendre un à deux ans.

EARL Pierre Deshayes, Les Grandes-Vignes, 69460 Le Perréon, tél. 04.74.03.25.47, fax 04.74.03.23.90, e-mail domainedeshayes@wanadoo.fr r.-v.

LOUIS JADOT Combe aux Jacques 2005

■ n.c. n.c. ▮ 5 à 8 €

Cette maison beaunoise se distingue en beaujolais-villages : on retrouve sa Combe aux Jacques. Grenat intense aux beaux reflets violets, le 2005 présente un nez franc où les fruits rouges des bois se mêlent au cacao et à la pêche. L'attaque fraîche et aromatique introduit une bouche aux tanins vigoureux. Très typée dans le millésime et élégante, cette bouteille sera servie au cours des deux prochaines années avec une viande blanche.

Louis Jadot, 21, rue Eugène-Spuller, BP 117, 21203 Beaune Cedex, tél. 03.80.22.10.57, fax 03.80.22.56.03, e-mail contact@louisjadot.com r.-v.

LACERTUS 2005

■ 30 ha 30 000 ▮ 3 à 5 €

Le nom latin de cette cuvée et l'étiquette précieuse et inhabituelle intriguent et attirent. Cuvée du Lézard, donc. Un lézard rouge et doré brillant sur fond noir mat. Et le vin ? Rouge vif aux nuances violettes, il livre de jolis parfums acidulés de groseille associés à des notes de pain d'épice au miel qui se prolongent en bouche. L'attaque est franche, un peu vive, puis la chair apparaît fine, plus austère en finale. Un vin complet, tout en parfums, à apprécier dans l'année.

Chanut Frères, Les Chers, 69840 Juliénas, tél. 04.74.06.78.00, fax 04.74.06.78.71, e-mail avf@free.fr r.-v.

PATRICK ET ODILE LE BOURLAY

Cuvée Vieilles Vignes 2005

1 ha 5 300 5 à 8 €

Depuis deux ans, le domaine propose des chambres d'hôte, mais c'est dans le cuvage du château du Thil, dans la même commune, que sont élaborés les vins. De couleur rubis, ce beaujolais-villages s'annonce par un nez discret de framboise et de fruits rouges. Emplissant le palais d'un joli fruité au goût très marqué de framboise également, cette cuvée souple et gouleyante pourra accompagner une tarte aux pommes.

EARL Patrick et Odile Le Bourlay, Forétal, 69820 Vauxrenard, tél. et fax 04.74.69.90.44, e-mail le.bourlay@wanadoo.fr r.-v. 2

DOM. LONGÈRE 2005

1,5 ha 10 000 3 à 5 €

Jean-Luc Longère est à la tête de l'exploitation familiale depuis vingt-cinq ans. Un domaine de 3 ha très morcelé qu'il conduit en lutte intégrée. Les ceps jusqu'alors disposés en gobelets le sont en éventail pour favoriser l'entretien et l'enherbement des sols. Depuis 2004, il implante des bandes florales entre les rangs pour favoriser la faune auxiliaire amie. Rubis foncé, son beaujolais-villages livre des parfums à la fois puissants et fins de fruits rouges avec des nuances florales. Sa chair ronde donne une impression de puissance et de légèreté en même temps, et allie le fruité et la charpente dans un bel équilibre. Un vin plaisir à apprécier dans l'année.

Régine et Jean-Luc Longère, Le Duchamp, 69460 Le Perréon, tél. et fax 04.74.03.27.63, e-mail jean-luc.longere@wanadoo.fr r.-v. 6 C

DOM. MANOIR DU CARRA 2005 *

0,2 ha 1 500 5 à 8 €

Situé à 100 m du château de Montmelas, ce domaine est conduit par Jean-Noël Sambardier depuis 1972. Ce dernier a élaboré une cuvée d'un beau jaune, aux senteurs assez puissantes de fleurs et de fruits. La bouche révèle une chair un peu fine mais équilibrée et longue, et des arômes d'agrumes et d'épices. Cette bouteille devrait pouvoir se garder un à deux ans.

Jean-Noël Sambardier, Dom. Manoir du Carra, 69640 Denicé, tél. 04.74.67.38.24, fax 04.74.67.40.61, e-mail jfsambardier@aol.com r.-v.

DOM. LES MARGOTS 2005 *

1 ha 5 000 3 à 5 €

Ce domaine établi dans la capitale historique du Beaujolais se flatte d'être rétif aux équipements modernes, leur préférant le travail manuel. Ici, tout est traditionnel, de la culture à la vigne à l'équipement de la cave. Pourquoi « les Margots » ? Parce que c'est le surnom de la pie, volatile qui peuple le vignoble. Rubis franc, ce beaujolais-villages exhale des parfums vineux riches et puissants, de fruits rouges macérés avec des nuances de bonbon anglais. Ronde, souple et aromatique, il finit avec élégance sur des nuances florales. Un ensemble harmonieux et typé qui fera assurément le bonheur des consommateurs dans l'année qui vient.

André et Andrée Longin, Les Laforêts, 69430 Beaujeu, tél. 04.74.04.83.25, fax 04.74.04.83.25, e-mail andre.longin@wanadoo.fr r.-v.

CELLIER DE LA MERLATIÈRE Lancié 2005

n.c. 5 000 3 à 5 €

Cette exploitation dispose de 24 ha et produit cinq appellations beaujolaises. Vinifié dans des cuves en bois et élevé en grande partie dans des foudres de chêne, ce 2005 rubis foncé développe des parfums concentrés dominés par les fruits rouges et le cassis. On retrouve le cassis dans une bouche riche et très bien structurée. Une note d'austérité incite à attendre un an cette bouteille.

EARL Paul et Sébastien Pariaud, La Merlatière, 69220 Lancié, tél. 04.74.04.10.16, fax 04.74.69.83.64 r.-v.

DOM. DE LA MILLERANCHE Jullié 2005 *

3 ha 8 000 3 à 5 €

Un vignoble de 11,5 ha, mis en valeur par deux familles associées dans la démarche Terra Vitis (lutte raisonnée). Né de ceps âgés de quarante-cinq ans, ce 2005 pourpre brillant s'ouvre sur des parfums de groseille. Ample en bouche, charnu et aromatique, soutenu par des tanins ronds, il est très équilibré et persistant. Il peut attendre au moins un an, mais les impatients pourront le déboucher dès la sortie du Guide. Le **juliénas 2005 (5 à 8 €)** a obtenu une citation.

EARL Fernand et Jérôme Corsin, Le Bourg, 69840 Jullié, tél. 04.74.04.40.64, fax 04.74.04.49.36, e-mail milleranche.corsin@wanadoo.fr r.-v. A

DOM. DANIEL MINOT 2005 *

n.c. 8 000 3 à 5 €

Créée en 1929, la Cave des Vignerons de Liergues a son siège dans des bâtiments en pierres dorées de style Art déco. Aujourd'hui, la coopérative diversifie ses productions en identifiant les terroirs et, comme ici, les domaines. Ce beaujolais-villages rubis intense aux reflets violets livre des senteurs assez puissantes de pêche de vigne et de fruits très mûrs associés à des nuances évoquant le boisé. L'attaque franche introduit un palais aux arômes de groseille, pleins de mâche, et soutenu par une bonne charpente. On pourra servir cette bouteille avec une viande blanche, une côte de porc par exemple.

Cave des Vignerons de Liergues, rue du Beaujolais, 69400 Liergues, tél. 04.74.65.86.00, fax 04.74.62.81.20, e-mail cave-des-vignerons-de-liergues@wanadoo.fr t.l.j. sf dim. 8h-12h 14h-18h30

DOM. DE L'ORÉE DU BOIS Le Perréon 2005 *

5 ha 35 000 5 à 8 €

Installé en 1992, Olivier Bérerd exploite près de 29 ha. Des vignes de quarante ans plantées sur des sols granitiques ont donné naissance à ce 2005 grenat limpide, au nez expressif associant la groseille à des nuances florales et amyliques. Sa matière ronde et aromatique, structurée par de fins tanins, est très harmonieuse. Gourmand et bien fait, ce vin est à boire au cours des deux prochaines années.

Olivier Bérerd, Le Bourg, 69460 Le Perréon, tél. 04.74.03.21.85, fax 04.74.03.27.19, e-mail bererd@terre-net.fr r.-v.

PAVILLON DES VARENNES 2005 *

■ 50 ha 50 000 ▮ 3 à 5 €

Le rubis intense de la robe est à la hauteur des puissants parfums de fruits rouges bien mûrs. En bouche, le fruité persistant s'accompagne de vivacité, et des tanins enrobés font sentir d'emblée leur présence. Fruité et corsé, ce beaujolais-villages pourra donner la réplique à un plateau de fromages pendant plus d'un an.

Jean Bedin, Les Chers, 69840 Juliénas, tél. 04.74.06.78.00, fax 04.74.06.78.71 r.-v.

LA CAVE DU PÈRE MANU 2004 *

0,25 ha 3 000 5 à 8 €

Des bâtiments des XVIIe et XVIII[e]s. regardant le sud commandent un vignoble d'une dizaine d'hectares. De jeunes plants de chardonnay sont à l'origine de cette cuvée jaune aux reflets dorés et au nez expressif de fleurs et d'agrumes. Sa chair ample, charnue et longue laisse une belle impression. Un ensemble harmonieux à apprécier dès maintenant.

Emmanuel Blanc, Le Vivier, 69640 Denicé, tél. et fax 04.74.67.30.35, e-mail lacaveduperemanu@wanadoo.fr r.-v.

DOM. DES PINS 2005 *

■ 1 ha 1 500 ▮ 5 à 8 €

Si le **régnié 2005** de l'exploitation a été cité, le jury a préféré ce beaujolais-villages. Rubis très foncé, ce 2005 exhale d'intenses et envoûtantes senteurs de fruits rouges et de cassis. Un fruité qui emplit le palais et persiste longuement. Rond, friand et harmonieux, ce vin est à boire dans l'année avec une viande grillée.

David Gobet, L'Ermitage, 69430 Lantignié, tél. et fax 04.74.69.22.10, e-mail sanybonn@wanadoo.fr r.-v.

JEAN-CHARLES PIVOT 2005

■ 3,8 ha 26 000 ▮ 3 à 5 €

Jean-Charles Pivot a développé une maison de négoce qui s'attache à commercialiser des vins élaborés avec un minimum de traitements. Il propose ici une sélection rouge foncé, au nez discret mais agréable évoquant les fruits rouges. Harmonieuse et fruitée, la bouche révèle une matière plutôt fine typée du millésime.

Jean-Charles Pivot, Les Dépôts, 69430 Saint-Didier-sur-Beaujeu, tél. 04.74.04.30.32, fax 04.74.69.00.70 r.-v.

DOM. DES PLAISANCES

Tradition Cuvée Vieilles Vignes 2005 *

■ 1 ha 2 500 ▮ 3 à 5 €

Des vignes d'une soixantaine d'années cultivées sur des sols limoneux et sableux sont à l'origine de cette cuvée rouge vif aux parfums délicats de fruits rouges. Sans défaillance, sa bonne matière imprègne agréablement le palais d'arômes de noyau de cerise. Ce vin de terroir est à boire dans l'année.

Daniel Bouchacourd, lieu-dit Espagne, 69640 Saint-Julien, tél. 04.74.60.52.81 r.-v.

POULET PÈRE ET FILS 2005

■ n.c. 20 000 ▮ 15 à 23 €

Cette maison nuitonne, remontant à 1747, signe un beaujolais-villages grenat soutenu au nez de petits fruits rouges, associés au cassis et à la pêche. La très bonne attaque ronde et puissante se prolonge agréablement sur des arômes de framboise. Cette bouteille plaisante, reflet de l'appellation, gagnera à attendre un à deux ans et pourra être servie avec une viande rouge ou du gibier. Du même négociant, le **fleurie 2004** et le **juliénas 2004** ont obtenu eux aussi une citation.

Poulet Père et Fils, 6, rue de Chaux, BP 4, 21700 Nuits-Saint-Georges, tél. 03.80.62.43.02, fax 03.80.62.68.02

VIRGINIE ET CHRISTOPHE RENARD 2005

■ n.c. 5 500 ▮ 3 à 5 €

À la suite de son grand-père et de son père, Christophe Renard est métayer depuis 1999 sur la plus grande propriété viticole du Beaujolais, le château de la Carelle. Il a élaboré un vin de couleur rouge profond aux parfums de cassis bien marqués. Aromatique et charpentée, la bouche est équilibrée. Une bouteille agréable et bien faite, à apprécier au cours des deux prochaines années.

Christophe Renard, La Carelle, 69460 Saint-Étienne-des-Oullières, tél. et fax 04.74.03.53.07 t.l.j. sf dim. 8h-19h

CELLIER DES SAINT-ÉTIENNE 2005

■ 20 ha 40 000 ▮ 3 à 5 €

La coopérative de Saint-Étienne-des-Oullières, qui regroupe 250 adhérents, a produit 25 000 hl. Elle propose une cuvée rouge sombre, au nez puissant et complexe de cassis et de fruits rouges. L'attaque révèle un vin vif, riche, chaleureux et aromatique. Une bouteille facile à boire qui accompagnera volontiers un plateau de fromages. Elle peut attendre un an.

Cellier des Saint-Étienne, rue du Beaujolais, 69460 Saint-Étienne-des-Oullières, tél. 04.74.03.41.77, fax 04.74.03.48.29, e-mail cellier-st-etienne@wanadoo.fr r.-v.

CAVE DE SAINT-JULIEN 2005

■ 2 ha 13 300 3 à 5 €

Créée en 1988, la plus jeune des coopératives vinicoles de France vinifie la production de 230 ha. Elle présente ici une cuvée grenat très sombre aux parfums développés et persistants de cassis et de fruits rouges. L'attaque fraîche et acidulée aux arômes de groseille et de framboise est accompagnée de jeunes tanins bien marqués. Puissant et long, ce vin est apte à une petite garde (un à deux ans).

Coop. de Saint-Julien, Les Fournelles, 69640 Saint-Julien, tél. 04.74.67.57.46, fax 04.74.67.51.93, e-mail cave.stjulien@wanadoo.fr r.-v.

CH. SAINT-VINCENT 2005 **

■ 3,84 ha 27 000 ▮ 3 à 5 €

Une consécration pour Rémy Crozier qui s'est installé sur le domaine comme métayer avant de racheter le vignoble (6 ha) et les bâtiments d'exploitation. Après deux étoiles l'an dernier, son beaujolais-villages obtient un coup de cœur. D'un rouge très prononcé, presque violet, ce 2005 livre d'intenses parfums de fruits rouges et de cassis. Sa bouche fruitée aux tanins arrondis s'épanouit harmonieusement. Un ensemble d'une grande finesse et d'un remarquable équilibre, à déboucher dès maintenant ou à attendre un à deux ans.

Rémy Crozier, Ch. Saint-Vincent, 69430 Quincié-en-Beaujolais, tél. 04.74.04.39.59, fax 04.74.69.09.75 r.-v.

CH. DE SOUZY 2005 ★★

n.c. 60 000 3 à 5 €

Cette maison de négoce a fait grande impression avec ce beaujolais-villages rouge profond qui associe de puissants parfums de fruits noirs bien mûrs (cassis et mûre) à des notes florales. L'attaque franche et soyeuse introduit une bouche ronde et persistante aux tanins suaves. Ce vin complet accompagnera pendant un an des plats en sauce ou du fromage. Grands Terroirs et Signatures a présenté aussi le **brouilly Domaine Fort Michon 2005 (5 à 8 €)** qui a obtenu une citation.

Grands Terroirs et Signatures, Le Ribouillon, BP 10, 69430 Quincié-en-Beaujolais, tél. 04.74.03.52.72, fax 04.74.03.38.58, e-mail signe-vigneron1@wanadoo.fr

DOM. TERRES DES SABLONS 2005

1,8 ha 10 000 3 à 5 €

L'exploitation a été créée en 1998 : un vignoble de 4 ha d'un seul tenant, implanté à Saint-Étienne-la-Varenne, au pied de l'aire du brouilly. Il a donné ici une cuvée grenat intense au nez expressif de fruits noirs, de chocolat et d'épices. Après une attaque soyeuse sur un fruité bien intégré, la bouche se révèle riche, agréable et longue. Les tanins sont très présents mais gras. Bien représentatif de son appellation, ce 2005 sera apprécié au cours des deux prochaines années.

Bertrand Durdilly, 980, chem. de Combefort, 69620 Le Bois-d'Oingt, tél. et fax 04.74.71.63.95 t.l.j. 8h-12h30 13h-20h

CH. THIVIN Marguerite 2004

0,3 ha 2 400 8 à 11 €

Commandé par une demeure bourgeoise au toit en tuiles vernissées, ce vignoble situé au pied du mont Brouilly a été acquis peu à peu par la famille Geoffray à partir de 1877. Il se distingue cette année avec une cuvée née de jeunes vignes de chardonnay (quatre ans). Jaune pâle dans le verre, ce 2004 s'ouvre sur un fruité discret mais agréable. Si sa chair onctueuse n'offre pas une structure puissante, elle persiste assez longuement. Déjà prête, cette bouteille peut attendre un à deux ans.

Claude Geoffray, Ch. Thivin, La Côte de Brouilly, 69460 Odenas, tél. 04.74.03.47.53, fax 04.74.03.52.87, e-mail geoffray@chateau-thivin.com t.l.j. sf dim. 10h-12h30 15h-19h

DOM. DE LA TOUR DES BOURRONS 2005 ★★

3 ha 3 000 3 à 5 €

Bernard Guignier a constitué son vignoble en 1978. Il exploite une dizaine d'hectares. Ce sont des vignes de quarante-cinq ans, cultivées sur des sols rocheux et granitiques, qui sont à l'origine de cette cuvée coup de cœur. Dotée d'une superbe robe grenat limpide, elle livre de délicats parfums fruités évoquant la framboise. Riche et ronde, la bouche au fruité persistant conjugue puissance et finesse. Cet ensemble très harmonieux sera apprécié pendant deux à trois ans. Du même domaine, le **fleurie 2005 Cuvée Vieilles Vignes (5 à 8 €)** est cité.

Monique et Bernard Guignier, Les Bourrons, 69820 Vauxrenard, tél. et fax 04.74.69.92.05, e-mail bernard-monique.guignier@wanadoo.fr r.-v.

TRACOT Les Pins 2005

n.c. 50 000 5 à 8 €

Les activités de ce domaine créé en 1970 se sont diversifiées avec la création de chambres d'hôte et d'une affaire de négoce. Cette sélection rouge soutenu aux beaux reflets violets délivre de très agréables senteurs de groseille. Sa chair, elle aussi fort aromatique, révèle un équilibre sans fausse note. Déjà prêt, ce vin peut attendre encore un an.

Dom. Jean-Paul Dubost, Tracot, 69430 Lantignié, tél. 04.74.04.87.51, fax 04.74.69.27.33, e-mail j.p-dubost@wanadoo.fr t.l.j. sf dim. 8h-12h 14h-19h 4

TRÉNEL 2005

n.c. 30 000 5 à 8 €

Créée en 1928, cette maison de négoce implantée en Mâconnais est également connue pour ses liqueurs. Elle a sélectionné un vin rouge violacé aux parfums de fruits rouges et de cassis. L'attaque ronde est suivie d'une bouche aux tanins assez doux, plus acidulée en finale. Puissant et riche, ce beaujolais-villages bien typé est à attendre un à deux ans ; il pourra accompagner une andouillette.

Trénel Fils, 33, chem. du Buéry, 71850 Charnay-lès-Mâcon, tél. 03.85.34.48.20, fax 03.85.20.55.01, e-mail contact@trenel.com r.-v.

CH. DE VARENNES 2005

0,7 ha 3 000 5 à 8 €

Un authentique château, dont les origines remontent au XIes. Si sa façade a été percée de nombreuses fenêtres, ses tours rondes lui conservent un aspect de forteresse. Quant à la toiture, sa superficie représente 1 ha ! Confisqué à la Révolution, le domaine a été vendu aux ancêtres de

Guillaume Charveriat en 1809. Une parcelle de chardonnay est à l'origine de ce beaujolais-villages aux reflets dorés et au nez très agréable de noisette et de beurre, séduisant et complexe à l'attaque. Une bouteille à ouvrir à la fin de l'année 2006.

SCI Ch. de Varennes, 69430 Quincié-en-Beaujolais, tél. 04.74.04.31.67, fax 04.74.69.00.69, e-mail chateaudevarennes@wanadoo.fr r.-v.

DOM. LES VILLIERS
Cuvée Combe Fleurette 2005 *

5,5 ha 7 000 3 à 5 €

Le **beaujolais-villages blanc 2005** de l'exploitation a été cité, mais l'étoile revient à cette cuvée rubis intense au nez vineux de fruits rouges bien mûrs. Après une attaque tendre et ronde, la dégustation se poursuit sans fausse note. Équilibrée et gouleyante, cette bouteille sera appréciée dès l'automne avec une viande rouge en sauce ou du gibier.

Lucien Chemarin, Les Villiers, 69430 Marchampt, tél. 04.74.04.37.11 r.-v.

Brouilly et côte-de-brouilly

Le dernier samedi d'août, le vignoble retentit de chants et de musique ; les vendanges ne sont pas commencées et, pourtant, une nuée de marcheurs, panier de victuailles au bras, escaladent les 484 m de la colline de Brouilly, en direction du sommet où s'élève une chapelle près de laquelle seront offerts le pain, le vin et le sel. De là, les pèlerins découvrent le Beaujolais, le Mâconnais, la Dombes, le mont d'Or. Deux appellations sœurs se sont disputé la délimitation des terroirs environnants : brouilly et côte-de-brouilly.

Le vignoble de l'AOC côte-de-brouilly, installé sur les pentes du mont, repose sur des granites et des schistes très durs, vert-bleu, dénommés « cornes-vertes » ou diorites. Cette montagne serait un reliquat de l'activité volcanique du primaire, à défaut d'être, selon la légende, le résultat du déchargement de la hotte d'un géant ayant creusé la Saône... La production (16 026 hl pour 323 ha) est répartie sur quatre communes : Odenas, Saint-Lager, Cercié et Quincié. L'appellation brouilly, elle, ceinture la montagne en position de piémont sur 1 306 ha, et a produit 61 553 hl en 2005. Outre les communes déjà citées, elle déborde sur Saint-Étienne-la-Varenne et Charentay ; sur la commune de Cercié se trouve le terroir bien connu de la Pisse-Vieille.

Brouilly

JEAN BARONNAT 2005 *

n.c. n.c. 5 à 8 €

Dirigée par le petit-fils du fondateur, cette maison de négoce familiale, créée en 1920, est restée au cœur du Beaujolais, même si elle distribue aussi des vins de vignobles plus méridionaux. Elle a présenté un brouilly d'un rouge sombre presque noir, discrètement fruité (fraise, framboise) et nettement floral. Au palais, si les arômes gardent une certaine retenue, le jury a apprécié l'attaque souple, qui met en valeur une structure tannique de qualité. Cette charpente laisse espérer une garde d'au moins deux ans.

Jean Baronnat, 491, rte de Lacenas, 69400 Gleizé, tél. 04.74.68.59.20, fax 04.74.62.19.21, e-mail info@baronnat.com r.-v.

DOM. DU BARVY 2004 *

n.c. n.c. 5 à 8 €

Dominique Bouillard conduit les 8 ha du domaine familial et gère un gîte rural. Le brouilly qu'elle a proposé est d'un rubis clair et brillant, et libère au premier nez des parfums de cassis et de mûre qui évoluent vers des nuances minérales et poivrées. Fruité, charnu, corsé, équilibré, ce 2004 finit sur des impressions fraîches et réglissées. Une bouteille facile d'accès que l'on appréciera dans l'année avec une viande blanche, une côte de veau par exemple.

Dom. du Barvy, La Commune, 69460 Odenas, tél. 04.74.03.40.30, fax 04.74.03.49.27, e-mail pbouillard@wanadoo.fr r.-v.

Mme Bouillard

DOM. DE BEL-AIR 2005 **

6,65 ha 40 000 5 à 8 €

Perchée sur la colline de Bel Air, cette propriété domine la vallée de l'Ardières. Construits il y a cent soixante-dix ans, les bâtiments de granite bleu issu du sous-sol de la commune sont dotés de caves voûtées et commandent un vignoble de plus de 13 ha, exploité par la famille Lafont depuis plusieurs générations. Dans un cuvage rénové en 2004 a été vinifié ce brouilly très harmonieux. D'un rubis brillant et limpide, ce 2005 libère des parfums flatteurs de pivoine et de rose évoluant vers des nuances de cerise qui se prolongent dans une bouche riche et fraîche. Associé à une trame serrée de fins tanins, ce fruité participe au remarquable équilibre de cette bouteille, que l'on appréciera pendant deux ans avec volaille et petit gibier. À signaler encore, le **beaujolais-villages rouge 2005**, cité par le jury.

EARL Annick et Jean-Marc Lafont, Dom. de Bel-Air, 69430 Lantignié, tél. 04.74.04.82.08, fax 04.74.04.89.33, e-mail lafont.jean-marc@wanadoo.fr r.-v.

PH. BÉRÉZIAT 2005

n.c. 8 000 5 à 8 €

Ce domaine a vu deux de ses cuvées citées par le jury : un **morgon 2005** et ce brouilly grenat intense au nez bien ouvert associant la myrtille et le cassis à des notes plus végétales (bois de sureau). Une attaque ronde et souple introduit une bouche aromatique, charnue et longue, où les tanins ne sont pas absents. Cette bouteille harmonieuse pourra être servie dès la sortie du Guide, avec une tarte aux fruits rouges, par exemple.

Philippe Béréziat, Briante, 69220 Saint-Lager,
tél. 04.74.66.89.86, fax 04.74.66.89.67,
e-mail bereziatph@wanadoo.fr ☑ Y ⚲ r.-v.

DOM. BÉROUJON 2005

■ 1 ha 2 000 5 à 8 €

Installé il y a une dizaine d'années, David Béroujon exploite 14 ha de vignes. Il a présenté un brouilly d'une couleur violine pleine de promesses. Ce 2005 exprime au nez des parfums plutôt discrets de cassis et de fruits rouges, fruits rouges que l'on retrouve dans une plaisante attaque. Des tanins puissants font ensuite sentir leur présence, apportant une certaine austérité : on attendra cette bouteille un an ou deux pour lui permettre de s'affiner.

David Béroujon, Le Tang,
69460 Salles-Arbuissonnas, tél. et fax 04.74.67.58.43
☑ Y ⚲ r.-v.

DOM. BERTRAND 2005

■ 2,5 ha 5 000 ▮ 5 à 8 €

Issue de vignes de quarante-cinq ans cultivées sur des sols argilo-calcaires, cette cuvée s'habille d'une robe rouge franc aux reflets violets. Si son fruité de cassis et de framboise apparaît plutôt discret, elle laisse une impression de finesse en bouche, avec un caractère charnu et des tanins de qualité. On l'attendra un à deux ans.

Maryse et Jean-Pierre Bertrand, Bonnège,
69220 Charentay, tél. 04.74.66.85.96,
fax 04.74.66.72.46, e-mail metjpbertrand@wanadoo.fr
☑ Y ⚲ r.-v.

CH. DE LA CHAIZE 2005

■ 98,95 ha 395 000 ▮ ⦶ 5 à 8 €

Un château construit d'après les plans de Jules-Hardouin Mansart, des jardins à la française dessinés par Le Nôtre : le château de La Chaize fait partie du patrimoine architectural de la région. Son vaste vignoble est à l'origine de ce brouilly rouge soutenu aux reflets violets. Assez intense au nez, ce 2005 libère des parfums complexes de cassis et de mûre, associés à des nuances boisées. Montrant un bon équilibre entre la vinosité, les tanins et l'acidité, typique de l'appellation, il offre un bon potentiel de garde : il pourra paraître à table pendant au moins trois ans et accompagnera volontiers volailles et viandes blanches en sauce.

Marquise de Roussy de Sales,
Ch. de La Chaize, 69460 Odenas,
tél. 04.74.03.41.05, fax 04.74.03.52.73,
e-mail chateaudelachaize@wanadoo.fr ☑ Y ⚲ r.-v.

PIERRE CHANAU 2005 ★

■ 100 ha 180 000 ▮ 5 à 8 €

La marque Pierre Chanau est celle des vins d'Auchan. Ce brouilly a été vinifié par la maison Alliance des Vins fins à Juliénas. D'une couleur engageante, rouge à reflets violets, il apparaît plutôt discret au nez. C'est en bouche qu'il s'affirme, dévoilant une certaine complexité aromatique. Vif et équilibré, il sera prêt à la sortie du Guide et accompagnera volailles et viandes blanches. Élaboré par le même négociant, le **beaujolais Pierre Chanau 2005 (3 à 5 €)** obtient une citation. Un vin franc et fruité.

Auchan, 200, rue de la Recherche,
59650 Villeneuve-d'Ascq, tél. 04.74.69.09.18,
fax 04.74.69.09.75

DOM. CHEVALIER MÉTRAT 2004

■ 4 ha 6 000 ▮ 5 à 8 €

Marie-Noëlle Chevalier et Sylvain Métrat ont acheté en 1987 le domaine exploité auparavant par Michel Chevalier, père de la première : 8 ha de vignes implantées sur le versant sud de la colline de Brouilly. Celles-ci ont donné naissance à un brouilly d'un rubis clair pimpant, aux parfums frais et assez complexes de fruits rouges, avec des nuances de fraise écrasée. L'attaque franche révèle une chair équilibrée à la structure plutôt fine. Très agréable pour le millésime, un 2004 à servir dans l'année avec saucisson chaud, andouillette...

Sylvain Métrat, Le Roux, 69460 Odenas,
tél. 04.74.03.50.33, fax 04.74.03.37.24,
e-mail domainechevaliermetrat@wanadoo.fr
☑ Y ⚲ r.-v.

DOM. DE LA CLOCHE 2004

■ n.c. 8 000 ⦶ 5 à 8 €

La famille Champier exploite des vignes appartenant au château de Nervers, bâti au XIX^{e}s. Elle a élaboré une cuvée rubis franc et brillant aux légers parfums de pruneau et de vanille. Cette retenue aromatique marque aussi la bouche, où l'on décèle une discrète présence de la mûre, mais on apprécie sa matière puissante et équilibrée, ainsi qu'une certaine longueur. Un brouilly pour l'année qui vient.

EARL Joseph Champier et Fils,
La Jonchère, 69460 Saint-Étienne-des-Oullières,
tél. 04.74.03.40.64 ☑ Y ⚲ r.-v.
De Chabannes

CLOS DE PONCHON Pisse-Vieille 2004

■ 1,8 ha 13 000 ▮ 5 à 8 €

Le clos de Ponchon dépendait du château du même nom, qui date du début du XVIII^{e}s. Des vignes de quarante ans sont à l'origine de ce brouilly rubis profond aux parfums de prune et d'autres fruits à noyau. Dès l'attaque, des tanins donnent à ce vin assez vif un caractère massif. Cette bouteille accompagnera pendant un à deux ans un pot-au-feu.

Dufour Père et Fils, Ponchon,
69430 Régnié-Durette, tél. 04.74.04.35.46,
fax 04.74.69.03.89, e-mail florent.dufour@free.fr
☑ Y ⚲ r.-v.

FLORENCE ET DIDIER CONDEMINE
Pisse-Vieille 2005 ★

■ 6,5 ha 14 000 ▮ ⦶ 5 à 8 €

Florence et Didier Condemine exploitent près de 13 ha de vignes, dont certaines parcelles ont un âge respectable. C'est le cas de ce brouilly né de ceps de cinquante ans. D'un rubis aux reflets grenat du plus bel effet, ce 2005 livre des parfums de petits fruits rouges (cerise et groseille). Dès l'attaque, il révèle une bonne mâche, une matière ample et corsée soutenue par des tanins serrés et fins. On pourra le servir avec de la charcuterie ou du fromage de tête, tout comme le **régnié 2005 (3 à 5 €)** né de vignes de quarante ans : cité, il est à consommer dans l'année.

EARL Florence et Didier Condemine,
La Martingale, 69220 Cercié-en-Beaujolais,
tél. et fax 04.74.66.72.24
☑ Y ⚲ t.l.j. 9h-12h 14h-19h

VALÉRIE ET PASCAL DALAIS 2005 ★★

■ 1,8 ha 12 000 ▮ 5 à 8 €

Après un remarquable côte-de-brouilly, cette exploitation se distingue cette année par un brouilly tout aussi excellent. La robe d'un violacé profond est de bon augure, comme le nez aussi complexe qu'explosif où se bousculent la fraise, la framboise, la réglisse et les épices. Après une attaque fruitée et souple, la bouche est rapidement dominée par de puissants tanins et des arômes empyreumatiques, un rien cacaotés, mais ce vin laisse tout de même en finale une agréable impression de finesse. Certains dégustateurs cherchent à regret dans ce 2005 la marque du terroir, mais tous s'accordent sur son potentiel : on pourra apprécier cette bouteille pendant quatre ans. À essayer sur une glace aux fruits rouges.

Valérie et Pascal Dalais, La Grand-Raie, 69220 Saint-Lager, tél. 04.74.66.75.37, fax 04.74.66.75.77 r.-v. ❷

DOM. DEMIANE 2005

■ 7 ha 32 000 ▮ 5 à 8 €

La maison Jacques Dépagneux a proposé deux sélections prêtes à paraître à table, toutes deux citées : le **beaujolais-villages Jacques Dépagneux 2005 (3 à 5 €)** et ce brouilly rouge violacé, au nez fin de fruits rouges. Après une attaque très souple, la dégustation monte en puissance, dévoilant peu à peu des arômes fruités, et se conclut en souplesse sur des tanins ronds. Un ensemble harmonieux.

Jacques Dépagneux, Les Chers, 69840 Juliénas, tél. 04.74.06.78.00, fax 04.74.06.78.71, e-mail avf@avf.fr

GEORGES DUBŒUF 2005 ★★

■ n.c. 24 000 ▮ 5 à 8 €

Avec sa production régulièrement distinguée dans le Guide et son espace de loisirs « Plaisir en Beaujolais » qui se décline en trois sites, Georges Dubœuf demeure l'un des grands hommes du Beaujolais. Grenat profond aux superbes reflets rubis, ce 2005 affiche d'emblée sa classe par un nez complexe où des notes minérales de granite évoluent vers des nuances de pivoine, de cerise confite, de chocolat noir et de réglisse. Sa superbe mâche emplit sans à-coup le palais vineux, soutenu par une belle charpente tannique. Un authentique vin de terroir que l'on attendra un an avant de le servir pendant trois à quatre ans avec un rôti de bœuf. Rond, harmonieux et long, déjà prêt, le **chiroubles 2005 (3 à 5 €)** obtient deux étoiles. Quant au **beaujolais-villages 2005 (3 à 5 €)**, il reçoit une étoile.

Les Vins Georges Dubœuf, La Gare, 71570 Romanèche-Thorins, tél. 03.85.35.34.20, fax 03.85.35.34.25, e-mail gduboeuf@duboeuf.com t.l.j. 9h-18h au Hameau-en-Beaujolais; f. 1er-15 jan.

CYRILLE DUVERNAY Cuvée Vieilles Vignes 2005

■ 1,5 ha 1 000 ▮ 5 à 8 €

Cyrille Duvernay exploite quelque 9 ha – un vignoble appartenant à une congrégation de religieuses et cultivé par sa famille depuis 1855. Sa cuvée Vieilles Vignes, née de ceps de quatre-vingt-dix ans, revêt une robe rouge sombre. Elle s'ouvre à l'aération sur de discrets parfums de mûre et de cassis. Franche et riche à l'attaque, elle est ensuite dominée par des tanins qui donnent un air de sévérité à la finale poivrée, mais elle reste équilibrée. On l'attendra quelques mois, puis on pourra la servir pendant un an avec viande blanche rôtie ou agneau grillé. Le **brouilly Tradition 2005** est également cité.

Cyrille Duvernay, Saburin, 69430 Quincié-en-Beaujolais, tél. et fax 04.74.69.04.36, e-mail cduvernay@infonie.fr r.-v.

Congrégation des sœurs Saint-Charles

GRAND CLOS DE BRIANTE 2005 ★

■ 8,33 ha 60 000 ▮ 5 à 8 €

Les Beillard signent deux cuvées de brouilly, toutes deux issues de vignes de quarante ans. La préférée est celle-ci, qui affiche une robe d'une rare intensité pour un gamay, rouge à reflets violets pleins de jeunesse. Le nez s'ouvre rapidement sur de complexes et fines nuances de prune, de figue et de fruits rouges associées à des notes minérales. Riche, corsé, souple et persistant, soutenu par d'aimables tanins, c'est un vin harmonieux et apte à la garde : il sera toujours là dans cinq ans. « Il surprend agréablement du début à la fin de la dégustation », conclut un juré. Quant au **brouilly Château Beillard 2005**, il est cité.

GFA Beillard, Briante, 69220 Saint-Lager, tél. 04.74.66.73.94, fax 04.74.69.09.75

NICOLAS GUILLET 2005 ★★

■ 2 ha 4 000 ▮ 5 à 8 €

Nicolas Guillet vient de prendre la suite de son père sur une métairie du château de La Chaize exploitée par sa famille depuis 1950. Sa première récolte ne passe pas inaperçue : le grenat profond de la robe aux reflets rubis inspire confiance, et la suite de la dégustation ne déçoit pas. Les arômes de pêche de vigne et de cerise confite se prolongent dans une bouche ample, ronde, pleine de mâche, équilibrée et fort longue. Ce brouilly fera plaisir pendant les deux prochaines années, servi avec une entrecôte charolaise, par exemple.

Nicolas Guillet, La Chaize, Les Lions, 69460 Odenas, tél. 04.74.03.53.80, fax 04.74.03.48.06 r.-v.

DOM. DE JASSERON Cuvée Prestige 2005

■ 1,26 ha 4 500 ▮ 5 à 8 €

La famille Barjot exploite une dizaine d'hectares de vignes exposées au midi. Des ceps de soixante ans sont à l'origine de cette cuvée rouge soutenu aux reflets violets, florale au nez avec une touche épicée. La bouche dévoile une bonne structure et se montre agréable en dépit d'une pointe d'amertume qui s'estompera avec le temps. On trouve du fruit et du corps dans ce vin qui gagnera à être attendu au moins un an.

Barjot, Grille-Midi, 69220 Saint-Jean-d'Ardières, tél. et fax 04.74.66.47.34 t.l.j. 8h-19h

BERNARD JOMAIN Cuvée des Poètes 2005 ★

■ 8,3 ha 10 000 ◖◗ 5 à 8 €

En 1990, à l'âge de vingt-deux ans, Bernard Jomain a pris en charge une métairie du château de La Chaize. Installé dans des bâtiments datant de 1500, il exploite aujourd'hui 9 ha de vignes. De ceps âgés de quarante-cinq ans, il a tiré un vin grenat foncé au nez subtil et complexe évoquant une coupe de fruits. Une attaque franche, soutenue par une bonne acidité, introduit une bouche aux tanins assez ronds et aux arômes de fruits rouges évoquant la groseille. Un ensemble droit, tout en fraîcheur, à apprécier dans l'année, tandis que le **côte-de-brouilly Cuvée des Héritières 2005**, cité par le jury, peut attendre.

Bernard Jomain, Les Clous, La Chaize, 69460 Odenas, tél. 04.74.03.47.60, e-mail jomainb@wanadoo.fr r.-v.

DOM. DES MAISONS NEUVES 2005 *

7 ha 10 000 5 à 8 €

La famille Jambon dispose de 30 ha de vignes répartis dans quatre aires d'appellation. Elle signe un brouilly grenat intense aux parfums de fruits rouges et de cassis. Rond à l'attaque, fruité, équilibré et de bonne longueur, l'ensemble laisse une impression favorable. Une bouteille à apprécier en 2007. Le **beaujolais-villages 2005 (3 à 5 €)** a obtenu la même note.

EARL Jambon Père et Fils, Bergeron, 69220 Saint-Lager, tél. 04.74.66.81.24, fax 04.74.66.70.00 t.l.j. 8h-20h

DOM. DU MOULIN FAVRE
Cuvée Vieilles Vignes 2005

10,6 ha 36 000 5 à 8 €

Armand Vernus exploite depuis vingt ans un domaine qui s'étend aujourd'hui sur 13 ha. De vignes de cinquante ans implantées sur des sols granitiques, il a tiré une cuvée rubis aux beaux reflets violets. Discrètement floral au nez, avec des nuances d'iris et de pivoine, ce 2005 reste sur sa réserve en bouche, révélant de fins arômes de fruits noirs. Rond, souple et bien équilibré, il laisse une bonne impression en finale. À apprécier dans l'année.

Céline et Armand Vernus, Le Vieux-Bourg, 69460 Odenas, tél. 04.74.03.40.63, fax 04.74.03.40.76, e-mail moulin-favre@wanadoo.fr r.-v.

FRÉDÉRIC PASTEL 2005 *

8 ha 40 000 5 à 8 €

D'un rouge violacé intense, cette sélection s'ouvre sur des parfums de fruits noirs et de groseille. Après une attaque plutôt riche, des tanins puissants prennent le pas sur la rondeur de la chair, mais l'ensemble reste agréable. Une structure faite pour la garde, et qui permettra à ce brouilly d'accompagner pendant trois à quatre ans une viande rouge rôtie ou en sauce. Léger et à boire sur son fruit, le **beaujolais-villages Frédéric Pastel 2005 (3 à 5 €)** a été cité.

Elidis, 68, rte d'Oberhausbergen, 67037 Strasbourg, tél. 03.88.27.44.22, fax 03.88.27.44.50

AGNÈS ET PIERRE-ANTHELME PEGAZ 2004

2,6 ha 4 500 5 à 8 €

Créée en 1830 et restée dans la même famille, cette propriété a conservé ses bâtiments en pisé. Le vignoble s'étend aujourd'hui sur 14 ha. Il a donné naissance à ce brouilly rubis franc, au nez frais et assez intense de framboise et de cerise. Un fruité de bon aloi que l'on retrouve dans un palais un peu bref mais équilibré. Un 2004 à apprécier dans l'année. Du même domaine, le **beaujolais-villages rouge 2005 (3 à 5 €)** a également été cité.

Agnès et Pierre-Anthelme Pegaz, Le Gaillard, 69220 Charentay, tél. et fax 04.74.66.82.34, e-mail vinspegaz@wanadoo.fr r.-v.

DOM. DU PÈRE BENOIT 2005

4 ha 20 000 5 à 8 €

Des vignes de soixante ans cultivées sur des sols argilo-calcaires ont donné naissance à ce brouilly pourpre sombre aux parfums expressifs de groseille, de mûre et de cassis. Après une attaque franche, riche et aromatique, la dégustation évolue sur des tanins harmonieux, denses et fins. Avec sa finale acidulée, c'est le type même de « vin des copains », pour reprendre la conclusion d'un juré. « À partager pendant les deux prochaines années, avec un bon casse-croûte au brie de Melun », suggère un autre dégustateur.

Dom. du Père Benoit, Bergiron, 69220 Saint-Lager, tél. 04.74.66.81.20, fax 04.74.66.78.38, e-mail domaine.benoit@free.fr r.-v. 2

Mutin

DOM. ROBERT PERROUD
L'Enfer des Balloquets 2005

5 ha 10 000 8 à 11 €

L'appellation brouilly, située en piémont, comporte quelques vignobles de côte, comme les Balloquets dont les pentes très raides (jusqu'à 40 %) et exposées à la chaleur du sud et du sud-est expliquent le nom de cette cuvée. D'un rouge intense, ce 2005 s'ouvre sur des parfums complexes et délicats de fruits rouges et de mûre, avec des nuances de noyau de pêche. Toujours fruitée, la bouche est soutenue par des tanins déjà fondus. Complexe, rond, harmonieux et fin, cet ensemble est à savourer au cours des deux prochaines années.

Robert Perroud, Les Balloquets, 69460 Odenas, tél. 04.74.04.35.63, fax 04.74.04.32.46, e-mail robertperroud@wanadoo.fr r.-v.

DOM. DU PLATEAU DE BEL-AIR 2005

2,5 ha 18 000 5 à 8 €

Des vignes de quarante ans sont à l'origine de ce 2005 rouge intense, au nez délicat associant le raisin frais à des notes plus vives rappelant le citron et d'autres agrumes. En bouche, son fruité flatteur évoque la fraise et la framboise. Un vin élégant, charnu et persistant, à déguster dans l'année.

SCI Vignoble de Bel-Air, 644, rte de Bel-Air, 69220 Saint-Jean-d'Ardières, tél. 04.74.66.00.16, fax 04.74.69.61.67, e-mail vins.fessy@wanadoo.fr r.-v.

Henry et Serges Fessy

DOM. DE PONCHON 2005 **

3 ha 10 000 5 à 8 €

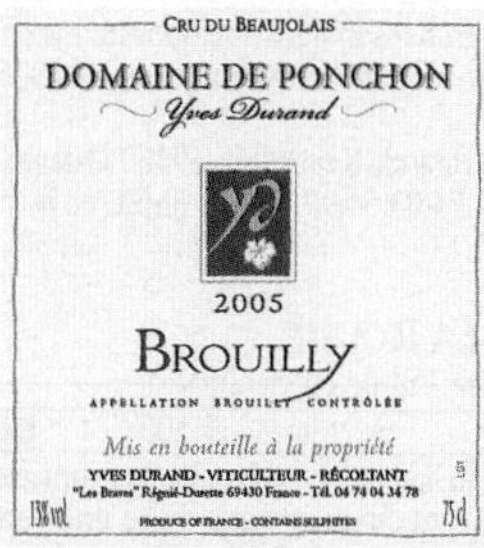

Représentant la quatrième génération sur le domaine familial, Yves Durand signe un vin couronné par le grand jury. Né de vignes âgées d'un demi-siècle implantées sur des sols granitiques, ce 2005 grenat intense séduit par son nez expressif et complexe fait de cerise et d'autres fruits rouges, de mûre et de pêche. On retrouve ces arômes fruités, accompagnés de notes réglissées et poivrées, dans

une bouche ronde et persistante, aux tanins fondus. Cette bouteille harmonieuse pourra accompagner des mets raffinés au cours des deux prochaines années.
Yves Durand, Les Braves, 69430 Régnié-Durette, tél. et fax 04.74.04.34.78, e-mail yves.durand1@club-internet.fr r.-v.

CAVE BEAUJOLAISE DE QUINCIÉ 2005 ★★

5 ha 28 000 5 à 8 €

Fondée en 1928, cette coopérative a connu une belle croissance : elle vinifie aujourd'hui les récoltes de 860 ha contre 70 ha à sa création. Elle décroche cette année un coup de cœur grâce à ce brouilly grenat soutenu, remarquable par son fruité aux nuances de cassis et de groseille, avec une légère note de pruneau. Un caractère intensément aromatique qui se prolonge dans un palais charnu, bien équilibré et long. Friand, typique de l'appellation et apte à la garde, ce vin peut attendre deux à trois ans. De la même cave, le **côte-de-brouilly 2005** et le **beaujolais-villages 2005 (3 à 5 €)**, à servir dans l'année, sont cités.
Cave beaujolaise de Quincié, Le Ribouillon, 69430 Quincié-en-Beaujolais, tél. 04.74.04.32.54, fax 04.74.69.01.30, e-mail cavedequincie@terre-net.fr r.-v.

DOM. DE REVERDON 2005 ★

5 ha 15 000 5 à 8 €

Philippe Pitaud a repris en 2002 ce domaine : environ 7 ha de vignes implantées à flanc de coteau et exposées au sud-est. Des ceps de cinquante ans sont à l'origine de ce vin grenat profond aux parfums assez doux de framboise et de mûre, accompagnés de nuances florales. Après une attaque ronde et plutôt vive, la bouche ample évolue sur des impressions fruitées malgré quelques tanins encore austères. Harmonieux et de bonne longueur, un 2005 à servir en 2007.
Philippe Pitaud, Reverdon, 69460 Odenas, tél. et fax 04.74.03.54.99, e-mail phpitaud@wanadoo.fr r.-v.

DOM. DE LA ROCHE
Cuvée du Cra Fût de chêne 2004 ★

2,69 ha 4 500 5 à 8 €

Située au lieu-dit de La Roche, la propriété, qui existe depuis deux cent cinquante ans, offre une vue panoramique sur le vignoble. Denis Périllat-Merceroz exploite 3,6 ha aux alentours. Il propose un brouilly né de vignes de cinquante-cinq ans. D'un rubis intense, ce 2004 révèle un mariage réussi du vin et du chêne. Ses doux parfums associent les petits fruits rouges à des notes vanillées. Sa bonne matière pleine de fraîcheur et d'arômes fruités révèle ensuite de subtiles notes boisées. Assez long, ce brouilly fera plaisir pendant un an au moins.
Denis Périllat-Merceroz, La Roche, 69460 Saint-Étienne-des-Oullières, tél. et fax 04.74.03.30.12 r.-v.
Monfray

DOM. DES ROSES D'OR 2005 ★

1,5 ha 4 000 5 à 8 €

À la tête de 12 ha de vignes, Jean-Luc Bernillon signe un brouilly né de sols sableux : un vin rubis aux parfums de cassis et de fraise d'une bonne intensité. Plus discrètement fruité en bouche, soutenu par des tanins souples, ce 2005 est équilibré et laisse une bonne impression en finale. On l'appréciera pendant un à deux ans.
Jean-Luc Bernillon, Les Poutoux, 69220 Belleville, tél. 04.74.07.99.95, e-mail bernillonj@yahoo.fr r.-v. 4

DOM. DE SAINT-ENNEMOND 2005 ★

5 ha 15 000 5 à 8 €

Le domaine, qui bénéficie du label Bienvenue à la ferme, propose trois chambres d'hôte. Son vignoble s'étend sur 15 ha. Grenat foncé, son brouilly, d'abord discret au nez, livre peu à peu de complexes parfums de fruits à noyau – prune et cerise. Franc à l'attaque, il dévoile une belle finesse en harmonie avec sa structure. Un vin équilibré et long, à déguster dans l'année, tout comme le **beaujolais-villages 2005** de l'exploitation, qui est cité.
Christian et Marie Béréziat, Saint-Ennemond, 69220 Cercié-en-Beaujolais, tél. 04.74.69.67.17, fax 04.74.69.67.29, e-mail christian.bereziat@wanadoo.fr r.-v. 3

CH. DE SAINT-LAGER 2005 ★

8,5 ha 25 000 5 à 8 €

Fortifié au Moyen Âge, le château de Saint-Lager a été remanié à la Renaissance. Autrefois, toute la face orientale du mont Brouilly en dépendait. Aujourd'hui, le vignoble se limite aux 8,50 ha qui entourent les bâtiments. Il a donné naissance à un brouilly pourpre sombre au nez expressif et chaleureux de mûre et de cassis. On retrouve le cassis dans une bouche franche soutenue par une trame de tanins denses, qui devraient s'arrondir après quelques mois de garde. Ce vin bien fait, qui ne manque ni de fond ni de fruit, accompagnera dans un an ou deux une volaille à la crème.
Ch. de Saint-Lager, 69220 Saint-Lager, tél. 04.74.66.26.10, fax 04.74.69.60.66 r.-v.
SCEA Château Pizay

CH. DE LA TERRIÈRE 2005

10,1 ha 20 000 8 à 11 €

Remontant au XIII[e]s., le château de La Terrière a gardé une allure de forteresse avec ses douves, un porche, plusieurs tours et des mâchicoulis. Il commande un vignoble de plus de 12 ha. Des ceps de cinquante ans sont à l'origine de ce brouilly rubis violacé qui s'ouvre sur des parfums concentrés de fruits rouges très mûrs. L'attaque riche révèle des tanins encore batailleurs qui indiquent un réel potentiel mais doivent s'arrondir : on attendra un an avant de déboucher cette bouteille. Le **brouilly Cuvée**

Jules de Souzy Vieilli en fût de chêne 2005 (11 à 15 €) obtient la même note.
SCEA des Deux Châteaux, La Terrière, 69220 Cercié-en-Beaujolais, tél. 04.74.66.73.13, fax 04.74.66.73.07, e-mail chateau.terriere@esct.c-si.fr r.-v.

THORIN Terres de granit 2005 ★

	n.c.	80 000		5 à 8 €

Créée au milieu du XIX[e]s., cette maison de négoce beaujolaise propose surtout des vins de la région. Une belle homogénéité ressort des sélections de ce millésime, avec trois vins jugés très réussis : le **fleurie Terres de granit rose 2005 (8 à 11 €)**, le **juliénas Terres de Galène 2005** et ce brouilly Terres de granit. D'un rouge violacé limpide, ce dernier présente un nez bien ouvert où se mêlent les fruits noirs, les épices et des notes végétales. Concentré et charnu en bouche, il associe une bonne structure tannique et un fruité d'une belle vivacité en finale. Un ensemble puissant qui pourra paraître à table pendant quatre ans.
Maison Thorin, Pont des Samsons, 69430 Quincié-en-Beaujolais, tél. 04.74.69.09.10, fax 04.74.69.09.28, e-mail information@maisonthorin.com

CH. DES TOURS 2005

	68 ha	300 000		5 à 8 €

Propriété de la famille Richard depuis vingt ans, ce domaine dispose d'un vaste vignoble : 68 ha. Des groupes de dix-huit à quarante-six personnes peuvent séjourner dans ses gîtes d'étape. Construit au XII[e]s. en dehors du village de Saint-Étienne-la-Varenne, le château a conservé deux tours médiévales. Son brouilly 2005, qui ne s'attarde pas en bouche, n'est pas fait pour la postérité. Il ne manque pas d'atouts pour plaire aujourd'hui : une robe rubis intense et limpide, des parfums de raisin très mûr, de fruits rouges et d'amande que l'on retrouve en bouche, associés à des tanins présents mais dénués d'agressivité.
SCI Dom. des Tours, Ch. des Tours, 69460 Saint-Étienne-la-Varenne, tél. 04.74.03.40.86, fax 04.74.03.50.22 r.-v.

DOM. VALLETTE 2005

	3 ha	6 000		5 à 8 €

Depuis 1982, Robert Vallette est à la tête du domaine familial créé à la fin des années 1930. Ses 10 ha de vignes comprennent des parcelles de vieux ceps : ceux qui ont donné naissance à ce brouilly ont ainsi soixante-dix ans. Grenat dans le verre, ce 2005 s'ouvre sur de complexes parfums fruités. Sa bouche ronde aux tanins légers reste de bonne tenue et équilibrée. On appréciera cette bouteille dans les deux prochaines années, comme le **morgon 2005**, un vin de style proche, qui obtient la même note.
Robert Vallette, Les Grandes Bruyères, 69220 Cercié-en-Beaujolais, tél. et fax 04.74.66.84.07, e-mail domaine.vallette@wanadoo.fr r.-v.

DOM. GEORGES VIORNERY 2005

	3,9 ha	8 000		5 à 8 €

Georges Viornery a constitué son vignoble en 1972. On le retrouve une fois de plus mentionné en brouilly, avec une cuvée issue de vignes de quarante ans. D'un rouge intense, ce 2005 exprime de complexes nuances de mûre et de fleurs, relevées d'épices. Après une attaque sur le fruit, les tanins s'affirment, l'ensemble restant assez harmonieux et fin. Cette bouteille sera prête à la sortie du Guide. On la consommera en 2007.
Nicole Viornery, Brouilly, 69460 Odenas, tél. et fax 04.74.03.41.44 r.-v.

Côte-de-brouilly

DOM. BARON DE L'ÉCLUSE 2004

	5 ha	14 000		8 à 11 €

À la tête de cette propriété depuis 1995, les Gojowka ont restauré les bâtiments d'exploitation, aménagé un gîte pour groupes (26 personnes) et un petit théâtre de plein air à la romaine accessible à 300 personnes : le cadre de la Nuit du Jazz qu'ils organisent le 14 juillet. Quant à ce vin rubis clair, il n'a pas dans ce millésime le potentiel du 2003, coup de cœur. Il possède toutefois suffisamment de qualités pour figurer ici : la limpidité, des parfums vineux associés à des notes de fraise, une attaque franche et vive, de l'élégance et des accents de terroir, une certaine longueur. Un vin complet à savourer dans l'année.
SCI Baron de l'Écluse, Le Sigaud, 69460 Saint-Étienne-la-Varenne, tél. 04.74.03.40.29, fax 04.74.03.53.50, e-mail vinbaron@aol.com r.-v.
Gojowka

CAVE DES VIGNERONS DE BEL AIR
Veillée 2005 ★★

	15 ha	65 000		5 à 8 €

Fondée en 1929, cette coopérative vinifie la production de 546 ha de vignes. Fidèle au rendez-vous du Guide, elle s'est particulièrement distinguée cette année avec ce côte-de-brouilly grenat intense, au nez délicat et complexe mêlant le bigarreau, les fleurs, les épices et une touche grillée. Sa riche matière soutenue par des tanins tendres révèle des arômes de fruits noirs (cassis) et s'épanouit longuement et avec élégance au palais. Un superbe ensemble qui n'était pas loin du coup de cœur. On le servira au cours des trois prochaines années avec du bœuf bourguignon ou du gibier. Tout aussi remarquable (deux étoiles), le **morgon Entre chien et loup 2005** est un vin d'avenir. Quant au **beaujolais-villages Aurore 2005**, il est cité.
Cave des Vignerons de Bel-Air, rte de Beaujeu, 69220 Saint-Jean-d'Ardières, tél. 04.74.06.16.05, fax 04.74.06.16.09, e-mail com@cave-belair.com t.l.j. sf dim. 9h-12h 14h-18h

DOM. DE BERGIRON 2005 ★★

	5 ha	3 000		5 à 8 €

Installé en 1984, Jean-Luc Laplace cultive les 11 ha du domaine familial. De sols d'argile et de pierres bleues, il a tiré un vin rouge sombre qui livre à l'aération des senteurs de fruits rouges légèrement épicés. Ronde et plaisante, l'attaque révèle un harmonieux mariage des tanins et de l'acidité. D'un excellent équilibre, ce vin offre une finale puissante et persistante qui lui promet une garde de trois à quatre ans. On laissera cette bouteille en cave quelque temps. En attendant, on pourra déguster le **brouilly 2005** de la propriété, qui est prêt.

Jean-Luc Laplace, Bergiron, 69220 Saint-Lager,
tél. et fax 04.74.66.88.42, e-mail jllaplace@wanadoo.fr
r.-v.

CH. DE BRIANTE Les Muses 2005 ★★

■	1,43 ha	4 000		5 à 8 €

D'une sobriété classique avec son fronton et son double escalier, le château de Briante commande un domaine de plus de 30 ha. Les muses ont sans nul doute inspiré l'auteur de cette cuvée rubis soutenu, née de vignes de quarante-cinq ans et couronnée par le grand jury du côte-de-brouilly. Expressive au nez, elle évoque le granit de son terroir, avec des notes épicées. Franche à l'attaque, elle dévoile des touches poivrées associées à une belle fraîcheur. Élégante et longue, elle possède un caractère affirmé que l'on pourra apprécier pendant deux ans. Les accords gourmands ? Une viande rouge rôtie, de la charcuterie ou quelque andouillette marchand de vin.

SCEA Brochier Briante, 69220 Saint-Lager,
tél. 04.74.66.72.34, fax 04.74.66.78.97,
e-mail chateau.briante@wanadoo.fr r.-v.

DOM. RÉGIS CHAMPIER Extrait de Terroir 2005 ★

■	3,5 ha	8 000	■	8 à 11 €

Voilà plus d'un siècle que la famille Champier travaille le même domaine. On retrouve cette année son Extrait de Terroir. D'un rouge profond, le 2005 livre des parfums bien nets de pierre à feu, de cassis et d'épices. Après une attaque franche, il tapisse le palais d'une chair structurée, aromatique et tout en finesse. Très bien équilibrée, cette bouteille sera appréciée au cours des deux prochaines années.

GAEC Paul Champier, Les Sigaux, 69460 Odenas,
tél. 04.74.03.42.23, fax 04.74.03.48.41,
e-mail paulchampier@terre-net.fr
t.l.j. sf dim. 8h-20h

DOM. DE CHARDIGNON 2005

■	2,5 ha	15 000	■	5 à 8 €

L'un des rares domaines à ne produire que du côte-de-brouilly. Son 2005 s'habille d'une robe grenat soutenu et mêle au nez d'expressives nuances de fleurs et de fruits rouges. Après une attaque vive, la bouche dévoile une matière charnue, aromatique, grasse et bien structurée. Un vin équilibré que l'on appréciera dans l'année.

Roger Manigand, Les Maisons-Neuves,
69220 Saint-Lager, tél. et fax 04.74.66.84.97 r.-v.

DOM. DU CHEMIN DE RONDE 2005 ★

■	2,1 ha	12 000		5 à 8 €

Ce domaine établi au pied de la colline de Brouilly est équipé d'une salle de réception pour soixante personnes. On pourra y goûter ce côte-de-brouilly d'un rubis avenant, qui s'ouvre sur des parfums complexes et prometteurs. Après une bonne attaque, sa bouche évolue harmonieusement sur des tanins fins et révèle une agréable vivacité. Un vin promis à un bel avenir, à attendre trois à quatre ans. Assez rond et structuré, le **brouilly Pisse-Vieille 2005**, une étoile également, sera servi dans les deux ans qui viennent.

Joëlle Monteil, 70, Grande-Rue, Le Bourg,
69220 Cercié-en-Beaujolais, tél. 04.74.66.80.50,
fax 04.74.66.70.91, e-mail monteil.joelle@wanadoo.fr
r.-v.

DOM. DU FOUR À PAIN 2005

■	2,22 ha	16 000	■	5 à 8 €

Après avoir servi dans la cavalerie pendant la Première Guerre mondiale, le grand-père de Robert Verger fut le premier à utiliser les chevaux pour les travaux de la vigne. Ceux-ci sont devenus aujourd'hui rarissimes. L'exploitation s'étend à présent sur une dizaine d'hectares. Elle propose deux vins, tous deux cités par le jury : le **côte-de-brouilly l'Écluse 2005** et celui-ci, un vin rouge foncé qui associe au nez des fleurs à des notes minérales et végétales. Après une bonne attaque, le palais révèle une trame tannique encore ferme et des arômes de granite et de poivre. Typique de la Côte et très structuré, un vin qui devra mûrir un an avant d'être pleinement apprécié.

Robert Verger, L'Écluse, 69220 Saint-Lager,
tél. 04.74.66.82.09, fax 04.74.69.09.75

DOM. DES FOURNELLES 2005

■	9,5 ha	25 000	■	5 à 8 €

Une solide maison de pierre, construite au Second Empire et équipée d'une cave rénovée en 2003, s'entoure d'un vignoble d'une dizaine d'hectares. Des ceps de cinquante ans sont à l'origine de ce 2005 rouge sombre au nez très présent de fruits rouges. L'attaque tout en finesse est relayée par des tanins plutôt vifs, qui indiquent un certain potentiel. Une bouteille à attendre deux ans pour lui permettre de s'assouplir. Issu lui aussi de vignes cinquantenaires, le **brouilly 2005** du domaine est également cité.

Alain Bernillon, 216, montée de Godefroy,
69220 Saint-Lager, tél. 04.74.66.81.68,
fax 04.74.66.70.76, e-mail alain.bernillon@libertysurf.fr
t.l.j. 8h-12h 14h-18h; f. 15-30 août

DOM. DU GRIFFON 2005

■	6 ha	15 000	■	5 à 8 €

Ancien presbytère remontant pour partie au XVIᵉs., la demeure des Vincent ne manque pas d'allure avec sa petite cour et ses deux ailes. Leur vignoble s'étend sur 12 ha. Il a donné naissance à deux vins cités par le jury : un **brouilly 2005** aromatique et gouleyant, fait pour maintenant, et ce côte-de-brouilly qui pourra être servi au cours des deux prochaines années. Rubis profond, ce dernier exprime des parfums de cerise, de pivoine et d'épices tout en finesse. Souple à l'attaque, il est ensuite dominé par des tanins qui demandent à s'assagir mais reste équilibré. Cette bouteille accompagnera viandes blanches et charcuteries.

Jean-Paul et Guillemette Vincent, 391,
rte des Brouilly, 69220 Saint-Lager, tél. 04.74.66.85.06,
fax 04.74.66.73.18,
e-mail domainedugriffon@wanadoo.fr
r.-v.

DOM. DE LA MOTTE 2005 ★

■	1,6 ha	6 500	▮	5 à 8 €

Laurent Charrion signe deux vins : un **fleurie 2005**, né de vignes très jeunes (cinq ans) et qui obtient une citation ; et ce côte-de-brouilly issu de vignes de plus de cinquante ans. D'un pourpre intense aux reflets violets, ce vin s'ouvre à l'aération sur des nuances de fines épices et de réséda. En bouche, il séduit par son ampleur et sa longueur. Agréables, les tanins qui constituent sa riche matière ne perturbent en rien la dégustation. Une bouteille déjà prête et apte à une garde de un à deux ans.

🔑 EARL Laurent Charrion, La Grand-Raie, 69220 Saint-Lager, tél. et fax 04.74.66.81.69, e-mail earlcharrion@wanadoo.fr ▼ Y ⚲ r.-v.

MADAME FRÉDÉRIQUE PIRET
Vieilles Vignes 2004 ★★

■	0,6 ha	5 000	▮⏸	5 à 8 €

Des vignes de quarante ans cultivées sur des sols volcaniques et schisteux sont à l'origine de ce 2004 qui révèle un harmonieux mariage du raisin et du fût. D'un rubis intense et limpide, ce vin exprime à l'aération de jeunes et subtils parfums boisés et épicés, avec des nuances grillées, qui se prolongent au palais. Très agréable, l'attaque révèle une matière équilibrée de bonne tenue. Une bouteille bien élevée et qui saura se tenir à table pendant deux ou trois ans, servie avec du lapin en gibelotte ou un faisan.

🔑 Frédérique Piret, La Combe, 69220 Belleville, tél. 04.74.66.30.13, fax 04.74.66.08.94
▼ Y ⚲ t.l.j. 8h-21h

DOM. DE LA POYEBADE 2005 ★

■	n.c.	7 000		5 à 8 €

Très attaché aux méthodes traditionnelles, Marc Duvernay signe un vin rubis foncé intense à l'œil, franc, complexe, vineux et puissant au nez. La matière harmonieuse et élégante de ce 2005 révèle une bouteille déjà prête, agréable dans sa précocité.

🔑 Marc Duvernay, La Poyebade, 69460 Odenas, tél. 04.74.03.51.55, fax 04.74.03.58.82, e-mail marc.duvernay@wanadoo.fr ▼ Y ⚲ r.-v.

CH. DES RAVATYS Cuvée Mathilde Courbe 2005

■	26 ha	30 000	▮⏸	8 à 11 €

Un château bâti au milieu du XIX[e]s. par Auguste Solet, ingénieur et entrepreneur : des terrasses, des esplanades, un parc et 33 ha de vignes. Le domaine a été légué dans les années 1930 à l'Institut Pasteur par Mathilde Courbe, nièce et héritière du fondateur. Cette cuvée lui rend hommage. Rouge vif, ce 2005 présente un nez expressif, minéral et épicé. La bonne attaque sur les fruits rouges introduit une bouche plutôt vive. Si les tanins font sentir leur présence, la structure se révèle assez fine. Un vin complet à servir dans l'année avec une viande rouge. Le **brouilly Le Jardin des Ravatys 2005** obtient la même note.

🔑 Institut Pasteur, Ch. des Ravatys, 69220 Saint-Lager, tél. 04.74.66.80.35, fax 04.74.69.61.38, e-mail info@chateaudesravatys.com
▼ Y ⚲ t.l.j. 9h-12h 14h30-18h; sam. dim. sur r.-v.; f. août

DOM. DE LA ROCHE SAINT-MARTIN 2005 ★★★

■	1 ha	6 000	▮	5 à 8 €

Des vignes d'une soixantaine d'années cultivées sur des porphyres et des schistes sont à l'origine de cette splendide cuvée. Sa robe rubis vif bien brillant et son nez expressif sont de bon augure. Sa riche matière monte en puissance et emplit le palais de très belles impressions de rondeur. Harmonieux et persistant, un côte-de-brouilly tel qu'on les aime. On pourra le savourer au cours des quatre prochaines années. Élégant, fruité, rond et structuré, le **brouilly 2005** du domaine obtient une étoile.

🔑 SCEA Jean-Jacques Béréziat, Briante, 69220 Saint-Lager, tél. 04.74.66.85.39, fax 04.74.66.70.54, e-mail jjbereziat@wanadoo.fr
▼ Y ⚲ r.-v.

DOM. DES ROCHES ANCIENNES
Terroirs originels 2005

■	6,5 ha	20 000	▮	5 à 8 €

On peut voir dans cette propriété de la fin du XVIII[e]s. un ancien pressoir écureuil en état de marche. Sa cuvée Terroirs originels s'habille d'une robe rubis intense. Marquée d'abord par la rose, avec une touche végétale, elle livre ensuite des nuances épicées. Souple à l'attaque, elle ne manque pas de matière. Cette bouteille accompagnera volontiers des viandes blanches ou du jambon braisé.

🔑 Dom. Rolland-Sigaux, Les Sigaux, 69460 Odenas, tél. 04.74.03.42.23, fax 04.74.03.48.41, e-mail paulchampier@terre-net.fr
▼ Y ⚲ t.l.j. sf dim. 8h-20h

LES ROCHES BLEUES 2004

■	2,65 ha	15 000	⏸	5 à 8 €

Un domaine acheté en 1968 par les beaux-parents de Philippe Lacondemine qui ont reconstruit le cuvage, la cave et le caveau de dégustation. Il peut héberger les groupes et dispose d'environ 7 ha de vignes. Issu de ceps de plus de cinquante ans, ce 2004 rubis vif livre des parfums de fruits rouges nets et fins. Marqué par de jeunes tanins, il se fait apprécier par la bonne minéralité de sa chair. Une bouteille honorable à boire dans l'année.

🔑 Dominique Lacondemine, Dom. les Roches Bleues, Côte de Brouilly, 69460 Odenas, tél. 04.74.03.43.11, fax 04.74.03.50.06, e-mail lacondemine.dominique@wanadoo.fr
▼ Y ⚲ t.l.j. 8h30-20h; dim. sur r.-v.

DOM. RUET 2005 ★★

■	1,15 ha	8 000		5 à 8 €

Jean-Paul Ruet perpétue depuis vingt ans la tradition viticole familiale sur un domaine fondé en 1926 et qui s'étend aujourd'hui sur 16 ha. Avec ce côte-de-brouilly né de vignes de cinquante ans, il donne une nouvelle preuve de son savoir-faire, car ce 2005 obtient le quatrième coup de cœur décerné à une cuvée de la propriété (le premier figurait dans la première édition du Guide). Rouge profond, ce vin développe de puissants parfums de mûre et de cassis, avec des nuances minérales. Une minéralité qui s'épanouit au palais, mise en valeur par une matière tendre, fine et nerveuse à la fois. La finale nette et persistante laisse le souvenir d'une bouteille au caractère de terroir très affirmé. À savourer pendant un à deux ans avec viandes rouges, charcuteries, andouillettes. Élégant et rond, le **brouilly Voujon 2005** obtient une étoile.

EARL Dom. Jean-Paul Ruet, Voujon,
69220 Cercié-en-Beaujolais, tél. 04.74.66.85.00,
fax 04.74.66.89.64, e-mail ruet.beaujolais@wanadoo.fr
t.l.j. 8h-12h 14h-19h

BERNADETTE ET GILLES VINCENT 2005 *

1 ha 6 000 5 à 8 €

Des vignes cultivées sur des sols plutôt argileux ont donné naissance à ce vin rouge sombre au nez de fruits noirs relevés d'épices. Un 2005 marqué par des tanins encore sévères mais qui indiquent un réel potentiel. Équilibrée et persistante, cette bouteille est destinée à la garde. On l'attendra au moins deux à trois ans.

Bernadette et Gilles Vincent, 2, rte de la Charrière,
69220 Saint-Lager, tél. et fax 04.74.66.82.05 r.-v.

Chénas

La légende raconte que ce lieu était autrefois couvert d'une immense forêt de chênes, et qu'un bûcheron, constatant le développement de la vigne plantée naturellement par quelque oiseau, à n'en pas douter divin, se mit en devoir de défricher pour introduire la noble plante ; celle-là même qui aujourd'hui s'appelle gamay noir.

C'est l'une des plus petites appellations du Beaujolais, couvrant 262 ha aux confins du Rhône et de la Saône-et-Loire ; elle a donné, en 2005, 12 798 hl récoltés sur les communes de Chénas et de La Chapelle-de-Guinchay. Les chénas produits sur les terrains pentus et granitiques à l'ouest sont colorés, puissants mais sans agressivité excessive, exprimant des arômes floraux à base de rose et de violette ; ils rappellent ceux du moulin-à-vent qui occupe la plus grande partie des terroirs de la commune. Les chénas issus de vignes du secteur plus limoneux et moins accidenté de l'est présentent une charpente plus ténue. Cette appellation, qui, sans pour autant démériter, fait figure de parent pauvre par rapport aux autres crus du Beaujolais, souffre de la petitesse de son potentiel de production. La cave coopérative du château vinifie 45 % de l'appellation et offre une belle perspective de fûts de chêne sous ses voûtes datant du XVII[e]s.

DOM. PASCAL AUFRANC Vignes de 1939 2005 *

1,5 ha 7 000 5 à 8 €

Installé en 1992, Pascal Aufranc exploite un vignoble de coteau d'un seul tenant. Il a acquis en 2005 une parcelle plantée de vignes de quarante ans dont il a tiré un **juliénas Vieilles Vignes 2005 (8 à 11 €)** qui est cité. Quant à ce chénas, il provient de ceps de soixante-six ans. Rouge intense, ce 2005 livre d'agréables notes de groseille et de fruits rouges légèrement poivrés. Dans la lignée des premières impressions, la bouche révèle des arômes complexes et une structure tannique de qualité, assez puissante. Un vin très bien fait qui accompagnera pendant trois ou quatre ans volailles et viandes blanches.

Pascal Aufranc, En Rémont, 69840 Chénas,
tél. et fax 04.74.04.47.95,
e-mail pascal.aufranc@wanadoo.fr r.-v.

CAVE DU BOIS DE LA SALLE 2005 *

1,94 ha 14 000 5 à 8 €

Fondée en 1960, cette coopérative rassemblait à l'origine quatre-vingt-trois viticulteurs. Elle regroupe aujourd'hui deux cent quarante adhérents et vinifie 255 ha de vignes qui produisent environ 15 000 hl. Sise à Juliénas, elle propose sept appellations beaujolaises. Sa cuvée **Sublime of Juliénas Vieilles Vignes 2005 (8 à 11 €)** a été citée pour son fruité et sa vivacité. Elle fait jeu égal avec ce chénas rouge intense aux parfums persistants de petits fruits rouges accompagnés d'une pointe de mûre. Après une plaisante attaque souple aux nuances de vanille, la bouche se fait plus austère et tannique, mais ce vin devrait être à sa plénitude à la sortie du Guide. On pourra le servir pendant deux à trois ans.

Cave coop. des grands vins du Bois de la Salle,
Ch. du Bois de la Salle, 69840 Juliénas,
tél. 04.74.04.42.61, fax 04.74.04.47.47,
e-mail cavejulienas@wanadoo.fr r.-v.

NADÈGE ET DAVID BOULET
Cuvée du Vieux Pressoir 2005

1,4 ha 2 000 5 à 8 €

Représentant la quatrième génération, les Boulet se sont installés à Juliénas en 1993. Leur domaine de 7 ha comprend des parcelles dans trois aires d'appellation. Rubis intense, leur chénas séduit par son côté aromatique : son nez puissant et complexe associe les fleurs et les épices, l'ananas et la banane. Une pointe minérale apparaît à l'attaque, puis la dégustation se poursuit sur des notes fruitées et fumées. Ample et rond, ce vin est à apprécier dans l'année. Le **juliénas traditionnel 2005** (10 000 bouteilles) est également cité.

David Boulet, Le Bourg, 69840 Juliénas,
tél. et fax 04.74.04.40.78,
e-mail domaine.boulet@wanadoo.fr t.l.j. 9h-18h

DOM. DES BRUYÈRES 2005

4,87 ha 6 000 5 à 8 €

Nicolas Durand a pris en 1995 la tête du domaine acheté par son père à la maison Mommessin et l'a agrandi. Il exploite aujourd'hui plus de 9 ha de vignes. Il propose aux amateurs (sur rendez-vous) de découvrir les alentours en moto tout terrain. Son 2005 joue plaisamment sur le registre de la légèreté et du fruité : rubis limpide, il mêle au nez la groseille, la framboise et des notes amyliques. Il garnit le palais d'une chair souple, tendre et très aromatique. Autant d'agréments à apprécier dans l'année. Plus puissant et structuré, le **juliénas 2005** de la propriété a obtenu la même note.

Nicolas et Sandrine Durand, Les Bruyères, 502, rte de Saint-Amour, 71570 La Chapelle-de-Guinchay, tél. 03.85.36.55.16, fax 03.85.37.45.97, e-mail nicolas.durand41@wanadoo.fr r.-v.

DOM. DE CHÊNEPIERRE 2005 **

1,6 ha 10 000 5 à 8 €

Issu de vignes de quarante-cinq ans, ce chénas a fait grande impression. Rouge foncé aux reflets violets, la robe est de bon augure. Le nez complexe associe aux petits fruits rouges, à la griotte et à la mûre des impressions acidulées, presque citronnées. Bien présents, les tanins laissent présager une bonne évolution ; souples, fondus, épicés et vanillés, ils contribuent à l'agrément du palais. Une finale persistante conclut la dégustation de ce vin de caractère que l'on pourra apprécier au cours des trois prochaines années.

Mme Gérard Lapierre, Les Deschamps, 69840 Chénas, tél. 03.85.36.70.74, fax 03.85.33.85.73, e-mail lapierre-gerard@wanadoo.fr t.l.j. 9h-19h

DOM. PASCAL COLVRAY 2005 *

4 ha 20 000 5 à 8 €

Propriété du couvent des Ursulines de Mâcon au XIX[e]s., ce domaine a été acquis par la famille Colvray en 1990. Des vignes de quarante ans sont à l'origine de ce chénas rubis intense aux nuances violines. Tout aussi intenses, ses parfums complexes évoquent le sous-bois, la framboise et la groseille. Ils accompagnent une bouche ample et ronde. Un ensemble fruité et harmonieux, à déguster au cours des deux ou trois prochaines années.

Pascal Colvray, Les Darroux, 71570 La Chapelle-de-Guinchay, tél. 03.85.36.73.97, fax 03.85.36.79.37 t.l.j. 10h-12h 14h-19h; f. 15-31 août

DOM. DE LA CROIX BARRAUD 2005 **

3,12 ha 6 000 5 à 8 €

Après avoir terminé ses études à Beaune, Franck Bessone s'est installé en 1990 sur 3 ha de vignes ; il a repris ensuite la totalité du domaine familial qu'il s'emploie à agrandir, parcelle après parcelle. Il exploite aujourd'hui 8,50 ha. Son chénas a particulièrement plu cette année. Rubis à reflets violets, ce 2005 s'ouvre sur de complexes nuances florales et épicées qui s'affirment au palais. Des arômes de framboise, de cassis et d'amande complètent en bouche la palette aromatique, avec une légère touche anisée. Tendre et bien équilibré, ce vin charnu sera encore là pendant les deux prochaines années.

Franck Bessone, Les Pinchons, 69840 Chénas, tél. 04.74.06.77.53, fax 04.74.06.77.13 r.-v.

DOM. DE LA CROIX MARZELLE 2005 *

4 ha 28 000 5 à 8 €

Une croix élevée dans le vignoble a donné son nom au domaine, acquis par la famille Perrachon en 1888. Elle est en granite, comme les sols à l'origine de ce chénas issu de ceps de plus de cinquante ans cultivés sur des pentes exposées au sud-est. Rouge foncé, ce 2005 associe des parfums floraux et épicés à un fruité léger typique du gamay. Sa vivacité, alliée à des tanins très présents mais de qualité, annonce un potentiel de garde intéressant. De bonne facture, ce vin gagnera à s'affiner un an. Il accompagnera volailles et viandes blanches.

Pierre Perrachon, Dom. de La Croix-Marzelle, 71570 La Chapelle-de-Guinchay, tél. 03.85.36.71.02, fax 03.85.36.77.27 r.-v.

DOM. DES GANDELINS 2005

4,2 ha 8 000 5 à 8 €

Transmise de père en fils depuis quatre générations, cette propriété de 5,5 ha est restée fidèle au pressoir en bois, toujours en service. Elle est installée dans une habitation en pisé de trois cents ans. Pour la conduite de la vigne, elle a adopté la lutte intégrée. Rubis intense, son chénas possède un nez simple et ouvert aux nuances de cassis et de fruits rouges. Sa chair franche, droite, aux arômes de fruits sauvages et de framboise, révèle des tanins encore jeunes. Un vin qui peut attendre quatre à cinq ans.

Patrick Thévenet, Cidex 324, 1887, rte des Deschamps, Les Gandelins, 71570 La Chapelle-de-Guinchay, tél. 03.85.36.72.68, fax 03.85.33.89.51, e-mail patrick-thevenet@wanadoo.fr t.l.j. 9h-19h

PASCAL GRANGER 2005 **

0,58 ha 4 300 5 à 8 €

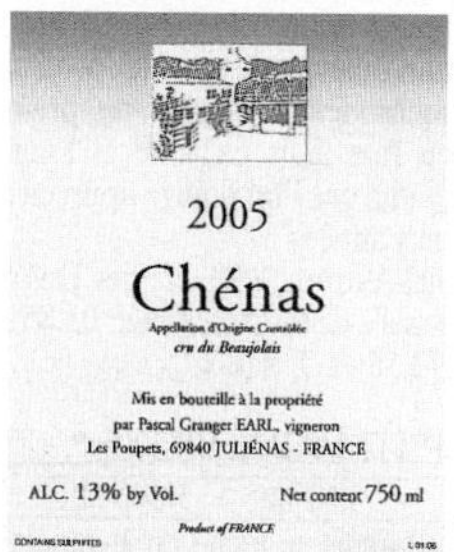

Dans la famille Granger, on est vigneron de père en fils depuis plus de deux siècles. Une tradition que perpétue depuis 1983 Pascal Granger. Avec talent, à en juger par ce chénas qui, après le 2003, obtient un coup de cœur. Rubis soutenu aux reflets violets, ce 2005 né de vignes de soixante ans offre des parfums complexes et suaves de fleurs et d'amande. Ronde et grasse à souhait, sa chair révèle une remarquable structure tannique qui laisse augurer une bonne évolution. Un ensemble harmonieux, homogène du début à la fin de la dégustation, et qui se bonifiera au cours des deux prochaines années. « Le produit d'une thermovinification ? », s'interroge un dégustateur. De la même exploitation, le **juliénas Cuvée spéciale 2005**, qui a connu le bois, est cité.

Pascal Granger, Les Poupets, 69840 Juliénas, tél. 04.74.04.44.79, fax 04.74.04.41.24 t.l.j. 8h-20h; f.1er-15 août

HUBERT LAPIERRE 2005

4,2 ha 15 000 5 à 8 €

À la tête de son exploitation depuis 1970, Hubert Lapierre est une fois de plus fidèle au rendez-vous du Guide avec ce chénas d'un rubis tirant sur le violet. Au nez, ce 2005 exprime d'intenses nuances de fleurs et de fruits noirs accompagnées de notes amyliques et mentholées. De structure légère pour le millésime, la bouche se montre plaisante par son ampleur, sa souplesse, son côté croquant et ses arômes de kirsch. Un vin pour maintenant, à la différence du **moulin-à-vent 2005** du domaine, cité également : une bouteille plus tannique et qui devrait tirer profit d'un an de cave.

Hubert Lapierre, Les Gandelins, Cidex 324, 71570 La Chapelle-de-Guinchay, tél. 03.85.36.74.89, fax 03.85.36.79.69, e-mail hubert.lapierre@terre-net.fr
t.l.j. 9h-12h 13h30-18h30

CH. DES PAQUELETS 2005 *

7 ha 18 000 5 à 8 €

Diffusée par l'Alliance des vins fins, cette cuvée rouge intense exprime de complexes parfums épicés. Certains dégustateurs auraient souhaité plus de caractère pour un cru, mais tous apprécient son attaque, sa bouche riche aux tanins déjà assouplis. Une bouteille tout indiquée pour accompagner les viandes rouges.

Alliance des vins fins, Les Chers, 69840 Juliénas, tél. 04.74.06.78.00, fax 04.74.06.78.71, e-mail avf@avf.fr r.-v.

POTEL-AVIRON Vieilles Vignes 2004 *

0,7 ha 3 000 8 à 11 €

Rubis intense et limpide, cette sélection de négoce libère d'assez puissants parfums floraux et épicés, et des notes léguées par un séjour d'un an en fût : touches boisées, fumées, avec des nuances de caramel. Sa chair aux accents empyreumatiques vient confirmer ces premières impressions. Un peu fine mais élégante et longue, c'est une bouteille de qualité que l'on pourra apprécier au cours des deux prochaines années.

SARL Potel-Aviron, 2093, rte des Deschamps, 71570 La Chapelle-de-Guinchay, tél. 03.85.36.76.18, fax 03.85.36.73.55 r.-v.

DOM. DU P'TIT PARADIS 2005 *

0,62 ha 3 800 5 à 8 €

Le P'tit Paradis se niche en Beaujolais, à flanc de coteau sur une pente calme peuplée de vignes. Il a des qualités de constance et manque rarement le rendez-vous du Guide. Le r'voilà avec son **moulin-à-vent 2005**, qui obtient une étoile tout comme son chénas du même millésime. Ce dernier s'habille d'une robe rubis sombre et offre un fruité complexe et bien fondu où la myrtille côtoie d'autres fruits noirs. Ces nuances se prolongent dans une bouche aromatique, ample, ronde et structurée. Ce vin de bonne facture est fait pour les deux ou trois prochaines années.

Denise Margerand, Les Pinchons, 69840 Chénas, tél. 04.74.04.48.71, fax 04.74.04.46.29
t.l.j. 8h-20h; groupes sur r.-v.

DOM. DES ROSIERS 2005 *

1,6 ha 10 000 5 à 8 €

Le nom de ce domaine lui vient de ses anciens propriétaires, des Parisiens, et la famille Charvet, qui a racheté ces terres en 1975, l'a gardé. On taille ici surtout la vigne, et l'on récolte des mentions au Guide Hachette (le 1999 a même eu un coup de cœur dans cette appellation). Comme les trois millésimes précédents, ce 2005 a été jugé très réussi. Pourpre dans le verre, flatteur au nez, il y mêle les fruits rouges mûrs, les fruits noirs et un soupçon de cacao. Sa matière ample tapisse bien le palais et révèle des tanins prometteurs. Un vin élégant et complet, qui atteindra sa plénitude dans quelques mois. On l'appréciera pendant trois à quatre ans avec de la volaille et des viandes blanches.

G.-Lucien Charvet, Les Rosiers, 69840 Chénas, tél. 04.74.04.48.62, fax 04.74.04.49.80
t.l.j. 8h30-19h; groupes sur r.-v.

LE VIEUX DOMAINE 2004

1 ha 6 000 5 à 8 €

Créée en 1890 par le trisaïeul de l'actuel propriétaire, l'exploitation est logée dans une maison du XVIII^{e}s. Régulièrement mentionnée dans le Guide, parfois aux meilleures places, elle y figure cette année encore, grâce à son chénas. Rubis intense aux légers reflets tuilés, ce vin élevé neuf mois en fût associe au nez des nuances fruitées, des touches boisées et des soupçons de caramel au lait. Ce vin ne mise pas sur la puissance mais séduit par la souplesse et l'élégance de sa chair aux arômes de fruits rouges. Un ensemble équilibré et harmonieux, à déguster dans l'année.

EARL M.-C. et D. Joseph, Le Vieux-Bourg, 69840 Chénas, tél. 04.74.04.48.08, fax 04.74.04.47.36, e-mail le.vieux.domaine@wanadoo.fr r.-v.

Chiroubles

Le plus « haut » des crus du Beaujolais. Récolté sur les 362 ha d'une seule commune perchée à près de 400 m d'altitude, dans un site en forme de cirque aux sols constitués de sable granitique léger et maigre, il a produit, en 2005, 15 553 hl à partir du gamay noir. Le chiroubles, élégant, fin, peu chargé en tanins, gouleyant, charmeur, évoque la violette. Créée en 1996, la Confrérie des Damoiselles de Chiroubles, assistée de ses chevaliers, fait connaître avec tact ce vin quelquefois désigné comme étant le plus féminin des crus. Rapidement consommable, il a parfois un peu le caractère du fleurie ou du morgon, crus limitrophes. Il accompagne à toute heure quelque plat de charcuterie. Pour s'en convaincre, il suffit de prendre la route au-delà du bourg, en direction du Fût d'Avenas, dont le sommet, à 700 m, domine le village et abrite un « chalet de dégustation ».

Chiroubles célèbre chaque année, en avril, l'un de ses enfants, le grand savant ampélographe Victor Pulliat, né en 1827, dont les travaux consacrés à l'échelle de précocité et au greffage des espèces de vigne sont mondialement connus ; pour parfaire ses observations, il avait rassemblé dans son domaine de Tempéré plus de 2 000 variétés ! Chiroubles possède une cave coopérative qui vinifie 3 000 hl du cru.

DOM. CHEYSSON 2005 *

3 ha 23 000 5 à 8 €

Le domaine fondé par Émile Cheysson appartenait avant la Révolution à l'abbaye de Cluny. Depuis le parc, la vue s'étend jusqu'aux Alpes. Dans la cave du XVII^e^s. a été élevée une cuvée rubis foncé aux intenses nuances de cassis, de fleurs et de cuir. Sa bouche imprégnée d'arômes de framboise et de muscade et dotée de tanins fondus démunis d'agressivité, persiste longuement. Un ensemble harmonieux et prêt, à servir dans les deux ans.

🔑 Dom. Émile Cheysson, Clos Les Farges,
69115 Chiroubles, tél. 04.74.04.22.02,
fax 04.74.69.14.16, e-mail dcheysson@terre-net.fr
▣ Y ⚲ t.l.j. 8h-12h 13h30-18h30

DOM. DU COTEAU VERMONT 2005 ★★

■ 1,5 ha 3 000 ▮ 5 à 8 €

Transmise de père en fils depuis trois générations, cette propriété compte 8 ha de vignes et produit trois appellations beaujolaises. Coup de cœur dans le millésime 2003, ce chiroubles brille encore cette année. Rubis intense aux reflets grenat, ce 2005 libère des parfums d'une grande finesse : de la pivoine au premier nez, puis des fruits confits et des fruits rouges (fraise, framboise, cerise) avec une pointe de minéralité. Framboise et cerise, associées au cassis, se prolongent dans une bouche ronde, soyeuse et gouleyante, d'une belle fraîcheur réglissée et soutenue par des tanins serrés et dénués d'agressivité. Une bouteille remarquablement équilibrée à déguster dans l'année avec un mets de choix, un poulet à la crème et aux morilles, par exemple.

🔑 Bernard Gonin, Le Truges, 69910 Villié-Morgon,
tél. et fax 04.74.69.12.97 ▣ Y ⚲ r.-v.

DOM. DU CRÊT DES BRUYÈRES
Cuvée Vieilles Vignes 2005 ★

■ 1,78 ha 2 660 5 à 8 €

Située à 500 m du château de La Pierre (XIV^e^s.), cette exploitation a présenté une cuvée rubis brillant aux subtils parfums de berlingot de Carpentras et de fruits rouges associés à une note minérale. Sa matière charnue, souple et expressive, aux saveurs de framboise et de fruits à l'eau-de-vie séduit par sa finesse et sa fraîcheur. Un vin gourmand à savourer pendant un an ou deux avec une volaille de Bresse rôtie ou une tarte Tatin.

🔑 GFA Desplace Frères, 69430 Régnié-Durette,
tél. 04.74.04.30.21, fax 04.74.04.30.55
▣ Y ⚲ r.-v. 🏠 B

DOM. DUFOUX Cuvée réservée 2004

■ 5,8 ha 7 000 ▮ 5 à 8 €

Ce domaine dispose de 10 ha de vignes en coteaux. Des ceps d'une quarantaine d'années cultivés sur des sols sablonneux ont donné naissance à ce vin rubis clair aux parfums intenses de framboise, de fraise, de prune et de cuir. Sa matière puissante aux tanins encore fermes et aux arômes de cerise et de prune montre une bonne harmonie. Une bouteille à apprécier dans les deux ans. Également cité, le **Domaine Morin 2005** propose 34 000 bouteilles.

🔑 Guy Morin, Le Bois, 69115 Chiroubles,
tél. et fax 04.74.69.13.29, e-mail guy.morin@terre-net.fr
▣ Y ⚲ r.-v.

DOM. LAURENT GAUTHIER
Châtenay Vieilles Vignes 2005 ★★

■ 1,5 ha 10 000 ▮ 5 à 8 €

À l'origine, en 1834, cette propriété ne comptait que 70 ares. Des acquisitions et héritages successifs ont permis de porter sa superficie à plus de 11 ha. Des vignes de quarante-cinq ans sont à l'origine de ce magnifique

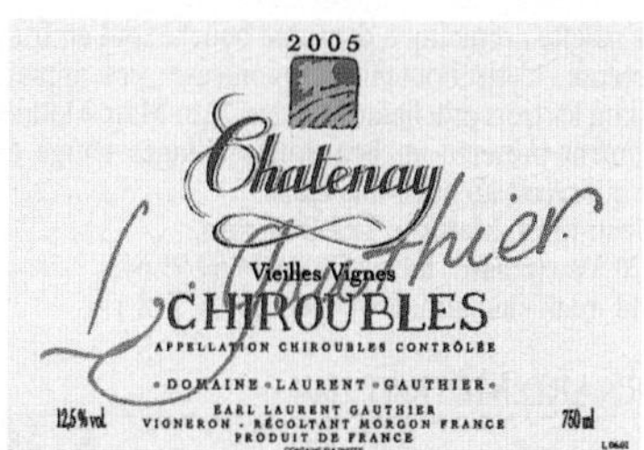

chiroubles à la robe profonde presque noire. Son nez élégant associe les fruits rouges, la mûre confite et le cassis au sirop à des nuances minérales et florales. D'une superbe mâche, la bouche révèle une chair veloutée et tout en rondeur, aux arômes de framboise et de fruits à l'eau-de-vie. Remarquablement équilibrée, elle finit sur des notes persistantes de cerise confite. Un ensemble gourmand à apprécier dans l'année, sur une tarte aux pommes par exemple. Quant au **morgon Grands Cras Vieilles Vignes 2005** du domaine (50 000 bouteilles), il reçoit une étoile.

🔑 EARL Laurent Gauthier, Morgon-le-Bas,
69910 Villié-Morgon, tél. 04.74.04.26.57,
fax 04.74.69.12.08 ▣ Y ⚲ r.-v.

DOM. DES GLYCINES 2004 ★★★

■ 0,25 ha 3 000 ▮ 5 à 8 €

À partir de vignes de soixante ans, Éric Morin a élaboré un splendide 2004 pourpre foncé élevé pendant douze mois en foudre. Les parfums intenses associent la framboise, la cerise et la mûre à des notes vanillées et épicées. Un même caractère aromatique marque le palais rond et charnu qui révèle une excellente structure, avec des tanins fondus qui soutiennent la finale persistante. Exceptionnel pour le millésime, complet et harmonieux, ce 2004 est à servir au cours des deux prochaines années avec du gibier ou une viande rouge.

🔑 Éric Morin, Javernand, 69115 Chiroubles,
tél. et fax 04.74.69.11.70 ▣ Y ⚲ r.-v.

DOM. MARQUIS DES PONTHEUX
Sélection Vieilles Vignes Élevé un an en fût de chêne 2004

■ 3 ha 12 000 ⏀ 5 à 8 €

Au lieu-dit des Pontheux, la famille de Pierre Méziat a toujours été connue sous l'honorifique sobriquet de Marquis, d'où le nom de ce domaine. La propriété, pratiquement d'un seul tenant et d'orientation sud-sud-ouest, se niche dans un cirque granitique. Né de vignes de soixante ans, ce 2004 rubis clair s'ouvre sur des nuances minérales et des notes de sous-bois. Sa chair ronde et gouleyante aux saveurs de fruits cuits incite à servir cette bouteille rafraîchie. Ce chiroubles pourra aussi accompagner dans l'année une entrecôte charolaise ou de l'épaule roulée.

🔑 Pierre Méziat, Les Pontheux, 69115 Chiroubles,
tél. 04.74.69.13.00, fax 04.74.04.21.62 ▣ Y ⚲ r.-v.

JEAN-MARC MATHIEU 2005 ★

■ 0,7 ha 1 600 ▮ 5 à 8 €

D'un rouge presque violet, ce chiroubles élevé pendant quatre mois en cuve et en foudre dans des caves voûtées du XVII^e^s. libère d'intenses parfums fruités (cassis, cerise) et floraux (rose). La framboise vient compléter cette palette aromatique dans une bouche tout en fruit et généreuse. Cette bouteille harmonieuse sera appréciée pendant les trois prochaines années. Jean-Marc Mathieu a également présenté un **beaujolais-villages rouge (3 à 5 €)** qui reçoit lui aussi une étoile.

Jean-Marc Mathieu, Les Bourrons, 69820 Vauxrenard, tél. et fax 04.74.69.91.64, e-mail mathieu-madru@wanadoo.fr r.-v.

BERNARD MÉTRAT 2004

2 ha 12 000 5 à 8 €

La robe rubis aux reflets bois de rose est engageante. Le nez assez intense associe la framboise et la groseille à des notes minérales et des nuances de sous-bois. L'attaque aux saveurs de pêche cuite introduit une bouche souple et ronde aux tanins à peine marqués. Laissant sur une impression de fraîcheur, ce vin bien équilibré est à servir dans l'année avec une pièce de charolais ou une côte de porc.

Dom. Métrat, La Roilette, 69820 Fleurie, tél. 04.74.69.84.26, fax 04.74.69.84.49, e-mail contact@domainemetrat.com r.-v.

DOM. MÉZIAT-BELOUZE
Élevé en fût de chêne 2005 ★★★

1,5 ha 6 000 5 à 8 €

Cette exploitation familiale s'étend sur 8 ha et produit trois appellations beaujolaises. Après un séjour d'un an dans une cave climatisée, son chiroubles élevé en fût de chêne a conquis le jury dans le millésime 2005. De couleur rouge sombre, il offre un nez puissant et d'une rare complexité où les fruits rouges, la prune et l'abricot côtoient la vanille, la cannelle, l'aneth et une pointe mentholée. Riche et ronde, dotée d'une bonne structure, la bouche est soutenue par un boisé déjà bien intégré. Très long et superbe d'harmonie, ce vin pourra s'apprécier au cours des six prochaines années.

GAEC Méziat-Belouze, Rochefort, 69115 Chiroubles, tél. 04.74.69.10.79, fax 04.74.69.11.81 r.-v.

DOM. DU MOULIN D'ÉOLE 2005

1,1 ha 4 300 5 à 8 €

Issu des nouvelles parcelles de chiroubles de la propriété, ce 2005 pourpre profond apparaît discret au premier nez ; il s'ouvre ensuite sur de fines nuances fruitées et des notes de kirsch. Droit et net au palais, plus expressif qu'à l'olfaction, il révèle des arômes de fruits rouges confits. Ce vin de qualité devrait se bonifier avec le temps. On l'attendra un à deux ans.

Philippe Guérin, Le Bourg, 69840 Chénas, tél. 04.74.04.46.88, fax 04.74.04.47.29, e-mail moulindeole@wanadoo.fr t.l.j. 9h-12h 14h-19h; dim. 14h-19h

DOM. DU PRESSOIR FLEURI
Cuvée de garde 2004

n.c. 5 000 5 à 8 €

Une exploitation familiale reprise en 2001 par la fille et le gendre. Sa Cuvée de garde 2004 s'habille d'une robe rubis clair montrant quelques reflets orangés. Sa palette aromatique mêle le raisin frais, l'abricot et des notes grillées à des nuances empyreumatiques de terroir. Le grillé s'associe à la prune dans un palais bien équilibré. Un vin pour maintenant.

Dom. du Pressoir Fleuri, Le Bourg, 69115 Chiroubles, tél. 04.74.04.23.12, fax 04.74.69.12.65, e-mail dom.pressoir.fleuri@terre-net.fr t.l.j. 8h-12h 14h-18h; groupes sur r.-v.

Franck Brunel

DOM. ROCFÊTRE Côte de Saint-Roch 2004 ★

2 ha 7 000 5 à 8 €

Daniel Condemine cultive le domaine familial constitué par son arrière-grand-mère en 1921 et qui compte aujourd'hui un peu plus de 7 ha. Une chapelle du XVIIe s. a donné son nom à cette cuvée issue de vignes de quarante-cinq ans. Rubis limpide, ce 2004 associe au nez la framboise, le cassis et la mûre. La bouche élégante, vineuse et ronde est soutenue par des tanins souples et persiste longuement sur des notes de fruits rouges bien mûrs. Bien structuré et harmonieux, ce chiroubles gagnera à attendre un an. Il plaira avec le rôti de bœuf du dimanche.

Daniel Condemine, Le Fêtre, 69115 Chiroubles, tél. 04.74.69.92.56, fax 04.75.69.93.02, e-mail dscondemine@free.fr r.-v.

DOM. DE TEMPÉRÉ 2005

2,45 ha 9 000 5 à 8 €

Entièrement rénové, ce domaine garde le souvenir de Victor Pulliat (1827-1896), célèbre ampélographe qui sauva la vigne du phylloxéra par la technique du greffage. Rouge foncé aux reflets rubis brillant, son chiroubles offre une belle palette de parfums : pivoine, iris, framboise et fraise confite. Souple et gouleyant à l'attaque, plus austère en finale, frais et équilibré, ce 2005 est à boire dans l'année. Il pourra accompagner un plat canaille, du fromage de tête par exemple.

Marcel Pignard, Dom. de Tempéré, 69115 Chiroubles, tél. 04.74.04.21.18, fax 04.74.65.35.28 t.l.j. sf lun. 10h-13h 15h-20h; f. sep.

Fleurie

Posée au sommet d'un mamelon totalement planté de gamay noir, une chapelle semble veiller sur le vignoble : c'est la Madone de Fleurie, qui marque l'emplacement du troisième cru du Beaujolais par ordre d'importance, après le brouilly et le morgon. Les 879 ha de l'appellation ne s'échappent pas des limites communales, où l'on produit un vin issu d'un ensemble géologique assez homogène, constitué de granites à grands cristaux qui communiquent au vin une impression de finesse et de charme. La production a atteint, en 2005, 39 903 hl. Certains l'aiment frais, d'autres tempéré, mais tous, à la suite de la famille Chabert qui créa le célèbre plat, apprécient l'andouillette beaujolaise préparée avec du fleurie. C'est un vin qui apparaît, tel un paysage printanier, plein de promesses, de lumière, d'arômes aux tonalités d'iris et de violette.

Au cœur du village, deux caveaux (l'un près de la mairie, l'autre à la cave coopérative qui est l'une des plus importantes puisqu'elle vinifie 30 % du cru) offrent toute la gamme des vins aux noms de terroirs évocateurs : la Rochette, la Chapelle-des-Bois, les Roches, Grille-Midi, la Joie-du-Palais...

CH. DU BOURG 2005

■ 6 ha 40 000 ▮ 5 à 8 €

Héritiers d'une longue tradition viticole, les trois frères Matray exploitent un domaine qui a été considérablement agrandi, puisque sa superficie est passée de 8 à 22 ha. Le château du Bourg est l'une de leurs deux propriétés, située au cœur de Fleurie. Dans les caves de cette demeure bourgeoise du XVIII[e]s. a été élevée cette cuvée grenat intense au nez expressif associant les fruits rouges à la rose et à la pivoine. Après la belle attaque, le palais révèle une solide charpente tannique mais il garde son côté aromatique. Une courte garde (moins d'un an) devrait permettre à cette bouteille de gagner en amabilité.

Bruno, Denis et Patrick Matray, Le Bourg, 69820 Fleurie, tél. 04.74.69.81.15, fax 04.74.69.86.80, e-mail denis@chateau-du-bourg.com r.-v.

JEAN-PAUL CHAMPAGNON Cuvée Champagne 2005

■ 2 ha 15 000 ▮ 5 à 8 €

Créée en 1952, cette propriété familiale comporte une belle maison bourgeoise du XIX[e]s. et plus de 10 ha de vignes. Du domaine, on découvre un magnifique point de vue sur le Beaujolais et la plaine de la Saône, de Mâcon à Lyon. La cuvée Champagne n'a rien d'effervescent : elle porte le nom d'un lieu-dit présentant quelques veines calcaires. Grenat foncé, elle exhale des senteurs de pêche délicates et élégantes. Souple et fraîche à l'attaque, elle n'est pas avare d'arômes de fruits noirs. Équilibrée avec des tanins qui commencent à s'assouplir, elle révèle une structure plutôt légère qui incite à la servir dans les deux ans. Un dégustateur l'accompagnerait bien d'un steak tartare. Une autre cuvée de Jean-Paul Champagnon, le **fleurie Les Moriers Domaine Les Roches des Garants 2005**, a été également citée.

Jean-Paul Champagnon, La Treille, 69820 Fleurie, tél. 04.74.04.15.62, fax 04.74.69.82.60, e-mail sylvie.champagnon@chello.fr t.l.j. 8h-20h

DOM. DE LA CHAPELLE DES BOIS 2005

■ 2,5 ha 13 000 ▮ 8 à 11 €

Le domaine (8,50 ha) a été créé par le père de Chantal Coudert laquelle, depuis 1997, le dirige après une formation viticole à Beaune. Rouge vif, son fleurie libère des parfums vineux et des senteurs de petits fruits rouges très expressifs. Il garnit le palais d'une matière charnue et souple, de structure légère. Ce 2005 primesautier, friand et charmeur, sera apprécié pendant deux à trois ans. Un dégustateur suggère de le servir sur un sabodet, saucisson local mijoté avec des légumes dans une sauce au vin.

Paul Beaudet, La Terrière, 69220 Cercié-en-Beaujolais, tél. 04.74.66.73.19, fax 04.74.66.73.07, e-mail contact@paulbeaudet.com t.l.j. sf sam. dim. 8h-12h 13h30-17h30; f. août

CAVE DU CHÂTEAU DE CHÉNAS 2005 ★

■ 3,5 ha 25 000 ▮ 8 à 11 €

Le château de Chénas a été reconstruit sous la Restauration dans un style néoclassique par Adrien de la Hante. Sa vaste cave du XVII[e]s. abrite des centaines de pièces de bois où séjournent des vins de la coopérative de Chénas, qui vinifie les vendanges de 250 ha. Grenat intense, ce fleurie libère de délicates senteurs de petits fruits noirs et de prune fort agréables. Flatteuse et longue, la bouche révèle un bel équilibre entre une chair élégante et fine et des tanins qui commencent à s'arrondir. Ce vin raffiné sera apprécié pendant deux ans et pourra accompagner du veau braisé. Les cuvées **Sélection de la Hante Moulin-à-vent 2005** et **chénas 2005** de la cave obtiennent respectivement une étoile et une citation.

Cave du ch. de Chénas, Les Michauds, 69840 Chénas, tél. et fax 04.74.04.48.19, e-mail cave.chenas@wanadoo.fr t.l.j. 8h-12h 14h-18h

DOM. DES COMBIERS Cuvée de la Cadole 2005 ★

■ 1,05 ha 3 000 5 à 8 €

Ce domaine familial a été repris cette année par Laurent Savoye, fils d'Yves. Son **beaujolais-villages 2005 (3 à 5 €)**, cité dans le millésime précédent, obtient cette année une étoile. Un joli vin à boire sur son fruit. Quant à ce fleurie pourpre intense, il séduit par ses parfums très frais et persistants de violette et de fruits rouges. Sa vivacité s'exprime dès l'attaque ; elle accompagne une matière ample et élégante qui se prolonge au palais. Sérieux et harmonieux à la fois, ce 2005 sera prêt à la fin de l'année 2006.

Laurent Savoye, Les Combiers, 69820 Vauxrenard, tél. et fax 04.74.04.11.06 r.-v.

LA CROIX DU SUD 2005

■ 0,5 ha 3 000 ▮ 5 à 8 €

Ce domaine commandé par une maison de maître du XVII[e]s. dispose de cinq chambres d'hôtes classées trois épis et d'un vaste caveau qui peut accueillir des groupes pour des dégustations ou des repas. Rouge profond aux reflets violets, son fleurie livre d'agréables parfums de cassis et de framboise associés à des notes de pivoine. L'attaque un peu vive réveille sa matière soyeuse. Un vin bien fait, que l'on pourra consommer dès maintenant ou oublier en cave pendant un an ou deux.

Jean-Luc Canard, Les Benons, 69840 Émeringes, tél. 04.74.04.45.11, fax 04.74.04.45.19, e-mail ec.jlc@wanadoo.fr r.-v. 3

DÉMON ROUGE 2005 ★

■ 3,5 ha 20 000 ▮ 5 à 8 €

Ancienne dépendance de l'abbaye de Cluny, le château d'Arpayé dispose d'un domaine viticole de 7 ha exploité par plusieurs métayers. Ces derniers apportent leurs raisins à la maison Quinson qui produit la marque Démon Rouge. Grenat intense, ce fleurie présente un joli nez de rose fanée et de fruits rouges avec une pointe de fruits cuits. Après une belle attaque, sa bonne matière aux tanins encore jeunes garnit longuement le palais d'arômes fruités. Séduisante par sa finesse, une bouteille à savourer dans les deux ans.

SA Quinson, Ch. d'Arpayé, BP 1, 69820 Fleurie, tél. 04.74.69.87.00, fax 04.74.04.14.26

DOM. DENOJEAN 2005 ★

■ 2,5 ha 16 000 ▮ 5 à 8 €

Des vignes de trente ans, cultivées sur des sables granitiques, ont donné naissance à cette cuvée mise en bouteilles par Roland Bouchacourt. Brillant de reflets fuchsia, agréable au nez, ce 2005 mêle des nuances de rose fanée et des notes végétales. L'attaque franche introduit une bouche équilibrée et longue aux tanins déjà arrondis. Une bouteille à déboucher dans les trois ans sur du gibier.

Christian Gaidon, 69820 Fleurie, tél. 04.74.69.84.67, fax 04.74.69.09.75

DOM. DES DEUX LYS Vieilles Vignes 2005 ★

■ 2,3 ha 7 000 ▮ 5 à 8 €

Depuis 1994, la famille Mathray est installée à 500 m du centre de Fleurie. Les camping-cars sont les bienvenus sur le domaine, où les visiteurs pourront découvrir la production des 9 ha de la propriété. Ce fleurie par exemple, né de ceps de quatre-vingts ans. Grenat soutenu, il s'affirme à l'aération et libère des parfums nets et expressifs de fruits noirs et d'épices. Puissant en bouche, il est bien structuré par des tanins souples et imprégné d'arômes de fruits rouges qui persistent longuement. Un vin agréable et bien fait, à déguster au cours des deux prochaines années.

Franck Mathray, La Chapelle des Bois, 69820 Fleurie, tél. et fax 04.74.69.89.93, e-mail f.mathray@chello.fr t.l.j. 8h-12h 14h-19h

DOM. DES GRANDS FERS 2004

■ 10,32 ha 60 000 ▮ 5 à 8 €

Élevé pendant neuf mois en cuve, ce vin brillant dans le verre a la couleur des cerises noires. Ses parfums, à la fois intenses et fins, évoquent les fruits noirs et les fleurs. Une attaque fruitée, agrémentée d'une pointe de vivacité, des tanins fondus, une bouche un peu courte mais souple et gouleyante composent une bouteille élégante, faite pour maintenant.

SARL Christian Bernard, Les Grands Fers, 69820 Fleurie, tél. et fax 04.74.04.11.27, e-mail vins@christianbernard.fr r.-v.

DOM. DE HAUTE MOLIÈRE 2005 ★

■ 1,92 ha 4 800 ▮ 5 à 8 €

Installé en 1998 sur le domaine familial, Jean-François Pâtissier remet en service cinq à six fois par an l'ancien four à pain de la propriété. Il s'active surtout au cuvage, et propose ici un fleurie pourpre intense au joli nez de fraise des bois et de groseille. En bouche, ce vin révèle une riche matière dominée par des tanins qui demandent à s'arrondir. Équilibré et long, c'est un représentant de l'appellation typé et prometteur. Encore trop jeune, il profitera d'un séjour en cave d'au moins deux ans. Quant au **morgon 2005 (3 à 5 €)** du domaine, il a été cité.

Jean-François Pâtissier, Le Bourg, 69820 Vauxrenard, tél. et fax 04.74.69.92.58 r.-v.

JEAN MANIN La Madone 2005 ★

■ 1 ha 6 000 ▮ 5 à 8 €

Une cuvée née de vignes de vingt-cinq ans cultivées sur le lieu-dit réputé de La Madone. Une magnifique robe l'habille, d'une couleur presque noire aux reflets violets. Élégante au nez, elle est discrètement... fleurie, parfumée de violette et d'iris. L'attaque franche et vive lui donne un côté tonique, la bouche bénéficie d'un bon soutien tannique et d'une jolie palette d'arômes fruités et persistants. Un ensemble frais, bien typé et harmonieux, que l'on pourra apprécier pendant au moins trois ans.

Jean Manin, La Madone, 69820 Fleurie, tél. 04.74.06.10.10, fax 04.74.66.13.77 t.l.j. sf sam. dim. 8h-12h 13h45-17h30; f. août

DOM. PARDON 2005 ★★

■ 5 ha 30 000 ▮ 5 à 8 €

Établie depuis 1820 dans la capitale historique du Beaujolais, cette maison de négoce possède deux propriétés en régnié et en fleurie. Sélection de l'un de ces domaines, ce fleurie est remarquablement réussi. Pourpre violacé, il s'ouvre sur des parfums d'une grande finesse où le cassis et le kirsch se mêlent. Ronde et élégante, soutenue par une charpente de bons tanins, sa riche matière laisse une bouche suave dans la lignée de l'olfaction. Cette bouteille harmonieuse pourra être servie pendant trois à cinq ans et se prêtera à nombre d'accords gourmands, du jarret de porc au gibier en passant par les grillades.

Pardon et Fils, 39, rue du Gal-Leclerc, 69430 Beaujeu, tél. 04.74.04.86.97, fax 04.74.69.24.08, e-mail pardon-fils.vins@wanadoo.fr t.l.j. sf sam. dim. 8h-12h 14h-17h30; f. août

DOM. DE LA PRESLE 2005

■ 12 ha 73 000 ▮ 8 à 11 €

Grenat intense, cette sélection de négoce livre des senteurs florales agréables et complexes d'où ressort la pivoine. Elle emplit le palais d'une matière harmonieuse, plutôt souple, qui traduit une extraction mesurée. Un ensemble jeune et plaisant, à apprécier dans les deux ans.

Mommessin, Le Pont-des-Samsons, 69430 Quincié-en-Beaujolais, tél. 04.74.69.09.30, fax 04.74.69.09.75, e-mail information@mommessin.fr

OLIVIER RAVIER La Madone 2005 ★★

■ 1,5 ha 9 500 ▮ 8 à 11 €

Vigneron et négociant, Olivier Ravier propose trois appellations beaujolaises. Il se distingue une fois de plus grâce à son fleurie La Madone dont le millésime 2002 avait également obtenu un coup de cœur. La robe rouge très sombre de ce 2005 attire, tout comme le nez qui dispense de fines notes de compote de fruits rouges, assorties de nuances amyliques et minérales. Après une attaque franche et soutenue sur le fruit, la bouche révèle une belle ampleur, des tanins souples et des arômes réglissés. Très bien fait, ce vin au bon potentiel procure déjà un réel plaisir mais il gagnera à attendre un an. Le **Domaine des Sables d'Or blanc en beaujolais 2005 (5 à 8 €)** ainsi que le **Domaine de la Pierre Bleue côte-de-brouilly 2005** obtiennent chacun une étoile.

🔑 EARL Olivier Ravier, Descours, 69220 Belleville, tél. 04.74.66.12.66, fax 04.74.66.57.50, e-mail olivier.ravier@wanadoo.fr ☑ 🍷 🚶 r.-v.

DOM. DE ROCHE-GUILLON 2005

■ 4 ha 25 000 ▮ 5 à 8 €

Ce domaine familial a été constitué en 1900. À la tête des 11 ha de l'exploitation depuis 1984, Bruno Coperet voit souvent ses fleurie retenus dans le Guide. C'est encore le cas de ce 2005 grenat intense. Ses puissants parfums de pivoine, de fruits rouges et d'épices imprègnent une riche matière aux tanins encore jeunes. Aromatique et long, ce vin typé devra patienter au moins deux ans en cave pour permettre à ses tanins de gagner en aménité.

🔑 Bruno Coperet, Dom de Roche-Guillon, 69820 Fleurie, tél. 04.74.69.85.34, fax 04.74.04.10.25, e-mail roche-guillon.coperet@wanadoo.fr ☑ 🍷 🚶 t.l.j. 8h-20h 🏠 ❷

Juliénas

Cru impérial d'après l'étymologie, Juliénas tiendrait en effet son nom de Jules César, de même que Jullié, l'une des quatre communes qui composent l'aire géographique de l'appellation (avec Émeringes et Pruzilly, cette dernière se trouvant en Saône-et-Loire). Occupant des terrains granitiques à l'ouest et des terrains sédimentaires avec des alluvions anciennes à l'est, les 600 ha de gamay noir ont permis en 2005 la production de 31 017 hl de vins bien charpentés, riches en couleur, appréciés au printemps après quelques mois de conservation. Gaillards et espiègles, ils sont à l'image des fresques qui ornent le caveau de la Vieille Église, au centre du bourg. Dans cette chapelle désaffectée, chaque année à la mi-novembre est remis le prix Victor-Peyret à l'artiste, peintre, écrivain ou journaliste qui a le mieux « tasté » les vins du cru ; celui-ci reçoit 104 bouteilles : 2 par week-end... La cave coopérative, installée dans l'enceinte de l'ancien prieuré du château du Bois de la Salle, vinifie 30 % de l'appellation.

ANTOINE BARRIER 2005 ★★

■ n.c. 113 400 ▮ 5 à 8 €

Cette maison figure une fois de plus dans le Guide grâce à son juliénas, remarquable dans le millésime 2005. Rubis intense, cette cuvée, assez discrète au premier nez, s'ouvre peu à peu sur des notes minérales. Riche, corsée, vive et longue, c'est une bouteille harmonieuse à apprécier au cours des deux prochaines années. Antoine Barrier présente également un **moulin-à-vent 2005** à déguster dans les mêmes délais et un **beaujolais-villages 2005 (3 à 5 €)** déjà prêt. Tous deux sont cités.

🔑 Antoine Barrier, 52, rue Camille-Desmoulins, 92135 Issy-les-Moulineaux, tél. 01.46.62.76.00, fax 04.74.69.09.75

DOM. DE BOISCHAMPT 2005

■ 5 ha 5 250 ▮ 5 à 8 €

La maison de négoce Pierre Dupond possède un domaine de 5 ha en juliénas de nouveau cité dans ce millésime. Grenat intense, ce 2005 s'ouvre rapidement sur de puissants parfums de cassis, de framboise et de groseille ; ces arômes imprègnent une chair riche, aux tanins encore jeunes. À attendre deux à trois ans.

🔑 GFA Dom. de Boischampt, BP 79, 69653 Villefranche-sur-Saône, tél. 04.74.65.24.32, fax 04.74.68.04.14
🔑 S.G. Dupond

DOM. DU CAPOU 2005

■ 4 ha 3 500 5 à 8 €

Le père et le fils, Jean et Benoît Aujas, exploitent ensemble la propriété familiale constituée de parcelles exposées plein sud, à 1 km du centre de Juliénas. Ils ont tiré de vignes de quarante ans cette cuvée rubis intense, au nez vineux plutôt discret, avec des notes d'épices et des nuances végétales. L'attaque apparaît très souple, puis la dégustation révèle des impressions fruitées et de puissants tanins. Un ensemble bien structuré qui n'atteindra sa plénitude qu'après deux ans, voire davantage.

🔑 GAEC Jean et Benoît Aujas, La Ville, 69840 Juliénas, tél. 04.74.04.41.35, fax 08.25.24.48.11, e-mail benoit.aujas@aliceadsl.fr ☑ 🍷 🚶 r.-v.

DOM. ALAIN CHAMBARD 2005 ★★

■ 1,5 ha 3 000 ▮ 5 à 8 €

Alain Chambard a pris les rênes en 1993 d'un vignoble constitué il y a une cinquantaine d'années. Ces vieux ceps sont à l'origine d'un juliénas qui a frôlé le coup de cœur. D'un rubis intense, ce 2005 délivre des parfums aux plaisantes nuances vineuses et fruitées qui s'affirment à l'aération. La belle rondeur de sa chair est équilibrée par des tanins puissants mais dénués d'agressivité. Ses arômes de cerise mûre, agrémentés d'une note de violette en finale, persistent longuement. Bien typée et prometteuse, cette bouteille est à attendre au moins un an. Elle accompagnera alors une andouillette ou du petit gibier. Alain Chambard a également proposé le **fleurie Domaine des Lys sacrés 2005**, un vin souple, prêt à servir, qui est cité.

🔑 Alain Chambard, Les Pins, 69840 Émeringes, tél. et fax 04.74.04.46.00 ☑ 🍷 🚶 r.-v.

PIERRE CHANAU 2005 ★

■ n.c. 70 000 ▮ 5 à 8 €

Pierre Chanau n'est autre que la marque d'Auchan. Mis en bouteilles par la maison Thorin, trois vins ont été retenus. Le jury a préféré ce juliénas rubis pour son beau nez de fruits rouges et de fleurs, et pour sa bouche particulièrement corsée et tannique qui lui garantit un bon avenir. Une bouteille qu'il est conseillé d'attendre trois ans. Quant au **morgon 2005** et au **beaujolais-villages 2005 (3 à 5 €)**, ils recueillent chacun une citation.

🔑 Auchan, 200, rue de la Recherche, 59650 Villeneuve-d'Ascq, tél. 04.74.69.09.18, fax 04.74.69.09.75

DOM. LE CHAPON 2005 ★

■ 5,12 ha 12 000 ▮◍ 5 à 8 €

Jean Buiron conduit depuis 1972 son vignoble (5 ha dans l'AOC juliénas), implanté en totalité sur des coteaux et constitué d'une majorité de vieilles vignes. Des ceps âgés de cinquante ans sont à l'origine de ce 2005, rubis soutenu aux discrets parfums de fruits rouges. Après une plaisante attaque, dont la souplesse n'exclut pas une certaine vivacité, la dégustation se poursuit sur un fruité agréable et persistant. La finale épicée se montre un peu tannique, ce qui n'altère en rien l'impression d'ensemble. Une bouteille typée, élégante et facile d'accès, à apprécier dans l'année.

Marie-Thérèse et Jean Buiron, Le Chapon, 69840 Juliénas, tél. 04.74.04.40.39, fax 04.74.04.47.52 r.-v.

CHEVALIER SAINT-VINCENT 2005 ★

■ 4,5 ha 30 000 ▮ 5 à 8 €

Ce Chevalier Saint-Vincent a été adoubé par la coopérative de Juliénas pour porter haut la bannière de l'appellation. Il remplit honorablement sa mission dans ce millésime : robe rubis intense, nez vineux, fruité et floral, bouche équilibrée entre une chair ronde et des tanins enrobés d'arômes de fruits à l'alcool. Un peu plus de nerf lui aurait asssuré davantage de potentiel : c'est un vin à apprécier dans l'année. De la même cave, le **beaujolais-villages rouge Fleur de Cuvée 2005** reçoit également une étoile. Un vin rond et fruité, pour maintenant.

Les Vignerons du Prieuré, Ch. du Bois de la Salle, 69840 Juliénas, tél. 04.74.04.41.66, fax 04.74.04.47.05, e-mail contact@cave-de-julienas.fr r.-v.

LE CLOS DU FIEF 2004

■ 0,5 ha 2 500 ◍ 5 à 8 €

Franck Besson exploite depuis 2000 son vignoble fondé en 1950 et qui s'étend sur 7 ha. Le domaine pratique également le camping à la ferme. Il signe un 2004 rubis limpide aux parfums complexes de fruits noirs bien mûrs, de fleurs et d'épices. Avec son fruité relevé d'une note poivrée, ses tanins fondus en harmonie avec la vivacité, la bouche est bien plaisante. Cette bouteille, déjà prête, peut encore attendre un an. De la même propriété, le **beaujolais-villages Vieilles Vignes de Jullié 2005 (3 à 5 €)** a également été cité.

Franck Besson, Les Chanoriers, 69840 Jullié, tél. 04.74.04.46.12, e-mail domainebesson@wanadoo.fr r.-v. B

DOM. DE LA COMBE DARROUX

Cuvée Prestige Vieilles Vignes 2005 ★

■ 3 ha 15 000 ◍ 5 à 8 €

Des vignes âgées de plus de soixante ans cultivées sur des schistes et des porphyres ont donné naissance à cette cuvée grenat aux reflets violines. Au nez, les nuances vanillées de l'élevage dominent les fruits rouges. L'attaque soyeuse met en évidence un bel équilibre entre le fruité et le boisé et une structure prometteuse. Le mariage réussi d'une vendange mûre avec un joli bois que l'on appréciera dans un à deux ans. Le 2003 avait obtenu un coup de cœur.

EARL Anne et Pascal Guignet, Les Janroux, 69840 Juliénas, tél. 04.74.06.70.90, fax 04.74.04.45.08, e-mail domaine.guignet@wanadoo.fr r.-v. C

MAISON COQUARD

Une maison de tradition 2005 ★★★

■ 10 ha 60 000 5 à 8 €

Héritier d'une lignée de vignerons, Christophe Coquard a fondé en février 2005 une maison de négoce qui a d'emblée fait parler d'elle puisqu'elle était déjà présente dans le Guide 2006. Elle confirme la qualité de ses sélections avec ce juliénas pourpre intense aux parfums complexes et expressifs de fruits rouges, de cassis et d'épices. On retrouve avec plaisir cette présence aromatique dans une bouche harmonieuse, à la fois puissante et ronde, soutenue par une bonne structure tannique et fort longue. Autant de charmes dont on peut profiter dès maintenant. Tout aussi prêt et remarquable (deux étoiles), le **beaujolais-villages rouge Clochemerle 2005 (3 à 5 €)** est fruité, complexe, équilibré et long. Quant au **brouilly Une maison de tradition 2005**, il obtient une étoile comme le **beaujolais-villages Une maison de tradition 2005**.

Maison Coquard, hameau Le Boitier, 69620 Theizé, tél. 04.74.71.11.59, fax 04.74.71.11.60, e-mail contact@maison-coquard.com r.-v.

DOM. DE LA CÔTE DE CHEVENAL 2005 ★★★

■ 2,5 ha 10 000 ▮ 5 à 8 €

Jean-François et Pierre Bergeron se sont associés il y a dix ans pour exploiter le domaine familial qui s'étend sur plus de 29 ha. Ils conduisent leur vignoble en lutte raisonnée. Ils se distinguent régulièrement dans le Guide avec leur fleurie et leur juliénas et c'est encore le cas cette année. Leur **fleurie 2005** reçoit une étoile tandis que cette cuvée est reconnue coup de cœur par le grand jury. Sa robe grenat moiré est d'une rare intensité. Le nez livre de plaisants parfums de griotte et de kirsch. Après une attaque tout en rondeur, la dégustation révèle des arômes de cerise et une charpente tannique de qualité. Un vin harmonieux et complet qui mérite d'attendre un an pour être savouré à son apogée.

🔑 Jean-François et Pierre Bergeron, Émeringes, 69840 Juliénas, tél. 04.74.04.41.19, fax 04.74.04.40.72, e-mail domaine-bergeron@wanadoo.fr ☑ Ꮖ ⛹ t.l.j. 8h-12h30 13h30-19h

DOM. LE COTOYON 2005 ★★

■	1,5 ha	8 000		5 à 8 €

Frédéric Bénat dispose de 15 ha de vignes répartis dans trois appellations du Beaujolais et de deux gîtes ruraux. Il a remarquablement réussi ce juliénas qui fut candidat au coup de cœur. Grenat profond, ce 2005 livre des parfums intenses de fruits noirs et rouges avec des notes de violette et de sous-bois. La bonne attaque introduit une bouche ample, puissante sans dureté, soutenue par une charpente de tanins fins. Un vin friand, déjà agréable et promis à un bel avenir. Il procurera un grand plaisir pendant cinq à huit ans. Le **saint-amour 2005** est à attendre deux ans. Il reçoit une étoile.

🔑 Frédéric Bénat, Les Ravinets, 71570 Pruzilly, tél. et fax 03.85.35.12.90 ☑ Ꮖ ⛹ r.-v. 🏠 E

DOM. DE FONTABAN 2005 ★★

■	0,45 ha	2 600	▮	5 à 8 €

À la tête de la propriété familiale depuis 1982, Jean-Marc Bessone exploite plus de 10 ha. Il a acheté en 2004 une parcelle de juliénas dont il a tiré un excellent parti pour la deuxième récolte. Rubis soutenu, ce 2005 libère à l'aération des parfums très agréables de violette et de fruits rouges. La belle attaque révèle une chair ronde aux tanins serrés déjà assouplis et un fruité persistant de fraise et de framboise. Ce vin plein de fraîcheur, et apte à une petite garde, sera apprécié pendant deux à trois ans avec un petit gibier à plume. Le **fleurie 2005** est cité.

🔑 Jean-Marc Bessone, Le Trève, 69840 Juliénas, tél. et fax 04.74.04.45.50, e-mail jean-marc-bessone@wanadoo.fr ☑ Ꮖ

DOM. DU GRANIT DORÉ 2005

■	3,5 ha	20 000	⏸	5 à 8 €

Le vignoble (5 ha) a été acheté en 1924 et se transmet de père en fils depuis quatre générations. La famille est installée dans une maison beaujolaise de plus de cent cinquante ans. Une jolie contrée que Vincent Rollet n'a pas hésité à quitter après ses études à Beaune pour découvrir au fil de ses stages l'Alsace et même l'Afrique du Sud ; depuis 2004, il a rejoint son père sur l'exploitation. Grenat profond, ce juliénas livre des parfums intenses de fruits noirs et de fleurs. Fruité et rond, frais et long, puissant tout en restant assez élégant, il révèle une belle structure tannique. On l'attendra deux ans pour lui permettre de s'exprimer davantage et on pourra l'apprécier six à sept ans. Le **beaujolais-villages rouge 2005 (3 à 5 €)** du domaine est également cité.

🔑 Georges Rollet, La Pouge, 69840 Jullié, tél. 04.74.04.44.81, fax 04.74.04.49.12, e-mail rollet-g@wanadoo.fr ☑ Ꮖ ⛹ r.-v.

JUILLARD-WOLKOWICKI
Cuvée Vieilles Vignes 2005

■	1,14 ha	6 000	▮	5 à 8 €

Ce domaine, créé en 1978 par Michel Juillard a été repris par sa fille et son gendre, Alexandre Wolkowicki en 2003. Leur Cuvée Vieilles Vignes est née de ceps de soixante ans. Grenat intense, elle libère des nuances assez puissantes et complexes : impressions vineuses, fruits rouges et notes de cuir. Riche et sur le fruit cette bouteille sera appréciée au cours des deux prochaines années

🔑 Dom. Juillard-Wolkowicki, Les Bruyères, 71570 Chânes, tél. et fax 03.85.36.51.38, e-mail earljuillardwolkowicki@wanadoo.fr ☑ Ꮖ ⛹ r.-v.

CH. DE JULIÉNAS Élevé en fût de chêne 2004 ★

■	n.c.	3 000	⏸	5 à 8 €

Un château du XVIIIes. avec des parties plus anciennes et un important vignoble (38 ha) pour ce domaine qui a décroché un coup de cœur l'an dernier pour sa cuvée Prestige 2003. La cuvée fût de chêne ne laisse pas indifférent et certains dégustateurs portent aux nues ce 2004 rubis foncé aux parfums complexes et intenses d'épices, associés à un léger boisé et à des notes végétales. Marqué par son élevage, ce vin présente une matière riche et puissante, d'une belle longueur, dans la lignée du nez. Une bouteille à déboucher dans les deux prochaines années.

🔑 François et Thierry Condemine, Château de Juliénas, 69840 Juliénas, tél. 04.74.04.41.43, fax 04.74.04.42.38 ☑ Ꮖ t.l.j. sf sam. et dim. 8h-12h 14h-17h; f. 15 sept. -15 oct.

DOM. DE LA MAISON DE LA DÎME 2005 ★★

■	6 ha	40 000	▮	5 à 8 €

Daniel Foillard a hérité d'un des joyaux architecturaux du village de Juliénas : la maison de la Dîme, classée Monument historique. Bâtie en 1592 à flanc de coteaux, cette construction de pierre montre deux galeries d'arcades superposées. Son vignoble (6,5 ha) a donné naissance à un vin remarquablement réussi cette année. Fort séduisants, ses parfums de roses fanées annoncent une chair tout en finesse, équilibrée et harmonieuse. Une bouteille à apprécier dès l'automne et pendant les deux prochaines années.

🔑 Daniel Foillard, Maison de la Dîme, 69840 Juliénas, tél. 04.74.04.41.74, fax 04.74.69.09.75

DOM. MATRAY 2005 ★

■	5 ha	25 000	▮	5 à 8 €

Lilian Matray représente la cinquième génération à la tête de la propriété familiale. Installé en 1988, il exploite 11 ha de vignes. Il propose un juliénas grenat intense aux parfums complexes de bonbon anglais, de cassis assortis de notes florales et épicées. Sa chair ample et tannique, bien équilibrée, persiste agréablement en bouche. Un vin à servir dans les trois prochaines années avec des viandes rouges grillées ou une volaille. Une petite cuvée de **saint-amour 2005**, également élaborée par Lilian Matray, a été citée.

🔑 EARL Lilian et Sandrine Matray, Les Paquelets, 69840 Juliénas, tél. 04.74.04.45.57, fax 04.74.04.47.63, e-mail domaine.matray@wanadoo.fr ☑ Ꮖ ⛹ t.l.j. 8h-20h

DOM. DU MAUPAS 2005

■	5 ha	30 000	▮	5 à 8 €

En 2000, Jacques Lespinasse a pris les rênes de la propriété familiale. Il exploite 7 ha et accueille les visiteurs dans son gîte rural et ses chambres d'hôte. Deux citations pour le domaine : l'une va au **chénas 2005 Élevé en fût de chêne** et l'autre revient à ce juliénas grenat intense au nez bien ouvert, mêlant des notes et des touches épicées et fraîches. La bouche ample révèle une bonne structure aux tanins enrobés et des arômes rafraîchissants de cerise. Déjà harmonieux, ce jeune représentant de l'appellation pourra attendre un à deux ans pour accompagner une viande rouge grillée ou du fromage.

Jacques Lespinasse, La Bottière, 69840 Juliénas, tél. 03.85.33.84.21, fax 03.85.33.86.70, e-mail jacques.lespinasse@wanadoo.fr
t.l.j. 8h30-19h

DOM. DU PENLOIS 2005 *

1,92 ha 11 000 5 à 8 €

Fondée en 1922, cette exploitation compte 19 ha de vignes. Une fois de plus, une cuvée de juliénas est retenue dans le Guide. Grenat intense, ce 2005 s'ouvre timidement sur les fruits rouges. Plus expressive, la bouche révèle une riche matière soutenue par des jeunes tanins et des arômes de framboise et de mûre. Persistante et d'un bon équilibre général, une bouteille à attendre un à deux ans. À signaler encore, le **beaujolais-villages rouge 2005**, cité.

SCEA Besson Père et Fils, Le Penlois, 69220 Lancié, tél. 04.74.04.13.35, fax 04.74.69.82.07, e-mail domaine-du-penlois@wanadoo.fr
t.l.j. 8h-12h 14h-20h; dim. sur r.-v.; f. 1er-15 août

JEAN-FRANÇOIS PERRAUD 2005

6,5 ha 7 000 5 à 8 €

Installé depuis une dizaine d'années, Jean-François Perraud exploite 8,5 ha de vignes. Son **beaujolais-villages rouge 2005 (3 à 5 €)** est cité comme ce juliénas pourpre au nez de fruits rouges et de prune. On retrouve les fruits rouges avec des nuances légèrement vanillées, dans une bouche équilibrée et de bonne longueur, soutenue par des tanins agréables et fins. Un ensemble tout en rondeur, à apprécier dès maintenant.

Jean-François Perraud, Les Belins, 69840 Jullié, tél. 06.81.36.30.96, fax 04.74.04.49.09, e-mail jean-francois-perraud@wanadoo.fr r.-v.

DOM. PLACE DES VIGNES 2005

2 ha 3 000 5 à 8 €

Représentant la troisième génération, Thierry Roussot a pris les rênes de ce domaine en 1995. Il a élaboré une cuvée grenat intense qui s'ouvre sur des notes de cassis et de cerise. La bonne attaque fruitée introduit une bouche soutenue par de fins tanins, à la finale harmonieuse. Ce vin élégant est à servir dans les deux ans.

Agnès et Thierry Roussot, Les Vignes, 69840 Jullié, tél. et fax 04.74.04.49.58 r.-v.

DOM. DE LA RIZOLIÈRE 2005 *

0,2 ha 1 400 5 à 8 €

À la tête de l'exploitation familiale depuis 1986, Didier Canard partage sa vie avec Marieke ; une alliance européenne qui permet d'accueillir le visiteur dans quatre langues différentes dont l'anglais, l'allemand et le néerlandais. Pourpre intense aux reflets violets, cette cuvée libère après aération des nuances de fruits rouges et de cassis. L'attaque est ronde, puis la dégustation évolue sur des tanins assez fermes aux arômes de fruits à noyau. Ce juliénas séduit par son nez expressif et par son équilibre. Un vin pour maintenant.

Didier et Marieke Canard, Dom. de la Rizolière, Les Brigands, 69820 Vauxrenard, tél. et fax 04.74.69.92.30, e-mail didier.marieke.canard@wanadoo.fr r.-v.

DOM. SANCY 2005 *

6 ha 5 000 5 à 8 €

Créé dans les années 1930 par le grand-père de l'épouse de Bernard Broyer, le domaine s'étend aujourd'hui sur 9,5 ha. Des parcelles de vieilles vignes sont à l'origine de ce vin grenat profond aux parfums intenses et complexes de fruits rouges confits relevés d'épices. L'attaque ample révèle une matière charnue aux tanins puissants, encore jeunes, et des arômes de fruits mûrs. Très structuré et concentré, ce juliénas affiche un réel potentiel. On l'attendra un à deux ans. De la même exploitation, le **chénas 2005** a été cité.

Bernard Broyer, Les Bucherats, 69840 Juliénas, tél. 04.74.04.46.75, fax 04.74.04.45.18 r.-v.

BERNARD SANTÉ 2005

3 ha 12 000 5 à 8 €

Constitué à partir de 1945, ce vignoble familial s'agrandit de génération en génération. Bernard Santé, qui l'exploite depuis 1980, est maintenant à la tête de 9 ha. Une nouvelle fois, son juliénas est au rendez-vous du Guide. Grenat profond, le 2005 attire l'attention par des parfums complexes de fruits rouges, de raisin, de cassis et de kirsch. Ces arômes imprègnent une bouche vineuse, riche et puissante qui va s'assouplir avec le temps. Equilibré et assez long, ce vin gagnera à patienter deux à trois ans en cave.

Bernard Santé, 3521, rte de Juliénas, 71570 La Chapelle-de-Guinchay, tél. 03.85.33.82.81, fax 03.85.33.84.46, e-mail earl.sante-bernard@wanadoo.fr r.-v.

CHRISTIAN ET MICHÈLE SAVOYE 2005 *

0,75 ha n.c. 5 à 8 €

Une exploitation en pleine évolution : elle a entrepris en 2006 la construction d'un cuvage fonctionnel. D'ores et déjà, elle a proposé deux 2005 qui ont été bien accueillis par le jury (une étoile chacun). Deux bouteilles prêtes à paraître à table : un **beaujolais-villages rouge cuvée Prestige (3 à 5 €)** et ce juliénas rouge sombre mêlant au nez les fruits rouges, les fleurs et des nuances végétales. Bien structuré par de jeunes tanins, ce millésime est d'une belle fraîcheur.

Christian et Michèle Savoye, Les Combiers, 69820 Vauxrenard, tél. et fax 04.74.69.91.60, e-mail savoye.christian@wanadoo.fr r.-v.

DANIEL ET DOMINIQUE SPAY 2005

0,28 ha 1 950 5 à 8 €

Des vignes de vingt-cinq ans, cultivées sur des sols granitiques, ont donné naissance à cette cuvée pourpre soutenu au nez développé de fruits rouges très mûrs, voire confits. Souple et tendre au palais, c'est un vin à apprécier sans attendre.

Daniel Spay, Le Fief, 69840 Juliénas, tél. 04.74.04.47.02 r.-v.

CELLIER DE LA VIEILLE ÉGLISE 2004

n.c. 18 000 5 à 8 €

Ce célèbre caveau de vente et de promotion du cru juliénas est installé au centre du village dans une vieille église désaffectée depuis 1968. C'est dans ce cadre qu'est remis chaque année le prix Victor-Peyret à une personnalité œnophile. En 2005, cette distinction est allée à Pierre Arditi, qui fut aussi un éblouissant parrain du Guide. Le Cellier propose un 2004 rouge profond et brillant aux parfums vineux associés à des notes de cerise bien mûre, de violette et à une pointe végétale. Sa chair très souple et vive est soutenue par des tanins fondus enrobés d'arômes

de cerise confite. Une finale soyeuse conclut la dégustation de ce juliénas gouleyant et frais, que l'on appréciera dans l'année.
Cellier de la Vieille Église,
Association des producteurs du cru Juliénas,
69840 Juliénas, tél. et fax 04.74.04.42.98
t.l.j. sf mar. 9h45-12h 14h30-18h30; f. fév.

DOM. DE LA VIEILLE ÉGLISE 2005 ★★

■ n.c. n.c. 5 à 8 €

Provenant de la propriété familiale des établissements Loron, ce juliénas est charmeur. Rubis foncé, il présente un nez expressif de fleurs et de fruits rouges. Un caractère aromatique que l'on retrouve au palais, imprégné d'arômes de fruits noirs. Charnu, puissant et bien équilibré, cette bouteille est faite pour maintenant. Propriété du même négociant, le **saint-amour Domaine des Billards 2005** a été cité.
Ets Loron et Fils, 1846 RN, Pontanevaux,
71570 La Chapelle-de-Guinchay, tél. 03.85.36.81.20,
fax 03.85.33.83.19, e-mail vinloron@loron.fr

DANIEL VOLUET Sélection du Vigneron 2004

■ 0,86 ha 2 000 ▮ 5 à 8 €

À la tête de la propriété familiale depuis 1981, Daniel Voluet exploite 8 ha de vignes. Des ceps de quarante-cinq ans sont à l'origine de ce 2004 rubis soutenu limpide et brillant. Ses arômes de bonne intensité, aux nuances de fruits rouges et de cannelle, accompagnent une bouche ronde, légère, fraîche et d'une agréable persistance. Un ensemble expressif, élégant et gouleyant prêt à paraître sur votre table.
Daniel Voluet, La Ville, 69840 Juliénas,
tél. et fax 04.74.04.44.23 r.-v.

Morgon

Le deuxième cru en importance après le brouilly est localisé sur une seule commune. Ses 1 141 ha revendiqués en AOC ont fourni, en 2005, 55 788 hl d'un vin robuste, généreux, fruité, évoquant la cerise, le kirsch et l'abricot. Ces caractéristiques sont dues aux sols issus de la désagrégation des schistes à prédominance basique, imprégnés d'oxyde de fer et de manganèse, que les vignerons désignent par les termes de « terre pourrie » et qui confèrent aux vins des qualités particulières ; celles qui font dire que les vins de Morgon... « morgonnent ». Cette situation est propice à l'élaboration, à partir du gamay noir, d'un vin de garde qui peut prendre des allures de bourgogne, et qui accompagne parfaitement un coq au vin. Non loin de l'ancienne voie romaine reliant Lyon à Autun, le terroir de la colline de Py, situé à 300 m d'altitude sur cette croupe aux formes parfaites, en est l'archétype.

La commune de Villié-Morgon s'enorgueillit à juste titre d'avoir été la première à se préoccuper de l'accueil des amateurs de vin de Beaujolais : son caveau, construit dans les caves du château de Fontcrenne, peut recevoir plusieurs centaines de personnes. Dans ce lieu privilégié qui fait le bonheur des visiteurs et des associations à la recherche d'une « ambiance vigneronne », sont proposés à la vente des vins de producteur, représentatifs des différents terroirs de l'appellation.

DOM. DES ARCADES 2005 ★★

■ 9 ha 65 000 ▮ 5 à 8 €

Deux mots pour résumer ce vin : puissance et noblesse. La robe rouge profond annonce la couleur. Les parfums fruités, encore discrets, disent la jeunesse de ce 2005. Les arômes s'associent en bouche à des nuances complexes pour former une palette élégante. Des tanins encore jeunes composent une solide charpente et indiquent un réel potentiel, une finale persistante : autant d'atouts pour cette bouteille de garde, qui mérite d'attendre une année, voire bien davantage pour s'affiner.
Dom. des Arcades, Morgon, 69910 Villié-Morgon,
tél. 04.74.69.09.10, fax 04.74.69.09.75
Sauzey

DOM. AUCŒUR Cuvée Vieilles Vignes 2004

■ 3 ha 20 000 ▮ 5 à 8 €

Une exploitation de 11 ha située au cœur de l'aire de l'appellation. Une fois de plus, un de ses morgon se voit retenu. Ce 2004 arbore une robe d'un rouge intense pour le millésime. Assez expressif, il mêle au nez des parfums de fruits rouges et de mûre. Le fruité reste présent dans un palais concentré, rond et structuré. Une bouteille harmonieuse que l'on peut déboucher dès maintenant ou laisser en cave un à deux ans.
Dom. Aucœur, Le Rochaud, 69910 Villié-Morgon,
tél. 04.74.04.22.10, fax 04.74.69.16.82,
e-mail arnaudaucoeur@yahoo.fr r.-v.

DOM. BEL AVENIR Charmes 2005 ★★

■ 0,31 ha 2 246 ▮ 5 à 8 €

Un nom souriant pour ce domaine créé en 1920 et conduit par Alain Dardanelli depuis 1977. Issu de ceps âgés de soixante ans implantés sur des sols schisteux, son morgon Charmes affiche une robe d'un rouge violacé presque noir. Expansif au nez, il libère de jeunes parfums d'iris et de cerise nuancés de fraise. La bouche fraîche est légèrement en retrait, encore dominée par des tanins assez fins. Un ensemble équilibré, long et riche. Le verdict du jury ? Bel avenir ! On attendra cette bouteille un an pour lui permettre de s'affiner et on l'appréciera durant cinq à six ans. En attendant, on dégustera le **beaujolais La Chapelle Bois de Loyse 2005 (3 à 5 €)**, aromatique, plein et déjà prêt, qui est cité (plus de 30 000 bouteilles).
Alain Dardanelli, 1087, Bel Avenir,
71570 La Chapelle-de-Guinchay, tél. 03.85.36.75.02,
fax 03.85.33.86.91,
e-mail domaine.bel.avenir@wanadoo.fr
r.-v.

DOM. JEAN-PAUL BOULAND
Vieilles Vignes 2004

■ 0,5 ha 7 000 ▮ 5 à 8 €

Une cuvée Vieilles Vignes qui n'usurpe pas son nom : plantés sur des schistes décomposés, les ceps à l'origine de ce morgon sont centenaires. Ils ont donné naissance à un vin rouge clair aux reflets grenat, mêlant au nez de subtils parfums de fruits rouges à des nuances végétales. Ces dernières, qui évoquent le sous-bois, se retrouvent dans une bouche aromatique et élégante, soutenue par des tanins souples et gras. Bien équilibré, assez long et frais en finale, ce 2004 donnera satisfaction pendant un à deux ans. La cuvée classique, **morgon 2004**, du domaine, fraîche et souple, est également citée (15 000 bouteilles).

Dom. Jean-Paul Bouland, 396, rue Ronsard, 69910 Villié-Morgon, tél. 04.74.04.25.23, fax 04.74.04.21.06 ☑ Y ✦ r.-v.

PASCAL BRUNET Côte du Py 2005 ★★

■ 3 ha 8 000 ▮ 5 à 8 €

À la tête depuis 2003 de la petite exploitation (3,50 ha) héritée de ses parents et de ses beaux-parents, Pascal Brunet a élaboré une cuvée fort bien accueillie par le jury. Avec sa robe rubis profond et son nez complexe mêlant fruits rouges et noirs, épices et raisins mûrs, ce 2005 sait se présenter. Charnu et gras à l'attaque, il révèle une réelle puissance qui n'enlève rien au plaisir de la dégustation. Agréablement typé par sa finale minérale, c'est un excellent morgon à déguster au cours des cinq à six prochaines années.

Pascal Brunet, 59, ruelle des Gaudets, 69910 Villié-Morgon, tél. et fax 04.74.69.14.62, e-mail vinsbrunetpascal@wanadoo.fr ☑ Y ✦ r.-v.

JEAN-MARC BURGAUD Côte du Py 2004

■ 8 ha 30 000 ▮ 8 à 11 €

Implantées sur des sols de schistes décomposés, des vignes de cinquante ans ont donné naissance à ce vin rouge sombre et aux parfums intenses de petits fruits rouges mûrs, de framboise, de cerise et d'épices. Une bouche ample, équilibrée et assez longue, aux tanins suaves et fins, aux arômes de raisin et de fruits frais composent une bouteille bien représentative du millésime et de l'appellation, à déboucher dans les deux prochaines années pour la servir avec une grillade.

Jean-Marc Burgaud, Morgon, 69910 Villié-Morgon, tél. et fax 04.74.69.16.10, e-mail burgaud@jean-marc-burgaud.com ☑ Y ✦ r.-v.

DOM. CHAGNY Côte de Py 2005

■ 2 ha 13 000 8 à 11 €

Une sélection de négociant rouge soutenu et aux élégants parfums de cerise et de framboise, avec une touche d'agrumes. Après une attaque franche, sa chair généreuse et fruitée dévoile des tanins solides qui ne compromettent pas l'agrément de la dégustation. Suffisamment structuré, ce vin est à apprécier dans l'année.

Chagny, 69220 Saint-Jean-d'Ardières, tél. 04.74.66.57.24, fax 04.74.66.57.25, e-mail bmultrier@grandsvinsselection.com

DOM. DU CHAPITRE Château Gaillard 2005 ★

■ 1,92 ha 13 800 ▮ 5 à 8 €

Une robe rouge sombre brillante et limpide habille cette cuvée sélectionnée par le négoce et qui offre une belle palette d'arômes de sous-bois et de fruits rouges. Après une attaque agréable, sa matière charnue aux savoureux arômes fruités garnit longuement le palais. Cet ensemble équilibré et plaisant est à apprécier au cours des deux prochaines années.

Joseph Vernaison, Les Chers, 69840 Juliénas, tél. 04.74.06.78.00, fax 04.74.06.78.71, e-mail avf@avf.fr

DOM. DE LA CHAPONNE 2005

■ 10 ha 18 000 5 à 8 €

Situé au cœur de Villié-Morgon, ce domaine est logé dans des bâtiments qui datent du milieu du XIX[e]s. On y trouvera un morgon tout de vivacité. D'un rouge sombre presque violine, ce 2005 s'ouvre sur des parfums frais de prune, de mûre et d'épices. La belle attaque dévoile déjà une bonne structure soulignée par une agréable acidité qui se poursuit jusqu'à une finale aux notes de groseille. Encore nerveux, un vin à attendre.

Laurent Guillet, 70, montée des Gaudets, 69910 Villié-Morgon, tél. 04.74.69.15.73, fax 04.74.69.11.43, e-mail domaine-chaponne@wanadoo.fr ☑ Y ✦ r.-v.

DOM. DES CHARMEUSES 2005

■ 0,5 ha 3 000 ⏸ 5 à 8 €

Cette exploitation familiale dispose de 10 ha de vignes. Pourquoi les Charmeuses ? Peut-être parce que la majorité (70 %) des vendangeurs sont des vendangeuses. Ce 2005 aux parfums de framboise et d'épices revêt une robe rouge clair qui annonce une structure un peu légère pour un cru. Elle n'en est pas moins équilibrée et fruitée, associant la prune et l'abricot à une pincée de cannelle, avec une touche végétale en finale. Autant de qualités à apprécier dans l'année.

Bruno Jambon, Le Charnay, 69430 Lantignié, tél. 04.74.69.53.93, fax 04.74.69.53.95, e-mail brjambon@wanadoo.fr ☑ Y ✦ r.-v.

ARMAND ET RICHARD CHATELET
Cuvée du P'tit Moustachu Fût de chêne 2004 ★

■ 1 ha 7 000 ⏸ 5 à 8 €

Armand Chatelet et son fils Richard, titulaire d'un BTS d'œnologie, exploitent ensemble un domaine de 13,50 ha. Leur cuvée du P'tit Moustachu trouve une fois de plus sa place dans le Guide avec un 2004 fort bien venu. Grenat profond aux nuances noires, ce morgon est marqué au nez par des senteurs de fruits secs et par le fût. L'attaque suave associée à un boisé très fin et persistant est du meilleur effet. Un ensemble harmonieux à apprécier au cours des deux prochaines années.

EARL Armand et Richard Chatelet, Les Marcellins, 69910 Villié-Morgon, tél. 04.74.04.21.08, fax 04.74.69.16.48, e-mail armand.richard.chatelet@tiscali.fr ☑ Y ✦ r.-v.

CLOS LES CHARMES Les Charmes 2005 ★

■ 2,98 ha 20 000 5 à 8 €

« Un plaisir gourmand », conclut un membre du jury, tandis qu'un autre expert écrit « il donne envie de le boire », à propos de ce morgon élaboré à partir de vignes de soixante ans nées de sols de granite. Le nez livre des parfums timides mais agréables de mûre et de groseille, arômes qui imprègnent une chair dévoilant en fin de bouche des tanins serrés et fins. Un vin pour cochonnailles et fromage de tête. Le **moulin-à-vent Clos Les Charmes 2005 (8 à 11 €)** reçoit également une étoile.

Didier Desvignes, Saint-Joseph,
69910 Villié-Morgon, tél. 04.74.69.92.29,
fax 04.74.69.97.54 r.-v.

DOM. DE COLONAT Les Charmes 2005 ★★

■ 9 ha 40 000 ■ 5 à 8 €

Depuis 1828, la famille Collonge est installée sur cette ancienne dépendance du château de Fontcrenne. Représentant la septième génération, Thomas parfait sa formation en Australie avant de rejoindre son père sur les 11,50 ha de la propriété. Un rubis à reflets violets habille ce 2005 aux parfums de cassis et de groseille très mûrs. On retrouve le premier dans un palais puissant et bien structuré, aux tanins fondus, en bonne harmonie avec l'acidité. Une bouteille remarquablement équilibrée à mettre en réserve pendant trois ou quatre ans et à servir ensuite avec une entrecôte charolaise.

Bernard Collonge, Dom. de Colonat, Saint-Joseph,
69910 Villié-Morgon, tél. 04.74.69.91.43,
fax 04.74.69.92.47,
e-mail domaine.de.colonat@wanadoo.fr
t.l.j. 10h-19h; f. 1er-7 août

DOM. DU COTEAU DE VALLIÈRES 2005

■ 0,61 ha 4 500 5 à 8 €

À la tête d'une douzaine d'hectares depuis 1979, les Grandjean ont récemment acquis une parcelle de vignes en morgon dont ils ont tiré ce 2005 grenat aux reflets bleutés. Discret au nez, ce vin laisse percer des nuances de fruits rouges et noirs qui se prolongent en bouche. Ample et puissant, le palais dévoile une structure tannique bien développée qui doit s'affiner et une charpente qui laisse augurer une garde de deux à trois ans.

Lucien et Lydie Grandjean, Vallières,
69430 Régnié-Durette, tél. 04.74.69.24.92,
fax 04.74.69.23.36, e-mail grandjean.lucien@wanadoo.fr
r.-v.

DOM. DE LA CÔTE DES CHARMES
Les Charmes Vieilles Vignes 2005 ★★

■ 6 ha 18 000 ■ 5 à 8 €

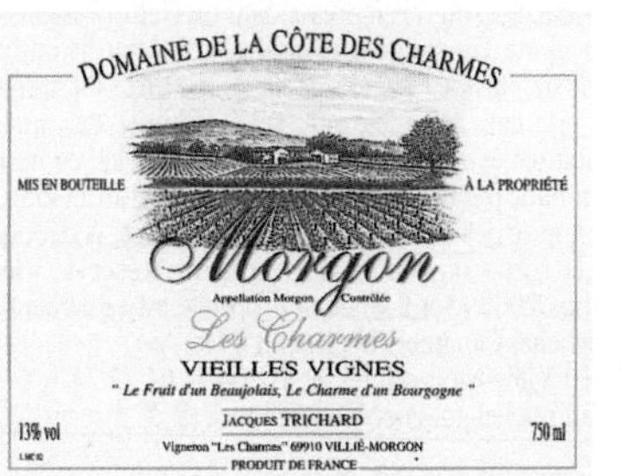

Jacques Trichard est établi à Villié-Morgon depuis plus de trente ans. Quant aux vignes à l'origine de cette cuvée, elles ont été plantées il y a trois quarts de siècle. Le résultat ? Un vin grenat profond, mêlant au nez la framboise et des notes minérales qui reflètent les sols qui l'ont vu naître, granite et « roches pourries ». Sa chair ronde et ample au goût de cassis s'épanouit longuement dans un palais équilibré et plein de mâche. Une superbe minéralité de terroir, à apprécier pendant quatre à cinq ans avec une entrecôte charolaise.

Jacques Trichard, Les Charmes,
69910 Villié-Morgon, tél. 04.74.04.20.35,
fax 04.74.69.13.49, e-mail contact@cotedescharmes.com
r.-v.

DOM. DE LA CROIX MULINS 2005 ★

■ 5,45 ha 40 000 ■ 5 à 8 €

« Douce colline épanouie comme un sein d'or » : la côte du Py en automne. C'est au pied de ces hauteurs, célèbre lieu-dit de l'appellation, qu'est établi Pierre Depardon, qui voit une fois de plus retenu l'un de ses morgon. Plutôt discret mais agréable au nez, ce 2005 rouge sombre à reflets grenat livre des parfums légers et plaisants aux nuances florales (iris) et minérales. Sa chair est imprégnée d'arômes de fruits à l'eau-de-vie. Élégant, fin et long, c'est un vin encore jeune. On l'attendra un à deux ans avant de le servir pendant trois à quatre ans.

Pierre Depardon, Les Raisses, 69910 Villié-Morgon,
tél. 04.74.69.10.15, fax 04.74.69.09.75 r.-v.

CAVE JEAN-ERNEST DESCOMBES 2005

■ 1,25 ha 7 500 ■ 5 à 8 €

Dirigée par Nicole Descombes-Savoye depuis 1993, cette exploitation est familiale. Son 2005 rouge soutenu à nuances violines, au nez expressif de framboise et de fruits rouges est franc, le palais dévoile une élégante structure de tanins souples et des arômes frais et complexes. Un ensemble fort agréable qui ne séjournera pas longtemps en cave : deux ans tout au plus.

Nicole Descombes, Les Micouds,
69910 Villié-Morgon, tél. 04.74.04.20.11,
fax 04.74.04.26.04 r.-v.

FABIEN DESVIGNES
Côte du Py Vieilles Vignes 2005 ★★

■ 1,1 ha 4 000 5 à 8 €

Les plus vieilles vignes de l'exploitation de Fabien Desvignes croissent sur la côte du Py. Elles ont donné naissance à ce 2005 au nez expressif et vineux, marqué aussi par les fruits rouges et la rose. Un caractère aromatique qui se retrouve dans un palais souple aux tanins fins. La longue finale épicée laisse le souvenir d'un vin tout en finesse et en fruité. Prêt dès la sortie du Guide, ce morgon sera apprécié dans sa jeunesse (un à deux ans).

Fabien Desvignes, La Côte du Py,
69910 Villié-Morgon, tél. et fax 04.74.04.27.65
r.-v.

DOM. FERRAUD Les Charmes 2005 ★★★

■ n.c. 10 000 ■ 8 à 11 €

Cette maison de négoce familiale a été créée à Belleville en 1882, au temps où le vin était chargé en pièces sur des péniches qui sillonnaient la Saône. Elle se flatte de faire travailler les mêmes familles depuis ses origines, des viticulteurs aux régisseurs. Une continuité qui ne nuit en rien à la qualité, en témoigne ce morgon rouge profond aux délicates senteurs de rose, de violette et de fruits rouges. Ces arômes s'imposent en bouche, enrobant une chair ronde et structurée par de fins tanins. Persistant, équilibré et typé, voilà un excellent représentant de l'appellation à savourer pendant trois à cinq ans. À retenir encore, le **brouilly Domaine Rolland 2005**, rond et fruité, cité.

Pierre Ferraud et Fils, 31, rue du Mal-Foch,
69220 Belleville, tél. 04.74.06.47.60, fax 04.74.66.05.50,
e-mail ferraud@ferraud.com r.-v.

DOM. DE FONTRIANTE 2004 *

■ 4,6 ha 5 000 ▮ 5 à 8 €

Représentant la quatrième génération sur le domaine, Jacky Passot est à la tête depuis 1977 d'une dizaine d'hectares de vignes répartis dans trois crus du Beaujolais. Il a présenté un morgon rubis très clair aux nuances de pivoine, de sous-bois et de fraise des bois. Ce n'est pas un vin de garde, et c'est par sa fraîcheur et sa finesse que ce 2004 se fait aimer. Un ensemble vif, aux tanins serrés et dénués d'agressivité, équilibré et fin, à boire sur son fruit, avec une côte de veau à la crème, par exemple. L'exploitation a obtenu par ailleurs une citation pour son **chiroubles 2004**, rond et long, qui gagnera à attendre un à deux ans.

Jacky Passot, Fontriante, 69910 Villié-Morgon, tél. 04.74.69.10.03, fax 04.74.69.14.29, e-mail jacky.passot@wanadoo.fr ☑ Y ⁂ r.-v.

CH. GAILLARD Fût de chêne 2004

■ 2 ha 8 000 ⫼ 5 à 8 €

Fondé en 1897, ce domaine s'étend aujourd'hui sur 8,50 ha répartis dans trois crus. À sa tête depuis 1972, Michel Gutty a fait rénover la cave en 2004, année de naissance de ce morgon issu de vignes de soixante-dix ans. Celui-ci s'habille d'une robe limpide, rubis foncé, aux nuances ambrées, et mêle au nez des notes de fruits rouges (griotte) à de légères touches animales. Ample et soyeux, bien équilibré, il finit sur des arômes de noisette. Si cette bouteille n'est pas taillée pour affronter les ans, elle sera excellente dès la sortie du Guide.

Michel Gutty, Ch. Gaillard, 69910 Villié-Morgon, tél. 04.74.04.22.81, e-mail info@chateaugaillard.com ☑ Y ⁂ r.-v. 🏠 ❸

DOM. DE LA GARODIÈRE 2005 **

■ n.c. 9 975 ▮ 5 à 8 €

Ce morgon est une production de Collin-Bourisset, maison de Crèches-sur-Saône dont les lointaines origines remontent à 1820 et qui a pris son nom actuel au début du XXe s. Sa robe profonde, rouge violacé, et ses parfums puissants et complexes, où la rose et l'iris côtoient la framboise et la cerise avec une touche de cannelle forment une belle entrée en matière. Cette superbe palette aromatique, fruitée, florale et épicée se prolonge dans une bouche ronde et structurée par de fins tanins. Un ensemble à la fois élégant et de garde : on l'attendra un à deux ans, puis on le servira pendant cinq à six ans. Du même négociant, le **juliénas La Grange Julliard 2005** et le **beaujolais Tour Goyon 2005** ont été cités : le premier attendra deux ans, le second est déjà prêt.

Collin-Bourisset, rue de la Gare, 71680 Crèches-sur-Saône, tél. 03.85.36.57.25, fax 03.85.37.15.38, e-mail bienvenue@collinbourisset.com ☑ Y ⁂ r.-v.

DOM. GOUILLON Élevé en fût de chêne 2004 *

■ 0,6 ha 2 000 ⫼ 8 à 11 €

À 100 m du château de Lapalus, ce domaine offre un cadre paisible. Il a produit ce morgon, rouge foncé au nez expressif et plein de jeunesse, fait de framboise, d'abricot et de cannelle. La bouche, dominée par les tanins et le boisé, évoque un vin de Bourgogne, selon un dégustateur. Une bouteille de bonne facture à déboucher dans les deux ans. Quant au **brouilly 2004 (5 à 8 €)** élevé en cuve, à servir maintenant, il a obtenu une citation.

Danielle Gouillon, Les Grandes Granges, 69430 Quincié-en-Beaujolais, tél. 04.74.04.30.41, fax 04.74.69.00.67, e-mail danielle.gouillon2@wanadoo.fr ☑ Y ⁂ t.l.j. 8h-12h 14h-19h 🏠 ❹

DOM. GRAVALLON LATHUILIÈRE 2005

■ 10 ha 15 000 ▮ 5 à 8 €

En 2002, Fernand Gravallon et son gendre Cédric Lathuilière se sont associés pour exploiter un domaine d'une dizaine d'hectares. Ils proposent un morgon issu de vignes de quarante-cinq ans : d'une couleur profonde, presque noire, celui-ci apparaît encore fermé au nez. Sa bouche, charnue et ample, soutenue par de jeunes tanins encore fermes est le gage d'un bel avenir : ce vin devra rester deux ans en cave.

Dom. Gravallon Lathuilière, Vermont, 69910 Villié-Morgon, tél. 04.74.04.23.23, fax 04.74.69.10.49, e-mail cedric.lathuiliere@wanadoo.fr ☑ Y ⁂ t.l.j. 8h-12h 14h-18h

DOM. DE GRY-SABLON 2005

■ 2,4 ha 15 000 ▮ 5 à 8 €

Installé en 1990 sur un domaine de 4 ha, Dominique Morel n'a de cesse d'étendre son vignoble et ses débouchés : en 2006, il conduit 16 ha de vignes réparties dans cinq crus ; il a décuplé sa production en seize ans. Une production exportée à 65 %, et souvent remarquée par les jurys. Le morgon qu'il a présenté est presque noir dans le verre. Il en émane des parfums exubérants de cassis et de mûre. Dans la continuité du nez, la bouche est ronde et souple. Autant de caractères qui suggèrent une thermovinification, à l'origine d'un vin assez éloigné du type, mais intéressant.

Dominique Morel, Les Chavannes, 69840 Émeringes, tél. 04.74.04.45.35, fax 04.74.04.42.66, e-mail gry-sablon@wanadoo.fr ☑ Y ⁂ t.l.j. sf dim. 8h-19h

MICHEL GUIGNIER Cuvée à l'ancienne 2004

■ 2 ha 8 000 ⫼ 8 à 11 €

« Cuvéee à l'ancienne » ? Entendez : des vignes de quarante ans, du raisin pressé dans un vieux pressoir à axe vertical, du vin vinifié sans soufre, affiné sur lie en fût de chêne de plus de cinq ans. Cela donne un 2004 grenat au nez original, qui mêle au fruité habituel des nuances complexes évoquant le sous-bois. En bouche, ce morgon ne manque pas non plus de caractère, structuré et long, très boisé, avec des touches minérales et épicées. À déboucher dès la sortie du Guide. Le **morgon Réserve Vieilles Vignes 2005 (5 à 8 €)** de la propriété est également cité.

Michel Guignier, La Roche Pilée, 69910 Villié-Morgon, tél. et fax 04.74.04.22.24, e-mail michel.guignier@wanadoo.fr ☑ Y ⁂ r.-v.

HOSPICES DE BEAUJEU Judith Jonchier 2005 *

■ 4 ha 22 000 ▮ 8 à 11 €

Depuis 1240 jusqu'à nos jours, quelque 250 bienfaiteurs ont permis de fonder et de faire fonctionner l'hôpital de Beaujeu par leurs dons en objets, argent et terres. C'est ainsi que l'établissement dispose de 80 ha de vignes. Les vins sont vinifiés au cuvage de la Grange-Charton – qui mérite une visite – et certains sont vendus lors de la plus ancienne vente aux enchères de la région. La cuvée Judith Jonchier se pare d'une robe violette, presque noire, de bon augure, et libère des parfums vineux et prometteurs, avec

des nuances de framboise et de cerise. « Il a du fond », écrit un dégustateur. Du fruité aussi. Un morgon typé, puissant et racé, qui devra attendre quelques mois pour permettre à ses jeunes tanins de s'assouplir. On le gardera quatre à cinq ans. Par ailleurs, le **beaujolais-villages Domaine de La Grange-Charton 2005 (5 à 8 €)** est cité.
Hospices de Beaujeu, La Grange-Charton, 69430 Régnié-Durette, tél. 04.74.04.31.05, fax 04.74.04.38.87, e-mail nesme.l@mommessin.fr
r.-v.

DOM. CHARLES JENNY Côte du Py 2005 ★

3,6 ha 20 000 5 à 8 €

Rouge profond, cette sélection de négoce s'ouvre sur des notes de fruits noirs et rouges qui se prolongent en bouche, associées à des nuances de baie de genièvre. Une belle structure faite de tanins fondus, de la fraîcheur et une palette aromatique assez complexe composent une bouteille plaisante et très homogène. On la débouchera au cours des deux prochaines années.
Jean-Marc Aujoux, Les Chers, 69840 Juliénas, tél. 04.74.06.78.00, fax 04.74.06.78.71

FRÉDÉRIC LAISSUS 2005

n.c. n.c. 5 à 8 €

Frédéric Laissus a pris les rênes de l'exploitation familiale en 2004. Il a élaboré à partir de vignes d'une quarantaine d'années une cuvée rouge sombre qui s'ouvre sur des nuances de cassis et de framboise. Rond et généreux, ce morgon reste frais. Les tanins encore serrés ne nuisent pas à l'équilibre de l'ensemble. Une bouteille agréable, à servir dans les deux ans.
Frédéric Laissus, La Grange-Charton, 69430 Régnié-Durette, tél. 04.74.04.38.06, fax 04.74.04.37.75 t.l.j. 9h-12h 13h-20h

JEAN-PIERRE LARGE 2004 ★

1,27 ha 9 000 5 à 8 €

Jean-Pierre Large a hérité de son grand-père une parcelle plantée de vignes centenaires. Quant aux ceps qui ont engendré ce morgon, ils ont « seulement » cinquante ans. Grenat limpide, cette cuvée libère d'intenses et élégants parfums fruités accompagnés d'une note végétale. La bouche épicée se montre très corsée, mais elle reste équilibrée et fait preuve d'une bonne longueur. Un morgon typique, à attendre un an.
Jean-Pierre Large, Bellevue, 69910 Villié-Morgon, tél. 04.74.69.17.88, fax 04.74.69.14.16
t.l.j. 8h-12h 13h30-18h

DOM. DE LEYRE-LOUP Corcelette 2004 ★

6,24 ha 15 000 5 à 8 €

Conduite depuis 1993 par Christophe Lanson, cette exploitation familiale s'accroche à ses 6,24 ha de vignes plantés en morgon. Des ceps âgés d'un demi-siècle implantés sur un terroir schisteux ont donné naissance à un 2004 rouge soutenu, au nez très plaisant de cerise et de cannelle. Un vin qui ne joue pas sur la puissance mais se montre très réussi pour le millésime, avec sa bouche ronde et aromatique, élégante et bien équilibrée. Autant de charmes à apprécier dans l'année.
Christophe Lanson, 20, rue de l'Oratoire, 69300 Caluire, tél. 04.78.29.24.10, fax 04.78.28.00.57, e-mail cclanson@wanadoo.fr r.-v.

MOILLARD 2005 ★

n.c. n.c. 5 à 8 €

Si elle étend aujourd'hui ses activités hors de sa région d'origine, cette maison nuitonne fondée en 1850 élabore nombre de vins de « Grande Bourgogne », comme ce morgon. Rubis soutenu, ce 2005 livre des parfums complexes de fruits rouges bien mûrs qui se prolongent en bouche. Équilibré au palais, il dévoile des tanins serrés et puissants, un fruité assez simple et finit sur des notes minérales et épicées. Déjà agréable, cette bouteille peut attendre un à deux ans. Cité par le jury, le **moulin-à-vent 2005** tirera profit d'une petite garde.
Moillard, 2, rue François-Mignotte, BP 6, 21701 Nuits-Saint-Georges Cedex, tél. 03.80.62.42.22, fax 03.80.61.28.13, e-mail contact@moillard.fr
t.l.j. 10h-18h; f. jan.

DOM. MONTANGERON
Vieilles Vignes Fût de chêne 2004 ★★

n.c. 1 500 8 à 11 €

Une propriété achetée en 2000 pour développer la vente directe sous son propre nom. Les résultats sont là, et les mentions nombreuses dans le Guide. Ce morgon a séduit. Si sa robe rubis à reflets violets peut paraître légère, elle ne montre aucune trace d'évolution. Assez intense, le nez mêle la cerise à des notes vanillées et à d'élégantes nuances grillées, traduisant le mariage d'un joli gamay et d'un bon fût qui se révèle tout au long de la dégustation. On retrouve la vanille, associée au kirsch, dans une attaque souple et fraîche. Un vin bien élevé, distingué et long, à apprécier au cours des deux prochaines années. Quant au **fleurie 2005 (5 à 8 €)** élevé en cuve, cité, il gagnera à attendre au moins un an.
Frédéric et André Montangeron, Grand-Pré, 69820 Fleurie, tél. et fax 04.74.04.10.97, e-mail domaine.montangeron@wanadoo.fr r.-v.

DOM. DES MULINS 2005 ★★

1 ha 5 000 5 à 8 €

Des vignes d'une quarantaine d'années plantées sur des sols sableux et argileux sont à l'origine de ce morgon qui s'est placé deuxième coup de cœur du grand jury de l'appellation. Sa robe rouge profond aux reflets bleutés est des plus engageantes. Dans le verre, on respire des parfums variés évoquant une corbeille de fruits : fruits rouges, mûre, raisin, pêche et poire, avec une touche épicée. La bouche, elle aussi, semble un cocktail de fruits. Puissante, elle est soutenue par une trame de tanins arrondis, plus fermes en finale : le gage d'un bel avenir. Ce vin typique, déjà prêt, accompagnera des viandes rôties pendant trois ou quatre ans.

⊶ Alain Aufranc, Les Mulins, 69910 Villié-Morgon, tél. et fax 04.74.69.13.02 ☑ Ⲧ ⚲ r.-v.

DOM. DE L'OSERAIE 2005 ★★

■ 5 ha 30 000 ▮⊕ 5 à 8 €

Rubis profond, ce morgon livre des parfums riches et complexes aux nuances de cerise et de raisin bien mûrs. Après une attaque sur un fruité croquant de griotte, il révèle une matière à la fois puissante et soyeuse et finit sur des notes minérales et épicées. Expressif, typé et friand, ce vin est déjà prêt, mais il fera plaisir pendant un à deux ans.

⊶ GFA des Versauds, La Basse Ronze, 69430 Régnié-Durette, tél. 04.74.03.52.72, fax 04.74.03.38.58

DOM. DU PÈRE DUDU Douby 2004

■ 1,19 ha 5 000 ▮ 5 à 8 €

Comme son nom ne l'indique pas, ce domaine a été créé par un jeune agriculteur, David Duthel. Celui-ci conduit depuis 2003 un petit vignoble de 4 ha dont il a tiré un morgon rubis aux reflets bleutés d'un bel effet. Plus évolué au nez, ce vin mêle les petits fruits rouges à des touches de poivre et de cannelle. Franc et équilibré, soutenu par une trame de tanins arrondis, il laisse percevoir au palais une palette aromatique complexe, où la griotte côtoie la mûre, la groseille, la pêche de vigne et les agrumes. Ce vin à servir dans les dix-huit mois donnera une plaisante réplique à une blanquette à l'ancienne.

⊶ David Duthel, Le Pérou, 69910 Villié-Morgon, tél. et fax 04.74.69.17.61, e-mail david.duthel@aliceadsl.fr ☑ Ⲧ ⚲ r.-v.

LAURENT PERRACHON Les Versauds 2005 ★

■ 2 ha 10 000 ⊕ 5 à 8 €

Les Perrachon exploitent un coquet domaine de 22 ha répartis sur cinq crus. Ils disposent de cent cinquante tonneaux et développent l'élevage de leurs vins dans le bois. C'est le cas de ce morgon d'un rouge profond tirant sur le noir, qui a séjourné douze mois en fût. Il ne peut le cacher, tant son nez est marqué par un boisé qui s'impose également en bouche après une belle attaque. La matière est cependant là, et le vin bien équilibré. On le fera patienter quelque temps en cave et on le servira avec une viande rouge.

⊶ Laurent Perrachon, Les Mouilles, 69840 Juliénas, tél. et fax 04.74.04.40.44, e-mail laurent.perrachon@wanadoo.fr ☑ Ⲧ ⚲ t.l.j. 8h-19h

⊶ GFA des Mouilles

ROLAND PIGNARD Les Charmes 2005

■ 5 ha 5 000 ▮ 5 à 8 €

Roland Pignard a repris à partir de 1976 le domaine familial et se tourne depuis peu vers l'agriculture biologique. On retrouve cette année son morgon Charmes. D'une couleur intense presque violine, ce 2005 attire par un nez fruité de groseille et de framboise. Si la finale un peu oxydative a suscité quelques réserves, le reste a séduit : une attaque suave, une belle charpente de tanins agréablement fondus et une bonne vivacité. Un ensemble typé que l'on peut servir en 2007 et 2008 avec une viande blanche.

⊶ Roland Pignard, Saint-Joseph, 69910 Villié-Morgon, tél. et fax 04.74.69.90.73, e-mail r.j.pignard@wanadoo.fr ☑ Ⲧ ⚲ r.-v.

CH. DE PIZAY 2005 ★★

■ 16 ha 100 000 ▮ 5 à 8 €

Autres temps, autres mœurs : en 970, un château fort, dépendance des sires de Beaujeu ; à l'époque classique, un jardin à la française qui fait toujours le charme des lieux ; aménagé dans ces vieux murs en 1983, un hôtel-restaurant quatre étoiles qui accueille notamment des séminaires d'entreprise. Le domaine viticole est vaste : 62 ha. Il a produit ce morgon dont la robe d'une superbe profondeur a la couleur d'une liqueur de cassis. C'est encore le cassis mêlé de nuances de mûre confite, qui s'exprime au nez. Ronde à souhait, ample, pleine de mâche et dotée d'une charpente prometteuse, la bouche laisse une excellente impression en finale. Ce vin sera prêt dans un an et accompagnera un rôti de bœuf pendant trois à quatre ans. Le **beaujolais blanc 2005** du château reçoit une étoile.

⊶ Ch. de Pizay, 69220 Saint-Jean-d'Ardières, tél. 04.74.66.26.10, fax 04.74.69.60.66, e-mail chateau-de-pizay@chateau-de-pizay.com ☑ Ⲧ ⚲ r.-v.

DOM. DE LA ROCASSIÈRE 2005 ★★

■ 0,5 ha 2 500 5 à 8 €

Ces 0,50 ha plantés en ceps de plus de cinquante ans, qui représentent la totalité du morgon produit sur l'exploitation, sont hérités du grand-père et particulièrement soignés. Ils ont donné naissance à un 2005 rubis assez léger, qui associe au nez les fruits noirs, le kirsch et des nuances de cacao. La bonne attaque introduit une bouche aux tanins fondus et aux arômes d'épices et de framboise : une belle harmonie entre les parfums et les saveurs, à apprécier pendant les deux prochaines années. Rond, soyeux et droit, le **chiroubles Domaine Rive clair 2005** obtient une étoile.

⊶ Yves Laplace, Javernand, 69115 Chiroubles, tél. 04.74.69.12.23, fax 04.74.69.16.49 ☑ Ⲧ ⚲ r.-v.

DOM. DE LA ROCHE PILÉE 2004

■ 4,2 ha 25 000 ▮ 5 à 8 €

Le nom de ce domaine évoque le terroir particulier de l'appellation, fait de roche désagrégée. Si les bâtiments d'exploitation remontent à la fin du XVIIIe s., le cuvage a été rénové en 2004. Représentant la totalité de la production de ce vignoble de 4 ha, ce morgon n'est pas un vin de garde, comme l'indiquent sa robe rouge clair aux reflets déjà un peu tuilés et sa structure plutôt légère. Mais ses parfums d'iris évoluant vers la pivoine, sa mâche et son équilibre sans défaut ne manquent pas d'attraits. Un vin à servir maintenant, avec une épaule roulée par exemple.

⊶ Florence Delorme, Dom. de La Roche Pilée, chem. de la Roche-Pilée, 69910 Villié-Morgon, tél. et fax 04.74.04.20.74, e-mail florencedelorme@wanadoo.fr ☑ Ⲧ ⚲ sam. dim. 9h30-12h30 15h30-18h

DOM. DE LA ROCHE THULON 2005 ★★

■ 0,3 ha 2 000 ▮ 5 à 8 €

Une tour du XVe s. subsiste de l'ancien château de Thulon, au fond de la cour d'exploitation. Le domaine, 12,50 ha, est conduit depuis 1990 par Pascal Nigay, auteur de ce morgon premier coup de cœur au grand jury de l'appellation. Une cuvée qui sait se présenter avec une robe grenat à reflets violets et des parfums à la fois intenses et délicats de quetsche, de cassis et de noix muscade. Ample, équilibré et généreux, persistant longuement sur des notes fruitées et épicées d'une belle fraîcheur, ce vin gourmand révèle un travail d'orfèvre. Il fera plaisir pendant trois à quatre ans.

Pascal Nigay, Thulon, 69430 Lantignié,
tél. 04.74.69.23.14, fax 04.74.69.26.85,
e-mail nigay.pascal.chantal@wanadoo.fr ☑ Y ⚲ r.-v.

DOM. JOËL ROCHETTE Les Micouds 2004

■ 0,51 ha 3 500 ▮ 5 à 8 €

Installé en 1980, Joël Rochette est établi dans une bâtisse en pierre du XIX[e]s. et exploite plus de 8 ha. De vignes d'âge vénérable, il a tiré une cuvée qui ne s'illustrera pas par sa longévité, mais qui fera plaisir dans l'année qui vient. La robe rubis profond de ce 2004 montre quelques reflets de couleur brique. Il en émane de subtils parfums de framboise, de fraise et de kirsch. La bouche souple et vineuse est agréable. Un ensemble harmonieux.

Joël Rochette, Le Chalet,
69430 Régnié-Durette, tél. 04.74.04.35.78,
fax 04.74.04.31.62,
e-mail joelchantal.rochette@wanadoo.fr ☑ Y ⚲ r.-v.

ROBERT SARRAU 2005

■ n.c. 45 000 ▮ 5 à 8 €

Cette sélection de négoce rouge profond livre des parfums expressifs et frais de fleurs, de fruits rouges et de litchi. Plutôt nerveuse, l'attaque est vite relayée par des impressions fruitées en harmonie avec des tanins assez souples. Un ensemble équilibré et plaisant, à servir dans les deux à trois prochaines années.

Robert Sarrau, Les Chers, 69840 Juliénas,
tél. 04.74.06.78.00, fax 04.74.06.78.71

M.-J. VINCENT Charmes 2004 *

■ 2 ha 8 000 ▮ 5 à 8 €

Créée en 1985, cette maison de négoce commercialise uniquement les vins issus de domaines familiaux. D'un rouge foncé limpide, ce morgon libère des parfums assez intenses de fruits rouges bien mûrs. Sa chair généreuse aux tanins souples tapisse le palais d'impressions aromatiques complexes : le cassis y côtoie la framboise, avec des nuances d'orange, un soupçon de chocolat et une touche mentholée. S'il n'est pas des plus longs, ce 2004 ne manque pas d'étoffe. On l'appréciera au cours des deux prochaines années.

J.J. Vincent, Ch. de Fuissé, 71960 Fuissé,
tél. 03.85.35.61.44, fax 03.85.35.67.34,
e-mail domaine@chateau-fuisse.fr
☑ Y ⚲ t.l.j. 8h-12h 13h-17h30; sam. dim. sur r.-v.

Moulin-à-vent

Le « seigneur » des crus du Beaujolais campe ses 666 ha sur les communes de Chénas, dans le Rhône, et de Romanèche-Thorins, en Saône-et-Loire. L'appellation, symbolisée par le vénérable moulin à vent qui a retrouvé ses ailes en 1999, en présence des navigateurs Laurent et Yvan Bourgnon, se dresse à une altitude de 240 m au sommet d'un mamelon aux formes douces, de pur sable granitique, au lieu-dit Les Thorins. En 2005, elle a produit 30 865 hl élaborés à partir de gamay noir. Les sols peu profonds, riches en éléments minéraux tels que le manganèse, apportent aux vins une couleur d'un rouge profond, un arôme rappelant l'iris, du bouquet et du corps, qui, quelquefois, les font comparer à leurs cousins bourguignons de la Côte-d'Or. Selon un rite traditionnel, chaque millésime est porté aux fonts baptismaux, d'abord à Romanèche-Thorins (fin octobre), puis dans tous les villages et, début décembre, dans la « capitale ».

S'il peut être apprécié dans les premiers mois de sa naissance, le moulin-à-vent supporte sans problème une garde de quelques années. Ce « prince » fut l'un des premiers crus reconnus appellation d'origine contrôlée, en 1936, après qu'un jugement du tribunal civil de Mâcon en eut défini les limites. Deux caveaux permettent de le déguster, l'un au pied du moulin, l'autre au bord de la route nationale. Ici ou ailleurs, on appréciera pleinement le moulin-à-vent sur tous les plats généralement accompagnés de vin rouge.

FABIEN BAILLAIS Cuvée Vieilles Vignes 2004 *

■ 0,47 ha 3 000 ⓓ 5 à 8 €

Le domaine, dont les origines remontent à 1820, est exploité depuis 1993 par la quatrième génération, qui a vinifié ce 2004 grenat intense et au nez puissant. On y découvre un fruité varié fait de pêche, de confiture de cassis, de myrtille, associés à d'agréables notes terpéniques. Après une bonne attaque sur des tanins fondus, la bouche révèle des arômes de fruits confits très marqués. Ce vin harmonieux, qui ne manque ni de volume ni de personnalité, est à servir dans les deux ans. De la même propriété, le **fleurie climat des Garants élevé en fût de chêne 2004** a été cité.

Fabien Baillais, Les Garants, 69820 Fleurie,
tél. et fax 04.74.04.13.28,
e-mail fabien.baillais@wanadoo.fr
☑ Y ⚲ t.l.j. 9h-12h 13h30-20h

CH. DE BELLEVERNE 2005

■ 3,2 ha 16 000 ▮ 5 à 8 €

Mandrin, le célèbre bandit, aurait séjourné en ces lieux... Mais le site, avec des bâtiments reconstruits en 1870 sur les ruines d'un couvent, n'a plus la physionomie qu'il avait au XVIIIe s. Il reste une jolie cuvée grenat moiré de noir, mêlant au nez de discrètes notes de fruits rouges à des nuances florales et épicées. L'attaque franche, sur le fruit et soutenue par une bonne vivacité, est fort agréable, la suite plus tannique. On serait tenté de servir dès l'automne ce vin tout en fraîcheur sur quelque chemin de contrebandiers, avec des cochonnailles lyonnaises... On pourra aussi l'attendre, car ce 2005 se tiendra bien pendant deux à trois ans.

Ch. de Belleverne, rue Jules-Chauvet, 71570 La Chapelle-de-Guinchay, tél. 03.85.36.71.06, fax 03.85.33.86.41
t.l.j. sf dim. 7h30-12h 13h30-19h
Bataillard

CH. BONNET Vieilles Vignes 2005 *

2,6 ha 17 000 5 à 8 €

Lamartine avait sa chambre dans ce château – construit en 1630 par le sieur Bonnet, échevin de la ville de Mâcon, et remanié sous l'Empire. Les bâtiments et le domaine ont été acquis par le père de P.-Y. Perrachon en 1973. Ce dernier poursuit son œuvre depuis 1988, à la tête de 10 ha de vignes. Dans les caves voûtées du château a été élevé ce 2005 grenat profond au nez discret mais plein de promesses, fruité et végétal. Le fruité s'affirme en bouche, où l'on distingue la cerise, le cassis, la mûre et le litchi. Puissant, volumineux, doté de tanins encore fermes garants de son épanouissement, ce vin a l'étoffe d'un cru, souligne un dégustateur. On l'attendra un à deux ans pour l'apprécier dans sa plénitude. Le **juliénas Vieilles Vignes 2005** du château a été cité.

Pierre-Yves Perrachon, Ch. Bonnet, 71570 La Chapelle-de-Guinchay, tél. 03.85.36.70.41, fax 03.85.36.77.27, e-mail chbonnet@terre-net.fr
r.-v.

DOM. BOURISSET 2005 *

4,7 ha 22 610 8 à 11 €

Situé au pied du célèbre moulin, ce vignoble est entré dans la famille Bourisset en 1922. Il a donné un vin grenat qui s'ouvre à l'agitation sur des parfums très prometteurs de fruits bien mûrs. La bouche dense est imprégnée d'arômes de petits fruits rouges et de cassis. La finale laisse une impression de douceur malgré une structure tannique assez puissante. Complet mais encore un peu fermé, ce moulin-à-vent devra patienter un à deux ans en cave pour révéler tout son potentiel.

SCEA du Dom. du Moulin, 23, rue Victor-Hugo, 69002 Lyon, tél. 04.78.37.88.64, fax 04.72.41.14.49
r.-v.

DOM. DE LA BRUYÈRE 2005

n.c. 26 000 5 à 8 €

Ce domaine familial, exploité par Jean Favre et ses quatre filles, apportait jusqu'alors ses vendanges à la cave de Chénas. À partir du millésime 2005, il s'est lancé dans la commercialisation de ses vins sous sa propre étiquette. D'un rouge intense à reflets grenat, ce moulin-à-vent élevé quatorze mois dont sept dans le bois associe au nez des nuances de cassis et de mûre à des touches épicées (poivre, quatre baies). Sa riche matière au fruité persistant est soutenue par de jeunes tanins encore fermes. Complet et très bien fait, ce vin est à attendre au moins un an.

Dom. de La Bruyère, 69840 Chénas, tél. 03.80.61.46.31, fax 03.80.61.42.19, e-mail contact@badetclement.com r.-v.
Jean Favre

DOM. DES CAVES Cuvée Étalon 2004

2 ha 8 000 5 à 8 €

Situé à Chénas en face du célèbre moulin, ce domaine s'étend sur 10 ha. Il est conduit depuis 1992 par Laurent Gauthier. De petites caves voûtées du XVIIe s., qui ont donné son nom à la propriété, constituent l'un des atouts de l'exploitation. C'est dans ce cadre que mûrit douze mois en pièce de chêne la cuvée Étalon. Expressif au nez, le 2005 livre des parfums fruités, légèrement acidulés. L'attaque est prometteuse, la finale plus tannique, austère, ce qui n'empêchera pas ce vin de bonne facture d'être prêt dès l'automne. Le 2001 avait obtenu un coup de cœur.

Laurent Gauthier, Dom. des Caves, 69840 Chénas, tél. 04.74.69.86.59, fax 04.74.69.83.15, e-mail domainedescaves@wanadoo.fr
t.l.j. 8h-12h 14h-20h

JACQUES CHARLET Champ de Cour 2005 *

n.c. n.c. 5 à 8 €

Grenat d'une limpidité parfaite, ce moulin-à-vent présente un nez complexe et déjà bien ouvert où se marient dans une belle harmonie des senteurs florales et épicées ainsi que des nuances de cassis et de groseille. Fruitée et soutenue par de fins tanins, bien équilibrée, la bouche offre une finale tout en finesse. Un vin de qualité à savourer pendant les deux prochaines années. Il pourrait accompagner un bœuf bourguignon ou du saucisson chaud pommes boulangères. Rond, riche et long, le **saint-amour La Victorine 2005** obtient lui aussi une étoile.

Jacques Charlet, 71570 La Chapelle-de-Guinchay, tél. 03.85.36.82.41, fax 03.85.33.83.19

DOM. DE LA CHÈVRE BLEUE Vieilles Vignes 2005

3,1 ha 4 200 5 à 8 €

Michèle Kinsella représente la quatrième génération d'une famille de viticulteurs ; Gérard, son mari, est natif de la région de Londres. Il a abandonné son passé d'informaticien pour se consacrer en 1999 à la vigne et au vin. Le domaine (plus de 8 ha) est de nouveau présent dans cette édition avec cette cuvée issue de ceps de soixante ans et élevée douze mois (dont six en fût). Rouge carmin à reflets violets, ce 2005 libère de discrets arômes de fruits rouges assortis d'une note de café. La belle attaque introduit une bouche encore fermée aux tanins serrés : le portrait d'un vin jeune qui pourra attendre deux à trois ans.

Michèle et Gérard Kinsella, Les Deschamps, 69840 Chénas, tél. et fax 03.85.33.85.70, e-mail gerard@chevrebleue.com r.-v.

DOM. DE LA CROIX ROUGE 2005

1 ha 2 500 5 à 8 €

Grenat profond, cette cuvée s'ouvre après aération sur des parfums de petits fruits rouges associés à des nuances grillées et réglissées. Après une attaque franche, elle laisse percevoir de belles rondeurs et de jeunes tanins prometteurs. Ce moulin-à-vent montre un potentiel certain, qu'un séjour de deux ans en cave permettra de révéler pleinement.

Philippe Merly, Le Ribouillon, BP 10, 69430 Quincié-en-Beaujolais, tél. 04.74.03.52.72, fax 04.74.03.38.58

DOM. DES FONTAGNEUX 2004

■ 3,2 ha 12 000 ▮◖◗ 5 à 8 €

Acquis en 1840 par un marchand de vin à Bercy originaire du Beaujolais, ce domaine est resté dans la même famille. Sa production était exportée au XIXe s. à Saint-Pétersbourg. Grenat limpide, ce 2004 s'annonce par un nez captivant où se mêlent les fruits rouges à noyau, la pêche de vigne et des nuances épicées. Toujours fruitée, la bouche est un peu moins expressive, mais l'ensemble, structuré et assez long, reste intéressant. À déguster dans les deux ans.

Indivision Collet, Les Deschamps, 69840 Chénas, tél. 03.85.36.72.87, fax 01.43.79.11.88 r.-v.

DOM. DE FORÉTAL 2005 ★★

■ 1,5 ha 4 500 ▮ 5 à 8 €

Jean-Yves Perraud a pris la tête en 1998 des 8 ha de l'exploitation familiale. Il faudra suivre ses cuvées, car ce moulin-à-vent, cité l'an dernier, décroche dans ce millésime un coup de cœur ! Sa robe grenat profond laissant des larmes sur le verre annonce sa richesse. Il en émane des senteurs flatteuses de fruits rouges, de cassis, de mûre et de prune agrémentées d'une pointe de girofle. Le remarquable équilibre entre le fruit, l'acidité et la chair est très représentatif du cru et du millésime. La finale intense et persistante signe une bouteille de garde, que l'on pourra servir pendant cinq à six ans avec du filet de bœuf ou du gros gibier en sauce. Fruité et rond, prêt à boire, le **beaujolais-villages 2005 (3 à 5 €)** du domaine reçoit une étoile.

Jean-Yves Perraud, Forétal, 69820 Vauxrenard, tél. et fax 04.74.69.90.45, e-mail jyperraud@wanadoo.fr t.l.j. 8h-12h 13h30-19h30; f. sept.

DOM. GAY-COPERET

Cuvée Réserve Vieilles Vignes 2005 ★

■ 4,5 ha 10 000 ▮ 5 à 8 €

Ce moulin-à-vent provient de parcelles situées sur les coteaux de La Rochelle et des Vérillats appartenant au comte de Sparre à Chénas ; elles sont exploitées en métayage par Catherine et Maurice Gay. Rubis intense, ce 2005 libère à l'agitation une foule de parfums délicats : fraise des bois, violette, pivoine, noyau de cerise. Un fruité persistant imprègne aussi la bouche, souple à l'attaque, marquée ensuite par des tanins encore fermes. Très bien faite, cette bouteille révèle une belle richesse tout en laissant une impression de finesse et d'élégance. On pourra l'apprécier pendant trois ans avec une volaille ou un plateau de fromages.

Catherine et Maurice Gay, Les Vérillats, 69840 Chénas, tél. 04.74.04.48.86, fax 04.74.04.42.74, e-mail gay.m-c@wanadoo.fr r.-v.

DOM. DU GROSEILLER

Élevé en fût de chêne 2005 ★

■ 2,3 ha 17 000 ◖◗ 8 à 11 €

Le domaine du Groseiller est commandé par une maison traditionnelle beaujolaise dotée d'une cave voûtée et enterrée au fond de laquelle a séjourné huit mois dans le bois cette cuvée rubis. Plutôt discret au nez, ce 2005 associe les fruits rouges et les nuances grillées et vanillées de l'élevage. Après une attaque assez nerveuse, il laisse découvrir une chair volumineuse soutenue par des tanins fermes. On trouve de la finesse et de la classe dans cette bouteille qui devra attendre un an.

Perrachon, La Bottière, 69840 Juliénas, tél. 03.85.36.75.42, fax 04.74.69.09.75 r.-v.

DOM. LARDY 2005 ★

■ 9 ha 11 000 ▮ 8 à 11 €

La troisième génération de Lardy est à la tête de cette propriété qui a déjà fait l'objet de reportages télévisés. Son moulin-à-vent 2005 décline au nez la myrtille, le cassis, la cerise et le bonbon anglais, tandis que la bouche souple et ronde est marquée de nuances de framboise et de kirsch. Équilibré, aromatique et long, ce vin est prêt mais il pourra attendre trois ans.

Lucien Lardy, Le Vivier, 69820 Fleurie, tél. 04.74.69.81.74, fax 04.74.04.12.30 r.-v.

DOM. JACQUES ET ANNIE LORON 2005

■ 2,5 ha 8 000 ▮ 5 à 8 €

La famille Loron s'est installée dans la commune de Chénas en 1824. Depuis, de nombreuses générations ont mis en valeur les différents terroirs du domaine qui s'étend sur 9 ha. D'un grenat profond, ce moulin-à-vent s'ouvre timidement sur des notes de fruits rouges. Plus expressif au palais, il révèle des arômes de framboise et de cerise dans une bouche ronde et puissante, soutenue par une élégante trame de tanins fondus. Un dégustateur compare cette bouteille à « une main de fer dans un gant de velours ». On pourra l'apprécier pendant trois ou quatre ans. Souple et de structure moyenne, prêt à être servi, le **moulin-à-vent fût de chêne 2004** est également cité.

EARL Jacques et Annie Loron, Les Blancs, 69840 Chénas, tél. 04.74.04.48.76, fax 04.74.04.42.14, e-mail jacquesloron@wanadoo.fr t.l.j. 8h-12h 13h-18h

DOM. DU MATINAL 2005

■ 5,4 ha 4 000 ▮ 5 à 8 €

Installé en 2002, Fabrice Perrachon a pris la suite d'une lignée de vignerons remontant à 1877. Ses vignes couvrent près de 9 ha et l'on aperçoit le célèbre moulin de l'exploitation. D'un rouge foncé presque violet, ce moulin-à-vent s'ouvre sur des parfums de fruits rouges et noirs bien mûrs assortis de nuances de cuir et de vanille. Quelques tanins assez fermes n'altèrent pas l'impression de finesse qui se dégage de ce 2005. De structure plutôt légère, il sera prêt à la sortie du Guide et pourra être apprécié pendant un à deux ans. Le **juliénas 2005** de la propriété a obtenu la même note.

Fabrice Perrachon, La Rivière, 71570 Romanèche-Thorins, tél. et fax 03.85.35.54.67, e-mail perrachonbraillon@wanadoo.fr r.-v.

CH. DU MOULIN-À-VENT
Cuvée exceptionnelle 2004 ★

■ 30,04 ha 13 500 8 à 11 €

Au début du XXe s., Julien Damoy, célèbre épicier parisien, achète de prestigieux domaines. Au nombre de ceux-ci, ce château du Moulin-à-Vent transmis ensuite de mère en fille. Un vignoble de plus de 31 ha, à l'origine de ce 2004 rouge soutenu et limpide. Le nez expressif mêle des parfums de fruits à l'alcool, des nuances minérales et de discrètes notes de fruits rouges. L'attaque plaisante, sur des tanins arrondis, s'agrémente d'arômes de cerise, de cassis, d'épices et d'un léger boisé. La souplesse reste le maître mot de la dégustation jusqu'à la finale tendre et assez longue. Un ensemble harmonieux et complexe, à apprécier dans l'année.

Ch. du Moulin-à-Vent, Le Moulin-à-Vent, 71570 Romanèche-Thorins, tél. 03.85.35.50.68, fax 03.85.35.20.06, e-mail chateaudumoulinavent@wanadoo.fr
t.l.j. sf dim. 8h-12h 14h-17h30; f. 22 juil.-16 août

DOM. DU POURPRE 2005 ★

■ 10 ha 12 000 5 à 8 €

Bernard Méziat exploite un domaine de quelque 11 ha de vignes, situé pour l'essentiel dans l'aire d'AOC moulin-à-vent. Né de ceps d'une cinquantaine d'années plantés sur des sols siliceux et granitiques, son 2005 s'habille d'une robe rouge violacé et reste discret au nez, laissant percer quelques effluves de fruits rouges, de cassis et de mûre. Des arômes de kirsch et de pivoine s'expriment en bouche, où des tanins encore fermes indiquent un bon potentiel. Cette bouteille devrait bien évoluer. On l'attendra au moins un à deux ans.

Bernard Méziat, Dom. du Pourpre, Les Pinchons, 69840 Chénas, tél. 04.74.04.48.81, fax 04.74.04.49.22
t.l.j. 8h-20h

DOM. DU PRIEURÉ SAINT-ROMAIN 2005 ★

■ 7,5 ha 55 000 8 à 11 €

Ce vin est distribué par la maison Thorin. Après un 2004 remarquable, le 2005 est jugé très réussi. Issu de vignes de quarante ans cultivées sur des sols granitiques, ce vin affiche une robe d'un rouge profond presque noir et décline des parfums intenses et complexes : les fleurs côtoient les fruits noirs, le musc et le poivre blanc, avec quelques nuances un peu torréfiées. Cette intensité se prolonge au palais, marqué par des tanins encore jeunes et de qualité. Charpenté, racé et long, ce vin est typique de l'appellation. On l'attendra deux ans avant de le servir avec un bœuf bourguignon ou un tournedos.

Dom. du Prieuré Saint-Romain, 71570 Romanèche-Thorins, tél. 04.74.69.09.10, fax 04.74.69.09.75
René Pin

DOM. DE LA ROCHELLE La Rochelle 2005

■ 8 ha 15 000 8 à 11 €

La famille Sparre, de vieille noblesse suédoise, est venue s'établir en France au XVIIe s. Elle a acquis ce domaine en 1874. Totalisant 23 ha, le vignoble s'étend sur des lieux-dits réputés de l'appellation. La Rochelle a engendré un 2005 d'un rouge sombre brillant, au nez assez expressif de cerise burlat et de pêche au sirop. La bouche, bien équilibrée et longue, révèle des arômes de fruits rouges assortis de touches de baie de genièvre ; les tanins sont de bonne carrure et déjà souples. Complet et puissant, un vin à attendre deux ans. Un dégustateur suggère de l'essayer avec une salade de pêches au vin rouge.

GFA des Domaines Sparre, La Tour du Bief, 69840 Chénas, tél. 04.74.66.62.05, fax 04.74.69.61.38
r.-v.

DOM. DE LA ROCHE MÈRE 2005 ★

■ 1,3 ha 8 000 8 à 11 €

Grâce aux soins que Robert Bridet apporte aux sols, les vignes installées sur la roche-mère qui affleure en de nombreux points du domaine ne semblent pas avoir souffert de la sécheresse. Elles ont donné ici un vin à la robe rouge foncé très dense, d'où émane un léger fruité de framboise et de myrtille. Souple et puissante, la bouche est soutenue par de jeunes tanins enrobés d'arômes de fruits noirs bien mûrs. Un vin prometteur, encore fermé, qui mérite d'attendre quatre ans pour s'épanouir complètement.

Robert Bridet, Le Bourg, 69840 Jullié, tél. et fax 04.74.04.42.32, e-mail robertbridet@wanadoo.fr r.-v.

DOM. ROMANESCA 2005 ★★

■ 7 ha 10 000 8 à 11 €

Ce domaine porte le nom de la villa romaine qui serait à l'origine du village de Romanèche. Il se distingue particulièrement cette année avec ce 2005 : la robe profonde, d'un rouge sombre aux nuances noires, est de bon augure. Le nez s'ouvre après aération sur des notes de fruits noirs très mûrs. La chair puissante emplit le palais d'impressions élégantes grâce à des tanins souples et soyeux et à des arômes de myrtille, de cassis et de kirsch. Un vin prometteur et apte à la garde, à oublier en cave au moins trois ans.

Guy Chastel, Dom. Romanesca, Les Thorins, 71570 Romanèche-Thorins, tél. 03.85.35.57.31, fax 03.85.35.20.50, e-mail chastel.guy@wanadoo.fr
r.-v.

DOM. DE LA SIONNIÈRE 2004

■ 0,6 ha 4 000 5 à 8 €

Les origines de cette propriété familiale remontent au XIXe s. Son 2004 s'habille de grenat et délivre des parfums subtils et élégants de cerise et de groseille. On retrouve au palais la cerise, qui évolue vers la framboise. La charpente est bien construite. Alliant finesse et puissance, une bouteille classique, à déboucher dès l'automne. Le moulin-à-vent **Cuvée fût de chêne 2004** a obtenu la même note.

Estelle et Thomas Patenôtre, Le Bourg, 71570 Romanèche-Thorins, tél. et fax 03.85.35.58.79, e-mail thomasestelle-patenotre@wanadoo.fr r.-v.

DOM. DES VIGNES DU TREMBLAY 2005 ★

■ 8 ha 50 000 8 à 11 €

Des vignes de cinquante ans cultivées sur des sols sablo-limoneux ont donné naissance à ce moulin-à-vent rouge foncé étincelant de reflets violets. Complexe, son fruité mêle le cassis, la myrtille et la cerise. Ample, charnu et consistant, le palais est bien structuré, plutôt chaleureux et de bonne longueur. Une bouteille harmonieuse que l'on pourra apprécier pendant quatre à cinq ans.

Paul Janin et Fils, La Chanillière, 71570 Romanèche-Thorins, tél. 03.85.35.52.80, fax 03.85.35.21.77, e-mail pauljanin.fils@club-internet.fr
r.-v.

Régnié

Officiellement reconnu en 1988, le plus jeune des crus s'insère entre le morgon au nord et le brouilly au sud, confortant ainsi la continuité des limites entre les dix appellations locales beaujolaises. À l'exception de 5,93 ha sur la commune voisine de Lantignié, les 746 ha délimités de l'appellation sont totalement inclus dans le territoire de la commune de Régnié-Durette. Par analogie avec son aîné le morgon, seul le nom de l'une des communes fusionnées a été retenu pour le désigner. 387 ha ont été déclarés en AOC régnié en 2005 pour une production de 18 007 hl.

Le territoire de la commune est orienté nord-ouest-sud-est et s'ouvre largement au soleil levant et à son zénith, ce qui a permis au vignoble de s'implanter entre 300 et 500 m d'altitude. Dans la majorité des cas, les racines de l'unique cépage de l'appellation, le gamay noir, explorent un sous-sol sablonneux et caillouteux ; on est ici dans le massif granitique dit de Fleurie. Mais il y a aussi quelques secteurs à tendance légèrement argileuse.

La conduite des vignes et le mode de vinification sont identiques à ceux des autres appellations locales. Toutefois, une exception d'ordre réglementaire ne permet pas la revendication en AOC bourgogne.

Au Caveau des Deux Clochers, près de l'église dont l'architecture originale symbolise le vin, les amateurs peuvent apprécier quelques échantillons de l'appellation. Les vins aux arômes développés de groseille, de framboise et de fleurs, charnus, souples, équilibrés, élégants sont qualifiés par certains de rieurs et de féminins.

CH. DU BASTY 2005

■ 4,5 ha 10 000 ▮ 5 à 8 €

Un des plus anciens domaines du Beaujolais, dans la même famille depuis 1482. Aujourd'hui, Gilles Perroud exploite 17,50 ha de vignes et exporte 60 % de sa production. Il propose un régnié rouge soutenu au nez assez discret de petits fruits rouges. La chair plutôt vive de ce 2005 s'allie à de fins tanins au goût de fruits rouges. Un vin agréable et convivial à servir dès l'automne avec une assiette de charcuterie. Le **beaujolais-villages blanc 2005** obtient également une citation.

Gilles Perroud, Le Basty, 69430 Lantignié, tél. 04.74.04.85.98, fax 04.74.69.26.63, e-mail chateau.du.basty@wanadoo.fr ☑ Y ⚲ r.-v.

DOM. DES BRAVES 2005 ★★

■ 4 ha 10 000 ▮ 5 à 8 €

Franck Cinquin défend bravement et avec savoir-faire la tradition familiale. On retrouve une fois de plus son exploitation mentionnée en régnié avec un millésime particulièrement charmeur. Ce 2005 s'habille d'une robe intense, rubis à reflets violacés et s'impose par ses parfums puissants et complexes de cassis et de fruits rouges. Une plaisante attaque tout en fraîcheur introduit une bouche gourmande, charnue et ample, aux tanins fondus et aromatiques. Ce vin expressif et friand sera prêt dès la sortie du Guide. De la même exploitation, le **beaujolais-villages rouge Domaine des Celliers 2005 (3 à 5 €)** a été cité.

Franck Cinquin, Les Braves, 69430 Régnié-Durette, tél. 04.74.69.05.32, fax 04.74.69.97.31, e-mail franck.cinquin@wanadoo.fr ☑ Y ⚲ r.-v.

CHRISTIAN BULLIAT 2005

■ 6 ha 5 000 ▮ 5 à 8 €

Christian Bulliat exploite depuis 1981 le domaine familial dont les 8,60 ha se répartissent dans quatre aires d'appellation. Des vignes de quarante-cinq ans plantées sur des coteaux aux sols sablo-granitiques sont à l'origine de cette cuvée rubis au nez plutôt discret de petits fruits rouges nuancé de notes minérales. Ces arômes se prolongent dans une bouche équilibrée qui ne manque ni de caractère ni de nerf. Ce 2005 devrait tirer profit d'un séjour d'un an en cave.

Christian Bulliat, Les Chatillons, 69430 Régnié-Durette, tél. et fax 04.74.69.92.27 ☑ Y ⚲ r.-v.

DOM. CENTENAIRE Vieilles Vignes 2005 ★

■ 3 ha 20 000 ▮ 5 à 8 €

Ce domaine acheté en 1965 est conduit depuis 1989 par la troisième génération et compte 10 ha de vignes. Des ceps âgés de soixante ans ont donné naissance à ce régnié d'un rouge sombre presque violet. Sa palette aromatique harmonieuse associe les fleurs et les fruits rouges. On retrouve ces derniers dans une bouche équilibrée, ample et charnue, tannique sans excès. Un vin élégant et long, bien représentatif de l'appellation, que l'on appréciera au cours des trois prochaines années.

Centenaire Martin Louis, Ranfray, 69430 Les Ardillats, tél. 04.26.74.88.14, fax 04.26.74.88.15 ☑ Y ⚲ r.-v.

BERNARD CHAGNY 2005

■ 6 ha 4 000 ▮ 5 à 8 €

À 6 km du domaine, le château de Pizay commande un vaste domaine viticole dont Bernard Chagny exploite en métayage certaines parcelles d'où il a tiré ce 2005 rubis intense aux parfums discrets de raisin frais et de fruits rouges. Plutôt rond et de structure assez fine, d'un bon équilibre malgré des tanins un peu fermes, ce vin sera à servir dès l'automne. L'exploitant, qui possède également des vignes en morgon achetées au château de Pizay, a présenté aussi un **morgon Côte du Py 2005** qui a obtenu la même note.

Bernard Chagny, Les Vergers, 69430 Régnié-Durette, tél. et fax 04.74.04.36.48 ☑ Y ⚲ r.-v.

DOM. DU CHAI DES CANUTS 2005

■ 1 ha 2 000 ▮ 5 à 8 €

Denis Matray est viticulteur au domaine des hospices de Beaujeu. Le nom de son vin fait référence à une activité qui dominait l'économie de Lyon au XIX[e]s. : le tissage de la soie par les canuts. Ceux-ci, quand ils n'étaient pas « tout nus », vidaient volontiers un pot de beaujolais. Ils auraient apprécié ce 2005 rouge foncé aux puissants parfums de fruits rouges pleins de fraîcheur. Aromatique et vif à l'attaque, ce vin bien fait est plus austère en finale et gagnera à attendre un à deux ans. Il accompagnera alors une assiette de charcuterie ou de fromages.

Denis et Valérie Matray, La Plaigne, 69430 Régnié-Durette, tél. et fax 04.74.69.22.54 r.-v.

DOM. DU CHAZELAY 2005

3 ha 15 000 3 à 5 €

Franck Chavy s'est installé en 1995 et exploite 8 ha de vignes répartis dans trois aires d'appellations beaujolaises. Il propose un régnié d'un rouge chatoyant et au nez assez intense, marqué par les fruits rouges frais. Plus réservé en bouche, ce vin équilibré révèle un style léger qui le fera apprécier dans l'année.

Franck Chavy, Lachat, 69430 Régnié-Durette, tél. 06.07.16.18.85, fax 04.74.69.20.00, e-mail franck.vinchavy@wanadoo.fr r.-v.

DOM. DU CHAZELAY 2005

1,8 ha 8 000 3 à 5 €

Les amateurs de randonnée à bicyclette trouveront en Henri Chavy (père de Franck) un passionné de cyclotourisme qui les conseillera volontiers pour choisir leur itinéraire. Ils pourront se loger au gîte du domaine, et découvrir une cuvée pourpre limpide au nez léger de fruits rouges. Fruité, souple et long, ce vin se montre plaisant.

Henri Chavy, Le Chazelet, 69430 Régnié-Durette, tél. 04.74.69.24.34, fax 04.74.69.20.00, e-mail franck.vinchavy@wanadoo.fr r.-v.

DOM. GILLES COPÉRET 2005

2,5 ha 17 000 5 à 8 €

Logé dans une demeure du XVIII[e]s., Gilles Copéret a repris en 1986 le domaine créé par son grand-père. À la tête de 9 ha de vignes, il a construit en 2005 un nouveau cuvage équipé de matériel moderne : pressoir pneumatique, cuves Inox. De ceps de soixante ans d'âge, il a tiré un régnié grenat soutenu au nez discrètement fruité. Équilibré, charnu avec des tanins suaves, c'est un vin bien fait à consommer dans les deux prochaines années.

Gilles Copéret, Les Chastys, 69430 Régnié-Durette, tél. 04.74.04.38.08, fax 04.74.69.01.33, e-mail gilles-coperet@wanadoo.fr r.-v.

RÉGINE ET DIDIER COSTE-LAPALUS

Fût de chêne 2004

1,7 ha 1 000 5 à 8 €

Régine et Didier Coste-Lapalus ont décidé, en 1999, d'exploiter directement des vignes familiales jusqu'alors confiées à un fermier. Leur régnié fût de chêne provient de vieux ceps d'environ soixante ans et a séjourné dix mois dans le bois. L'élevage a donné à cette cuvée rubis limpide des senteurs boisées et vanillées qui se mêlent à des parfums de petits fruits rouges. Ces nuances léguées par le chêne dominent en bouche. Ce vin souple peut paraître de carrure plutôt légère pour supporter autant de fût, mais ce style a ses amateurs.

Régine et Didier Coste-Lapalus, 280, chem. des Bruyères, 69430 Régnié-Durette, tél. 04.74.04.38.04, e-mail lapalus.rd@wanadoo.fr r.-v.

Coste

DOM. DU CRÊT D'ŒILLAT 2005

n.c. 6 000 5 à 8 €

Depuis 1986, la quatrième génération est à la tête de ce domaine fondé en 1900, et qui s'étend sur 9,50 ha. Rubis foncé, encore sur sa réserve au nez, son régnié s'ouvre sur des parfums de fruits rouges et noirs. Franc, aromatique et épicé, le palais révèle une riche matière aux tanins encore fermes. Un vin de qualité qui demande à s'affiner : à attendre.

EARL du Crêt d'Œillat, Le Bourg, 69430 Régnié-Durette, tél. et fax 04.74.04.38.75 r.-v.

Jean-François Matray

FRANÇOIS ET MONIQUE DESIGAUD 2004

4 ha 5 000 3 à 5 €

De ce domaine, situé à 1 km du col de Truges, on peut apercevoir la chaîne des Alpes par temps clair. Dans la famille depuis 1897, la propriété compte 9 ha de vignes. Elle propose un régnié rouge limpide légèrement violacé, plutôt discret au nez. Après une bonne attaque le vin se montre assez vif, équilibré et friand, aux arômes de fruits rouges et d'amande. Bien représentatif de l'appellation et du millésime, ce 2004 est à apprécier dans l'année avec une assiette de charcuterie ou une viande blanche.

François et Monique Desigaud, Les Fûts, 69430 Régnié-Durette, tél. et fax 04.74.69.92.68 r.-v.

DOM. DOMINIQUE JAMBON 2005 *

4,5 ha 5 000 5 à 8 €

Voici une dizaine d'années que Dominique Jambon a repris les quelque 10 ha du vignoble familial, après avoir été métayer sur une autre propriété. Équipé d'un chai agrandi et modernisé en 2003, le domaine est souvent mentionné dans cette appellation. C'est encore le cas dans cette édition, avec une cuvée grenat à reflets violets, au nez expressif où les fruits noirs et les fruits à noyau sont accompagnés d'une touche minérale. Ce 2005 garnit harmonieusement la bouche d'une matière aromatique aux accents de cassis et de violette, avec un retour de la minéralité en finale. Ses tanins souples en font un vin gourmand et facile d'accès, qui sera prêt à la sortie du Guide. Quant au **morgon 2005** de l'exploitation, il est cité.

Dominique Jambon, Arnas, 69430 Lantignié, tél. et fax 04.74.04.80.59, e-mail dominique.jambon@wanadoo.fr r.-v.

DOM. LAGNEAU Vieilles Vignes 2005 *

3,12 ha 11 000 5 à 8 €

À la tête de ce domaine familial depuis 1978, Gérard Lagneau perpétue l'œuvre de cinq générations. Il propose aux visiteurs des chambres d'hôte et leur fait découvrir sa production dans sa cave du XVI[e]s. Régulièrement distinguée dans le Guide, celle-ci a obtenu un coup de cœur dans cette appellation l'an dernier. Issue de vignes de soixante ans, cette cuvée rubis sombre offre des parfums légers mais plaisants de fruits rouges. Corsée et fruitée en bouche, équilibrée avec des tanins fondus, réveillée par une bonne vivacité en finale, elle fera plaisir pendant deux à trois ans.

Gérard Lagneau, Huire, 69430 Quincié-en-Beaujolais, tél. 04.74.69.20.70, fax 04.74.04.89.44, e-mail jealagneau@wanadoo.fr r.-v.

BEAUJOLAIS

ANDRÉ LAISSUS 2005

■ 7,67 ha 15 000 ▮ 5 à 8 €

Cette métairie des hospices de Beaujeu signe une cuvée grenat profond qui exprime à l'aération des nuances de cassis qui se prolongent en bouche. S'il n'est pas très long, ce 2005 est équilibré et se déguste avec plaisir. Une bouteille tout indiquée pour accompagner, dès la sortie du Guide, un buffet de charcuterie.

André Laissus, La Grange-Charton, 69430 Régnié-Durette, tél. 04.74.04.38.06, fax 04.74.04.37.75, e-mail andre.laissus@wanadoo.fr
t.l.j. 9h-12h 13h-20h

ALAIN MERLE 2005

■ 1 ha 7 000 ▮ 5 à 8 €

À la tête de 9 ha de vignes répartis dans trois appellations, Alain Merle représente la troisième génération sur le domaine familial. Il a élaboré un régnié grenat foncé aux plaisants parfums de groseille, qui annoncent une bouche fruitée et vive. Un ensemble sympathique à apprécier dans l'année, et qui fait jeu égal avec un **brouilly 2005** de même style.

Alain Merle, Les Bois, 69430 Régnié-Durette, tél. et fax 04.74.66.70.72, e-mail alain-merle2@worldonline.fr r.-v.

DOM. PASSOT LES RAMPAUX La Ronze 2004

■ 1,46 ha n.c. ▮ 5 à 8 €

Monique et Bernard Passot exploitent depuis 1978 le domaine familial qui compte près de 10 ha de vignes. Ils ont modernisé leur cave de vinification en 2004, année de naissance de ce régnié rubis limpide. Frais et élégant au nez, ce vin s'ouvre sur des nuances de fleurs et de fruits rouges. Après une attaque franche, il révèle une structure souple, fine et aromatique. Un ensemble de bonne facture qui évoque le raisin frais, à servir dans l'année avec du saucisson de Lyon ou d'autres charcuteries cuites.

Bernard et Monique Passot, Le Colombier, rte de Fleurie, 69910 Villié-Morgon, tél. 04.74.69.10.77, fax 04.74.69.13.59, e-mail mbpassot@yahoo.fr
r.-v. 3

JACKY PIRET La Plaigne 2004

■ 1,5 ha 6 000 ▮ 5 à 8 €

Des vignes de trente ans cultivées sur sols granitiques ont engendré ce vin rubis limpide aux reflets violets. Au nez, ce 2004 mêle harmonieusement de délicats parfums de mûre, de fruits rouges et de réglisse. Souple et rond à l'attaque, il dévoile une structure fine et aromatique. Bien réussie pour le millésime, cette bouteille pourra accompagner des grillades de veau ou d'agneau ou des fromages tels que le reblochon.

Jacky Piret, La Combe, 69220 Belleville, tél. 04.74.66.30.13, fax 04.74.66.08.94, e-mail jacky.piret@wanadoo.fr
t.l.j. 8h-21h 2

DOM. PROLANGE

Cuvée Vieilles Vignes Élevé en fût de chêne 2004 ★

■ n.c. 3 000 5 à 8 €

Après avoir travaillé pendant six ans comme caviste aux hospices de Beaujeu, Jean-Luc Prolange a repris en 1997 le métayage de ses parents qu'il a agrandi en exploitant des parcelles en régnié. Issue de vignes de cinquante ans, cette cuvée rouge violacé se souvient de son séjour d'un an en fût : elle mêle au nez les fruits rouges et des senteurs boisées. Ces arômes prononcés se retrouvent dans un palais ample et rond auquel des tanins fondus au bon goût de vanille confèrent un bel équilibre. Bien structuré et long, ce 2004 sera apprécié pendant les deux prochaines années avec une viande blanche ou un plateau de fromages.

Jean-Luc Prolange, Les Vergers, 69430 Régnié-Durette, tél. et fax 04.74.69.00.22
t.l.j. 9h-20h

THIERRY ROBIN Vieilles Vignes 2005 ★

■ 2,2 ha 15 000 5 à 8 €

Installé en 1990 sur la propriété familiale, Thierry Robin dispose de près de 9 ha de vignes. Il presse son raisin à l'aide d'un pressoir de bois, à vis verticale datant de 1900. Grenat soutenu, sa cuvée Vieilles Vignes exprime d'élégants parfums de cassis. Après une bonne attaque, elle dévoile une structure tannique dense et concentrée. Aromatique et longue mais encore ferme, cette bouteille déjà harmonieuse bénéficiera d'un séjour d'un an ou deux en cave. On pourra la déguster avec du gibier ou de la volaille. Le **beaujolais-villages 2005 (3 à 5 €)** du domaine obtient la même note. Il est prêt mais peut attendre.

Thierry et Cécile Robin, 75, allée des Chênes, 69430 Régnié-Durette, tél. et fax 04.74.04.37.71, e-mail vindomainerobin@yahoo.fr r.-v.

NOËL ET CHRISTOPHE SORNAY 2005

■ 1 ha 5 000 ▮ 5 à 8 €

Installé en 1993, Christophe Sornay conduit les 10,50 ha de l'exploitation en association avec sa mère depuis la disparition de son père. Il propose un régnié grenat soutenu au nez de bonbon anglais. La chair tout en rondeur de ce 2005, ses tanins fondus et ses arômes de petits fruits en font une bouteille équilibrée et harmonieuse. On l'appréciera dans les deux ans avec une viande blanche.

Noël et Christophe Sornay, GAEC des Gaudets, Le Brye, 69910 Villié-Morgon, tél. 04.74.04.21.69, fax 04.74.69.10.70 r.-v.

DOM. DE THULON 2005

■ 5 ha 25 000 ▮ 5 à 8 €

Une ancienne métairie du château de Thulon, conduite par Annie et René Jambon et leurs deux enfants, Carine et Laurent. Elle signe un régnié rouge soutenu. Sa matière charnue, onctueuse et équilibrée, mais à la structure assez fine, en fait une bouteille pour maintenant, à déboucher dès l'automne.

Annie, René, Carine et Laurent Jambon, hameau de Thulon, 69430 Lantignié, tél. 04.74.04.80.29, fax 04.74.69.29.50, e-mail jambon.annie-rene@wanadoo.fr r.-v.

DOM. DE VALLIÈRES 2005

■ n.c. 8 000 ▮ 5 à 8 €

Bernard Trichard et ses fils exploitent en commun leur domaine. Ils ont vinifié une cuvée grenat intense aux parfums puissants de fruits mûrs et de noyau de cerise. Ces arômes se prolongent en bouche, accompagnés de notes épicées et d'une touche florale. Les impressions plus tanniques de la finale incitent à attendre quelque temps cette bouteille.

GAEC Bernard, Laurent, Didier Trichard, Haute Plaigne, 69430 Régnié-Durette, tél. 04.74.04.39.52, fax 04.74.69.05.39 t.l.j. 8h-20h

Saint-amour

Totalement inclus dans le département de Saône-et-Loire, les 308 ha de l'appellation ont produit en 2005 16 256 hl sur des sols argilo-siliceux décalcifiés, de grès et de cailloutis granitiques, faisant la transition entre les terrains purement primaires au sud et les terrains calcaires voisins au nord, qui portent les appellations saint-véran et mâcon. Deux « tendances œnologiques » émergent pour épanouir les qualités du gamay noir : l'une favorise une cuvaison longue dans le respect des traditions beaujolaises, donnant aux vins nés sur les roches granitiques le corps et la couleur nécessaires pour faire des bouteilles de garde ; l'autre préconise un traitement de type primeur, donnant des vins consommables plus tôt pour assouvir la curiosité des amateurs. Le saint-amour accompagnera des escargots, de la friture, des grenouilles, des champignons ou une poularde à la crème.

L'appellation a conquis de nombreux consommateurs étrangers, et une très grande part des volumes produits alimente le marché extérieur. Le visiteur pourra découvrir le saint-amour dans le caveau créé en 1965, au lieu-dit le Plâtre-Durand, avant de continuer sa route vers l'église et la mairie qui, au sommet d'un mamelon de 309 m d'altitude, dominent la région. À l'angle de l'église, une statuette rappelle la conversion du soldat romain qui donna son nom à la commune ; elle fait oublier les peintures, aujourd'hui disparues, d'une maison du hameau des Thévenins, qui auraient témoigné de la joyeuse vie menée pendant la Révolution dans cet « hôtel des Vierges » et qui expliqueraient, elles aussi, le nom de ce village...

DOM. DE L'ANCIEN RELAIS 2004

■ 1,5 ha 10 000 ▮ 5à8€

Ce domaine est installé dans un ancien relais de poste. Cultivé de père en fils depuis cinq générations, il a été repris il y a une dizaine d'années par la fille et le gendre d'André Poitevin, Marie-Hélène et Jean-Yves Midey. Si la cave voûtée où s'alignent les pièces de bois date de 1399, celle où s'effectuent les vinifications a été rénovée en 2004. Cette même année ont été vendangés les raisins à l'origine de ce saint-amour. Un vin resté très jeune à en juger par sa robe violette et son nez frais. De bonne intensité, ronde, bien équilibrée, la bouche révèle des notes épicées. Une bouteille à servir au cours des deux prochaines années avec une viande rouge. Cité également, le **juliénas Vieilles Vignes 2004** est un vin pour maintenant.

EARL André Poitevin,
Les Chamonards, 71570 Saint-Amour-Bellevue,
tél. 03.85.37.16.05, fax 03.85.37.40.87,
e-mail earlandrepoitevin@wanadoo.fr Y ✱ r.-v.
Jean-Yves Midey

RÉMI ET PAOLA BENON 2005 ★

■ 1,18 ha 8 200 ▮ 5à8€

Des vignes de plus de quarante ans cultivées sur des sols granitiques, caillouteux et sablonneux, ont donné naissance à cette cuvée rouge foncé aux nuances de fruits rouges. C'est le cassis que l'on découvre dans un palais corsé, pour l'heure encore austère, mais qui révèle un potentiel de garde intéressant. Après un séjour en cave de deux ans qui le rendra plus aimable, ce saint-amour accompagnera du gibier ou un plateau de fromages.

Rémi et Paola Benon, Les Avenets,
71570 La Chapelle-de-Guinchay, tél. 03.85.33.84.22,
fax 03.85.33.89.54 ☑ Y ✱ r.-v.

JEAN-CLAUDE BILLION 2005

■ 1 ha 3 300 ▮ 5à8€

Une cuvée rubis foncé dont le nez fruité s'épanouit à l'aération. Sa chair aimable n'est pas dépourvue de tanins, ce qui n'empêchera pas d'apprécier cette bouteille dès la sortie du Guide. Ce 2005 est cependant apte à une petite garde (un an).

Jean-Claude Billion, GFA de Guinchay
et des Poupets, 71570 Saint-Amour-Bellevue,
tél. 04.74.06.10.10, fax 04.74.66.13.77
☑ Y ✱ t.l.j. sf sam. dim. 8h-12h 13h45-17h30; f. août

DOM. DES CHAMPS-GRILLÉS 2005

■ 1,5 ha 10 000 ▮ 8à11€

Louis Dailly, le père d'Évelyne Revillon, a œuvré à la reconnaissance du cru saint-amour. Un prix à son nom distingue chaque année des producteurs lors de la Saint-Vincent. Issu de ceps de soixante-cinq ans, le saint-amour des Champs-Grillés arbore une robe rouge foncé, presque violette, du plus bel effet. Ses parfums de cassis très marqués, au nez comme en bouche, évoquent une thermovinification. Agréable à l'attaque, plus tannique ensuite, ce vin offre un profil fort aromatique qui trouvera ses partisans. Déjà prêt, il peut attendre un à deux ans.

Évelyne et Jean-Guy Revillon, Dargnent,
71570 Saint-Amour-Bellevue, tél. 03.85.37.14.76,
fax 03.85.37.14.34 Y ✱ r.-v.

DOM. DU CLOS DES CARRIÈRES 2005 ★

■ 7,4 ha 2 130 8à11€

Sur des sols granitiques sablonneux, des vignes de soixante-cinq ans sont à l'origine de cette cuvée rubis brillant aux parfums intenses de fleurs et d'épices. Riche, corsé et charnu, doté de tanins souples, ce 2005 garnit agréablement le palais. Un ensemble harmonieux, déjà prêt mais apte à une petite garde (un à deux ans).

Christophe Terrier, Le Clos des Carrières,
71570 Saint-Amour-Bellevue, tél. 03.85.37.19.70,
fax 03.85.37.11.45,
e-mail domaineduclosdescarrieres-distelcom@cw.cw
☑ r.-v.

DOM. LES CÔTES DE LA ROCHE 2005 ★

■ 2,3 ha 6 000 ▮ 5à8€

Les Descombes exploitent leurs 15 ha de vignes. L'installation de leur fils sur le domaine est bienvenue, si l'on considère que la commercialisation des bouteilles a augmenté de 40 % en deux ans. Rouge foncé, ce saint-amour livre d'agréables senteurs de cassis et de griotte et s'impose en bouche dès l'attaque par son fruité. S'il n'est pas des plus longs, il séduit par sa franchise et par son harmonie. Un ensemble de bonne facture que les impatients peuvent goûter dès l'automne 2006, mais qui gagnera à attendre un à deux ans. Quant au **juliénas 2005** du domaine, il a été cité.

EARL Joëlle et Gérard Descombes, Le Préau, 69840 Jullié, tél. 04.74.04.42.05, fax 04.74.04.48.04 r.-v.

DOM. DE LA CROIX CARRON 2005 ★★★

4,5 ha 32 000 5 à 8 €

Ce domaine porte le nom du lieu-dit sur lequel il est implanté. On lui doit cette splendide cuvée pourpre nuancé de noir, au nez exubérant de fruits rouges bien mûrs associés à de puissantes notes épicées et vineuses. Pleine de séduction, l'attaque est dans la lignée de l'olfaction, la pivoine et la griotte venant compléter la palette aromatique. Ample, riche et fraîche, la bouche montre de la rondeur malgré des tanins encore jeunes. Un saint-amour harmonieux et élégant, qui fera plaisir pendant les quatre prochaines années.

Daniel et Fabien Adoir, Les Chamonards, 71570 Saint-Amour-Bellevue, tél. 03.85.36.51.34, fax 04.74.69.09.75

PIERRE DUPOND Vilon 2005

n.c. 3 750 8 à 11 €

À l'origine, au XIX[e]s., ce négociant fournissait les bistrots et les bouchons locaux en vins de comptoir. Aujourd'hui, son marché dépasse le cadre national et il s'intéresse bien sûr aux crus. Grenat intense, ce saint-amour reste discret au nez. Puissant et complexe au palais, il révèle des tanins assez fermes et un bon fruité. Un ensemble prometteur qui peut attendre deux ans.

Pierre Dupond, 235, rue de Thizy, BP 79, 69653 Villefranche-sur-Saône Cedex, tél. 04.74.65.24.32, fax 04.74.68.04.14, e-mail pierre.dupond@pierredupond.com

FRANCK JUILLARD 2005 ★★

1 ha 6 000 5 à 8 €

Après s'être installé en 1992 comme métayer sur l'exploitation familiale, Franck Juillard n'a eu de cesse de s'agrandir, achetant ou louant des parcelles, si bien qu'il est aujourd'hui à la tête de 8 ha de vignes. Ce coup de cœur vient inaugurer sa maison d'habitation et surtout son nouveau cuvage équipé de cuves Inox thermorégulées construit pour cette récolte. Quel plaisir de goûter ce vin ! D'un rouge très foncé, il est bien fruité, avec de puissants parfums de cerise, de cassis et de mûre. Après une belle attaque, sa matière charnue et ronde emplit le palais d'élégantes impressions. Gras avec finesse, long et harmonieux, ce 2005 accompagnera pendant cinq ans du gibier ou de la viande rouge. Quant au **juliénas Vieilles Vignes 2005** du domaine (plus de 20 000 bouteilles), il a reçu une étoile.

Franck Juillard, Les Poupets, 69840 Juliénas, tél. et fax 04.74.04.42.56, e-mail fjuillard@terre-net.fr r.-v.

CÉDRIC MARTIN 2005 ★

1 ha 4 000 5 à 8 €

Chânes mérite une visite pour son église romane bien dans le style mâconnais et ses familles dévouées à la cause de la vigne et du vin, comme les Martin. Installé depuis une dizaine d'années, Cédric Martin a obtenu non seulement un coup de cœur pour son 2003 mais aussi une grappe de bronze que lui a remise Pierre Arditi. Le 2005 revêt une robe rubis brillant et délivre des parfums très agréables de fleurs et d'épices. En bouche, il est ample, charpenté et vif. Bien équilibré, ce saint-amour dévoilera toutes ses potentialités dans un an ou deux.

Cédric Martin, Les Verchères, 71570 Chânes, tél. et fax 03.85.37.46.32 r.-v.

JEAN-JACQUES ET SYLVAINE MARTIN 2005 ★★

0,5 ha 3 200 5 à 8 €

Les parents de Cédric Martin (voir ci-dessus). Installé avec son épouse en 1973, Jean-Jacques Martin exploite aujourd'hui 6,50 ha en pleine propriété et en fermage. Il privilégie les façons culturales traditionnelles et, pour les vinifications, se fie à l'action des levures indigènes. Le résultat ? Une citation pour le **beaujolais-villages blanc Les Perrières 2005** et surtout, deux étoiles pour ce saint-amour rouge vif brillant. Ses élégants parfums fruités, sa chair ronde qui emplit la bouche d'impressions fraîches et tendres, sa souplesse et son équilibre en font une bouteille des plus harmonieuses que l'on appréciera durant les deux prochaines années. Le 2003 avait obtenu un coup de cœur.

Jean-Jacques Martin, Les Verchères, 71570 Chânes, tél. 03.85.37.42.27, fax 03.85.37.47.43 r.-v.

CÉLINE ET CYRILLE MIDEY Vieilles Vignes 2005 ★

0,37 ha 2 200 5 à 8 €

Un tout jeune domaine, constitué par une succession d'achats et de reprises effectués à partir de 2001. Il totalise en 2006 près de 6 ha. Céline et Cyrille Midey signent un saint-amour rubis à reflets violets et aux bons parfums épicés. Sa matière charnue et vive, bien équilibrée, emplit le palais d'harmonieuses impressions. On pourra apprécier cette bouteille dès l'automne et pendant plusieurs années. Le **moulin-à-vent Vieilles Vignes 2005** obtient la même note. Il devra patienter en cave au moins un an.

EARL Céline et Cyrille Midey, Les Capitans, Cidex 1119, 71570 Saint-Amour-Bellevue, tél. et fax 04.74.04.41.17 t.l.j. 7h-19h

DOM. DU MOULIN BERGER 2005 ★

3,5 ha 26 000 5 à 8 €

Une progression intéressante pour Michel Laplace : d'abord salarié (en 1973) sur les vignes de ce domaine, il les exploite en métayage à partir de 1976 avant d'en devenir propriétaire. À la tête de 10 ha, il a obtenu une étoile pour son **beaujolais rouge 2005 (3 à 5 €)** et pour son saint-amour. Rubis brillant, ce dernier séduit par son nez intense, fruité et épicé. Un fruité qui se prolonge agréablement dans une chair encore nerveuse soutenue par de bons tanins. Déjà prêt, ce vin harmonieux peut attendre un à deux ans.

Michel Laplace, Le Moulin Berger, 71570 Saint-Amour-Bellevue, tél. 03.85.37.41.57, fax 03.85.37.44.75
t.l.j. 8h-12h 14h-19h; f. 15-25 août

DOM. DE LA PIROLETTE 2005

6 ha 6 000 5 à 8 €

Créée en 1990, cette exploitation signe une cuvée née de vignes de quarante ans. Un vin rouge léger aux reflets violets d'où émanent de puissants parfums vineux accompagnés de notes épicées. Sa matière nerveuse et ses tanins encore jeunes le rendent pour l'heure austère mais se portent garants de son potentiel de garde. À laisser dormir en cave un à deux ans.

Didier Poitevin, Le Bourg, 71570 Saint-Amour-Bellevue, tél. et fax 03.85.37.13.82, e-mail poit.didier@wanadoo.fr r.-v.

DOM. DES PRÉAUX 2005 **

4,65 ha 31 000 8 à 11 €

Grenat intense, ce 2005 livre de discrets parfums de fruits bien mûrs. C'est en bouche qu'il se révèle : sa matière ronde, charnue et puissante à la fois, est soutenue par des tanins d'une agréable souplesse. Un ensemble harmonieux et élégant que l'on aura plaisir à déguster pendant les trois prochaines années. « Vin de plaisir, à boire à deux », conclut un dégustateur ; un saint-amour !

Hervé Buys, Dom. des Préaux, Les Préaux, 71570 Saint-Amour-Bellevue, tél. 04.74.69.09.18, fax 04.74.69.09.75

Le Lyonnais

L'aire de production des vins de l'appellation coteaux-du-lyonnais, située sur la bordure orientale du Massif central, est limitée à l'est par le Rhône et la Saône, à l'ouest par les monts du Lyonnais, au nord et au sud par les vignobles du Beaujolais et de la vallée du Rhône. Vignoble historique de Lyon depuis l'époque romaine, il connut une période faste à la fin du XVI^e^s., religieux et riches bourgeois favorisant et protégeant la culture de la vigne. En 1836, le cadastre mentionnait 13 500 ha. La crise phylloxérique et l'expansion de l'agglomération lyonnaise ont réduit la zone de production. Aujourd'hui, la superficie en production s'élève à 375 ha, répartis sur quarante-neuf communes ceinturant la grande ville par l'ouest, depuis le mont d'Or, au nord, jusqu'à la vallée du Gier, au sud.

Cette zone de 40 km de long sur 30 km de large est structurée par un relief sud-ouest – nord-est qui détermine une succession de vallées à 250 m d'altitude et de collines atteignant 500 m. La nature des terrains est variée ; on y rencontre des granites, des roches métamorphiques, sédimentaires, des limons, des alluvions et du lœss. La structure perméable et légère, la faible épaisseur de certains de ces sols sont le facteur commun qui caractérise la zone viticole où prédominent les roches anciennes.

Coteaux-du-lyonnais

Les trois principales tendances climatiques du Beaujolais sont présentes ici, avec toutefois une influence méditerranéenne plus prononcée. Cependant, le relief, plus ouvert aux aléas climatiques de type océanique et continental, limite l'implantation de la vigne à moins de 500 m d'altitude et l'exclut des expositions nord. Les meilleures situations se trouvent au niveau du plateau. L'encépagement de cette zone est essentiellement à base de gamay noir, cépage qui, vinifié selon la méthode beaujolaise, donne les produits les plus intéressants et les plus recherchés de la clientèle lyonnaise. Les autres cépages admis dans l'appellation sont, en blanc, le chardonnay et l'aligoté. La densité requise est au minimum de 6 000 pieds/ha, les tailles autorisées étant le gobelet ou le cordon et la taille guyot. Le rendement de base est de 60 hl/ha, les degrés d'alcool minimum et maximum étant de 9,5 et

12,5 % vol. pour les vins rouges et les vins blancs. La production est de 16 779 hl en rouge et rosé, et 2 627 hl en blanc pour l'année 2005. Vinifiant les trois quarts de la récolte, la cave coopérative de Sain-Bel est un élément moteur dans cette région de polyculture, où l'arboriculture fruitière est fortement implantée.

Consacrés AOC en 1984, les vins des coteaux-du-lyonnais sont fruités, gouleyants, riches en parfums, et accompagnent agréablement et simplement toutes les cochonnailles lyonnaises, saucisson, cervelas, queue de cochon, petit salé, pieds de porc, jambonneau, ainsi que les fromages de chèvre.

LE BOUC ET LA TREILLE 2004

1,5 ha 7 000 3 à 5 €

Située à 20 km du centre de Lyon, cette exploitation vient de renoncer à l'élevage caprin pour se consacrer exclusivement aux « treilles ». D'un jaune pâle limpide, son 2004 est agréable en bouche. Mais quel nez ! Un fruité intense particulièrement flatteur.

Le Bouc et la Treille, 82, chem. de la Tour-Risler, 69250 Poleymieux-au-Mont-d'Or, tél. 06.60.21.59.22, fax 04.72.26.07.53, e-mail s.vier@tele2.fr r.-v.

DOM. DU CLOS SAINT-MARC 2005

2,71 ha 15 000 3 à 5 €

Ce domaine viticole s'est constitué au début des années 1980, à l'époque où les coteaux-du-lyonnais accédaient à l'AOC. Fidèle au rendez-vous du Guide, il a présenté une cuvée de pur chardonnay. Jaune doré limpide, ce 2005 s'ouvre sur des notes assez intenses de fruits et de fleurs qui se prolongent en bouche. Doté d'une structure légère, il est à servir dès maintenant.

GAEC du Clos Saint-Marc, 60, rte des Fontaines, 69440 Taluyers, tél. 04.78.48.26.78, fax 04.78.48.77.91 r.-v.

MICHEL DESCOTES 2005

1 ha 7 000 3 à 5 €

Au sud de Lyon, dans la vallée du Garon, affluent du Gier, le petit bourg de Millery abrite plusieurs vignerons, tel Michel Descotes qui y cultive près de 5 ha. Il a tiré une cuvée or pâle issue d'un chardonnay cultivé sur des sols granitiques. Ample et vineuse en bouche, elle fait preuve d'une bonne intensité aromatique. À servir dès maintenant à l'apéritif ou avec du poisson ou des crustacés.

Michel Descotes, 12, rue de la Tourtière, 69390 Millery, tél. 04.78.46.31.03, fax 04.72.30.16.65 r.-v.

RÉGIS DESCOTES Prestige 2004 ★★

0,6 ha 3 500 5 à 8 €

Les ancêtres de Régis Descotes se sont installés à Millery à la fin du XVIIes. Une fois de plus, sa production est remarquée par les dégustateurs ; elle se hisse même au sommet avec cette cuvée élevée douze mois en pièce de chêne et mise en bouteilles à la récolte suivante. Or pâle

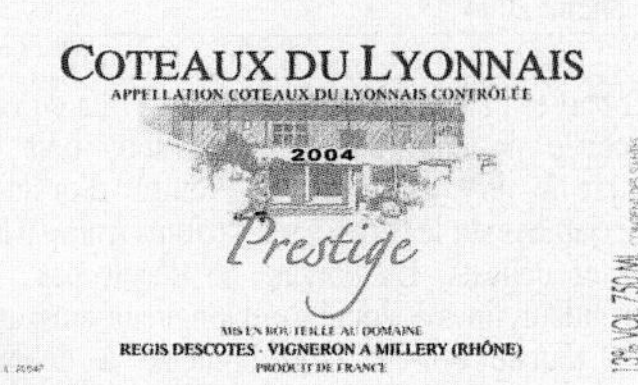

limpide et brillant, ce vin laisse de nombreuses larmes sur les parois du verre. Franc, intense et complexe au nez, il marie des notes toastées, beurrées et des nuances de fruits exotiques. Sa chair très équilibrée où se mêlent vinosité, vivacité et notes boisées se montre élégante et longue. Déjà prête, une bouteille digne d'un homard. Le **rosé 2005 (3 à 5 €)** du domaine reçoit une étoile.

Régis Descotes, 16, av. du Sentier, 69390 Millery, tél. 04.78.46.18.77, fax 04.78.46.16.22, e-mail vinsdescotes@wanadoo.fr r.-v.

ÉTIENNE DESCOTES ET FILS
Vieilles Vignes 2005 ★

1,5 ha 8 000 5 à 8 €

Ce domaine familial s'étend sur 18 ha. Sa cuvée Vieilles Vignes affiche une robe rubis intense et libère des parfums de groseille, de fraise et de framboise qui s'épanouissent agréablement au palais. Frais, équilibré et d'une bonne longueur, un vin gai et gourmand à servir dans l'année. Un **blanc 2005 (3 à 5 €)**, assemblage de 90 % de chardonnay et de 10 % d'aligoté, a par ailleurs été cité.

GAEC Étienne Descotes et Fils, 12, rue des Grès, 69390 Millery, tél. 04.78.46.18.38, fax 04.72.30.70.68, e-mail pierre.descotes@chello.fr r.-v.

PIERRE ET JEAN-MICHEL JOMARD 2005

0,97 ha 7 000 3 à 5 €

À 1 km du domaine, on peut visiter le monastère de la Tourette à Éveux, dessiné par Le Corbusier. Quant aux Jomard, ils cultivent la vigne depuis le XVIes. et possèdent des caves disposées sur trois étages. Une fois de plus, leur blanc est retenu. Né de pur chardonnay, il arbore une livrée bouton d'or qu'agrémentent des reflets verts. C'est surtout au nez qu'il s'impose, avec des parfums expressifs et complexes de tilleul et de miel. La bouche est plus réservée. On l'appréciera dans l'année.

Pierre et Jean-Michel Jomard, Le Morillon, 69210 Fleurieux-sur-l'Arbresle, tél. 04.74.01.02.27, fax 04.74.01.24.04, e-mail jmjomard@waika9.com r.-v.

ANNE MAZILLE Vieilles Vignes 2005

0,8 ha 6 000 3 à 5 €

Depuis dix ans, Anne Mazille conduit un petit vignoble d'un peu moins de 4 ha. Sa cuvée Vieilles Vignes s'habille d'une robe rubis clair et délivre des notes de cassis et de fruits rouges que l'on retrouve en bouche. Équilibré et gouleyant avec ses fins tanins, ce 2005 est à déguster dans l'année. Le **blanc 2005** est également cité.

Anne Mazille, 10, rue du 8-Mai, 69390 Millery, tél. 04.26.65.91.17, fax 04.72.30.16.65, e-mail anne.mazille@chello.fr r.-v.

DOM. DE LA PETITE GALLÉE

Fût de chêne 2004 ★★

	1 ha	5 000		5 à 8 €

Robert et Patrice Thollet exploitent 11 ha de vignes. Cette cuvée de chardonnay élevée sous bois a su convaincre le jury, avec sa robe bouton d'or laissant quelques jambes sur le verre et ses parfums fruités à la fois intenses et délicats. La bouche ne déçoit pas : on y trouve rondeur, finesse, équilibre et longueur, ainsi qu'une agréable touche boisée. Une bouteille à déboucher dès la sortie du Guide et à servir avec des crustacés. À signaler encore, la cuvée **Vieilles Vignes rouge 2005 (3 à 5 €)**, qui obtient une étoile pour sa bonne structure et son fruité.

Maison Thollet,
Dom. de la Petite Gallée, 69390 Millery,
tél. 04.78.46.24.30, e-mail contact@domainethollet.com
r.-v.

DOM. DE PETIT FROMENTIN

Vieilles Vignes 2005 ★★

■	3 ha	20 000		3 à 5 €

À partir des années 1980, la famille Decrenisse a défriché et remis en état des parcelles pour constituer un domaine de 15 ha. Elle montre un grand sens de l'innovation et de la recherche en élaborant des vins de style original ou en se livrant à des assemblages inédits de cépages, en dehors du cadre de l'AOC. Elle sait aussi produire d'excellents vins d'appellation, comme ce « coteaux » rouge issu de vignes de soixante-cinq ans : rouge violacé dans le verre, ce 2005 délivre de plaisants parfums de framboise et d'autres fruits rouges, associés à des notes florales. Bien équilibré avec des tanins fins et souples, cet ensemble flatteur sera prêt à la sortie du Guide.

Marie-Jo et Franck Decrenisse,
911, Le Petit-Fromentin, 69380 Chasselay,
tél. et fax 04.78.47.35.11
t.l.j. sf dim. 17h-19h30; sam. 14h30-19h

DOM. DE PRAPIN Les Générations 2005

■	3 ha	16 500		3 à 5 €

Depuis le nouveau millénaire, la famille Jullian se tourne de plus en plus vers l'accueil des touristes : elle a aménagé deux gîtes et organise le premier week-end de décembre une dégustation de vins et de boudins chauds. Comme dans l'édition précédente, le domaine est retenu dans les deux couleurs : le **blanc 2005** fait jeu égal avec cette cuvée rouge grenat aux reflets violets, aux parfums assez discrets de fruits rouges et noirs, équilibrée à l'attaque, fraîche et épicée en bouche. Un vin facile d'accès, à apprécier dans l'année.

EARL Henri Jullian, Dom. de Prapin,
69440 Taluyers, tél. et fax 04.78.48.24.84,
e-mail jullianh@wanadoo.fr
t.l.j. 10h-12h 14h-19h; dim. sur r.-v.

CAVE DE SAIN-BEL L'Hommée 2005

■	12 ha	50 000		3 à 5 €

Régulièrement mentionnée dans cette appellation, parfois aux meilleures places, la coopérative de Sain-Bel vinifie les vendanges de 265 ha. On retrouve sa cuvée L'Hommée, un vin rubis soutenu au nez intense de framboise, de fraise et de cassis, souple et frais en bouche. Une bouteille conviviale faite pour maintenant. Le **Domaine du Soly rouge 2005**, issu de raisins d'une propriété familiale, reçoit la même note, ainsi que la **cuvée Benoît Maillard blanc 2005**.

Cave de Vignerons réunis, RN 89, 69210 Sain-Bel,
tél. 04.74.01.11.33, fax 04.74.01.10.27,
e-mail cave.vignerons.reunis@wanadoo.fr
t.l.j. sf dim. 9h-12h 14h-18h; groupes sur r.-v.

LE BORDELAIS

LE BORDELAIS

Partout dans le monde, Bordeaux représente l'image même du vin. Pourtant, le visiteur éprouve aujourd'hui quelques difficultés à déceler l'empreinte vinicole dans une ville délaissée par les beaux alignements de barriques sur le port et par les grands chais du négoce, partis vers les zones industrielles de la périphérie. Et les petits bars-caves où l'on venait le matin boire un verre de liquoreux ont presque tous disparu. Autres temps, autres mœurs.

Il est vrai que la longue histoire vinicole de Bordeaux n'en est pas à son premier paradoxe. Songeons qu'ici le vin fut connu avant... la vigne, quand, dans la première moitié du Ier s. av. J.-C. (avant même l'arrivée des légions romaines en Aquitaine), des négociants campaniens commençaient à vendre du vin aux Bordelais. Si bien que, d'une certaine façon, c'est par le vin que les Aquitains ont fait l'apprentissage de la romanité... Par la suite, au Ier s. de notre ère, la vigne est apparue. Mais il semble que ce soit surtout à partir du XIIe s. qu'elle ait connu une certaine extension : le mariage d'Aliénor d'Aquitaine avec Henri Plantagenêt, futur roi d'Angleterre, favorisa l'exportation des « clarets » sur le marché britannique. Les expéditions de vin de l'année se faisaient par mer, avant Noël. On ne savait pas conserver les vins ; après une année, ils étaient moins prisés parce que partiellement altérés.

À la fin du XVIIe s., les « clarets » ont été concurrencés par l'introduction de nouvelles boissons (thé, café, chocolat) et par les vins plus riches de la péninsule Ibérique. D'autre part, les guerres de Louis XIV entraînèrent des mesures de rétorsion économique contre les vins français. Cependant, la haute société anglaise restait attachée au goût des « clarets ». Aussi quelques négociants londoniens cherchèrent-ils, au début du XVIIIe s., à créer un nouveau style de vins plus raffinés, les *new French clarets* qu'ils achetaient jeunes pour les élever. Afin d'accroître leurs bénéfices, ils imaginèrent de les vendre en bouteilles. Bouchées et scellées, celles-ci garantissaient l'origine du vin. Insensiblement, la relation terroir-château-grand vin s'effectua, marquant l'avènement de la qualité. À partir de ce moment, les vins commencèrent à être jugés, appréciés et payés en fonction de leur qualité. Cette situation encouragea les viticulteurs à faire des efforts pour la sélection des terroirs, la limitation des rendements et l'élevage en fût ; parallèlement, ils introduisirent la protection des vins par l'anhydride sulfureux qui permit le vieillissement, ainsi que la clarification par collage et soutirage. À la fin du XVIIIe s., la hiérarchie des crus bordelais était établie. Malgré la Révolution et les guerres de l'Empire, qui fermèrent provisoirement les marchés anglais, le prestige des grands vins de Bordeaux ne cessa de croître au XIXe s., pour aboutir, en 1855, à la célèbre classification des crus du Médoc, qui est toujours en vigueur malgré les critiques que l'on peut émettre à son égard.

Après cette période faste, le vignoble fut profondément affecté par les maladies de la vigne, phylloxéra et mildiou ; et par les crises économiques et les guerres mondiales. De 1960 à la fin des années 1980, le vin de Bordeaux a connu un regain de prospérité, lié à une remarquable amélioration de la qualité et à l'intérêt que l'on porte, dans le monde entier, aux grands vins. La notion de hiérarchie des terroirs et des crus retrouve sa valeur originelle ; mais les vins rouges ont mieux bénéficié de cette évolution que les vins blancs. Au début des années 2000, le marché connaît des difficultés qui ne seront pas sans incidence sur la structure du vignoble.

Le vignoble bordelais est organisé autour de trois axes fluviaux : la Garonne, la Dordogne et leur estuaire commun, la Gironde. Ils créent des conditions de milieux (coteaux bien exposés et régulation de la température) favorables à la culture de la vigne. En outre, ils ont joué un rôle économique important en permettant le transport du vin vers les lieux de consommation. Le climat de la région bordelaise est relativement tempéré (moyennes annuelles 7,5 °C minimum, 17 °C maximum), et le vignoble protégé de l'Océan par la forêt de pins. Les gelées d'hiver sont exceptionnelles (1956, 1958, 1985), mais une température inférieure à -2 °C sur les jeunes bourgeons (avril-mai) peut entraîner leur destruction. Un temps froid et humide au moment de la floraison (juin) provoque un risque de coulure, qui correspond à un avortement des grains. Ces deux accidents entraînent des pertes de récolte et expliquent la variation de leur importance. En revanche, la qualité de la récolte suppose un temps chaud et sec de juillet à octobre, tout particulièrement pendant les quatre dernières semaines précédant les vendanges (globalement, 2 008 heures de soleil par an). Le climat bordelais est assez humide (900 mm de précipitations annuelles) ; particulièrement au printemps, où le temps n'est pas toujours très bon. Mais les automnes sont réputés, et de nombreux millésimes ont été sauvés *in extremis* par une arrière-saison exceptionnelle ; les grands vins de Bordeaux n'auraient jamais pu exister sans cette circonstance heureuse.

La vigne est cultivée en Gironde sur des sols de natures très diverses et le niveau de qualité n'est pas lié à un type de sol particulier. La plupart des grands crus de vin rouge sont établis sur des alluvions gravelo-sableuses siliceuses ; mais on trouve aussi des vignobles réputés sur les calcaires à astéries, sur les molasses et même sur des sédiments argileux. Les vins blancs secs sont produits indifféremment sur des nappes alluviales gravelo-sableuses, sur calcaire à astéries et sur limons ou molasses. Les deux premiers types se retrouvent dans les régions productrices de vins liquoreux, avec les argiles. Dans tous les cas, les mécanismes naturels ou artificiels (drainage) de régulation de l'alimentation en eau constituent une caractéristique essentielle de la production de vins de qualité. Il s'avère donc qu'il peut exister des crus ayant la même réputation de haut niveau sur des roches-mères différentes. Cependant, les caractères aromatiques et gustatifs des vins sont influencés par la nature des sols ; les vignobles du Médoc et de Saint-Émilion en fournissent de bons exemples. Par ailleurs, sur un même type de sol, on produit indifféremment des vins rouges, des vins blancs secs et des vins blancs liquoreux.

Le vignoble bordelais a déclaré 123 381 ha en 2005 pour une production de 6 M hl ; à la fin du XIXe s., il s'est étendu sur plus de 150 000 ha. Après avoir connu une forte régression dans la première partie du XX[e]s., il a connu une considérable expansion entre 1983 et 2003, gagnant 20 000 ha. La production globale approche les 7 millions d'hectolitres actuellement. On assiste à une concentration des propriétés, avec une diminution du nombre des producteurs.

Les vins de Bordeaux ont toujours été produits à partir de plusieurs cépages qui ont des caractéristiques complémentaires. En rouge, les cabernets et le merlot sont les principales variétés. Les premiers donnent aux vins leur structure tannique, mais il faut plusieurs années pour qu'ils atteignent leur qualité optimale ; en outre, le cabernet-sauvignon est un cépage tardif, qui résiste bien à la pourriture, mais avec parfois des difficultés de maturation. Le merlot donne un vin plus souple, d'évolution plus rapide ; il est plus précoce et mûrit bien, mais il est sensible à la coulure, à la gelée et à la pourriture. Sur une longue période, l'association des deux cépages, dont les proportions varient en fonction des sols et des types de vin, donne les meilleurs résultats. Pour les vins blancs, le cépage essentiel est le sémillon (52 %), complété dans certaines zones par le colombard (11 %) et surtout par le sauvignon – qui tend à se développer – et la muscadelle (15 %), qui possèdent des arômes spécifiques très fins. L'ugni blanc est en retrait.

La vigne est conduite en rangs palissés, avec une densité de ceps à l'hectare très variable. Elle atteint 10 000 pieds dans les grands crus du Médoc et des Graves ; elle se situe à 4 000 pieds dans les plantations classiques de l'Entre-deux-Mers, pour tomber à moins de 2 500 pieds dans les vignes dites hautes et larges. Les densités élevées permettent une diminution de la récolte par pied, ce qui est favorable à la maturité ; par contre, elles entraînent des frais de plantation et de culture plus élevés et luttent moins bien contre la pourriture. La vigne est l'objet, tout au long de l'année, de soins attentifs. C'est à la faculté des sciences de Bordeaux qu'a été découverte en 1885 la « bouillie

Le Bordelais

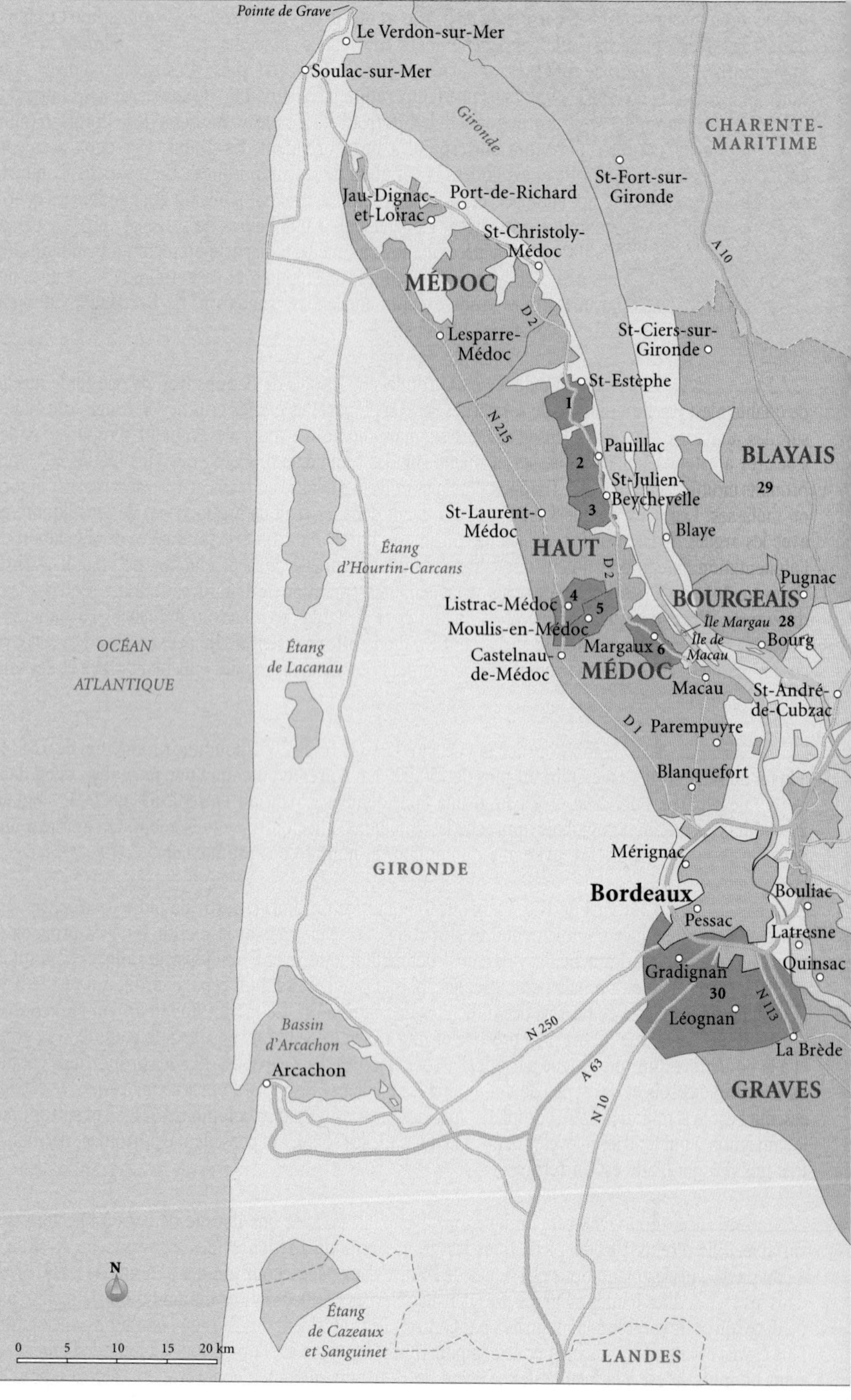

Pointe de Grave
Le Verdon-sur-Mer
Soulac-sur-Mer
Gironde
CHARENTE-MARITIME
St-Fort-sur-Gironde
Jau-Dignac-et-Loirac
Port-de-Richard
St-Christoly-Médoc
A 10
MÉDOC
D 2
Lesparre-Médoc
St-Ciers-sur-Gironde
St-Estèphe
1
N 215
Pauillac
2
BLAYAIS
St-Julien-Beychevelle
29
3
St-Laurent-Médoc
Blaye
HAUT
Étang d'Hourtin-Carcans
D 2
Pugnac
4
Listrac-Médoc
5
BOURGEAIS
Moulis-en-Médoc
Île Margau
28
OCÉAN ATLANTIQUE
Étang de Lacanau
Margaux
6
Île de Macau
Bourg
Castelnau-de-Médoc
MÉDOC
Macau
St-André-de-Cubzac
D 1
Parempuyre
Blanquefort
Mérignac
GIRONDE
Bordeaux
Bouliac
Pessac
Latresne
Gradignan
Quinsac
30
N 113
Léognan
N 250
Bassin d'Arcachon
La Brède
Arcachon
A 63
GRAVES
N 10
N
Étang de Cazeaux et Sanguinet
0 5 10 15 20 km
LANDES

AOC communales
AOC sous-régionales
bordeaux
1 saint-estèphe
2 pauillac
3 saint-julien
4 listrac-médoc
5 moulis-en-médoc
6 margaux
7 cérons
8 barsac
9 sauternes
10 sainte-croix-du-mont
11 loupiac
12 cadillac
13 premières-côtes-de-bordeaux
14 côtes-de-bordeaux-saint-macaire
15 sainte-foy-bordeaux
16 graves-de-vayres
17 saint-émilion
18 lussac-saint-émilion
19 montagne-saint-émilion
20 puisseguin-saint-émilion
21 saint-georges-saint-émilion
22 côtes-de-castillon
23 bordeaux-côtes-de-francs
24 lalande-de-pomerol
25 pomerol
26 fronsac
27 canon-fronsac
28 côtes-de-bourg
29 blaye, premières-côtes-de-blaye
30 pessac-léognan
Régions viticoles limitrophes
Limites de départements
CHARENTE
DORDOGNE
LIBOURNAIS
ENTRE-DEUX-MERS
LOT-ET-GARONNE
N 10
Dronne
Isle
Guîtres
N 89
A 89
A 10
Cadillac-en-Fronsadais
Pomerol
Libourne
St-Émilion
Castillon-la-Bataille
D 936
Ste-Foy-la-Grande
Bergerac
Dordogne
La Sauve
Pellegrue
Langoiran
Sauveterre-en-Guyenne
Duras
Dropt
Podensac
Cadillac
Cérons
Loupiac
Barsac
N 113
La Réole
St-Macaire
A 62
Langon
Sauternes
Marmande
GARONNE
Auros
Uzeste
Bazas
D 932
Ciron
Bordelais

bordelaise » (sulfate de cuivre et chaux), pour la lutte contre le mildiou. Connue dans le monde entier, elle est toujours utilisée, bien qu'aujourd'hui les viticulteurs disposent d'un grand nombre de produits de traitement, mis au service de la nature et jamais dirigés contre elle.

Les très grands millésimes ne manquent pas à Bordeaux. Citons pour les rouges les 1995, 1990, 1982, 1975, 1961 ou 1959, mais aussi les 2000, 1989, 1988, 1985, 1983, 1981, 1979, 1978, 1976, 1970 et 1966, sans oublier, dans les années antérieures, les fameux millésimes que furent les 1955, 1949, 1947, 1945, 1929 et 1928. On a noté, dans un passé récent, l'augmentation des millésimes de qualité et, réciproquement, la diminution des millésimes médiocres. Peut-être le vignoble a-t-il profité de conditions climatiques favorables ; mais il faut y voir essentiellement le résultat des efforts des viticulteurs, s'appuyant sur les acquisitions de la recherche pour affiner les conditions de culture de la vigne et la vinification. La viticulture bordelaise dispose de terroirs exceptionnels, mais elle sait les mettre en valeur par la technologie la plus raffinée qui puisse exister et qui est désormais mise en œuvre dans bien des pays du Nouveau Monde.

Si la notion de qualité des millésimes est moins marquée dans le cas des vins blancs secs, elle reprend toute son importance avec les vins liquoreux, pour lesquels les conditions du développement de la pourriture noble sont essentielles (voir l'introduction : « Le Vin », et les différentes fiches des vins concernés).

La mise en bouteilles à la propriété se fait depuis longtemps dans les grands crus ; cependant, pour beaucoup d'entre eux, elle n'est complète que depuis une vingtaine d'années. Pour les autres vins (appellations régionales), le viticulteur assurait traditionnellement la culture de la vigne et la transformation du raisin en vin, puis le négoce prenait en charge non seulement la distribution des vins, mais aussi leur élevage, c'est-à-dire leurs assemblages pour régulariser la qualité jusqu'à la mise en bouteilles. La situation se modifie graduellement et l'on peut affirmer qu'actuellement la grande majorité des AOC est élevée, vieillie et stockée par la production. Les progrès de l'œnologie permettent aujourd'hui de vinifier régulièrement des vins consommables en l'état ; tout naturellement, les viticulteurs cherchent donc à les valoriser en les mettant eux-mêmes en bouteilles ; les caves coopératives ont joué un rôle dans cette évolution, en créant des unions qui assurent le conditionnement et la commercialisation des vins. Le négoce conserve toujours un rôle important au niveau de la distribution, en particulier à l'exportation, grâce à ses réseaux bien implantés depuis longtemps. Il n'est pas impossible cependant que, dans l'avenir, les vins de marque des négociants trouvent un regain d'intérêt auprès de la grande distribution de détail.

La commercialisation de la production de vin de Bordeaux est soumise aux aléas de la conjoncture économique et à la qualité de la récolte. La commercialisation s'évalue en milliards d'euros. Dans un passé récent, le Conseil interprofessionnel des vins de Bordeaux a pu jouer un grand rôle en matière de commercialisation, par la mise en place d'un stock régulateur, d'une mise en réserve qualitative et de mesures financières d'organisation du marché. Son action est soumise aux règles de l'Union européenne.

L'importance de la viticulture dans la vie régionale est considérable, puisque l'on estime qu'un Girondin sur six dépend directement ou indirectement des activités viti-vinicoles. Mais qu'il soit rouge, blanc sec ou liquoreux, dans ce pays gascon qu'est le Bordelais, le vin n'est pas seulement un produit économique. C'est aussi et surtout un fait de culture. Car derrière chaque étiquette se cachent tantôt des châteaux à l'architecture de rêve, tantôt de simples maisons paysannes, mais toujours des vignes et des chais où travaillent des hommes, apportant, avec leur savoir-faire, leurs traditions et leurs souvenirs.

Les confréries vineuses (Jurade de Saint-Émilion, Commanderie du Bontemps du Médoc et des Graves, Connétablie de Guyenne, etc.) organisent régulièrement des manifestations à caractère folklorique dont le but est l'information en faveur des vins de Bordeaux ; leur action est coordonnée au sein du Grand Conseil du vin de Bordeaux.

Les appellations régionales bordeaux

Si le public situe assez facilement les appellations communales, il lui est souvent plus difficile de se faire une idée exacte de ce que représente l'appellation bordeaux. Pourtant, la définir est apparemment simple : ont droit à cette appellation après agrément tous les vins produits dans la zone délimitée du département de la Gironde, à l'exclusion de ceux qui viendraient de la zone sablonneuse située à l'ouest et au sud (la lande, consacrée depuis le XIX[e]s. à la forêt de pins). Autrement dit, ce sont tous les terroirs à vocation viticole de la Gironde qui ont droit à cette appellation. Et tous les vins qui y sont produits peuvent l'utiliser, à condition qu'ils soient conformes aux règles fixées pour son attribution (sélection des cépages, rendements à ne pas dépasser...). Mais derrière cette simplicité se cache une grande variété. Variété, tout d'abord, des types de vins. En effet, plus que d'une appellation bordeaux, il convient de parler des appellations bordeaux, celles-ci comportant des vins rouges, mais aussi des rosés et des clairets, des vins blancs (secs et liquoreux) et des mousseux (blancs ou rosés). Variété des origines ensuite, les bordeaux pouvant être de plusieurs types : pour les uns, il s'agit de vins produits dans des secteurs de la Gironde n'ayant droit qu'à la seule appellation bordeaux, comme les régions de palus (certains sols alluviaux) proches des fleuves, ou quelques zones du Libournais (communes de Saint-André-de-Cubzac, Guîtres, Coutras...). Pour les autres, il s'agit de vins provenant de régions ayant droit à une appellation spécifique (médoc, saint-émilion, pomerol, etc.). Dans certains cas, l'utilisation de l'appellation régionale s'explique alors par le fait que l'appellation locale est commercialement peu connue (comme pour les bordeaux côtes-de-francs, les bordeaux haut-benauge, les bordeaux sainte-foy ou les bordeaux saint-macaire) ; l'appellation spécifique est un complément de l'appellation régionale. Il arrive également que l'on trouve des bordeaux provenant d'une propriété située dans l'aire de production d'une appellation communale prestigieuse, ce qui ne manque pas d'intriguer certains amateurs curieux. Mais là aussi l'explication est aisée à trouver : traditionnellement, beaucoup de propriétés en Gironde produisent plusieurs types de vins (notamment des rouges et des blancs) ; or dans de nombreux cas (médoc, saint-émilion, entre-deux-mers ou sauternes), l'appellation spécifique ne s'applique qu'à un seul type. Les autres productions sont donc commercialisées comme bordeaux ou bordeaux supérieurs.

S'ils sont moins célèbres que les grands crus, tous ces bordeaux n'en constituent pas moins quantitativement la première appellation de la Gironde, avec, en 2005, en rouge et rosé, 2 929 220 hl, 392 631 hl pour les blancs et 10 235 hl pour les crémants-de-bordeaux.

L'importance de cette production et l'impressionnante surface du vignoble ont pour conséquence une certaine diversité de caractères. Pourtant, il existe aussi des points communs, donnant leur unité aux différentes appellations régionales et tout d'abord par l'utilisation de même cépages (cabernet-sauvignon, cabernet franc, merlot). Ainsi les bordeaux rouges sont des vins qui doivent être fruités, mais pas trop corsés, pour pouvoir être consommés jeunes. Les bordeaux supérieurs rouges se veulent des vins plus complets. Les bordeaux clairets et rosés, eux, sont obtenus par faible macération de raisins de cépages rouges ; les clairets ont une couleur un peu plus soutenue. Ils sont frais et fruités, mais leur production reste très limitée.

Les bordeaux blancs sont des vins secs, nerveux et fruités. Leur qualité a été améliorée par les progrès réalisés dans les techniques de conduite de la vinification. Les bordeaux supérieurs blancs sont moelleux et onctueux ; leur production est limitée.

Il existe enfin une appellation crémant-de-bordeaux. Les vins de base doivent être produits dans l'aire d'appellation bordeaux. La deuxième fermentation (prise de mousse) doit être effectuée en bouteilles dans la région de Bordeaux.

Bordeaux

CH. ARNAUD 2004 ★

■ 20 ha 120 000 ▮ 3 à 5 €

Dominant la vallée de Sainte-Foy-la-Grande, cette propriété de plus de 25 ha bénéficie de coteaux exposés plein sud, aux sols argilo-calcaires. L'encépagement, classique, est dominé par le merlot. C'est un vin rouge soutenu qui s'offre dans le verre. Ouvert sur les notes de fruits rouges mûrs, d'épices, il possède une trame de tanins fins, enveloppée d'une chair ronde et persistante. À apprécier dès maintenant.

Christian Zucchetto, 1, Chaternaud, 33220 Saint-André-et-Appelles, tél. et fax 05.57.46.19.76

ARNOZAN Réserve des Chartrons 2004

■ n.c. 150 000 ▮ 3 à 5 €

Le cours Arnozan correspond aux Chartrons, quartier historique des négociants de Bordeaux. Un vin de

négoce, donc, que ce 2004 dominé par le merlot (70 %). Sous une robe de velours rouge intense se dévoilent des arômes de cerise et de brioche. La complexité aromatique (fruits rouges et réglisse) marque également la bouche souple et charnue qui invite à une dégustation immédiate.
🔑 Producta, 21, cours Xavier-Arnozan,
33300 Bordeaux, tél. 05.57.81.18.18, fax 05.56.81.22.12,
e-mail producta@producta.com

CH. LES ARROMANS Cuvée Prestige 2004 ★

■ 2 ha 15 000 🛢 5 à 8 €

Depuis la tour médiévale d'Ansouhait, dans la commune de Moulon, à quelques kilomètres au sud de Libourne, vous pourrez admirer le vignoble bordelais. Il vous suffira ensuite de diriger vos pas vers Les Arromans pour découvrir ce bordeaux exclusivement issu de merlot. L'harmonie règne tant dans le bouquet complexe de fruits rouges, de kirsch, de pruneau, d'épices que dans la chair ronde, gourmande et fruitée, étayée par des tanins assagis. La finale est agréablement boisée. Une bouteille à servir dans deux ans.
🔑 Joël Duffau, 2, Les Arromans,
33420 Moulon, tél. 05.57.74.93.98,
fax 05.57.84.66.10, e-mail joel.duffau@tiscali.fr
☑ 🍷 🚶 t.l.j. sf dim. 8h-12h 14h-19h

CH. DE BALAN 2004 ★

■ 23 ha 9 000 🛢 3 à 5 €

Un bordeaux grenat à reflets violacés, dont les arômes de cerise et de framboise se mêlent aux notes épicées. Les tanins bien présents soutiennent une matière ample et ronde, relevée d'une légère fraîcheur. S'ils marquent encore la finale, ils devraient s'assagir à la faveur de trois ans de garde.
🔑 GAEC Ch. de Balan,
lieu-dit Balan, 33490 Sainte-Foy-la-Longue,
tél. 05.56.76.43.41, fax 05.56.76.47.34 ☑ 🍷 🚶 r.-v.
🔑 Jeans

BARTON & GUESTIER 2004 ★

■ n.c. 120 000 🛢 5 à 8 €

Étiquette dorée et label rouge mentionnant la date de création de cette maison de négoce (1725). C'est ainsi que vous reconnaîtrez ce bordeaux dominé par le merlot à 60 %. Au bouquet de fruits rouges mêlés de notes boisées, torréfiées et grillées répond une bouche puissante et séveuse, aux tanins déjà fondus. Les flaveurs de fruits rouges, de vanille et de pain grillé persistent bien, laissant une impression suave en finale. Un vin aromatique et harmonieux qui saura attendre deux ans.
🔑 Barton et Guestier, Ch. Magnol, 87, rue du Dehez,
33290 Blanquefort, tél. 05.56.95.48.00,
fax 05.56.95.48.01, e-mail barton-guestier@diageo.com

CH. BEL AIR 2004 ★

■ 50 ha 360 000 🛢 3 à 5 €

L'histoire de ce domaine remonte aux XIe s., période à laquelle les moines de l'abbaye de Blasimon implantèrent les premiers ceps de vigne. La chartreuse du XVIIIe s. a d'ailleurs gardé quelques éléments architecturaux du Moyen Âge. Merlot et cabernets sont parfaitement équilibrés dans ce vin aux senteurs de fruits confits, de marmelade et de sous-bois. La bouche agréablement structurée, enveloppée de flaveurs de mûre et de cassis laisse une sensation gourmande jusqu'en finale. Un bordeaux bien vinifié, à découvrir dès maintenant.
🔑 Philippe Moysson, Le Bédat, 33540 Blasimon,
tél. 05.57.84.10.74, fax 05.57.84.00.51
☑ 🍷 🚶 t.l.j. sf sam. dim. 9h-12h 14h-18h

CH. BELLEVUE LA MONGIE 2003 ★

■ 8 ha 40 000 🛢 3 à 5 €

Dominé par le merlot (85 %), ce bordeaux d'un rouge profond aux reflets carmin offre des parfums de fleurs et de fruits rouges. Les tanins très présents étayent la chair puissante et chaleureuse, et donnent à la longue finale un caractère encore ferme. Deux ans de garde permettront au vin de s'épanouir harmonieusement.
🔑 Michel Boyer, Ch. Bellevue La Mongie,
33420 Génissac, tél. 05.57.24.48.43, fax 05.57.24.48.63
☑ 🍷 🚶 t.l.j. 8h-12h 14h-19h; sam. dim. sur r.-v.

CH. DE BERNADON Cuvée Prestige 2003

■ 5 ha 30 000 🛢🛢 3 à 5 €

Belle présentation pour ce vin rubis, assemblage équitable de merlot et de cabernet franc. Il marie habilement les fruits et les épices, puis révèle sa chair et sa trame de tanins fermes qui ne demandent qu'à s'affiner. Trois ans devraient y suffire.
🔑 Nicole Rouvière, Ch. de Bernadon,
33580 Monségur, tél. 05.45.81.16.58 ☑ 🍷 🚶 r.-v.

CH. BONNET Réserve 2003 ★★

■ 70 ha 400 000 🛢 5 à 8 €

Le merlot et le cabernet franc à parts égales, plantés sur les croupes argilo-calcaires de Grézillac (Entre-deux-Mers), les techniques modernes de vinification et l'élevage de douze mois en barrique ont permis d'élaborer ce remarquable bordeaux. Habillé d'un rouge profond, nuancé de reflets cerise et cassis, celui-ci libère un nez frais et complexe, mêlant les fruits rouges et noirs à un fin boisé mentholé. Souple, ample et veloutée, la bouche fruitée est soulignée par un caractère toasté bien fondu. La finale persiste agréablement. Deux ans de garde permettront à cette bouteille de se bonifier encore. Le **Divinus de Château Bonnet 2003 (11 à 15 €)** mérite une étoile pour la richesse de ses arômes, l'ampleur de sa matière et la maturité de ses tanins.
🔑 André Lurton, Ch. Bonnet, 33420 Grézillac,
tél. 05.57.25.58.58, fax 05.57.74.98.59,
e-mail andrelurton@andrelurton.com ☑ 🍷 🚶 r.-v.

CHAI DE BORDES 2004 ★

■ n.c. 80 000 🛢 3 à 5 €

Sous une robe grenat profond, ourlée de reflets violets, apparaît un nez discret de fleurs et de fruits confits. Le corps est ample et gras, soutenu par des tanins bien présents, mais élégants qui laissent les flaveurs de fruits confits s'exprimer. Un bordeaux puissant et harmonieux, à découvrir en 2007.
🔑 Cheval-Quancard, La Mouline,
BP 36, 33565 Carbon-Blanc Cedex,
tél. et fax 05.57.77.88.88,
e-mail chevalquancard@chevalquancard.com 🍷 🚶 r.-v.

DOM. DE BOUILLEROT Cuvée Fruits d'Automne 2004 ★

■ 11 ha 20 000 🛢 5 à 8 €

Dominée par le merlot à 90 %, contre 10 % de cabernet franc, cette cuvée annonce sa matière riche et charnue par sa robe pourpre foncé comme par son bouquet intense et élégant de fruits cuits et d'épices.

Certes, sa structure est imposante, mais elle ne se montre jamais agressive. Un vin des plus plaisants à apprécier dans deux ans.
🔑 La Guyennoise, BP 17,
33540 Sauveterre-de-Guyenne, tél. 05.56.71.50.76,
fax 05.56.71.87.70, e-mail lilymartin@laguyennoise.com
🔑 Thierry Bos

CH. BRÉJOU Élevé en fût de chêne 2003

■ 18 ha 2 500 ◐ 5 à 8 €

Implanté sur des coteaux argilo-calcaires et graveleux, le château Bréjou domine la Dordogne, non loin de la bastide de Sainte-Foy-la-Grande fondée au XIII[e]s. par Alphonse de Poitiers, frère de Saint Louis. Un assemblage classique de merlot et de cabernets a donné naissance à ce vin pourpre profond qui décline de légers arômes de fruits noirs, d'épices et des notes viandées. La bouche riche et équilibrée développe des flaveurs de fruits cuits avant de conclure avec discrétion. À servir dans deux ans.
🔑 Francis Sottana,
9, le Petit-Montet, 33220 Saint-André-et-Appelles,
tél. et fax 05.57.46.58.81 ☑ Y r.-v.

CH. BRIOT 2004

■ 38 ha 140 000 ▮ 3 à 5 €

Les arômes de fruits dominent ce vin marqué par le cabernet-sauvignon. De sa robe grenat foncé explosent des notes de framboise, de fraise et de groseille. Une ligne délicate que l'on retrouve dans la chair tendre, entourée de tanins agréables. Un bordeaux sympathique, à savourer dès maintenant.
🔑 Ginestet, 19, av. de Fontenille,
33360 Carignan-de-Bordeaux, tél. 05.56.20.90.74,
fax 05.56.20.91.74, e-mail contact@ginestet.fr Y ✝ r.-v.

BENOÎT VALÉRIE CALVET Le Voyageur 2004 ★

■ n.c. 35 000 ◐ - de 3 €

Cette maison se situe dans le quartier historique du négoce des vins de Bordeaux, les Chartrons. Le Voyageur s'habille d'un grenat profond, ourlé de violet, et dévoile des senteurs de cassis, de sureau et de sous-bois. Concentré et charnu, il repose sur une charpente solide qui laisse en finale une impression encore austère, mais le vin promet de s'épanouir au cours de quatre années de garde.
🔑 SAS Benoît Valérie Calvet, 44, rue Barreyre,
33300 Bordeaux, tél. 05.57.87.01.87, fax 05.57.87.08.08,
e-mail bvc@bvcbordeaux.com

CH. CAVALE BLANCHE 2004 ★

■ 5,8 ha 5 000 ◐ 3 à 5 €

Issu d'un terroir argileux planté principalement de merlot, ce bordeaux a bénéficié d'un élevage de douze mois en barrique. Il en résulte une agréable ligne boisée, en harmonie avec le bouquet de fruits rouges et d'épices. Grenat intense, le vin offre une matière ronde et tout aussi aromatique ; les tanins fermes ne demanderont que peu de temps pour se fondre.
🔑 Jean-Yves Millaire, Lamarche, 33126 Fronsac,
tél. 06.08.33.81.11, fax 05.57.24.94.99,
e-mail vignoblemillaire@aol.com
☑ Y ✝ t.l.j. 8h-13h 14h-20h

CH. LA CHAPELLE MAILLARD
Élevé en fût de chêne 2004

■ 9,81 ha 80 000 ◐ 5 à 8 €

À proximité de la bastide du XIII[e]s. de Sainte-Foy-la-Grande, ce domaine conduit en agriculture biologique est planté majoritairement de cabernets sur sol argilo-calcaire. Le passage de douze mois en barrique se traduit par des notes de vanille et d'autres épices en contrepoint des fruits rouges et noirs dans ce vin profondément coloré, ourlé de violine. Après une attaque ronde, la bouche ample dévoile des flaveurs fruitées et des tanins bien présents qui laissent une pointe d'austérité en finale. Dans deux ans, l'harmonie devrait être au rendez-vous.
🔑 J.-Ch. Mauro, SCEA Ch. La Chapelle Maillard,
Bourasson, 33220 Saint-Quentin-de-Caplong,
tél. 05.57.41.26.92, fax 05.57.41.27.87,
e-mail jean-christophe.mauro@wanadoo.fr

LA CLÈDE Cuvée Prestige 2004 ★

■ n.c. 250 000 ▮ - de 3 €

Une marque de négoce qui représente bien l'appellation régionale. Un grenat profond et un fruité chaleureux pour invite, puis une matière ample et ronde, reposant sur une trame de tanins mûrs, pour convaincre. Le potentiel est réel : il se révélera dans deux ans.
🔑 Les Caves de la Brèche, ZAE de L'Arbalestrier,
33220 Pineuilh, tél. 05.57.41.91.50, fax 05.57.46.42.76,
e-mail contact@grm-vins.fr Y r.-v.

CLOS DES JOURDENNES 2004 ★★

■ 1 ha 5 600 ◐ 5 à 8 €

Seulement 1 ha de vignes pour ce cru au terroir de sables argileux reposant sur du tuf. Provenant exclusivement du merlot, le vin offre sous une robe pourpre intense des notes de fruits noirs délicatement enveloppées de grillé, de toasté, de menthol et d'épices. Le corps d'une grande souplesse bénéficie de tanins séduisants, fondus dans la chair ample. Un fin boisé et des flaveurs de fruits mûrs persistent élégamment en finale. Une remarquable réussite pour le millésime. Deux ans de garde suffiront à porter ce bordeaux au meilleur niveau.
🔑 Pascal Dufossé, 8 bis, Les Jourdennes,
33230 Coutras, tél. et fax 05.57.49.28.18,
e-mail pascaldufoss@aol.com ☑ Y ✝ r.-v.

LE GRAND VIN DE CLOSSMANN 2003 ★★

■ n.c. 90 000 ◐ 8 à 11 €

Fondée par le baron Clossmann en 1770, cette maison de négoce est l'une des plus anciennes de Bordeaux. On lui doit aujourd'hui ce vin d'un rouge soutenu, dont le nez complexe évoque avec délicatesse les fruits rouges, les fruits confits, l'amande et la noisette. Des tanins puissants et un boisé de qualité encadrent la matière ronde et fruitée, aux notes de chocolat, puis la finale s'étire avec une certaine fermeté. Il vous faudra patienter trois ans pour apprécier pleinement cette bouteille.
🔑 Œnoalliance, rte du Petit-Conseiller,
33750 Beychac-et-Caillau, tél. 05.57.97.39.73,
fax 05.57.97.39.74, e-mail scluzeau@oenoalliance.com

CH. DES COMBES 2004 ★

■ 9 ha 69 000 ▮◐ 3 à 5 €

Ce vin marqué par le cabernet-sauvignon (75 %) s'affiche dans une robe légèrement évoluée avant de libérer son élégant bouquet de fruits rouges, de vanille et d'épices. Il trouve un bel équilibre entre sa chair ronde et souple et la solide trame de tanins qui le soutient longtemps au palais. Un bordeaux prometteur que vous ne déboucherez pas avant trois ans.

⊶ SCEA Vignobles Ducourt, 18, rte de Montignac, 33760 Ladaux, tél. 05.57.34.54.00, fax 05.56.23.48.78, e-mail vignobles-ducourt@wanadoo.fr ⚲r.-v.

CH. COULONGE Élevé en fût de chêne 2003 *

■ 16 ha 80 000 ◧ 5 à 8 €

Ce domaine est entré dans la famille de Daniel et Nicolas Roux en 1804, lorsque la comtesse de Benauge rétroceda des terres à ses métayers. Aujourd'hui fort de 50 ha sur sols argilo-calcaires, il se partage équitablement entre merlot et cabernet-sauvignon. Ce bordeaux laisse éclater à travers sa robe rubis des arômes de fruits rouges, de cassis, de vanille et de grillé. Les tanins fondus s'intègrent élégamment au corps rond et ample, contribuant à une impression de puissance et d'équilibre. Les notes bien agréables de fruits rouges confits en finale témoignent d'une vinification réussie. À servir dès maintenant ou à attendre deux ans.

⊶ Vignoble Daniel et Nicolas Roux, Ch. Coulonge, 33410 Mourens, tél. 05.56.61.98.73, fax 05.56.61.98.80 ☑ Y ⚲ r.-v.

CH. DE LA COUR D'ARGENT 2004 *

■ 19 ha 124 000 ▮◧ 5 à 8 €

Quelques scènes de la série télévisée *La Rivière Espérance* ont été tournées dans le chai de cette propriété familiale. Élevé douze mois en barrique, ce vin de merlot (95 %) s'ouvre sur des arômes de cerise noire, de grillé, nuancés d'une touche animale. Un boisé élégant souligne la matière dense et ronde jusqu'à la finale toute toastée et caressante. Un bordeaux qui s'épanouira encore à la faveur de deux ans de garde.

⊶ SCEA des Vignobles Denis Barraud, Ch. Les Gravières, 33330 Saint-Sulpice-de-Faleyrens, tél. 05.57.84.54.73, fax 05.57.84.52.07, e-mail denis.barraud@wanadoo.fr ☑ Y ⚲ r.-v.

D:VIN 2004 *

■ 1,75 ha 9 200 ◧ 11 à 15 €

L'histoire du D:vin commence en 1997 lorsque Hervé Grandeau et Iakob Schjerbeck, négociant d'origine danoise, ont eu l'idée de produire un bordeaux « fait pour divertir ». Deux parcelles du château Lauduc, aux sols de graves et d'argilo-calcaires, sont mises à contribution. Issu de 80 % de merlot et de 20 % de cabernet-sauvignon, le 2004 a connu un élevage dans 100 % de bois neuf pendant quatorze mois. Le voici, rouge profond, qui libère des arômes de fruits rouges, rehaussés d'un agréable boisé. Au palais, il possède du gras, du fruité et une structure équilibrée qui en fait une bouteille déjà plaisante tout en lui assurant une bonne évolution dans le temps.

⊶ Maison Grandeau Lauduc, Dom. de Bellevue, 5, av. de Lauduc, 33370 Tresses, tél. 05.57.34.43.56, fax 05.57.34.43.58, e-mail m.grandeau@lauduc.fr ☑ Y ⚲ r.-v.

DELOR Réserve Élevé en fût de chêne 2004

■ n.c. 310 000 ◧ 3 à 5 €

Ce vin de marque, né de merlot (60 %) associé au cabernet-sauvignon, est destiné à la grande distribution et à l'export. Après de francs arômes de fruits, de grillé et de torréfaction se dévoile un corps souple et rond, souligné par un boisé certes présent mais qui ne domine pas les flaveurs de fruits rouges en fin de bouche. Deux ans de vieillissement permettront à la structure tannique de se fondre.

⊶ Maison Delor, 35, rue de Bordeaux, BP 49, 33290 Parempuyre, tél. 05.56.35.53.00, fax 05.56.35.53.29, e-mail contact@cvbg.com Y ⚲ r.-v.

DOURTHE N° 1 2004 **

■ n.c. 850 000 ◧ 8 à 11 €

En s'approvisionnant principalement dans l'Entre-deux-Mers, avec un complément de récoltes des vignobles des Côtes, et en développant depuis quinze ans une démarche de qualité avec ses vignerons partenaires, la maison Dourthe a créé un remarquable bordeaux de marque. En témoigne ce 2004 rubis qui brille de reflets violets et livre un bouquet complexe de fleurs, de groseille, de toasté et de grillé. Les tanins fins et mûrs soutiennent une matière riche, empreinte de flaveurs de fruits et de pain grillé. Une longue finale vanillée signe ce vin équilibré et prometteur.

⊶ Vins et vignobles Dourthe, 35, rue de Bordeaux, 33290 Parempuyre, tél. 05.56.35.53.00, fax 05.56.35.53.29, e-mail contact@cvbg.com ☑ r.-v.

DULONG 2004

■ 8 ha 50 000 ▮ 3 à 5 €

Ce vin grenat soutenu fera bel effet sur votre table dès cet automne. Il offre un bouquet de fruits rouges, de cerise à l'eau-de-vie et de pruneau, puis dévoile une chair ronde et ample, dans laquelle se fondent des tanins inoffensifs. Un bordeaux équilibré et suffisamment long en bouche.

⊶ Huet, La Chaise, 33920 Saint-Savin-de-Blaye, tél. 05.56.86.51.15

ÉPICURE Élevé en fût de chêne 2003

■ n.c. 100 000 ◧ 5 à 8 €

Né sur les coteaux argilo-calcaires de la rive droite de la Garonne, ce vin marie 65 % de merlot à 35 % de cabernet-sauvignon. Il ne manque pas de séduction dans sa robe intense qui laisse s'échapper des arômes discrets mais complexes de fruits secs et d'épices, nuancés d'une touche animale. Souple et charnu, il développe en bouche des flaveurs de fruits rouges, puis un fin boisé en finale. Un bordeaux classique à redécouvrir dans deux ans.

⊶ Bordeaux Vins Sélection, Lac Mermoz, 42, av. René-Antoune, 33320 Eysines, tél. 05.57.35.12.35, fax 05.57.35.12.36, e-mail bvs.grands.crus@wanadoo.fr

CH. LA FLEUR BONNIN 2004 **

■ 5 ha 40 000 ▮ 3 à 5 €

Des vignes sélectionnées de merlot et de cabernets sur sols argilo-calcaires sont à l'origine de cette cuvée qui témoigne du savoir-faire de la cave vinicole de Puisseguin. De sa robe intense aux éclats tuilés se libère un bouquet complexe de fruits rouges, de fruits à l'eau-de-vie. L'équilibre se réalise au palais entre une attaque souple, une chair riche et fruitée, et des tanins sans agressivité. Un bordeaux destiné à deux ans de garde. Le **Domaine de la Colombine 2004**, harmonieux, obtient une étoile.

⊶ Les Producteurs réunis de Puisseguin et Lussac-Saint-Émilion, Durand, 33570 Puisseguin, tél. 05.57.55.50.40, fax 05.57.74.57.43 ☑ Y ⚲ t.l.j. 8h30-12h30 14h30-18h30; dim. sur r.-v.

CH. FLEUR SAINT ESPÉRIT
Élevé en fût de chêne 2004 ★

■ 1,38 ha 10 000 3 à 5 €

Un assemblage à parts égales de cabernet franc et de cabernet-sauvignon récoltés sur un sol sableux, puis un élevage de huit mois en barrique. Tels sont les secrets de cette cuvée élégante dans sa robe pourpre, complexe par son bouquet de fruits rouges et noirs, de fruits confiturés, de cacao, d'épices. Tout en rondeur et en volume, elle s'appuie sur une trame de tanins soyeux et révèle en finale une discrète note de cuir. Un plaisir immédiat et pour deux ans encore.

GFA V. et P. Fourreau, Chevrol, 33500 Néac,
tél. 05.57.51.28.68, fax 05.57.51.91.79,
e-mail chthautsurget@voila.fr
t.l.j. sf dim. 8h-12h 14h-18h

CH. FOUGEY 2004 ★

■ 10 ha 50 000 3 à 5 €

Le château Fougey est la propriété de la maison Castel. Merlot et cabernet-sauvignon, en parfait équilibre, ont donné à ce vin une teinte grenat intense et un bouquet à la fois fruité et épicé. Le corps souple, charnu et chaleureux est structuré par des tanins encore fermes qui demandent à s'affiner, puis la finale se déroule dans la même ligne aromatique que le nez. Il suffira d'attendre trois ans pour apprécier ce bordeaux à sa juste valeur.

SC du Ch. Barreyres, 33460 Arcins,
tél. 05.56.95.54.00, fax 05.56.95.54.18,
e-mail infos@groupe-castel.com

CH. DE FRAYSSE 2004 ★

■ 15 ha 90 000 5 à 8 €

Cette ancienne propriété des Templiers datant du XIII[e]s. se dresse non loin de l'abbaye de Saint-Ferme (XII[e]s.) et du village de Castelmoron-d'Albret, la plus petite commune de France. Agréable par son bouquet de fruits noirs (mûre, cassis), ce bordeaux séduit par son volume, sa chair, ses tanins soyeux et ses flaveurs persistantes de fruits rouges. Un vin classique qui atteindra son meilleur niveau dans deux ans. Du même producteur, le **Château Tour Chapoux 2004** est cité.

Claude Comin,
Ch. La Commanderie, 33790 Saint-Antoine-du-Queyret,
tél. 05.56.61.31.98, fax 05.56.61.34.22,
e-mail vignoble.comin@wanadoo.fr r.-v.

CH. LA FREYNELLE 2004 ★

■ 10 ha 60 000 5 à 8 €

De père en fils : c'est ainsi que s'est transmise cette propriété située au cœur de l'Entre-deux-Mers depuis 1789. Or, en 1991, un nouveau chapitre s'est ouvert, écrit par une femme, Véronique Barthe. De ce vin de merlot et de cabernet-sauvignon explose un bouquet de fruits rouges et noirs. Le palais s'emplit de sa mâche douce à l'attaque, puis ronde et volumineuse, empreinte de flaveurs fruitées et épicées jusqu'à l'agréable finale. Un bordeaux équilibré, prêt à savourer.

Véronique Barthe, Peyrefus, 33420 Daignac,
tél. 05.57.84.55.90, fax 05.57.74.96.57,
e-mail veronique@vbarthe.com r.-v.

CH. DE GADRAS 2004 ★

■ 14,6 ha 50 000 5 à 8 €

Implanté dans les hauts de l'Entre-deux-Mers, non loin de la bastide de Monségur, ce vignoble à l'encépagement classique de merlot et de cabernets couvre 14,6 ha. Son nom de Gadras viendrait de « gardères », bois gardés pour le seigneur. De son élevage de neuf mois en barrique, ce 2004 grenat profond à reflets violets a gardé le souvenir des épices et de la réglisse, autant de notes qui apportent complexité à son bouquet de framboise, de cerise et de cassis. Il se montre souple, charnu, bien structuré, d'une agréable persistance aussi, sur les flaveurs épicées (vanille). Dans trois ans, le plaisir sera complet.

SCEA Vignobles Delpech,
4, Gadras, 33580 Saint-Vivien-de-Monségur,
tél. 05.56.61.82.69, fax 05.56.71.34.95 r.-v.

MASCARON PAR GINESTET 2004 ★

■ 18 ha 120 000 5 à 8 €

Les mascarons, figures sculptées dans les façades des demeures bordelaises, sont le symbole de la prospérité viticole de la ville depuis la Renaissance. Ginestet, célèbre maison de négoce fondée en 1897, en a fait un signe de reconnaissance d'un de ses vins. Le 2004, constitué à 60 % de merlot complétés par du cabernet-sauvignon, marie les notes de fruits rouges à celles de café et de torréfaction, sans oublier une pointe animale. Rond à l'attaque, il se développe, volumineux et gras, en s'appuyant sur une structure équilibrée. Les flaveurs de pruneau envahissent le palais, relayées en finale par d'élégantes touches épicées. Un bon potentiel de garde. De la typicité.

Ginestet,
19, av. de Fontenille, 33360 Carignan-de-Bordeaux,
tél. 05.56.68.81.82, fax 05.56.20.94.47,
e-mail contact@ginestet.fr r.-v.

GIROLATE 2003 ★★★

■ 10 ha 8 000 46 à 76 €

La très forte densité de plantation – 10 000 pieds à l'hectare –, les faibles rendements, la conduite de la fermentation et de l'élevage en barriques bordelaises, ne sont pas étrangers à l'exceptionnelle qualité de ce bordeaux. Le bouquet puissant de pruneau, de framboise et de réglisse trouve écho dans la chair riche, ronde et chaleureuse, qu'agrémente un fin boisé. L'équilibre entre le vin et le bois est parfait. Cette bouteille apte à une garde de trois à cinq ans est digne de votre patience.

SCEA Vignobles Despagne,
33420 Naujan-et-Postiac,
tél. 05.57.84.55.08, fax 05.57.84.57.31,
e-mail contact@despagne.fr r.-v.
J.-L. Despagne

CH. DU GRAND FERRAND 2004 ★

■ 14,5 ha 96 600 3 à 5 €

Ce vignoble au sol argilo-limoneux, dominé par le merlot, se trouve non loin de la bastide de Sauveterre-de-Guyenne, fondée en 1281 par le roi d'Angleterre, Édouard Ier. Régulièrement présent dans le Guide, le Château du Grand Ferrand brille encore d'une étoile. Le 2004, grenat intense, libère un bouquet complexe de fruits noirs, de réglisse, d'épices et de venaison. La bouche est franche, étayée par des tanins souples et réglissés, en harmonie avec les flaveurs de prune à l'eau-de-vie. Une bouteille à servir dès aujourd'hui.

Ch. Grand Ferrand, lieu-dit Grand-Ferrand,
33540 Sauveterre-de-Guyenne, tél. 05.56.71.60.42,
fax 05.56.71.69.08, e-mail grand.ferrand@wanadoo.fr

CH. LA GUILLAUMETTE
Cuvée Prestige Élevé en fût de chêne 2003 *

■ 35 ha 100 000 ⏺ 5 à 8 €

Un vignoble de 38 ha, dont 35 ha plantés en rouge, à dominante de merlot (75 %). Cette cuvée élevée douze mois sous bois s'affiche dans une robe pourpre intense, légèrement tuilée. Le nez complexe de fruits secs et de confiture évolue vers des notes animales, tandis que la bouche souple et gourmande joue sur le fruit et un léger boisé. Une pointe d'amande se distingue en finale, sans amertume aucune. Un vin harmonieux et typé bordeaux qui appréciera une garde de trois ans.

Bordeaux Vins Sélection, Lac Mermoz,
42, av. René-Antoune, 33320 Eysines,
tél. 05.57.35.12.35, fax 05.57.35.12.36,
e-mail bvs.grands.crus@wanadoo.fr
B. Pujol

CH. HAUT-LYTAIS 2004

■ 31 ha 230 000 ▮ 3 à 5 €

Belle présentation pour ce vin pourpre à reflets violets qui développe un bouquet de fleurs et de fruits rouges. Une structure de tanins mûrs encadre la matière souple et ronde qui s'évase en une plaisante finale. Un bordeaux classique qu'il faut servir dès maintenant.

Œnoalliance, rte du Petit-Conseiller,
33750 Beychac-et-Caillau, tél. 05.57.97.39.73,
fax 05.57.97.39.74, e-mail scluzeau@oenoalliance.com
EARL Laporte

CH. HAUT-MARCHAND 2004 **

■ 2 ha 7 500 ⏺ 8 à 11 €

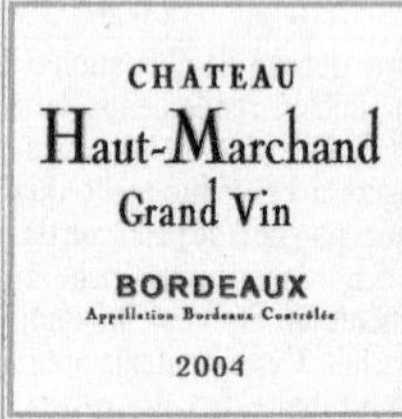

CHATEAU
Haut-Marchand
Grand Vin
BORDEAUX
Appellation Bordeaux Contrôlée
2004

Du merlot à 80 % contre 10 % de chacun des cabernets et un élevage de dix-huit mois en fût. Il en résulte un vin pourpre intense, presque noir, dont les arômes de grillé, de toasté et de café s'épanouissent agréablement. La chair ample et élégante fait la part belle aux flaveurs persistantes de fruits rouges. Les tanins sont certes denses, mais leur grain laisse une sensation veloutée. Un bordeaux de grande classe et de longue garde. Le **Château Vermont cuvée Prestige 2004 Élevé en fût de chêne (5 à 8 €)** brille de deux étoiles tant il est souple, élégant et fruité, tandis que le **Château Haut-Marchand cuvée Prestige 2004 Élevé en fût de chêne (5 à 8 €)** obtient une étoile.

EARL Vignobles Dufourg, 11, rte de Sauveterre,
33760 Targon, tél. et fax 05.56.23.90.16,
e-mail vignoblesdufourg@wanadoo.fr r.-v.

CH. HAUT-MAZIÈRES 2003 *

■ 19,9 ha 134 000 ▮ 5 à 8 €

Après une visite du château de Rauzan et de la grotte Célestine, dirigez-vous vers la cave coopérative. Vous y découvrirez ce vin rubis profond, à reflets cerise, dont les arômes de fruits rouges se mêlent aux notes de toast et de sous-bois. Les tanins bien présents s'inscrivent dans la chair ample, ronde, toute parfumée de fruits, de cacao et d'épices. Encore deux petites années de patience !

Union des Producteurs de Rauzan, L'Aiguilley,
33420 Rauzan, tél. 05.57.84.13.22, fax 05.57.84.12.67,
e-mail accueil@cavesderauzan.com r.-v.
Christian Vazelle

CH. HAUT-MÉDOU 2004 *

■ 24 ha 189 300 ▮ 3 à 5 €

Occupant un terroir argilo-siliceux planté principalement de cabernets (69 %), ce château propose un bordeaux de teinte profonde et brillante. Le nez de cerise, de confiture et de cuir est une invitation à découvrir la chair souple et ronde, à la finale épicée. Les tanins encore fermes sont un gage de bonne tenue pour les deux ans à venir et finiront par s'affiner.

Grands Vins de Gironde, Dom. du Ribet, BP 59,
33451 Saint-Loubès Cedex, tél. 05.57.97.07.20,
fax 05.57.97.07.27, e-mail gvg@gvg.fr

CH. HAUT PHILIPPON
Le Fruit d'une Passion 2004 *

■ 15 ha 100 000 ▮ 3 à 5 €

Né d'un assemblage équilibré, ce bordeaux se distingue par l'intensité de sa teinte et ses légères notes d'évolution. Son bouquet de fraise, de framboise, de mûre et d'épices n'est pas le moindre de ses atouts, non plus que sa chair ronde, soutenue par des tanins très présents mais mûrs, ou sa finale persistante qui laisse le souvenir des fruits à noyau. Deux ans de garde sont à sa portée.

Romain Roux, Beauces 1, 33540 Gornac,
tél. 05.56.61.98.93, fax 05.56.61.94.17,
e-mail qualite@vignobles-roux.com r.-v.

CH. HERMITAGE DES BRUGES 2004

■ 11 ha 70 000 ▮ 3 à 5 €

De la robe intense se libèrent d'élégants arômes de fruits mûrs (cerise). L'attaque est généreuse, le corps charnu et rond, bien que des tanins un peu accrocheurs se manifestent en finale. Et si vous lui donniez rendez-vous dans deux ans ? Une autre citation pour le **Château Les Bruges 2004**, également non boisé.

J.-M. Faure, 33190 Saint-Laurent-Plan,
tél. 05.56.86.51.15

CH. L'INSOUMISE
Vendanges des Poètes Élevé en fût de chêne 2004 *

■ 3 ha 17 600 ⏺ 3 à 5 €

Propriété de la famille Cousteau jusqu'en 1945, cette propriété située en bordure de la Dordogne a assemblé les quatre cépages girondins : merlot, cabernet-sauvignon, cabernet franc et malbec. Il en résulte un vin cerise noire, ouvert sur les arômes de fruits rouges et noirs. Les tanins, ronds et fins, respectent la chair pleine et équilibrée, riche de flaveurs de framboise, de groseille et de vanille jusqu'à l'élégante finale. À servir dans deux ans avec une entrecôte bordelaise aux échalotes.

Jean-Léon Daspet, SCEA Ch. L'Insoumise, 360,
chem. Peyrot, 33240 Saint-André-de-Cubzac,
tél. 05.57.43.17.82, fax 05.57.43.22.74,
e-mail chateau.linsoumise@wanadoo.fr r.-v.

CH. JOININ 2004

■ 24,86 ha 30 000 ■ 3 à 5 €

Pour la troisième année consécutive, le Château Joinin est présent dans le Guide, signe que Brigitte Mestreguilhem continue à bien mettre en valeur le domaine familial. Ce vin de merlot, à la robe très intense, presque noire, s'ouvre sur des notes de fruits rouges, de vanille, d'épices. Après une attaque souple, il développe un corps charnu que de solides tanins soutiennent. Un bon potentiel de garde.

Brigitte Mestreguilhem, 33420 Rauzan,
tél. 05.57.24.72.95, fax 05.57.24.71.25,
e-mail chateau.pipeau@wanadoo.fr
t.l.j. sf sam. dim. 8h-12h 14h-18h

CH. DU JUGE 2003 ★★

■ 1 ha 6 000 3 à 5 €

Cette propriété sise à proximité du château du XVI[e]s. élevé par les ducs d'Épernon à Cadillac, appartient à la famille Dupleich depuis 1880. Pas moins de 30 % de la production sont vendus à l'exportation, jusqu'aux États-Unis et au Japon. Il ne faudra pas perdre de temps pour vous assurer quelques bouteilles de ce 2003 (70 % de merlot et 30 % de cabernet-sauvignon). Vêtu d'une robe intense, le vin offre un nez riche et concentré de raisins mûrs, puis une bouche ample, charnue et tout aussi fruitée. Certes, les tanins ont encore la fougue de la jeunesse, mais ils sont de qualité. Du potentiel, de l'équilibre, du caractère... Vous lui trouverez bien une petite place en cave pour l'y garder trois ans.

Pierre Dupleich,
Ch. du Juge, rte de Branne, 33410 Cadillac,
tél. 05.56.62.17.77, fax 05.56.62.17.59 r.-v.
David - Dupleich

CH. JULIAN 2004 ★★

■ 13 ha 80 000 ■ 5 à 8 €

Né sur sols argilo-calcaires, ce vin très merlot (70 %) se montre souple, charnu et chaleureux tant ses tanins font patte de velours. Le bouquet complexe et expressif décline à l'envi les fruits surmûris, la fraise des bois, la framboise, le bonbon anglais et la vanille. À faire craquer les gourmands ! La finale toute fruitée complète l'harmonie. Un bordeaux équilibré, déjà friand, mais également apte à deux ans de garde.

SC Dulon, 133, Grand-Jean, 33760 Soulignac,
tél. 05.56.23.69.16, fax 05.57.34.41.29,
e-mail dulon.vignobles@wanadoo.fr
t.l.j. sf sam. dim. 8h30-13h 14h-18h

KRESSMANN MONOPOLE
Élevé en fût de chêne 2004 ★★

■ n.c. 150 000 ■ 5 à 8 €

Douze mois de cuve, six mois de barrique pour ce bordeaux agréablement bouqueté : framboise, cassis, pruneau se mêlent à la réglisse, à la vanille et aux notes torréfiées. La bouche n'est pas en reste, élégante, ronde et gourmande, qui déploie une trame de tanins solides capables de soutenir l'ensemble dans le temps. Le caractère bordeaux par excellence.

Kressmann,
35, rue de Bordeaux, 33290 Parempuyre,
tél. 05.56.35.53.00, fax 05.56.35.53.29,
e-mail contact@kressmann.com r.-v.

CH. DE LAGORCE 2004

■ 25 ha 200 000 ■ 3 à 5 €

Si vous vous rendez au château de Lagorce, peut-être verrez-vous le chai installé dans une ancienne église du XV[e]s. avant de déguster ce bordeaux. Les cabernets ont la part belle dans ce 2004 auquel ils lèguent un bouquet complexe de fruits mûrs, de griotte, de poivre et de cuir. La bouche ronde, chaleureuse et persistante est encore sous l'emprise des tanins, mais deux ans de garde permettront à cette trame de se fondre.

Benjamin Mazeau, Ch. de Lagorce, 33760 Targon,
tél. 05.56.23.60.73, fax 05.56.23.65.02,
e-mail cht.de.lagorce@wanadoo.fr r.-v.

CH. LAMOTHE-VINCENT Cuvée Sélection 2004 ★

■ 24 ha 160 000 ■ 3 à 5 €

Il vous faudra une bonne matinée pour visiter le château de Rauzan, l'abbaye de Blasimon et l'église du XIII[e]s. de Montignac. L'après-midi sera réservé au château Lamothe-Vincent et à la dégustation de cette cuvée. Le merlot règne en maître (70 %), donnant au vin sa couleur cramoisie, ses arômes de fruits rouges et sa chair ample, ronde, bien structurée. La finale sur le fruit ne vous laissera pas indifférent. La cuvée **Intense** du **Château Lamothe-Vincent 2004**, toute fruitée, obtient une étoile. Elle aussi n'a pas connu le bois.

SC Vignobles Vincent,
3, chem. Laurenceau, 33760 Montignac,
tél. 05.56.23.96.55, fax 05.56.23.97.72,
e-mail info@lamothe-vincent.com r.-v.

CH. LARROQUE Élevé en fût de chêne 2004 ★★

■ 56 ha 224 000 5 à 8 €

Le vignoble, planté principalement de cabernet-sauvignon, s'étend autour du château construit sur ordre du roi d'Angleterre Édouard III Plantagenêt, en 1348. Le millésime 2004 se distingue par sa puissance, déjà perceptible à l'œil tant la robe grenat est sombre, et plus encore au nez tant le bouquet de cerise, de boisé, de menthol et de vanille est intense. Les solides tanins du bois se fondent dans la chair ronde qui n'a de cesse de dérouler ses arômes de fruits rouges et de torréfaction. Un vin représentatif de l'appellation et du millésime, qui tiendra ses promesses dans le temps.

Boyer de La Giroday, 18, rte de Montignac,
33760 Ladaux, tél. 05.57.34.54.00, fax 05.56.23.48.78,
e-mail vignobles-ducourt@wanadoo.fr r.-v.

CH. LASCAUX 2004 ★

■ 4,36 ha 10 000 ■ 3 à 5 €

Après la visite de l'abbatiale, réputée pour ces concerts d'orgue en été, le petit train de Guîtres vous conduira au château Lascaux, dont le vignoble couvre 15 ha sur sol argilo-calcaire. Cette cuvée, née de 80 % de merlot et de 20 % de cabernet-sauvignon, a hérité d'un élevage de six mois en barrique un léger boisé qui se mêle aux fruits rouges et noirs. Quelques reflets tuilés brillent dans sa robe grenat, signe d'une certaine évolution dont témoignent également les tanins fondus dans la matière ronde, soulignée de réglisse et de boisé. À apprécier dans les deux ans.

Fabrice Lascaux,
La Caillebosse, 33910 Saint-Martin-du-Bois,
tél. 05.57.84.72.16, fax 05.57.84.72.17,
e-mail info@vin-bordeaux-lascaux.com
r.-v.

CH. DU LORT 2004 ★

■ 20 ha 135 000 🛢 5 à 8 €

Situé sur un sol argilo-graveleux, ce château mise sur les cabernets, non sans succès. Rubis profond et intense, son vin offre un bouquet naissant de pruneau, très légèrement boisé. Il possède du corps, du volume, des tanins fins et élégants, enveloppés de senteurs de cerise jusqu'à une agréable finale. Un bordeaux prometteur à servir dans trois ans. Le **Château Malbec 2004** obtient également une étoile.

SC du Lort, Ch. du Lort, 2, rte de Montussan, 33370 Yvrac, tél. 05.56.95.54.00, fax 05.56.95.54.18, e-mail infos@groupe.castel.com

CH. LUCIÈRE 2003 ★

■ 2 ha 12 000 ▮ 3 à 5 €

Implantée sur les anciennes carrières de Saint-André-de-Cubzac, non loin de la Dordogne, cette propriété a produit un vin bien marqué par le merlot. Vêtu d'une robe sombre, celui-ci mêle les fleurs, les fruits rouges, les fruits à noyau et les notes animales en un surprenant bouquet. La bouche est franche, ronde et chaleureuse, soutenue par des tanins sans agressivité. Un bordeaux harmonieux, à savourer d'ici trois ans.

Compagnie Médocaine des Grands Crus, 7, rue Descartes, 33294 Blanquefort Cedex, tél. 05.56.95.54.95, fax 05.56.95.54.85

Brulatout

CH. MARJOSSE 2004 ★

■ 39,67 ha 180 000 ▮ 5 à 8 €

Ce château de l'Entre-deux-Mers est, depuis 1997, la propriété de Pierre Lurton, directeur du Château Cheval Blanc en saint-émilion grand cru. Merlot (55 %), cabernet-sauvignon (30 %), cabernet franc et malbec constituent ce bordeaux pourpre intense qui laisse s'épanouir des arômes de fruits noirs et de fruits secs. La matière riche et charnue est soutenue par une trame tannique de caractère, mais sans dureté. Un bordeaux plaisant dès maintenant.

EARL Pierre Lurton, Ch. Marjosse, 33420 Tizac-de-Curton, tél. 05.57.55.57.80, fax 05.57.55.57.84, e-mail pierre.lurton@wanadoo.fr

MARQUET 2004

■ 1 ha 5 000 ▮ 3 à 5 €

Marquet est un ancien prieuré du diocèse de Guîtres dont la famille Despujol, alors propriétaire du château Nenin à Pomerol, a fait l'acquisition en 1969. Ce n'est qu'en 2002, après une totale rénovation, que Frédéric Despujol et Alexandre de Malet Roquefort y ont relancé la production vinicole. Ce bordeaux, issu à 90 % de cabernet franc, développe un bouquet de cerise, de groseille et de sous-bois, rehaussé d'une légère touche épicée. Souple et rond, il garde une même ligne fruitée au palais. Un 2004 prêt à passer à table, aux côtés d'une entrecôte.

F. Despujol - A. de Malet Roquefort, Ch. Prieuré Marquet, 33910 Saint-Martin-du-Bois, tél. 06.17.19.41.45, fax 05.57.49.41.70 r.-v.

MARQUIS DE BERN 2004 ★

■ n.c. 100 000 ▮🛢 3 à 5 €

La cité médiévale de Rions, surnommée au XIX[e]s. la Carcassonne girondine, abrite les chais de cette maison. Cette cuvée, née de merlot (60 %) et de cabernet-sauvignon (40 %) sur sol limono-sableux et argileux, s'habille d'une robe grenat à reflets tuilés. Au nez de fruits rouges mûrs, souligné d'un fin boisé, répond une bouche vive en attaque, puis ronde qui laisse une sensation de fruits frais. Les tanins discrets autorisent une dégustation dès aujourd'hui.

SARL Gonfrier Frères, Les Chais de Rions, Ch. de Marsan, 33550 Lestiac-sur-Garonne, tél. 05.56.72.14.38, fax 05.56.72.10.38, e-mail gonfrier@terre-net.fr r.-v.

CH. LES MAURINES 2004

■ 8 ha 40 000 ▮ 3 à 5 €

Composé de 70 % de merlot et de 30 % de cabernet-sauvignon, ce bordeaux né dans l'Entre-deux-Mers fait preuve de typicité : une teinte grenat ourlée de violet, des arômes de fruits rouges et de cassis nuancés d'un fin toasté, une bouche ample et charnue, dont les tanins assagis laissent s'exprimer les flaveurs fruitées. Une bouteille à ouvrir avant 2008.

David Lançon, GAEC de Foncroze, 33540 Sauveterre-de-Guyenne, tél. 06.86.68.91.33, fax 05.56.71.59.74, e-mail david.lancon@wanadoo.fr

CH. MERLIN-FRONTENAC 2004

■ 6,5 ha 25 000 🛢 3 à 5 €

Dix mois d'élevage en barrique pour ce bordeaux constitué de merlot, avec un appoint de cabernet franc. Rubis légèrement évolué, il décline ses notes boisées d'épices (vanille) et de réglisse jusqu'au palais. Le corps est souple, rond, d'une structure présente, mais soyeuse. Deux ans de garde permettront au bois de se fondre.

SA La Croix Merlin, 16, rte de Guibert, 33760 Frontenac, tél. 05.56.23.98.49, fax 05.56.23.97.22, e-mail yannick.garras@wanadoo.fr r.-v.

CH. MOULIN DE PILLARDOT 2004 ★

■ 3 ha 20 000 ▮ 3 à 5 €

Bien présenté dans sa tenue rouge profond, ce bordeaux presque entièrement issu de merlot (95 %) offre des arômes de fruits noirs confits, puis une chair ample, riche de tanins de qualité qui respectent l'expression des flaveurs de cassis et de mûre. Dans deux ans, il aura atteint son apogée.

Ch. Bourdicotte, 1, Le Bourg, 33790 Cazaugitat, tél. 05.56.61.32.55, fax 05.56.61.38.26

CH. MOUSSEYRON Élevé en fût de chêne 2004

■ 1,3 ha 7 200 🛢 5 à 8 €

Après la visite du domaine de Malagar et du château de Malromé, rendez-vous au château Mousseyron pour apprécier ce bordeaux dominé par le merlot. De la robe grenat intense et brillant naissent des arômes de cerise confite, de vanille et autres épices. La chair ample et suave, vanillée jusqu'en finale, est encadrée de tanins encore très présents qu'une garde de deux ans devrait polir.

Jacques Larriaut, 31, rte de Gaillard, 33490 Saint-Pierre-d'Aurillac, tél. 05.56.76.44.53, fax 05.56.76.44.04, e-mail larriautjacques@wanadoo.fr r.-v.

CH. NICOT 2004

■ 25 ha 80 000 ▮ 5 à 8 €

Non loin du château médiéval des Benauges, le château Nicot étend son vignoble sur sol argilo-calcaire. Le cabernet-sauvignon (60 %) et le merlot ont donné naissance à ce 2004 rubis profond, dont le bouquet discret

évoque les fruits rouges. La chair souple et ronde enrobe des tanins au grain velouté. Une dégustation immédiate est recommandée.
Vignobles Dubourg, 545, Nicot, 33760 Escoussans, tél. 05.56.23.93.08, fax 05.56.23.65.77, e-mail bdubourg@wanadoo.fr
t.l.j. sf dim. 8h30-12h 14h-17h30

CH. PETIT-FREYLON 2004 *

■ 15 ha 20 000 3 à 5 €

Le château occupe le site d'une ancienne commanderie, à Saint-Genis-du-Bois, toute petite commune avec son église templière du XII[e]s. L'équilibre parfait entre le merlot et le cabernet-sauvignon se traduit par une teinte pourpre soutenu et une palette d'arômes de fruits mûrs, de vanille et de venaison. Les tanins élégants, fondus, structurent le corps rond et plein, suffisamment persistant.
EARL Vignobles Lagrange, Ch. Petit-Freylon, 33760 Saint-Genis-du-Bois, tél. 05.56.71.54.79, fax 05.56.71.59.90 r.-v.

M DE PLAIN-POINT 2003

■ 10 ha 70 000 8 à 11 €

Château du XVI[e]s. construit sur les ruines d'un château fort dont seule la chapelle intérieure subsiste, Plain-Point doit son nom à sa situation au sommet d'une butte. Le merlot dominant n'est pas étranger au charme de ce vin pourpre. Des arômes de fruits cuits, de vanille et autres épices invitent à découvrir la chair ample et ronde, aux tanins bien maîtrisés, que prolonge une finale grillée. Un bordeaux prêt à boire.
Michel Aroldi, SA Ch. Plain-Point, 33126 Saint-Aignan, tél. 05.57.24.96.55, fax 05.57.24.91.64, e-mail chateau.plain-point@libertysurf.fr r.-v.

CH. LE PLANTIER 2003 **

■ 27 ha 67 000 3 à 5 €

Dans la famille Diez depuis 1892, cette propriété bénéficie d'un terroir argilo-calcaire et d'un encépagement classique de deux tiers de merlot et d'un tiers de cabernets. Elle a produit un 2003 rouge foncé, dont les reflets traduisent un début d'évolution. Les arômes de fleurs, de fruits rouges, d'épices, de cuir et de tabac composent un bouquet puissant, mais élégant. Puis le charme de la bouche fruitée et bien structurée opère jusqu'à une longue finale. Équilibre et bon potentiel de garde, en somme.
EARL Ch. Le Plantier, 33790 Saint-Antoine-du-Queyret, tél. et fax 05.56.61.48.39

PRESTIGE DES VIGNERONS
Élevé en fût de chêne 2003 *

■ n.c. 10 600 8 à 11 €

Les producteurs de Rauzan ont su tirer le meilleur parti du merlot (85 %, alliés au cabernet-sauvignon) dans ce 2003 rouge brillant, à reflets cerise. Le nez puissant, chaleureux, est marqué par un boisé toasté et des évocations de café, que l'on retrouve dans la chair ample et ronde, aux tanins bien présents. Le fruité apparaît discrètement en finale, apportant une pointe de fraîcheur. Laissez à ce vin le temps de se fondre : deux ans y suffiront.
Union des Producteurs de Rauzan, L'Aiguilley, 33420 Rauzan, tél. 05.57.84.13.22, fax 05.57.84.12.67, e-mail accueil@cavesderauzan.com r.-v.

CH. LE PRIEUR Cuvée Passion 2004 *

■ 6 ha 40 000 5 à 8 €

Les pèlerins de Saint-Jacques-de-Compostelle avaient coutume de faire halte au château pour prier, d'où son nom. Pierre Garzaro, partisan des techniques modernes de vinification et d'élevage, propose un 2004 dont la couleur sombre est éclairée de reflets violets. Les arômes de fruits rouges se mêlent à la chair ronde et pleine, structurée par des tanins de qualité, puis une pointe épicée les rehaussent en finale. À savourer d'ici 2008.
EARL Vignobles Garzaro, Ch. Le Prieur, 33750 Baron, tél. 05.56.30.16.16, fax 05.56.30.12.63, e-mail garzaro@vingarzaro.com r.-v.

PRIMO PALATUM Classica 2004 **

■ 6 ha 26 500 3 à 5 €

Depuis 1996, Xavier Copel, œnologue, a développé un partenariat avec des vignerons de différentes aires de production, de l'Atlantique à la Méditerranée. En AOC bordeaux, il propose ce 2004 dominé par le merlot, qui libère de sa robe sombre des arômes de cassis. La chair se révèle puissante, ample et charnue, enrobant une trame tannique de qualité. Le fruité frais reste le leitmotiv de la dégustation de ce vin qui ne demande qu'à s'épanouir au cours des quatre prochaines années.
Xavier Copel, Primo Palatum, 1, Roy, 33190 Pondaurat, tél. 05.56.71.39.39, fax 05.56.71.39.40, e-mail xavier-copel@primo-palatum.com r.-v.

CH. LA RABALLE 2004 *

■ 0,57 ha 4 200 3 à 5 €

En 1998, Isabelle Leynier-Sicot a décidé de vinifier le fruit de son vignoble et de sortir du système coopératif. Son 2004 a tout pour séduire : une robe sombre qui libère de délicats arômes de fleurs, une structure souple et équilibrée, une chair ronde, toute fruitée. Un bordeaux classique, en somme, à découvrir d'ici 2008.
Isabelle Leynier-Sicot, La Raballe, 33620 Lapouyade, tél. et fax 05.57.49.40.58 r.-v.

CH. RAMBAUD Vieilles Vignes 2004 **

■ 8 ha 50 000 5 à 8 €

Les vins de Daniel Mouty et de son maître de chai Richard Balayn sont régulièrement présents dans le Guide, mais le bordeaux 2004 se distingue plus particulièrement cette année. Grenat sombre, celui-ci offre un élégant bouquet de fruits noirs mûrs, accompagné de notes grillées, torréfiées et toastées. Après une attaque franche, il enveloppe le palais de sa matière ample et ronde, riche de flaveurs fruitées persistantes. Les tanins bien présents

invitent à une garde de deux ans pour un plus grand plaisir. Le **Domaine des Grands Ormes 2004**, bouqueté et charnu, obtient une étoile.
SCEA Vignobles Daniel Mouty,
Ch. du Barry, BP 5, 33350 Sainte-Terre,
tél. 05.57.84.55.88, fax 05.57.74.92.99,
e-mail contact@vignobles-mouty.com
t.l.j. sf dim. 8h-12h 14h-18h

CH. RELÉOU 2004 *

■ 10 ha 60 000 5 à 8 €

Un assemblage équilibré entre merlot et cabernets, récoltés sur sols graveleux-siliceux, a donné naissance à ce bordeaux grenat profond, éclairé de reflets violets. Le grillé, les épices et la réglisse traduisent bien l'élevage sous bois. Une empreinte que l'on perçoit encore en finale de la bouche souple et ronde, aussi riche qu'élégante. Profitez de cette bouteille dès maintenant.
SCEA Michel Barthe,
18, Girolatte, 33420 Naujan-et-Postiac,
tél. 05.57.84.55.23, fax 05.57.84.57.37,
e-mail scea.barthemichel@wanadoo.fr r.-v.

CH. REYNIER Cuvée Héritage 2004 *

■ 2 ha 10 000 8 à 11 €

Implanté sur un sol argilo-calcaire, dans l'Entre-deux-Mers, ce château est dans le giron de la famille Lurton depuis le début du XX^e^s. Le 2004, mariant équitablement merlot et cabernet-sauvignon, mêle avec complexité les fruits noirs aux notes boisées et torréfiées. Sa robe grenat sombre est un indice de la puissance de sa chair. L'élégance est aussi de mise tant les tanins fondus font patte de velours et tant les arômes s'étirent en finale. Un bordeaux prometteur qui pourra attendre en cave deux ans.
SCEA Vignobles Marc Lurton, Ch. Reynier,
33420 Grézillac, tél. 05.57.84.52.02, fax 05.57.84.56.93,
e-mail marc.lurton@wanadoo.fr r.-v.

CH. LA ROCHE BEAULIEU
Rex Bibendi Rare Private Reserve 2003 **

■ n.c. 5 000 15 à 23 €

Deux champions du monde de la sommellerie, Markus Del Monego et Serge Dubs, ont participé à l'assemblage de cette cuvée issue de merlot (75 %) et de cabernet franc (25 %). D'un rouge soutenu et profond, le vin décline un bouquet complexe de cassis et d'épices, nuancé d'un boisé fin aux connotations de noix de coco. Une richesse aromatique que l'on retrouve dans la chair ronde et volumineuse, étayée par les tanins de bons raisins et de bon bois qui ne demandent qu'à se fondre. La longue finale finit de convaincre. Patientez deux ans pour déguster cette bouteille à son meilleur niveau. La cuvée **Amavinun 2003 (11 à 15 €)** du Château La Roche Beaulieu mérite une étoile pour son caractère plein et sa structure.
SCEA Vignobles La Roche Beaulieu,
1, Peyrelebade, 33350 Les Salles-de-Castillon,
tél. 05.57.40.64.37, fax 05.57.40.65.05,
e-mail larochebeaulieu@wanadoo.fr r.-v.
Van der Eerden

CH. ROQUEFORT 2004 *

■ n.c. 270 000 5 à 8 €

Jean Bellanger, industriel du textile, créa cette propriété viticole dont il restaura la maison du XVIII^e^s. et le vieux château du XIIIe. Il suffit d'emprunter la piste cyclable Roger-Lapébie, entre Créon et Sauveterre-de-Guyenne, pour découvrir le vignoble. Ce 2004, couleur cerise noire aux éclats violets, livre d'élégants arômes de cannelle, de vanille et de torréfaction, héritage de ses douze mois passés en fût. L'attaque est souple, la charpente puissante, les flaveurs d'épices (poivre) bien persistantes. L'harmonie se réalise.
Ch. Roquefort, 33760 Lugasson,
tél. 05.56.23.97.48, fax 05.56.23.50.60 r.-v.
F. Bellanger

CH. ROQUES MAURIAC Damnation 2004 **

■ 0,7 ha 3 000 11 à 15 €

Dirigé par Vincent Levieux, ce domaine de 45 ha a produit un bordeaux confidentiel, composé uniquement de cabernet franc. Rubis intense à reflets noirs, celui-ci décline des arômes de fruits noirs auxquels se joignent des notes boisées de vanille et de café. Le fruité réapparaît en bouche, au cœur d'une chair ronde et équilibrée, structurée par des tanins encore fermes, mais qui devraient s'affiner dans les trois ans à venir.
GFA Les Trois Châteaux,
Ch. Lagnet, 33350 Doulezon, tél. 05.57.40.51.84,
fax 05.57.40.55.48, e-mail contact@les3chateaux.com
t.l.j. sf sam. dim. 8h30-12h 14h-17h30;
f. 23 déc.-2 jan.
Vincent Levieux

CH. LA ROSE DU PIN 2004 **

■ 31 ha 260 000 3 à 5 €

Le merlot marque ce vin très expressif, dominé par des arômes de fruits rouges, d'épices et de cuir. Grenat intense, tendant vers le noir, celui-ci attaque avec souplesse, puis emplit le palais d'une chair tendre, mais bien charpentée, aux flaveurs persistantes de cuir et de torréfaction. 2008 devrait être une bonne date pour partager cette bouteille avec des amis.
Cordier Mestrezat, 109, rue Achard,
BP 154, 33042 Bordeaux Cedex,
tél. 05.56.11.29.00, fax 05.56.11.29.11,
e-mail vignobles-ducourt@wanadoo.fr r.-v.

CH. ROUGI Cuvée spéciale 2004

■ n.c. 200 000 5 à 8 €

Le château Rougi, qui fait face au château de Benauge, dans l'Entre-deux-Mers, possède 66 ha de cépages rouges plantés sur des sols argilo-calcaires et argilo-siliceux, dominés par le cabernet franc. Son 2004 grenat intense livre un bouquet de cerise à l'eau-de-vie, nuancé d'un fin boisé vanillé. Les tanins, déjà assagis, soutiennent aimablement sa chair souple et ronde qui laisse apparaître en finale quelques notes grillées. À savourer sans attendre avec des viandes blanches ou rouges.

Vignobles Laurent Mazeau,
Ch. Cotis, 1, chem. Cotis, 33760 Targon,
tél. 05.57.34.55.10, fax 05.57.34.55.15 r.-v.

CH. SAINTE-BARBE Merlot Sainte-Barbe 2004 ★★

15 ha 100 000 5 à 8 €

Jean-Baptiste Lynch, qui fut maire de Bordeaux sous Napoléon Ier, est à l'origine de ce château viticole, chartreuse bordelaise due à l'architecte Victor Louis, bâtie au bord de la Garonne. Du merlot, rien que du merlot planté sur argile et voici un remarquable bordeaux riche d'arômes de fleurs, de fruits rouges, de vanille et de cuir. Ample et rond, il tire profit de tanins soyeux pour se prolonger durablement au palais sur des notes de girofle et de vanille élégantes. Puissance et harmonie conjuguées.

SCEA Ch. Sainte-Barbe, 33810 Ambès,
tél. 05.56.77.19.02, fax 05.56.77.17.03,
e-mail chateausaintebarbe@wanadoo.fr r.-v.

CH. DE SANCTIS Cuvée Sanctissime 2004 ★

3 ha 4 500 5 à 8 €

Une propriété de 10 ha plantée en 1980, à moins de 5 km de La Réole. Le merlot et un élevage en barrique de dix-huit mois ont laissé leur empreinte dans ce vin rubis à reflets violets. On perçoit en effet un délicat boisé grillé dans la palette florale et fruitée (coing, cassis, fraise), puis des tanins denses en soutien de la chair ronde, bien équilibrée. L'aptitude au vieillissement est réelle.

Xavier Capdeville, Ch. de Sanctis,
33190 Les Esseintes, tél. et fax 05.56.71.49.13,
e-mail chateaudesanctis@wanadoo.fr r.-v.

CH. TALUSSON 2004 ★

30 ha 160 000 5 à 8 €

Établi sur un sol argilo-calcaire et sablonneux, au cœur du haut Benauge, ce domaine de 35 ha accorde une large place aux cabernets. Ce vin rouge foncé se montre discret dans ses arômes de fruits rouges et d'épices, mais il séduit par l'élégance de ses tanins, le volume de sa chair ronde et souple, bien persistante. Une bouteille à conjuguer au présent.

Dom. de Talusson, EARL Vignobles Fontaniol,
33760 Cantois, tél. 05.56.23.60.60, fax 05.56.23.91.44,
e-mail cfontaniol@wanadoo.fr r.-v.

CH. THÉBOT Élevé en fût de chêne 2004 ★

10 ha 60 000 8 à 11 €

Sur les 20 ha de la propriété, la moitié est réservée à l'élaboration de cette cuvée constituée principalement de merlot, avec un appoint de cabernets récoltés sur graves. Le charme de ce bordeaux réside non seulement dans les arômes de framboise, de cassis, de mûre, soulignés de grillé et de toasté, mais aussi dans la bouche ronde, soutenue par des tanins dénués d'agressivité. La finale élégante, toute fruitée, prolonge le plaisir. Deux ans de garde ne sont pas exclus.

SCEA Brisson, Baby,
33220 Saint-André-et-Appelles, tél. 05.57.46.03.48,
fax 05.57.46.42.88, e-mail brisson@aquinet.tm.fr

CH. TIRE PÉ La Côte 2004 ★★

3 ha 12 000 8 à 11 €

Rappelez-vous : le 2003 fut coup de cœur l'an passé. Le 2004 n'a rien à lui envier avec ses deux étoiles. Voyez plutôt sa robe grenat profond de laquelle s'échappent des arômes puissants de framboise, de mûre, de cassis, de sureau, nuancés d'épices, de réglisse et de vanille. Goûtez cette matière ronde et volumineuse, tapissée de tanins soyeux. Le boisé domine encore ? Tout sera rentré dans l'ordre d'ici trois ans.

David Barrault, Ch. Tire Pé,
33190 Gironde-sur-Dropt, tél. et fax 05.56.71.10.09,
e-mail tirepe@cegetel.net r.-v.

CH. TOUR DE BAILLOU 2004 ★

11 ha 60 000 3 à 5 €

Quels arômes se cachent sous cette robe rouge profond à reflets violets ? Des fruits rouges et noirs, agrémentés d'une touche de cacao. La bouche charnue, volumineuse même, est portée par des tanins certes puissants, mais équilibrés. N'attendez plus : il faut profiter de cette matière fruitée avec un bon morceau de fromage.

Jean Charles, Le Bourg, 33220 Margueron,
tél. 05.57.41.21.97, fax 05.57.41.26.24 r.-v.

TOUR DE BIGORRE 2004

n.c. n.c. 3 à 5 €

De discrets arômes de pruneau, nuancés d'une pointe animale à l'agitation, se libèrent de ce vin rouge soutenu. Après une attaque franche se développe une agréable matière fruitée, prolongée d'une note épicée. La petite austérité en finale devrait disparaître après deux ans de garde.

SCEA Bigorre, Ch. Tour de Bigorre,
33540 Mauriac, tél. 05.56.71.52.44 r.-v.

CH. TOUR DE BIOT Cuvée Vieilles Vignes 2004 ★

2,2 ha 14 000 5 à 8 €

Quelle régularité pour cette cuvée qui n'est pas près d'abandonner l'étoile obtenue dans le Guide l'an passé. Version 2004, elle convainc par sa robe rouge profond et son bouquet de fruits rouges. Le corps est bien en chair, les tanins souples. Un rien d'austérité apparaît en finale, mais elle disparaîtra d'ici 2008.

Gilles Gremen, EARL La Tour Rouge,
33220 La Roquille, tél. 05.57.41.26.49,
fax 05.57.41.29.84 r.-v.

CH. TURCAUD 2004

22 ha 130 000 5 à 8 €

Merlot et cabernets en équilibre pour un bordeaux classique. Rondeur, fruité, charpente, expression aromatique complexe faite de fruits rouges, de sous-bois et d'une pointe animale de fourrure. Le tout sous un habit grenat intense. Dans deux ans, les tanins devraient s'être fondus.

EARL Vignobles Robert, Ch. Turcaud,
33670 La Sauve-Majeure,
tél. 05.56.23.04.41, fax 05.56.23.35.85,
e-mail chateau-turcaud@wanadoo.fr r.-v.

CH. VALLON DES BRUMES 2004

10 ha 50 000 3 à 5 €

Du rouge pourpre profond, des arômes élégants de framboise, de cerise rehaussés de notes florales. De l'équilibre aussi, entre une chair souple et une trame de tanins fondus. On devine aisément que ce bordeaux mérite de passer à table dès à présent.

Vignobles Boissonneau, Le Cathelicq,
33190 Saint-Michel-de-Lapujade,
tél. 05.56.61.72.14, fax 05.56.61.71.01 r.-v.

DOM. DE VALMENGAUX 2004 ★

■ 3,3 ha 20 000 🍷 15 à 23 €

Soyez patient : le temps fera son œuvre. Il assouplira les tanins et permettra à l'empreinte du bois de se fondre. Car tout est à sa place et promet une belle bouteille : une couleur grenat soutenu, des arômes de fruits rouges, de grillé et de toasté bien mariés, une chair riche et volumineuse. Vers 2008-2009, vous proposerez ce bordeaux avec un gâteau aux fruits rouges ou une tarte au chocolat pour étonner vos convives.

Vincent Rapin, Dom. de Valmengaux,
8, petit Gontey, 33330 Saint-Émilion,
tél. et fax 05.57.74.48.92,
e-mail vincent.rapin@libertysurf.fr

CH. DE VAURE 2003 ★

■ n.c. 12 000 🍷 5 à 8 €

Le château de Vaure est une propriété familiale depuis 1935, mais son vin est élaboré par la cave coopérative. Un assemblage équilibré de merlot et de cabernets, puis un élevage de douze mois en barrique ont donné naissance à ce 2003 rouge foncé, dont les notes boisées et grillées s'accompagnent de touches animales légères. Souple à l'attaque, la bouche bénéficie de tanins fondus et se prolonge en une finale discrètement torréfiée. À servir dès maintenant.

Les Chais de Vaure, 33350 Ruch,
tél. 05.57.40.54.09, fax 05.57.40.70.22,
e-mail chais-de-vaure@wanadoo.fr
t.l.j. 9h-12h 14h-18h

CH. DE VERTHEUIL Élevé en fût de chêne 2003

■ 3 ha 8 000 🍷 5 à 8 €

Les cabernets associés à 40 % de merlot composent ce vin grenat, au nez léger de fruits et de fumée. Le corps souple et rond ne manque pas de puissance grâce à des tanins fermes, garants d'une bonne évolution dans le temps. Un léger grillé en finale rappelle l'élevage en fût de douze mois.

SCEA des Vignobles Ricard,
Ch. de Vertheuil, 33410 Sainte-Croix-du-Mont,
tél. 05.56.62.02.70, fax 05.56.76.73.23 r.-v.

VIEUX CHÂTEAU RENAISSANCE
Vieilli en fût de chêne 2003 ★

■ 4 ha 6 000 🍷 3 à 5 €

À proximité du castrum de Pommiers et de la bastide de Sauveterre-de-Guyenne, cette propriété de 28 ha a produit un vin rubis profond, brillant de reflets grenat. Le nez complexe et intense évoque les fruits rouges et noirs, subtilement mentholés. Du volume et du gras, des tanins fins et fondus : tout est en place. Un bordeaux à servir aujourd'hui ou à garder.

EARL des Vignobles Turtaut,
1, Descombes, 33540 Saint-Sulpice-de-Pommiers,
tél. 05.56.71.59.54, fax 05.56.71.63.81,
e-mail pturtaut@wanadoo.fr r.-v.
Patrice Turtaut

LE VIEUX MOULIN 2004 ★

■ n.c. 250 000 5 à 8 €

Le Vieux Moulin, dont le nom évoque l'importante activité céréalière du Bordelais entre le XIVe et le XVes., est une ancienne marque de la maison Mälher-Besse, la première étiquette ayant été déposée en 1914 à Batavia, dans les Indes néerlandaises. Le 2004 (65 % de merlot et 35 % de cabernets) se pare d'un rouge intense, à reflets violets. Le bouquet puissant de fruits rouges se prolonge au palais, après une attaque souple. Les tanins sont soyeux et la finale se caractérise par des évocations de cassis. **Le Vieux Moulin Arte 2003 (8 à 11 €)** obtient la même note. Ses tanins fermes invitent à une garde de deux ou trois ans.

SA Mähler-Besse, 49, rue Camille-Godard,
33000 Bordeaux, tél. 05.56.56.04.30, fax 05.56.56.04.39,
e-mail france@mahler-besse.com r.-v.

Bordeaux clairet

CH. LA BRETONNIÈRE 2005

■ 2 ha 10 000 3 à 5 €

Merlot (75 %) et cabernet-sauvignon, récoltés sur sols argileux, font alliance dans cette cuvée d'un rose pâle à reflets orangés, dont le bouquet floral se nuance d'une touche sauvignonnée. Plaisant et accessible, le vin se montre coquet par son enveloppe fruitée ; il ne demande qu'à être accordé à une entrecôte à la braise, parsemée d'échalotes grises.

Stéphane Heurlier, EARL La Bretonnière,
Ch. La Bretonnière, RN 137, 33390 Mazion,
tél. 05.57.64.59.23, fax 05.57.64.67.41,
e-mail sheurlier@wanadoo.fr r.-v.

CH. DE CASTELNEAU 2005

■ 3 ha 15 000 3 à 5 €

Castelneau (littéralement « nouveau château ») est une maison forte des XIVe et XVes., flanquée de deux tours rondes en façade donnant sur une cour intérieure carrée. Loïc et Diane de Roquefeuil ont produit un clairet couleur groseille, qui exprime des arômes de fruits et de fleurs. La bouche dévoile la tendresse du millésime, relevée d'arômes de cassis typiques du cabernet.

Vicomte Loïc de Roquefeuil,
Ch. de Castelneau, 33670 Saint-Léon,
tél. 05.56.23.47.01, fax 05.56.23.46.31,
e-mail castelneau-roquefeuil@wanadoo.fr r.-v.

CLOS NORMANDIN
La Concubine de Normandin 2005

■ 7 ha 50 000 3 à 5 €

Robert Alicandri a repris le domaine en 2000, il a reconstitué le vignoble et modernisé le cuvier. Coup de cœur l'an passé pour le millésime 2004, La Concubine de Normandin revient en 2005, drapée de velours sombre à reflets grenat. Aux arômes de fruits rouges (cerise, framboise) répond une bouche très fraîche, pleine de jeunesse. Un clairet à marier aux saveurs iodées d'un plateau de fruits de mer.

EARL R. Alicandri et Fils,
12, Le Bourg, 33750 Saint-Quentin-de-Baron,
tél. et fax 05.57.24.26.03,
e-mail closnormandin@wanadoo.fr r.-v.

CH. COUDREAU 2005

■ 0,35 ha 2 300 3 à 5 €

Bien à sa place sur un repas campagnard (aiguillettes de canard à l'ananas et brochettes de canard), ce clairet de

teinte cerise à reflets violet soutenu affiche des arômes de fruits et de fleurs persistants. Tout en légèreté au palais, il privilégie le fruit et la fraîcheur, avec un petit retour des tanins en finale.
SCEA du Ch. Coudreau,
1, rte de Robin, Coudreau, 33910 Saint-Denis-de-Pile,
tél. 06.82.17.85.28, fax 05.57.74.26.77,
e-mail chateau.coudreau@laposte.net r.-v.
Vacher

LE ROSÉ DE COURTEILLAC 2005

1 ha	6 000	3 à 5 €

Cabernet-sauvignon (70 %) et cabernet franc sont à l'origine de ce rosé agréablement complexe par ses arômes de banane et de fruits rouges mêlés. Solide, puissante même, la matière bénéficie d'un bon support des tanins qui se laissent apprivoiser par un doux fruité. À déguster à l'apéritif, avec un croustillant de saumon à l'aneth.
SCA Dom. de Courteillac, 2, Courteillac,
33350 Ruch, tél. 05.57.40.79.48, fax 05.57.40.57.05,
e-mail domainedecourteillac@free.fr r.-v.
D. Meneret

CH. DU GRAND MOUËYS 2005

61 ha	48 000	5 à 8 €

Selon la légende, cette demeure de style néoclassique fut la propriété des Templiers qui, avant de périr brûlés vifs sur ordre royal, y auraient caché un trésor. Aujourd'hui, c'est un rosé grenadine à reflets bleutés que l'on vient y découvrir. D'agréables notes de fleurs, de myrtille, de framboise et de fraise se manifestent, suivies d'une chair pleine et ronde qui ne cède jamais à la lourdeur grâce à des notes fruitées très fraîches. De bonne compagnie avec un confit de porc aux lentilles du Puy.
SCA Les Trois Collines, Ch. du Grand Mouëys,
33550 Capian, tél. 05.57.97.04.44, fax 05.57.97.04.60,
e-mail cavif@wanadoo.fr r.-v. 7
Bömers

CH. HAUT BERTINERIE 2005 ★

2 ha	13 000	8 à 11 €

Des ceps de merlot et de cabernet-sauvignon de trente-cinq ans sont à l'origine de ce 2005 dont la fermentation s'est déroulée en barrique et l'élevage sur lies fines, avec remuage, pendant huit mois. Au final, le vin offre un bouquet marqué de notes de fumée et de vanille Bourbon qui trouve écho dans la chair ronde et fondante, de bonne longueur.
GFA Bantegniès et Fils,
Ch. Bertinerie, 33620 Cubnezais,
tél. 05.57.68.70.74, fax 05.57.68.01.03,
e-mail contact@chateaubertinerie.com r.-v.

CH. LAMOTHE DE HAUX 2005 ★

2 ha	13 000	5 à 8 €

Une demeure du XVIII[e]s. et des carrières souterraines réservées à l'élevage en barrique et où dorment aussi d'un sommeil profond les vins embouteillés. Ce clairet ne saurait s'y attarder : il est prêt à s'unir à un poulet fermier agrémenté de pommes de terre nouvelles, de poivron rouge et d'ail en chemise caramélisé. Son bouquet est un sillage de cerise et de framboise, de fruits confiturés ; sa chair une caresse tant elle est ronde, équilibrée et fruitée.
Neel Chombart, Ch. Lamothe, 33550 Haux,
tél. 05.57.34.53.00, fax 05.56.23.24.49,
e-mail info@chateau-lamothe.com r.-v.

CH. LA LANDE DE TALEYRAN 2005 ★

1 ha	6 000	3 à 5 €

La tentation est grande de servir dès à présent ce clairet, issu de merlot et de cabernet-sauvignon à parts égales, avec une poêlée de pétoncles et de coques au beurre d'orange et de gingembre frais. La robe pourpre séduit par sa brillance, le nez par son sillage chaleureux de fruits mûrs. La bouche est riche, ample et harmonieuse, de bonne tenue en finale.
GAEC La Lande de Taleyran,
Ch. La Lande de Taleyran, 33750 Beychac-et-Caillau,
tél. 05.56.72.98.93, fax 05.56.72.81.94,
e-mail chateau.lalandedetaleyran@wanadoo.fr
r.-v.
Burliga

CH. LARTIGUE-CÈDRES 2005

28 ha	20 000	3 à 5 €

Une coquette robe rose brillant habille ce vin souple et frais, typique du millésime. Jovial, il présente une bonne continuité dans ses arômes de fruits à noyau, à dominante chair blanche. Pour un repas improvisé et sans façons.
Jacquin, Ch. Lartigue-Cèdres, 17, rte Brune,
33750 Croignon, tél. 05.56.30.10.28, fax 05.56.30.15.13
r.-v.

CH. LAVERGNE-DULONG 2005

1 ha	6 666	3 à 5 €

Très aromatique, ce clairet livre une corbeille de petites bananes roses mûres, annonce de l'onctuosité de la chair bien mûre. Un vin gourmand qui pourra s'allier à une cassolette de palourdes au jambon de Bayonne, saupoudrée de piment d'Espelette.
Dulong Frères et Fils, 29, rue Jules-Guesde,
33270 Floirac, tél. 05.56.86.51.15, fax 05.56.40.66.41,
e-mail dulong@dulong.com

LISE DE BORDEAUX 2005

n.c.	70 000	3 à 5 €

Ce clairet traduit bien son millésime par sa robe rose vif comme par ses arômes de fraise et de mûre. Vous serez séduit par sa bouche riche de matière et de saveurs gourmandes, puis par la finale juvénile, agréablement acidulée. Destinez-le à un mignon de porc aux carottes Vichy épicées de graines de cumin.
Cheval-Quancard, La Mouline,
BP 36, 33565 Carbon-Blanc Cedex,
tél. 05.57.77.88.88, fax 05.57.77.88.99,
e-mail chevalquancard@chevalquancard.com r.-v.

CH. DE LISENNES 2005

12 ha	80 000	3 à 5 €

Si la culture de la vigne remonte ici au XII[e]s., le château, une chartreuse, est né en 1765 ; il commande aujourd'hui un vignoble de 52 ha d'un seul tenant, non loin de la capitale girondine. Un éclat vif éclaire la robe pourpre de ce clairet, dont le bouquet est animé d'un fruité intense. La matière riche apporte une sensation de rondeur et de volume, soulignée d'arômes de fruits mûrs. Tout est prêt pour un service à l'apéritif, avec des charcuteries ou des grillades de toutes sortes.
Jean-Pierre Soubie, Ch. de Lisennes, 33370 Tresses,
tél. 05.57.34.13.03, fax 05.57.34.05.36,
e-mail contact@lisennes.fr
t.l.j. sf dim. 8h-12h 13h30-17h30; sam. 9h-12h

CH. PENIN 2005

■ 8,5 ha 60 000 ■ 5 à 8 €

Cette propriété familiale depuis 1854 compte 40 ha de vignes sur un sol argilo-limoneux-sableux. Le merlot (85 %), complété de cabernet-sauvignon, domine dans ce clairet intensément coloré qui exprime toute sa jeunesse à travers des arômes de fruits rouges. Souple et rond, empreint de cassis au palais, ce vin jouera à l'unisson avec des coquelets laqués au miel et aux épices, comme avec tout autre plat de la cuisine asiatique.

SCEA Patrick Carteyron, Ch. Penin,
33420 Génissac, tél. 05.57.24.46.98, fax 05.57.24.41.99,
e-mail vignoblescarteyron@wanadoo.fr ☑ Y ⚘ r.-v.

PRINCE DE LA RIVIÈRE 2005 *

■ n.c. 4 000 ■ 3 à 5 €

Un château du XVIe s. construit à l'emplacement d'un donjon remanié au XIXe s., des caves monolithes et un magnifique panorama. Tel est le cadre de production de ce clairet dominé par des arômes de framboise bien mûre. Vif, il fait preuve d'harmonie et bénéficie d'un savoureux duo de fraise et de cassis au palais. De quoi satisfaire vos convives aux côtés d'un bar au four. Le **Prince de La Rivière 2005 Élevé en fût (5 à 8 €)** obtient la même note.

SNC La cave de Charlemagne,
Ch. de La Rivière, 33126 La Rivière,
tél. 05.57.55.56.56, fax 05.57.24.94.39,
e-mail info@chateau-de-la-riviere.com
☑ Y ⚘ t.l.j. sf sam. dim. 10h-12h30 14h30-18h;
f. 15 déc.-15 jan.
J. Grégoire

DOM. DE RICAUD 2005 *

■ 2 ha 14 000 ■ 3 à 5 €

Les Chaigne ont élu domicile dans une ferme traditionnelle de l'Entre-deux-Mers, du XVIIIe s., et exploitent un vignoble de 35 ha sur sol argilo-calcaire. Issue du trio cabernet-sauvignon, cabernet franc et merlot, cette cuvée de couleur sombre révèle des arômes de fruits rouges, puis une matière tendre et harmonieuse, tout aussi fruitée. Pour une salade landaise ou un poisson grillé.

Vignobles Chaigne et Fils,
Ch. Ballan-Larquette, 33540 Saint-Laurent-du-Bois,
tél. 05.56.76.46.02, fax 05.56.76.40.90,
e-mail rchaigne@vins-bordeaux.fr ☑ Y ⚘ r.-v.

RUBIS DES ROCQUES 2005

■ 1,6 ha 11 500 ■ 3 à 5 €

Attention ! Nouveauté au château Les Rocques. 2005 est son premier millésime en appellation bordeaux clairet. De teinte très foncée, mais brillante, ce vin décline une large palette florale et fruitée, puis offre une matière fondue, soutenue par des tanins soyeux. Il est prêt à accompagner un rôti de dindonneau ou de veau avec une purée de céleri-rave aux pommes golden et aux cerneaux de noix.

SCEA Vignobles Feillon, Ch. Les Rocques,
33710 Saint-Seurin-de-Bourg, tél. 05.57.68.42.82,
fax 05.57.68.36.25, e-mail info@vignobles-feillon.fr
☑ Y ⚘ t.l.j. 9h-12h 14h-18h; sam. dim. sur r.-v.

LES VIGNERONS DE SAINT-MARTIN 2005 *

■ 4,45 ha 32 000 ■ 3 à 5 €

L'église de Génissac renferme de remarquables albâtres sculptés dans du gypse blanc, originaires des ateliers anglais de Nottingham. Elle donne son nom à cette cuvée dont la couleur tire sur le rouge. Certes, les arômes sont encore discrets, mais déjà pointent les fruits rouges. Un toucher doux, de la rondeur et du gras témoignent d'une longue macération des baies de merlot.

Les Vignerons de Génissac, 54, Le Bourg,
33420 Génissac, tél. 05.57.55.55.65, fax 05.57.55.11.61,
e-mail cave.genissac@wanadoo.fr
☑ Y ⚘ t.l.j. sf dim. 9h-12h 14h-18h

Bordeaux sec

À LA GLOIRE DU CHAT Cuvée Prestige 2005

□ 7 ha 56 000 ■ 3 à 5 €

Un domaine familial depuis 1790, dont l'ancêtre du propriétaire actuel était maire de Sauveterre-de-Guyenne. D'une superficie de 73,5 ha, il consacre 17,5 ha à la culture de cépages blancs sur ces terres argilo-calcaires. Le sauvignon (80 %) domine le sémillon dans ce vin jaune cuivré. Au bouquet attachant de fleurs blanches et de fruits répond une bouche de bon volume, relevée d'arômes délicats et persistants de fruits exotiques. Un bordeaux sec élégant.

Jean-Christophe Icard,
Ch. de l'Orangerie, 33540 Saint-Félix-de-Foncaude,
tél. 05.56.71.53.67, fax 05.56.71.59.11,
e-mail orangerie@chateau-orangerie.com ☑ Y ⚘ r.-v.

CH. ARCHE ROBIN 2005

□ 1,55 ha 5 000 ■ 5 à 8 €

Or pâle brillant, ce vin issu à 100 % du sauvignon développe des notes de fleurs blanches, d'abricot et de fruits exotiques. Il se montre fin et rond au palais, parfumé de flaveurs de fruits secs. Un bordeaux friand, à la finale persistante et rafraîchissante.

EARL Bazot Beaulieu, Ch. Arche Robin,
lieu-dit Beaulieu, 33141 Villegouge,
tél. et fax 05.57.84.88.35,
e-mail archerobin@wanadoo.fr ☑ Y ⚘ r.-v.

ARSIUS 2005

□ 6 ha 30 000 ■ 3 à 5 €

Bien notés en bordeaux supérieur et en entre-deux-mers cette année, les Vignerons de Guyenne proposent un bordeaux sec exclusivement issu de sauvignon. Le nez discret de litchi, aux nuances légèrement muscatées, est en parfait accord avec la bouche ronde et pleine, toute fruitée, qu'une agréable fraîcheur relève en finale.

Vignerons de Guyenne,
Union des producteurs de Blasimon, 33540 Blasimon,
tél. 05.56.71.55.28, fax 05.56.71.59.32,
e-mail vigneronsdeguyenne@worldonline.fr
☑ Y ⚘ t.l.j. sf sam. dim. 8h-12h 14h-18h

BARONS DE ROTHSCHILD LAFITE
Légende R 2005

□ n.c. 240 000 ■ 8 à 11 €

La structure de négoce des domaines Rothschild (Lafite). Le cépage sémillon s'associe à 40 % de sauvignon dans ce vin élégamment parfumé de pamplemousse, de citron vert, de buis et de fleurs blanches. La bouche ronde, équilibrée, tire parti d'un léger caractère acidulé et d'une pointe d'amertume finale, rafraîchissante.

Les Domaines Barons de Rothschild (Lafite) distribution, 40-50, cours du Médoc, 33300 Bordeaux, tél. 05.57.57.79.79, fax 05.57.57.79.80, e-mail dflamand@lafite.com
Éric de Rothschild

CAVE BEL AIR 2005 *

17 ha 45 000 3 à 5 €

À l'image des grandes *wineries* du Nouveau Monde, la maison de négoce Sichel dispose de sa propre cave de vinification. Elle a établi avec ses viticulteurs partenaires une charte de qualité qui porte ses fruits à en juger par ce 2005. Vert pâle, riche de parfums d'aubépine, de rose, de pivoine, ce vin se montre souple et friand jusqu'en finale. Appréciable à l'apéritif, il pourra aussi bien accompagner les charcuteries que les poissons et les crustacés.

SA Maison Sichel, 8, rue de la Poste, 33210 Langon, tél. 05.56.63.50.52, fax 05.56.63.42.28, e-mail maison-sichel@sichel.fr
t.l.j. sf dim. 9h-18h30

CH. BEL AIR PERPONCHER
Grande Cuvée 2004 *

2,66 ha 16 000 11 à 15 €

Coup de cœur l'an passé pour la Grande Cuvée 2003, ce château ne démérite pas cette année. Basaline Granger-Despagne, la trentaine, dirige la destinée de ce vignoble familial, bien implanté sur le plateau argilo-siliceux, sur les bords de la Dordogne. Le sauvignon (70 %) et le sémillon composent un vin jaune doré brillant, aux arômes de fruits secs et de fleurs blanches enveloppés de grillé, de toasté et d'un fin boisé. L'attaque est vive, la bouche ample et fraîche, d'un bon équilibre entre le bois et le fruité. Un bordeaux sec destiné à un poisson en sauce ou à un poulet au curry.

SCEA Vignobles Despagne, 33420 Naujan-et-Postiac, tél. 05.57.84.55.08, fax 05.57.84.57.31, e-mail contact@despagne.fr r.-v.

CH. BOISSON 2005 **

7 ha 30 000 - de 3 €

Proche de Cadillac, ce château possède de belles vignes plantées au-dessus d'anciennes carrières de pierre, le long de la Garonne. Avec un apport de muscadelle, le mariage du sauvignon et du sémillon a donné naissance à une palette de fleurs blanches, de buis, de genêt qui se prolonge dans la chair ronde et grasse. En finale, des arômes de fruits exotiques persistent durablement, ajoutant à l'élégance de l'ensemble.

SCEA Jean Médeville et Fils, Ch. Fayau, 33410 Cadillac, tél. 05.57.98.08.08, fax 05.56.62.18.22, e-mail medeville-jeanetfils@wanadoo.fr
t.l.j. sf sam. dim. 8h30-12h 14h-18h

CH. DE BONHOSTE 2005

8,53 ha 17 000 3 à 5 €

Une histoire de famille qui a débuté en 1977 lorsque Bernard et Colette Fournier ont réuni le vignoble familial à celui de leur voisin pour créer leur domaine, à une dizaine de kilomètres au sud de Saint-Émilion. Leurs enfants les ont rejoints dans cette aventure et c'est aujourd'hui une propriété de 65 ha qu'ils dirigent ensemble, dont le fruit est élevé dans une vaste cave taillée dans la roche. Ce vin issu des trois cépages sauvignon, sémillon et muscadelle s'habille d'un jaune brillant à reflets verts. Il s'ouvre sur des arômes d'agrumes (citron, pamplemousse), puis offre un équilibre réussi entre la rondeur et une fraîcheur discrète qui soutient bien la finale. À servir avec des huîtres.

Bernard Fournier, Ch. de Bonhoste, 33420 Saint-Jean-de-Blaignac, tél. 05.57.84.12.18, fax 05.57.84.15.36, e-mail fournier.colette@wanadoo.fr r.-v.

CELLIER DE BORDES 2005

n.c. 15 000 - de 3 €

Pierre Dumontet propose un vin de marque vêtu de jaune pâle, au nez citronné. Des flaveurs de tilleul et d'acacia agrémentent la bouche tendre, suave jusqu'en finale. Un bordeaux sec qui laisse le souvenir d'un bouquet subtil.

Pierre Dumontet, 4, rue du Carbouney, 33560 Carbon-Blanc, tél. 05.57.77.88.88, fax 05.57.77.88.99 r.-v.

CH. LA CAPELLE 2004 *

0,1 ha 300 5 à 8 €

Cette folie bâtie au milieu du XIX[e]s., dotée d'un vignoble un siècle plus tard par la famille Feyzeau, est reconnaissable à sa grande toiture en ardoise. Il vous sera aisé de vous y rendre si vous empruntez le parcours de randonnée qui passe par le domaine. Cette microcuvée de sauvignon et de sémillon à parts égales, récoltés sur sols argilo-limoneux, brille de reflets jaune-vert et libère des parfums d'agrumes, de beurre, mêlés d'un boisé fin. Le corps ample et gras, embaumé de pain grillé, se prolonge dans une finale longue et fraîche. Un bordeaux sec à apprécier avec une poêlée de coquilles Saint-Jacques.

Feyzeau, La Capelle, 33500 Arveyres, tél. 05.57.51.09.35, fax 05.57.51.86.27 r.-v.

CH. CHASSE-SPLEEN 2004

1,86 ha 17 200 15 à 23 €

Issu de 65 % de sémillon complétés par du sauvignon, ce vin a fait l'objet d'une élaboration soignée par l'équipe du château Chasse-Spleen, cru réputé de moulis-en-médoc : macération pelliculaire, fermentation en barrique neuve, élevage sur lies pendant neuf mois. L'élégance de la robe jaune pâle, la délicatesse des arômes de fruits, nuancés de beurre, la pointe acidulée qui rafraîchit la bouche ronde, témoignent de sa qualité.

Ch. Chasse-Spleen, 2558, Grand-Poujeaux Sud, 33480 Moulis-en-Médoc, tél. 05.56.58.02.37, fax 05.57.88.84.40, e-mail info@chasse-spleen.com r.-v.
Céline Villars-Foubet

DOM. CHEVAL-BLANC SIGNÉ 2005 *

8,5 ha 50 000 3 à 5 €

De ce vignoble implanté sur sol argilo-calcaire et graveleux est née cette cuvée de sémillon, de sauvignon et de muscadelle. Or pâle, elle offre un nez charmeur de noisette et d'abricot sec, puis un sillage boisé au palais, bien fondu à la chair ronde et pleine. Un bordeaux sec typique et généreux.

SCEA Vignobles Signé, 505, Petit Moulin Sud, 33760 Arbis, tél. 05.56.23.93.22, fax 05.56.23.45.75, e-mail signevignobles@wanadoo.fr r.-v.

CH. LA CHÈZE 2005

2,1 ha 16 000 3 à 5 €

Cette cuvée de pur sauvignon né sur argile porte une robe jaune doré brillant. Sa chair ronde, bien équilibrée,

BORDELAIS

embaume les fruits (pêche blanche, pamplemousse) et les fleurs blanches, avec un soupçon de réglisse. Une finale fruitée et rafraîchissante prolonge la dégustation.
🔑 Rontein-Priou, SCEA Ch. La Chèze, 33550 Capian, tél. et fax 05.56.72.11.77, e-mail jfrontein@wanadoo.fr ☑ 🍷 🚶 r.-v.

CH. LES COMBES 2005 *

2 ha | 9 500 | ▮ | 3 à 5 €

Cette cuvée de sauvignon (70 %) et de sémillon sur graves du nord Libournais est dominée par les arômes de fruits blancs, d'agrumes, d'épices et de minéral. Du volume, de la rondeur, une saveur sauvignonnée de buis et de pamplemousse, soulignés par un léger perlant, caractérisent la bouche, dont la fermeté en finale ne nuit pas à l'équilibre. Pour amateur de sauvignon.
🔑 EARL Vignobles Borderie, 117, rue de la République, 33230 Saint-Médard-de-Guizières, tél. 05.57.69.83.01, fax 05.57.69.72.84, e-mail jpborderie@wanadoo.fr ☑ 🍷 🚶 t.l.j. sf dim. 8h-12h 14h-19h
🔑 Frédéric Borderie

CORDIER Collection privée 2005 *

n.c. | 100 000 | ▮ | 3 à 5 €

Vin de marque de la maison Cordier, ce bordeaux sec mise tout sur le sauvignon, dont il hérite une robe jaune pâle à reflets verts, ainsi qu'une attrayante complexité aromatique entre l'acacia, l'aubépine, la pêche, la poire et le pamplemousse, nuancés de notes d'abricot sec. L'ampleur, la rondeur et la longueur de la bouche confirment sa qualité.
🔑 Cordier Mestrezat Grands Crus, 109, rue Achard, 33300 Bordeaux, tél. 05.56.11.29.00, fax 05.56.11.29.01, e-mail contact@cordier-wines.com

COURTEY Cuvée Jean 2005 *

0,5 ha | 3 000 | ◖◗ | 5 à 8 €

En hiver, au baisser de rideau des représentations théâtrales et des récitals donnés au château, peut-être vous offrira-t-on un verre de cette cuvée, au coin de la cheminée. Jaune pâle à reflets argentés, celle-ci exhale des arômes de fruits et des notes boisées. La chair ronde et équilibrée décline durablement le grillé, la vanille et les fruits. Il ne vous reste plus qu'à déguster en sa compagnie un homard grillé à l'armagnac. La **cuvée Idris 2005 (3 à 5 €)** est citée pour sa suavité.
🔑 SCEA Courtey, 33490 Saint-Martial, tél. et fax 05.56.76.42.56 ☑ 🍷 🚶 r.-v. 🏠 ©

CH. CRABITAN-BELLEVUE 2005 *

1,5 ha | 12 100 | ▮ | 3 à 5 €

Cette cuvée issue à 100 % de sauvignon brille de reflets verts sur fond jaune et laisse s'échapper des arômes de buis, de fleurs blanches, de fruits exotiques et de pamplemousse. Vive en attaque, elle offre une bouche gourmande, ronde et ample, tout en notes de buis typiques. La finale, longue, finit de convaincre.
🔑 GFA Bernard Solane et Fils, Crabitan, 33410 Sainte-Croix-du-Mont, tél. 05.56.62.01.53, fax 05.56.76.72.09 ☑ 🍷 🚶 t.l.j. 8h-12h 14h-18h; dim. sur r.-v.

CH. DOISY-DAËNE 2004 *

7 ha | 24 000 | ◖◗ | 11 à 15 €

Le sol argilo-calcaire de Barsac a porté le sauvignon qui a donné naissance à ce 2004 élevé dix mois en barrique. Belle composition que celle des arômes de grillé, de café, de fruits secs (noisette) et d'abricot. La bouche n'est pas en reste, ronde et équilibrée, dotée d'une finale persistante aux notes de fruits secs et d'épices.
🔑 EARL Pierre et Denis Dubourdieu, Ch. Doisy-Daëne, 33720 Barsac, tél. 05.56.27.15.84, fax 05.56.27.18.99, e-mail denisdubourdieu@wanadoo.fr ☑ 🍷 🚶 r.-v.

DOURTHE N° 1 2005 *

n.c. | 600 000 | ▮ | 5 à 8 €

Il a reçu deux étoiles en bordeaux rouge, le voici de nouveau en bordeaux sec... Un sémillon or vert qui délivre un délicieux bouquet printanier de fleurs et de fruits. La bouche friande se prolonge d'un fruité d'agrumes rafraîchissant. Un vin de fruits de mer.
🔑 Vins et vignobles Dourthe, 35, rue de Bordeaux, 33290 Parempuyre, tél. 05.56.35.53.00, fax 05.56.35.53.29, e-mail contact@cvbg.com ☑ r.-v.

CH. FOMBRAUGE 2005 **

0,95 ha | 4 500 | ◖◗ | 15 à 23 €

Acquis en 1999 par Bernard Magrez, ce château du Saint-Émilionnais dispose d'un parc de plus de 1 000 barriques. Son bordeaux sec, qui associe les sauvignons blancs et gris, et la muscadelle, atteint un remarquable niveau. Jaune pâle à reflets argentés, il marie les fleurs à un fin boisé grillé. Il ne manque ni d'ampleur ni de rondeur au palais, relevé d'une pointe d'amertume fort agréable qui renforce sa typicité et son élégance.
🔑 SA Ch. Fombrauge, 33330 Saint-Christophe-des-Bardes, tél. 05.57.24.77.12, fax 05.57.24.66.95, e-mail chateau.fombrauge@wanadoo.fr
🔑 Bernard Magrez

CH. FRANC-PÉRAT 2005 *

5,71 ha | 40 000 | ▮ | 8 à 11 €

Située au sommet d'une colline, cette propriété couvre 100 ha d'un seul tenant. Le château est une ancienne place forte, où Henri IV aurait séjourné à plusieurs reprises. Classique dans son assemblage de sauvignon et de sémillon, élevé sur lies fines, ce vin jaune pâle à reflets verts libère de délicats parfums de fleurs blanches. L'attaque ample et souple introduit une bouche équilibrée, volumineuse, avec une pointe amère délicate en finale. Pour des fruits de mer, des poissons en sauce ou des viandes blanches.
🔑 SCEA de Mont-Pérat, Le Peyrat, 33550 Capian, tél. 05.57.84.55.08, fax 05.57.84.57.31, e-mail contact@despagne.fr ☑ 🍷 🚶 r.-v.

CH. LA FREYNELLE 2005

4 ha 30 000 5 à 8 €

Véronique Barthe a élaboré un bordeaux riche d'arômes de fleurs blanches, d'agrumes et de fruits exotiques. L'attaque est franche et fraîche, la bouche ronde et veloutée, avec une sensation chaleureuse en finale. Les fruits de mer et les poissons lui iront bien.

Véronique Barthe, Peyrefus, 33420 Daignac, tél. 05.57.84.55.90, fax 05.57.74.96.57, e-mail veronique@vbarthe.com r.-v.

CH. DU GRAND FERRAND 2005 **

4,5 ha 33 000 3 à 5 €

Après une visite de la bastide de Sauveterre-de-Guyenne, fondée en 1281 par le roi d'Angleterre Édouard Ier, vos pas vous mèneront au château Grand-Ferrand où vous découvrirez ce 2005 qui doit tout au sauvignon. Un léger perlant se dessine dans sa robe jaune pâle, qui semble porter vers vos sens les arômes de buis, de fleurs blanches et d'agrumes. La douceur de l'attaque annonce une chair ronde, au fruité croquant. « Un régal pour le nez et le palais qui fait honneur à l'appellation », conclut un membre du jury.

Ch. Grand Ferrand, lieu-dit Grand-Ferrand, 33540 Sauveterre-de-Guyenne, tél. 05.56.71.60.42, fax 05.56.71.69.08, e-mail grand.ferrand@wanadoo.fr

CH. DU GRAND PLANTIER 2005 *

5,5 ha 35 000 5 à 8 €

Des parfums intenses de fleurs blanches (pêcher, aubépine) et de fruits exotiques émanent de la robe jaune paille. La bouche ronde, équilibrée, s'inscrit dans la même ligne aromatique jusqu'à une finale fraîche, aux nuances muscatées. Un bordeaux sec conseillé à l'apéritif et en accompagnement de fruits de mer.

GAEC des Vignobles Albucher, Ch. du Grand Plantier, 33410 Monprimblanc, tél. 05.56.62.99.03, fax 05.56.76.91.35, e-mail chdugrandplantier@hotmail.com r.-v.

CH. GRAND VILLAGE 2005 *

2 ha 14 000 5 à 8 €

Propriétaires du château Lafleur à Pomerol, S. et J. Guinaudeau proposent ici un assemblage de 60 % de sémillon à 40 % de sauvignon. Le nez complexe évoque le pamplemousse et le genêt, tandis que la bouche offre de la rondeur, rafraîchie par un léger perlant.

SCEA Guinaudeau, Grand Village, 33240 Mouillac, tél. 05.57.84.44.03, fax 05.57.84.83.31 r.-v.

CH. LA GRAVE 2005

n.c. 3 000 3 à 5 €

Propriété familiale depuis 1930, ce château propose une cuvée issue à 80 % de sémillon. Sous une teinte jaune pâle, les arômes restent discrets au nez, mais ils s'affirment au palais, sous des accents de citron et de pamplemousse qui rehaussent agréablement la chair souple, ample et équilibrée. Un perlant citronné prolonge la finale, suscitant un accord avec des fruits de mer.

EARL Vignoble Tinon, Ch. La Grave, 33410 Sainte-Croix-du-Mont, tél. 05.56.62.01.65, fax 05.56.76.70.43, e-mail tinon@terre-net.fr r.-v.

CH. GRAVELINES 2005 *

2,46 ha 21 300 3 à 5 €

Ancienne propriété des premières côtes de Bordeaux, dont la création daterait de 1602, ce château offre un joli panorama depuis la colline graveleuse et argilo-calcaire où il est implanté. La présence dominante de sauvignon dans ce vin s'exprime au travers de notes marquées de buis, de pamplemousse et de fleurs blanches. Le corps, paré d'or gris, laisse une sensation de gras bien équilibrée par la fraîcheur. Pamplemousse et rose ponctuent la dégustation.

SARL Ch. Gravelines, 1, Gravelines, 33490 Semens, tél. 05.56.62.02.01, fax 05.56.62.02.55, e-mail chateaugravelines@wanadoo.fr t.l.j. sf sam. dim. 8h-12h 14h-18h

CH. HAUT-GARRIGA 2005 *

10 ha 15 000 3 à 5 €

C'est au château Haut-Garriga que réside la famille Barreau : une propriété de 73 ha implantée sur sols argilo-calcaires. Constitué à 100 % de sémillon, ce bordeaux sec jaune intense respire l'ananas, les fleurs et le beurre. Le fruité marque également la bouche souple et ronde jusqu'à une séduisante finale.

EARL Vignobles C. Barreau et Fils, Garriga, 33420 Grézillac, tél. 05.57.74.90.06, fax 05.57.74.96.63, e-mail barreau.alain@wanadoo.fr t.l.j. sf dim. 8h-12h 13h30-18h

CH. JEAN DE BERTRAND 2005 *

5,17 ha 42 000 3 à 5 €

Le circuit des bastides n'est qu'à 5 km de la cave coopérative ; un petit détour est donc aisé et fort tentant pour découvrir ce vin de sauvignon. Le bouquet de fleurs et de fruits explose au nez : acacia, fleur de pêcher, agrumes, figue, abricot sec, mangue et goyave. Puis la bouche affiche sa fraîcheur en attaque, suivie d'un volume rond et d'une longue finale. L'harmonie, en somme. **Vignes et Passion d'Excellor 2005** reçoit également une étoile pour son fruité et sa rondeur.

Prodiffu, 17-19, rte des Vignerons, 33790 Landerrouat, tél. 05.56.61.33.73, fax 05.56.61.40.57, e-mail prodiffu@prodiffu.com

CH. DU JUGE Cru Quinette 2004

1 ha n.c. 8 à 11 €

Le château, situé dans les premières côtes de Bordeaux, sur les pentes de la rive gauche de la Dordogne, doit son nom au latin *jugeare* qui désigne une mesure de labour utilisée pour fixer les impôts sur la récolte. Son bordeaux sec jaune paille se distingue par l'élégance de ses arômes d'agrumes, de fleurs blanches, de pain d'épice, nuancés d'un boisé bien maîtrisé. Le sauvignon apporte de la vivacité à l'attaque, puis une chair ample et grasse se développe, prolongée de notes intenses de miel. Profitez de ce vin sans plus attendre.

Pierre Dupleich, Ch. du Juge, rte de Branne, 33410 Cadillac, tél. 05.56.62.17.77, fax 05.56.62.17.59 r.-v.

David - Dupleich

KRESSMANN MONOPOLE 2005 *

n.c. 90 000 5 à 8 €

Un bordeaux sec historique, créé en 1897 par Édouard Kressmann, et qui n'est distribué aujourd'hui que dans les chaînes d'hôtels et de restaurants. Vous

recherchérez donc ce 2005 sur les cartes des vins pour profiter de ses senteurs sauvignonnées mariant l'aubépine, les fruits blancs, les fruits exotiques et une pointe minérale. Après une attaque souple se révèle une bouche fraîche et équilibrée, relevée de flaveurs de raisin et d'agrumes persistantes. Les fruits de mer s'imposent en accompagnement. La **Grande Réserve 2005 (3 à 5 €)**, grâce à sa fraîcheur citronnée et à son caractère friand, brille d'une étoile également.
Kressmann,
35, rue de Bordeaux, 33290 Parempuyre,
tél. 05.56.35.53.00, fax 05.56.35.53.29,
e-mail contact@kressmann.com r.-v.

CH. DE LAGARDE
Cuvée Prestige Vieilli en fût de chêne 2005 *

8,5 ha 51 000 5 à 8 €

Depuis 2000, cette propriété familiale de 130 ha est conduite en agrobiologie. Le mariage de sauvignon et de sémillon à parts égales, élevés huit mois en barrique, apporte à cette cuvée une large palette aromatique : des fruits blancs, de la vanille, du grillé, de la noix de coco. Le corps harmonieux s'enrichit d'un tendre boisé grillé qui respecte le fruit. Quelques notes de fleurs s'y ajoutent dans la finale persistante. Une idée gourmande ? Réservez à ce vin un turbot en sauce.
SCEA Raymond, Lieu-dit Lagarde,
33540 Saint-Laurent-du-Bois, tél. 05.56.76.43.63,
fax 05.56.76.46.26, e-mail scea-raymond@wanadoo.fr
r.-v.

DOM. DE LAURANCEAU 2005

8 ha 11 000 - de 3 €

Cet assemblage classique des trois cépages bordelais (60 % de sauvignon accompagnés de sémillon et de muscadelle à parts égales) présente sous une teinte jaune pâle un bouquet d'aubépine, de tilleul et d'acacia. L'impression de fraîcheur perçue en attaque se prolonge au palais, relevant la matière ronde et florale. À l'heure de l'apéritif ou en accompagnement d'une viande blanche, cette bouteille trouvera sa place.
Alis, Freylon, 33760 Cantois,
tél. et fax 05.56.23.90.89,
e-mail sebastien.montagne8@wanadoo.fr r.-v.

CH. LESTRILLE CAPMARTIN
Vinifié et élevé en fût de chêne 2005 *

0,74 ha n.c. 5 à 8 €

Le nez intense de ce vin de sauvignon (90 %) et de sémillon s'épanouit sur des arômes de fleurs blanches, de rose et de fruits blancs enveloppés de miel. Un caractère suave que l'on retrouve au palais tant le corps bien construit, agrémenté de notes muscatées et fruitées, est souple et tendre. Une cuvée confidentielle, digne représentante de l'appellation.
Jean-Louis Roumage, Ch. Lestrille,
33750 Saint-Germain-du-Puch, tél. 05.57.24.51.02,
fax 05.57.24.04.58, e-mail jlroumage@lestrille.com
t.l.j. 8h30-12h30 14h-18h; sam. dim. sur r.-v.

MICHEL LYNCH 2005 *

n.c. 100 000 5 à 8 €

Un hommage à Michel Lynch, propriétaire au XVIIIe s. du château de Bages, à Pauillac, aujourd'hui connu sous le nom de Lynch-Bages. Le vin est l'illustration des bordeaux élégants, audacieux et accessibles. Assemblage de sauvignon et de sémillon, il se présente or gris pâle, riche d'arômes intenses de pêche blanche, de litchi et de pamplemousse. Le corps vif et charnu à la fois, d'un beau volume, marie délicieusement les flaveurs de litchi à de légères notes épicées qui se fondent en une finale friande.
J. M. Cazes Sélection, rte de Bordeaux,
33460 Macau, tél. 05.57.88.60.04, fax 05.57.88.03.84

BLANC DE LYNCH-BAGES 2004

4,5 ha 18 000 30 à 38 €

Les trois cépages blancs bordelais, récoltés sur les graves garonnaises, composent cette cuvée élevée neuf mois en barrique. Il en résulte une palette de fruits secs, nuancée de notes de buis, une attaque vive, bientôt relayée par une chair tendre et souple. En finale, la légère pointe d'amertume apporte un caractère rafraîchissant. Un bordeaux sec à servir sans plus attendre.
Jean-Michel Cazes, Ch. Lynch-Bages,
33250 Pauillac, tél. 05.56.73.24.00, fax 05.56.59.26.42,
e-mail infochato@lynchbages.com r.-v.

CH. MARAC 2005 *

3,25 ha 12 000 5 à 8 €

Après avoir admiré le panorama sur la vallée de la Dordogne et les coteaux de Castillon, rendez-vous au château Marac pour apprécier le fruit de ces sols limono-argileux. Composé à parts égales de sauvignon et de sémillon, ce vin témoigne de son passage en fût pendant six mois par un boisé vanillé, élégamment marié aux arômes de fruits exotiques (litchi, mangue) et à une pointe minérale. La bouche charmeuse bénéficie d'une même harmonie aromatique, rehaussée en finale d'un léger perlant.
SA Bonville Fils, Ch. Marac, 33350 Pujols,
tél. 05.57.40.53.21, fax 05.57.40.71.36,
e-mail vignoble-alain.bonville@wanadoo.fr r.-v.

MARQUIS D'ALBAN 2005 **

n.c. 15 000 5 à 8 €

Fondée en 1873, la maison de négoce Dulong Frères et Fils propose un vin séduisant, habillé de jaune pâle aux éclats verts. Celui-ci fait preuve d'élégance grâce à ses arômes discrets de fleurs blanches, d'agrumes et de cassis que l'on retrouve dans la matière ronde et équilibrée, persistante. Un bordeaux savoureux. Le **Saint-Savin 2005 (3 à 5 €)** obtient une étoile pour la finesse du nez et la richesse de la bouche.
Dulong Frères et Fils,
29, rue Jules-Guesde, 33270 Floirac, tél. 05.56.86.51.15,
fax 05.56.40.66.41, e-mail dulong@dulong.com

CH. MINVIELLE 2005 *

1 ha 5 000 3 à 5 €

Bâti au XVIe s. par M. de Minvielle, puis revendu comme bien national, à la Révolution, à la famille des actuels propriétaires, ce château commande 56 ha sur sol argilo-calcaire. Son bordeaux sec, équitablement composé de sauvignon et de sémillon, livre un bouquet intense de buis, de genêt, de fruits exotiques (mangue). D'attaque vive, la bouche bénéficie d'un léger perlant qui met en valeur son volume, sa rondeur comme ses flaveurs fruitées.
SCEA Vignobles Gadras,
Dom. de Minvielle, 33420 Naujan-et-Postiac,
tél. 05.57.84.55.01, fax 05.57.84.65.70,
e-mail pierre.michaud3@caramail.com r.-v.
Mme Gadras

MISSION SAINT-VINCENT Vieilles Vignes 2005

n.c. 200 000 3 à 5 €

Un vin riche en sauvignon (75 %), complété de sémillon, qui séduit par la finesse de son nez à la fois minéral et floral. L'équilibre et la richesse de la bouche délicatement fruitée représentent un atout non négligeable à l'heure de le servir à table, aux côtés de fruits de mer. **Arnozan Réserve des Chartrons 2005**, séduisant par ses notes de buis, de noisette, d'agrumes, comme par sa rondeur, est cité.

Producta, 21, cours Xavier-Arnozan, 33300 Bordeaux, tél. 05.57.81.18.18, fax 05.56.81.22.12, e-mail producta@producta.com

CH. MONIER-LA FRAISSE 2005 ★★★

8 ha 10 000 3 à 5 €

Ne quittez pas Sauveterre-de-Guyenne, au cœur de l'Entre-deux-Mers, sans vous être arrêté à la cave coopérative, dont le 2005 a recueilli tous les éloges du jury. D'une séduisante couleur jaune pâle à reflets verts, celui-ci offre un nez discret et d'une grande finesse, aux notes d'agrumes et de muscat. D'attaque vive, la bouche révèle une chair tendre et fruitée, aux accents muscatés, qui se prolonge dans une fraîcheur acidulée. De l'élégance, de la délicatesse et de la typicité.

Cave Coopérative Cellier de la Bastide, 33540 Sauveterre-de-Guyenne, tél. 05.56.61.55.21, fax 05.56.61.59.10 r.-v.

Claude Laveix

MONTESQUIEU M 2005 ★★

n.c. 20 000 3 à 5 €

Les propriétaires de cette maison de négoce sont les descendants du philosophe « gentilhomme vigneron ». C'est un vin plein d'esprit qu'ils vous proposent, élaboré à partir des trois cépages bordelais classiques. Riche d'arômes d'agrumes, il laisse une impression de souplesse, de rondeur et même de moelleux, sans rien perdre de son élégant équilibre. Une finale aussi persistante qu'agréable signe la dégustation.

Vins et Domaines H. de Montesquieu, Aux Fougères, BP 53, 33650 La Brède, tél. 05.56.78.45.45, fax 05.56.20.25.07, e-mail montesquieu@montesquieu-bordeaux.com r.-v.

CH. MOULIN DE PILLARDOT 2005 ★

n.c. 20 000 3 à 5 €

Des coquilles Saint-Jacques ou des écrevisses à la crème sont tout indiquées pour accompagner ce bordeaux de pur sauvignon, aux arômes vifs de citron. La matière ronde est parcourue d'un frissonnant perlant et de flaveurs de fruits blancs bien persistantes. Un vin puissant et élégant.

Ch. Bourdicotte, 1, Le Bourg, 33790 Cazaugitat, tél. 05.56.61.32.55, fax 05.56.61.38.26

CH. MYLORD 2005 ★

1 ha 8 600 3 à 5 €

Une chartreuse du XVIII[e]s. qui doit son nom à ses anciens habitants, d'origine britannique. Attention, les bouteilles de ce bordeaux sec sont comptées... Le sauvignon, le sémillon et 35 % de muscadelle récoltés sur un sol argilo-siliceux, ont donné naissance à un vin jaune pâle à reflets verts, dont le nez vif est riche de notes de citron et de pamplemousse. La bouche tout en rondeur offre un fruité croquant évoluant vers une finale persistante, un rien acidulée. Bonne typicité.

SCEA Ch. Mylord, 33420 Grézillac, tél. 05.57.84.52.19, fax 05.57.74.93.95, e-mail large.chateau-mylord@wanadoo.fr r.-v.

Michel et Alain Large

CH. PASCAUD 2005 ★

0,6 ha 3 600 5 à 8 €

Cette cuvée confidentielle assemblant à parts égales le sauvignon et le sémillon a connu un élevage de sept mois en barrique, dont six sur lies. L'œil est séduit par sa teinte jaune pâle à reflets gris-vert. Une invitation à apprécier le bouquet parfaitement équilibré entre notes toastées de pain grillé et arômes d'agrumes, de fruits exotiques (fruit de la Passion, mangue). La bouche fraîche en attaque, empreinte de flaveurs d'agrumes, se déploie, ronde et suave, ponctuée de flaveurs persistantes de toasté et de grillé. De la personnalité, de la puissance.

SCEA Vignobles Avril, BP 12, 33133 Galgon, tél. 05.57.84.32.11, fax 05.57.74.38.62, e-mail ch.pascaud@aol.com r.-v.

PAVILLON BLANC DU CH. MARGAUX 2004 ★★

n.c. n.c. 46 à 76 €

Un terroir de calcaire lacustre, à l'extrémité occidentale de l'AOC Margaux, un encépagement intégralement sauvignon et la climatologie si particulière de 2004 ont généré une lente maturation des raisins. Le résultat est convaincant. La présentation est sans faille, la robe jaune à reflets verts étant suivie d'un bouquet fin et frais, avec des notes de chèvrefeuille, de citron très mûr et d'épices. Le palais n'est pas en reste. Après une attaque grasse et d'une bonne acidité, il développe un boisé délicat, un grain fin et une finale aux notes de gingembre. Un véritable arbitre des élégances.

SC du Ch. Margaux, 33460 Margaux, tél. 05.57.88.83.83, fax 05.57.88.31.32 r.-v.

CH. PÉNEAU 2005

3 ha 16 000 3 à 5 €

1515 ? Telle est la date de construction de cette demeure Renaissance entreprise par un écuyer de François Ier. Planté sur une croupe de graves et d'argilo-calcaire, vendangé à la main, le sauvignon compose seul cette cuvée jaune paille soutenu. Les arômes d'amande grillée, de raisin mûr et de fleurs blanches annoncent une bouche franche, ample et tout en rondeur, marquée par des flaveurs d'abricot sec jusqu'en finale.

Ch. Péneau, Les Faures, 33550 Haux, tél. 05.56.23.05.10, fax 05.56.23.39.92, e-mail douencedany@yahoo.fr t.l.j. 9h-12h 14h-18h; sam. dim. sur r.-v.

Dany Douence

BORDELAIS

CH. PERAYNE Cuvée Apollon 2004 ★

1 ha 4 200 5 à 8 €

Remontant à la première moitié du XIXes., cette propriété couvre 21 ha sur sol argilo-calcaire. Le sauvignon y a produit une cuvée brillant de reflets verts qui exprime volontiers des arômes de fruits, de toasté et de grillé. La bouche vive et équilibrée fait la part belle au fruit, nuancé d'un boisé fondu. Un bordeaux sec pour fruits de mer et viande blanche.

Henri Luddecke, Ch. Perayne, 33490 Saint-André-du-Bois, tél. 05.57.98.16.20, fax 05.56.76.45.71, e-mail chateau.perayne@wanadoo.fr r.-v.

CH. PIERRAIL 2005

8,5 ha 53 000 5 à 8 €

Une journée bien remplie en perspective, passée à Margueron : le matin, golf, puis canoë sur la Dordogne ; l'après-midi, visite de l'église de la commune et du château Pierrail, du XVIIes. Vous y apprécierez ce vin de sauvignon blanc et gris, habillé de jaune paille à reflets dorés. Au duo de fleurs et de fruits répond une belle harmonie entre rondeur et fraîcheur. La finale friande se prolonge durablement. Un bordeaux convivial, pour l'apéritif et les fromages de chèvre.

EARL Ch. Pierrail, 33220 Margueron, tél. 05.57.41.21.75, fax 05.57.41.23.77 r.-v.

Famille Demonchaux

PREMIUS 2005 ★★

n.c. 500 000 3 à 5 €

Fleurs blanches, citron, pamplemousse, bourgeon de cassis s'accompagnent de notes toastées et minérales pour composer une palette complexe. Une matière savoureusement fruitée se développe, laissant le souvenir durable de l'abricot et des fruits exotiques. Un vin élégant et franc qui conviendra aux fruits de mer. Le **Château Ducla Expérience XIII 2005 (5 à 8 €)**, friand et fruité, mérite également deux étoiles.

Yvon Mau, rue Sainte-Pétronille, 33190 Gironde-sur-Dropt, tél. 05.56.61.54.54, fax 05.56.61.54.61, e-mail info@ymau.com

LE BLANC DU CHÂTEAU PRIEURÉ-LICHINE 2004

1,5 ha 8 000 15 à 23 €

Juste 20 % de sémillon viennent compléter le sauvignon dans ce vin qui a connu un élevage en barrique de huit mois. D'un bel éclat jaune-vert, celui-ci exprime des arômes de fleurs blanches, de fruits secs et de grillé, puis livre une chair vive en attaque, ronde et équilibrée dans son développement, avec une pointe d'amertume qui rafraîchit agréablement la finale.

Ch. Prieuré-Lichine, 34, av. de la Ve-République, 33460 Cantenac, tél. 05.57.88.36.28, fax 05.57.88.78.93, e-mail contact@prieure-lichine.fr r.-v.

Groupe Ballande

QUINTET 2005 ★

20 ha 100 000 3 à 5 €

Ce pur sauvignon, jaune blanc à reflets verts, a du rythme. Il joue la partition des fleurs blanches, du citron et du pamplemousse, puis enveloppe le palais de sa chair ronde, discrètement fruitée, avant de se prolonger par une légère amertume rafraîchissante. Il a tout pour séduire. Le **Château Méthée 2005**, à base de sauvignon également, obtient la même note grâce à son nez élégant et à sa riche matière.

Cave des Hauts de Gironde, La Cafourche, 33860 Marcillac, tél. 05.57.32.48.33, fax 05.57.32.49.63, e-mail contact@tutiac.com t.l.j. sf dim. 8h30-12h 14h-18h30

CH. RAUZAN DESPAGNE Cuvée de Landeron 2005

22 ha 176 000 5 à 8 €

Cette propriété était à l'abandon lorsque, en 1990, Jean-Louis Despagne s'en porta acquéreur. Après cinq ans de restauration, le vignoble planté sur sols argilo-calcaires, argilo-siliceux et limoneux, a retrouvé tout son potentiel. Le 2005, mariage équitable de sauvignon, de sémillon et de muscadelle, arbore une robe jaune pâle brillant, puis offre un nez élégant de fleurs blanches et d'agrumes. Il charme le palais par sa rondeur élégante. Le **Château Bel Air Perponcher 2005** est également cité.

SCEA Vignobles Despagne, 33420 Naujan-et-Postiac, tél. 05.57.84.55.08, fax 05.57.84.57.31, e-mail contact@despagne.fr r.-v.

CH. RECOUGNE Terra Recognita Élevé en fût de chêne 2005 ★★

1 ha 6 000 5 à 8 €

Après un élevage sur lies de six mois en barrique neuve, cette cuvée, habillée de jaune paille, est dotée d'arômes de fruits mêlés de grillé, de vanille et de toasté bien présents. Un bon compromis apparaît au palais entre la chair ronde, ample, et le boisé de qualité. Un bordeaux sec à la fois intense et fin.

EARL Vignobles Jean Milhade, Ch. Recougne, 33133 Galgon, tél. 05.57.55.48.90, fax 05.57.84.31.27, e-mail propriete@milhade.fr r.-v.

RÉCRÉATION 2005

n.c. 16 000 3 à 5 €

La récréation est un moment toujours très attendu lorsque l'on est sur les bancs de l'école. Le bordeaux de la cave de Rauzan porte bien son nom, puisque, chaque année dans le Guide, il vous donne rendez-vous comme à l'heure de la sonnerie. Le 2005, alliance de sauvignon majoritaire et de sémillon, séduit par son nez complexe d'agrumes, de buis et de fruits secs. La vivacité de l'attaque est adoucie par la rondeur de la chair, empreinte de flaveurs persistantes de fruits exotiques. Un bordeaux sec expressif et puissant.

Union des Producteurs de Rauzan, L'Aiguilley, 33420 Rauzan, tél. 05.57.84.13.22, fax 05.57.84.12.67, e-mail accueil@cavesderauzan.com r.-v.

CH. REYNON 2005 ★

13,6 ha 65 000 8 à 11 €

Récolté sur des graves argilo-calcaires, le sauvignon est à l'origine de ce 2005 tout en puissance par ses arômes de pamplemousse, de litchi, de buis, de genêt et de santal. Un léger perlant anime la bouche ronde et structurée qui revient en finale sur des nuances de buis.

Denis et Florence Dubourdieu, Ch. Reynon, 33410 Béguey, tél. 05.56.62.96.51, fax 05.56.62.14.89, e-mail reynon@gofornet.com r.-v.

BORDELAIS

CH. ROCHEBERT Grande Sélection 2004

0,4 ha 3 000 5 à 8 €

Grande Sélection et toute petite production issue de vignes de quarante ans de sémillon majoritaire. De teinte jaune doré, le vin allie un boisé fin aux notes de beurre et de noisette dans un sillage qui se poursuit tout au long de la dégustation. La bouche est fraîche, pleine de fruits (agrumes).

SCEA Roche, 11, rte Perriche, 33750 Beychac-et-Caillau, tél. et fax 05.56.72.41.28, e-mail vignobleroche@wanadoo.fr t.l.j. 9h-19h; sam. dim. 10h-13h 15h-18h; f. 24 déc. au 24 jan.

CH. ROQUEFORT Cuvée Roquefortissime 2004 *

n.c. 12 000 5 à 8 €

Le château des XIIIe et XIV[e]s., doté d'un vaste parc, se découvre lors d'une promenade sur les pistes cyclables de la région. Comment bordeaux pourrait-il être plus typique de ce terroir argilo-limoneux que le Roquefortissime ? Vif en attaque, ample et gras, celui-ci décline le fruit à l'infini. Sa teinte jaune pâle brillant invite à découvrir le nez délicat de fleurs blanches, de noisette, de grillé. À découvrir à l'apéritif ou en accompagnement d'un poisson en sauce. Le **Château Roquefort 2005** est cité.

Ch. Roquefort, 33760 Lugasson, tél. 05.56.23.97.48, fax 05.56.23.50.60 r.-v.

Frédric Bellanger

CH. LA ROSE SAINT-GERMAIN 2005

20 ha 160 000 3 à 5 €

Cet assemblage classique des trois cépages bordelais fait la part belle aux caractères du sauvignon : des arômes de buis, de genêt, d'agrumes marquent aussi bien le nez que la bouche. Vif en attaque, le palais gagne en rondeur avant de révéler en finale une pointe d'amertume rafraîchissante.

Les Vins de Crus, 60, bd Pierre-Ier, 33000 Bordeaux, tél. 05.56.52.53.06, fax 05.56.44.81.01, e-mail vignobles-ducourt@wanadoo.fr t.l.j. sf sam. dim. 9h-12h 14h-17h

Vignobles Ducourt

CH. SAINT-FLORIN 2005 **

17,51 ha 140 000 3 à 5 €

Ce bordeaux sec, composé de sauvignon (60 %), de sémillon et de muscadelle, surprend agréablement par la finesse de ses arômes de fleurs blanches, d'agrumes et de fruits exotiques. Vif, franc et aromatique, il enchante le palais jusqu'à l'élégante finale. Un bordeaux flatteur.

SC Vignobles Jolivet, Ch. Saint-Florin, 33790 Soussac, tél. 05.56.61.31.61, fax 05.56.61.34.87, e-mail jeanmarcjolivet@wanadoo.fr r.-v.

CH. SAINT-OURENS 2005 *

0,19 ha 2 800 3 à 5 €

Une microcuvée presque exclusivement constituée de sémillon, avec un appoint de sauvignon. De la robe jaune doré émanent des arômes discrets de fleurs et de fruits, puis une matière ronde et équilibrée emplit le palais, animée par un léger perlant et prolongée d'une agréable finale. Une bouteille à proposer à l'apéritif, avec des fruits de mer ou des poissons grillés.

Michel Maës, 57, rte de Capian, lieu-dit Saint-Ourens, 33550 Langoiran, tél. 05.56.67.39.45, fax 05.56.67.61.14 t.l.j. 8h-13h 13h30-19h; f. 1er-15 août

CH. DE SEGUIN 2005 **

3 ha 20 000 3 à 5 €

Situé dans l'Entre-deux Mers, le château de Seguin, d'architecture fin XVIII[e]s. possède 130 ha de vignes. Classique dans sa conception, son bordeaux sec associe le sauvignon blanc (65 %) au sémillon. Il mêle les arômes de la feuille et du fruit du cassis, alliés à des évocations florales. L'attaque est chaleureuse, puis une chair mûre et volumineuse se développe au palais, agrémentée de longues flaveurs épicées. Le **Château de Seguin Cuvée Prestige 2005 (5 à 8 €)** est cité pour sa rondeur fruitée et son boisé bien apprivoisé.

SC du Ch. de Seguin, 33360 Lignan-de-Bordeaux, tél. 05.57.97.19.81, fax 05.57.97.19.82, e-mail info@chateau-seguin.fr r.-v.

Carl Michael

DOM. DU SEUIL 2004 *

2,89 ha 23 760 5 à 8 €

Plantés sur des graves argilo-calcaires, sémillon et sauvignon sont à l'origine de ce vin élégamment vêtu de jaune pâle, complexe par ses arômes de pamplemousse, de fleurs blanches, de grillé et de toasté. La bouche trouve un bon équilibre entre la rondeur et une fraîcheur bien perceptible en finale. Un bordeaux sec pour fruits de mer et crustacés.

SCEA Ch. du Seuil, 33720 Cérons, tél. 05.56.27.11.56, fax 05.56.27.28.79, e-mail chateau-du-seuil@cegetel.net r.-v.

CH. SUDUIRAUT 2004 *

6 ha 14 000 15 à 23 €

Belle signature sauternaise pour ce bordeaux sec jaune vif brillant, à reflets verts, qui laisse s'épanouir des arômes de citron vert, de buis, de fleurs blanches. Vif en attaque, il ne tarde pas à révéler sa richesse et sa rondeur, avec une pointe épicée qui égaye la finale florale. Un vin destiné à une viande blanche.

Ch. Suduiraut, 33210 Preignac, tél. 05.56.63.61.90, fax 05.56.63.61.93, e-mail contact@suduiraut.com r.-v.

Axa Millésime

CH. THIEULEY Cuvée Francis Courselle 2004 *

6,5 ha 50 000 8 à 11 €

Une moitié de sémillon et une autre de sauvignon blanc et gris, tel est l'équilibre de ce vin jaune pâle brillant de reflets verts. Le bouquet riche et complexe évoque les fruits mûrs, l'acacia, la bruyère, le miel de fleurs sauvages nuancés de réglisse et de vanille. En bouche, l'harmonie se réalise entre le gras, le fruit et un fin boisé. Les flaveurs de réglisse et de pain d'épice s'unissent en une longue et fraîche finale.

🔑 Vignobles Francis Courselle, Ch. Thieuley, 33670 La Sauve, tél. 05.56.23.00.01, fax 05.56.23.34.37, e-mail chateau.thieuley@wanadoo.fr
☑ Ῑ ⚘ t.l.j. sf dim. 8h-12h 13h30-17h30; sam. sur r.-v.

CH. TOUR DE BIOT 2005 *

2,2 ha 15 000 ▮ 3 à 5 €

Issu de 100 % de sauvignon planté sur sol argilo-limoneux et siliceux, ce vin jaune pâle aux éclats verts offre généreusement ses arômes caractéristiques de buis, de genêt, de fruits exotiques et d'agrumes. Attaque vive, léger perlant, matière ronde et équilibrée, fruité présent, finale fraîche et persistante : avez-vous besoin d'autres arguments pour être convaincu ?

🔑 EARL La Tour Rouge, La Tour Rouge, 33220 La Roquille, tél. 05.57.41.26.49, fax 05.57.41.29.84 ☑ Ῑ ⚘ r.-v.
🔑 Gilles Gremen

CH. TOUR DE MIRAMBEAU
Cuvée Passion Élevé en fût de chêne 2004 *

4,16 ha 25 000 ▮ ◍ 11 à 15 €

Au sommet du plateau calcaire se dresse l'ancienne tour de Mirambeau, cernée de vignes. Récoltés sur le terroir argilo-calcaire à astéries et argilo-limoneux, le sauvignon (70 %) et le sémillon ont donné naissance à une cuvée de couleur jaune à reflets verts. Les arômes de fruits secs, de pain d'épice et de pain grillé incitent à poursuivre la dégustation. Vif en attaque, le vin gagne en ampleur et en gras, tout empreint de notes de fruits secs et de réglisse. À apprécier à l'apéritif, puis en accompagnement d'un saumon grillé.

🔑 SCEA de la Rive Droite, 33420 Naujan-et-Postiac, tél. 05.57.84.55.08, fax 05.57.84.57.31, e-mail contact@despagne.fr ☑ Ῑ ⚘ r.-v.

CH. TURCAUD
Vinifié et élevé en fût de chêne 2005 **

3 ha 13 300 ◍ 8 à 11 €

À 2 km de l'abbaye de La Sauve-Majeure, cette propriété de 45 ha, au terroir silico-graveleux et argileux, a assemblé sauvignon et sémillon à parts égales pour donner naissance à ce séduisant bordeaux sec. De la noisette, du beurre, des raisins mûrs, des notes grillées et toastées : une petite gourmandise que ces arômes. La bouche n'est pas en reste, corsée, qui libère profusion de flaveurs de vanille et de fruits blancs, soulignées par un léger perlant. Le potentiel est réel : dans deux ans, cette cuvée magnifiera tout un repas, depuis l'apéritif et les crustacés jusqu'aux poissons cuisinés et aux fromages.

🔑 EARL Vignobles Robert, Ch. Turcaud, 33670 La Sauve-Majeure, tél. 05.56.23.04.41, fax 05.56.23.35.85, e-mail chateau-turcaud@wanadoo.fr ☑ Ῑ ⚘ r.-v.

CH. DE LA VIEILLE TOUR 2005

7 ha 45 000 ▮ 3 à 5 €

Ce vin de sauvignon nuancé de sémillon (30 %) et de muscadelle (10 %) plaît par la finesse de sa robe or pâle comme par ses arômes de fleurs blanches. La bouche, riche de flaveurs de fruits exotiques (mangue) et d'abricot, fait preuve de concentration, d'équilibre et de persistance.

🔑 Vignobles Boissonneau, Le Cathelicq, 33190 Saint-Michel-de-Lapujade, tél. 05.56.61.72.14, fax 05.56.61.71.01 ☑ Ῑ ⚘ r.-v.

CH. VIEUX CARREFOUR 2005

0,8 ha 4 000 ▮ 3 à 5 €

Toute petite production pour cette propriété du Fronsadais remontant au XVIII[e]s. Du sauvignon (60 %) et du sémillon récoltés sur sol limoneux sableux et c'est un vin jaune très pâle qui emplit le verre. Pâle, mais flamboyant par son bouquet de fleurs blanches, de pêche, de poire, d'agrumes et de buis. À la vivacité de l'attaque suit une impression de rondeur soulignée de discrètes flaveurs de fleurs et de fruits.

🔑 EARL Gabard, Vignobles Gabard, Le Carrefour, 33133 Galgon, tél. 05.57.74.30.77, fax 05.57.84.35.73, e-mail vignobles.gabard@laposte.net ☑ Ῑ ⚘ r.-v.
🔑 Stéphane Gabard

Y 2004 *

n.c. n.c. ◍ 38 à 46 €

Petite révolution à Yquem : ce n'est plus dans l'appellation bordeaux supérieur, mais en bordeaux sec que l'Y va désormais être produit. Exit le moelleux, vive le sec. Mais, attention, pas n'importe lequel. Yquem oblige. Pour son premier millésime donc, le vin se révèle par une belle robe citron, qui sert de prélude à un bouquet d'une grande finesse, avec de beaux parfums de pêche blanche et de vanille. Le palais est du même niveau. D'une élégance sans faille, il associe la vivacité du sauvignon à l'opulence du sémillon.

🔑 SA Ch. d'Yquem, 33210 Sauternes, tél. 05.57.98.07.07, fax 05.57.98.07.08, e-mail info@yquem.fr ⚘r.-v.

Bordeaux rosé

CH. LES ARROMANS 2005

1 ha 8 000 ▮ 3 à 5 €

Un vin séduisant dans une robe rose pâle qui décline des arômes fruités, nuancés de notes de beurre. Vif en attaque, il se développe en souplesse et en légèreté pour laisser une impression toute printanière. Une daurade au four lui ira bien.

🔑 Joël Duffau, 2, Les Arromans, 33420 Moulon, tél. 05.57.74.93.98, fax 05.57.84.66.10, e-mail joel.duffau@tiscali.fr
☑ Ῑ ⚘ t.l.j. sf dim. 8h-12h 14h-19h

ARSIUS 2005

■ 6 ha 30 000 ▮ 3 à 5 €

Rose vif, ce 2005 fait preuve de fraîcheur tant par son bouquet de fleurs blanches, de fruits exotiques et de framboise que par un léger perlant perceptible au palais. Aérien, il s'associera harmonieusement à des gambas au riz safrané ou à des filets de sole aux artichauts violets sautés.

Vignerons de Guyenne, Union des producteurs de Blasimon, 33540 Blasimon, tél. 05.56.71.55.28, fax 05.56.71.59.32, e-mail vigneronsdeguyenne@worldonline.fr t.l.j. sf sam. dim. 8h-12h 14h-18h

CH. DE L'AUBRADE 2005 *

■ 0,47 ha n.c. ▮ 3 à 5 €

À 5 km du bourg fortifié de Castelmoron-d'Albret, la plus petite commune de France, Jean-Pierre et Paulette Lobre conduisent un vignoble de 65 ha depuis trente ans. Aidés de leurs deux fils, ils proposent ce rosé chatoyant qui laisse défiler les senteurs de fleurs et de fruits. La bouche charnue et ronde fait preuve d'équilibre et de persistance. Une riche paella appréciera sa compagnie.

GAEC Jean-Pierre et Paulette Lobre, 33580 Rimons, tél. 05.56.71.55.10, fax 05.56.71.61.94 r.-v.

CH. BALLAN-LARQUETTE 2005 *

■ 0,44 ha 3 000 ▮ 3 à 5 €

Issu de 40 % de cabernet-sauvignon, de 45 % de merlot et de 15 % de cabernet franc récoltés sur un terroir argilo-calcaire bien exposé, ce rosé est proche de la couleur du clairet par sa tonalité violine. Le nez soutenu exprime des fruits rouges légèrement fumés, tandis que la bouche apparaît ronde et aimable. Pour un jambon de Bayonne en piperade.

Vignobles Chaigne et Fils, Ch. Ballan-Larquette, 33540 Saint-Laurent-du-Bois, tél. 05.56.76.46.02, fax 05.56.76.40.90, e-mail rchaigne@vins-bordeaux.fr r.-v.

Régis Chaigne

CH. BEL AIR PERPONCHER 2005 *

■ 7,5 ha 53 000 ▮ 5 à 8 €

Reconnaissable à sa tour du XVII^{e}s., le château fut la propriété de la famille Perponcher qui se réfugia en Hollande après l'édit de Nantes. Aujourd'hui, Basaline Granger-Despagne est aux commandes de cette propriété dont les vignes sont implantées sur un plateau argilo-siliceux dominant la Dordogne. Son rosé très fruité emplit le palais d'une matière ronde et fraîche à la fois, non dénuée de relief. Il affirmera ses charmes auprès d'une alose ou de pavés de thon rouge sur le gril. Le **Château Tour de Mirambeau 2005**, timide au nez, est cité pour sa finesse.

SCEA Vignobles Despagne, 33420 Naujan-et-Postiac, tél. 05.57.84.55.08, fax 05.57.84.57.31, e-mail contact@despagne.fr r.-v.

CH. BUTTE DE CAZEVERT 2005 *

■ 1,86 ha 13 000 ▮ 3 à 5 €

Avant de visiter le chai, Monique et Jean-François Dufaget vous inviteront à emprunter le chemin pédestre qui parcourt le vignoble. Vous y découvrirez les cépages bordelais qui sont à la base de ce rosé couleur groseille fluorescent. Au nez fruité et floral (acacia, tilleul) répond une bouche riche et fraîche qui joue les prolongations sur les fruits.

Dufaget, Lafond, 33420 Naujan-et-Postiac, tél. 05.57.84.57.03, fax 05.57.74.97.14, e-mail ch.buttedecazevert@cario.fr r.-v.

CARAYON-LA-ROSE 2005

■ 4 ha 25 000 ▮ 3 à 5 €

Dulong est une ancienne maison de négoce fondée en 1873. Son rosé fuchsia brillant ne manque pas d'éclat. Il laisse un sillage frais de fruits et de fleurs, puis offre une chair veloutée, rehaussée d'un léger perlant. La finale plus nerveuse traduit sa jeunesse. Une invitation à la cuisine asiatique ou méditerranéenne.

Dulong Frères et Fils, 29, rue Jules-Guesde, 33270 Floirac, tél. 05.56.86.51.15, fax 05.56.40.66.41, e-mail dulong@dulong.com

CH. DE CARBONNEAU 2005

■ 1 ha 7 000 ▮ 3 à 5 €

Pessac-sur-Dordogne possède une église romane remaniée en 1859, puis restaurée en 1960, et abrite des vestiges romains. Au château de Carbonneau, vous découvrirez ce rosé au bouquet discret de fruits rouges et de fleurs. Saumon pâle, il se montre tonique et frais, tempéré en finale par une douceur chaleureuse.

W. et J. Franc de Ferrière, Ch. de Carbonneau, 33890 Pessac-sur-Dordogne, tél. 05.57.47.46.46, fax 05.57.47.42.26, e-mail carbonneau@wanadoo.fr r.-v. 6

CH. CASTENET GREFFIER 2005

■ n.c. n.c. ▮ 3 à 5 €

Une cuvée issue de vieilles vignes (moitié merlot, moitié cabernet-sauvignon) provenant de sols argilo-limono-calcaires. Le nez dévoile après aération un fruité miellé, tandis que la bouche laisse une impression de douceur, à peine relevée de quelques notes plus vives. À réserver à un repas champêtre autour de grillades, d'une volaille ou d'une viande blanche en sauce légère.

EARL François Greffier, Ch. Castenet, 33790 Auriolles, tél. 05.56.61.40.67, fax 05.56.61.38.82, e-mail ch.castenet@wanadoo.fr r.-v.

CH. CAZEAU 2005

■ n.c. 100 000 ▮ 5 à 8 €

La charmante chartreuse girondine du XVIII^{e}s. se trouve au pied du moulin du Haut-Benauge, datant du XVI^{e}s., qui abrite aujourd'hui un musée de la Vigne et du Vin. Au château, c'est un rosé constellé de paillettes dorées que vous apprécierez. Le bouquet réunit des senteurs florales, plus intenses à l'aération. L'attaque fraîche laisse place à une bouche souple, coulante et gourmande, d'une bonne persistance sur les fruits. Pour des fruits de mer ou des anguilles sautées à la persillade.

SCI Domaines de Cazeau et Perey, BP 17, 33540 Sauveterre-de-Guyenne, tél. 05.56.71.50.76, fax 05.56.71.87.70, e-mail lilymartin@laguyennoise.com

Anne-Marie et Michel Martin

CHANTET BLANET 2005

■ n.c. 300 000 ▮ - de 3 €

Distribué par les magasins Leclerc, ce vin agréable au regard par sa couleur rose pastel limpide affiche un fruité délicat. Un léger perlant apporte une sensation de vivacité en attaque, bientôt relayé par une matière ronde et coulante, puis une finale fruitée qui renoue avec la fraîcheur. Un rosé destiné à des viandes grillées et rôties, à des charcuteries ou à des poissons.

Maison Delor, 35, rue de Bordeaux, BP 49, 33290 Parempuyre, tél. 05.56.35.53.00, fax 05.56.35.53.29, e-mail contact@cvbg.com r.-v.

DOM. DU CHEVAL BLANC Perle de Rosé 2005 ★

0,5 ha	1 500		3 à 5 €

Le vignoble de 42 ha épouse les vallonnements du paysage avec, en son centre, une maison bordelaise du XIXes. Cette Perle de Rosé, brillant de reflets mauves, libère de fins arômes fruités, annonce de la fraîcheur élégante de la bouche. Elle s'associera aux saveurs d'une pintade aux pommes de reinette ou à des encornets à l'armoricaine servis avec du riz cantonnais.

EARL Chaussié de Cheval Blanc, Cheval Blanc, 33490 Saint-Germain-de-Graves, tél. et fax 05.56.23.94.76, e-mail earl.chaussie@terre-net.fr r.-v.

Chaussié

CH. LES COMBES 2005 ★

1 ha	6 000		3 à 5 €

Le terroir est argilo-calcaire, le cépage vinifié est le cabernet-sauvignon. Le vin ? Un rosé intense des plus chatoyants, dont le nez fruité évoque la cerise et la fraise. Au palais, une trame soyeuse met en valeur la fraîcheur fruitée persistante. Une gourmandise.

EARL Vignobles Borderie, 117, rue de la République, 33230 Saint-Médard-de-Guizières, tél. 05.57.69.83.01, fax 05.57.69.72.84, e-mail jpborderie@wanadoo.fr t.l.j. sf dim. 8h-12h 14h-19h

CORDIER Collection privée 2005

n.c.	80 000		3 à 5 €

En 1886, Désiré Cordier a fondé cette célèbre maison de négoce bordelaise, dont Collection privée est l'une des marques phare. Légèrement abricot, ce rosé décline d'intenses arômes de fruits qui trouvent écho au palais dans la chair ronde et fondante, de bonne persistance. Il est prêt à rejoindre sur la table des côtes de veau braisées accompagnées d'une purée de topinambours à la réglisse.

Cordier Mestrezat Grands Crus, 109, rue Achard, 33300 Bordeaux, tél. 05.56.11.29.00, fax 05.56.11.29.01, e-mail contact@cordier-wines.com

CH. CRABITAN-BELLEVUE 2005

3,5 ha	15 000		3 à 5 €

À Sainte-Croix-du-Mont, l'église romane du XIIIes. n'est pas l'unique curiosité ; vous y verrez aussi l'épais banc d'huîtres fossiles datant de l'ère tertiaire, long de plusieurs centaines de mètres. Bernard Solane a produit un rosé tout en arômes de fruits rouges (groseille, fraise) et d'agrumes. Vif, alerte, celui-ci présente un caractère espiègle et devrait bien s'accorder avec des filets de rougets parfumés au fenouil.

GFA Bernard Solane et Fils, Crabitan, 33410 Sainte-Croix-du-Mont, tél. 05.56.62.01.53, fax 05.56.76.72.09 t.l.j. 8h-12h 14h-18h; dim. sur r.-v.

CH. LA CROIX DE QUEYNAC 2005

2,4 ha	15 000		3 à 5 €

Récoltés sur des sols limono-sableux du Fronsadais, le merlot et les cabernets ont donné naissance à ce vin rose bonbon, à la fois floral et fruité (litchi). S'il présente de la vivacité en attaque, celui-ci ne tarde pas à dévoiler sa rondeur et glisse sur le fruit en finale.

EARL Gabard, Vignobles Gabard, Le Carrefour, 33133 Galgon, tél. 05.57.74.30.77, fax 05.57.84.35.73, e-mail vignobles.gabard@laposte.net r.-v.

Stéphane Gabard

DOURTHE N° 1 2005 ★

n.c.	70 000		5 à 8 €

Dernier né dans la gamme Dourthe N° 1, ce rosé est issu à 100 % de cabernet-sauvignon. D'une teinte groseille très douce, ce 2005 offre un bouquet fruité fin, puis une bouche à la fois fraîche et charnue, tout aussi aromatique avec, en finale, quelques notes de bonbon anglais acidulé.

Vins et vignobles Dourthe, 35, rue de Bordeaux, 33290 Parempuyre, tél. 05.56.35.53.00, fax 05.56.35.53.29, e-mail contact@cvbg.com r.-v.

FLEUR 2005 ★★

n.c.	66 600		3 à 5 €

Une bouteille à mettre sur la table du jardin recouverte d'une nappe fluo ; son étiquette rose décorée d'une marguerite sera bien dans l'esprit. Le vin aussi par sa robe printanière, son bouquet de fleurs et de fruits, sa légèreté et son côté gourmand de bonbon au cassis acidulé. Dans les assiettes, des darnes de saumon aux herbes fraîches (basilic, menthe), accompagnées d'un clafoutis d'asperges vertes.

Union des Producteurs de Rauzan, L'Aiguilley, 33420 Rauzan, tél. 05.57.84.13.22, fax 05.57.84.12.67, e-mail accueil@cavesderauzan.com r.-v.

CH. FRANC-PÉRAT 2005 ★

2,85 ha	20 000		8 à 11 €

L'histoire raconte que lors de la reconquête du royaume, le roi Henri IV aurait campé avec ses troupes dans cette ancienne place forte. Le château a d'ailleurs gardé des vestiges du XVIes. Ce 2005 rose tendre est un régal pour les yeux tout autant que pour le nez et le palais. Au fruité nuancé de notes minérales répond une matière veloutée et friande, dotée d'un brin de fraîcheur en finale.

SCEA de Mont-Pérat, Le Peyrat, 33550 Capian, tél. 05.57.84.55.08, fax 05.57.84.57.31, e-mail contact@despagne.fr r.-v.

CH. GABELOT 2005

1 ha	6 000		3 à 5 €

Ce château fut probablement la demeure du gabelou de la région, percepteur du roi, chargé de prélever la gabelle, c'est-à-dire l'impôt sur le sel. C'est un rosé que vous viendrez chercher aujourd'hui : un vin riche de notes de fruits, de fleurs et de bonbon acidulé, dont la chair souple et aimable bénéficie d'une juste vivacité. De quoi accompagner des calmars sautés à l'huile d'olive et au basilic poivré.

SCEA Jean Médeville et Fils, Ch. Fayau, 33410 Cadillac, tél. 05.57.98.08.08, fax 05.56.62.18.22, e-mail medeville-jeanetfils@wanadoo.fr t.l.j. sf sam. dim. 8h30-12h 14h-18h

CH. GAILLOT FOURNIER 2005 ★★

1,75 ha	13 000		3 à 5 €

À Tizac se trouve une charmante église romane classée, à voûte gothique mais à butées romanes. Aussi bien édifié, ce rosé au bouquet intense de fruits et de menthe poivrée, qui développe une matière ronde, rehaussée de nuances fruitées pleines de fraîcheur. Un vin de caractère, original, qui fera bel effet avec une fricassée de gambas et de langoustines à l'ail et au persil.

🔑 Jean-Paul Zanon, 1, Clavier, 33420 Tizac-de-Curton, tél. 05.57.24.28.50, fax 05.57.24.15.23 ☑ 🍷 🚶 r.-v.

CH. GANDOY PERRINAT 2005

■	n.c.	66 666	▮	5 à 8 €

Un domaine de 128 ha, au cœur de l'Entre-deux-Mers, est à l'origine de ce rosé couleur grenadine à reflets orangés, dont le bouquet, de prime abord endormi, s'éveille sur des notes de fleurs blanches et jaunes, avec un soupçon de bonbon anglais. Au palais, la chair ronde, au fruité persistant, témoigne de la présence importante de merlot, équilibrée par les cabernets (40 %).

🔑 SCEA Gandoy-Perrinat, BP 17,
33540 Sauveterre-de-Guyenne, tél. 05.56.71.50.76,
fax 05.56.71.87.70, e-mail lilymartin@laguyennoise.com
🔑 Anne-Marie et Michel Martin

CH. GANTONET 2005

■	2,36 ha	16 530	▮	5 à 8 €

La propriété de 72 ha occupe les coteaux dominant la rive gauche de la Dordogne, aux sols argilo-calcaires. L'assemblage des cépages merlot, malbec et cabernet-sauvignon se traduit par un vin aux accents fruités, fougueux dans son approche perlante. Malgré quelques notes de douceur, celui-ci laisse une impression de fraîcheur, accentuée par une légère amertume en finale. Une poêlée de langoustines au beurre de gingembre frais devrait s'y associer.

🔑 SC Ch. Gantonet, 33350 Sainte-Radegonde,
tél. 05.57.40.53.83, fax 05.57.40.58.95
🔑 Richard

CH. LA GRANDE MÉTAIRIE 2005 ★

■	3,9 ha	28 000	▮	3 à 5 €

Gornac se trouve sur la route touristique des abbayes. Une halte dans ce domaine est donc aisée, ne serait-ce que pour découvrir ce rosé élevé sur lies fines jusqu'à la mise en bouteilles. Né de 30 % de merlot et de 70 % de cabernet-sauvignon, celui-ci arbore une couleur intense, à la limite du clairet. Les arômes fruités frais s'accordent à la bouche franche et tendre, relevée d'une juste vivacité. Un vin de plaisir pour des grillades et des charcuteries.

🔑 SCEA Vignobles Buffeteau, lieu-dit Dambert,
33540 Gornac, tél. 05.56.61.97.59, fax 05.56.61.97.65,
e-mail jean.buffeteau@modulonet.fr ☑ 🍷 🚶 r.-v.

GRANDES VERSANNES 2005 ★

■	n.c.	66 000	▮	3 à 5 €

Créé pour séduire, ce rosé joue sur un camaïeu de rose, de pourpre et de violine. Un fruité fin s'impose agréablement à l'aération, puis revient en finale au palais. Fraîche, légèrement perlante en attaque, la matière gagne en rondeur, soutenue par des tanins raffinés. La bonne maturité du raisin n'est pas étrangère à ce caractère.

🔑 Union de producteurs de Lugon,
6, rue Louis-Pasteur, 33240 Lugon,
tél. 05.57.55.80.86, fax 05.57.84.83.16 ☑ 🍷 🚶 r.-v.

CH. GRAVELINES 2005

■	1,8 ha	12 700	▮	3 à 5 €

Le terroir graveleux, à l'origine du nom de ce château, semble convenir parfaitement au merlot, au cabernet-sauvignon et au malbec. D'un rose léger, ce vin propose un bouquet de fleurs blanches et de fruits à noyau (merise et mirabelle) qui persiste jusqu'au palais, comme pour mieux souligner la chair souple et fraîche.

🔑 SARL Ch. Gravelines, 1, Gravelines, 33490 Semens,
tél. 05.56.62.02.01, fax 05.56.62.02.55,
e-mail chateaugravelines@wanadoo.fr
☑ 🍷 🚶 t.l.j. sf sam. dim. 8h-12h 14h-18h
🔑 Thérasse

IMAGINONS LA VIE EN ROSE 2005

■	10 ha	70 000	▮	3 à 5 €

Une invitation à l'optimisme, voici ce que propose Jean-Christophe Icard. Il est tendre, en effet, ce rosé de merlot et de cabernets, velouté et nuancé de notes fraîches. Les arômes fruités et floraux reviennent tout au long de la dégustation comme une ritournelle. À offrir avec un bouquet de roses, la chanson d'Édith Piaf et une reproduction du tableau de Raoul Dufy, *Trente ans ou la vie en rose* !

🔑 Jean-Christophe Icard,
Ch. de l'Orangerie, 33540 Saint-Félix-de-Foncaude,
tél. 05.56.71.53.67, fax 05.56.71.59.11,
e-mail orangerie@chateau-orangerie.com ☑ 🍷 🚶 r.-v.

CH. JEAN L'ARC 2005 ★★

■	0,5 ha	3 000	▮	3 à 5 €

Jean-Yves Siozard a créé en 2004 une nouvelle gamme nommée Château Jean L'Arc. Le rosé 2005, issu de 60 % de cabernet franc, de 30 % de merlot et de 10 % de cabernet-sauvignon, s'habille d'une couleur tendre. Un long sillage fruité et frais accompagne la dégustation jusqu'en finale de la bouche charnue, aux délicats tanins. Du même producteur, le **Domaine du Claousset 2005**, plus vif, est cité.

🔑 EARL Vignobles Siozard,
Au Claouset, 33420 Lugaignac,
tél. 05.57.84.54.23, fax 05.57.84.67.10,
e-mail vignobles-siozard@wanadoo.fr ☑ 🍷 🚶 r.-v.

LE ROSÉ DE LABATUT 2005

■	1,5 ha	10 500	▮	3 à 5 €

Cette propriété, achetée en 1973 par Édouard Leclerc et rénovée par sa fille, Hélène, a servi de cadre au tournage du film *Casque bleu* de Gérard Jugnot. Rose pâle ourlé d'orangé, son vin libère des arômes de fruits et émoustille le palais par son léger perlant. L'élégante fraîcheur constituera un faire-valoir des tapas et des tartes salées proposées à l'apéritif.

🔑 GFA Les Trois Châteaux,
Ch. Lagnet, 33350 Doulezon, tél. 05.57.40.51.84,
fax 05.57.40.55.48, e-mail contact@les3chateaux.com
☑ 🍷 🚶 t.l.j. sf sam. dim. 8h30-12h 14h-17h30
🔑 Vincent Levieux

CH. LALAURIE 2005 ★

■	2,5 ha	5 000	▮	3 à 5 €

Un rosé de l'Entre-deux-Mers produit par Christian Siutat, toujours à l'affût de nouvelles technologies vinicoles. Son bouquet intense de fleurs surprend le dégustateur, de même que la robe dense, d'un violine fluorescent. La sève ronde est tout aussi plaisante, riche d'un fruité plein d'allant. Servez cette bouteille avec des coquilles Saint-Jacques à la plancha, accompagnées d'une fine escalope de foie gras nappée de brisures de cèpes.

🔑 Christian Siutat, 3, Guibon, 33420 Daignac,
tél. 05.57.74.96.13, fax 05.57.84.66.84,
e-mail christian.siutat@tiscali.fr ☑ 🍷 r.-v.

CH. LAMOTHE-VINCENT 2005 ★

■ 3,2 ha 26 000 ▮ 3 à 5 €

Le cabernet franc et le cabernet-sauvignon composent à parts égales cette cuvée originale qui revêt l'habit d'un clairet plus que d'un rosé. La voici qui puise dans le registre des fruits mûrs et enveloppe le palais de sa chair ronde, étayée de tanins au grain velouté. Un second souffle en finale, longuement fruité, en fait un bon représentant de l'appellation.

SC Vignobles Vincent,
3, chem. Laurenceau, 33760 Montignac,
tél. 05.56.23.96.55, fax 05.56.23.97.72,
e-mail info@lamothe-vincent.com r.-v.

CH. LATASTE 2005

■ n.c. 46 000 ▮ 3 à 5 €

Du cabernet-sauvignon majoritaire, complété de 40 % de merlot pour ce vin d'un rose-rouge vif. Intensément aromatique après aération, il possède une chair ronde et structurée, proche de celle d'un clairet. Proposez-le à l'apéritif, avec des beignets de crevettes marinées au citron vert et saupoudrées de gingembre râpé.

Producta, 21, cours Xavier-Arnozan,
33300 Bordeaux, tél. 05.57.81.18.18,
fax 05.56.81.22.12, e-mail producta@producta.com

CH. LATHIBAUDE 2005 ★

■ 1 ha 5 000 ▮ 3 à 5 €

Le cabernet-sauvignon a la faveur dans cette cuvée chatoyante, à reflets cuivrés. Au nez friand et frais, évocateur de fruits (cassis), répond une bouche ronde et fraîche à la fois. Le vin éveille les sens par sa jeunesse de sorte qu'il trouvera sa place à l'heure du hors-d'œuvre. De ce même producteur originaire de Champagne, les rosés **Michel Gonet 2005** et **Élégance de Lesparre 2005** obtiennent également une étoile.

SCEV Michel Gonet et Fils, Ch. Lesparre,
33750 Beychac-et-Caillau, tél. 05.57.24.51.23,
fax 05.57.24.03.99, e-mail vins.gonet@wanadoo.fr
t.l.j. sf sam. dim. 9h-12h 14h-17h30

DOM. DE LAURANCEAU 2005 ★★

■ 4 ha 7 000 ▮ - de 3 €

Un rosé presque rubis qui sait se montrer doux. Au bouquet frais, composé de fines senteurs de fruits rouges et de fleurs, répond une bouche moelleuse et charnue, à la finale persistante. Autant de caractères qui témoignent d'une bonne maîtrise de l'élevage.

Alis, Freylon, 33760 Cantois,
tél. et fax 05.56.23.90.89,
e-mail sebastien.montagne8@wanadoo.fr r.-v.

CH. LESTRILLE 2005

■ 2,63 ha 15 000 ▮ 3 à 5 €

Seul le merlot récolté sur un terroir limono-argileux compose ce rosé lumineux, à reflets saumonés. Souple et rond dans son approche, le vin se développe avec élégance, nuancé d'arômes fruités attrayants. Un bordeaux de plaisir, à apprécier dès maintenant avec un magret de canard aux poires et à la purée de fruits rouges.

Jean-Louis Roumage, Ch. Lestrille,
33750 Saint-Germain-du-Puch, tél. 05.57.24.51.02,
fax 05.57.24.04.58, e-mail jlroumage@lestrille.com
t.l.j. 8h30-12h30 14h-18h; sam. dim. sur r.-v.

CH. LA MAROUTINE 2005

■ 0,28 ha 2 000 ▮ 5 à 8 €

Remontant à 1780, ce château fut acquis en 1942 par Jean Darriet qui se lança dans une reconstitution complète du domaine ; celui-ci atteint aujourd'hui 54 ha. Issu de cabernet-sauvignon, ce rosé fruité, au subtil accent de poivron, se montre soyeux et de bon volume. Vous le partagerez autour d'une raclette pour profiter de son caractère friand.

SC J. Darriet, Ch. Dauphiné Rondillon,
33410 Loupiac, tél. 05.56.62.61.75, fax 05.56.62.63.73,
e-mail vignoblesdarriet@wanadoo.fr
t.l.j. 8h30-12h30 14h-18h; sam. dim. sur r.-v.;
f. 7-16 août

CH. MINVIELLE 2005 ★

■ 1 ha 5 000 ▮ 3 à 5 €

Le château, bâti au XVIe s., fut confisqué à la Révolution et revendu comme bien national aux ancêtres de l'actuel propriétaire. Une teinte rose tendre comme une dragée habille ce vin un peu timide de prime abord, mais qui profite d'une aération pour révéler une palette de fleurs et de fruits rouges. Vif d'approche, il ne tarde pas à dévoiler sa chair ronde et fruitée.

SCEA Vignobles Gadras,
Dom. de Minvielle, 33420 Naujan-et-Postiac,
tél. 05.57.84.55.01, fax 05.57.84.65.70,
e-mail pierre.michaud3@caramail.com r.-v.

CH. MOULIN DE BEAUSÉJOUR 2005

■ 0,5 ha 5 600 ▮ 3 à 5 €

Sans aucune connaissance vinicole, une Lorraine et un Réunionnais ont repris en 2001 ce domaine de 13 ha, à 5 km de Saint-Émilion. Ils ont réussi un 2005 couleur grenadine à reflets abricot, disposé à décliner des arômes de bonbon anglais, de fruits rouges et de fruits exotiques. La bouche vive en attaque évolue vers un fruité rouge gourmand. À déguster avec des accras de morue ou un plateau de fruits de mer.

Olivier Cadarbacasse, Ch. Moulin de Beauséjour,
33420 Saint-Jean-de-Blaignac,
tél. 05.57.84.55.71, fax 05.57.84.59.05,
e-mail moulinbeausejour@aol.com r.-v.

DE MOUR 2005

■ 1 ha 6 000 ▮ 5 à 8 €

Sur ce terroir d'anciens palus voisinent merlot et cabernet-sauvignon qui composent cette cuvée à parts égales. Le caractère fruité s'éveille rapidement au contact de l'air, nuancé de notes de bourgeon de cassis. Très vif, un tel rosé s'entendra avec des mets exotiques et des plats sucrés-salés comme un canard à l'orange.

SCEA Ch. Haut Breton Larigaudière,
33460 Soussans, tél. 05.57.88.94.17, fax 05.57.88.39.14,
e-mail ch-larigaudiere@aol.com r.-v.
De Schepper

CH. MOUSSEYRON 2005

■ 2 ha 12 000 ▮ 3 à 5 €

À 1 km du château Malromé, demeure de Toulouse-Lautrec, Jacques et Joris Larriaut dirigent ce domaine familial au terroir argilo-calcaire. Leur rosé, entre rose et jaune, offre un bouquet fruité dominé par la fraise, puis une bouche souple et douce, chaleureuse en finale.

⊶ Jacques Larriaut,
31, rte de Gaillard, 33490 Saint-Pierre-d'Aurillac,
tél. 05.56.76.44.53, fax 05.56.76.44.04,
e-mail larriautjacques@wanadoo.fr ☑ Y ⛹ r.-v.

CH. MYLORD 2005

■ 1 ha 8 600 ▮ 3 à 5 €

Une chartreuse habitée autrefois par des aristocrates anglais et qui commande aujourd'hui 49 ha. Ce rosé, couleur groseille brillant, suggère les fruits mûrs rafraîchis par la menthe poivrée. Tout en légèreté au palais, gras dans son développement, il retrouve en finale une fraîcheur bienvenue. Mariage heureux avec des côtelettes d'agneau ou de porc, accompagnées de petites pommes de terre amandine ou charlotte sautées à l'ail, au persil et au basilic.

⊶ SCEA Ch. Mylord, 33420 Grézillac,
tél. 05.57.84.52.19, fax 05.57.74.93.95,
e-mail large.chateau-mylord@wanadoo.fr ☑ Y ⛹ r.-v.
⊶ Alain et Michel Large

LES REUILLES 2005

■ n.c. 25 000 ▮ - de 3 €

Quatre exploitations ont été regroupées pour constituer ce domaine de 48 ha. Un bouquet ouvert sur la fraise, la framboise et la banane s'épanouit dans le verre teinté de rose soutenu à reflets violets. On perçoit du gras et du volume dans ce vin très aromatique qui s'accordera à des charcuteries comme à des viandes blanches.

⊶ Todesco, Piteau, 47120 Savignac-de-Duras,
tél. et fax 05.56.61.42.44
☑ Y ⛹ t.l.j. sf sam. dim. 8h30-12h 14h-18h30

CH. REYNIER 2005

■ n.c. n.c. ▮ 5 à 8 €

Une propriété que dirige Marc Lurton, à Grézillac, petite bourgade de l'Entre-deux-Mers dont l'église était jadis fortifiée. D'un rose fuchsia, ce vin laisse échapper des tonalités de bonbon anglais et de réglisse, puis emplit le palais de sa fraîcheur accentuée, mais non agressive. De quoi accompagner un lapin en piperade.

⊶ SCEA Vignobles Marc Lurton, Ch. Reynier,
33420 Grézillac, tél. 05.57.84.52.02, fax 05.57.84.56.93,
e-mail marc.lurton@wanadoo.fr ☑ Y ⛹ r.-v.

CH. SAINTE-CATHERINE 2005

■ 60 ha 26 000 ▮ 3 à 5 €

Une catherinette coiffée de rose clair à reflets tantôt violines, tantôt orangés. Discrète dans son approche, elle demande un peu d'aération pour s'épanouir, puis offre une matière veloutée et chaleureuse, non dénuée de charme. À l'heure du mariage, proposez-lui une daurade au four à la tomate, avec une mayonnaise au persil, à l'estragon et au cerfeuil.

⊶ SCEA vignobles F. et J. Arjeau,
chem. de la Chapelle-Sainte-Catherine, 33550 Paillet,
tél. 05.56.72.11.64, fax 05.56.72.13.62,
e-mail vignoblesarjeau@wanadoo.fr
☑ Y ⛹ t.l.j. 8h30-12h

CH. SAINT-OURENS 2005

■ 2,89 ha 22 000 ▮ 3 à 5 €

Une visite de la ville de Langoiran s'impose : église romane Saint-Pierre, au portail à trois voussures, ancien château fort en ruine, dont il reste un imposant donjon rond. Michel Maës s'est installé ici, voilà quinze ans, quittant les plaines céréalières du Nord pour la vigne. Il propose un rosé couleur vieux rose, aux arômes fruités de groseille. L'attaque perlante donne de la vigueur au palais, avant que ne se développe une chair ronde, aux notes de fumée inattendues.

⊶ Michel Maës, 57, rte de Capian,
lieu-dit Saint-Ourens, 33550 Langoiran,
tél. 05.56.67.39.45, fax 05.56.67.61.14
☑ Y ⛹ t.l.j. 8h-13h 13h30-19h; f. 1er-15 août

CH. DES TOURTES 2005

■ 2 ha 15 000 ▮ 3 à 5 €

Une cuvée composée à parts égales de merlot et de cabernet-sauvignon. Servez-la avec des noisettes d'agneau grillées. Son fruité cordial n'en sera que mieux valorisé, de même que sa texture ronde.

⊶ EARL Raguenot-Lallez-Miller,
Le Bourg, 33820 Saint-Caprais-de-Blaye,
tél. 05.57.32.65.15, fax 05.57.32.99.38,
e-mail chateau-des-tourtes@wanadoo.fr
☑ Y ⛹ t.l.j. 9h-12h 14h-19h

CH. LE TRÉBUCHET 2005

■ 5 ha 36 000 ▮ 3 à 5 €

Un trébuchet désigne non seulement un piège à oiseaux et à animaux nuisibles, mais aussi une machine de guerre qui servait à jeter des pierres sur les assaillants durant la guerre de Cent Ans. Pas une once d'agressivité dans ce rosé aux délicats arômes fruités, floraux et minéraux. La texture fondante laisse jusqu'en finale une impression de douceur. Favorisez les rencontres de saveurs avec un rumsteck et un gratin de pommes de terre au roquefort.

⊶ Vignobles Bernard Berger,
Ch. Le Trébuchet, 33190 Les Esseintes,
tél. 05.56.71.42.28, fax 05.56.71.30.16,
e-mail chateautrebuchet@wanadoo.fr
☑ Y ⛹ t.l.j. sf dim. 8h-12h 14h-18h

CH. TURCAUD 2005 ★

■ 1,85 ha 13 300 ▮ 5 à 8 €

Rose parme, pétillant de vie, joyeusement fruité et gouleyant. C'est bien ce que l'on attend d'un rosé. Celui-ci, porté par la fraîcheur, ne saurait résister aux charmes d'un tournedos de canard au caviar d'aubergine.

⊶ EARL Vignobles Robert,
Ch. Turcaud, 33670 La Sauve-Majeure,
tél. 05.56.23.04.41, fax 05.56.23.35.85,
e-mail chateau-turcaud@wanadoo.fr ☑ Y ⛹ r.-v.

CH. LA VERRIÈRE 2005

■ 4 ha 26 000 ▮ 3 à 5 €

Régulièrement présent dans le Guide, le rosé du château La Verrière attire l'œil dans sa robe rose vif à reflets parme. Les fleurs blanches, la banane et les fruits exotiques se réunissent en un bouquet intense. En attaque, nulle agressivité. Bien au contraire, tout n'est que douceur et rondeur, avec une pointe de vivacité rafraîchissante.

⊶ EARL André Bessette,
8, La Verrière, 33790 Landerrouat,
tél. 05.56.61.39.56, fax 05.56.61.44.25 ☑ Y ⛹ r.-v.
⊶ Alain Bessette

Bordeaux supérieur

CH. D'ARGADENS 2003 ★

■ 40 ha 155 000 (I) 5 à 8 €

Sur l'une des croupes les plus hautes de la région s'étend cette propriété de 45 ha d'un seul tenant. Elle propose un vin souple et généreux, bien adapté au goût des nouveaux consommateurs. On aime la robe intense, aux reflets roses pleins de fraîcheur, le nez de cerise légèrement toasté. Après une attaque franche, les tanins se fondent harmonieusement et les arômes de fruits rouges persistent durablement.

SA Maison Sichel, 8, rue de la Poste,
33210 Langon, tél. 05.56.63.50.52, fax 05.56.63.42.28,
e-mail maison-sichel@sichel.fr
t.l.j. sf dim. 9h-18h30

CH. AUX GRAVES DE LA LAURENCE 2003 ★

■ 0,52 ha 3 200 (I) 5 à 8 €

Bernard Hébrard a marqué l'œnologie bordelaise grâce à son activité dans les centres œnologiques et à la chambre d'Agriculture. Il élabore maintenant son propre vin, avec l'aide de toute sa famille et dans le respect du terroir : une croupe argilo-calcaire. Merlot et cabernet franc forment un couple équilibré dans ce 2003 rouge vif, élégant et fin. La bouche souple et fraîche révèle un boisé fondu, signe d'un élevage bien maîtrisé. Pour un repas familial dont le plat principal serait constitué de magrets de canard.

Bernard Hébrard, Aux Graves de la Laurence,
42, rte de Libourne, 33420 Saint-Loubès,
tél. et fax 05.57.84.61.03 r.-v.

CH. BARREYRE 2004 ★★

■ 10 ha 60 000 (I) 8 à 11 €

Bel exemple de mariage réussi entre le bois et le vin. Le nez s'ouvre volontiers sur des arômes de fruits mûrs assortis d'une touche épicée de vanille. La bouche est pleine, souple et ronde, avec un caractère confituré. Elle laisse en finale une impression de plénitude. Une petite garde suffira à l'épanouissement de ce 2004.

SC Ch. Barreyre, Beau-Rivage, 33460 Macau,
tél. 05.57.88.07.64, fax 05.57.88.07.00
t.l.j. sf sam. dim. 9h-12h 14h-17h
Giron

CH. BEAU RIVAGE 2004 ★

■ 6 ha 25 000 (I) 8 à 11 €

L'assemblage comprend, outre le merlot, le cabernet-sauvignon et le cabernet franc, des cépages devenus rares en Bordelais : petit verdot et malbec. Grâce à un élevage bien mené (Christine Nadalié n'est-elle pas issue d'une famille de tonneliers ?), ce vin de teinte rubis avenante présente des arômes de fruits rouges soulignés d'un boisé harmonieux. La matière ronde et riche gagnera en souplesse dès qu'elle aura intégré les jeunes tanins (de deux à trois ans de garde). Le **Joly Rivage Cuvée Clémentine Élevé en fût de chêne 2004 (5 à 8 €)** est cité pour son caractère concentré prometteur.

Christine Nadalié, SCEA Ch. Beau Rivage,
7, chem. du Bord-de-l'Eau, 33460 Macau,
tél. 05.57.10.03.70, fax 05.57.10.02.00,
e-mail chateau-beau-rivage@nadalie.fr
t.l.j. 9h-12h 14h-18h; sam. dim. sur r.-v.

CH. BEL-AIR Cuvée Maxime 2004 ★

■ 4 ha 26 000 (I) 5 à 8 €

Entre le XIe et le XII[e]s., les moines de l'abbaye de Blasimon ont planté la vigne sur ces terres argilo-calcaires. Aujourd'hui, le vignoble couvre 54 ha et donne naissance à des vins de qualité, tel ce bordeaux supérieur solidement structuré et persistant. Si l'empreinte de l'élevage en barrique est encore sensible, elle devrait s'atténuer avec le temps pour laisser place à l'expression de tanins soyeux, aux notes chocolatées, dans une matière fruitée (cerise et mûre).

Philippe Moysson, Le Bédat, 33540 Blasimon,
tél. 05.57.84.10.74, fax 05.57.84.00.51
t.l.j. sf sam. dim. 9h-12h 14h-18h

CH. BELLE-GARDE L'Excellence 2004 ★

■ 3 ha 12 000 (I) 8 à 11 €

À moins de 10 km de Saint-Émilion, ce domaine présente un bordeaux supérieur issu de 3 ha seulement et d'une concentration étonnante pour le millésime. Couleur noire, arômes de fruits mûrs, de cassis notamment, volume et tanins bien intégrés, équilibre. Tout est là. Merlot et cabernet-sauvignon jouent à égalité dans cette bouteille.

Éric Duffau, Monplaisir, 33420 Génissac,
tél. 05.57.24.49.12, e-mail duffau.eric@wanadoo.fr
r.-v.

CH. BELLEVUE Vinifié en fût de chêne 2004

■ 10 ha 48 913 (I) 5 à 8 €

Un membre de la famille d'Amécourt, Gustave des Ponton d'Amécourt, inventa en 1861 un hélicoptère à vapeur. Vous en trouverez l'illustration sur la contre-étiquette de ce vin qui assemble quatre cépages bordelais (les deux cabernets, le merlot et le malbec). Discret au nez, mais élégant, celui-ci possède une structure de qualité tout en faisant preuve de rondeur. « On a plaisir à le garder en bouche », note un dégustateur.

SCEA Famille d'Amécourt,
Bellevue-Saint-Romain, 33540 Sauveterre-de-Guyenne,
tél. 05.56.71.54.56, fax 05.56.71.83.95,
e-mail chateauperrou@aol.com r.-v.

CH. BELLEVUE LA MONGIE Vieilli en fût de chêne 2003 ★

■ 4 ha 20 000 (I) 5 à 8 €

Michel Boyer aime le travail bien fait et prend le temps d'élever longuement ses vins. Après douze mois de passage en fût, ce 2003 est encore marqué par le bois, mais à l'aération il libère toute sa richesse en arômes fruités et floraux, soulignés d'une note de cuir. Charnu, harmonieux, il promet de se faire plus tendre dans les deux ou trois ans à venir, lorsque ses tanins se seront assagis.

Michel Boyer, Ch. Bellevue La Mongie,
33420 Génissac, tél. 05.57.24.48.43, fax 05.57.24.48.63
t.l.j. 8h-12h 14h-19h; sam. dim. sur r.-v.

CH. BELLEVUE PEYCHARNEAU Vieilli en fût de chêne 2004 ★★

■ 13,28 ha 39 000 (I) 5 à 8 €

Ce bordeaux supérieur typé atteindra son apogée dans quatre à cinq ans. Il se distingue par une robe profonde et des arômes chaleureux de fruits rouges, de pain grillé. Puissamment structurée, sa matière ample porte encore l'empreinte du boisé (café) en finale.

SCEA Bellevue Peycharneau, 19, rte de Bergerac, BP 4, 33220 Pineuilh, tél. 06.82.28.44.50, fax 05.57.41.37.46 r.-v.
M. Onillon

CH. BELROSE 2004

25 ha 80 000 3 à 5 €

Une même élégance émane de la robe cerise noire comme des arômes qui respectent les senteurs de fruits mûrs, encore empreints d'une certaine fraîcheur. La chair ronde enrobe la structure équilibrée. Un vin qui ne prétend pas à une longue garde, mais qui fera plaisir.

Œnoalliance, rte du Petit-Conseiller, 33750 Beychac-et-Caillau, tél. 05.57.97.39.73, fax 05.57.97.39.74, e-mail scluzeau@oenoalliance.com
SCEA Ch. Belrose

CH. BÉRARD 2004 *

50 ha 330 000 5 à 8 €

Une petite proportion de merlot vient s'ajouter au couple cabernet-sauvignon (72 %) et cabernet franc récoltés sur un domaine de plus de 50 ha. La robe rubis profond est le signe d'une bonne maturité des raisins. Les notes de fruits mûrs (prune d'ente) s'harmonisent finement aux arômes vanillés, puis la bouche révèle puissance, richesse et équilibre, les tanins mûrs apportant une sensation de densité et soutenant la longue finale. Un vin à conserver de trois à cinq ans pour l'apprécier à son meilleur niveau.

EARL J.-Ch. Mauro, Bérard, 33220 Saint-Quentin-de-Caplong, tél. 05.57.41.26.92, fax 05.57.41.27.87, e-mail jean-christophe.mauro@wanadoo.fr r.-v.

CH. BIRÉ 2004 *

10 ha 50 000 5 à 8 €

Un tel encépagement est rare dans le Bordelais : 70 % de cabernet-sauvignon, 10 % de petit verdot et 5 % de carmenère, ne laissant que 15 % au merlot. Cet assemblage complexe donne toute sa fraîcheur à ce vin qui décline des notes épicées (poivre), fruitées et florales. La matière riche bénéficie d'un support tannique de qualité, tandis que les arômes se prolongent agréablement en finale.

SA Mähler-Besse, 49, rue Camille-Godard, 33000 Bordeaux, tél. 05.56.56.04.30, fax 05.56.56.04.39, e-mail france@mahler-besse.com r.-v.

CH. DE BLASSAN Cuvée fût de chêne 2004 **

7 ha 40 000 5 à 8 €

Un maximum de couleur dans ce 2004 qui a impressionné les dégustateurs. Les arômes délicieusement floraux et frais ne se laissent pas intimider par le bois. La bouche structurée révèle une même intensité aromatique, avec quelques notes toastées en finale. Un bordeaux supérieur harmonieux qui pourra vieillir deux ou trois ans si vous ne vous laissez pas tenter auparavant.

SCE Ch. de Blassan, 3, Blassan, 33240 Lugon, tél. 05.57.84.40.91, fax 05.57.84.82.93, e-mail chateaudeblassan@wanadoo.fr r.-v.
Guy Cenni

CH. BOIS NOIR Élevé en fût de chêne 2003 **

24,57 ha 53 300 5 à 8 €

Vin de caractère et d'esprit : bel avenir en perspective. Presque noir, dense, il charme par ses fines notes de fruits confits et de truffe, soulignées d'un boisé épicé. Il emplit le palais tant il a de mâche et fait preuve de

puissance jusqu'à sa finale chaleureuse et expressive, sans jamais s'éloigner du point d'équilibre. Un civet de sanglier s'y associera dès cet hiver et pendant de nombreuses années encore.

SARL Ch. Bois Noir, Le Bois-Noir, 33230 Maransin, tél. 05.57.49.41.09, fax 05.57.49.49.43, e-mail chateauboisnoir@wanadoo.fr r.-v.

CH. BOLAIRE 2004 *

5,25 ha 27 000 8 à 11 €

Situé au bout de l'île de Macau, dans le Médoc, ce château est fidèle au petit verdot, cépage introduit dans la région en 1466. Celui-ci représente plus de 30 % de l'assemblage, accompagné de merlot et de cabernet-sauvignon. Grenat profond, le vin exprime des arômes intenses de fruits, nuancés d'épices (vanille) et de notes toastées apportées par l'élevage. Il garde en bouche ce caractère aromatique tout en développant une matière riche, structurée par des tanins fondus. Quatre à cinq ans de garde sont à sa portée, mais il est déjà très harmonieux.

SC de La Gironville, 69, rte de Louens, 33460 Macau, tél. 05.57.88.19.79, fax 05.57.88.41.79, e-mail sc.gironville@wanadoo.fr
t.l.j. sf sam. dim. 9h-17h
V. Mulliez

CH. DE BONHOSTE 2003 *

6 ha 35 000 5 à 8 €

Colette et Bernard Fournier, ainsi que leurs enfants Sylvaine et Yannick œuvrent sur ce terroir argilo-calcaire dans un même but : aller de l'avant tout en maintenant la réputation de leur domaine. Ce 2003 s'inscrit dans le droit fil : encore timide au premier nez, il s'ouvre à l'aération sur des notes de fruits rouges et de tabac. Il se montre ample, souple, structuré par des tanins bien domptés qui participent à son élégance. La **Cuvée Prestige Élevé en fût de chêne 2003** brille elle aussi d'une étoile : déclinant des notes de pain grillé et de fruits noirs, elle fait preuve de puissance et d'équilibre.

Bernard Fournier, Ch. de Bonhoste, 33420 Saint-Jean-de-Blaignac, tél. 05.57.84.12.18, fax 05.57.84.15.36, e-mail fournier.colette@wanadoo.fr r.-v.

DOM. DE BOUILLEROT
Essentia Élevé en fût de chêne 2003 **

1 ha 6 000 5 à 8 €

Des reflets rouge vif éclairent la robe sombre et profonde de ce vin, dont la puissante expression aromatique évoque les fruits rouges confiturés, avec une pointe de fumée. Rien ne fait défaut en bouche : du corps, du gras, de l'élégance. Un charme dont on aimerait profiter dès à présent, mais il serait dommage de ne pas attendre trois ou quatre ans pour redécouvrir cette bouteille à son apogée.

Thierry Bos, 8, Lacombe, 33190 Gironde-sur-Dropt, tél. et fax 05.56.71.46.04, e-mail info@bouillerot.com r.-v.

DOM. DU BOUSCAT Cuvée La Gargone 2004 *

■ 2,5 ha 6 000 ◍ 11 à 15 €

François Dubernard s'était déjà fait remarquer dans le Guide l'an passé. Son 2004 pourpre intense décline des arômes délicats et complexes de cerise, de coulis de fraise, de vanille et de cacao. Après une attaque onctueuse, il emplit la bouche de sa matière souple. Les tanins bien présents, mais soyeux, garantissent une bonne évolution dans les quatre années à venir.

François Dubernard, Dom. du Bouscat, 310, Le Bouscat, 33240 Saint-Romain-la-Virvée, tél. 05.57.58.20.82, fax 05.57.58.23.59, e-mail francois.dubernard@wanadoo.fr r.-v.

CH. BRANDE-BERGÈRE Cuvée O'Byrne 2004 *

■ 6,49 ha 30 900 ◍ 5 à 8 €

Depuis les tours de la chartreuse bâtie en 1780 par un noble d'origine irlandaise, la vue s'étend jusqu'au tertre de Fronsac. À peine dominé par les cabernets, ce vin dont la robe intense s'éclaire de reflets violines, décline des arômes de fruits mûrs, de toast et de vanille. Le charme opère en bouche, ample et grasse, soutenue par des tanins soyeux. S'il est déjà harmonieux, ce 2004 le sera davantage dans trois ou quatre ans.

EARL Ch. Brande-Bergère, 33230 Les Églisottes, tél. 05.57.49.58.46, fax 05.57.49.51.52 r.-v.

BRION DE LAGASSE 2004 *

■ 4,62 ha 25 000 ◍ 5 à 8 €

La couleur sombre, presque noire, accroche le regard. Une concentration évidente que l'on perçoit également dans les arômes de fruits noirs mûrs et d'épices. Elle s'impose plus encore au palais à travers les flaveurs confiturées et la matière charnue, solidement étayée par les tanins. Une garde de deux ou trois ans permettra à l'ensemble de se fondre.

Roux, Brion de Lagasse, 33750 Baron, tél. 06.09.71.65.84, fax 05.56.95.06.37 r.-v.

CH. BROWN LAMARTINE 2004 **

■ 8 ha 5 000 ◍ 8 à 11 €

Armand Lalande, propriétaire au XIXᵉs. du château Cantenac-Brown, était ami du poète Lamartine. C'est en son souvenir que cette parcelle de vignes, productrice de bordeaux supérieur, a été nommée Cantenac-Lamartine. Le bordeaux supérieur médocain est fidèle au cabernet-sauvignon. Ce 2004 en témoigne par sa couleur cerise noire comme par ses arômes puissants de fruits mûrs. De l'ampleur, de la rondeur, des tanins souples et soyeux, un boisé savamment dosé : voilà le portrait d'un vin racé dont la dégustation laisse une sensation de plénitude.

Ch. Cantenac-Brown, 33460 Cantenac, tél. 05.57.88.81.81, fax 05.57.88.81.90, e-mail accueil@cantenacbrown.com r.-v.

Axa Millésimes

CH. BRUN-DESPAGNE Héritage 2003 *

■ 6 ha 30 000 ◍ 5 à 8 €

Des vignes centenaires de merlot, les plus âgées de la propriété, ont donné naissance à ce vin. Couleur rouge profond, arômes de cerise et de fruits confits : déjà le plaisir s'installe. En bouche se révèle toute la structure enveloppée par une chair veloutée et volumineuse. L'élevage bien mené se traduit par un boisé sans excès qui respecte la fraîcheur du vin. La cuvée **Quintessence 2003 (11 à 15 €)**, déjà très souple, mérite d'être découverte sans attendre.

Ch. Brun-Despagne, 33420 Génissac, tél. 06.20.83.02.63, fax 05.57.55.51.69, e-mail chbrundespagne@infonie.fr r.-v.

Geneviève Querre

CH. LE CALVAIRE 2004 *

■ 10 ha 60 000 ◍ 5 à 8 €

Noir, si intensément noir, mais également brillant, éclatant. Ce 2004 révèle à l'aération des notes friandes de fruits mûrs auxquelles se mêle un boisé discret, grillé et finement réglissé qui lui apporte de la complexité. À la fois rond et structuré, il se prolonge harmonieusement au palais. Attendez-le deux ou trois ans pour le savourer à son meilleur niveau.

Pierre Dumontet, 4, rue du Carbouney, 33560 Carbon-Blanc, tél. 05.57.77.88.88, fax 05.57.77.88.99 r.-v.

CRU CANTEMERLE
Cuvée Prestige Élevé en fût de chêne 2003 *

■ 6 ha 13 000 ◍ 5 à 8 €

Producteur de champagne, la maison Mignon parvient aussi à de bons résultats en Bordelais. En témoigne cette cuvée issue à 98 % de merlot et à 2 % de cabernet franc. De teinte sombre à reflets violines, elle possède un nez complexe de fruits noirs (mûre) et de griotte, agrémenté de notes finement boisées, sans excès. Parce qu'elle a du tempérament, de la puissance et de la structure, il lui faudra un peu de temps pour affiner ses tanins (quatre ou cinq ans). Réservez-la à des connaisseurs.

Vignobles Mignon, 7, rue Joliot-Curie, 51200 Épernay, tél. 03.26.58.33.33, fax 03.26.51.54.10, e-mail bmignon@champagne-mignon.fr

DOM. DE CANTEMERLE
Grains du Terroir 2003 **

■ 4 ha 25 000 ◍ 8 à 11 €

Si vous aimez les vins puissants, vous trouverez satisfaction dans ce bordeaux supérieur. Depuis la teinte profonde, le bouquet riche de fruits mûrs, de pain grillé et de vanille jusqu'à la bouche harmonieuse qui allie corpulence, gras et longueur. Un vin élégant qui s'affirmera avec le temps.

Vignobles Mabille, rue de Cantemerle, 33240 Saint-Gervais, tél. 05.57.43.11.39, fax 05.57.43.42.28, e-mail cantemerle@wanadoo.fr r.-v.

CH. DE CAZENOVE 2004 *

■ 8 ha 54 000 ◍ 5 à 8 €

Cette propriété médocaine a été replantée de cépages adaptés aux sols argilo-siliceux. Le merlot constitue ainsi 66 % de l'assemblage et laisse une bonne place au cabernet-sauvignon, maître de la région. Une agréable fraîcheur émane de la robe comme des arômes fruités et épicés de ce vin. La bouche prolonge le nez, tout en renforçant le caractère frais. La charpente tannique ne demande qu'à se fondre avec le temps (quatre ou cinq ans).

Louis de Cazenove, Ch. de Cazenove, 33460 Macau, tél. et fax 05.57.88.79.98 r.-v.

CH. CHAPELLE MARACAN 2004 **

■ 6,4 ha 38 000 ◍ 5 à 8 €

Placé sous la protection d'une chapelle, le vignoble de plus de 19 ha couvre deux coteaux situés face à face, aux sols argilo-calcaires et graveleux. Des vendanges sans doute parfaitement mûres, assemblage de cabernet franc, de cabernet-sauvignon et de merlot, ont donné naissance à un vin rouge profond, gras et rond. L'élégante trame tannique est bien fondue, laissant aux arômes de fruits rouges la place qu'ils méritent jusqu'à une longue finale. Un bordeaux supérieur harmonieux que vous apprécierez dans une petite année. **La Chapelle d'Aliénor 2004** obtient également deux étoiles. Cette bouteille possède suffisamment d'atouts pour attendre au moins trois ans et donner aux amateurs de puissance et de bon bois la récompense de la patience.

🔑 Aliénor de Malet Roquefort, Saint-Pey-d'Armens, 33330 Saint-Émilion, tél. 05.57.56.05.06, fax 05.57.56.40.89, e-mail sales@malet-roquefort.com

CLOS NORMANDIN 2004 ★

■ 15 ha 100 000 3 à 5 €

Vous reconnaîtrez aisément cette propriété aux deux gros tilleuls en haut de l'allée qui monte sur la colline. Le vignoble couvre 45 ha d'un seul tenant sur sol argilo-calcaire. Jean-Marc Alicandri a élaboré un vin intense, à reflets violacés. Le nez discret de cerise, légèrement vanillé et mentholé, est aussi élégant que la bouche souple et longuement aromatique. Les tanins soyeux offrent une structure de qualité. Dans deux ans, ce 2004 se sera déjà bien épanoui. Le **Château Normandin L'Héritier de Normandin 2004**, élevé en fût, obtient la même note.

🔑 EARL R. Alicandri et Fils, 12, Le Bourg, 33750 Saint-Quentin-de-Baron, tél. et fax 05.57.24.26.03, e-mail closnormandin@wanadoo.fr r.-v.

CH. LA COMMANDERIE DE QUEYRET 2004

■ 10 ha 30 000 5 à 8 €

Ancienne propriété des Templiers au XIII[e]s., ce domaine se situe non loin de l'abbaye de Saint-Ferme. Merlot (60 %) et cabernets ont fait l'objet d'une sélection parcellaire sur le terroir argilo-calcaire afin de ne récolter que les raisins les plus mûrs. Il en résulte ce 2004 pourpre profond qui se montre encore un peu discret au nez. Les tanins veloutés lui confèrent une structure déjà plaisante, confortée par un bon équilibre fruité en finale. Invitez-le aux côtés d'un rôti de bœuf ou d'un tournedos dès aujourd'hui.

🔑 Claude Comin, Ch. La Commanderie, 33790 Saint-Antoine-du-Queyret, tél. 05.56.61.31.98, fax 05.56.61.34.22, e-mail vignoble.comin@wanadoo.fr r.-v.

CORDIER

Terres d'Héritage Élevé en fût de chêne 2004 ★

■ n.c. n.c. 3 à 5 €

Chez Cordier, l'œnologue est une femme : Paz Espejo. Elle a su dans ce 2004 préserver l'héritage du fondateur de cette célèbre maison en 1886, Désiré Cordier, tout en y apposant la touche contemporaine qui plaît aux consommateurs d'aujourd'hui : rondeur et fruité. Le nez, d'abord discret, s'ouvre en effet sur le fruit, puis la bouche fraîche révèle des tanins fondus et soyeux qui invitent à une dégustation dans deux ans.

🔑 Cordier Mestrezat Grands Crus, 109, rue Achard, 33300 Bordeaux, tél. 05.56.11.29.00, fax 05.56.11.29.01, e-mail contact@cordier-wines.com

CH. COURONNEAU 2004

■ 6 ha n.c. 5 à 8 €

Il faudra l'oublier deux ou trois ans en cave pour le redécouvrir sous un jour nouveau. Aujourd'hui, ce vin rouge soutenu libère un nez puissant de fruits rouges (griotte), aux nuances épicées, cacaotées et réglissées. La bouche volumineuse est encore sous l'emprise des tanins hérités de l'élevage. Il en ressort une certaine austérité en finale, mais le temps devrait y remédier.

🔑 Piat, Ch. Couronneau, 33220 Ligueux, tél. 05.57.41.26.55, fax 05.57.41.27.58, e-mail chateau-couronneau@wanadoo.fr r.-v.

DOM. DE COURTEILLAC 2004 ★

■ 27 ha 85 000 8 à 11 €

Depuis son arrivée en 1998 dans cette propriété de l'Entre-deux-Mers, Dominique Méneret a procédé à la rénovation des vignes et des chais. Le voici à nouveau dans le Guide grâce à son 2004 encre noire qui révèle des arômes de fruits noirs bien mariés aux épices vanillées du fût. Après une attaque fraîche, le vin gagne en intensité et en rondeur, affirme son équilibre et sa complexité. Une garde de deux ou trois ans suffira à le mener à son apogée.

🔑 SCA Dom. de Courteillac, 2, Courteillac, 33350 Ruch, tél. 05.57.40.79.48, fax 05.57.40.57.05, e-mail domainedecourteillac@free.fr r.-v.

🔑 D. Méneret

CH. DE CROIGNON

Élevé en barrique de chêne 2004

■ 12 ha 40 000 3 à 5 €

Le domaine de 12 ha constitue une belle unité autour de la maison de maître. Exclusivement composé de merlot, ce 2004 demande à s'épanouir. À l'aération se révèlent des arômes de fruits et un boisé fin. L'attaque est franche, puis les tanins se manifestent. Il faut attendre que jeunesse se passe.

🔑 Maison Grand Monteil, BP 8, 33370 Sallebœuf, tél. 05.56.21.29.70, fax 05.56.78.39.91, e-mail maisongrandmonteil@wanadoo.fr t.l.j. sf sam. dim. 9h-12h 14h-17h; f. 25-31 déc.

🔑 R. Fenestre

CH. CROIX GRAND BARAIL 2004 ★

■ 3,9 ha 13 700 5 à 8 €

Laissez au bois le temps de se fondre dans cette belle matière, car le fruit mûr est encore dominé par les notes empyreumatiques. Deux, trois, quatre ans : ne craignez rien. La chair est suffisamment ample, la structure assez solide pour affronter les années. Vous pourrez alors déguster ce vin avec des grillades d'agneau, un poulet à la broche ou un gâteau au chocolat.

🔑 Roland Lhuillier, Le Grand Barrail, 33230 Maransin, tél. et fax 05.57.49.40.37, e-mail fablhuillier@hotmail.com r.-v.

CH. CROIX-MOUTON 2004

■ 22 ha 120 000 8 à 11 €

Lors des grandes crues de l'hiver, sur l'île du Carney, seule la butte (« Mouton » signifie motte) sur laquelle se situe ce domaine était autrefois épargnée. Un emplacement bien choisi pour les vignes sur ce sol argilo-limoneux. À dominante de merlot (81 %), le 2004 marie harmonieusement le bois (vanille et autres épices) et le fruit. Il se montre suave, étayé par des tanins fondus, et laisse en finale une agréable impression que l'on aimerait plus persistante.

Jean-Philippe Janoueix,
Ch. Croix-Mouton, 33240 Lugon-et-l'Île-du-Carney,
tél. 05.57.25.91.19, fax 05.57.48.00.04,
e-mail topwinesonly@free.fr r.-v.

CH. DE CUGAT Cuvée Francis Meyer 2004 *

4,1 ha 11 300 8 à 11 €

Le vignoble se situe sur une route riche de curiosités, dont l'abbaye de Blasimon du XII[e]s. Joignez le culturel à l'agréable en découvrant cette cuvée aux senteurs raffinées et complexes : le boisé se marie judicieusement aux fruits rouges confiturés. Souple en attaque, équilibrée, la bouche bénéficie de tanins enrobés et d'une bonne persistance aromatique. Après deux petites années, le vin aura atteint sa pleine harmonie.

SCEA Vignobles Benoît Meyer,
Ch. de Cugat, 33540 Blasimon,
tél. 05.56.71.52.08, fax 05.56.71.60.29 r.-v.

CH. DEGAS 2003 *

1,5 ha 10 000 5 à 8 €

Une grand-mère et sa petite-fille (maître de chai) conduisent ce domaine que des femmes se transmettent depuis quatre générations. Si vous prenez rendez-vous, profitez de la visite pour découvrir le parc classé parmi les plus beaux de Gironde. Le vin, lui, vous parlera d'élégance, de rondeur, de souplesse, ses notes vanillées se fondant à la palette de fruits noirs avec harmonie. Ne le faites pas attendre, mais profitez plutôt de son charme immédiat.

Marie-José Degas, La Souloire,
33750 Saint-Germain-du-Puch, tél. 05.57.24.52.32,
fax 05.57.24.03.72, e-mail dianezurawsky@yahoo.fr
t.l.j. 8h-12h 13h-17h; sam. et dim. sur r.-v.

CH. DUCLA Permanence X 2004 **

3 ha 15 000 5 à 8 €

La famille Mau compte parmi les précurseurs du négoce bordelais. Leur maison a été acquise par Freixenet, négociant espagnol en 2001, mais ils ont conservé leurs propriétés. Ce 2004, rouge profond à reflets vifs, s'impose par ses arômes d'épices, de cacao, de bois exotique, de cerise et de mûre. Au palais, il se montre non seulement souple et velouté, mais également parfaitement architecturé. Le fruit domine jusqu'à la longue finale. À garder trois ans en cave.

Yvon Mau, rue Sainte-Pétronille,
33190 Gironde-sur-Dropt, tél. 05.56.61.54.54,
fax 05.56.61.54.61, e-mail info@ymau.com

CH. DUMAS CENOT 2003 *

3 ha 6 800 3 à 5 €

Passée de l'élevage à la viticulture en 1968, cette propriété compte aujourd'hui 23 ha de vignes. Son bordeaux supérieur exprime des notes florales et épicées de bon augure. Suit en bouche une sensation de rondeur grâce à des tanins fondus et une note de fraîcheur apportée par les arômes de fruits rouges. Un vin jeune et élégant qui ne néglige pas pour autant la concentration et la structure. Appréciez-le dès maintenant.

Bernard Dumas, Cenot, 33790 Pellegrue,
tél. et fax 05.56.61.31.37 r.-v.

CH. ÉLIXIR DE GRAVAILLAC
Prestige Élevé en fût de chêne 2004

1,2 ha 8 000 5 à 8 €

Deux frères ont acheté cette propriété de 13 ha en 2001. Ils proposent un vin brillant de reflets violacés, dont les arômes fruités bien frais se doublent de notes boisées fondues. L'attaque est souple, les tanins fermes, mais enveloppés de gras. Un 2004 gourmand à boire ou à garder.

EARL Guironnet Frères,
Aux Graves, 33350 Civrac-sur-Dordogne,
tél. et fax 05.57.40.34.84 r.-v.

CH. DE L'ENCLOS Élevé en fût de chêne 2003

1 ha 8 500 5 à 8 €

Agréable randonnée que celle qui emprunte la route des Abbayes, entre Blasimon et Sauveterre. Autant de lieux que de vignobles à découvrir, telle cette propriété à l'origine de ce vin. Habillé d'une robe cardinale, intense et brillante, celui-ci a besoin d'être aéré pour libérer son fruité nuancé de boisé. Laissant une bonne impression à l'attaque, il offre une chair dense, aromatique, avec quelques tanins encore jeunes. Il lui faudra attendre un an ou deux pour perdre son austérité.

Vignerons de Guyenne,
Union des producteurs de Blasimon, 33540 Blasimon,
tél. 05.56.71.55.28, fax 05.56.71.59.32,
e-mail vigneronsdeguyenne@worldonline.fr
t.l.j. sf sam. dim. 8h-12h 14h-18h
GAEC de L'Enclos

CH. L'ESCART Prestige L'Éden 2004 *

18,8 ha 120 000 5 à 8 €

Le chemin du Roy qui traverse la propriété est celui que Louis XIV emprunta lors de son mariage avec l'infante d'Espagne. Auparavant, la route était déjà connue des pèlerins de Saint-Jacques-de-Compostelle. Vous vous arrêterez au domaine pour y découvrir ce vin qui assemble pas moins de cinq cépages : le merlot, les deux cabernets, le malbec et le petit verdot. Sous une robe foncée apparaissent des arômes de fruits mûrs à peine nuancés de notes boisées. Une grande richesse est perceptible dès la mise en bouche et ne cesse de se développer. Seuls quelques tanins se manifestent en finale ; ils s'assagiront avec le temps.

Gérard Laurent, SCEA Ch. L'Escart,
70, chem. Couvertaire, BP 8, 33450 Saint-Loubès,
tél. 05.56.77.53.19, fax 05.56.77.68.59,
e-mail lescart@wanadoo.fr
t.l.j. sf dim. 10h-12h 14h-19h; f. 10-31 août

CH. LA FAVIÈRE 2004 *

18,51 ha n.c. 3 à 5 €

Respect de la matière première et mariage harmonieux entre le merlot et les cabernets, vinification soignée sont les facteurs de réussite de ce 2004. Si le premier nez semble discret, les arômes de fruits se révèlent à l'aération, laissant une sensation de fraîcheur. Équilibré, le vin évolue en bouche harmonieusement et fait preuve d'une bonne persistance aromatique. Partagez-le sans tarder à l'occasion d'un déjeuner amical.

SCEA Dom. de La Cabanne,
32, rue Antoine-de-Saint-Exupéry,
33660 Saint-Seurin-sur-l'Isle,
tél. 05.57.49.72.08, fax 05.57.49.64.89
t.l.j. sf sam. dim. 8h-12h 14h-18h
Grawitz

CH. FAYAU La 179e du Château Fayau 2004 *

12 ha 80 000 5 à 8 €

« Cent fois sur le métier remettez votre ouvrage », dit le proverbe. Au château Fayau, c'est la cent soixante-dix-neuvième fois que l'on vendange le raisin sur ce terroir

argilo-siliceux et calcaire. C'est dire si l'on connaît le métier. Pour preuve, ce 2004 couleur violine brillant, dont le nez complexe allie le fruit et le bois. Une même harmonie est perceptible en bouche entre une bonne mâche et des tanins fins qui contribuent à l'impression de soyeux. Un vin déjà charmeur, mais qui saura vieillir au moins quatre ans.
SCEA Jean Médeville et Fils, Ch. Fayau,
33410 Cadillac, tél. 05.57.98.08.08, fax 05.56.62.18.22,
e-mail medeville-jeanetfils@wanadoo.fr
t.l.j. sf sam. dim. 8h30-12h 14h-18h

CH. FÉRET-LAMBERT 2004 *

6 ha 24 000 8 à 11 €

Récolté sur un terroir argilo-calcaire à astéries, le merlot constitue l'unique cépage de ce bordeaux supérieur tout en fruits frais. Le caractère fruité prend de l'ampleur en bouche jusqu'à la finale persistante et fraîche. On sent une bonne matière et un élevage mené dans un souci de modernité. Le **Costes du Château Féret-Lambert 2004 (3 à 5 €)** obtient la même note : élégant, souple et fruité, il saura attendre trois ans.
SCEA Sulzer-Féret, Dom. de Lambert,
33420 Grézillac, tél. 05.57.74.93.18, fax 05.57.74.93.05,
e-mail feretlambert@aol.com r.-v. 6

CH. FLEUR HAUT GAUSSENS 2004 *

22,7 ha 163 000 5 à 8 €

Ce sont bien les fleurs que l'on décèle dans le bouquet de ce vin. Des notes de fruits rouges (griotte) s'y ajoutent, ainsi que des touches épicées et grillées. La bouche est souple, bien structurée et suffisamment aromatique. Une légère austérité se fait sentir en finale, signe de jeunesse. Deux à quatre ans de vieillissement seront favorables.
Vignobles Pierre Lhuillier et Fils, Les Gaussens,
33240 Vérac, tél. et fax 05.57.84.48.01,
e-mail fleur.haut.gaussens@wanadoo.fr r.-v.

CH. FLORIMOND 2003 *

2,5 ha 13 456 5 à 8 €

Louis Marinier, défenseur des appellations régionales du Bordelais, a transmis à ses filles le sens du terroir. Monique et Marie-Hélène sont en passe de convertir le vignoble à l'agriculture biologique. Elles proposent un 2003 élégant dans une robe violine intense et brillant. La riche palette aromatique mêle griotte, grillé et tabac, tandis qu'au palais s'impose un fruité plaisant. La matière ronde et ample persiste avec finesse en finale.
Vignobles Louis Marinier,
Dom. Florimond-La-Brède, 33390 Berson,
tél. 05.57.64.39.07, fax 05.57.64.23.27
t.l.j. sf sam. dim. 8h-12h30 14h-17h30

CH. DE FUSSIGNAC 2003

16 ha 85 000 8 à 11 €

Situé dans la commune de Petit-Palais, point culminant de la Gironde, le vignoble s'étend sur un terroir argileux, planté majoritairement de merlot. Le vin surprend au nez par sa fraîche odeur de violette et de cassis, puis il se montre gras, tendre et souple au palais. Une impression de finesse vient clore la dégustation de cet aimable bordeaux supérieur.
Jean-François Carrille,
1, pl. du Marcadieu, 33330 Saint-Émilion,
tél. 05.57.24.74.46, fax 05.57.24.64.40,
e-mail paul.carrille@worldonline.fr r.-v.

CH. GANDOY-PERRINAT 2004

116 ha 500 000 5 à 8 €

Au cœur de l'Entre-deux-Mers, vaste et pittoresque région comprise entre Garonne et Dordogne, sur les coteaux de Sauveterre-de-Guyenne, s'étendent les 124 ha de ce domaine. Merlot et cabernets à parts égales ont donné naissance à ce vin rubis qui prône l'harmonie entre le fruit, la structure et la matière souple. Une note épicée souligne l'ensemble et apporte de la fraîcheur. À servir avec des viandes blanches ou rouges rôties saupoudrées d'épices.
SCEA Gandoy-Perrinat, BP 17,
33540 Sauveterre-de-Guyenne, tél. 05.56.71.50.76,
fax 05.56.71.87.70, e-mail lilymartin@laguyennoise.com
Anne-Marie et Michel Martin

BORDELAIS

CH. GAURY BALETTE

Comte Auguste Vieilli en fût de chêne 2003 *

1,5 ha 3 190 5 à 8 €

Une petite production de l'Entre-deux-Mers, issue de merlot et de cabernets à parts presque égales, avec une touche de petit verdot. Des arômes de fruits bien mariés aux notes boisées, une chair riche, soutenue par des tanins soyeux : l'équilibre est harmonieux.
Bernard Yon, Ch. Gaury Balette, 33540 Mauriac,
tél. 05.57.40.52.82, fax 05.57.40.51.71,
e-mail bernard-yon@wanadoo.fr r.-v.

CH. DE GOËLANE 2004 **

74 ha 252 000 5 à 8 €

Propriété de la famille Castel depuis 1957, le château de Goëlane se distingue par ce 2004 rubis à reflets violacés qui décline des arômes de fruits rouges mûrs. Au palais, les dégustateurs ont apprécié la puissance et la structure tannique de qualité enveloppée d'une chair ronde et savoureuse. L'ensemble laisse une impression de soyeux. De la même maison, le **Château Técheney 2004**, qui a connu six mois d'élevage sous bois, obtient une étoile pour son équilibre.
SCE du Ch. de Goëlane, 14, rte de Sanson,
33670 Saint-Léon, tél. 05.56.95.54.00,
fax 05.56.95.54.18, e-mail infos@groupe.castel.com

CH. GRAND-JEAN Élevé en fût de chêne 2004

5 ha 30 000 8 à 11 €

Il faudra attendre un peu que le boisé se fonde pour apprécier les notes de fruits mûrs de ce vin : un an ou deux y suffiront. Vous profiterez alors de sa rondeur et de sa souplesse, de sa structure aimable qui lui permettent d'accompagner un plat en sauce.
SC Dulon, 133, Grand-Jean, 33760 Soulignac,
tél. 05.56.23.69.16, fax 05.57.34.41.29,
e-mail dulon.vignobles@wanadoo.fr
t.l.j. sf sam. dim. 8h30-13h 14h-18h

CH. LES GRANDS JAYS 2004

11 ha n.c. 5 à 8 €

Les filles de Jean Boireau, Christelle et Martine, exploitent depuis dix ans cette propriété familiale où la culture de la vigne remonte au milieu du XVII[e]s. Elles ont produit ce vin élégant et frais, habillé d'une robe brillante. Le nez fruité, la bouche soyeuse, structurée par des tanins fondus sont en harmonie. Attendez deux ou trois ans pour redécouvrir ce vin à maturité.

Jean Boireau, Les Grands Jays, 33570 Les Artigues-de-Lussac, tél. 05.57.24.32.08, fax 05.57.24.33.24, e-mail earl-vignobles-boireau@wanadoo.fr ☑ Y ✝ r.-v.

CH. LA GRAVETTE DES LUCQUES 2004 ★★★

■ 4,35 ha 29 000 ▮◖◗ 5 à 8 €

L'évêque de Rhodésie est venu bénir le Petit Jésus des Lucques – pied de vigne en forme de Christ sur sa croix – dans ce domaine. Tout le vignoble a dû profiter de sa bénédiction. Voyez plutôt ce 2004 rouge sombre qui dévoile un boisé fondu et un fruité intense de cassis, de mûre et de cerise. La matière riche et ample tapisse le palais et laisse une impression de volume. Un vin cadeau pour amateurs.

EARL Patrice Haverlan, 11, rue de l'Hospital, 33640 Portets, tél. et fax 05.56.67.11.32, e-mail patrice.haverlan@worldonline.fr ☑ Y ✝ r.-v.

CH. LES GRAVIÈRES DE LA BRANDILLE Cuvée Prestige 2003

■ 5 ha 30 000 ▮◖◗ 5 à 8 €

Un pur merlot récolté sur un terroir de graves et d'argiles. La teinte vermillon annonce la fraîcheur des notes réglissées et épicées perceptibles au nez comme en bouche. L'attaque est franche, les tanins bien enrobés et le boisé harmonieux. Un vin prêt à être servi.

EARL Vignobles Borderie, 117, rue de la République, 33230 Saint-Médard-de-Guizières, tél. 05.57.69.83.01, fax 05.57.69.72.84, e-mail jpborderie@wanadoo.fr ☑ Y ✝ t.l.j. sf dim. 8h-12h 14h-19h

CH. GUILLAUME BLANC Cuvée du Consul Élevé en fût de chêne 2004 ★

■ 3 ha 20 000 ◖◗ 5 à 8 €

Au XVIe s., Guilhaume Blanc était consul de la bastide de Sainte-Foy et en possédait le vignoble. C'est en son souvenir que cette cuvée a été nommée ainsi. Sur le coteau argilo-calcaire, le merlot mûrit bien. Aussi a-t-il produit un vin profondément coloré, à reflets rubis. Si le nez est d'un abord timide, il ne tarde pas à révéler des notes florales et épicées (cannelle), finement fumées. Concentré et gras, le palais est équilibré. On sent de la mâche et une bonne persistance. L'avenir sourit à ce bordeaux supérieur.

Guillaume Blanc, SCEA Ch. Guillaume, BP 43, 33220 Saint-Philippe-du-Seignal, tél. 05.57.41.91.50, fax 05.57.46.48.16 ☑ Y ✝ r.-v.

CH. HAUT CRUZEAU 2003 ★

■ 5 ha 15 000 ▮◖◗ 5 à 8 €

« Cruzeau » signifie petit cru. C'est un terroir argilo-calcaire, comportant de la crasse de fer, planté de merlot (80 %) et de cabernet, à une quinzaine de kilomètres de Saint-Émilion. Signe d'une bonne maturité, les notes de cerise et de cassis de ce 2003 se marient aux accents vanillés et épicés apportés par neuf mois d'élevage en fût. L'attaque est souple, la structure solide, la finale longue et ronde. « Un vin sage qui se fera désirer pendant deux ou trois ans », conclut un dégustateur.

Régis Chevalier, Ch. Haut Cruzeau, 33370 Fargues-Saint-Hilaire, tél. et fax 05.56.21.11.11, e-mail cruzeau@wanadoo.fr ☑ Y ✝ r.-v.

CH. HAUT DAMBERT 2004 ★

■ 3 ha 16 000 ◖◗ 5 à 8 €

Bien difficile de départager ces deux vins des vignobles Buffeteau : **Agape du Château Haut Dambert 2004 (11 à 15 €)** et ce Château Haut Dambert obtiennent la même note. Ils portent tous deux une robe noire intense, offrent un nez fin évocateur de fruits mûrs et d'un noble boisé. La bouche ronde et fine bénéficie de tanins soyeux qui portent loin la finale. L'équilibre n'est jamais rompu. Bien que nous vous conseillions de laisser ces vins en cave deux ou trois ans, les plus impatients seront également satisfaits par une dégustation plus précoce.

SCEA Vignobles Buffeteau, lieu-dit Dambert, 33540 Gornac, tél. 05.56.61.97.59, fax 05.56.61.97.65, e-mail jean.buffeteau@modulonet.fr ☑ Y ✝ r.-v.

CH. HAUT GAY 2004 ★

■ 8 ha 60 000 ▮◖◗ 5 à 8 €

Le raisin de merlot bien mûr récolté sur un terroir argilo-calcaire ne saurait décevoir, surtout lorsqu'il est épaulé par des cabernets (60 %) bien vinifiés et élevés. Goûtez ce vin classique et élégant, à la fois épicé et floral, finement grillé. Il se montre corsé et vineux, structuré par des tanins encore jeunes mais qui ne demandent qu'à s'assagir d'ici 2008-2010. Du même producteur, le **Château Beaulieu 2004 (8 à 11 €)** brille également d'une étoile.

Guillaume de Tastes, lieu-dit Le Gay, 33240 Salignac, tél. 06.85.71.48.26, fax 05.57.97.75.06 ☑ Y ✝ r.-v.

CH. HAUT NADEAU Réserve du Propriétaire 2004

■ 7,63 ha 56 000 ▮◖◗ 5 à 8 €

Patrick Audouit, œnologue bien implanté dans la région, est propriétaire de ce domaine. Il a élaboré un vin au bel éclat rouge vif, dont les arômes fruités sont soulignés de notes grillées, vanillées et fumées. Souple en attaque, la bouche monte en puissance et s'appuie sur des tanins enrobés. Un bordeaux supérieur gourmand qui pourra attendre deux à trois ans.

SCEA Ch. Haut Nadeau, 3, chem. d'Estévenadeau, 33760 Targon, tél. et fax 05.56.20.44.07, e-mail hautnadeau@hotmail.fr ☑ Y ✝ r.-v.

P. Audouit

CH. HAUT NIVELLE Cuvée Prestige 2004 ★

■ 5 ha 35 000 ◖◗ 5 à 8 €

Ce vignoble est proche de Saint-Émilion ; pourtant, le merlot ne représente que 50 % de l'assemblage et laisse la part belle aux cabernets. Les nouvelles techniques de vinification ont été appliquées à ce vin : on a vendangé des raisins très mûrs, pratiqué un long élevage de douze mois en fût. Au final, un 2004 qui a besoin de temps pour se fondre, mais qui a tout le potentiel pour se bonifier : couleur sombre, notes de pruneau et accents empyreumatiques, matière ample et tanins bien présents. Alors, patience ! Rendez-vous dans quatre ou cinq ans.

SCEA les Ducs d'Aquitaine, Favereau, 33660 Saint-Sauveur-de-Puynormand, tél. 05.57.69.69.69, fax 05.57.69.62.84, e-mail vignobles@lepottier.com ☑ Y ✝ r.-v.

Le Pottier

CH. JULIAN Élevé en fût de chêne 2004

■ 5 ha 30 000 ◖◗ 8 à 11 €

Un terroir argilo-calcaire, des vignes trentenaires, 70 % de merlot et 30 % de cabernet-sauvignon : tous les ingrédients sont réunis pour obtenir un vin de Bordeaux de qualité. Il faudra à ce 2004 un peu de temps (deux ou trois ans) pour s'assouplir et fondre ses tanins, mais il promet d'être plaisant grâce à ses notes de fruits rouges frais et à son léger boisé. Sa matière ample et équilibrée est de bon augure. Un bordeaux supérieur à la mode, flatteur et bien fait.

SC Dulon, 133, Grand-Jean, 33760 Soulignac,
tél. 05.56.23.69.16, fax 05.57.34.41.29,
e-mail dulon.vignobles@wanadoo.fr
t.l.j. sf sam. dim. 8h30-13h 14h-18h

CH. DE LAGARDE
Grand Millésime Vieilli en fût de chêne 2004

■ 5 ha 15 000 8 à 11 €

Au château de Lagarde, les cabernets sont rois (75 %, dont 60 % de cabernet-sauvignon). Le terroir argilo-calcaire est favorable à leur lente maturation, ce qui se traduit dans ce vin par des arômes intenses de cerise bigarreau et de fruits confiturés. Le merlot apporte de la souplesse en attaque et de la rondeur, malgré la présence de tanins encore fermes. Un 2004 équilibré qui mérite de s'assagir avec le temps.

SCEA Raymond,
lieu-dit Lagarde, 33540 Saint-Laurent-du-Bois,
tél. 05.56.76.43.63, fax 05.56.76.46.26,
e-mail scea-raymond@wanadoo.fr r.-v.

CH. LAGRAVE PARAN Cuvée Géraldine 2004 *

■ 3,5 ha 18 000 5 à 8 €

Des coteaux exposés plein sud, sur une pente graveleuse, laissent aux raisins le temps de bien mûrir. La matière première étant de qualité, la vinification bien menée, le vin se présente dans une robe seyante, rouge brillant. Le bois domine encore le fruit par ses accents de torréfaction et de moka, mais la matière est séduisante, ample et soutenue par des tanins soyeux. Les amateurs de vins boisés seront ravis.

EARL Pierre Lafon,
Ch. Lagrave Paran, 33490 Saint-André-du-Bois,
tél. 06.89.33.20.20, fax 05.56.76.49.78,
e-mail pierre-lafon@wanadoo.fr r.-v.

CH. LAMARCHE 2004 *

■ 9 ha 59 000 3 à 5 €

« Grosse structure », note un dégustateur. Issu d'un terroir argileux et de vieilles vignes de merlot à 80 %, ce vin s'affiche dans une robe cerise à reflets violacés. Il flatte le nez par ses notes intenses d'épices et de cuir, puis déroule sa matière volumineuse et persistante. Si les tanins sont encore fermes, ils annoncent un avenir favorable. À conserver deux ans.

Julien, Ch. Lamarche,
33126 Fronsac, tél. et fax 05.57.51.28.13,
e-mail chateau.lamarche.canon@wanadoo.fr
r.-v.

CH. LAMOTHE-VINCENT
Héritage Élevé en fût de chêne 2004 **

■ 7 ha 40 000 5 à 8 €

Bel héritage, en effet, que cette propriété agrandie depuis 1920 de 12 à 82 ha et que Christophe et Fabien Vincent, trentenaires, vont devoir mettre en valeur. Les deux frères ont des atouts. En témoigne ce vin de couleur sombre, éclairé de reflets violets, qui étonne par la complexité de ses arômes : cassis, groseille soulignés d'un boisé encore affirmé, mais de qualité. Après une attaque souple, la bouche laisse une sensation d'ampleur et de persistance. Les tanins denses promettent de se fondre dans les trois à quatre ans à venir.

SC Vignobles Vincent,
3, chem. Laurenceau, 33760 Montignac,
tél. 05.56.23.96.55, fax 05.56.23.97.72,
e-mail info@lamothe-vincent.com r.-v.

CH. LARONDE DESORMES 2004 **

■ 9,1 ha 50 000 8 à 11 €

Certes, il faudra laisser le temps faire son œuvre, c'est-à-dire fondre le boisé. Pour autant, l'empreinte du fût ne masque pas le fruit puissant, dû à des raisins parfaitement mûrs. Le vin séduit dès l'attaque, affirme sa rondeur et sa concentration : il est ample, volumineux même, complexe. La finale laisse une impression de fraîcheur croquante, pour ne pas dire craquante.

SC Ch. Laronde Desormes, 33460 Macau,
tél. 05.57.88.07.64, fax 05.57.88.07.00 r.-v.

ANCÊTRE DE LASCAUX
Élevé en fût de chêne 2003 *

■ 1 ha 2 000 15 à 23 €

Que du merlot, mais du merlot bien mûr. Voici un vin rubis intense à reflets vifs qui mêle avec complexité les arômes de fleurs, de toasté et de menthol. Une sensation de fraîcheur que l'on retrouve au palais, autour d'une structure solide, garante d'une bonne tenue dans le temps. Le milieu de bouche plus souple et rond apporte le petit plus de l'élégance.

Fabrice Lascaux, Ch. Lascaux,
La Caillebosse, 33910 Saint-Martin-du-Bois,
tél. 05.57.84.72.16, fax 05.57.84.72.17,
e-mail info@vin-bordeaux-lascaux.com
r.-v. B

CH. LAUDUC Prestige 2004 *

■ 3,5 ha 24 000 5 à 8 €

Dix kilomètres seulement séparent ce domaine de Bordeaux. Il est donc aisé de s'y rendre lors d'un week-end détente dans la capitale girondine. Cette cuvée est issue de vieilles vignes (à dominante de merlot) plantées sur graves et argilo-calcaires. Habillée d'une robe cerise, elle libère de fins arômes de cannelle et autres épices en accompagnement des senteurs de fruits rouges. Sa grande souplesse et son équilibre lui donnent de l'élégance et de l'aménité dès aujourd'hui.

SCEA Vignobles Grandeau Lauduc,
Dom. de Bellevue, 5, av. de Lauduc, 33370 Tresses,
tél. 05.57.34.43.56, fax 05.57.34.43.58,
e-mail m.grandeau@lauduc.fr r.-v.

CH. LAVERGNE-DULONG 2004

■ 6 ha 40 000 3 à 5 €

La robe rubis attire l'œil par ses reflets violets, signe de jeunesse. Le bouquet épicé (girofle, poivre) et floral (violette) est souligné par un boisé subtil. Les tanins ont encore un caractère austère, mais la matière est là pour rétablir l'équilibre. Un vin à présenter dès aujourd'hui pour profiter de sa fraîcheur ou bien à suivre dans le temps pour apprécier son épanouissement.

Huet, La Chaise, 33920 Saint-Savin-de-Blaye,
tél. 05.56.86.51.15
Sylvie Dulong

CH. LESCALLE 2004 ★

■ 28,9 ha 120 000 ◐ 5 à 8 €

Il est beau et il sent bon... Des fruits mûrs alliés à des notes épicées fraîches. Ce vin garde toute sa complexité aromatique au palais, tout en révélant une trame de tanins soyeux et un boisé bien dosé. Aucune agressivité, mais de la puissance enveloppée de rondeur. Trois à cinq ans de garde lui sont autorisés, mais il peut être difficile de résister à une dégustation plus précoce.

➡ EURL Ch. Lescalle, 33460 Macau,
tél. 05.57.88.07.64, fax 05.57.88.07.00
☑ Y ★ t.l.j. sf sam. dim. 9h-12h 14h-17h

CH. LESTRILLE CAPMARTIN

Cuvée Prestige Élevé en fût de chêne 2003

■ 5,5 ha 33 000 ◐ 8 à 11 €

À la fin du XIXe s., les habitants de Saint-Germain-du-Puch venaient ici jouer au billard et écouter les chansons en vogue passées sur le gramophone. Aujourd'hui, on vient dans cette maison girondine découvrir les vins. Ce 2003 intensément coloré offre un nez ouvert de sous-bois, d'épices (vanille) et de fruit. La bouche harmonieuse, sans excès de puissance, mise sur l'élégance. Il faudra attendre entre un et trois ans pour que le boisé se fonde.

➡ Jean-Louis Roumage, Ch. Lestrille,
33750 Saint-Germain-du-Puch, tél. 05.57.24.51.02,
fax 05.57.24.04.58, e-mail jlroumage@lestrille.com
☑ Y ★ t.l.j. 8h30-12h30 14h-18h; sam. dim. sur r.-v.

CH. LION BEAULIEU 2004

■ 4 ha 20 000 ▮ 8 à 11 €

Lion Beaulieu désignait une simple parcelle de vignes avant que le château attenant ne soit acheté en 1995 par la famille Despagne. Joël Élissalde, directeur technique de la maison, y réside. Il a élaboré ce vin pourpre, déclinant cerise et framboise avec beaucoup de fraîcheur. La structure est ample sans excès, la chair ronde et les tanins fondus. Un 2004 équilibré et élégant.

➡ SCEA de la Rive Droite, 33420 Naujan-et-Postiac,
tél. 05.57.84.55.08, fax 05.57.84.57.31,
e-mail contact@despagne.fr ☑ Y ★ r.-v.

CH. DE LISENNES

Cuvée Prestige Élevé en fût de chêne 2003 ★

■ 6 ha 33 000 ◐ 5 à 8 €

Une chartreuse du XVIIIe s. autour de laquelle se déploie la cinquantaine d'hectares de vignes d'un seul tenant, à quelques kilomètres de Bordeaux. Régulièrement présent dans le Guide, le château de Lisennes propose un 2003 classique. Si le boisé domine encore les arômes de fruits noirs, il se fond à la chair structurée et ample. Patientez quelques années : le vin se sera épanoui, ses tanins se seront assagis. Il ne vous restera plus qu'à le servir avec une grillade à la bordelaise.

➡ Jean-Pierre Soubie, Ch. de Lisennes, 33370 Tresses,
tél. 05.57.34.13.03, fax 05.57.34.05.36,
e-mail contact@lisennes.fr
☑ Y ★ t.l.j. sf dim. 8h-12h 13h30-17h30; sam. 9h-12h

COS DU CHÂTEAU DE LUGAGNAC 2003 ★

■ 7,5 ha 30 000 ◐ 11 à 15 €

Propriété de caractère, cette bâtisse des XIIe et XIIIe s. domine la commune de Pellegrue, sur la route des Abbayes. Le vignoble n'est pas moins intéressant, non plus que les vins. Ce 2003 à majorité de cabernets fait preuve de structure et de volume. Les arômes persistants de pruneau et de fruits confiturés, nuancés de notes toastées et torréfiées, contribuent à sa personnalité jusqu'en finale.

➡ Famille Bon, SCEA du Ch. de Lugagnac,
33790 Pellegrue, tél. 05.56.61.30.60, fax 05.56.61.38.48,
e-mail clugagnac@aol.com ☑ Y ★ t.l.j. 9h-12h 14h-18h

CH. MAJUREAU-SERCILLAN

Élevé en fût de chêne 2004 ★

■ 25 ha 76 000 ◐ 5 à 8 €

Alain Vironneau, président depuis juillet 2006 du Conseil interprofessionnel du vin de Bordeaux, se tient à la pointe des techniques de culture de la vigne et de la vinification. Son 2004 rubis brillant est certes discret au nez, mais flatteur : le boisé fondu respecte le fruit. Souple et rond, il finit de convaincre par son élégance et promet de devenir plus complexe encore au cours des deux à trois prochaines années.

➡ Alain Vironneau, 12, Le Majureau, 33240 Salignac,
tél. 05.57.43.00.25, fax 05.57.43.91.34,
e-mail alainvironneau@wanadoo.fr ☑ Y ★ r.-v.

CH. MALFARD 2003 ★

■ 2,05 ha 12 000 ◐ 5 à 8 €

Abandonnée pendant vingt ans, cette ancienne propriété du duc de Cazes a retrouvé toute son aura grâce au travail accompli depuis 2000 par les nouveaux propriétaires. Cabernets et merlot se partagent équitablement la composition de ce vin brillant, si dense qu'il en paraît presque noir. Complexe, le bouquet évoque les fruits, le cuir, le tabac, les épices et s'ouvre davantage encore à l'aération. Une grande matière persistante se manifeste en bouche. Un bordeaux supérieur de bonne compagnie, à boire ou à garder.

➡ SCA de Malfard, Ch. Malfard,
33910 Saint-Martin-de-Laye, tél. 05.57.84.74.88,
e-mail malfard@wanadoo.fr ☑ Y ★ r.-v.
➡ Philippe Rivière

CH. MARAC 2004

■ 13,4 ha 85 800 ▮◐ 5 à 8 €

Alain et Martine Bonville ont dû transformer le vignoble quatre ans durant avant de créer le Château Marac en 1979. De ce terroir argilo-calcaire est né un vin dominé par le merlot et complété de 40 % de cabernets. Couleur violine brillant, celui-ci livre un nez vineux et complexe, rappelant la cerise mûre. Une matière bien présente se développe après une attaque souple, puis la structure tannique s'impose, un peu sévère. Il faudra attendre un an ou deux pour que l'ensemble s'assouplisse.

➡ SA Bonville Fils, Ch. Marac, 33350 Pujols,
tél. 05.57.40.53.21, fax 05.57.40.71.36,
e-mail vignoble-alain.bonville@wanadoo.fr ☑ Y ★ r.-v.

CH. DE MARSAN 2004 ★★

■ 11,67 ha 80 000 ▮◐ 3 à 5 €

« Tout vient à point à qui sait attendre. » Rappelez-vous ce proverbe, car il vous faudra patienter trois ou quatre ans avant d'ouvrir cette bouteille. La récompense sera à la hauteur. Robe soutenue, notes florales de violette qui cèdent place à une explosion de fruits mûrs finement vanillés. Ce vin remarquablement bâti ne cesse de gagner en volume au palais tout en laissant une sensation de fraîcheur et d'élégance.

SARL Gonfrier Frères, Les Chais de Rions,
Ch. de Marsan, 33550 Lestiac-sur-Garonne,
tél. 05.56.72.14.38, fax 05.56.72.10.38,
e-mail gonfrier@terre-net.fr r.-v.

CH. MARTOURET 2003 ★

■ 10 ha 60 000 5 à 8 €

Une immense demeure girondine carrée du XVIIIᵉs. au sommet d'un coteau. La vigne jouit ici d'un microclimat exceptionnel, d'un sous-sol calcaire, d'un affleurement rocheux en surface. De quoi contribuer à la personnalité des vins, tel ce 2003 pourpre à reflets grenat qui associe avec complexité les notes de fruits mûrs et de torréfaction. L'attaque est généreuse, puis une matière ronde et équilibrée se déroule jusqu'à une finale ample. Le plaisir est déjà au rendez-vous, mais la patience (deux ans) ne sera pas vaine.

SARL Les Vins Dominique Lurton, Martouret,
33750 Nérigean, tél. 05.57.24.50.02, fax 05.57.24.03.30,
e-mail jeremie@maison2lurton.com r.-v.

CH. LES MAUBATS

Caliste des Maubats Élevé en fût de chêne 2003 ★★

■ 0,55 ha 2 760 8 à 11 €

Cette propriété familiale se situe sur un terroir argilo-calcaire, dans un ancien hameau détruit à la Révolution, « Les Malbâtis » (dont la contraction a donné Les Maubats). Aucun défaut de construction dans ce 2003 parfaitement équilibré entre merlot et cabernets. Il resplendit dans sa robe d'un noir violacé et révèle une grande complexité aromatique : un fruité concentré nuancé d'un fin boisé. À la fois puissant et élégant, il persiste longuement au palais. Laissez-le vieillir, il n'en sera que meilleur.

SCEA Vignobles Robert Armellin,
Ch. Les Maubats, 33580 Roquebrune,
tél. 05.56.61.68.36, fax 05.56.61.69.10,
e-mail chateau-les-maubats@wanadoo.fr r.-v.

CH. MILON 2004 ★

■ 2,5 ha 14 000 8 à 11 €

Une pierre sacrée dans les bois qui bordent le château fit de cette propriété bâtie par des moines au XVIIIᵉs. un lieu de pèlerinage. Au début du XXᵉs., la famille Gustave Eiffel en fut propriétaire. Riche histoire dont Gérald de La Débutrie s'attache depuis trois ans à écrire les nouveaux chapitres. Le 2004, net et sombre, possède toute la complexité souhaitée dans ses arômes de fleurs et d'épices dominants, complétés de notes fruitées. Souple en attaque, il évolue vers une finale un peu sévère sous l'emprise des tanins, mais l'ensemble devrait se fondre avec le temps.

EARL La Débutrie, 49, av. de Vacquey,
33370 Sallebœuf, tél. 06.76.27.97.41, fax 05.56.72.19.08,
e-mail majou.gerald@wanadoo.fr r.-v.

CH. MINVIELLE 2003 ★

■ 1 ha 5 000 5 à 8 €

Confisqué à la Révolution, le domaine fut revendu comme bien national à la famille Gadras à laquelle il appartient encore. Le grand-père des propriétaires actuels fut un défenseur acharné de la viticulture girondine. Ses petits-enfants suivent son exemple et proposent un 2003 de bonne facture. Brillant de reflets rubis, celui-ci mérite d'être aéré pour livrer ses arômes de poivre et de fruits mûrs. Il se montre riche et puissant, ample et laisse en finale une agréable fraîcheur épicée. Il doit être servi dès maintenant.

SCEA Vignobles Gadras,
Dom. de Minvielle, 33420 Naujan-et-Postiac,
tél. 05.57.84.55.01, fax 05.57.84.65.70,
e-mail pierre.michaud3@caramail.com r.-v.

CH. MIRAMBEAU PAPIN 2003 ★

■ 13 ha 40 000 8 à 11 €

Issu d'un assemblage équitable de merlot et de cabernet-sauvignon, ce 2003 séduit par son bouquet floral et fruité (fruits confits, pruneau) que des notes finement toastées et vanillées soulignent. Il ne manque pas de charme dès le premier regard porté sur sa robe rouge intense, mais c'est en bouche qu'il affirme son élégance : les tanins sont ronds, enveloppés par le fruité. Son équilibre autorise un service immédiat comme une garde de deux ou trois ans.

Vignobles Landeau,
Mondion, 33440 Saint-Vincent-de-Paul,
tél. 05.56.77.03.64, fax 05.56.77.11.17,
e-mail xl.landeau@free.fr r.-v.

CH. LA MOTHE DU BARRY Le Barry 2004 ★★

■ 2 ha 7 000 8 à 11 €

Les qualificatifs ne manquent pas pour décrire ce vin d'une grande signature. Il est né du travail d'une équipe soudée, respectueuse du terroir et de l'image du bordeaux. Dans sa robe noire seyante, il offre une palette complexe à dominante fruitée (cerise noire confiturée), nuancée de notes profondes de réglisse. Il devient velours en bouche ; des tanins puissants mais déjà fondus lui confèrent ampleur et rondeur. La cuvée **Design 2004 (5 à 8 €)** brille d'une étoile grâce à son soyeux et à son élégance.

Joël Duffau, 2, Les Arromans, 33420 Moulon,
tél. 05.57.74.93.98, fax 05.57.84.66.10,
e-mail joel.duffau@tiscali.fr
t.l.j. sf dim. 8h-12h 14h-19h

CH. MOULIN DE PILLARDOT 2004 ★

■ 13 ha 82 000 3 à 5 €

Une situation géographique favorable pour ce vignoble, sur les contreforts argilo-calcaires de la butte de Launay, point culminant de la Gironde. Une majorité de merlot (90 %) et 10 % de cabernet-sauvignon composent ce vin aux arômes complexes de fruits mûrs, presque cuits, d'épices et de cacao bien fondus. La chair dense et souple fond dans la bouche ; ample, elle offre un agréable retour aromatique sur la griotte. Pour une entrecôte bordelaise. Le **Château Bourdicotte Haut de gamme 2004** est cité pour sa structure et l'empreinte justement dosée du bois.

Ch. Bourdicotte, 1, Le Bourg, 33790 Cazaugitat,
tél. 05.56.61.32.55, fax 05.56.61.38.26

CH. MOUTTE BLANC Moisin 2004 ★★★

■ 0,5 ha 3 000 11 à 15 €

Patrice de Bortoli cultive le petit verdot, cépage rare et délicat qui compose à 100 % cette cuvée. Difficile de rester insensible à son expression. La robe à reflets violets témoigne de la grande modernité des techniques de vinification et d'élevage. Les arômes de vanille et de fruits mûrs s'accordent, annonçant une bouche puissante et ronde. Une légère fraîcheur rehausse l'équilibre, puis la finale se prolonge durablement. Quatre à cinq ans de garde sont à la portée de ce vin. Le **Château Moutte Blanc 2004 (8 à 11 €)**, plus discret mais d'un style tout aussi moderne, obtient une étoile.

Patrice de Bortoli, Ch. Moutte Blanc,
6, imp. de la Libération, 33460 Macau,
tél. et fax 05.57.88.40.39,
e-mail moutteblanc@wanadoo.fr r.-v.

CH. NAUDONNET PLAISANCE
Élevé en fût de chêne 2003 ★

■ 2,5 ha 14 000 5 à 8 €

Danièle Mallard et son fils Laurent conduisent cette propriété familiale qui s'est développée après la Seconde Guerre mondiale. Ils ont élaboré un vin rubis dont le bouquet complexe surprend par son caractère d'abord floral, puis fruité et finement épicé. Tout aussi aromatique, la bouche attaque avec souplesse, puis la chair fruitée prend toute son ampleur autour de tanins équilibrés. Une garde de courte durée suffira à parfaire l'harmonie.

Laurent Mallard, Ch. Naudonnet Plaisance,
33760 Escoussans,
tél. 05.56.23.93.04, fax 05.56.23.97.94,
e-mail contact@laurent-mallard.com r.-v.

CH. PANCHILLE 2004 ★

■ 10 ha 35 000 5 à 8 €

Ce n'est pas la première apparition de Pascal Sirat dans le Guide. Il a réservé un élevage de dix-huit mois en cuve et en fût à ce vin noir brillant. Le nez friand évoque les fruits à la fois frais et confiturés, soulignés d'un léger caractère caramélisé. La matière riche est soutenue par des tanins soyeux qui autorisent une dégustation immédiate comme une garde de deux à quatre ans. Une étoile revient également à la **Cuvée Alix 2004**, tout aussi expressive, ronde et ample.

Pascal Sirat,
Penchille, 33500 Arveyres, tél. et fax 05.57.51.57.39,
e-mail siratpascal@aol.com r.-v.

CH. DE PARENCHÈRE Cuvée Raphaël 2004 ★★

■ 7 ha 50 000 8 à 11 €

Sainte-Foy-la-Grande est à la limite du Périgord. À quelques minutes de route seulement, vous découvrirez ce château typique de la région, édifié au XVIIIe s. sur des fondations plus anciennes encore. Récoltés sur un terroir argilo-calcaire, le cabernet-sauvignon et le merlot à parts égales sont à l'origine de ce vin d'un rouge typiquement bordelais. Les dégustateurs sont restés sous le charme de ses arômes fruités intenses, aux accents de griotte finement vanillée, qui trouvent écho au palais. La matière ronde et persistante leur emprunte la fraîcheur. La cuvée principale **Château de Parenchère 2004 (5 à 8 €)**, élevée en cuve, obtient une étoile pour son caractère charnu et son fruit. Une garde de quatre ans est souhaitable pour ces deux vins.

Ch. de Parenchère, Domaine de Parenchère, BP 57,
33220 Ligueux, tél. 05.57.46.04.17, fax 05.57.46.42.80,
e-mail info@parenchere.com r.-v.

CH. PAS DE RAUZAN
Élevé en fût de chêne 2004 ★

■ 60 ha 15 000 3 à 5 €

Une affaire de famille que ce Château. Le 2004, rubis vif, décline de frais arômes de fruits rouges, puis évolue à l'aération vers des notes épicées comme la vanille. La bouche est franche, la structure solide, encore un peu ferme. C'est là le gage d'une évolution favorable pour les deux à trois ans à venir.

Jean Fourestey, SCEA Pas de Rauzan,
1, rte du Pas-de-Rauzan, 33350 Mouliets,
tél. et fax 05.57.40.09.05 r.-v.

CH. PASSE CRABY
Cuvée Prestige Élevé en fût de chêne 2004 ★★

■ 3 ha 19 500 5 à 8 €

Habituée du Guide, la famille Boyé s'impose cette année grâce à ce bordeaux supérieur qui a suscité des commentaires fournis. Les dégustateurs ont évoqué le joli boisé, les notes de pain grillé et de pruneau, la complexité du nez. Ils sont restés sous le charme de la chair puissante et ronde, de la structure remarquablement équilibrée par le gras. L'élégance et la persistance ne sont pas les moindres qualités de ce vin.

Vincent Boyé, lieu-dit Chiquet, BP 6, 33133 Galgon,
tél. 05.57.55.05.38, fax 05.57.55.49.81,
e-mail v.boye@wanadoo.fr r.-v.

CH. PENIN Les Cailloux 2004 ★

■ 2,5 ha 14 000 11 à 15 €

Un sous-sol argileux recouvert d'une trentaine de centimètres de cailloux qui restituent à la vigne la chaleur du soleil et assurent une bonne alimentation en eau. Le merlot y trouve son compte et produit, sous la maîtrise de Patrick Carteyron, des vins de bonne facture, à l'image de ce 2004 rubis brillant. Les arômes de fruits mûrs, presque confiturés, annoncent une matière dense et persistante, étayée par des tanins soyeux. L'extraction a été menée avec doigté comme en témoigne le boisé bien intégré. Le **Château Penin Grande Sélection 2004 (8 à 11 €)** est cité.

SCEA Patrick Carteyron, Ch. Penin,
33420 Génissac, tél. 05.57.24.46.98, fax 05.57.24.41.99,
e-mail vignoblescarteyron@wanadoo.fr ☑ Y ⛹ r.-v.

CH. PERAYNE Élevé en fût de chêne 2003 ★★

■ 10 ha 10 000 ⓘⓘ 8 à 11 €

Originalité de ce château des coteaux de Saint-Macaire : une source se trouve au milieu des vignes. Apporterait-elle une éternelle jouvence aux vins produits ? Quoi qu'il en soit, ce 2003 a de l'avenir. Si le premier nez est discret, une légère aération suffit à libérer des notes fines de tabac blond et de fruits mûrs. Très franche, la bouche révèle une matière volumineuse et des tanins soyeux, puis laisse une impression de fraîcheur du meilleur effet en finale.

Henri Luddecke,
Ch. Perayne, 33490 Saint-André-du-Bois,
tél. 05.57.98.16.20, fax 05.56.76.45.71,
e-mail chateau.perayne@wanadoo.fr ☑ Y ⛹ r.-v.

CH. PEYFAURES Dame de Cœur 2004 ★

■ 1,2 ha 6 750 ⓘⓘ 15 à 23 €

De l'apéritif aux plats traditionnels ou exotiques, légèrement épicés, cette Dame de Cœur sera à sa place. Elle dévoile ses atours : robe rouge vif, fruité mûr aux nuances de noisette grillée. Tout en souplesse, elle évolue harmonieusement et laisse le souvenir d'un élégant soyeux. Trois à quatre ans de garde sont à sa portée.

Nicole, Marie-Amélie et Laurent Godeau,
Ch. Peyfaures, 33420 Génissac,
tél. 06.03.61.82.44, fax 05.57.25.16.63,
e-mail chateau.peyfaures@wanadoo.fr ☑ Y ⛹ r.-v.

CH. PEY LA TOUR Réserve du Château 2004 ★

■ 120,08 ha 250 000 ⓘⓘ 8 à 11 €

Propriété de la maison Dourthe, le Château Pey La Tour s'était déjà distingué dans le Guide pour sa Réserve 2003. Le 2004, dans sa robe profonde, synonyme de concentration, est lui aussi de belle facture. Au nez, beaucoup de complexité : du boisé, du grillé, des épices et des fruits noirs. En bouche, de la rondeur et du volume. Les plats épicés lui iront parfaitement.

Vignobles Dourthe, Ch. Pey La Tour,
35, rue de Bordeaux, 33290 Parempuyre,
tél. 05.56.35.53.88, fax 05.56.35.53.29,
e-mail contact@cvbg.com Y ⛹ r.-v. 🏠 ❹

CH. PEYNAUD 2003

■ 3,8 ha 25 000 ▮ 5 à 8 €

De teinte profonde éclairée de reflets vifs, ce vin demande à être aéré pour révéler plus encore ses arômes de fruits noirs, ses notes épicées, vanillées et cacaotées qui augurent de sa complexité. La bonne matière est étayée par des tanins élégants jusqu'à une finale soyeuse. À servir dans les deux ans.

Vignobles Chaigne et Fils,
Ch. Ballan-Larquette, 33540 Saint-Laurent-du-Bois,
tél. 05.56.76.46.02, fax 05.56.76.40.90,
e-mail rchaigne@vins-bordeaux.fr ☑ Y ⛹ r.-v.

Régis Chaigne

CH. LA PEYRÈRE DU TERTRE
Cuvée Jean Élevé en fût de chêne neuf 2004 ★

■ 1,88 ha 13 800 ⓘⓘ 8 à 11 €

La Peyrère (« petite pierre » en occitan) est le nom du lieu-dit où est établi le château du XVIII[e]s. et où sont plantées ses vignes : un terroir argilo-calcaire dans le Bazadais. C'est aussi celui du bateau affrété à la même époque par Raymond de Lassus pour vendre son vin. Tirant sur le grenat, le 2004 s'exprime d'abord avec discrétion, sur fond vanillé, puis affirme des notes de fruits rouges mûrs. Souple, rond et ample, il est le bordeaux supérieur idéal pour ceux qui souhaitent s'initier aux vins de la région. Le **Château La Peyrère du Tertre Élevé en fût de chêne 2004 (5 à 8 €)** mérite la même note : il s'inscrit également dans le registre de l'équilibre et de la suavité.

SCEA La Peyrère Lucas, Ch. La Peyrère,
33124 Savignac, tél. 05.56.65.41.86, fax 05.56.65.41.82,
e-mail lapeyreredutertre@wanadoo.fr ☑ Y ⛹ r.-v.

CH. PIERRAIL Élevé en fût de chêne 2003 ★★

■ 29,5 ha 118 000 ⓘⓘ 8 à 11 €

GRAND VIN DE BORDEAUX
CHATEAU PIERRAIL
BORDEAUX SUPÉRIEUR
APPELLATION BORDEAUX SUPÉRIEUR CONTROLÉE
2003
14%vol.
MIS EN BOUTEILLE AU CHATEAU
750 ml

Depuis 1971, la famille Demonchaux a redonné tout son lustre à ce château du XVII[e]s. entouré d'un jardin à la française. Un même soin a été apporté au vignoble et aux chais récemment rénovés. Grenat très dense, ce vin décline des arômes intenses et complexes de fruits rouges et d'épices, avec un doux boisé aux accents torréfiés et vanillés. Une même harmonie est perceptible en bouche ; la matière souple et suave, aux notes de fruits compotés, est majestueusement structurée et équilibrée jusqu'à la finale persistante. Un plaisir pour les sens dès aujourd'hui et pour les quatre prochaines années.

EARL Ch. Pierrail, 33220 Margueron,
tél. 05.57.41.21.75, fax 05.57.41.23.77 ☑ Y ⛹ r.-v.

Demonchaux

CH. DE PIOTE 2003 ★

■ 2 ha 12 000 ⓘⓘ 5 à 8 €

Parent, enfants, amis, tous se mettent au travail dans cette propriété pour élaborer des vins de terroir. Vous aussi, mettez à contribution vos proches pour un repas de chasse autour de ce 2003 qui sent bon le fruit et exprime à la fois fraîcheur et maturité. Le bois fondu apporte une note presque goudronnée. Les tanins déjà assagis contribuent à l'élégance de la bouche bien équilibrée.

Virginie Aubrion, Ch. de Piote,
33240 Aubie-Espessas, tél. et fax 05.57.43.96.10,
e-mail chateau.piote-aubrion@wanadoo.fr
☑ Y ⛹ t.l.j. 9h30-20h30

CH. PLAISANCE 2004 ★

■ 9,51 ha 65 000 ⓘⓘ 8 à 11 €

Né sur la presqu'île médocaine, ce vin se pare d'une robe intense et brillante. Il se distingue par l'intensité de son fruit aux notes confites et légèrement vanillées. Après une attaque souple et fraîche, s'imposent le volume et

l'harmonie des composants. La structure tannique équilibrée laisse sur une finale plaisante et enlevée. Un vin de plaisir pour les trois années qui viennent.
SCEA Ch. Plaisance, 33460 Macau,
tél. 05.57.88.07.64, fax 05.57.88.07.00 ▼ r.-v.
J.-L. et I. Chollet

CH. LE PORGE
Cuvée Prestige Élevé en fût de chêne 2004 *

■ 3,75 ha 25 000 5 à 8 €

Depuis 1928, cette propriété se transmet de père en fils. Le merlot constitue à lui seul ce 2004 rubis dont le nez complexe est souligné de discrètes notes vanillées. La bouche aussi riche qu'élégante exprime le caractère fruité mûr du cépage jusqu'à une agréable finale. Les tanins déjà fondus autorisent un service d'ici à trois ans.
Pierre Sirac, 1, Sallebertrand, 33420 Moulon,
tél. 05.57.84.63.04, fax 05.57.74.99.31 ▼ r.-v.

CH. RAUZAN DESPAGNE
Grande Réserve 2004 *

■ 3 ha 15 000 15 à 23 €

Le château était à l'abandon lorsque Jean-Louis Despagne, convaincu de la qualité du terroir argilo-calcaire, l'acheta en 1990. Signe de la qualité des vins produits, British Airways servit quinze ans durant ses bordeaux supérieurs. Cette Grande Réserve, de couleur sombre et au disque rubis, libère de fins arômes qui gagnent en complexité à mesure de l'aération : un bouquet de fruits rouges et noirs, nuancés de grillé, de torréfaction. La bouche puissante bénéficie du soutien de tanins serrés qui méritent de s'assouplir au cours de la garde. « Un vrai produit du terroir, sans maquillage », conclut un dégustateur. Signés par les Vignobles Despagne, le **Château Tour de Mirambeau Cuvée Passion 2004** et le **Château Bel Air Perponcher Grande Cuvée 2004** obtiennent également une étoile.
SCEA Vignobles Despagne,
33420 Naujan-et-Postiac,
tél. 05.57.84.55.08, fax 05.57.84.57.31,
e-mail contact@despagne.fr ▼ r.-v.

CH. DE REIGNAC 2004 *

■ 20 ha 140 000 5 à 8 €

Le merlot (70 %) domine les cabernets dans ce bordeaux supérieur de couleur éclatante, signe de jeunesse. Le nez de fruits noirs confiturés (mûre, myrtille) s'accompagne de notes grillées et vanillées. Au palais, le vin se montre ample, bâti sur une structure tannique de qualité. Un 2004 riche et puissant qui pourra vieillir de quatre à cinq ans.
SARL Ch. de Reignac,
Le Truch, 33450 Saint-Loubès,
tél. 05.56.20.41.05, fax 05.56.68.63.31,
e-mail chateau.reignac@wanadoo.fr ▼ r.-v.
Vatelot

CH. DE REYNAUD 2004 *

■ 2,32 ha 17 000 3 à 5 €

Un pigeonnier marque l'entrée de cette propriété acquise en 1999 par d'anciens journalistes parisiens. Ceux-ci se sont bien documentés sur le métier de vigneron à en juger par ce 2004 d'un rouge profond qui allie les arômes de fruits rouges à un boisé discret. La matière est ample, la structure équilibrée, le boisé charmeur. Un vin élégant, déjà agréable, mais qui saura évoluer favorablement dans le temps.
Bernard Capdevielle, Ch. de Reynaud,
33710 Bourg-sur-Gironde, tél. et fax 05.57.68.44.13,
e-mail chateau.reynaud@wanadoo.fr ▼ r.-v.

CH. REYNIER 2004 *

■ 4 ha 20 000 5 à 8 €

Il faudra attendre deux ou trois ans que le bois se fonde pour apprécier ce vin, mais la matière est déjà bien présente et les arômes de fruits noirs intenses. Après une attaque souple, des tanins denses se manifestent sans compromettre l'impression de soyeux. Une bouteille typée, à servir avec un gibier.
SCEA Vignobles Marc Lurton, Ch. Reynier,
33420 Grézillac, tél. 05.57.84.52.02, fax 05.57.84.56.93,
e-mail marc.lurton@wanadoo.fr ▼ r.-v.

PRESTIGE DE RIBEBON 2004 *

■ 6 ha 30 000 8 à 11 €

Ce vignoble situé à flanc de coteau jusqu'au bord d'une falaise domine les rives de la Dordogne du haut de ses 85 m. Son terroir argilo-calcaire bien exposé a permis une maturation irréprochable du merlot (70 %) et des cabernets. Grenat à reflets violacés, le vin révèle après agitation des notes de fruits rouges confits et finement vanillés. L'attaque est ronde, la bouche suave, riche de gras, la finale longue et équilibrée.
Alain Aubert, 57 bis, av. de l'Europe,
33350 Saint-Magne-de-Castillon,
tél. 05.57.40.04.30, fax 05.57.56.07.10,
e-mail domaines.a.aubert@wanadoo.fr

CH. ROQUES MAURIAC Cuvée Hélène 2004

■ 13,5 ha 80 000 5 à 8 €

Roques Mauriac a été acheté par la famille Leclerc il y a vingt ans déjà. Cette Cuvée Hélène, constituée de deux tiers de cabernets, affiche une robe rubis intense et des arômes très frais de fruits rouges. L'attaque est ronde, suivie d'un bon développement aromatique. Pour un plaisir immédiat.
GFA Les Trois Châteaux, Ch. Lagnet,
33350 Doulezon, tél. 05.57.40.51.84, fax 05.57.40.55.48,
e-mail contact@les3chateaux.com
▼ t.l.j. sf sam. dim. 8h30-12h 14h-17h30
Vincent Levieux

CH. SAINT-ANTOINE Réserve du Château 2004 **

■ 30 ha 120 000 3 à 5 €

« Superbe réussite. » Tous les dégustateurs s'accordent sur la qualité de ce 2004 vêtu d'une robe sombre et dense. Les arômes puissants de fruits et de torréfaction sont en parfaite harmonie. Le vin a du coffre, mais il se montre également flatteur dès l'attaque : développement tout en rondeur, ampleur et long retour aromatique sur un boisé torréfié, le café, la vanille et le fruité de la griotte. Il peut être apprécié dès maintenant, mais continuera à se bonifier au cours de cinq ou six ans de garde. Le **Château Toudenac 2004** obtient deux étoiles également.
Vignobles Aubert,
Ch. La Couspaude, 33330 Saint-Émilion,
tél. 05.57.40.15.76, fax 05.57.40.10.14,
e-mail vignobles.aubert@wanadoo.fr ▼ r.-v.

CH. SAINT-MICHEL LA PERRIÈRE
Cuvée Pierre Élevé en fût de chêne 2003 *

■ 0,36 ha 2 400 5 à 8 €

Une dégustation immédiate comme une petite garde est envisageable pour cette cuvée pourpre brillant, tout en équilibre. La fraîcheur des arômes fruités, nuancés d'épices vanillées, trouve écho en bouche : la chair est de bonne amplitude, la structure raisonnable, le fruité simple mais agréablement persistant.

EARL Jacques Sartron et ses Enfants, 8, Le Bourg, 33240 Saint-Genès-de-Fronsac, tél. 05.57.43.11.12, fax 05.57.43.56.34 r.-v.

CH. SEGONZAC Héritage 2004

3 ha 19 000 8 à 11 €

Le château Segonzac fut créé en 1887 par Jean Dupuy, ministre de l'Agriculture et fondateur du *Petit Parisien*. Récolté sur un terroir argilo-calcaire, le merlot (90 % contre 10 % de cabernet-sauvignon) a donné naissance à un vin grenat à reflets violets de bonne intensité. Le nez offre des notes de fruits noirs mûrs, soulignées de nuances toastées et vanillées. La bouche, tout aussi friande, est équilibrée et suffisamment persistante. Il faudra patienter deux ou trois ans pour que le bois se fonde totalement.

SCEA Ch. Segonzac, 39, Segonzac, 33390 Saint-Genès-de-Blaye, tél. 05.57.42.18.16, fax 05.57.42.24.80, e-mail segonzac@chateau-segonzac.com t.l.j. sf sam. dim. 9h-11h30 13h30-17h

Ch. Herter

CH. DE SEGUIN Vieilli en barrique 2003 ★

95 ha 630 000 3 à 5 €

Régulièrement présent dans le Guide, le Château de Seguin reste une valeur sûre. Après la cuvée Prestige 2003 retenue l'an passé, c'est au tour de la cuvée principale du château d'être étoilée. Sa réussite tient à la fois à sa structure puissante, à son volume et à son expression intense de fruit soulignée d'un boisé fondu qui se prolonge en finale. Un vin élégant qui pourra encore s'affiner avec le temps.

Michael Carl, SC du Ch. de Seguin, 33360 Lignan-de-Bordeaux, tél. 05.57.97.19.75, fax 05.57.97.19.82 r.-v.

CH. TARREYROTS 2004 ★

10,92 ha 14 000 5 à 8 €

Avec un joli château du XVIII[e]s. pour emblème, cette propriété a de quoi attirer les visiteurs. Son vin à dominante de merlot (80 %), complété par le cabernet-sauvignon qui lui apporte de la fraîcheur, est une autre raison de s'y arrêter. Rond et gras, il bénéficie de tanins équilibrés et d'un boisé harmonieux qui respecte le fruit. Faut-il le boire ou l'attendre ? Nous vous laissons juge.

SCEA Tarreyrots, 12, Le Majureau, 33240 Salignac, tél. 05.57.43.00.25, fax 05.57.43.91.34 r.-v.

CH. DE TERREFORT-QUANCARD 2004 ★

63,43 ha 421 798 5 à 8 €

Le château de Terrefort trône depuis le début du XVIII[e]s. sur les coteaux argilo-calcaires qui dominent la vallée de la Dordogne, juste au niveau du pont de Cubzac construit par Gustave Eiffel. Son 2004, issu de merlot dominant et de cabernet, mise tout sur le fruit (cerise noire) au nez et laisse une impression vineuse. La bouche est dans le droit fil, souple et équilibrée, avec un support tannique mesuré. À servir avec une entrecôte dans les deux ans à venir.

SCA du Ch. de Terrefort-Quancard, BP 50, 33240 Cubzac-les-Ponts, tél. 05.57.43.00.53, fax 05.57.43.59.87, e-mail terrefort.quancard@wanadoo.fr t.l.j. sf sam. dim. 8h30-17h30 (16h30 ven.); groupes sur r.-v.

CH. VALROSE 2003

1 ha 6 500 5 à 8 €

Sous une robe sombre à reflets violines apparaît un bouquet discret aux nuances mentholées, toastées et torréfiées. Après une attaque ronde, le vin se développe avec élégance et fondu. Un 2003 techniquement bien fait, à proposer dès aujourd'hui avec un rôti de bœuf.

SCEA Michel Barthe, 18, Girolatte, 33420 Naujan-et-Postiac, tél. 05.57.84.55.23, fax 05.57.84.57.37, e-mail scea.barthemichel@wanadoo.fr r.-v.

CH. DE LA VIEILLE TOUR Réserve Tradition Élevé en fût de chêne 2003 ★

4 ha 35 000 5 à 8 €

La robe profonde, pareille à la mûre, annonce les arômes de fruits noirs nuancés de vanille. Ample et souple, la bouche décline les mêmes arômes, étayée par des tanins mûrs. La finale persiste bien, entre fruits et épices. Provoquez une occasion afin de servir très bientôt cette bouteille charmeuse. Le **Château de la Vieille Tour 2003**, élevé en cuve, est cité.

Vignobles Boissonneau, Le Cathelicq, 33190 Saint-Michel-de-Lapujade, tél. 05.56.61.72.14, fax 05.56.61.71.01 r.-v.

CH. VILATTE Élevé en fût 2003 ★

8 ha 16 000 5 à 8 €

Du fruit, rien que du fruit dans ce vin. Une pointe épicée vient cependant rehausser la palette. Arômes de cerise et de cassis, nuancés par les notes de vanille d'un élevage sous bois bien maîtrisé, se poursuivent en bouche. Si l'attaque est encore ferme, une chair ample et soyeuse ne tarde pas à se manifester. Patientez deux ou trois ans : l'ensemble se sera harmonisé et aura gagné en complexité.

Stefaan et Hilde Massart, Vilatte, 33660 Puynormand, tél. 05.57.49.77.60, fax 05.57.49.67.89, e-mail stefaan.vilatte@wanadoo.fr r.-v.

CH. VIRCOULON 2003

11 ha 74 667 5 à 8 €

Il est rare de voir si peu de merlot dans un bordeaux supérieur : seulement 35 %. La plus grande part de l'assemblage est constituée par les cabernets, tandis que le malbec assure le complément. De la fraîcheur au nez. De la fraîcheur en bouche, finement épicée. Du volume, des tanins fins... Un vin équilibré, en somme, qui mérite d'être bu dans les prochains mois.

Patrick Hospital, Vircoulon, 33220 Saint-Avit-de-Soulège, tél. et fax 05.57.41.05.99

CH. VIRECOURT Pillebourse 2004 ★

6 ha 20 000 5 à 8 €

Si, autrefois, il était fréquent que les voyageurs se fassent détrousser au lieu-dit Pillebourse, vous ne risquerez rien aujourd'hui, si ce n'est de vous arrêter plus longtemps que prévu pour découvrir les vins du château. Noir à reflets violets, ce 2004 exprime des arômes de fruits mûrs (pruneau) sur fond finement boisé. Il fait preuve de richesse et de structure au palais, rehaussé d'une pointe de fraîcheur, signe de jeunesse mais aussi de promesse pour l'avenir (deux ou trois ans).

Xavier Chassagnoux, Ch. Renard, 33126 La Rivière, tél. 05.57.24.96.37, fax 05.57.24.90.18, e-mail chateau.renard.mondesir@wanadoo.fr r.-v.

Crémant-de-bordeaux

AOC depuis 1990, le crémant-de-bordeaux est élaboré selon des règles très strictes communes à toutes les appellations de crémant, à partir de cépages traditionnels du Bordelais. Les crémants sont généralement blancs (8 915 hl en 2005) mais ils peuvent aussi être rosés (1 320 hl).

JEAN-LOUIS BALLARIN Blanc de blancs

n.c. 25 000 **8 à 11 €**

Subtil mélange de classicisme et de modernité dans cette cuvée à base de sémillon et de muscadelle à parts égales. Une couronne de bulles fines se dessine dans la robe élégante, semblant porter les arômes d'agrumes et de fleurs blanches. La silhouette ronde laisse une impression de volume, même si la finale raffinée s'évanouit bientôt. Pour l'apéritif et un plateau de fruits de mer. Du même producteur, le **Marquis de Haux** est cité également.

Jean-Louis Ballarin, Haux, 33550 Langoiran, tél. 05.56.67.11.30, fax 05.56.67.54.60, e-mail jlballarin@wanadoo.fr r.-v.

RÉMY BRÈQUE Cuvée Prestige

n.c. 20 000 **5 à 8 €**

À une vingtaine de kilomètres au nord de Bordeaux, la maison Rémy Brèque élabore des effervescents depuis 1927. Celui-ci, jaune clair, couronne le verre de sa mousse crémeuse, puis offre une bouche ronde et chaleureuse, non dénuée d'élégance. Un vin coquet, fruité et floral, qui saura trouver un allié dans une charlotte aux marrons.

Maison Rémy Brèque, 8, rue du Cdt-Cousteau, 33240 Saint-Gervais, tél. 05.57.43.10.42, fax 05.57.43.91.61, e-mail remy.breque@wanadoo.fr r.-v.

Bonnefis

LES CORDELIERS

n.c. 18 900 **8 à 11 €**

Les caves se situent dans des galeries creusées dans la roche, à 20 m de profondeur. Il y fait frais, la température idéale pour la prise de mousse. D'abondantes bulles fines animent ce crémant au bouquet brioché, nuancé d'agrumes et de fleurs blanches. Tout en légèreté, celui-ci se montre tendre, prêt à être servi à l'apéritif ou au dessert. Le **crémant-de-bordeaux Les Cordeliers (étiquette verte, 5 à 8 €)** est cité également. Un vin vieil or, un peu évolué, répondant au goût anglais.

Les Cordeliers, 33330 Saint-Émilion, tél. 05.57.24.42.13, fax 05.57.24.31.06, e-mail cordeliers@lescordeliers.com t.l.j. 15h-18h; groupes sur r.-v.

JAILLANCE

n.c. 40 000 **5 à 8 €**

Élaboré et élevé dans des galeries souterraines, à température constante, ce crémant laisse jaillir des bulles fines qui dessinent une jolie bordure argentée sur la paroi du verre. D'une couleur groseille éclatante, il offre un bouquet épanoui de fleurs blanches, puis mêle fraîcheur et rondeur au palais. La rencontre sera harmonieuse avec un savarin à la mousse de marrons et de chocolat.

SAS Brouette, Caves du Pain de Sucre, 33710 Bourg-sur-Gironde, tél. 05.57.68.42.09, fax 05.57.68.26.48 t.l.j. 8h30-12h 14h-17h30

LATEYRON 2004 **

n.c. 10 852 5 à 8 €

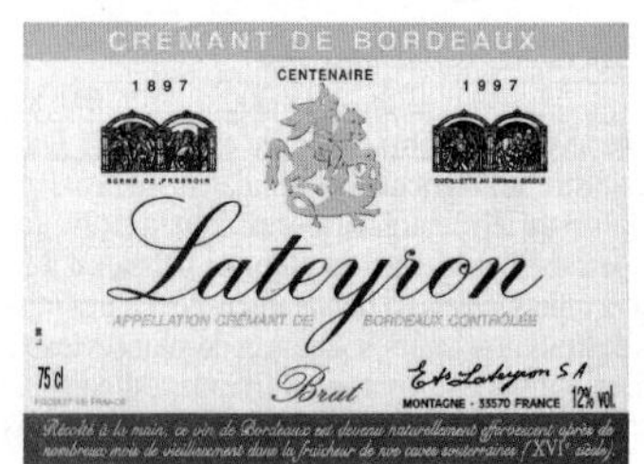

Trois kilomètres de galeries souterraines mènent aux moulins de Calon et au point de vue qu'ils ménagent. C'est ici que Jean-Abel Lateyron eut l'idée, en 1897, de faire prendre mousse aux vins du Saint-Émilionnais. Le sémillon constitue à lui seul cette cuvée d'un or brillant qui laisse monter dans le verre un chapelet de bulles fines et persistantes. Des fleurs et des fruits composent le bouquet, tandis que la bouche élégante et ronde donne la faveur aux savoureux arômes fruités qui jouent les prolongations en finale. Il ne vous reste plus qu'à préparer des noix de coquilles Saint-Jacques poêlées avec un filet d'huile d'Argan, accompagnées de girolles ou de cèpes.

Lateyron, Ch. Tour Calon, BP 1, 33570 Montagne, tél. 05.57.74.62.05, fax 05.57.74.58.58, e-mail lateyron.r@wanadoo.fr r.-v.

QUEYNAC 2004

0,13 ha 1 600 **5 à 8 €**

Située dans le Fronsadais, cette propriété familiale de 40 ha remonte au XVIIIes. Elle propose un pur sémillon qui joue une partition florale, avec quelques nuances d'évolution. Vif et léger, ce vin plein d'élégance sera mis en valeur au moment de l'apéritif, avec de petits choux garnis de foie gras.

EARL Gabard, Vignobles Gabard, Le Carrefour, 33133 Galgon, tél. 05.57.74.30.77, fax 05.57.84.35.73, e-mail vignobles.gabard@laposte.net r.-v.

J. QUEYRENS ET FILS Cuvée de Chapput 2004 *

1,39 ha 14 000 5 à 8 €

Le sémillon règne en maître absolu dans cette cuvée qui séduira une poularde fermière farcie aux morilles et accompagnée de pâtes fraîches. Le bouquet décline aussi bien la gamme fruitée que florale, tandis que la bouche laisse une impression de rondeur aimable.

SCV Jean Queyrens et Fils, Le Grand Village, 33410 Donzac, tél. 05.56.62.97.42, fax 05.56.62.10.15, e-mail scvjqueyrens@free.fr r.-v.

CH. ROC DE CAYLA 2003 **

0,25 ha 2 000 8 à 11 €

Né sur un sol de boulbènes, formation de sables fins et de limons, le sauvignon compose ce crémant jaune doré qui n'est pas avare de confidences. Sentez-vous ces notes de pierre à fusil ? Le vin charme par sa rondeur et sa finale tout aussi minérale, avec une pointe de grillé.

🔑 Jean-Marie Lanoue, Ch. Roc de Cayla,
33760 Soulignac, tél. 05.56.23.91.13, fax 05.57.34.40.44,
e-mail jmlanoue33@wanadoo.fr ☑ Y ✶ r.-v.

LE TRÉBUCHET 2004 ★

	0,5 ha	5 000	5 à 8 €

Une pointe de réglisse s'invite dans le bouquet de fleurs blanches et de fruits de ce vin délicat. La bouche ronde et chaleureuse se développe avec légèreté, tout en élégance. Une langouste sur le gril sera prétexte à une dégustation à table.

🔑 Vignobles Bernard Berger,
Ch. Le Trébuchet, 33190 Les Esseintes,
tél. 05.56.71.42.28, fax 05.56.71.30.16,
e-mail chateautrebuchet@wanadoo.fr
☑ Y ✶ t.l.j. sf dim. 8h-12h 14h-18h

Le Blayais et le Bourgeais

Blayais et Bourgeais, deux pays (plus de 9 000 ha) aux confins charentais de la Gironde que l'on découvre toujours avec plaisir. Peut-être en raison de leurs sites historiques, de la grotte de Pair-Non-Pair (avec ses fresques préhistoriques, presque dignes de Lascaux), de la citadelle de Blaye ou de celle de Bourg, ou des châteaux et autres anciens pavillons de chasse. Mais plus encore parce que de cette région très vallonnée se dégage une atmosphère intimiste, apportée par de nombreuses vallées et qui contraste avec l'horizon presque marin des bords de l'estuaire. Pays de l'esturgeon et du caviar, c'est aussi celui d'un vignoble qui, depuis les temps gallo-romains, contribue à son charme particulier. Pendant longtemps, la production de vins blancs a été importante ; jusqu'au début du XXes., ils étaient utilisés pour la distillation du cognac. Mais aujourd'hui, ils sont réservés à une production d'AOC bordelaises.

On distingue deux grands groupes : celui de Blaye, avec des sols assez diversifiés (calcaires, sables, argilo-calcaires), et celui de Bourg, géologiquement plus homogène (argilo-calcaires et graves).

Blaye, côtes-de-blaye et premières-côtes-de-blaye

Sous la protection, désormais toute morale, de la citadelle de Blaye due à Vauban, le vignoble blayais s'étend sur environ 5 000 ha plantés de vignes rouges et blanches. L'AOC blaye a revendiqué 6 109 hl en 2005. Les premières-côtes-de-blaye rouges (313 158 hl en 2005) sont des vins puissants et fruités. Les blancs (13 087 hl en premières-côtes-de-blaye et 1 507 hl en côtes-de-blaye) sont aromatiques. Ils sont en général secs, d'une couleur légère, et on les sert en début de repas, alors que les premières-côtes-de-blaye rouges vont plutôt sur des viandes ou des fromages.

La nouvelle charte qualitative de l'AOC blaye exige une mise en bouteilles après dix-huit mois d'élevage.

Blaye

CH. BEL-AIR LA ROYÈRE 2003 ★★★

■	4,9 ha	n.c.	15 à 23 €

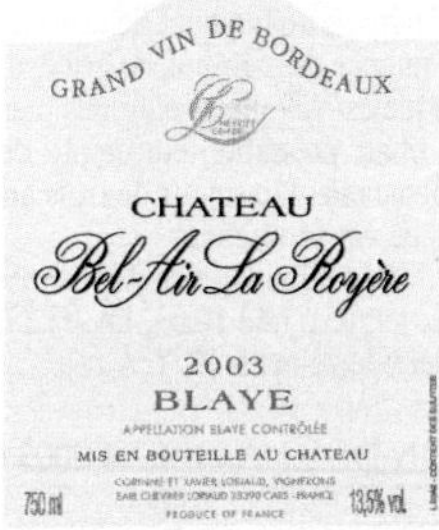

Corinne Loriaud n'était guère satisfaite de sa vendange 2003 tant les baies de malbec avaient pris un aspect desséché sous le soleil de plomb de cette année mémorable. Certes, le volume fut réduit au minimum, mais la qualité du vin est optimale. Un blaye exceptionnel, dont la puissance et l'élégance sont déjà perceptibles dans la robe rubis profond et dans les arômes exubérants de cassis, de myrtille, de moka, de menthol, de vanille et de toasté. La bouche riche, ronde et gourmande, respectueuse du fruit, s'appuie sur une structure bien fondue qui laisse une sensation de soyeux. À conserver trois ans en cave.

🔑 Corinne et Xavier Loriaud,
EARL Chevrier-Loriaud, 1, Les Ricards, 33390 Cars,
tél. 05.57.42.91.34, fax 05.57.42.32.87,
e-mail chateau.belair.la.royere@wanadoo.fr ☑ Y ✶ r.-v.

CH. L'EMBRUN 2003 ★

■	6 ha	36 000	🛢 8 à 11 €

Grenat intense, avec quelques nuances d'évolution, ce 2003 présente des arômes expressifs de toasté, de fumé, de graphite et d'épices. Sa chair riche et soyeuse bénéficie d'un bon retour sur les fruits ; une légère vivacité souligne les tanins en finale. Dans trois ans, l'équilibre devrait être parfait.

🔑 EARL Franck Fourcade,
21, rue Moulin-de-Chasserat, 33390 Cartelègue,
tél. 05.57.64.63.14, fax 05.57.64.50.14,
e-mail chateauchasserat@wanadoo.fr ☑ Y ✶ r.-v.

CH. HAUT-COLOMBIER 2003

■ 4 ha 12 000 8 à 11 €

Cet ancien domaine du XVII[e]s. est proche de l'église de Cars, célèbre pour son clocher polychrome qui domine la région. Olivier et Emmanuel Chéty, à la tête de 54 ha de vignes, proposent ce 2003 rubis profond aux reflets tuilés, dont le nez discret évoque les fruits noirs, les fruits cuits, le toasté, le grillé et le moka. Des raisins mûrs à point lui ont légué cette chair ronde, soulignée d'un boisé bien présent mais qui ne masque pas les flaveurs de fruits noirs. La finale un peu austère indique que trois ans de garde seront favorables à l'épanouissement du vin.

EARL Vignobles Jean Chéty et Fils,
La Maisonnette, 33390 Cars,
tél. 05.57.42.10.28, fax 05.57.42.17.65,
e-mail chateau.hautcolombier@wanadoo.fr
t.l.j. 8h-12h 14h-18h; sam. dim. sur r.-v.

CH. MONCONSEIL GAZIN 2003 ★★

■ 4 ha 18 000 11 à 15 €

À Plassac, vous partirez à la découverte d'une *villa* gallo-romaine, mais aussi des vins de Michel Baudet, dont cette cuvée, élevée dix-huit mois en barrique, est une remarquable illustration. D'un grenat sombre à reflets violets, celle-ci déploie un bouquet riche et élégant de fruits noirs (cassis), nuancé de menthol, de grillé, de toasté et de vanillé. L'attaque est veloutée, les tanins bien présents en soutien de la chair puissante, empreinte de flaveurs de fruits noirs persistants. Un séjour de trois ans en cave est à la portée de ce vin prometteur.

Vignobles Michel Baudet, Ch. Monconseil Gazin,
33390 Plassac, tél. 05.57.42.16.63, fax 05.57.42.31.22,
e-mail mbaudet@terre-net.fr r.-v.

CH. MOULIN DE CHASSERAT 2003 ★

■ 2 ha 10 000 8 à 11 €

Le merlot récolté sur graves règne en maître dans cette cuvée rubis profond qui offre un bouquet puissant de griotte et de framboise mêlées d'un élégant boisé (grillé, toasté, vanillé). D'attaque suave, le vin trouve un bon compromis entre une chair ronde, chaleureuse, et une trame tannique encore ferme qui promet de se fondre dans les trois ans à venir.

EARL Boyer-Fourcade,
21, rue Moulin-de-Chasserat, 33390 Cartelègue,
tél. et fax 05.57.64.63.14,
e-mail chateauchasserat@wanadoo.fr r.-v.
Fourcade

L'ATTRIBUT DES TOURTES 2003 ★

■ 1 ha 5 000 8 à 11 €

Récolté sur un sol argilo-siliceux, le merlot (70 %) et le cabernet-sauvignon (30 %) ont donné naissance à ce vin rubis profond aux légers reflets orangés. Le nez s'ouvre sur la cerise noire, le pruneau et les fruits cuits, élégamment mariés au toasté, au grillé et à l'épicé. Souple en attaque, la bouche procure une sensation de rondeur et de puissance, sans rien perdre de la fraîcheur du fruité. Il faudra attendre que les tanins se fondent pour apprécier pleinement ce 2003.

EARL Raguenot-Lallez-Miller, Ch. des Tourtes,
Le Bourg, 33820 Saint-Caprais-de-Blaye,
tél. 05.57.32.65.15, fax 05.57.32.99.38,
e-mail chateau-des-tourtes@wanadoo.fr
t.l.j. sf dim. 9h-12h 14h-19h

Premières-côtes-de-blaye

CH. L'ABBAYE Vieilli en fût de chêne 2003 ★

■ 2 ha 13 300 5 à 8 €

Pleine-Selve se trouve à la limite du département de la Charente-Maritime, à l'extrême nord de la Gironde. De la grande abbaye des Prémontés, bâtie au XII[e]s. sur le chemin de Compostelle, il ne reste que l'église, non loin de laquelle est établi ce domaine. Merlot (80 %) et cabernet-sauvignon composent ce vin classique, d'un rouge profond. Le nez de fruits mûrs et de fin boisé annonce une bouche tout aussi chaleureuse, marquée par un raisin gorgé de soleil. Les tanins fins se lient à un agréable fruité qui, en finale, prend des accents de cerise à l'eau-de-vie. À déguster dans deux ans avec un gigot d'agneau ou une entrecôte bordelaise.

SCEA Vignobles Rossignol-Boinard,
L'Abbaye, 33820 Pleine-Selve,
tél. 05.57.32.64.63, fax 05.57.32.74.35,
e-mail chateau-abbaye@wanadoo.fr r.-v.

CH. ANGLADE-BELLEVUE
Cuvée Prestige Élevé en fût de chêne 2004 ★

■ 4 ha 26 600 5 à 8 €

Une jolie robe rubis et un nez prometteur de fruits, de grillé et d'épices comme invite. La chair séveuse, puissante, décline des flaveurs de café, de toasté et d'amande grillée. Certes, les tanins solides sont encore fermes, mais ils devraient se fondre au cours de trois ans de garde.

SCEA Mège Frères, Aux Lamberts, 33920 Générac,
tél. 05.57.64.73.28, fax 05.57.64.53.90,
e-mail scea-mege@mege-freres.fr r.-v.

CH. BELLEVUE-GAZIN
Cuvée Les Baronnets 2004 ★

■ 4 ha 12 000 5 à 8 €

Quand on aime, on ne compte pas... Alain et Anne-Sophie Lancereau, à peine arrivés de la région parisienne, n'ont pas compté leurs efforts lorsqu'ils ont repris ce domaine en 2003, à la veille des vendanges. Deuxième millésime, deuxième apparition dans le Guide pour un vin rouge profond à reflets violines, duquel s'échappe un bouquet exubérant : mûre, myrtille, clou de girofle, toasté et pierre à fusil. Au palais, tout est séduction, depuis l'attaque ronde, la matière veloutée, la trame de tanins serrés mais de qualité, jusqu'à la finale fruitée et grillée, doublée d'une note de réglisse.

SCEA Lancereau-Burthey,
Ch. Bellevue-Gazin, Montuzet, 33390 Plassac,
tél. 05.57.42.02.00, fax 05.57.42.04.60,
e-mail aslancereau@aol.com r.-v. 5

CH. BERTHENON
Cuvée Henri Élevé en fût de chêne 2004 ★★

■ 6 ha 22 000 5 à 8 €

Commandé par une chartreuse du XVIII[e]s., ce domaine de 32 ha doit beaucoup à Henri et Léa Ponz qui l'ont entièrement restauré. Tous deux travaillent aujourd'hui avec leurs enfants pour produire des vins tels que ce 2004 (70 % de merlot et 30 % de cabernets). Pourpre à reflets cerise, celui-ci développe un harmonieux bouquet de fruits rouges (framboise et groseille), d'épices et de toasté. Ample et franc en attaque, il dévoile une chair dense dans laquelle se marient parfaitement les flaveurs de fruits rouges et un fin boisé. Un premières-côtes-de-blaye élégant, à découvrir dans trois ans.

GFA Henri Ponz, Ch. Berthenon, 3, Le Barrail, 33390 Saint-Paul, tél. et fax 05.57.42.52.24, e-mail contact@chateau-berthenon.com

t.l.j. 8h30-12h30 14h-19h; sam. dim. sur r.-v.

CH. LES BERTRANDS

Cuvée Prestige Élevé en fût de chêne 2005 ★

	n.c.	15 000		5 à 8 €

Joli mariage entre les arômes d'agrumes, de bourgeon de cassis, de pain grillé, de brioche et de vanille. Le sauvignon récolté sur graves argilo-sableuses s'affirme dans ce vin franc en attaque, puis rond, relevé d'un léger perlant qui confère de la fraîcheur et soutient l'expression du fruité. À découvrir en 2007.

EARL Vignobles Dubois et Fils, Les Bertrands, 33860 Reignac, tél. 05.57.32.40.27, fax 05.57.32.41.36, e-mail chateau.les.bertrands@wanadoo.fr

t.l.j. sf dim. 9h-12h30 14h-18h30

CH. LES BILLAUDS Élevé en fût de chêne 2004 ★

	1,8 ha	12 000		11 à 15 €

Originaire de sols argilo-graveleux, le merlot, complété de 30 % de cabernet-sauvignon, s'exprime dans ce vin de couleur sombre à reflets violets. Concentré, tel est le bouquet de fruits rouges et noirs liés à des notes vanillées, réglissées et mentholées. Ronde, telle est la chair soutenue par des tanins fondus, qui laisse en finale le souvenir de la vanille. Dans deux ans, tout se sera épanoui.

Le Blayais et le Bourgeais

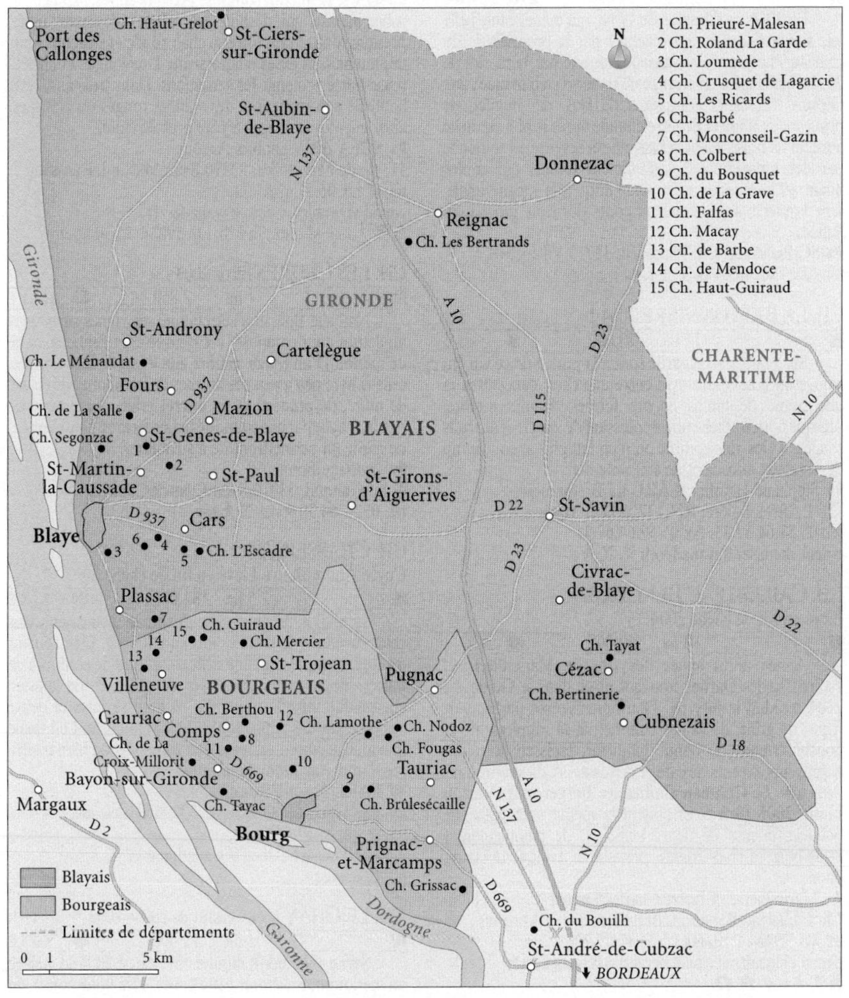

SCEA Vignobles J.-C. Plisson,
5, Les Billauds, 33860 Marcillac,
tél. 05.57.32.77.57, fax 05.57.32.95.27 r.-v.
J.-C. Plisson

CH. BOIS-VERT 2005 ★

1 ha 6 000 5 à 8 €

Beaucoup de fleurs blanches, de fruits exotiques, d'agrumes et de buis dans ce vin jaune pâle brillant, issu des sauvignons blanc et gris, complétés de muscadelle. Le voici rond et harmonieux qui déploie un fruité intense au palais. Une bouteille toute désignée pour accompagner des coquillages et des crustacés dès maintenant, ou des poissons de rivière en 2007.

Patrick Penaud, 12, Boisvert,
33820 Saint-Caprais-de-Blaye, tél. et fax 05.57.32.98.10,
e-mail p.penaud.boisvert@wanadoo.fr r.-v.

CH. BOURJAUD Élevé en fût neuf 2003 ★★

17 ha 50 000 5 à 8 €

En 2004, ce domaine de 17 ha, qui ménage une belle vue sur la Gironde, a été acheté par le propriétaire du château Plaisance (Bourgeais). Dominé par le merlot, le 2003 a bénéficié d'un élevage de six mois en barrique ; aux parfums subtils et complexes de lilas, de muguet, de pruneau, de mûre et de terre chaude après la pluie se mêle ainsi un fin boisé. La bouche ronde et séveuse est soutenue par des tanins mûrs, parfaitement fondus qui contribuent à l'impression d'ampleur jusqu'à la longue finale. Une bouteille à apprécier au cours des trois prochaines années.

SC Plaisance, Ch. Plaisance, 33710 Villeneuve,
tél. 05.57.42.68.84 r.-v.

CH. LA BRETONNIÈRE 2004 ★

11 ha 70 000 5 à 8 €

Six à huit ans de garde sont à la portée de ce vin qui trouve un bon compromis entre une chair concentrée et une trame de tanins encore fermes. Rouge sombre, presque noir, il affiche un nez puissant de vanille et de fruits rouges. « Des vins comme on n'en fait plus », conclut un dégustateur, conscient de son potentiel.

Stéphane Heurlier, EARL La Bretonnière,
Ch. La Bretonnière, RN 137, 33390 Mazion,
tél. 05.57.64.59.23, fax 05.57.64.67.41,
e-mail sheurlier@wanadoo.fr r.-v.

CH. CAILLETEAU BERGERON
Élevé en fût de chêne 2004 ★

10 ha 50 000 5 à 8 €

Année après année, les vins de Marie-Pierre et Pierre-Charles Dartier trouvent place dans le Guide. Le 2004 a séduit le jury par l'harmonie de ses parfums de fruits, de grillé, de vanille comme par la souplesse de sa bouche fruitée, de bonne longueur, tapissée de tanins soyeux aux accents de café et de toasté. À découvrir dans deux ans. Le **Château Cailleteau Bergeron Tradition blanc 2005 (3 à 5 €)** obtient la même note pour son bouquet intense de fleurs blanches, de pamplemousse et de buis, sa chair fruitée, persistante, typique du sauvignon.

Marie-Pierre et Pierre-Charles Dartier,
Ch. Cailleteau Bergeron, Bergeron, 33390 Mazion,
tél. 05.57.42.11.10, fax 05.57.42.37.72,
e-mail chateau.cailleteau.bergeron@wanadoo.fr
r.-v. B

LES TOURS DE CANTINOT 2004 ★

1 ha 5 000 15 à 23 €

Une cuvée confidentielle de pur cabernet franc, élevée douze mois en barrique. Sous une teinte rubis se dévoile un bouquet encore très boisé mais de qualité, agrémenté de notes de fruits à noyau. Une matière ronde et concentrée se développe, accompagnée de tanins boisés dominateurs, mais de bonne composition, disposés à s'assagir avec le temps. Pour un gibier.

EARL Ch. Cantinot, 1, Cantinot, 33390 Cars,
tél. 05.57.64.31.70, fax 05.57.64.29.13,
e-mail chateau.cantinot@wanadoo.fr
t.l.j. 9h30-12h 14h-18h
Bouscasse

CH. CAP SAINT-MARTIN 2004 ★

9 ha 55 000 5 à 8 €

Propriété de la famille Ardoin depuis 1904, ce domaine compte 17 ha de vignes tout autour de la demeure du XIX[e]s. Le merlot compose presque entièrement ce vin rubis intense qui décline des arômes de fruits mûrs, presque confits, puis offre sa chair ronde et structurée par des tanins sans excès d'agressivité. Une longue et chaleureuse finale prolonge les sensations. Dans trois ans, cette bouteille accompagnera des viandes rouges ou blanches, ainsi que des fromages à pâte pressée cuite.

SCEA des Vignobles Ardoin,
11, rte de Mazerolles, 33390 Saint-Martin-Lacaussade,
tél. et fax 05.57.42.91.73,
e-mail vignobles.ardoin@wanadoo.fr
t.l.j. sf dim. 9h-12h 14h-19h; f. 15-30 août

CH. LES CÈDRES Élixir 2003

1 ha 2 850 8 à 11 €

Nathalie Bonnet a sélectionné ses vignes sur graves argileuses pour composer cette cuvée confidentielle, riche de merlot. D'un rouge sombre aux légers reflets orangés, celle-ci livre peu à peu des arômes de framboise, de fraise, de mûre, de pruneau et un discret grillé, puis une chair ronde, étayée par une trame de tanins fermes. Deux années de garde lui permettront de s'amabiliser.

Nathalie Bonnet,
4, Le Guiraud, 33710 Saint-Ciers-de-Canesse,
tél. 05.57.64.90.95 r.-v.

CH. CHASSERAT
Cuvée André Bouyé Élevé en fût de chêne 2003 ★★

5 ha 33 000 5 à 8 €

Le merlot, né sur graves, s'exprime pleinement dans cette cuvée élevée douze mois en barrique. Une couleur sombre, presque noire, de délicats arômes de confiture de mûres, de myrtilles rehaussés de grillé et de toasté : engageante introduction... La matière séveuse et dense s'appuie sur des tanins tout velours qui laissent en finale une touche épicée, témoins d'une vinification bien maîtrisée. Un avenir prometteur (trois ans).

EARL Boyer-Fourcade,
21, rue Moulin-de-Chasserat, 33390 Cartelègue,
tél. et fax 05.57.64.63.14,
e-mail chateauchasserat@wanadoo.fr r.-v.
Fourcade

CH. LE CHAY Vieilli en fût de chêne 2003 ★

2 ha 12 000 5 à 8 €

Sylvie et Didier Raboutet ont associé 20 % de malbec au merlot pour élaborer cette cuvée. Des notes torréfiées

et vanillées, témoin de son passage en barrique pendant douze mois, respectent l'expression des arômes de fruits rouges. L'attaque franche introduit une matière ample et ronde, bien charpentée. Déjà agréable, ce vin gagnera encore en qualité au cours de trois ou quatre ans de garde.
Didier et Sylvie Raboutet,
Ch. Le Chay, 33390 Berson, tél. 05.57.64.39.50,
fax 05.57.64.25.08, e-mail lechay@wanadoo.fr
t.l.j. sf dim. 8h-12h 14h-19h

CH. CORPS DE LOUP 2003 ★

■ 7,37 ha 21 000 5 à 8 €

Selon la légende, en 1581, un loup blessé par le roi Henri IV en forêt médocaine vint mourir sur le coteau d'Anglade, d'où le nom de Corps de Loup. Ce vin, principalement issu de merlot, s'habille de rouge sombre ; il livre des arômes de confiture de mûres et de myrtilles, associés à des notes minérales, grillées et toastées. La matière ronde dès l'attaque parvient à enrober les tanins encore fougueux et le boisé bien présent, pour mieux faire ressortir les flaveurs de fruits cuits en finale. Dans deux ans, l'ensemble aura trouvé son équilibre.
Françoise Le Guénédal, Ch. Corps de Loup,
33390 Anglade, tél. et fax 05.57.64.45.10,
e-mail chateau-corps-de-loup@wanadoo.fr
t.l.j. 10h-12h 15h-18h30; sam. dim. sur r.-v.

CH. CRUSQUET DE LAGARCIE 2004 ★

■ 20 ha 70 000 8 à 11 €

La promenade vous conduit à la citadelle de Blaye, puis à l'église de Cars reconnaissable à son clocher aux tuiles peintes ; elle se termine au château Crusquet de Lagarcie pour découvrir ce 2004 rouge sombre, à frange violine. Marqué par le boisé, le vin dévoile une matière dense et persistante, soutenue par des tanins encore jeunes, mais dénués d'agressivité. Des promesses de garde jusqu'en 2010.
SAS Vignobles Ph. de Lagarcie, Le Crusquet,
33390 Cars, tél. 05.57.42.15.21, fax 05.57.42.90.87,
e-mail vignobles.delagarcie@free.fr
t.l.j. sf sam. dim. 9h-12h 14h-18h

CH. L'ESCADRE 2004 ★

■ 32 ha 100 000 3 à 5 €

Le château reçut le nom d'Escadre en 1832, en l'honneur d'un ancien propriétaire amiral. Jean-Marie Carreau, aidé de ses fils Sébastien et Nicolas, propose un 2004 grenat à reflets violets, dont le nez de fruits rouges et noirs est nuancé d'un caractère toasté. La bouche puissante révèle des tanins encore fermes, mais enrobés de flaveurs de fruits confiturés en finale. Quatre ans de garde ne pourront qu'être bénéfiques à ce vin. Le **Château L'Escadre Major rouge 2004 (11 à 15 €)**, compromis harmonieux entre le vin et le bois, mérite une étoile.
Jean-Marie et Sébastien Carreau,
Ch. Les Petits Arnauds, 33390 Cars, tél. 05.57.42.36.57,
fax 05.57.42.14.02, e-mail info@vignobles-carreau.com
t.l.j. sf sam. dim. 8h-18h30

CH. FERTHIS Cuvée Ulysse 2004

■ 1,5 ha 7 500 8 à 11 €

Depuis qu'il a repris le domaine familial en 2000, Stéphane Eymas n'a pas ménagé sa peine : il a agrandi le vignoble à 15 ha, créé la marque Ferthis et construit un chai moderne. Son vin, composé à 90 % de merlot, rend hommage à son grand-père. Grenat foncé, légèrement évolué, il livre des arômes discrets de fruits mûrs, de vanille et de boisé fin. Après une attaque franche, fruitée, une matière ronde et ample se développe. Pour 2008.
Stéphane Eymas, 9, av. Mendès-France,
33820 Saint-Ciers-Sur-Gironde,
tél. 05.57.32.72.52, fax 05.57.32.60.05,
e-mail stephane.eymas@wanadoo.fr r.-v.

CH. FOMBRION Élevé en fût de chêne 2004 ★

■ 1 ha 5 000 5 à 8 €

Au centre du village de Mazion, vous trouverez aisément cette demeure du début du XIXe s. qui commande 25 ha de vignes. Du merlot et à peine 20 % de cabernet-sauvignon dans ce vin profondément coloré, aux arômes de toasté d'abord, puis de raisin et de cuir. Il se montre souple et friand en attaque, velouté dans son développement, mariant savoureusement le fruité à un élégant boisé. Les tanins, jeunes encore, n'en sont pas moins soyeux. Destinez cette bouteille à une entrecôte bordelaise.
GAEC des Vignobles Sicaud, Ch. Fombrion,
n° 20, Le Bourg, 33390 Mazion,
tél. et fax 05.57.42.18.62,
e-mail chateau-fombrion@wanadoo.fr r.-v.
Éric Sicaud

CH. FRÉDIGNAC Cuvée Prestige 2004 ★

■ 3 ha 12 000 5 à 8 €

Nicole et Michel L'Amouller ont ouvert deux chambres d'hôtes depuis trois ans pour initier les visiteurs au monde de la vigne et du vin. Ceux-ci trouveront deux exemples édifiants de la production blayaise. Cette Cuvée Prestige, d'un grenat sombre, s'ouvre sur des senteurs de fruits rouges mûrs mêlés de notes torréfiées. La voici souple, ronde et équilibrée, reposant sur une trame soyeuse, qui persiste agréablement au palais, avec une légère pointe d'amertume rafraîchissante. Le **Château Frédignac Terroir rouge 2004** obtient la même note.
Michel et Nicole L'Amouller, Ch. Frédignac,
7, rue Émile-Frouard, 33390 Saint-Martin-Lacaussade,
tél. 05.57.42.24.93,
e-mail chateau-fredignac@wanadoo.fr
r.-v. 3

CH. LA GAMAYE
Cuvée Prestige Élevé en fût de chêne 2003

■ n.c. 9 000 5 à 8 €

Du merlot, rien que du merlot dans ce premières-côtes-de-blaye élevé neuf mois en barrique. Sous un rouge profond se manifeste un fruité intense de mûre et de cassis, de fruits rouges aussi. La bouche est riche, corsée, dotée d'une structure de tanins fermes qui ne nuisent en rien à la finale douce et chaleureuse. Ce vin pourra vieillir deux ans.
Franck Bourceau,
33390 Berson, tél. 05.57.64.33.91, fax 05.57.64.23.89,
e-mail franck.bourceau@wanadoo.fr r.-v.

CH. GARDUT HAUT CLUZEAU
Cuvée Prestige 2004 ★★

■ 6 ha 35 000 5 à 8 €

Issu d'une majorité de merlot et d'un élevage de douze mois en barrique, ce 2004 de teinte foncée présente une matière souple et ronde, aux savoureuses flaveurs de fruits rouges. Les tanins denses, mais soyeux, laissent toute

la place à l'expression d'un bouquet de raisin mûr et de pruneau, souligné d'un discret boisé réglissé. « Ce vin donnera envie de l'apprécier à de nombreuses occasions, avec des grillades », écrit un membre du jury.
⊶ Vignobles Denis Lafon, Bracaille 1, 33390 Cars,
tél. 05.57.42.33.04, fax 05.57.42.08.92,
e-mail denis-lafon@wanadoo.fr ☑ Y 🚶 r.-v.

CH. CAMILLE GAUCHERAUD
Élevé en fût de chêne 2003 *

■ 3 ha 6 000 ◍ 5 à 8 €

Un style très classique pour un vin de merlot pur, récolté sur graves. Si sombre qu'il en paraît presque noir, ce 2003 libère des arômes de grillé et de toasté sur fond discret de fruits rouges. L'attaque pleine de saveurs grillées cède place à une bouche ample et ronde, riche de fruits rouges mûrs, épicés, puis à une finale douce et persistante. À partir de 2008, le rendez-vous sera des plus plaisants.
⊶ GFA des Barrières,
1, les Barrières, 33620 Laruscade,
tél. 05.57.68.64.54, fax 05.57.68.64.53,
e-mail camille.gaucheraud@free.fr ☑ Y 🚶 r.-v.
⊶ Latouche

CH. GAUTHIER Élevé en fût de chêne 2004 *

■ 12,29 ha 50 000 ◍ 3 à 5 €

Merlot et cabernet nés de sols argilo-siliceux composent ce premières-côtes-de-blaye rouge violacé qui associe des arômes de fruits mûrs à un léger boisé grillé, non dénué de complexité. Une même empreinte boisée se manifeste dans la belle matière, laissant en finale une légère fermeté, mais elle devrait se fondre aux tanins du raisin. Dans trois ans, le vin se sera pleinement épanoui. Le **Château Gauthier Élevé en fût de chêne rouge 2003**, aux tanins élégants, brille d'une étoile, lui aussi.
⊶ Union de producteurs de Pugnac, Bellevue,
33710 Pugnac, tél. 05.57.68.81.01, fax 05.57.68.83.17,
e-mail udep.pugnac@wanadoo.fr ☑ Y 🚶 r.-v.
⊶ Michel Massé

CH. GIGAULT Cuvée Viva 2004 **

■ 10 ha 45 000 ◍ 11 à 15 €

La Cuvée Viva représente environ 60 % de la production du château Gigault, fort de 14 ha de vignes sur sol argilo-limono-calcaire. Le 2004 a séduit le jury par sa robe sombre aux reflets violines comme par ses senteurs de framboise, de mûre, de myrtille et de vanille. La chair surprend par tant de volume et de rondeur ; elle parvient à envelopper une structure de tanins fermes, aux accents toastés et grillés. La longue et douce finale finit de convaincre. Un vin à garder cinq ans dans votre cave.
⊶ Christophe Reboul-Salze,
Ch. Gigault, 33390 Mazion,
tél. 06.11.23.69.35, fax 05.57.54.39.38 ☑ r.-v.

CH. LES GRANDS MARÉCHAUX 2004 *

■ 15 ha 89 000 ▮◍ 8 à 11 €

En 1997, un négociant et un courtier en vin se sont associés pour rénover ce vignoble d'un peu plus de 19 ha ; ils exportent aujourd'hui 80 % de leur production vers des horizons aussi lointains que l'Asie. Cette cuvée, élevée seize mois en barrique, offre un tendre fruité enrobé de notes épicées (vanille) et toastées. Le merlot apporte du volume et de la rondeur à sa chair structurée et persistante. Laissez-la vieillir deux petites années.
⊶ SCEA Ch. Les Maréchaux,
Geniquet, 33920 Saint-Girons-d'Aiguevives,
tél. 05.56.77.80.60, fax 05.56.77.80.61,
e-mail eb@barre-touton.com ☑ Y 🚶 r.-v.

CH. LES GRAVES Élevé en fût de chêne 2004

■ 5 ha 15 000 ◍ 5 à 8 €

Le merlot et le cabernet-sauvignon, plantés sur graves argileuses, s'expriment dans ce vin de teinte presque noire à reflets violines. Un fruité abondant (cerise et myrtille) côtoie la réglisse au nez, puis empreint la bouche ronde et souple, bâtie sur des tanins encore fermes. Vers 2009, tous ces atouts se seront développés.
⊶ SCEA Pauvif, 15, rue Favereau,
33920 Saint-Vivien-de-Blaye,
tél. 05.57.42.47.37, fax 05.57.42.55.89,
e-mail info@chateau-les-graves.com ☑ Y 🚶 r.-v.

DOM. DES GRAVES D'ARDONNEAU
Cuvée Prestige Élevé en fût de chêne 2004 **

■ 5 ha 30 000 ◍ 5 à 8 €

De ce domaine de 28 ha, Christian Rey a sélectionné quelques hectares de merlot et juste 15 % de cabernet-sauvignon pour composer ce vin rouge sombre à reflets framboise, d'une grande intensité. Un boisé vanillé se mêle aux fleurs et aux fruits, puis une matière souple et ample emplit le palais, portée par des tanins bien fondus, garants d'une évolution favorable au cours des trois ans à venir. Une vinification et un élevage bien maîtrisés. La **Cuvée Prestige Élevé en fût de chêne blanc 2005** est citée.
⊶ Simon Rey et Fils,
Ardonneau, 33620 Saint-Mariens,
tél. 05.57.68.66.98, fax 05.57.68.19.30,
e-mail gravesdardonneau@wanadoo.fr
☑ Y 🚶 t.l.j. sf dim. 8h-12h30 14h30-19h
⊶ Christian Rey

CH. HAUT-CANTELOUP Cuvée Prestige 2004 **

■ 4,5 ha 22 000 ◍ 5 à 8 €

La famille Bordenave peut être fière de son domaine de 43 ha implanté sur des coteaux à dominante argilo-calcaire, à 5 km de la citadelle de Vauban. Deux de ses vins brillent de deux étoiles et reçoivent un coup de cœur cette année. Selon la règle du Guide, une seule étiquette est reproduite, celle de cette Cuvée Prestige qui assemble les trois cépages bordelais (dont le merlot à 70 %). Le nez développe des senteurs chaleureuses de fruits légèrement compotés (mûre, cassis), de fines senteurs de grillé, de toasté et d'épices. Des tanins soyeux étayent une remarquable chair, ronde et équilibrée, empreinte d'un fruité rafraîchissant et d'une délicate touche épicée. La finale persistante ajoute à la grande élégance de ce vin apte à trois ans de garde. Le **Château Haut-Canteloup blanc 2005 (3 à 5 €)**, d'un même raffinement, laisse parler le sauvignon dans sa palette de fleurs blanches, de fruits mûrs, de genêt et de buis.

EARL Bordenave et Fils, 1, La Palanque, 33390 Fours, tél. 05.57.42.87.12, fax 05.57.42.36.69, e-mail chateau-hautcanteloup@wanadoo.fr
t.l.j. sf dim. 8h-12h 14h-19h

CH. HAUT GRELOT Coteau de Méthez 2004

5 ha	n.c.	5 à 8 €

Issu à 100 % de merlot récolté sur graves, ce 2004 est dominé par des arômes de fruits rouges, de chocolat noir et de truffe. Il se montre rond et suave au palais, bien structuré, avec en finale un fruité séveux. Un vrai vin de plaisir.

EARL Joël Bonneau, Au Grelot, 33820 Saint-Ciers-sur-Gironde, tél. 05.57.32.65.98, fax 05.57.32.71.81, e-mail jbonneau@wanadoo.fr
t.l.j. 9h-13h 14h-19h

CH. HAUT-MENEAU 2004 **

7 ha	46 000	5 à 8 €

Cette longère, ancienne halte sur le chemin de Compostelle, se trouve au sommet d'un petit mont, d'où son nom (« meneau »), et est entourée de 17 ha de vignes. Merlot (70 %) et cabernet-sauvignon ont donné naissance à ce remarquable 2004, brillant comme un rubis. L'élevage de douze mois en barrique lui a légué des notes de vanille, de café grillé mariées aux senteurs de fruits rouges. La bouche expressive, ronde et fruitée, trouve l'appui d'une trame de tanins encore jeunes, mais de qualité. Un vin moderne, souligne un membre du jury. La cuvée **La Clie rouge 2003** obtient une citation.

Bravard, Ch. Haut-Meneau, 51, Le Bourg, 33390 Saint-Paul-de-Blaye, tél. et fax 05.57.42.15.67, e-mail jcbravard@club-internet.fr r.-v.

CH. HAUT-TERRIER Élevé en barrique neuve 2003

10 ha	60 000	8 à 11 €

Un patrimoine familial constitué progressivement depuis 1950 et qui atteint aujourd'hui 50 ha. Ce 2003, composé uniquement de merlot et élevé dix-huit mois en barrique, arbore une teinte rouge sombre ; il surprend par ses notes très grillées et boisées qui laissent peu de place aux fruits. Enrobée en attaque, la bouche riche et ample ne tarde pas à révéler une trame tannique imposante, mais disposée à s'amadouer dans le temps, comme le suggère la finale tendre et chaleureuse. Un vin de caractère, à attendre quatre ans.

Bernard Denéchaud, Ch. Haut-Terrier, 46, Le Bourg, 33620 Saint-Mariens, tél. 05.57.68.53.54, fax 05.57.68.16.87, e-mail chateau-haut-terrier@wanadoo.fr r.-v.

CH. LARRAT Élevé en fût de chêne 2004 *

0,6 ha	4 000	5 à 8 €

Près des vestiges d'un ancien moulin, cette propriété de 60 ha appartient à la famille Larrat depuis plus de trente ans. Sur un sol argilo-limoneux et siliceux, les trois cépages bordelais ont donné naissance à ce 2004 grenat profond, dont les arômes complexes rappellent les fruits rouges mûrs, le pruneau, le grillé et le torréfié, le clou de girofle. La bouche ronde, puissante et structurée s'appuie sur des tanins fermes, mais élégants, avant de conclure par une finale au sage boisé. Pour 2009.

EARL Dom. de Grillet, 5, Grillet, 33710 Pugnac, tél. 06.16.60.91.17, fax 05.57.68.82.65, e-mail dom.grillet@wanadoo.fr
t.l.j. sf dim. 9h-13h 14h-20h

CH. LOUMÈDE Élevé en fût de chêne 2003 *

3 ha	15 000	5 à 8 €

À moins de 1 km du village de Plassac et de ses vestiges gallo-romains, cette propriété couvre 18 ha. Son 2003 est marqué par la présence importante de merlot et l'élevage de douze mois en barrique. De couleur sombre, il offre un bouquet expressif de petites fleurs blanches, de fruits mûrs, de réglisse et de pain d'épice. La bonne maturité du raisin se traduit par une attaque chaleureuse, une chair concentrée et ronde, des tanins bien présents, mais veloutés, et une sensation de plénitude en finale. Dans deux ans, ce vin se sera totalement épanoui.

SCE Loumède, Ch. Loumède, BP 4, 33393 Blaye Cedex, tél. 05.57.42.16.39, fax 05.57.42.25.30, e-mail chateauloumede@wanadoo.fr
t.l.j. 9h-13h 14h-19h

MÄHLER-BESSE Blavia 2003 *

n.c.	30 000	8 à 11 €

Blavia était le nom du camp romain construit en 25 av. J.-C., à l'emplacement de l'actuelle citadelle de Blaye. La maison de négoce Mähler-Besse a ainsi baptisé sa cuvée toute de merlot constituée, d'un rouge sombre aux éclats violets. Les arômes de fruits rouges cèdent la vedette à ceux de grillé, de vanille, de tabac et de boisé. Plein, équilibré et structuré par de vigoureux tanins, ce vin puissant est destiné à trois ans de garde.

SA Mähler-Besse, 49, rue Camille-Godard, 33000 Bordeaux, tél. 05.56.56.04.30, fax 05.56.56.04.39, e-mail france@mahler-besse.com r.-v.

CH. MAINE GAZIN Livenne Vieilles Vignes 2004 *

4 ha	20 000	8 à 11 €

Cette petite propriété exposée plein sud, face à la Gironde, profite d'un microclimat exceptionnel. Son 2004, principalement issu de merlot et complété de 10 % de malbec, possède une robe rouge sombre aux éclats violets. Un joli fruité s'associe au vanillé et au chocolaté. Une matière souple et ronde, au boisé persistant, enveloppe des tanins de qualité, garants d'une bonne évolution sur les trois ans à venir. En appellation blaye, le **Château Livenne rouge 2004 (11 à 15 €)**, harmonieux et bien structuré, mérite aussi une étoile.

Sylvie Germain, Ch. Peyredoulle, 33390 Berson, tél. 05.57.42.66.66, fax 05.57.64.36.20, e-mail bordeaux@vgas.com r.-v.

CH. MAISON NEUVE Élevé en fût de chêne 2004

2,5 ha	10 000	8 à 11 €

Alexia, fille de Chantal et Jean-Paul Eymas, a élaboré cette cuvée à majorité de merlot et élevée en fût de chêne treize mois durant. Le 2004, pourpre soutenu, exprime des arômes délicats de cassis compoté, de mûre et de violette. L'attaque est souple, la matière ronde et fruitée, légèrement épicée. Les tanins bien présents et le boisé perceptibles en finale ne demandent qu'à s'affiner à la faveur de deux ans de garde.

BORDELAIS

⊶ SCEA Vignobles J.-P. et C. Eymas, Ch. Maison Neuve, 33820 Saint-Palais-de-Blaye, tél. et fax 05.57.32.96.15, e-mail chateaumaisonneuve@hotmail.com ☒ Y 🚶 t.l.j. sf dim. 8h30-12h 14h-18h

CH. MANON LA LAGUNE 2004 ★★

■ 10 ha 70 000 ⦶ 5 à 8 €

Ce clos de 12 ha, installé sur le flanc sud du coteau argilo-calcaire du Cubnezais et complanté des trois cépages classiques du Bordelais, a produit un vin grenat intense aux éclats violines, qui harmonise les arômes de fruits rouges mûrs avec les notes torréfiées (café, moka). Après une attaque ronde, il offre une matière veloutée et gourmande, tout aussi aromatique, soutenue par d'élégants tanins qui affirment encore leur jeunesse en finale, comme une promesse pour l'avenir. Dans trois ans, il n'y paraîtra plus.

⊶ GFA Bantegnies et Fils, Ch. Bertinerie, 33620 Cubnezais, tél. 05.57.68.70.74, fax 05.57.68.01.03, e-mail contact@chateaubertinerie.com ☒ Y 🚶 r.-v.

CH. MARQUIS DE VAUBAN
Cuvée du Roi 2003 ★★

■ 8 ha 25 000 ⦶ 8 à 11 €

Une belle demeure du XVIII^e^s., au pied de la citadelle de Blaye qui domine la Gironde. La sélection des parcelles, le travail traditionnel du sol, l'encépagement classique du Bordelais et un élevage de dix-huit mois en fût sont à l'origine de la qualité de cette cuvée. La voici, rouge sombre, qui livre des arômes puissants de fruits mûrs et de grillé. L'équilibre se réalise entre la chair ample, ronde, et les tanins du bois, fondus et respectueux du raisin. Entre puissance et finesse...

⊶ SCEA Lepage-Macé, rte des Cones, 33390 Blaye, tél. 05.57.42.80.37, fax 05.57.42.83.58, e-mail cancave@wanadoo.fr ☒ Y 🚶 r.-v.

CH. DES MATARDS
Cuvée Nathan Élevé en fût de chêne 2004 ★★

■ 5 ha 30 000 ⦶ 5 à 8 €

À base de merlot (90 %), ce 2004 revêt une robe intense, grenat sombre à reflets violets. Il dévoile lentement ses arômes de cassis, de framboise confiturés, nuancés d'un léger boisé. Puissance, ampleur et générosité caractérisent sa matière étayée par des tanins soyeux. La finale longue et savoureuse signe la remarquable qualité de ce vin à laisser vieillir quatre ans. Le **Château des Matards Cuvée Quentin Vinifié en fût de chêne blanc 2005**, issu de 100 % de sauvignon, se montre séducteur par son fruit et son tendre boisé. Il obtient une étoile.

⊶ GAEC Terrigeol et Fils, 27, av. du Pont-de-la-Grâce, 33820 Saint-Ciers-sur-Gironde, tél. 05.57.32.61.96, fax 05.57.32.79.21, e-mail christophe.terrigeol@wanadoo.fr ☒ Y 🚶 t.l.j. 8h-12h30 14h-19h; f. vendanges

CH. LE MENAUDAT
Élevé en fût de chêne 2004 ★★★

■ 1 ha 6 000 ⦶ 5 à 8 €

Ce domaine de 18 ha est la propriété de la famille de Madame Cruse depuis bientôt deux siècles. Ses fils, Francis, Jean-Denis, Dominique et Nicolas Cruse, proposent cette cuvée confidentielle qui a bénéficié de douze mois d'élevage sous bois. Une robe rouge foncé brillant, ainsi que des arômes de fruits rouges mûrs et un léger boisé (fumé et grillé), introduisent la dégustation. Une structure tannique de qualité soutient la matière ronde et volumineuse qui s'étire avec suavité en finale. À attendre trois ans.

⊶ SCEA FJDN Cruse, Le Menaudat, 33390 Saint-Androny, tél. et fax 05.57.64.40.29 ☒ Y 🚶 r.-v.

CH. MONDÉSIR-GAZIN 2004 ★★

■ 5 ha 30 000 ⦶ 11 à 15 €

La visite de la *villa* gallo-romaine de la commune de Plassac et de son petit musée terminée, rendez-vous chez Marc Pasquet pour la dégustation de ce 2004 rouge sombre qui trouve un parfait équilibre entre les arômes de raisin mûr et ceux d'un bon merrain toasté, complétés de notes de cuir et de noyau. Puissant, charnu et fruité, le vin bénéficie de tanins frais qui lui assureront une bonne tenue dans le temps (quatre ans).

⊶ Marc Pasquet, Ch. Mondésir-Gazin, 33390 Plassac, tél. 05.57.42.29.80, fax 05.57.42.84.86, e-mail mondesirgazin@aol.com ☒ Y 🚶 r.-v.

CH. MONTFOLLET Vieilles Vignes 2004

■ 4 ha 25 000 ⦶ 8 à 11 €

Du merlot et 10 % de malbec, récoltés sur des sols argilo-limoneux : telle est l'origine de ce vin sombre et brillant qui développe des arômes de fruits noirs mûrs, agrémentés de notes grillées et toastées. La matière conjugue harmonieusement les flaveurs de fruits avec un boisé persistant, assez fondu et des tanins bien fermes.

⊶ Cave coop. du Blayais, 9, Le Piquet, 33390 Cars, tél. 05.57.42.13.15, fax 05.57.42.84.92, e-mail contact@la-cave-des-chateaux.com ☒ Y 🚶 t.l.j. sf dim. 9h-12h 14h-18h

⊶ SCEA Vignobles Raimond

DOM. DE MONTIGNAC
Cuvée Prestige Élevé en fût de chêne 2003

■ n.c. 10 800 ⦶ 5 à 8 €

Un bouquet subtil et complexe introduit la dégustation de ce vin rouge sombre, issu majoritairement de merlot : du laurier, de la mûre et un discret boisé hérité d'un séjour de douze mois en fût. L'attaque est souple, la bouche volumineuse et ronde. Des flaveurs de cerise se mêlent à l'expression de tanins jeunes et encore fougueux que deux ans de vieillissement devraient parvenir à dompter.

⊶ SCEA Vignobles Ellie, 11, Montignac, 33390 Berson, tél. et fax 05.57.64.35.14 ☒ Y t.l.j. sf dim. 9h-12h 13h30-18h

CH. PÉRENNE 2004 ★

■ 24 ha 150 000 ⦶ 11 à 15 €

Propriété de Bernard Magrez, le château Pérenne date de la seconde moitié du XIX^e^s. ; de style classique, il est reconnaissable à ses quatre tours d'angle. Classique et séduisant également, ce 2004 associant merlot et cabernet-sauvignon. Noir à reflets violines, il livre des arômes intenses de fruits noirs mûrs, de grillé, de toasté, puis emplit le palais de sa matière opulente et ronde qui enveloppe l'élégante trame tannique. En finale, les fruits noirs (mûre écrasée) et un fin boisé se développent honorablement. À découvrir en 2010.

⊶ Ch. Pérenne, 1, Pérenne, 33390 Saint-Genès-de-Blaye, tél. 05.57.42.18.25, fax 05.57.42.15.86, e-mail chateau.perenne@wanadoo.fr ☒ Y 🚶 r.-v.

⊶ B. Magrez

CH. PETIT BOYER 2005 ★

1,04 ha 8 800 5 à 8 €

Beaucoup d'élégance dans cette cuvée confidentielle, constituée uniquement de sauvignon : une teinte brillante, jaune pâle, un bouquet de fleurs blanches et de fruits (pamplemousse, litchi) accompagnés d'un léger grillé, une chair ronde et équilibrée, tapissée d'arômes persistants de fruits mûrs, une finale fraîche. Un vin d'apéritif idéal que vous pourrez également apprécier à table, avec un poisson grillé ou en sauce.

EARL Vignobles Bideau, 5, Les Bonnets, 33390 Cars, tél. 05.57.42.19.40, fax 05.57.42.33.49, e-mail bideau.jv@wanadoo.fr
t.l.j. 8h-12h 14h-18h

CH. PEYMELON 2003 ★

2,5 ha 9 000 8 à 11 €

Dans cette propriété familiale, depuis trois siècles, toutes les générations ont exercé des professions liées à la vigne et au vin : négociants, tonneliers, greffeurs, viticulteurs, maîtres de chai. Françoise et Michel Chapard proposent un 2003 rubis profond, mêlant des arômes de fruits mûrs, de pruneau, de compote de fruits noirs à un boisé fondu. Ample et généreux, celui-ci s'ouvre au palais sur des flaveurs fruitées, accompagnées de tanins soyeux. Un vin des plus plaisants qui s'exprimera au mieux dans trois ans.

Françoise Chapard, Les Petits, 33390 Cars, tél. 05.57.42.19.09, fax 05.57.42.00.73, e-mail benedicte.chapard@neuf.fr r.-v. 3
Michel Chapard

CH. PINET LA ROQUETTE Le Bouquet 2004 ★

1,1 ha 8 000 5 à 8 €

Riche histoire que celle de ce domaine de 11 ha d'un seul tenant, occupant un site archéologique. Il fut acquis à la Révolution par un écuyer de Louis XVI, puis, après la Seconde Guerre mondiale, par la propriétaire du Palais de la Méditerranée de Nice. Depuis 2001, ce sont deux ingénieurs militaires, reconvertis à la vigne, qui en dirigent la destinée. Confidentielle, leur cuvée offre une belle expression du merlot (95 %) sous une teinte rouge intense. Après aération, elle décline des arômes de cassis, de cerise, de pruneau mêlés à un boisé modéré. La structure tannique bien présente, mais souple et aimable, étaye la chair ronde et grasse, tandis qu'un agréable fruité égaye la finale encore un peu austère. Deux ans de garde joueront en la faveur de l'harmonie.

EARL Nativel, Pinet La Roquette, 33390 Berson, tél. et fax 05.57.42.64.05, e-mail sv.nativel@wanadoo.fr
t.l.j. 9h-19h sf mer. 9h-12h; dim. sur r.-v. B
GFA La Roquette

CH. LA RAZ CAMAN 2004 ★

20 ha 55 000 8 à 11 €

Un assemblage des quatre cépages bordelais récoltés sur sols argilo-calcaires, pierreux, ont donné naissance à ce vin rouge sombre à reflets framboise. D'un abord discret, le nez ne tarde pas à révéler un fruité intense, mêlé à la vanille et au pain grillé. Une chair ronde et savoureuse enrobe les tanins puissants aux accents vanillés, garants d'une bonne garde jusqu'en 2010.

Jean-François Pommeraud, Ch. La Raz Caman, 33390 Anglade, tél. 05.57.64.41.82, fax 05.57.64.41.77, e-mail jean-francois.pommeraud@wanadoo.fr
r.-v.

CH. LES RICARDS 2003 ★

8 ha 15 000 8 à 11 €

Le malbec (20 %) s'est glissé dans cet assemblage de merlot et de cabernet-sauvignon. Un vin de teinte presque noire, aux discrets arômes de fruits rouges et aux notes élégantes de grillé. La matière ronde, puissante, intègre une trame tannique de qualité qui laisse déjà une impression d'équilibre. L'ensemble devrait s'épanouir encore dans les trois ans à venir.

Corinne et Xavier Loriaud, EARL Chevrier-Loriaud, 1, Les Ricards, 33390 Cars, tél. 05.57.42.91.34, fax 05.57.42.32.87, e-mail chateau.belair.la.royere@wanadoo.fr r.-v.

CH. LA RIVALERIE Cuvée Majoral 2004 ★★

5,5 ha 24 000 8 à 11 €

Sur les 35 ha du château, une petite parcelle de merlot et de cabernet-sauvignon a été consacrée à cette cuvée séduisante dans sa robe rouge violacé intense. Le boisé vanillé se marie harmonieusement au fruit, tandis qu'au palais se manifeste beaucoup de rondeur. Les flaveurs grillées et toastées, comme la belle trame tannique, se fondent, et d'agréables sensations persistent longtemps. En 2009, cette bouteille aura atteint son apogée. Une citation est attribuée au **Château La Rivalerie Cuvée Majoral rouge 2003**, dont les tanins demandent à s'assouplir.

SCEA La Rivalerie, rte de Saint-Christoly, 1, La Rivalerie, 33390 Saint-Paul-de-Blaye, tél. 05.57.42.18.84, fax 05.57.42.14.27, e-mail jerome@larivalerie.com
t.l.j. 9h-12h 15h-18h; sam. dim. sur r.-v.
Bonaccorsi

CH. LA ROSE BELLEVUE Cuvée Prestige Fût de chêne 2004 ★

5 ha 25 000 5 à 8 €

Un mariage réussi du merlot et du cabernet-sauvignon nés de graves sableuses. La technicité de Jérôme Eymas n'y est pas étrangère. Après un élevage de douze mois en barrique, sa cuvée d'un noir brillant associe un fin boisé aux arômes de fruits rouges, puis offre une matière riche et ronde, marquée d'élégants tanins, de flaveurs de fruits noirs mûrs et d'un boisé fondu. La finale franche et longue est un atout supplémentaire de ce vin à apprécier dans trois ans. La **Cuvée Prestige blanc 2005**, équilibrée, obtient la même note.

EARL Vignobles Eymas et Fils, Ch. La Rose Bellevue, 5, Les Mouriers, 33820 Saint-Palais, tél. 05.57.32.66.54, fax 05.57.32.78.78 r.-v.

DOM. DES ROSIERS Confidence 2004

2 ha 8 500 11 à 15 €

Sise sur un coteau, cette propriété de 15,5 ha ménage une belle vue sur l'estuaire de la Gironde et, plus loin, sur le Médoc. Des confidences, son vin vous en fera volontiers, car derrière une robe pourpre à reflets bleutés, il révèle un bouquet complexe de mûre, de framboise, de grillé et de vanille. L'attaque est franche, le corps rond et dense. Certes, les tanins du raisin sont encore dominés par le boisé, mais tout devrait rentrer dans l'ordre après deux ans de garde. Une bouteille destinée aux gibiers, aux viandes rouges et aux fromages.

🔑 Christian Blanchet,
10, La Borderie, 33820 Saint-Ciers-sur-Gironde,
tél. 05.57.32.75.97, fax 05.57.32.78.37,
e-mail cblanchet@wanadoo.fr ☑ Y ⚲ r.-v.

CH. SEGONZAC Vieilles Vignes 2004 ★★

■ 13 ha 80 000 ⏺ 8 à 11 €

Aux commandes d'un important vignoble de 33 ha, Charlotte et Thomas Herter-Marmet proposent une cuvée intensément colorée qui s'ouvre sur les fruits et un boisé soutenu, aux accents épicés (vanille). À la structure de qualité se conjugue une chair ronde et volumineuse, issue de raisin récolté à parfaite maturité. Le boisé ne demande qu'à se fondre dans la longue finale. Ce sera chose faite d'ici 2009.

🔑 SCEA Ch. Segonzac,
39, Segonzac, 33390 Saint-Genès-de-Blaye,
tél. 05.57.42.18.16, fax 05.57.42.24.80,
e-mail segonzac@chateau-segonzac.com
☑ Y ⚲ t.l.j. sf sam. dim. 9h-11h30 13h30-17h
🔑 Charlotte Herter

CH. DE TERRE TAILLYSE 2005 ★

□ 1,16 ha 4 200 3 à 5 €

Le sauvignon, nuancé de 5 % de muscadelle, né sur sol limoneux est à l'origine de ce vin jaune pâle aux reflets dorés, qui s'ouvre sur des senteurs de bourgeon de cassis, d'agrumes et de fleurs blanches. À la chair riche et ronde se joignent des arômes de fruits et une légère pointe d'amertume qui rehausse l'ensemble. Un classique de l'appellation.

🔑 EARL Ragot et Fils,
81, Millepied, 33920 Saint-Vivien-de-Blaye,
tél. et fax 05.57.42.53.37 ☑ Y ⚲ r.-v.

CH. DES TOURTES Cuvée Prestige 2004 ★★

□ 4 ha 27 000 ⏺ 5 à 8 €

Jaune doré, ce pur sauvignon a connu un élevage de neuf mois en barrique. Le nez évolue avec élégance des parfums de fleurs blanches et de fruits vers ceux de pain grillé et de toasté, tandis qu'au palais l'équilibre se réalise entre le gras de la chair et la discrète trame tannique au boisé fondu. Une délicate pointe minérale anime la finale. Belle réalisation.

🔑 EARL Raguenot-Lallez-Miller, Ch. des Tourtes,
Le Bourg, 33820 Saint-Caprais-de-Blaye,
tél. 05.57.32.65.15, fax 05.57.32.99.38,
e-mail chateau-des-tourtes@wanadoo.fr
☑ Y ⚲ t.l.j. sf dim. 9h-12h 14h-19h

T DE TUTIAC Élevé en fût de chêne 2004 ★

■ 50 ha 150 000 ⏺ 3 à 5 €

Un bon point pour la cave des Hauts de Gironde. Un T de Tutiac élégant par son nom comme par sa présentation dans le verre : rouge profond à reflets violines. Le plaisir est au rendez-vous au moment de déceler les arômes complexes de fleurs, de fraise, de framboise, de toasté et de biscotte grillée. L'harmonie se concrétise au palais, dès l'attaque fraîche, puis au contact d'une matière ronde et souple, empreinte de fruits rouges. Les tanins sont bien fondus, la finale longue et plaisante. Qu'elle brille cette étoile...

🔑 Cave des Hauts de Gironde,
La Cafourche, 33860 Marcillac, tél. 05.57.32.48.33,
fax 05.57.32.49.63, e-mail contact@tutiac.com
☑ Y t.l.j. sf dim. 8h30-12h 14h-18h30

Côtes-de-bourg

L'AOC couvre 4 006 ha. Avec le merlot comme cépage dominant, les rouges (193 095 hl en 2005) se distinguent souvent par leur couleur et leurs arômes typés de fruits rouges. Plutôt tanniques, ils permettent dans bien des cas d'envisager favorablement un certain vieillissement (de trois à huit ans). Peu nombreux, les blancs (883 hl) sont en général secs, avec un bouquet caractéristique.

CH. DE BARBE 2004 ★★

■ 42 ha 280 000 ▮⏺ 5 à 8 €

Il s'agit ici d'un des plus importants domaines viticoles de l'appellation. Exposées au sud vers la Gironde, les vignes entourent un château du XVIII[e]s. Dans le millésime 2004, deux cuvées sont retenues. D'abord ce Château de Barbe au rubis foncé de jeunesse, aux arômes fruités (griotte, baies noires), agrémentés d'une touche de sous-bois. Agréable et tout aussi fruité au palais, il est élégant et harmonieux. La **cuvée Pourpre rouge 2004 (11 à 15 €)**, citée, est plus boisée ; les tanins, encore un peu fermes, demanderont un ou deux ans de patience. À servir sur des viandes rouges ou des gibiers.

🔑 SC Villeneuvoise,
Ch. de Barbe, 33710 Villeneuve,
tél. 05.57.42.64.00, fax 05.57.64.94.10 ☑ Y ⚲ r.-v.

CH. BÉGOT Élevé en fût de chêne 2004

■ 2 ha 7 000 ⏺ 5 à 8 €

Sur ce domaine viticole de 17 ha de vignes exposées plein sud, entourant un castel couvert d'ardoises, Martine et Alain Gracia ont sélectionné 2 ha de vieux ceps pour cette cuvée, régulièrement retenue par les dégustateurs. Le 2004 est encore d'un rouge vif et jeune. Le nez séduit par sa complexité affirmée : fruits compotés, bois vanillé, avec une touche de graphite (mine de crayon). L'attaque est fruitée, puis les tanins boisés s'imposent. Après un ou deux ans de garde, on aura un vin festif pour accompagner un magret de canard ou un lièvre à la royale.

🔑 Alain Gracia, 5, Bégot, 33710 Lansac,
tél. 05.57.68.42.14, fax 05.57.68.29.90,
e-mail chateau.begot@wanadoo.fr
☑ Y ⚲ t.l.j. 9h-12h 14h-18h; sam. dim. sur r.-v.

CH. DU BOIS DE TAU 2004 ★★

■ 14 ha 100 000 ▮⏺ 5 à 8 €

André Faure et ses filles proposent plusieurs cuvées importantes et de haut niveau dans ce millésime 2004, dont ce superbe Bois de Tau qui décroche un coup de cœur. Tout y est ! La somptueuse robe bordeaux, une palette aromatique très complète et une bouche puissante, goûteuse, structurée par des tanins boisés et réglissés, encore un peu marqués mais prometteurs. Du caractère et de l'élégance. Le **Château Plaisance rouge 2004 Élevé en fût de chêne**, floral (violette), fruité (pruneau), épicé, avec des tanins bien fondus, obtient également deux étoiles. Le **Château Jansenant rouge 2004**, une étoile, est beaucoup plus marqué par le cabernet-sauvignon.

Vignobles A. Faure, Ch. Belair-Coubet, 33710 Saint-Ciers-de-Canesse, tél. 05.57.42.68.80, fax 05.57.42.68.81, e-mail belair-coubet@wanadoo.fr r.-v.

DOM. BOURGÈS-MARTINAU
Cuvée Louis-Fantin Élevé en fût de chêne 2004 ★

0,94 ha 7 000 5 à 8 €

Christian Bérot présente ici sa première vendange, issue d'un petit vignoble sablo-limoneux dominé à 90 % par le merlot, complété par du cabernet franc. Rubis intense, fruité, délicatement boisé, ce 2004 affiche une bouche élégante, à la fois douce et intense. C'est un vin de plaisir qui pourra se boire assez vite sur des viandes blanches et des fromages.

Christian Bérot, 9, Bellevue-Ouest, 33710 Pugnac, tél. 06.80.61.28.42 r.-v.

CH. DE LA BRUNETTE Vieilles Vignes 2004

n.c. 7 500 5 à 8 €

Depuis plus de soixante-dix ans, la famille Lagarde exploite une quinzaine d'hectares de vignes, dont 5 en AOC côtes-de-bourg exposés plein sud au flanc d'un coteau argilo-calcaire. Issue de raisins de l'agriculture biologique, cette cuvée est un vrai vin de plaisir, fruité, équilibré, structuré par des tanins frais qui devraient se fondre assez vite. La **cuvée Chêne de Brunette rouge 2003 Élevé en fût de chêne (5 à 8 €)**, citée, est plutôt un vin de garde, plus boisé, plus tannique. À servir dans deux ou trois ans, de préférence sur des viandes en sauce.

SCEA Lagarde Père et Fils, Dom. de La Brunette, 33710 Prignac-et-Marcamps, tél. et fax 05.57.43.58.23, e-mail chateau.de.labrunette@wanadoo.fr r.-v. 3

CH. CARUEL Ballade 2003

0,5 ha 2 400 5 à 8 €

Cette propriété de 35 ha jouit d'un superbe panorama sur la Dordogne et la Garonne. D'un rubis assez dense, la cuvée Ballade joue sur les fruits rouges et un boisé intense. La bouche, homogène et harmonieuse, offre une saveur vanillée et des tanins de bon aloi. On peut commencer à servir cette bouteille sur des champignons de Paris à la persillade ou des fromages faits.

Vignobles Anduteau, Ch. Caruel, 33710 Bourg-sur-Gironde, tél. 05.57.68.43.07, fax 05.57.68.24.96 t.l.j. 10h-12h 14h-17h; sam. dim. et groupes sur r.-v.

CH. CASTAING Élevé en fût de chêne 2004 ★

10 ha 60 000 5 à 8 €

Christophe Bonnet élabore deux crus retenus cette année. Celui-ci, à la robe rubis intense, au bouquet puissant s'ouvrant sur un merrain épicé auquel succèdent des baies noires bien mûres, se montre très friand au palais : ses tanins bien enrobés pemettront de le servir assez vite. Le **Péché du Roy du Château Haut-Guiraud 2004 rouge (11 à 15 €)**, cité, est un vin plus typé, plus minéral mais aussi davantage boisé : il demandera à s'affiner un peu plus longtemps. Dans deux ou trois ans, il sera parfait sur une entrecôte à la bordelaise.

EARL Bonnet et Fils, Ch. Haut-Guiraud, 33710 Saint-Ciers-de-Canesse, tél. 05.57.64.91.39, fax 05.57.64.88.05, e-mail bonnetchristophe@wanadoo.fr r.-v.

CH. CASTEL LA ROSE
Cuvée Sélection Vieilli en fût de chêne 2004 ★

12 ha 30 000 5 à 8 €

Cette propriété familiale se trouve à une cinquantaine de mètres de la vieille église de Villeneuve (XI[e]s.) dont on dit qu'une des cloches est la plus ancienne de France. « Bien faire et laisser dire », telle est la devise ici. Cette cuvée 2004 est bien faite, il faut le dire ! Elle a été retenue pour la qualité de son fruité au nez comme en bouche, discrètement soutenu par des tanins boisés mais soyeux. Un vin convivial à servir sur une cuisine moderne.

GAEC Rémy Castel, 3, Laforêt, 33710 Villeneuve, tél. 05.57.64.86.61, fax 05.57.64.90.07, e-mail castel.la.rose@wanadoo.fr r.-v. D

CITADELLE DUCYPRÈS 2004

40 ha 100 000 3 à 5 €

L'importante Cave des Hauts de Gironde propose deux vins de même assemblage. La Citadelle Ducyprès, d'un joli rubis enchâssé de grenat, offre un bouquet délicatement floral ; sa saveur fraîche et bien équilibrée et ses tanins délicats permettront de la boire assez vite. **Les Lurzines rouge 2004**, également cités, ressemblent à la cuvée précédente.

Cave des Hauts de Gironde, La Cafourche, 33860 Marcillac, tél. 05.57.32.48.33, fax 05.57.32.49.63, e-mail contact@tutiac.com t.l.j. sf dim. 8h30-12h 14h-18h30

CH. COLBERT
Cuvée Prestige Élevé en fût de chêne 2004 ★

3 ha 15 000 5 à 8 €

Un charmant château néo-gothique, entouré d'un important vignoble de 22 ha. C'est ici que sont nés ces deux vins retenus par le jury. La cuvée Prestige est très colorée ; ses parfums de baies noires confiturées et de merrain fin et toasté annoncent une bouche séveuse, corsée et chaleureuse, avec une saveur d'amande grillée et de bons tanins de raisin et de bois. Le style est classique, le potentiel suffisant pour la prochaine décennie. La cuvée principale **Château Colbert rouge 2004 (3 à 5 €)**, citée, est un vin frais, aux arômes de fruits à noyau et de sous-bois, à la saveur mentholée, aux tanins jeunes mais francs. À servir dans les toutes prochaines années.

Duwer, Ch. Colbert, 33710 Comps, tél. 05.57.64.95.04, fax 05.57.64.88.41, e-mail chateau-colbert@wanadoo.fr t.l.j. 9h-12h 14h-19h

CH. CÔTES DE BELLEVUE
Élevé en fût de chêne 2003

■ 1 ha 3 000 8 à 11 €

Issue de vieux malbec, cette cuvée rubis livre un bouquet intense d'épices, de raisin surmûri et de bois grillé. La bouche est ronde et épicée, encore un peu dominée par l'élevage ; mais les tanins sont mûrs et permettent une consommation dès l'hiver 2006-2007, même s'ils autorisent une petite garde.

Ludovic Neveu,
1, Plissac, 33710 Bayon-sur-Gironde,
tél. et fax 05.57.64.82.23

CH. LA CROIX-DAVIDS Prestige 2004 *

■ 4 ha 5 000 8 à 11 €

Reconstruit dans les années 1800, ce château a conservé des traces de son origine féodale. Le vin, encore ferme, commence à exprimer sa puissance. Le rubis est foncé et les arômes concentrés jouent sur des notes de baies noires et de fruits confits. La bouche est encore un peu dominée par le bois mais avec de beaux fruits en arrière-plan et des tanins persistants qui demanderont à être attendus un ou deux ans avant de servir cette bouteille sur une entrecôte à la bordelaise.

Birot-Meneuvrier,
57, rue Valentin-Bernard, 33710 Bourg-sur-Gironde,
tél. 05.57.94.03.94, fax 05.57.94.03.90,
e-mail chateau.la-croix-davids@wanadoo.fr r.-v.

DULONG FRÈRES ET FILS 2004

■ 25 ha 150 000 3 à 5 €

Dulong Frères et Fils est une maison de négoce familiale fondée en 1873. À partir de son vendangeoir de Saint-Savin, elle élabore plusieurs vins dont ce côtes-de-bourg réservé à Carrefour. La robe est d'un joli rubis franc. Le nez discret mais fin exprime surtout les baies rouges bien mûres. La bouche fraîche et fruitée, corsée par des tanins encore un peu jeunes, demande un an ou deux de garde.

Dulong Frères et Fils,
29, rue Jules-Guesde, 33270 Floirac, tél. 05.56.86.51.15,
fax 05.56.40.66.41, e-mail dulong@dulong.com

CH. FOUGAS Maldoror 2004 **

■ 8 ha 40 000 11 à 15 €

Cette cuvée avait décroché le coup de cœur avec son 2001 et son 2003 pour ne citer que les plus récents ; le 2004 passe tout près. Il est vrai qu'ici la vigne bénéficie d'un sous-sol exceptionnellement varié. Le propriétaire vend une partie de la récolte de façon originale : chaque année, cent cinquante personnes viennent vendanger « leur vin », acquis par la location de pieds de vigne. Ce 2004 est superbe avec son nez de baies noires fraîches, sa bouche boisée, vanillée, charpentée par des tanins cacaotés savoureux. Un côtes-de-bourg complet et classique, déjà bon mais prometteur pour les quinze prochaines années. La **cuvée Prestige rouge 2004 (5 à 8 €)** obtient une étoile pour son joli nez et son palais très charpenté qui demande à s'assouplir pendant un ou deux ans.

Jean-Yves Béchet, Ch. Fougas, 33710 Lansac,
tél. 05.57.68.42.15, fax 05.57.68.28.59,
e-mail jean-yves.bechet@wanadoo.fr r.-v.

CH. GALAU Élevé en barrique de chêne 2004 **

■ 6 ha 30 000 5 à 8 €

Jean-Louis Magdeleine s'est forgé une large réputation en côtes-de-bourg depuis son installation en 1979,

dont témoignent maints coups de cœur obtenus dans le Guide. Conscient que l'élevage en barrique n'est pas un atout si le raisin n'est pas de qualité, il travaille avec un même souci au vignoble et au chai. D'un rouge presque noir, si intense que le regard s'y perd, ce 2004 décline avec subtilité des arômes de fruits rouges et un boisé discret. Il suffit de l'aérer pour que la palette s'évase, toujours plus fruitée. Au palais, le vin n'est que rondeur et souplesse, car, si tanins il y a, ils sont si fins qu'ils respectent l'expression aromatique persistante. Un côtes-de-bourg encore jeune et prometteur pour les deux à trois prochaines années. Représentatif de son terroir, le **Château Nodoz 2004 rouge Élevé en barrique de chêne (8 à 11 €)** brille d'une étoile tant il offre de raffinement ; les fruits rouges, la figue et la violette s'y mêlent jusqu'en finale dans une bouche ample. Trois à quatre ans de garde sont à sa portée.

Jean-Louis Magdeleine et Filles, Ch. Nodoz,
33710 Tauriac, tél. 05.57.68.41.03, fax 05.57.68.37.34,
e-mail chateau.nodoz@wanadoo.fr r.-v.

CH. GENIBON-BLANCHEREAU
Améthyste de Genibon 2004 **

■ 1 ha 6 000 8 à 11 €

Si les origines de ce domaine viticole remontent au XVIIIe s., on peut y découvrir un puits en pierre sculptée du XVIe s. Cette cuvée Améthyste ne porte pas une robe violette mais burlat, presque noire. Le nez puissant, racé et élégant offre un accord harmonieux entre les baies noires, le bois vanillé et une touche de cuir. Le palais, volumineux, la saveur intense de fruits et de merrain et des tanins solides engagent à attendre cette bouteille un an ou deux.

EARL Eynard-Sudre,
Genibon, 33710 Bourg-sur-Gironde,
tél. 05.57.68.25.34, fax 05.57.68.27.58,
e-mail eynard.sudre@wanadoo.fr r.-v.

CH. GRAND LAUNAY Sauvignon gris 2005 **

1,2 ha 4 000 5 à 8 €

Voici une curiosité. Sur le vignoble de 27 ha qu'il exploite, Michel Cosyns sélectionne 1,2 ha de sauvignon gris planté sur un terroir limoneux. Cela donne un vin extrêmement aromatique qui frôle le coup de cœur. La teinte or vert est attrayante. Le nez explosif, muscaté, est accompagné de fleur d'oranger, de coing et de notes minérales. La bouche se révèle friande, à la fois souple et fraîche, citronnée, persistante. Ce vin blanc sec, très complet, se suffit à lui-même, par exemple en apéritif.

SCEA Cosyns, Ch. Grand Launay, 33710 Teuillac,
tél. 05.57.64.39.03, fax 05.57.64.22.32,
e-mail grand-launay@wanadoo.fr
t.l.j. 8h-12h 14h-19h

CH. GRAND-MAISON 2004 ★

■ 1,8 ha 10 000 ❚❚ 11 à 15 €

En 2004, Hervé Romat et Jean Mallet ont uni leurs efforts pour acheter un vignoble de 6,4 ha sur un point culminant de Bourg (85 m). Sélectionné sur de vieilles vignes, leur premier millésime enchante l'œil par sa robe rubis sombre. Le bouquet est déjà riche, associant les petits fruits rouges, le bois torréfié et des notes épicées. La bouche n'est pas en reste. Le bois domine, mais le fruit cherche à se faire remarquer. On a là un bon potentiel pour la décennie à venir, à découvrir, pourquoi pas, sur une cuisine exotique.

SCEA Ch. Grand-Maison, Valades-Ouest,
33710 Bourg-sur-Gironde, tél. et fax 05.57.64.24.04,
e-mail cht.grandmaison-bourg@wanadoo.fr r.-v.
Hervé Romat et Jean Mallet

CH. DE LA GRAVE Caractère 2004 ★

■ 25 ha 140 000 ❚❚ 8 à 11 €

Ce vaste vignoble de 45 ha entourant un château du XVIes. propose régulièrement des vins de qualité. C'est le cas de cette cuvée Caractère à la robe pourpre dense, au bouquet racé et élégant, mariant avec bonheur les baies noires très mûres au bois vanillé. Beaucoup de relief et de saveur au palais, où les notes de cerise et de pruneau sont soutenues par des tanins de bois frais. À attendre encore un an ou deux afin d'en profiter pleinement.

SC Bassereau,
Ch. de La Grave, 33710 Bourg-sur-Gironde,
tél. 05.57.68.41.49, fax 05.57.68.49.26,
e-mail chateaudelagrave@chateaudelagrave.com
t.l.j. sf sam. dim. 10h-12h 14h30-17h

CH. LES GRAVES DE VIAUD
Cuvée Prestige Élevé en fût de chêne 2004 ★

■ 11,7 ha 84 000 ❚❚ 5 à 8 €

Le vignoble, d'une quinzaine d'hectares d'un seul tenant, est situé sur un coteau argilo-graveleux exposé plein sud. On y trouve un 2004 de caractère, rubis foncé, au nez d'une belle complexité : s'y succèdent les baies noires, le bois grillé, le cuir frais, la noisette et la vanille. La bouche est puissante, encore un peu dominée par les tanins boisés qu'il faudra attendre un ou deux ans. On pourra alors commencer à servir ce vin sur des mets goûteux.

P. et G. Derouineau, Dom. de Viaud,
33710 Pugnac, tél. 05.57.68.94.37, fax 05.57.68.94.49,
e-mail pierre.concorde@wanadoo.fr r.-v.

CH. LES GRAVETTES Élevé en fût de chêne 2004

■ 1 ha 6 000 ❚❚ 8 à 11 €

Sur les 22 ha qu'il exploite depuis 2000 en Blayais et en Bourgeais, Alain Pointet sélectionne des vignes nées sur des sols argilo-siliceux. La robe rubis et grenat est attrayante. Le nez est fin, floral, fruité avec un fond de bois réglissé. En bouche, les tanins un peu surextraits demanderont à vieillir quelques années pour s'assagir.

SCEA Vignobles Pointet, 24, rue Thomas-Laurent,
33820 Étauliers, tél. et fax 05.57.64.58.08,
e-mail alain.pointet@wanadoo.fr r.-v.

CH. GRAVETTES-SAMONAC L'Élégance 2004 ★

■ 15 ha 100 000 ❚❚ 5 à 8 €

La famille Giresse exploite un important vignoble de 28 ha dont les sols argilo-calcaires sont complantés pour trois quarts en merlot. Cette année, la cuvée Élégance arrive en tête avec une étoile. Il s'agit d'un vin de garde, rubis foncé, au boisé intense et au fruité concentré, charpenté par des tanins solides mais élégants. Le tout évoluera harmonieusement d'ici un ou deux ans. La **cuvée Prestige rouge 2004 (8 à 11 €)** est citée pour son joli fruité de baies rouges au nez et la qualité de ses tanins. Il faudra également l'attendre un peu.

Gérard Giresse, Ch. Gravettes-Samonac,
33710 Samonac, tél. 05.57.68.21.16, fax 05.57.68.36.43
t.l.j. sf sam. dim. 9h-12h 14h-19h; f. août

CH. LA GRAVIÈRE 2004 ★

■ 12 ha 40 000 ❚❚ 5 à 8 €

Cette propriété, en fermage depuis 1990, représente la moitié du vignoble exploité en côtes-de-bourg par Jacques Rodet, qui possède aussi des vignes à Saint-Émilion. Son nom est tiré du lieu-dit où l'on extrayait la grave rouge pour entretenir les routes autrefois. Le vin se présente dans une robe rubis franc. Le bouquet, encore discret, s'ouvre à l'aération sur des senteurs de violette et de bois grillé. La bouche, séveuse, ronde, avec un bon retour aromatique repose sur des tanins boisés déjà bien fondus. Encore une petite année de patience et on pourra commencer à en profiter.

Jacques Rodet, Brulesécaille, 33710 Tauriac,
tél. 05.57.68.40.31, fax 05.57.68.21.27,
e-mail cht.brulesecaille@wanadoo.fr
t.l.j. sf dim. 9h-12h 14h30-20h

CH. GROLEAU Vieilli en fût de chêne 2003 ★★

■ 2 ha 12 000 ❚❚ 5 à 8 €

Didier et Sylvie Raboutet sont établis sur un important vignoble en côtes-de-blaye et ils exploitent aussi 2 ha de graves argileuses en côtes-de-bourg. L'encépagement se compose de 80 % de merlot et de 20 % de malbec. Le 2003 arbore une robe rubis ourlée de reflets tuilés. Le premier nez est intensément boisé mais le fruit revient à l'aération. La bouche donne une sensation de plénitude avec des saveurs en harmonie avec le bouquet. Les tanins, encore frais, permettront à cette bouteille de bien vieillir.

Didier et Sylvie Raboutet, Ch. Le Chay,
33390 Berson, tél. 05.57.64.39.50, fax 05.57.64.25.08,
e-mail lechay@wanadoo.fr
t.l.j. sf dim. 8h-12h 14h-19h

CH. GUERRY Ma Récolte 2004

■ n.c. 90 666 ❚❚ 15 à 23 €

Bernard Magrez investit dans la plupart des vignobles français. En 2004, il a racheté ce beau domaine viticole de 22 ha à la famille de Bertrand de Rivoyre. Ma Récolte se pare d'un rubis encore jeune et vif. Le bouquet, déjà puissant, évoque les baies rouges et le merrain de qualité. La bouche est dense, concentrée, charpentée par des tanins boisés un peu fermes qu'il faudra attendre un ou deux ans. La **Chapelle du Château Guerry Cuvée spéciale rouge 2004 (11 à 15 €)**, citée pour sa souplesse et son fruité au palais, pourra être servie plus vite.

Bernard Magrez, SC Ch. Guerry, 26, rte du Guerrit,
33710 Tauriac, tél. 05.57.68.20.78, fax 05.57.68.41.31,
e-mail guerry.chateau@wanadoo.fr

CH. GUIONNE Élevé en fût de chêne 2003 ★

■ 2 ha 5 300 ❚❚ 5 à 8 €

Ce vignoble de 20 ha est établi sur un coteau argilo-calcaire exposé au sud. La cuvée sélectionnée est issue à 65 % de merlot, à 20 % de cabernet-sauvignon et à 15 % de malbec. Le rubis est serti d'ambre. Le bouquet intense, très mûr (pruneau), avec une touche d'épices et de cuir annonce une bouche harmonieuse et savoureuse. Les tanins, encore très présents, demandent à vieillir un peu. Dans un an ou deux, ce vin pourra commencer à accompagner viandes rouges et gibiers.

Alain Fabre, Ch. Guionne, 33710 Lansac,
tél. 05.57.68.42.17, fax 05.57.68.29.61,
e-mail chateau.guionne@wanadoo.fr ✉ Y ♟ r.-v.

CH. HAUT-BAJAC Élevé en fût de chêne 2003

■ n.c. 5 400 ▮ 5 à 8 €

Cette jolie propriété familiale, gérée par un œnologue, bénéficie d'une vue panoramique sur la Dordogne. Elle a produit ce vin dont la teinte évolue vers le grenat. Au nez, les arômes expriment surtout les petits fruits rouges. L'attaque est souple puis les saveurs fruitées et boisées persistent agréablement. Les tanins, encore un peu jeunes, gagneront à vieillir un ou deux ans. À servir de préférence avec des fromages.

Jacques Pautrizel,
Ch. Haut-Bajac, 33710 Bourg-sur-Gironde,
tél. 05.57.68.35.99, fax 05.57.68.32.15 ✉ Y ♟ r.-v.

CH. HAUT-MACÔ Cuvée Jean Bernard 2003 ★★

■ 6 ha 28 369 ▮ 8 à 11 €

Ce vaste domaine viticole d'une cinquantaine d'hectares établi sur un sol argilo-calcaire a produit cette cuvée Jean Bernard, baptisée ainsi par les jeunes exploitants en hommage aux deux frères de la génération précédente (d'ailleurs toujours présents). On a là un vin complet et prometteur, à la robe pourpre intense, légèrement ambrée, au bouquet complexe de fruits confits, de bois torréfié et de cuir. La bouche est puissante, grasse mais sans lourdeur ; ses tanins sont fins mais suffisamment présents pour assurer la garde. Parfait pour les deux à dix prochaines années. La **cuvée classique rouge 2003 (5 à 8 €)**, citée, joue plutôt dans le registre souple et fruité ; on pourra la boire dans les cinq à six prochaines années.

Anne et Hugues Mallet, Ch. Haut-Macô,
33710 Tauriac, tél. 05.57.68.81.26, fax 05.57.68.91.97,
e-mail hautmaco@wanadoo.fr
✉ Y ♟ t.l.j. sf dim. 8h-12h 14h-18h; sam. sur r.-v.

HAUT-MONDÉSIR 2004 ★

■ 1,84 ha 12 000 ▮ 15 à 23 €

Ancien photographe, Marc Pasquet s'est fixé en 1990 sur la rive droite afin d'y révéler les terroirs. Objectif atteint ! Issu à 90 % de merlot, complété de cot, ce 2004 a passé près de deux ans en barrique. Il en est sorti paré de pourpre intense avec un nez très intéressant, où l'on trouve de la violette, de la vanille et du pruneau, dans un sillage de chêne torréfié. La bouche est chaleureuse, ample, savoureuse, structurée par des tanins bien mûrs et persistants. Déjà bon, ce vin pourra encore évoluer favorablement dans la décennie.

Marc Pasquet, Ch. Mondésir-Gazin, 33390 Plassac,
tél. 05.57.42.29.80, fax 05.57.42.84.86,
e-mail mondesirgazin@aol.com ✉ Y ♟ r.-v.

CH. HAUT MOUSSEAU Cuvée Prestige 2004 ★★

■ n.c. 40 000 ▮ 5 à 8 €

Dominique Briolais cultive la vigne de chaque côté de l'estuaire de la Gironde : rive gauche en Médoc et rive droite en côtes-de-bourg. Ici sont retenues deux cuvées jugées remarquables par les dégustateurs. La plus importante est parée d'une robe pourpre foncé avec quelques reflets grenat ; elle commence à s'ouvrir au nez sur des arômes de fruits et de bois très concentrés. La bouche est encore dominée par le bois grillé mais le fruit est là, soutenu par de beaux tanins qui en font un vin de garde. Le **Château Terrefort-Bellegrave rouge 2004 (8 à 11 €)**, également un vin de garde, offre des arômes de fruits confits et une touche minérale qui lui donne beaucoup d'élégance.

Dominique Briolais,
1, château Haut Mousseau, 33710 Teuillac,
tél. 05.57.64.34.38, fax 05.57.64.31.73
✉ Y ♟ r.-v.

CH. L'HOSPITAL Élevé en fût de chêne 2004

■ 2,5 ha 15 000 ▮ 8 à 11 €

Le cru doit son nom aux restes d'un ancien établissement hospitalier qui appartenait au XVe s. aux chevaliers de l'Ordre de Malte. Cette cuvée possède une robe rubis encore jeune et un bouquet agréable, boisé, vif, mentholé. Au palais, la saveur est équilibrée, souple et fraîche, et les tanins assez fins. Citée, la **cuvée merlot-malbec rouge 2004 (5 à 8 €)** est marquée par le cot (malbec) qui lui confère une note minérale typique. Ces deux vins pourront accompagner rapidement charcuteries et viandes blanches.

Christine et Bruno Duhamel, Ch. L'Hospital,
33710 Saint-Trojan, tél. et fax 05.57.64.33.60,
e-mail alvitis@wanadoo.fr ✉ Y ♟ r.-v.

CH. HOURTOU 2003

■ 27 ha 160 000 ▮ 5 à 8 €

La maison Castel, propriétaire des lieux depuis 2005, présente une importante cuvée composée à 70 % de merlot, à 20 % de cabernet-sauvignon et à 10 % de malbec, retenu pour son caractère convivial. Le nez exprime bien les fruits rouges. La bouche est ronde, équilibrée, avec des tanins encore frais. On peut commencer à servir cette bouteille au cours de repas décontractés.

Castel, Ch. Hourtou, 33710 Tauriac,
tél. 05.57.68.28.10

CH. LABADIE Vieilli en fût de chêne 2004 ★★

■ 15 ha 84 000 ▮ 5 à 8 €

La famille Dupuy cultive un vaste vignoble de 58 ha sur lequel elle élabore deux cuvées intéressantes et importantes. Le Château Labadie, coup de cœur pour les millésimes 1998 et 2002, s'affiche avec ce 2004 comme un vin charmeur, à l'œil, au nez (lilas, violette, pruneau...) et au palais par sa concentration, son corps élégant et ses tanins solides. Le **Château Laroche Joubert rouge 2004**, cité, qui avait obtenu un coup de cœur pour son 2003, est très agréable au nez, fruité et balsamique ; ses tanins encore un peu austères gagneront à s'affiner pendant un ou deux ans.

SCEA Vignobles Joël Dupuy,
1, Cagna, 33710 Mombrier,
tél. 05.57.64.23.84, fax 05.57.64.23.85,
e-mail vignoblesjdupuy@aol.com ✉ Y ♟ r.-v.

CH. LAMOTHE 2004

■ 5 ha 10 000 ▮ 3 à 5 €

Le cot (10 %) complète le merlot (70 %) et le cabernet dans ce vin classique paré d'une robe rubis. Le nez est bien en place, fait de notes fruitées et florales. L'attaque est friande, la saveur franche, les tanins prometteurs. Tout cela dans une harmonie intéressante. On pourra apprécier cette bouteille sur une large palette culinaire.

Anne Pousse et Michel Pessonnier, Ch. Lamothe 1, 33710 Lansac, tél. 05.57.68.41.07, fax 05.57.68.46.62, e-mail chateaulamothe@yahoo.fr
t.l.j. 9h-19h; groupes sur r.-v.

CH. LAROCHE Élevé en fût de chêne 2004 ★★

22 ha 140 000 5 à 8 €

Ce vaste et ancien domaine viticole est un miraculé. Le château médiéval fut rasé pendant la guerre de Cent Ans. Reconstruit, il fut brûlé durant la Révolution... Rebâti au XX[e]s., il bénéficie aujourd'hui des équipements les plus modernes pour l'élaboration de grands vins. Pour preuve, cette importante cuvée qui représente la production de plus de la moitié du vignoble et qui n'en reste pas moins de qualité. La robe est d'un rubis attrayant. Le bouquet, déjà expressif, à la fois puissant et délicat, révèle une belle harmonie entre le fruit et le bois. Également équilibré, le palais dévoile un élevage tout en finesse qui fait ressortir la qualité des tanins. Un très bon vin de garde qui devrait s'ouvrir d'ici un à deux ans pour accompagner un gigot d'agneau ou un magret de canard.

Baron Roland de Onffroy, Ch. Laroche, 33710 Tauriac, tél. et fax 05.57.68.20.72
t.l.j. sf sam. dim. 9h-12h 14h-17h

CH. LARRAT 2004

0,5 ha 3 100 3 à 5 €

De pur merlot, cette cuvée présente une jolie robe pourpre brillante. Le bouquet est déjà très expressif, succession de baies noires, de fruits frais, d'épices douces et d'encens. La mise en bouche est souple, la saveur reste sur le fruit, mais les tanins sont encore un peu crus. Un style côtes-de-bourg d'antan qui pourra se boire assez vite sur du gibier.

EARL Dom. de Grillet, 5, Grillet, 33710 Pugnac, tél. 06.16.60.91.17, fax 05.57.68.82.65, e-mail dom.grillet@wanadoo.fr
t.l.j. sf dim. 9h-13h 14h-20h

CH. MACAY 2004 ★★

20 ha 130 000 8 à 11 €

La famille Latouche exploite un vaste vignoble sur les communes de Samonac et de Mombrier. Ce cru doit son nom à un Écossais du clan Mac Kay venu chercher fortune ici après des déboires avec les Anglais. En 1900, lorsque l'aïeul de la famille acheta le domaine, le nom était déjà francisé. Le jury a retenu deux importantes cuvées. La principale est très colorée, fruitée, florale et boisée, avec une bouche savoureuse et des tanins persistants. On a là une élégante bouteille de garde. La **cuvée Original rouge 2004 (11 à 15 €)** obtient une étoile. C'est aussi un vin de garde, plus marqué par les cabernets et qui demandera à vieillir davantage.

Éric et Bernard Latouche, Ch. Macay, 33710 Samonac, tél. 05.57.68.41.50, fax 05.57.68.35.23, e-mail info@chateau-macay.com
t.l.j. 10h-12h 14h-18h; sam. dim. sur r.-v.

CH. MARTINAT 2004

10,5 ha 58 000 8 à 11 €

Issu de vignes d'une quarantaine d'années – 70 % de merlot, 20 % de cabernet-sauvignon et 10 % de malbec (cot) –, ce 2004 rubis foncé est encore jeune et frais. Le nez demande une longue aération pour libérer les fruits, le bois frais et une touche de bourgeon de cassis assez typique du cabernet-sauvignon. Encore dominée par l'élevage et des tanins fermes, cette bouteille demande un à deux ans de garde. Il faudra alors la décanter.

SCEV Marsaux-Donze, Ch. Martinat, 33710 Lansac, tél. 05.57.68.34.98, fax 05.57.68.35.39, e-mail chateaumartinat@aol.com r.-v.
Lucie et Stéphane Donze

CH. MERCIER Cuvée Prestige 2004 ★★

4,8 ha 27 000 5 à 8 €

La famille Chéty en est à la treizième génération de présence sur Mercier. La demeure du XVIII[e]s. et le jardin aux trois cents rosiers sont accueillants : chambres d'hôtes, gîte rural, journée-dégustation des vingt derniers millésimes en mai (dont un grand nombre ont figuré en bonne place dans le Guide). La cuvée Prestige, bordeaux sombre presque noir, possède un bouquet concentré de fruits confiturés et de bois torréfié, déjà charmeur. Puissante et charpentée, la bouche offre une saveur réglissée et des tanins prometteurs. Un très bon vin de garde pour accompagner une cuisine traditionnelle. Le **blanc 2005 du Château Mercier (3 à 5 €)**, une étoile, exprime bien le sauvignon avec une note de coing et de pomme verte. Encore perlant au palais, fin et persistant, il sera idéal pour des fruits de mer.

SCEA Famille Chéty, Ch. Mercier, 33710 Saint-Trojan, tél. 05.57.42.66.99, fax 05.57.42.66.96, e-mail vin@chateau-mercier.fr
t.l.j. sf sam. dim. 8h30-12h30 14h-18h

CH. DE MONTEBERIOT

La Part des Fées Élevé en fût de chêne 2003 ★

1,7 ha 8 600 8 à 11 €

Acquis en 2002, ce cru a pris le nom qu'avait le village au XIV[e]s. La Part des Fées est issue de vieilles vignes, à 90 % de merlot et à 10 % de cabernet-sauvignon. Pourpre ourlé d'ambre, ce vin déjà plaisant exprime les raisins très mûrs. La bouche est douce, fruitée, construite sur des tanins fins. Le tout sera prochainement prêt pour accompagner des viandes blanches.

Gilles Marsaudon et Marie-Hélène Léonard, Le Maine, 33710 Mombrier, tél. 05.57.64.20.96, fax 05.57.64.20.97, e-mail monteberiot@wanadoo.fr r.-v.
GFA Le Maine

CH. MOULIN DE GUIET

Élevé en fût de chêne 2004

12,95 ha 50 000 3 à 5 €

Ce cru est vinifié et commercialisé par l'Union de producteurs de Pugnac. C'est un vin de style traditionnel, à la robe foncée, au bouquet subtil de fruits confits délicatement boisés. La structure ronde et ample, élégante, repose sur des tanins déjà fins. Dans un an, on pourra commencer à servir cette bouteille sur un rôti de bœuf.

Union de producteurs de Pugnac, Bellevue, 33710 Pugnac, tél. 05.57.68.81.01, fax 05.57.68.83.17, e-mail udep.pugnac@wanadoo.fr r.-v.
Philippe Blanchard

CH. MOULIN DES GRAVES

Cuvée particulière 2003 ★

2 ha 5 000 5 à 8 €

Jean Bost propose des cuvées de cépage pur. Ce 2003 est ainsi issu à 100 % de merlot. Le nez fermé demande à être aéré pour libérer ses arômes de fruits rouges, d'abricot

BORDELAIS

et de café. La bouche est souple, suave, soutenue par des tanins fondus qui permettront de servir prochainement cette bouteille. Le **blanc sec 2005 (3 à 5 €)**, une étoile, est un pur sauvignon né sur un sol argilo-siliceux ; encore très pâle, aromatique, avec des notes d'agrumes, de fleurs, de pierre à fusil et de coing, il est friand, souple et frais à la fois ; sa finale est agréable.

Jean Bost, Le Poteau, RN 137, 33710 Teuillac, tél. 05.57.64.30.58, fax 05.57.64.20.59, e-mail jean-bost@wanadoo.fr r.-v.

LES MOULINS DU HAUT LANSAC 2004 *

2,5 ha 15 000 3 à 5 €

La cave coopérative des vignerons de Lansac propose cette petite cuvée, assemblage de 85 % de merlot, 10 % de cabernet-sauvignon et 5 % de cot. Les arômes sont encore très fruités (cerise, cassis...) avec une touche de cuir. La bouche ample et puissante repose sur des tanins un peu fermes qui demanderont un ou deux ans pour atteindre l'harmonie.

Les Vignerons de la Cave de Lansac, 1, La Croix, 33710 Lansac, tél. 05.57.68.41.01, fax 05.57.68.21.09, e-mail contact@cavedelansac.com
t.l.j. sf ven. sam. dim. 8h-12h 14h-18h

CH. DU MOULIN VIEUX 2005 **

0,2 ha 1 500 3 à 5 €

Jean-Pierre Gorphe exploite un important vignoble de 24 ha sur lequel il produit un vin blanc de sauvignon, né sur graves argileuses. Il s'agit d'une microcuvée délicieusement fruitée, bien sauvignonnée mais avec des senteurs florales. La bouche est très fraîche, très aromatique, avec une bonne acidité et une saveur qui devrait s'accorder avec les fruits de mer, comme des coquilles Saint-Jacques. La **cuvée Tradition rouge 2004 (5 à 8 €)** recueille une étoile. La couleur bordeaux est intense et le bouquet naissant rappelle les fruits secs (noisettes), avec une touche mentholée. Au palais, la texture est solide, charpentée par des tanins encore fermes. Il faudra attendre un ou deux ans avant de commencer à servir ce vin sur une cuisine plutôt riche.

Jean-Pierre Gorphe, Moulin-Vieux, 33710 Tauriac, tél. 05.57.68.26.21, fax 05.57.68.29.75 r.-v.

LA PETITE CHARDONNE
Élevé en fût de chêne 2004

6 ha 7 000 8 à 11 €

Ce sont les filles et la petite-fille de Louis Marinier, qui fut il y a vingt ans un grand responsable du vignoble bordelais, qui élaborent ce vin. Issue à 95 % de merlot planté sur argilo-calcaire, cette cuvée est pratiquement déjà prête. Rouge carmin, elle exprime bien les petites baies (mûre, groseille) et sa bouche souple est en accord avec le nez, reposant sur des tanins déjà faciles.

Vignobles Louis Marinier, Dom. Florimond-La-Brède, 33390 Berson, tél. 05.57.64.39.07, fax 05.57.64.23.27
t.l.j. sf sam. dim. 8h-12h30 14h-17h30

CH. PEYCHAUD
Maisonneuve Vieilles Vignes 2004 *

6 ha 40 000 8 à 11 €

Dans cette cuvée issue de vignes âgées de trente ans en moyenne, les cabernets constituent 40 % de l'assemblage. Cela donne un vin de garde au caractère un peu médocain. Le rubis sombre est traversé d'éclats grenat. Le bouquet est déjà complexe : fleurs (rose), baies noires, bois frais et moka. La bouche est séveuse, corsée par des tanins prometteurs. On pourra apprécier cette bouteille sur des mets de caractère, par exemple, une brochette de grives farcies au foie gras.

SCEA Ch. Peychaud, Ch. Peyredoulle, 33390 Berson, tél. 05.57.42.66.66, fax 05.57.64.36.20, e-mail bordeaux@vgas.com r.-v.

CH. LE PIAT Élevé en fût de chêne 2003

10 ha 10 000 5 à 8 €

La cave de Bourg-Tauriac propose deux cuvées intéressantes. Tout d'abord, le Château Le Piat 2003, dont la vigne appartient à Françoise Lisse. Le terroir argilo-calcaire est planté pour les trois quarts en merlot et pour un quart en cabernet-sauvignon. Dans le verre, on trouve un vin déjà bon à boire, au nez franc, à la palette florale, fruitée et épicée, souple et équilibré en bouche. Très agréable dans l'ensemble, il peut encore attendre quatre à cinq ans. La **cuvée Évidence N° 2 rouge 2003**, citée, est issue de raisins mûrs qui donnent un vin déjà évolué, au fruit confituré et aux tanins fondus. On pourra le servir assez vite.

Cave de Bourg-Tauriac, 3, av. des Côtes-de-Bourg, 33710 Tauriac, tél. 05.57.94.07.07, fax 05.57.94.07.00, e-mail info@cave-bourg-tauriac.com r.-v.
Françoise Lisse

PIED ROUGE 2003 *

0,5 ha 1 200 8 à 11 €

Dans ce vin, tout est original : l'étiquette « western » ; la vigne pur malbec de soixante ans plantée sur graves argileuses (le nom vient probablement de là) ; l'élaboration : un partenariat entre un vigneron et un œnologue. Le résultat est très intéressant. La teinte burlat-noir est soutenue. Les arômes intenses mêlent un boisé épicé, un fumet animal et une touche mentholée. Le palais est flatté par la texture ronde et grasse, les tanins soyeux. Cette bouteille devra être ouverte deux heures avant le repas. La servir sur une cuisine exotique ou des plats épicés.

Benjamin Tueux, 57, rte de Créon, 33750 Camarsac, tél. 05.56.12.25.32, e-mail btueux@piedrouge.com r.-v.

CH. PUYBARBE
Cuvée Prestige Élevé en fût de chêne 2004 *

1,6 ha 10 000 5 à 8 €

Pour leur cuvée Prestige, les Orlandi sélectionnent un assemblage de deux tiers de merlot pour un tiers de cabernet-sauvignon. Le 2004 est fin et déjà très plaisant ; au nez, le bois, légèrement camphré, soutient les baies noires. La saveur repose sur des arômes agrestes (thym, romarin), avec suffisamment de tanins pour assurer un bon vieillissement.

SCEA Orlandi Frères, Ch. Puybarbe, 33710 Mombrier, tél. et fax 05.57.64.37.41, e-mail yvesyorlandi@aol.com r.-v.

CH. PUY D'AMOUR 2004 *

10,5 ha 15 000 5 à 8 €

Depuis 1998, Murielle et Johann Demel exploitent en agriculture biologique un vignoble de 12 ha sur argilo-calcaire, en bordure de la D 669. La cuvée principale est d'une couleur encore vive, framboisée ; le bouquet naissant rappelle les fruits des bois et les épices douces. L'attaque est ample et généreuse ; on croque le grain de raisin et les tanins souples ne gênent pas le fruit. Très prochainement, cette bouteille pourra accompagner des repas traditionnels (caille aux raisins, chevreuil aux airelles). Même note pour la **cuvée Grain de Folie rouge 2004 Élevé en fût de chêne (8 à 11 €)**, également fruitée, mais avec plus de bois en arrière-plan. On la verrait bien sur une poularde de Bresse farcie.

Johann et Murielle Demel, 5, Marchais,
33710 Saint-Seurin-de-Bourg, tél. et fax 05.57.68.38.01,
e-mail contact@puydamour.com
t.l.j. 8h-12h30 14h-19h

CH. PUY DESCAZEAU

Cuvée Cardinal Vieilli en fût de chêne 2004 *

■ 1,2 ha 7 000 8 à 11 €

Ce petit et très ancien domaine viticole (une partie des bâtiments date du XVIes.) dont les chais sont alimentés en eau par un puits, propose ce 2004 à la robe rubis foncé, au nez encore un peu dans la barrique, boisé, torréfié, épicé et vanillé. La bouche est ample et ronde. La saveur boisée laisse percer les fruits noirs, et les tanins sont bien fondus. Après un ou deux ans de garde, ce vin pourra être servi sur une large palette de cuisine familiale.

Martine et Jean-Marc Médio,
Ch. Puy Descazeau, 33710 Gauriac,
tél. 06.12.47.75.75, fax 01.49.61.71.02,
e-mail jmmedio@club-internet.fr r.-v.

CH. RELAIS DE LA POSTE 2004

■ 10 ha 66 600 5 à 8 €

La famille Drode a constitué un important vignoble d'une vingtaine d'hectares autour d'un ancien relais de poste de 1750. La cuvée principale est encore jeune comme le révèlent sa couleur vive, ses arômes de baies rouges et de bourgeon de cassis. La bouche est corsée, fruitée, épicée, charpentée par des tanins jeunes qu'il faudra attendre un peu. À servir sur un lapin aux pruneaux. Également citée, la **cuvée rouge 2003 Élevé en fût de chêne**, 100 % merlot, paraît plus évoluée, légèrement tuilée, avec une note de cassis soutenue par un bois épicé et des tanins déjà affinés qui permettront de la boire rapidement.

Vignobles Drode, Relais de la Poste, 33710 Teuillac,
tél. et fax 05.57.64.37.95 r.-v.

CH. DE REYNAUD 2004

■ 2 ha 14 000 5 à 8 €

Deux anciens journalistes parisiens ont repris ce petit domaine en 1999 et en ont restauré les bâtiments. Le joli pigeonnier qui fait office d'entrée de la propriété sert aussi de motif à l'étiquette. Dans le verre, on a affaire à un vin encore fruité, souple et rond, structuré par d'élégants tanins de raisins qui devraient permettre de le boire assez vite sur des viandes blanches et des fromages.

Bernard Capdevielle,
Ch. de Reynaud, 33710 Bourg-sur-Gironde,
tél. et fax 05.57.68.44.13,
e-mail chateau.reynaud@wanadoo.fr r.-v.

CH. ROC PLANTIER

Cuvée Prestige Élevé en fût de chêne 2004 *

■ 1,5 ha 8 500 5 à 8 €

Situé à 1,5 km de la grotte de Pair-non-Pair, ce vignoble de 6,5 ha est planté sur un terroir argilo-siliceux sur roche calcaire. Éric Eymas y sélectionne 1,5 ha de pur merlot pour sa cuvée Prestige. Dans le verre, cela donne un vin de teinte bigarreau noir, au nez intense de fruits noirs, de pruneau, de vanille et de bois réglissé, riche et puissant au palais. Sa saveur fruitée est soutenue par des tanins boisés encore un peu envahissants, mais fins et persistants, garants de l'avenir.

Éric Eymas, 104, av. des Côtes-de-Bourg,
33710 Prignac-Marcamps,
tél. 06.12.63.68.90, fax 05.57.43.82.85,
e-mail talarisplantier@aol.com r.-v.

CH. DE ROUSSELET Élevé en fût de chêne 2003 **

■ 3 ha 16 400 5 à 8 €

Emmanuel Sou a repris la tête de ce domaine, dans sa famille depuis plusieurs générations. 19 ha de vignes entourent une maison girondine du XIXes. Cette cuvée assemble par tiers merlot, cabernet-sauvignon et malbec (cot). Cela a donné un 2003 à la robe somptueuse, au bouquet harmonieux, entre raisin très mûr et boisé fondu. La bouche est chaleureuse et ample, soutenue par des tanins soyeux. Le **blanc 2005 (3 à 5 €)**, cité, a encore un peu le nez dans la barrique mais on sent le fruit en arrière-plan. Il faudra attendre que cela s'assagisse.

Emmanuel Sou,
EARL du Ch. de Rousselet, 33710 Saint-Trojan,
tél. 05.57.64.32.18, fax 05.57.64.26.10,
e-mail chateau.de.rousselet@wanadoo.fr r.-v.

CH. LE SABLARD Séduction 2004

■ 2,6 ha 14 000 3 à 5 €

Paré d'un rubis éclatant, ce 2004 exprime essentiellement les fruits aussi bien au nez qu'en bouche, où baies noires et petits fruits rouges dominent. La bouche est souple et fraîche, d'une structure harmonieuse. Un vin simple et sympathique pour accompagner des mets de même style, notamment les viandes rouges grillées.

SCEA Jacques Buratti,
7, Le Rioucreux, 33920 Saint-Christoly-de-Blaye,
tél. 05.57.42.57.67, fax 05.57.42.43.06
t.l.j. 9h-12h 14h30-18h

CH. SAUMAN

Cuvée particulière Élevé en fût de chêne 2004

■ 2 ha 6 000 8 à 11 €

Cette cuvée se compose à 70 % de cabernet-sauvignon et le cépage marque en effet la dégustation. Pourpre, la robe est fraîche. Les arômes de fruits rouges sont accompagnés de notes de noix et d'épices. La bouche est équilibrée par des tanins élégants qui permettront d'apprécier pleinement ce vin d'ici un ou deux ans sur un salmis de palombes ou une omelette aux cèpes.

Vignobles Braud, Le Sauman, 33710 Villeneuve,
tél. 05.57.42.16.64, fax 05.57.42.93.00,
e-mail chateau.sauman@wanadoo.fr
t.l.j. 9h-12h 14h-18h; sam. dim. sur r.-v.

CH. DE TASTE Réserve 2004 **

■ 2 ha 12 000 5 à 8 €

La bâtisse du XVIIIes. servait de lieu de rendez-vous aux royalistes pendant l'insurrection de la Commune en 1871. Sur les 15 ha de vignes, Jean-Paul Martin sélectionne une Réserve de 2 ha à partir d'un encépagement très équilibré : 55 % de merlot, 15 % de cabernet-sauvignon, 15 % de cabernet franc et 15 % de malbec (ou cot, cépage traditionnellement présent ici). Cela donne un vin déjà

harmonieux, à la robe pourpre intense et au bouquet fin et complexe (fruits rouges, bois torréfié). Rond et généreux, le palais est soutenu par des tanins élégants et persistants qui font de ce 2004 une très bonne bouteille de garde, typique de l'appellation ; d'ici un ou deux ans, elle pourra commencer à tenir compagnie à une daube de joue de bœuf ou à la traditionnelle lamproie pêchée dans l'estuaire.
SCEA des Vignobles de Taste et Barrié, La Sablière, 33710 Lansac, tél. et fax 05.57.68.40.34, e-mail chateaudetaste@free.fr r. v.
Jean-Paul Martin

CH. LE TERTRE DE LEYLE
Élevé en fût de chêne 2004 ★

■ 1,2 ha 7 500 5 à 8 €

Sur leur beau vignoble de 19 ha situé sur un tertre argilo-calcaire, les Grandillon sélectionnent cette cuvée qui a obtenu un coup de cœur pour son 2003. Dans le verre, le cœur rubis de ce 2004 est bordé de reflets grenat. Le nez, encore un peu boisé, laisse apparaître à l'aération les fruits frais et des notes de cacao. La bouche est suave, ronde. Le merrain très présent ne masque pas trop le raisin. Les tanins, solides, demanderont à se fondre. Une bouteille à servir sur du canard ou du gibier.
Vignobles Grandillon, le Bourg, 33710 Teuillac, tél. 05.57.64.23.81, fax 05.57.64.24.18, e-mail vignoblegrandillon@tiscali.fr
t.l.j. 8h-12h30 14h-19h

CH. DE THAU 2004 ★

■ 8 ha 53 000 5 à 8 €

Le château de Thau, forteresse médiévale, domine la Gironde ; il a hébergé saint Louis en 1249, au retour de la bataille de Taillebourg. En 2004 y est né un excellent vin rubis intense, au bouquet puissant mais élégant, très présent au palais. Déjà expressifs mais encore frais, ses bons tanins « apéritifs » lui assureront une bonne évolution pour les deux à cinq prochaines années. L'autre vin de la famille Schweitzer, le **Château Poyanne rouge 2004**, est cité ; il est davantage sur le fruit à noyau, discrètement boisé, harmonieux en bouche ; on pourra le servir un peu plus vite sur des viandes grillées et des fromages doux.
Vignobles A. Schweitzer, Ch. de Thau, 33710 Gauriac, tél. 05.57.64.80.79, fax 05.57.64.83.72, e-mail vignoble-a-schweitzer@wanadoo.fr
t.l.j. 9h-12h 14h-17h; sam. dim. sur r.-v.

CH. TOUR DE GUIET
Élevé en fût de chêne 2004 ★

■ 2 ha 12 000 8 à 11 €

Viticulteur en premières-côtes-de-blaye, Stéphane Heurlier possède également un vignoble en côtes-de-bourg où il produit deux cuvées dont une élevée en fût de chêne. Les deux obtiennent une étoile, avec une légère préférence pour la cuvée en barrique, au bouquet puissant dans lequel les fruits rouges résistent au bois vanillé. La bouche est corsée mais harmonieuse, charpentée par des tanins agréables qui assureront une bonne tenue dans le temps. La **cuvée classique rouge 2004 (5 à 8 €)** est chaleureuse et épicée, avec une saveur encore sur le fruit. On pourra la boire dans un an.
Stéphane Heurlier, EARL La Bretonnière, Ch. La Bretonnière, RN 137, 33390 Mazion, tél. 05.57.64.59.23, fax 05.57.64.67.41, e-mail sheurlier@wanadoo.fr r.-v.

CH. LES TOURS SEGUY
Élevé en fût de chêne 2004 ★★

■ 1 ha 4 800 5 à 8 €

Ce curieux petit château aux deux tours dissymétriques (l'une ronde, l'autre carrée) propose de ravissantes chambres d'hôtes. Mais sa vocation première est de produire du côtes-de-bourg ; l'objectif est atteint avec cette cuvée élevée en fût de chêne. La robe pourpre intense est traversée d'éclats grenat. Le nez exprime le chêne toasté, sur fond de fruits confiturés. Au palais, la richesse des saveurs est soutenue par une vivacité minérale et d'élégants tanins boisés. Voilà un excellent vin de garde déjà harmonieux mais avec un fort potentiel de vieillissement (dix ans). On le verrait bien sur un gigot d'agneau ou une côte de bœuf.
Jean-François Breton, Les Tours Seguy, 33710 Saint-Ciers-de-Canesse, tél. et fax 05.57.64.99.57, e-mail chateau-les-tours-seguy@wanadoo.fr
r.-v. 4

CH. LA TUILIÈRE 2004 ★

■ 10,5 ha 60 000 5 à 8 €

En 1991, après une vie professionnelle dans les oléoducs et dans l'aéronautique, Philippe Estournet, ingénieur Arts et Métiers, pilote professionnel et instructeur, a réalisé un de ses rêves en reprenant cette jolie propriété viticole. L'été, à partir de son gîte rural et de ses chambres d'hôtes, il organise des stages de formation aéro-œnologiques. L'objectif est que le visiteur reparte meilleur pilote mais surtout pilote heureux. Les hauteurs vous effraient ? Vous vous satisferez de cet excellent 2004. C'est un vin puissant, complet, chaleureux. Il marie harmonieusement les arômes boisés et fruités, aussi bien au nez qu'en bouche. Sa solide structure tannique en fait un vin de garde que l'on pourra commencer à servir dans un ou deux ans, par exemple sur une côte de bœuf Bercy.
Les Vignobles Philippe Estournet, Ch. La Tuilière, 33710 Saint-Ciers-de-Canesse, tél. 05.57.64.80.90, fax 05.57.64.89.97, e-mail info@chateaulatuiliere.com
r.-v. 4 D

CH. VIEUX NODEAU 2003 ★

■ n.c. 5 000 11 à 15 €

Ce 2003 est bien représentatif du millésime caniculaire. De couleur grenat dense, il livre des arômes de fruits à l'eau-de-vie dans un sillage de bois fin, rappelant un peu le cognac. La structure est ronde, la saveur harmonieuse. Les tanins mûrs permettront de servir ce vin assez vite mais ils assureront aussi un bon vieillissement.
Philippe Ferrer, SCEA Ch. Vieux Nodeau, 33710 Saint-Ciers-de-Canesse, tél. et fax 05.57.64.91.89, e-mail nodeau@yahoo.fr r.-v.

Le Libournais

Même s'il n'existe aucune appellation « Libourne », le Libournais est bien une réalité. Avec la ville-filleule de Bordeaux comme centre et la Dordogne comme axe, il s'individualise fortement par rapport au reste de la Gironde en dépendant moins directement de la métropole régionale. Il n'est pas rare, d'ailleurs, que l'on oppose le Libournais au Bordelais proprement dit, en invoquant par exemple l'architecture moins ostentatoire des châteaux du vin ou la place des Corréziens dans le négoce de Libourne. Mais ce qui individualise le plus le Libournais, c'est sans doute la concentration du vignoble qui apparaît dès la sortie de la ville et recouvre presque intégralement plusieurs communes aux appellations renommées comme Fronsac, Pomerol ou Saint-Émilion, avec un morcellement en une multitude de petites ou moyennes propriétés. Les grands domaines, du type médocain, ou les grands espaces caractéristiques de l'Aquitaine étant presque d'un autre monde.

Le vignoble s'individualise également par son encépagement dans lequel domine le merlot, qui donne finesse et fruité aux vins et qui leur permet de bien vieillir, même s'ils sont de moins longue garde que ceux d'appellations à dominante de cabernet-sauvignon. En revanche, ils peuvent être bus un peu plus tôt, et s'accommodent de beaucoup de mets (viandes rouges ou blanches, fromages, mais aussi certains poissons, comme la lamproie).

Canon-fronsac et fronsac

Bordé par la Dordogne et l'Isle, le Fronsadais offre de beaux paysages, très tourmentés, avec deux sommets, ou « tertres », atteignant 60 et 75 m, d'où la vue est magnifique. Point stratégique, cette région joua un rôle important, notamment au Moyen Âge et lors de la Fronde de Bordeaux, une puissante forteresse y ayant été édifiée dès l'époque de Charlemagne. Aujourd'hui, celle-ci n'existe plus, mais le Fronsadais possède de belles églises et de nombreux châteaux. Très ancien, le vignoble produit sur six communes des vins de caractère, complets et corsés, tout en étant fins et distingués. Toutes les communes peuvent revendiquer l'appellation fronsac (37 700 hl sur 829 ha en 2005), mais Fronsac et Saint-Michel-de-Fronsac sont les seules à avoir droit, pour les vins produits sur leurs coteaux (sols argilo-calcaires sur banc de calcaire à astéries), à l'appellation canon-fronsac (12 308 hl sur 289 ha).

Canon-fronsac

CH. BARRABAQUE Prestige 2003 *

■ 4 ha 10 000 🛢 15 à 23 €

88 89 |90| 91 92 94 |(95)| |(96)| **|98|** **|99|** **00** |01| 03

Créé au XVIIIe s., ce cru est entré dans la famille Noël en 1936. Depuis 1999, il a obtenu six coups de cœur. La robe pourpre de ce 2003 est soutenue et le bouquet intense de fruits et d'épices délicatement boisé ; les tanins amples et charnus se montrent encore sévères en fin de bouche, mais une garde de deux ou trois ans lui apportera plus de rondeur et de complexité.

🔑 SCEV Noël, Ch. Barrabaque, 33126 Fronsac, tél. 05.57.55.09.09, fax 05.57.55.09.00, e-mail chateaubarrabaque@yahoo.fr ☒ Y ⚲ r.-v.

CH. BELLOY Cuvée Prestige 2003 **

■ 3 ha 6 400 ▮🛢 11 à 15 €

Dès 1735, Belloy fait parler de lui. Son terroir de qualité exposé au sud domine la combe de Junayme. Ce 2003 se pare d'une robe éclatante, d'un grenat intense aux reflets rubis ; le nez livre des arômes élégants de boisé, de fleurs séchées, et un fruité intense et bien mûr. Les tanins sont très présents, dans un palais volumineux et soyeux en attaque, avant une finale encore marquée par le merrain. Le potentiel est là, et un vieillissement de trois à six ans permettra lui apportera un parfait équilibre.

🔑 S.A.S. Travers, BP 1, 33126 Fronsac, tél. 05.57.24.98.05, fax 05.57.24.97.79, e-mail helene.texier-travers@wanadoo.fr ☒ Y ⚲ r.-v.

🔑 GAF Bardibel

CH. CANON DE BREM 2003 *

■ 8 ha 30 000 🛢 11 à 15 €

Ce cru conseillé par Denis Dubourdieu présente un 2003 à la robe pourpre intense et brillante, superbe. Exhalant des parfums de fruits rouges rehaussés de notes de boisé et de cuit, il se montre charnu en attaque ; ses tanins puissants et son élégance en finale définissent un vin bien typé, à boire dans trois à cinq ans.

🔑 SCEA Domaines Jean Halley, Ch. de La Dauphine, 33126 Fronsac, tél. 05.57.74.06.61, fax 05.57.51.80.57, e-mail contact@chateau-dauphine.com ☒ Y ⚲ r.-v.

CH. CANON LA VALADE 2003 *

■ 1,75 ha 10 000 ▮🛢 8 à 11 €

20 % de cabernets viennent compléter le merlot dans ce 2003 à la robe pourpre intense en début d'évolution ; le nez naissant, légèrement boisé, évoque les épices et les fruits bien mûrs ; la structure est puissante, charnue et bien fondue jusqu'en finale : un vin déjà prêt qui se gardera cinq à huit ans.

🔑 Bernard Roux, Ch. La Valade, 33126 Fronsac, tél. 05.57.24.96.71 ☒ Y ⚲ t.l.j. 9h-12h 14h-19h

CH. CANON SAINT-MICHEL 2003

■ 4,85 ha 20 000 🛢 8 à 11 €

Constituée dans les années 1950, cette propriété dirigée depuis 1998 par le petit-fils du fondateur est passée de 6 à 15 ha. Son 2003 se distingue par une couleur intense aux reflets violacés et un bouquet discret de noix de cajou, de muscade, de réglisse et de grillé. Souple et équilibrée, une bouteille à ouvrir dès aujourd'hui.

Jean-Yves Millaire, Lamarche, 33126 Fronsac,
tél. 06.08.33.81.11, fax 05.57.24.94.99,
e-mail vignoblemillaire@aol.com
t.l.j. 8h-13h 14h-20h

CH. CASSAGNE HAUT-CANON
La Truffière 2003

■ n.c. 25 500 11 à 15 €

Ce vignoble repose sur une mosaïque de sols affleurant sur une pente abrupte. La cuvée La Truffière met en valeur cette diversité. Elle développe des arômes d'épices, sur un fruité encore jeune. Les tanins soyeux participent à l'harmonie de cette bouteille de bonne garde. La **cuvée classique 2003 (8 à 11 €)** est équilibrée, marquée par des arômes de sous-bois, de cuir et de cassis. Ses tanins sont très ronds. Ces deux vins seront prêts d'ici un à trois ans.

Zita et Jean-Jacques Dubois, Ch. Cassagne Haut-Canon, 33126 Saint-Michel-de-Fronsac,
tél. 05.57.51.63.98, fax 05.57.51.62.20,
e-mail chateau.cassagne@wanadoo.fr r.-v.

CLOS SAINT-MICHEL 2003

■ 0,47 ha 2 500 11 à 15 €

Si vous séjournez au domaine dans une des chambres d'hôte, vous pourrez découvrir ce 2003 agréable, au bouquet très frais, dominé par les fruits rouges. Un vin riche, rond et déjà harmonieux, à servir dès aujourd'hui ou à garder quelques années.

Marie-Christine Aguerre, 1, Lariveau,
33126 Saint-Michel-de-Fronsac, tél. 05.57.24.95.81,
fax 05.57.24.95.30 t.l.j. 9h-12h 14h-19h

CH. COUSTOLLE 2003 ★

■ 20 ha 60 000 8 à 11 €

Ancienne étape du chemin de Compostelle, cette propriété importante produit aujourd'hui des vins de qualité, à l'image de ce 2003. Sa robe presque noire a des reflets violacés et les arômes très fruités (cassis, mûre) se mêlent à un boisé grillé et vanillé. Les tanins très présents incitent à attendre cette bouteille trois à cinq ans pour trouver un peu plus d'harmonie générale. Du même propriétaire, le **Château Capet Bégaud 2003** est cité : un vin bien fruité, avec des tanins souples et mûrs qui permettent de le boire dès aujourd'hui.

Xavier Roux, Ch. Coustolle, 33126 Fronsac,
tél. 05.57.51.31.25, fax 05.57.74.00.32,
e-mail coustolle.fronsac@wanadoo.fr
t.l.j. 8h-20h

L'ENCLOS SAINT-LOUIS 2003 ★

■ 0,6 ha 2 600 15 à 23 €

Moins d'un hectare de merlot pour ce vin. La robe pourpre intense a des reflets sombres et révèle d'agréables parfums de pain grillé, d'épices douces et de compote de fruits. Les tanins, fermes, vanillés en attaque, évoluent avec élégance et une note de fraîcheur mentholée. Un vin typé, très bien fait, à boire d'ici deux à six ans.

Jean Dubech, Panet, 33126 Fronsac,
tél. 05.55.24.49.16, fax 05.55.84.84.27,
e-mail j.dubech.janoueix@wanadoo.fr

CH. LA FLEUR CAILLEAU 2003 ★★

■ 3,6 ha 4 000 15 à 23 €

88 93 |**95**| |**96**| |**98**| |99| 01 |02| **03**

Ce cru, dont les origines remontent à la fin du XIVᵉs., est cultivé suivant les principes de la biodynamie. Ce millésime 2003, marqué par la canicule estivale, se pré-

sente dans une robe séductrice aux reflets violacés. Il développe des arômes complexes de fruits rouges, d'épices (clou de girofle), marqués par un boisé élégant. Après une attaque ample et puissante, la bouche évolue sur des notes de réglisse et de vanille, tout en finesse et en équilibre. Un vin à boire d'ici deux ou trois ans, ou à garder pendant au moins dix ans.

Paul et Pascale Barre, La Grave, 33126 Fronsac,
tél. 05.57.51.31.11, fax 05.57.25.08.61,
e-mail p.p.barre@wanadoo.fr r.-v.

CH. DU GABY 2003 ★★★

■ 7,5 ha n.c. 15 à 23 €

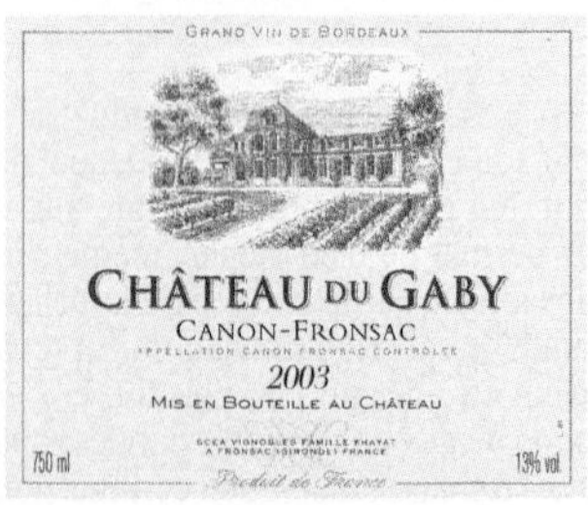

Racheté par la famille Khayat en 1999, cet imposant château du XIXᵉs. domine la vallée de la Dordogne. Coup de cœur l'an dernier, il confirme son talent cette année en obtenant la note exceptionnelle de trois étoiles. Le jury s'est volontiers laissé séduire par la robe profonde aux reflets noirs de ce 2003 impressionnant. Les arômes intenses et complexes évoquent les fruits noirs très mûrs, le pruneau et les épices ensoleillées, le tout sur un boisé toasté de qualité. En bouche, les tanins sont puissants, gras et veloutés. Tout est réuni dans ce vin pour un moment d'exception à partager entre amis, dans trois à quinze ans.

SCEA Vignobles famille Khayat, Ch. du Gaby,
33126 Fronsac, tél. 05.57.51.24.97, fax 05.57.25.18.99,
e-mail chateau.du.gaby@wanadoo.fr r.-v.

CH. DU GAZIN 2003

■ 23 ha 150 000 5 à 8 €

Datant du XVIᵉs., cette propriété viticole fait partie des plus anciennes du Fronsadais. Ce 2003 à la robe rubis chatoyant offre un bouquet de violettes et de petits fruits rouges bien mûrs. Équilibré et frais, il est à boire dans les trois à cinq ans.

Henri Robert,
Ch. du Gazin, 33126 Saint-Michel-de-Fronsac,
tél. 05.57.24.95.45, fax 05.57.24.92.09,
e-mail chateaudugazin@hotmail.com
t.l.j. sf dim. 8h-19h

CH. GRAND RENOUIL 2003 ★

■ 3 ha 12 000 🛢 15 à 23 €

Commandé par un château du XVII[e]s., ce cru produit des vins exclusivement à base de merlot issu de vignes âgées en moyenne de cinquante ans. Sous sa robe soutenue, qui brille de reflets brique, ce 2003 offre un nez complexe de prune et de raisin de Corinthe relevé d'épices et de notes de torréfaction. En bouche, les tanins sont fondus, très mûrs, élégants et persistants ; ce vin sera parfait dans deux à trois ans. Du même propriétaire, le **Château du Pavillon 2003 (8 à 11 €)** est cité : marqué par un bon fruit, il est plus souple en bouche et déjà prêt.

Michel Ponty, Les Chais du Port, 33126 Fronsac, tél. 05.57.51.29.57, fax 05.57.74.08.47, e-mail michel.ponty@wanadoo.fr r.-v.

CH. HAUT-MAZERIS 2003 ★

■ 6 ha 35 000 🛢 15 à 23 €

Établi sur les plus hauts coteaux de l'appellation, ce château possède une vigne centenaire toujours en production. Issu de parcelles plus jeunes, ce 2003 présente une robe soutenue aux reflets rubis et des arômes déjà évolués : cuir, tabac, truffe et sous-bois. Les tanins puissants et racés se révèlent harmonieux dans leur évolution, avant une finale équilibrée. L'ensemble montre un potentiel de garde important : trois à huit ans au moins.

SCEA du Ch. Haut-Mazeris, 33126 Saint-Michel-de-Fronsac, tél. 01.53.77.28.38, fax 01.53.77.28.30 r.-v.

CH. LAMARCHE CANON

Candelaire Vieilles Vignes 2003

■ 2 ha 10 000 🛢 11 à 15 €

Issue des vieilles vignes de la propriété et d'un assemblage de 80 % de merlot et de 20 % de cabernet franc, cette cuvée se caractérise par un bouquet de fruits confits très mûrs, par un boisé agréable et par une structure tannique pleine, harmonieuse et déjà assez évoluée. Un vin prêt.

Julien, Ch. Lamarche, 33126 Fronsac, tél. et fax 05.57.51.28.13, e-mail chateau.lamarche.canon@wanadoo.fr r.-v.

CH. LARCHEVESQUE 2003

■ 3,87 ha 7 500 5 à 8 €

Exposé plein sud, ce château propose un 2003 à la robe brillante couleur de mûre et au bouquet complexe dominé par les épices et les fruits confits. Si la finale n'est pas très longue, les tanins sont mûrs, équilibrés et ils évoluent avec fraîcheur. Une bouteille déjà prête à boire mais qui pourra se garder quelques années.

SARL Cave de Larchevesque, 1, rue Guadet, 33330 Saint-Émilion, tél. 05.57.24.67.78, fax 05.57.24.71.31, e-mail cave.de.larchevesque@wanadoo.fr t.l.j. 10h-12h30 13h30-19h

J.-J. Viaud

CH. MAZERIS-BELLEVUE 2003 ★

■ 9,5 ha 48 000 🛢 11 à 15 €

Depuis cinq générations dans la même famille, ce château construit en 1848, jouit d'une vue superbe sur la Dordogne. Il présente un 2003, assemblage de 70 % de merlot et de 30 % des deux cabernets. Sous une robe rubis brillant, on découvre un nez agréable de fruits confits (cerise, groseille), de vanille et de réglisse. Les tanins charnus structurent une bouche harmonieuse et assez persistante. Un vin classique qui sera parfait dans deux à quatre ans.

Diane Bussier, Ch. Mazeris-Bellevue, 33126 Saint-Michel-de-Fronsac, tél. 05.57.24.98.19, fax 05.57.24.90.32, e-mail chateaumazerisbellevue@wanadoo.fr t.l.j. sf dim. 8h-12h 14h-18h

CH. MOULIN PEY-LABRIE 2003 ★★

■ 6,5 ha 20 000 🛢 15 à 23 €

88 |89| |90| **91** |95| |96| 97 |99| 00 02 **03**

Ce château doit son nom à un moulin du XII[e]s., situé au cœur de l'appellation. Grenat soutenu, son 2003 scintille de reflets rubis ; son bouquet fruité et épicé est relevé de notes toastées. Les tanins ronds et charnus en attaque évoluent ensuite avec beaucoup de présence, de gras et d'élégance. La finale somptueuse autorise une garde de trois à huit ans, au minimum. Le **Château Moulin 2003 (5 à 8 €)** reçoit une étoile : pur merlot, il a été apprécié pour l'élégance de sa bouche ample et charnue.

B. et G. Hubau, Ch. Moulin Pey-Labrie, 33126 Fronsac, tél. 05.57.51.14.37, fax 05.57.51.53.45, e-mail moulinpeylabrie@wanadoo.fr r.-v.

CH. ROULLET 2003

■ 2,8 ha 8 000 🛢 8 à 11 €

Ancienne propriété de Princeteau, peintre qui fut l'un des maîtres de Toulouse-Lautrec, ce cru assemble 85 % de merlot et 15 % de cabernets dans ce 2003 à la robe brillante aux reflets pourpres, au nez complexe d'humus et de truffe, rehaussé de notes fruitées plus classiques. Les tanins sont savoureux, chaleureux et épicés. Un vin déjà prêt à boire.

SCEA Dorneau et Fils, Ch. La Croix, 33126 Fronsac, tél. 05.57.51.31.28, fax 05.57.74.08.88, e-mail scea-dorneau@wanadoo.fr r.-v.

CH. SAINT-BERNARD

Élevé en fût de chêne 2003 ★★

■ 0,3 ha 2 000 🛢 11 à 15 €

Après un coup de cœur l'an dernier, ce château confirme la qualité de sa production avec cette cuvée excellente mais confidentielle, vinifiée exclusivement à partir du cépage merlot. La robe presque noire brille d'un éclat magnifique ; les arômes de fruits noirs, de grillé, d'épices (clou de girofle) et de cuir sont intenses et complexes. Les tanins très mûrs, amples et charnus évoluent avec finesse et beaucoup de persistance. Un grand vin à apprécier dans trois à huit ans.

Sébastien Gaucher, 1, Nardon, 33126 Saint-Michel-de-Fronsac, tél. et fax 05.57.24.90.24, e-mail s.gaucher@free.fr r.-v.

CH. VRAI CANON BOUCHÉ 2003 ★

■ 10 ha 60 000 🛢 11 à 15 €

90 |95| |96| 97 |98| |99| 00 |01| |02| 03

Commandant un vignoble de 13 ha et établi sur le tertre de Canon dominant la Dordogne, ce château propose un 2003 dont la robe brille d'un rubis éclatant ; le nez subtil évoque l'amande grillée, les fruits rouges et noirs et le sous-bois ; les tanins soyeux, frais et équilibrés en fin de bouche dessinent un vin bien typé, à déguster dans deux à cinq ans.

Françoise Roux, Ch. Lagüe, 33126 Fronsac, tél. 05.57.51.24.68, fax 05.57.25.98.67, e-mail arnaud.roux-oulie@wanadoo.fr r.-v.

Fronsac

CH. ARNAUTON 2003 ★

■ 25 ha 84 120 8 à 11 €

Cette propriété a su se développer au fil du temps, passant de 9 ha à 25 ha d'un seul tenant. Elle propose aujourd'hui un excellent vin, essentiellement à base de merlot (95 %). La robe soutenue attire ; les parfums de cerise et de fraise, assortis de réglisse, sont élégants. Les tanins riches et fermes ne manquent pas de nervosité, ce qui est le gage d'un vrai potentiel de vieillissement : au moins trois à huit ans.

Ch. Arnauton, rte de Saillans, 33126 Fronsac,
tél. et fax 05.57.55.06.00,
e-mail arnauton.chateau@free.fr
t.l.j. sf sam. dim. 8h-12h 13h-17h
Herail

CH. BARRABAQUE 2003

■ 5 ha 15 000 8 à 11 €

Ce 2003 ne manque pas de qualités. Sa robe est limpide et le bouquet, encore discret, s'annonce élégant. Les tanins souples en attaque, se montrent ensuite un peu plus sévères, et il faudra attendre deux à cinq ans qu'ils s'arrondissent.

SCEV Noël, Ch. Barrabaque, 33126 Fronsac,
tél. 05.57.55.09.09, fax 05.57.55.09.00,
e-mail chateaubarrabaque@yahoo.fr r.-v.

CH. BOURDIEU LA VALADE 2003 ★

■ 13 ha 30 000 8 à 11 €

Le château est un ancien pavillon de chasse du duc de Richelieu, cédé par la suite à son neveu Duplessis. La vendange 2003 a engendré ce vin pourpre aux reflets violacés et au bouquet fruité (cerise, groseille) et élégant. Ronds, chaleureux, bien mûrs, les tanins évoluent en bouche avec de la fermeté et une bonne persistance. Attendre un à trois ans.

Xavier Roux, Ch. Coustolle, 33126 Fronsac,
tél. 05.57.51.31.25, fax 05.57.74.00.32,
e-mail coustolle.fronsac@wanadoo.fr
t.l.j. 8h-20h

CH. DE CARLMAGNUS 2003 ★★

■ 2,26 ha 7 800 15 à 23 €

La petite histoire raconte que Charlemagne est passé un jour à Fronsac ; ce qui est sûr, c'est qu'il a inspiré le nom de ce cru planté exclusivement de merlot et qui s'est donné les moyens d'une qualité régulière. Son 2003, de couleur pourpre sombre, affiche des parfums de fruits rouges bien mûrs en harmonie avec des nuances boisées. Les tanins veloutés et gras en attaque évoluent avec finesse et puissance avant une finale très équilibrée qui laisse augurer un beau potentiel (au moins quatre à huit ans).

Arnaud Roux-Oulié, Palais du Fronsadais, BP 12,
33126 Fronsac, tél. 05.57.51.24.68, fax 05.57.25.98.67,
e-mail arnaud.roux-oulie@wanadoo.fr r.-v.

CH. CHADENNE 2003 ★★

■ 1,5 ha 5 000 15 à 23 €

Située dans un parc arboré, cette demeure du XVIII^e^s. ne manque pas de charme, tout comme son vin issu exclusivement de merlot. La robe pourpre de ce 2003 brille de reflets grenat et son bouquet complexe évoque la mûre, la vanille et le pain grillé. Les tanins se montrent suaves, pleins, harmonieux et équilibrés dans leur évolution. La finale aromatique et interminable laisse présager un grand avenir, au moins cinq à dix ans. Le second vin, le **Château La Fleur Chadenne 2003 (11 à 15 €)** obtient une étoile ; il a son caractère propre, très fruité, et il est déjà prêt à boire, ce qui permettra d'attendre son aîné.

SCEA Ph. et V. Jean,
Ch. Chadenne, 33126 Saint-Aignan,
tél. 05.57.24.93.10, fax 05.57.24.95.98,
e-mail chateau.chadenne@wanadoo.fr r.-v.

CLOS DU ROY Cuvée Arthur 2003 ★

■ 4 ha 15 000 11 à 15 €

Cette propriété s'est développée depuis une vingtaine d'années. La robe du 2003 se nuance de violet ; les arômes de fruits un peu cuits et de violette s'accompagnent d'une pointe d'alcool. Soyeux et fruités, les tanins se révèlent ensuite puissants et équilibrés, déjà très harmonieux. La **cuvée classique Clos du Roy 2003 (8 à 11 €)** est citée : du même style, elle est cependant plus souple et plus courte. Déjà prêts à boire, ces deux vins se garderont trois à six ans.

Philippe Hermouet, Clos du Roy, 33141 Saillans,
tél. 05.57.55.07.41, fax 05.57.55.07.45,
e-mail contact@vignobleshermouet.com
t.l.j. sf sam. dim. 9h-12h 14h-17h

CH. LA CROIX-LAROQUE 2003 ★

■ 13 ha 30 000 8 à 11 €

Depuis 1900 dans la même famille, cette propriété située sur un terroir argilo-calcaire mérite que l'on s'intéresse à son 2003. La robe violacée est vive et le fruité et le boisé du bouquet sont harmonieux. La structure souple et complexe évolue avec fraîcheur et équilibre. La finale est d'une grande longueur. Un vin à laisser mûrir deux ou trois ans.

Guy Morin, Ch. La Croix-Laroque, 33126 Fronsac,
tél. 05.57.51.24.33, fax 05.57.51.64.23,
e-mail guy.morin16@wanadoo.fr r.-v.

CRU DU MONGE 2003 ★

■ 0,5 ha 3 000 5 à 8 €

Un cru confidentiel mais très ancien, situé sur le chemin de Saint-Jacques-de-Compostelle. Son 2003 présente une couleur rubis brillant et un bouquet de petits fruits rouges et noirs délicatement boisé. La structure très soyeuse, fraîche et souple, est déjà harmonieuse ; la complexité devrait apparaître après deux ou trois ans de vieillissement.

Pierre-Luc Alla,
11, rte de La Reuille, 33910 Saint-Denis-de-Pile,
tél. 06.20.73.73.43, fax 05.57.74.26.08,
e-mail pierre-luc.alla@wanadoo.fr r.-v.

CH. DALEM 2003 ★

■ 13 ha 60 000 15 à 23 €

88 89 90 **93** |95| |96| |98| **99** |00| |01| **02** 03

Le millésime 2003 est le deuxième vinifié par Brigitte, la fille de Michel Rullier qui a établi la renommée de ce cru commandé par une bâtisse du XVIII^e^s. Une réussite, comme en témoignent la robe grenat chatoyant, les arômes de cassis, de mûre et de boisé toasté. En bouche, c'est un vin puissant, qui ne manque ni de fraîcheur ni d'élégance en finale, et qui devrait être au mieux de sa forme dans deux à cinq ans. Du même propriétaire, Le **Château de la Huste 2003 (11 à 15 €)** est cité ; très fruité, il est déjà parfait.

SARL Vignobles Brigitte Rullier, Ch. Dalem, 1, Dalem, 33141 Saillans, tél. 05.57.84.34.18, fax 05.57.79.39.85, e-mail chateau-dalem@wanadoo.fr

CH. DE LA DAUPHINE 2003

10 ha 31 000 11 à 15 €

Cette magnifique propriété du XVIII[e]s. a été acquise en 2001 par Jean Halley auprès des Moueix. Implanté sur un terroir argilo-limoneux et sableux, ce cru est aujourd'hui conseillé par Denis Dubourdieu, professeur d'œnologie à la Faculté de Bordeaux. Le 2003 affiche une robe grenat profond et des parfums intenses de cassis et de boisé toasté. Les tanins sont souples, épicés, encore un peu austères en finale. Ce vin gagnera en amabilité et en fondu. Il trouvera sa pleine harmonie d'ici un à trois ans.

SCEA Domaines Jean Halley, Ch. de La Dauphine, 33126 Fronsac, tél. 05.57.74.06.61, fax 05.57.51.80.57, e-mail contact@chateau-dauphine.com r.-v.

CH. FONTENIL 2003 ★★

9,39 ha 39 000 15 à 23 €

88 **89** (90) 92 93 94 **95** 96 97 98 **99 00** (01) 02 **03**

Encore une fois, mais ce n'est plus une surprise, ce cru appartenant à Dany et Michel Rolland se retrouve parmi les meilleurs. 10 % de cabernet-sauvignon complètent le merlot pour donner ce 2003 remarquable : la robe grenat intense a des reflets carminés très vifs, et les arômes puissants et élégants évoquent les fruits cuits, le café, la cannelle et la vanille. Mûr, puissant et savoureux, ce vin évolue avec finesse et beaucoup de persistance aromatique. Une grande bouteille à déguster dans trois à huit ans.

Michel et Dany Rolland, Catusseau, 33500 Pomerol, tél. 05.57.51.23.05, fax 05.57.51.66.08, e-mail rolland.vignobles@wanadoo.fr

CH. LA GRAVE 2003 ★★

3,7 ha 8 000 11 à 15 €

Déjà distingué par un coup de cœur pour son canon-fronsac, Château La Fleur Cailleau, Paul Barre réussit ici aussi un remarquable 2003, issu d'un vignoble cultivé en biodynamie. La robe pourpre aux reflets grenat est engageante. Les arômes de fruits mûrs (framboise) et de violette sont agrémentés de notes toastées. Les tanins d'une rondeur chaleureuse en attaque révèlent ensuite tout leur potentiel, grâce à beaucoup de puissance, de fraîcheur mentholée et d'élégance. Un vin prêt mais qui gagnera à attendre deux à huit ans.

Paul et Pascale Barre, La Grave, 33126 Fronsac, tél. 05.57.51.31.11, fax 05.57.25.08.61, e-mail p.p.barre@wanadoo.fr r.-v.

CH. HAUCHAT LA ROSE 2003 ★

4,5 ha 16 000 11 à 15 €

Implantées sur le haut plateau de Saint-Aignan, sur un terroir argilo-calcaire, les vignes de merlot sont orientées plein sud. Elles ont donné ce vin à la robe violacé limpide et au bouquet de fruits et de boisé bien fondu. Les tanins sont puissants, francs, encore dominés par l'élevage en barrique, mais l'ensemble possède un potentiel de garde de trois à six ans. Du même propriétaire, le **Château Hauchat 2003 (8 à 11 €)** est cité : proche du précédent par sa qualité, il peut être bu plus rapidement, d'ici un ou deux ans.

Vignobles Jean-Bernard Saby et Fils, Ch. Rozier, 33330 Saint-Laurent-des-Combes, tél. 05.57.24.73.03, fax 05.57.24.67.77, e-mail info@vignobles-saby.com r.-v.

CH. HAUT-CARLES 2003 ★★

9 ha 19 000 23 à 30 €

94 **95** 96 97 **98** **99 00 01 02 03**

Montaigne et La Boétie se rencontraient dans ce château fortifié qui appartenait à la famille du premier. Il passa ensuite aux mains des Carles. Avec cette cuvée, issue

Le nord-ouest du Libournais

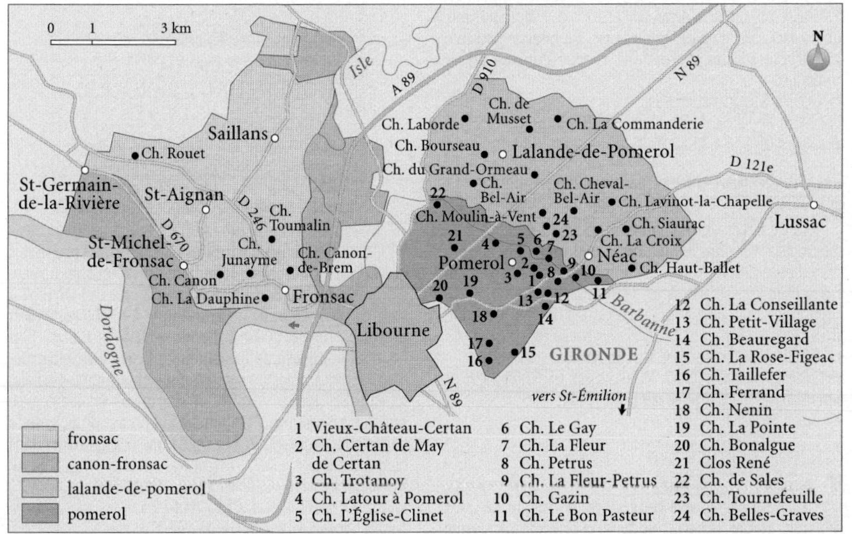

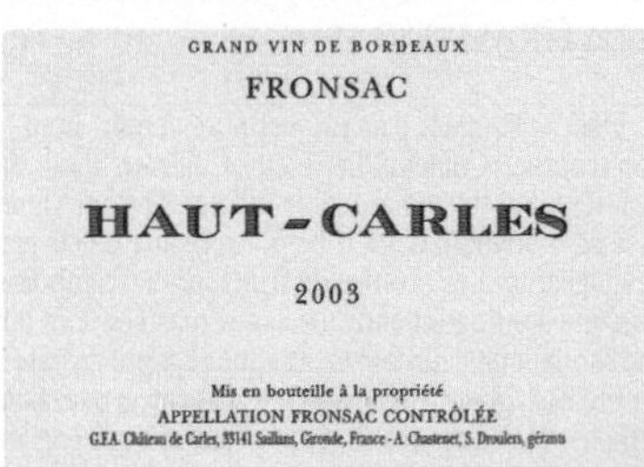

d'une sélection parcellaire, le cru obtient à nouveau la consécration : sixième coup de cœur en dix ans ! La robe est superbe, pourpre aux reflets violets ; les arômes puissants de noisette, de cacao, de cerise noire et d'épices grillées sont complexes et d'une rare élégance. La structure remarquable est digne des plus grands vins : richesse, équilibre et longueur ! La promesse d'un grand moment dans deux à huit ans.

SCEV Ch. de Carles, Ch. de Carles, rte de Galgon, 33141 Saillans, tél. 05.57.84.32.03, fax 05.57.84.31.91, e-mail stephane-droulers@lazard.fr r.-v.

CH. HAUT LARIVEAU 2003 *

■ 4,5 ha 15 000 11 à 15 €

Cette propriété était commandée par un manoir attenant à l'hôpital de La Riveau, fondé par les hospitaliers de Saint-Jean-de-Jérusalem au XIIe s. Neuf siècles plus tard, vous y découvrirez ce 2003 aux arômes de petits fruits rouges et de fleurs. Les tanins sont puissants, racés, presque un peu sévères dans leur évolution, mais tout devrait s'harmoniser avec deux ou trois ans de garde.

Ch. Haut Lariveau, Lariveau, 33126 Saint-Michel-de-Fronsac, tél. 05.57.51.14.37, fax 05.57.51.53.45, e-mail moulinpeylabrie@wanadoo.fr r.-v.

CH. HAUT-PEYCHEZ Élevé en fût de chêne 2003

■ 3,3 ha 12 000 8 à 11 €

Implanté sur un sol argilo-calcaire, ce cru propose un 2003 assemblant 85 % de merlot et 15 % de cabernet franc, au nez puissant d'épices et de boisé. La bouche présente une structure tannique ronde et souple. Pour un plaisir immédiat.

SCEA Ch. Ravat et Fils, Ch. Haut-Peychez, 1, Peychez, 33126 Fronsac, tél. et fax 05.57.84.33.82 r.-v.

CH. JEANDEMAN La Chêneraie 2003 *

■ 5 ha 5 500 8 à 11 €

Cette cuvée assemblant 85 % de merlot et 15 % de cabernets revêt dans le millésime 2003 une robe pourpre aux reflets noirs. Le boisé bien présent se mêle subtilement à des notes de sous-bois et de pruneau. Très tannique, intense, la bouche apparaît elle aussi fort boisée. On attendra trois à six ans que l'ensemble se fonde.

SCEV Roy-Trocard, Ch. Jeandeman, 33126 Fronsac, tél. 05.57.74.30.52, fax 05.57.74.39.96, e-mail roy.trocard@terre-net.fr r.-v.

Jean Trocard

CH. JEANROUSSE 2003

■ 7,5 ha 50 000 5 à 8 €

Élaboré par la cave coopérative de Lugon, ce 2003 rubis affiche une robe à la fois dense et brillante et présente un bouquet élégant, encore marqué par le boisé ; la bouche est souple, bien fruitée et assez harmonieuse. Un vin simple mais bien fait, à boire dans les trois ans.

Union de producteurs de Lugon, 6, rue Louis-Pasteur, 33240 Lugon, tél. 05.57.55.80.86, fax 05.57.84.83.16 r.-v.

SCEA Bordeille

CH. MAYNE-VIEIL Cuvée Aliénor 2003 *

■ 5 ha 20 000 8 à 11 €

Fruit d'une sélection de vieilles vignes de merlot âgées de quarante ans en moyenne et parée d'une robe sombre et profonde, cette cuvée offre un bouquet intense évoquant le bois de santal, la vanille et le cacao. Plus fruitée, la bouche évolue sur des tanins savoureux et d'une belle finesse. Le potentiel de garde ? De trois à six ans.

SCEA du Mayne-Vieil, 33133 Galgon, tél. 05.57.74.30.06, fax 05.57.84.39.33, e-mail maynevieil@aol.com t.l.j. sf sam. dim. 9h-12h 14h-18h

Sèze-Boye

CH. MOULIN DE REYNAUD 2003

■ 2 ha 10 000 11 à 15 €

Depuis douze générations dans la même famille, ce cru fondé en 1750 propose un 2003 grenat aux reflets noirs et au bouquet naissant de petits fruits noirs et rouges. La bouche, souple et assez équilibrée, joue la discrétion dans les arômes et la simplicité en finale. Un vin prêt.

Vignoble Béraud, Ch. La Brande, 33141 Saillans, tél. 05.57.74.36.38, fax 05.57.74.38.46, e-mail labrande.saillans@wanadoo.fr t.l.j. sf dim. 9h-12h30 14h-19h; groupes sur r.-v.

CH. MOULIN HAUT-LAROQUE 2003 **

■ 15,11 ha 50 000 15 à 23 €

86 88 |(89)| **90** |95| **96** 97 98 |**99**| 00 01 02 **03**

GRAND VIN DE BORDEAUX
CHATEAU
MOULIN HAUT-LAROQUE
FRONSAC
2003
Jean-Noël Hervé
RECOLTANT A SAILLANS (GIRONDE) FRANCE
MIS EN BOUTEILLE AU CHATEAU
PRODUIT DE FRANCE

Ce château figure parmi les plus anciennes propriétés de l'appellation fronsac. Régulièrement d'un haut niveau, il réussit pour la cinquième fois sa « montée de l'Olympe » avec ce coup de cœur du grand jury. La robe sombre et profonde de ce 2003 brille de reflets carminés. Son bouquet complexe de fruits noirs à l'eau-de-vie s'harmonise avec des notes boisées intenses et élégantes (vanille, toasté). Ses tanins veloutés et charmeurs évoluent avec puissance et maturité. La bouche fait preuve d'une grande persistance aromatique. Un vin de classe, à apprécier dans cinq à dix ans.

Jean-Noël Hervé, Cardeneau, 33141 Saillans, tél. 05.57.84.32.07, fax 05.57.84.31.84, e-mail hervejnoel@wanadoo.fr r.-v.

LE PETIT ÂNE 2003

■ 1,8 ha 5 400 ◐ 8 à 11 €

Un nom original pour ce vin bien fait, issu exclusivement de merlot. Les arômes de cuir accompagnés d'un boisé discret sont en début d'évolution ; les tanins, francs et bien présents, structurent une bouche qui ne joue pas les prolongations. Une bouteille à ouvrir dès aujourd'hui.

SCEA Anna et Jacques Favier, Ch. Vieux Mouleyre, 33126 Fronsac, tél. 06.80.58.42.10, fax 01.47.58.08.92, e-mail jacques-favier@vieux-mouleyre.com r.-v.

CH. PLAIN-POINT 2003 *

■ 17 ha 120 000 ◐ 11 à 15 €

« Plain-Point » est une altération de « Plein Poing », voulant dire « au sommet » ; ce château était jusqu'à la fin du XVes. une place forte, dont il ne reste aujourd'hui que la chapelle. Le cru a produit un 2003 grenat aux reflets rubis et au bouquet intense de pruneau, d'épices et de griotte. La structure tannique puissante et mûre témoigne d'un élevage bien mené. À attendre deux ou trois ans.

Michel Aroldi,
SA Ch. Plain-Point, 33126 Saint-Aignan,
tél. 05.57.24.96.55, fax 05.57.24.91.64,
e-mail chateau.plain-point@libertysurf.fr r.-v.

CH. PONTUS 2003 *

■ 10 ha 7 000 ◐ 5 à 8 €

Voici deux vins du même producteur, dans le millésime 2003, qui obtiennent chacun une étoile. Le Château Pontus se présente sous une robe pourpre intense et vive. Son bouquet complexe évoque le cassis et la cerise noire, agrémentés d'une note délicate de vanille. Les tanins sont denses, frais, puissants et persistants. Le **Château La Croix 2003 (8 à 11 €)** est plus marqué par l'élevage en barrique : les notes boisées dominent actuellement un bon fruit que l'on retrouve en bouche, avec une structure riche et équilibrée. Ces deux vins méritent d'être attendus entre deux et cinq ans.

SCEA Dorneau, Ch. La Croix, 33126 Fronsac,
tél. 05.57.51.31.28, fax 05.57.74.08.88,
e-mail scea-dorneau@wanadoo.fr r.-v.

CH. PUY GUILHEM Cuvée Baptistine 2003 **

■ 1,5 ha 6 000 ◐ 11 à 15 €

Créé au XVIIIes., ce vignoble, acheté en 1995 par Annie et Jean-François Enixon, n'a pas cessé depuis de progresser, témoin cette cuvée de pur merlot. La robe pourpre est profonde et les arômes de café et de grillé s'affirment au nez sur un fruité que l'on devine subtil. Les tanins sont soyeux, délicatement extraits et en harmonie avec un boisé bien maîtrisé. Un vin qu'il faudra attendre entre deux et six ans.

Jean-François Enixon, Ch. Puy Guilhem,
33141 Saillans, tél. 05.57.84.32.08, fax 05.57.74.36.45,
e-mail puy.guilhem@infonie.fr r.-v.

CH. RENARD MONDÉSIR 2003 **

■ 7 ha 12 000 ◐ 11 à 15 €

93 |95| |96| |98| |99| 00 01 |02| **03**

Ce cru appartient à un négociant de Libourne, également propriétaire de Château Jean Voisin, grand cru de saint-émilion. D'un pourpre intense, presque noir, ce 2003 offre un bouquet intense et complexe : vanille, sous-bois, fraise et pain grillé. En bouche, les tanins sont soyeux, ronds et puissants à la fois ; l'évolution se fait sur l'élégance, l'harmonie et la persistance aromatique se révèle digne des plus grands millésimes. À découvrir dans deux à huit ans.

Xavier Chassagnoux, Ch. Renard, 33126 La Rivière,
tél. 05.57.24.96.37, fax 05.57.24.90.18,
e-mail chateau.renard.mondesir@wanadoo.fr
r.-v.

CH. RICHELIEU 2003

■ 7 ha 18 300 ◐ 15 à 23 €

C'est le duc de Richelieu, petit-neveu du Cardinal, qui fit construire le château pour y accueillir ses soirées galantes. Le cru propose un vin bien fait, au boisé élégant, marqué également par les fruits rouges (cerise, framboise). Les tanins sont soyeux et puissants, la longueur moyenne. Prêt à boire, ce 2003 se gardera entre trois à six ans. La **Favorite de Richelieu 2003 (23 à 30 €)**, agréable et de bonne facture, est également citée.

SCEA Ch. Richelieu, 1, chem. du Tertre,
33126 Fronsac, tél. 05.57.51.13.94, fax 05.57.25.90.63,
e-mail info@chateau-richelieu.com
t.l.j. sf sam. dim. 9h-12h 14h-17h

CH. DE LA RIVIÈRE 2003

■ 59 ha 113 000 ◐ 11 à 15 €

Ce magnifique château du XVIes. restauré par Viollet-le-Duc, mérite le détour. Il a changé plusieurs fois de propriétaires ces derniers temps. Avec ce 2003, il présente un vin agréable, au bouquet fruité (cassis, myrtille), légèrement toasté. Si l'ampleur n'est pas excessive, les tanins savent rester soyeux. À garder un à trois ans.

SCA Ch. de La Rivière, 33126 La Rivière,
tél. 05.57.55.56.56, fax 05.57.24.94.39,
e-mail info@chateau-de-la-rivie5ere.com
t.l.j. sf sam. dim. 10h-12h30 14h30-18h
James Grégoire

CH. LA ROSE GARNIER 2003 *

■ 1,27 ha 5 500 ◐ 5 à 8 €

À peine plus d'un hectare de vignes de merlot (80 %) et de cabernet-sauvignon (20 %) a été sélectionné pour ce vin à la robe pourpre sombre et intense et au bouquet expressif de cacao et de vanille. Les tanins bien mûrs, francs et équilibrés et la fin de bouche tout en finesse laissent espérer une bonne garde (au moins cinq ans).

Jean-Yves Millaire, Lamarche, 33126 Fronsac,
tél. 06.08.33.81.11, fax 05.57.24.94.99,
e-mail vignoblemillaire@aol.com
t.l.j. 8h-13h 14h-20h

CH. LA ROUSSELLE 2003 *

■ 4,6 ha 13 000 ◐ 15 à 23 €

Commandé par une belle demeure du XVIIIes., le vignoble s'étage en amphithéâtre au-dessus de la vallée de la Dordogne. D'un pourpre violacé intense, ce 2003 livre des parfums de fruits un peu masqués par des notes boisées (croûte de pain, vanille et fumé). Tout en douceur en attaque, la bouche évolue avec élégance, équilibre et longueur. Un plaisir à partager.

Viviane Davau, Ch. La Rousselle, 33126 La Rivière,
tél. 05.57.24.96.73, fax 05.57.24.91.05 r.-v.

CH. TOUR DU MOULIN 2003

■ 7 ha 20 000 ◐ 8 à 11 €

Ce 2003 se distingue par sa robe grenat brillant et son délicat bouquet naissant de cuir, de fruits rouges et de menthol. Agréable et onctueux en bouche, il présente une finale encore un peu austère, et il est préférable d'attendre un à trois ans.

SCEA Ch. Tour du Moulin, Le Moulin, 33141 Saillans, tél. et fax 05.57.74.34.26, e-mail chttourdumoulin@aol.com r.-v.

CH. LES TROIS CROIX 2003

■ 13,7 ha 51 000 15 à 23 €

Beaucoup de soin et de rigueur sont apportés dans l'élaboration de ce vin, produit par la famille de Patrick Léon, talentueux œnologue. Le 2003 affiche une robe grenat dense ; le bouquet de cuir et de gibier perce sous le boisé. La bouche n'est pas des plus longues mais se montre très équilibrée. Vous attendrez un à trois ans pour ouvrir cette bouteille.

Famille Patrick Léon, EARL Les Trois Croix, Ch. Les Trois Croix, 33126 Fronsac, tél. 05.57.84.32.09, fax 05.57.84.34.03, e-mail lestroiscroix@aol.com r.-v.

CH. LA VIEILLE CROIX DM 2003

■ 6 ha 28 000 11 à 15 €

Composée exclusivement de merlot, cette cuvée DM rend hommage à Marie Dubreuil, première propriétaire du domaine. Elle offre un bouquet expressif et élégant, marqué par les notes de boisé. Franche en attaque, la bouche livre des tanins généreux et séveux, qui se montrent encore un peu sévères en finale, signe qu'il est préférable d'attendre cette bouteille un à trois ans.

Ch. La Vieille Croix, La Croix, 33141 Saillans, tél. 05.57.74.30.50, fax 05.57.84.30.96 r.-v.

CH. LA VIEILLE CURE 2003 *

■ 17 ha 58 000 15 à 23 €

88 89 90 93 **94** |**95**| 96 **97 98** 99 |00| **01 02** 03

Les lecteurs du Guide connaissent bien ce domaine que l'on retrouve, après le coup de cœur de l'an dernier, avec ce 2003 vêtu d'une robe sombre aux reflets orangés. Le nez est complexe, boisé, vanillé et épicé. En bouche, les tanins sont soyeux. L'ensemble ample et harmonieux finit sur une pointe chaleureuse. À servir d'ici deux à cinq ans.

SNC Ch. La Vieille Cure, Coutreau, 33141 Saillans, tél. 05.57.84.32.05, fax 05.57.74.39.83, e-mail vieillecure@wanadoo.fr

CH. VILLARS 2003 *

■ 20 ha 89 000 11 à 15 €

93 **94** |**95**| 96 |98| |99| **00** 01 **02** 03

Valeur sûre du Fronsadais, cette propriété propose aujourd'hui d'excellents vins élaborés par Thierry Gaudrie, le fils du propriétaire qui a beaucoup œuvré pour l'appellation et son cru. Ce 2003 séduit par sa robe profonde aux brillants reflets rubis et offre des parfums subtils de fruits mûrs (cassis) et d'épices qui ne demandent qu'à s'épanouir. Classique, bien équilibrée, la structure promet une garde d'au moins trois à huit ans.

SCEV Gaudrie et Fils, Ch. Villars, 33141 Saillans, tél. 05.57.84.32.17, fax 05.57.84.31.25, e-mail chateau.villars@wanadoo.fr r.-v.

CH. VRAY HOUCHAT 2003

■ 8 ha 42 200 5 à 8 €

Avec 90 % de merlot, ce 2003, deuxième vin du château Les Roches de Ferrand, offre un nez dominé par les fruits rouges bien mûrs et la réglisse. En bouche, les tanins sont ronds et souples. Simple mais bien fait, un vin à boire dès aujourd'hui.

Rémy Rousselot, Ch. Les Roches de Ferrand, 33126 Saint-Aignan, tél. 05.57.24.95.16, fax 05.57.24.91.44, e-mail vignobles.remy.rousselot@wanadoo.fr r.-v. 4

Pomerol

Avec environ 830 ha, Pomerol est l'une des plus petites appellations girondines, et l'une des plus discrètes sur le plan architectural.

Au XIXe s., la mode des châteaux du vin, d'architecture éclectique, ne semble pas avoir séduit les Pomerolais, qui sont restés fidèles à leurs habitations rurales ou bourgeoises. Néanmoins, l'aire d'appellation possède la demeure qui est sans doute l'ancêtre de toutes les chartreuses girondines, le château de Sales (XVIIe s.), et l'une des plus charmantes constructions du XVIIIe s., le château Beauregard, qui a été reproduit par les Guggenheim, dans leur propriété new-yorkaise de Long Island.

Cette modestie du bâti sied à une AOC dont l'une des originalités est de constituer une sorte de petite « république villageoise » où chaque habitant cherche à conserver l'harmonie et la cohésion de la communauté ; souci qui explique pourquoi les producteurs sont toujours restés plus que réservés quant au bien-fondé d'un classement des crus.

La qualité et la spécificité des terroirs auraient justifié une reconnaissance officielle du mérite des vins de l'appellation. Comme tous les grands terroirs, celui de Pomerol est né du travail d'une rivière, l'Isle, qui a commencé par démanteler la table calcaire pour y déposer en désordre des nappes de cailloux, que s'est chargée de travailler l'érosion. Le résultat est un enchevêtrement complexe de graves ou cailloux roulés, originaires du Massif central. La complexité des terrains semble inextricable : toutefois il est possible de distinguer quatre grands ensembles : au sud, vers Libourne, une zone sablonneuse ; près de Saint-Émilion, des graves sur sables ou argiles (terroir proche de celui du plateau de Figeac) ; au centre de l'AOC, des graves sur, ou parfois sous des argiles (Petrus) ; enfin, au nord-est et au nord-ouest, des graves plus fines et plus sablonneuses.

Cette diversité n'empêche pas les pomerol de présenter une analogie de structure.

Très bouquetés, ils allient la rondeur et la souplesse à une réelle puissance, ce qui leur permet d'être de longue garde tout en pouvant être bus assez jeunes. Ce caractère leur ouvre une large palette d'accords gourmands, aussi bien avec des mets sophistiqués qu'avec des plats très simples. En 2005, l'appellation a produit 31 790 hl.

CH. BEAUREGARD 2003 ★★

■ 13 ha 42 000 23 à 30 €

75 78 81 (82) **83** 84 **85** 86 88 89 90 92 **93 94** |**95**| |**96**| **97 98** |99| (00) **01** |02| **03**

Comme son cousin sauternais Bastor-Lamontagne, ce domaine viticole appartient au groupe Foncier-Vignobles, filiale du Crédit Foncier. Il est géré par Michel Garat assisté de l'œnologue Vincent Priou. Le château est une vraie chartreuse du XVIII[e]s., construite par un élève de Victor Louis à qui l'on doit le Grand Théâtre de Bordeaux. Ce 2003 est, lui aussi, un exemple d'harmonie. La somptueuse robe bordeaux foncé est ourlée d'un liseré rubis. Au nez, le bois toasté et épicé repose sur un fond de fruits noirs très mûrs composant un bouquet fort élégant. Une cascade de notes fruitées agrémente l'attaque, puis les tanins boisés et réglissés prennent le relais pour assurer une finale savoureuse et persistante. Un très bon pomerol de garde. Le **Benjamin de Beauregard 2003 (15 à 23 €)**, une étoile, est bien représentatif du millésime ; il s'ouvrira un peu plus vite que son aîné.

SCEA Ch. Beauregard, 33500 Pomerol,
tél. 05.57.51.13.36, fax 05.57.25.09.55,
e-mail pomerol@chateau-beauregard.com r.-v.

CH. BEAU SOLEIL 2003 ★

■ 3,5 ha 18 000 15 à 23 €

Il s'agit de l'avant-dernier millésime d'Anne-Marie Audy, car ce cru a été repris en fermage en 2005 par Thierry Rustmann, dont la femme, Lorraine, est propriétaire du château Talbot. Le vignoble passe d'une famille libournaise à une famille médocaine, mais demeure dans le monde viticole bordelais. Le vin, lui, reste bien pomerol, très coloré, très mûr au nez, qui marie le merlot surmûri à un boisé discret. En bouche, les arômes vont crescendo, accompagnés de tanins puissants, racés mais veloutés, gage d'un réel potentiel. Encore un an ou deux de patience.

THR Investissements, Ch. Sénéjac,
33290 Le Pian-Médoc, tél. 05.56.70.20.11,
fax 05.56.70.23.91, e-mail trustmann@wanadoo.fr

CH. BELLEGRAVE 2003 ★

■ 7 ha 34 000 15 à 23 €

94 |95| |96| **97** |**98**| |99| |00| 01 **02** 03

Ce joli vignoble, acquis en 1951 par le père de Jean-Marie Bouldy, est établi sur des graves argileuses. Rubis sombre, encore un peu fermé, le 2003 exhale un fumet chaleureux, empyreumatique et viandé, accompagné de cuir. La bouche généreuse marie les fruits confits et le bois réglissé. Sa structure tannique consistante permettra à cette bouteille de bien vieillir ; elle demande deux ou trois ans de patience. Cité, le **Château des Jacobins 2003** plus ouvert, plus floral, est encore un peu austère ; il pourra se boire plus vite.

Jean Marie Bouldy, Lieu-dit René, 33500 Pomerol,
tél. 05.57.51.20.47, fax 05.57.51.23.14,
e-mail jmbouldy@wanadoo.fr r.-v.

CH. LE BON PASTEUR 2003 ★

■ 7 ha 22 000 38 à 46 €

78 79 81 (82) **83** |**85**| |**86**| |**88**| |89| |**90**| **92 93 94** |(95)| 96 97 (98) **99 00 01** 02 03

Il s'agit du cru le plus connu de Michel et Dany Rolland. Il est situé dans le secteur de Maillet, à l'est de l'appellation, là où la plupart des vignes ont bien résisté à la canicule en raison de la qualité du terroir d'argiles graveleuses et sableuses. Ce vin se pare d'un rubis profond riche en nuances. Le nez puissant, d'abord sur le bois toasté, libère à l'aération des parfums concentrés de fruits mûrs. La bouche est à la fois puissante et élégante ; on y retrouve le raisin très mûr encore dominé par la barrique neuve. Bien dans le style pomerol d'année chaude, cette bouteille devrait s'ouvrir assez prochainement.

SCEA des domaines Rolland, Maillet,
33500 Pomerol, tél. 05.57.51.23.05, fax 05.57.51.66.08,
e-mail rolland.vignobles@wanadoo.fr r.-v.

CH. BOURGNEUF-VAYRON 2003 ★

■ 9 ha 24 500 23 à 30 €

Jolie propriété familiale fondée en 1890 et située entre la N 89 et l'église de Pomerol. Quant au vin dégusté, il ne s'agit pas d'une sélection mais de l'ensemble de la production vinifié parcelle par parcelle en petite cuve et élevé quinze mois en barrique après assemblage. Le nez d'abord marqué par le fût s'ouvre à l'aération sur les fruits noirs. La saveur est également très boisée mais la structure est équilibrée, élégante. Des tanins prometteurs offriront à ce 2003 une assez longue vie.

Xavier Vayron, Ch. Bourgneuf-Vayron,
1, le Bourgneuf, 33500 Pomerol,
tél. 05.57.51.42.03, fax 05.57.25.01.40,
e-mail chateaubourgneufvayron@wanadoo.fr r.-v.

CH. LA CABANNE 2003

■ 10 ha 36 000 23 à 30 €

85 86 89 90 94 95 96 00 |01| |02| 03

Ce cru fait partie des trois propriétés que la famille Estager possède à Pomerol. Il doit son nom aux nombreuses cabanes de vignerons qu'on trouvait là autrefois. D'approche sombre, le 2003 se montre corsé et viril. Le nez s'ouvre sur du merlot très mûr aux accents de pruneau à l'armagnac accompagné d'un boisé réglissé et d'une touche animale. La saveur d'amande grillée de l'attaque laisse la place à des tanins serrés qui permettront à cette bouteille de bien vieillir.

Vignobles J.-P. Estager, 35, rue de Montaudon,
33500 Libourne, tél. 05.57.51.04.09, fax 05.57.25.13.38,
e-mail estager@estager.com r.-v.

CH. CANTELAUZE 2003 ★

■ 1 ha 3 600 38 à 46 €

92 94 |**95**| |**96**| |98| |99| 01 02 03

Jean-Noël Boidron se présente modestement comme l'héritier d'une famille de tonneliers et de viticulteurs de père en fils depuis 1890. Il est un peu plus que cela : ancien professeur de l'Institut d'œnologie de Bordeaux, propriétaire de plusieurs crus en Libournais. Et fin vinificateur : il fallait un réel savoir-faire pour réussir ce 2003 issu d'un sol de graves et de sables. D'une belle couleur pourpre et grenat, ce vin est déjà très attrayant au nez par ses notes de baies mûres accompagnées d'un boisé finement torréfié et cacaoté. Au palais, l'étoffe apparaît souple et élégante, le fruité et le merrain vanillé bien présents. Les tanins fondus permettront d'apprécier cette bouteille assez vite, par exemple sur une entrecôte bordelaise ou des desserts fruités (fraise des bois...).

Jean-Noël Boidron, 6, pl. Joffre, 33500 Libourne, tél. 05.57.51.64.88, fax 05.57.51.56.30, e-mail vignoblesjnboidron@wanadoo.fr r.-v.

CH. CERTAN DE MAY DE CERTAN 2003 ★

5 ha 15 000 38 à 46 €

85 86 88 |89| |(90)| 94 |95| |96| 97 |98| |99| |00| 01 **02** 03

Au XVI[e]s., la famille De May, d'origine écossaise, se vit offrir ce domaine pour services rendus à la France ; elle y planta la vigne. Aujourd'hui Jean-Luc Barreau y élabore un excellent vin, de style traditionnel. Dans le verre, le cœur est rubis sombre et le liseré plus ambré. Le nez très fin choisit des notes minérales, des nuances de fruits compotés et de boisé fin. La bouche équilibrée est structurée par des tanins boisés et fins, qui permettront à ce 2003 de bien vieillir. Il faudra un ou deux ans de patience avant qu'il ne s'ouvre complètement.

Mme Barreau-Badar, Ch. Certan, 33500 Pomerol, tél. 05.57.51.41.53, fax 05.57.51.88.51, e-mail chateau.certan-de-may@wanadoo.fr r.-v.

LA CLÉMENCE 2003 ★★

2,86 ha 5 300 46 à 76 €

Ce petit vignoble est réparti sur cinq terroirs assez différents et complémentaires, qui permettent d'obtenir une qualité régulière malgré les caprices des millésimes. Un atout particulièrement précieux en 2003, comme le montre cette remarquable bouteille. La teinte foncée rappelle le bigarreau noir. Au nez, le boisé domine mais il est très élégant, cacaoté ; le fruit apparaît à l'agitation. La bouche, équilibrée, rappelle la vendange bien mûre et la barrique de qualité. Les tanins réglissés et tendres révèlent un bon pomerol de garde.

SC Dauriac, Ch. Destieux, 33330 Saint-Émilion, tél. 06.13.42.95.35, fax 05.57.40.37.42, e-mail dauriac@labm.fr r.-v.

CLOS DE LA VIEILLE ÉGLISE 2003 ★★

1,45 ha 6 000 30 à 38 €

92 93 94 |95| |96| 99 **00** 01 02 **03**

Jean-Louis Trocard et sa famille exploitent plusieurs crus dans le Libournais. Ici, il s'agit d'un petit vignoble sur sols argilo-graveleux, complanté à 75 % de merlot et à 25 % de cabernet franc. Ce 2003 parfaitement équilibré, fin et harmonieux, est paré d'une robe bordeaux sombre, à la fois classique et somptueuse. Le nez passe par toute la palette aromatique : fruits confits, merrain toasté, pain d'épice, touche minérale, vanille et réglisse... Au palais, la saveur est en harmonie avec le nez ; après une attaque cordiale et séveuse, les tanins se révèlent denses, mais fins et persistants. Ce vin sera bientôt prêt et se gardera longtemps. On l'associera à une cuisine raffinée.

Jean-Louis Trocard, 2, les Petits-Jays-Ouest, 33570 Les Artigues-de-Lussac, tél. 05.57.55.57.90, fax 05.57.55.57.98, e-mail trocard@wanadoo.fr t.l.j. 8h30-12h 14h-17h30

CLOS DU CLOCHER 2003 ★

4,3 ha 19 000 30 à 38 €

82 83 (84) 85 |**88**| |**89**| |90| |95| 97 **98** 99 **00** 01 02 03

Pierre Bourotte gère plusieurs crus en Libournais. À Pomerol, nous en avons retenu trois. D'abord ce Clos du Clocher pour l'impression d'harmonie qu'il dégage tout au long de la dégustation, du premier regard à l'arrière-bouche. On pourra le déboucher dans un an ou deux et il sera parfait, lors de la décennie suivante, sur volaille et viande rouge. Le **Château Bonalgue 2003 (23 à 30 €)**, cité, est très agréable. Un vin cerise burlat noire à l'œil, au nez et en bouche, marqué en fin de dégustation par les tanins et la chaleur du millésime. Il faudra patienter un ou deux ans pour un meilleur fondu. Le **Château Monregard La Croix 2003 (15 à 23 €)**, cité également, a le nez encore un peu dans la barrique, mais le fruit et la vinosité sont là. Les tanins un peu jeunes demandent à être attendus deux ou trois ans.

SC Clos du Clocher, 35, quai du Priourat, 33500 Libourne, tél. 05.57.51.62.17, fax 05.57.51.28.28, e-mail vignobles@jbaudy.fr r.-v.

CLOS L'ÉGLISE 2003 ★

4,7 ha 13 000 46 à 76 €

Ce cru est établi sur les graves argileuses proches de l'église de Pomerol. On y trouve un 2003 puissant, à la robe sombre ourlée de grenat. Intenses et harmonieux, ses arômes expriment les baies noires, l'orange confite, le bois vanillé, mentholé, la noix de coco tant au nez qu'en bouche. La charpente est assurée par des tanins boisés bien enrobés. L'ensemble demande deux ou trois ans pour s'affiner. Le second vin, **Esprit de L'Église 2003 (23 à 30 €)**, une étoile également, est fin, élégant et subtil. Il s'ouvrira plus vite.

Sylviane Garcin, SC Clos L'Eglise, 33500 Pomerol, tél. 05.56.64.05.22, fax 05.56.64.06.98, e-mail haut.bergey@wanadoo.fr r.-v.

CH. LA COMMANDERIE DE MAZEYRES 2003

9,5 ha 14 000 23 à 30 €

Une des propriétés viticoles de Clément Fayat, le petit apprenti auvergnat devenu un entrepreneur à la stature internationale. En 2000, il achète le Clos Mazeyres et le rebaptise Commanderie, nom qui rappelle la présence de nombreux ordres de moines-soldats dans la région au Moyen Âge. On a affaire ici à un pomerol très contemporain, à la robe pourpre sombre, au bouquet de fruits confits, de boisé toasté et vanillé. Sa bouche chaleureuse et souple est fruitée et truffée. Les tanins denses et boisés devraient s'arrondir assez vite : un ou deux ans de patience et l'on pourra commencer à apprécier ce 2003 sur du gibier et des fromages affinés.

Vignobles Clément Fayat, 30, av. du Château-Pichon, 33290 Parempuyre, tél. 05.56.35.23.79, fax 05.56.35.85.23, e-mail info@vignobles.fayat.com r.-v.

CH. LA CONSEILLANTE 2003 ★★

12 ha 42 000 46 à 76 €

82 85 88 |**89**| |**90**| 93 |95| |96| |98| |99| |**00**| **01** 02 **03**

Une valeur sûre de l'appellation. Au XVII[e]s., la propriété appartenait à une certaine Catherine Conseillan, qui lui donna son nom. En 1871, Louis Nicolas, dont les initiales ornent l'étiquette, en devint l'heureux propriétaire. Lui-même et ses descendants n'ont eu de cesse de maintenir et de développer la qualité de ce cru idéalement placé sur des graves argileuses. L'âge des vignes et cette présence d'argile ont permis au millésime 2003 de résister à la canicule. La robe bordeaux est sombre, presque noire. Le nez se montre à la fois subtil et puissant : on y trouve des fruits confiturés, un boisé épicé. Le palais onctueux, en harmonie avec le bouquet, repose sur des tanins denses mais veloutés. Un superbe potentiel (dix ans).

SC Héritiers Nicolas, Ch. La Conseillante, 33500 Pomerol, tél. 05.57.51.15.32, fax 05.57.51.42.39, e-mail contact@la-conseillante.com r.-v.

CH. LA CROIX DE GAY 2003 *

■ 10 ha 21 443 23 à 30 €

(85) 86 88 89 91 92 93 |95| |99| **00** |01| |02| 03

Propriété familiale tenue en filiation directe par la même famille depuis le XVe s. ; Chantal Lebreton en assure la cogérance depuis 1998. Elle propose un vin pourpre frangé de grenat. Encore marqué par la barrique neuve, le nez est fin, vanillé, cacaoté. L'aération libère le fruit cuit (confiture de cerises). La bouche de merlot bien mûr, séduit par son élégance, malgré des tanins puissants très présents mais prometteurs. Un pomerol de style moderne, qui plaira à beaucoup de monde dans deux ou trois ans.

SCEV Ch. La Croix de Gay, 33500 Pomerol, tél. 05.57.51.19.05, fax 05.57.51.81.81, e-mail contact@chateau-lacroixdegay.com r.-v.

Chantal Lebreton et Alain Raynaud

CH. LA CROIX SAINT-GEORGES 2003 *

■ 3,5 ha 16 500 30 à 38 €

(82) 83 85 86 **88 89** 90 **93** |**96**| |98| |**99**| **00** 02 |03|

La famille de Joseph Janoueix exploite plusieurs crus en pomerol. Tout d'abord La Croix Saint-Georges, dont le nom rappelle la présence de l'ordre des Hospitaliers de Saint-Jean de Jérusalem en ces lieux. La robe bigarreau noir du 2003 est ourlée de grenat. Ses arômes de baies noires très mûres se marient à un boisé épicé pour donner un bouquet délicat. La bouche suave, consistante, est soutenue par de bons tanins qui devraient s'affiner assez vite. Le **Château La Croix 2003**, souple et fruité, pourra se boire plus tôt. Enfin le **Clos des Litanies 2003**, plus boisé, devrait lui aussi s'ouvrir assez vite. Ces deux derniers sont cités.

SC Ch. La Croix, 37, rue Pline-Parmentier, BP 192, 33506 Libourne Cedex, tél. 05.57.51.41.86, fax 05.57.51.53.16, e-mail info@j-janoueix-bordeaux.com r.-v.

CH. DU DOMAINE DE L'ÉGLISE 2003 *

■ n.c. 23 000 23 à 30 €

|95| 97 |98| |**99**| |00| |01| 02 03

Ce cru est implanté sur graves, tout près de l'église. Dans le verre, le rubis est dense. Le bouquet, déjà agréable, joue sur le fruit confit, l'amande et un bois finement vanillé. Charnue, la bouche tout en fruits frais repose sur des tanins encore jeunes, qui assureront une bonne tenue au vieillissement. À ouvrir dans deux ans.

Indivision Castéja-Preben-Hansen, 33500 Pomerol, tél. 05.56.00.00.70, fax 05.57.87.48.61, e-mail domaines@borie-manoux.fr r.-v.

CH. L'ENCLOS 2003 *

■ 8,89 ha 21 701 23 à 30 €

85 86 |88| |**89**| |95| |96| |98| |**99**| |00| 01 02 03

Ce vignoble familial est une valeur sûre de l'appellation. Il est établi sur les graves sablo-argileuses du secteur de Moulinet, entre les routes de Lyon et de Paris. Dans le verre, le rubis apparaît intense et lumineux. Expressif, le nez mêle des fruits rouges écrasés à un boisé toasté et vanillé, et à du tabac blond. Le palais monte en puissance, d'abord souple et fruité, puis, plus consistant, soutenu par des tanins fins et soyeux. Déjà très élégante, cette bouteille sera prête à servir dans deux ans.

SCEA du Ch. L'Enclos, 20, rue du Grand-Moulinet, 33500 Pomerol, tél. 05.57.51.04.62, fax 05.57.51.43.15, e-mail chateaulenclos@wanadoo.fr r.-v.

CH. FEYTIT-CLINET 2003 *

■ 6,34 ha 14 000 30 à 38 €

Depuis que la famille Chasseuil a pris en main en 2000 ce joli vignoble entourant une bâtisse en pierre de taille, le cru décroche régulièrement une étoile. C'est encore le cas pour le 2003 qui n'a pourtant pas été facile à vinifier, avec la canicule s'abattant sur ce terroir de graves et de sables. Mais Jérémy Chasseuil est un jeune œnologue plein de ressources. Il présente un vin à la robe pourpre intense fort attrayante. Au nez, le merlot très mûr résiste bien au boisé fin. À la fois puissante et racée, la bouche exprime beaucoup d'arômes fruités et boisés. Les tanins sont élégants et la persistance notable. Dans les deux à six prochaines années, ce vin saura accompagner viandes rouges et civets.

Jérémy Chasseuil, Ch. Feytit-Clinet, 33500 Pomerol, tél. 05.57.25.51.27, fax 05.57.25.93.97 r.-v.

CH. LA FLEUR-PETRUS 2003

■ 12,5 ha 42 200 46 à 76 €

82 83 |**85**| **86** |**88**| |(89)| **90 94** |95| |**96**| **98** 99 01 02 03

Christian Moueix et Jean-Claude Berrouet s'intéressent à toutes les pratiques culturales qui respectent le terroir. S'ils ne sont pas passés à l'agrobiologie certifiée, ils n'en sont pas très éloignés, s'inscrivant dans la ligne de la lutte intégrée – une conduite de la vigne soucieuse de l'environnement. Ce cru de graves sur sous-sol argileux est complanté de 76 % de merlot et de 24 % de cabernet franc. Une séduisante teinte bordeaux, animée d'un léger liseré tuilé, un nez de réglisse, de fruits rouges, une attaque pleine, puis un développement encore ferme marqué par vingt mois d'élevage en barrique : il faut attendre au moins deux ans pour laisser cette bouteille s'ouvrir.

SC Ch. La Fleur-Petrus, 33500 Pomerol, tél. 05.57.51.78.96, fax 05.57.51.79.79, e-mail info@jpmoueix.com

CH. FRANC-MAILLET 2003 *

■ 5,6 ha 30 000 15 à 23 €

|98| |**99**| |00| **01** |02| 03

La famille Arpin exploite plusieurs crus en Libournais, dont cet intéressant vignoble sur graves siliceuses. Le vin présente une attrayante couleur bigarreau noir à reflets grenat. D'abord très boisé, le bouquet laisse place à des arômes floraux et fruités. La bouche savoureuse propose du fruit noir, de la vanille, une charpente tannique bien enrobée. Dans deux ou trois ans, quand le boisé se sera un peu estompé, on pourra commencer à accorder ce 2003 avec une large palette gastronomique.

🔑 EARL Vignobles G. Arpin,
Chantecaille, 33330 Saint-Émilion,
tél. 06.09.73.69.47, fax 05.57.51.96.75,
e-mail vignobles.g.arpin@wanadoo.fr ☑ r.-v.

CH. LE GAY 2003 *

■ 6 ha 15 000 ⏸ 46 à 76 €

Catherine Péré-Vergé a entrepris la rénovation de ce cru qu'elle a acquis en 2002 auprès des demoiselles Robin qui l'avaient exploité pendant soixante ans. Intense, ce 2003 est bien dans son millésime : fruits confiturés, notes torréfiées, matière volumineuse. La longue finale est prometteuse. Plus classique, le second vin **Manoir de Gay 2003 (23 à 30 €)**, rubis intense, égrène des notes de cerise à l'eau-de-vie, de noisette ; rond et concentré, il devrait être de bonne garde.

🔑 SCEA Vignobles Péré-Vergé, Le Gay,
33500 Pomerol, tél. 32.69.88.01.18, fax 32.69.77.73.73,
e-mail pvp.montviel@skynet.be 🚶r.-v.

CH. GAZIN 2003 ***

■ 24,24 ha 44 000 ⏸ 30 à 38 €

70 75 76 78 79 80 81 82 **83** 84 **85 86 87 88** |89| |⑳| **91** 92 **93** 94 ⑮ ⑯ |97| **98** 99 |**00**| 01 **02** ⑬

Cru emblématique de Pomerol. Le domaine, ainsi que la famille de Balliencourt remontent à la période médiévale. On pourrait parler des Hospitaliers de Saint-Jean-de-Jérusalem, de batailles. Mais le 2003 mérite que l'on s'intéresse d'abord à lui. Il a fait l'unanimité des dégustateurs qui ont reconnu là un très grand vin. Il est superbe à tous les stades de la dégustation : de la somptueuse robe bordeaux moirée de reflets noirs et du bouquet riche, profond, élégant, complexe et charmeur jusqu'au palais d'une harmonie parfaite, concentré et séveux, dense et soyeux, charpenté par des tanins puissants mais cordiaux. Un grand pomerol de garde, qui sera aussi bon jeune que vieux.

🔑 de Bailliencourt, SCEA et GFA Ch. Gazin,
33500 Pomerol, tél. 05.57.51.07.05, fax 05.57.51.69.96,
e-mail contact@gazin.com 🍷 🚶 r.-v.

CH. GOMBAUDE GUILLOT 2003 **

■ 6,78 ha 12 025 ⏸ 30 à 38 €

La famille Laval exploite 8 ha en agriculture biologique. Le Château Gombaude Guillot est issu de vieilles vignes implantées sur graves argileuses. C'est un vin très riche, paré d'une robe somptueuse. Son bouquet marie harmonieusement les fruits mûrs et le merrain fin. Cordial et dense, le palais repose sur des tanins de qualité qui font de ce 2003 un très bon pomerol de garde. Le **Clos Plince 2003 (15 à 23 €)**, né de sables, intéresse par son fruité, sa fraîcheur, sa souplesse, son caractère épicé. On pourra le boire un peu plus tôt. Il obtient une étoile.

🔑 SCEA Famille Laval, 4, chem. des Grand'Vignes,
33500 Pomerol, tél. 05.57.51.17.40, fax 05.57.51.16.89,
e-mail chateau.gombaude-guillot@wanadoo.fr
☑ 🍷 🚶 r.-v.

🔑 GFA Ch. Gombaude-Guillot

CH. GOUPRIE 2003

■ 4,57 ha 9 360 ⏸ 15 à 23 €

Situé à l'est de l'appellation, ce vignoble propose un 2003 rubis sombre nuancé de brun. Le nez repose sur un boisé discret accompagné de senteurs animales, de cuir. La bouche est souple et ronde à l'attaque, mais les tanins arrivent vite, surtout boisés. Ce vin bien structuré, mais sans excès, s'appréciera dans deux à cinq ans.

🔑 SCEA Moze-Berthon, Bertin, 33570 Montagne,
tél. 05.57.74.66.84, fax 05.57.74.58.70,
e-mail chateau.rocher-gardat@wanadoo.fr ☑ 🍷 🚶 r.-v.

CH. GRAND MOULINET 2003

■ 3 ha 20 000 ⏸ 15 à 23 €

94 96 97 98 99 |00| 01 |02| 03

Ce petit vignoble, complanté à 90 % de merlot, appartient à la cinquième génération d'une famille de vignerons établis dans l'appellation voisine de lalande-de-pomerol. Il a donné naissance à un vin gourmand qui devrait s'ouvrir assez vite. Des arômes de griotte, de moka et un boisé très présent accompagnent des notes de fruits confiturés en bouche, soutenus par des tanins boisés qui devraient s'affiner d'ici un an.

🔑 GFA Ch. Haut-Surget, Chevrol, 33500 Néac,
tél. 05.57.51.28.68, fax 05.57.51.91.79,
e-mail chateauhautsurget@wanadoo.fr
☑ 🍷 🚶 t.l.j. 8h-12h 14h-18h

🔑 Fourreau

CH. LA GRAVE À POMEROL
Trigant de Boisset 2003

■ 8,68 ha 31 600 ⏸ 23 à 30 €

82 83 85 **86** |**88**| |**89**| |⑳| **92 94** |**95**| |98| |99| **00 01** 02 03

Vendanges du 4 septembre et petits rendements pour ce millésime associant 11 % de cabernet franc au merlot. Malgré la canicule, il s'agit d'un pomerol bien typé au bouquet discret et fin de baies noires associées à une pointe de cuir. Soyeux et rond, aimable, ce vin à la saveur charmeuse est destiné aux mets délicats.

🔑 Ets Jean-Pierre Moueix, 54, quai du Priourat,
33500 Libourne, tél. 05.57.51.78.96, fax 05.57.51.79.79,
e-mail info@jpmoueix.com

CH. GUILLOT 2003

■ 4,29 ha 18 500 ⏸ 15 à 23 €

82 83 88 **89** 93 94 |95| |96| 97 |98| |99| 00 02 03

Ce cru est dans la famille Luquot depuis 1937. Sa surface peut paraître modeste. À Pomerol, elle ne l'est pas, surtout si la propriété est située au cœur du plateau, entourée de prestigieux voisins. Le 2003 exprime bien son millésime chaud. La robe est sombre, burlat noir bordé de grenat. Le nez de fruits cuits est accompagné de fin boisé et d'une touche de cuir. La bouche aimable, souple et fruitée repose sur des tanins serrés. D'ici deux ou trois ans, on imagine bien ce vin sur une lamproie ou des mets en sauce. Il gagnera à être carafé une heure ou deux avant le service.

SCEA Vignobles Luquot, 152, av. de l'Épinette, 33500 Libourne, tél. 05.57.51.18.95, fax 05.57.25.10.59, e-mail sceavignoblesluquot@terre-net.fr r.-v.
GFA Luquot frères

CH. HAUT-TROPCHAUD

Élevé en fût de chêne 2003

■ 2,1 ha 11 500 15 à 23 €

88 90 93 94 |95| 96 02 03

Voici un nom de cru qui convient parfaitement au millésime 2003 ! La vigne se trouve sur la haute terrasse de Tropchaud et Trotanoy, mêlant graves, argiles et crasse de fer. Dans le verre, la teinte grenat apparaît plutôt évoluée. Le nez est encore dans la barrique torréfiée. L'aération libère le fruit et les épices. La mise en bouche, souple et fruitée, est vite relayée par des tanins boisés de bonne facture et suffisamment affinés pour permettre de servir ce pomerol plutôt jeune, sur de la volaille.

SCEA Vignobles Michel Coudroy, Maison-Neuve, BP 4, 33570 Montagne, tél. 05.57.74.62.23, fax 05.57.74.64.18, e-mail michel-coudroy@wanadoo.fr r.-v.

CH. LATOUR À POMEROL 2003

■ 7,93 ha 22 400 38 à 46 €

75 (76) **80** 81 **82 83** 85 **86** |**88**| |**89**| |**90**| **93 94** |95| |96| 98 00 |**01**| 03

Un terroir sablo-graveleux recouvrant une couche d'argile a donné naissance à ce vin encore très fermé le jour de la dégustation : cela n'empêche pas sa robe de se montrer brillante, prometteuse, avec ses reflets irisés. Les effluves discrets de cerise à l'eau-de-vie, de fumé, de boisé et la structure fine et équilibrée n'annoncent pas un vin de très longue garde mais demandent quelques mois pour mieux se révéler.

Ets Jean-Pierre Moueix, 54, quai du Priourat, 33500 Libourne, tél. 05.57.51.78.96, fax 05.57.51.79.79, e-mail info@jpmoueix.com
Foyer de la Charité de Châteauneuf-de-Galaure

CH. MAZEYRES 2003 ★★

■ 21,15 ha 63 700 15 à 23 €

92 93 **94 95** 96 97 |00| |(01)| |02| **03**

L'un des grands domaines de l'appellation, établi sur graves argilo-siliceuses et complanté à 90 % de merlot. Ce 2003 est l'archétype des grands pomerol de garde et décroche un coup de cœur (comme le 2001). Tout y est ! Le pourpoint bordeaux à liseré grenat ; le bouquet profond, encore boisé mais avec du merlot très mûr en arrière-plan, qui commence à se marier avec des notes réglissées, épicées ; la bouche, cordiale et ronde, à la saveur de cerise à l'eau-de-vie typique du millésime, charpentée par des tanins distingués et prometteurs. L'ensemble sera excellent prochainement mais pourra se garder.

SC Ch. Mazeyres, 56, av. Georges-Pompidou, 33500 Libourne, tél. 05.57.51.00.48, fax 05.57.25.22.56, e-mail mazeyres@wanadoo.fr r.-v.

CH. MONTVIEL 2003 ★

■ 3,5 ha 15 000 30 à 38 €

Le cuvier du château Montviel a été remis à neuf en 2002. Ce millésime en a donc profité. Il a passé vingt mois en barriques de chêne neuves. Sa robe est carminée ; son nez n'exprime aujourd'hui que des notes grillées, toastées, qui se poursuivent en bouche où le cuir les rejoint. Sa belle matière, sa puissance et ses tanins encore jeunes incitent à attendre cette bouteille deux à cinq ans.

SCEA Vignobles Péré-Vergé, Grand-Moulinet, 33500 Pomerol, tél. 32.69.88.01.18, fax 32.69.77.73.73, e-mail pvp.montviel@skynet.be r.-v.

CH. NÉNIN 2003 ★

■ 25 ha 30 246 30 à 38 €

Très facile à trouver, le château Nénin est un vaste vignoble (pour Pomerol) entourant une belle demeure du XVIII[e]s., située à l'entrée droite de Catusseau, en venant de Libourne. Sa surface importante lui permet d'accéder à la plupart des terroirs de l'appellation. En 1997, Jean-Hubert Delon et sa sœur Geneviève d'Alton l'ont acquis et c'est leur équipe médocaine qui le restructure actuellement comme elle l'a fait à Léoville-las-Cases. Leurs vins atteignent aujourd'hui le niveau souhaité. Nénin est un grand vin, riche à tous les stades de la dégustation, plein de fruits mûrs, d'épices douces, de merrain finement toasté. Il se montre déjà très plaisant mais possède des tanins serrés et persistants qui lui permettront de bien vieillir. **Fugue de Nénin 2003 (11 à 15 €)** est un second vin fort sympathique par son fruité intense et ses tanins frais. Cité, il pourra être servi plus jeune et gagnera à être carafé.

SC du Ch. Nénin, 33500 Pomerol, tél. 05.56.73.25.26, fax 05.56.59.18.33, e-mail leoville-las-cases@wanadoo.fr r.-v.

CH. PETIT VILLAGE 2003 ★

■ 11 ha 20 000 38 à 46 €

85 86 88 **89** |**90**| **92 93** |**95**| 96 97 |**98**| |99| **02** 03

Le groupe d'assurances Axa a acquis ce cru en 1989. Plusieurs bâtiments le commandant forment comme un petit village.... Le 2003 est intéressant bien qu'encore boisé. La couleur intense présente quelques reflets bruns d'évolution. Le nez est dominé par le chêne torréfié, la noix de coco, le clou de girofle. Il faut beaucoup d'aération pour libérer le fruit. La bouche est chaleureuse et vanillée. Les tanins de bois légèrement envahissants lui donnent un caractère un peu austère qui devrait s'assouplir avec le temps.

Ch. Petit-Village, 33500 Pomerol, tél. 05.57.51.21.08, fax 05.57.51.87.31, e-mail contact@petit-village.com r.-v.
Axa Millésimes

PETRUS 2003 ★★

■ 11,52 ha 18 500 + de 76 €

61 **67 71** 74 **75 76** 78 **79** 81 (82) |**83**| |**85**| |**86**| 87 |(88)| |**89**| **90 92** |**93**| **94** (95) (96) |**97**| (98) **99** (00) **01 02 03**

Jean-Pierre Moueix a beaucoup contribué à la renommée des pomerol au siècle dernier, notamment avec Petrus dont il a fait un véritable mythe. Son fils Christian,

avec toujours pour maître d'œuvre Jean-Claude Berrouet, sait mettre en musique le terroir singulier de ce cru, étonnante boutonnière d'argile pure consacrée au merlot que complètent 5 % de cabernet franc. En 2003, les vendanges ont débuté le 2 septembre. Dégusté le 20 mars 2006, le vin arbore une robe pourpre, profonde et dense. Ses arômes parlent la langue du merlot très mûr, du boisé discret, avec des notes de truffe, de cuir et de cigare. Au palais, la saveur est cordiale, puissante et élégante à la fois, soutenue par de bons tanins de raisin et de merrain garants d'une longue garde.
⊶ SC du Ch. Petrus, 33500 Pomerol

CH. LA POINTE 2003 *

■ 22 ha 95 000 ⓘ 15 à 23 €

82 83 85 86 88 |89| **93 95 96** ⑱ |00| **01** |**02**| 03

Il ne s'agit pas ici d'une microcuvée, mais de la production totale de cet important domaine viticole établi aux portes de Libourne sur un terroir particulier de sables et de graves aux éléments ferrugineux et marneux. Ce cru fait preuve d'une belle régularité. Le 2003 à la robe chatoyante animée de reflets rubis, noirs et grenat est plein de charme : baies noires, griotte, boisé, moka, cacao. Harmonieuses, les saveurs fruitées, boisées et épicées se marient agréablement. Les tanins bien maîtrisés permettront de servir ce vin prochainement mais il se conservera.
⊶ SCE Ch. La Pointe-Pomerol, 33500 Pomerol,
tél. 05.57.51.02.11, fax 05.57.51.42.33,
e-mail chateau.lapointe@wanadoo.fr ☒ Ɪ ⚲ r.-v.
⊶ d'Arfeuille

CH. POMEAUX 2003

■ 2,5 ha 7 310 ⓘ 38 à 46 €

98 99 |**00**| |**01**| 03

Ce petit vignoble, acquis en 1998 par A. T. Powers et un petit groupe d'investisseurs, est situé sur la pente sud du plateau de Pomerol. Le merlot y règne en maître absolu. Dans le verre, le cœur rubis est bordé d'un liseré tuilé. Le bouquet s'ouvre sur un boisé torréfié et beurré accompagné de fruits rouges confiturés. La bouche savoureuse est soutenue par des tanins encore robustes qui demanderont deux ou trois ans pour s'assagir. Les amateurs de vins fins apprécieront cette bouteille dans la prochaine décennie.
⊶ Ch. Pomeaux, 6, Lieu-dit Toulifaut, 33500 Pomerol,
tél. 05.57.51.98.88, fax 05.57.51.88.99,
e-mail info@pomeaux.com ⚲ r.-v.

CH. PONT-CLOQUET 2003 *

■ n.c. 2 000 ▮ⓘ 30 à 38 €

Une très vieille parcelle de merlot achetée par Stéphanie Rousseau en 1996. Elle y produit une cuvée confidentielle, toujours bien notée. Le 2003 est lui aussi retenu. La couleur bordeaux est sombre. Le nez encore un peu fermé s'ouvre à l'aération sur des baies noires très mûres, de la griotte, un boisé vif et une touche animale. Corsé, charpenté par des tanins solides, un peu rustiques mais prometteurs, c'est un pomerol de garde qui gagnera à être carafé.
⊶ Stéphanie Rousseau, 1, Petit-Sorillon, 33230 Abzac,
tél. 05.57.49.06.10, fax 05.57.49.38.96,
e-mail chateau@vignoblesrousseau.com ☒ Ɪ ⚲ r.-v.

ROMULUS 2003 **

■ 1 ha 4 300 ⓘ 46 à 76 €

Romain Rivière, un des fils de Marie-Claude et Claude Rivière, a créé cette cuvée en 2001, en arrivant sur la propriété familiale. Il s'agit d'un pur merlot planté sur sables noirs et crasse de fer. Tous ses soins ont donné un superbe 2003 à la robe bordeaux sombre traversée de reflets noirs. Ses arômes très intenses, d'abord boisés, évoquent ensuite les baies noires surmûries, les fruits confits, la griotte. Le palais, corsé et puissant, est charpenté par des tanins bien élevés, qui ne cassent pas l'harmonie générale. Un vin de longue garde (huit à dix ans), qui tiendra tête aux mets de caractère.
⊶ SARL La Croix Taillefer, BP 4,
33500 Pomerol, tél. et fax 05.57.25.08.65,
e-mail la.croix.taillefer@wanadoo.fr ☒ Ɪ ⚲ r.-v.
⊶ Rivière

CH. ROUGET 2003 **

■ 18,5 ha n.c. ⓘ 30 à 38 €

94 |95| |96| 97 |98| |**99**| |00| |01| **02 03**

Ce grand domaine viticole, entourant une vaste demeure, tient son nom du lieu-dit Rougier. Curieusement, le lierre qui recouvre entièrement la façade de la grande maison est un végétal classé par les Monuments de France. Mais venons-en au vin. Il mérite qu'on s'y intéresse. Il succède au coup de cœur obtenu par le 2002. La pourpre de la robe présente quelques reflets d'évolution. Le bouquet repose sur un boisé de qualité ; il évolue sur le fruit mûr à l'aération. Si le merrain domine encore, les tanins soyeux sont enrobés et promettent de s'affiner. Dans deux ou trois ans, on pourra commencer à apprécier cette bouteille sur des viandes rouges et du gibier.
⊶ SGVP Ch. Rouget, 33500 Pomerol,
tél. 05.57.51.05.85, fax 05.57.45.22.45,
e-mail chateau.rouget@wanadoo.fr ☒ Ɪ ⚲ r.-v.
⊶ Labruyère

CH. TAILLEFER 2003 *

■ 11,45 ha 45 000 ⓘ 23 à 30 €

93 94 |95| |96| 97 |**00**| 01 02 03

Ce domaine coiffé d'un élégant château doit son nom à la crasse de fer présente dans son terroir. Il figure sur les cartes de Belleyme (1764) et le cadastre napoléonien (1808) ; facile d'accès, il mérite une visite et son 2003, une dégustation. L'œil est charmé par la couleur bigarreau noir. Le nez apprécie le fruité (griotte) reposant sur un bois cacaoté et une touche de cuir. L'attaque souple est relayée par des tanins serrés et nobles. Dans deux ou trois ans, ce vin pourra commencer à accompagner un gigot d'agneau aux champignons des bois.
⊶ SC Bernard Moueix,
Ch. Taillefer, BP 9, 33501 Libourne Cedex,
tél. et fax 05.57.25.50.45 ☒ Ɪ ⚲ r.-v.

CH. THIBEAUD-MAILLET 2003 *

■ 1,52 ha 6 000 ⓘ 23 à 30 €

88 89 90 93 94 95 96 97 |98| |99| |01| |02| 03

Coquet petit vignoble fondé vers 1800 par la famille Thibeaud. Le merlot presque pur est implanté sur un terroir argilo-graveleux. À la dégustation, on sent le vin « bichonné ». La robe grenat est intense et brillante. Le nez délicat décline des fruits rouges, de la violette, de la vanille et un boisé réglissé. La bouche, un peu dominée par le bois, apparaît étoffée, concentrée mais sans lourdeur ; ses tanins encore austères demanderont deux ou trois ans pour se fondre. Ensuite, ce vin accompagnera dignement chapons ou pintades.
⊶ Roger et Andrée Duroux, Ch. Thibeaud-Maillet,
33500 Pomerol, tél. 05.57.51.82.68, fax 05.57.51.58.43
☒ Ɪ ⚲ t.l.j. 9h-12h 13h-20h 🏠 Ⓖ

CH. TOUR MAILLET 2003

■ 2,22 ha 10 000 15 à 23 €

99 |**00**| |01| |02| 03

Ce petit vignoble du secteur de Maillet, au nord-est de l'appellation, appartient à des viticulteurs de Montagne. Ils présentent un vin toujours intéressant, issu de pur merlot planté sur sables graveleux. La robe intense se pare de grenat. Le premier nez très boisé laisse la place à des fruits rouges confiturés. La mise en bouche est chaleureuse, mais les tanins arrivent vite, révélant une saveur épicée et une texture serrée qui incitent à attendre un peu cette bouteille (un à deux ans).

SCEV Lagardère, Négrit, 33570 Montagne,
tél. 05.57.74.61.63, fax 05.57.74.59.62,
e-mail vignobleslagardere@wanadoo.fr r.-v.

CH. TROTANOY 2003 *

■ 7,16 ha 15 000 46 à 76 €

75 79 80 (82) **85 86** 87 |**88**| |**89**| |(90)| **92 94** |(95)| |(96)| 97 **98 99 00** (01) **02** |03|

Trotanoy illustre parfaitement le millésime de la canicule. Les fruits confits dominent toute la dégustation de ce 2003 à la robe superbe, noire à reflets grenat. Des notes empyreumatiques accompagnent le fruité mûr. Les tanins veloutés deviennent fermes en finale, confirmant que l'acidité nécessaire aux grands vins de garde est bien présente. Puissant, l'ensemble saura plaire pendant cinq à six ans, voire davantage.

SC du Ch. Trotanoy, 33500 Pomerol,
tél. 05.57.51.78.96, fax 05.57.51.79.79,
e-mail info@jpmoueix.com

CH. DE VALOIS 2003 *

■ 5,1 ha n.c. 15 à 23 €

Ce cru familial (depuis 1886) est implanté tout près de l'appellation saint-émilion, dans le secteur de Figeac propice aux cabernets qui sont présents ici à plus de 20 %. Frais et racé, rubis bordé de grenat, ce vin exprime un beau fruit relevé par un boisé fin. La bouche est pleine et fruitée, étoffée par une belle mâche de tanins frais et réglissés. Pour tenir compagnie à cette bouteille, on pense à un magret de canard.

EARL Vignobles Leydet,
Ch. de Valois, Rouilledimat, 33500 Libourne,
tél. 05.57.51.19.77, fax 05.57.51.00.62,
e-mail frederic.leydet@wanadoo.fr r.-v.

VIEUX CHÂTEAU CERTAN 2003 *

■ 14 ha 12 000 46 à 76 €

81 82 83 85 86 |(88)| |**89**| |**90**| 92 |**93**| |**94**| |**95**| |**96**| |97| |(98)| |99| |**00**| **01** 02 03

Il n'est pas étonnant que les Thienpont, grande famille belge, soient tombés sous le charme de ce magnifique domaine : vaste vignoble aligné au cordeau, parc d'arbres centenaires entourant une chartreuse. L'archétype du cru familial bordelais. Le vin n'est pas mal non plus dans sa robe bordeaux bordée d'un liseré grenat. Le fumet est boisé, confituré, torréfié (moka). L'attaque est souple, puis la saveur monte en puissance ; d'abord fruitée, elle s'achève sur des notes de raisin mûr et des tanins boisés, soyeux et goûteux, qui devraient s'affiner assez vite.

SC du Vieux Château Certan, 33500 Pomerol,
tél. 05.57.51.17.33, fax 05.57.25.35.08 r.-v.
Thienpont

CH. VIEUX MAILLET 2003 *

■ 4,3 ha 12 600 30 à 38 €

95 96 97 |98| |**99**| |00| 01 02 03

Même s'il change assez souvent de mains, ce cru reste d'une qualité régulière. Le terroir y est peut-être pour beaucoup : les argiles graveleuses et sableuses du secteur de Maillet, à l'est de l'appellation. Celui-ci a donné naissance à un vin rubis profond traversé de grenat. Déjà intense, la large palette aromatique appartient aux familles fruitées et boisées. La bouche, corsée, révèle une forte extraction et les tanins sont encore dominés par le bois. Le potentiel est important : il faudra patienter deux ou trois ans.

SCEA du Ch. Vieux Maillet, 16, chem. de Maillet,
33500 Pomerol, tél. 05.57.74.56.80, fax 05.57.74.56.59,
e-mail chateauvieuxmaillet@bluewin.ch

CH. VRAY CROIX DE GAY 2003 *

■ 3,7 ha 10 590 38 à 46 €

85 86 88 |**89**| |**90**| 93 94 95 97 |98| |99| 00 01 02 03

La baronne, veuve d'Olivier Guichard, compagnon de la Libération et ministre du général de Gaulle, possède plusieurs crus en Libournais, dont ce Vray Croix de Gay régulièrement retenu. Le 2003 se pare d'une superbe robe rubis et grenat. Le bouquet bien ouvert associe les fruits rouges, un boisé discret et le vieux cuir. La bouche est à la fois chaleureuse et délicate. Le merrain déjà fondu permettra de boire cette bouteille assez vite. D'ici deux à cinq ans.

SCE Baronne Guichard, Ch. Siaurac,
33500 Néac, tél. 05.57.51.64.58, fax 05.57.51.41.56,
e-mail info@chateausiaurac.com
t.l.j. 8h-12h 14h-17h; sam. dim. sur r.-v.; f. août

Lalande-de-pomerol

Créé, comme celui de pomerol dont il est voisin, par les Hospitaliers de Saint-Jean (à qui l'on doit aussi la belle église de Lalande qui date du XIIe s.), ce vignoble de 1 174 ha, produit, à partir des cépages classiques du Bordelais, des vins rouges colorés, puissants et bouquetés, qui jouissent d'une bonne réputation, les meilleurs pouvant rivaliser avec les pomerol et les saint-émilion. 50 559 hl ont été revendiqués en 2005.

CH. BERTINEAU SAINT-VINCENT 2003 **

■ 5,4 ha 11 600 11 à 15 €

La famille Rolland a établi le siège de son exploitation à Maillet, hameau de Pomerol. Michel Rolland, œnologue consultant, parcourt le monde entier. Le lalande 2003 témoigne d'un réel savoir-faire. Son bouquet plein de charme s'ouvre sur une note de pivoine, suivie d'arômes de fruits à noyau bien mûrs et d'un boisé discret et vanillé. La bouche est ample, élégante. Sa saveur fruitée est soutenue par des tanins soyeux, déjà agréables, mais garants d'une bonne garde.

SCEA des domaines Rolland, Maillet,
33500 Pomerol, tél. 05.57.51.23.05, fax 05.57.51.66.08,
e-mail rolland.vignobles@wanadoo.fr r.-v.

CH. BOIS DE LABORDE 2003 ★

■ 3,5 ha 16 000 15 à 23 €

Cette petite propriété est située sur des graves. Elle a produit ce 2003 à la robe pourpre profond et au bouquet délicat encore très fruité, framboisé. La mise en bouche est souple et suave. Au palais, les fruits mûrs se marient harmonieusement avec le bois fin et une touche de pain de mie. Les tanins, à la fois tendres et soyeux, confèrent à ce vin un caractère sensuel et délicat qui permettra de le servir assez prochainement, par exemple sur un rôti de veau.

Vedelago, Bois de Laborde,
33500 Lalande-de-Pomerol,
tél. 06.07.13.95.49, fax 05.56.27.47.01 r.-v.

BONNES RIVES 2003 ★

■ 1 ha 3 800 15 à 23 €

Établi à Pomerol, Romain Rivière exploite aussi cette vigne de merlot en lalande. Ce premier millésime apparaît prometteur avec sa robe pourpre grenat foncé. Le nez encore dominé par un boisé toasté, libère à l'aération des senteurs de baies noires très mûres et de fruits confits. La bouche est puissante, concentrée, charnue. La saveur boisée est importante et les tanins font sentir leur présence, mais tout cela devrait se fondre d'ici un an ou deux ; on ouvrira alors cette bouteille sur des magrets.

SARL La Croix Taillefer, BP 4, 33500 Pomerol,
tél. et fax 05.57.25.08.65,
e-mail la.croix.taillefer@wanadoo.fr r.-v.
Romain Rivière

CH. LA BORDERIE-MONDÉSIR 2003 ★

■ 1,7 ha 14 000 11 à 15 €

Vignerons dans la commune d'Abzac depuis six générations, les Rousseau possèdent aussi ce petit vignoble près de l'église de Lalande. Ils en tirent deux cuvées. La principale est très colorée, avec un nez de caractère, à la fois boisé et fruité, accompagné de senteurs de sous-bois. Le palais est très généreux, charpenté, et l'extraction tannique un peu poussée nécessite un an ou deux de patience. Ce vin gagnera alors à être carafé. La **cuvée Excellence 2003 (15 à 23 €)**, citée, est davantage marquée par la barrique mais sa structure ronde devrait permettre de l'ouvrir plus tôt. Elle aussi gagnera à être décantée.

SCE Vignobles Rousseau, 1, Petit-Sorillon,
33230 Abzac, tél. 05.57.49.06.10, fax 05.57.49.38.96,
e-mail chateau@vignoblesrousseau.com r.-v.

CH. BOURSEAU 2003

■ 10 ha 25 000 11 à 15 €

À côté du merlot, le cabernet franc est ici assez présent puisqu'il atteint 40 % de l'encépagement. Cela donne un 2003 rubis intense, zébré de reflets grenat. Le bouquet naissant est encore sous l'emprise de la barrique, mais le fruit mûr apparaît à l'agitation. Après une attaque souple, le bois domine aussi un peu la bouche, mais les tanins sont fins et délicats. Déjà harmonieux, ce vin devrait garder ses qualités lors des cinq à huit prochaines années.

Vignobles Véronique Gaboriaud-Bernard,
Ch. Bourseau, 33500 Lalande-de-Pomerol,
tél. 05.57.51.52.39, fax 05.57.51.70.19,
e-mail chateau.bourseau@wanadoo.fr
t.l.j. sf sam. dim. 10h-12h 14h-18h

CH. DE CHAMBRUN 2003 ★★

■ 1,7 ha 9 500 30 à 38 €

Ce cru confidentiel est composé quasi exclusivement de merlot (97 %) d'une quarantaine d'années planté sur argilo-calcaire. Jean-Philippe Janoueix signe un superbe 2003 qui a bénéficié de beaucoup de soins à la vigne comme au chai. La robe est très sombre, traversée de quelques reflets grenat. Le bouquet naissant, déjà puissant, associe du bois torréfié, des fruits rouges surmûris et une touche mentholée. La bouche apparaît chaleureuse et charnue. Le fruit s'y exprime pleinement et se marie avec le merrain dans une belle harmonie. Les tanins denses et veloutés annoncent un grand vin de garde qui pourra accompagner une côte de bœuf, ou des fromages de toutes sortes d'ici deux ou trois ans.

Jean-Philippe Janoueix, 83, cours des Girondins,
33500 Libourne, tél. 05.57.25.91.19, fax 05.57.48.00.04,
e-mail topwinesonly@free.fr r.-v.

CH. CHATAIN PINEAU 2003

■ 5,51 ha 21 000 8 à 11 €

Ce vignoble, implanté sur un dôme argileux dominant le hameau de Chatain sur la commune de Néac, a produit un 2003 à la couleur intense frangée de reflets d'évolution. Le bouquet déjà plaisant mêle les baies noires, le pruneau et un boisé discrètement cacaoté. L'attaque est souple mais chaleureuse, la saveur dense et agréable. Les tanins encore un peu fermes gagneront à être attendus un an ou deux.

René Micheau Maillou,
la Vieille Église, 33330 Saint-Hippolyte,
tél. 05.57.24.61.99, fax 05.57.74.45.37 r.-v.

CLOS DES TUILERIES 2003

■ 3 ha 5 000 8 à 11 €

Propriété de viticulteurs dionysiens, ce vignoble implanté sur graves a donné naissance à ce 2003 déjà très plaisant, à la robe brune évoluée et au fumet rappelant le cuir et le vin à l'orange. La saveur encore fruitée est soutenue par des tanins soyeux qui permettent de servir ce vin dès maintenant sur une lamproie à la bordelaise.

SCEA des Vignobles Francis Merlet,
46, rte de l'Europe, Goizet, 33910 Saint-Denis-de-Pile,
tél. et fax 05.57.84.25.19 r.-v.

CLOS LES FOUGERAILLES 2003

■ 3,2 ha 15 000 8 à 11 €

Cette cuvée de merlot, issue de sols sablo-limoneux, est simple mais agréable. Sa couleur carminée commence à évoluer un peu. Le bouquet encore discret s'ouvre sur des notes de fruits des bois. Aimable au palais, la bouche est à la fois souple et fraîche. Les tanins, encore un peu sévères, devraient s'affiner assez vite.

SCEA du Ch. Coudreau, 1, rte de Robin,
Coudreau, 33910 Saint-Denis-de-Pile,
tél. 06.82.17.85.28, fax 05.57.74.26.77,
e-mail chateau.coudreau@laposte.net r.-v.
H. Vacher

CLOS L'HERMITAGE 2003 ★

■ 3,2 ha 18 000 11 à 15 €

Les Bertin sont propriétaires à Dallau depuis 1742. Ils présentent un 2003 tout en finesse parée d'une robe rubis sombre et au bouquet intense de fruits noirs (cassis) et de noisette. La bouche souple et fruitée est structurée par des tanins fermes mais fins, qui devraient encore s'arrondir d'ici un an ou deux.

SCEA Bertin et Fils, Dallau,
8, rte de Lamarche, 33910 Saint-Denis-de-Pile,
tél. 05.57.84.21.17, fax 05.57.84.29.44,
e-mail vignoble.bertin@wanadoo.fr r.-v.

CH. LA CROIX BELLEVUE 2003 ★★

■ 5 ha 12 000 🛢 15 à 23 €

L'un des nombreux crus bordelais exploités par Jean-Louis Trocard. Ici, le terroir de graves argileuses est complanté à parité de merlot et de cabernets. Pourpre sombre à reflets noirs, le 2003 dévoile des arômes de baies noires et de fruits à noyau. La bouche chaleureuse, mais sans mollesse, est charpentée par des tanins fins et ronds. Déjà très plaisante, cette bouteille devrait être à point d'ici deux ou trois ans ; elle pourra accompagner un gigot braisé ou un gibier en sauce.

🔑 Jean-Louis Trocard, Ch. La Croix Bellevue, BP 3, 33570 Artigues-de-Lussac, tél. 05.57.55.57.90, fax 05.57.55.57.98, e-mail trocard@wanadoo.fr ☑ Y ⚲ t.l.j. 8h-12h 14h-17h; sam. dim. sur r.-v.

CH. LA CROIX SAINT-ANDRÉ 2003

■ 10 ha 60 000 ▮🛢 15 à 23 €

Ce cru régulièrement retenu par nos dégustateurs est apprécié par des personnalités du monde de la musique. Son 2003 présente une couleur rubis profond, des arômes de fruits très mûrs et de pruneau, une bouche puissante et concentrée. En raison d'une forte extraction tannique, il devra attendre deux ou trois ans pour s'affiner.

🔑 Ch. La Croix Saint-André, 1, av. de la Mairie, 33500 Néac, tél. 05.57.84.36.67, fax 05.57.74.32.58, e-mail fcarayon@wanadoo.fr ☑ Y ⚲ r.-v.

🔑 F. Carayon

CH. LA CROIX SAINT-JEAN 2003 ★

■ 1,4 ha 6 000 ▮🛢 15 à 23 €

La famille Tapon exploite 32 ha de vignes dans le Libournais, dont cette parcelle en lalande, sur graves alluvionnaires plantées à 90 % de merlot. La robe pourpre du 2003 est encore vive et le nez déjà expressif mêle les baies rouges, les fruits à noyau, les épices et des notes boisées. Fruitée et charnue, la bouche montre de jolies rondeurs et des tanins bien structurés qui assureront une bonne évolution sur les cinq à six prochaines années. Très élégant, ce vin pourra accompagner un coq au vin aux échalotes de Bretagne.

🔑 Raymond Tapon, Ch. des Moines, Mirande, 33570 Montagne, tél. 05.57.74.61.20, fax 05.57.74.61.19, e-mail information@tapon.net ☑ Y ⚲ r.-v.

CH. LA FAURIE MAISON NEUVE Élevé en fût de chêne 2003 ★

■ 7,12 ha 48 000 ▮🛢 8 à 11 €

La famille Coudroy est présente en pomerol et en montagne-saint-émilion, mais elle possède aussi un joli vignoble en lalande-de-pomerol, établi sur un terroir de graves. La teinte rubis révèle des reflets bruns d'évolution. Le bouquet déjà expressif associe des senteurs de sous-bois et des arômes de confiture de cerises. L'attaque est souple et chaleureuse. La saveur, en accord avec le bouquet, repose sur le bois toasté et les fruits surmûris. Les tanins assouplis permettront de servir cette bouteille rapidement sur des viandes rôties.

🔑 SCEA Vignobles Michel Coudroy, Maison-Neuve, BP 4, 33570 Montagne, tél. 05.57.74.62.23, fax 05.57.74.64.18, e-mail michel-coudroy@wanadoo.fr ☑ Y ⚲ r.-v.

AMBROISIE DE LA FLEUR CHAIGNEAU 2003 ★

■ 2 ha 7 000 🛢 15 à 23 €

Notaire à Libourne depuis 1995, Me Sanchez-Ortiz a vite appris à connaître le monde de la vigne et du vin. En 2002, il a voulu partager avec ses clients viticulteurs leur passion et leurs espoirs en acquérant ce domaine. Sa cuvée Ambroisie se présente très bien dans sa robe rubis foncé et avec ses arômes puissants, boisés (cèdre, gousse de vanille) et fruités (kir). Après une belle attaque, la bouche charnue et concentrée révèle une saveur de liqueur de fruits rouges et des tanins fins et persistants. Déjà agréable, ce millésime vieillira bien.

🔑 SCEA Ch. La Fleur Chaigneau, 13, Chaigneau, 33500 Néac, tél. 06.84.80.19.26, fax 05.57.51.32.58 ☑ Y r.-v.

🔑 Sanchez-Ortiz

LA FLEUR DE BOÜARD 2003 ★

■ 19,5 ha 47 000 🛢 23 à 30 €

Hubert de Boüard propose dans cette AOC des vins de haut niveau (coup de cœur pour les millésimes 1999, 2001 et 2002) issus d'un terroir de grosses graves et d'argiles. Le millésime 2003 présente une robe aux reflets grenat intense. Le bouquet, déjà très complexe, associe le bois toasté, les baies rouges, les épices et le tabac. La bouche est ample et puissante, structurée par des tanins boisés mais qui respectent les arômes de fruits rouges. Un vin de garde pour les deux à dix prochaines années.

🔑 Hubert de Boüard de Laforest, SC Ch. La Fleur Saint-Georges, Lieu-dit Bertineau, BP 7, 33500 Pomerol, tél. 05.57.25.25.13, fax 05.57.51.65.14, e-mail contact@lafleurdebouard.com ☑ Y ⚲ r.-v.

CH. FOUGEAILLES 2003

■ 2,72 ha 14 000 ▮🛢 11 à 15 €

La famille Estager exploite plusieurs crus libournais, dont ce petit vignoble établi sur le terroir sablo-argileux de Néac et complanté pour les trois quarts de merlot et pour un quart de cabernet franc. Ce 2003 demande un peu d'aération pour libérer ses arômes naissants de fruits rouges, discrètement boisés. La bouche très chaleureuse exprime bien le millésime, avec une saveur de fruits surmûris et des tanins déjà souples. Le tout joue plutôt dans le registre de la finesse que de la puissance.

🔑 Claude Estager et Fils, Ch. Fougeailles, 33500 Néac, tél. 05.57.51.35.09, fax 05.57.25.95.20, e-mail contact@estager-vin.com ☑ Y ⚲ r.-v.

CH. GARRAUD 2003

■ 20 ha 74 000 🛢 11 à 15 €

Depuis 1939, la famille Nony possède un important vignoble de 37 ha sur les graves argileuses de Néac. Le Château Garraud, d'une couleur bigarreau noir encore jeune, livre des arômes très fruités agrémentés d'une touche de violette fine et délicate. La bouche gourmande, à la fois fruitée et boisée, est soutenue par des tanins encore frais. Cette bouteille devrait s'ouvrir assez vite. Cité, le **Château L'Ancien 2003 (23 à 30 €)**, encore un peu fermé mais apte à la garde, gagnera à être carafé avant le service.

🔑 Jean-Marc Nony, Ch. Garraud, 33500 Néac, tél. 05.57.55.58.58, fax 05.57.25.13.43, e-mail info@VLN.fr ☑ Y ⚲ t.l.j. sf sam. dim. 9h-12h 14h-17h, ven. 9h-12h

BORDELAIS

DOM. DU GRAND ORMEAU 2003 ★

■ 18 ha 50 000 ▮ 8 à 11 €

Cet important vignoble établi sur un terroir argilo-graveleux appartient à la même famille depuis plusieurs générations. Son 2003 à la belle robe carminée livre des arômes fins et puissants à la fois, mariant le bon raisin et le bon bois, avec une touche d'épices douces. La bouche, chaleureuse et charnue, reste harmonieuse et les tanins commencent à se fondre. Ce vin devrait s'ouvrir d'ici un an ou deux et s'apprécier pleinement dans les cinq à sept années suivantes.

Jean-Paul Garde, Dom. du Grand Ormeau, RN 89, 33500 Néac, tél. 05.57.51.40.43, fax 05.57.51.33.93, e-mail garde@domaine-grand-ormeau.com
t.l.j. 8h-12h

CH. GRAND ORMEAU 2003 ★★

■ 8 ha 30 000 15 à 23 €

Ce beau vignoble de 14 ha, établi sur graves, est présent dans le Guide sans discontinuer depuis plus de dix ans, avec déjà plusieurs coups de cœur à son palmarès. Le 2003 est typique de son millésime, avec sa robe sombre et son bouquet de chêne toasté accompagné de baies noires très mûres. La bouche, ronde et chaleureuse, voluptueuse, savoureuse, concentrée et persistante, est soutenue par des tanins puissants mais enrobés. Déjà flatteur, ce millésime devra être conservé. La **cuvée Madeleine 2003 (23 à 30 €)**, plus confidentielle, obtient une étoile pour son bouquet et ses saveurs subtils et complexes. Elle devrait atteindre son apogée dans trois à cinq ans.

Jean-Claude Béton, Ch. Grand Ormeau, 33500 Lalande-de-Pomerol, tél. 05.57.25.30.20, fax 05.57.25.22.80, e-mail grand.ormeau@wanadoo.fr r.-v.

CH. LA GRAVIÈRE 2003

■ 2,4 ha n.c. 15 à 23 €

Cette famille pomerolaise possède aussi une vigne de l'autre côté de la Barbanne. Comme le nom l'indique, le terroir planté exclusivement de merlot est constitué de graves. Le 2003 est déjà ouvert. Sa robe mauve présente quelques reflets tuilés d'évolution. Son bouquet exprime le sous-bois, le cigare et les fruits rouges. La mise en bouche est souple et chaleureuse, avec de jolies rondeurs, et soutenue par des tanins serrés. Déjà agréable, ce vin devrait le rester durant les six à huit prochaines années.

SCEA Vignobles Péré-Vergé, Grand-Moulinet, 33500 Pomerol, tél. 00.32.69.88.01.18, fax 00.32.69.77.73.73, e-mail pvp.montviel@skynet.be r.-v.

CH. LE GRAVILLOT 2003

■ 1,1 ha 6 000 11 à 15 €

Ce petit vignoble de pur merlot, situé à Néac, a été acquis en 1998 par un jeune œnologue bordelais, Vincent Brunot, dont les vins sont régulièrement retenus dans le Guide. De teinte carminée, ce 2003, déjà ouvert, reste un peu dominé par la barrique, mais libère à l'aération des arômes de fruits à noyau confits et de pruneau. Elle aussi marquée par le bois, bien équilibrée, ample et savoureuse, la bouche s'achève sur des tanins aimables qui permettront de servir cette bouteille assez vite sur une lamproie ou une entrecôte.

SCEA J.-B. Brunot et Fils, 1, Jean-Melin, 33330 Saint-Émilion, tél. 05.57.55.09.99, fax 05.57.55.09.95, e-mail vignobles.brunot@wanadoo.fr r.-v.

CH. HAUT CAILLOU 2003 ★

■ 2,1 ha 13 000 ▮ 15 à 23 €

Cité l'an dernier pour son premier millésime sur ce cru, Laurent Rousseau décroche cette année une étoile. Son 2003 s'affiche comme un vin de caractère, avec son nez intense de fruits mûrs relevé de notes boisées. La bouche, riche et puissante, est encore un peu marquée par les tanins de chêne, qui devraient s'arrondir et gagner en harmonie d'ici un an ou deux.

Laurent Rousseau, 1, Petit-Sorillon, 33230 Abzac, tél. 05.57.49.06.10, fax 05.57.49.38.96, e-mail chateau@vignoblesrousseau.com r.-v.

CH. HAUT-CHAIGNEAU Cuvée Prestige 2003 ★

■ 20 ha 80 000 8 à 11 €

Établie à Saint-Émilion depuis 1750, la famille Chatonnet présente deux crus qui sont régulièrement retenus. Bordeaux sombre à nuances noires, la cuvée Prestige développe un bouquet déjà puissant de bois toasté, de fruits rouges et de fruits secs. La mise en bouche est souple, les arômes, en accord avec le nez, sont intenses. Les tanins, à la fois denses et soyeux, marqués par le boisé s'affineront encore un an ou deux. Le **Château La Sergue Vieilles Vignes 2003 (15 à 23 €)**, cité, est un bon vin de garde, chaleureux, encore dominé par la barrique et qui gagnera à vieillir davantage.

SCEV Vignobles Chatonnet, Ch. Haut-Chaigneau, 33500 Néac, tél. 05.57.51.31.31, fax 05.57.25.08.93, e-mail vignobleschatonnet@wanadoo.fr r.-v.

CH. HAUT-CHÂTAIN Cuvée Prestige 2003 ★

■ 1,8 ha 9 900 11 à 15 €

Sur les 23 ha de vignes cultivées par la famille Rivière-Junquas, 1,8 ha est sélectionné pour cette cuvée régulièrement retenue. Il s'agit essentiellement (90 %) de vieux merlot planté sur argiles et graves. Sous une robe rubis sombre, le nez de ce 2003, déjà flatteur, associe avec élégance les fruits mûrs, le bois grillé et les épices. La bouche chaleureuse reste harmonieuse, et l'équilibre des saveurs est en accord avec le nez. Malgré des tanins encore très présents, l'impression de rondeur domine. Une bonne bouteille de garde pour la décennie à venir.

Vignobles Rivière-Junquas, Ch. Haut-Châtain, 33500 Néac, tél. 05.57.25.98.48, fax 05.57.25.95.45, e-mail chateau.haut.chatain@wanadoo.fr r.-v.

CH. HAUT-GOUJON 2003 ★★

■ 6 ha 25 000 ▮ 11 à 15 €

La famille Garde présente toujours des vins sérieux et bien faits. C'est le cas de ce Château Haut-Goujon, déjà coup de cœur pour son 2000. Ce cru doit aimer les millésimes chauds, car il renouvelle l'exploit avec ce 2003. La robe bordeaux est très sombre, moirée de noir. Le bouquet empyreumatique libère des senteurs de vanille, de fruits rouges et de cuir à l'aération. La bouche harmonieuse, souple et ronde mais sans mollesse, offre une saveur fruitée et réglissée, persistante et des tanins soyeux. Une belle bouteille pour les deux à huit prochaines années. Le second vin, **Château La Rose Saint-Vincent 2003 (8 à 11 €)**, une étoile, est également plaisant. Plus sur le fruit et plus souple, c'est un vin de plaisir, à boire en attendant le premier.

SCEA Garde et Fils, Goujon, 33570 Montagne,
tél. 05.57.51.50.05, fax 05.57.25.33.93
r.-v.

CH. HAUT-MUSSET 2003

3,07 ha n.c. 8 à 11 €

Ses études d'œnologie terminées, Véronique Abbadie a repris la petite exploitation familiale transmise par sa mère. Son 2003 à la robe profonde mais légèrement évoluée offre un nez un peu oxydatif qui exprime surtout les fruits confiturés. La bouche souple présente la même saveur de fruits cuits. Ses tanins gagneront à s'arrondir deux ou trois ans.

Véronique Abbadie, Musset,
33500 Lalande-de-Pomerol, tél. et fax 05.57.51.24.85,
e-mail veroabbadie@club-internet.fr r.-v.

CH. LES HAUTS-CONSEILLANTS 2003 *

10 ha 34 000 15 à 23 €

La famille Bourotte, qui exploite plusieurs crus libournais, possède ce vignoble établi sur un terroir sablo-limoneux. D'une couleur pourpre sombre et dense, son 2003 offre un bouquet naissant qui libère à l'aération des nuances de fruit confit et de bois vanillé. La bouche, puissante, délivre des saveurs réglissées et fruitées, accompagnées d'une touche de cuir. La structure tannique est encore un peu massive : cette bouteille gagnera à être attendue deux ou trois ans.

SAS Pierre Bourotte,
62, quai du Priourat, BP 79, 33502 Libourne Cedex,
tél. 05.57.51.62.17, fax 05.57.51.28.28,
e-mail vignobles@jbaudy.fr r.-v.

CH. HAUT-SURGET 2003

35 ha 200 000 11 à 15 €

Ce vaste vignoble acquis en 1900 par la famille Ollet-Fourreau est aujourd'hui exploité par la cinquième génération. Les vignes, relativement âgées, ont donné un 2003 à la robe profonde, légèrement tuilée. Le bouquet naissant est concentré, avec une touche animale. La mise en bouche souple et croquante ouvre sur des arômes boisés et fruités. Les tanins délicats devraient s'affiner assez vite. D'ici un à deux ans, on pourra commencer à apprécier ce vin sur des mets régionaux.

GFA Ch. Haut-Surget, Chevrol, 33500 Néac,
tél. 05.57.51.28.68, fax 05.57.51.91.79,
e-mail chateauhautsurget@wanadoo.fr
t.l.j. 8h-12h 14h-18h

Fourreau

CH. LABORDE Mil six cent vingt-huit 2003 **

5 ha 11 000 11 à 15 €

Sur l'important vignoble de 21 ha qu'il exploite dans cette appellation, Jean-Marie Trocard sélectionne 5 ha de sables et de graves pour élaborer cette cuvée dont le nom fait référence à un acte notarié attestant la présence de sa famille sur ce domaine depuis 1628. Son 2003, fin et délicat, est paré d'une superbe robe rubis aux reflets sombres. Le bouquet très élégant marie les baies noires et le bois vanillé. La bouche est chaleureuse, tout en finesse. Un vin déjà prêt à servir avec de la volaille.

SCEV Jean-Marie Trocard,
Ch. Laborde, 33500 Lalande-de-Pomerol,
tél. 05.57.74.30.52, fax 05.57.74.39.96,
e-mail roy.trocard@terre-net.fr r.-v.

Jean Trocard

CH. DE MARCHESSEAU 2003

9 ha 11 000 8 à 11 €

Propriété de la famille Rénie depuis 1929, ce cru a été pris en fermage par Frédéric Garde en 1996. Ce dernier a produit un vin à la teinte rubis bordée de vermillon, dont le bouquet encore fruité est accompagné d'un léger boisé et de notes épicées (clou de girofle). Après une attaque chaleureuse, la bouche révèle des arômes de baies noires, et des nuances boisées. Les tanins, déjà fondus, permettront de servir assez vite cette bouteille.

Frédéric Garde,
2, Marcheseau, 33500 Néac, tél. 05.57.51.40.43,
e-mail gardechateau.marchesseau@wanadoo.fr
r.-v.

Germaine Rénie

DOM. DE MUSSET 2003

n.c. 12 000 15 à 23 €

Coup de cœur dans la précédente édition, le lalande-de-pomerol du château La Couspaude, grand cru classé en saint-émilion, est à nouveau sélectionné cette année avec ce 2003 qui illustre la chaleur du millésime. Le nez assez complexe développe des arômes de confiture de cerises noires, très marqués par le sucre, presque miellés. Souple et charnue, la bouche révèle des tanins soyeux, dans une finale persistante et confiturée. Un vin élégant et rond à servir dès maintenant.

Vignobles Aubert,
Ch. La Couspaude, 33330 Saint-Émilion,
tél. 05.57.40.15.76, fax 05.57.40.10.14,
e-mail vignobles.aubert@wanadoo.fr r.-v.

CH. PAVILLON BEL AIR 2003 *

4,5 ha 16 669 11 à 15 €

La famille Quenin est plus connue à Saint-Émilion, mais elle possède aussi un vignoble à Néac sur argiles graveleuses complantées à 60 % de merlot et à 40 % de cabernet franc. La robe de ce 2003 s'anime de reflets pourpres et grenat. Le bouquet, déjà épanoui, associe du fruit très mûr, un boisé vanillé, des épices douces et une touche de truffe. Caressant et charnu au palais, ce vin marie bien le fruit et le bois. Ses tanins tendres permettront de le servir prochainement, mais on pourra aussi le garder sans risque pendant cinq ans.

J.-F. et D. Quenin, Ch. de Pressac,
33330 Saint-Étienne-de-Lisse, tél. 05.57.40.18.02,
fax 05.57.40.10.07, e-mail jfetdquenin@libertysurf.fr

CH. PAVILLON BEL-AIR Le Chapelain 2003 **

2 ha 5 000 15 à 23 €

Le château Beauregard, très connu à Pomerol, exploite aussi 8 ha de vignes en lalande. Deux de ses cuvées ont été retenues par le jury. Tout d'abord la cuvée Le Chapelain, issue de deux tiers de merlot et d'un tiers de

cabernet franc plantés sur graves argileuses. Puissante et élégante, elle s'affiche dans une robe bordeaux très dense. Au nez, le bois toasté intense ne masque pas le fruit qui se révèle à l'agitation. La bouche ample et harmonieuse repose sur des tanins fins et mûrs qui assureront une bonne évolution. La cuvée principale du **Château Pavillon Bel-Air 2003 (11 à 15 €)**, citée, est plus évoluée, plus épicée, et pourra être servie plus vite.
SCEA Ch. Beauregard, 33500 Pomerol,
tél. 05.57.51.13.36, fax 05.57.25.09.55,
e-mail pomerol@chateau-beauregard.com r.-v.

CH. PERRON La Fleur 2003 ★

5 ha 15 000 23 à 30 €

La famille Massonie, bien connue en Libournais et en Bordelais, notamment pour ses engagements dans les confréries bachiques, présente deux lalande-de-pomerol. Cette cuvée La Fleur tout d'abord, à la robe pourpre très foncé et au bouquet déjà épanoui mariant le boisé vanillé et les fruits confiturés (cerise, myrille) à une touche de café et de pain grillé. La bouche est souple et charnue, la saveur fruitée en accord avec le nez. Les tanins, encore frais, assureront une bonne garde. La cuvée principale **Château Perron 2003 (15 à 23 €)**, citée, est agréable. Encore marquée par la barrique, elle devrait s'ouvrir assez vite.
SCEA Vignobles Michel-Pierre Massonie,
Ch. Perron, BP 88, 33503 Libourne Cedex,
tél. 05.57.51.40.29, fax 05.57.51.13.37,
e-mail vignoblesmpmassonie@wanadoo.fr r.-v.

PETIT CLOS DES CHAMPS 2003

0,28 ha 1 200 8 à 11 €

Responsable de propriétés sur Lalande et Puisseguin, Vincent Duffau-Lagarosse élabore aussi une petite cuvée à partir d'un terroir argilo-sablo-limoneux. Cela donne un vin sincère et franc au nez encore un peu fermé, qui demande de l'agitation pour libérer des notes de baies rouges discrètement boisées, accompagnées d'une touche animale. Toujours fruitée, la bouche est structurée par des tanins un peu sévères qui demanderont à se fondre pendant un an ou deux.
Vincent Duffau-Lagarrosse,
Musset, 33500 Lalande-de-Pomerol,
tél. 05.57.51.11.40, fax 05.57.25.36.45 r.-v.

DOM. PONT DE GUESTRES Élevé en fût de chêne 2003

1,91 ha 11 000 15 à 23 €

Ce vin est issu exclusivement de merlot, mais provient de sols variés : graves, sable, argile et limon. Sa robe d'un rubis intense est bordée de quelques reflets bruns. Son bouquet discret et fin exprime surtout les baies très mûres, accompagnées d'intéressantes notes grillées. Le palais chaleureux révèle une structure tannique assez élégante et une bonne aptitude à la garde. On pourra commencer à servir cette bouteille dans un an sur des viandes rouges.
Rémy Rousselot,
Ch. Les Roches de Ferrand, 33126 Saint-Aignan,
tél. 05.57.24.95.16, fax 05.57.24.91.44,
e-mail vignobles.remy.rousselot@wanadoo.fr
r.-v. 4

CH. SAINT-JEAN DE LAVAUD 2003 ★

1,1 ha 3 000 15 à 23 €

Ce vignoble confidentiel est rattaché au château Vieux Maillet de Pomerol, de l'autre côté de la Barbanne. Son 2003 revêt une robe rubis sombre bordée de reflets tuilés. Le bouquet naissant exprime le bois toasté et le chocolat noir. La bouche est souple, avec beaucoup de rondeur et de gras. On y retrouve le côté grillé, agrémenté de notes de baies noires, qui persiste longuement. Déjà très plaisant, ce lalande devrait encore s'affiner dans les six à huit prochaines années.
SCEA du Ch. Vieux Maillet, 16, chem. de Maillet,
33500 Pomerol, tél. 05.57.74.56.80, fax 05.57.74.56.59,
e-mail chateauvieuxmaillet@bluewin.ch

CH. SAURIAC 2003

29,5 ha 108 000 15 à 23 €

Olivier Guichard, ancien ministre du général de Gaulle, a beaucoup contribué au rayonnement de ce cru important tenu par la même famille depuis 1832. Le nez de ce millésime demande un peu d'agitation pour libérer des senteurs boisées, accompagnées de fruits à noyau confits. La bouche chaleureuse, corsée, apparaît encore très marquée par l'élevage. Les tanins délicats mériteraient de vieillir encore un peu (un à deux ans).
SCE Baronne Guichard, Ch. Siaurac, 33500 Néac,
tél. 05.57.51.64.58, fax 05.57.51.41.56,
e-mail info@chateausiaurac.com
t.l.j. 8h-12h 14h-17h; sam. dim. sur r.-v.; f. août

CH. DE VIAUD 2003

5 ha 12 200 15 à 23 €

Ce très ancien domaine viticole figurait déjà sur la carte de Belleyme en 1784. Il a été racheté par Philippe Raoux en 2002 ; ce 2003 est donc le deuxième millésime du nouveau propriétaire. Paré d'un joli rubis, il offre des arômes plaisants de baies noires confiturées et des notes finement boisées. Souple et harmonieuse, la bouche livre des tanins qui devraient finir de s'arrondir d'ici un an ou deux. Pour accompagner agréablement viande, gibier et fromage.
SAS du Ch. de Viaud,
3, Viaud-Sud, 33500 Lalande-de-Pomerol,
tél. 05.57.51.17.86, fax 05.57.51.79.77,
e-mail sophie.lafargue@free.fr r.-v.
Philippe Raoux

CH. VIEUX CHAIGNEAU 2003

6,17 ha 39 000 5 à 8 €

Dans cette exploitation familiale typique, la vigne jouxte une maison girondine de 1900, orientée au sud. Le vin apparaît simple mais de bon aloi. La couleur est franche et le bouquet naissant exprime les petits fruits rouges très légèrement boisés. La mise en bouche est souple et fruitée, assez aromatique. La structure plutôt légère permettra de servir rapidement cette bouteille.
Bernard Berlureau, 7, Chatain, 33500 Néac,
tél. et fax 05.57.51.57.70 r.-v.

VIEUX CHÂTEAU GACHET 2003 ★

4,5 ha 28 000 11 à 15 €

De retour de la Grande Guerre, Jean-Baptiste Arpin installe le siège de son exploitation à Maillet, hameau de Pomerol à la croisée de quatre appellations (pomerol, lalande-de-pomerol, saint-émilion et montagne-saint-émilion). Aujourd'hui la quatrième génération produit dans toutes ces AOC. Le bouquet naissant de ce 2003 demande un peu d'aération pour libérer des fragrances de fruits confits, de bois cacaoté et de pruneau. La bouche, à la fois onctueuse et charpentée, livre un fruité encore un

peu dominé par des tanins puissants qui demanderont deux ou trois ans pour s'affiner. Coup de cœur dans les millésimes 2000 et 2001.
EARL Vignobles G. Arpin, Chantecaille, 33330 Saint-Émilion, tél. 06.09.73.69.47, fax 05.57.51.96.75, e-mail vignobles.g.arpin@wanadoo.fr r.-v.

Saint-émilion et saint-émilion grand cru

Étalé sur les pentes d'une colline dominant la vallée de la Dordogne, Saint-Émilion (3 300 habitants) est une petite ville viticole charmante et paisible. C'est aussi une cité chargée d'histoire. Étape sur le chemin de Saint-Jacques-de-Compostelle, ville forte pendant la guerre de Cent Ans et refuge des députés girondins proscrits sous la Convention, elle possède de nombreux vestiges évoquant son passé. La légende fait remonter le vignoble à l'époque romaine et attribue sa plantation à des légionnaires. Mais il semble que son véritable début, du moins sur une certaine surface, se situe au XIIIes. Quoi qu'il en soit, Saint-Émilion est aujourd'hui le centre de l'un des plus célèbres vignobles du monde qui, depuis 1999, fait partie du patrimoine mondial de l'Unesco. L'aire d'appellation, répartie sur neuf communes, comporte une riche gamme de sols. Tout autour de la ville, le plateau calcaire et la côte argilo-calcaire (d'où proviennent de nombreux crus classés) donnent des vins d'une belle couleur, corsés et charpentés. Aux confins de Pomerol, les graves produisent des vins qui se remarquent par leur très grande finesse (cette région possédant aussi de nombreux grands crus). Mais l'essentiel de l'appellation saint-émilion est représenté par les terrains d'alluvions sableuses, descendant vers la Dordogne, qui produisent de bons vins. Pour les cépages, on note une nette domination du merlot, que complètent le cabernet franc, appelé bouchet dans cette région, et, dans une moindre mesure, le cabernet-sauvignon.

L'une des originalités de la région de Saint-Émilion est son classement. Assez récent (il ne date que de 1955), il est régulièrement et systématiquement revu (la première révision a eu lieu en 1958, la dernière en 1996). L'appellation saint-émilion peut être revendiquée par tous les vins produits sur la commune et sur huit autres communes l'entourant. La seconde appellation, saint-émilion grand cru, ne correspond donc pas à un terroir défini, mais à une sélection de vins, devant satisfaire à des critères qualitatifs plus exigeants, attestés par la dégustation. Les vins doivent subir une seconde dégustation avant la mise en bouteilles. C'est parmi les saint-émilion grand cru que sont choisis les châteaux qui font l'objet d'un classement. En 1986, 74 ont été classés, dont 11 premiers grands crus. Dans le classement de 1996, 68 ont été classés dont 13 en premiers crus. Ceux-ci se répartissent en deux groupes : A pour deux d'entre eux (Ausone et Cheval Blanc) et B pour les onze autres. Il faut signaler que l'Union des producteurs de Saint-Émilion est sans nul doute la plus importante cave coopérative française située dans une zone de grande appellation. En 2005, l'AOC saint-émilion (1 753 ha) a produit 84 600 hl. En saint-émilion grand cru 156 380 hl ont obtenu l'aptitude au vieillissement au 1er juillet 2005 pour une superficie de 3 851 ha.

La dégustation Hachette n'a pas été globale au sein de l'appellation saint-émilion grand cru. Une commission a sélectionné les saint-émilion grand cru classés (sans distinction des premiers) ; une autre commission a dégusté les saint-émilion grand cru. Les étoiles correspondent donc à ces deux critères.

Saint-émilion

CLOS AEMILIAN 2003 ★

■ 0,43 ha 2 000 11 à 15 €

Un vignoble confidentiel créé en 1999 et situé au pied des grottes de Ferrand. Seul le merlot né sur sol sablonneux compose ce vin qui a séduit par sa robe grenat profond aux reflets noirs. Ses arômes puissants et chaleureux de fruits très mûrs sont accompagnés de notes boisées, grillées, torréfiées. Après une attaque souple et agréable, la bouche révèle de la chair, de la rondeur, des fruits bien mûrs et des tanins présents sans agressivité. Tout cela engage à découvrir ce 2003 dès cet hiver.
Triffault, Saint-Jean-Béard, 33330 Saint-Laurent-des-Combes, tél. 05.57.24.38.63, e-mail closaemilian@wanadoo.fr r.-v.

CH. L'ARCHANGE 2003

■ 1,21 ha 4 500 30 à 38 €

Depuis trois ans, L'Archange est un habitué du Guide. Élaboré uniquement avec du merlot, ce 2003, sous son habit pourpre brillant, propose un nez puissant et complexe de fruits noirs, de boisé, de grillé. La bouche riche et ronde évolue sur des tanins soyeux et élégants vers une touche finale épicée. Un vin à servir dans les trois ans à venir.
SCEV Vignobles Chatonnet, Ch. Haut-Chaigneau, 33500 Néac, tél. 05.57.51.31.31, fax 05.57.25.08.93, e-mail vignobleschatonnet@wanadoo.fr r.-v.

CH. BARBEROUSSE 2003

■ 6 ha 20 000 ◖◗ 5 à 8 €

Ce domaine viticole de 20 ha, dont 6 ha sont réservés au château Barberousse, est cité régulièrement dans le Guide. Ces sélections confirment le savoir-faire de la famille Puyol qui vinifie dans ses chais depuis 1977. Pour apprécier ce vin issu de 90 % de merlot planté sur graves siliceuses, il faudra attendre deux ans. Grenat aux jolis reflets, ce 2003 offre des arômes fins et discrets de fruits noirs. Sa bouche ample et équilibrée évolue harmonieusement sur le fruit.

SCEA des Vignobles Stéphane Puyol, Ch. Barberousse, 33330 Saint-Émilion, tél. 05.57.24.74.24, fax 05.57.24.62.77, e-mail chateau-barberousse@wanadoo.fr r.-v.

CH. BRUN 2003 *

■ 8 ha 30 000 ▮◖◗ 5 à 8 €

La famille Brun exploite ce vignoble depuis plusieurs siècles. Un encépagement classique, dominé par le merlot implanté sur des sols argileux et argilo-sablonneux, des méthodes traditionnelles et naturelles de culture et d'élaboration contribuent à la réussite de ce vin rouge vif et soutenu, aux parfums puissants de fruits rouges mûrs, de fin boisé. Sa structure repose sur une chair ronde parfumée de délicates nuances de fruits rouges, de fruits noirs et d'épices et sa finale se montre longue et élégante. Très joli vin de plaisir à découvrir dans deux ans.

SCEA du Ch. Brun, 33330 Saint-Christophe-des-Bardes, tél. 05.57.24.77.06, fax 05.57.24.78.19, e-mail brunemmanuel@wanadoo.fr r.-v.

CH. LES CABANNES 2003 *

■ 1,5 ha 7 500 ◖◗ 8 à 11 €

Acheté et replanté par deux jeunes œnologues de l'Université de Bordeaux en 1997, ce cru est installé sur des graves sableuses. Issu de merlot, ce 2003 élevé dix mois en barrique confirme le savoir-faire des propriétaires : belle robe brillante, bon équilibre entre les fruits noirs et le fin boisé grillé et toasté ; attaque franche et bouche ample et riche, charpente aux tanins mûrs bien maîtrisés et finale persistante. Pour se faire vraiment plaisir.

EARL Vignobles Kjellberg-Cuzange, Les Cabannes, 33330 Saint-Sulpice-de-Faleyrens, tél. 05.57.24.62.86, fax 05.57.24.66.08, e-mail kjellberg.cuzange@wanadoo.fr r.-v.

CLOS CASTELOT 2003 **

■ 4,02 ha 25 600 ◖◗ 8 à 11 €

Clos Castelot est issu d'une sélection des quatre cépages traditionnels bordelais, où domine le merlot, et de sols d'argile, de calcaire et de sable. Élevé douze mois en barrique, ce vin porte une robe rouge soutenu et franc, aux reflets tuilés. Des nuances de fruits noirs mûrs (cassis) accompagnent des arômes d'épices. Après une attaque ronde, se révèle une bouche grasse, gourmande et chaleureuse, enveloppée d'un élégant boisé. La finale apporte harmonie et puissance. Cette bouteille est à apprécier dès maintenant.

Vignobles Fomperier, La Gaffelière, 33330 Saint-Émilion, tél. 05.57.74.46.92, fax 05.57.74.49.16 t.l.j. 8h30-12h15 14h-17h45

CH. DE LA COUR 2003

■ 3,5 ha 12 000 ▮ 8 à 11 €

Installé à Vignonet, sur sol sableux mêlé d'argile et de crasse de fer, ce cru de 3,5 ha est constitué de merlot avec un appoint de 10 % de cabernet franc. Grenat sombre, ce 2003 mêle au nez des notes de fruits rouges, de violette, de rose, de bourgeons de bois. La dégustation ample et charnue s'achève sur une finale discrète aux notes de cassis et de violette. À servir dans un à deux ans.

EARL du Ch. Delacour, Ch. de la Cour, 33330 Vignonet, tél. 05.57.84.64.95, fax 05.57.84.65.00, e-mail chateau.de.la.cour@wanadoo.fr r.-v.

DOURTHE La Grande Cuvée 2003 *

■ n.c. 50 000 ◖◗ 8 à 11 €

La Grande Cuvée, vin de marque de la maison Dourthe, est issue d'un programme de partenariat avec les viticulteurs dont les propriétés présentent un terroir et un potentiel des plus intéressants. À la belle couleur rouge sombre et brillant répond un nez toasté, grillé, aux nuances de café, de girofle. La bouche se révèle ample et charnue, riche en arômes de fruits rouges et en tanins très mûrs bien maîtrisés. De belle longueur, ce vin moderne est à attendre quatre ans.

Vins et vignobles Dourthe, 35, rue de Bordeaux, 33290 Parempuyre, tél. 05.56.35.53.00, fax 05.56.35.53.29, e-mail contact@cvbg.com r.-v.

SECOND DU CH. LA FLEUR 2003

■ 1,8 ha 10 000 ◖◗ 11 à 15 €

Ce petit vignoble, planté de merlot sur sable et argile, est le petit frère de Château La Fleur (saint-émilion grand cru) acquis par les Dassault en 2002. Les techniques modernes au chai, l'élevage de quinze mois en barrique donnent un vin rouge brillant légèrement évolué, aux arômes de fruits, de grillé, d'épices. La bouche douce, ronde et charnue évolue harmonieusement vers une finale persistante. Deux ans de bonne garde permettront à cette bouteille de s'épanouir. Le **D de Château Dassault 2003 (15 à 23 €)**, second vin du grand cru classé, est cité.

SARL Ch. Dassault, 33330 Saint-Émilion, tél. 05.57.55.10.00, fax 05.57.55.10.01, e-mail lbv@chateaudassault.com r.-v.

DOM. DES GOURDINS 2003

■ 1,7 ha 6 500 ◖◗ 11 à 15 €

Situé aux portes de Libourne, ce cru associe 38 % de cabernet franc au merlot. Né sur des sables et des graves ferrugineuses, ce vin est traditionnel dans sa culture, moderne dans son élaboration et son élevage sous bois ; il séduit par sa robe rouge brillant de reflets violines, par ses arômes de fruits et de fleurs, par la chair et la rondeur de sa bouche soutenue par des tanins encore très présents qui demandent deux ans pour se fondre.

Vignobles J.-P. Estager, 35, rue de Montaudon, 33500 Libourne, tél. 05.57.51.04.09, fax 05.57.25.13.38, e-mail estager@estager.com r.-v.

LES ANGELOTS DE GRACIA 2003 *

■ 1,26 ha 1 800 ◖◗ 23 à 30 €

Composé de merlot et de cabernet franc et issu d'un sol argilo-sableux, ce millésime rouge profond se révèle

équilibré et élégant ; ses arômes de fruits rouges sont accompagnés d'un fin boisé. Gras et rond, charpenté par des tanins bien fondus, c'est un très bon vin de garde.
⊶ Gracia, rue du Thau, 33330 Saint-Émilion,
tél. 05.57.24.77.98, fax 05.57.74.46.72,
e-mail michelgracia@wanadoo.fr Y ⚲ r.-v.

PAVILLON DU HAUT ROCHER 2003

■ 1 ha 6 300 ■◐ 8 à 11 €

Haut-Rocher, propriété d'une quinzaine d'hectares, propose un saint-émilion dominé par le merlot complété par 25 % de cabernet franc, cépages plantés sur les sols argilo-calcaires de Saint-Étienne-de-Lisse. La robe rouge est légèrement tuilée. Fleurs, framboise, cassis, cerise : le bouquet est riche. Des tanins fermes accompagnent une chair qui n'en est pas moins souple et douce. Une bouteille à laisser vieillir deux ans.
⊶ Jean de Monteil,
Ch. Haut-Rocher, 33330 Saint-Étienne-de-Lisse,
tél. 05.57.40.18.09, fax 05.57.40.08.23,
e-mail hr-rocher@vins-jean-de-monteil.com ☑ Y ⚲ r.-v.

CH. HAUTS-MOUREAUX 2003

■ 4,63 ha 24 964 ■ 8 à 11 €

Issu d'un vignoble implanté sur un sol argilo-siliceux, composé de merlot avec un apport de 22 % de cabernet franc, ce 2003 offre une robe rouge foncé intense et un nez de fruits noirs mûrs, accompagnés d'une pointe de caramel. La bouche, ample, chaleureuse et persistante, est portée par des tanins encore fermes qui doivent se fondre d'ici deux ans pour atteindre équilibre et harmonie.
⊶ Union de producteurs de Saint-Émilion,
Haut-Gravet, BP 27, 33330 Saint-Émilion,
tél. 05.57.24.70.71, fax 05.57.24.65.18,
e-mail contact@udpse.com
Y ⚲ t.l.j. sf dim. 8h-12h 14h-18h
⊶ Jean-Marie Courrèche

CH. JUPILLE CARRILLON 2003

■ 6 ha 10 000 ■◐ 5 à 8 €

Né sur un terroir de graves sableuses et de sols bruns, composé de 70 % de merlot, élevé treize mois en barrique, ce vin confirme le savoir-faire d'un domaine régulièrement présent dans ce Guide. De son habit rouge profond s'échappent des arômes complexes et fins de fruits rouges et de fruits confits qui précèdent une bouche souple en attaque, équilibrée, bien structurée. Une plaisante pointe épicée anime la finale. À attendre deux ans.
⊶ SCEA des Vignobles Isabelle Visage,
Jupille, 33330 Saint-Sulpice-de-Faleyrens,
tél. 05.57.24.62.92, fax 05.57.24.69.40 ☑ Y ⚲ r.-v.

CH. LAGARDE BELLEVUE
Élevé en fût de chêne 2003 *

■ 1 ha 7 000 ◐ 8 à 11 €

Ce petit cru fait partie de la propriété de 13,5 ha acquise en 1994 par Richard Bouvier. Vignes et chai ont été remis en état. Le merlot, planté avec 15 % de cabernet franc sur un sol de graves et de sable profond, est à l'origine d'un vin grenat intense et soutenu. Aux fruits confits s'associe une élégante note boisée. Après une attaque ronde et pleine s'impose une jolie matière pleine de fruit ; la structure tannique bien constituée et persistante apportera équilibre et harmonie d'ici deux ans.
⊶ Richard Bouvier, SARL SOVIFA,
36 A, rue de la Dordogne,
33330 Saint-Sulpice-de-Faleyrens,
tél. 05.57.24.68.83, fax 05.57.24.63.12,
e-mail so-vi-fa@wanadoo.fr ☑ Y ⚲ r.-v.

CH. LA PAILLETTE VILLEMAURINE 2003

■ 0,45 ha 2 000 ◐ 11 à 15 €

Cru confidentiel installé sur un sol argilo-calcaire planté de merlot avec un appoint de 10 % de cabernet franc. De la jolie robe rouge légèrement tuilée émanent des arômes discrets de fruits rouges et de sous-bois. La bouche ronde et équilibrée, enrobée de notes de fruits mûrs, se montre déjà plaisante.
⊶ Nebout, SC Ch. du Tailhas, 33500 Pomerol,
tél. 05.57.51.26.02, fax 05.57.25.17.70,
e-mail info@tailhas.com ☑ Y ⚲ r.-v.

CH. PEREY-GROULEY 2003

■ 4,4 ha 20 000 ■◐ 5 à 8 €

Ce cru situé sur le versant sud de Saint-Émilion, composé de graves sableuses, appartient à la famille Xans depuis 1880. Il bénéficie d'un encépagement classique dominé par le merlot (80 %). Élevé douze mois en barriques, son 2003 grenat brille de reflets cerise. Des notes de fruits noirs agrémentées d'un fin boisé au nez, du fruité et de la vivacié en bouche, des tanins fermes et bien présents qui s'affineront avec trois ans de garde, composent un paysage fort plaisant.
⊶ Vignobles Florence et Alain Xans,
Ch. La Fleur-Perey, 33330 Saint-Sulpice-de-Faleyrens,
tél. 06.80.72.84.87, fax 05.57.24.63.61,
e-mail alainxans@wanadoo.fr ☑ Y ⚲ r.-v.

La région de Saint-Émilion

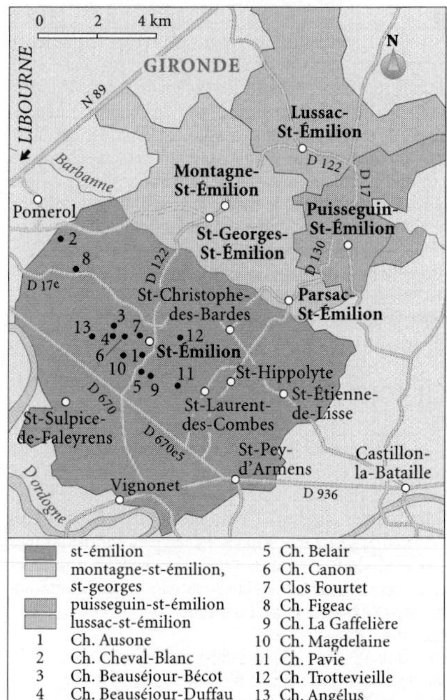

CH. RASTOUILLET LESCURE 2003

■ 8,23 ha 26 663 **8 à 11 €**

Geneviève Dumery a confié à l'Union de producteurs l'élaboration de son cru. Établi sur des sols siliceux et argilo-siliceux, il est composé essentiellement de merlot avec un appoint de 24 % de cabernets. Le vin se pare d'une robe rubis profond et offre un bouquet intense et complexe mêlant les fruits rouges aux fruits noirs, les épices au cuir. La bouche surprend par son attaque vive, vite atténuée par le gras et la rondeur de la matière ainsi que par la souplesse et la finesse des tanins. Doté d'un bon équilibre, ce millésime s'appréciera dans deux ans.

Union de producteurs de Saint-Émilion,
Haut-Gravet, BP 27, 33330 Saint-Émilion,
tél. 05.57.24.70.71, fax 05.57.24.65.18,
e-mail contact@udpse.com
t.l.j. sf dim. 8h-12h 14h-18h
Geneviève Dumery

CH. DU RELAIS 2003

■ 2,2 ha 11 700 **8 à 11 €**

Ce second vin du château La Garelle, ancien relais de poste de Saint-Émilion installé au bas de la Côte Pavie, est né sur un sol de sable et d'argilo-calcaire. Issu d'un encépagement classique dominé par le merlot, il s'habille d'une robe rouge brillant, légèrement tuilée, et propose des arômes de fruits mûrs, voire confits, ainsi qu'une matière aimable et ronde. Il est prêt.

SARL La Garelle,
Ch. La Garelle, 33330 Saint-Émilion,
tél. 05.57.24.61.98, fax 05.57.24.75.22,
e-mail chateaulagarelle@wanadoo.fr r.-v.
M. et Mme Billon

CH. ROCHER-FIGEAC 2003 *

■ 3,9 ha 25 000 **5 à 8 €**

Ce vignoble, situé sur sol graveleux et crasse de fer et complanté en majorité de merlot avec un appoint de 15 % de cabernet franc, appartient à la famille Tournier depuis 1880. Château Rocher-Figeac, issu de cultures traditionnelles, de techniques modernes au chai, d'un élevage de six mois en barrique, ne manque pas d'atouts : une robe rouge profond et brillant ; une élégante expression du nez mêlant la rose, la framboise, le cassis, le kirsch, la réglisse ; une matière charnue et fruitée soutenue par une ferme charpente ; une longue finale sur la réglisse et sur la rose. Vin prometteur, à déguster dans trois ans.

SCEA Vignobles J.-P. Tournier, Tailhas,
194, rte de Saint-Émilion, 33500 Libourne,
tél. 05.57.51.36.49, fax 05.57.51.98.70 r.-v.

CH. TOUR POURRET 2003

■ 2,33 ha 16 666 **8 à 11 €**

Une tour hexagonale orne la maison bourgeoise de cette propriété familiale, aujourd'hui exploitée par deux sœurs. Ce vin, issu à parts égales de merlot et de cabernet franc plantés sur sol sableux, affiche une couleur rubis nuancée de légers reflets tuilés. Le nez exprime des arômes fins et discrets de fruits rouges. La bouche, fruitée et charnue, s'appuie sur des tanins souples et persistants. Un ensemble agréable et prêt à servir.

Mmes Prat et Rives,
Ch. Tour-Pourret, 33330 Saint-Émilion,
tél. 05.57.24.72.61, fax 05.57.74.48.82 r.-v.
GFA Tour Pourret

Saint-émilion grand cru

CH. L'APOLLINE 2003

■ 2,8 ha 11 500 **11 à 15 €**

En 1996, Perrine et Philippe Genevey achètent le château Bregnet, petite propriété viticole à laquelle ils donnent le prénom de la troisième de leurs quatre filles. Ce cru est situé sur une croupe de graves au sud de l'appellation. Le 2003 présente une robe rubis intense bordée de quelques reflets tuilés. Le bouquet est d'abord discret, puis l'agitation libère des arômes floraux, du fruit mûr et une touche de cuir. La bouche repose sur des tanins déjà fondus qui permettront de boire ce vin assez vite.

EARL Ch. L'Apolline,
Le Brégnet, 33330 Saint-Sulpice-de-Faleyrens,
tél. et fax 05.57.51.26.80,
e-mail l-apolline@wanadoo.fr r.-v.
Genevey

CH. ARMENS 2003

■ 8,5 ha 46 000 **23 à 30 €**

Cet important vignoble d'une vingtaine d'hectares situé au sud-est de l'appellation est exploité par le descendant d'une grande famille saint-émilionnaise. Pour ce cru, il sélectionne de purs merlots sur sols argilo-calcaires et argilo-siliceux. La couleur intense de ce 2003 mêle des reflets pourpres et vermillon. Le bouquet exprime les baies noires très mûres (cassis) et un boisé de bonne facture. Au palais, ce vin se révèle viril, avec une saveur mentholée et des tanins encore un peu sévères qui devront s'affiner un an ou deux.

Alexandre de Malet Roquefort,
Saint-Pey-d'Armens, BP 12, 33330 Saint-Émilion,
tél. 05.57.56.05.06, fax 05.57.56.40.89,
e-mail chateau-armens@chateau-armens.com
r.-v.

CH. ARNAUD DE JACQUEMEAU 2003

■ 3,71 ha 11 000 **11 à 15 €**

Cette petite propriété est établie sur un terroir argilo-siliceux. Son encépagement présente la particularité de comporter 15 % de cot (ou malbec, ou noir de Pressac, ou auxerrois). La couleur du 2003 est attrayante, rubis et pourpre mêlés. Le nez flatteur associe les fruits rouges, le pain d'épice et le bois vanillé. Après une attaque puissante, la bouche révèle une saveur fruitée et minérale qui correspond bien à l'assemblage. Les tanins racés permettront de servir ce vin sans trop attendre sur des viandes rouges grillées et des fromages doux.

Dominique Dupuy,
Jacquemeau, 33330 Saint-Émilion,
tél. 05.57.24.73.09, fax 05.57.24.79.50
t.l.j. 9h-12h 14h-19h

CH. L'ARROSÉE 2003 **

■ Gd cru clas. 9,3 ha 24 000 **30 à 38 €**

Ce cru classé a appartenu à Pierre Magne, ministre de Napoléon. En 2002, c'est la famille Caille, fondatrice de Jet Service, qui l'a acquis. On ne connaît pas l'origine du nom de ce château ; en tout cas, il ne vient pas de 2003, année caniculaire où la vigne aurait bien voulu l'être, arrosée ! Cependant, pour donner un grand vin, la vigne doit souffrir. Cet adage se vérifie parfaitement ici. Le 2003

CLASSEMENT 1996 DES GRANDS CRUS DE SAINT-ÉMILION

SAINT-ÉMILION PREMIERS GRANDS CRUS CLASSÉS

A Château Ausone
Château Cheval Blanc

B Château Angelus
Château Beau-Séjour (Bécot)
Château Beauséjour (Duffau-Lagarrosse)
Château Belair
Château Canon
Clos Fourtet
Château Figeac
Château La Gaffelière
Château Magdelaine
Château Pavie
Château Trotte Vieille

SAINT-ÉMILION GRANDS CRUS CLASSÉS

Château Balestard La Tonnelle
Château Bellevue
Château Bergat
Château Berliquet
Château Cadet-Bon
Château Cadet-Piola
Château Canon-La Gaffelière
Château Cap de Mourlin
Château Chauvin
Clos des Jacobins
Clos de L'Oratoire
Clos Saint-Martin
Château Corbin
Château Corbin-Michotte
Couvent des Jacobins
Château Curé Bon La Madeleine
Château Dassault
Château Faurie de Souchard
Château Fonplégade
Château Fonroque
Château Franc-Mayne
Château Grand Mayne
Château Grand Pontet
Château Guadet Saint-Julien
Château Haut-Corbin
Château Haut-Sarpe
Château La Clotte
Château La Clusière
Château La Couspaude
Château La Dominique
Château La Marzelle
Château Laniote
Château Larcis Ducasse
Château Larmande
Château Laroque
Château Laroze
Château L'Arrosée
Château La Serre
Château La Tour du Pin-Figeac (Giraud-Belivier)
Château La Tour du Pin-Figeac (Moueix)
Château La Tour-Figeac
Château Le Prieuré
Château Les Grandes Murailles
Château Matras
Château Moulin du Cadet
Château Pavie-Decesse
Château Pavie-Macquin
Château Petit-Faurie-de-Soutard
Château Ripeau
Château Saint-Georges Côte Pavie
Château Soutard
Château Tertre Daugay
Château Troplong-Mondot
Château Villemaurine
Château Yon-Figeac

y est remarquable. D'un carmin intense, il propose un bouquet profond, encore un peu boisé mais prometteur. Très concentré, le palais est riche de fruits, de bois et de tanins. Tout cela va demander deux ou trois ans de garde pour se fondre.
Caille, Ch. L'Arrosée, 33330 Saint-Émilion,
tél. 05.57.24.69.44, fax 04.78.42.66.91,
e-mail contact@chateaularrosee.com

AURÉLIUS 2003 *

■ 17,81 ha 27 938 23 à 30 €

L'Union de producteurs de Saint-Émilion est l'une des plus importantes caves coopératives de France. Son président, Paul Pallaro, son directeur, Alain Naulet, et son œnologue, B. Bourdil, ont présenté plusieurs grands crus élaborés sur ce site. Nous avons sélectionné tout d'abord Aurélius qui est le porte-drapeau de la cave. Une cuvée qui réalise un parfait équilibre entre les terroirs et les cépages saint-émilionnais ; né de vieilles vignes, élevé en barrique, c'est l'un des vins les plus représentatifs de son appellation et de son millésime. La cuvée **Galius 2003 (15 à 23 €)** fait entrer 10 % de cabernet-sauvignon. Elle est souple, boisée et pourra se boire plus vite que son aînée. Elle est citée.
Union de producteurs de Saint-Émilion,
Haut-Gravet, BP 27, 33330 Saint-Émilion,
tél. 05.57.24.70.71, fax 05.57.24.65.18,
e-mail contact@udpse.com
t.l.j. sf dim. 8h-12h 14h-18h

CH. AUSONE 2003 **

■ 1er gd cru clas. A 7,3 ha n.c. + de 76 €

85 86 88 |89| |**90**| 92 93 94 |**95**| |96| |**97**| 98 **99** 00 **01 02 03**

Ce cru, propriété familiale, reste au sommet de la hiérarchie contre vents et marées. Depuis plusieurs années, nos dégustateurs, pourtant sévères, ne trouvent aucun argument pour lui refuser le coup de cœur. La situation privilégiée du vignoble n'explique pas tout, il faut du talent pour s'adapter aux caprices des millésimes. Et du talent, Alain Vauthier en a. Il se présente comme un modeste artisan, mais c'est un véritable artiste. Son 2003, d'un bordeaux profond, est somptueux. Le bouquet encore jeune couvre déjà toute la palette : fruitée, florale, boisée, épicée, minérale, etc. La bouche, très chaleureuse et corsée comme le veut le millésime, reste racée, élégante, sans lourdeur. Les tanins denses expriment la noblesse des raisins et du merrain.
Famille Vauthier,
Ch. Ausone, 33330 Saint-Émilion,
tél. 05.57.24.24.57, fax 05.57.74.47.39,
e-mail chateau.ausone@wanadoo.fr

CH. BADETTE Prestige 2003

■ 1,55 ha 6 000 11 à 15 €

À sa mort, en 2002, M. Arreaud a légué son domaine viticole à la commune de Saint-Émilion, qui en confia l'exploitation à Dominique Leymarie. Malgré tous ces changements, le vin reste de qualité. Cette cuvée Prestige est une sélection de 1,5 ha sur la dizaine que compte le vignoble. Dans le verre, le rubis est encore vif. Le nez fin et élégant mêle fruits confits et chêne grillé. En bouche, le volume est bien encadré par une structure tannique solide. Il faudra attendre ce 2003 un an ou deux avant de le servir sur des viandes blanches ou des fromages à pâte molle.
SCEA Ch. Badette,
33330 Saint-Christophe-des-Bardes,
tél. 06.09.73.12.78, fax 05.57.51.99.94,
e-mail leymarie@ch-leymarie.com r.-v.
Mairie de Saint-Émilion

CH. BALESTARD LA TONNELLE 2003

■ Gd cru clas. 10,6 ha 29 000 23 à 30 €

Créé au XV^e^s., ce vignoble occupe le plateau argilo-calcaire de Saint-Émilion. Une tour de surveillance du XV^e^s. témoigne de son ancienneté, tout comme le poème de François Villon cité sur l'étiquette du cru : « Puisqu'il n'est permis de boire ce divin nectar, qui porte nom de Balestard qu'à gens fortunés en ce monde »... Le vin est bien différent aujourd'hui ! Ce millésime de la canicule, d'une belle couleur rubis foncé et limpide, est encore emmuré dans le bois, mais le fruit semble bien présent, assez charnu, équilibré. Laissons-lui le temps de se faire.
SCEA Jacques Capdemourlin,
Ch. Roudier, 33570 Montagne,
tél. 05.57.74.62.06, fax 05.57.74.59.34,
e-mail info@vignoblescapdemourlin.com r.-v.
GFA Capdemourlin

L'ESPRIT DE BARBEROUSSE 2003

■ 1 ha 5 000 8 à 11 €

Cette cuvée hypersélectionnée a été créée cette année par Stéphane Puyol pour différencier son grand cru de son AOC saint-émilion. Sur les 20 ha de son important vignoble, il ne retient qu'un hectare de merlot planté sur graves et sables pour élaborer ce vin original, au bouquet épicé et vanillé, accompagné d'une subtile note de sous-bois. La bouche, encore un peu sous le bois torréfié, s'ouvre à l'agitation sur une minéralité intéressante, soutenue par des tanins fins. Cette bouteille de caractère pourra être servie dans deux à trois ans.
SCEA des Vignobles Stéphane Puyol,
Ch. Barberousse, 33330 Saint-Émilion,
tél. 05.57.24.74.24, fax 05.57.24.62.77,
e-mail chateau-barberousse@wanadoo.fr r.-v.

CH. BARDE-HAUT 2003

■ 14 ha 47 500 23 à 30 €

Comme son frère Daniel Cathiard, Sylviane Garcin a beaucoup investi dans les vignobles bordelais, à Pessac-Léognan, à Pomerol et à Saint-Émilion. Ici, nous sommes sur les argilo-calcaires du coteau sud dominant la vallée de la Dordogne. D'une jolie couleur, le 2003 montre quelques reflets d'évolution. Le bouquet présente à l'agitation d'intéressants arômes d'écorce d'agrumes. Après une mise en bouche agréable, les tanins élégants et doux apparaissent vite. Dans les cinq à six prochaines années, on pourra servir ce vin sur un lièvre à la royale, par exemple.

SCA Ch. Barde-Haut,
33330 Saint-Christophe-des-Bardes,
tél. 05.56.64.05.22, fax 05.56.64.06.98,
e-mail haut.bergey@wanadoo.fr r.-v.
Sylviane Garcin

CH. DU BARRY 2003 ★

	10 ha	50 000	15 à 23 €

89 90 93 **95** |(98)| |99| **00** |01| 03

Daniel Mouty, président régional des Vignerons indépendants, exploite une quarantaine d'hectares de vignes en Libournais, dont ce cru important implanté sur les graves profondes de Saint-Sulpice-de-Faleyrens, au sud de l'appellation. Dans le verre, la robe pourpre dense est agrémentée de reflets vermillon. D'abord boisé, le bouquet évolue sur des notes de cerise à l'eau-de-vie et une touche animale. La bouche est chaleureuse et ronde. On y retrouve la saveur de griotte, accompagnée de tanins de bois torréfié. Représentatif de son terroir et de son millésime, ce vin pourra se boire assez prochainement.

SCEA Vignobles Daniel Mouty,
Ch. du Barry, BP 5, 33350 Sainte-Terre,
tél. 05.57.84.55.88, fax 05.57.74.92.99,
e-mail contact@vignobles-mouty.com
t.l.j. sf dim. 8h-12h 14h-18h

CH. DU BASQUE 2003

	11,47 ha	26 666	11 à 15 €

Le Château du Basque est né sur un vignoble de Saint-Pey-d'Armens. Ce vin de garde sérieux et classique a été élaboré par la cave de Saint-Émilion qui sait respecter les terroirs et les encépagements variés de cette appellation.

Union de producteurs de Saint-Émilion,
Haut-Gravet, BP 27, 33330 Saint-Émilion,
tél. 05.57.24.70.71, fax 05.57.24.65.18,
e-mail contact@udpse.com
t.l.j. sf dim. 8h-12h 14h-18h
Lafaye et Julien

CH. BEAU-SÉJOUR BÉCOT 2003 ★★

1er gd cru clas. B	16,6 ha	56 000	30 à 38 €

82 83 85 (86) **87 88** |**89**| |90| 93 **94** |**95**| |**96**| |97| |98| **99** 00 **01** 02 **03**

Les Romains ont ici cultivé les premières vignes. Le sol est en effet superbe, argilo-calcaire à astéries, et le sous-sol est, depuis le Moyen Âge, creusé de galeries dans lesquelles les vins sont entreposés. Ce millésime atteint à la perfection. Sa robe pourpre, chatoyant de reflets rubis, invite à découvrir un nez puissant, tout entier sur les baies très mûres, le merrain épicé ne gommant pas un terroir noble. Amples, savoureux, onctueux, les tanins sont denses et veloutés. On croque en bouche les grains de raisin, on savoure le miel, la vanille... Un grand vin pour accompagner une grande cuisine. Certainement l'un des rares 2003 qui vieilliront longtemps.

Gérard et Dominique Bécot,
Ch. Beau-Séjour Bécot, 33330 Saint-Émilion,
tél. 05.57.74.46.87, fax 05.57.24.66.88 r.-v.

CH. BELLISLE MONDOTTE 2003

	4,5 ha	19 000	15 à 23 €

Issu du coteau argilo-calcaire de Saint-Émilion, ce vin assemble 80 % de merlot et 20 % de cabernet franc. Viril et charpenté, il présente des notes animales qui conviendront bien à du gibier ou à des viandes en sauce.

SCEA Héritiers Escure,
103, Grand-Pey, 33330 Saint-Sulpice-de-Faleyrens,
tél. 05.57.74.41.17, fax 05.57.24.67.81,
e-mail jmbouldy@wanadoo.fr r.-v.

CH. BERLIQUET 2003

Gd cru clas.	9 ha	27 000	23 à 30 €

88 89 93 94 |95| |96| 97 **98** |**99**| **00** |01| **02** |03|

Même s'il n'apparaît qu'au classement de 1986, Berliquet a des références viticoles et historiques fort anciennes. Déjà présent sur les cartes de Belleyme en 1768, il appartenait à la famille de l'avocat de Louis XVI, de Sèze. Le comte de Carles, descendant de Vital Carles, parlementaire de Bordeaux au XIVes., l'acquiert en 1918. Il le transmet en 1996 à son petit-fils Patrick de Lesquen. Le terroir de coteau de ce cru et son exposition sud-sud-ouest favorisent la maturation. En 2003, année caniculaire, les raisins ont atteint une maturité presque excessive. Cela se retrouve à la dégustation où l'on note du fruit cuit et des tanins qui devraient s'affiner assez vite. Le 2000 avait obtenu un coup de cœur.

Vicomte Patrick de Lesquen,
SCEA Ch. Berliquet, 33330 Saint-Émilion,
tél. 05.57.24.70.48, fax 05.57.24.70.24,
e-mail chateau.berliquet@wanadoo.fr r.-v.

CH. BERNATEAU 2003 ★

	14 ha	50 500	11 à 15 €

Régis Lavau est l'héritier d'une famille qui a créé ce cru en 1854. Dominant la vallée de la Dordogne, l'important vignoble est implanté à flanc de coteau sur des sols argilo-calcaires et bénéficie d'une exposition plein sud. Il a donné naissance à un 2003 au caractère affirmé, à la robe bordeaux intense encore jeune. Le bouquet décline des notes florales (violette), boisées (eucalyptus), beurrées et réglissées. La trame tannique sérieuse et dense, déjà arrondie, permettra de boire cette bouteille assez rapidement, par exemple sur une grillade.

SCEA Régis Lavau et Fils,
Ch. Bernateau, 33330 Saint-Étienne-de-Lisse,
tél. 05.57.40.18.19, fax 05.57.40.27.31,
e-mail regis.lavau@wanadoo.fr r.-v.

CH. LA BIENFAISANCE 2003 ★

	12 ha	50 000	11 à 15 €

Depuis 1989, date de sa création, ce cru a remembré de belles parcelles situées sur le plateau argilo-calcaire, au nord-est de la cité médiévale. Chaleureux et racé, son 2003 porte la marque du merlot. D'un rubis intense, il évoque les baies très mûres au nez, soutenues par un boisé discrètement épicé. La bouche est ample, soyeuse ; à la fois fruitée et minérale et d'une bonne persistance. Les tanins

boisés se manifestent en finale, serrés et élégants. Lors des trois à huit prochaines années on pourra accorder cette bouteille aux viandes rouges, aux gibiers et aux fromages.
SA Ch. La Bienfaisance,
39, Le Bourg, 33330 Saint-Christophe-des-Bardes,
tél. 05.57.24.65.83, fax 05.57.24.78.26,
e-mail info@labienfaisance.com r.-v.

CH. BOUTISSE 2003

■ 25 ha 110 000 15 à 23 €

97 98 |99| |**00**| 02 |03|

Important vignoble exploité par la maison Milhade et souvent retenu, avec même un coup de cœur pour son 2000. Le 2003 présente une jolie robe rubis aux reflets d'évolution (brique). Il demande un peu d'aération pour libérer le fruit (cerise, mûre) et un boisé discret. La bouche est souple et tendre, avec des tanins déjà soyeux qui permettront de boire cette bouteille prochainement sur des viandes blanches.
SCE Ch. Boutisse,
33330 Saint-Christophe-des-Bardes,
tél. 05.57.55.48.90, fax 05.57.84.31.27,
e-mail proprietes@milhade.fr r.-v.
Milhade

CH. LA PERLE DU BRÉGNET
Élevé en fût de chêne 2003

■ 0,5 ha 5 000 11 à 15 €

Cette cuvée est issue d'une sélection de 0,5 ha choisie parmi les 13,5 ha de cette propriété viticole implantée sur les sols sablo-graveleux du sud de l'appellation. Dans le verre, la robe carminée est entourée d'un liseré tuilé. Le bouquet, discret mais fin, associe les fruits rouges et une touche animale. La mise en bouche est souple, fruitée. Un vin sincère, sans artifices, et de bonne origine.
EARL vignobles Coureau, 204, Le Brégnet,
33330 Saint-Sulpice-de-Faleyrens,
tél. et fax 05.57.24.76.43,
e-mail clos-le-bregnet@wanadoo.fr
t.l.j. sf dim. 9h-19h

CH. CADET-BON 2003 ★

■ Gd cru clas. 4,6 ha 21 000 15 à 23 €

|**90**| 93 **94** 95 |(96)| 97 |**98**| |99| 00 |02| 03

La fontaine de Cadet-Bon sert de motif à l'étiquette, mais, rassurez-vous, c'est bien du vin que vous trouverez dans la bouteille. Les vignes de ce cru classé sont implantées sur la butte du Cadet, en bordure nord de Saint-Émilion. Elles ont engendré un vin à la robe pourpre foncé traversée de reflets plus ambrés. Son bouquet épanoui offre des baies très mûres, des épices douces, un boisé délicat. La bouche, ample et ronde, repose sur une saveur fruitée, habillée d'un discret boisé. Les tanins sont solides mais élégants. Déjà séduisant, ce grand cru sera encore plus harmonieux après deux ou trois ans de patience.
SCEV Ch. Cadet-Bon,
1, Le Cadet, 33330 Saint-Émilion,
tél. 05.57.74.43.20, fax 05.57.24.66.41,
e-mail chateau.cadet.bon@terre-net.fr r.-v.

CH. CADET SOUTARD 2003

■ 1 ha 6 000 8 à 11 €

Sur son important vignoble d'une vingtaine d'hectares, la famille Darribéhaude sélectionne 1 ha de merlot planté sur le plateau calcaire pour élaborer cette cuvée. Le nez est dominé par des arômes de baies surmûries, confiturées ; l'agitation amène de discrètes notes de bois grillé. La bouche est très chaleureuse et les tanins prennent vite le dessus. Dans un an ou deux, on pourra commencer à servir ce vin sur des plats forts en goût, gibier ou fromage.
SCE des Vignobles Darribéhaude,
1, Au Sable, 33330 Saint-Laurent-des-Combes,
tél. 05.57.24.70.04, fax 05.57.74.46.14 r.-v.

CH. CANON 2003 ★★

■ 1er gd cru clas. B 22 ha 45 000 46 à 76 €

|89| |90| |96| 97 |**98**| |99| |**00**| 01 02 **03**

Ce 1er grand cru classé est situé sur le plateau calcaire, contre le flanc sud de la cité médiévale. Lorsqu'on se promène parmi les ceps tirés au cordeau, on n'imagine pas le labyrinthe de galeries souterraines sous ses pieds. D'ici, pendant des siècles sont parties les pierres qui ont servi à bâtir Bordeaux et Libourne. Aujourd'hui ces carrières sont devenues des caves. On y trouve un 2003 fin et racé à la robe bordeaux frangée de grenat et au bouquet élégant, encore fruité et floral dans un sillage de merrain torréfié. Son corps relativement souple est corseté par des tanins croquants et épicés. Un grand saint-émilion pour une cuisine fine. Le second vin, le **Clos Canon 2003 (23 à 30 €)** est encore dominé par le bois, mais il gagnera à être consommé plus vite. Il est cité.
SC Ch. Canon,
BP 22, Saint-Martin, 33330 Saint-Émilion,
tél. 05.57.55.23.45, fax 05.57.24.68.00,
e-mail contact@chateau-canon.com r.-v.
Wertheimer

CH. CANTENAC 2003 ★

■ 6 ha 35 000 11 à 15 €

Coiffé d'un joli manoir XIXe s., ce cru est établi au bord de la route Libourne-Bergerac. Un lieu enchanteur. Paré d'une robe bordeaux classique, son 2003 s'ouvre à l'aération sur des notes de fruits à noyau (cerise) et de bois épicé (vanille, réglisse, girofle). La bouche, à la fois séveuse et opulente, a la saveur authentique de son terroir et de son millésime, étoffée par des tanins au grain très fin. Lors des prochaines années, on appréciera ce vin sur une côte de bœuf.
SCEA Ch. Cantenac, 33330 Saint-Émilion,
tél. 05.57.51.35.22, fax 05.57.25.19.15,
e-mail contact@chateau-cantenac.fr
t.l.j. 9h-12h 14h-18h
Nicole Roskam

CH. CANTIN 2003

■ 10 ha 60 000 11 à 15 €

Coup de cœur pour son 2001, ce très beau domaine, implanté sur les coteaux argilo-calcaires du nord-est de l'appellation, est commandé par une ferme monastique du XVIe s. entourée d'un vignoble à l'encépagement équilibré (65 % de merlot, 25 % de cabernet franc, 10 % de cabernet-sauvignon). Il a présenté un vin de caractère, rubis foncé, aux arômes intenses de fleurs (violette), de fruits confiturés (myrtille), de bois chaud. La bouche est chaleureuse et puissante, fruitée, soutenue par des tanins boisés bien construits. Ce 2003 devrait s'ouvrir d'ici un an ou deux ; il pourra tenir tête à une marinade.
Vignobles J. Leprince,
Ch. Cantin, 33330 Saint-Christophe-des-Bardes,
tél. 05.57.24.65.73, fax 05.57.24.65.82,
e-mail contact@chateau-cantin.com r.-v.

CH. CAPET DUVERGER 2003 ★

■ 7,67 ha 32 037 11 à 15 €

Propriétaires à Saint-Hippolyte, les Duverger ont choisi la coopérative pour élaborer ce vin de garde, charnu et corsé, finement boisé par sept mois de barrique. Sa composition ? Merlot (64 %), cabernet franc (27 %) et cabernet-sauvignon (9 %).

Union de producteurs de Saint-Émilion, Haut-Gravet, BP 27, 33330 Saint-Émilion, tél. 05.57.24.70.71, fax 05.57.24.65.18, e-mail contact@udpse.com
t.l.j. sf dim. 8h-12h 14h-18h
EARL Héritiers Duverger

CH. DU CAUZE 2003 ★

■ 20 ha 80 000 15 à 23 €

Ce vaste domaine viticole coiffé d'un joli manoir est établi sur les argilo-calcaires du nord-est de l'appellation. Il présente un vin rubis intense, dont le fumet encore très boisé laisse place, à l'aération, aux baies noires, aux épices douces (vanille, réglisse) et à une pointe mentholée. La rondeur de la bouche n'écrase pas la délicatesse des tanins. Le boisé demande à se fondre un peu pour permettre à l'ensemble d'atteindre l'harmonie, ce qui devrait être le cas d'ici deux ou trois ans.

Bruno Laporte, Ch. du Cauze, 33330 Saint-Christophe-des-Bardes, tél. 05.57.74.62.47, fax 05.57.74.59.12 r.-v.

CH. CHAMPION 2003 ★

■ 6 ha 18 800 11 à 15 €

|95| 96 |98| |99| |00| |01| 03

Pascal Bourrigaud représente la huitième génération de fils uniques sur cette exploitation familiale. Son père n'avait pas attendu la mode de l'agrotourisme pour ouvrir les portes de ses caves aux visiteurs il y a plusieurs décennies, ce qui était assez rare en Bordelais, à l'époque. Aujourd'hui, ceux-ci peuvent y déguster un excellent 2003. Le rubis intense est bordé de reflets tuilés. Le bouquet harmonieux privilégie les fruits confits et un boisé discret. Bien que chaleureuse, la saveur joue plutôt dans le registre de la finesse et de l'élégance que dans celui de la puissance. Les tanins déjà ronds permettront de boire ce vin assez vite. L'autre cru de la famille, le **Château Vieux Grand Faurie 2003** est un peu moins ouvert. Lui aussi fin et élégant, il est soutenu par des tanins un peu plus austères qu'il faudra attendre deux ou trois ans. Il est cité.

Bourrigaud et Fils, Ch. Champion, 33330 Saint-Christophe-des-Bardes, tél. 05.57.74.43.98, fax 05.57.74.41.07, e-mail info@chateau-champion.com r.-v.

CH. CHANTE ALOUETTE 2003 ★

■ 5 ha 24 000 11 à 15 €

Benoît d'Arfeuille, fils du propriétaire, a élaboré un très bon 2003 sur ce terroir sablonneux complanté à 80 % de merlot et à 20 % de cabernet franc. La robe rubis est profonde et fraîche. Les fruits rouges agrémentés de discrètes notes florales et boisées accompagnent la dégustation de ce vin souple et vif au palais. Déjà harmonieux, l'ensemble pourra se consommer rapidement.

Guy d'Arfeuille, Ch. Chante Alouette, 33330 Saint-Émilion, tél. 05.57.24.71.81, fax 05.57.24.74.82, e-mail contact@chateau-chante-alouette.com
t.l.j. sf dim. 9h-12h 14h-18h

CH. CHAUVIN 2003

■ Gd cru clas. 13,5 ha 35 000 30 à 38 €

85 86 **88 89** 90 93 94 96 |98| |99| |00| **|01|** 02 03

Ce cru classé acquis en 1891 par Victor Ondet et exploité aujourd'hui par ses arrière-petites-filles, Béatrice et Marie-France, est établi sur les terroirs sablo-argileux et sablo-graveleux du nord-ouest de l'appellation, tirant vers Pomerol. Le 2003 y est d'une couleur dense, burlat noir à reflets carmin. Au nez, les arômes fruités (mûre, framboise, cassis), un peu terroités, sont accompagnés d'un discret bois grillé. La bouche est chaleureuse, soutenue par des tanins de merrain déjà veloutés. Ce vin devrait s'ouvrir assez vite ; il se boira sur des mets délicats ou des fromages doux.

SCEA Ch. Chauvin, 1, les Cabanes-Nord, BP 67, 33330 Saint-Émilion, tél. 05.57.24.76.25, fax 05.57.74.41.34, e-mail chateauchauvingc@aol.com r.-v.
Béatrice Ondet, Marie-France Février

CH. CHEVAL BLANC 2003 ★★

■ 1er gd cru clas. A 37 ha n.c. + de 76 €

61 64 66 69 **70 71 75 76 78 79** 80 **|81| |82| |83| |85| |86| |88| |89|** (90) **92 |93| 94 |95|** |(96)| **|97| 98 99 00 01 02 03**

L'un des vins français les plus connus au monde. Ce 1er grand cru classé A (il n'y en a que deux) est un mystère. Son terroir d'alluvions de l'Isle mêlant argiles, graves et sables serait plutôt pomerolais. Son encépagement à dominante de cabernets serait plutôt médocain. Il réalise à lui seul la synthèse des grands bordeaux et se révèle rarement jeune. Il faut savoir l'attendre. Son 2003 exprime bien le millésime de la canicule tout en restant délicat. Il est vrai que le cabernet franc a bien supporté ici les fortes chaleurs de l'été. Le rubis est traversé de reflets soutenus. Le bouquet naissant repose sur les fruits confits, les fleurs d'été, le bois toasté, vanillé, épicé. Le palais joue dans le registre de la finesse et de l'élégance tandis que les tanins doux apportent la vigueur nécessaire à une bonne garde.

SC du Cheval Blanc, 33330 Saint-Émilion, tél. 05.57.55.55.55, fax 05.57.55.55.50
B. Arnault et A. Frère

CH. CLOS DES JACOBINS 2003 ★

■ Gd cru clas. 6 ha 20 000 30 à 38 €

|00| |(01)| |02| 03

Le jury a retenu les deux crus présentés par la famille Decoster qui s'investit beaucoup sur Saint-Émilion depuis quelques années. D'abord le Clos des Jacobins, qui a souvent changé de mains ces derniers temps. Situé à l'ouest de la cité, près de la route de Libourne, il produit un vin toujours intéressant. C'est encore le cas avec ce 2003 de grande maturité, à la robe pourpre foncé, au bouquet profond, à la saveur minérale et sévère, soutenue par de très bons tanins. Un grand vin de garde à attendre trois ou quatre ans avant de le servir sur des mets de caractère. Le **Château La Commanderie 2003 (15 à 23 €)**, une étoile, produit sur un terroir de graves et de sables ferrugineux, est également très agréable, aussi bien au nez qu'en bouche. Ses tanins plus soyeux permettront de l'apprécier un peu plus tôt.

Thibaut Decoster, Ch. Clos des Jacobins, 4, Gomerie, 33330 Saint-Émilion, tél. 05.57.24.70.14, fax 05.57.24.68.08, e-mail chateau-clos-des-jacobins@hotmail.fr r.-v.

CLOS DES MOINES 2003

■ 3 ha 15 000 11 à 15 €

La famille Ménager présente deux cuvées l'une et l'autre retenues. Les noms de ces crus font allusion à une ancienne chapelle située sur le chemin de Saint-Jacques et qui dépendait de l'abbaye de Grandmont. Ce Clos des Moines est paré d'une bure carminée. Le nez délicat et précieux mêle des notes florales, des fruits frais et une touche de cuir. La bouche chaleureuse repose sur des tanins aimables qui permettront de boire cette bouteille assez rapidement. Le **Château La Chapelle aux Moines 2003 (8 à 11 €)** obtient également une citation. Son bouquet fin exprime les épices douces et le bois réglissé. Ses tanins ordonnent une garde de un à deux ans.

EARL Ménager, Clos des Moines,
33330 Saint-Christophe-des-Bardes,
tél. 05.57.24.77.02, fax 05.57.24.60.23,
e-mail closdesmoines@wanadoo.fr t.l.j. 8h-19h

CH. CLOS DES PRINCE 2003 *

■ 2,07 ha 10 000 15 à 23 €

Il n'y a pas de faute d'accord du pluriel dans le nom de ce cru. Les Prince sont une lignée de courtiers bordelais établis à Branne, et qui ont acquis, en 2000, un petit domaine viticole installé sur les sables profonds bordant la route Libourne-Bergerac, au sud-est de l'appellation, auquel ils ont donné leur nom. Depuis leur vin est régulièrement retenu dans le Guide. C'est encore le cas de ce 2003 à la fois élégant et dense. Rubis intense, il mêle des notes de baies noires, de chêne torréfié et de gibier. Savoureux au palais, il s'achève sur des tanins boisés qui demanderont encore un an ou deux pour s'affiner. Servez-le avec un aloyau de bœuf.

SCA des Vignobles Prince, Ferrandat-sud,
33330 Saint-Laurent-des-Combes,
tél. 05.57.84.64.14, fax 05.57.84.64.54,
e-mail vignobles-prince.g@wanadoo.fr r.-v.

CLOS D'HORTENSE 2003

■ 0,7 ha 3 800 11 à 15 €

Christophe et Marie-Jo Lavau ont repris en 2002 cette petite propriété familiale située à Saint-Christophe-des-Bardes. La cuvée 2003 a été sélectionnée sur des sols argilo-calcaires complantés à 50 % de merlot, 25 % de cabernet franc et 25 % de cabernet-sauvignon. La teinte plutôt légère brille d'un joli rubis. Le bouquet, d'abord sur le bois toasté, évolue sur les fruits et d'intenses notes d'épices (girofle). En bouche, la trame est serrée, charpentée par des tanins un peu austères qui demanderont un an ou deux pour s'affiner. Bref, un vin charmeur au nez, plus sévère en bouche, qui doit se fondre encore un peu.

EARL Christophe et Marie-Jo Lavau,
Ch. Terrasson, BP 9, 33570 Puisseguin,
tél. 05.57.56.06.65, fax 05.57.56.06.76,
e-mail contact@chateau-terrasson.com
r.-v.

CLOS DUBREUIL 2003 **

■ 1,4 ha 4 800 46 à 76 €

Benoît Trocard avait fait une entrée fracassante dans le Guide avec un coup de cœur pour son premier millésime. Il confirme son savoir-faire avec son 2003. Ce petit clos, situé sur le plateau calcaire, est planté de vieux merlot, avec un soupçon de cabernet franc. Bien qu'encore jeune, le vin est complet à tous les stades de la dégustation.

Malgré sa richesse et sa concentration, il reste harmonieux et plein de charme, ce qui est la marque des grands saint-émilion de garde. Idéal pour les mets raffinés.

Benoît Trocard, 11, Jean Guillot, Clos Dubreuil,
33330 Saint-Christophe-des-Bardes, tél. 06.12.80.04.39,
e-mail bt@trocard.com r.-v.

CLOS FOURTET 2003 **

■ 1er gd cru clas. B 15 ha 45 000 38 à 46 €

85 86 87 88 |89| **90 91** 92 93 **94** |(95)| |**96**| **97** |**98**| |99| **00** 01 **02 03**

Ce 1er grand cru classé, faisant face à la collégiale et entouré d'un interminable muret, doit son nom au camp fortifié qui, dès l'époque romaine, défendait le flanc faible de la cité classée aujourd'hui au patrimoine mondial de l'Unesco. Plus récemment il a appartenu aux plus grands noms de la viticulture et du négoce bordelais : les Figeac, les Ginestet, les Lurton. Aujourd'hui, c'est Philippe Cuvelier qui reprend l'étendard. Il présente un magnifique 2003, très représentatif du plateau calcaire. Un ensemble riche et puissant, mais d'un grand classicisme à tous les stades de la dégustation, avec en plus cette race, cette typicité, cette aptitude à la garde des grands saint-émilion. Le second vin, **La Closerie de Fourtet 2003 (15 à 23 €)**, obtient une étoile. Encore sous le bois, il s'ouvrira un peu plus vite. À boire dans la décennie après un an ou deux d'attente.

SC Clos Fourtet, 33330 Saint-Émilion,
tél. 05.57.24.70.90, fax 05.57.74.46.52,
e-mail closfourtet@closfourtet.com r.-v.
Cuvelier

CLOS L'ABBA 2003 *

■ 3 ha 12 000 15 à 23 €

Établis à deux pas de l'église monolithe de Saint-Émilion, en 2001, Marie-Pierre et Stéphane Apelbaum exploitent deux petits vignobles. Le Clos L'Abba, essentiellement issu de merlot reçoit une étoile pour sa belle robe bigarreau, pour son bouquet à la fois intense et élégant qui mêle harmonieusement les baies noires, le chêne toasté et des senteurs minérales. Les tanins boisés demandent à mûrir encore deux ou trois ans. Quant au **Château Quercy 2003**, il obtient une citation et devra, lui aussi, attendre un à deux ans.

EARL Vignobles M.-P. et S. Apelbaum, 2, pl. Église-Monolithe, 33330 Saint-Émilion, tél. 05.57.84.56.07, fax 05.57.84.54.82, e-mail clos.abba@free.fr r.-v.

CLOS LA MADELEINE 2003 *

■ 2 ha 6 000 30 à 38 €

L'encépagement à l'ancienne associe 60 % de merlot et 40 % de cabernet franc. Cela donne un vin élégant et racé à la robe encore vive, qui s'ouvre sur des baies noires (cassis), du merrain toasté et des notes florales. La bouche est équilibrée, structurée par des tanins au grain exprimant bien l'origine argilo-calcaire. On pourra commencer à apprécier pleinement cette bouteille d'ici deux ou trois ans.

SA du Clos La Madeleine, La Gaffelière Ouest, 33330 Saint-Émilion, tél. 05.57.55.38.03, fax 05.57.55.38.01 r.-v.

CLOS SAINT-JULIEN 2003 *

■ 1,2 ha 3 000 30 à 38 €

(00) 01 02 03

Catherine Papon Nouvel, œnologue bordelaise, élabore plusieurs crus saint-émilionnais de la famille Nouvel. Le Clos Saint-Julien, petit vignoble situé sur le rocher calcaire, a donné un vin extrêmement concentré. Sa robe pourpre est sombre. Le nez, encore sous le bois, s'ouvre à l'aération sur des notes de baies noires très mûres. La bouche est chaleureuse, ample, très étoffée, bâtie sur des tanins puissants qui font de ce 2003 un grand vin de garde. Le **Château Petit Gravet Aîné 2003 (23 à 30 €)**, une étoile, est une curiosité : il est issu de 2,5 ha de sables profonds plantés à 80 % de cabernet franc. C'est un vin capiteux, au caractère plus féminin, qui pourra s'apprécier plus tôt, dès que la saveur boisée se sera un peu atténuée. Rappelons qu'il fut coup de cœur trois étoiles pour son 2002.

SCEA Vignobles J.-J. Nouvel, Ch. Gaillard, BP 84, 33330 Saint-Émilion, tél. 05.57.24.72.44, fax 05.57.24.74.84, e-mail chateau.gaillard@wanadoo.fr r.-v.

CLOS SAINT MARTIN 2003 **

■ Gd cru clas. 1,33 ha 6 000 38 à 46 €

88 89 90 93 |95| |96| 97 |98| |99| 00 |01| **02 03**

Ce clos, enserré entre quatre 1ers grands crus classés, avait obtenu un coup de cœur avec deux étoiles l'an dernier. Le millésime suivant conserve les deux étoiles. Belle constance. Ce petit vignoble entourait autrefois le presbytère de la paroisse Saint-Martin, à deux pas de la cité médiévale. On a affaire à un grand vin, bordeaux sombre et chatoyant à la fois. Le nez est déjà plein de charme, de fruits confits, de bois cacaoté. La bouche élégante et puissante montre une grande harmonie entre le raisin très mûr et le fin boisé, accompagnée par des tanins denses, veloutés et persistants. Dans la même famille, on trouve aussi le **Château Les Grandes Murailles 2003 (30 à 38 €)**, image emblématique de Saint-Émilion, vin de garde un peu plus marqué par la maturité et les tanins ; il est cité. Avec la même appréciation, on trouve aussi le **Château Côte de Baleau 2003 (15 à 23 €)**, issu d'un vignoble plus important ; il est encore un peu marqué par le bois, mais s'ouvrira plus vite.

SA Les Grandes Murailles, Ch. Côte de Baleau, 33330 Saint-Émilion, tél. 05.57.24.71.09, fax 05.57.24.69.72, e-mail lesgrandesmurailles@wanadoo.fr r.-v.

CH. LA CLOTTE 2003 *

■ Gd cru clas. 4,04 ha 12 500 30 à 38 €

Ce crus classé jouxte les remparts de la cité médiévale. Aux temps anciens, il faisait partie des possessions de l'illustre famille de Grailly. Aujourd'hui, c'est une femme, madame Moulierac, qui en a repris les commandes et qui présente un 2003 très réussi. Rubis foncé, ce vin associe au nez des parfums de fruits des bois et un fumet de pain grillé. Puissant et élégant, il s'ouvre au palais sur les fruits rouges et le chêne vanillé, et repose sur une belle structure tannique qu'il faudra attendre un an ou deux.

SCEA du Ch. La Clotte, 33330 Saint-Émilion, tél. 05.57.24.66.85, fax 05.57.24.79.67, e-mail chateau-la-clotte@wanadoo.fr r.-v.

Héritiers Chailleau

CH. CORBIN 2003

■ Gd cru clas. 11,82 ha 40 000 23 à 30 €

85 86 88 89 90 93 94 95 96 |98| |99| 00 02 03

Ce cru classé, implanté sur les terrains argilo-siliceux du nord-ouest de l'appellation, est dans la même famille depuis 1924. La transmission se fait par les femmes. Aujourd'hui, c'est Anabelle Bardinet qui en assure la bonne marche. Dans le verre, la robe carminée de ce millésime est attrayante. Le nez fin est élégant ; le fruit mûr et le bois réglissé sont accompagnés d'une touche minérale (pierre à fusil). Ample et chaleureux au palais, construit sur des tanins fins, c'est un ensemble coquet et plein de délicatesse qui devrait s'épanouir assez vite pour accompagner des viandes blanches et du petit gibier. Il gagnera à être carafé une heure avant le service.

SC Ch. Corbin, 33330 Saint-Émilion, tél. 05.57.25.20.30, fax 05.57.25.22.00, e-mail chateau.corbin@wanadoo.fr r.-v.

CH. CÔTE PUYBLANQUET
Élevé en fût de chêne 2003

■ 4,8 ha 23 900 8 à 11 €

Cette propriété est située sur le coteau calcaire de Puyblanquet à l'est de l'appellation. Sur son vignoble de 11 ha, Christian Bertoni sélectionne 4,8 ha de vieilles vignes pour élaborer cette cuvée élevée en barrique d'une teinte grenat nuancée de reflets bruns. Le nez apparaît légèrement fermé mais se montre assez fin. La bouche est étoffée par des tanins encore un peu sévères qui demanderont un an ou deux pour s'affiner.

Christian Bertoni, Ch. Côte Puyblanquet, 33330 Saint-Étienne-de-Lisse, tél. 05.57.40.18.35, fax 05.57.40.19.04, e-mail chateaucotepuyblanquet@wanadoo.fr r.-v.

CH. LA COUSPAUDE 2003 *

■ Gd cru clas. 7,01 ha 36 000 30 à 38 €

85 **86** 88 |(89)| |90| 91 92 |**93**| |94| |**95**| |96| 97 |**98**| 01 02 03

La famille Aubert possède plusieurs vignobles dans tout le nord-est du vignoble bordelais. Le château La Couspaude, cru classé, en est le fleuron. On peut y visiter, l'été, des expositions de peinture, de sculpture, ainsi que les caves souterraines creusées dans le rocher calcaire. Le vin y est aussi une œuvre d'art. L'œil est flatté par ses reflets rubis légèrement évolués. Le nez s'attarde sur un boisé très fin auquel succèdent d'élégants arômes fruités. La structure est puissante et charpentée. La saveur de moka est liée à des tanins boisés qui doivent se fondre. Ce 2003 demandera deux ou trois ans avant d'atteindre l'harmonie parfaite dont il faudra profiter lors de la décennie suivante. Le **Château Saint-Hubert 2003 (15 à 23 €)**, goûteux, élégant et typique, obtient lui aussi une étoile.

🔑 Vignobles Aubert,
Ch. La Couspaude, 33330 Saint-Émilion,
tél. 05.57.40.15.76, fax 05.57.40.10.14,
e-mail vignobles.aubert@wanadoo.fr ☑ r.-v.

COUVENT DES JACOBINS 2003

■ Gd cru clas. 10,7 ha 24 000 38 à 46 €

98 00 |01| 02 03

Le chai de style roman et les caves souterraines du XVIIe s. de ce cru classé se trouvent en plein cœur de la cité médiévale, au bord de l'artère principale, rue Guadet. Cet ancien couvent témoigne du rôle des ordres monastiques dans le développement de la vigne. Le 2003 est très coloré, bigarreau noir. Le bouquet, d'abord boisé, s'ouvre sur les fruits rouges. La bouche, chaleureuse, évoque la cerise à l'eau-de-vie et repose sur des tanins boisés, fins et soyeux. Ce vin typique du millésime de la canicule devrait pouvoir être servi d'ici un ou deux ans sur un tournedos Rossini.

🔑 SCEV Joinaud-Borde,
10, rue Guadet, 33330 Saint-Émilion,
tél. 05.57.24.70.66, fax 05.57.24.62.51 Y 🚶 r.-v.
🔑 M. et Mme Borde

CH. CROIX DE LABRIE 2003 *

■ 2 ha 3 500 + de 76 €

91 92 93 |95| |96| 97 |01| |02| 03

Ce cru confidentiel joue dans le registre de la rareté, ce qui explique son prix un peu surprenant. Cependant, on a affaire à un vin sérieux, exclusivement issu de merlot planté sur graves. Paré d'une robe pourpre intense, il offre un nez montant qui associe les fruits frais au bois vanillé et grillé. La bouche, en harmonie, présente un bon équilibre entre le fruit et le bois. Soutenu par des tanins fins et persistants, plein de sève et de terroir, ce 2003 conviendra bien sur un canard à l'orange. Son point de vente se trouve à proximité de l'église monolithe, au cœur de la cité.

🔑 Puzio-Lesage, SCEA Ch. Croix de Labrie, 5, rue de la Grande-Fontaine, BP 41, 33330 Saint-Émilion,
tél. et fax 05.57.24.64.60 ☑ Y r.-v.

CH. DASSAULT 2003 *

■ Gd cru clas. 20,37 ha 59 000 30 à 38 €

83 86 88 89 **90 95** 96 98 |99| 00 |01| 02 03

Il est très rare qu'un grand cru classé change de nom. C'est pourtant ce que fit Marcel Dassault lorsqu'il acheta le château Couprie en 1955 ; il le débaptisa et lui donna son propre nom. Aujourd'hui c'est son petit-fils qui est aux commandes. Ce 2003 à la robe pourpre intense offre un bouquet puissant et profond à la fois : les arômes fruités et un fumet boisé s'y mêlent harmonieusement. La bouche est charnue avec une touche de minéralité, signe de finesse. Les tanins pleins de ressources assureront une bonne garde. Après deux ou trois années de patience on pourra apprécier pleinement cette bouteille.

🔑 SARL Ch. Dassault, 33330 Saint-Émilion,
tél. 05.57.55.10.00, fax 05.57.55.10.01,
e-mail lbv@chateaudassault.com ☑ Y 🚶 r.-v.

CH. DESTIEUX 2003 **

■ 8,12 ha 30 000 23 à 30 €

Ce cru tire son nom de la contraction « des yeux », liée à la vue magnifique sur la vallée de la Dordogne, du fait de sa situation au sommet du plateau calcaire à l'est de l'appellation. Le 2003 atteint lui aussi des sommets. Les dégustateurs ont été impressionnés par la puissance et la concentration de ce vin. Sa magnifique robe bordeaux sombre et dense annonce un bouquet profond, dans lequel se mêlent fruits confits, fruits secs, caramel, pain d'épice, chêne réglissé. Sa bouche chaleureuse, riche et suave à la fois, charpentée par des tanins vanillés et persistants, en fait un grand saint-émilion moderne à apprécier dans deux ans et bien au-delà.

🔑 SC Dauriac, Ch. Destieux, 33330 Saint-Émilion,
tél. 06.13.42.95.35, fax 05.57.40.37.42,
e-mail dauriac@labm.fr ☑ 🚶 r.-v.

CH. LA DOMINIQUE 2003 **

■ Gd cru clas. 23 ha 60 000 23 à 30 €

(82) **86** 88 |**89**| |90| 93 |94| |95| |**96**| 97 |98| |99| |00| 01 |02| **03**

Le parcours de Clément Fayat, capitaine d'industrie, est exemplaire parmi les entrepreneurs ayant investi dans les grands châteaux bordelais. Acquis en 1969, La Dominique date du XVIIIe s. Son 2003, né sur des graves profondes, est superbe et décroche un coup de cœur. Nous ferons remarquer au passage que cette distinction est très méritoire pour les crus classés qui présentent, en général, la quasi-totalité de leur production alors que beaucoup d'autres châteaux proposent des microcuvées hypersélectionnées. Revenons à ce somptueux 2003. On y trouve tout ce que l'on peut attendre d'un grand saint-émilion : une attrayante robe bordeaux sombre, un bouquet à la fois fin, puissant et concentré, une bouche ample et élégante, aux

tanins serrés mais fins et fondants, à la saveur exprimant un raisin et un terroir de qualité. Un vin qui sera aussi bon jeune que vieux. Et qui s'accordera à une large palette gastronomique.
Vignobles Clément Fayat,
30, av. du Château-Pichon, 33290 Parempuyre,
tél. 05.56.35.23.79, fax 05.56.35.85.23,
e-mail info@vignobles.fayat.com r.-v.

CH. LA FAGNOUSE 2003

■ 11 ha 50 000 11 à 15 €

Joli domaine familial implanté sur les argilo-calcaires à l'est de l'aire d'appellation. On y trouve un 2003 très coloré, rubis intense. Les arômes fruités sont nuancés de bois grillé. L'attaque est friande, à la fois chaleureuse et fraîche. Les tanins apparaissent vite : ils sont encore un peu fermes et demanderont un an ou deux pour s'assouplir.
SCE Ch. La Fagnouse,
33330 Saint-Étienne-de-Lisse,
tél. 05.57.40.11.49, fax 05.57.40.46.20 r.-v.
Coutant

CH. FAUGÈRES 2003 ★★

■ 22 ha 63 500 23 à 30 €

93 94 |95| |96| 97 |98| |99| 00 |01| 02 03

Voici l'un des derniers millésimes de Corinne Guisez qui réussit sa sortie en décrochant un coup de cœur. En avril 2005, Silvio Denz, homme d'affaires suisse dans les produits de luxe et connaisseur avisé de vins, a repris ce vaste domaine viticole de 57 ha à cheval sur les appellations saint-émilion et côtes-de-castillon. Vingt-deux hectares sur argilo-calcaire sont consacrés à ce grand cru. Le 2003 est une véritable bombe d'exubérance. La robe est splendide, bordeaux moiré de noir. Le nez est prodigue d'arômes de merrain toasté, de mûre, de figue, de mangue, accompagnés d'une touche mentholée. Au palais, c'est un déferlement de sensations chaleureuses, onctueuses, savoureuses et persistantes, liées aux raisins très mûrs et aux tanins boisés et fins. Jeune ou vieux, ce vin réserve un grand moment.
Silvio Denz, Ch. Faugères,
33330 Saint-Étienne-de-Lisse,
tél. 05.57.40.34.99, fax 05.57.40.36.14,
e-mail faugeres@chateau-faugeres.com r.-v.

CH. FAURIE DE SOUCHARD 2003

■ Gd cru clas. 9,71 ha 38 700 23 à 30 €

Ce cru classé, de type familial, porte un nom belliqueux : Faurie viendrait de furie, en souvenir d'une bataille qui eut lieu là durant la guerre de Cent Ans. Heureusement en 2003 les choses se sont calmées et on s'y applique plutôt à élaborer un grand vin. Paré d'un beau rubis, celui-ci possède une structure élégante et équilibrée. Une bouteille représentant bien l'appellation et le millésime. À boire dans les deux à douze prochaines années.
SAS Françoise Sciard Jabiol,
Ch. Faurie de Souchard, 33330 Saint-Émilion,
tél. 05.57.74.43.80, fax 05.57.74.43.96,
e-mail fauriedesouchard@wanadoo.fr r.-v.

LE FER 2003 ★

■ n.c. 6 000 30 à 38 €

Cette cuvée est une sélection de merlot à très faibles rendements du château Cheval Noir exploité par la maison Mälher-Besse depuis 1992. La robe bordeaux sombre est encore jeune et vive. Le bouquet apparaît déjà puissant et complexe ; on y trouve des fruits rouges très mûrs, de la griotte, derrière un rideau de notes empyreumatiques : chêne torréfié, eucalyptus, moka. L'attaque a le caractère chaleureux et soyeux du millésime 2003. Les tanins serrés mais déjà affinés permettront de boire cette bouteille pendant les cinq prochaines années.
SA Mähler-Besse, 49, rue Camille-Godard,
33000 Bordeaux, tél. 05.56.56.04.30, fax 05.56.56.04.39,
e-mail france@mahler-besse.com r.-v.

CH. DE FERRAND 2003

■ 29,71 ha 70 000 15 à 23 €

82 83 85 86 88 90 94 |95| 98 |01| |02| 03

Génial inventeur du stylo bille, le baron Bich acquit en 1978 cette magnifique propriété commandée par un château du XVII[e]s. Les trois cépages concourent à la qualité du cru implanté sur un sol argilo-calcaire. Le 2003 paraît dans une robe superbe, engageante. Puis il reprend ses distances au nez. La bouche, elle, se montre plus éloquente, marquée par son millésime. Un vin à attendre, car les tanins sont très présents.
Héritiers du Baron Bich, Ch. de Ferrand,
33330 Saint-Hippolyte, tél. 05.57.74.47.11,
fax 05.57.24.69.08, e-mail info@chateaudeferrand.com

CH. FERRAND LARTIGUE 2003 ★

■ 5,8 ha 24 000 15 à 23 €

Ce cru créé en 1993 porte le nom de ses propriétaires associé à celui du lieu-dit où est situé le vignoble. Dans le verre, la teinte intense mêle le rubis et le grenat. Le nez, encore dominé par un bois fin, demande un peu d'agitation pour libérer le raisin très mûr, confit. La bouche est souple, chaleureuse, dotée d'une structure tannique de qualité. L'ensemble apparaît séduisant, avec du relief et un potentiel suffisant pour les six à sept prochaines années. On pourra l'apprécier sur une large palette culinaire.
Pierre Ferrand, Ch. Ferrand Lartigue, 2, Lartigue,
33330 Saint-Émilion, tél. et fax 05.57.74.46.19 r.-v.

CH. LA FLEUR 2003 ★★

■ 4,5 ha 20 000 15 à 23 €

Ce petit domaine viticole était connu en 1898 sous le nom de « cru Mérissac ». En 1929, il devint « La Fleur Mérissac », puis « château La Fleur » en 1949. Il appartenait à Lily Lacoste (Petrus) et était exploité par Jean-Pierre Moueix. En 2002, il a été acheté par la famille Dassault et est exploité en métayage par Romain Depons. Dès cette année-là, ce dernier a décroché une étoile. Avec ce 2003, il en obtient deux. Pour un vin de garde puissant et complet, à la somptueuse robe bordeaux sombre et dense. Son bouquet profond et complexe mêle baies noires très mûres, bois vanillé, fumet épicé et animal. Sa saveur exubérante est domptée par des tanins encore un peu

austères mais prometteurs. D'ici deux à trois ans, il tiendra tête à des mets de caractère.
Ch. La Fleur, lieu-dit Mérissac, 33330 Saint-Émilion,
tél. 05.57.55.10.00, fax 05.57.55.10.01,
e-mail lbv@chateaudassault.com r.-v.
Dassault

CH. FLEUR CARDINALE 2003

■ 17 ha 48 000 23 à 30 €

Beaucoup de travaux ont été entrepris dans les vignes et dans les chais, depuis l'acquisition de ce cru par les nouveaux propriétaires en 2001. Le 2003 présente une jolie robe rubis bordée de reflets bruns d'évolution. Le bouquet mêle les fleurs d'été et les fruits confits. La saveur réglissée est accompagnée de tanins encore un peu fermes qui devraient s'affiner d'ici un an ou deux. On appréciera ce vin sur un gibier ou une viande rouge.
Dominique Decoster, SCEA Ch. Fleur Cardinale,
33330 Saint-Étienne-de-Lisse,
tél. 05.57.40.14.05, fax 05.57.40.28.62,
e-mail fleurcardinale@wanadoo.fr r.-v.

LA FLEUR D'ARTHUS 2003 ★

■ 3 ha 14 000 15 à 23 €

Sur la dizaine d'hectares de vignes qu'il exploite sur sables et graves au sud de l'appellation, Jean-Denis Salvert sélectionne 3 ha de vieux merlot pour cette cuvée très réussie. La teinte rubis commence à présenter quelques reflets tuilés. Le nez, encore un peu dans la barrique, libère des senteurs florales à l'agitation. Souple et élégant, le palais repose sur des tanins soyeux qui permettront de boire ce vin assez vite, mais suffisamment serrés pour le soutenir de longues années.
Jean-Denis Salvert, La Grave, 33330 Vignonet,
tél. 06.08.49.18.11, fax 05.57.84.61.76,
e-mail contact@fleurdarthus.com r.-v.

CH. LA FLEUR PEREY

Cuvée Prestige Vieilli en fût de chêne 2003 ★

■ 7,8 ha 48 000 11 à 15 €

Il s'agit ici d'une cuvée Prestige que Florence et Alain Xans sélectionnent sur 7,80 ha de vieilles vignes parmi les 14,80 ha de leur vignoble établi sur les graves sablonneuses au sud de l'appellation. Vignerons de père en fils depuis 1880, les Xans proposent un vin caractéristique de son terroir, par sa finesse minérale. Sa robe rubis se frange de notes d'évolution. Le bouquet est encore dominé par un boisé poivré. La bouche séveuse et minérale est structurée par des tanins vigoureux, qui dans les cinq ou six prochaines années permettront à cette bouteille de tenir tête à des mets goûteux (faisan, gibier...).
Vignobles Florence et Alain Xans,
Ch. La Fleur-Perey, 33330 Saint-Sulpice-de-Faleyrens,
tél. 06.80.72.84.87, fax 05.57.24.63.61,
e-mail alainxans@wanadoo.fr r.-v.

MAGREZ FOMBRAUGE 2003 ★★

■ 3 ha 5 000 + de 76 €

88 |90| 91 92 93 |(95)| |(96)| 97 98 99 00 01 **02 03**

Bernard Magrez associe son nom à la cuvée de tête du magnifique domaine du château Fombrauge, qu'il possède sur les argilo-calcaires au nord-est de l'appellation. Cette cuvée est somptueuse, parée d'une robe bordeaux sombre, quasi noire. Le bouquet exprime les baies noires mûres accompagnées d'un boisé élégant. La bouche, très chaleureuse, évoque presque le porto. Elle associe une sensation croquante de fruits surmûris et des tanins boisés, réglissés et vanillés. Un grand vin de garde déjà harmonieux. Le **Château Fombrauge 2003 (15 à 23 €)** est la cuvée principale (130 000 bouteilles). Il obtient une étoile pour son ampleur fruitée (fruits confits) et ses tanins soyeux qui lui confèrent beaucoup de charme.
SA Ch. Fombrauge,
33330 Saint-Christophe-des-Bardes,
tél. 05.57.24.77.12, fax 05.57.24.66.95,
e-mail chateau.fombrauge@wanadoo.fr
Bernard Magrez

CH. FONROQUE 2003

■ Gd cru clas. 16 ha 53 376 15 à 23 €

81 82 83 85 86 88 89 |**90**| |**95**| 97 |98| |00| 01 02 03

Un beau terroir argilo-calcaire qu'Alain Moueix a repris en 2001. Il a opté pour l'agriculture biologique en 2003 et a obtenu la certification en biodynamie en 2005. Bien libournais avec ses 88 % de merlot complétés par le cabernet franc, Fonroque était fermé le jour de la dégustation. Dense, construit sur une trame serrée, épicé, boisé, mais si plaisant au regard dans sa robe sombre et brillante... Attendre deux à trois ans. Le second, **Château Cartier 2003 (11 à 15 €)**, sera prêt beaucoup plus tôt. Sa simplicité de bon aloi lui vaut une citation.
SAS Alain Moueix,
Ch. Fonroque, 33330 Saint-Émilion,
tél. 05.57.24.60.02, fax 05.57.24.74.59,
e-mail info@chateaufonroque.com r.-v.

CH. FRANC-MAYNE 2003

■ Gd cru clas. 6 ha 18 900 30 à 38 €

85 86 88 89 90 |95| |96| **97** |98| |99| |00| |01| 02 03

Un des derniers millésimes élaborés par Georgy Fourcroy, négociant belge qui n'avait pas attendu la mode de l'agrotourisme pour aménager de magnifiques chambres d'hôte dans la belle maison girondine du domaine. En 2005, c'est une famille de vignerons qui prend en main la destinée de ce cru classé. Le 2003 est encore jeune mais prometteur. Sa teinte rubis est vive. Le nez, très expressif, s'ouvre sur les baies noires, les fruits à noyau, un boisé à note de noisette. La bouche consistante et longue est soutenue par des tanins boisés délicats. On pourra commencer à servir ce vin dans un an ou deux avec des grillades sur sarments...
SCEA Ch. Franc-Mayne,
14, la Gomerie, 33330 Saint-Émilion,
tél. 05.57.24.62.61, fax 05.57.24.68.25,
e-mail info@chateaufrancmayne.com
r.-v. 7

CH. FRANC PIPEAU Descombes 2003

■ 5,35 ha 27 000 11 à 15 €

Jacques Bertrand, actuel président de la Fédération des grands vins de la Gironde, exploite plusieurs crus saint-émilionnais, dont celui-ci établi sur le terroir argilo-siliceux de Saint-Hippolyte, au sud-est de l'appellation. Ici la vigne règne en maîtresse exclusive depuis 1880. Le 2003 est déjà plaisant par ses arômes de fruits à noyau et de fruits secs dans un sillage finement boisé. Sa bouche est à la fois tendre et chaleureuse, soutenue par des tanins mûrs, vanillés. Déjà velouté, ce vin pourra être servi très prochainement, par exemple sur un quasi de veau accompagné d'un gratin dauphinois.
SCEA Vignobles Jacques Bertrand,
Ch. Franc Pipeau, 33330 Saint-Hippolyte,
tél. 05.57.24.73.94, fax 05.57.24.69.07 r.-v.

CH. LA GAFFELIÈRE 2003 ★★

■ 1er gd cru clas. B 18,97 ha 58 000 30 à 38 €

(82) **83 85 86 88 89** |**90**| 91 92 93 **94** |**95**| 97 |99| **02 03**

Cet important 1er grand cru classé est situé à l'entrée sud de la cité, sur les vestiges d'une ancienne *villa* gallo-romaine. Il appartient à une très vieille famille saint-émilionnaise. Le 2003 est paré d'un somptueux pourpoint moiré de burlat noir et de grenat. Son nez est déjà puissant, mais élégant : après le boisé vanillé apparaissent les arômes de merlot mûr rappelant le pruneau. À la fois chaleureux et tendre au palais, d'une saveur en parfaite harmonie avec l'olfaction, il repose sur des tanins denses mais veloutés et persiste sur une touche de moka. Comme tout grand vin, il sera aussi bon jeune que vieux, et s'accordera avec une large palette gastronomique, y compris avec le chocolat.

de Malet, Ch. La Gaffelière, 33330 Saint-Émilion, tél. 05.57.24.72.15, fax 05.57.24.69.06, e-mail chateau.lagaffeliere@chateau.lagaffeliere.com r.-v.

CH. LA GARELLE 2003 ★

■ 5,97 ha 31 000 15 à 23 €

En septembre 2001, Michel et Georgina Billon ont acheté le château La Garelle, ancien relais de poste situé au pied de la Côte Pavie. Ils consacrent les deux tiers de leur vignoble à l'élaboration de ce grand cru. Le 2003 se montre plaisant par ses arômes de fruits macérés à l'eau-de-vie, accompagnés d'un fin boisé. Friande, fruitée, la bouche est fine et équilibrée par des tanins élégants. Le type même du vin plaisir, que l'on pourra apprécier assez prochainement sur une lamproie à la bordelaise ou des viandes rouges.

SARL La Garelle, Ch. La Garelle, 33330 Saint-Émilion, tél. 05.57.24.61.98, fax 05.57.24.75.22, e-mail chateaulagarelle@wanadoo.fr r.-v.

M. et Mme Billon

CH. GESSAN 2003

■ 8,45 ha 53 000 11 à 15 €

Né sur les sables et les graves au sud de l'appellation, plantés pour les trois quarts de merlot et pour un quart de cabernet franc, ce vin à la couleur intense et brillante mêle agréablement les fruits mûrs, le sous-bois et des notes animales. La bouche, très souple, repose sur des tanins déjà fondus, qui permettront de servir cette bouteille assez prochainement sur un bœuf en croûte, par exemple.

SCEV Gonzalès Frères, Canton de Bert, 33330 Saint-Sulpice-de-Faleyrens, tél. 05.57.74.44.04, fax 05.57.24.68.32, e-mail chateaugessan@wanadoo.fr r.-v.

CH. LA GOMERIE 2003 ★★

■ 2,52 ha 11 000 46 à 76 €

95 |**96**| 97 |**98**| |99| 00 **01** 02 **03**

De l'Aquitaine anglaise à la Révolution française, ce domaine de 200 ha, attaché à l'abbaye de Fayse, était l'un des plus importants de Saint-Émilion. Aujourd'hui il n'en reste plus que l'enclos entourant les bâtiments, au bord de la route de Libourne. En 1995, les frères Bécot ont repris ce cru en main. Dès le millésime 2001, ils décrochaient un coup de cœur. Dans le millésime 2003, ce pur merlot est également remarquable. Sa belle robe rubis est bordée d'une frange brune. Le bouquet flatteur porte encore la marque du bois toasté, mais avec un fruit très mûr qui résiste bien. Chaleureux, rond et suave le palais est soutenu par des tanins soyeux et persiste longuement, marque des grands vins.

Gérard et Dominique Bécot, Ch. Beau-Séjour Bécot, 33330 Saint-Émilion, tél. 05.57.74.46.87, fax 05.57.24.66.88, e-mail becotjuliette@hotmail.com

CH. GONTEY 2003 ★

■ 2,4 ha 10 000 23 à 30 €

Vignerons établis en Blayais et en Bourgeais, Laurence et Marc Pasquet exploitent aussi ce petit vignoble saint-émilionnais depuis 1997. Leur vin est régulièrement retenu dans le Guide. C'est encore le cas du 2003. Sa jolie robe mêle des reflets vermillon et carmin. Son bouquet exprime les baies rouges très mûres et le merrain caramélisé. La bouche souple et chaleureuse, en harmonie avec le bouquet, repose sur des tanins soyeux. Un ensemble plein de charme, que l'on appréciera dès sa jeunesse sur des mets fins et délicats.

Laurence et Marc Pasquet, Grand Gontey, 33330 Saint-Émilion, tél. 05.57.42.29.80, fax 05.57.42.84.86, e-mail mondesirgazin@aol.com r.-v.

GRACIA 2003 ★

■ 1,84 ha 3 300 46 à 76 €

L'entreprise Gracia est surtout réputée pour son travail de la pierre. Mais Michel Gracia possède aussi 3 ha de vignes sur lesquels il sélectionne 1,84 ha d'argilo-calcaire pour cette cuvée qui porte son nom et qui est vinifiée dans un chai du XIIIe s. en plein cœur de la cité médiévale. Le verre miroite d'intenses reflets pourpres et rubis. Le nez, encore un peu fermé, s'ouvre à l'aération sur des arômes de fruits noirs, d'épices et de vanille. La bouche structurée est charpentée par des tanins concentrés et cacaotés qui font de ce 2003 un très bon vin de garde. Dans deux ou trois ans, il pourra commencer à tenir tête à du gibier.

Gracia, rue du Thau, 33330 Saint-Émilion, tél. 05.57.24.77.98, fax 05.57.74.46.72, e-mail michelgracia@wanadoo.fr r.-v.

CH. GRAND BERT 2003 ★★

■ 5 ha 30 000 8 à 11 €

La sixième génération de Lavigne exploite d'importants vignobles sur Saint-Émilion et en côtes-de-castillon. Ce cru est implanté sur les graves et les sables du canton de Bert au sud de l'appellation. Le 2003 se pare d'une somptueuse robe bordeaux sombre, presque noire. Le bouquet et la saveur expriment parfaitement le millésime de la canicule. On y trouve les baies très mûres et le chêne noble bien toasté. L'ensemble, chaleureux et concentré, repose sur des tanins élégants au goût de vanille, de cacao, de cuir et de tabac. Un potentiel suffisant pour les cinq à huit ans à venir. Avec, en prime, un prix raisonnable.

SCEA Lavigne, Ch. Grand Tuillac, 33350 Saint-Philippe-d'Aiguilhe, tél. 05.57.40.60.09, fax 05.57.40.66.67, e-mail scea.lavigne@wanadoo.fr r.-v.

CH. GRAND CORBIN MANUEL 2003

■ 7,01 ha 25 500 11 à 15 €

Cette propriété fait partie d'un groupe de crus établis dans le secteur de Corbin au nord-ouest de l'appellation.

Le terroir se compose de sables anciens sur crasse de fer et d'argiles. En dégustation, le rubis est encore vif. Le nez, assez ouvert, offre du fruit frais, un bois légèrement cacaoté et une touche mentholée. La bouche est sans aspérité, et d'une grande fraîcheur ; elle demande un ou deux ans de patience pour que tout se fonde.

Mlle S. de Gaye, La Métairie, Ch. Grand Corbin Manuel, 33330 Saint-Émilion, tél. 05.57.51.12.47, e-mail yg@grandcorbinmanuel.fr r.-v.

Brysca SAS

CH. GRAND MAYNE 2003 *

Gd cru clas. 17 ha 17 000 23 à 30 €

85 86 88 |89| |90| 91 94 95 |96| 97 |99| 00 01 02 03

Grand Mayne est un important cru classé, chapeauté par un beau manoir (d'où son nom). Le terroir et l'exposition sud-ouest favorisent la maturation, déjà très importante en 2003. Il n'est donc pas étonnant d'y trouver un vin particulièrement riche. Entourant une belle robe bordeaux foncé, les parfums complexes et prometteurs sont encore dominés par les fruits confits. Le palais offre beaucoup de volume et du relief. Un grand vin, de style classique, avec du fond et de l'élégance. Il devrait s'épanouir d'ici deux ou trois ans et – ce qui est rare dans ce millésime – se maintenir ensuite pendant une dizaine d'années.

SCEV J.-P. Nony, Ch. Grand Mayne, 33330 Saint-Émilion, tél. 05.57.74.42.50, fax 05.57.74.41.89, e-mail grand-mayne@grand-mayne.com r.-v.

CH. GRAND PONTET 2003 *

Gd cru clas. 14 ha 43 000 15 à 23 €

85 86 88 89 |90| 93 94 |95| |96| 97 |98| |00| |01| 02 03

Cet important cru classé est situé entre Saint-Émilion et la vieille église de Saint-Martin de Mazerat, sur le coteau argilo-calcaire. Depuis 2000, il est dirigé par une sœur Bécot, madame Pourquet, et se maintient à un très bon niveau. Même s'il a un peu souffert de la canicule, le 2003 reste plein de ressources. Son rubis est intense et brillant. Le bouquet naissant est profond, encore sur le fruit. La saveur corsée, pour l'heure dominée par les tanins, laisse augurer un bon potentiel de garde. Il faudra attendre deux ou trois ans avant de commencer à servir ce vin sur des viandes rouges.

Ch. Grand Pontet, 33330 Saint-Émilion, tél. 05.57.74.46.88, fax 05.57.74.45.31 r.-v.

Pourquet-Bécot

LES GRANDS ORMES Cuvée Prestige 2003

0,5 ha 3 000 15 à 23 €

Cette cuvée était précédemment connue sous le nom d'« Orme Brun ». Sur les 14 ha qu'il exploite à Saint-Sulpice, Michel Brun sélectionne 0,5 ha de merlot et de cabernet-sauvignon (à parité) sur un terroir mêlant sables, graves et argiles du sud de l'appellation. Le 2003 se pare d'un rubis vif et franc. Son bouquet s'ouvre sur un bois toasté avec un fruit discret en arrière-plan. L'attaque chaleureuse est vite relayée par des tanins épicés très présents qui demanderont encore un an ou deux pour se fondre.

SCEA Vignobles Yvan Brun, 271, Belle-Assise, 33330 Saint-Sulpice-de-Faleyrens, tél. 05.57.24.61.62, fax 05.57.24.68.82, e-mail vignobles.yvan.brun@wanadoo.fr t.l.j. sf sam. dim. 9h-12h 14h-17h

CH. GRANGEY 2003

6,2 ha 24 533 11 à 15 €

L'Union de producteurs vinifie et commercialise ce cru, dont 40 % pour l'export. Vive, sa robe séduit. Au nez paraît un boisé léger qui met en valeur le fruité. D'un bon volume, puissant mais déjà souple, un vin pour maintenant.

Union de producteurs de Saint-Émilion, Haut-Gravet, BP 27, 33330 Saint-Émilion, tél. 05.57.24.70.71, fax 05.57.24.65.18, e-mail contact@udpse.com t.l.j. sf dim. 8h-12h 14h-18h

F. Araoz

CH. GROS CAILLOU 2003 *

5,2 ha 30 000 11 à 15 €

Éric Dupuy représente la cinquième génération exploitant cette propriété implantée sur sables et graves au sud de l'appellation. Il propose une cuvée issue de 5,2 ha sur les 12,5 ha du cru. La robe dévoile des reflets d'évolution alors que le nez est encore dominé par le bois torréfié. L'attaque est souple et charnue mais les tanins boisés se font vite sentir. Ils se fondront assez rapidement (un an ou deux).

SCEA des Vignobles Éric Dupuy, Ch. Gros Caillou, 33330 Saint-Sulpice-de-Faleyrens, tél. 05.57.24.74.91, fax 05.57.74.40.98, e-mail eric.dupuy@cario.fr t.l.j. sf sam. dim. 9h-12h 15h-17h; f. août

CH. GUADET-SAINT-JULIEN 2003

Gd cru clas. 5,7 ha 22 000 15 à 23 €

Ce cru classé est situé dans les murs de Saint-Émilion. Les aïeux de la famille qui l'exploite actuellement l'avaient acheté à celle de l'avocat girondin Guadet, qui vota la mort de Louis XVI avant d'être lui-même guillotiné en 1794. Le 2003 se présente dans une jolie robe rubis tirant sur le grenat. Le nez encore un peu fermé s'ouvre à l'aération (fruits très mûrs – pruneau, fruits confits –, boisé épicé et notes animales). L'attaque est chaleureuse, vite relayée par les tanins plutôt fermes. Un bon saint-émilion à l'ancienne, austère mais prometteur, qui devrait être prêt d'ici deux à trois ans et qui pourra accompagner des mets consistants.

Guy-Pétrus Lignac, Ch. Guadet-Saint-Julien, 4, rue Guadet, 33330 Saint-Émilion, tél. 05.57.74.40.04, fax 05.57.24.63.50, e-mail guadet@tiscali.fr r.-v.

Mme Lignac

CH. HAUT-BRISSON La Grave 2003

6 ha 27 000 11 à 15 €

Cette jolie propriété de près de 13 ha, située au sud de l'appellation, a été acquise en 1997 par Élaine Kwok ; elle est gérée par Patrick Moulinet. Comme son nom l'indique, la cuvée La Grave est sélectionnée sur 6 ha de graves. Dans le verre, le cœur rubis est bordé de reflets tuilés. Le bois torréfié et le pain d'épice l'emportent au nez comme en bouche. Celle-ci n'en est pas moins bien équilibrée. Tout cela devrait pouvoir se marier d'ici un an ou deux.

SCEA Ch. Haut-Brisson, 33330 Vignonet, tél. 05.57.84.69.57, fax 05.57.74.93.11, e-mail haut.brisson@wanadoo.fr r.-v.

CH. HAUT-GRAVET 2003 *

9,01 ha 45 000 23 à 30 €

|98| |99| |00| |01| 02 03

Issu des graves de Saint-Sulpice-de-Faleyrens sur lesquelles les cabernets sont à parité avec le merlot, ce 2003 présente une robe légèrement tuilée. Le nez, encore très boisé, demande un peu d'aération pour libérer les arômes de baies noires. Équilibré et goûteux en bouche, le vin finit sur des tanins boisés et fins. Après un ou deux ans d'attente, on l'appréciera sur viandes et fromages.

Alain Aubert, 57 bis, av. de l'Europe, 33350 Saint-Magne-de-Castillon, tél. 05.57.40.04.30, fax 05.57.56.07.10, e-mail domaines.a.aubert@wanadoo.fr

CH. HAUT-LAVALLADE 2003 ★

■ 8,33 ha 40 000 11 à 15 €

Ce beau vignoble familial est établi sur les sols argilo-calcaires et argilo-siliceux de Saint-Christophe, au nord-est de l'appellation. Même en année chaude, les vins y conservent une certaine fraîcheur. La teinte de ce 2003 mêle des reflets pourpres et grenat. Le bouquet exprime les fruits frais (groseille, cerise), un boisé discret, ainsi que des notes de fleurs et de tabac. La bouche est très équilibrée – l'acidité résiste bien à l'alcool –, persistante, soutenue par des tanins encore un peu austères mais déjà élégants qui font de cette bouteille un bon saint-émilion de garde. D'ici un an ou deux, on pourra commencer à la servir.

SARL J.P. et M.D. Chagneau, Ch. Haut-Lavallade, 33330 Saint-Christophe-des-Bardes, tél. 05.57.24.77.47, fax 05.57.74.43.25, e-mail chagneau.sarl@wanadoo.fr t.l.j. sf sam. dim. 8h30-12h 14h-17h30

CH. HAUT-PLANTEY 2003 ★

■ 5 ha 24 000 11 à 15 €

À la suite de son père, Denis Boutet exploite deux crus retenus dans le millésime 2003. Le château Haut-Plantey, qui appartenait autrefois aux abbés Marquaux, est établi sur les argilo-calcaires à l'est de l'appellation. Le vin de couleur bigarreau sombre offre un nez très intéressant mêlant les fruits rouges et un boisé discret. La bouche, charnue et élégante, est soutenue par des tanins fins. Harmonieuse et pleine d'avenir, une bouteille à ouvrir dans deux ou trois ans sur un châteaubriand vert-pré. Cité, le **Château Petit Val 2003** est produit sur les sables anciens de Saint-Émilion. C'est un vin bien fait et souple. On pourra le boire plus rapidement, par exemple sur un magret de canard aux fruits rouges.

SCE Vignobles Michel Boutet, Ch. Haut-Plantey, 33330 Saint-Laurent-des-Combes, tél. 05.57.24.70.86, fax 05.57.24.68.30, e-mail vignoblesboutet@wanadoo.fr r.-v.

Famille Boutet

CH. HAUT-POURRET 2003 ★

■ 2,75 ha 13 000 11 à 15 €

|99| |00| 01 02 03

Serge Lepoutre représente la cinquième génération de la famille qui exploite ce petit vignoble idéalement situé dans le secteur de Pourret, à moins d'un kilomètre de Saint-Émilion en direction de Libourne, sur un terroir argilo-calcaire reposant sur le rocher. Il élabore artisanalement un vin très classique, régulièrement retenu par les jurys. C'est encore le cas de ce 2003 bordeaux foncé qui s'ouvre à l'agitation sur de puissantes senteurs de fruits confits et de bois frais. La bouche est généreuse, pleine, savoureuse, charpentée par des tanins de qualité. Un vrai saint-émilion qui devrait s'épanouir d'ici un an ou deux et accompagner agréablement une large palette de cuisine gastronomique lors de la décennie suivante.

Serge Lepoutre, Ch. Haut-Pourret, 33330 Saint-Émilion, tél. 05.57.74.46.76, fax 05.57.74.45.17, e-mail serge.lepoutre@worldonline.fr t.l.j. 9h-12h 14h-18h; sam. dim. sur r.-v.; f. 1er-15 août et vendanges

CH. HAUT-SARPE 2003

■ Gd cru clas. 12,39 ha 67 445 23 à 30 €

85 86 88 89 |90| |95| 96 |98| |99| |00| 01 03

Un important cru classé du plateau argilo-calcaire. Le vignoble, complanté à 70 % de merlot et à 30 % de cabernet franc, entoure un charmant château XVIIIe s. et son parc. Le tout appartient à une famille libournaise d'origine corrézienne, les Janoueix. Comme le château, le vin lui aussi est classique, plutôt discret dans sa jeunesse mais élégant et plein de ressources pour l'avenir. Sa robe rubis est intense, son bouquet profond. Les tanins encore frais invitent à patienter deux ou trois ans avant de commencer à servir cette bouteille sur des mets de caractère, par exemple une escalope de foie gras rôtie aux choux.

Sté d'exploitation du Ch. Haut-Sarpe, BP 192, 33506 Libourne Cedex, tél. 05.57.51.41.86, fax 05.57.51.53.16, e-mail info@j-janoueix-bordeaux.com r.-v.

CH. HAUT-SEGOTTES 2003

■ n.c. n.c. 11 à 15 €

Sable et argile sur crasse de fer, merlot (60 %), cabernet franc (35 %) et cabernet-sauvignon élevés douze mois en barrique : ce 2003 affiche une robe encore jeune, tandis que le nez de fruits très mûrs, confituré, épicé, apparaît bien représentatif du millésime. La sucrosité est importante, les tanins se montrent veloutés, suaves. « Un vin facile, ludique même » note un juré.

EARL Danielle Meunier, Ch. Haut-Segottes, 33330 Saint-Émilion, tél. 05.57.24.60.98, fax 05.57.74.47.29 r.-v.

CH. HAUT-VEYRAC 2003

■ 7,5 ha 33 000 11 à 15 €

Vignoble familial établi sur les argilo-calcaires à l'est de l'appellation. Voici un 2003 bien dans son appellation et son millésime, paré d'une jolie robe mêlant des reflets rubis et grenat. Des arômes de fruits frais, légèrement boisés, accompagnés d'une touche de cuir annoncent une bouche souple et soyeuse en même temps que dense et ronde, soutenue par des tanins déjà fondus. On peut commencer à apprécier ce vin sur une garbure ou un jambon braisé.

SCA Ch. Haut Veyrac, 33330 Saint-Étienne-de-Lisse, tél. 05.57.40.02.26, fax 05.57.40.37.09, e-mail frederic.claverie@tiscali.fr r.-v.

Claverie

CH. JEAN VOISIN Cuvée Amédée 2003 ★

■ 7 ha 12 000 11 à 15 €

|(95)| 96 **|98|** |99| 00 01 02 03

De leur vignoble de 14 ha entourant une belle demeure, les Chassagnoux sélectionnent la moitié pour cette cuvée Amédée. Comme d'habitude, il s'agit d'un bon vin de garde, à la couleur intense et aux reflets bruns d'évolution signant le 2003. Le nez apparaît encore un peu fermé, dominé par la surmaturation et la barrique. La bouche puissante est charpentée par des tanins encore frais qui demandent à être attendus un an ou deux.

⊶ SCEA du Ch. Jean Voisin, 33330 Saint-Émilion, tél. 05.57.24.70.40, fax 05.57.24.79.57 ☑ 🍷 ⚲ r.-v.
⊶ Chassagnoux

LE JOYAU DE LA COUR 2003 ★

■ 0,5 ha 2 500 ▮◖◗ 15 à 23 €

Sur les 9 ha de la jolie propriété viticole qu'il exploite, Hugues Delacour réserve 0,5 ha de pur merlot planté sur terroir sablo-graveleux pour cette cuvée rubis profond élevée en barrique neuve. Le bouquet précieux marie un beau boisé aux fruits noirs très mûrs, avec une touche d'ambre. En bouche, la saveur monte en puissance, d'abord chaleureuse et fruitée, puis charpentée par de solides tanins de merrain qui devraient s'assouplir au vieillissement. Un vin de garde à apprécier dans les deux à sept prochaines années.

⊶ EARL du Ch. Delacour, Ch. de la Cour, 33330 Vignonet, tél. 05.57.84.64.95, fax 05.57.84.65.00, e-mail chateau.de.la.cour@wanadoo.fr
☑ 🍷 ⚲ r.-v. 🏠 B

CH. JUCALIS Élevé en fût de chêne 2003 ★

■ 2,5 ha 12 000 ◖◗ 11 à 15 €

Vignoble familial acquis par le grand-père Roger Visage. On l'appelait alors « Jupille Carillon ». Le nom actuel semble en être la contraction. Isabelle Visage sélectionne 2,5 ha de vignes quinquagénaires pour cette cuvée présentée en bouteilles sérigraphiées. Les graves et sables bruns donnent un vin qui joue plutôt dans le registre de la finesse et de l'élégance que dans celui de la puissance. Au nez et en bouche, on retrouve les notes minérales et le noyau caractéristiques de ces terroirs, le tout accompagné d'un boisé délicat. Un vin qui devrait s'ouvrir assez vite et s'apprécier ensuite pendant une dizaine d'années sur un gigot à la ficelle, par exemple.

⊶ SCEA des Vignobles Isabelle Visage, Jupille, 33330 Saint-Sulpice-de-Faleyrens, tél. 05.57.24.62.92, fax 05.57.24.69.40 ☑ 🍷 ⚲ r.-v.

CH. LAFORGE 2003 ★

■ 5,7 ha 24 000 ◖◗ + de 76 €

J. Maltus exploite plusieurs crus autour de Saint-Émilion, vinifiés au château Teyssier, au sud de l'appellation. Le Château Laforge, créé en 1998 à partir de trois parcelles de terroirs différents, argilo-calcaire, argilo-siliceux et graveleux a engendré un vin bien équilibré, au bouquet concentré de fruits confits et de bois torréfié. La bouche charnue affiche une saveur encore très boisée ; la mâche tannique promet cependant dix ans de garde. **Le Dôme 2003** est une cuvée issue de 2,85 ha de vieilles vignes et naît d'un terroir sableux sur crasse de fer. Son corps fruité est structuré par des tanins encore un peu sévères qu'il faudra attendre deux ou trois ans. Il est cité.

⊶ SCE Ch. Teyssier, Vignonet, 33330 Saint-Émilion, tél. 05.57.84.64.22, fax 05.57.84.63.54, e-mail info@teyssier.fr

CH. LANIOTE 2003 ★

■ Gd cru clas. 5 ha 21 000 ◖◗ 15 à 23 €

89 93 94 95 96 98 99 |00| |01| 02 03

Ce n'est pas le château qui figure sur l'étiquette de ce cru classé, mais la chapelle la Trinité, l'Ermitage et l'entrée des catacombes. Car ces joyaux de la cité médiévale, classée au patrimoine mondial de l'Unesco, appartiennent à la famille des propriétaires. Mais revenons au 2003. La robe encore fraîche mêle des reflets pourpres et grenat. Le bouquet déjà flatteur, ensoleillé, concentré, associe des baies noires très mûres et un boisé aux notes de réglisse et de coco. La bouche fruitée est soutenue par un boisé discret et des tanins fins à la mâche persistante. À la fois traditionnel et moderne, ce vin plaira à beaucoup, d'ici un an ou deux ; il devrait être de garde. Issu d'argilo-calcaire, il est de bonne naissance.

⊶ Arnaud de La Filolie, Laniote, 33330 Saint-Émilion, tél. 05.57.24.70.80, fax 05.57.24.60.11, e-mail laniote@wanadoo.fr
☑ 🍷 ⚲ t.l.j. 8h-12h 13h30-18h

CH. LAPELLETRIE 2003 ★★

■ 12 ha 37 200 ▮◖◗ 11 à 15 €

Un cru établi sur le plateau argilo-calcaire au nord de l'appellation, et distribué en exclusivité par la maison Yvon Mau. Le 2003 affiche une teinte bigarreau très sombre, presque noire. Le nez déjà puissant associe les fruits rouges bien mûrs aux fleurs d'été et au bois vanillé. La mise en bouche est friande, douce et fraîche, puis la texture soyeuse est soutenue par des tanins mûrs. Un vin plein de charme qui sera parfaitement harmonieux dans deux ou trois ans. En 2002, après la disparition de M. Lassègues, son épouse et sa fille ont repris la gestion du **Château La Fleur Picon 2003 (8 à 11 €)**. Cité, c'est un vin encore un peu dominé par la barrique qui demandera un an ou deux pour libérer son fruit.

⊶ GFA Lapelletrie, 33330 Saint-Christophe-des-Bardes, tél. 05.56.61.51.80, fax 05.56.61.51.90

CH. LARMANDE 2003

■ Gd cru clas. 22,4 ha 58 000 ◖◗ 23 à 30 €

85 86 |(88)| |89| |90| 93 94 |96| |98| |99| |00| 01 |02| 03

Le groupe d'assurances La Mondiale investit à Saint-Émilion. Après avoir acheté en 1990 Larmande aux Meneret-Capdemourlin, famille de vieille souche saint-émilionnaise, il a acquis Grand Faurie La Rose en 2005. Ce château Larmande joue dans le registre de la finesse. La robe rubis est élégante, le bouquet délicatement fruité, la bouche souple et corsée à la fois. Un bon équilibre qui devrait se confirmer d'ici deux ou trois ans. Le **Château Grand Faurie La Rose 2003 (11 à 15 €)**, également cité, paraît à la fois plus boisé et plus souple ; il pourra être servi un peu plus vite sur des pièces de veau.

⊶ Ch. Larmande, Larmande, 33330 Saint-Émilion, tél. 05.57.24.71.41, fax 05.57.74.42.80, e-mail chateau-larmande@wanadoo.fr ☑ 🍷 ⚲ r.-v.
⊶ Groupe La Mondiale

CH. DES LAUDES 2003 ★

■ 2,2 ha 12 000 ▮◖◗ 11 à 15 €

Banton et Lauret dirigent une importante entreprise de travaux viticoles. Ils exploitent aussi un peu de vigne, dont ce cru implanté sur les graves et les sols argilo-sableux de Vignonet, au sud de l'appellation. Le 2003 se pare d'une robe chatoyante. Le bouquet déjà épanoui libère une succession d'arômes de fruits à noyau très mûrs, de bois toasté (tabac, tourbe, whisky) ainsi qu'une touche de cuir. La bouche puissante, chaleureuse, typique d'un millésime chaud, est charpentée par des tanins encore austères qu'il faudra attendre un peu.

⊶ GFA Haut-Saint-Georges, BP 80, 33330 Saint-Émilion, tél. 05.57.55.38.03, fax 05.57.55.38.01 ☑ 🍷 ⚲ r.-v.

CH. LAVALLADE Cuvée Roxana 2003

■ 0,5 ha 2 100 🍷 15 à 23 €

Sur la douzaine d'hectares de vignes implantées sur les argilo-calcaires au nord-est de Saint-Émilion, les Gaury élaborent plusieurs cuvées dont cette Roxana créée en 1999. Le rubis du 2003 est intense ; le bouquet exprime les fruits rouges, les épices douces, le merrain toasté. La bouche, chaleureuse, est bien dans son millésime ; les notes de fruits à l'eau-de-vie sont soutenues par des tanins boisés encore très présents qu'il faudra attendre un peu (deux ans).

SCEA Gaury et Fils,
Ch. Lavallade, 33330 Saint-Christophe-des-Bardes,
tél. 05.57.24.77.49, fax 05.57.24.64.83,
e-mail chateau.lavallade@wanadoo.fr r.-v.

CH. LEYDET-VALENTIN 2003

■ 3,5 ha 12 000 11 à 15 €

Aujourd'hui c'est Frédéric Leydet qui exploite ce petit vignoble, dans sa famille depuis le XIX[e]s. On y trouve des sables anciens sur alios et des argilo-calcaires. L'encépagement comprend deux tiers de merlot et un tiers de cabernet franc. Cela donne un joli 2003 au rubis légèrement orangé, aux notes de fruits à noyau dans un environnement d'épices et d'herbes aromatiques (poivre, cumin, romarin, réglisse). La bouche déjà tendre et fine permettra de boire ce vin jeune.

EARL Vignobles Leydet,
Ch. de Valois, Rouilledimat, 33500 Libourne,
tél. 05.57.51.19.77, fax 05.57.51.00.62,
e-mail frederic.leydet@wanadoo.fr r.-v.

LUCIA 2003

■ 3 ha 8 000 30 à 38 €

Ce cru est en majorité situé sur le plateau argilo-calcaire. La teinte rubis de son 2003 commence à présenter quelques reflets bruns d'évolution. Le bouquet, d'abord boisé vanillé, se nuance de notes de fruits secs. Souple à l'attaque, la bouche est vite dominée par les arômes de l'élevage, mais les tanins sont fins et élégants. Cette bouteille pourra se boire assez rapidement.

Michel Bortolussi,
316, Grand-Champ, 33330 Saint-Sulpice-de-Faleyrens,
tél. 06.80.66.20.89, fax 05.57.24.73.00 r.-v.

CH. LUSSEAU 2003 ★

■ 2 ha 9 000 15 à 23 €

Une propriété familiale de 10,5 ha installée sur les sables graveleux au sud-ouest de l'appellation ; Laurent Lusseau a sélectionné 2 ha de vieilles vignes pour élaborer ce 2003 très réussi. Le rubis intense de sa robe est bordé de quelques reflets d'évolution. Le bouquet est déjà puissant : on peut y trouver des baies très mûres, du bois réglissé, des fleurs printanières (violette), des senteurs de sous-bois (mousse, truffe). La bouche chaleureuse, ronde, goûteuse et persistante, à la fois fruitée et boisée, est soutenue par des tanins qui devraient s'affiner assez vite. Un vin bien équilibré pour les prochaines années.

SCEA Vignobles Laurent Lusseau, 276,
Bois-Grouley, 33330 Saint-Sulpice-de-Faleyrens,
tél. 05.57.24.74.03, fax 05.57.74.46.09 r.-v.

LYNSOLENCE 2003 ★★

■ 2,5 ha 7 500 23 à 30 €

Sur les 35 ha qu'il exploite depuis 1971, Denis Barraud élabore toujours des produits intéressants, comme le prouve cette cuvée, issue de vieux merlots plantés sur graves sablonneuses, et qui bénéficie des techniques à la fois les plus traditionnelles et les plus modernes. C'est un vin explosif ! La robe bordeaux est très sombre, presque noire. Fruits confits et merrain fin s'associent dans une bouche extrêmement concentrée, chaleureuse, séveuse, ample, charnue, renforcée par des tanins fins et serrés qui tapissent le palais. C'est une superbe expression d'un saint-émilion d'année chaude, idéal sur du gibier à plume (grive, bécasse) ou une côte de bœuf. Cité, le **Château Les Gravières 2003 (11 à 15 €)** est un vieil habitué du Guide. Plus civilisé, il pourra être apprécié assez prochainement sur un magret de canard ou un rôti de bœuf.

SCEA des Vignobles Denis Barraud,
Ch. Les Gravières, 33330 Saint-Sulpice-de-Faleyrens,
tél. 05.57.84.54.73, fax 05.57.84.52.07,
e-mail denis.barraud@wanadoo.fr r.-v.

CH. MANGOT Cuvée Quintessence 2003 ★

■ 2,7 ha 9 600 23 à 30 €

Sur l'important vignoble de 34 ha qu'ils exploitent à l'est de l'AOC, les Todeschini sélectionnent 2,70 ha de vieux merlot planté sur calcaire à astéries pour élaborer la cuvée Quintessence. La robe bordeaux de ce 2003 est encore fraîche. Le nez dominé par le bois torréfié et réglissé laisse cependant les baies noires s'exprimer. La bouche est chaleureuse, élégante, soutenue par des tanins fins et soyeux qui demandent un ou deux ans de patience. La cuvée principale du **Château Mangot 2003 (11 à 15 €)**, citée, est encore un peu fermée, mais bien structurée. Elle exige, elle aussi, d'être un peu attendue.

Jean Guy et Anne-Marie Todeschini, Ch. Mangot,
33330 Saint-Étienne-de-Lisse, tél. 05.57.40.18.23,
fax 05.57.56.43.97, e-mail todeschini@chateaumangot.fr
t.l.j. sf sam. dim. 8h30-12h 14h-17h30;
groupes sur r.-v.

GFA Ch. Mangot

CH. MATRAS 2003

■ Gd cru clas. 10 ha 21 520 23 à 30 €

83 85 86 |90| 97 98 |99| |00| 01 02 03

Intéressant cru classé de taille familiale, dont le chai est installé dans la chapelle de Mazérat construite au XII[e]s. Un fait qui rappelle que ce sont les ordres religieux qui ont maintenu la vigne en France à cette époque. Le vignoble est adossé à la pente ouest du Tertre Daugay. Le vin se pare d'une robe légère mais attrayante. Les arômes sont surtout liés aux fruits très mûrs. La bouche, souple et ronde, est friande, accompagnée de tanins déjà aimables qui permettront de boire assez vite ce 2003 sur une entrecôte à la bordelaise ou des fromages doux.

Vignobles Véronique Gaboriaud-Bernard,
Ch. Matras, 33330 Saint-Émilion,
tél. 05.57.51.52.39, fax 05.57.51.70.19,
e-mail chateau-bourseau@wanadoo.fr r.-v.

CH. MILON 2003 ★

■ 6,87 ha 28 000 11 à 15 €

Ce domaine familial est établi au nord-est de la cité sur les sols argilo-siliceux bordant la Barbanne, petit affluent de l'Isle, qui sépare l'AOC saint-émilion des appellations satellites. Les années chaudes comme 2003 conviennent bien à ce cru. Paré d'une robe sombre, ce millésime s'ouvre sur les fleurs blanches, la cerise, la vanille et la réglisse. La bouche est chaleureuse, puissante et persistante, accompagnée d'un cortège de fruits rouges mûrs et de tanins vanillés. Déjà plaisant, ce vin se dégustera dans la décennie à venir sur toutes les viandes ainsi que sur les fromages doux. Le **Clos de La Cure 2003**, issu des argilo-calcaires du coteau, plus charpenté, est également retenu avec une étoile.

⊶ SCEA des domaines Bouyer,
Ch. Milon, 33330 Saint-Christophe-des-Bardes,
tél. 05.57.24.77.18, fax 05.57.24.64.20,
e-mail milon-cure@infonie.fr ☑ Y ⚲ r.-v.

CH. MONBOUSQUET 2003

■ 33 ha 70 000 ⏀ 46 à 76 €

95 96 **97** |98| |99| 00 |**01**| 02 |03|

Entourant une vaste maison de maître, ce vignoble est établi sur un terroir sablo-graveleux au sud de Saint-Émilion. L'encépagement, très équilibré (60 % de merlot, 30 % de bouchet, 10 % de cabernet-sauvignon), permet d'assurer une bonne régularité. Les dégustateurs ont apprécié la couleur grenat de ce millésime, le bouquet subtil associant les fruits à noyau très mûrs et le bois vanillé et réglissé. Ils ont souligné la présence d'un boisé de bonne facture : les tanins du merrain sont toastés, déjà affinés. On pourra apprécier cette bouteille assez prochainement.

⊶ SA Ch. Monbousquet,
33330 Saint-Sulpice-de-Faleyrens, tél. 05.57.55.43.43,
fax 05.57.24.63.99, e-mail contact@vignoblesperse.com
⊶ Gérard Perse

CH. MONDOU 2003 ★

■ 5,18 ha 24 208 ▮⏀ 11 à 15 €

Domaine établi à Saint-Sulpice-de-Faleyrens sur un sol siliceux et silico-graveleux. Les trois cépages participent à ce vin à la robe intense animée de reflets grenat. Au nez, les fruits noirs signent le millésime, mais la bouche reste fraîche malgré une finale plus chaleureuse. L'ensemble est bien équilibré.

⊶ Union de producteurs de Saint-Émilion,
Haut-Gravet, BP 27, 33330 Saint-Émilion,
tél. 05.57.24.70.71, fax 05.57.24.65.18,
e-mail contact@udpse.com
Y ⚲ t.l.j. sf dim. 8h-12h 14h-18h
⊶ EARL Vignobles Naulet

CH. MONTE CHRISTO
Cuvée Edmond Dantes 2003 ★

■ 2,47 ha 11 400 11 à 15 €

Jean-Pierre Compin affirme que la maison était habitée par une tante d'Alexandre Dumas. Les noms du château et de la cuvée font référence à l'auteur, à ses œuvres et à ses héros. Le terroir de graves limoneuses est complanté de merlot (70 %), de cabernet franc (20 %) et de cabernet-sauvignon (10 %). Cela donne un 2003 de caractère, à la fois sombre et vif, au bouquet déjà intense et complexe, mariant des senteurs florales, fruitées, animales et surtout boisées. La bouche est chaleureuse et persistante, structurée par des tanins serrés. Ce vin gagnera à être attendu un an ou deux ; ensuite on pourra le servir sur des viandes blanches, du boudin blanc...

⊶ Jean-Pierre Compin, 185, av. de l'Épinette,
33500 Libourne, tél. 06.15.66.45.39 ☑ Y ⚲ r.-v.

CH. LA MOULEYRE 2003

■ 6 ha 34 000 ▮⏀ 15 à 23 €

Philippe Bardet exploite aujourd'hui plus d'une centaine d'hectares dans le Saint-Émilionnais. Ce cru, implanté sur les argilo-calcaires en pente sud de Saint-Étienne-de-Lisse, a engendré un vin prometteur : teinte bigarreau foncé ; bouquet de fruits très mûrs, de fleurs blanches et de sous-bois ; attaque chaleureuse, vite relayée par des tanins encore un peu austères qui demanderont un an ou deux pour s'affiner. Cité également, le **Château Pontet-Fumet 2003**, créé en 1962 par Roger Bardet, est issu de 11 ha sablo-argileux de Vignonet. C'est un vin plaisir, plus abordable, qui pourra se boire rapidement sur une grillade.

⊶ SCEA des Vignobles Bardet, 17, La Cale,
33330 Vignonet, tél. 05.57.84.53.16, fax 05.57.74.93.47,
e-mail vignobles@vignobles-bardet.fr ☑ Y ⚲ r.-v.

CH. MOULIN DU CADET 2003

■ Gd cru clas. 4,6 ha 19 200 ▮⏀ 30 à 38 €

Un ensemble du XVIII[e]s. composé de deux tours d'entrée, d'une maison en pierre, d'un puits, aux portes de Saint-Émilion. Le vignoble couvre les côtes argilo-calcaires de la colline du Cadet. Un millésime 100 % merlot et pourtant délicat en tout point. Sa couleur vive est attrayante, ses parfums fruités se montrent discrets ; la bouche n'est pas explosive mais la chair va se fondre. Le second vin, **Cadet Fontpierre 2003 (23 à 30 €)**, obtient lui aussi une citation. Tout merlot comme son aîné et à attendre également, car ses tanins sont jeunes et vifs.

⊶ SAS Blois Moueix, 92, cours Tourny,
33500 Libourne, tél. 05.57.55.00.58, fax 05.57.51.63.44,
e-mail moulinducadet@wanadoo.fr ☑ Y ⚲ r.-v.

CH. MOULIN SAINT-GEORGES 2003 ★

■ 7 ha n.c. ⏀ 23 à 30 €

Propriétaire d'Ausone, Alain Vauthier ne délaisse pas ce cru assemblant les trois grands cépages bordelais plantés sur un superbe sol argilo-calcaire. Une couleur vive animée de reflets pourpres habille ce millésime qui révèle beaucoup de caractère, tant au nez (sur la cerise et la vanille, annonçant un vin raffiné) qu'en bouche où la vivacité se conjugue avec une structure solide, assez volumineuse, d'une belle minéralité en finale. Le bois est bien dosé, laissant sa place au fruit. À ouvrir dans trois ans.

⊶ Famille Vauthier, Ch. Ausone, 33330 Saint-Émilion,
tél. 05.57.24.24.57, fax 05.57.74.47.39,
e-mail chateau.ausone@wanadoo.fr

CH. ORISSE DU CASSE 2003

■ 2,8 ha 11 800 11 à 15 €

Les Dubois, couple d'œnologues bordelais, sont surtout implantés en côtes-de-castillon. À Saint-Émilion, ils possèdent un petit vignoble établi sur les graves siliceuses au sud de l'appellation. À la dégustation, le vin pourpre intense, traversé de quelques reflets d'évolution, offre un joli nez de baies noires très mûres soutenues par un boisé discret. La bouche s'ouvre sur une saveur de cerise à l'eau-de-vie accompagnée de tanins qui gagneront à vieillir encore un an ou deux.

⊶ Richard et Danielle Dubois,
Lartigue, 33330 Saint-Sulpice-de-Faleyrens,
tél. 05.57.24.72.75, fax 05.40.54.08.01,
e-mail dubricru@terroirsenliberte.com ☑ Y r.-v.

CH. PAILHAS 2003 ★

■ 3,4 ha 18 000 ⏀ 11 à 15 €

Un cru transmis par les femmes. La vigne est complantée pour deux tiers en merlot et pour un tiers en cabernet franc. Dans le verre, le rubis commence à se

border de reflets grenat. Le bouquet marie des senteurs boisées, florales, animales, avec les fruits cuits caractéristiques du millésime. La bouche est chaleureuse ; on y retrouve le fruit très mûr soutenu par des tanins un peu fermes en finale, qui devraient s'affiner rapidement.
SCEA Robin-Lafugie, Ch. Pailhas,
33330 Saint-Hippolyte, tél. et fax 05.57.74.46.02,
e-mail ch.pailhas@wanadoo.fr r.-v.

CH. PALATIN 2003 *

■ 1 ha 4 000 15 à 23 €

Ce micro « grand cru » est apparu pour la première fois l'an dernier, avec une étoile. Il confirme cette année son niveau. Il s'agit d'une vigne de pur merlot plantée sur argilo-calcaires située à l'est de l'appellation, et à laquelle le propriétaire a donné son nom. On a là un vin agréable, d'une belle couleur cerise noire (burlat). Son bouquet naissant très fin exprime les petits fruits rouges à l'eau-de-vie dans un sillage de bois toasté. La bouche a conservé tout le fruité et la chair du raisin bien mûr ; des tanins boisés la soutiennent sans l'écraser. Déjà harmonieux et de bonne garde.
Palatin,
Dom. de la Vieille-Église, 33330 Saint-Hippolyte,
tél. 05.57.74.47.11, fax 05.57.24.69.08 r.-v.

CH. PAS DE L'ÂNE 2003

■ 2,25 ha 8 000 23 à 30 €

Cette cuvée est une sélection sur les 6,44 ha de la propriété implantée sur les argilo-calcaires. Elle est issue de vieilles vignes et assemble, à parité merlot et cabernet franc. Comme le suggère son nom, ce vin se déguste tranquillement. Il présente d'abord une jolie couleur carminée. Viennent ensuite un bouquet boisé, toasté et animal, puis une bouche souple accompagnée de tanins à la saveur nerveuse. Un style qui conviendra à des charcuteries sèches ou fumées dans deux ou trois ans.
SARL Pas de l'Âne, Jean Guillot,
33330 Saint-Christophe-des-Bardes,
tél. 05.57.74.62.55, fax 05.57.74.57.33,
e-mail arnaud.delaire@wanadoo.fr r.-v.

CH. PATRIS 2003 *

■ 6,8 ha 18 000 15 à 23 €

96 97 **98** 99 **00** 01 02 03

Au pied de la tour du Roy, les nombreux touristes qui visitent Saint-Émilion découvrent un imposant bâtiment, les Hospices de la Madeleine. C'est de là que Michel Querre gère plusieurs vignobles. Nous en avons retenu deux. Le Château Patris, paré d'un beau rubis, offre un bouquet déjà développé associant les fruits rouges bien mûrs au boisé finement toasté. Sa bouche est déjà harmonieuse, chaleureuse, charnue, onctueuse, soutenue par des tanins puissants et prometteurs pour les dix prochaines années. Le **Château Cros Figeac 2003**, une étoile, est également très réussi, élégant, d'un bon potentiel de garde.
Michel Querre, Hospices de la Madeleine, rue André-Loiseau, 33330 Saint-Émilion, tél. 05.57.55.51.60, fax 05.57.55.51.61, e-mail mquerre@querre.com

CH. PETIT-FAURIE-DE-SOUTARD 2003 *

■ Gd cru clas. 8 ha 23 900 15 à 23 €

85 86 88 89 90 91 92 93 94 96 97 00 01 02 03

Ce cru classé fut détaché de Soutard en 1850. M. et Mme Aberlen l'achètent en 1936 ; leur fille Françoise se marie en 1978 avec Jacques Capdemourlin, propriétaire d'autres crus classés. On est ici sur du solide. La propriété est située à 800 m au nord de Saint-Émilion. Le 2003 rubis intense est plein de fruits, mûrs et frais à la fois, rappelant la fraise des bois, dans un sillage de merrain toasté. On s'imagine dans un sous-bois à la fin du printemps. La bouche bien équilibrée, ronde mais sans lourdeur, offre une saveur fruitée en harmonie avec le nez. Les tanins encore jeunes assureront la garde. Après deux ou trois ans d'attente, on pourra apprécier ce vin gourmand pendant six ou sept ans.
Françoise Capdemourlin, SCE Vignobles Aberlen,
Ch. Petit-Faurie-de-Soutard, 33330 Saint-Émilion,
tél. 05.57.74.62.06, fax 05.57.74.59.34,
e-mail info@vignoblescapdemourlin.com r.-v.

BORDELAIS

CH. PETIT-GRAVET Marie-Louise 2003 *

■ 1 ha 3 000 15 à 23 €

Sur sa vigne de 2,66 ha plantée sur sables profonds, Claude Nouvel sélectionne 1 ha pour cette cuvée. La robe pourpre est très dense. Le nez débute sur une dominante boisée relayée par du pain d'épice et des fruits confits. La mise en bouche est souple et harmonieuse, la saveur vanillée s'accompagnant de tanins soyeux et réglissés qui permettront à ce vin d'être apprécié assez prochainement.
Claude Nouvel, 2, rue de la Madeleine,
33330 Saint-Émilion, tél. 05.57.24.76.45,
fax 05.57.24.72.34 r.-v.

DOM. DE PEYRELONGUE 2003

■ 5 ha 13 400 15 à 23 €

Sur leur vignoble d'une quinzaine d'hectares situé au pied de la Côte Pavie, à peine à 1 km au sud-est de la cité médiévale classée au patrimoine mondial de l'Unesco, les Cassat proposent un sympathique 2003 à la robe plutôt légère mais attrayante. Frais, fruité, généreux et tendre, il repose sur des tanins soyeux et veloutés. Un vin plaisir qui pourra se boire assez rapidement.
EARL Cassat Père et Fils,
Dom. de Peyrelongue, 33330 Saint-Émilion,
tél. 05.57.24.72.36, fax 05.57.74.48.54 r.-v.

CH. PIERRE DE LUNE 2003 *

■ 0,95 ha 2 000 38 à 46 €

99 00 **01** **02** 03

Tony Ballu est le directeur de Clos Fourtet. En 1999, avec son épouse, il achète une petite parcelle de vignes à laquelle il donne le nom de l'œuvre d'un sculpteur de la famille, qui figure sur l'étiquette. Le 2003 se pare d'une robe pourpre aux reflets rubis. Le bouquet aérien mêle les fleurs d'été aux fruits rouges et au bois grillé. La bouche est très harmonieuse, belle expression d'un millésime chaud, mais sans lourdeur. Le fruit et le bois sont bien équilibrés, les tanins tendres à souhait. Un saint-émilion de classe, à la fois traditionnel et contemporain, qu'il faudra apprécier d'ici un à six ans.
Véronique et Tony Ballu, 1, Châtelet-Sud,
33330 Saint-Émilion, tél. et fax 05.57.74.49.72,
e-mail veronique.ballu@wanadoo.fr r.-v. 3

CH. PIGANEAU 2003 *

■ 5 ha 24 868 11 à 15 €

Ce cru est établi sur les sables et graves bordant la Dordogne, entre le menhir de Pierrefitte (le plus grand de la Gironde) et le port de la cité médiévale. Il porte le nom de l'ancien propriétaire, directeur de l'école des Beaux-Arts de Bordeaux. On comprend que ce personnage se soit intéressé aux grands vins qui sont aussi des œuvres d'art.

Ce 2003 le confirme. Sa robe est profonde. Son bouquet allie les fruits rouges, des senteurs vanillées, grillées, et le cuir. La bouche apparaît ronde et harmonieuse. On pourra commencer à boire cette bouteille dans un an ou deux sur une lamproie pêchée dans la rivière toute proche, ou une entrecôte à la bordelaise.

SCEA J.-B. Brunot et Fils,
1, Jean-Melin, 33330 Saint-Émilion,
tél. 05.57.55.09.99, fax 05.57.55.09.95,
e-mail vignobles.brunot@wanadoo.fr r.-v.

CH. PIPEAU 2003 *

■ 35 ha 180 000 15 à 23 €

86 88 89 |95| |98| |99| |00| |01| **02** 03

Les Mestreguilhem, vieille famille saint-émilionnaise, exploitent un vaste vignoble sur les argilo-calcaires et les graves siliceuses à l'est de l'appellation. Ils produisent un très grand nombre de bouteilles qui sont vendues dans le monde entier. On comprend mieux pourquoi en dégustant ce vin plein de charme. Paré d'une robe pourpre aux reflets vermillon, il s'exprime au nez dans un large registre de senteurs : fleurs, petits fruits, agrumes, bois épicé et torréfié. La saveur est douce et vanillée, accompagnée de tanins tendres à souhait. On pourra servir ce 2003 prochainement et en profiter pendant plusieurs années.

Mestreguilhem, Ch. Pipeau,
33330 Saint-Laurent-des-Combes, tél. 05.57.24.72.95,
fax 05.57.24.71.25, e-mail chateau.pipeau@wanadoo.fr
t.l.j. sf sam. dim. 9h-12h 14h-18h

LA PLAGNOTTE 2003 *

■ 1 ha 3 000 23 à 30 €

Les Labarre, branche de la famille Fourcaud Laussac, présentent deux cuvées. La Plagnotte ne s'encombre même pas du dénominatif de château. Elle est issue des vignes les plus âgées. Elle impressionne par sa densité : robe sombre, arômes puissants de fruits frais et de bois toasté et cacaoté, bouche très structurée, à attendre un peu. Ce vin résistera à des mets de caractère, par exemple des civets. Le **Château La Plagnotte-Bellevue 2003 (11 à 15 €)** est un peu plus simple mais agréable. On pourra le boire assez rapidement sur des mets délicats, des viandes blanches à la crème. Il est cité.

SCEA Vignobles Fourcaud Laussac,
Laplagnotte-Bellevue,
33330 Saint-Christophe-des-Bardes,
tél. 05.57.24.78.67, fax 05.57.24.63.62,
e-mail arnauddl@aol.com r.-v.
de Labarre

CH. LE PRIEURÉ 2003

■ Gd cru clas. 6,25 ha 15 500 30 à 38 €

Ce cru classé est dans la famille de la baronne Guichard depuis 1897. La vigne implantée sur terroir argilo-calcaire se compose de 80 % de merlot et de 20 % de cabernet franc. Le vin présente bien les caractères du millésime. La couleur est foncée, le bouquet harmonieux : on y trouve des fruits, mais aussi des fleurs et des épices. La bouche ronde joue sur des fruits mûrs et des tanins qui devraient s'affiner rapidement. On pourra commencer à servir ce 2003 d'ici un an ou deux sur volailles et viandes blanches.

SCE Baronne Guichard, Ch. Siaurac, 33500 Néac,
tél. 05.57.51.64.58, fax 05.57.51.41.56,
e-mail info@chateausiaurac.com
t.l.j. 8h-12h 14h-17h; sam. dim. sur r.-v.; f. août

CH. QUINAULT L'Enclos 2003 *

■ 18,6 ha 68 000 15 à 23 €

Ardent défenseur du vin, Alain Raynaud exploite un important vignoble enclos dans la ville de Libourne. Son remarquable 2002 avait décroché un coup de cœur. Le 2003 a été jugé très réussi. Sa robe mêlant le rubis et le grenat est profonde. Puissant, le nez évoque les fruits noirs confiturés, un boisé aux senteurs de réglisse, de girofle, de vanille et de coco. La bouche chaleureuse, ronde et beurrée, est soutenue par des tanins encore boisés mais prometteurs. À attendre deux à trois ans, peut-être davantage.

Alain Raynaud, Ch. Quinault, 30, chem. de Videlot,
33500 Libourne, tél. 05.57.74.19.52, fax 05.57.25.91.20,
e-mail raynaud@chateau-quinault.com r.-v.

CH. LES RELIGIEUSES 2003 *

■ 7,65 ha 48 000 8 à 11 €

Son nom et l'étiquette en forme de triptyque (une adoration du quattrocento ?) inclinent à s'attendre à une certaine douceur. Mais dans le verre on a affaire à un vin viril et puissant, à la robe foncée, au nez intense mêlant des senteurs d'épices, de fruits noirs et de bois frais. La texture chaleureuse et charnue est soutenue par de solides tanins. Au final, un bon vin de garde qui conviendra à du gibier dans deux ou trois ans. Déjà plaisant, le **Château du Calvaire 2003 (5 à 8 €)** obtient une citation.

Françoise Dumas, SCEA Les Religieuses,
Jaumat, 33330 Saint-Christophe-des-Bardes,
tél. et fax 05.57.40.09.34 r.-v.

CH. LA RÉVÉRENCE 2003 *

■ 3 ha 8 000 15 à 23 €

Ce vigneron de Lalande-de-Pomerol possède aussi 3 ha de vignes sur les argiles à 2 km au nord de la cité de Saint-Émilion. Il y a construit un petit chai dans lequel il vinifie la moitié de sa production en fûts de 4 hl. L'encépagement s'équilibre à parité parfaite entre merlot et cabernet franc. Cela donne un 2003 au caractère encore jeune : sa robe rubis et grenat est très intense. Le nez, un peu fermé, s'ouvre à l'aération sur des fruits rouges frais, du pain grillé et des épices. La structure tannique encore austère devrait bien vieillir. Dans un an ou deux, on pourra commencer à apprécier cette bouteille sur des gibiers à plume (faisan, perdreau, bécasse) ou des escargots à la bordelaise. Ravissante étiquette.

Émeric Petit, 26, rue de l'Église, 33500 Néac,
tél. 05.57.51.18.61, fax 05.57.51.00.04 r.-v.

CH. RIOU DE THAILLAS 2003 *

■ 2,54 ha 10 000 15 à 23 €

Ce petit vignoble est situé sur une croupe de boulbènes et galets bordée par le Thaillas, petit affluent de la Dordogne séparant Saint-Émilion de Libourne et de Pomerol. Le 2003 se pare d'une robe rubis et grenat dense. Le bouquet, déjà complexe, mêle un boisé toasté, des fruits confits et une touche florale rappelant la rose. La bouche est pleine de saveurs épicées, accompagnées de tanins chocolatés qui demanderont un an ou deux pour s'assouplir. Un peu moins de fût aurait permis à ce vin d'acquérir une étoile supplémentaire.

Michèle Béchet,
Ch. Riou de Thaillas, 33330 Saint-Émilion,
tél. 05.57.68.42.15, fax 05.57.68.28.59,
e-mail jean-yves.bechet@wanadoo.fr r.-v.

CH. RIPEAU 2003 *

■ Gd cru clas. 12,67 ha 41 000 🍷 15 à 23 €

90 91 92 93 94 95 |99| 01 |02| 03

Important vignoble entourant un château fin XVIII[e]s. Ce cru classé est dans la famille de Françoise de Wilde depuis 1917. Aujourd'hui c'est sa fille Barbara Janoueix-Coutel et son neveu Louis de Wilde qui prennent le relais. Le 2003 se pare d'un pourpoint bordeaux foncé. Le premier nez de bois toasté est suivi de notes de fruits frais (cerise, cassis) et d'une touche minérale (silex). Le palais est caressé par une chair friande dont les arômes sont en harmonie avec ceux du bouquet. La charpente est assurée par des tanins fondants. Encore un an ou deux de patience et ce vin sera prêt.

Françoise de Wilde,
SCEA Ch. Ripeau, 33330 Saint-Émilion,
tél. 05.57.74.41.41, fax 05.57.74.41.57,
e-mail chateauripeau@wanadoo.fr ☑ Y ⚲ r.-v.

CH. ROCHEBELLE 2003 **

■ 3 ha 14 000 🍷 23 à 30 €

88 89 |96| |98| 99 |00| |01| 02 **03**

Ce petit vignoble, très bien situé sur les coteaux argilo-calcaires à l'est de l'appellation, est régulièrement retenu par le Guide. Dans cette année difficile, il obtient même deux étoiles. Après son élaboration, le vin vieillit dans des caves monolithes créées par l'arrière-grand-père, lui-même carrier. Est-ce cela qui lui donne ce caractère particulier qu'ont apprécié les dégustateurs ? La robe est dense. Le nez, encore sur la réserve, s'ouvre à l'agitation sur des arômes de pruneau, de mûre, de beurre-noisette, de merrain caramélisé. Le palais est savoureux car le fruit résiste bien au boisé et reste élégant malgré la concentration. Un ensemble de classe et de caractère à la fois, prometteur pour les deux à six prochaines années.

Faniest, Ch. Rochebelle,
33330 Saint-Laurent-des-Combes, tél. 05.57.51.30.71,
fax 05.57.51.01.99, e-mail faniest@wanadoo.fr
☑ Y ⚲ t.l.j. sf sam. dim. 9h30-12h 14h-19h

CH. DU ROCHER 2003

■ 7,05 ha 37 602 🍷 8 à 11 €

Ce domaine viticole d'une quinzaine d'hectares entourant un château de style Directoire est dans la même famille depuis le XV[e]s. Sept hectares d'argilo-calcaires sont consacrés à la production du grand cru. Sa robe mêle des reflets pourpres et rubis. Le nez original ajoute au fruité et au boisé habituels des notes florales et de la noix muscade. La bouche est aimable et généreuse, accompagnée d'une note de cerise à l'eau-de-vie. Les tanins déjà tendres permettront de boire ce 2003 assez vite.

SCEA baron de Montfort,
Ch. du Rocher, 33330 Saint-Étienne-de-Lisse,
tél. 05.57.40.18.20, fax 05.57.40.37.26,
e-mail contact@baron-de-montfort.com ☑ Y ⚲ r.-v.

CH. ROCHER BELLEVUE FIGEAC 2003

■ 9,3 ha 39 000 🍷 11 à 15 €

Sur les trois composantes du nom de ce cru, deux sont faciles à expliquer : « Bellevue » correspond à 7 ha situés en face de Pomerol, « Figeac » à 25 ha situés à Lamarzelle en face de Figeac. On a donc un vin équilibré, à la robe vive, au bouquet s'ouvrant à l'aération sur des notes de mûres et de sous-bois. Corsé, structuré par des tanins encore un peu sauvages, ce 2003 pourra être apprécié dans un à deux ans.

Dutruilh, 14, rue d'Aviau, 33000 Bordeaux,
tél. et fax 05.56.81.19.69,
e-mail jdfammes@wanadoo.fr Y ⚲ r.-v.

CH. ROLLAND-MAILLET 2003 **

■ 3,35 ha 11 800 🍷 11 à 15 €

(82) 85 **86** |**89**| |**90**| |93| |94| |95| 97 **98** 00 |01| 02 **03**

Michel Rolland, le « vinificateur volant » que le monde entier s'arrache. Avec son épouse Dany, il ne se contente pas de gérer son laboratoire libournais mais il apporte tous ses soins à ses propres domaines dont celui-ci – établi sur les sols argilo-siliceux et les graves siliceuses du secteur de Corbin – est le fleuron. Le millésime et le savoir-faire ont engendré un vin somptueux et plein de promesses, auquel les dégustateurs donnent un coup de cœur. La robe bordeaux est presque noire. Le bouquet déjà riche exprime les baies noires très mûres dans un environnement finement boisé. La bouche est chaleureuse avec de belles rondeurs ; les tanins et le boisé bien maîtrisés ne masquent pas le fruit. Un vin qui devrait s'ouvrir assez vite et se conserver longtemps.

SCEA des domaines Rolland, Maillet,
33500 Pomerol, tél. 05.57.51.23.05, fax 05.57.51.66.08,
e-mail rolland.vignobles@wanadoo.fr ☑ Y ⚲ r.-v.

CH. LA ROSE BRISSON 2003 *

■ 3,86 ha 20 000 🍷 11 à 15 €

Cette année, c'est le cru le moins connu élaboré par Martine Galhaud qui est retenu. Cependant, il représente les deux tiers de sa production, issue de graves et de sables complantés à parité de merlot et de cabernet-sauvignon. Rubis très net, son vin s'ouvre à l'aération sur des arômes de fruits mûrs. La bouche équilibrée et harmonieuse repose sur des tanins croquants. Un vin qui sera assez prochainement agréable à boire.

SCEA Martine Galhaud, Le Manoir,
33330 Saint-Émilion, tél. 06.63.77.39.75,
fax 05.57.74.48.93, e-mail mgalhaud@galhaud.com
☑ Y ⚲ t.l.j. 9h-12h 14h-18h

CH. ROYLLAND 2003

■ 9,5 ha 23 000 🍷 15 à 23 €

Ce cru est assez typique de l'exploitation familiale saint-émilionnaise : une dizaine d'hectares, deux terroirs, l'un argilo-calcaire et l'autre argilo-siliceux, un encépagement dominé à 90 % par le merlot. Dans le verre, la couleur burlat est intense. Le bouquet s'ouvre à l'aération sur des griottes confiturées et un boisé discret. La bouche souple et fruitée repose sur des tanins qui commencent à se fondre. Dans un an ou deux, on pourra commencer à servir cette bouteille sur une cuisine traditionnelle.

⊶ SCEA Roylland, Ch. Roylland, 33330 Saint-Émilion, tél. 05.57.24.68.27, fax 05.57.24.65.25, e-mail chantal.oddo-vuitton@wanadoo.fr
☒ Y ⚲ lun. mar. jeu. ven. 13h30-17h
⊶ C. Oddo-Vuitton, P. et C. Oddo

CH. ROZIER 2003

■ 23,5 ha 54 000 ⫼ 15 à 23 €

La famille de Jean-Bernard Saby exploite, depuis neuf générations, un important vignoble de 58 ha sur différents terroirs de Saint-Laurent-des-Combes, à l'est de l'appellation. Le jury a sélectionné deux cuvées. La principale, issue du pied de coteau, où 20 % de cabernet franc accompagnent le merlot, donne un vin déjà agréable, aux reflets pourpres et grenat, au bouquet boisé, à la saveur fruitée de mûre et de cerise, aux tanins tendres qui permettront de le boire prochainement. Le **Château Haut La Grâce Dieu 2003**, régulièrement retenu, est une petite cuvée de pur merlot né sur argilo-calcaire. Le vin est plus concentré. Le bouquet tenace mêle les fruits très mûrs et le chêne toasté, accompagnés d'un sillage balsamique. La bouche solidement structurée est encore un peu austère et demande quelques années pour s'ouvrir.

⊶ Vignobles Jean-Bernard Saby et Fils, Ch. Rozier, 33330 Saint-Laurent-des-Combes, tél. 05.57.24.73.03, fax 05.57.24.67.77, e-mail info@vignobles-saby.com ☒ Y ⚲ r.-v.

CH. SAINT-GEORGES CÔTE PAVIE 2003 *

■ Gd cru clas. 5,5 ha 25 000 ⫼ 15 à 23 €

Ce vignoble classé est situé sur le coteau argilo-calcaire de Pavie, face à Ausone, voisin prestigieux. Depuis juin 2004 l'élaboration et la commercialisation sont confiées à la maison Milhade de Galgon. Dans le verre, on trouve un vin à la robe sombre, au nez encore un peu fermé mais élégant. La bouche bien enrobée est minérale, terroitée ; ses tanins déjà aimables permettront d'apprécier ce 2003 assez vite, par exemple sur une entrecôte grillée.

⊶ Jacques Masson, 33330 Saint-Émilion, tél. 05.57.74.44.23 ⚲ r.-v.
⊶ Gabriel Masson

CH. SANSONNET 2003 *

■ 6,46 ha 18 000 ⫼ 23 à 30 €

98 99 |00| |01| 03

Château Sansonnet, une valeur sûre de l'appellation, ayant appartenu au XIXes. au duc Decazes, premier ministre de Louis XVIII. Il est situé sur le point le plus élevé du plateau argilo-calcaire. Avec 90 % de merlot, le 2003 a une très belle présentation bordeaux jeune, presque noire. Le bouquet est déjà expressif, succession de fruits confits, de boisé empyreumatique, de pain d'épice et même d'une touche florale. La bouche ample et fruitée se montre raffinée malgré des tanins torréfiés persistants. Un vin de garde.

⊶ Patrick d'Aulan, Ch. Sansonnet, 33330 Saint-Émilion, tél. 05.57.55.60.60, fax 05.56.30.11.45 Y r.-v.

CH. TAUZINAT L'HERMITAGE 2003 *

■ 9,28 ha 30 000 ▮⫼ 11 à 15 €

95 96 97 |**00**| 01 02 03

Catherine Moueix assure la continuité familiale de ce cru dont le nom vient de la présence autrefois de chênes tauzins (truffiers) et d'un ermitage. Cette bouteille représente l'ensemble de la production et non une microcuvée comme chez certains. Le résultat n'en a que plus de valeur. La robe est somptueuse, d'un rubis sombre et éclatant à la fois. Le bouquet déjà très expressif mêle des arômes de fruits mûrs, de vanille et d'épices douces, de merrain toasté. La mise en bouche est souple et soyeuse, la saveur encore un peu dominée par la barrique, mais les tanins serrés et élégants promettent un vin plein de charme d'ici un an ou deux. On l'appréciera dans la décennie suivante sur une poularde truffée ou un gigot d'agneau.

⊶ SC Bernard Moueix, Ch. Taillefer, BP 9, 33501 Libourne Cedex, tél. et fax 05.57.25.50.45 ☒ Y ⚲ r.-v.
⊶ Héritiers Moueix B.

CH. TERTRE DAUGAY 2003 *

■ Gd cru clas. 15,76 ha n.c. ⫼ 15 à 23 €

82 **83 86 88** 89 90 |96| 98 99 00 02 03

Ce cru classé chapeaute le coteau le plus visible depuis la route Libourne-Bergerac. Il domine la vallée de la Dordogne. Son terroir argilo-calcaire et son exposition plein sud sont excellents. La maturité y est toujours bonne ; en 2003, elle atteint des sommets. Dans le verre, on trouve donc un vin très concentré, rubis sombre. Aux arômes de baies noires finement boisées succède une bouche puissante et élégante. Ses tanins boisés encore un peu exubérants sont indispensables à un vin de garde. Il faudra patienter deux ou trois ans avant de commencer à apprécier pleinement cette bouteille.

⊶ Léo de Malet Roquefort, Ch. Tertre-Daugay, 33330 Saint-Émilion, tél. 05.57.24.72.15, fax 05.57.24.69.06, e-mail chateau-tertre-daugay@chateau-tertre-daugay.com ☒ Y ⚲ r.-v.

CH. TOUR DE PRESSAC 2003 *

■ 10,5 ha 26 000 ⫼ 15 à 23 €

Ce magnifique domaine viticole d'une quarantaine d'hectares coiffé d'un authentique château est un des lieux les plus chargés d'histoire de la région : reddition des Anglo-Aquitains à la fin de la guerre de Cent Ans (bataille de Castillon), introduction de l'auxerrois en Bordelais (appelé noir de Pressac, puis malbec, puis cot)... Les deux vins présentés ont été retenus. Rubis intense, Château Tour de Pressac est le plus ouvert avec un bouquet expressif et délicat de fruits confits et de cerise. La bouche est onctueuse, soutenue par des tanins fins et élégants. Un classicisme de bon aloi. Le **Château de Pressac 2003** est encore un peu sous le bois, mais sa puissance et sa charpente tannique sont prometteuses. Il obtient lui aussi une étoile.

⊶ GFA Ch. de Pressac, 33330 Saint-Étienne-de-Lisse, tél. 05.57.40.18.02, fax 05.57.40.10.07, e-mail jfetdquenin@libertysurf.fr ☒ Y ⚲ r.-v.
⊶ J.-F. et D. Quenin

CH. LA TOUR FIGEAC 2003 *

■ Gd cru clas. 12 ha 15 000 ▮⫼ 23 à 30 €

82 83 85 86 89 **90** 93 94 |95| |**96**| 97 |98| |01| 02 03

Ce cru classé appartient à la famille Rettenmaïer depuis 1974 (et non 1994 comme nous l'avions écrit précédemment). Il est établi sur les graves et sables anciens du secteur de Figeac. À côté du merlot, le cabernet franc est très présent puisqu'il atteint maintenant 40 % de l'encépagement. Cela donne un vin de caractère qui peut surprendre à Saint-Émilion. La robe pourpre est frangée de grenat. Le bouquet naissant s'ouvre sur des notes animales et truffées, puis viennent les fruits à noyau et le bois vanillé. La bouche est plus classique, au départ suave et onctueuse, puis accompagnée de tanins épicés et serrés qui lui permettront de bien vieillir. Signalons que les vignes sont conduites en biodynamie.

Famille Rettenmaïer, SC La Tour Figeac, BP 007, 33330 Saint-Émilion, tél. 05.57.51.77.62, fax 05.57.25.36.92, e-mail latourfigeac@aol.com r.-v.

CH. TOUR POURRET 2003

3 ha 16 666 11 à 15 €

Deux sœurs conduisent ce vignoble familial implanté sur les sols sablonneux bordant la route de Libourne à moins de 1 km de Saint-Émilion. Le bouchet (cabernet franc) y est à parité avec le merlot. Il en résulte un vin délicat et racé, paré d'une robe pimpante. Le nez finement boisé et réglissé est légèrement floral, alors que la bouche joue sur les fruits cuits et des tanins encore un peu fermes. Dans un an ou deux, on pourra commencer à boire ce 2003 sur un poulet grillé et du fromage sec.

Mmes Prat et Rives, Ch. Tour-Pourret, 33330 Saint-Émilion, tél. 05.57.24.72.61, fax 05.57.74.48.82 r.-v.

CH. TOUR SAINT-CHRISTOPHE 2003 ★★

17,5 ha 95 300 11 à 15 €

Un important vignoble installé sur les argilo-calcaires de Saint-Christophe-des-Bardes, au nord-est de l'appellation. Il ne présente pas une microcuvée mais l'ensemble de sa production. Cela ne l'empêche pas de décrocher deux étoiles ! Dans le verre, l'œil est flatté par un grenat profond. Le bouquet délicat et complexe mêle des arômes de fruits à noyau (kirsch) et un fumet boisé et épicé. La bouche, d'abord souple et charnue, est étoffée par des tanins fins et persistants. Dans un an, ce vin sera parfait pour accompagner des viandes rouges.

SAS Tour Saint-Christophe, Morin, 33550 Capian, tél. 05.57.97.75.75, fax 05.56.72.13.23 r.-v.

CH. TRAPAUD 2003

14,3 ha 32 000 11 à 15 €

Beau domaine viticole, chapeauté par une originale demeure de style hollandais, et situé à l'est de l'appellation. L'exploitant actuel, maire de sa commune, a pris le relais de sa famille établie ici depuis 1924. Dans le verre, ce 2003 présente quelques reflets d'évolution. Le nez est dominé par le fruit, les petites baies rouges, les écorces d'agrumes confites. La bouche est charnue, charpentée par des tanins encore un peu fermes qu'il faudra attendre un an ou deux.

SCEA Larribière, Ch. Trapaud, 33330 Saint-Étienne-de-Lisse, tél. 05.57.40.18.08, fax 05.57.40.07.17, e-mail chateau-trapaud@wanadoo.fr r.-v.

CH. TRIMOULET 2003

5,5 ha 36 000 15 à 23 €

Beau domaine viticole de 17 ha dans la même famille depuis le XVIII[e]s. La neuvième génération sera représentée par une femme. Le grand cru 2003 est sélectionné sur 5,5 ha d'argilo-calcaires. Il se présente dans une robe pourpre ; son bouquet déjà intense repose sur les baies noires, le bois toasté, avec une légère note terroitée. En bouche, on retrouve la même palette aromatique et des tanins mûrs, fins et persistants. D'ici un an ou deux, ce vin pourra commencer à accompagner viande rouge ou gibier.

Michel Jean, Ch. Trimoulet, BP 60, 33330 Saint-Émilion, tél. 05.57.24.70.56, fax 05.57.74.41.69, e-mail trimoulet.jean@wanadoo.fr r.-v.

CH. TROTTE VIEILLE 2003 ★★

1er gd cru clas. B n.c. 24 000 46 à 76 €

82 **85 86 88 90** |95| 96 97 |98| |99| **00 01** 02 **03**

La petite vieille qui trottinait pour aller aux nouvelles de la diligence qui passait là ne pensait pas qu'on parlerait d'elle encore plusieurs siècles après. C'est pourtant elle qui est à l'origine du nom de ce cru classé, magnifiquement placé au sommet du plateau calcaire d'où l'on domine la vallée de la Dordogne, la cité médiévale, Pomerol et Fronsac. Le 2003, élaboré avec soin par Denis Dubourdieu et Philippe Castéja, atteint lui aussi des sommets. Lorsqu'on le hume, on se promène dans un bois de chênes truffiers parsemé de violettes, puis viennent les fruits confits et une touche de tabac. La bouche se montre largement à la hauteur du nez, puissante, élégante et racée. Elle tiendra tête aux mets goûteux tels une selle de chevreuil, un rôti de marcassin ou des fromages de caractère : roquefort, vieux gouda, stilton... Le second vin, **La Vieille Dame de Trotte Vieille 2003 (30 à 38 €)**, obtient une étoile. Plus velouté, il pourra être apprécié un peu plus tôt.

SCEA du Ch. Trottevieille, Ch. Trottevieille, 33330 Saint-Émilion, tél. 05.56.00.00.70, fax 05.57.87.48.61, e-mail domaines@borie-manoux.fr r.-v.

VIRGINIE DE VALANDRAUD 2003 ★

n.c. 40 000 46 à 76 €

J.-L. Thunevin élabore plusieurs crus saint-émilionnais. Tous reflètent son style, mais avec des différences liées aux terroirs et aux encépagements. Le Virginie de Valandraud est un vin plein de charme, avec sa robe pimpante, ses arômes de fruits noirs finement boisés, sa saveur friande soutenue par des tanins racés. Le **Château Valandraud 2003 (plus de 76 €)** est plus chaleureux, plus concentré, encore un peu excessif. Plus facile, le **Clos Badon Thunevin 2003 (30 à 38 €)**, est un vin plus gaulois, comme son étiquette. Tous obtiennent une étoile.

Ets Thunevin, 6, rue Guadet, 33330 Saint-Émilion, tél. 05.57.55.09.13, fax 05.57.55.09.12, e-mail thunevin@thunevin.com

CH. VIEILLE TOUR LA ROSE 2003 ★

4,44 ha 23 500 8 à 11 €

Daniel Ybert exploite plusieurs vignobles sur Saint-Émilion et Pomerol. Celui-ci est situé au bord de la route Saint-Émilion-Montagne ; le terroir y est silico-argileux sur sous-sol ferrugineux. La robe de ce millésime est d'un carmin profond. Le nez, encore un peu fermé, libère à l'aération des senteurs animales et épicées. La bouche souple et harmonieuse repose sur des tanins bien enrobés. On aura intérêt à carafer ce vin une heure ou deux avant de le servir.

SCEA Vignobles Daniel Ybert, Lieu-dit La Rose, 33330 Saint-Émilion, tél. 05.57.24.73.41, fax 05.57.74.44.83, e-mail contact@vignoblesybert.fr r.-v.

VIEUX CHÂTEAU L'ABBAYE 2003

1,73 ha 4 500 15 à 23 €

Cette vigne est située à 200 m de la vieille église de Saint-Christophe-des-Bardes. Le terroir y est argilo-calcaire. Avec son caractère traditionnel, le vin est régulièrement retenu. C'est le cas de ce 2003 bien coloré. Encore boisé, il laisse des arômes de fruits des bois en arrière-plan. La bouche charnue est structurée par des tanins de merrain qui devraient s'affiner d'ici un an ou deux.

Françoise Lladères, Vieux Château l'Abbaye,
BP 69, 33330 Saint-Christophe-des-Bardes,
tél. 05.57.47.98.76, fax 05.57.47.93.03,
e-mail francoise.lladeres@club-internet.fr r.-v.

CH. DU VIEUX GUINOT Osage 2003 *

1 ha 3 000 30 à 38 €

La famille Rollet est établie ici depuis au moins 1729. Elle propose cette minicuvée née de vieux merlot planté sur argilo-calcaire. Dans le verre, la couleur pourpre est encore jeune ; le fumet exprime les fruits frais, le bois chaud, le cuir et le tabac. La bouche est séveuse, charpentée par des tanins un peu austères qu'il faudra attendre un an ou deux. Dans la décennie suivante, on appréciera ce vin original sur des viandes de caractère : biche sauce grand veneur, daube à l'ancienne...

Vignobles Jean-Pierre Rollet, Ch. Fourney,
BP 23, 33330 Saint-Pey-d'Armens,
tél. 05.57.56.10.20, fax 05.57.47.10.50,
e-mail contact@vignoblesrollet.com r.-v.

CH. VIEUX LARMANDE 2003

4,25 ha 23 000 11 à 15 €

Un petit vignoble à taille humaine exploité depuis cinq générations par la famille Magnaudeix, sur les sols silico-argileux au nord de la cité. Le vin présente encore une teinte pourpre jeune. Le bouquet associe les fruits rouges et le bois brut. Frais et fruité, d'une bonne persistance, ce 2003 pourra accompagner agréablement un rôti de veau dans un an ou deux. Si vous le souhaitez, vous pouvez choisir votre vin parmi les 4 000 bouteilles fermées par des bouchons à vis.

SCEA Vignobles Magnaudeix,
Ch. Vieux Larmande, 33330 Saint-Émilion,
tél. 05.57.24.60.49, fax 05.57.24.61.91,
e-mail vignobles-magnaudeix@wanadoo.fr
t.l.j. sf dim. 9h-12h 14h-18h

CH. VIEUX LARTIGUE 2003 *

6 ha 30 000 15 à 23 €

Ce cru, produit sur les sables et les graves au sud de l'appellation, est distribué par la maison « Vins et Vignobles Dourthe » de Parempuyre. Le 2003, pourpre très foncé, offre un nez agréable ; à l'aération, le boisé cède la place aux baies noires et au pruneau. La bouche, ample et fruitée, repose sur des tanins fondus et persistants qui devraient permettre de boire ce vin dans un an ou deux.

SC du Ch. Vieux Lartigue,
33330 Saint-Sulpice-de-Faleyrens,
tél. 05.56.35.53.00, fax 05.56.35.53.29

CH. VILLEMAURINE 2003

Gd cru clas. 5,97 ha 18 600 30 à 38 €

Ce cru classé est situé à l'entrée est de Saint-Émilion. Pour l'origine de son nom, on a le choix entre la *villa* gallo-romaine d'un certain Maurinus ou l'occupation des galeries souterraines par les envahisseurs maures. Ces galeries creusées par les carriers entre le VIe et le XVIIIe s. sont aujourd'hui envahies par les barriques, les bouteilles et les touristes. Dans le verre, le cœur rubis est bordé d'un liseré tuilé. Le bouquet est déjà épanoui : fleurs d'été, fruits rouges et fruits à noyau, fumet boisé et animal. Ses tanins mûrs et fondus permettent de boire ce vin tendre tout de suite et dans les six à huit prochaines années sur chapon ou canard.

SCA Vignobles Robert Giraud,
33330 Saint-Émilion,
tél. 05.57.43.01.44, fax 05.57.43.08.75,
e-mail direction@robertgiraud.com r.-v.

CH. VILLHARDY 2003 *

0,75 ha 2 000 30 à 38 €

Bien que son vignoble soit déjà très petit, Stéphane Bedenc n'a retenu que 0,75 ha de graves argileuses pour élaborer cette cuvée. Le cabernet franc y est à parité avec le merlot. Cela donne un vin original, à la robe encore jeune et fraîche, au bouquet déjà intense, succession de fleurs (violette), de fruits rouges, de bois vanillé et réglissé. La mise en bouche est friande, à la fois souple et vive ; la saveur minérale exprime bien le terroir. Les tanins croquants gagneront à s'affiner un an ou deux. On peut conseiller ce 2003 sur un gigot d'agneau à la ficelle.

Stéphane Bedenc, 225, Destieu,
33330 Saint-Sulpice-de-Faleyrens,
tél. 05.57.25.26.67, fax 05.57.25.50.85,
e-mail vignobles-bedenc@wanadoo.fr r.-v.

CH. YON-FIGEAC 2003 *

Gd cru clas. 22 ha 120 000 23 à 30 €

Cet important cru classé situé dans le secteur de Figeac, à l'ouest de l'appellation, est voisin de Pomerol. Le vignoble entoure un joli château du XVIIIe s. et son parc attenant. Le 2003 est un vin très complet : la robe d'un carmin intense brille de mille feux. Le bouquet profond libère à l'agitation un fumet grillé accompagné d'amande, d'épices douces et de fruits rouges. Cette bouteille présente un caractère chaleureux, aujourd'hui un peu masqué par les tanins du chêne. Elle demandera deux ou trois ans pour s'affiner. On aura ensuite un vin de garde qui pourra accompagner une pintade aux pruneaux.

Ch. Yon-Figeac, 3, Yon, 33330 Saint-Émilion,
tél. 05.57.24.40.59, fax 05.57.24.31.52,
e-mail info@yvon-figeac.com t.l.j. 9h-18h
Alain Chateau

Les autres appellations de la région de Saint-Émilion

Plusieurs communes, limitrophes de Saint-Émilion et placées jadis sous l'autorité de sa jurade, sont autorisées à faire suivre leur nom de celui de leur célèbre voisine. Ce sont les appellations de lussac-saint-émilion, montagne saint-émilion, puisseguin saint-émilion, saint-georges saint-émilion, les deux dernières correspondant d'ailleurs à des communes aujourd'hui fusionnées avec Montagne. Toutes sont situées au nord-est de la petite ville, dans une région au relief tourmenté qui en fait le charme, avec des collines dominées par nombre de prestigieuses demeures historiques et par des églises romanes du plus haut intérêt. Les sols sont très variés et l'encépagement est le même qu'à Saint-Émilion ; aussi la qualité des vins est-elle proche de celle des saint-émilion.

Lussac-saint-émilion

Lussac-saint-émilion est l'une des aires du Libournais les plus riches en vestiges gallo-romains. Au centre et au nord de l'AOC, le plateau est composé de sables du Périgord alors qu'au sud le coteau argilo-calcaire forme un arc de cercle bien exposé. 69 313 hl ont été produits en 2005 sur les 1 486 ha revendiqués.

L'ÂME DU TERROIR 2003 *

■ 3,5 ha 80 000 5 à 8 €

L'Âme du Terroir est un assemblage de plusieurs parcelles de l'appellation, réalisé par la cave coopérative de Pineuilh. Ce 2003 de couleur grenat soutenu offre des parfums de fruits noirs qui se mêlent à des notes épicées et réglissées. Les tanins savoureux et charnus n'en sont pas moins puissants. Un vin riche et équilibré qui s'épanouira totalement après deux à trois ans de vieillissement.

Les Caves de la Brèche, ZAE de L'Arbalestrier, 33220 Pineuilh, tél. 05.57.41.91.50, fax 05.57.46.42.76, e-mail contact@grm-vins.fr Y r.-v.

CH. DE BARBE BLANCHE Réserve 2003 *

■ 10 ha 30 000 11 à 15 €

Ce 2003 constitue la cuvée classique de ce cru fort ancien qui, depuis 2000, est géré par l'équipe d'André Lurton, celui-ci possédant 50 % des parts. La robe sombre a des reflets violacés, et les arômes complexes évoquent les fruits noirs, les épices (clou de girofle). Souple et puissante à la fois, la structure tannique est enrobée par un boisé bien maîtrisé. Attendre un à cinq ans.

André Lurton, Ch. Bonnet, 33420 Grézillac, tél. 05.57.25.58.58, fax 05.57.74.98.59, e-mail andrelurton@andrelurton.com Y r.-v.

André Lurton et André Magnon

CH. BEL-AIR Cuvée Jean Gabriel 2003 *

■ 2 ha 12 000 8 à 11 €

Ce cru, établi sur un terroir argileux avec de la crasse de fer en sous-sol, présente une cuvée à base essentiellement de merlot (80 %). La robe est profonde et intense. Les parfums de boisé vanillé se mêlent à des notes plus fruitées. Les tanins francs et ronds doivent encore se fondre car ils sont dominés par le bois de l'élevage (dix-huit mois en barrique). L'harmonie sera atteinte dans deux ans.

Jean-Noël Roi, EARL Ch. Bel-Air, 33570 Lussac, tél. 05.57.74.60.40, fax 05.57.74.52.11, e-mail jean.roi@wanadoo.fr Y r.-v.

CH. CHÉREAU L'Égérie 2003

■ 4 ha 15 000 8 à 11 €

Cette Égérie porte une robe vive et brillante et répand d'attrayants parfums de petits fruits rouges ; simple et agréable, la bouche repose sur des tanins souples et fruités. Un vin à boire dès aujourd'hui.

SCEA Vignobles Silvestrini, 8, Chéreau, 33570 Lussac, tél. 05.57.74.50.76, fax 05.57.74.53.22 Y t.l.j. 8h-12h 14h-18h

CH. LA CLAYMORE 2003

■ 20 ha 42 000 8 à 11 €

Ce château fait référence à la présence anglaise dans la région au XIIe s., Claimh Mhor étant la grande épée des Highlanders d'Écosse. Aujourd'hui, on y trouve un vin bien fait, à la robe grenat soutenue, au bouquet développé de petits fruits rouges, de silex, de sous-bois. Dotée de tanins ronds et équilibrés, une bouteille élégante, à boire ou à garder quelques années.

SCEA La Claymore, La Claymore, Maison Neuve, 33570 Lussac, tél. 05.57.74.67.48, fax 05.57.74.52.05, e-mail laclaymore@anavim.com Y t.l.j. sf sam. dim. 8h30-12h 14h-17h

Linard

CH. DU COURLAT Cuvée Jean-Baptiste 2003 *

■ 5 ha 26 000 11 à 15 €

Ce cru appartient aux Bourotte, propriétaires et négociants bien connus de Pomerol. Cette cuvée Jean-Baptiste à la robe grenat intense offre de délicieux parfums de fruits confits et de mûre rehaussés par un boisé élégant. Les tanins suaves et généreux évoluent tout en finesse et en harmonie. Un vin bien fait et typé, à boire d'ici deux à trois ans.

SAS Pierre Bourotte, 62, quai du Priourat, BP 79, 33502 Libourne Cedex, tél. 05.57.51.62.17, fax 05.57.51.28.28, e-mail vignobles@jbaudy.fr Y r.-v.

CH. LES COUZINS Cuvée Prestige 2003

■ 5 ha 20 000 8 à 11 €

Cette cuvée Prestige est issue d'un terroir argilo-siliceux et de 90 % de merlot de plus de quarante ans. Le 2003 affiche une robe grenat vif ; ses parfums de fruits noirs, d'épices, se mêlent à des notes florales élégantes. Souple et légèrement boisé, un vin à boire dans les trois à cinq ans.

EARL Robert Seize, Les Couzins, 33570 Lussac, tél. 05.57.74.60.67, fax 05.57.74.55.60 Y t.l.j. 9h-12h 14h-19h; f. jan.

CH. LA CROIX DE GRÉZARD 2003

■ 3,4 ha 20 000 5 à 8 €

Appartenant à des amateurs anglais depuis plus de trente ans, cette propriété propose un 2003 grenat foncé, aux arômes riches, complexes et frais. Les tanins ronds et équilibrés, élégants en fin de bouche constituent un vin typé qui sera prêt dans un à trois ans. À servir sur une viande rouge.

Ch. La Croix de Grézard, Lieu-dit Grézard, 33570 Lussac, tél. 05.56.52.32.40, fax 05.56.44.88.81 Y t.l.j. 9h-12h 14h-17h

CH. LA CROIX DE L'ESPÉRANCE 2003 *

■ 7 ha 20 100 15 à 23 €

Ce vignoble de merlot est situé au nord-ouest du village de Lussac, sur un plateau argilo-calcaire, à 70 m d'altitude. Son 2003 présente une robe presque noire, alors que les arômes de fruits noirs sont délicats ; des tanins puissants mais soyeux confèrent une corpulence gourmande à ce vin de plaisir immédiat. On pourra le laisser évoluer de deux à cinq ans.

SA Ch. Fombrauge,
33330 Saint-Christophe-des-Bardes,
tél. 05.57.24.77.12, fax 05.57.24.66.95,
e-mail chateau.fombrauge@wanadoo.fr
Bernard Magrez

CH. CROIX DE RAMBEAU 2003

6 ha 40 000 8 à 11 €

Implanté sur un beau terroir argilo-calcaire le malbec (5 %) rejoint le cabernet franc (15 %) et le merlot pour donner un vin élevé quatorze mois en barrique. Élégant dans sa robe encore vive, ce 2003 évoque les fruits noirs et les épices. Francs et puissants en attaque, les tanins révèlent ensuite un joli potentiel bien que le plaisir puisse également être immédiat.

Jean-Louis Trocard, Ch. Croix de Rambeau,
33570 Les Artigues-de-Lussac, tél. 05.57.55.57.90,
fax 05.57.55.57.98, e-mail trocard@wanadoo.fr
t.l.j. 8h-12h 14h-17h; sam. dim. sur r.-v.

CH. DUMON BOURSEAU MILON 2003

15 ha 40 000 5 à 8 €

Dans la même famille depuis trois générations, cette exploitation a réussi un bon vin en 2003 : la robe est intense et sombre ; le bouquet naissant évoque les petits fruits rouges ; les tanins souples et gras ont du volume, puis se montrent un peu sévères en finale. Attendre un à trois ans pour ouvrir cette bouteille.

Dumon, Malydure, 33570 Lussac,
tél. et fax 05.57.74.63.95,
e-mail dumon.alain2@wanadoo.fr r.-v.

LE GRAND BOIS 2003

8 ha 44 000 8 à 11 €

Un assemblage parfaitement partagé entre merlot et cabernet-sauvignon pour ce 2003 à la robe profonde brillant de reflets violacés. Le bouquet intense est boisé, épicé (clou de girofle), mentholé. La structure tannique, équilibrée et persistante, autorise une petite garde (deux à cinq ans).

SARL Roc de Boissac, 33570 Puisseguin,
tél. 05.57.74.61.22, fax 05.57.74.59.54 r.-v.

CH. DE LA GRENIÈRE
Cuvée de la Chartreuse 2003 ★

2,5 ha 12 000 11 à 15 €

Située sur la D 121, cette propriété pratique l'enherbement de ses vignes. Provenant de ses plus vieux ceps, cette cuvée à la robe profonde, légèrement évoluée, développe un caractère fruité harmonieux, avec de la fraîcheur. Les tanins ronds et puissants sont bien équilibrés. Un vin plaisir au boisé maîtrisé, à servir dans deux ou trois ans.

EARL Vignobles Dubreuil, Ch. de La Grenière,
33570 Lussac, tél. 05.57.74.64.96, fax 05.57.74.56.28,
e-mail earl.dubreuil@wanadoo.fr r.-v.

CH. LA HAUTE CLAYMORE 2003

3 ha 15 000 5 à 8 €

Né sur un terroir argileux, ce vin limpide aux reflets rubis est encore marqué par son millésime caniculaire. En bouche, il est rond, délicatement fruité et déjà agréable à boire.

EARL Vignobles D. et C. Devaud,
Ch. de Faise, 33570 Les Artigues-de-Lussac,
tél. 05.57.24.31.39, fax 05.57.24.34.17,
e-mail vignobles.devaud@wanadoo.fr

L'INTEMPOREL 2003 ★★

n.c. 15 000 15 à 23 €

La cave coopérative de cette appellation se maintient au sommet depuis quelques années ; elle décroche une fois de plus un coup de cœur unanime pour cette cuvée L'Intemporel parée d'une robe noire, très concentrée. Les arômes de cerise bigarreau, de vanille, de torréfaction ont choisi le registre de la complexité. Les tanins souples et gras, charnus, mûrs, remarquablement équilibrés, structurent un très grand vin à apprécier dans deux à cinq ans. La **cuvée Renaissance 2003 (8 à 11 €)** obtient une étoile ; elle se distingue par sa classe et se servira plus jeune, voire dès aujourd'hui.

Les Producteurs réunis de Puisseguin et
Lussac-Saint-Émilion, Durand, 33570 Puisseguin,
tél. 05.57.55.50.40, fax 05.57.74.57.43
t.l.j. 8h30-12h30 14h30-18h30; dim. sur r.-v.

CH. LION PERRUCHON Tradition 2003

4,58 ha 15 800 8 à 11 €

Ce domaine d'un seul tenant est implanté sur un terroir argilo-calcaire. Dans le millésime, il propose deux cuvées : cette Tradition, de couleur grenat tirant sur le rubis, arbore un nez de violette et de réglisse. Les tanins agréables, amples et gras composent un vin déjà prêt à servir. **La Griffe 2003 (15 à 23 €)** est également citée ; puissante et boisée, elle séduira les amateurs de vins un peu plus modernes.

SARL Munck-Lussac, Ch. Lion-Perruchon,
33570 Lussac, tél. 05.57.74.58.21, fax 05.57.74.58.39,
e-mail perruchon@wanadoo.fr r.-v.

CH. DE LUSSAC 2003

15,8 ha 55 800 15 à 23 €

Depuis le millésime 2000 et l'arrivée de Griet et Hervé Laviale, ce château s'est totalement transformé grâce à un considérable programme d'investissements au vignoble et dans les chais. Le 2003 développe un bouquet de fruits cuits, de fumé, de poivre. Ses tanins sont présents mais ils apparaissent déjà souples et fins. À boire dès aujourdhui. Le second vin, **Le Libertin de Lussac 2003 (8 à 11 €)**, est cité également et ressemble beaucoup à son grand frère ; le rapport qualité-prix est ici meilleur.

SCEA du Ch. de Lussac, 15, rue de Lincent,
33570 Lussac, tél. 05.57.74.56.58, fax 05.57.74.56.59,
e-mail chateaudelussac@wanadoo.fr r.-v.

CH. LYONNAT 2003 ★

48,64 ha 180 000 8 à 11 €

Cette propriété d'un seul tenant est la plus grande de l'appellation ; elle est commandée par une belle bâtisse du XIX[e]s. Ce 2003 présente une couleur grenat aux reflets violacés, des arômes intenses et chaleureux, mentholés,

fruités. La bouche aux tanins puissants, ronds et vanillés, est marquée, elle aussi, par une pointe d'alcool qui ne déséquilibre pas l'ensemble. Il suffit d'attendre un à trois ans.
🔑 EARL Vignobles Jean Milhade, Ch. Recougne, 33133 Galgon, tél. 05.57.55.48.90, fax 05.57.84.31.27, e-mail propriete@milhade.fr ☑ Y ✰ r.-v.

CH. MAYNE BLANC Cuvée Saint-Vincent 2003 *

■ 5 ha 18 300 8 à 11 €

Charles Boucheau a rejoint son père sur ce domaine de 23 ha. Leur cuvée Saint-Vincent, assemblage classique de l'AOC, porte une robe pourpre à reflets légèrement orangés. Les arômes boisés aux accents de vanille et de café laissent poindre le fruit rouge et la violette. Les tanins très présents, gras et onctueux, structurent un palais encore dominé par le boisé. Il faut attendre deux à trois ans avant d'ouvrir cette bouteille. **L'Essentiel de Mayne Blanc 2003 (15 à 23 €)** issu à 100 % de merlot obtient également une étoile et ressemble beaucoup à son aîné, en plus puissant ; il dispose d'un potentiel de garde plus important.
🔑 EARL Jean Boncheau, Ch. Mayne Blanc, 33570 Lussac, tél. 05.57.74.60.56, fax 05.57.74.51.77, e-mail mayne.blanc@wanadoo.fr
☑ Y ✰ t.l.j. sf dim. 8h-12h 14h-18h30

CH. LA ROSE PERRIÈRE 2003 **

■ 2,85 ha 11 000 11 à 15 €

Acheté en 2003 par Jean-Luc Sylvain, célèbre tonnelier de Libourne, ce cru n'a pas attendu longtemps pour faire parler de lui. Établi sur un bon sol argilo-calcaire, il est planté à 90 % de merlot et à 10 % de cabernet franc. Le vin présente une robe pourpre violacé intense et brillante, un bouquet complexe de fruits noirs, de vanille, de grillé. En bouche, il se montre puissant, riche, équilibré et d'une fraîcheur finale bienvenue. À boire dans deux à cinq ans. Le **Château La Perrière 2003 (5 à 8 €)**, second vin, est cité. Il offrira un plaisir immédiat car il joue sur le fruit et la finesse.
🔑 SARL La Perrière, Ch. La Perrière, 33570 Lussac, tél. 05.57.74.51.33, fax 05.57.74.52.14
☑ Y ✰ t.l.j. 9h-12h30 13h30-17h30
🔑 Jean-Luc Sylvain

VIEUX CHÂTEAU CHAMBEAU 2003

■ 12,62 ha 95 000 5 à 8 €

Ce cru propose un bon 2003 à la couleur grenat soutenu. Les arômes boisés, séveux et bien fruités accompagnent la dégustation. La structure souple, assez vive devrait bien évoluer avec deux à trois ans de garde.
🔑 SC Ch. du Branda, Roques, 33570 Puisseguin, tél. 05.57.74.62.55, fax 05.57.74.57.33, e-mail chateau.branda@wanadoo.fr ☑ Y ✰ r.-v.

VIEUX CHÂTEAU FOURNAY Cuvée réservée Élevé en fût de chêne 2003 *

■ 2 ha 12 000 8 à 11 €

Un bon terroir argilo-calcaire, 90 % de merlot pour 10 % de cabernet franc et du savoir-faire, voilà les composantes de ce 2003 des plus réussis. La robe est sombre et limpide, le bouquet expressif évoque le toasté, le café, les fruits noirs. Les tanins bien présents, puissants et boisés devraient s'épanouir totalement après deux à trois ans de garde.
🔑 EARL Albert et Vergnaud, Ch. Vieux Fournay, lieu-dit Poitou, 33570 Lussac, tél. 05.57.74.57.09, fax 05.57.74.57.17 ☑ Y ✰ r.-v.
🔑 Vergnaud

Montagne-saint-émilion

Montagne a la chance de disposer d'un riche patrimoine architectural et d'une église romane (Saint-Martin) qui reste malgré sa réfection au XIXᵉs. l'un des joyaux de la région. Le visiteur pourra apprécier la vocation viticole du village dans l'écomusée du Libournais. S'étendant sur 1 570 ha, les terroirs de Montagne sont variés, argilo-calcaires ou graves. Ils ont donné 74 130 hl de vin rouge en 2005.

CH. ACAPPELLA 2003 *

■ 1 ha 4 000 30 à 38 €

Acappella est née de trois parcelles de vieilles vignes de merlot et de cabernet franc exposées plein sud sur les coteaux de Parsac. Ce 2003 à la robe intense, presque noire, offre un bouquet boisé aux notes de menthol et de sous-bois. Ses tanins très présents évoluent avec du fruit et devraient s'assouplir d'ici deux à trois ans.
🔑 Béatrice Choisy, Bertineau, 33570 Montagne, tél. 05.57.51.29.35, e-mail beatrice.choisy@wanadoo.fr ☑ Y ✰ r.-v.

CH. BEAUSÉJOUR Clos L'Église 2003

■ 5 ha 24 000 11 à 15 €

Un parc aux arbres séculaires pour ce cru, dont les vignes de cinquante-cinq ans ont donné un vin d'une couleur presque noire à reflets violacés et au bouquet de pruneau cuit et de confiture. La structure tannique est riche ; très marquée par la canicule, elle accuse un petit manque d'acidité, laquelle aurait garanti son vieillissement. C'est donc une bouteille à ouvrir dès cet hiver.
🔑 Ch. Beauséjour, Arrialh, 33570 Montagne, tél. 06.72.92.06.71, fax 05.57.74.62.10, e-mail bernault.pierre@wanadoo.fr
☑ Y ✰ t.l.j. sf dim. 8h-12h 13h30-18h; f. 15 août-1ᵉʳ sept.

CH. BÉCHEREAU 2003

■ n.c. n.c. 8 à 11 €

Ce 2003 présente une robe grenat d'intensité moyenne, des parfums élégants de fruits rouges, de jasmin, accompagnés d'un boisé discret. La bouche est soutenue par des tanins soyeux et gras et, si elle manque d'un peu de persistance, elle n'en est pas moins équilibrée. À servir en 2007.
🔑 SCE Jean-Michel Bertrand, 3, Béchereau, 33570 Les Artigues-de-Lussac, tél. 05.57.24.34.29, fax 05.57.24.34.69, e-mail contact@chateaubechereau.com
☑ Y ✰ t.l.j. 8h-12h 14h-18h

BONBEC 2003

■ 1 ha 6 000 11 à 15 €

Implantés à Montagne depuis deux cent cinquante ans, les Boidron ont marqué la viticulture bordelaise. Le professeur de l'université de Bordeaux crée ici une cuvée avec seulement 1 ha de vigne de malbec. L'étiquette, très mode, est déjà une invitation à la découverte d'un autre style de bordeaux. Les arômes de pruneau, de caramel, de fruits mûrs se retrouvent en bouche en harmonie avec des tanins bien présents et gras.

⊶ Jean-Noël Boidron, Ch. Calon, 33570 Montagne, tél. 05.57.51.64.88, fax 05.57.51.56.30, e-mail vignoblesjnboidron@wanadoo.fr ☑ ☨ ⁂ r.-v.

PIERRE CHANAU 2003 *

■ n.c. 250 000 5 à 8 €

Le négociant GRM (Guiraud, Raymond, Marbot) élabore pour Auchan une belle et importante cuvée. Pourpre soutenu, ce millésime s'entoure de parfums intenses et frais. Sa structure tannique, souple, élégante et racée, en fait un vin bien typé de son appellation, à boire pour le plaisir immédiat. L'exemple de la bouteille à acheter lorsque vous réunirez vos amis.

⊶ Les Caves de la Brèche, ZAE de L'Arbalestrier, 33220 Pineuilh, tél. 05.57.41.91.50, fax 05.57.46.42.76, e-mail contact@grm-vins.fr ☨ r.-v.
⊶ Guiraud

CH. LA CHAPELLE Élevé en fût de chêne 2003 **

■ 2 ha 10 000 ▮◖◗ 8 à 11 €

Thierry Demur, comme beaucoup de producteurs aujourd'hui, pratique l'enherbement de ses vignes situées sur le plateau argilo-calcaire. Âgées d'environ quarante ans, celles-ci ont donné naissance à cette très belle cuvée à la robe pourpre intense composée à 95 % de merlot. Le bouquet de griotte, de pruneau, de cassis rehaussé de notes boisées vanillées annonce un palais persistant aux tanins soyeux et d'une belle fraîcheur aromatique. Un vin à boire dans deux à cinq ans. Si vous allez à Parsac, n'oubliez pas d'admirer l'église, véritable bijou d'architecture romane.

⊶ Thierry Demur, SCEA du Ch. La Chapelle, Berlière, Parsac, 33570 Montagne, tél. et fax 05.57.24.78.33 ☨ ⁂ r.-v.

CH. CHAPELLE SÉGUR
Élevé en fût de chêne 2003 *

■ 20 ha 30 000 11 à 15 €

Cette propriété implantée sur un bon terroir argilo-calcaire propose ce vin pourpre aux reflets rubis dont le bouquet joue sur des notes de fruits mûrs (cassis, framboise). Rond et plein en attaque, ce 2003 évolue avec finesse et une certaine puissance : il demande un à trois ans de garde pour se faire. Du même propriétaire, le **Château Coucy 2003** est cité ; il se boira rapidement, sur son fruit.

⊶ Ets Thunevin, 6, rue Guadet, 33330 Saint-Émilion, tél. 05.57.55.09.13, fax 05.57.55.09.12, e-mail thunevin@thunevin.com
⊶ GFA Maurèze

CLOS CROIX DE MIRANDE 2003 ***

■ 1,36 ha 5 800 ▮◖◗ 8 à 11 €

Une poularde à la truffe sauce vin rouge, pas moins, conseille le jury enthousiaste. Non seulement ce 2003 décroche un coup de cœur unanime, mais également la note maximale de trois étoiles, ce qui est très rare dans ce millésime. La robe pourpre est intense, les arômes de pruneau à l'eau-de-vie, de cerise puis d'épices se retrouvent en bouche, où les tanins mûrs et soyeux laissent une excellente impression ! Doté d'une finale harmonieuse, aromatique et d'une longueur infinie, ce vin riche et complexe est à découvrir dans trois à huit ans.

⊶ Michel Bosc, Clos Croix de Mirande, 33570 Montagne, tél. 05.57.74.59.78, fax 05.57.74.50.61 ☑ ☨ ⁂ t.l.j. 9h-19h; f. 20 déc.-30 Jan.

CH. LE CLOS DAVIAUD
Cuvée de la Trilogie Élevé en fût de chêne 2003 *

■ 4,8 ha 26 400 ◖◗ 5 à 8 €

Cette cuvée élevée douze mois en barrique est constituée à 60 % de merlot et à 40 % de cabernets, plantés sur un sol argilo-calcaire. Sa couleur est soutenue, ses arômes de griotte sont en harmonie avec des notes boisées et vanillées. Après une attaque un peu vive, la bouche puissante et équilibrée évolue sur des tanins serrés. Il est conseillé d'attendre deux à quatre ans avant d'ouvrir cette bouteille.

⊶ SCEA Mirambeau, BP 80, 33330 Saint-Émilion, tél. 05.57.55.38.03, fax 05.57.55.38.01 ☑ ☨ ⁂ r.-v.

CLOS FONT-MURÉE Élevé en fût de chêne 2003

■ 5,8 ha 7 000 ▮◖◗ 8 à 11 €

Labourages, bannissement des herbicides, ce domaine s'engage sur la voie du respect du terroir depuis 2002, date de l'arrivée à sa tête de Patrick Demirdjian. Ce millésime se présente bien dans sa robe grenat aux reflets vermillon. Son bouquet discret de cerise confite, de noyau assortis d'un boisé léger et sa bouche souple et mûre évoluent dans un bon équilibre, révélant une « touche de féminité » appréciée du jury ; l'ensemble est déjà prêt.

⊶ Patrick Demirdjian, Clos Font-Murée, 33570 Montagne, tél. 06.19.58.21.55 ☑ r.-v.

CLOS LA CROIX D'ARRIAILH 2003 **

■ 2 ha 4 900 ▮◖◗ 8 à 11 €

Installé depuis 1982 sur le château Croix Beauséjour, Olivier Laporte a décidé en 1997 de vinifier séparément sous cette marque ses vignes de plus de soixante-dix ans. Élevé pour moitié en barriques neuves, pour l'autre en barriques d'un vin, ce 2003 assemble 83 % de merlot, 7 % de malbec et 10 % de cabernet franc. Le résultat est époustouflant : robe riche, profonde et brillante ; arômes de fruits rouges mûrs, notes vanillées et grillées ; tanins présents, pleins, évoluant avec de la fraîcheur et de l'élégance. Tout est réuni dans ce vin pour offrir un moment de plaisir intense après deux à trois ans de vieillissement. Un coup de cœur unanime du grand jury.

Olivier Laporte, Ch. Croix-Beauséjour, Arriailh, 33570 Montagne, tél. 05.57.74.69.62, fax 05.57.74.59.21 r.-v.

CH. LA COUROLLE Élevé en fût de chêne 2003

10 ha 30 000 5 à 8 €

Une quatrième génération prendra bientôt la relève sur ce cru qui associe 10 % de cabernet franc au merlot. Ce 2003 à la robe intense et puissant au nez associe des arômes de fruits mûrs et de boisé. Reposant sur des tanins charnus et fruités, il n'est pas d'une grande longueur ; comme beaucoup de bouteilles de ce millésime, il ne s'agit donc pas d'un vin de longue garde. Il pourra être servi sur une volaille rôtie.

SCEA Vignobles Guimberteau, 9, Arriailh, 33570 Montagne, tél. 05.57.74.62.38, fax 05.57.74.50.78 t.l.j. sf dim. 8h-12h 13h30-19h; f. août

CH. LA COURONNE 2003 *

11 ha 43 000 8 à 11 €

Thomas Thiou conduit ses 11 ha depuis 1994. Il n'utilise que des levures indigènes et procède à des fermentations malolactiques tardives en juin-juillet. Né du seul cépage merlot planté sur un terroir argilo-calcaire, ce 2003 à la robe soutenue et brillante affiche un nez de fruits rouges confiturés, vif et élégant ; il possède beaucoup de volume, du gras, de la fraîcheur en bouche ; il s'épanouira totalement d'ici un à trois ans.

Thomas Thiou, Ch. La Couronne, BP 10, 33570 Montagne, tél. 05.57.74.66.62, fax 05.57.74.51.65, e-mail lacouronne@aol.com r.-v.

CH. FAIZEAU Sélection Vieilles Vignes 2003

12 ha 31 000 11 à 15 €

Productrice à Pomerol, Chantal Lebreton possède aussi ce vignoble de Montagne, qui appartint à l'abbaye de Faize jusqu'à la Révolution. Elle présente un 2003 au nez encore sur la réserve, ne laissant poindre qu'une note épicée. Ce vin se révèle mieux en bouche, où les tanins fruités, équilibrés et persistants sont encore un peu sévères. Attendre deux à trois ans.

Chantal Lebreton, SCE Ch. Faizeau, 33570 Montagne, tél. 05.57.24.68.94, fax 05.57.24.60.37, e-mail contact@chateau-faizeau.com r.-v.

CH. FORLOUIS 2003 *

10 ha 40 000 11 à 15 €

Les chais de ce château font corps avec une importante bâtisse du début du XX[e]s., élégante et harmonieuse, à l'image de son 2003. La robe brillante et légèrement tuilée s'accorde avec les arômes de fruits confits et le boisé. Les tanins onctueux en attaque se révèlent assez puissants et persistants. Un vin déjà agréable, et qui devrait vieillir quelques années.

Vignobles François Janoueix, 20, quai du Priourat, BP 135, 33502 Libourne Cedex, tél. 05.57.55.55.44, fax 05.57.51.83.70 r.-v.

CH. GACHON 2003 **

10 ha 60 000 5 à 8 €

Cette propriété dans la même famille depuis la fin du XIX[e]s. se distingue avec son 2003 : pourpre intense aux reflets violacés, ce millésime offre un festival de fruits confits, d'agrumes accompagnés d'une élégante note balsamique. Les tanins, encore marqués par une acidité agréable, en font un vin bien typé et authentique qui devrait s'exprimer après deux à trois ans de garde. Comme bien des vins de l'année de la canicule, il n'est pas dépourvu d'alcool...

EARL Vignobles G. Arpin, Chantecaille, 33330 Saint-Émilion, tél. 06.09.73.69.47, fax 05.57.51.96.75, e-mail vignobles.g.arpin@wanadoo.fr r.-v.

BORDELAIS

CH. GRAND BARIL 2003 *

28 ha 51 000 5 à 8 €

Établissement public d'enseignement agricole, le lycée de Montagne dispose de 40 ha de vignes, à la fois outil pédagogique et source de revenus. Ce cru fait partie des domaines du lycée. Son 2003 se présente dans une robe rouge grenat soutenu. Son bouquet naissant mêle le fumé, le sous-bois et le grillé toasté. Les tanins sont mûrs, ronds et équilibrés. Une bouteille plaisante dès aujourd'hui et qui devrait également bien évoluer dans le temps.

Lycée viticole de Libourne-Montagne, Goujon, 33570 Montagne, tél. 05.57.55.21.22, fax 05.57.55.13.53, e-mail expl.legta.libourne@educagri.fr r.-v.

Ministère de l'Agriculture

CH. LA GRANDE BARDE 2003

8,5 ha 45 000 8 à 11 €

Régulièrement présent dans le Guide, ce domaine repose sur un sol argilo-calcaire. Le merlot (80 %), les deux cabernets à parts égales, avec 7 % chacun, et le malbec (6 %) ont engendré ce 2003 bien fait, à la robe sombre et éclatante à la fois, au bouquet franc de fruits mûrs, de foin coupé et de pain grillé. La bouche, dont les tanins sont ronds et équilibrés, offre une note de réglisse en finale. Une bouteille à boire ou à garder quelques années.

SCEA de La Grande Barde, 1, La Clotte, 33570 Montagne, tél. 05.57.74.64.98, fax 05.57.74.65.42, e-mail chateaulagrandebarde@wanadoo.fr r.-v.

CH. HAUTE FAUCHERIE 2003

4,3 ha 5 000 11 à 15 €

Au pied des moulins de Calon, ce cru est né d'un partage familial. Ce 2003 brille de reflets pourpres ; son bouquet de confiture évolue sur des notes de sous-bois. Agréable en bouche, il se montre souple jusque dans une finale fruitée, un peu grillée. Un vin à servir dès aujourd'hui et qui pourra accompagner des poissons de rivière.

Pierre et André Durand, Arriailh, 33570 Montagne, tél. 05.57.74.62.02, fax 05.57.74.53.66 r.-v.

CH. HAUT-GOUJON 2003

8 ha 10 000 8 à 11 €

Cette propriété, gérée en famille, présente un vin pourpre intense, au bouquet pour l'instant dominé par un fort boisé torréfié et à la structure tannique puissante, agréable, même si la finale est un peu écrasée par la barrique. L'harmonie sera au rendez-vous dans deux ou trois ans.

SCEA Garde et Fils, Goujon, 33570 Montagne, tél. 05.57.51.50.05, fax 05.57.25.33.93 r.-v.

CH. LAFLEUR GRANDS-LANDES 2003 ★

■ 8 ha 10 900 ■ ◐ 5 à 8 €

L'église de Saint-Denis-de-Pile, du XII[e]s., n'est pas la seule destination touristique de la commune. La vigne joue ici le premier rôle depuis des siècles. Ce domaine a été repris en 1997 par Isabelle Fort. Cette dernière, après avoir enseigné pendant dix ans la viticulture et l'œnologie, exerce aujourd'hui ses compétences sur ses propres terres avec son mari comme œnologue-conseil. L'aventure est couronnée de succès. Intense, la robe est presque noire ; le bouquet élégant associe la griotte et un boisé discret. Les tanins sont francs, équilibrés et puissants en fin de bouche ; on attendra deux à cinq ans avant d'ouvrir la bouteille.

🔑 EARL Vignobles Carrère, 9, rte de Lyon, Lamarche, RN 89, 33910 Saint-Denis-de-Pile, tél. 05.57.24.31.75, fax 05.57.24.30.17, e-mail vignoble-carrere@wanadoo.fr ☑ Y ⚲ r.-v.

🔑 Isabelle Fort

CH. DE MALENGIN 2003

■ 7 ha 45 000 ■ ◐ 5 à 8 €

Le nom de ce cru – constitué des vignes du château des Laurets (Puisseguin) situées dans l'AOC montagne – vient d'une ruine féodale du XIV[e]s. présente sur le domaine. Ce dernier propose un bon 2003 au bouquet encore dominé par l'alcool et des notes boisées. En bouche, les tanins arrivent en force, très jeunes et prometteurs ; ils demandent à se fondre avec le temps.

🔑 SAS Ch. des Laurets, 33570 Puisseguin, tél. 05.57.74.63.40, fax 05.57.74.65.34, e-mail chateau-des-laurets@wanadoo.fr ☑ Y ⚲ r.-v.

CH. DES MOINES 2003

■ 18 ha 40 000 ■ ◐ 11 à 15 €

Fondée par les moines cisterciens de l'abbaye de Faize, cette propriété pratique les labours et n'utilise ni pesticides, ni herbicides, ni engrais chimiques. Son 2003, à la robe grenat profond et au joli bouquet de petit fruits rouges très mûrs et de tabac, se montre souple, bien présent, peu persistant mais agréable. À boire d'ici un à deux ans.

🔑 Raymond Tapon, Ch. des Moines, Mirande, 33570 Montagne, tél. 05.57.74.61.20, fax 05.57.74.61.19, e-mail information@tapon.net ☑ Y ⚲ r.-v.

CH. MONTAIGUILLON 2003

■ 28 ha 130 000 ■ ◐ 8 à 11 €

Perché sur une hauteur d'où l'on jouit d'une superbe vue sur le vignoble alentour, ce cru est dans la même famille depuis 1949. Provenant essentiellement de vieilles vignes de quarante ans, ce millésime se distingue par une couleur sombre et brillante, des parfums de fruits rouges et de pain grillé, des tanins souples, ronds et équilibrés. Il est prêt à être servi et peut vieillir quelque temps.

🔑 Chantal Amart, Ch. Montaiguillon, 33570 Montagne, tél. 05.57.74.62.34, fax 05.57.74.59.07, e-mail chantalamart@montaiguillon.com ☑ Y ⚲ r.-v.

CH. MOULIN BLANC LA CHAPELLE 2003 ★

■ 3,97 ha 20 000 ■ ◐ 5 à 8 €

Une fois n'est pas coutume en Libournais, le cabernet est en proportion plus importante (60 %) que le merlot dans ce 2003. Le résultat est là, intéressant, car la robe brille de reflets rubis, les fruits rouges bien mûrs se mêlent aux notes fumées et boisées de l'élevage, les tanins amples évoluent avec fraîcheur et persistance. Attendre deux ou trois ans pour ouvrir cette jolie bouteille.

🔑 Gilles Mérias, Le Moulin Blanc, 33570 Lussac, tél. 05.57.74.50.27, fax 05.57.74.58.88, e-mail lemoulinblanc@wanadoo.fr ☑ Y ⚲ r.-v.

HÉRITAGE DE NÉGRIT 2003 ★

■ 1,5 ha 8 000 ◐ 5 à 8 €

Cet Héritage est une cuvée 100 % merlot issue d'argilo-calcaire. Sa robe soutenue et brillante, son bouquet très marqué par les fruits rouges bien mûrs, ses tanins ronds, souples et équilibrés malgré une pointe de chaleur en finale, tout concourt à l'harmonie de cette bouteille. À attendre deux à quatre ans.

🔑 SCEV Lagardère, Négrit, 33570 Montagne, tél. 05.57.74.61.63, fax 05.57.74.59.62, e-mail vignobleslagardere@wanadoo.fr ☑ Y ⚲ r.-v.

CH. PALON GRAND SEIGNEUR 2003

■ 2 ha 7 000 ■ ◐ 8 à 11 €

La coopérative de Montagne, créée en 1935, a proposé deux vins de domaine. Celui-ci présente une robe vive et limpide, des parfums agréables de fruits confits et une structure tannique plaisante, charmeuse et assez équilibrée. Un vin prêt dès maintenant. Propriété de J. Boireau, le **Château Baudron 2003** mérite également d'être cité ; il présente les mêmes caractéristiques.

🔑 Groupe de Producteurs de Montagne, La Tour Mont d'Or, 33570 Montagne, tél. 05.57.74.62.15, fax 05.57.74.50.51, e-mail la.tour.mont.dor@wanadoo.fr ☑ Y ⚲ t.l.j. sf sam. dim. 8h-12h 14h-18h

CH. PLAISANCE 2003

■ 17,44 ha 20 000 ■ ◐ 5 à 8 €

Voici les mentions portées sur cette étiquette : importé par P. De Bruijn, Nijmegen ; 1772 – 1972 maison bicentenaire, GFA de Château Plaisance propriétaire, CBB exploitant à Montagne. Le vin ne manque pas d'intérêt dans sa robe pourpre vif, même si ses arômes sont encore peu expansifs. Seuls paraissent les fruits rouges. Les tanins souples et bien équilibrés sont garants d'une petite garde (deux ou trois ans).

🔑 Les Celliers de Bordeaux Benauge, 18, rte de Montignac, 33760 Ladaux, tél. 05.57.34.54.00, fax 05.56.23.48.78, e-mail celliers-bxbenauge@wanadoo.fr ☑ ⚲ r.-v.

CH. PUYNORMOND Les Vieilles Vignes 2003 ★

■ 1,5 ha 10 000 ◐ 11 à 15 €

Cette cuvée est constituée de vignes plantées avant 1923, date de l'achat du domaine par le grand-père du propriétaire actuel qui fut l'un des poilus de la guerre de 1914-1918. Ces « pieds de vignes aux gueules cassées » – c'est ainsi qu'il les nomme – composés de 90 % de merlot et de 10 % de cabernet franc ont donné ce vin brillant de reflets pourpres ; les parfums de boisé grillé se mêlent à des notes de fruits mûrs cuits. Les tanins amples, généreux et persistants garantissent une bonne garde.

🔑 EARL Vignobles Lamarque, BP 4, 33570 Puisseguin, tél. 05.57.74.66.69, fax 05.57.74.52.62, e-mail lamarque.philippe@wanadoo.fr ☑ Y ⚲ t.l.j. sf dim. 8h30-12h30 14h-19h

CH. ROC DE CALON Cuvée Prestige 2003

■ 6 ha 18 000 ⊕ 11 à 15 €

Cette cuvée fut coup de cœur dans le millésime 2001. Assemblant 90 % de merlot et 10 % de cabernet franc, le 2003 mérite d'être cité pour sa robe profonde, rouge vif, ses arômes de fruits rouges et de gibier, sa structure tannique bien présente et persistante, encore un peu austère en finale. Laissez-lui le temps de se fondre (un à trois ans).

Bernard Laydis, Barreau, 33570 Montagne, tél. 05.57.74.63.99, fax 05.57.74.51.47, e-mail vignobleslaydis@wanadoo.fr r.-v.

CH. ROCHER CORBIN 2003 ★★

■ 9,5 ha 48 000 ⊕ 11 à 15 €

Une nouvelle étiquette pour ce cru qui fut coup de cœur pour son millésime 2001. Le 2003 né de 85 % de merlot et de 15 % de cabernets est paré d'une robe dense, profonde. Les arômes intenses et frais évoquent les fruits rouges et la réglisse, annonçant des tanins ronds, fruités en attaque (cassis), puissants, qui évoluent avec beaucoup de suavité et de persistance. Un vin très bien fait, qui se révélera encore mieux après deux à cinq ans de garde.

Philippe Durand, SCE Ch. Rocher Corbin, Le Roquet, 33570 Montagne, tél. 05.57.74.55.92, fax 05.57.74.53.15 r.-v.

CH. ROCHER-GARDAT 2003

■ 6,3 ha 18 100 ⊕ 5 à 8 €

90 % de merlot dans ce 2003 à la robe rubis soutenu, aux parfums discrets de cuir et de fruits mûrs. En bouche, il possède une bonne structure, avec de la fraîcheur et une persistance honorable. Il devra être servi dans les trois ans à venir.

SCEA Moze-Berthon, Bertin, 33570 Montagne, tél. 05.57.74.66.84, fax 05.57.74.58.70, e-mail chateau.rocher-gardat@wanadoo.fr r.-v.

L'AS DE ROUDIER Élevé en fût de chêne 2003 ★

■ 2,5 ha 5 400 ⊕ 11 à 15 €

Cette propriété appartient à la famille Capdemourlin, bien connue à Saint-Émilion comme propriétaire des crus classés Balestard La Tonnelle et Capdemourlin. La cuvée As de Roudier montre de beaux reflets grenat intense et offre un bouquet bien équilibré entre fruité et boisé. Sa structure tannique puissante, charnue et harmonieuse constitue un bien joli vin à laisser mûrir deux ou trois ans.

SCEA Jacques Capdemourlin, Ch. Roudier, 33570 Montagne, tél. 05.57.74.62.06, fax 05.57.74.59.34, e-mail info@vignoblescapdemourlin.com r.-v.

CH. SAINT-JACQUES CALON Cuvée des Moulins Élevé en fût de chêne 2003 ★

■ 1,2 ha 4 000 ⊕ 8 à 11 €

Frédéric Maule n'avait que vingt et un ans lorsqu'il a repris ce cru en 2002. Perchée sur la butte de Calon, à 114 m d'altitude, cette propriété familiale bénéficie d'une situation exceptionnelle et possède deux des cinq moulins à vent de l'AOC. La cuvée des Moulins affiche une robe soutenue et offre d'élégants arômes de fruits mûrs toastés, bien signés par le millésime. Ses tanins souples et riches évoluent avec puissance et finesse en même temps. Ce joli vin sera prêt dans deux ans et sera de garde.

Frédéric Maule, Ch. Saint-Jacques Calon, BP 9 - La Maçonne, 33570 Montagne, tél. 05.57.74.62.43, fax 05.57.74.53.13, e-mail stjacquescalon@free.fr r.-v. 7

CH. TEYSSIER 2003

■ 15 ha 53 300 ⊕ 11 à 15 €

Coup de cœur l'an dernier pour son 2002, ce cru propose un vin d'extraction très poussée sur un raisin de canicule ; ce 2003 affiche un caractère fort différent de son aîné : la robe profonde, soutenue, et le bouquet de fruits mûrs, voire confiturés, accompagnent une bouche dotée de mâche, de tanins riches mais pas encore fondus.

GFA Ch. Teyssier, 1, Teyssier, 33570 Puisseguin, tél. et fax 05.57.74.63.11

CH. TOUR BAYARD Élevé en fût de chêne 2003 ★

■ 3 ha 6 000 ⊕ 5 à 8 €

Depuis plus de dix ans, Fanny Richard dirige ce domaine de 10 ha. Orientées plein sud, les vignes ont donné naissance à un très bon 2003 composé de 90 % de merlot et de 10 % de malbec. La robe est éclatante. Le bouquet mentholé et floral est rehaussé de notes fruitées. Les tanins souples, frais, bien équilibrés par un boisé judicieux permettront de servir ce vin d'ici un à trois ans.

Fanny Richard, Bayard, 33570 Montagne, tél. 05.57.74.51.05, fax 05.57.74.53.10 r.-v.

CH. VIEUX BONNEAU 2003 ★★

■ 12 ha 50 000 ⊕ 5 à 8 €

Alain et Franck Despagne présentent ici un excellent 2003, dont l'assemblage est constitué à 85 % de merlot et à 15 % de cabernet franc. Sa robe est somptueuse. Ses arômes intenses évoquent le fruit noir, le pruneau, la cerise et les fleurs. Ses tanins ronds, volumineux et chaleureux évoluent tout en finesse. Un vin remarquable à laisser vieillir deux à cinq ans avant de le servir sur une viande grillée. **L'Envie 2003 (8 à 11 €)**, du même propriétaire, obtient une étoile : plus moderne et plus marqué par la barrique, il est très bien vinifié et comblera les consommateurs qui recherchent des vins puissants et boisés.

SCEV Despagne et Fils, 3, Bonneau, 33570 Montagne, tél. 05.57.74.60.72, fax 05.57.74.58.22, e-mail despagne@tiscali.fr t.l.j. sf dim. 8h-12h 13h30-19h

VIEUX CHÂTEAU CALON 2003 ★

■ 7 ha 30 000 ⊕ 5 à 8 €

Ce cru propose un très bon 2003 dont la robe presque noire brille de mille feux. Mûr et puissant, le nez présente des notes de cuir et de confiture. Les tanins charnus, pleins et puissants, encore un peu sévères en finale demandent une attente de trois à cinq ans pour que l'harmonie s'affirme.

SCEA Gros et Fils, Grange-Neuve, 33500 Pomerol, tél. 05.57.51.23.03, fax 05.57.25.36.14, e-mail chateau.grange.neuve@wanadoo.fr r.-v.

VIEUX CHÂTEAU NÉGRIT 2003

■ 6 ha 33 334 5 à 8 €

Vinifié à Montagne par Alexandre Blanc précise l'étiquette signée Y.M. C'est-à-dire Yvon Mau. Pourpre aux reflets violacés, ce vin joue sur les épices, les fruits mûrs à l'alcool, le menthol. Agréable en bouche, il se révèle rond et moyennement puissant. Il est prêt.

Yvon Mau, rue Sainte-Pétronille, 33190 Gironde-sur-Dropt, tél. 05.56.61.54.54, fax 05.56.61.54.61, e-mail info@ymau.com

VIEUX CHÂTEAU PALON 2003 ★

■ 5,13 ha 34 000 11 à 15 €

Cette propriété rachetée en 1999 a depuis multiplié les investissements tant au vignoble que dans les chais et le résultat transparaît aujourd'hui dans ce très beau 2003. La robe pourpre intense brille de reflets violacés ; les arômes de fruits et de torréfaction sont élégants, les tanins pleins et gras ; une acidité bienvenue apporte la touche de fraîcheur indispensable. Un vin à boire dans un à trois ans.

Vignobles Naulet, lieu-dit Mondou, 33330 Saint-Sulpice-de-Faleyrens, tél. 06.89.10.90.01, fax 05.57.51.23.79, e-mail vignobles.naulet@wanadoo.fr r.-v.

VIEUX CHÂTEAU SAINT-ANDRÉ 2003 ★

■ 10 ha 40 000 8 à 11 €

Créé en 1978 par Jean-Claude Berrouet, célèbre vinificateur – entre autres de Petrus à Pomerol –, ce château a été repris depuis 2002 par son fils Jean-François. Si vous visitez l'église romane de Saint-Georges, vous n'aurez que 100 m à parcourir pour le découvrir. Le 2003 a une couleur soutenue, légèrement tuilée. Si le bouquet paraît encore fermé, il n'en évoque pas moins un fruit bien mûr associé à des notes de fumé. Les tanins soyeux et agréables composent une bouche équilibrée dont la finale est joliment fruitée. À boire ou à garder quelques années.

Jean-Claude Berrouet, 1, Samion, 33570 Montagne, tél. 06.76.67.87.48, e-mail chateau.samion@wanadoo.fr r.-v.

CH. VIRGILE 2003

■ 1,36 ha 6 000 5 à 8 €

Ce tout petit cru présente un 2003 habillé d'une robe sombre et entouré de parfums discrets de fruits noirs assortis de notes grillées. Charnu, agréable, finement boisé, ce vin dispose d'un potentiel certain. Attendre un à trois ans pour qu'il se révèle au mieux de sa forme.

SCEA Ch. La Fleur Chaigneau, 13, Chaigneau, 33500 Néac, tél. 06.84.80.19.26, fax 05.57.51.32.58 r.-v.

I. Sanchez-Ortiz

Puisseguin-saint-émilion

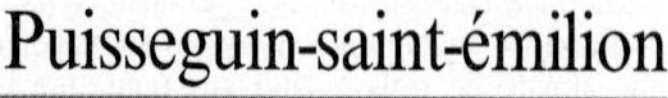

La plus orientale des voisines de saint-émilion, d'une superficie de 753 ha ; le millésime 2005 a représenté 34 648 hl.

CH. DE L'ANGLAIS 2003

■ 0,9 ha 4 800 8 à 11 €

L'étiquette évoque le chevalier anglais qui s'arrêta ici au lendemain de la bataille de Castillon qui mit fin en 1453 à la guerre de Cent Ans. Aujourd'hui, le vin se présente sous une robe cerise bigarreau et livre un bouquet de petits fruits noirs et de noyau. Les tanins souples et ronds évoluent en bouche avec de la fraîcheur. Une bouteille classique, à boire d'ici un à trois ans.

SARL du Ch. de l'Anglais, Langlais, 33570 Puisseguin, tél. et fax 05.57.74.58.94 r.-v.

CH. DURAND-LAPLAGNE Cuvée Sélection Élevé en barrique 2003

■ 6 ha 35 000 8 à 11 €

Sélectionnée sur un domaine de 44 ha, cette cuvée porte une robe rubis déjà un peu tuilée et des arômes fruités relevés d'une note de boisé exotique. La structure tannique, assez souple à l'attaque, évolue avec un peu de fermeté. Un vin équilibré, à boire ou à garder deux ou trois ans.

Vignobles S. et B. Besson, Ch. Durand-Laplagne, 33570 Puisseguin, tél. 05.57.74.63.07, fax 05.57.74.59.58, e-mail contact@durand-laplagne.com r.-v.

CH. FAYAN Élevé en fût de chêne 2003 ★★

■ 10 ha 20 000 8 à 11 €

Une propriété familiale conduite par Philippe Mounet depuis 1973. Son 2003 est issu de vignes âgées d'une quarantaine d'années. La robe est vive et intense et le bouquet de fruits rouges relevé de notes complexes vanillées. La bouche aux tanins amples, suaves, très bien enrobés par le boisé montre une réelle persistance aromatique. Une remarquable bouteille à ouvrir dans trois à six ans.

SCEA Philippe Mounet, Ch. Fayan, 33570 Puisseguin, tél. 05.57.74.63.49, fax 05.57.74.54.73, e-mail damien.mounet1@tiscali.fr t.l.j. sf dim. 8h-12h 14h-18h

CH. GUIBOT La Fourvieille 2003 ★★

■ 10 ha 45 000 15 à 23 €

L'arrière-grand-père du propriétaire actuel est parti faire la conquête du Mexique avec Maximilien et y a fondé une famille. Son petit-fils, revenu en France, a racheté cette

propriété qui fait preuve aujourd'hui d'une qualité irréprochable. Après le 2002, le millésime 2003 obtient un coup de cœur du grand jury. Sa robe intense se pare de reflets violines et son nez libère des parfums de fleurs et de fruits rouges, en harmonie avec un boisé « intelligent ». Les tanins sont veloutés, équilibrés et complexes en fin de bouche. Tout est réuni pour assurer un moment de convivialité autour de cette bouteille à ouvrir dans trois à six ans.

Henri Bourlon, Ch. Guibeau, 33570 Puisseguin,
tél. 05.57.55.22.75, fax 05.57.74.58.52,
e-mail vignobles.henri.bourlon@wanadoo.fr r.-v.

CH. HAUT-BERNAT Élevé en fût de chêne 2003 *

5,5 ha 32 000 11 à 15 €

Vous pourrez admirer ici un chai design construit en 2000, où tous les matériaux, brique, bois et béton sont restés bruts. On y vinifie d'excellents vins à l'image de ce 2003 en robe sombre aux reflets orangés. Le bouquet est encore un peu marqué par un boisé fumé. Ample et charnu en attaque, le palais évolue avec puissance. Cette bouteille mérite d'attendre deux ou trois ans pour gagner encore en harmonie.

SA Vignobles Bessineau,
8, Brousse, BP 42, 33350 Belvès-de-Castillon,
tél. 05.57.56.05.55, fax 05.57.56.05.56,
e-mail bessineau@cote-montpezat.com r.-v.

CH. HAUT-BERNON 2003

5,86 ha 15 000 8 à 11 €

Situé sur un plateau argilo-calcaire bien exposé, ce cru propose un 2003 issu d'un assemblage de 75 % de merlot et de 25 % de cabernet franc. La robe grenat est presque noire et le bouquet de fraise des bois et de framboise, élégant. Les tanins se montrent chaleureux et un peu vifs, signe que ce vin sera à boire dans un à trois ans.

SCEA J.-M. Estager, 55, rue des
Quatre-Frères-Robert, 33500 Libourne,
tél. 05.57.51.06.97, fax 05.57.25.90.01,
e-mail vignoblejmestager@wanadoo.fr r.-v.

CH. HAUT-LAPLAGNE 2003 *

4 ha 7 300 11 à 15 €

Ce cru acheté en 2000 et rénové depuis confirme sa montée en puissance et le coup de cœur obtenu l'an dernier. La robe vive et profonde du 2003 se pare de reflets brillants. Si le bouquet de petits fruits rouges est encore dominé par un boisé important, en bouche la structure tannique est soyeuse, équilibrée et bien fondue avec l'élevage en barrique. Un vin à laisser s'épanouir entre deux à cinq ans.

Anne Godet, Ch. Haut-Laplagne,
La Plaigne, 33570 Puisseguin, tél. 05.49.43.26.33,
fax 05.49.43.23.43 r.-v.

CH. LACABANNE-DUVIGNEAU
Sélection Vieilles Vignes Élevé en fût de chêne 2003 **

0,8 ha 4 000 11 à 15 €

Transmis de génération en génération depuis 1870, le château propose depuis quelques années cette cuvée issue exclusivement de vieilles vignes de merlot. Le 2003 est remarquable : la robe pourpre intense brille de reflets grenat et le bouquet de fruits noirs un peu cuits est marqué par un boisé toasté et torréfié. Les tanins bien extraits, assez gras et veloutés évoluent dans un bel équilibre, traduisant un bon potentiel (au moins cinq à huit ans).

Vignobles Célerier,
Moulin Courrech, 33570 Puisseguin,
tél. 05.57.74.61.75, fax 05.57.74.52.79,
e-mail vignoblescelerier@wanadoo.fr r.-v.

CH. LAFAURIE 2003

5 ha 19 000 8 à 11 €

96 97 98 |99| 00 |02|

Ce château est présent dans le Guide presque sans discontinuité depuis dix ans. Ce 2003 à la robe noire profond se distingue surtout par sa complexité aromatique au nez, fait de petits fruits noirs, de griotte et d'épices douces. En bouche, il est rond, charnu, légèrement marqué par le boisé ; il nécessite un vieillissement de un à trois ans.

Vignobles Paul Bordes, Faize,
33570 Les Artigues-de-Lussac,
tél. 05.57.24.33.66, fax 05.57.24.30.42,
e-mail vignobles.bordes.paul@wanadoo.fr r.-v.

CH. LANBERSAC Cuvée Louisa Lecoester 2003

2 ha 10 800 11 à 15 €

Cette cuvée rend hommage à la grand-mère de l'actuelle propriétaire, qui était une femme de caractère. De caractère, ce 2003 n'en manque pas. Il se distingue par une robe sombre aux reflets rubis et par des parfums très frais de fruits et de menthol. La bouche, ample et charnue, est encore un peu marquée par l'élevage sous bois. Attendez un an ou deux : l'harmonie générale sera meilleure.

SCEV Françoise et Philippe Lannoye,
10, Le Chais, 33570 Puisseguin,
tél. 05.57.55.23.28, fax 05.57.55.23.29,
e-mail lannoye@vignoble.fr.st r.-v.

TOUR DES LAURETS 2003 *

25 ha 169 000 5 à 8 €

Construit en 1860 sur les ruines d'un bâtiment du XVIIe s., ce château porte le nom des premiers propriétaires ayant converti leurs terres en vignoble. La robe rouge rubis brille de reflets grenat. Le bouquet naissant évoque les épices, le menthol et les fruits noirs. Les tanins sont amples et puissants, avec beaucoup de volume en fin de bouche. Une bouteille à boire d'ici un à trois ans.

SAS Ch. des Laurets, BP 12, 33570 Puisseguin,
tél. 05.57.74.63.40, fax 05.57.74.65.34,
e-mail chateau-des-laurets@wanadoo.fr r.-v.

CH. MOULIN DE CURAT
Cuvée Fernand Ginestet Élevé en fût de chêne 2003 **

2 ha 13 000 8 à 11 €

Ce vin est issu de la gamme Charte Qualité Ginestet, établie par la maison de négoce bordelaise éponyme, ce qui signifie qu'il est vinifié et élevé en partenariat avec le propriétaire du château. Le résultat dans le millésime 2003 est remarquable. Sous une robe grenat dense, presque noire, on découvre des arômes intenses et frais de menthol, de fruits noirs et de pain grillé. La bouche révèle beaucoup d'ampleur, de soyeux et de volume, mais il est nécessaire d'attendre deux à cinq ans pour que le boisé s'intègre parfaitement. Une telle patience sera grandement récompensée.

Ginestet, 19, av. de Fontenille,
33360 Carignan-de-Bordeaux,
tél. 05.56.68.81.82, fax 05.56.20.94.47,
e-mail contact@ginestet.fr r.-v.

PIERDON 2003 ★

■ 4,12 ha 15 000 11 à 15 €

Pierdon est le nom d'une parcelle de vignes de plus de soixante ans, exposées plein sud sur un coteau argileux très pentu. Ce vin qui en est issu possède une robe intense couleur d'encre et exprime des arômes discrets et élégants de fruits rouges et de fleurs. En bouche, la structure tannique est pleine, riche et serrée. Il faudra laisser ce 2003 s'épanouir deux à cinq ans dans une bonne cave avant d'en profiter pleinement.

Georges Taïx, Fongaban, 33570 Puisseguin,
tél. 05.57.74.54.07, fax 05.57.74.50.34,
e-mail lamauriane@vignoble-taix.com r.-v.

CH. DE PUISSEGUIN CURAT 2003 ★★

■ 3 ha 15 000 5 à 8 €

Ce domaine a appartenu à Jeanne d'Albret, mère du roi Henri IV. L'ancienne forteresse a depuis longtemps abandonné son rôle militaire pour faire place à un vignoble bien connu des lecteurs du Guide. Deux vins du millésime 2003 obtiennent chacun deux étoiles. La cuvée classique possède des tanins puissants, veloutés, aromatiques et très longs en bouche ; elle est déjà prête à boire. La **cuvée Élevé en fût de chêne 2003 (8 à 11 €)** est du même style mais avec un boisé intense et des tanins encore plus riches, qui devront s'affiner entre trois et six ans.

EARL du Ch. de Puisseguin Curat,
Curat, 33570 Puisseguin,
tél. 05.57.74.51.06, fax 05.57.74.54.29,
e-mail chateau-de-puisseguin-curat@wanadoo.fr
t.l.j. sf dim. 9h-19h; f. 15-30 août
Robin

CUVÉE RENAISSANCE 2003 ★★

■ 15 ha 10 000 8 à 11 €

Quelle que soit l'appellation, la cave coopérative de Puisseguin-Lussac brille par la régularité de ses cuvées. Voyez ce 2003 intense aux reflets rubis et au nez très harmonieux de fruits rouges et de boisé torréfié. Les tanins ronds, suaves et puissants évoluent avec finesse et une grande persistance. Une bouteille à boire dans deux ou trois ans. Issu de la même cave, le **Château Côtes de Saint-Clair 2003 (5 à 8 €)** est cité ; c'est un vin fruité, gouleyant, à déguster dès maintenant.

Les Producteurs réunis de Puisseguin et Lussac-Saint-Émilion, Durand, 33570 Puisseguin,
tél. 05.57.55.50.40, fax 05.57.74.57.43
t.l.j. 8h30-12h30 14h30-18h30; dim. sur r.-v.

CH. ROC DE BERNON Lumières 2003 ★★

■ 0,5 ha 3 000 8 à 11 €

Un nom original mais peut-être prédestiné pour cette microcuvée qui « brille » en effet par ses qualités. Rouge grenat intense, ce 2003 montre déjà des reflets tuilés. Il livre un bouquet expressif de réglisse, d'épices, de cuir et de violette. En bouche, il se révèle souple, élégant, équilibré et très persistant. Il faudra cependant attendre entre deux à quatre ans pour que le boisé se fonde.

J.-M. Lénier, Ch. Roc de Bernon, Bernon Ouest, 33570 Puisseguin, tél. et fax 05.57.74.53.42,
e-mail contact@chateau-roc-de-bernon.com r.-v.

CH. ROC DE BOISSAC 2003 ★

■ 4 ha 22 000 8 à 11 €

Grande habituée des sélections du Guide, cette cuvée assemble 30 % de cabernet-sauvignon et 70 % de merlot. Sa couleur pourpre est déjà un peu évoluée et son bouquet évoque la réglisse, les fruits cuits et la banane flambée. L'attaque est ample et chaleureuse, puis la bouche évolue sur le fruit avec puissance. Un vin à boire ou à garder cinq ans.

SARL Roc de Boissac, 33570 Puisseguin,
tél. 05.57.74.61.22, fax 05.57.74.59.54 r.-v.

Saint-georges-saint-émilion

Séparé du plateau de Saint-Emilion par la Barbanne, le terroir de saint-georges présente une grande homogénéité avec des sols presque exclusivement argilo-calcaires. En 2005, 9 333 hl ont été déclarés pour une superficie de 192 ha.

CH. LA CROIX DE SAINT-GEORGES 2003

■ 6,58 ha n.c. 8 à 11 €

96 97 |98| |99| 00 |01| 02 03

Autrefois partie intégrante du château Saint-Georges voisin, cette propriété aujourd'hui indépendante présente un bon 2003, à la robe profonde, au bouquet de fruits rouges mûrs (framboise) et d'eucalyptus. En bouche, c'est un vin très tannique mais fruité ; il s'épanouira après un à trois ans de vieillissement.

Jean de Coninck, Ch. du Pintey,
75, av. de la Roudet, 33500 Libourne,
tél. 05.57.51.03.04, fax 05.57.51.03.99 r.-v.

CH. HAUT-SAINT-GEORGES 2003 ★

■ 3,5 ha 15 000 11 à 15 €

97 98 |**99**| |00| **01 02** 03

82 % de merlot, 16 % de cabernets et 2 % de malbec composent ce 2003 élevé quatorze mois en barrique. La robe chatoyante brille de nuances violettes. Les arômes de petits fruits rouges bien mûrs sont en harmonie avec des notes boisées élégantes. Les tanins puissants mais onctueux sont encore un peu dominés par le fût : une garde de deux à trois ans devrait apporter la touche finale d'harmonie.

SCEA de La Grande Barde,
1, La Clotte, 33570 Montagne,
tél. 05.57.74.64.98, fax 05.57.74.65.42,
e-mail chateaulagrandebarde@wanadoo.fr r.-v.

CH. MOULIN LA BERGÈRE 2003

■ 6 ha 30 000 8 à 11 €

Agriculteurs dans la région Centre, André Benoist et son fils Camille ont acquis en 1998 ce domaine commandé par une ancienne bergerie. Ils proposent un 2003 grenat vif et au bouquet de fruits rouges expressif. Les tanins équilibrés demandent pour s'assouplir un à trois ans de vieillissement.

André et Camille Benoist,
Ch. La Bergère, 33570 Montagne,
tél. 05.57.74.61.61, fax 05.57.74.64.86,
e-mail labergere33@wanadoo.fr r.-v.

CH. SAINT-ANDRÉ CORBIN 2003

■ 19,5 ha 54 000 ◧ 11 à 15 €

Cette propriété, reprise en 2002 par les propriétaires actuels à l'issue d'un fermage de dix-huit ans, est installée sur un beau terroir : le plateau argilo-calcaire. Merlot (70 %) et cabernet franc composent ce 2003 d'une couleur profonde. Le bouquet expressif, fait de fruits mûrs et de café, ne manque pas d'élégance. Les tanins souples, arrondis et assez persistants composent une bouteille à boire ou à garder deux à trois ans.

⊶ Vignobles Jean-Bernard Saby et Fils,
Ch. Rozier, 33330 Saint-Laurent-des-Combes,
tél. 05.57.24.73.03, fax 05.57.24.67.77,
e-mail info@vignobles-saby.com ☑ Y ☨ r.-v.

CH. SAINT-GEORGES 2003 *

■ 45 ha 300 000 ▮ 15 à 23 €

93 94 **95** 96 **97** ⑨⑧ |99| |00| **01 02** 03

Acquis en 1892 par le grand-père, Petrus Desbois, ce splendide château du XVIIIe s. dessiné par Victor Louis commande un vignoble d'un seul tenant de 45 ha de vignes de merlot (80 %) et de cabernets (20 %). Ce 2003 est riche d'arômes puissants de fruits mûrs, de café, de cacao, de pain grillé... Ses tanins savoureux et opulents sont extraits avec élégance ; ils évoluent tout en finesse dans un palais d'une réelle longueur. Une bouteille à oublier deux à trois ans en cave.

⊶ Desbois, Ch. Saint-Georges, 33570 Montagne,
tél. 05.57.74.62.11, fax 05.57.74.58.62,
e-mail g.desbois@chateau-saint-georges.com ☑ Y ☨ r.-v.

Côtes-de-castillon

En 1989, une nouvelle appellation est née, côtes-de-castillon. Elle reprend sur 3 040 ha la zone qui était dévolue à l'appellation bordeaux-côtes-de-castillon, c'est-à-dire les neuf communes de Belvès-de-Castillon, Castillon-la-Bataille, Saint-Magne-de-Castillon, Gardegan-et-Tourtirac, Sainte-Colombe, Saint-Genès-de-Castillon, Saint-Philippe-d'Aiguilhe, Les Salles-de-Castillon et Monbadon. Néanmoins, pour quitter le groupe « bordeaux », les viticulteurs doivent respecter des normes de production plus sévères, notamment en ce qui concerne les densités de plantation, qui sont fixées à 5 000 pieds par hectare. Un délai est laissé jusqu'en 2010, pour tenir compte des vignes existantes. En 2005, la production de côtes-de-castillon a atteint 138 384 hl.

AETOS 2003 *

■ 5 ha 15 000 ◧ 11 à 15 €

Issu exclusivement du merlot, ce « vin de négociant » est très bien réussi dans le millésime 2003. Sa robe pourpre est soutenue et, si son bouquet naissant de fruits noirs demande à s'épanouir, ses tanins sont puissants, riches, mûrs et équilibrés. Un vin de caractère qui sera parfait dans deux à trois ans.

⊶ Calvet, 75, cours du Médoc, BP 11,
33028 Bordeaux Cedex, tél. 05.56.43.59.00,
fax 05.56.43.17.78, e-mail calvet@calvet.com

CH. D'AIGUILHE QUERRE 2003 **

■ 2,4 ha 7 700 ◧ 8 à 11 €

Ce petit vignoble admirablement situé sur le point culminant de l'appellation a vu sa superficie doubler à l'orée de ce millésime 2003, comme son nombre d'étoiles qui passe de une à deux. La robe rouge cerise est brillante et les arômes de bois et de poivre sont en harmonie avec les nuances fruitées. Les tanins souples et harmonieux se montrent puissants et complexes dans leur évolution, et la finale fait bien ressortir leur finesse et leur élégance. Un vrai moment de plaisir... dans deux à trois ans.

⊶ SCEA Ch. d'Aiguilhe Querre, Moulin de Lavaud,
33500 Pomerol, tél. 05.57.25.22.52, fax 05.57.25.22.53,
e-mail contact@aiguilhe-querre.com ☑ Y ☨ r.-v.

CH. LES ARMES DE BRANDEAU

Cuvée de la Trilogie 2004 *

■ 2 ha 13 000 ▮◧ 5 à 8 €

Cette cuvée de la Trilogie est une sélection issue de vieilles vignes de merlot (70 %) et de cabernets, plantées sur un sol argilo-calcaire typique de cette appellation. La robe pourpre profond révèle des parfums engageants de fruits rouges et d'épices. Les tanins sont amples, généreux, puissants et très équilibrés en fin de bouche. Un vin de caractère, qui s'épanouira totalement avec deux à cinq ans de garde.

⊶ SCEA Mirambeau, BP 80, 33330 Saint-Émilion,
tél. 05.57.55.38.03, fax 05.57.55.38.01 ☑ Y ☨ r.-v.

ARTHÉMIS 2003 *

■ 2 ha 2 900 ◧ 30 à 38 €

Les lecteurs du Guide connaissent depuis longtemps leur cuvée Arthus, habituée des sélections et des étoiles, mais c'est la cuvée Arthémis que Richard et Danielle Dubois proposent de découvrir dans le millésime 2003. La robe rubis est intense et le bouquet boisé et grillé n'est pas avare de fruits mûrs. Les tanins ont du volume, du gras et une bonne complexité finale. Un vin de qualité à boire ou à garder.

⊶ Richard et Danielle Dubois,
Lartigue, 33330 Saint-Sulpice-de-Faleyrens,
tél. 05.57.24.72.75, fax 05.40.54.08.01,
e-mail dubricru@terroirsenliberte.com ☑ Y r.-v.

CH. BEL-AIR

La Chapelle Élevé en fût de chêne 2003 *

■ 13,5 ha 60 000 ◧ 8 à 11 €

La Chapelle est un lieu-dit sur lequel un détachement de l'armée anglaise a été anéanti durant la guerre de Cent Ans. Plus pacifiquement, on y produit aujourd'hui un excellent vin. La robe sombre et profonde lève le voile sur un bouquet de pruneau et de figue encore un peu boisé. Les tanins riches, amples et bien équilibrés, en font un ensemble déjà prêt. Le second vin du domaine, le **Château La Chapelle Monrepos 2003 (5 à 8 €)**, est cité pour son harmonie et son caractère fruité agréable.

⊶ SCEA du Dom. de Bellair,
33350 Belvès-de-Castillon,
tél. 06.80.13.02.12, fax 05.56.42.44.47,
e-mail patrick.david.cgc@numericable.fr ☑ Y ☨ r.-v.
⊶ Patrick David

LE PIN DE BELCIER 2003 ★★

■ 3 ha 2 900 ⓘ 23 à 30 €

Le château de Belcier est un habitué des sélections et des étoiles du Guide. Le Pin de Belcier est issu de vignes de merlot (80 %), de cabernet franc et de malbec. Le 2003 est remarquable dans sa livrée presque noire, d'où émane un bouquet intense et complexe rappelant la torréfaction, le pain grillé et le fruit noir. En bouche, c'est un vin riche, puissant et harmonieux, qui évolue avec finesse et une grande présence. Il réserve un moment mémorable de dégustation dans trois à cinq ans. La cuvée classique du **Château de Belcier 2003 Élevé en barrique de chêne (8 à 11 €)** est citée ; un peu plus austère aujourd'hui, elle se boira d'ici un ou deux ans.

SCA Ch. de Belcier, 33350 Les Salles-de-Castillon, tél. et fax 05.57.40.67.58 r.-v.

CH. BELLEVUE

Cuvée Vieilles Vignes Élevé en fût de chêne 2003

■ 3,5 ha 14 000 5 à 8 €

Assemblage de merlot (70 %) et de cabernet franc, ce 2003 rubis brille de reflets orangés et présente un nez harmonieux de fruits mûrs et de pierre à fusil. La structure en bouche est riche, tendre et équilibrée. Ce vin peut déjà être servi mais il se gardera aussi quelques années.

Michel Lydoire, Ch. Bellevue, L.D.-Rouye, 33350 Belvès-de-Castillon, tél. et fax 05.57.47.94.29 r.-v.

CH. BEYNAT 2003 ★

■ 6,4 ha 20 000 5 à 8 €

Encore une fois, ce château comblera les amateurs de vins typés et sincères. Sous sa robe grenat sombre, les arômes de mûre, de réglisse et de torréfaction sont élégants. Sa structure tannique, souple et équilibrée, évolue avec puissance et finesse. Ce vin de plaisir est déjà prêt à boire. La **cuvée Léonard 2003 (8 à 11 €)** obtient également une étoile.

Xavier Borliachon, 27, rue de Beynat, 33350 Saint-Magne-de-Castillon, tél. 05.57.40.01.14, fax 05.57.40.18.51, e-mail contact@chateaubeynat.com t.l.j. 9h-19h

CH. BLANZAC 2003 ★

■ 6 ha 8 000 5 à 8 €

Si vous aimez l'équitation, vous pourrez associer la visite de la propriété à ce loisir, un centre équestre étant installé au milieu du vignoble. Cette cuvée issue de vieilles vignes arbore une robe cerise intense. Au nez, les fruits rouges se marient à des notes boisées, vanillées et exotiques. Les tanins sont souples et mûrs, avec une touche de fraîcheur en finale. Un vin plaisir à consommer dès aujourd'hui.

Bernard Depons, EARL Ch. Blanzac, 22, rte de Coutras, 33350 Saint-Magne-de-Castillon, tél. 05.57.40.11.89, fax 05.57.40.49.69, e-mail chateaublanzac@cegetel.net t.l.j. 10h-12h 15h-19h; dim. sur r.-v.; f. 15-31 août

CH. LA BOURRÉE 2004 ★

■ 10 ha 80 000 5 à 8 €

Cette propriété familiale présente un vin riche, aux arômes encore jeunes et vifs de fruits noirs et d'épices. Les tanins amples et harmonieux demandent deux à cinq ans pour se fondre. Du même propriétaire, le **Château Roque Le Mayne Élevé en fût de chêne 2004 (8 à 11 €)** est cité pour son fruité expressif et sa charpente tannique qui impose cependant une bonne garde pour gagner en amabilité.

SCEA des Vignobles Meynard, 10, av. de La Bourrée, 33350 Saint-Magne-de-Castillon, tél. 05.57.40.17.32, fax 05.57.40.38.93, e-mail vignobles-meynard@wanadoo.fr r.-v.

CH. BRÉHAT 2003 ★

■ 5,3 ha 18 000 5 à 8 €

Ce domaine établi sur un terroir argilo-calcaire classique présente un vin grenat profond aux parfums de fruits noirs et d'épices en harmonie avec des notes plus toastées. Les tanins savoureux en attaque évoluent au sein d'un ensemble gras et puissant dans un bon équilibre. À boire ou à garder quelques années.

Jean de Monteil, Ch. Haut-Rocher, 33330 Saint-Étienne-de-Lisse, tél. 05.57.40.18.09, fax 05.57.40.08.23, e-mail ht-rocher@vins-jean-de-monteil.com r.-v.

CH. BRISSON

Élevé et vieilli en barrique de chêne 2003

■ 15 ha 60 000 8 à 11 €

De couleur vive, ce 2003 livre un bouquet finement boisé, rehaussé de notes de fruits mûrs et de touches florales. La bouche souple, charnue et puissante, révèle des tanins de qualité mais encore marqués par un boisé intense. Deux à trois ans de garde permettront à ce vin de gagner en harmonie.

EARL P.L. Valade, 1, Le Plantey, 33350 Belvès-de-Castillon, tél. 05.57.47.93.92, fax 05.57.47.93.37, e-mail paul.valade@wanadoo.fr r.-v. 3

CH. CADET 2004 ★

■ 14 ha 60 000 8 à 11 €

Le château Cadet a été créé en 1750 par les cadets de Gascogne, rendus célèbres, entre autres, par la pièce d'Edmond Rostand. Sous une robe pourpre brillant, ce 2004 dévoile un nez infiniment plus élégant que celui de son illustre parrain Cyrano, fait de fruits noirs et rouges relevés d'une pointe toastée. En bouche, la structure, souple et équilibrée, évolue avec beaucoup... de panache ! À boire d'ici deux à cinq ans.

SCEA Ch. Cadet, 3, Cadet, 33350 Saint-Genès-de-Castillon, tél. 05.57.47.95.15, fax 05.57.47.95.20, e-mail vias.philippe@wanadoo.fr t.l.j. sf dim. 9h-12h 14h-18h; f. août

Ph. Vias

CH. CANTEGRIVE HAUT-MONBADON 2003 ★

■ 3 ha 15 000 5 à 8 €

Cette sélection du château Cantegrive revêt une robe grenat aux reflets rubis, et libère d'intenses arômes de fruits à l'eau-de-vie et d'amande. Après une attaque douce, les tanins se font amples, marqués par une sucrosité agréable. Un vin de plaisir à boire ou à garder quelques années.

Ch. Cantegrive, Terrasson, 33570 Monbadon-Puisseguin, tél. 03.26.57.52.29, fax 03.26.57.78.14 r.-v.

Pascal Doyard

CH. CAP DE FAUGÈRES 2003 ★

■ 27 ha 70 000 11 à 15 €

Ce 2003 est encore l'« enfant » de Corinne Guisez, qui a cédé sa propriété en 2005 à Silvio Denz, homme d'affaires suisse. La robe rubis est profonde et le bouquet naissant de cerise noire, d'épices et de boisé léger se révèle agréable. Les tanins veloutés et gourmands évoluent avec chaleur et harmonie. Un vin qui atteindra son parfait équilibre dans deux à cinq ans.

Silvio Denz,
Ch. Cap de Faugères, 33350 Sainte-Colombe,
tél. 05.57.40.34.99, fax 05.57.40.36.14,
e-mail faugeres@chateau-faugeres.com r.-v.

DOM. DE LA CARESSE 2003 *

■ 16 ha 80 000 5 à 8 €

Le cabernet franc (30 %) complète avantageusement le merlot dans ce 2003 à la robe rubis limpide et aux arômes agréables d'agrumes, de fruits confits et de caramel. Les tanins souples et frais évoluent avec finesse et puissance à la fois. Ce vin de garde sera parfait dans deux à cinq ans.

Christophe Blanc, 2, av. de la Bourrée,
33350 Saint-Magne-de-Castillon, tél. 05.57.40.07.59,
fax 05.53.40.42.53 t.l.j. 9h-12h 14h-18h

CH. CASTEGENS

Sélection première Élevé en fût de chêne 2003 *

■ 28 ha 25 000 5 à 8 €

Le château Castegens, où l'on reconstitue la bataille de Castillon, propose cette Sélection première qui représente seulement une partie de la production annuelle. Le bouquet intense est marqué par la mûre, la vanille, le poivre et la truffe. Puissant et riche, ce vin révèle en finale une légère amertume qui devrait s'estomper après deux ou trois ans de vieillissement.

SCEA J.-L. de Fontenay,
Ch. Castegens, 33350 Belvès-de-Castillon,
tél. 05.57.47.96.71, fax 05.57.47.91.61,
e-mail jldefontenay@wanadoo.fr r.-v.

VIEUX CHÂTEAU CHAMPS DE MARS 2003

■ n.c. 40 000 8 à 11 €

Assemblage de 80 % de merlot et de 10 % de chaque cabernet, ce 2003 se présente sous une couleur rubis limpide. Son bouquet discret laisse déjà percevoir des notes animales de gibier et de cuir. La bouche offre une structure tannique ronde et équilibrée. Assez longue, la finale est marquée par une pointe de chaleur. À boire ou à garder deux ou trois ans.

GFA Régis et Sébastien Moro,
Le Pin, 33350 Les Salles-de-Castillon,
tél. 05.57.40.63.49, fax 05.57.40.61.41 r.-v.

CH. LA CLARIÈRE LAITHWAITE 2003 *

■ 4,6 ha 16 044 15 à 23 €

Appartenant à un Anglais depuis vingt-cinq ans, cette propriété idéalement située sur un plateau argilo-calcaire a su développer une politique qualitative à l'origine d'excellents vins. Le 2003 présente un riche bouquet d'épices, de fruits rouges et noirs et de vanille. Sa structure tannique est ample, puissante et équilibrée. À garder deux ou trois ans. Cité, **Le Presbytère 2003** est une cuvée particulière de pur merlot nouvellement créée et vinifiée de façon très moderne ; elle est déjà prête à boire.

SARL Direct Wines,
Les Confrères de la Clarière, 33350 Sainte-Colombe,
tél. 05.57.47.95.14, fax 05.57.47.94.47,
e-mail patrick.ferrent@wanadoo.fr r.-v.

CLOS PUY ARNAUD 2003 *

■ 10 ha 16 000 23 à 30 €

Coup de cœur l'an dernier pour ce Clos, Thierry Valette propose deux crus. Ce Clos est paré d'une robe grenat intense et livre des arômes élégants de fruits rouges très mûrs, de menthol et de vanille. La bouche est agréable et déjà harmonieuse : ce vin est prêt à boire. Du même propriétaire, le **Château Pervenche Puy Arnaud 2003 (11 à 15 €)** est cité : fin et épicé, souple au palais, il se montre déjà un peu évolué.

EARL Thierry Valette,
7, Puy-Arnaud, 33350 Belvès-de-Castillon,
tél. 05.57.47.90.33, fax 05.57.47.90.53,
e-mail clospuyarnaud@wanadoo.fr r.-v.

CH. DES DEMOISELLES

Élevé en fût de chêne 2003 **

■ n.c. n.c. 8 à 11 €

Ce domaine était habité, au Moyen Âge, par des religieuses que l'on surnommait les « Demoiselles », et qui apportaient aide et réconfort à la population. Aujourd'hui, vous y découvrirez ce 2003 issu des trois cépages du Bordelais, merlot, cabernet franc et cabernet-sauvignon. La robe pourpre est intense et le bouquet allie les fruits à l'eau-de-vie à un boisé vanillé et grillé. Les tanins fondus, puissants et complexes se prolongent avec rondeur en finale. Un vin typé, à apprécier dès aujourd'hui ou à laisser vieillir.

SCEA Les Demoiselles, 18, rte de Montignac,
33760 Ladaux, tél. 05.57.34.54.00, fax 05.56.23.48.78,
e-mail scealesdemoiselles@wanadoo.fr r.-v.

CH. FILLIOL 2003 *

■ 2 ha 5 500 8 à 11 €

Ce vin est élevé par Stéphane Pichat, viticulteur en côte-rotie et en condrieu. La robe pourpre intense a des reflets violacés ; le bouquet floral et exotique est encore dominé par un boisé intense. La bouche se montre riche, pleine, vanillée et aromatique en finale. L'équilibre sera parfait dans deux à cinq ans.

Sandrine Ferrer, 33350 Gardegan-et-Tourtirac,
tél. 05.57.40.13.09, fax 05.57.40.14.04,
e-mail sandrine@vignoblesferrer.com r.-v.

CH. FLOJAGUE 2003 *

■ 4,1 ha 20 000 11 à 15 €

Cette maison forte possède une enceinte datant du Moyen Âge, et s'entoure d'un magnifique parc de 10 ha. Son 2003 est très réussi : sous une robe pourpre intense, le nez exprime des arômes puissants de fruits noirs confits, de vanille et de coco. En bouche, la structure souple et généreuse évolue avec finesse mais aussi une pointe de chaleur. Un joli vin à faire patienter un à trois ans.

Aymen de Lageard, Ch. Flojague,
33350 Saint-Genès-de-Castillon,
tél. 05.57.47.91.67, fax 05.57.47.90.19,
e-mail chateau.flojague@wanadoo.fr r.-v.

CH. FONGABAN 2003 **

■ 32 ha 80 000 5 à 8 €

Après un coup de cœur pour le millésime 2001, cette belle et grande propriété, commandée par une maison girondine de 1802, renouvelle l'exploit avec ce 2003, prouvant ainsi sa régularité au plus haut niveau. Provenant à 90 % de merlot, le vin brille d'une robe rubis intense et offre des parfums puissants de fruits cuits (pruneau),

d'épices, de café et de réglisse. Les tanins gras et typés en attaque révèlent ensuite beaucoup de maturité et un parfait élevage ; ils assurent un excellent potentiel. Une bouteille racée, pour connaisseurs, à laisser vieillir entre deux et huit ans.

Ch. Fongaban, Monbadon, 33570 Puisseguin,
tél. 05.57.74.54.07, fax 05.57.74.50.97,
e-mail fongaban@vignobles-taix.com
t.l.j. sf sam. dim. 9h-12h 14h-18h
Taïx

CH. FONTPEYRE CLÉMENT
Élevé en fût de chêne 2003 ★★

■ 0,22 ha 1 500 5 à 8 €

Cette minuscule cuvée naît de merlot (60 %) et de cabernets. Elle a été élevée en barrique pendant un an et le résultat, dans un millésime 2003 difficile, est remarquable. Sous une robe carminée éclatante, le bouquet complexe marie des arômes de truffe, de mûre, de violette, de rose et d'épices. Veloutés, presque moelleux en attaque, les tanins révèlent ensuite un réel potentiel. L'harmonie et l'équilibre de la finale laissent présager un bel avenir – au moins cinq à huit ans.

GAEC Fontpeyre,
Le Bourg, 33350 Belvès-de-Castillon,
tél. 05.57.47.90.18, fax 05.57.47.96.81 t.l.j. 8h-20h
Leclère, Aroldi

CH. GRAND TERTRE 2003 ★

■ 6 ha 28 000 5 à 8 €

Propriétaire de longue date dans l'appellation voisine de saint-émilion, la famille Rollet réussit aujourd'hui à produire ici d'excellents vins. Ce pur merlot brille d'une couleur rubis intense et offre un bouquet de cerise à l'eau-de-vie sur un boisé grillé très harmonieux. Les tanins sont présents, mais l'élevage les a bien polis et l'équilibre général est bon. Un vin plaisir à déguster d'ici un à trois ans.

Vignobles Rollet, 33350 Gardegan-et-Tourtignac,
tél. 05.57.56.10.20, fax 05.57.47.10.50,
e-mail contact@vignoblesrollet.com r.-v.

CH. GRAND TUILLAC 2003 ★

■ 15 ha 100 000 3 à 5 €

Ce château du XIXe s. campe sur le plateau argilo-calcaire le plus élevé de l'appellation (118 m) et le cru est complanté à 80 % de merlot et à 20 % de cabernet franc. Des proportions assez proches de l'assemblage de cette cuvée au bouquet vif, riche et complexe de violette et de fruits. Les tanins, puissants et soyeux à la fois, structurent une bouche toujours complexe et d'une bonne longueur. L'harmonie sera atteinte après deux à cinq ans de garde.

SCEA Lavigne, Ch. Grand Tuillac,
33350 Saint-Philippe-d'Aiguilhe,
tél. 05.57.40.60.09, fax 05.57.40.66.67,
e-mail scea.lavigne@wanadoo.fr r.-v.

CH. GRIMON 2003 ★

■ 5 ha 30 000 3 à 5 €

70 % de merlot et 30 % de cabernet composent ce 2003, dont la robe pourpre brille de reflets grenat. Le nez élégant mêle des arômes de noyau de cerise, de tabac, de fumé et de fleurs. Les tanins apparaissent mûrs, gras et denses en attaque et l'équilibre est parfaitement réussi en fin de bouche. Un vin qui demandera deux à trois ans pour s'épanouir totalement.

Gilbert Dubois, Ch. Grimon,
33350 Saint-Philippe-d'Aiguilhe,
tél. et fax 05.57.40.67.58 r.-v.

CH. JOANIN BÉCOT 2003 ★★

■ 6,8 ha 28 000 11 à 15 €

Cette propriété a été achetée en 2001 par Juliette Bécot. De nombreux investissements ont été réalisés, tant au vignoble que dans les chais flambant neufs. Le résultat est remarquable dans le millésime 2003. La robe profonde est moirée de nuances noires et les arômes complexes évoquent les épices douces, le fruit noir et le toasté. La bouche est suave, généreuse, avec des tanins fondus dans le boisé, qui ouvrent sur une finale très harmonieuse. Ce vin moderne et bien fait est déjà prêt à boire et il se gardera quelques années.

Juliette Bécot, 1, Joanin,
33350 Saint-Philippe-d'Aiguilhe, tél. 05.57.74.46.87,
fax 05.57.24.66.88, e-mail becotjuliette@hotmail.com

CH. LAVERGNE 2003

■ 4 ha 20 000 5 à 8 €

Ce 2003 à la robe rubis soutenu développe au nez des parfums de menthol, de boisé grillé et de fraise. Sa structure tannique fondue, bien boisée, révèle une certaine austérité en finale qui nécessite un vieillissement de deux à cinq ans.

Thierry Moro, La Vergnasse, 33570 Saint-Cibard,
tél. et fax 05.57.40.65.75,
e-mail vignobles.tmoro@wanadoo.fr r.-v.

CH. MANOIR DU GRAVOUX
Cuvée La Violette 2003 ★★

■ 3,5 ha 10 000 8 à 11 €

Ce manoir du XIVe s. est fortifié et montre des murs en mâchicoulis. Vous n'aurez pas de mal en revanche à « percer » les mystères de cette belle cuvée, qui obtient un coup de cœur du grand jury impressionné par sa richesse et sa complexité. Sa robe noire intense ouvre sur un bouquet puissant et élégant dominé par des nuances fruitées (mûre, myrtille, cerise). Le boisé se révèle davantage en bouche, en harmonie avec des tanins amples et fins. Un très grand vin qui s'épanouira après deux à trois ans de garde.

Philippe Émile, 5, Le Gravoux,
33350 Saint-Genès-de-Castillon,
tél. et fax 05.57.47.93.32 r.-v.

CH. MAUGRESIN DE CLOTTE
Élevé en fût de chêne 2004 ★★

14 ha 65 000 5 à 8 €

Ce domaine viticole date du XIII[e]s. ; il était alors la propriété d'un ancêtre maternel d'Henri IV. De nos jours, vous y trouverez un vin remarquable dans ce millésime 2004 à la robe intense brillant de reflets violines. Les parfums expressifs et élégants évoquent la griotte et le cassis sur un boisé bien fondu. Les tanins sont veloutés, puissants et équilibrés ; une garde de deux à cinq ans apportera à cette bouteille une réelle harmonie. Le **Château de Clotte 2003** obtient une étoile : ses arômes sont plus évolués et il sera prêt à boire d'ici un an.

Bruno Laporte, SCEA Bayard de Clotte,
Petit Champ de Bayard, 33570 Montagne,
tél. 05.57.74.62.47, fax 05.57.74.53.12 r.-v.

CH. MONBADON
Cuvée Jeanne de L'Isle Élevé en fût de chêne 2003

25 ha 34 000 3 à 5 €

Ce château pittoresque du XIV[e]s. est juché sur une colline autour de laquelle s'étend le vignoble. Il propose ce 2003 au bouquet racé de fruits rouges et au palais tannique, vineux et frais. La finale aromatique sur la réglisse est équilibrée ; à apprécier dans deux à quatre ans.

Antoine Moueix et Lebègue, Mède, BP 100,
33330 Saint-Émilion, tél. 05.57.55.58.00,
fax 05.57.74.18.47, e-mail contact@moueix-lebegue.com

CH. MOULIN DE CLOTTE 2003

7 ha 7 166 5 à 8 €

Ce château présente deux vins du millésime 2003, tous deux cités. La cuvée classique brille d'une couleur pourpre et exhale des parfums de mûre et de fraise enrobés d'un joli boisé. Si elle n'est pas des plus longues, elle plaît par sa structure souple et fraîche. La **cuvée Dominique 2003 Élevé en fût de chêne (8 à 11 €)**, plus boisée et plus puissante, méritera une petite garde (deux ou trois ans).

SCEV Françoise et Philippe Lannoye,
10, Le Chais, 33570 Puisseguin,
tél. 05.57.55.23.28, fax 05.57.55.23.29,
e-mail lannoye@vignoble.fr.st r.-v.

CH. PEYROU 2003 ★

6 ha 20 000 **8 à 11 €**

Catherine Papon-Nouvel a obtenu trois coups de cœur pour ce cru ; elle ne démérite pas dans ce millésime délicat en raison de la canicule estivale. Né sur un sol d'argile en pied de coteau, le vin s'habille d'une robe noire très dense et révèle un bouquet plaisant d'épices et de fruits à l'eau-de-vie. Les tanins sont veloutés, amples et expriment bien le terroir en fin de bouche. Une bouteille pour connaisseurs, à laisser mûrir deux ou trois ans dans une bonne cave.

Catherine Papon, Peyrou,
33350 Saint-Magne-de-Castillon,
tél. 05.57.40.06.49, fax 05.57.24.74.84,
e-mail chateau.peyrou@wanadoo.fr r.-v.

CH. LA PIERRIÈRE Cuvée Prestige 2003 ★★

2 ha 7 000 5 à 8 €

Ce château du XIII[e]s., agrandi au XVI[e]s., possède une belle cour intérieure ; il appartient à la famille de Marcillac depuis 1607. La cuvée Prestige, issue à 80 % de merlot, porte bien son nom : la robe brille d'un grenat intense et les parfums boisés (vanille, grillé) dominent des notes délicatement fruitées. Les tanins suaves, généreux, bien mûrs, évoluent avec élégance et fraîcheur et révèlent un potentiel de vieillissement important, au moins trois à huit ans.

Olivier de Marcillac, Ch. La Pierrière,
33350 Gardegan, tél. 05.57.47.99.77, fax 05.57.47.92.58,
e-mail chateau.lapierriere@free.fr r.-v.

GFA La Pierrière

CH. ROBIN 2003

n.c. 69 000 **11 à 15 €**

Comptant parmi les valeurs sûres de l'appellation, ce château, lauréat de quatre coups de cœur, est un peu en retrait dans ce millésime 2003. La robe grenat profond révèle un bouquet très boisé, agrémenté de notes de cacao et d'amande. Un peu fugace, la bouche est pleine et friande grâce à des tanins fins aux accents fortement vanillés. Un vin déjà prêt à boire, mais apte à deux ou trois ans de garde.

SCEA Ch. Robin, 33350 Belvès-de-Castillon,
tél. 05.57.47.92.47, fax 05.57.47.94.45,
e-mail chateau.robin@wanadoo.fr
t.l.j. 9h-12h 14h-18h

Sté Lurckroft

CH. LA ROCHE-PRESSAC 2004

2 ha 10 000 **11 à 15 €**

Reprise en 2002 par une jeune femme, cette propriété devrait dans les prochaines années faire parler d'elle, comme le laisse penser ce bon 2004. Son bouquet épicé est fortement boisé, et ses tanins sont gras, puissants et toastés en finale. Un vin plaisir à déguster dans deux à trois ans. Le second vin, le **Château Cadet La Roche 2003 (8 à 11 €)**, est également cité.

Christelle et Jean-Marc Lirand,
3, rte de Sainte-Colombe,
33350 Saint-Magne-de-Castillon,
tél. et fax 05.57.40.48.24,
e-mail contact@laroche-pressac.com
t.l.j. 9h-12h30 13h30-20h 2

CH. LA RONCHERAIE
Cuvée Sereine Élevé en fût de chêne 2003 ★

2,52 ha 8 400 5 à 8 €

Situé sur les hauteurs de l'appellation (103 m), cette propriété présente une cuvée à dominante de merlot (80 %) et élevée douze mois en barrique. La robe est sombre ; le bouquet d'abord très poivré laisse ensuite s'exprimer les fruits (mûre, cassis). Les tanins soyeux, bien mûrs et déjà très harmonieux dessinent un vin prêt à boire et qui pourra aussi vieillir quelques années.

Toquereau, Lieu-dit Terrasson,
33350 Belvès-de-Castillon,
tél. 05.57.47.92.20, fax 05.57.47.91.68,
e-mail chateau.laroncheraie@wanadoo.fr r.-v.

CH. ROQUEVIEILLE 2003 ★

■ 11,5 ha 30 000 🍷 5 à 8 €

Un assemblage classique pour ce 2003 (70 % de merlot complété par les cabernets) pour un résultat convaincant : robe grenat soutenu et arômes délicats de rose, de truffe et de cerise, relevés d'une touche d'épices. En bouche, des tanins ronds, équilibrés, tout en fraîcheur et en élégance. Ce joli vin est à boire maintenant ou à laisser vieillir quelques années.

Palatin, Ch. Roquevieille, 33350 Saint-Philippe-d'Aiguilhe, tél. 05.57.74.47.11, fax 05.57.24.69.08

CH. TERRASSON Cuvée Prévenche 2003 ★

■ 3 ha 15 000 🍷 5 à 8 €

Un terroir argilo-calcaire sur le rocher, des vignes de quarante ans en moyenne et une sélection rigoureuse, voilà les ingrédients de cette cuvée, composée à 80 % de merlot. La robe brille de reflets rubis et les arômes délicats évoquent les épices et le toasté. Les tanins souples et bien nets montrent une certaine fraîcheur en fin de bouche. Ce vin typé se boira d'ici un à trois ans. La cuvée classique du **Château Terrasson 2003**, déjà prête à boire, est citée.

EARL Christophe et Marie-Jo Lavau, Ch. Terrasson, BP 9, 33570 Puisseguin, tél. 05.57.56.06.65, fax 05.57.56.06.76, e-mail contact@chateau-terrasson.com r.-v.

VALMY DUBOURDIEU LANGE 2003

■ 3 ha 5 000 🍷 11 à 15 €

Issue d'une parcelle portant les plus vieilles vignes du domaine, cette cuvée de merlot rend hommage, par son nom, à l'arrière-grand-père de l'actuel propriétaire, Patrick Érésué. Sous sa robe intense, elle développe un nez discret mais racé mêlant les fruits rouges mûrs et les épices. La bouche offre une structure puissante marquée par le boisé, qui séduira les amateurs de vins modernes et toastés. Cité également, le **Château de Chainchon Le Prestige 2003 (5 à 8 €)**, plus simple, est prêt à boire.

SCEA des Vignobles Patrick Érésué, Ch. de Chainchon, 33350 Castillon-la-Bataille, tél. 05.57.40.14.78, fax 05.57.40.25.45, e-mail chainchon@wanadoo.fr r.-v.

Bordeaux-côtes-de-francs

S'étendant à 12 km à l'est de Saint-Émilion, sur les communes de Francs, Saint-Cibard et Tayac, le vignoble de bordeaux-côtes-de-francs (528 ha en production en 2005 pour un volume de 24 496 hl en rouge et 216 hl en blanc) bénéficie d'une situation privilégiée sur des coteaux argilo-calcaires et marneux parmi les plus élevés de la Gironde. Presque intégralement consacré aux vins rouges (à l'exception d'une vingtaine d'hectares), il est exploité par quelques viticulteurs dynamiques et par une cave coopérative, qui produisent de très jolis vins, riches et bouquetés.

CH. LES CHARMES-GODARD 2004 ★

□ 1,6 ha 12 000 🍷 11 à 15 €

Cinq coups de cœur sont à l'actif de ce domaine, propriété phare de l'appellation, tant pour son vin blanc que son rouge. Ce 2004 jaune pâle se pare de reflets verts. Le nez intense évoque l'abricot sec et la pêche mêlés à des notes boisées. La bouche gourmande et équilibrée révèle un bon dosage entre le vin et le bois. Une bouteille à boire ou à garder deux à cinq ans. Le **Charmes-Godard rouge 2003 (5 à 8 €)** est cité. Il est marqué par des arômes d'épices, de fruits rouges et de vanille. Très suave en attaque, il évolue sur des tanins qui demandent deux à trois ans pour se fondre.

GFA Les Charmes-Godard, Lauriol, 33570 Saint-Cibard, tél. 05.57.56.07.47, fax 05.57.56.07.48, e-mail ch.puygueraud@wanadoo.fr r.-v.

CH. DE FRANCS Les Cerisiers 2003 ★★★

■ 12 ha 50 700 🍷 8 à 11 €

Après quatre coups de cœur obtenus dans les millésimes précédents, cette cuvée spéciale du château de Francs, copropriété de Dominique Hébrard et d'Hubert de Boüard n'en finit plus d'étonner, témoin cette troisième étoile décrochée cette année et que peu de vignerons obtiennent dans le Guide. La robe pourpre est intense et vive ; les parfums fruités de merlot très mûrs s'harmonisent avec un boisé de qualité ; les tanins souples et généreux évoluent avec puissance jusque dans une longue finale très aromatique. Un grand vin à ouvrir dans deux à trois ans.

SCEA Ch. de Francs, 33570 Francs, tél. 05.57.40.65.91, fax 05.57.40.63.04 r.-v.

L'EXCUSE DU CHÂTEAU DE GARONNEAU Élevé en fût de chêne 2003

■ n.c. 2 670 🍷 8 à 11 €

Ce 2003 à la robe un peu claire est dominé par le café et le cacao, qui masquent les nuances fruitées. En bouche, les tanins sont présents, très boisés. Ce vin moderne peut être conservé quelques années.

EARL Boussille, Ch. de Garonneau, 33350 Saint-Cibard, tél. et fax 05.57.40.60.74 r.-v.

CH. GODARD-BELLEVUE Élevé en fût de chêne 2003 ★★

■ 12 ha 16 000 🍷 8 à 11 €

Ce cru obtient régulièrement d'excellentes notes dans le Guide ; il reçut même un coup de cœur pour le 2001. Il est établi sur un terroir argilo-calcaire complanté à 60 % de merlot et à 40 % de cabernet-sauvignon. La robe pourpre de ce vin brille de reflets violacés. Le bouquet très flatteur allie les fruits très mûrs, la vanille, des notes toastées et des nuances florales (œillet) élégantes. Les tanins moelleux, fondus, puissants sans excès, contribuent à un superbe équilibre. Une bouteille racée, digne de l'appellation, qui exprimera tout son potentiel d'ici un à trois ans. Du même producteur, le **Château Puyanché blanc 2004 Élevé en fût de chêne (5 à 8 €)** obtient une citation. Il est gourmand et à servir sur les viandes blanches.

EARL Arbo, Godard, 33570 Francs, tél. et fax 05.57.40.65.77, e-mail earl.arbo@wanadoo.fr r.-v.

CH. HAUT LAULAN
Élevé en fût de chêne 2003 ★★

■ n.c. 6 000 8 à 11 €

Cette cuvée spéciale du château Laulan est constituée à 80 % de merlot complété par des cabernets. De couleur rubis, elle offre d'intenses arômes de fruits et de grillé ; la structure souple en attaque puis très présente est bien enrobée par un bon boisé ; ce vin sera parfait dans deux ou trois ans. La cuvée principale **Château Laulan 2003 (5 à 8 €)** obtient une étoile ; elle se distingue par sa palette complexe aux nuances de fruits rouges et par l'équilibre de ses tanins ; elle peut être appréciée d'ici un à deux ans.

Bruno Citerne, Ch. Haut Laulan, Seignade, 33570 Francs, tél. 05.57.40.63.37, fax 05.57.40.68.05, e-mail laulan@free.fr r.-v.

CH. LALANDE DE TIFAYNE 2003

■ 4 ha 18 000 5 à 8 €

Appartenant à deux ingénieurs agronomes belges, ce cru est installé sur les molasses du Fronsadais. Le bouquet subtil de ce 2003 évoque les fruits frais et les fleurs. Franche, équilibrée, déjà agréable, une bouteille à ouvrir dès aujourd'hui.

Vignobles Limbosch-Zavagli, Tifayne-Monbadon, 33570 Puisseguin, tél. 05.57.40.61.29, fax 05.57.40.60.98, e-mail info@tifayne.com r.-v.

CH. MARSAU 2003 ★★★

■ 12 ha 39 650 11 à 15 €

Le château Marsau occupe un des points hauts du terroir des côtes-de-francs, constitué ici de calcaire sur argiles profondes, sur lequel s'épanouit le merlot, cépage unique de ce vin. Sa robe est chatoyante, son bouquet subtil évoque les fruits bien mûrs, le pain grillé, la vanille, les épices... Ses tanins soyeux et mûrs dès l'attaque évoluent avec puissance, mais aussi avec harmonie et équilibre. Une bouteille hors du commun, à ouvrir entre connaisseurs dans trois à huit ans.

Ch. Marsau, La Bernaderie, 33570 Francs, tél. 05.56.44.30.49, e-mail chadronnier@cvbg.com r.-v.

S. et J.-M. Chadronnier

CH. NARDOU L'Exception Cordier 2003 ★

■ 15 ha 20 000 8 à 11 €

Vinifié par Paz Espejo, jeune œnologue madrilène de la maison Cordier, ce cru a bénéficié de tous les efforts qualitatifs modernes. Ce 2003 se présente en robe pourpre intense et s'entoure de parfums délicats et complexes de fruits en cuisson et de torréfaction. Les tanins sont très présents mais souples et soyeux et la bouche persiste longuement sur la griotte. Une bien jolie bouteille, racée et typée, à ouvrir dans deux à cinq ans.

Cordier Mestrezat Grands Crus, 109, rue Achard, 33300 Bordeaux, tél. 05.56.11.29.00, fax 05.56.11.29.01, e-mail contact@cordier-wines.com

Dubard

PELAN 2003 ★★

■ 4 ha 6 000 15 à 23 €

Un assemblage particulier pour ce 2003 pourpre soutenu : 80 % de cabernet-sauvignon pour seulement 20 % de merlot. Ses parfums très frais sont équilibrés entre fruits mûrs et boisé délicat. Ses tanins souples et fruités accompagnent toute la dégustation jusqu'à une finale boisée harmonieuse. Un vin à boire ou à laisser vieillir deux à cinq ans. Du même propriétaire, le **Château Gueyrande 2003 (5 à 8 €)** obtient une étoile : le nez est très fruité ; le fût apparaît en bouche, bien fondu avec des tanins souples. Une bouteille déjà prête.

GFA Régis et Sébastien Moro, Le Pin, 33350 Les Salles-de-Castillon, tél. 05.57.40.63.49, fax 05.57.40.61.41 r.-v.

CH. LA PRADE 2003 ★★

■ 4 ha 10 000 11 à 15 €

Encore une fois, Nicolas Thienpont prouve qu'il est bien « l'homme » de l'appellation. Quand ce n'est pas son autre château qui obtient un coup de cœur, c'est celui-ci, vinifié avec beaucoup de rigueur et de talent. Ce 2003 ? Sa robe est profonde et ses arômes de mûre, de fruits rouges, d'épices, de réglisse sont en harmonie avec des notes florales. Les tanins mûrs, bien extraits, évoluent avec du caractère, de la puissance et beaucoup de persistance aromatique. Un vin très élégant que le grand jury a jugé emblématique. « Il donne tout simplement envie de passer à table », note un juré enthousiaste. À apprécier dans deux à cinq ans.

Nicolas Thienpont, Lauriol, 33570 Saint-Cibard, tél. 05.57.56.07.47, fax 05.57.56.07.48, e-mail ch.puygueraud@wanadoo.fr r.-v.

CH. PUY-GALLAND Élevé en fût de chêne 2004 ★

■ 10 ha 25 000 5 à 8 €

Des vendanges le 26 septembre, un assemblage classique (80 % de merlot contre 20 % de cabernet), un élevage en barrique de chêne de douze mois : si la robe est légèrement tuilée, les arômes de cassis et de bois fumé sont harmonieux. Ample, gras et encore un peu marqué par le fût, ce vin demande deux ou trois ans de garde pour se parfaire.

Bernard Labatut, 12, Le Bourg, 33570 Saint-Cibard, tél. et fax 05.57.40.63.50 r.-v.

CH. PUYGUERAUD 2003

■ 35 ha 90 000 8 à 11 €

Ce très ancien et beau manoir du XIV[e]s. commande un vignoble de 90 ha et a obtenu trois coups de cœur. Son 2003 se pare d'une robe rubis profond. Le bouquet naissant évoque le cuir frais, les épices, les fruits à l'eau-de-vie ; en bouche, c'est un vin équilibré et rond ; déjà agréable à boire, il saura vieillir quelques années.

SCEA Ch. Puygueraud, Lauriol, 33570 Saint-Cibard, tél. 05.57.56.07.47, fax 05.57.56.07.48, e-mail ch.puygueraud@wanadoo.fr r.-v.

Héritiers George Thienpont

CH. TERRASSON 2003 ★

■ 1,4 ha 6 000 ▮ 5 à 8 €

Christophe Lavau pratique l'enherbement un rang sur deux, méthode conseillée par bien des agronomes. Ce 2003 provient essentiellement du merlot (90 % dans l'assemblage), complété par du cabernet-sauvignon. La robe rubis a des reflets cuivrés ; les arômes d'épices et de menthol sont également marqués par les fruits rouges. La structure tannique est charnue, très présente ; elle évolue avec la puissance nécessaire à un vin de garde : à ouvrir dans deux à cinq ans.

EARL Christophe et Marie-Jo Lavau, Ch. Terrasson, BP 9, 33570 Puisseguin, tél. 05.57.56.06.65, fax 05.57.56.06.76, e-mail contact@chateau-terrasson.com r.-v.

CH. VIEUX SAULE 2003 ★

■ n.c. n.c. 5 à 8 €

Un bon terroir argilo-calcaire classique de l'appellation, des vignes de merlot (90 %) et de cabernet-sauvignon (10 %), une vinification rigoureuse, tout est réuni pour produire cet excellent 2003, dont la robe pourpre brille intensément. Le bouquet encore discret rappelle les fruits frais. Les tanins puissants n'en sont pas moins harmonieux grâce à un boisé bien fondu. La finale laisse augurer une garde d'au moins trois ans.

Thierry Moro, La Vergnasse, 33570 Saint-Cibard, tél. et fax 05.57.40.65.75, e-mail vignobles.tmoro@wanadoo.fr r.-v.

Entre Garonne et Dordogne

La région géographique de l'Entre-deux-Mers forme un vaste triangle délimité par la Garonne, la Dordogne et la frontière sud-est du département de la Gironde ; c'est sûrement l'une des plus riantes et des plus agréables de tout le Bordelais, avec ses vignes qui couvrent 23 000 ha, soit le quart de tout le vignoble. Très accidentée, elle permet de découvrir de vastes horizons comme de petits coins tranquilles qu'agrémentent de splendides monuments, souvent très caractéristiques (maisons fortes, petits châteaux nichés dans la verdure et, surtout, moulins fortifiés). C'est aussi un haut lieu de la Gironde de l'imaginaire, avec ses croyances et traditions venues de la nuit des temps.

Entre-deux-mers

L'appellation entre-deux-mers ne correspond pas exactement à l'Entre-deux-Mers géographique, puisque, regroupant les communes situées entre les deux fleuves, elle en exclut celles qui disposent d'une appellation spécifique. Il s'agit d'une appellation de vins blancs secs dont la réglementation n'est guère plus contraignante que pour l'appellation bordeaux. Mais dans la pratique les viticulteurs cherchent à réserver pour cette appellation leurs meilleurs vins blancs. Aussi la production est-elle volontairement limitée (1 389 ha en production, 80 239 hl en 2005). Le cépage le plus important est le sauvignon qui communique aux entre-deux-mers un arôme particulier très apprécié, surtout lorsque le vin est jeune.

CH. LES ARROMANS 2005 ★

2 ha 15 000 ▮ 3 à 5 €

Les notes de fleurs blanches se marient harmonieusement aux arômes d'agrumes et de fruits exotiques. D'attaque vive et nette, la bouche se développe en rondeur, riche d'un fruité prononcé. Une pointe de fraîcheur et un gentil perlant soutiennent la finale. Le **Château La Mothe du Barry cuvée French Kiss 2005**, bien typé sauvignon, est cité.

Joël Duffau, 2, Les Arromans, 33420 Moulon, tél. 05.57.74.93.98, fax 05.57.84.66.10, e-mail joel.duffau@tiscali.fr t.l.j. sf dim. 8h-12h 14h-19h

BLANC D'ARSIUS 2005 ★

1,6 ha 13 000 ▮ 3 à 5 €

Le moine Arsius fonda l'abbaye de Blasimon au X[e]s. et y développa la culture de la vigne. Hommage lui est rendu à travers cette cuvée, assemblage de sauvignon, de sémillon et de muscadelle. Jaune pâle brillant, le vin étonne par ses arômes de fleurs blanches et de fruits exotiques. La bouche franche et vive ne manque ni de volume ni de persistance et laisse une impression gourmande en finale. Préparez le plateau d'huîtres.

Vignerons de Guyenne, Union des producteurs de Blasimon, 33540 Blasimon, tél. 05.56.71.55.28, fax 05.56.71.59.32, e-mail vigneronsdeguyenne@worldonline.fr r.-v.

CH. BOURDICOTTE 2005 ★

1,25 ha 10 000 ▮ 3 à 5 €

Les vignes sont plantées sur les pentes de la butte de Launay, point culminant de la Gironde. Le sauvignon majoritaire est épaulé par du sémillon et de la muscadelle à parts égales dans cette cuvée jaune pâle brillant à reflets verts qui laisse s'échapper des arômes de fruits mûrs, d'acacia et d'épices. L'attaque est souple, charmeuse, puis la bouche franche fait preuve de rondeur et d'équilibre. En finale, les flaveurs de fleurs blanches persistent élégamment, ajoutant au caractère harmonieux du vin.

Ch. Bourdicotte, 1, Le Bourg, 33790 Cazaugitat, tél. 05.56.61.32.55, fax 05.56.61.38.26

CH. CHANTELOUVE 2005 ★★

3,1 ha 27 000 ▮ 3 à 5 €

Un entre-deux-mers qui monte, qui monte. Une étoile pour le 2004 l'an passé, deux étoiles pour le 2005. Celui-ci a bien des atouts, à commencer par un bouquet riche de fleurs blanches, de mangue, de litchi, de pamplemousse que souligne un léger perlant. La bouche souple et soyeuse décline les mêmes arômes jusqu'à une longue finale. Une harmonieuse bouteille.

🔑 EARL J.-C. Lescoutras et Fils,
Le Bourg, 33760 Faleyras,
tél. 05.57.24.11.87, fax 05.56.23.61.37 ☒ Y 🚶 r.-v.

LA COMMANDERIE DU BARDELET 2005

▒ 2,58 ha 20 666 ▮ 3 à 5 €

Un assemblage classique pour un vin équilibré et aromatique. Asssociés au sauvignon dominant, le sémillon et la muscadelle ont légué des notes de fleurs blanches et de fruits exotiques. Une grande fraîcheur précède une chair ronde et suave, enrobée de flaveurs citronnées.

🔑 SCEA Jean-Dominique Petit,
Haut Rieuf Laget, 33790 Saint-Antoine-du-Queyret,
tél. 05.56.61.33.78, fax 05.56.61.39.84 ☒ Y 🚶 r.-v.

CH. DUCLA 2005

▒ 25 ha 80 000 ▮ 3 à 5 €

Ducla vient de la transformation du nom de l'ancien propriétaire du château, Sir MacDouglas. La famille Mau conduit aujourd'hui la destinée de ce domaine, dont l'entre-deux-mers est issu d'un assemblage équitable entre sauvignon et sémillon, avec une pointe de muscadelle. Le vin dévoile un nez élégant de fleurs et de fruits, puis une bouche ronde, équilibrée, délicatement inscrite de flaveurs de pêche et de poire. Une légère pointe d'amertume et de vivacité apparaît en finale : de quoi aiguiser les papilles à l'heure de l'apéritif, avant les coquillages et le poisson grillé.

🔑 SA Yvon Mau, BP 1, 33190 Gironde-sur-Dropt,
tél. 05.56.61.54.54, fax 05.56.61.54.61,
e-mail jpmau@yvonmau.fr Y 🚶 r.-v.
🔑 Jean-Pierre Mau

CH. GRAND BIREAU 2005 *

▒ 2 ha 10 000 ▮ 5 à 8 €

Jaune brillant à reflets dorés, ce 2005 né des trois cépages classiques s'ouvre sur un bouquet expressif mariant les fleurs blanches, les agrumes, les fruits confits et la pâte de fruits. Il trouve un équilibre au palais entre la rondeur et la vivacité, avec une finale agréable sur le fruit. De la typicité.

🔑 SCEA Michel Barthe,
18, Girolatte, 33420 Naujan-et-Postiac,
tél. 05.57.84.55.23, fax 05.57.84.57.37,
e-mail scea.barthemichel@wanadoo.fr ☒ Y 🚶 r.-v.

CH. DU GRAND FERRAND 2005 *

▒ 2,63 ha 21 000 ▮ 3 à 5 €

Quelle personnalité dans le bouquet de ce vin riche de notes fumées, muscatées et poivrées ! L'équilibre est réussi

Entre Garonne et Dordogne

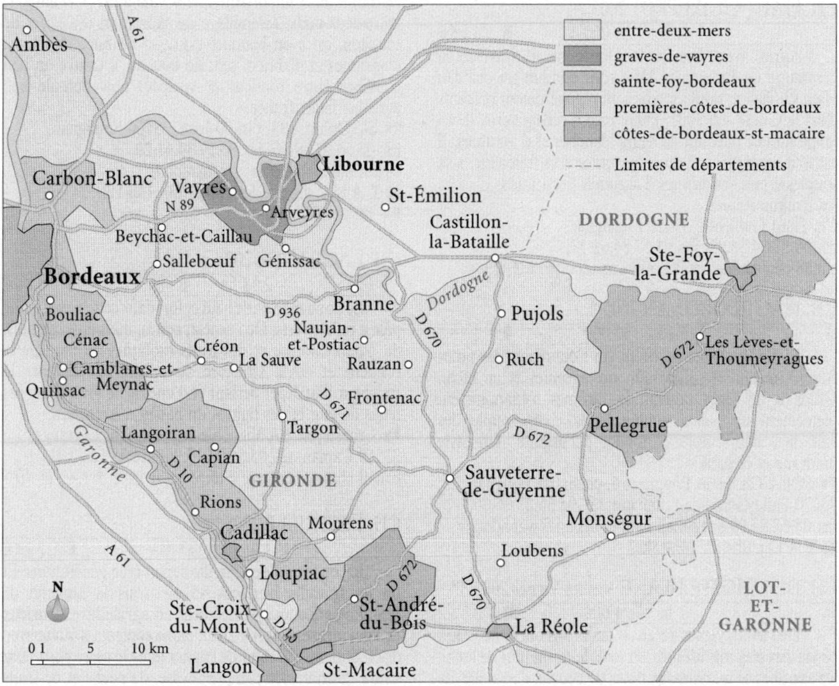

entre-deux-mers
graves-de-vayres
sainte-foy-bordeaux
premières-côtes-de-bordeaux
côtes-de-bordeaux-st-macaire
Limites de départements

entre la rondeur de la chair et la vivacité que souligne encore le perlant. Ce vin rafraîchissant accompagnera avec succès une tourte aux girolles et aux foies de volaille.

Ch. Grand Ferrand, lieu-dit Grand-Ferrand, 33540 Sauveterre-de-Guyenne, tél. 05.56.71.60.42, fax 05.56.71.69.08, e-mail grand.ferrand@wanadoo.fr

CH. HAUT-D'ARZAC 2005 *

2,5 ha 12 000 3 à 5 €

Dans l'arbre généalogique de Gérard Boissonneau se trouvent des meuniers qui, vers 1850, se convertirent à la viticulture. Cent cinquante ans plus tard, le vignoble s'est développé et produit des entre-deux-mers typés, tel ce 2005 composé des trois cépages bordelais à parts égales. Jaune pâle brillant, le vin décline d'élégants arômes de fleurs blanches, puis offre une chair ample et ronde, au délicieux fruité. La finale persistante laisse une impression de fraîcheur.

Gérard Boissonneau, 18, rte de Bordeaux, 33420 Naujan-et-Postiac, tél. 05.57.74.91.12, fax 05.57.74.99.60 t.l.j. 8h-12h 14h-19h

CH. HAUT-GARRIGA 2005 *

1,8 ha 14 000 3 à 5 €

Le sauvignon représente 80 % de l'assemblage, complété par 20 % de sémillon. Au nez frais de fleurs blanches, de goyave et de litchi répond une bouche ronde et vive à la fois qui laisse percer en finale un tendre fruité. Un vin plaisir.

EARL Vignobles C. Barreau et Fils, Garriga, 33420 Grézillac, tél. 05.57.74.90.06, fax 05.57.74.96.63, e-mail barreau.alain@wanadoo.fr t.l.j. sf dim. 8h-12h 13h30-18h

CH. HAUT GUILLEBOT 2005

n.c. 20 000 3 à 5 €

Après avoir franchi la Dordogne et traversé la commune de Branne, la D19 vous conduit au château Haut Guillebot, dont les vins sont régulièrement présents dans le Guide. Le 2005, jaune pâle à reflets verts, développe un nez puissant de fleurs blanches et d'agrumes. Il est tout aussi plaisant au palais grâce à sa fraîcheur, à sa souplesse et à ses arômes d'agrumes persistants.

Éveline Rénier, Ch. Haut Guillebot, 33420 Lugaignac, tél. 05.57.84.53.92, fax 05.57.84.62.73, e-mail chateauhautguillebot@wanadoo.fr r.-v.

CH. HAUT POUGNAN 2005 *

7 ha 40 000 3 à 5 €

Le bouquet intense de ce vin s'ouvre sur des notes fruitées mêlant le raisin mûr aux agrumes et au litchi. Grâce à un léger perlant, les arômes s'épanouissent pleinement au palais, soulignant la chair souple dès l'attaque, puis ample et ronde, persistante. Un style moderne et élégant.

SCEA Ch. Haut Pougnan, 6, chem. de Pougnan, 33670 Saint-Genès-de-Lombaud, tél. 05.56.23.06.00, fax 05.57.95.99.84, e-mail haut-pougnan@wanadoo.fr t.l.j. 9h-12h 14h-18h

CH. DE L'HOSTE-BLANC Vieilles Vignes 2005 **

1 ha 4 000 5 à 8 €

De vieilles vignes de soixante-dix ans ont contribué à ce vin aux élégants arômes : la rose, le raisin mûr, le litchi, les agrumes se marient aux notes de beurre, de vanille, de grillé et d'épices héritées d'un élevage de six mois en fût. Le corps charnu se montre souple et gras, relevé d'une juste vivacité et d'un léger perlant. Quelques touches muscatées sont rejointes en finale par un fin toasté.

Vignobles Baylet, Ch. Landereau, 33670 Sadirac, tél. 05.56.30.64.28, fax 05.56.30.63.90, e-mail vignoblesbaylet@free.fr t.l.j. sf sam. dim. 8h-12h 13h30-17h

Michel Baylet

CH. JANON 2005 **

24 ha 100 000 - de 3 €

Avant de découvrir le château Janon, faites un détour par le tout petit village de Castelmoron-d'Albret, les bastides de Sauveterre-de-Guyenne et de Monségur, l'abbaye de Saint-Ferme ; vous serez alors en condition pour apprécier la typicité de cet entre-deux-mers, constitué à 80 % de sauvignon et à 20 % de sémillon. Plaisante expression que celle des arômes de fleurs blanches, de rose, d'agrumes et autres fruits mûrs. À la fraîcheur de l'attaque succède une bouche ronde et élégante, soulignée d'un léger perlant qui semble renforcer les flaveurs de fruits exotiques et de pain d'épice. Une légère douceur apparaît en finale comme un dernier atout de séduction.

SCEA Vignobles Landié, 4, Grand-Champ, 33540 Saint-Martin-du-Puy, tél. 05.56.61.39.66, fax 05.56.61.45.03, e-mail lesvignobleslandie@hotmail.com r.-v.

CH. JULIAN 2005

8 ha 60 000 3 à 5 €

Un moulin du XIX^{e}s. s'élève encore au milieu du vignoble, témoin d'une époque où l'activité céréalière était au moins aussi importante que la viticulture. Cet aimable entre-deux-mers, assemblage de sauvignon (80 %) et de sémillon, offre un bouquet expressif de buis, de citron, d'agrumes et d'abricot sec. En bouche, il trouve un bon équilibre entre rondeur et vivacité, puis déroule une agréable finale fruitée.

SC Dulon, 133, Grand-Jean, 33760 Soulignac, tél. 05.56.23.69.16, fax 05.57.34.41.29, e-mail dulon.vignobles@wanadoo.fr t.l.j. sf sam. dim. 8h30-13h 14h-18h

Michel Dulon

CH. LAGRANGE 2005

2,18 ha 6 000 5 à 8 €

Le sauvignon parle haut et fort dans cette cuvée jaune pâle à reflets verts. De l'acacia, certes, mais aussi du buis, du pamplemousse et des fruits exotiques au nez. De la rondeur et de la structure au palais, relevées par la fraîcheur d'un léger perlant et d'une finale vive. Pour des fruits de mer et des huîtres du bassin d'Arcachon.

Lacoste, SCEA Vignoble Lacoste, Ch. Lagrange, 33550 Capian, tél. 05.56.72.15.96, fax 05.56.72.31.41, e-mail chateaulagrange@terre-net.fr r.-v.

CH. LESTRILLE 2005 **

1,68 ha 13 500 3 à 5 €

Ici, on travaille en famille depuis cinq générations. Et on les travaille bien ces 45 ha, sous la houlette de Jean-Louis Roumage, ingénieur en agriculture, soucieux de l'environnement. Le 2005, jaune soutenu, s'ouvre avec discrétion, mais il suffit de l'agiter dans le verre pour faire naître des notes de pamplemousse, de pêche et de fruits exotiques qui ne vous quittent plus. La bouche ronde, justement relevée de fraîcheur, s'étire avec élégance sur le fruité.

⚷ Jean-Louis Roumage, Ch. Lestrille, 33750 Saint-Germain-du-Puch, tél. 05.57.24.51.02, fax 05.57.24.04.58, e-mail jlroumage@lestrille.com ☑ Y ⚘ t.l.j. 8h30-12h30 14h-18h; sam. dim. sur r.-v.

LISENNES 2005 *

4 ha 30 000 ▮ 3 à 5 €

Le nom de Lisennes se réfère au sol argilo-calcaire, appelé « lise » en ancien français. Sur ce terroir ont été récoltés les trois cépages classiques de l'appellation pour donner naissance à ce vin jaune pâle, dont le fin bouquet évoque la rose, le citron et le litchi. La rondeur de la bouche se rehausse d'une pointe acidulée bienvenue qui met en valeur un fruité de pamplemousse. Un entre-deux-mers à déguster dans l'année pour profiter de son caractère frais.

⚷ Vins de Lisennes, Ch. de Lisennes, 33370 Tresses, tél. 05.57.34.13.03, fax 05.57.34.05.36, e-mail contact@lisennes.fr
☑ Y ⚘ t.l.j. sf dim. 8h-12h 13h30-17h30; sam. 9h-12h

CH. NOULET 2005 *

11 ha 40 000 ▮ 3 à 5 €

Bâti par le roi Édouard II d'Angleterre au XIIIᵉs., le château possède encore de vieux foudres dans son chai du XVIIIᵉs. Michel Fougère propose un entre-deux-mers idéal pour l'apéritif. Parfumé de fruits mûrs, de coing, de papaye, de citron vert et de pamplemousse, celui-ci se montre franc dès l'attaque, puis gras et bien structuré. Une juste vivacité éveille les sens et porte loin les arômes d'agrumes et d'ananas.

⚷ Michel Fougère, Ch. de Crain, 33750 Baron, tél. 05.57.24.50.66, fax 05.57.24.14.07, e-mail fougere@chateau-de-crain.com ☑ Y ⚘ r.-v.

CH. RAUZAN DESPAGNE 2005 **

4,4 ha 35 000 ▮ 5 à 8 €

Difficile d'imaginer qu'à quelques kilomètres de Bordeaux seulement l'on puisse découvrir un tel écrin de verdure : des vignes et des vignes, dominées par un majestueux château, relais de chasse au XVIIᵉs. Cet entre-deux-mers marie à parts égales le sauvignon, le sémillon et la muscadelle. De ses arômes de fleurs blanches, de fruits mûrs et d'agrumes, il réjouit tout autant le nez que le palais. Un équilibre harmonieux s'installe entre rondeur et vivacité, avec une pointe d'amertume qui donne du caractère. Cette bouteille accompagnera des gambas poêlées à l'ail et aux fines herbes servies à l'apéritif. Le **Château Bel Air Perponcher 2005** est cité.

⚷ SCEA Vignobles Despagne, 33420 Naujan-et-Postiac, tél. 05.57.84.55.08, fax 05.57.84.57.31, e-mail contact@despagne.fr ☑ Y ⚘ r.-v.

CH. LA ROSE DU PIN 2005 *

10 ha 48 000 ▮ 3 à 5 €

Que de notes sauvignonnées ! Du buis, des fleurs blanches, des agrumes et une légère touche épicée. Le sémillon bien mûr apporte de la rondeur et des accents floraux qui s'installent durablement au palais.

⚷ Cordier-Mestrezat, 109, rue Achard, BP 154, 33042 Bordeaux Cedex, tél. 05.56.11.29.00, fax 05.56.11.29.01, e-mail vignobles-ducourt@wanadoo.fr ⚘r.-v.
⚷ Vignobles Ducourt

CH. SAINTE-MARIE Vieilles Vignes 2005 *

15 ha 52 000 ▮ 5 à 8 €

Targon n'est qu'à 6 km de l'abbaye de La Sauve-Majeure. La petite ville, dont le nom d'origine francique signifie bouclier, possède une intéressante église fortifiée à mâchicoulis des XIIᵉ et XIIIᵉs. L'intérêt réside aussi dans les vignes, telles celles de Gilles et Stéphane Dupuch qui ont produit cet entre-deux-mers fruité et riche. Jaune pâle, ce vin offre un panier de fruits (citron, pamplemousse, litchi, mangue) complétés de menthol et de réglisse. Un léger perlant anime la bouche gourmande, au fruité persistant.

⚷ Gilles et Stéphane Dupuch, 51, rte de Bordeaux, 33760 Targon, tél. 05.56.23.64.30, fax 05.56.23.66.80, e-mail ch.ste.marie@wanadoo.fr ☑ Y ⚘ r.-v.

CH. TOUR DE MIRAMBEAU 2005 **

11,95 ha 90 000 ▮ 5 à 8 €

Le vignoble Despagne s'est forgé une solide réputation à partir des vins produits au château Tour de Mirambeau, propriété de la famille depuis plus de deux cents ans. Saint-Émilion n'est pas loin, juste à une dizaine de kilomètres au nord, et le château domine la vallée de la Dordogne du haut de son plateau calcaire. Cet entre-deux-mers jaune pâle aux éclats verts offre un fin bouquet de fleurs blanches et de fruits. Le sauvignon, le sémillon et la muscadelle en égales proportions se traduisent par une belle harmonie entre rondeur et vivacité, puis par une finale persistante sur les fruits blancs et les agrumes. Un vin prometteur. Le **Château Lion Beaulieu 2005** est cité.

⚷ SCEA de la Rive Droite, 33420 Naujan-et-Postiac, tél. 05.57.84.55.08, fax 05.57.84.57.31, e-mail contact@despagne.fr ☑ Y ⚘ r.-v.

CH. LA TUILERIE DU PUY Cuvée Tradition 2005

2,34 ha 14 000 ▮ 5 à 8 €

Dans la même famille depuis 1616, ce domaine de 76 ha est proche de l'abbaye de Monségur et de l'abbaye de Saint-Ferme. Il propose un 2005 jaune d'or, riche de parfums de miel et de fruits mûrs épicés. La bouche est souple et ronde, subtilement fruitée en finale.

⚷ SCEA Regaud, La Tuilerie, 33580 Le Puy, tél. 05.56.61.61.92, fax 05.56.61.86.90, e-mail vignobles.regaud@wanadoo.fr
☑ Y ⚘ t.l.j. 8h30-12h 13h-18h; sam. dim. sur r.-v.

CH. TURCAUD 2005 *

13,4 ha 107 000 ▮ 5 à 8 €

Voilà plus de trente ans que Maurice Robert conduit le château Turcaud et ses quelque 45 ha. Il maîtrise son sujet, et cela se sent dans ce 2005. Jaune soutenu à reflets verts, celui-ci s'ouvre sur des senteurs de citron vert, de pamplemousse et de litchi. La bouche se fait suave et veloutée jusqu'en finale. Un entre-deux-mers à réserver à des poissons en sauce, tels qu'un turbot ou une lotte.

⚷ EARL Vignobles Robert, Ch. Turcaud, 33670 La Sauve-Majeure, tél. 05.56.23.04.41, fax 05.56.23.35.85, e-mail chateau-turcaud@wanadoo.fr ☑ Y ⚘ r.-v.

LES VEYRIERS 2005 *

2 ha 4 000 ▮ - de 3 €

Le sémillon, associé au sauvignon, compte pour 65 % dans cette cuvée séduisante par la richesse et la persistance de son bouquet. Des fleurs blanches, de la citronnelle, des

touches mentholées, du genêt, des fruits exotiques et une pointe épicée trouvent un bel écho au palais, soulignant le caractère friand et séveux du vin. Un classique bien interprété.
C.C. Viticulteurs réunis de Sainte-Radegonde, Le Bourg, 33350 Sainte-Radegonde, tél. 05.57.40.53.82, fax 05.57.40.55.99, e-mail cavecooperativesteradegonde@wanadoo.fr t.l.j. sf sam. dim. 8h30-12h30 14h-17h

Entre-deux-mers haut-benauge

Neuf communes situées autour de Targon, sur la même aire que le bordeaux-haut-benauge, peuvent ajouter le nom de haut-benauge.

DOM. DU BOURDIEU 2005

9,95 ha 70 000 3 à 5 €

Le mariage classique de trois cépages à parts égales, cultivés en agriculture biologique, a donné naissance à ce vin couleur jonquille, dont le nez évoque les fleurs blanches et les fruits. La bouche se développe en rondeur, relevée d'une pointe fraîche en finale.
SCA Vignoble Boudon, Le Bourdieu, 33760 Soulignac, tél. 05.56.23.65.60, fax 05.56.23.45.58, e-mail contact@vignoble-boudon.fr r.-v.

Graves-de-vayres

Malgré l'analogie du nom, cette région viticole, située sur la rive gauche de la Dordogne, non loin de Libourne, est sans rapport avec la zone viticole des Graves. Les graves-de-vayres correspondent à une enclave relativement restreinte de terrains graveleux, différents de ceux de l'Entre-deux-Mers. Cette appellation a été utilisée depuis le XIXes., avant d'être officialisée en 1931. Initialement, elle correspondait à des vins blancs secs ou moelleux, mais la conjoncture actuelle tend à augmenter la production des vins rouges qui peuvent bénéficier de la même appellation.

La superficie totale du vignoble de cette région représente environ 493 ha de vignes rouges et 99 ha de vignes à raisins blancs ; une part importante des vins rouges est commercialisée sous l'appellation régionale bordeaux. En AOC graves-de-vayres, la production a atteint 23 565 hl en rouge et 5 245 en blanc en 2005.

CH. BEAUMARD 2005 *

2,5 ha 20 000 3 à 5 €

Il y eut ici, au XVIIes., un prieuré. C'est aujourd'hui un vignoble dont l'encépagement est également réparti entre sémillon, sauvignon et muscadelle. Ce 2005 offre un bouquet d'agrumes (pamplemousse) intense et une structure souple, franche et, là aussi, très fruitée. Une note perlante apporte une touche de fraîcheur. Pour vos plateaux de fruits de mer.
Pierre Escarpe, Ch. Beaumard, 33500 Arveyres, tél. 05.57.24.84.18, fax 05.57.24.80.92, e-mail pierre.escarpe@wanadoo.fr r.-v.

CH. CANTELAUDETTE Cuvée Prestige 2005 *

3 ha 20 000 3 à 5 €

Cette cuvée Prestige est fermentée et élevée cinq mois en barrique. Le 2005 se distingue par sa robe brillante, son bouquet intense de vanille et de fruits, son équilibre, sa souplesse, son gras. Persistant, ce vin de qualité est à boire dans les trois prochaines années. La cuvée principale, le **Château Cantelaudette blanc 2005** qui ne connaît que la cuve, obtient une citation. Il est très frais.
Jean-Michel Chatelier, Cantelaudette, 33500 Arveyres, tél. 05.57.24.84.71, fax 05.57.24.83.41, e-mail jm.chatelier@wanadoo.fr r.-v.

CH. LA CAUSSADE Élevé en fût de chêne 2003 *

5 000 5 à 8 €

Cet ancien relais de chasse du château de Vayres possède une architecture du XIVe et du XVIIes. évoquant plutôt une bastide provençale. Le vin produit est de qualité : robe rubis aux reflets carminés, arômes expressifs de mûre, de gibier, tanins francs, soyeux, frais et longs. Une bouteille à réserver à une entrecôte bordelaise pendant trois ans.
GFA Vignoble Ballet, Ch. La Caussade, 33870 Vayres, tél. 05.57.74.83.17, fax 05.57.84.94.53, e-mail vignoble.ballet@laposte.net r.-v.

CH. LA CHAPELLE BELLEVUE Prestige Élevé en barrique 2003 **

2 ha 10 000 8 à 11 €

Ce château réussit l'exploit rare de décrocher deux coups de cœur dans ce millésime 2003. Le premier dans le Guide de l'an dernier pour son vin blanc, le second cette année pour cette cuvée de pur merlot. La robe grenat profond est presque noire. Le bouquet floral se marie à des

notes de fruits mûrs (mûre, cassis), de coing, de boisé bien fondu. Séveux, gras et très riches en attaque, les tanins évoluent avec beaucoup de puissance, entourés de parfums de cerise et de kirsch. La longueur est digne des plus grands. S'il peut déjà être apprécié, l'ensemble gagnera tout de même en volupté avec deux ou trois ans de garde. Un gigot d'agneau lui conviendra.
Lisette Labeille, chem. du Pin, 33870 Vayres, tél. 05.57.84.90.39, fax 05.57.74.82.40, e-mail lachapellebellevue@wanadoo.fr r.-v.

CH. GOUDICHAUD 2004

39 ha 76 000 5 à 8 €

Ancienne résidence d'été des archevêques de Bordeaux, ce château du XVIII[e]s. propose plusieurs vins. Ce rouge 2004 a un bouquet naissant de fruits cuits, une structure tannique franche et puissante ; son harmonie sera plus intéressante dans un à deux ans. Cité également, le **blanc 2005** est produit à base de sauvignon (90 %) ; très fruité, il est frais, vif, digne des crustacés. Le **Château La Fleur des Graves rouge 2003 (11 à 15 €)** est cité lui aussi ; c'est une cuvée assez structurée, charnue qui demande à s'assagir avec une légère garde de un à trois ans.
M. Glotin, EARL Ch. Goudichaud, 33750 Saint-Germain-du-Puch, tél. 05.57.24.57.34, fax 05.57.24.59.90, e-mail chateau-goudichaud@wanadoo.fr r.-v.

CH. HAUT-GAYAT 2003

21 ha 110 000 5 à 8 €

Grand-mère et petite-fille travaillent ici ensemble. 50 % de cabernet sauvignon complètent le merlot dans l'assemblage de ce 2003 : la robe tuilée reste limpide. Les parfums de fraise, de cerise, d'épices fort élégants et les tanins charnus, fondus avec un boisé agréable, composent un vin à boire dans les trois prochaines années.
Marie-José Degas, La Souloire, 33750 Saint-Germain-du-Puch, tél. 05.57.24.52.32, fax 05.57.24.03.72, e-mail dianezurawsky@yahoo.fr t.l.j. 8h-12h 13h-17h; sam. et dim. sur r.-v.

CH. L'HOSANNE Élevé en fût de chêne 2005

1 ha 5 000 5 à 8 €

Ce pur sémillon se goûte très bien : la robe jaune pâle est brillante, en harmonie avec les arômes floraux et boisés. Une touche de miel complète le tableau en bouche. C'est un vin à la fois souple et gras, encore un peu marqué par la barrique. Pour une viande blanche en sauce.
SCEA Chastel-Labat, 124, av. de Libourne, 33870 Vayres, tél. 05.57.74.70.55, fax 05.57.74.70.36 r.-v.

CH. LESPARRE 2004 ★

40 ha 200 000 8 à 11 €

Michel Gonet est une sorte de marquis de Carabas en Bordelais. Venu de Champagne où il possède un beau vignoble, il constitue depuis vingt ans un deuxième empire avec 220 ha de vignes. Voici son navire amiral, Lesparre : ici en rouge violacé, évoquant subtilement les fruits mûrs et les épices, puissant et mûr. Le **Lesparre blanc 2005 (5 à 8 €)**, élevé six mois en fût, est cité : le boisé demande à se fondre. D'un autre domaine, **Lathibaude blanc sec 2005 (5 à 8 €)** et **rouge 2004** : le premier cité, le second une étoile. Enfin, le **Château Durand-Bayle rouge 2004 (5 à 8 €)** obtient lui aussi une étoile : ample et gras, il est également frais et long. À attendre deux ou trois ans.
SCEV Michel Gonet et Fils, Ch. Lesparre, 33750 Beychac-et-Caillau, tél. 05.57.24.51.23, fax 05.57.24.03.99, e-mail vins.gonet@wanadoo.fr t.l.j. sf sam. dim. 9h-12h 14h-17h30

CH. DU PETIT PUCH 2004 ★★

14 ha 60 000 8 à 11 €

Construit au début du XIV[e]s., ce château a été repris en 2004 par Marie-Paule de la Rivière. Pour un premier millésime, elle réussit un vin remarquable dont la robe grenat brillant de reflets rubis séduit d'emblée. Suivent des parfums intenses de bois neuf, de grillé, ne masquant pas les notes fruitées (framboise, cassis). Les tanins veloutés, soyeux en attaque, se révèlent ensuite très puissants et demandent deux à cinq ans pour se parfaire.
Marie-Paule de la Rivière, Ch. du Petit Puch, 33750 Saint-Germain-du-Puch, tél. 05.57.24.52.36, fax 05.57.24.01.82, e-mail chateaupetitpuch@yahoo.fr r.-v.

CH. PEYRÈRE 2003

15 ha 60 000 5 à 8 €

Ce 2003 présente une robe grenat intense, un bouquet typé de fruits mûrs, de vanille et d'épices. Francs et charnus à l'attaque, les tanins se révèlent encore fermes et boisés : il faut attendre un à trois ans avant de servir cette bouteille sur une lamproie bordelaise.
SCEA Vignobles Cassignard, Ch. Bussac, 33870 Vayres, tél. 05.57.24.52.14, fax 05.57.24.06.00 r.-v.

CH. PICHON-BELLEVUE Cuvée Élisée 2004 ★★

5 ha 30 000 5 à 8 €

Cette cuvée Élisée est une sélection parcellaire constituée à 80 % de merlot et à 20 % de cabernet franc. Le résultat est impressionnant, dès le premier regard sur la robe grenat soutenu. Suivent des parfums envoûtants et complexes de petits fruits rouges, d'épices (clou de girofle et vanille). Ample et ronde en attaque, la structure tannique est riche et puissante ; elle évolue remarquablement jusqu'à une longue finale. Une excellente bouteille à apprécier dans trois à six ans. Le **château Pichon-Bellevue blanc 2005 (3 à 5 €)** obtient une étoile. 30 % de sémillon complètent le sauvignon dans ce vin qui ne manque ni de gras ni de volume. Ses arômes de pêche, d'agrumes, sont en harmonie avec une touche florale.
EARL Ch. Pichon-Bellevue, 33870 Vayres, tél. 05.57.74.84.08, fax 05.57.84.95.04 r.-v.
Reclus

CH. TOUR DE GUEYRON 2004

0,84 ha 6 000 5 à 8 €

Ce 2004 est le fruit d'un assemblage à parts égales de merlot et de cabernet franc. Fumé, fleurs et fruits rouges se partagent équitablement le nez. Les tanins ronds, frais et déjà équilibrés en finale permettent de servir dès maintenant cette bouteille qui pourra se garder deux à cinq ans.
Pascal Sirat, Penchille, 33500 Arveyres, tél. et fax 05.57.51.57.39, e-mail siratpascal@aol.com r.-v.

CH. LES TUILERIES DU DÉROC 2003 ★

11 ha 21 000 3 à 5 €

Les vignes ont aujourd'hui remplacé l'ancienne tuilerie installée au bord de la Dordogne, mais on entend toujours ici le grondement du mascaret. En 2003, le vin n'a pas souffert de la canicule : d'une profonde couleur rubis, il offre des parfums de fruits noirs, de réglisse, de pruneau et une structure tannique souple, équilibrée, légèrement grillée en finale. Une bouteille à boire dans les trois à cinq ans à venir.

Vignobles Colombier, LD Montifaut, 33870 Vayres, tél. 05.57.74.71.59, fax 05.57.74.88.31, e-mail vignobles-colombier@wanadoo.fr r.-v.

VENDEMIA 2004 ★★

n.c. n.c. 3 à 5 €

Vendemia = vendanges en latin : une association de viticulteurs qui se sont regroupés pour mettre leurs compétences en commun afin de créer un vin de marque. Ce 2004 est impressionnant : robe grenat aux reflets violacés, arômes intenses et flatteurs de petits fruits rouges (fraise, cerise), souplesse, ampleur et beaucoup de rondeur en bouche. Les tanins se révèlent très mûrs et équilibrés, si bien que ce vin né du seul merlot sera prêt à servir d'ici un à trois ans.

Vignerons de Vayres, 124, av. de Libourne, 33870 Vayres, tél. 06.88.70.44.01, e-mail vendemia@wanadoo.fr

Sainte-foy-bordeaux

Cité médiévale à l'intérêt touristique évident, mais aussi cité du vin entre Lot-et-Garonne et Dordogne, Sainte-Foy a produit 2 653 hl de vin blanc et 11 685 hl de vin rouge en 2005 sur les 345 ha déclarés du vignoble.

CH. CAPELLE 2004

2,5 ha 16 000 3 à 5 €

Appartenant au groupe Univitis, la coopérative propose ce vin des Lèves né sur argilo-calcaires et boulbènes. Il est sélectionné pour la fraîcheur de son bouquet nuancé de notes épicées et pour sa bouche tannique mais souple, pleine et aromatique en finale. Une bouteille à servir ou à laisser vieillir quelques années.

Closerie d'Estiac, Les Lèves, 33220 Sainte-Foy-la-Grande, tél. 05.57.56.02.33, fax 05.57.56.02.22, e-mail jm.portier@univitis.fr t.l.j. sf dim. lun. 9h30-12h30 15h-19h

GFA de Capelle

CH. DU CHAMP DES TREILLES 2003 ★

3,8 ha 10 000 11 à 15 €

Propriété de Corinne et de Jean-Michel Comme, directeur du château Pontet-Canet à Pauillac, ce cru possède beaucoup d'atouts. Depuis 1998, il a doublé la densité de pieds à l'hectare pour atteindre 10 000 ceps à l'hectare. Ce 2003 se pare d'une robe rubis brillant d'où émanent des parfums puissants de confiture de fruits rouges, de boisé bien dosé et élégant. Les tanins soyeux en attaque évoluent avec de l'équilibre, de la race et beaucoup de longueur. Deux ans de vieillissement ne seront pas de trop avant d'ouvrir cette bouteille.

Corinne Comme, Pibran, 33250 Pauillac, tél. et fax 05.56.59.15.88, e-mail champdestreilles@wanadoo.fr r.-v.

CH. DES CHAPELAINS Cuvée Prélude 2005 ★

7,8 ha 60 000 3 à 5 €

Lauréat en 2003 du Best-Of du Tourisme vinicole, ce cru familial, depuis le XVIIe s., est également coutumier des plus hautes distinctions – quatre coups de cœur du Guide – en raison de la qualité de ses vins. Cette cuvée Prélude offre des arômes intenses de fruits frais bien typés du sauvignon. Sa structure en bouche possède à la fois du gras et de l'acidité ; l'expression du fruit (pêche) est élégante. Un vin parfait à boire. La **cuvée Mômus 2003 rouge (8 à 11 €)** obtient une citation : elle se montre classique dans sa structure mais la présence du boisé demande une garde de deux ou trois ans.

Pierre Charlot, Les Chapelains, 33220 Saint-André-et-Appelles, tél. 05.57.41.21.74, fax 05.57.41.27.42, e-mail chateaudeschapelains@wanadoo.fr t.l.j. 8h-12h 14h-18h; sam. dim. sur r.-v.

CH. L'ENCLOS Triple A 2003 ★★

18 ha 6 000 8 à 11 €

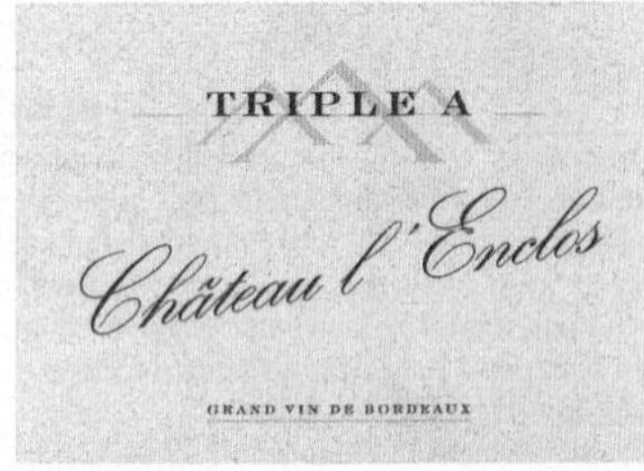

Premier millésime des Bonneville, nouveaux propriétaires de cet imposant château, et déjà un coup de cœur pour le rouge et deux étoiles pour le blanc sec dans cette cuvée Triple A, nom qui signifie Assemblage Authentique Ad'Hoc ! La robe pourpre aux nuances rubis soutenu annonce le bouquet de fruits rouges bien mûrs, de cacao, de vanille, ouvert et plaisant. La structure puissante, serrée, ne manque pas de charme. L'harmonie sera parfaite après deux à trois ans de garde. Le **Triple A blanc 2004 (5 à 8 €)**, deux étoiles, élevé en barrique présente des arômes délicats, floraux, fruités et vanillés. Un vin gourmand et prêt.

E. Bonneville, SCEA Ch. L'Enclos, 3, rte de Bergerac, 33220 Sainte-Foy-la-Grande, tél. et fax 05.57.46.55.97, e-mail sceachateaulenclos@wanadoo.fr r.-v.

CH. GRAND MONTET 2004

3 ha 5 400 5 à 8 €

Sorti de la cave coopérative en 2001, ce cru semble régulier dans la qualité depuis le millésime 2002. Ce Grand Montet né sur argilo-calcaire assemble 70 % de cabernet-sauvignon et 30 % de merlot. Après douze mois de barrique, il se présente en robe grenat vif ; le bouquet élégant joue sur la cerise et le cassis. Les tanins gras et fruités, bien mûrs et longs, donnent déjà du plaisir.

Marie-France et Didier Roussel, EARL Les Deux Domaines, Le Montet, 33220 Saint-André-et-Appelles, tél. et fax 05.57.46.10.23 r.-v.

CH. HOSTENS-PICANT
Lucullus Cuvée d'exception 2004 ★

6 ha 20 000 23 à 30 €

Une belle demeure girondine, un parc et un important vignoble conduit par Yves Picant depuis 1986. Le 2004 est ici décliné dans trois vins différents. La cuvée Lucullus est issue d'un assemblage de 80 % de merlot et de 20 % de cabernet franc : très marquée au nez par le fruit (cassis, mûre), le boisé et l'alcool, elle se révèle en bouche ferme, puissante et équilibrée ; elle s'épanouira dans deux à trois ans. La **cuvée classique rouge 2004 (11 à 15 €)** est citée pour sa finesse ; là encore le bois est présent, mais elle peut se boire dès aujourd'hui. Enfin, la **cuvée des Demoiselles blanc sec 2004 (11 à 15 €)** obtient une étoile : elle brille de reflets verts et livre des parfums de fruits frais encore dominés par la vanille et le toasté. En bouche, la finesse l'emporte, et le plaisir est déjà là.

Ch. Hostens-Picant, Grangeneuve Nord, 33220 Les Lèves-et-Thoumeyragues, tél. 05.57.46.38.11, fax 05.57.46.26.23, e-mail chateauhp@aol.com r.-v.

CH. LES PARIS 2004

2,5 ha 16 000 3 à 5 €

Présenté par le groupe Univitis, cet agréable 2004 évolue vers des arômes complexes de fruits noirs, d'épices et de boisé exotique. Ses tanins francs et fruités sont assez équilibrés. Un vin à boire ou à garder pendant trois à quatre ans et à servir sur un rôti accompagné d'un gratin dauphinois.

Domainie de Sansac, Les Lèves, 33220 Sainte-Foy-la-Grande, tél. 05.57.56.02.33, fax 05.57.56.02.22, e-mail jm.portier@univitis.fr t.l.j. sf dim. lun. 9h30-12h30 15h-19h

CH. PICHAUD SOLIGNAC
Cuvée des Danaïdes 2004 ★

3 ha 5 000 8 à 11 €

Une majorité de cabernet-sauvignon (70 %) dans l'asemblage de cette cuvée, complété par du merlot. Ce 2004 grenat soutenu à la frange presque noire offre un bouquet expressif de petits fruits noirs, d'épices et de réglisse. Ses tanins suaves et généreux, bien équilibrés, composent une bouteille à laisser s'épanouir durant les trois prochaines années.

EARL Pichaud Solignac, La Niolaise, 33790 Pellegrue, tél. et fax 05.56.61.43.55, e-mail contact@chateaupichaudsolignac.com t.l.j. 9h-19h

Régis Delbeuf

CH. DE VACQUES Moelleux Cuvée des amis 2004 ★

1,5 ha 5 000 5 à 8 €

C'est probablement sous Aliénor d'Aquitaine que fut constituée la baronnie de Pineuilh. Il n'en reste aucun vestige, l'église datant malheureusement de la fin du XIXes. Le vignoble ne manque pas, lui, d'intérêt. Cette Cuvée des amis provient de sémillon planté plein sud sur un coteau argilo-calaire. La robe dorée brille de reflets verts, ses arômes de raisin confit et de pain d'épice sont élégants. Avec 45 g/l de sucres résiduels, la structure équilibrée entre acidité et moelleux évolue vers une finale minérale très intéressante. Un vin à boire ou à laisser vieillir.

Christian Birac, 8, rue de La Commanderie, 33220 Pineuilh, tél. et fax 05.57.46.15.01, e-mail chateau-de-vacques@hotmail.com t.l.j. sf dim.11h30-12h30 17h-19h

BORDELAIS

Premières-côtes-de-bordeaux

La région des premières côtes de bordeaux s'étend, sur une soixantaine de kilomètres, le long de la rive droite de la Garonne, depuis les portes de Bordeaux jusqu'à Verdelais. Les vignobles sont implantés sur des coteaux qui dominent le fleuve et offrent de magnifiques points de vue. Les sols y sont très variés : en bordure de la Garonne, ils sont constitués d'alluvions récentes, et certains donnent d'excellents vins rouges ; sur les coteaux, on trouve des sols graveleux ou calcaires ; l'argile devient de plus en plus abondante au fur et à mesure que l'on s'éloigne du fleuve. L'encépagement, les conditions de culture et de vinification sont classiques. Le vignoble ayant revendiqué cette appellation en 2005 représente 3 533 ha en rouge et 301 ha en blanc doux ; une part importante des vins, surtout blancs, est commercialisée sous des appellations régionales bordeaux. Les vins rouges 164 800 hl ont acquis depuis longtemps une réelle notoriété. Ils sont colorés, corsés, puissants ; les vins produits sur les coteaux ont en outre une certaine finesse. Les vins blancs 12 257 hl sont des moelleux qui tendent de plus en plus à se rapprocher des liquoreux.

CH. BENEYT 2004 ★

12 ha 12 000 3 à 5 €

Né sur un joli terroir de graves, ce vin sait mettre en confiance par sa belle présentation. À une robe d'un rouge intense s'associe un bouquet harmonieux. Les fruits frais et le merrain trouvent un sage équilibre qui se prolonge au palais, avec du volume, de la chair et de la longueur. Présents mais jamais agressifs, les tanins se portent garants de l'avenir de cette bouteille.

Joël Vrignaud, Graves Ouest n°2, 33410 Rions, tél. 05.56.62.14.98, fax 05.56.62.10.01, e-mail joelvrignaud@chateaubeneyt.com r.-v.

CH. BRETHOUS Cuvée Prestige 2003 ★

7 ha 17 000 8 à 11 €

Jolie chartreuse du XVIIIes. acquise par les Verdier en 1964. Depuis 1998, elle est conduite par Cécile Verdier. S'il porte la marque du millésime dans sa structure chaude et légère, ce vin, né sur argilo-calcaire et graves et composé de 90 % de merlot, sait mettre en valeur ses qualités de finesse. Elles sont particulièrement sensibles dans les arômes : fruits mûrs, épices et torréfaction. Souple et long, l'ensemble mérite une garde de deux ou trois ans.

Denise et Cécile Verdier, Ch. Brethous, 33360 Camblanes, tél. 05.56.20.77.76, fax 05.56.20.08.45, e-mail brethous@libertysurf.fr t.l.j. 8h30-19h

CH. CARIGNAN Élevé en fût 2003 ★

25 ha 120 000 8 à 11 €

Construit au Moyen Âge par un compagnon de Jeanne d'Arc, ce château est lié à l'histoire de l'Aquitaine. Son vin se montre à la hauteur des lieux, tant par l'intensité du bouquet, aux notes de fruits rouges très mûrs et d'épices, que par sa structure, bien équilibrée, avec des tanins qui appellent une garde de trois ou quatre ans. La **cuvée Prima 2003 (15 à 23 €)**, élevée dix-huit mois sous bois, a été citée.

GFA Philippe Pieraerts, Ch. Carignan, 33360 Carignan-de-Bordeaux, tél. 05.56.21.21.30, fax 05.56.78.36.65, e-mail tt@chateau-carignan.com r.-v.

CH. CARSIN 2003

5,07 ha 22 000 11 à 15 €

Belle unité, ce cru propose un vin plaisant, bien constitué et d'une jolie présentation, avec une robe limpide et un bouquet mêlant les fruits rouges aux épices. Rond, équilibré et doté d'une finale agréable, il peut être bu aujourd'hui ou attendu quelques années. En partie commercialisée en magnums, la **cuvée 2003 (23 à 30 €)**, élevée vingt-quatre mois en barrique, a également été citée.

Juha Berglund, Ch. Carsin, 33410 Rions, tél. 05.56.76.93.06, fax 05.56.62.64.80, e-mail chateau@carsin.com r.-v.

CH. DES CÈDRES
Cuvée Prestige Élevé en fût de chêne 2004 ★

4 ha 20 000 5 à 8 €

Née sur un domaine de 36 ha, cette cuvée surprend par sa robe assez claire ; mais derrière apparaît un ensemble intéressant, tant par son bouquet, encore un peu fermé mais déjà agréable par ses notes fruitées et boisées, que par sa structure ronde, grasse et d'une bonne ampleur.

SCEA des Vignobles S. et J.-C. Larroque, 15, allée de Gageot, 33550 Paillet, tél. 05.56.72.16.02, fax 05.56.72.34.44, e-mail vignobles.larroque@wanadoo.fr t.l.j. sf dim. 8h-12h 14h-18h

DOM. DU CHEVAL BLANC
Cuvée Prestige Élevé en fût de chêne 2003 ★

4 ha 6 000 5 à 8 €

Profitant de la diversité de l'encépagement (25 % de malbec associé ici aux trois cépages bordelais à parts égales), ce cru joue résolument la carte de l'assemblage. Avec raison, si l'on en juge d'après sa cuvée Prestige. Bien soutenue par un bois qui respecte le fruit, elle réussit à conjuguer souplesse et concentration. Sa structure, ronde et tannique, lui assure un bon potentiel de garde : de trois ou quatre ans.

EARL Chaussié de Cheval Blanc, Cheval Blanc, 33490 Saint-Germain-de-Graves, tél. et fax 05.56.23.94.76, e-mail earl.chaussie@terre-net.fr r.-v.

CH. LA CHÈZE Élevé en fût de chêne 2004

12 ha 60 000 5 à 8 €

Deux œnologues se sont associés en 1997 pour acquérir l'une des plus anciennes maisons de Capian, construite au XVIe s., et son vignoble de 14 ha. Ils présentent une cuvée qui n'est pas un vin de garage mais qui constitue l'ensemble de leur production de rouge. Élevé en fût de chêne, ce vin équilibré est encore marqué par le bois, notamment en finale. Toutefois, son bouquet reste charmeur avec des notes fruitées et vanillées. Une petite garde lui permettra de s'arrondir.

Rontein-Priou, SCEA Ch. La Chèze, 33550 Capian, tél. et fax 05.56.72.11.77, e-mail jfrontein@wanadoo.fr r.-v.

CLOS BOURBON Vieilli en fût de chêne 2003

4 ha 22 000 8 à 11 €

Né sur un vignoble clos d'un mur d'un kilomètre de long, ce vin intrigue le dégustateur par les quelques touches tuilées de la robe. Mais ensuite, il le rassure. Tant par son bouquet, d'une bonne intensité avec des notes de fruits cuits, de gibier et de vanille, que par sa structure qui a suffisamment de corps pour vieillir de trois à quatre ans.

Th. et C. d'Halluin, Clos Bourbon, 33550 Paillet, tél. 05.56.62.92.80, fax 05.56.62.12.59, e-mail closbourbon@club-internet.fr r.-v.

CH. COLIN DE PEY Élevé en fût de chêne 2004 ★

9 ha 40 000 5 à 8 €

Le merlot (80 %) l'emporte ici sur le malbec : d'une belle présentation, avec une robe profonde et intense, ce vin est encore sur le fruit (cassis) dans sa première expression aromatique ; puis, au palais, c'est au tour de la vanille de prendre la première place. Bien charpentée, la structure permettra à la finale de s'arrondir après une attente de trois ou quatre ans.

SARL Les Vins Dominique Lurton, Martouret, 33750 Nérigean, tél. 05.57.24.50.02, fax 05.57.24.03.30, e-mail jeremie@maison2lurton.com r.-v.

CH. LES CONSEILLANS
Élevé en fût de chêne 2003

0,5 ha 7 000 5 à 8 €

Site classé, cette belle propriété du XVIe s. a appartenu à l'une des figures marquantes de l'histoire de la recherche bordelaise, Jean Ribéreau-Gayon, l'un des principaux fondateurs de l'œnologie moderne. Souple, bien équilibré et soutenu par des tanins de bonne qualité, ce vin à la robe rubis réussit à être déjà très plaisant tout en ayant suffisamment de réserves pour pouvoir durer deux ou trois ans.

GFA Dom. Les Conseillans, 33880 Saint-Caprais-de-Bordeaux, tél. et fax 05.56.23.73.80, e-mail chateau.les.conseillans@wanadoo.fr r.-v.

Ruiz

CH. COURRÈGES 2003 ★

4,5 ha 20 000 8 à 11 €

Nouveau venu dans le Guide, ce cru propose un vin bien réussi pour le millésime. D'une belle couleur grenat, ce 2003 développe un bouquet fin, délicat et d'une bonne complexité : cuir, fruits mûrs, torréfaction et vanille. Souple, rond et porté par des tanins fondus, il justifie une garde de deux ou trois ans.

Vignobles Landeau, Mondion, 33440 Saint-Vincent-de-Paul, tél. 05.56.77.03.64, fax 05.56.77.11.17, e-mail xl.landeau@free.fr r.-v.

CH. CRABITAN-BELLEVUE
Cuvée spéciale 2004 ★

	10 ha	20 000		5 à 8 €

Ce 2004 annonce sa jeunesse par la jolie couleur, rubis à reflets violets, de sa robe. Si ses parfums sont sympathiques mais discrets au nez, on assiste à une véritable explosion aromatique au palais : fruits mûrs, réglisse, épices. On y devine une bonne matière, soutenue par un bois adroitement maîtrisé. Trois ou quatre ans de garde et cette bouteille sera prête. Bien équilibré et servi par des arômes de fruits confits, le **blanc 2004 (3 à 5 €)** a également obtenu une étoile.

GFA Bernard Solane et Fils, Crabitan, 33410 Sainte-Croix-du-Mont, tél. 05.56.62.01.53, fax 05.56.76.72.09 t.l.j. 8h-12h 14h-18h; dim. sur r.-v.

CH. DUDON Cuvée Jean-Baptiste Dudon 2004 ★

	0,59 ha	2 600		8 à 11 €

Une belle propriété commandée par une charmante chartreuse dominant la Garonne. On sait que Jean-Baptiste Dudon paya de sa tête ses convictions royalistes sous la Révolution. Le domaine est aujourd'hui dirigé par Jean Merlaut, forte personnalité du négoce aquitain. Si elle est assez confidentielle par son volume de production, cette cuvée moelleuse (83 g/l de sucres résiduels) est intéressante par son agréable développement au palais. Pain d'épice, pain grillé, figue, pêche blanche et abricot s'offrent généreusement. Un bel ensemble qui se plaira sur des fromages ou des volailles en sauce. En rouge, **L'Acanthe de Dudon 2003** a été cité.

SARL Dudon, Ch. Dudon, 33880 Baurech, tél. 05.57.97.77.35, fax 05.57.97.77.39, e-mail jmerlaut@jean-merlaut.com r.-v.
Jean Merlaut

CH. GARBES-CABANIEU
Élevé en fût de chêne 2003 ★★

	5 ha	30 000		5 à 8 €

Une belle entrée dans le Guide pour ce cru créé en 1979, à 2 km de l'église de Gabarnac (XIII[e]s.). Ce vin sait surprendre le dégustateur. D'un rouge rubis presque timide, il se révèle par son bouquet. Aussi intense qu'élégant, celui-ci marie les apports du bois (vanille) aux fruits bien mûrs (le cassis dominant). Souple, rond et bien construit, avec une longue finale, il a suffisamment de caractère pour se bonifier pendant quatre ou cinq ans, avant d'accompagner un plat musclé.

EARL Vignobles Hervé David, 1, Le Boucher, 33410 Monprimblanc, tél. 05.56.62.97.59, fax 05.56.62.63.96, e-mail garbes.cabanieu@wanadoo.fr t.l.j. 8h-12h 14h-19h

DOM. DU GRAND PARC Vieilles Vignes 2003 ★

	5 ha	13 000		5 à 8 €

Propriété de l'INRA, ce domaine accueille des expérimentations sur la vigne mais ne néglige pas sa propre production. D'une profonde couleur pourpre, rond, riche et assez concentré, son 2003 développe une belle expression aromatique dans laquelle dominent les fruits rouges accompagnés d'une touche de cacao. Il est fort plaisant dès à présent.

INRA, Dom. du Grand Parc, 33360 Latresne, tél. 05.56.20.71.52, fax 05.56.20.02.04, e-mail forget@bordeaux.inra.fr r.-v.

CH. LA GRANGE CLINET 2003

	25,15 ha	115 000		5 à 8 €

Né sur un domaine dont le sol possède de la crasse de fer, ce vin est encore un peu austère, tant par son bouquet, frais et discret, qu'au palais. Mais tout laisse penser qu'il s'affinera assez rapidement.

Michel Haury, Ch. La Grange Clinet, 4, rte de Saint-Genès, 33880 Saint-Caprais-de-Bordeaux, tél. 05.56.78.70.88, fax 05.56.21.33.23, e-mail lagrangeclinet@wanadoo.fr t.l.j. sf sam. dim. 9h-12h 13h30-17h30

CH. GRIMONT Cuvée Prestige 2004 ★

	8 ha	55 000		5 à 8 €

Fondé au XVII[e]s., ce domaine reçut Eugène Sue à qui l'on doit *Les Mystères de Paris* (1842). Fidèle à sa réputation, il propose un joli vin. Fin, élégant et complexe, le bouquet de ce 2004 inscrit résolument dans le style bordelais. Ces qualités se retrouvent au palais, dont la structure appelle une petite garde pour permettre à l'ensemble de se fondre. Rappelons que cette cuvée fut coup de cœur pour le millésime 2003.

SCEA Pierre Yung et Fils, Ch. Grimont, 33360 Quinsac, tél. 05.56.20.86.18, fax 05.56.20.82.50 r.-v.
Paul Yung

CH. LES GUYONNETS Cuvée Prestige 2004 ★

	3,5 ha	25 000		5 à 8 €

Jeunes viticulteurs, Sophie et Didier Tordeur achètent ce domaine de 25 ha en 2000. S'il se montre un peu timide dans sa présentation, leur vin retrouve la parole au palais où il révèle une structure suffisamment solide pour lui assurer une bonne évolution pour les deux années à venir. La cuvée rouge **Apogée 2004 (11 à 15 €)** a également été citée. Le style « côtes » a été bien respecté.

Sophie et Didier Tordeur, Ch. Les Guyonnets, 33490 Verdelais, tél. et fax 05.56.62.09.89, e-mail didiertordeur@aol.com r.-v.

CH. HAUT BRANA
Cuvée Prestige Élevé en fût de chêne 2003

	6,5 ha	20 000		8 à 11 €

Né sur un vignoble dominant le beau village médiéval de Rions, ce vin, souple, rond et délicat, joue la carte de la finesse. Il peut attendre mais il ne faut pas hésiter à profiter de son attrait actuel.

Brigitte Botquelen, Côte de Bouit, 33410 Rions, tél. 05.56.62.19.12, fax 05.56.62.65.83, e-mail chateau-du-brana@wanadoo.fr t.l.j. sf sam. dim. 10h-12h 14h-18h

CH. HAUT GAUDIN
Cuvée Prestige Élevé en fût de chêne 2003 ★

	5 ha	30 000		5 à 8 €

Appartenant à la cuvée Prestige, ce vin, résolument moderne, peut être savouré dès aujourd'hui, même s'il possède un potentiel suffisant pour être attendu autour de trois ans. Sa structure met parfaitement en valeur son expression aromatique, aux notes de fruits cuits, de confitures et d'épices.

Vignobles Dubourg, 545, Nicot, 33760 Escoussans, tél. 05.56.23.93.08, fax 05.56.23.65.77, e-mail bdubourg@wanadoo.fr
t.l.j. sf dim. 8h30-12h 14h-17h30

CH. HAUT-LA PEREYRE

Cuvée Meste-Jean Élevé en fût de chêne 2003 *

4 ha 19 000 8 à 11 €

À dominante de cabernet-sauvignon (80 %), ce vin a certainement tiré profit de ce cépage dans ce millésime favorable aux variétés tardives. D'une belle présentation, il laisse le souvenir d'un ensemble puissant et complet, que ses tanins fondus destinent à une garde d'environ cinq ans.

EARL Vignobles Cailleux, La Pereyre, 33760 Escoussans, tél. 05.56.23.63.23, fax 05.56.23.64.21 r.-v.

CH. LES HAUTS DE PALETTE

Élevé en fût de chêne 2003 *

5 ha 30 000 5 à 8 €

Cette chartreuse du XVIII[e]s. a servi d'hôpital pendant la Première Guerre mondiale. Rond, souple, gras, bien équilibré et d'une bonne longueur, son vin tire un réel charme de la finesse de son bouquet, aux notes de pruneau cuit, de cerise, d'épices et de vanille. Rond et bien soutenu par un bois qui respecte le fruit, il est déjà plaisant. Souvenez-vous que le 2002 fut coup de cœur.

SCEA Charles Yung et Fils, 8, chem. de Palette, 33410 Béguey, tél. 05.56.62.94.85, fax 05.56.62.18.11, e-mail h.d.p@wanadoo.fr
t.l.j. sf sam. dim. 9h-12h 14h-18h; f. 19 juil.-10 août

CH. JONCHET

Cuvée Prestige Élevé en barrique de chêne 2003

8 ha 20 000 5 à 8 €

Douze mois de barrique, un assemblage de merlot (60 %), de cabernet-sauvignon (35 %) et de malbec : ce vin sait s'annoncer par une robe rouge sombre et dense. D'une bonne complexité aromatique, avec des notes de vanille, de pruneau et de confiture de griottes, il développe une structure souple, ronde et suffisamment corsée pour pouvoir être attendue de deux à trois ans.

Philippe Rullaud, Ch. Jonchet, La Roberie, 33880 Cambes, tél. 05.56.21.34.16, fax 05.56.78.75.32, e-mail philippe-rullaud@wanadoo.fr r.-v.

CH. LAGAROSSE Les Comtes 2004 **

3,5 ha 15 000 15 à 23 €

Une demeure imposante avec ses quatre tours d'angle, reconstruite au début du XVIII[e]s. sur les ruines d'un château du XVI[e]s. Le cru est conseillé aujourd'hui par Michel Rolland. Dans un millésime souvent difficile à maîtriser, il montre son savoir-faire avec un vin bien constitué. Sa robe, d'un rouge profond presque noir, annonce un joli potentiel de garde. Celui-ci se confirme au palais, dont la finesse aromatique s'accompagne d'une belle présence tannique révélant une extraction bien conduite. Une bouteille à ouvrir dans quatre ou sept ans.

SAS Ch. Lagarosse, 33550 Tabanac, tél. 05.56.67.00.05, fax 05.56.67.58.90, e-mail lagarosse@wine-and-vineyards.com r.-v.

CH. DE LESTIAC

Cuvée Prestige Élevé en fût de chêne 2004

5 ha 31 500 5 à 8 €

S'il se montre encore un peu austère, ce vin possède suffisamment de réserves pour bien évoluer. Sa structure, sa mâche et sa longueur lui assureront une garde suffisante pour tenir le temps qu'il s'arrondisse et que son bouquet s'affine.

SARL Gonfrier Frères, Les Chais de Rions, Ch. de Marsan, 33550 Lestiac-sur-Garonne, tél. 05.56.72.14.38, fax 05.56.72.10.38, e-mail gonfrier@terre-net.fr r.-v.

SPÉCIAL CUVÉE DU CH. LEZONGARS 2003 *

5 ha 14 000 15 à 23 €

Ce cru, que commande une demeure d'esprit palladien, propose avec sa cuvée prestige un vin à l'élégante expression aromatique. Fine et complexe, celle-ci s'harmonise parfaitement avec le palais, rond et charnu, pour composer un ensemble fort séduisant.

SC Ch. Lezongars, rte de Roques, 33550 Villenave-de-Rions, tél. 05.56.72.18.06, fax 05.56.72.31.44, e-mail info@chateau-lezongars.com r.-v.
Philip Iles

CH. MELIN Élevé en fût de chêne 2003

5 ha 19 600 8 à 11 €

Au XIX[e]s., les Modet sont laboureurs et travaillent pour les propriétaires. Ils économisent, constatant que les grandes familles auxquelles ils vendent leur force de travail dilapident leur fortune. Ainsi ils acquièrent, parcelle par parcelle, tout au long du XX[e]s. ce qui deviendra un beau domaine de 35 ha. Encore un peu austère dans son développement tannique, mais doté d'une bonne structure, ce vin a le potentiel nécessaire, tant dans son corps que dans son expression aromatique, pour bien évoluer dans les trois ou quatre ans à venir.

EARL Vignobles Claude Modet et Fils, Constantin, 33880 Baurech, tél. 05.56.21.34.71, fax 05.56.21.37.72, e-mail vmodet@wanadoo.fr
t.l.j. 8h-12h 14h-17h30; sam. dim. sur r.-v.

CH. MONTJOUAN Grande Réserve 2004 **

4,5 ha 30 000 5 à 8 €

Montjouan bénéficie d'un terroir de qualité qui lui permet d'élaborer des vins puissants. La solide structure de sa Grande Réserve 2004 ne surprend pas le dégustateur qui a pris le temps d'admirer la profondeur de sa robe. Sa force, toutefois, s'exprime avec beaucoup de douceur. À l'harmonie du bouquet (fruits mûrs et vanille) s'ajoutent des tanins soyeux et veloutés. Ceux-ci inviteraient presque à boire ce vin sans attendre. Toutefois, trois à cinq ans de garde seront nécessaires pour que toutes ses qualités atteignent leur plénitude.

SCEA Pierre Yung et Fils, Ch. Grimont, 33360 Quinsac, tél. 05.56.20.86.18, fax 05.56.20.82.50 r.-v.
Anne-Marie Lebarazeur

CH. MOULIN DE CORNEIL Sémillon 2003

2 ha 6 000 5 à 8 €

Même si son bouquet reste encore un peu fermé, ce vin est intéressant par son développement au palais. Riche et gras, celui-ci s'inscrit dans le registre des liquoreux et

sera appréciable dès aujourd'hui, comme dans quatre ou cinq ans. Le **rouge 2003 Élevé en fût de chêne** a obtenu lui aussi une citation.
⊶ SCEA Bonneau et Fils, Ch. Moulin de Corneil, 59, Grande rue, 33490 Pian-sur-Garonne, tél. 05.56.76.44.26, fax 05.56.76.43.70, e-mail bonneau@terre-net.fr ☒ Y ⚲ r.-v.

CH. NÉNINE Cuvée des Augustins 2004 *

■ 4,5 ha 24 000 ⏺ 8 à 11 €

Cette propriété était terre du Prince Noir, prince de Galles qui battit Jean le Bon à Poitiers en 1356. Plus tard, des moines augustins y possédèrent 140 ha. D'où le nom de cette cuvée. Élevée en fût, elle en porte encore la marque dans sa finale. Si elle demande à s'arrondir, elle possède la structure nécessaire pour bien évoluer dans les trois à quatre ans à venir. Expressif et complexe, également prometteur le bouquet live des notes de vanille et de fruits frais, qui se retrouvent au palais. La **cuvée principale 2004 (5 à 8 €)** a été citée.
⊶ SCEA des coteaux de Nénine, Ch. Nénine, 33880 Baurech, tél. 05.56.78.70.78, fax 05.56.39.88.63, e-mail s.fouquet@libertysurf.fr ☒ Y r.-v.

CH. PASCOT Cuvée Prestige 2003 *

■ 3 ha 18 000 ▮⏺ 5 à 8 €

Issue de vieilles vignes, élevée en fût de chêne de l'Allier, cette cuvée souple, ronde et bien équilibrée sait manifester sa présence par une bonne puissance aromatique et tannique. Déjà plaisante, elle possède suffisamment de matière pour se bonifier pendant deux ou trois ans.
⊶ Franck Doermann, chem. de Rambal, 33360 Latresne, tél. 06.72.28.70.36, fax 05.56.20.78.19, e-mail doermann.nicole@wanadoo.fr ☒ Y ⚲ r.-v.

CH. LA PERLE DU PAYRE Cuvée Prestige 2004 *

■ 1 ha 6 000 ▮⏺ 8 à 11 €

Née sur une belle propriété d'une trentaine d'hectares, cette cuvée a été choyée comme le prouvent son bouquet aux harmonieuses notes vanillées et épicées, et sa structure, souple, ronde, charnue et bien équilibrée.
⊶ SCEA Vignobles Arnaud et Marcuzzi, Le Vic n° 13, 33410 Cardan, tél. 05.56.62.60.91, fax 05.56.62.67.05, e-mail arnaud.marcuzzi@wanadoo.fr
☒ Y ⚲ t.l.j. 10h-12h 14h-18h; sam. dim. sur r.-v.

CH. PEYRUCHET 2003 *

■ 5 ha 10 000 ▮ 3 à 5 €

Belle unité à cheval sur plusieurs appellations, ce cru propose un vin frais, souple et élégant, tant dans son expression aromatique, aux notes de fraise, de cerise et de réglisse, que dans sa structure, aux tanins bien fondus. Un séjour en cave de trois à cinq ans est à envisager.
⊶ Bernard Queyrens, 1, Les Plainiers, 33410 Loupiac, tél. 05.56.62.62.71, fax 05.56.76.92.09, e-mail chateaupeyruchet@wanadoo.fr
☒ Y ⚲ t.l.j. 9h-20h

CH. LA RAME La Charmille 2004 *

■ 7 ha 24 000 ⏺ 8 à 11 €

Venu du sud de l'appellation, terre de grands blancs, ce vin prouve qu'on sait aussi élaborer de beaux rouges. Très charmeur, ce 2004 déploie un joli bouquet, délicatement soutenu par le bois, et un palais tout aussi équilibré qui laisse le souvenir d'un ensemble élégant. On peut en profiter aujourd'hui comme dans deux ou trois ans. Rond, vif et aromatique, le **Château La Caussade rouge 2003 (5 à 8 €)**, du même producteur, a également obtenu une étoile.
⊶ Yves Armand, Ch. La Rame, 33410 Sainte-Croix-du-Mont, tél. 05.56.62.01.50, fax 05.56.62.01.94, e-mail dgm@wanadoo.fr
☒ Y ⚲ t.l.j. 9h-12h 14h-18h; sam. dim. sur r.-v.

CH. REYNON 2004 *

■ 19 ha 90 000 ⏺ 11 à 15 €

Élégante demeure néoclassique, Reynon fut construit en 1850. Depuis 1976, Denis et Florence Dubourdieu conduisent son beau vignoble dominant la vallée de la Garonne. Quand on est confronté à un millésime difficile, comme le 2004, être un maître de l'œnologie est un atout. Denis Dubourdieu le prouve avec ce vin qui ne se contente pas d'une élégante robe rubis à reflets brillants. L'intensité de son expression aromatique, bien soutenue par un boisé toasté élégant, et l'équilibre de sa structure promettent de bons moments d'ici trois à quatre ans.
⊶ Denis et Florence Dubourdieu, Ch. Reynon, 33410 Béguey, tél. 05.56.62.96.51, fax 05.56.62.14.89, e-mail reynon@gofornet.com ☒ Y ⚲ r.-v.

CH. ROQUEBERT Élevé en barrique 2003

■ 3 ha 15 000 ⏺ 5 à 8 €

Jouissant d'un superbe panorama sur la vallée de la Garonne, ce cru de 15 ha propose une cuvée prestige élevée en fût. Ce vin reste assez discret dans son premier développement aromatique, mais il se rattrape au palais, où l'on découvre un ensemble souple, ample et d'une bonne longueur.
⊶ Christian Neys, Ch. Roquebert, 33360 Quinsac, tél. et fax 05.56.20.84.14 ☒ Y ⚲ r.-v.

CH. LE SENS 2004

■ 5 ha 10 000 ▮ 3 à 5 €

Domaine familial créé en 1870, situé à 800 m de l'église du XIIIe s. Profonde et intense, la robe de ce vin laisse entrevoir un potentiel intéressant. Par son ampleur, l'attaque sur le fruit confirme cette première impression. Puis on découvre une belle matière soutenue par des tanins bien enrobés et une jolie finale de fruits rouges mûrs. On donnera deux à trois ans de repos en cave à cette bouteille avant de l'ouvrir.
⊶ Vignobles Courrèges, 31, chem. des Vignes, 33880 Saint-Caprais-de-Bordeaux, tél. 05.56.21.32.87, fax 05.56.21.37.18, e-mail domainedusens@wanadoo.fr ☒ Y ⚲ r.-v.

CH. SISSAN Grande Réserve 2004

■ 6 ha 40 000 ⏺ 5 à 8 €

Cuvée élevée en fût, ce vin aurait mérité un peu plus de rondeur, sa structure et son bouquet, mariant le bois et le fruit, lui apportant un bon potentiel. Un petit séjour en cave et un carafage lui permettront de s'exprimer complètement.
⊶ SCEA Pierre Yung et Fils, Ch. Grimont, 33360 Quinsac, tél. 05.56.20.86.18, fax 05.56.20.82.50 ☒ Y r.-v.
⊶ Jean Yung

CH. DU VALLIER Élevé en fût de chêne 2004 *

■ 7 ha 30 000 ⏺ 8 à 11 €

Appartenant au vaste domaine familial des Dulon, ce cru fut acquis en 2004. En son sein, un moulin du XIXe s.

D'une belle couleur foncée, entre rouge et pourpre, ce vin retient l'attention par la délicatesse de son bouquet aux jolies notes grillées et vanillées. Souple, ample et vif, il mérite une garde de trois ans qui permettra au bois de se fondre complètement.

SC Dulon, 133, Grand-Jean, 33760 Soulignac, tél. 05.56.23.69.16, fax 05.57.34.41.29, e-mail dulon.vignobles@wanadoo.fr
t.l.j. sf sam. dim. 8h30-13h 14h-18h

CH. VIEILLE TOUR Élevé en fût de chêne 2003 *

1 ha 3 600 5 à 8 €

Situé tout à côté de la bastide de Cadillac, ce domaine (40 ha) propose une cuvée aussi agréable dans son développement aromatique, aux délicates notes grillées et confites, qu'au palais. Riche, concentré et bien équilibré, il peut être apprécié dès aujourd'hui ou attendu quatre ou cinq ans. Le **rouge Élevé en fût de chêne 2003** a été cité. Il est bien représentatif de l'appellation.

Franck et Jérôme Gouin, Lapradiasse, 33410 Laroque, tél. 05.56.62.61.21, fax 05.56.76.94.18, e-mail chateau.vieille.tour@wanadoo.fr
t.l.j. sf sam. dim. 9h30-12h30 14h-18h

Côtes-de-bordeaux-saint-macaire

L'appellation côtes de bordeaux saint-macaire prolonge, vers le sud-est, celle des premières-côtes-de-bordeaux. Elle produit des vins blancs secs et liquoreux qui ont représenté 2 064 hl en 2005 pour 61 ha revendiqués en AOC.

DOM. DU BALLAT Moelleux 2004 *

0,16 ha 900 5 à 8 €

On l'aimera à l'apéritif, ou à l'heure du thé, ce vin de couleur pâle à reflets verts et dorés. Rien que pour l'œil ? Non, le nez suit sur un registre de fruits confits (abricot, coing). En bouche, c'est un régal : équilibré, il conjugue gras et fraîcheur ! Il sera parfait à boire d'ici deux ou trois ans. On oubliait de vous rappeler qu'ici, ce sont des femmes qui sont maîtresses du jeu.

EARL Vignobles Trejaut, Dom. du Ballat, 33490 Saint-André-du-Bois, tél. 05.56.76.42.83, fax 05.56.76.45.14, e-mail trejaut.karine@wanadoo.fr r.-v.

DOM. DE BOUILLEROT
Le Palais d'Or Moelleux 2004 **

1 ha 1 400 8 à 11 €

Déjà distingué pour le même vin l'an dernier, ce château réitère l'exploit avec ce 2004 issu de vignes de sémillon d'environ soixante-dix ans. La robe jaune soleil annonce des arômes intenses et complexes de grillé, de coing, de miel fort agréables. Structuré, puissant, le palais a du corps, du gras, un délicieux goût de rôti venant du botrytis ; il a aussi de l'esprit avec une acidité apportant la vivacité nécessaire. Un vin à laisser vieillir entre trois et dix ans pour l'apprécier à son optimum.

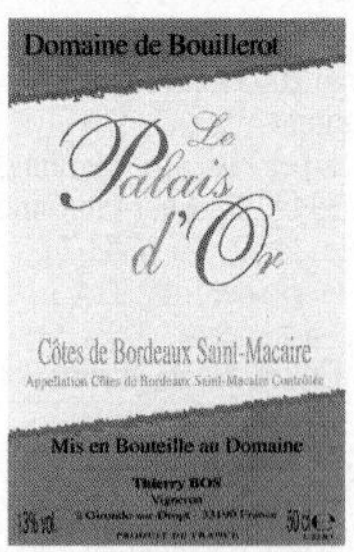

Thierry Bos, 8, Lacombe, 33190 Gironde-sur-Dropt, tél. et fax 05.56.71.46.04, e-mail info@bouillerot.com r.-v.

CH. DE CAPPES Moelleux 2004 *

n.c. 1 800 3 à 5 €

Implantée à 5 km du village médiéval de Saint-Macaire, cette propriété familiale présente un vin blanc moelleux issu exclusivement du sémillon. La robe jaune pâle brille de reflets verts. Complexe, le bouquet de raisins secs, de fruits et de confit est déjà harmonieux, tout comme la bouche, mûre, équilibrée entre la douceur et la fraîcheur, prolongée par une agréable finale de miel. À boire dans les cinq prochaines années sur un fromage bleu ou du foie gras.

EARL Patrick Boulin, Bidalet, 33490 Saint-André-du-Bois, tél. 05.56.76.46.15, fax 05.56.76.47.47 r.-v.

CH. FAYARD Sec 2004 *

3,77 ha 13 740 11 à 15 €

Construit au début du XVIIe s., ce château est situé aux portes de la cité médiévale de Saint-Macaire. Il mérite à lui seul la visite. Son vin, toujours élégant, justifie lui aussi votre déplacement. 35 % de sauvignon complètent le sémillon dans ce 2004 élevé onze mois en barrique. La robe jaune paille est limpide. Les fruits dominent heureusement les quelques notes boisées. Souple, équilibré, doté d'une bonne vivacité finale, ce vin est à boire dans les trois prochaines années sur les plus grands poissons.

Jacques-Charles de Musset, Ch. Fayard, 33490 Le Pian-sur-Garonne, tél. 05.56.63.33.81, fax 05.56.63.60.20, e-mail chateau-fayard@wanadoo.fr r.-v.
SA Saint-Michel

CH. GAYON Moelleux 2003 **

0,38 ha 1 800 5 à 8 €

Si vous visitez la région, faites une halte dans ce château du XVIIIe s., dont le pavillon de bains a été transformé en gîte. Vous y dégusterez ce vin blanc moelleux, d'une robe soutenue aux brillants reflets verts et au bouquet puissant et élégant d'abricot sec, de coing, de miel et de boisé. En bouche, ce 2003 se montre gourmand, minéral, intelligemment boisé et affiche une acidité finale très agréable. Attendre un à cinq ans pour le boire à son apogée. Un seul reproche : il y en a si peu !

SCEA Crampes et Fils, 6, Ch. Gayon, 33490 Caudrot, tél. 05.56.62.81.19, fax 05.56.62.71.24, e-mail chateaugayon@wanadoo.fr
t.l.j. 8h-12h 14h-18h; sam. dim. sur r.-v.

CH. DE LAGARDE Sec 2005

▒ 2,5 ha 15 000 ⓘ 5 à 8 €

Dans la famille depuis sept générations, cette propriété a converti son vignoble à l'agrobiologie en 2000. Elle présente une cuvée fermentée et élevée neuf mois en barrique. La robe jaune pâle brille de reflets dorés, alors que le nez délicatement boisé évoque les fleurs, les agrumes. En bouche, l'acidité apporte la fraîcheur. Équilibré et persistant, ce vin est à servir dans les deux ans à venir.

SCEA Raymond, Lieu-dit Lagarde,
33540 Saint-Laurent-du-Bois,
tél. 05.56.76.43.63, fax 05.56.76.46.26,
e-mail scea-raymond@wanadoo.fr r.-v.

CH. PERAYNE Sec 2005

▒ 1 ha 1 200 ⓘ 8 à 11 €

Une vaste propriété (21 ha) et un saint-macaire sec assemblant 10 % de sémillon au sauvignon. La robe jaune doré est entourée de parfums de fleur de genêt et d'un fruité intense. La bouche harmonieuse ne manque ni de rondeur ni de fraîcheur. L'ensemble est prêt à servir avec des paupiettes de veau.

Henri Luddecke, Ch. Perayne,
33490 Saint-André-du-Bois,
tél. 05.57.98.16.20, fax 05.56.76.45.71,
e-mail chateau.perayne@wanadoo.fr r.-v.

La région des Graves

Vignoble bordelais par excellence, les graves n'ont plus à prouver leur antériorité : dès l'époque romaine, leurs rangs de vignes ont commencé à encercler la capitale de l'Aquitaine et à produire, selon l'agronome Columelle, « un vin se gardant longtemps et se bonifiant au bout de quelques années ». C'est au Moyen Âge qu'apparaît le nom de Graves. Il désigne alors tous les pays situés en amont de Bordeaux, entre la rive gauche de la Garonne et le plateau landais. Par la suite, le Sauternais s'individualise pour constituer une enclave, vouée aux liquoreux, dans la région des Graves.

Graves et graves supérieures

S'allongeant sur une cinquantaine de kilomètres, la région des Graves doit son nom à la nature de son terroir : celui-ci est constitué principalement par des terrasses construites par la Garonne et ses ancêtres qui ont déposé une grande variété de débris caillouteux (galets et graviers originaires des Pyrénées et du Massif central).

Depuis 1987, les vins qui y sont produits ne sont pas tous commercialisés comme graves, le secteur de Pessac-Léognan bénéficiant d'une appellation spécifique, tout en conservant la possibilité de préciser sur les étiquettes les mentions « vin de graves », « grand vin de graves » ou « cru classé de graves ». Concrètement, ce sont les crus du sud de la région qui revendiquent l'appellation graves.

L'une des particularités de l'AOC graves réside dans l'équilibre qui s'est établi entre les superficies consacrées aux vignobles rouges (2 809 ha) et blancs secs (1 088 ha). Les graves rouges (127 080 hl en 2005) possèdent une structure corsée et élégante qui permet un bon vieillissement. Leur bouquet, finement fumé, est particulièrement typé. Les blancs secs (48 985 hl), élégants et charnus, sont parmi les meilleurs de la Gironde. Les plus grands, maintenant fréquemment élevés en barrique, gagnent en richesse et en complexité après quelques années de garde. On trouve aussi des vins moelleux qui ont toujours leurs amateurs et qui sont vendus sous l'appellation graves supérieures.

Graves

ALLIAGE DE SICHEL 2004 ★

▒ 1,66 ha 11 500 ⓘ 5 à 8 €

Comme l'indique son nom, ce vin privilégie l'assemblage : il marie du sauvignon, du sémillon et du sauvignon gris. Le premier marque le bouquet d'une note de buis qui s'allie à l'apport du bois. Vif et aromatique, le palais se plaira sur des huîtres ou un plateau de fruits de mer. Assez corsé et demandant trois ou quatre ans de garde, le **Puy Laroque rouge 2003**, du même négociant, a également obtenu une étoile.

SA Maison Sichel, 8, rue de la Poste,
33210 Langon, tél. 05.56.63.50.52, fax 05.56.63.42.28,
e-mail maison-sichel@sichel.fr
t.l.j. sf dim. 9h-18h30

CH. D'ARCHAMBEAU 2005 ★

▒ 6 ha 36 000 ⓘ 5 à 8 €

Appartenant au bel ensemble de vignobles, ce cru propose un 2005 des plus agréables. Très expressif, il joue avec les notes de fruit de la Passion, de genêt, de pamplemousse et de citron. Frais et bien soutenu par un bois élégant et fondu, il peut être apprécié sans attendre. Le **rouge 2004** a été cité par le jury.

SARL Vignobles F. Dubourdieu,
Ch. d'Archambeau, 33720 Illats,
tél. 05.56.62.51.46, fax 05.56.62.47.98,
e-mail chateau-archambeau@wanadoo.fr r.-v.

CH. D'ARDENNES 2004 ★★

■ 10 ha 20 000 ⓘ 8 à 11 €

88 (89) **90** 93 **94** **96** 97 98 **99** 00 01 02 03 **04**

Lors de votre visite dans les Graves, après avoir vu l'église romane d'Illats, vous pourrez vous rendre sur ce

cru pour découvrir ce vin remarquable. D'une belle présentation (un rouge intense traversé de reflets carmin), il montre un bouquet prometteur que soutient un bois encore dominant mais de qualité. De la même veine, le palais annonce un ensemble onctueux et aromatique dont il faudra savoir profiter dans trois ou quatre ans.
SCEA Ch. d'Ardennes, Ardennes, 33720 Illats, tél. 05.56.62.53.66, fax 05.56.62.43.67 r.-v.
Cyril Dubrey

CH. D'ARGUIN 2003 **

11,53 ha 6 933 8 à 11 €

En dépit du parfum exotique et marin du nom de ce vin, c'est à la cave que le destinent son bouquet et sa structure : mariant la viande au caramel, son expression aromatique concilie caractère et finesse, à l'égal du palais aux tanins soyeux et harmonieux. En débouchant périodiquement une bouteille, vous pourrez suivre son évolution et le déguster à son optimum.
SA Pouey International, chem. de Gaillardas, Jeansotte, 33650 Saint-Selve, tél. 05.56.78.49.10, fax 05.56.78.49.11, e-mail blacampagne@pouey-international.fr r.-v.

CH. D'ARRICAUD 2004 *

n.c. 24 000 8 à 11 €

Ce vin est l'un des rares qui puissent revendiquer légitimement le titre de vin des mousquetaires : le comte Joachim de Chalup, fondateur du cru à la veille de la Révolution, appartenait aux mousquetaires gris. Frais et expressif, ce millésime fait preuve d'un caractère joyeux et prolixe, prodigue de notes d'agrumes, de fruits exotiques et d'épices douces.
EARL Bouyx, Ch. d'Arricaud, 33720 Landiras, tél. 05.56.62.51.29, fax 05.56.62.41.47, e-mail chateaudarricaud@wanadoo.fr r.-v.

CH. BEAUREGARD DUCASSE
Cuvée Albert Duran Élevé en fût de chêne 2003 *

10 ha n.c. 8 à 11 €

|00| |01| |02| 03

La famille Perromat est implantée ici depuis fort longtemps. Situé sur une belle croupe de l'AOC, régulier en qualité, ce cru reste fidèle à sa tradition avec ce vin aux saveurs empyreumatiques et fruitées. Souple et porté par une bonne trame tannique, il mérite une solide garde. Frais, expressif et bien équilibré, le **Beauregard Ducasse blanc 2005 (5 à 8 €)** a obtenu lui aussi une étoile, de même que la **cuvée Albertine Peyri blanche 2004 (8 à 11 €)** dont la vivacité et la fraîcheur mettent en valeur ses parfums de fruits et de fleurs.
EARL Vignobles Jacques Perromat, Ducasse, 33210 Mazères, tél. 05.56.76.18.97, fax 05.56.76.17.73, e-mail vignobles.jacques.perromat@wanadoo.fr
r.-v.
GFA de Gaillote

CH. DE BEAU-SITE 2004

4 ha 20 000 11 à 15 €

Faut-il y voir une marque de fabrication, le domaine étant conduit par deux femmes ? Ce vin se montre charmeur par son bouquet aux fines notes fruitées et boisées, et fait preuve d'un bon équilibre. Le **blanc 2004** a également été cité pour ses notes de Zan et de fruits mûrs.
Corinne Saint-Mleux, Ch. de Beau-Site, 35, rte de Mathas, 33640 Portets, tél. 05.56.67.18.15, fax 05.56.67.38.12, e-mail chateaudebeausite@wanadoo.fr
r.-v. 6
Mme Dumergue

CH. BICHON CASSIGNOLS 2003 *

5 ha 30 000 8 à 11 €

Issu de la culture raisonnée, ce vin a tout pour faire face à une cuisine consistante, notamment les ragoûts et les daubes. Corsé et séveux, il possède des tanins suffisamment fermes pour lui assurer plusieurs années de garde. Assez proche mais avec moins d'intensité, le **Petit Bichon rouge 2003 (5 à 8 €)** a également obtenu une étoile, de même que le **Bichon Cassignols blanc 2004 (5 à 8 €)**, dont il faut souligner la fraîcheur et la richesse aromatique, notamment en finale.
Jean-François Lespinasse, 50, av. Capdeville, 33650 La Brède, tél. 05.56.20.28.20, fax 05.56.20.20.08, e-mail bichon.cassignols@wanadoo.fr r.-v.

CH. LE BOURDILLOT
Cuvée Prestige Élevé en fût de chêne 2003 *

6 ha 40 000 15 à 23 €

Portets est l'un des plus anciens ports fluviaux sur la Garonne qui permettaient d'acheminer les vins de Graves vers Bordeaux. Le domaine est entré dans la famille de Patrice Haverlan dans les premières années du XXes. ; il s'étend sur plus de 20 ha et repose sur des graves profondes. Sans rivaliser avec certains millésimes antérieurs, dont plusieurs coups de cœur, ce vin, d'une belle couleur grenat, plaît par sa souplesse et montre une ampleur suffisante pour assimiler avec bonheur les notes grillées apportées par le bois. Le **Tentation rouge 2004 (8 à 11 €)** a également obtenu une étoile. Sa chair délicate est associée à d'aimables saveurs d'épices douces.
EARL Patrice Haverlan, 11, rue de l'Hospital, 33640 Portets, tél. et fax 05.56.67.11.32, e-mail patrice.haverlan@worldonline.fr r.-v.

CAPRICE DE BOURGELAT 2004 *

1,7 ha 12 000 8 à 11 €

Né sur un cru commandé par un ancien pavillon de chasse du duc d'Épernon, ce vin sait retenir l'attention par le caractère de son bouquet, où les agrumes se marient avec le miel et les fruits confits pour composer un ensemble de qualité. Riche, vive et moelleuse, sa structure tiendra quelques années.
EARL Dominique Lafosse, Clos Bourgelat, 33720 Cérons, tél. 05.56.27.01.73, fax 05.56.27.13.72, e-mail domilafosse@wanadoo.fr
t.l.j. sf dim. 9h-12h 14h-19h; groupes sur r.-v.; f. août

CH. BOYREIN 2005 **

4 ha 30 000 5 à 8 €

« Bois de la Reine » pour le toponymiste, ce vignoble a-t-il appartenu au pape Clément V, comme l'affirme la tradition ? En tout cas, son blanc 2005 se montre digne d'un tel honneur : il s'annonce par de délicates notes de fleurs blanches et se développe à l'aération avant de révéler pleinement son élégante personnalité au palais. Très bien équilibré, il est déjà fort plaisant et sera à son optimum dans deux ou trois ans. Sympathique et bien soutenu par des tanins doux, le **rouge 2003** peut lui aussi être apprécié actuellement tout en possédant un certain potentiel de garde, autour de trois ou quatre ans. Il obtient une étoile.

SCEA Jean Médeville et Fils, Ch. Fayau, 33410 Cadillac, tél. 05.57.98.08.08, fax 05.56.62.18.22, e-mail medeville-jeanetfils@wanadoo.fr

t.l.j. sf sam. dim. 8h-12h 14h-18h

CH. BRONDELLE 2003 *

■ 15 ha 30 000 11 à 15 €

96 |**98**| |**99**| |00| |01| **02** 03

Une majorité de cabernet-sauvignon a placé ce vin sous de bons auspices dans ce millésime qui a gardé en réserve quelques belles journées pour la fin de l'été. Le résultat est un ensemble agréable, tant par sa finesse aromatique que par la souplesse des tanins qui soutiennent une bonne structure aux saveurs épicées. Le **blanc 2004** a obtenu lui aussi une étoile. Dans sa robe à reflets d'or, il mêle fleurs blanches et miel avec élégance.

Vignobles Belloc-Rochet, Ch. Brondelle, 33210 Langon, tél. 05.56.62.38.14, fax 05.56.62.23.14, e-mail chateau.brondelle@wanadoo.fr

t.l.j. 9h-12h 14h-17h30; sam. dim. sur r.-v.

CH. DE BUDOS Vieilli en fût de chêne 2003

■ 2 ha 13 000 5 à 8 €

Né sur un vignoble entourant les fiers vestiges du château fort construit pour un neveu du pape Clément V, au XIV[e]s., ce vin à la robe grenat et au bouquet naissant se montre aimable par sa saveur grillée et fruitée. Il accompagnera les volailles et les viandes blanches.

SCEA Boireau-Persan, Les Marots, 33720 Budos, tél. 05.56.62.51.64, fax 05.56.62.48.07, e-mail chateaudebudos@free.fr

t.l.j. 8h-19h; dim. 9h-12h

CH. CABANNIEUX 2003 *

■ 13,42 ha 40 000 8 à 11 €

Dominée par le coq de sa girouette, cette chartreuse est le plus gaulois des châteaux du Bordelais. Vin plaisir, son 2003 porte la marque du millésime dans son côté chaleureux. Flatteur par son bouquet aux notes de fruits confits, il devient presque explosif au palais, par l'impression de volume et de richesse qu'il procure.

Hugo Dudignac, 44, rte du Courneau, 33640 Portets, tél. 05.56.67.22.01, fax 05.56.67.32.54, e-mail dudignacbarriere@wanadoo.fr

t.l.j. 10h-12h 14h-18h 4 C

La région des Graves

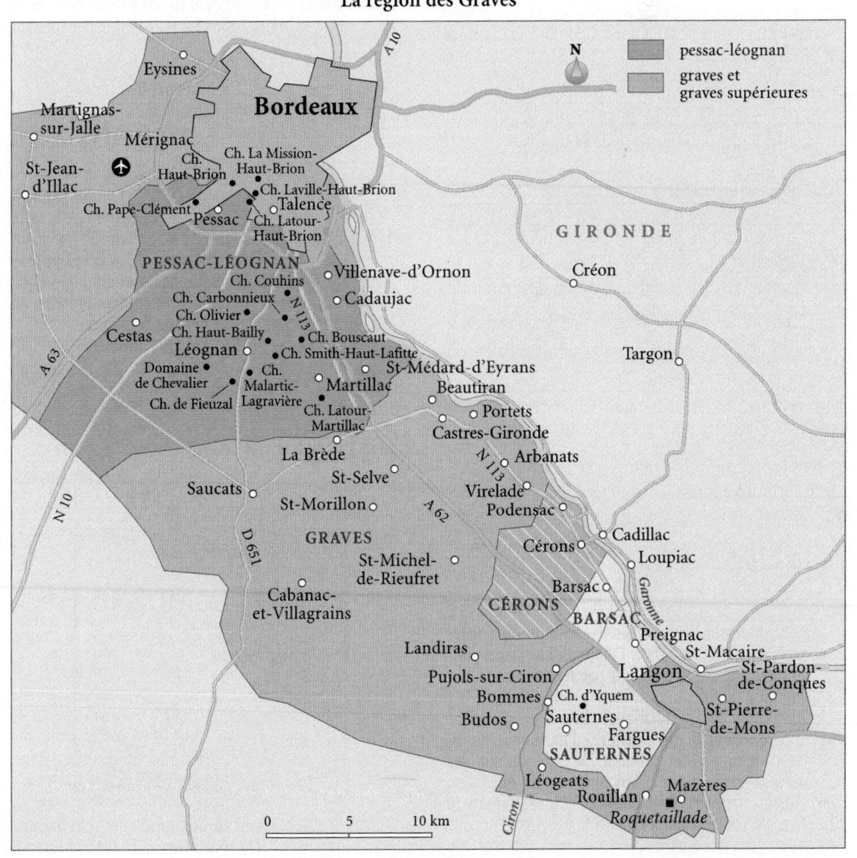

CH. CADET LA VIEILLE FRANCE 2005

3 ha 20 000 5 à 8 €

Simple mais bien constitué et assez complexe, ce vin or pâle à reflets verts joue résolument la carte de la finesse et de la fraîcheur avec un bouquet agréablement fruité.

Bertrand Dugoua, EARL Ch. La Vieille France, 1, chem. du Malbec, BP 8, 33640 Portets, tél. 05.56.67.19.11, fax 05.56.67.17.54, e-mail lavieillefrance@wanadoo.fr r.-v.

CH. DE CALLAC

Cuvée Prestige Élevé en fût de chêne 2004

3 ha 12 000 8 à 11 €

Cuvée numérotée, ce vin offre un joli nez floral. Il est bien équilibré, riche en saveurs (pêche, abricot) et possède la finesse et la texture nécessaires pour s'accorder avec des poissons nobles.

Philippe Rivière, Ch. de Callac, 33720 Illats, tél. 05.57.55.59.55, fax 05.57.55.59.51, e-mail priviere@riviere-stemilion.com r.-v.

CH. DE CARDAILLAN 2004 *

23 ha 40 000 11 à 15 €

Né sur le domaine du château de Malle, ce vin est de noble origine. Limpide et brillante, sa robe profonde est imposante. Souple, gras, bien équilibré et doté d'un bon volume, ce millésime appelle une garde de deux ou trois ans. Vous serez séduit par le charme de son bouquet aux notes de fruits rouges, de café et d'épices.

GFA des Comtes de Bournazel, Ch. de Malle, 33210 Preignac, tél. 05.56.62.36.86, fax 05.56.76.82.40, e-mail chateaudemalle@wanadoo.fr r.-v.

CH. DE CASTRES Élevé en fût de chêne 2004

2 ha 8 000 11 à 15 €

Castres, *castrum*, camp fortifié : l'origine romaine (56 av. J.-C.) de ce village ne fait aucun doute. Ce château ne date que du XVIIIes., mais il en constitue un très beau témoignage architectural. Le vin, dans ce millésime 2004, assemble 50 % de sémillon, 45 % de sauvignon et 5 % de muscadelle. Il porte une robe jaune pâle cristalline et un nez intense, fait de notes beurrées et boisées. Ample, généreux, assez long, il laisse le souvenir d'une bouche flatteuse et agréable. Il est destiné à des poissons en sauce.

EARL Vignobles Rodrigues-Lalande, Ch. de Castres, 33640 Castres-Gironde, tél. 05.56.67.51.51, fax 05.56.67.52.22, e-mail chateaudecastres@chateaudecastres.fr r.-v.

CH. DE CHANTEGRIVE

Caroline Élevé en barrique de chêne 2004 **

15 ha 25 000 11 à 15 €

La qualité du chai montre les soins que prodiguent les Lévêque à leur Caroline chérie. D'une couleur jaune pâle, elle leur rend bien leur affection par le charme de son bouquet qui s'ouvre sur des fruits exotiques avant d'y mêler des notes empyreumatiques. Le palais, de même niveau, révèle beaucoup d'équilibre, d'harmonie, de saveurs et de structure. À servir à l'apéritif ou sur des poissons à la crème, aujourd'hui comme dans quatre ou cinq ans. Vin charnu à la forte personnalité, le **Château de Chantegrive rouge 2003** a obtenu une étoile. Il appelle trois ou quatre ans de garde.

SAS Vignobles Lévêque, Ch. de Chantegrive, 33720 Podensac, tél. 05.56.27.17.38, fax 05.56.27.29.42, e-mail courrier@chateau-chantegrive.com t.l.j. sf dim. 9h-12h 13h30-17h

CH. LE CHEC 2004 **

2,5 ha 10 000 5 à 8 €

Élevé sur lies, ce vin répond à un grand souci de recherche d'excellence et de fidélité à l'appellation d'origine. Le résultat est atteint, comme le montrent la limpidité de sa robe, la complexité et l'harmonie de son bouquet (fleurs, fruits exotiques, pain d'épice), son équilibre au palais, avec ce qu'il faut d'acidité et des saveurs (agrumes, noisette et anis) qui se plairont sur un feuilleté au saumon.

Christian Auney, La Girotte, 33650 La Brède, tél. et fax 05.56.20.31.94, e-mail vignobles.auney@wanadoo.fr r.-v.

CH. LES CLAUZOTS Cuvée Maxime 2003 *

6 ha 20 000 8 à 11 €

Un domaine familial de 20 ha et un vin associant 40 % de merlot au cabernet-sauvignon. Cette cuvée prestige s'annonce par une robe et un bouquet qui rivalisent en intensité, avec de belles notes de moka et de fruits rouges. Suave, l'attaque débouche sur des tanins souples et enveloppés, en parfait accord avec la présentation. Une bouteille à ouvrir dans les deux ou trois ans à venir. Gras mais sans lourdeur, le **blanc 2005 (5 à 8 €)** a également obtenu une étoile.

SCEA Vignobles F. Tach, Ch. Les Clauzots, 33210 Saint-Pierre-de-Mons, tél. 05.56.63.34.32, fax 05.56.63.18.25, e-mail chateaulesclauzots@wanadoo.fr r.-v.

CLOS D'UZA 2004

n.c. 8 000 8 à 11 €

Belle unité du sud de l'appellation, ce cru joue la carte de la délicatesse et de la souplesse avec ce vin. S'annonçant par une jolie robe à reflets violines, ce 2004 développe un bouquet aux sympathiques notes de raisin mûr, de vanille et de fruits rouges. Ces derniers restent très présents au palais, qui les met en valeur par son équilibre.

GAF Les Queyrats, Ch. Les Queyrats, 33210 Saint-Pierre-de-Mons, tél. 05.56.63.07.02, fax 05.61.54.41.73, e-mail dulac.queyrats@wanadoo.fr r.-v.

CLOS FLORIDÈNE 2004 **

17 ha 70 000 11 à 15 €

85 86 88 89 (90) 92 93 94 95 96 **98 99 00** 01 02 **04**

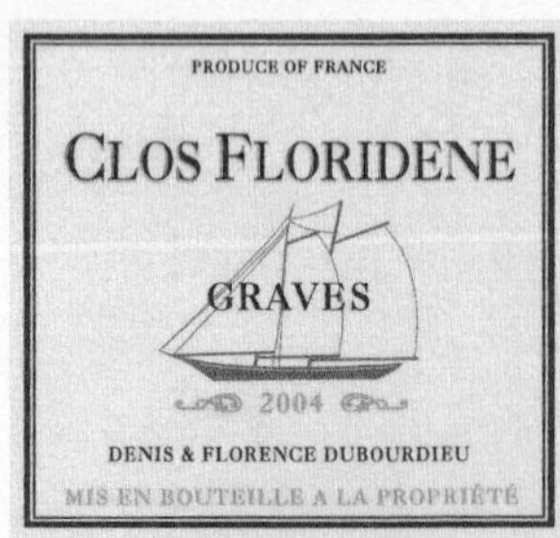

Valeur sûre et reconnue de l'appellation, ce cru, situé à Pujols-sur-Ciron, a été constitué par Denis et Florence

Dubourdieu en 1982. Il est une fois de plus à la hauteur de sa renommée avec ce vin. Il ne cache pas son potentiel de garde, de cinq à dix ans, que montrent le volume de son palais et la longueur de sa finale charnue. En même temps, il sait se faire très séduisant par sa maturité et son bouquet intense, où se mêlent les notes de fruits noirs et rouges, de vanille. Frais, vif et sérieux, le **blanc 2004** est lui aussi remarquable (deux étoiles).

Denis et Florence Dubourdieu, Ch. Reynon, 33410 Béguey, tél. 05.56.62.96.51, fax 05.56.62.14.89, e-mail reynon@gofornet.com r.-v.

CLOS LES MAJUREAUX 2003 *

■ 4 ha 15 000 8 à 11 €

Élevé en fût, ce vin en porte la marque dans son bouquet aux notes de grillé. Sa palette aromatique ne se limite pas au boisé. Les fruits rouges et le cassis savent se faire une place. Le palais découvre une bonne structure, avec une trame tannique bien faite. Deux autres vins du même producteur ont été retenus : le **Château Ludeman La Côte rouge 2004** a été cité, comme le **Château Ludeman La Côte blanc 2005 (5 à 8 €)**. Tous séduisent par leur élégance.

SCEA Chaloupin-Lambrot, Ludeman La Côte, 33210 Langon, tél. 05.56.63.07.15, fax 05.56.63.48.17, e-mail mbelloc-ludeman@wanadoo.fr r.-v.

CLOS LES REMPARTS 2004 **

■ 0,8 ha 2 100 11 à 15 €

Ici, on connaît presque chaque pied par son nom et une splendide cave voûtée du XVIII[e]s. attend le visiteur. L'amour avec lequel est jardiné le vignoble se lit dans ce vin au bouquet joliment fruité (pruneau et cerise noire). Sa complexité se retrouve dans un palais gras et rond. Un vrai vin plaisir dont il faut profiter des charmes dans les deux ou trois ans qui viennent. Porté par des tanins assez harmonieux, le **Château La Tour des Remparts rouge 2004 (8 à 11 €)** a obtenu une étoile.

Catherine et Christophe Gachet, Ch. Les Remparts, 33210 Preignac, tél. 05.56.62.20.01, fax 05.56.62.33.11, e-mail clos-dady@wanadoo.fr r.-v. 3

CLOS MOLÉON
Cuvée Louis Vieilli en fût de chêne 2003 *

■ 1 ha 2 500 15 à 23 €

Louis, un nom étrange pour cette cuvée dont l'étiquette montre un Napoléon Ier à cheval... La présence de l'empereur est d'ailleurs assez surprenante quand on songe au caractère délicat du vin. Celui-ci s'annonce par une robe très légère et par un bouquet aux notes de fleurs et de fruits exotiques. Il se confirme ensuite par la tendreté du palais aux tanins soyeux. La cuvée principale **Clos Moléon Vieilli en fût de chêne rouge 2004 (8 à 11 €)** a obtenu elle aussi une étoile.

EARL Vignobles Laurent Réglat, Ch. de Teste, 33410 Monprimblanc, tél. 05.56.62.92.76, fax 05.56.62.98.80, e-mail vignobles.l.reglat@wanadoo.fr t.l.j. sf sam. dim. 9h-12h 14h30-17h

DOM. DE COUQUEREAU 2004

■ 1,8 ha 13 000 5 à 8 €

Simple, souple et bien équilibré, ce vin né sur un tout petit domaine joue sur les notes fruitées (cerise, grenade et framboise) pour procurer une plaisante sensation de fraîcheur. Vif et agréable, le **blanc 2004** a également reçu une citation.

A. Gipoulou, 22, av. Adolphe-Demons, 33650 La Brède, tél. 05.56.20.32.27, fax 05.56.78.56.83 r.-v.

CH. LA CROIX 2004 *

3,15 ha 3 600 3 à 5 €

Moellons et torchis, étable, four à pain, la maison s'inscrit dans l'esprit du sud de la Gironde. La douceur du paysage se retrouve dans la délicatesse du bouquet de ce blanc aux notes de pêche et de fleurs blanches. Ce vin sera en harmonie avec des poissons grillés. Le **rouge 2003 (5 à 8 €)** a été cité.

Vignobles Espagnet, Ch. La Croix, rte d'Auros, 33210 Langon, tél. 05.56.63.29.36, fax 05.56.63.19.18, e-mail vignobles.espagnet@free.fr t.l.j. 9h-12h 14h-18h

CH. DOMS 2004 **

5 ha 18 000 3 à 5 €

Né sur un terroir gravelo-sablonneux, ce vin sait incontestablement se présenter, tant par sa robe d'un beau jaune à reflets verts que par son bouquet, aux puissantes notes de fruits mûrs (pêche et citron) et de fleurs blanches. Vif et long, il se plaira sur des coquilles Saint-Jacques.

SCE Vignobles Parage, Ch. Doms, 33640 Portets, tél. 05.56.67.20.12, fax 05.56.67.31.89, e-mail chateau.doms@wanadoo.fr r.-v.

Hélène Durand

DOURTHE La Grande Cuvée 2003 *

■ n.c. 60 000 8 à 11 €

Une fois encore, la Grande Cuvée de la maison de négoce Dourthe justifie son nom. D'emblée, sa robe, d'un pourpre sombre, met en confiance ; de même que le bouquet où le bois sait respecter les fruits rouges et à noyau. Son équilibre se retrouve au palais qui révèle une bonne matière. Ses tanins veloutés permettront une bonne garde et une alliance naturelle avec des viandes rouges.

Vins et vignobles Dourthe, 35, rue de Bordeaux, 33290 Parempuyre, tél. 05.56.35.53.00, fax 05.56.35.53.29, e-mail contact@cvbg.com r.-v.

CH. DUC D'ARNAUTON 2004 *

1 ha 5 000 5 à 8 €

Les passionnés de cheval ne manqueront pas de rencontrer Patrick Bernard dans sa ferme girondine autour d'un verre de ce vin. La jolie couleur jaune soutenu de ce 2004, son bouquet aux notes toastées, son équilibre et sa matière feront aussi de bons sujets de conversation.

Vignobles Patrick Bernard, Ch. d'Arnauton, 16, Maron, 33720 Landiras, tél. 05.56.62.55.30, fax 05.56.62.55.12, e-mail chateau.darnauton@free.fr t.l.j. 8h-12h 14h-19h; sam. dim. sur r.-v. 2 D

CH. FERNON DUMEZ
Élevé en fût de chêne 2003 *

■ 12 ha 48 000 8 à 11 €

Présenté avec une étiquette numérotée et élevé en fût, ce vin se montre intéressant par son équilibre. Celui-ci se découvre dans la complexité du bouquet, aux notes de fruits mûrs, de moka, de toast et de cuir, comme dans la matière du palais. Souple et charnue, celle-ci s'accorde avec la finale épicée pour inviter à profiter du charme de cette bouteille dans les deux à trois ans à venir.

F. Boudat Cigana, Ch. de Viaut, 33410 Mourens, tél. 05.56.61.31.31, fax 05.56.61.99.46 r.-v.

CH. FERRANDE 2004 ★★

37 ha 413 200 8 à 11 €

Très belle unité appartenant à la famille Castel, ce cru a une fois encore rendez-vous avec le succès. Succédant à une robe très sombre, le bouquet crée une ambiance fort agréable, déclinant une palette de parfums, allant de la jacinthe et du lilas au chocolat noir et à la noix de coco. Dense, riche et soutenu par des tanins de qualité, le palais ne cache pas ses ambitions à la garde, tout en se montrant déjà séduisant par son amabilité et son élégance. Aromatique et bien constitué, le **blanc 2005** a obtenu une étoile. Il peut être apprécié maintenant ou être attendu deux ou trois ans.

SCE Ch. Ferrande, 33640 Castres-Portets, tél. 05.56.95.54.00, fax 05.56.95.54.20

FLORILÈGE DE GRAMAN

Élevé en fût de chêne 2004 ★

1,4 ha 7 600 3 à 5 €

Ce vin vif et bien équilibré ne manque pas d'atouts. Son bouquet aux notes de fleurs blanches et de fruits exotiques est aussi expressif que la robe, d'un jaune soutenu. Au palais, on retrouve les fruits (banane, kiwi et ananas) qui s'associent naturellement au bois pour donner un ensemble bien réussi.

Prodiffu, 17-19, rte des Vignerons, 33790 Landerrouat, tél. 05.56.61.33.73, fax 05.56.61.40.57, e-mail prodiffu@prodiffu.com

CH. DES FOUGÈRES Montesquieu 2003 ★★

4 ha 25 000 11 à 15 €

Montesquieu, qui aimait « humer les raisins des bords de Garonne », apprécierait avec fierté le travail que continue sa famille sur les terres qu'il possédait. La couleur grenat de ce vin ne laisse planer aucun doute sur les qualités de cette bouteille. Le bouquet naissant, prometteur et agréable, libère des notes fruitées et boisées qui s'enrichissent au palais de saveurs chocolatées et briochées. Très soyeux, les tanins se portent garants de l'aptitude de cette bouteille à très bien évoluer pendant deux ou trois ans. Durant ce séjour en cave, le bouquet trouvera sa pleine expression. Long et harmonieux, marqué par la pêche et l'abricot, le **blanc 2004 (8 à 11 €)** obtient une étoile.

SCEA des Vignobles Montesquieu, Ch. des Fougères, BP 53, 33650 La Brède, tél. 05.56.78.45.45, fax 05.56.20.25.07, e-mail montesquieu@montesquieu-bordeaux.com r.-v.

CH. GRAND ABORD Cuvée Passion 2003

4 ha 12 000 8 à 11 €

Cuvée prestige de ce château appartenant à la même famille depuis plus de deux cents ans, ce vin présente un caractère résolument moderne. Élégant, racé et frais, il développe des parfums de fruits rouges et de vanille dans un halo de notes toastées, de fumée et de cuir.

SCEA Vignobles Dugoua, Ch. Grand Abord, 56, rte des Graves, 33640 Portets, tél. 05.56.67.50.75, fax 05.56.67.22.23, e-mail dugoua.ph@wanadoo.fr r.-v. 4

CH. DU GRAND BOS 2003 ★

7 ha 27 088 15 à 23 €

Commandé par une chartreuse à pavillon central entourée d'un vaste parc, ce cru offre avec ce 2003 un vin encore très jeune, à attendre trois ans voire davantage. Son bouquet, aux élégants parfums de fruits noirs, et son palais, rond et harmonieux, permettent en effet d'espérer une très jolie bouteille.

SCEA du Ch. du Grand Bos, chem. de l'Hermitage, 33640 Castres-Gironde, tél. 05.56.67.39.20, fax 05.56.67.16.77, e-mail chateau.du.grand.bos@free.fr r.-v.

Famille Vincent

GRAND ENCLOS DU CHÂTEAU DE CÉRONS 2004 ★★

8 ha 28 000 8 à 11 €

Depuis l'arrivée de Giorgio Cavanna, la percée de ce cru a été spectaculaire. Loin d'être un feu de paille, elle se confirme d'année en année. D'un joli jaune pâle, la robe de son 2004 annonce le charme et la délicatesse de la dégustation. Dominée par les agrumes, l'expression aromatique fait une place aux notes grillées et aux nuances de fruits exotiques. Suave et long, ce vin sera en harmonie avec des viandes blanches ; on pourra aussi le servir à l'apéritif.

SCEA du Grand Enclos de Cérons, pl. du Gal-de-Gaulle, 33720 Cérons, tél. 05.56.27.01.53, fax 05.56.27.08.86, e-mail grand.enclos.cerons@wanadoo.fr r.-v.

Giorgio Cavanna

CH. GRAVEYRON 2005

2,3 ha 12 000 3 à 5 €

Sans être très long, ce vin sait mettre en avant ses avantages. Pêche de vigne, raisin légèrement passerillé, confit, le bouquet est d'une plaisante fraîcheur ; ces impressions se prolongent au palais sur des notes de citron et de pamplemousse.

EARL Vignobles Pierre Cante, 67, rte des Graves, 33640 Portets, tél. 05.56.67.23.69, fax 05.56.67.58.19 t.l.j. sf dim. 9h-19h E

CH. DES GRAVIÈRES

Cuvée Prestige Élevé en fût de chêne 2003 ★

10 ha 60 000 5 à 8 €

Cuvée prestige d'un vaste domaine de 45 ha, ce vin s'annonce par une jolie robe entre rubis et pourpre. Souple, rond et bien structuré, il est encore marqué par l'élevage, mais il possède suffisamment de matière pour supporter une bonne garde qui permettra au bois de se fondre dans les fruits. Un peu plus légère, la cuvée **Collection Prestige du Château du Barraílh rouge 2003** a reçu une citation.

🔑 Vignobles Labuzan, rue du Mirail, 33640 Portets, tél. 05.56.67.15.70, fax 05.56.67.07.50 ☑ 🚶 r.-v.

CH. HAURA 2004 ★

■ 10,5 ha 35 000 🛢 11 à 15 €

Du même producteur que le très joli cérons homonyme, ce vin ne surprendra pas les fidèles de Denis Dubourdieu. Ils retrouveront cette finesse et cette élégance qui sont un peu sa marque de fabrique. Assez puissant pour justifier une bonne garde (de quatre ou cinq ans) mais sans excès de tanins, ce 2004 est à servir sur des viandes rouges ou des fromages à pâte dure.

🔑 EARL Pierre et Denis Dubourdieu, Ch. Doisy-Daëne, 33720 Barsac, tél. 05.56.27.15.84, fax 05.56.27.18.99, e-mail denisdubourdieu@wanadoo.fr ☑ 🍷 🚶 r.-v.

CH. HAUT-GRAMONS
Élevé en fût de chêne 2004 ★

□ 3 ha 20 000 🛢 5 à 8 €

De son élevage en fût, ce vin a retenu des arômes de vanille qui se mêlent aux agrumes pour donner un ensemble de qualité. Assez gras et d'une acidité de bon aloi, il pourra être attendu tout en étant déjà très agréable. Également élevé en fût et présenté en bouteilles numérotées, le **rouge 2003 (8 à 11 €)** a été cité par le jury.

🔑 F. Boudat Cigana, Ch. de Viaut, 33410 Mourens, tél. 05.56.61.31.31, fax 05.56.61.99.46 ☑ 🍷 🚶 r.-v.

CH. DU HAUT-MARAY
Élevé en fût de chêne 2003 ★

■ 1,1 ha 3 500 🛢 8 à 11 €

Julien Lucas, fils du propriétaire, est œnologue. Il a élevé cette cuvée en fût de chêne ; le vin en porte la marque dans son bouquet, aux notes vanillées et grillées. Au palais, les tanins dominent un peu le fruit, mais le potentiel est là, qui permettra à l'ensemble de se fondre.

🔑 Raymond Lucas, 1, lieu-dit Cadillac, 33210 Mazères, tél. et fax 05.56.76.83.33 ☑ 🍷 🚶 r.-v.

CH. HAUT-MAYNE
Prestige Élevé en fût de chêne 2003 ★

■ 5 ha 25 300 🛢 8 à 11 €

Cuvée prestige de ce cru situé à Cérons, ce vin affiche ses ambitions par l'éclat de sa robe soutenue, profonde et brillante. Il les atteint par la complexité de son bouquet aux subtiles notes de noix de coco, de vanille et d'épices, puis les saveurs et les tanins bien enrobés du palais. Déjà séduisant, il garde des réserves pour apporter du plaisir dans trois ou quatre ans. Bien équilibré et aromatique, le **Château Haut-Mayne cuvée Prestige blanc 2004** a également obtenu une étoile. Agrumes et notes toastées et épicées de la barrique flattent le palais.

🔑 SC Haut-Mayne-Gravaillas, 10, Caubillon, 33720 Cérons, tél. et fax 05.56.27.08.53, e-mail ch.haut-mayne@wanadoo.fr 🍷 r.-v.

CH. HAUT SELVE 2003

■ 30 ha 130 000 🛢 15 à 23 €

Issu d'un vignoble se répartissant équitablement entre le merlot et les cabernets, ce vin est d'une réelle élégance dans sa présentation. Tant par sa robe, profonde et lumineuse, que par son bouquet aux arômes de pruneau et de cuir. Ample et d'une bonne présence tannique, le palais appelle deux ou trois ans de patience.

🔑 SCA Ch. Branda et Cadillac, Branda, 33240 Cadillac-en-Fronsadais, tél. 05.57.94.09.20, fax 05.57.94.09.30, e-mail contact@leda-sa.com ☑ 🍷 🚶 r.-v.

🔑 J.-J. Lesgourgues

CH. DE L'HOSPITAL 2004 ★★

□ 2,5 ha 10 860 🛢 11 à 15 €

Si le château, monument historique, est une intéressante expression du style néoclassique, le vin est l'archétype d'un bon vin de graves. Puissant et élégant, le bouquet joue sur des notes de grillé et de fruits un peu confits. Ample, le palais a trouvé un bon équilibre entre la texture du vin et la puissance aromatique. Harmonieux avec des tanins élégants, le **rouge 2003** obtient une étoile. On peut le déguster immédiatement ou l'attendre trois ou quatre ans.

🔑 Vignobles Lafragette, Ch. de l'Hospital, 33640 Portets, tél. 05.56.73.17.80, fax 05.56.09.02.87, e-mail loudenne@lafragette.com ☑ 🍷 🚶 r.-v.

CH. JOUVENTE Élevé en fût de chêne 2004 ★

□ 2 ha 3 500 🛢 5 à 8 €

Ce vin est né dans un chai voûté : le fait ne serait pas très original s'il ne s'agissait de l'ancienne prison communale. Cela n'a pas donné de complexes à ce 2004, ni enfermé ses arômes. Frais, ample et gras, il est très séduisant avec son bouquet mariant les fruits blancs et la vanille avec une note de fruits confits.

🔑 SEV Zyla Mercadier, Ch. Jouvente, le Bourg, 33720 Illats, tél. et fax 05.56.62.49.69, e-mail chateaujouvente@wanadoo.fr
☑ 🍷 🚶 t.l.j. 8h-12h 14h-18h30

KRESSMANN Grande Réserve 2004 ★

□ n.c. 30 000 🍾 3 à 5 €

Signé par la maison Kressmann, l'un des grands noms du négoce bordelais, ce vin, léger et fin, sait retenir l'attention par sa richesse aromatique, avec des notes de kiwi, de fruits frais, de citron et de pamplemousse.

🔑 Kressmann, 35, rue de Bordeaux, 33290 Parempuyre, tél. 05.56.35.53.00, fax 05.56.35.53.29, e-mail contact@kressmann.com 🍷 🚶 r.-v.

CH. DE LANDIRAS 2004

□ 4,5 ha 23 500 🍾🛢 3 à 5 €

Jadis propriété de sainte Jeanne de Lestonnac, la fondatrice de l'ordre de Notre-Dame, ce cru propose un vin qui n'est pas d'une grande ampleur mais qui possède de réels atouts pour séduire : frais, élégant et bien équilibré, il déploie de délicates saveurs fruitées.

🔑 SCA Dom. La Grave, Ch. de Landiras, 33720 Landiras, tél. 05.56.62.40.75, fax 05.56.62.43.78, e-mail chateau.landiras@wanadoo.fr
☑ 🍷 🚶 t.l.j. sf sam. dim. 8h30-12h 13h30-17h30

CH. LANGLET 2003 ★

■ 5,6 ha 28 000 🛢 8 à 11 €

Situé dans le canton de La Brède, ce cru assemble 74 % de merlot à 26 % de cabernet-sauvignon. S'il porte la marque du millésime dans sa finale chaleureuse, ce vin fait aussi preuve d'une bonne typicité par son bouquet complexe (raisin mûr et torréfaction) et par son ampleur au palais. Riche de nombreuses saveurs, il ne demande qu'à les révéler sans attendre.

BORDELAIS

SF Domaines Jean Kressmann, 33650 Martillac, tél. 05.57.97.71.11, fax 05.57.97.71.17, e-mail langlet@domaines-kressmann.com

CH. LASSALLE 2004 ★

	1 ha	6 000		8 à 11 €

Domaine appartenant à la même famille depuis sept générations ; le neveu du propriétaire actuel est arrivé sur la propriété pour ce millésime auquel il a participé. S'il est un peu confidentiel, ce vin est intéressant par la richesse de son bouquet, où le bois respecte le fruit (cassis et pruneau), et par son développement au palais. Attaquant dans le velours, il laisse parler une matière riche et ample qui invite à une garde de trois ou quatre ans.

Louis Michel Labbé, Ch. Lassalle, 7, allée Lassalle, 33650 La Brède, tél. 05.56.20.20.19, fax 05.56.78.42.75
t.l.j. 10h-12h 14h-18h

CH. LÉHOUL Élevé en fût de chêne neuf 2005 ★★

	1,3 ha	3 300		8 à 11 €

Fermenté et élevé en fût, ce vin est assez confidentiel. Les rares privilégiés qui pourront le déguster ne le regretteront pas. Ils pourront apprécier l'intensité de son expression aromatique où les influences variétales refusent de s'effacer derrière un bois pourtant bien présent. Gras et vif, le palais est à la hauteur du bouquet et se prolonge par une ample finale, classique des graves blancs. Onctueuse, ample et bien équilibrée, la cuvée **Plénitude rouge 2003 (15 à 23 €)** a obtenu une étoile et le **Château Léhoul, cuvée principale rouge 2003**, une citation.

EARL Fonta et Fils, rte d'Auros, 33210 Langon, tél. 05.56.63.17.74, fax 05.56.63.06.06
t.l.j. 9h-12h 14h-19h

CH. MAGENCE 2004 ★

	7,5 ha	26 000		5 à 8 €

Commandé par une jolie chartreuse en U, ce cru prouve une fois encore sa maîtrise en matière de vins blancs. Vif, frais, aromatique (fleurs et fruits) et bien équilibré, son 2004 ne demande qu'à accompagner du poisson sans attendre. Souple, fin et chaleureux, le **Château Magence Élevé en fût de chêne rouge 2003 (11 à 15 €)** a obtenu une citation.

SCEA Ch. Magence, 33210 Saint-Pierre-de-Mons, tél. 05.56.63.07.05, fax 05.56.63.41.42, e-mail magence@magence.com
t.l.j. 9h-11h 14h-16h; sam. dim. sur r.-v.
Guillot de Suduiraut-d'Antras

CH. MAGNEAU Cuvée Julien 2004 ★★

	4 ha	9 000		8 à 11 €

Une sélection rigoureuse préside à l'élaboration de cette cuvée. Son objectif ? Obtenir un vin généreux ayant la puissance nécessaire pour tirer profit de son passage en barrique. Le but est parfaitement atteint avec ce 2004 dont l'élégance et la complexité aromatique (amande, noisette grillée et pamplemousse) sont à la hauteur de la structure consistante et harmonieuse. Une garde de trois à quatre ans pourra être envisagée, comme un mariage avec des poissons en sauce. Riche, avec des tanins bien enrobés, le **Château Magneau rouge 2004** a obtenu une étoile. Les châteaux **Coustaut blanc 2005 (5 à 8 €)** et **Guirauton rouge 2004** ont été cités.

Henri Ardurats et Fils, EARL Les Cabanasses, 12, chem. Maxime-Ardurats, 33650 La Brède, tél. 05.56.20.20.57, fax 05.56.20.39.95, e-mail ardurats@chateau-magneau.com
t.l.j. 8h30-12h 14h-18h; sam. dim. sur r.-v.

CH. MAMIN Arbanats Élevé en fût de chêne 2004 ★

	9,04 ha	67 300		5 à 8 €

Un vignoble d'un seul tenant et un vin puissant, tant dans son expression aromatique que dans sa structure. La première porte la marque de l'élevage mais sans que le bois ne vienne déséquilibrer l'ensemble. Le développement au palais révèle une solide présence tannique qui appelle entre trois et cinq ans de patience.

Vignobles Vincent Lataste, Ch. de Lardiley, 33410 Cadillac, tél. 05.57.98.19.81, fax 05.57.98.29.83, e-mail vlataste@lataste.fr r.-v.

CH. DU MAYNE 2004 ★

	7 ha	32 000		8 à 11 €

Demeure de style Empire, parc et allée d'arbres centenaires, ce cru a fière allure. Et son vin se plaît à lui ressembler avec une robe limpide et brillante que prolonge un bouquet exotique et floral. Son harmonie se retrouve au palais et dans la finale fraîche et vive.

Jean-Xavier Perromat, Ch. de Cérons, 33720 Cérons, tél. 05.56.27.01.13, fax 05.56.27.22.17, e-mail perromat@chateaudecerons.com
t.l.j. sf sam. dim. 9h-12h30 14h-17h30
Jean Perromat

CH. MILLET 2004 ★

	12 ha	75 000		8 à 11 €

Vignoble à dominante de merlot (85 %), ce cru propose un vin aux tanins assez doux qui ont suffisamment de présence pour permettre au bois, très sensible par ses notes de brûlé, de fusionner avec les fruits noirs d'ici deux à trois ans. Savoureux avec des tanins soyeux et une riche expression aromatique, le **Château Prieuré-les-Tours rouge 2004** a également obtenu une étoile.

Dom. de la Mette, 17, rte de Mathas, 33640 Portets, tél. 05.56.67.18.18, fax 05.56.67.53.66, e-mail domainesdelamette@wanadoo.fr r.-v.
J.-B. Solorlano

CH. MOUTIN 2003 ★

	2,93 ha	10 000		11 à 15 €

Certes, il aurait mérité un peu plus de concentration, mais ce vin, souple et plaisant, se montre intéressant par son élégance et sa persistance aromatique. Également agréable et flatteur, le **Château Moutin blanc 2004 (8 à 11 €)** a su retenir l'attention du jury qui l'a cité.

SC J. Darriet, Ch. Dauphiné Rondillon, 33410 Loupiac, tél. 05.56.62.61.75, fax 05.56.62.63.73, e-mail vignoblesdarriet@wanadoo.fr
t.l.j. 8h30-12h30 14h-18h; sam. dim. sur r.-v.; f. 7-16 août

CH. DE NAVARRO 2005 *

5,43 ha 37 000 ▮ 5 à 8 €

Les Graves sont sur la route de l'Espagne, comme le rappelle le nom de ce vin aux agréables saveurs d'ananas. Là ne s'arrêtent pas ses qualités. En dépit d'une amertume de jeunesse, on découvre un bouquet prometteur (agrumes, grillé et buis) et une bonne matière qui se prêtera tout aussi bien à une consommation immédiate qu'à une garde de deux ou trois ans.

Vignobles H. Biarnès-Ballion, Ch. de Navarro, 33720 Illats, tél. 05.56.27.15.36, fax 05.56.27.26.53, e-mail chateaudenavarro@wanadoo.fr r.-v.

CH. DE L'OMERTA Élevé en fût de chêne 2004 *

1,03 ha 7 000 3 à 5 €

Une production un peu confidentielle pour ce cru au nom étonnant, constitué par des achats successifs de parcelles depuis 2000, et dont les vignes s'étendent sur plus de 5 ha aujourd'hui. Frais, élégant et généreux, ce vin a tout pour séduire, à commencer par un bouquet complexe qui va du citron à l'amande, en passant par les agrumes. Pour un foie gras poêlé.

Denis Roumégous, 5, rue de la Résistance, 33210 Preignac, tél. 06.12.33.51.36, fax 05.56.76.20.34 r.-v.

CH. PESSAN 2004

7 ha 6 000 **15 à 23 €**

De la couleur, de la profondeur, mais une certaine évolution dans la robe. Encore marqué par l'élevage, le nez se partage entre le grillé et les fruits noirs. Rond, léger et délicat, le vin possède une structure qui met en valeur son expression aromatique au palais : fruits rouges (cerise) et noirs avec une jolie note empyreumatique.

Comtes de Bournazel, SCI Ch. Pessan, 33640 Portets, tél. 05.56.62.36.86, fax 05.56.76.82.40, e-mail chateaudemalle@wanadoo.fr

CH. PEYRAT 2005

8,45 ha 7 200 **5 à 8 €**

Sémillon (30 %), sauvignon (50 %) et muscadelle (20 %) élevés cinq mois en cuve : si ce vin privilégie le gras, c'est un peu au détriment de la finesse. Toutefois, l'ensemble n'en reste pas moins séducteur par sa fraîcheur et sa vivacité qui permettront de l'apprécier sans avoir à attendre.

J.-M. Cambillau, 16, Le Vergey, 33410 Cadillac, tél. et fax 05.56.62.65.18 r.-v.

CH. PEYREBLANQUE 2003 **

6 ha 40 000 8 à 11 €

Né sur un vignoble d'un seul tenant planté sur le plateau de Budos, ce vin joue résolument la carte de la finesse, avec des tanins doux et élégants. Tout en appelant une bonne garde, ceux-ci savent dès à présent mettre en valeur le charme du bouquet où se mêlent harmonieusement les fleurs d'été, les fruits confits et le bois.

SCEA Jean Médeville et Fils, Ch. Fayau, 33410 Cadillac, tél. 05.57.98.08.08, fax 05.56.62.18.22, e-mail medeville-jeanetfils@wanadoo.fr t.l.j. sf sam. dim. 8h30-12h 14h-18h

CH. PIRON Élevé en fût de chêne 2004

12 ha 14 000 **5 à 8 €**

Sauvignon et sémillon se partagent à parts égales les rôles. Simple et souple, ce vin réussit à surprendre par la petite touche de menthe qui se marie harmonieusement avec les autres composantes du bouquet : fleurs, fruits et pamplemousse.

EARL Famille Boyreau, Piron, 33650 Saint-Morillon, tél. et fax 05.56.20.22.94, e-mail muriel.boyreau@chateau-piron.com t.l.j. 8h-12h 14h-18h

CH. DES PLACES
Cuvée Prestige Vieilli en fût de chêne 2003

4,28 ha 30 000 **5 à 8 €**

Cuvée prestige de cette propriété créée au début du XXe s., ce vin, simple mais bien fait, justifie les soins qu'il a reçus par son élégance. Celle-ci tient beaucoup à son expression aromatique, où la vanille et les fruits rouges ont su trouver un bon point d'équilibre.

EARL Vignobles Reynaud, 46, av. Maurice-La-Châtre, 33640 Arbanats, tél. 05.56.67.20.13, fax 05.56.67.17.05, e-mail vignobles.reynaud@wanadoo.fr r.-v.

CH. PLANTAT
Cuvée de la Pucelle Élevé en fût de chêne 2003 **

1 ha 4 000 8 à 11 €

Les amateurs de géologie apprécieront ce domaine riche en fossiles. Heureusement sa cuvée spéciale n'a rien d'un vestige. Sa robe engageante, rubis vif et intense, est là pour prouver sa jeunesse ; de même que le bouquet, où le bois toujours très présent n'empêche pas les parfums de raisin très mûr, voire cuit, de percer. Corsé avec des tanins de chêne et de raisin, le palais s'épanouira dans trois ou quatre ans sur toute la cuisine traditionnelle, à commencer par le magret et l'entrecôte.

Charles Labarrère, Ch. Plantat, 33650 Saint-Morillon, tél. 05.56.78.40.77, fax 05.56.20.34.90, e-mail irene.labarrere@wanadoo.fr t.l.j. 8h-20h

CH. PONT DE BRION 2004 *

7 ha 35 000 **8 à 11 €**

Issu de vignes soigneusement sélectionnées et d'un âge respectable, ce vin d'un rouge soutenu se montre flatteur par son bouquet. Après avoir attaqué en souplesse, il développe une puissante matière tannique qui conseille d'attendre de trois à cinq ans pour permettre à l'ensemble de se fondre. Très boisé, le **Pont de Brion blanc 2005** a reçu une citation, de même que le **Château Rivière Lacoste rouge 2004 (5 à 8 €)**.

SCEA Molinari et Fils, Ludeman, 33210 Langon, tél. 05.56.63.09.52, fax 05.56.63.13.47 r.-v.

CH. DE PORTETS 2004 *

4,96 ha 24 000 **8 à 11 €**

Belle unité, ce domaine est commandé par un vaste château historique. Peu complexe, mais frais et fruité, son 2004 demande à être carafé pour donner toute sa force à son expression aromatique.

SCEA Théron-Portets, Ch. de Portets, 33640 Portets, tél. 05.56.67.12.30, fax 05.56.67.33.47, e-mail vignobles.theron@wanadoo.fr r.-v.

Jean-Pierre Théron

PRIMO PALATUM
Mythologia Sélection Vieilles Vignes 2003 *

2 ha 3 000 **15 à 23 €**

Marque dont le nom est un programme, « le goût avant tout », créée en 1996 par Xavier Copel qui a l'art de

BORDELAIS

choisir ses partenaires. Le nombre de ses vins sélectionnés par le Guide est révélateur. Celui-ci, d'une couleur profonde, joue résolument la carte d'un boisé exotique. Mais, si celui-ci domine, il sait aussi respecter le raisin. Le résultat peut surprendre : le terroir n'est pas très présent, mais cette bouteille plaira aux amateurs de vins élevés en barrique.

Xavier Copel, Primo Palatum,
1, Roy, 33190 Pondaurat,
tél. 05.56.71.39.39, fax 05.56.71.39.40,
e-mail xavier-copel@primo-palatum.com r.-v.

CH. PROMS-BELLEVUE 2004

6 ha 40 000 5 à 8 €

Vin de cru mais diffusé par le négoce, ce 2004 développe un bouquet mêlant la framboise au café et à la réglisse. Soutenue par de bons tanins, la structure garantit un potentiel de garde suffisant pour permettre à la finale de s'adoucir.

Yvon Mau, rue Sainte-Pétronille,
33190 Gironde-sur-Dropt, tél. 05.56.61.54.54,
fax 05.56.61.54.61, e-mail info@ymau.com
J.-C. Labbé

CH. RAHOUL 2003

38,5 ha 56 000 15 à 23 €

Issu d'un cru appartenant au bel ensemble de propriétés réunies par Alain Thiénot, dont l'empire viticole est né en Champagne, ce vin à la robe seyante charme par son développement aromatique aux notes fruitées, animales et toastées. Ronde et dotée de tanins mûrs, la bouche est bien dans son millésime. La **cuvée blanc sec 2004** joue sur l'acacia et les fruits blancs. Sa fraîcheur lui vaut également une citation.

Vignobles Alain Thiénot, Ch. Rahoul,
4, rte du Courneau, 33640 Portets,
tél. 05.57.97.73.33, fax 05.57.97.73.36,
e-mail chateau-rahoul@thienot.com r.-v.

CH. DE RESPIDE Callipyge 2005 *

10 ha 24 000 8 à 11 €

Cuvée prestige, ce vin présente un équilibre remarquable entre la matière et l'acidité. Doté d'une belle personnalité aromatique (agrumes accompagnés d'ananas, de fruits secs et d'épices douces), il promet de bons moments, à saisir dès à présent comme dans deux ou trois ans. Ensemble bien équilibré et aromatique, la cuvée **Callipyge rouge 2003** a également obtenu une étoile, ainsi que le **Château de Respide rouge (cuvée principale) 2004 (5 à 8 €)**.

Vignobles Bonnet, Le Pavillon de Boyrein,
33210 Roaillan, tél. 05.56.63.24.24, fax 05.56.62.31.59,
e-mail vignobles-bonnet@wanadoo.fr
t.l.j. 9h-12h 14h-18h; sam. dim. sur r.-v.

CH. RESPIDE-MÉDEVILLE 2003

7,7 ha 30 000 15 à 23 €

Situé sur une croupe argilo-graveleuse, ce château comprend aujourd'hui 12 ha. Conduit par Julie Médeville qui a épousé un Champenois, il offre un vin dans lequel le cabernet-sauvignon l'emporte sur le merlot (60 %). Douze mois de fût pour un 2003 à la robe très jeune (rubis à reflets violacés) et au nez un peu fermé, laissant poindre des notes de fruits à l'eau-de-vie et de grillé. Les fruits rouges apparaissent en bouche, autour de bons tanins qui demandent à se faire.

SCEA Julie Gonet-Médeville, Ch. Gilette,
33210 Preignac, tél. 05.56.76.28.44, fax 05.56.76.28.43,
e-mail gonet.medeville@wanadoo.fr r.-v.

CH. DE RIEUFRET 2004 *

4 ha 25 000 5 à 8 €

Fidèle au cabernet-sauvignon (70 % de l'encépagement), ce cru en tire un vin à la robe carmin, très bien construit. Certes le bouquet est encore fortement marqué par l'élevage qui masque les fruits (grenade) ; mais le palais et la finale révèlent des tanins soyeux. Une bouteille fort sympathique, à attendre deux ou trois ans.

SCEA de Villeneuve,
Ch. de Rieufret, 33720 Saint-Michel-de-Rieufret,
tél. 06.80.25.74.03, fax 05.56.27.24.79 r.-v.

CH. FORT DE ROQUETAILLADE 2005

10 ha 30 000 5 à 8 €

Produit sur le domaine du célèbre château fort construit il y a juste sept cents ans et tant apprécié des cinéastes, ce joli vin aux arômes de fleurs, de pamplemousse et de muscat, est doté d'une réelle personnalité. Équilibré, avec suffisamment de gras, il est long et agréable.

Sébastien de Baritault, Roquetaillade,
33210 Mazères, tél. 05.56.76.14.16, fax 05.56.76.14.61,
e-mail roquetaillade@hotmail.com r.-v.

CH. ROQUETAILLADE LA GRANGE 2005 *

12 ha 80 000 8 à 11 €

Venu d'une région propice aux blancs, ce vin sait se présenter, dans une robe jaune à reflets verts fort encourageante. Souple, vif, frais et riche, il fait preuve d'un réel équilibre au cours de son développement au palais. D'une grande générosité aromatique, il offre un bouquet de fleurs blanches accompagnées de notes de pamplemousse. Il sera parfait sur des huîtres.

GAEC Guignard, 33210 Mazères,
tél. 05.56.76.14.23, fax 05.56.62.30.62,
e-mail contact@vignobles-guignard.com
t.l.j. 9h-12h 14h-17h30; sam. dim. sur r.-v.

CH. SAINT-AGRÈVES 2004

4 ha 5 800 3 à 5 €

Simple, frais et bien équilibré, ce vin, d'un blanc vert limpide et brillant, développe un bouquet intéressant par ses parfums de fruits exotiques et d'agrumes, qui s'accordent avec sa vivacité.

EARL Landry, Ch. Saint-Agrèves,
17, rue Joachim-de-Chalup, 33720 Landiras,
tél. 05.56.62.50.85, fax 05.56.62.42.49,
e-mail saint.agreves@free.fr r.-v.

CH. SAINT-JEAN DES GRAVES 2005 *

10 ha n.c. 5 à 8 €

Macération pelliculaire, élevage sur lies, ce vin a bénéficié d'une élaboration soignée. Même si, dans l'encépagement, le sémillon fait jeu égal avec le sauvignon, c'est ce dernier qui l'emporte dans le verre avec un puissant arôme de buis.

SCEA J. et E. David, Ch. Liot, 33720 Barsac,
tél. 05.56.27.15.31, fax 05.56.27.14.42,
e-mail chateau.liot@wanadoo.fr r.-v.

CH. SAINT-ROBERT Poncet Deville 2004 ★★

■ 4 ha 24 000 15 à 23 €

98 99 **00 01** |**02**| |**03**| **04**

Tout d'abord maison noble, Saint-Robert ne devint domaine viticole qu'au XIXᵉs. sous l'impulsion d'un jeune propriétaire, M. Poncet-Deville. Ce dernier a légué son nom à une cuvée qui obtient un sixième coup de cœur. L'équipe de Foncier-Vignobles n'a plus à prouver sa maîtrise en matière de vendanges et de vinification. Par sa classe, ce vin en apporte une fois encore la preuve. D'une couleur pourpre, il déploie un riche bouquet où le fruit et le bois (vanille) s'épaulent mutuellement. Au palais, une même complicité se crée entre les tanins et les arômes. Une jolie bouteille à découvrir dans quatre ou cinq ans. D'une bonne complexité aromatique et servie par des tanins bien fondus, la cuvée principale **Château Saint-Robert rouge 2004 (11 à 15 €)** a obtenu une étoile, de même que la cuvée **Poncet Deville blanc 2004 (11 à 15 €)** qui se distingue par son élégance et son côté charmeur. Enfin la **cuvée principale blanc 2004 (5 à 8 €)** a, elle aussi, mérité une étoile.

SCEA Vignobles Bastor Saint-Robert, Dom. de Lamontagne, 33210 Preignac, tél. 05.56.63.27.66, fax 05.56.76.87.03, e-mail bastor@bastor-lamontagne.com r.-v.

Foncier-Vignobles

DOM. DU SALUT 2003

■ 6,74 ha 11 950 5 à 8 €

Simple et aimable, ce vin est fidèle à l'image que donne de lui sa robe d'un rouge léger. L'ensemble est plaisant et permet au bouquet de fruits rouges d'exprimer pleinement sa sympathique personnalité.

SCEA Vignobles Ricaud-Lafosse, Ch. Huradin, 33720 Cérons, tél. et fax 05.56.27.09.97 r.-v.

Catherine Lafosse

CH. DU SEUIL 2003 ★

■ 9,37 ha 55 140 11 à 15 €

Valeur sûre, ce cru est une fois encore fidèle à sa tradition avec ce vin. Frais, charnu et équilibré, ce 2003 révèle un travail d'extraction des tanins et un élevage bien menés : le bouquet se partage équitablement entre les fruits rouges et le bois (moka et caramel). Bouqueté, avec des notes de citron, de fruits exotiques et de pain grillé, le **blanc 2004** a également obtenu une étoile.

SCEA Ch. du Seuil, 33720 Cérons, tél. 05.56.27.11.56, fax 05.56.27.28.79, e-mail chateau-du-seuil@cegetel.net r.-v.

CH. SIMON Élevé en fût de chêne 2003 ★

■ 7 ha 18 000 8 à 11 €

La présence du merlot dans l'encépagement (70 %) se lit dans le bouquet, avec une note de cuir qui vient s'associer à la cerise et à la prune pour former un ensemble d'une bonne complexité. Après une attaque charnue, le palais développe une structure ample que soutient une trame serrée. Cette bouteille sera parfaite sur une viande rouge grillée dans deux ou trois ans.

EARL Dufour, Ch. Simon, 33720 Barsac, tél. 05.56.27.15.35, fax 05.56.27.24.03, e-mail chateau.simon@worldonline.fr r.-v.

CH. TOUR BICHEAU 2004

■ 13,7 ha 85 000 5 à 8 €

Belle maison girondine au milieu d'un parc, ce cru propose un vin d'une structure fine qui permettra de profiter sans avoir à attendre de l'élégance de ses arômes aux notes de vanille, de grillé et d'épices.

Vignobles H. Daubas, 8, rte du Cabernet, Ch. Tour Bicheau, 33640 Portets, tél. et fax 05.56.67.37.75, e-mail chateau-tour-bicheau@wanadoo.fr t.l.j. 9h-19h

CH. TOUR DE CALENS 2004

1,71 ha 13 225 8 à 11 €

En dépit d'une finale un peu vive, ce vin laisse sur le souvenir d'un ensemble séduisant, tant par sa palette aromatique complexe, au léger côté bonbon anglais, que par sa générosité au palais.

Bernard et Dominique Doublet, Ch. Tour de Calens, 33640 Beautiran, tél. 05.57.24.12.93, fax 05.57.24.12.83, e-mail d.doublet@free.fr r.-v.

CH. TOURTEAU-CHOLLET 2003 ★★

■ 25 ha 130 000 8 à 11 €

Belle unité, ce cru s'est doté d'un chai ultramoderne en 2002. C'est là qu'est né ce vin bien charpenté. Solide et ample, il possède une excellente structure tannique, qui lui permettra de prendre le temps de s'arrondir pendant que le bouquet s'ouvrira. Une très jolie bouteille en perspective d'ici deux à trois ans et dont on pourra profiter pendant plusieurs années. Avec une bonne matière, garante d'un sérieux potentiel, le **Château Tourteau Élevé en fût de chêne rouge 2003 (15 à 23 €)** a obtenu une étoile.

M. Bontoux, 3, chem. de Chollet, 33640 Arbanats, tél. 05.56.67.47.78, fax 05.56.67.40.09, e-mail tourteauchollet@wanadoo.fr r.-v.

CH. LA TOURTE DES GRAVES 2003 ★★

■ 6 ha 30 000 11 à 15 €

Commandé par une chartreuse de 1673, ce cru a fait appel au conseil de Denis Dubourdieu pour élaborer ce vin. Bien lui en a pris. Ce 2003 est le type de bouteille que l'on se plaît à faire découvrir à ses amis. Généreux, fin et velouté, il développe un bouquet puissant et complexe, aux notes de grillé, de café, de fruits confits et de cassis. Il mérite d'être attendu trois ou quatre ans. Très bouqueté également, le **Château du Tourte rouge 2004** a obtenu une étoile.

SC Ch. du Tourte, 33210 Toulenne, tél. 01.46.88.40.08, fax 01.46.88.01.45 r.-v.

Hubert Arnaud

CH. TRÉBIAC 2005

3 ha 20 000 5 à 8 €

Né sur le haut du plateau de Portets, ce vin friand, délicat et bien équilibré séduit par son élégance comme par ses saveurs gourmandes : vanille, pâtisserie, amande grillée.

🔑 Vignobles de Seillon, Ch. Crabitey,
63, rte du Courneau, 33640 Portets,
tél. 05.56.67.18.64, fax 05.56.67.14.73,
e-mail contact@vignobles-seillon.com ☑ Y ✰ r.-v.

CH. LA TUILERIE 2005

	10 ha	60 000	▮	3 à 5 €

Simple, souple et attachant, ce vin sait se présenter dans une robe limpide qu'animent de jolis reflets. Bien équilibré, il laisse le souvenir de délicats arômes de fleurs blanches.

🔑 Cordier, 109, rue Achard, 33042 Bordeaux Cedex,
tél. 05.57.57.25.52, fax 05.57.19.92.37
🔑 Dubrey

VIEUX CHÂTEAU GAUBERT 2003 *

■	25 ha	60 000	◑	11 à 15 €

Valeur sûre, ce cru est une fois encore à la hauteur de sa renommée avec ce vin résolument bordelais par son équilibre. Celui-ci est perceptible dans le bouquet, où les fruits sont en arrière-plan derrière la fumée du bois, comme dans la structure, à la fois ronde et dotée de bons tanins. Une bouteille pleine de charme qui peut tout aussi bien être appréciée dès maintenant qu'attendue. D'une bonne force tannique, le **rouge Gravéum 2003 (23 à 30 €)** a obtenu une étoile, de même que le **Vieux Château Gaubert blanc 2004** et le **Benjamin du Vieux Château Gaubert blanc 2005 (5 à 8 €)**. Tous deux sont vifs, frais et expressifs.

🔑 Dominique Haverlan, Vieux Château Gaubert,
33640 Portets, tél. 05.56.67.18.63, fax 05.56.67.52.76,
e-mail dominique.haverlan@libertysurf.fr ☑ Y ✰ r.-v.

CH. VILLA BEL-AIR 2005 *

	12 ha	80 000	◑	11 à 15 €

Le château est-il « l'exemple le plus parfait d'une chartreuse bordelaise » pour reprendre l'expression d'un historien bordelais ? En tout cas, son blanc est une belle illustration d'un vin de graves. Vif, bien équilibré, moelleux et élégant, il développe un bouquet dont les arômes d'agrumes sont mis en valeur par de discrètes notes toastées. Déjà très agréable, il pourra être attendu deux ans. Bien typé, le **rouge 2004** a obtenu une étoile.

🔑 Jean-Michel Cazes, Ch. Villa Bel-Air,
lieu-dit Bel-Air, 33650 Saint-Morillon,
tél. 05.56.20.29.35, fax 05.56.78.44.80

Graves supérieures

CH. BRONDELLE 2004 *

	1 ha	5 000	▮◑	8 à 11 €

Complétant les graves rouge et blanc sec, ce moelleux est lui aussi fort bien réussi. Un peu à l'ancienne par sa richesse, il fait également preuve de finesse et d'élégance, avec de jolis arômes d'abricot et d'orange confits.

🔑 Vignobles Belloc-Rochet, Ch. Brondelle,
33210 Langon, tél. 05.56.62.38.14, fax 05.56.62.23.14,
e-mail chateau.brondelle@wanadoo.fr
☑ Y ✰ t.l.j. 9h-12h 14h-17h30; sam. dim. sur r.-v.

CH. CHERCHY-DESQUEYROUX 2003 **

	8 ha	10 000	▮◑	8 à 11 €

Né aux portes du Sauternais, ce vin montre qu'il est de bonne origine. D'un jaune soutenu, il révèle une belle complexité aromatique privilégiant les fruits secs et confits : abricot, figue, mandarine. Rond, gras, riche et bien concentré, ce liquoreux a le tonus nécessaire pour accepter des accords gourmands dignes des sauternes : foie gras, roquefort...

🔑 SCEA Vignobles Francis Desqueyroux et Fils,
1, rue Pourière, 33720 Budos,
tél. 05.56.76.62.67, fax 05.56.76.66.92,
e-mail vign.fdesqueyroux@wanadoo.fr ☑ Y ✰ r.-v.

CRU DU HAUT MAYNE 2004

	n.c.	n.c.		5 à 8 €

Un peu surprenant par son petit côté madérisé, ce vin n'en demeure pas moins intéressant, avec des arômes de fruits secs et de raisin de Corinthe.

🔑 SCEA Vignobles Ducau, Clos Graouères,
33720 Podensac, tél. 05.56.27.16.80, fax 05.56.27.11.29,
e-mail vignobles.ducau@wanadoo.fr
☑ Y ✰ t.l.j. sf dim. 10h-12h 15h-18h

Pessac-léognan

Correspondant à la partie nord des Graves (appelée autrefois Hautes-Graves), la région de Pessac et de Léognan est aujourd'hui une appellation communale, inspirée de celles du Médoc. Sa création, qui aurait pu se justifier par son rôle historique (c'est l'ancien vignoble périurbain qui produisait les clarets médiévaux), s'explique par l'originalité de son sol. Les terrasses que l'on trouve plus au sud cèdent la place à une topographie plus accidentée. Le secteur compris entre Martillac et Mérignac est constitué d'un archipel de croupes graveleuses qui présentent d'excellentes aptitudes vitivinicoles par leurs sols, composés de galets très mélangés, et par leurs fortes pentes. Celles-ci garantissent un excellent drainage. Les pessac-léognan présentent une grande originalité ; les spécialistes l'ont d'ailleurs remarquée depuis fort longtemps, sans attendre la création de l'appellation. Ainsi, lors du classement impérial de 1855, Haut-Brion fut le seul château non médocain à être classé (premier cru). Puis, lorsque, en 1959, seize crus de graves furent classés, tous se trouvaient dans l'aire de l'actuelle appellation communale.

Les vins rouges (53 585 hl en 2005) possèdent les caractéristiques générales des graves, tout en se distinguant par leur bouquet, leur velouté et leur charpente. Quant aux blancs secs (11 588 hl), ils se prêtent tout particulièrement à l'élevage en fût et au vieillissement qui leur permet d'acquérir une très grande richesse aromatique, avec de fines notes de genêt et de tilleul.

CH. BOUSCAUT 2004 ★

Cru clas. 3,8 ha 18 000 15 à 23 €

82 83 85 86 88 89 90 95 96 |98| **|99|** |00| **01** 03 04

Superbe demeure néoclassique, ce château commande un domaine occupant une croupe de graves. Son blanc 2004 est en harmonie avec l'architecture par l'élégance de son expression aromatique. Les fleurs, genêt en tête, les fruits, la fumée, le grillé, tous les parfums primaires et secondaires sont représentés. Équilibré, l'ensemble est plaisant et pourra bien évoluer dans les trois à quatre ans à venir. Le **rouge 2003** obtient également une étoile pour sa robe pourpre, ses arômes mêlant fruits noirs et rouges, épices, merrain, et sa matière déjà charnue.

Ch. Bouscaut, rte de Toulouse, 33140 Cadaujac, tél. 05.57.83.12.20, fax 05.57.83.12.21, e-mail cb@chateau-bouscaut.com r.-v.

S. & L. Cogombles

CH. BRANON 2003

2 ha 550 46 à 76 €

Une production confidentielle pour ce vin au bouquet expressif, alliance réussie des fruits et du bois (vanille) sur des notes d'épices et de réglisse en toile de fond. Vif et facile, le palais tire son charme de son côté soyeux. Ce 2003 saura séduire sans exiger une trop longue garde.

Ch. Haut-Bergey, 69, cours Gambetta, BP 49, 33850 Léognan, tél. 05.56.64.05.22, fax 05.56.64.06.98, e-mail haut.bergey@wanadoo.fr r.-v.

S. Garcin

CH. LE BRUILLEAU 2003 ★

6,44 ha 38 390 8 à 11 €

Si l'appellation est surtout connue pour ses grandes propriétés, elle conserve encore quelques petits domaines qui ont su résister aux sirènes de l'urbanisation. Ce cru en fait partie et ce 2003 montre qu'il aurait été bien dommage qu'il disparût. D'une belle couleur rubis frangée de grenat, il affiche un côté chaleureux, des tanins soyeux et une saveur de fruits confits qui le rendent déjà plaisant tout en lui conférant un certain potentiel de garde.

Nadine Bédicheau, 12, chem. du Bruilleau, 33650 Saint-Médard-d'Eyrans, tél. et fax 05.56.72.70.45, e-mail chateau.lebruilleau@wanadoo.fr r.-v.

CH. CANTELYS 2003 ★

15 ha 20 000 11 à 15 €

Créé ex nihilo dans les années 1980 par Marc Lurton, ce cru, qui fait face à Rochemorin, a été acheté en 1995 par Smith Haut Lafitte. D'une belle couleur rubis, son vin développe un bouquet où les notes de baies mûres s'allient à un doux boisé. Au palais, on retrouve les mêmes saveurs. Très concentrées, elles s'accordent avec des tanins mûrs et enrobés pour composer un ensemble de qualité. À servir sur une grillade, aujourd'hui comme dans quelques années. Bien équilibré et assez complexe, le **blanc 2004** est cité.

F. et D. Cathiard, Ch. Smith Haut Lafitte, 33650 Martillac, tél. 05.57.83.11.22, fax 05.57.83.11.21, e-mail f.cathiard@smith-haut-lafitte.com r.-v.

CH. CARBONNIEUX 2003 ★★

Cru clas. 54 ha 210 000 15 à 23 €

75 81 82 **83 85** (86) 87 **88** 89 **90** 91 92 93 **94** |95| **|96|** |97| 98 |99| **00 01** 02 **03**

L'une des plus anciennes propriétés girondines, dont les origines monastiques remontent au XII[e]s. La qualité des vins est toujours à la hauteur de l'élégance des lieux.

LES CRUS CLASSÉS DES GRAVES

NOM DU CRU CLASSÉ	VIN CLASSÉ	NOM DU CRU CLASSÉ	VIN CLASSÉ
Château Bouscaut	en rouge et en blanc	Château Laville-Haut-Brion	en blanc
Château Carbonnieux	en rouge et en blanc	Château Malartic-Lagravière	en rouge et en blanc
Domaine de Chevalier	en rouge et en blanc	Château La Mission Haut-Brion	en rouge
Château Couhins	en blanc	Château Olivier	en rouge et en blanc
Château Couhins-Lurton	en blanc	Château Pape Clément	en rouge
Château Fieuzal	en rouge	Château Smith Haut Lafitte	en rouge
Château Haut-Bailly	en rouge	Château La Tour-Haut-Brion	en rouge
Château Haut-Brion	en rouge	Château Latour-Martillac	en rouge et en blanc

La robe de celui-ci est classique, tout comme son bouquet de raisin bien mûr et de fin boisé aux nuances d'amande douce. Concentré et charpenté mais sans excès, rappelant les arômes du nez, le palais demande d'être un peu attendu.
SC des Grandes Graves, Ch. Carbonnieux, 33850 Léognan, tél. 05.57.96.56.20, fax 05.57.96.59.19, e-mail chateau.carbonnieux@wanadoo.fr r.-v.
A. Perrin

CH. CARBONNIEUX 2004 ★

Cru clas. 42 ha 180 000 15 à 23 €

81 82 83 85 86 87 **88 89** 90 **91** 92 93 **94** 95 **96** 97 98 99 (00) 01 **02 03** 04

N'était-ce la présence de la vigne, l'architecture des bâtiments ferait croire que l'on se trouve en plein milieu du Périgord. En revanche, le vin ne laisse planer aucun doute sur son origine. Majoritaire avec 65 % de l'assemblage, le sauvignon marque le bouquet de notes de buis, qui se mêlent à des nuances de fleurs blanches, d'agrumes et de melon. Ample, vif et élégant, le palais invite à servir cette jolie bouteille sur des poissons de qualité (turbot, sole, loup), des fromages de chèvre comme le rocamadour, le chevrotin ou le pelardon.
SC des Grandes Graves, Ch. Carbonnieux, 33850 Léognan, tél. 05.57.96.56.20, fax 05.57.96.59.19, e-mail chateau.carbonnieux@wanadoo.fr r.-v.
A. Perrin

CH. LES CARMES HAUT-BRION 2003 ★

4,66 ha 21 300 46 à 76 €

Ne vous fiez pas au côté bucolique de l'étiquette. Ce château est l'exemple même du vignoble qui a été rattrapé par l'urbanisation, formant une enclave verte dans l'agglomération, à la limite des communes de Bordeaux, Pessac et Mérignac. Son atout ? La qualité de sa production, dont témoigne ce vin. Son bouquet naissant s'annonce aussi profond que sa robe. Viril et charpenté, avec des arômes de gibier en harmonie, le palais ne laisse aucun doute sur l'aptitude à la garde de cette bouteille.
Ch. Les Carmes Haut-Brion, 197, av. Jean-Cordier, 33600 Pessac, tél. 05.56.93.23.40, fax 05.56.93.10.71, e-mail chateau@les-carmes-haut-brion.com r.-v.
Famille Chantecaille Furt

DOM. DE CHEVALIER 2003 ★★

Cru clas. 35 ha 100 000 30 à 38 €

64 66 70 73 75 78 79 83 84 85 86 87 **88** (89) **90 91 92 93 94** 96 97 **98** 99 **00** 01 **02 03**

À l'orée de la forêt, ce cru bénéficie d'un environnement exceptionnel, et d'un terroir de graves argileuses intéressant, comme le montre ce millésime. Suivant une jolie robe rubis à reflets grenat, son bouquet charme par sa complexité (fruits rouges et noirs, moka, réglisse). Le palais confirme cette impression par une grande tendreté, ses saveurs étant aussi douces que ses tanins. Velouté, il s'ouvre sur une longue finale. Une bouteille à savourer les yeux fermés, dans quatre ou cinq ans. Plus simple – et c'est sa vocation de second vin – mais avec aussi des tanins soyeux, l'**Esprit de Chevalier rouge 2003 (11 à 15 €)** reçoit une citation.
SC Dom. de Chevalier, 102, chem. de Mignoy, 33850 Léognan, tél. 05.56.64.16.16, fax 05.56.64.18.18, e-mail olivierbernard@domainedechevalier.com
r.-v.
Olivier Bernard

DOM. DE CHEVALIER 2004 ★★

Cru clas. 4 ha n.c. 38 à 46 €

82 83 85 86 89 (90) **91 92 93 94** 95 96 97 98 (99) **00** 01 02 **04**

Le blanc a beaucoup fait pour la renommée de Chevalier. Et une fois encore le succès est au rendez-vous. L'élégance de ce 2004 n'attend pas longtemps pour se manifester. Dès l'approche, elle éclate par sa robe blanc-vert admirable et par ses arômes subtils qui vont du buis aux fleurs blanches et à la pêche au sirop, avec un je-ne-sais-quoi d'exotique. Ample et ronde à souhait, l'attaque livre un fruit présent jusqu'à la longue finale. Les seules questions que suscite cette bouteille : vaut-il mieux l'ouvrir tout de suite ou l'attendre ? Et faut-il la servir sur un poisson fin à la crème ou la savourer pour elle-même ?
SC Dom. de Chevalier, 102, chem. de Mignoy, 33850 Léognan, tél. 05.56.64.16.16, fax 05.56.64.18.18, e-mail olivierbernard@domainedechevalier.com
r.-v.
Olivier Bernard

CH. COUHINS 2003 ★

8 ha 40 000 15 à 23 €

Passer de la théorie à la pratique est toujours un exercice redoutable. Le moins que l'on puisse dire est que l'équipe de l'INRA s'en sort avec les honneurs en présentant ce vin qui justifie un séjour en cave de trois ou quatre ans. Outre des arômes plaisants et complexes, qui vont des fruits au sous-bois, il développe un palais souple, rond et bien construit. Très proche, le second vin, **Sélection Couhins 2003 (11 à 15 €)** reçoit également une étoile.
INRA - Dom. de Couhins, chem. de la Gravette, BP 81, 33883 Villenave-d'Ornon Cedex, tél. 05.56.30.77.61, fax 05.56.30.70.49, e-mail couhins@bordeaux.inra.fr

CH. COUHINS 2004 ★

Cru clas. 4 ha 20 000 15 à 23 €

D'une aimable couleur jaune paille à reflets verts, ce vin joue à cache-cache avec le dégustateur. Il développe un joli nez aux notes complexes avant de sembler s'évanouir. Serait-ce la fin ? Non car l'attaque, franche et vive, fait renaître les arômes, avec de belles notes de citron vert et de fruit de la Passion, qu'enrobent bien vite tous les parfums d'un sauvignon aussi dominant au bouquet que dans son assemblage (93 %).
INRA - Dom. de Couhins, chem. de la Gravette, BP 81, 33883 Villenave-d'Ornon Cedex, tél. 05.56.30.77.61, fax 05.56.30.70.49, e-mail couhins@bordeaux.inra.fr

CH. COUHINS-LURTON 2004 ★

Cru clas. 6,5 ha 16 000 23 à 30 €

82 83 85 86 87 88 89 90 91 92 93 94 95 (96) 97 98 |99| |00| |01| |02| |03| 04

Issu d'un vignoble intégralement planté de sauvignon, ce vin porte la marque de ce cépage dans son bouquet aux notes de buis. Frais et vif, le palais réserve de bonnes surprises, comme sa plénitude, sa riche finale et ses arômes d'agrumes et d'ananas.

André Lurton, Ch. Bonnet, 33420 Grézillac, tél. 05.57.25.58.58, fax 05.57.74.98.59, e-mail andrelurton@andrelurton.com r.-v.

CH. COUHINS-LURTON 2003 ★

17,4 ha 20 000 15 à 23 €

Quand on a connu ce château et ses bâtiments annexes il y a quelques années et qu'on les redécouvre aujourd'hui, il est difficile de ne pas admirer le travail effectué par André Lurton depuis qu'il a décidé de reconstituer ce cru en 1992. Paré d'une robe grenat avec des touches de pourpre et de corail, ce 2003 livre un bouquet élégant et complexe de fruits noirs, de tabac et d'épices, le tout saupoudré de senteurs balsamiques ; le palais montre de la mâche et une bonne trame charnue. Ce vin, second millésime rouge du domaine, prouve que l'ardeur du célèbre viticulteur ne s'est pas arrêtée à l'architecture.

André Lurton, Ch. Bonnet, 33420 Grézillac, tél. 05.57.25.58.58, fax 05.57.74.98.59, e-mail andrelurton@andrelurton.com r.-v.

CH. DE CRUZEAU 2004

11 ha 50 000 11 à 15 €

Si la présence du sauvignon est une mode dans certains domaines, elle est ici une vieille tradition. L'expression aromatique de ce vin montre qu'elle est bien fondée. Outre une discrète mais présente note de buis, elle fait découvrir une large palette de parfums, des agrumes au bonbon anglais en passant par les fruits exotiques.

André Lurton, Ch. Bonnet, 33420 Grézillac, tél. 05.57.25.58.58, fax 05.57.74.98.59, e-mail andrelurton@andrelurton.com r.-v.

CH. D'ECK 2003

14 ha 26 300 8 à 11 €

Véritable décor de cinéma se dressant au-dessus de l'A62, l'autoroute des Deux Mers, le château est une authentique construction médiévale. Son vin a lui aussi fière allure et son étiquette est résolument moderne. Après un bouquet mêlant des notes de brioche et d'épices à une base de fruits très mûrs, le dégustateur découvre un palais aux tanins présents mais assez ronds : on pourra profiter de ce millésime sans avoir trop à attendre.

SCEV Michel Gonet et Fils, Ch. Lesparre, 33750 Beychac-et-Caillau, tél. 05.57.24.51.23, fax 05.57.24.03.99, e-mail vins.gonet@wanadoo.fr t.l.j. sf sam. dim. 9h-12h 14h-17h30

CH. FERRAN 2004 ★

4 ha 20 000 8 à 11 €

Le sauvignon et le sémillon faisant jeu égal dans l'encépagement, l'équilibre marque le bouquet. Soutenu par une agréable matière, le palais est frais et fruité. Une finale d'une bonne longueur clôt la dégustation. Déjà très plaisant, ce vin peut aussi être attendu pendant un an ou deux.

Ch. Ferran, 33650 Martillac, tél. 06.07.41.86.00, fax 05.56.72.62.75, e-mail chateau-ferran@wanadoo.fr r.-v.

CH. DE FIEUZAL 2003 ★

Cru clas. 32 ha 150 000 23 à 30 €

70 75 76 77 78 79 80 81 82 83 84 85 86 88 89 |(90)| 91 92 93 94 |(95)| |(96)| 97 98 |99| |00| |01| 02 03

Une belle unité, non seulement par sa superficie mais aussi par la qualité de ses sols de graves villafranchiennes. Rien d'étonnant donc d'y voir naître des vins comme ce 2003, qui a surpris les dégustateurs par la robustesse de son corps. Drapé dans une robe rouge aux reflets moirés, ce millésime déploie de subtils parfums de fruits rouges et de bois. Rond, souple et bien constitué, le palais appelle une garde de trois à quatre ans. Souple également et aimable, le second vin, **L'Abeille de Fieuzal 2003 (11 à 15 €)** reçoit une citation.

SC Ch. de Fieuzal, 124, av. de Mont-de-Marsan, 33850 Léognan, tél. 05.56.64.77.86, fax 05.56.64.18.88, e-mail fieuzal@terre-net.fr r.-v.

M. Quinn

CH. DE FIEUZAL 2004 ★★

8 ha 25 000 30 à 38 €

83 84 85 86 87 88 89 (90) 91 92 93 94 95 96 97 |98| |(99)| |00| |01| 02 |03| **04**

Vin du soleil par sa robe, ce 2004, d'une remarquable puissance aromatique, révèle un mariage réussi de la vanille et du fruit. Gras et dense, c'est le type même de la bouteille bien armée pour tirer profit d'une garde de trois ou quatre ans. Souple et très parfumé, le second vin, **L'Abeille de Fieuzal blanc 2004 (11 à 15 €)**, obtient une étoile. Il peut lui aussi être attendu.

SC Ch. de Fieuzal, 124, av. de Mont-de-Marsan, 33850 Léognan, tél. 05.56.64.77.86, fax 05.56.64.18.88, e-mail fieuzal@terre-net.fr r.-v.

M. Quinn

CH. DE FRANCE 2004 ★

2 ha 10 000 15 à 23 €

Ce vin développe un bouquet aux riches senteurs d'amande grillée, d'écorce d'orange, de pamplemousse rose et de fruits exotiques. Vif à l'attaque, il allie une matière bien construite, du volume et beaucoup de gras. Le tout est accompagné d'un léger vanillé et d'une longue finale. Un mariage avec des mets de qualité s'impose.

SAS Bernard Thomassin, Ch. de France, 98, av. de Mont-de-Marsan, 33850 Léognan, tél. 05.56.64.75.39, fax 05.56.64.72.13, e-mail chateau-de-france@chateau-de-france.com r.-v.

CH. DE FRANCE 2003 ★

20 ha 47 000 15 à 23 €

81 82 83 85 86 88 89 90 92 93 95 96 97 |98| |99| |00| |01| 02 03

Dressé sur une butte de graves, le château est construit sur un ancien manoir dont il a gardé les caves voûtées. Paré d'une robe rubis, son vin sait surprendre par son mariage des fruits frais et du kirsch. Souples et onctueux, les tanins sont entourés de chair et ne demandent qu'un peu de patience. Dans quatre ou cinq ans, ils promettent d'intéressants accords avec une cuisine simple pour un repas entre amis.

SAS Bernard Thomassin, Ch. de France,
98, av. de Mont-de-Marsan, 33850 Léognan,
tél. 05.56.64.75.39, fax 05.56.64.72.13,
e-mail chateau-de-france@chateau-de-france.com
r.-v.

CH. LA GARDE 2003 ★★

41 ha 129 300 15 à 23 €

(90) **91 93** 94 |(95)| **96** 97 |**98**| |99| 00 01 **02 03**

Une petite chartreuse fondée en 1739 abrite les chais très modernes de ce cru acquis par la maison Dourthe en 1990. Une nouvelle étiquette habille ce millésime. Que les fidèles du cru se rassurent, le contenu de la bouteille n'a pas changé d'esprit : il assemble 50 % de cabernet-sauvignon, 45 % de merlot et 5 % de cabernet franc élevés quatorze mois en barrique. La robe reste élégante, toujours sombre ; le bouquet complexe joue encore sur le bois (toast, grillé et moka) et le palais gras est puissant. Riche et profond, l'ensemble, de qualité, mérite un séjour en cave de cinq à huit ans. Franc et plaisant, le second vin, **La Terrasse de La Garde rouge 2003 (8 à 11 €)**, obtient une citation.

Vignobles Dourthe, Ch. La Garde,
1, chem. de la Tour, 33650 Martillac,
tél. 05.56.35.53.00, fax 05.56.35.53.29,
e-mail contact@cvbg.com r.-v.

CH. HAUT-BACALAN 2003 ★

6 ha 27 600 15 à 23 €

Après une éclipse de près de quarante ans, ce cru revit depuis 2001 et exploite un beau terroir de graves. Drapé dans une livrée presque noire, son vin affiche une forte personnalité. Celle-ci s'exprime par un bouquet épanoui : vanille, café, fruits très mûrs, avec dans leur sillage une foule d'épices. Rond, moelleux et harmonieux, le palais n'est pas en reste et invite à la garde.

Corinne Gonet, Ch. Haut-Bacalan,
56, rue du Dom. de Bacalan, 33600 Pessac,
tél. 05.57.24.51.23, fax 05.57.24.03.99,
e-mail chateau-haut-bacalan@wanadoo.fr
t.l.j. sf sam. dim. 9h-12h 14h-17h30

CH. HAUT-BAILLY 2003 ★★

Cru clas. 27 ha 80 000 38 à 46 €

82 **83 85 86 87 88 89** |**90**| **92 93 94** |(95)| **96** |**97**| |**98**| **99** 00 **01 02 03**

Établi depuis quatre siècles sur un vignoble d'un seul tenant, Haut-Bailly a retrouvé sa vocation avec les Sanders qui en firent l'acquisition en 1955. En 1998, ceux-ci l'ont cédé à Robert G. Wilmers qui l'a rénové en profondeur. Ce 2003 a séduit le grand jury : son bouquet scelle l'alliance parfaite de la puissance et de l'élégance, comme celle des fruits noirs et du bois. Soutenu par des tanins soyeux, le palais est riche, plein, expressif avec, en prime, un côté charmeur. La finale, complexe à souhait sur des notes de coco et de cerise noire, confirme l'impression générale pour appeler une garde de cinq à dix ans. Puissant et rond, le second vin, **La Parde de Haut-Bailly rouge 2003 (15 à 23 €)** obtient une étoile.

SAS Ch. Haut-Bailly, 103, rte de Cadaujac,
33850 Léognan, tél. 05.56.64.75.11, fax 05.56.64.53.60,
e-mail mail@chateau-haut-bailly.com r.-v.
Robert G. Wilmers

CH. HAUT-BERGEY 2003 ★

21,65 ha 62 000 15 à 23 €

91 92 93 94 96 97 **98** |99| 00 01 02 03

Si vous aimez les bons vins qui ne demandent pas une longue garde, ce 2003 est pour vous. Son bouquet est déjà plaisant, avec un bois qui se mêle discrètement aux fruits et au cuir. Au palais, les mêmes arômes se confirment pour composer, avec des tanins élégants, un ensemble fort réussi. Vif et aromatique (fleur d'acacia, agrumes et note de sauvignon), le **blanc 2004** obtient, lui aussi, une étoile.

Ch. Haut-Bergey, 69, cours Gambetta, BP 49,
33850 Léognan, tél. 05.56.64.05.22, fax 05.56.64.06.98,
e-mail haut.bergey@wanadoo.fr r.-v.
Sylviane Garcin

CH. HAUT-BRION 2003 ★★

1er cru clas. 43,2 ha n.c. + de 76 €

73 74 |**75**| **76 77 78** |**79**| **81** |(82)| |**83**| **84** |**85**| |**86**| **87** |**88**| |**89**| |(90)| **91 92** |**93**| |**94**| (95) (96) |**97**| (98) **99** (00) **01** (02) **03**

Ici pas de construction éclectique, rococo ou exotique, comme les apprécie tant l'architecture vitivinicole, mais un authentique manoir entouré d'un parc aux arbres centenaires ; un îlot de verdure cerné par l'habitat dense de l'agglomération bordelaise. Le secret de sa résistance ? Son histoire glorieuse certes, mais surtout une qualité qui reste digne de son rang de 1er cru classé. Ce millésime assemble 58 % de merlot, 31 % de cabernet-sauvignon et 11 % de cabernet franc. Sa robe, rubis profond à reflets violines, invite à la conversation. Au nez, de grande classe, délicieusement vanillé, défilent les fruits mûrs et frais, suivis par les épices et un boisé fin. Racé, puissant au palais, opulent même, ce vin aux tanins serrés montre qu'il est plein d'avenir. Et ce n'est pas la fougue de la finale, aux savoureux arômes épicés et réglissés, qui dément cette impression.

Dom. Clarence Dillon, Ch. Haut-Brion,
33608 Pessac, tél. 05.56.00.29.30, fax 05.56.98.75.14,
e-mail info@haut-brion.com r.-v.

CH. HAUT-BRION 2004 ★★★

2,7 ha n.c. + de 76 €

(82) **83 85 87 88** |**89**| |**90**| **94 95 96 97** |**98**| (99) (00) |**01**| |**02**| |**03**| |(04)|

D'une dimension modeste, 2,7 ha, le vignoble blanc de ce cru bénéficie d'un terroir de grande qualité. Depuis une trentaine d'années, son vin se situe toujours dans le peloton de tête de l'AOC ; et une fois de plus, il le confirme avec ce 2004 assemblant 49 % de sémillon au sauvignon. Sa couleur d'un or jaune brillant, son bouquet opulent à souhait, aux notes de brioche, de beurre, de fleur de vigne et d'agrumes très mûrs (citron lime), séduisent d'emblée. Tout aussi riche, son palais est plein, onctueux et gras.

Ce vin serait-il la réalisation du rêve d'un ancien propriétaire, monsieur Larrieu : « obtenir la plénitude aromatique d'un liquoreux dans un vin sec » ?
Dom. Clarence Dillon, Ch. Haut-Brion, 33608 Pessac, tél. 05.56.00.29.30, fax 05.56.98.75.14, e-mail info@haut-brion.com r.-v.

CH. HAUT-GARDÈRE 2003

35 ha 50 000 11 à 15 €

Cru dépendant de Fieuzal. Souple et délicat, son vin développe un bouquet agréable, aux jolies notes fruitées. Frais et d'une discrète présence tannique, il s'accordera sans attendre avec des mets simples. Le **blanc 2004** est également cité.
SC Ch. de Fieuzal, 124, av. de Mont-de-Marsan, 33850 Léognan, tél. 05.56.64.77.86, fax 05.56.64.18.88, e-mail fieuzal@terre-net.fr r.-v.

CH. HAUT LAGRANGE 2003 *

18 ha 70 000 11 à 15 €

Plantées à la fin des années quatre-vingt, les vignes de ce cru commencent à prendre de l'âge. Cela se sent dans la personnalité du vin. Son bouquet est désormais intense, un mariage réussi de baies très mûres et de notes de moka. Gras, dense et savoureux, le palais permettra d'associer cette bouteille à de nombreux mets.
Francis Boutemy, SA Ch. Haut Lagrange, 31, rte de Loustalade, 33850 Léognan, tél. 05.56.64.09.93, fax 05.56.64.10.08, e-mail francis.boutemy@hautlagrange.com r.-v.

CH. HAUT-VIGNEAU 2003 *

23 ha 120 000 5 à 8 €

Vignoble d'un seul tenant établi sur une partie des anciens domaines de Montesquieu, ce cru est à forte majorité (70 %) planté de cabernet-sauvignon. Cela se traduit dans la robe du vin par une belle couleur aux reflets brillants. Le merlot rappelle sa présence par une touche de cuir. Fin, élégant et harmonieux, l'ensemble sera à point d'ici deux à trois ans.
GFA du Ch. Haut-Vigneau, 20, rue Jules-Guesde, 33850 Léognan, tél. 05.57.96.56.20, fax 05.57.96.59.19, e-mail chateau.haut-vigneau@wanadoo.fr r.-v.
Éric Perrin

CH. LAFARGUE 2003 **

9 ha 40 800 11 à 15 €

La nature du sol, argilo-calcaire, explique la part du merlot (60 %) dans l'encépagement de ce cru. Celui-ci, comme l'élevage, fait sentir sa présence dans le bouquet. Toutefois c'est le millésime qui apporte la marque principale par des notes de fruits cuits et confits. Son agrément se retrouve au palais avec un côté frais et soyeux, qui n'empêche pas le corps et la sève de se manifester. Encore jeunes, les tanins sont très prometteurs. Voilà une bien belle bouteille, qu'il ne faudra pas hésiter à oublier plusieurs années (cinq ou six) en cave avant de l'ouvrir sur de la cuisine traditionnelle.
Jean-Pierre Leymarie, 5, imp. de Domy, 33650 Martillac, tél. 05.56.72.72.30, fax 05.56.72.64.61, e-mail contact@chateau.lafargue.com
t.l.j. sf sam. dim. 8h-12h 14h-17h

CH. LARRIVET-HAUT-BRION 2004 *

8,34 ha 35 000 23 à 30 €

Souple, rond et harmonieux, le vin blanc de ce cru porte une jolie couleur à reflets verts. C'est surtout son nez qui séduit par ses notes de buis, de citron et de fruits exotiques accompagnées par le boisé bien fondu de la barrique qui s'impose avec une certaine grâce.
Ch. Larrivet-Haut-Brion, av. de Cadaujac, 33850 Léognan, tél. 05.56.64.75.51, fax 05.56.64.53.47, e-mail larrivethautbrion@wanadoo.fr r.-v.
Ph. Gervoson

CH. LARRIVET-HAUT-BRION 2003 **

46,19 ha 166 000 23 à 30 €

La propriété n'a plus ses dimensions du XIX[e]s. (125 ha dont 60 ha d'un parc magnifique) quand elle s'appelait Haut-Brion Larrivet. Mais l'essentiel reste, à savoir son terroir. D'une couleur soutenue, son vin se montre flatteur par la puissance de son bouquet, dans lequel le toast et les petits fruits rouges trouvent un bon équilibre. Le palais se distingue par sa finesse, avec un grillé toujours flatteur, une concentration de tanins de qualité et un gras qui enveloppe le tout. Il saura récompenser l'amateur patient qui attendra de quatre à huit ans pour profiter de ses charmes.
Ch. Larrivet-Haut-Brion, av. de Cadaujac, 33850 Léognan, tél. 05.56.64.75.51, fax 05.56.64.53.47, e-mail larrivethautbrion@wanadoo.fr r.-v.
Ph. Gervoson

CH. LATOUR-MARTILLAC 2003 *

Cru clas. 35 ha 146 400 23 à 30 €

(82) **83** 84 **85 86** 87 **88** 89 **90** 91 92 **93 94** |**95**| |**96**| **97 98** |99| **00** 01 **02** 03

Ancienne dépendance des domaines de Montesquieu, ce cru garde de son passé une tour médiévale. Autant la robe de ce vin, d'un grenat profond, est expressive, autant son bouquet naissant reste encore énigmatique. On devine néanmoins des fruits, du cuir et des nuances plus exotiques. Mais rendu au palais, ce millésime devient beaucoup plus loquace, livrant des notes de fruits mûrs qui apparaissent et se mêlent aux tanins bien fondus et à la chair. La finale confirme la bonne impression d'ensemble laissée par cette bouteille pleine de charme et incite à se montrer patient.
Domaines Kressmann, Ch. Latour-Martillac, 33650 Martillac, tél. 05.57.97.71.11, fax 05.57.97.71.17 r.-v.

CH. LATOUR-MARTILLAC 2004 **

Cru clas. 9 ha 32 000 23 à 30 €

81 82 83 84 **85 86 87** (88) **89 90 91 92** 93 **94 95** |**96**| 97 |**98**| |**99**| |(00)| 01 **02 03 04**

Si ce cru reste fidèle à la tradition de la pluralité des cépages, puisque son encépagement comprend de la

muscadelle et du sémillon, le sauvignon (60 %) domine. C'est lui qui donne ici le *la* ; après un temps d'aération, ce vin arrive à une parfaite expression de sa complexité. Gras et puissants, le palais et la finale intègrent un boisé bien fondu. Une bonne garde (trois ou quatre ans) peut être envisagée.
Domaines Kressmann,
Ch. Latour-Martillac, 33650 Martillac,
tél. 05.57.97.71.11, fax 05.57.97.71.17 r.-v.

CH. LAVILLE HAUT-BRION 2004 ★★

Cru clas. 3,7 ha n.c. + de 76 €

81 82 83 85 87 88 (89) 90 93 94 95 96 97 (98) 99 00 (01) 02 03 04

Comme son cousin le Haut-Brion blanc, ce cru est de taille fort modeste ; mais son terroir argilo-calcaire se prête parfaitement à l'obtention de vins blancs de grande qualité. D'une robe or pâle fort seyante, celui-ci compose un bouquet subtil de notes fleuries et fruitées. Le palais se livre, offrant des saveurs de citron, de pêche au sirop et d'agrumes. Son équilibre et son acidité rafraîchissante feront de ce vin le compagnon des poissons et des crustacés.
Dom. Clarence Dillon, Ch. Haut-Brion,
33608 Pessac, tél. 05.56.00.29.30, fax 05.56.98.75.14,
e-mail info@haut-brion.com r.-v.

CH. LIMBOURG 2003 ★

2 ha 10 000 11 à 15 €

Du même producteur que le Château Pontac Monplaisir, ce vin est sans doute un peu moins ambitieux. Mais tout est relatif. Son bouquet fruité, son volume, son gras et sa matière pourraient faire pâlir de jalousie bien d'autres vins. Harmonieux et élégant, le **blanc 2004** obtient également une étoile.
Jean et Alain Maufras,
Ch. Pontac Monplaisir, 33140 Villenave-d'Ornon,
tél. 05.56.87.08.21, fax 05.56.87.35.10 r.-v.

CH. LA LOUVIÈRE 2003 ★

48 ha 150 000 15 à 23 €

75 80 81 82 **83 85 86 88** 89 (90) 92 **93 94** 95 96 97 98 **99** (00) **01 02** 03

Monument historique, La Louvière commande un vaste vignoble de 63 ha. Le cabernet-sauvignon règne dans cet assemblage où l'accompagnent 3 % de cabernet franc, 3 % de petit verdot et 30 % de merlot. Rouge-grenat limpide et brillant, ce millésime se montre floral, fruité, réglissé, mentholé... Sa fraîcheur et son amabilité rendront ce vin aux tanins sages rapidement accessible.
André Lurton, Ch. La Louvière, 149, av. Cadaujac,
33850 Léognan, tél. 05.57.25.58.58, fax 05.57.74.98.59,
e-mail andrelurton@andrelurton.com r.-v.

CH. LA LOUVIÈRE 2004 ★

13,5 ha 45 000 15 à 23 €

86 88 89 (90) **91 92 93 94** 95 96 **98 99** 00 01 **02 03** 04

Ce château est sans doute l'une des demeures les plus élégantes du Bordelais. Son raffinement et sa classe se retrouvent dans le vin. D'abord dans le bouquet qui promène le dégustateur d'un parterre de fleurs blanches à une corbeille de fruits jaunes relevés de bouffées de menthol. L'attaque tonique cède la place à une matière aussi fine et élégante que la finale. Finesse est aussi le maître mot du **L de La Louvière blanc 2004 (8 à 11 €)**, une étoile également.
André Lurton, Ch. La Louvière, 149, av. Cadaujac,
33850 Léognan, tél. 05.57.25.58.58, fax 05.57.74.98.59,
e-mail andrelurton@andrelurton.com r.-v.

CH. LUCHEY-HALDE 2003 ★

18 ha 14 750 23 à 30 €

Très ancien domaine urbain, ce cru fut abandonné en 1919 avant de devenir un terrain de sport de l'armée. En 1999, l'ENITA a sauvé la chartreuse et son terroir. Celui-ci est de qualité, comme le montre ce vin à la structure équilibrée et solide et à l'agréable expression aromatique, succession d'élégantes notes de fruits rouges, de vanille et de menthol.
ENITA-Bordeaux, Ch. Luchey-Halde,
17, av. du Mal-Joffre, 33700 Mérignac,
tél. 05.56.45.97.19, fax 05.56.45.33.79,
e-mail chateau-luchey-halde@wanadoo.fr r.-v.

CH. MALARTIC-LAGRAVIÈRE 2003 ★★

Cru clas. 30 ha 80 000 23 à 30 €

82 **83 85 86 88 89** 90 **91 92 93** 95 96 97 98 99 00 01 (02) **03**

Grappe d'or du Guide l'an dernier, ce cru participait déjà au XVIIIe s. à la gloire des *French clarets*. Acquis en 1997 par l'homme d'affaires belge A.-A. Bonnie, qui avait donné une nouvelle vie à la célèbre marque de l'Eau écarlate, ce cru retrouve toute son aura. Il propose ici un vin fortement typé dans son millésime par ses arômes très mûrs (fruits noirs et raisin). Ceux-ci sont bien soutenus par un bois discret. Onctueux et soyeux, les tanins invitent à profiter des charmes de ce 2003 dans un à deux ans.
SC Ch. Malartic-Lagravière,
43, av. de Mont-de-Marsan, 33850 Léognan,
tél. 05.56.64.75.08, fax 05.56.64.99.66,
e-mail malartic-lagraviere@malartic-lagraviere.com
r.-v.
A.-A. Bonnie

CH. MALARTIC-LAGRAVIÈRE 2004 ★

Cru clas. 5 ha 16 000 30 à 38 €

Très présent dans l'encépagement (70 %), le sauvignon l'est aussi dans le bouquet et au palais de ce 2004. La bouche attaque avec beaucoup de finesse et de nervosité, avant de révéler complètement son caractère fondu et équilibré que prolonge une finale persistante.
SC Ch. Malartic-Lagravière,
43, av. de Mont-de-Marsan, 33850 Léognan,
tél. 05.56.64.75.08, fax 05.56.64.99.66,
e-mail malartic-lagraviere@malartic-lagraviere.com
r.-v.

CH. MIREBEAU 2003 ★

4,28 ha 20 000 15 à 23 €

Au cœur de Martillac, ce petit cru, qui fut propriété d'Alexandre Dumas fils, résiste bien à la pression de l'urbanisation. Sa meilleure arme est la qualité de sa production, dont témoigne ce vin à la robe attrayante, au bouquet puissant et au palais bien équilibré. Il convient de l'attendre quatre ou cinq ans pour qu'il gagne en complexité.
Cyril Dubrey, 35, rte de Mirebeau, 33650 Martillac,
tél. 05.56.72.61.76, fax 05.56.62.43.67,
e-mail cyril@chateau-mirebeau.com r.-v.

CH. LA MISSION HAUT-BRION 2003 ★★

■ Cru clas. n.c. n.c. 🍷 + de 76 €

78 80 **81** |**82**| |**83**| **84** |**85**| |**86**| **87** |**88**| |**89**| |(90)| 92 93 **94** |**95**| |(96)| |**97**| |**98**| |**99**| (00) **01 02 03**

Déjà vingt ans que ce cru, situé aux portes du campus universitaire, a été racheté et sauvé de l'urbanisation. Il fait l'objet cette année de travaux d'importance, avec la réfection du cuvier et du chai. Dans sa robe noire à reflets rouges, son 2003 est d'une réelle élégance, que confirme un bouquet expressif et poétique : fruits mûrs, violette, fruits frais et même quelques notes de parfum de rose ancienne et de cannelle. Soutenu par une belle matière, le palais est d'une bonne puissance tannique qui invite à attendre cinq ou six ans avant de déboucher cette bouteille.

🔑 Dom. Clarence Dillon, Ch. Haut-Brion,
33608 Pessac, tél. 05.56.00.29.30, fax 05.56.98.75.14,
e-mail info@haut-brion.com 🍷 ✯ r.-v.

LA CHAPELLE DE LA MISSION HAUT-BRION 2003 ★

■ n.c. n.c. 🍷 23 à 30 €

Seconde étiquette de La Mission Haut-Brion, ce vin maîtrise parfaitement l'art de se présenter. La fraîcheur de sa teinte violine s'accorde au bouquet friand et à son délicat fumet de cuir. L'attaque partage cette même fraîcheur et révèle une chair tendre qui enrobe des tanins serrés. Assez caractéristique des 2003, la finale appelle la garde.

🔑 Dom. Clarence Dillon, Ch. Haut-Brion,
33608 Pessac, tél. 05.56.00.29.30, fax 05.56.98.75.14,
e-mail info@haut-brion.com 🍷 ✯ r.-v.

CH. OLIVIER 2003 ★

■ Cru clas. 39,56 ha 96 260 🍷 15 à 23 €

Entouré de douves, cet authentique château médiéval caché derrière un bois ancestral est l'un des plus intéressants de la Gironde. Encore naissant, le bouquet de son vin sait déjà mettre en valeur ses parfums de fruits rouges et d'épices. Riche, élégant et bien équilibré, le palais révèle une solide structure qui appelle une bonne garde (quatre à six ans). Fin, vif et d'une bonne complexité, le **blanc 2004** est cité.

🔑 Ch. Olivier, 175, av. de Bordeaux, 33850 Léognan,
tél. 05.56.64.73.31, fax 05.56.64.54.23,
e-mail mail@chateau-olivier.com ☑ 🍷 ✯ r.-v.
🔑 J.-J. de Bethmann

CH. PAPE CLÉMENT 2003 ★★

■ Cru clas. 30 ha 85 000 🍷 46 à 76 €

82 83 **85 86** 87 |**88**| 89 |**90**| **91 92 93 94** |**95**| |**96**| **97** |**98**| **99** 00 **01 02 03**

Pièce maîtresse de l'empire que s'est constitué Bernard Magrez, ce cru en est aussi le meilleur ambassadeur. Sa présentation est digne de celle d'un ministre plénipotentiaire et son bouquet est aussi complexe que le discours d'un diplomate, avec ce qu'il faut de réserve. Bien bâti, le palais déploie des saveurs d'amande et des tanins mûrs, fins et serrés. Fruitée, d'une superbe persistance, la finale annonce un réel potentiel de garde. Une bouteille à attendre de deux à dix ans avant de la servir sur des mets raffinés. Autre vin signé par le cru, **La Sérénité rouge 2003 (46 à 76 €)** obtient une étoile. Il est lui aussi candidat à la garde.

🔑 SAS Ch. Pape Clément,
216, av. Dr-Nancel-Penard, BP 164, 33607 Pessac,
tél. 05.57.26.68.04, fax 05.57.26.68.08,
e-mail chateau@pape-clement.com ☑ 🍷 ✯ r.-v.
🔑 Bernard Magrez

CH. PICQUE CAILLOU 2003 ★

■ 19 ha 70 000 🍷 11 à 15 €

81 86 88 89 **90 93** 94 95 96 |98| |99| **00** 02 03

Extension de l'aéroport Chaban-Delmas, voie rapide, les menaces planent sur ce cru. Au moins la pénétrante aura-t-elle le mérite de mettre en exergue cette jolie chartreuse du XVIIIe s. D'une couleur franche et soutenue, son vin a lui aussi fière allure. Il déploie une jolie palette d'arômes, des fruits rouges au cuir en passant par la vanille, et ses saveurs jouent de tous les sens du dégustateur. Soutenu par une douce et bonne structure tannique, ce 2003 pourra être gardé quelques années ou apprécié sans attendre.

🔑 GFA Ch. Picque Caillou,
av. Pierre-Mendès-France, 33700 Mérignac,
tél. 05.56.47.37.98, fax 05.56.97.99.37,
e-mail chateaupicquecaillou@wanadoo.fr ☑ 🍷 ✯ r.-v.
🔑 Paulin Calvet

CH. PONTAC MONPLAISIR 2003 ★★

■ 10 ha 55 000 🍷 11 à 15 €

Porter le nom de l'illustre famille de Pontac, qui fut un temps propriétaire du domaine, est un honneur dont ce vin se rend parfaitement digne. D'une couleur profonde, il sait se présenter en offrant un bouquet intense, où l'on se plaît à rechercher les fruits, noirs comme rouges, la vanille, la cannelle ou le poivre. Souple, doux, presque sucré, le palais ajoute encore à cette complexité en apportant des arômes de confiture, de fruits à l'eau-de-vie et de pruneau. La finale, ô combien gourmande, confirme cette impression générale et garantit une superbe bouteille d'ici trois à quatre ans. Le **blanc 2004** obtient une étoile.

🔑 Jean et Alain Maufras, Ch. Pontac Monplaisir,
33140 Villenave-d'Ornon, tél. 05.56.87.08.21,
fax 05.56.87.35.10 ☑ 🍷 ✯ r.-v.

CH. DE ROCHEMORIN 2004 ★★

13 ha 70 000 8 à 11 €

Ce cru s'est doté d'un nouveau chai-cuvier, qui se repère à son clocheton, entre Léognan et Martillac. Ce vin n'en a pas profité, ce qui ne l'empêche pas de réussir fort bien sa prestation. Dominé par les agrumes, son bouquet laisse le sauvignon rappeler sa place (100 %) par une note de buis, tandis que le bois en fait de même avec le grillé. Le tout s'enrichit encore d'une touche, fort bienvenue, de poire williams, qui revient au palais. Gras, frais, riche et dynamique, celui-ci garantit un bon potentiel, qui autorise la garde de cette jolie bouteille. Encore un peu austère mais bien bâti, le **rouge 2003 (11 à 15 €)** est cité.

André Lurton, Ch. Bonnet, 33420 Grézillac, tél. 05.57.25.58.58, fax 05.57.74.98.59, e-mail andrelurton@andrelurton.com r.-v.

CH. DE ROUILLAC 2004 ★

1,5 ha n.c. 15 à 23 €

Comme beaucoup d'autres crus, ce château second Empire est aujourd'hui enclavé dans la banlieue bordelaise. Discret mais racé, le bouquet de son vin joue sur des notes d'agrumes et de fleurs (sureau et rose) tandis qu'une pointe de miel d'acacia annonce le palais. Frais, vif, rond et moelleux, l'ensemble est printanier et se plaira rapidement sur des poissons fins.

Vignobles Lafragette, Ch. de Rouillac, 33610 Canéjan, tél. 05.56.73.17.80, fax 05.56.09.02.87, e-mail loudenne@lafragette.com r.-v.

CH. LE SARTRE 2004 ★

7,5 ha 35 000 11 à 15 €

93 94 95 **96** 97 98 99 |00| |01| |**03**| |04|

L'année 2004 aura marqué ce cru qui a lancé un plan qualité ambitieux. C'est aussi un millésime réussi avec ce vin élégant, gras, rond et original par sa finale un peu résinique qui déliera les langues à l'apéritif.

SCEA du Ch. Le Sartre, chem. du Sartre, 33850 Léognan, tél. 05.56.64.08.78, fax 05.56.64.52.57, e-mail chateaulesartre@wanadoo.fr r.-v.

Mme Leriche

CH. SEGUIN 2003 ★

18 ha 60 000 11 à 15 €

Sans doute d'origine médiévale, comme l'indiquent son nom et son emplacement au bord d'une ancienne route de Compostelle, ce cru jouit d'un terroir comportant plusieurs types de graves. Sa robe n'est pas de bure mais d'une pourpre cardinalice qui sied mieux à la richesse naissante de son bouquet. Moelleux, concentré, rond et délicat, l'ensemble promet de prendre beaucoup plus de complexité avec le temps.

SC Dom. de Seguin, chem. de la House, 33610 Canéjan, tél. 05.56.75.02.43, fax 05.56.89.35.41, e-mail chateau-seguin@wanadoo.fr

t.l.j. 8h-12h30 13h-18h; sam. dim. sur r.-v.

CH. SMITH HAUT LAFITTE 2003 ★

Cru clas. 44 ha 100 000 30 à 38 €

82 **83 85 86** 87 **88 89 90 91** 92 **93 94 95** 96 97 |**98**| 99 **00** |**01**| **02** 03

S'ils ont transformé ce cru en haut lieu touristique girondin, avec le complexe hôtelier qui le jouxte, les Cathiard n'ont pas négligé pour autant le vin. Témoin, ce 2003 au bouquet complexe (torréfaction, noix de coco, épices douces...) et au palais velouté. Une matière riche et de frais arômes de menthol en font un produit fin et fort agréable, qui ne demandera pas une longue garde pour livrer tous ses charmes.

F. et D. Cathiard, Ch. Smith Haut Lafitte, 33650 Martillac, tél. 05.57.83.11.22, fax 05.57.83.11.21, e-mail f.cathiard@smith-haut-lafitte.com r.-v.

CH. SMITH HAUT LAFITTE 2004 ★★

11 ha 30 000 30 à 38 €

88 89 90 91 **92** 93 94 95 **96 97** (98) **99 00** |**01**| |**02**| **03** |**04**|

Si la renommée du blanc de Smith n'est plus à faire, elle ne peut qu'être confortée par des vins comme celui-ci. Le sauvignon (90 % de l'encépagement) est un peu dominant en première approche avec une forte présence du buis, puis ce dernier compose avec les autres arômes. Les fleurs blanches, les fruits exotiques (mangue, ananas mûr) et même une touche de bourgeon apparaissent pour donner un tableau complexe. Ample, aromatique et frais, le palais est suave, mais derrière se cache une acidité qui ouvre la porte à la garde. Qu'on l'ouvre jeune ou âgée, cette bouteille mérite des mets de choix : poisson en sauce, saumon fumé avec ses blinis ou, mieux encore, une tranche d'esturgeon grillée.

F. et D. Cathiard, Ch. Smith Haut Lafitte, 33650 Martillac, tél. 05.57.83.11.22, fax 05.57.83.11.21, e-mail f.cathiard@smith-haut-lafitte.com r.-v.

DOM. DE LA SOLITUDE 2003 ★

25 ha 100 000 11 à 15 €

L'ordre des Sœurs de la Sainte-Famille a pu assister à une apparition miraculeuse du Christ à l'époque où son couvent se situait dans le centre de Bordeaux. Mais pour obtenir un vin de qualité, les religieuses ont préféré confier leurs vignes à l'équipe d'Olivier Bernard (domaine de Chevalier) plutôt que d'attendre un éventuel miracle. Bien leur en a pris. D'une belle couleur rubis frangée de grenat, ce vin, d'abord tendre et souple, se développe ensuite sur de beaux tanins qui s'accordent avec les arômes pour appeler une garde de trois ou quatre ans avant un mariage avec de la cuisine moderne.

Olivier Bernard, 10, rte de la Solitude, 33650 Martillac, tél. 05.56.72.74.74, fax 05.56.72.52.00, e-mail olivierbernard@domainedelasolitude.com r.-v.

Communauté de la Sainte-Famille

CH. LE THIL COMTE CLARY 2004 ★

3,08 ha 23 000 15 à 23 €

Si la décoration intérieure du château est second Empire, l'histoire prestigieuse de la famille Clary, dont descendent les de Laitre, remonte au premier Empire. Expressif par son bouquet aux parfums de fruits blancs, d'agrumes et de fleurs, son 2004 l'est aussi par sa structure, ample, fraîche et longue.

Ch. Le Thil Comte Clary, Le Thil, 33850 Léognan, tél. 05.56.30.01.02, fax 05.56.30.04.32, e-mail jean-de-laitre@chateau-le-thil.com r.-v.

Jean de Laitre

CH. LA TOUR HAUT-BRION 2003 ★

Cru clas. 4,9 ha n.c. 38 à 46 €

78 79 80 **81** (82) **83 84 85** |**86**| **87** |**88**| |**89**| |**90**| 92 93 **94** |**95**| |**96**| 97 |98| |99| 00 01 02 03

Ce cru ne partait pas avantagé en 2003 avec son terroir sablo-graveleux. Mais le savoir-faire des hommes a pallié les manques de la climatologie. Le résultat est un ensemble de qualité : robe rutilante, bouquet de cerise à l'eau-de-vie, relevé de notes un peu fumées et de nuances d'amande grillée. Le palais, qui trahit la présence du merlot un peu surmûri (68 %), révèle un vin solide qui a besoin de se fondre. Il faudra l'attendre un peu pour qu'il livre des impressions plus voluptueuses.

Dom. Clarence Dillon, Ch. Haut-Brion, 33608 Pessac, tél. 05.56.00.29.30, fax 05.56.98.75.14, e-mail info@haut-brion.com r.-v.

CH. TOUR LÉOGNAN 2004

4 ha 24 000 8 à 11 €

Situé près de Carbonnieux, ce cru est exploité par la même équipe. Sans égaler son cousin, son vin vif et frais possède suffisamment de richesse et d'acidité pour être attendu deux ou trois ans, avant de se confronter à un plateau de fruits de mer.

SC des Grandes Graves, Ch. Carbonnieux, 33850 Léognan, tél. 05.57.96.56.20, fax 05.57.96.59.19, e-mail chateau.carbonnieux@wanadoo.fr r.-v.

Antony Perrin

Le Médoc

Dans l'ensemble girondin, le Médoc occupe une place à part. A la fois enclavés dans leur presqu'île et largement ouverts sur le monde par un profond estuaire, le Médoc et les Médocains apparaissent comme une parfaite illustration du tempérament aquitain, oscillant entre le repli sur soi et la tendance à l'universel. Et il n'est pas étonnant d'y trouver aussi bien de petites exploitations familiales presque inconnues que de grands domaines prestigieux appartenant à de puissantes sociétés françaises ou étrangères.

S'en étonner serait oublier que le vignoble médocain (qui ne représente qu'une partie du Médoc historique et géographique) s'étend sur plus de 80 km de long et 10 de large. Le visiteur peut donc admirer non seulement les grands châteaux du vin du siècle dernier, avec leurs splendides chais-monuments, mais aussi partir à la découverte approfondie du pays. Très varié, celui-ci offre aussi bien des horizons plats et uniformes (près de Margaux) que de belles croupes (vers Pauillac), ou l'univers tout à fait original du Médoc dans sa partie nord, à la fois terrestre et maritime. La superficie des AOC du Médoc représente environ 16 400 ha.

Pour qui sait quitter les sentiers battus, le Médoc réserve plus d'une heureuse surprise. Mais sa grande richesse, ce sont ses sols graveleux, descendant en pentes douces vers l'estuaire de la Gironde. Pauvre en éléments fertilisants, ce terroir est particulièrement favorable à la production de vins de qualité, la topographie permettant un drainage parfait des eaux.

On a pris l'habitude de distinguer le haut-Médoc, de Blanquefort à Saint-Seurin-de-Cadourne, et le nord Médoc, de Saint-Germain-d'Esteuil à Saint-Vivien. Au sein de la première zone, six appellations communales produisent les vins les plus réputés. Les soixante crus classés sont essentiellement implantés sur ces appellations communales ; cependant, cinq d'entre eux portent exclusivement l'appellation haut-médoc. Les crus classés représentent approximativement 25 % de la surface totale des vignes du Médoc, 20 % de la production de vins et plus de 40 % du chiffre d'affaires. A côté des crus classés, le Médoc compte de nombreux crus bourgeois qui assurent la mise en bouteilles au château et jouissent d'une excellente réputation. Plusieurs caves coopératives existent dans les appellations médoc et haut-médoc, mais aussi dans trois appellations communales.

Le vignoble du Médoc s'étend du nord au sud entre huit appellations d'origine contrôlées. Il existe deux appellations sous-régionales, médoc et haut-médoc (60 % du vignoble médocain), et six appellations communales : saint-estèphe, pauillac, saint-julien, listrac-médoc, moulis-en-médoc et margaux (40 % du vignoble médocain). L'appellation régionale étant bordeaux comme dans le reste du vignoble du Bordelais.

Cépage traditionnel en Médoc, le cabernet-sauvignon est probablement moins important qu'autrefois, mais il couvre 52 % de la totalité du vignoble. Avec 34 %, le merlot vient en deuxième position ; son vin, souple, est aussi d'excellente qualité et d'évolution plus rapide, il peut être consommé plus jeune. Le cabernet franc, qui apporte de la finesse, représente 10 %. Enfin, le petit verdot et le malbec ne jouent pas un bien grand rôle.

Les vins du Médoc jouissent d'une réputation exceptionnelle ; ils sont parmi les plus prestigieux vins rouges de France et du monde. Ils se remarquent à leur couleur rubis, évoluant vers une teinte tuilée, ainsi qu'à leur bouquet fruité dans lequel les notes épicées de cabernet se mêlent souvent à celles, vanillées, qu'apporte le chêne neuf. Leur structure tannique, dense et complète en même temps qu'élégante et moelleuse, et leur parfait équilibre autorisent un excellent comportement au vieillissement ; ils s'assouplissent sans maigrir et gagnent en richesse olfactive et gustative.

Médoc

L'ensemble du vignoble médocain a droit à l'appellation médoc, mais en pratique celle-ci n'est utilisée que dans le nord de la presqu'île, à proximité de Lesparre, les communes situées entre Blanquefort et Saint-Seurin-de-Cadourne pouvant revendiquer celle de haut-médoc ou des communales, dans le cadre de leurs zones délimitées spécifiques. Malgré cela, l'appellation médoc est la plus importante avec 5 743 ha et une production de 276 195 hl en 2005.

Les médoc se distinguent par une couleur généralement très soutenue. Avec un pourcentage de merlot plus important que dans les vins du haut-médoc et des appellations communales, ils possèdent souvent un bouquet fruité et beaucoup de rondeur en bouche. Certains, provenant de belles croupes graveleuses isolées, présentent aussi une grande finesse et une richesse tannique.

CH. L'ARGENTEYRE 2003 *

■ Cru bourg. 20 ha 95 000 ■ ◍ 5 à 8 €

Avec ce millésime, ce cru inaugure non seulement son classement en cru bourgeois mais aussi sa nouvelle étiquette. Et il le fait très heureusement avec ce vin qui s'attache tout au long de la dégustation à rester fidèle au classicisme de sa robe bordeaux. Profond et élégant, son bouquet se montre charmeur par une jolie note de menthol. Bien typé par ses tanins, ce 2003 justifiera un séjour en cave de quatre à cinq ans et une alliance gourmande avec toute la cuisine traditionnelle. Le **Château Les Tresquots 2003** a obtenu une étoile. Il évoluera avec élégance à la garde.

GAEC des vignobles Reich, rte de Courbian, lieu-dit Courbian, 33340 Bégadan, tél. et fax 05.56.41.52.34, e-mail chateau-argenteyre@wanadoo.fr
☑ Y ✝ t.l.j. sf sam. dim. 9h-12h 14h-18h

CH. BEJAC ROMELYS
Élevé en fût de chêne 2003 *

■ Cru artisan 16,2 ha 15 000 ■ ◍ 5 à 8 €

À 100 m à peine de l'église de Saint-Yzans, ce cru revendique fièrement son titre d'artisan. Le millésime 2003 lui a été particulièrement favorable. Robe grenat à reflets violines, bouquet complexe de fruits mûrs, de café et d'épices, palais moelleux, rond et plein, qui va crescendo. Tout ici annonce un bon potentiel de garde. La **cuvée Rodolphe 2003** a reçu une étoile.

Xavier et Sylvie Berrouet, 4, rue de Rigon, 33340 Saint-Yzans-de-Médoc, tél. et fax 05.56.09.08.21, e-mail romelys@wanadoo.fr ☑ Y ✝ r.-v.

CH. BELLEVUE Élevé en fût de chêne 2003 *

■ Cru bourg. 22,2 ha 148 000 ◍ 8 à 11 €

Né sur un cru ayant gardé quelques cabernets francs (5 %), ce vin est très médocain dans son expression globale. D'une teinte soutenue, il développe un bouquet riche et doux aux notes de fruits confits. Souple à l'attaque tout en révélant une bonne charpente tannique, il sait manier le paradoxe et devrait le faire pendant encore de nombreuses années. Plus timide mais bien équilibré, le second vin, **Les Larmes de Bellevue 2003 (3 à 5 €)**, a été cité. Il se plaira sur des fromages.

Régis Lassalle, 10, rue du 8-Mai-1945, 33340 Valeyrac, tél. 05.56.41.52.17, fax 05.56.41.36.64
☑ Y ✝ t.l.j. 9h30-12h 14h-18h

CH. BESSAN SÉGUR 2003 *

■ Cru bourg. 35,42 ha 258 000 ◍ 5 à 8 €

Ce vin a eu le privilège de naître dans un chai bâti avec des pierres extraites du vignoble. D'une belle teinte sombre, il manifeste une forte personnalité, tant au bouquet où les fruits rouges affrontent un boisé important, qu'au palais. Ample, net et tannique, il saura attendre le temps nécessaire (trois à quatre ans) pour que le bois s'intègre pleinement dans l'ensemble.

SCF Rémi Lacombe, Bessan, 33340 Civrac-en-Médoc, tél. 05.56.41.56.91, fax 05.56.41.59.06, e-mail bessansegur@free.fr ☑ Y ✝ r.-v.

CH. BLAIGNAN 2003

■ Cru bourg. 97,08 ha 380 900 ■ 5 à 8 €

Né sur une belle unité, ce vin dispose de réels atouts : une robe rubis foncé, un bouquet flatteur aux délicates notes animales et fruitées, des tanins fins et bien ordonnés. On pourra en profiter sans attendre trop longtemps.

SC du Ch. Blaignan, quai Ferchaud, BP 23, 33250 Pauillac, tél. 05.56.59.00.40, fax 05.56.59.36.47
Crédit Agricole

CH. LE BOURDIEU 2003 *

■ Cru bourg. 35,68 ha 250 000 ◍ 8 à 11 €

Même si sa maison de maître ne date que de 1830, le nom de ce cru indique clairement son ancienneté. La belle couleur du vin est fort expressive, de même que ses arômes de cuir et de fruits qui traduisent la part faite au merlot, à égalité avec le cabernet-sauvignon. Bien équilibré, avec des tanins fondus, ce 2003 sera vite prêt à livrer ses charmes ; on le servira pendant trois à quatre ans sur un poulet à la crème et aux morilles.

Guy Bailly, Ch. Le Bourdieu, 1, rte de Troussas, 33340 Valeyrac, tél. 05.56.41.58.52, fax 05.56.41.36.09, e-mail guybailly@lebourdieu.fr
☑ Y ✝ t.l.j. sf sam. dim. 9h-12h 14h-18h

CH. BOURNAC 2003 **

■ Cru bourg. sup. 7 ha 35 000 ■ ◍ 11 à 15 €

De millésime en millésime, ce cru sait rester égal à lui-même, en ne négligeant rien pour offrir à ses fidèles un vin toujours parfaitement réussi. D'emblée, son 2003 met en confiance par l'intensité de sa robe et par le charme de son bouquet aux notes de fruits rouges, de confiture de mûres et de pain grillé. Le bois arrive fort à propos pour accompagner une attaque savoureuse, puis le palais bien constitué affiche des tanins de qualité. Harmonieuse et bien construite, sa jolie matière garantit à cette bouteille un réel potentiel de garde.

Bruno Secret, 11, rte des Petites-Granges, 33340 Civrac-en-Médoc, tél. et fax 05.56.73.59.24
☑ Y ✝ r.-v.

CH. LA BRANNE
Élevé en fût de chêne 2003 ★

■ 3 ha 13 000 ⏸ 5 à 8 €

À 4 km de l'église de Bégadan à la belle abside romane, ce cru propose un 2003 qui demandera d'être un peu attendu. Mais déjà son caractère définitif apparaît, avec un bouquet expressif, où la vanille enrobe les fruits mûrs, et des tanins bien fondus.

🔑 GAEC de Peyressac, 1, rte de la Hargue, 33340 Bégadan, tél. et fax 05.56.41.55.24, e-mail labranne@wanadoo.fr ☑ 🍷 🚶 r.-v. 🏠 B
🔑 Philippe Videau

Le Médoc et le Haut-Médoc

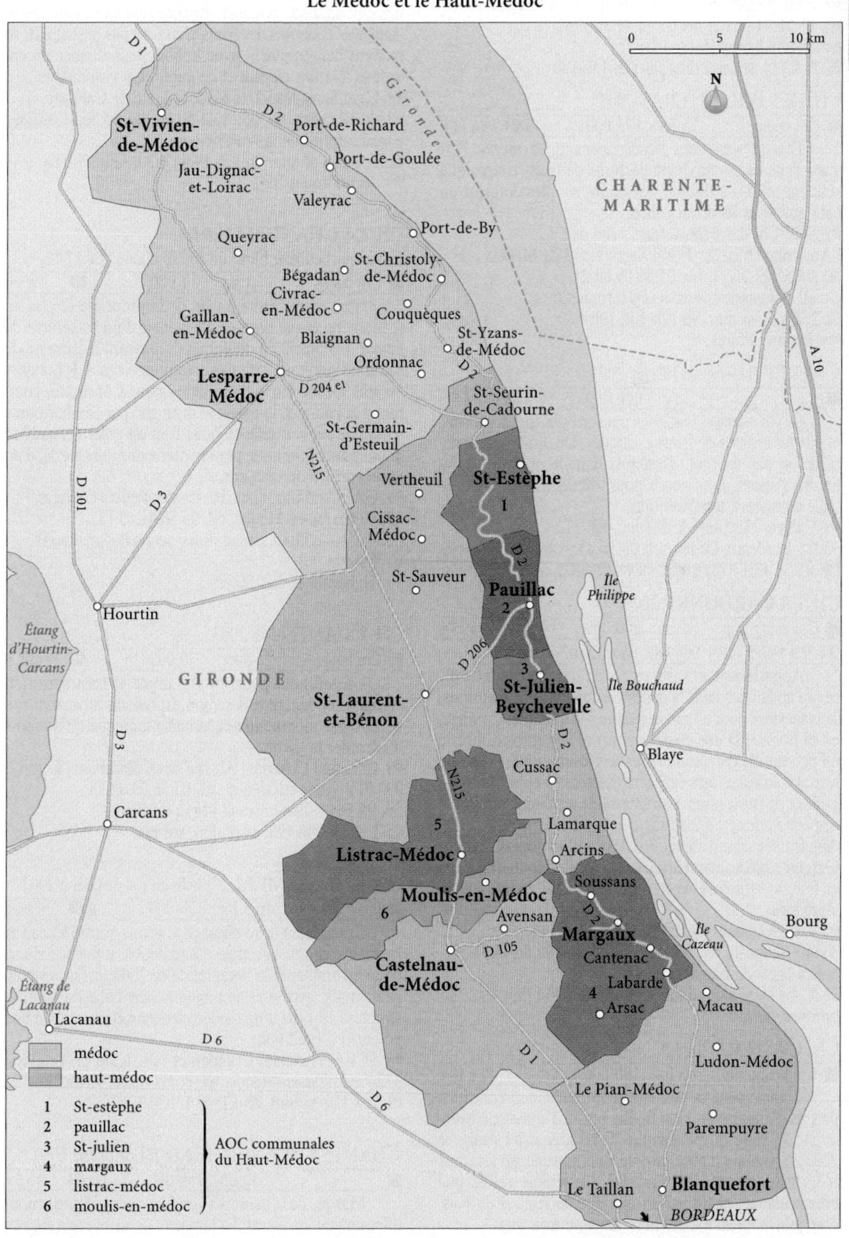

CH.LE BREUIL RENAISSANCE
Cuvée l'Excellence Élevé en fût de chêne 2003

■ 15 ha 100 000 5 à 8 €

Appartenant à la cuvée prestige du cru, ce vin s'affiche dans une robe pourpre. Souple et équilibré, il sait mettre en valeur son agréable expression aromatique (cerise, vanille). Plaisant et flatteur, le **cru bourgeois Château Cabans 2003 (8 à 11 €)** est également cité.

Philippe Bérard, 6, rte du Bana, 33340 Bégadan, tél. 05.56.41.50.67, fax 05.56.41.36.77, e-mail phil.berard@wanadoo.fr

t.l.j. sf sam. dim. 9h-12h 14h-18h

CH. DES BROUSTERAS 2003

■ Cru bourg. 25 ha 173 000 8 à 11 €

Très présent dans l'encépagement, le merlot l'est aussi dans ce vin aux jolis parfums de fruits rouges que soutient un boisé discret. Ses tanins souples donnent un côté gracile et facile au palais.

SCF Ch. des Brousteras, 2, rue de l'Ancienne-Douane, 33340 Saint-Yzans-de-Médoc, tél. 05.56.09.05.44, fax 05.56.09.04.21, e-mail chateaudesbrousteras@terre-net.fr

t.l.j. sf dim. 9h-12h 14h-19h

Renouil Frères

CALVET Réserve de l'Estey 2003

■ n.c. 600 000 3 à 5 €

Ce vin est assez tendance par son bois, très dominant, et par ses arômes de fruits exotiques. On aime passionnément ou pas du tout. Toutefois dans le premier cas, il faudra s'armer de patience pour attendre que cette bouteille ait achevé son évolution.

Calvet, 75, cours du Médoc, BP 11, 33028 Bordeaux Cedex, tél. 05.56.43.59.00, fax 05.56.43.17.78, e-mail calvet@calvet.com

CH. LA CARDONNE 2003 ★

■ Cru bourg. sup. 87 ha 300 000 11 à 15 €

94 95 96 97 98 |**99**| |**00**| |01| |**02**| 03

Appartenant au vaste ensemble des domaines CGR, ce cru ne fait pas dans la demi-mesure par ses dimensions, sans sacrifier pour autant la qualité à la quantité. Ce vin en est la preuve. D'une couleur pourpre engageante, il reste un peu timide dans son expression aromatique, mais il se rattrape au palais où s'égrènent des notes d'épices fines, de grillé et de fruits noirs. La richesse de ses tanins serrés sait respecter une certaine rondeur et la délicatesse de la finale. Appartenant au même groupe, le **cru bourgeois Château Grivière 2003** obtient lui aussi une étoile. Ronde, charnue et fine, la structure se montre généreuse en sensations tanniques.

Les Domaines CGR, rte de la Cardonne, 33340 Blaignan, tél. 05.56.73.31.51, fax 05.56.73.31.52, e-mail cgr@domaines-cgr.com

t.l.j. sf sam. dim. 8h30-12h 13h30-17h; groupes sur r.-v.

CH. CASTERA 2003 ★

■ Cru bourg. sup. 63 ha 190 000 11 à 15 €

L'ancienneté de ce château d'origine médiévale lui a permis d'appartenir à La Boétie puis à Thomas de Montaigne, le frère du philosophe. Est-il grenat ou rubis, ce 2003 au bouquet d'abord toasté, puis marqué par les fruits mûrs ? Souple et bien équilibré, l'ensemble révèle une bonne matière et un parfait mariage du fruit et du bois. Une jolie bouteille, à attendre deux ou trois ans.

Ch. Castera, 33340 Saint-Germain-d'Esteuil, tél. 05.56.73.20.60, fax 05.56.73.20.61, e-mail chateau@castera.fr

t.l.j. sf sam. dim. 10h-12h 14h-17h

CH. LA CAUSSADE Élevé en fût de chêne 2003 ★

■ 6,1 ha 46 000 5 à 8 €

Élevé en fût, ce vin porte toujours la marque du merrain dans son bouquet aux notes empyreumatiques et vanillées. Toutefois, les fruits n'en sont pas absents. Ils se marient heureusement avec le bois pour donner un ensemble à la fois élégant et de garde. Un vrai médoc.

Cave Saint-Jean Uni-Médoc, 2, rte de Canissac, 33340 Bégadan, tél. 05.56.41.50.13, fax 05.56.41.50.78, e-mail saintjean@uni-medoc.com

t.l.j. sf dim. 9h-12h 14h-17h30; sam. 9h-12h

Jean-Jacques Billa

CH. LA CHANDELLIÈRE
Cuvée particulière Élevé en fût de chêne 2003 ★★

■ Cru bourg. 1 ha 7 000 5 à 8 €

Issue d'une petite partie de la propriété (26 ha au total), cette cuvée prestige a bénéficié d'un traitement de faveur. Comment en douter en découvrant la jeunesse de sa robe bigarreau ? Aussi expressif qu'élégant, le bouquet est très médoc par ses notes de cassis. Concentré, gourmand et complet, le palais se distingue par son harmonie soulignée par le vanillé du bois. Tout est grâce et équilibre dans ce flacon, comme pour inviter à une jolie garde, d'au moins quatre ou cinq ans.

GAEC de Cazaillan, 16, rte des Petites-Granges, 33340 Civrac-en-Médoc, tél. 05.56.41.53.51, fax 05.56.41.53.38, e-mail didier.secret@wanadoo.fr

r.-v.

Hubert et Didier Secret

CH. CHANTELYS 2003

■ Cru bourg. 8 ha 30 000 11 à 15 €

Un joli nom pour un vin ample et bien construit. Agréable et généreux dans son expression aromatique, il montre par sa structure et sa finale tannique qu'il mérite d'affronter la garde.

Christine Courrian, 32, rue des Colombiers, Lafon, 33340 Prignac-en-Médoc, tél. 05.56.09.02.78, fax 05.56.09.09.07, e-mail jfbraq@aol.com

t.l.j. 8h-19h; sam. dim. sur r.-v.

CH. CHANTEMERLE Vieilli en fût de chêne 2003 ★

■ 10,5 ha 70 000 5 à 8 €

Exactement à mi-distance (14 km) entre l'Océan et l'estuaire, ce cru bénéficie d'une double influence climatique favorable. Si le bouquet de ce 2003, droit, reste un peu simple, avec une domination sans faille du fruit, sa structure est celle d'un médoc classique et montre un bon potentiel d'évolution.

SCEA Vignobles Cruchon et Fils, 2, rte de Vendays, 33340 Gaillan-en-Médoc, tél. et fax 05.56.41.69.71

t.l.j. sf dim. 8h-12h30 13h30-19h

CHANTET BLANET Élevé en fût de chêne 2003 ★

■ 30 ha 150 000 3 à 5 €

Marque de la maison Yvon Mau, cette étiquette nous offre un vrai vin plaisir. Sa longueur contribuera à en fixer

le souvenir, de même que son bouquet aux jolis parfums de fruits noirs un peu cuits. Jeune et élégant, soutenu par des tanins serrés, ce 2003 est déjà savoureux tout en possédant un bon potentiel.
Yvon Mau, rue Sainte-Pétronille, 33190 Gironde-sur-Dropt, tél. 05.56.61.54.54, fax 05.56.61.54.61, e-mail info@ymau.com

CLÉMENT SAINT-JEAN 2003 ★★

■ 6,1 ha 40 000 5 à 8 €

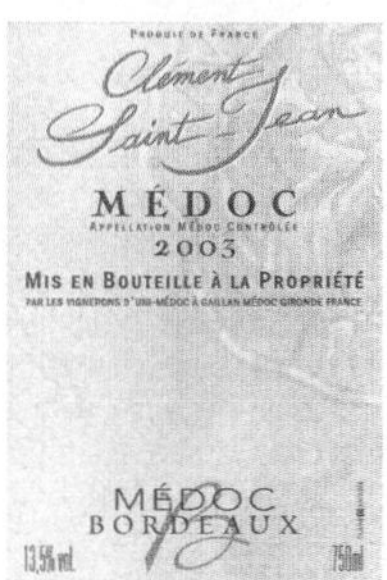

Un grand vin doit-il obligatoirement être élevé en barrique ? Ce 2003 démontre magistralement qu'il n'en est rien. Aucune perturbation dans le développement de ses parfums de fruits rouges, de cassis et de noisette. Ample et solidement structuré et d'une grande longueur, le palais saura encore se bonifier tout en étant déjà une vraie gourmandise. La cuvée bois, **Le Grand Art 2003**, a obtenu une étoile. Ronde et élégante tout en méritant la garde, elle est assez proche par son esprit du Clément, la note du fût étant discrète.
Cave Saint-Jean Uni-Médoc, 2, rte de Canissac, 33340 Bégadan, tél. 05.56.41.50.13, fax 05.56.41.50.78, e-mail saintjean@uni-medoc.com
t.l.j. sf dim. 9h-12h 14h-17h30; sam. 9h-12h

CH. COURBIAN 2003 ★★

■ 13,1 ha 77 000 5 à 8 €

Si la cave de Saint-Jean à Bégadan soigne ses propres vins, elle met aussi un point d'honneur à tirer la quintessence de ceux qu'elle élabore pour les crus de ses adhérents. Témoin ce 2003 qu'annonce une robe grenat. Son bouquet, à dominante de griotte, séduit par sa complexité. La souplesse de l'attaque débouche sur un palais d'une grande finesse. On voit bien d'ici quatre ou cinq ans cette bouteille accompagner une palombe rosée aux pommes sautées.
Cave Saint-Jean Uni-Médoc, 2, rte de Canissac, 33340 Bégadan, tél. 05.56.41.50.13, fax 05.56.41.50.78, e-mail saintjean@uni-medoc.com
t.l.j. sf dim. 9h-12h 14h-17h30; sam. 9h-12h
Claude Gréteau

LA CROIX DE GADET
Le Mystère d'Anaïs 2003 ★★

■ 2 ha 9 600 8 à 11 €

Terre et eaux mêlées, le Médoc a été pendant longtemps un pays de mystère. Faut-il y voir l'origine profonde du nom de ce vin ? En tout cas, ce 2003 « colle » à l'esprit et à l'âme du terroir. Non seulement par sa robe grenat, mais aussi par l'équilibre et la complexité (arabica, framboise, cassis) de son bouquet naissant. Le volume du palais et de la finale confirme cette typicité qui créera une complicité évidente avec une côte de bœuf à la moelle

grillée sur les sarments – mais dans quelques années quand même, ce coup de cœur méritant largement un séjour en cave.
EARL Christian Bernard, 7, rte de Vendays, Coudessan, 33340 Gaillan-en-Médoc, tél. 05.56.41.70.88, fax 05.56.41.76.70, e-mail claudine.gaye@wanadoo.fr r.-v.

CH. LA CROIX DU BREUIL 2003 ★

■ Cru artisan 13 ha 84 000 **8 à 11 €**

Diffusé par le négoce, ce vin bien charpenté et généreux n'a pas que sa structure pour séduire et garantir son avenir. Sa robe grenat comme ses arômes de petits fruits rouges, de truffe et de cacao savent retenir l'attention.
Yvon Mau, rue Sainte-Pétronille, 33190 Gironde-sur-Dropt, tél. 05.56.61.54.54, fax 05.56.61.54.61, e-mail info@ymau.com

DOURTHE La Grande Cuvée 2003 ★★

■ n.c. 30 000 8 à 11 €

Avec cette marque, le célèbre négociant de Parempuyre s'est fixé pour objectif de proposer un vin homogène de millésime en millésime. Ce 2003 s'inscrit parfaitement dans cette logique par ses qualités. Ample sans jouer aux athlètes, il révèle une bonne structure qui met en valeur l'attrait des arômes de cassis et de bois. Une longue finale couronnant le tout, cette bouteille sera à ouvrir dans trois ou quatre ans sur un canard au sang.
Vins et vignobles Dourthe, 35, rue de Bordeaux, 33290 Parempuyre, tél. 05.56.35.53.00, fax 05.56.35.53.29, e-mail contact@cvbg.com r.-v.

CH. D'ESCOT 2003 ★★

■ Cru bourg. 13,56 ha 80 000 8 à 11 €

Si le millésime 2003 n'a pas souri à tous les crus, ici il a été plus que favorable. La profondeur de la robe laisse entrevoir bien des perspectives. Raisin noir cuit, épices, confiture, les choses se précisent au bouquet, puis l'ampleur, la rondeur, le gras et les tanins bien fondus achèvent la démonstration. Une belle bouteille à la fois classique et tendance, à attendre trois ou quatre ans. Plus souple, fin et élégant, le **Château Le Privera 2003 Élevé en fût de chêne (15 à 23 €)** est cité.
Ch. d'Escot, rte de Tréman, 33340 Lesparre-Médoc, tél. 05.56.41.06.92, fax 05.56.41.82.42, e-mail chateau-d-escot@wanadoo.fr
t.l.j. sf sam. dim. 8h30-12h30 13h30-17h30
Rouy

CH. D'ESCURAC 2003 ★

■ Cru bourg. sup. 16 ha 70 000 **11 à 15 €**

Les amateurs de toponymie supposeront que ce domaine est ancien – à juste titre comme en témoigne la présence d'une chapelle du XIIe s. Mais l'œnophile retiendra surtout ce vin aux arômes bien équilibrés de toast et de fruits rouges, qui s'accordent avec les tanins fondus pour appeler une garde de trois ou quatre ans et un dialogue musclé avec un carré d'agneau. Le second vin du cru, **La Chapelle d'Escurac 2003 (5 à 8 €)**, est cité.

Jean-Marc Landureau, Ch. d'Escurac, 33340 Civrac-en-Médoc, tél. 05.56.41.50.81, fax 05.56.41.36.48, e-mail chateau.d.escurac@wanadoo.fr r.-v.

ESPRIT D'ESTUAIRE 2003 ★

6,7 ha 39 000 11 à 15 €

Un vin bien nommé, sa robe grenat étant aussi impressionnante que le large estuaire de la Gironde. Toujours très présent, le bois reste dominant, comme en témoignent les arômes de grillé. Mais la teinte grenat sombre à reflets violets et les beaux tanins de la structure montrent que cette bouteille pourra bien évoluer dans les trois ou quatre ans à venir.

Les Vignerons d'Uni-Médoc, 14, rte de Soulac, 33340 Gaillan-en-Médoc, tél. 05.56.41.03.12, fax 05.56.41.00.66, e-mail cave@uni-medoc.com t.l.j. sf dim. 9h-12h30 14h-17h30

CH. FONTAINE DE L'AUBIER Élevé en fût de chêne 2003 ★

6 ha 45 000 8 à 11 €

Un joli nom et une belle prestance pour ce vin, tant par sa robe, d'un rouge aussi profond que brillant, que par son développement aromatique. Souple et charnu en même temps que puissant, le palais révèle lui aussi une réelle richesse. La finale épicée clôt agréablement le parcours, et appelle trois ou quatre ans de patience.

SCEA Vignobles Rémy Fauchey, 4, chem. des Vignes, 33340 Prignac-en-Médoc, tél. 05.56.09.02.17, fax 05.56.09.04.96, e-mail remy-fauchey@wanadoo.fr t.l.j. 9h-18h

CH. FONTIS 2003

Cru bourg. 10 ha 40 000 11 à 15 €

À 38 m d'altitude, presque un record pour le Médoc, ce cru bénéficie d'un point de vue sur le vignoble et l'estuaire. Encore jeune dans sa présentation, son vin, aux solides tanins et à la finale assez chaleureuse, est représentatif du millésime.

Vincent Boivert, Ch. Fontis, 33340 Ordonnac, tél. 05.56.73.30.30, fax 05.56.73.30.31, e-mail ormes.soebet@wanadoo.fr r.-v.

CH. GADET TERREFORT 2003

Cru artisan n.c. 66 000 5 à 8 €

Simple et bien équilibré, ce vin saura plaire sans exiger beaucoup de patience. Ses jolis arômes de mûre et de grillé pourront être pleinement appréciés dans un an ou deux.

EARL Christian Bernard, 7, rte de Vendays, Coudessan, 33340 Gaillan-en-Médoc, tél. 05.56.41.70.88, fax 05.56.41.76.70, e-mail claudine.gaye@wanadoo.fr r.-v.

CH. GARANCE HAUT GRENAT 2003 ★★

Cru artisan 2,6 ha 18 000 11 à 15 €

D'année en année, ce cru est devenu un habitué du Guide. Ce millésime caniculaire lui a fort bien réussi ! D'emblée, sa robe d'un pourpre impérial se montre

remarquable par sa profondeur. Le bouquet aux notes de fruits de la forêt et de vanille est tout aussi intense, avec autant de puissance et de complexité que d'élégance. Ces qualités se retrouvent au palais où les tanins garantissent l'avenir de cette bouteille tout en étant d'une réelle finesse. Un séjour en cave de cinq ou six ans semble parfaitement justifié.

Laurent Rebes, Ch. Garance Haut Grenat, 14, rte de la Reille, 33340 Bégadan, tél. et fax 05.56.41.37.61, e-mail l.rebes@free.fr r.-v.

CH. LA GORCE 2003 ★

Cru bourg. 30 ha 200 000 8 à 11 €

Ancienne ferme transformée en chartreuse en 1821, cette belle demeure se dresse au cœur de son vignoble qui offre ici un vin très expressif au bouquet (épices et torréfaction) comme au palais. Sa structure, riche, pleine, puissante et harmonieuse promet une jolie bouteille à ouvrir d'ici quatre ou cinq ans sur une entrecôte ou des côtelettes de mouton grillées sur les sarments. Le **Château Canteloup 2003 (5 à 8 €)**, second vin, obtient une citation.

Denis Fabre, Ch. La Gorce, 33340 Blaignan, tél. 05.56.09.01.22, fax 05.56.09.03.27, e-mail info@chateaulagorce.com r.-v.

CH. GRAND BERTIN DE SAINT-CLAIR 2003 ★★

4,33 ha 28 400 8 à 11 €

La réputation de ce cru, créé en 1978 par un juriste et son beau-frère vigneron, n'est plus à faire, ce qui n'empêchera pas ce millésime de contribuer à la consolider. Son bouquet, qui s'ouvre progressivement à la dégustation, s'annonce prometteur par ses notes de mûres et de fruits rouges, tandis que son palais rond, charnu et harmonieux se montre aimable tout en justifiant deux ou trois ans de patience.

SCEA Ch. Grand Bertin de Saint-Clair, 10, rte de Lesparre, 33340 Bégadan, tél. 05.56.41.57.75, fax 05.56.41.53.22, e-mail compagnetvins@wanadoo.fr t.l.j. sf dim. 9h-12h 14h-18h

O. Compagnet et P. Coyault

CH. GRAND GALLIUS Élevé en fût de chêne 2003

1 ha 4 000 5 à 8 €

Un nom qui rappelle le riche passé gallo-romain du Médoc. En dépit d'une finale encore un peu chaude, ce vin né de la canicule est fort intéressant par son expression aromatique (raisin sec et fruits très mûrs) comme par son équilibre qui permettra d'en profiter sans avoir trop à attendre.

⚷ Alain Bernard, 7, rte du Portail-Rouge, 33340 Gaillan-en-Médoc, tél. 05.56.41.67.99, fax 05.56.41.64.90 ☑ 𝐈 ⚲ r.-v.

CH. GRAND LACAZE 2003

■ 5,25 ha 20 000 ⦀ 5 à 8 €

Né sur un vignoble ayant changé de mains en 2002, ce millésime est de bon augure pour l'avenir du cru. Un bouquet de toast et de fruits mûrs, une attaque ronde, une structure aux tanins soyeux et quelques notes confites lui donnent un côté aimable tout en lui apportant un bon potentiel d'évolution.

⚷ Schiff, 55, rue Eugène-Jacquet, 33000 Bordeaux, tél. 05.57.01.19.70, fax 05.57.01.19.71

GRAND SAINT-BRICE 2003 *

■ 78,47 ha 27 920 ▮⦀ 5 à 8 €

Signé par la cave de Saint-Yzans, ce vin sait afficher sa personnalité par la qualité de son bouquet, discret mais déjà d'une bonne complexité, avec des parfums de fruits cuits et confits. Au palais, les tanins manifestent leur présence. Ils ne tarderont pas trop à s'assouplir pour se fondre dans un ensemle élégant et bien équilibré. La cuvée **La Colonne 2003 (8 à 11 €)**, issue d'une sélection parcellaire et élevée un an en fût neuf français, obtient également une étoile. Quant au **Château Les Granges de Civrac 2003** (appartenant au président de la cave), il est cité.

⚷ Cave Saint-Brice, SCV de Saint-Yzans, 33340 Saint-Yzans-de-Médoc, tél. 05.56.09.05.05, fax 05.56.09.01.92, e-mail saintbrice@wanadoo.fr ☑ 𝐈 ⚲ t.l.j. sf dim. 8h-12h 14h-18h; groupes sur r.-v.

CH. LES GRANDS CHÊNES 2003 **

■ Cru bourg. sup. 11 ha 45 000 ⦀ 15 à 23 €

95 96 |**98**| |**99**| |**01**| **02 03**

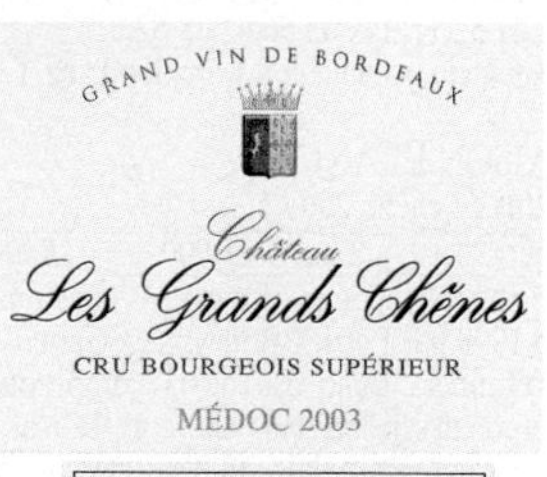

Bernard Magrez préside aux destinées de ce cru depuis 1998. Titulaire de plusieurs coups de cœur parmi toutes ses propriétés, il a réussi parfaitement ce difficile millésime de la canicule. D'emblée la robe, profonde, intense et brillante met en confiance. Le bouquet n'a pas envie de la démentir. Ses arômes de fruits rouges prennent appui sur un bois de qualité qui vient ensuite en renfort de tanins serrés et d'une structure concentrée pour donner un ensemble aussi solide que gourmand. Une superbe bouteille à laisser tranquille pendant trois ou quatre ans. Autre cuvée du même cru, le **Tempérance du Château Les Grands Chênes 2003 (11 à 15 €)** obtient une étoile.

⚷ Ch. Les Grands Chênes, 13, rte de Lesparre, 33340 Saint-Christoly-Médoc, tél. 05.57.26.68.04, fax 05.57.26.68.08

⚷ Bernard Magrez

CH. LE GRAND SIGOGNAC

Élevé en fût de chêne 2003

■ 5 ha 12 000 ▮⦀ 5 à 8 €

Une propriété de 5 ha, et une seule étiquette : né sur les terroirs argilo-calcaires de Saint-Yzans où la pierre est omniprésente, ce vin d'une belle couleur rouge possède une structure à la fois ronde et tannique. Un peu de vieillissement lui sera bénéfique.

⚷ Philippe Olivier, Le Grand Sigognac, 33340 Saint-Yzans-de-Médoc, tél. 06.11.27.39.10, fax 05.56.09.06.38, e-mail olivier.grandsigognac@wanadoo.fr

CH. LA GRAVE 2003

■ 10 ha 48 000 ▮ 5 à 8 €

Né sur un terroir de graves, comme l'indique son nom, ce vin est harmonieux par son palais sur le fruit et sans trop d'aspérité tannique. Le bouquet est très proche, fait de notes de baies noires et de fruits cuits. Rond et chaleureux, l'ensemble est marqué par le millésime.

⚷ Cave Saint-Jean Uni-Médoc, 2, rte de Canissac, 33340 Bégadan, tél. 05.56.41.50.13, fax 05.56.41.50.78, e-mail saintjean@uni-medoc.com ☑ 𝐈 ⚲ t.l.j. sf dim. 9h-12h 14h-17h30; sam. 9h-12h

⚷ Jean-Marc Aberne

CH. GREYSAC 2003 *

■ Cru bourg. sup. 60 ha 489 000 ⦀ 11 à 15 €

Situé sur les belles graves de Bégadan, ce vaste vignoble jouit d'un terroir de qualité. Le travail, tant dans les règes qu'au chai, étant à la hauteur, le résultat ne manque pas d'attraits : au bouquet, des notes de grillé et de torréfaction se mêlent harmonieusement aux parfums de fruits rouges ; au palais, on trouve de la concentration, une bonne structure, du gras et de jolis arômes d'épices et de chocolat. Il faudra seulement attendre cette bouteille deux ou trois ans.

⚷ SAS Greysac, 18, rte de By, 33340 Bégadan, tél. 05.56.73.26.56, fax 05.56.73.26.58, e-mail info@greysac.com ☑ 𝐈 ⚲ r.-v.

CH. HAUT-BALIRAC

Cuvée Prestige Élevé en fût de chêne 2003 *

■ 2 ha 7 000 ⦀ 5 à 8 €

Sa petite taille (moins de 9 ha au total) n'empêche pas ce cru d'offrir une jolie cuvée Prestige. Robe sombre et brillante, bouquet d'une bonne complexité, avec des notes confites de pruneau et de gelée de mûre, la présentation ne souffre d'aucun reproche. Vif et puissant, le palais s'accorde avec la légère amertume de la finale pour appeler la garde.

⚷ Cédric Chamaison, SCEA Haut-Balirac, 1, rte de Lousteauneuf, 33340 Valeyrac, tél. 06.86.82.01.99, fax 05.56.41.82.48 ☑ 𝐈 ⚲ r.-v.

CH. HAUT BARRAIL 2003 **

■ Cru bourg. 6 ha 25 000 ⦀ 11 à 15 €

Jadis très vaste propriété, l'une des plus importantes de Bégadan, ce cru est aujourd'hui réduit à six petits hectares. Face à cette « destinée injurieuse », il a su trouver la meilleure réponse qui soit : la qualité. Une robe d'un bordeaux du meilleur effet ; un bouquet naissant et déjà complexe (fruits mûrs, amande grillée et bois finement dosé) ; un palais charnu, charpenté, corsé et chaleureux, révélant une belle concentration et de fins tanins : tout est là pour annoncer un vin harmonieux, méritant au moins deux ou trois ans de patience.

🔑 Cyril Gillet, 6, rte du Château-Landon, 33340 Bégadan, tél. 05.56.41.50.42, fax 05.56.41.57.10, e-mail chateau.landon@wanadoo.fr
t.l.j. 8h-12h30 13h30-17h; sam. dim. sur r.-v.

CH. HAUT-MYLES 2003 ★

Cru bourg. 10 ha 60 000 8 à 11 €

Diffusé par le négoce, ce vin se présente dans une robe pourpre vif. Les fruits noirs et les fleurs composent un bouquet d'une aimable fraîcheur, enveloppé au palais par de bons tanins. Deux à quatre ans de garde sont à conseiller.

🔑 Œnoalliance, rte du Petit-Conseiller, 33750 Beychac-et-Caillau, tél. 05.57.97.39.73, fax 05.57.97.39.74, e-mail scluzeau@oenoalliance.com
🔑 J.-M. Landureau

CH. LABADIE 2003 ★★

Cru bourg. 22 ha n.c. 5 à 8 €

(90) 95 96 97 |**98**| |99| |00| |01| 02 **03**

Fidèle à son habitude, ce cru propose un vin solidement ancré dans son appellation. Sa robe grenat commence joyeusement la dégustation. Friand et frais, avec de sympathiques notes de fruits rouges, de cassis, de cannelle et de vanille, le bouquet poursuit dans le même esprit prolongé au palais par des tanins soyeux. À oublier en cave pendant deux ans.

🔑 GFA Bibey, 1, rte de Chassereau, Ch. Labadie, 33340 Bégadan, tél. 05.56.41.55.58, fax 05.56.41.39.47, e-mail gfabibey@free.fr
t.l.j. sf dim. 9h-12h 14h-18h

CH. LAULAN-DUCOS Prestige 2003 ★

2,71 ha 15 000 8 à 11 €

Depuis un quart de siècle ce cru n'a pas ménagé ses efforts pour produire un vin de qualité. Une fois encore, il y parvient avec ce 2003 fort réussi. Cette cuvée saura accompagner du gibier rôti à la broche, peut-être en raison de ses arômes giboyeux qui se marient heureusement au cuir, au tabac et aux fruits noirs, mais plus sûrement grâce à sa solide et longue structure tannique.

🔑 SCEA Ch. Laulan Ducos, 4, rte de Vertamont, 33590 Jau-Dignac-et-Loirac, tél. 05.56.09.42.37, fax 05.56.09.48.40, e-mail chateau@laulanducos.com
t.l.j. sf dim. 9h-18h

CH. LISTRAN 2003 ★

Cru bourg. 8 ha 35 000 5 à 8 €

On est ici aux confins des mattes et de l'embouchure de la Gironde. Mais le terroir, dernier sursaut des graves avant l'Océan, est de belle qualité. Rien d'étonnant donc d'y découvrir un vin bien dans l'esprit médocain par son élégance et son sens de l'équilibre. Ses fins arômes de pivoine, de griotte et de fruits mûrs s'appuient sur une bonne structure, souple et harmonieuse, pour donner un ensemble à boire dans les trois ou quatre ans à venir.

🔑 Arnaud Crété, Ch. Listran, 33590 Jau-Dignac-et-Loirac, tél. 05.56.09.48.59, fax 05.56.09.58.70, e-mail crete@listran.fr
t.l.j. sf dim. 10h-12h30 15h-19h, hors saison sur r.-v.

CH. LOIRAC Cuvée Sélection 2003 ★

10 ha 20 000 8 à 11 €

Élevé quatorze mois en fût, ce vin bénéficie d'un joli boisé avec quelques notes résineuses. Celui-ci devra attendre un peu pour être complètement intégré, mais le palais riche et gras possède une structure tannique qui permettra à l'ensemble de se fondre et de s'arrondir. La **cuvée principale 2003 (3 à 5 €)**, au bois plus discret, reçoit également une étoile.

🔑 SCA Ch. Loirac, 1, rte de Queyrac, 33590 Jau-Dignac-et-Loirac, tél. 06.08.46.68.21, fax 05.56.73.98.22, e-mail jlcchtloirac@aol.com r.-v.

CH. LOUDENNE 2003 ★

Cru bourg. sup. 42 ha 147 060 11 à 15 €

89 90 95 (96) **97 98** |99| |00| **01 02** 03

La belle chartreuse XVIIe qui commande ce cru lui a valu le surnom de « *pink* château ». Rassurez-vous, la robe de son vin est d'un beau rouge foncé. À sa force répond un bouquet d'une complexité intéressante : vanille, grillé, menthol, fruits noirs. Ample et élégant, le palais est à la hauteur de la présentation. Une bouteille déjà plaisante et fort prometteuse.

🔑 SCS Ch. Loudenne, 33340 Saint-Yzans-de-Médoc, tél. 05.56.73.17.80, fax 05.56.09.02.87, e-mail loudenne@lafragette.com r.-v.
🔑 Domaines Lafragette

CH. LOUSTEAUNEUF
Art et tradition Élevé en fût de chêne 2003 ★

Cru bourg. 16 ha 78 000 8 à 11 €

(95) **96** 97 |98| 99 |**00**| 01 02 03

Belle et grande maison girondine au milieu d'un parc, ce château propose un vin lui aussi bien typé avec une structure aux tanins serrés. Toutefois, cette bouteille de garde sait se montrer flatteuse par l'équilibre de son bouquet où les notes de grillé respectent le fruit.

🔑 Bruno Segond, EARL Ch. Lousteauneuf, 2, rte de Lousteauneuf, 33340 Valeyrac, tél. 05.56.41.52.11, fax 05.56.41.38.52, e-mail chateau.lousteauneuf@wanadoo.fr r.-v.

CH. MAISON BLANCHE
Élevé en fût de chêne 2003 ★

Cru bourg. 4,2 ha 25 000 5 à 8 €

Une bonne vingtaine de parcelles constituent ce cru acheté en 1998 par Patrick Bouey, négociant à Ambarès. On ne s'étonnera donc pas de la complexité du vin. Particulièrement sensible dans son expression aromatique, elle se prolonge au palais où l'on perçoit des notes confiturées, une bonne matière et une finale classique. Quatre ou cinq ans de garde seront parfaitement justifiés.

🔑 Patrick Bouey, 2, rte de Lamena, 33340 Saint-Yzans-de-Médoc, tél. 05.56.09.05.01, fax 05.56.09.06.31, e-mail ch.maisonblanche@wanadoo.fr

CH. LES MARCEAUX
Cuvée Sélection Élevé en fût de chêne 2003 ★★

1,65 ha 8 134 8 à 11 €

Après une entrée discrète dans le Guide l'an dernier, les Aloird passent à la vitesse supérieure avec cette cuvée. Sa robe noire est riche de promesses. Riche lui aussi, et complexe, avec des parfums de réglisse, de vanille et de fruits mûrs, le bouquet met en confiance. Concentré et distingué, le palais confirme largement la présentation, révélant des tanins soyeux qui invitent à garder cette bouteille irréprochable en cave pendant cinq ou huit ans.

Jean-Paul Aloird, 38, chem. des Carrières, 33340 Lesparre-Médoc, tél. et fax 05.56.41.27.90, e-mail contact@chateau-les-marceaux.com
t.l.j. sf sam. dim. 9h-12h 14h-18h; hors saison sur r.-v.

CH. MAREIL
Cuvée Prestige Élevé en fût de chêne 2003 ★

17 ha	18 000	5 à 8 €

Plus de quatre cents ans de présence familiale : sur ce cru de Peyressan, hameau d'Ordonnac, une vraie complicité avec le terroir argilo-calcaire s'est créée. Si de petits reflets orangés viennent susciter un doute sur le potentiel de ce 2003, son bouquet fruité, soutenu par un bois fin et délicat, et sa structure tannique, riche et puissante font disparaître toute inquiétude.
EARL du Ch. Mareil, 4, chem. de Mareil, 33340 Ordonnac, tél. 05.56.09.00.32, fax 05.56.09.07.33, e-mail chateau.mareil@terre-net.fr
t.l.j. 10h30-13h 14h-19h
M. et Mme Brun

MONTFORT BELLEVUE
Élevé en fût de chêne 2003 ★

n.c.	20 000	5 à 8 €

Marque de la maison Cheval-Quancard, ce vin fera une alliance réussie avec une viande sur le gril. D'une jolie couleur carmin, il possède en effet une belle expression aromatique fruitée et des tanins solides et harmonieux.
Cheval-Quancard, La Mouline, BP 36, 33565 Carbon-Blanc Cedex, tél. 05.57.77.88.88, fax 05.57.77.88.99, e-mail chevalquancard@chevalquancard.com r.-v.

CH. LA MOTHE 2003

Cru bourg.	10 ha	50 000	8 à 11 €

En 2003, ce cru a opté pour le cabernet-sauvignon, qui a représenté 60 % de l'encépagement. On devine la prééminence de cette variété dans l'assemblage de ce 2003 à ses beaux parfums de fruits mûrs (cassis). Bien qu'encore un peu dominé par le bois, le palais est d'une agréable rondeur, qui s'harmonise heureusement avec les arômes.
Thierry Berrouet, 4, rue de l'Étoile, 33340 Saint-Yzans-de-Médoc, tél. 05.56.09.05.29, fax 05.56.09.04.51, e-mail chateau-la-mothe@wanadoo.fr
t.l.j. sf sam. dim. 9h-12h 14h-18h

CH. MOULIN DE CASSY 2003 ★

3,22 ha	19 600	5 à 8 €

À 500 m de l'église de Bégadan dotée d'une belle abside, ce cru est situé sur la partie argilo-calcaire de la commune. Les Compagnet qui l'ont repris récemment ont respecté sa spécificité. Son bouquet est aussi complexe que celui du Pey mais avec des arômes différents : fruits, vanille, confiture et épices. Ses tanins habilement extraits font de cette bouteille une belle réussite, qui pourra être savourée jeune.
SCEA Pierre et Olivier Compagnet, 9, rte de Lesparre, 33340 Bégadan, tél. 05.56.41.57.75, fax 05.56.41.53.22, e-mail compagnetvins@wanadoo.fr
t.l.j. sf dim. 9h-12h 14h-18h

CH. DES MOULINS 2003

Cru artisan	1 ha	7 500	5 à 8 €

En bas un moulin à eau au bord d'un ruisseau où l'on pêche des truites, en hauteur des ruines de moulins à vent : voilà ce qui justifie le nom du cru. Avec un bon équilibre entre la matière du vin et le bois, ce 2003 sera de bonne garde.
Jean-Charles Prévosteau, Le Gouat, 33180 Vertheuil, tél. 05.56.41.95.20, fax 05.56.41.97.25, e-mail prevosteau@aol.com
t.l.j. 10h-12h 15h-19h

CH. NOAILLAC 2003 ★★

Cru bourg.	31 ha	150 000	8 à 11 €

86 88 91 92 93 94 95 96 97 |98| 99 |00| |01| |03|

Belle unité par sa superficie, ce cru est réputé pour la qualité de son terroir, proche de l'estuaire, et celle de sa production. Sa robe, à dominante grenat, est aussi profonde que les graves de son sol. Très ouvert, son bouquet joue subtilement sur de délicates notes de moka, de toast et de fruits confits. Ronds et bien mûrs, les tanins s'accordent avec le caractère général du palais, riche, plein et complexe, pour former un ensemble déjà harmonieux et ouvert sur l'avenir. Rappelons que le 2001 fut coup de cœur.
Xavier Pagès, Ch. Noaillac, 33590 Jau-Dignac-et-Loirac, tél. 05.56.09.52.20, fax 05.56.09.58.75, e-mail noaillac@noaillac.com
t.l.j. sf sam. dim. 8h-12h 13h30-17h

CH. LES ORMES SORBET 2003 ★

Cru bourg. sup.	18 ha	85 000	15 à 23 €

85 86 88 89 (90) |95| |96| |97| |98| 99 00 01 02 03

Un terroir riche en fossiles marins du tertiaire, le calcaire de Couquèques, une famille présente en ces lieux depuis le XVIII[e]s., un assemblage avec 5 % de petit verdot, 65 % de cabernet-sauvignon, 30 % de merlot : ce vin, très typé 2003 par sa finale, débute par un bouquet encore un peu timide, avant de s'exprimer pleinement dans une belle série aromatique. Des fruits aux notes torréfiées, il n'y a pas beaucoup d'oubliés. La structure, solide et classique, garantit un bon avenir.
Hélène Boivert, Ch. Les Ormes-Sorbet, 33340 Couquèques, tél. 05.56.73.30.30, fax 05.56.73.30.31, e-mail ormes.sorbet@wanadoo.fr
t.l.j. 9h-12h 14h-18h; sam. dim. sur r.-v.

CH. PATACHE D'AUX 2003 ★

Cru bourg. sup.	43 ha	250 000	15 à 23 €

82 85 86 89 |90| 95 96 97 98 01 |02| 03

Avec 70 % de cabernet-sauvignon que complètent le merlot, le cabernet franc et le petit verdot, ce cru s'inscrit résolument dans la tradition médocaine. Son vin est lui aussi fidèle à la tradition par sa teinte rubis. Son bouquet se développe généreusement sans attendre l'agitation du verre. Les fruits mûrs, la vanille et le clou de girofle composent un tableau fort bien équilibré. L'attaque est discrète avant la montée en puissance du palais qui laisse le souvenir d'un ensemble complexe et élégant, que tout destine à un séjour en cave de quatre à cinq ans. Le **Château Leboscq Vieilles Vignes 2003 (11 à 15 €)**, bien constitué, avec une jolie montée en puissance au palais, obtient une étoile.
Ch. Patache d'Aux, 1, rue du 19-Mars, 33340 Bégadan, tél. 05.56.41.50.18, fax 05.56.41.54.65, e-mail info@domaines-lapalu.com r.-v.
Jean-Michel Lapalu

CH. DU PERIER 2003 ★

Cru bourg.	7 ha	32 000	8 à 11 €

90 91 92 93 94 95 96 97 |98| |99| |00| |01| 02 03

Né sur un cru devant son nom à un ancien député-maire de Soulac, ce cru propose ici un vin souple et bien

construit. Sa richesse et ses tanins élégants lui permettront d'affronter avec bonheur une bonne garde qui laissera à ses fins arômes, jouant aujourd'hui sur le cuir, le tabac et les notes grillées, le temps de se développer.
🔑 Bruno Saintout, Ch. du Perier,
33340 Saint-Christoly-Médoc,
tél. 05.56.59.91.70, fax 05.56.59.46.13 ☑ Y ⚘ r.-v.

PETIT MANOU 2003 **

■ 1 ha 4 584 ⓾ 8 à 11 €

Un joli terroir argilo-calcaire, qui explique la part du merlot avec 56 %, et des propriétaires passionnés, il n'en faut pas plus pour obtenir une éclatante réussite. Une livrée rubis annonce la forte personnalité de ce 2003 qui tombe un peu sous la coupe du bois dans son expression aromatique. Toast, grillé et crème brûlée, le merrain triomphe ; mais pour un temps seulement, car ensuite apparaît le fruit avec des baies mûres, la cerise cuite et la fraise. Chaleureux et bien équilibré, le palais possède la structure nécessaire pour une bonne garde (cinq ou six ans, voire beaucoup plus) tout en étant déjà fort séduisant. Un bel exemple de médoc moderne. Dommage que sa production soit un peu confidentielle.
🔑 Sogeviti Stéphane et Françoise Dief,
7, rue du 19-mars-1962, 33340 Saint-Christoly-Médoc,
tél. 05.56.41.54.20, fax 05.56.41.37.63,
e-mail sogeviti.sf@wanadoo.fr ☑ Y ⚘ r.-v.

CH. LE PEY 2003 **

■ Cru bourg. 31,84 ha 200 000 ⓾ 8 à 11 €

En Médoc, on aime dire que « les meilleures vignes regardent l'estuaire ». Quand on associe la vue dont on jouit de ce cru à la dégustation de son vin, on se dit qu'il y a certainement du vrai dans cette maxime. Fin et complexe dans son expression aromatique aux notes de fruits rouges et de chocolat, ce 2003 possède la structure nécessaire pour permettre au bois de se fondre complètement. Élégant et d'une fraîcheur étonnante pour le millésime, il sera parfait dans trois ou quatre ans sur une pintade rôtie ou un fromage de caractère.
🔑 SCEA Compagnet, Ch. Le Pey, 10, rte de Lesparre,
33340 Bégadan, tél. 05.56.41.57.75, fax 05.56.41.53.22,
e-mail compagnetvins@wanadoo.fr
☑ Y ⚘ t.l.j. sf dim. 9h-12h 14h-18h

CH. PEY DE PONT 2003

■ Cru bourg. 4,89 ha 36 000 ⓾ 5 à 8 €

Au XIXes., Pey de Pont est déjà une grosse propriété viticole. Acquis en 1950 par le grand-père d'Henri Reich, le domaine ne produit son vin que depuis 1997. Voici le 2003. Le pourpre de la robe ferait pâlir d'envie une mariée médiévale. Profonde et intense, cette livrée annonce les tanins serrés du palais qui devront se fondre avant que l'on puisse déboucher cette bouteille sur des viandes rouges ou des fromages gras. Ce sera chose faite dans trois ou quatre ans.
🔑 EARL Henri Reich et Fils,
3, rte du Port-de-Goulée, Trembleaux,
33340 Civrac-en-Médoc, tél. et fax 05.56.41.52.80,
e-mail cht.pey-de-pont@wanadoo.fr
☑ Y ⚘ t.l.j. 8h-12h 14h-19h

CH. PIERRE DE MONTIGNAC

Cuvée Fernand Ginestet Élevé en fût de chêne 2003 *

■ 20 ha 16 000 ⓾ 5 à 8 €

Appartenant à une cuvée diffusée par le négoce, ce vin sera un bon compagnon pour des mets simples, comme une volaille rôtie. Son bouquet pourra exprimer sans réserve sa complexité, en mariant les notes de fruits (framboise, prune, cerise) à celles de brioche. Souple et long, ce 2003 tirera profit d'une garde de quatre ou cinq ans.
🔑 José Sallette, 1, rte de Montignac,
33340 Civrac-en-Médoc, tél. et fax 05.56.73.59.08,
e-mail pierredemontignac@free.fr
☑ Y ⚘ t.l.j. 9h-13h 14h-19h 🏠 ❸

CH. POITEVIN 2003 *

■ Cru bourg. 25 ha 150 000 ⓾ 8 à 11 €

Pour ce millésime, les vinificateurs ont privilégié la finesse. Le bouquet complexe s'appuie sur un palais bien équilibré pour donner une bouteille qui pourra être appréciée sans avoir à attendre trop longtemps. Deux à trois ans aussi seront suffisants pour savourer l'originale touche de sureau du bouquet du second vin, le **Lamothe Pontac 2003 (5 à 8 €)**, qui obtient également une étoile.
🔑 EARL Poitevin, 14, rue du 19-Mars-1962,
33590 Jau-Dignac-et-Loirac, tél. 05.56.09.45.32,
fax 05.56.09.03.75, e-mail chateaupoitevin@wanadoo.fr
☑ Y ⚘ t.l.j. 9h-12h 13h30-18h

CH. PONTAC GADET 2003 *

■ 11 ha 60 000 ⓾ 5 à 8 €

Élevé en fût, ce vin suit sans complexe la mode. Derrière de fins parfums de mûre et de cassis, le bois apparaît vite avec des notes de coco bien fondues. Une garde de cinq ou six ans sera nécessaire pour permettre à cette bouteille de trouver son point d'harmonie. Mais le terroir est là pour garantir la réussite de la synthèse.
🔑 Dominique Briolais, Ch. Pontac-Gadet,
33590 Jau-Dignac-et-Loirac, tél. 05.56.09.56.86,
fax 05.57.64.31.73 ☑ Y ⚘ r.-v. 🏠 ❸

CH. PONTEY 2003

■ Cru bourg. 11,59 ha 48 700 ⓾ 8 à 11 €

Sans être un athlète, ce vin souple, rond et élégant sait tirer profit de son harmonieuse expression aromatique (fruits mûrs et fumée) qui le rendra fort agréable au cours des trois prochaines années.
🔑 Bruno de Bayle, Dom. d'Auberive, 33360 Latresne,
tél. 05.56.20.71.03, fax 05.56.20.11.30 Y ⚘ r.-v.

CH. POTENSAC 2003 **

■ n.c. 241 000 ⓾ 15 à 23 €

Si vous avez des amis qui en sont restés au cliché du bordeaux, vin difficile, presque austère, n'hésitez pas à ouvrir cette bouteille. Sans exclure une solide présence tannique, elle surprend par la douceur et la rondeur de sa structure, qui s'accordent à merveille avec l'élégance des arômes pour donner un ensemble particulièrement harmonieux. Le plaisir est déjà entier, mais faut-il pour autant se priver de celui qu'elle réserve d'ici quelques années ?
🔑 Ch. Potensac, 33340 Ordonnac,
tél. 05.56.73.25.26, fax 05.56.59.18.33,
e-mail leoville-las-cases@wanadoo.fr Y ⚘ r.-v.
🔑 Delon

CH. PREUILLAC 2003 *

■ Cru bourg. 20 ha 100 000 ⓾ 11 à 15 €

Issu d'une belle unité située près de Lesparre, ce vin, distribué par le négoce, porte la marque de l'élevage (quatorze mois en fût). Doté de tanins serrés, il possède la

matière suffisante pour pouvoir intégrer le bois. Il faudra le servir en carafe afin de libérer ses arômes. Vous pourrez ainsi l'apprécier pleinement.
🔑 Yvon Mau, rue Sainte-Pétronille,
33190 Gironde-sur-Dropt, tél. 05.56.61.54.54,
fax 05.56.61.54.61, e-mail info@ymau.com

CH. RAMAFORT 2003 ★

■ Cru bourg. 20 ha 90 000 🍷🛢 11 à 15 €

Issu d'un cru appartenant au vaste ensemble (de 125 ha) constitué par les vignobles CGR, ce vin commence gentiment à affirmer sa personnalité. Tant par ses arômes, aux notes fruitées, florales, épicées, vanillées et grillées, que par ses fins tanins. Ronds et gras, ces derniers s'accordent avec la douceur de l'ensemble pour laisser envisager une belle bouteille d'ici trois à quatre ans.
🔑 Les Domaines CGR, rte de la Cardonne,
33340 Blaignan, tél. 05.56.73.31.51,
fax 05.56.73.31.52, e-mail cgr@domaines-cgr.com
☑ Ĭ ⛹ t.l.j. sf sam. dim. 8h30-12h 13h30-17h;
groupes sur r.-v.

CH. LE REYSSE Élevé en fût de chêne 2003 ★

■ 5 ha 18 500 🛢 5 à 8 €

Si 2003 a été marqué par la canicule dans bien des appellations, le Médoc a été assez épargné comme en témoignent de nombreux crus dont celui-ci. D'une présentation charmeuse et intense, son vin est tout aussi plaisant par son bouquet aux arômes de fruits rouges, de pain grillé et d'épices. Ample et affable, le palais révèle de jolies rondeurs tout en se montrant très bien typé par sa présence tannique. Une attente de trois à quatre ans s'impose. Du même producteur, le **cru bourgeois Château Lassus cuvée Excellence Élevé en fût de chêne 2003** obtient une citation.
🔑 SCEA Vignobles Chaumont,
7, rte du Port-de-By, 33340 Bégadan,
tél. 05.56.41.50.79, fax 05.56.41.51.36,
e-mail vignobles.chaumont@wanadoo.fr
☑ Ĭ ⛹ t.l.j. sf dim. 9h-12h 14h-18h30

CH. RICAUDET 2003 ★

■ 5,6 ha 34 000 🍷🛢 5 à 8 €

Assez « tendance » par son côté boisé, ce vin sait aussi séduire par la complexité de sa palette aromatique, faite de délicates notes de cassis, de cerise, d'amande grillée, de cannelle, de cuir, de poivre noir et de cardamome. Souple et élégant, il monte bien en puissance au palais. Déjà prêt, il pourra aussi attendre quatre à six ans.
🔑 Cave Saint-Jean Uni-Médoc, 2, rte de Canissac,
33340 Bégadan, tél. 05.56.41.50.13,
fax 05.56.41.50.78, e-mail saintjean@uni-medoc.com
☑ Ĭ ⛹ t.l.j. sf dim. 9h-12h 14h-17h30; sam. 9h-12h
🔑 Robert Couthures

CH. ROLLAN DE BY 2003 ★

■ Cru bourg. 40 ha 202 000 🛢 11 à 15 €

94 (96) 97 |98| 00 01 02 03

Une chartreuse du XIXe s. et un jardin à la française donnent un bel aspect à ce cru. Solidement bâti, son vin est lui aussi de caractère. Les promesses de sa robe bigarreau à reflets grenat sont tenues par le bouquet aux délicates notes d'amande et de torréfaction, comme par sa structure, suffisamment puissante pour tenir tête à des plats en sauce ou à un gigot d'agneau à la ficelle. Assez proche, le **Château Haut Condissas Prestige 2003 (46 à 76 €)** obtient également une étoile.
🔑 Jean Guyon, 7, rte de Rollan-de-By, 33340 Bégadan,
tél. 05.56.41.58.59, fax 05.56.41.37.82,
e-mail rollan-de-by@wanadoo.fr
☑ Ĭ ⛹ t.l.j. sf sam. dim. 8h-12h 13h30-17h30

CH. ROSE DU PONT 2003

■ 1,19 ha 7 500 🍷🛢 8 à 11 €

Ce 2003, frais et élégant, est un vrai vin plaisir dans sa robe rubis brillant. Il s'inscrit dans l'esprit médocain par ses arômes très cabernet-sauvignon agrémentés de notes animales et de flaveurs de cerise sauvage, soutenus par une discrète présence du bois.
🔑 Pierre Lambert, 40, rte de Courbian,
33340 Bégadan, tél. 05.56.41.36.04 ☑ Ĭ ⛹ t.l.j. 9h-19h

CH. SAINT-CHRISTOPHE 2003 ★

■ Cru bourg. 20 ha 130 000 🍷🛢 11 à 15 €

Graves, argilo-calcaires, sables graveleux, cabernet-sauvignon, merlot, petit verdot ; tout ici prédispose à un subtil travail d'assemblage et à un bon équilibre. Robe profonde, coco et petits fruits rouges, solide charpente mais attaque fondue et côté friand, l'harmonie est au rendez-vous de la dégustation et le sera encore dans quatre ou cinq ans.
🔑 Patrick Gillet, SARL Saint-Christophe,
5, rte du Boscq, 33340 Saint-Christoly-Médoc,
tél. 05.56.41.57.22, fax 05.56.41.59.95,
e-mail pg.stch@wanadoo.fr
☑ Ĭ ⛹ t.l.j. sf sam. dim. 9h-12h 14h-17h

CH. SAINT-HILAIRE 2003 ★★

■ Cru bourg. 20 ha 100 000 🛢 5 à 8 €

Ce cru, acquis par une famille de souche hollandaise, continue d'investir pour l'avenir. L'année 2005 a vu sortir de terre un nouveau chai de cinq cents barriques. Son 2003 ne l'a pas connu, ce qui ne l'empêche pas de se montrer solidement bâti sur des tanins vigoureux. La puissance se retrouve dans l'expression aromatique. Cette force ne s'exerce pas au détriment de la fraîcheur ni de l'élégance, même si la fermeté actuelle de la finale appelle une garde de quelques années.
🔑 EARL A. et F. Uijttewaal,
13, chem. de la Rivière, 33340 Queyrac,
tél. 05.56.59.80.88, fax 05.56.59.87.68
☑ Ĭ ⛹ t.l.j. sf dim. 9h-12h 14h-18h 🏠 Ⓔ

CH. SEGUE LONGUE MONNIER
Élevé en fût de chêne 2003

■ Cru bourg. 20,89 ha 115 000 🛢 8 à 11 €

Né dans un chai circulaire dominant l'estuaire de la Gironde, ce vin affiche une structure bien maîtrisée, qui laisse la vedette aux parfums de fruits rouges, de cassis et d'épices du bouquet. Il sera possible de l'apprécier sans attendre.
🔑 SCV du Ch. Segue Longue, 13, chem. de Lamale,
Boussan, 33590 Jau-Dignac-et-Loirac,
tél. 06.11.77.30.25, fax 05.56.09.57.28,
e-mail scv.chateau-segue-longue@wanadoo.fr
☑ Ĭ ⛹ r.-v.
🔑 J.-P. et P.-C. Monnier

CH. SIPIAN
Quintessence Élevé en fût de chêne 2003 ★★

■ Cru bourg. 2 ha 8 000 15 à 23 €

Un assemblage étonnant pour cette cuvée prestige : 38 % pour le cabernet-sauvignon, 20 % pour le merlot et 42 % pour le petit verdot. Un élevage de dix-huit mois en barrique neuve. Des choix astucieux si l'on en juge d'après le résultat : de puissants arômes de torréfaction, de pruneau, de griotte, de cannelle et de fruits noirs très mûrs ; des tanins soyeux ; une charpente corsée et sans agressivité. Un grand classique doté d'un solide potentiel de garde appelant un séjour en cave de huit ans, voire davantage.

Bernard Méhaye, Ch. Sipian,
28, rte du Port-de-Goulée, 33340 Valeyrac,
tél. 05.56.41.56.05, fax 05.56.41.35.36,
e-mail vignobles.mehaye@wanadoo.fr
t.l.j. sf sam. dim. 8h30-12h 13h30-17h

CH. LE TEMPLE 2003

■ Cru bourg. 18 ha 80 000 5 à 8 €

Si le bois est encore un peu trop présent, ce vin est bien constitué avec un bouquet généreux (raisin mûr, vanille, réglisse) et des tanins mûrs qui porteront cette bouteille pendant deux ou trois ans.

Denis Bergey, Ch. Le Temple,
30, rte du Port-de-Goulée, 33340 Valeyrac,
tél. 05.56.41.53.62, fax 05.56.41.57.35,
e-mail letemple@terre-net.fr
t.l.j. sf dim. 8h30-12h30 13h30-19h30

CH. TOUR BLANCHE 2003 ★

■ Cru bourg. 39,1 ha 259 389 15 à 23 €

Né sur un cru appartenant depuis 2004 à la galaxie des vignobles de Bernard Magrez, ce vin souple, équilibré et d'une bonne complexité aromatique (fruits rouges, cassis, mûre) est déjà fort plaisant ; mais ses tanins de qualité autoriseront une garde de quelques années.

Bernard Magrez, Ch. Pape Clément,
216, av. du Dr-Nancel-Penard, 33600 Pessac,
tél. 05.57.26.68.04, fax 05.57.26.68.08

CH. TOUR CASTILLON 2003 ★

■ Cru bourg. 13 ha 36 000 8 à 11 €

Au bord de l'estuaire, ce cru est frôlé par les paquebots qui amènent les croisiéristes pour une escale du vin à Bordeaux. En vrais œnophiles qu'ils sont, ils sauront sûrement apprécier ce vin dont les parfums de fruits confits, de pruneau et de cèdre s'accordent avec l'élégance des tanins et de la finale. Cette bouteille se mariera fort bien avec le chocolat.

Pierre Peyruse, 3, rte du Fort-Castillon,
33340 Saint-Christoly-Médoc,
tél. 05.56.41.54.98, fax 05.56.41.39.19,
e-mail vignobles.peyruse@wanadoo.fr
t.l.j. sf dim. 9h-12h 14h-18h; f. 15-31 août

CH. LA TOUR DE BY 2003 ★★

■ Cru bourg. 67 ha 250 000 15 à 23 €

82 83 85 86 88 89 |90| **91** 93 94 |95| |**96**| 97 |98| **99** **00** 02 **03**

On ne présente plus ce cru que son phare construit en 1825, gardien de l'estuaire, a rendu célèbre. Son vin, toutefois, a lui aussi sa part dans cette notoriété. Son terroir, l'un des meilleurs de Bégadan, permet au cabernet-sauvignon de s'exprimer sans crainte. Le 2003 en apporte une illustration par sa superbe teinte rouge sombre et par son bouquet d'excellente facture. Les fruits rouges et le bois savent trouver un bon point d'équilibre, en parfaite harmonie avec la rondeur et la délicatesse de la structure. Un vin complet.

SC des Vignobles Marc Pagès, Ch. La Tour de By,
33340 Bégadan, tél. 05.56.41.50.03, fax 05.56.41.36.10,
e-mail info@la-tour-de-by.com r.-v.

CH. TOUR HAUT-CAUSSAN 2003 ★

■ Cru bourg. sup. 15 ha 105 000 11 à 15 €

82 83 85 86 |**89**| (90) **91 92 93 94** |**95**| |(96)| **97** |**98**| |**99**| **00** |01| 02 03

En viticulture, le terroir (argilo-calcaire ici) compte mais l'homme aussi. Sans Philippe Courrian, le Tour Haut-Cassan n'aurait jamais été le Tour Haut-Cassan ! Que dire de ce 2003 ? Le bois est encore très présent mais ne cache pas la diversité du bouquet, où les fleurs se mêlent à la truffe et à la réglisse. L'ensemble reste bien équilibré et sera aussi agréable jeune que dans quelques années.

Philippe Courrian,
27 bis, rue de Verdun, 33340 Blaignan,
tél. 05.56.09.00.77, fax 05.56.09.06.24 r.-v.

CH. TOUR NÉGRIER 2003 ★

■ Cru bourg. 41,65 ha 5 460 5 à 8 €

Issu d'une propriété ayant confié sa vinification à la coopérative de Saint-Yzans, ce vin fait honneur aux deux. L'intensité de sa robe, la fraîcheur de ses parfums de myrtille et de cassis, comme l'équilibre et l'harmonie de son palais témoignent d'un travail bien fait, au chai comme dans les vignes.

Cave Saint-Brice, SCV de Saint-Yzans,
33340 Saint-Yzans-de-Médoc, tél. 05.56.09.05.05,
fax 05.56.09.01.92, e-mail saintbrice@wanadoo.fr
t.l.j. sf dim. 8h-12h 14h-18h; groupes sur r.-v.
Faugerolle

CH. TOUR PRIGNAC
Premium Grande Réserve 2003 ★

■ Cru bourg. 150 ha 59 000 8 à 11 €

Issue de l'une des plus vastes propriétés du Médoc restaurée par Castel en 1973, cette Grande Réserve retient l'œil par sa robe d'un rouge soutenu. Ses reflets violacés sont de bon augure, de même que sa complexité aromatique : fruits rouges et épices. Construit sur des tanins fermes, sans être agressifs, ce vin pourra être apprécié dès maintenant.

Castel, SA Ch. Tour Prignac,
33340 Prignac-en-Médoc, tél. 05.56.95.54.00,
fax 05.56.95.54.20, e-mail infos@groupe-castel.com

CH. TOUR SERAN 2003

■ Cru bourg. 13 ha 72 000 15 à 23 €

Né sur un joli terroir de graves dominant l'estuaire, ce vin ne manque ni de charme ni d'élégance. Sa robe cerise à reflets de velours est aussi expressive que le bouquet de fruits compotés et d'épices. Un ensemble rond et sympathique, à boire jeune ou dans deux ou trois ans.

Jean Guyon, 7, rte de Rollan-de-By, 33340 Bégadan,
tél. 05.56.41.58.59, fax 05.56.41.37.82,
e-mail rollan-de-by@wanadoo.fr
t.l.j. sf sam. dim. 8h-12h 13h30-17h30

CH. LES TRAVERSES

La Franque Élevé en fût de chêne 2003 ★

■ 10 ha 60 000 ▮ 5 à 8 €

En vrai Médocain, Jean-Michel Lapalu s'attache à respecter la diversité de l'encépagement : il maintient la présence du petit verdot et du cabernet franc aux côtés du merlot et du cabernet-sauvignon. Son vin possède une réelle ampleur, une belle expression aromatique (mûre, cassis et cèdre) et une solide matière qui lui assurera une garde de quatre ou cinq ans, et qui lui permettra d'accompagner des plats goûteux. Un autre cru du même producteur, le **Château Lacombe Noaillac 2003 (8 à 11 €)**, est cité.

SCEA du Ch. Lacombe Noaillac, Le Broustéra, 33590 Jau-Dignac-et-Loirac, tél. 05.56.41.50.18, fax 05.56.41.54.65, e-mail info@domaines-lapalu.com

Jean-Michel Lapalu

CH. LES TUILERIES 2003 ★

■ Cru bourg. 19 ha 114 000 8 à 11 €

Musée de la Tonnellerie, en souvenir des aïeux du propriétaire, salle de réception, ce cru s'est résolument tourné vers l'œnotourisme. Sans oublier pour autant l'œnologie, comme en témoigne ce vin très complet. D'une belle couleur foncée et brillante, ce 2003 se porte d'abord vers des arômes boisés avant de laisser exprimer les fruits mûrs. Rond, structuré et élégant, le palais s'appuie sur des tanins enrobés pour appeler une garde d'environ cinq ans. Encore dominée par l'élevage, la **cuvée Prestige 2003 (11 à 15 €)** est citée.

Jean-Luc Dartiguenave, Ch. Les Tuileries, 6, rue de Lamena, 33340 Saint-Yzans-de-Médoc, tél. 05.56.09.05.31, fax 05.56.09.02.43, e-mail contact@chateaulestuileries.com r.-v.

CH. VIEUX GADET Élevé en fût de chêne 2003 ★

■ 1,5 ha 7 200 5 à 8 €

Vaste maison bourgeoise précédée d'une grande allée de chênes-lièges et de tilleuls, ce château a su tirer profit du millésime en offrant un vin certes encore un peu dominé par le bois, mais qui possède suffisamment de réserves aromatiques et de puissance tannique pour donner d'ici quatre ou cinq ans une bouteille de caractère. À ouvrir sur un fromage.

Trento, 1, chem. des Chambres, 33340 Gaillan, tél. et fax 05.56.41.21.98 r.-v.

CH. VIEUX ROBIN

Collection Bois de Lunier 2003 ★

■ 0,5 ha 3 600 30 à 38 €

Plus de six générations ont ancré les Roba dans la vigne et le Médoc. C'est d'ailleurs avec passion qu'ils transmettent l'héritage culturel de la presqu'île du Médoc. Ils mettent autant d'amour dans l'élaboration de leur vin. Si le bois est encore très présent dans ce millésime, on sent une puissance et une expression aromatique (cerise, cèdre et épices) qui lui permettront de bien évoluer dans les cinq ou six ans à venir. Un dégustateur recommande de le servir avec un canard à l'orange. Élégante et fine, la cuvée **cru bourgeois supérieur Bois de Lunier 2003 (11 à 15 €)** est citée.

SCE Ch. Vieux Robin, 3, rte des Anguilleys, 33340 Bégadan, tél. 05.56.41.50.64, fax 05.56.41.37.85, e-mail contact@chateau-vieux-robin.com

t.l.j. sf sam. dim. 9h-12h 14h-17h

Maryse et Didier Roba

Haut-médoc

Le territoire spécifique de l'appellation haut-médoc serpente autour des appellations communales. Cette AOC est la seconde en importance avec 4 680 ha et une production en 2005 de 215 150 hl. Ses vins jouissent d'une grande réputation, due en partie à la présence de cinq crus classés dans leur région, les autres se trouvant dans les six appellations communales enclavées dans l'aire d'appellation.

En haut-médoc, le classement des vins a été réalisé en 1855, soit près d'un siècle avant celui des graves. Cela s'explique par l'avance prise par la viticulture médocaine à partir du XVIII^{e}s. ; car c'est là que s'est en grande partie produit « l'avènement de la qualité », avec la découverte des notions de terroir et de cru, c'est-à-dire la prise de conscience de l'existence d'une relation entre le milieu naturel et la qualité du vin. Les haut-médoc se caractérisent par leur générosité, mais sans excès de puissance. D'une réelle finesse au nez, ils présentent généralement une bonne aptitude au vieillissement. Ils devront alors être bus chambrés et iront très bien avec des viandes blanches et des volailles ou du gibier à plume. Mais bus plus jeunes et servis frais, ils pourront aussi accompagner d'autres plats, comme certains poissons.

CH. D'AGASSAC 2003 ★

■ Cru bourg. sup. 26,8 ha 133 788 15 à 23 €

95 **96** 97 **98** **99** **00** 01 **02** 03

Un lieu magique où l'histoire rejoint le rêve avec des tours qui se reflètent dans de larges douves. Son vin lui aussi a un bel aspect dans sa robe grenat. Fruits rouges et noirs, notes confiturées et mentholées, le bouquet témoigne d'un bon équilibre qui se retrouve au palais. Une bouteille bien typée, à attendre deux ou trois ans.

SCA du Ch. d'Agassac, 15, rue du Château-d'Agassac, 33290 Ludon-Médoc, tél. 05.57.88.15.47, fax 05.57.88.17.61, e-mail contact@agassac.com r.-v.

Groupama

CH. D'ARCHE 2003

■ Cru bourg. sup. 9 ha 50 000 15 à 23 €

94 95 **96** **97** 98 **99** **00** **01** 02 03

Une belle croupe de graves, un encépagement intéressant avec 5 % de carmenère, 5 % de petit verdot, 5 % de cabernet franc, 45 % de cabernet-sauvignon et 40 % de merlot. La robe de ce 2003 est violette ; les fruits noirs accompagnent ensuite toute la dégustation, portés par des tanins serrés au boisé bien intégré.

SA Mähler-Besse, 49, rue Camille-Godard, 33000 Bordeaux, tél. 05.56.56.04.30, fax 05.56.56.04.39, e-mail france@mahler-besse.com r.-v.

CH. D'AURILHAC 2003 ★★

■ Cru bourg. 13 ha 77 800 ⏺ 8 à 11 €

96 97 |98| 99 **00** |01| 02 **03**

Fidèle à l'esprit médocain par la variété de son encépagement, ce cru est très expressif dans sa présentation, tant par sa robe, d'un rouge pourpre, que par son bouquet, où les fruits mûrs et la vanille composent un tableau gourmand. Au palais, les tanins de belle origine sont bien enveloppés par une chair ample et plaisante. Un ensemble de qualité qui tirera profit d'un séjour en cave de cinq à six ans. Riche et équilibré, le **Château La Fagotte 2003** a obtenu une étoile. Il demande une garde de deux à trois ans. Vous serez séduit par ses arômes de prune, de figue fraîche, de cèdre et de cassis.

SCEA Ch. d'Aurilhac et La Fagotte,
Sénilhac, 33180 Saint-Seurin-de-Cadourne,
tél. et fax 05.56.59.35.32 ☑ Y ⅄ r.-v.
Erik Nieuwaal

CH. BALAC Cuvée Prestige 2003

■ Cru bourg. 8 ha 40 000 ▮⏺ 11 à 15 €

L'élégance de la chartreuse du XVIIIe se retrouve dans la robe de cette cuvée d'un pourpre profond, et dans son bouquet aux notes de cassis, de cerise et de toast. Frais, moelleux et souple, le palais s'inscrit dans la même harmonie.

Christine et Luc Touchais, Ch. Balac,
33112 Saint-Laurent-Médoc, tél. 05.56.59.41.76,
fax 05.56.59.93.90, e-mail chateau.balac@wanadoo.fr
☑ Y ⅄ t.l.j. 10h-13h 14h-19h

CH. BARATEAU Cuvée Prestige 2003 ★

■ 0,5 ha 3 000 ⏺ 11 à 15 €

Une propriété de 24 ha créée en 1830. Cette petite cuvée est encore marquée par l'élevage mais celui-ci est de qualité et la structure est suffisante pour permettre à l'ensemble de se fondre d'ici deux ou trois ans. Fin et fruité, ce vin pourra alors être ouvert sur des viandes rôties accompagnées de cèpes. La cuvée principale, **Château Barateau 2003 (8 à 11 €)**, a été citée.

Ch. Barateau, rte de Saint-Julien-Beychevelle,
33112 Saint-Laurent-Médoc, tél. 05.56.59.42.07,
fax 05.56.59.49.91, e-mail cb@hroy.com ☑ Y ⅄ r.-v.

CH. BEAUMONT 2003

■ Cru bourg. sup. n.c. 422 000 ⏺ 8 à 11 €

Si l'architecture éclectique du XIX[e]s. a engendré des horreurs, elle a aussi donné de petits joyaux. Beaumont en fait partie. Sans être très puissant, son 2003 est fort agréable, notamment grâce à sa complexité aromatique. Il atteindra sa maturité dans deux ou trois ans.

SCE Ch. Beaumont, 33460 Cussac-Fort-Médoc,
tél. 05.56.58.92.29, fax 05.56.58.90.94,
e-mail beaumont@chateau-beaumont.com
☑ Y ⅄ r.-v. 🏠 4
Grands Millésimes de France

CH. BELGRAVE 2003 ★

■ 5e cru clas. 57,5 ha 182 000 ⏺ 23 à 30 €

83 85 86 89 ⑩ 94 95 **96 97** |**98**| **99 00** 01 **02** 03

Un des fleurons de la maison Dourthe, qui possède un terroir complexe. S'il n'a pas pu bénéficier du nouveau chai du cru, inauguré en 2004, ce vin n'en montre pas moins de belles dispositions. Les promesses de sa robe grenat sont largement tenues par le bouquet aux riches notes de fruits mûrs, de réglisse et de torréfaction, et par la structure tannique et charnue. On sent un bon potentiel, qui appelle un séjour en cave de trois ou cinq ans.

Vignobles Dourthe, Ch. Belgrave,
35, rue de Bordeaux, 33290 Parempuyre,
tél. 05.56.35.53.00, fax 05.56.35.53.29,
e-mail contact@cvbg.com Y ⅄ r.-v.

CH. BELLE-VUE 2003

■ 9,73 ha 64 000 ⏺ 15 à 23 €

Le petit verdot entre à hauteur de 27 % dans l'assemblage de ce millésime. S'il peut surprendre par son austérité, ce vin aux notes aromatiques de pâte de coing et de moka possède une matière ronde et ferme à la fois, très médocaine, qui lui permettra de s'ouvrir et d'accompagner des fromages de caractère.

SC de La Gironville, 69, rte de Louens,
33460 Macau, tél. 05.57.88.19.79, fax 05.57.88.41.79,
e-mail sc.gironville@wanadoo.fr
☑ Y ⅄ t.l.j. sf sam. dim. 9h-17h
V. Mulliez

CH. BERNADOTTE 2003 ★★

■ 35 ha n.c. ⏺ 11 à 15 €

Belle unité de Saint-Sauveur, ce cru propose ici un vin prometteur. S'annonçant par une robe rubis à reflets bigarreau, ce 2003 développe un bouquet élégant où se mêlent des notes de fruits rouges, de groseille, de toast, de vanille, de cannelle et d'épices fines. Concentrée, la structure est portée par des tanins serrés qu'enveloppe une matière charnue et consistante. Un ensemble complet à garder quelques années en cave.

SC Ch. Le Fournas,
Le Fournas-Nord, 33250 Saint-Sauveur,
tél. 05.56.59.57.04, fax 05.56.59.54.84,
e-mail bernadotte@chateau-bernadotte.com Y ⅄ r.-v.
May-Eliane de Lencquesaing

CH. LES BRULIÈRES DE BEYCHEVELLE 2003

■ 13 ha 53 000 ⏺ 11 à 15 €

Né sur un vignoble dépendant de Beychevelle mais situé sur Cussac, à l'orée de la forêt, ce cru jouit d'un terroir de qualité. Le vin est d'une structure fine mais de bonne facture. Ses tanins veloutés et son bouquet mariant harmonieusement les fruits très mûrs et le bois pourront être appréciés sans avoir trop à attendre.

SC Ch. Beychevelle, 33250 Saint-Julien-Beychevelle,
tél. 05.56.73.20.70, fax 05.56.73.20.71,
e-mail beychevelle@beychevelle.com Y ⅄ r.-v.

CH. BEYZAC 2003

■ Cru bourg. 10 ha 10 000 ⏺ 11 à 15 €

Comme il en a l'habitude, ce cru propose un vin structuré à la robe cerise franche et vive. À la fois souple et charpenté, ce 2003 se montre bien typé dans son appellation par une note de poivron accompagnant des fruits mûrs et un boisé vanillé.

EARL Les Granges de Civrac,
23, rte des Granges, 33340 Civrac-en-Médoc,
tél. 05.56.41.58.73, fax 05.56.41.55.87,
e-mail jeanpaulroland@hotmail.com ☑ Y ⅄ r.-v.
Roland

CH. LE BOURDIEU VERTHEUIL 2003 ★

■ Cru bourg. 40 ha 200 000 ▮⏺ 8 à 11 €

Né sur une propriété d'une soixantaine d'hectares, ce vin souple et équilibré montre son origine médocaine par

LE CLASSEMENT DE 1855 REVU EN 1973

PREMIERS CRUS
- Château Lafite-Rothschild (Pauillac)
- Château Latour (Pauillac)
- Château Margaux (Margaux)
- Château Mouton-Rothschild (Pauillac)
- Château Haut-Brion (Pessac-Léognan)

SECONDS CRUS
- Château Brane-Cantenac (Margaux)
- Château Cos-d'Estournel (Saint-Estèphe)
- Château Ducru-Beaucaillou (Saint-Julien)
- Château Durfort-Vivens (Margaux)
- Château Gruaud-Larose (Saint-Julien)
- Château Lascombes (Margaux)
- Château Léoville-Barton (Saint-Julien)
- Château Léoville-Las-Cases (Saint-Julien)
- Château Léoville-Poyferré (Saint-Julien)
- Château Montrose (Saint-Estèphe)
- Château Pichon-Longueville-Baron (Pauillac)
- Château Pichon-Longueville Comtesse-de-Lalande (Pauillac)
- Château Rauzan-Ségla (Margaux)
- Château Rauzan-Gassies (Margaux)

TROISIÈMES CRUS
- Château Boyd-Cantenac (Margaux)
- Château Cantenac-Brown (Margaux)
- Château Calon-Ségur (Saint-Estèphe)
- Château Desmirail (Margaux)
- Château Ferrière (Margaux)
- Château Giscours (Margaux)
- Château d'Issan (Margaux)
- Château Kirwan (Margaux)
- Château Lagrange (Saint-Julien)
- Château La Lagune (Haut-Médoc)
- Château Langoa (Saint-Julien)
- Château Malescot-Saint-Exupéry (Margaux)
- Château Marquis d'Alesme-Becker (Margaux)
- Château Palmer (Margaux)

QUATRIÈMES CRUS
- Château Beychevelle (Saint-Julien)
- Château Branaire-Ducru (Saint-Julien)
- Château Duhart-Milon-Rothschild (Pauillac)
- Château Lafon-Rochet (Saint-Estèphe)
- Château Marquis de Terme (Margaux)
- Château Pouget (Margaux)
- Château Prieuré-Lichine (Margaux)
- Château Saint-Pierre (Saint-Julien)
- Château Talbot (Saint-Julien)
- Château La Tour-Carnet (Haut-Médoc)

CINQUIÈMES CRUS
- Château d'Armailhac (Pauillac)
- Château Batailley (Pauillac)
- Château Belgrave (Haut-Médoc)
- Château Camensac (Haut-Médoc)
- Château Cantemerle (Haut-Médoc)
- Château Clerc-Milon (Pauillac)
- Château Cos-Labory (Saint-Estèphe)
- Château Croizet-Bages (Pauillac)
- Château Dauzac (Margaux)
- Château Grand-Puy-Ducasse (Pauillac)
- Château Grand-Puy-Lacoste (Pauillac)
- Château Haut-Bages-Libéral (Pauillac)
- Château Haut-Batailley (Pauillac)
- Château Lynch-Bages (Pauillac)
- Château Lynch-Moussas (Pauillac)
- Château Pédesclaux (Pauillac)
- Château Pontet-Canet (Pauillac)
- Château du Tertre (Margaux)

LES CRUS CLASSÉS DU SAUTERNAIS EN 1855

PREMIER CRU SUPÉRIEUR
- Château d'Yquem

PREMIERS CRUS
- Château Climens
- Château Coutet
- Château Guiraud
- Château Lafaurie-Peyraguey
- Château La Tour-Blanche
- Clos Haut-Peyraguey
- Château Rabaud-Promis
- Château Rayne-Vigneau
- Château Rieussec
- Château Sigalas-Rabaud
- Château Suduiraut

SECONDS CRUS
- Château d'Arche
- Château Broustet
- Château Caillou
- Château Doisy-Daëne
- Château Doisy-Dubroca
- Château Doisy-Védrines
- Château Filhot
- Château Lamothe (Despujols)
- Château Lamothe (Guignard)
- Château de Malle
- Château Myrat
- Château Nairac
- Château Romer
- Château Romer du Hayot
- Château Suau

un bouquet aux notes classiques de fruits noirs frais, de myrtille et de cassis. Frais, rond et soyeux, il parviendra à maturité d'ici deux à trois ans. Le **Château Victoria 2003 (11 à 15 €)** a été cité.
SC Ch. Le Bourdieu Vertheuil, 33180 Vertheuil, tél. 05.56.41.98.01, fax 05.56.41.99.32 r.-v.
Richard

CH. DE BRAUDE 2003 *

Cru bourg. 7,3 ha 34 000 11 à 15 €

Le cabernet-sauvignon, nettement majoritaire avec 70 % de l'assemblage, fait sentir sa présence par des tanins d'une grande finesse. Riche et corpulent, ce vin fait preuve d'harmonie tout au long de la dégustation, du bouquet, où un fruit épanoui est appuyé par un merrain de qualité, à la finale, très harmonieuse. Il sera à garder trois ou quatre ans, comme le **Château Braude Fellonneau 2003 (15 à 23 €)** qui a obtenu également une étoile.
Régis Bernaleau, SCEA Mongravey, 8, av. Jean-Luc-Vonderheyden, 33460 Arsac, tél. 05.56.58.84.51, fax 05.56.58.83.39, e-mail chateau.mongravey@wanadoo.fr r.-v. 6

CH. CAMBON LA PELOUSE 2003

Cru bourg. sup. 35 ha 180 000 11 à 15 €

De belles graves profondes constituent le vignoble de ce cru, né au XVII[e]s., et dont la production est exportée à 60 %. Bien fait, ce 2003 porte une somptueuse robe sombre moirée de rouge. Le nez est marqué par le millésime avec des notes de fruits confits. D'un bon équilibre général, cette bouteille sera prête d'ici deux à trois ans.
Annick et Jean-Pierre Marie, SCEA Cambon La Pelouse, 5, chem. de Canteloup, 33460 Macau, tél. 05.57.88.40.32, fax 05.57.88.19.12, e-mail contact@cambon-la-pelouse.com r.-v.

CH. CAMENSAC 2003 *

5e cru clas. 70 ha 355 000 15 à 23 €

95 96 **97** |**98**| |**99**| **00** 01 **02** 03

L'un des fleurons de la constellation Merlaut. Pour lui, l'année 2003 n'aura pas été placée sous une mauvaise étoile, comme en témoigne la robe, d'une couleur prune brillante, de ce vin. Délicat dans son expression aromatique avec des notes fruitées (cerise et groseille) et florales, il se fait rond et moelleux au palais, avant de montrer en finale qu'il est né sous le soleil.
Ch. Camensac, rte de Saint-Julien, BP 9, 33112 Saint-Laurent-Médoc, tél. 05.56.59.41.69, fax 05.56.59.41.73, e-mail chateaucamensac@wanadoo.fr r.-v.
Jean Merlaut et Céline Villars-Foubet

CH. DE CANDALE 2003 *

11 ha 54 000 8 à 11 €

Né sur le vaste domaine qui entoure le château d'Issan à Cantenac, ce vin bien équilibré possède une structure tannique qui valorise ses jolis arômes de cuir et d'épices, tout en lui permettant d'être attendu pendant trois ou quatre ans. Sa robe rubis foncé brillant et son nez agréable de cuir, d'épices, de merrain, laissant parler le raisin, contribuent à son charme.
Ch. d'Issan, 33460 Cantenac, tél. 05.57.88.35.91, fax 05.57.88.74.24, e-mail issan@chateau-issan.com r.-v.
Famille Cruse

CANTERAYNE Le Grand Art 2003

n.c. 6 500 8 à 11 €

Derrière une robe rubis intense paraît un joli nez fruité qui hésite entre le caramel, la noix de coco, la vanille et les fruits exotiques. Frais en attaque, ce vin charme par sa structure enrobée de tanins bien arrondis.
Cave coopérative de Saint-Sauveur, Fonpiqueyre, 33250 Saint-Sauveur, tél. 05.56.59.57.11, fax 05.56.59.52.06, e-mail canterayne@wanadoo.fr t.l.j. sf dim. 8h-12h 14h-18h

CARMAILLET 2003 **

1,1 ha 1 300 23 à 30 €

Ici juste quelques arpents de vigne en partie d'origine familiale, en partie plantés, et une vraie passion pour le vin. Dès son premier millésime, Christine Nadalié se voit distinguée. Dans son vin, de couleur pourpre, le tonnelier et le vinificateur ont joué la même partition comme le montre le bouquet aux arômes de fruits noirs et rouges qu'appuient des notes de vanille, de cannelle et de toast. Le même sens de l'équilibre se retrouve au palais, d'une bonne puissance, et dans la longue finale. Une bouteille à laisser en cave pendant encore trois ou quatre ans.
EARL Christine Nadalié, 7, chem. du Bord de l'Eau, 33460 Macau, tél. 05.57.10.03.70, fax 05.57.10.02.00, e-mail cnadalie@aol.com r.-v.

CH. CARONNE SAINTE-GEMME 2003 *

Cru bourg. sup. n.c. 180 000 11 à 15 €

Une chartreuse de style Directoire et des chais des XVIIIe et XIXe s. donnent un réel intérêt à la visite de ce domaine. Bien construit avec un bon dosage du bois, son vin sait lui aussi retenir l'attention par sa complexité aromatique. De la griotte à la noisette, c'est une jolie collection de parfums qui se laissent découvrir tout au long de la dégustation. Élégant et facile, le **Château Labat 2003 (15 à 23 €)** a été cité.
Vignobles Nony-Borie, Caronne, 33112 Saint-Laurent-Médoc, tél. 05.57.87.56.81, fax 05.56.51.71.51, e-mail fnony@chateau-caronne-ste-gemme.com r.-v.

CH. CHARMAIL 2003 *

Cru bourg. sup. 22,5 ha 110 000 15 à 23 €

95 |96| **97** |**98**| |**99**| 00 01 02 03

Bénéficiant d'un beau terroir au-dessus de l'estuaire, ce cru est en mesure d'offrir un vin bien fait, comme le montre ce 2003. Sa complexité aromatique, qui apparaît dans le bouquet aux notes de cuir, d'épices et de tabac, se confirme au palais. Rond et gras, ce haut-médoc s'appuie sur des tanins mûrs pour conduire vers une longue finale.
Olivier Sèze, Ch. Charmail, 33180 Saint-Seurin-de-Cadourne, tél. 05.56.59.70.63, fax 05.56.59.39.20 r.-v.

CH. CISSAC 2003 *

Cru bourg. 50 ha 180 000 15 à 23 €

Né sur un cru commandé par une chartreuse du XVIII[e]s. entourée d'un jardin à la française, ce vin annonce sa jeunesse dès le début de la dégustation, tant par sa robe grenat que par son bouquet encore dans le cocon, fait de fraîches notes fruitées et florales. Plein et solide, doté de

riches tanins enveloppés d'une chair caressante, il pourra être attendu pendant quatre ou cinq ans.
SCF Ch. Cissac, 33250 Cissac-Médoc,
tél. 05.56.59.58.13, fax 05.56.59.55.67,
e-mail marie.vialard@chateau-cissac.com
t.l.j. sf sam. dim. 9h-12h 13h30-17h30
Vialard

CH. CITRAN 2003 ★

Cru bourg. sup. 57 ha 367 141 15 à 23 €

Un château construit en 1832 sur les ruines d'un manoir féodal, aujourd'hui présidé par Antoine Merlaut. Après le coup de cœur de l'an dernier, ce cru propose un 2003 doté d'une bonne structure, soutenue par des tanins fermes, et d'une expression aromatique de qualité, avec des notes de fruits mûrs. Le bois est encore très présent, mais tout permet d'envisager une belle bouteille d'ici deux à trois ans.
Ch. Citran, chem. de Citran, 33480 Avensan,
tél. 05.56.58.21.01, fax 05.57.88.84.60,
e-mail info@citran.com r.-v.

CH. CLÉMENT-PICHON 2003

Cru bourg. sup. 24,7 ha 114 000 11 à 15 €

85 86 88 89 90 94 95 97 **98** |**99**| 00 01 02 03

Aux portes de Bordeaux, l'un des plus vastes châteaux du vin du XIX[e]s. Paré d'une robe peu concentrée pour le millésime, ce vin n'en est pas moins chaleureux. Encore dominé par la barrique, le palais affiche de plaisants parfums de vanille, laissant en arrière-plan les fruits rouges mûrs. Ses tanins, fins et souples, demandent une petite garde (un à deux ans) pour se fondre.
Vignobles Clément Fayat,
30, av. du Château-Pichon, 33290 Parempuyre,
tél. 05.56.35.23.79, fax 05.56.35.85.23,
e-mail info@vignobles.fayat.com r.-v.

CH. COLOMBE PEYLANDE

L'Aïeul Léontin 2003 ★

1,5 ha 6 000 11 à 15 €

Né sur une petite propriété, à 2 km de Fort-Médoc, ce vin est encore un peu austère en finale. Sa structure aux tanins charnus lui permettra cependant d'être attendu trois ou quatre ans. Son bouquet de fruits rouges appuyé par un bois discret pourra donc se développer tranquillement. Également à garder quelques années, la **cuvée principale 2003 (8 à 11 €)** a, elle aussi, obtenu une étoile.
EARL Dedieu-Benoît, 6, chem. des Vignes,
33460 Cussac-Fort-Médoc, tél. 05.56.58.93.08,
fax 05.57.88.50.81 r.-v.

CH. COMTESSE DU PARC 2003 ★

8,75 ha 45 000 8 à 11 €

Producteurs à Saint-Estèphe, les Anney exploitent aussi ce cru situé à Vertheuil. Rond et chaleureux, leur 2003 possède une bonne matière tannique et un bouquet suffisamment complexe (fruits mûrs et épices) pour soutenir une garde de quatre ou cinq ans, mais il peut aussi être apprécié jeune.
SCEA Vignobles Jean Anney, Ch. Tour des Termes,
Saint-Corbian, 33180 Saint-Estèphe,
tél. 05.56.59.32.89, fax 05.56.59.73.74,
e-mail contact@chateautourdestermes.com
t.l.j. 8h30-12h 14h-17h

CH. COUFRAN 2003

Cru bourg. sup. 76 ha 460 000 11 à 15 €

95 96 98 99 |00| |01| 02 |03|

Du même producteur que le Château Verdignan, ce vin porte la marque du merlot (85 %) dans son bouquet aux notes de truffe et de fruits mûrs. Bien structuré, doté de tanins veloutés, il pourra être apprécié jeune tout en étant de moyenne garde (deux à cinq ans, pour autant qu'on puisse le prévoir !)
SCA Ch. Coufran, 33180 Saint-Seurin-de-Cadourne,
tél. 05.56.44.90.84, fax 05.56.81.32.35,
e-mail contact@chateau-coufran.com r.-v.
Groupe Jean Miailhe

CH. DEVISE D'ARDILLEY 2003 ★

Cru bourg. 8,92 ha 50 000 8 à 11 €

De création récente (1991), ce cru a été promu au rang de cru bourgeois dans le classement de 2003. Vrai vin du soleil, ce millésime ne peut pas renier son appartenance à l'année de la canicule. Au bouquet de toast et de pain d'épice succèdent des tanins bien concentrés et une note chaleureuse. Une jolie bouteille à attendre cinq ou six ans.
Vignoble Vimes-Philippe SAS,
Ch. Devise d'Ardilley, 33112 Saint-Laurent-Médoc,
tél. et fax 05.57.75.14.26,
e-mail devise.dardilley@terre-net.fr t.l.j. 9h-19h

CH. DILLON 2003

Cru bourg. 30 ha 200 000 8 à 11 €

(86) 88 89 |**90**| 95 96 97 98 |99| |00| 01 |02| 03

Entre ville et campagne, ce cru situé à l'orée de Bordeaux est aussi un important complexe pédagogique pour les élèves du lycée agricole de Blanquefort, tant à la vigne qu'au chai. On y trouve même la rare carmenère. Ce millésime porte une robe profonde et brillante. Ses tanins souples et élégants sont exemplaires d'une matière bien extraite. On conseille d'attendre cette bouteille deux ou trois ans.
Lycée viticole de Bordeaux-Blanquefort, Ch. Dillon,
rue Arlot-de-Saint-Saud, 33290 Blanquefort,
tél. 05.56.95.39.94, fax 05.56.95.36.75,
e-mail chateau-dillon@chateau-dillon.com r.-v.

CH. DOYAC 2003

12 ha 70 000 8 à 11 €

Né sur le socle calcaire de Saint-Seurin-de-Cadourne, ce millésime a résolument choisi son style. Celui de l'élégance et de la finesse avec une structure très fraîche. Un vrai vin plaisir dont on pourra profiter sans avoir trop à attendre.
EARL Max de Pourtalès,
Ch. Doyac, 33180 Saint-Seurin-de-Cadourne,
tél. 05.56.59.34.49, fax 05.56.59.74.82,
e-mail chateau.doyac@wanadoo.fr r.-v.

CH. DUTHIL 2003 ★★

Cru bourg. 7 ha 45 000 8 à 11 €

Né sur un vignoble appartenant au vaste et prestigieux domaine de Giscours (AOC margaux), ce vin est incontestablement de noble origine. D'une agréable teinte violine, il développe un bouquet élégant, encore très près du fruit. Ronds et souples, les tanins sont présents et s'accordent avec la richesse aromatique du palais pour promettre une belle bouteille d'ici environ cinq ans.

🔑 SAE Ch. Giscours, Labarde, 33460 Margaux, tél. 05.57.97.09.09, fax 05.57.97.09.00, e-mail giscours@chateau-giscours.fr ▼ ⚲ r.-v. 🏠 ⑦
🔑 Eric Albada Jelgersma

LE FERRÉ DU CH. FERRÉ 2003 *

■ Cru artisan 12 ha 30 000 ⊕ 11 à 15 €

À 1 km de Vertheuil, ce cru familial offrira une halte sympathique avant la visite de l'abbatiale fondée au XIII[e]s. Rond et élégant, avec un côté charnu et soyeux, son vin se montre déjà charmeur et pourra être savouré jeune.

🔑 Ch. Ferré, 3, rue des Aubépines, 33180 Vertheuil, tél. 05.56.41.96.39, fax 05.56.41.95.52, e-mail fer33c@wanadoo.fr ☑ ▼ ⚲ t.l.j. 10h-12h 14h-19h

CH. FONPIQUEYRE 2003 *

■ Cru bourg. 11,5 ha 75 000 ▮⊕ 8 à 11 €

Cru rattaché à Liversan, ce vignoble bénéficie d'un encépagement diversifié. On ne sera donc pas étonné par la complexité qui se dégage progressivement de ce vin. Parallèlement, la structure monte en puissance pour ouvrir des perspectives d'accords gourmands avec du gibier ou des fromages et laisser espérer une garde de quatre ou cinq ans. Très proche, la **cuvée des Vieilles Vignes 2003 (11 à 15 €)** a également obtenu une étoile.

🔑 Ch. Liversan, 1, rte de Fonpiqueyre, 33250 Saint-Sauveur, tél. 05.56.41.50.18, fax 05.56.41.54.65, e-mail info@domaines-lapalu.com ▼ ⚲ r.-v.
🔑 Jean-Michel Lapalu

CH. FONTESTEAU 2003 *

■ Cru bourg. 28 ha 150 000 ⊕ 8 à 11 €

Les amateurs d'histoire et de légende ne resteront pas insensibles à ce domaine où Duguesclin aurait laissé un trésor. De la robe, d'un joli pourpre, à la finale sur le fruit, ce vin est à la fois flatteur et suffisamment bien construit pour être attendu deux ou trois ans.

🔑 SARL Ch. Fontesteau, 33250 Saint-Sauveur, tél. 05.56.59.52.76, fax 05.56.59.57.89, e-mail chateau.fontesteau@wanadoo.fr ☑ ▼ ⚲ r.-v. 🏠 ⑦
🔑 Barron et Fouin

FORT DU ROY Le Grand Art Élevé en fût de chêne Vieilles Vignes 2003

■ 5 ha 15 000 ⊕ 5 à 8 €

Fort-Médoc fut construit en 1689 par Vauban en bordure de la Gironde. La coopérative regroupe seize viticulteurs. S'il ne cherche pas à impressionner par sa structure, ce vin possède une jolie matière et beaucoup de fruit. Franc et fin, il apportera un plaisir immédiat.

🔑 SCA Les Viticulteurs du Fort-Médoc, 105, av. du Haut-Médoc, 33460 Cussac-Fort-Médoc, tél. 05.56.58.92.85, fax 05.56.58.92.86, e-mail cave-fort-medoc@wanadoo.fr ☑ ▼ ⚲ t.l.j. sf dim. 9h30-12h30 14h-18h

LE GRAND PAROISSIEN Élevé en fût de chêne 2003 *

■ 5 ha 30 000 ⊕ 8 à 11 €

Dans un millésime qui n'aura pas souri à tout le monde, la cave de Saint-Seurin, créée en 1935, prouve une fois encore son savoir-faire : fruits mûrs, fines notes boisées, épices douces et cannelle, le bouquet se fait caressant. Le palais poursuit dans le même style. Riche et moelleux, il déploie de fins tanins qui s'accordent pleinement avec la finale harmonieuse. À mettre en cave pendant trois ou quatre ans.

🔑 SCV Saint-Seurin-de-Cadourne, 2, rue Clément-Lemaignan, 33180 Saint-Seurin-de-Cadourne, tél. 05.56.59.31.28, fax 05.56.59.39.01, e-mail cavecooperativevinification@wanadoo.fr ☑ ▼ ⚲ r.-v.

CH. HANTEILLAN 2003

■ Cru bourg. sup. 68 ha 326 000 ▮⊕ 8 à 11 €

Issu d'un vaste vignoble qui a dû dépendre des moines de l'abbaye de Vertheuil, ce vin à la robe franche et vive s'appuie sur des tanins encore un peu austères ; mais il montre aussi de jolis arômes de fraise des bois, après une attaque moelleuse et charnue. L'ensemble demande encore à se fondre et à s'affirmer.

🔑 Ch. Hanteillan, 12, rte d'Hanteillan, 33250 Cissac-Médoc, tél. 05.56.59.35.31, fax 05.56.73.49.08, e-mail chateau.hanteillan@wanadoo.fr ☑ ▼ ⚲ t.l.j. sf ven. sam. dim. 9h-12h 14h-17h; f. 24 déc. au 2 janv.
🔑 Catherine Blasco

CH. HAUT BEYZAC 2003 *

■ 7 ha 40 000 ⊕ 11 à 15 €

Un vignoble entièrement replanté depuis 1999. Très riche en tanins, ce vin, cuvée principale puisqu'il est dénommé le « grand vin », demandera encore trois ou quatre ans pour parvenir à maturité et laisser s'exprimer pleinement son bouquet. Celui-ci apparaît déjà à travers des notes de café, de chocolat et de torréfaction.

🔑 EARL Raguenot-Lallez-Miller, Le Parc, 33180 Vertheuil, tél. 05.57.32.65.15, fax 05.57.32.99.38 ☑ ▼ ⚲ r.-v.
🔑 Éric Lallez

CH. HAUT-BREGA 2003

■ Cru artisan 5 ha 35 000 ▮⊕ 8 à 11 €

S'il est encore difficile à juger, ce vin semble destiné à bien évoluer. Un peu discret par son bouquet, il est plus expressif au palais, avec une bonne présence tannique.

🔑 Joseph Ambach, 16, rue des Frères-Razeau, 33180 Saint-Seurin-de-Cadourne, tél. 05.56.59.70.77, fax 05.56.59.62.50, e-mail cht.haut.brega@wanadoo.fr ☑ ▼ ⚲ r.-v.

CH. HAUT-MADRAC 2003 *

■ Cru bourg. n.c. 60 000 ⊕ 8 à 11 €

Propriété de la famille Castéja située à Saint-Sauveur, ce cru jouit d'un beau terroir. Typique du millésime par sa finale chaleureuse, son 2003 est d'une rondeur bien équilibrée et d'une puissance suffisante pour être attendu de deux à quatre ans. Tannique et boisé, le cousin du cru classé de l'AOC pauillac, Lynch-Moussas, **Les Hauts de Lynch-Moussas 2003 (11 à 15 €)**, a également obtenu une étoile.

🔑 Héritiers Castéja, 33250 Pauillac, tél. 05.56.00.00.70, fax 05.57.87.48.61, e-mail domaines@borie-manoux.fr

LA DEMOISELLE D'HAUT-PEYRAT Élevé en fût de chêne 2003 **

■ 8 ha 35 000 ⊕ 5 à 8 €

Suprême élégance, au château Peyrat-Fourthon, on a su garder une belle matière pour élaborer un second vin digne du premier. D'un classicisme du meilleur aloi, ce

2003 développe un bouquet de fruits cuits et confits et monte bien en puissance au palais. Il sera prêt un peu avant le grand vin, dans trois ou quatre ans.
Pierre Narboni, SARL Ch. Tour Fourthon,
1, allée Fourthon Saint-Laurent,
33112 Saint-Laurent-Médoc,
tél. 06.07.32.57.34, fax 05.56.59.92.65,
e-mail pn@peyrat-fourthon.com r.-v.

CH. JULIEN 2003 **

■ 15 ha 40 000 11 à 15 €

Également producteurs à Listrac, les vignobles Meyre proposent ici un haut-médoc à la robe seyante, d'un grenat foncé à reflets violines et au bouquet puissant. Les épices et la truffe forment un duo de charme. Après une attaque suave, le palais révèle son volume qui s'appuie sur des tanins denses et fins. Le tout se termine par des notes de chocolat noir et une longue finale qui appelle trois ou quatre ans de garde.
Vignobles Alain Meyre, Ch. Cap Léon Veyrin,
33480 Listrac-Médoc, tél. et fax 05.56.58.07.28,
e-mail capleonveyrin@aol.com
t.l.j. sf sam. dim. 9h-12h 14h-18h

CH. LABARDE 2003

■ 4,82 ha 20 000 8 à 11 €

C'est aujourd'hui Christine Lurton de Caix qui préside aux destinées de ce cru, propriété de la MAIF. D'un joli rouge, ce millésime s'affirme sur des notes de fruits cuits (mûre, myrtille, bigarreau) et de réglisse. Souple et charnu, il est soutenu par des tanins fins.
SE du Ch. Dauzac, 1, av. Georges-Johnson,
33460 Labarde, tél. 05.57.88.32.10, fax 05.57.88.96.00,
e-mail andrelurton@andrelurton.com r.-v.

CH. LACHESNAYE 2003 *

■ Cru bourg. sup. 20 ha 120 000 8 à 11 €

Influence du 45e parallèle tout proche ? Ce cru à l'architecture néo-Tudor cultive un réel sens de l'équilibre avec 50 % de merlot et 50 % de cabernet-sauvignon. Très classique dans son évolution au palais, son vin, aux arômes agréables et jeunes de fruits rouges, demande entre quatre et cinq ans pour arriver à maturité.
SCEA Delbos-Bouteiller, Ch. Lachesnaye,
33460 Cussac-Fort-Médoc, tél. 05.56.58.94.80,
e-mail infos@bouteiller.com r.-v.

CH. DE LAMARQUE 2003

■ Cru bourg. sup. 35 ha 144 577 11 à 15 €

Belle forteresse d'origine médiévale, ce château a tout pour combler d'aise l'amateur d'histoire et d'architecture. Le jury, pour sa part, a été séduit par ce vin, tant par sa teinte grenat que par ses arômes de petites baies noires dans un sous-bois, ainsi que par sa charpente. Souple puis portée par des tanins serrés, la structure garantit l'avenir de cette bouteille. À ouvrir pour accompagner une pièce de bœuf sur le grill.
SC Gromand d'Évry,
Ch. de Lamarque, 33460 Lamarque,
tél. 05.56.58.90.03, fax 05.56.58.93.43,
e-mail lamarque@chateaudelamarque.fr r.-v.

CH. LAMOTHE BERGERON 2003

■ Cru bourg. 67,75 ha 193 600 11 à 15 €

95 96 97 **99** |**00**| **01** |**02**| |03|

Ce château second Empire et son vaste vignoble vont bénéficier des investissements de leur nouveau propriétaire, le Crédit Agricole, mais seulement à partir de 2004, date de l'acquisition. Antérieur, ce millésime porte une robe pourpre. Des notes florales et boisées se partagent le nez tandis que la bouche, bien structurée par des tanins fondus, est déjà plaisante et légère.
SC du Ch. Grand-Puy Ducasse,
BP 23 quai Ferchaud, 33250 Pauillac,
tél. 05.56.59.00.40, fax 05.56.59.36.47

CH. LANESSAN 2003 *

■ Cru bourg. sup. 50 ha 250 000 11 à 15 €

86 88 **90** 92 94 **95 96 97** |98| **99** 00 01 **02** 03

Architecture du château, dessin du parc, tout ici ramène vers l'Angleterre, toujours chère au cœur des Bordelais. D'un abord facile par son bouquet aux notes de cassis, de groseille, de moka et de grillé, comme par son attaque, tendre à souhait, ce vin se fait ensuite plus sérieux, et révèle une solide charpente aux tanins porteurs d'avenir.
SCEA Delbos-Bouteiller,
Lanessan, 33460 Cussac-Fort-Médoc,
tél. 05.56.58.94.80, fax 05.57.88.89.92,
e-mail infos@bouteiller.com r.-v.

CH. LAROSE PERGANSON 2003 *

■ Cru bourg. 33 ha 100 000 8 à 11 €

96 97 |98| |99| **00 01 02** 03

Bien que privé de son château, incendié dans l'entre-deux-guerres, ce cru n'en demeure pas moins intéressant par la qualité de sa production. D'une jolie teinte rubis, son 2003 séduit par son bouquet aux notes de fumée, de café torréfié, de poivre et de clou de girofle. Puis apparaît une solide charpente, bien soutenue par des tanins équilibrés. Une bouteille à ouvrir dans quatre ou cinq ans sur une entrecôte ou un civet de sanglier.
SA Ch. Larose-Trintaudon,
rte de Pauillac, 33112 Saint-Laurent-Médoc,
tél. 05.56.59.41.72, fax 05.56.59.93.22,
e-mail info@trintaudon.com r.-v.
AGF

CH. LAROSE-TRINTAUDON 2003

■ Cru bourg. sup. 142 ha 850 000 8 à 11 €

81 82 83 85 **86** 87 **88 89** |**90**| 91 92 93 94 |95| 96 **97** 98 |99| |00| |01| 02 03

En 1986, le groupe d'assurances AGF acquiert ce cru : il n'a pas arrêté là ses investissements dans le secteur viticole, puisqu'il est également propriétaire de 110 ha au Chili. Ce 2003 d'un grenat limpide et brillant offre un bouquet de fruits noirs mêlés à des notes boisées bien intégrées. Le palais suit la même ligne, construit sur des tanins très mûrs et imposants qui ont besoin de se faire.
SA Ch. Larose-Trintaudon,
rte de Pauillac, 33112 Saint-Laurent-Médoc,
tél. 05.56.59.41.72, fax 05.56.59.93.22,
e-mail info@trintaudon.com r.-v.
AGF

CH. LARRIVAUX

Légende de la vicomtesse de Carheil 2003

■ Cru bourg. 26 ha 156 000 8 à 11 €

Né sur une belle unité se transmettant par les femmes depuis quatre siècles, ce vin n'a rien de confidentiel, ni par son volume de production, ni par sa présence au palais, où il se montre chaleureux et tendre, avec de beaux arômes de cacao et de fruits confits.

🔑 SARL des Domaines Carlsberg,
23-25 rte de Larrivaux, 33250 Cissac-Médoc,
tél. 05.56.59.58.15, fax 05.56.73.93.41
☑ Y ⚲ r.-v.

CH. LESTAGE SIMON 2003

■ Cru bourg. sup. 28 ha 119 000 ⏸ 11 à 15 €

Régulier en qualité, ce cru est, depuis la disparition de Charles Simon, géré par Antoine Moueix, la maison Lebègue et ses héritiers. Il propose un vin d'une bonne complexité aromatique (épices et tabac), à la solide structure tannique et aux saveurs croquantes. Simple et charmeur, le second vin, **Château Troupian 2003 (5 à 8 €)** a également été cité.

🔑 Ch. Lestage Simon,
33180 Saint-Seurin-de-Cadourne,
tél. 05.56.59.31.83, fax 05.56.59.70.56,
e-mail chlestagesimon@wanadoo.fr ☑ Y ⚲ r.-v.

CH. LIVERSAN 2003

■ Cru bourg. sup. 39 ha 250 000 ▮⏸ 11 à 15 €

Ancienne propriété des princes de Polignac, ce cru offre ici un vin léger mais bien équilibré. Sa rondeur et ses jolis parfums d'épices et de vanille permettront de l'apprécier sans attendre. Appartenant également à Jean-Michel Lapalu, le **Château Lieujean Cuvée Prestige 2003** est cité.

🔑 Ch. Liversan, 1, rte de Fonpiqueyre,
33250 Saint-Sauveur,
tél. 05.56.41.50.18, fax 05.56.41.54.65,
e-mail info@domaines-lapalu.com Y ⚲ r.-v.
🔑 Jean-Michel Lapalu

LA LONGUA 2003 ★★

■ 1,1 ha 1 100 ⏸ 23 à 30 €

À peine quelques arpents de vigne. Heureusement la passion de la vigneronne n'est pas proportionnelle à la taille du cru ! Pour son premier millésime, Christine Nadalié a placé la barre très haut. Et elle a atteint ses objectifs : racé comme il sied à un vrai grand vin, ce 2003 est remarquablement servi par son bouquet comme par son palais. Réglisse, épices, fruits et cannelle, le premier est tout en nuances. Parfaitement soutenu par d'excellents tanins, le second ne demande que trois ou quatre ans de garde pour se révéler dans sa plénitude.

🔑 EARL Christine Nadalié,
7, chem. du Bord de l'Eau, 33460 Macau,
tél. 05.57.10.03.70, fax 05.57.10.02.00,
e-mail cnadalie@aol.com ☑ Y ⚲ r.-v.

CH. MAURAC Les Vignes de Cabaleyran 2003 ★

■ n.c. 24 000 ⏸ 11 à 15 €

Issu de parcelles de graves situées dans le quartier de Cabaleyran, à Saint-Seurin-de-Cadourne, ce vin s'inscrit dans la meilleure tradition médocaine par son aptitude à la garde. Épices et fruits confits du bouquet, ampleur de la structure et arômes de cerise de la finale, tout indique un travail de qualité, tant dans la vigne qu'au chai. Encore un peu fermée, la cuvée principale **Château Maurac 2003 (8 à 11 €)** est citée.

🔑 SCEA Ch. Maurac,
Le Trale, 33180 Saint-Seurin-de-Cadourne,
tél. 05.57.88.07.64, fax 05.57.88.07.00,
e-mail vitigestion@wanadoo.fr ☑ Y ⚲ r.-v.

CH. MILOUCA 2003

■ 2,5 ha 12 000 ⏸ 5 à 8 €

Merlot, cabernets, petit verdot à hauteur de 10 % : ce cru respecte la tradition médocaine par la diversité de son encépagement. Mûr, marqué par les fruits noirs et un boisé grillé, assez puissant pour justifier quelques années de garde, son 2003 est bien typé.

🔑 Indivision Lartigue-Coulary,
6, rue Salies, 33460 Cussac-Fort-Médoc,
tél. 05.56.58.93.23 ☑ Y ⚲ r.-v.

CH. DU MOULIN 2003 ★

■ 1 ha 5 000 ⏸ 11 à 15 €

Un vieux fût de moulin sur une petite butte rappelle le passé céréalier du Médoc et justifie le nom de ce cru. Même si sa finale est encore un peu sévère, ce 2003 sait retenir l'attention, tant par son bouquet, intense et complexe avec de belles notes de fruits confits, de torréfaction et de pain, que par ses tanins, fins et bien enrobés.

🔑 José Sanfins, Ch. du Moulin,
16, chem. du Vieux-Chêne, 33460 Lamarque,
tél. 06.10.46.34.35, fax 05.57.88.81.90,
e-mail sanfinsjose@aol.com Y ⚲ r.-v.

CH. MOUTTE BLANC Marguerite Dejean 2003

■ Cru artisan 0,4 ha 2 000 ⏸ 11 à 15 €

Étonnante cuvée composée du seul merlot né sur graves. Étonnante parce que ce n'est pas la tradition médocaine. Même si elle est encore un peu dominée par le fût, elle se montre intéressante par sa matière, grasse et pleine. Il faudra l'attendre deux ou trois ans et la servir en carafe.

🔑 Patrice de Bortoli, Ch. Moutte Blanc,
6, imp. de la Libération, 33460 Macau,
tél. et fax 05.57.88.40.39,
e-mail moutteblanc@wanadoo.fr ☑ Y ⚲ r.-v.

CH. D'OSMOND 2003

■ Cru artisan 4 ha 20 000 ▮⏸ 5 à 8 €

Au cœur d'un circuit de VTT, ce cru artisan a résolument opté pour l'œnotourisme. Souple, bien équilibré et tendre, son vin sait mettre en valeur ses frais arômes de fruits et de violette.

🔑 Philippe Tressol, EARL des Gûnes,
36, rte des Gûnes, 33250 Cissac-Médoc,
tél. et fax 05.56.59.59.17,
e-mail chateaudosmond@wanadoo.fr ☑ Y ⚲ r.-v.

CH. PALOUMEY 2003 ★

■ Cru bourg. sup. 27 ha 74 000 ⏸ 15 à 23 €

Son nom, solidement ancré dans les traditions gasconnes, n'empêche pas ce vin chaleureux de présenter un caractère un peu exotique par son onctuosité. Rond et plaisant, il porte une robe bordeaux de belle intensité et affiche un nez original de vanille, de noix de coco, d'épices, de cerise et de raisin frais.

🔑 SA Ch. Paloumey, 50, rue Pouge-de-Beau,
33290 Ludon-Médoc, tél. 05.57.88.00.66,
fax 05.57.88.00.67, e-mail info@chateaupaloumey.com
☑ Y ⚲ t.l.j. 10h-18h; dim. sur r.-v.

CH. PEYRAT-FOURTHON 2003 ★★

■ 12 ha 50 000 ⏸ 11 à 15 €

À la diversité du terroir aux sols argilo-calcaires et graveleux répond celle de l'encépagement, qui s'inscrit dans la meilleure tradition médocaine. Un caractère qui se

retrouve dans ce remarquable 2003. Brillante avec des reflets violacés, sa robe ne laisse aucun doute sur la jeunesse du vin, tandis que le bouquet annonce de grandes perspectives d'évolution par sa richesse et par sa complexité : vanille, fruits rouges et grillé. Au palais, on retrouve cette admirable combinaison de richesse et de finesse. Une bouteille à oublier cinq ou six ans à la cave.

Pierre Narboni, SARL Ch. Tour Fourthon,
1, allée Fourthon Saint-Laurent,
33112 Saint-Laurent-Médoc,
tél. 06.07.32.57.34, fax 05.56.59.92.65,
e-mail pn@peyrat-fourthon.com r.-v.

CH. PEYRE-LEBADE 2003

■ Cru bourg. 55 ha 200 000 11 à 15 €

C'est dans ce château qu'Odilon Redon, peintre symboliste, réalisa ses œuvres majeures. Restructuré entre 1981 et 1997 par Edmond de Rothschild, le vignoble repose sur un sol argilo-calcaire. Merlot (60 %) et cabernet-sauvignon ont donné ce vin violine au nez de petits fruits rouges. La bouche est en revanche concentrée, animée par des notes de cassis et de boisé. Il faudra attendre deux ou trois ans cette bouteille.

EV Edmond de Rothschild, 33480 Listrac-Médoc,
tél. 05.56.58.38.00, fax 05.56.58.26.46,
e-mail contact@cver.fr

CH. PONTOISE CABARRUS 2003 *

■ Cru bourg. 11 ha 80 000 11 à 15 €

Rappelant par son nom la belle Thérésa Cabarrus, personnalité ayant joué un rôle modérateur pendant la Terreur, ce cru a été acquis par les Téreygeol en 1959. François et ses fils, Éric et Laurent, le conduisent aujourd'hui. Ce vin joue la carte de l'équilibre et de la mesure avec un joli fruit reposant sur une bonne structure tannique. Sa souplesse s'accorde bien avec sa finesse aromatique et invite à l'apprécier d'ici deux à trois ans.

SAS du Ch. Pontoise Cabarrus, 27, rue
Georges-Mandel, 33180 Saint-Seurin-de-Cadourne,
tél. 05.56.59.34.92, fax 05.56.59.72.42,
e-mail pontoisecabarrus@wanadoo.fr r.-v.

CH. PRIEURÉ DE BEYZAC Quintessence 2003 **

■ 2 ha 11 000 8 à 11 €

Appartenant à la cuvée prestige du cru, ce vin a bénéficié de soins attentifs et efficaces si l'on en juge d'après son équilibre et son joli potentiel de garde. Celui-ci ne l'empêche pas de se montrer déjà plaisant par son onctuosité et son expression aromatique aux notes de fruits noirs, de vanille, de cannelle et d'épices douces.

EARL Charlassier, Beyzac, 33180 Vertheuil,
tél. 05.56.41.36.22, fax 05.56.59.37.03,
e-mail vignoble.charlassier@wanadoo.fr r.-v.

CH. RAMAGE LA BATISSE 2003 *

■ Cru bourg. sup. 27,61 ha 191 400 11 à 15 €

89 |90| 91 |95| |96| 97 |98| |99| 00 02 03

Chartreuse entourée d'une garenne au cœur du vignoble, ce cru propose un vin paré d'une robe rouge sombre à reflets noirs. Marqué par des notes séveuses de fruits très mûrs, son bouquet fait preuve d'une réelle complexité. Ronde, souple et élégante, la structure débouche sur une longue finale qui appelle deux ou trois ans de garde.

SCI Ramage La Batisse,
Tourteran, 33250 Saint-Sauveur,
tél. 05.56.59.57.24, fax 05.56.59.54.14,
e-mail ramagelabatisse@wanadoo.fr r.-v.
MACIF

CH. SAINT-PAUL 2003 *

■ Cru bourg. 20 ha 100 658 11 à 15 €

Intéressant par son volume de production, ce vin, d'une belle teinte entre rubis et grenat, sait concilier des qualités apparemment contradictoires : la souplesse et une certaine puissance. Soutenu par de sympathiques notes de toast et d'épices douces, l'ensemble est fort séduisant.

SC du Ch. Saint-Paul,
33180 Saint-Seurin-de-Cadourne,
tél. 05.56.59.34.72, fax 05.56.59.38.35 r.-v.

CH. SÉNÉJAC 2003 *

■ Cru bourg. sup. 35 ha 85 000 11 à 15 €

Belle demeure XVIIe installée presque aux portes de Bordeaux, ce cru s'inscrit dans la logique du millésime avec ce vin à la finale capiteuse. Toutefois l'alcool ne déséquilibre ni le palais ni le bouquet. L'un et l'autre se montrent harmonieux ; le premier par son agréable structure tannique, le second par sa complexité, avec des notes de cerise, de fruits confits et de boisé. Équilibré et bien structuré, le **Karolus 2003 (30 à 38 €)** a également obtenu une étoile. Il assemble 12 % de petit verdot au cabernet-sauvignon : un mariage très intéressant pour une bouteille de garde.

M. et Mme Thierry Rustmann,
Ch. Sénéjac, 33290 Le Pian-Médoc,
tél. 05.56.70.20.11, fax 05.56.70.23.91,
e-mail chateausenejac@wanadoo.fr r.-v.

CH. SÉNILHAC 2003 *

■ Cru bourg. 23 ha 80 000 8 à 11 €

Vaste domaine de 150 ha, ce cru a eu la sagesse de ne pas sacrifier son parc de 13 ha pour planter des vignes. Il a aussi suffisamment de discernement pour comprendre qu'un bon vin résulte d'un travail bien fait. Rouge franc illuminé de reflets violines, son 2003 développe un bouquet frais qui témoigne d'une cohabitation heureuse entre le fruit et le bois. Charpenté par des tanins soyeux, il pourra être attendu cinq ou six ans ou ouvert aujourd'hui sur une volaille escortée de girolles.

Grassin, Ch. Sénilhac,
33180 Saint-Seurin-de-Cadourne,
tél. 05.56.59.31.41, fax 05.56.59.39.19 r.-v.

CH. SOCIANDO-MALLET 2003 **

■ 55 ha 297 000 30 à 38 €

(82) 85 86 88 89 |90| 91 93 (95) (96) 97 |(98)| |99| (00) 01 02 03

Si le cru a pour nom ceux de deux anciens propriétaires, il mériterait de porter celui de Jean Gautreau, tant ce dernier l'a imprégné de son esprit. Avec ce millésime, il propose un vin plaisir possédant un bon potentiel d'évolution. Celui-ci apparaît dans le bouquet qui prend de la complexité à l'aération, libérant des notes de pain grillé, d'épices, de fumée et de fruits noirs. Puis l'attaque veloutée et le palais tannique et charnu confirment cette agréable impression.

SCEA Jean Gautreau,
Ch. Sociando-Mallet, 33180 Saint-Seurin-de-Cadourne,
tél. 05.56.73.38.80, fax 05.56.73.38.88,
e-mail scea-jean-gautreau@wanadoo.fr r.-v.

CH. SOUDARS 2003 *

Cru bourg. sup. 22,25 ha 140 000 11 à 15 €

89 **90 93** 94 95 **96** 97 |98| |99| **00** |01| |02| 03

Créé de toutes pièces en 1973, ce vignoble possède des vignes d'une moyenne d'âge de vingt-cinq ans. Associant 1 % de cabernet franc, 44 % de cabernet-sauvignon et 55 % de merlot, ce millésime a fait l'objet d'un élevage mesuré en barrique pendant douze mois. Il demande toutefois à être attendu quelque temps pour permettre au bois de se fondre. Ce délai mettra en valeur son expression aromatique aux notes de fruits cuits.

SAS Vignobles E. F. Miailhe,
Ch. Soudars, 33180 Saint-Seurin-de-Cadourne,
tél. 05.56.59.36.09, fax 05.56.59.72.39,
e-mail contact@chateausoudars.com r.-v.

CH. DU TAILLAN 2003

Cru bourg. sup. 30 ha 90 000 11 à 15 €

Aux portes de Bordeaux, ce magnifique château du XVIIIᵉs. mérite une halte. Ce sera l'occasion de découvrir son vin au caractère bien trempé, avec des notes de gibier et une solide charpente reposant sur des tanins qui appellent la garde.

SCEA Ch. du Taillan, 56, av. de la Croix,
33320 Le Taillan-Médoc, tél. 05.56.57.47.00,
fax 05.56.57.47.01, e-mail chateaudutaillan@wanadoo.fr
t.l.j. sf dim. 9h-12h30 13h30-18h

Famille Cruse

CH. LA TEMPÉRANCE 2003 *

11 ha 53 000 15 à 23 €

Signé par Bernard Magrez, ce vin, issu d'un vignoble proche de Saint-Estèphe, est représentatif du millésime par une forte présence de l'alcool, mais sans que cela lui enlève son charme. Vif et frais, doté de tanins souples et d'un bouquet aux délicates notes fruitées, il pourra être apprécié jeune. Une caractéristique que pourrait expliquer la forte proportion de merlot (80 %).

Bernard Magrez, Ch. Pape Clément,
216, av. du Dr-Nancel-Penard, 33600 Pessac,
tél. 05.57.26.68.04, fax 05.57.26.68.08

CH. LA TOUR CARNET 2003 **

4e cru clas. 53 ha 170 000 23 à 30 €

79 81 82 **83 85 86** (88) **89 90 93** 94 (96) **97 98** |**99**| |**00**| |**01**| **02 03**

Aujourd'hui propriété de Bernard Magrez, ce cru classé de Saint-Laurent, fondé au XIIᵉs., est l'un des plus anciens domaines du Bordelais. La noblesse et le charme des lieux se retrouvent dans le vin. Avec suffisamment de richesse et d'ampleur au palais pour autoriser une garde de trois ou quatre ans, ce 2003 est d'une grande générosité aromatique. Mélangeant les senteurs de cacao, de cassis, d'épices, de pain chaud et de pivoine, il se plaira avec une volaille rôtie ou un gibier à plume.

Ch. La Tour Carnet,
rte de Beychevelle, 33112 Saint-Laurent-Médoc,
tél. 05.56.73.30.90, fax 05.56.59.48.54,
e-mail latour@latour-carnet.com r.-v.

Bernard Magrez

CH. TOUR DU HAUT-MOULIN 2003 *

Cru bourg. sup. 28 ha 140 000 11 à 15 €

89 |**90**| **91 92 93** |95| |96| 97 |98| |99| **00 01 02** 03

Depuis plus de cent trente ans, les Cazaux et leurs descendants, les Poitou, dialoguent avec le terroir médocain. Dans un millésime difficile, ce tête-à-tête a été un atout pour élaborer un vin élégant, charnu et d'une structure tannique qui lui apportera une bonne aptitude à la garde.

Lionel Poitou, 24, av. du Fort-Médoc,
33460 Cussac-Fort-Médoc,
tél. 05.56.58.91.10, fax 05.57.88.83.13,
e-mail contact@chateau-tour-du-haut-moulin.com
t.l.j. sf dim. 9h-12h30 13h30-17h30;
groupes sur r.-v.

CH. VERDIGNAN 2003 *

Cru bourg. sup. 60 ha 360 000 11 à 15 €

(86) 88 89 90 93 94 **95** 96 |98| |99| **00** 01 02 03

Belle unité commandée par un château du XVIIIᵉs., ce cru offre un vin qui concilie puissance et fraîcheur. La première est apportée par sa structure, corpulente, tannique et charnue ; tandis que la seconde s'exprime par l'intermédiaire du bouquet aux parfums de fruits noirs et de réglisse qu'appuie une discrète présence du bois.

SC Ch. Verdignan, 33180 Saint-Seurin-de-Cadourne,
tél. 05.56.44.90.84, fax 05.56.81.32.35,
e-mail contact@chateau-coufran.com r.-v.

Groupe Jean Miailhe

CH. VIALLET NOUHANT

Vieilli en fût de chêne 2003

Cru artisan 11,74 ha 18 000 5 à 8 €

Portant le titre, ô combien noble, de cru artisan, ce vin se montre sympathique tant par sa vivacité que par ses tanins, fins et goûteux, et par son bouquet aux jolies notes de groseille mûre, de vanille et de poivre.

Alain Nouhant, 5, rue Jeanne-d'Arc,
33460 Cussac-Fort-Médoc, tél. et fax 05.57.88.51.43,
e-mail alain.nouhant@libertysurf.fr r.-v.

CH. VIEUX LANDAT XL 2003

2 ha 5 000 15 à 23 €

Appartenant à une cuvée prestige élevée en fût neuf, ce vin est encore un peu marqué par le bois, mais il possède un volume et une complexité aromatique qui se portent garants de ses possibilités d'évolution.

Pierre Signolle, Ch. Vieux Landat,
42, rte du Landat, 33250 Cissac-Médoc,
tél. et fax 05.56.59.56.30,
e-mail signolle2@wanadoo.fr r.-v.

CH. VILLAMBIS 2003

Cru bourg. 16,71 ha 98 000 8 à 11 €

Villambis, fondé au XVIIIᵉs., est aujourd'hui un Centre d'aide par le travail. Né d'un vignoble de cabernet-sauvignon planté sur un terroir argilo-calcaire, ce vin porte la marque de cette origine dans son palais ample et soutenu par de bons tanins. Ceux-ci lui assurent le potentiel de garde nécessaire (deux ans) pour que le bois puisse se fondre.

Adapei de la Gironde,
ESAT de Villambis, 33250 Cissac-Médoc,
tél. 05.56.73.90.97, fax 05.56.73.90.99,
e-mail chateau.de.roeck@adapei33.com r.-v.

CH. DE VILLEGEORGE 2003

■ Cru bourg. sup. 18,79 ha 42 994 11 à 15 €

90 93 94 |95| |96| 97 98 99 00 **02** 03

Villegeorge pratique la lutte intégrée certifiée par Terra Vitis. Pour ce millésime, Marie-Laure Lurton a visiblement choisi de privilégier la souplesse et l'élégance en assemblant 67 % de merlot et 33 % de cabernet-sauvignon ; ce qui n'exclut pas une structure suffisante pour permettre à ce vin de bien évoluer dans les deux ou trois ans à venir.

Vignobles Marie-Laure Lurton,
2036, Chalet, 33480 Moulis-en-Médoc,
tél. 05.56.58.22.01, fax 05.56.58.15.10,
e-mail contact@vignobles-marielaurelurton.com
r.-v.

Listrac-médoc

Correspondant exclusivement à la commune homonyme, l'appellation est la communale la plus éloignée de l'estuaire. C'est l'un des seuls vignobles que traverse le touriste se rendant à Soulac ou venant de la Pointe-de-Grave. Très original, son terroir correspond au dôme évidé d'un anticlinal, où l'érosion a créé une inversion de relief. A l'ouest, à la lisière de la forêt, se développent trois croupes de graves pyrénéennes, dont les pentes et le sous-sol souvent calcaire favorisent le drainage naturel des sols. Le centre de l'AOC, le dôme évidé, est occupé par la plaine de Peyrelebade, aux sols argilo-calcaires. Enfin, à l'est, s'étendent des croupes de graves garonnaises.

Le listrac est un vin vigoureux et robuste. Cependant, contrairement au style d'autrefois, sa robustesse n'implique plus aujourd'hui une certaine rudesse. Si certains vins restent un peu durs dans leur jeunesse, la plupart contrebalancent leur force tannique par leur rondeur. Tous offrent un bon potentiel de garde, entre sept et dix-huit ans selon les millésimes. En 2005, les 668 ha ont produit 32 224 hl.

CH. CAPDET 2003 ★

■ 12 ha 21 000 8 à 11 €

La cave coopérative qui a élaboré ce vin a mis un point d'honneur à exprimer la personnalité du terroir de graves. Et c'est une réussite comme en témoigne la solide charpente de ce vin qui associe à parts égales merlot et cabernet. Complet et plein avec de riches arômes de chocolat noir, de fruits mûrs, d'épices douces et de torréfaction, il a tout pour envisager une belle garde. Il pourra partager les saveurs d'un gibier à plume.

Cave de vinification de Listrac-Médoc,
21, av. de Soulac, 33480 Listrac-Médoc,
tél. 05.56.58.03.19, fax 05.56.58.07.22,
e-mail grandlistrac@wanadoo.fr
t.l.j. sf dim. 8h-12h 14h-19h

CH. CAP LÉON VEYRIN 2003 ★

■ Cru bourg. 15 ha 60 000 11 à 15 €

Ici on n'a pas attendu l'œnotourisme pour faire de l'accueil une priorité. L'autre étant bien entendu d'élaborer des vins bien constitués, comme ce 2003 au bouquet complexe (fruits mûrs, épices, cannelle) et aux solides tanins. Encore dominants, ceux-ci appellent deux ans de patience. Assez proche, le **Château Bibian 2003 (11 à 15 €)** a été cité. Cette propriété fut rachetée en 1999 au joueur de football Jean Tigana.

Vignobles Alain Meyre, Ch. Cap Léon Veyrin,
33480 Listrac-Médoc, tél. et fax 05.56.58.07.28,
e-mail capleonveyrin@aol.com
t.l.j. sf sam. dim. 9h-12h 14h-18h 2 C

LA CARAVELLE Cuvée Prestige 2003 ★★

■ 4 ha 13 000 11 à 15 €

Un joli nom pour cette cuvée Prestige que la cave de Listrac élabore à partir de parcelles soigneusement sélectionnées. Le résultat est plus que sympathique avec un vin qui s'annonce par une belle robe rouge foncé, avant de montrer du gras, des tanins veloutés et des notes de pruneau que soutient un bois bien maîtrisé. Une excellente bouteille en perspective d'ici trois à quatre ans.

Cave de vinification de Listrac-Médoc,
21, av. de Soulac, 33480 Listrac-Médoc,
tél. 05.56.58.03.19, fax 05.56.58.07.22,
e-mail grandlistrac@wanadoo.fr
t.l.j. sf dim. 8h-12h 14h-19h

CH. CLARKE 2003 ★★

■ Cru bourg. sup. 54 ha 243 000 15 à 23 €

(86) **88** 89 **90 95 96** 97 |**98**| |**99**| |**00**| **01 02 03**

Marquant le trentième anniversaire de l'achat du cru par Edmond de Rothschild, ce 2003 a célébré l'événement de façon magistrale. À l'élégance du bouquet composé par les fruits rouges mûrs, la vanille et les fleurs, s'ajoute un

Moulis et Listrac

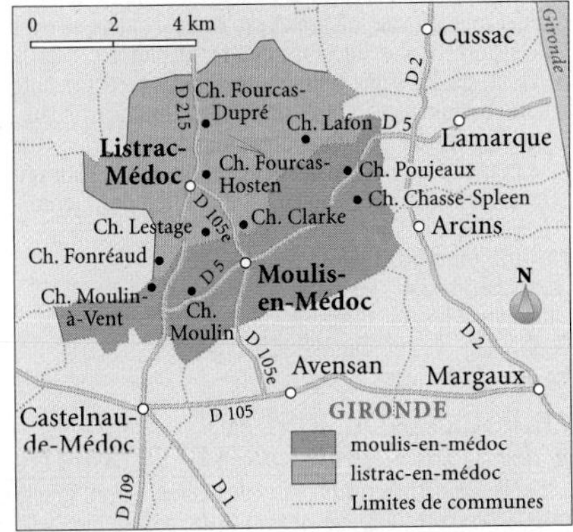

palais parfaitement équilibré. Bien charpentée par des tanins soyeux et longs, cette remarquable bouteille pourra être servie dans cinq ans sur un gibier d'eau.
⊶ EV Edmond de Rothschild, 33480 Listrac-Médoc,
tél. 05.56.58.38.00, fax 05.56.58.26.46,
e-mail contact@cver.fr

CH. DONISSAN 2003

■ Cru bourg. 9,64 ha 30 000 ⏸ 8 à 11 €

La nature du terroir, argilo-calcaire, explique la place (60 %) du merlot. L'influence du cépage est d'ailleurs perceptible dans le vin, tant dans son bouquet fruité que dans la rondeur et la souplesse du palais. Très 2003 par son côté chaleureux, la finale invite à une garde de deux ou trois ans.
⊶ Marie-Véronique Laporte,
Ch. Donissan, 33480 Listrac-Médoc,
tél. 05.56.58.04.77, fax 05.56.58.04.45,
e-mail chateau.donissan@wanadoo.fr ☑ Y ⚘ r.-v.

CH. DUCLUZEAU 2003

■ n.c. n.c. ⏸ 11 à 15 €

Bruno Borie propose un vin bien fait, d'une jolie teinte grenat. Généreux et frais, le bouquet développe des notes mentholées, épicées et des nuances de merrain toasté. Bien fondus, les tanins sont en harmonie avec ces aimables parfums.
⊶ SA Jean-Eugène Borie,
33250 Saint-Julien-Beychevelle, tél. 05.56.73.16.73,
fax 05.56.59.27.37, e-mail je-borie@je-borie-sa.com

CH. FONRÉAUD 2003 *

■ Cru bourg. sup. 35 ha n.c. ⏸ 11 à 15 €

82 83 **85** 86 88 89 |95| |96| 97 |98| |99| 01 **02** 03

Aimable construction du XVIII[e]s. dont le nom signifie fontaine royale, ce château est l'héritier de légendes remontant à la nuit des temps. Leur côté sombre se retouve dans la robe du vin, intense et profonde, tandis que c'est à l'élégance de l'architecture que ferait plutôt penser le bouquet, où les fruits noirs, la torréfaction et une note florale se conjuguent. Après une attaque tout en rondeur, le palais se révèle équilibré, aromatique, savoureux. Une jolie bouteille à ouvrir dans deux ou trois ans. Petit cru acheté par Jean Chanfreau en 2002, le **Clos des Demoiselles 2003** a obtenu une citation.
⊶ Ch. Fonréaud, 33480 Listrac-Médoc,
tél. 05.56.58.02.43, fax 05.56.58.04.33,
e-mail vignobles.chanfreau@wanadoo.fr
☑ Y ⚘ t.l.j. sf sam. dim. 9h-12h 14h-17h
⊶ Jean Chanfreau

CH. FOURCAS DUMONT 2003

■ 15 ha 45 000 ⏸ 11 à 15 €

Né à la périphérie du bourg de Listrac, ce vin, simple mais bien constitué, ne se contente pas d'une belle présentation. Son expression aromatique est plaisante, faite de fines notes boisées qui respectent les petits fruits rouges. Son palais révèle une bonne présence tannique invitant à deux ou trois ans de garde.
⊶ SCA Ch. Fourcas-Dumont,
12, rue Odilon-Redon, 33480 Listrac-Médoc,
tél. 05.56.58.03.84, fax 05.56.58.01.20,
e-mail info@chateau-fourcas-dumont.com
☑ Y ⚘ t.l.j. sf sam. dim. 9h-12h 14h-17h
⊶ Lescoutra et Miquau

CH. FOURCAS HOSTEN 2003

■ Cru bourg. sup. 37,07 ha 207 362 ⏸ 11 à 15 €

81 (82) **83** |**85**| |**86**| 88 |89| |90| 91 92 93 94 |**95**| |**96**| **97** 98 99 00 02 03

Belle unité, ce cru est à cheval sur deux terroirs : les schistes pyrénéens du plateau de Fourcas et des terrains plus argileux, en face du château. Encore dominé par le bois, son vin possède la matière nécessaire pour bien évoluer et trouver un bon équilibre dans les deux ou trois ans à venir.
⊶ SC du Ch. Fourcas Hosten,
2, rue de l'Église, 33480 Listrac-Médoc,
tél. 05.56.58.01.15, fax 05.56.58.06.73
☑ Y ⚘ t.l.j. 9h-11h30 14h-16h30; sam. dim. sur r.-v.

CH. LESTAGE 2003 *

■ Cru bourg. sup. 41 ha 170 000 ⏸ 11 à 15 €

Situé sur le « toit du Médoc », ce cru propose avec ce 2003 un vin paré d'une robe profonde, rubis foncé. Les parfums mêlent les fruits noirs mûrs à un fin boisé joliment grillé. Ample, à la fois souple et bien bâti, l'ensemble est déjà équilibré et harmonieux, tout en ayant suffisamment de réserves pour être attendu trois ou quatre ans afin de permettre au bois de se fondre complètement.
⊶ Ch. Lestage, 33480 Listrac-Médoc,
tél. 05.56.58.02.43, fax 05.56.58.04.33,
e-mail vignobles-chanfreau@wanadoo.fr
☑ Y ⚘ t.l.j. sf sam. dim. 9h-12h 14h-17h
⊶ Jean Chanfreau

CH. MAYNE LALANDE 2003 *

■ Cru bourg. 15 ha 60 000 ⏸ 11 à 15 €

89 90 95 96 **97** |**98**| 99 **00** |**01**| **02** 03

Lors de la visite de ce cru, n'oubliez pas le « jardin des cépages » qui compte quelque soixante-dix variétés différentes. Ce vin lui-même est issu de quatre cépages : cabernet-sauvignon (45 %) et franc (5 %), merlot (45 %) et petit verdot (5 %). Un assemblage complexe qui transparaît dans la richesse de son bouquet (épices, menthol, fruits et bois). Élégant et puissant, celui-ci est en phase avec la structure tannique à la fois solide et fine. Deux ou trois ans seront nécessaires pour que cette bouteille charpentée et harmonieuse atteigne sa pleine maturité.
⊶ Bernard Lartigue, Le Mayne de Lalande,
33480 Listrac-Médoc, tél. 05.56.58.27.63,
fax 05.56.58.22.41, e-mail blartigue@terre-net.fr
☑ Y ⚘ t.l.j. 9h-12h30 14h-18h; f. janv. 🏠 6

CH. DES MERLES 2003

■ 5 ha 28 000 ⏸ 8 à 11 €

Petite propriété ayant confié sa vinification à la cave coopérative. Si son vin montre une robe un peu légère, il s'affirme par la suite. Le bouquet s'ouvre à l'aération sur des notes de fruits rouges et d'épices fines ; puis le palais

révèle une bonne structure tannique qui permettra d'attendre deux ou trois ans que le bois achève de se fondre dans l'ensemble.
Cave de vinification de Listrac-Médoc, 21, av. de Soulac, 33480 Listrac-Médoc, tél. 05.56.58.03.19, fax 05.56.58.07.22, e-mail grandlistrac@wanadoo.fr
t.l.j. sf dim. 8h-12h 14h-19h
Raymond et Maleyran

CH. MOULIN D'ULYSSE 2003 *

■ 6 ha 30 000 11 à 15 €

Vinifiée pendant soixante-cinq ans par la coopérative, cette propriété vole de ses propres ailes depuis 1999. Le merlot (55 %), le cabernet-sauvignon (35 %) et le petit verdot (10 %) s'associent pour donner ce vin encore jeune, comme le montre sa robe vive et profonde. Le bouquet s'inscrit dans la même ligne, ses notes de vanille et de grillé l'emportant encore sur les fruits. Bien équilibré, le palais s'appuie sur des tanins veloutés qui autorisent aussi bien un plaisir immédiat que quatre ou cinq ans de patience.
Jean-Claude Castel, Donissan, 33480 Listrac-Médoc, tél. 05.56.58.04.18, fax 05.56.58.00.15
t.l.j. sf sam. dim. 9h-12h 14h-18h

CH. REVERDI 2003 **

■ Cru bourg. 18 ha 128 000 11 à 15 €

Si le millésime 2003 a été assez difficile pour beaucoup de crus, il a souri à celui-ci. La réussite du vin se lit dans la très belle robe. Aussi expressif que complexe, le bouquet est impressionnant par sa progression au cours de la dégustation. Le palais monte en puissance et livre un corps souple, velouté, charnu et intense. Tout traduit un joli travail et annonce un solide potentiel de garde. Plus modeste mais doté d'une bonne structure, le **Château L'Hermitage 2003** a été cité.
Vignobles Thomas, Donissan, 33480 Listrac-Médoc, tél. 05.56.58.02.25, fax 05.56.58.06.56 r.-v.

CH. SARANSOT-DUPRÉ 2003 *

■ Cru bourg. sup. 15 ha 80 000 11 à 15 €

86 88 89 90 91 93 **|95|** 96 **98** 99 00 01 |02| 03

Une élégante demeure Directoire située à 200 m de l'église de Listrac (XIII[e]s.) et un vin ayant fière allure dans sa livrée rubis foncé. Fruits noirs, truffe, torréfaction, fruits à l'alcool... le bouquet est un vrai jeu de piste. Fraîche et franche, l'attaque est d'une belle tenue comme la structure aux tanins soyeux. Un joli vin d'apéritif ou de fin d'après-midi, à la mode anglo-saxonne.
Yves Raymond, Ch. Saransot-Dupré, 33480 Listrac-Médoc, tél. 05.56.58.03.02, fax 05.56.58.07.64, e-mail y@saransot-dupre.com
t.l.j. 9h-12h 14h-18h; sam. dim. sur r.-v.

CH. SÉMEILLAN MAZEAU 2003

■ Cru bourg. 12 ha 70 000 8 à 11 €

Un vignoble se répartissant à égalité entre merlot et cabernet-sauvignon. D'une rusticité de bon aloi, ce vin, franchement tannique et aux arômes de confiture de fruits, ne demande qu'à passer deux ou trois ans en cave pour arriver à maturité. La finale longue et pleine de sucrosité plaira aux amateurs.
SCE Vignobles Jander, 41, av. de Soulac, 33480 Listrac-Médoc, tél. 05.56.58.01.12, fax 05.56.58.01.57, e-mail vignobles.jander@wanadoo.fr
t.l.j. sf sam. dim. 9h-12h 14h-18h

CH. VIEUX MOULIN 2003 *

■ 7 ha 34 000 8 à 11 €

Un vin bien constitué. Si son bouquet ne s'est pas encore ouvert complètement, il livre déjà de délicates notes fruitées et boisées. La finale demande à s'arrondir, mais la structure est là pour supporter quelques années de garde qui lui permettront de gagner en amabilité.
Cave de vinification de Listrac-Médoc, 21, av. de Soulac, 33480 Listrac-Médoc, tél. 05.56.58.03.19, fax 05.56.58.07.22, e-mail grandlistrac@wanadoo.fr
t.l.j. sf dim. 8h-12h 14h-19h
Fort-Dufau

Margaux

Si Margaux est le seul nom d'appellation à être aussi un prénom féminin, ce n'est sans doute pas par un pur hasard. Il suffit de goûter un vin bien typé provenant du terroir margalais pour saisir les liens subtils qui unissent les deux.

Les margaux présentent une excellente aptitude à la garde, mais ils se distinguent aussi par leur souplesse et leur délicatesse que soutiennent des arômes fruités d'une grande élégance. Ils constituent l'exemple même des bouteilles tanniques généreuses et suaves, à enregistrer sur le livre de cave dans la classe des vins de grande garde.

L'originalité des margaux tient à de nombreux facteurs. Les aspects humains ne sont pas à négliger. À l'écart des autres grandes appellations communales médocaines, les viticulteurs margalais ont moins privilégié le cabernet-sauvignon. Ici, tout en restant minoritaire, le merlot prend une importance accrue. D'autre part, l'appellation s'étend sur le territoire de cinq communes : Margaux et Cantenac, Soussans, Labarde et Arsac. Dans chacune d'elles tous les terrains ne font pas partie de l'AOC ; seuls les sols présentant les meilleures aptitudes vitivinicoles ont été retenus. Le résultat est un terroir homogène qui se compose d'une série de croupes de graves.

Celles-ci s'articulent en deux ensembles : à la périphérie se développe un système faisant penser à une sorte d'archipel continental, dont les « îles » sont séparées par des vallons, ruisseaux ou marais tourbeux ; au cœur de l'appellation, dans les communes de Margaux et de Cantenac, s'étend un plateau de graves blanches, d'environ 6 km sur 2, que l'érosion a découpé en croupes. C'est dans ce secteur que sont situés nombre des dix-huit grands crus classés de l'appellation.

Remarquables par leur élégance, les margaux appellent des mets raffinés, comme le chateaubriand, le canard, le perdreau ou, bordeaux oblige, l'entrecôte à la bordelaise. En 2005, 62 725 hl ont été produits sur 1 423 ha.

CH. D'ANGLUDET 2003 ★

■ Cru bourg. sup. 30 ha 85 000 30 à 38 €

Original pour Margaux par l'homogénéité de son terroir, ce cru l'est aussi par le caractère de son 2003. Très présents et corpulents, les tanins s'acoquinent avec les arômes de fruits cuits et de raisins de Corinthe pour donner à ce vin un petit côté « Nouveau Monde », à moins que ce millésime ne fasse penser à un médoc à l'ancienne. Une bouteille qui fera merveille dans un dîner-dégustation ; d'autant plus que sa richesse et sa complexité aromatiques lui ouvriront de larges perspectives d'accords gourmands.

Sichel, Ch. d'Angludet, 33460 Cantenac,
tél. 05.57.88.71.41, fax 05.57.88.72.52,
e-mail contact@chateau-angludet.fr r.-v.

CH. D'ARSAC Le Colombier 2003

■ Cru bourg. n.c. 12 000 11 à 15 €

Commercialisé par le négoce, ce vin à la somptueuse robe de velours grenat est encore un peu anguleux dans son développement tannique, mais la puissance de son bouquet aux notes animales puis cacaotées confirme qu'il pourra être attendu trois à quatre ans pour lui laisser le temps de s'arrondir.

Yvon Mau, rue Sainte-Pétronille,
33190 Gironde-sur-Dropt, tél. 05.56.61.54.54,
fax 05.56.61.54.61, e-mail info@ymau.com

LA BERLANDE 2003 ★

■ 4 ha 15 000 11 à 15 €

94 **95** |96| 97 |**98**| |99| 00 01 03

Marque d'Henri Duboscq, propriétaire à Saint-Estèphe de Haut-Marbuzet. Comme son nom l'indique, ce vin est né « au bord de la lande ». Mais tout de même sur un beau terroir : une croupe de graves de Cantenac. Les notes de petites baies rouges, qui apparaissent derrière le bois dans le bouquet et qui s'amplifient au palais, comme la concentration de tanins mûrs et la longue finale témoignent qu'il est de bonne origine.

Brusina-Brandler, 3, quai de Bacalan,
33300 Bordeaux, tél. 05.56.39.26.77, fax 05.56.69.16.84
t.l.j. 9h-12h 14h-17h; f. août

CH. BOYD-CANTENAC 2003 ★

■ 3e cru clas. 17 ha 55 300 23 à 30 €

75 (82) **83 85 86 88** 89 |**90**| |**95**| |96| |97| |**98**| |**99**| **00** 02 03

Créé en 1754 par Jacques Boyd, d'origine irlandaise, acquis en 1806 par John Brown, parent par alliance des Boyd, ce cru est très britannique par son histoire. C'est donc logiquement qu'il se présente ici sous une belle robe rouge, digne de la garde de la reine Elisabeth. Son vin se montre généreux dans son expression aromatique, où la vanille et les fruits noirs se mêlent au moka. Au palais, il attaque avec souplesse avant de développer une bonne structure tannique. Encore assez jeune, il demande à être attendu pendant trois ou quatre ans. Vrai plaisir, discret et bien équilibré, le **Jacques Boyd 2003 (11 à 15 €)** a été cité.

SCE Ch. Boyd-Cantenac,
42, rte de Jean-Faure, 33460 Cantenac,
tél. 05.57.88.90.82, fax 05.57.88.33.27,
e-mail contact@boyd-cantenac.fr r.-v.

Famille Guillemet

CH. BRANE-CANTENAC 2003 ★

■ 2e cru clas. n.c. 150 000 38 à 46 €

78 79 81 82 **83** 84 **85** (86) 87 |**88**| |**89**| |**90**| 93 |94| **95** (96) |**97**| |**98**| **99 00 01 02** 03

Henri Lurton a choisi de recentrer le premier vin sur le terroir historique de Brane, comprenant la croupe de Brane, point culminant (22 m) du plateau de Cantenac-Margaux, et les terrains s'étendant derrière le parc. Un choix judicieux, comme le prouve, après d'autres, ce millésime aux tanins denses et croquants. Soutenu par un bois discret et de qualité, le bouquet joue sur des notes fruitées (cerise et cassis) et florales pour composer un ensemble élégant. Flatteur, long et bien équilibré, ce vin est déjà plaisant et le sera tout autant, sinon plus, dans trois ou quatre ans.

Henri Lurton, Ch. Brane-Cantenac, 33460 Margaux,
tél. 05.57.88.83.33, fax 05.57.88.72.51,
e-mail contact@brane-cantenac.com r.-v.

CH. CANTENAC BROWN 2003 ★★

■ 3e cru clas. 42 ha 140 000 30 à 38 €

82 83 85 86 88 89 |(90)| **91 92 93 94** |**95**| |**96**| 97 **98** 99 00 **02 03**

Le cru ayant été acheté tout récemment par un Britannique, Simon Halabi, le 2003 est l'un des derniers millésimes signés par Axa. Il fait honneur au travail mené par l'équipe de José Sanfins, tant par sa robe pourpre que par son bouquet de griotte et de fruits confits, assortis de quelques notes épicées et chocolatées, ou encore par son palais plein, charnu, généreux et soutenu par des tanins bien mûrs. Une constitution qui justifie un paisible séjour en cave de quatre ou cinq ans.

Ch. Cantenac-Brown, 33460 Cantenac, tél. 05.57.88.81.81, fax 05.57.88.81.90, e-mail accueil@cantenacbrown.com r.-v.

CH. CHARMANT 2003

■ 4,7 ha 23 000 11 à 15 €

Le carafage des vins est un art qui se perd. Si vous êtes sensible au charme de cette opération, ce vin sera l'occasion de la pratiquer, son bouquet demandant à être aéré pour livrer ses parfums de fruits mûrs et de réglisse accompagnés d'un bois bien dosé. Les tanins déjà ronds permettent de profiter de cette aimable bouteille sans avoir à attendre trop longtemps, juste deux ou trois ans.

SCEA René Renon, Ch. Charmant, 33460 Margaux, tél. 05.57.88.35.27, fax 05.57.88.70.59, e-mail scea.rene.renon@wanadoo.fr r.-v.

CLOS DE BIGOS 2003

■ Cru artisan 2 ha 7 000 11 à 15 €

Petit cru où la conduite de la vigne tient du jardinage, ce domaine fait une sympathique entrée dans le Guide avec ce vin à la belle robe rubis, aux doux arômes de truffe et de raisin frais et aux tanins élégants.

R. Jarousseau, Clos de Bigos, 2, rue du Grand-Soussans, 33460 Soussans, tél. et fax 05.56.95.05.62 r.-v.

CH. DAUZAC 2003 *

■ 5e cru clas. 22 ha 92 000 23 à 30 €

82 83 85 86 88 89 (90) 92 93 **95** |**96**| **97** |**98**| **99** |**00**| 01 **02** 03

Changement de tête cette année à Dauzac, où le célèbre viticulteur André Lurton vient de passer les commandes à sa fille, Christine, le domaine restant propriété de la MAIF. Le 2003, bien sûr, est l'œuvre du père. Impressionnant par sa présentation – une robe grenat et un bouquet complexe (torréfaction, cacao et fruits) –, il l'est aussi par ses tanins. Encore un peu austères, ceux-ci demanderont de trois à cinq ans pour s'arrondir et se fondre dans l'ensemble.

SE du Ch. Dauzac, 1, av. Georges-Johnson, 33460 Labarde, tél. 05.57.88.32.10, fax 05.57.88.96.00, e-mail andrelurton@andrelurton.com r.-v.

MAIF

CH. DEYREM VALENTIN 2003

■ Cru bourg. 12 ha 50 000 15 à 23 €

83 85 86 88 89 90 91 92 93 94 |95| 97 |98| |**99**| **00** |01| 02 03

Originaire de Marsac, un quartier de Soussans, ce vin assemble 1 % de carmenère et de petit verdot à 44 % de merlot et à 55 % de cabernet-sauvignon. Il ne cache pas son millésime, tant dans sa robe profonde que dans son palais chaleureux. Le nez s'ouvre à l'aération sur les épices

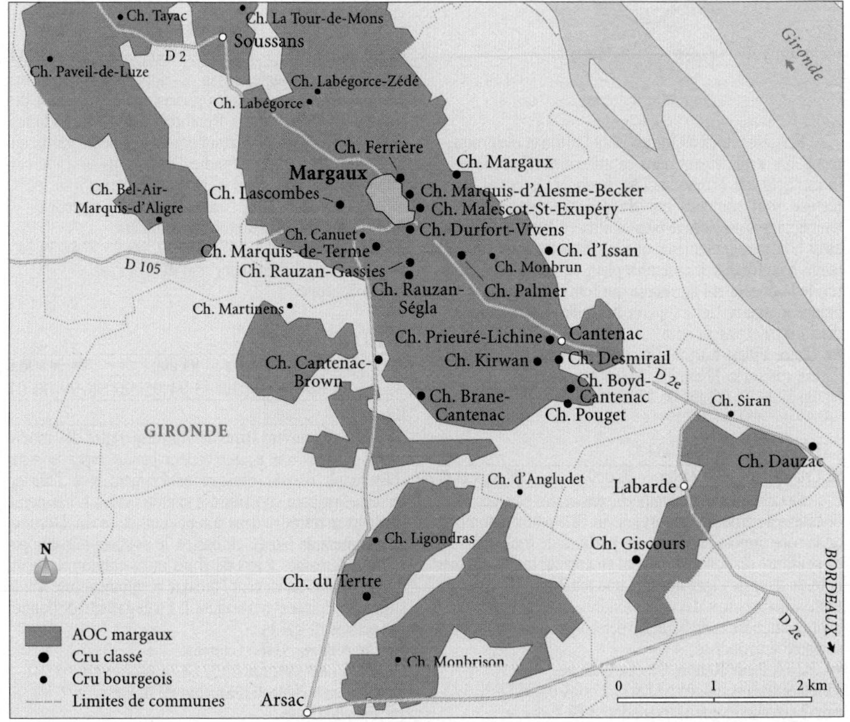

(gingembre) puis, après une attaque suave, ce 2003 reste sur la réserve.
🔑 SCEA des Vignobles Jean Sorge, 1, rue Valentin-Deyrem, 33460 Soussans, tél. 05.57.88.35.70, fax 05.57.88.36.84, e-mail deyremvalentin@aol.com ☑ 🍷 🚶 r.-v.

L'ENCLOS GALLEN 2003

■ 1,5 ha 6 200 🍾 15 à 23 €

Rattaché au château Meyre d'Avensan, ce cru propose un vin encore marqué par le bois, mais dans lequel on sent aussi la présence du fruit, tant dans le bouquet qu'au palais. Un séjour en cave de deux ou trois ans lui permettra d'exprimer complètement sa personnalité.
🔑 Ch. Meyre, 16, rte de Castelnau, 33480 Avensan, tél. 05.56.58.10.77, fax 05.56.58.13.20, e-mail chateau.meyre@wanadoo.fr ☑ 🍷 🚶 r.-v.
🔑 Corinne Bonne

CH. FERRIÈRE 2003 ★★

■ 3e cru clas. 8 ha 51 300 🍾 15 à 23 €

70 75 78 81 83 84 (85) **86** 87 88 |89| 92 **93 94** |**95**| |**96**| |97| **98** |**99**| **00 01** 02 **03**

Ferrière réussit à Claire Villars-Lurton et réciproquement. Particulièrement dans ce millésime à la robe profonde riche de promesses. Au bouquet, le cassis et la réglisse sont soutenus par de délicates notes grillées, témoignage d'un élevage bien maîtrisé. L'attaque est tout aussi homogène, de même que le palais construit sur des tanins bien fondus. L'ensemble plein, équilibré et goûteux révèle la finesse et l'harmonie qui font la renommée des grands margaux. Cette superbe bouteille restera au moins deux ou trois ans en cave.
🔑 Claire Villars-Lurton, Ch. Ferrière, 33 bis, rue de la Trémoille, 33460 Margaux, tél. 05.57.88.76.65, fax 05.57.88.98.33 🍷 🚶 r.-v.

CH. LA GALIANE 2003 ★

■ Cru bourg. 5,71 ha 26 000 🍾 11 à 15 €

Sa taille modeste n'empêche pas ce cru bourgeois de Soussans de produire un fort joli vin. Si le pourpre sombre de sa robe impose le respect, les parfums de fruits mûrs et de confiture du bouquet mettent en appétit, tandis qu'une note de fleur de vigne apporte une touche de délicatesse. Bien structuré, avec des tanins tendres et élégants, le palais invite à attendre cette bouteille deux ou trois ans pour que sa finale s'arrondisse.
🔑 SCEA René Renon, Ch. La Galiane, 33460 Soussans, tél. 05.57.88.35.27, fax 05.57.88.70.59, e-mail scea.rene.renon@wanadoo.fr ☑ 🍷 🚶 r.-v.

CH. GISCOURS 2003 ★

■ 3e cru clas. 80 ha 260 000 🍾 30 à 38 €

75 78 81 **82 83 85** (86) **88 89** 90 91 **93** 94 97 98 **99 00 01** 02 03

La tradition veut que ce monumental château ait été construit par le comte de Pescatore, banquier parisien, pour accueillir l'impératrice Eugénie sur la route de Biarritz. Elle veut aussi que le vin de Giscours ait tapissé le palais de Louis XIV. En tout cas, il est sûr que le mélange de puissance et d'élégance de ce 2003 aurait plu au Roi Soleil. D'une belle complexité aromatique, l'ensemble se montre suave et moelleux à l'attaque, avant de libérer des tanins qui ont besoin de se fondre.
🔑 SAE Ch. Giscours, Labarde, 33460 Margaux, tél. 05.57.97.09.09, fax 05.57.97.09.00, e-mail giscours@chateau-giscours.fr 🍷 🚶 r.-v. 🏠 7
🔑 Éric Albada Jelgersma

CH. LA GURGUE 2003

■ Cru bourg. sup. 10 ha 38 000 🍾 11 à 15 €

00 01 02 |03|

Du même producteur que le Château Ferrière, ce vin n'a certes pas autant d'harmonie que le coup de cœur, mais ses tanins pleins de jeunesse et ses arômes de fruits noirs, d'épices, de grillé et de vanille lui confèrent un caractère intéressant. Ce millésime, vendangé trois semaines plus tôt que la norme en Médoc, sera très vite prêt.
🔑 Ch. La Gurgue, c/o Ch. Ferrière, 33, bis rue de la Trémoille, 33460 Margaux, tél. 05.57.88.76.65, fax 05.57.88.98.33 🍷 🚶 r.-v.
🔑 Claire Villars

CH. HAUT BRETON LARIGAUDIÈRE 2003

■ Cru bourg. 8 ha 40 000 🍾 15 à 23 €

Simple et souple, ce vin développe un bouquet tout en douceur, avec des notes grillées qui se mêlent à des fragrances de fruits mûrs. Renforcés par le bois, les tanins sont assez puissants pour supporter une petite garde qui leur permettra de se fondre. Associant au cabernet-sauvignon (80 %) le merlot (16 %), le cabernet franc (2 %) et le petit verdot (2 %), l'ensemble est bien structuré.
🔑 SCEA Ch. Haut Breton Larigaudière, 33460 Soussans, tél. 05.57.88.94.17, fax 05.57.88.39.14, e-mail ch-larigaudiere@aol.com ☑ 🍷 🚶 r.-v.
🔑 de Schepper

CH. D'ISSAN 2003 ★

■ 3e cru clas. 30 ha 94 000 🍾 30 à 38 €

82 **83 85 86** |**88**| |89| |90| 93 94 |95| |96| |98| 99 **00** 01 02 03

S'il est souvent triste de voir disparaître des monuments anciens, on ne remerciera jamais assez le sieur d'Essenault d'avoir presque entièrement rasé l'ancien château fort pour construire le manoir actuel. L'harmonie des lieux se retrouve dans la robe rubis de ce vin. Derrière une dominante boisée et toastée, le bouquet laisse apparaître d'agréables notes de fruits noirs confiturés, avant que les tanins ne lancent l'attaque et appuient une solide structure. Épicée et persistante, la finale garantit de bonnes possibilités de garde.
🔑 Ch. d'Issan, 33460 Cantenac, tél. 05.57.88.35.91, fax 05.57.88.74.24, e-mail issan@chateau-issan.com ☑ 🍷 🚶 r.-v.
🔑 Famille Cruse

CH. KIRWAN 2003 ★★

■ 3e cru clas. 35 ha 73 200 🍷 23 à 30 €

75 79 81 82 83 **85** ⑧⑥ 88 **89 93** 94 **95** |**96**| 97 98 |**99**| **00** 01 **02 03**

Tonnelle de roses et arbres séculaires, Kirwan, chartreuse du XVIIIe s., a su conserver intact son parc de 2 ha. Un écrin digne du joyau que constitue ce très joli vin vendangé le 15 septembre. Il est difficile d'être insensible à sa teinte violacée, à son bouquet, qui fait défiler réglisse, cassis et fruits noirs, ou à ses tanins mûrs. Quatre à cinq ans en cave prépareront un mariage parfait avec une pièce de viande rouge.

🔑 Maison Schröder et Schÿler, Ch. Kirwan,
33460 Cantenac, tél. 05.57.88.71.00, fax 05.57.88.77.62,
e-mail mail@chateau-kirwan.com
☑ Ⲧ ✮ t.l.j. 9h30-12h30 13h30-17h30;
sam. dim. sur r.-v.; f. 15-31 déc.

CH. LABÉGORCE 2003 ★

■ 36 ha 120 000 🍷 15 à 23 €

Bel édifice classique émergeant des vignes à la sortie de Margaux vers Pauillac, ce château offre un vin qui lui ressemble par son élégance. Celle-ci apparaît dans sa robe à reflets noirs, comme dans son bouquet qui marie avec grâce le fruit mûr au grillé, avec quelques notes de poivre et de cuir. Aromatique et doté d'une belle charpente tannique, le palais participe à l'harmonie générale et garantit un réel potentiel.

🔑 Hubert Perrodo, Ch. Labégorce, 33460 Margaux,
tél. 05.57.88.71.32, fax 05.57.88.35.01,
e-mail labegorce@chateau-labegorce.fr ☑ Ⲧ ✮ r.-v.

CH. LARRUAU 2003

■ Cru bourg. 12 ha 71 000 🍷 8 à 11 €

Les trois petits hectares des débuts de Bernard Château sont aujourd'hui douze. Car la passion est restée intacte. Souple et bien constitué, son 2003 révèle une belle harmonie entre le bois et le vin. Sa robe rubis intense, son nez expressif (figue sèche) et ses tanins ronds permettent d'en jouir dès à présent et pendant trois à quatre ans.

🔑 Bernard Château,
4, rue de la Trémoille, 33460 Margaux,
tél. 05.57.88.35.50, fax 05.57.88.76.69 ☑ Ⲧ r.-v.

CH. LASCOMBES 2003 ★

■ 2e cru clas. 84 ha 210 000 🍷 38 à 46 €

76 81 82 83 **85** ⑧⑥ |**88**| |**89**| |**90**| |**95**| |**96**| 97 |98| |00| **02** |03|

Imposante propriété située au cœur du bourg de Margaux, ce cru obtint un coup de cœur pour son 2002. Il propose un vin qui n'a rien de confidentiel. Riche et concentré, ce 2003 sait aussi se montrer d'une grande distinction. Son élégance tient à son bouquet, fait de vanille et de cassis, comme à sa présence au palais, avec un développement aromatique sur les fruits noirs (cassis) et la torréfaction et des tanins bien fondus. Une bouteille qui peut être appréciée sans attendre mais susceptible de très bien évoluer dans les quatre ou cinq ans à venir, voire beaucoup plus.

🔑 Ch. Lascombes,
1, cours Verdun, BP 4, 33460 Margaux,
tél. 05.57.88.70.66, fax 05.57.88.72.17 ☑ Ⲧ ✮ r.-v.
🔑 Colony Capital

CH. MALESCOT SAINT-EXUPÉRY 2003 ★★

■ 3e cru clas. 23,5 ha 75 500 🍷 30 à 38 €

81 82 **83 85 86** |**88**| 89 90 **94** |**95**| |**96**| **98 99 00** 02 **03**

On peut aimer ou pas l'architecture du château qui se dresse en plein bourg de Margaux, au bord de la D2. Mais il serait bien difficile de ne pas reconnaître les qualités de ce vin. Quelle élégance dans les parfums de son bouquet ! Raisins bien mûrs, torréfaction, toast... On saute de plaisir en plaisir. Franc, rond et gras à l'attaque, il tapisse le palais de ses fins tanins. L'équilibre entre le fruit et la mâche et la longue finale participent à la remarquable réussite de l'ensemble dans un millésime si contraignant. Plus simple mais agréable, la **Dame de Malescot 2003 (15 à 23 €)** a été citée.

🔑 SCEA Ch. Malescot Saint-Exupéry, 33460 Margaux,
tél. 05.57.88.97.20, fax 05.57.88.97.21,
e-mail malescotstexupery@malescot.com ☑ Ⲧ ✮ r.-v.
🔑 Roger Zuger

CH. MARGAUX 2003 ★★★

■ 1er cru clas. n.c. n.c. 🍷 + de 76 €

|**61**| **70 71** 75 78 |**79**| 80 **81** ⑧② **83 84** |**85**| |**86**| **87** |**88**| |**89**| |**90**| **91 92 93** |**94**| ⑨⑤ ⑨⑥ |**97**| ⑨⑧ ⑨⑨ ⓪⓪ **01 02 03**

Plus qu'un château, un vrai monument néoclassique, emblématique de l'architecture des grands crus bordelais, dont l'aspect majestueux est renforcé par les chais aux colonnes doriques. Corinne Mentzelopoulos conduit avec passion ce domaine de 262 ha dont 82 sont plantés en vignes. Malgré une année très chaude, ce vin ne souffre à aucun moment de surmaturité ! On découvre sa robe impressionnante, entre le rubis profond et le bigarreau sombre. Le bouquet se développe dans le verre pour apporter des fragrances de grillé fin, de pain d'épice, de raisin frais et de confiture de mûres. D'une grande finesse et d'une réelle fraîcheur, le palais est magnifique, tant par son ampleur que par ses tanins soyeux ; élégant et puissant, il semble un puzzle subtil où tout paraît être et est à sa place. On choisira une place bien douillette à la cave pour cette bouteille qui y séjournera une bonne décennie, voire plus.

⚷ SC du Ch. Margaux, 33460 Margaux,
tél. 05.57.88.83.83, fax 05.57.88.31.32 🚶r.-v.
⚷ Corinne Mentzelopoulos

CH. MARQUIS D'ALESME-BECKER 2003 *

■ 3e cru clas. 15,5 ha 74 600 🛢 23 à 30 €

81 **82** 83 85 **88** 89 96 97 |99| 00 |01| |03|

Construit en 1840, le château a été rehaussé de deux tourelles et agrémenté d'une façade de briquettes rouges en 1870. On ne sait si Monsieur d'Alesme, qui créa le vignoble en 1685, était un marquis de cour, mais c'est à un personnage de ce genre que ferait volontiers penser ce vin facile et raffiné, tant par ses tanins ronds et gracieux que par ses arômes, floraux, fumés, vanillés et réglissés avec un zeste de fruits confits.

⚷ Jean-Claude Zuger, Ch. Marquis d'Alesme,
33460 Margaux, tél. 05.57.88.70.27, fax 05.57.88.73.78,
e-mail marquisdalesme@wanadoo.fr
☒ Y 🚶 t.l.j. 10h-12h 14h-17h

CH. MARQUIS DE TERME 2003 *

■ 4e cru clas. 38 ha 150 000 🛢 23 à 30 €

75 81 82 (83) **85 86 89** |90| |93| **94 95** |96| 97 **|98|** |99| (00) 01 02 03

Ce cru classé offre une fois encore un vin expressif et bien constitué. Certes sa robe, quoique d'un joli rubis, semblerait presque timide dans ce millésime. Mais le bouquet rétablit les choses par sa complexité, déclinant des nuances de châtaigne, d'épices, de cassis et de toast. Au palais, la structure, qui autorise une petite garde, marie harmonieusement la matière et le bois.

⚷ Ch. Marquis de Terme, 3, rte de Rauzan, BP 11,
33460 Margaux, tél. 05.57.88.30.01, fax 05.57.88.32.51,
e-mail mdt@chateau-marquis-de-terme.com
☒ Y 🚶 t.l.j. sf sam. dim. 9h-11h 14h-17h; ven. 9h-11h
⚷ Séneclauze

CH. MARTINENS 2003

■ Cru bourg. 25 ha 52 197 ▮🛢 11 à 15 €

L'encépagement, avec une forte proportion de merlot (65 %) et la sympathique présence du petit verdot, dit clairement qu'à Martinens on recherche la finesse. Celle-ci s'exprime au nez, marqué par les fruits noirs et le pruneau enrichis de notes toastées et grillées, comme au palais dont les tanins sont bien enrobés et le bois sagement maîtrisé. Déjà plaisante, cette bouteille pourra être attendue trois ou quatre ans.

⚷ Jean-Pierre Seynat-Dulos, Ch. Martinens,
33460 Cantenac, tél. 05.57.88.71.37, fax 05.57.88.38.35,
e-mail chateau-martinens@wanadoo.fr ☒ Y 🚶 r.-v.

CH. MONBRISON 2003 *

■ Cru bourg. sup. 13,2 ha 55 000 🛢 23 à 30 €

82 83 85 |(86)| |88| |89| |90| 91 |95| |96| |97| 98 00 01 02 03

Ravissante demeure et vignes sans désherbant ; pour ce 2003, vendanges manuelles en cagettes débutant le 10 septembre, double tri, séjour de dix-huit mois en barrique des quatre cépages médocains, les cabernets l'emportant (66 %). La robe profonde et dense annonce bien le millésime. Le nez mêle harmonieusement le fruit mûr et le merrain. Après une attaque ronde, le corps se révèle équilibré par des tanins amples dont l'évolution associe structure et maturité. Persistant, ce vin montre qu'il a été bien élevé. À ouvrir dans deux ou trois ans.

⚷ E. M. Davis et Fils, Ch. Monbrison,
1, allée de Monbrison, 33460 Arsac,
tél. 05.56.58.80.04, fax 05.56.58.85.33,
e-mail lvdh33@wanadoo.fr ☒ Y 🚶 r.-v.

CH. MONGRAVEY 2003 **

■ Cru bourg. 7,5 ha n.c. 🛢 15 à 23 €

00 01 **02 03**

Créée en 1981, cette propriété évolue très rapidement. Son chai et son cuvier, tous deux aménagés en 2000, le prouvent. Sa progression s'exprime aussi par la montée qualitative de sa production, que couronne ce millésime superbement réussi. La robe, d'un pourpre soutenu, est aussi séduisante que le bouquet. Les notes bien marquées de fruits confits, de confitures, de mûre, de myrtille, de pain grillé composent un ensemble complexe. Gras, charnu, ample et frais, le palais s'appuie sur des tanins mûrs et veloutés pour inviter à la patience (cinq à huit ou dix ans, voire plus) tout comme la longue et goûteuse finale. Plus marquée par le bois, la **cuvée spéciale 2003 (38 à 46 €)** a obtenu une étoile, de même que le **Château Cazauviel 2003 (11 à 15 €)**. Suave et complexe avec des tanins bien fondus, celui-ci mérite une garde de quatre à six ans, voire davantage.

⚷ Régis Bernaleau, SCEA Mongravey,
8, av. Jean-Luc-Vonderheyden, 33460 Arsac,
tél. 05.56.58.84.51, fax 05.56.58.83.39,
e-mail chateau.mongravey@wanadoo.fr
☒ Y 🚶 r.-v. 🏠 6

CH. PALMER 2003 **

■ 3e cru clas. 52 ha 75 000 🛢 + de 76 €

78 79 80 **81 82 83** 84 **85** (86) **88 89 90 91 92 93 94** |95| **96 97 98 99 00 01 02 03**

Bénéficiant d'un superbe terroir, Palmer est bien armé pour affronter les caprices de la météorologie. Le palais et le bouquet de ce vin en apportent la preuve ; l'un par son imposante matière aux tanins mûrs et à l'attaque charnue et pleine ; l'autre par son mélange harmonieux de fruits, rouges ou noirs, de notes fumées et torréfiées et d'un boisé fondu. Tout est réuni pour donner une bouteille de caractère, déjà plaisante pour les amateurs de vins jeunes et qui mérite un séjour en cave d'au moins quatre ou cinq ans.

⚷ SC Ch. Palmer, Cantenac, 33460 Margaux,
tél. 05.57.88.72.72, fax 05.57.88.37.16,
e-mail chateau-palmer@chateau-palmer.com Y 🚶 r.-v.

PAVILLON ROUGE 2003 **

■ n.c. 200 000 🛢 46 à 76 €

78 81 **82 83 84 85 86** **|88|** **|89|** **|90|** 93 **|95|** 96 97 **|98|** **|99|** **00** |01| 02 **03**

La personnalité du second vin de château Margaux s'affirme encore une fois avec force. D'une engageante

couleur rubis sombre, ce 2003 présente un bouquet d'une grande finesse. Ses senteurs d'épices douces, de chocolat, de cèdre et de fruits mûrs prodiguent une impression d'élégance, que le palais s'empresse de confirmer : rond, frais, avec des tanins bien mûrs, il se distingue par un équilibre remarquable, qui procure une réelle harmonie.
SC du Ch. Margaux, 33460 Margaux,
tél. 05.57.88.83.83, fax 05.57.88.31.32 r.-v.
Corinne Mentzelopoulos

CH. POUGET 2003

■ 4e cru clas. 10 ha 23 000 23 à 30 €

75 85 86 88 89 |**90**| 92 94 |95| |96| |97| |98| |99| 00 **01** 02 03

Fondé au XVIII[e]s., ce cru resta aux mains des Pouget jusqu'en 1906, date à laquelle il entra dans la famille Guillemet. Simple mais bien constitué, avec un bouquet élégant et complexe, ce vin est équilibré : ses tanins mûrs permettront de l'attendre deux ou trois ans, le temps que l'ensemble se fonde.
SCE Ch. Boyd-Cantenac et Pouget,
11, rte de Jean-Faure, 33460 Cantenac,
tél. 05.57.88.90.82, fax 05.57.88.33.27,
e-mail guillemet.lucien@wanadoo.fr r.-v.
Famille Guillemet

CH. PRIEURÉ-LICHINE 2003 ★★

■ 4e cru clas. 40 ha 165 000 23 à 30 €

82 83 86 88 89 |**90**| **92 93** |**96**| 97 |(98)| |99| 00 01 02 **03**

Ancien prieuré bénédictin proche de l'église de Cantenac, ce cru a appartenu au grand critique américain Alexis Lichine qui lui donna en partie son nom. D'un beau rubis à reflets grenat, ce vin affiche un réel équilibre entre les fruits et le bois. L'attaque se fait sur les fruits rouges, puis des tanins soyeux viennent soutenir un palais plein et long. La finale incite à garder cette bouteille quatre ans en cave pour lui permettre de parvenir à maturité.
Ch. Prieuré-Lichine, 34, av. de la Ve-République,
33460 Cantenac, tél. 05.57.88.36.28, fax 05.57.88.78.93,
e-mail contact@prieure-lichine.fr r.-v.
GPE Ballande

CH. RAUZAN-GASSIES 2003 ★

■ 2e cru clas. 27,5 ha 100 000 30 à 38 €

93 94 96 **97** 98 |99| **00 01** 02 03

Selon une légende locale, au XVIII[e]s. un violent orage s'abattit sur le vignoble. Mais celui-ci fut miraculeusement protégé par une masse d'oiseaux. D'où les ailes de l'étiquette. D'une belle complexité aromatique, avec des parfums de fruits confits et des notes empyreumatiques de cacao et d'épices, son vin est d'une grande puissance tannique. Bien que soyeux, l'ensemble tirera profit d'une garde de quatre ou cinq ans.
Jean-Michel Quié, rue Alexis-Millardet,
33460 Margaux, tél. 05.57.88.71.88, fax 05.57.88.37.49,
e-mail jphiquie@net-up.com
t.l.j. sf sam. dim. 10h-12h 14h-18h

CH. RAUZAN-SÉGLA 2003 ★★

■ 2e cru clas. 51 ha 95 000 46 à 76 €

81 82 |**83**| |**85**| |(86)| |**88**| |**89**| |**90**| 91 **92 93 94** |**95**| |(96)| **97** |(98)| |**99**| (00) **01 02 03**

Manoir périgourdin au cœur du Médoc, ce château dégage une impression de sérénité qu'accroît le parc. Le millésime 2003 fut difficile, hors normes : les rendements ici ont été de 30 hl/ha et seuls 47 % de la vendange entrent dans le grand vin. Néanmoins, ce margaux s'inspire de l'esprit du lieu. Rond et agréable, il développe un bouquet flatteur, aux jolies notes torréfiées. Ce côté aimable ne l'empêche pas de posséder un corps bien charpenté, avec la présence tannique nécessaire pour affronter la garde.
SA Ch. Rauzan-Ségla, BP 56, rue Alexis-Millardet,
33460 Margaux, tél. 05.57.88.82.10, fax 05.57.88.34.54,
e-mail contact@rauzan-segla.com r.-v.

CH. SIRAN 2003 ★★

■ Cru bourg. exc. 22,2 ha 80 000 15 à 23 €

66 78 79 80 81 82 83 85 86 87 88 |**89**| 90 91 92 93 94 |95| |96| 97 |98| |99| **00 01** 02 **03**

Collection de faïences bordelaises (Vieillard), objets de tonnellerie, cette ancienne propriété des comtes de Toulouse-Lautrec a résolument misé sur l'œnotourisme, sans négliger pour autant la qualité de sa production, témoin, ce vin remarquable : bouquet puissant et complexe, attaque souple, palais équilibré et structuré, arômes toastés et tanins soyeux, longue et belle finale. Cette bouteille mérite un séjour en cave de sept ou huit ans.
SC du Ch. Siran, 13, av. Comte-J.-B-de-Lynch,
33460 Labarde, tél. 05.57.88.34.04, fax 05.57.88.70.05,
e-mail chateau.siran@wanadoo.fr
t.l.j. 10h15-12h45 13h30-18h
Alain Miaihle

CH. TAYAC 2003 ★

■ Cru bourg. 10 ha 70 000 15 à 23 €

Implanté à Soussans, ce cru propose un vin vif et frais, tant par ses arômes de fraise et de chocolat que par son équilibre. Long et savoureux, l'ensemble possède un corps charpenté qui permettra d'attendre quatre ou cinq ans avant d'ouvrir cette jolie bouteille. Typé dans le millésime, le **Château Grand Soussans 2003 (11 à 15 €)** a également obtenu une étoile.
SC Ch. Tayac, Lieu-dit Tayac, BP 10,
33460 Soussans, tél. 05.57.88.33.06, fax 05.57.88.36.06
t.l.j. 10h-12h30 14h-18h

CH. DU TERTRE 2003 ★

■ 5e cru clas. 50 ha 190 000 23 à 30 €

90 91 92 93 95 |96| |**98**| |99| |00| **01** 02 03

Issu d'une importante unité située sur le « toit » de l'appellation, ce vin sait se présenter, dans une robe pourpre et avec un bouquet d'une grande intensité (notes balsamiques et fruitées, mêlées à un boisé mesuré). Goûteux et riche, le palais révèle une belle matière, que ne gâche pas le côté chaleureux de la finale.
SEV Ch. du Tertre, 33460 Arsac,
tél. 05.57.97.09.09, fax 05.57.97.09.00,
e-mail tertre@chateaudutertre.fr r.-v.
Éric Albada Jelgersma

CH. LA TOUR DE MONS 2003

■ Cru bourg. sup. 25 ha 108 390 15 à 23 €

Une unité d'une taille non négligeable, un cru remontant au XIII[e]s., un nouveau propriétaire depuis 1995 pour un vin qui demande encore à s'arrondir, mais qui a tout pour évoluer dans des conditions favorables : un bouquet ample et généreux, de solides tanins et une bonne longueur. Ce que l'on appelle un vin en devenir.

⊶ SAS Ch. La Tour de Mons, 20, rue de Marsac,
33460 Soussans, tél. 05.57.88.33.03,
e-mail chateau-latourdemons@wanadoo.fr

CH. VINCENT 2003

■ 4,18 ha 3 900 15 à 23 €

Fin XVIIIe, début du XIX[e]s. ? Quelle que soit la réponse, cette chartreuse sur chais ne manque pas d'élégance. S'il n'entend pas être de longue garde, son 2003 est fort séduisant. Épices douces, caramel, fruits, il possède un joli bouquet, qui s'accorde bien avec sa souplesse, et des tanins ronds et fins.

⊶ Indivision Domec-Barrault, Ch. Vincent,
33460 Cantenac, tél. et fax 05.57.88.90.56 r.-v.

Moulis-en-médoc

Étroit ruban de 12 km de long sur 300 à 400 m de large, moulis est la moins étendue des appellations communales du Médoc. Elle offre pourtant une large palette de terroirs.

Comme à Listrac, ceux-ci forment trois grands ensembles. À l'ouest, près de la route de Bordeaux à Soulac, le secteur de Bouqueyran présente une topographie variée, avec une crête calcaire et un versant de graves anciennes (pyrénéennes). Au centre, on trouve une plaine argilo-calcaire qui est le prolongement de celle de Peyrelebade (voir listrac-médoc). Enfin, à l'est et au nord-est, près de la voie ferrée, se développent de belles croupes de graves du Günz (graves garonnaises) qui constituent un terroir de choix. C'est dans ce dernier secteur que se trouvent les buttes réputées de Grand-Poujeaux, Maucaillou et Médrac.

Moelleux et charnus, les moulis se caractérisent par leur caractère suave et délicat. Tout en étant de bonne garde (de sept à huit ans), ils peuvent s'épanouir un peu plus rapidement que les vins des autres appellations communales. Le millésime 2005 a produit 29 873 hl sur 634 ha.

CH. ANTHONIC 2003

■ Cru bourg. 24,87 ha 135 000 11 à 15 €

Fondé dans les premières années de la Révolution, ce cru n'est connu sous ce nom que depuis 1924. Acquis par Pierre Cordonnier en 1977, il est aujourd'hui conduit par son fils Jean-Baptiste. Ce vignoble conserve une symbolique présence du petit verdot (1 %), mais le merlot l'emporte dans ce 2003 (66 %). Agréable est le développement de ce vin au cours de la dégustation. La franchise de sa robe annonce qu'il faudra savoir l'attendre ; encore un peu fermé, le bouquet est prometteur et le palais se porte garant de l'avenir avec ses tanins qui ont la fougue de la jeunesse.

⊶ SCEA Pierre Cordonnier,
Ch. Anthonic, 33480 Moulis-en-Médoc,
tél. 05.56.58.34.60, fax 05.56.58.72.76,
e-mail chateau.anthonic@terre-net.fr
t.l.j. sf sam. dim. 9h-12h30 14h-16h30;
f. 25 déc. au 1er jan.
⊶ J.-B. Cordonnier

CH. BEL-AIR LAGRAVE 2003

■ Cru bourg. 9 ha 50 000 11 à 15 €

Propriété restée dans la même famille depuis 1830. S'il sait se présenter dans une livrée rubis foncé, ce vin est aussi à l'aise par la suite. D'abord en libérant de plaisants arômes de fruits rouges mûrs, dominés par la fraise et mêlés aux notes de la barrique. Ensuite en affirmant son aptitude à la garde par des tanins concentrés et d'une bonne longueur.

⊶ Seguin-Bacquey, Le Grand-Poujeaux,
33480 Moulis-en-Médoc, tél. 05.56.58.01.89,
fax 05.56.58.05.21 t.l.j. 9h-12h 14h-20h

CH. BISTON-BRILLETTE 2003 ★★

■ Cru bourg. sup. 23 ha 103 000 11 à 15 €

86 88 89 (90) 93 94 95 96 97 |98| |99| **|00|** |01| 02 **03**

Être doté d'un terroir de qualité est un atout incontestable. Encore faut-il qu'ensuite la conduite de la vigne et le travail au chai soient à la hauteur. C'est le cas ici, comme le prouve ce 2003. La complexité du bouquet séduit : s'y déploient des notes de toast, de fruits confits et de pruneau. Au palais, les fruits rouges mûrs prennent la relève en compagnie de la cerise noire et du chocolat. Souple, tannique et persistant, l'ensemble est harmonieux et sera le complice d'un chevreuil à la broche dans trois ou quatre ans.

⊶ EARL Ch. Biston-Brillette,
Petit-Poujeaux, 33480 Moulis-en-Médoc,
tél. 05.56.58.22.86, fax 05.56.58.13.16,
e-mail contact@chateaubistonbrillette.com
t.l.j. sf dim. 10h-12h 14h-18h; sam. 10h-12h
⊶ Michel Barbarin

CH. BOIS DE LA GRAVETTE 2003

■ 3,3 ha 3 600 8 à 11 €

Petite propriété de moins de 5 ha, ce cru offre un vin équilibré, même si le bois est encore très présent. Sa matière doit permettre à cette bouteille de bien évoluer dans les années à venir, tandis que son bouquet s'ouvrira.

⊶ EARL Vignobles Bois de la Gravette,
33480 Moulis-en-Médoc, tél. 05.56.58.22.11,
fax 05.57.88.01.73 r.-v. 2
⊶ C. Porcheron

CH. BRANAS GRAND POUJEAUX 2003

■ 9,05 ha 18 000 15 à 23 €

Ayant changé de mains en 2002, la propriété a été rénovée en 2005. Voici donc un millésime qui n'a pas pu profiter de ces investissements. Sa robe rubis ne manque ni d'intensité ni d'élégance. Son bouquet joue habilement avec les notes toastées et vanillées de la barrique qui cachent encore un peu le fruit. Il laisse la place à une structure riche, ample et longue. Deux à trois ans de garde ne nuiront pas à cette bouteille qui s'entendra fort bien avec une caille aux raisins. Le second vin, **Les éclats de Branas 2003 (11 à 15 €)**, peut aussi être attendu, mais ses tanins sont déjà un peu mieux fondus ; il est cité.

⊶ Vignoble Justin Onclin,
Ch. Branas Grand Poujeaux,
Grand Poujeaux, 33480 Moulis-en-Médoc,
tél. 06.13.32.11.56, fax 05.56.58.08.62,
e-mail chateaubranas@wanadoo.fr ☒ Y ⚲ r.-v.

CH. BRILLETTE 2003 *

■ Cru bourg. sup. 40 ha 103 000 ⦶ 15 à 23 €

94 95 96 |**98**| 99 |**00**| |01| 02 03

Cette propriété de 40 ha a appartenu pendant plus d'un siècle au comte du Perrier de Larsan. Depuis 1975, elle est conduite par la famille Flageul. Comme le rappelle sa contre-étiquette, elle bénéficie d'un encépagement de qualité et diversifié. On le devine en humant son bouquet, dont les élégantes senteurs d'épices et de merrain s'accommodent avec des nuances de sous-bois. Bien constitué et équilibré, soutenu par des tanins fondus, le palais annonce un bon potentiel de garde.

⊶ Flageul, SA Ch. Brillette, 33480 Moulis-en-Médoc,
tél. 05.56.58.22.09, fax 05.56.58.12.26,
e-mail secretariat@chateau-brillette.fr ☒ ⚲ r.-v.

CH. CAROLINE 2003

■ Cru bourg. 8,7 ha 31 000 ⦶ 8 à 11 €

Né sur un vignoble du château listracais Lestage dont les vignes sont à cheval sur les deux appellations, ce cru porte le nom de la petite-fille de Marcel Chanfreau. Ce vin sera celui du plaisir simple mais authentique. Un plaisir qui naît de son bouquet aux notes de cerise et de fruits rouges confits, et de son palais souple, rond et bien équilibré.

⊶ Ch. Lestage, 33480 Listrac-Médoc,
tél. 05.56.58.02.43, fax 05.56.58.04.33,
e-mail vignobles-chanfreau@wanadoo.fr
☒ Y ⚲ t.l.j. sf sam. dim. 9h-12h 14h-17h
⊶ Chanfreau

CH. CHASSE-SPLEEN 2003 **

■ n.c. 360 000 ⦶ 15 à 23 €

75 76 **78 79** 80 **81 82** |⑧③| **85 86** |**88**| 89 |**90**| 91 92 93 94 |**95**| |**96**| 97 |**98**| |**99**| **00 01 02 03**

Authentique ou apocryphe, la phrase de lord Byron – « Ce vin n'a pas de pareil pour chasser les idées noires » – a certainement contribué à la renommée de ce cru. Mais sa réputation vient aussi de la qualité du vin lui-même. Acheté en 1976 par Jacques Merlaut, il est aujourd'hui conduit par sa petite-fille. Une fois encore l'excellence du terroir se vérifie avec ce 2003, dont la présentation ne cache pas les ambitions. Sa robe, d'un rubis soutenu, et son bouquet expressif et frais sur des notes de fruits, de toast et de menthol, mettent en confiance. Son équilibre se retrouve au palais avec de remarquables tanins et une longue finale. Remarquable expression d'un sol de graves, cette bouteille doit être laissée en cave pendant au moins trois ou quatre ans.

⊶ Ch. Chasse-Spleen,
2558, Grand-Poujeaux Sud, 33480 Moulis-en-Médoc,
tél. 05.56.58.02.37, fax 05.57.88.84.40,
e-mail info@chasse-spleen.com Y ⚲ r.-v.
⊶ Céline Villars-Foubet

LE CHEMIN DE COLOMBE 2003

■ n.c. 1 500 ▮⦶ 11 à 15 €

Issu de vignes encore jeunes, et second millésime produit, ce vin est simple mais bien construit, avec des arômes mêlant le toast et la fumée aux fruits. Sa rondeur, sa chair et ses tanins ne demandent qu'à se développer.

⊶ EARL Dedieu-Benoît,
6, chem. des Vignes, 33460 Cussac-Fort-Médoc,
tél. 05.56.58.93.08, fax 05.57.88.50.81 ☒ Y ⚲ r.-v.

CH. DUPLESSIS 2003 *

■ Cru bourg. 18 ha 77 590 ▮⦶ 11 à 15 €

Ce vin doit-il son nom au duc de Richelieu, petit-neveu du Cardinal (Armand Jean du Plessis) et gouverneur de Guyenne ? En tout cas, sa robe, assez légère et animée de brillants reflets de jeunesse, aurait plu au joyeux personnage. Elle est aussi en harmonie avec le bouquet aux délicates touches de fruits confits (coing et fraise) et d'épices. Ample et bien équilibré, ce 2003 appelle une garde de trois ou quatre ans. Fille de Lucien Lurton, Marie-Laure Lurton assume depuis 1992 la direction de ce domaine de 32 ha.

⊶ Vignobles Marie-Laure Lurton,
2036, Chalet, 33480 Moulis-en-Médoc,
tél. 05.56.58.22.01, fax 05.56.58.15.10,
e-mail contact@vignobles-marielaurelurton.com
☒ Y ⚲ r.-v.

CH. DUTRUCH GRAND POUJEAUX 2003 *

■ Cru bourg. sup. 25,51 ha 92 000 ▮⦶ 11 à 15 €

81 82 ⑧③ **85 86** 88 89 90 |95| |96| 97 |98| |99| 00 |**01**| 03

Comme son nom l'indique, ce vin provient du quartier de Poujeaux, dont la qualité du terroir n'est plus à prouver. Créé en 1850, aujourd'hui propriété de François Cordonnier et de son fils Jean-Baptiste, ce cru est conseillé par Éric Boissenot. La robe de ce millésime (55 % de merlot, 43 % de cabernet-sauvignon et 2 % de petit verdot) est d'un grenat brillant. Son bouquet complexe joue sur des notes de fruits rouges, d'épices et de vanille. Son palais, rond et bien équilibré, et sa longue finale attestent que ce vin est de bonne origine.

⊶ EARL François Cordonnier,
Ch. Dutruch Grand Poujeaux, 33480 Moulis-en-Médoc,
tél. 05.56.58.02.55, fax 05.56.58.06.22,
e-mail chateau.dutruch@aquinet.net
☒ Y ⚲ t.l.j. 9h-12h 14h-17h; sam. dim. sur r.-v.
⊶ F. et J.-B. Cordonnier

CH. LA GARRICQ 2003 **

■ 3 ha 11 500 ⦶ 15 à 23 €

95 96 **98** 99 |01| 02 **03**

Du même producteur que le Château Paloumey (haut-médoc), et conseillé par Daniel Llose, ce vin affiche une personnalité des plus sympathiques, grâce à son fruité et à sa fraîcheur. Son caractère transparaît dès la présentation dans sa jolie robe rubis soutenu. Cerise et raisin, le tout enrobé dans un boisé bien maîtrisé, le bouquet est de la même veine. Au palais, l'attaque gourmande et les tanins mûrs à souhait confirment l'impression générale et garantissent un bon potentiel. Un séjour en cave s'impose avant d'ouvrir cette bouteille sur une entrecôte.

⊶ SA Ch. Paloumey, 50, rue Pouge-de-Beau,
33290 Ludon-Médoc, tél. 05.57.88.00.66,
fax 05.57.88.00.67, e-mail info@chateaupaloumey.com
▼ Y ⅄ t.l.j. 10h-18h; dim. sur r.-v.

CH. GUITIGNAN 2003 *

■ 8 ha 25 000 ⅠⅠ 8 à 11 €

Élaboré à la cave de Listrac, ce 2003 sort très honorablement de l'épreuve qu'a représentée le millésime. Si certains vins se sont vite évanouis, ce n'est pas le cas de celui-ci. Viril et d'une bonne intensité aromatique, il a la concentration nécessaire pour justifier la garde. Et si le caractère du millésime se rappelle par une petite note chaude en finale, un minimum de vieillissement (deux ans) permettra de l'estomper. Marque de la coopérative, la **Croix de Lagorce 2003** est citée ; issu d'une sélection parcellaire rigoureuse, finement bouqueté avec de jolies notes épicées et boisées, ce vin révèle ensuite une matière délicate aux tanins soyeux.

⊶ Cave de vinification de Listrac-Médoc,
21, av. de Soulac, 33480 Listrac-Médoc,
tél. 05.56.58.03.19, fax 05.56.58.07.22,
e-mail grandlistrac@wanadoo.fr
▼ Y ⅄ t.l.j. sf dim. 8h-12h 14h-19h
⊶ Vidaller-Lestage

CH. JANDER 2003

■ 2 ha 9 000 ⅠⅠ 11 à 15 €

Principalement implantés sur Listrac, les vignobles Jander proposent ici un vin qui demande encore à se fondre et qui a le volume et la réserve aromatique pour pouvoir évoluer dans de bonnes conditions.

⊶ SCE Vignobles Jander, 41, av. de Soulac,
33480 Listrac-Médoc, tél. 05.56.58.01.12,
fax 05.56.58.01.57, e-mail vignobles.jander@wanadoo.fr
▼ Y ⅄ t.l.j. sf sam. dim. 9h-12h 14h-18h

CH. LALAUDEY 2003 *

■ n.c. 35 000 ⅠⅠ 11 à 15 €

Acquis en 2002 par le propriétaire du *Relais de Margaux*, un hôtel quatre étoiles, ce cru bénéficie actuellement d'importants investissements destinés à lui donner une nouvelle jeunesse. Des vins comme ce 2003 ne peuvent qu'encourager une telle démarche : la profondeur de sa robe, l'équilibre de son bouquet où le bois et les fruits rouges font jeu égal, le fondu des tanins, tout est là pour conseiller trois ou quatre ans de garde et un mariage avec un gigot d'agneau.

⊶ SCEA Ch. Lalaudey,
15, chem. de Pomeys, 33480 Moulis-en-Médoc,
tél. 05.57.88.57.57, fax 05.56.58.06.00,
e-mail lalaudey@chateau-lalaudey.fr ▼ Y ⅄ r.-v.
⊶ J. Delcroix

CH. MALMAISON 2003 *

■ 24 ha 79 000 ⅠⅠ 15 à 23 €

88 89 90 **91** 95 96 97 98 |99| |00| 01 02 03

Issu du bel ensemble constitué par Edmond de Rothschild autour de Clarke en 1973 et repris en 2001 par son fils Benjamin, ce vin puissant et tannique ne demande qu'à vieillir. Sa robe profonde aux reflets violets est très juvénile. Ses tanins se fondront avec ceux du bois, et le bouquet, aux frais arômes de fruits rouges et de cassis, s'ouvrira complètement. Des viandes grillées au gibier, la palette des accords gourmands sera large.

⊶ EV Edmond de Rothschild, 33480 Listrac-Médoc,
tél. 05.56.58.38.00, fax 05.56.58.26.46,
e-mail contact@cver.fr
⊶ B. de Rothschild

CH. MAUCAILLOU 2003 *

■ Cru bourg. sup. 60 ha 319 200 ⅠⅠ 15 à 23 €

88 89 90 93 94 95 |(96)| |97| |98| 99 00 01 02 03

Depuis 1925 fief des Dourthe, l'une des familles marquantes du négoce médocain, Maucaillou est passé de 3 ha à l'origine à 80 ha aujourd'hui. Il bénéficie d'un beau terroir de graves du Günz, comme l'indique son nom : le « mauvais caillou ». Même s'il s'est un peu refermé lors de notre dégustation, ce vin, charnu et tannique, révèle un bon potentiel. Sa robe intense est engageante et les arômes de fruits rouges ne sont pas totalement cachés par le boisé.

⊶ Philippe Dourthe, quartier de la Gare,
33480 Moulis-en-Médoc, tél. 05.56.58.01.23,
fax 05.56.58.00.88, e-mail chateau@maucaillou.com
▼ ⅄ t.l.j. 10h-12h30 14h-18h ⌂ 7

CH. MAUVESIN 2003

■ Cru bourg. 51 ha 285 000 ⅠⅠ 5 à 8 €

Cinq siècles de transmission familiale : un exploit en Médoc. Le château actuel, construit en 1853, commande un terroir composé à 70 % de graves et à 30 % d'argilo-calcaire. Ce millésime, avec ses 55 % de cabernets, 5 % de petit verdot complétés par le merlot s'affiche en robe rubis à reflet grenat. Assez expressif, le nez associe les fruits rouges, une note florale et les épices. Riches, les tanins demandent à se fondre.

⊶ De Baritault, SV de France SAS,
Château du Grava, 33550 Haux,
tél. 05.56.67.23.89, fax 05.56.67.08.38,
e-mail p.duale@wanadoo.fr ▼ Y ⅄ r.-v.

CH. MYON DE L'ENCLOS 2003 *

■ 5 ha 30 000 ⅠⅠ 11 à 15 €

S'il est surtout réputé pour ses vignobles listracais, Bernard Lartigue connaît aussi très bien le terroir de moulis, témoin ce 2003 rubis sombre au bouquet bien marqué de fruits rouges mûrs. Son volume et son équilibre entre les tanins et l'acidité apportent à ce vin un solide potentiel de garde.

⊶ Bernard Lartigue, Le Mayne de Lalande,
33480 Listrac-Médoc, tél. 05.56.58.27.63,
fax 05.56.58.22.41, e-mail blartigue@terre-net.fr
▼ Y ⅄ t.l.j. 9h-12h30 14h-18h; f. janv. ⌂ 6

CH. POUJEAUX 2003 *

■ Cru bourg. exc. 60 ha 280 000 ⅠⅠⅠ 15 à 23 €

81 82 83 85 (86) **87 88 89 90 93 94** |**95**| |**96**| |**97**| **98** |**99**| **00** 01 **02** 03

Le cru préféré de Georges Pompidou qui appréciait sa « puissance terrienne ». S'il avait pu goûter ce millésime, le président aurait peut-être été surpris ; mais, en homme de goût, il n'aurait pas été insensible à son élégance. Celle-ci s'exprime par ses arômes de fumée, de vanille et d'épices, et par l'harmonie du palais. D'une plaisante rondeur, ce vin pourra cependant être attendu pendant deux ou trois ans. Rappelons le coup de cœur de l'an dernier pour le 2002.

SA Jean Theil,
Ch. Poujeaux, 33480 Moulis-en-Médoc,
tél. 05.56.58.02.96, fax 05.56.58.01.25,
e-mail chateau-poujeaux@wanadoo.fr r.-v.

CH. RUAT PETIT POUJEAUX 2003

■ 12 ha 36 000 11 à 15 €

Héritier de deux longues lignées de vignerons médocains, Pierre Goffre-Viaud propose ici un vin constitué par 55 % de cabernets complétés par le merlot. Après dix-huit mois de barrique, ce 2003 apparaît légèrement évolué à l'œil. Rond, charnu et élégant, il laisse les fruits rouges et le bois se mêler assez harmonieusement.

SCEA Vignobles Goffre-Viaud,
Petit Poujeaux, 33480 Moulis-en-Médoc,
tél. 05.56.58.25.15, fax 05.56.58.15.90,
e-mail ruat.petit.poujeaux@wanadoo.fr r.-v.

Pauillac

À peine plus peuplé qu'un gros bourg rural, Pauillac est une vraie petite ville, agrémentée, qui plus est, d'un port de plaisance sur la route du canal du Midi. C'est un endroit où il fait bon déguster, à la terrasse des cafés sur les quais, les crevettes fraîchement pêchées dans l'estuaire. Mais c'est aussi, et surtout, la capitale du Médoc viticole, tant par sa situation géographique, au centre du vignoble, que par la présence de trois premiers crus classés (Lafite, Latour et Mouton) que complète une liste assez impressionnante de dix-huit crus classés. La coopérative assure une production importante. L'appellation a produit 53 615 hl sur 1 204 ha en 2005.

L'aire d'appellation est coupée en deux en son centre par le chenal du Gahet, petit ruisseau séparant les deux plateaux qui portent le vignoble. Celui du nord, qui doit son nom au hameau de Pouyalet, se distingue par une altitude légèrement plus élevée (une trentaine de mètres) et par des pentes plus marquées. Détenant le privilège de posséder deux premiers crus classés (Lafite et Mouton), il se caractérise par une parfaite adéquation entre sol et sous-sol, que l'on retrouve aussi dans le plateau de Saint-Lambert. S'étendant au sud du Gahet, ce dernier s'individualise par la proximité du vallon du Juillac, petit ruisseau marquant la limite méridionale de la commune, qui assure un bon drainage, et par ses graves de grosse taille qui sont particulièrement remarquables sur le terroir du premier cru de ce secteur, Château Latour.

Provenant de croupes graveleuses très pures, les pauillac sont des vins puissants et charpentés, mais aussi fins et élégants, avec un bouquet délicat. Comme ils évoluent très heureusement au vieillissement, il convient de les attendre. Ensuite, il ne faut pas avoir peur de les servir sur des plats assez forts comme des préparations de champignons, des viandes rouges, du gibier ou du foie gras.

CH. D'ARMAILHAC 2003 ★

■ 5e cru clas. 49 ha 173 022 38 à 46 €

72 73 74 75 78 **79 80 81 82 83 84** |**85**| |(86)| **87** |**88**| |**89**| |**90**| 92 **93** 94 |**95**| |96| 97 |**98**| |99| |00| |01| **02** 03

S'il a plusieurs fois changé de nom et s'il fait partie du bel ensemble de domaines constitué par Philippe de Rothschild, ce cru a su conserver sa personnalité. Celle-ci s'exprime par la puissance de ce vin. Sa richesse se perçoit d'abord dans ses arômes de raisins mûrs, de fruits rouges cuits, de confiture de fraises et d'épices douces, accompagnés d'une larme de moka puis se révèle au palais par des tanins agréables et racés qui garantissent la bonne évolution de cette bouteille.

SA Baron Philippe de Rothschild, BP 117,
33250 Pauillac, tél. 05.56.73.20.20, fax 05.56.73.20.33,
e-mail webmaster@bpdr.com r.-v.

Pauillac

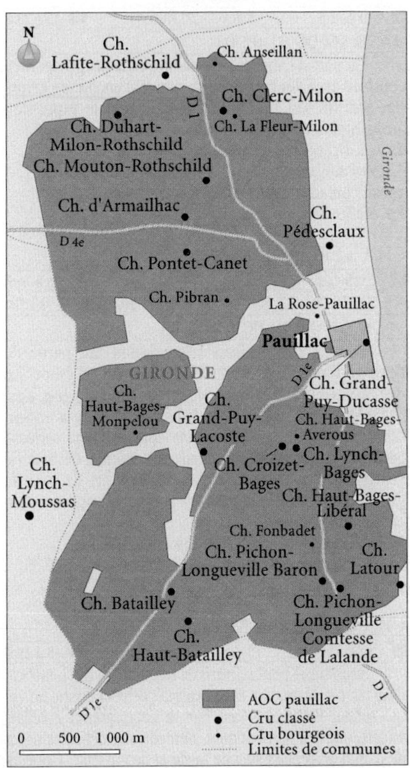

CH. BATAILLEY 2003 ★

■ 5e cru clas. n.c. 210 000 23 à 30 €

70 75 76 78 79 80 81 82 **83 85 86 88** 89 90 **92**
93 |**95**| |(96)| |**97**| |**98**| |99| 00 **01** 02 03

Belle unité appartenant à la famille Castéja, ce cru propose des vins bien typés. Il reste fidèle à sa tradition avec ce 2003. La robe somptueuse, d'un noir profond et brillant, annonce la qualité de cette bouteille que le bouquet confirme par sa puissance. Le café dominant noue une alliance réussie avec les fruits mûrs et le pruneau. Riche, gras, charnu, le palais se charge d'étoffer la palette aromatique tout en invitant à quatre ou cinq ans de patience.

Héritiers Castéja, 33250 Pauillac, tél. 05.56.00.00.70, fax 05.57.87.48.61, e-mail domaines@borie-manoux.fr

CH. LA BÉCASSE 2003 ★

■ 4,1 ha 20 000 15 à 23 €

Loin de l'agitation médiatique, ce petit cru a su se tailler une solide réputation. Ce n'est pas ce millésime qui va l'entacher. Un rien exubérant, il s'annonce par une robe sombre et un bouquet où le bois laisse apparaître de jolis arômes de fruits mûrs. Ample, souple et séveux, avec un retour aromatique de cèdre, l'ensemble possède un incontestable caractère cabernet-sauvignon, qui appelle la garde.

Roland Fonteneau,
21, rue Édouard-de-Pontet, 33250 Pauillac,
tél. 05.56.59.07.14, fax 05.56.59.18.44 r.-v.

CH. BELLEGRAVE 2003

■ Cru bourg. 8 ha 20 000 15 à 23 €

97 |98| |**99**| **00** 01 02 03

Un parc à l'anglaise agrémente cette propriété. Bien construit avec des tanins qui demandent encore à s'arrondir, son vin sait tirer profit d'une agréable expression aromatique mêlant les fruits aux épices.

Ch. Bellegrave, 22, rte des Châteaux,
33250 Pauillac, tél. 05.56.59.05.53, fax 05.56.59.06.51,
e-mail contact@chateau-bellegrave.com r.-v.

Meffre

CH. CLERC MILON 2003 ★

■ 5e cru clas. 32 ha 91 225 46 à 76 €

75 76 78 79 82 83 85 86 87 |**88**| |**89**| |**90**| **92 93** 94
(95) |**96**| |**97**| |98| **99 00** 01 **02** 03

Comme d'Armailhac, Clerc Milon fait partie de l'empire Philippe de Rothschild. Avec ce millésime, les deux crus cousins ont inversé leur rôle. Pour une fois, c'est Clerc Milon qui joue la carte de l'élégance et de la finesse. Certes, ses tanins encore stricts appellent une sérieuse garde, de cinq à huit ans, mais ses arômes de baie de genièvre, de petits fruits noirs, de jacinthe, de clou de girofle et un boisé bien tempéré laissent le souvenir d'un ensemble charmeur.

SA Baron Philippe de Rothschild, BP 117,
33250 Pauillac, tél. 05.56.73.20.20, fax 05.56.73.20.33,
e-mail webmaster@bpdr.com r.-v.

CH. COLOMBIER-MONPELOU 2003 ★

■ Cru bourg. sup. 15 ha 70 000 15 à 23 €

Situé sur le plateau nord de Pauillac, ce cru bénéficie d'un terroir de qualité. Bien exploité, celui-ci donne un vin qui retient l'attention tant par sa robe, grenat à reflets violets, que par son bouquet, dentelle aux délicates notes de pain d'épice, de figue, de raisin et de groseille. Concentré et complexe, volumineux et harmonieux, le palais est de la même veine. Soutenu par des tanins ronds, ce 2003 sera attendu trois ou quatre ans.

SC des Vignobles Jugla, Ch. Colombier-Monpelou, Lieu-dit Cagnon, 33250 Pauillac, tél. 05.56.59.01.48, fax 05.56.59.12.01 r.-v.

RÉSERVE DE LA COMTESSE 2003 ★

■ 85 ha n.c. 23 à 30 €

46 % de merlot et les deux cabernets constituent le second vin de Pichon Comtesse. Attirant par sa robe vive, ce millésime offre des arômes vanillés et un joli fruité de cerise mêlés à une note grillée. Bien élevé, ce vin homogène ne manque pas de charme.

SCI Ch. Pichon-Longueville Comtesse de Lalande, 33250 Pauillac, tél. 05.56.59.19.40, fax 05.56.59.26.56, e-mail pichon@pichon-lalande.com r.-v.

May-Éliane de Lencquesaing

CH. CORDEILLAN-BAGES 2003 ★

■ 2 ha 8 000 38 à 46 €

Hôtel-restaurant appartenant à la prestigieuse chaîne des Relais et Châteaux, Cordeillan-Bages est l'une des grandes tables d'Aquitaine. Le château est aussi un cru de la famille Cazes, qui n'a pas à rougir de sa production. Très classique dans sa robe bordeaux, son 2003 s'annonce prometteur par son bouquet naissant où les fruits noirs et les raisins mûrs sont soutenus par un bois discret. Charpenté, construit sur de longs et généreux tanins, le palais élégant poursuit dans le même esprit et invite à une alliance gourmande avec une cuisine de qualité.

Jean-Michel Cazes, Ch. Cordeillan-Bages,
33250 Pauillac, tél. 05.56.73.24.00, fax 05.56.59.26.42,
e-mail info@cordeillanbages.com

CH. LA COUR D'OUETTE
Élevé en fût de chêne 2003

■ 6 ha 13 333 15 à 23 €

Diffusé par le négoce, ce vin né à Saint-Laurent-du-Médoc possède un bon équilibre qui se manifeste dès le bouquet, panier de mûres et de cassis, assorti de quelques notes animales. Au palais, les tanins forment une bonne trame qui autorise la garde.

La Guyennoise, BP 17,
33540 Sauveterre-de-Guyenne, tél. 05.56.71.50.76,
fax 05.56.71.87.70, e-mail lilymartin@laguyennoise.com

Henri Musso

CH. DUHART-MILON 2003 ★★

■ 4e cru clas. n.c. n.c. 30 à 38 €

61 70 75 76 79 80 **81** |**82**| |**83**| |**85**| |**86**| **87** |**88**| |**89**| |**90**|
91 92 |**93**| 94 |**95**| |**96**| |**97**| **98 99** |00| **01 02 03**

En 1962, la famille Rothschild rachète ce vignoble qui avait périclité en raison de changements successifs de propriétaires (cinq en vingt-cinq ans). Le gel de 1956 avait encore aggravé la situation. Cinquante ans plus tard, après de nombreux travaux, il a retrouvé son lustre et sa place d'antan comme le montre ce 2003 d'un rubis intense. Au bouquet, le merrain grillé se marie avec le fruit (griotte). Après une attaque en douceur, le palais laisse apparaître un corps rond et suave, qui s'accorde avec les tanins mûrs. Harmonieux et plein de sève, ce vin mérite une garde de sept ou huit ans avant d'accompagner une pièce de viande savamment cuisinée.

Ch. Duhart-Milon, 33250 Pauillac,
tél. 01.53.89.78.00, fax 01.53.89.78.01

CH. LA FLEUR PEYRABON 2003

■ Cru bourg. 4,2 ha 24 892 15 à 23 €

Le merlot (62 %) est majoritaire dans ce vin souple et soyeux qui porte la marque du millésime dans sa finale chaleureuse. L'ensemble est de qualité, avec une structure qui invite à le conserver quelques années.

SARL Ch. Peyrabon,
Vignes de Peyrabon, 33250 Saint-Sauveur,
tél. 05.56.59.57.10, fax 05.56.59.59.45,
e-mail contact@chateau-peyrabon.com
t.l.j. sf sam. dim. 9h-12h 14h-18h

CH. FONBADET 2003

■ Cru bourg. sup. 20 ha 31 500 15 à 23 €

Famille aux profondes racines vigneronnes, les Peyronie proposent un vin dont la structure tannique, si elle n'est pas excessive, suffit à mettre en valeur la complexité de son bouquet qui passe de notes animales à des arômes de fruits noirs un peu confits.

SCEA Domaines Peyronie, Ch. Fonbadet,
33250 Pauillac, tél. 05.56.59.02.11, fax 05.56.59.22.61,
e-mail pascale@chateaufonbadet.com r.-v.

CH. GRAND-PUY-LACOSTE 2003 *

■ 5e cru clas. 55 ha 165 000 30 à 38 €

61 66 70 71 **75** 76 **78** 81 **82 83 85** |(86)| 87 |**88**| |**89**| |**90**| 91 92 93 94 |**95**| |**96**| 97 **98** |99| **00** 01 02 03

Comme l'indique son nom, puy évoquant une hauteur, ce cru bénéficie d'un beau terroir très tôt mis en valeur. Ce vin se montre digne de l'environnement et de l'histoire. Élégant et complexe, son bouquet saute de note en note : confitures de myrtilles ou de cassis, fumé et, au palais, raisin mûr. Les tanins sont bien présents, mais suaves. Une longue finale conclut avec bonheur la dégustation.

Domaines François-Xavier Borie, BP 82,
33250 Pauillac, tél. 05.56.59.06.66, fax 05.56.59.22.27,
e-mail dfxb@domainesfxborie.com r.-v.

CH. HAUT-BAGES AVEROUS 2003

■ 90 ha 172 000 15 à 23 €

Au château Lynch Bages, le chai abrite des expositions d'art contemporain. Haut-Bages Averous, le second vin de Lynch-Bages, n'est pas négligé. Jouant parfaitement le rôle attribué au deuxième, ce millésime porte une jolie robe rubis patinée. Son bouquet délicat de fruits rouges à noyau et de merrain toasté, de cassis et de cèdre annonce un palais plein, assez moelleux. La structure est très aimable.

Jean-Michel Cazes, Ch. Lynch-Bages,
33250 Pauillac, tél. 05.56.73.24.00, fax 05.56.59.26.42,
e-mail infochato@lynchbages.com r.-v.

CH. HAUT-BAGES LIBÉRAL 2003 *

■ 5e cru clas. 28 ha 130 000 15 à 23 €

75 76 78 79 80 81 |(82)| **83** 84 |**85**| |**86**| 87 |88| |89| |**90**| 91 92 93 94 |**95**| |**96**| 97 (98) |**99**| (00) |01| **02** 03

Au cours des quarante dernières années, ce cru a bénéficié d'investissements constants, d'abord des Cruse puis des Merlaut. La jeunesse de son vin se lit dans sa robe comme dans ses parfums harmonieux de fruits (fraise et framboise) rehaussés d'une pointe de réglisse. Ample, frais et persistant, le palais confirme la jeunesse de l'ensemble par la fermeté des tanins. Un séjour en cave supérieur à cinq ans peut être envisagé avec sérénité. Rappelons que Claire Villars fut Grappe d'or du Guide, distinction suprême, pour le millésime 2000.

Claire Villars, Ch. Haut-Bages Libéral,
Saint-Lambert, 33250 Pauillac,
tél. 05.57.88.76.65, fax 05.57.88.98.33 r.-v.

CH. HAUT-BATAILLEY 2003 *

■ 5e cru clas. 22 ha 95 000 15 à 23 €

66 71 75 78 81 82 83 84 85 **86 87** 88 |89| |**90**| 91 92 93 **94** |(95)| |**96**| 97 98 |99| **00** 01 02 03

À la limite de Pauillac et de Saint-Julien, ce cru privilégie volontiers la finesse. Ce trait se retrouve dans ce millésime, notamment en finale, mais il n'exclut pas une réelle puissance, tant aromatique que tannique. La première s'exprime par des arômes de torréfaction, de cacao et de poudre d'épices (girofle et cannelle) ; la seconde par des tanins très présents mais fins, qui invitent à oublier cette jolie bouteille à la cave pendant quatre ou cinq ans, voire davantage.

Domaines François-Xavier Borie, BP 82,
33250 Pauillac, tél. 05.56.59.06.66, fax 05.56.59.22.27,
e-mail dfxb@domainesfxborie.com

CH. HAUT DE LA BÉCADE
Vieilli en fût de chêne 2003

■ 8,29 ha 6 000 11 à 15 €

Cuvée numérotée, ce vin, vinifié à la cave coopérative, est respecté par le bois qui laisse une belle place aux fruits rouges et noirs dans la palette aromatique. Rond, souple et porté par une agréable matière, le palais concilie l'élégance et la structure. À ouvrir dans un an ou deux.

Sté coopérative La Rose Pauillac,
44, rue du Mal-Joffre, BP 14, 33250 Pauillac,
tél. 05.56.59.26.00, fax 05.56.59.63.58,
e-mail larosepauillac@wanadoo.fr r.-v.
S. et G. Raynaud

CH. HAUT-LABORDE 2003 *

■ 0,26 ha 1 500 15 à 23 €

Issu d'une parcelle intégralement plantée de cabernet-sauvignon, ce vin a tout pour plaire : une jolie teinte bigarreau, un bouquet complexe (fruits rouges, toast et grillé), une attaque puissante et une belle présence tannique. Un vin plaisir qui pourra être attendu quelques années.

Ch. Haut-Laborde,
rte de Lescarjean, 33250 Saint-Sauveur,
tél. 05.56.73.94.41, fax 05.56.59.48.79 r.-v.
L. Fournier

CH. LAFITE ROTHSCHILD 2003 ***

■ 1er cru clas. 100 ha n.c. + de 76 €

59 (61) **64** 66 69 70 73 **75 76** 77 **78** 79 80 |**81**| |**82**| |**83**| 84 |**85**| |**86**| **87** |**88**| |**89**| |**90**| **92 93 94** |(95)| |(96)| |**97**| |(98)| **99** |(00)| **01** (02) (03)

C'est avec les Ségur, au tournant des XVII[e]s. et XVIII[e]s., que Lafite prend son essor : de seigneurie médiévale, il devient domaine viticole. En 1785 déjà, on qualifiait ce domaine de « plus beau vignoble de l'univers ». En dépit des conditions météorologiques hors du commun (canicule, sécheresse) de 2003, ce vin garde toute son élégance et son amabilité, avec une progression dans la puissance. D'une teinte sombre, il offre un bouquet d'une remarquable complexité : amande grillée, moka et

violette. Somptueux dès l'attaque, le palais fait rimer finesse et richesse : il évolue sur des saveurs de réglisse, de chocolat et de raisin mûr, soutenu par des tanins bien ronds, avant de s'ouvrir sur une finale épicée. Pour résumer les qualités de cette superbe bouteille de garde (sept à dix ans ou plus) citons l'un des dégustateurs : « Quelle chance d'avoir pu goûter un tel vin ! » ; ce dernier souhaite que ce plaisir soit partagé par le plus grand nombre.

🔑 Ch. Lafite Rothschild, 33250 Pauillac,
tél. 01.53.89.78.00, fax 01.53.89.78.01 Y ✝ r.-v.

CARRUADES DE LAFITE 2003 *

■ n.c. n.c. 46 à 76 €

85 86 |**88**| |**89**| |90| 92 93 94 |**95**| |**96**| 97 |98| **99** 00 01 02 03

Tirant leur nom d'un lieu dit composé d'un ensemble de parcelles jouxtant la croupe de Lafite et acquises par le château en 1845, Les Carruades sont le second vin de Lafite. Mais celui-ci possède sa propre personnalité. Comme les autres années, le 2003 n'a pas la même complexité que son frère aîné ; mais à son image, il mise sur l'élégance. Celle-ci se manifeste par un bouquet fin et subtil, enrichi de notes de marc de café et de cerise mûre. Au palais, ce vin affirme son caractère par une excellente attaque, suave et chaleureuse, sur des notes de cuir. Quant à la finale, persistante, elle opte plutôt pour des arômes confiturés de myrtille.

🔑 Ch. Lafite Rothschild, 33250 Pauillac,
tél. 01.53.89.78.00, fax 01.53.89.78.01 Y ✝ r.-v.

CH. LATOUR 2003 ***

■ 1er cru clas. 47 ha 30 000 + de 76 €

|(61)| **67 71** 73 74 75 |**76**| 77 |**78**| 79 |**80**| 81 |**82**| |**83**| 84 |**85**| |**86**| **87** |**88**| |**89**| **90** |**91**| **92** |**93**| **94** |(95)| |**96**| |**97**| (98) **99** (00) **01** (02) (03)

Est-il encore besoin de présenter Latour ? Archétype de la propriété médocaine avec son pigeonnier qui veille sur les vignes, sa demeure Napoléon III et surtout ses bâtiments d'exploitation regroupant le cuvier, le chai et les bureaux, saint des saints où tout est conçu avec rigueur. Le vin, bien sûr, est lui aussi d'un sérieux à toute épreuve, presque strict dans sa robe d'une couleur profonde, tirant sur le noir, moirée. La densité et la complexité de son bouquet (torréfaction, fruits rouges bien mûrs, moka et confiture) impressionnent. À une attaque veloutée succède une remarquable puissance tannique qui soutient un palais charnu, gourmand, expressif (fruits très mûrs, cuir). La finale veut vous retenir plus longtemps par ses notes de poivre et de cerise, mais elle n'empêchera pas cette grande bouteille de séjourner en cave une bonne dizaine d'années.

🔑 SCV du Ch. Latour, Saint-Lambert, 33250 Pauillac,
tél. 05.56.73.19.80, fax 05.56.73.19.81,
e-mail f.ardouin@chateau-latour.com r.-v.

🔑 F. Pinault

LES FORTS DE LATOUR 2003 *

■ 20 ha n.c. 46 à 76 €

80 **81 82 83 85 86 87** |**88**| |**89**| |**90**| **92 94** |**95**| |**96**| 97 **98 99 00** |01| |02| 03

Seconde étiquette de Latour, ce vin est un authentique pauillac. D'une belle intensité, son bouquet avenant mêle pain grillé, cuir et fruit. Plein et charmeur, le palais monte en puissance et révèle un ensemble bien constitué. Fraîcheur des arômes et élégance des tanins, tout est réuni pour un vrai plaisir.

🔑 SCV du Ch. Latour, Saint-Lambert, 33250 Pauillac,
tél. 05.56.73.19.80, fax 05.56.73.19.81,
e-mail f.ardouin@chateau-latour.com r.-v.

CH. LYNCH BAGES 2003 **

■ 5e cru clas. 90 ha 400 000 46 à 76 €

75 79 80 **81** |(82)| |**83**| 84 |**85**| |**86**| **87 88 89** |**90**| 91 92 93 94 |95| |**96**| |97| |(98)| |**99**| (00) **01 02 03**

Si vous passez par le Médoc, n'oubliez pas le village de Bages, en cours de rénovation, où vous trouverez une boulangerie, un café-brasserie et une boutique à vins. N'oubliez pas l'essentiel, le château lui-même et son vin. Cassis et une foule de fruits noirs et rouges, au bouquet comme en finale : on sent que le bois a été parfaitement maîtrisé. Il en va de même de l'extraction tannique : fins et ronds, les tanins soutiennent bien le palais agrémenté d'une note de réglisse. Une jolie bouteille à ouvrir dans cinq ans.

🔑 Jean-Michel Cazes, Ch. Lynch-Bages,
33250 Pauillac, tél. 05.56.73.24.00, fax 05.56.59.26.42,
e-mail infochato@lynchbages.com ☒ Y ✝ r.-v.

CH. LYNCH-MOUSSAS 2003 *

■ 5e cru clas. 35 ha 160 000 23 à 30 €

81 82 **83** 85 86 88 |89| |**90**| 93 |95| |96| 97 |98| **00** |01| 02 03

Si plusieurs crus se réfèrent à la famille Lynch, c'est à Lynch-Moussas qu'est mort Michel Lynch, en 1844. Appartenant depuis la fin de la Première Guerre mondiale à la famille Castéja, ce cru est conseillé par Denis Dubourdieu. Bien constitué, aves des tanins ronds et amples, ce vin est armé pour tirer profit d'un séjour en cave de quatre à cinq ans. Le bois ne masque pas le fruit qui se manifeste par une foule de notes aromatiques : fruits mûrs, pain d'épice, raisin, etc. À la fois fin et puissant, l'ensemble est de très bonne qualité.

Émile Castéja, 33250 Pauillac,
tél. 05.56.00.00.70, fax 05.57.87.48.61,
e-mail domaines@borie.manoux.fr r.-v.

CH. MOUTON ROTHSCHILD 2003 ★★

■ 1er cru clas. 84 ha 275 000 + de 76 €

73 74 |75| 76 77 |78| 79 80 81 |82| |83| 84 |85| (86) 87 |88| |89| |90| |91| |92| |93| |94| (95) |96| |97| (98) 99 (00) 01 02 03

Pas d'œuvre d'art originale pour l'étiquette de ce millésime mais une photo de Nathaniel de Rothschild sur fond d'acte notarié pour célébrer le cent cinquantième anniversaire de l'achat du cru par le banquier londonien. Les habitués seront peut-être un peu surpris par ce 2003. Mais qu'ils se rassurent, sa texture est riche avec des tanins bien intégrés. Son expression aromatique subtile joue avec les notes de torréfaction et de grillé de l'élevage, qui viennent appuyer le fruit d'un raisin très mûr. Ample, élégante et complexe, cette bouteille d'un grand potentiel sait montrer qu'elle est de noble origine.

SA Baron Philippe de Rothschild, BP 117,
33250 Pauillac, tél. 05.56.73.20.20, fax 05.56.73.20.33,
e-mail webmaster@bpdr.com r.-v.

CH. PÉDESCLAUX 2003

■ 5e cru clas. 12,5 ha 100 000 15 à 23 €

|98| |99| |00| 01 02 03

Création au début du XIXe s., classement en 1855, abandon au lendemain de la Seconde Guerre mondiale, rénovation avec l'arrivée des nouvelles générations, l'histoire de ce cru est classique. Fin et bien équilibré, son vin se fait charmeur en jouant la carte des parfums fruités (prune et sirop de pomme d'amour). Son second vin, le **Château Haut Padarnac 2003 Élevé en fût de chêne (15 à 23 €)** est également cité.

Ch. Pédesclaux, Padarnac, 33250 Pauillac,
tél. 05.56.59.22.59, fax 05.56.59.63.19,
e-mail contact@chateau-pedesclaux.com
r.-v. 7

Jugla

CH. PIBRAN 2003 ★

■ Cru bourg. sup. 17 ha n.c. 23 à 30 €

00 01 **02** 03

Commandé par une chartreuse située sur la route de Cissac, ce cru bénéficie d'un beau terroir de graves. Sa qualité se lit dans celle du vin, qu'annonce une somptueuse robe, presque noire. Très fin, son bouquet allie notes toastées, fumées, épicées avec nuances de cerise et de cassis. Équilibré, doté d'une structure assez puissante mais bien enrobée, l'ensemble est suffisamment complet pour mériter un séjour en cave de deux ou trois ans. Seconde étiquette du cru, le **Château Tour Pibran 2003 (15 à 23 €)** est proche du grand vin, montrant un joli fruit. Il obtient également une étoile.

Ch. Pibran, 33250 Pauillac,
tél. 05.56.73.17.17, fax 05.56.73.17.28

Axa Millésimes

BORDELAIS

CH. PICHON-LONGUEVILLE BARON 2003 ★★

■ 2e cru clas. 70 ha 180 000 + de 76 €

78 81 |82| |83| 84 |85| |86| 87 |88| |89| |(90)| 91 92 93 94 |95| (96) |97| 98 99 00 01 02 03

Même si ceci semble difficile à croire quand on voit les bâtiments actuels, ce cru ne fut à l'origine qu'une modeste ferme. Au XIXe s., le château fut orné de tourelles ; au XXe s., les chais somptueux construits à l'initiative de son actionnaire Axa lui ont donné une image internationale. Le vin n'a rien de modeste non plus ; il montre par sa robe qu'il possède toujours la fougue de la jeunesse. Élégant et complexe, son bouquet n'est pas en reste, mêlant fruits confiturés, vanille, bois, café et clou de girofle. Homogène et harmonieux, son palais procure un réel plaisir, de l'attaque à la finale.

Ch. Pichon-Longueville, BP 112, 33250 Pauillac,
tél. 05.56.73.17.17, fax 05.56.73.17.28,
e-mail contact@pichonlongueville.com r.-v.

Axa Millésimes

CH. PICHON-LONGUEVILLE COMTESSE DE LALANDE 2003 ★★

■ 2e cru clas. n.c. n.c. 46 à 76 €

66 70 71 75 76 78 79 80 81 82 83 84 85 |(86)| 87 |(88)| |89| |90| |91| 92 |93| |94| |95| |96| |97| 98 99 00 |01| 02 03

L'un des privilèges de Pichon-Lalande, comme chacun l'appelle à Pauillac, est son superbe point de vue sur l'estuaire et sur le vignoble de Latour. Le second est la qualité de sa production, dont témoigne ce vin, après beaucoup d'autres. Encore très jeune comme le rappellent les reflets violines de sa robe, il déploie d'exubérantes notes grillées au bouquet. Le bois masque un peu les arômes de petits fruits, mais pas la réglisse et le cacao. En revanche, frais et plein de mâche, le palais révèle un boisé parfaitement bien conduit ; des tanins fondent dans une bouche ample et fruitée d'une excellente longueur. Plus de cinq ans de garde sont à la portée de ce vin. Signalons qu'au moment où nous mettons sous presse est envisagée une prise de participation du groupe Hermès.

SCI Ch. Pichon-Longueville Comtesse de Lalande,
33250 Pauillac, tél. 05.56.59.19.40, fax 05.56.59.26.56,
e-mail pichon@pichon-lalande.com r.-v.

May-Éliane de Lencquesaing

CH. PONTET-CANET 2003 ★★

■ 5e cru clas. 64 ha 300 000 46 à 76 €

82 83 84 85 86 87 88 89 |90| 91 92 93 94 |95| |96| 97 98 |99| 00 01 02 03

Belle unité située sur le plateau nord de l'appellation, ce cru n'a connu que trois familles de propriétaires au cours de son histoire : les Pontet de 1705 à 1864, les Cruses jusqu'en 1975, les Tesseron depuis. Il brille dans ce millésime redoutable. Le bouquet de ce 2003 donne le ton, large déploiement de parfums : cèdre, cassis, mûre et réglisse, en compagnie de notes grillées et vanillées. Suave,

fait d'une matière riche et pleine de finesse, l'ensemble concilie charme et puissance pour donner une bouteille de garde. Un pauillac authentique et très complet qui mérite d'être attendu de cinq à huit ans, voire davantage, avant de s'exprimer sur des mets fins et goûteux. Notez que 2005 a vu une totale rénovation des chais, avec un cuvier béton-bois remarquable.

🔑 Alfred Tesseron, SAS Ch. Pontet-Canet, 33250 Pauillac, tél. 05.56.59.04.04, fax 05.56.59.26.63, e-mail pontet-canet@wanadoo.fr ☑ Y ⛹ r.-v.

CH. PUY LA ROSE 2003 *

■ 8 ha 45 000 ⏸ 15 à 23 €

Du même producteur que le Château Colombier-Monpelou, ce vin est résolument viril, avec un solide potentiel de garde. Cette force ne l'empêche pas de se montrer harmonieux et élégant, grâce à des tanins frais et savoureux, à une attaque moelleuse et à de très jolis arômes.

🔑 SC des Vignobles Jugla, Ch. Colombier-Monpelou, Lieu-dit Cagnon, 33250 Pauillac, tél. 05.56.59.01.48, fax 05.56.59.12.01 ☑ Y ⛹ r.-v.

LA ROSE PAUILLAC Élevé en fût de chêne 2003 *

■ 53 ha 120 000 ⏸ 11 à 15 €

Marque de la cave de Pauillac, ce vin pourra être attendu. Mais même servi jeune, pourquoi pas dès Noël 2006, il aurait de quoi séduire, tant par son bouquet de fruits rouges, de jacinthe et de tulipe, que par sa structure soyeuse où l'on sent d'agréables saveurs confiturées et mûres.

🔑 Sté coopérative La Rose Pauillac, 44, rue du Mal-Joffre, BP 14, 33250 Pauillac, tél. 05.56.59.26.00, fax 05.56.59.63.58, e-mail larosepauillac@wanadoo.fr ☑ Y ⛹ r.-v.

LES TOURELLES DE LONGUEVILLE 2003 *

■ n.c. 96 000 ⏸ 23 à 30 €

Le second vin de Pichon-Baron ajoute 10 % de cabernet franc à l'assemblage classique (deux tiers de cabernet-sauvignon, un tiers de merlot) de son aîné. D'une belle couleur profonde aux reflets rubis, il affiche un nez fin, toasté et vanillé, de jolies notes de fleurs et de cassis. La bouche ronde et assez élégante repose sur une structure délicate au charme discret.

🔑 Ch. Pichon-Longueville, BP 112, 33250 Pauillac, tél. 05.56.73.17.17, fax 05.56.73.17.28, e-mail contact@pichonlongueville.com Y ⛹ r.-v.

🔑 Axa Millésimes

CH. TOUR SIEUJEAN 2003

■ 5,8 ha n.c. ⏸ 15 à 23 €

Encore un peu rustique, ce vin possède beaucoup de vigueur ; sa puissance tannique lui permettra d'être attendu deux ou trois ans. Le bouquet participe à la richesse de l'ensemble, associant des notes boisées et réglissées et des nuances de fruits noirs.

🔑 André Lopez, 9/11 rte de Pauillac, Ch. Tour Sieujean, 33112 Saint-Laurent-Médoc, tél. 05.56.59.46.03, fax 05.56.59.41.40, e-mail steph-chaumont@hotmail.com ☑ Y ⛹ t.l.j. sf dim. 10h-12h 14h-19h

Saint-estèphe

À quelques encablures de Pauillac et de son port, Saint-Estèphe affirme un caractère terrien avec ses rustiques hameaux pleins de charme. Correspondant (à l'exception de quelques hectares compris dans l'appellation pauillac) à la commune elle-même, l'appellation (60 996 hl pour 1 233 ha déclarés en 2005) est la plus septentrionale des six appellations communales médocaines. Ce qui lui donne une typicité assez accusée, avec une altitude moyenne d'une quarantaine de mètres et des sols formés de graves légèrement plus argileuses que dans les appellations plus méridionales. L'appellation compte cinq crus classés, et les vins qui y sont produits portent la marque du terroir. Celui-ci renforce nettement leur caractère, avec, en général, une acidité des raisins plus élevée, une couleur plus intense et une richesse en tanins plus grande que pour les autres médocs. Très puissants, ce sont d'excellents vins de garde.

CH. ANDRON BLANQUET 2003 *

■ Cru bourg. 16 ha 93 700 ⏸ 11 à 15 €

85 86 88 89 **90** 93 95 96 97 |98| |99| 00 01 02 03

Conduit depuis 1985 par Bernard Audoy, ce cru assemble 25 % de merlot aux deux cabernets, nés sur les excellentes graves günziennes de l'AOC. Élevé quatorze mois sous bois, son 2003 est apte à la garde. Il trouve un bon équilibre entre les raisins et le merrain, avec des tanins ronds qui soutiennent un palais fin, puissant, fondu et riche. Le bouquet joue, lui, la carte de la finesse, mariant des épices aux fruits noirs très mûrs qui perdurent dans une longue et goûteuse finale.

🔑 SCE Domaines Audoy, Ch. Andron Blanquet, 33180 Saint-Estèphe, tél. 05.56.59.30.22, fax 05.56.59.73.52, e-mail cos-labory@wanadoo.fr ☑ Y ⛹ r.-v.

CH. L'ARGILUS DU ROI 2003 *

■ 4 ha 18 000 ⏸ 11 à 15 €

José Bueno fut maître de chai de Mouton-Rothschild pendant vingt-trois ans. En 1996, il a créé son propre domaine. Bien que toujours fortement dominé par l'élevage, son vin se montre prometteur par ses arômes naissants de fruits rouges et par le côté séveux de sa matière.

🔑 José Bueno, 6, rue du Luc, 33250 Cissac-Médoc, tél. 05.56.73.49.78, fax 05.56.59.53.74 ☑ Y ⛹ r.-v.

CH. BEAU SITE 2003 **

■ Cru bourg. sup. n.c. 140 000 15 à 23 €

Implantée depuis longtemps dans le centre du Médoc, la famille Castéja exploite de nombreux crus, dont celui-ci d'où l'on jouit d'une vue superbe sur l'estuaire de la Gironde. Son vin, né de 70 % de cabernets, atteste son savoir-faire : à l'intensité de sa robe répond la puissance du bouquet aux fines notes de fruits, de bois et de cuir. Très présents mais avec beaucoup de rondeur, les tanins garantissent de grandes possibilités de garde, que confirme la finale aux notes de moka et de tabac. Digne d'un faisan.

Héritiers Castéja, 33250 Pauillac, tél. 05.56.00.00.70, fax 05.57.87.48.61, e-mail domaines@borie-manoux.fr

CH. BEAU-SITE HAUT-VIGNOBLE 2003

■ Cru bourg. 11 ha 70 000 11 à 15 €

Établi au pied d'un vieux moulin à vent, ce cru fut acquis par les Braquessac en 1866. Dans sa jolie robe rubis, et bien qu'un peu linéaire, son vin fait preuve d'une bonne complexité aromatique mêlant des notes de fruits rouges et de fumée. Il atteindra sa plénitude dans deux ou trois ans. Diffusé par le négociant Œnoalliance, la **Tour Haut Vignoble Élevé en fût de chêne 2003** obtient une citation.

EARL Braquessac, 10, rte du Vieux-Moulin, Saint-Corbian, 33180 Saint-Estèphe, tél. 05.56.59.30.40, fax 05.56.59.39.13 Y ⚲ r.-v.

CH. LE BOSCQ 2003 **

■ Cru bourg. sup. 15,3 ha 54 000 15 à 23 €

82 83 85 ⑧⑥ **88** 89 90 95 96 97 |**98**| |**99**| **00** 01 02 **03**

Ce château du XVIII[e]s. occupe le point culminant de l'appellation, marqué par une statue de la Vierge. La qualité de ce vin tient plus au sérieux du travail de l'équipe de Dourthe que d'un quelconque miracle. Le caractère des tanins, fins et bien extraits, est là pour le prouver, comme le mariage du bois et des fruits rouges que révèle le développement aromatique du palais. Maintenant, rien ne vous empêche de faire une petite prière pour que se passent bien les quatre ou cinq ans que cette bouteille séjournera en cave. Même si les dégustateurs sont plus qu'optimistes à cet égard.

Ch. Le Boscq-Vignobles Dourthe, 33180 Saint-Estèphe, tél. 05.56.35.53.00, fax 05.56.35.53.29, e-mail contact@cvbg.com Y ⚲ r.-v.

CH. CALON-SÉGUR 2003 **

■ 3e cru clas. 53 ha 199 000 46 à 76 €

Ici l'élégance du château rejoint l'ancienneté de son histoire pour faire de ce cru un lieu incontournable en Médoc. Avec ce superbe 2003, le vin se met au diapason. À la complexité du bouquet, où une profusion de fruits se mêlent au cuir et à la vanille, s'ajoute la richesse d'une matière de grande qualité. Le bois, fondu et élégant, se marie à la perfection aux autres composantes pour donner une très grande bouteille qui méritera une longue garde et un accord avec un mets de choix.

SCEA Calon-Ségur, 33180 Saint-Estèphe, tél. 05.56.59.30.08, fax 05.56.59.71.51, e-mail calonsegur@wanadoo.fr Y ⚲ r.-v.

BORDELAIS

CH. CLAUZET 2003

■ Cru bourg. sup. 23 ha 90 000 15 à 23 €

Issu d'une belle unité, ce vin est encore sur la retenue par son expression aromatique. Mais, derrière l'attaque charmeuse, on découvre un palais plein et des tanins fermes qui assurent à ce 2003 de bonnes perspectives d'évolution.

SA Baron Velge, Ch. Clauzet, Leyssac, 33180 Saint-Estèphe, tél. 05.56.59.34.16, fax 05.56.59.37.11 Y ⚲ r.-v.

Maurice Velge

CH. LA COMMANDERIE 2003 *

■ Cru bourg. 16 ha 76 000 11 à 15 €

L'origine du domaine remonterait-elle aux templiers ? Rien ne le prouve, mais ce n'est pas une raison pour négliger ce vin. Si celui-ci surprend un peu par son aspect méridional, marque du millésime, il est intéressant par sa chair et par son boisé qui respecte le fruit de la matière. Il est distribué par la maison Kressmann (Parempuyre) depuis plus de trente ans.

Saint-Estèphe

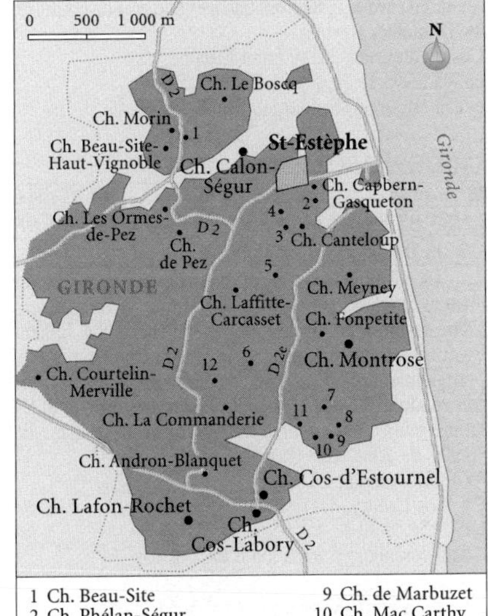

🔑 Maison Kressmann, Ch. La Commanderie,
Leyssac, 33180 Saint-Estèphe,
tél. 05.56.35.53.00, fax 05.56.35.53.05,
e-mail contact@kressmann.com Y 🚶 r.-v.
🔑 Claude Meffre

CH. COS D'ESTOURNEL 2003 ★★

■ 2e cru clas. 52 ha 230 000 🍾 + de 76 €

75 76 78 79 80 81 |82| 83 |85| 86 |88| |89| |⑨⓪| 91 92 93 94 |95| 96 |97| |98| ⓪⓪ ⓪① 02 03

2003

COS D'ESTOURNEL

SAINT - ESTÈPHE

Les pagodes conçues pour Louis-Gaspard d'Estournel, fondateur du cru en 1811, ont beaucoup fait pour assurer la célébrité mondiale de Cos. Mais le vin et, derrière lui, le terroir ont eux aussi une part importante dans cette renommée. D'une belle couleur rouge bigarreau, le 2003 ne se montre pas chiche quand il s'agit de composer le bouquet : cuir, moka, cerise à l'eau-de-vie et même une petite note de fumée – le terme de complexe n'est pas galvaudé. De leur côté, les tanins révèlent une texture soyeuse qui tapisse bien le palais conciliant puissance et élégance. Quatre ou cinq ans, voire davantage, de séjour en cave magnifieront encore cette grande bouteille.
🔑 Domaines Reybier,
Cos d'Estournel, 33180 Saint-Estèphe,
tél. 05.56.73.15.50, fax 05.56.59.72.59,
e-mail estournel@estournel.com Y 🚶 r.-v.

CH. COS LABORY 2003 ★

■ 5e cru clas. 18 ha 80 000 🛢 23 à 30 €

82 **83 85 86** 88 89 ⑨⓪ 91 **92** 93 94 95 |**96**| |**97**| **98** |**99**| 00 **01** 02 03

La colline de Cos, avec ses graves bien drainées, est l'un des plus beaux terroirs qui soient. Ce vin, qui gagnera à être attendu, en est une preuve. Sa robe rubis brillant s'associe avec le bouquet, aussi puissant que complexe, pour donner de l'éclat à la présentation. Après une attaque très ronde se développe un palais bien structuré, dont les tanins mûrs s'entourent d'arômes de fruits rouges, de vanille, de grillé et de chocolat.
🔑 SCE Domaines Audoy,
Ch. Cos Labory, 33180 Saint-Estèphe,
tél. 05.56.59.30.22, fax 05.56.59.73.52,
e-mail cos-labory@wanadoo.fr ☑ Y 🚶 r.-v.

CH. COUTELIN-MERVILLE 2003

■ Cru bourg. 20 ha 110 000 🛢 11 à 15 €

Composé à 50 % de merlot, ce vin souple et rond possède de bons tanins, déjà assez fondus, qui s'accordent avec les parfums de fruits rouges du bouquet. Tout indique qu'il appréciera trois ou quatre ans de garde.
🔑 G. Estager et Fils, Ch. Coutelin-Merville,
Blanquet, 33180 Saint-Estèphe,
tél. et fax 05.56.59.32.10 ☑ Y 🚶 r.-v.

CH. LE CROCK 2003 ★

■ Cru bourg. sup. 32 ha 130 000 🛢 15 à 23 €

90 95 96 97 |98| **99** 00 |01| 02 03

Du même producteur que le Château Léoville Poyferré (saint-julien), ce vin n'entend pas rivaliser avec son cousin juliénois. Toutefois, il sait montrer qu'il est de bonne origine par ses tanins bien mûrs, la complexité de son bouquet ou par son retour aromatique aux notes de cassis et de myrtille. Un ensemble harmonieux, à attendre quatre à cinq ans.
🔑 S. F. Cuvelier, Ch. Le Crock,
Marbuzet, 33180 Saint-Estèphe,
tél. 05.56.59.08.30, fax 05.56.59.60.09,
e-mail lp@leoville-poyferre.fr ☑ Y 🚶 r.-v.

CH. DOMEYNE 2003 ★

■ Cru bourg. 8,6 ha 50 000 🍾🛢 11 à 15 €

Ce cru propose un 2003 riche et bien typé, au bouquet frais et expressif de griotte assortie d'un boisé discret (torréfaction). Très saint-estèphe par sa puissance et sa fermeté, le palais livre des tanins bien fondus, qui possèdent néanmoins un fort potentiel d'évolution.
🔑 SARL du Ch. Domeyne,
3, espace Guy-Guyonnaud, 33180 Saint-Estèphe,
tél. 05.56.59.72.29, fax 05.56.59.75.55,
e-mail chateau-domeyne@wanadoo.fr
☑ Y 🚶 t.l.j. 8h-12h 13h-17h; ven. 13h-15h;
groupes sur r.-v.

CH. HAUT-BEAUSÉJOUR 2003

■ Cru bourg. 20 ha 68 000 🛢 15 à 23 €

Propriété des champagnes Roederer depuis 1992, ce cru propose un vin d'un volume délicat, mais bien équilibré. Rond et plein, ce 2003 sait mettre en valeur ses doux arômes vanillés, toastés, torréfiés. Une bouteille à ouvrir à partir de 2008.
🔑 SC La Salle Saint-Estèphe,
Ch. Haut-Beauséjour, 33180 Saint-Estèphe,
tél. 05.56.59.30.26, fax 05.56.59.39.25,
e-mail philippe_moureau@champagne-roederer.com
🚶 r.-v.
🔑 Roederer

CH. HAUT-MARBUZET 2003 ★★

■ Cru bourg. exc. 61 ha 330 000 🛢 23 à 30 €

75 76 77 **78** 79 **80 81** ⑧② **83 85 86 88** |**89**| **90 92 93 94 95** |**96**| 97 ⑨⑧ **99 00 01 02 03**

La croupe de graves günziennes de Marbuzet reposant sur un sous-sol argilo-calcaire a été remarquablement mise en valeur par les Duboscq depuis 1952. Une fois encore, la qualité de leur production se vérifie avec ce 2003. Sa robe annonce une jeunesse que ne dément pas le reste de la dégustation. Le bouquet, d'une grande intensité, porte évidemment la marque d'un chêne soyeux, sinon ce ne serait pas du Haut-Marbuzet, équilibré par de jolies notes de mûre sauvage et de pain d'épice. L'ensemble est gourmand, tout comme le palais ample et riche. Une longue et élégante finale achève de convaincre : cette grande bouteille mérite un paisible séjour en cave d'une dizaine d'années. Également doté d'un bon potentiel, le **Château Tour de Marbuzet 2003 (15 à 23 €)** a été cité.

Henri Duboscq et Fils,
Ch. Haut-Marbuzet, 33180 Saint-Estèphe,
tél. 05.56.59.30.54, fax 05.56.59.70.87,
e-mail infos@haut-marbuzet.net r.-v.

CH. HAUT VERDON 2003

■ 4,9 ha n.c. 8 à 11 €

Non, vous ne vous méprenez pas. En dépit de son nom, ce vin n'est pas originaire de haute Provence mais bien du Médoc. Souple et doté d'une bonne structure, il est séduisant par son bouquet de fruits rouges, de cassis et de tabac. La marque de la coopérative **Tradition du Marquis 2003** obtient la même note.

Marquis de Saint-Estèphe,
2, rte du Médoc, 33180 Saint-Estèphe,
tél. 05.56.73.35.30, fax 05.56.59.70.89,
e-mail marquis.st-estephe@wanadoo.fr
t.l.j. sf sam. dim. 9h-12h 14h-18h

CH. LA HAYE 2003 *

■ Cru bourg. sup. 11 ha 40 000 15 à 23 €

89 90 91 92 93 94 95 96 97 |99| |00| |01| 02 03

Si les galants rendez-vous de chasse d'Henri II et de Diane de Poitiers qu'aurait abrités le château relèvent sans doute de la légende, les qualités de ce vin sont bien réelles. Soutenu par de délicates notes toastées et grillées, le bouquet aux senteurs de fruits et de menthol apporte une touche de fraîcheur qui se retrouve à l'attaque. Souple et bien équilibrée, celle-ci est à l'unisson avec le palais, qui invite à quatre ou cinq ans de patience.

Famille Lamiable, Ch. La Haye, Leyssac,
33180 Saint-Estèphe, tél. 05.56.59.32.18,
fax 05.56.59.33.22, e-mail info@chateaulahaye.com
mai-sept. t.l.j. sf dim. 10h-18h; hors saison sur r.-v.

CH. LAFON-ROCHET 2003 *

■ 4e cru clas. 42 ha 140 000 30 à 38 €

(64) 75 78 79 81 82 83 85 86 |88| |89| 90 91 92 93 94 |(95)| |96| |97| 98 99 00 01 02 03

Chacun sachant que cette chartreuse date de 1960, son style du plus pur XVIII[e]s. ne manque jamais d'étonner les visiteurs, tant l'élégance de l'ensemble impose l'admiration. Son 2003, qui sera à carafer, est assez surprenant par son côté mûr et boisé. Marqué par le millésime de la canicule, il affiche, derrière une robe sombre et intense, des arômes de raisin de Corinthe et des notes animales. Très structuré, il demande quelques années pour évoluer.

SCF Ch. Lafon-Rochet, 33180 Saint-Estèphe,
tél. 05.56.59.32.06, fax 05.56.59.72.43,
e-mail lafon@lafon-rochet.com r.-v.
Tesseron

CH. LILIAN LADOUYS 2003 *

■ Cru bourg. sup. 36 ha 226 000 11 à 15 €

89 (90) 91 92 93 94 |95| 96 97 98 |99| 00 |01| 02 03

Beau vignoble à la lisière de Pauillac, ce cru offre un vin bien construit qui le prédispose à quatre ou cinq ans de garde. Il montre déjà un palais équilibré, souple, soyeux et une palette aromatique complexe à dominante fruitée (cerise, groseille, pruneau). Plus simple mais d'une agréable rondeur, le second vin, **La Devise de Lilian 2003 (8 à 11 €)** a été cité.

SA Ch. Lilian Ladouys,
Blanquet, 33180 Saint-Estèphe,
tél. 05.56.59.71.96, fax 05.56.59.35.97,
e-mail chateau-lilian-ladouys@wanadoo.fr r.-v.

CH. MARBUZET 2003 **

■ Cru bourg. 11 ha 65 000 23 à 30 €

Venu de Cos d'Estournel, ce vin plein et élégant déploie lui aussi un bouquet complexe à dominante de fruits noirs mûrs sur un fond épicé et intelligemment boisé. Après une attaque ronde et souple, le palais se montre puissant ; il affiche un réel potentiel de garde, confirmé par une finale aussi longue que dense.

Domaines Reybier,
Cos d'Estournel, 33180 Saint-Estèphe,
tél. 05.56.73.15.50, fax 05.56.59.72.59,
e-mail estournel@estournel.com r.-v.

BORDELAIS

CH. MONTROSE 2003 **

■ 2e cru clas. 68,38 ha 220 000 + de 76 €

64 66 70 75 76 78 79 (82) 83 |85| 86 87 |88| |89| |90| 91 92 |93| 94 |95| |96| 97 |98| 99 00 01 02 03

Ce fut l'événement de l'année en Médoc : Montrose a été acquis par la famille Bouygues qui a choisi Jean-Bernard Delmas, ancien directeur de Haut-Brion, pour conduire son exploitation – une garantie que le travail de qualité entrepris depuis un siècle par les Charmolüe sera poursuivi. On a donc de bonnes chances de voir pendant longtemps des vins comme ce 2003 au bouquet élégant et expressif. Sa solide présence tannique, ses saveurs de raisin mûr et de réglisse comme sa longue finale un peu épicée en font un vrai vin de garde. On patientera cinq à dix ans. En attendant, on pourra déboucher la **Dame de Montrose 2003 (23 à 30 €)**, un vin frais, riche et complexe, qui a obtenu une étoile.

SCEA Ch. Montrose, 33180 Saint-Estèphe,
tél. 05.56.59.30.12, fax 05.56.02.28.16 r.-v.

CH. LES ORMES DE PEZ 2003 *

■ Cru bourg. exc. 35 ha 23 000 23 à 30 €

81 82 83 85 86 88 89 |90| 91 92 93 94 |95| |96| 97 |98| |99| 00 01 02 03

Cousin stéphanois du Lynch Bages (pauillac), ce cru change d'étiquette avec ce millésime. Le vin, bien typé par son terroir et par son encépagement (80 % de cabernets), présente un joli bouquet de fruits, d'épices et de réglisse. Gras et charnu, le palais est suffisamment ample pour se bonifier pendant trois ou quatre ans.

Jean-Michel Cazes, Ch. Les Ormes de Pez,
33180 Saint-Estèphe, tél. 05.56.73.24.00,
fax 05.56.59.26.42, e-mail infochato@ormesdepez.com
Famille Cazes

CH. PETIT BOCQ 2003 *

■ Cru bourg. sup. 13,63 ha 80 000 15 à 23 €

94 95 |96| 97 |98| |99| 00 |01| 02 03

Repris en 1953 par un médecin belge, Gaëtan Lagneux, ce cru est passé de moins de 1,5 ha cette année-là à 15,5 en 2003. Il dispose de nombreuses parcelles aux quatre coins de l'appellation. Puissant et complet, son vin développe un bouquet harmonieux et complexe (cuir, fourrure, fleurs et fruits) avant de révéler sa force tannique. Son côté carré et massif lui permettra d'accompagnera des mets de caractère comme une garbure, après trois ou quatre ans de cave.

SCEA Lagneaux-Blaton, Ch. Petit Bocq,
3, rue de la Croix-de-Pez, BP 33, 33180 Saint-Estèphe,
tél. 05.56.59.35.69, fax 05.56.59.32.11,
e-mail petitbocq@hotmail.com r.-v.

CH. LA PEYRE 2003 ★

■ Cru artisan 5 ha 35 000 ⅠⅡ 11 à 15 €

Après douze ans passés dans l'industrie, ce producteur a décidé de sortir de la coopérative pour prendre en main sa propriété en 1994. Au terroir composé de graves et de terrains argilo-calcaires répond un encépagement mi-merlot, mi-cabernet. S'il n'est pas encore complètement ouvert, ce vin laisse apparaître d'intéressants arômes de sous-bois. Élégant dans sa robe brillante, bien constitué, délicieusement croquant en finale, il devra patienter deux ou trois ans en cave.

Vignobles Rabiller, Le Cendrayre, rte de Saint-Affrique, 33180 Saint-Estèphe, tél. 05.56.59.32.51, fax 05.56.59.70.09, e-mail vignoblesrabiller@wanadoo.fr ▼ t.l.j. 10h-12h 14h30-18h; dim. sur r.-v.

CH. PHÉLAN-SÉGUR 2003 ★★

■ Cru bourg. exc. 85 ha 285 000 ⅠⅡ 30 à 38 €

82 88 89 **|90| 91 93 94 |95| |96|** 97 **|98| 99 |00| 01 02 03**

Par sa taille et son château dominant l'estuaire, ce cru a quelque chose d'impressionnant. Tout comme la robe de ce vin, d'une teinte très sombre et prometteuse. Ce 2003 tiendra ses promesses, tout l'indique : le bouquet, somptueuse alliance de café, de fruits mûrs et de framboise ; l'attaque, ample et majestueuse ; le palais, enfin, aux tanins bien extraits. Riche et jeune, cette grande bouteille, encore marquée par le chêne, demande une garde d'au moins cinq ans. Également de bonne garde et pourtant charmeur, le second vin **Frank Phélan 2003 (15 à 23 €)** a également obtenu deux étoiles.

Ch. Phélan-Ségur, 33180 Saint-Estèphe, tél. 05.56.59.74.00, fax 05.56.59.74.10, e-mail phelan@phelansegur.com r.-v.

Xavier Gardinier

CH. PICARD 2003

■ Cru bourg. 8 ha 50 000 ⅠⅡ 15 à 23 €

Appartenant au négociant Mähler-Besse, ce cru au chai Napoléon III propose un vin d'une trame tannique simple mais agréable et suffisamment solide pour garantir un bon potentiel de garde. Le séjour en cave permettra aux arômes de fruits (cerise et cassis) de s'affirmer et à ceux du bois – les jurés se demandent s'il s'agit de barriques américaines – de se fondre.

SA Mähler-Besse, 49, rue Camille-Godard, 33000 Bordeaux, tél. 05.56.56.04.30, fax 05.56.56.04.39, e-mail france@mahler-besse.com ▼ r.-v.

CH. POMYS 2003

■ Cru bourg. 13 ha 31 000 ⅠⅡ 11 à 15 €

Sur ce cru, on n'a pas attendu la mode de l'œnotourisme pour transformer la belle demeure du XVIIIes. en un hôtel trois étoiles. Frais, souple et bien équilibré, son 2003 possède la matière nécessaire pour tirer profit d'une garde de deux à trois ans, qui permettra à la finale de s'arrondir.

SA Arnaud, Ch. Saint-Estèphe et Pomys, Leyssac, 33180 Saint-Estèphe, tél. 05.56.59.32.26, fax 05.56.59.35.24, e-mail arnaudsa@aol.com ▼ r.-v.

CH. SÉGUR DE CABANAC 2003 ★★

■ Cru bourg. 7,1 ha 40 000 ⅠⅡ 15 à 23 €

86 88 **|89|** |90| **93** 94 |95| |96| **97 98** 99 **00 01 02 03**

La vue de l'estuaire dit clairement que ce cru jouit d'un excellent terroir de graves garonnaises. Si l'on en doutait, il suffirait de découvrir ce vin pour s'en convaincre. Sa robe soutenue, son bouquet complexe (cassis, sous-bois), sa belle attaque et sa matière élégante composent une bouteille harmonieuse, dont on pourra profiter pleinement d'ici deux à trois ans.

SCEA Guy Delon et Fils, Ch. Ségur de Cabanac, 33180 Saint-Estèphe, tél. 05.56.59.70.10, fax 05.56.59.73.94, e-mail sceadelon@wanadoo.fr ▼ r.-v.

CH. TOUR DE PEZ 2003 ★

■ Cru bourg. sup. 15 ha 80 000 ⅠⅡ 15 à 23 €

89 90 91 93 94 (95) **96** 97 **|98| |99| 00** |01| **02** 03

Ce cru propose un vin bien équilibré, doté d'une bonne structure tannique sans agressivité. Fin et aromatique, il libère des odeurs grillées, fumées et chocolatées, puis des nuances de fruits mûrs et conserve toute son élégance. Une bonne garde l'attend (cinq ou six ans, voire plus). Il en sera de même pour le **Château Haut Coutelin 2003 (11 à 15 €)** qui a également obtenu une étoile. Le **T de Tour de Pez 2003 (11 à 15 €)** a été cité.

Ch. Tour de Pez, L'Hereteyre, 33180 Saint-Estèphe, tél. 05.56.59.31.60, fax 05.56.59.71.12, e-mail chtrpez@terre-net.fr ▼ r.-v.

P.-H. Bouchara

CH. TOUR DES TERMES 2003

■ Cru bourg. 14 ha 80 000 ⅠⅡ 15 à 23 €

Ce vin doit son nom à une vieille tour située sur la parcelle des Termes. Plus que sur la puissance, c'est sur la finesse et l'élégance qu'il compte pour séduire le consommateur, lequel pourra apprécier l'équilibre entre le bois et la matière. Assez proche, le **Château Haut Baradieu Collection Prestige 2003 (11 à 15 €)** a été cité.

SCEA Vignobles Jean Anney, Ch. Tour des Termes, Saint-Corbian, 33180 Saint-Estèphe, tél. 05.56.59.32.89, fax 05.56.59.73.74, e-mail contact@chateautourdestermes.com ▼ t.l.j. 8h30-12h 14h-17h

CH. TOUR SAINT-FORT 2003 ★

■ Cru bourg. 9,74 ha 49 280 ⅠⅡ 11 à 15 €

Graves sur sous-sol calcaire, encépagement diversifié avec du petit verdot, ce cru dispose d'un bon terroir dont ce vin a bénéficié. D'une couleur rouge sombre recueillant bien la lumière, il développe un bouquet puissant et une riche matière. L'ensemble a du caractère et révèle un bon potentiel de garde. La **cuvée Frédéric 2003 (15 à 23 €)** a reçu une citation.

Ch. Tour Saint-Fort, 1, rte de la Villotte, Lieu-dit Laujac, 33180 Saint-Estèphe, tél. 05.56.34.16.16, fax 05.56.13.05.54, e-mail contact@chateautoursaintfort.com ▼ t.l.j. 10h-12h 14h-18h; sam. dim. sur r.-v.

CH. TRONQUOY-LALANDE 2003 ★

■ Cru bourg. sup. 18 ha 88 000 ⅠⅡ 15 à 23 €

(82) 83 **85 86** 88 89 90 **93 94** |95| 96 |98| |99| 00 01 **02** 03

Ce château XVIIIes. juché sur le plateau est l'un des premiers que découvrent les croisiéristes venant à Bordeaux en paquebot. Son vin, signé par Dourthe, a lui aussi fière allure. Débutant par des odeurs de vanille et de tabac blond, son bouquet s'enrichit ensuite d'une jolie collection d'arômes fruités. Son élégance se retrouve au palais, où l'on découvre un bon équilibre, des tanins enrobés et une

longue finale. Encore trois ou quatre ans et cette bouteille atteindra sa maturité.
Ch. Tronquoy-Lalande, 33180 Saint-Estèphe, tél. 05.56.35.53.00, fax 05.56.35.53.29, e-mail contact@cvbg.com r.-v.
Castéja-Texier

CH. VALROSE Cuvée Aliénor 2003

■ 5,04 ha 23 000 23 à 30 €

Appartenant à la cuvée prestige du cru, ce vin agréable possède un bon équilibre qui met en valeur l'élégance de son expression aromatique, où les fruits noirs et le pain d'épice sont rehaussés de fraîches notes mentholées et réglissées.
Vignobles Page, Lieu-dit Artigues, 33750 Croignon, tél. 05.57.55.60.60, fax 05.57.24.34.93, e-mail info@edoniawines.com r.-v.
G. Neraudau, P. d'Aulan

Saint-julien

Pour l'une « saint-julien », pour l'autre « Saint-Julien-Beychevelle », saint-julien est la seule appellation communale du haut-Médoc à ne pas respecter scrupuleusement l'homonymie entre les dénominations viticole et municipale. La seconde, il est vrai, a le défaut d'être un peu longue, mais elle correspond parfaitement à l'identité humaine et au terroir de la commune et de l'aire d'appellation, à cheval sur deux plateaux aux sols caillouteux et graveleux.

Situé exactement au centre du haut-Médoc, le vignoble de saint-julien constitue, sur une superficie assez réduite (899 ha et 42 362 hl en 2005), une harmonieuse synthèse entre margaux et pauillac. Il n'est donc pas étonnant d'y trouver onze crus classés (dont cinq seconds). À l'image de leur terroir, les vins offrent un bon équilibre entre les qualités des margaux (notamment la finesse) et celles des pauillac (le corps). D'une manière générale, ils possèdent une belle couleur, un bouquet fin et typé, du corps, une grande richesse et de la sève. Mais, bien entendu, les quelque 6,6 millions de bouteilles produites en moyenne chaque année en saint-julien sont loin de se ressembler toutes, et les dégustateurs les plus avertis noteront les différences qui existent entre les crus situés au sud (plus proches des margaux) et ceux du nord (plus près des pauillac), ainsi qu'entre ceux qui sont à proximité de l'estuaire et ceux qui se trouvent plus à l'intérieur des terres (vers Saint-Laurent).

CH. BEYCHEVELLE 2003 ★

■ 4e cru clas. 74 ha 250 000 30 à 38 €

70 76 79 81 82 **83 85 86 88** (89) 90 91 92 93 **94** |**95**| |96| |**97**| |**98**| |99| **00** 01 02 03

Si le château du XVIIIe s. récemment restauré mérite le détour, son environnement est tout aussi exceptionnel, qu'il s'agisse du charmant petit port de Beychevelle ou des marais bordant la Gironde, où, selon la tradition, se tenait jadis l'un des plus importants sabbats de France. Heureusement, c'est une image plus douce que donne son 2003 : d'une couleur grenat à reflets violines, il joue davantage sur la finesse que sur la puissance. Le jury apprécie le caractère très expressif de son bouquet, où les fruits rouges côtoient des notes grillées et des nuances de sous-bois. Apte à la garde, cette bouteille appelle des mets délicats.
SC Ch. Beychevelle, 33250 Saint-Julien-Beychevelle, tél. 05.56.73.20.70, fax 05.56.73.20.71, e-mail beychevelle@beychevelle.com r.-v.

CH. BRANAIRE-DUCRU 2003 ★

■ 4e cru clas. 50 ha 130 000 23 à 30 €

81 82 **83 85 86 88 89** 90 93 **94** |**95**| |96| 97 |**98**| |**99**| **00** 01 02 03

De style Directoire et situé au-dessus de la D2, la célèbre route des châteaux, ce cru discret jouit d'un beau terroir. Une fois encore, il propose un vin bien typé par son élégance. Si la finale reste un peu austère, ses solides tanins et son expression aromatique (noyau, cerise, bon raisin et merrain de qualité) lui permettront de prendre le temps de s'adoucir pour se mettre au diapason d'un ensemble fin et classique.
Ch. Branaire-Ducru, 33250 Saint-Julien-Beychevelle, tél. 05.56.59.25.86, fax 05.56.59.16.26, e-mail branaire@branaire.com r.-v.

CLOS DU MARQUIS 2003 ★

■ n.c. n.c. 38 à 46 €

Ce vin tire son nom d'un petit clos attenant au château de Léoville. Le jury salue sa superbe couleur pourpre, sa délicate expression aromatique à la fois fruitée et intelligemment boisée, l'équilibre de son palais aux tanins soyeux et sa longue finale.

Saint-Julien

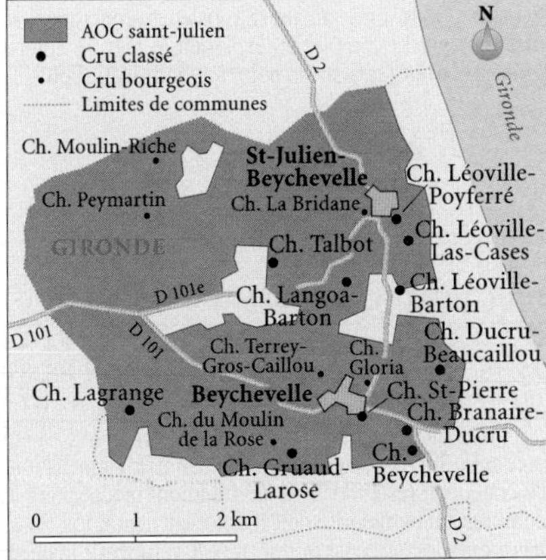

SC. Ch. Léoville Las Cases,
BP 4, 33250 Saint-Julien-Beychevelle,
tél. 05.56.73.25.26, fax 05.56.59.18.33,
e-mail leoville-las-cases@wanadoo.fr r.-v.
J.-H. Delon, G. d'Alton

LA CROIX DE BEAUCAILLOU 2003 *

n.c. n.c. 15 à 23 €

N'ayant plus de Ducru Beaucaillou 2003 à fournir à sa clientèle, Bruno Borie a choisi de présenter son second vin qui se distingue par son élégance. Celle-ci apparaît dès le bouquet qui libère de fins parfums de truffe, de poudre de cacao, de réglisse, de clou de girofle, de muscade et de fruits très mûrs. Friand à l'attaque, doté de tanins fondus, ce vin résulte d'une extraction bien maîtrisée et d'un élevage soigné.

SA Jean-Eugène Borie,
33250 Saint-Julien-Beychevelle, tél. 05.56.73.16.73,
fax 05.56.59.27.37, e-mail je-borie@je-borie-sa.com

CH. DU GLANA 2003 **

Cru bourg. sup. 43 ha 115 000 15 à 23 €

94 95 96 97 |00| 01 02 **03**

Pierre et brique, la bichromie du château, construit en 1870, annonce la Pointe du Médoc et Soulac. Heureusement, le terroir est bien juliénois, comme le montre ce 2003 fort réussi. Hésitant entre le grenat, le rubis et le pourpre, sa robe annonce un contenu musclé. Riche, charnu et ample, le palais ne déçoit pas, d'autant que son développement aromatique est d'une grande générosité, avec des notes très fraîches de fleurs, de fruits et d'épices complétées d'une pointe de menthol. À garder soigneusement cinq à dix ans en cave.

Ch. du Glana,
5, Le Glana, 33250 Saint-Julien-Beychevelle,
tél. 05.56.59.06.47, fax 05.56.59.06.51,
e-mail contact@chateau-du-glana.com r.-v.
J.-P. Meffre

CH. GLORIA 2003

48 ha 215 000 23 à 30 €

82 **83** 84 85 86 87 **|88|** **|89|** |90| **91** 93 94 **95** |96| 97 |98| |99| 00 **01** **02** 03

Belle unité, ce cru propose un 2003 qui surprendra un peu les habitués. Avec des tanins assez simples, il n'a pas la vigueur qu'on lui connaît d'habitude. Mais sa finesse demeure, plus que jamais. Sa palette aromatique se distingue par sa complexité, explorant le registre animal (gibier) et fruité (cassis). On pourra attendre cette bouteille trois ou quatre ans.

Domaines Martin,
Ch. Gloria, 33250 Saint-Julien-Beychevelle,
tél. 05.56.59.08.18, fax 05.56.59.16.18,
e-mail domainemartin@wanadoo.fr r.-v.
Françoise Triaud

CH. GRUAUD-LAROSE 2003 **

2e cru clas. 82 ha 260 000 46 à 76 €

75 **76** 77 **78** **79** 80 **81** **82** **83** 84 **|85|** (86) 87 **|88|** |89| **|90|** 91 92 **|93|** **|94|** (95) **|96|** |97| |98| |99| (00) **01** 02 **03**

Ce cru reconstitué par Désiré Cordier en 1917 a été créé en 1757. Juché sur le point culminant de l'appellation, ce vignoble reste fidèle à la tradition médocaine : il comprend une majorité de cabernet-sauvignon (57 %) et pas moins de cinq cépages, dont le petit verdot et le malbec. Rien d'étonnant d'y voir naître des vins comme celui-ci qui se permet de faire un pied de nez au millésime. Soutenu par des tanins délicats suffisamment bien constitués pour autoriser une garde de cinq à dix ans, il fait preuve de beaucoup d'élégance et de finesse, notamment au bouquet : douces notes florales (violette) et fruitées, cacao, tabac blond, toast, brioche et réglisse. Un ensemble très harmonieux comme on aimerait en voir souvent.

Ch. Gruaud-Larose,
BP 6, 33250 Saint-Julien-Beychevelle,
tél. 05.56.73.15.20, fax 05.56.59.64.72,
e-mail gl@gruaud-larose.com r.-v.

CH. HAUT-BEYCHEVELLE GLORIA 2003 *

5 ha 33 000 8 à 11 €

Si la famille Martin-Triaud possède aujourd'hui de nombreux crus, elle est particulièrement attachée à celui-ci. En effet, ce fut le premier cru qu'elle a acquis à Saint-Julien. Souple, chaleureux et harmonieux, son vin a de quoi séduire avec des tanins soyeux, un bouquet de raisins très mûrs et une élégante finale.

Domaines Martin,
Ch. Gloria, 33250 Saint-Julien-Beychevelle,
tél. 05.56.59.08.18, fax 05.56.59.16.18,
e-mail domainemartin@wanadoo.fr r.-v.
Françoise Triaud

CH. LAGRANGE 2003 **

3e cru clas. 109 ha 293 000 15 à 23 €

82 **83** **85** **|86|** 87 **|88|** **|89|** |(90)| **91** **92** **93** **94** **|95|** **|96|** **97** **|98|** **|99|** **00** **01** 02 **03**

Propriété en 1796 de Cabarrus qui devint ministre des Finances de Napoléon Ier en Espagne, ce château a été acquis en 1984 par le groupe japonais Suntory. Avec plus de 150 ha, Lagrange est l'un des plus vastes domaines du Médoc. Encore un peu fougueux en finale, son 2003 demande à être attendu deux à trois ans. Mais au terme de la dégustation, c'est son élégance qui laisse le souvenir le plus marquant. Déjà sa robe rubis séduit. Puis sa finesse apparaît dans de jolies notes minérales et des nuances de cerise noire mêlées à un boisé mesuré. Seconde étiquette du cru, **Les Fiefs de Lagrange 2003 (8-11 €)** obtiennent une étoile.

SAS Ch. Lagrange, 33250 Saint-Julien-Beychevelle,
tél. 05.56.73.38.38, fax 05.56.59.26.09,
e-mail chateau-lagrange@chateau-lagrange.com
r.-v.
Suntory Ltd

CH. LALANDE 2003

Cru bourg. 31 ha 70 000 11 à 15 €

Ce cru nous rappelle qu'il existe aussi des crus bourgeois à Saint-Julien. Et il le fait agréablement avec ce vin, très 2003 par sa finale, mais bien typé dans son appellation par sa finesse. Sa robe carmin est entourée de parfums de fruits rouges mêlés de notes torréfiées et cacaotées. Ses tanins fondus s'accordent bien avec les saveurs vanillées du palais.

Ch. Lalande, 2, Grand-Rue,
33250 Saint-Julien-Beychevelle,
tél. 05.56.59.08.38, fax 05.56.59.06.51 r.-v.
J.-P. Meffre

LALANDE-BORIE 2003

n.c. n.c. 11 à 15 €

Bien implantée dans le secteur, la famille Borie propose ici un vin un peu surprenant par ses côtés floraux.

La vanille rappelle l'élevage et s'accorde avec le corps élancé que découvre le palais. Tendre et facile, l'ensemble ne demandera pas une longue garde pour se montrer plaisant.
SA Jean-Eugène Borie,
33250 Saint-Julien-Beychevelle,
tél. 05.56.73.16.73, fax 05.56.59.27.37,
e-mail je-borie@je-borie-sa.com

CH. LANGOA BARTON 2003 *

3e cru clas. 19 ha 68 600 23 à 30 €

70 75 76 78 80 **81** |**82**| **83** |**85**| |**86**| 88 |⑧⑨| **90** 93 94 |95| |96| 97 98 **99 00 01** 02 03

Avec Mouton-Rothschild, Langoa est sans doute le seul cru classé à ne pas avoir changé de mains depuis le classement impérial de 1855. À la fois équilibré et frais, son 2003 se montre flatteur par son bouquet aux notes de fumée, de torréfaction, de cerise et de cassis. Souple avec des saveurs vanillées, le palais est friand à souhait. Trois ou quatre ans de patience seront cependant nécessaires pour profiter pleinement de cette bouteille.
Anthony Barton, Ch. Langoa Barton,
33250 Saint-Julien-Beychevelle,
tél. 05.56.59.06.05, fax 05.56.59.14.29,
e-mail chateau@leoville-barton.com r.-v.

CH. LÉOVILLE-BARTON 2003 **

2e cru clas. 46 ha 220 000 30 à 38 €

64 67 **70 71 75 76** 78 **79** 80 81 |**82**| **83** |**85**| |**86**| |**88**| |**89**| |⑨⓪| **91** |93| |**94**| |**95**| |**96**| 97 **98 99 00** 01 **02 03**

Ici pas de château ni de chai, juste un « squat » chez le cousin Langoa. En revanche, comme pour les autres crus issus de la partition en 1826 du domaine de Léoville, un terroir d'exception. Il en résulte un vin qui ne surprendra pas les fidèles du Léoville-Barton. Ils y retrouveront ce mariage de puissance et d'élégance qui fait les grands saint-julien. Sa force réside dans sa matière prometteuse et équilibrée, sa finesse dans le bouquet aux savoureuses notes grillées, toastées et fruitées (cerise) mêlées d'une touche florale. Un ensemble remarquable, à oublier cinq ou six ans en cave.
Anthony Barton,
Ch. Léoville-Barton, 33250 Saint-Julien-Beychevelle,
tél. 05.56.59.06.05, fax 05.56.59.14.29,
e-mail chateau@leoville-barton.com r.-v.

CH. LÉOVILLE LAS CASES 2003 ***

2e cru clas. 97 ha n.c. + de 76 €

⑥① **62 64** 67 69 **70 71 75** 76 **78 79** |⑧②| |⑧③| |**85**| |⑧⑥| |**88**| |**89**| |**90**| **91** 92 93 ⓪⓪ **01 02** ⓪③

L'enclos regarde celui de Latour. Les vignes s'enracinent dans d'excellents sols de graves sur argiles, dont la résistance naturelle à la sécheresse a été un atout en 2003. Si l'on ajoute de petits rendements et une vinification très soignée, on obtient ce vin qui tiendra toutes les promesses d'une robe sombre et brillante à liseré violet, gage de longue vie. Évoquant le raisin, le bouquet séduit par la fraîcheur de ses arômes de fruits noirs – cassis, myrtille, mûre – soutenus par une note boisée signant un élevage parfait. Douce et chaleureuse, l'attaque révèle une bonne présence tannique qui monte ensuite en puissance, tout en laissant une bouche veloutée. Aussi persistante qu'élégante, la finale s'inscrit dans le droit fil de la dégustation pour donner une bouteille d'exception.

RÉCOLTE 2003
Grand Vin de Léoville
du Marquis de Las Cases
SAINT-JULIEN-MÉDOC

SC. Ch. Léoville Las Cases,
BP 4, 33250 Saint-Julien-Beychevelle,
tél. 05.56.73.25.26, fax 05.56.59.18.33,
e-mail leoville-las-cases@wanadoo.fr r.-v.
J.-H. Delon et G. d'Alton

CH. LÉOVILLE POYFERRÉ 2003 **

2e cru clas. n.c. 230 000 38 à 46 €

76 78 79 80 **81 82** |⑧③| **85 86 88 89** |**90**| **91** 93 **94** |95| |**96**| 97 **98 99 00** 01 ⓪② **03**

Après un coup de cœur trois étoiles l'an dernier, ce cru obtient à nouveau un coup de cœur dans ce millésime difficile. Il est vrai qu'occupant le cœur de l'ancien domaine de Léoville, il bénéficie d'un terroir d'exception. C'est un véritable archétype du saint-julien qu'il propose avec ce 2003. D'une couleur aussi soutenue que jeune, le vin déploie un bouquet d'une grande complexité, mariant les baies rouges à la vanille et à des notes grillées. Le palais ajoute des saveurs épicées qui s'accordent heureusement avec le caractère souple, chaleureux et tendre de l'attaque, puis avec les tanins très bien extraits. Comme il se doit, une longue finale clôt le tout, confirmant que cette superbe bouteille mérite un séjour en cave (de quatre à dix ans) avant d'accompagner des mets fins.
Sté fermière du Ch. Léoville Poyferré,
33250 Saint-Julien-Beychevelle,
tél. 05.56.59.08.30, fax 05.56.59.60.09,
e-mail lp@leoville-poyferre.fr r.-v.

CH. MOULIN DE LA ROSE 2003 *

Cru bourg. sup. 4,8 ha 26 000 23 à 30 €

93 94 |95| |**96**| 97 |98| |99| **00** 01 02 03

Un beau terroir de graves garonnaises, vingt mois de barriques, dont un tiers neuves pour ce vin rubis aux reflets scintillants. Son bouquet s'ouvre sur les fruits mûrs et des notes épicées, sur fond minéral. Aimable, charnu et corpulent, le palais est solidement bâti, avec des tanins encore jeunes, mais qui vont s'arrondir d'ici trois ou quatre ans.

SCEA Guy Delon et Fils,
Ch. Moulin de la Rose, 33250 Saint-Julien-Beychevelle,
tél. 05.56.59.08.45, fax 05.56.59.73.94,
e-mail sceadelon@wanadoo.fr r.-v.

CH. MOULIN RICHE 2003 *

■ 20 ha 60 000 23 à 30 €

La réussite du Léoville Poyferré aurait pu se faire au détriment du second vin. Il n'en a rien été, comme en témoigne cette bouteille. Bien typée par sa robe, entre bordeaux et rubis, elle n'a pas encore trouvé sa pleine expression aromatique ; mais déjà on devine un bouquet délicat et complexe. Étoffé et charpenté, le palais s'appuie sur des tanins fins et jeunes qui, avec la finale aux notes de gingembre, garantissent un bon potentiel de garde.

Sté fermière du Ch. Léoville Poyferré,
33250 Saint-Julien-Beychevelle,
tél. 05.56.59.08.30, fax 05.56.59.60.09,
e-mail lp@leoville-poyferre.fr r.-v.

CH. SAINT-PIERRE 2003 **

■ 4e cru clas. 17 ha 73 000 38 à 46 €

82 83 85 (86) |88| |89| |90| |93| 94 (95) |(96)| 97 |98| |99| **01 02 03**

S'il ne constitue pas la propriété historique de la famille Martin-Triaud, ce cru classé est incontestablement l'un de leurs joyaux. L'intérêt que celle-ci lui porte se lit dans la qualité de ce vin. Particulièrement réussi, il se signale par un bouquet concentré et une attaque généreuse. Le palais procure une très agréable sensation de plénitude et de raisin mûr que soutient un boisé bien maîtrisé. Charnu, avec ce qu'il faut d'acidité, ce vin a un bel avenir devant lui (cinq à dix ans) et ouvre de larges possibilités d'alliances avec le meilleur de la cuisine traditionnelle. Seconde étiquette du cru, le **Château Peymartin 2003 (8 à 11 €)** obtient une étoile. Corsé et charpenté par des tanins appétents mais fermes, il mérite aussi d'être attendu.

Domaines Martin,
Ch. Saint-Pierre, 33250 Saint-Julien-Beychevelle,
tél. 05.56.59.08.18, fax 05.56.59.16.18,
e-mail domainemartin@wanadoo.fr r.-v.
Françoise Triaud

CH. TALBOT 2003 **

■ 4e cru clas. 102 ha 300 000 23 à 30 €

78 79 80 **81 82 83** |(85)| |**86**| |**88**| |89| |90| |**93**| 94 |**95**| |96| 97 |98| 99 **00 01** 02 **03**

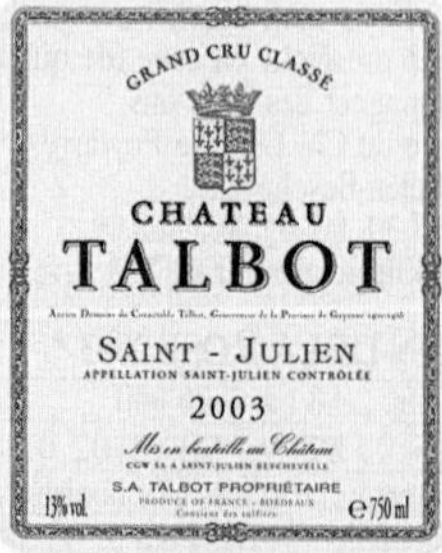

Portant le nom du connétable gouverneur de la Guyenne anglaise battu à Castillon-la-Bataille en 1453, cette très belle unité par sa taille est aussi intéressante par son terroir (des croupes de graves en bordure de l'estuaire), par l'élégance de sa demeure et par la qualité de sa production. Si la robe de son 2003 met en confiance, ce n'est rien par rapport au bouquet. Son opulence se traduit par une large palette d'arômes, allant du grillé aux fruits, en passant par le cèdre et les épices douces. Le palais, qui y ajoute une note de pain d'épice, est tout aussi goûteux et séveux. N'allez pas croire que sa richesse s'impose au détriment de l'élégance. En un mot, tout est là pour assurer dans cinq ou six ans un grand moment gourmand, par exemple en mariant cette bouteille avec une simple entrecôte grillée sur les sarments.

Ch. Talbot, 33250 Saint-Julien-Beychevelle,
tél. 05.56.73.21.50, fax 05.56.73.21.51,
e-mail chateau-talbot@chateau-talbot.com r.-v.
Mmes Rustmann et Bignon-Cordier

CH. TEYNAC 2003

■ 11,5 ha 35 000 15 à 23 €

93 94 |95| |96| 97 |98| |99| |00| 01 02 03

Ce cru est établi sur des terrains où l'occupation humaine est fort ancienne. Rond à l'attaque et possédant un corps bien fait, son vin se montre très éloquent par son expression aromatique où se côtoient les fruits rouges, le cacao, des notes balsamiques et des nuances de gingembre. Un plaisant ensemble qui ne demande qu'à s'épanouir.

Ch. Teynac, Grand-Rue, Beychevelle,
33250 Saint-Julien-Beychevelle,
tél. 05.56.59.12.91, fax 05.56.59.46.12,
e-mail philetfab3@wanadoo.fr r.-v.
F. et Ph. Pairault

Les vins blancs liquoreux

Quand on regarde une carte vinicole de la Gironde, on remarque aussitôt que toutes les appellations de liquoreux se retrouvent dans une petite région située de part et d'autre de la Garonne, autour de son confluent avec le Ciron. Simple hasard ? Assurément non, car c'est l'apport des eaux froides de la petite rivière landaise, au cours entièrement couvert d'une voûte de feuillages, qui donne naissance à un climat très particulier. Celui-ci favorise l'action du *Botrytis cinerea*, champignon de la pourriture noble. En effet, le type de temps que connaît la région en automne (humidité le matin, soleil chaud l'après-midi) permet au champignon de se développer sur un raisin parfaitement mûr sans le faire éclater : le grain se comporte comme une véritable éponge, et le jus se concentre par évaporation d'eau. On obtient ainsi des moûts très riches en sucre.

Mais, pour obtenir ce résultat, il faut accepter de nombreuses contraintes. Le développement de la pourriture noble étant irrégulier sur les différentes baies, il faut vendanger en plusieurs fois, par tries successives, en ne ramassant à chaque fois que les raisins dans l'état optimal. En outre, les rendements à l'hectare sont faibles (avec un maximum autorisé de 25 hl à Sauternes et à Barsac). Enfin, l'évolution de la surmaturation, très aléatoire, dépend des conditions climatiques et fait courir des risques aux viticulteurs.

Cadillac

Cette bastide qu'ennoblit son splendide château du XVII[e]s., surnommé le « Fontainebleau girondin », est souvent considérée comme la capitale des premières côtes. Elle est aussi, depuis 1980, une appellation de vins liquoreux qui a produit 6 806 hl sur 229 ha en 2005.

BARREYRE 2003

1,7 ha 4 600 8 à 11 €

Une petite production mais de qualité, avec une jolie expression aromatique (orange confite, menthol, fleurs et fine note boisée), bien mise en valeur par le caractère souple et léger de l'ensemble. Cette bouteille, dont l'étiquette est résolument moderne, sera à sa place pour accompagner un dîner froid par une chaude soirée d'automne.

SAS Vignoble Ch. Barreyre, 33550 Langoiran, tél. 05.56.67.02.03, fax 05.56.67.59.07, e-mail barreyre@barreyre.fr
t.l.j. sf sam. dim. 8h-12h 14h-18h

CH. LA BERTRANDE 2003 *

6,53 ha 20 000 8 à 11 €

Une chartreuse du XIX[e]s., une femme aux commandes depuis 1993 et une production déjà assez importante pour l'appellation. Riche et concentré, avec un petit côté ancien, ce vin développe un bouquet jouant résolument la carte des fruits. Il pourra être apprécié sans attendre.

Vignobles Anne-Marie Gillet, Ch. La Bertrande, 33410 Omet, tél. 05.56.62.19.64, fax 05.56.76.90.55, e-mail chateau.la.bertrande@wanadoo.fr r.-v.

CH. FAYAU 2003 **

10 ha 40 000 11 à 15 €

Une chartreuse du XVII[e]s., un ensemble de chais sur plus de 3 ha, des vignes âgées de cinquante ans, propriété d'un négociant implanté à Cadillac depuis 1826 : ce cru constitue l'une des valeurs sûres de l'appellation. Une fois encore, il propose un vin qui n'a rien de confidentiel et qui est fort bien fait. Frais et racé, son bouquet offre une large palette d'arômes : fruits cuits et confits, compote, confiture, vanille, cannelle. Tout est bien typé. Riche et élégant, le palais est du même niveau. Une agréable bouteille, qui a déjà du charme tout en étant apte à un long séjour en cave.

SCEA Jean Médeville et Fils, Ch. Fayau, 33410 Cadillac, tél. 05.57.98.08.08, fax 05.56.62.18.22, e-mail medeville-jeanetfils@wanadoo.fr
t.l.j. sf sam. dim. 8h30-12h 14h-18h

CH. FRAPPE-PEYROT 2004

5 ha 10 000 5 à 8 €

Sur ce cru, le sémillon (80 %) est renforcé par le sauvignon et la muscadelle. Jaune d'or brillant, son 2004 présente un bon équilibre qui met en valeur ses arômes de fleurs blanches, de vanille et de fruits secs ou confits.

Jean-Yves Arnaud, La Croix, 33410 Gabarnac, tél. et fax 05.56.20.23.52 r.-v.

CH. DU JUGE 2003 *

n.c. n.c. 8 à 11 €

Régulier en qualité, ce cru est une fois encore fidèle à sa réputation. Personne ne s'en plaindra en savourant son bouquet aux notes légèrement botrytisées (fruits confits) ou en découvrant l'ampleur, la richesse et l'élégance de son palais.

Pierre Dupleich, Ch. du Juge, rte de Branne, 33410 Cadillac, tél. 05.56.62.17.77, fax 05.56.62.17.59 r.-v.
David-Dupleich

CH. SAINT-OURENS 2004

0,2 ha 1 050 **8 à 11 €**

Pour cette cuvée, la conduite de la vigne tient du jardinage, avec quand même deux cépages (80 % sémillon et sauvignon). Souple, rond et équilibré, ce 2004 présente d'intéressants arômes rôtis qui se mêlent aux fruits confits (abricot) et aux notes grillées. Bien typé et agréable.

Michel Maës, 57, rte de Capian, lieu-dit Saint-Ourens, 33550 Langoiran, tél. 05.56.67.39.45, fax 05.56.67.61.14
t.l.j. 8h-13h 13h30-19h; f. 1er-15 août

CH. DE TESTE 2004 **

4,5 ha 10 000 8 à 11 €

Également présent en graves avec le Clos Moléon et en sainte-croix-du-mont avec le cru de Gravère, Laurent Réglat montre ici un réel savoir-faire en matière de moelleux avec un vin rond, souple et harmonieux dans son développement aromatique. Un rien flatteur, par la marque du bois (vanille), celui-ci passe de l'amande grillée à la mandarine confite et des fruits cuits au pruneau. Une bouteille à attendre quatre ou cinq ans.

EARL Vignobles Laurent Réglat, Ch. de Teste, 33410 Monprimblanc, tél. 05.56.62.92.76, fax 05.56.62.98.80, e-mail vignobles.l.reglat@wanadoo.fr
t.l.j. sf sam. dim. 9h-12h 14h30-17h

CH. VIEILLE TOUR

Grains nobles Élevé en fût de chêne 2003 **

1 ha 1 200 11 à 15 €

Le millésime 2003 aura été particulièrement favorable à ce cru également présent en premières-côtes-de-bordeaux. Très concentré, son vin se distingue par son gras, sa générosité et son élégance. S'il peut surprendre certains amateurs par son style très personnel (puissance, surmaturation, ampleur, onctuosité, longueur...), il en séduira beaucoup d'autres, qui l'apprécieront tout autant dans quelques années qu'aujourd'hui. (133 g/l de sucre résiduel).

🔑 Franck et Jérôme Gouin, Lapradiasse,
33410 Laroque, tél. 05.56.62.61.21, fax 05.56.76.94.18,
e-mail chateau.vieille.tour@wanadoo.fr
☑ Y ⚘ t.l.j. sf sam. dim. 9h30-12h30 14h-18h

Loupiac

Le vignoble de Loupiac (12 927 hl déclarés en 2005 sur 364 ha) est d'une origine ancienne, son existence étant attestée depuis le XIIIes. Par l'orientation, les terroirs et l'encépagement, cette aire d'appellation est très proche de celle de sainte-croix-du-mont. Toutefois, comme sur la rive gauche, on sent, en allant vers le nord, une subtile évolution des liquoreux proprement dits vers des vins plus moelleux.

CLOS JEAN 2004 ★

15 ha 30 000 8 à 11 €

Située au centre de l'appellation, cette chartreuse jouit d'un beau point de vue sur la vallée de la Garonne. Riche et élégant, son vin possède un bon équilibre et un certain volume qui lui permettra d'être attendu pendant trois ou quatre ans.

🔑 Vignobles Lionel Bord, Clos Jean, 33410 Loupiac,
tél. 05.56.62.99.83, fax 05.56.62.93.55,
e-mail closjean@vignoblesbord.com
☑ Y ⚘ t.l.j. 8h30-12h 14h30-18h; sam. dim. sur r.-v.

CH. DU CROS 2003 ★★

30 ha 33 000 11 à 15 €

Des vestiges d'une *villa* gallo-romaine avec de superbes mosaïques, une église, certes restaurée en 1851 mais qui a conservé un chevet du XIIes. et sa façade de style saintongeais, tout engage à visiter cette commune viticole. Valeur sûre et reconnue, ce cru est une fois encore fidèle à sa tradition avec son vin fin et frais, qui annonce un bouquet faisant une belle place aux arômes d'orange confite. Concentré, riche et bien équilibré, il indique clairement ses choix gastronomiques par ses flaveurs exotiques (cuisine épicée, bien sûr).

🔑 SA Vignobles Boyer, Ch. du Cros, 33410 Loupiac,
tél. 05.56.62.99.31, fax 05.56.62.12.59
☑ Y ⚘ t.l.j. sf sam. dim. 8h-12h 13h30-17h30

CH. DAUPHINÉ RONDILLON Cuvée d'Or 2003 ★★

9 ha 12 000 15 à 23 €

Spécialiste des vieux millésimes, ce domaine créé en 1780 est dans la même famille depuis huit générations. Régulièrement, ce cru réserve des surprises. Mais avec ce millésime, il se surpasse en proposant une cuvée prestige des plus réussies. Riche et confit, le 2003 sait faire la synthèse de la concentration et de l'élégance. Ce vin de garde trouvera sa place aussi bien à l'apéritif qu'à table (langoustines poêlées au loupiac ou tajine d'agneau aux coings). Également riche et gras, le **Château de Rouquette 2003 (8 à 11 €)** a obtenu une étoile.

🔑 SC J. Darriet, Ch. Dauphiné Rondillon,
33410 Loupiac, tél. 05.56.62.61.75, fax 05.56.62.63.73,
e-mail vignoblesdarriet@wanadoo.fr
☑ Y ⚘ t.l.j. 8h30-12h30 14h-18h;
sam. dim. sur r.-v.; f. 7-16 août

CH. GRAND PEYRUCHET 2003 ★

8 ha 20 000 8 à 11 €

Né d'un assemblage classique (80 % sémillon, 20 % sauvignon), bien constitué, ce vin met en confiance par son bouquet où les parfums confits se mêlent aux notes exotiques et à la cire d'abeille. Riche, élégant et concentré, il a tout pour mériter un petit séjour en cave.

🔑 Bernard Queyrens, 1, Les Plainiers, 33410 Loupiac,
tél. 05.56.62.62.71, fax 05.56.76.92.09,
e-mail chateaupeyruchet@wanadoo.fr
☑ Y ⚘ t.l.j. 9h-20h

CH. DU GRAND PLANTIER Élevé en fût de chêne 2003

n.c. 4 000 8 à 11 €

Né sur une propriété de plus de 58 ha, ce vin joue la carte de la souplesse et du charme avec des arômes confits persistants. Il est bien armé pour tirer profit d'un séjour en cave de quatre ou cinq ans.

🔑 GAEC des Vignobles Albucher,
Ch. du Grand Plantier, 33410 Monprimblanc,
tél. 05.56.62.99.03, fax 05.56.76.91.35,
e-mail chdugrandplantier@hotmail.com
☑ Y ⚘ r.-v. 🏠 E

CH. LOUSTALOT Grains nobles 2004 ★

15 ha 50 000 8 à 11 €

Une production n'ayant rien de confidentiel pour un vin se distinguant aussi par sa qualité. Couleur dorée, il développe un bouquet révélant la présence du botrytis par des notes confites et rôties. Ample, gras et complexe, il s'ouvre sur une longue finale qui se porte garante de son potentiel. Il faudra attendre trois ou quatre années avant de l'apprécier.

🔑 SCEA Vignobles Bord, 33410 Loupiac,
tél. 05.56.62.99.84, fax 05.56.62.93.55 Y ⚘ r.-v.

DOM. DU NOBLE 2004 ★

11 ha 35 000 11 à 15 €

Ce cru est l'un de ceux, de plus en plus nombreux, qui sont passés à la culture raisonnée. Si le vin est encore assez timide dans son bouquet, quoique déjà agréable, son développement au palais révèle un ensemble bien équilibré, gras et long.

🔑 EARL Dejean Père et Fils, Dom. du Noble,
33410 Loupiac, tél. 05.56.62.98.30, fax 05.56.62.15.90,
e-mail pat.dejean@wanadoo.fr ☑ Y ⚘ r.-v.

DOM. DE PEYTOUPIN
Le Joyau de Cartier 2004 ★★

	3 ha	6 000	8 à 11 €

Derrière le clin d'œil du nom de cette cuvée se dissimule un vrai bijou. C'est évidemment dans une parure d'or qu'il se présente, avant de révéler un bouquet aux riches touches de fruits confits et de fleurs blanches. Le palais n'est pas en reste. À la fois gras et fin, long et complexe, déjà admirable – ce 2004 a manqué de peu le coup de cœur –, il sera très séduisant encore dans cinq ans.
Alain Cartier, Dom. de Peytoupin, 10, Peytoupin, 33410 Loupiac, tél. et fax 05.56.62.99.50, e-mail alaincartier@hotmail.com
t.l.j. 9h-12h 14h-18h

CH. DE RICAUD 2003 ★

	n.c.	5 300	11 à 15 €

Fondé au XVe s., mais reconstruit en 1855 dans un style néogothique, un peu à l'écart des routes principales, Ricaud est un vrai château de contes de fées entouré d'arbres tricentenaires. Bien équilibré et solidement constitué, son vin est résolument moderne et intéressant par la délicatesse de son expression aromatique.
Ch. de Ricaud, rte de Sauveterre, 33410 Loupiac, tél. 05.56.62.66.16, fax 05.56.76.93.30, e-mail chateau-ricaud@thienot.com r.-v.
Alain Thiénot

CH. LES ROQUES
Cuvée Frantz Élevé en fût de chêne 2003 ★

	4 ha	1 800	15 à 23 €

Fondé en 1830, dominant la Garonne et le Ciron, ce domaine compte 11 ha. Appartenant à la cuvée prestige du cru, ce vin souple exprime sa personnalité par de délicates notes confites qui participent à l'élégance de l'ensemble. La cuvée principale **Château Les Roques 2003 (11 à 15 €)** a reçu une citation.
A. et V. Fertal, SCEA Ch. du Pavillon, 33410 Sainte-Croix-du-Mont, tél. 05.56.62.01.04, fax 05.56.62.00.92, e-mail a.v.fertal@wanadoo.fr r.-v.

CH. LA YOTTE 2004

	4 ha	7 000	8 à 11 €

Cette propriété est dans la même famille depuis 1820. Le fait est suffisamment rare pour être signalé. Encore marqué par le bois, son 2004 possède un bon potentiel d'évolution : arômes confits et botrytisés, palais bien équilibré avec ce qu'il faut de gras et de longueur.
SCEA Bouffard-Audibert, 2, rte de Lambrot, 33410 Loupiac, tél. 05.56.62.92.22, fax 05.56.62.67.79, e-mail chateaulayotte@wanadoo.fr r.-v.

Sainte-croix-du-mont

Un site de coteaux abrupts dominant la Garonne, trop peu connu en dépit de son charme, et un vin ayant trop longtemps souffert (à l'égal des autres appellations de liquoreux de la rive droite) d'une réputation de vin de noces ou de banquets.

Pourtant, cette aire d'appellation (15 004 hl en 2005 sur 400 ha déclarés), située en face de Sauternes, mérite mieux : à de bons terroirs, en général calcaires, avec des zones graveleuses, elle ajoute un microclimat favorable au développement du botrytis. Quant aux cépages et aux méthodes de vinification, ils sont très proches de ceux du Sauternais. Et les vins, autant moelleux que véritablement liquoreux, offrent une plaisante impression de fruité. On les servira comme leurs homologues de la rive gauche, mais leur prix, plus abordable, pourra inciter à les utiliser pour composer de somptueux cocktails.

CH. BEL AIR Vieilles Vignes 2003

	25 ha	10 000	8 à 11 €

Issu de vignes de sémillon d'un âge respectable, autour de quarante ans, ce vin est frais et fin, avec une présence non négligeable du botrytis qui apparaît dans l'expression aromatique dominée par le miel.
Jean-Guy Méric, 33410 Sainte-Croix-du-Mont, tél. 05.56.62.01.19, fax 05.56.62.09.33, e-mail jeanguy.meric@wanadoo.fr r.-v.

CH. CRABITAN-BELLEVUE Cuvée spéciale 2003

	20 ha	12 000	8 à 11 €

Si vous vous rendez à Sainte-Croix-du-Mont, ne manquez pas, en contrebas de l'église, d'observer le banc d'huîtres fossiles de l'ère tertiaire qui constitue l'essentiel

Les vins blancs liquoreux

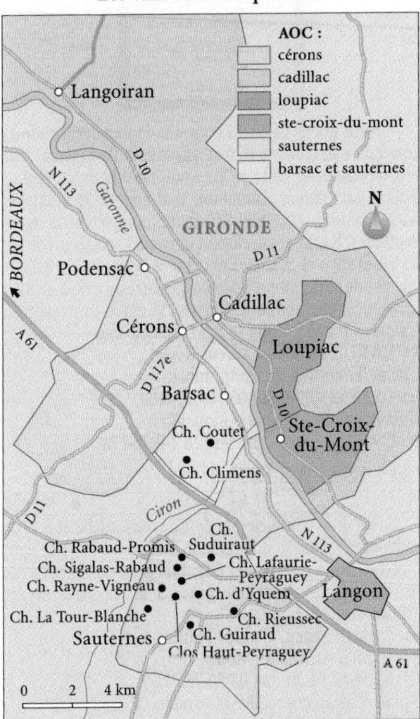

de son sol. Ce château, vaste entité, propose sa Cuvée spéciale, un vin qui a tiré profit de son passage en fût : des notes toastées se mêlent aux arômes confits. Ample et équilibré, il pourra être apprécié jeune ou attendu.

GFA Bernard Solane et Fils,
Crabitan, 33410 Sainte-Croix-du-Mont,
tél. 05.56.62.01.53, fax 05.56.76.72.09
t.l.j. 8h-12h 14h-18h; dim. sur r.-v.

CH. LA GRAVE Sentiers d'Automne 2003

11 ha 4 200 8 à 11 €

Acquis en 1930 par les Tinon, ce cru de 23 ha est depuis 1999 dirigé par la quatrième génération. Toujours régulière en qualité, cette cuvée apparaît cette année or brillant ; son équilibre et son expression aromatique (miel, fruits confits, menthe et notes exotiques) la rendent fort sympathique.

EARL Vignoble Tinon,
Ch. La Grave, 33410 Sainte-Croix-du-Mont,
tél. 05.56.62.01.65, fax 05.56.76.70.43,
e-mail tinon@terre-net.fr r.-v.

CRU DE GRAVÈRE Quintessence de Gravère Cuvée Louis Vieilli en fût de chêne 2003 ★★

1 ha 1 500 23 à 30 €

Nous avons déjà eu l'occasion de signaler les efforts entrepris par Laurent Réglat sur ce cru. Ils trouvent leur récompense avec cette cuvée Louis dont la livrée vieil or brillant sait retenir l'attention, tout comme le bouquet : fruits confits, rôti, miel et vanille complétés de notes exotiques. Riche, frais, élégant et rond, le palais privilégie les côtés rôtis et confits. Du début à la fin, on est sous le charme de ce liquoreux à attendre quatre ou cinq ans. Bien constituée mais moins distinguée, la cuvée principale du **Cru de Gravère 2004 (8 à 11 €)** a été citée.

EARL Vignobles Laurent Réglat,
Ch. de Teste, 33410 Monprimblanc,
tél. 05.56.62.92.76, fax 05.56.62.98.80,
e-mail vignobles.l.reglat@wanadoo.fr
t.l.j. sf sam. dim. 9h-12h 14h30-17h

CH. DES MAILLES 2003

21 ha 60 000 8 à 11 €

Sémillon complété par 5 % de muscadelle et 5 % de sauvignon : simple, notamment dans son bouquet, mais bien constitué, avec ce qu'il faut de gras, ce vin présente un caractère sympathique grâce à la fraîcheur de ses arômes fruités.

Daniel Larrieu, Ch. des Mailles,
33410 Sainte-Croix-du-Mont,
tél. 05.56.62.01.20, fax 05.56.76.71.99,
e-mail chateau.des.mailles@wanadoo.fr
t.l.j. 8h-12h 14h-18h; sam. dim. sur r.-v.

CH. DU MONT Cuvée Pierre 2004 ★★

15 ha 12 000 11 à 15 €

96 97 **98** **99** 00 **01** **02** 03 **04**

Hervé Chouvac, à la tête de 25 ha, en est à son septième coup de cœur. Cette cuvée Pierre lui réussit : dès la présentation, l'élégance apparaît dans la couleur jaune soutenu. Son caractère de liquoreux ne tarde pas à se manifester. Sa grande complexité n'empêche pas les notes de rôti et de confit de faire sentir leur présence. Ample, riche, puissant et d'une grande longueur, le palais confirme pleinement la robe et le bouquet sans aucune lourdeur. Une bouteille à goûter souvent et à garder en cave pendant au moins cinq ans. Seconde étiquette du cru, le **Château Valentin 2004 (5 à 8 €)** a été cité.

Hervé Chouvac,
Ch. du Mont, 33410 Sainte-Croix-du-Mont,
tél. 06.89.96.54.73, fax 05.56.62.07.58,
e-mail chateau-du-mont@wanadoo.fr
t.l.j. sf dim. 9h-12h 14h-18h

CH. LA RAME 2004 ★★

18 ha 24 000 15 à 23 €

96 97 **98** 99 **00** **01** **02** 03 **04**

Commandée par une demeure datant de 1766, La Rame est l'un des plus anciens crus de l'appellation. L'un des plus renommés aussi. À juste titre, comme le prouve, après beaucoup d'autres, dont dix coups de cœur, ce millésime. Bien typé par des parfums de fruits confits, son bouquet s'exprime avec vigueur. Au palais, on retrouve cette force : beaucoup de longueur et d'équilibre. Déjà plaisante, cette bouteille a tout pour tirer profit d'un séjour en cave.

Yves Armand, Ch. La Rame,
33410 Sainte-Croix-du-Mont, tél. 05.56.62.01.50,
fax 05.56.62.01.94, e-mail dgm@wanadoo.fr
t.l.j. 9h-12h 14h-18h; sam. dim. sur r.-v.

Cérons

Enclavés dans les graves (appellation à laquelle ils peuvent aussi prétendre, à la différence des sauternes et des barsac), les cérons (1 863 hl sur 51 ha déclarés pour le millésime 2005) assurent une liaison entre les barsac et les graves supérieures moelleux. Mais là ne s'arrête pas leur originalité, qui réside aussi dans une sève particulière et une grande finesse.

CLOS BOURGELAT 2003 ★

1,23 ha 6 000 8 à 11 €

Également présent en graves, ce cru propose un vin intéressant par sa couleur bouton d'or comme par son bouquet (pâte de fruits, fruits exotiques et miel d'acacia). Le palais est gras tout en restant équilibré. Une longue finale clôt la dégustation, invitant à faire preuve de patience pendant deux à trois ans.

EARL Dominique Lafosse, Clos Bourgelat, 33720 Cérons, tél. 05.56.27.01.73, fax 05.56.27.13.72, e-mail domilafosse@wanadoo.fr
t.l.j. sf dim. 9h-12h 14h-19h; groupes sur r.-v.; f. août

GRAND ENCLOS DU CHÂTEAU DE CÉRONS 2003 ★★

3 ha 2 000 15 à 23 €

Né dans l'un des plus beaux chais de l'appellation, acquis en avril 2000 par Giorgio Cavanna, producteur de chianti classico en Toscane, ce cérons est le type même du vin que l'on peut servir à table ou apprécier seul au coin du feu. D'une superbe couleur d'or, il développe des arômes grillés et confits, avant de révéler au palais sa puissance, sa complexité et sa concentration. Une bouteille à attendre cinq ans ou plus, avant de l'ouvrir pour la savourer avec ses meilleurs amis, juste pour le plaisir.

SCEA du Grand Enclos de Cérons, pl. du Gal-de-Gaulle, 33720 Cérons, tél. 05.56.27.01.53, fax 05.56.27.08.86, e-mail grand.enclos.cerons@wanadoo.fr r.-v.

CH. HAURA 2004 ★★

0,34 ha 2 700 11 à 15 €

Pierre et Denis Dubourdieu, le père et le fils, partagent la même exigence sur l'ensemble de leurs crus. Une fois de plus, et après le coup de cœur de l'an dernier, le château Haura le prouve avec le 2004 d'une grande finesse aromatique : aux notes d'amande, d'ananas, de litchi, de mangue et d'autres fruits exotiques se mêlent quelques fleurs blanches. Puis se développe un palais riche, gras, complexe, équilibré et long, d'une grande séduction. Ce cérons sera parfait dans trois ou quatre ans sur une volaille.

EARL Pierre et Denis Dubourdieu, Ch. Doisy-Daëne, 33720 Barsac, tél. 05.56.27.15.84, fax 05.56.27.18.99, e-mail denisdubourdieu@wanadoo.fr r.-v.

CH. DE MADÈRE Sélection Alyssa 2003

7,54 ha 6 000 11 à 15 €

Entré en 1952 dans la famille Uteau, ce cru de 32 ha propose une cuvée sélectionnée souple, fraîche, ronde et assez puissante. Celle-ci développe de délicates notes de miel, de confiture de coings, de fougère et de citronnelle.

Éric Uteau, Clos du Barrail, 33720 Cérons, tél. 05.56.27.14.38, fax 05.56.27.34.96, e-mail vignobles.uteau@wanadoo.fr
t.l.j. sf dim. 9h30-12h30 14h30-19h; groupes sur r.-v.
Claude Uteau

Barsac

Tous les vins de l'appellation barsac peuvent bénéficier de l'appellation sauternes. Barsac (405 ha, 9 799 hl déclarés en 2005) s'individualise cependant, en comparaison avec les communes du Sauternais proprement dit, par un moindre vallonnement et par les murs de pierre entourant souvent les exploitations. Ses vins se distinguent des sauternes : ils ont un caractère plus légèrement liquoreux. Mais, comme les sauternes, ils peuvent être servis de façon classique sur un dessert ou, comme cela se fait de plus en plus, en entrée, sur un foie gras, ou bien sur des fromages forts du type roquefort.

CYPRÈS DE CLIMENS 2003 ★

n.c. 4 000 15 à 23 €

Acquis par Lucien Lurton en 1971, Climens repose sur un superbe terroir barsacais. Né sur sables et argiles rouges, 100 % sémillon, le Cyprès de Climens s'annonce par une robe paille élégante. Fraîche, mentholée, citronnée, son expression aromatique est fort sympathique. Ample et gras, équilibré, le palais retrouve ces mêmes accents, accompagnés par des notes de fruits blancs et de fruits confits jusque dans une longue finale. À servir avec une salade de fruits rouges.

Bérénice Lurton, SF Ch. Climens, 33720 Barsac, tél. 05.56.27.15.33, fax 05.56.27.21.04, e-mail contact@chateau-climens.fr r.-v.

CH. COUTET 2003 ★

1er cru clas. 38,5 ha 60 000 30 à 38 €

73 75 76 78 **81 83** 85 **86 89** |**90**| |95| 96 97 |99| 01 02 03

Issu de l'une des plus grandes propriétés de l'appellation, ce vin se présente dans une robe à reflets jaune d'or. Il livre un bouquet élégant, où les fruits mûrs se mêlent aux raisins secs, aux parfums de muscat bien marqués et à une note rôtie. Au palais, la richesse reste harmonieuse, laissant une impression de finesse. La finale s'annonce sur des notes de pâte de fruits.

SC Ch. Coutet, 33720 Barsac, tél. 05.56.27.15.46, fax 05.56.27.02.20, e-mail info@chateaucoutet.com
t.l.j. sf sam. dim. 10h-12h 14h-17h30

CH. FARLURET 2004 ★

3,25 ha 6 000 15 à 23 €

86 87 88 |(89)| |**90**| **91** 94 95 |**96**| |**97**| 98 01 **02** 03 04

Également propriétaire du château Haut-Bergeron (sauternes), la famille Lamothe apporte les mêmes soins à son cru barsacais. Pour preuve, ce 2004 qui n'a pas manqué de séduire le jury par sa robe dorée à reflets verts, comme par ses arômes floraux (d'aubépine et de fleurs blanches) que renforcent le miel et un soupçon d'épices. Sa douceur se retrouve au palais avec un beau volume. Un vin plein, rond et onctueux où l'alcool se veut discret. Riche de saveurs confiturées (abricot et pêche jaune), la finale confirme un solide potentiel.

⊶ Hervé et Patrick Lamothe, 3, Piquey,
33210 Preignac, tél. 05.56.63.24.76, fax 05.56.63.23.31,
e-mail haut-bergeron@wanadoo.fr
⊠ Y 🚶 t.l.j. sf dim. 9h-12h 14h-19h

CH. NAIRAC 2002 ★★

2e cru clas. 14,86 ha 15 000 ⫾ 38 à 46 €

(83) 86 |88| |89| |90| 91 92 93 |94| |(95)| |96| |01| |02|

Nairac pourrait se contenter de l'élégance de son superbe château néoclassique pour établir sa réputation. Mais sa renommée repose aussi, et surtout, sur de remarquables millésimes comme ce 2002. De la robe à la finale, la dégustation a été un vrai plaisir. Jaune cuivré rehaussé de reflets or, le vin sait être charmeur par ses délicates notes d'abricot et de fruit de la Passion. Parvenu au palais, il développe une structure complexe, des flaveurs de raisins secs et de rôtis, puis trouve un excellent équilibre sucres-alcool en finale. Aujourd'hui comme dans dix ou quinze ans, il fera un grand apéritif.

⊶ Ch. Nairac, 33720 Barsac,
tél. 05.56.27.16.16, fax 05.56.27.26.50,
e-mail contact@chateau-nairac.com ⊠ Y 🚶 r.-v.
⊶ Nicole Tari

CH. PIADA 2004

n.c. 1 000 ⫾ 15 à 23 €

83 86 88 89 (90) 91 |95| |96| |97| |98| |99| 01 02 03 04

Producteurs de plusieurs appellations, les Lalande, vieille famille barsacaise, ne négligent pas leur barsac. Ce 2004 en témoigne. S'annonçant par un bouquet aux fines touches de fleurs blanches et d'épices, il demande un peu de temps avant de se livrer. Puis il développe une structure tout en douceur, dans un joli petit volume. D'une délicate onctuosité, il laisse longtemps le palais sur des notes de citron confit.

⊶ EARL Lalande et Fils, Ch. Piada, 33720 Barsac,
tél. 05.56.27.16.13, fax 05.56.27.26.30,
e-mail chateau.piada@wanadoo.fr
⊠ Y 🚶 t.l.j. 8h-12h 13h30-19h; sam. dim. sur r.-v.

Sauternes

Si vous visitez un château à Sauternes, vous saurez tout sur ce propriétaire qui eut un jour l'idée géniale d'arriver en retard pour les vendanges et de décider, sans doute par entêtement, de faire ramasser les raisins malgré leur état surmûri. Mais si vous en visitez cinq, vous n'y comprendrez plus rien, chacun ayant sa propre version, qui se passe évidemment chez lui. En fait, nul ne sait qui « inventa » le sauternes, ni quand ni où.

Si en Sauternais, l'histoire se cache toujours derrière la légende, la géographie, elle, n'a plus de secret. Chaque caillou des cinq communes constituant l'appellation (dont Barsac, qui possède sa propre appellation) est recensé et connu dans toutes ses composantes. Il est vrai que c'est la diversité des sols (graveleux, argilo-calcaires ou calcaires) et des sous-sols qui donne un caractère à chaque cru, les plus renommés étant implantés sur des croupes graveleuses. Obtenus avec trois cépages – le sémillon (de 70 à 80 %), le sauvignon (de 20 à 30 %) et la muscadelle –, les sauternes sont dorés, onctueux, mais aussi fins et délicats. Leur bouquet « rôti » se développe très bien au vieillissement, devenant riche et complexe, avec des notes de miel, de noisette et d'orange confite. Il est à noter que les sauternes sont les seuls vins blancs à avoir été classés en 1855. L'AOC couvrait une superficie de 1 809 ha en 2005 pour une production de 43 026 hl.

CH. L'AGNET LA CARRIÈRE 2003 ★

5 ha 14 000 ⫾ 23 à 30 €

Drapé dans une robe jaune aux reflets un peu caramel, ce vin séduit d'emblée par son bouquet complexe : miel, pamplemousse et fleurs se mêlent à des notes plus boisées de vanille. Au palais, l'équilibre s'établit entre l'alcool et le sucre tandis que se développent des saveurs de merrain et de raisin confit. Comme tout vrai sauternes, ce 2003 pourra être apprécié tout de suite ou dans plusieurs années.

⊶ Laurent Mallard,
Ch. Naudonnet Plaisance, 33760 Escoussans,
tél. 05.56.23.93.04, fax 05.56.23.97.94,
e-mail contact@laurent-mallard.com ⊠ Y 🚶 r.-v.

CH. ANDOYSE DU HAYOT 2003

20 ha 18 500 ▮⫾ 8 à 11 €

|90| 91 93 94 95 |96| |97| 98 |99| |00| |03|

Élevé dix-huit mois en barrique, ce vin jaune d'or offre d'intenses arômes de miel et de fruits secs avec des notes beurrées. Au palais, après une attaque très liquoreuse, il affiche une structure puissante. Un classicisme de bon aloi.

⊶ Vignobles A. du Hayot, Andoyse, 33720 Barsac,
tél. 05.56.27.15.37, fax 05.56.27.04.24,
e-mail vignoblesduhayot@aol.com ⊠ Y 🚶 r.-v.

CH. D'ARMAJAN DES ORMES 2003 ★★

10 ha 16 000 ▮⫾ 15 à 23 €

|95| |96| |97| |98| |99| 00 |01| |(02)| |03|

Déjà connu au XVIe s., ce château fut détruit pendant la Fronde, puis reconstruit par le gendre de Montesquieu au XVIIIe s. ; il est représentatif du style girondin. Son vin, parfaitement typé sauternes, attirant dans sa robe d'or, n'hésite pas à afficher sa richesse. D'abord par son bouquet qui fait découvrir des notes d'agrumes confits, de coing et de rôti ; ensuite par son palais où l'on retrouve beaucoup de rôti. L'ensemble séduit aussi par sa fraîcheur, sensible notamment en finale. Une bouteille déjà harmonieuse et qui possède un solide potentiel de garde. Rappelons que le millésime 2002 fut coup de cœur dans la précédente édition et que ce 2003 a participé au grand jury.

EARL Jacques et Guillaume Perromat,
Ch. d'Armajan, 33210 Preignac,
tél. 05.56.63.58.21, fax 05.56.63.21.55,
e-mail guillaume.perromat@wanadoo.fr r.-v.

CRU BARRÉJATS 2002 ★★

5 ha n.c. 46 à 76 €

|90| 91 92 **94** |95| **|96|** **|97|** |98| |00| 01 **02**

Mireille Daret et Philippe Andurand, médecins, se sont passionnés pour le terroir de leur enfance. Appartenant à l'association Sapros, ils produisent magistralement un vin liquoreux par concentration naturelle, sans artifice. Des plus sympathiques, le bouquet passe de notes de fleurs blanches à des nuances de fruits surmûris : abricot et coing. Ample, plein et gras, le palais retrouve les mêmes arômes pour laisser au dégustateur le souvenir d'un ensemble concentré, à l'harmonie rayonnante. Cette remarquable bouteille a de quoi ravir l'amateur même si elle ne donnera la pleine mesure de ses possibilités que dans quelques années.

SCEA Barréjats, Clos de Gensac Mareuil,
33210 Pujols-sur-Ciron, tél. et fax 05.56.76.69.06,
e-mail contact@cru-barrejats.com r.-v.
Andurand, Daret

CH. DE BASTARD 2004 ★

2 ha 5 000 11 à 15 €

Produit exclusivement à partir de sémillon sur argilo-calcaires, ce vin à la présentation irréprochable est assez impressionnant par ses parfums de fruits enrobés de vanille. Après une attaque moelleuse, le palais présente des flaveurs puissantes de fruits surmûris tels l'abricot et le coing avant de livrer une finale poivrée. Jeune, frais et friand, le **Clos Dady 2004 (15 à 23 €)** a également obtenu une étoile, de même que le **Château la Tour des Remparts 2004** dont le bouquet subtil en fait un parfait vin d'apéritif.

Catherine et Christophe Gachet, Ch. Les Remparts,
33210 Preignac, tél. 05.56.62.20.01, fax 05.56.62.33.11,
e-mail clos-dady@wanadoo.fr r.-v. 4

CH. BASTOR-LAMONTAGNE 2003 ★★

40 ha 70 000 15 à 23 €

82 83 84 **85 86 |88| 89** (90) 94 95 **96 |97|** |98| |99| **00** 01 |02| **03**

Les platanes qui ornent l'entrée de ce cru sont un excellent point de repère pour ne pas manquer la propriété, située sur un terroir silico-graveleux de Preignac. Le cru comporte beaucoup de vieilles vignes plongeant profondément leurs racines dans un sol sablo-graveleux. Un atout pour ce 2003. Séduisant, son bouquet mêle les notes de pain d'épice à celles d'ananas et de citron. Équilibré, le palais progresse avec délicatesse. Soutenu par une bonne acidité, ce sauternes conviendra parfaitement aux moments de convivialité comme l'apéritif. Doté d'une élégante expression aromatique, le second vin, **Les Remparts de Bastor 2003 (11 à 15 €)**, a été cité. On retrouve en finale de charmants arômes d'abricot, de cire d'abeille et de chèvrefeuille.

SCEA Vignobles Bastor Saint-Robert,
Dom. de Lamontagne, 33210 Preignac,
tél. 05.56.63.27.66, fax 05.56.76.87.03,
e-mail bastor@bastor-lamontagne.com r.-v.

BORDELAIS

CH. BÊCHEREAU 2004

n.c. 2 700 15 à 23 €

Situé au bord du Ciron, sur la route de Landiras, ce cru vit nombre de soldats d'Empire passer sur son sol lors des guerres d'Espagne. Serein aujourd'hui, il propose un vin d'une teinte assez soutenue. Son bouquet s'accorde avec la robe pour annoncer une bouteille agréable et ce n'est pas le palais simple mais bien équilibré qui le contredira.

Les Vignobles Dumon, Ch. Bêchereau de Ruat,
33210 Bommes, tél. 05.56.76.61.73, fax 05.56.76.67.84,
e-mail lesvignoblesdumon@aol.com
t.l.j. sf sam. dim. 9h-11h45 14h-17h

CRU BORDENAVE 2003 ★

2 ha 3 000 23 à 30 €

Né sur une petite propriété de 2,5 ha de sémillon gérée par Bastor-Lamontagne, ce vin fait l'objet de soins attentifs et d'un élevage en bois neuf. Débutant par un bouquet fin de fleurs blanches, de thé et de notes subtilement toastées, il poursuit par une attaque vive et fraîche à la liqueur agréable. Plaisant, l'ensemble se termine par une longue finale mentholée.

SCEA Vignobles Bastor Saint-Robert,
Dom. de Lamontagne, 33210 Preignac,
tél. 05.56.63.27.66, fax 05.56.76.87.03,
e-mail bastor@bastor-lamontagne.com r.-v.

CH. CAILLOU Cuvée Reine 2001 ★★

2e cru clas. n.c. 550 + de 76 €

À peine deux barriques : ce vin élevé trente mois en fût appartient à une microcuvée confidentielle. Mais il sait se présenter, dans une robe entre or et jaune paille à reflets brillants. Il marie subtilement les notes de fleurs blanches, de coing, d'agrumes et de fruits confits (orange). Le palais se développe harmonieusement. Puissant sans être lourd, il s'ouvre sur une longue finale de charme. Une bouteille à attendre trois ou quatre ans pour qu'elle donne toute sa mesure. À boire pour elle-même à 18 h ou au dîner sur des viandes blanches ou du poisson.

M. et Mme Pierre, Ch. Caillou, 33720 Barsac,
tél. 05.56.27.16.38, fax 05.56.27.09.60,
e-mail chateaucaillou@aol.com r.-v.

CH. CAMPEROS 2003

3,5 ha 3 500 15 à 23 €

Ce vin à consonance ibérique est issu d'un petit domaine de 3,5 ha. Sans être très concentré, il sait se montrer sous un jour fort plaisant, sa rectitude et la finesse de ses arômes d'orange confite et de grillé lui donnant un charme réel.

Françoise Sirot-Soizeau, Ch. Closiot, 33720 Barsac, tél. 05.56.27.05.92, fax 05.56.27.11.06, e-mail closiot@vins-sauternes.com
t.l.j. 10h-12h 14h-18h, groupes sur r.-v.; f. jan.

CH. CLOS HAUT-PEYRAGUEY 2003 *

1er cru clas. 12 ha 24 400 38 à 46 €

82 83 85 86 88 89 90 91 94 95 96 97 99 01 02 03

Issu de la division de l'ancien château Peyraguey, dont il occupe la partie la plus élevée, ce cru jouit d'un terroir de qualité. Il appartient à la famille Pauly depuis 1914. S'annonçant par une robe bouton d'or, son 2003 développe d'intenses parfums de fruits secs (abricot, orange) avec une tendance florale (genêt, tilleul). De bonne facture, le palais se révèle ample, rond et élégant. Sa grande finesse d'expression laisse un souvenir agréable, tout empreint de douceur. Un vin qui ferait plaisir avec un rôti de veau aux morilles.

SCEA J. et J. Pauly, Ch. Clos Haut-Peyraguey, 33210 Bommes, tél. 05.56.76.61.53, fax 05.56.76.69.65, e-mail contact@closhautpeyraguey.com
t.l.j. 9h-12h 14h-19h; groupes sur r.-v.

CH. CLOSIOT 2003 *

4,5 ha 6 500 23 à 30 €

Ce cru s'est mis à l'œnotourisme. Il ne néglige pas pour autant la conduite de la vigne et le travail du chai. Témoin ce vin, d'une teinte dorée. À l'aération apparaissent de délicates notes d'agrumes et de fruits confits. Bien équilibré entre les côtés gras et vifs, le palais fait preuve d'une classe réelle par sa fraîcheur. Sa longue finale confirme son aptitude à la garde.

Françoise Sirot-Soizeau, Ch. Closiot, 33720 Barsac, tél. 05.56.27.05.92, fax 05.56.27.11.06, e-mail closiot@vins-sauternes.com
t.l.j. 10h-12h 14h-18h, groupes sur r.-v.; f. jan.

CH. DE COY 2004

7 ha 16 000 11 à 15 €

Autrefois domaine, maintenant château ; mais le terroir reste le même avec ses graves argileuses et son encépagement (10 % de muscadelle). D'un jaune d'or, ce vin discret aux délicats parfums de jeunesse mêle la pêche jaune aux fleurs et à la cire d'abeille. Puis, se dévoile une fine structure enveloppée de saveurs de raisin mûr et de bois.

Vignobles H. Biarnès-Ballion, Ch. de Navarro, 33720 Illats, tél. 05.56.27.15.36, fax 05.56.27.26.53, e-mail chateaudenavarro@wanadoo.fr r.-v.

CH. DOISY-DAËNE 2004 *

2e cru clas. 15 ha 38 000 30 à 38 €

50 71 75 76 78 79 80 81 82 83 84 85 86 88 89 90 91 94 95 96 97 98 00 01 02 03 04

Entré dans la famille Dubourdieu en 1924, le château Doisy-Daëne est situé sur un terroir argilo-calcaire sur le plateau de Haut Barsac. Assemblant 80 % de sémillon et 20 % de sauvignon, il constitue une valeur sûre et entend bien le rester. Ce 2004 le prouve. Sa robe jaune clair, le subtil équilibre de son bouquet de fleurs blanches, de grillé et d'orange confite délicatement épicée, la douceur de son attaque, la richesse de sa matière ; tout fait de lui un vin de caractère, à attendre quelques années.

EARL Pierre et Denis Dubourdieu, Ch. Doisy-Daëne, 33720 Barsac, tél. 05.56.27.15.84, fax 05.56.27.18.99, e-mail denisdubourdieu@wanadoo.fr r.-v.

CH. DOISY-VÉDRINES 2003 *

2e cru clas. 27 ha 36 000 23 à 30 €

70 75 81 83 86 88 90 95 97 98 00 02 03

Plus qu'un château, une vraie maison de campagne, fleurant bon les vacances d'été ou, mieux, de printemps. Et un vin qui s'amuse à lui ressembler par son bouquet floral (genêt, tilleul) que complète une petite note d'abricot sec. Au palais, il se comporte bien avec une attaque ample et beaucoup de moelleux. Assez friand par ses notes d'abricot confit, il s'ouvre sur une finale généreuse. Il s'exprimera pleinement sur un poulet à la crème ou des coquilles Saint-Jacques. Rappelons que le 2002 fut coup de cœur l'an dernier.

SC Doisy-Védrines, Ch. Doisy-Védrines, 33720 Barsac, tél. 05.56.27.15.13, fax 05.56.27.26.76 r.-v.
Héritiers Castéja

CH. DUCASSE 2004 *

6 ha 8 500 11 à 15 €

Un nom qui évoque les Landes pour une bouteille sympathique. Non seulement par sa robe dorée aux reflets ambrés, mais également par son bouquet riche, puissant et expressif. Aussi fin que complexe, il marie les fleurs d'été aux fruits confits et au bois. Rond, charnu et cordial, le palais est du même niveau. Fort savoureux par ses notes de miel, de crème anglaise et de sabayon, il s'alliera à une large palette culinaire.

Hervé Dubourdieu, Ch. Roumieu-Lacoste, 33720 Barsac, tél. 05.56.27.16.29, fax 05.56.27.02.65, e-mail herve.dubourdieu@tele2.fr r.-v.

CH. DUDON 2003 *

11,8 ha 10 600 15 à 23 €

Chartreuse du XVII^e^s. rénovée au XVIIIe, qu'entourent un parc et un vignoble ceint de murs de pierre, ce cru et son vin furent remarqués par Jefferson pendant son périple bordelais. Qu'aurait-il pensé de ce 2003 ? Sans doute beaucoup de bien, tout comme le jury qui a aimé l'intensité et la richesse de son bouquet aux notes de fleurs et pêche blanches sur fond de toast. On retrouve ce côté toasté au palais que l'équilibre entre l'acidité et l'alcool rend fort plaisant, comme la finale aux fines touches d'abricot. Cette bouteille mérite incontestablement de vieillir.

SCEA Ch. Dudon, 33720 Barsac, tél. et fax 05.56.27.29.38, e-mail chateau.dudon.barsac@wanadoo.fr
r.-v.
Allien

CH. DE FARGUES 2002 **

14 ha 15 000 46 à 76 €

47 49 53 59 62 67 71 75 76 83 84 85 86 87 88 89 90 91 94 95 96 97 98 01 02

Entré en 1472 dans le patrimoine des Lur-Saluces, campé sur une hauteur, au milieu de son vignoble, précédé d'une allée de pins francs, ce château a fière allure malgré les ruines de l'ancienne demeure. Ici, le vin est une priorité, comme le prouve la création de nouveaux chais en 2005. Les tries ont commencé le 16 septembre en 2002 : 80 % de sémillon et 20 % de sauvignon élevés trois ans en fût ont donné un vin à la robe somptueuse, étonnante, à l'approche olfactive jouant sur des notes de crème brûlée et de fleurs blanches. Bien construit, assez aérien et d'une grande élégance, il ne laissera personne insensible à ses arômes persistants de fruits mûrs, d'orange et de citron confits.

Comte Alexandre de Lur-Saluces, Ch. de Fargues, 33210 Fargues, tél. 05.57.98.04.20, fax 05.57.98.04.21, e-mail fargues@chateau-de-fargues.com r.-v.

CH. FILHOT 2003 *

2e cru clas. 62 ha 65 000 15 à 23 €

81 82 83 85 **86 88** 89 91 92 |95| |**96**| |**97**| |98| |99| |00| 01 03

Avec ce vaste château du vin, le style néoclassique prend sa pleine dimension. Son vin, lui aussi, a quelque chose d'impressionnant par sa livrée d'or brillant. Exhalant tout d'abord des notes de fruits mûrs (abricot et fruits blancs), il passe ensuite à la gamme des parfums de fleurs. Souple et doté d'une belle liqueur, le palais joue sur les notes de fruits confits assez capiteux pour finir sur une nuance épicée. Tout est là pour appeler la garde.

SCEA du Ch. Filhot, 33210 Sauternes, tél. 05.56.76.61.09, fax 05.56.76.67.91, e-mail filhot@filhot.com r.-v.

H. de Vaucelles

DOM. DE LA FORÊT 2003 *

13 ha 30 000 15 à 23 €

Cette propriété a su grandir. Elle propose ici un vin 100 % sémillon assez moderne dans sa conception. D'un jaune délicat, celui-ci développe un bouquet de fines notes grillées puis de fruits confits. Souple, le palais laisse transparaître un côté fort liquoreux précédant d'agréables touches confites un peu épicées.

Pierre Vaurabourg, Dom. de La Forêt, 33210 Preignac, tél. 06.15.08.91.95, fax 05.56.76.88.46 r.-v.

CH. GRAVAS 2004

8 ha 24 000 15 à 23 €

À Gravas, on a résolument opté pour des vins modernes et légers. Ce 2004 s'inscrit dans cette logique. Se présentant dans une robe jaune doré, il affiche des notes d'épices et un botrytis bien marqué. Riche et gras, le palais est bien équilibré. Un sauternes tout en nuances.

Michel Bernard, Ch. Gravas, 33720 Barsac, tél. 05.56.27.06.91, fax 05.56.27.29.83, e-mail chateau.gravas@wanadoo.fr r.-v.

CH. GUIRAUD 2003 *

1er cru clas. 85 ha 132 000 46 à 76 €

83 85 **86 88 89** (90) 92 |**95**| **96** |(97)| |**98**| |99| |**00**| **01** 02 03

Ce domaine de 100 ha vient de changer de mains : sont désormais associés FFP (société détenue majoritairement par la famille Peugeot), les Neipperg (Saint-Émilion), le domaine de Chevalier et Xavier Planty qui était auparavant directeur du cru. Il faut remonter à 1996 pour trouver un début de vendanges aussi précoce, en raison d'un été caniculaire et d'une sécheresse exceptionnelle, avec comme conséquence une absence de développement du botrytis. Le cru reste fidèle à sa tradition : son vin au bouquet assez fin livre des notes florales, délicatement vanillées. Bien équilibré, le palais joue sur l'orange confite et le melon très mûr pour mener en douceur vers une finale élégante.

SCA du Ch. Guiraud, 33210 Sauternes, tél. 05.56.76.61.01, fax 05.56.76.67.52, e-mail xplanty@club-internet.fr r.-v.

CH. GUITERONDE DU HAYOT 2003

35 ha 49 000 8 à 11 €

Né à Barsac sur des terrains argilo-calcaires, ce 2003 s'avance, drapé dans une robe d'un or déjà prononcé, en brandissant un bouquet d'une bonne intensité et d'une réelle élégance, avec des notes de miel, de fruits un peu muscatés et de fleurs. Très moelleuse, son approche au palais prépare la découverte d'une structure grasse et intense, avant une finale plus équilibrée.

Vignobles A. du Hayot, Andoyse, 33720 Barsac, tél. 05.56.27.15.37, fax 05.56.27.04.24, e-mail vignoblesduhayot@aol.com r.-v.

CH. HAUT-BERGERON 2004 *

5,8 ha 12 000 15 à 23 €

83 86 88 |**89**| |**90**| **91** 95 |**96**| 97 |98| |99| 00 **01** |**02**| 03 |04|

Discrétion et distinction, telle pourrait être la devise de ce bon élève qui ne manque pas de personnalité. Celle-ci s'exprime par un bouquet naissant aux chaleureuses notes de fruits surmûris confits. Au palais s'ajoutent des touches d'armagnac et de fruits exotiques. Très liquoreux, ce vin appelle des accords gourmands classiques, du foie gras au chocolat.

Hervé et Patrick Lamothe, 3, Piquey, 33210 Preignac, tél. 05.56.63.24.76, fax 05.56.63.23.31, e-mail haut-bergeron@wanadoo.fr t.l.j. sf dim. 9h-12h 14h-19h

CH. HAUT-BOMMES 2003 **

5 ha 7 100 15 à 23 €

Situé dans l'une des parties les plus élevées de l'appellation, ce domaine a produit un vin sympathique par sa robe or à reflets verts comme par son bouquet. D'une bonne complexité, il mêle le caractère confit aux fleurs et à un joli boisé, le tout sur un fond de fraîcheur. À une attaque liquoreuse et onctueuse succèdent des flaveurs d'agrumes confits bien mis en valeur par les notes vanillées du bois.

SCEA J. et J. Pauly, Ch. Clos Haut-Peyraguey, 33210 Bommes, tél. 05.56.76.61.53, fax 05.56.76.69.65, e-mail contact@closhautpeyraguey.com t.l.j. 9h-12h 14h-19h; groupes sur r.-v.

CH. HAUT-COUSTET 2003 **

8,5 ha 6 000 15 à 23 €

Ce vin à la robe dorée affirme sa personnalité par un bouquet caractéristique du sauternes. Les notes de pêche, d'ananas, d'abricot confit, d'orange et de miel défilent comme à la parade. Aussi volubile que le bouquet, le palais est puissant, riche et gras. Très liquoreuse, la finale clôt brillamment la démonstration d'une bouteille destinée, à l'évidence, à une longue garde. Pourquoi pas deux décennies ou plus ?

Vignobles Philippe Mercadier, Ch. Tuyttens, 33210 Fargues, tél. et fax 05.56.76.85.69, e-mail vignoblesmercadier@wanadoo.fr r.-v.

CH. DU HAUT-GRILLON 2003 *

8 ha 6 000 23 à 30 €

Une forte proportion de sémillon dans ce vin à la robe paille soutenue. Son bouquet, d'une bonne intensité, a résolument opté pour la fraîcheur avec des notes de fleurs blanches, d'agrumes et de pamplemousse. Le palais, en revanche, fait preuve d'onctuosité et de chaleur. Déjà agréable à savourer pour ses notes d'agrumes et de miel, ce 2003 reste néanmoins disposé à la garde, notamment grâce à sa fine acidité.

Odile Roumazeilles-Cameleyre, Ch. Grillon, 33720 Barsac, tél. 05.56.27.16.45, fax 05.56.27.03.77 t.l.j. 8h30-12h30 14h-18h

CH. HAUT-MAYNE 2004 *

7,65 ha 16 000 15 à 23 €

Récolté et élevé sur la commune de Preignac, ce vin, né sur une terre argilo-graveleuse, témoigne de la qualité du terroir. Sa couleur d'un or soutenu s'associe à la complexité du bouquet (fleurs de vigne, d'acacia, pêche de vigne et vanille) pour annoncer un palais intéressant. Élégant par ses nuances de figue et une petite note de pomme verte, celui-ci trouve un bel équilibre, particulièrement sensible en finale, onctueuse à souhait.

EARL Roumazeilles, Ch. Haut-Mayne, 33210 Preignac, tél. 05.56.27.12.18, fax 05.56.27.03.77, e-mail julien.roumazeilles@wanadoo.fr r.-v.

CH. LE JUGE 2003 *

4 ha 10 000 11 à 15 €

Issu d'une petite propriété exploitée par l'équipe du château d'Armajan des Ormes, ce vin est moins riche, mais son bouquet floral (genêt et aubépine associés à du miel de tilleul et à un zeste d'épices) est ample, la bouche onctueuse et aromatique, d'un réel équilibre. Potentiel de vieillissement non négligeable.

EARL Jacques et Guillaume Perromat, Ch. d'Armajan, 33210 Preignac, tél. 05.56.63.58.21, fax 05.56.63.21.55, e-mail guillaume.perromat@wanadoo.fr r.-v.

CH. LES JUSTICES 2003

8,5 ha 25 000 30 à 38 €

Sémillon majoritaire, sauvignon et muscadelle, ici la tradition de la diversité de l'encépagement est respectée. Le résultat est sympathique, comme le montre ce vin. Tant par sa robe dorée que par son bouquet aux fines notes de fruits confits (abricot), de fleurs d'acacia et de genêt. Plein, gras, droit et prolongé par un retour privilégiant les arômes confits et de miel, le palais est lui aussi agréable.

SCEA Julie Gonet-Médeville, Ch. Gilette, 33210 Preignac, tél. 05.56.76.28.44, fax 05.56.76.28.43, e-mail gonet.medeville@wanadoo.fr r.-v.

CH. LAFAURIE-PEYRAGUEY 2003 **

1er cru clas. 41 ha 79 000 38 à 46 €

75 76 79 80 81 82 83 84 85 86 **87** (88) **89 90** 91 92 93 |**94**| |**95**| |**96**| |**97**| |98| **99 01** 02 **03**

Silhouette presque déroutante dans le paysage girondin, l'architecture hispano-mauresque, un rien « expo coloniale », de ce château semble un décor pour faire rêver. Sans doute, ce vin est plus classique, dans sa robe jaune doré. Il s'en dégage une élégance qui se retrouve au bouquet où de fines notes botrytisées se mêlent aux parfums d'agrumes et de grillé. Au palais, après une attaque ample et riche, des saveurs grillées succèdent aux nuances fruitées et minérales, avant de s'ouvrir sur une longue finale. Une bouteille qui ne demande qu'à vieillir.

SAS Ch. Lafaurie-Peyraguey, 33210 Bommes, tél. 05.56.76.60.54, fax 05.56.76.61.89, e-mail lafaurie.peyraguey@wanadoo.fr r.-v.

Groupe Suez

CH. LAFON 2003 *

12 ha n.c. 15 à 23 €

Implanté sur des terroirs assez variés (calcaire et graves siliceux), ce cru présente un 2003 qui ne manque pas d'intérêt. D'une couleur jaune paille à reflets or, il développe un bouquet fin et délicat, passant des notes d'abricot et d'épices (safran et cannelle) à celles de fruits frais, comme le muscat. Son équilibre charme.

Fauthoux, Ch. Lafon, 33210 Sauternes, tél. et fax 05.56.63.30.82, e-mail olivier.fauthoux@wanadoo.fr r.-v.

CH. LAMOTHE GUIGNARD 2003

2e cru clas. 18 ha 36 000 23 à 30 €

81 (83) **85** 86 87 **88** 89 |**90**| **94** |95| |**96**| |97| |98| |99| 00 **02** 03

Proche du Ciron, ce domaine est régulièrement sélectionné par les jurys. Sans égaler certains millésimes antérieurs, notamment à cause du côté un peu chaud de la finale, ce vin a du répondant, comme le prouvent sa robe d'un or brillant, ses arômes de genêt et de fleurs blanches, l'attaque moelleuse et un rôti qui s'impose.

GAEC Philippe et Jacques Guignard, Ch. Lamothe Guignard, 33210 Sauternes, tél. 05.56.76.60.28, fax 05.56.76.69.05 t.l.j. sf sam. dim. 8h-12h 14h-18h

CH. LAMOURETTE 2003 *

10 ha 12 400 15 à 23 €

Une maison de type arcachonnais qui fleure bon les grandes vacances et un vignoble (sur Bommes), cultivé en agriculture raisonnée. D'un abord aimable, avec des arômes floraux, de verveine et d'ananas, le 2003 passe ensuite à la rubrique confite. Assez subtil, gras et bien équilibré, le palais appuie l'élégant caractère botrytisé par des touches vanillées, avant de céder la place à une finale fraîche. Deux ou trois ans d'attente seront nécessaires pour apprécier toutes ses qualités.

EARL Vignobles Anne-Marie Léglise, Ch. Lamourette, 33210 Bommes, tél. 05.56.76.63.58, fax 05.56.76.60.85, e-mail leglise@terre-net.fr r.-v.

CH. LARIBOTTE 2002

15,5 ha 10 000 11 à 15 €

Situé sur la commune de Preignac, ce domaine est planté de 90 % de sémillon, 8 % de sauvignon et 2 % de muscadelle. S'annonçant par une robe fraîche et légère, ce vin retient l'attention par son bouquet de miel et d'orange confite. Il possède du volume et une petite sève qui lui permettra de s'exprimer avec des desserts au chocolat noir.

Jean-Pierre Lahiteau, Ch. Laribotte, 33210 Preignac, tél. 05.56.63.27.88, fax 05.56.62.24.80 r.-v.

CH. LATREZOTTE 2004

n.c. 8 000 15 à 23 €

Terre de l'étrange, le sol de ce cru, situé à Barsac, recèle des pierres insolites. En revanche, vous ne trouverez

rien d'étonnant dans ce 2004 (100 % sémillon) au bouquet d'acacia et de fleurs blanches sauvages, et au palais classique, équilibré sans exubérance. Mais toute originalité n'est pas exclue, comme en témoigne la finale aux notes plus complexes d'épices et d'abricot.
Jan de Kok, Ch. Latrezotte, 23, Lapinesse N, 33720 Barsac, tél. 05.56.27.16.50, fax 05.56.27.08.89, e-mail dekok.jan@gmail.com r.-v.

CH. LAVILLE 2003 **

14 ha 18 000 15 à 23 €

Régulière en qualité, cette propriété sait réserver des surprises comme ce remarquable 2003 plébiscité par le grand jury. À la fois ample, rond et gras, celui-ci satisfera l'amateur le plus exigeant par l'intensité et le charme de ses arômes de miel et de confiture. Le palais, moelleux et frais, met en exergue des notes de fruits confits (abricot) et de miel. Imposante, la finale vient rappeler qu'il faudra laisser fondre cette exubérance de sucres, pendant cinq bonnes années, avant d'écrire une page gourmande de votre livre de cave. Expressif, équilibré et élégant, le second vin **Château Delmond 2004 (8 à 11 €)** a mérité une étoile.
Ch. Laville, 33210 Preignac, tél. 05.56.63.59.45, fax 05.56.63.16.28, e-mail chateaulaville@hotmail.com r.-v.
Famille Barbe

CH. LIOT 2004

20 ha n.c. 11 à 15 €

89 90 91 93 95 96 97 |98| |99| |00| |**01**| 03 04

Né dans le Haut Barsac, ce 2004 est servi par un terroir d'argile rouge sur calcaire éclaté. Millésime difficile en liquoreux, il se montre un peu discret dans sa présentation, avec un bouquet fin mais d'une petite complexité ; il se révèle néanmoins plaisant par ses saveurs et son gras.
SCEA J. et E. David, Ch. Liot, 33720 Barsac, tél. 05.56.27.15.31, fax 05.56.27.14.42, e-mail chateau.liot@wanadoo.fr r.-v.

CH. DE MALLE 2004 **

2e cru clas. 27 ha 30 000 30 à 38 €

71 (75) **76** 81 **83 85 86** 87 **88 89 90 91 94 95 96** |97| **98** 99 |00| |02| 03 **04**

Appartenant toujours aux descendants de son bâtisseur, ce superbe château du XVIIe s. témoigne de la fidélité à la tradition qui caractérise le Sauternais. Ce vin sait se jouer des difficultés du millésime. À l'égal du château et de ses jardins, il séduit par son élégance, tant par sa robe jaune d'or que par ses fins parfums d'abord floraux puis épicés. L'attaque franche et grasse, le palais fin, équilibré et savoureux, avec un côté fruits surmûris, poursuivent dans le même esprit pour laisser le souvenir d'une bouteille remarquable.
GFA des Comtes de Bournazel, Ch. de Malle, 33210 Preignac, tél. 05.56.62.36.86, fax 05.56.76.82.40, e-mail chateaudemalle@wanadoo.fr r.-v.

CH. DU MONT Cuvée Jeanne 2004 *

0,54 ha 1 700 11 à 15 €

|01| |02| |03| |04|

Un microcru d'un demi-hectare, à peine un grand jardin, mais assurément pas un petit vin. La complexité du bouquet fruité (fruits secs confits) avec des nuances florales (acacia) et miellées, comme celle du palais riche, ample, élégant et d'une réelle fraîcheur, tout est là pour donner une bouteille charmeuse et un très bon sauternes.
Hervé Chouvac, Ch. du Mont, 33410 Sainte-Croix-du-Mont, tél. 05.56.62.07.65, fax 05.56.62.07.58, e-mail chateau-du-mont@wanadoo.fr
t.l.j. sf dim. 9h-12h 14h-18h

ESQUISSE DE NAIRAC 2003 **

n.c. 1 200 23 à 30 €

Produit en quantité confidentielle par le château Nairac, ce vin présente un air de famille avec le barsac, ne serait-ce que par sa complexité. Mais il sait en même temps affirmer sa propre personnalité, notamment par son expression aromatique puissante et immédiate comme par ce caractère gras qui en fait un représentant authentique des liquoreux. Un seul regret : le petit nombre de bouteilles !
Ch. Nairac, 33720 Barsac, tél. 05.56.27.16.16, fax 05.56.27.26.50, e-mail contact@chateau-nairac.com r.-v.
Nicole Tari

DOM. DE PAVILLON BOUYOT 2003 *

4,2 ha 6 000 15 à 23 €

Né sur un petit vignoble créé en 1997 avec un encépagement bien équilibré, ce vin est encore discret dans son expression aromatique, mais fort plaisant par son côté très liquoreux et par sa forte présence de miel en bouche. Il demande un peu de patience pour être apprécié à sa juste valeur.
Yvan Lardeau, 23, VC5 de Rouquette, 33210 Preignac, tél. et fax 05.56.76.11.81, e-mail yvan.lardeau@laposte.net r.-v.

MADAME DE RAYNE 2003 *

18 ha 36 000 15 à 23 €

Hommage à Catherine de Rayne, née Pontac, ancienne propriétaire de Rayne-Vigneau en 1834, ce vin se

BORDELAIS

veut résolument féminin, avec un joli botrytis (fruits confits), beaucoup de fraîcheur citronnée, une réelle souplesse et une matière pure et élégante.

SC du Ch. Rayne-Vigneau, quai A.-Ferchaud, BP 23, 33250 Pauillac, tél. 05.56.59.00.40, fax 05.56.59.36.47

CH. RIEUSSEC 2003 **

1er cru clas. 82,48 ha 165 000 46 à 76 €

62 67 70 71 75 76 78 79 80 81 82 **83 84 85 86** 87 **88 89** |90| **92** |94| |95| |96| |97| |98| |99| **00 01 02 03**

Installé sur une croupe de graves sablonneuses, juste séparé d'Yquem par un ruisseau, Rieussec bénéficie d'un terroir de choix et d'une équipe compétente autour d'Éric de Rothschild. On ne doute pas de sa qualité quand on contemple la superbe livrée d'or fin qui annonce ce vin. Son bouquet, aux notes complexes de genêt et de fleur de tilleul, est lui aussi fort expressif. De même que le palais aux saveurs de vanille, de rôti, d'amande grillée et de rose ancienne. Tout révèle une remarquable matière qui s'entend parfaitement avec la finale voluptueuse pour présager d'une longue garde.

SAS Ch. Rieussec, 34, rte de Villandraut, 33210 Fargues, tél. 05.57.98.14.14, fax 05.57.98.14.10 r.-v.

CARMES DE RIEUSSEC 2003 **

82,48 ha 39 000 15 à 23 €

Seconde étiquette de Rieussec, ce vin a tout pour faire une fort jolie bouteille : une couleur soutenue, un bouquet riche, avec des notes d'agrumes, de miel, de fruits confits et de tabac, un palais gras, une longue et harmonieuse finale, et, pour couronner le tout, une grande fraîcheur alliée à beaucoup d'onctuosité. « Un ensemble merveilleux », note un juré.

SAS Ch. Rieussec, 34, rte de Villandraut, 33210 Fargues, tél. 05.57.98.14.14, fax 05.57.98.14.10 r.-v.

CH. ROMER DU HAYOT 2002 *

2e cru clas. 16 ha 25 000 11 à 15 €

75 76 79 81 82 83 85 **86 88** 89 90 91 93 |95| 96 |97| |98| 99 00 02

Classé en 1855, ce cru repose sur un terroir argilo-calcaire. Associant 70 % de sémillon, 25 % de sauvignon et 5 % de muscadelle, élevé vingt-deux mois en barrique, ce vin se montre agréable par sa teinte or soutenu comme par son bouquet intense de miel et de raisins secs, ou par sa bouche, assez grasse et un peu miellée, fort bien équilibrée. L'attendre deux ou trois ans.

Vignobles A. du Hayot, Andoyse, 33720 Barsac, tél. 05.56.27.15.37, fax 05.56.27.04.24, e-mail vignoblesduhayot@aol.com r.-v.

CH. SAINT-AMAND 2001

19 ha n.c. 15 à 23 €

Ce cru est une bonne illustration des propriétés de moyenne importance de Preignac. Par sa taille, sa chartreuse, typiquement girondine, et son vin. L'œil se plaît à s'attarder sur la couleur dorée de ce 2001. Fin, discret et frais, le bouquet se pare de notes de botrytis, de citron et de vanille. Quant au palais, qui s'appuie sur des arômes de raisin mûr, il laisse une impression de légèreté et de fraîcheur.

Anne-Mary Facchetti-Ricard, Ch. Saint-Amand, 33210 Preignac, tél. 05.56.76.84.89, fax 05.56.76.24.87, e-mail saintamand@orange.fr r.-v.

CH. SIGALAS RABAUD 2003 *

1er cru clas. 14 ha 40 000 23 à 30 €

66 75 76 81 82 83 85 **86** 87 **88 89** 90 91 92 94 |95| |96| |97| |98| |99| 00 **01** 02 03

Grand quadrilatère en pente entourant une bâtisse du XVIIIe s., ce cru bénéficie à la fois d'une bonne exposition et d'un bon drainage. Entre cuivre et jaune d'or, son 2003 développe une expression aromatique tout en finesse, avec des notes de pâte de fruits, de vanille et d'épices douces complétées par une délicate touche florale. Il se montre très présent au palais : beaucoup de rôti, de fruits confits, de gras et de sucrosité.

SAS Ch. Sigalas Rabaud, 33210 Bommes, tél. 05.56.21.31.43, fax 05.56.78.71.55 r.-v.

Famille de Lambert des Granges

CH. LA TOUR BLANCHE 2003 *

1er cru clas. 37,92 ha 65 462 38 à 46 €

|61| **62** 75 **79** 80 **81 82 83 85 86** |88| |89| |90| |91| 94 |95| |96| |97| |99| |01| **02** 03

Cru école créé en 1909 lorsque David Iffla, surnommé Osiris, fit une donation de son cru classé à l'État à condition d'en faire une école de viticulture. Pédagogie et production sont ici de haut niveau. Se présentant dans une robe des plus avenantes, ce millésime développe de délicats parfums d'abricot, de pêche et de genêt. Puis, il s'affirme pleinement au palais avec une note marquée de rôti et de confit. Ample et généreux, il réussit à intégrer un bois bien dosé. Souple, rond et équilibré, le second vin **Les Charmilles de Tour Blanche 2004 (15 à 23 €)** a obtenu également une étoile.

Ch. La Tour Blanche, 33210 Bommes, tél. 05.57.98.02.73, fax 05.57.98.02.78, e-mail tour-blanche@tour-blanche.com r.-v.

Ministère de l'Agriculture

CH. LES TUILERIES 2003 *

3 ha 10 000 11 à 15 €

Le nom de ce cru a quelque chose d'énigmatique quand on connaît la nature des sols : sablo-graveleux. En tout cas, la vigne semble s'y plaire, du moins si l'on en juge par la qualité du vin. L'élégance du bouquet, floral avec un bois bien fondu, la fraîcheur du palais et la longueur de la finale grillée font de cette bouteille un vrai sauternes.

Vignobles Belloc-Rochet, Ch. Brondelle, 33210 Langon, tél. 05.56.62.38.14, fax 05.56.62.23.14, e-mail chateau.brondelle@wanadoo.fr
t.l.j. 9h-12h 14h-17h30; sam. dim. sur r.-v.

CH. VALGUY 2003

4,16 ha 8 000 **23 à 30 €**

Pris en fermage en 2000, ce cru fut baptisé d'un nom composé à partir des deux prénoms des propriétaires. Son vin est riche, presque trop, avec une forte sucrosité. Son bouquet des plus expressifs affiche des notes d'agrumes (citron, pamplemousse), de genêt et d'acacia. Ce qu'on appelle un « sauternes à l'ancienne » et qui compte bien des amateurs.

Grands vignobles Loubrie, 4, chem. de Couitte, 33210 Preignac, tél. et fax 05.56.63.58.25 t.l.j. sf sam. dim. 8h-20h

CH. DE VEYRES 2003 ★

13,5 ha 9 000 **15 à 23 €**

Avec ce millésime, ce cru trouve son rythme de croisière. Assurément, celui-ci est bon. Riche et puissant, le palais de ce 2003 se porte résolument garant de son sérieux potentiel de garde. Le bouquet n'est pas en reste. Son intensité n'a d'égale que l'étendue de sa palette de parfums : fruits exotiques, ananas, citron et pêche blanche que rejoignent ensuite de délicates notes de fruits confits allant de l'orange à l'abricot. Rappelons que le 2001 fut coup de cœur dans notre édition 2005. Également doté d'une certaine prestance, le **Château Tuyttens 2002 (11 à 15 €)** a été cité.

Vignobles Philippe Mercadier, Ch. Tuyttens, 33210 Fargues, tél. et fax 05.56.76.85.69, e-mail vignoblesmercadier@wanadoo.fr r.-v.

DOM. DU VIEUX MOULIN 2003

1 ha n.c. **11 à 15 €**

Sa taille modeste n'empêche pas ce vignoble de bénéficier d'un encépagement diversifié (15 % de muscadelle). Encore un peu dominé par le bois, son vin ne manque pas de volume et fait preuve d'une bonne présence aromatique, grâce à des notes très rôties et des parfums d'orange, d'abricot et d'amande sèche.

Jean-Pierre Lados, 25 VC5 de Rouquette, 33210 Preignac, tél. 05.56.63.28.72 r.-v.

CH. D'YQUEM 2002 ★★

1er cru clas. sup. 100 ha n.c. **+ de 76 €**

21 29 37 |45| 55 59 (67) 70 71 |75| 76 83 86 |88| 89 |90| (95) |(96)| (97) |98| |(99)| (01) 02

Système de sélection particulièrement drastique, fermentation en barriques neuves, élevage soigné pendant trois ans, à Yquem tout est mis en œuvre pour donner naissance à un vin d'exception, que l'on boit à quinze ou cent cinquante ans. Drapé dans une robe à reflets cuivrés, ce 2002 s'annonce très sauternes par son bouquet. Débutant par des notes fraîches et pures de genêt et de fruits mûrs, typés botrytis, il gagne ensuite en complexité, avec des arômes de sous-bois et de fruits confits. Tout au long de son évolution au palais, il conserve un caractère aimable. Rond, ample et harmonieux, il réussit l'exploit de reconstituer les différents stades des tries de vendange, par sa succession d'arômes parmi lesquels on retrouve les fruits confits qui se mêlent à des notes de fruits rôtis. Un vrai vin plaisir, en apparence facile et déjà superbe, mais qui mérite tout autant d'être attendu au moins vingt ou trente ans.

SA Ch. d'Yquem, 33210 Sauternes, tél. 05.57.98.07.07, fax 05.57.98.07.08, e-mail info@yquem.fr r.-v.

LVMH

LA BOURGOGNE

LA BOURGOGNE

« Aimable et vineuse Bourgogne », écrivait Michelet. Quel amateur de vin ne reprendrait à son compte une telle assertion ? Avec le Bordelais et la Champagne, la Bourgogne porte en effet à travers le monde entier la prestigieuse renommée des vins de France les plus illustres, les associant sur ses terroirs avec une gastronomie des plus riches, et trouvant dans leur diversité de quoi satisfaire tous les goûts et réussir tous les accords gourmands.

Plus encore que dans toute autre région viticole, on ne peut dissocier en Bourgogne l'univers du vin de la vie quotidienne, dans une civilisation forgée au rythme des travaux de la vigne : depuis les confins auxerrois jusqu'aux monts du Beaujolais, tout au long d'une province qui relie les deux métropoles que sont Paris et Lyon, la vigne et le vin ont, dès la plus haute Antiquité, fait vivre les hommes, et les ont fait vivre bien. Si l'on en croit Gaston Roupnel, écrivain bourguignon mais aussi vigneron à Gevrey-Chambertin, auteur d'une *Histoire de la campagne française*, la vigne aurait été introduite en Gaule au VI^{e}s. av. J.-C. « par la Suisse et les défilés du Jura », pour être bientôt cultivée sur les pentes des vallées de la Saône et du Rhône. Même si, pour d'autres, ce sont les Grecs qui sont à l'origine de la culture de la vigne, venue du Midi, nul ne conteste l'importance qu'elle a prise très tôt sur le sol bourguignon. Certains reliefs du Musée archéologique de Dijon en témoignent. Et lorsque le rhéteur Eumène s'adresse à l'empereur Constantin, à Autun, c'est pour évoquer les vignes cultivées dans la région de Beaune et qualifiées déjà d'« admirables et anciennes ».

Modelée par les avatars glorieux ou tragiques de son histoire, soumise aux aléas des données climatiques autant qu'aux transformations des pratiques agricoles – où les moines, dans les mouvances de Cluny ou de Cîteaux, jouèrent un rôle capital –, la Bourgogne a dessiné peu à peu la palette de ses *climats* et de ses crus, évoluant constamment vers la qualité et la typicité de vins incomparables. C'est sous le règne des quatre ducs de Bourgogne (1342-1477) que furent édictées les règles destinées à garantir un niveau qualitatif élevé.

Il faut cependant préciser que la Bourgogne des vins ne recouvre pas exactement la Bourgogne administrative : la Nièvre (qui se rattache administrativement à la Bourgogne, avec la Côte-d'Or, l'Yonne et la Saône-et-Loire) fait partie du vignoble du Centre et du vaste ensemble de la vallée de la Loire (vignoble de Pouilly-sur-Loire). Tandis que le Rhône (appartenant pour les autorités judiciaires et administratives à la Bourgogne lui aussi), pays du beaujolais, a acquis par l'habitude une autonomie que justifie – outre la pratique commerciale – l'usage d'un cépage spécifique. C'est ce choix qui est retenu dans le présent guide (voir le chapitre « Le Beaujolais »), où l'on comprend donc en Bourgogne les vignobles de l'Yonne (basse Bourgogne), de la Côte-d'Or et de la Saône-et-Loire, bien que certains vins produits en Beaujolais puissent être vendus en appellation régionale bourgogne.

L'unité ampélographique de la Bourgogne – à l'exclusion, donc, du Beaujolais, planté de gamay noir – ne fait pas de doute : le chardonnay pour les vins blancs et le pinot noir pour les vins rouges y règnent en maîtres. On rencontre cependant quelques variétés annexes, vestiges de pratiques culturales anciennes ou adaptations spécifiques à des terroirs particuliers : l'aligoté, cépage blanc produisant le célèbre bourgogne-aligoté, fréquemment employé dans la confection du « kir » (blanc-cassis) ; il atteint son sommet qualitatif dans le petit pays de Bouzeron, tout près de Chagny (Saône-et-Loire) qui bénéficie d'une AOC communale. Le césar, lui, plant « rouge », est surtout cultivé dans les Côtes d'Auxerre et peut être assemblé au pinot noir pour cette appellation. Le césar apporte beaucoup de tanins. Le sacy donne du bourgogne-grand-ordinaire dans l'Yonne, mais il est de plus en plus remplacé par le chardonnay ; le gamay, lui, fournit du bourgogne-grand-ordinaire et, associé au pinot, du bourgogne-passetoutgrain. Enfin, le sauvignon, fameux cépage aromatique des vignobles de Sancerre et de Pouilly-sur-Loire, est cultivé dans la région de Saint-Bris-le-Vineux, dans l'Yonne, où il donne le saint-bris qui a accédé au statut d'AOC en 2002.

Sous une relative unité climatique, globalement semi-continentale avec l'influence océanique atteignant ici les limites du Bassin parisien, ce sont les sols qui vont spécifier les caractères propres des très nombreux vins produits en Bourgogne. Car si l'extrême morcellement des parcelles est la règle partout, il se fonde en grande partie sur une juxtaposition d'affleurements géologiques variés, origine de la riche palette de parfums et de saveurs des crus de Bourgogne. Et plus que des données strictement météorologiques, ce sont des variations pédologiques qui rendent compte de la notion de terroir (ou *climat*) précisant les caractères des vins au sein d'une même appellation, et compliquant comme à plaisir le classement et la présentation des grands vins de Bourgogne... Ces *climats*, aux noms particulièrement évocateurs (la Renarde, les Cailles, Genevrières, Clos de la Maréchale, Clos des Ormes, Montrecul...), sont les termes consacrés depuis au moins le XVIII^{e}s. pour désigner des surfaces de quelques hectares, parfois même quelques « ouvrées » (une ouvrée est égale à 4 ares, 28 centiares), correspondant à « une entité naturelle s'extériorisant par l'unité du caractère du vin qu'elle produit... » (A. Vedel). Et l'on peut constater en effet qu'il y a parfois moins de différences entre deux vignes séparées de plusieurs centaines de mètres mais à l'intérieur du même *climat* qu'entre deux autres voisines mais dans deux *climats* différents.

On dénombre en outre quatre niveaux d'appellations dans la hiérarchie des vins : appellation régionale bourgogne (56 % de la production), *villages* (ou appellation communale), premier cru (12 % de la production) et grand cru (3 % de la production qui recouvre trente-trois grands crus répertoriés en Côte-d'Or et à Chablis). Et le nombre de terroirs légalement délimités est très grand : on compte, par exemple, vingt-sept dénominations différentes pour les premiers crus récoltés sur la commune de Nuits-Saint-Georges, et cela pour une centaine d'hectares seulement !

Dans une étude portant sur cinquante-neuf profils de sols établis dans la Côte de Nuits, Meriaux (*et alii* 1980) montrent que ce sont des critères morphologiques et physico-chimiques tels que la pente, la pierrosité, les taux d'argile et de calcaire qui permettent le mieux de distinguer l'échelle des appellations.

Plus simplement, dans une approche géographique beaucoup plus générale, il est d'usage de distinguer, du nord au sud, quatre grandes zones au sein de la Bourgogne viticole : les vignobles de l'Yonne (ou de basse Bourgogne), de la Côte-d'Or (Côte de Nuits et Côte de Beaune), la Côte chalonnaise, le Mâconnais.

Dispersé, le vignoble de Chablis couvre aujourd'hui plus de 4 500 ha de collines aux pentes d'exposition variées avec, en dehors de la petite ville de Chablis elle-même, une constellation de villages et de hameaux. L'exploitation du vignoble est partagée entre de nombreux petits propriétaires et quelques grands domaines de 100 ha et plus qui en font les plus importants de Bourgogne. À noter également la présence d'une coopérative « La Chablisienne » qui regroupe plus de trois cents viticulteurs et qui vinifie environ 25 % du vignoble. Du point de vue pédoclimatique, on distingue trois étages géologiques appartenant au jurassique supérieur : l'oxfordien, le kimméridgien et le portlandien qui sont pris en compte dans la délimitation des quatre appellations d'origine contrôlée : petit-chablis, chablis, chablis-premier-cru, chablis-grand-cru. Le caractère gelif du vignoble chablisien est légendaire et son extension à partir des années 1960 a été possible en partie grâce à la mise en place de systèmes de protection comme l'aspersion d'eau. Le vin de Chablis est décrit comme « un vin sec, finement parfumé, léger, vif, qui surprend l'œil par son étonnante limpidité à peine teintée d'or vert » (P. Poupon). De grande réputation mondiale, le nom de ce vin, rançon du succès sans doute, est utilisé abusivement pour de nombreux vins blancs secs produits dans les divers pays viticoles.

La Bourgogne

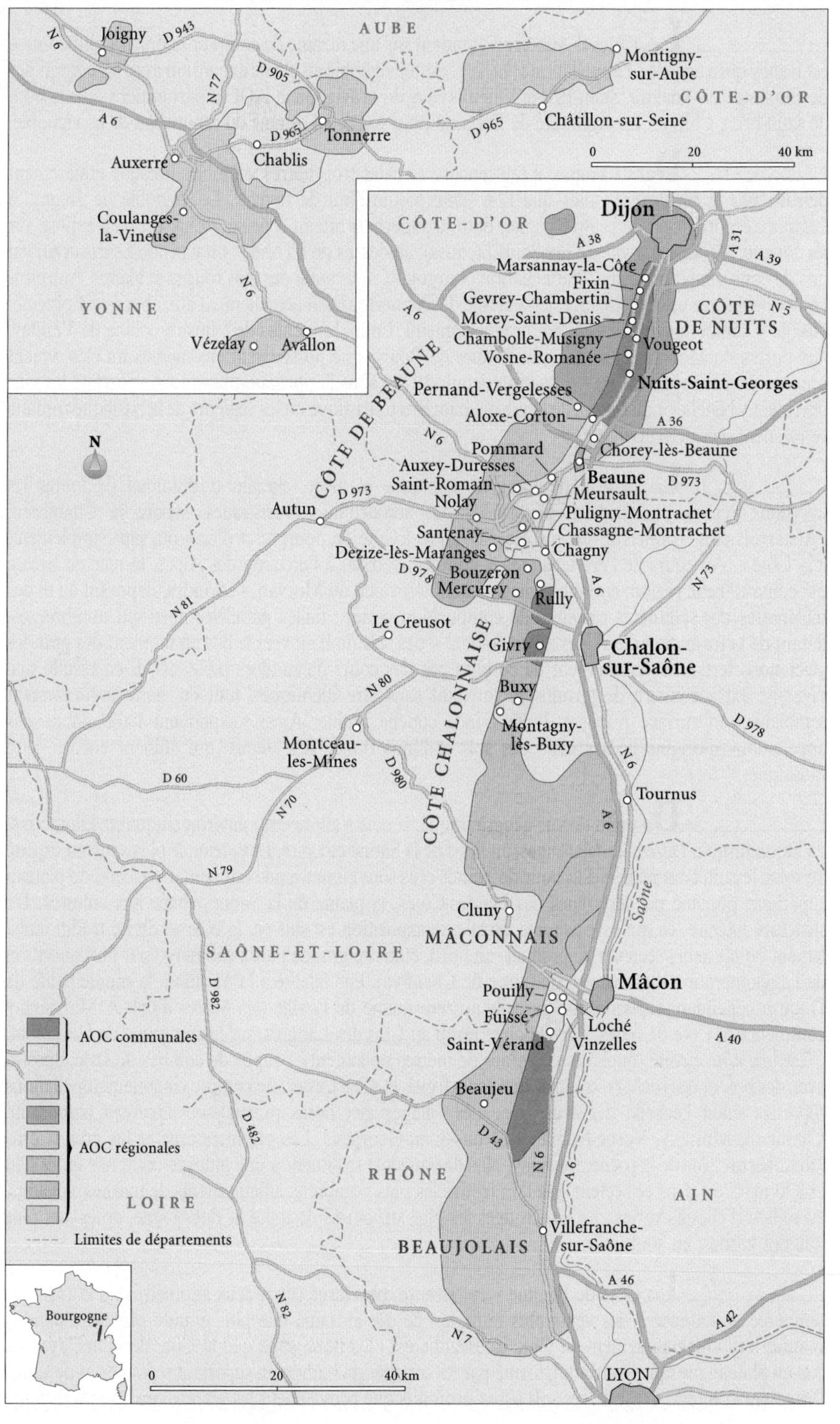

AUBE
Joigny
D 943
N 6
N 77
D 905
A 6
D 965
Tonnerre
Auxerre
Chablis
Coulanges-la-Vineuse
YONNE
Vézelay
Avallon
Montigny-sur-Aube
Châtillon-sur-Seine
D 965
CÔTE-D'OR
0
20
40 km
CÔTE-D'OR
Dijon
A 38
A 31
A 39
Marsannay-la-Côte
Fixin
Gevrey-Chambertin
Morey-Saint-Denis
Chambolle-Musigny
Vougeot
Vosne-Romanée
Nuits-Saint-Georges
CÔTE DE NUITS
N 5
CÔTE DE BEAUNE
Pernand-Vergelesses
Aloxe-Corton
A 36
Chorey-lès-Beaune
Pommard
Beaune
Auxey-Duresses
Saint-Romain
Meursault
Nolay
Puligny-Montrachet
Chassagne-Montrachet
Santenay
Dezize-lès-Maranges
Chagny
D 973
Autun
N 6
Bouzeron
Mercurey
Rully
D 978
A 6
N 73
N 81
Le Creusot
Givry
Chalon-sur-Saône
CÔTE CHALONNAISE
Buxy
Montagny-lès-Buxy
N 80
Montceau-les-Mines
D 980
D 978
D 60
N 70
Tournus
N 79
Saône
Cluny
MÂCONNAIS
SAÔNE-ET-LOIRE
Mâcon
Pouilly
Fuissé
Loché
Vinzelles
Saint-Vérand
A 40
D 982
AOC communales
Beaujeu
AOC régionales
D 43
D 482
RHÔNE
AIN
LOIRE
Limites de départements
Villefranche-sur-Saône
BEAUJOLAIS
A 46
Bourgogne
N 82
N 7
A 42
LYON
0
20
40 km

Les Côtes d'Auxerre s'étendent sur une dizaine de communes dont la plus connue est Irancy qui a accédé à l'appellation *village*. C'est un vignoble en pleine expansion avec les communes de Coulanges-la-Vineuse, Saint-Bris-le-Vineux (pays du sauvignon et AOC à part entière sous le nom de saint-bris), Chitry... La proximité de Paris est pour partie à l'origine du renouveau de ce vignoble.

Dans l'Yonne, il faut encore signaler trois autres vignobles presque entièrement détruits par le phylloxéra, mais que l'on tente aujourd'hui de raviver. Le vignoble de Joigny, à l'extrémité nord-ouest de la Bourgogne, dont la superficie atteint à peine 10 ha, est bien exposé sur les coteaux entourant la ville (Côte Saint-Jacques), au-dessus de l'Yonne ; on y produit surtout un vin gris de consommation locale, d'appellation bourgogne, mais aussi des vins rouges et blancs. Autrefois aussi célèbre que celui d'Auxerre, le vignoble de Tonnerre renaît actuellement aux abords d'Épineuil ; l'usage y admet une appellation bourgogne-épineuil. Enfin, les pentes de l'illustre colline de Vézelay, aux portes du Morvan, et où les grands-ducs de Bourgogne possédaient eux-mêmes un clos, voient renaître un petit vignoble en production depuis 1979 ; sous l'appellation bourgogne-vézelay, les vins devraient y bénéficier du renom de l'endroit, haut lieu touristique où les visiteurs de la basilique romane se joignent aux pèlerins.

Le plateau de Langres, karstique et aride, chemin traditionnel de toutes les invasions venues du nord-est, historiques ou, aujourd'hui, touristiques, sépare le Chablisien, l'Auxerrois et le Tonnerrois de la Côte-d'Or, dite « Côte de pourpre et d'or » ou, plus simplement, « la Côte ». Au cours de l'ère tertiaire, et consécutivement à l'érection des Alpes, la mer de Bresse qui couvrait cette région, battant le vieux massif hercynien du Morvan, s'effondra, déposant au fil des millénaires des sédiments calcaires de composition variée : failles parallèles nord-sud nombreuses, datant de la formation des Alpes ; « coulement » des sols du haut vers le bas au moment des grandes glaciations tertiaires ; creusement de combes par des cours d'eau alors puissants. Il en résulte une diversité extraordinaire de terrains se jouxtant sans être identiques, tout en étant apparemment semblables en surface à cause d'une mince couche arable. Ainsi s'expliquent l'abondance des appellations d'origine liées à celle des sols et l'importance des *climats* qui affinent encore cette mosaïque.

Du point de vue géographique, la côte s'allonge sur environ cinquante kilomètres, de Dijon jusqu'à Dezize-lès-Maranges, au nord de la Saône-et-Loire. Le coteau, le plus souvent exposé au soleil levant, comme il se doit pour de grands crus sous climat semi-continental, descend du plateau supérieur, ponctué par les vignes des Hautes-Côtes, la plaine de la Saône, vouée aux cultures. De structure linéaire, ce qui favorise une excellente exposition est-sud-est, la côte se divise traditionnellement en plusieurs secteurs, le premier, au nord, étant en grande partie submergé par l'urbanisation de l'agglomération dijonnaise (commune de Chenôve). Par fidélité à la tradition, la municipalité de Dijon a cependant replanté une parcelle au sein même de la ville (les Marcs d'or). À Marsannay commence la Côte de Nuits, qui s'allonge jusqu'au Clos des Langres, sur la commune de Corgoloin. C'est une côte étroite (quelques centaines de mètres seulement), coupée de combes de style alpestre avec des bois et des rochers, soumise aux vents froids et secs. Cette côte compte vingt-neuf appellations réparties selon l'échelle des crus, avec des villages aux noms prestigieux : Gevrey-Chambertin, Chambolle-Musigny, Vosne-Romanée, Nuits-Saint-Georges... Les premiers crus et les grands crus (chambertin, clos-de-la-roche, musigny, clos-de-vougeot) se situent à une altitude comprise entre 240 et 320 m. C'est dans ce secteur que l'on trouve les plus nombreux affleurements de marnes calcaires, au milieu d'éboulis variés ; les vins rouges les plus structurés de toute la Bourgogne, aptes aux plus longues gardes, en sont issus.

La Côte de Beaune vient ensuite, plus large (un à deux kilomètres), à la fois plus tempérée et soumise à des vents plus humides, ce qui entraîne une plus grande précocité dans la maturation. Géologiquement, la Côte de Beaune est plus homogène que la Côte de Nuits, avec au bas un plateau presque horizontal, formé par les couches du bathonien supérieur recouvertes de terres fortement colorées. C'est de ces sols assez profonds que proviennent les grands vins rouges (beaune

Grèves, pommard Épenots...). Au sud de la Côte de Beaune, les bancs de calcaires oolithiques avec, sous les marnes du bathonien moyen recouvertes d'éboulis, des calcaires sus-jacents donnent des sols à vigne caillouteux, graveleux, sur lesquels sont récoltés les vins blancs parmi les plus prestigieux : premiers et grands crus des communes de Meursault, Puligny-Montrachet, Chassagne-Montrachet. Si l'on parle de « côte des rouges » et de « côte des blancs », il faut citer entre les deux le vignoble de Volnay, implanté sur des terrains pierreux argilo-calcaires et donnant des vins rouges d'une grande finesse.

La culture de la vigne se poursuit jusqu'à une altitude plus élevée dans la Côte de Beaune que dans la Côte de Nuits : 400 m et parfois plus. Le coteau est coupé de larges combes, dont celle de Pernand-Vergelesses, semblant séparer la fameuse Montagne de Corton du reste de la côte.

On replante peu à peu les secteurs des hautes-côtes, où sont produites les appellations régionales bourgogne-hautes-côtes-de-nuits et bourgogne-hautes-côtes-de-beaune. L'aligoté y trouve son terrain de prédilection, qui met bien en valeur sa fraîcheur. Quelques terroirs y donnent d'excellents vins rouges issus de pinot noir, présentant souvent des odeurs de petits fruits rouges (framboise, cassis), spécialités de la Bourgogne, cultivées là aussi.

Le paysage s'épanouit quelque peu dans la Côte chalonnaise (4 500 ha) ; la structure linéaire du relief s'y élargit en collines de faible altitude s'étendant plus à l'ouest de la vallée de la Saône. La structure géologique est beaucoup moins homogène que celle du vignoble de la Côte-d'Or ; les sols reposent sur les calcaires du jurassique, mais aussi sur des marnes de même origine ou d'origine plus ancienne, lias ou trias. Des vins rouges d'AOC *village* et premier cru sont produits à partir du pinot noir à Mercurey, Givry et Rully, mais ces mêmes communes proposent aussi des blancs de chardonnay, cépage qui devient unique pour l'appellation montagny située un peu plus au sud ; c'est aussi là que se trouve Bouzeron, à l'aligoté réputé. Il faut enfin signaler un bon vignoble aux abords de Couches, que domine le château médiéval. D'églises romanes en demeures anciennes, chaque itinéraire touristique peut d'ailleurs se confondre ici avec une route des Vins.

Jeu de collines découvrant souvent de vastes horizons, où les bœufs charolais ponctuent de blanc le vert des prairies, le Mâconnais (5 700 ha en production), cher à Lamartine – Milly, son village, est vinicole, et lui-même possédait des vignes – est géologiquement plus simple que le Chalonnais. Les terrains sédimentaires du triasique au jurassique y sont coupés de failles ouest-est. 20 % des appellations sont communales, 80 % régionales (mâcon blanc et mâcon rouge). Sur des sols bruns calcaires, les blancs les plus réputés, issus de chardonnay, naissent sur les versants particulièrement bien exposés et très ensoleillés de Pouilly, Solutré et Vergisson avec les AOC pouilly-fuissé, pouilly-vinzelles, pouilly-loché, saint-véran. Ils sont remarquables par leur aspect et leur aptitude à une longue garde. Les rouges et rosés proviennent du pinot noir pour les vins d'appellation bourgogne et de gamay noir à jus blanc pour les mâcons issus de terrains à plus basse altitude et moins bien exposés, aux sols souvent limoneux où des rognons siliceux facilitent le drainage.

Pour essentielles que soient les données pédologiques et climatiques, on ne peut présenter la Bourgogne vinicole sans aborder les aspects humains du travail de la vigne et des vins : les hommes attachés à leur terroir le sont souvent ici depuis des siècles. Ainsi, les noms de nombreuses familles ont traversé cinq siècles. De même, la fondation de certaines maisons de négoce remonte parfois au XVIII^{e}s.

Morcelé, notamment en Côte d'Or, le vignoble est constitué d'exploitations familiales de faible superficie. C'est ainsi qu'un domaine de 4 à 5 ha suffit, en appellation communale (nuits-saint-georges, par exemple), à faire vivre un ménage occupant un ouvrier. Rares sont les producteurs qui possèdent et cultivent plus de 10 ha : l'illustre Clos-Vougeot, par exemple, qui couvre 50 ha, est partagé entre plus de soixante-dix propriétaires ! Ce morcellement des *climats* du point de vue de la propriété augmente encore la diversité des vins produits et crée une saine émulation chez les vignerons ; une dégustation consistera souvent, en Bourgogne, à comparer deux vins de même cépage et de même appellation, mais provenant chacun d'un *climat* différent ; ou encore, à juger deux vins de même cépage et de même *climat*, mais d'années différentes. Ainsi, en Bourgogne, deux notions reviennent en permanence en matière de dégustation : le cru, ou *climat*, et le millésime, auxquels s'ajoute bien sûr la « touche » personnelle du vinificateur qui les présente. Du point de vue technique, le vigneron bourguignon est très attaché au maintien des usages et traditions, ce qui ne signifie pas un refus absolu de la modernisation. C'est ainsi que la mécanisation de la viticulture se développe et que de nombreux vinificateurs ont su tirer profit de nouveaux matériels ou de nouvelles techniques. Il est toutefois des traditions qui ne sauraient être remises en cause aussi bien par les viticulteurs que par les négociants : l'un des meilleurs exemples en est l'élevage des vins en fût de chêne.

On recense environ 3 500 domaines vivant uniquement de la vigne. Ils exploitent les deux tiers des 24 000 ha de vignes plantées en appellation d'origine. Dix-neuf coopératives sont répertoriées ; le mouvement est très actif en Chablisien, en Côte chalonnaise et surtout dans le Mâconnais (13 caves). Elles produisent environ 25 % des volumes de vin. Les négociants-éleveurs jouent un grand rôle depuis le XVIII[e]s. Ils commercialisent plus de 60 % de la production et détiennent plus de 35 % de la surface totale des grands crus de la Côte de Beaune. Avec ses domaines, le négoce produit 8 % de la récolte totale bourguignonne. Celle-ci représente en moyenne 180 millions de bouteilles (105 en blanc, 75 en rouge) qui génèrent 760 millions d'euros de chiffre d'affaires. Le volume global des appellations représente environ 300 000 hl.

L'importance de l'élevage (conduite d'un vin depuis sa prime jeunesse jusqu'à son optimal qualitatif avant la mise en bouteilles) met en évidence le rôle du négociant-éleveur : outre sa responsabilité commerciale, il assume une responsabilité technique. On comprend donc qu'une relation professionnelle harmonieuse se soit créée entre la viticulture et le négoce.

Le Bureau interprofessionnel des vins de Bourgogne (BIVB) possède trois « antennes » : Mâcon, Beaune et Chablis. Le BIVB met en œuvre des actions dans les domaines technique, économique et promotionnel. L'université de Bourgogne a été le premier établissement en France, du moins au niveau universitaire, à dispenser des enseignements d'œnologie et à créer un diplôme de technicien, en 1934, en même temps qu'était fondée la prestigieuse confrérie des Chevaliers du Tastevin, qui fait tant pour le rayonnement et le prestige universel des vins de Bourgogne. Siégeant au château du Clos-Vougeot, elle contribue avec d'autres confréries locales à maintenir vivaces les traditions. L'une des plus brillantes est sans conteste la vente des hospices de Beaune, créée en 1851, rendez-vous de l'élite internationale du vin et « Bourse » des cours de référence des grands crus ; avec le chapitre de la confrérie et la « Paulée » de Meursault, la vente est l'une des « Trois Glorieuses ». Mais c'est à travers toute la Bourgogne que l'on sait fêter joyeusement le vin, devant quelque « pièce » (228 litres) ou bouteille. Il n'en faut d'ailleurs pas tant pour aimer la Bourgogne et ses vins : n'est-elle pas tout simplement « un pays que l'on peut emporter dans son verre » ?

Les appellations régionales bourgogne

Les appellations régionales bourgogne, bourgogne-grand-ordinaire et leurs satellites ou homologues couvrent l'aire de production la plus vaste de la Bourgogne viticole. Elles peuvent être produites dans les communes traditionnellement viticoles des départements de l'Yonne, de la Côte-d'Or, de la Saône-et-Loire, et dans le canton de Villefranche-sur-Saône, dans le Rhône. Elles représentent un volume de 428 688 hl en 2005.

Compte tenu de la dispersion géographique de l'appellation régionale bourgogne, celle-ci est souvent associée au nom de la zone de production : côtes d'auxerre, hautes-côtes-de-nuits et de beaune, côte-chalonnaise.

La codification des usages, et plus particulièrement la définition des terroirs par la délimitation parcellaire, a conduit à une hiérarchie au sein des appellations régionales. L'appellation bourgogne-grand-ordinaire est la plus générale, la plus extensive par l'aire délimitée. Avec un encépagement plus spécifique, on récolte dans les mêmes lieux le bourgogne-aligoté, le bourgogne-passetoutgrain et le crémant-de-bourgogne.

Bourgogne

L'aire de production de cette appellation est assez vaste, si l'on considère les adjonctions possibles de différents noms de sous-régions (Hautes-Côtes, Côte chalonnaise...) ou de villages (Chitry, Épineuil...) qui constituent chacun une entité à part, et sont présentés ici comme telle. Il n'est pas étonnant qu'en raison de l'étendue de cette appellation les producteurs aient cherché à personnaliser leurs vins et à convaincre le législateur d'en préciser l'origine. Dans le Châtillonnais, en Côte-d'Or, le nom de Massingy a été utilisé, mais ce vignoble a quasiment disparu. Plus récemment, et de manière continue, les viticulteurs utilisent le nom de village et l'ont ajouté à l'appellation bourgogne, sur les coteaux de l'Yonne. C'est le cas de Saint-Bris, des Côtes d'Auxerre, sur la rive droite, et de Coulanges-la-Vineuse, sur la rive gauche.

Les bourgognes blancs sont produits à partir du cépage chardonnay, encore appelé beaunois dans l'Yonne. Le pinot blanc, bien que cité dans le texte de définition et autrefois un peu plus cultivé dans les hautes côtes de la Bourgogne, a pratiquement disparu. Il est d'ailleurs très souvent confondu, du moins par le nom, avec le chardonnay.

En rouge et rosé, le pinot noir est roi. Le pinot beurot a malheureusement presque disparu en raison de sa carence en matières colorantes ; il apportait aux vins rouges une finesse remarquable. Certaines années, les volumes déclarés peuvent être augmentés de volumes issus du « repli » des appellations communales du Beaujolais : brouilly, côte-de-brouilly, chénas, chiroubles, fleurie, juliénas, morgon, moulin-à-vent et saint-amour. Ces vins sont alors issus du cépage gamay noir seul, et ont ainsi un caractère différent. Les vins rosés, dont les volumes augmentent un peu les années de maturité difficile ou de fort développement de la pourriture grise, peuvent être déclarés sous l'appellation bourgogne rosé ou bourgogne clairet.

Pour ajouter à la difficulté, on trouvera des étiquettes portant, en plus de l'appellation bourgogne, le nom du lieu-dit sur lequel a été produit le vin. Quelques vignobles anciens et réputés justifient aujourd'hui cette pratique ; c'est le cas du Chapitre à Chenôve, des Montreculs, vestiges du vignoble dijonnais envahi par l'urbanisation, ainsi que de la Chapelle-Notre-Dame à Serrigny. Pour les autres, ils créent souvent une confusion avec les premiers crus et ne se justifient pas toujours.

DOM. DE L'ABBAYE DU PETIT QUINCY
Épineuil 2005 ★

□ 3 ha 25 000 ■ ⊕ 5 à 8 €

Des nouvelles du domaine : Dominique Gruhier a pris la barre en 2005. L'ancienne « grange » de l'abbaye cistercienne de Quincy a fortement pris part à la renaissance du vignoble tonnerrois. Macération carbonique : si ce chardonnay hésite entre la pomme verte et l'exotique, sans trop concéder au minéral, il est à coup sûr de bonne compagnie, équilibré et généreux.

Dominique Gruhier, Dom. de l'Abbaye du Petit Quincy, rue du Clos-de-Quincy, 89700 Épineuil, tél. 03.86.55.32.51, fax 03.86.55.32.50, e-mail gruhier@domaine-abbaye.com

t.l.j. sf dim. 10h-12h30 14h30-18h

DOM. ARLAUD Roncevie 2004 ★★

■ 5 ha 25 000 ⊕ 8 à 11 €

Bertille Arlaud rejoint son père et ses frères Romain et Cyprien sur le domaine, et s'occupe du labour à cheval. Car il revient en force, l'animal ! Bourgogne de grande classe, rubis violet, cerise poivrée, d'une concentration exceptionnelle et d'un art si soyeux... À déguster maintenant : il ne faut pas faire attendre la grâce quand elle passe. Présent au grand jury des coups de cœur.

Dom. Arlaud, 41, rue d'Épernay, 21220 Morey-Saint-Denis, tél. 03.80.34.32.65, fax 03.80.34.10.11, e-mail contact@domainearlaud.com

r.-v.

CHRISTOPHE AUGUSTE
Coulanges-la-Vineuse 2005

	2 ha	15 000		3 à 5 €

Un rosé sauvé des eaux, car on n'en retient que peu cette année. Tout jeune et fringant, ce 2005 saumon clair ; le nez fumé malgré sa vie en cuve, il tient le milieu entre le friand et le frais sur une structure légère. À servir bien sûr dès cet automne. Le **rouge 2005 Coulanges-la-Vineuse (5 à 8 €)** apparaît encore un peu brouillon, mais avec de quoi satisfaire. Quant au **Côtes d'Auxerre rouge 2005 (5 à 8 €)**, il est léger, prêt pour une viande blanche. Ils obtiennent tous les deux une citation.

SCEA Christophe Auguste, 55, rue André-Vildieu, 89580 Coulanges-la-Vineuse, tél. 03.86.42.35.04, fax 03.86.42.51.81 r.-v.

CHRISTIAN BELLANG ET FILS 2004 *

	0,6 ha	1 500		5 à 8 €

On pense au vers d'André Chénier : « un cou blanc, délicat... » Voici un chardonnay probablement encore fermé, au col de cygne, charmeur et très fleurs blanches. Il lui faut attendre la mi-2007 pour acquérir ce qui lui manque encore un peu et le prive pour le moment d'une deuxième étoile. Doré, suave, expressif et long, il a passé dix mois en fût. Si vous cherchez bien, vous trouverez en bouche des notes de litchi et d'ananas.

Christian Bellang et Fils, 2, rue de Mazeray, 21190 Meursault, tél. 03.80.21.22.61, fax 03.80.21.68.50, e-mail christophe.bellang@wanadoo.fr r.-v.

DOM. BERNAERT 2003 *

	n.c.	5 000		5 à 8 €

Accolay, naguère le Vallauris bourguignon situé le long de la route nationale, célèbre pour ses poteries. C'est pourtant un verre qu'il nous faut pour juger ce 2003 parvenu à ses fins, équilibré, long et agréable, citronné, paré d'une robe jaune à reflets dorés.

Dom. Bernaert, RN 6, 89460 Accolay, tél. 03.86.81.56.95, fax 03.86.81.69.33 r.-v.

BERSAN ET FILS
Côtes d'Auxerre Cuvée Louis Bersan 2003 *

	1 ha	6 000		8 à 11 €

Les Bersan sont installés au village depuis le XVe s. Et quel village ! Saint-Bris mérite à lui seul le voyage. Ses vignerons aussi. Voici un très beau vin aux arômes mûrs et légèrement exotiques, passionnant sous son or secret. Le boisé reste dans la limite qui convient. Le corps ne perd pas de vue l'essentiel, qui est de plaire. Surmaturité et glycérol, il s'agit d'un 2003. Pour des huîtres en gelée façon Marc Meneau si d'aventure le bonheur vous les fait côtoyer.

Dom. Bersan et Fils, 20, rue du Dr-Tardieux, 89530 Saint-Bris-le-Vineux, tél. 03.86.53.33.73, fax 03.86.53.38.45, e-mail bourgognes-bersan@wanadoo.fr t.l.j. 8h-12h 14h-18h; dim. sur r.-v.

DOM. ALBERT BOILLOT 2004 *

	0,25 ha	2 200		5 à 8 €

Un enfant bien élevé. Or pâle à reflets verts, il connaît ses leçons. Forcément le fût déteint un peu sur le caractère, mais comme l'âge va le mûrir, ce sont là défauts de jeunesse. Le corps se développe et l'acidité lui donne de la vigueur. Un beau bourgogne blanc qui fait plaisir. Une étoile également pour le **bourgogne pinot noir 2004**.

SCE du Dom. Albert Boillot, ruelle Saint-Étienne, 21190 Volnay, tél. et fax 03.80.21.61.21, e-mail dom.albert.boillot@wanadoo.fr t.l.j. sf dim. 10h-13h 15h-18h

JEAN-CLAUDE BOISSET 2004 *

	n.c.	n.c.		8 à 11 €

Le chardonnay de Jean-Claude Boisset, navire amiral de son empire, dont le 2003 fut coup de cœur l'an dernier. Le nouveau millésime n'est pas mal non plus ! Clair et limpide, il se révèle floral. Son point fort réside dans une longue persistance en bouche. La vivacité se conjugue avec une petite amertume qui lui confère une grande fraîcheur.

Jean-Claude Boisset, 5, quai Dumorey, 21700 Nuits-Saint-Georges, tél. 03.80.62.61.61, fax 03.80.62.61.72, e-mail jcb@jcboisset.com

DOM. BORGNAT Coulanges-la-Vineuse 2004

	3,5 ha	20 000	5 à 8 €

Escolives-Sainte-Camille a vu dans l'Yonne les débuts de la vigne il y a deux mille ans. Sur ce site archéologique majeur, proche d'Auxerre, on a trouvé des motifs de décoration authentiquement vineux, parmi les plus anciens de la Bourgogne. C'est de là que vient ce pinot riche en histoire, rubis violacé, au nez de fruits rouges, un peu rustique d'allure et encore austère mais déjà de belle longueur. Sur ce domaine, vous pourrez être initié à la dégustation.

Dom. Benjamin et Églantine Borgnat, 1, rue de l'Église, 89290 Escolives-Sainte-Camille, tél. 03.86.53.35.28, fax 03.86.53.65.00, e-mail benjamin@domaineborgnat.com t.l.j. 9h-12h 14h-19h; dim. 9h-12h; f. 1er-15 jan.

RENÉ BOURGEON Les Pourrières 2004

	n.c.	n.c.		5 à 8 €

Un goût de revenez-y sous des traits limpides, d'un joli rouge grenat : il a ce qu'il faut de nez, entre les épices douces et les fruits rouges et une bonne bouche assez longue dont les tanins restent discrets. Les dix-huit mois passés en fût ont toasté le vin, sans excès. Si l'on en croit le *Guide Bleu*, Jambles « laisse apparaître une certaine aisance ». Ce vin le montre bien !

GAEC René Bourgeon, 2, rue du Chapitre, 71640 Jambles, tél. 03.85.44.35.85, fax 03.85.44.57.80 r.-v.

OLIVIER BOUSSARD La Chaume blanche 2004

	2 ha	15 000		5 à 8 €

Nitry n'est pas seulement un échangeur autoroutier sur l'A6. On y met en bouteilles un chardonnay au décor or pâle. Son bouquet assez tendre hésite entre les épices et la pierre à fusil. Au palais, il est tout bonnement rond. Le nez et la bouche s'accordent bien.

SCEA Boussard, rte de Chablis, 89310 Nitry, tél. 03.86.33.65.87, fax 03.86.33.62.06, e-mail o.boussard@wanadoo.fr r.-v.

XAVIER BOUTROY 2004 *

	0,32 ha	1 500		5 à 8 €

Peut-on s'installer de nos jours en Bourgogne ? Oui. Avec du cœur à l'ouvrage et l'esprit d'initiative. La preuve : après un BTS Viticulture et œnologie, Xavier Boutroy se lance en 1996, à vingt-cinq ans. Aujourd'hui, il a 14 ha à son actif. Beurre, fleur d'oranger, son chardonnay jaune

pâle s'ouvre rapidement et il prend toute sa place en bouche comme si celle-ci lui venait de famille. Bien ? Mieux que bien.
Xavier Boutroy, 46, rue Chauchien, 21590 Santenay, tél. et fax 03.80.20.68.37, e-mail xavier.boutroy@free.fr
r.-v.

JEAN-MARC BROCARD Kimméridgien 2005 ★

25 ha 200 000 5 à 8 €

« Le Bourguignon est un homme qui en contient mille », disait Jacques Lacarrière qui rendait volontiers visite à Jean-Marc Brocard. Quant au vin de Bourgogne, lui aussi en contient mille tant les *climats*, les cépages, les terroirs animent ses nuances. Imaginatif, ce viticulteur présente depuis 1994 une « gamme géologique ». À tout seigneur tout honneur : voici le Kimméridgien. Or vert comme il se doit, long, gras et suave, il reste en bouche sur des notes de fruits et de fleurs blanches d'une grande fraîcheur. Plus qu'agréable, à servir à tout moment.
Jean-Marc Brocard, 3, rte de Chablis, 89800 Préhy, tél. 03.86.41.49.00, fax 03.86.41.49.09, e-mail com@brocard.fr
t.l.j. sf dim. 9h-13h 14h-18h30

CH. DE LA BRUYÈRE Élevé en fût de chêne 2004 ★

1,25 ha 5 000 5 à 8 €

L'histoire du domaine remonte au XI[e]s. : on en connaît ici la généalogie. Élevé en fût, ce vin racé, rubis à reflets violines, sent la violette et le cassis. Ses tanins serrés mais fins lui garantissent deux ou trois ans de garde.
Paul-Henry Borie, GFA de La Bruyère, Ch. de La Bruyère, 71960 Igé, tél. 03.85.33.30.72, fax 03.85.33.40.65, e-mail mph.borie@wanadoo.fr
t.l.j. 8h-12h 13h-19h

LES VIGNERONS RÉUNIS À BUXY
La Tour rouge 2004 ★★

8,54 ha 65 000 5 à 8 €

La cave de Buxy arrive numéro deux des bourgognes blancs et empoche le coup de cœur. Son chardonnay issu de Saône-et-Loire offre en effet des qualités exceptionnelles. Première impression de gras, puis, dans la bouche, la fraîcheur et la vivacité d'un ruisseau de montagne. Ses arômes de fleurs sont nettement marqués sur une tonalité classique d'aubépine et d'acacia. Plaisir d'un apéritif de fête.
SICA Les Vignerons réunis à Buxy, 2, rte de Chalon, 71390 Buxy, tél. 03.85.92.03.03, fax 03.85.92.08.06, e-mail labuxynoise@cave-buxy.fr
t.l.j. sf dim. 9h-12h 14h-18h30

RENÉ CACHEUX Les Champs d'argent 2003 ★

0,34 ha 1 200 5 à 8 €

Gérald Cacheux gère depuis 2005 le domaine familial, petite exploitation de 3,27 ha. Le fût de chêne dans lequel ce millésime a été élevé dix-huit mois ne permet pas encore d'apprécier totalement ce vin à sa juste valeur. Néanmoins ce n'est pas parce qu'il est fermé à double tour qu'il ne possède pas franchise, fruité mûr, gras et longueur. L'attendre deux à trois ans.
EARL René Cacheux et Fils, 28, rue de la Grand-Velle, 21700 Vosne-Romanée, tél. 03.80.61.28.72, fax 03.80.61.05.61, e-mail gerald.cacheux@free.fr r.-v.

JACQUES CACHEUX ET FILS
Les Champs d'argent 2004

0,7 ha 3 000 5 à 8 €

Produit dans les environs immédiats du domaine situé à Vosne-Romanée, ce bourgogne rouge est né dans un joli berceau. Il a pas mal de couleur pour un 2004 et un certain caractère. Il reste à savoir si dix-huit mois de fût en appellation régionale ne sont pas beaucoup. Le jury est divisé selon l'école défendue.
Jacques Cacheux, 58, RN, 21700 Vosne-Romanée, tél. 03.80.61.01.84, e-mail cacheuxjetfils@free.fr
r.-v.

DOM. DES CERISIERS
Chitry Élevé en fût de chêne 2004 ★

2,5 ha 12 000 5 à 8 €

Chitry-le-Fort : le village s'appelle ainsi, au fond d'une cuvette recouverte de vignes et autour d'une église bâtie pour résister à un siège de cent ans. On a ici du tempérament et l'on savait creuser les caves ! À boire frais ce vin, gentiment bouqueté, souple, rond, fruité, léger et un peu épicé. Chaleur et tanins à la rescousse ; la structure est harmonieuse. Le **blanc 2003** obtient également une étoile pour sa rondeur à l'attaque et son très bon équilibre. Finale vive surprenante pour un 2003. À servir en fin d'année sur un poisson.
Michel Colbois, 69, Grande-Rue, 89530 Chitry-le-Fort, tél. 03.86.41.43.48 r.-v.

PATRICK ET CHRISTINE CHALMEAU
Chitry 2004

2,5 ha 7 000 5 à 8 €

Turbot peut-être, haut survol. L'attente est toutefois conseillée pour ce 2004 encore trop jeune et trop impertinent. Sa robe impeccable, son fruité discret sous alcool présent, sa vinosité extrême font grosse impression (gras et matière).
Patrick et Christine Chalmeau, 76, rue du Ruisseau, 89530 Chitry-le-Fort, tél. 03.86.41.43.71, fax 03.86.41.47.51, e-mail chalmeau.patrick@wanadoo.fr
r.-v.

FRANCK CHALMEAU
Chitry Les Trameures 2004 ★

1,15 ha 8 000 5 à 8 €

Première vinification isolée du *climat* Les Trameures, en fût de chêne. On ne peut citer un *climat* que s'il produit du 100 %. Ici, nous dit bénignement un juré-gourmet, « le côté boisé n'est pas dérangeant ». D'un rouge soutenu, d'un nez soutenu (cassis surtout), un 2004 riche et tan-

nique, costaud comme un pilier du Stade auxerrois. Cela vieillera sans peine d'ici 2008. Quant au **Chitry rouge 2004** élevé en cuve, il obtient la même note et est déjà prêt.
🔑 Franck Chalmeau, 2, pl. de l'Église, 89530 Chitry-le-Fort, tél. 03.86.41.43.99, fax 03.86.41.46.84 ☑ Y ★ r.-v.

MADAME EDMOND CHALMEAU
Chitry Vieilles Vignes Cuvée Aimé 2004 *

0,5 ha 4 500 5 à 8 €

Première vinification en fût de chêne pour cette cuvée Aimé. L'harmonie alcool-acidité-fruits et bois est réussie. La robe claire, le nez fruité légèrement boisé et la bouche ronde sont bien à leur place.
🔑 Mme Edmond Chalmeau, 20, rue du Ruisseau, 89530 Chitry-le-Fort, tél. 03.86.41.42.09, fax 03.86.41.46.84 ☑ Y ★ r.-v.

LES CHAMPS DE L'ABBAYE
Côtes du Couchois Le Clos 2004 *

0,8 ha 1 500 11 à 15 €

Étiquette originale et destinée aux musiciens : la clé de fa. Le vigneron ne traite-t-il pas sa vigne comme une partition (culture biologique) ? Très belle robe, profonde et grenat, transparente et vive pour ce 2004. Le premier nez remporte la mise sans avoir besoin d'un deuxième tour : riche sur le petit fruit, épicé et torréfié par l'année entière passée en fût. L'acidité, les tanins, tout tourne en bouche à son avantage.
🔑 Alain et Isabelle Hasard, 3, pl. de l'Abbaye, 71510 Saint-Sernin-du-Plain, tél. et fax 03.85.45.59.32, e-mail alainhasard@wanadoo.fr ☑ Y ★ r.-v.

MAISON CHAMPY Signature 2004 *

n.c. 10 500 8 à 11 €

La maison Champy organise chez elle à Beaune, lors des Grands Jours de Bourgogne, l'une des plus fabuleuses dégustations concevables ici. Son bourgogne rouge rubis à reflets violets est d'une heureuse constitution, avec une acidité assez présente et qui lui donne du nerf. Le nez offre un léger vanillé (boisé bien mesuré) sur fruits frais.
🔑 Champy, 5, rue du Grenier-à-Sel, 21200 Beaune, tél. 03.80.25.09.99, fax 03.80.25.09.95
☑ Y ★ t.l.j. 10h-12h30 15h-18h; sam. dim. sur r.-v.
🔑 Pierre Meurgey, Pierre Beuchet

DOM. DE LA CHAPELLE
Côtes du Couchois 2003 *

2,6 ha 11 000 5 à 8 €

Issu d'argilo-calcaires et de sols ferrugineux, ce vin porte une robe très profonde, couleur burlat. Le nez fin et complexe associe cassis, mûre et boisé que l'on retrouve dans un palais ferme, franc et frais, typique du Couchois. À attendre deux ou trois ans.
🔑 Dom. de la Chapelle, Éguilly, 71490 Couches, tél. 03.85.45.54.76, fax 03.85.45.56.51 ☑ Y ★ r.-v.

DOM. CHARLOPIN Cuvée Prestige 2003 **

1 ha 6 000 11 à 15 €

Certains maréchaux ont la poitrine lourde de décorations. Lui, il ploie sous les coups de cœur qu'il ne compte plus. Cette cuvée Prestige mérite bien son nom. Un bourgogne rouge (2003 ne l'oubliez pas), objet d'adoration à l'œil, au nez et en bouche. Pour aujourd'hui et pour demain, il est gentiment vanillé tout en gardant en tête le fruit à maturité, la structure, la texture. Assez boisé, certes, mais ce millésime fort ensoleillé est ici radieux.

🔑 Philippe Charlopin, 18, rte de Dijon, 21220 Gevrey-Chambertin, tél. et fax 03.80.58.50.46, e-mail charlopin-philippe@wanadoo.fr

JEAN CHARTRON Clos de la Combe 2004 **

n.c. 10 000 8 à 11 €

Doré comme l'Enfant Jésus de Beaune et presque miraculeux comme lui. Certes, il y a du chêne et du musc, mais aussi du gras surmaturé, cette ampleur démesurée qui vous propulse dans l'espace. La générosité même. Prévoir une cuisine opulente pour ce vin en devenir, d'une délicatesse qu'on ne trouve qu'à Puligny, peut-être.
🔑 Dom. Chartron-Dupard, 13, Grande-Rue, 21190 Puligny-Montrachet, tél. 03.80.21.99.19, fax 03.80.21.99.23, e-mail info@jeanchartron.com
☑ Y r.-v.

RÉCOLTE DU CHÂTEAU DE CHASSAGNE-MONTRACHET 2004 *

3,46 ha 32 400 8 à 11 €

La fabuleuse ascension de Michel Picard (sans oublier son épouse) rejoint l'Histoire avec un grand H. Car Chassagne fut avant la Révolution une terre des seigneurs de Chagny, les Clermont-Montoison. Et voici ce viticulteur, négociant-éleveur chagnotin, au demeurant maire de sa ville, reparti avec succès à l'assaut du coteau de Chassagne et prenant pied en son château. On voit dans le verre la lumière et le goût d'un chardonnay vif comme la truite, jaune clair comme l'est ici la fleur blanche, gras sans exagérer. Bien.
🔑 Maison Michel Picard, Ch. de Chassagne-Montrachet, 21190 Chassagne-Montrachet, tél. 03.80.21.98.57, fax 03.80.21.97.83, e-mail contact@michelpicard.com
☑ Y ★ t.l.j. sf dim. 10h-17h

DOM. DU CHÂTEAU DE MEURSAULT
Clos du Château 2004 *

8 ha 60 000 11 à 15 €

On doit le Clos du Château de Meursault à André Boisseaux qui le sauva à la dernière minute d'un lotissement pavillonnaire. L'un des seuls vignobles disposant en sous-sol de tous les réseaux d'urbanisation ! Classé en bourgogne, mais venant donc de Meursault. Le prix s'en ressent un peu. Mais ne boudez pas votre plaisir : la fraîcheur est au rendez-vous, le boisé respectueux du vin, et le gras fait le reste. L'équipe Mitanchey est sérieuse.
🔑 Dom. du Château de Meursault, 21190 Meursault, tél. 03.80.26.22.75, fax 03.80.26.22.76, e-mail chateau.meursault@kriter.com
☑ Y ★ t.l.j. 9h30-12h 14h30-18h; f. 23 déc.-7 jan.

CH. DU CHATELARD Cuvée Fût de chêne 2004 *

1,34 ha 5 300 5 à 8 €

Un bourgogne blanc né dans le Beaujolais. Or pâle brillant, il joue une partition élégante sur les fruits blancs.

Gras et rond, joliment boisé, persistant, c'est un bon ambassadeur de ce domaine fondé sous Charlemagne et reconstruit au XVIII^{e}s.
🔑 Sylvain Rosier, Ch. du Chatelard, 69220 Lancié, tél. 04.74.04.12.99, fax 04.74.69.86.17, e-mail vinduchato@aol.com ☑ Y ⚘ r.-v.

DOM. CHEVILLON-CHEZEAUX 2003 *

■ 1,62 ha 9 000 ◐ 5 à 8 €

9 ha de vignes dont 90 % de rouge et quatorze appellations. Ce domaine, créé en 1887, propose un très bon bourgogne à la robe grenat limpide, au nez fait de fruits rouges confiturés et de nuances boisées, à la bouche charpentée par des tanins gras, friands et persistants.
🔑 Dom. Chevillon-Chezeaux, 41, rue Henri-de-Bahèzre, 21700 Nuits-Saint-Georges, tél. 03.80.61.23.95, fax 03.80.61.13.57 ☑ Y ⚘ r.-v.

JACQUES CLÉMENT

Coulanges-la-Vineuse Vieilli en fût de chêne 2004 *

■ n.c. 2 300 ◐ 5 à 8 €

Sous un rubis à reflets brillants, le nez se fait un peu désirer, mais il se décide enfin à s'exprimer sur des notes animales et des nuances de fruits rouges. Il se montre au palais dans le même caractère de framboise et de fraise. L'architecture est estimable. À noter : l'étiquette est kitsch (parchemin roulé), affectionnée par les amateurs qui prennent plaisir à « découvrir un vin de derrière les fagots ». Mais ne pourrait-on imaginer une dose de modernité pour jeunes amateurs ?
🔑 Jacques Clément, 1, rue du Colombier, 89290 Jussy, tél. et fax 03.86.53.30.77 ☑ Y ⚘ r.-v.

DOM. PHILIPPE CLÉMENT La Garenne 2004 *

■ 0,5 ha 4 000 ▮ 3 à 5 €

Ferme céréalière devenue domaine viticole en 1991. Un joli nez sur la fraîcheur, une souplesse qui n'empêche pas une belle structure, une finale épicée : voilà ce que l'on appelle aujourd'hui un « vin sympa ». Pour entrées ou apéritif entre copains. Bien typée des vins du Tonnerrois (Yonne), la cuvée **Le Millésime de Nathan Élevé en fût de chêne rouge 2004 (5 à 8 €)** obtient une citation, tout comme le **Domaine de la Garenne blanc 2004 (5 à 8 €)**
🔑 Dom. Philippe Clément, La Garenne, rte de Tissey, 89700 Tonnerre, tél. 03.86.55.16.30, fax 03.86.55.02.66, e-mail domaineclement.lagarenne@orange.fr ☑ Y ⚘ r.-v.

CLOS DU ROI Coulanges-la-Vineuse 2004

□ 0,75 ha 7 300 ▮◐ 3 à 5 €

Légèrement boisé et à boire aujourd'hui, un vin signé Magali Bernard qui vinifie depuis 2001. À noter, chez elle, une fête le deuxième week-end de décembre réunissant ses amis vignerons champenois et chablisiens. Vous y êtes cordialement invités. Vif à l'œil, à demi-ouvert au nez, un Coulanges légèrement boisé qui passe en bouche comme lettre à la Poste.
🔑 Dom. du Clos du Roi, 17, rue André-Vildieu, 89580 Coulanges-la-Vineuse, tél. 03.86.42.25.72, fax 03.86.42.38.20, e-mail magali@closduroi.com ☑ Y ⚘ t.l.j. 8h-12h15 13h30-19h, dim. sur r.-v.
🔑 Magali Bernard

DOM. COFFINET-DUVERNAY 2004 *

■ 0,3 ha 1 000 ◐ 5 à 8 €

« Bon caractère et de la matière, devrait bien évoluer » : ce pourrait être notre SMS. Mais ce bourgogne rouge honore la phrase et la syntaxe d'une belle appellation régionale. Grenat foncé, le nez ample et développé (vanille et café de l'élevage, puis du fruit), il témoigne d'une vinification soignée. Ses tanins sont encore un peu fermes, aussi ne faut-il pas se précipiter sur le tire-bouchon avant mars 2007.
🔑 Dom. Coffinet-Duvernay, 7, pl. Saint-Martin, 21190 Chassagne-Montrachet, tél. 03.80.21.32.12, fax 03.80.21.91.69, e-mail coffinet.duvernay@cegetel.net ☑ Y ⚘ r.-v.

DOM. DE LA CONDEMINE 2004

■ 0,25 ha 1 500 ▮ 5 à 8 €

Péronne a vécu des heures chaudes les 26 et 27 juillet 1789, quand son château fut mis à sac. Les choses se sont calmées depuis, assez pour garder dans la paix civique d'une bonne cave ce pinot rubis, au bouquet déjà mûr sur le cuir et le poivre. À l'attaque efficace succède un grain fin, plutôt gourmand.
🔑 Pierre et Véronique Janny, La Condemine, 71260 Péronne, tél. 03.85.23.96.20, fax 03.85.36.96.58, e-mail pierre-janny@wanadoo.fr ☑ Y r.-v.

BOURGOGNE

DOM. COSTE-CAUMARTIN 2004

□ 0,55 ha 3 850 ◐ 5 à 8 €

Coste-Caumartin fut naguère une firme réputée pour ses cuisinières ; la gastronomie peut lui être reconnaissante. Le vin maintient de nos jours le flambeau avec, parmi d'autres AOC, ce bourgogne blanc au bouquet de fleurs et d'amande, assez chaleureux et ayant besoin d'un peu d'aération pour passer à table.
🔑 Dom. Coste-Caumartin, 2, rue du Parc, 21630 Pommard, tél. 03.80.22.45.04, fax 03.80.22.65.22, e-mail coste.caumartin@wanadoo.fr ☑ Y ⚘ t.l.j. 9h30-12h 14h-19h; dim. sur r.-v.
🔑 Jérôme Sordet

MARIA CUNY Vézelay 2004 **

□ 1 ha 7 000 ▮ 5 à 8 €

Saint-Père occupe le site d'une *villa* gallo-romaine, au pied de Vézelay. Là, Maria Cuny participe au renouveau du vignoble. Jaune pâle soutenu, cette bouteille offre de jolies nuances or vert, un nez bien ouvert, une attaque dans le fruit, une structure équilibrée, une longueur sur les agrumes. Agréable.
🔑 Maria Cuny, hameau de Nanchèvres, 89450 Saint-Père, tél. et fax 03.86.33.27.95, e-mail maria.cuny@wanadoo.fr ☑ Y ⚘ sam. dim. lun. 9h-12h 14h-19h

DOM. PIERRE DAMOY 2003 **

■ 0,62 ha 2 100 ◐ 11 à 15 €

Voyez le sens bourguignon de la litote. « Vin dans l'ensemble assez réussi », note sur sa fiche un dégustateur qui lui ouvre pourtant le chemin du coup de cœur. En fait, un régal. Vendangé tard (6 septembre), il est à la hauteur de ce grand domaine. Ce n'est pas donné pour un bourgogne, mais nombre de 1ers crus ne lui arrivent pas à la cheville. Sa robe est noire, brillante. Son nez puissant et boisé s'exprime encore peu, mais le fruit noir domine. On le retrouve dans une bouche structurée, d'excellente facture. Coup de cœur l'an dernier pour le millésime 2002.

🔑 SCEV Dom. Pierre Damoy,
11, rue du Mal-de-Lattre-de-Tassigny,
21220 Gevrey-Chambertin,
tél. 03.80.34.30.47, fax 03.80.58.54.79,
e-mail info@domaine-pierre-damoy.com ☑ r.-v.

ÉRIC DAMPT Épineuil 2004 ★

1,07 ha	8 500	5 à 8 €

Épineuil en Tonnerrois a toujours tiré son épingle du jeu. Il est vrai qu'un blanc comme celui-ci n'a pas besoin de boussole pour trouver l'orientation de votre cave. L'attaque est fine, attentive, un vrai travail d'orfèvre. Puis l'ampleur et la générosité comblent soudain le palais : la romance devient symphonie. Nez citronné. Nuance claire, limpide.

🔑 SCEV Éric Dampt, 16, rue de l'Ancien-Presbytère,
89700 Collan, tél. 03.86.55.36.28, fax 03.86.55.36.12,
e-mail ericdampt@aol.com ☑ Y ⛹ r.-v.

DOM. JEAN-MICHEL DAULNE
Côtes d'Auxerre Élevé sur lies 2004

3 ha	6 000	▮	5 à 8 €

Jean-Michel Daulne est titulaire d'un BTS de viti-œnologie obtenu après des études au lycée de Beaune pendant lesquelles son père plantait la vigne. Depuis 1977, il conduit le domaine. Il en dit beaucoup sur l'étiquette, puisque l'élevage sur lies est mentionné. Pâleur au regard, nez chardonnant sur le silex et le raisin sec : un bon bourgogne à la finale de miel d'acacia.

🔑 Jean-Michel et Marilyn Daulne, RN 6, Le Bouchet,
89460 Bazarnes, tél. et fax 03.86.42.20.97,
e-mail domainejeanmicheldaulne@wanadoo.fr
☑ Y ⛹ r.-v.

CH. DE DRACY Côtes du Couchois 2004

■	0,75 ha	4 000	▮ ⓘ	8 à 11 €

Benoît de Charette préside la Chambre de commerce et d'industrie de Beaune, dirige Albert Bichot et veille « à ses moments perdus » sur son château de Dracy. Ces côtes du Couchois portent un sang violacé. Le bouquet de type bourgeon de cassis est accompagné de notes réglissées. L'extraction très poussée ne va pas dans le sens de la souplesse, mais la constitution équilibrée de la charpente est prometteuse.

🔑 SCA Ch. de Dracy, 71490 Dracy-lès-Couches,
tél. 03.85.49.62.13, fax 03.80.24.37.38 ☑ Y ⛹ r.-v.
🔑 Benoît de Charette

RAPHAËL DUBOIS Vieilles Vignes 2004

■	4 ha	16 000	▮	5 à 8 €

Les vignes ont donné le maximum pour mettre au monde ce bébé rouge pourpre, brillant et transparent, au nez mignon de fraise des bois. La première bouche joue les choses en douceur et la suite demeure dans les bonnes relations entre acidité et tanins. Ceux-ci devraient s'être amadoués à l'automne. Signature de négociant d'un viticulteur à Premeaux.

🔑 Raphaël Dubois, rue de la Courtavaux,
21700 Premeaux-Prissey, tél. 03.80.62.30.61,
fax 03.80.61.24.07, e-mail rdubois@wanadoo.fr
☑ Y ⛹ t.l.j. 8h-11h30 13h30-17h30; sam. dim. sur r.-v.

DOM. GUY DUFOULEUR
Clos de l'Hermitage 2003

■	0,4 ha	1 800	ⓘ	11 à 15 €

Installée à Nuits depuis 1610, cette famille possède une propriété de 19 ha aujourd'hui. On ne saurait vous dire où se situe ce Clos de l'Hermitage mais ce vin d'un grenat limpide, dont le bouquet s'apparente au cassis et à la pivoine avec une certaine chaleur, offre une belle attaque, des tanins un peu présents et une pointe d'amertume sur la fin de parcours.

🔑 Dom. Guy Dufouleur, 17, rue Thurot,
21700 Nuits-Saint-Georges, tél. et fax 03.80.62.31.00
☑ Y ⛹ t.l.j. sf dim. 9h-18h 🏠 ❺

DOM. RAYMOND DUPONT-FAHN
Chaumes des Perrières 2004 ★★

2 ha	10 000	ⓘ	5 à 8 €

Il y a des vins qui prennent parfois leur revanche sur les malheurs de la vie. Ainsi celui-ci, coup de cœur et de surcroît le meilleur de toute cette dégustation de bourgognes blancs. En 1975 et à la suite d'un apport de terre, cette parcelle de meursault (Chaumes des Perrières) s'est trouvée déclassée en bourgogne. Agrumes, fleurs blanches, vanille voyagent longuement. La rondeur, l'équilibre et l'ampleur définissent une grande bouteille.

🔑 Raymond Dupont-Fahn, rue Polaire,
21190 Auxey-Duresses, tél. 06.14.38.53.21,
fax 03.80.21.21.22 ☑ Y ⛹ r.-v.

FABIENNE ET FABRICE DURAND-FÉLIX
2004 ★

1 ha	5 060	▮	5 à 8 €

Des céréales à la vigne, cette exploitation s'est bien diversifiée. Son chardonnay 2004 se présente dans une jolie robe brillante. Le nez brioché évolue vers le minéral à l'aération. En bouche, ce vin attaque avec décision et, sur une rétro puissante, préfère le gras à la fraîcheur. L'adéquation nez-bouche est réussie. Un bon point pour le Tonnerrois.

🔑 EARL Fabrice Durand-Félix, 3, rte de Lignières,
Grand-Virey, 89700 Molosmes, tél. 03.86.55.09.37,
fax 03.86.54.44.70 ☑ Y ⛹ r.-v.

JEAN-CHARLES FAGOT Les Riaux 2004

■	1 ha	3 000	ⓘ	5 à 8 €

Aubergiste et vigneron à Corpeau, Jean-Charles Fagot contribue à l'animation de ce village situé au pied de la Côte entre Beaune et Chagny. Son bourgogne connaît une petite évolution perceptible à l'œil. Le nez est en revanche réglissé et fruité, plaisant et même subtil. En bouche, le boisé n'est pas encore tout à fait fondu. Le tout est assez vif et relativement construit : lorsque vous serez à l'auberge, commandez une escalope de poulet de Bresse à l'époisses !

🔑 Jean-Charles Fagot, 5, rue de l'Église,
21190 Corpeau, tél. 03.80.21.30.24, fax 03.80.21.38.81,
e-mail jeancharlesfagot@free.fr ☑ Y ⛹ r.-v.

FAIVELEY Georges Faiveley 2004 ★

n.c. 74 000 8 à 11 €

Cuvée Georges Faiveley, l'un des deux cofondateurs de la Confrérie des Chevaliers du Tastevin. Erwan, son arrière-petit-fils, est aujourd'hui à la barre. Ici l'acidité se plaît en draps de soie, avec un gras beurré pour oreiller, l'or gris brillant annonçant des arômes floraux persistants. Tout est franc. Un dégustateur note : « à boire absolument » et conseille une matelote champenoise.

Bourgognes Faiveley, 8, rue du Tribourg,
21701 Nuits-Saint-Georges Cedex, tél. 03.80.61.04.55,
fax 03.80.62.33.37,
e-mail bourgognes@bourgognes-faiveley.com r.-v.

LES FAVERELLES Vézelay 2004

1,5 ha 18 000 8 à 11 €

Si vous n'avez jamais visité le pays vézélien, allez donc y passer quelques jours. Vous y découvrirez notamment le charme d'Asquins et cette cave accueillante. Discret, fondu, simple et souple, ce vin rappelle un peu le melon de Bourgogne, cépage remis à l'honneur sur ces collines.

Dom. Les Faverelles, 15, rue du Four,
89450 Asquins, tél. et fax 03.86.33.34.42,
e-mail faverelles@lesfaverelles.com
t.l.j. 14h30-19h

DOM. FÉLIX Côtes d'Auxerre 2004

1,72 ha 15 600 5 à 8 €

Ancien fonctionnaire de l'Équipement, Hervé Félix a renoué en 1987 des liens ancestraux pour vivre le grand amour avec la vigne. Son chardonnay a le charme d'un séducteur par son nez où se mêlent citron et pamplemousse ; la bouche est plus simple, légère.

Dom. Hervé Félix, 17, rue de Paris,
89530 Saint-Bris-le-Vineux, tél. 03.86.53.33.87,
fax 03.86.53.61.64, e-mail domaine.felix@wanadoo.fr
t.l.j. sf dim. 9h-11h30 14h-18h30

DOM. DE LA FERDINDINE
Cuvée du Père Paul 2003 ★★

1,95 ha 3 500 5 à 8 €

Une étiquette photographique comme on en faisait dans le temps. On est en Tonnerrois. Ce qu'on y produit peut être fameusement bon, tel ce pinot noir pourpre magenta profond, épicé, cassissé et à la bouche très mûre, sur les fruits cuits. Ses tanins sont bien maîtrisés. Cela dit, c'est un 2003 et il est sur sa dernière ligne droite. Mais, on le répète, intéressant pour se faire une bonne idée du pays.

Christian Guidou, pl. de la Mairie, 89430 Mélisey,
tél. et fax 03.86.75.75.64,
e-mail christian.guidou@wanadoo.fr r.-v.

FRANÇOIS FLUCHOT 2003 ★

1,08 ha 5 700 5 à 8 €

Vinification à froid depuis 1990. Ce 2003 est de belle facture : les seize mois de fût n'agressent pas le dégustateur qui salue sa robe intense et profonde, son nez légèrement animal, sa bouche structurée, complexe. L'attendre deux à quatre ans. Des œufs en meurette ? Pourquoi pas ?

Vins François Fluchot, 5, Grande-Rue,
21220 Morey-Saint-Denis, tél. 03.80.34.10.58,
fax 03.80.34.17.63, e-mail vinsfluchot@free.fr
t.l.j. sf mer. 10h-18h

DOM. FOREY PÈRE ET FILS 2004 ★★

1,2 ha 6 000 5 à 8 €

Si vous saviez... À Vosne, la petite maison des Forey s'élève juste en face de celle du domaine de La Romanée-Conti. Allez donc parler d'un « simple bourgogne » quand on a passé sa jeunesse dans un tel voisinage ! On a d'ailleurs affaire ici à un très bon pinot, bien fruité sur un léger vanillé, doté d'une jolie constitution et qui conclut en beauté. Pour un coq au vin – mais pas dans la casserole : dans le verre.

Dom. Forey Père et Fils, 2, rue Derrière-le-Four,
21700 Vosne-Romanée, tél. 03.80.61.09.68,
fax 03.80.61.12.63 r.-v.

DOM. FOURNILLON ET FILS Épineuil 2003 ★★

0,27 ha 2 000 5 à 8 €

Que les étoiles ne lui tournent ni la tête ni son prix, car cet Épineuil rosé typé 2003 (récolté le 31 août) est de toute beauté. Son étiquette (parchemin roulé) rend mal compte de sa robe, de son bouquet, de sa bouche. Tout cela profite de la chaleur du millésime et se traduit sur un mode riche et complexe. Ce domaine préserve la fameuse vigne de l'Empereur, plantée légendairement vers 1835 et sortie indemne du phylloxéra. C'est à Bernouil en Tonnerrois et vous êtes attendus.

GAEC Fournillon et Fils, 34, Grande-Rue,
89360 Bernouil, tél. et fax 03.86.55.50.96,
e-mail gaec-fournillon-et-fils@wanadoo.fr
t.l.j. 8h-20h

DOM. EMMANUEL GIBOULOT 2004 ★

0,12 ha n.c. 8 à 11 €

Producteur en biodynamie, connu et reconnu comme tel. Il assemble ici chardonnay et pinot gris. Cela donne un beau bourgogne blanc, un peu carré dans sa structure, exubérant au nez et n'ayant pas encore tout à fait rompu avec ses passions adolescentes. À suivre.

Emmanuel Giboulot, 4, rue de Seurre,
21200 Beaune, tél. 03.80.22.90.07, fax 03.80.22.89.53
r.-v.

JEAN GIRARD 2004 ★

0,5 ha 3 750 5 à 8 €

Nous sommes ici en plein Châtillonnais, vignoble à découvrir, pourvu en AOC bourgogne, mais peu planté – sinon pour le crémant. « Ce chardonnay a des allures chablisiennes », précise un excellent dégustateur de Beaune. Correctement typé, frais et vif sur fond de beurre citronné. Vous n'êtes qu'à 10 km du musée de Châtillon où vous pourrez admirer le célèbre vase de Vix.

GAEC Jean Girard, 33, rue Tanneguy-d'Harcourt,
21570 Belan-sur-Ource, tél. et fax 03.80.93.76.47
r.-v.

VINCENT GIRARDIN Émotion de terroirs 2004 ★

5 ha 30 000 8 à 11 €

Huit coups de cœur depuis le millésime 1988 sur trois appellations : Vincent Girardin est l'un des viticulteurs les plus couronnés du Guide ! Voici son bourgogne qui révèle bien sa haute naissance à Meursault ; son nez complexe enthousiasme le jury par ses notes d'agrumes, de miel, de mandarine, de fleurs blanches, teintées par ses quelques mois de fût. Frais et rond à la fois, c'est un « vin à croquer » et qui sera de fort bonne garde.

🔑 Vincent Girardin, ZA des Champs-Lins,
21190 Meursault, tél. 03.80.20.81.00,
fax 03.80.20.81.10,
e-mail vincentgirardin@vincentgirardin.com ☑ r.-v.

XAVIER GIRARDIN

Aux Rouanchottes Élevé en fût de chêne 2004 ★★

■ 0,55 ha 2 500 🛢 5 à 8 €

Henri Vincenot (le « père la Bourgogne ») eût adoré ce vin rien qu'à lire le *climat* sur l'étiquette : Aux Rouanchottes. Par ailleurs, on apprend qu'Appoline, la petite-fille, est née le 26 septembre 2005 en pleine vendange ! Ce domaine des Hautes-Côtes pratiquant aussi le négoce (faute de vignes assez étendues) signe un très bon pinot capable de vivre trois ans. Rouge violacé, vanille et cassis, charpenté et aimable, vivant, en un mot.

🔑 Xavier Girardin, rue des Magniens,
21700 Arcenant, tél. 06.80.04.89.93, fax 03.80.61.37.26,
e-mail xavier.girardin@wanadoo.fr ☑ Y ⚲ r.-v. 🏠 2

GIRAUDON Chitry 2004 ★★

▒ 2,2 ha 15 000 ▮ 3 à 5 €

Une très belle bouteille. Et voyez le prix ! Vinification parfaite. Pain de mie et croissant chaud, accompagnés de fleurs blanches et de fruits frais. D'une minéralité iodée bien typée de son appellation Chitry, il passera à table sans se faire prier.

🔑 Marcel Giraudon, 26, rue du Ruisseau,
89530 Chitry-le-Fort, tél. 03.86.41.41.28,
fax 03.86.41.46.83, e-mail giraudon.chitry@wanadoo.fr
☑ Y ⚲ r.-v.

DOM. ANNE ET ARNAUD GOISOT

Côtes d'Auxerre Cuvée du manoir 2003 ★★

■ 1 ha 6 000 🛢 5 à 8 €

Guy Roux l'encaisserait gagnant avant les tirs au but. Une robe très haute en couleur pour le millésime, la vanille et l'épice douce à plein nez, de la structure et du corps. L'un de nos dégustateurs nous le dit venu d'une autre planète. N'exagérons rien, mais cela animerait un peu un épisode morne de *Star Wars* !

🔑 Dom. Anne et Arnaud Goisot,
4 bis, rte de Champs, 89530 Saint-Bris-le-Vineux,
tél. 03.86.53.32.15, fax 03.86.53.64.22,
e-mail aa.goisot@wanadoo.fr ☑ Y ⚲ r.-v.

GHISLAINE ET JEAN-HUGUES GOISOT

Côtes d'Auxerre Corps de garde 2004 ★

▒ 2,5 ha 13 000 🛢 8 à 11 €

Jean-Hugues et Ghislaine Goisot déclinent depuis 1981 leur marque Corps de garde. Elle a acquis de la notoriété et contribue au prestige des vins de l'Auxerrois. Couleur assez ferme, parfums d'encaustique dans un couvent de clarisses (la cire d'abeille, le miel, le fruit gorgé de maturité), un 2004 dominé par ses quatorze mois en fût mais qui laisse percevoir derrière un très bel arrière-plan. Pour un fromage de comté bien fruité.

🔑 Ghislaine et Jean-Hugues Goisot,
30, rue Bienvenu-Martin, 89530 Saint-Bris-le-Vineux,
tél. 03.86.53.35.15, fax 03.86.53.62.03,
e-mail jhetg.goisot@cerb.cernet.fr ☑ Y ⚲ r.-v.

DOM. DES GRANGES Château de Chaintré 2004 ★

▒ n.c. 6 000 🛢 5 à 8 €

Nous sommes en Mâconnais : le domaine de Fussiacus et celui des Vieux Murs sont renommés pour leurs grands blancs de pouilly-fuissé. Jean-Paul Paquet a acquis en 2003 6 ha d'un seul tenant auprès du château de Chaintré. Robe légère et brillante, nez de miel légèrement muscaté ; très ample, issu de raisins mûrs, un vin que sa richesse ne prive pas d'une certaine vivacité. En tout cas expansif et les bras grands ouverts.

🔑 Jean-Paul Paquet, 71960 Fuissé, tél. 03.85.27.01.06,
fax 03.85.27.01.07, e-mail fussiacus@wanadoo.fr
☑ Y ⚲ r.-v.

GRIFFE Chitry 2004 ★

▒ 0,81 ha 3 000 ▮ 5 à 8 €

David Griffe vinifie depuis 1992. Son vin est apparu à toute la table agréable et fin. Un beau 2004, d'une acidité convenable, d'une minéralité réussie. Deux ans de garde, mais dès à présent prêt pour un jambon en sauce ou des escargots.

🔑 EARL Griffe, 15, rue du Beugnon,
89530 Chitry-le-Fort, tél. 03.86.41.41.06,
fax 03.86.41.47.36, e-mail domaine.griffe@wanadoo.fr
☑ Y ⚲ r.-v.

ROBERT GROFFIER PÈRE ET FILS 2004 ★

■ 1,35 ha 9 300 🛢 11 à 15 €

« Il a tout ce qu'il faut où il faut », note sur sa fiche un juré. Une robe qu'un 1er cru trouverait à son goût et à sa taille. Des arômes de fruits mûrs ourlés de notes de café (dix-huit mois en fût). La rencontre de l'équilibre et de l'ampleur. Une finale pain grillé. À servir tout de suite ou un peu plus tard, selon votre intérêt pour le fût.

🔑 SARL Robert et Serge Groffier,
3, rte des Grands-Crus, 21220 Morey-Saint-Denis,
tél. 03.80.34.31.53 ☑ r.-v.

DOM. GUILLOT-BROUX 2004 ★

■ 3,6 ha 15 000 🛢 8 à 11 €

Légère et court vêtue... N'allez pourtant pas réciter *Perrette et le Pot au lait*. D'abord, c'est une bouteille d'un bon bourgogne né en Mâconnais. Ensuite il n'est pas question de la casser : rouge clair et plaisante, elle peut être suivie à la trace grâce à son accent de kirsch un peu pointu. Épices douces et poivre apportés par le fût, et griotte prennent ensuite le relais. Ludovic, Patrice et Emmanuel Guillot savent faire du vin. Selon la saison, terrines de lièvre ou de lapin se plairont en sa compagnie.

🔑 GAEC du Dom. Guillot-Broux, Le Bourg,
71260 Cruzille, tél. et fax 03.85.33.29.74,
e-mail domaine.guillotbroux@wanadoo.fr
☑ Y ⚲ t.l.j. 8h-12h 13h30-18h; sam. dim. sur r.-v. 🏠 B

JEAN-YVES GUYARD 2004

▒ 0,15 ha 1 200 🛢 5 à 8 €

Pinot blanc. Oui, il en subsiste. Notamment, ici, dans les Hautes-Côtes de Nuits. Et c'est intéressant à goûter,

pour comparer. Jaune d'or prononcé, d'un boisé assez marqué, celui-ci est équilibré, déjà mûr. Il est certainement à servir.
Jean-Yves Guyard, 21, rue de Chaux, 21700 Villers-la-Faye, tél. 03.80.62.91.14, fax 03.80.62.75.72, e-mail jeanyvesguyard@wanadoo.fr r.-v.

DOM. HEIMBOURGER 2004 **

5,4 ha 8 000 5 à 8 €

Pierre Heimbourger en 1970, puis Olivier en 1994. Une quinzaine d'hectares, dont le tiers pour ce chardonnay chardonnant à merveille. On n'est pas très loin de Chablis et cela se sent. Or pâle, le nez discret et minéral, ce vin se fait charmant en bouche, puissant, net et d'une fraîcheur impeccable. Difficile dans ces conditions d'échapper au plateau de fruits de mer.
Dom. Heimbourger, 5, rue de la Porte-de-Cravant, 89800 Saint-Cyr-les-Colons, tél. 03.86.41.40.88, fax 03.86.41.48.83, e-mail heimbourger@wanadoo.fr t.l.j. 10h-12h 14h-18h30; dim. sur r.-v.

JEAN-LUC HOUBLIN
Coulanges-la-Vineuse Cuvée Prestige 2003 **

3,7 ha 5 000 5 à 8 €

Une bien belle « lettre de mon moulin ». Migé en effet a eu la bonne idée de restaurer son moulin à vent, que l'on peut visiter. Celui-ci est d'ailleurs représenté sur l'étiquette de ce vigneron, dont la cuvée Prestige tient ses promesses. Elle a du tonus, de la couleur, de l'épice, de la puissance. On dirait « côté soleil » lors d'une corrida en Espagne. Atypique Coulanges évidemment, comme un 2003 parti pour la longue distance, trois à quatre ans encore.
Jean-Luc Houblin, 1, passage des Vignes, 89580 Migé, tél. 03.86.41.69.87, e-mail houblin.fr@wanadoo.fr t.l.j. 8h-19h; dim. 9h-12h30

DOM. LOUIS HUÉLIN 2003

0,5 ha 2 500 5 à 8 €

Vendangé le 29 août, ce 2003 parvient à son optimum pour un jambon à la nuitonne. D'un rouge très concentré, il agrémente son bouquet boisé d'une nuance de griotte. La structure est équilibrée et le corps prend de l'assurance et de l'élégance.
Dom. Louis Huélin, 3, La Ruelle, 21220 Chambolle-Musigny, tél. et fax 03.80.62.86.78, e-mail domaine.louis.huelin@wanadoo.fr r.-v.

DOM. RÉMI JOBARD 2003 *

1 ha 5 000 8 à 11 €

En patois du pays de Beaune, on le dirait *dru*, c'est-à-dire solide, vigoureux, ferme sur ses deux pieds et un peu gaillard. Riche, équilibré, inépuisable en bouche, un vin qu'on respire bien. Et de surcroît, gentiment fait.
Rémi Jobard, 12, rue Sudot, 21190 Meursault, tél. 03.80.21.20.23, fax 03.80.21.67.69, e-mail remi.jobard@libertysurf.fr r.-v.

DOM. JEAN-HERVÉ JONNIER 2004

0,48 ha 4 560 5 à 8 €

Du haut de ces coteaux, cinquante siècles nous contemplent. Le site néolithique de Chassey-le-Camp a permis de baptiser la civilisation dite chasséenne. Il se trouve entre Côte de Beaune et Côte chalonnaise. Jaune soutenu, le nez floral, ce vin est porté par une bonne acidité jusqu'à une finale pierre à silex. Pour asperges ou endives braisées.
Jean-Hervé Jonnier, Bercully, 71150 Chassey-le-Camp, tél. 03.85.87.21.90, fax 03.85.87.23.63 r.-v.

DOM. PIERRE LABET Vieilles Vignes 2004 *

1 ha 5 800 8 à 11 €

Si le boisé ne se fait pas encore oublier, le vin est de bonne origine : sa robe noire et limpide, ses arômes puissants de fruits rouges et de petits fruits des bois, sa structure équilibrée plaident pour deux à trois ans de garde. Il est vrai qu'il est né au château de La Tour, au Clos Vougeot !
Dom. Pierre Labet, Clos de Vougeot, 21640 Vougeot, tél. 03.80.62.86.13, fax 03.80.62.82.72, e-mail contact@francoislabet.com t.l.j. sf mar. 10h-18h; groupes sur r.-v.; f. fin nov-Pâques

DOM. LÉGER PÈRE ET FILS Épineuil 2004 *

1 ha 6 000 5 à 8 €

Rosé couleur fraise. Le nez libère ses notes de fruits après un peu de sollicitation : cela se produit dans les meilleures familles. Puis s'installe au palais un bel équilibre sur un ton aimable, souple, gouleyant, fondu dans les arômes secondaires et bien vif.
SCEA Léger Père et Fils, rue de la Vallée, 89700 Épineuil, tél. et fax 03.86.55.08.79 r.-v.

DOM. LEMOULE Coulanges-la-Vineuse 2004

10 ha 60 000 3 à 5 €

17 ha de vignes, 14 ha de cerisiers : repris par le fils en 1991 après dix-huit ans passés dans la Marine nationale, ce domaine est bien dans la tradition locale. Rubis à reflets rosés, son vin porte en lui des arômes encore fermés de sous-bois et d'animal. Trop jeune pour être jugé définitivement, il possède un potentiel de garde assez intéressant.
EARL Lemoule, chem. du Tuyau-des-Fontaines, 89580 Coulanges-la-Vineuse, tél. 03.86.42.26.43, fax 03.86.42.53.16 t.l.j. 8h-19h; dim. 9h-12h

RENÉ LEQUIN-COLIN 2004 *

0,48 ha 2 993 5 à 8 €

En 1976, René Lequin s'installe et exploite avec son épouse un vignoble qui compte 9 ha aujourd'hui. Leur fils François assurera la relève très bientôt. Rubis à reflets violines, la robe de ce 2004 est profonde. Le nez ouvert est fait de framboise et de cassis, ce fruité l'emportant sur le boisé léger. Équilibré et bien constitué, le palais se montre plaisant.
René Lequin-Colin, 10, rue de Lavau, 21590 Santenay, tél. 03.80.20.66.71, fax 03.80.20.66.70, e-mail renelequin@aol.com r.-v.

BERTRAND MACHARD DE GRAMONT
Les Grands Chaillots 2003 **

0,45 ha 2 400 8 à 11 €

Ces Grands Chaillots sont réellement grands. Vendangés le 25 août, ils ont été vinifiés et élevés sous le patronage de saint Vivant : la cuverie et la cave ont été construites à Curtil-Vergy près de l'ancienne abbaye en cours de restauration. Rubis foncé, ce 2003 au bouquet de cerise noire et d'épices (dix-huit mois en fût) possède une constitution très riche sur un fruit persistant et des tanins marqués mais de nature pacifique.

Bertrand Machard de Gramont, 13, rue de Vergy, 21700 Nuits-Saint-Georges, tél. et fax 03.80.61.16.96, e-mail bertrandmacharddegramont@tiscali.fr
r.-v.

DOM. DE LA MADONE Les Pasquiers 2004 *

1,3 ha 9 300 5 à 8 €

Un bourgogne pinot noir venu de Meursault, patrie de grands vins blancs. Il est délicieusement parfumé de petits fruits rouges auxquels s'ajoute une note florale. Se reposant sur des tanins fins et frais, la bouche s'étire sur une jolie finale.

SARL Dom. de La Madone, 7, rte de Monthélie, 21190 Meursault, tél. 03.80.21.22.45, fax 03.80.21.28.05

DOM. MICHEL MAGNIEN ET FILS 2004 **

1,07 ha 7 800 8 à 11 €

Un rubis intense à reflets violines : sa jeunesse éclate. Le nez cerise burlat et épices du fût ne déplaît pas. Mais c'est surtout sa bouche qui émerveille, dans la longueur et le gras. Le fruit rouge écrasé surgit et se nuance, là aussi, d'un boisé réel mais tempéré. Un bon vin, au-delà des normes. On est à Morey et un bourgogne y prend de la particule. Présent au grand jury.

EARL Michel Magnien et Fils, 4, rue Ribordot, 21220 Morey-Saint-Denis, tél. 03.80.51.82.98, fax 03.80.58.51.76 r.-v.

CAVE DE MANCEY Les Essentielles 2004 **

n.c. 12 000 8 à 11 €

Mancey fut le premier village bourguignon à subir les foudres du phylloxéra. Il s'est heureusement remis de ses malheurs. Mâche et tanins, ce pinot des environs de Tournus s'adresse directement à des plats canailles comme le veau aux carottes ou l'andouille aux haricots. Son équilibre, son nez intense (framboise sur discrète vanille), sa jolie longueur plaident en sa faveur. La **Cuvée spéciale rouge Vieilli en fût de chêne 2004 (5 à 8 €)** obtient une citation.

Cave des vignerons de Mancey, BP 100, RN 6, 71700 Tournus, tél. 03.85.51.00.83, fax 03.85.51.71.20, e-mail bourgogne.vigne.verre@wanadoo.fr
t.l.j. 8h-12h 14h-18h

JEAN-PHILIPPE MARCHAND Cuvée Alexis 2004 *

n.c. 15 000 5 à 8 €

Jean-Philippe Marchand est entré en viticulture en 1984, alors que les équipes du Guide Hachette se mettaient en place... Installé dans une usine désaffectée de confitures, il développe avec succès une activité de négoce-éleveur. Son pinot est évidemment fruité (fruits rouges agréablement mariés au boisé discret). L'acidité joue de la flûte dans une bouche bien structurée par des tanins vigoureux mais délicatement fondus. Plein et charnu, à maturité, ce vin est destiné au rôti du dimanche.

SA Jean-Philippe Marchand, ZI Les Duchesses, rte de Saulon, 21220 Gevrey-Chambertin, tél. 03.80.34.33.60, fax 03.80.34.12.77, e-mail contact@marchand-jph.fr r.-v. 2

DOM. MARCHAND FRÈRES Vieilles Vignes 2004 *

0,19 ha 1 500 5 à 8 €

Il est né à Gevrey-Chambertin, sur un domaine où vous pourrez admirer un pressoir du XVIIe s. Il porte un costume d'apparat dont le rubis « attrape la lumière ». Il ne cache pas être passé par le fût (arômes épicés dès l'attaque) mais n'oublie jamais d'où il vient (un fruit fin et racé). Voici le portrait d'un vin complet, élégant, « bien fait ».

Dom. Marchand Frères, 1, pl. du Monument, 21220 Gevrey-Chambertin, tél. 03.80.62.10.97, fax 03.80.62.11.01, e-mail dmarc2000@aol.com
r.-v. 1

DOM. DES MARRONNIERS 2004 *

1 ha 10 000 5 à 8 €

Un domaine créé de toute pièce par Bernard Légland il y a exactement trente ans. Aujourd'hui, 60 % de sa production est exportée. À l'actif de cette bouteille : l'éclat de la robe, les senteurs de fleurs et de sous-bois, l'acidité, la persistance. Ce qui, tout compte fait, offre un panier bien garni. À boire dans les temps qui viennent.

Bernard Légland, 1 et 3, Grande-Rue-de-Chablis, 89800 Préhy, tél. 03.86.41.42.70, fax 03.86.41.45.82, e-mail bernard.legland@wanadoo.fr
t.l.j. 9h-13h 14h-20h; dim. sur r.-v.; f. 15-30 août

DOM. DE MARSOIF 2004

3,5 ha 13 000 5 à 8 €

Les amateurs de mystères historiques n'oublieront pas qu'ils dégustent ici sur une terre templière. Ce bourgogne d'entrée de gamme (ce qui, après tout, est sa vocation) est à boire sur la fraîcheur du moment. Lumineux, légèrement odorant, il attaque avec franchise et conserve sa jeunesse.

Dom. de Marsoif, 12, rue du Grand-Courtin, 89700 Serrigny, tél. et fax 03.86.55.16.13, e-mail marsoif@marsoif.com r.-v.
Raphaël Masson

DOM. MICHEL MARTIN 2004 *

0,5 ha 2 400 5 à 8 €

Michel Martin a repris le domaine créé par ses parents en 1955. Sa propriété, située à Chorey, date du début du siècle dernier. Il vient d'ouvrir un gîte. Son bourgogne possède ce qu'on appelle « les fondamentaux » : une robe grenat brillant, un bouquet de fruits rouges doucement épicés, des tanins fermes sur une trame solide, un tempérament bien balancé. Il sait porter les couleurs de la région.

Michel Martin, 4, rue d'Aloxe-Corton, 21200 Chorey-lès-Beaune, tél. 03.80.24.26.57, fax 03.80.24.99.12, e-mail michel.martindomaine@laposte.net
r.-v. E

MARC MENEAU Vézelay Vigne blanche 2004 *

0,65 ha 4 600 5 à 8 €

Marc Meneau, grand chef de la cuisine française, s'est beaucoup engagé pour la renaissance du vignoble vézelien qui le méritait bien. Son 2004 rappelle le fruit et l'élégance de l'intégrale des œuvres de J.-S. Bach pour violoncelle seul enregistrées par Rostropovitch. La puissance de l'archet se remarque dès le premier coup d'œil sur la robe or brillant, le thème s'affirme sur le fruit blanc, les variations jouant sur le gras, le moelleux du fruit et de la matière, la fraîcheur ponctuant le dernier mouvement.

Marc Meneau, 10, Grand-Rue, 89450 Saint-Père, tél. et fax 03.86.33.22.65
t.l.j. 10h30-12h 16h-18h; jan. fév. mars sur r.-v.

DOM. DU MERLE Clos des Condemines 2004 ★

■ 0,8 ha 4 500 ◍ 5 à 8 €

Sennecey-le-Grand près de Chalon-sur-Saône a longtemps été connu pour son ébénisterie : armoires et buffets remplissant les maisons. Mais il faut penser à remplir la cave : voici un rouge empourpré et limpide, le nez sous-bois et champignon, prêt à rendre ce service. Concentré, il possède de beaux tanins et sa persistance n'est pas négligeable.

Dom. du Merle, Sens, 71240 Sennecey-le-Grand, tél. 03.85.44.75.38, fax 03.85.44.73.63, e-mail domainedumerle@tele2.fr
t.l.j. 9h-18h; f. jan. à mars
Michel Morin

ANDRÉ MEURIOT 2004 ★

■ 0,32 ha n.c. ◍ 5 à 8 €

Brillant, rouge foncé, ce bourgogne venu de la Côte de Beaune a grandi à Pommard au voisinage de vins prestigieux. Il en a gardé quelque chose, en particulier cette richesse aromatique : myrtille, pruneau. Ses tanins jeunes et fins, sa structure, son harmonie générale donnent envie de le boire. Il serait cependant plus sage de retarder d'une année ce moment de plaisir.

André Meuriot, 2, rue Mareau, 21630 Pommard, tél. 03.80.24.12.47 r.-v.

DOM. DES MOIROTS 2004 ★

■ 2 ha 4 000 ◍ 5 à 8 €

Rubis auréolé de carmin, ce vin dont 50 % a été élevé en fût n'oublie jamais les fruits rouges, nuancés d'une note de cassis. Frais, équilibré, il peut accompagner cet hiver un plat convivial à remettre à la mode, la fondue bourguignonne.

Lucien et Christophe Denizot, Dom. des Moirots, 14, rue des Moirots, 71390 Bissey-sous-Cruchaud, tél. 03.85.92.16.93, fax 03.85.92.09.42, e-mail lucien.denizot@wanadoo.fr r.-v.

JEAN-LOUIS MOISSENET-BONNARD
Les Maisons Dieu 2004 ★

■ 0,3 ha 2 100 ◍ 5 à 8 €

Où se nichent ces Maisons Dieu ? Vrai nom ou nom d'emprunt ? En tout cas, le vin est d'un violacé épiscopal, d'un fruit rouge cardinal et d'une composition ronde et vivante, sous charpente tannique. Long comme l'Évangile des Rameaux. Capacités de garde ? Oui, deux ans, peut-être plus.

Jean-Louis Moissenet, Dom. Moissenet-Bonnard, 5, rte d'Autun, 21630 Pommard, tél. 03.80.24.62.34, fax 03.80.22.30.04 r.-v.

DOM. DE MONTPIERREUX 2004 ★

0,85 ha n.c. 5 à 8 €

L'appellation bourgogne a été obtenue ici en 1988, ce qui a permis de relancer l'activité vitivinicole ancienne. Maison du XIXᵉs., style « troubadour ». Limpide et claire, ouverte sur le minéral et le floral, cette bouteille intense et fine tient bien sa place.

Françoise Choné, Dom. de Montpierreux, rte de Chablis, 89290 Venoy, tél. 03.86.40.20.91, fax 03.86.40.28.00 r.-v.

JEAN-MICHEL MOREAU 2005 ★

0,5 ha 3 000 3 à 5 €

Nous sommes en plein renouveau du vignoble tonnerrois. Depuis seize ans, Jean-Michel Moreau bichonne ses 3 ha. Ce rosé 2005 porte une robe saumon, un nez vif et frais. Il se montre chaleureux et presque opulent en bouche, jusqu'à une longue finale épicée.

Jean-Michel Moreau, La Grange-Aubert, 89700 Tonnerre, tél. et fax 03.86.55.23.37
t.l.j. 17h-19h; sam. 14h-19h

PIERRE MOREY 2003 ★

1,22 ha 6 150 ◍ 8 à 11 €

L'un des biodynamistes pratiquant la doctrine de Steiner, qu'il a lu et médité. Son bourgogne blanc a connu le sécateur le 2 septembre. Jaune paille à beaux reflets brillants, il n'a pas oublié ses dix-huit mois en fût ; cependant, la vanille n'exclut pas le fruit. Équilibré, puissant, long et chaleureux, il n'oublie pas – non plus – qu'une naissance princière, des draps de berceau bordés par Puligny et Meursault, exigent un rien de miel. Celui-ci est présent.

Dom. Pierre Morey, 9, rue Comte-Lafon, 21190 Meursault, tél. 03.80.21.21.03, fax 03.80.21.66.38, e-mail morey-blanc@wanadoo.fr
r.-v.

CHRISTIAN MORIN Chitry 2004

4,2 ha 20 000 5 à 8 €

On connaît l'église fortifiée de Chitry, souvent représentée sur les étiquettes, comme c'est le cas pour ce vin. Jeune, net, bien vinifié, voici ce qu'on aurait appelé jadis un télégramme ; on parlerait aujourd'hui de SMS. Brillant très clair, porté sur la pierre à fusil et le coing, il a le dos assez ferme pour vieillir tranquillement durant cette année et la prochaine.

Christian Morin, 17, rue du Ruisseau, 89530 Chitry-le-Fort, tél. 03.86.41.44.10, fax 03.86.41.48.21 r.-v.

OLIVIER MORIN Chitry 2004

3 ha 20 000 5 à 8 €

Jaune pâle et limpide, ce Chitry sent bon le raisin. En bouche, il est sans problème : un rien de chaleur, mais c'est bien fait et de bon équilibre général. À servir au comptoir d'un bar à vin, avec une assiette de fruits de mer.

Olivier Morin, 2, chem. du Vaudu, 89530 Chitry-le-Fort, tél. et fax 03.86.41.47.20, e-mail morin.chitry@wanadoo.fr r.-v.

MORIN PÈRE ET FILS
Duc de Bourgogne Vieilles Vignes 2004 ★★

n.c. 30 000 5 à 8 €

À Nuits, les quais Fleury et Dumorey sont les Chartrons bourguignons. Parmi d'autres maisons, on y rencontre Morin Père et Fils qui fait partie de la famille des vins J.-Cl. Boisset et, juste en face, se trouve la maison mère. Jaune paille, tout en finesse aromatique, ce vin a du fruit et du style. On aimera ses nuances d'abricot, de pêche mûre qui l'accompagnent au palais.

Morin Père et Fils, 9, quai Fleury, 21700 Nuits-Saint-Georges, tél. 03.80.61.39.83, fax 03.80.61.32.72, e-mail cave@morinpere-fils.com
t.l.j. 9h-12h 14h-18h

DOM. ALAIN NORMAND 2003 ★

■ 1 ha 2 000 5 à 8 €

Alain Normand s'est installé ici en 1993. Net, intense, bien fait, ferme à l'attaque et sans abuser du fruit mûr du millésime (vendangé le 25 août), un pinot mâconnais

structuré et qui tient parfaitement en équilibre. À boire dans l'année car il est bon et il serait inutile de le laisser s'impatienter en cave.
Alain Normand, chem. de la Grange-du-Dîme, 71960 La Roche-Vineuse, tél. 03.85.36.61.69, fax 03.85.51.60.97, e-mail domaine.alain.normand@wanadoo.fr r.-v.

DOM. OLIVIER PÈRE ET FILS 2004 *

1,5 ha 8 500 5 à 8 €

Couleur cerise rouge, un pinot établissant les meilleures relations du monde entre les tanins, l'acidité et ce qu'on pourrait appeler le moelleux, le gras, la rondeur. Cet excellent vin, complet et structuré, long sur ses arômes, est mi-boisé (quatorze mois en fût), mi-fruits rouges. Quand un bourgogne est élevé à Santenay, il y a exigence de résultat. L'objectif est atteint.
Dom. Olivier, 5, rue Gaudin, 21590 Santenay, tél. 03.80.20.61.35, fax 03.80.20.64.82, e-mail antoine.olivier2@wanadoo.fr r.-v.

DOM. PETITJEAN Côtes d'Auxerre 2004 *

1,59 ha 2 616 3 à 5 €

Romaric et Mathias Petitjean ont pris le relais dans ce dédale de rues étroites, dans ces caves insondables de Saint-Bris. Or discret, leur vin a le nez porté sur l'amande et la noisette. Il est merveilleusement concentré. Rond ? Pas vraiment, car l'acidité est bien là où il faut. Le boisé est parfaitement maîtrisé. À choisir pour une viande blanche. Le **Côtes d'Auxerre rouge 2003** obtient une étoile.
Dom. Petitjean, 1, ruelle de l'Équerre, 89530 Saint-Bris-le-Vineux, tél. 03.86.53.31.04, fax 03.86.53.84.81 t.l.j. sf dim. 8h-12h 14h-19h

DOM. PIGNERET FILS 2004 *

2 ha 18 000 3 à 5 €

Moroges est un village de la Côte chalonnaise, dans le canton de Buxy. Ce bourgogne chardonne comme un fou, enveloppé d'agrumes et de cet oiseau rare : la pêche de vigne. La robe ne pose pas problème. Le vif et le gras se renvoient bien la balle. Vin plaisir, selon l'expression, mais avec le corps assez solide pour vous tenir le verre éveillé jusqu'en 2008. Vol-au-vent ou quenelles de brochet.
Dom. Pigneret et Fils, Vingelles, 71390 Moroges, tél. 03.85.47.15.10, fax 03.85.47.15.12, e-mail domaine.pigneret@wanadoo.fr lun.-sam. 9h-20h; dim. 9h-12h

PINQUIER-ASSELIN 2003

0,6 ha 3 800 5 à 8 €

À boire ou à attendre (raisonnablement) selon votre patience, ce pinot est issu d'une toute petite propriété (2 ha en tout). Vendangé le 8 septembre. On a rarement attendu aussi longtemps au pied des ceps en 2003 ! C'était un choix, assez judicieux ici, on le voit. La couleur est sans défaut, le nez plus porté sur le fruit frais que sur le fruit mûr, l'équilibre correct.
Colette Pinquier, rue Château-Gaillard, 21190 Monthélie, tél. 03.80.21.22.78 r.-v.

BENJAMIN PORTIER
Épineuil Élevé en fût de chêne 2004 *

1,18 ha 2 200 5 à 8 €

Une bouteille d'un tout jeune producteur installé en 2002, et qui représente exactement ce qu'on appelait jadis « un vin de rôti ». La bouteille que le père ou le grand-père va chercher à la cave au bon moment pour accompagner amoureusement un bon plat bourgeois tiré du carnet de recettes de la famille. On s'égare ? Pas du tout. Voilà ce pinot qui monte tout au long de la dégustation, la bouche rappelle le nez, c'est tout dire ! De la vivacité, du cassis : il frôle la deuxième étoile.
Benjamin Portier, 10, rue Haute, 89700 Viviers, tél. 03.86.75.93.61, fax 03.86.75.95.25, e-mail portier.benjamin@wanadoo.fr r.-v.

NICOLAS POTEL Cuvée Gérard Potel 2004

n.c. 40 000 11 à 15 €

Nicolas Potel dédie cette cuvée à son père Gérard (dont le souvenir demeure vivace parmi les connaisseurs). Après la vente du domaine (la Pousse d'Or à Volnay), il a créé son entreprise de négoce-éleveur. Doré pâle, un rien exotique, franc et sympathique, ce 2004 léger est à déboucher maintenant. La même cuvée **rouge 2004** obtient une citation et ne vous décevra pas non plus. Le fût est bien fondu, laissant toute sa place au fruit.
SAS Nicolas Potel, 44, rue des Blés, 21700 Nuits-Saint-Georges, tél. 03.80.62.15.45, fax 03.80.62.15.46, e-mail nicolas.potel@wanadoo.fr r.-v.

DOM. POULLEAU PÈRE ET FILS 2004 *

1,64 ha 3 200 5 à 8 €

Quel beau corps ! Puissant et robuste, sans pour autant montrer une force excessive. Réglissé, épicé ou pain grillé, c'est aussi un corps... de garde (au sens où vous l'entendrez certainement, de un à deux ans). Son nez pinote bien sur les fruits rouges. Rubis à reflets mauves, il n'a pas acheté sa robe sur le marché mais dans une boutique chic à Chalon.
Dom. Michel Poulleau Père et Fils, rue du Pied-de-la-Vallée, 21190 Volnay, tél. 03.80.21.26.52, fax 03.80.21.64.03, e-mail domaine.poulleau@wanadoo.fr r.-v.

SERGE PROST ET FILS Côtes du Couchois 2003 *

0,35 ha 2 600 5 à 8 €

Un 2003 vendangé le 23 août. Joli vin qui en dépasse beaucoup d'autres non retenus ici. La cerise sur la robe, la même sensation au nez, voilà qui témoigne d'une certaine continuité. Fin, souple, flatteur, suffisamment long, il raconte son histoire de façon assez convaincante.
EARL Serge Prost et Fils, Les Foisons, 71490 Couches, tél. 06.24.98.55.86, fax 03.85.49.50.27 r.-v.

DOM. DES ROCHES Élevé en fût de chêne 2004 *

3 ha 9 600 5 à 8 €

Ce domaine typique des maisons du Mâconnais est situé à 3 km des grottes préhistoriques d'Azé. Sa cuvée est un bon vin, même si sa couleur rubis est très pâle. Car le nez est fin (poivre et fraise, cerise et kirsch) et la bouche fraîche, équilibrée, se montre gourmande.
James Carpi, Dom. des Roches, Le Martoret, 71960 Igé, tél. 03.85.33.32.47, fax 03.85.33.43.60, e-mail carpigobet@wanadoo.fr r.-v.

DOM. DE RUÈRE 2004 *

1 ha 3 000 3 à 5 €

Nous sommes chez Lamartine. Un seul vin nous manque et tout est dépeuplé... Le grand-père n'a pas été

mal inspiré lui non plus lorsqu'il a acquis cette propriété en 1938. Car voici un bon pinot mâconnais rubis jeune et expressif ; élégant sur le kirsch. L'attendre un peu, puis l'aérer avant de le servir.
➡ Didier Éloy, Ruère, 71960 Pierreclos,
tél. 06.10.69.76.71, fax 03.85.35.76.65 ☑ Y ♟ r.-v.

DOM. VINCENT SAUVESTRE 2004 *

■ 2,5 ha 12 800 ◐ 5 à 8 €

Onze mois de fût ont conféré une petite note réglissée à ce bourgogne très agréable. L'œil est d'emblée séduit par la nuance violacée qui traverse la belle robe cerise. Bien charpenté, le palais reste élégant.
➡ SCEA Dom. Vincent Sauvestre,
7, rte de Monthélie, 21190 Meursault,
tél. 03.80.21.22.45, fax 03.80.21.28.05

DOM. ROBERT SIRUGUE ET SES ENFANTS 2004 *

■ 2 ha 10 000 ◐ 5 à 8 €

Venu de Vosne-Romanée – ce producteur fut déjà coup de cœur –, ce vin d'appellation régionale est fort réussi. Sa robe dense et profonde, ses arômes portés sur les fruits rouges, le boisé élégant bien intégré, sa bouche équilibrée et longue, encore serrée en finale, ont tout pour plaire. Une dégustatrice aimerait le servir avec un faisan aux choux.
➡ Dom. Robert Sirugue, 3, rue du Monument,
21700 Vosne-Romanée, tél. 03.80.61.00.64,
fax 03.80.61.27.57, e-mail sirugue@ifrance.com
☑ Y ♟ r.-v.

MARYLÈNE ET PHILIPPE SORIN

Côtes d'Auxerre 2004 *

■ 3 ha 2 000 ▮ 5 à 8 €

La dilligence de Casanova y changea de chevaux en juin 1750. De retour de l'île d'Elbe, Napoléon y fit étape. Et Alexandre Dumas, coupable peut-être de toutes ces anecdotes, y prenait ses aises. Il est vrai qu'il s'agissait alors d'un relais de poste. Et le vin, aujourd'hui ? Le **Côtes d'Auxerre blanc 2004**, pâle et limpide, est discret au premier chapitre, pas trop long au second. S'imposent ensuite une bonne minéralité, un côté floral sympathique, typé et destiné à un fromage. Il est cité. Quant à ce rosé, bien pourvu en couleur, il ne résiste pas à l'appel de la groseille.
➡ Marylène et Philippe Sorin,
12, rue de Paris, 89530 Saint-Bris-le-Vineux,
tél. 03.86.53.60.76, fax 03.86.53.62.60,
e-mail philippe.sorin@libertysurf.fr ☑ Y ♟ r.-v.

DOM. SORIN DE FRANCE

Côtes d'Auxerre 2004 *

□ 3,12 ha n.c. ▮ 5 à 8 €

Une vieille famille du pays dont les archives remontent au XVIe s. Bonne attaque dans le minéral, finesse et longueur : ce vin est destiné à l'andouillette chablisienne. Minéralité, amande miellée gourmande, beau retour en bouche ; ce n'est peut-être pas le classicisme absolu mais on s'y sent bien.
➡ Dom. Sorin-Defrance,
11 bis, rue de Paris, 89530 Saint-Bris-le-Vineux,
tél. 03.86.53.32.99, fax 03.86.53.34.44
☑ Y ♟ t.l.j. 8h-11h30 14h-18h

CAVE TABIT ET FILS

Côtes d'Auxerre Cuvée romaine 2003 *

■ 1 ha 5 000 ◐ 5 à 8 €

Cette Cuvée romaine associe 30 % de césar au pinot noir : un objet de curiosité. D'une couleur moyennement intense pour l'année (2003, notez-le), ce vin parti sur le boisé se rééquilibre sur des notes sauvages et des nuances de groseille. Ses tanins sont encore jeunes ; cependant l'enrobage progresse à pas comptés mais sûrs.
➡ Cave Tabit et Fils, 2, rue Dorée,
89530 Saint-Bris-le-Vineux, tél. 03.86.53.33.83,
fax 03.86.53.67.97
☑ Y ♟ t.l.j. sf dim. 9h-12h30 14h-19h

DOM. DES TILLEULS 2004

■ 0,63 ha 3 000 ◐ 5 à 8 €

Cette maison proche du château de Gevrey domine tout le village. Ancienne propriété des comtes de Thénissey, elle possède une pièce d'eau, ce qui est rare dans ce bourg, Philippe est un fils de Gaston Livera. Son bourgogne présente une robe rubis profond. Des senteurs chaudes d'épices se mêlent aux parfums de la framboise, de la fraise. Souple, doté de tanins peu appuyés, ce vin a un côté groseille et une démarche légère. Cette douceur pourrait même le mettre en accord avec une tarte au chocolat.
➡ Philippe Livera, 7, rue du Château,
21220 Gevrey-Chambertin, tél. et fax 03.80.34.30.43
☑ Y r.-v.

DOM. DE LA TOUR BAJOLE

Côtes du Couchois Vieilles Vignes 2004 *

■ 0,6 ha 3 000 ◐ 5 à 8 €

Les Dessendre ont beaucoup fait pour leur Couchois tant au Conseil régional qu'au Conseil général. Ce vin ? L'habillage est superbe, le boisé et le fruit rouge ont des rapports privilégiés. On le sent sur sa retenue, bien élevé ; il vous fera ses hommages dans deux ans. N'oubliez pas non plus que c'est en 2008 que l'on fera revivre la Vivre de Couches, monstre médiéval !
➡ Marie-Anne et Jean-Claude Dessendre,
Dom. de La Tour-Bajole, 11, rue de la Chapelle,
71490 Saint-Maurice-lès-Couches,
tél. et fax 03.85.45.52.90,
e-mail domaine-de-la-tour-bajole@wanadoo.fr
☑ Y ♟ r.-v.

CH. DE LA TOUR DE L'ANGE 2004 *

□ 5 ha 35 000 ◐ 5 à 8 €

Un château fin XVIIIe s. situé à 20 km de Cluny, qui fut propriété du premier préfet de Saône-et-Loire et qui devait tout à Napoléon. Plus de deux siècles après, la vigne donne ce joli vin élevé six mois sous bois. Or fin, entouré de parfums de fruits blancs, puissant, ce chardonnay dispose d'un atout important : la fraîcheur, même s'il est dense et consistant en bouche.
➡ SCE Ch. de la Tour de l'Ange, chem. du Bourg,
71850 Charnay-lès-Mâcon, tél. 03.85.34.96.67,
fax 03.85.34.97.98, e-mail henri.gabet@wanadoo.fr
☑ Y ♟ r.-v.
➡ Gabet-Roujou

CAVE DE LA TOURELLE

Côtes d'Auxerre Cuvée de César 2003 **

■ 1 ha 7 000 ◐ 5 à 8 €

Curiosité ampélographique de l'Auxerrois, le césar règne sur quelques légions de pieds de vigne. L'exception culturelle ! On ne sait d'où il vient, mais sa forte végétation, ses gros rameaux à bois ferme signalent l'accent méditerranéen. À bois rouge ou à bois blanc. Ce vin est cerise noire et se plaît tout au long de son parcours en bouche avec un petit côté cuit, poivre, cassis et confiture dans un très bel équilibre (tanins fins et élégants). Félicitons les viticulteurs qui préservent ce chef-d'œuvre en péril.

Julien Esclavy, 27, rue de Gouaix, 89530 Saint-Bris-le-Vineux, tél. 03.86.53.32.56, fax 03.86.53.39.43, e-mail julien.esclavy@free.fr r.-v.

DOM. DES TROIS CROIX 2004 ★

1,95 ha 7 800 5 à 8 €

Ce domaine de 17 ha bénéficie de l'appui logistique de la maison Moillard. Très travaillé pour un bourgogne, ce 2004 offre une première bouche franche et rapidement concentrée, puis une rétro charmante (petits fruits des bois – vous savez, ces baies sauvages, ces fraises minuscules et si parfumées). L'élevage est avisé : six mois en cuve et quatre mois en fût. Robe bien tissée, bien coupée.

Dom. des Trois Croix, Chem. rural 59, 21700 Nuits-Saint-Georges, tél. 03.80.62.42.21, fax 03.80.61.28.13, e-mail contact@nuicave.com r.-v.

DOM. DE VAUROUX 2004 ★★

7 ha 18 000 5 à 8 €

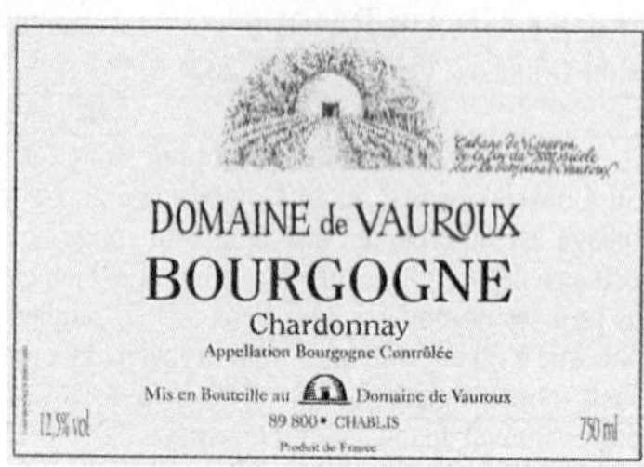

Sur l'étiquette figure une cabane de vigneron du XVII^e^s. présente sur le domaine. Un petit peu rond et très long, qu'est-ce que c'est ? Un coup de cœur ! Limpide et intense, il joue équitablement le silex et le chèvrefeuille. Porté par une remarquable acidité, l'envol est superbe. Le saut de l'ange en finale ! À servir à l'apéritif si les gougères sont moelleuses, croustillantes et tièdes. Sinon, à table.

Dom. de Vauroux, rte d'Avallon, 89800 Chablis, tél. 03.86.42.10.37, fax 03.86.42.49.13, e-mail domaine-de-vauroux@domaine-de-vauroux.com r.-v.

ALAIN VIGNOT Côte Saint-Jacques 2004 ★

5 ha 35 000 5 à 8 €

Viticulteur du Jovinien, tout au nord du vignoble bourguignon. Il y a ici de la groseille ou de la fraise écrasée, une gourmandise peu habituelle en 2004, dans ce pinot gris qui relève des chefs-d'œuvre inconnus. Beau travail d'un passionné ; que du plaisir sur le fruit avec ce rosé ! Le **Côte Saint-Jacques rouge 2004** (pinot noir) est bien typé de son terroir d'origine. Épicé et fumé, soutenu par l'acidité, il obtient une citation, alors que le chardonnay **blanc 2004** obtient une étoile. Typé, ce dernier a suffisamment de ressources pour attendre 2008.

Alain Vignot, 16, rue des Prés, 89300 Paroy-sur-Tholon, tél. 03.86.91.03.06, fax 03.86.91.09.37, e-mail alain-vignot@wanadoo.fr t.l.j. 9h-12h 14h-18h

DOM. ÉLISE VILLIERS Vézelay La Chevalière 2004

1,3 ha 8 000 5 à 8 €

Voilà trente ans qu'on en parle et peut-être va-t-on voir enfin à Vézelay la fabuleuse collection Zervos d'art moderne et contemporain. Histoire de déguster ce 2004, expressif et gentil comme tout. Pêche blanche, or insinué, pas très acide (pensons à la garde) mais de bonne et heureuse composition.

Élise Villiers, Précy-le-Moult, Pierre-Perthuis, 89450 Vézelay, tél. et fax 03.86.33.27.62, e-mail elisevilliers@yahoo.fr t.l.j. 9h-19h

ANNE-MARIE ET JEAN-MARC VINCENT 2004 ★★

n.c. n.c. 5 à 8 €

Délicieuse bouteille, jugée digne du coup de cœur. Une performance car il y avait presque autant de candidats à l'AOC régionale qu'au demi-marathon des grands crus. Jaune d'or, ce 2004 s'entoure de senteurs de promenade en forêt. Son très beau volume en bouche offre la plénitude et la complexité. Un joli fruité (pêche) dure longuement en finale. Digne d'un grand poisson.

Anne-Marie et Jean-Marc Vincent, 3, rue Sainte-Agathe, 21590 Santenay, tél. et fax 03.80.20.67.37, e-mail vincent.j-m@wanadoo.fr r.-v.

Bourgogne-grand-ordinaire

En réalité, les appellations bourgogne-ordinaire et bourgogne-grand-ordinaire sont très peu usitées. Lorsqu'on les utilise, on néglige le plus souvent celle de bourgogne-grand-ordinaire. Certains terroirs un peu en marge du grand vignoble peuvent toutefois y produire d'excellents vins à des prix très abordables. Pratiquement tous les cépages de la

Bourgogne peuvent contribuer à la production de ce vin, qui peut se trouver en blanc, en rouge et en rosé ou clairet.

En blanc, les cépages seront principalement le chardonnay et l'aligoté ; le sacy (uniquement dans le département de l'Yonne) était essentiellement cultivé dans tout le Chablisien et dans la vallée de l'Yonne, pour produire des vins destinés à la prise de mousse et exportés ; depuis l'avènement du crémant-de-bourgogne, il est autorisé pour cette appellation. Le melon, dont il n'existe plus que quelques vestiges en Bourgogne, est le cépage du muscadet.

En rouge et rosé, les cépages bourguignons traditionnels, gamay noir et pinot noir, sont les principaux. Dans l'Yonne encore, on peut utiliser le césar, qui est réservé au bourgogne, surtout à Irancy, et le tressot, qui ne figure que dans les textes mais plus jamais sur le terrain... C'est dans l'Yonne, et plus particulièrement à Coulanges-la-Vineuse, que l'on rencontre les meilleurs vins de gamay, sous cette appellation.

HENRY DE VÉZELAY 2004 ★

0,5 ha 4 000 5 à 8 €

On parle périodiquement de supprimer le bourgogne-grand-ordinaire afin de simplifier la liste des AOC bourguignonnes. Son volume est cependant assez faible et il permet de faire découvrir aux amateurs un cépage disparu presque partout sauf du côté de Vézelay : le melon de Bourgogne (le muscadet du Pays nantais). Jaune clair intense, il ne manque ici ni de fraîcheur ni de finesse. La poire se marie au beurre pour créer un bouquet original. Pour étonner vos amis.

La Chablisienne, 8, bd Pasteur, BP 14,
89800 Chablis, tél. 03.86.42.89.89, fax 03.86.42.89.90,
e-mail chab@chablisienne.fr r.-v.

LUCIENNE MICHEL 2004 ★

4 ha 30 000 3 à 5 €

Dans l'Yonne, le bourgogne-grand-ordinaire peut naître du pinot, du gamay, du césar et du tressot. Ce vin est excellent dans l'appellation. Sa couleur est sympa, sa cerise juteuse, son attaque bien nette et son intérieur accueillant. Marque de la Cave du Connaisseur (Lucienne Michel), affaire créée en 1989.

La Cave du Connaisseur, rue des Moulins, BP 78,
89800 Chablis, tél. 03.86.42.87.15, fax 03.86.42.49.84,
e-mail connaisseur@chablis.net t.l.j. 10h-18h

DOM. DE ROTISSON Les Dalines 2004

1 ha 7 000 5 à 8 €

Bourgogne de grand ordinaire ? Cela signifiait : la bouteille du dimanche. Ici, un gamay d'intensité moyenne, le nez animé par une légère pointe d'acidité. Cela ne surprend pas de la part du cépage. Curiosité : ce vin vient du département du Rhône, car les crus du Beaujolais, à l'exception de Régnié, peuvent se replier en bourgogne-grand-ordinaire.

Dom. de Rotisson, rte de Conzy,
69210 Saint-Germain-sur-l'Arbresle, tél. 04.74.01.23.08,
fax 04.74.01.55.41,
e-mail didier.pouget@domaine-de-rotisson.com
t.l.j. 9h-12h30 14h-18h; dim. sur r.-v.
Didier Pouget

Bourgogne-aligoté

Le cépage aligoté donne des vins plus vifs et plus précoces que le chardonnay, mais le terroir influe sur lui autant que sur les autres cépages. Il y a ainsi autant de profils d'aligotés que de zones où on les élabore. Les aligotés de Pernand étaient connus pour leur souplesse et leur nez fruité (avant de céder la place au chardonnay) ; les aligotés des Hautes-Côtes sont recherchés pour leur fraîcheur et leur vivacité ; ceux de Saint-Bris dans l'Yonne semblent emprunter au sauvignon quelques traces de fleur de sureau, sur des saveurs légères et coulantes.

Le bourgogne-aligoté constitue un excellent vin d'apéritif associé ou non à de la liqueur de cassis, devenant alors le célèbre « kir ». L'appellation a trouvé ses lettres de noblesse dans le petit village de Bouzeron près de Chagny (Saône-et-Loire), où elle est devenue en 2001 une appellation *village*. L'AOC a produit 111 459 hl en 2005.

CHRISTOPHE AUGUSTE 2005

2,5 ha 21 000 3 à 5 €

Agréablement enveloppé d'aubépine ou d'acacia, discrètement doré, un aligoté jouant la douceur. Assez chaleureux, voluptueux, il suggère davantage la chaise longue que le tabouret de camping. Miel, noix fraîche, il réserve quelques gâteries. On n'y est pas insensible. Entre la typicité et le simple plaisir...

SCEA Christophe Auguste, 55, rue André-Vildieu,
89580 Coulanges-la-Vineuse, tél. 03.86.42.35.04,
fax 03.86.42.51.81 r.-v.

CHRISTIAN BELLANG ET FILS 2004 ★★

1 ha 900 5 à 8 €

À Meursault ? De quoi parle-t-on ? D'un véritable aligoté ! Il se glisse comme une anguille au temple du chardonnay et il ne manque ni son entrée ni sa sortie. Le bel équilibriste marchant à pas comptés sur un fil magique, ferme et vif comme de la ficelle à fouet. Bonne suite sur l'attaque et longueur un peu inhabituelle.

Christian Bellang et Fils, 2, rue de Mazeray,
21190 Meursault, tél. 03.80.21.22.61,
fax 03.80.21.68.50,
e-mail christophe.bellang@wanadoo.fr r.-v.

BERSAN ET FILS 2005 ★

2 ha 12 000 5 à 8 €

Clair à reflets argentés, un 2005 au nez intense de poire et de fleurs blanches, à la limite du muscaté. Le citron n'est pas trop vif mais il est d'une distinction honorable. À ouvrir maintenant sur des cuisses de grenouilles bien nerveuses. Cela fera un équilibre.

SARL Bersan et Fils, 18, rue Bienvenu-Martin, 89530 Saint-Bris-le-Vineux, tél. 03.86.53.33.73, fax 03.86.53.38.45, e-mail bourgognes-bersan@wanadoo.fr r.-v.

PASCAL BOUCHARD 2004

n.c. 120 000 5 à 8 €

On conseillait naguère l'aligoté en guise de dentifrice comme le premier verre du matin, celui du réveil, afin de se désengourdir les gencives et de s'ouvrir les yeux. Bon exemple venu de l'Auxerrois : sa bouche est vivante, désaltérante. Un vin sec, bien sûr. C'est dans sa nature. Robe claire et bouquet citronné nuancé d'épices.

Pascal Bouchard, parc des Lys, 5 bis, rue Porte-Noël, 89800 Chablis, tél. 03.86.42.18.64, fax 03.86.42.48.11, e-mail info@pascalbouchard.com t.l.j. sf sam. dim. 10h30-12h30 14h-18h

BOUCHARD PÈRE ET FILS 2004 **

n.c. n.c. 5 à 8 €

Quoi de neuf chez Bouchard Père et Fils ? Une « merveille du monde » à ajouter à la liste. Entre Beaune et Savigny, et non plus à Babylone ou à Alexandrie. Cave et cuverie construites comme un temple pharaonien dédié à Bacchus ! Parmi tant de crus répertoriés dans l'*Almanach de Gotha*, le bourgogne-aligoté entre ici sur la pointe des pieds. Mais il ne passe pas inaperçu. D'une typicité exceptionnelle. Hautes-Côtes de Beaune ? Ce qu'on dit à l'aveugle.

Bouchard Père et Fils, Ch. de Beaune, 21200 Beaune, tél. 03.80.24.80.24, fax 03.80.22.55.88, e-mail france@bouchard-pereetfils.com r.-v.

VIGNERONS RÉUNIS BUXY 2005 *

15 ha 120 000 5 à 8 €

Vivere in amore vini, affirme l'étiquette. À table, on aime bien le latin de cuisine. En commençant par l'étiquette, éclairons nos lanternes ! Il s'agit d'un groupement d'intérêt économique appelé « Blasons de Bourgogne », réunissant plusieurs caves coopératives de la région, dirigé par le patron de La Chablisienne ; ce vin est issu de Buxy en Côte chalonnaise. L'esprit régional n'a guère de meilleur exemple. Quant à ce 2005 tout frétillant ? Bien, un peu amer en finale mais de haut niveau dans l'ensemble. Une friture de goujons vous rappellera votre enfance.

GIE Blasons de Bourgogne, rue du Serein, 89800 Chablis, tél. 03.86.42.88.34, fax 03.86.42.83.75, e-mail blasons@blasonsdebourgogne.fr

MADAME EDMOND CHALMEAU 2004 *

4 ha 9 200 3 à 5 €

Ce qui est intéressant avec ce cépage, c'est qu'on peut comparer ici, de Joigny à Tournus, les variations sur un même thème de plusieurs instruments de l'orchestre. Jaune très pâle, celui-ci nous arrive de l'Auxerrois. On apprécie au premier abord sa minéralité de pierre à fusil. Vif en première bouche comme il se doit, il s'apaise sur la fin.

Mme Edmond Chalmeau, 20, rue du Ruisseau, 89530 Chitry-le-Fort, tél. 03.86.41.42.09, fax 03.86.41.46.84 r.-v.

JEAN CHARTRON Clos de la Combe 2004

1,07 ha 8 000 8 à 11 €

Clos de la Combe ? Les *climats* sont rares dans cette appellation. Cela étant, l'œil est satisfait. Le nez est réservé, puis sur les fleurs blanches à l'air ambiant. Un peu de fût, un peu de fraîcheur à cet endroit-là, que voulez-vous ? Cela chardonne et c'est normal.

Dom. Chartron-Dupard, 13, Grande-Rue, 21190 Puligny-Montrachet, tél. 03.80.21.99.19, fax 03.80.21.99.23, e-mail info@jeanchartron.com r.-v.

FABIEN COCHE-BOUILLOT 2004 *

n.c. 10 000 3 à 5 €

Aussi singulier que cela puisse paraître, cet aligoté produit à Meursault ne joue pas à la grande coquette. Il est frais, typé, et, puisqu'on le lui demande, offre un peu de gras, de puissance, de longueur pour ne pas apparaître en dessous de sa condition. C'est à boire qu'il nous faut, comme on le chante. Dans les six mois à venir.

Fabien Coche-Bouillot, 5, rue de Mazeray, 21190 Meursault, tél. 03.80.21.29.91, fax 03.80.21.22.38, e-mail coche-bigouard@wanadoo.fr r.-v.

DOM. G. DESAUGE 2004 **

0,36 ha 1 500 5 à 8 €

L'aligoté à Pommard est dans ses petits souliers. Eh bien ! oui. Car c'est une terre à rouges. Voyez celui-ci. Il est limpide et brillant, minéral et fruité (agrumes), franc à l'attaque et plus souple que vif. Il accompagnera toutes les entrées de terrines et crudités.

GFA Bourgogne Desauge, 2, rue Mareau, 21630 Pommard, tél. 03.80.24.12.47 r.-v.

DEVEVEY 2004 **

0,41 ha 3 000 5 à 8 €

Viticulteur et négociant, Jean-Yves Devevey a la main double. Son aligoté, paré d'une robe à nuances vertes, offre un nez de fruits de saison. Une pointe de vivacité accompagnée d'agrumes, de la fraîcheur et une manière de structure qui dépasse les données habituelles de l'équation. Bouteille au-dessus du panier.

Jean-Yves Devevey, rue de Breuil, 71150 Demigny, tél. 03.85.49.91.11, fax 03.85.49.91.59, e-mail jydevevey@wanadoo.fr r.-v.

DOM. FILLON ET FILS 2005

10 ha 30 000 5 à 8 €

Le frère et la sœur ont repris le domaine familial il y a dix ans, dans le superbe village de Saint-Bris. Raisins mûrs, et au-delà, capiteux et robustes : un 2005 cueilli au nid. La couleur est là. Nez plus chaleureux que vert en ces périodes d'adolescence, entre végétal et floral. Bon vin, pas très aligoté et d'une ampleur traduisant une forte maturité.

EARL Porte de Saint-Bris, 53, rue Bienvenu-Martin, 89530 Saint-Bris-le-Vineux, tél. 03.86.53.30.26, fax 03.86.53.63.88 t.l.j. 9h-12h30 14h-19h30

DOM. GACHOT-MONOT 2004 *

0,52 ha 5 000 5 à 8 €

Il est des circonstances où il faut savoir prendre son temps, ne rien bousculer. En compagnie de cette bouteille, par exemple. Son premier nez est un peu masqué, type bourgeon de cassis à la façon du sauvignon à Saint-Bris. Le second est en revanche orienté vers les fleurs du printemps. Vivacité d'agrumes, bonne texture, longueur aimable : ce 2004 a été travaillé comme un grand.

Dom. Gachot-Monot, 3, rue de La Bretonnière, 21700 Corgoloin, tél. 03.80.62.93.03, fax 03.80.62.77.47, e-mail gachot-monot@wanadoo.fr r.-v.

GRIFFE 2004 *

4,84 ha 5 000 3 à 5 €

Enfant de l'Auxerrois, un vin qui colle le plus près possible à l'appellation. Aromatique et frais, d'un or modeste – et on ne lui en fera pas le reproche –, il se montre peut-être un peu fermé. En tout cas, il est avide d'escargots de Bourgogne et plus précisément de Basson, si vous connaissez le pays.

EARL Griffe, 15, rue du Beugnon, 89530 Chitry-le-Fort, tél. 03.86.41.41.06, fax 03.86.41.47.36, e-mail domaine.griffe@wanadoo.fr r.-v.

OLIVIER GUYOT 2004 *

2,4 ha 3 000 5 à 8 €

Olivier Guyot et son cheval... La Fontaine eût composé une fable en pensant à ces deux-là. En cherchant l'inspiration dans ce verre d'aligoté frais comme la brise de printemps, aigu comme du silex, fruité comme un citron. Typicité d'excellence et même un peu impertinente... mais ce défaut lui est permis. Salade de crustacés conseillée.

Olivier Guyot, 39, rue de Mazy, 21160 Marsannay-la-Côte, tél. 03.80.52.39.71, fax 03.80.51.17.58, e-mail domaine.guyot@wanadoo.fr r.-v.

GHISLAIN KOHUT La doyenne des clos 2004

0,15 ha 1 000 3 à 5 €

Cet aligoté de Côte de Nuits né d'une famille aux racines polonaises répond présent à l'appel. Limpide à reflets or, élégamment citronné au nez, il attaque franchement, bien typé.

Ghislain Kohut, 10, rue Raymond-Poincaré, 21160 Couchey, tél. 03.80.52.99.92, fax 03.80.52.44.50, e-mail g.kohut@wanadoo.fr t.l.j. 9h-19h

LUCAS-POTHIER 2004 *

0,34 ha 3 300 3 à 5 €

« Tu n'es pas encore à la Croix de Pommard ! », lit-on sur l'étiquette. Encore faut-il l'expliquer. On disait cela jadis dans la Côte pour signifier : « Tu n'es pas arrivé, tu n'es pas au bout de ton chemin ! » En revanche, ce vin va vite et il y est déjà, à la fameuse croix. Il chardonne un peu (robe, arômes de pomme et de mandarine), avant de se montrer rond et gouleyant. À boire début 2007.

Lucas-Pothier, 43, route de Beaune, 21200 Bligny-lès-Beaune, tél. et fax 03.80.26.82.11 r.-v.

DOM. NICOLAS MAILLET 2004 *

0,4 ha 3 500 5 à 8 €

Aimable signe d'amitié du Mâconnais. Assez long sur le fruit, or bien signifié, noisette puis pamplemousse, original mais agréable, il est à déguster maintenant.

Dom. Nicolas Maillet, La Cure, 71960 Verzé, tél. et fax 03.85.33.46.76, e-mail a.ries@free.fr r.-v.

CAVE DES VIGNERONS DE MANCEY 2005 ***

n.c. 10 000 5 à 8 €

Le jour de gloire est arrivé... Les premiers affrontés au phylloxéra, les viticulteurs de Mancey (entre Mâconnais et Côte chalonnaise, Tournus si vous voyez) n'ont pas baissé les bras. Et ils offrent un aligoté de derrière les fagots, si grand qu'il en est même surpris. Tout est superbe en lui, un rien explosif, exubérant et aimable. Super. Les Hautes-Côtes n'ont qu'à bien se tenir. Voilà de la concurrence.

Cave des vignerons de Mancey, BP 100, RN 6, 71700 Tournus, tél. 03.85.51.00.83, fax 03.85.51.71.20, e-mail bourgogne.vigne.verre@wanadoo.fr t.l.j. 8h-12h 14h-18h

DOM. LE MEIX DE LA CROIX 2004

0,91 ha 3 500 5 à 8 €

Venu de la Côte chalonnaise, il a de la brillance et des reflets choisis, pas trop de nez, sinon le citron vert classique. C'est tendre, aligotant modérément, plutôt souple, rond et gras. À laisser venir dans les dix mois. Affectif, il se refuse à voir le diable environner son corps comme la Vivre de Couches. Raisonnable. Une seule devise : « Pas trop ».

Fabienne et Pierre Saint-Arroman, 71640 Saint-Denis-de-Vaux, tél. 03.85.44.34.33, fax 03.85.44.59.86 r.-v.

LUCIEN MUZARD ET FILS 2004 *

n.c. 6 000 5 à 8 €

Achat en raisins et activité de négoce-éleveur pour cette maison qui signe un bon aligoté de la Côte ou des Hautes-Côtes de Beaune, franc et persistant au palais. Citron-pamplemousse, le nez connaît les usages. Sa consistance dépasse la moyenne. Mais ce n'est pas un vin en queue-de-pie jouant au chardonnay. Très bien.

SARL Lucien Muzard et Fils, 1, rue de la Chapelle, 21590 Santenay, tél. 03.80.20.61.85, fax 03.80.20.66.02, e-mail lucien-muzard-et-fils@wanadoo.fr r.-v.

NICOLAS PÈRE ET FILS 2004 **

0,9 ha 2 000 3 à 5 €

Il flirte avec le coup de cœur, ce bon garçon. « Cale-toi bien, tu vas voir passer la procession », aurait dit un curé des Hautes-Côtes à son enfant de chœur tenant dans la burette son premier aligoté du matin. Un aligoté gonflé à bloc, plus clair que jaune, plus insistant que persistant. Et avec ça, cette élégance qu'on n'attend pas mais qui séduit totalement.

EARL Nicolas Père et Fils, 38, rte de Cirey, 21340 Nolay, tél. 03.80.21.82.92, fax 03.80.21.85.47, e-mail nicolas-alain2@wanadoo.fr
t.l.j. 9h-12h 13h30-19h; f. 1 sem. en fév. et en août

DOM. GÉRARD PERSENOT 2005 ★

6 ha 30 000 5 à 8 €

Jaune à peine. Son nez est vivifiant après aération (complexe floral). La vivacité joue raisonnablement l'attaque, puis les arômes d'aubépine se détachent sur fond de minéralité. Joli caractère, jolie longueur. Pour ceux qui aiment les escargots... de Bourgogne.

EARL Gérard Persenot, 20, rue de Gouaix, 89530 Saint-Bris-le-Vineux, tél. 03.86.53.61.46, fax 03.86.53.61.52 t.l.j. sf dim. 9h-12h 14h-18h

DOM. PIGNERET ET FILS 2004 ★

2,2 ha 20 000 3 à 5 €

Aligoté de table pour une première assiette de persillades. Doré comme un louis, franc et flatteur au nez, il n'est pas seulement souple et amical. Son volume, son ampleur sont assez rares dans l'appellation. À boire dans les mois qui viennent.

Dom. Pigneret et Fils, Vingelles, 71390 Moroges, tél. 03.85.47.15.10, fax 03.85.47.15.12, e-mail domaine.pigneret@wanadoo.fr
lun.-sam. 9h-20h; dim. 9h-12h

PINQUIER-ASSELIN 2004 ★

0,8 ha 6 200 3 à 5 €

Décrit en 1667 par Jean Merlet sous le nom de beaunié, l'aligoté ressemble à Astérix : l'image même du Gaulois. Il existe cependant dans d'autres pays, comme la Roumanie et la Bulgarie. Ici, pas de doute, nous sommes bien en Bourgogne. La trame acide indispensable n'a rien de sec et autorise même un peu de gras. Notes citronnées. Pour un fromage de chèvre.

Colette Pinquier, rue Château-Gaillard, 21190 Monthélie, tél. 03.80.21.22.78 r.-v.

DOM. DES REMPARTS 2004 ★

9 ha 20 000 5 à 8 €

Aligoté de l'Yonne plein d'élan et de vivacité. Son nez n'est guère ouvert, mais on n'attend pas de lui des prodiges aromatiques. Bouche de style agrumes avec de la minéralité. Ce qu'on appelle « un vin à boire entre amis ».

GAEC Dom. des Remparts, 6, rte de Champs, 89530 Saint-Bris-le-Vineux, tél. 03.86.53.33.59, fax 03.86.53.62.12 r.-v.
Sorin

ROPITEAU 2005 ★

n.c. n.c. 5 à 8 €

Grand nom de Meursault entré dans la famille Jean-Claude Boisset, Ropiteau ne déroge pas en signant cet aligoté. Paille clair, le nez tourné vers l'essentiel, il a le goût de lies – ce qui est loin d'être un défaut. Petite touche d'amertume et la pleine forme en 2007. Personnalité réelle.

Ropiteau Frères, Cour des Hospices, 13, rue du 11-Novembre-1918, 21190 Meursault, tél. 03.80.21.69.20, fax 03.80.21.69.29, e-mail ropiteau@ropiteau.fr
t.l.j. 9h-18h30; f. fin nov. à Pâques

DOM. ROYET 2004 ★★

1,5 ha 4 000 3 à 5 €

Un bon aligoté, voire très bon aligoté comme c'est le cas ici car il s'agit de l'un des deux meilleurs de la série, ne vous fait pas de mamours. Il prend ses marques et les garde. Pas trop de robe. Citron ou pamplemousse au choix. Gaillard en bouche. Et vive le Couchois qui signe ici un morceau d'anthologie aligotante. Le coût ? N'en parlons pas, tant il est modique.

SCEV Dom. Royet, Combereau, 71490 Couches, tél. 03.85.49.64.01, fax 03.85.49.61.77, e-mail scev.domaine.royet@wanadoo.fr r.-v.

GUY SIMON ET FILS 2004 ★

4 ha 3 000 5 à 8 €

De tous les noms qu'on lui a donnés (plant gris, griset blanc, etc.), l'aligoté a choisi le plus vif. Il lui va comme un gant. Ce 2004 provient des Hautes-Côtes de Nuits, amoureuses de ce cépage. Un vin limpide, légèrement fruité, impulsif comme un coup de fouet et resté en pleine fraîcheur. Idéal pour un kir selon les règles fixées par le bon chanoine, député-maire de Dijon.

Guy Simon et Fils, 21700 Marey-lès-Fussey, tél. 03.80.62.91.85, fax 03.80.62.71.82 r.-v.

JEAN-BAPTISTE THIBAUT 2004

4,05 ha 2 000 3 à 5 €

Nul besoin de tourner autour du pot, c'est une bonne bouteille d'aligoté : une robe « chablisienne », un ensemble aromatique végétal et citronné, une bouche d'abord tendre, puis en long coup de fouet. Typé icaunais, c'est-à-dire de l'Yonne.

Jean-Baptiste Thibaut, 9, rue de la Croix, 89290 Quenne, tél. 03.86.40.34.09, fax 03.86.40.27.70
r.-v.

CORINNE TOURNIER ET THIERRY GAUTIER Les Chailloux 2003 ★

0,6 ha 5 000 5 à 8 €

C'est en 2001 que ces propriétaires venus d'ailleurs ont eu un coup de foudre pour la vigne et le vin. Jaune paille, une pointe d'agrumes frais – fraîcheur sans sécheresse –, leur joli aligoté 2003 (vendangé le 8 septembre !) – vendanges tardives à la bourguignonne – sera adapté à la mousse de saumon dès cet automne.

Dom. Le Grégoire, 71460 Culles-les-Roches, tél. 03.85.44.01.90, fax 03.85.44.08.61, e-mail domainelegregoire@wanadoo.fr r.-v.

Bourgogne-passetoutgrain

Appellation réservée aux vins rouges et rosés à l'intérieur de l'aire de production du bourgogne-grand-ordinaire, ou d'une appellation plus restrictive à condition que les vins proviennent de l'assemblage de raisins issus de pinot noir et gamay noir ; le pinot noir doit représenter au minimum le tiers de l'ensemble. Il est courant de constater que les meilleurs vins contiennent des quantités identiques de raisin de chacun des deux cépages, voire davantage de pinot noir.

Les vins rosés sont obligatoirement obtenus par saignée : ce sont donc des rosés macérés, par opposition aux « gris » obtenus par pressurage direct de raisins noirs et vinifiés comme des vins blancs. La production de passe-toutgrain rosé est très faible ; c'est surtout en rouge que cette appellation est connue. Elle est produite essentiellement en Saône-et-Loire (environ les deux tiers), le reste en Côte-d'Or et dans la vallée de l'Yonne. Les vins sont légers et friands, et doivent être consommés jeunes. La production a atteint 39 286 hl en 2005.

DOM. CASTAGNIER 2004 *

■ 0,32 ha 2 100 3 à 5 €

Rendons tout d'abord hommage à Gilbert Vadey, disparu en avril dernier, merveilleux vigneron et lauréat de la Tasse d'Or Alexis Lichine qui l'avait emmené à New York ! « C'était quelqu'un », comme on dit. Il eût aimé au casse-croûte raconter cette histoire. Pinot-gamay à 50/50, ce vin est vif et frais comme un souffle de vent descendu de la combe, ferme et tout sourire.

EARL Dom. Castagnier, 20, rue des Jardins, 21220 Morey-Saint-Denis, tél. 03.80.34.31.62, fax 03.80.58.50.04 r.-v.

JÉRÔME CHEZEAUX 2003

■ 0,85 ha 1 800 3 à 5 €

Certains l'aiment chaud ! Gamay à 70 %, il est encore austère. Il faut comprendre ce bourgogne particulier pour l'apprécier. Nez de cuir et robe intense : il garde son équilibre. Le servir à des connaisseurs. Sinon, ce serait banal.

Jérôme Chezeaux, 6, rte de Nuits-Saint-Georges, 21700 Premeaux-Prissey, tél. 03.80.61.29.79, fax 03.80.62.37.72 r.-v.

CAVE DES VIGNERONS DE MANCEY 2005 *

■ n.c. 18 000 5 à 8 €

La coopérative de Mancey (près de Tournus) propose ce gamay à 66 %, un peu cher et beaujolaisant en raison de sa nervosité. Il n'en est pas moins ouvert sur les fleurs et le fruit, perlant.

Cave des vignerons de Mancey, BP 100, RN 6, 71700 Tournus, tél. 03.85.51.00.83, fax 03.85.51.71.20, e-mail bourgogne.vigne.verre@wanadoo.fr
t.l.j. 8h-12h 14h-18h

DOM. DES MARGOTIÈRES
La Fontaine de Pichotot 2003

■ 2,5 ha 10 000 3 à 5 €

« Le vin, la plus aimable des boissons, date de l'enfance du monde ». C'est ce qu'on lit sur l'étiquette. Un passetoutgrain très sombre, animal et cuir : retour de la chasse. Ferme et long, il traitera d'égal à égal avec le bœuf bourguignon. Pas d'excès d'alcool et une réelle typicité (les deux cépages moitié-moitié).

Dom. des Margotières, imp. du Clou, 21190 Saint-Romain, tél. 03.80.21.24.40, fax 03.80.21.64.87, e-mail contact@domaine-margotieres.com
t.l.j. 8h-12h 13h30-17h30; sam. dim. sur r.-v.

Monica Buisson

P. MISSEREY 2003 **

■ n.c. 9 500 15 à 23 €

Marc Misserey nous quittait il n'y a pas si longtemps, pour vendanger les Vignes du Seigneur. La maison a changé plusieurs fois de patron, mais c'est à Marc que l'on dédie ce vin. 70 % de pinot noir, cela se sent, mais le gamay ne s'avoue pas vaincu. Du printemps, il a la sévérité et pourtant une certaine clémence. Le pot-au-feu, rien de mieux ! Mais le prix, entre nous, est au-delà de toute raison.

Maison P. Misserey, 6, rue de Chaux, BP 4, 21700 Nuits-Saint-Georges, tél. 03.80.62.43.40, fax 03.80.62.68.02

DOM. JEAN & GENO MUSSO 2004 **

■ 1,2 ha 6 000 5 à 8 €

Pinot noir et gamay à 50 % ; des sols argilo-calcaires pour l'un, d'arène granitique pour l'autre ; un vin « issu de raisins de l'agriculture biologique » avec contrôle Écocert... Pour une bouteille agréable et bien typée. Le passetoutgrain n'est pas snob. Cependant, il sait quelquefois exprimer une rusticité terrienne plus subtile qu'il n'y paraît. C'est ici le cas. Puissance du caractère, tanins soyeux et aucune amertume.

Ch. de Sassangy, Le Château, 71390 Sassangy, tél. 03.85.96.18.61, fax 03.85.96.18.62, e-mail musso.jean@wanadoo.fr r.-v.

DOM. VERRET 2005 **

■ 2,5 ha 10 000 5 à 8 €

Gamay à 67 % et pinot à 33 % : on inverse le scénario le plus connu. D'où ce côté bonhomme, friand, cassis ou framboise au choix. D'un rubis très profond et d'une fraîcheur à vous couper le souffle. Tripes ? Cela devrait aller. À la mode de Bourgogne, avec pas mal de moutarde. Forte, il va sans dire.

Dom. Verret, 7, rte de Champs, BP 4, 89530 Saint-Bris-le-Vineux, tél. 03.86.53.31.81, fax 03.86.53.89.61, e-mail dverret@domaineverret.com
t.l.j. 8h-12h 14h-18h

Bourgogne-hautes-côtes-de-nuits

Dans le langage courant et sur les étiquettes, on utilise le plus fréquemment « bourgogne-hautes-côtes-de-nuits » pour les vins rouges, rosés et blancs produits sur seize communes de l'arrière-pays, ainsi que sur les parties de communes situées au-dessus des appellations communales et des crus de la Côte de Nuits. Cette production a augmenté de manière importante depuis 1970, date avant laquelle ce secteur proposait surtout des vins plus régionaux, bourgogne-aligoté essentiellement. Le vignoble s'est reconverti à ce moment-là et des terrains, plantés avant le phylloxéra, ont été reconquis. Ces vignobles ont donné 22 328 hl de vin rouge et 4 915 hl de vin blanc en 2005.

Les coteaux les mieux exposés donnent certaines années des vins qui peuvent rivaliser avec des parcelles de la Côte, notamment en blanc avec le chardonnay qui, d'un millésime à l'autre, donne des vins d'une meilleure régularité que le pinot noir. À l'effort de reconstitution du vignoble a été associé un effort touristique qu'il faut souligner, avec en particulier la construction d'une maison des Hautes-Côtes où sont exposées les productions locales – dont les liqueurs de cassis et de framboise – que l'on peut déguster avec la cuisine régionale.

DOM. BONNARDOT PÈRE ET FILS
Clos des oiseaux 2003 ★★

0,51 ha 1 000 5 à 8 €

« Un vin méritant », écrit sur sa fiche un dégustateur ami de la litote. Ce domaine de Villers-la-Faye (on dit Fai et non pas Faille) signe un vin qui fait son âge mais pas davantage. Qui peut être savouré maintenant. L'œil voit de beaux jambages. Le nez découvre le croissant chaud, la pâtisserie. Le palais s'épanouit dans le gras et le miel comme si l'on était au temps des rois.

Dom. Bonnardot Père et Fils, 1, rue de l'Ancienne-Cure, 21700 Villers-la-Faye, tél. 03.80.62.91.27, fax 03.80.62.72.89 r.-v.

JEAN-CLAUDE BOUHEY ET FILS
Les Dames Huguettes 2003 ★

1,3 ha 8 000 5 à 8 €

« Noir, c'est noir », comme le dit la chanson. Ce vin grenat est si profond qu'il en devient noir. Le nez d'épices et de tabac signe les dix-huit mois de fût, puis les petits fruits paraissent. La bouche est ronde et pleine. C'est typé 2003 et parfait pour une viande en sauce au poivre vert. À déboucher maintenant. Les Dames Huguettes sont l'un des *climats* les plus connus (juste au-dessus de Nuits en arrivant sur le plateau).

Jean-Claude Bouhey et Fils, 7, rte de Magny, 21700 Villers-la-Faye, tél. 03.80.62.92.62, fax 03.80.62.74.07

JEAN BROCARD-GRIVOT 2003

4,5 ha 2 360 5 à 8 €

Les trois quintefeuilles sur l'étiquette, nous sommes bien à Reulle-Vergy : l'une des trois communes qui créèrent l'un des premiers musées bourguignons des arts et traditions populaires. Rouge intense et limpide, ce vin a de délicieuses odeurs de cerise à l'eau-de-vie. La bouche assez ronde, sans excès tannique, est prête pour le temps présent.

Jean Brocard-Grivot, 9, rue Basse, 21220 Reulle-Vergy, tél. 03.80.61.42.14 sam. dim. 10h-20h

JACQUES CACHEUX ET FILS Bec à vent 2004 ★★

1,09 ha 4 200 5 à 8 €

On ne parle plus du gamay de Bévy, du gamay d'Arcenant... En rouge, il reste un peu de gamay pour le passetoutgrain, mais le pinot noir assure presque tout l'encépagement en plant fin. Celui-ci autorise le pari à moyen terme. De nuance sombre, cassis et café (dix-huit mois en fût), il est d'esprit moderne, et avec quel éclat ! Élégance et maîtrise de soi : on ne fait guère mieux.

Jacques Cacheux et Fils, 58, RN, 21700 Vosne-Romanée, tél. 03.80.61.01.84, e-mail cacheuxjetfils@free.fr r.-v.

DOM. DES CHAMBRIS Cuvée des Chambris 2004

2,5 ha 4 000 8 à 11 €

Chevannes est un petit village isolé sur les hauteurs du Val de Vergy ; il a vu lui aussi renaître le cep avec un bel enthousiasme et aujourd'hui une réelle notoriété parmi les connaisseurs. L'étranger (c'est-à-dire tout ce qui n'est pas bourguignon) s'y intéresse d'ailleurs. Or émeraude comme un chardonnay de bonne naissance, celui-ci est assez citronné, amande verte, plus vif que gras. À laisser dormir ? « Il faut voir à voir », disent en pareil cas les gens du cru, se laissant le temps d'y penser et d'en causer.

SCEV du Dom. des Chambris, 7, rue du Lavoir, 21220 Chevannes, tél. 03.80.61.44.77, fax 03.80.61.48.87, e-mail leschambris@wanadoo.fr r.-v.

DOM. YVAN DUFOULEUR
La Réserve de Cyprien 2003 ★

0,5 ha 2 000 11 à 15 €

À un même niveau de prix, retenons **Les Dames Huguettes blanc 2004** et ce rouge 2003 récolté le 26 août. Il parvient à pleine maturité et on ne le poussera pas au-delà dans ses retranchements. Nuances assez classiques de fourrure, d'animal dans le sous-bois dès lors que le pinot a quitté la tendre enfance. Le milieu et la fin de bouche sont assez généreux, les tanins étant bien fondus.

Dom. Yvan Dufouleur, 18, rue Thurot, 21700 Nuits-Saint-Georges, tél. et fax 03.80.62.31.00 r.-v.

DOM. MARCEL ET BERNARD FRIBOURG 2003

12 ha 5 446 5 à 8 €

Le Marcel, vous n'allez pas trouver plus solide pilier des Hautes-Côtes de Nuits. Rouge appuyé, cassis et végétal, voici un enfant de Bernard. Long, vif en cours de bouche, il ne montre pas de faiblesse. Un vin de casse-croûte comme on les entend par ici, avec du jambon de pays.

Dom. Marcel et Bernard Fribourg, 8, rue de l'Ancienne-Cure, 21700 Villers-la-Faye, tél. 03.80.62.91.74, fax 03.80.62.71.17 r.-v.

CHRISTIAN GAVIGNET-BÉTHANIE ET FILLES Clos des Dames Huguettes 2003

1,78 ha 9 000 8 à 11 €

Si vous ignorez ce qu'est en Bourgogne une *layotte*, regardez l'étiquette. C'est la capeline portée par les femmes (cela ne se voit plus guère) pour s'abriter du soleil en travaillant aux vignes, ou pour éviter les bisous trop

pressants d'un galant. Ces Dames Huguettes (un s ou pas, au choix de chacun) portent une robe rouge assez claire, un parfum de framboise, une certaine sévérité en leur milieu de bouche, mais leur structure est prometteuse, classique.
Christian Gavignet-Béthanie et Filles, 18, rue Félix-Tisserand, 21700 Nuits-Saint-Georges, tél. 03.80.61.16.04, fax 03.80.61.26.07, e-mail domaine.gavignet-bethanie@wanadoo.fr
r.-v.

EMMANUEL GIBOULOT En Grégoire 2003 *

n.c. n.c. 8 à 11 €

Bio avec contrôle Écocert, ce domaine est pionnier en la matière. Très droit, mais fallait-il pousser le fût à dix-neuf mois, aux limites de l'extrême ? La chair et le fruit sont pourtant bien présents, le grenat bien intense, l'équilibre et la fraîcheur au rendez-vous. Un vin bien dans son appellation.
Emmanuel Giboulot, 4, rue de Seurre, 21200 Beaune, tél. 03.80.22.90.07, fax 03.80.22.89.53
r.-v.

GLANTENET PÈRE ET FILS 2004 *

2,05 ha 6 600 5 à 8 €

Magny-lès-Villers est sur la ligne de partage des vins des Hautes-Côtes. Un pied en Nuits, l'autre en Beaune. Pour un chardonnay que l'on offrirait aux écrevisses du Meuzin si elles n'étaient pas devenues mythiques. Rond et gras, moelleux et peu acide, il a du coffre, aucun état d'âme et il est à servir. Son nez très flatteur joue du côté du miel d'acacia. Or léger, sa robe est limpide.
Dom. Glantenet Père et Fils, rue de l'Aye, 21700 Magny-lès-Villers, tél. 03.80.62.91.61, fax 03.80.62.74.79, e-mail domaine.glantenet@wanadoo.fr r.-v.

DOM. ANNE GROS Cuvée Marine 2004

1 ha 8 500 11 à 15 €

On se rappelle Jean Gros faisant, au début des années 1970, éclater les rochers jonchant la terre à vigne de Chevrey (hameau d'Arcenant) pour en faire des cailloux nourrissants. S'agit-il de cette vigne ? Ce n'est pas impossible. Anne, c'est Anne dans la légion des Gros. Presque crémeux, souple et gras, citron pour le vif et pêche pour le suave, son vin réveillerait une douzaine d'escargots. Un peu de fût en fond ne gêne point ; une bouteille élégante.
Dom. Anne Gros, 11, rue des Communes, 21700 Vosne-Romanée, tél. 03.80.61.07.95, fax 03.80.61.23.21 r.-v. 5

DOM. MICHEL GROS 2004 *

10 ha 45 000 8 à 11 €

Notre coup de cœur 2006. La famille Gros (Vosne-Romanée) s'est intéressée très tôt aux possibilités de développement offertes par les Hautes-Côtes. Beaucoup de cailloux, « mais là-dessous la plage... » Ce vin rouge foncé au bouquet un peu fumé et gentiment groseillé tire un bon parti du millésime, laissant du gras en fin de bouche. Compte tenu du rapport entre le fût et les tanins, à laisser reposer encore un an au moins, pas plus de deux.
Dom. Michel Gros, 7, rue des Communes, 21700 Vosne-Romanée, tél. 03.80.61.04.69, fax 03.80.61.22.29 r.-v.

DOM. GROS FRÈRE ET SŒUR 2004 *

3 ha 22 300 11 à 15 €

Quand on produit clos-de-vougeot et richebourg, le bourgogne-hautes-côtes-de-nuits pourrait apparaître comme un petit cousin de la famille qui n'aurait pas trop réussi. Pas du tout. Sur cette terre rouge emplie de cailloux, on produit – l'heureux chardonnay parmi tous ces grands pinots – un vin beurré, souple et tirant sur l'ananas, pas mal dans sa fraîcheur et de bonne compagnie. Comment produire de bons et honnêtes blancs à Vosne ? En montant un peu.
Dom. Gros Frère et Sœur, 6, rue des Grands-Crus, 21700 Vosne-Romanée, tél. 03.80.61.12.43, fax 03.80.61.34.05, e-mail bernard.gros2@wanadoo.fr
r.-v.
Bernard Gros

DOM. DOMINIQUE GUYON Cuvée des Dames de Vergy 2004 *

21,8 ha 35 000 8 à 11 €

Dominique Guyon a « recousu ensemble » un nombre incroyable de parcelles pour revitaliser par la vigne et le vin le coteau de Myon magnifiquement exposé sur les hauteurs de Meuilley, face à la « colline inspirée » de Vergy. C'était il y a quelque trente-cinq ans, au début de la reconquête des Hautes-Côtes. Cette cuvée de pinot noir d'un beau rouge cerise offre des arômes de bourgeon de cassis. Franche et typée, elle possède beaucoup de profondeur sur une approche directe.
Dom. Dominique Guyon, 21420 Savigny-lès-Beaune, tél. 03.80.67.13.24, fax 03.80.66.85.87, e-mail domaine@guyon-bourgogne.com r.-v.

DOM. PATRICK HUDELOT Les Plançons Vieilli en fût de chêne 2004 *

2,5 ha 10 000 5 à 8 €

Un hautes-côtes-de-nuits blanc doit montrer un peu de mordant, être vif sans nervosité. C'est dans sa nature et on ne la changera pas. Celui-ci n'y manque pas, puis s'abandonne au gras, sans trop insister. D'amande et de fleurs blanches, son joli nez est bien posé. Sa robe aimable est coupée dans un tissu brillant.
Dom. Patrick Hudelot, rte de Vergy, 21700 Villars-Fontaine, tél. 03.80.61.06.55, fax 03.80.61.35.53, e-mail hudelot.patrick@worldonline.fr
t.l.j. sf dim. 10h-12h 14h-19h; f. août

JACOB-FRÈREBEAU 2003

1,1 ha 6 400 5 à 8 €

Ses tanins n'ont pas encore baissé la garde. On est aux deux tiers des quinze rounds et l'affaire se jouera aux points. L'allonge est plaisante, le fruit efficace avec une bonne réserve de puissance. Classique dans l'appellation dans une année complexe (vendangé le 4 septembre).
Jacob-Frèrebeau, 50, Grande-Rue, 21420 Changey-Échevronne, tél. 03.80.21.55.58, fax 03.80.62.75.36 r.-v.

DOM. GUY-PIERRE JEAN ET FILS Les Dames Huguettes 2004

7 ha 20 000 11 à 15 €

Rustique, mais n'est-ce pas le propre d'un bourgogne-hautes-côtes-de-nuits ? Sans doute faut-il lui laisser le temps de s'affiner. Un temps de garde lui enlèvera sa rugosité. D'autant que ce vin rouge cerise violacé est expressif sur la groseille et le boisé. Coup de cœur dans notre édition 2003 en Dames Huguettes rouge 2000.

Dom. Guy-Pierre Jean et Fils, rue des Caillettes, 21420 Aloxe-Corton, tél. 03.80.26.44.72, fax 03.80.26.45.36, e-mail domaine.guy-pierre.jean@wanadoo.fr r.-v.

DOM. ALAIN JEANNIARD 2004 ★★

■ 1,05 ha 5 000 8 à 11 €

Quand on habite rue aux Loups à Morey, on progresse à pas de loup. Une moitié d'hectare au départ en 2000 et un gain de 0,5 ha par an. Avec succès, comme le démontre ce chardonnay jaune doré. Son bouquet joue sur tous les tableaux, de la citronnelle au miel, du beurre à l'exotique. Beaucoup de gras, un bon volume, de la maturité : il est épatant ; pratiquement ce qui se fait de mieux dans l'appellation et le millésime 2004.

Dom. Alain Jeanniard, 4, rue aux Loups, 21220 Morey-Saint-Denis, tél. 06.84.56.13.89, fax 03.80.58.53.49, e-mail domaine.ajeanniard@wanadoo.fr r.-v.

DOM. MICHEL JOANNET 2003

■ 4,5 ha 8 000 5 à 8 €

Jean puis Michel et maintenant Fabien, les générations se succèdent chez les Joannet. Vendangé le 29 août, ce pinot noir n'en revenait pas d'une naissance aussi précoce. De celui-là au moins, on parlera longtemps ! Il y a d'autres raisons à cela : l'alliance de la robe (grenat intense) et du nez (framboise et clou de girofle – dix-huit mois en fût) ; une bouche marquée évidemment par les contradictions de l'année, cependant bien travaillée.

Dom. Michel Joannet, Grande-Rue, 21700 Marey-lès-Fussey, tél. et fax 03.80.62.90.58, e-mail domaine-michel.joannet@wanadoo.fr r.-v.

OLIVIER JOUAN Vieilles Vignes 2003 ★

■ 4 ha 6 000 8 à 11 €

Grenat brillant, il a besoin d'un peu d'air pour révéler ses arômes entre le fût et le fruit. En bouche, le cassis et la mûre entourent de beaux tanins encore fermes et persistants. Vendangé le 1er septembre 2003 et toujours debout, il a plutôt bien conduit sa barque.

Olivier Jouan, 6, rue de l'Église, 21700 Arcenant, tél. et fax 03.80.62.39.20 r.-v.

JEAN-PHILIPPE MARCHAND 2004 ★

■ n.c. 12 000 5 à 8 €

« Les raisins de l'espérance » : ainsi appelle-t-on souvent ces vignes des Hautes-Côtes rétablies depuis les années 1970 et qui font vivre les villages. Voici un 2004 très représentatif et goûteux à souhait. Griotte et grillé, haut en couleur, il mise sur la rondeur et le fruit. Coup de cœur il y a presque dix ans.

SA Jean-Philippe Marchand, ZI Les Duchesses, rte de Saulon, 21220 Gevrey-Chambertin, tél. 03.80.34.33.60, fax 03.80.34.12.77, e-mail contact@marchand-jph.fr r.-v.

DOM. OLIVIER-GARD
Cuvée de garde Vieilles Vignes 2003

■ 1 ha 4 008 11 à 15 €

Vigne et petits fruits rouges, sur Concœur-et-Corboin, commune de Nuits-Saint-Georges, haut lieu de la Saint-Vincent tournante 2006 avec plusieurs expositions au village, dont l'une de Joyce Delimata dans le gîte des Méo. Manuel Olivier développe l'activité viticole. Un 2003 bien gai pour l'année ! Rouge grenat, il a le nez empli de cassis, un côté vanillé et friand qui donne envie de s'y frotter.

Dom. Olivier-Gard, Concœur-et-Corboin, 21700 Nuits-Saint-Georges, tél. 03.80.62.39.33, fax 03.80.62.10.47, e-mail olivier@olivier-gard.com r.-v.

PIERRE PONNELLE Terroir de l'abbaye 2003 ★

■ n.c. 5 000 8 à 11 €

« Terroir de l'abbaye », lit-on sur l'étiquette. Sans doute, mais il s'agit de Saint-Martin de Beaune, et non pas du Lieu-Dieu, de Sainte-Marguerite ou de Saint-Vivant de Vergy. Ce 2003 joue pile et joue face. Pile sur un nez sous-bois et cerise. Face sur une bouche beaucoup plus vive, pleine et nerveuse. On peut l'attendre un à deux ans. Citons le même en **2004 blanc**, peu acide et à boire dès à présent.

Maison Pierre Ponnelle, 3, pl. Notre-Dame, 21200 Beaune, tél. 03.80.26.33.00, fax 03.80.24.14.84, e-mail nie.jp@cva-beaune.fr

EMMANUEL SENELET 2004 ★

■ 0,57 ha 2 400 5 à 8 €

Maurice Eisenchteter et Maurice Dupon (pour Geisweiler et Fils) ont recréé le vignoble de Bévy avec leur ardeur de Pieds-Noirs. Il fallait le vouloir : 772 parcelles acquises ! C'était au début des années 1970. Les choses ont évolué, changé de mains. Œnologue, Emmanuel Senelet a pu racheter cette moitié d'hectare lors de la vente du domaine Gonet. Il présente un Bévy dont les tanins ne sont pas encore en place mais qui a de la structure, de la matière. Le cassis le parfume, la cerise noire l'habille : on le voit sur table vers 2009.

Emmanuel Senelet, 7, rue de la Vigne-au-Roy, 21220 Bévy, tél. 03.80.61.49.70 r.-v.

GUY SIMON ET FILS
Les Dames Huguettes Vieilli en fût de chêne 2003 ★

■ 0,8 ha 5 000 8 à 11 €

Didier Simon a pris le relais de Guy, haute figure de la reconquête des Hautes-Côtes, mais ne croyez pas que Guy a dit son dernier mot. Ce *climat* est son cheval de bataille. Est-on si loin des 1ers crus de nuits-saint-georges ? Plus haut sûrement. Annoncez la côte de bœuf ! La robe grenat est sombre ; le nez s'ouvre comme une porte d'abbaye : lentement mais sûrement. D'une structure assez ronde, ce vin affiche encore une finale impérative. Bien

fait, pas de lourdeur. Voir également le **chardonnay 2003**, assez masculin et d'un bon gras, cité.
Guy Simon et Fils, 21700 Marey-lès-Fussey, tél. 03.80.62.91.85, fax 03.80.62.71.82 r.-v.

DOM. THÉVENOT-LE BRUN ET FILS
Clos du Vignon 2004

	1,15 ha	6 400		8 à 11 €

Domaine emblématique de la renaissance des Hautes-Côtes et marqué par la haute figure de Maurice, personnalité attachante et multiple qui a même joué dans une pièce au festival d'Avignon. Justement, la rime est riche et nous avons affaire à un Clos du Vignon. Pas d'audace de cépage, cette fois-ci, mais du chardonnay bien conduit. Œil jeune et frais, nez tendre et en poste restante (on ne l'y laissera pas), bouche agréable et longue, légère.
Dom. Thévenot-Le Brun et Fils, 21700 Marey-lès-Fussey, tél. 03.80.62.91.64, fax 03.80.62.99.81, e-mail thevenot-le-brun@wanadoo.fr r.-v.

DOM. TRUCHETET 2003

	0,66 ha	3 000		5 à 8 €

Coup de cœur dans l'édition 2002 pour le 1998, pour mémoire. Ici, le 2003, or jaune il va sans dire car l'âge est là. Au boisé s'associe le fruit très mûr. Bien hautes-côtes, de nature plutôt masculine, encore vif au dernier chapitre, il sera à boire en complément du bleu de Bresse. L'aventure vaut d'être vécue et compte tenu de son caractère, c'est peut-être là qu'il explosera.
Jean-Pierre Truchetet, 8, RN 74, 21700 Premeaux-Prissey, tél. 03.80.61.07.22, fax 03.80.61.34.35, e-mail jeanpierre-truchetet@wanadoo.fr r.-v.

AURÉLIEN VERDET Le Prieuré 2004 **

	1 ha	4 000		11 à 15 €

Aurélien Verdet dans ses œuvres. L'indication du lieu-dit est importante car Le Prieuré est un haut lieu à Arcenant, auquel l'histoire des Hautes-Côtes doit beaucoup. Cette famille attachée à l'agrobiologie (contrôle Écocert) explore avec Aurélien les mystères de la biodynamie. Rubis frais soutenu, ce 2004 se tourne d'abord vers la cerise ou la fraise, avant de s'ouvrir sur une route charmante : boisé de qualité, équilibre suave, tanins d'avenir. « Il a de l'espèce », comme on dit ici. Vous voyez ?
Aurélien Verdet, rue du Pont, 21700 Arcenant, tél. et fax 03.80.61.08.10, e-mail alainverdet@wanadoo.fr r.-v.

CH. DE VILLARS-FONTAINE
Les Genévrières 2003 **

	6 ha	30 000		15 à 23 €

Passionné, compétent, fou des Hautes-Côtes, Bernard Hudelot a créé une vaste exploitation à Villars-Fontaine et racheté le château du village. Il a mis ou remis en valeur plusieurs *climats*, les portant à l'excellence et à des prix défiant toute concurrence. Celui-ci est grand, très ouvert, boisé-vanillé, dense et cependant assez fin, riche en contradictions assumées. Bernard Hudelot s'efforce actuellement de convaincre la vigne et le vin de Bourgogne de la nécessité de la longue garde. Utile combat !
Ch. de Villars-Fontaine, chem. des Beveys, 21700 Villars-Fontaine, tél. 03.80.62.31.94, fax 03.80.61.02.31 r.-v.
Hudelot

Bourgogne-hautes-côtes-de-beaune

Située sur une aire géographique plus étendue (une vingtaine de communes, et débordant sur le nord de la Saône-et-Loire), la production des vins d'appellation bourgogne-hautes-côtes-de-beaune représente un volume de 30 785 hl en rouge et 5 457 hl en blanc en 2005. Les situations sont plus hétérogènes et des surfaces importantes sont encore occupées par les cépages aligoté et gamay.

La coopérative des Hautes-Côtes, qui a fait ses débuts à Orches, hameau de Baubigny, est maintenant installée au « Guidon » de Pommard, à l'intersection des D 973 et N 74, au sud de Beaune. Elle vinifie un volume important de bourgogne-hautes-côtes-de-beaune. Comme celui des hautes-côtes-de-nuits, ce vignoble s'est essentiellement développé depuis les années 1970-1975.

Le paysage est très pittoresque et de nombreux sites méritent une visite, comme Orches, La Rochepot et son château, Nolay et ses halles. Il faut enfin ajouter que les Hautes-Côtes, qui autrefois étaient le siège d'exploitations de polyculture, sont restées une région productrice de petits fruits destinés à alimenter les liquoristes de Nuits-Saint-Georges et de Dijon. Cassis et framboises servent à élaborer des liqueurs et des eaux-de-vie de ces fruits, d'excellente qualité. L'eau-de-vie de poire des Monts-de-Côte-d'Or, bénéficiant d'une appellation simple, trouve également ici son origine.

CH. D'ANTIGNY 2004 *

	n.c.	2 850		8 à 11 €

« Château d'Antigny », porte l'étiquette. S'il existe un château d'Antigny en Pays d'Arnay, avec son vieux donjon et une tour à mâchicoulis, et si nous ne sommes alors pas très loin des Hautes-Côtes, cette commune ne figure pas sur la liste des villages de l'appellation. Est-ce une propriété Doudet ? Quoi qu'il en soit, ce 2004 sombre magenta, un tantinet épicé, encore austère à l'attaque mais généreux et structuré, constituera une excellente invitation à la découverte de l'appellation vers 2008.
Doudet-Naudin, 3, rue Henri-Cyrot, 21420 Savigny-lès-Beaune, tél. 03.80.21.51.74, fax 03.80.21.50.69, e-mail doudet-naudin@wanadoo.fr r.-v.

JEAN-BAPTISTE BÉJOT 2004 **

	n.c.	30 000	5 à 8 €

Vincent Sauvestre n'a pas manqué son 2004 et il devra féliciter son fournisseur. Pas d'opulence et on n'attend rien de tel. Du plaisir en revanche, du fruit, d'une expression durable. Volubile à l'œil, discret au nez (mais pas muet), ce vin est vif en milieu de bouche, sur ses tanins, et observe ensuite un calme imperturbable.

SA Jean-Baptiste Béjot, RN 74, 21190 Meursault, tél. 03.80.21.22.45, fax 03.80.21.28.05

DOM. CHRISTIAN BERGERET ET FILLE 2003 ★★

■ 7,89 ha 4 000 5 à 8 €

Installer une fille sur le domaine et la faire figurer sur l'étiquette eût été inconcevable il y a quelques décennies. Les temps changent et c'est très bien, d'autant que l'on tient là une bouteille à deux doigts du coup de cœur. Gourmande et charnue, d'un grain velouté, elle fait le plein de cassis. Remarquable dans l'appellation. On la dégustera sur du brie ou du coulommiers, évitant les pâtes trop envahissantes.

EARL Dom. Christian Bergeret et Fille, 11, rue Deshuiliers, 21340 Nolay, tél. 03.80.21.71.93, fax 03.80.21.85.36, e-mail domainebergeretchetfille@wanadoo.fr r.-v.

DOM. BILLARD PÈRE ET FILS 2004 ★

■ 6 ha 10 000 5 à 8 €

Né au pied du château de La Rochepot, l'une des « images touristiques » les plus connues de la Bourgogne (il fut presque entièrement reconstruit par la famille Carnot au début du XX[e]s.), un bon bourgogne-hautes-côtes-de-beaune. Haut en couleur, petits fruits rouges, bonne matière et tanins agréables, il est très sociable. Sa légère agressivité de jeunesse ne durera pas.

EARL Billard Père et Fils, rte de Chambéry, 21340 La Rochepot, tél. 03.80.21.87.94, fax 03.80.21.72.17, e-mail billardetfils@wanadoo.fr r.-v.

BOISSEAUX-ESTIVANT Sous les Roches 2003

■ 0,5 ha 3 200 11 à 15 €

« Sous les Roches », annonce l'étiquette. Lesquelles ? Il y en a beaucoup dans les Hautes-Côtes. Orches ? Vin plaisant et d'un certain croquant, sauvage et épicé à l'aération, les tanins accommodants et ne cherchant pas l'affrontement. Persistance honorable. À boire maintenant.

Boisseaux-Estivant, 38, fb Saint-Nicolas, BP 107, 21200 Beaune, tél. 03.80.22.26.84, fax 03.80.24.19.73

DOM. BOISSON Élevé en fût de chêne 2004 ★

■ 9 ha 6 000 5 à 8 €

Cormot-le-Grand, il faut connaître. Un à-pic où l'on apprend la varappe. Naturellement, la vigne adore la grimpette et vous serez ici sans effort son compagnon de cordée. Rouge foncé, tirant sur le fruit à noyau, ce vin rouge typé 2004 et plein d'allant framboisé possède un réel potentiel.

EARL Boisson, 14, rte du Bout-du-Monde, 21340 Cormot-le-Grand, tél. et fax 03.80.21.71.92, e-mail domaine.boisson@wanadoo.fr t.l.j. 8h-12h 14h-18h

DOM. CHARACHE-BERGERET Les Bignons 2004

■ 4,5 ha 7 500 5 à 8 €

Voilà un vin qui n'est pas *débeurnaclé*, comme on disait jadis en patois du Beaunois. Le vêtement qui ne tient plus au corps, l'outil démanché... Eh bien ! c'est tout le contraire. Ce pinot noir tient bien au corps et est bien emmanché. Rouge à reflets framboise, le nez sur la cerise à l'alcool, il chante à pleins poumons les bonheurs de la chair. Quelques tanins en fin de bouche nous rappellent toutefois aux réalités : l'attendre un à deux ans.

Dom. Charache-Bergeret, chem. de Bière, 21200 Bouze-lès-Beaune, tél. et fax 03.80.26.00.86 r.-v.

FRANÇOISE ET DENIS CLAIR 2004 ★★★

■ 1,5 ha 10 000 5 à 8 €

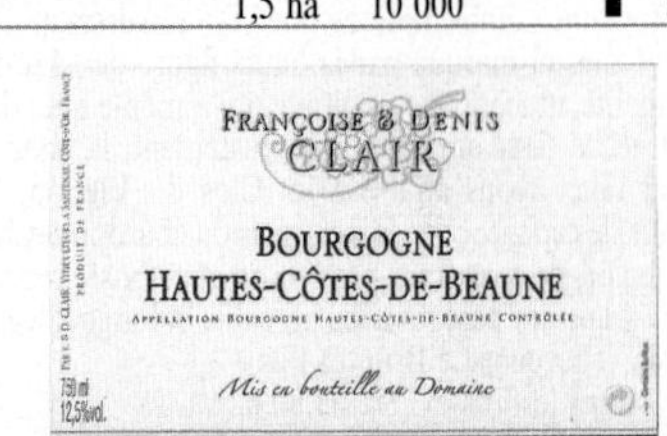

Le meilleur de tous en rouge. Coup de cœur, il va sans dire. Il va, comme le disait Montaigne, « à sauts et à gambades » par-dessus les vallons et collines des Hautes-Côtes. Limpide et brillant, le nez équitable entre violette et cerise, c'est un enfant de cuve et on ne s'en plaint pas. L'expression vineuse est impeccable, l'acidité bien maîtrisée, la sécheresse absente et la finale gentiment poivrée. Un vrai petit bonheur.

Françoise et Denis Clair, 14, rue de la Chapelle, 21590 Santenay, tél. 03.80.20.61.96, fax 03.80.20.65.19 r.-v.

DOM. DE LA CONFRÉRIE 2004 ★

■ 4,8 ha 7 800 5 à 8 €

Confrérie ? Le nom d'une des parcelles de ce domaine vraiment créé en 1991 et qui s'étend sur 10 ha. Dont une vigne sur Meursault, ce qui à Cirey-lès-Nolay vaut brevet de noblesse. Rubis foncé, le nez bien construit (il explose comme un feu d'artifice du 14 juillet), un vin aux saveurs primaires, au goût de Zan (réglisse en serpentin de nos enfances), élevé en cuve et – écrit sur sa fiche une éminente spécialiste – « d'une bonne buvabilité ». Un néologisme à faire entrer dans le dictionnaire.

Jean Pauchard et Fils, Dom. de la Confrérie, 37, rue Perraudin, Cirey, 21340 Nolay, tél. 03.80.21.89.23, fax 03.80.21.70.27, e-mail domj.pauchard@wanadoo.fr r.-v.

DOM. CORNU 2003

□ 0,65 ha 2 300 5 à 8 €

Magny-lès-Villers, c'est Janus. La commune aux deux visages, l'un côté Nuits et l'autre penchant pour Beaune. Les charnières ont du bon et les amateurs (qui aiment à comparer) ne s'y trompent pas. Jaune pâle et vert tendre, ce vin rappelle aux puristes la fleur d'amandier. Jolie petite complexité au palais, une fraîcheur inattendue pour un 2003.

Dom. Cornu, rue du Meix-Grenot, 21700 Magny-lès-Villers, tél. 03.80.62.92.05, fax 03.80.62.72.22, e-mail domaine.cornu@wanadoo.fr r.-v.

DOM. DEMANGEOT Cuvée Delphine Saint-Ève 2004

□ 0,74 ha 5 400 8 à 11 €

« Aucune vue, aucun site, si varié, si pittoresque, si grandiose qu'il fût, n'a pu me faire oublier mon petit vallon de Bourgogne », écrit Alexandre Dumas. Or, nous sommes ici dans ce petit vallon, celui de la Cozanne. Robe cristalline, bouquet citronné et légèrement miellé : ce vin élégant semble avoir été très travaillé. Sa persistance ajoute à son agrément.

Maryline et Jean-Luc Demangeot, rue de Santenay, 21340 Change, tél. 03.85.91.11.10, fax 03.85.91.16.83, e-mail contact@demangeot.fr
t.l.j. sf sam. dim. 9h-12h 14h-18h; f. 15 sept.-15 oct.

DEVEVEY Les Champs Perdrix 2004 *

1,5 ha 15 000 8 à 11 €

Le village accueille depuis 1992 ce domaine qui a choisi de développer une activité de négoce en 2002. Représentatif de l'appellation et du millésime, ample, légèrement vif en fin de bouche, un 2004 jaune pâle dont l'expression aromatique se développera en 2007. Demigny se trouve au pied de la Côte chalonnaise.

Jean-Yves Devevey, rue de Breuil, 71150 Demigny, tél. 03.85.49.91.11, fax 03.85.49.91.59, e-mail jydevevey@wanadoo.fr r.-v.

DOM. JEAN-MARC DURAND ET FILS 2004

2,7 ha 3 000 5 à 8 €

Qui cornait les passants, dans la vieille chanson bourguignonne ? La bique (chèvre) de Bouze. Le village a très sensiblement amélioré sa promotion touristique. Rouge bigarreau d'intensité moyenne, ce pinot noir persiste et signe au nez : toujours la cerise, un peu confite. La bouche est vive, ciselée sur le fruit. À boire entre copains, nous conseille-t-on. Il y a pire programme !

Dom. Jean-Marc Durand et Fils, rue de l'Église, 21200 Bouze-lès-Beaune, tél. et fax 03.80.26.02.57
r.-v.

HUBERT JACOB MAUCLAIR 2004 *

0,65 ha 4 000 5 à 8 €

Nous sommes face au château des marquis de Changey. Proximité distinguée, un ambassadeur de France aux États-Unis. Ce chardonnay clair laisse entrevoir des arômes de miel et de citron. Il faut tout de même lui présenter des lettres de créance. Agréable à goûter sur filets de sole ou asperges.

Hubert Jacob Mauclair, 56, Grande-Rue, Changey, 21420 Échevronne, tél. et fax 03.80.21.57.07
t.l.j. sf dim. 8h-12h 14h-18h; sam. dim. sur r.-v.

DOM. SÉBASTIEN MAGNIEN Clos de La Perrière 2004

0,35 ha 1 800 5 à 8 €

Diplôme d'œnologie en poche, Sébastien s'est installé avec sa mère à Meursault pour reprendre le domaine familial. Tant du côté paternel que du côté maternel, les racines de la vigne plongent loin dans le passé des Hautes-Côtes (Meloisey). Beau 2004 bien construit, d'une nature simple et directe, un peu bourru peut-être (tanins), mais la framboise et le rouge un peu carminé retiennent également l'attention. À attendre un peu, jusqu'à la mi-2007.

Dom. Sébastien Magnien, 6, rue Pierre-Joigneaux, 21190 Meursault, tél. 03.80.21.28.57, fax 03.80.21.62.80
r.-v.

MARINOT-VERDUN 2004

n.c. 20 000 3 à 5 €

Imbattable pour le rapport qualité-prix et de ce fait très honnête, il a toute la robe voulue et il s'ouvre sur le cassis. La matière est un peu serrée, la touche d'amertume ponctuelle au rendez-vous, mais c'est bon, jeune encore, à déboucher fin 2007 et sans regret.

Marinot-Verdun, Mazenay, 71510 Saint-Sernin-du-Plain, tél. 03.85.49.67.19, fax 03.85.45.57.21
t.l.j. sf dim. 8h-12h 14h-18h

DOM. MAZILLY PÈRE ET FILS La Perrière 2004 **

0,3 ha 2 000 8 à 11 €

A-t-on réellement bu du vin de Meloisey au sacre de Philippe Auguste en 1180, comme on le répète religieusement depuis Morelot et il y a près de deux cents ans, sans preuve convaincante ? Faisons comme si... Le roi et sa cour se seraient d'ailleurs régalés en dégustant ce chardonnay si chardonnant, jaune brillant, un peu boisé dans la fleur blanche, gras et beurré tout en conservant une fraîcheur charmante.

Dom. Mazilly Père et Fils, rte de Pommard, 21190 Meloisey, tél. 03.80.26.02.00, fax 03.80.26.03.67
r.-v.

CHRISTIAN MENAUT Le Beauregard 2003 *

2,2 ha 8 400 5 à 8 €

Nantoux est un joli petit village dont le *Guide Bleu* vante le toit de l'église à deux versants. Les caves méritent également la visite. Celle-ci pour un pinot noir ayant déjà obtenu le coup de cœur dans un millésime plus ancien. Savoureux et charnu, réglissé, bien soutenu par son élevage (épices douces, vanille, muscade), ce 2003 est à maturité.

Christian Menaut, rue Chaude, 21190 Nantoux, tél. 03.80.26.07.72, fax 03.80.26.01.53 r.-v.

DOM. HENRI NAUDIN-FERRAND Élevé en fût de chêne 2003 *

6,14 ha 15 666 8 à 11 €

Chez les Naudin, le grand cru (échezeaux) n'a pas tourné la tête. On reste fidèle à ce gentil pays de Magny. Allez donc suggérer un cochon de lait à la marmelade de dattes pour escorter dans son dernier voyage ce 2003 (du 21 août) à la structure rigoureuse, à la consistance sérieuse, aux saveurs de croûte de pain brûlée sur l'horizon des fruits noirs. Matière, tanins, densité, tout cela se tient et ne relâche rien.

Dom. Henri Naudin-Ferrand, rue du Meix-Grenot, 21700 Magny-lès-Villers, tél. 03.80.62.91.50, fax 03.80.62.91.77, e-mail dom.hnf@wanadoo.fr r.-v.

NICOLAS PÈRE ET FILS 2004

10 ha 5 000 5 à 8 €

Nolay est le berceau de Lazare Carnot, membre du Comité de Salut public sous la Convention, l'Organisateur de la victoire en 1793. Dès lors, on n'est pas surpris de voir ce pinot noir en ordre de bataille attaquer avec ardeur. Uniforme rubis, parfum net et discret, il tient tête grâce à son appui boisé. Mais la touche framboisée, la droiture générale témoignent de son attachement à son terroir.

🔑 EARL Nicolas Père et Fils, 38, rte de Cirey, 21340 Nolay, tél. 03.80.21.82.92, fax 03.80.21.85.47, e-mail nicolas-alain2@wanadoo.fr
☑ Y 🚶 t.l.j. 9h-12h 13h30-19h; f. 1 sem. en fév. et en août
🔑 Alain Nicolas

DOM. PARIGOT PÈRE ET FILS
Clos de La Perrière 2004 ★★

■ n.c. n.c. ⏸ 8 à 11 €

Coup de cœur l'an passé et déjà en 1992 et en 1996, il ne réédite pas l'exploit mais il en est bien près. Un pinot noir pourpre soutenu, haut de gamme. On passe insensiblement et par paliers subtils du cassis, de la mûre à des arômes de kirsch. Un rien de cuit peut-être, des tanins fermes et correctement enrobés, de larges capacités de garde (trois ans environ). Le lapin aux pruneaux devrait faire bonne équipe avec lui.
🔑 Dom. Parigot Père et Fils, rte de Pommard, 21190 Meloisey, tél. 03.80.26.01.70, fax 03.80.26.04.32
☑ Y 🚶 r.-v.

SERGE PROST ET FILS 2003 ★

■ 0,24 ha 1 800 ▮ 5 à 8 €

Les vignes du Couchois ont longtemps rêvé de s'appeler bourgogne-hautes-côtes-de-beaune. Après des décennies de débats, cette appellation refusa de les accueillir et les producteurs de ce pays se tournèrent alors vers les côtes-du-couchois. Nous avons affaire ici à un bourgogne-hautes-côtes-de-beaune produit par un viticulteur du Couchois. Aucune raison de nourrir un complexe : la robe est impeccable, le nez sur la violette et le cassis écrasé, la bouche gourmande, et on y prend goût.
🔑 EARL Serge Prost et Fils, Les Foisons, 71490 Couches, tél. 06.24.98.55.86, fax 03.85.49.50.27
☑ Y 🚶 r.-v.

DOM. DES ROUGES-QUEUES 2004

■ n.c. n.c. ⏸ 8 à 11 €

Bel oiseau sur l'étiquette, un rouge-queue, selon le nom du domaine ; le coquin niche dans les murs de la propriété. On est dans les Maranges, le seul vignoble bourguignon qu'Henri Vincenot ait vraiment aimé, celui de sa belle-famille. Pinot intense, peu odorant au premier nez, puis se décidant à parler framboise, ce vin attaque avec souplesse, se montre structuré, laissant modérément parler le fût. À attendre un peu.
🔑 Jean-Yves Vantey, Dom. des Rouges-Queues, 10, rue Saint-Antoine, 71150 Sampigny-lès-Maranges, tél. et fax 03.85.91.18.69, e-mail domaine.des.rougesqueues@wanadoo.fr
☑ Y 🚶 r.-v.

CH. DE SANTENAY Clos de La Chaise Dieu 2004

□ 12 ha 41 900 ⏸ 5 à 8 €

Malgré son nom, ce vin ne provient pas des environs de Brioude ou de la Haute-Loire. Cette Chaise Dieu est bourguignonne. Son or vif conduit à des arômes de petit déjeuner : beurre, toast, miel. Bouche fraîche, boisé fondu et longueur correcte : il n'a qu'un défaut de jeunesse. Impulsif, il va certainement se maîtriser.
🔑 Ch. de Santenay, 1, rue du Château, 21590 Santenay, tél. 03.80.20.61.87, fax 03.80.20.63.66, e-mail contact@chateau-de-santenay.com
☑ Y 🚶 t.l.j. 9h-12h 14h-17h; sam. dim. sur r.-v.

MICHEL SERVEAU 2004

□ 0,8 ha 1 500 ⏸ 5 à 8 €

Sa robe fait penser aux tuiles dorées des toits du château de La Rochepot. Ce vin n'est-il pas un enfant du village ? Le nez ferme tout d'abord le portail, puis – à y revenir – on y discerne gingembre et miel d'un chardonnay à la bouche ample et ronde, d'une fraîcheur que l'acidité intensifie un peu.
🔑 Michel Serveau, rte de Beaune, 21340 La Rochepot, tél. 03.80.21.70.24, fax 03.80.21.71.87
☑ Y 🚶 t.l.j. 8h-18h 🏠 ❸ 🏠 Ⓑ

ROMUALD VALOT 2003 ★

■ n.c. 40 000 ▮⏸ 8 à 11 €

Rouge rubis soutenu à reflets d'évolution, il est à décanter, ou en tout cas à aérer. Outre quelques notes épicées et fruitées (confiture), le floral apparaît un peu plus tard. Ce vin sérieux repose sur des tanins serrés mais mûrs. Sa chair plaide également en sa faveur. À ouvrir fin 2007.
🔑 SARL Romuald Valot, 14, rue des Tonneliers, 21200 Beaune, tél. et fax 03.80.24.84.63

Crémant-de-bourgogne

Comme toutes les régions viticoles françaises ou presque, la Bourgogne avait son appellation pour les vins mousseux produits et élaborés sur l'ensemble de son aire géographique. Sans vouloir critiquer cette production, il faut bien reconnaître que la qualité n'était pas très homogène et ne correspondait pas, la plupart du temps, à la réputation de la région, sans doute parce que les mousseux se faisaient à partir de vins trop lourds. Un groupe de travail constitué en 1974 jeta les bases du crémant en lui imposant des conditions de production aussi strictes que celles de la région champenoise et calquées sur celles-ci. Un décret de 1975 consacra officiellement ce projet, auquel se sont ralliés finalement tous les élaborateurs (bon gré mal gré), puisque l'appellation bourgogne mousseux a été supprimée en 1984. Après un départ difficile, cette appellation connaît actuellement un bon développement et a produit 115 800 hl en 2005. Un crémant-de-bourgogne peut être un blanc de blancs élaboré généralement par un assemblage de chardonnay et d'aligoté, mais le crémant peut être aussi constitué de l'assemblage des cépages blancs avec le pinot noir et/ou le gamay rouge à jus blanc vinifiés en blanc.

CAVE D'AZÉ Blanc de noirs ★

● 10 ha 9 500 5 à 8 €

Azé en Saône-et-Loire, ses grottes et sa préhistoire. Mais encore sa coopérative qui propose un blanc de pinot noir à la robe un peu évoluée mais au caractère constant. Vif, rond, typé et au-dessus de la moyenne dans l'appellation.

Cave coop. d'Azé, En Tarroux, 71260 Azé, tél. 03.85.33.30.92, fax 03.85.33.37.21, e-mail contact@caveaze.com

t.l.j. 9h-12h 14h-18h (19h en juin, jui. août et déc.)

BAILLY-LAPIERRE 2004 *

16 ha 150 000 5 à 8 €

L'Auxerrois a longtemps fourni à l'Allemagne la base de ses meilleures têtes de cuvée de *Sekt*. Ce marché s'est interrompu en 1972 et il a fallu trouver un autre débouché pour ces vins convenant à la prise de mousse. Le crémant-de-bourgogne a permis à des viticulteurs dynamiques de valoriser sur place leur production. Bailly-Lapierre (jeu de mots : les caves de Bailly occupent d'immenses carrières de pierre) est la suite de ces initiatives. Son rosé a eu le coup de cœur dans l'édition 2003 et on le juge cette fois encore excellent, fin, long et fruité. Une étoile aussi pour son crémant **blanc** issu de chardonnay et de pinot noir à parts égales, de bonne tenue. Quant au **Réserve** né de la vendange 2004, il assemble pinot noir, gamay, chardonnay, aligoté et sacy à parts égales. Rare et intéressant. Cité par le jury.

Caves Bailly-Lapierre, quai de l'Yonne, Bailly, BP 3, 89530 Saint-Bris-le-Vineux, tél. 03.86.53.77.77, fax 03.86.53.80.94, e-mail home@caves-bailly.com

t.l.j. 8h-12h 14h-18h; dim. 10h-12h 14h30-18h

JEAN BARONNAT Blanc de blancs **

n.c. n.c. 8 à 11 €

Disputer la phase finale du coup de cœur, c'était figurer parmi les quatre premiers. Celui-ci en était. Pour un chardonnay effervescent rond et complexe. Sa bulle est fine, un peu réservée. Son nez ? Une aventure : le miel, le fruit jaune à noyau... Long, intense, beurré, toujours miellé, il fait en bouche la revue de détail. Superbe. La soupe d'huîtres ne sera pas indigne de sa présence.

Jean Baronnat, 491, rte de Lacenas, 69400 Gleizé, tél. 04.74.68.59.20, fax 04.74.62.19.21, e-mail info@baronnat.com r.-v.

JEAN-PIERRE BERTHENET Blanc de blancs 2003

0,5 ha 4 000 5 à 8 €

Coopérateur en Côte chalonnaise (Buxy) jusqu'au millésime 2002, il a décidé de jouer en solo. Son crémant provient pour l'essentiel du chardonnay, l'aligoté le complétant à 10 %. Le cordon est assez léger, mais vous savez que c'est la qualité du verre qui fait la mousse et la bulle bien souvent. Le nez est réussi, assez fruité. Intense et dense, ce millésime équilibré se plaira en cours de repas, voire au dessert.

Dom. Jean-Pierre Berthenet, Le Bourg, 71390 Montagny-lès-Buxy, tél. 03.85.92.17.06, fax 03.85.92.06.98, e-mail domaineberthenet@free.fr

r.-v.

BLASON DE BOURGOGNE *

173 ha 300 000 5 à 8 €

Bulles ou plate ? C'est bon pour l'eau de table... Pour le vin, tout dépend du moment, des circonstances. Crémant rosé (pinot et 10 % de gamay) issu de la vaste union de coopératives bourguignonnes sous le « leadership » de La Chablisienne : sa mousse est discrète et sa tournure en bouche équilibrée, fruitée et fraîche. Quant au nez où s'affirment des notes de pêche de vigne, il est de belle expression.

GIE Blasons de Bourgogne, rue du Serein, 89800 Chablis, tél. 03.86.42.88.34, fax 03.86.42.83.75, e-mail blasons@blasonsdebourgogne.fr

DOM. DE LA BOFFELINE 2004 **

1 ha 9 000 5 à 8 €

Finaliste du coup de cœur, ce crémant mâconnais, pur chardonnay élaboré par Loron, n'est pas seulement un vin d'apéritif, mais aussi de sandre à la fondue d'échalote, ou de saumon frais. Brioche et fleurs blanches enchantent le nez. Sa densité au palais et sa longueur font l'unanimité.

Frédéric Lenormand, En Fourgeau, 71260 Azé, tél. et fax 03.85.33.33.82

t.l.j. sf dim. 9h-12h 14h-19h

LOUIS BOUILLOT Perle d'aurore **

n.c. 20 000 5 à 8 €

Vieille maison nuitonne, Louis Bouillot a rejoint la famille des vins J.-Cl. Boisset. Celle-ci lui consacre énormément d'efforts : outre la qualité des vins, l'*Imaginarium – la Magie des bulles* créée à Nuits en 2006. Les Californiens ne font pas mieux ! Et puis, un coup de cœur et pas pour la première fois. Un rosé de pinot noir, cerise de vigne et raisin frais. La perfection en cette couleur difficile à maîtriser en crémant. Voir aussi **Perle de vigne Grande Réserve**, alchimie singulière et réussie d'une entente pinot noir (majoritaire dans le capital), chardonnay, aligoté et gamay. Ensemble, ils font la ronde et obtiennent une étoile.

FGVS Louis Bouillot, rue des Frères-Montgolfier, 21700 Nuits-Saint-Georges, tél. 03.80.62.61.61, fax 03.80.62.61.95, e-mail marketing@boisset.fr

r.-v.

CH. DE CHASSELAS 2004

0,4 ha 3 000 5 à 8 €

De nouveaux propriétaires depuis 1999, qui organisent des manifestations liant l'art et le vin. La mousse crémeuse et la bulle insistante, le cordon ordonné, la robe limpide à reflets brillants, un petit amour de crémant (chardonnay) sur le fruit frais et la fleur blanche élaboré par Loron. Très dosé et donc riche, il est vineux, gras et long en bouche. Nuancé davantage, il eût convolé avec les étoiles. Son profil le destine au repas, avec des noix de coquilles Saint-Jacques si vous manquez d'idées, ou au dessert.

Ch. Chasselas, 71570 Chasselas, tél. 03.85.35.12.01, fax 03.85.35.14.38, e-mail chateauchasselas@aol.com

t.l.j. 10h-12h 14h-18h

Veyron La Croix

PAUL CHOLLET Blanc de blancs 2004 ★

n.c. 12 000 ▮ 5 à 8 €

Blanc de blancs (chardonnay sur toute la ligne). Crémeuse, sa mousse s'appuie sur une jolie tonalité or pâle, gris-vert. La complexité du nez éblouit puisque, au bonheur de la découverte, on rencontre le pain d'épice, le miel ou la pêche. Petite sensation anisée en finale. Le tout pas trop prononcé mais d'une fraîcheur parfaite. Comme l'on comprend Musset qui faisait boire à l'un de ses personnages du bourgogne effervescent dans un vase d'albâtre !

Maison Paul Chollet, 18, rue Gal-Leclerc, 21420 Savigny-lès-Beaune, tél. 03.80.21.53.89, fax 03.80.21.58.16, e-mail chollet.paul@wanadoo.fr
t.l.j. sf dim. 8h-12h 14h-18h
Rémy Gilles

DUFOULEUR PÈRE ET FILS 2004 ★

n.c. 16 800 ▮ 8 à 11 €

Mousse et cordon sont à la hauteur du plaisir qu'on en attend, traversant une robe légèrement dorée et brillante. L'intensité aromatique est bien suivie jusqu'en fin de bouche. Chardonnay à 70 %, pinot noir (20 %) et aligoté forment une équipe soudée. Un rien d'austérité ? Cela lui donne du caractère et, après tout, Cîteaux n'est pas très loin de Nuits...

Dufouleur Père et Fils, 17, rue Thurot, 21700 Nuits-Saint-Georges, tél. 03.80.61.21.21, fax 03.80.61.10.65, e-mail dufouleur@dufouleur.com
t.l.j. 9h-19h

CHARLES DURET ★

n.c. 100 000 ▮ 5 à 8 €

On croit se rappeler que Charles Duret fut maire de Nuits-Saint-Georges il y a très longtemps. Marque Moingeon (l'entreprise de crémant de la famille Barbier) après acquisition par l'Allemand G. Reh, puis par Béjot à Meursault. Chardonnay, pinot noir et gamay sont associés ici pour ce crémant au bouquet floral, à la bouche réveillée. Vin de caractère.

Moingeon - la Maison du Crémant, RN 74, 21190 Meursault, tél. 03.80.21.66.22, fax 03.80.21.28.09

CAVE DE GENOUILLY Blanc de noirs 2004

5 ha 20 000 ▮ 5 à 8 €

Blanc de noirs signé par les coopérateurs de Genouilly en Saône-et-Loire, en Bourgogne du Sud : on se rappelle que le Dr Beaumont voulait changer ainsi le nom du département. D'une mousse régulière et d'une robe légèrement changeante, ce crémant équilibré et long joue sur le fruit. Le **rosé** de pinot noir, cerise plaisir, obtient une citation.

Cave des vignerons de Genouilly, allée du 19-Mars-1962, 71460 Genouilly, tél. 03.85.49.23.72, fax 03.85.49.23.58, e-mail vigneronsgenouilly@wanadoo.fr
t.l.j. sf dim. 8h-12h 14h-18h

CLAUDE GHEERAERT 2003

2 ha 12 000 5 à 8 €

Constitué à partir de 1991, ce vignoble illustre la renaissance récente de la vigne en Châtillonnais. Le plus beau et le plus grand « vase à boire » de l'Antiquité n'a-t-il pas été découvert à Vix, tout près d'ici ? Chardonnay (30 %) et pinot noir (70 %) offrent une sensation de blanc de noirs (densité, richesse) et ne trahissent pas leur millésime.

Claude Gheeraert, 1, rue Haute, 21400 Mosson, tél. et fax 03.80.93.71.67, e-mail claude.gheeraert@wanadoo.fr
t.l.j. sf dim. 9h-19h

YVES GIROUX

0,35 ha 3 500 5 à 8 €

Issu à 100 % du chardonnay, la bulle svelte et le cordon généreux, il porte le nez de son cépage : fraîcheur et pain grillé. Il aime les plaisirs simples et il sera d'un accès plus aisé que la Roche de Solutré dont il est proche.

Dom. Yves Giroux, Les Molardsi, 71960 Fuissé, tél. 03.85.35.63.64, fax 03.85.32.90.08, e-mail domainegiroux@wanadoo.fr r.-v.

DOM. GOUFFIER Blanc de blancs ★★

0,5 ha 4 000 5 à 8 €

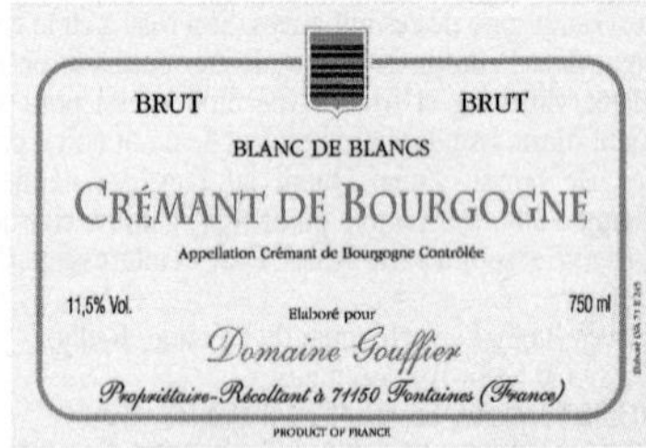

Le meilleur blanc de blancs, chardonnay à 80 % et aligoté pour le reste. Produit en Côte chalonnaise avec le concours de Vitteaut-Alberti qui, bien évidemment, partage le coup de cœur. Quelle effervescence ! Arômes de fleurs blanches, palais harmonieux, il y a de la joie dans la maison. La fin de bouche est assez longue. À servir à tout moment. Le **rosé** obtient une citation. C'est un crémant de repas.

Dom. Gouffier, 11, Grande-Rue, 71150 Fontaines, tél. 03.85.91.49.66, fax 03.85.91.46.98, e-mail jerome.gouffier@cegetel.net r.-v.

GUILLEMAN Élégance 2002

2,5 ha 6 930 ▮ 5 à 8 €

Il faut voir le travail de ces conquérants de friches. Si ce pays reste vivant, c'est grâce à ces exploitants. Installé dans une ancienne bergerie, le caveau vous accueillera après la visite du plan d'eau créé au XIII[e]s. par les moines de Molesmes. Nous voici en Haute-Bourgogne, en Châtillonnais. Les géographes disaient jadis Basse-Bourgogne, histoire de cours d'eau... Chardonnay et pinot noir à parts égales, ce crémant au dosage affirmé se montre plaisant et sans complexe. Le doré est agréable, le fruité un peu timide, la bouche intéressante.

Dom. Guilleman, 28, rue Principale, 21330 Marcenay, tél. 03.80.81.40.03, fax 03.80.81.48.62, e-mail fabien.guilleman@wanadoo.fr r.-v.

LES CAVES DES HAUTES-CÔTES 2004 ★

109,1 ha 880 000 ▮ 5 à 8 €

Bon cordon sur bulles épanouies : dense et puissant, ce crémant possède de la matière et une certaine profondeur. Pinot noir à 60 % et chardonnay-aligoté moitié-moitié, il se situe dans une bonne lignée des Hautes-Côtes. Plus de 100 ha mobilisés et près de 900 000 cols. Un vrai défi réussi.

🔑 Les Caves des Hautes-Côtes, rte de Pommard, 21200 Beaune, tél. 03.80.25.01.00, fax 03.80.22.87.05, e-mail vinchc@wanadoo.fr ☑ Y ✋ r.-v.

DOM. MICHEL ISAÏE Blanc de blancs 2000

○ 2 ha 11 160 ▮◑ 5 à 8 €

Propriétaire récoltant manipulant. Ce n'est pas exceptionnel en Bourgogne, même si de nombreux viticulteurs confient l'élaboration à des maisons spécialisées. Léger cordon et bulles montant au ciel comme les montgolfières si nombreuses en Côte chalonnaise. Chardonnay et aligoté à 60-40. Notons le millésime : cette bouteille a gardé une belle fraîcheur, un côté fruité. Il est évident qu'elle doit songer à revenir sur terre dans les temps qui viennent.

🔑 Michel Isaïe, chem. de l'Ouche, 71640 Saint-Jean-de-Vaux, tél. 03.85.45.23.32, fax 03.85.45.29.38, e-mail michel.isaie@wanadoo.fr ☑ Y ✋ t.l.j. sf dim. 9h-19h; groupes sur r.-v.

MARIE-HÉLÈNE LAUGEROTTE 2004

○ 0,45 ha 4 000 5 à 8 €

Élaboré par Vitteaut-Alberti, un crémant de la Côte chalonnaise d'assez belle mousse et à cordon léger. Sans être confidentiel, son nez se préoccupe avant tout de fraîcheur. Pinot noir à 70 % et chardonnay, tout est bien qui commence bien et finit bien. Bon ensemble.

🔑 Marie-Hélène Laugerotte, Le Bourg, Cidex 512, 71640 Saint-Denis-de-Vaux, tél. 03.85.44.36.35, fax 03.85.44.42.70 ☑ Y ✋ t.l.j. 8h-20h

LA CAVE DES VIGNERONS DE LIERGUES 2004

○ 1,5 ha 7 500 5 à 8 €

Bienvenue aux coopérateurs de Liergues dans le Rhône en Beaujolais. Pinot noir et chardonnay à 60-40 %. Bonne mousse et assez beau cordon. Les nuances aromatiques fruitées sont choisies et discrètes, puis une élégante note florale s'affirme lorsque le palais prend la suite.

🔑 Cave des vignerons de Liergues, 168, rue du Beaujolais, 69400 Liergues, tél. 04.74.65.86.00, fax 04.74.62.81.20, e-mail cave-des-vignerons-de-liergues@wanadoo.fr ☑ Y ✋ t.l.j. sf dim. 8h-12h 14h-18h30

LOUIS LORON Tradition ★

○ n.c. 24 000 ▮◑ 5 à 8 €

Maison beaujolaise bien connue, jouant ici chardonnay, pinot et gamay. Elle achète des raisins et s'en occupe. Pour des instants festifs, un brut à la bulle fine, à la teinte jaune doré clair, long et frais avec une note d'amertume sur la fin, signe de bonne éducation. Notez encore la **cuvée Prestige** (chardonnay seul) : du panache ! Et la même note.

🔑 SAS Louis Loron et Fils, Le Vivier, 69820 Fleurie, tél. 04.74.04.10.22, fax 04.74.69.84.19, e-mail fernand.loron@wanadoo.fr ☑ Y ✋ t.l.j. sf dim. 8h-12h 13h30-18h; sam. 8h30-12h; f. semaine du 15 août

CAVE DE LUGNY Blanc de blancs

○ 19 ha 150 000 5 à 8 €

La coopérative de Lugny, toujours en Bourgogne du Sud. Minéral (pierre à fusil), clair, limpide, vif, frais, agréable, il ne décevra personne à l'apéritif, éventuellement nuancé de crème de pêche ou de framboise.

🔑 SCV Cave de Lugny, rue des Charmes, BP 6, 71260 Lugny, tél. 03.85.33.22.85, fax 03.85.33.26.46, e-mail commercial@cave-lugny.com ☑ Y ✋ r.-v.

CAVE DES VIGNERONS DE MANCEY Blanc de Blancs ★

○ n.c. 6 000 ▮ 5 à 8 €

Chardonnay à 80 % et aligoté à 20 %, un blanc de blancs or blanc, fruit mûr (agrumes) et toasté, de mousse fine et persistante. Le chardonnay est très présent évidemment. Sa structure équilibrée invite à l'ouvrir en 2007.

🔑 Cave des vignerons de Mancey, BP 100, RN 6, 71700 Tournus, tél. 03.85.51.00.83, fax 03.85.51.71.20, e-mail bourgogne.vigne.verre@wanadoo.fr ☑ Y t.l.j. 8h-12h 14h-18h

PIERRE-MARIE NINOT

○ 0,2 ha 1 000 ▮ 5 à 8 €

Transmettant son exploitation à sa fille, Pierre-Marie Ninot propose son dernier crémant. Chardonnay à 80 % et aligoté ensuite conférant une petite amertume en finale, ce dont on ne s'étonnera pas. Bulle abondante du type « couronne de perles fines ». Doré pâle, un crémant océanique légèrement iodé, vineux et bourguignon, charpenté. Pour sandre ou saumon. À table, pas à l'apéritif... et heureuse retraite !

🔑 Pierre-Marie Ninot, Le Meix-Guillaume, 2, rue de Chagny, 71150 Rully, tél. 03.85.87.07.79, fax 03.85.91.28.56, e-mail ninot.domaine@wanadoo.fr ☑ Y ✋ r.-v.

LOUIS PICAMELOT Cuvée Jeanne Thomas 2004 ★

○ n.c. 7 706 ▮◑ 8 à 11 €

Cette maison de Rully est très fameuse et pratique l'effervescence comme une seconde nature. La bulle fine et généreuse, persistante, un crémant jeune et à laisser prendre un peu d'âge. Or vert, il se plaît en flûte mais ce n'est pas son destin. Chèvrefeuille ? Le nez reste calme. La bouche est fraîche et vive, discoureuse et on ne s'en plaint pas. Chardonnay à 82 % et aligoté.

🔑 Louis Picamelot, 12, pl. de la Croix-Blanche, BP 2, 71150 Rully, tél. 03.85.87.13.60, fax 03.85.87.63.81, e-mail louispicamelot@wanadoo.fr ☑ Y ✋ r.-v.
🔑 Philippe Chautard

DOM. PIGNERET FILS ★

○ 3 ha 30 400 5 à 8 €

Éric et Joseph Pigneret sont des frères associés depuis 2001 en Côte chalonnaise. Pinot (70 %), chardonnay (20 %) et gamay (10 %) composent ce crémant à la couronne seigneuriale : sur l'étiquette et aussi dans la coupe. Doré, fruité, beurré, un ensemble vineux, épicé et plus long que d'ici à Chalon.

🔑 Dom. Pigneret Fils, Vingelles, 71390 Moroges, tél. 03.85.47.15.10, fax 03.85.47.15.12, e-mail domaine.pigneret@wanadoo.fr ☑ Y ✋ t.l.j. 9h-20h; dim. 9h-12h

DOM. DE ROTISSON Cuvée Prestige 2004 ★

○ 1 ha 9 500 ▮ 5 à 8 €

Chardonnay à l'accent lyonnais ? Mais non, il bourguignonne à merveille et s'il vient de « là-bas », il est équilibré sur des notes de fruits secs, de biscuit et de gaufrette. La bulle est vive, la mousse fine, l'or vert joliment pâle, le bouquet de miel, la finale de pomme verte. Dosage judicieux. Bouchon à faire sauter à la première et belle occasion.

🗝 Dom. de Rotisson, rte de Conzy,
69210 Saint-Germain-sur-l'Arbresle,
tél. 04.74.01.23.08, fax 04.74.01.55.41,
e-mail didier.pouget@domaine-de-rotisson.com
☑ Y ⚘ t.l.j. 9h-12h30 14h-18h; dim. sur r.-v.
🗝 Didier Pouget

CH. DE SASSANGY

9,78 ha 67 000 5 à 8 €

Domaine bio (contrôle Écocert). Bulle abondante et bien ciselée, cordon persistant, un crémant à la robe très brillante. Son bouquet est légèrement floral. Pinot noir (60 %), chardonnay (20 %), aligoté et gamay se sont mis en quatre pour vous plaire.

🗝 Ch. de Sassangy, Le Château, 71390 Sassangy,
tél. 03.85.96.18.61, fax 03.85.96.18.62,
e-mail musso.jean@wanadoo.fr ☑ Y ⚘ r.-v.
🗝 Jean et Geno Musso

VEUVE AMBAL Grande Cuvée

27,17 ha 282 600 5 à 8 €

Cette Veuve Ambal a refait sa vie avec Éric Piffaut et ils ont déménagé, quittant récemment Rully pour Montagny-lès-Beaune. Citées, **Carte de Cœur rosé** et **Grande Réserve blanc**, tout comme cette Grande Cuvée (chardonnay, pinot noir et un peu de gamay) florale et épicée, vineuse et longue. Il serait intéressant de la confronter à une poularde de Bresse. À condition, bien sûr, de consacrer tout le repas au crémant.

🗝 Veuve Ambal Petit-Fils Succ.,
Le Pré-Neuf, 21220 Montagny-lès-Beaune,
tél. 03.80.25.01.70, fax 03.80.25.01.79,
e-mail contact@veuve-ambal.com ☑ Y ⚘ r.-v.
🗝 Éric Piffaut

L. VITTEAUT-ALBERTI 2004 *

4 ha 40 000 5 à 8 €

Cet élaborateur réputé, coup de cœur dans l'édition 2003 et l'an dernier, partageant celui du domaine Gouffier qu'il a élaboré, maintient la tradition de l'effervescence à Rully. Il a d'ailleurs créé un domaine afin de bénéficier des meilleurs raisins destinés à ce type de vin. Chardonnay, pinot noir et aligoté composent un harmonieux trio. La bulle est jolie, associée à des reflets dorés. Vif, ce crémant ne perd cependant pas son équilibre, ni son agréable et léger goût de fruit. Bon pour le service.

🗝 Vitteaut-Alberti, 16, rue de la Buisserolle,
71150 Rully, tél. 03.85.87.23.97, fax 03.85.87.16.24,
e-mail vitteaut-alberti@wanadoo.fr ☑ Y ⚘ r.-v.

Le Chablisien

Malgré une célébrité séculaire qui lui a valu d'être imité de la façon la plus fantaisiste dans le monde entier, le vignoble de Chablis a bien failli disparaître. Deux gelées tardives, catastrophiques, en 1957 et en 1961, ajoutées aux difficultés du travail de la vigne sur des sols rocailleux et terriblement pentus, avaient conduit à l'abandon progressif de la culture de la vigne ; le prix des terrains en grands crus atteignait un niveau dérisoire, et bien avisés furent les acheteurs du moment. L'apparition de nouveaux systèmes de protection contre le gel et le développement de la mécanisation ont rendu ce vignoble à la vie.

L'aire d'appellation couvre les territoires de la commune de Chablis et de dix-neuf communes voisines dans les quatre appellations chablis. Les vignes dévalent les fortes pentes des coteaux qui longent les deux rives du Serein, modeste affluent de l'Yonne. Une exposition sud-sud-est favorise à cette latitude une bonne maturation du raisin, mais on trouvera plantés en vigne des « envers » aussi bien que des « adroits » dans certains secteurs privilégiés. Le sol est constitué de marnes jurassiques (kimméridgien, portlandien). Il convient admirablement à la culture du chardonnay, comme s'en étaient déjà rendu compte au XIIᵉs. les moines cisterciens de la toute proche abbaye de Pontigny, qui y implantèrent sans doute ce cépage, appelé localement beaunois. Celui-ci exprime ici plus qu'ailleurs ses qualités de finesse et d'élégance, qui font merveille sur les fruits de mer, les escargots, la charcuterie. Premiers et grands crus méritent d'être associés aux mets de choix : poissons, charcuterie fine, volailles ou viandes blanches, qui pourront d'ailleurs être accommodés avec le vin lui-même.

Petit-chablis

Cette appellation constitue la base de la hiérarchie bourguignonne dans le Chablisien. Elle a produit 41 887 hl en 2005 sur 713 ha. Moins complexe que le chablis du point de vue aromatique, le petit-chablis possède une acidité un peu plus élevée qui lui confère une certaine verdeur. Autrefois consommé en carafe, dans l'année, il est maintenant mis en bouteilles. Victime de son nom, il a eu de la peine à se développer, mais il semble qu'aujourd'hui le consommateur ne lui tienne plus rigueur de son adjectif dévalorisant.

DOM. D'ANTHONY 2004

1,2 ha 4 000 5 à 8 €

Vin de soif à boire jeune. Notée ici à la lettre « A », cette observation vaut pour tous les petits-chablis, à de rares exceptions près. Soif distinguée, il va sans dire. Pour l'apéritif ? S'il y a des gougères moelleuses et tièdes. Direct et frais, charmant et restant bien en arrière-bouche, il est de bonne facture... à tous égards. Sans prolongements énormes, mais nous ne sommes pas ici en Montée de Tonnerre. Chaque vin à sa place, comme il faut.

🗝 Dom. d'Anthony, 6, rue Dame-Julliot,
89800 Courgis, tél. et fax 03.86.41.43.28 ☑ Y r.-v.
🗝 Grossot

DOM. HERVÉ AZO 2005

	4 ha	32 000	■	5 à 8 €

La commercialisation de ce domaine est confiée maintenant à Jean-Marc Brocard. Il ne faudrait pas pousser beaucoup ce 2005 très fruité pour qu'il muscate un peu. N'allons cependant pas si loin. Belle acidité, jolie fraîcheur, un vin plaisant et même gourmand.

Dom. Hervé Azo, 3, rue de la Bretauche, 89800 Chablis, tél. 03.86.41.49.00, fax 03.86.41.49.09 t.l.j. sf dim. 9h-13h 14h-18h30

LA CHABLISIENNE 2004 ★★

	50 ha	400 000	■	8 à 11 €

Le soleil ne se couche jamais sur les vignobles de La Chablisienne, l'une des coopératives les plus huppées de France. Rien qu'en petit-chablis, 50 ha. Sans doute le prix est-il supérieur au prix moyen des 2004 proposés ici, mais c'est l'un des meilleurs de la dégustation, retenu pour le choix du coup de cœur. Or clair, vin de plaisir méritant mieux que l'apéritif, son parfum de pêche de vigne (ce qui se fait rare, hélas !) et son attaque intelligente se développent en harmonie. Si les 399 999 autres bouteilles sont en tous points ses sœurs, voilà une belle famille française !

La Chablisienne, 8, bd Pasteur, BP 14, 89800 Chablis, tél. 03.86.42.89.89, fax 03.86.42.89.90, e-mail chab@chablisienne.fr r.-v.

CHRISTOPHE ET FILS 2004 ★★

	1,5 ha	4 000	■	5 à 8 €

Une légèreté de gazelle. C'est frais, c'est enlevé et ça bondit sous une robe d'un jaune discret. Fin et généreux, son bouquet ne passe pas inaperçu. Belle présence vive au palais. La vivacité et le fruit ont tout à la fois consistance et longueur. Il s'agit d'une première vinification en petit-chablis. « Ma grand-mère l'a élu coup de cœur », écrit avec humour ce viticulteur. Donnons presque raison à cette Bourguignonne qui goûte si bien !

Dom. Christophe et Fils, EARL des Carrières à Fyé, Ferme des Carrières à Fyé, 89800 Chablis, tél. et fax 03.86.55.23.10, e-mail domaine.christophe@wanadoo.fr r.-v.

DOM. DU COLOMBIER 2004 ★

	1,6 ha	12 000	■	5 à 8 €

Trois fils restés au domaine, c'est l'esprit de famille. On ne dira jamais assez que l'expansion de la vigne il y a trente à quarante ans a maintenu la vie dans tant de villages. Rond et vif, ce vin fin joue sur des notes simples et justes : acacia, minéral. Et avec ça, une certaine charpente, un peu de longueur. L'étiquette précise *White still wine*, ce qui se traduit par « un vin blanc tranquille »... comme tout petit-chablis.

Guy Mothe et ses Fils, Dom. du Colombier, 42, Grand-Rue, 89800 Fontenay-près-Chablis, tél. 03.86.42.15.04, fax 03.86.42.49.67, e-mail domaine@chabliscolombier.com r.-v.

DOM. JEAN-CLAUDE COURTAULT 2004 ★★

	8 ha	15 000	■	5 à 8 €

L'exploitation a été créée en 1984 sur quelques vignes en propriété et en location (17 ha aujourd'hui). Et s'il n'en reste qu'un, je suis celui-là ! Au terme des délibérations du jury puis du grand jury, ce 2004 obtient en effet le coup de cœur. Conforme à son appellation, il en exprime toute la clarté, la franchise, la pureté sur des notes de pamplemousse.

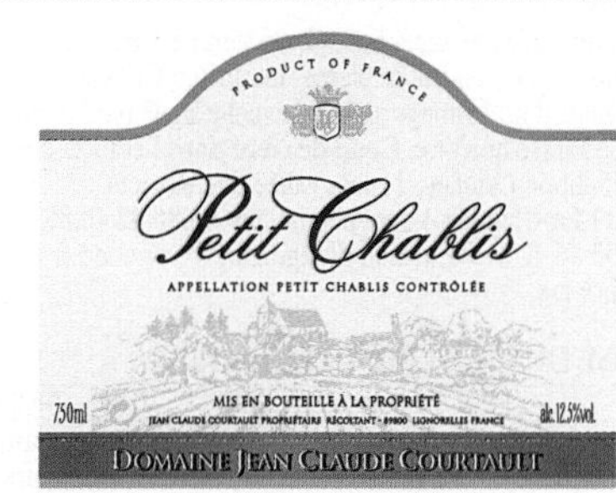

Dom. Jean-Claude Courtault, 1, rte de Montfort, 89800 Lignorelles, tél. 03.86.47.50.59, fax 03.86.47.50.74, e-mail jc-courtault@wanadoo.fr r.-v.

VIGNOBLES DAMPT Vieilles Vignes 2004

	0,6 ha	4 800	■	5 à 8 €

Nous sommes ici à Collan, village qui peut-être ne vous dit rien et qui, pourtant, a sa place dans l'histoire des moines d'Occident. C'est en effet de sa forêt que partit saint Robert pour fonder Molesme puis Cîteaux. Ce vin ? La robe porte quelques reflets or vert. Le nez évoque le fruit à surmaturité – surprenant pour ce millésime mais pas désagréable. Corps dans le même esprit. Nuance citron sur la fin.

SCEV Éric Dampt, 16, rue de l'Ancien-Presbytère, 89700 Collan, tél. 03.86.55.36.28, fax 03.86.55.36.12, e-mail ericdampt@aol.com r.-v.

AGNÈS ET DIDIER DAUVISSAT 2004 ★★

	3 ha	3 300	■	5 à 8 €

Jaune doré brillant, il ne fait pas regretter les coups de nez. D'ailleurs, le fruit frais n'attend pas pour embellir le verre. Certes, il n'est pas dépourvu de minéralité. Il est souple et nerveux à la fois. Nuance : il n'est pas pour autant agité. Mais sa plénitude, sa densité sont davantage d'un bourgogne blanc que d'un petit-chablis. Cela dit, le feuilleté d'escargot s'en accommodera fort bien.

Agnès et Didier Dauvissat, chem. de Beauroy, 89800 Beine, tél. 03.86.42.46.40, fax 03.86.42.80.82 t.l.j. 9h-19h

ALAIN GEOFFROY 2004 ★★

	n.c.	n.c.	■	5 à 8 €

Petit-chablis deviendra grand. Celui-ci en effet, on peut l'attendre un peu, entre un et deux ans. Ou l'ouvrir tout de suite sur une douzaine d'huîtres bien grasses. Une pincée d'or, juste assez de minéral, une note d'acacia : ce vin élégant est bien fait. La typicité même. N'allez surtout pas le marier à la crème de cassis ! Même si, par parenthèses, le chablis-cassis faisait fureur dans les restaurants bien avant le kir et dès les années 1930...

Dom. Alain Geoffroy, 4, rue de l'Équerre, 89800 Beine, tél. 03.86.42.43.76, fax 03.86.42.13.30, e-mail info@chablis-geoffroy.com t.l.j. 9h-12h 14h-17h30; sam. dim. sur r.-v.

DOM. PHILIPPE GOULLEY 2004 ★

	2,5 ha	20 000	■	5 à 8 €

L'un des premiers domaines chablisiens à s'être tournés, dès les années 1990, vers l'approche bio. Tout en retenue, ce 2004 or léger et lumineux offre un bouquet très

classique (silex et aubépine). On le sent désireux de plaire quand il parviendra à pleine maturité. Ce vin sert à l'affinage d'un fromage au lait de vache signé par l'abbaye de La Pierre-qui-Vire. Coup de cœur dans l'édition 2004.
Philippe Goulley, 11 bis, vallée des Rosiers, 89800 La Chapelle-Vaupelteigne, tél. 03.86.42.40.85, fax 03.86.42.81.06, e-mail phil.goulley@wanadoo.fr
r.-v.

DOM. DU GUETTE-SOLEIL 2004 *

3,61 ha 3 800 5 à 8 €

Guette-Soleil, que voilà un joli nom ! Il y a trente ans, les trois frères Vilain s'associaient pour fonder ce domaine. Pas un seul pied de vigne au départ, 30 ha de nos jours, dont 19 en location. Réussite confirmée par l'achat du château de Chemilly. Ce petit-chablis jaune pâle ne badine pas sur les arômes : expressifs. Plus gras que volumineux, plus fruité que minéral, il représente un style dans l'appellation.
Dom. du Guette-Soleil, 20, rue du Pont, 89800 Chemilly-sur-Serein, tél. 03.86.42.16.91, fax 03.86.42.12.79, e-mail domaineguettesoleil@wanadoo.fr r.-v.
Vilain

DOM. HAMELIN 2004 **

9,95 ha 65 000 5 à 8 €

Petit ou grand, un chablis de race pure doit posséder un côté minéral. C'est ici le cas : il semble tiré des entrailles de la Terre. Sous une robe or discret, il montre de l'ampleur et du caractère, de la matière, pour parler comme les œnologues. Sa finale (fruits secs et agrumes) laisse le palais convaincu.
EARL Dom. Hamelin, 1, rue des Carillons, 89800 Lignorelles, tél. 03.86.47.54.60, fax 03.86.47.53.34, e-mail domaine.hamelin@wanadoo.fr
t.l.j. sf dim. 8h-12h 13h30-18h; mer. sam. sur r.-v.

DOM. DES MARRONNIERS 2005

3 ha 24 000 5 à 8 €

Les Marronniers, fondés il y a trente ans : Marie-Claude et Bernard Légland n'ont pas compté leur peine, et le résultat est là. Au reste, leur millésime 1996 a reçu le coup de cœur dans l'édition 1999. Leur devise : l'ancien et le moderne. Vif, à la manière de la pierre à fusil, très sec, s'offrant peut-être une distraction en rappelant en bouche la pêche blanche, ce 2005 est typé et harmonieux.
Bernard Légland, 1 et 3, Grande-Rue-de-Chablis, 89800 Préhy, tél. 03.86.41.42.70, fax 03.86.41.45.82, e-mail bernard.legland@wanadoo.fr
t.l.j. 9h-13h 14h-20h; dim. sur r.-v.; f. 15-30 août

MICHAUT-ROBIN 2004 **

3,5 ha 28 000 5 à 8 €

Deuxième marche du podium, dirions-nous si nous étions en compétition sportive. Deuxième au grand jury. C'est dire les qualités et vertus de ce vin d'une grande sincérité. Jaune pâle, très fleur blanche, un rien citronné, il offre des arômes fermentaires intéressants, de l'introduction à la conclusion. Ce domaine est situé entièrement sur Beine, au pied de l'église classée du XII[e]s.
Michaut-Robin, SCEA Dom. de La Motte, 41, rue du Ruisseau, 89800 Beine, tél. 03.86.42.43.71, fax 03.86.42.49.63, e-mail mottemichaut@wanadoo.fr r.-v.

DOM. MILLET 2004 **

9 ha 25 000 5 à 8 €

En 2002, les fils ont repris le domaine paternel né en 1980. Leur petit-chablis se présente bien sous une teinte brillante. Le nez s'éveille à l'aération : abricot, acacia, ce sont là ses confidences. La bouche est assez vineuse, fine et plaisante, tirant doucement sur le bonbon anglais et l'agrume exotique (pamplemousse). La longueur est réelle. Tonnerre se trouve tout près de Chablis et peut constituer un complément de visite (la fosse Dionne, par exemple, ou encore le vieil hôpital dont la salle est aussi belle que celle de l'hôtel-Dieu de Beaune).
Baudouin Millet, Ferme de Marcault, rte de Viviers, 89700 Tonnerre, tél. 03.86.75.92.56, fax 03.86.75.95.12, e-mail baudouin.millet@wanadoo.fr r.-v.

MOREAU-NAUDET 2004 *

3 ha 9 000 5 à 8 €

Une bouteille à qui l'on a envie de faire un brin de cour pour sa robe d'un doré limpide et transparent, ses parfums riches et généreux. Elle épanouit son gras sur le fruit blanc. Si sa longueur est moyenne, l'impression générale est tout à fait plaisante. D'autant qu'elle peut passer sans problème une bonne année en cave.
EARL Moreau-Naudet, 5, rue des Fosses, 89800 Chablis, tél. 03.86.42.14.83, fax 03.86.42.85.04, e-mail moreau-naudet@wanadoo.fr r.-v.

ISABELLE ET DENIS POMMIER 2004 *

4 ha 21 000 5 à 8 €

Or blanc, fleur blanche, fruit blanc, un vrai mariage en blanc pour ce chardonnay alliant la fraîcheur à la tonicité. Inutile de faire un discours : ce vin a de l'élan, de la rotondité, un équilibre impeccable et une jolie longueur. Le **chablis Croix aux Moines 2004 (8 à 11€)** obtient une citation.
Isabelle et Denis Pommier, 31, rue de Poinchy, Poinchy, 89800 Chablis, tél. 03.86.42.83.04, fax 03.86.42.17.80, e-mail isabelle@denis-pommier.com r.-v.

DENIS RACE 2004 *

0,96 ha 7 600 5 à 8 €

Vignerons de père en fils... Aujourd'hui, Claire rejoint le domaine pour assurer la relève. Brillant, aromatique, ce 2004 remplit son contrat jusqu'à l'arrière-bouche. Typé et intense. Marie Noël, la grande poétesse chrétienne du cru, aurait commis un petit péché de gourmandise en cherchant dans ce vin l'inspiration entre deux strophes...
Denis Race, rue Benjamin-Constant, 89800 Chablis, tél. 03.86.42.45.87, fax 03.86.42.81.23, e-mail domaine@chablisrace.com r.-v.

LOUIS ROBIN 2004

1 ha 4 000 5 à 8 €

Négoce familial regroupant les vignobles de Jean Robin et du GAEC des Airelles, d'où cette marque récente (2004) sur une souche vigneronne qui ne compte plus les générations. Droit et linéaire, pamplemousse et citron, ce vin brille davantage au nez qu'à l'œil. Produit très honorable pour crustacés.
Louis Robin, 40, Grande-Rue, 89800 Chichée, tél. 03.86.42.49.60, fax 03.86.42.85.40, e-mail didirobin@aol.com r.-v.
Jean Robin

DANIEL SÉGUINOT 2004 ★★

■ 0,8 ha 2 000 ■ 5 à 8 €

Tout petit domaine lors de sa naissance en 1973, 17 ha maintenant. Ce petit-chablis ne réussit pas à l'emporter au sprint final, mais il figure dans la bonne échappée et dans le groupe de tête. Or blanc ici, le nez à la fois jeune et complexe (on sent l'anis, la fleur blanche, les agrumes), il tient la route. Une pointe de minéralité l'installe dans la famille : extra !

⚷ GAEC Daniel Séguinot, rte de Tonnerre, 89800 Maligny, tél. 03.86.47.51.40, fax 03.86.47.43.37, e-mail domaine.danielseguinot@wanadoo.fr ☑ ♀ ⚲ r.-v.

SIMONNET-FEBVRE 2004 ★

■ n.c. 6 800 ■ 5 à 8 €

La maison Louis Latour a pris elle aussi (comme Bichot, Drouhin, Bouchard Père et Fils, Boisset) le chemin de Chablis, en acquérant Simonnet-Febvre en 2003. Cette bouteille porte une robe classique. Son nez est très mûr, autour du miel, du confit, du fruit resté sur l'arbre. Ce caractère demeure en bouche : gras soutenu, richesse aromatique, structure réelle. Le vin a atteint l'âge adulte.

⚷ Maison Simonnet-Febvre, 9, av. d'Oberwesel, 89800 Chablis, tél. 03.86.98.99.00, fax 03.86.98.99.01, e-mail simonnet@chablis.net ☑ ♀ r.-v.

Chablis

Le chablis, qui a produit 186 853 hl sur 3 147 ha dans le millésime 2005, doit à son sol ses qualités inimitables de fraîcheur et de légèreté. Les années froides ou pluvieuses lui conviennent mal, son acidité devenant alors excessive. En revanche, il conserve lors des années chaudes une vertu désaltérante et une minéralité que n'ont pas les vins de la Côte-d'Or, également issus du chardonnay. On le boit jeune (un à trois ans), mais il peut vieillir jusqu'à dix ans et plus, gagnant ainsi en complexité et en richesse de bouquet.

DOM. BARAT 2004 ★

■ 10 ha 30 000 ■ 5 à 8 €

« De tout temps, disait Bernard Ginestet dans son livre sur Chablis, ces vins ont eu la vertu de faire jaillir les mots pour les dire ». C'est vrai. Voyez celui-ci, or vert et ouvert sur une belle palette de fruits blancs et de notes minérales, il affiche un joli corps digne de l'appellation et de son millésime.

⚷ Dom. Barat, 6, rue de Léchet-Milly, 89800 Chablis, tél. 03.86.42.40.07, fax 03.86.42.47.88, e-mail domaine.barat@wanadoo.fr ☑ ♀ ⚲ r.-v.

BARDET ET FILS 2004 ★

■ 1,06 ha 3 500 ■ 5 à 8 €

Première plantation en 1992 sur Préhy : l'arrière-grand-père avait eu la bonne idée d'y posséder quelques bouts de terre. Alexandre Bardet a rejoint Philippe et Michel en 2001. Le chai se trouve à Noyers-sur-Serein (dites Noyères), l'un des plus beaux villages historiques de Bourgogne. Et on reste sur le cours de la rivière chablisienne ! Net, très net, citron et fruits blancs, un 2004 vif comme un écureuil, sec comme un bon chablis. Digne des fruits de mer.

⚷ Dom. Bardet et Fils, GAEC de La Borde, Ferme de La Borde, 89310 Noyers-sur-Serein, tél. et fax 03.86.82.61.49, e-mail vins.bardet@free.fr ☑ ♀ t.l.j. 9h-12h 13h30-19h30

PASCAL BOUCHARD

Grande Réserve du domaine 2004

■ 7 ha 50 000 ■ ⊕ 8 à 11 €

Comme l'écrit Pierre Poupon à juste raison, les blancs de chardonnay dégustés très jeunes peuvent surprendre, mais « leur verdeur deviendra vivacité, leur acidité devenant fraîcheur ». Nous sommes ici dans ce cas de figure : sous une robe de qualité et un fruit net, discret, un peu vanillé (six mois en fût), il prendra de l'ampleur avec le temps. À laisser mûrir jusqu'en 2008.

⚷ Pascal Bouchard, parc des Lys, 5 bis, rue Porte-Noël, 89800 Chablis, tél. 03.86.42.18.64, fax 03.86.42.48.11, e-mail info@pascalbouchard.com ☑ ♀ ⚲ t.l.j. sf sam. dim. 10h30-12h30 14h-18h

LE VITICULTEURS DE CHABLIS Prélude 2004 ★

■ 50 ha 400 000 ■ 8 à 11 €

Présenté par l'une des composantes de La Chablisienne (coup de cœur l'an passé pour son 2003), ce vin minéral ne laisse pas de marbre. Bien fait, d'une structure correcte, il restera longtemps sur sa fraîcheur. Sous la marque **Blason de Bourgogne, le 2004** obtient la même note. La coopérative a vinifié pour la première fois en 2003 un « chablis bio » produit sur 52 ha.

⚷ Union des Viticulteurs de Chablis, 8, bd Pasteur, BP 14, 89800 Chablis, tél. 03.86.42.89.89, fax 03.86.42.89.90, e-mail chab@chablisienne.fr ☑ ♀ ⚲ r.-v.

DOM. DE CHANTEMERLE 2004 ★★

■ 11 ha 80 000 ■ 5 à 8 €

La Chapelle-Vaupelteigne s'étire en longueur dans la vallée du Serein, en aval de Chablis. Fourchaume y trône. L'Homme Mort y renaît à chaque vendange. On est donc en excellente compagnie. Très parfumé, ce chablis fin et minéral offre un ensemble riche et complet : le corps et la longueur d'un vin à la hauteur de sa notoriété (celle du producteur s'ajoutant ici à celle de l'appellation).

⚷ SCEA de Chantemerle, 3, pl. des Cotats, 89800 La Chapelle-Vaupelteigne, tél. 03.86.42.18.95, fax 03.86.42.81.60, e-mail domchantemerle@aol.com ♀ ⚲ r.-v.

⚷ Francis Boudin

CHARDONNIER Vieilles Vignes 2004 ★

■ 13,51 ha 66 767 ■ 11 à 15 €

Cette bouteille est remarquée pour son maillot jaune pâle, ses notes de terroir (pierre à fusil) et d'agrumes (citron). L'équilibre tient bon jusqu'à la ligne d'arrivée. Son rapport à l'acidité et au fruit explique la performance d'un presque débutant : affaire de négoce-éleveur constituée au début des années 2000.

⚷ Chardonnier, 44, RN 74, 21700 Vosne-Romanée, tél. et fax 03.80.62.11.52, e-mail chardonnier@wanadoo.fr

DOM. DE CHAUDE ÉCUELLE 2004 *

16,5 ha 10 530 5 à 8 €

Mordant, mais c'est normal à cet âge (pas au point de faire grincer les dents, d'ailleurs). S'il ne l'était pas, il s'endormirait pour ne jamais s'éveiller en bouche, tous les bons auteurs vous le diront. D'une pâleur distinguée et d'un floral sympathique, minéral et suffisamment long, ce 2004 dispose d'un réel potentiel. Vin parfait pour demain, c'est-à-dire 2008 ou 2009.

Dom. de Chaude Écuelle,
35, Grande-Rue, 89800 Chemilly-sur-Serein,
tél. 03.86.42.40.44, fax 03.86.42.85.13,
e-mail chaudeecuelle@wanadoo.fr r.-v.
Gabriel et Gérald Vilain

CHRISTOPHE ET FILS 2004

2,5 ha 10 000 5 à 8 €

Coup de cœur pour son millésime 2000, ce domaine livre un 2004 bouton d'or au nez ouvert et mûr, intense, beurré, brioché. Les premières étapes font donc état d'un millésime accompli et parvenu à son optimum. La suite le confirme, dans une simplicité de bon aloi et dont la chaleur n'exclut pas le fruit. À boire naturellement dans l'année.

Dom. Christophe et Fils,
EARL des Carrières à Fyé, Ferme des Carrières à Fyé,
89800 Chablis, tél. et fax 03.86.55.23.10,
e-mail domaine.christophe@wanadoo.fr r.-v.

DOM. DU COLOMBIER 2004 *

38 ha 150 000 5 à 8 €

Le sol de Fontenay est un bienfait des dieux : le demi-cercle d'or de la rive droite du Serein. Limpide et discrètement doré comme tout chablis bien élevé, il a le nez parfumé et insistant. Sa bouche est classique, d'une verdeur juvénile, riche en espérances. Les fruits secs et le silex sont de la partie. Dès lors et quitte à parier, on mise volontiers sur ce 2004.

Guy Mothe et ses Fils, Dom. du Colombier,
42, Grand-Rue, 89800 Fontenay-près-Chablis,
tél. 03.86.42.15.04, fax 03.86.42.49.67,
e-mail domaine@chabliscolombier.com r.-v.

DOM. DE LA CONCIERGERIE 2004 **

13 ha 70 000 5 à 8 €

Coup de cœur dans l'édition 2004, il est cette année encore dans le groupe de tête (finaliste retenu pour le choix de la plus haute distinction). Car il possède un bon potentiel et son beau fruit s'exprime. L'acidité du pamplemousse s'accorde à une minéralité tirée des profondeurs du terroir.

EARL Christian Adine, 2, allée du Château,
89800 Courgis, tél. 03.86.41.40.28, fax 03.86.41.45.75,
e-mail nicole.adine@free.fr r.-v.

VIGNOBLE DAMPT Bréchain 2004 *

0,75 ha 6 000 5 à 8 €

L'étiquette porte Bréchain comme *climat*. Puisque Côte de Bréchain est inclus dans Montée de Tonnerre, on peut situer cela sur Fyé. Mais il y a aussi Vallée de Bréchain et Bois de Bréchain. Une géographie complexe. Toujours est-il que ce 2004 doré offre un bouquet de brioche et de fruits exotiques qui, ample et concentré, s'intensifie à l'aération. Élevage à moitié en fût (ce qui devient rare) pendant dix mois.

Emmanuel Dampt, 3, rte de Tonnerre,
89700 Collan, tél. 03.86.54.49.52, fax 03.86.54.49.89,
e-mail emmanuel@dampt.com r.-v.

AGNÈS ET DIDIER DAUVISSAT 2004 *

4 ha 6 000 5 à 8 €

Comme pour beaucoup de noms en Chablisien, voyez le ou les prénoms. Brioché et minéral dans sa robe d'or brillant, ce vin est très agréable sous la langue, prospère en bouche et vise davantage la sole que l'huître. Charmeur ? Sans aucun doute.

Agnès et Didier Dauvissat, chem. de Beauroy,
89800 Beine, tél. 03.86.42.46.40, fax 03.86.42.80.82
t.l.j. 9h-19h

DOM. BERNARD DEFAIX 2004 *

n.c. 100 000 8 à 11 €

Cocteau aurait écrit ici *La voix humaine*, en une seule nuit. Il n'y a pas de « chablis d'une nuit » comme on le dit d'un rosé ! Ce 2004 attaque rondement sur la noisette, avec toute la vivacité voulue, la couleur, la structure attendues, toutes qualités à confirmer dans deux ans, l'attente souhaitable pour qu'il trouve son chemin.

Bernard Defaix, 17, rue du Château, 89800 Milly,
tél. 03.86.42.40.75, fax 03.86.42.40.28,
e-mail didier@bernard-defaix.com r.-v.

DURUP Vieilles Vignes 2004 *

3 ha 24 000 11 à 15 €

Le plus vaste domaine de toute la Bourgogne, sur 180 ha de nos jours. Il est vrai que Jean Durup, assisté maintenant par son fils Jean-Paul, n'avait pas froid aux yeux quand il débuta sur 2 ha, il y a trente-cinq ans. Cette bouteille a retenu l'attention du jury par son style élégant et racé. Un vin assez beurré, aux notes d'agrumes et aux nuances minérales, d'une belle acidité, soyeux et suffisamment long.

SA Jean Durup Père et Fils, 4, Grande-Rue,
89800 Maligny, tél. 03.86.47.44.49, fax 03.86.47.55.49,
e-mail cdurup@club-internet.fr
t.l.j. sf sam. dim. 8h-12h 13h45-17h30

DOM. D'ÉLISE 2004 *

6,15 ha 40 000 8 à 11 €

Frédéric Prain affirme connaître chaque mètre de l'autoroute car, vivant avec femme et enfants à Paris, il est tombé amoureux de ce domaine en 1983, l'a acquis et consacre sa passion à cette « liaison » aussi originale qu'honnête. Vif sur des notes d'agrumes, équilibré et de bonne longueur, son enfant de l'amour porte une jolie robe bien typée, tout comme le bouquet minéral pas tout à fait éveillé. Son corps est frais, franc, équilibré, long. Un vrai chablis. À déboucher dans l'année qui arrive.

Frédéric Prain, chem. de La Garenne, 89800 Milly,
tél. 03.86.42.40.82, fax 03.86.42.44.76,
e-mail frederic.prain@wanadoo.fr r.-v.

DOM. NATHALIE ET GILLES FÈVRE 2004 **

8 ha 35 000 5 à 8 €

Coopérateurs de père en fils depuis la fondation de La Chablisienne, Nathalie et Gilles Fèvre ont décidé de valoriser directement leur production. C'était en 2004. Il a fallu bien sûr bâtir une cave, mais les résultats sont à la mesure de l'ambition. Pour un premier millésime, c'est remarquable : robe or pâle, caractère minéral et arômes d'agrumes particulièrement citronnés. Quel beau vin !

Dom. Nathalie et Gilles Fèvre, rte de Chablis, 89800 Fontenay-près-Chablis, tél. 03.86.18.94.47, fax 03.86.18.96.92, e-mail fevregilles@wanadoo.fr r.-v.

RAOUL GAUTHERIN ET FILS 2004

	n.c.	15 000		5 à 8 €

Or pâle bouqueté (mie de pain, miel, noisette), il chardonne comme s'il avait des cousins du côté de Meursault ou de Puligny. Bien travaillé, il ne montre pas en bouche une complexité considérable, mais il tient son rôle dans la pièce avec beaucoup de naturel, sans paraître forcer son talent.

Dom. Raoul Gautherin et Fils, 6, bd Lamarque, 89800 Chablis, tél. 03.86.42.11.86, fax 03.86.42.42.87, e-mail domainegautherin@wanadoo.fr t.l.j. 8h30-19h

DOM. ANNE ET ARNAUD GOISOT 2004 *

	2,5 ha	20 000		5 à 8 €

Joli domaine de 24 ha. Et joli vin or pâle, harmonieux, agréable en bouche grâce à sa richesse en arômes d'agrumes. Le nez, floral et citronné, s'inscrit dans le paysage.

Dom. Anne et Arnaud Goisot, 4 bis, rte de Champs, 89530 Saint-Bris-le-Vineux, tél. 03.86.53.32.15, fax 03.86.53.64.22, e-mail aa.goisot@wanadoo.fr r.-v.

DOM. DE GRILLOT 2004 *

	3,26 ha	7 000		5 à 8 €

« Mon vin a du montant ; étant bu il embaume, enchante le gosier et laisse une odeur suave de mousseron », ainsi parlait jadis le curé-doyen de Chablis, chanoine Gaudin. Du montant, il y en a ici. Du mousseron ? Disons plutôt de la fougère et une touche de pain beurré. Vivacité et volume, retour d'aubépine, un peu d'amertume, le tout rondement et tenant la distance, un vrai chablis prêt en 2007. La **cuvée Sélection 2004** obtient la même note – lui offrir des noix de Saint-Jacques.

James Haigre, Dom. de Grillot, 16, rue de l'Ancien-Presbytère, 89700 Collan, tél. 06.07.62.64.08 r.-v.

DOM. DU GUETTE-SOLEIL 2004 *

	n.c.	6 500		5 à 8 €

Borne frontière entre la Bourgogne et la Champagne, Chemilly-sur-Serein compte parmi ses figures historiques

BOURGOGNE

Le Chablisien

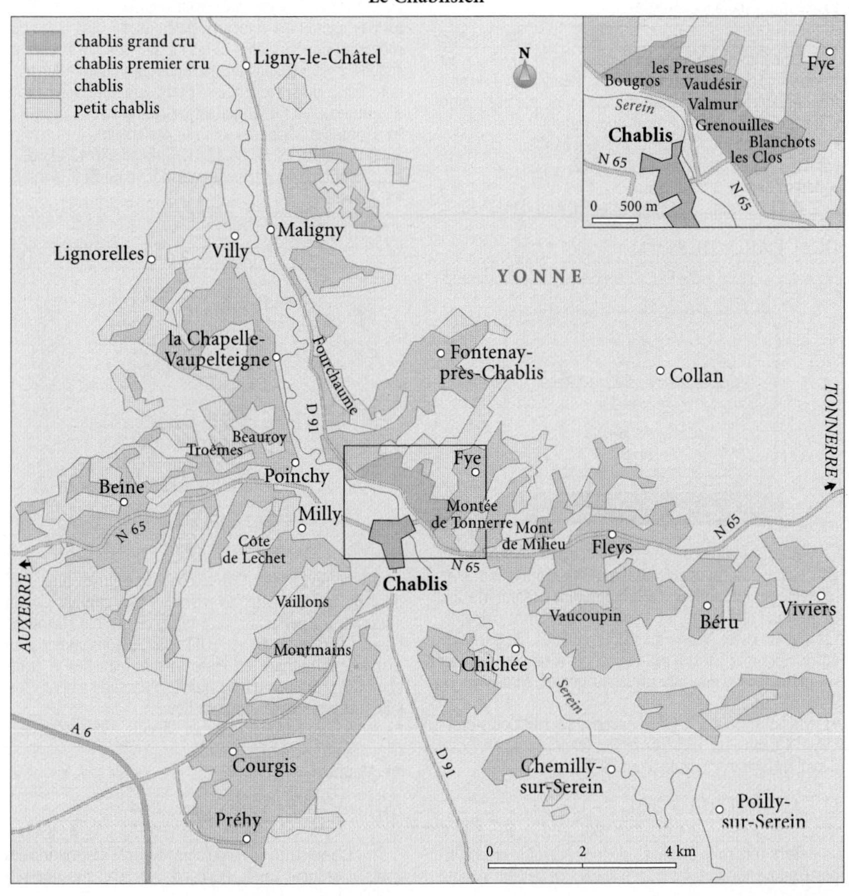

Guillaume Budé, le célèbre humaniste. Ou plutôt sa famille qui devait bien lui envoyer de temps en temps un panier de bouteilles ou une feuillette. Clair et limpide, aubépine ou acacia, ce vin fait excellente impression en première lecture et son retour en bouche sur le gras, la consistance ne laisse pas insensible. Une bonne aération est indispensable, et l'harmonie s'amorce.

Dom. du Guette-Soleil, 20, rue du Pont, 89800 Chemilly-sur-Serein, tél. 03.86.42.16.91, fax 03.86.42.12.79, e-mail domaineguettesoleil@wanadoo.fr r.-v.
Vilain

THIERRY LAFFAY 2004 *

2,25 ha 5 500 5 à 8 €

Que deviennent des champs situés sur l'aire de l'appellation ? Des vignes, bien sûr ! Ce petit domaine de 6 ha étend les siennes en Bougros et Vaudésir. Son chablis, ferme au palais, s'appuie sur une structure satisfaisante après une attaque fraîche. Citron et pamplemousse, le nez est exotique si l'on s'en tient aux critères habituels.

Thierry Laffay, 20, rue Paul-Bert, 89800 Chablis, tél. 03.86.42.47.41, fax 03.86.42.83.15 r.-v.

CLÉMENT ET ALEXANDRE LAMBLIN
Élevé en fût de chêne 2004 *

n.c. 6 000 8 à 11 €

Une famille présente ici depuis... 1690 au moins. Et ce vin jaune clair élevé six mois en fût. Équilibré, vif et frais, très agréable, il saura vieillir. La cuvée qui n'a pas connu le bois, **chablis 2004**, obtient une citation.

Lamblin et Fils, Maligny, 89800 Chablis, tél. 03.86.98.22.00, fax 03.86.47.50.12, e-mail infovin@lamblin.com
t.l.j. sf dim. 8h-12h30 14h-17h; sam. 8h-12h30

DOM. LAROCHE Saint-Martin 2004 **

63 ha 504 280 11 à 15 €

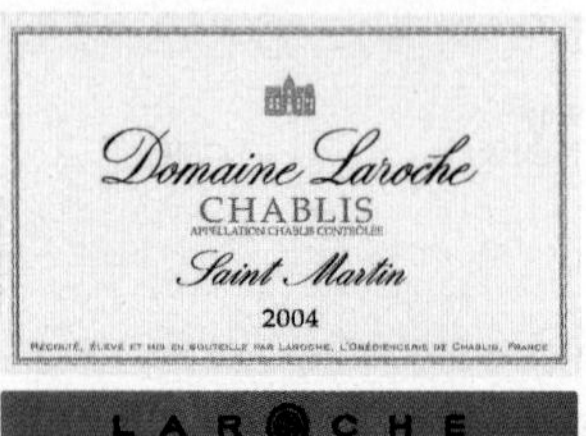

Atouts multiples. Une grande lignée chablisienne. Une cuvée désormais célèbre. Une belle vinification. Une bouteille aussi complexe que la biographie de saint Martin. Sa personnalité ravira les amateurs d'élégance palpable. Élevage en cuve. Assuré du succès, ce 2004 fait partie de notre « premier choix » cette année. Prix un peu élevé au regard de la moyenne à ce niveau de qualité. Mais vous ne serez pas déçu.

Michel Laroche, L'Obédiencerie, 22, rue Louis-Bro, 89800 Chablis, tél. 03.86.42.89.90, fax 03.86.42.89.29, e-mail info@larochewines.com r.-v.

G. LAVANTUREUX 2004

2,3 ha 6 700 5 à 8 €

Sous une robe diaphane de ton classique, ce chablis porte un nez discret. « Fleurs blanches en devenir », note l'un de nos jurés. L'attaque est franche, le milieu de bouche consistant et la longueur estimable. Il appartient de plein droit à cette sélection parmi les 157 vins de cette AOC dégustés en février 2006.

Gérald Lavantureux, 13, rue des Carillons, 89800 Lignorelles, tél. 03.86.47.48.36, fax 03.80.47.44.18 r.-v.

OLIVIER LEFLAIVE Les Deux Rives 2004 **

12 ha 92 000 11 à 15 €

Deux Rives ? Doit-on entendre par là un assemblage né sur l'une et l'autre des rives du Serein ? Or pâle de tradition et doté d'un nez d'agrumes, voici un excellent chablis minéral et gras, optant en bouche pour le fruit blanc. Arrivé dans les quatre premiers du grand jury, Olivier Leflaive se retrouve bien placé dans d'autres appellations bourguignonnes : cherchez son étiquette dans le Guide !

Olivier Leflaive Frères, pl. du Monument, 21190 Puligny-Montrachet, tél. 03.80.21.37.65, fax 03.80.21.33.94, e-mail contact@olivier-leflaive.com
r.-v.

DOM. DES MALANDES
Cuvée Tour du roy Vieilles Vignes 2004 *

1,3 ha 10 000 8 à 11 €

Avez-vous déjà visité Chablis, sa collégiale du XIIe s., ses paysages et ses vignerons passionnés ? Cela laisse des souvenirs impérissables. C'est ici que vous trouverez ce chablis couleur chablis, aux parfums qui s'ouvrent sur cette note minérale si recherchée. Frais, équilibré, long (note d'agrumes), « il fait bonne impression ».

Dom. des Malandes, 63, rue Auxerroise, 89800 Chablis, tél. 03.86.42.41.37, fax 03.86.42.41.97, e-mail contact@domainedesmalandes.com r.-v.
Marchive

MAUPA 2004 **

n.c. 2 600 5 à 8 €

Une révélation ! Car ce coup de cœur distingue un domaine qui ne figure pas parmi les plus connus. Ce vin s'exprime à la perfection, du premier coup d'œil à la touche finale. D'un jaune discret, paille clair, il vous convie à un merveilleux mariage en blanc : fleurs blanches et fruits blancs. Après une attaque fraîche d'amande amère s'installe une grande plénitude en bouche.

EARL du Maupa, 6, rte de Chablis, 89800 Chichée, tél. et fax 03.86.42.15.75 r.-v.
Maurice

DOM. MILLET Vieilles Vignes 2004 *

0,38 ha 1 500 8 à 11 €

« L'association des couleurs prépare l'association des goûts », estimait Émile Peynaud. N'y a-t-il pas une ressemblance entre le blanc-vert de l'huître et la robe du chablis ? Celui-ci confirme ce propos. Son nez citronné et sa bouche élégante, nuancée, délicate sont en outre les compliments le plus souvent cités. Bien construit, il vous sera aisément accessible début 2007.

🔑 Baudouin Millet, Ferme de Marcault, rte de Viviers, 89700 Tonnerre, tél. 03.86.75.92.56, fax 03.86.75.95.12, e-mail baudouin.millet@wanadoo.fr ☑ Y ⛹ r.-v.

DOM. LOUIS MOREAU 2004

24 ha 90 680 ▮ 8 à 11 €

Propriété familiale créée en 1970, peu à peu agrandie. Elle atteint les 50 ha, dont 24 en *village*. Vastes perspectives ! Beine (avec ou sans s, on ne finira jamais d'en discuter) est par ordre alphabétique la première commune du Chablisien. Elle a fait son lac artificiel, pour lutter contre les gelées de printemps. Le volume de ce 2004 n'est pas colossal ; en revanche, on lui trouve le charme d'un vrai chablis minéral sous un regard or blanc.

🔑 SARL Louis Moreau, 10, Grande-Rue, 89800 Beine, tél. 03.86.42.87.20, fax 03.86.42.45.59, e-mail contact@louismoreau.com

☑ Y ⛹ t.l.j. sf sam. dim. 8h-12h 13h30-17h. (ven. 16h30); f. 3 semaines en août

J. MOREAU ET FILS 2005 *

n.c. n.c. ▮ 5 à 8 €

Appartenant aujourd'hui au groupe Jean-Claude Boisset, cette maison fut fondée en 1814. Un 2005 or à reflets verts : nous sommes bien ici en compagnie d'un chablis. Son nez élégant joue une gamme florale alors que la bouche choisit les agrumes, une pointe minérale dans un environnement frais et long. Pour l'apéritif.

🔑 J. Moreau et Fils, La Croix-Saint-Joseph, rte d'Auxerre, 89800 Chablis, tél. 03.86.42.88.00, fax 03.86.42.88.08, e-mail moreau@jmoreau-fils.com

☑ Y r.-v.

DOM. DE L'ORME 2004 *

8 ha 45 000 ▮ 5 à 8 €

On ne sait si l'illustre Charles Bergerand, père de la gastronomie chablisienne, préparait des huîtres chaudes à la crème en accompagnement du chablis, mais c'est certainement ce qu'il faut à ce vin. Jaune clair, légèrement fleuri et d'aspect sympathique, il est prometteur. Maturité en 2007-2008. Encore un peu vif à ce jour.

🔑 Dom. de L'Orme, 16, rue de Chablis, 89800 Lignorelles, tél. 03.86.47.41.60, fax 03.86.47.56.66, e-mail epmercier@tele2.fr ☑ Y ⛹ r.-v.

DOM. DE PERDRYCOURT Cuvée Prestige 2004 *

0,8 ha 7 000 ▮ 8 à 11 €

Arlette et Virginie, les femmes sont ici à la barre, sans compter Rémi depuis 2006. « Qui mange chapon, perdrix lui vient », disait-on jadis de la prodigalité. Dédié à cet oiseau de bonheur, le domaine de Perdrycourt n'est pas avare de ses dons ; jaune clair éclatant, de tonalité un peu beurrée, ce 2004 a besoin d'un peu d'air autour du verre pour s'envoler pour de bon. S'envoler en bouche, bien sûr. « Assez charmeur pour plaire à l'apéritif », écrit un dégustateur.

🔑 Arlette et Virginie Courty, Dom. de Perdrycourt, 9, voie Romaine, 89230 Montigny-la-Resle, tél. 03.86.41.82.07, fax 03.86.41.87.89, e-mail domainecourty@wanadoo.fr

☑ Y ⛹ t.l.j. 9h-18h (dim. 14h)

GILBERT PICQ ET SES FILS 2004

2 ha 9 300 ▮ 8 à 11 €

Cette famille a beaucoup contribué à l'histoire des vins du Chablisien. Ici, l'exemple d'un domaine qui, en vingt-cinq ans, est passé de la vente en vrac au négoce-éleveur et à 100 % de bouteilles. Son chablis respecte la robe du cru ; il a le nez rond et fruité (sans impulsion très marquée) et maintient en fin de dégustation un sentiment assez positif. La minéralité du terroir n'en est pas absente. La vivacité, encore grande à cet âge, est normale. Un jeune chablis à ouvrir dans un an.

🔑 Gilbert Picq et ses Fils, 3, rte de Chablis, 89800 Chichée, tél. 03.86.42.18.30, fax 03.86.42.17.70

🔑 Didier Pascal Picq

BOURGOGNE

BENJAMIN PORTIER Élevé en fût de chêne 2004 *

3,58 ha 1 500 ⏺ 5 à 8 €

Reprise des vignes des parents (2,38 ha) et achat d'une parcelle, première vinification en 2003 : ce nouveau domaine fait une belle entrée dans le monde. Or argenté, son 2004 sait tenir la barre entre le gras et l'acidité. Son léger vanillé accompagne la brioche et l'abricot. Ces arômes rendent ce chablis très intéressant.

🔑 Benjamin Portier, 10, rue Haute, 89700 Viviers, tél. 03.86.75.93.61, fax 03.86.75.95.25, e-mail portier.benjamin@wanadoo.fr ☑ Y ⛹ r.-v.

RÉGNARD Saint-Pierre 2004 *

15 ha 100 000 ▮ 11 à 15 €

Maison reprise en 1984 par le baron Patrick de Ladoucette (Pouilly-sur-Loire, Sancerre, Vouvray et Champagne). Son 2004, d'une limpidité parfaite, étincelant, est certes un peu fermé en ouverture, mais le nez se délivre à l'aération, laissant échapper de belles notes de fleurs blanches et de pain grillé. L'alcool et l'acidité sont en parfait accord avec la fraîcheur, le gras, la pointe minérale. La finale est prometteuse.

🔑 Régnard, 28, bd Tacussel, 89800 Chablis, tél. 03.86.42.10.45, fax 03.86.42.48.67

☑ Y ⛹ t.l.j. sf sam. dim. 8h-12h 14h-17h

🔑 Patrick de Ladoucette

REINE PÉDAUQUE Chazelles 2004

1,5 ha 10 000 ⏺ 11 à 15 €

On peut le boire maintenant pour sa fraîcheur, mais comme il va probablement développer de très agréables arômes grillés en vieillissant, il est peut-être préférable de le laisser en attente un an ou deux. Joli bouquet de fruits de verger (pomme, coing), puis un léger vanillé. Impression générale de douceur.

🔑 Reine Pédauque, Le Village, 21420 Aloxe-Corton, tél. 03.80.25.00.00, fax 03.80.26.42.00, e-mail info@corton-andre.com Y ⛹ r.-v.

DOM. DE RONSIEN 2004

8,5 ha 60 000 ▮ 5 à 8 €

Encore vert, ce 2004 dispose des atouts nécessaires pour s'épanouir et s'affirmer d'ici deux ans. Le chablis n'est pas un petit vin de fouloir pour comptoir, sans autre vertu que de jouer au verjus. Il faut savoir l'élever et le goûter quand il est à point. Celui-ci profite d'un bel or argenté pour se développer dans les meilleures conditions et acquérir, forcément, ses galons à l'ancienneté. Peu de nez, sinon un rien de fruit de la Passion. Il faut que jeunesse se passe...

🔑 Alain Pautré, Dom. de Ronsien, 23, rue de Chablis, 89800 Lignorelles, tél. 03.86.41.49.00, fax 03.86.41.49.09 ☑ Y r.-v.

FRANCINE ET OLIVIER SAVARY 2004 *

10 ha 50 000 ▮ 5 à 8 €

Après Chablis, Maligny est sans doute la plus animée des communes du Chablisien. Une des plus dynamiques aussi. Témoin, cette cave voûtée qu'on pourrait croire médiévale et qui date de... 2000 seulement. Or blanc, un 2004 au nez peu explicite (mais on est en train de battre le silex, et la flamme devrait jaillir). En revanche, sa bouche est bien complexe, plus riche que vive. Elle conviendra à un poisson en sauce. La cuvée **Vieilles Vignes 2004 (8 à 11 €)** obtient la même note. Elle a connu le fût (25 %).

🔑 Francine et Olivier Savary, 4, chem. des Hâtes, 89800 Maligny, tél. 03.86.47.42.09, fax 03.86.47.55.80, e-mail f.o.savary@wanadoo.fr
☑ Y ⅄ t.l.j. 9h-11h45 14h-18h

DOM. SÉGUINOT-BORDET 2004

10 ha 60 000 ▮ 5 à 8 €

La plus ancienne famille de Chablis, si l'on excepte les reliques de saint Martin accueillies jadis ici. « De race et de cœur » est la devise de la maison : Jean-François Bordet a repris la suite de son grand-père Roger Séguinot, figure chablisienne. Classique en 2004 : un cheval de rodéo tenant en selle quelques secondes son dégustateur. À boire dans deux ans et cette fois, ce sera une monture de randonnée. Sa structure, sa franchise et sa longueur ne trompent pas.

🔑 Dom. Séguinot-Bordet, 8, chem. des Hâtes, 89800 Maligny, tél. 03.86.47.44.42, fax 03.86.47.54.94, e-mail j.f.bordet@wanadoo.fr ☑ Y ⅄ r.-v.

OLIVIER TRICON 2004 *

4,5 ha 25 000 ▮ 8 à 11 €

La fleur à la boutonnière, la bouche très fraîche, il s'en va à la noce. Plus or que pâle, bouquet garni (fleurs, fruits secs, pain grillé), élevé en cuve, il garde sa vivacité qui est peut-être sa vie même. Il est à savourer ainsi, sur le fromage de chèvre... ou de brebis. Nuance !

🔑 Olivier Tricon, 15, rue de Chichée, 89800 Chablis, tél. 03.86.42.10.37, fax 03.86.42.49.13, e-mail maison.tricon@wanadoo.fr ☑ Y r.-v.

DOM. LE VERGER 2004 *

24 ha 190 000 ▮ 8 à 11 €

Honoré Geoffroy étendit l'exploitation... il y a cent cinquante ans. Alain en fit un domaine fort réputé. Voici un chablis à attendre absolument car il est de garde. « Pour être en forme, dit Hugh Johnson, il faut à un chablis au moins trois ans de bouteille et parfois jusqu'à dix. Le boire jeune ? L'arôme et le goût vous échapperont. » Tout dépend il est vrai de l'élevage, ici en cuve, mais on tient là un 2004 à l'entame pleine de fraîcheur et ensuite aux reins solides. Le nez n'est pas trop expressif à ce stade. Austère comme un moine de Pontigny. Et appelé à une belle longévité comme lui.

🔑 Dom. Alain Geoffroy, 4, rue de l'Équerre, 89800 Beine, tél. 03.86.42.43.76, fax 03.86.42.13.30, e-mail info@chablis-geoffroy.com
☑ Y ⅄ t.l.j. 9h-12h 14h-17h30; sam. dim. sur r.-v.

DOM. DU VIEUX CHÂTEAU
Vieilles Vignes 2003 *

10 ha 50 000 ▮ 11 à 15 €

Domaine très accueillant : réceptions dans les vieilles caves des XIIe et XIIIe s., restaurant. Et tout alentour, de nombreux villages historiques et leurs monuments : le plus proche, à 12 km, l'abbaye cistercienne de Pontigny. Son chablis a de la profondeur et un nez très original, pas déplaisant du tout, qui rappelle les contes d'Alphonse Daudet : thym, romarin, garrigue. Des notes de fruits confits ajoutent à la surprise. L'acidité est inhabituelle pour ce millésime complexe et avec un maintien qui en assure la persistance.

🔑 Daniel-Étienne Defaix, Dom. du Vieux-Château, 14, rue Auxerroise, 89800 Chablis, tél. 03.86.42.42.05, fax 03.86.42.48.56, e-mail chateau@chablisdefaix.com
☑ Y ⅄ t.l.j. 10h-18h; f. jan.

Chablis premier cru

Produit sur 775 ha, il provient d'une trentaine de lieux-dits sélectionnés pour leur situation et la qualité de leurs produits (44 112 hl en 2005). Il diffère du précédent moins par une maturité supérieure du raisin que par un bouquet plus complexe et plus persistant, où se mêlent des arômes de miel d'acacia, un soupçon d'iode et des nuances végétales. Le rendement est limité à 50 hl à l'hectare. Tous les vignerons s'accordent à situer son apogée vers la cinquième année, lorsqu'il « noisette ». Les *climats* les plus complets sont Montée de Tonnerre, Fourchaume, Mont de Milieu, Forêt ou Butteaux, et Côte de Léchet.

DOM. BÈGUE-MATHIOT Vaucopins 2004 *

0,42 ha 1 260 ▮ 8 à 11 €

Situé sur la rive droite, ce premier cru s'écrit de diverses façons. Signe particulier : il dépend de Chichée qui côtoie la rive gauche du Serein. Le chai de ce domaine, qui fête ses vingt ans, a vue sur le grand cru. Voici un joli vin de printemps, à la fois tendre et nerveux. Son nez est encore fermé, mais les coquillages attendent la levée des couleurs en 2007.

🔑 Dom. Joël et Maryse Bègue-Mathiot, Les Épinottes, 89800 Chablis, tél. 03.86.42.16.65, fax 03.86.42.81.54
☑ Y ⅄ r.-v.

DOM. BILLAUD-SIMON Mont de Milieu 2004 **

3,33 ha 24 000 ▮ 15 à 23 €

Propriétaire-vigneron à Chablis depuis 1815. Le grand tournant, c'est 1954, la première mise en bouteilles et l'envol vers les États-Unis. Mont de Milieu possède une situation géographique tout à fait comparable à celle du grand cru et appartient au trio de tête des 1ers crus. Petit manque de matière pour être exceptionnel – le jury est exigeant –, mais la citronnelle et l'aubépine, la parfaite acidité, la cohérence du puzzle, tout donne envie de le boire !

🔑 Dom. Billaud-Simon, 1, quai de Reugny, BP 46, 89800 Chablis, tél. 03.86.42.10.33, fax 03.86.42.48.77 ☑ Y ⛹ t.l.j. sf dim. 9h-12h 14h-18h; sam. sur r.-v.; f. 15 août-1er sep.

PASCAL BOUCHARD Beauroy 2004 ★

n.c. 19 000 11 à 15 €

Depuis près de trente ans, Pascal Bouchard bénéficie d'une exploitation mi-viticole mi-négoce bien connue. Son Beauroy ? De style classique (menthe poivrée, cire, brioche), il est constitué d'une belle matière. L'attendre un an ou deux. **Fourchaume 2004 (15 à 23 €)**, de haut niveau, obtient la même distinction.

🔑 Pascal Bouchard, parc des Lys, 5 bis, rue Porte-Noël, 89800 Chablis, tél. 03.86.42.18.64, fax 03.86.42.48.11, e-mail info@pascalbouchard.com ☑ Y ⛹ t.l.j. sf sam. dim. 10h30-12h30 14h-18h

JEAN-MARC BROCARD Beauregard 2004 ★

4 ha 25 000 8 à 11 €

On écrit plutôt Beauregards, ou Hauts des Chambres du Roi, *climat* excentré mais ensoleillé, qui prolonge la côte de Cuissy vers le sud-ouest. Minéral et citronné, ce 1er cru très agréable réveille le palais. Agréable, il a de la personnalité. Les morilles à la crème l'accompagneront, avec ou sans viande blanche.

🔑 Jean-Marc Brocard, 3, rte de Chablis, 89800 Préhy, tél. 03.86.41.49.00, fax 03.86.41.49.09, e-mail com@brocard.fr ☑ Y ⛹ t.l.j. sf dim. 9h-13h 14h-18h30

LA CHABLISIENNE
Les Fourchaumes L'Homme Mort 2004 ★

1,73 ha 11 450 15 à 23 €

Grâce à Adhémar Boudin, sorte d'Henri Jayer du Chablisien, L'Homme Mort est devenu un « must ». Cet Homme Mort serait un soudard anglais victime de la guerre de Cent ans. Quel fabuleux destin ! Revenons à notre Chablisienne : or pâle et fleurs blanches, la vanille à fleur de peau mais sans dépasser les convenances, un 2004 parfait. Joli, harmonieux.

🔑 La Chablisienne, 8, bd Pasteur, BP 14, 89800 Chablis, tél. 03.86.42.89.89, fax 03.86.42.89.90, e-mail chab@chablisienne.fr ☑ Y ⛹ r.-v.

DOM. DU CHARDONNAY Montmains 2004 ★★

3,85 ha 12 000 11 à 15 €

William, Christian et Étienne fêtent cette année les vingt ans de leur association. Un biscuit Duché accompagnera très bien ce Montmains. Quel biscuit ? Une gourmandise du pays. Matière et trame proviennent de beaux raisins. Les arômes sont bien chablisiens, frais, élégants, jusque dans une longue finale. **Montée de Tonnerre 2004**, de bonne vertu, obtient une citation.

🔑 Dom. du Chardonnay, Moulin du Patis, 89800 Chablis, tél. 03.86.42.48.03, fax 03.86.42.16.49, e-mail info@domaine-du-chardonnay.fr ☑ Y ⛹ t.l.j. 10h-12h 13h30-18h; f. sam. dim. jan.-mars
🔑 R. Boileau, N. Nahan, C. Simon

DOM. JEAN COLLET ET FILS
Vaillons Élevé en fût de chêne 2004

6,3 ha 18 000 8 à 11 €

Vaillon ou Vaillons ? À éviter lors de la dictée de Bernard Pivot, car on écrit les deux. Jean Collet et Fils ; le fils c'est Gilles. Sur ce domaine, des foudres de chêne comme il n'y en a plus guère : des pièces de 228 l et non plus les fameuses feuillettes. Passons à la dégustation : or pâle et tout petit nez gentil comme tout, ce vin passe l'épreuve de la bouche pour sa franchise, son équilibre et sa longueur (quand le sujet lui plaît, il est intarissable).

🔑 Dom. Jean Collet et Fils, 15, av. de la Liberté, 89800 Chablis, tél. 03.86.42.11.93, fax 03.86.42.47.43, e-mail collet.chablis@wanadoo.fr ☑ Y ⛹ r.-v.
🔑 Gilles Collet

DOM. DU COLOMBIER Vaucoupin 2004 ★

1,15 ha 9 000 8 à 11 €

De la race, du terroir, du mordant et de la minéralité sans verdeur ni agressivité : d'un jaune argenté étincelant, auréolé de notes florales, ce vin possède les qualités attendues d'un bon Vaucoupin 2004. Il promet, dans les deux à trois ans, un avenir enjôleur. Le jambon à la chablisienne ferait très bon ménage avec lui.

🔑 Guy Mothe et ses Fils, Dom. du Colombier, 42, Grand-Rue, 89800 Fontenay-près-Chablis, tél. 03.86.42.15.04, fax 03.86.42.49.67, e-mail domaine@chabliscolombier.com ☑ Y ⛹ r.-v.

LA CÔTE MARJAC Fourchaume 2004

1,5 ha 10 000 11 à 15 €

Or paille, citron clair, un rien de fût et plein de sensations fortes, fleurs blanches, fruits frais, il nous invite à passer à table. Quand cela vient d'un Fourchaume, on n'y résiste guère. À la réflexion, on aime surtout sa fraîcheur et son fruit.

🔑 Dom. de La Côte Marjac, pl. du Regain, 89800 Chablis, tél. 03.86.41.49.02, fax 03.86.41.49.09 ☑ Y t.l.j. sf dim. 9h-13h 14h-18h30

DANIEL DAMPT Les Lys 2004

0,85 ha 6 000 11 à 15 €

Vincent et Sébastien Dampt ont fait leurs études de viti-œnologie au lycée de Beaune. Revenus au pays après des stages en Australie et en Nouvelle-Zélande, ils travaillent sur le domaine familial. Porté par une bonne acidité, un Lys frais et floral, à servir vers 2008.

🔑 Dom. Daniel Dampt et Fils, 1, rue des Violettes, Milly, 89800 Chablis, tél. 03.86.42.47.23, fax 03.86.42.46.41, e-mail domaine.dampt.defaix@wanadoo.fr ☑ Y ⛹ r.-v.

VINCENT DAUVISSAT Séchet 2004 ★★

0,8 ha 6 000 11 à 15 €

Tant pis pour la tradition ! Sous cette étiquette, on préfère Séchet à **La Forest 2004**, une étoile, pourtant un grand classique de l'appellation comme L'Homme Mort d'Adhémar Boudin. Or à reflets dorés, il prend ses aises dans le verre. « Aromatiquement vôtre », signe le nez d'agrumes et de vanille. En bouche, on retrouve les racines d'un grand chardonnay, avec l'éclat des chablis complexes dans leur sobriété.

🔑 Vincent Dauvissat, 8, rue Émile-Zola, 89800 Chablis, tél. 03.86.42.11.58, fax 03.86.42.85.32

DOM. BERNARD DEFAIX Fourchaume 2004

n.c. 3 000 11 à 15 €

Négoce créé aux côtés du domaine familial. Et pourquoi ne pas le dire ? Hélène est la petite-fille de la grande photographe Janine Niépce et son père fut le premier alpiniste français sur l'Everest. Ce Fourchaume ?

L'attendre. On peut tourner trente-six fois autour de cette bouche structurée, d'une bonne acidité, simple et aimable, boisée sans excès, la conclusion sera la même : patience et longueur de temps. Œil clair et brillant, nez gentil comme tout. **Les Lys 2004** : très bien. Ils sont cités.

Bernard Defaix, 17, rue du Château, 89800 Milly, tél. 03.86.42.40.75, fax 03.86.42.40.28, e-mail didier@bernard-defaix.com r.-v.

DOM. DE OLIVEIRA LECESTRE

Fourchaume 2004

4 ha 9 000 8 à 11 €

Créé en 1955 par Lucien De Oliveira, ce domaine compte de nos jours 43 ha et il est présent sur les quatre appellations du Chablisien. La génération suivante a pris le relais il y a dix ans. Belle réussite pour ce Fourchaume aux arômes de fruits jaunes, un peu exotiques. Agréable mise en bouche, bon retour aromatique et une note d'amertume en finale. Bon pour un poisson à la crème.

GAEC De Oliveira Lecestre, 11, Grand-Rue, 89800 Fontenay-près-Chablis, tél. 03.86.42.40.78, fax 03.86.42.83.72 r.-v.

Josyane Chatelain

JEAN-PAUL ET BENOÎT DROIN

Montée de Tonnerre 2004 ★

1,76 ha 13 600 11 à 15 €

Elle n'en finit pas de monter, au nez, en bouche, cette Montée de Tonnerre. La fédération de ce 1er cru a réuni Pied d'Alone, Chapelot, Côte de Bréchain devenus quelque peu inusités. Celui-ci est limpide, homogène, agréable, d'une identité chablisienne excellente et sera à son apogée vers 2008. Domaine multi-coups de cœur, pas plus tard que l'an dernier.

SCEV Dom. Jean-Paul et Benoît Droin, 14 bis, rue Jean-Jaurès, BP 19, 89800 Chablis, tél. 03.86.42.16.78, fax 03.86.42.42.09, e-mail benoit@jeanpaul-droin.fr

t.l.j. sf sam. dim. 8h30-12h 13h30-17h; f. août

DOM. NATHALIE ET GILLES FÈVRE

Fourchaume-Vaulorent 2004 ★

0,76 ha 3 000 15 à 23 €

Le plus proche voisin des Preuses, un 1er cru fédéré avec Fourchaume. L'étiquette le mentionne et c'est assez rare pour être signalé. Voici un vin de vigneron sans fioritures, iodé et salé comme le plateau de fruits de mer, ferme et frais. Le boisé est maîtrisé, respectant l'appellation, « stylé », note un juré. Le **Fourchaume 2004 (11 à 15 €)**, soyeux, s'ouvre sur le terroir (une étoile).

Dom. Nathalie et Gilles Fèvre, rte de Chablis, 89800 Fontenay-près-Chablis, tél. 03.86.18.94.47, fax 03.86.18.96.92, e-mail fevregilles@wanadoo.fr r.-v.

WILLIAM FÈVRE Mont de Milieu 2004 ★★★

n.c. n.c. 15 à 23 €

William Fèvre (acquis par Henriot en 1997) décroche son énième coup de cœur, pour un Mont de Milieu qui vise le sommet. Jaune-vert, silex et agrumes, franc, gras et complet, ce 2004 domine son acidité. Gourmand et bon comme le bon pain. Un je-ne-sais-quoi de noisette ajoute à son charme. Exceptionnel aussi, le **Fourchaume 2004** également proposé en coup de cœur, magnifiquement marqué par son terroir, trois étoiles. Ne déméritent pas le

CHABLIS PREMIER CRU
MONT DE MILIEU
APPELLATION CHABLIS PREMIER CRU CONTRÔLÉE
WILLIAM FEVRE
2004
CE VIN A ÉTÉ ÉLEVÉ ET MIS EN BOUTEILLE PAR WILLIAM FEVRE CHABLIS - FRANCE
13% alc./vol. PRODUIT DE FRANCE - PRODUCT OF FRANCE 750 ml

Côte de Léchet 2004 (11 à 15 €) et le **Vaillons 2004 (11 à 15 €)**, chacun obtenant deux étoiles. De quoi composer votre gamme de 1ers crus de chablis !

Dom. William Fèvre, 21, av. d'Oberwesel, 89800 Chablis, tél. 03.86.98.98.98, e-mail france@williamfevre.com

t.l.j. 9h-12h 14h-18h; f. 1er déc.-28 fév.

Henriot

JEAN-CLAUDE FROMONT Beauroy 2004 ★

n.c. n.c. 8 à 11 €

Très ancien 1er cru sur Poinchy, le Beauroy fait ici son affaire de l'or clair, du pain de mie et de la brioche. La jeunesse du vin, sa consistance et sa tenue le conseillent pour la volaille. De Bresse évidemment : la solidarité bourguignonne l'impose.

Maison Jean-Claude Fromont, 7, av. de Chablis, 89144 Ligny-le-Châtel, tél. 03.86.98.20.40, fax 03.86.47.40.72, e-mail accueil@chateau-de-ligny.com r.-v.

DOM. ALAIN GAUTHERON

Les Fourneaux 2004 ★★★

2,8 ha 15 000 8 à 11 €

Alain et Cyril Gautheron sont arrivés numéro un parmi d'innombrables (deux cents) concurrents. Pour un prix raisonnable, ce qui ne gâte rien, un pur délice, d'une robe brillante et nette, pas trop accentuée. D'un nez parfait, silex et citron, où l'on perçoit même la groseille à maquereau. D'une bouche vive et ronde à la fois, longue. Comme un bonheur ne vient jamais seul, quelle bouteille figure encore dans les cinq de l'échappée victorieuse ? **Fourneaux 2004 Vieilles Vignes (11 à 15 €)**, sous la même signature, deux étoiles. Cela se tient dans l'excellence.

GAEC Alain et Cyril Gautheron, 18, rue des Prégirots, 89800 Fleys, tél. 03.86.42.44.34, fax 03.86.42.44.50, e-mail vins@chablisgautheron.com

t.l.j. 9h-12h 13h30-18h; dim. sur r.-v.

DOM. DES GENÈVES Vaucoupin 2004 ★★

0,67 ha 4 500 ■ 8 à 11 €

À l'œil, on lui donne volontiers sa confiance. Au nez, l'affaire devient plus complexe : le miel, la cire, l'aubépine forment une belle couronne de mariée. Cela va crescendo tout au long de la bouche puissante puis chaleureuse, sachant ménager ses effets. En tout cas, une sacrée belle bouteille.

Dom. des Genèves, 3, rue des Fourneaux,
89800 Fleys, tél. 03.86.42.10.15, fax 03.86.42.47.34,
e-mail domainegeneves@wanadoo.fr r.-v.

Aufrère et Fils

DOM. ALAIN GEOFFROY Beauroy 2004 ★★★

8,5 ha 68 000 ■ 11 à 15 €

PRODUCE
OF FRANCE
Chablis Premier Cru
BEAUROY
APPELLATION CHABLIS PREMIER CRU CONTRÔLÉE
750 ml
Alc.13% by Vol.
MIS EN BOUTEILLES AU DOMAINE
Alain GEOFFROY Propriétaire-Viticulteur à BEINES près CHABLIS (France)

Un Beauroy sur le trône. Couronné d'or pâle, il gouverne des arômes très typés, craie et pierre à fusil. Sa bouche est grande, minérale jusqu'à la « poussière de caillou », précise-t-on sur une fiche. Long, complexe et certainement de garde jusqu'au début de la prochaine décennie. Remarquable **Fourchaume 2004** (deux étoiles). Vous êtes obligé, lecteur, de découvrir le vignoble !

Dom. Alain Geoffroy, 4, rue de l'Équerre,
89800 Beine, tél. 03.86.42.43.76, fax 03.86.42.13.30,
e-mail info@chablis-geoffroy.com
t.l.j. 9h-12h 14h-17h30; sam. dim. sur r.-v.

GEORGE Beauregards 2004

0,59 ha 4 500 ■ 8 à 11 €

La gentillesse même. Entre Courgis et Préhy, Beauregards prolonge Côte de Cuissy. Ce chardonnay parle à l'œil et répond au nez. Sans volume envahissant mais tendre et fruité, goûteux et très bon.

EARL George, 10, rue du Four-Banal,
89800 Courgis, tél. 03.86.41.40.06, fax 03.86.41.45.76,
e-mail george.earl@wanadoo.fr
t.l.j. 9h-12h30 13h30-19h; f. 15-30 août

DOM. PHILIPPE GOULLEY Fourchaume 2004

0,25 ha 2 000 ■ 11 à 15 €

Impossible d'échapper à un Fourchaume ! On est sur le nord de la côte du grand cru. Comme ici, le prix est douillet. Un peu fermé, à mettre en cave (trois ans minimum), un vin riche en savoir-faire, maîtrisant son sujet qui s'éveille peu à peu en bouche (fruits blancs, pointe minérale). À ne pas approcher trop tôt. À servir sur des noix de Saint-Jacques.

Philippe Goulley,
11 bis, vallée des Rosiers,
89800 La Chapelle-Vaupelteigne,
tél. 03.86.42.40.85, fax 03.86.42.81.06,
e-mail phil.goulley@wanadoo.fr r.-v.

DOM. DU GUETTE-SOLEIL Vosgros 2004 ★

1,27 ha 7 400 ■ 8 à 11 €

Vosgros est sur Chichée. Un 1er cru historique et bien connu des amateurs car c'est généralement une bonne affaire. Sec, vif et nerveux, celui-ci, très chablisien, correspond tout à fait au portrait-robot. Pas encore ouvert, il est riche en perspectives, minéral, d'une rondeur respectable. Au fil du temps, les trois frères Vilain sont devenus les châtelains de Chemilly-sur-Serein, plantant 30 ha en vingt ans.

Dom. du Guette-Soleil,
20, rue du Pont, 89800 Chemilly-sur-Serein,
tél. 03.86.42.16.91, fax 03.86.42.12.79,
e-mail domaineguettesoleil@wanadoo.fr r.-v.

Vilain

DOM. HAMELIN Beauroy 2004 ★

3,9 ha 26 000 ■ 8 à 11 €

Les coquilles Saint-Jacques figurant sur le blason du domaine invitent à un pèlerinage du côté des fruits de mer. Ceci d'autant plus que ce 1er cru bien typé offre une palette complexe minérale et iodée, avec du pain de mie, ainsi qu'une belle longueur. Un ensemble cohérent.

EARL Dom. Hamelin,
1, rue des Carillons, 89800 Lignorelles,
tél. 03.86.47.54.60, fax 03.86.47.53.34,
e-mail domaine.hamelin@wanadoo.fr
t.l.j. sf dim. 8h-12h 13h30-18h; mer. sam. sur r.-v.

LAMBLIN ET FILS Fourchaumes 2004 ★

n.c. 20 000 ■ 11 à 15 €

Trois siècles et huit générations enracinées dans le vignoble chablisien. Cette fraîcheur nette et minérale en témoigne. Du glycérol sur le verre, une acidité salivante : « on croque de la craie et de la pierre, du bon gras », note un dégustateur averti : un beau vin.

Lamblin et Fils, Maligny, 89800 Chablis,
tél. 03.86.98.22.00, fax 03.86.47.50.12,
e-mail infovin@lamblin.com
t.l.j. sf dim. 8h-12h30 14h-17h; sam. 8h-12h30

DOM. LAROCHE Les Vaillons Vieilles Vignes 2003

6,91 ha 44 320 ■ 15 à 23 €

Laroche par Laroche, c'est quelque chose comme Saint-Laurent par Saint-Laurent, le L remplaçant le Y. Vieilles Vignes ? Trentenaires. Et un millésime né de la canicule, vendangé le 1er septembre. Élevé en cuve pour l'essentiel (80 %) et pour le reste dix mois en fût, il conserve sa pâleur, sa franchise, son fruit, sa minéralité avec une pointe grillée. La bouche est équilibrée. On nous parle de velouté aux champignons : il est rare de proposer un vin pour un potage. **Les Vaudevey 2004**, cités, seront à servir sur des entrées fraîches.

Michel Laroche, L'Obédiencerie, 22, rue Louis-Bro,
89800 Chablis, tél. 03.86.42.89.90, fax 03.86.42.89.29,
e-mail info@larochewines.com r.-v.

OLIVIER LEFLAIVE Fourchaume 2004 ★

1 ha 6 800 ■ 15 à 23 €

Robe gracieuse et jolies jambes, nez de miel sur l'aubépine. Le minéral vient en force et en bouche pour rappeler les vertus du Fourchaume, ici en notes beurrées, chardonnant un peu. Agréable par son équilibre.

Olivier Leflaive Frères,
pl. du Monument, 21190 Puligny-Montrachet,
tél. 03.80.21.37.65, fax 03.80.21.33.94,
e-mail contact@olivier-leflaive.com r.-v.

DOM. LONG-DEPAQUIT Les Lys 2004 *

1,92 ha 5 733 15 à 23 €

Long-Depaquit nouvelle manière, avec J.-D. Basch à la barre. Situé au sud de Milly et tout près de Chablis, ce *climat* aurait appartenu à la Couronne royale et fait partie des 1ers crus les mieux connus. D'une bonne maturité et né d'un élevage bien mené, ce vin est franc, discret, frais et citronné.

Dom. Long-Depaquit, 45, rue Auxerroise,
89800 Chablis, tél. 03.86.42.11.13, fax 03.86.42.81.89,
e-mail chateau-long-depaquit@albert-bichot.com
r.-v.
Albert Bichot

DOM. DES MALANDES Vau de Vey 2004 *

3,52 ha 27 000 11 à 15 €

Le petit dernier de la famille des 1ers crus avec Vau Ligneau, celui-ci étant situé sur Beine. Il est aérien, pâle et limpide, d'une belle tension acide sans manque de gras, et sa rétro fruitée est très agréable. Un vin d'esprit chablisien. Coup de cœur dans l'édition 2001 (pour des Fourchaumes).

Dom. des Malandes, 63, rue Auxerroise,
89800 Chablis, tél. 03.86.42.41.37, fax 03.86.42.41.97,
e-mail contact@domainedesmalandes.com r.-v.
Lyne et Jean-Bernard Marchive

DOM. DE LA MEULIÈRE Les Fourneaux 2004 *

2 ha 15 000 11 à 15 €

Un des derniers domaines du Chablisien à tout couper à la main, avec les puristes Raveneau, Dauvissat, etc. Or argenté et or massif parcouru de reflets verts, ce 2004 laisse percevoir un nez kimméridgien prometteur. Il persiste et signe en bouche avec une puissance mesurée. Il ne laissera personne indifférent. Pour une volaille à la crème. Jetez aussi un coup d'œil au **Vaucoupin 2004**. Cité, il ne décevra personne non plus.

Famille Claude Laroche,
18, rte des Monts-de-Milieu, BP 25, 89800 Fleys,
tél. 03.86.42.13.56, fax 03.86.42.19.32,
e-mail chablis.meuliere@wanadoo.fr t.l.j. 8h-19h

J. MOREAU ET FILS Montmains 2004 *

2,1 ha 16 600 11 à 15 €

Devenue un membre de la famille J.-Cl. Boisset, la maison J. Moreau et Fils sort de sa cave un Montmains, excellent 1er cru de la rive gauche. Le chèvrefeuille en soutien aromatique, un 2004 d'une belle pâleur, pas très long mais à laisser vieillir car il a du panache. De confiance.

J. Moreau et Fils, La Croix-Saint-Joseph,
rte d'Auxerre, 89800 Chablis, tél. 03.86.42.88.00,
fax 03.86.42.88.08, e-mail moreau@jmoreau-fils.com
r.-v.

DOM. DE LA MOTTE Beauroy 2004 *

4,5 ha 25 000 8 à 11 €

La famille Michaut a travaillé pendant quarante-cinq ans avec La Chablisienne, puis elle s'est dotée progressivement de sa propre enseigne. On la retrouve régulièrement dans le Guide. Il y a de la dorure sur fond délicat et miellé, un peu de fleurs blanches dans ce 2004. Au palais, la tenue est minérale, enveloppante. Digne d'un poisson en sauce.

Michaut-Robin, SCEA Dom. de La Motte,
41, rue du Ruisseau, 89800 Beine, tél. 03.86.42.43.71,
fax 03.86.42.49.63, e-mail mottemichaut@wanadoo.fr
r.-v.

DOM. PINSON FRÈRES Montmain 2004 **

1,05 ha 7 000 11 à 15 €

Finaliste du coup de cœur, signé Pinson, un Montmain bienfaisant. Pâle et brillant, le nez frais discrètement floral et minéral, ce vin éclate au palais avec cette distinction qui garde en tout la mesure. Minéral comme l'exige le vrai chablis, amande verte et agrumes pour séduire, il est parti pour une longue croisière. Disons deux à trois ans. En tout cas superbe et parvenu à la quatrième place du grand jury. **La Forêt 2004**, une étoile, sera longue à parcourir, mais cela promet ! Coup de cœur dans les éditions 2001 et 2003 pour des Mont de Milieu.

Dom. Pinson, 5, quai Voltaire, 89800 Chablis,
tél. 03.86.42.10.26, fax 03.86.42.49.94,
e-mail contact@domaine-pinson.com r.-v.

ISABELLE ET DENIS POMMIER Fourchaume 2004 *

0,25 ha 2 000 11 à 15 €

Poinchy, un village rattaché à Chablis quand on y comptait moins de cent habitants. Mais posséder Vaulorent et Beauroy est un véritable trésor. L'acidité est ici positive. La bouche solidement tenue et de jolie manière. Léger à l'œil (ce qui est bien) et encore discret (fleurs blanches), un vin jouant sur les deux tableaux, vivacité et rondeur. Équilibré, de bonne constitution.

Isabelle et Denis Pommier, 31, rue de Poinchy,
Poinchy, 89800 Chablis, tél. 03.86.42.83.04,
fax 03.86.42.17.80, e-mail isabelle@denis-pommier.com
r.-v.

DENIS RACE Mont de Milieu 2004 **

0,9 ha 3 680 11 à 15 €

Coup de cœur l'an dernier pour le millésime 2003. Or vert comme il se doit, le nez tout aussi typé (finesse minérale), ce millésime ne déçoit pas. D'une belle fraîcheur, ample et long, il peut se boire dès à présent en apéritif ou sur de grands poissons, ou attendre quatre à cinq ans. Le **Montmains 2004** obtient une étoile.

Denis Race, rue Benjamin-Constant, 89800 Chablis,
tél. 03.86.42.45.87, fax 03.86.42.81.23,
e-mail domaine@chablisrace.com r.-v.

RÉGNARD Fourchaume 2003

6 ha 50 000 15 à 23 €

Maison rachetée par Ladoucette depuis une bonne vingtaine d'années. Élevé en cuve, un 2003 vendangé un 25 août. Discret, frais et minéral, il joue Fourchaume sans état d'âme. Notez encore **Montmains 2003**, chaleureux et prêt à être servi, nettement beurré et à aérer. Il est cité.

Régnard, 28, bd Tacussel, 89800 Chablis,
tél. 03.86.42.10.45, fax 03.86.42.48.67
t.l.j. sf sam. dim. 8h-12h 14h-17h

DOM. DANIEL ROBLOT Beauroy 2003

0,75 ha 5 400 8 à 11 €

Comme beaucoup, ce domaine vivait de polyculture-élevage durant les années 1960. Qu'on imagine le chan-

gement et combien la vigne a sauvé ici le monde rural ! Élevage en cuve derrière la fresque géante ornant le mur de l'entrée. Un 2003 un peu évolué, entre la mangue et le kaki, vendangé le 3 septembre. Bien dans le ton du millésime.
Daniel Roblot, 29, rue de la Porte-d'Auxerre, 89800 Beine, tél. 03.86.42.43.00, fax 03.86.42.84.19 r.-v.

SIMONNET-FEBVRE Vaillons 2004 *

n.c. 18 700 11 à 15 €

Au centre de la côte, au sud-ouest de Chablis, un *climat* très apprécié. Il est ici frais et citronné, encore sur la retenue mais parfaitement équilibré et de bonne garde. **Mont de Milieu 2004** est vif et citronné lui aussi. Il est cité.
Maison Simonnet-Febvre, 9, av. d'Oberwesel, 89800 Chablis, tél. 03.86.98.99.00, fax 03.86.98.99.01, e-mail simonnet@chablis.net r.-v.

CH. DU VAL DE MERCY Côte de Jouan 2004 **

6 ha 6 000 11 à 15 €

Côte de Jouan fait partie des 1ers crus relativement modestes et sans notoriété particulière. Et pourtant, pas forcément à dédaigner car celui-ci est remarquable ; il attaque en douceur et en souplesse, mais quel coffre ! Un 1er cru du début à la fin, un solide gaillard. D'une longueur très sérieuse et répondant dès à présent à toutes les qualités attendues : la noisette grillée, le silex...
Ch. du Val de Mercy, 8, promenade du Tertre, 89530 Chitry-le-Fort, tél. 03.86.41.48.00, fax 03.86.41.45.80, e-mail chateauduval@aol.com r.-v.

DOM. VERRET Beauroy L'Âme du domaine 2004 *

0,9 ha 5 000 11 à 15 €

Quel bouquet trouve-t-on à ce Beauroy ? On vous le donne en mille : la fleur de lys ! Associée il est vrai à la clémentine et à la mandarine. À peine toasté et très gourmand, un vin plaisir qui séduit par sa finesse et sa texture. Il saura accompagner les viandes blanches en sauce.
Dom. Verret, 7, rte de Champs, BP 4, 89530 Saint-Bris-le-Vineux, tél. 03.86.53.31.81, fax 03.86.53.89.61, e-mail dverret@domaineverret.com t.l.j. 8h-12h 14h-18h

DOM. YVON VOCORET Fourchaume 2004 **

1,5 ha 9 200 8 à 11 €

Fourchaume de robe claire, à tendance fruitée et florale et dont la minéralité en bouche est soutenue, longue à souhait. Typé et de bonne classe, racé et bouqueté, ce 1er cru se situe dans l'exact prolongement, vers le nord, de la côte du grand cru.
Dom. Yvon Vocoret, 9, chem. de Beaune, 89800 Maligny, tél. 03.86.47.51.60, fax 03.86.47.57.47, e-mail domaine.yvon.vocoret@wanadoo.fr r.-v.

DOM. VOCORET ET FILS La Forêt 2004 *

5 ha 40 000 8 à 11 €

Les Vocoret font partie des vieilles familles implantées depuis 1870 dans le Chablisien, où ils ont joué un rôle important. La Forêt est l'un des meilleurs *climats* de la rive gauche, incluant une partie des Butteaux. Un peu boisé, avec une pointe minérale naissante mêlée à des noisettes grillées, structuré mais pas trop, suave, corsé néanmoins, ce 2004 est suffisamment persistant.
Dom. Vocoret et Fils, 40, rte d'Auxerre, 89800 Chablis, tél. 03.86.42.12.53, fax 03.86.42.10.39, e-mail domaine.vocoret@wanadoo.fr t.l.j. sf dim. 8h-12h 13h30-17h30

DOM. VRIGNAUD Fourchaume 2004 *

4,7 ha 5 000 8 à 11 €

Deux millésimes dégustés en Fourchaume, le **Vieilles Vignes 2003 (11 à 15 €)** (cité), planté par Omer Vrignaud en 1956, et celui-ci qui plaît tout autant. Très pâle, il affiche un nez de fruits mûrs et beaucoup de douceur en bouche. Sa faible acidité ne l'empêche pas de se montrer puissant et déterminé.
Dom. Vrignaud, 10, rue de Beauvoir, 89800 Fontenay-près-Chablis, tél. 03.86.42.15.69, fax 03.86.42.40.06, e-mail guillaume.vrignaud@wanadoo.fr r.-v.

DOM. GÉRARD VULLIEN Vaucoupins 2004 *

0,61 ha 4 500 11 à 15 €

Gérard Vullien a longtemps tenu bien haut le flambeau des domaines Bichot en Chablisien (Long-Depaquit, Viviers). À la retraite, il n'a heureusement pas voulu perdre la main car il l'a d'or. Son Vaucoupins, maritime (iodé) et calcaire (minéral), est traditionnel dans le bon sens du mot, équilibré, élégant.
Dom. Gérard Vullien, 20, rue du Bassin, 89310 Noyers-sur-Serein, tél. 03.86.82.63.99, fax 03.86.82.60.67, e-mail vullien.g@wanadoo.fr t.l.j. sf dim. 10h-13h 14h30-18h; f. jan. fév.

Chablis grand cru

Issu des coteaux les mieux exposés de la rive droite, divisés en sept lieux-dits : Blanchot (594 hl), Bougros (854 hl), Les Clos (1 342 hl), Grenouille (467 hl), Les Preuses (503 hl), Valmur (533 hl), Vaudésir (740 hl), le chablis grand cru possède à un degré plus élevé toutes les qualités des précédents, la vigne se nourrissant d'un sol enrichi par des colluvions argilo-pierreuses. Quand la vinification est réussie, un chablis grand cru est un vin complet, à forte persistance aromatique, auquel le terroir confère un tranchant qui le distingue de ses rivaux du sud. Sa capacité de vieillissement stupéfie, car il exige huit à quinze ans pour s'apaiser, s'harmoniser et acquérir un inoubliable bouquet de pierre à fusil, voire, pour les Clos, de poudre à canon !

DOM. CHRISTOPHE CAMU Les Clos 2004

0,04 ha 300 23 à 30 €

Christophe Camu est le plus petit propriétaire en grand cru ; il a débuté avec un quart d'hectare en 1988. Aromatique et souple sur des notes de fruits blancs, un vin d'une nuance or jaune bien marquée. La pomme gouverne

son bouquet, pomme au four. Son acidité est réglée avec soin, son tempérament chaleureux. Prêt à être servi en 2007 : acquérir l'andouillette au chablis de Michel Soulié.
Christophe Camu, 1, av. de la Liberté, 89800 Chablis, tél. 03.86.42.12.50, fax 03.86.42.14.40 t.l.j. 9h-18h

LA CAVE DU CONNAISSEUR Les Preuses 2004

0,8 ha 5 000 23 à 30 €

Ce long coteau en pente douce produit ici un vin vif à l'attaque, plus sec en finale après une séquence généreuse. Or teinté de vert, il connaît les règles de la bienséance. Bouquet minéral, de fruits secs, parsemé de notes grillées (sept mois passés en fût). Ce 2004 commence à montrer des signes d'évolution et il doit être apprécié bientôt. Choisir un poisson de rivière à la crème.
La Cave du Connaisseur, rue des Moulins, BP 78, 89800 Chablis, tél. 03.86.42.87.15, fax 03.86.42.49.84, e-mail connaisseur@chablis.net t.l.j. 10h-18h

JEAN ET SÉBASTIEN DAUVISSAT Les Preuses 2003 ★★

0,7 ha 3 000 23 à 30 €

Accueillies comme Bougros en 1938 parmi les « grands », Les Preuses offrent ici l'un des plus grands plaisirs de cette dégustation : la pureté et la féminité mises en bouteille. Certes, ce *climat* jouit d'une réputation de rondeur, d'accès facile, mais on se trouve ici en présence de qualités infiniment supérieures. Ses arômes floraux s'entourent de la plus aimable délicatesse. Robe du dimanche et bouche adorable. De classe.
Jean et Sébastien Dauvissat, 3, rue de Chichée, 89800 Chablis, tél. 03.86.42.14.62, fax 03.86.42.45.54, e-mail jean.dauvissat@wanadoo.fr r.-v.

VINCENT DAUVISSAT Les Preuses 2004 ★

0,96 ha 6 000 23 à 30 €

Mettre toute la récolte en bouteilles est ici une histoire de continuité et une affaire de volonté. Vincent Dauvissat conduit depuis 1979 ses 12 ha et exporte 50 % de sa production sur quatre continents. La robe introduit un parcours olfactif intéressant, ponctué de fruits blancs, de touches minérales et boisées (douze mois en fût) dans un ensemble qui s'installe durablement dans un décor minéral et réglissé. Dans trois à six ans, ce 2004 accompagnera un poulet de Bresse sauce au bleu. **Les Clos 2004** obtiennent une citation. Également réglissé, davantage minéral (pierre à silex) et citronné, c'est un fort joli vin.
Vincent Dauvissat, 8, rue Émile-Zola, 89800 Chablis, tél. 03.86.42.11.58, fax 03.86.42.85.32

BERNARD DEFAIX Vaudésir 2004 ★★

n.c. 1 000 23 à 30 €

Maison de négoce-éleveur créée auprès du domaine Bernard Defaix, vinifiant elle-même les raisins. Ralliez-vous sans hésiter à son panache blanc ! « Sec, limpide, parfumé, vif et léger », telle était la feuille de route fixée au chablis par l'éminent Raymond Dumay. Tout s'y trouve ici, et de surcroît la grandeur authentique. Ferme et de bonne garde, il est or à reflets argent. Son élevage (douze mois en fût) ouvre avec délicatesse un Vaudésir légèrement brioché, riche et complexe, d'une élégance naturelle devant laquelle on s'incline. Coup de cœur déjà pour le millésime 2000.
Bernard Defaix, 17, rue du Château, 89800 Milly, tél. 03.86.42.40.75, fax 03.86.42.40.28, e-mail didier@bernard-defaix.com r.-v.

DOM. JEAN-PAUL ET BENOÎT DROIN Vaudésir 2004 ★★

1,05 ha 7 550 15 à 23 €

Domaine cité à l'ordre du Chablisien par d'innombrables coups de cœur. En grand cru, les millésimes 1998, 2000, 2002 pour les plus récents. Le grand jury place en quatrième position ce Vaudésir 2004 pour sa jeunesse et sa complexité riche en potentiel (à mettre de côté pour les années 2010) ; un ensemble élégant et stylé, or argenté selon les canons de beauté de l'appellation. Intéressante touche iodée. Une étoile a été attribuée au grand cru **Grenouille 2004**. Ces deux vins sont encore sur la réserve et en retrait de leurs possibilités.
SCEV Dom. Jean-Paul et Benoît Droin, 14 bis, rue Jean-Jaurès, BP 19, 89800 Chablis, tél. 03.86.42.16.78, fax 03.86.42.42.09, e-mail benoit@jeanpaul-droin.fr t.l.j. sf sam. dim. 8h30-12h 13h30-17h; f. août

GÉRARD ET LILIAN DUPLESSIS Les Clos 2003

0,36 ha n.c. 23 à 30 €

Le millésime est original, un 2003. Robe excellente, nez partagé entre le miel et l'élevage (six mois en fût pour douze en cuve). On perçoit la chaleur de cet été historique. La pierre à fusil n'en est pas absente. Il faut attendre un an le fondu du boisé.
EARL Caves Duplessis, 5, quai de Reugny, 89800 Chablis, tél. 03.86.42.10.35, fax 03.86.42.11.11, e-mail cavesduplessis@wanadoo.fr r.-v.

DOM. FÈVRE Les Preuses 2004 ★★★

0,5 ha 2 000 23 à 30 €

Que du bonheur ! Cette famille appartenant à La Chablisienne depuis sa fondation en 1923 change de cap en 2004 : le domaine prend alors son autonomie sur ses 38 ha et, comme s'il entendait célébrer l'événement, le premier millésime décroche le coup de cœur. Du regard initial au fin fond de l'arrière-bouche, le fruité et le minéral trouvent des accords éblouissants. Vraiment ce qui se fait de mieux : ampleur, équilibre, boisé bien tempéré, fraîcheur et complexité. La langouste grillée est convoquée au rendez-vous.

🔑 Dom. Nathalie et Gilles Fèvre,
rte de Chablis, 89800 Fontenay-près-Chablis,
tél. 03.86.18.94.47, fax 03.86.18.96.92,
e-mail fevregilles@wanadoo.fr ☑ 𝐈 ⚘ r.-v.

DOM. WILLIAM FÈVRE Vaudésir 2004 *

	1,2 ha	n.c.	30 à 38 €

Coup de cœur dans les éditions 2004, 2002, 2001, et le chapelet est loin d'être récité tout entier. Avec ses 15,5 ha en grand cru, le domaine possède le même pourcentage de cette production totale. Bouchard Père et Fils depuis 1997 (Henriot). Ce Vaudésir assez ouvert, blanc argenté, le bouquet tout en finesse prend toutes ses aises en bouche. Le goût de terroir est intéressant et conforme aux usages du *climat*. **Les Preuses 2004**, d'une qualité élevée, obtiennent la même note.

🔑 Dom. William Fèvre, 21, av. d'Oberwesel,
89800 Chablis, tél. 03.86.98.98.98,
e-mail france@williamfevre.com
☑ 𝐈 ⚘ t.l.j. 9h-12h 14h-18h; f. 1er déc.-28 fév.

CH. GRENOUILLE Grenouille 2003 *

	2,5 ha	18 000	38 à 46 €

Ancienne propriété de la famille Testut (connue pour ses balances), le château Grenouille est une bâtisse isolée sur la côte du grand cru, baptisée ainsi par humour jadis et devenue un haut lieu. Elle appartient à la Chablisienne qui assure la commercialisation du vin de ce domaine partagé entre plusieurs propriétaires. Assez vanillé, un 2003 d'abord souple puis puissant, d'une richesse due à son millésime particulier, à boire ou à laisser vieillir un an.

🔑 La Chablisienne, 8, bd Pasteur, BP 14,
89800 Chablis, tél. 03.86.42.89.89, fax 03.86.42.89.90,
e-mail chab@chablisienne.fr ☑ 𝐈 ⚘ r.-v.

DOM. GUITTON-MICHEL Les Clos 2004 **

	0,16 ha	1 200	23 à 30 €

Reprise du domaine Maurice Michel, beau-père du viticulteur (7 ha, dont ces 16 a en Clos). Un vin « fait à l'ancienne » et à son niveau de grand cru. Pain grillé, amande (six mois en fût) sous une teinte classique, il se tourne ensuite du côté de la pêche blanche, des fruits secs. Tout au long de la bouche, on sent l'élan se prendre et le vin atteindre une bonne vitesse de croisière. Vif au début, minéral sur la fin, il dose ses effets et participe à la finale des coups de cœur soumis au grand jury.

🔑 Guitton-Michel, 2, rue de Poinchy, 89800 Chablis,
tél. 03.86.42.43.14, fax 03.86.42.17.64 ☑ 𝐈 ⚘ r.-v.

THIERRY LAFFAY Bougros 2004

	0,25 ha	1 000	15 à 23 €

À partir de 1978, Laffay s'est mis à replanter en vigne des parcelles devenues des champs, au sein de l'appellation. Soit 6 ha actuellement. Encore un peu tendu, un vin assez austère, simplement fermé et dont on devine le joli potentiel. La robe est engageante, le nez joue sur un registre floral. À suivre.

🔑 Thierry Laffay, 20, rue Paul-Bert, 89800 Chablis,
tél. 03.86.42.47.41, fax 03.86.42.83.15 ☑ 𝐈 ⚘ r.-v.

LAMBLIN ET FILS Les Clos 2004 *

	n.c.	1 400	23 à 30 €

Les Clos sont le plus étendu des *climats* du grand cru et probablement le berceau de la vigne chablisienne. C'est donc un lieu prédestiné et fondateur. Jaune clair, ce vin de dentelle offre des arômes divers et complices : le fruit surmûri, mais encore la « feuille froissée sans être végétale », selon le témoignage minutieux d'un dégustateur. Souplesse et fraîcheur, discret rappel de l'élevage (six mois en fût) et une construction originale sur fond de maturité accomplie du raisin. Bien.

🔑 Lamblin et Fils, Maligny, 89800 Chablis,
tél. 03.86.98.22.00, fax 03.86.47.50.12,
e-mail infovin@lamblin.com
☑ 𝐈 ⚘ t.l.j. sf dim. 8h-12h30 14h-17h; sam. 8h-12h30

DOM. LAROCHE Les Blanchots 2003

	4,56 ha	19 900	38 à 46 €

Le rempart sud-est de la côte du grand cru et une bouteille de proue pour ce domaine (4,56 ha sur les 13,14 ha du *climat*). Bien soutenu par une légère acidité, un vin agréable jouant entre le jaune or et l'or pâle. Le bouquet choisit le pamplemousse. La bouche est fraîche et riche, concentrée comme le veut le millésime, vanillée par le fût. Toujours imaginatif, Michel Laroche vient de transformer l'ancien moulin à grains de Chablis en hôtel-restaurant, bar à vin et boutique.

🔑 Michel Laroche, L'Obédiencerie, 22, rue Louis-Bro,
89800 Chablis, tél. 03.86.42.89.90, fax 03.86.42.89.29,
e-mail info@larochewines.com ☑ 𝐈 ⚘ r.-v.

DOM. LONG-DEPAQUIT Moutonne 2003

	2,35 ha	9 840	38 à 46 €

La Moutonne est à Chablis ce que Monaco est à la France : une principauté, en monopole bien sûr sur ses 2,35 ha (Long-Depaquit, c'est-à-dire Albert Bichot). Trois propriétaires seulement depuis le Moyen Âge ! Un casse-tête juridique que les pouvoirs publics ont renoncé à trancher, dès lors que la reconnaissance est incontestée. Car nous sommes sur Preuses et Vaudésir... Bref, ce 2003 prend appui sur le soleil, or pâle et fruité, en plein dans son millésime. Moins cher, le **Vaudésir 2003 (23 à 30 €)**, resté frais, minéral et honnêtement structuré, est très réussi. Date des vendanges non indiquée. Elle nous aurait intéressés.

🔑 Dom. Long-Depaquit, 45, rue Auxerroise,
89800 Chablis, tél. 03.86.42.11.13, fax 03.86.42.81.89,
e-mail chateau-long-depaquit@albert-bichot.com
☑ 𝐈 ⚘ r.-v.
🔑 Albert Bichot

DOM. DES MALANDES Vaudésir 2003

	0,9 ha	6 000	23 à 30 €

On le dit passionné et nerveux, Vaudésir. Celui-ci se présente de façon nette et souple à l'attaque, équilibrée et ample en bouche. Or argenté, il n'a pas le premier nez bien convaincant, mais il s'ouvre agréablement sur les fruits blancs avec un soupçon subtil d'eucalyptus. Probablement de garde moyenne.

🔑 Dom. des Malandes, 63, rue Auxerroise,
89800 Chablis, tél. 03.86.42.41.37, fax 03.86.42.41.97,
e-mail contact@domainedesmalandes.com ☑ 𝐈 ⚘ r.-v.
🔑 Marchive

DOM. LOUIS MOREAU Vaudésir 2004

	0,45 ha	2 379	23 à 30 €

« L'espérance est une attente certaine... » Ce postulat de Dante Alighieri s'applique à ce Vaudésir à considérer au futur. Dans les quatre à cinq ans, estime le jury. Paille clair brillant, le nez frais et élégant, ce 2004 laisse présager longueur et profondeur quand il s'ouvrira tout à fait. Le fût (deux mois seulement il est vrai, dix mois en cuve) est déjà bien intégré. Il ne s'interpose pas entre le vin et nous.

BOURGOGNE

🔑 SARL Louis Moreau, 10, Grande-Rue,
89800 Beine, tél. 03.86.42.87.20, fax 03.86.42.45.59,
e-mail contact@louismoreau.com
▣ 🍷 🚶 t.l.j. sf sam. dim. 8h-12h 13h30-17h. (ven. 16h30);
f. 3 semaines en août

J. MOREAU ET FILS Les Clos 2003 ★

▒ 0,42 ha 2 900 🛢 23 à 30 €

Cette vénérable maison fondée il y a près de deux cents ans appartient de nos jours à la famille Jean-Claude Boisset. Ce vin a la coquetterie de se présenter sous le dossard 2003. Vendangé le 30 août, il n'a pas encore atteint son point culminant (d'ici un an, pensons-nous). La couleur d'un vrai chablis : n'oublions pas qu'on en chantait jadis la « blancheur » ! Un nez où chacun trouvera son bonheur (miel, menthol, vanille, champignon). Pas mal de corps et rien d'excessif, du ressort.

🔑 J. Moreau et Fils, La Croix-Saint-Joseph,
rte d'Auxerre, 89800 Chablis,
tél. 03.86.42.88.00, fax 03.86.42.88.08,
e-mail moreau@jmoreau-fils.com ▣ 🍷 r.-v.

DOM. CHRISTIAN MOREAU PÈRE ET FILS Les Clos 2004

▒ 3,2 ha 14 000 🛢🛢 15 à 23 €

Saint Martin offrant la moitié de son manteau figure sur l'étiquette. Ses reliques en effet ont été longtemps conservées à Chablis. Très pâle ainsi qu'il convient, finement grillé (huit mois en fût, douze en cuve), suggérant des arômes minéraux et – le *nec plus ultra* en ce vignoble – de mousseron, le vin sait attaquer. De bonne structure et convenable.

🔑 Dom. Christian Moreau Père et Fils,
26, av. d'Oberwesel, 89800 Chablis,
tél. 03.86.42.86.34, fax 03.86.42.84.62,
e-mail contact@domainechristianmoreau.com
▣ 🍷 🚶 r.-v.
🔑 Fabien Moreau

SÉGUINOT-BORDET Vaudésir 2004

▒ n.c. 1 300 🛢 23 à 30 €

Activité de négoce-éleveur entreprise en 2002, démarche de la propriété devenue fréquente en Chablisien. La teinte or est assez marquée, le bouquet de type minéral avec des accents beurrés. Vanillé discret (six mois en fût, un en cuve). La bouche ronronne dans son gras sans trop d'impulsivité. Le vin passe cependant la barre. À noter : cuve en bois pour le grand cru, ce qui va bientôt devenir rarissime.

🔑 Dom. Séguinot-Bordet, 8, chem. des Hâtes,
89800 Maligny, tél. 03.86.47.44.42, fax 03.86.47.54.94,
e-mail j.f.bordet@wanadoo.fr ▣ 🍷 🚶 r.-v.

DOM. DE VAUROUX Bougros 2003

▒ 0,7 ha 4 000 🛢🛢 15 à 23 €

Bougros occupe la pointe nord-ouest de la côte, le long de la route qui mène à Maligny. Ici, un 2003 vendangé le 31 août. *Climat* souvent jugé robuste. Rien de tel pour cette bouteille au tempérament enveloppant. Or brillant, elle offre un nez de beurre et de fleurs blanches, puis une bonne rétro-olfaction de fruits mûrs. Le boisé est bien maîtrisé ; un vin gourmand qui permettra peut-être de réussir le mariage difficile du vin avec un feuilleté d'asperges.

🔑 Dom. de Vauroux, rte d'Avallon, 89800 Chablis,
tél. 03.86.42.10.37, fax 03.86.42.49.13,
e-mail domaine-de-vauroux@domaine-de-vauroux.com
▣ 🍷 r.-v.

DOM. VOCORET ET FILS Les Clos 2004 ★★

▒ 1,6 ha 10 000 🛢🛢 15 à 23 €

Installé en 1935 dans l'ancienne laiterie de Chablis, ce domaine est volontiers innovant et exporte 75 % de sa production aux quatre coins du monde. Une gamme de prix plutôt inférieure à la moyenne et pourtant le vin est si grand : sa minéralité intense, rectiligne et iodée, approche de la perfection. Une couleur chablisienne sans défaut, un parfum de printemps parlant davantage à l'âme qu'au nez aujourd'hui ; il est tendre, franc, pratiquant la discrétion avec un respect remarquable du millésime.

🔑 Dom. Vocoret et Fils, 40, rte d'Auxerre,
89800 Chablis, tél. 03.86.42.12.53, fax 03.86.42.10.39,
e-mail domaine.vocoret@wanadoo.fr
▣ 🍷 🚶 t.l.j. sf dim. 8h-12h 13h30-17h30

Irancy

Ce petit vignoble situé à une quinzaine de kilomètres au sud d'Auxerre a vu sa notoriété confirmée, devenant AOC communale.

Les vins d'Irancy ont acquis une réputation en rouge, grâce au césar ou romain, cépage local datant peut-être du temps des Gaules. Ce dernier, assez capricieux, est capable du pire et du meilleur ; lorsqu'il a une production faible à normale, il imprime un caractère particulier au vin et, surtout, lui apporte un tanin permettant une très longue conservation. Au contraire, lorsqu'il produit trop, le césar donne difficilement des vins de qualité ; c'est la raison pour laquelle il n'a pas fait l'objet d'une obligation dans les cuvées.

Le cépage pinot noir, qui est le principal cépage de l'appellation, donne sur les coteaux d'Irancy un vin de qualité, très fruité, coloré. Les caractéristiques du terroir sont surtout liées à la situation topographique du vignoble, qui occupe essentiellement les pentes formant une cuvette au creux de laquelle se trouve le village. Le terroir débordait d'ailleurs sur les deux communes voisines de Vincelotte et de Cravant, où les vins de la Côte de Palotte sont particulièrement réputés. La production a été de 8 563 hl en 2005.

CUVÉE LOUIS BERSAN 2004

■ 0,7 ha 4 000 8 à 11 €

Juliénas, Bouzy, saint-émilion, Chanturgue, chambertin et... irancy ! Le coq en effet (vierge, selon Brillat-Savarin) réclame les faveurs de ce rouge gaulois et patriotique. Vous verrez, ce n'est pas une mauvaise idée. Quand ce 2004, du moins, aura pris un peu de bouteille. Couleur marmotte (seul un dégustateur icaunais peut connaître cette variété de cerise très populaire en Auxerrois), nez fruité sur l'amande grillée de son fût, attaque assez franche. Beau déroulement en bouche.

Dom. Bersan et Fils, 20, rue du Dr-Tardieux, 89530 Saint-Bris-le-Vineux, tél. 03.86.53.33.73, fax 03.86.53.38.45, e-mail bourgognes-bersan@wanadoo.fr t.l.j. 8h-12h 14h-18h; dim. sur r.-v.

BENOÎT CANTIN
Palotte Élevé en fût de chêne 2004 ★★

■ 0,66 ha 5 100 8 à 11 €

Second au grand jury, un Palotte : ce cru demeure le plus connu de l'appellation, son porte-drapeau. Les temps ont changé. Ce vin réputé tannique et rubicond s'est beaucoup civilisé. Ici, une robe gentille comme tout et nullement provocante. Un fin boisé qui ne prend pas le dessus sur une vinosité gouleyante et fruitée, assurée de son charme. Polie et bien élevée.

Benoît Cantin, 35, chem. des Fossés, 89290 Irancy, tél. 03.86.42.21.96, fax 03.86.42.35.92 r.-v.

RENÉ ET WILLIAM CHARRIAT 2004

■ 10 ha 60 000 5 à 8 €

L'étiquette sous forme de parchemin à bords roulés fut longtemps l'image que le vin de Bourgogne voulait propager. En voici l'un des derniers vestiges. Le vin ? Une goutte de césar sur fond de pinot noir, un ton rubis clair, un nez encore fermé, une jolie texture de tanins fins, mais une forte constitution. Bien irancy, à ne pas déboucher trop vite.

EARL William Charriat, 69, rue Soufflot, 89290 Irancy, tél. 03.86.42.22.21, fax 03.86.42.35.75 r.-v.

VINCENT DAUVISSAT 2003 ★

■ 0,6 ha 3 000 8 à 11 €

« Vouloir rester vigneron » : une profession de foi dont le credo repose sur la notion de terroirs. L'équipe du Guide partage cette volonté. Ce vin ? Sa robe est si soutenue que même le soleil ne réussirait pas à la transpercer. Son bouquet très 2003 (récolté le 1er septembre) est bien net et assez mûr. Un peu vanillé par ses dix-sept mois en fût et tannique, un vin équilibré à attendre un à deux ans.

Vincent Dauvissat, 8, rue Émile-Zola, 89800 Chablis, tél. 03.86.42.11.58, fax 03.86.42.85.32

DOM. FÉLIX Cuvée Saint-Féréol 2003 ★

■ 0,35 ha 1 400 15 à 23 €

Dans le trio de tête. Ce qu'il est sage, notre irancy, depuis son accession à l'AOC communale ! Le rude gaillard s'est mué en un vin distingué. Certes, le rubis est foncé, la colonne vertébrale assez ferme, le fruit noir persistant. Mais, plus souple que vif, le vin s'est ouvert à plus de convivialité. Ce 2003 vendangé le 7 septembre doit être considéré en fonction de son âge. Il garde des réserves pour au moins une paire d'années.

Dom. Hervé Félix, 17, rue de Paris, 89530 Saint-Bris-le-Vineux, tél. 03.86.53.33.87, fax 03.86.53.61.64, e-mail domaine.felix@wanadoo.fr t.l.j. sf dim. 9h-11h30 14h-18h30

FRANCK GIVAUDIN 2004

■ 7,5 ha 12 000 8 à 11 €

Une maison vigneronne construite en 1783, proche de l'église. Plus minéral que fruité, ce 2004, rubis bien rouge, accompagné de parfums assez prenants (fruits à l'eau-de-vie, confiture de vieux garçon), attaque avec souplesse. L'équilibre entre l'acidité, les tanins et le reste s'établit ensuite et il semble durable jusqu'à une conclusion épicée où se cache la groseille.

Franck Givaudin, sentier de la Bergère, 89290 Irancy, tél. 03.86.42.20.67, fax 03.86.42.54.33, e-mail earl.givaudin@wanadoo.fr r.-v.

ANNICK NAVARRE 2003

■ 2 ha 7 000 5 à 8 €

Annick Navarre poursuit l'exploitation du domaine qu'elle reprit et développa avec Yves, son mari. Sa maison est située au cœur du village. Rouge grenat, son irancy a bon nez : intense à la façon 2003 (raisins rentrés à la cuverie le 4 septembre), mariant réglisse, pruneau, cassis. En bouche, les tanins chauds et puissants suscitent un sentiment de surabondance en accord avec ce millésime. Finale épicée.

Annick Navarre, 10, rue des Morts, 89290 Irancy, tél. 03.86.42.31.00 r.-v.

THIERRY RICHOUX 2004 ★★

■ 6 ha 40 000 8 à 11 €

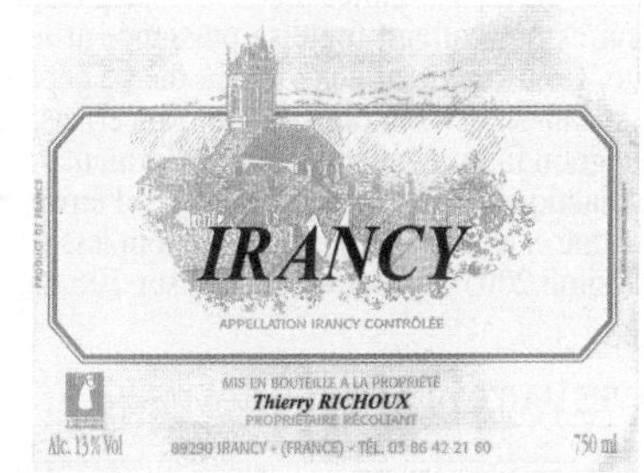

Thierry Richoux ne remporte pas le coup de cœur en raison de la qualité de son humour. Il doit cette distinction à l'excellence de son pinot noir. Rubis clair, cassis et mûre, un irancy de texture parfaite, de consistance appréciée, de matière gourmande. Exactement ce qu'on en attend... et il peut attendre un à deux ans en cave. Placé sous le vocable de Notre-Dame de Lorette, ce domaine a une longue histoire. Le **Veaupessiot rouge 2004 (11 à 15 €)**, très agréable, obtient une étoile.

Thierry Richoux, 73, rue Soufflot, 89290 Irancy, tél. 03.86.42.21.60, fax 03.86.42.34.95
t.l.j. sf dim. 9h-12h30 14h-19h

SIMONNET-FEBVRE 2003 ★

	n.c.	6 700		8 à 11 €

10 % de césar aux côtés du pinot noir et rien que pour ça, on lui ferait bon accueil. Va-t-on laisser mourir ce cépage ? Linéaire en structure, épanoui sur le fruit, ce vin manque peut-être un peu de fantaisie. Mais il permet de se faire une idée intéressante du millésime 2003 et il mérite – de toute façon – qu'on s'y arrête. Maison acquise la même année par Louis Latour.

Maison Simonnet-Febvre, 9, av. d'Oberwesel, 89800 Chablis, tél. 03.86.98.99.00, fax 03.86.98.99.01, e-mail simonnet@chablis.net r.-v.

DOM. VERRET L'Âme du Domaine 2004 ★

	1 ha	6 500		11 à 15 €

10 % de césar. Ceux qui vont te boire te saluent : tu as de l'ardeur en couleur, des espérances aromatiques, une grande fermeté en bouche, due probablement à ce cépage. Voilà dans ses principaux caractères ce beau vin riche en personnalité.

Dom. Verret, 7, rte de Champs, BP 4, 89530 Saint-Bris-le-Vineux, tél. 03.86.53.31.81, fax 03.86.53.89.61, e-mail dverret@domaineverret.com
t.l.j. 8h-12h 14h-18h

Saint-bris

Seul VDQS bourguignon depuis 1974, saint-bris est devenu AOC depuis 2001 pour le cépage sauvignon. Celui-ci provient d'une aire géographique de 895 ha, principalement sur la commune de Saint-Bris. Sa production est la plupart du temps limitée aux zones de plateaux calcaires où il atteint toute sa puissance aromatique. Contrairement aux vins du même cépage de la vallée de la Loire ou du Sancerrois, le sauvignon fait ici, généralement, sa fermentation malolactique, ce qui ne l'empêche pas d'être très parfumé et lui confère une certaine souplesse. Le millésime 2005 a produit 6 952 hl sur 106 ha.

CAVES BAILLY-LAPIERRE 2004 ★★

	6 ha	52 000		5 à 8 €

Les caves de Bailly possèdent 4 ha de galeries naturelles. Impressionnantes. Comme l'est ce saint-bris qui donne toute sa dimension au sauvignon : robe claire, paille claire pour être plus précis. D'une grande délicatesse aromatique, riche et long, il accompagnera les fromages bourguignons à pâte molle.

Caves Bailly-Lapierre, quai de l'Yonne, Bailly, BP 3, 89530 Saint-Bris-le-Vineux, tél. 03.86.53.77.77, fax 03.86.53.80.94, e-mail home@caves-bailly.com
t.l.j. 8h-12h 14h-18h; dim. 10h-12h 14h30-18h

PHILIPPE DEFRANCE 2004 ★★

	3,4 ha	7 500		5 à 8 €

Si le VDQS est devenu AOC communale, c'est notamment grâce à des vins aussi réussis. S'il n'a pas le coup de cœur, celui-ci est néanmoins classé second par le grand jury. Sur une teinte jaune paille clair, le nez affiche des notes d'agrumes en confiture (orange, citron). On retrouve en bouche cette complexité dans un contexte riche et gras, très aromatique. On peut se noyer dans ses parfums... Ne pas manquer les croisées d'ogives des XIIe et XIII[e]s. de la cave.

Philippe Defrance, 5, rue du Four, 89530 Saint-Bris-le-Vineux, tél. 03.86.53.39.04, fax 03.86.53.66.46 r.-v.

DOM. FÉLIX 2004 ★

	3,11 ha	29 000		5 à 8 €

« Amour, patience et tradition », telle est la devise d'Hervé Félix. On ne peut que lui donner raison, c'est une belle addition. Paille clair, ce 2004 sauvignonne de façon fraîche et nette. On sent que l'AOC fixe désormais des objectifs de gras, de persistance destinés à plaire à un public plus large que celui du VDQS créé en 1974.

Dom. Hervé Félix, 17, rue de Paris, 89530 Saint-Bris-le-Vineux, tél. 03.86.53.33.87, fax 03.86.53.61.64, e-mail domaine.felix@wanadoo.fr
t.l.j. sf dim. 9h-11h30 14h-18h30

DOM. ANNE ET ARNAUD GOISOT 2004 ★

	3,5 ha	25 000		5 à 8 €

Ah ! le bourgeon de cassis. L'arôme classique du cépage ne saurait nous manquer et il faut y prendre garde : ne pas banaliser l'appellation, ne pas se détourner de son caractère. Ce vin est prêt pour le service, franc et vif jusqu'à l'arrondi du dernier acte. Sa typicité est indiscutable.

Dom. Anne et Arnaud Goisot, 4 bis, rte de Champs, 89530 Saint-Bris-le-Vineux, tél. 03.86.53.32.15, fax 03.86.53.64.22, e-mail aa.goisot@wanadoo.fr r.-v.

J. MOREAU ET FILS 2004 ★★

	7,5 ha	53 330		3 à 5 €

L'Yonne a tenté, après le phylloxéra, l'introduction de plusieurs cépages de Loire. Le chenin, le grolleau n'ont pas tenu. Le sauvignon en revanche a fait son nid et couvé ses œufs à Saint-Bris. On a plaisir ici à rencontrer les caractères de ce vin un peu particulier, mais plaisant. À la fraîcheur et à la vivacité, il faut ajouter une pincée d'arômes souvent pratiqués en rouge, le cassis notamment. À déguster dans l'année à venir en apéritif ou en accompagnement de poisson.

J. Moreau et Fils, La Croix-Saint-Joseph, rte d'Auxerre, 89800 Chablis, tél. 03.86.42.88.00, fax 03.86.42.88.08, e-mail moreau@jmoreau-fils.com
r.-v.

JEAN-BAPTISTE THIBAUT 2004 ★★

	0,5 ha	2 000		3 à 5 €

Parmi ces bouteilles, voici la préférée du grand jury, mais sans coup de cœur. Elle offre une très belle expression du sauvignon. La finesse et la fraîcheur de son bouquet sont tout d'abord remarquables. Souple et aromatique à l'attaque, la bouche montre en outre un équilibre persistant. La finale quitte les arômes de pêche pour devenir minérale, un peu iodée. Excellent.

Jean-Baptiste Thibaut, 9, rue de la Croix,
89290 Quenne, tél. 03.86.40.34.09, fax 03.86.40.27.70
r.-v.

CAVE DE LA TOURELLE 2004 *

1,17 ha 8 000 3 à 5 €

Saint-Bris-le-Vineux est un bourg furieusement médiéval où les caves forment sous terre de véritables rues. La famille Esclavy a consacré beaucoup d'efforts au vignoble auxerrois, et celui-ci lui doit beaucoup. Floral et souple, de vivacité moyenne, un 2004 à mettre en présence d'un fromage proche, comme le soumaintrain.

Julien Esclavy, 27, rue de Gouaix,
89530 Saint-Bris-le-Vineux, tél. 03.86.53.32.56,
fax 03.86.53.39.43, e-mail julien.esclavy@free.fr
r.-v.

DOM. VERRET 2004 *

6,04 ha 40 000 5 à 8 €

Le sauvignon illustre le sentiment de liberté qui règne sur le patrimoine vitivinicole de l'Yonne. Pourquoi la Bourgogne n'admettrait-elle pas cette « exception culturelle » ? Un 2004 en robe pâle (c'est-à-dire normale), vif, structuré et typé. Jusqu'en fin de bouche l'élan ne le quitte jamais.

Dom. Verret, 7, rte de Champs,
BP 4, 89530 Saint-Bris-le-Vineux,
tél. 03.86.53.31.81, fax 03.86.53.89.61,
e-mail dverret@domaineverret.com
t.l.j. 8h-12h 14h-18h

La Côte de Nuits

Marsannay

Les géographes discutent encore sur les limites nord de la Côte de Nuits car, au siècle dernier, un vignoble florissant faisait, des communes situées de part et d'autre de Dijon, la Côte dijonnaise. Aujourd'hui, à l'exception de quelques vignes vestiges comme les Marcs d'Or et les Montreculs, l'urbanisation a chassé le vignoble de Dijon, mais aussi de la commune voisine de Chenôve.

Marsannay, puis Couchey ont, encore, il y a une cinquantaine d'années, approvisionné la ville de grands ordinaires et manqué en 1935 le coche des AOC communales. Petit à petit, les viticulteurs ont replanté ces terroirs en pinot et la tradition du rosé s'est développée sous l'appellation locale « bourgogne rosé de Marsannay ». Puis, on a retrouvé les vins rouges et les vins blancs d'avant le phylloxéra et, après plus de vingt-cinq ans d'efforts et d'enquêtes, l'AOC marsannay a été reconnue en 1987 pour les trois couleurs. Une particularité cependant, encore une en Bourgogne : le « marsannay rosé », dont les deux mots sont indissociables, peut être produit sur une aire plus extensive, dans le piémont sur les graves, que le marsannay (vins rouges et vins blancs) délimité uniquement dans le coteau des trois communes de Chenôve, Marsannay-la-Côte et Couchey.

Les vins rouges sont charnus, un peu sévères dans leur jeunesse et il faut les attendre quelques années. Pas courants dans la Côte de Nuits, les vins blancs sont ici particulièrement recherchés pour leur finesse et leur solidité. Il est vrai que le chardonnay, mais aussi le pinot blanc trouvent dans des niveaux marneux propices leur terroir d'élection. Sur les 183 ha déclarés en 2005, les rosés n'ont représenté que 1 743 hl alors que les rouges atteignaient 5 600 hl et les blancs 1 394 hl.

DOM. CHARLES AUDOIN
Au Champ Salomon 2004 *

0,29 ha 1 500 11 à 15 €

La bouche est plaisante et longue, avec une belle attaque vive et un fût bien intégré. Cette acidité est un point positif et dynamique. Le nez discret fait un modeste écho à une robe claire intense. Ce 2004 connaît ses possibilités et les assurera parfaitement. Ne pas négliger **Les Longeroies 2003 rouge** et **Les Favières 2003 rouge**, de qualité semblable.

Dom. Charles Audoin, 7, rue de la Boulotte,
21160 Marsannay-la-Côte, tél. 03.80.52.34.24,
fax 03.80.58.74.34, e-mail domaine-audoin@wanadoo.fr
r.-v.

DOM. BART Les Longeroies 2003 **

0,7 ha 3 000 11 à 15 €

Un membre de cette famille fut longtemps, à l'université de Bourgogne, le maître incontesté de l'histoire du droit. Belle robe limpide rubis soutenu à reflets violacés pour ce marsannay ; nez de vanille et de confiture de cerises, le tout avec un rien de *râfle* (mot bourguignon : ce qui reste des peaux et du bois de la grappe, dont on fait le marc). Beaucoup de vin en bouche, de l'attaque à la finale. De plus, du potentiel.

Dom. Bart, 23, rue Moreau,
21160 Marsannay-la-Côte,
tél. 03.80.51.49.76, fax 03.80.51.23.43 r.-v.

RÉGIS BOUVIER Clos du Roy Tête de cuvée 2004 *

1 ha 5 000 11 à 15 €

Le Clos du Roy occupe la partie la plus septentrionale de l'appellation sur la commune de Chenôve. Autrefois propriété des ducs de Bourgogne, il fut confisqué par Louis XI à la chute du Téméraire. D'une robe dense rubis profond, ce vin de garde (deux ans) a été fort bien travaillé pour que la fraîcheur soit préservée. **La cuvée Excellence Les Longeroies 2004 rouge** mérite le détour. Ces deux vins ont été coups de cœur les deux dernières années (millésimes 2001 et 2003).

🔑 Régis Bouvier, 52, rue de Mazy, 21160 Marsannay-la-Côte, tél. 03.80.51.33.93, fax 03.80.58.75.07, e-mail dom-reg-bouvier@wanadoo.fr ☑ 🍷 🚶 r.-v.

DOM. RENÉ BOUVIER En Ouzeloy 2003 *

■ 1 ha 5 000 🛢 11 à 15 €

Jolie série et beau tir groupé, puisque ce domaine franchit la barre quatre fois en marsannay. Celui-là, né du côté des Longeroies, rond à l'attaque, cerise à l'eau-de-vie, expansif comme souvent les 2003 (vendange le 31 août), plus agréable que très typé mais... en millésime atypique. Sur votre carnet, notez **La Morisotte 2003 rouge (8 à 11 €)** et **Le Clos Monopole 2003 blanc** (une étoile chacun) ainsi que **Les Longeroies 2003 rouge (8 à 11 €)** (cité).

🔑 Dom. René Bouvier, 29 B, rte de Dijon, 21220 Gevrey-Chambertin, tél. 03.80.52.21.37, fax 03.80.59.95.96, e-mail rene-bouvier@wanadoo.fr ☑ 🍷 🚶 r.-v.
🔑 Bernard Bouvier

MARC BROCOT 2004

■ 0,67 ha 5 600 ▮ 5 à 8 €

Le rosé de la dégustation. Il est destiné aux amateurs de vins fruités et secs ; la robe saumon clair est brillante, le nez très fin de fraise des bois agréable ; la bouche confirme le nez en tout point, équilibrant fruit et alcool. Pour vos prochaines grillades de porc.

🔑 Marc Brocot, 34, rue du Carré, 21160 Marsannay-la-Côte, tél. 03.80.52.19.99, fax 03.80.59.84.39 ☑ 🍷 🚶 r.-v.

DOM. CHARLOPIN-PARIZOT En Montchenevoy 2003 **

■ 1 ha 6 000 🛢 23 à 30 €

Coup de cœur dans le Guide 2002 et déjà dans l'édition 1998 (millésimes 1998 et 1995 rouges), Philippe Charlopin présente ici un marsannay très bouqueté (cassis, vanille), dont les arômes secondaires suggèrent le sous-bois et le gibier. Un peu jeune à ce stade de sa vie, ce 2004 bénéficie d'une acidité intéressante en finale et apparaît chaleureux et réglissé en bouche. Viande blanche et gratins seront bienvenus.

🔑 Philippe Charlopin, 18, rte de Dijon, 21220 Gevrey-Chambertin, tél. et fax 03.80.58.50.46, e-mail charlopin-philippe@wanadoo.fr

DOM. BRUNO CLAIR 2003 **

■ 2,1 ha 5 300 8 à 11 €

Fils de Bernard et petit-fils de Joseph Clair-Daü, Bruno a de qui tenir. Le marsannay doit beaucoup à cette famille, même si le rosé (et c'est dommage) s'efface un peu derrière le pinot et le chardonnay sous leurs propres couleurs. Formant équipe depuis longtemps avec Philippe Brun, Bruno signe un blanc vif et brillant, minéral et cependant miellé, agréable en bouche dans un esprit plus rassurant que conquérant. Prix très raisonnable. Vendange le 24 août.

🔑 SCEA Dom. Bruno Clair, 5, rue du Vieux-Collège, BP 22, 21160 Marsannay-la-Côte, tél. 03.80.52.28.95, fax 03.80.52.18.14, e-mail brunoclair@wanadoo.fr ☑ 🍷 🚶 r.-v.

CLOS SAINT-LOUIS 2004

■ 0,35 ha 2 500 🛢 8 à 11 €

Or discret, un vin qui – comme Saint Louis dont il porte le nom – nous reçoit sous son chêne. Aimablement. Ses arômes deviennent progressivement lactiques. Il ne devrait plus beaucoup évoluer ; il est donc à servir en vin de première assiette.

🔑 Dom. du Clos Saint-Louis, 4, rue des Rosiers, 21220 Fixin, tél. 03.80.52.45.51, fax 03.80.58.88.76, e-mail clos.st.louis@wanadoo.fr ☑ 🍷 🚶 t.l.j. 9h-12h 13h30-19h; f. 15-31 août
🔑 Philippe Bernard

BERNARD COILLOT PÈRE ET FILS Les Grasses Têtes 2004 *

■ 0,56 ha 3 200 🛢 11 à 15 €

Trois rouges en tête du défilé. **Les Boivins 2004**, **Les Longeroies 2004**, tout en finesse et avec de bonnes aptitudes à la garde (une étoile chacun). Et ces Grasses Têtes à la robe concentrée. Une réussite. Vanille puis réglisse, le nez est impeccable car il sait se rendre indépendant à l'aération. Au palais, l'acidité, l'alcool, le gras, les tanins semblent vivre en bonne intelligence et partager un agréable moment. Un vin sérieux, consistant, pour andouillette à la dijonnaise.

🔑 Dom. Bernard Coillot Père et Fils, 31, rue du Château, 21160 Marsannay-la-Côte, tél. 03.80.52.17.59, fax 03.80.52.12.75, e-mail domaine.coillot@wanadoo.fr ☑ 🍷 🚶 r.-v.

DOM. COLLOTTE 2004 *

■ 0,5 ha 3 000 🛢 8 à 11 €

Deux bouteilles retenues : **Le Clos de Jeu 2003 rouge**, ferme et fruité, cité, et ce *village* blanc à la robe claire. Ses parfums sont encore discrets. Ils s'éveillent sur le pamplemousse et la fraîcheur dans un contexte légèrement grillé. Un ensemble plaisant, expressif dans les contours du millésime : de structure moyenne tout en demeurant en équilibre stable.

🔑 Dom. Collotte, 44, rue de Mazy, 21160 Marsannay-la-Côte, tél. 03.80.52.24.34, fax 03.80.58.74.40 ☑ 🍷 🚶 r.-v.

DOM. FOUGERAY DE BEAUCLAIR Saint-Jacques 2004 *

■ 0,35 ha 1 300 🛢 11 à 15 €

Les Saint-Jacques dominent le coteau, et la coquille sur l'étiquette s'explique aisément. Autre remarque intéressante : ces 35 ares sont plantés en pinot blanc, cépage un peu menacé – du moins lorsqu'il est pur. Cette bouteille possède un à deux ans d'avenir. L'or de sa parure lui permettra de négocier en chemin quelques passages difficiles. Pamplemousse et vanille : trois mois seulement de retraite en fût ont porté leurs fruits. Saveurs douces et longues. Une légère acidité donne de la fermeté à la démarche. Le souffle ne manque pas.

🔑 Dom. Fougeray de Beauclair, 44, rue de Mazy, BP 36, 21160 Marsannay-la-Côte, tél. 03.80.52.21.12, fax 03.80.58.73.83, e-mail fougeraydebeauclair@wanadoo.fr ☑ 🍷 🚶 t.l.j. 9h30-12h30 14h-18h; dim. sur r.-v.

DOM. JEAN FOURNIER Cuvée Saint-Urbain 2004

■ 1,4 ha 8 000 ▮🛢 8 à 11 €

Allez dire que les Bourguignons n'ont pas de bonnes mémoires ! Des titres de 1255 et de 1256 font mention du

monastère Saint-Urbain à Marsannay, disparu depuis des siècles. Il en subsiste un lieu-dit qui n'est pas classé. De plaisir immédiat, ce vin passe tout en douceur ; sans excès de prétentions, il est destiné à un début de repas. Citation pour le **Clos du Roy 2004 blanc (11 à 15 €)** : ce qu'on attend d'un marsannay.
🔑 Dom. Jean Fournier, 34, rue du Château, 21160 Marsannay-la-Côte, tél. 03.80.52.24.38, fax 03.80.52.77.40, e-mail domaine.jean.fournier@wanadoo.fr ☑ 🍷 🚶 r.-v.
🔑 Laurent Fournier

OLIVIER GUYOT La Montagne 2004

0,5 ha 3 000 11 à 15 €

« Viens sur la montagne ! », semble chanter cette bouteille, à la façon de Marie Laforêt. Un *climat* élevé en effet, au-dessus des Longeroies et aux abords de Chenôve. Si Olivier Guyot y monte avec son cheval de labour, l'animal doit être de bonne composition. Ce 2004 est correctement structuré : il a du gras, de la consistance, de la vivacité aussi. Jaune pâle, il s'ouvre peu à peu.
🔑 Olivier Guyot, 39, rue de Mazy, 21160 Marsannay-la-Côte, tél. 03.80.52.39.71, fax 03.80.51.17.58, e-mail domaine.guyot@wanadoo.fr
☑ 🍷 🚶 r.-v.

HUGUENOT PÈRE ET FILS Champ Perdrix 2004

■ 0,7 ha 4 000 11 à 15 €

Coup de cœur plusieurs fois dans le passé (notamment pour son 1997 blanc), Huguenot Père et Fils propose un rouge en Champ Perdrix (sur Couchey) devenu un classique de l'appellation. Celui-ci annonce franchement la couleur. Au nez, le bourgeon de cassis s'installe comme chez lui. Le fût n'abuse pas de la situation. Le palais est tannique sinon rustique, mais l'attaque part bien et le fruit lui confère un côté plutôt tendre. D'où cette complexité sur tonalité très ferme. À ne pas déguster tout de suite.
🔑 Huguenot Père et Fils, 7, ruelle du Carron, 21160 Marsannay-la-Côte, tél. 03.80.52.11.56, fax 03.80.52.60.47, e-mail domaine.huguenot@wanadoo.fr ☑ 🍷 🚶 r.-v.

CH. DE MARSANNAY Champs Perdrix 2003 *

1,24 ha 2 891 11 à 15 €

Domaine jumeau du château de Meursault, œuvre d'André Boisseaux. Le Dr Jules Lavalle note en 1855 que les meilleurs vins de Couchey se situent au-dessus du chemin menant à Fixin. Terroir reconquis, les Champs Perdrix se trouvent justement à cet endroit. Travaillés en blanc, ils donnent un 2003, récolté le 27 août, jaune pâle doré, évoquant la mirabelle et l'ananas, assez acide pour maintenir une sensation de fraîcheur. À boire maintenant. Une étoile encore pour **Les Grandes Vignes 2003 rouge**, concentré et tannique, dans un style retour de chasse.
🔑 Ch. de Marsannay, rte des Grands-Crus, BP 78, 21160 Marsannay-la-Côte, tél. 03.80.51.71.11, fax 03.80.51.71.12, e-mail chateau.marsannay@kriter.com
☑ 🍷 🚶 t.l.j. 10h-12h 14h-18h30; f. dim. de nov. à mars

DOM. PHILIPPE NADDEF Vieilles Vignes 2004 *

0,43 ha 1 600 11 à 15 €

Philippe Naddef s'est installé il y a quelques années dans la « Grande Maison » à Fixin, l'une des plus anciennes demeures du village (auparavant propriété Bazin). Son marsannay blanc dit de vieilles vignes est très bien maintenant. Pas un vin de véritable garde, mais à déboucher dans l'année qui vient. Doré à souhait, entre litchi et minéral, il se fait tendre en bouche. Si tendre qu'on ne peut rien lui refuser...
🔑 Dom. Philippe Naddef, 30, rte des Grands-Crus, 21220 Fixin, tél. 03.80.51.45.99, fax 03.80.58.83.62, e-mail domaine.phil.naddef@wanadoo.fr
☑ 🍷 🚶 r.-v. 🏠 ❼

SYLVAIN PATAILLE La Montagne 2004 *

■ 0,3 ha 1 400 11 à 15 €

D'une très belle couleur intense et d'un rouge éclatant (à belles larmes, ceci pour les amateurs qui aiment avoir le

BOURGOGNE

La Côte de Nuits Nord

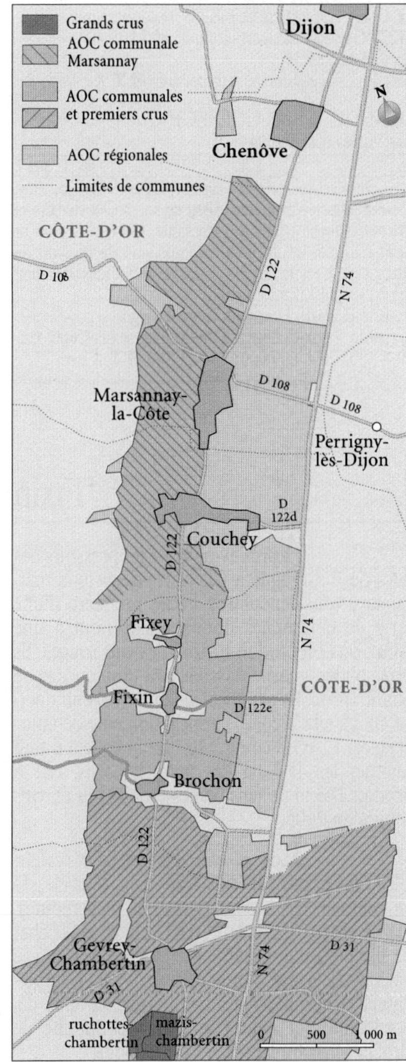

regard dorloté par le verre), il a besoin d'un coup de pouce pour s'ouvrir. Les trois coups de nez ne sont pas de trop, mais la suite est chaleureuse sur les fruits rouges mûrs. Raisonnablement boisé et de bonne texture, ce vin peut attendre jusqu'en 2009, d'autant qu'il reste sur sa réserve.

Sylvain Pataille, 14, rue Neuve,
21160 Marsannay-la-Côte, tél. 03.80.51.17.35,
fax 03.80.52.49.49 r.-v.

DOM. TRAPET PÈRE ET FILS 2004 *

■ n.c. n.c. 11 à 15 €

La famille Trapet (Gevrey-Chambertin) a acquis plusieurs vignes sur Marsannay à partir de 1979, afin d'élargir sa gamme. Fruits rouges sur toute la ligne, un vin dont le nez traduit les qualités du cépage (pinot). Son caractère n'est pas encore pleinement affirmé (deux à trois ans d'attente). Domaine en biodynamie (Biodyvin).

Dom. Trapet Père et Fils, 53, rte de Beaune,
21220 Gevrey-Chambertin, tél. 03.80.34.30.40,
fax 03.80.51.86.34,
e-mail message@domaine-trapet.com r.-v.

DOM. DU VIEUX COLLÈGE
Les Vignes Marie 2004

1 ha 7 000 11 à 15 €

On n'est pas loin des Grasses Têtes, côté Couchey, d'excellentes terres à vigne. Peu de sol, roche calcaire et marnes blanches, un brun classique. Ce vin ? Jaune or assez marqué, un fin boisé accompagné du piquant du citron vert. La bouche joue le gras, et les arômes devraient se révéler plus avant au palais.

Éric Guyard, Dom. du Vieux Collège,
4, rue du Vieux-Collège, 21160 Marsannay-la-Côte,
tél. 03.80.52.12.43, fax 03.80.52.95.85 r.-v.

Fixin

Après avoir visité les pressoirs des ducs de Bourgogne à Chenôve, dégusté le marsannay, vous rencontrez Fixin, première d'une série de communes donnant leur nom à une AOC, où l'on produit surtout des vins rouges. Ils sont solides, charpentés, souvent tanniques et de bonne garde. Ils peuvent également revendiquer, au choix, à la récolte, l'appellation côte-de-nuits-villages. L'AOC couvre 107 ha auxquels il faut rajouter les 45,3 ha des premiers crus. Elle a produit 143 hl de vins blancs et 3 893 hl de vins rouges en 2005.

Les *climats* Hervelets, Arvelets, Clos du Chapitre et Clos Napoléon, tous classés en premiers crus, sont parmi les plus réputés, mais c'est le Clos de la Perrière qui en est le chef de file puisqu'il a même été qualifié de « cuvée hors classe » par d'éminents écrivains bourguignons et comparé au chambertin ; ce clos déborde un tout petit peu sur la commune de Brochon. Autre lieu-dit : Le Meix-Bas.

DOM. BART Hervelets 2003 **

■ 1er cru 1,4 ha 5 000 15 à 23 €

Ce domaine a plus de cent cinquante ans d'âge et dispose de 21 ha. Bien fait, un 2003 porté sur les fruits rouges tant au nez qu'au palais. Ses tanins n'accrochent pas. Longueur et finale sont satisfaisantes. Les composantes du millésime (vendange le 28 août) sont très honorablement traitées. À servir dans les temps qui viennent.

Dom. Bart, 23, rue Moreau,
21160 Marsannay-la-Côte, tél. 03.80.51.49.76,
fax 03.80.51.23.43 r.-v.

VINCENT ET DENIS BERTHAUT
Les Arvelets 2004 *

■ 1er cru 1 ha 4 000 15 à 23 €

« Bien faire vaut mieux que dire » : gravée au-dessus d'une porte de la maison en 1693, la devise de la famille Berthaut. Cette bouteille le confirme. D'un rouge légèrement opalescent, elle est réglissée, animale, poivrée, aromatiquement complexe pour tout dire. Après une attaque vive sur le fruit noir, paraît un soutien tannique efficace. Prometteur, ce vin va s'affiner en cave. Comptez trois ans. Ce n'est pas l'éternité, tout de même.

Vincent et Denis Berthaut, 9, rue Noisot,
21220 Fixin, tél. 03.80.52.45.48, fax 03.80.51.31.05,
e-mail denis.berthaut@wanadoo.fr r.-v.

HERVÉ CHARLOPIN 2004 *

■ 0,45 ha 2 785 11 à 15 €

Coup de cœur l'an passé pour un 2003, Hervé Charlopin propose le millésime suivant en tenue grenat plutôt dense. Au nez la griotte s'impose. Sur le fruit, avec un joli grain de tanins, ce vin est net, agréable dans les contours moyennement structurés des 2004.

Hervé Charlopin, 5, rue des Avoines,
21160 Marsannay-la-Côte, tél. 03.80.59.86.75,
fax 03.80.51.44.49, e-mail charlopin.herve@free.fr
r.-v.

DOM. GUY DUFOULEUR
Clos du Chapitre Monopole 2003 **

■ 1er cru 4,78 ha 19 000 30 à 38 €

Monopole, ce Clos du Chapitre a obtenu le coup de cœur dans l'édition 2001. On le dit généralement assez difficile dans sa jeunesse, remarquable pour qui sait l'attendre. C'est vrai : tout ici produit une impression de puissance contenue. Rouge foncé, cerise burlat, son bouquet d'animal et de cuir légèrement sur le kirsch évoque la richesse. Ample et complexe, fruité intensément en rétro, boisé par un bon fût, il est masculin pour parler comme tout le monde. Et de garde.

Dom. Guy Dufouleur, 17, rue Thurot,
21700 Nuits-Saint-Georges, tél. et fax 03.80.62.31.00
t.l.j. sf dim. 9h-18h 5

Guy et Xavier Dufouleur

DANIEL FOURNIER 2003 *

■ 0,3 ha 1 800 8 à 11 €

Denis a repris en 2004 le domaine créé par ses parents, Michelle et Daniel Fournier. Limpide et brillant, rouge grenat, son fixin possède un bouquet de fruits noirs (myrtille et cassis). Au nez comme en bouche, il peut s'ouvrir davantage. D'ici 2008, cela entre dans ses possibilités ; ses tanins seront alors bien enrobés.

EARL Daniel Fournier, 1, rue Raymond-Poincaré, 21160 Couchey, tél. et fax 03.80.52.18.38, e-mail fourniercede@aol.com
t.l.j. 8h-12h 14h-20h

JÉRÔME GALEYRAND
Champs des Charmes 2004

	0,25 ha	1 500	11 à 15 €

En limite de Brochon, ce *climat* est défendu de façon honorable par un jeune viticulteur. Moins de 5 ha en tout, installation en 2002. Du cœur à l'ouvrage à l'évidence. Rubis quasiment noir ou violet intense, ce fixin ouvre discrètement sur la mûre. Ses tanins sont encore un peu affirmés, mais le fixin joue volontiers les prolongations. Et il l'emporte sans passer par les tirs au but ! Ce sera le cas dans trois ans environ. Étiquette soignée et gaufrée, ce qui est rare.

Jérôme Galeyrand, 16, rue de Gevrey, 21220 Saint-Philibert, tél. 06.61.83.39.69, fax 03.80.34.39.69, e-mail jerome.galeyrand@wanadoo.fr r.-v.

DOM. PIERRE GELIN 2003 ★★

	3 ha	9 900	11 à 15 €

Sculpté par François Rude à Fixin, Napoléon se réveillant n'attend qu'une chose pour se lever du bon pied : un verre sur sa table de nuit. Celui-ci ferait parfaitement l'affaire, tant il est impérial. Sa robe hésite entre carmin et pivoine. Son nez très vineux opte pour la gelée de cassis. Sa bouche est un heureux plaisir, fait d'équilibre et d'élégance. « Vendange tardive » si l'on peut dire : le 6 septembre. Le compte était bon. Notez en outre le **1er cru Les Hervelets 2003 rouge (15 à 23 €)**, pour les amateurs de boisé (une étoile).

Dom. Pierre Gelin, 2, rue du Chapitre, 21220 Fixin, tél. 03.80.52.45.24, fax 03.80.51.47.80, e-mail gelin.pierre@wanadoo.fr
t.l.j. sf dim. 9h-12h 13h30-18h

ALAIN GUYARD Les Chenevières 2003

	1,5 ha	4 000	8 à 11 €

Situées le long de la route des Grands Crus entre Fixey et Fixin, Les Chenevières se présentent sous cette signature comme un vin d'un rubis très sombre aux senteurs de fruits mûrs. Ferme et vif en attaque, épaulé par une structure de type tannique, ce 2003 est finalement assez rond et sa finale évite la sécheresse. De garde raisonnable (deux ans).

Dom. Alain Guyard, 10, rue du Puits-de-Têt, 21160 Marsannay-la-Côte, tél. 03.80.52.14.46, fax 03.80.52.67.36 r.-v.

JOLIET PÈRE ET FILS
Clos de la Perrière Monopole 2003 ★

1er cru	4,5 ha	13 000	15 à 23 €

Monopole au sein de la même famille depuis 1853, la Perrière aurait pu devenir un grand cru tant les auteurs du XIXe s. sont lyriques à son sujet. Elle a connu des hauts et des bas, revenant depuis quelque temps sur le devant de la scène. Cerise noire ou presque, celle-ci suggère la confiture de framboises sur fond de poivre blanc. L'effet millésime, assez prononcé, donne une bouche puissante et concentrée marquée par le fût. À oublier en cave de trois à quatre ans : vin de garde et de gibier.

EARL Joliet Père et fils, manoir de La Perrière, 21220 Fixin, tél. 03.80.52.47.85, fax 03.80.51.99.90, e-mail benigne@wanadoo.fr t.l.j. 8h-18h
Benigne Joliet

ARMELLE ET JEAN-MICHEL MOLIN
Les Chenevières 2004 ★

	0,5 ha	2 000	8 à 11 €

Coup de cœur en 2000 pour un Hervelets 1997, Armelle et Jean-Michel Molin ne manquent jamais le rendez-vous du Guide. Leur **village 2004** obtient une citation pour sa franchise, ses saveurs de fruits à l'alcool et d'épices douces. Ces Chenevières ? Un vin flatteur, équilibré, ample, rond et long. Rouge cerise il joue les fruits rouges tout au long de la dégustation. Le boisé est encore présent.

EARL Armelle et Jean-Michel Molin, 54, rte des Grands-Crus, 21220 Fixin, tél. 03.80.52.21.28, fax 03.80.59.96.99 r.-v.

PIERRE NAIGEON
Les Hervelets Vieilles Vignes 2004 ★

1er cru	0,25 ha	1 200	15 à 23 €

Couleur cerise bien mûre, d'un éclat franc, d'une intensité profonde, grillé sans excès, cassis à l'aération : réputé tendre et friand, le plus souple de tous les 1ers crus de Fixin, ce *climat* s'exprime ici dans le respect de son image. Très rond, soyeux et même onctueux, vanillé, il a le corps de son millésime. À servir sur le prochain agneau pascal.

Pierre Naigeon, 4, rue du Chambertin, 21220 Gevrey-Chambertin, tél. 03.80.34.14.87, fax 03.80.58.51.18, e-mail pierre.naigeon@wanadoo.fr
r.-v.

DOM. DU VIEUX COLLÈGE 2004

	0,35 ha	2 000	15 à 23 €

Si le fixin est surtout connu en rouge, le blanc n'est pas absent dans ce village. En chardonnay pour cette appellation communale. Doré pâle, celui-ci développe des arômes délicats de fruits secs et de fleurs blanches. Bouche gentiment ciselée avec une finale fraîche et vive.

Éric Guyard, Dom. du Vieux Collège, 4, rue du Vieux-Collège, 21160 Marsannay-la-Côte, tél. 03.80.52.12.43, fax 03.80.52.95.85 r.-v.

Gevrey-chambertin

Au nord de Gevrey, trois appellations communales sont produites sur la commune de Brochon : fixin sur une petite partie du Clos de la Perrière, côte-de-nuits-villages sur la partie nord (lieux-dits Préau et Queue-de-Hareng) et gevrey-chambertin sur la partie sud.

En même temps qu'elle constitue l'appellation communale la plus importante en volume (18 920 hl en 2005), la commune de Gevrey-Chambertin abrite des premiers crus tous plus grands les uns que les autres ayant donné 3 555 hl. La combe de Lavaux sépare la commune en deux parties. Au nord, nous trouvons, entre autres *climats*, les Evocelles (sur Brochon), les Champeaux, la combe aux Moines (où allaient en promenade les moines de l'abbaye de Cluny qui furent au XIII[e]s. les plus importants propriétaires de Gevrey), les Cazetiers, le clos Saint-Jacques, les Varoilles, etc. Au sud, les crus sont moins nombreux, presque tout le coteau étant en grand cru ; on peut citer les *climats* de Fonteny, Petite-Chapelle, Clos-Prieur, entre autres.

Les vins de cette appellation sont solides et puissants dans le coteau, élégants et subtils dans le piémont. À ce propos, il convient de répondre à une rumeur erronée selon laquelle l'appellation gevrey-chambertin s'étend jusqu'à la ligne de chemin de fer Dijon-Beaune, dans des terrains qui ne le mériteraient pas. Cette information, qui fait fi de la sagesse des vignerons de Gevrey, nous donne l'occasion d'apporter une explication : la côte a été le siège de nombreux phénomènes géologiques, et certains de ses sols sont constitués d'apports de couverture, dont une partie a pour origine les phénomènes glaciaires du quaternaire. La combe de Lavaux a servi de « canal », et à son pied s'est constitué un immense cône de déjection dont les matériaux sont identiques ou semblables à ceux du coteau. Dans certaines situations, ils sont simplement plus épais, donc plus éloignés du substratum. Essentiellement constitués de graviers calcaires plus ou moins décarbonatés, ils donnent ces vins élégants et subtils dont nous parlions précédemment.

DOM. LOUIS BOILLOT ET FILS 2003

■ 1,94 ha 6 830 ◍ 15 à 23 €

Un domaine né du partage du vignoble de Lucien Boillot entre ses deux fils, Louis et Pierre. Ce 2003 est rouge vermillon et d'une brillance suffisante ; son nez ne prend pas de risques en jouant la carte du cassis et des épices (dix-huit mois en fût). Souple et discret, efficace cependant, ce vin sait éviter les pièges des 2003 en matière d'acidité, de chaleur. Bien charpenté et à déboucher dans deux à quatre ans.

⊶ SCEA Dom. Louis Boillot et Fils, 4, rue du Lavoir, 21220 Chambolle-Musigny, tél. 03.80.62.80.16, fax 03.80.62.82.42 ☑ Y r.-v.

RÉGIS BOUVIER 2004

■ 0,5 ha 3 000 ◍ 15 à 23 €

Colette parle de son « instinctif penchant qui se plaît à la courbe ». Penchant que partage ce vin arrondi. Léger certes, mais il établit une agréable complicité avec le fruit. Moyennement coloré, sur un registre tout en finesse, il pratique avec bonheur la demi-mesure. Nez de kirsch et de vanille. En fin de compte, mieux vaut vivre avec le millésime que de tenter de le distraire au moyen d'artifices. À servir sur une côte de bœuf.

⊶ Régis Bouvier, 52, rue de Mazy, 21160 Marsannay-la-Côte, tél. 03.80.51.33.93, fax 03.80.58.75.07, e-mail dom-reg-bouvier@wanadoo.fr ☑ Y 🚶 r.-v.

RENÉ BOUVIER

Racines du temps Très Vieilles Vignes 2003 ★★

■ 1 ha 5 000 ◍ 30 à 38 €

Le domaine occupe l'ancien hôpital de Gevrey, le Maladière, datant du XVII[e]s. Des ceps de quatre-vingt-dix ans ont donné ce vin dont la matière est belle (vendange le 31 août) et la vinification remarquable. Pourpre limpide, il n'est pas très expansif au nez (petite fraise des bois), mais riche en arômes secondaires. Préambule agréable, finition soignée, à conserver un peu ou à déguster car il se boit déjà très bien. Bernard Bouvier a obtenu une étoile pour une autre cuvée du nom du clos **La Justice 2003 (15 à 23 €)**. À servir avec un filet de biche ou un magret de canard aux airelles.

⊶ Dom. René Bouvier, 29 B, rte de Dijon, 21220 Gevrey-Chambertin, tél. 03.80.52.21.37, fax 03.80.59.95.96, e-mail rene-bouvier@wanadoo.fr ☑ Y 🚶 r.-v.

⊶ Bernard Bouvier

MARC BROCOT 2004

■ 0,2 ha 1 100 ◍ 11 à 15 €

Un domaine de quelque 9 ha. Il propose ce *village* rouge cerise ou groseille, limpide et brillant, porteur d'arômes framboisés et attaquant avec flamme. Il y a de la densité sur le fruit, de l'architecture intérieure, une note encore tannique en fin de bouche. La rondeur espérée sera atteinte dans deux ans.

⊶ Marc Brocot, 34, rue du Carré, 21160 Marsannay-la-Côte, tél. 03.80.52.19.99, fax 03.80.59.84.39 ☑ Y 🚶 r.-v.

DOM. CHARLOPIN-PARIZOT La Justice 2003 ★

■ 1 ha 6 000 ◍ 30 à 38 €

Dans sa jeunesse, on l'appelait le Toutoune. Aujourd'hui, c'est M. Charlopin car il a réussi avec brio à se hisser parmi les grands. Coup de cœur à trois reprises, notamment dans les éditions 2002 et 2003 du Guide (millésimes 1998 et 1999). Sa Justice (clos situé à l'entrée de Gevrey lorsque l'on vient de Dijon par la N74) est équitable dans sa robe de magistrat huppé ! Ses arômes débutent par une phase boisée puis se fixent sur la griotte et le pruneau. Après une excellente attaque, l'ensemble se montrera agréable et disponible dans trois ou quatre ans. La cuvée **Vieilles Vignes 2003 (38 à 46 €)**, qui est citée, doit encore permettre au boisé de se fondre.

⊶ Philippe Charlopin, 18, rte de Dijon, 21220 Gevrey-Chambertin, tél. et fax 03.80.58.50.46, e-mail charlopin-philippe@wanadoo.fr

DOM. PIERRE DAMOY Clos Tamisot 2003 ★★

■ 1,45 ha 2 930 ⅠⅡ 38 à 46 €

« C'était un tout petit épicier d'Yvetot. Il se levait matin et le soir dormait tôt... » Paraphrasant François Coppée, c'est la saga des Damoy, partis de l'Eure, épiciers à Yvetot, créant une multitude d'épiceries à Paris. Julien vend tout un beau jour, tombe amoureux de la vigne et achète le Tamisot en 1936. Ce 2003 fait corps avec une jolie demeure, au cœur de Gevrey. De couleur rubis soutenu et brillant, ce clos offre un ravissant nez d'épices et de vanille, puis de fruits rouges. La bouche souple et fine, soyeuse, signe un vin élégant, long et à attendre un peu.

SCEV Dom. Pierre Damoy,
11, rue du Mal-de-Lattre-de-Tassigny,
21220 Gevrey-Chambertin, tél. 03.80.34.30.47,
fax 03.80.58.54.79,
e-mail info@domaine-pierre-damoy.com r.-v.

DOM. DROUHIN-LAROZE 2004 ★

■ 3,75 ha 18 000 ⅠⅡ 15 à 23 €

Philippe et Christine Drouhin changent d'étiquette tout en gardant la signature et le monogramme. Leur 2004 est très représentatif de son origine : raisins de qualité, bonne vinification et extraction mesurée. Un rubis plein d'éclat, un fût assez discret pour ne pas masquer le fruit noir, un équilibre solide apportant rondeur et longueur. Il sera prêt courant 2007 et on l'imagine volontiers en compagnie d'un filet de bœuf en croûte, avec une sauce aux morilles. Par ailleurs, le **1er cru Au Closeau 2004 (23 à 30 €)** obtient une citation : il joue sur la finesse et l'élégance. Lui réserver une viande blanche dans deux ans.

Dom. Drouhin-Laroze,
20, rue du Gaizot, 21220 Gevrey-Chambertin,
tél. 03.80.34.31.49, fax 03.80.51.83.70
t.l.j. 9h-12h 13h30-19h
Philippe Drouhin

DOM. DUPONT-TISSERANDOT Les Cazetiers 2004

■ 1er cru 2,11 ha 4 500 ⅠⅡ 23 à 30 €

Coup de cœur dans l'édition 2005 pour sa Petite Chapelle 2002, le domaine se présente ici sous les traits des Cazetiers. D'un boisé flatteur accompagné d'un soupçon de myrtille, ce 2004 rubis violacé témoigne d'une extraction bien conduite. L'entrée se fait en douceur sur une matière convenable. À boire maintenant car il n'est pas doté d'une constitution pour une longue garde, tout comme **La Petite Chapelle 2004 1er cru**, également citée.

Dom. Dupont-Tisserandot, 2, pl. des Marronniers,
21220 Gevrey-Chambertin, tél. 03.80.34.10.50,
fax 03.80.58.50.71 r.-v.
M.-F. Guillard et P. Chevillon

DOM. JEAN FERY ET FILS Les Crais 2003 ★★

■ 0,49 ha 1 000 ⅠⅡ 15 à 23 €

Proche des Baraques, ce *climat* produit ici l'un des meilleurs vins de la dégustation. De ceux que l'on met de côté pour les regoûter lors du choix du coup de cœur dont il est tout proche. Plus intense au nez qu'à l'œil, il a des accents réglissés qui n'effacent pas les notes de noyau de cerise. Fruit, fruit, fruit : s'il manque un peu de concentration, à la façon fréquente des 2003, il se rattrape amplement par son fruit en effet, sa souplesse, sa distinction. Longueur intéressante.

La Côte de Nuits Sud

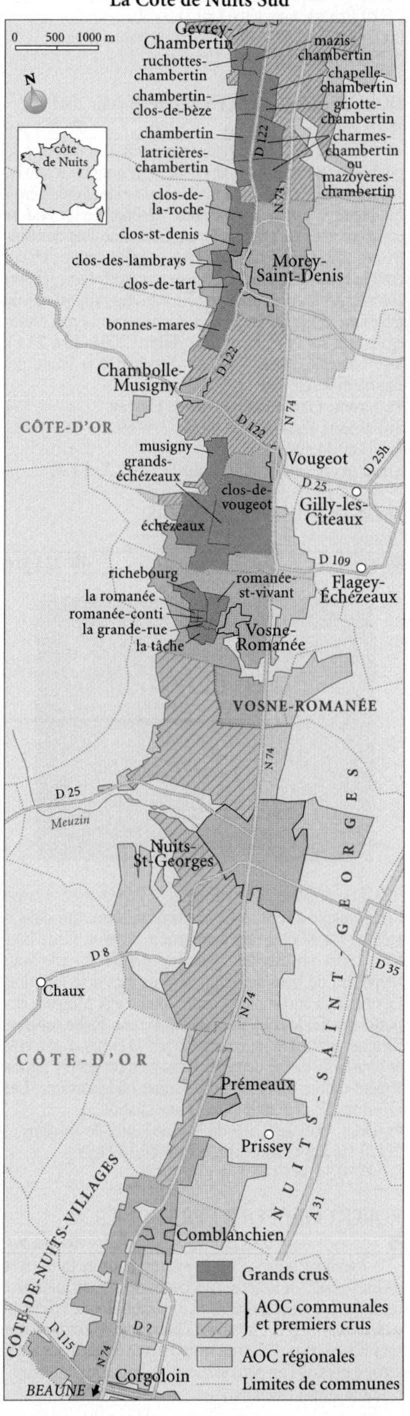

⊶ Dom. Jean Fery et Fils, 1, rte de Marey, 21420 Échevronne, tél. 03.80.21.59.60, fax 03.80.21.59.59, e-mail fery.vin@wanadoo.fr ☑ Ⲧ ⛹ r.-v. 🏠 Ⓔ

DOM. JÉRÔME GALEYRAND Bel-Air 2004

■ 1er cru | 0,1 ha | 300 | **30 à 38 €**

Installé en 2002, ce jeune vigneron n'en est pas à sa première sélection dans le Guide. Un homme à suivre. Bel-Air voit les choses de haut. Vous situez le clos de Lèze ? Eh bien ! C'est juste au-dessus. Jérôme Galeyrand se consacre à ce qu'on appelle en Californie une *boutique winery* : moins de 5 ha, dont deux ouvrées dans ce 1er cru dont la robe est agréable. Le nez ouvert offre une relative complexité, le corps est bien bâti, dans les proportions du millésime. Élégant, un peu vif, correctement typé. Notez également sur vos tablettes **En Billard 2004 (15 à 23 €)**, jolie bouteille, *climat* situé sur Brochon à la limite des Baraques de Gevrey.

⊶ Jérôme Galeyrand, 16, rue de Gevrey, 21220 Saint-Philibert, tél. 06.61.83.39.69, fax 03.80.34.39.69, e-mail jerome.galeyrand@wanadoo.fr ☑ Ⲧ ⛹ r.-v.

DOM. DOMINIQUE GALLOIS
Combe aux Moines 2003 ★★

■ 1er cru | 0,45 ha | n.c. | 23 à 30 €

Les amateurs de vin sont d'accord avec Marcel Proust quand il écrit : « La réalité ne se forme que dans la mémoire. » Mais il faut commencer un jour. Cette bouteille serait un excellent point de départ, ou elle vous rappellera de bons souvenirs si vous êtes déjà un initié. Gourmande et complexe, cette Combe aux Moines remporte en effet le coup de cœur en 1er cru. Robe superbe, bouquet subtil. On est émerveillé par sa richesse, son gras et pourtant rien ne dépasse. L'image d'un gevrey parfaitement cadrée, à déguster cette année ou la suivante. **Les Goulots 1er cru 2005** obtient une citation.

⊶ Dom. Gallois, 9, rue du Mal-de-Lattre-de-Tassigny, 21220 Gevrey-Chambertin, tél. 03.80.34.11.99, fax 03.80.34.38.62 ☑ Ⲧ ⛹ r.-v.

ROBERT GROFFIER PÈRE ET FILS 2004 ★

■ | 0,85 ha | n.c. | **23 à 30 €**

Produit sur près d'1 ha, ce vin est pourpre foncé avec un liseré clair sur le bord. Aux coups de nez, on lui trouve un caractère vineux, confituré, explicite. Bonne entrée en matière car le pinot noir vise l'harmonie. C'est tannique sans hégémonie, d'un fruit savoureux avec quelques notes secondaires où l'on perçoit le cuir. À boire ou à attendre ? Comme vous l'entendrez.

⊶ SARL Robert et Serge Groffier, 3, rte des Grands-Crus, 21220 Morey-Saint-Denis, tél. 03.80.34.31.53 ☑ r.-v.

S.C. GUILLARD Les Corbeaux 2003 ★

■ 1er cru | 0,48 ha | 1 800 | 15 à 23 €

Petit-fils d'un vigneron appelé par tout le monde à Gevrey l'Henri Quatre (on avait numéroté les Henri pour les reconnaître, comme les rois de France), Michel Guillard habite tout près des Corbeaux ; de sa fenêtre, il veille sur eux. La robe d'un rouge soutenu entoure un nez complexe, aromatique, marqué par la vanille, le fruit assez frais et l'empyreumatique. Le corps est rond et fondu. À prix égal ou presque, **Les Corvées Vieilles Vignes 2003**, en *village*, méritent l'attention et une étoile.

⊶ SCEA Guillard, 3, rue des Halles, 21220 Gevrey-Chambertin, tél. 03.80.34.32.44 ☑ Ⲧ ⛹ r.-v.

JEAN-MICHEL GUILLON
La Petite Chapelle 2004 ★★

■ 1er cru | 0,26 ha | 1 560 | 23 à 30 €

Coup de cœur l'an passé, il est mentionné élogieusement à chaque millésime. Alexis a rejoint Jean-Michel Guillon, assurant la succession de ce domaine de 11 ha parti de 2,50 ha en location en 1980. Cette Petite Chapelle inspire le respect dans ce millésime. Pourpre profond, cerise au premier plan et vanille en retrait, elle s'appuie sur une charpente riche de tanins mûrs qui ont tout pour plaire. Beau vin et de garde raisonnable (pas avant 2008). La cuvée **Vieilles Vignes 2004 (15 à 23 €)** en *village* est également remarquable.

⊶ Jean-Michel Guillon, 33, rte de Beaune, 21220 Gevrey-Chambertin, tél. 03.80.51.83.98, fax 03.80.51.85.59, e-mail eurlguillon@aol.com ☑ Ⲧ ⛹ r.-v.

ALAIN GUYARD 2003

■ | 0,7 ha | 4 000 | **11 à 15 €**

Vignerons à Marsannay depuis des générations, les Guyard occupent une maison bien bourguignonne. Un gevrey de bonne souche : sa couleur est ferme, son bouquet assez puissant, entre le fruit noir et le fruit mûr. La chaleur des 2003 (vendange plutôt « tardive », le 4 septembre) accompagne une pression tannique et épicée. On peut tabler sur lui dans deux à quatre ans.

⊶ Dom. Alain Guyard, 10, rue du Puits-de-Têt, 21160 Marsannay-la-Côte, tél. 03.80.52.14.46, fax 03.80.52.67.36 ☑ Ⲧ ⛹ r.-v.

DOM. GUYON 2004 ★

■ | 0,4 ha | 2 600 | 15 à 23 €

« Il apporte beaucoup de plaisir », note un dégustateur. Harmonieux et d'un bon volume, il offre quelques notes de minéralité, nées de cet excellent terroir, mêlées à des fruits rouges vanillés. Tendre et élégante, la bouche est dotée de tanins fins déjà arrondis. On peut l'attendre un peu (trois ans) mais pourquoi ne pas déjà lui faire accompagner un petit gibier à plume ?

⊶ EARL Dom. Guyon, 11-16, RN 74, 21700 Vosne-Romanée, tél. 03.80.61.02.46, fax 03.80.62.36.56, e-mail domaine.guyon@wanadoo.fr ☑ Ⲧ ⛹ r.-v.

DOM. HARMAND-GEOFFROY
La Perrière 2003 ★

■ 1er cru 0,29 ha 1 400 23 à 30 €

Un râble de lièvre devrait se plaire au voisinage de cette Perrière (on disait plutôt au village Les Perrières) profonde et limpide, ouverte sur la violette, et on croirait y lire une page de Roupnel, l'écrivain du pays. L'aération lui fait du bien, pensez-y donc. Un ensemble riche et gras au palais, assez ferme en dernière analyse, et d'un potentiel semble-il important. Dans un an ou dans dix ? L'expérience sera à coup sûr captivante dans les deux hypothèses.

Dom. Harmand-Geoffroy, 1, pl. des Lois, 21220 Gevrey-Chambertin, tél. 03.80.34.10.65, fax 03.80.34.13.72, e-mail harmand-geoffroy@wanadoo.fr r.-v.

DOM. HERESZTYN La Perrière 2004

■ 1er cru n.c. n.c. 23 à 30 €

Classique jusqu'au bout des lèvres, bien vinifiée, cette Perrière (*climat* situé sur la gauche quand on quitte Gevrey vers Morey par la route des Grands Crus) en aurait long à raconter sur son histoire. Sa robe est ici très limpide, sa bouche et son nez se rejoignent sur la framboise à l'eau-de-vie. Le volume et la concentration restent dans l'esprit du millésime, d'où un vin agréable et léger, à consommer cette année. Coup de cœur naguère pour ce même 1er cru (millésime 1999).

Dom. Heresztyn, 27, rue Richebourg, 21220 Gevrey-Chambertin, tél. et fax 03.80.34.13.99, e-mail domaine.heresztyn@wanadoo.fr r.-v.

DOM. HUMBERT FRÈRES Petite Chapelle 2004 ★

■ 1er cru 0,1 ha 600 30 à 38 €

On retrouve toujours avec plaisir un ancien coup de cœur (millésime 2003), d'autant qu'il s'agit ici de notre précédente édition. Au suivant, mais dans un autre *climat* : reflets rubis sur fond mauve, ou reflets violets sur fond pourpre ? On en discute. En revanche, ses arômes observent une discrétion de bon aloi : bourgeon de cassis, un peu de végétal. Nerveux ? Un tantinet. Effet de l'âge qui aura disparu quand vous lirez ces lignes. La densité, la charpente sont à la hauteur d'un 1er cru à Gevrey ; à attendre trois ans.

Dom. Humbert Frères, rue de Planteligone, 21220 Gevrey-Chambertin, tél. et fax 03.80.51.80.14 r.-v.

DOM. ALAIN JEANNIARD 2004 ★

■ 0,5 ha 3 000 15 à 23 €

Cas de figure assez habituel : les 2004 dégustés seize à dix-huit mois plus tard, notamment dans cette partie de la Côte, n'ont pas vraiment « fait leurs Pâques ». Certes, ils sont comme celui-ci structurés, denses. Il leur manque cependant un peu de temps pour raboter leurs tanins et les rendre plus affables. Le bouquet lui aussi demande à s'ouvrir. La robe, elle, est déjà bien en place, vive et lumineuse. À servir dans deux ou trois ans car c'est un « beau » vin.

Dom. Alain Jeanniard, 4, rue aux Loups, 21220 Morey-Saint-Denis, tél. 06.84.56.13.89, fax 03.80.58.53.49, e-mail domaine.ajeanniard@wanadoo.fr r.-v.

LEYMARIE-CECI La Justice 2003 ★★

■ 0,68 ha 900 23 à 30 €

La balance de cette Justice penche du bon côté : en effet, l'affaire est vite plaidée et la cause entendue. L'œil affirme sa couleur. Le nez passe aux aveux de façon si sincère qu'on est saisi par l'indulgence. La griotte à l'eau-de-vie, le café vanillé, tout se marie fort bien. Sa constitution n'est pas phénoménale, mais la relation de l'acidité et des tanins est tout à fait cohérente. Intéressant 2003 : voilà de la présence !

Dom. Leymarie-CECI, Clos du Village, 24, rue du Vieux-Château, 21640 Vougeot, tél. 03.80.62.86.06, fax 03.80.62.88.53, e-mail leymarie@skynet.be r.-v.

DOM. LIGNIER-MICHELOT Cuvée Bertin 2004 ★

■ n.c. 2 300 15 à 23 €

Cuvée Bertin ? On pourrait s'en étonner. En fait, ce couple de viticulteurs a donné ce prénom à un garçon né en 2004. Grenat foncé, le bouquet concentré (fruits secs), un vin chaud et costaud, charpenté, encore dans sa période tannique et qui doit s'ouvrir davantage. La pleine satisfaction se profile pour 2008.

Dom. Lignier-Michelot, 11, rue Haute, 21220 Morey-Saint-Denis, tél. 03.80.34.31.13, fax 03.80.58.52.16, e-mail virgile.lignier@wanadoo.fr r.-v.

LOU DUMONT 2003 ★

■ n.c. n.c. 15 à 23 €

Koji Nakada peut féliciter son équipe. Il s'agit en effet d'une affaire de négoce-éleveur fondée en 2000 à Gevrey, réunissant le Japon, la Corée et la France. La composition de couleur est ici réussie, le fruit chaleureux dans un contexte vanillé (dix-huit mois en manteau de chêne). L'astringence classique des 2003 est due à une forte présence tannique, mais tout se passe assez bien en bouche et le retour de fruit est le bienvenu. Jolie forme de bouteille. L'oublier deux à trois ans en cave.

Maison Lou Dumont, 1, rue de Paris, 21220 Gevrey-Chambertin, tél. 03.80.51.82.82, fax 03.80.51.82.84, e-mail sales@loudumont.com r.-v.

Koji Nakada

FRÉDÉRIC MAGNIEN Perrière 2004 ★

■ 1er cru 0,3 ha 1 700 30 à 38 €

Honnête ? Beaucoup plus. Sa robe est intense pour le millésime, profonde. Ses arômes réglissés introduisent dans le tableau des notes de fruits. Les raisins étaient à point et l'ensemble exprime la pureté. Les tanins sont mûrs, l'acidité dans la norme. « Bien élevé », conclut le jury.

EURL Frédéric Magnien, 4, rue Ribordet, 21220 Morey-Saint-Denis, tél. 03.80.58.54.20, fax 03.80.51.84.34 r.-v.

DOM. MICHEL MAGNIEN ET FILS
Aux Échézeaux 2004 ★★

■ 0,34 ha 1 300 15 à 23 €

Voisins des grands crus mazoyères ou charmes-chambertin, les Échézeaux (de gevrey) penchent du côté morey. Avec succès pour celui-ci dont la race et la classe pour un *village* sont largement au niveau attendu d'un 1er cru. Robe bien comme il faut. Encore un peu dominé par l'élevage et ses quatorze mois en fût, le bouquet offre des nuances originales, minérales et iodées qui contribueront à la complexité de son évolution sur des notes de myrtille. Ample, longue, structurée, la bouche est parfaite. À goûter pour se laisser envahir par ses vertus profondes.

⊶ EARL Michel Magnien et Fils, 4, rue Ribordot, 21220 Morey-Saint-Denis, tél. 03.80.51.82.98, fax 03.80.58.51.76 ▣ ⚱ ★ r.-v.

DOM. MARCHAND-GRILLOT En Songe 2003 ★

■ n.c. n.c. ▣ 15 à 23 €

Certains *climats* à Gevrey ne sont guère revendiqués en raison de noms sonnant mal. Rien de tel pour En Songe (en allant vers Brochon par la route des Grands Crus) qui semble nous emporter dans un conte de fée. Et tel est le cas : une fraîcheur constante sous un pourpre violacé, une belle palette d'arômes (coulis de cerises sur fond épicé), des tanins très mûrs et veloutés, un rêve en effet. **Les Perrières 1er cru 2003 (23 à 30 €)**, honnêtes, mais moins émouvants que le précédent, obtiennent une citation.

⊶ Dom. Marchand-Grillot, 21, rue Aquatique, 21220 Gevrey-Chambertin, tél. 03.80.34.10.18, fax 03.80.58.50.87, e-mail marchand-grillot@ipac.fr ▣ ⚱ ★ r.-v.

CH. DE MARSANNAY 2003

■ 1er cru 0,69 ha 1 629 ▣ 30 à 38 €

Frère cadet du Château de Meursault, le Château de Marsannay a lui aussi pour père André Boisseaux (Patriarche, Kriter et une vie emplie d'initiatives multiples). Ce 1er cru ne nous dit pas son *climat* : raisins assemblés sans doute. Un vin dont la robe ne porte aucun excès d'extraction. Le fruit noir y est plutôt confit. Façon de dire car la mûre ou le cassis confit ne vous tombent pas tous les jours sous le nez. L'étiquette montre le fameux tournoi médiéval du Pas de l'Arbre Charlemagne : le vin a forcément la lance assez dure, mais longue. La cour d'amour est promise, pour plus tard.

⊶ Ch. de Marsannay, rte des Grands-Crus, BP 78, 21160 Marsannay-la-Côte, tél. 03.80.51.71.11, fax 03.80.51.71.12, e-mail chateau.marsannay@kriter.com ▣ ⚱ ★ t.l.j. 10h-12h 14h-18h30; f. dim. de nov. à mars

DOM. THIERRY MORTET 2004

■ 3,5 ha 12 000 ▣ 15 à 23 €

Installé en 1992 sur une partie du domaine Charles Mortet et Fils, Thierry Mortet propose un 2004 grenat intense aux accents de cassis, légèrement nuancés de café (seize mois en fût). Les tanins sont bons. Ils ont toutefois besoin de se fondre davantage pour arrondir leurs contours.

⊶ Dom. Thierry Mortet, 16, pl. des Marronniers, 21220 Gevrey-Chambertin, tél. 03.80.51.85.07, fax 03.80.34.16.80 ▣ ⚱ ★ r.-v.

PIERRE NAIGEON
Lavaux Saint-Jacques Vieilles Vignes 2004 ★★

■ 1er cru 0,09 ha 450 ▣ 30 à 38 €

Un nom associé ici à la vigne et au vin depuis la fin du XIXe s. Un haut lieu bourguignon, l'hôtel Jobert de Chambertin. Pierre Naigeon illustre une tradition familiale et il en maintient le flambeau. Grenat à reflets bleutés, ce vin frais et harmonieux franchira le cap de notre bonne espérance. Riche et gras, caressant comme du velours, rappelant la gelée de mûres, il va s'affirmer dans les deux à trois ans, en enrobant sa vanille et en lissant sa petite pointe de chaleur finale. Deux étoiles aussi pour **Les Échézeaux Vieilles Vignes 2004 (15 à 23 €)**, ceux de Gevrey, bien sûr : mieux qu'un *village* !

⊶ Pierre Naigeon, 4, rue du Chambertin, 21220 Gevrey-Chambertin, tél. 03.80.34.14.87, fax 03.80.58.51.18, e-mail pierre.naigeon@wanadoo.fr ▣ ⚱ ★ r.-v.

GÉRARD QUIVY Les Journeaux 2003 ★★

■ 1 ha 2 280 ▣ 15 à 23 €

Situé à Brochon, ce *climat* ne fait pas de complexes et décroche le coup de cœur. Ancien fonctionnaire de la concurrence et de la consommation, ancien directeur du Syndicat des côtes-de-provence, Gérard Quivy a trouvé ici son chemin de Damas dans l'une des plus belles demeures de Gevrey (début XVIIIe s.). L'accord du pourpre et du grenat relève des Beaux-Arts. Long séjour en fût (vingt-quatre mois), maîtrisé de main de maître. De même l'acidité est-elle bien réglée et les tanins très accommodants.

⊶ Gérard Quivy, 7, rue Gaston-Roupnel, 21220 Gevrey-Chambertin, tél. et fax 03.80.34.31.02, e-mail gerard.quivy@wanadoo.fr ▣ ⚱ ★ t.l.j. sf ven. 9h-12h 14h-18h

DOM. HENRI REBOURSEAU 2003 ★

■ 7,02 ha 7 000 ▣ 23 à 30 €

Le clos de la propriété couvre 5,78 ha d'un seul tenant. Unique à Gevrey ! Un 2003 cerise burlat dont les parfums suggèrent le kirsch et la mûre. Des tanins assez présents annoncent un vin de garde : il y a ici du corps et de l'esprit. On le croit capable de rester vaillant de trois à quatre ans.

⊶ NSE Dom. Henri Rebourseau, 10, pl. du Monument, 21220 Gevrey-Chambertin, tél. 03.80.51.88.94, fax 03.80.34.12.82, e-mail domaine@rebourseau.com ▣ ⚱ ★ r.-v.

DOM. ROSSIGNOL-TRAPET
Petite Chapelle 2003 ★★

■ 1er cru 0,5 ha 3 500 ▣ 30 à 38 €

Entrée en biodynamie (conversion entreprise en 2005, Écocert), la propriété compte aujourd'hui 14 ha. Il y avait autrefois une Haute et Basse Chapelle, une Grande Chapelle, tout cela en mémoire d'une chapelle construite ici en 1547 et disparue vers 1830. Partie en grand cru, partie en 1er cru, les domaines Rossignol-Trapet et Trapet y ont depuis longtemps leurs bancs. Vendangés le 27 août et jamais aussi tôt de mémoire d'aïeul, ces raisins donnent un rouge profond et un bouquet de framboise confite dans la retenue. Le corps en est glorieux, structuré et normalement tannique, charnu et très agréable. La propriété produit également un **gevrey village 2003 (15 à 23 €)**, une étoile, dont l'élégance se révèlera davantage dans trois ou cinq ans.

Dom. Rossignol-Trapet, 4, rue de la Petite-Issue, 21220 Gevrey-Chambertin, tél. 03.80.51.87.26, fax 03.80.34.31.63, e-mail info@rossignol-trapet.com
r.-v.

GÉRARD SEGUIN La Justice 2004 ★★

■	0,4 ha	2 400	11 à 15 €

Si l'on était au stand de tir de Gevrey, à la Boissière, on y verrait un beau tir groupé. Coup de cœur en 2005 pour le millésime 2002, Gérard Seguin place en effet trois bouteilles dans le carton : son **gevrey-chambertin Vieilles Vignes 2004 (15 à 23 €)**, son **1er cru Craipillot 2004 (15 à 23 €)** qui obtiennent une étoile et celle-ci, qui vous réconcilierait avec la justice s'il en était besoin. Une robe grenat, un nez de cerise noire et de myrtille vanillée, un vin très ouvert en bouche, épanoui, toujours boisé et promis à un bel avenir (deux à trois ans) lorsque le fût consentira à baisser le ton.

Dom. Gérard Seguin, 11-15, rue de l'Aumônerie, 21220 Gevrey-Chambertin, tél. 03.80.34.38.72, fax 03.80.34.17.41,
e-mail domaine.gerard.seguin@wanadoo.fr r.-v.

DOM. TAUPENOT-MERME Bel Air 2003 ★

■ 1er cru	0,43 ha	2 300	30 à 38 €

Autrefois à Gevrey, on n'avait pas besoin d'aller en Bretagne ou dans les Alpes. On allait « prendre le bon air » en montant aux « Petits Sapins »... Bel Air respire donc à pleins poumons car on se trouve sur le haut de la Côte. Le grand cru clos-de-bèze est à l'étage en dessous. Il y a pire comme voisin ! Rubis clair, ce 2003 rentré à la cuverie le 29 août propose un bouquet sans prodigalité mais nuancé et fin. Très aimable à l'accueil, juste en milieu de bouche, ferme et tannique par la suite, il bénéficie d'un crédit, pas à long terme mais dans les cinq ans et ce n'est pas si mal.

Dom. Taupenot-Merme, 33, rte des Grands-Crus, 21220 Morey-Saint-Denis, tél. 03.80.34.35.24, fax 03.80.51.83.41,
e-mail domaine.taupenot-merme@wanadoo.fr
r.-v.

DOM. DES TILLEULS Clos Village 2003 ★

■	1,3 ha	5 000	11 à 15 €

Le *climat* Village se trouve à côté de la maison, sur les hauteurs de Gevrey (entre l'église et le château). Clos familial sur 1,30 ha. Rouge discrètement violacé, vineux au nez (griotte), un vin d'une grande fraîcheur pour le millésime. Il offre une bonne présence en bouche et on ne s'étonnera pas d'une note plus tannique en manière de conclusion. Attendre deux ou trois ans que le fondu se fasse.

Philippe Livera, 7, rue du Château, 21220 Gevrey-Chambertin, tél. et fax 03.80.34.30.43
r.-v.

DOM. TORTOCHOT Les Corvées 2004

■	0,86 ha	5 700	15 à 23 €

Les Corvées se trouvent au milieu de la commune. D'une intensité assez soutenue, un pinot noir aux parfums réglissés et fruités, qui se révèlent mieux quand le verre a pris un bol d'air. Vin jeune et dont l'expression en bouche sera plus convaincante vers 2008. Tenir compte en effet du millésime.

Dom. Tortochot, 12, rue de l'Église, 21220 Gevrey-Chambertin, tél. 03.80.34.30.68, fax 03.80.34.18.80, e-mail contact@tortochot.com
r.-v.
Ch. Michel Tortochot

DOM. TRAPET PÈRE ET FILS 2004 ★

■	5,2 ha	23 000	15 à 23 €

En biodynamie rigoureuse et convaincue (Biodyvin), Jean-Louis (fils de Jeannot Trapet) a été naguère le lauréat d'une des plus hautes distinctions du Guide. Ce *village* assemble des raisins de plusieurs parcelles en Petite Jouise, Champerriers, En Dérée, Clos de Combe, et en réalise la synthèse. Rubis brillant et néanmoins profond, d'un beau fruit rouge teinté de minéral, il dessine une bouche ample et pleine, dense, souple à l'attaque. Les tanins, plus apparents en finale, demandent deux à trois ans de garde pour laisser place à une saveur soyeuse digne d'un grand gevrey.

Dom. Trapet Père et Fils, 53, rte de Beaune, 21220 Gevrey-Chambertin, tél. 03.80.34.30.40, fax 03.80.51.86.34,
e-mail message@domaine-trapet.com r.-v.

DOM. DES VAROILLES
La Romanée Monopole 2003 ★

■ 1er cru	1 ha	3 000	23 à 30 €

Sous pavillon helvétique (Hammel à Rolle), voici La Romanée en gevrey. Un monopole situé sur le versant des Lavaux et des Cazetiers, au-dessus d'une jolie petite bâtisse qui attire toujours l'œil du photographe. Ce qu'on appelle ici une « maison de quatre heures », où l'on va faire frigoler des marrons ou embrasser sa belle. Bref, venons-en au vif. Rubis impeccable, fleurs et fruits noirs à l'aération, un vin structuré, encore un peu tannique, aimable cependant, tout à fait recommandable et conforme à ce qu'on en attend. Notez aussi **Champonnets 1er cru 2003**, cité par le jury. Quant au **Clos des Varoilles 2003 1er cru Monopole**, il est fruité, agréable, chaleureux.

Dom. des Varoilles, rue de la Croix-des-Champs, 21220 Gevrey-Chambertin, tél. 03.80.34.30.30
r.-v.
Hammel-Cheron

Chambertin

Bertin, vigneron à Gevrey, possédant une parcelle voisine du Clos de Bèze et fort de l'expérience qualitative des moines, planta les mêmes plants et obtint un vin similaire : c'était le « champ de Bertin », d'où Chambertin. L'AOC a produit 503 hl en 2005.

DOM. CAMUS PÈRE ET FILS 2003 ★

■ Gd cru	1,7 ha	3 000	46 à 76 €

« Quant au vin de Chambertin, il est presque superflu d'en parler... » écrivait le Dr Jules Lavalle en 1855. Ne suivons pas son conseil, car cette bouteille n'est pas muette. Cerise noire, brillante, vanillée avec doigté, élégante et fruitée, elle est remarquablement fraîche pour son millésime (vendange le 25 août 2003). On retrouve ici le style attaché à l'image de ce domaine : des vins peu tanniques, lisses et relativement légers.

Dom. Hubert Camus,
21, rue du Mal-de-Lattre-de-Tassigny,
21220 Gevrey-Chambertin, tél. 03.80.34.30.64,
fax 03.80.51.87.93 r.-v.

DOM. PIERRE DAMOY 2003 *

Gd cru 0,48 ha 1 324 + de 76 €

47 a 59 ca vendangés le 6 septembre. Typé 2003, il arbore la robe du sacre : un rouge impérial à reflets mauves. Ses dix-huit mois d'élevage en fût laissent évidemment un souvenir de pain grillé, de vanille, mais le message ne s'arrête pas là : arômes assez sauvages de cuir et d'animal, baies noires. Le palais n'a rien d'austère ; tout y est rond, souple, friand. Sans doute y a-t-il toujours dans les contes un douzième coup de minuit qui nous fait revenir à la réalité : finale encore quelque peu tannique qui saura s'arrondir dans un an ou deux.

SCEV Dom. Pierre Damoy,
11, rue du Mal-de-Lattre-de-Tassigny,
21220 Gevrey-Chambertin, tél. 03.80.34.30.47,
fax 03.80.58.54.79,
e-mail info@domaine-pierre-damoy.com r.-v.

CAMILLE GIROUD 2003

Gd cru 0,35 ha 1 460 + de 76 €

Fondée il y a quelque cent cinquante ans, cette maison beaunoise a été rachetée en 2002 par un consortium américain. Elle est présidée par Beckie Wasserman qui, originaire d'Europe centrale, connaît à merveille la vigne, le vin et la tonnellerie, vivant et travaillant en Bourgogne depuis une trentaine d'années. La robe est ici moyennement intense, alors que le bouquet est expressif (mûre notamment). La bouche, encore tannique, concise, signe une vendange du 17 août, et garde pour plus tard ses arguments les plus convaincants. Élevé dix-huit mois en cuve-bois.

Maison Camille Giroud, 3, rue Pierre-Joigneaux,
21200 Beaune, tél. 03.80.22.12.65, fax 03.80.22.42.84,
e-mail camillegiroud@wanadoo.fr r.-v.

DOM. HENRI REBOURSEAU 2003 *

Gd cru 0,79 ha 1 215 + de 76 €

92 94 |**96**| 98 |(99)| 00 02 03

« Je veux qu'on soit sincère », exigeait Alceste. Il n'aurait pas eu besoin d'insister face à ce chambertin. La robe de Célimène, mais infiniment plus de franchise et de générosité... Expressif, bien vinifié, il correspond à son image de vin carré, entier, puissant, sûr de lui et dominateur. Il a encore l'habituelle note tannique finale des 2003 (sécateurs en action le 27 août). Bel avenir, pas avant 2010-2012. Quant au domaine, il a traversé toute l'histoire du XXe s. à Gevrey.

NSE Dom. Henri Rebourseau,
10, pl. du Monument, 21220 Gevrey-Chambertin,
tél. 03.80.51.88.94, fax 03.80.34.12.82,
e-mail domaine@rebourseau.com r.-v.

DOM. LOUIS REMY 2003 *

Gd cru 0,32 ha 800 + de 76 €

« Vendanges tardives » pourrait-on dire pour des sécateurs mis en action le 6 septembre. Car 2003 était plus précoce. D'un rouge presque nocturne, le nez clairement porté sur le bourgeon de cassis (très réputé parmi les alchimistes des grands parfums), ce vin cède à une légère tannicité en deuxième bouche, comme beaucoup de ses congénères. Mais la matière est présente, le gras et le fruit bien en place. Prêt au service vers 2008.

Dom. Louis Remy, 1, pl. du Monument,
21220 Morey-Saint-Denis, tél. 03.80.34.32.59,
fax 03.80.34.32.23,
e-mail domaine.louis.remy@wanadoo.fr r.-v.

DOM. ROSSIGNOL-TRAPET 2003 *

Gd cru 1,6 ha 3 000 46 à 76 €

1 ha 54 a 78 ca vendangé le 27 août et domaine converti à la biodynamie en 2005. Voici un grand cru d'une approche particulière. Le vin est très peu vanillé, mettant en valeur le cassis ou la mûre. Les tanins sont de bonne compagnie, et la vivacité de bon aloi. Le palais a du gras, du fruit, de l'équilibre, une persistance honorable. Probablement pas de très longue garde : deux à cinq ans, sans doute.

Dom. Rossignol-Trapet, 4, rue de la Petite-Issue,
21220 Gevrey-Chambertin, tél. 03.80.51.87.26,
fax 03.80.34.31.63, e-mail info@rossignol-trapet.com
r.-v.

DOM. TORTOCHOT 2003 *

Gd cru 0,39 ha 900 38 à 46 €

39 a 83 ca dans le grand cru. Un coup de cœur dans le passé. Un 2003 qui devra s'ouvrir. Cela rappelle les millésimes 1976, l'été de la sécheresse. On y trouve de l'astringence, de la dureté mais le cas n'a rien de rare chez les jeunes chambertin. Paré d'une très belle robe, parfumé de vanille et de cassis (vingt-quatre mois en fût, exceptionnel), celui-ci offre des indices de qualité (franchise, fruit, composition d'ensemble) que l'on aurait grand tort de négliger. À ouvrir dans trois à cinq ans.

Dom. Tortochot, 12, rue de l'Église,
21220 Gevrey-Chambertin, tél. 03.80.34.30.68,
fax 03.80.34.18.80, e-mail contact@tortochot.com
r.-v.

Chambertin-clos-de-bèze

Les religieux de l'abbaye de Bèze plantèrent en 630 une vigne dans une parcelle de terre qui donna un vin particulièrement réputé : ce fut l'origine de l'appellation, qui couvre une quinzaine d'hectares ; les vins peuvent également s'appeler chambertin. La production a atteint 522 hl en 2005.

DOM. PIERRE DAMOY 2003 **

Gd cru 5,36 ha 4 864 + de 76 €

Le chiffre 3 réussit à ce clos-de-bèze : coup de cœur pour le millésime 1993 et à nouveau pour son 2003 (récolté le 6 septembre). Le socle du domaine est à vous couper le souffle : 5 ha 35 a 95 ca dans ce même grand cru ! L'achat date de 1920 (l'ancien domaine Serre à Meursault) quand Julien Damoy, fondateur d'une multitude d'épiceries, se tourne vers la vigne et le vin, à Romanèche-Thorins puis à Gevrey. Pourpre très sombre, ce clos-de-bèze tient pleinement son rang : cassis, réglisse, café (dix-huit mois de fût). Un tissu caressant au grain subtil. « Paisible et triomphant », selon la définition du grand cru par Evelyn Waugh.

🔑 SCEV Dom. Pierre Damoy,
11, rue du Mal-de-Lattre-de-Tassigny,
21220 Gevrey-Chambertin, tél. 03.80.34.30.47,
fax 03.80.58.54.79,
e-mail info@domaine-pierre-damoy.com ☑ r.-v.

DOM. DROUHIN-LAROZE 2004

■ Gd cru 1,4 ha 6 500 ⬤ 46 à 76 €

95 96 |00| |01| |02| **03** 04

Trois acquisitions en 1955 et 1979, pour aboutir à 1 ha 46 a 71 ca, une partie provenant du fabuleux domaine Marey-Monge. L'occasion de citer André Maurois qui fut un grand ami du domaine : « La certitude d'être aimé donne beaucoup de grâce à un esprit timide en lui rendant le naturel. » C'est un peu ce qui se produit pour ce 2004 encore réservé, discret comme l'est souvent ce millésime à cet âge. Son bouquet suggère le cassis, puis à l'aération le cuir et l'animal. D'un beau grenat, il demeure austère, tout en plaçant au bon moment la groseille en retour d'arômes. Coup de cœur l'an dernier, ce domaine est dirigé depuis 2001 par Philippe et Christine Drouhin.

🔑 Dom. Drouhin-Laroze, 20, rue du Gaizot,
21220 Gevrey-Chambertin, tél. 03.80.34.31.49,
fax 03.80.51.83.70 ☑ Y ⚲ t.l.j. 9h-12h 13h30-19h 🏠 Ⓔ
🔑 Philippe Drouhin

DOM. PIERRE GELIN 2003

■ Gd cru 0,4 ha 1 200 ⬤ 46 à 76 €

Saluons tout d'abord la mémoire d'André Molin, beau-frère de Pierre Gelin. Le vigneron-poète de Fixin est allé vendanger les Vignes du Seigneur en avril dernier. Cette âme sensible était devenue l'une des figures de la Côte. Ce clos-de-bèze provient d'une parcelle achetée en 1962 au domaine Marion, sur quelque 40 a. Rubis pourpre, le nez à maturité sur le bourgeon de cassis, il a été vendangé le 4 septembre. Ses tanins sont encore durs en finale : l'attente (deux à trois ans) est donc obligatoire.

🔑 Dom. Pierre Gelin, 2, rue du Chapitre, 21220 Fixin,
tél. 03.80.52.45.24, fax 03.80.51.47.80,
e-mail gelin.pierre@wanadoo.fr
☑ Y ⚲ t.l.j. sf dim. 9h-12h 13h30-18h

ROBERT GROFFIER ET FILS 2004 *

■ Gd cru 0,41 ha 1 800 ⬤ + de 76 €

Le millésime 1998 a bénéficié du coup de cœur, distinction rare en clos-de-bèze (décerné six fois seulement du début des années 1990 jusqu'en 2006). Ces 40 a 66 ca ont été achetés en 1953 à la maison Gauvin à Châlon-sur-Saône. Pourpre magenta brillant, le nez très chambertin sur le sous-bois, la baie noire et le cuir, ce vin passe en bouche en conservant des arômes de venaison entourés de bons tanins. Dans le verre ou la bouteille débouchée une demi-heure auparavant, le vin grandit sans rien perdre de son aménité. Classique et de moyenne garde.

🔑 SARL Robert et Serge Groffier,
3, rte des Grands-Crus, 21220 Morey-Saint-Denis,
tél. 03.80.34.31.53 ☑ r.-v.

FRÉDÉRIC MAGNIEN 2004 **

■ Gd cru n.c. 1 600 ⬤ 46 à 76 €

L'une des bouteilles sélectionnées pour la finale du coup de cœur. Il s'agit donc de l'un des meilleurs vins de la famille chambertine. D'un rouge très foncé et brillant, il donne envie d'explorer son bouquet riche et complexe. On y discerne des notes de cerise, de cuir, dans une atmosphère chaleureuse. Bien encadré par ses pierres d'angle, sur de solides fondations, son corps reste longtemps en bouche et s'y plaît. L'acidité et les tanins font cause commune. Un soupçon de sévérité, mais il s'agit d'un vin de garde au bon potentiel.

🔑 EURL Frédéric Magnien, 4, rue Ribordet,
21220 Morey-Saint-Denis, tél. 03.80.58.54.20,
fax 03.80.51.84.34 ☑ Y ⚲ r.-v.

Autres grands crus de Gevrey-Chambertin

Autour des deux précédents, il y a six autres crus qui, sans les égaler, restent de la même famille. Les conditions de production sont un peu moins exigeantes, mais les vins y ont des caractères de solidité, de puissance et de plénitude semblables, où domine la réglisse, qui permet généralement de différencier les vins de Gevrey de ceux des appellations voisines : les latricières (environ 7 ha) ; les charmes (31 ha 61 a 30 ca) ; les mazoyères, qui peuvent également s'appeler charmes (l'inverse n'est pas possible) ; les mazis, comprenant les Mazis-Haut (environ 8 ha) et les Mazis-Bas (4 ha 59 a 25 ca) ; les ruchottes (venant de roichot, lieu où il y a des roches), toutes petites par la surface, comprenant les Ruchottes-du-Dessus (1 ha 91 a 95 ca) et les Ruchottes-du-Bas (1 ha 27 a 15 ca) ; les griottes, où auraient poussé des cerisiers sauvages (5 ha 48 a 5 ca) ; et enfin, les chapelles (5 ha 38 a 70 ca), nom donné par une chapelle bâtie en 1155 par les religieux de l'abbaye de Bèze, rasée lors de la Révolution.

Latricières-chambertin

DOM. CASTAGNIER 2004

■ Gd cru 0,53 ha 3 000 ⬤ 23 à 30 €

La robe d'un grenat très soutenu annonce la densité d'un latricières au grain présent, tannique sans céder à l'agressivité. Bonne persistance dans une composition un peu rigide. Le nez marie le confit et, à l'aération, l'arôme très chambertin de la violette. Cette austérité de jeunesse

n'a rien de surprenant en ces terres cisterciennes. À attendre ? Évidemment. Comme le disait saint Bernard, « il faut laisser du temps au temps ».
EARL Dom. Castagnier, 20, rue des Jardins, 21220 Morey-Saint-Denis, tél. 03.80.34.31.62, fax 03.80.58.50.04 r.-v.
GFA DN Newman

CAMILLE GIROUD 2003

■ Gd cru 0,4 ha 1 740 46 à 76 €

Ces raisins parvenaient à la cuverie le 17 août. Ils ont produit un latricières enfanté en cuve, ce qui, à vrai dire, est suffisamment exceptionnel pour être signalé. Le résultat est d'un beau rouge. Au premier nez, on discerne des notes de fruits cuits. Les tanins sont bien fondus, le vin, disposant d'une charpente moyenne et en accord avec le millésime, est soyeux et souple, agréable et à déguster sans trop attendre. Maison créée en 1865, reprise en 2002 par un consortium américain.
Maison Camille Giroud, 3, rue Pierre-Joigneaux, 21200 Beaune, tél. 03.80.22.12.65, fax 03.80.22.42.84, e-mail camillegiroud@wanadoo.fr r.-v.

DOM. LOUIS REMY 2003 *

■ Gd cru n.c. 1 700 46 à 76 €

Marie-Louise puis sa fille Chantal : n'allez pourtant pas croire à un « ouvrage de dame ». Rubis grenat, tirant de la vendange (6 septembre 2003) toute la matière colorante possible, il donne la sensation du raisin, du vrai fruit de la vigne, particularité des latricières quand elles sont dans un bon jour. Dotée de charpente, d'une finale fine et agréable et d'un réel potentiel, cette bouteille pourra attendre 2008 ou 2010.
Dom. Louis Remy, 1, pl. du Monument, 21220 Morey-Saint-Denis, tél. 03.80.34.32.59, fax 03.80.34.32.23, e-mail domaine.louis.remy@wanadoo.fr r.-v.

DOM. ROSSIGNOL-TRAPET 2003 *

■ Gd cru 0,75 ha 2 000 38 à 46 €

Quelque 10 % de la superficie du grand cru. Pourpre à disque encore frais, à reflets violets, ce 2003 se présente à son avantage. Son premier nez confit s'ouvre assez rapidement sur des arômes de fruits cuits, comme le pruneau. Fin et charnu, il joue de cette complémentarité pour enrober les élans modérés de sa puissance. Il a choisi son camp au sein de l'orchestre, parmi les cordes plutôt que les cuivres. Vendange le 27 août, précision toujours intéressante pour les 2003. De garde correcte sans être infinie.
Dom. Rossignol-Trapet, 4, rue de la Petite-Issue, 21220 Gevrey-Chambertin, tél. 03.80.51.87.26, fax 03.80.34.31.63, e-mail info@rossignol-trapet.com r.-v.

DOM. TRAPET PÈRE ET FILS 2004 *

■ Gd cru n.c. n.c. 46 à 76 €

|98| |99| **00 01** |02| 03 **04**

Prolongeant le chambertin, les latricières ont parfois des arômes renversants, immédiats, omniprésents. On le vérifie avec ce vin aux notes de sous-bois, de cuir, animal. Rubis intense, son corps est parfaitement équilibré. Quelques notes empyreumatiques n'obèrent pas le fruit rouge en contrepoint. Car il est encore assez fermé et peut atteindre 2010. Pratiquant une biodynamie scrupuleuse, ce domaine a été couronné par la Grappe d'or du Guide. Il a un pied en Alsace.
Dom. Trapet Père et Fils, 53, rte de Beaune, 21220 Gevrey-Chambertin, tél. 03.80.34.30.40, fax 03.80.51.86.34, e-mail message@domaine-trapet.com r.-v.

Chapelle-chambertin

DOM. PIERRE DAMOY 2003

■ Gd cru 2,22 ha 3 121 46 à 76 €

|98| |99| |00| |01| 02 03

Ce *climat* entretient le pieux souvenir de la chapelle Notre-Dame de Bèze bâtie en 1155, reconstruite en 1547 et démolie au XIX[e]s. La statue de la Vierge subsisterait, mais c'est le secret le mieux gardé de Gevrey. Récolté le 6 septembre, sans précipitation, assez classique dans son millésime, un vin très coloré, puissant et concentré, boisé, aromatique, traité selon l'année et sa modeste acidité. Du potentiel sur un horizon de trois à quatre ans.
SCEV Dom. Pierre Damoy, 11, rue du Mal-de-Lattre-de-Tassigny, 21220 Gevrey-Chambertin, tél. 03.80.34.30.47, fax 03.80.58.54.79, e-mail info@domaine-pierre-damoy.com r.-v.

Charmes-chambertin

DOM. ARLAUD 2004 *

■ Gd cru 1,14 ha 4 500 38 à 46 €

00 01 03 04

Les viticulteurs de Morey sont nombreux dans les Charmes pour une raison bien simple : c'est plus près de Morey que de Gevrey. On n'est plus au temps du cheval ? Mais si, il revient en force dans les vignes et le passé devient l'avenir. Typé 2004, élégant, expressif, un vin soyeux, sur la réglisse, un peu chaud, rubis vif et distribuant alentour les épices. Il n'est pas phénoménal, mais élégant et long, restant dans le millésime. Et capable de se présenter dans cinq ans.
Dom. Arlaud, 41, rue d'Épernay, 21220 Morey-Saint-Denis, tél. 03.80.34.32.65, fax 03.80.34.10.11, e-mail contact@domainearlaud.com r.-v.

BOUCHARD AÎNÉ ET FILS 2004 *

■ Gd cru n.c. 3 000 38 à 46 €

De la mâche, du tanin, un vin encore réservé mais corsé et riche en corps. Disposé à se prêter à l'Oreiller de la Belle Aurore, recette de Brillat-Savarin reprise par Dumaine : sous une énorme croûte, des couches géologiques de tranches et farces de bécasse, faisan, foie gras, que sais-je encore ? Durée de préparation : huit jours entiers ! Grenat à reflets noirs, entre prunelle et fourrure, ce millésime possède de la tenue et du feu. Droit et net. On l'a dit, il a de la réserve et du fond. À ouvrir dans trois ans, pour voir, car il devrait bien vivre dix ans.
Bouchard Aîné et Fils, hôtel du Conseiller-du-Roy, 4, bd Mal-Foch, 21200 Beaune, tél. 03.80.24.24.00, fax 03.80.24.64.12, e-mail bouchard@bouchard-aine.fr r.-v.
FGVS Boisset

LOU DUMONT 2003 ★★

■ Gd cru n.c. 900 ⓘ 30 à 38 €

Maison entre Corée, Japon et France, posée à Gevrey comme l'oiseau fait son nid : cette jeune affaire de négoce (née en 2000) sort un charmes de « derrière les fagots », bigarreau à l'œil et au nez, concentré et d'une excellente définition, frais malgré l'empreinte des ans, avec suffisamment d'acidité pour durer le temps qu'il faudra. Quant à la caille farcie au foie gras conseillée par une dégustatrice, elle relève du bonus. Félicitez le vinificateur.

Lou Dumont, 1, rue de Paris, 21220 Gevrey-Chambertin, tél. 03.80.51.82.82, fax 03.80.51.82.84, e-mail sales@loudumont.com ☑ Ɪ ⛹ r.-v.

Koji Nakada

DOM. DUPONT-TISSERANDOT 2004

■ Gd cru 0,8 ha 2 700 ⓘ 38 à 46 €

Noir d'encre à ce qu'on dit et le nez brut de sentiment, probablement en attente d'ouverture, un charmes assez tannique et animal, qui a donc du corps et une certaine vivacité. Typé du terroir et atypique du millésime ! Sachez que les vignes semblent très vieilles. Il lui manque peut-être un rien de décontraction. Sa jeunesse explique cela.

Dom. Dupont-Tisserandot, 2, pl. des Marronniers, 21220 Gevrey-Chambertin, tél. 03.80.34.10.50, fax 03.80.58.50.71 ☑ Ɪ r.-v.

Françoise Guillard, Patricia Chevillon

DOM. DOMINIQUE GALLOIS 2003 ★★

■ Gd cru 0,3 ha 1 200 ⓘ 38 à 46 €

On est ici en altitude. Un superbe 2003 du 23 août dont vous vous souviendrez. L'œil d'un rubis ! Le nez d'un gourmand, cerise noire ou plutôt kirsch, le vanillé nécessaire et pudique. En bouche ? Tout est là. On peut sans doute en discuter sans fin, mais l'ouverture est de Mozart, la suite de Beethoven et le dénouement de Wagner. Domaine ayant su, par ailleurs, préserver et rendre disponibles les précieuses archives Roupnel : la perfection culturelle s'ajoute à celle de ce vin si proche du coup de cœur.

Dom. Gallois, 9, rue du Mal-de-Lattre-de-Tassigny, 21220 Gevrey-Chambertin, tél. 03.80.34.11.99, fax 03.80.34.38.62 ☑ Ɪ ⛹ r.-v.

HUGUENOT PÈRE ET FILS 2003 ★

■ Gd cru 0,3 ha 1 200 ⓘ 38 à 46 €

Le nez et la bouche s'entendent bien. Des tanins suaves et soyeux, on ne se plaint pas. Le fruit est si frais qu'au nez on l'imagine déjà en bouche. S'il n'a pas l'éternité devant lui, ce vin peut voyager au long cours, de cinq à dix ans, sans risque de chavirer. C'est assez pour prendre la mer.

Huguenot Père et Fils, 7, ruelle du Carron, 21160 Marsannay-la-Côte, tél. 03.80.52.11.56, fax 03.80.52.60.47, e-mail domaine.huguenot@wanadoo.fr ☑ Ɪ ⛹ r.-v.

DOM. HUMBERT FRÈRES 2004 ★

■ Gd cru 0,22 ha 1 050 ⓘ 38 à 46 €

|96| |98| |99| **01 02** |03| 04

Oui, un très bon vin grenat foncé brillant et de grand... charme ! Cerise noire et fruits cuits s'expriment aisément, même si les dix-huit mois en fût ne se font pas oublier. L'extraction est certes poussée, la charpente moderne dans un bon potentiel de garde (cinq à six ans, logiquement, pour ce millésime, guère davantage).

Dom. Humbert Frères, rue de Planteligone, 21220 Gevrey-Chambertin, tél. et fax 03.80.51.80.14 ☑ Ɪ r.-v.

LOUIS JADOT 2002

■ Gd cru n.c. n.c. ⓘ 46 à 76 €

La maison Louis Jadot est américaine depuis déjà longtemps, demeurant sagement bourguignonne au sein de la famille Gagey. Un caractère, une nature : intense à l'œil, intense au nez, il ne varie pas dans ses déclarations d'un rouge réglissé. L'attaque ? Ardente. La texture ? Harmonieuse. C'est un 2002, pas trop profond mais débordant d'arômes secondaires, et dont les tanins sont doux. De garde moyenne. Petit gibier à plume ou belle volaille de Bresse.

Louis Jadot, 21, rue Eugène-Spuller, BP 117, 21203 Beaune Cedex, tél. 03.80.22.10.57, fax 03.80.22.56.03, e-mail contact@louisjadot.com Ɪ ⛹ r.-v.

NICOLAS POTEL 2003

■ Gd cru 1,1 ha 3 600 ⓘ + de 76 €

Cette maison a été créée lors de la vente du domaine de la Pousse d'or. Elle propose un grand cru grenat profond, réglissé et poivré, daignant révéler le kirsch sous son manteau de cuir ; comme à Pompéi, c'est un peu la *Villa des Mystères*. Une certaine beauté dans sa typicité où la matière est forte, la peinture vive et l'évolution forcément marquée. Pour cuisine d'automne aux marrons.

SAS Nicolas Potel, 44, rue des Blés, 21700 Nuits-Saint-Georges, tél. 03.80.62.15.45, fax 03.80.62.15.46, e-mail nicolas.potel@wanadoo.fr ☑ Ɪ ⛹ r.-v.

DOM. QUIVY 2003 ★

■ Gd cru 0,9 ha 450 ⓘ 46 à 76 €

Une vie... Fonctionnaire (dossiers vitivinicoles) et juriste, directeur du Syndicat des côtes-de-provence, Gérard Quivy s'établit à Gevrey dans la très belle demeure Thomas-Bassot construite en 1710 et merveilleusement mise en valeur à deux pas de la mairie. Pour ce charmes cerise noire au nez captivant : noyau, pomme au four... Nerveux et épicé, doté de suffisamment d'acidité et d'un fruit agréable, il passe tous les obstacles comme un sauteur de haies à Auteuil. Avenir considérable. Ne l'oublions pas, il n'est pas ouvert...

Gérard Quivy, 7, rue Gaston-Roupnel, 21220 Gevrey-Chambertin, tél. et fax 03.80.34.31.02, e-mail gerard.quivy@wanadoo.fr ☑ Ɪ ⛹ t.l.j. sf ven. 9h-12h 14h-18h

DOM. HENRI REBOURSEAU 2003 ★

■ Gd cru 1,31 ha 2 432 ⓘ 46 à 76 €

La robe à son maximum, mais venant de chez Gucci ! Pas trop de boisé (dix-sept mois) et c'est bien. On se tient plutôt en sous-bois, en fruits mûrs, sur une touche assez chaleureuse. Au palais, le bigarreau saute à pieds joints sur un peu de gras. L'acidité et les tanins font bras dessus bras dessous. Un vin plus remarquable en texture qu'en profondeur. Avec 1,31 ha, on est capable de vinifier sérieusement l'appellation. Lièvre en croûte feuilletée, propose un dégustateur.

NSE Dom. Henri Rebourseau, 10, pl. du Monument, 21220 Gevrey-Chambertin, tél. 03.80.51.88.94, fax 03.80.34.12.82, e-mail domaine@rebourseau.com ☑ Ɪ ⛹ r.-v.

BOURGOGNE

DOM. HENRI RICHARD 2003 *

■ Gd cru 1,11 ha n.c. 38 à 46 €

Une superbe robe de scène rouge grenat étincelant. Fauve et confituré, un bouquet d'absolu. Félin, soyeux, ce vin est né de 1 ha 11 a 4 ca, vaste parcelle située au beau milieu du grand cru. Il manque peut-être d'un rien de fraîcheur à l'ouverture, millésime oblige, mais il a de la classe. Assez boisé, après dix mois seulement de fût, il sera de longue garde et pourra se plaire sur un coq, accord fort classique et si peu pratiqué aujourd'hui, ou sur tout gibier.

SCE Henri Richard, 75, rte de Beaune, 21220 Gevrey-Chambertin, tél. et fax 03.80.34.35.81, e-mail scehenririchard@hotmail.com r.-v.

MARC ROUGEOT-DUPIN 2003

■ Gd cru n.c. 1 200 30 à 38 €

Rougeot-Dupin, charmes-chambertin, le trait d'union marie les époux et le grand cru sous une étiquette de grande classe. L'alcool est présent, les tanins bien serrés, la persistance appréciée, la puissance modeste. Rubis foncé avec un semblant d'évolution, il joue le trio vanille, fraise et tabac blond au nez. À jouer dans l'attente si l'on aime le mystère.

Marc Rougeot-Dupin, 6, rue André-Ropiteau, 21190 Meursault, tél. 03.80.21.20.59, fax 03.80.21.66.71 r.-v.

DOM. TAUPENOT-MERME 2003

■ Gd cru 0,72 ha n.c. 46 à 76 €

Domaine installé dans une cave du XVIIIe s. où sont vinifiés une douzaine d'hectares. Pourpre grenat, à l'œil ce vin évolue un peu. Cela se produit pour bien des 2003. Celui-ci est intense et mûr (figue fraîche et cuir). À point. L'acidité et les tanins s'invitent ensuite à la fête : une présence indubitable. Vendangé le 28 août, il réussit à tirer son épingle d'un jeu pas facile.

Dom. Taupenot-Merme, 33, rte des Grands-Crus, 21220 Morey-Saint-Denis, tél. 03.80.34.35.24, fax 03.80.51.83.41, e-mail domaine.taupenot-merme@wanadoo.fr r.-v.

DOM. DES VAROILLES 2003 *

■ Gd cru 0,8 ha 1 200 38 à 46 €

Robe très foncée à reflets grenat sombre, il s'affiche. Bouquet très gevrey entre griotte et cuir sur accompagnement grillé dû au séjour (dix-huit mois) en fût. Il confirme ces impressions au palais. Matière, concentration, tanins, l'ampleur et le gras lui vont bien. Image d'un grand cru de la Côte de Nuits sans abus ni mollesse. Cap ouvert dans les trois ans. Bouteille signée par le propriétaire helvétique des Varoilles, Gilbert Hammel.

Gilbert Hammel, Dom. des Varoilles, 11, rue de l'Ancien-Hôpital, 21220 Gevrey-Chambertin, tél. 03.80.34.30.30, fax 03.80.51.88.99, e-mail contact@domaine-varoilles.com r.-v.

Griotte-chambertin

DOM. MARCHAND FRÈRES 2004

■ Gd cru 0,13 ha 700 38 à 46 €

|98| 99 |00| |01| 03 04

Un griotte est souvent comparé aux travaux d'aiguille tant il doit être fin. Un sol très particulier explique cela. Ici une belle robe de pinot, un nez de raisins entiers, réglissé sur boisé réussi et – sans trop de densité ni de longueur – une touche de délicatesse accomplie. En général, le griotte s'apprécie assez jeune, pour le plaisir.

Dom. Marchand Frères, 1, pl. du Monument, 21220 Gevrey-Chambertin, tél. 03.80.62.10.97, fax 03.80.62.11.01, e-mail dmarc2000@aol.com r.-v.

D. Marchand

Mazis-chambertin

CAMUS PÈRE ET FILS 2003 *

■ Gd cru 0,37 ha 1 000 30 à 38 €

37 a 37 ca très exactement, et cette propriété ne date pas d'hier. L'ancien président du Bureau interprofessionnel des vins de Bourgogne peut être fier de son travail. Aucune surextraction, une vendange le 25 août, une vanille bien fondue sur fond de kirsch : ce vin allie puissance et distinction. Sa longueur n'est pas exceptionnelle. Sa finesse en revanche est impressionnante. Très peu de terre à cet endroit, mais elle est sans pareil. Les mazis-chambertin Thomas-Collignon sont souvent un *must* à la vente des Hospices de Beaune.

Dom. Hubert Camus, 21, rue du Mal-de-Lattre-de-Tassigny, 21220 Gevrey-Chambertin, tél. 03.80.34.30.64, fax 03.80.51.87.93 r.-v.

DOM. PHILIPPE CHARLOPIN 2003 *

■ Gd cru n.c. n.c. + de 76 €

|97| 99 00 01 02 **03**

Un vin taillé, sculpté pour la durée. Pulpeux et violacé, il défie le regard. Le fût est intense, lui offrant une sphéricité (pour parler comme Colette) parfaite. Le temps fera son œuvre, atténuant utilement les effets de l'élevage pour n'en garder que les bienfaits. L'attaque est éblouissante, suivie par une pointe de chaleur réglissée. Prestation sérieuse, à conjuguer au futur.

Philippe Charlopin, 18, rte de Dijon, 21220 Gevrey-Chambertin, tél. et fax 03.80.58.50.46, e-mail charlopin-philippe@wanadoo.fr

DOM. DUPONT-TISSERANDOT 2004 *

■ Gd cru 0,36 ha 1 500 38 à 46 €

Ce domaine est passé en quelques décennies de 3 à plus de 20 ha. « La vigne on s'y fait vite », disait Bernard Dupont ni du métier ni du pays. Oui, mais rarement aussi bien. 14 a 80 ca + 20 a 74 ca, cela fait combien ? Dans les 36 a. Un 2004 beaucoup trop jeune pour passer l'agrégation de pinot noir, mais il a tous les atouts en main pour l'obtenir. La robe est noir-violet foncé. Le nez ressort bien, tout en douceur poivrée, riche comme on s'y attend. La longueur est celle du millésime, pas époustouflante. Cependant on a affaire à un bon vin de garde assez équilibré et bien traité.

Dom. Dupont-Tisserandot, 2, pl. des Marronniers, 21220 Gevrey-Chambertin, tél. 03.80.34.10.50, fax 03.80.58.50.71 r.-v.

M.-Françoise Guillard, Patricia Chevillon

JEAN-MICHEL GUILLON 2004 *

■ Gd cru 0,14 ha 1 050 38 à 46 €

Jean-Michel Guillon continue de signer l'étiquette, mais Alexis lui succède avec succès. D'un rouge violacé

rarement vu, un vin pas trop boisé (quatorze mois en fût) penchant sur le kirsch plus que sur la cerise. Le millésime fournit l'acidité, la vinification met chaque chose à sa place et le tout en ordre de bataille. Ce qu'on peut espérer de mieux compte tenu des moyens de cette année pas commode du tout. Le bœuf en daube en fera son régal, sauf passion exclusive pour l'Ami du chambertin.
Jean-Michel Guillon, 33, rte de Beaune, 21220 Gevrey-Chambertin, tél. 03.80.51.83.98, fax 03.80.51.85.59, e-mail eurlguillon@aol.com
r.-v.

DOM. HARMAND-GEOFFROY 2003 *

Gd cru 0,73 ha 2 800 38 à 46 €

Enrobée de glycérol et d'un gras magnifique, une robe tout ce qu'il y a de chic. Le nez, ouvert et fruité, réglissé, est tout en nuances très flatteuses. Le corps repose sur une montagne d'arômes, avec une fin de bouche qui n'en finit pas. Moelleux, opulent, ce vin peut regarder le clos-de-bèze droit dans les yeux. Cela dit, il faut le laisser en cave gagner patiemment ses étoiles.
Dom. Harmand-Geoffroy, 1, pl. des Lois, 21220 Gevrey-Chambertin, tél. 03.80.34.10.65, fax 03.80.34.13.72, e-mail harmand-geoffroy@wanadoo.fr r.-v.

Mazoyères-chambertin

DOM. HENRI RICHARD 2003 *

Gd cru 1,11 ha n.c. 38 à 46 €

L'écrivain Gaston Roupnel fut aussi un propriétaire actif et même le président du syndicat viticole. À la fin des années 1930, il prit du recul pour se consacrer davantage à ses livres et vendit cette vigne à la famille Richard, sachant qu'elle y serait en bonnes mains. Cette bouteille pourpre intense à reflets violets, bouquetée (fruits mûrs et pointe animale) est fille de raisins récoltés le 28 août. Sa richesse, son gras, ses arômes, sa longueur lui dessinent une belle bouche. Typée 2003, cette bouteille mérite un sommeil de deux à quatre ans.
SCE Henri Richard, 75, rte de Beaune, 21220 Gevrey-Chambertin, tél. et fax 03.80.34.35.81, e-mail scehenririchard@hotmail.com r.-v.

DOM. TAUPENOT-MERME 2003

Gd cru 0,72 ha 2 800 46 à 76 €

Quand une fille de Morey (Denyse Merme) épouse un gars de Saint-Romain (Jean Taupenot), cela fait le domaine Taupenot-Merme, ainsi que Virginie et Romain, passionnés eux aussi par la vigne et le vin. Riche de constitution, ce *climat* marié avec les charmes (la carte du Comité d'agriculture de Beaune en 1861 écrit déjà mazoyères ou charmes) est peut-être un peu plus robuste et puissant. La robe grenat donne ici des signes d'évolution, alors que le nez se montre fruité (cassis), boisé et animal ; ce vin a des tanins très fondus et peu d'acidité, comme bien des 2003 dont la vendange a débuté le 28 août. Il faudra l'attendre un petit peu puis penser à l'aérer – voire même le décanter – bien avant de le servir.
Dom. Taupenot-Merme, 33, rte des Grands-Crus, 21220 Morey-Saint-Denis, tél. 03.80.34.35.24, fax 03.80.51.83.41, e-mail domaine.taupenot-merme@wanadoo.fr
r.-v.

Ruchottes-chambertin

CH. DE MARSANNAY 2003 ***

Gd cru 0,1 ha 325 46 à 76 €

Ruchottes... Le mot apparaît en 1508. Des abeilles ? Pas du tout : les *roichots* sont de petits rochers à fleur de terre qui ennuient la charrue. La partie la plus tourmentée des chambertin avec des *murgers*, des murs hors d'âge, des vignes minuscules où descendent des marches d'escalier. De ce lieu antique nous vient un coup de cœur resplendissant et de haute garde. On a beau tourner et retourner le verre, le vin est sans défaut. Structuré, plein de corps et d'esprit, de race authentique, il a une classe exceptionnelle. Vendangé le 27 août, il a bénéficié de l'équipe du Château de Meursault.
Ch. de Marsannay, rte des Grands-Crus, BP 78, 21160 Marsannay-la-Côte, tél. 03.80.51.71.11, fax 03.80.51.71.12, e-mail chateau.marsannay@kriter.com
t.l.j. 10h-12h 14h-18h30; f. dim. de nov. à mars

Morey-saint-denis

Morey-Saint-Denis constitue, avec un peu plus de 100 ha, une des plus petites appellations communales de la Côte de Nuits (2 112 hl en rouge, 118 hl en blanc). On y trouve d'excellents premiers crus rouges (1 791 hl) et blancs (50 hl) et cinq grands crus ayant une appellation d'origine contrôlée particulière : clos-de-tart, clos-saint-denis, bonnes-mares (en partie), clos-de-la-roche et clos-des-lambrays.

L'appellation est coincée entre Gevrey et Chambolle, et l'on pourrait dire que ses vins produits sur 52,98 ha en communale et 42 ha en premier cru déclarés en 2005 sont, avec leurs caractères propres, intermédiaires entre la puissance des premiers et la finesse des seconds. Les vignerons présentent au public les morey-saint-denis, et uniquement ceux-ci, le vendredi précédant la vente des Hospices de Nuits (3e semaine de mars) en un Carrefour de Dionysos, à la salle des fêtes communale.

DOM. PIERRE AMIOT ET FILS 2004 *

■ 2,4 ha 6 000 11 à 15 €

Le coup de cœur de l'an dernier, pour des Millandes 2003. Voici le 2004, en *village* cette fois, paré d'une belle robe rubis limpide. Le nez joue un duo de fruits rouges et de boisé réglissé tendant vers les épices douces. La bouche est sur le fruit, légère, élégante, et se goûte déjà bien. Deux ou trois ans de garde.

Dom. Pierre Amiot et Fils, 27, Grande-Rue, 21220 Morey-Saint-Denis, tél. 03.80.34.34.28, fax 03.80.58.51.17, e-mail domaine.amiot-pierre@wanadoo.fr r.-v.

DOM. ARLAUD Aux Chezeaux 2004 *

■ 1er cru 0,7 ha 2 500 23 à 30 €

En famille : Hervé a pris la suite de son père, Joseph. Romain et Cyprien, les enfants d'Hervé, travaillent sur le domaine et ils viennent d'être rejoints par Bertille qui s'occupe des labours à cheval. Classés pour partie en 1er cru et (comme ici) pour partie en *village*, ces Chezeaux se trouvent tout contre gevrey-chambertin. Leurs plus proches voisins s'appellent charmes ou mazoyères. Rubis foncé, ce vin montre un petit bout de nez groseille qui va se développer. Le bois est bien intégré. Concentré dès l'attaque, ce 2004 est pur, mûr et dur. C'est de son âge.

Dom. Arlaud, 41, rue d'Épernay, 21220 Morey-Saint-Denis, tél. 03.80.34.32.65, fax 03.80.34.10.11, e-mail contact@domainearlaud.com r.-v.

THIERRY BEAUMONT Les Sorbès 2003 *

■ 1er cru n.c. n.c. 30 à 38 €

Affaire de négoce-éleveur par achat de raisins sur pied, créée en 2001 parallèlement à l'activité du domaine. Les Sorbès sont à Morey un 1er cru central qui eut un propriétaire célèbre : Gaspard Monge, qui vécut en ce village sur la fin de ses jours et qui repose au Panthéon depuis 1989. Violine foncé, ce vin a le nez habituel des 2003, séducteur par son appel élancé et cette sensation de fruit à maturité, ce boisé bien enveloppé. Il a de la consistance et une certaine vivacité qui est la bienvenue. Très chaleureux et à boire dans les deux ans.

Gds vins de Bourgogne Thierry Beaumont, 9, rue Ribordot, 21220 Morey-Saint-Denis, tél. et fax 03.80.51.87.89, e-mail domaine-des-beaumont@wanadoo.fr r.-v.

DOM. BRUNO CLAIR En la rue de Vergy 2003

■ 0,65 ha 2 800 23 à 30 €

Juste au-dessus du clos-de-tart sur le coteau, ce *climat* rappelle les liens qui unirent pendant de longs siècles Morey et les seigneurs, chanoines et moines de Vergy dans les Hautes-Côtes. D'intensité colorante moyenne, ce 2003 évoque les fruits rouges cuits et poivrés. L'aération le rend plus frais. Cueillis le 1er septembre, ces raisins ont donné un vin léger, simple et gras à la fois.

SCEA Dom. Bruno Clair, 5, rue du Vieux-Collège, BP 22, 21160 Marsannay-la-Côte, tél. 03.80.52.28.95, fax 03.80.52.18.14, e-mail brunoclair@wanadoo.fr r.-v.

DOM. JEAN FERY ET FILS 2003 *

■ 0,44 ha 1 300 15 à 23 €

Belle robe classique. Le nez exprime des arômes affables : feuille de cassis, herbes froissées, mousse et sous-bois. Le fruit bien mûr du millésime est soutenu par un boisé prudent. Les tanins sont présents, mais fondus. Après un milieu de bouche assez délicat, la finale est un peu plus chocolatée. Gaston Roupnel parle de la « suave fermeté de ce vin distingué et complet » : il aurait pu écrire cela en dégustant ce morey qu'on peut attendre deux à trois ans. Jean-Louis Fery, associé à Alain Meunier, a fondé la marque Fery-Meunier qui obtient la même note pour son **village 2003**.

Dom. Jean Fery et Fils, 1, rte de Marey, 21420 Échevronne, tél. 03.80.21.59.60, fax 03.80.21.59.59, e-mail fery.vin@wanadoo.fr r.-v.

DOM. ROBERT GIBOURG Clos de la Bidaude Monopole 2004

0,27 ha 1 300 15 à 23 €

Sans être une attraction, le morey blanc est un oiseau rare excitant l'esprit de quelques domaines. La Bidaude est nichée tout au-dessus du coteau des lambrays. Elle produit ici sur quelque sept ouvrées un chardonnay jaune paille doré, à l'accent boisé. Son acidité est assez marquée. À servir à des amateurs éclairés qui sauront y prendre intérêt. Sur le roquefort par exemple. Gendre de Robert Gibourg, Sébastien Bidault conduit ce domaine depuis 1999. La version rouge de ce même monopole **Clos de la Bidaude village 2003** ne déçoit pas pour un prix équivalent.

Robert Gibourg, RN 74, 21220 Morey-Saint-Denis, tél. 03.80.34.38.32, fax 03.80.34.18.94, e-mail rgibourg@club-internet.fr t.l.j. sf dim. 10h-19h

DOM. HERESZTYN Les Millandes 2004 **

■ 1er cru n.c. 2 300 38 à 46 €

Ces Millandes ont déjà reçu le coup de cœur. La famille Heresztyn les réussit très généralement et cette fois encore. Cerise à tendance violine, limpide, un nez plus intense que puissant, pur pinot et fruits rouges. Le fût reste à sa place, les tanins sont glissants, le fruit persistant avec une certaine vivacité tempérée par la rondeur du caractère. Que de chemin parcouru depuis l'arrivée de Jean en 1932, venu de Kalisz en Pologne ! Longtemps vigneron de Louis Trapet, il a fait souche et créé à force de travail son propre domaine.

Dom. Heresztyn, 27, rue Richebourg, 21220 Gevrey-Chambertin, tél. et fax 03.80.34.13.99, e-mail domaine.heresztyn@wanadoo.fr r.-v.

DOM. ALAIN JEANNIARD Les Chenevery 2004 **

■ 1er cru 0,09 ha 600 15 à 23 €

Petit à petit l'oiseau fait son nid : créé autour d'un demi-hectare en 2000, le domaine grandit de 0,5 ha chaque année. S'il manque un peu de longueur pour le coup de cœur, ce 2004 frôle le podium. Fin et vif, très jeune, il a tout du grand vin. Sa brillance violine, son bouquet framboisé, son attaque éblouissante incitent à s'intéresser de près à ce micro-producteur. Par exemple pour le **village Vieilles Vignes 2003**, une étoile.

Dom. Alain Jeanniard, 4, rue aux Loups, 21220 Morey-Saint-Denis, tél. 06.84.56.13.89, fax 03.80.58.53.49, e-mail domaine.ajeanniard@wanadoo.fr r.-v.

DOM. LEYMARIE-CECI 2003 ★★

■ 0,39 ha 1 500 15 à 23 €

Corrézien, Charles Leymarie fonde en 1920 une maison de vins à Eghezée en Belgique. Avec ses fils, il acquiert des vignes en Bordelais et en Côte de Nuits. Jean-Charles (la génération suivante) dirige à la fois l'affaire belge et le domaine de Vougeot. Son morey grenat cerise aux reflets chatoyants exprime des arômes complexes : le fruit noir sur dos de gibier, la fougère, le sous-bois. Cette odeur qui fait dire : « Voilà un vin qui truffe ! » Au palais, il se montre charpenté, riche en alcool, 2003 pour tout résumer. Le toasté devrait se fondre, ce qui le rendra plus charmeur.

Dom. Leymarie-CECI, Clos du Village,
24, rue du Vieux-Château, 21640 Vougeot,
tél. 03.80.62.86.06, fax 03.80.62.88.53,
e-mail leymarie@skynet.be r.-v.

VIRGILE LIGNIER Les Faconnières 2004 ★★★

■ 1er cru 0,59 ha 2 120 23 à 30 €

récolte 2004
Morey-Saint-Denis
Premier Cru - Les Faconnières
Appellation Morey-Saint-Denis Premier Cru Contrôlée
RED BURGUNDY WINE
LIGNIER Virgile sarl à Morey-Saint-Denis, Côte-d'Or, France
ALC. 13% BY VOL. PRODUCT OF FRANCE 750 ML

Virgile Lignier pourrait dire comme le poète latin : « Moi aussi, les Muses m'ont fait poète ». Ces Faconnières, c'est tout à la fois le coup de cœur et le coup de foudre. Haute couture pour la robe, bouquet complexe (petits fruits noirs) et bouche superbement épanouie, longue, dense et suave. Le jury vous recommande aussi le **1er cru Aux Charmes 2004** (deux étoiles) et le **village Vieilles Vignes 2004 (15 à 23 €)**, une étoile, qu'on attendra un peu afin de lui permettre de s'ouvrir pleinement.

Virgile Lignier, 39, rue des Jardins,
21220 Morey-Saint-Denis, tél. 03.80.34.31.13,
fax 03.80.58.52.16, e-mail virgile.lignier@wanadoo.fr
r.-v.

DOM. LIGNIER-MICHELOT
Les Chenevery 2004 ★★

■ 1er cru n.c. 1 074 15 à 23 €

Il a été présenté au grand jury des coups de cœur. C'est dire qu'il fait partie des meilleurs. *Climat* situé au milieu du pays, entre la route des Grands Crus et la N74. On apprécie sa grâce en équilibre sur le fil du millésime, son fruité aérien (mûre et épices respectées par le fût). Violine, la robe s'exprime avec ardeur et n'entend pas se faire oublier. Voir également le **1er cru Les Faconnières 2004 (23 à 30 €)**, une étoile.

Dom. Lignier-Michelot, 11, rue Haute,
21220 Morey-Saint-Denis, tél. 03.80.34.31.13,
fax 03.80.58.52.16, e-mail virgile.lignier@wanadoo.fr
r.-v.

FRÉDÉRIC MAGNIEN Ruchots 2004 ★

■ 1er cru 0,6 ha 3 300 23 à 30 €

Côté Chambolle, les Ruchots sont séparés des bonnes-mares et du clos-de-tart par la route des Grands Crus. Vu de l'extérieur, rubis grenat. Jolis coups de nez où la framboise se taille la meilleure part. Peu de puissance, mais une texture au grain très fin. Les quatorze mois de fût demeurent discrets. Tendre et fruité, un style élégant.

EURL Frédéric Magnien, 4, rue Ribordet,
21220 Morey-Saint-Denis, tél. 03.80.58.54.20,
fax 03.80.51.84.34 r.-v.

JEAN-PAUL MAGNIEN Les Faconnières 2004

■ 1er cru 0,57 ha 2 800 15 à 23 €

A-t-on élevé jadis des faucons aux Faconnières ? Pour se protéger des loups, l'animal emblématique de Morey ? Allez savoir... Labouré sans désherbants, le domaine atteint 4,50 ha. Ce 1er cru, d'une belle robe foncée et d'un bon nez de cassis, plane les ailes déployées. Équilibré, bien constitué, il est plein de promesses, même si la finale est en attente. Très correct pour le millésime.

Jean-Paul Magnien, 5, ruelle de l'Église,
21220 Morey-Saint-Denis, tél. 03.80.51.83.10,
fax 03.80.58.53.27, e-mail dommagnien@aol.com
r.-v.

DOM. MICHEL MAGNIEN ET FILS
Chaffots 2004 ★

■ 1er cru 0,63 ha 3 500 30 à 38 €

Les Chaffots touchent le clos-saint-denis et le clos-de-la-roche. Le clos-saint-denis a d'ailleurs absorbé en partie les Chaffots lors du décret du 8 décembre 1936. On n'est donc pas très loin du grand cru. Nuance sombre, arômes de fruits à noyau dans un environnement encore fermé, ce vin reste en bouche sur la réserve, tout en ayant des arguments convaincants : à cette extraction privilégiant la densité, la force intérieure, succédera un sourire. De garde assurément (trois à quatre ans).

EARL Michel Magnien et Fils, 4, rue Ribordot,
21220 Morey-Saint-Denis, tél. 03.80.51.82.98,
fax 03.80.58.51.76 r.-v.

DOM. MARCHAND FRÈRES Vieilles Vignes 2004

■ 0,35 ha 2 200 11 à 15 €

Né du regroupement de deux domaines familiaux, Marchand Frères veille sur un peu plus de 7 ha. Cette cuvée issue de vieilles vignes qui auraient dans les quarante-cinq ans d'âge se présente sur une nuance classique et violacée. Son parfum est composite : réglisse, fumé, fruits noirs. Structurée et généreuse, sa constitution est encadrée par des tanins fermes, mais sans agressivité. À déboucher vers 2008.

Dom. Marchand Frères, 1, pl. du Monument,
21220 Gevrey-Chambertin, tél. 03.80.62.10.97,
fax 03.80.62.11.01, e-mail dmarc2000@aol.com
r.-v.

DOM. ODOUL-COQUARD Aux Chéseaux 2003 ★

■ 0,44 ha n.c. 15 à 23 €

On considère qu'il doit passer un an ou deux en cave avant de gagner la salle à manger, car on le juge prometteur. D'une couleur flamboyante, il n'est pas 2003 pour rien avec ce nez qui hésite entre la confiture de fraises et le fruit rouge confit. Ses tanins ont de la vigueur, sans atténuer la nature veloutée de la bouteille ni masquer sa matière élégante.

EARL Odoul-Coquard, 64 B, rte des Grands-Crus,
21220 Morey-Saint-Denis, tél. et fax 03.80.51.80.62
r.-v.
Thierry Odoul

RÉMI SEGUIN 2003 *

■ 1er cru 0,54 ha 2 500 15 à 23 €

Quand on est né au Clos de Tart (petit-fils et fils de régisseurs de ce domaine *nec plus ultra*), on n'a peut-être pas une cuiller dorée dans sa bouche et son berceau, mais on a des racines. Rouge grenat profond, ce 1er cru ne parvient pas encore au trop-plein aromatique. Il est néanmoins bien fait de corps et d'esprit ; les tanins sont mûrs et fondus, harmonieux en finale ; à déguster dans les deux ans. Ne négligez pas le **village 2003 rouge (11 à 15 €)**, il en vaut la peine et reçoit la même note.

Rémi Seguin, 19, rue de Cîteaux,
21640 Gilly-lès-Cîteaux, tél. 03.80.62.89.61,
fax 03.80.62.8092 r.-v.

Clos-de-la-roche, clos-de-tart, clos-saint-denis, clos-des-lambrays

Le clos-de-la-roche – qui n'est pas un clos – est le plus important en surface (16,67 ha environ), et comprend plusieurs lieux-dits ; il a produit 617 hl en 2005 ; le clos-saint-denis, d'environ 6,5 ha, n'est pas non plus un clos, et regroupe aussi plusieurs lieux-dits (234 hl). Ces deux crus, assez morcelés, sont exploités par de nombreux propriétaires. Le clos-de-tart est, lui, entièrement ceint de murs et exploité en monopole. Il fait un peu plus de 7 ha. Le clos-des-lambrays est également d'un seul tenant ; mais il regroupe plusieurs parcelles et lieux-dits : les Bouchots, les Larrêts ou clos des Lambrays, le Meix-Rentier. Il représente un peu moins de 9 ha, dont 8,5 sont exploités par le même propriétaire. Il a produit 265 hl en 2005.

Clos-de-la-roche

DOM. PIERRE AMIOT ET FILS 2004 *

■ Gd cru 1,2 ha 4 200 30 à 38 €

Domaine géré depuis 1993 par Jean-Louis et Didier Amiot. Mochamps, Chabiots, Monts-Luisants, Fremières sont les *climats* de ce clos-de-la-roche. On a donc ici sur plus de 1 ha un grand cru de synthèse. Cerise violette, il se partage entre la violette et l'animal, puis tourne rond au palais jusqu'à une fin tannique, sans sécheresse, enveloppant le sujet. On devrait pouvoir le servir dans deux ans sur un filet de charolais ou même une viande en sauce.

Dom. Pierre Amiot et Fils, 27, Grande-Rue,
21220 Morey-Saint-Denis, tél. 03.80.34.34.28,
fax 03.80.58.51.17,
e-mail domaine.amiot-pierre@wanadoo.fr r.-v.

BOUCHARD AÎNÉ ET FILS Cuvée Signature 2004

■ Gd cru n.c. n.c. 46 à 76 €

« Oh ! combien d'actions, combien d'exploits célèbres sont demeurés sans gloire au milieu des ténèbres... » La robe de nuit est fraîche, mais sombre. Ce clos-de-la-roche a de la mâche, de la vigueur, de la cuirasse et le goût de se battre. Épices, humus, mûre le rendent assez complexe. Les tanins sont vifs mais sans la moindre méchanceté. Type même du grand cru à mettre en cave assez longtemps.

Bouchard Aîné et Fils, hôtel du Conseiller-du-Roy,
4, bd Mal-Foch, 21200 Beaune, tél. 03.80.24.24.00,
fax 03.80.24.64.12, e-mail bouchard@bouchard-aine.fr
r.-v.
FGVS Boisset

OLIVIER GUYOT 2004

■ Gd cru 0,45 ha 1 200 46 à 76 €

Avec ses sols calcaires et caillouteux, le clos-de-la-roche porte bien son nom. Rubis profond, ce 2004 joue sur des notes odorantes d'épices douces (fût) et de petits fruits du pinot noir. Toastée et réglissée, sa bouche est pleine, entière et longue. Un peu de chaleur, des tanins bien rabotés : à vous de choisir entre aujourd'hui et demain.

Olivier Guyot, 39, rue de Mazy,
21160 Marsannay-la-Côte, tél. 03.80.52.39.71,
fax 03.80.51.17.58, e-mail domaine.guyot@wanadoo.fr
r.-v.

RÉMI JEANNIARD 2004

■ Gd cru 0,09 ha 480 23 à 30 €

On pense à Nerval : « je suis le ténébreux... » Ce 2004 attend l'âme sœur qui saura trouver la clé de son cœur, sans inspirer de trop gros soucis sur ce point. Rubis affirmé, nez de raisin sur une tonalité de griotte, il est un peu animal en bouche, dur en finale, néanmoins de bonne race. Cet aspect bourru n'est pas sa vraie nature. À oublier en fond de cave afin que ses tanins se mettent en place.

Rémi Jeanniard, 20 pl. du Monument,
21220 Morey-Saint-Denis, tél. et fax 03.80.58.52.42
r.-v.

DOM. LIGNIER-MICHELOT 2004 *

■ Gd cru 0,32 ha 1 250 46 à 76 €

Un tiers d'hectare pour ce clos-de-la-roche qui fait figure d'homme de base à Morey : charpenté, la tête un peu plus haute que celles des autres. Grenat profond, il place son nez sur plusieurs registres aromatiques : floral (violette, lilas) et fruité (cassis, myrtille). Rien qu'à ce stade, on céderait à ses avances... Mûr et soyeux, il est déjà très agréable, mais à garder longtemps. Ce domaine a créé une maison de négoce, **Virgile Lignier dont le clos-de-la-roche 2004** obtient la même note. Il est vrai ces deux vins ont été vinifiés par le même artiste !

Dom. Lignier-Michelot, 11, rue Haute,
21220 Morey-Saint-Denis, tél. 03.80.34.31.13,
fax 03.80.58.52.16, e-mail virgile.lignier@wanadoo.fr
r.-v.

DOM. MICHEL MAGNIEN ET FILS 2004 *

■ Gd cru n.c. 1 800 46 à 76 €

Dans toute bonne symphonie, il y a une ouverture. Elle annonce les grands thèmes qui vont être développés et s'épanouiront grâce à l'orchestre et à son chef. Ainsi en est-il de ce clos-de-la-roche radieux, mais à conjuguer au futur. Ce sera *l'Héroïque* plus que *la Pathétique*. La cerise noire, le bourgeon de cassis parmi les cordes. Le champignon parmi les cuivres. Et ces mouvements généreux, suaves. Cette finale qui terroite... À ré-entendre longtemps.

🗝 EARL Michel Magnien et Fils, 4, rue Ribordot,
21220 Morey-Saint-Denis, tél. 03.80.51.82.98,
fax 03.80.58.51.76 ☑ Y ⛹ r.-v.

GÉRARD RAPHET 2004

■ Gd cru 0,33 ha 1 500 ⓘ 38 à 46 €

« Laisser du temps au temps », ce n'est pas de François Mitterrand mais de saint Bernard. La maxime s'applique ici. Un minimum d'évolution à l'œil, du sous-bois et du fruit à noyau pour peupler le nez, un boisé fin et une pointe d'acidité bienvenue. De garde moyenne et à servir sur gigot d'agneau ou fromage doux.

🗝 Gérard Raphet, 25, rte des Grands-Crus,
21220 Morey-Saint-Denis, tél. 03.80.51.89.52,
fax 03.80.51.84.25, e-mail gerard.raphet@wanadoo.fr
☑ Y ⛹ r.-v.

DOM. LOUIS REMY 2003

■ Gd cru n.c. 1 700 ⓘ 46 à 76 €

On se rappelle Marie-Louise devenue veuve, si courageuse, prononçant ces mots : « on m'offre constamment de racheter ce domaine. Je serais mieux sur la Côte d'Azur... Et j'y ferais quoi, je vous demande un peu ! » Sa fille Chantal a repris le collier de ce domaine historique. Fruits noirs, Zan pour un 2003 du 8 septembre. Il fallait vouloir laisser aussi longtemps les sécateurs au repos. Probablement les derniers vendangeurs. Typé et original, très intéressant sur une durée de vie moyenne, ce vin est rouge sombre, proche de la confiture de fruits rouges, du cacao, concentré, équilibré, long...

🗝 Dom. Louis Remy, 1, pl. du Monument,
21220 Morey-Saint-Denis, tél. 03.80.34.32.59,
fax 03.80.34.32.23,
e-mail domaine.louis.remy@wanadoo.fr ☑ r.-v.

Clos-saint-denis

DOM. PIERRE AMIOT ET FILS 2004

■ Gd cru 0,17 ha 900 ⓘ 30 à 38 €

16 a 96 ca dans la partie historique du *climat*, achetés en 1963. Rouge profond, ce vin joue la sécurité : les petits fruits rouges et les quinze mois passés en fût. Sa bonne acidité lui confère une droiture de bon aloi, qui l'aidera à passer le cap de l'adolescence. On nous parle d'un rôti de porc aux lentilles. Certes, mais pas tout de suite. Quand il aura mis au net le catalogue de ses bonnes intentions.

🗝 Dom. Pierre Amiot et Fils, 27, Grande-Rue,
21220 Morey-Saint-Denis, tél. 03.80.34.34.28,
fax 03.80.58.51.17,
e-mail domaine.amiot-pierre@wanadoo.fr ☑ Y ⛹ r.-v.

DOM. ARLAUD 2004 *

■ Gd cru n.c. 900 ⓘ 38 à 46 €

Un clos né vers 1030 dont on n'a jamais connu les murs. Une vigne médiane dans le grand cru, au sein du *climat* historique qui s'est un peu élargi au fil du temps. Grenat violacé, le fruit actif et prononcé (du raisin frais à la cerise) au nez, ce vin demeure sur le fruit que souligne une bonne acidité. La forte extraction, due au millésime, n'empêche pas un volume équilibré, encore abrupt, mais que quelque deux ans de garde amadouera. Coup de cœur dans le Guide 2005.

🗝 Dom. Arlaud, 41, rue d'Épernay,
21220 Morey-Saint-Denis, tél. 03.80.34.32.65,
fax 03.80.34.10.11, e-mail contact@domainearlaud.com
☑ Y ⛹ r.-v.

DOM. CASTAGNIER 2004 *

■ Gd cru 0,35 ha 1 800 ⓘ 23 à 30 €

Parcelle de 35 a 15 ca achetée à la famille de Blic (succession Marey-Monge) en 1946, et située au sein du *climat* historique. On a dit du clos-saint-denis qu'il est le « Mozart de la Côte de Nuits ». Cramoisi à reflets carminés, parfumé avec discrétion, ce vin tout en délicatesse et néanmoins structuré, sans excès de fermeté, confirme cet adage. L'acidité et le fruit vivent une passion qui pourrait bien durer longtemps.

🗝 EARL Dom. Castagnier, 20, rue des Jardins,
21220 Morey-Saint-Denis, tél. 03.80.34.31.62,
fax 03.80.58.50.04 ☑ Y ⛹ r.-v.

OLIVIER GUYOT 2004 *

■ Gd cru n.c. 1 200 ⓘ 46 à 76 €

D'une teinte légèrement évoluée, il a le nez arrangeant, fin et discret, plus subtil qu'il n'y paraît. Qu'évoque-t-il ? Le fruit rouge et la vanille (quatorze mois en fût). À l'attaque, il donne envie de prendre rang sur la liste d'attente du vigneron (oubliant comment Bernard Pivot a traité ce sujet dans une nouvelle policière restée ici célèbre). D'un plaisir immédiat, évoquant toujours le fruit rouge saupoudré d'épices, ce vin n'est pas d'un volume rabelaisien, mais fait de belles petites touches de bonheur.

🗝 Olivier Guyot, 39, rue de Mazy,
21160 Marsannay-la-Côte, tél. 03.80.52.39.71,
fax 03.80.51.17.58, e-mail domaine.guyot@wanadoo.fr
☑ Y ⛹ r.-v.

DOM. HERESZTYN 2004 *

■ Gd cru 0,23 ha 1 200 ⓘ 46 à 76 €

Parcelle nichée tout au-dessus du grand cru, acquise en 1978 auprès de Mlle Liébault (illustre famille : il y avait jadis un pinot Liébault particulièrement prisé dans cette partie de la Côte). Coup de cœur pour le 1997. Rouge burlat, ce 2004 révèle un arôme de cerise très agréable. Sa bouche, dans les limites de l'épure, se montre précise, avenante, de proportions merveilleuses. Aucune recherche d'effets artificiels, la pureté naturelle.

🗝 Dom. Heresztyn, 27, rue Richebourg,
21220 Gevrey-Chambertin, tél. et fax 03.80.34.13.99,
e-mail domaine.heresztyn@wanadoo.fr ☑ Y ⛹ r.-v.

JEAN-PAUL MAGNIEN 2004

■ Gd cru 0,32 ha 1 500 ⓘ 30 à 38 €

Parcelle de 31 a 80 ca provenant du domaine de Blic et de la succession Marey-Monge. Pourpre violacé de bonne intensité, en phase d'évolution aromatique, ce millésime envoie en bouche un aimable billet doux : souple à l'attaque, puis assez chaud, il offre un bon volume mais, en réalité, et en finale, il est fermé comme la tour Saint-Denis à Vergy. La révélation n'apparaîtra qu'après 2010.

🗝 Jean-Paul Magnien, 5, ruelle de l'Église,
21220 Morey-Saint-Denis, tél. 03.80.51.83.10,
fax 03.80.58.53.27, e-mail dommagnien@aol.com
☑ Y ⛹ r.-v.

BOURGOGNE

DOM. MICHEL MAGNIEN ET FILS 2004 *

■ Gd cru n.c. 600 46 à 76 €

2003, mais c'était dans la précédente édition du Guide, fut coup de cœur comme le 2002. Voici le 2004, d'une forte extraction colorante : rouge très sombre aux limites du noir. Le nez, encore soumis à l'élevage, libère des nuances chocolatées. Atypique, ce vin offre en bouche une image originale de son cépage sans cesser de plaire par sa concentration, son équilibre, son boisé très bien fondu.

EARL Michel Magnien et Fils, 4, rue Ribordot, 21220 Morey-Saint-Denis, tél. 03.80.51.82.98, fax 03.80.58.51.76 r.-v.

Clos-des-lambrays

DOM. DES LAMBRAYS 2003 **

■ Gd cru 8,66 ha 21 500 46 à 76 €

79 81 **82** 83 **85** 88 **89** |**90**| 92 93 94 |**95**| 96 97 |**98**| **99** |00| **01 02 03**

Thierry Brouin, le maître d'œuvre de ce grand cru, connaît son clos dans toutes ses dimensions. Celui-ci est né un 24 août. Sa robe est superbe, concentrée et brillante comme un rubis princier. Son nez classique sur le sous-bois, l'humus, le fruit, le poivre dans une atmosphère chaleureuse, expansive. La main de fer est en attaque : trame tannique serrée du millésime. Mais bientôt le velours du palais se montre caressant. De très longue garde ? Probablement pas. Comptez trois à quatre ans avant de le servir, peut-être sur le vacherin, ce fromage si sensuel du haut Doubs, ou sur tout plat de gibier.

Dom. des Lambrays, 31, rue Basse, 21220 Morey-Saint-Denis, tél. 03.80.51.84.33, fax 03.80.51.81.97 t.l.j. 9h-12h 13h30-17h

Freund

Chambolle-musigny

Le nom de musigny à lui seul suffit à situer le pupitre dans la composition de l'orchestre. Commune de grande renommée malgré sa petite étendue, elle doit sa réputation à la qualité de ses vins et à la notoriété de ses premiers crus, dont le plus connu est le *climat* des Amoureuses. Tout un programme ! Mais chambolle a aussi ses Charmes, Chabiots, Cras, Fousselottes, Groseilles et autres Lavrottes... Le petit village aux rues étroites et aux arbres séculaires abrite des caves magnifiques (domaine des Musigny). La production a atteint 3 819 hl en communale et 2 086 hl en premiers crus en 2005.

Les chambolle sont élégants et subtils. Ils allient la force des bonnes-mares à la finesse des musigny ; c'est un pays de transition dans la Côte de Nuits.

THIERRY BEAUMONT 2004 **

■ 0,87 ha 4 500 15 à 23 €

Nos dégustateurs ne sont jamais très généreux en coups de cœur dans cette appellation. Sans doute pour maintenir la barre très haut, et nous en sommes bien d'accord. Raison de plus pour saluer cette réussite comme elle le mérite ! D'un grenat plus profond que brillant, un chambolle aux arômes délicats (confiture de prunes) que n'a pas perturbé le séjour en fût. Il se faufile en bouche et s'y trouve à son aise, y demeurant un bon moment. Il s'agit bien de « ce vin de soie et de dentelle » qui émerveillait Gaston Roupnel. Potentiel de garde : deux à trois ans.

Gds vins de Bourgogne Thierry Beaumont, 9, rue Ribordot, 21220 Morey-Saint-Denis, tél. et fax 03.80.51.87.89, e-mail domaine-des-beaumont@wanadoo.fr r.-v.

BOISSEAUX-ESTIVANT 2004

■ 0,3 ha 1 600 30 à 38 €

À l'origine, des Irlandais francisés de O'Donnell en Ponnelle, dit-on... Pierre Ponnelle fonda sa maison en 1875. L'un de ses petits-fils créa ensuite sa propre affaire, Albert Ponnelle. Dans le faubourg vigneron de Saint-Nicolas-de-Beaune, elle regroupe de nos jours Boisseaux-Estivant, Réserve de la Chèvre noire, sous la direction de Pierre Ponnelle. Voilà pour les clés de la cave. Ce chambolle suit un parcours cassis-pruneau sous un rubis grenat. Acidité et mâche semblent bien s'entendre au sein d'un ensemble plutôt simple mais agréable.

Boisseaux-Estivant, 38, fb Saint-Nicolas, BP 107, 21200 Beaune, tél. 03.80.22.26.84, fax 03.80.24.19.73

JEAN-CLAUDE BOISSET 2004 *

■ n.c. n.c. 15 à 23 €

« *I am a Burgundy Man* », disait volontiers Alfred Hitchcock dont la cave regorgeait à Bel Air (Californie) de bouteilles venues de Chambolle-Musigny. Ce 2004 est construit sur un scénario classique et très structuré, attaquant sur le fruit après un nez animal pour appâter l'appétit. Vivacité, intrigue puissante, jusqu'au baiser final de *happy end* dans un concert d'arômes sachant revenir à l'écran au bon moment. Jean-Claude Boisset signe l'œuvre sous son nom.

Jean-Claude Boisset, 5, quai Dumorey, 21700 Nuits-Saint-Georges, tél. 03.80.62.61.61, fax 03.80.62.61.72, e-mail jcb@jcboisset.com

DOM. RÉMY BOURSOT 2004 *

■ 0,25 ha 1 500 15 à 23 €

Ne disait-on pas que « le chambolle est le volnay de la Côte de Nuits » (André Jullien au début du XIX[e]s.) ? Les

Boursot font partie des vieilles familles du pays : Rémy incarne la cinquième génération sur le domaine, tandis que Romaric et Romuald assurent déjà l'avenir. Le **1er cru Les Lavrottes 2003 (30 à 38 €)**, cité, et le **1er cru Les Fuées 2004 (23 à 30 €)**, une étoile, ont tous deux droit aux honneurs du Guide. Rouge cerise limpide, parfumé de violette et de framboise, ce *village* n'est pas très charnu, mais sa texture a du charme et son élégance fruitée lui permettra de bien évoluer.
Rémy Boursot, 8, rue de la Fontaine, 21220 Chambolle-Musigny, tél. 03.80.62.80.82, fax 03.80.62.84.92, e-mail domaine-remy-boursot@wanadoo.fr r.-v.

DOM. DE BRULLY 2003

■ 1,5 ha 4 000 23 à 30 €

Élevé et mis en bouteille par R.P.F. Il ne s'agit pas d'une résurgence du parti gaulliste, mais de Roux Père et Fils, sous son nom de domaine. On aime les reflets bleutés de son parement, le nez réglissé, ouvert et sans trop de boisé. La bouche est si ronde qu'elle en devient confite. En dévotion pour le cépage et son terroir, en fruit également. La rétro-olfaction est très riche, la matière dense et grasse, la finale austère car les tanins se rappellent à nous. Le millésime trouve ici une expression correcte.
Dom. de Brully, 21190 Saint-Aubin, tél. 03.80.21.32.92, fax 03.80.21.35.00, e-mail roux.pere.et.fils@wanadoo.fr r.-v.
Christian Roux

SYLVAIN CATHIARD Les Clos de l'Orme 2004 *

■ 0,43 ha 2 500 23 à 30 €

Les Clos de l'Orme se situent au milieu du pays. Ne pas confondre avec les Clos, plus haut. Intensément rouge, ce vin n'a qu'une seule religion : le cassis. De la fermeté à l'attaque, du fruit en renfort, il tire le meilleur parti de ce qu'il a, la persistance aromatique prenant le relais d'une structure équilibrée. D'un bon niveau, il sera à servir en 2007. Le millésime 1997 fut coup de cœur dans l'édition 2000.
Sylvain Cathiard, 20, rue de la Goillotte, 21700 Vosne-Romanée, tél. 03.80.62.36.01, fax 03.80.61.18.21 r.-v.

DOM. CONFURON-COTETIDOT 2003

■ 0,7 ha 2 400 15 à 23 €

Les Confuron sont presque aussi anciens que les premiers pieds de vigne à Vosne. Ce domaine est né du mariage de Jack Confuron (neveu d'Henri Jayer à la mode de Bourgogne) et de Bernadette Cotetidot. Les vendanges de 2003 ont été ici relativement « tardives » : le 8 septembre. Ces raisins ont donc pris tout leur temps. Le vin aussi : vingt mois de fût. Bien structuré, forcément un peu tannique pour l'instant, réglissé et torréfié, il laisse cependant parler le pinot. Un style.
Confuron-Cotetidot, 10, rue de la Fontaine, 21700 Vosne-Romanée, tél. 03.80.61.03.39, fax 03.80.61.17.85 r.-v.

DOM. DIGIOIA-ROYER 2004

■ 1,6 ha 6 000 15 à 23 €

Domaine de 3,50 ha fondé en 1930 par Victor Moretti, le grand-père. Repris par sa fille en 1982, puis par son gendre en 1999. Rouge sombre, ce millésime a de belles jambes et le verre s'en souvient. Le nez s'ouvre lentement puis il se prononce en faveur du floral : violette. Le panorama général est harmonieux, relativement structuré, avec le rappel à l'ordre de tanins encore vifs. Attendre trois à cinq ans le fondu enchaîné.
Dom. Digioia-Royer, rue du Carré, 21220 Chambolle-Musigny, tél. et fax 03.80.61.49.58, e-mail micheldigioia@wanadoo.fr r.-v.
Michel Digioia

RAPHAËL DUBOIS 2003 *

■ n.c. 1 200 15 à 23 €

Le fruit ? Rouge, il est partout. Framboise à l'œil, framboise au nez (dans le chaudron à confiture de nos enfances). Un peu de raideur à l'attaque, mais toujours du fruit, des tanins bien mûrs et assez de persistance. Bouteille inspirant la sympathie, à qui l'on peut fixer rendez-vous en 2010. Vendanges le 27 août.
Raphaël Dubois, rue de la Courtavaux, 21700 Premeaux-Prissey, tél. 03.80.62.30.61, fax 03.80.61.24.07, e-mail rdubois@wanadoo.fr
t.l.j. 8h-11h30 13h30-17h30; sam. dim. sur r.-v.

DUJAC FILS ET PÈRE 2004

■ 0,76 ha 4 200 15 à 23 €

On cite souvent 2003 comme un millésime si complexe entre la vigne et la cave ! 2004 fut peut-être plus difficile encore. Sur un décor rouge cerise bien limpide, un nez imminent où s'esquissent le cuir, le cassis dans une atmosphère assez confite. L'attaque glisse comme un patineur aux derniers JO de Turin. L'épice et la chaleur viennent au moment des figures imposées. Note poivrée sur une dernière triple boucle piquée. À déboucher en 2007.
Dujac Fils et Père, 7, rue de la Bussière, 21220 Morey-Saint-Denis, tél. 03.80.34.01.00, fax 03.80.34.01.09, e-mail dujac@dujac.com
Seysses

DOM. GLANTENAY 2003 *

■ 44 ha 2 900 23 à 30 €

Le volnay et le chambolle ont des affinités signalées par les bons auteurs. Voici donc un domaine de Volnay en terre côte-de-nuitonne : les Chambollois ont le sens de l'hospitalité. Noir d'encre aux reflets violets, un 2003 aux accents de cassis sur une vanille (dix-huit mois en fût) qui n'entend pas jouer les seconds rôles. Sa vivacité tannique est puissante, sa persistance aromatique correcte. Certainement du potentiel pour les deux ans à venir. Choisissez comme escorte le charolais plutôt que le caneton.
Dom. Georges Glantenay et Fils, rue de la Barre, 21190 Volnay, tél. 03.80.21.61.82, fax 03.80.21.68.66
t.l.j. sf dim. 10h-19h

ROBERT GROFFIER PÈRE ET FILS Les Amoureuses 2004

■ 1er cru 1,35 ha 5 400 46 à 76 €

Des Amoureuses ne se refusent pas... Celles-ci mettent ici leur robe de bal en velours cramoisi. Un peu lourd à porter sans doute, mais les parfums de fraise et de framboise, de compotée de fruits noirs, donnent envie de les inviter à danser. Du fût, cette bouteille garde comme une odeur de couvent et sa bouche est honnête. Quelques années lui feront du bien, car la séduction est sous roche et prête à éclater. Coup de cœur dans l'édition 2000 et dans le Guide 1998 pour ces Amoureuses.

BOURGOGNE

🔑 SARL Robert et Serge Groffier, 3, rte des Grands-Crus, 21220 Morey-Saint-Denis, tél. 03.80.34.31.53 ☑ r.-v.

DOM. A.-F. GROS 2004 *

■ 0,4 ha 2 500 ⬬ 23 à 30 €

Né du mariage de la Côte de Nuits et de la Côte de Beaune (Pommard), phénomène historique en Bourgogne, ce domaine fait vignes à part et cuverie commune. Fille de Jeanine et de Jean Gros, Anne-Françoise, infirmière à ses débuts, a bien vite entendu l'appel du terroir. Violine noir : on s'enfonce ici dans une nuit profonde éclairée par notre étoile ; des arômes de bourgeon de cassis, une texture assez lisse qui fait respecter les règles du bon goût et du juste milieu (souplesse, tanins tenus en main).

🔑 Dom. A.-F. Gros, La Garelle, 5, Grande-Rue, 21630 Pommard, tél. 03.80.22.61.85, fax 03.80.24.03.16, e-mail af-gros@wanadoo.fr ☑ Y ⛹ r.-v.

DOM. HUDELOT-BAILLET Les Charmes 2003 *

■ 1er cru 0,63 ha 2 400 ⬬ 23 à 30 €

Les Charmes occupent une situation médiane entre le secteur nord et le secteur sud. Ce *climat* conciliant présente ici une jolie robe légère. Moka, torréfié au nez, il garde encore le souvenir de ses seize mois en fût : il s'oriente vers des nuances réglissées. S'il n'a pas énormément d'étoffe, un petit gras et des tanins fondus le rendent néanmoins assez goûteux. Deux conseils : le laisser tranquille une bonne année en cave et l'aérer, sinon le décanter. Le **village 2004 (15 à 23 €)**, de bonne composition, est dans des sentiments analogues.

🔑 Dom. Hudelot-Baillet, 21, rue Basse, 21220 Chambolle-Musigny, tél. 03.80.62.85.88, fax 03.80.62.49.83, e-mail hudelot-baillet@club-internet.fr ☑ Y ⛹ r.-v.

DOM. LOUIS HUÉLIN 2004 *

■ 1,1 ha 6 000 ⬬ 15 à 23 €

Il faut savoir résister à ce que La Rochefoucauld appelait « le trop grand empressement ». Ce 2004 est placé en effet en réserve pour deux ans. Rouge grenat, exprimant un boisé déjà fondu (moka) sur un fruit en éveil, il est charnu et charmeur, sans le moindre embonpoint. Son acidité marquée lui sert de viatique. Il flattera un gibier à plume.

🔑 Dom. Louis Huélin, 3, La Ruelle, 21220 Chambolle-Musigny, tél. et fax 03.80.62.86.78, e-mail domaine.louis.huelin@wanadoo.fr ☑ Y ⛹ r.-v.

RÉMI JEANNIARD 2004

■ 0,25 ha 1 525 ⬬ 11 à 15 €

Successivement Marcel Jeanniard (1959), Jeanniard Marcel et Fils (1992) et après partage, Rémi Jeanniard (6 ha, 2004). (On prononce Jan-niard. C'est mieux de le savoir si vous allez à Morey.) Les loups de Morey sur une étiquette de chambolle ! Autrefois les « Ratals » (surnom des Chambollois) ne l'auraient pas accepté de bon cœur. Réchauffement climatique ? Les choses se sont adoucies entre ces villages. Pour en venir à ce vin cerise (entre la rouge et la noire), aux arômes fruités très plaisants, il traite sa matière bien réelle avec souplesse de caractère. Un peu de vivacité sur le tout.

🔑 Rémi Jeanniard, 20 pl. du Monument, 21220 Morey-Saint-Denis, tél. et fax 03.80.58.52.42 ☑ Y r.-v.

OLIVIER JOUAN Les Bussières Vieilles Vignes 2004

■ 0,56 ha 3 000 ⬬ 15 à 23 €

Les Bussières longent Morey ; un demi-hectare sur les 8,20 ha du domaine. Ce vin grenat au nez franc, mais dont les confidences se bornent à un petit fruit noir en compote, offre, après une attaque tannique, de la chair et de la soie. Potentiel satisfaisant à moyen terme (deux à cinq ans).

🔑 Olivier Jouan, 6, rue de l'Église, 21700 Arcenant, tél. et fax 03.80.62.39.20 ☑ Y ⛹ r.-v.

LEYMARIE-CECI Aux Échanges 2003 *

■ 1er cru 0,93 ha 1 500 ⬬ 23 à 30 €

Vive l'amitié franco-belge et vineuse ! La famille Leymarie a acquis cette parcelle de près d'un hectare dans ce 1er cru chambollois en 1976 – autre millésime de canicule. Celui-ci ? Beaucoup de couleur sur les tons rouges et violacés qu'on voit sur les joues au marché de Nuits. Bourgeon de cassis, son nez est expansif, un peu surmaturé, restant élégant tout de même. Sa charpente est cistercienne et tannique. Sérieux et à déboucher en 2008.

🔑 Dom. Leymarie-CECI, Clos du Village, 24, rue du Vieux-Château, 21640 Vougeot, tél. 03.80.62.86.06, fax 03.80.62.88.53, e-mail leymarie@skynet.be ☑ Y ⛹ r.-v.

FRÉDÉRIC MAGNIEN Charmes Vieilles Vignes 2003 *

■ 1er cru 0,7 ha 3 600 ⬬ 46 à 76 €

Autant le dire, Frédéric Magnien n'est pas loin du « sans faute » tant il a intéressé notre jury. Citons ses **Amoureuses 1er cru 2004** – c'est tout de même cher pour une demande en mariage – encore un peu musclées mais de bonne facture et le **village Vieilles Vignes 2004 (15 à 23 €)** représentatif du pays et du millésime. Ces Charmes emportent une étoile. C'est un joli vin frais en bouche (trame soignée, gras et maturité) au fruité-boisé s'ouvrant assez vite sur le cuir et l'épice douce. Moderne et élégant.

🔑 EURL Frédéric Magnien, 4, rue Ribordet, 21220 Morey-Saint-Denis, tél. 03.80.58.54.20, fax 03.80.51.84.34 ☑ Y ⛹ r.-v.

DOM. MARTENOT 2003

■ 1er cru n.c. 6 200 23 à 30 €

Henri de Villamont et Martenot sont les filles bourguignonnes du groupe suisse Schenk qui rapatria ici une partie de son activité en Algérie durant les années 1960. Son chambolle n'est pas en mal de robe : la livrée est vive, intense et très honnête. Le nez est précis, sans appui excessif, sur la mûre et le cuir. Austère ? Tout dépend de ce qu'on appelle l'austérité... Celle-ci est tout de même très relative ! À déboucher dans l'année.

🔑 HDV Distribution, ZI Beaune-Vignoles, rue du Dr-Barolet, 21200 Beaune, tél. 03.80.24.70.07, fax 03.80.22.54.31, e-mail pascale.taniere@hdv.fr ☑ Y ⛹ t.l.j. sf mar. 10h-18h30; f. nov.-Pâques

DOM. MICHEL NOËLLAT ET FILS 2004 *

■ 1 ha 3 000 ⬬ 23 à 30 €

Michel Noëllat (1927-1989) épousa une lointaine cousine de Chambolle, Hélène Noëllat. D'où, d'une certaine manière, ce domaine initialement Noëllat-Noëllat car on dit ainsi les choses en Bourgogne. Rubis mauve parcouru de reflets, ce 2004 a de l'allure. Son nez reste discret, mais fin et d'un esprit floral. Consistance et texture sont parfaites pour le millésime. Retour de cassis dans un équilibre acidité-tanins qui, sans se prolonger beaucoup, n'en existe pas moins, signant une bouteille de qualité.

SCEA Dom. Michel Noëllat et Fils, 5, rue de la Fontaine, 21700 Vosne-Romanée, tél. 03.80.61.36.87, fax 03.80.61.18.10, e-mail domaine.michel-noellat@wanadoo.fr r.-v.

MICHEL PICARD Les Baudes 2004 *

1er cru n.c. 600 30 à 38 €

Que trouve-t-on juste en dessous des bonnes-mares ? Les Baudes. Avec ses 125 ha de vignes, Michel Picard dispose d'un bon approvisionnement et ses caves, au château de Chassagne-Montrachet, s'étendent à perte de vue. Belle réussite en tout cas ! Pain grillé et cerise, le nez ne fait pas d'esbroufe, gardant une réserve de bon ton. Ses tanins très policés et la netteté du corps en font un vin avenant. Il roule bien et il reste... Prêt, tout à fait disponible. Commercial ? Et alors ?

Maison Michel Picard, Ch. de Chassagne-Montrachet, 21190 Chassagne-Montrachet, tél. 03.80.21.98.57, fax 03.80.21.97.83, e-mail contact@michelpicard.com t.l.j. sf dim. 10h-17h

NICOLAS POTEL Aux Échanges 2003

1er cru 0,64 ha 3 000 46 à 76 €

Une partie de ce *climat* est en 1er cru, une autre en *village*. Cette bouteille porte une robe agréable à beaux reflets rubis. Son bouquet est expressif, élégant. Au palais la maturité s'accompagne d'un peu de chaleur : un vin que vous aimerez revoir car son évolution paraît intéressante. Libre à vous !

SAS Nicolas Potel, 44, rue des Blés, 21700 Nuits-Saint-Georges, tél. 03.80.62.15.45, fax 03.80.62.15.46, e-mail nicolas.potel@wanadoo.fr r.-v.

GÉRARD RAPHET 2004 *

1 ha 5 000 15 à 23 €

On ne prêtera pas attention à la note un tantinet évoluée de la robe. Elle tient bon et ne glissera pas sur le corps de cette bouteille aux reins solides et à la peau fine. Comment résumer le vin par un seul mot ? Nous dirions, subtil. En raison de ce mélange de délicatesse et de complexité, de douceur sans mièvrerie qui apparaît au nez et se poursuit au palais. Peu de potentiel de garde. C'est donc un plaisir à se faire maintenant sur une volaille juteuse, dorée à souhait.

Gérard Raphet, 25, rte des Grands-Crus, 21220 Morey-Saint-Denis, tél. 03.80.51.89.52, fax 03.80.51.84.25, e-mail gerard.raphet@wanadoo.fr r.-v.

DOM. LOUIS REMY Derrière la Grange 2003 **

1er cru 0,47 ha 1 350 46 à 76 €

Études artistiques, douze ans dans la publicité à Genève et puis un jour, touchée par la grâce, en tout cas par l'esprit de famille, Chantal Remy devient chef de culture, vinificatrice et agent commercial au sein du domaine familial. Côté Morey, ce petit *climat* a produit une excellente bouteille velours grenat. Démonstratif, son bouquet évolue vers le bourgeon de cassis dont on n'oublie pas qu'il est à Grasse une base de parfum appréciée... En bouche, ce 2003 rappelle les 1976 dans leur jeunesse : charpentés, réglissés, sculptés par le soleil de l'été, mais demandant encore à s'ouvrir. À déguster dans un an ou deux.

Dom. Louis Remy, 1, pl. du Monument, 21220 Morey-Saint-Denis, tél. 03.80.34.32.59, fax 03.80.34.32.23, e-mail domaine.louis.remy@wanadoo.fr r.-v.

LAURENT ROUMIER 2003 *

1,4 ha 1 800 15 à 23 €

Laurent Roumier a pris le collier en 1991, avec des vignes en location. Il a peu à peu imposé son prénom par la qualité de son travail. Nous sommes ici en présence d'un rubis aux reflets de jeunesse. Il se met au service d'un nez de groseille en début d'expression. Soutenue par un élevage de dix-huit mois en fût conduit avec doigté, l'attaque met en valeur l'épaisseur du fruit. Aucune sécheresse, aucun sentiment de chaleur : c'est bien. On ne le soumet pas à quelques années d'attente par devoir : seulement par plaisir !

Dom. Laurent Roumier, rue de Vergy, 21220 Chambolle-Musigny, tél. 03.80.62.83.60, fax 03.80.62.84.10, e-mail lroumier@terre-net.fr r.-v.

DOM. ROBERT SIRUGUE ET SES ENFANTS Les Mombies 2004

0,28 ha 1 600 15 à 23 €

Framboise vanillée ; un 2004 assez équilibré, normalement complexe et plutôt long en arrière-bouche. Acidité et tanins ont un bon rapport de force. Ce vin a besoin de faire effacer ses péchés de jeunesse (le boisé n'est pas encore fondu) : confions-le à une bonne cave jusqu'en 2008.

Dom. Robert Sirugue, 3, rue du Monument, 21700 Vosne-Romanée, tél. 03.80.61.00.64, fax 03.80.61.27.57, e-mail sirugue@ifrance.com r.-v.

DOM. JEAN TARDY ET FILS Les Athets 2003

0,32 ha 1 500 15 à 23 €

À égale distance entre Morey et Vougeot, les Athets ne sont pas athées, comme on les écrit parfois. Leur grenat sombre a quelque chose d'épiscopal. Leur nez rappelle le fruit rouge mûr. Si la chaleur est nettement 2003 (raisins coupés le 28 août), l'acidité apparaît bien présente et les tanins aimables. L'absence de tout excès dans le propos permet à ce vin de rejoindre directement le verre. À décanter avant de le servir sur le rôti du dimanche.

Dom. Jean Tardy et Fils, 46, rte Nationale, 21700 Vosne-Romanée, tél. 03.80.61.11.86, fax 03.80.61.07.32, e-mail tardy.et.fils@wanadoo.fr r.-v.

VAUCHER PÈRE ET FILS 2004

1,5 ha 7 500 15 à 23 €

Une des marques de Labouré-Roi à Nuits (famille Cottin). Vénérable maison dijonnaise rachetée en 1988, Vaucher Père et Fils avait des liens avec Chambolle : une maison et des vignes. Onctueux sous le regard, offrant de belles larmes, ce millésime présente un bouquet à tout le moins complexe de petits fruits rouges et de sous-bois. En bouche, il est sûr de son effet et heureux de plaire : il possède une matière souple bien exploitée et suffisamment d'acidité pour honorer les espérances qu'il suscite.

Vaucher Père et Fils, rue Lavoisier, 21700 Nuits-Saint-Georges, tél. 03.80.62.64.00, fax 03.80.62.64.10, e-mail jnchriste@vfb.fr

Musigny

Dominant le Clos de Vougeot, musigny repose sur un sol calcaire mêlé d'argile rouge. Ce grand cru s'étend sur 10 ha 85 a 55 ca et a produit 317 hl en 2005.

DOM. JACQUES PRIEUR 2003 *

■ Gd cru 0,76 ha 2 050 + de 76 €

Problème en partie très complexe à la façon bourguignonne : les extrémités des rangs de vigne classées en musigny et le milieu en 1er cru. L'INAO a sagement réglé l'affaire, le domaine Jacques Prieur n'étant pas seulement composé ici de ces parcelles. Violine brillant, fruité au départ puis complexe et moins saisissable, ce vin est soyeux, vivant, d'une substance capable de tenir au moins dix ans. En faire le tour ne sera pas si facile.

Dom. Jacques Prieur, 6, rue des Santenots, 21190 Meursault, tél. 03.80.21.23.85, fax 03.80.21.29.19, e-mail info@prieur.com r.-v.

Bonnes-mares

Cette appellation, qui s'étend sur 13 ha 54 a 17 ca a produit 494 hl en 2005. Elle déborde sur la commune de Morey, le long du mur du clos-de-tart, mais la plus grande partie est située sur Chambolle. C'est le grand cru par excellence. Les vins de bonnes-mares, pleins, vineux, riches, ont une bonne aptitude à la garde et accompagnent allègrement le civet ou la bécasse après quelques années de vieillissement.

JEAN-LUC AEGERTER 2003 **

■ Gd cru 0,4 ha 1 800 + de 76 €

L'unanimité n'est pas chose fréquente en Bourgogne. Eh bien ! la voici, pour célébrer les mérites et vertus d'un bonnes-mares vendangé le 25 août. Paré d'une robe à reflets violines, ce vin affiche un premier nez un peu sauvage, le deuxième étant davantage porté sur les fruits rouges. La texture est agréable, la richesse suffisamment subtile pour trouver dans le jury de fervents partisans. On ne sent pas l'excès de soleil, mais l'origine l'emporte sur tout autre argument. Quand on a compté les voix, il les avait toutes.

Jean-Luc Aegerter, 49, rue Henri-Challand, 21700 Nuits-Saint-Georges, tél. 03.80.61.02.88, fax 03.80.62.37.99, e-mail jean-luc.aegerter@wanadoo.fr r.-v.

DOM. ARLAUD 2004 *

■ Gd cru 0,2 ha 1 000 46 à 76 €

Ces 20 a 81 ca ont été achetés à la famille Valby, de Morey, il y a un demi-siècle et ils se situent exactement au milieu du grand cru. Dense, la robe est plus concentrée qu'éclatante. Une complexité fruitée et un peu épicée apparaît après un départ sur un léger grillé. L'attaque est souple, la texture plaisante, la rondeur intéressante, la longueur moyenne bien que le retour sur le fruit soit bienvenu : noble, ce 2004 devient alors gourmand. S'il lui faut se fondre davantage, un tel vin vise les années 2010.

Dom. Arlaud Père et Fils, 41, rue d'Épernay, 21220 Morey-Saint-Denis, tél. 03.80.34.32.65, fax 03.80.34.10.11, e-mail contact@domainearlaud.com r.-v.

DOM. CASTAGNIER 2004

■ Gd cru 0,33 ha 1 600 30 à 38 €

Il faut connaître la Bourgogne sur le bout du nez pour les raconter, ces 33 a 25 ca. Cette vigne, exploitée longtemps à mi-fruit par le gendre de Gilbert Vadey, Guy Castagnier, appartient aux Newman, amis des Lichine, à l'aise entre le pétrole, le bois et le vin du bout du Monde à l'autre. On passe sur plusieurs chapitres du roman. Élégant, racé et fruité, ce vin conquiert au nez son droit de suite. La bouche relève en effet de la longue garde. Un dégustateur, gourmet, regrette le filet de biche qui aurait dû l'accompagner !

EARL Dom. Castagnier, 20, rue des Jardins, 21220 Morey-Saint-Denis, tél. 03.80.34.31.62, fax 03.80.58.50.04 r.-v.

GFA Dom. Newman

DOM. DROUHIN-LAROZE 2004 *

■ Gd cru 1,5 ha 5 500 38 à 46 €

Plusieurs parcelles dans la partie médiane du grand cru ont été acquises par ce domaine : en 1921 (familles Boursot et Vaillant de La Perrière), 1951 et 1961 (famille Couturier). Elles couvrent à peu près 10 % de la superficie totale du grand cru. Plus corsés que fleuris, les bonnes-mares ont, comme ici, une robe du soir moirée et un parfum de choix : une féminité épicée, si vous vous rappelez Élizabeth Taylor. Petite note d'amertume dans un décor confortable et sous une texture soyeuse. Le potentiel n'en est pas moins considérable pour ce millésime.

Dom. Drouhin-Laroze, 20, rue du Gaizot, 21220 Gevrey-Chambertin, tél. 03.80.34.31.49, fax 03.80.51.83.70 t.l.j. 9h-12h 13h30-19h

Philippe Drouhin

DOM. FOUGERAY DE BEAUCLAIR 2003 *

■ Gd cru 1,5 ha 3 000 + de 76 €

Les bons auteurs distinguent volontiers les bonnes-mares selon qu'ils se situent sur morey ou chambolle. La partie sur morey est peu étendue et la voici pratiquement tout entière (démembrement déjà ancien du domaine Bélorgey qui possédait la moitié du grand cru). Souple et néanmoins tannique, vendangé le 30 août, ce vin n'a rien perdu de sa vivacité. Le bouquet se partage entre les fruits en compote et les épices de l'élevage. D'une couleur rubis profond à reflets violines, il est bien réussi et à considérer dans son millésime : de moyenne garde sans doute (cinq ans, peut-être un peu plus).

🔑 Dom. Fougeray de Beauclair, 44, rue de Mazy, BP 36, 21160 Marsannay-la-Côte, tél. 03.80.52.21.12, fax 03.80.58.73.83, e-mail fougeraydebeauclair@wanadoo.fr

🅥 Y 🚶 t.l.j. 9h30-12h30 14h-18h; dim. sur r.-v.

PIERRE NAIGEON 2003

■ Gd cru 0,5 ha 900 🛢 46 à 76 €

La famille Naigeon détient 49 a 83 ca en trois parcelles nettement côté chambolle et proches des parcelles de Vogüé. Pourpre à reflets magenta, ce millésime est limpide ; son bouquet atteint la complexité lors de la deuxième vague d'assaut : après une finesse réelle mais indéterminée, paraissent le cassis et la mûre. Au palais, la consistance joue la fermeté, le grain optant davantage pour le caressant. Persistance moyenne. Les sécateurs sont entrés ici en action le 18 août.

🔑 Pierre Naigeon, 4, rue du Chambertin, 21220 Gevrey-Chambertin, tél. 03.80.34.14.87, fax 03.80.58.51.18, e-mail pierre.naigeon@wanadoo.fr

🅥 Y 🚶 r.-v.

Vougeot

C'est la plus petite commune de la côte viticole. Si l'on ôte de ses 80 ha les 50 ha 59 a 10 ca du clos, les maisons et les routes, il ne reste que quelques hectares de vignes en vougeot, dont plusieurs premiers crus, les plus connus étant le Clos blanc (vins blancs) et le Clos de la Perrière. Le volume de production s'élève en 2005 à 338 hl en 1er cru rouge et 110 hl en 1er cru blanc ; les *villages* représentent 95 hl en rouge et 27 hl en blanc.

DOM. CHRISTIAN CLERGET

Les Petits Vougeot 2003 *

■ 1er cru 0,46 ha 2 000 🛢 30 à 38 €

On appelait jadis les Petits Vougeot « le Petit-Clos Noir », car il était planté en noirien au temps des moines. Vendangé le 25 août, celui-ci a la griotte au nez. Le fût n'en est pas absent. Concentré et riche à la façon 2003, le corps parvient à définir un certain équilibre entre acidité et tanins. La finale plaît par sa longue note de Zan. Un joli vin.

🔑 Dom. Christian Clerget, 10, Ancienne-RN 74, 21640 Vougeot, tél. 03.80.62.87.37, fax 03.80.62.84.37

🅥 Y 🚶 r.-v.

DOM. DE LA VOUGERAIE

Le Clos de blanc de Vougeot Monopole 2003

□ 1er cru 1,96 ha 5 064 ▮🛢 46 à 76 €

« Le Petit-Clos blanc » sous les moines. Les Amoureuses, le Musigny, le Clos de Vougeot, on rêve d'un ensemble résidentiel aussi bien habité... Monopole de la famille Boisset qui l'a superbement remis en valeur et dans ses murs (1,96 ha, on revient à la superficie donnée par Lavalle en 1855 – qui avait quelque peu grandi ensuite). Coup de cœur dans les éditions 2006 et 2004 du Guide en vougeot, la Vougeraie (alors accompagnée par P. Marchand) joue ici à 95 % le chardonnay plus le pinot gris et un soupçon de pinot blanc. Or émeraude, le vin brille. Bon nez complexe. Léger pour un 2003, mais agréable et sans reproche. En rouge, **Les Cras 1er cru 2003** sont bien construits et, intégré, le boisé se montre élégant.

🔑 Dom. de La Vougeraie, rue de l'Église, 21700 Nuits-Saint-Georges, tél. 03.80.62.48.25, fax 03.80.61.25.44, e-mail vougeraie@domainedelavougeraie.com

🅥 Y 🚶 r.-v.

🔑 Famille Boisset

BOURGOGNE

Clos-de-vougeot

Tout a été dit sur le Clos ! Comment ignorer que plus de soixante-dix propriétaires se partagent ses 50 ha 59 a 10 ca et les 1 751 hl déclarés en 2005 ? Un tel attrait n'est pas dû au hasard ; c'est bien parce qu'il est bon et que tout le monde en veut ! Il faut bien sûr faire la différence entre les vins « du dessus », ceux « du milieu » et ceux « du bas », mais les moines de Cîteaux, lorsqu'ils ont élevé le mur d'enceinte, avaient tout de même bien choisi leur lieu...

Fondé au début du XII^{e}s., le Clos atteignit très rapidement sa dimension actuelle ; l'enceinte d'aujourd'hui est antérieure au XV^{e}s. Plus que le Clos lui-même, dont l'attrait essentiel se mesure dans les bouteilles quelques années après leur production, le château, construit aux XIIe et XVI^{e}s., mérite qu'on s'y attarde un peu. La partie la plus ancienne comprend le cellier, de nos jours utilisé pour les chapitres de la Confrérie des Chevaliers du Tastevin, actuel propriétaire des lieux, et la cuverie, qui abrite à chaque angle quatre magnifiques pressoirs d'époque.

PHILIPPE BOUCHARD 2003

■ Gd cru 0,4 ha 2 000 🛢 46 à 76 €

Charnue et étoffée, une bonne bouteille produite par une marque de Corton-André Reine Pédauque devenue Ballande. Cerise noire à effets mauves, un clos-de-vougeot assez charnel, long sur le fruit. Il peut aller loin car il est bien structuré, commercial sans doute ; « il devrait plaire aux États-Unis », note un dégustateur.

🔑 Philippe Bouchard, 21420 Aloxe-Corton, tél. 03.80.25.00.00, fax 03.80.26.42.00, e-mail france@corton-andre.com

🚶t.l.j. sf sam. dim. 9h-12h 14h-17h

DOM. PHILIPPE CHARLOPIN 2003 *

■ Gd cru n.c. n.c. 🛢 + de 76 €

Ce jeune marquis de Carabas est désormais un peu partout en Côte de Nuits et en Côte de Beaune. Une vigne se trouve-t-elle en déshérence, en manque de notoriété ? Le Dr Charlopin arrive et – il faut boire le résultat – les soins

sont heureux et la médecine réussit. Son clos-de-vougeot a l'œil noir et limpide, laissant au fût le bonheur de la rencontre de fiançailles. Le palais est noble, charpenté, parfaitement élevé ; le contraire du vin pour impatient ou de simple gourmandise.
Philippe Charlopin, 18, rte de Dijon, 21220 Gevrey-Chambertin, tél. et fax 03.80.58.50.46, e-mail charlopin-philippe@wanadoo.fr

DOM. DU CLOS FRANTIN 2004

■ Gd cru 0,63 ha 1 800 + de 76 €

Quatre parcelles situées dans la partie méridionale du clos (63,02 ares en tout), achetées par la famille Bouchot à la famille Grivelet en 1964. On sait que le domaine du Clos-Frantin (Vosne) appartient à la maison Albert Bichot. Plus clair que la plupart des clos-de-vougeot dégustés cette année, celui-ci porte un nez fin et long, épicé et fruité. Ses tanins très présents sont affaire de jeunesse. Ils vont s'arrondir tout en gagnant en persistance.
Dom. du Clos Frantin, 6 bis, bd Jacques-Copeau, 21200 Beaune, tél. 03.80.24.37.37, fax 03.80.24.37.38, e-mail bourgogne@albert-bichot.com
A. Bichot

DOM. DROUHIN-LAROZE 2004

■ Gd cru 1,02 ha 4 000 38 à 46 €

Parcelle située dans la partie haute du clos. Le millésime 1997 fut coup de cœur dans le Guide 2000, et il avait déjà remporté cette distinction dans le passé. D'une teinte pourpre foncé, celui-ci s'exprime avec élégance et finesse. « Peu tannique », disent certains. D'autres parlent de tanins soyeux. Quoi qu'il en soit, sa structure facilitera son séjour en cave (cinq ans et plus).
Dom. Drouhin-Laroze, 20, rue du Gaizot, 21220 Gevrey-Chambertin, tél. 03.80.34.31.49, fax 03.80.51.83.70 t.l.j. 9h-12h 13h30-19h
Philippe Drouhin

R. DUBOIS ET FILS 2003

■ Gd cru 0,33 ha 1 500 38 à 46 €

Prendre pied en clos-de-vougeot quand on est un domaine vigneron de Premeaux, c'est comme être admis à l'ENA. La famille Dubois a réussi cet exploit sur un tiers d'hectare – ce qui n'est pas rien. Pourpre violine, très jeune, ce millésime porte le sceau tannique de l'adolescence. Il promet une pleine expansion pour d'heureux lendemains. À déguster dans les trois ans. Vendangé un 28 août.
Dom. Régis Dubois et Fils, rte de Nuits-Saint-Georges, 21700 Premeaux-Prissey, tél. 03.80.62.30.61, fax 03.80.61.24.07, e-mail rdubois@wanadoo.fr
t.l.j. 8h-11h30 13h30-17h30; sam. dim. sur r.-v.

DOM. FRANÇOIS GERBET 2004 ★

■ Gd cru 0,33 ha 1 500 38 à 46 €

Ce grand cru sait compter avec notre patience. Un rien d'évolution nuance la robe, c'est vrai. Mais la violette et la mûre sont au nez d'adorables complices. Ces arômes s'éternisent en bouche, sur une texture au grain soyeux. Oui, on a envie de le déguster tout de suite, tant il y met de charme. Non, ce qui est bon sera meilleur encore dans quatre à cinq ans.
Marie-Andrée et Chantal Gerbet, Dom. François Gerbet, pl. de l'Église, 21700 Vosne-Romanée, tél. 03.80.61.07.85, fax 03.80.61.01.65, e-mail vins.gerbet@wanadoo.fr
r.-v.

DOM. GROS FRÈRE ET SŒUR Musigni 2004 ★★

■ Gd cru 0,75 ha 3 670 38 à 46 €

Le meilleur, coup de cœur pour le 2000 et possédant assez d'atouts dans sa manche pour jouer la finale. Voyez le prix, l'un des plus doux. Rare exemple d'un clos-de-vougeot indiquant son *climat* : Musigni, situé, quand on entre au château, tout en haut à droite. Il faut savoir qu'au XIXe s., on comptait une quinzaine de *climats* au sein du clos. Rubis, griotte, violette, vanille et confiture, il étonne par ses mérites, ce 2004 – tant il a de panache, de charme dans la forme et de tenue dans le fond.
Dom. Gros Frère et Sœur, 6, rue des Grands-Crus, 21700 Vosne-Romanée, tél. 03.80.61.12.43, fax 03.80.61.34.05, e-mail bernard.gros2@wanadoo.fr
r.-v.
Bernard Gros

JEAN-MICHEL GUYON 2004 ★★

■ Gd cru 0,15 ha 1 065 38 à 46 €

Jean-Michel Guyon a créé son domaine en 1980, débarquant du train de Paris, sans formation ni diplôme. Aujourd'hui, son fils Alexis lui succède. Ce dernier a eu de bons maîtres comme le père Lesprit et dispose d'un peu moins de quatre ouvrées dans le clos. Pas assez pour se faire tailler un portail en pierre, suffisamment pour en être légitimement fier. Rouge sombre plus que griotte, son 2004 développe un bouquet de fraise, de framboise à la maturité accomplie. Structure et harmonie, force de caractère : il a une longue route devant lui.
Jean-Michel Guillon, 33, rte de Beaune, 21220 Gevrey-Chambertin, tél. 03.80.51.83.98, fax 03.80.51.85.59, e-mail eurlguillon@aol.com
r.-v.

DOM. LEYMARIE-CECI 2003 ★

■ Gd cru 0,53 ha 1 000 46 à 76 €

De la Corrèze à la Belgique, de la Belgique à la Côte de Nuits en passant par Bordeaux, une vraie saga ! Sur un coup de tête, l'aïeul acquit, en 1935, 52,60 ares (partie dite "Du Dessus », près des grands échézeaux) – anciennement Ligier-Belair. Ces raisins sont toujours à pied d'œuvre. « Vin d'homme », dit un dégustateur. Après dix-huit mois de fût, sa robe violacé intense désigne un vin jeune et de garde. Myrtille, bigarreau, vanille, le nez séduit puis le vin explose en bouche avec du gras, du fruit, du velours, de la longueur. Costaud et sévère, il pourrait attendre trois à cinq ans.
Dom. Leymarie-CECI, Clos du Village, 24, rue du Vieux-Château, 21640 Vougeot, tél. 03.80.62.86.06, fax 03.80.62.88.53, e-mail leymarie@skynet.be r.-v.

MARCHÉ AUX VINS 2004 ★

■ Gd cru n.c. 1 750 46 à 76 €

L'une des nombreuses initiatives d'André Boisseaux. Prometteur, ce 2004 débute sa carrière, mais il fait déjà honneur à son appellation. Sans doute sa couleur se tuile-t-elle un peu, signe d'évolution. Le nez en revanche ne bouge pas dans sa carrure raisonnablement boisée et

convenablement fruitée. La bouche, sans excès de tanins ni d'acidité, presque mûre, sera prête dans trois à quatre ans.
🔑 Marché aux vins, rue Nicolas-Rolin, 21200 Beaune, tél. 03.80.25.08.20, fax 03.80.25.08.21, e-mail marcheauxvins@kriter.com
☑ 🍷 ⛹ t.l.j. 9h30-11h45 14h-17h45

CH. DE MARSANNAY 2003

■ Gd cru 0,21 ha 646 🍾 46 à 76 €

Par préoccupation généalogique, on aimerait savoir si ces 21 ares proviennent des 21,40 ares Corbet-Noëllat-Fournier. Quoi qu'il en soit, ce clos-de-vougeot assez complet a l'œil cerise noire, le nez bourgeon de cassis et cacao, la chair tannique imposante. Le fruit se réveillera dans deux ou trois ans.
🔑 Ch. de Marsannay, rte des Grands-Crus, BP 78, 21160 Marsannay-la-Côte, tél. 03.80.51.71.11, fax 03.80.51.71.12, e-mail chateau.marsannay@kriter.com
☑ 🍷 ⛹ t.l.j. 10h-12h 14h-18h30; f. dim. de nov. à mars

P. MISSEREY 2004

■ Gd cru n.c. 600 🍾 + de 76 €

Une pensée pour Marc Misserey qui nous a quittés après avoir longtemps enchanté de sa présence les convives du Tastevin. Cédée à la famille Lanvin puis à Laurent Max, cette maison présente un 2004 très extrait qui terroite fortement. La réglisse et le cuir dominent les sensations aromatiques du vin, qui mettra du temps pour s'exprimer.
🔑 Maison P. Misserey, 6, rue de Chaux, BP 4, 21700 Nuits-Saint-Georges, tél. 03.80.62.43.40, fax 03.80.62.68.02

DOM. MICHEL NOËLLAT ET FILS 2004

■ Gd cru 0,47 ha 2 000 🍾 46 à 76 €

À propos du clos-de-vougeot, Hubert Duyker parle « d'un vin introverti qui ne vous accueille pas les bras ouverts ». Si le grenat sombre de sa robe élégante ne confirme pas ce jugement, son nez correspond bien au tableau : fermé, il doit acquérir davantage de complexité. Épicé, riche et chaud, les tanins serrés, ce 2004 est encore vif. Dans trois à cinq ans il offrira sûrement une impression plus amène.
🔑 SCEA Dom. Michel Noëllat et Fils, 5, rue de la Fontaine, 21700 Vosne-Romanée, tél. 03.80.61.36.87, fax 03.80.61.18.10, e-mail domaine.michel-noellat@wanadoo.fr ☑ 🍷 ⛹ r.-v.

GÉRARD RAPHET 2004

■ Gd cru 1,5 ha 5 000 🍾 38 à 46 €

Exactement aux deux extrémités du clos, il doit s'agir des parcelles Raphet (94,42 ares provenant en partie d'une vente Prieur) et Vadey (49,74 ares provenant des Liger-Belair dès 1936). Ce vin demande à s'exprimer : chaud au nez (son élevage en fût est encore assez marqué à cet âge), net au palais où paraissent les fruits rouges enrobés de vanille, il est à suivre dans son évolution en sachant que la limite se situera vers 2010.
🔑 Gérard Raphet, 25, rte des Grands-Crus, 21220 Morey-Saint-Denis, tél. 03.80.51.89.52, fax 03.80.51.84.25, e-mail gerard.raphet@wanadoo.fr
☑ 🍷 ⛹ r.-v.

DOM. HENRI REBOURSEAU 2003 *

■ Gd cru 2,21 ha 7 295 🍾 46 à 76 €

90 92 |93| 94 **|95|** |96| |97| |98| |99| |00| |01| 02 03

Jean de Surrel exploite ces 2,21 ha situés en plein milieu du clos et issus du partage familial en 1915, soit la moitié de l'acquisition Rebourseau au lendemain de la vente de 1889. Vendangé le 27 août, ce clos-de-vougeot extrêmement sombre dissimule l'austérité cistercienne de son nez sous un rien de groseille. Très prometteur en bouche, grâce à ses qualités propres (ampleur, équilibre, longueur). Demande à s'arrondir : il en a tout le temps.
🔑 NSE Dom. Henri Rebourseau, 10, pl. du Monument, 21220 Gevrey-Chambertin, tél. 03.80.51.88.94, fax 03.80.34.12.82, e-mail domaine@rebourseau.com ☑ 🍷 ⛹ r.-v.

LAURENT ROUMIER 2003 *

■ Gd cru 0,6 ha 890 🍾 38 à 46 €

Vendangé le 29 août, il peut déjà entrer dans le livre des records du domaine. Mais il peut revendiquer cet honneur avec d'autres arguments. Cerise noire, la robe est sombre. Le bouquet est logiquement surmûri (cela se sent). Onctueux, savoureux, le palais est sur le fruit (cerise noire, là aussi). Tout le terroir argilo-calcaire du clos est bien présent... Laurent Roumier a dû se faire un prénom en 1991 et y a réussi.
🔑 Dom. Laurent Roumier, rue de Vergy, 21220 Chambolle-Musigny, tél. 03.80.62.83.60, fax 03.80.62.84.10, e-mail lroumier@terre-net.fr
☑ 🍷 ⛹ r.-v.

DOM. TORTOCHOT 2003

■ Gd cru 0,2 ha 900 🍾 38 à 46 €

Parcelle de 20,33 ares, longitudinale, achetée en 1955 au domaine Grivelet-Cusset par Jean et Firmin Coquard ainsi que par la veuve de Félix Tortochot. Elle faisait donc trois fois la surface. Coup de chapeau en passant à Gaby, une grande figure du vignoble. Voici un vin puissant, concentré, corpulent. Il a du goût et semble avoir été l'objet d'une vinification à l'ancienne. Ne pas s'y frotter avant quelque temps.
🔑 Dom. Tortochot, 12, rue de l'Église, 21220 Gevrey-Chambertin, tél. 03.80.34.30.68, fax 03.80.34.18.80, e-mail contact@tortochot.com
☑ 🍷 ⛹ r.-v.

CH. DE LA TOUR 2004 *

■ Gd cru 6 ha 18 000 🍾 46 à 76 €

85 86 **88 89** 90 |95| |96| **97** (98) |99| 01 02 03 04

François Labet incarne la jeune génération au château de la Tour, conduisant la plus vaste propriété du clos (10,75 % de sa superficie). Il s'agit d'un achat Beaudet en 1889 cédé plus tard aux Morin qui en demeurent les propriétaires familiaux. Ici un très beau vin d'avenir à la robe glorieuse et au bouquet d'une complexité fascinante : notes de myrtille, de mûre, de cassis, de boisé bien dosé. Au palais, le départ est donné : puissance, richesse, longueur permettent de l'attendre quelques années. Surtout ne le servez pas maintenant. Vous le jugeriez fermé.
🔑 Ch. de la Tour, Clos de Vougeot, 21640 Vougeot, tél. 03.80.62.86.13, fax 03.80.62.82.72, e-mail contact@chateaudelatour.com
☑ 🍷 ⛹ t.l.j. sf mar. 10h-18h; groupes sur r.-v.; f. déc. à mars

DOM. DES VAROILLES 2004 *

■ Gd cru 0,8 ha 1 200 ⓫ 38 à 46 €

La cuverie et la cave, situées dans un ancien couvent, reçoivent de nombreux premiers crus, quelques grands crus tel celui-ci : très carré, rouge soutenu avec des larmes, mi-grillé mi-fruit, fruits rouges au nez puis floral (violette) en bouche, encore large d'épaules et d'une fermeté absolue. Tanins, acidité, alcool vont trouver quelque chose de bon à faire ensemble : la longueur témoigne de sa complexité future.

🔑 Gilbert Hammel, Dom. des Varoilles, 11, rue de l'Ancien-Hôpital, 21220 Gevrey-Chambertin, tél. 03.80.34.30.30, fax 03.80.51.88.99, e-mail contact@domaine-varoilles.com ☑ Y ⛹ r.-v.

Échézeaux et grands-échézeaux

Au sud du Clos de Vougeot, la commune de Flagey-Échézeaux, dont le bourg est dans la plaine, tout comme celui de Gilly (les Cîteaux) en face du Clos de Vougeot, longe le mur de celui-ci pour faire, jusqu'à la montagne, une incursion dans le vignoble. La partie du piémont bénéficie de l'appellation vosne-romanée. Dans le coteau se succèdent deux grands crus : le grands-échézeaux et l'échézeaux. Le premier fait environ 9 ha de surface, sur plusieurs lieux-dits et a produit 313 hl en 2005, alors que le second couvre plus de 36 ha et a produit 1 187 hl.

Les vins de ces deux crus, dont les plus prestigieux sont les grands-échézeaux, sont très « bourguignons » : solides, charpentés, pleins de sève mais aussi très chers. Ils sont essentiellement exploités par les vignerons de Vosne et de Flagey.

Échézeaux

BOUCHARD AÎNÉ ET FILS

Cuvée Signature 2004 *

■ Gd cru n.c. n.c. ⓫ 46 à 76 €

Rubis plein de feux, tirant sur le grenat et à disque rosé, ce vin, sans être particulièrement complexe, laisse son bouquet s'ouvrir sur les fruits (mûre surtout) avant de s'orienter au deuxième nez vers le café, le poivre. La mise en bouche est nette, franche, et l'architecture est celle du millésime – bien exprimée. Son tempérament un peu tannique, sa chaleur doivent mieux s'harmoniser dans les cinq ans à venir.

🔑 Bouchard Aîné et Fils, hôtel du Conseiller-du-Roy, 4, bd Mal-Foch, 21200 Beaune, tél. 03.80.24.24.00, fax 03.80.24.64.12, e-mail bouchard@bouchard-aine.fr ☑ Y ⛹ r.-v.

🔑 FGVS Boisset

CAPITAIN-GAGNEROT 2004 *

■ Gd cru 0,33 ha 1 500 ⓫ 46 à 76 €

Patrice et Michel Capitain perpétuent une tradition remontant au moins à 1802, année de création de ce domaine. Leur 2004 ? Sa robe est d'intensité moyenne et assez lumineuse. Après un épisode boisé (quinze mois en fût), un fruit charnu occupe le nez. Le vin attaque sans hésiter, jetant ses tanins dans la bataille. Une belle acidité lui offre la vivacité de mouvement : celle-ci domine aujourd'hui l'équilibre général, mais est également gage de longévité.

🔑 Capitain-Gagnerot, 38, rte de Dijon, 21550 Ladoix-Serrigny, tél. 03.80.26.41.36, fax 03.80.26.46.29, e-mail contact@capitain-gagnerot.com ☑ Y ⛹ r.-v.

DOM. PHILIPPE CHARLOPIN 2003 *

■ Gd cru 0,33 ha 900 ⓫ + de 76 €

La force prime peut-être le droit (mot attribué à tort à Bismarck), mais certainement pas le goût. Un 2003 enraciné, d'une belle maturité phénolique dans un millésime où il fallait résister à la précipitation, d'un brillant exquis sur des arômes de cerise à l'eau-de-vie, de café torréfié. Attendre le fondu pour voir naître et grandir l'envie du vin. Bien fait, certainement. Commercialisé par la fille de Philippe Charlopin, 33 rue des Baraques à Gevrey-Chambertin.

🔑 Philippe Charlopin, 18, rte de Dijon, 21220 Gevrey-Chambertin, tél. et fax 03.80.58.50.46, e-mail charlopin-philippe@wanadoo.fr

FRANÇOIS CONFURON-GINDRE 2004 *

■ Gd cru 0,3 ha 1 500 ⓫ 30 à 38 €

Entre le rouge et le noir, le clou de girofle et la griotte, vif et structuré, son programme bien établi et la tenue de route très sûre, il se montre gras et même presque beurré (fût bien fondu). Volume et longueur sont au rendez-vous : le boisé marque son domaine en finale, mais c'est un vin à long terme qui va se civiliser dans un ensemble musclé et apaiser ses dix-huit mois en fût.

🔑 François Confuron, 2, rue de la Tâche, 21700 Vosne-Romanée, tél. 03.80.61.20.84, fax 03.80.62.31.29, e-mail confuron.gindre@wanadoo.fr ☑ Y ⛹ r.-v.

DOM. GUYON 2004 *

■ Gd cru 0,2 ha 1 080 ⓫ 46 à 76 €

20,4 ares en Orveaux : il s'agit d'un *climat* haut perché, proche du musigny dont il n'est séparé que par une petite combe. Un beau grand cru au délicieux nez de fruits, offrant à la bouche une présence très vivante. Sa rondeur réglissée, sa chair persistante sont unanimement appréciées. Souvent un échézeaux est superbe pendant deux à trois ans (c'est ici le cas – « presque trop bon », écrit un juré !), puis il rentre dans sa coquille pendant cinq à dix ans. Ensuite, il est somptueux. Souhaitons-lui ce destin.

🔑 EARL Dom. Guyon, 11-16, RN 74, 21700 Vosne-Romanée, tél. 03.80.61.02.46, fax 03.80.62.36.56, e-mail domaine.guyon@wanadoo.fr ☑ Y ⛹ r.-v.

FRÉDÉRIC MAGNIEN 2004

■ Gd cru n.c. 1 100 ⓫ 46 à 76 €

Finaud, dit-on de ce vin. Cela veut bien dire ce que cela signifie. Rubis grenat très clair, évolue-t-il ? Réglisse et sous-bois, il lui faut un peu d'air pour exploser. Il y parvient dans le verre. Net et pur, fondu et patiné, d'une certaine élégance à l'ancienne, il a su se jouer du millésime, pas si commode.

⊶ EURL Frédéric Magnien, 4, rue Ribordet, 21220 Morey-Saint-Denis, tél. 03.80.58.54.20, fax 03.80.51.84.34 ☒ Ῠ ⧫ r.-v.

DOM. MONGEARD-MUGNERET
Vieilles Vignes 2004 *

■ Gd cru 0,67 ha 2 800 ⊕ 38 à 46 €

Jean Mongeard a remembré naguère 1 ha en échézeaux, à partir d'une parcelle de 3,10 ares acquise par son père avec sa prime de démobilisation de la guerre de 1914 : il y avait là dix-sept propriétaires différents ! Son 2004 Vieilles Vignes est forcément à attendre (cinq à sept ans) car, encore fermé, à tout le moins sur la réserve, il est partagé entre le fût et les tanins. Au nez s'expriment des sensations animales et le sous-bois. Henri Vincenot, qui aimait beaucoup les échézeaux, l'aurait destiné à une épaule de marcassin.

⊶ Dom. Mongeard-Mugneret, 14, rue de la Fontaine, 21700 Vosne-Romanée, tél. 03.80.61.11.95, fax 03.80.62.35.75, e-mail domaine@mongeard.com ☒ Ῠ r.-v.

DOMINIQUE MUGNERET 2004

■ Gd cru 0,43 ha 2 100 ⊕ 38 à 46 €

Belle expression du terroir et réussite dans le millésime : rubis brillant d'intensité moyenne, il tient son nez sur la réserve. Si on lui laisse un peu la bride sur le cou, la pivoine et la framboise finissent par arriver au rendez-vous. Du gras et du volume, de la substance, mais encore des tanins fermes. Il récupérera du corps et de la persistance pour les années 2010.

⊶ Dominique Mugneret, 9, rue de la Fontaine, 21700 Vosne-Romanée, tél. 03.80.61.00.97, fax 03.80.61.24.54 ☒ Ῠ ⧫ r.-v.

DOM. HENRI NAUDIN-FERRAND 2003 *

■ Gd cru 0,34 ha 677 ⊕ 46 à 76 €

« Laisse venir l'oubli », nous chuchote Musset. Un vin du 21 août 2003 à oublier, en effet. Pas tout à fait, tout de même... Ses tanins sont fermes, l'acidité affirmée, mais la matière est belle. Si la robe cerise noire n'a pas trop de reflets, le nez se montre prometteur. Extraction et cuvaison ont sans doute été longues sous le soleil du millésime, d'où ce style méditerranéen qui – et ce n'est pas impossible – pourrait donner quelque chose d'éblouissant vers 2015. Certains amateurs ne sont pas insensibles à cette sorte d'argument.

⊶ Dom. Henri Naudin-Ferrand, rue du Meix-Grenot, 21700 Magny-lès-Villers, tél. 03.80.62.91.50, fax 03.80.62.91.77, e-mail dom.hnf@wanadoo.fr ☒ Ῠ ⧫ r.-v.

DOM. DES PERDRIX 2003 **

■ Gd cru 1,14 ha 2 500 ⊕ + de 76 €

La force et la grâce, le sang sous la masse qui fait les meilleurs chevaux. Bertrand Devillard veille tout à la fois sur les courses hippiques de Cluny (terre de haras) et sur ce domaine des Perdrix d'origine Mugneret-Gouachon avec un bon bout d'Échézeaux-du-Dessus acheté aux Liger-Belair durant les années 1930. On n'en finirait pas de vous raconter tout ça, sans parler de la cave : l'une des plus historiques de Bourgogne (1755, Jobert de Chambertin). Cerise griotte, mûre et rose fanée, ce grand cru est superbe

et somptueux. Vendange du 1er septembre. Fallait-il couper trois ou quatre jours plus tôt ? s'interroge l'un des meilleurs dégustateurs. Car il aurait une once supplémentaire d'acidité qui lui conférerait une plus grande longévité. Quoi qu'il en soit, quatre à cinq ans de garde sont à sa portée.

⊶ Famille Devillard, Dom. des Perdrix, rue des Écoles, 21700 Premeaux-Prissey, tél. 03.80.61.26.53, fax 03.85.98.06.62, e-mail contact@domainedesperdrix.com ☒ Ῠ ⧫ r.-v.

DOM. JACQUES PRIEUR 2003 *

■ Gd cru 0,35 ha 730 ⊕ + de 76 €

« Toute la Bourgogne est dans cette bouteille », écrit un de nos dégustateurs. « La finesse, l'élégance, l'expression d'un terroir. » Les compliments font toujours plaisir, surtout quand ils sont mérités. Cet échézeaux reste en effet sur une ligne classique (cerise noire, myrtille, notes confiturées, beaux tanins) avec beaucoup de tenue.

⊶ Dom. Jacques Prieur, 6, rue des Santenots, 21190 Meursault, tél. 03.80.21.23.85, fax 03.80.21.29.19, e-mail info@prieur.com ☒ Ῠ ⧫ r.-v.

DOM. DE LA ROMANÉE-CONTI 2004 **

■ Gd cru n.c. 15 204 ⊕ + de 76 €

99 |00| |01| **02 04**

On a eu peur au domaine, c'est sûr, avec des foyers de pourriture depuis la fin juillet qui ont donné lieu à un combat harassant. Par bonheur, il a fait très beau en septembre (+ 1,5 ° chaque semaine durant la dernière ligne droite). En pinot noir, il s'agit des vendanges les plus tardives du domaine (du 2 au 4 octobre pour un rendement de 26,5 hl/ha). Rien de tonitruant ici, mais un calme raisonné. La texture et la structure sont déjà bien dessinées. On est bientôt sous le charme de ce nez rappelant la cerise : pas tant la griotte que la montmorency, la cerise à confiture. La bouche se plaît déjà aux confidences. Cette douceur appelle le tête-à-tête...

⊶ SC du Dom. de la Romanée-Conti, 1, rue Derrière-le-Four, 21700 Vosne-Romanée, tél. 03.80.62.48.80, fax 03.80.61.05.72

DOM. FABRICE VIGOT 2004 *

■ Gd cru 0,59 ha n.c. ⊕ 46 à 76 €

Fabrice Vigot a construit son petit domaine (5,25 ha) avec des vignes dont il est propriétaire ainsi qu'avec du métayage. Son échézeaux provient ici de 59 a 63 ca qui se trouvent dans les Rouges du Bas (Mugneret-Gibourg). Voici une bouteille qui se laisse aborder assez facilement. Sous sa robe noire, le parfum demeure discret : cerise, poivre. Son fruit très entreprenant, ses tanins flatteurs en font une conquête facile, en tout bien tout honneur.

⊶ Dom. Fabrice Vigot, 20, rue de la Fontaine, 21700 Vosne-Romanée, tél. et fax 03.80.61.13.01, e-mail fabrice.vigot@wanadoo.fr ☒ Y ✧ r.-v.

Grands-échézeaux

JEAN-LUC AEGERTER 2004 *

■ Gd cru 0,13 ha 600 ⅏ + de 76 €

Belle robe soutenue et profonde, limpide et transparente, grenat léger. Voilà ce qu'on apprend à l'excellente École du Vin de Beaune. Malgré un rien d'oxydation sur un nez assez mûr, la concentration est là, la fête en attente. Seule l'épice est soutenue. L'attaque est d'un gentilhomme, légère, un peu vive mais c'est un assaut au fleuret. Pas encore tout à fait fondu, moucheté. L'acidité laisse espérer une bonne garde qui permettra à la richesse de s'épanouir vraiment. Question de temps, vieux refrain en grand bourgogne. Heureusement !

⊶ Jean-Luc Aegerter, 49, rue Henri-Challand, 21700 Nuits-Saint-Georges, tél. 03.80.61.02.88, fax 03.80.62.37.99, e-mail jean-luc.aegerter@wanadoo.fr ☒ Y ✧ r.-v.

JOSEPH DROUHIN 2003 *

■ Gd cru 0,47 ha n.c. ▮ 46 à 76 €

Fondée en 1880, cette maison de réputation internationale, dont la production de qualité porte haut les couleurs de la Bourgogne, possède en propre 70 ha. Né sur 47 a 40 ca acquis en 1970 sur une propriété Lanternier, elle-même Girard depuis 1919, et récolté tard, à la mi-septembre, ce vin reste jeune et grand. Sombre, sa robe a évolué vers le grenat alors que son nez se ferme un peu, restant toutefois encore fruité, avec une note de tabac blond. L'ensemble est charmant au palais, assez charnu, très 2003 pour tout dire. Ouvrez-le vers 2010 – mais n'oubliez pas qu'il est difficile de prévoir l'évolution de ce millésime hors norme. N'hésitez pas à le goûter fin 2007 pour constater son évolution.

⊶ Maison Joseph Drouhin, 7, rue d'Enfer, 21200 Beaune, tél. 03.80.24.68.88, fax 03.80.22.43.14, e-mail maisondrouhin@drouhin.com ☒ Y ✧ r.-v.

DOM. GROS FRÈRE ET SŒUR 2004

■ Gd cru 0,37 ha 1 710 ▮⅏ 46 à 76 €

Vigne située le long du mur du clos-de-vougeot sur 36 a 62 ca. Les moines de Cîteaux possédaient les deux et vinifiaient tout au château. Lisons simplement ce qu'écrit sur sa fiche un grand connaisseur : « Rubis foncé presque grenat, de forte intensité, joli brillant. Nez de torréfaction et de fruits noirs (cassis, myrtille). Vif sur la langue, ce vin s'abandonne dans une finale qui s'embrase. » Choisir dans trois à cinq ans une viande en sauce.

⊶ Dom. Gros Frère et Sœur, 6, rue des Grands-Crus, 21700 Vosne-Romanée, tél. 03.80.61.12.43, fax 03.80.61.34.05, e-mail bernard.gros2@wanadoo.fr ☒ Y ✧ r.-v.

⊶ Bernard Gros

DOM. DE LA ROMANÉE-CONTI 2004 **

■ Gd cru n.c. 4 400 ⅏ + de 76 €

99 ⓪⓪ ⓪① 02 04

« Le Grand Méconnu », disait Henri Leroy du vin des grands-échézeaux, voisin du clos-de-vougeot. Moins connu peut-être que ses illustres cousins, mais souvent capable de les regarder droit dans les yeux. Vendange les 27 et 28 septembre, pour un rendement de 25,5 hl/ha, le plus bas de tous les grands crus du domaine. Outre les difficultés sanitaires du millésime, un peu de grêle le 23 août, sans trop de gravité. On remarque d'emblée son fruit et on perçoit une concentration qui devrait être fascinante dans le temps. L'impression est encore légère, mais si profonde... À noter : composée à partir d'une seconde vendange très précautionneuse parmi tous les grands crus du domaine, il y aura une cuvée Duvault-Blochet vosne-romanée 1er cru 2004 (initiative récente et qui n'a pas lieu à chaque millésime). Ses 4 400 bouteilles seront très disputées...

⊶ SC du Dom. de la Romanée-Conti, 1, rue Derrière-le-Four, 21700 Vosne-Romanée, tél. 03.80.62.48.80, fax 03.80.61.05.72

HENRI DE VILLAMONT 2004

■ Gd cru 0,43 ha n.c. ⅏ 46 à 76 €

Filiale bourguignonne du groupe Schenk, en Suisse, qui possédait d'immenses vignobles en Algérie, Henri de Villamont s'est développé à partir des années 1960 dans l'ancienne propriété Léonce Bocquet à Savigny. Ces 43 a 49 ca proviennent du domaine Grivelet-Modot. Cerise noire violacée, un vin aux arômes concentrés et complexes, dès lors que la porte s'ouvre (il faut sonner un peu). Plus puissant que fin, sans dureté tannique, équilibré dans son acidité, il est bien sûr trop jeune pour concourir à l'agrégation, mais quelle vinification ! Produit sûr dans le temps.

⊶ SA Henri de Villamont, 2, rue du Dr-Guyot, 21420 Savigny-lès-Beaune, tél. 03.80.24.70.07, fax 03.80.22.54.31, e-mail contact@hdv.fr ☒ Y ✧ r.-v.

Vosne-romanée

Là aussi, la coutume bourguignonne est respectée : le nom de romanée est plus connu que celui de Vosne. Quel beau tandem ! Comme Gevrey-Chambertin, cette commune est le siège d'une multitude de grands crus ; mais il existe à côté des *climats* réputés, tels les Suchots, les Beaux-Monts, les Malconsorts et bien d'autres. L'appellation vosne-romanée couvre 218 ha et a produit 3 858 hl en *village* et 2 089 hl en 1er cru en 2005.

JACQUES CACHEUX ET FILS
Les Chalandins 2004 **

■ 0,5 ha 2 000 ⅏ 15 à 23 €

De style moderne et joliment bien assumé. Ce *climat* que Vosne et Flagey ont en commun a produit un 2004 plein de force et d'élan. Pourpre soutenu et profond, cette bouteille tire profit d'un peu d'aération pour livrer ses arômes de fruits mûrs sinon confits. Ses tanins sont encore adolescents : ils perdront de leur agressivité. Extraction certes, mais cette concentration, cette fermeté accompagnée d'harmonie relève des beaux-arts de la modernité. À déguster dans deux à trois ans avec une nourriture substantielle.

⊶ Jacques Cacheux, 58, RN, 21700 Vosne-Romanée, tél. 03.80.61.01.84, e-mail cacheuxjetfils@free.fr
☑ Y ✶ r.-v.

SYLVAIN CATHIARD Aux Malconsorts 2004 ★

■ 1er cru 0,74 ha 3 900 ⓘⓘ 46 à 76 €

Sylvain Cathiard illustre une lignée vigneronne parvenue au sommet avec son romanée-saint-vivant. Les Malconsorts ont une épaule contre le grand cru la tâche. Une sérieuse extraction de couleur donne ici une robe rubis très jeune. Bon mariage du fruit et du fût, attaque « flûtée » et tanins caressants : un joli vin, à décanter pour laisser se dégager le nez.

⊶ Sylvain Cathiard, 20, rue de la Goillotte, 21700 Vosne-Romanée, tél. 03.80.62.36.01, fax 03.80.61.18.21 ☑ Y ✶ r.-v.

CHARDONNIER 2004

■ 0,65 ha 3 000 ⓘⓘ 15 à 23 €

Sa robe manque peut-être un peu de soutien violacé, mais après tout la nuance cerise noire a son charme. Les trois coups de nez laissent une impression complexe autour de notes de gibier. On reste ensuite dans ce même contexte. Une acidité raisonnable et un fruit déjà marqué (griotte ou plutôt la cerise montmorency, la cerise à confiture) promettent une bouteille équilibrée après une année de cave.

⊶ Chardonnier, 44, RN 74, 21700 Vosne-Romanée, tél. et fax 03.80.62.11.52, e-mail chardonnier@wanadoo.fr

⊶ Daniel Wilmotte

DOM. BRUNO CLAVELIER Les Beaux Monts Vieilles Vignes 2003 ★

■ 1er cru 0,5 ha 1 500 ⓘⓘ 30 à 38 €

Grenat foncé à peine cerclé de violet, un vrai 1er cru (*climat* partie sur Vosne et partie sur Flagey). Son bouquet suggère la framboise, puis le cuir et peut-être l'eucalyptus. Rond, soyeux et doux, un équilibriste au pas bien assuré sur son fil. Il ne force pas les choses. Il ne recherche pas les effets. Bruno Clavelier, œnologue, pratique la biodynamie (Ecocert) et c'est chez lui un comportement profond. En 2007, il fêtera les vingt ans de sa direction du domaine familial.

⊶ Dom. Bruno Clavelier, 6, RN 74, 21700 Vosne-Romanée, tél. 03.80.61.10.81, fax 03.80.61.04.25 ☑ Y ✶ r.-v.

DOM. DU CLOS FRANTIN Les Malconsorts 2004

■ 1er cru 1,76 ha 6 000 ⓘⓘ 46 à 76 €

La valeur attendra cette fois le nombre des années (quatre à cinq ans). Ces Malconsorts sont en effet bien jeunes : le maréchal de camp Legrand, qui fonda, au retour des guerres napoléoniennes ce domaine (depuis la récolte 1965 propriété de la maison Bichot), renverrait sans doute ce conscrit dans ses foyers. La robe, cerise noire, laisse percer des arômes d'épices et de sous-bois ; la bouche évolue logiquement vers la violette impériale. Son vanillé devrait passer progressivement des premiers rôles à une figuration intelligente. Finesse et fraîcheur sont au rendez-vous. Une bouteille digne de son classement en 1er cru.

⊶ Dom. du Clos Frantin, 6 bis, bd Jacques-Copeau, 21200 Beaune, tél. 03.80.24.37.37, fax 03.80.24.37.38, e-mail bourgogne@albert-bichot.com

⊶ A. Bichot

FRANÇOIS CONFURON Les Chaumes 2004 ★★

■ 1er cru 0,37 ha 1 050 ⓘⓘ 23 à 30 €

À l'œil on s'y perdrait si l'on n'était pas en si bonne compagnie. Grenat profond, très profond. Ses arômes jouent autour du cassis, de la framboise, sous un léger boisé. L'acidité est suffisante, la bouche construite sur un support tannique assez strict, n'est pas dénuée de fraîcheur, sensation où entrent la framboise et le pain grillé. Ces Chaumes ne laissent pas indifférents et seront appréciés dans un à trois ans. Quant au **1er cru Les Beaumonts 2004**, ils obtiennent une étoile : robe rubis violacé d'un pinot dans la fleur de l'âge ; dans un décor un peu chocolaté jouent le cassis et la cerise noire ; veloutée dès l'attaque, dotée d'un bon renfort tannique, cette bouteille saura attendre cinq à huit ans... Si vous ne cédez pas plus tôt à la tentation.

⊶ François Confuron, 2, rue de la Tâche, 21700 Vosne-Romanée, tél. 03.80.61.20.84, fax 03.80.62.31.29, e-mail confuron.gindre@wanadoo.fr
☑ Y ✶ r.-v.

HENRI FELETTIG 2004 ★

■ 0,42 ha 2 500 ⓘⓘ 15 à 23 €

Christine et Gilbert Felettig ont repris le relais au sein du domaine fondé en 1969 par Reine et Henri à Chambolle. Sur 12,5 ha aujourd'hui. Une voie tracée à grands pas, à force de travail ! Ce *village* recueille des compliments. Pommettes colorées, nez plein et ouvert (mousse, tabac, cerise griotte) particulièrement sympathique. L'astringence est sensible, mais il y a du vin derrière. Sévère, ce millésime doit s'arrondir avant de passer à table.

⊶ GAEC Henri Felettig, rue du Tilleul, 21220 Chambolle-Musigny, tél. 03.80.62.85.09, fax 03.80.62.86.41, e-mail gaecfelettig@wanadoo.fr
☑ Y ✶ r.-v.

DOM. FRANÇOIS GERBET Aux Réas 2004

■ 1,8 ha 11 000 ⓘⓘ 15 à 23 €

Les Réas forment une avancée de Vosne sur le coteau nuiton. Au-dessus en effet, ce sont les Boudots, les Damodes. Quant aux sœurs Gerbet, elles ont déjà plusieurs coups de cœur brodés sur leur corsage. Sous une couleur éclatante, ce millésime se montre épicé, boisé. Cependant, au palais, les tanins sont lisses et bienveillants. D'une longueur appréciable, une bouteille prête pour le service.

⊶ Marie-Andrée et Chantal Gerbet, Dom. François Gerbet, pl. de l'Église, 21700 Vosne-Romanée, tél. 03.80.61.07.85, fax 03.80.61.01.65, e-mail vins.gerbet@wanadoo.fr
☑ Y ✶ r.-v.

DOM. A.-F. GROS Clos de la Fontaine Monopole 2004 ★★

■ 0,36 ha 2 300 ⓘⓘ 23 à 30 €

Anne-Françoise Gros dans ses œuvres. Ses **Maizières 2004** (une étoile), s'épanouiront dans deux ou trois ans. Ce Clos de la Fontaine Monopole, du même millésime et de grande classe, porte une robe cerise noire et respire le sous-bois, le noyau. Il possède des réserves et beaucoup d'arguments sous des traits généreux et les meilleurs tanins du monde. Avenir assuré à un niveau élevé.

⊶ Dom. A.-F. Gros, La Garelle, 5, Grande-Rue, 21630 Pommard, tél. 03.80.22.61.85, fax 03.80.24.03.16, e-mail af-gros@wanadoo.fr ☑ Y ✶ r.-v.

BOURGOGNE

DOM. MICHEL GROS
Clos des Réas Monopole 2004 ★

■ 1er cru 2,12 ha 10 000 ⊕ 30 à 38 €

Le Clos des Réas est historiquement le cheval de bataille de la famille Gros. Monopole et médaille d'or à l'Exposition universelle de 1867, à l'époque de Louis-Gustave Gros-Guénaud. Violacé et limpide, chantant la fraise des bois, un vin fait de dentelle et de soie. Sous une structure sérieuse, il ne montre pas une puissance démesurée, mais toute la délicatesse dont un vosne est capable. Le **village 2004 (15 à 23 €)**, assez cohérent, obtient la même note.

Dom. Michel Gros, 7, rue des Communes, 21700 Vosne-Romanée, tél. 03.80.61.04.69, fax 03.80.61.22.29 r.-v.

DOM. GROS FRÈRE ET SŒUR 2004 ★

■ 3,14 ha 20 800 ⊕ 15 à 23 €

Né comme les autres domaines Gros de Vosne du partage en 1963 de la succession Louis Gros, mort en 1951. Gros Frère et Sœur réunissait initialement Colette et Gustave, tous deux célibataires. On devrait dire de nos jours Gros Frère, Sœur et Neveu, car c'est Bernard (fils de Jean) qui en assure la pérennité. Le vin est ici rouge grenat foncé à reflets mordorés, teinté de senteurs de fruits rouges en compote et de mousse ; la bouche avenante, structurée et ronde. L'acidité, les tanins, le fût, tout vit en harmonie. Petite pointe de chaleur en finale. À attendre trois ou quatre ans.

Dom. Gros Frère et Sœur, 6, rue des Grands-Crus, 21700 Vosne-Romanée, tél. 03.80.61.12.43, fax 03.80.61.34.05, e-mail bernard.gros2@wanadoo.fr r.-v.

Bernard Gros

DOM. GUYON Les Charmes de Mazières 2004

■ 0,6 ha 2 760 ⊕ 30 à 38 €

On connaît les Mazières Hautes, les Mazières Basses (proches des échézeaux), mais à la vérité il n'y a pas de « Charmes de Mazières » parmi les *climats* de l'appellation : il s'agit d'une cuvée. D'un rouge grenat à reflets violines, ce vin se révèle très animal (cuir, fourrure) et toasté au nez. Un 2004 au corps dominé par des tanins austères et un boisé fumé. Le **1er cru En Orveaux 2004 (38 à 45 €)** manque peut-être de puissance pour certains dégustateurs, mais il se montre rond, harmonieux, joliment soyeux. Ce domaine est abonné aux coups de cœur : dans les éditions 2000, 2001, 2003 et 2006 du Guide.

EARL Dom. Guyon, 11-16, RN 74, 21700 Vosne-Romanée, tél. 03.80.61.02.46, fax 03.80.62.36.56, e-mail domaine.guyon@wanadoo.fr r.-v.

DOM. BERTRAND MACHARD DE GRAMONT 2003 ★

■ 0,56 ha 2 060 ⊕ 23 à 30 €

Ce viticulteur se place sous le patronage de saint Vivant car il a construit cave et cuverie à Curtil-Vergey, sous l'ancien monastère dont la restauration se poursuit. Tout est mûr et sûr en cette belle bouteille à la robe profonde et brillante. Le bouquet de maturité laisse découvrir des arômes d'épices et de cuir. Ample, ce vin est très 2003, sans excès, et de bonne tenue. Conservé dans les meilleures conditions, il sera parfait l'an prochain ou le suivant.

Bertrand Machard de Gramont, 13, rue de Vergy, 21700 Nuits-Saint-Georges, tél. et fax 03.80.61.16.96, e-mail bertrandmacharddegramont@tiscali.fr r.-v.

DOM. FABRICE MARTIN 2004 ★★

■ 0,9 ha 1 200 ⊕ 11 à 15 €

Vosne-Romanée n'est-elle pas la « perle du milieu » du collier des grands crus ? L'œil est ici relativement simple et ne suscite pas d'émoi particulier, le nez légèrement toasté et un peu fruité. La bouche en revanche est très intéressante, montrant que les 2004 peuvent jouer les outsiders avec succès. Du fond, du fruit et de la précision. À ouvrir dans l'année qui vient.

Fabrice Martin, 42, rue de la Grand-Velle, 21700 Vosne-Romanée, tél. et fax 03.80.61.27.84 r.-v.

DOMINIQUE MUGNERET 2004 ★★

■ 1,4 ha 7 800 ⊕ 15 à 23 €

Dominique Mugneret, une signature sur une étiquette élégante, mais aussi des vins gourmands comme en témoignent deux superbes bouteilles toutes deux présentes au grand jury. Celle-ci, séparée du coup de cœur par l'épaisseur d'un pétale de rose : pourpre foncé, elle se révèle complexe au nez (cassis, cerise presque confite, vanille bien tempérée) et avenante en bouche. Fruité et fondu, persistant, ce *village* tutoie les 1ers crus. Comme les **Dessus de Malconsorts 2004 (23 à 30 €)** également dans le haut de gamme et de noble garde !

Dominique Mugneret, 9, rue de la Fontaine, 21700 Vosne-Romanée, tél. 03.80.61.00.97, fax 03.80.61.24.54 r.-v.

PIERRE NAIGEON
Pré de la Folie Vieilles Vignes 2004 ★

■ 0,4 ha 1 200 ⊕ 23 à 30 €

Maison demeurant dans la famille Naigeon et installée à Gevrey dans le bel hôtel Jobert de Chambertin si souvent admiré par les touristes sur la route des grands crus. Ce Pré de la Folie (*climat* bien réel) porte une robe cerise noire, un velours profond. Son bouquet s'ouvre sur des notes joyeuses et s'établit sur les fruits rouges macérés. Tonique et frais, les tanins pointus, sans mollesse, doté d'une finale encore un peu austère mais sincère, un vin de garde qui va se bonifier en cave (cinq à huit ans si vous souhaitez l'attendre aussi longtemps).

Pierre Naigeon, 4, rue du Chambertin, 21220 Gevrey-Chambertin, tél. 03.80.34.14.87, fax 03.80.58.51.18, e-mail pierre.naigeon@wanadoo.fr r.-v.

DOM. MICHEL NOËLLAT ET FILS
Les Beaux Monts 2004 ★

■ 1er cru 1,7 ha 4 500 ⊕ 30 à 38 €

Coup de cœur dans le passé, ce viticulteur issu d'une vieille famille du cru a construit sa cave avec les pierres de l'ancienne prison de Beaune. On peut imaginer qu'elle accueillit jadis de joyeux lurons et de bons vivants... Aujourd'hui, le vin est puissant et soyeux. Le glycérol tapisse joliment le verre : des jambes gainées de rubis, comme à Broadway. Le boisé bien intégré ne cache pas les notes de confiture de cassis. Ce millésime a du corps, de la carrure et laisse pourtant une sensation fraîche et juteuse. À attendre un peu lui aussi.

🔑 SCEA Dom. Michel Noëllat et Fils,
5, rue de la Fontaine, 21700 Vosne-Romanée,
tél. 03.80.61.36.87, fax 03.80.61.18.10,
e-mail domaine.michel-noellat@wanadoo.fr ☑ Y ⅄ r.-v.

DOM. DES PERDRIX 2003 ★★

■ 1,05 ha 2 500 ◖◗ 38 à 46 €

La règle de trois n'a pas plus de secrets pour ce domaine géré de main de maître par la famille Devillard (Mercurey). Coup de cœur dans les éditions 2005 (pour le millésime 2001), 2006 (millésime 2002) et 2007 (millésime 2003) ! Heureuses caves creusées en 1755 à Gevrey par Claude Jobert de Chambertin, abritant les rêves d'un si grand vin ! La plus belle robe de toute la série. Un bouquet à peine vanillé, du fruit mûr au fruit confit, d'une distinction parfaite. Enrichi au palais par une touche de kirsch, ce 2003 particulièrement réussi doit être dégusté dans trois ans, afin de laisser les tanins se fondre. Bien dans la nature du millésime.

🔑 Famille Devillard, Dom. des Perdrix,
rue des Écoles, 21700 Premeaux-Prissey,
tél. 03.80.61.26.53, fax 03.85.98.06.62,
e-mail contact@domainedesperdrix.com ☑ Y ⅄ r.-v.

DOM. DE LA POULETTE Les Suchots 2003

■ 1er cru 0,25 ha 1 200 ◖◗ 38 à 46 €

Richebourg et romanée-saint-vivant ne sont pas éloignés de ces Suchots : ce toponyme serait le plus ancien à Vosne, désignant un versant accusé. Rubis très sombre selon les désiderata du millésime, ce 1er cru se concentre sur le cassis (bourgeon au nez, fruit en bouche), la vanille et le poivre. Si un rien d'astringence s'exprime encore en finale, l'attaque est prometteuse et la matière chaleureuse et gourmande.

🔑 Dom. de La Poulette, 103, Grande-Rue,
21700 Corgoloin, tél. 03.80.62.98.02,
fax 01.45.25.43.23, e-mail info@poulette.fr ☑ Y ⅄ r.-v.
🔑 F. Michaut-Audidier

HENRI ET GILLES REMORIQUET
Au-dessus des Malconsorts 2004

■ 1er cru 0,57 ha 2 400 ◖◗ 23 à 30 €

Comme son nom l'indique, Au-dessus des Malconsorts se trouve un peu plus haut que les Malconsorts sur le coteau. Quel voisin ? La tâche, s'il vous plaît ! Figure de la viticulture bourguignonne, Gilles Remoriquet signe ici un 2004 dont la robe n'a pas pris une ride. Son bouquet évoque le bourgeon de cassis : rappelez-vous que cet arbre entre dans l'alchimie de parfums très célèbres... Souple et fruitée, l'attaque est enlevée, soutenue par le fût. Celui-ci demande à se fondre. Garde : deux à quatre ans.

🔑 Dom. Remoriquet, 25, rue de Charmois,
21700 Nuits-Saint-Georges, tél. 03.80.61.08.17,
fax 03.80.61.36.63,
e-mail domaine.remoriquet@wanadoo.fr
☑ Y ⅄ t.l.j. 8h-12h 14h-18h30

DOM. ARMELLE ET BERNARD RION
Les Chaumes 2003

■ 1er cru 0,45 ha 1 200 ◖◗ 23 à 30 €

Viticulteurs et trufficulteurs (attention, la truffe de Bourgogne, *tuber uncinatum* !), Armelle et Bernard Rion ont des arguments convaincants... D'un beau velours noir et violacé, ce 2003 vendangé le 1er septembre opte pour les parfums de la framboise, de la violette. Son gras, sa densité plaident en sa faveur, mais une certaine dureté n'en est pas absente, péché de grande jeunesse. Le réserver pour un mignon de porc à l'échalote dans deux ou trois ans.

🔑 Dom. Armelle et Bernard Rion, 8, RN,
21700 Vosne-Romanée, tél. 03.80.61.05.31,
fax 03.80.61.34.60, e-mail armelle@domainerion.fr
☑ Y ⅄ t.l.j. 8h-18h; dim. sur r.-v.; f. 22 déc.-1er jan.

DOM. DANIEL RION ET FILS 2003 ★

■ 1 ha 1 980 ◖◗ 30 à 38 €

« Un jour, un Japonais m'a parlé de la lisibilité de nos vins », racontait Patrice Rion, il y a quelques années. « Je n'avais jamais entendu ce mot... j'y ai réfléchi et en fait c'est bien ce que nous voulons faire. » La lisibilité de ce 1er cru ? Sous une robe d'un noir très profond, les arômes mettent en valeur l'eucalyptus, les épices, le café. Dense et tannique, robuste, ce vin va s'adoucir en cave. Plénitude ? Dans deux à trois ans.

🔑 Dom. Daniel Rion et Fils, RN 74,
21700 Premeaux-Prissey, tél. 03.80.62.31.28,
fax 03.80.61.13.41,
e-mail contact@domaine-daniel-rion.com
☑ Y ⅄ t.l.j. sf dim. 9h-12h 13h30-18h; sam. sur r.-v.

DOM. ROBERT SIRUGUE ET SES ENFANTS 2004 ★

■ 4,5 ha 12 000 ◖◗ 15 à 23 €

Coup de cœur dans notre édition 2005, ce domaine réalise une bonne prestation. Rubis flamboyant, ce *village*, assez léger mais fin et gourmand, commence sa route sur des notes fumées et la poursuit sur la gelée de groseille. L'acidité et les tanins ne lui font pas défaut. On le goûtera dans un à deux ans. Un pigeon répondrait à ses vœux.

🔑 Dom. Robert Sirugue, 3, rue du Monument,
21700 Vosne-Romanée, tél. 03.80.61.00.64,
fax 03.80.61.27.57, e-mail sirugue@ifrance.com
☑ Y ⅄ r.-v.

VAUCHER PÈRE ET FILS 2004

■ 3,5 ha 12 000 ◖◗ 15 à 23 €

Vaucher était une maison implantée à Dijon et à Chambolle, acquise par les frères Cottin (Labouré-Roi) et devenue l'une de leurs signatures. Aromatiquement subtil, lorsque, au contact de l'air ambiant, le fruit prend le pas sur le fût. Sa bouche est franche et dans l'ensemble assez serrée, rigoureuse mais prometteuse. À mettre dans un casier où on le retrouvera en 2010. C'est un peu un pari, mais qui ne risque pas peut passer à côté de beaucoup de choses...

🔑 Vaucher Père et Fils, rue Lavoisier,
21700 Nuits-Saint-Georges, tél. 03.80.62.64.00,
fax 03.80.62.64.10, e-mail jnchriste@vfb.fr

BOURGOGNE

CHARLES VIÉNOT 2003

■ n.c. 8 000 **23 à 30 €**

Charles Viénot ? Difficile d'imaginer personnage plus haut en couleur en Côte de Nuits dans les années 1930. Reprise par Jean-Claude Boisset, cette maison garde bon pied bon œil. Robe impeccable, agréable nez de pinot noir, puissance affirmée avec un rien de sévérité, ce 2003 possède à moyen terme des espérances crédibles.

Charles Viénot, 5, quai Dumorey, BP 102, 21703 Nuits-Saint-Georges Cedex, tél. 03.80.62.61.61, fax 03.80.62.61.57
SA Boisset

DOM. FABRICE VIGOT La Colombière 2004 *

■ 0,86 ha 2 400 **23 à 30 €**

Presque à égalité, deux *villages* qui, il est vrai, ne sont guère éloignés l'un de l'autre. Cette Colombière, en pleine jeunesse, est illuminée de lumière intérieure. Une légère note de pain d'épice, de vanille fondue au nez annonce une bouche serrée, presque carrée, tannique et persistante. **Le Pré de la Folie 2004 (38 à 46 €)** n'est nullement déplacé ici. Moins chère, la bouteille de Colombière gagne sur tous les tableaux.

Dom. Fabrice Vigot, 20, rue de la Fontaine, 21700 Vosne-Romanée, tél. et fax 03.80.61.13.01, e-mail fabrice.vigot@wanadoo.fr r.-v.

Richebourg, romanée, romanée-conti, romanée-saint-vivant, grande-rue, tâche

Tous sont des crus plus prestigieux les uns que les autres, et il serait bien difficile d'en indiquer le plus grand... Certes, la romanée-conti jouit de la plus importante renommée, et l'on trouve dans l'histoire de nombreux témoignages de « l'exquise qualité » de ce vin. La célèbre pièce de vigne de la Romanée fut convoitée par les grands de l'Ancien Régime : ainsi madame de Pompadour ne réussit pas à l'emporter contre le prince de Conti, qui put l'acquérir en 1760. Jusqu'à la dernière guerre, la vigne de la romanée-conti et celle de la tâche restèrent non greffées, traitées au sulfure de carbone contre le phylloxéra. Mais il fallut alors les arracher, et la première récolte des nouveaux plants eut lieu en 1952. Ce romanée-conti, exploité en monopole sur 1,80 ha, reste l'un des vins les plus illustres et les plus chers du monde.

La romanée est plantée sur une superficie de 0,83 ha (32 hl), richebourg sur 8 ha (270 hl), romanée-saint-vivant sur 9,5 ha (306 hl), et la tâche sur un peu plus de 6 ha (170 hl), la grande-rue 1,65 ha (57 hl). Comme dans tous les grands crus, les volumes produits sont de l'ordre de 20 à 30 hl par hectare selon les années. La grande-rue, dernière née des grands crus, a été reconnue par le décret du 2 juillet 1992.

Richebourg

DOM. A.-F. GROS 2004 *

■ Gd cru 0,6 ha 2 900 **+ de 76 €**

89 90 **91** 92 93 94 |(96)| |97| **98 99** 00 |01| **02 03** 04

Anne-Françoise avait fait des études d'infirmière. Fille de Jeanine et de Jean, épouse de François Parent, elle a été bientôt absorbée par son démon de midi : le grand vin. Signer du richebourg fixe davantage de devoirs que de droits. Et là, c'est, sous une robe limpide et profonde, très réussi. Le bouquet vineux, épicé, évoque timidement le cassis. Ample, bien en chair, mais cachant encore l'essentiel, ce 2004 demande à être attendu trois à quatre ans.

Dom. A.-F. Gros, La Garelle, 5, Grande-Rue, 21630 Pommard, tél. 03.80.22.61.85, fax 03.80.24.03.16, e-mail af-gros@wanadoo.fr r.-v.

DOM. GROS FRÈRE ET SŒUR 2004 **

■ Gd cru 0,69 ha 3 225 **+ de 76 €**

89 90 **91** 92 93 94 |(96)| 97 |**98**| **99** 00 01 **02** 03 **04**

Ce richebourg ne doit qu'à un seul vote l'absence du coup de cœur. Fils de Jeanine et de Jean, frère d'Anne-Françoise, Bernard a repris le domaine de sa tante et de son oncle (68 a 77 ca). D'une forte intensité colorante, le nez serré sur le fruit noir et la torréfaction (seulement douze mois en fût, ce qui est raisonnable), ce millésime est fait tout d'un bloc en bouche sur des tanins soyeux et ses caudalies sont nombreuses et longues. Remarquable 2004.

Dom. Gros Frère et Sœur, 6, rue des Grands-Crus, 21700 Vosne-Romanée, tél. 03.80.61.12.43, fax 03.80.61.34.05, e-mail bernard.gros2@wanadoo.fr r.-v.
Bernard Gros

Romanée-saint-vivant

DOM. FOLLIN-ARBELET 2004 **

■ Gd cru 0,44 ha 1 500 **+ de 76 €**

Une bouteille qui a – et qui aura – de la personnalité. Rubis grenat foncé à nuances violacées, ce vin affiche un nez frais et franc surtout marqué par le cassis sur grillé fin. Riche au palais, il tient sur l'arrière ses tanins en douceur, d'une grande complexité malgré une pointe de chaleur qui ne lui fait pas perdre son harmonie. Pas de très longue garde : disons trois à quatre ans, sauf erreur toujours possible en pareil cas. Pour un gigot d'agneau. Parcelle faisant partie du Clos des Quatre-Journaux acquis par les Latour en 1898 (héritiers Poirot).

Dom. Follin-Arbelet, Les Vercots, 21420 Aloxe-Corton, tél. 03.80.26.46.73, fax 03.80.26.43.32, e-mail franck.follin-arbelet@wanadoo.fr r.-v.

CHRISTINE ET DOMINIQUE MUGNERET 2004 ★★

■ Gd cru 0,5 ha 600 + de 76 €

Belle robe ample, vive et fraîche, limpide et à disque rosé. Le sacre ou peu s'en faut ! L'évolution aromatique est d'un classicisme extrême : le premier nez sur la fraîcheur aimable, le second entre fruits rouges et vanille (dix-huit mois en fût). Le vin attaque d'un bon pas, comme un moine prenant le chemin, restitué récemment, du vendangeoir à Vosne jusqu'au site haut-perché de Saint-Vivant. Soyeux et dru sur la fin : il faut les faire, ces descentes et ces montées sur raidillons de Mantuan ! Pas trop de complexité, il s'agit d'un 2004. Mais le haut de gamme, sûrement.

Dominique Mugneret, 9, rue de la Fontaine, 21700 Vosne-Romanée, tél. 03.80.61.00.97, fax 03.80.61.24.54 r.-v.

DOM. DE LA ROMANÉE-CONTI 2004 ★★★

■ Gd cru 5,28 ha 14 754 + de 76 €

67 72 73 75 76 78 ⑲ 80 81 82 87 89 91 92 95 97 98 99 00 01 ⓪③ ⓪④

La bannière des 2004 sera-t-elle portée par la romanée-saint-vivant ? Redégustée cette année, elle grandit encore. Par leur finesse, leur pureté, ces 14 754 bouteilles (28,30 hl/ha) semblent avoir reçu en effet la bénédiction du saint honoré ici depuis un millénaire. Il est vrai que le vendangeoir des moines va devenir le siège du domaine et que, grâce à celui-ci, la restauration de l'ancien monastère à Vergy progresse à grands pas. Durant la vendange (du 30 septembre au 2 octobre), beaucoup de préoccupations : oïdium, mildiou, botrytis (parfois dès août). Le 23 de ce mois la grêle avait sévi à la romanée-saint-vivant et aux grands-échézeaux, sans trop de gravité – les feuilles ayant souffert plus que les raisins. Puis le soleil, éternel arbitre des élégances, fit son retour. Maturité et richesse au-delà de ce qu'on pouvait penser. Miracle de saint Vivant ? Pas impossible... La robe est classique, pourpre auréolé d'un léger violet. Le bouquet net et fruité. Encore que... La rose, la violette n'en sont pas absentes. Il y a de la sève, de la ferveur, du « montant » comme on disait jadis. La bannière ? La procession sera longue... Un « sans faute » du domaine dans un millésime inquiétant. Une merveilleuse équipe !

SC du Dom. de la Romanée-Conti, 1, rue Derrière-le-Four, 21700 Vosne-Romanée, tél. 03.80.62.48.80, fax 03.80.61.05.72

La grande-rue

DOM. FRANÇOIS LAMARCHE Monopole 2004 ★

■ Gd cru 1,65 ha 6 000 + de 76 €

89 ⑨⓪ 91 92 93 94 95 98 99 00 01 02 03 04

On sait que ce monopole glissé entre la tâche d'un côté, la romanée-conti et la romanée de l'autre, est authentiquement un grand cru – non revendiqué à l'époque et reconnu de nos jours. Jeune et limpide, ce 2004 procède par étapes. Son approche aromatique débute par la fraîcheur, la finesse, puis elle s'empare des fruits rouges bien mûrs, tenaces, avec la nuance de torréfaction due au fût. Les tanins montent en première ligne, en renfort des mêmes saveurs fraîches et fruitées. « Tient dans son rang » comme on dit tout à la fois durant les vendanges et plus tard lorsque le vin est en bouteille.

Dom. François Lamarche, 9, rue des Communes, 21700 Vosne-Romanée, tél. 03.80.61.07.94, fax 03.80.61.24.31, e-mail vins.lamarche@wanadoo.fr r.-v.

La tâche

DOM. DE LA ROMANÉE-CONTI 2004 ★★★

■ Gd cru 6,06 ha 17 193 + de 76 €

72 73 75 78 ⑦⑨ 80 81 82 87 89 91 92 ⑨⑦ ⑨⑧ ⑨⑨ 00 ⓪② ⓪④

Le rapport des vendanges 2004 du domaine dit les choses sans fioritures et comme elles furent. « Nous sommes passés près de la défaite, mais nous avons obtenu le meilleur, grâce à un mois de septembre éblouissant, espéré et néanmoins miraculeux. » Comme en 1999, la vendange a donné un jus des plus sucrés né de baies figuées assez nombreuses. Récolte les 25 et 26 septembre, juste après la romanée-conti (qui ouvrait le bal des sécateurs) pour 26,35 hl/ha. Cette tâche est elle-même sous sa robe d'Esmeralda : sauvage et éclatante. Son bouquet est encore pénétré de ses arômes de jeunesse à nuances florales. Sa bouche est impérieuse, sûre d'elle-même. Cette personnalité si complète nous rappelle que la tâche réussit admirablement la synthèse de sols assez divers. D'où sans doute ce mélange de complexité et d'harmonie.

SC du Dom. de la Romanée-Conti, 1, rue Derrière-le-Four, 21700 Vosne-Romanée, tél. 03.80.62.48.80, fax 03.80.61.05.72

Nuits-saint-georges

Petite bourgade de 5 500 habitants, Nuits-Saint-Georges n'engendre pas de grands crus comme ses voisines du nord ; l'appellation (7 551 hl en *villages* rouge et 136 hl en blanc) déborde sur la commune de Premeaux, qui la jouxte au sud. Ici aussi, les très nombreux premiers crus (5 631 hl en rouge et 186 hl en blanc) sont à juste titre réputés, et avec l'appellation communale la plus méridionale de la Côte de Nuits, nous trouvons un type de vins différent aux caractères de *climats* très accusés, où s'affirme généralement une richesse en tanin plus élevée, assurant une grande conservation.

Les Saint-Georges, dont on dit qu'ils portaient déjà des vignes en l'an mil, les Vaucrains aux vins robustes, les Cailles, les Champs-Perdrix, les Porets, de « poirets », au caractère de poire sauvage accusé, sur la commune de Nuits, et les clos de la Maréchale, des Argillières, des Forêts-Saint-Georges, des Corvées, de l'Arlot, sur Premeaux, sont les plus connus de ces premiers crus.

Petite capitale du vin de Bourgogne, Nuits-Saint-Georges a également son vignoble des Hospices, avec vente aux enchères annuelle de la production, le dimanche précédant les Rameaux. Elle est le siège de nombreux négoces de vin et de maints liquoristes qui produisent le cassis de Bourgogne, ainsi que d'élaborateurs de vins à mousse qui furent à l'origine du crémant de Bourgogne. C'est enfin ici que se trouve le siège administratif de la confrérie des Chevaliers du tastevin.

JEAN-LUC AEGERTER 2003

■ n.c. 3 600 30 à 38 €

Après sciences-po Lyon, ce Parisien a dirigé Labouré-Roi. Puis il a fait partie de l'équipe de direction de Louis Roederer. Enfin, il a acquis en 1977 la maison Pierre Gruber à Nuits (du nom de ce professionnel très compétent, ex-bras droit de L.-J. Bruck). Jean-Luc Aegerter entre alors en scène et il réussit la greffe. Son 2003 rubis croquant sent bon le pinot mûr, la framboise, fraîchement cueillie. Bien fait et à suivre, il demande à vieillir dans son lit de fruits confits, dans son corset encore serré. À essayer sur un magret aux baies de cassis...

Jean-Luc Aegerter, 49, rue Henri-Challand, 21700 Nuits-Saint-Georges, tél. 03.80.61.02.88, fax 03.80.62.37.99, e-mail jean-luc.aegerter@wanadoo.fr r.-v.

BERTRAND AMBROISE 2004 ★★

■ 2,6 ha 19 000 15 à 23 €

Bertrand Ambroise s'est offert un blason (conquête démocratique du vignoble bourguignon). On y voit un sanglier et ce vin a quelque chose de l'animal. Il impressionne fortement. Très soutenue et même violette, sa robe indique son caractère. Peu de nez pour l'instant, mais la concentration se devine. Beaucoup de nerf et de mordant, une jolie charpente, une belle mâche, et, tandis qu'on en fait longuement le tour, le cuir, le sous-bois apparaissent dans un élan sauvage : la dureté de jeunesse, caractéristique fréquente des nuits. Grande bouteille. Elle appelle la *gruotte* à la saison de la chasse.

Maison Bertrand Ambroise, rue de l'Église, 21700 Premeaux-Prissey, tél. 03.80.62.30.19, fax 03.80.62.38.69, e-mail bertrand.ambroise@wanadoo.fr r.-v.

DOM. DE L'ARLOT Clos de l'Arlot 2003 ★

□ 1er cru 1 ha 2 000 38 à 46 €

L'Arlot, (Axa Millésimes et Jean-Pierre de Smet) produit depuis longtemps du nuits blanc en 1er cru. Chardonnay surtout et quelques pieds de pinot beurot sur 1 ha environ. Cet oiseau rare limpide et blanc pâle, d'une belle brillance, penche au nez sur les agrumes avec une petite pointe muscatée qu'expliquent les vendanges un 26 août. Ample, gras, long, rendu un peu chaud par le soleil, le fût bien conduit, il sera réservé dès cette année à un public sachant goûter une authentique curiosité.

Dom. de l'Arlot, Premeaux, 21700 Nuits-Saint-Georges, tél. 03.80.61.01.92, fax 03.80.61.04.22 r.-v.

Axa Millésimes

DOM. BARBIER ET FILS Belle Croix 2004 ★

■ 0,21 ha 1 400 15 à 23 €

Climat situé juste en dessous des Pruliers, partie méridionale de Nuits. Une signature à laquelle s'attachent Bernard Barbier et son fils Vincent, l'un puis l'autre Grands Maîtres de la Confrérie des Chevaliers du tastevin. Exploitation Xavier Dufouleur. Rubis foncé à reflets violacés, ce vin respire le bourgeon de cassis ; il attaque avec souplesse et maintient ce comportement, offrant de la finesse en fond de bouche. On peut l'attendre un peu, pas trop cependant.

Dom. Barbier et Fils, 17, rue Thurot, 21700 Nuits-Saint-Georges, tél. 03.80.61.21.21, fax 03.80.61.10.65, e-mail domaine.barbier@wanadoo.fr t.l.j. 9h-19h

SYLVAIN CATHIARD Aux Murgers 2004

■ 1er cru 0,46 ha 2 400 30 à 38 €

Ces mêmes Murgers ont reçu le coup de cœur pour le millésime 2002. Les *meurgers* (on dit ainsi) sont ces tas de cailloux accumulés depuis des siècles. Ce *climat* est situé côté Vosne. Entre le rouge vif et le grenat, légèrement boisé, ce vin fin et souple possède une texture soyeuse. On l'aimera pour sa nature friande lorsque son boisé se sera fondu.

Sylvain Cathiard, 20, rue de la Goillotte, 21700 Vosne-Romanée, tél. 03.80.62.36.01, fax 03.80.61.18.21 r.-v.

CAVES DES MOINES 2003

■ n.c. 600 15 à 23 €

Maison beaunoise assez vénérable, rachetée en 1985 par Prosper Maufoux. Rubis à légers reflets d'évolution, le bouquet chaud et mûr (épices et fruits), ce nuits offre un beau grain. Sa mâche est réglissée, poivrée. Le sujet est bien défini, de façon quelque peu astringente. Faites entrer la pintade aux choux !

Naudin-Varrault, 1, pl. du Jet-d'Eau, 21590 Santenay, tél. 03.80.20.60.40, fax 03.80.20.63.26, e-mail maisondesgrandscrus@wanadoo.fr

Robert Fairchild

CHANSON Les Boudots 2003 ★★

■ 1er cru n.c. 601 38 à 46 €

Côtoyant les Malconsorts (Vosne), les Boudots appartiennent à la partie la moins corsée des nuits 1ers crus. Ils sont parfois capables de choses étonnantes. C'est le cas ici : sous sa cape cerise tirant sur le grenat, un 2003 d'une constante délicatesse. Tout en dentelle, ce qu'on appelle le « vin féminin ». Sa finesse, son élégance sont remarquables. Réglisse en « bonus ». On sait que cette maison partage depuis quelques années le destin champenois des Bollinger.

Dom. Chanson Père et Fils, 10, rue Paul-Chanson, 21200 Beaune, tél. 03.80.25.97.97, fax 03.80.24.17.42, e-mail chanson@domaine-chanson.com r.-v.

DOM. JEAN CHAUVENET Les Bousselots 2004 ★★

■ 1er cru 0,55 ha 3 300 ⓫ 23 à 30 €

Coup de cœur dans l'édition 2004 et encore l'an dernier, Jean Chauvenet retient cette fois notre attention grâce à ses Bousselots. Un terrain rempli de bosses, riche en calcaire actif, côté Vosne. Il a donné ce 2004 excellent, concentré et complexe ; aux arômes de fruits cuits succèdent des saveurs amples et profondes. La plénitude de la texture tannique commande la garde (trois à quatre ans sont à sa portée). On peut également se fier aux **Perrières 2004** (citées), elles aussi à garder quelques années.

Dom. Jean Chauvenet, 3, rue de Gilly, 21700 Nuits-Saint-Georges, tél. 03.80.61.00.72, fax 03.80.61.12.87 r.-v.

Ch. Drag

CHAUVENET-CHOPIN Charmottes 2004 ★

■ 0,7 ha 3 000 ⓫ 11 à 15 €

Hubert Chauvenet travaille la vigne depuis 1971. Il peut être fier de ses Charmottes. Un *village* proche des Bousselots en 1er cru (côté Vosne). Du caractère ! Un vrai nuits ! Cerise foncé, ce 2004 choisit au nez une dominante cassis sur un boisé fondu. Cédant à un souffle de chaleur, il est plutôt fait pour le 5 000 m que pour le 100 m. Quelle finale ! Notez aussi le **nuits 2004** (sans indication de *climat*), également une étoile.

Chauvenet-Chopin, 97, rue Félix-Tisserand, 21700 Nuits-Saint-Georges, tél. 03.80.61.28.11, fax 03.80.61.20.02 r.-v.

YVES CHEVALLIER Aux Boudots 2004 ★

■ 1er cru 0,26 ha 1 200 ⓫ 23 à 30 €

Le grand-père, le père, le fils... Il semble que la Bourgogne vigneronne soit la terre la plus stable sur Terre ! Rubis clair et plein de feu, ce Boudots mise sur le kirsch et les épices pour nous mettre en train. Accueil très chaleureux en bouche et si les tanins ont le dos encore un peu raide on ne juge pas ce vin sur sa sévérité présente, classique à Nuits, mais sur son évolution prévisible dans deux ou trois ans.

Yves Chevallier, 16, rue de la Croix-Rameau, 21700 Vosne-Romanée, tél. 03.80.61.32.35, fax 03.80.62.10.46

t.l.j. en été 9h30-19h30; en hiver 9h30-18h

DOM. ROBERT CHEVILLON
Les Roncières 2003 ★

■ 1er cru 1 ha 4 000 ⓫ 23 à 30 €

Aux Roncières (Nuits côté Premeaux) la vigne est, paraît-il, toujours mûre la première. Son nom évoque la ronce, mais qui s'y frotte ne s'y pique pas. Vin de raisins très mûrs en effet, aux senteurs de chaudron de fruits cuits. De bout en bout la bouche est agréable, joliment dessinée, longue et fondue. Sans doute est-ce un peu surmaturé. Le résultat est cependant positif. **Cailles 1er cru 2003** : profil analogue.

SCEV Robert Chevillon, 68, rue Félix-Tisserand, 21700 Nuits-Saint-Georges, tél. 03.80.62.34.88, fax 03.80.61.13.31 r.-v.

DOM. CHEVILLON-CHEZEAUX
Aux Champs Perdrix 2003 ★

■ 1er cru 0,34 ha 1 500 ⓫ 15 à 23 €

Climat peu étendu, situé tout en haut du coteau en allant vers Vosne. Ces raisins laissés longtemps sur le cep (vendange le 6 septembre 2003) produisent en cave un vin au nez de violette évoluant vers le pruneau cuit. Au débouché d'une attaque franche, la bouche reçoit l'apport de tanins bien fondus. Le fût est présent par les notes de moka mais il saura s'amadouer. Très jolie réussite (finesse, complexité) pour une consommation dans les trois années à venir. Ce domaine de 9,44 ha produit 10 % de blancs et quatorze appellations. On est bien en Bourgogne.

Dom. Chevillon-Chezeaux, 41, rue Henri-de-Bahèzre, 21700 Nuits-Saint-Georges, tél. 03.80.61.23.95, fax 03.80.61.13.57 r.-v.

JÉRÔME CHEZEAUX Aux Boudots 2004

■ 1er cru 0,35 ha 2 000 ⓫ 15 à 23 €

Ce domaine vigneron classique possède depuis 1990 les 17,12 a Wilhelm-Lécrivain en clos-de-vougeot. Son Boudots s'habille de rouge brique et établit une formule aromatique heureuse entre cassis et cacao. Chaleureux, à l'acidité marquée, il restera persuasif pendant un à deux ans. Cité également, le **village 2004** s'en rapproche et doit être attendu un peu plus longtemps.

Jérôme Chezeaux, 6, rte de Nuits-Saint-Georges, 21700 Premeaux-Prissey, tél. 03.80.61.29.79, fax 03.80.62.37.72 r.-v.

DOM. GEORGES CHICOTOT
Les Saint-Georges 2003

■ 1er cru 0,28 ha 900 ⓫ 30 à 38 €

Le plus célèbres des 1ers crus de Nuits. Il a revêtu une robe dense, à la limite du noir. Légère réduction, qui ne l'empêche pas de prôner des convictions : cassis, cuir, torréfié. Il a de la matière, de la puissance. Ses tanins seront-ils dominés, comme le dragon, par la lance de ce saint légendaire ? Certainement. Ce vin semble disposer d'une certaine durée de vie (deux à trois ans).

Dom. Georges Chicotot, 15, rue du Gal-de-Gaulle, 21700 Nuits-Saint-Georges, tél. 03.80.61.19.33, fax 03.80.61.38.94, e-mail chicotot@aol.com

t.l.j. sf dim. 10h-12h 14h-18h30

A. CHOPIN ET FILS Vieilles Vignes 2004

■ 0,5 ha 2 000 ⓫ 15 à 23 €

Deux coups de cœur figurent dans nos éditions précédentes. On retrouve ici la légèreté des 2004. En ce qui concerne la robe, on ne s'en plaint pas car le noir violacé est parfois excessif. Arômes discrets de kirsch et de vanille, assez persistants au palais sur le même mode réservé. Un ensemble souple, plaisant et bon pour une tourte chaude. Cité également : le **1er cru Les Murgers 2004** fin, friand et racé.

A. Chopin et Fils, RN 74, 21700 Comblanchien, tél. 03.80.62.92.60, fax 03.80.62.70.78

r.-v. ④

DOM. DES CLOS Les Crots 2003

■ 1er cru 0,6 ha 1 390 ⓫ 30 à 38 €

Les Crots sont plus connus sous le nom de Château Gris, une partie de l'appellation. Au moins peut-on les situer clairement dans le paysage nuiton. On reste de toute façon au sein de la famille Bichot (Château Gris via Lupé-Cholet) pour un petit domaine de 5,5 ha créé en 1995, basé à Tailly près de Beaune et qui grandit peu à peu. Ce 2003 empourpré intègre bien son fût et enrobe de la même manière délicate sa part de tanins. Petit nez de cerise noire, de tabac blond. Sa structure moyenne, son tempérament plutôt chaud, sa souplesse répondent honnêtement au millésime.

🔑 SCEA Dom. des Clos, 14, rue de la Goillotte, 21700 Vosne-Romanée, tél. 03.80.21.42.66, fax 03.80.21.42.91
🔑 G. Bichot

COLLECTION ALAIN CORCIA
Les Maladières 2004 ★

■ 1,5 ha 1 200 15 à 23 €

Maison de négoce-éleveur créée en 1983 et qui, en vallée du Rhône, s'appelle Comte Louis de Clermont-Tonnerre (famille au demeurant bourguignonne). Produite à mi-chemin entre le centre-ville de Nuits et Premeaux, cette bouteille de Maladières porte un rubis léger et s'accompagne d'arômes assez caractéristiques du millésime, en passe d'évolution (fruits à l'eau-de-vie, bourgeon de cassis). Bien mûre et ronde (ses tanins ont de bonnes dispositions), elle est à carafer si possible et peut être débouchée dans les mois à venir.
🔑 Prestige des grand vins de France, 16, rue Chanson-Maldant, 21420 Savigny-lès-Beaune, tél. 03.80.26.12.30, fax 03.80.26.12.32, e-mail alain.corcia@wanadoo.fr
🔑 Alain Corcia

DOM. GUY DUFOULEUR Clos des Perrières 2003

■ 1er cru 0,8 ha 4 000 38 à 46 €

Domaine créé en 1963 par une des branches de l'arbre Dufouleur (Guy et Xavier). À l'emplacement d'anciennes carrières, près de la falaise calcaire de Premeaux et de son célèbre marbre rose, les Perrières s'affichent ici d'un rouge intense. Les dégustateurs parlent, après les trois coups de nez, de « fruits rouges mûrs assez frais ». Voyez le sens de la nuance. Le corps aux tanins fins ne se livre à aucun excès.
🔑 Dom. Guy Dufouleur, 17, rue Thurot, 21700 Nuits-Saint-Georges, tél. et fax 03.80.62.31.00
☑ Y ⭑ t.l.j. sf dim. 9h-18h 🏠 5

DOM. DUPASQUIER ET FILS
Les Vaucrains 2003 ★

■ 1er cru 0,33 ha 1 000 15 à 23 €

En sortant de ce domaine familial, n'oubliez pas de visiter l'église Saint-Symphorien de Nuits (XIIIe s.). On rencontre aux Vaucrains des « têtes de mouton », blocs calcaires émoussés par l'érosion. Des sols cependant plus calciques que calcaires, très caillouteux. Grenat sombre, ce 2003 trouve assez vite le moyen de nous plaire grâce à son bouquet mi-vanillé mi-confituré (fraise). Tout en rondeur, plus soyeux que tannique, il est assez représentatif du millésime : vendangé le 25 août.
🔑 SCEA Dom. Dupasquier et Fils, 47 bis, rue Henri-Challand, 21700 Nuits-Saint-Georges, tél. 03.80.61.13.78, fax 03.80.61.05.08, e-mail dupasquier.domaine@wanadoo.fr ☑ Y ⭑ r.-v.

PHILIPPE GAVIGNET Les Argillats 2004

□ 0,35 ha 2 380 15 à 23 €

Une curiosité : moitié de pinot blanc et moitié de chardonnay sur 0,34 ha en Argillats (à droite quand on quitte Nuits pour monter aux Hautes-Côtes). L'œil brille, le nez est assez fin. Plutôt sec de caractère mais sachant montrer une certaine aménité, ce vin est à servir maintenant à des connaisseurs qui y prendront intérêt et apprécieront la trouvaille. **Les Argillats rouge 2004** obtiennent une citation. Choisir un mignon de porc aux échalotes.
🔑 Dom. Philippe Gavignet, 36, rue du Dr-Louis-Legrand, 21700 Nuits-Saint-Georges, tél. 03.80.61.09.41, fax 03.80.61.03.56, e-mail contact@domaine-gavignet.fr
☑ Y ⭑ t.l.j. 8h-12h 14h-18h; sam. dim. sur r.-v.

DOM. MICHEL GROS Les Chaliots 2004 ★

■ 0,82 ha 4 000 15 à 23 €

Climat situé sur le coteau allant à Premeaux, en dessous du 1er cru Poirets appelés encore Porrets et même Porrets Saint-Georges. Une robe plaisante, un nez gourmand (fruits rouges) qui nous invite bientôt à la partie de chasse (cuir et animal). Le gras n'est pas considérable, mais la typicité paraît indéniable. Cette vinification soignée permet de fixer le rendez-vous à trois ans environ.
🔑 Dom. Michel Gros, 7, rue des Communes, 21700 Vosne-Romanée, tél. 03.80.61.04.69, fax 03.80.61.22.29 ☑ Y ⭑ r.-v.

HOSPICES DE NUITS
Les Lavières - Les Bas de Combe Cuvée Guillaume Labye 2003

■ 0,7 ha 900 23 à 30 €

Pruneau et fruits cuits au menu diététique de ces Hospices de Nuits intenses et mûrs. L'astringence est correctement maîtrisée après une attaque assez souple. Les quatre pièces de cette cuvée ont été adjugées 6 400 € chacune le 28 mars 2004.
🔑 Henri Darnat, 20, rue des Forges, 21190 Meursault, tél. 03.80.21.43.72, fax 03.80.21.64.62 ☑ Y ⭑ r.-v.

LUPÉ-CHOLET 2003

■ n.c. 26 000 23 à 30 €

Pour apprendre les bonnes manières, rien ne vaut l'étiquette de ce vin. On apprend ici à distinguer la couronne de comte (Lupé) et celle de vicomte (Cholet), associées depuis 1903 pour la gloire de la Bourgogne. Maison reprise en 1978 par Albert Bichot. Rubis profond, très Lupé-Cholet, un *village* hésitant entre menthol et violette, droit et loyal au palais, assez puissant. À attendre au moins quatre à cinq ans : ses qualités sont durables.
🔑 Lupé-Cholet, 17, av. du Général-de-Gaulle, 21700 Nuits-Saint-Georges, tél. 03.80.61.25.02, fax 03.80.24.37.38, e-mail bourgogne@lupe-cholet.com

BERTRAND MACHARD DE GRAMONT
Les Hauts Pruliers 2003 ★

■ 0,58 ha n.c. 15 à 23 €

Difficile de choisir entre **Aux Allots village 2003** (côté Vosne) soyeux et fruité et ce Hauts Pruliers (côté Premeaux), tous deux une étoile. Grenat impeccable dans sa robe de parade, ce dernier est assurément de vinification contemporaine. Cassis-toasté, il joue au palais les princes charmants. Prêt au service, à décanter ou à déboucher en fin de matinée, il est 2003. Le millésime atypique l'a mis ainsi dans son berceau. À conseiller aux amateurs.
🔑 Bertrand Machard de Gramont, 13, rue de Vergy, 21700 Nuits-Saint-Georges, tél. et fax 03.80.61.16.96, e-mail bertrandmacharddegramont@tiscali.fr
☑ Y ⭑ r.-v.

DOM. ALAIN MICHELOT Les Cailles 2003 ★

■ 1er cru 0,88 ha 2 900 23 à 30 €

Domaine de 8 ha très actif à l'export. Citée, sa **Richemone 2003 1er cru** en cours de finition et déjà intéressante (le comédien Gérard Depardieu y possédait naguère un demi-hectare dans ce *climat*). Par ailleurs, le **1er cru Aux Champs-Perdrix 2003**, charpenté et plein d'avenir, obtient une étoile. Attardons-nous sur ces Cailles, *climat* réputé pour être aérien. Des ailes d'ange en effet, de la souplesse et du fruit sous un nez complet à dominante cassis. Sa robe de jeunesse est encore très violine. Ses tanins demandent à s'affiner un peu. À attendre deux à trois ans. Le 2000 fut coup de cœur.

Dom. Alain Michelot, 6, rue Camille-Rodier, 21700 Nuits-Saint-Georges, tél. 03.80.61.14.46, fax 03.80.61.35.08, e-mail domalainmichelot@aol.com r.-v.

DOMINIQUE MUGNERET Les Boudots 2004

1er cru 0,6 ha 3 600 23 à 30 €

Pentus, avec pas mal de cailloux, les Boudots appartiennent au « côté Vosne » de l'appellation. Grenat intense à reflets bleutés, celui-ci répartit ses arômes entre la griotte et le pain grillé. Sévère mais prometteur, acide dans l'esprit du millésime, orné d'une pointe réglissée, il est tout compte fait assez séveux (c'est-à-dire harmonieux).

Dominique Mugneret, 9, rue de la Fontaine, 21700 Vosne-Romanée, tél. 03.80.61.00.97, fax 03.80.61.24.54 r.-v.

JEAN-PIERRE MUGNERET 2003 *

0,64 ha 3 020 15 à 23 €

Viticulteur installé à Concœur (dites Conqueu), hameau faisant partie de Nuits depuis 1970 et déjà dans les Hautes-Côtes. Son 2003 n'est pas très démonstratif à l'œil mais le nez élégant est tout en fruits noirs mûrs (cassis, mûre). L'acidité présente est bien dosée selon les vertus du millésime. Friand, les tanins mesurés, il laisse la bouche fraîche. Quand le déguster ? On tourne autour de la question : 2007/2008 sans doute, bien qu'un excellent dégustateur le classe parmi les rares 2003 capables de vivre encore cinq à six ans.

EARL Jean-Pierre Mugneret, Concœur, 21700 Nuits-Saint-Georges, tél. 03.80.61.00.20, fax 03.80.62.30.67 t.l.j. sf sam. dim. 9h-12h 14h-19h

DOM. MICHEL NOËLLAT ET FILS Les Boudots 2004 **

1er cru 0,42 ha 2 700 30 à 38 €

Une bouteille qui pourrait être à l'honneur le 27 janvier 2007 lors de la Saint-Vincent tournante de Nuits-Saint-Georges. Elle exprime en effet toutes les qualités du cru. Les dignitaires du Tastevin n'ont pas de robe aussi flamboyante. Framboise, myrtille, un bouquet apostolique. Riche et souple, réglissée, la bouche fait la fête et, si elle ne dure pas deux jours comme la Saint-Vincent, elle carillonne longtemps en finale. Très bien.

SCEA Dom. Michel Noëllat et Fils, 5, rue de la Fontaine, 21700 Vosne-Romanée, tél. 03.80.61.36.87, fax 03.80.61.18.10, e-mail domaine.michel-noellat@wanadoo.fr r.-v.

DOM. DES PERDRIX Aux Perdrix 2003 **

1er cru 3,45 ha 12 000 46 à 76 €

Le 1er cru Aux Perdrix par le domaine des Perdrix, c'est Dior de Dior ! Grenat foncé profond, le nez croquant et nourrissant (moka en appoint du fruit rouge), en phase avec une bouche parfaite de maîtrise et d'élégance. La puissance des nuits et le charme des 2003 quand, avec

loyauté, ils réussissent à merveille. Inutile de faire un chapelet de compliments, ils y seraient tous. Le **nuits village 2003 (38 à 46 €)** est lui aussi de grande classe : une étoile.

Famille Devillard, Dom. des Perdrix, rue des Écoles, 21700 Premeaux-Prissey, tél. 03.80.61.26.53, fax 03.85.98.06.62, e-mail contact@domainedesperdrix.com r.-v.

CH. DE PREMEAUX 2004

1er cru 2 ha 9 000 11 à 15 €

Le château de Premeaux a été rasé en 1826. Il s'agit ici d'une maison bourgeoise construite au XIXes. (familles de Broca, Veillet puis Pelletier). Si les abords de cette bouteille sont cerise, légèrement violacés, groseille et réglisse mobilisent ensuite l'attention. Son corps reste assez fermé (touche d'amertume, nature des tanins), mais on lui prédit une évolution favorable d'ici deux ans.

Dom. du Ch. de Premeaux, 9, rue de la Courtavaux, 21700 Premeaux-Prissey, tél. 03.80.62.30.64, fax 03.80.62.39.28, e-mail chateau.de.premeaux@wanadoo.fr t.l.j. 9h-12h30 13h30-19h30

Pelletier

PAUL REITZ 2004

n.c. 12 000 15 à 23 €

Originaire de la Sarre, Jean dit Dury Reitz arrive en Côte-d'Or comme foudrier vers 1810. Son petit-fils Paul Ier fonde sa maison en 1882 et c'est l'élan décisif. L'affaire demeure indépendante et familiale. D'un rubis aimable, ce nuits assemble des notes de cerise à l'eau-de-vie et de réglisse. Le tempérament tannique prend le dessus. Rien d'étonnant pour cette appellation qu'il ne faut pas approcher trop tôt. Il reste à savoir ce que donnera le millésime au-delà de 2008. À servir, donc, sur un bœuf bourguignon qui ne s'en formalisera pas.

Maison Paul Reitz, 120-124, Grande-Rue, 21700 Corgoloin, tél. 03.80.62.98.24, fax 03.80.62.96.83, e-mail contact@paulreitz.com r.-v.

HENRI ET GILLES REMORIQUET 2003 *

2,5 ha 11 000 15 à 23 €

Grenat foncé et brillant, un vin aux parfums bien ouverts (vanille et fruits rouges – cerise principalement). L'attaque est franche, la souplesse agréable mais dans les caractères du millésime (peu d'acidité, longueur moyenne). Pointe de chaleur compensée par la réalité de la matière. À servir fin 2007 sur un rôti de bœuf. Gilles Remoriquet a toujours exercé des responsabilités syndi-

cales au sein du vignoble. Son **1er cru Les Saint-Georges 2004 (23 à 30 €)** obtient une citation. Lorsqu'il sera prêt, confiez-lui un petit gibier.
🔑 Dom. Remoriquet, 25, rue de Charmois, 21700 Nuits-Saint-Georges, tél. 03.80.61.08.17, fax 03.80.61.36.63, e-mail domaine.remoriquet@wanadoo.fr
☑ Y ⛹ t.l.j. 8h-12h 14h-18h30

DOM. ARMELLE ET BERNARD RION
Les Lavières 2003

■ 0,45 ha 1 800 ⦀ 23 à 30 €

Il faut bien connaître son cadastre pour situer Les Lavières. Côté Vosne (évidemment, voyez l'adresse du domaine) et juste sous les Murgers. Un peu de gras sur le verre, des jambes sur fond cerise noire. Le bouquet encore fermé joue plutôt sur les fruits noirs. La bouche serrée, tannique, dont la matière n'est pas absente promet une bonne évolution.
🔑 Dom. Armelle et Bernard Rion, 8, RN, 21700 Vosne-Romanée, tél. 03.80.61.05.31, fax 03.80.61.34.60, e-mail armelle@domainerion.fr
☑ Y ⛹ t.l.j. 8h-18h; dim. sur r.-v.; f. 22 déc.-1er jan.

DOM. CHARLES THOMAS Clos de Thorey 2004

■ 1er cru 4,13 ha 12 000 ⦀ 23 à 30 €

Proche de Moillard (famille Thomas). Décidément on est cette année davantage du côté Vosne que du côté Premeaux ou même sur cette commune. Ce Clos de Thorey, un 2004 classique, est encore mordant en finale, mais pour l'essentiel l'équilibre est assuré. Le fût sait rester en retrait et le fruit emplit avec modération un nez agréable. À attendre un an ou deux.
🔑 Dom. Charles Thomas, 2, rue François-Mignotte, BP 36, 21701 Nuits-Saint-Georges Cedex, tél. 03.80.62.42.10, fax 03.80.61.28.13, e-mail domainecharlesthomas@wanadoo.fr
☑ Y ⛹ t.l.j. 10h-18h; f. jan.

AURÉLIEN VERDET 2004 *

■ 0,26 ha 1 100 ⦀ 15 à 23 €

Un jeune négociant établi en 2002 dans les Hautes-Côtes-de-Nuits. Une profession de foi dédiée à la cerise : l'œil est cerise foncé, le nez cerise à l'eau-de-vie. L'intensité est moyenne dans les deux cas. Sa bouche est 2004 : agréable, veloutée, équilibrée mais sans apothéose finale dans le sens de la longueur. Il faut faire avec la nature et ici c'est bien fait.
🔑 Aurélien Verdet, rue du Pont, 21700 Arcenant, tél. et fax 03.80.61.08.10, e-mail alainverdet@wanadoo.fr ☑ Y ⛹ r.-v.

DOM. FABRICE VIGOT Vieilles Vignes 2004 *

■ 0,59 ha 3 000 ⦀ 30 à 38 €

« Un verre de nuits prépare la vôtre », disait le regretté Pierre Deslandes, haute figure tastevinesque. L'expérience vaut d'être vécue avec ce beau vin typé où fruits noirs, réglisse, vanille se mettent en quatre. Ses tanins ont du tonus, avec ce qu'il faut d'élégance. Le servir courant 2007.
🔑 Dom. Fabrice Vigot, 20, rue de la Fontaine, 21700 Vosne-Romanée, tél. et fax 03.80.61.13.01, e-mail fabrice.vigot@wanadoo.fr ☑ Y ⛹ r.-v.

Côte-de-nuits-villages

Après Premeaux, le vignoble s'amenuise pour se réduire à une longueur de vignes d'environ 200 m à Corgoloin. C'est l'endroit où la côte est la plus étroite. La « montagne » diminue d'altitude, et la limite administrative de l'appellation côte-de-nuits-villages, anciennement appelée « vins fins de la Côte de Nuits », s'arrête au niveau du clos des Langres, sur Corgoloin. Entre les deux, deux communes : Prissey, associée à Premeaux, et Comblanchien, réputée pour la pierre calcaire (appelée improprement marbre) que l'on tire des carrières du coteau. Toutes deux possèdent quelques terroirs aptes à porter une appellation communale. Mais les superficies de ces trois communes étant trop petites pour avoir une appellation individuelle, Brochon et Fixin y ont été associées pour constituer cette unique appellation côte-de-nuits-villages, qui a produit, en 2005, 6 510 hl en vin rouge et 282 hl en vin blanc. On y trouve d'excellents vins, à des prix abordables.

JEAN BOUCHARD 2003

■ n.c. 14 000 ⦀ 11 à 15 €

Il s'agit d'une marque de la maison Albert Bichot. D'une teinte profonde et d'une limpidité convenable, ce 2003 s'entoure de senteurs de pruneau cuit après une première étape assez fermée. Il attaque en souplesse sur une structure tannique bien mariée. Armé de maturité et donnant quelques signes d'évolution, il demande à être servi dans l'année.
🔑 Maison Jean Bouchard, BP 47, 21200 Beaune, tél. 03.80.24.37.27, fax 03.80.24.37.38

MICHEL BOUCHARD 2004 *

■ n.c. n.c. ⦀ 11 à 15 €

Michel Bouchard est l'une des marques de Bouchard Père et Fils. Pourpre intense à reflets violacés, ce 2004 partage son bouquet intéressant et de tonalité bien mûre entre le grillé du fût et les fruits à l'eau-de-vie. La matière est importante, les tanins apparaissent encore serrés. Un vin en devenir que l'on conseille d'attendre.
🔑 Maison Michel Bouchard, 15, rue du Château, 21200 Beaune, tél. 03.80.24.80.50, fax 03.80.22.55.88

DOM. CHAUDAT 2004 *

■ 1 ha 1 200 ⦀ 8 à 11 €

Domaine repris en famille après la disparition de Maurice Chaudat en 1992. Ce vin mériterait une étiquette moins conventionnelle. De nuance foncée et riche en éclat, il s'appuie sur un bouquet mûr et expressif (cerise, réglisse après une pointe d'alcool en premier nez). Frais à l'attaque, tannique en fin de parcours, il est somme toute équilibré, assez long et réussi dans son année.
🔑 Odile Chaudat, 41, voie Romaine, 21700 Corgoloin, tél. et fax 03.80.62.92.31, e-mail yves.chaudat@wanadoo.fr ☑ Y ⛹ r.-v.

CHAUVENET-CHOPIN 2004 ★★

■ 2,5 ha 12 000 🛢 8 à 11 €

Hubert Chauvenet a repris en 2001 l'exploitation de son beau-père à Comblanchien (Chopin-Groffier) ; il appartient à une famille de vignerons et a commencé à travailler les vignes en 1971. La bouteille qu'Henri IV eût aimé offrir chaque dimanche à tous ses sujets pour accompagner leur poule au pot ! Sous une robe rubis profond, un parfum royal où le bourgeon de cassis l'emporte sans peine sur la vanille du fût : bel élevage sur le fruit, pour ce vin élégant, tout en finesse ; il mérite amplement son nom de *village*.

Chauvenet-Chopin, 97, rue Félix-Tisserand,
21700 Nuits-Saint-Georges, tél. 03.80.61.28.11,
fax 03.80.61.20.02 r.-v.

CLOS SAINT-LOUIS 2004 ★★

■ 2,24 ha 8 000 🛢 11 à 15 €

Domaine acquis par la famille Bernard (célèbre naguère à Dijon pour ses moutardes et ses vinaigres) en 1918. Notre coup de cœur de l'an dernier ; le millésime suivant procure à nouveau de bons moments. Produit sur la partie septentrionale de l'appellation, un vin vif et sombre, très joliment coloré. Attaquant sous la bannière cassis, son nez se révèle plus complexe. Au palais s'affichent une puissance réglissée, des tanins serrés, du caractère : à laisser s'épanouir dans les deux ans.

Dom. du Clos Saint-Louis, 4, rue des Rosiers,
21220 Fixin, tél. 03.80.52.45.51, fax 03.80.58.88.76,
e-mail clos.st.louis@wanadoo.fr
t.l.j. 9h-12h 13h30-19h; f. 15-31 août
Philippe Bernard

MICHEL DEFRANCE La Croix violette 2004

■ 0,35 ha 2 500 🛢 5 à 8 €

Climat situé sur Brochon : une partie de cette commune, on le sait, porte l'appellation gevrey-chambertin. Ce 2004 gagnera à vieillir un peu (un à deux ans) pour arrondir ses tanins. Pourpre violacé, il développe des arômes de mûre et de cassis. Sa bouche n'est pas mal faite et elle devrait se parfaire.

Michel Defrance, 38-50, rte des Grands-Crus,
21220 Fixin, tél. et fax 03.80.52.84.67,
e-mail defrance.michel@wanadoo.fr r.-v. 3

DOM. JEAN FERY ET FILS Le Clos de Magny 2003 ★★

■ 1,37 ha 4 000 🛢 8 à 11 €

On en est à la troisième génération depuis le fondateur Louis Jacob. Découvrez Échevronne qui offre de jolies promenades dans les vignes. S'il s'agissait d'un podium olympique, ce vin serait médaille d'argent de la dégustation. Le Clos de Magny se situe sur Corgoloin, sur le coteau montant à Magny-lès-Villers. L'altitude lui permet de regarder les choses de haut. Robe sans surcharge, parfums de pain grillé et de mûre bien offerts, un pinot noir exprimant son terroir, agréable à boire.

Dom. Jean Fery et Fils, 1, rte de Marey,
21420 Échevronne, tél. 03.80.21.59.60,
fax 03.80.21.59.59, e-mail fery.vin@wanadoo.fr
r.-v. E

DOM. ANNE-MARIE GILLE 2003

■ 3,85 ha 10 000 🛢 8 à 11 €

Pierre Gille, le mari d'Anne-Marie, était commandant de bord à Air France quand il trouva ici sa « piste d'atterrissage »... Apportés à la cuverie le 20 août, ces raisins n'étaient pas d'un caractère facile. On en tire tout le parti possible, sachant néanmoins que cette bouteille doit être débouchée maintenant. Rubis limpide, le nez un peu porté sur les fruits cuits, elle montre une certaine rondeur et une longueur suffisante.

Dom. Anne-Marie Gille, 34, RN 74,
21700 Comblanchien, tél. 03.80.62.94.13,
fax 03.80.62.99.88, e-mail domaine.gille@wanadoo.fr
r.-v.

MAISON JOULIÉ 2004 ★

■ n.c. 20 000 🛢 11 à 15 €

Maison spécialisée dans quelques appellations seulement. En Bourgogne, il va sans dire. Étiquette de forme originale pour présenter un 2004 à la robe vigoureuse. Cassis, réglisse, épices : les arômes riment merveilleusement bien. La bouche offre une bonne matière, et l'on y retrouve les sensations du nez sur des tanins encore fermes, assez rudes. On sent une présence qui a besoin de se libérer.

Maison Joulié, 10, av. Charles-Jaffelin,
21200 Beaune, tél. 03.80.22.06.20, fax 03.80.22.91.91,
e-mail joulie@maisonjoulie.com

GILLES JOURDAN La Robignotte Monopole 2003

■ 0,6 ha 3 500 🛢 11 à 15 €

Vous le saurez maintenant : La Robignotte est un petit *climat* situé sur Corgoloin que ce domaine possède en monopole. Pas désagréable, ce millésime : du fruit dans un assez beau volume. Les tanins se manifestent peu. Velours cramoisi à l'œil, parfums de bigarreau, de mûre.

Dom. Gilles Jourdan, 114, Grande-Rue,
21700 Corgoloin, tél. 03.80.62.76.31,
fax 03.80.62.98.55,
e-mail domaine.jourdan@wanadoo.fr r.-v.

DOM. MOILLARD 2004

■ 2,34 ha 10 000 🛢 8 à 11 €

Domaine cultivé en agrobiologie. Pourpre violine, parfumé avec délicatesse, souple de prime abord, un vin correctement structuré, d'une matière moyennement riche mais agréable et consistante. Ses tanins sont encore pugnaces et assureront une garde d'environ deux ans.

Dom. Moillard, chem. rural 59,
21700 Nuits-Saint-Georges, tél. 03.80.62.42.12,
fax 03.80.61.28.13, e-mail contact@moillard.fr
t.l.j. 10h-18h; f. jan.

DOM. HENRI NAUDIN-FERRAND Vieilles Vignes 2003

■ 1,55 ha 6 354 🛢 15 à 23 €

Coup de cœur dans les éditions 1995, 1999, 2001 et 2004 du Guide, ce domaine a un pied dans la Côte et l'autre dans les Hautes-Côtes. Quant au village de Magny, il donne à voir une église du XII[e]s., dont certaines statues sont classées. Rouge-noir brillant, ce vin peut encore passer un coup de rabot sur ses tanins mais sans y consacrer plus d'un an. Franc et fruité, il est formaté 2003, léger en acidité et en volume tout en se montrant néanmoins équilibré.

Dom. Henri Naudin-Ferrand, rue du Meix-Grenot,
21700 Magny-lès-Villers, tél. 03.80.62.91.50,
fax 03.80.62.91.77, e-mail dom.hnf@wanadoo.fr
r.-v.

BOURGOGNE

DOM. JEAN PETITOT ET FILS
Les Vignottes Vieilles Vignes 2003 *

■ 0,57 ha 2 900 ◖◗ 11 à 15 €

Le couple formé par Hervé et Nathalie (œnologue) a pris la suite des parents en 2002. Les Vignottes sont un *climat* de Premeaux-Prissey, situé juste en face du Clos de la Maréchale (de l'autre côté de la RN 74). C'est dire qu'on a bon voisinage... Rouge aux frontières du noir, ce 2003 commence à s'ouvrir de façon fruitée et probablement complexe. Généreux, il ne manque pas de corps et ses bonnes manières fruitées vont atteindre leur plénitude d'ici quelques années.

🔑 Dom. Jean Petitot et Fils, 26, pl. de la Mairie,
21700 Corgoloin, tél. 03.80.62.98.21,
fax 03.80.62.71.64, e-mail domaine.petitot@wanadoo.fr
☑ Ⲅ ⮝ t.l.j. sf dim. 8h-12h 14h-19h

DOM. DE LA POULETTE 2003 *

■ 5,34 ha 30 000 ◖◗ 11 à 15 €

Domaine transmis depuis six générations par les femmes, attaché à la figure de Lucien Audidier : cette appellation doit beaucoup à son entregent au ministère de l'Agriculture. Coup de cœur naguère en blanc, La Poulette s'inscrit ici en rouge. Assurément une vinification réussie en 2003 : la couleur est vibrante, le bouquet vivifiant (kirsch, fruits rouges conservés dans l'alcool). Le fruit et les tanins filent en bouche le parfait amour dans une ambiance réglissée. La finale, encore sur les tanins, conduit à deux à trois ans de garde raisonnable.

🔑 Dom. de La Poulette, 103, Grande-Rue,
21700 Corgoloin, tél. 03.80.62.98.02,
fax 01.45.25.43.23, e-mail info@poulette.fr ☑ Ⲅ ⮝ r.-v.
🔑 Fimichaut-Audidier

DOM. PROTOT 2003

■ 2,3 ha 4 600 ◖◗ 5 à 8 €

Vendanges le 23 août, on s'en souviendra ! Violine très foncé, un 2003 associant de façon classique fruits noirs et boisé, sans perturber cet équilibre. À noter : un de nos dégustateurs venu d'Allemagne évoque des arômes mieux connus dans son pays comme le cuir et la plume de faisan ! En bouche, la trame dense laisse filtrer un fruit bienfaisant. Texture soyeuse, amertume bien dosée : ce vin a du répondant.

🔑 Dom. Protot, rue de l'Église,
21700 Premeaux-Prissey, tél. 03.80.62.35.13 ☑ Ⲅ ⮝ r.-v.

PHILIPPE ROSSIGNOL 2003 ***

■ 0,55 ha 1 200 ◖◗ 8 à 11 €

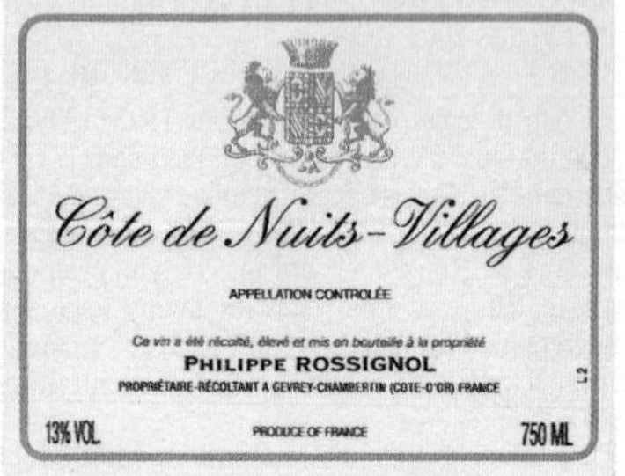

Le phénix des hôtes de ces vignes ! Issu de l'un des domaines Rossignol de Gevrey. Philippe n'était pas viticulteur, ni fils de vigneron, quand il a repris en 1976 une exploitation de 2 ha portée aujourd'hui à 6,5 ha. Très riche, de structure exceptionnelle, encore austère, ce vin brûle d'un feu intérieur dont se réjouira le palais dans deux ou trois ans. Si foncé qu'il en est presque noir, il présente au nez une légère note de cerise noire. Réglisse, cassis, épices, il joue le grand jeu. Vinification modèle en 2003.

🔑 Philippe Rossignol, 61, av. de la Gare,
21220 Gevrey-Chambertin, tél. et fax 03.80.51.81.17
☑ Ⲅ ⮝ r.-v.

La Côte de Beaune — Ladoix

Trois hameaux, Serrigny, près de la ligne de chemin de fer, Ladoix, sur la RN 74, et Buisson, au bout de la Côte de Nuits, composent la commune de Ladoix-Serrigny. L'appellation communale est ladoix. Le hameau de Buisson est situé exactement à la frontière géographique des Côtes de Nuits et de Beaune. La limite administrative s'est arrêtée à la commune de Corgoloin, mais la colline, elle, continue un peu plus loin ; les vignes et les vins aussi. Au-delà de la combe de Magny, qui concrétise la séparation, commence la montagne de Corton, aux grandes pentes à intercalations marneuses, constituant avec toutes ses expositions, est, sud et ouest, l'une des plus belles unités viticoles de la Côte.

Ces différentes situations confèrent à l'appellation ladoix une variété de types auxquels s'ajoute une production de vins blancs mieux adaptés aux sols marneux de l'argovien ; c'est le cas des Gréchons, par exemple, situés sur les mêmes niveaux géologiques que les corton-charlemagne, plus au sud, mais jouissant d'une exposition moins favorable. Les vins de ce lieu-dit sont très typés. S'étendant sur près de 50 ha, l'appellation ladoix est peu connue ; c'est dommage ! Elle a produit 2 966 hl en *village* et 713 hl en premiers crus en 2005 en rouge, 433 hl en village blanc et 480 hl en premiers crus blancs.

Autre particularité : bien que jouissant d'une classification favorable donnée par le Comité de viticulture de Beaune en 1860, Ladoix ne possédait pas de premiers crus, omission qui a été régularisée par l'INAO en 1978 : la Micaude, la Corvée et le Clou d'Orge, aux vins de même caractère que ceux de la Côte de Nuits, les Mourottes (basses et hautes), aux allures sauvages, le Bois-Roussot, Sur la Lave, sont les principaux de ces premiers crus.

DOM. CACHAT-OCQUIDANT ET FILS
Les Madonnes Vieilles Vignes 2004 *

■ 1,21 ha 3 000 ◖◗ 11 à 15 €

Le bouquet et le corps ne sont pas toujours d'accord. Ici ils s'entendent à merveille et se répondent en un écho fruité (cassis, groseille) où se mêlent les épices douces de l'élevage et un souffle de sous-bois. La fraîcheur n'est perturbée ni par les tanins déjà fondus ni par une petite pointe d'alcool. Ne pas le servir tout de suite : attendre une bonne année.

Dom. Cachat-Ocquidant, 3, pl. du Souvenir,
21550 Ladoix-Serrigny, tél. 03.80.26.45.30,
fax 03.80.26.48.16 r.-v.

CAPITAIN-GAGNEROT
La Micaude Monopole 2004 *

1er cru	1,64 ha	8 000	15 à 23 €

Une Micaude en monopole sur 1,64 ha après la Corvée, après le hameau de Buisson, en remontant la Côte. Un coup de cœur naguère en Gréchons. « Loyauté fait ma force », proclame la devise de ce pilier du vignoble fondé en 1802. D'un juste éclat rouge cerise, ce 2004 au léger accent de cassis offre une bouche friande et gourmande, souple en ses tanins. Délicat et d'une longueur superbe.

Capitain-Gagnerot, 38, rte de Dijon,
21550 Ladoix-Serrigny, tél. 03.80.26.41.36,
fax 03.80.26.46.29,
e-mail contact@capitain-gagnerot.com r.-v.

DOM. CHEVALIER PÈRE ET FILS
Le Clou d'Orge 2003 *

1er cru	0,19 ha	1 000	15 à 23 €

Trois bouteilles suscitent les éloges du jury. Le domaine a d'ailleurs reçu un coup de cœur dans l'édition 2003. En tête arrive Le Clou d'Orge, vendangé un 20 août. Pourpre grenat à liseré violet, élégamment boisé (dix-huit mois en fût), il possède la générosité et la chaleur, le fruit et la matière de son millésime. Sa nature va s'assagir avec le temps. Le **1er cru Les Corvées 2003 rouge** et le **Bois de Gréchons 2003 rouge (11 à 15 €)** partagent ces compliments, le premier obtenant une étoile, le second une citation.

SCE Chevalier Père et Fils, Buisson,
21550 Ladoix-Serrigny, tél. 03.80.26.46.30,
fax 03.80.26.41.47, e-mail ladoixch@club-internet.fr
r.-v.

Claude Chevalier

DOM. CORNU Le Bois Roussot 2003 **

1er cru	0,7 ha	4 200	15 à 23 €

Situé à 9 km de Beaune, ce beau domaine (17 ha) mérite le voyage. Entre Moutottes et Joyeuses, le Bois Roussot sait se faire une place. Avec ce millésime rubis foncé, il honore la série des 1ers crus 2003. Son bouquet manifeste une présence affirmée (cerise) tout en restant délicate. Les tanins enrobent le fruit sans l'empêcher de respirer. Joliment construit, le vin est préservé malgré les aléas climatiques.

Dom. Cornu, rue du Meix-Grenot,
21700 Magny-lès-Villers, tél. 03.80.62.92.05,
fax 03.80.62.72.22, e-mail domaine.cornu@wanadoo.fr
r.-v.

EDMOND CORNU ET FILS 2003 *

1er cru	1,03 ha	3 300	15 à 23 €

On se souviendra longtemps de ce 20 août où il fallait battre le rappel des vendangeurs. Cela a donné parfois d'excellentes choses. Comme celle-ci. Couleur tirant sur la crème de cassis, une bouteille qui n'abandonne pas de sitôt sa religion : au nez le cassis domine. Matière et volume n'empêchent pas le fruit de se livrer sans réticence sous la garde discrète et attentive des tanins. Petite note vanillée sur la fin. On rêve de le déguster après 2010. Le **ladoix Vieilles Vignes 2003 rouge (11 à 15 €)** obtient également une étoile, mais il est à servir avant 2010.

Edmond Cornu et Fils, Le Meix-Gobillon,
21550 Ladoix-Serrigny, tél. 03.80.26.40.79,
fax 03.80.26.48.34 r.-v.

DOM. DÉSERTAUX-FERRAND 2004 *

	1,05 ha	7 900	8 à 11 €

On ne dira pas ici que le coût en fait perdre le goût. Son prix est de nos jours raisonnable en *village*. Grenat violacé, ce vin aux arômes choisis (baies noires et notes de gibier) joue ensuite la fraîcheur, la vivacité sans accorder à ses tanins plus d'importance qu'ils ne le méritent. Léger, plaisant, assez prometteur (dans les deux ans).

Dom. Désertaux-Ferrand, 135, Grande-Rue,
21700 Corgoloin, tél. 03.80.62.98.40,
fax 03.80.62.70.32,
e-mail contact@desertaux-ferrand.com
t.l.j. sf sam. dim. 8h-12h 14h-17h

DOM. JEAN GUITON La Corvée 2003 **

1er cru	0,79 ha	1 500	11 à 15 €

La Corvée se trouve à la hauteur du hameau de Buisson, entre Ladoix et le Clos des Langres. Celle du domaine intéresse toujours (coup de cœur dans l'édition 2000). Nuance cerise burlat, ce pinot noir confié aux vendangeurs le 21 août offre un nez profond et suave : framboise à l'alcool, cassis très mûr. Dès l'attaque, on croque dans le fruit pulpeux. Charpenté par sa chaleur, généreux et charmant, atypique bien sûr, il passionnera les connaisseurs car il ne ressemble pas à du pinot bourguignon. Mais l'extraterritorialité est parfaitement admise en 2003.

Dom. Jean Guiton, 4, rte de Pommard,
21200 Bligny-lès-Beaune, tél. 03.80.26.82.88,
fax 03.80.26.85.05, e-mail domaine.guiton@wanadoo.fr
r.-v.

DOM. ROBERT ET RAYMOND JACOB 2004 *

	0,7 ha	5 000	11 à 15 €

Ladoix 2004 rouge (8 à 11 €), une étoile : il vous conviendra. Le sujet est cadré très serré, mais on le distingue bien. Ou ce blanc or vert limpide et brillant, fruit vanillé avec une aimable touche minérale. Lors de la dégustation (mi-février 2006), son punch provenait surtout de sa jeunesse. Aujourd'hui, cela s'est certainement apaisé et l'acidité comme la longueur sont à point.

Dom. Robert et Raymond Jacob,
hameau de Buisson, 21550 Ladoix-Serrigny,
tél. 03.80.26.40.42, fax 03.80.26.49.34 r.-v.

LOU DUMONT 2003 *

	n.c.	n.c.	11 à 15 €

Un ladoix sous le soleil levant un jour de matin calme... Dirigée par Koji Nakada, cette jeune affaire de négoce-éleveur sous triple pavillon (Japon, Corée et France), basée à Gevrey, entre peu à peu dans le paysage. Rouge sang, ce 2003 semble destiné à une *gruotte*, un repas de chasseurs. Sous-bois, musc, gibier offrant une gamme aromatique de circonstance. Ample et cordiale, sa bouche est au diapason (puissance et fruits confits). Sensation vanillée.

🔑 Maison Lou Dumont, 1, rue de Paris, 21220 Gevrey-Chambertin, tél. 03.80.51.82.82, fax 03.80.51.82.84, e-mail sales@loudumont.com
☑ Y ⚲ r.-v.
🔑 Koji Nakada

DOM. MICHEL MALLARD ET FILS
Les Joyeuses 2003 *

■ 1er cru 0,38 ha 2 200 ⏸ 15 à 23 €

La famille hésita longtemps entre le travail aux carrières et le travail à la vigne, puis elle opta pour cette dernière. Ces Joyeuses ont connu le sécateur le 29 août. En robe framboise, généreusement parfumées, elles agissent en bouche dans la bonne mesure : quoique serrée, leur trame est aérée, nullement étouffée par les tanins. Élégantes et coquettes, elles passeront volontiers à table, mais elle seront meilleures encore dans deux ans.

🔑 Dom. Michel Mallard et Fils, 43, rte de Dijon, 21550 Ladoix-Serrigny, tél. 03.80.26.40.64, fax 03.80.26.47.49, e-mail domainemallard@hotmail.fr
☑ Y ⚲ r.-v.

DOM. MARÉCHAL-CAILLOT
Vieilles Vignes 2004 *

■ 1,68 ha 10 700 ⏸ 15 à 23 €

Ladoix vient du vieux mot *doua* : une résurgence, une source vauclusienne. Ainsi la cerise et la groseille, qui s'en donnent à cœur joie lors des coups de nez, vont réapparaître au palais, avec quelques notes boisées en contrepoint. Les tanins bien présents ne font pas étalage de leur force. En somme, une belle composition : elle nécessite encore un à deux ans d'élevage en bouteille.

🔑 Bernard Maréchal, 10, rte de Chalon, 21200 Bligny-lès-Beaune, tél. 03.80.21.44.55, fax 03.80.26.88.21, e-mail gb@marechal-caillot.com
☑ Y ⚲ r.-v.

DOM. NUDANT Les Buis 2004 *

■ 1er cru 0,98 ha 5 600 ⏸ 15 à 23 €

Coup de cœur dans le Guide 2003 puis dans le 2006, ce domaine pratique le baptême bourguignon. À la naissance d'André, son grand-père lui trempa les pieds dans une cuve de vendange. Le rite se maintient-il ? Le *climat* Les Buis est situé en haut de la pente, côté Magny-lès-Villers. La pâleur du disque fait ressortir le pourpre du fond du verre. Son nez, peu disert, laisse cependant s'exprimer la verveine quand on le sollicite plusieurs fois. Sa bouche est relativement structurée, encore un peu fermée elle aussi, sur des notes fumées. Le **1er cru La Corvée 2004 rouge** est tout aussi recommandable.

🔑 Dom. Nudant, 11, rte de Dijon, 21550 Ladoix-Serrigny, tél. 03.80.26.40.48, fax 03.80.26.47.13, e-mail domaine.nudant@wanadoo.fr
☑ Y ⚲ r.-v.

DOM. CHRISTIAN PERRIN Sur les Vris 2004

□ 0,75 ha 2 000 ⏸ 8 à 11 €

Domaine en conversion bio, établi sur une ancienne nécropole mérovingienne. Simple comme bonjour, il applique à la lettre le conseil de La Bruyère : « Ayez, si vous pouvez, un langage simple. » Sans artifice en effet, ce Sur les Vris niche en hauteur et s'exprime en blanc. Or pâle, floral et flatteur, il ne tire pas de son année en fût des arguments déplacés. L'acidité est bien placée, le gras très suffisant.

🔑 Dom. Christian Perrin, 14, av. de Corton, 21550 Ladoix-Serrigny, tél. 03.80.26.40.93, fax 03.80.26.48.40, e-mail domaineperrinchristian@club-internet.fr
☑ Y ⚲ r.-v.

DOM. JEAN PETITOT ET FILS 2003

■ 0,65 ha 2 600 ⏸ 8 à 11 €

Rouge intense, c'est un beau vin de garde, typé 2003 (vendange le 26 août). Combien de temps l'attendre ? Une paire d'années. Long comme un jour sans vin, ses tanins le rendent encore austère. Rustique ? C'est ainsi que l'on dit, sachant que tout caractère évolue avec l'âge. Ses arômes (cerise à l'eau-de-vie) sont de connivence avec sa bouche.

🔑 Dom. Jean Petitot et Fils, 26, pl. de la Mairie, 21700 Corgoloin, tél. 03.80.62.98.21, fax 03.80.62.71.64, e-mail domaine.petitot@wanadoo.fr
☑ Y ⚲ t.l.j. sf dim. 8h-12h 14h-19h

DOM. PRIN Les Joyeuses 2003 *

■ 1er cru 0,22 ha 1 150 ⏸ 11 à 15 €

Tous les tempéraments sont autorisés à Ladoix : les Joyeuses, les Coquines et même les Madones ! Celles-ci portent bien leur nom. Légères et en robe claire, elles semblent réservées tant leur parfum est discret. N'en croyez rien. En bouche, après une attaque très fruitée (cassis et framboise confite), elles se montrent pleines de promesses. Bien structuré et néanmoins d'une agréable délicatesse, ce vin plaira pendant trois à cinq ans. Coup de cœur dans l'édition 2002 pour son 1998.

🔑 Dom. Prin, 12, rue de Serrigny, Cidex 10, 21550 Ladoix-Serrigny, tél. 03.80.26.45.83, fax 03.80.26.46.16, e-mail domaineprin@yahoo.fr
☑ Y r.-v.
🔑 Jean-Luc Boudrot

Aloxe-corton

Si l'on tient compte de la superficie classée en corton et corton-charlemagne, l'appellation aloxe-corton en occupe une faible part, sur la plus petite commune de la Côte de Beaune, et a produit en 2005, en rouge 3 843 hl en *village* et 1 537 en premier cru, et en blanc 26 hl en *village*. Les premiers crus y sont réputés : les Maréchaudes, les Valozières, les Lolières (grandes et petites) sont les plus connus.

La commune est le siège d'un négoce actif, et plusieurs châteaux aux magnifiques tuiles vernissées méritent le coup d'œil. La famille Latour y possède un superbe domaine dont il faut visiter la cuverie du siècle dernier, qui reste encore un modèle du genre pour les vinifications bourguignonnes.

PIERRE ANDRÉ Les Paulands 2004 **

■ 1er cru 0,3 ha 1 300 ⏸ 46 à 76 €

La maison a changé de propriétaire, mais Christian Ciamos reste à la barre et propose en juillet un concert de

musique de chambre au château. Dans le groupe de tête de la dégustation, cette bouteille fait honneur à la mémoire de Pierre André. Les Paulands se situent sur Aloxe-Corton. Sur la réserve, ce 2004 a besoin d'un peu de temps. Il le demande si gentiment qu'on ne le lui refusera pas. Un vin très bien conçu, à la couleur soutenue et vive. Ses parfums font songer à la framboise vanillée ; ils sont encore resserrés. Épices douces et fruits frais sur la langue, du gras et de la chaleur : on s'y trouve bien.
Pierre André, Ch. de Corton-André, 21420 Aloxe-Corton, tél. 03.80.26.44.25, fax 03.80.26.43.57, e-mail france@corton-andre.com t.l.j. 10h-12h 14h30-18h

BOUDIER PÈRE ET FILS 2004 *

0,17 ha 1 200 15 à 23 €

N'hésitez pas à prendre rendez-vous pour une promenade sur le sentier des Cabottes. L'aloxe-corton blanc est l'oiseau rare. Seul ici parmi les rouges, il n'entend pas se faire oublier. Limpide et doré, joliment bouqueté (note minérale, menthol, pain grillé), il affirme une acidité qui doit lui permettre de tenir le bon bout fin 2007. Sa finale un peu citronnée accompagnée d'un boisé bien mené signe un ensemble équilibré. Bonne prestation, par ailleurs, du **village 2003 rouge (11 à 15 €)**, « il ne demande qu'à s'ouvrir », lit-on sur l'une des fiches de dégustation ; une étoile.
Pascal Boudier, rue de Pralot, 21420 Pernand-Vergelesses, tél. et fax 03.80.21.56.43 r.-v.

DOM. DE BRULLY
Les Boutières 2003 *

2 ha 6 000 23 à 30 €

Il s'agit de Roux Père et Fils sous leur nom de propriété. Issu d'un *climat* situé au sud de l'appellation et voisin de Chorey, ce vin est puissant. Sa concentration et ses tanins en font le 2003 le plus mâle qu'on puisse imaginer. Riche... Trop riche ? On ne dira pas cela, mais à passer en carafe et à ne pas déboucher avant quelques années. Pourpre très intense, l'œil est à l'avenant. Nez vineux et vanillé.
Dom. de Brully, 21190 Saint-Aubin, tél. 03.80.21.32.92, fax 03.80.21.35.00, e-mail roux.pere.et.fils@wanadoo.fr r.-v.
Christian Roux

CAPITAIN-GAGNEROT Les Moutottes 2004

1er cru 1,48 ha 6 000 23 à 30 €

Ces Moutottes ont reçu le coup de cœur dans le Guide 2005 (millésime 2002). Un aloxe-corton produit sur Ladoix et qu'il ne faut pas confondre avec Les Mourottes ! Rubis d'intensité normale, une bouteille aux arômes de mûre et de cassis, ferme en bouche, à l'acidité assez présente, qui mérite d'être attendue deux à trois ans. Encore marqués en finale, ses tanins vont en effet s'assouplir.
Capitain-Gagnerot, 38, rte de Dijon, 21550 Ladoix-Serrigny, tél. 03.80.26.41.36, fax 03.80.26.46.29, e-mail contact@capitain-gagnerot.com r.-v.

EDMOND CORNU ET FILS Vieilles Vignes 2003 *

2,13 ha 5 400 15 à 23 €

Rubis intense à reflets violacés, ce vin est taillé pour voir les années 2010. Dans l'immédiat, ses arômes de fruits confits, de cerise ont besoin d'aération mais ensuite se dégagent très bien. Charpenté et robuste, il garde en bouche un bon fruit évoluant vers une sensation réglissée qui s'atténuera lorsque les tanins seront fondus.
Edmond Cornu et Fils, Le Meix-Gobillon, 21550 Ladoix-Serrigny, tél. 03.80.26.40.79, fax 03.80.26.48.34 r.-v.

BERNARD DUBOIS ET FILS Les Brunettes 2003

1,33 ha 5 000 15 à 23 €

Les Brunettes et Planchots, tel est le nom précis de ce *climat* proche des habitations du village. Un vin qui porte chance à ce domaine : le millésime 1996 lui a valu le coup de cœur dans l'édition 2000. On se trouve cette fois en présence d'un 2003 grenat sombre. Son bouquet assez parfumé rappelle les fruits rouges confiturés. Doté de tanins présents et déjà arrondis, ainsi que d'une bonne acidité sans amertume, il est plus costaud que nuancé : on peut toutefois le mettre de côté pour l'aborder d'ici deux ans.
Dom. Bernard Dubois et Fils, 14, rue des Moutots, 21200 Chorey-lès-Beaune, tél. 06.73.08.68.74, fax 03.80.24.61.43 t.l.j. sf dim. 8h-12h 14h-18h
Jacques Dubois

BOURGOGNE

La Côte de Beaune Nord

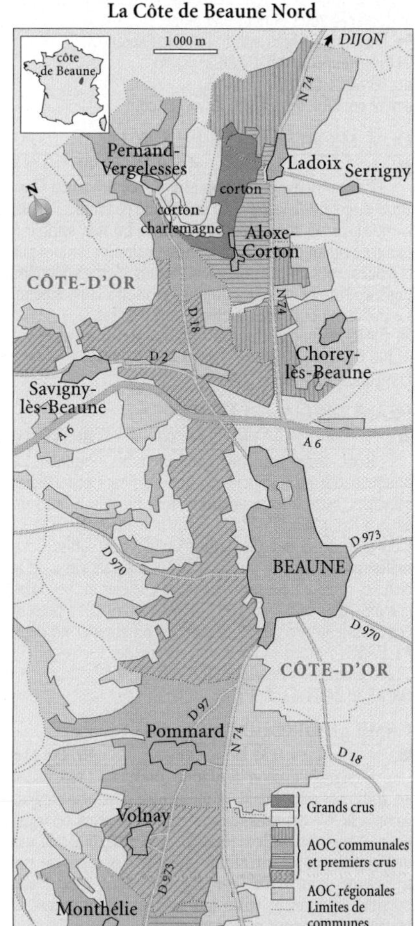

DOM. LIONEL DUFOUR Les Valozières 2004

■ 1er cru 0,34 ha 2 500 46 à 76 €

Le rubis séduit l'œil. Quatorze mois d'élevage sous bois ont apporté des notes de torréfaction qui ne cachent pas la cerise. Après une entrée en bouche agréable, les tanins se révèlent fins et élégants, de bonne longueur.

SAS Lionel Dufour, 6, allée des Amandiers, 21190 Meursault, tél. 03.80.21.67.02, fax 03.87.69.71.13

M. Fievet

DUVERGEY-TABOUREAU 2003 ★★

■ n.c. 2 933 23 à 30 €

Primus inter pares, le meilleur de la dégustation. Presque coup de cœur. À servir vers 2010 un jour où la conversation languit à table. Ah ! les 2003... Vous verrez les convives s'animer, en appréciant ce vin représentatif. Pourpre intense, il évoque les petits fruits macérés, bien mûrs en tout cas, puis le cuir jusqu'à sa finale légèrement vanillée. Vineux et complexe, il démontre une fois de plus les qualités de Nadine Gublin, car Duvergey-Taboureau est la reprise en 1988 par Antonin Rodet d'une maison murisaltienne ancienne, lors de son partenariat avec J. Prieur. Sous la marque **Antonin Rodet le 1er cru Les Valozières 2003** obtient une étoile.

Duvergey-Taboureau, 6, rue des Santenots, 21190 Meursault, tél. 03.80.21.63.00, fax 03.80.21.29.19, e-mail contact_duvergey@duvergey.com

DOM. MICHEL GAY ET FILS 2003 ★

■ 1,23 ha 4 500 11 à 15 €

La quatrième génération arrive avec Sébastien Gay. En Bourgogne, la vigne reste une affaire de famille. Quant à cet aloxe, sa robe est sans histoire. Le nez semble à maturité : chair de cerise, cuir... Si la finale est marquée par la jeunesse et sans prolongements infinis, c'est chaleureux, réglissé, à attendre deux à trois ans si on en a la possibilité. Le millésime et l'appellation ne sont pas trahis.

EARL Dom. Michel Gay, 1b, rue des Brenots, 21200 Chorey-lès-Beaune, tél. 03.80.22.22.73, fax 03.80.22.95.78 r.-v.

FRANÇOIS GAY ET FILS 2003 ★

■ 0,73 ha 4 500 15 à 23 €

Robe assez soutenue, nuance rubis, limpide. Le bouquet tout en fraîcheur évoque les fleurs et les baies sauvages, cette « épine-vinette » dont on faisait jadis un élixir à Saint-Seine-l'Abbaye, dans une autre partie de la Côte-d'Or. En bouche, le support tannique est suffisant. Le millésime explique la pointe d'alcool mais ce vin a de la chair et toujours ces notes de baies cueillies au bord des chemins, d'épices douces. Si l'on peut ouvrir dès à présent cette bouteille, on peut tout aussi bien patienter un peu.

EARL François Gay et Fils, 9, rue des Fiètres, 21200 Chorey-lès-Beaune, tél. 03.80.26.69.58, fax 03.80.24.71.42 r.-v.

CAMILLE GIROUD Les Cras 2003 ★

■ 0,35 ha 1 200 15 à 23 €

Vénérable maison beaunoise fondée en 1865, cédée en 2001 par cette famille à un groupe d'associés américains. Elle n'a cependant pas perdu son accent bourguignon. Agréables par leur rondeur, ces Cras (*climat* du sud de l'appellation) méritent une omelette aux cèpes ou aux truffes de Bourgogne, par exemple. Jolie robe d'été, bouquet légèrement épicé aux arômes de pruneau ; la bouche est fine mais nullement étriquée.

Maison Camille Giroud, 3, rue Pierre-Joigneaux, 21200 Beaune, tél. 03.80.22.12.65, fax 03.80.22.42.84, e-mail camillegiroud@wanadoo.fr r.-v.

Ann Colgin

CHRISTIAN GROS 2003 ★

■ 0,3 ha n.c. 11 à 15 €

Ne manquez pas de visiter l'église du XIIIe s. située à 50 m du domaine. Facile, plaisant, sur le fruit, de bon aloi, ce 2003 ne recherche pas les effets spectaculaires et ne prétend pas à l'immortalité. Non, il s'offre à vous dès maintenant, frais et croquant, respirant le fruit noir, le bourgeon de cassis. À servir dans les quatre prochaines années.

Christian Gros, 5, rue de la Chaume, 21700 Premeaux-Prissey, tél. 03.80.61.29.74, fax 03.80.61.39.77, e-mail christian.gros10@wanadoo.fr t.l.j. 9h-12h 14h-19h

DOM. LES GUETTOTTES 2004 ★

■ 0,37 ha 2 400 15 à 23 €

Sous une robe rubis assez intense, limpide et vive, le premier nez est circonspect. Le deuxième et le troisième portent du fruit bien mûr. Puis l'entrée en bouche se révèle agréable. Doté de tanins fins et encore un peu astringents, ce vin répond à son millésime tout en nécessitant une bonne année d'attente pour que tous ces éléments trouvent leur unité. Sa persistance entre dans la confiance qu'on lui porte.

Pierre et Jean-Baptiste Lebreuil, 17, rue Chanson-Maldant, 21420 Savigny-lès-Beaune, tél. 03.80.21.52.95, fax 03.80.26.10.82, e-mail domaine-lebreuil@wanadoo.fr t.l.j. sf dim. 9h-11h30 14h-19h

DOM. DES HAUTES-CORNIÈRES 2003

■ 0,68 ha 3 600 15 à 23 €

Rubis noir – nuance recherchée en joaillerie –, ce vin, sous la clé de voûte de son millésime, fait de son mieux sur des tonalités très mûres, avec de l'ampleur, de la densité et des tanins serrés. Tout le problème est de savoir quand, comme les 76 également caniculaires, les 2003 choisiront l'ouverture. Les amateurs y prendront de l'intérêt, ne serait-ce que « pour voir »... comme on dit au poker.

Chapelle et Fils, Dom. des Hautes-Cornières, 21590 Santenay, tél. 03.80.20.60.09, fax 03.80.20.61.01, e-mail contact@domainechapelle.com t.l.j. sf dim. 9h-12h 14h-17h

DOM. ROBERT ET RAYMOND JACOB Les Valozières 2004 ★

■ 1er cru 0,34 ha 2 000 15 à 23 €

Domaine coup de cœur l'an dernier. Rubis profond, ce 2004 obéit à une dominante de fruits noirs accompagnée d'une touche poivrée – poivre blanc. Le fût est bien enveloppé, fondu et accueillant. Après une attaque franche et homogène, les tanins s'ordonnent avec discipline. L'impression finale est assez aérienne et d'une typicité conforme à son terroir.

Dom. Robert et Raymond Jacob, hameau de Buisson, 21550 Ladoix-Serrigny, tél. 03.80.26.40.42, fax 03.80.26.49.34 r.-v.

F. JEANNIARD 2003 ★

■ 0,59 ha 2 600 11 à 15 €

Étiquette innovante. Très typé soleil, ce 2003 se pare de belles nuances de rouge légèrement violacé. Joli nez fruité, torréfié, flatteur en un mot. L'attaque est directe, dans un contexte qui reste un peu boisé et tannique, ce que peut expliquer son jeune âge. Ce qu'on appelle un vin aux solides vertus de garde.

Dom. Françoise Jeanniard, rue de Pralot, 21420 Pernand-Vergelesses, tél. 06.84.22.79.12, fax 03.80.26.54.92, e-mail francoise.arpaillanges@wanadoo.fr t.l.j. 9h-12h30 14h-19h; dim. sur r.-v.

DANIEL LARGEOT 2004

■ 0,6 ha 3 600 11 à 15 €

Une viticultrice a succédé à ses parents, puis son mari est venu la rejoindre aux vendanges 2002, millésime coup de cœur d'ailleurs à la parution du Guide 2005. À quoi ressemble ce *village* 2004 ? À l'œil de belles larmes signent une robe bigarreau et une forte brillance. Au nez le bigarreau réapparaît sur des notes réglissées. La bouche fruitée repose sur une bonne structure. Net et franc, un vin bien en place.

Daniel Largeot, 5, rue des Brenots, 21200 Chorey-lès-Beaune, tél. 03.80.22.15.10, fax 03.80.22.60.62 r.-v.

LOUIS LATOUR Les Chaillots 2003

■ 1er cru 5 ha 18 000 30 à 38 €

Louis Latour, on le sait, c'est notamment Corton-Grancey, principauté en ce terroir. Grenat en légère évolution, un 2003 caractéristique, très mûr tant au nez (les épices, l'animal) qu'au palais (importante concentration, vinosité et puissance). Au moment de notre dégustation, on a encore affaire à un vin assez fermé, mais sincère et prometteur.

Maison Louis Latour, 18, rue des Tonneliers, 21204 Beaune, tél. 03.80.24.81.00, fax 03.80.22.36.21, e-mail louislatour@louislatour.com

DOM. MARATRAY-DUBREUIL 2003 *

■ 1,27 ha 5 000 11 à 15 €

Il a reçu sa feuille de route. Il la suit à la lettre, la respecte à merveille. De beaux reflets violets, des nuances noires moirées : il brille en société. Notes toastées autour du fruit (framboise fraîche). Au palais les accents sont les mêmes avec un rien d'animal. Son caractère tannique s'efface en fin de parcours et sa persistance sort de l'ordinaire. On le choisira pour un chevreuil...

Dom. Maratray-Dubreuil, 5, pl. du Souvenir, 21550 Ladoix-Serrigny, tél. 03.80.26.41.09, fax 03.80.26.49.07, e-mail maratray-dubreuil@club-internet.fr r.-v.

LES PAULANDS Les Vercots 2004 *

■ 1er cru n.c. n.c. 23 à 30 €

Sur Aloxe-Corton, Les Vercots se signalent ici à l'attention grâce à cette maison Paulands qui figure à la fois sur les guides du vin et sur ceux de la gastronomie (hôtel-restaurant au bord de la nationale). Équilibré et complexe, reposant sur une belle matière encore en évolution, un 2004 rouge cerise noire, esquissant ses futurs arômes sur la torréfaction et les fruits noirs, tendre et soyeux pour commencer, plus serré par la suite. Il pourrait, selon plusieurs de nos dégustateurs, avoir deux étoiles à sa boutonnière.

Caves des Paulands, BP 12, RN 74, 21550 Ladoix-Serrigny, tél. 03.80.26.41.05, fax 03.80.26.47.56, e-mail paulands@wanadoo.fr t.l.j. 8h-12h 14h-18h; f. 19 déc.-9 jan.

C. Fasquel

DOM. DU PAVILLON 2003 *

■ 0,52 ha 2 200 15 à 23 €

Ancienne propriété de la famille Vergnette-Lamotte, passionnée jadis par les progrès vitivinicoles et comptant d'innombrables vignes dans le Beaunois ; elle appartient de nos jours à la maison Albert Bichot. Grenat très sombre tirant sur le noir, cet aloxe-corton se révèle au contact de l'air (petits fruits rouges). La première impression serait-elle la bonne ? Flatteuse en tout cas. Attaque franche, charme des tanins, la bouche persiste et signe.

A. Bichot, Dom. du Pavillon, 6 bis, bd Jacques-Copeau, 21200 Beaune, tél. 03.80.24.37.37, fax 03.80.24.37.38, e-mail bourgogne@albert-bichot.com

DOM. JEAN PETITOT ET FILS La Coutière 2004

■ 1er cru 0,21 ha 1 200 15 à 23 €

Première récolte en aloxe-corton (sur Ladoix, vigne achetée fin 2003 sur quelque cinq ouvrées) pour Hervé Petitot et son épouse Nathalie (œnologue), à la tête du domaine depuis 2002. La couleur est assez soutenue ; le nez frais et jeune, plutôt réservé, inspire confiance. L'attaque est nette, les tanins serrés, le merrain bien présent, la cannelle et le poivre en renfort. Bon fond.

Dom. Jean Petitot et Fils, 26, pl. de la Mairie, 21700 Corgoloin, tél. 03.80.62.98.21, fax 03.80.62.71.64, e-mail domaine.petitot@wanadoo.fr t.l.j. sf dim. 8h-12h 14h-19h

DOM. PRIN 2003

■ 0,95 ha 3 350 11 à 15 €

Rubis clair, limpide, le 2003 offre un nez agréable, tirant sur la framboise. L'attaque ne manque pas de nerf. L'élégance est là ainsi qu'un beau chapelet de caudalies car c'est un vin que l'on garde en bouche. Honorable pour une terrine de lapin ou des charcuteries fines.

Dom. Prin, 12, rue de Serrigny, Cidex 10, 21550 Ladoix-Serrigny, tél. 03.80.26.45.83, fax 03.80.26.46.16, e-mail domaineprin@yahoo.fr r.-v.

Jean-Luc Boudrot

Pernand-vergelesses

Situé à la réunion de deux vallées, exposé plein sud, le village de Pernand est sans doute le plus « vigneron » de la Côte. Rues étroites, caves profondes, vignes de coteaux, hommes de grand cœur et vins subtils lui ont fait une solide réputation, à laquelle de vieilles familles bourguignonnes ont largement contribué. On a produit, en 2005, 3 727 hl de vins rouges dont le premier cru le plus réputé, à juste titre, est l'Île des Vergelesses, tout en finesse ; et aussi d'excellents vins blancs (2 294 hl).

MAISON CHAMPY Clos de Bully 2004 *

■ 0,9 ha 5 100 11 à 15 €

Champy présente deux bouteilles intéressantes : un **village 2004 blanc (15 à 23 €)** frais et fruité, de bonne

BOURGOGNE

composition, cité par le jury, ainsi que ce Clos de Bully dont les vignes sont situées du côté de Magny-lès-Villers. Rouge grenat très foncé, ce dernier affiche un nez de fruits noirs particulièrement impulsif. En bouche, il sait faire la part des choses entre l'aimable et le puissant. Une petite touche d'amertume ponctue la finale de persistance moyenne. Ne pas l'oublier en cave : il se plaira à table dès 2007.
🔑 Champy, 5, rue du Grenier-à-Sel, 21200 Beaune, tél. 03.80.25.09.99, fax 03.80.25.09.95
☒ 🍷 🚶 t.l.j. 10h-12h30 15h-18h; sam. dim. sur r.-v.
🔑 Pierre Meurget et Pierre Beuchet

CHANDON DE BRIAILLES
Île des Vergelesses 2003 *

▒ 1er cru	1 ha	3 600	🛢 23 à 30 €

Un vin que l'on peut dire bien-né tant la demeure, son jardin, le domaine illustrent l'élégance et le charme de l'esprit XVIII[e]s. L'un des lieux les plus beaux de toute la Côte. Cette Île des Vergelesses, paille clair, exprime des arômes de fleurs blanches et de silex, sur fond légèrement balsamique. Le fût est bien fondu, la bouche racée. Les paramètres du millésime conduisent cependant à un service dans les deux ans.
🔑 Dom. Chandon de Briailles, 1, rue Sœur-Goby, 21420 Savigny-lès-Beaune, tél. 03.80.21.52.31, fax 03.80.21.59.15,
e-mail contact@chandondebriailles.com ☒ 🍷 🚶 r.-v.
🔑 Famille de Nicolay

DOM. CHARACHE-BERGERET
Les Belles Filles 2004

■	0,91 ha	2 000	🛢 11 à 15 €

« Bienfaisante l'alchimie qui permet à nos racines de puiser la matière du monde pour en donner son goût au vin », lit-on sur cette étiquette. Rouge profond, nuance cerise, un 2004 sévère et tannique, strict sur une attaque vive, capable de bien vieillir trois à quatre ans : retenez ses capacités de garde. Voyez aussi **Les Combottes village blanc 2004**. On ne les néglige pas.
🔑 Dom. Charache-Bergeret, chem. de Bière, 21200 Bouze-lès-Beaune, tél. et fax 03.80.26.00.86
☒ 🍷 🚶 r.-v.

DOM. DENIS PÈRE ET FILS Sous Frétille 2003

▒ 1er cru	0,6 ha	3 700	🛢 15 à 23 €

Un voisin des familles Copeau et Dasté qui ont fait du village un haut lieu de l'histoire du théâtre. Sous Frétille est un *climat* promu assez récemment en 1er cru. Or paille, ce 2003 au nez de fruits mûrs un peu miellés (l'ambre ?) glisse vers le fruit jaune qui s'offre dans une bouche corpulente. Notez encore le **village rouge 2003 (8 à 11 €)**, un peu austère mais retenant l'attention.
🔑 Dom. Denis Père et Fils, chem. des Vignes-Blanches, 21420 Pernand-Vergelesses, tél. 03.80.21.50.91, fax 03.80.26.10.32,
e-mail denis.pere-et-fils@wanadoo.fr ☒ 🍷 🚶 r.-v. 🏠 Ⓐ

DOM. P. DUBREUIL-FONTAINE PÈRE ET FILS Clos Berthet 2003 *

▒ 1er cru	1 ha	5 000	🛢 15 à 23 €

Le Clos Berthet fait partie d'une promotion de 1ers crus décidée il y a quelques années dans le secteur de Frétille. Un monopole de longue date : au XIX[e]s., il appartenait à la baronne de Gravier ; de nos jours, les Dubreuil-Fontaine en sont propriétaires. Affirmant en bouche une présence solide et harmonieuse, d'une teinte paille mûre, ce vin affiche arômes minéraux et nuances de fruits secs, plénitude et fermeté. Plus carré que rond, il devra dormir un à deux ans en cave. Nul doute qu'il affinera encore ses bonnes manières. Beau **village 2003 rouge (11 à 15 €)**, une étoile également.
🔑 Dom. P. Dubreuil-Fontaine, rue Rameau-Lamarosse, 21420 Pernand-Vergelesses, tél. 03.80.21.55.43, fax 03.80.21.51.69,
e-mail dubreuil.fontaine@wanadoo.fr ☒ 🍷 🚶 r.-v.

DOM. JEAN-MARC DURAND ET FILS 2004 *

▒	0,2 ha	1 200	🛢 8 à 11 €

Le village de Bouze-lès-Beaune occupe une place de choix dans le répertoire de la chanson bourguignonne, grâce à une bique qui « cornait les passants ». Cela dit, on sait aussi y faire du bon vin ! Celui-ci, par exemple. Excellente présentation, avec une pointe d'acidité qui renforce la fraîcheur. Milieu de bouche fruité, finale savoureuse : on y prend grand goût.
🔑 Dom. Jean-Marc Durand et Fils, rue de l'Église, 21200 Bouze-lès-Beaune, tél. et fax 03.80.26.02.57
☒ 🍷 🚶 r.-v.

BAPTISTE GAY Les Belles Filles 2004 **

▒	0,18 ha	1 200	🛢 11 à 15 €

Baptiste Gay a commencé en avril 2003 avec un tout petit hectare de vigne. Rendez-lui visite, son vin le mérite. Ainsi, celui-ci, tout en notes d'agrumes. Jaune soutenu, il montre une complexité passionnante. Une architecture solide et un moelleux confortable. **Les Belles Filles en village rouge 2004 (8 à 11 €)** obtiennent une étoile. Du bon travail : on entendra parler de ce viticulteur.
🔑 Baptiste Gay, rue du Paulant, 21420 Pernand-Vergelesses, tél. 06.22.36.45.65, fax 03.80.21.57.62
☒ 🍷 🚶 t.l.j. 8h-21h; f. autour du 15 août

BENOÎT GERMAIN Les Combottes 2004 *

▒	2,75 ha	10 000	🛢 11 à 15 €

Dire Les Plantes des Champs et Combottes est peut-être un peu long. On comprend pourquoi on se borne à parler ici des Combottes : un coteau situé sur le début de la route d'Échevronne. Or léger, finement minéral, ce vin joue la franchise. Le bonheur en bouche est bien souple, l'élevage en fût convenablement intégré : prêt à être servi. Les fondateurs du domaine (il y a cinq générations !) étaient régisseurs des Hospices de Beaune. Leur maison, rebâtie au XVII[e]s. après un incendie, repose sur un château du XIII[e]s.
🔑 SARL Benoît Germain, rue des Moutots, 21200 Chorey-lès-Beaune, tél. 03.80.24.06.39, fax 03.80.24.77.72, e-mail domaine-chateau-de-chorey@wanadoo.fr ☒ 🍷 🚶 r.-v. 🏠 ❼

DOM. JEAN-JACQUES GIRARD
Les Belles Filles 2004

▒	1,03 ha	7 600	🛢 11 à 15 €

Léger gris or vert limpide et riche en éclat, ces Belles Filles portent évidemment de jolies robes. Leur parfum demeure discret et de bon goût, d'une fraîcheur fruitée : naturel et « enfant du pays ». L'acidité est correcte, le boisé maîtrisé. À déboucher avant 2008.
🔑 Dom. Jean-Jacques Girard, 16, rue de Cîteaux, BP 17, 21420 Savigny-lès-Beaune, tél. 03.80.21.56.15, fax 03.80.26.10.08, e-mail jjacquesgirard@aol.com
☒ 🍷 🚶 t.l.j. sf dim. 8h-12h 14h-19h

DOM. DOMINIQUE GUYON Les Vergelesses 2003 ★

■ 1er cru 0,58 ha 3 000 15 à 23 €

« Qui voit Pernand n'est pas dedans », disait-on jadis quand on faisait le chemin à pied. Si on voit le village de loin, on le goûte de près. Cette bouteille en offre l'occasion rêvée. Grenat très foncé, elle porte une robe typée 2003. Son bouquet parle le pinot comme on l'aime : noyau de cerise, violette, un peu de poivre là-dessus. Bonne attaque et suivi souple, nuances persistantes de fruits rouges. Idéal sur une viande... rouge.

Dom. Dominique Guyon, 21420 Savigny-lès-Beaune, tél. 03.80.67.13.24, fax 03.80.66.85.87, e-mail domaine@guyon-bourgogne.com r.-v.

JAFFELIN Creux de la Net 2004

■ 1er cru n.c. n.c. 15 à 23 €

Voici de retour notre coup de cœur de l'édition 2004, et cette fois sous ce millésime. Jaffelin (faisant partie du groupe Jean-Claude Boisset) garde sa personnalité et ses caves historiques à Beaune, celles du chapitre de Notre-Dame. Le Creux de la Net est un *climat* peu étendu, côté Savigny. Rouge sombre intense à reflets rubis, ce vin déploie une palette aromatique évoquant la cerise noire, le bourgeon de cassis. À ce nez de plaisir s'ajoute un caractère nettement tannique mais sans agressivité. Une certaine complexité et un goût un peu vanillé. Garde : trois ou quatre ans.

Maison Jaffelin, 2, rue Paradis, 21200 Beaune, tél. 03.80.22.12.49, fax 03.80.24.91.87, e-mail jaffelin@maisonjaffelin.com

DOM. JAFFELIN PÈRE ET FILS
Clos de Bully 2003

■ n.c. n.c. 8 à 11 €

Clos de Bully ? En remontant sur Magny-lès-Villers. Pourpre velouté, ce 2003 moyennement aromatique (groseille en dernière analyse) est bien dans l'appellation ; fait comme il faut, il offre une bonne suite réglissée au palais. Une curiosité : cette cave et cette cuverie sont nées du rachat par Roger Jaffelin du... réservoir d'eau de la commune en 1973.

Roger Jaffelin et Fils, 21420 Pernand-Vergelesses, tél. 03.80.21.52.43, fax 03.80.26.10.39 t.l.j. 9h-12h 14h-19h; dim. sur r.-v.

DOM. FRANÇOISE JEANNIARD 2004

0,3 ha 1 700 11 à 15 €

Le domaine atteint la quatrième génération : Françoise s'occupe ici de tout. À quatre-vingts ans passés, il est vrai, son père monte sur l'enjambeur avec une ardeur de jeune homme : « Buvez du pernand, vous vivrez longtemps ! » Un chardonnay qui attaque vif, puis qui se montre plus ample que long, d'une rondeur agréable. Limpide et brillant, il développe une finesse un peu boisée.

Dom. Françoise Jeanniard, rue de Pralot, 21420 Pernand-Vergelesses, tél. 06.84.22.79.12, fax 03.80.26.54.92, e-mail francoise.arpaillanges@wanadoo.fr t.l.j. 9h-12h30 14h-19h; dim. sur r.-v.

DOM. MICHEL JOANNET Les Fichots 2003 ★★

■ 1er cru 0,2 ha 950 11 à 15 €

Même si Pernand n'est guère éloigné de Marey-lès-Fussey, posséder un 1er cru dans la Côte vaut brevet de noblesse dans les Hautes-Côtes. Michel Joannet offre un remarquable 2003 aux notes confites, mariant la mûre et les épices, onctueux et long, discrètement tannique. Un vin qui n'a pas besoin de jouer des coudes pour s'imposer. À consommer toutefois dès cette année. Le **village 2003 rouge (5 à 8 €)** mérite une étoile.

Dom. Michel Joannet, Grande-Rue, 21700 Marey-lès-Fussey, tél. et fax 03.80.62.90.58, e-mail domaine-michel.joannet@wanadoo.fr r.-v.

DOM. LALEURE-PIOT Île des Vergelesses 2004 ★

■ 1er cru 0,49 ha 2 500 15 à 23 €

Le millésime 1996 reçut le coup de cœur dans notre édition 1999 : distinction qui n'est pas si fréquente en pernand-vergelesses. Le *climat* s'appelle en réalité Île des Hautes-Vergelesses et il se trouve, bien sûr, à la frontière avec Savigny. À attendre un à deux ans, en le surveillant néanmoins. Un vin bien vinifié et déjà porteur de maturité, d'une complexité remarquable pour un 2004, d'extraction soignée, long et franc.

Dom. Laleure-Piot, rue de Pralot, 21420 Pernand-Vergelesses, tél. 03.80.21.52.37, fax 03.80.21.59.48, e-mail infos@laleure-piot.com t.l.j. 8h-12h 14h-18h; sam. dim. sur r.-v.

BOURGOGNE

DOM. MARATRAY-DUBREUIL
Les Vignes blanches 2004 ★

0,57 ha 3 600 8 à 11 €

Le long de la route d'Échevronne, le *climat* s'appelle Es Larret et Vignes blanches. Disons Vignes blanches pour simplifier. Une chance : un chardonnay ! Or pâle, assez ouvert et friand, il se partage entre le minéral et le floral. Vif et frais, spontané, il nous fait penser à ces jeunes comédiens réunis autour de Jacques Copeau à Pernand et qui, de cuverie en salle des fêtes, chantaient si bien la vigne et le vin durant les années 1920 et 1930.

Dom. Maratray-Dubreuil, 5, pl. du Souvenir, 21550 Ladoix-Serrigny, tél. 03.80.26.41.09, fax 03.80.26.49.07, e-mail maratray-dubreuil@club-internet.fr r.-v.

PIERRE MAREY ET FILS
Les Belles Filles 2003 ★★

■ 1,71 ha 8 000 8 à 11 €

MIS EN BOUTEILLE AU DOMAINE — RÉCOLTE 2003
PERNAND-VERGELESSES
"LES BELLES FILLES"
Appellation Pernand-Vergelesses Contrôlée
EARL Pierre MAREY et Fils
Propriétaires-Viticulteurs à Pernand-Vergelesses, Côte-d'Or, France
75 cl — PRODUCT OF FRANCE — 13% vol.

Elles n'ont pas volé leur nom, ces Belles Filles ! Et ce n'est pas un nom de fantaisie : le *climat* s'appelle d'ailleurs Sous le Bois de Noël et Belles Filles. Pourpre grenat à reflets bleutés, ce 2003 au bouquet élégant et riche (griotte) offre un corps très attrayant. Tannique sans excès, plein et gras, il bénéficie d'un fût bien fondu. Gardant en outre une fraîcheur remarquable, il se situe nettement en tête de toutes les bouteilles dégustées dans l'appellation.

EARL Pierre Marey et Fils, rue Jacques-Copeau, 21420 Pernand-Vergelesses, tél. 03.80.21.51.71, fax 03.80.26.10.48 r.-v.

DOM. PAVELOT 2004 *

	0,7 ha	3 400	11 à 15 €

Quand on met sur son étiquette un vendangeur tenant sur l'épaule son panier-porteur, on est quelque peu obligé d'apporter les raisins à la cuverie dans l'osier traditionnel. C'est le cas ! Citons le **Sous Frétille 1er cru blanc 2004 (15 à 23 €)** et celui-ci : or clair de brillance moyenne, il dépayse aux coups de nez par des notes de fruits frais, de mangue... Pas déplaisant. D'une belle acidité, l'ensemble structuré finit sur le fruit. À servir maintenant.

EARL Dom. Luc et Régis Pavelot, rue du Paulant, 21420 Pernand-Vergelesses, tél. 03.80.26.13.65, fax 03.80.26.10.36, e-mail earl.pavelot@cerb.cernet.fr r.-v.

DOM. RAPET PÈRE ET FILS
Île des Vergelesses 2004

1er cru	0,75 ha	3 000	15 à 23 €

La Bourgogne fut recouverte par une mer chaude et peu profonde de type polynésien. Mais c'était il y a cent cinquante millions d'années. « Cela fait déjà ! », diraient les Bourguignons ! L'Île des Vergelesses rappelle en quelque sorte cette vocation bien ancienne... On y débarque sous des traits rubis de belle intensité un nez framboisé. Après une attaque assez séduisante, les tanins se révèlent déliés. À déguster dans l'année qui arrive en restant à cette escale.

Dom. Rapet Père et Fils, pl. de la Mairie, 21420 Pernand-Vergelesses, tél. 03.80.21.59.94, fax 03.80.21.54.01 r.-v.

DOM. ROLLIN PÈRE ET FILS
Les Vergelesses 2003 **

1er cru	0,3 ha	1 500	11 à 15 €

Si vous ne savez pas ce qu'est dans la Côte une *cabote*, il y en a une sur l'étiquette (cabane en pierre sèche pour s'abriter, ranger les outils, faire le casse-croûte à l'ombre). Quelles jolies Vergelesses ! La bouche va crescendo et la souplesse de l'attaque fait bientôt place à la richesse. Robe intense, nez de fruits rouges hésitant entre le frais et le confit ; il a disputé la finale du coup de cœur et trouvé des partisans. Le **1er cru Sous Frétille blanc 2004 (15 à 23 €)** obtient une étoile.

Rollin Père et Fils, rte des Vergelesses, 21420 Pernand-Vergelesses, tél. 03.80.21.57.31, fax 03.80.26.10.38, e-mail rollin.pereetfils@wanadoo.fr r.-v.

DOM. NICOLAS ROSSIGNOL 2003 *

	0,5 ha	900	11 à 15 €

Grenat à forte intensité, tournant autour de la cerise confite et d'arômes réglissés, un *village* assez harmonieux. Au palais, un petit côté animal et ce qu'il faut de charpente. La présence du bois grillé lui donne un certain style qui l'a plutôt soutenu au sein du jury à l'heure des ultimes réflexions.

Nicolas Rossignol, rue de Mont, 21190 Volnay, tél. 03.80.21.62.43, fax 03.80.21.27.61, e-mail nicolas-rossignol@wanadoo.fr r.-v.

DOM. MICHEL VOARICK 2003

	2,39 ha	6 000	8 à 11 €

Pierre Voarick, installé à Aloxe en 1924 comme vigneron des Hospices de Beaune, acquit une belle maison du XVIIIe s. sur la place du village. Ses descendants proposent un vin doté de beaucoup de matière en bouche, de tanins distingués, de fruits (mûre) et d'une robe rouge appuyé. Le nez puissant et concentré, confituré même, porte la marque de son cru et de son millésime.

Dom. Michel Voarick, pl. du Chapitre, 21420 Aloxe-Corton, tél. 03.80.26.40.44, fax 03.80.26.41.22, e-mail voarickmichel@aol.com t.l.j. 9h-19h30

Corton

La « montagne de Corton » est constituée, du point de vue géologique et donc du point de vue des sols et des types de vins, de différents niveaux. Couronnées par le bois qui pousse sur les calcaires durs du rauracien (oxfordien supérieur), les marnes argoviennes laissent apparaître des terres blanches propices aux vins blancs (sur plusieurs dizaines de mètres). Elles recouvrent la « dalle nacrée » calcaire en plaquettes, avec de nombreuses coquilles d'huîtres de grande dimension, sur laquelle ont évolué des sols bruns propices à la production de vins rouges.

Le nom du lieu-dit est associé à l'appellation corton, qui peut être utilisée en blanc, mais est surtout connue en rouge. Les Bressandes sont produits sur des terres rouges et allient à la puissance la finesse que leur confère le sol. En revanche, dans la partie haute des Renardes, des Languettes et du Clos du Roy, les terres blanches donnent en rouge des vins charpentés qui, en vieillissant, prennent des notes animales, sauvages, que l'on retrouve dans les Mourottes de Ladoix. Le corton est le grand cru le plus important en volume : sur une centaine d'hectares il a produit 3 576 hl en rouge et 307 hl en blanc en 2005.

PIERRE ANDRÉ Les Chaumes 2004

Gd cru	0,6 ha	3 000	+ de 76 €

Les Chaumes sont un *climat* effilé qui monte la combe d'Aloxe à Pernand. Le pinot noir y côtoie, à quelques mètres seulement, le chardonnay du corton-charlemagne. Mais chacun dans son camp ! Léger sentiment d'évolution à l'œil, comme beaucoup de 2004 ; cela est sans conséquence sur la suite. Élevé quinze mois en fût, ce vin est encore fermé. On en parlera vraiment d'ici trois à cinq ans. Mais l'attaque est efficace, aimable. La bouche est sincère ; les fruits noirs ne sont pas trop cachés par le boisé. À ne pas ouvrir avant deux ans.

Pierre André, Ch. de Corton-André, 21420 Aloxe-Corton, tél. 03.80.26.44.25, fax 03.80.26.43.57, e-mail france@corton-andre.com t.l.j. 10h-12h 14h30-18h

ARNOUX PÈRE ET FILS Rognet 2004 *

Gd cru	0,33 ha	1 500	30 à 38 €

Cette parcelle a été achetée en 1984 à la maison Charles Viénot. Grenat profond, le nez frais et ouvert sur le sous-bois et la mousse comme s'il allait au muguet un 1er mai, ce millésime est agréable, d'un fruit croquant, d'une matière assez serrée, aux tanins soyeux. Il faudra l'aérer.

Arnoux Père et Fils, rue des Brenots,
21200 Chorey-lès-Beaune, tél. 03.80.22.57.98,
fax 03.80.22.16.85 r.-v.

DOM. VINCENT BOUZEREAU
Clos des Fiètres 2003 *

Gd cru	0,3 ha	1 500	30 à 38 €

Les Fiètres se trouvent tout près des maisons, quand on quitte Aloxe pour se rendre à Pernand. Ce serait un ancien cimetière gallo-romain. Rouge griotte, ce 2003 partage son nez entre le fruit cuit et la noisette grillée (dix-huit mois en fût). Sa bouche est opulente, peu acide évidemment, en raison de son année de naissance. La chaleur accompagne la dégustation pour la même raison. L'équilibre est pourtant acquis.

Vincent Bouzereau, 25, rue de Mazeray,
21190 Meursault, tél. 03.80.21.61.08,
fax 03.80.21.65.97,
e-mail vincent.bouzereau@wanadoo.fr r.-v.

DOM. HENRI ET GILLES BUISSON
Le Rognet et Corton 2003 *

Gd cru	0,33 ha	1 500	30 à 38 €

« Duroy avait trouvé le corton à son goût et il laissait chaque fois emplir son verre », écrit Maupassant dans *Bel-Ami*. « Il se sentait envahi par un bien-être complet. » Jolie citation pour introduire ce Rognet et Corton 2003 (vendangé début septembre, c'est-à-dire assez tard). Intensité de la robe, nez de fruits bien mûrs, attaque fruitée et ronde, la chaleur de l'alcool et la complexité des tanins de qualité, il passe la barre. Conforme à Maupassant : « ... une gaieté chaude qui le pénétrait tout entier », ajoute-t-il.

Dom. Henri et Gilles Buisson, imp. du Clou,
21190 Saint-Romain, tél. 03.80.21.27.91,
fax 03.80.21.64.87,
e-mail contact@domaine-buisson.com
t.l.j. 8h-12h 13h30-17h30; sam. dim. sur r.-v. E

CAPITAIN-GAGNEROT Renardes 2004 *

Gd cru	0,33 ha	1 500	30 à 38 €

« Loyauté fait ma force. » Ceci n'est pas seulement une devise inscrite sur l'étiquette. Michel et Patrice Capitain continuent une lignée bicentenaire et on rappellera pour mémoire qu'à la génération précédente on n'hésitait pas à déclasser un grand cru en *village* quand il paraissait insuffisant. Ce Renardes s'habille de cerise noire. Le nez prend place entre l'épice (quinze mois en fût) et le sous-bois. Il a la profondeur moyenne d'un 2004, mais aussi une longueur non négligeable et un équilibre stable. Très beau travail.

Capitain-Gagnerot, 38, rte de Dijon,
21550 Ladoix-Serrigny, tél. 03.80.26.41.36,
fax 03.80.26.46.29,
e-mail contact@capitain-gagnerot.com r.-v.

DOM. CHEVALIER Rognet 2003 *

Gd cru	1,16 ha	3 000	38 à 46 €

Domaine plus que centenaire : Émile Dubois, son gendre Émile Chevalier, puis Georges, puis Claude... La première acquisition en grand cru corton date de 1948 : au fil des ans, cette AOC est passée de dix ouvrées à 1,16 ha. Récolté le 20 août 2003, ce raisin historique donne un vin typé par son millésime : gras, profond, chaleureux, agréable et bien réussi. La robe est assurément très belle. De garde ? Dans les trois ans.

SCE Chevalier Père et Fils, Buisson,
21550 Ladoix-Serrigny, tél. 03.80.26.46.30,
fax 03.80.26.41.47, e-mail ladoixch@club-internet.fr
r.-v.

DOM. CORNU 2003 *

Gd cru	0,61 ha	3 000	30 à 38 €

Le client le plus célèbre du domaine s'appelait Maurice Chevalier : il entretenait sa voix avec du corton et non pas – comme on aurait pu le croire – avec du vin de Montmartre. Voici, rouge grenat profond, un enfant du 20 août 2003, au bouquet de cassis très mûr et d'épices (dix-huit mois en fût), fruits et épices que l'on retrouve en bouche mêlés aux notes de gibier. L'attaque est souple, la structure sérieuse, le comportement assez long. À ouvrir en 2007 ou 2008. Coup de cœur pour le millésime 1997.

Dom. Cornu, rue du Meix-Grenot,
21700 Magny-lès-Villers, tél. 03.80.62.92.05,
fax 03.80.62.72.22, e-mail domaine.cornu@wanadoo.fr
r.-v.

DOM. FOLLIN-ARBELET Bressandes 2004 *

Gd cru	0,4 ha	2 000	30 à 38 €

« Ils peuvent soutenir les voyages de long cours », écrit au début du XIXe s. le Dr Denis Morelot à propos des vins d'Aloxe. Ne soumettons cependant pas ce Bressandes aux épreuves d'un tour du monde. Mais de deux choses l'une : soit vous le buvez jeune et il faut impérativement le carafer (pour extraire ses arômes concentrés et un peu fermés), soit vous le laissez venir à vous. Le mieux, selon le jury, car sa structure est très importante, du bon travail. Le **corton 2004 grand cru** sans indication de *climat* obtient une citation : il est bien fait et devra attendre trois ans.

Dom. Follin-Arbelet, Les Vercots,
21420 Aloxe-Corton, tél. 03.80.26.46.73,
fax 03.80.26.43.32,
e-mail franck.follin-arbelet@wanadoo.fr r.-v.

DOM. MICHEL GAY ET FILS Renardes 2004 *

Gd cru	0,21 ha	1 030	30 à 38 €

Le nez « renarde », c'est ce qu'un dégustateur écrit sans connaître le *climat*, puisque l'anonymat doit être préservé : ces choses-là n'échappent pas aux experts. Ce 2004 fin et racé, complet jusqu'en finale, est certes encore tannique mais avec mesure ; le civet de lièvre n'y verra pas d'objection.

EARL Dom. Michel Gay, 1b, rue des Brenots,
21200 Chorey-lès-Beaune, tél. 03.80.22.22.73,
fax 03.80.22.95.78 r.-v.

DOM. ANNE-MARIE GILLE Les Renardes 2004

Gd cru	0,16 ha	900	30 à 38 €

Le village de Comblanchien a donné son nom à la couche de calcaire dur exploité pour la construction. C'est là qu'est installé ce domaine dont Les Renardes sauront accompagner un gigot d'agneau à défaut de biche. D'un rouge puissant, elles offrent un joli nez fruité. La bouche poursuit le même discours.

Dom. Anne-Marie Gille, 34, RN 74,
21700 Comblanchien, tél. 03.80.62.94.13,
fax 03.80.62.99.88, e-mail domaine.gille@wanadoo.fr
r.-v.

DOM. ANTONIN GUYON Clos du Roy 2003 ★

■ Gd cru 0,55 ha 1 400 30 à 38 €

Puissant, le Clos du Roy est souvent considéré comme le corton des cortons. Ces 55 a témoignent d'une monarchie éclairée et assez démocratique. Le régime parlementaire laisse s'exprimer l'acidité et les tanins. La robe est belle, le nez boisé par un strict maintien de dix-huit mois en fût (épices, un rien d'animal). Riche à l'évidence. Il a été vendangé le 27 août 2003. Le boisé marqué devra encore se fondre.

Dom. Antonin Guyon, 21420 Savigny-lès-Beaune, tél. 03.80.67.13.24, fax 03.80.66.85.87, e-mail domaine@guyon-bourgogne.com r.-v.

PHILIPPE HÉBERT Perrières 2004 ★★

■ Gd cru 1 ha 1 600 + de 76 €

Corton « sur pierres », les Perrières ont une réputation féminine. Celui-ci se rattache en peinture à l'école du fauvisme par sa robe d'un noir violacé. Il s'apparente en musique à un duo d'opéra où la chair du fruit dialogue avec le fût dans le rôle du ténor. En littérature, le style ne heurte pas (aucune violence tannique) et le naturalisme est traité avec chaleur. Cela se lit d'un trait et les chapitres sont nombreux. À poser sur sa table de nuit pendant cinq à dix ans...

Maison Philippe Hébert, 1, pl. Saint-Jacques, BP 327, 21200 Beaune, tél. 03.80.22.62.58, fax 03.80.24.65.72, e-mail maison.philippe.hebert@wanadoo.fr r.-v.

DOM. LALEURE-PIOT Bressandes 2004 ★★

■ Gd cru 0,21 ha 1 000 38 à 46 €

Deux vins superbes : le **Rognet 2004 (30 à 38 €)** et ce Bressandes. On est de plain-pied dans le grand cru. Si l'on avait des tâtevins d'honneur à distribuer, Laleure-Piot en recevrait un pour ses 2004. On le hume et plutôt trois fois qu'une : cerise noire, souffle sauvage, boisé discret. Le fruit revient au palais sur des tanins si ronds, si fondus qu'ils attendrissent le jury. La fraîcheur ajoute un plus à l'harmonie générale. À servir dans les trois à quatre ans. On n'ose vous suggérer le lièvre à la royale... Mais on peut toujours l'imaginer sur un excellent lapin chasseur. Coup de cœur pour ses millésimes 2002 et 1998 !

Dom. Laleure-Piot, rue de Pralot, 21420 Pernand-Vergelesses, tél. 03.80.21.52.37, fax 03.80.21.59.48, e-mail infos@laleure-piot.com t.l.j. 8h-12h 14h-18h; sam. dim. sur r.-v.

LOUIS LATOUR Clos de la Vigne au Saint 2003 ★

■ Gd cru n.c. n.c. 46 à 76 €

Dynastie respectée du vin de Bourgogne, les Latour sont originaires d'Aloxe au XVIII[e]s. et ils ont acquis en 1891 la cuverie et les vignes des comtes de Grancey : un monument ! Cette Vigne au Saint, vendangée le 25 août 2003, est colorée, parfumée et de bonne constitution. Sa force intérieure n'est pas considérable, mais ce sera un excellent vin de plaisir d'ici 2010. Inutile de chercher en vain la grive ou le perdreau : la caille et le pigeon feront très bien l'affaire.

Maison Louis Latour, 18, rue des Tonneliers, 21204 Beaune, tél. 03.80.24.81.00, fax 03.80.22.36.21, e-mail louislatour@louislatour.com

LOUIS LEQUIN Les Languettes 2003 ★

■ Gd cru 0,09 ha 540 23 à 30 €

Coup de cœur pour son corton-charlemagne 1997, le domaine présente des Languettes rouge (ce *climat* plutôt marneux convient également à l'élégance du chardonnay) nées le 27 août 2003. La robe grenat profond, le nez de cassis et de moka, discrètement vanillé (douze jours en cuve, douze mois en fût) annoncent un vin sérieux : l'attaque bénéficie d'un raisin bien travaillé, extrait sans excès. Naturellement, un 2003 est un 2003 : beaucoup de structure, la chaleur communicative de cet été de plein soleil, un goût de pruneau qui reste longtemps.

Dom. Louis Lequin, 1, rue du Pasquier-du-Pont, 21590 Santenay, tél. 03.80.20.63.82, fax 03.80.20.67.14, e-mail louis.lequin@wanadoo.fr r.-v.

DOM. MAILLARD PÈRE ET FILS Renardes 2004 ★

■ Gd cru n.c. n.c. 30 à 38 €

Soyeux et musclé, il réalise l'ambition de la plupart des grands bourgognes rouges. En 2004, l'exercice n'était pas simple. Tous nos dégustateurs sont d'accord pour saluer l'excellence du produit et de sa vinification. Rondeur, élégance, kirsch épicé en finale, fine réglisse, il ne montre aucune agressivité tannique ou acide tout en faisant jeu égal avec les meilleurs. Délicat et chaleureux, à attendre deux à trois ans pour la côte de bœuf aux morilles. Coup de cœur pour ses millésimes 2000 et 1998.

Dom. Maillard Père et Fils, 2, rue Joseph-Bard, 21200 Chorey-lès-Beaune, tél. 03.80.22.10.67, fax 03.80.24.00.42 r.-v.

DOM. MICHEL MALLARD ET FILS Les Renardes 2003 ★

■ Gd cru 0,65 ha 2 800 38 à 46 €

Récolté le 2 septembre 2003, ce vin d'un rouge intense conserve sa puissance jusqu'en arrière-bouche. Son bouquet n'est pas trop expansif, un peu réglissé, un peu chocolaté (douze mois en fût), mais les arômes floraux et fruités se perçoivent aisément. Complet, assez soyeux, ce millésime ne commet aucun excès et reste de bout en bout dans une sage mesure. Une côte de bœuf suivie d'un fondant au chocolat : suggestion d'une dégustatrice.

Dom. Michel Mallard et Fils, 43, rte de Dijon, 21550 Ladoix-Serrigny, tél. 03.80.26.40.64, fax 03.80.26.47.49, e-mail domainemallard@hotmail.fr r.-v.

DOM. MARATRAY-DUBREUIL Bressandes 2003 ★

■ Gd cru 0,07 ha 1 200 23 à 30 €

On se demande parfois pourquoi il y a tant de domaines aux noms accolés dans ce vignoble. Hommage aux dames ! Selon la tradition, l'épouse prend part au nom du domaine si elle apporte des vignes dans le panier-porteur des noces. Ou si son mari est aussi amoureux que gentil, même sans dot en ceps... Ce 2003 vendangé le 21 août (on a sorti rapidement les sécateurs) est d'une sombre vivacité. Une personnalité éminente de l'œnologie le décrit ainsi : « boisé avec une nuance café qui n'écrase pas le fruit ; bonne structure aux tanins très fins ; bonne persistance aromatique ; bien équilibré sans le côté chaud du millésime et de garde (cinq à six ans). »

⊶ Dom. Maratray-Dubreuil, 5, pl. du Souvenir, 21550 Ladoix-Serrigny, tél. 03.80.26.41.09, fax 03.80.26.49.07, e-mail maratray-dubreuil@club-internet.fr ☑ Ⲧ ⛹ r.-v.

DOM. PRINCE FLORENT DE MERODE

Clos du Roi 2004 *

■ Gd cru 0,57 ha 2 000 ▮⏸ 30 à 38 €

Un Clos du Roi signé par le prince Florent de Merode, châtelain de Serrigny et viticulteur de renom, le plus ancien propriétaire de vignes en corton, certaines parcelles datant de la seigneurie d'Aloxe. La robe est ici parfaite et le nez de fruits mûrs un peu sauvage est marqué par le terroir. Au palais, l'équilibre, la rondeur, la finale soyeuse se conjuguent à une simplicité réglissée qui témoigne d'un élevage impeccable. **Les Bressandes 2004** méritent également une étoile.

⊶ Prince Florent de Merode, 3, rue du Château, 21550 Ladoix-Serrigny, tél. 03.80.26.40.80, fax 03.80.26.49.37 ☑ Ⲧ ⛹ r.-v.

DOM. DIDIER MEUNEVEAUX

Bressandes 2004 *

■ Gd cru 0,25 ha 1 200 ⏸ 23 à 30 €

Didier Meuneveaux est le neveu de René Quénot, longtemps président du Syndicat des vignerons d'Aloxe-Corton. Cette vieille famille fut liée jadis aux maisons Arbelet et Latour. Elle signe un 2004 pourpre net qui mise tout sur le fruit. Et il gagne ! Très rond et peu tannique, il veut plaire jeune et jouera cette carte avec bonheur dès que le boisé se sera fondu.

⊶ Didier Meuneveaux, 9, pl. des Brunettes, 21420 Aloxe-Corton, tél. 03.80.26.42.33, fax 03.80.26.48..60, e-mail tmeuneveaux@club-internet.fr ☑ Ⲧ ⛹ r.-v.

DOM. NUDANT Bressandes 2004

■ Gd cru 0,6 ha 3 000 ⏸ 30 à 38 €

« Le roi des bons vivants », a-t-on dit du corton. Il est vrai que celui-ci respire la santé tant physique que morale. La robe de ce 2004 se teinte de reflets grenat. Son bouquet (sous-bois, pruneau cuit, une pointe animale dans l'esprit d'une partie de chasse) est bien mûr. Structuré mais déjà rond et d'accès facile, cette bouteille remplit le contrat sans ajouter trop de conditions suspensives. Prête au service.

⊶ Dom. Nudant, 11, rte de Dijon, 21550 Ladoix-Serrigny, tél. 03.80.26.40.48, fax 03.80.26.47.13, e-mail domaine.nudant@wanadoo.fr ☑ Ⲧ ⛹ r.-v.

DOM. DU PAVILLON

Clos des Maréchaudes 2004 **

■ Gd cru 0,55 ha 3 000 ⏸ 46 à 76 €

La maison Albert Bichot avait des vignes, qu'elle vendit... Puis, dès 1964, elle opéra un retour en force dans la propriété : Clos Frantin, Lupé-Cholet, ici le Pavillon et dans tous les cas des domaines historiques. Entre Paulands et Vergennes, Aloxe et Ladoix, ce Clos des Maréchaudes est un monopole (0,55 ha). Ses seize mois en fût laissent une impression toastée, sur un support important de cassis ou myrtille. Équilibré et concentré, d'une persistance sensuelle, un vin très prometteur et qu'il serait dommage d'ouvrir trop tôt.

⊶ A. Bichot, Dom. du Pavillon, 6 bis, bd Jacques-Copeau, 21200 Beaune, tél. 03.80.24.37.37, fax 03.80.24.37.38, e-mail bourgogne@albert-bichot.com

VIRGINIE PILLET 2004 **

■ Gd cru 1 ha 5 000 ⏸ 23 à 30 €

Brillant, intense, ce vin entre tout de suite dans le vif du sujet. La robe ne fait pas un faux pli. Les fruits rouges en compote esquissent le bouquet futur. Tirant plus tard sur l'animal, il aimera le civet de chevreuil. Un corps plein de richesses intérieures, modeste et réservé car il se sait de vraie longue garde.

⊶ Dom. P. Dubreuil-Fontaine, rue Rameau-Lamarosse, 21420 Pernand-Vergelesses, tél. 03.80.21.55.43, fax 03.80.21.51.69, e-mail dubreuil.fontaine@wanadoo.fr ☑ Ⲧ ⛹ r.-v.

DOM. JACQUES PRIEUR Bressandes 2003 *

■ Gd cru 0,73 ha 2 050 ⏸ + de 76 €

Vin de soleil, 2003 jusqu'au bout des ongles. Ses caractères : robe rouge sang, fruit rouge confituré et notes chocolatées, bouche très ronde et longuement aromatique (nuances poivrées et fruitées) qui ne cache pas la chaleur de l'alcool. L'année était vraiment particulière. Ce vin est destiné à des connaisseurs qui sauront le comprendre.

⊶ Dom. Jacques Prieur, 6, rue des Santenots, 21190 Meursault, tél. 03.80.21.23.85, fax 03.80.21.29.19, e-mail info@prieur.com ☑ Ⲧ ⛹ r.-v.

DOM. PRIN Bressandes 2003

■ Gd cru 0,68 ha 2 700 ⏸ 23 à 30 €

Jean-Luc Boudrot conduit depuis 1994 le domaine familial de 5,5 ha. Cette parcelle de Bressandes fut achetée à un viticulteur célibataire sans héritier. Ce 2003 vendangé le 26 août porte une robe grenat assez foncé, parfumée de cassis et de vanille bien fondus. On s'attendait à un corps plus structuré, plus corpulent : mais son manque d'ampleur n'enlève rien au plaisir qu'on y prendra si l'on veut bien lui présenter nourriture à sa convenance dans un an ou deux.

⊶ Dom. Prin, 12, rue de Serrigny, Cidex 10, 21550 Ladoix-Serrigny, tél. 03.80.26.45.83, fax 03.80.26.46.16, e-mail domaineprin@yahoo.fr ☑ Ⲧ r.-v.

⊶ Jean-Luc Boudrot

DOM. RAPET PÈRE ET FILS 2004 *

■ Gd cru 0,75 ha 3 000 ⏸ 30 à 38 €

Nouvelle cuverie depuis 2002 : le progrès rejoint la tradition à laquelle les Rapet sont attachés. Grenat violacé, un corton ouvert sur la mûre et l'animal. Une certaine gravité s'exprime en bouche, mais le jury est à la recherche du juste mot pour traduire cette démarche rectiligne et fraîche, attentive à ne pas se laisser distraire. Les tanins sont soyeux. Pour un gibier légèrement faisandé ou mariné, dans quatre à six ans.

⊶ Dom. Rapet Père et Fils, pl. de la Mairie, 21420 Pernand-Vergelesses, tél. 03.80.21.59.94, fax 03.80.21.54.01 ☑ Ⲧ ⛹ r.-v.

Corton-charlemagne

L'appellation charlemagne, dans laquelle jusqu'en 1948 pouvait entrer l'aligoté, n'est pas utilisée. Le grand cru corton-charlemagne s'étend sur 63 ha et a produit 1 967 hl en 2005, dont la plus grande partie vient des communes de Pernand-Vergelesses et d'Aloxe-Corton. Les vins de cette appellation – dont le nom est dû à l'empereur Charles le Grand qui aurait fait planter des blancs pour ne pas tacher sa barbe – sont d'un bel or vert et atteignent leur plénitude après cinq à dix ans.

BERTRAND AMBROISE 2004 ★★

Gd cru 0,33 ha 2 000 38 à 46 €

Deux églises, l'une à Premeaux qui a conservé chœur et transept du XIII[e]s., l'autre à Prissey, du XII[e]s., dont les dalles funéraires sont décorées d'instruments de vigneron. Deux excellentes raisons pour vous y rendre, sans compter l'intérêt de cette maison dont le siège n'a pas bougé depuis trois cents ans. De ce grand cru doré brillant émanent des parfums de chèvrefeuille, de mangue, de boisé torréfié. Ample, doté d'une belle matière, il ne manque pas de longueur.

Maison Bertrand Ambroise, rue de l'Église, 21700 Premeaux-Prissey, tél. 03.80.62.30.19, fax 03.80.62.38.69, e-mail bertrand.ambroise@wanadoo.fr r.-v.

PIERRE ANDRÉ 2004

Gd cru 1 ha 4 000 + de 76 €

Figure flamboyante du vin de Bourgogne, Pierre André passa un jour dans la Côte, eut le coup de foudre, acquit cette demeure bourgeoise qu'on appelle ici le « château jaune » et qui avait ruiné son bâtisseur, créa une maison à son nom ainsi qu'une autre, la Reine Pédauque. Imaginatif et créatif, il apporta beaucoup au marketing dès les années 1920. Ces activités de négoce-éleveur ont été acquises par le groupe Ballande implanté aussi à Bordeaux. Christain Ciamos continue de s'en occuper avec compétence. Vieil or comme les tuiles vernissées du château, ce vin au bouquet puissant (mirabelle, vanille) est de nature généreuse. Un peu simple maintenant, il devrait très bien vieillir.

Pierre André, Ch. de Corton-André, 21420 Aloxe-Corton, tél. 03.80.26.44.25, fax 03.80.26.43.57, e-mail france@corton-andre.com t.l.j. 10h-12h 14h30-18h

MAISON CHAMPY 2004 ★

Gd cru 0,35 ha 3 300 46 à 76 €

Un 2004 de pure race carolingienne : il porte une robe d'empereur, brodée d'or. Son bouquet fait l'aumône : croûte de pain. Puis il entre en campagne : silex, pierre à fusil. Son œuvre sera peut-être un peu courte, mais elle est marquée ici par un gras et un volume peu fréquents dans les 2004. Juste assez d'acidité pour maintenir sa fraîcheur. Laissez-le poursuivre son règne durant quelques années.

Champy, 5, rue du Grenier-à-Sel, 21200 Beaune, tél. 03.80.25.09.99, fax 03.80.25.09.95 t.l.j. 10h-12h30 15h-18h; sam. dim. sur r.-v.

Pierre Meurgey, Pierre Beuchet

DOM. BRUNO CLAIR 2003

Gd cru 0,34 ha 1 900 46 à 76 €

Deux parcelles formant en tout 33,61 ares, presque contiguës et situées sur Aloxe-Corton. Un 2003, notez-le. Paille à reflets d'or, le nez de beurre frais classique et de fleur d'amandier, il se montre plutôt gras. Manque d'acidité ? Dans ce millésime mieux vaut être sincère. Sa densité est impressionnante. Une dégustatrice anglo-saxonne écrit : « vin d'un grand terroir » (elle ne connaît pas l'appellation dégustée). Et dire que l'on conteste parfois ici la notion de terroir...

SCEA Dom. Bruno Clair, 5, rue du Vieux-Collège, BP 22, 21160 Marsannay-la-Côte, tél. 03.80.52.28.95, fax 03.80.52.18.14, e-mail brunoclair@wanadoo.fr r.-v.

DOM. DENIS PÈRE ET FILS 2004

Gd cru 0,5 ha 2 000 30 à 38 €

Le « clos Charlemagne » initial comprenait moins de 2 ha, devenus 3 lors de la vente des biens nationaux, puis l'attrait irrésistible de ce nom aboutit aux 71,88 ha pouvant revendiquer cette appellation. Cela confirme le dicton « On ne prête qu'aux riches ! » Cela dit, ce 2004 or pâle et cristallin, un tantinet exotique mais au fût bien marié, se montre souple. Ce qu'on appelle un vin séveux. Parcelle acquise en 1973 lors de la vente du domaine Moine. Trois générations de Denis ont eu le titre éminent de vigneron des Hospices de Beaune.

Dom. Denis Père et Fils, chem. des Vignes-Blanches, 21420 Pernand-Vergelesses, tél. 03.80.21.50.91, fax 03.80.26.10.32, e-mail denis.pere-et-fils@wanadoo.fr r.-v.

P. DUBREUIL-FONTAINE PÈRE ET FILS 2004 ★

Gd cru 0,76 ha 2 700 38 à 46 €

Beau domaine de 20 ha dirigé par Christian Gruère-Dubreuil. Encore un peu fermé, épisode normal de sa vie, son vin va jusqu'au bout de ses idées grâce à un élevage (quatorze mois en fût) adroit, à son fruit ainsi qu'à sa minéralité fine. Sur la retenue, il peut attendre assez longtemps les écrevisses à la Newburg.

Dom. P. Dubreuil-Fontaine, rue Rameau-Lamarosse, 21420 Pernand-Vergelesses, tél. 03.80.21.55.43, fax 03.80.21.51.69, e-mail dubreuil.fontaine@wanadoo.fr r.-v.

DOM. FOLLIN-ARBELET 2003 ★

Gd cru 0,25 ha 1 100 38 à 46 €

Héritiers Poisot, cela nous conduit dans la généalogie Latour sauf erreur. On ne connaît rien à la Bourgogne si l'on ignore le cep généalogique... L'étiquette nous y aide parfois et là, elle est parfaite. Clair à reflets d'or, ce 2003 laisse son nez de côté. Ce sera l'affaire du temps et à en juger aujourd'hui, il montrerait un rien de minéral. Ferme en bouche, de grande personnalité, avec une longueur phénoménale, il possède l'acidité discrète du millésime. Le brochet Bellevue peut encore nager dans la Saône un bon moment. La sonnette du déjeuner n'est pas pour demain.

Dom. Follin-Arbelet, Les Vercots, 21420 Aloxe-Corton, tél. 03.80.26.46.73, fax 03.80.26.43.32, e-mail franck.follin-arbelet@wanadoo.fr r.-v.

JABOULET-VERCHERRE 2004 ★

Gd cru n.c. 1 000 + de 76 €

Racheté par Laurent Max, négociant-éleveur à Nuits-Saint-Georges, la marque Jaboulet-Vercherre signe ce corton-charlemagne très long en bouche. Son parfum de fruits frais revient en rétro-olfaction, comme s'il ne se lassait pas de nous procurer ce plaisir. Il manque sans doute un peu de gras, mais son élégance ciselée, sa minéralité, la vivacité de ses réflexes le font apprécier au-delà de son nom.

Jaboulet-Vercherre, 6, rue de Chaux, BP 4, 21700 Nuits-Saint-Georges, tél. 03.80.62.43.27, fax 03.80.62.68.02

DOM. LALEURE-PIOT 2004 ★

Gd cru 0,33 ha 1 600 38 à 46 €

Charlemagne fit excécuter de nombreuses ordonnances protectrices de la vigne, comme le rappelle Claude Chapuis dans son livre *Corton*. Il alla même jusqu'à interdire pour raison de propreté le foulage à pieds nus. Il offrit au vigneron un statut particulier, plus élevé que le « serf ordinaire ». Dès lors, on comprend la gratitude des gens de Corton. D'une bonne harmonie générale, ce 2004 au nez brioché se présente sous une teinte soutenue. Dès la mise en bouche, il est agréable (le charme de son gras), équilibré, bien typé par ses notes minérales et ses nuances d'agrumes.

Dom. Laleure-Piot, rue de Pralot, 21420 Pernand-Vergelesses, tél. 03.80.21.52.37, fax 03.80.21.59.48, e-mail infos@laleure-piot.com t.l.j. 8h-12h 14h-18h; sam. dim. sur r.-v.

OLIVIER LEFLAIVE 2003 ★

Gd cru 0,5 ha 3 200 46 à 76 €

La voici, cette jolie pointe d'amertume qui fait courber le genou en fin de bouche. Nuance paille mûre, un 2003. Beurre, amande blanche très délicatement grillée, son nez d'abord aussi monolithique qu'un pilier du cellier du Clos de Vougeot s'anime à l'air ambiant et se met en perspective. Complexe et grand tout en restant raffiné, ce vin se plaît en nuances : ainsi le fruit est-il mûr, mais il n'est pas cuit... Capacité de garde. Il est toutefois difficile de ne pas lui rendre rapidement hommage.

Olivier Leflaive Frères, pl. du Monument, 21190 Puligny-Montrachet, tél. 03.80.21.37.65, fax 03.80.21.33.94, e-mail contact@olivier-leflaive.com r.-v.

RENÉ LEQUIN-COLIN 2004 ★

Gd cru 0,09 ha 583 30 à 38 €

Le Paradis, les Bourguignons le connaissent. Et sur deux ouvrées comme ici, ils n'ont pas besoin des clés de saint Pierre. Ils ont le passe-partout. François Lequin a rejoint ses parents en 1996. En 2006, c'est lui qui prendra les rênes. Ne rien précipiter avec ce 2004 qui suit un 2003 coup de cœur. Suave, gras, avec juste ce qu'il faut d'acidité, ce vin jaune pâle à reflets verts s'installe subtilement au nez : du pain d'épice à la noisette grillée en passant par les fleurs blanches et les agrumes. Cet assemblage d'arômes vit en arrière-bouche une seconde vie. Tendre et long.

René Lequin-Colin, 10, rue de Lavau, 21590 Santenay, tél. 03.80.20.66.71, fax 03.80.20.66.70, e-mail renelequin@aol.com r.-v.

DOM. MARATRAY-DUBREUIL 2004 ★★

Gd cru 40 ha 2 100 30 à 38 €

On comprend pourquoi Charlemagne pourléchait avec tant de soin sa barbe fleurie... Des arômes nombreux et influents font cercle autour d'une robe or pâle à reflets émeraude. S'il est encore un peu impulsif lors de la dégustation, c'est qu'il porte la marque de sa jeunesse. De même, et c'est bon signe, n'est-il pas trop rond : on le sent charpenté et structuré. Après délibération, le jury lui décerne le coup de cœur à l'unanimité.

Dom. Maratray-Dubreuil, 5, pl. du Souvenir, 21550 Ladoix-Serrigny, tél. 03.80.26.41.09, fax 03.80.26.49.07, e-mail maratray-dubreuil@club-internet.fr r.-v.

MARCHÉ AUX VINS 2004

Gd cru n.c. 1 000 46 à 76 €

Quand on y pense... C'est en 775 que Charlemagne (âgé de trente-deux ans) offrit son clos aux chanoines de Saulieu. Juste retour des choses : son grand-père les en avait spoliés. Même patrimoine durant plus de mille ans jusqu'à la Révolution. Face à ces rochers, ne sommes-nous pas des grains de sable ? À déboucher dans les temps qui viennent, ce corton-charlemagne charnu, fruits jaunes, gras, chaud, persistant, rédige avec brio l'avant-dernier chapitre de ses mémoires. Produit par l'une des nombreuses initiatives d'André Boisseaux.

Marché aux vins, rue Nicolas-Rolin, 21200 Beaune, tél. 03.80.25.08.20, fax 03.80.25.08.21, e-mail marcheauxvins@kriter.com t.l.j. 9h30-11h45 14h-17h45

PIERRE MAREY ET FILS 2004 ★★

Gd cru 0,9 ha 3 000 30 à 38 €

Coup de cœur pour le millésime 1991, voici déjà longtemps que ce domaine a les honneurs du Guide. Le millésime 2004 manque de peu cette distinction. Il vient en effet en numéro deux sur la liste des meilleures bouteilles. Vieil or et vert léger, il évoque le fenouil et les agrumes (pamplemousse, citron). Il a du gras, presque du miel. L'attaque est généreuse et gourmande. Riche et concentré, long, ce vin peut être débouché ou attendu dans les deux ans. À servir avec foie gras ou ris de veau aux morilles.

EARL Pierre Marey et Fils, rue Jacques-Copeau, 21420 Pernand-Vergelesses, tél. 03.80.21.51.71, fax 03.80.26.10.48 r.-v.

DOM. NUDANT 2004 ★

Gd cru 0,15 ha 860 38 à 46 €

« Aromatiquement vôtre », pourrait signer cette bouteille. Ses nuances odorantes sont en effet très présentes :

BOURGOGNE

beurré puissant, fruits jaunes à maturité, voire un peu d'exotique. La revue de détail montre que le paquetage est au complet et en bon ordre : ampleur, longueur, fût (douze mois) bien fondu, beaucoup de sérénité.
🔑 Dom. Nudant, 11, rte de Dijon,
21550 Ladoix-Serrigny, tél. 03.80.26.40.48,
fax 03.80.26.47.13, e-mail domaine.nudant@wanadoo.fr
☒ Ῑ 🚶 r.-v.

DOM. PAVELOT 2004 *

Gd cru 0,46 ha 2 000 🍷 30 à 38 €

Installée à Pernand depuis le XVII[e]s., la famille respecte les traditions. Ainsi la vendange est-elle apportée à la cuverie dans les paniers d'osier que l'on ne voit plus guère ailleurs. Jaune à reflets légèrement dorés, ce vin commence à s'ouvrir. Finement grillé, fleur blanche et citron, le bouquet s'annonce très plaisant. Bon parcours en bouche, dans le cadre de ce millésime rarement volumineux et d'un tempérament encore en retrait. Deux à quatre ans en cave devraient lui apporter la plénitude.
🔑 EARL Dom. Luc et Régis Pavelot, rue du Paulant,
21420 Pernand-Vergelesses, tél. 03.80.26.13.65,
fax 03.80.26.10.36, e-mail earl.pavelot@cerb.cernet.fr
☒ Ῑ 🚶 r.-v.

RAPET PÈRE ET FILS 2004 **

Gd cru 2,5 ha 6 000 🍷 38 à 46 €

Un tâtevin daté de 1792 montre que dans cette famille on faisait la Révolution sans perdre de vue les choses de la vie. Clair et brillant, ce 2004 demeure discret, sinon fermé. Son âge permet de le comprendre. Quand il s'ouvrira, il sera superbe car sa silhouette donne une idée assez précise de ses qualités (finesse, vivacité, joli grain). Et déjà sa pointe minérale sur fond de fleurs blanches s'avère suave.
🔑 Dom. Rapet Père et Fils, pl. de la Mairie,
21420 Pernand-Vergelesses, tél. 03.80.21.59.94,
fax 03.80.21.54.01 ☒ Ῑ 🚶 r.-v.

DOM. ROLLIN PÈRE ET FILS 2004

Gd cru 0,4 ha 2 100 🍷 38 à 46 €

Si Charlemagne a inventé l'école, l'initiation à la dégustation ne faisait pas encore partie des programmes. On pourrait choisir ce 2004 comme livre du maître. Jaune d'or, il offre une intéressante palette d'arômes : aubépine, tilleul... Au palais, il se tient droit, équilibré. Sa légère acidité lui permettra de valoriser son potentiel avec le temps. Ce ne sera cependant pas au-delà de cinq ans, en raison du millésime.
🔑 Rollin Père et Fils, rte des Vergelesses,
21420 Pernand-Vergelesses, tél. 03.80.21.57.31,
fax 03.80.26.10.38, e-mail rollin.pereetfils@wanadoo.fr
☒ Ῑ 🚶 r.-v.

Savigny-lès-beaune

Savigny est aussi un village vigneron par excellence. L'esprit du terroir y est entretenu, et la confrérie de la Cousinerie de Bourgogne est le symbole de l'hospitalité bourguignonne. Les Cousins jurent d'accueillir leurs convives « bouteilles sur table et cœur sur la main ».

Les vins de Savigny, en dehors du fait qu'ils sont « nourrissants, théologiques et morbifuges », sont souples, tout en finesse, fruités, agréables, jeunes et vieillissent bien. Citons quelques premiers crus comme Aux Clous, Aux Serpentières, Les Hauts Jarrons, les Marconnets, les Narbantons. En 2005, l'AOC a produit 14 267 hl de vin rouge et 1 930 hl de vin blanc.

PIERRE ANDRÉ
Clos des Guettottes Monopole 2004

■ 0,7 ha 2 800 🍷 30 à 38 €

Acquise par le groupe Ballande, demeurant confiée à Christian Ciamos, la maison Pierre André maintient le nom d'une des figures les plus marquantes du vignoble bourguignon au XX[e]s. En monopole (0,7 ha), ce clos se situe à la hauteur du village. Le vin, légèrement tuilé, offre des arômes de sous-bois sur des notes grillées. Fraise écrasée en milieu de bouche, tanins bien en place : on sent la présence du cépage et du terroir, dans les limites du millésime.
🔑 Pierre André, Ch. de Corton-André,
21420 Aloxe-Corton, tél. 03.80.26.44.25,
fax 03.80.26.43.57, e-mail france@corton-andre.com
Ῑ 🚶 t.l.j. 10h-12h 14h30-18h

JULES BELIN Les Vergelesses 2003

■ 1er cru n.c. 2 000 🍷 38 à 46 €

Maison de négoce-éleveur acquise par Claude Lanvin en 1985, puis par Laurent Max – toujours à Nuits-Saint-Georges – il y a quelques années. Rubis soutenu, un 2003 au bouquet assez subtil sur une gamme fruitée. Beaucoup de richesse, de chaleur, d'élan à la manière des bourgognes d'antan. À consommer d'ici 2008.
🔑 Maison Jules Belin, 6, rue de Chaux, BP 4,
21700 Nuits-Saint-Georges, tél. 03.80.62.43.40,
fax 03.80.62.68.02

JEAN-CLAUDE BOISSET La Dominode 2004 **

■ 1er cru n.c. n.c. 15 à 23 €

Bien représentatif de son appellation et de son millésime, un vin grenat foncé, profond et limpide. La griotte pointe son nez derrière le toasté du fût et des nuances d'humus. Encore dur en début de bouche, ce 2004 se montre bientôt ample et généreux, gras et riche d'un potentiel de garde qui ne le fera pas quitter la cave avant 2008 au minimum. Excellent professionnel, Grégory Patriat montre qu'on peut être fils d'un ancien ministre de l'Agriculture et très à l'aise comme maître de chai.
🔑 Jean-Claude Boisset, 5, quai Dumorey,
21700 Nuits-Saint-Georges, tél. 03.80.62.61.61,
fax 03.80.62.61.72, e-mail jcb@jcboisset.com

MAISON MICHEL BOUCHARD 2004 *

■ n.c. n.c. 🍷 15 à 23 €

Michel Bouchard est l'une des marques de Bouchard Père et Fils. Pourpre sans excès, ce millésime offre des arômes bien dégagés : un cocktail d'amande grillée et de fruits rouges cuits. Après une attaque souple, la bouche se révèle toujours sur le fruit, progressive et bien d'aplomb. Sa constitution n'est pas mythologique, mais plaisante. Ce vin s'arrondira avec le temps (jusqu'à trois ou quatre ans).
🔑 Maison Michel Bouchard, 15, rue du Château,
21200 Beaune, tél. 03.80.24.80.50, fax 03.80.22.55.88

DOM. MARGUERITE CARILLON 2004 ★

■ 1,3 ha 7 600 🍷 11 à 15 €

Joli pourpre légèrement rosé sur les bords du disque. Une violette assez habituelle en pinot bourguignon (mais plutôt en Côte de Nuits). L'attaque est, sauf votre respect, un peu racoleuse. Rien de mal à cela, on est entre bouteilles. Aucune aspérité sur l'écorce. Mais on aimerait, sur cet accueil, parvenir jusqu'à la pulpe du fruit... Les tanins se réveillent un peu en fin de bouche, mais l'on n'est pas frustré pour autant. L'attendre une paire d'années ? Pourquoi pas ?

Dom. Marguerite Carillon, 7, rte de Monthelie, 21190 Meursault, tél. 03.80.21.22.45, fax 03.80.21.28.05

DOM. DENIS CARRÉ 2004 ★

■ n.c. n.c. 🍷 11 à 15 €

À déboucher dans sa jeunesse ou à laisser de côté durant trois ou quatre ans, un *village* conciliant. Son parfum réglissé ne désoriente pas. Goûteux, ce vin se montre fin, délicat, élégant. À la réflexion, le mieux serait sans doute de le laisser prendre un peu d'âge : sa chair, sa structure ne peuvent qu'en profiter.

Dom. Denis Carré, rue du Puits-Bouret, 21190 Meloisey, tél. 03.80.26.02.21, fax 03.80.26.04.64, e-mail domainedeniscarre@wanadoo.fr r.-v.

MAISON CHAMPY Aux Fourches 2003 ★★

■ 1,4 ha 6 000 🍷 15 à 23 €

Finaliste du coup de cœur, l'un de nos préférés. Disons-le tout de suite : ces Fourches n'ont rien de patibulaire, bien au contraire ! Ce savigny, né côté Pernand, porte un smoking rouge grenat à reflets noirs. Fermé sur le fruit mûr et le torréfié, son bouquet doit sûrement s'affermir. Réglissé, tannique sans agressivité, ce 2003 est encore jeune et plein de promesses (potentiel jusqu'à cinq ans et il va pendant ce temps grimper les barreaux de l'échelle). À noter, la distinction de l'étiquette : un modèle raffiné déjà utilisé il y a cent ans.

Champy, 5, rue du Grenier-à-Sel, 21200 Beaune, tél. 03.80.25.09.99, fax 03.80.25.09.95
t.l.j. 10h-12h30 15h-18h; sam. dim. sur r.-v.
Pierre Meurgey, Pierre Beuchet

DOM. CHANSON PÈRE ET FILS
Hauts Marconnets 2003

□ 1er cru 2,18 ha 5 750 🍷 15 à 23 €

En contrebas de l'autoroute A6, les Hauts Marconnets ne souffrent cependant pas de la circulation. D'une teinte discrète, ce vin exprime une légère touche d'amertume. Son acidité est convenable, sa persistance appréciable. Dans une bonne moyenne.

Dom. Chanson Père et Fils, 10, rue Paul-Chanson, 21200 Beaune, tél. 03.80.25.97.97, fax 03.80.24.17.42, e-mail chanson@domaine-chanson.com r.-v.

CH. DE LA CHARRIÈRE
Les Vermots Dessus 2003 ★

□ 0,8 ha 2 700 🍷 11 à 15 €

« Nourrissants, théologiques et morbifuges », disait-on jadis des vins de Savigny. Ces Vermots Dessus (en haut, le long de la route de Bouilland) ont tout ce qu'il faut pour remplir ce programme. Clair et intense, auréolé de fruits blancs et de pain grillé, ce 2003, est charnu, riche avec cette acidité nécessaire qui – ici – ne fait pas défaut au millésime.

Dom. Yves Girardin, Ch. de La Charrière, 1, rte des Maranges, 21590 Santenay, tél. 03.80.20.64.36, fax 03.80.20.66.32 r.-v.

DOM. LOUIS CHENU PÈRE ET FILLES 2004

□ 1 ha 1 600 🍷 8 à 11 €

Caroline a rejoint le domaine familial en 1997 et sa sœur Juliette en 2003. La robe de ce 2004 ? Jolie, jaune pâle un rien transparent. Bouquet discret mais varié, autour de la pomme, de la poire. Long et effilé, le corps révèle des notes de viennoiserie (le croissant chaud fréquent à Chassagne-Montrachet, par exemple).

Louis Chenu et Filles, 12, rue Joseph-de-Pesquidoux, 21420 Savigny-lès-Beaune, tél. et fax 03.80.26.13.96, e-mail juliette@louischenu.com
t.l.j. sf dim. 9h-12h 14h-18h

DOM. RODOLPHE DEMOUGEOT
Les Bourgeots 2004 ★★

■ n.c. 4 000 🍷 11 à 15 €

L'occasion de se rappeler la formule ancienne à propos du savigny : « On lèche trois fois ses lèvres et on en dit du bien. » Pourpre tirant sur le grenat, d'une approche florale (lilas) et de bonne profondeur, quel beau vin en effet ! Son boisé passe presque inaperçu, mais il a joué son rôle. Souplesse, densité, fruit, charme et rondeur : il collectionne les points positifs. Aucune sécheresse dans ses tanins. Bref, Rodolphe Demougeot a eu bien raison de créer son domaine il y a quinze ans (coup de cœur pour ce vin en 1998).

Dom. Rodolphe Demougeot, 2, rue du Clos-de-Mazeray, 21190 Meursault, tél. 03.80.21.28.99, fax 03.80.21.29.18 r.-v.

DOM. DOUDET En Redrescul Monopole 2004

□ 1er cru 0,6 ha 2 736 🍷 15 à 23 €

Le nom est gaillard. L'étiquette d'une étonnante sagesse. Oui, Redrescul, monopole de ce domaine, est un vrai *climat*, en sommet de pente près des Jarrons : il est aisé de comprendre pourquoi il s'appelle ainsi. Facile à boire, mentholé, paré de citronnelle, ce 2004 dispose de la puissance offerte par le millésime sans s'écarter des chemins de la simplicité.

Dom. Doudet, 50, rue de Bourgogne, 21420 Savigny-lès-Beaune, tél. 03.80.21.51.74, fax 03.80.21.50.69, e-mail doudet-naudin@wanadoo.fr
r.-v.

BERNARD DUBOIS ET FILS 2004 ★

□ 0,53 ha 3 000 🍷 11 à 15 €

Ce domaine présente deux vins convaincants : en *village* les **Ratausses 2003 rouge** font en effet du mieux qu'elles peuvent et le *village* 2004 blanc est à goûter maintenant, sur le fruit. Or pâle brillant, assez vanillé, ce vin sait flatter le palais tout en montrant des qualités bien réelles de franchise et de minéralité. Pour les amateurs de chardonnay un peu boisé, même s'il reste dans les normes.

Dom. Bernard Dubois et Fils, 14, rue des Moutots, 21200 Chorey-lès-Beaune, tél. 06.73.08.68.74, fax 03.80.24.61.43 t.l.j. sf dim. 8h-12h 14h-18h
Jacques Dubois

DOM. LIONEL DUFOUR Les Pointes 2004 ★

■ 0,4 ha 2 800 🍷 38 à 46 €

Les Pointes sont un *climat* qui porte son nom à merveille : il épouse la forme d'un triangle à l'entrée du

pays en venant de Beaune. Notre coup de cœur de l'an dernier est de retour avec un *village* intense et de tempérament assez fauve : la fourrure, l'animal. À l'aération, il passe à des notes de petits fruits. La bouche est plus douce, ronde et longue. Il n'y a pas énormément de chair, mais on s'en accommodera très bien car il est prêt.
SAS Lionel Dufour, 6, allée des Amandiers, 21190 Meursault, tél. 03.80.21.67.02, fax 03.87.69.71.13
M. Fievet

DOM. JEAN FERY ET FILS 2003 ★★

■ 2,2 ha 5 600 11 à 15 €

Il ne remporte pas le coup de cœur au sprint, mais se détache nettement. C'est bien simple, tous les membres du grand jury l'ont classé premier. Produit sur une roche calcaire assez fissurée pour permettre drainage et enracinement profond, ce savigny d'un rouge légèrement violacé développe peu à peu des parfums de cerise noire, de noyau, de bois de cèdre. Des tanins fondus, une acidité suffisante en année difficile sur ce point, une vanille intelligemment mariée aux baies rouges, c'est un grand 2003 qui mérite tous les compliments (à attendre deux à trois ans). Un vin à découvrir absolument, ainsi que le village d'Échevronne où il fait bon se promener parmi les coteaux plantés de vigne.
Dom. Jean Fery et Fils, 1, rte de Marey, 21420 Échevronne, tél. 03.80.21.59.60, fax 03.80.21.59.59, e-mail fery.vin@wanadoo.fr
r.-v. E

JEAN-MICHEL GIBOULOT 2004

1,6 ha 7 000 11 à 15 €

Village bon enfant sous des traits aimables, or pâle brillant, bien comme il faut. Son nez n'est pas très démonstratif, mais on y perçoit un fruit qui ressemble à la poire, à la figue. En bouche, il garde cette tonalité tout en faisant appel à une touche minérale. L'équilibre est atteint.
Jean-Michel Giboulot, 27, rue du Gal-Leclerc, 21420 Savigny-lès-Beaune, tél. 03.80.21.52.30, fax 03.80.26.10.06, e-mail jean-michel.giboulot@wanadoo.fr r.-v.

DOM. JEAN-JACQUES GIRARD 2004 ★★

0,86 ha 3 300 11 à 15 €

Retenu pour la finale du coup de cœur, voici un vin parfaitement recommandable. Signé par une des plus anciennes familles vigneronnes de Savigny, il offre au regard des reflets très dorés avant de chanter le beurre et la noisette. Le fruité, agréable (abricot sec), est teinté de minéral. À déboucher dans l'année à venir. Notons encore le **village 2003 rouge**, une étoile : il passe la barre avec élégance, comme le font les vins que l'on dit « féminins ».
Dom. Jean-Jacques Girard, 16, rue de Cîteaux, BP 17, 21420 Savigny-lès-Beaune, tél. 03.80.21.56.15, fax 03.80.26.10.08, e-mail jjacquesgirard@aol.com
t.l.j. sf dim. 8h-12h 14h-19h

JACQUES GIRARDIN Les Peuillets 2004 ★

■ 1er cru 0,5 ha 3 000 11 à 15 €

Il y a cinq raisons, dit-on, de boire du savigny : l'arrivée ou le départ d'un ami, la soif présente ou future, et toute bonne raison qu'on trouvera... Ajoutons cette bouteille à la liste. Née « rive droite » (celle du Rhoin, terrains graveleux et éboulis calcaires), elle est encore austère à la dégustation (mâche et tanins), emplie d'arômes sauvages et de sous-bois. Elle va bientôt se faire aimable et elle inspire confiance pour accompagner la dinde de Noël 2007.
Jacques Girardin, 13, rue de Narosse, 21590 Santenay, tél. 03.80.20.60.12, fax 03.80.20.64.96
r.-v. D

DOM. LES GUETTOTTES Aux Serpentières 2004

■ 1er cru 0,21 ha 1 300 15 à 23 €

Honnête et de structure classique, ce 2004 tient bon sur ses jambes. Rubis clair limpide, elle présente des tanins déjà fondus ainsi qu'une matière équilibrée. Des notes de cerise et de noyau nous poursuivent de leurs assiduités depuis le premier nez jusqu'à la fin de bouche. Potentiel vérifiable dans les deux ans.
Pierre et Jean-Baptiste Lebreuil, 17, rue Chanson-Maldant, 21420 Savigny-lès-Beaune, tél. 03.80.21.52.95, fax 03.80.26.10.82, e-mail domaine-lebreuil@wanadoo.fr
t.l.j. sf dim. 9h-11h30 14h-19h

DOM. PIERRE GUILLEMOT Serpentières 2004

■ 1er cru 1,7 ha 9 000 11 à 15 €

Trois coups de cœur déjà en savigny, le domaine ne manque pas de références. Les Serpentières se trouvent au pied de la combe d'Orange, côté Pernand. On disait jadis les Serpentines en raison des serpents attirés ici par des « sources folles » (intermittentes). Rubis brillant : belle composition de la robe. Vanille et griotte se partagent équitablement le bouquet. De la mâche et des tanins encore présents en fin de bouche : il est conseillé de l'attendre environ deux ans.
SCE du Dom. Pierre Guillemot, 11, pl. Fournier, BP 18, 21420 Savigny-lès-Beaune, tél. 03.80.21.50.40, fax 03.80.21.59.98 r.-v.

DOM. ANTONIN GUYON 2003 ★

■ 2,13 ha 8 700 15 à 23 €

Consuls de Finlande à Dijon depuis 1960, les membres de la famille Guyon occupent une place très active dans la vie bourguignonne. Leur domaine vitivinicole, de près de 50 ha, est établi dans les deux Côtes : son siège est à Savigny. Robe cerise, nez soutenu (fruits en compote, un zeste d'empyreumatique) et tanins bien fondus dans un contexte réglissé donnent ce 2003 resté jeune, carré, de bonne longueur. Il possède de la réserve.
Dom. Antonin Guyon, 21420 Savigny-lès-Beaune, tél. 03.80.67.13.24, fax 03.80.66.85.87, e-mail domaine@guyon-bourgogne.com r.-v.

DOM. PATRICK JACOB-GIRARD Aux Gravains 2003 ★

■ 1er cru 1,36 ha 4 220 11 à 15 €

Entre les Serpentières et les Lavières (côté Pernand), les Gravains ont bonne réputation. Celle-ci n'est pas démentie par le verre que les dégustateurs ont tenu en main. Rouge dense très foncé à reflets bleutés, ce 2003 accorde la griotte et le pain grillé, la vigne et le vin. Charnu et assez suave, riche en alcool (celui du Bon Dieu, rappelez-vous), peuplé d'arômes secondaires (fruits rouges cuits), il est très réussi comme l'indique son étoile.

Dom. Patrick Jacob-Girard, 2, rue de Cîteaux, 21420 Savigny-lès-Beaune, tél. 03.80.21.52.29, fax 03.80.26.19.07, e-mail jacobgir@terre-net.fr
r.-v.

PIERRE JANNY Futey 2003

■ 2 ha 4 000 11 à 15 €

Futey ne figure pas sur l'atlas viti-vinicole de la Côte considéré comme le plus sûr. Cela dit, le cadastre complet est peut-être plus explicite... La légère teinte orangée n'est qu'un anneau ; en réalité, ce 2003 tire assez bien son épingle du millésime. À ne pas perdre de vue en cave au-delà de deux ans.

Pierre et Véronique Janny, La Condemine, 71260 Péronne, tél. 03.85.23.96.20, fax 03.85.36.96.58, e-mail pierre-janny@wanadoo.fr r.-v.

CATHERINE ET CLAUDE MARÉCHAL Vieilles Vignes 2003 ★★

■ 1,49 ha 7 900 15 à 23 €

D'un rouge sombre et presque noir (que l'on dirait espagnol si l'on n'était pas en Bourgogne), un vin remarqué pour sa texture élégante, ses tanins de soie et bien liés, sa nature chaleureuse. Jugé comme l'un des plus intéressants de la dégustation, il présente un accent nettement boisé. Le tableau reste cependant dans son cadre. Le servir dans les deux ans.

EARL Catherine et Claude Maréchal, 6, rte de Chalon, 21200 Bligny-lès-Beaune, tél. 03.80.21.44.37, fax 03.80.26.85.01, e-mail marechalcc@wanadoo.fr r.-v.

DOM. MARÉCHAL-CAILLOT 2004

■ 2,22 ha 8 000 15 à 23 €

Pourpre très foncé, il suggère de façon assez concentrée le fruit confit et la vanille. Extraction solide et bouche volumineuse, pleine. Ce vin sera de très bonne garde.

Bernard Maréchal, 10, rte de Chalon, 21200 Bligny-lès-Beaune, tél. 03.80.21.44.55, fax 03.80.26.88.21, e-mail gb@marechal-caillot.com
r.-v.

DOM. MICHEL MARTIN 2004 ★

■ 0,46 ha 2 500 11 à 15 €

Michel Martin était le co-gérant du domaine familial quand il s'est établi en nom propre sur 4,5 ha en 2003. Dynamique, il vient de créer un gîte et il est en pleins travaux de modernisation de sa cuverie. Grenat foncé, son savigny 2004 aura le nez exubérant si l'on en croit les pronostics. Son architecture intérieure offre de l'ampleur, de la mâche, une acidité notable. Comme cette bouteille est bien bâtie, elle dispose d'un potentiel intéressant pour s'arrondir un peu.

Michel Martin, 4, rue d'Aloxe-Corton, 21200 Chorey-lès-Beaune, tél. 03.80.24.26.57, fax 03.80.24.99.12, e-mail michel.martindomaine@laposte.net
r.-v. E

DOM. MONGEARD-MUGNERET Les Narbantons 2003 ★

■ 1er cru 1,37 ha 5 000 15 à 23 €

Produit sur le versant beaunois de l'appellation, rubis brillant, assez torréfiée, une bouteille agréable. Elle ne recherche pas les effets. En bouche, la mûre prend le relais du café. À servir cette année.

Dom. Mongeard-Mugneret, 14, rue de la Fontaine, 21700 Vosne-Romanée, tél. 03.80.61.11.95, fax 03.80.62.35.75, e-mail domaine@mongeard.com
r.-v.

MOULIN AUX MOINES Les Lavières 2003

■ 1er cru 0,56 ha 2 000 15 à 23 €

Ce *climat* tire son nom des roches minces et plates du sous-sol, appelées *laves* dans la Côte : on s'en servait jadis pour couvrir les toits. Violine limpide, offrant un éventail aromatique du fruit rouge au fruit confit, ce vin plaira grâce à son tissu tannique fin et épicé. Concentration moyenne, mais une constitution souple, douce, assez sereine. La discrétion n'est-elle pas une vertu ?

Moulin aux Moines, 1, rte de Beaune, 21420 Savigny-lès-Beaune, tél. 03.80.21.51.13, fax 03.80.26.10.71 r.-v.

PIERRE OLIVIER Aux Clous 2004

■ 1er cru n.c. 6 000 11 à 15 €

On s'accroche volontiers à ces « clous »... Le mot signifie clos, vigne fermée par des murs ou murets, et celle-ci appartenait au XIX^e^s. aux comtes de La Loyère, châtelains du pays. Quant à la maison Pierre Olivier, honorablement connue elle aussi, elle fait partie de nos jours de l'ensemble Thomas-Moillard. Rubis aux nuances noires, le nez discrètement porté sur la fraise, il reste un peu sur sa réserve tout en réunissant les qualités de base d'un 1er cru : une attaque heureuse, de la matière et du fond, des tanins déjà enrobés. Deux à trois ans de garde.

Pierre Olivier, 2, rue François-Mignotte, 21700 Nuits-Saint-Georges, tél. 03.80.62.42.22, fax 03.80.61.28.13, e-mail nuicave@wanadoo.fr
t.l.j. 10h-18h; f. jan.

DOM. PARIGOT PÈRE ET FILS Les Peuillets 2004 ★

■ 0,77 ha 4 500 11 à 15 €

Climat côté beaunois. Comme au théâtre, ce 2004 s'ouvre sur un rideau pourpre foncé, velouté. La cerise, la vanille, le sous-bois entrent bientôt en scène et se donnent la réplique. L'action est dense ; l'atmosphère tannique ; l'intrigue épicée. Une extraction efficace permet de découvrir peu à peu le sujet traité de façon adroite. La pièce tiendra l'affiche durant trois à quatre ans. Vous avez donc tout le temps, mais il sera prudent de réserver sa place.

Dom. Parigot Père et Fils, rte de Pommard, 21190 Meloisey, tél. 03.80.26.01.70, fax 03.80.26.04.32
r.-v.

DOM. JEAN-MARC ET HUGUES PAVELOT 2004 ★★

n.c. 4 000 11 à 15 €

Si nos souvenirs sont bons, c'est la troisième fois que ce domaine recueille le coup de cœur pour un savigny. Pas mal ! Jean-Marc, son fils Hugues et Chantal peuvent en effet être fiers de leur savigny à la robe subtile (peu de couleur sinon celle de la distinction). Le nez se déclare franchement pour le fruit : d'abord de chez nous (poire)

puis d'une complexité exotique. La bouche séduit par une pointe de minéralité qui arrive au bon moment. Droit et sobre, structuré, ce vin n'a nul besoin d'artifices tirés du fût pour mettre en valeur l'essentiel : ses raisins.
Dom. Jean-Marc et Hugues Pavelot,
1, chem. des Guettottes, 21420 Savigny-lès-Beaune,
tél. 03.80.21.55.21, fax 03.80.21.59.73,
e-mail hugues.pavelot@wanadoo.fr r.-v.

DOM. DU PRIEURÉ 2003

1,5 ha 4 000 11 à 15 €

Deux coups de cœur dans le passé, le plus récent pour des Grands Picotins 99 en rouge. Il s'agit cette fois d'un chardonnay doré léger à reflets classiquement verts. Son nez est assez prenant, sur le fruit mûr. Vif en première bouche, il s'assouplit en seconde, se révélant en finale. Signalons aussi **Les Gollardes 2003 rouge en village** qui ont toute leur place ici.
Jean-Michel Maurice, Dom. du Prieuré,
23, rte de Beaune, 21420 Savigny-lès-Beaune,
tél. 03.80.21.54.27, fax 03.80.21.59.77,
e-mail maurice.jean-michel@wanadoo.fr
t.l.j. sf dim. 8h-12h 14h-18h

DOM. PRIN 2003

0,84 ha 1 950 8 à 11 €

En voilà un qui prend la vie du bon côté ! On y distingue un soupçon d'évolution en voyant ses reflets, mais au nez on se régale avec ses notes de fruits rouges à l'eau-de-vie et de confiture de vieux garçon. Bien élaboré, sachant faire la part des choses entre l'acidité et les tanins, il compense sa légèreté par un charme certain. Allez savoir pourquoi, il donne envie d'y regoûter.
Dom. Prin, 12, rue de Serrigny, Cidex 10,
21550 Ladoix-Serrigny, tél. 03.80.26.45.83,
fax 03.80.26.46.16, e-mail domaineprin@yahoo.fr
r.-v.
Jean-Luc Boudrot

DOM. RAPET PÈRE ET FILS 2004 *

1,2 ha 6 000 11 à 15 €

Depuis 2002, une nouvelle cuverie accueille le raisin. Grenat violet à l'aspect velouté, ce savigny affiche des parfums intenses et profonds, avec des rappels de cerise noire dans un contexte où l'influence du fût n'est nullement intempestive. L'attaque est souple sur une matière nourrie. Les tanins paraissent prometteurs. Coup de cœur dans notre précédente édition.
Dom. Rapet Père et Fils, pl. de la Mairie,
21420 Pernand-Vergelesses, tél. 03.80.21.59.94,
fax 03.80.21.54.01 r.-v.

DOM. RÉGIS ROSSIGNOL-CHANGARNIER
Les Bas Liards 2003 *

0,26 ha 1 100 11 à 15 €

Bas Liards, Petits Liards, Grands Liards, nous sommes au milieu de l'appellation, entre les deux bataillons de 1ers crus. Clair limpide et brillant, la vanille respectant le noyau de cerise, chaud et puissant, ce 2003 est très expressif et il trouve en bouche le chemin des petits fruits macérés dans l'alcool. À ne pas ouvrir maintenant : l'élevage peut se poursuivre deux à trois ans dans votre cave.
Régis Rossignol, rue d'Amour, 21190 Volnay,
tél. et fax 03.80.21.61.59 r.-v.

DOM. GEORGES ROY ET FILS
Les Picotins 2003 *

1,85 ha 3 000 8 à 11 €

Les gens de Chorey ont toujours été friands de Picotins. C'est en effet l'un des *climats* de savigny les plus proches de leur commune. Rouge foncé à reflets mauves, ce vin prometteur (deux à trois ans) est bien équilibré malgré l'inévitable faiblesse d'acidité des 2003 sincères. Son bouquet s'oriente vers le fruit rouge macéré avec quelque chose du bois de cèdre. Coquetterie : il a passé dix-sept mois, bien sûr, en fût de... chêne.
Dom. Georges Roy et Fils, 20, rue des Moutots,
21200 Chorey-lès-Beaune, tél. 03.80.22.16.28,
fax 03.80.24.76.38 r.-v.

DOM. SEGUIN-MANUEL Godeaux 2004

1,6 ha 8 000 11 à 15 €

Seguin-Manuel (domaine et négoce repris par Thibaut Marion) figurait parmi les propriétaires à Savigny dès le XIXes. et dans ce *climat*. Sombre avec un cercle violacé autour du verre, ce Godeaux (*climat* en allant sur Pernand) aux effluves généreux dominés par la fraise possède de la matière, des tanins serrés et un équilibre qui est certainement stabilisé à l'heure où vous lisez ces lignes.
Seguin-Manuel, 2, rue de l'Arquebuse,
21200 Beaune, tél. 03.80.21.50.42, fax 03.80.21.59.38,
e-mail thibaut.marion@seguin-manuel.com r.-v.
Marion

DOM. FRANCINE ET MARIE-LAURE SERRIGNY 2003

0,17 ha 1 000 8 à 11 €

De la vigne à la cave, comme les sœurs Gerbet à Vosne-Romanée, Francine et Marie-Laure font tout. Les droits de la femme ? Goûtez plutôt ce 2003 en robe sage, exprimant des arômes assez fins et légèrement végétaux. Équilibre et puissance, note d'amertume en bout de dégustation. L'harmonie est bonne. S'en satisfaire dans l'année.
Dom. Francine et Marie-Laure Serrigny,
4, rue Bouteiller, 21420 Savigny-lès-Beaune,
tél. 03.80.26.11.75, fax 03.80.26.14.15 r.-v.

DOM. DES TERREGELESSES
Les Vergelesses 2003 **

1er cru 0,5 ha 3 000 15 à 23 €

Sur les racines de la famille Senard qui illustre depuis longtemps le vignoble bourguignon tastevin en main, ces Vergelesses affirment les droits de Savigny sur le cru. Paille clair et lumineux, ce 2003 peut encore se fondre et s'étoffer tant il possède d'atouts : l'acidité, la fraîcheur, le gras, la finesse. Un vin plaisir. Coup de cœur pour le même 1er cru 2001.

Dom. des Terregelesses, 7, rempart Saint-Jean, 21200 Beaune, tél. 03.80.24.21.65, fax 03.80.24.21.44, e-mail office@domainesenard.com r.-v.

VINOMÉLIE Tri d'Octobre 2004 ★

0,2 ha 1 500 15 à 23 €

Nous avons affaire ici à un viticulteur qui ne lésine pas sur les étiquettes. Ovales et héraldiques, elles mettent en avant des dénominations de fantaisie au demeurant autorisées. Le *village* **Commensale Vieilles Vignes rouge 2003**, tannique et robuste, capable de tenir le coup quelque temps encore. Aussi bien noté et baptisé Vinomélie, ce vin a été vendangé en octobre. Paille prononcé, suggérant le fruit mûr et même l'hydromel, il montre en bouche une chaleur et une puissance qui proviennent de vendanges plutôt tardives. Ses arômes secondaires évoluent vers les épices. Un style.

EARL Dom. J.-L. Maldant, 24 bis, Grande-Rue, 21200 Chorey-lès-Beaune, tél. 03.80.24.14.15, fax 03.80.24.19.50 r.-v.

Chorey-lès-beaune

Situé dans la plaine, en face du cône de déjection de la combe de Bouilland, le village possède quelques lieux-dits voisins de Savigny. On y a produit en 2005, 6 265 hl d'appellation communale rouge et 288 hl de blanc.

ARNOUX PÈRE ET FILS Les Confrelins 2004

1,79 ha 10 000 11 à 15 €

En bordure de Beaune, c'est la vigne que l'on voit depuis l'échangeur nord de l'A6. Rouge grenat brillant, fruité et boisé (un an de fût), ce 2004 est léger, mais pas un poids plume tout de même ! Dans son millésime.

Arnoux Père et Fils, rue des Brenots, 21200 Chorey-lès-Beaune, tél. 03.80.22.57.98, fax 03.80.22.16.85 r.-v.

MAURICE CHAPUIS 2003

0,88 ha 2 600 8 à 11 €

On produisait jadis une goutte de chorey blanc pour une bouteille de chorey rouge. De 5 000 à 10 000 cols pour l'une, 700 000 pour l'autre, mais le chardonnay progresse régulièrement sur les terroirs les plus favorables. Or pur, celui-ci murmure des arômes d'abricot frais. La bouche caressante est tout en rondeurs. Des notes de beurre et de noisette apparaissent alors. À servir pendant deux ans avec un poisson en sauce blanche.

Maurice Chapuis, 3, rue Boulmeau, 21420 Aloxe-Corton, tél. 03.80.26.40.99, fax 03.80.26.40.89, e-mail info@domainechapuis.com r.-v.

CH. DE CHOREY 2003 ★

5,25 ha 12 000 11 à 15 €

Domaine fondé il y a cinq générations par des régisseurs aux Hospices de Beaune, en ce beau château du XIIIes. reconstruit en partie au XVIIes. Dans la plaine de Beaune, on disait jadis *faire son copian* pour parler d'un bon apôtre qui nous caresse dans le sens du poil. Eh bien ! Celui-ci *fait son copian*. Pourpre grenat très profond, il n'est pas avare de ses senteurs de fruits rouges. Du corps et de la mâche, sans pour autant perdre son équilibre ou devenir trop tannique.

SARL Benoît Germain, rue des Moutots, 21200 Chorey-lès-Beaune, tél. 03.80.24.06.39, fax 03.80.24.77.72, e-mail domaine-chateau-de-chorey@wanadoo.fr r.-v.

EDMOND CORNU ET FILS Les Bons Ores 2003

2,3 ha 7 400 11 à 15 €

Les Bons Ores ont de solides accointances avec aloxe-corton. Le rouge est mis : intense et profond. Les coups de nez s'accordent sur le fruit cuit en compote. Un 2003, coupé sur pied le 21 août ! L'astringence ne dépasse pas les limites de la civilité. Agréable et flatteur, à attendre un peu, le temps d'un pèlerinage à Notre-Dame-du-Chemin, protectrice des automobilistes.

Edmond Cornu et Fils, Le Meix-Gobillon, 21550 Ladoix-Serrigny, tél. 03.80.26.40.79, fax 03.80.26.48.34 r.-v.

DOM. DOUSSOT-ROLLET 2003 ★

0,5 ha 1 800 8 à 11 €

Entre le rouge et le mauve, un 2003 vendangé le 24 août. Framboise, groseille en ouverture, une note grillée pour rappeler ses douze mois en fût et des tanins qui se comportent *fort mignotement*, comme on disait jadis dans le Beaunois : aimablement. Son développement et ses caudalies plaident en sa faveur. Il devrait pouvoir vieillir encore, de façon positive (deux ans).

EARL Doussot-Rollet, 7, rte de Serrigny, 21200 Chorey-lès-Beaune, tél. et fax 03.80.22.41.98 r.-v.

DOM. DUBOIS D'ORGEVAL 2003 ★

2,15 ha 3 055 11 à 15 €

Bon anniversaire ! Il a obtenu en effet le coup de cœur il y a dix ans pour son 1993. Ce domaine reste dans la course et son chorey 2003 né un 25 août ne semble pas craindre deux ans de garde. Rouge sombre, moyennement aromatique, il possède structure et finesse. Une pointe d'amertume ajoute à sa personnalité. Il est solide certes quant à la mâche, mais ne dépasse pas les bornes, vin et fût faisant bon ménage.

Dom. Dubois d'Orgeval, 3, rue Joseph-Bard, 21200 Chorey-lès-Beaune, tél. 03.80.24.70.89, fax 03.80.22.45.02, e-mail duboisdorgeval@aol.com r.-v.

BERNARD DUBOIS ET FILS Les Beaumonts 2003

2 ha 5 500 8 à 11 €

Sécateurs en action dès la troisième semaine d'août 2003. On se posait évidemment pas mal de questions en cuverie. Rien à chercher dans les souvenirs des anciens ni dans les livres des savants... Vaste *climat* de l'autre côté de la RN 74 devenue en 2006 la D 974 et touchant Savigny. Ce vin donne couleur à son affaire : vanille et fruits noirs s'invitent d'emblée puis arrivent des tanins encore austères sinon sévères. Mieux vaut ne pas le boire tout de suite afin de lui permettre de s'assouplir.

Dom. Bernard Dubois et Fils, 14, rue des Moutots, 21200 Chorey-lès-Beaune, tél. 06.73.08.68.74, fax 03.80.24.61.43 t.l.j. sf dim. 8h-12h 14h-18h

Jacques Dubois

BOURGOGNE

FRANÇOIS GAY ET FILS 2003 **

■ 0,69 ha 4 200 5 à 8 €

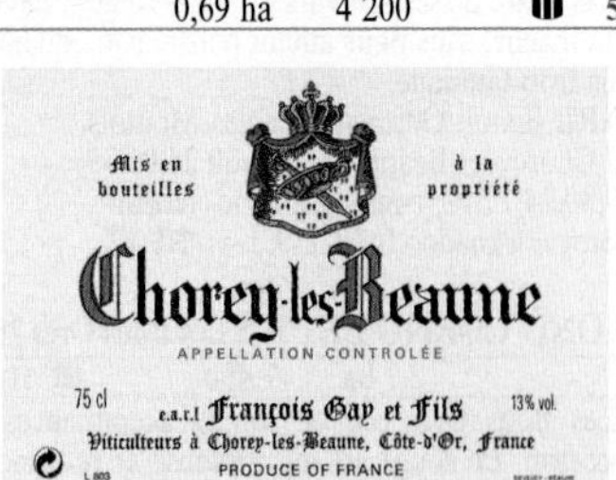

Comme César le pensait, il vaut mieux être le premier dans son village que le second à Rome. C'est ce qui se produit pour le domaine François Gay et Fils, distingué cette année par le coup de cœur. Pourpre violacé, ce 2003 offre un éventail d'arômes fruités et vanillés bien mariés. Il a de la mâche mais cette structure ne fait pas seulement appel aux tanins. Ce qu'on appelle un beau vin. Son prix est d'une sagesse exemplaire. À déguster dans deux ou trois ans.

EARL François Gay et Fils, 9, rue des Fiètres, 21200 Chorey-lès-Beaune, tél. 03.80.26.69.58, fax 03.80.24.71.42 r.-v.

DOM. GUYON Les Bons Ores 2004 *

■ 1,87 ha 12 000 **11 à 15 €**

Fûts neufs pour moitié, le reste de un à deux ans. Ce vin en a profité pendant un an et il mêle à son fruit un toasté prononcé. Celui-ci rend service au millésime en appuyant sa persistance. La finale framboisée rétablit le fruit dans ses privilèges.

EARL Dom. Guyon, 11-16, RN 74, 21700 Vosne-Romanée, tél. 03.80.61.02.46, fax 03.80.62.36.56, e-mail domaine.guyon@wanadoo.fr r.-v.

MAISON PHILIPPE HÉBERT Les Rèpes 2004

0,7 ha 1 000 **23 à 30 €**

Les Rèpes se situent au cœur de l'appellation et peuvent s'en estimer la synthèse. Ce négociant de fraîche date (2004) est parvenu à obtenir la marque *SAR Prince de Bourbon Parme* contre écus et jaunets, avec l'autorisation authentique de Monseigneur. On se contente ici d'une fleur de lys sur l'étiquette. Jolie robe claire, le nez moins marqué que celui des Bourbon, il a la grâce et le piquant d'un jeune marquis impertinent présenté à la Cour. Qu'il n'abuse cependant pas de sa vivacité : on pourrrait la croire voltairienne.

Maison Philippe Hébert, 1, pl. Saint-Jacques, BP 327, 21200 Beaune, tél. 03.80.22.62.58, fax 03.80.24.65.72, e-mail maison.philippe.hebert@wanadoo.fr r.-v.

DOM. MACHARD DE GRAMONT Les Beaumonts 2003

■ 1,31 ha 5 516 5 à 8 €

La vinification est désormais assurée au domaine par la nouvelle génération : les frères Alban et Alexis Machard de Gramont. Ce 2003 nous reçoit sans faire de cérémonie. La simplicité chaleureuse de son accueil le rend d'emblée sympathique : fraîcheur de l'entame, une certaine rondeur, des tanins courtois, une bonne persistance, il est très honnête à un prix modéré. À déboucher à partir de l'an prochain.

SCE Dom. Machard de Gramont, Le Clos, BP 105, rue Pique, Premeaux-Prissey, 21703 Nuits-Saint-Georges Cedex, tél. 03.80.61.15.25, fax 03.80.61.06.39 t.l.j. 8h-12h 13h30-18h15; sam. dim. sur r.-v.

DOM. MAILLARD PÈRE ET FILS 2004 *

n.c. n.c. **11 à 15 €**

Il joue les blancs et gagne. D'une limpidité parfaite et d'un or clair très réussi, il n'oublie pas ses dix-huit mois en fût (notes grillées) tout en sachant mettre en valeur les fruits jaunes. L'attaque est prudente, seulement fraîche, soutenue par l'acidité et d'un style pâte d'amandes. Tout s'enchaîne jusqu'à une finale éblouissante. Il s'impose pour un à deux ans. Le **village 2004 rouge**, souple et lisse, assez vanillé, est cité.

Dom. Maillard Père et Fils, 2, rue Joseph-Bard, 21200 Chorey-lès-Beaune, tél. 03.80.22.10.67, fax 03.80.24.00.42 r.-v.

CATHERINE ET CLAUDE MARÉCHAL 2004 **

■ 1,27 ha 8 000 11 à 15 €

Chorey avait autrefois la réputation d'un « vin médecin ». Il donnait volontiers un coup d'épaule aux cuvées parfois pâlottes de ses illustres voisins. Il se consacre de nos jours à son propre destin. Et avec bonheur si l'on en juge par cette bouteille d'un velours de rideau de scène, au nez finement grillé et à la puissance contenue : la force sait se faire souple et suave. Un vin bon pour le service en 2007.

EARL Catherine et Claude Maréchal, 6, rte de Chalon, 21200 Bligny-lès-Beaune, tél. 03.80.21.44.37, fax 03.80.26.85.01, e-mail marechalcc@wanadoo.fr r.-v.

DOM. MICHEL MARTIN 2003

■ 2 ha 2 600 **8 à 11 €**

Plusieurs générations et au bout du compte Michel Martin qui s'installe en 2003 sur 4,5 ha : du beaune 1er cru à l'AOC régionale. Création d'un gîte (les Beaumonts) tout récemment. Il s'agit ici de l'assemblage de cinq parcelles, donnant un vin rouge brillant. Il attaque au nez sur la cerise, la framboise, effectue un parcours en bouche tout à fait normal (léger, peu tannique mais équilibré). Vendangé le 23 août.

Michel Martin, 4, rue d'Aloxe-Corton, 21200 Chorey-lès-Beaune, tél. 03.80.24.26.57, fax 03.80.24.99.12, e-mail michel.martindomaine@laposte.net r.-v.

MOULIN AUX MOINES 2003

■ 0,81 ha 5 000 **11 à 15 €**

Raisins récoltés un 19 août, un record. Pourpre violacé soutenu, ce 2003 est dans l'ensemble assez léger (arômes, structure). Quelques notes de cassis animent sa bouche et la densité se manifeste principalement à l'attaque. Ce joli vin est à boire dans l'année.

Moulin aux Moines, 1, rte de Beaune, 21420 Savigny-lès-Beaune, tél. 03.80.21.51.13, fax 03.80.26.10.71 r.-v.

DOM. JOËL RÉMY Le Grand Saussy 2004

0,5 ha n.c. 11 à 15 €

Ce *climat* est le plus oriental de Chorey. Il s'habille d'un or léger et transparent. Un de nos dégustateurs d'outre-Rhin lui trouve l'arôme du bonbon glacé anglais. Nos amis britanniques seront donc en pays de connaissance. Bouche honnête et agréable dans son millésime.

Dom. Joël Rémy, 4, rue du Paradis, 21200 Sainte-Marie-la-Blanche, tél. 03.80.26.60.80, fax 03.80.26.53.03, e-mail domaine.remy@wanadoo.fr r.-v.

DOM. GEORGES ROY ET FILS 2004

0,32 ha 2 100 8 à 11 €

Vin de vol-au-vent, léger comme son accompagnement mais ne s'envolant pas au premier coup de vent. Nuancé en couleur comme en bouquet (abricot), il compense, par la finesse et un goût agréable, le corps d'un 2004 qui, avec raison, ne cherche pas à éluder le problème. Pour une première assiette en 2007.

Dom. Georges Roy et Fils, 20, rue des Moutots, 21200 Chorey-lès-Beaune, tél. 03.80.22.16.28, fax 03.80.24.76.38 r.-v.

DOM. DES TERREGELESSES 2003 *

2 ha 3 000 8 à 11 €

Une robe ravissante, rubis brillant, habille ce vin élevé dix-huit mois sous bois. Le nez s'ouvre sur des notes de fruits rouges cuits, révélant un pinot mûr. Équilibrée, bien constituée, reposant sur des tanins soyeux et longs, cette bouteille pourra attendre deux ou trois ans.

Dom. des Terregelesses, 7, rempart Saint-Jean, 21200 Beaune, tél. 03.80.24.21.65, fax 03.80.24.21.44, e-mail office@domainesenard.com r.-v.

Beaune

En superficie, l'appellation beaune est l'une des plus importantes de la Côte. Mais Beaune, ville d'environ 20 000 habitants, est aussi et surtout la capitale vitivinicole de la Bourgogne. Siège d'un important négoce, centre d'un nœud autoroutier très important, c'est une des cités les plus touristiques de France. La vente des vins des Hospices est devenue un événement mondial, et représente certainement l'une des ventes de charité les plus illustres.

Les vins, essentiellement rouges, sont pleins de force et de distinction. La situation géographique a permis le classement en premiers crus d'une grande partie du vignoble, et, parmi les plus prestigieux, nous pouvons retenir les Bressandes, le Clos du Roy, les Grèves, les Teurons et les Champimonts. En 2005, les blancs ont atteint 2 298 hl et les rouges 15 783 hl.

ARNOUX PÈRE ET FILS Les Cent Vignes 2004

1er cru 0,49 ha 3 000 15 à 23 €

Rouge sombre d'intensité suffisante, le nez de fruits mûrs cuits ou en compote (on en discute), il attaque avec brio. Sa chair veloutée suggère la cerise. La sérénité l'emporte chez lui sur la vigueur. Selon plusieurs dégustateurs, il faut l'attendre un an.

Arnoux Père et Fils, rue des Brenots, 21200 Chorey-lès-Beaune, tél. 03.80.22.57.98, fax 03.80.22.16.85 r.-v.

LYCÉE VITICOLE DE BEAUNE
La Montée rouge 2004 *

1er cru 1,24 ha 2 986 15 à 23 €

Cette Montée rouge produite par l'un des établissements agricoles chargés de la formation en viti-œno contribuera à la conversation. L'élevage et le fruit se marient fort bien. Pas mal de tanins, mais bien fondus. Le **beaune 1er cru rouge 2003 (11 à 15 €)** est (soit dit entre nous) moins cher et tout aussi bon, tout comme **le 1er cru Les Perrières 2004 rouge**. Un lycée où le latin est à l'honneur, du moins dans sa devise sur l'étiquette : *Respiciamus atque prospiciamus*. Ce qui signifie ? « Regardons derrière nous et devant nous. » Les viticulteurs de demain ont leur feuille de route.

Dom. du Lycée viticole de Beaune, 16, av. Charles-Jaffelin, 21200 Beaune, tél. 03.80.26.35.85, fax 03.80.26.37.68, e-mail expl.beaune@educagri.fr t.l.j. sf dim. 8h-12h 14h-17h30; sam. 9h-12h

DOM. BILLARD PÈRE ET FILS
Les Bons Feuvres 2004 *

0,3 ha 1 500 8 à 11 €

Climat situé à la sortie de Beaune en direction de Chalon ou Pommard. Rubis moyen, ce 2004 se révèle dans le verre. Le beau fruit et une structure tannique relativement aimable engagent à le réserver pour la mi-2008.

EARL Billard Père et Fils, rte de Chambéry, 21340 La Rochepot, tél. 03.80.21.87.94, fax 03.80.21.72.17, e-mail billardetfils@wanadoo.fr r.-v.

DOM. GABRIEL BOUCHARD Cent Vignes 2003 *

1er cru 0,13 ha 300 15 à 23 €

Gabriel Bouchard a obtenu naguère le coup de cœur pour son Cent Vignes. Il fait partie de la cohorte désormais peu nombreuse des viticulteurs *intra muros* de la ville de Beaune. Quant au nom de ce *climat*, il viendrait de Sanvigne, un site agricole resté sans vigne au... XIIIe s. Venons-en au fait. Rubis moyen à reflets noirs, la robe est classique. Après aération, le nez devient riche et complexe. Boisé un peu marqué (dix-huit mois), mais toute la rondeur, tout le gras, toute la longueur souhaités sur fond de cassis ou de myrtille.

Dom. Gabriel Bouchard, 4, rue du Tribunal, 21200 Beaune, tél. 03.80.22.68.63, fax 03.80.24.78.43 r.-v.

Alain Bouchard

DOM. BOUCHEZ-CRÉTAL Les Chouacheux 2003

1er cru 0,12 ha 1 800 11 à 15 €

Selon Hélène Landrieu-Lussigny, Chouacheux serait une déformation de Sausseux, endroit où poussaient des saules. Les temps ont bien changé... Nuance cerise burlat, ce 1er cru à l'arôme de bergamote se révèle d'entrée rond et flatteur. Il a su vieillir et se fondre, mais a encore un peu de réserve.

BOURGOGNE

🔑 Dom. Bouchez-Crétal-Garnier, rue du Chagnot, 21190 Monthélie, tél. et fax 03.80.21.66.75 ✉ 🍷 🚶 r.-v. 🏠 G

DOM. LAURENT BOUSSEY Prévoles 2004

■ 0,45 ha 1 200 🛢 11 à 15 €

Chaque année apporte du nouveau au domaine : une cuverie en 2003 ; 1,5 ha de vigne s'ajoutant au reste en 2005. Prévoles se trouve à la sortie de Beaune vers le Sud, à la « hauteur » des Aigrots. Pas très connu, mais intéressant. Ce vin brille normalement parmi ses reflets rubis profond. À l'agitation, son bouquet passe des aromates au fruit confituré. Celui-ci est en bouche un peu plus précis : l'attaque est ferme, la suite soutenue. Ce 2004 devrait bien évoluer dans une fourchette de un à deux ans.

🔑 Dom. Laurent Boussey, rue du Château-Gaillard, 21190 Monthélie, tél. 03.80.21.28.42, e-mail domaine.boussey@wanadoo.fr ✉ 🍷 🚶 r.-v.

DOM. CAUVARD Clos des Mariages 2004 *

□ 0,19 ha 1 200 🛢 15 à 23 €

Un Mariage en... blanc, évidemment. Les Grèves sont juste au-dessus. Jaune doré, cherchant avec bonheur sa voie entre le silex et le miel, un vin agréable à goûter, ce qui le résume bien. Longueur et puissance conseillent la poularde de Bresse, sinon le chapon. Ce clos est un joli petit monopole conduit par l'un des derniers viticulteurs authentiquement beaunois.

🔑 Dom. Cauvard, 34 bis, rue de Savigny, 21200 Beaune, tél. 03.80.22.29.77, fax 03.80.24.06.03, e-mail domaine.cauvard@wanadoo.fr ✉ 🍷 🚶 r.-v.

DOM. CHANSON PÈRE ET FILS Teurons 2003

■ 1er cru 3,86 ha 3 450 🛢 15 à 23 €

Costauds comme un porteur soulevant sa caisse pendant les vendanges, les Teurons ont de la charpente et du coffre. On le vérifie une fois de plus. Corsé, puissant et fortement tannique, très épicé, ce 2003 ne nous raconte pas de chansons. Il faut le prendre tel quel, dans sa maturité avancée qui invite à une dégustation précoce. Maison coup de cœur en 2005 pour ses Bressandes.

🔑 Dom. Chanson Père et Fils, 10, rue Paul-Chanson, 21200 Beaune, tél. 03.80.25.97.97, fax 03.80.24.17.42, e-mail chanson@domaine-chanson.com ✉ 🍷 🚶 r.-v.

DOM. DES CLOS Vieilles Vignes 2003

■ 0,56 ha 900 🛢 15 à 23 €

Domaine créé en 1995 par un membre de la famille Bichot ; 5,56 ha de nos jours. Limpide et rouge intense, un beaune de bonne compagnie, dont le nez visite le sous-bois, les épices du fût et les fruits noirs. Franc et tannique, il s'accompagne au palais d'une sensation de mûre. Vendange le 28 août et résultat honnête en ce millésime.

🔑 SCEA Dom. des Clos, 14, rue de la Goillotte, 21700 Vosne-Romanée, tél. 03.80.21.42.66, fax 03.80.21.42.91

🔑 G. Bichot

YVES DARVIOT Clos des Mouches 2004 **

□ 1er cru 0,3 ha 2 000 🛢 30 à 38 €

Du haut du carillon de l'hôtel-Dieu, le trézeleur pourrait faire résonner un joli air à sa façon. Car Yves Darviot, viticulteur et négociant-éleveur, n'a pas manqué son Clos des Mouches 2004. Un chardonnay miellé (et nullement mielleux), encore vif et tirant ensuite sur des notes exotiques raisonnables. Son caractère séduit : le jury salue « une vraie richesse de personnalité ». Quelques années en cave lui apporteront davantage d'éclat. Ne pas le servir à l'apéritif : il mérite un brochet.

🔑 Dom. Yves Darviot, 2, pl. Morimont, 21200 Beaune, tél. 03.80.24.74.87, fax 03.80.22.02.89, e-mail contact@yvesdarviot.com ✉ 🍷 🚶 r.-v. 🏠 E

DOM. RODOLPHE DEMOUGEOT Les Beaux Fougets 2004 **

■ n.c. 2 800 🛢 11 à 15 €

Coup de cœur l'an dernier, le voici à nouveau aux meilleurs fauteuils d'orchestre. Pour ces Beaux Fougets, *climat* situé à la sortie de Beaune vers Pommard, proche des Épenotes et des Boucherottes. Le rubis brille comme au doigt de l'être aimé. Framboise fraîche au premier nez, confiturée à l'aération, ces parfums se mêlent aux épices. Cette tonalité se maintient au palais dans une harmonie parfaite et longue. Recommandé également, le **Clos Saint-Désiré 2004 blanc (15 à 23 €)**, haut du même coteau, agréable à goûter maintenant, une étoile.

🔑 Dom. Rodolphe Demougeot, 2, rue du Clos-de-Mazeray, 21190 Meursault, tél. 03.80.21.28.99, fax 03.80.21.29.18 ✉ 🍷 🚶 r.-v.

DOM. DÉSERTAUX-FERRAND Les Sceaux 2004 *

■ 1er cru 0,6 ha 3 700 🛢 15 à 23 €

Climat en bordure des premières maisons de la ville quand on monte, les Sceaux semblent sceller sur parchemin la noblesse du vin de Beaune. En réalité, ce mot a quelque peu évolué dans le temps pour prendre son orthographe actuelle (le cas n'est pas rare). Tout cela pour faire un vin très extrait, rouge foncé et aromatiquement explicite sur la groseille et la vanille (un an en fût). Charpente, volume, l'architecte a vu grand. L'attendre est une question, à réponse plutôt positive.

🔑 Dom. Désertaux-Ferrand, 135, Grande-Rue, 21700 Corgoloin, tél. 03.80.62.98.40, fax 03.80.62.70.32, e-mail contact@desertaux-ferrand.com ✉ 🍷 🚶 t.l.j. sf sam. dim. 8h-12h 14h-17h 🏠 E

DOM. MICHEL GAY ET FILS Les Toussaints 2003 *

■ 1er cru 0,43 ha 1 500 🛢 11 à 15 €

Maison de pierre et tuiles plates, bien bourguignonne, située à 100 m du château de Chorey. Michel Gay propose ce vin velouté qui tapisse les papilles de soie. Le climat de 2003 (vendange le 23 août) ensoleille son tempérament chaleureux. Sa robe est en très légère évolution. Son bouquet discret est déjà flatteur (fruits rouges et cassis), notes que l'on retrouve dans une longue finale.

🔑 EARL Dom. Michel Gay, 1b, rue des Brenots, 21200 Chorey-lès-Beaune, tél. 03.80.22.22.73, fax 03.80.22.95.78 ✉ 🍷 🚶 r.-v.

HENRI GERMAIN ET FILS Bressandes 2003 *

■ 1er cru 1,24 ha 3 000 🛢 15 à 23 €

On partait en vendange un 24 août ! Si ce vin est peut-être le fruit du dérèglement climatique, il réussit à tirer un bon parti du millésime. Sous une robe charmante et des accents sauvages de gibier et d'épices, il est assez suave au palais, chaleureux, équilibré : son grain et sa longueur le rendent racé.

EARL Dom. Henri Germain et Fils, 4, rue des Forges, 21190 Meursault, tél. 03.80.21.22.04, fax 03.80.21.67.82 r.-v.

DOM. GERMAIN PÈRE ET FILS

Les Aigrots 2003

■ 1er cru 0,62 ha 2 000 **11 à 15 €**

Les Aigrots penchent du côté Pommard. Ne rien en déduire de trop hâtif car ces choses-là sont plus complexes qu'un manuel de dialectique. Nous avons ici un beau vin rouge cerise au nez confit très mûr. 2003, 28 août à la cuverie. Boisé (dix-huit mois), assez pointu et frais, il montre la diversité du millésime. Les tanins sont présents. Son potentiel d'évolution semble réel.

EARL Dom. Germain Père et Fils, rue de la Pierre-Ronde, 21190 Saint-Romain, tél. 03.80.21.60.15, fax 03.80.21.67.87, e-mail patrick.germain8@wanadoo.fr
t.l.j. 9h-19h; dim. sur r.-v.

DOM. A.-F. GROS Les Boucherottes 2004 *

■ 1er cru 0,3 ha 1 800 **23 à 30 €**

L'adresse Internet est mentionnée sur l'étiquette, ce qui n'est pas si fréquent. Pour un beaune haut de gamme. Pourpre magenta soutenu, il ne laisse pas courir le fût la bride sur le cou. Les tanins sont fondus. Coulant et charnu, bien long, un vin à venir car il sera prêt dans deux à trois ans.

Dom. A.-F. Gros, La Garelle, 5, Grande-Rue, 21630 Pommard, tél. 03.80.22.61.85, fax 03.80.24.03.16, e-mail af-gros@wanadoo.fr r.-v.

DOM. PIERRE LABET

Clos du Dessus des Marconnets 2004 **

■ 1 ha 4 200 **15 à 23 €**

Quatre mains à l'ouvrage, François Labet veille sur le château de La Tour au Clos de Vougeot, le domaine situé dans le Beaunois, la distillerie Champion-Labet (Savigny), tout en étant juge au tribunal de commerce et conseiller du commerce extérieur. Son Dessus des Marconnets est voisin de Savigny. Au sens propre comme au sens figuré, il voit les choses de haut. D'une couleur soutenue, finement boisé et orienté vers le fruit, ce 2004 a de la présence en bouche, des tanins enrobés et une persistance importante.

Dom. Pierre Labet, Clos de Vougeot, 21640 Vougeot, tél. 03.80.62.86.13, fax 03.80.62.82.72, e-mail contact@francoislabet.com
t.l.j. sf mar. 10h-18h; groupes sur r.-v.; f. fin nov-Pâques
François Labet

DANIEL LARGEOT Les Grèves 2004

■ 1er cru 0,6 ha 2 200 **15 à 23 €**

Deux fois coup de cœur pour ces Grèves, Daniel Largeot valorise une fois encore ses 60 ares dans le cru. Violine clair, la framboise assez prononcée, un 2004 soyeux en texture, consistant, s'achevant sur des saveurs un peu confiturées que le fût accompagne. En tout cas un vrai 1er cru à attendre un à trois ans.

Daniel Largeot, 5, rue des Brenots, 21200 Chorey-lès-Beaune, tél. 03.80.22.15.10, fax 03.80.22.60.62 r.-v.

DOM. MAILLARD PÈRE ET FILS 2004 *

■ n.c. n.c. **11 à 15 €**

19 ha sur sept villages et toute la gamme du bourgogne au grand cru, quel chemin parcouru depuis le premier coup de *fessou* (la pioche des vignerons du temps jadis) en 1952 ! D'une teinte prononcée, ce 2004 est d'un boisé assez fin et prévenant. Au palais, il se montre rond et généreux, friand. Une bouteille rêvée pour réconcilier majorité et opposition un soir d'élections municipales !

Dom. Maillard Père et Fils, 2, rue Joseph-Bard, 21200 Chorey-lès-Beaune, tél. 03.80.22.10.67, fax 03.80.24.00.42 r.-v.

MONGEARD-MUGNERET Les Avaux 2003 *

■ 1er cru 0,43 ha 2 200 **30 à 38 €**

Question pour un champion : où se situent Les Avaux ? Au beau milieu de l'appellation. Les Avaux, Clos des Avaux, tout se touche. Vendangés le 29 août, ces raisins produisent une matière solide, élégante malgré l'influence des quatorze mois de fût. On se croirait presque au déjeuner d'honneur de la Vente des Vins présidé par Catherine Deneuve. Un très bon vin à attendre pour la recherche du fondu.

Dom. Mongeard-Mugneret, 14, rue de la Fontaine, 21700 Vosne-Romanée, tél. 03.80.61.11.95, fax 03.80.62.35.75, e-mail domaine@mongeard.com
r.-v.

DOM. RENÉ MONNIER Les Cent-Vignes 2004 **

■ 1er cru 1,7 ha 8 800 **11 à 15 €**

Une chair à faire perdre la tête : richesse et force l'entraînent sur un chemin de gloire et de garde. Soyez patient(e) au moins jusqu'en 2008. Après un premier nez toasté paraissent les fruits noirs puis une note animale. Tout cela se prolonge dans une bouche parfaitement construite.

Dom. René Monnier, 6, rue du Docteur-Rolland, 21190 Meursault, tél. 03.80.21.29.32, fax 03.80.21.61.79, e-mail j.l.b.vins@wanadoo.fr
t.l.j. sf dim. 8h30-12h 14h-18h
M. et Mme Bouillot

ALBERT MOROT Les Cent-Vignes 2003 **

■ 1er cru 1,27 ha 4 500 **23 à 30 €**

Deux bouteilles finalistes du coup de cœur : ces Cent-Vignes à la robe dense et profonde, au bouquet éblouissant, un peu marqué par le fût (seize mois), mais riche et mûr sur le cassis ou la mûre. Le vin attaque sur le gras et il émerveille par sa concentration, son ampleur. Inutile de l'attendre trop longtemps : si vous avez besoin de vous réconcilier avec les 2003, prenez celui-ci ou encore le **1er cru Les Aigrots 2003 rouge**, deux étoiles, délicieux et complet. Le **1er cru Les Bressandes rouge 2003** ne démérite pas (une étoile). Un domaine formidablement remis en selle depuis quelques années.

Dom. Albert Morot, Ch. de la Creusotte, 20, av. Charles-Jaffelin, 21200 Beaune, tél. 03.80.22.35.39, fax 03.80.22.47.50, e-mail albertmorot@aol.com r.-v.

FERNAND ET LAURENT PILLOT

Boucherottes 2003 *

■ 1er cru 0,46 ha 1 600 **15 à 23 €**

Le domaine s'est sensiblement étendu en reprenant en totalité Pothier-Rieusset à Pommard. Grenat sombre brillant, bouqueté (cassis, mûre), ce 2003 porte bien son millésime : charpenté, il a ce caractère aromatique, suave et chaud qui évoque quelque peu les langueurs orientales. Il est conseillé de l'oublier deux ans en cave. Ses notes grillées (dix-sept mois en fût) doivent se fondre.

Fernand et Laurent Pillot, 2, pl. des Noyers, 21190 Chassagne-Montrachet, tél. 03.80.21.99.83, fax 03.80.21.92.60, e-mail lfpillot@club-internet.fr
r.-v.

DOM. THIERRY PINQUIER
Les Chaumes Gauffriots 2003 ★★

	0,3 ha	1 200		8 à 11 €

Thierry Pinquier, coup de cœur ! La brillance et le fruit de cette bouteille gagnent les premières étapes et l'arrivée, disputée au grand jury, est glorieuse. Son attaque est bien placée, l'épice et la griotte en appui. Boisé mais pas trop, fin et soyeux, un beaune digne de la capitale du vin de Bourgogne. Les Chaumes Gauffriots sont situés au-dessus de la Montée rouge, culminant sur la Montagne de Beaune.

Thierry Pinquier, imp. des Belges, rue Pierre-Mouchoux, 21190 Meursault, tél. 03.80.21.24.87, fax 03.80.21.61.09 r.-v.

DOM. JACQUES PRIEUR Champs-Pimont 2003 ★★

	1er cru	1,19 ha	4 320	30 à 38 €

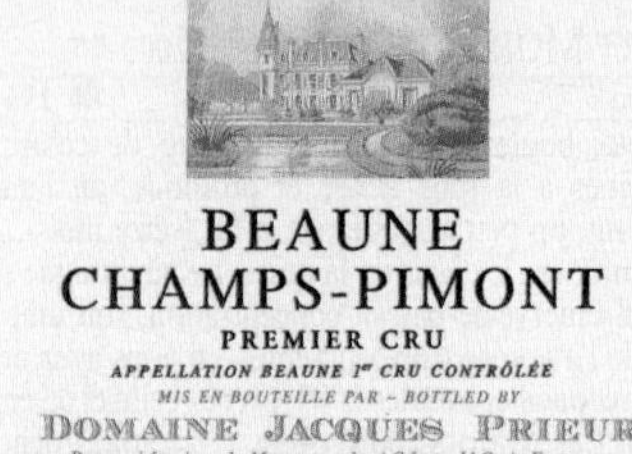

Domaine partagé naguère entre la famille Prieur et un groupe venu de Saône-et-Loire et conduit par Bertrand Devillard. L'embarras du choix sera bientôt réglé, puisque ce même 1er cru sous la même signature situe son blanc (ici, rayonnant de miel, avec finesse et puissance, de belle garde) et son **Champs-Pimont 2003 rouge (23 à 30 €)** à égalité de... coup de cœur ! Un pinot noir poivre et cassis, typé quant au terroir et au millésime.

Dom. Jacques Prieur, 6, rue des Santenots, 21190 Meursault, tél. 03.80.21.23.85, fax 03.80.21.29.19, e-mail info@prieur.com r.-v.

DOM. RAPET PÈRE ET FILS Clos du Roi 2004 ★

	1er cru	0,5 ha	2 500	15 à 23 €

On a beau être roi, on souffre du gel de l'hiver. Il a fallu tout replanter ici il y a près de vingt ans. Rouge griotte, encore un peu fermé au nez, où l'on discerne cependant le fruit rouge et le sous-bois, un 2004 corpulent, fort en mâche et de bon grain. Il a de l'avenir, entre deux à trois ans.

Dom. Rapet Père et Fils, pl. de la Mairie, 21420 Pernand-Vergelesses, tél. 03.80.21.59.94, fax 03.80.21.54.01 r.-v.

DOM. JOËL RÉMY Les Cent Vignes 2004 ★

	1er cru	n.c.	n.c.	11 à 15 €

On dit souvent qu'une petite robe noire, ça va avec tout. Mais la jolie petite robe rubis que l'on découvre ici ? Elle s'accorde bien avec un nez resté jeune, passant par plusieurs degrés : eucalyptus, framboise. Les tanins fondus, le fruit assez net, la bouche équilibrée, tout se tient. Dans la très bonne moyenne.

Dom. Joël Rémy, 4, rue du Paradis, 21200 Sainte-Marie-la-Blanche, tél. 03.80.26.60.80, fax 03.80.26.53.03, e-mail domaine.remy@wanadoo.fr
r.-v.

NICOLAS ROSSIGNOL Clos des Mouches 2003 ★

	1er cru	0,35 ha	900	30 à 38 €

Coup de cœur pour son 1999, ce vigneron n'est pas un amateur. Là encore, c'est bien, très bien. Riche, grenat sombre à reflets bleutés, puissant au nez (du fruit cuit et une pointe d'alcool), il n'en possède pas moins une chair élégante. Le fût se fait discret malgré ses vingt-quatre mois d'élevage. Un 2003 né un 25 août.

Nicolas Rossignol, rue de Mont, 21190 Volnay, tél. 03.80.21.62.43, fax 03.80.21.27.61, e-mail nicolas-rossignol@wanadoo.fr r.-v.

CH. DE LA VELLE Les Marconnets 2003 ★

	1er cru	1 ha	2 000	15 à 23 €

Déjà coup de cœur et très généralement abonné aux places d'honneur, Bertrand Daviot à la barre depuis trente ans réussit un beau tir groupé. Il place en effet trois vins au-dessus de la barre, et celle-ci est élevée. Ces Marconnets de nuance violine offrent un nez très mûr et normal en 2003, une texture gourmande de tenue impeccable. Voir aussi **Les Marconnets 2004 blanc (23 à 30 €)** bien dans son millésime, ainsi qu'en **village 2004 le Clos des Monsnières blanc**. Tous sont distingués par une étoile.

Bertrand Darviot, 17, rue de la Velle, 21190 Meursault, tél. 03.80.21.22.83, fax 03.80.21.65.60, e-mail chateaudelavelle@darviot.fr
r.-v.

CHRISTOPHE VIOLOT-GUILLEMARD
Clos du Roy 2004 ★

	1er cru	0,47 ha	2 400	15 à 23 €

Ce Clos du Roy ou Roi, rouge cardinal à reflets violines, se montre bon prince. Le parfum ressemble à la griotte confite, douce invitation au rêve tant l'équation est complexe. Ample, déjà rond, long, il a de la grâce.

Christophe Violot-Guillemard, 7, rue de la Réfène, 21630 Pommard, tél. et fax 03.80.22.03.49, e-mail christophe.violot-guillemard@wanadoo.fr
r.-v.

THIERRY VIOLOT-GUILLEMARD
Clos des Mouches 2004

	1er cru	0,25 ha	800	15 à 23 €

Un Clos des Mouches ne laisse jamais indifférent. Nous sommes aux abords de Pommard et ce sont souvent les vins les plus fermes. Celui-ci est en effet assez tannique,

encore un peu secret. Son carmin sombre, son boisé présent mais bien traité, sa bouche offrant une bonne suite témoignent d'un vin plein de bonnes dispositions. À servir dans trois ans. Signalons que ce domaine s'est converti à l'agriculture biologique en 2000.
EARL Thierry Violot-Guillemard, 7, rue Sainte-Marguerite, 21630 Pommard, tél. 03.80.22.49.98, fax 03.80.22.94.40, e-mail violot.pommard@cegetel.net r.-v.

Pommard

C'est l'appellation bourguignonne la plus connue à l'étranger, sans doute en raison de sa facilité de prononciation... Le vignoble de 325 ha a produit 9 041 hl en *village* et 5 015 hl en premier cru en 2005. L'argovien marneux est ici remplacé par des calcaires tendres, et les vins produits sont solides, tanniques ; ils ont une bonne aptitude à la garde. Les meilleurs climats sont classés en premiers crus, dont les plus connus sont les Rugiens et les Épenots.

BALLOT-MILLOT Pézerolles 2003 ★★

■ 1er cru 0,6 ha 1 800 23 à 30 €

En savourant ce Pézerolles somptueux, coup de cœur et n °1 des 166 échantillons dégustés dans cette appellation, vous vous inscrirez tout de suite à la Paulée de Meursault pour en partager le bonheur. Si Philippe Ballot a passé les rênes à son fils Charles, il demeure la clé de voûte de ce prix littéraire envié. Tenant ce vin dans le verre, on croit lire en effet Victor Hugo comparant le pommard au combat du jour et de la nuit. Sa robe bien sûr, mais encore ce bouquet merveilleux, floral (pivoine) et fruité (myrtille). Les tanins de soie constituent une texture admirable, une concentration exquise. Déjà parfait et pour longtemps.
Ballot-Millot et Fils, 9, rue de la Goutte-d'Or, 21190 Meursault, tél. 03.80.21.21.39, fax 03.80.21.65.92, e-mail ballotmillotetfils@hotmail.com r.-v.

ROGER BELLAND Les Cras 2004 ★

■ 0,99 ha 3 800 23 à 30 €

Fille de Roger, Julie a intégré le domaine en 2004. Framboise sombre, ce vin tempère un peu son engagement aromatique ; le fruit a toutefois envie de percer. L'attaque est soyeuse, le boisé mesuré et l'ensemble bien structuré. Sa rigueur nécessite un peu de patience et, le moment venu, la décantation, car l'air libre lui profitera.
EARL Roger Belland, 3, rue de la Chapelle, 21590 Santenay, tél. 03.80.20.60.95, fax 03.80.20.63.93, e-mail belland.roger@wanadoo.fr r.-v.

DOM. BILLARD-GONNET Clos de Verger 2003 ★

■ 1er cru 1,5 ha 3 000 15 à 23 €

Le Clos de Verger est niché contre les plus hautes maisons du pays. Celui-ci porte une superbe robe pourpre : on trouve du plaisir à le contempler, à le respirer (framboise, fraise, un rien de floral) et à le déguster. Sa structure tannique est digne d'un pommard, sa prestation en bouche intéressante. Très mûr, façon 2003. **Pézerolles 1er cru 2003** d'excellente facture, une étoile.
Dom. Billard-Gonnet, rte d'Ivry, 21630 Pommard, tél. 03.80.22.17.33, fax 03.80.22.68.92, e-mail billard.gonnet@wanadoo.fr r.-v.

BOURGOGNE

DOM. JEAN-MARC BOULEY Les Rugiens 2003 ★

■ 1er cru 0,28 ha 900 30 à 38 €

Grappe d'Or de notre édition 1994, ce ne sont pas des choses que l'on oublie ! Voici un Rugiens rouge sombre, le nez plaisant et gentiment fruité. Charpente, mâche, tanins forment un corps jeune et l'on n'est pas surpris par sa touche d'amertume. Prometteur, son corps tout en puissance et densité semble capable de gagner en longueur. Ne pas retirer son bouchon avant deux à trois ans.
Dom. Jean-Marc Bouley, chem. de la Cave, 21190 Volnay, tél. 03.80.21.62.33, fax 03.80.21.64.78, e-mail jeanmarc.bouley@wanadoo.fr r.-v.

DOM. XAVIER BOUTROY 2003 ★

■ 0,12 ha 600 15 à 23 €

En 1996 et à l'âge de vingt-cinq ans, après un BTS et une formation commerciale, Xavier Boutroy se lance dans la constitution d'un domaine. Achats dans les Hautes-Côtes de Beaune, reprise d'une vigne à Pommard (près de trois ouvrées), il met du cœur à l'ouvrage et réussit dans son entreprise. D'une teinte très foncée, ce *village* est bien équilibré. Très aromatique, de façon classique, il développe ses dix-huit mois de fût sur un fond de café torréfié, sachant pourtant offrir aux composants essentiels une expression libre et entière.
Xavier Boutroy, 46, rue Chauchien, 21590 Santenay, tél. et fax 03.80.20.68.37, e-mail xavier.boutroy@free.fr r.-v.

DOM. DENIS CARRÉ Les Noizons 2004 ★

■ n.c. n.c. 15 à 23 €

Assez sombre, la robe joue bien dans la cour des pommard. Le nez n'est pas celui de Pinocchio, mais le fruit y fait son nid. Rond à l'attaque, honnête en structure, un vin qui peut « voir venir » (dans les trois ans). Il est issu d'un *climat* côté Beaune et ce domaine a reçu sept coups de cœur dont trois en Charmots. Ces derniers, **Les Charmots 2004**, obtiennent une étoile. Une adresse sûre.
Dom. Denis Carré, rue du Puits-Bouret, 21190 Meloisey, tél. 03.80.26.02.21, fax 03.80.26.04.64, e-mail domainedeniscarre@wanadoo.fr r.-v.

DOM. COSTE-CAUMARTIN Le Clos des Boucherottes 2003 ★

■ 1er cru 1,81 ha 6 470 23 à 30 €

Les cuisinières et appareils de chauffage Coste-Caumartin eurent leur heure de gloire. La tradition familiale demeure bien vivante dans le vignoble, d'autant que l'origine du domaine date du XVIII[e]s. Côté Beaune, ce clos (1,81 ha) est un monopole au sein du *climat*. Sa robe pourpre intense, son parfum très mûr et sa constitution solide retiennent l'attention. Une pointe d'acidité est gage de durée. À ouvrir dans deux ou trois ans.

Dom. Coste-Caumartin, 2, rue du Parc, 21630 Pommard, tél. 03.80.22.45.04, fax 03.80.22.65.22, e-mail coste.caumartin@wanadoo.fr
t.l.j. 9h30-12h 14h-19h; dim. sur r.-v.
Jérôme Sordet

DOM. DE COURCEL Les Vaumuriens 2003 ★★

0,7 ha 900 15 à 23 €

Ce Vaumuriens campe dans les parages du coup de cœur. Vendangé sans hâte (4 septembre 2003), il tient le juste milieu entre le rouge et le noir. Follement généreux en cassis, n'ayant pas encore atteint sa pleine maturité, les tanins ayant besoin de parfaire leurs bonnes manières, il dispose d'un charme auquel il serait difficile de ne pas succomber. De grand avenir. Le **Rugiens 1er cru 2003 (30 à 38 €)** obtient une étoile.

Dom. de Courcel, pl. de l'Église, 21630 Pommard, tél. 03.80.22.10.64, fax 03.80.24.93.78, e-mail courcel@domaine-de-courcel.com r.-v.

DOM. CYROT-BUTHIAU 2003

1,71 ha 1 800 15 à 23 €

Pommard de l'école classique : il faut lui laisser le temps de se faire. Un peu fermé, très concentré, torréfié, il attend sous son rouge et noir étincelant. Quand il s'éveillera, sa richesse l'emportera.

Dom. Cyrot-Buthiau, 15, rte d'Autun, 21630 Pommard, tél. 03.80.22.06.56, fax 03.80.24.00.86, e-mail cyrot.buthiau@wanadoo.fr r.-v.

JEAN-PIERRE DICONNE Les Vignots 2003

0,46 ha 1 500 11 à 15 €

Christophe Diconne a pris la suite de son père en 2005. Lui-même avait succédé à Paul, son père, en 1972. Les Vignots occupent un long balcon côté Beaune. Ils donnent ce vin bien présenté, aux arômes frais et discrets, boisé mais pas trop, d'une concentration moyenne. Sa rondeur et son fruit (petites baies noires) en font un pommard facile à boire.

Jean-Pierre Diconne, rue de la Velle, 21190 Auxey-Duresses, tél. 03.80.21.25.60, fax 03.80.21.26.80 r.-v.

FERY-MEUNIER 2003 ★

1,3 ha 2 200 15 à 23 €

Voici une bonne dizaine d'années que Jean-Louis Fery et Alain Meunier sont associés. Leur pommard 2003 a belle allure. Rien ne l'assombrit, sinon le rubis de sa robe. Au nez, il s'ouvre lentement. En bouche, les seize mois de fût demeurent discrets même s'il demeure un peu d'astringence en finale ; cela s'estompera (à boire dans les deux ans).

Maison Fery-Meunier, 1, rte de Marey, 21420 Échevronne, tél. 03.80.21.59.60, fax 03.80.21.59.59, e-mail fery.meunier@wanadoo.fr r.-v.

GILBERT ET PHILIPPE GERMAIN 2004 ★

1 ha n.c. 11 à 15 €

Les Enchaînés. Vous vous rappelez ce film d'Hitchcock ? Cary Grant et Ingrid Bergman. Vilaine affaire et des secrets atomiques cachés dans une bouteille de pommard ! Il est vrai qu'Alfred était à Hollywood le plus bourguignon des hommes. Cette bouteille en revanche est dépourvue de suspense. Comme on s'y attend, le rouge grenat s'accorde à un fruit noir très vineux. Les tanins ne font pas de la figuration mais sur la fin ils n'ont pas l'avantage. Parfaitement mis en scène pour un succès durable.

Gilbert et Philippe Germain, 21190 Nantoux, tél. 03.80.26.05.63, fax 03.80.26.05.12, e-mail germain.vins@wanadoo.fr r.-v.

DOM. GLANTENAY Rugiens 2003 ★

1er cru n.c. 1 400 23 à 30 €

Dans *Madame Bovary*, Flaubert prête de grandes vertus au vin de Pommard. Comme celle d'« *exciter les facultés* ». Nul doute que celui-ci y parvient aisément. Rouge vif et soutenu, il exprime au nez une personnalité réelle : un peu d'alcool au départ (2003), puis le fruit mâtiné de vanille opportune. Direct, sans défaut, pourvu en gras et constamment structuré, sans doute encore un peu fermé, il mérite amplement votre attente. Sa pointe de fermeté se défera pendant ce temps.

Dom. Georges Glantenay et Fils, rue de la Barre, 21190 Volnay, tél. 03.80.21.61.82, fax 03.80.21.68.66
t.l.j. sf dim. 10h-19h

DOM. A.-F. GROS Les Pézerolles 2004 ★★

1er cru 0,35 ha 2 000 30 à 38 €

Gros, Parent, un mariage, et ils font « domaine à part » entre Vosne et Pommard. Violine plus que rubis, le nez pruneau toasté et confiture de myrtilles, ce 2004 possède une jolie texture. Concentré, répondant présent mais de navigation au long cours, il doit être oublié en cave. Il sera grand.

Dom. A.-F. Gros, La Garelle, 5, Grande-Rue, 21630 Pommard, tél. 03.80.22.61.85, fax 03.80.24.03.16, e-mail af-gros@wanadoo.fr r.-v.

DOM. JEAN-LUC JOILLOT Rugiens 2003 ★

0,53 ha 2 000 23 à 30 €

Coup de cœur pour son Charmots 2000 et pour un Rugiens 1999, ce producteur dirige son domaine depuis 1981. Ses Rugiens sont l'une des têtes d'affiche de la distribution en pommard. Ce vin rougeoie, il flamboie tant sa robe rouge grenat est brillante. Son bouquet s'ouvre à l'aération sur des notes un peu confites. Puis ses tanins s'affirment. N'en doutez pas : son gras va s'étoffer et il deviendra flatteur... **Les Noizons *village* 2003** et **Petits Épenots 1er cru 2003 (38 à 46 €)** à qualité égale.

Dom. Jean-Luc Joillot, 6, rue Marey-Monge, 21630 Pommard, tél. 03.80.24.20.26, fax 03.80.24.07.54, e-mail joillot@vin-pommard.com
t.l.j. 9h-12h 14h-18h

DOM. LEJEUNE Les Rugiens 2003 ★★

1er cru 0,26 ha 1 300 30 à 38 €

Les anciens élèves de la *Viti* constateront ainsi que François Jullien de Pommerol n'était pas seulement un excellent professeur, mais qu'il demeure un praticien remarquable. Coup de cœur en effet pour ces Rugiens à la robe sombre très brillante, pleins de franchise et vendangés le 30 août. Le nez est discret (cerise noire, torréfié), le palais admirablement équilibré entre le fond et la forme, complexe, sur le fruit cuit persistant, millésime oblige.

Dom. Lejeune, 1, pl. de l'Église, 21630 Pommard, tél. et fax 03.80.22.90.88, e-mail domaine-lejeune@wanadoo.fr t.l.j. 9h-12h 14h-17h, dim. sur r.-v.
Famille Jullien de Pommerol

LUPÉ-CHOLET Les Rugiens 2003 ★

1er cru n.c. n.c. 38 à 46 €

Succédant à Inès et Liane de Mayol de Lupé, Albert Bichot acquit Lupé-Cholet en 1978. Cette maison garde à Nuits pignon sur vigne et elle y possède notamment le charmant Château Gris. Ce vin n'est pas trop pressé de quitter la cave. Sa palette aromatique (fruits en confiture, grillé) n'est pas encore complète. Comme il a du potentiel, une richesse pleine de mâche, du caractère, il devrait être bon pour le service en 2008.

Lupé-Cholet, 17, av. du Général-de-Gaulle, 21700 Nuits-Saint-Georges, tél. 03.80.61.25.02, fax 03.80.24.37.38, e-mail bourgogne@lupe-cholet.com

DOM. SÉBASTIEN MAGNIEN Les Petits Noizons 2004 ★

0,2 ha 1 000 15 à 23 €

Une cuverie récente (2005) : Sébastien Magnien, œnologue, installé récemment et issu d'une famille vigneronne de Meloisey dans les Hautes-Côtes de Beaune, entend mettre tous les atouts du bon côté. Bien fait et prometteur, un joli pommard parfumé à la framboise, rouge grenat, où l'acidité et les tanins ne se disputent pas. Un peu sévère en finale, malgré sa persistance aromatique, il est de bonne garde (dans les cinq ans). Le **Perrières 2004 en *village*** est assez proche du précédent (une étoile).

Dom. Sébastien Magnien, 6, rue Pierre-Joigneaux, 21190 Meursault, tél. 03.80.21.28.57, fax 03.80.21.62.80 r.-v.

CATHERINE ET CLAUDE MARÉCHAL La Chanière 2003 ★

1,39 ha 4 500 23 à 30 €

Que lui manque-t-il pour viser la deuxième étoile ? Un peu de puissance. Il est néanmoins très réussi et, sous sa robe noir violacé, il rapporte une moisson de petits fruits rouges. Concentrée, la bouche reste équilibrée. On se plaira en la compagnie de cette belle bouteille.

EARL Catherine et Claude Maréchal, 6, rte de Chalon, 21200 Bligny-lès-Beaune, tél. 03.80.21.44.37, fax 03.80.26.85.01, e-mail marechalcc@wanadoo.fr r.-v.

DOM. MAZILLY PÈRE ET FILS Les Poutures 2004 ★

1er cru 0,8 ha 3 500 15 à 23 €

Poutures se trouve vers Volnay, juste après les dernières maisons du village. Rubis violine, la robe est ici plutôt claire pour l'AOC, mais limpide et brillante. En revanche, le nez se régale en plongeant dans la cerise à l'alcool et l'épice douce choyée par quinze mois de fût. Après une attaque franche s'affichent une texture de qualité, des tanins enrobés et une jolie suavité, le tout assez fondu et tendre, marqué par la cerise noire et la cannelle. Bon à boire dès à présent sur un poulet de Bresse au foie gras de canard (avec une pointe de truffe pour les gourmets).

Dom. Mazilly Père et Fils, rte de Pommard, 21190 Meloisey, tél. 03.80.26.02.00, fax 03.80.26.03.67 r.-v.

CHRISTIAN MENAUT 2004 ★

1,06 ha 5 300 11 à 15 €

Nuance framboise écrasée, bouquet plus réglissé que fruité, attaque aérienne, on est bientôt convaincu par le sérieux du propos, même s'il a davantage de rondeur que de force tannique. La violette est de la partie, comme le veut un pinot de bonne souche. C'est bon, relativement durable, et cette affabilité générale fera préférer le poulet de Bresse aux civets et aux confits.

Christian Menaut, rue Chaude, 21190 Nantoux, tél. 03.80.26.07.72, fax 03.80.26.01.53 r.-v.

DOM. PRINCE FLORENT DE MERODE Clos de la Platière 2004 ★

0,68 ha 3 400 15 à 23 €

Si les titres nobiliaires sont souvent à considérer avec circonspection sur les étiquettes de vin, nous sommes vraiment ici sur les terres princières des Merode (château de Serrigny). Rubis clair, le nez assez sauvage, boisé sans excès, un vin encore jeune, bien né et qui cache de belles choses. Attendre son éveil (deux ans environ).

Prince Florent de Merode, 3, rue du Château, 21550 Ladoix-Serrigny, tél. 03.80.26.40.80, fax 03.80.26.49.37 r.-v.

DOM. MOILLARD Épenots 2004 ★

1er cru 2,15 ha 9 600 23 à 30 €

Domaine Moillard, c'est-à-dire les propres vignes de cette maison bien connue. Sur 2,15 ha en Épenots, ce qui n'est pas rien. Avec les Rugiens, ce 1er cru est un *must*. Rubis foncé brillant, évoquant la framboise, la groseille sur fond réglissé, il répond à la définition de Georges Pertuiset, illustre sommelier : « Pommard ? Des vins colorés, robustes et charpentés, sans concession dans leur jeunesse. » Celui-ci est en effet puissant, tannique, concentré. Quand fera-t-il son premier sourire ? Comme il s'agit d'un vin de garde (cinq à huit ans), difficile à prévoir.

Dom. Moillard, chem. rural 59, 21700 Nuits-Saint-Georges, tél. 03.80.62.42.12, fax 03.80.61.28.13, e-mail contact@moillard.fr t.l.j. 10h-18h; f. jan.

JEAN-LOUIS MOISSENET-BONNARD Les Cras 2004 ★

0,41 ha 2 450 15 à 23 €

Côté Volnay, les Cras n'évoquent pas des oiseaux mais, comme les Crais ou les Criots ailleurs dans la Côte, un terrain assez pierreux où le calcaire tient tête aux

BOURGOGNE

marnes. Coup de cœur pour son Pézerolles 2000, ce domaine obtient ici le satisfecit pour l'intensité de la robe rubis et du bouquet de ce 2004. Tourner le verre le met peu à peu en verve (griotte, accent un peu sauvage et mûr). Légère dureté en finale, une complexité à parfaire en cave au moins deux ans.

Jean-Louis Moissenet, Dom. Moissenet-Bonnard, 5, rte d'Autun, 21630 Pommard, tél. 03.80.24.62.34, fax 03.80.22.30.04 r.-v.

DOM. JEAN MONNIER ET FILS Argillières 2003 ★★

■ 1er cru 0,58 ha 1 800 15 à 23 €

On l'a goûté, regoûté, mâché, tâté... En effet, la majorité du jury le portait aux nues, mais un dégustateur faisait la fine bouche. Le grand jury en a donc débattu, concluant unanimement à l'excellence du produit. L'intérêt d'un guide n'est-il pas d'analyser un processus de décision, de la manière la plus transparente qui soit ? Argillières pourpre brillant au bouquet de bigarreau, caressant et soyeux, d'une finesse rare et d'une longueur très intéressante : le pommard emploie ici le langage de la douceur. Le **1er cru Clos de Cîteaux Monopole 2003 (23 à 30 €)** obtient une étoile. Nicolas Monnier a du travail : son père est le maire de Meursault.

Dom. Jean Monnier et Fils, 20, rue du 11-Novembre, 21190 Meursault, tél. 03.80.21.22.56, fax 03.80.21.29.65, e-mail contact@domaine-jeanmonnier.com r.-v.

Nicolas Monnier

DOM. MUSSY Les Épenots 2004

■ 1er cru 0,57 ha 1 800 23 à 30 €

Même en Épenots, cette étiquette en forme de parchemin à bords roulés exprime une certaine idée de la Bourgogne. Ce vin rubis profond, correctement aromatique, souple et réglissé, garde la main sur ses tanins et offre une longueur intéressante. On ne baisse pas les yeux devant le millésime. À boire ou à garder ? Comme vous voudrez.

Dom. Mussy, 12, anc. rte d'Autun, 21630 Pommard, tél. 03.80.22.89.11, fax 03.80.24.79.79 r.-v.

Michel Meuzart

LUCIEN MUZARD Les Cras 2004 ★

■ n.c. 1 900 15 à 23 €

Activité de négoce-éleveur (achats en raisins) créée parallèlement à celle du domaine, la marque Lucien Muzard est de qualité. Voyez ce pommard encore sur la pointe des pieds sur le plan des arômes (car il est jeune encore). Un vin grenat soutenu dont la première bouche est enrobée, la finale puissante et insistante. Le tout est sympathique et flatteur.

SARL Lucien Muzard et Fils, 1, rue de la Chapelle, 21590 Santenay, tél. 03.80.20.61.85, fax 03.80.20.66.02, e-mail lucien-muzard-et-fils@wanadoo.fr r.-v.

DOM. NEWMAN Vieilles Vignes 2003 ★★

■ 0,5 ha 1 200 15 à 23 €

Aux portes du coup de cœur et en tout cas dans le trio de tête, ce *village* noir violacé possède un nez à se mettre à genoux, suave et pourtant poivré. Il attaque en beauté et tient la route tout au long de l'étape. Il a du gras, de la consistance et cette harmonie subtile qui caractérise les grands vins. Robert, « Bob » Newman, citoyen américain d'origine autrichienne et ami d'Alexis Lichine, acheta un domaine dans les années 1960, en grands crus de la Côte de Nuits. Son fils Christopher prit pied à Beaune et poursuivit l'aventure.

GFA Dom. Newman, 29, bd Clemenceau, 21200 Beaune, tél. 03.80.22.80.96, fax 03.80.24.29.14

DOM. ANNICK PARENT Les Rugiens 2003 ★

■ 1er cru 0,5 ha 1 300 30 à 38 €

Un parc arboré, des bâtiments du XVIIIe s., une femme maître de chai. Rouge tirant sur le grenat, ces Rugiens sont à la hauteur du sujet, exprimant le fruit noir très mûr. Puissant mais d'une mâche modérée, le fût assez sensible, un vin bien travaillé. À servir fin 2007, début 2008 et à carafer si possible.

Annick Parent, rue du Château-Gaillard, 21190 Monthélie, tél. et fax 03.80.21.21.98, e-mail annick.parent@wanadoo.fr r.-v.

Jean Parent

DOM. PARENT La Croix Blanche 2003 ★

■ 0,32 ha 1 800 15 à 23 €

Il est probable qu'Étienne Parent, aïeul de la famille et fournisseur de Thomas Jefferson (historiquement exact), fit entrer dans les caves de la Maison Blanche le premier vin de Bourgogne. Goûtons cette Croix Blanche voisine des Grands Épenots, de l'autre côté de la route. Robe offrant de jolis jambages, fruité savoureux, attaque soyeuse et bouche légèrement réglissée. Notez le **1er cru Le Clos Micault Monopole 2003 (23 à 30 €)** et le **1er cru Les Chaponnières 2003 (23 à 30 €)** qui ont leur place parmi vous.

SAS Dom. Parent, 19, pl. de l'Église, 21630 Pommard, tél. 03.80.22.15.08, fax 03.80.24.19.33, e-mail parent-pommard@reseauconcept.net r.-v.

DOM. PARIGOT PÈRE ET FILS Clos de la Chanière 2004 ★

■ 1er cru n.c. n.c. 23 à 30 €

Située entre la Petite Combe et la Grande Combe, en montant vers Saint-Romain, la Chanière est souvent régulière dans ses résultats. Sous des traits très prononcés, on a affaire à un 2004 aux senteurs élégantes de vanille et de fruits rouges. Sa bouche charnue est dynamique. Plaisir annoncé dans quelques années.

Dom. Parigot Père et Fils, rte de Pommard, 21190 Meloisey, tél. 03.80.26.01.70, fax 03.80.26.04.32 r.-v.

MICHEL PICARD Clos Micot 2004 ★

■ 1er cru n.c. 1 800 30 à 38 €

Si Louis-Félix Picard a fondé cette maison en 1951, son fils Michel lui a insufflé un dynamisme considérable. Quatre mains à l'ouvrage, il trouve encore le temps d'être le maire de Chagny. Ce Clos Micot est situé au sortir du village en allant à Volnay. Grenat soutenu à reflets framboisés, le nez sur la réserve mais laissant deviner sa gourmandise (fruits rouges), il se montre tendre et soyeux, copieux cependant. Le fût n'insiste pas et les tanins sont déjà polis.

Maison Michel Picard, Ch. de Chassagne-Montrachet, 21190 Chassagne-Montrachet, tél. 03.80.21.98.57, fax 03.80.21.97.83, e-mail contact@michelpicard.com t.l.j. sf dim. 10h-17h

THIERRY PINQUIER Les Chanlins 2003 ★

■ 0,3 ha 1 400 15 à 23 €

Les Chanlins (côté Volnay) sont classés en 1er cru ou en *village*, selon l'altitude sur le versant. Altitude est d'ailleurs beaucoup dire, mais c'est ainsi. Pourpre lumineux, ce vin est ici assez sauvage et complexe : les coups de nez apportent à chaque fois du nouveau (mûre, prune, boisé fondu). Bonne matière un peu serrée mais fondue. À boire maintenant ou à attendre deux à trois ans, comme vous l'entendrez.

Thierry Pinquier, imp. des Belges, rue Pierre-Mouchoux, 21190 Meursault, tél. 03.80.21.24.87, fax 03.80.21.61.09
r.-v.

CH. DE POMMARD 2004 ★

■ n.c. 15 000 38 à 46 €

La famille Giraud (promotion immobilière dans les Alpes et le sud de la France) a acquis l'ensemble formé par les châteaux de Pommard et le clos de 20 ha. Elle a confié les vignes et le vin à Philippe Charlopin qui signe ici son premier millésime en ces lieux. Très intense à l'œil, vanillé et d'un ton très mûr à l'aération, ce vin moyennement charpenté est d'une composition élégante. Une autre partie de la production est dite **Grand Vin du Château de Pommard (46 à 76 €)**, expression plus bordelaise que bourguignonne. L'impression est favorable, mais le fût montre une forte influence.

Ch. de Pommard, 15, rue Marey-Monge, 21630 Pommard, tél. 03.80.22.12.59, fax 03.80.24.65.88
t.l.j. 9h-19h; jan.-fév. sur r.-v.
Giraud

DOM. REBOURGEON-MURE
Les Charmots 2003 ★★

■ 1er cru 0,45 ha 900 15 à 23 €

Parcelle de 0,45 ha acquise en 2003 et qui fait sous cette signature ses beaux débuts dans le monde. Deux bouteilles passent la barre sans avoir recours au deuxième essai. **Grands Épenots 1er cru 2004**, une étoile, et ce Charmots 2003 pour lequel on a un faible. Pourpre très légèrement ambré, il distille des notes racées (fruits rouges) et d'un fruit discrètement fumé. Équilibré, soyeux, tant ses tanins sont polis, et de bonne longueur, il plaît d'ores et déjà pour sa fraîcheur mais résistera à trois ou quatre ans de garde.

Dom. Rebourgeon-Mure, 6 a, Grande-Rue, 21630 Pommard, tél. 03.80.22.75.39, fax 03.80.22.71.00
r.-v.

DOM. RÉGIS ROSSIGNOL-CHANGARNIER
2003 ★

■ 0,51 ha 1 800 15 à 23 €

Tannique, il l'est mais sans la moindre agressivité, comme un pommard en pleine jeunesse, sain de corps et d'esprit. Généreux, ferme, apte à la garde, il ne pose vraiment aucun problème. Son bouquet se situe entre fruit, épice et réglisse. La robe réussie, limpide, annonçait son grand classicisme.

Régis Rossignol, rue d'Amour, 21190 Volnay, tél. et fax 03.80.21.61.59 r.-v.

DOM. VINCENT SAUVESTRE
Clos de la Platière 2004 ★

■ 3 ha 13 500 23 à 30 €

En signe avant-coureur, cette robe rouge cerise profonde et qui ne vire pas au noir, comme c'est souvent le cas en extraction moderne. Épices et fruits rouges, le nez confirme cette bonne impression première. Au palais, la puissance n'écrase pas la finesse et si l'on a affaire à une architecture solide, un sentiment d'harmonie en émane. Cette bouteille ne manque pas de réserve.

SCEA Dom. Vincent Sauvestre, 7, rte de Monthélie, 21190 Meursault, tél. 03.80.21.22.45, fax 03.80.21.28.05

Volnay

BOURGOGNE

Blotti au creux du coteau, le village de Volnay évoque une jolie carte postale bourguignonne. Moins connue que sa voisine, l'appellation n'a rien à lui envier, et les vins sont tout en finesse ; ils vont de la légèreté des Santenots, situés sur la commune voisine de Meursault, à la solidité et à la vigueur du Clos des Chênes ou des Champans. Nous ne les citerons pas tous ici, de peur d'en oublier... Le Clos des Soixante Ouvrées y est également très connu et donne l'occasion de définir l'ouvrée : quatre ares et vingt-huit centiares, unité de base des terres viticoles, correspondant à la surface travaillée à la pioche par un ouvrier dans sa journée, au Moyen Âge.

De nombreux auteurs du siècle dernier ont cité le vin de Volnay. Nous rappellerons le vicomte de Vergnette qui, en 1845, au congrès des Vignerons français, terminait ainsi son savant rapport : « Les vins de Volnay seront encore longtemps comme ils étaient au XIVe s., sous nos ducs, qui y possédaient les vignobles de Caille-du-Roy (Cailleray, devenu Caillerets) : les premiers vins du monde. » Signalons que 4 178 hl en *village* et 5 584 hl en premeir cru de volnay ont été produits en 2005 pour une superficie déclarée de 222 ha.

BITOUZET-PRIEUR Caillerets 2003 ★

■ 1er cru 0,15 ha 750 23 à 30 €

« Qui n'a pas de vigne en Caillerets ne sait pas ce que vaut le volnay », prétend le dicton. Comment ne pas lui donner raison au vu de ce 2003 ? Sous le rubis profond de sa robe, vous découvrirez les secrets de ses arômes : violette, compote de fruits rouges... Sa chair est ronde, assez riche en gras, tannique sans excès. Le **village 2003 (15 à 23 €)** peut également vous retenir (forcément un peu plus de mâche). Il est cité.

Bitouzet-Prieur, rue de la Combe, 21190 Volnay, tél. 03.80.21.62.13, fax 03.80.21.63.39 r.-v.

DOM. LOUIS BOILLOT ET FILS
Les Grands Poisots 2003 ★★

■ 0,94 ha 3 300 15 à 23 €

Domaine créé à la suite du partage de Lucien Boillot et Fils (Gevrey) entre ses garçons, Pierre et Louis. Nous sommes ici chez ce dernier. Élégance, le maître-mot à Volnay. Une manifestation mettant celle-ci à l'honneur est

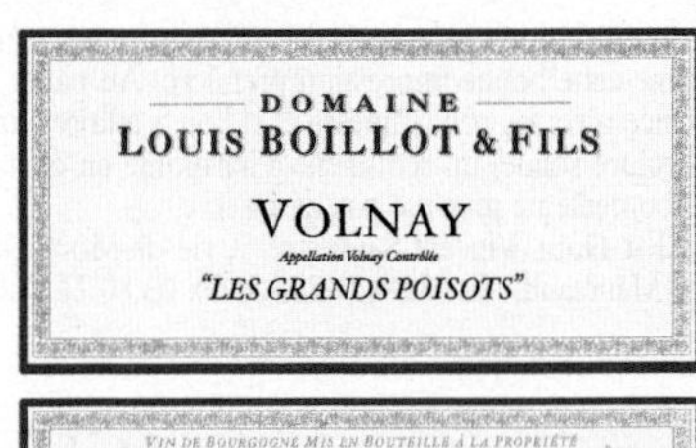

née en 2005 et Dominique Loiseau en a été la première marraine. Élégance de cette bouteille que le coup de cœur honore. Carmin soutenu, ce vin au nez fin, au corps riche, puissant, long, fondu promet un réel bonheur lorsqu'il sera totalement épanoui.

SCEA Dom. Louis Boillot et Fils, 4, rue du Lavoir, 21220 Chambolle-Musigny, tél. 03.80.62.80.16, fax 03.80.62.82.42 r.-v.

DOM. JEAN-MARC BOULEY 2003

■ 1,5 ha 6 000 15 à 23 €

Coup de cœur en 2004, Grappe d'Or dix ans plus tôt, ce domaine possède une adresse que l'on dirait prédestinée : chemin de la Cave ! En fait, cette cave est un ruisseau. « Point de beau temps que la cave ne jette », disait-on jadis : après la pluie le beau temps. Dans sa robe rubis, un vin aux arômes fondamentaux : petits fruits rouges, violette, noisette. Léger et souple, évoluant vers des notes de pruneau, un peu sec sur la fin, il est issu d'une vendange effectuée le 20 août et donc pas si mal travaillé. Même jugement pour le **Clos de la Cave 2003**.

Dom. Jean-Marc Bouley, chem. de la Cave, 21190 Volnay, tél. 03.80.21.62.33, fax 03.80.21.64.78, e-mail jeanmarc.bouley@wanadoo.fr r.-v.

DOM. RÉYANE ET PASCAL BOULEY Champans 2004 *

■ 1er cru 0,26 ha 1 200 15 à 23 €

Aux confins du mauve et du violet, porté par des arômes légers de framboise et de vanille (dix-huit mois sous son manteau de chêne), un vin souple et friand en première analyse mais à la réflexion beaucoup plus profond. Le socle est en bonne pierre ! Cette sensation de douceur et de fermeté, bien dans l'esprit de l'AOC, confère une grande harmonie à cette bouteille.

Réyane et Pascal Bouley, pl. de l'Église, 21190 Volnay, tél. 03.80.21.61.69, fax 03.80.21.66.44, e-mail bouleypascal@wanadoo.fr r.-v.

DOM. DENIS BOUSSEY 2004 *

■ 0,61 ha 3 000 11 à 15 €

Denis Boussey ? Il n'aurait pas eu de coup de cœur ? Si en 2000, pour son 1997. Celui-ci est à suivre. Profond à l'œil, il offre un bouquet floral aussi original qu'intéressant. Il est vrai que la violette, par exemple, est un arôme classique du pinot noir. Doté de tanins abondants, il se montre ample et bien construit. L'élevage lui confère un potentiel intéressant qui demande à se révéler (trois ans environ).

Dom. Denis Boussey, 1, rue du Pied-de-la-Vallée, 21190 Monthelie, tél. 03.80.21.21.23, fax 03.80.21.62.46 r.-v.

DOM. VINCENT BOUZEREAU 2003

■ 0,3 ha 1 200 11 à 15 €

Plutôt soutenu, violet limpide, ainsi apparaît-il. Au nez, l'animal, la vanille et les fruits rouges prennent place à table et entrent en longue discussion. À coup sûr fermé lors de la dégustation, il n'est pas pour autant rébarbatif. Il est digne de confiance sur un cap d'un à deux ans. Il est sur la bonne voie.

Vincent Bouzereau, 25, rue de Mazeray, 21190 Meursault, tél. 03.80.21.61.08, fax 03.80.21.65.97, e-mail vincent.bouzereau@wanadoo.fr r.-v.

SYLVIE BOYER 2003

■ n.c. 1 500 11 à 15 €

Framboise et mûre cueillies au bord des chemins, robe claire et légère, voici le Petit Chaperon rouge. Les joues un peu empourprées, il tient bien sur ses jambes. Son fruit est si friand, si tentant... Aucune aspérité, c'est agréable de bout en bout. On n'attendra donc pas très longtemps la fin de l'histoire (à déguster sur une volaille grillée dès 2007). Bouteille inaugurale : les premières cuvées de cette jeune affaire de négoce-éleveur datent justement des vendanges 2003...

Sylvie Boyer, 17, rue de Mazeray, 21190 Meursault, tél. 03.80.21.67.08, fax 03.80.21.65.62, e-mail info@sylvie-boyer.fr r.-v.

DOM. FRANÇOIS BUFFET Champans 2003 **

■ 1er cru 0,5 ha 2 000 23 à 30 €

Médaille de bronze au grand jury si l'on était aux Jeux olympiques. Sur quelque 110 échantillons, on admettra que le succès mérite un large coup de chapeau. Caillouteux, ferrugineux et rougeâtre, le calcaire bathonien offre la ligne de front des vins corsés et vigoureux. Comme ces Champans déjà remarquables et à suivre avec gourmandise pendant cinq ans, dix peut-être. Robe cassis, nez s'éveillant sur le fruit chocolaté, bouche d'une finesse parfaite malgré l'élan de la structure tannique. Raisins cueillis le 26 août. Et on en a fait quelque chose de grand ! Le jury a apprécié le **Clos des Chênes 2003 1er cru**, solide et racé (une étoile).

Dom. François Buffet, petite place de l'Église, 21190 Volnay, tél. 03.80.21.62.74, fax 03.80.21.65.82, e-mail dfbuffet@aol.com r.-v.

DOM. Y. CLERGET Clos du Verseuil 2003 **

■ 1er cru 0,64 ha 3 000 15 à 23 €

Climat situé juste en haut de la chapelle de Volnay si souvent peinte ou dessinée par les artistes. Œil de pinot noir, nez de pinot noir : une leçon bien apprise vous fait partir le matin du bon pied. En une bouche plutôt ronde, la puissance et le fruit se donnent rendez-vous. Gourmand pour un 2003 (raisins coupés le 25 août), expressif dans son cépage et le corps assez sculptural.

Dom. Y. Clerget, rue de la Combe, 21190 Volnay, tél. 03.80.21.61.56, fax 03.80.21.64.57, e-mail dyc@wanadoo.fr r.-v.

JEAN-CLAUDE CLUZEAUD Beau Regard 2003 **

■ 0,22 ha 1 100 15 à 23 €

Beau Regard en effet ! C'est en sommet de coteau et de là-haut, on voit le mont Blanc quelquefois. Ce petit domaine vigneron d'un peu plus de 4 ha tire le maximum de ses raisins vendangés le 23 août. Rubis étincelant, le nez plaisant (fruits en compote associés à la vanille, à la cannelle, un accord classique), il se montre souple, assez gras, évoluant un peu sur la pâtisserie et ce n'est pas désagréable. Contrat rempli.

Jean-Claude Cluzeaud, rue Derrière-la-Cave, 21190 Volnay, tél. 03.80.21.62.84
t.l.j. 9h-12h 14h-18h

HENRI DELAGRANGE Clos des Chênes 2004 ★

■ 1er cru 0,65 ha 3 900 **23 à 30 €**

Didier Delagrange vinifie les raisins des familles Delagrange et Verdereau. Son Clos des Chênes se présente sous des traits profonds et brillants. Après aération, la pureté du nez s'impose. Sur une trame grasse et ronde, un beau volume et un fruité aimable, ce vin moderne, assez boisé, ne renie pas son terroir d'origine.

Dom. Henri Delagrange, cours François-Blondeau, 21190 Volnay, tél. 03.80.21.64.12, fax 03.80.21.65.29, e-mail d.delagrange@terre-net.fr r.-v.
Didier Delagrange

GISÈLE DESAUGE 2004 ★

■ 0,72 ha 2 100 **15 à 23 €**

Jugements divers sur cette bouteille qui inspire des commentaires éblouis et d'autres plus neutres. Rubis vif, elle marie le fût et le fruit avec application. Tout le monde est d'accord pour la trouver « bien dans son appellation », ce qui est l'essentiel. On ne discute pas non plus la finesse de ses tanins et son équilibre bien assis.

GFA Bourgogne Desauge, 2, rue Mareau, 21630 Pommard, tél. 03.80.24.12.47 r.-v.

RAPHAËL DUBOIS 2003

■ n.c. 1 200 **11 à 15 €**

Le type même du vin de bonne naissance et de vertu honnête, à laisser s'ouvrir. La brillance de sa robe est très convenable. Une pointe d'alcool assez compréhensible en 2003, mais aussi une complexité aromatique intéressante (groseille, sous-bois). Attaque franche. Corps encore tannique, de beaucoup préférable à ce demi-corps rencontré parfois dans le millésime. Bref, un beau bloc de marbre de Comblanchien que la cave va sculpter et polir (deux, trois ans).

Raphaël Dubois, rue de la Courtavaux, 21700 Premeaux-Prissey, tél. 03.80.62.30.61, fax 03.80.61.24.07, e-mail rdubois@wanadoo.fr
t.l.j. 8h-11h30 13h30-17h30; sam. dim. sur r.-v.

BERNARD ET LOUIS GLANTENAY Les Brouillards 2003 ★

■ 1er cru 1,17 ha 860 15 à 23 €

Si la géologie a son mot à dire dans la Côte, c'est bien à Volnay, comblé par la nature et abrité des mauvais vents d'ouest, peu sujet aux brouillards givrants. Ce Brouillards porte ce nom par habitude, mais il n'a aucune relation particulière avec la météo. Rouge cassis, comme on dit en Bourgogne sur le coup de midi : la nuance de la robe. Notes grillées discrètes, de sous-bois. Le palais est encore tannique, vanillé. La composition d'ensemble incite à l'optimisme : disons deux à trois ans. Même temps de garde pour le **Santenots 1er cru 2003**, cité par le jury.

EARL Bernard et Thierry Glantenay, rue de Vaut, 21190 Volnay, tél. 03.80.21.62.20, fax 03.80.21.67.78, e-mail glantenay@free.fr r.-v.

DOM. GLANTENAY Brouillards 2003 ★★

■ 1er cru 7,6 ha 2 500 15 à 23 €

Durant la seconde moitié du XXes., les cuvées les plus admirables des Hospices de Beaune étaient celles du vigneron Glantenay en volnay. Ce nom est toujours à l'honneur ! Ce vin aux notes d'épices distinguées, au grain agréable (main de fer, gant de velours), a besoin de deux ans pour compléter son éducation. Ensuite, il partira du bon pied vers les cinq à huit ans. Arômes déterminés, explicites, mêlés d'un sous-bois rafraîchissant. Très légère évolution de la robe.

Dom. Georges Glantenay et Fils, rue de la Barre, 21190 Volnay, tél. 03.80.21.61.82, fax 03.80.21.68.66
t.l.j. sf dim. 10h-19h

HOSPICES DE BEAUNE Cuvée Général Muteau 2003

■ 1er cru n.c. 1 500 **30 à 38 €**

Une cuvée Général Muteau au garde-à-vous devant les Hospices de Beaune. Uniforme noir cassis, nez épicé signalant ses campagnes. Sec et poivré, il a livré la rude bataille du mois d'août 2003 et il n'entend pas passer tout de suite dans le cadre de réserve. Achat de cinq pièces (300 bouteilles chacune) par Ch. Duvivier et « De Cuisine en vin » à Verviers, en Belgique, pour 2 700 € la pièce (sans compter les frais et le coût de l'élevage par Clavelier et Fils).

Christophe Duvivier Bourgogne, rue de Charmillot, 21630 Pommard, e-mail duvvin@gmail.com

LOUIS LATOUR En Chevret 2003 ★

■ 1er cru 2 ha 7 500 **30 à 38 €**

Cette grande maison a été fondée en 1797. Elle possède en propre 50 ha de vignes. En Chevret touche par deux côtés les Caillerets. À tous égards, il n'en est pas loin. Cerise sombre à reflets mauves, celui-ci fait appel à des arômes fruités (griotte), épicés et légèrement empyreumatiques. L'acidité et les tanins jouent un peu à la main chaude, millésime oblige. Du brio cependant, un tempérament très sociable et de réelles capacités de garde (trois à quatre ans, qui lui feront accomplir encore des progrès).

Maison Louis Latour, 18, rue des Tonneliers, 21204 Beaune, tél. 03.80.24.81.00, fax 03.80.22.36.21, e-mail louislatour@louislatour.com

DOM. MONTHÉLIE-DOUHAIRET PORCHERET En Champans 2003 ★

■ 1er cru 0,59 ha 3 780 15 à 23 €

Reprise de ce domaine en 1988 par André Porcheret, régisseur des Hospices de Beaune jusqu'en 2000, forte personnalité du vignoble. Dieu sait si les Hospices ne sont pas pauvres à Volnay ! Si nous avons bonne mémoire, il avait fait sa cuvée Blondeau 1995 avec du Champans, mais aussi Taillepieds, Ronceret... Vendangé le 29 août, celui-ci possède une carrure imposante et généreuse. Il évite pour l'essentiel la sécheresse. Beaucoup de couleur, juste ce qu'il faut de bouquet, jouant intelligemment l'acidité, il se tire fort bien du millésime.

Dom. Monthélie-Douhairet Porcheret, rue Cadette, 21190 Monthélie, tél. 03.80.21.63.13, fax 03.80.21.63.14, e-mail douhairet@wanadoo.fr
t.l.j. 8h-12h 13h30-18h

DOM. JEAN PARENT Clos des Chênes 2003 ★★

■ 1er cru 0,46 ha 460 ⓘ 23 à 30 €

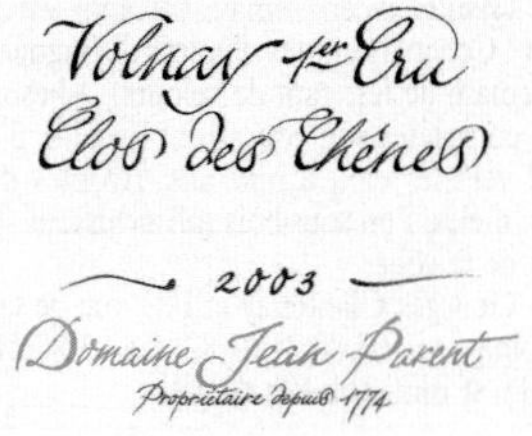

Ce Clos des Chênes, coup de cœur, est à lui seul une symphonie en trois mouvements. L'ouverture est d'un rouge mat. Un fruit assez puissant s'exprime au nez, puis des accents suaves et gourmands occupent une bouche charnue, dont les tanins sont goûteux. Force tranquille et respect du terroir caractérisent ce vin dont les contingences boisées (dix-sept mois en fût) se limitent à un apport de douceur vanillée. Le quatrième mouvement de la symphonie ? Quand vous lèverez votre verre, cette année ou la suivante.

Dom. Jean Parent, rue du Château-Gaillard, 21190 Monthélie, tél. et fax 03.80.21.21.98, e-mail annick.parent@wanadoo.fr r.-v.

DOM. PARIGOT PÈRE ET FILS
Les Brouillards 2004 ★

■ n.c. n.c. ⓘ 11 à 15 €

« Ni trop nouveaux ni trop vieux, bien à leur point ». Ainsi le Dr Denis Morelot conseillait-il il y a près de deux cents ans les volnay. Ce 2004 sera prêt dans deux ans et il tiendra sans doute quelques années encore. Sa couleur et son bouquet ont une chaleur violacée, cassissée. Vineux, tannique et réglissé, il vous « fera du bon » lorsque le temps aura fignolé tous les détails.

Dom. Parigot Père et Fils, rte de Pommard, 21190 Meloisey, tél. 03.80.26.01.70, fax 03.80.26.04.32 r.-v.

DOM. DU PAVILLON Les Santenots 2004 ★

■ 1er cru 0,29 ha 1 500 ⓘ 23 à 30 €

Grenat intense à reflets pourpres, il allie délicatesse et puissance ; le fruit est élégant, la structure pleine. Une bouteille qui a du fond. À attendre un à deux ans.

A. Bichot, Dom. du Pavillon, 6 bis, bd Jacques-Copeau, 21200 Beaune, tél. 03.80.24.37.37, fax 03.80.24.37.38, e-mail bourgogne@albert-bichot.com

DOM. POULLEAU PÈRE ET FILS
Vieilles Vignes 2004 ★

■ 0,7 ha 3 400 ⓘ 15 à 23 €

Grenat violacé, il porte une robe épiscopale. Peut-être en souvenir de Bossuet qui écrivait ses sermons en trempant sa plume dans une bouteille de volnay. Épices, cassis, le bouquet annonce une consistance robuste, une structure charpentée. Les tanins prennent encore le dessus, mais leur grain est fin ; deux à trois ans de patience sont recommandés.

Dom. Michel Poulleau Père et Fils, rue du Pied-de-la-Vallée, 21190 Volnay, tél. 03.80.21.26.52, fax 03.80.21.64.03, e-mail domaine.poulleau@wanadoo.fr r.-v.

LA POUSSE D'OR
Clos de La Bousse d'Or Monopole 2004 ★

■ 1er cru 2,14 ha 7 000 ⓘ 30 à 38 €

La Bousse d'Or, La Pousse d'Or, ce fut il y a longtemps déjà un long feuilleton bourguignon dont les connaisseurs savent par cœur les épisodes. Un nouveau chapitre a commencé en 1997, de nouveaux acquéreurs succédant aux Potel. Il est illustré par ce 2004 assez complet, réussi pour l'année et qui doit attendre (2008). Rouge foncé violacé, réglisse et mûre, caramel pour certains et vanille pour tous, il conquiert le palais de façon sauvage avec un rien d'acidité et une persistance correcte offerte au pruneau. **En Caillerets 1er cru 2004**, austère mais sérieux, obtient la même note.

Dom. de La Pousse d'Or, rue de la Chapelle, 21190 Volnay, tél. 03.80.21.61.33, fax 03.80.21.29.97, e-mail patrick@lapoussedor.fr
t.l.j. sf sam. dim. 9h-12h 13h30-17h30
Landanger

DOM. JACQUES PRIEUR
Clos des Santenots Monopole 2003 ★★

■ 1er cru 1,19 ha 870 ⓘ 46 à 76 €

Monopole Jacques Prieur, le Clos des Santenots n'est pas un lieu-dit agréé. En revanche, il existe bel et bien en 1er cru. Rappelez-vous : les Bourguignons ne sont pas compliqués, ils sont simplement complexes... Cela dit, pourpre grenat à reflets bleutés, le bouquet caractéristique des 2003 surmaturés (épices chaudes, fruits gorgés de soleil), le vin réussit en bouche un parcours assez coulant et charnu. Long et racé dans les configurations du millésime.

Dom. Jacques Prieur, 6, rue des Santenots, 21190 Meursault, tél. 03.80.21.23.85, fax 03.80.21.29.19, e-mail info@prieur.com r.-v.

DOM. NICOLAS ROSSIGNOL Fremiets 2003 ★

■ 1er cru 0,25 ha 900 ⓘ 30 à 38 €

Nous voici côté Pommard. Qu'en conclure après la dégustation ? Difficile car le millésime atypique « formate » (comme on dit en informatique) différemment les vins. Infiniment de coloration, une intensité aromatique en devenir sur des bases de fraise et de cacao, une matière assez chaude mais ne cédant pas à la force, agréable sur une finale griotte. L'amateur reconnaîtra une conduite adroite en année difficile et surtout sans exemple antérieur.

Nicolas Rossignol, rue de Mont, 21190 Volnay, tél. 03.80.21.62.43, fax 03.80.21.27.61, e-mail nicolas-rossignol@wanadoo.fr r.-v.

DOM. RÉGIS ROSSIGNOL-CHANGARNIER
2003

■ 1er cru 0,84 ha 2 700 ⓘ 15 à 23 €

Il ne pourra pas cacher son origine tant il pinote, celui-ci : brillant, limpide, il est tout en fruits rouges, se montrant conciliant sur les épices et demandant deux ans de garde pour que le boisé se fonde.

Régis Rossignol, rue d'Amour, 21190 Volnay, tél. et fax 03.80.21.61.59 r.-v.

DOM. ROSSIGNOL-FÉVRIER PÈRE ET FILS
Les Gigottes 2004 *

■ 0,33 ha 1 700 🍷 11 à 15 €

Coup de cœur dans l'édition 2005 pour son 2002, ce domaine rappelle sur son étiquette : « On ne saurait être gai sans boire du volnay. » On disait déjà cela au XIXᵉs. ! Gigottes, un drôle de nom. Proche de Carelle. Dans le verre cependant, rien ne bouge ni ne gigote... Nuance violacée, framboise et réglisse, il reste sur ces caractères avec typicité, concentration et possède un avenir qu'on calcule autour des deux à trois ans.

EARL Rossignol-Février, rue du Mont, 21190 Volnay, tél. 03.80.21.64.23, fax 03.80.21.67.74, e-mail rossignol-fevrier@wanadoo.fr
t.l.j. sf dim. 8h-12h 14h-18h

CH. ROSSIGNOL-JEANNIARD Santenots 2003 *

■ 1er cru 2 ha 2 500 🍷 30 à 38 €

Rouge grenat voluptueux, voilà une intéressante pièce à conviction au cas où serait plaidée la cause des 2003. Les sécateurs étaient en activité le 25 août, monsieur le Juge ! A-t-on déjà vu cela ? Mon client ne manque pas de nez, admettons-le. L'animal et le fruit en portent témoignage. Quant au fond de l'affaire, les tanins sont irréprochables, le fût n'est pas une gêne. Un peu chaud ? Peut-on aller contre sa nature ? La période probatoire pourrait être de douze à dix-huit mois, avec obligation de décanter.

Rossignol-Jeanniard, rue de Mont, 21190 Volnay, tél. 03.80.21.62.43, fax 03.80.21.27.61, e-mail domaine-rossignol-jeanniard@wanadoo.fr
r.-v.

CHRISTOPHE VAUDOISEY 2004

■ 0,45 ha 2 400 🍷 11 à 15 €

Le caveau de dégustation de Christophe Vaudoisey est situé au centre de Volnay. C'est là que vous découvrirez ce *village* couleur cerise noire. La griotte, au nez, paraît sous un boisé qui devra encore se fondre. La bouche est équilibrée, prometteuse.

Christophe Vaudoisey, pl. du Village, 21190 Volnay, tél. 03.80.21.20.14, fax 03.80.21.27.80 r.-v.

DOM. JOSEPH VOILLOT Les Champans 2004 *

■ 1er cru 1 ha 4 000 🍷 23 à 30 €

Rubis auréolé de reflets rose framboise, ce 2004 prend son temps : il n'est pas à aborder tout de suite. La finesse de ses parfums (fruits rouges, épices tirées des quatorze mois en fût), son attaque souple, sa démarche élégante, ses tanins fondus plaisent déjà. L'équilibre n'a rien de fragile et si les tanins se rappellent encore en fin de bouche, c'est que le vin tiendra trois ou quatre ans.

Dom. Joseph Voillot, pl. de l'Église, 21190 Volnay, tél. 03.80.21.62.27, fax 03.80.21.66.63, e-mail joseph.voillot@wanadoo.fr r.-v.

Monthélie

La combe de Saint-Romain sépare les terroirs à rouge des terroirs à blanc ; Monthélie est exposé sur le versant sud de cette combe. Dans ce petit village moins connu que ses voisins, les vins sont d'excellente qualité. 2005 a produit 5 118 hl de vin rouge et 599 hl de vin blanc.

ÉRIC BOIGELOT 2004

□ 0,31 ha 2 400 🍷 11 à 15 €

Éric et Jacques Boigelot, le fils et le père, s'installent en 1990. Éric conduit aujourd'hui 8 ha. Boisé (dix mois), or blanc éclatant, le nez pêche-abricot, un 2004 souple et rond, assez charnu et à servir dès l'apéritif.

Éric Boigelot, 21, rue des Forges, 21190 Meursault, tél. 03.80.21.65.85, fax 03.80.21.66.01 r.-v.

DOM. LAURENT BOUSSEY
Les Champs Fulliots 2004

□ 1er cru 0,21 ha 1 200 🍷 15 à 23 €

Si les caves datent du XIXᵉs., la cuverie est toute récente (2003). Le fils de Denis Boussey s'est installé en 2002. Les Champs Fulliots donnent sur Meursault. On ne sera pas étonné de les trouver en chardonnay. La robe est ici superbe ; l'arôme mêle fruit jaune et pêche de vigne. Après une attaque fraîche, le vin se montre rond, souple, assez long. Peu de concentration mais beaucoup de charme. En **rouge Les Hauts Brins 2004 (8 à 11 €)** obtiennent la même note. Équilibrés, bien charpentés, ils devront être servis à partir de fin 2007.

Dom. Laurent Boussey, rue du Château-Gaillard, 21190 Monthélie, tél. 03.80.21.28.42, e-mail domaine.boussey@wanadoo.fr r.-v.

DOM. CHANGARNIER Le Clos 2004

□ 0,25 ha 1 800 🍷 11 à 15 €

Or paille clair, délicatement boisé et fruité, ce 2004 offre en prime une nuance balsamique. Souple et ample à la fois, rond, il ne manque pas d'élégance.

SCEA Changarnier, pl. du Puits, 21190 Monthélie, tél. 03.80.20.60.09, fax 03.80.20.61.01 r.-v.

CH. DE DRACY 2004 **

■ 0,5 ha 3 100 🍷 11 à 15 €

Rappelons que le château de Dracy, fondé au XIIIᵉs. et remanié à trois reprises au cours des siècles, demeure l'un des authentiques bâtiments aristocratiques de Bourgogne. Monthélie : enfin l'accent aigu sur l'étiquette ! On n'en attendait pas moins du président de la Chambre de commerce et d'industrie de Beaune et de la maison Albert Bichot, le baron de Charette. Soyeux sur ses tanins langoureux, un 2004 violacé et profond, d'un fruit rouge mûr. Équilibré, franc, long et d'un certain chic.

SCA Ch. de Dracy, 71490 Dracy-lès-Couches, tél. 03.85.49.62.13, fax 03.80.24.37.38 r.-v.
Benoît de Charette

GUY DUBUET-MONTHÉLIE ET FILS
Les Champs-Fulliot 2004 *

■ 1er cru 0,39 ha 1 800 🍷 11 à 15 €

La mère de Guy Dubuet s'appelait Suzanne Monthélie. Voici pourquoi ce domaine porte doublement ce nom de village et de famille ! On tient ici une jolie corbeille de fruits rouges posée sur des tanins soyeux, sous un regard rubis à reflets mauves ; le boisé est correct et la finale épicée. Si l'on avait une dominante à retenir, ce serait la framboise.

Guy Dubuet-Monthélie et Fils, rue Bonne-Femme, 21190 Monthélie, tél. 03.80.21.26.22, fax 03.80.21.29.79 r.-v.

BRUNO FÈVRE Sur la Velle 2003

■ 1er cru 0,46 ha 1 200 🕕 11 à 15 €

Sur la Velle est un classique à Monthélie. Cela penche sur volnay. Ce 2003, comme beaucoup de vins de ce millésime, divise le jury : les uns le jugent de garde, estimant que les tanins vont s'arrondir, les autres conseillent de le servir dès maintenant. Deux écoles s'opposent. Tous aiment sa fraîcheur, sa robe rouge profond, son nez fruité et épicé.

Bruno Fèvre, 14, rue des Écoles, 21190 Meursault, tél. et fax 03.80.21.63.16 r.-v.

PAUL GARAUDET Le Meix Bataille 2003 *

■ 1er cru 0,37 ha 1 500 11 à 15 €

Coup de cœur pour ses Duresses 2000 en rouge, ce domaine joue cette fois le Meix Bataille, *climat* niché contre les maisons du village. Bataille gagnée par ce vin rouge burlat. Son nez intense ne perd pas tout à fait le souvenir de ses dix-huit mois en fût. Il ne s'arrête pas là. La matière est un peu tannique, mais élégante et longue. On peut n'en plus parler pendant deux à trois ans et constater alors que ce premier cru est plein d'ardeur et d'élégance.

Paul Garaudet, imp. de l'Église, 21190 Monthélie, tél. 03.80.21.28.78, fax 03.80.21.66.04 r.-v.

DOM. RÉMI JOBARD Les Vignes-Rondes 2003 *

■ 1er cru 0,64 ha 2 000 11 à 15 €

Cerise brillant, le nez bien ouvert sur le fruit rouge, un 2003 du 2 septembre se déclarant avec finesse et élégance. Du gras, de la rondeur. Il n'a pas trop de fût : une douzaine de mois, c'est raisonnable. Le tanin est mesuré alors que la finale est longue. Il devrait fort bien vieillir, ce qui est rare dans ce millésime.

Rémi Jobard, 12, rue Sudot, 21190 Meursault, tél. 03.80.21.20.23, fax 03.80.21.67.69, e-mail remi.jobard@libertysurf.fr r.-v.

CH. DE MONTHÉLIE Sur la Velle 2003 *

■ 1er cru 3,2 ha 8 670 15 à 23 €

En son château du XVIIIe s., coup de cœur pour ce même *climat* en 2000 et déjà en 1992, Éric de Suremain cultive sa vigne en biodynamie depuis dix ans. Ce millésime porte une belle robe brillante entourée de parfums de fraîcheur. Un gras réglissé tapisse le palais qui n'en demeure pas moins tout en finesse. « Très bien fait », note le jury. Également une étoile, le **village Château de Monthélie 2003 rouge (11 à 15 €)** est très harmonieux.

Éric de Suremain, Ch. de Monthélie, 21190 Monthélie, tél. 03.80.21.23.32, fax 03.80.21.66.37, e-mail desuremain@wanadoo.fr t.l.j. sf dim. 10h-12h 14h-18h

DOM. MONTHÉLIE-DOUHAIRET PORCHERET Cuvée Miss Armande 2003

■ 0,88 ha 3 270 8 à 11 €

Armande Douhairet, c'est la Miss. André Porcheret, c'est un ancien régisseur des Hospices de Beaune. Monthélie-Douhairet un nom singulier mais conforme à l'état-civil. Le roman est écrit à moitié car le vin constitue l'essentiel de l'intrigue. La suite est d'un style rubis grenat, d'une framboise cassissée et d'un tanin fondu jusqu'aux deux tiers : la légère astringence finale disparaîtra dans six mois. On en gardera alors un bon souvenir.

Dom. Monthélie-Douhairet Porcheret, rue Cadette, 21190 Monthélie, tél. 03.80.21.63.13, fax 03.80.21.63.14, e-mail douhairet@wanadoo.fr t.l.j. 8h-12h 13h30-18h

Porcheret

PIERRE MOREY 2003 *

■ 1,32 ha 4 600 11 à 15 €

Bio de 1991 à 1997, biodynamie depuis : Pierre Morey et maintenant sa fille Claude figurent parmi les chefs de file de cette « nouvelle école » en Bourgogne. Pour un pinot noir récolté le 1er septembre. Complexe et structuré, il a déjà intégré ses dix-huit mois en fût. Ample et soyeux, il laisse s'exprimer les fruits rouges et les épices jusque dans une longue finale.

Dom. Pierre Morey, 9, rue Comte-Lafon, 21190 Meursault, tél. 03.80.21.21.03, fax 03.80.21.66.38, e-mail morey-blanc@wanadoo.fr r.-v.

FRANÇOIS PARENT Les Duresses 2004 *

■ 1er cru n.c. 2 300 15 à 23 €

Une étiquette désormais connue, mais assez incroyable : elle montre une truffe de Bourgogne (l'authentique bourguignonne est brune...) avec notice du dictionnaire. Quant à ce vin, la matière est bien dominée, la palette de fruits rouges assez complète. Le gras enrobe les tanins qui affichent une longueur significative. Vanillé par son élevage dans le chêne, mais sans excès, ce millésime se montre élégant.

François Parent, 14 bis, rue Pierre-Joigneaux, 21200 Beaune, tél. 03.80.22.61.85, fax 03.80.24.03.16, e-mail af-gros@wanadoo.fr r.-v.

DOM. JEAN PARENT Sur la Velle 2003 *

■ 0,46 ha 600 11 à 15 €

Recommandés, le **Domaine Annick Parent Clos Gauthey Monopole, 1er cru 2004 blanc (15 à 23 €)** et celui-ci. Des bouteilles agréables, la seconde en 2003 rouge vendangé le 20 août. Les tanins encore présents constituent une bonne matière qui a besoin de trois à quatre ans pour s'épanouir à pleins poumons. À signaler encore, le **Domaine Annick Parent Champs Fulliot 1er cru rouge 2003 (15 à 23 €)**. Trois fois une étoile, la cave tout entière est admirable.

Jean Parent, rue du Château-Gaillard, 21190 Monthélie, tél. 03.80.21.22.05, fax 03.80.21.21.98, e-mail annick.parent@wanadoo.fr r.-v.

DOM. THIERRY PINQUIER 2003 **

■ 1 ha 4 800 8 à 11 €

Ce joli domaine d'aujourd'hui 6 ha fut créé par le père alors ouvrier-vigneron qui, toujours, bien qu'âgé de

La Côte de Beaune Sud

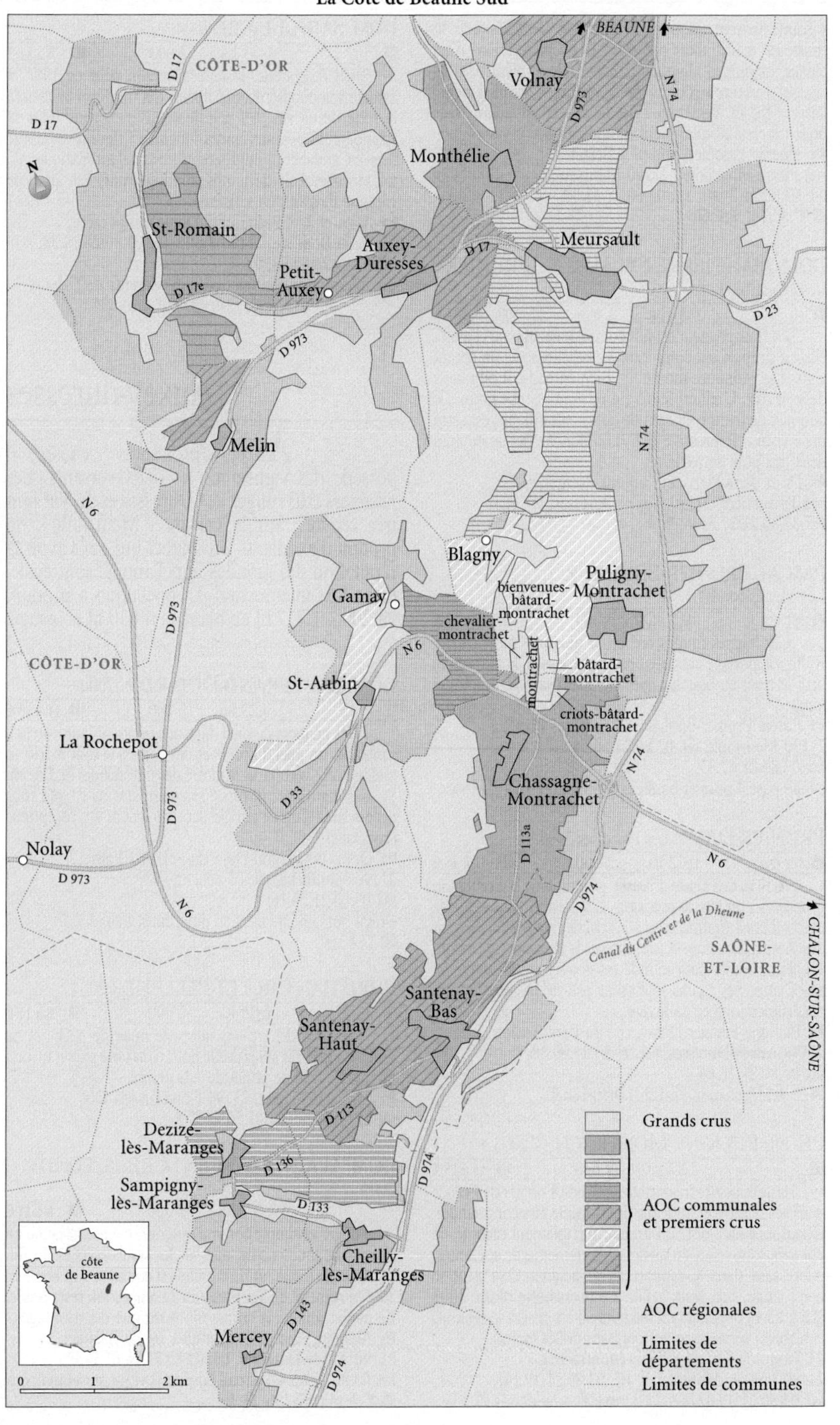

BEAUNE
CÔTE-D'OR
D 17
Volnay
D 973
N 74
Monthélie
St-Romain
Meursault
Auxey-Duresses
Petit-Auxey
D 17e
D 23
Melin
N 6
Blagny
Puligny-Montrachet
bienvenues-bâtard-montrachet
Gamay
chevalier-montrachet
montrachet
bâtard-montrachet
criots-bâtard-montrachet
CÔTE-D'OR
St-Aubin
La Rochepot
D 33
Chassagne-Montrachet
D 113a
Nolay
D 974
Canal du Centre et de la Dheune
SAÔNE-ET-LOIRE
CHALON-SUR-SAÔNE
Santenay-Bas
Santenay-Haut
D 113
Dezize-lès-Maranges
D 136
Sampigny-lès-Maranges
D 133
Cheilly-lès-Maranges
D 143
Mercey
côte de Beaune
0
1
2 km
Grands crus
AOC communales et premiers crus
AOC régionales
Limites de départements
Limites de communes

soixante-dix-sept ans, travaille les vignes. On a hésité sur la troisième étoile, mais pas pour le coup de cœur, d'un chœur unanime. Densité, concentration, plénitude, richesse, structure aux tanins bien enrobés, boisé bien mené, laissent ébloui. Vendangé assez tard, le 6 septembre, mais pour un résultat quasiment sublime en 2003.

Thierry Pinquier, imp. des Belges, rue Pierre-Mouchoux, 21190 Meursault, tél. 03.80.21.24.87, fax 03.80.21.61.09 r.-v.

DOM. JEAN-PIERRE ET LAURENT PRUNIER Les Clous 2003

0,41 ha 1 600 8 à 11 €

La Bourgogne n'est pas compliquée, on vous l'a dit : elle est simplement complexe. Monthélie porte un accent aigu et se prononce month'lie. Bien entendu, il est mieux de le savoir. L'œil est ici rouge profond, cerise noire. Le bouquet de fruits rouges et de notes balsamiques est serré mais vivant. Expressive et fine, la bouche demande un à deux ans pour se parfaire.

Dom. Jean-Pierre et Laurent Prunier, rue Traversière, 21190 Auxey-Duresses, tél. et fax 03.80.21.27.51 r.-v.

PASCAL PRUNIER-BONHEUR Les Vignes rondes 2004 *

1er cru 0,5 ha 3 000 15 à 23 €

Ces Vignes rondes ont passé quatorze mois en fût. Rubis vif, partagé entre les épices et le kirsch, le vin couvre bien le sujet en bouche, avec de beaux tanins, amples et longs.

Pascal Prunier-Bonheur, 23, rue des Plantes, 21190 Meursault, tél. 03.80.21.66.56, fax 03.80.21.67.33, e-mail pascal.prunier-bonheur@wanadoo.fr r.-v.

PRUNIER-DAMY Les Duresses 2004 *

1er cru 0,42 ha 2 500 11 à 15 €

À 30 m de l'église d'Auxey, ce domaine bourguignon propose ici un vin de réflexion. L'œil est intense et le nez d'abord boisé (quinze mois sous chêne) ; puis apparaissent des notes de mûre et de cassis. L'attaque est encore vanillée, mais ce petit monde est gouverné par une main assez sûre. Ses tanins n'abusent pas de la situation. Sa persistance joue en sa faveur.

Philippe Prunier-Damy, rue du Pont-Boillot, 21190 Auxey-Duresses, tél. 03.80.21.60.38, fax 03.80.21.26.64 t.l.j. sf dim. 9h-12h 13h30-18h30

CH. DE PULIGNY-MONTRACHET 2003 *

2,87 ha 9 640 11 à 15 €

Une étiquette très stricte, le Crédit Foncier de France dans ses œuvres et un jeune de Montille aux commandes. Cela donne un pinot noir grenat, aimablement cacaoté, de puissance moyenne en raison de la clémence de ses tanins, intéressant dans le rapport alcool-acidité. Cela peut se boire jeune, cela peut vieillir. Le **monthélie blanc 2003 (15 à 23 €)** obtient la même note : il est et sera longtemps agréable à servir avec des poissons grillés (soles).

Dom. du Ch. de Puligny-Montrachet, 21190 Puligny-Montrachet, tél. 03.80.21.39.14, fax 03.80.21.39.07, e-mail d.privel@wanadoo.fr r.-v.

DOM. SAINT-FIACRE 2004 *

0,33 ha 2 000 8 à 11 €

Joël Patriarche, installé avec son père en 1987, a associé son épouse dix ans après. Un très léger tuilé ocre la robe de ce vin. Au nez, le cassis s'exprime dans sa splendeur, associé aux épices douces de l'élevage (quatorze mois). Caudalies multiples pour le rappel aromatique : un joli vin dans l'air du temps, rond et fruité. Un lapin de garenne devrait s'en satisfaire.

Aline et Joël Patriarche, Dom. Saint-Fiacre, rue de la Boutière, 21190 Tailly, tél. 03.80.26.84.38, fax 03.80.26.87.97, e-mail domaine.saintfiacre@cerb.cernet.fr r.-v.

Auxey-duresses

Auxey (prononcer « aussey ») possède des vignes sur les deux versants. Les premiers crus rouges des Duresses et du Val sont très réputés. Sur le versant « Meursault », on produit d'excellents vins blancs qui, sans avoir la réputation des grandes appellations, sont également fort intéressants. L'appellation a produit, en 2005, 1 717 hl en blanc et 4 030 hl en rouge.

DOM. BOUZERAND-DUJARDIN 2004

0,23 ha 3 000 11 à 15 €

Des nuances de miel dans une teinte or jaune un peu soutenue, du miel d'acacia et des épices, le tout marié au melon sucré vert (jadis la gloire des maraîchers de Dijon). Si vous n'attendez pas trop longtemps, voilà ce que vous découvrirez dans ce vin qui accompagnera vos réceptions (cocktails).

Dom. Bouzerand-Dujardin, pl. de l'Église, 21190 Monthelie, tél. 03.80.21.20.08, fax 03.80.21.28.16, e-mail domaine.bouzerand.dujardin@wanadoo.fr r.-v.

CHRISTIAN CHOLET-PELLETIER 2004

0,25 ha 2 000 8 à 11 €

Ce 2004 délivre des notes de miel, de pêche et de grillé. Il a le corps assez svelte pour vous faire passer un bon moment avec une poularde à la crème.

Christian Cholet, 21190 Corcelles-les-Arts, tél. et fax 03.80.21.47.76 r.-v.

DOM. ALAIN ET VINCENT CREUSEFOND 2004

1 ha 2 500 8 à 11 €

Léger et simple comme bonjour, cet auxey jaune un peu vif ne joue encore que sur les notes épicées du fût. D'une belle fraîcheur, la bouche est équilibrée. À boire en 2007. Promet-il d'aller plus loin ? La question reste posée. Le poulet sauté à la crème n'y verra que des avantages.

Alain et Vincent Creusefond, rte de Beaune, 21190 Auxey-Duresses, tél. 03.80.21.26.61, fax 03.80.21.66.42, e-mail contact@vins-creusefond.com t.l.j. 8h-19h

HENRI DARNAT 2004 ★

0,12 ha 600 11 à 15 €

Cet auxey-duresses conviendra à tous. Or vert léger, floral et citronné avec un soupçon de miel, une feuille de tilleul, un vin très jeune de caractère, jouant tour à tour le charme et la vivacité.

Henri Darnat, 20, rue des Forges, 21190 Meursault, tél. 03.80.21.43.72, fax 03.80.21.64.62 r.-v.

JEAN-PIERRE DICONNE Les Duresses 2003 ★

1er cru 0,42 ha 1 500 11 à 15 €

Paul, Jean-Pierre, Christophe en 2005, la dynastie Diconne. Elle présente un 2003 au teint prononcé. Son bouquet tourne autour de la mûre, du noyau de cerise, peut-être même du raisin sans forcer la chose. La suite est riche, charpentée et musclée. Le vin rêvé pour un lapin aux pruneaux. La cuvée **Vieilles Vignes 2003 blanc (8 à 11 €)**, surmaturée et intense, bien fondue, mérite une étoile et une poularde – rien de moins.

Jean-Pierre Diconne, rue de la Velle, 21190 Auxey-Duresses, tél. 03.80.21.25.60, fax 03.80.21.26.80 r.-v.

DOM. RAYMOND DUPONT-FAHN
Les Vireux 2004

1 ha 5 000 8 à 11 €

Les Vireux sont à la limite des meursault village. Doré à reflets gris, ce vin se parfume ici à l'exotique. Douceur du goût, caramel grillé, gras, c'est un grand calme, malgré le fût neuf. À servir sur un poisson en sauce blanche.

Raymond Dupont-Fahn, rue Polaire, 21190 Auxey-Duresses, tél. 06.14.38.53.21, fax 03.80.21.21.22 r.-v.

GUILLEMARD-POTHIER Derrière le four 2003

n.c. 4 000 8 à 11 €

Derrière le four est un *climat* assez central. Proposé par un domaine remontant au XVIIᵉs., ce vin a donné lieu à de sérieuses discussions au sein du jury. Cela se produit. À tout le moins, il ne laisse pas indifférent. Pour lui : en tout état de cause, la robe grenat clair, le boisé fin sur une touche animale ; ses tanins accompagnent cette promenade en forêt. À mettre de côté.

EARL Guillemard-Pothier, rue Montfort, 21190 Meloisey, tél. 03.80.26.01.11, fax 03.80.26.03.72 r.-v.

ÉMILE HANNIQUE
Clos du Moulin aux Moines Monopole 2003

2 ha 10 000 8 à 11 €

Si le Clos du Moulin aux Moines remonte à l'an mil, il faut savoir que les moines pratiquaient surtout ici la meule à grains ! Depuis 1996, Muriel et Émile Hannique se consacrent à la vigne. Robe rubis, nez sur la framboise et les fruits noirs légèrement confits dans un contexte riche et tannique : ce vin demande encore à s'exprimer. L'attendre un à deux ans.

Émile Hannique, Dom. du Moulin aux Moines, 21190 Auxey-Duresses, tél. et fax 03.80.21.60.79 t.l.j. 9h-12h 14h-19h; f; 1 sem fin déc. 1 sem. fév.

JAFFELIN Les Duresses 2004 ★

1er cru n.c. n.c. 15 à 23 €

On est ici bien à la hauteur d'un 1er cru. Flatteur, charmeur, il revêt une robe attirante et joue sur tous les tableaux : le rouge et le noir. Souple et rond, malgré une pointe d'amertume, il mérite un moment d'aération et trouvera ensuite sa compagnie avec un poulet de Bresse rôti.

Maison Jaffelin, 2, rue Paradis, 21200 Beaune, tél. 03.80.22.12.49, fax 03.80.24.91.87, e-mail jaffelin@maisonjaffelin.com

DOM. A. ET B. LABRY 2003

0,9 ha 4 200 11 à 15 €

Melin est un bon gros hameau d'Auxey qui lui-même est Petit et Grand. Visiter la Côte-de-Nuits nécessite une carte rigoureuse et précise. Jaune pâle, aromatiquement soigné (du chèvrefeuille aux notes exotiques), ce vin attaque de pied ferme. Élégant dans son millésime, il peut accompagner une sole au beurre blanc.

Dom. A. et B. Labry, Melin, 21190 Auxey-Duresses, tél. 03.80.21.21.60, fax 03.80.21.64.15, e-mail domaine-labry@wanadoo.fr t.l.j. sf dim. 10h-12h 14h-18h; sam. sur r.-v.

JEAN ET GILLES LAFOUGE La Chapelle 2003 ★

1er cru 0,8 ha 3 900 11 à 15 €

Noir et lumineux, cassissé et fin, ce vin se montre d'emblée élégant. Bien dans son ensemble, en gras et harmonie, reposant sur des tanins qui conseillent une garde de deux ou trois ans, pas davantage, il accompagnera les rôtis du dimanche.

Jean et Gilles Lafouge, rue du Dessous, 21190 Auxey-Duresses, tél. 03.80.21.68.17, fax 03.80.21.60.43 r.-v.

OLIVIER LEFLAIVE 2003 ★★

n.c. 12 000 15 à 23 €

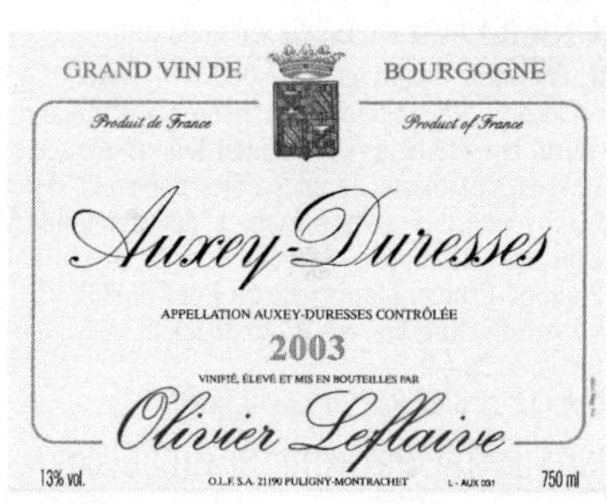

« Rien à y redire », comme on dit par ici. Un auxey au top et rappelez-vous qu'il faut mouiller le *x* : on prononce *aussey*. Jaune pâle à reflets verts, il trouve sans peine sa place dans la galerie des portraits de l'appellation. Un gentil toasté (huit mois en fût), du fruit jaune et de la fleur blanche entourent une robe or pâle à reflets verts de grand couturier. Vineux et gras, il gagne définitivement son coup de cœur au palais, toujours un peu vanillé, toujours très harmonieux.

Olivier Leflaive Frères, pl. du Monument, 21190 Puligny-Montrachet, tél. 03.80.21.37.65, fax 03.80.21.33.94, e-mail contact@olivier-leflaive.com r.-v.

CATHERINE ET CLAUDE MARÉCHAL 2004

0,42 ha 2 500 11 à 15 €

Belle robe rouge violacé à liseré carminé. Le bouquet appuie sur le fruit noir, le pruneau cuit. La bouche est

BOURGOGNE

équilibrée, ronde et fruitée, plaisante jusqu'en finale où l'on retrouve une élégante note de mûre. Pour un pigeon rôti en 2007.

EARL Catherine et Claude Maréchal,
6, rte de Chalon, 21200 Bligny-lès-Beaune,
tél. 03.80.21.44.37, fax 03.80.26.85.01,
e-mail marechalcc@wanadoo.fr r.-v.

MORET-NOMINÉ 2004

	n.c.	2 500	8 à 11 €

Il faut découvrir Barboron, hameau situé sur les hauteurs de Savigny pour son atmosphère de « pays perdu » à la Vincenot. Or vert limpide, ce vin correct, élevé en fût et laissant percer la mirabelle, honnêtement partagé entre le gras et le vif peut en être l'occasion.

Moret-Nominé, Le Hameau de Barboron,
21420 Savigny-lès-Beaune, tél. 03.80.21.58.35,
fax 03.80.26.10.59 r.-v.
D. Moret

PASCAL PRUNIER-BONHEUR
Les Duresses 2003 ★★

1er cru	0,5 ha	2 200	15 à 23 €

Coup de cœur dans notre édition 2003, Pascal Prunier propose des Duresses rouge violet au nez de griotte et de pruneau. Légèrement vives mais plutôt charnues, elles riment avec finesse, dans l'équilibre et l'élégance. Notez aussi sur votre carnet **Les Fosses 2004 en village blanc**, une étoile, signé par le même producteur mais côté négoce.

Pascal Prunier-Bonheur, 23, rue des Plantes,
21190 Meursault, tél. 03.80.21.66.56,
fax 03.80.21.67.33,
e-mail pascal.prunier-bonheur@wanadoo.fr r.-v.

PRUNIER-DAMY Clos du Val 2004

1er cru	0,46 ha	3 000	11 à 15 €

Clos du Val fait toujours penser à Rimbaud qui parcourut la Côte (son père habitait Dijon). Rouge clair, un 2004 au nez discret (petites notes poivrées), de charpente moyenne, aux tanins présents et déjà assouplis. Apte à vieillir un à deux ans.

Philippe Prunier-Damy, rue du Pont-Boillot,
21190 Auxey-Duresses, tél. 03.80.21.60.38,
fax 03.80.21.26.64
t.l.j. sf dim. 9h-12h 13h30-18h30

DOM. MICHEL PRUNIER ET FILLE 2003 ★

1er cru	0,74 ha	3 000	15 à 23 €

Estelle incarne la cinquième génération depuis 2004 et la révolution féminine dans les vignobles. Michel Prunier et Fille : on n'aurait jamais pensé pouvoir écrire cela jadis. Ce 2003 rentré en cuverie le 29 août, pourpre sombre à reflets pivoine, n'a pas le nez très volubile mais il est corpulent, enveloppé, réalisé avec soin. Encore tannique ? Certes, car un auxey doit avoir du coffre. La cuvée **Vieilles Vignes 2004 blanc** pourra s'ouvrir avec profit. Elle obtient une citation.

Dom. Michel Prunier et Fille, rte de Beaune,
21190 Auxey-Duresses, tél. 03.80.21.21.05,
fax 03.80.21.64.73, e-mail domainemichelprunier-fille@wanadoo.fr r.-v.

DOM. ROY FRÈRES Les Duresses 2003 ★

1er cru	0,85 ha	4 000	11 à 15 €

Vigne haute en lyre : le sujet fait débat en Bourgogne. C'est le choix de ce producteur. Si ce millésime n'a pas trop de nez, dans sa robe couleur tulipe noire, il est bien en chair et en volume, doté d'excellents tanins. À déguster sur un époisses dans deux ans.

Dom. Roy Frères, 21190 Auxey-Duresses,
tél. 03.80.21.22.37, fax 03.80.21.23.71,
e-mail domaine.roy@free.fr t.l.j. 8h-12h 14h-19h

PIERRE TAUPENOT Côte de Beaune 2003

	1,19 ha	6 983	11 à 15 €

Rouge cerise brillant, ce vin inscrit ses jambages sur le verre. Cerise toujours, framboise et cassis se mêlent à des notes fumées et des nuances d'épices. Doté d'un riche potentiel, il devra attendre que ses tanins se fondent avant d'accompagner une viande en sauce.

Dom. Pierre Taupenot, rue du Chevrotin,
21190 Saint-Romain, tél. 03.80.21.24.37,
fax 03.80.21.68.42 r.-v.

ANNE-MARIE ET JEAN-MARC VINCENT 2004 ★

	0,9 ha	n.c.	11 à 15 €

Notre coup de cœur dans le Guide 2004. Malgré sa jeunesse, ce bon 2004 se montre prometteur, sans viser la première marche du podium, il peut jouer les excellents seconds rôles. Clair, un peu brillant, doté d'un joli nez noisetté et beurré, il attaque vivement, s'accorde sur des notes d'agrumes puis s'apaise sur un côté noisette grillée (quatorze mois en fût). Le gras entre sur la pointe des pieds. Pour une tourte aux fruits de mer.

Anne-Marie et Jean-Marc Vincent,
3, rue Sainte-Agathe, 21590 Santenay,
tél. et fax 03.80.20.67.37,
e-mail vincent.j-m@wanadoo.fr r.-v.

Saint-romain

Le vignoble de 135 ha est situé dans une position intermédiaire entre la Côte et les Hautes-Côtes. Les vins de Saint-Romain – 1 969 hl en rouge et 2 546 hl en blanc –, sont fruités et gouleyants, et toujours prêts à donner plus qu'ils n'ont promis. Le site est magnifique et mérite une petite excursion.

FRANÇOIS D'ALLAINES 2004 ★

	n.c.	900	11 à 15 €

Sous des traits brillants aux inévitables reflets verts, il s'ouvre bien et de façon florale. Élégante et mondaine, la bouche se comporte selon ce qu'elle a reçu du ciel. Plus complexe que profonde, elle est assez ronde. Pour un plateau de fruits de l'Océan.

François d'Allaines, La Corvée du Paquier,
71150 Demigny, tél. 03.85.49.90.16, fax 03.85.49.90.19,
e-mail francois@dallaines.com r.-v.

DOM. BILLARD PÈRE ET FILS
La Combe Bazin 2004

	1,3 ha	2 000	8 à 11 €

L'ancienne baronnie de Saint-Romain évoque le cœur fringant et l'attaque vigoureuse du pays. Ce vin s'inscrit dans la tradition. Jaune doré, il se consacre à des

arômes surmûris, exotiques, l'ananas ou la mangue. Sensations qui persévèrent au palais jusqu'à une fraîche finale. Un style assez original, orienté vers l'aromatique.
EARL Billard Père et Fils, rte de Chambéry, 21340 La Rochepot, tél. 03.80.21.87.94, fax 03.80.21.72.17, e-mail billardetfils@aol.com r.-v.

DOM. GABRIEL BOUCHARD Perrière 2003

0,36 ha 1 000 8 à 11 €

Climat au sud de l'appellation, côté route d'Autun. Noir aux nuances grenat, ce vin vibre sous l'arôme de cassis assez fréquent en saint-romain rouge. Chaleureux et robuste, il attaque avec panache. Le fruit demeure sur la réserve mais la dominante tannique va se fondre. Encore jeune, ce 2003 a du potentiel et il faut l'attendre deux ans au moins.
Dom. Gabriel Bouchard, 4, rue du Tribunal, 21200 Beaune, tél. 03.80.22.68.63, fax 03.80.24.78.43 r.-v.

CHRISTOPHE BUISSON Sous le Château 2004 ★★

1 ha n.c. 11 à 15 €

Christophe Buisson s'installe en 1990. Parti de 1,50 ha, il est à ce jour à la tête de 8 ha. Son vin a frôlé la plus haute marche du podium. Il est vrai qu'il a tissé sa robe de fils d'or. Son bouquet balance entre les fruits blancs et la noisette. Excellente typicité sur un mode frais et souple que souligne un gras bien proportionné. Parmi les trois meilleurs de la dégustation. **Sous le Château 2004 rouge** obtient une étoile.
Christophe Buisson, rue de la Tartebouille, 21190 Saint-Romain, tél. 03.80.21.63.92, fax 03.80.21.67.03, e-mail domainechristophebuisson@wanadoo.fr r.-v.

DOM. HENRI ET GILLES BUISSON Sous la Velle 2003 ★★

1,63 ha 9 000 11 à 15 €

C'est en 1980 que Gilles Buisson a succédé à son père. Il conduit aujourd'hui 17 ha. *Sous lai velle*, disait-on jadis dans le patois du pays de Beaune, pour un lieu-dit proche des maisons. Un peu déroutant peut-être, ce 2003 vendangé tard (7 septembre) séduit par son éclat or vert, ses parfums de pain grillé évoluant vers le pain d'épice et sa minéralité distinguée. Boisé, mais pas trop. Prêt à passer à table. Signalons les très belles étiquettes du domaine.
Dom. Henri et Gilles Buisson, imp. du Clou, 21190 Saint-Romain, tél. 03.80.21.27.91, fax 03.80.21.64.87, e-mail contact@domaine-buisson.com t.l.j. 8h-12h 13h30-17h30; sam. dim. sur r.-v.

DOM. DENIS CARRÉ Le Jarron 2004 ★★

n.c. n.c. 11 à 15 €

Le Jarron rouge (le long de la route qui mène à Auxey-Duresses) a déjà valu deux coups de cœur à ce producteur (millésimes1999 et 1994). Sa flèche manque rarement la cible et cette fois encore elle n'est pas très loin de son centre. Rubis pâle, parfumé de noisette grillée et d'épices, ce vin établit un rapport réussi entre l'acidité et la matière. Sa durée optimale de vie ? Dans les trois ans, mais le plaisir est déjà là !
Dom. Denis Carré, rue du Puits-Bouret, 21190 Meloisey, tél. 03.80.26.02.21, fax 03.80.26.04.64, e-mail domainedeniscarre@wanadoo.fr r.-v.

FABIEN COCHE-BOUILLOT 2003 ★

n.c. 900 11 à 15 €

Peu de corps mais l'élégance florale, l'esquisse de gras, la finale bien beurrée conduisent au plaisir. C'est cela, en effet : sa robe est impeccable, son nez joue de manière classique entre grillé et pamplemousse. Saumon à l'unanimité ?
Fabien Coche-Bouillot, 5, rue de Mazeray, 21190 Meursault, tél. 03.80.21.29.91, fax 03.80.21.22.38, e-mail coche-bigouard@wanadoo.fr r.-v.

DOM. COSTE-CAUMARTIN Sous Roche 2004 ★

1,11 ha 6 600 8 à 11 €

Lorsque vous franchirez le porche du domaine, vous serez séduit par la cour bordée de bâtiments datant du XVII[e]s. et par la margelle du puits sur laquelle est gravé 1641. Depuis 1793 dans cette famille. Ce 2004 ? Un très joli saint-romain à reflets verts, dont les arômes de fleurs et de pain grillé n'oublient pas une élégante pointe minérale. À servir après Pâques 2007.
Dom. Coste-Caumartin, 2, rue du Parc, 21630 Pommard, tél. 03.80.22.45.04, fax 03.80.22.65.22, e-mail coste.caumartin@wanadoo.fr t.l.j. 9h30-12h 14h-19h; dim. sur r.-v.
Jérôme Sordet

DOM. DE LA CRÉA Sous Roche 2003 ★

1,5 ha 9 000 8 à 11 €

Tentez le chèvre chaud pour une entrée éclairée par ce chardonnay. D'une belle brillance, charmeur par son bouquet aux agrumes confits (citron) légèrement miellés, il garde la bouche florale (aubépine, glycine). Gras et plénitude : il sait mettre les points sur les i.
Dom. de la Créa, Cave du Nolay, 21340 Nolay, tél. 03.80.21.73.05, fax 03.80.21.87.20 t.l.j. 10h-19h
Cécile Chenu

DOM. DES FORGES Clos sous le Château 2003 ★

0,98 ha 3 200 11 à 15 €

Il n'y a pas de *climat* appelé ainsi, mais rien n'interdit d'offrir ce nom à un monopole. Ici sur 0,98 ha, sur l'aire de Sous le Château. Ce domaine franco-belge produit également du... porto. Limpide et lumineux, ce saint-romain a passé douze mois en fût. Le nez et la bouche sont en phase : une légère note de miel accompagne l'abricot mûr d'une démarche plus chaleureuse que vigoureuse. À déboucher en 2007.
Dom. des Forges et Associés, 6, rue des Forges, 21190 Meursault, tél. 03.80.21.20.34, fax 03.80.21.68.96, e-mail domaine.des.forges@wanadoo.fr r.-v.

DOM. GERMAIN PÈRE ET FILS Sous le Château 2003 ★★★

1,2 ha 6 000 8 à 11 €

Les marnes sont ici à ce point favorables à la vigne qu'on les dit « de Saint-Romain ». Occupant le niveau calcaire rauracien, elles donnent des ailes à ce 2003 vendangé le 28 août. Rubis grenat parcouru de beaux éclats, il ne révèle pas encore tout le fond de son nez. En

bouche, sa richesse et sa complexité sont d'une étonnante complicité. La mâche réglissée, l'absence de dureté, la longueur considérable, ne laissent plus qu'un mot à prononcer : bravo ! Le **village 2004 blanc** obtient une étoile.

EARL Dom. Germain Père et Fils, rue de la Pierre-Ronde, 21190 Saint-Romain, tél. 03.80.21.60.15, fax 03.80.21.67.87, e-mail patrick.germain8@wanadoo.fr
t.l.j. 9h-19h; dim. sur r.-v.

DOM. EMMANUEL GIBOULOT 2004

0,25 ha n.c. 15 à 23 €

En terre bio, contrôle Écocert. Ce domaine fait figure de pionnier pour ces pratiques. On conseillera donc le poulet bio aux morilles bio, pour l'escorte. Joli chardonnay ne faisant pas à son fût l'injure de l'ignorer. Un peu sévère, mais c'est un effet de l'âge : l'ensemble fait bonne impression, autant qu'un 2004 peut l'exprimer.

Emmanuel Giboulot, 4, rue de Seurre, 21200 Beaune, tél. 03.80.22.90.07, fax 03.80.22.89.53
r.-v.

ALAIN GRAS 2004 *

2,5 ha n.c. 8 à 11 €

Alain Gras eut un soutien chaleureux en la personne de Bernard Loiseau qui adorait ses vins et contribua beaucoup à les faire connaître. Ce pinot noir rubis soutenu et profond offre un nez de cerise noire en se libérant de son fût (onze mois). Sa bouche est familière, nette et franche, vive et fruitée. L'ampleur reste dans le cadre du millésime, mais c'est délicieux, facile à boire.

Alain Gras, rue Sous-la-Velle, 21190 Saint-Romain, tél. 03.80.21.27.83, fax 03.80.21.65.56 r.-v.

DOM. DES MARGOTIÈRES Sous la Velle 2003 **

1,63 ha 9 000 11 à 15 €

Des *putti* sur l'étiquette ; cette bouteille cependant n'est pas de style baroque. Finaliste du coup de cœur, elle est d'un goût classique très sûr dans sa robe jaune d'or brillant. Son bon boisé cède bientôt le pas aux agrumes confits (pointe florale en prime). Le palais onctueux et savoureux au sein d'une minéralité qui rend le vin « aérien ». Vendangé nous dit-on le 7 septembre, ce qui était assez « tardif » en 2003. Et pourtant, voyez-vous...

Dom. des Margotières, imp. du Clou, 21190 Saint-Romain, tél. 03.80.21.24.40, fax 03.80.21.64.87, e-mail contact@domaine-margotieres.com
t.l.j. 8h-12h 13h30-17h30; sam. dim. sur r.-v.
Monica Buisson

VINCENT ET MARIE-CHRISTINE PERRIN 2003

1,7 ha 6 000 11 à 15 €

Sur l'étiquette, la Toison d'or n'est-elle pas bourguignonne ? L'œil est limpide et frais ; le nez affiche des manières tranquilles et fort civiles. Relativement rond et légèrement fruité, le palais apporte sa contribution à la fête. À décanter lors du service, à tout le moins à ouvrir une heure avant le repas. Il y a du potentiel là-derrière.

Vincent Perrin, rue Saint-Étienne, 21190 Volnay, tél. 03.80.21.62.18, e-mail vin.perrin.mcv@free.fr
r.-v.

DOM. ROUGEOT Combe Bazin 2004 *

1 ha 6 000 11 à 15 €

À déguster comme on dévore un grand roman : sous l'or jaune de la couverture, le miel d'acacia et les agrumes se partagent la préface. L'intrigue est charpentée, le style assez charnu, la longueur normale. À lire ou... à déguster dans l'année à venir.

Dom. Marc Rougeot, 6, rue André-Ropiteau, 21190 Meursault, tél. 03.80.21.20.59, fax 03.80.21.66.71
r.-v.

CHRISTOPHE VIOLOT-GUILLEMARD Sous le Château 2004 *

0,5 ha 3 000 11 à 15 €

Ce *climat* fait le malheur des archéologues qui aimeraient (ils sont actifs à Saint-Romain) y voir un peu plus clair dans le sous-sol... On ne va pas arracher la vigne pour leur faire plaisir, même si l'on respecte leur travail. Il y a donc beaucoup de passé sous cette bouteille. Belle robe de pinot. Kirsch, cerise à l'eau-de-vie, ses senteurs ne nous surprennent pas. Les tanins ne s'en laissent pas conter. L'équilibre se réalise cependant, pour une consommation fin 2007 par exemple. Jouez l'anguille, la lotte : ce rouge en leur présence ne fera pas la fine bouche.

Christophe Violot-Guillemard, 7, rue de la Réfène, 21630 Pommard, tél. et fax 03.80.22.03.49, e-mail christophe.violot-guillemard@wanadoo.fr
r.-v.

Meursault

Avec Meursault commence la véritable production de grands vins blancs (13 857 hl en *village* et 4 810 hl en premier cru en 2005). Certains premiers crus sont mondialement réputés : les Perrières, les Charmes, les Poruzots, les Genevrières, les Gouttes d'Or, etc. Tous allient la subtilité à la force, la fougère à l'amande grillée, l'aptitude à être consommés jeunes aux possibilités de longévité. Meursault est bien la « capitale des vins blancs de Bourgogne ». Notons une petite production de vin rouge (523 en *village* et 100 hl en premier cru en 2005).

Les « petits châteaux » qui restent à Meursault sont les témoins d'une opulence ancienne, attestant une notoriété certaine des vins produits. La Paulée, qui a pour origine le repas pris en commun à la fin des vendanges, est devenue une manifestation traditionnelle qui se déroule le troisième jour des « Trois Glorieuses ».

BALLOT-MILLOT Les Criots 2003 *

	0,65 ha	3 000	15 à 23 €

Un avant-goût de paulée. Maître d'œuvre de son prix littéraire, Philippe Ballot a passé le relais à son fils Charles, mais il sait quitter sa bibliothèque quand les raisins arrivent à la cuverie (le 1er septembre en 2003). Situés près des Santenots du Milieu, les Criots apparaissent ici limpides et brillants, légèrement pain grillé sur fond beurré et citronné, encore frais et vifs, parfaitement typés pour un *village*.

Ballot-Millot et Fils, 9, rue de la Goutte-d'Or, 21190 Meursault, tél. 03.80.21.21.39, fax 03.80.21.65.92, e-mail ballotmillotetfils@hotmail.com r.-v.

BITOUZET-PRIEUR Perrières 2003 *

1er cru	0,27 ha	900	23 à 30 €

A-t-on jamais vu or blanc plus lumineux ? De la fleur blanche comme la couronne des mariées d'antan ? La chaleur de ce mémorable été a glissé dans ce vin quelques rayons de soleil sans le priver de sa fraîcheur. Onctueux mais nullement pesant. Cités, les **Charmes 2003** partagent ces qualités.

Bitouzet-Prieur, rue de la Combe, 21190 Volnay, tél. 03.80.21.62.13, fax 03.80.21.63.39 r.-v.

GUY BOCARD Charmes 2003 *

1er cru	0,67 ha	2 300	30 à 38 €

Deux coups de cœur il y a quelques années et encore l'an dernier. Ce domaine murisaltien (8,50 ha) retient toujours l'attention. Voici des Charmes rentrés à la cuverie le 26 août : cela laisse des souvenirs de vigilance, sinon d'anxiété. Comment vinifier ce que nulle mémoire n'instruit ? Guy Bocard en tire un 2003 or paille brillant, aux nuances d'ananas, de mangue ; le millésime explique le fruit exotique fortement teinté de miel. Heureuse surprise au palais : une fraîcheur citronnée, sans lourdeur, jusqu'en finale. Agréable sur des coquilles Saint-Jacques.

Guy Bocard, 4, rue de Mazeray, 21190 Meursault, tél. 03.80.21.26.06, fax 03.80.21.64.92, e-mail nadinebocard@wanadoo.fr r.-v.

DOM. BOHRMANN 2003 *

	0,35 ha	2 000	15 à 23 €

Ans et Sophie Bohrmann vivent l'Europe au quotidien. Leur terre natale est la Belgique. Ce 2003 or vif teinté d'émeraude, d'une délicieuse complexité, évoque le minéral, le tilleul, le chèvrefeuille. Si en bouche la vivacité est un peu en retrait, ce n'est pas gênant car il s'agit d'un 2003. À déguster en 2007.

Ans Bohrmann, 9, rue de la Barre, 21190 Meursault, tél. 06.21.42.86.64, fax 03.80.21.60.06, e-mail dimitriblanc@hotmail.fr r.-v.

Dieter Bohrmann

BOUCHARD AÎNÉ ET FILS
Le Porusot Cuvée Signature 2004 **

1er cru	n.c.	n.c.	38 à 46 €

La beauté même. Robe bien soutenue, bouquet frais et généreux, ce 1er cru illustre ici tout son rang. Un peu vif et tranchant à l'attaque, il est Porusot (une orthographe parmi tant d'autres !) jusqu'au bout des lèvres. Valeureux et puissant, il met un peu de temps à s'épanouir en bouche, puis il se montre chaleureux, long et gras sur le fruit à chair blanche, droit et précis. Bouchard Aîné et Fils est une ancienne maison beaunoise reprise par Jean-Claude Boisset et sur laquelle veille sa fille Nathalie. Par une maison cousine, notez le **1er cru Perrières 2004 de Ropiteau (30 à 38 €)**, une étoile, et par la maison-mère, le **Jean-Claude Boisset Limozin 2004**, une étoile.

Bouchard Aîné et Fils, hôtel du Conseiller-du-Roy, 4, bd Mal-Foch, 21200 Beaune, tél. 03.80.24.24.00, fax 03.80.24.64.12, e-mail bouchard@bouchard-aine.fr r.-v.

FGVS Boisset

DENIS BOUSSEY Vieilles Vignes 2004 *

	1,06 ha	5 000	15 à 23 €

Laurent, fils de Denis Boussey, prend à vingt-huit ans quelques hectares de vigne en métayage et fermage. Les passions familiales ont du bon ! Ces Vieilles Vignes, or soutenu à reflets gris, restent discrètes dans leurs parfums. On discerne des notes minérales, mentholées. Elles ont de la mâche, du fruit, une certaine fraîcheur, une touche de pétrole en finale. Un 2004 complexe et élégant. À servir sur un foie gras poêlé.

Dom. Denis Boussey, 1, rue du Pied-de-la-Vallée, 21190 Monthelie, tél. 03.80.21.21.23, fax 03.80.21.62.46 r.-v.

DOM. JEAN-MARIE BOUZEREAU
Poruzot 2004 *

1er cru	0,1 ha	600	23 à 30 €

Ce Poruzot, dans une robe or pâle à reflets verts, classique, s'ouvre sur les agrumes. Après une attaque assez douce, sa présence s'affirme : une jolie persistance aromatique, pas mal de volume ; un ensemble pas trop riche, mais assez pour être généreux dans ses dons. En un mot, une bouteille élégante.

Jean-Marie Bouzereau, 5, rue de la Planche-Meunière, 21190 Meursault, tél. 03.80.21.62.41, fax 03.80.21.24.39, e-mail jmbouzereau@wanadoo.fr r.-v.

DOM. VINCENT BOUZEREAU
Les Charmes 2003 *

1er cru	0,3 ha	1 800	23 à 30 €

Coup de cœur dans l'édition 2000 pour un remarquable 1997, Vincent Bouzereau jouait alors une Goutte-d'Or. Son Charmes, cette fois-ci, d'une jolie brillance, offre une gamme aromatique à dominante de fruits bien mûrs (poire) sur un fond beurré. Tendre et ronde, cette bouteille épanouie, riche, ensoleillée comme les 2003, mais d'une netteté parfaite, sans mièvrerie, réjouira les meilleures tables.

Vincent Bouzereau, 25, rue de Mazeray, 21190 Meursault, tél. 03.80.21.61.08, fax 03.80.21.65.97, e-mail vincent.bouzereau@wanadoo.fr r.-v.

MICHEL BOUZEREAU ET FILS
Le Limozin 2004 *

	0,4 ha	n.c.	15 à 23 €

Jean-Baptiste Bouzereau a succédé à son père et il gère ses 11 ha. Entre les deux, mon cœur balance... À prix analogue **Les Grands Charrons 2004** offrent des avantages tangibles et l'on peut tout aussi bien se porter sur ce choix. Ou sur celui-ci, un Limozin proche parent d'une Genevrière : il suffit de regarder l'atlas. Or franc, évoluant des arômes fermentaires à ceux de l'adolescence (beurre, pêche blanche), il est doté d'une forte constitution. Du gras et du nerf dans un beau volume équilibré. Ni trop ni trop peu, l'oracle de Delphes en Côte de Beaune ! Coup de cœur dans les éditions de 2000 et 2002.

Michel Bouzereau et Fils,
3, rue de la Planche-Meunière, 21190 Meursault,
tél. 03.80.21.20.74, fax 03.80.21.66.41,
e-mail michel-bouzereau-et-fils@wanadoo.fr r.-v.

DOM. MICHEL CAILLOT Les Limozins 2003 ★

	0,4 ha	1 750	15 à 23 €

Pénalisé par un boisé important, ce meursault Les Limozins aurait pu prétendre au coup de cœur : plusieurs dégustateurs font cette remarque. Ses atouts en effet ne sont pas ordinaires : éclat de son or, chaleur aromatique des 2003, bouche très mûre au gras profond, sucrosité opulente et soyeuse à la fois. D'ici un à deux ans, il est permis de penser que le naturel aura repris le dessus. Et que ce sera grand.

Dom. Michel Caillot, 12, rue du Cromin,
21190 Meursault, tél. 03.80.21.21.70,
fax 03.80.21.69.58, e-mail earl.caillot@terre-net.fr
r.-v.

CH. DE CÎTEAUX Charmes 2004 ★

1er cru	0,2 ha	1 400	23 à 30 €

L'année même de sa fondation en 1098, l'abbaye de Cîteaux reçut du duc de Bourgogne sa première vigne : à Meursault. Agrandi et équipé d'un cellier, ce domaine resta près de sept siècles sous la règle de saint Benoît. Philippe Bouzereau en maintient le souvenir. Ces Charmes revêtent une robe d'une nuance assez pâle à l'éclat vif. Le nez de ce 2004 est cistercien, mais il ne se contente pas de parler par signes : aubépine, citron vert, il s'ouvre dans le verre. La bouche est grégorienne, très longue, portée par une acidité qui lui ouvre le chemin de l'avenir (trois à quatre ans).

Philippe Bouzereau, Ch. de Cîteaux,
18-20, rue de Cîteaux, BP 25, 21190 Meursault,
tél. 03.80.21.20.32, fax 03.80.21.64.34,
e-mail info@domaine-bouzereau.fr r.-v.

DOM. Y. CLERGET Les Chevalières 2003

	0,37 ha	900	15 à 23 €

Climat en situation élevée sur le coteau orienté vers Auxey-Duresses. D'un bel or blanc, ce vin vendangé le 25 août est à boire maintenant. Au nez ? Des accents beurrés, miellés, un vrai petit déjeuner. Le fût est bien fondu. Rond et souple, mais encore vif et frais dans un bon équilibre général, l'ensemble n'est pas très puissant, mais des ris de veau braisés s'en accommoderont fort bien.

Dom. Y. Clerget, rue de la Combe, 21190 Volnay,
tél. 03.80.21.61.56, fax 03.80.21.64.57,
e-mail dyc@wanadoo.fr r.-v.

ALAIN COCHE-BIZOUARD Charmes 2003 ★

1er cru	0,3 ha	900	30 à 38 €

Alain Coche-Bizouard, viticulteur, propose ce 1er cru réussi qui fut coup de cœur pour le millésime 1999. Celui-ci, or vert lumineux, offre un nez délicieux de citron confit, de beurre, de grillé. Ronde et pleine, étonnamment fraîche, équilibrée, la bouche est longue. À servir dès à présent. À la même adresse, la maison de négoce propose un **meursault blanc Fabien Coche-Bouillot 2003 (15 à 23 €)** cité par le jury. Le premier accompagnera un filet de saint-pierre, le second un filet de rascasse.

Alain Coche-Bizouard, 5, rue de Mazeray,
21190 Meursault, tél. 03.80.21.28.41,
fax 03.80.21.22.38, e-mail coche-bizouard@wanadoo.fr
r.-v.

DOM. PHILIPPE DELAGRANGE Les Pelles Dessus 2004 ★

	0,73 ha	5 500	15 à 23 €

Élevé dans des caves à deux étages, ce vin mérite que vous visitiez son aire d'élaboration. Vous pouvez aussi déjeuner au restaurant *Le Pommard* appartenant au domaine, dans la commune éponyme. Or à reflets verts, ce vin est flatteur à l'attaque. Rien ne dépasse. Le fruit est enrobé dans un gras qui sait rester léger. Bouquet classique de fruits secs et de fleurs blanches.

Philippe Delagrange, 10, rue du 11-Novembre,
21190 Meursault, tél. 03.80.21.22.72,
fax 03.80.21.68.70,
e-mail bernard.delagrange@wanadoo.fr r.-v.

DEVEVEY Les Vireuils 2004 ★

	n.c.	3 000	15 à 23 €

D'une teinte bien soutenue, un meursault Les Vireuils au nez minéral (silex, pierre à fusil), au boisé bien enveloppé. Il a du gras, un tempérament riche et chaud. Malgré une petite baisse de rythme en fin de bouche, c'est un beau vin produit par achat de raisins. À déboucher courant 2007.

Jean-Yves Devevey, rue de Breuil, 71150 Demigny,
tél. 03.85.49.91.11, fax 03.85.49.91.59,
e-mail jydevevey@wanadoo.fr r.-v.

GUY DUBUET-MONTHÉLIE ET FILS 2004 ★

	0,24 ha	1 500	11 à 15 €

David, fils de Guy Dubuet-Monthélie, s'installe sur le domaine en août 2004. Voici le millésime réalisé par le duo. Jaune léger, miellé et vanillé, un peu porté sur les agrumes, un 2004 riche et fruité dans un style exotique (litchi). Harmonieux, il tapisse merveilleusement le palais. Bien sous tous rapports, notamment qualité-prix.

Guy Dubuet-Monthélie et Fils, rue Bonne-Femme,
21190 Monthélie, tél. 03.80.21.26.22, fax 03.80.21.29.79
r.-v.

DUJAC FILS ET PÈRE 2004 ★

	0,88 ha	5 250	15 à 23 €

Place aux jeunes : la maison de négoce fondée par la famille Seysses s'appelle Dujac Fils et Père ! Sous sa robe profonde et dorée, sous des senteurs de fruits secs (abricot) et d'écorce d'orange, un 2004 à l'attaque souple où l'acidité et l'alcool se tiennent *cheek to cheek*. Le fût n'intervient pas exagérément. Mûr, ce vin passera volontiers à table en 2007.

Dujac Fils et Père, 7, rue de la Bussière,
21220 Morey-Saint-Denis, tél. 03.80.34.01.00,
fax 03.80.34.01.09, e-mail dujac@dujac.com
Seysses

DOM. DUPONT-FAHN Cuvée Vieilles Vignes 2003

	0,5 ha	3 000	15 à 23 €

Sur un meursault qui s'y prête, on peut même tenter la tarte Tatin. En général une bouteille très ancienne, ou plus jeune mais quelque peu atypique comme celle-ci : Vieilles Vignes plus 2003. Couleur appuyée, nez bien en place et élancé, infiniment de gras et cette légère sucrosité qui explique notre choix goûteux pour le dessert (crème brûlée également). Très particulier, sans doute. Hors normes, oui. Assez passionnant tout de même si l'on veut bien nous écouter.

Michel Dupont-Fahn, Les Toisières, 21190 Monthelie, tél. 06.08.51.15.13, fax 03.80.21.21.22

JEAN-CLAUDE FROMONT 2004 ★

8 ha 30 000 11 à 15 €

Présenté par un négociant-éleveur du Chablisien, ce meursault a les idées larges. Jaune d'or un peu soutenu, il entend cependant garder ses arômes de la Côte de Beaune : beurre, fleurs blanches et fruits frais plutôt que mousseron ou pierre à fusil. Ample et d'une assez bonne rondeur, il affiche un caractère plutôt tranquille, étranger à tout excès.

Maison Jean-Claude Fromont, 7, av. de Chablis, 89144 Ligny-le-Châtel, tél. 03.86.98.20.40, fax 03.86.47.40.72, e-mail accueil@chateau-de-ligny.com r.-v.

ALBERT GRIVAULT Perrières 2004 ★

1er cru 1,57 ha 4 500 30 à 38 €

C'est au cœur de Meursault que vous découvrirez cette propriété titulaire de nombreux coups de cœur par le passé. Ce domaine historique possède 1,57 ha de Perrières ici depuis presque cent sept ans. L'or est ici pur, le nez assez mûr sur le miel et la noix. L'acidité reste présente, utile. La consistance est digne du nom porté. Quant au **Clos des Perrières 2004 (46 à 76 €)**, monopole fabuleux sur 0,95 ha depuis 1879 dans la famille, on l'attendra un peu avec sagesse : il a de la classe et mérite largement son étoile.

Dom. Albert Grivault, 7, pl. du Murger, 21190 Meursault, tél. 03.80.21.23.12, fax 03.80.21.24.70 r.-v.

Héritiers Bardet

ANTONIN GUYON Les Charmes Dessus 2004 ★

1er cru 0,69 ha 5 000 38 à 46 €

Climat situé en dessous de Blagny et à la limite de Puligny, c'est-à-dire voisin des Combettes. Il donne ici un 1er cru rond et suave, soutenu néanmoins par une acidité suffisante, aux notes de silex et d'agrumes. Le boisé est bien fondu. La mousse de poisson devrait s'accorder à ce chardonnay équilibré.

Dom. Antonin Guyon, 21420 Savigny-lès-Beaune, tél. 03.80.67.13.24, fax 03.80.66.85.87, e-mail domaine@guyon-bourgogne.com r.-v.

LOUIS JADOT 2002 ★★

n.c. n.c. 15 à 23 €

Il n'y a pas à tourner sept fois sa langue dans sa bouche pour en convenir : quand c'est bon, c'est bon. Et même au-delà. Ce 2002 (au prix raisonnable à cet âge) d'un or discret possède un nez imaginatif et subtil. Pain grillé, fleurs blanches, un rien d'exotisme, tout en finesse. La fraîcheur est au rendez-vous, au sein d'une bouche expressive, classique et distinguée. Toute safisfaction. Remarquable *village*.

Louis Jadot, 21, rue Eugène-Spuller, BP 117, 21203 Beaune Cedex, tél. 03.80.22.10.57, fax 03.80.22.56.03, e-mail contact@louisjadot.com r.-v.

PATRICK JAVILLIER
Cuvée Tête de Murger 2003 ★★

0,64 ha 3 000 23 à 30 €

Patrick Javillier fut l'un de nos tout premiers coups de cœur en meursault. Pour des Narvaux, puis des Tillets... Dès le premier regard, on voit ce 2003 dans son âge d'or. Amande grillée et fleurs blanches concourent à un nez explosif. Au palais, le sens de la mesure reprend le dessus, sur un mode élégant et gras, d'une puissance maîtrisée. Prêt à être servi et attendant sans excès de modestie les compliments qu'il ne manquera pas de susciter.

Patrick Javillier, 7, imp. des Acacias, 21190 Meursault, tél. 03.80.21.27.87, fax 03.80.21.29.39 r.-v.

BOURGOGNE

DOM. JOBARD-MOREY Les Narvaux 2004 ★

1er cru 0,66 ha 2 200 15 à 23 €

Onctueux, très gras et même volumineux, il offre en finale une jolie sucrosité. Sa robe est or limpide à reflets verts, comme on l'imagine, son bouquet penche pour les agrumes légèrement exotiques dans un contexte boisé tout à fait raisonnable. Signalons la prestation également très réussie du **1er cru Charmes 2004 (23 à 30 €)**, à laisser vieillir un an ou deux.

Dom. E. Jobard-Morey, 1, rue de la Barre, 21190 Meursault, tél. 06.72.34.76.38, fax 03.80.21.60.91 r.-v.

CH. LABOURÉ-ROI Clos de la Baronne 2004 ★

0,86 ha 5 700 15 à 23 €

Quelques explications préalables : Labouré-Roi est la maison nuitonne de la famille Cottin, qui a acquis ce domaine en 1998 ; Clos de la Baronne rappelle le souvenir de la fille d'un député aristocrate aux États Généraux de 1789, devenue baronne en passant à travers les gouttes de la Révolution. Quant à ce chardonnay, pâle à reflets gris, il marque sa préférence pour des arômes d'agrumes bien nets. Fruité, charmeur, sans trop de longueur, il plaira au cours des deux prochaines années. Le **1er cru Poruzot 2004 (30 à 38 €)**, d'une bonne facture, obtient une citation.

Ch. Labouré-Roi, 3, rue du Pied-de-la-Forêt, 21190 Meursault, tél. 03.80.21.26.08

Asl Cottin

JEAN LATOUR-LABILLE ET FILS
Les Cras 2004 ★

1er cru 0,19 ha 700 15 à 23 €

Cécile Latour et son mari Vincent se sont installés en 2004. Le meursault rouge est rare. Les Cras se trouvent, il est vrai, tout près du Volnay, sur les hauteurs des Santenots. Le pinot noir est donc à son aise en pareille compagnie. Jolie robe sombre et intense, nez ouvert sur la griotte, texture agréable et tanins légers. On retrouve en fond de bouche les arômes initiaux, d'une bonne persistance et dans un équilibre durable.

Dom. Jean Latour-Labille et Fils, 6, rue du 8-Mai, 21190 Meursault, tél. 03.80.21.22.49, fax 03.80.21.67.86, e-mail latourlabillefils@wanadoo.fr r.-v.

OLIVIER LEFLAIVE Poruzots 2003 ★★

1er cru 0,5 ha 1 800 38 à 46 €

L'élégance digne des plus grands couturiers du faubourg Saint-Honoré. Or pâle aux reflets argentés, quelle parure ! Parfum raffiné, délivré à l'aération sur des notes d'acacia, de genêt. Le décor au palais est plus mûr, style

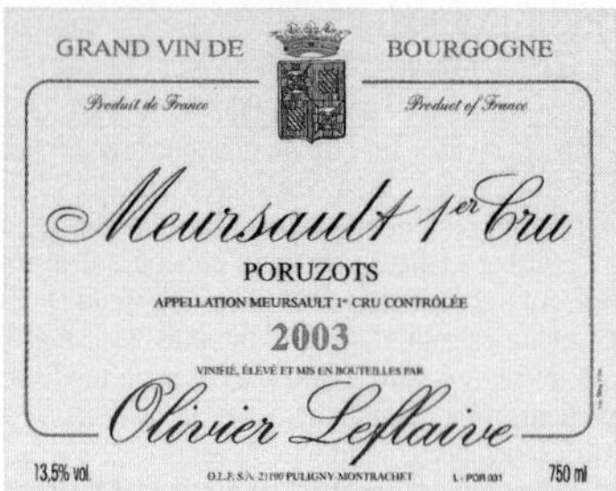

Art nouveau. Tout est là, long et profond, harmonieux, envoûtant. Coup de cœur parmi 174 vins proposés, Olivier Leflaive prend ici la première place.
🔑 Olivier Leflaive Frères, pl. du Monument, 21190 Puligny-Montrachet, tél. 03.80.21.37.65, fax 03.80.21.33.94, e-mail contact@olivier-leflaive.com
☑ 🍷 🚶 r.-v.

MARTELET ET CHERISEY

Blagny La Genelotte
Récolte comtesse Bernard de Cherisey 2003

1er cru 0,3 ha 1 000 23 à 30 €

« Toujours tout droit », la devise de la maison, qui acquiert les raisins du domaine familial (Comtesse de Cherisey) et les vinifie. En effet, voici un chardonnay net et précis, un peu surmaturé comme le voulait le millésime, aux arômes confits (orange) avec un rien de minéralité. L'affaire est bien conduite, maîtrisée. À déboucher évidemment dans l'année qui s'ouvre.
🔑 Maison Martelet & Cherisey, rte de Pommard, 21190 Meloisey, tél. et fax 03.80.26.07.61, e-mail martelet.cherisey.sarl@wanadoo.fr ☑ 🍷 🚶 r.-v.

CHRISTOPHE MARY Charmes 2004 *

1er cru 0,17 ha 300 15 à 23 €

De charme, il n'en manque pas. Jaune à reflets dorés, d'une tonalité discrète, il est très fleurs blanches vanillées, un peu miellé, se développant sur des arômes d'agrumes confits. Sa bouche est gourmande, plaisante dès à présent. Mais on peut tout aussi bien mettre cette bouteille en cave de un à deux ans. Notez en outre le **village 2004 blanc (11 à 15 €)**, remarquable rapport qualité-prix pour un chardonnay bien typé (une étoile).
🔑 Christophe Mary, rue de la Garenne, 21190 Corcelles-les-Arts, tél. et fax 03.80.21.48.98
☑ 🍷 🚶 r.-v.

DOM. MAZILLY PÈRE ET FILS

Les Meurgers 2004 *

0,8 ha 6 000 15 à 23 €

Bouton d'or, il a le nez fin et long, expressif : acacia, beurre, croûte de pain. Toute la fraîcheur aromatique d'un chardonnay de bonne compagnie produit aux Meurgers (le *climat* s'appelle Au Murger de Monthélie, mais il y a risque de confusion entre les deux appellations). Pleine et gourmande, sa bouche a de l'élan, du montant, un goût de revenez-y. Bien fait, bien élevé, il peut demeurer en cave durant deux à trois ans. Poulet de Bresse à la crème tout indiqué. Coup de cœur pour l'édition 2001 du même vin.
🔑 Dom. Mazilly Père et Fils, rte de Pommard, 21190 Meloisey, tél. 03.80.26.02.00, fax 03.80.26.03.67
☑ 🍷 🚶 r.-v.

CH. DE MEURSAULT 2003 *

1er cru 5 ha 17 000 38 à 46 €

André Boisseaux (1909-1998), sans qui Meursault aurait beaucoup perdu, a, pour ne citer que cet exemple, racheté le parc promis à un lotissement, quelques pavillons qu'il a acquis et rasés, pour reconstituer ce vignoble aux abords du château. Intense et brillant, un 1er cru porté sur les agrumes (léger toasté) et évoluant de façon assez tendre, épicé avec discrétion, légèrement minéral avec retour du fût en finale. Intéressant dans son millésime, à découvrir dès maintenant.
🔑 Dom. du Château de Meursault, 21190 Meursault, tél. 03.80.26.22.75, fax 03.80.26.22.76, e-mail chateau.meursault@kriter.com
☑ 🍷 🚶 t.l.j. 9h30-12h 14h30-18h

DOM. MICHELOT MÈRE ET FILLE

Charmes 2004

1er cru 0,28 ha 1 000 30 à 38 €

Domaine de 7 ha, consacré exclusivement au blanc. D'une teinte assez soutenue, suggérant le beurre et l'aubépine, un vin rond et gras, aimable. Exemple d'étiquette personnalisée où figure le portrait de « Maman » photographiée sans doute le jour de ses noces. En **village Les Tillets 2004 (23 à 30 €)** sont nets et francs, recommandables.
🔑 Dom. Michelot Mère et Fille, 24, rue de la Velle, 21190 Meursault, tél. 03.80.21.68.99, fax 03.80.21.27.65
☑ 🍷 🚶 r.-v.

MOILLARD 2004 *

n.c. 10 000 15 à 23 €

Cuvée agréable et sur le fruit, en habit de lumière à reflets cristallins. Ses arômes mettent subtilement en valeur le silex, la fleur blanche. Au palais l'impression est assez charnue, d'une longueur suffisante. À boire ou à attendre un peu.
🔑 Moillard, 2, rue François-Mignotte, BP 6, 21701 Nuits-Saint-Georges Cedex, tél. 03.80.62.42.22, fax 03.80.61.28.13, e-mail contact@moillard.fr
☑ 🍷 🚶 t.l.j. 10h-18h; f. jan.

MOREY-BLANC 2003 *

n.c. 2 700 23 à 30 €

Maison de négoce-éleveur créée en 1992 par Pierre Morey afin d'élargir la carte du domaine. Récoltés le 31 août, ces raisins fournissent un meursault or jaune portant de jolies larmes. Sa texture est de qualité sur un boisé agréable (dix-huit mois en fût), un gras tempéré par l'acidité, de la minéralité et des arômes secondaires d'ananas et de pamplemousse.
🔑 Morey-Blanc, 13, rue Pierre-Mouchoux, 21190 Meursault, tél. 03.80.21.21.03, fax 03.80.21.66.38, e-mail morey-blanc@wanadoo.fr
☑ r.-v.

DOM. DU PAVILLON Les Charmes 2004 *

1er cru 1,17 ha 5 700 30 à 38 €

Le domaine du Pavillon fait partie des nombreuses propriétés de la maison Albert Bichot. Sont-ils Dessus ou Dessous, ces Charmes ? On ne le sait. Quoi qu'il en soit, ils ont l'œil clair, le nez de fleurs blanches, puis d'agrumes à l'aération, la bouche fraîche, d'une belle acidité qui promet d'heureux lendemains. Il est conseillé de les attendre de deux à trois ans, de façon à parvenir au meilleur fondu.

A. Bichot, Dom. du Pavillon,
6 bis, bd Jacques-Copeau, 21200 Beaune,
tél. 03.80.24.37.37, fax 03.80.24.37.38,
e-mail bourgogne@albert-bichot.com

CH. PERRUCHOT Les Forges Dessus 2002 ★★

0,78 ha n.c. 15 à 23 €

Finaliste du coup de cœur et, pour tout vous dire, numéro deux de la dégustation. Ce domaine créé en 1930 par Georges Prieur à Santenay peut se féliciter de ces Forges Dessus, *climat* entre la route de Monthélie et celle d'Auxey. Sa robe jaune-vert très clair annonce un nez de chèvrefeuille, de pomme vive (il s'agit d'un 2002, à prix attractif). Fraîcheur et maturité, finesse et puissance, il a tout d'un grand *village*. Si le **meursault 2002** n'est pas à ce niveau, il explicite lui aussi et de façon intéressante le même millésime. Quant au vin du **Domaine Prieur-Brunet Charmes 1er cru 2003 (23 à 30 €)**, il obtient une étoile.

G. Prieur - Ch. Perruchot, Santenay-le-Haut,
21590 Santenay, tél. 03.80.21.23.92
Uny-Prieur

CH. DE PULIGNY-MONTRACHET
Les Perrières 2003

1er cru 0,44 ha 1 514 38 à 46 €

Domaine passé entre plusieurs mains (Roland Thévenin, famille Laroche de Chablis et investisseurs australiens), avant d'être acquis par le Crédit foncier de France. La jeune génération de Montille en assure de nos jours la direction. D'un doré lumineux, des Perrières au bouquet de mie de pain se révélant à l'air libre : poire, coing. Vif en attaque, frais et gourmand, ce meursault tourne bientôt autour de la rondeur, terminant par une pointe chaleureuse, en souvenir du millésime. À déboucher maintenant.

Dom. du Château de Puligny-Montrachet,
21190 Puligny-Montrachet, tél. 03.80.21.39.14,
fax 03.80.21.39.07, e-mail n.privel@wanadoo.fr r.-v.

DOM. ROUGEOT Monatine 2004 ★

3 ha 12 000 15 à 23 €

Meursault partage avec chassagne ces nuances lactiques, beurrées. « Vous savez, disait un jour Jean Lenoir, ce qu'on respire dans la rue en passant au-dessus d'un soupirail de boulanger : le croissant chaud ! » Bon exemple ici. Cette famille très ancienne propose une Monatine, un nom de fantaisie qui sonne bien à l'oreille comme le vin sonne bien à l'œil (or clair), au nez (brioché) et en bouche (ronde et riche, avec retour du fût).

Dom. Marc Rougeot, 6, rue André-Ropiteau,
21190 Meursault, tél. 03.80.21.20.59, fax 03.80.21.66.71
r.-v.

SEGUIN-MANUEL Vieilles Vignes 2003

0,2 ha 900 23 à 30 €

Fondée en 1824, reprise par Thibaut Marion, cette maison propose un meursault Vieilles Vignes (trente-cinq ans) équilibré, tout agrumes, fleurs et vanille, frais encore pour un 2003, de bonne longueur.

Seguin-Manuel, 2, rue de l'Arquebuse,
21200 Beaune, tél. 03.80.21.50.42, fax 03.80.21.59.38,
e-mail thibaut.marion@seguin-manuel.com r.-v.
Marion

ROMUALD VALOT 2004

n.c. 1 800 15 à 23 €

Jaune paille brillant. Aubépine et miel, l'accord aromatique est séduisant ; le boisé apparaît peu marqué. Attaque franche, structure correcte, d'un style léger : s'il ronronne, ce vin de race ne dort que d'un œil. Service à prévoir dans l'année qui vient, sur une croustade d'escargots à la crème. Cela devrait convenir à ce type de meursault.

SARL Romuald Valot, 14, rue des Tonneliers,
21200 Beaune, tél. et fax 03.80.24.84.63

CH. DE LA VELLE Clos de La Velle 2004 ★

0,5 ha 2 500 15 à 23 €

À peine teinté d'or, il montre seulement le bout de son nez. Celui-ci fait la part des choses entre la noisette fraîche et l'amande grillée. En bouche, le premier contact sur le fruit se prolonge. C'est agréablement structuré. À croquer ! Si vous passez par ici le dernier week-end d'avril, arrêtez-vous au château où a lieu une fête médiévale pleine de bonnes choses à savourer.

Bertrand Darviot, 17, rue de la Velle,
21190 Meursault, tél. 03.80.21.22.83,
fax 03.80.21.65.60, e-mail chateaudelavelle@darviot.fr
r.-v.

BOURGOGNE

Blagny

Situé à cheval sur les communes de Meursault et de Puligny-Montrachet, un vignoble homogène s'est développé autour du hameau de Blagny. On y produit des vins rouges remarquables portant l'appellation blagny (32 hl en *village* et 171 hl en premier cru en 2005), mais la plus grande superficie est plantée en chardonnay pour donner, selon la commune, du meursault 1er cru ou du puligny-montrachet 1er cru.

DOM. DE BLAGNY
La Pièce sous le dos d'âne 2003 ★

1er cru 0,47 ha 3 410 15 à 23 €

La famille de Montlivault fêtera en 2011 son bicentenaire au hameau de Blagny, sur les vignes détenues par les moines cisterciens de Maizières au temps jadis. Elle demeure fidèle au pinot noir, présenté ici sur la commune de Meursault. Rubis foncé à reflets bleutés, c'est un vin de plaisir et de fruits, charnu mais pas trop, dépourvu de sophistication, aisément accessible, à situer dans son millésime (vendange le 31 août). À déguster simplement et pour le bonheur du moment présent.

SCEV Dom. de Blagny, hameau de Blagny,
21190 Meursault, tél. et fax 03.80.21.30.35,
e-mail jean-louis.de-montlivault@wanadoo.fr
r.-v.
J.-L. de Montlivault

Puligny-montrachet

Centre de gravité des vins blancs de Côte-d'Or, serrée entre ses deux voisines Meursault et Chassagne, cette petite commune tranquille ne fait en surface de vignes que la moitié de meursault, ou les deux tiers de chassagne, mais se console de cette modestie apparente en possédant les plus grands crus blancs de Bourgogne, dont le montrachet, en partage avec Chassagne.

La position géographique de ces grands crus, selon les géologues de l'université de Dijon, correspond à une émergence de l'horizon bathonien, qui leur confère plus de finesse, plus d'harmonie et plus de subtilité aromatique qu'aux vins récoltés sur les marnes avoisinantes. L'AOC a produit 10 256 hl de vin blanc en 2005 sur 210 ha.

Les autres *climats* et premiers crus de la commune exhalent fréquemment des senteurs végétales à nuances résineuses ou terpéniques, qui leur donnent beaucoup de distinction.

JEAN-CLAUDE BACHELET ET FILS
Sous le Puits 2003 ★★

1er cru 0,23 ha n.c. 15 à 23 €

De vieilles vignes travaillées en lutte raisonnée, de belles caves bourguignonnes ont donné le meilleur cette année. Massif et imposant, ce vin de grande race ne peut pas mentir sur son millésime. Un 2003 typé et puissant, sans doute à déguster maintenant. D'une robe dorée et lumineuse, en accord avec son tempérament, il évoque un peu le miel et la cire d'abeille. Doté de pas mal de gras en bouche et d'une longueur qui n'est pas feinte, il appelle le foie gras.

Jean-Claude Bachelet et Fils, 1, rue de la Fontaine, 21190 Saint-Aubin, tél. 03.80.21.31.01, fax 03.80.21.91.71, e-mail mail@jcbachelet.com r.-v.

DOM. BOHRMANN 2003 ★

0,41 ha 2 300 15 à 23 €

Domaine familial créé par Ans et Sophie Bohrmann : deux sœurs venues de Belgique. Il est vrai qu'en ce pays la Bourgogne s'est toujours sentie un peu chez elle. Robe réussie, d'un plaisant doré brillant. Vanille et menthol se retrouvent au nez en compagnie des fruits mûrs sous-jacents. Large d'épaules à l'attaque, ce millésime devient progressivement assez fin tout en demeurant frais. Typé 2003, bien vinifié et parfaitement élevé.

Ans Bohrmann, 9, rue de la Barre, 21190 Meursault, tél. 06.21.42.86.64, fax 03.80.21.60.06, e-mail dimitriblanc@hotmail.fr r.-v.

JEAN-CLAUDE BOISSET Champ Gain 2004 ★

1er cru n.c. n.c. 38 à 46 €

Un sol très calcaire : Champ Gain cousine avec les Folatières. Ce 2004 était encore en phase d'ouverture lors de notre dégustation, mais on lui a trouvé l'essentiel pour une bonne évolution. Entre l'or jaune et l'or blanc, il exprime un bouquet assez intense et complexe (fleurs blanches, pamplemousse). L'attaque est franche, la suite fraîche et souple. Bien fait et de confiance, à la hauteur d'un 1er cru.

Jean-Claude Boisset, 5, quai Dumorey, 21700 Nuits-Saint-Georges, tél. 03.80.62.61.61, fax 03.80.62.61.72, e-mail jcb@jcboisset.com

BOUCHARD PÈRE ET FILS 2004 ★

n.c. n.c. 23 à 30 €

Bouchard Père et Fils vient d'inaugurer entre Beaune et Savigny une fabuleuse cuverie-cave à fûts : un temple fait pour adorer l'Éternel ! Ce 2004 appartient à la génération précédente. De teinte or blanc argent clair, c'est un vin expressif où la richesse du fruit et le caractère chaleureux s'épaulent bien. De moyenne garde, le temps de modeler son profil.

Bouchard Père et Fils, Ch. de Beaune, 21200 Beaune, tél. 03.80.24.80.24, fax 03.80.22.55.88, e-mail france@bouchard-pereetfils.com r.-v.

GILLES BOUTON Sous le puits 2004

1er cru 0,74 ha 2 000 15 à 23 €

Heureux garçon dont le grand-père porta le domaine de 1 à 12 ha... quand c'était encore possible en milieu peu fortuné. Son Sous le puits (hauteurs de Blagny) or à reflets gris se concentre fortement (menthol, minéral) pour aboutir à un vin de haute stature physique, nullement dénué de complexité et à attendre un peu.

Gilles Bouton, 24, rue de la Fontenotte, 21190 Saint-Aubin, tél. 03.80.21.32.63, fax 03.80.21.90.74, e-mail domaine.bouton.gilles@wanadoo.fr r.-v.

DOM. HUBERT BOUZEREAU-GRUÈRE ET FILLES 2004 ★

0,49 ha 1 200 15 à 23 €

La parité n'a nul besoin de lois pour s'établir dans le vignoble bourguignon : Marie-Laure et Marie-Anne travaillent aux côtés de leur père. De vrais jeunes talents ! Brillant et associant la fleur blanche au boisé vanillé, un 2004 d'esprit chaleureux. Le corps sait répondre quand on le sollicite.

Hubert Bouzereau-Gruère et Filles, 22 A, rue de la Velle, 21190 Meursault, tél. 03.80.21.20.05, fax 03.80.21.68.16, e-mail hubert.bouzereau.gruere@libertysurf.fr r.-v. 3

JEAN CHARTRON
Clos du Cailleret Monopole Élevé en fût de chêne 2004 ★

1er cru 0,9 ha 5 000 46 à 76 €

Jean Chartron ne réussira sans doute pas à réaliser l'espoir de sa vie : le classement de son Clos du Cailleret en grand cru. Mais, on en conviendra, être voisin de palier du montrachet légitime ses espérances. On se trouve donc ici à quelques mètres du Septième Ciel. Pour un vin produit sur près de 1 ha (pardon, dans les 22 ouvrées) et qui est trait pour trait un 2004 dégusté début 2006. Or vert, il va sans dire. Bouquet floral, encore nuancé par l'élevage. Attaque fraîche et gourmande, bientôt satisfaite. Prêt à être servi.

Dom. Jean Chartron, Grande-Rue, 21190 Puligny-Montrachet, tél. 03.80.21.99.19, fax 03.80.21.99.23, e-mail info@jeanchartron.com t.l.j. 10h-12h 14h-18h; f. de fin nov. à fin mars

FABIEN COCHE-BOUILLOT La Garenne 2003

1er cru n.c. n.c. 23 à 30 €

Là-haut, des marnes recouvertes d'éboulis. On s'attache ici au nez plus qu'à la robe, très classique : peu de

fruit, mais du miel et une vanille qui n'abuse pas de la situation. Gras, riche en alcool, toujours tout miel, il a le palais doux et long. Sans excès de complexité, mais agréable. Le mieux serait de le boire maintenant : il ne manque pas d'heureuses occasions pour cela.
Fabien Coche-Bouillot, 5, rue de Mazeray,
21190 Meursault, tél. 03.80.21.29.91,
fax 03.80.21.22.38, e-mail coche-bigouard@wanadoo.fr
r.-v.

DUJAC FILS ET PÈRE 2004 ★★

	0,28 ha	3 000	15 à 23 €

L'un des enfants de Rosalind et Jacques Seysses (Morey-Saint-Denis) prend le relais. Du coup apparaît le domaine Dujac Fils et Père, moins patriarcal que le fréquent Père et Fils... Que retenir de ce *village* ? Jaune assez intense, il est porté sur les épices, poivré pour être plus précis. Chaleur et matière ont rendez-vous au palais, et la richesse ne surprend pas à Puligny. Ses arômes secondaires cueillent des fleurs blanches. Potentiel intéressant à moyen terme.
Dujac Fils et Père, 7, rue de la Bussière,
21220 Morey-Saint-Denis, tél. 03.80.34.01.00,
fax 03.80.34.01.09, e-mail dujac@dujac.com
Seysses

GUILLEMARD-CLERC Les Enseignères 2004

	5 ha	900	23 à 30 €

La verdeur ne gêne pas car on sent de la matière et du tempérament ; cette bouteille a suffisamment de bagages pour entreprendre le voyage. Or vert bien présent. Nez réservé, à la recherche des abeilles qui en feront probablement leur miel. Vif, ce 2004 possède assez de souffle pour atteindre les trois à quatre ans de garde et sans doute serait-il alors mieux dans ses aises.
EARL Dom. Guillemard-Clerc, 19, rue Drouhin,
21190 Puligny-Montrachet, tél. 03.80.21.34.22,
fax 03.80.21.94.84,
e-mail guillemard-clerc.domaine@wanadoo.fr
r.-v. 3 C

LOUIS JADOT 2003 ★★

	n.c.	n.c.	23 à 30 €

Propriétaire en chevalier-montrachet, Louis Jadot connaît ce terroir sur le bout des doigts. Proche du coup de cœur (troisième au grand jury), une bouteille à la robe nette et brillante, comme on les aime. Au nez, le léger minéral s'accompagne de chèvrefeuille sous un boisé fin et discret. Au palais, un chardonnay vif et structuré par une belle acidité, resté frais et qui n'a pas terminé sa mission sur la Terre. Longueur et élégance : tout reflète l'amour de l'art. Un vin de coquillages.
Louis Jadot, 21, rue Eugène-Spuller, BP 117,
21203 Beaune Cedex, tél. 03.80.22.10.57,
fax 03.80.22.56.03, e-mail contact@louisjadot.com
r.-v.

DOM. MAROSLAVAC-LÉGER
Les Corvées des vignes 2004 ★★

	1,51 ha	9 000	15 à 23 €

Notez **Les Champs Gain 2004 1er cru (23 à 30 €)** ainsi que **Les Combettes 2004 1er cru (25 à 30 €)**, obtenant chacun une étoile, sur votre petit carnet. Notez encore, en soulignant d'un trait, ces Corvées des vignes (*climat* à la limite du meursault). D'une jolie teinte chardonnante, cette bouteille possède un bouquet époustouflant ! Le silex, les agrumes, la noisette font le grand jeu. Le caractère minéral se poursuit au palais avec une certaine vivacité et cette opulence qui semble si naturelle à Puligny. Attendre un peu (deux à trois ans), l'avenir lui sourira.
Dom. Maroslavac-Léger, 43, Grande-Rue,
21190 Puligny-Montrachet, tél. 03.80.21.31.23,
fax 03.80.21.91.39 r.-v.

MARTELET & CHERISEY
Hameau de Blagny Récolte comtesse Bernard de Cherisey 2003

1er cru	0,3 ha	1 000	23 à 30 €

« Toujours tout droit », telle est sur l'étiquette la devise de cette maison jeune encore (2003), qui vinifie les raisins de la comtesse Bernard de Cherisey. Or gris, ce Hameau de Blagny vibre d'arômes de pêche et d'amande. S'il a peu de fruit en finale, la franchise et l'harmonie générale font pencher la balance du bon côté. Il peut s'ouvrir davantage d'ici un à deux ans. Mention également honorable pour **Les Chalumeaux 1er cru 2003**.
Maison Martelet & Cherisey, rte de Pommard,
21190 Meloisey, tél. et fax 03.80.26.07.61,
e-mail martelet.cherisey.sarl@wanadoo.fr r.-v.

CHRISTOPHE MARY 2004 ★★

1er cru	0,13 ha	150	11 à 15 €

Pur et droit, un puligny qui a compté des partisans jusqu'à l'étape du grand jury. Or pâle et d'un éclat léger, citron vert sur fond vanillé (sans excès), il affirme d'entrée de jeu sa structure et son équilibre. Le volume et le fruit se disputent l'impression finale. Si l'acidité n'est guère sensible, sa longévité n'inquiète pas d'ici 2010. Une remarque confiée à l'imprimeur : sur l'étiquette les armes de la Bourgogne sont à demi à l'envers...
Christophe Mary, rue de la Garenne,
21190 Corcelles-les-Arts, tél. et fax 03.80.21.48.98
r.-v.

DOM. MICHELOT MÈRE ET FILLE
La Garenne 2004 ★

1er cru	0,9 ha	400	30 à 38 €

Climat niché tout en haut du coteau, aux abords du hameau de Blagny. « Il porte ici, écrit un de nos dégustateurs, une robe habillée. » On n'en attend pas moins de ce duo mère et fille. Sur les épices, l'abricot, le melon, le nez est long, un peu torréfié. Au palais, les fruits à chair blanche agrémentent une constitution solide et même assez complexe. Délai de garde : pas plus de cinq ans.
Dom. Michelot Mère et Fille, 24, rue de la Velle,
21190 Meursault, tél. 03.80.21.68.99, fax 03.80.21.27.65
r.-v.

DOM. PATRICK MIOLANE 2004 ★

	0,75 ha	5 200	15 à 23 €

Du gras sur le verre, voilà qui est bon signe. Arômes mêlés de chèvrefeuille, de crème fouettée. La densité n'est pas considérable et il faut aérer le vin avant le service. Cela fait, il se laissera approcher sans déplaisir. Soyeux, assez long et de bonne acidité, il peut passer à table ou attendre un peu.
Dom. Patrick Miolane, Derrière chez Édouard,
21190 Saint-Aubin, tél. 03.80.21.31.94,
fax 03.80.21.30.62,
e-mail domainepatrick.miolane@wanadoo.fr
t.l.j. sf dim. 9h-11h30 14h-18h

MOILLARD 2004 ★

	n.c.	6 000	▮◖◗	15 à 23 €

À la sixième génération, la famille Moillard-Thomas perpétue tout à la fois une saga sur fond de raisins et une solide tradition vineuse. Or pur, ce puligny, achat du négoce, témoigne d'un choix avisé. Noisette et vanille, l'élevage ne cache pas son merrain. Le palais est agréable, stable et rond. Persistance honorable : « À chacun selon sa capacité », disait saint Bernard à ses moines lorsqu'ils buvaient du vin. Il en est de même pour les millésimes et chacun mérite d'être apprécié selon ses dons.

Moillard, 2, rue François-Mignotte, BP 6,
21701 Nuits-Saint-Georges Cedex, tél. 03.80.62.42.22,
fax 03.80.61.28.13, e-mail contact@moillard.fr
t.l.j. 10h-18h; f. jan.

LUCIEN MUZARD ET FILS 2004

	n.c.	n.c.	◖◗	23 à 30 €

Achat en raisins et vinification au domaine, afin d'élargir la carte de ce producteur. En robe claire, toasté au second nez après un passage miellé, un 2004 plein de vivacité, sur le citron vert. Il est néanmoins équilibré, de constitution moyenne mais réelle. Une bouteille à déboucher en 2007 ou 2008.

SARL Lucien Muzard et Fils, 1, rue de la Chapelle,
21590 Santenay, tél. 03.80.20.61.85, fax 03.80.20.66.02,
e-mail lucien-muzard-et-fils@wanadoo.fr r.-v.

PAUL PERNOT ET SES FILS 2004

	2 ha	n.c.	◖◗	15 à 23 €

On apprécie sa belle couleur, jaune éclairé d'or, et pas simplement jaune comme on dit à Chassagne et par malice du vin de Puligny... Parfum sympathique et discret, tout en nuances. Son acidité était encore vive en janvier 2006. La structure est cependant suffisante pour permettre un bon développement et un pari confiant sur l'avenir (quatre à cinq ans).

EARL Paul Pernot et ses Fils, 7, pl. du Monument,
21190 Puligny-Montrachet, tél. 03.80.21.32.35,
fax 03.80.21.94.51 r.-v.

ROUX PÈRE ET FILS Les Enseignières 2004 ★

	0,5 ha	3 500	◖◗	30 à 38 €

Séparées du bâtard-montrachet par un petit chemin de vigne, les Enseignières n'en sont... pas loin. Elles ont d'ailleurs valu le coup de cœur à la famille Roux dans l'édition 2000 pour un 1997. Paille clair, celui-ci propose un bouquet tout en finesse où l'on reconnaîtra l'ortie blanche et le chèvrefeuille. Le boisé n'insiste pas, et c'est très bien. Style léger en bouche, destiné aux amateurs de vins pas trop appuyés. À déguster dans l'année qui vient.

Dom. Roux Père et Fils, 21190 Saint-Aubin,
tél. 03.80.21.32.92, fax 03.80.21.35.00,
e-mail roux.pere.et.fils@wanadoo.fr r.-v.

SEGUIN-MANUEL Vieilles Vignes 2003 ★★

	0,25 ha	900	◖◗	23 à 30 €

Le meilleur puligny. Il fait honneur à la famille Marion qui a repris Seguin-Manuel en 2004. Et qui, grâce à Thibaut, n'a pas dit son dernier mot ! Belle brillance, une minéralité teintée de fruits, le corps bien en place, ce 2003 offre une fraîcheur parfaite. Remarquable pour ce millésime. Le coup de cœur salue cette réussite ainsi qu'un côté charmeur qui persiste assez longtemps en bouche. L'appellation *village* au mieux de sa forme et les espoirs d'une garde raisonnable.

Seguin-Manuel,
2, rue de l'Arquebuse, 21200 Beaune,
tél. 03.80.21.50.42, fax 03.80.21.59.38,
e-mail thibaut.marion@seguin-manuel.com r.-v.
Marion

DOM. VECTEN Les Nosroyes 2004 ★★

	0,21 ha	2 100	◖◗	15 à 23 €

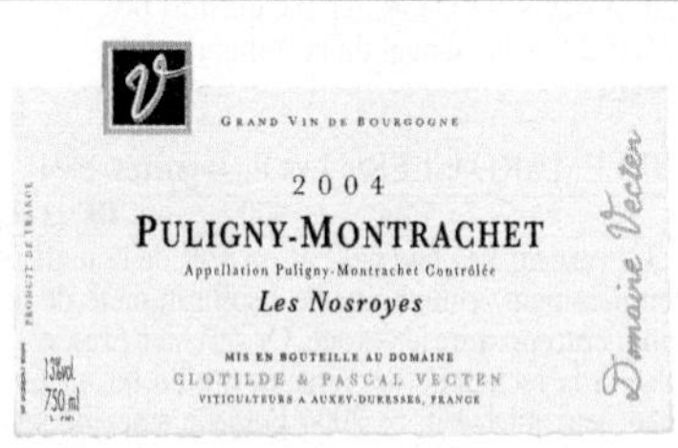

Domaine récent (2003) sur quelque 5 ha. Et déjà distingué par un coup de cœur ! Notre guide et ses lecteurs aiment les découvertes : *climat* proche des Perrières, Les Nosroyes donnent ici un chardonnay jaune intense à reflets clairs. Le nez est bien dans l'esprit du pays, crème fraîche et pain beurré. De la classe, du plaisir : tout est rond, croquant, gourmand. L'acidité ? Suffisante. Gras et long, un grand blanc.

Clotilde et Pascal Vecten, chem. Sous-la-Velle,
21190 Auxey-Duresses, tél. et fax 03.80.21.67.99,
e-mail clotildeetpascal.vecten@cegetel.net

VEUVE HENRI MORONI Les Pucelles 2004 ★★

1er cru	0,43 ha	3 260	◖◗	30 à 38 €

Des **Combettes 2004** sont citées. Du même millésime, ce 1er cru légendaire, d'une pureté absolue et d'une élégance raffinée, témoigne d'un beau travail car tout, de l'œil au fond de bouche, est limpide, d'une grâce parfaite. Florales et minérales, dignes d'un homard, ces Pucelles sauront attendre trois à quatre ans : ne montrez aucune impatience !

Veuve Henri Moroni, 1, rue de l'Abreuvoir,
21190 Puligny-Montrachet, tél. 03.80.21.30.48,
fax 03.80.21.33.08, e-mail info@vins-moroni.com
t.l.j. 8h-12h 14h-17h30

Trouver une appellation, une commune,
un producteur, un vin ?
Consulter les index en fin de volume.

Montrachet, chevalier, bâtard, bienvenues-bâtard, criots-bâtard

La particularité la plus étonnante de ces grands crus est de se faire attendre plus ou moins longtemps avant de manifester dans sa plénitude la qualité exceptionnelle que l'on attend d'eux. Dix ans, c'est le délai accordé au « grand » montrachet pour atteindre sa maturité, cinq ans pour le bâtard et son entourage ; seul le chevalier-montrachet semble manifester plus rapidement une ouverture communicative.

Ces crus d'immense notoriété ne représentent que de très faibles volumes et de toutes petites superficies. Ainsi en est-il du montrachet avec 7,89 ha, du chevalier-montrachet avec 7,62 ha, du bâtard-montrachet avec 11,11 ha, du criots-bâtard-montrachet avec 1,57 ha et du bienvenues-bâtard-montrachet avec 3,73 ha. L'ensemble des grands crus de montrachet a représenté 1 397 hl en 2005.

Montrachet

MARQUIS DE LAGUICHE 2003 *

Gd cru | 2,06 ha | n.c. | + de 76 €

L'une des rares propriétés viticoles de la noblesse bourguignonne (pairs de France) à demeurer préservée et vivante depuis des siècles. Un must absolu, longtemps confié au délicieux abbé Colin, tout à la fois prêtre, maire et régisseur du domaine. Aujourd'hui, la maison J. Drouhin veille avec soin sur ces 2 ha 6 a 25 ca devenus fabuleux. Vendangé tard (mi-septembre), et on a dû y réfléchir longtemps, ce 2003 or vif s'entoure d'arômes de peau de pêche au goût de terroir très prononcé. Avec une fraîcheur d'âme tout à fait agréable et sincère qui surprend heureusement dans le millésime. Optimum dans les sept à huit ans sans doute.

Maison Joseph Drouhin, 7, rue d'Enfer, 21200 Beaune, tél. 03.80.24.68.88, fax 03.80.22.43.14, e-mail maisondrouhin@drouhin.com r.-v.

DOM. LAMY-PILLOT 2004 **

Gd cru | 0,05 ha | 300 | + de 76 €

« Le » montrachet : peut-on écrire cela sur l'étiquette ? Oui, parce qu'il est souverain en Bourgogne. Parcelle de 5 a 42 ca dans les Dents-de-Chien, intégrées au montrachet par le jugement de 1921, en métayage Lamy-Pillot depuis 1988 (propriété Petitjean). Quand il sera pleinement fondu, dans cinq à dix ans, ce 2003 sera la beauté même. Le boisé le bloque encore un peu (dix-huit mois) mais n'obère pas la complexité de ses saveurs toutes en retenue. Il y a tellement de ressources dans cette bouteille, si droite...

Dom. Lamy-Pillot, 31, rte de Santenay, 21190 Chassagne-Montrachet, tél. 03.80.21.30.52, fax 03.80.21.30.02, e-mail contact@lamypillot.fr r.-v.

DOM. DE LA ROMANÉE-CONTI 2004 ***

Gd cru | 0,67 ha | 3 639 | + de 76 €

83 86 |(90)| 91 93 |97| |98| |(99)| **00** |**01**| (02) (03) (04)

Cueilli le 5 octobre en maturation extrême, il a vu l'oïdium se pencher sur son berceau. « Nous sommes parvenus à le maîtriser dès le 15 juin sans rien renier de nos options biologiques, par le soufre sous forme de poudrages » indique le domaine sur son rapport de vendange 2004. Le grand beau temps de septembre a permis de sauver cette récolte. Ce n'est pas la richesse des 2000, mais une plénitude traversée par une fraîcheur assez vive. Les arômes du montrachet sont fidèles au rendez-vous : le miel, le beurre, le croissant chaud. Il s'y ajoute une très légère pointe mentholée qui participe à sa personnalité. Le corps s'annonce très sensuel.

SC du Dom. de la Romanée-Conti, 1, rue Derrière-le-Four, 21700 Vosne-Romanée, tél. 03.80.62.48.80, fax 03.80.61.05.72

Chevalier-montrachet

DOM. JEAN CHARTRON

Clos des Chevaliers Monopole 2004 *

Gd cru | 0,46 ha | 1 700 | + de 76 €

Partant pour la croisade, ce chevalier ne reverra pas sa belle avant quatre ou cinq ans. Il lui rapportera du poivre et des épices. L'écu est d'or fin, le bouquet riche de beurre et de noisette, le palais assez plein sur de bons tanins. L'appel du voyage ? Déjà un peu exotique. Clos des Chevaliers est un nom d'usage.

🔑 Dom. Jean Chartron, Grande-Rue,
21190 Puligny-Montrachet, tél. 03.80.21.99.19,
fax 03.80.21.99.23, e-mail info@jeanchartron.com
☑ 🍷 t.l.j. 10h-12h 14h-18h; f. de fin nov. à fin mars

Bâtard-montrachet

DOM. BACHELET-RAMONET PÈRE ET FILS 2004 ★

Gd cru	0,5 ha	1 500	46 à 76 €

Lieu privilégié de la moyenne et petite propriété vigneronne (concepts tout relatifs de nos jours), le bâtard porte ici deux noms célèbres à Chassagne : Bachelet et Ramonet. Un petit coin de Paradis, sur une moitié d'hectare tout de même ! Or lumineux à reflets argentés, ce 2004 encore enfant sait faire la part des choses entre notes fraîches et notes mûres, la vanille et la pêche. Sa belle texture en bouche et toujours ce sentiment de jeunesse suscitent les bravos du cercle de famille. Le toasté du fût demeure bien intégré au vin qui finit sur une note citronnée du meilleur aloi. À apprécier vraiment dans cinq ans.

🔑 Dom. Bachelet-Ramonet Père et Fils,
11, rue du Parterre, 21190 Chassagne-Montrachet,
tél. 03.80.21.32.49, fax 03.80.21.91.41 ☑ 🍷 r.-v.

RENÉ LEQUIN-COLIN 2004

Gd cru	0,12 ha	747	46 à 76 €

|96| |98| |99| |00| |01| |02| 03 04

Que se passe-t-il lorsque les enfants se partagent 24 a 33 ca en bâtard-montrachet ? Il y a d'un côté 12 a 16 (ici) et de l'autre 12 a 17... Une vigne achetée par Jean Lequin en 1938. Elle donne un vin or blanc à reflets gris, aux arômes d'amande blanche et d'abricot sec. L'entrée en bouche a de la vigueur, puis l'équation n'est pas terriblement complexe tout en restant dans la norme du millésime. Un ensemble riche, chaleureux, dense, assez bâtard en somme.

🔑 René Lequin-Colin, 10, rue de Lavau,
21590 Santenay, tél. 03.80.20.66.71, fax 03.80.20.66.70,
e-mail renelequin@aol.com ☑ 🍷 r.-v.

DOM. PRIEUR-BRUNET 2003

Gd cru	0,07 ha	n.c.	+ de 76 €

Or vert bien éclairé, argent dans ses recoins, un bâtard légèrement toasté, pâte d'amandes et fruits secs. Son bouquet est dans l'ensemble réservé. Au palais, l'impression aromatique n'est guère modifiée, jusqu'à la noisette grillée. D'une structure tendre et souple, le vin est chaleureux, presque opulent dans l'esprit d'un millésime chaud et sec.

🔑 Dom. Prieur-Brunet, rue de Narosse,
21590 Santenay, tél. 03.80.20.60.56, fax 03.80.20.64.31,
e-mail uny-prieur@prieur-santenay.com ☑ 🍷 r.-v.
🔑 Dominique Prieur

Bienvenues-bâtard-montrachet

JEAN-CLAUDE BACHELET ET FILS 2003 ★

Gd cru	0,09 ha	n.c.	46 à 76 €

Cette parcelle de 9 a 42 ca a été achetée en 1960 à la famille Dupaquier par les parents de Jean-Claude Bachelet. Récolté le 1er septembre, ce 2003 doré sur tranche possède au nez et à l'attaque les traits caractéristiques de son millésime, particulièrement l'orange confite, une grande richesse et de l'onctuosité : nous avons affaire à un dévoreur de soleil. Difficile cet été-là de s'en gorger davantage. Vraiment un vin merveilleux !

🔑 Jean-Claude Bachelet et Fils, 1, rue de la Fontaine,
21190 Saint-Aubin, tél. 03.80.21.31.01,
fax 03.80.21.91.71, e-mail mail@jcbachelet.com
☑ 🍷 r.-v.

DOM. BACHELET-RAMONET PÈRE ET FILS 2004 ★

Gd cru	0,13 ha	540	46 à 76 €

On aime cet or cristallin, ces arômes d'aubépine et de coing, ce vanillé discret, cette démarche souple de chat sur un toit, sautant soudain sur quelque chose de minéral et un je-ne-sais-quoi de miel d'acacia. Jeune et félin, parfaitement dans son AOC, il lui faut s'ouvrir et vieillir. Au moins cinq ans.

🔑 Dom. Bachelet-Ramonet Père et Fils,
11, rue du Parterre, 21190 Chassagne-Montrachet,
tél. 03.80.21.32.49, fax 03.80.21.91.41 ☑ 🍷 r.-v.

DOM. GUILLEMARD-CLERC 2004

Gd cru	0,18 ha	563	46 à 76 €

Robe miel soutenu, belle brillance : le voyage commence bien. On retrouve au nez ce miel, accompagné de tabac, de coing, de vanille. Puis les arômes se diversifient. L'attaque est assez tendre et si la longueur est moyenne, le caractère se révèle dense, avec une austérité nécessaire à cet âge.

🔑 EARL Dom. Guillemard-Clerc, 19, rue Drouhin,
21190 Puligny-Montrachet, tél. 03.80.21.34.22,
fax 03.80.21.94.84,
e-mail guillemard-clerc.domaine@wanadoo.fr
☑ 🍷 r.-v. 3 C

Criots-bâtard-montrachet

ROGER BELLAND 2004 ★

Gd cru	0,61 ha	1 800	+ de 76 €

89 94 |95| 96 |98| |99| |00| 01 02 03 04

Cette ancienne propriété de Marcilly, acquise en 1982 par Roger Belland, représente plus d'un tiers du grand cru. D'un bel éclat visuel, or pâle, ce millésime est jeune et sa discrétion aromatique ne le prive pas de bonnes intentions. Tout en douceur, ce 2004 porté ensuite vers le fruit jaune, en instance de maturité, devrait s'affirmer d'ici quelques années.

🔑 EARL Roger Belland, 3, rue de la Chapelle,
21590 Santenay, tél. 03.80.20.60.95, fax 03.80.20.63.93,
e-mail belland.roger@wanadoo.fr ☑ 🍷 r.-v.

ALBERT BICHOT 2004 ★★

Gd cru	n.c.	600	+ de 76 €

Une perle rare : il n'y a pas beaucoup de criots sur le marché, quelque 8 000 bouteilles par an... Celle-ci est bien dans le paysage. À l'œil, le miel clair brillant. Au nez, la cire d'abeille où se mêlent pain d'épice et beurre frais, noisette et chèvrefeuille. Sans agressivité ni amertume, encore

bébé, ce 2004 demande à grandir ! Il faut impérativement lui en laisser le temps.
🔑 Maison Albert Bichot, 6 bis, bd Jacques-Copeau, 21200 Beaune, tél. 03.80.24.37.37, fax 03.80.24.37.38, e-mail bourgogne@albert-bichot.com

Chassagne-montrachet

Une nouvelle combe, celle de Saint-Aubin, parcourue par la RN 6, forme à peu près la limite méridionale de la zone des vins blancs, suivie par celle des vins rouges ; les Ruchottes marquent la fin. Les Clos Saint-Jean et Morgeot, vins solides et vigoureux, sont les plus réputés des chassagne. Les blancs représentent 3 452 hl en *village* et les rouges 3 670 hl en *village* et 1 581 hl en premier cru en 2005.

DOM. GUY AMIOT ET FILS
Les Champgains 2004 ★★

1er cru 0,4 ha 3 000 15 à 23 €

Guy Amiot, c'est l'ancien domaine Amiot-Bonfils, propriétaire en montrachet grâce au grand-père Arsène après la guerre de 1914. Sol très calcaire et situation médiane entre le nord et le sud de l'appellation : Champgains (cela s'écrit de mille façons) est un peu « l'homme de base » en Chassagne. Jaune-or, boisé-beurré de bon ton, ce vin tapisse la bouche d'un gras souple et soyeux ; riche, il est capable d'ensoleiller à lui tout seul un jour gris. À ouvrir dans les deux ans. Notez encore le **1er cru les Macherelles 2004 blanc**, moins complexe mais tout aussi racé, cité, et le **village Vieilles Vignes blanc 2004**, deux étoiles, charnu, complexe, merveilleusement typé.
🔑 Dom. Guy Amiot et Fils, 13, rue du Grand-Puits, 21190 Chassagne-Montrachet, tél. 03.80.21.38.62, fax 03.80.21.90.80, e-mail domaine.amiotguyetfils@wanadoo.fr r.-v.

DOM. BACHELET-RAMONET PÈRE ET FILS
Clos Saint-Jean 2003 ★

1er cru 1,2 ha 3 000 15 à 23 €

Bachelet et Ramonet, deux noms aussi illustres dans la Côte bourguignonne que Castor et Pollux dans la mythologie. Et quand ils se lient par un trait d'union ! Ancienne propriété des nonnes de Saint-Jean-le-Grand à Autun, le clos fut longtemps consacré au vin rouge. On lui prête volontiers un tempérament assez féminin – dû à l'influence des abbesses ? Celui-ci porte une robe coucher de soleil, un parfum de kirsch et de sous-bois plus profane que religieux. Malgré une note végétale en bouche qui disparaîtra avec une petite garde, l'ensemble constitue un vin mûr et fondu, gourmand sans céder à la facilité. Voir aussi le **1er cru La Grande Montagne 2004 blanc**, cité.
🔑 Dom. Bachelet-Ramonet Père et Fils, 11, rue du Parterre, 21190 Chassagne-Montrachet, tél. 03.80.21.32.49, fax 03.80.21.91.41 r.-v.

DOM. BACHEY-LEGROS
Morgeot Vieilles Vignes Les Petits Clos 2004 ★

1er cru 2 ha 3 000 23 à 30 €

Christiane Bachey, issue de cinq générations d'enfants uniques, est rejointe de nos jours sur son domaine de 16 ha par ses deux fils. Les Petits Clos (un peu plus de 5 ha en tout) forment l'un des *climats* fédérés par Morgeot. Terre à rouges et, de plus en plus, à blancs. Celui-ci par exemple, mis en valeur par sa brillance cristalline. Pêche jaune, abricot, le fût discipliné, ses arômes restent encore un peu sur la réserve. Sa chair étoffée privilégie la rondeur et le gras révèle une petite pointe d'exotisme.
🔑 Dom. Bachey-Legros, 12, rue de la Charrière, 21590 Santenay-le-Haut, tél. et fax 03.80.20.64.14, e-mail christiane.bachey-legros@wanadoo.fr r.-v.

ROGER BELLAND Clos Pitois Monopole 2004 ★

1er cru 1,71 ha 5 000 15 à 23 €

Outre les tout grands, les appellations les plus renommées de chassagne étaient jadis le Clos Saint-Jean et le Clos Pitois. Roger Belland et sa fille Julie (qui a intégré le domaine en 2004) font goûter ce qui n'appartient qu'à eux (monopole en effet sur 1,71 ha). Bien typé du village, un Clos Pitois grenat bleuté, gentiment fraise des bois. Sous des airs légèrement suaves, il montre beaucoup de corps et de caractère. Deux à trois ans de garde sont dans ses possibilités. Ah ! on oubliait : coup de cœur dans le millésime 1998.
🔑 EARL Roger Belland, 3, rue de la Chapelle, 21590 Santenay, tél. 03.80.20.60.95, fax 03.80.20.63.93, e-mail belland.roger@wanadoo.fr r.-v.

DOM. BORGEOT Morgeot 2004 ★

1er cru 0,25 ha 1 800 23 à 30 €

Remigny possède quelques hectares de vigne classée en chassagne-montrachet. Ils se situent à proximité du 1er cru Morgeot dont voici un digne représentant. Paille doré à reflets tilleul, amande grillée et abricot faisant la paire, il connaît son sujet à fond sans rien exagérer : boisé bien dosé, acidité maîtrisée, plénitude respectueuse de la finesse. Un 2004 sincère.
🔑 Dom. Borgeot, rte de Chassagne, 71150 Remigny, tél. 03.85.87.19.92, fax 03.85.87.19.95 r.-v.

PHILIPPE BOUCHARD 2004

1,5 ha 8 000 30 à 38 €

Ici, une marque de Corton-André. Vanillé et agrémenté d'églantine, ce vin a l'œil léger mais suffisant, peu de gras comme c'est souvent le cas des 2004, une vivacité et une acidité sans agressivité. Un résultat à confirmer en cave (deux à trois ans d'attente semblent nécessaires).
🔑 Philippe Bouchard, 21420 Aloxe-Corton, tél. 03.80.25.00.00, fax 03.80.26.42.00, e-mail france@corton-andre.com
t.l.j. sf sam. dim. 9h-12h 14h-17h

JEAN CHARTRON Les Benoites 2004

0,28 ha 1 800 15 à 23 €

Côté Santenay ou plus précisément Remigny, ces Benoites se situent sous Morgeot. Elles se présentent en robe rubis : ce domaine est le seul à produire un puligny 1er cru issu du pinot noir. Compte tenu de sa pureté et de son style d'élevage, celui-ci est certainement à voir sur une longue garde.
🔑 Dom. Chartron-Dupard, 13, Grande-Rue, 21190 Puligny-Montrachet, tél. 03.80.21.99.19, fax 03.80.21.99.23, e-mail info@jeanchartron.com r.-v.

BOURGOGNE

CH. DE CHASSAGNE-MONTRACHET
En Pimont 2004 ★★

2,66 ha 10 300 23 à 30 €

Self-made man entreprenant et brillant, Michel Picard a acquis le plus beau des brevets de noblesse en s'installant au château de Chassagne-Montrachet. Il le remet en valeur et, en grand seigneur, offre l'un des meilleurs *villages* de la dégustation. Produit tout en haut du coteau (versant Puligny), il traite parfaitement son sujet, sans grandiloquence ni effets de manche. Or vert comme à la parade, aubépine au nez avec un rien de grillé, charmeur au palais, ce n'est pas un vin à remettre à plus tard. Vieillir n'est pas vraiment son objectif dans la vie.

Maison Michel Picard, Ch. de Chassagne-Montrachet, 21190 Chassagne-Montrachet, tél. 03.80.21.98.57, fax 03.80.21.97.83, e-mail contact@michelpicard.com t.l.j. sf dim. 10h-17h

CH. DE CHASSAGNE-MONTRACHET 2004

1,5 ha 8 000 15 à 23 €

La dénomination « château de Chassagne-Montrachet » est revendiquée par Bader-Mimeur. On s'en tiendra à cette bouteille signée sur l'étiquette par un négociant-éleveur : un vin bien fait, intéressant, or plus brillant qu'intense – ce sont là des nuances – amande grillée sur le fût, net et frais, minéral par la suite.

Charles Bader-Mimeur, 1, chem. du Château, 21190 Chassagne-Montrachet, tél. 03.80.21.30.22, fax 03.80.21.33.29, e-mail info@bader-mimeur.com r.-v.

M. P. Fossier

CH. DE CÎTEAUX Les Meix Goudard 2004

0,27 ha 1 800 15 à 23 €

Climat faisant pendant au montrachet de l'autre côté de la RN 6. Jaune paille lumineux, le nez d'abord discret puis évoluant vers le beurré, ce vin est souple, concis et sans défaut. Saint Bernard ne prêchait-il pas la sobriété ?

Philippe Bouzereau, Ch. de Cîteaux, 18-20, rue de Cîteaux, BP 25, 21190 Meursault, tél. 03.80.21.20.32, fax 03.80.21.64.34, e-mail info@domaine-bouzereau.fr r.-v.

DOM. COFFINET-DUVERNAY
Les Blanchots Dessous 2004 ★★

0,25 ha 1 500 15 à 23 €

Si vous saviez... On est ici à quelques dizaines de mètres seulement du montrachet et du bâtard-montrachet ! Les Blanchots (Dessus, à tout le moins) ont d'ailleurs été à deux doigts du classement en grand cru. Ce 2004, d'une teinte choisie, miellé et floral sur fond d'amande grillée, exprime tout à la fois la grâce et la vertu. Il sera splendide en 2007. Le **1er cru La Maltroie 2004 blanc** joue lui aussi dans le haut de gamme puisqu'il obtient deux étoiles.

Dom. Coffinet-Duvernay, 7, pl. Saint-Martin, 21190 Chassagne-Montrachet, tél. 03.80.21.32.12, fax 03.80.21.91.69, e-mail coffinet.duvernay@cegetel.net r.-v.

BRUNO COLIN En Remilly 2004 ★

1er cru 0,22 ha 1 600 23 à 30 €

Il faut bien connaître son cadastre ou être familier du Guide pour savoir qu'En Remilly touche... devinez quoi ? Le chevalier-montrachet. Vous voyez avec qui l'on cousine ici ! Bruno Colin a travaillé au sein du domaine Colin-Deleger avant de voler de ses propres ailes en 2004. Bel or gris, une jolie complexité aromatique (menthol et gentiane) : puis paraît une minéralité élégante, teintée de mirabelle en retour. Plutôt corsé, épicé en bouche, ce vin a du grain mais aussi du fondu.

Bruno Colin, 3, imp. des Crêts, 21190 Chassagne-Montrachet, tél. et fax 03.80.21.93.79, e-mail domainebrunocolin@wanadoo.fr r.-v.

MARC COLIN ET FILS Vieilles Vignes 2004 ★★

1,7 ha 8 000 11 à 15 €

Marc Colin a repris le domaine familial avec sa mère en 1964 après le décès d'André, le père. Maintenant l'ont rejoint ses deux fils Joseph et Damien et son épouse Michèle. Brillant, profond, mûr et concentré, suave et énergique sur des notes d'épices et de tabac, ce vin est tout un personnage. Le jury est sous le charme.

Marc Colin et Fils, 1, rue de la Chatenière, 21190 Saint-Aubin, tél. 03.80.21.30.43, fax 03.80.21.90.04 r.-v.

DEVEVEY 2004 ★

n.c. 3 000 15 à 23 €

Naissance du domaine du Bois Guillaume en 1992, activité de négoce en parallèle depuis 2002 : on se déclare ici délibérément hors des sentiers battus et pionnier de la méthode de vinification Ganimède – ceci pour les initiés. Jaune pâle très limpide, ce chassagne issu d'achats de moûts associe le miel aux arômes de chardonnay. Le volume n'est pas considérable, mais il s'agit d'un 2004 : Ganimède ou pas, la vinification en tire la substantifique moelle dans un style élégant.

Jean-Yves Devevey, rue de Breuil, 71150 Demigny, tél. 03.85.49.91.11, fax 03.85.49.91.59, e-mail jydevevey@wanadoo.fr r.-v.

DUPERRIER-ADAM 2003 ★

0,71 ha 1 500 11 à 15 €

Petit domaine familial (5 ha). Or doré (nuance plus subtile que le simple pléonasme), il glisse dans l'enveloppe un brin de chèvrefeuille, démarre sur le miel et s'assagit assez vite sur une note de cire d'abeille. À maturité, plus dense que vif, il est à boire dans l'année. Le **1er cru Caillerets 2003 blanc (15 à 23 €)** présente avec lui une certaine parenté, due probablement à la même vinification.

SCA Duperrier-Adam, 3, pl. des Noyers, 21190 Chassagne-Montrachet, tél. et fax 03.80.21.31.10 t.l.j. 9h-12h 14h-17h; sam. dim. sur r.-v.; f. août

ALEX GAMBAL 2004 ★

0,38 ha 2 938 15 à 23 €

Venu de Boston en 1997 pour ajouter un nouveau chapitre à la saga du Vin de Bourgogne, Alex Gambal fait petit à petit son nid. Il vient d'acquérir les anciennes installations de Bouchard Aîné et Fils à Beaune. Fabrice Laronze tient la barre. Leur chassagne or fin joue agréablement du miel et de l'amande grillée. Attaque franche. Le corps reste dans les proportions du millésime, mais on se plaît en sa présence élégante.

Maison Alex Gambal, 14, bd Jules-Ferry, 21200 Beaune, tél. 03.80.22.75.81, fax 03.80.22.21.66, e-mail info@alexgambal.com r.-v.

DOM. DE L'HERMITAGE DE NANTOUX 2004

	0,5 ha	n.c.	**11 à 15 €**

Or ferme et clair comme de l'eau de roche, un vin minéral et profond qui « terroite ». Il a par conséquent beaucoup de caractère et mérite un consommateur averti.

GAEC Jean Moreteaux et Fils, Nantoux, 71150 Chassey-le-Camp, tél. 03.85.87.19.10, fax 03.85.91.23.74, e-mail jean-louis@moreteaux.com r.-v.

LOUIS JADOT Morgeot 2003 ★

1er cru	n.c.	n.c.	**30 à 38 €**

Jadot, Morgeot. Si la rime paraît pauvre, elle est riche en bouche ! Devenue américaine et demeurée Gagey, cette maison illustre les relations intelligentes du capital et du travail. Sous une robe paille dorée, les arômes s'ouvrent sur les fruits jaunes cuits, la cire d'abeille... Gourmand, onctueux, dépourvu de lourdeur – car suffisamment acide – et point trop boisé, ce vin offre une jolie finale. Poularde ? Oui, mais à la crème.

Louis Jadot, 21, rue Eugène-Spuller, BP 117, 21203 Beaune Cedex, tél. 03.80.22.10.57, fax 03.80.22.56.03, e-mail contact@louisjadot.com r.-v.

GABRIEL ET PAUL JOUARD
Vieilles Vignes 2003 ★

	0,6 ha	2 500	**11 à 15 €**

Ce domaine familial – le fils, titulaire d'un BTS viti-œno, a rejoint le père en 1992 –, à la production de qualité régulière, fait coup double. En rouge, grâce à ce vin à la robe pourpre limpide et au soutien boisé bien fondu. Derrière le fruit rouge très mûr se dessine une bouche ronde et avenante. L'alcool, l'acidité, les tanins trouvent un langage commun et on pourra revoir ce 2003 d'ici deux à trois ans sur un magret de canard aux baies de cassis. Le **village 2004 blanc cuvée Aymeric** est un premier essai de vinification distincte sur 25 a plantés en 1998 ; le résultat est assurément positif selon les conditions de l'année : une étoile.

Dom. Gabriel et Paul Jouard, 3, rue du Petit-Puits, 21190 Chassagne-Montrachet, tél. 03.80.21.94.73, fax 03.80.21.91.34, e-mail domgetpauljouard@club-internet.fr r.-v.

VINCENT ET FRANÇOIS JOUARD
Les Chaumées 2003 ★

1er cru	0,7 ha	2 400	**15 à 23 €**

Au nord de l'appellation, les Chaumées ne chôment pas. Légers reflets verts, la tradition est respectée. Au nez également, avec ces parfums de noisette, de beurre frais et de citronnelle. En bouche, est-ce gras ou opulent ? En prime, une minéralité remarquable dans ce millésime vendangé le 30 août. Soyez attentifs aux **1ers crus Champs-Gain** et **La Maltroie 2004 blancs** d'un mérite équivalent et à des prix analogues (mention Vieilles Vignes).

Dom. Vincent et François Jouard, 2, pl. de l'Église, 21190 Chassagne-Montrachet, tél. 03.80.21.30.25, fax 03.80.21.96.27 r.-v.

MICHEL LAMANTHE Les Vergers 2004

1er cru	0,26 ha	1 800	**15 à 23 €**

D'un or riche et profond, il affiche un nez remarquable : miel, agrumes, pâtes d'amandes, toutes les promesses du volume et de la maturité. L'attaque est franche, suivie d'un corps discret, moins imposant que ne le laissaient supposer ses fragrances.

Michel Lamanthe, 21, rue des Perrières, 21190 Saint-Aubin, tél. 03.80.21.33.23, fax 03.80.21.93.96 r.-v.

DOM. HUBERT LAMY
La Goujonne Vieilles Vignes 2004 ★★

	1,7 ha	11 000	**15 à 23 €**

Côté santenay, la Goujonne produit un pinot noir défendant avec honneur la réputation du chassagne rouge. C'est bien le cas ici. Soutenue et violacée, sa robe illumine le verre. Empyreumatique, (épices douces et vanille épicée), légèrement réglissé, son bouquet se montre actif. Volume et puissance, persistance : c'est déjà un vin abouti. Offrez-lui toutefois les charmes d'une pleine maturité (trois à cinq ans), ne serait-ce que pour atténuer la légère verdeur de la finale, témoignage de jeunesse.

Dom. Hubert Lamy, 20, rue des Lavières, 21190 Saint-Aubin, tél. 03.80.21.32.55, fax 03.80.21.38.32, e-mail domainehubertlamy@wanadoo.fr r.-v.

Olivier Lamy

DOM. LAMY-PILLOT Pot Bois 2004

	0,53 ha	2 900	**15 à 23 €**

Pot Bois est avec En Pimont le *climat* le plus haut perché de la commune. Nommé ici la Grande Montagne ce qui est beaucoup dire face au Jura et aux Alpes. Jaune paille moyennement intense, limpide, un chassagne net et franc, ouvert sur la vanille puis développant des notes de fleurs et de pain chaud. Considéré dans son appellation et son millésime, il est au-dessus de la moyenne. Le **1er cru Clos Saint-Jean 2004 rouge** ne manque pas non plus de mérite.

Dom. Lamy-Pillot, 31, rte de Santenay, 21190 Chassagne-Montrachet, tél. 03.80.21.30.52, fax 03.80.21.30.02, e-mail contact@lamypillot.fr r.-v.

LOUIS LEQUIN Morgeot Les Grands Clos 2003

1er cru	0,29 ha	1 630	**23 à 30 €**

On a certainement eu raison de confier à quelques porte-drapeaux le soin de représenter les soixante ou soixante-dix 1er crus de Chassagne. Ainsi se trouve-t-on ici en Morgeot et plus précisément en Grands Clos. Dans son habit de lumière, un chardonnay aux notes beurrées, mentholées, vanillées. Agréable mais un peu linéaire, il ne manque pas de fraîcheur.

Dom. Louis Lequin, 1, rue du Pasquier-du-Pont, 21590 Santenay, tél. 03.80.20.63.82, fax 03.80.20.67.14, e-mail louis.lequin@wanadoo.fr r.-v.

RENÉ LEQUIN-COLIN Les Vergers 2004 ★★

1er cru	0,46 ha	3 295	**23 à 30 €**

François Lequin-Colin, après dix ans de travail auprès de ses parents, tient désormais les rênes du domaine de 9 ha. La revue de détail de ce 2004 ne suscite que des compliments. Or léger, ce vin joue sur deux tableaux : la pâte d'amandes et le miel. Une attaque nette et franche précède un équilibre acidité-alcool satisfaisant. Pas trop gras, il a plus de finesse que de présence, de la persistance. À servir dans les deux ans qui arrivent.

René Lequin-Colin, 10, rue de Lavau, 21590 Santenay, tél. 03.80.20.66.71, fax 03.80.20.66.70, e-mail renelequin@aol.com r.-v.

CH. DE LA MALTROYE
Clos du Château de la Maltroye 2003 ★★

1er cru 1,38 ha 6 500 23 à 30 €

Coup de cœur dans les éditions 2004 et en 2005, la Maltroye nous plaît bien cette année encore avec ce vin violet bleuté démontrant à merveille que les Impressionnistes auraient pu s'inspirer davantage de la Côte bourguignonne que des bords de la Seine. Fauve, le nez change d'école de peinture. Bouche conquérante, charpentée, tannique mais nullement intolérante. Il y a de la richesse là-dessous. Signalé également : **Morgeot Vigne blanche 1er cru 2004 blanc (30 à 38 €)** étoffé, puissant et généreux, une étoile.

Ch. de la Maltroye, 16, rue de la Murée, 21190 Chassagne-Montrachet, tél. 03.80.21.32.45, fax 03.80.21.34.54, e-mail chateau.maltroye@wanadoo.fr r.-v.

Jean-Pierre Cournut

MARCHÉ AUX VINS Les Vergers 2004 ★★

1er cru n.c. 2 300 30 à 38 €

Le Marché aux Vins est une création d'André Boisseaux, installée dans une ancienne église à deux pas de l'hôtel-Dieu de Beaune. Onctueux et sec, ferme et caressant à la fois, ce vin joue l'abricot et la mangue ; son boisé est bien maîtrisé. Élégance et puissance vont de pair, mettant tout le palais en fête.

Marché aux vins, rue Nicolas-Rolin, 21200 Beaune, tél. 03.80.25.08.20, fax 03.80.25.08.21, e-mail marcheauxvins@kriter.com t.l.j. 9h30-11h45 14h-17h45

DOM. PATRICK MIOLANE La Canière 2004

0,64 ha 5 000 15 à 23 €

Proche de la Maltroye et des Champs Gains, la Canière a ses fidèles. Patrick Miolane fut coup de cœur pour le 1999 rouge. Voici un blanc or pâle sur des arômes de vanille et d'aubépine-acacia. Le chèvrefeuille se joint à la fête. Typé, un bon vin qui – sans prolonger à l'excès la conversation – est d'une rondeur conviviale.

Dom. Patrick Miolane, Derrière chez Édouard, 21190 Saint-Aubin, tél. 03.80.21.31.94, fax 03.80.21.30.62, e-mail domainepatrick.miolane@wanadoo.fr t.l.j. sf dim. 9h-11h30 14h-18h

DOM. MOREY-COFFINET La Romanée 2003 ★

1er cru 0,75 ha 3 400 23 à 30 €

Servir une Romanée en chassagne blanc fait toujours son petit effet et cela permet de trouver un bon sujet de discussion. D'autant que celle-ci, élevée dans des caves cisterciennes du XVIes., se situe assez loin de la Règle de saint Benoît comme le révèlent la richesse de la robe, le bouquet épicé et fruité, le gras si bien distribué ! Forcément, la fin est un rappel aux vœux et devient sévère. Le **Caillerets 1er cru 2003 blanc** obtient également une étoile. Coup de cœur pour son 1996.

Dom. Michel Morey-Coffinet, 6, pl. du Grand-Four, 21190 Chassagne-Montrachet, tél. 03.80.21.31.71, fax 03.80.21.90.81, e-mail morey.coffinet@wanadoo.fr r.-v.

LUCIEN MUZARD ET FILS 2004

n.c. n.c. 15 à 23 €

Rouge sombre, un vin assez caractéristique de son millésime par ses arômes végétaux. Vanille, moka, plus habituels, témoignent des quatorze mois passés en fût. Légèrement réglissée, la bouche est sympathique et dans la continuité du nez. Les tanins se révèlent sur la fin, selon leur habitude fréquente. Attente recommandée (deux à trois ans).

SARL Lucien Muzard et Fils, 1, rue de la Chapelle, 21590 Santenay, tél. 03.80.20.61.85, fax 03.80.20.66.02, e-mail lucien-muzard-et-fils@wanadoo.fr r.-v.

PIGUET-GIRARDIN Les Morgeots 2004 ★

1er cru 0,5 ha 3 000 11 à 15 €

Si sa robe grenat est très lumineuse, son bouquet procède par touches discrètes avant de montrer de la richesse sur le tard. En bouche, une jolie musique intérieure : des arômes de fruits rouges enveloppent un thème ample et gras qui va crescendo jusqu'à la montée en puissance des tanins. D'une longueur estimable.

Dom. Piguet-Girardin, rue du Meix, 21190 Auxey-Duresses, tél. et fax 03.80.21.60.26 r.-v.

FERNAND ET LAURENT PILLOT
Morgeot 2004 ★

1er cru 0,5 ha 3 200 23 à 30 €

Dans une monographie publiée en 1844, l'abbé Garnier vante « la finesse des vins que produit le sol de Morgeot. » Sans doute ce 1er cru a-t-il absorbé quelques *climats* voisins (certains difficiles à revendiquer, comme les Crottes), sans perdre sa qualité ni son image. Vif et frais, torréfié et beurré puis floral et fruité, un vin à la robe cristalline. Stylé 2004. Les **1ers crus Champgains 2004 blanc** (cité) et **Vergers 2004 blanc** (une étoile) sont apparus intéressants.

Fernand et Laurent Pillot, 2, pl. des Noyers, 21190 Chassagne-Montrachet, tél. 03.80.21.99.83, fax 03.80.21.92.60, e-mail lfpillot@club-internet.fr r.-v.

PAUL PILLOT Les Grandes Ruchottes 2004 ★★

1er cru 0,26 ha 1 800 23 à 30 €

Thierry et Chrystelle travaillent aux côtés de leur père qui lui-même a succédé à son père. Côté santenay, ces Grandes Ruchottes sont divines. Aux trois-quarts de coup de cœur. Juste ce qu'il faut de couleur, des parfums de fruits jaunes et de fleurs blanches, une texture au grain merveilleux. C'est gras, ample, élevé, aérien. À garder ou à déboucher à la première (grande) occasion. Le doyen des crus de chassagne, le **Clos Saint-Jean 1er cru 2004 blanc** obtient une étoile alors que le **blanc 1er cru La Romanée 2004 (30 à 38 €)** est cité. En rouge, notez le remarquable **1er cru Clos Saint-Jean 2003 (15 à 23 €)**.

Paul Pillot, 3, rue Clos-Saint-Jean, 21190 Chassagne-Montrachet, tél. 03.80.21.31.91, fax 03.80.21.90.92, e-mail contact@domainepaulpillot.com r.-v.

DOM. VINCENT PRUNIER 2004 ★

0,24 ha 1 550 11 à 15 €

Quelques vignes venant des parents, et Vincent Prunier s'est attelé à la tâche. C'était il y a près de vingt ans et il a fait du chemin (12 ha aujourd'hui). Son chassagne apparaît sous des couleurs séduisantes. Le fût s'efface pour laisser place aux baies rouges sauvages. Ces arômes initiaux reviennent en bouche ; la structure est de vastes proportions, l'élan contrôlé. Note d'amertume en finale. Malgré un joli gras, le vin est plus serré. L'âge lui apportera le fondu (deux à trois ans).

Dom. Vincent Prunier, rte de Beaune,
21190 Auxey-Duresses, tél. 03.80.21.27.77,
fax 03.80.21.68.87 r.-v.

DOM. ROUX PÈRE ET FILS Les Chaumes 2004 *

n.c. n.c. 23 à 30 €

Si vous savez où est située la Boudriotte, les Chaumes se trouvent dans ses parages. Ce 2004 ? Une sensualité perceptible à l'œil nu (or clair) et au troisième coup de nez (miel, fleur blanche puis le silex, la pierre à fusil). Le gras et la tenue ne tarderont pas à s'exprimer pleinement. Une bouteille à deux doigts des deux étoiles.

Dom. Roux Père et Fils, 21190 Saint-Aubin,
tél. 03.80.21.32.92, fax 03.80.21.35.00,
e-mail roux.pere.et.fils@wanadoo.fr r.-v.

Saint-aubin

Saint-Aubin est dans une position topographique voisine des Hautes-Côtes ; mais une partie de la commune joint Chassagne au sud et Puligny et Blagny à l'est. Les Murgers des Dents de Chien, premier cru de saint-aubin, se trouvent même à faible distance des chevalier-montrachet et des Caillerets. Le vignoble s'est un peu développé en rouge (2 212 hl), mais c'est en blanc (5 493 hl) qu'il atteint le meilleur.

GILLES BOUTON Les Champlots 2004

1er cru 1,73 ha 13 000 11 à 15 €

Champlots ? Sur les hauteurs de Gamay. Simple et bénéficiant de l'aération, ce vin à l'œil vif sinon mordoré joue l'arbitre entre mangue et fleurs blanches. Sans dominante acide ni amertume, possédant assez de gras et de roulement, boisé comme il faut, il n'est pas déplaisant du tout.

Gilles Bouton, 24, rue de la Fontenotte,
21190 Saint-Aubin, tél. 03.80.21.32.63,
fax 03.80.21.90.74,
e-mail domaine.bouton.gilles@wanadoo.fr r.-v.

JEAN CHARTRON
Murgers des dents de chien 2004 **

0,44 ha 3 200 15 à 23 €

C'est en 2004 que le domaine a décidé de se distribuer lui-même. Voyez la qualité de ce vin : une robe ici limpide et éclatante. Un nez de biscuit, de fleurs, puis de mirabelle. En bouche, le gras, l'opulence tiennent un langage qui « montrachète » à souhait. Complexe et prometteur : un grand.

Dom. Chartron-Dupard, 13, Grande-Rue,
21190 Puligny-Montrachet, tél. 03.80.21.99.19,
fax 03.80.21.99.23, e-mail info@jeanchartron.com
r.-v.

BRUNO COLIN Le Charmois 2004 *

1er cru 0,17 ha 1 300 15 à 23 €

Le Charmois donne sur Chassagne-Montrachet. À deux pas du temple du chardonnay ! Mais il y a cette limite communale... Après de nombreuses années au sein du domaine Colin-Deleger, Bruno Colin a pris son indépendance au millésime 2004. Et justement, c'est ce qu'il fait déguster. La robe se présente bien. Le nez attaque sur le fût vanillé, puis il opte avec raison pour le floral. La suite est agrémentée de fruits à noyau (pêche), où se conjuguent le gras et le vif. Rien ne presse, mais c'est une bouteille à déboucher. Belle entrée en scène.

Bruno Colin, 3, imp. des Crêts,
21190 Chassagne-Montrachet, tél. et fax 03.80.21.93.79,
e-mail domainebrunocolin@wanadoo.fr r.-v.

MARC COLIN ET FILS En Remilly 2004 **

1er cru 1,5 ha 10 000 11 à 15 €

Grands Vins 2004 de Bourgogne
Mis en bouteille à la propriété
SAINT-AUBIN 1er CRU
«EN REMILLY»
APPELLATION SAINT-AUBIN 1er CRU CONTRÔLÉE
Alc. 13,5% by Vol. 750 ml
Marc COLIN et Fils
Viticulteurs à SAINT-AUBIN - Côte-d'Or - France
PRODUIT DE FRANCE

Ce *climat* réussit au domaine : coup de cœur dans l'édition 2002 (millésime 1999) et à nouveau cette année. Très frais, droit et pur fruit, il affiche ses convictions minérales. Un vin de caractère et cela se voit déjà au doré intense de la robe. Nez chaleureux, où le fût (onze mois) s'associe aux agrumes pour faire quelque chose de bien. Hautement recommandé : le foie gras sera à sa hauteur.

Marc Colin et Fils, 1, rue de la Chatenière,
21190 Saint-Aubin, tél. 03.80.21.30.43,
fax 03.80.21.90.04 r.-v.

LIONEL DUFOUR
Les Murgers des dents de chien 2003

1er cru 1,1 ha 4 500 46 à 76 €

Une étiquette plutôt bavarde... mais savez-vous où se trouvent ces Murgers des dents de chien ? Regardez bien du côté de Puligny... Or jaune, fruit blanc et mirabelle, ce vin boisé est intéressant pour ses arômes, et convenable à ce stade.

Échansonnerie de l'Ordre du Goût Vinage,
6, rte de Moince, 57420 Louvigny, tél. 03.87.69.79.69,
fax 03.87.69.71.13

DOM. HUBERT LAMY En Remilly 2004 *

1er cru 2 ha 14 500 15 à 23 €

Coup de cœur l'an passé et déjà en 2003, 2001, 1999... il pourrait faire partie des hors concours... Or tendre à reflets gris, En Remilly 2004 signe « aromatiquement vôtre ». Noisette fraîche et citron vert, l'accord parfait. Puis un tracé élancé et ferme. L'acidité le soulève et le porte, suggérant alors le fruit mais ne l'imposant pas. À prix à peu près égal, le **1er cru Derrière chez Édouard 2004 rouge** sera attendu jusqu'en 2008 (ses tanins sont encore à raboter ; il a du potentiel).

Dom. Hubert Lamy, 20, rue des Lavières,
21190 Saint-Aubin, tél. 03.80.21.32.55,
fax 03.80.21.38.32,
e-mail domainehubertlamy@wanadoo.fr r.-v.
Olivier Lamy

DOM. LAMY-PILLOT Les Argilliers 2004 ★

■ 0,54 ha 6 000 8 à 11 €

Le vignoble bourguignon est-il un modèle social ? On pourrait consacrer une thèse à ce sujet. Toute la famille est en effet réunie au sein du domaine, chacun dans sa partie. Pour un Argilliers (côté La Rochepot) coloré, équilibré par des tanins fins, tirant discrètement sur la groseille et un boisé pudique.

Dom. Lamy-Pillot, 31, rte de Santenay, 21190 Chassagne-Montrachet, tél. 03.80.21.30.52, fax 03.80.21.30.02, e-mail contact@lamypillot.fr
r.-v.

DOM. SYLVAIN LANGOUREAU
Sur le sentier du clou 2004 ★

1er cru 0,41 ha 2 500 11 à 15 €

À attendre, bien sûr. Clair et limpide, le bouquet prêt à entendre le coup de pistolet sur un 100 m plat. En fait, il pourrait faire plusieurs tours de piste. Pas trop quand même, car le gras l'emporte sur le vif. Peut-être bien pour le 800 m. Un domaine fondé par l'arrière-grand-père, conforté depuis et aimant bien son Gamay : le hameau, à majuscule.

Sylvain Langoureau, hameau de Gamay, 20, rue de la Fontenotte, 21190 Saint-Aubin, tél. et fax 03.80.21.39.99 r.-v.

DOM. LARUE Sur le sentier du clou 2003

■ 1er cru 2 ha 4 000 8 à 11 €

Le petit patrimoine rural, ce sont ces croix de chemin, ces *cabottes* ou encore cet oratoire Saint-Charles (1740) sur le finage de Blagny, entretenu par la famille Larue, et mis à l'honneur sur son étiquette. Les sécateurs ont coupé cette parcelle un 28 août. De beaux jambages sur le verre, comme on en faisait jadis à la « petite école ». Arômes de café et de fruits mûrs. Un vin tannique sans trop, réglissé, un peu austère en finale : à attendre deux à trois ans.

Dom. Larue, 32, rue de la Chatenière, 21190 Saint-Aubin, tél. 03.80.21.30.74, fax 03.80.21.91.36, e-mail dom.larue@wanadoo.fr
r.-v.

LE MANOIR MURISALTIEN 2004 ★★

1er cru 0,21 ha 1 520 15 à 23 €

Or clair, il est d'une belle brillance et ses arômes encore sur la réserve laissent pointer un très agréable boisé. En bouche, les agrumes et le silex sont en compétition. Le minéral l'emporte sur le fil. D'où cette impression générale d'un vin tendre et sincère qui n'est pas encore tout à fait ouvert (attendre un an). La cuvée **Le Ban 2004** obtient une citation.

Le Manoir Murisaltien, 4, rue du Clos-de-Mazeray, 21190 Meursault, tél. 03.80.21.21.83, fax 03.80.21.66.48, e-mail vin@demessey.com
t.l.j. sf sam. dim. 8h-12h 14h-17h; f. août

DOM. DES MEIX
Les Murgers des dents de chien 2003 ★

1er cru 1,1 ha 5 500 11 à 15 €

Les Murgers sont des tas de cailloux tirés de vignes et accumulés depuis des siècles. Les Dents de chien sont des parcelles aiguisées, vives et longues. Une partie voisine a été classée en montrachet, voyez-vous... Or brillant de joaillerie fine, miellé sur pêche-abricot et boisé fondu, il est rond et gras. Agréable et sans problème existentiel.

Christophe Guillo, Dom. des Meix, rte de Bourguignon, 21200 Combertault, tél. et fax 03.80.26.67.05, e-mail guillo-c@wanadoo.fr
t.l.j. 9h-12h 14h-19h; dim. sur r.-v.

DOM. PATRICK MIOLANE Les Perrières 2004 ★

1er cru 0,25 ha 1 800 11 à 15 €

Beau doré, bon niveau. Le nez plutôt floral et boisé. L'intérêt est ailleurs, dans l'attaque vive et fraîche, bientôt remplacée par la richesse et le gras. Pour la poularde à la crème. D'une rondeur carrée, pour parler comme ici.

Dom. Patrick Miolane, Derrière chez Édouard, 21190 Saint-Aubin, tél. 03.80.21.31.94, fax 03.80.21.30.62, e-mail domainepatrick.miolane@wanadoo.fr
t.l.j. sf dim. 9h-11h30 14h-18h

POULEAU-PONAVOY Les Perrières 2004

■ 1er cru n.c. n.c. 8 à 11 €

Voisines des Frionnes, les Perrières se trouvent tout près des maisons du village de Saint-Aubin. Grenat limpide, un vin plus ferme que fruité, classique et bien fait, un tantinet rustique dans une austérité qui ne sera sans doute pas éternelle. Ce sentiment d'éternité, vous le trouverez sans doute en visitant l'église romane classée de La Rochepot.

GAEC Pouleau-Ponavoy, rue Saint-Georges, 21340 La Rochepot, tél. 03.80.21.84.36
t.l.j. 9h-12h 14h-19h

HENRI PRUDHON ET FILS
Sur le sentier du clou 2003 ★

■ 1er cru 1,22 ha 5 600 8 à 11 €

Sur le sentier du clou... Exactement entre romanée-conti et richebourg. Clou n'a rien de pointu, c'est le « clos » en vieux bourguignon. Voici le vin de M. le Maire qui travaille ses vignes avec ses deux fils. Brillant, limpide, un pinot noir sur le biscuit et la cerise, d'un boisé fin (douze mois en fût) et aux tanins doux comme des moutons. Plaisir immédiat ou espoir de deux ans de garde ? Cela relève de vous et pas de nous.

Henri Prudhon et Fils, 32, rue des Perrières, 21190 Saint-Aubin, tél. 03.80.21.36.70, fax 03.80.21.91.55, e-mail henri-prudhon@wanadoo.fr
r.-v.
Gérard Prudhon

DOM. VINCENT PRUNIER Les Combes 2004 ★

■ 1er cru 0,46 ha 2 840 8 à 11 €

Ce 1er cru s'appelle les Combes au Sud et il se trouve sur la descente vers Chassagne et Puligny – dont à la vérité il n'est guère éloigné. Pourpre soutenu, ce vin rouge est riche de petits fruits en confiture. Comme il est dense et concentré, long et capable de tenir sur ses deux jambes, on juge le corps suffisant pour justifier la patience (pas moins de deux ans).

Dom. Vincent Prunier, rte de Beaune, 21190 Auxey-Duresses, tél. 03.80.21.27.77, fax 03.80.21.68.87 r.-v.

JOËL RÉMY Le Sentier du clou 2004

1er cru n.c. n.c. 11 à 15 €

Pâle, limpide, brillant : tout est dans la norme. Plutôt floral, mais encore fermé : c'est de son âge. L'attaque est assez tendue puis l'équilibre s'affirme tout en conseillant une garde de deux ou trois ans.

Dom. Joël Rémy, 4, rue du Paradis, 21200 Sainte-Marie-la-Blanche, tél. 03.80.26.60.80, fax 03.80.26.53.03, e-mail domaine.remy@wanadoo.fr r.-v.

DOM. DE VALLIÈRE Les Perrières 2003

1er cru 0,4 ha 1 200 11 à 15 €

Roux Père et Fils est assurément une réussite spectaculaire à Saint-Aubin. Divinité locale à plusieurs têtes, dont celle-ci entre les mains de Régis. Un Perrières rouge intense, équilibré sur une ouverture fruitée. Un peu atypique, mais n'est-ce pas le caractère premier des 2003 ?

Dom. de Vallière, 21190 Saint-Aubin, tél. 03.80.21.32.92, fax 03.80.21.35.00, e-mail roux.pere.et.fils@wanadoo.fr r.-v.

Santenay

Dominé par la montagne des Trois-Croix, le village de Santenay est devenu, grâce à sa « fontaine salée » aux eaux les plus lithinées d'Europe, une ville d'eau réputée... C'est donc un village polyvalent, puisque son terroir produit également d'excellents vins rouges. Les Gravières, la Comme, Beauregard en sont les crus les plus connus. Comme à Chassagne, le vignoble présente la particularité d'être souvent conduit en cordon de Royat, élément qualitatif non négligeable. Enfin, les deux appellations de chassagne et santenay débordent légèrement sur la commune de Remigny, en Saône-et-Loire, où l'on trouve aussi les appellations de cheilly, sampigny et dezize-lès-maranges, maintenant regroupées sous l'appellation maranges. L'AOC santenay a produit 1 344 hl de vin blanc et 9 788 hl de vin rouge en 2005.

DOM. BACHELET 2003 *

2 ha 6 000 11 à 15 €

Récolte le 26 août. Une robe impeccable, pure, vive, éclatante. Le bouquet vanillé fondu (un an en fût) et donc pas mal de temps déjà en bouteille. Tout est dans le fruit cuit sans la moindre agressivité. Tanniquement souple et fin, réussi dans le millésime, un ensemble sympathique et gourmand, pas trop perturbé par l'étrangeté de cette année 2003.

Dom. Bernard Bachelet et Fils, rue des Maranges, 71150 Dezize-lès-Maranges, tél. 03.85.91.16.11, fax 03.85.91.16.48, e-mail bacheletbetfils@wanadoo.fr t.l.j. sf dim. 8h-12h 14h-19h

DOM. BACHEY-LEGROS Clos des Hâtes Vieilles Vignes 2004 *

1,5 ha 3 000 11 à 15 €

Domaine remis sur pied par Christiane Bachey-Legros en 1993, ses deux fils prenant le relais. À découvrir dans la plus ancienne rue de Santenay. Entre Faubard et Beaurepaire, les Hâtes se glissent en *village*. Entre nous, et si l'on peut en discuter toute une soirée, il n'y a pas grand écart entre le 1er cru et l'appellation communale simple. Encore faut-il déguster. Robe burlat violacé, parfums quelque peu vanillés en quête d'ouverture, souplesse soyeuse, cela passe bien et le gigot d'agneau aux pleurotes sera de la fête.

Dom. Bachey-Legros, 12, rue de la Charrière, 21590 Santenay-le-Haut, tél. et fax 03.80.20.64.14, e-mail christiane.bachey-legros@wanadoo.fr r.-v.

JEAN-PIERRE BARDOLLET 2003

1er cru 0,46 ha 1 700 8 à 11 €

Dans la même famille depuis 1819, les vignes sont aujourd'hui enherbées. Si vous cherchez un enfant de chœur, n'allez pas le chercher en santenay rouge et jeune. Récolté le 3 septembre, ce 2003 ne peut pas mentir sur son année de naissance : il a les épaules très larges et une solide carrure. Austère ? Sûrement pour le moment. Arômes grillés et saveurs de myrtille, rubis sombre, il a des atouts en main.

Jean-Pierre Bardollet, 9, rue de Narosse, 21590 Santenay-le-Haut, tél. et fax 03.80.20.61.08 r.-v.

JEAN-CLAUDE BELLAND Comme 2003 *

1er cru 1,19 ha 4 500 11 à 15 €

Comme, le haut des 1ers crus. Grenat, née dans la hotte à vendange un 1er septembre et en restant étonnée, cette cuvée est mûre, mais sait rester fine tout en étant bien construite sur des tanins encore présents. Ses arômes sont tout en fruits rouges macérés. Un vin original et singulier qui plaira certainement aux esprits curieux et ouverts dans deux ou trois ans.

Jean-Claude Belland, 45, Grande-Rue, 21590 Santenay, tél. 03.80.20.61.90, fax 03.80.20.65.60 r.-v.

JEAN-CLAUDE BOISSET La Comme 2004 *

1er cru n.c. n.c. 15 à 23 €

Excellent praticien, Grégory Patriat (fils du président du conseil régional de Bourgogne et ancien ministre de l'Agriculture) est à la barre chez Boisset. Son santenay a cherché son rubis place Vendôme. La vanille accompagne une griotte discrète qui se manifeste avec élégance tout au long de la dégustation de ce vin rouge persistant et aux tanins enveloppés. Le tout sera plaisant après un à deux ans de garde.

Jean-Claude Boisset, 5, quai Dumorey, 21700 Nuits-Saint-Georges, tél. 03.80.62.61.61, fax 03.80.62.61.72, e-mail jcb@jcboisset.com

DOM. DE BRULLY Prarons 2003 *

1,5 ha 5 000 11 à 15 €

Brully : Roux Père et Fils. Il faut être familier du vignoble pour en connaître les tours, détours et contours. Prarons ? Sous Tavannes et Gravières, face nord de l'appellation. Rubis de joaillerie, bouquet influencé par les épices de l'élevage et le cassis du pays, attaque étincelante, énormément de matière ; un vin encore austère sur le fruit cuit et les tanins. Ce gaillard fera plaisir dans deux à trois ans.

Dom. de Brully, 21190 Saint-Aubin, tél. 03.80.21.32.92, fax 03.80.21.35.00, e-mail roux.pere.et.fils@wanadoo.fr r.-v.
Christian Roux

DOM. DE LA BUISSIÈRE Beaurepaire 2004 ★★

1er cru 0,38 ha 2 500 11 à 15 €

Fondé par Jean Moreau en 1964, ce domaine situé en Côte de Beaune est géré depuis 2004 par ses petits-fils Emmanuel Nugues et David Moreau ; il s'étend sur 9 ha. Trois parcelles à mi-coteau composent ce tiers d'hectare en Beaurepaire. Ce vin remplit d'admiration. Jaune très clair aux reflets argentés, il exprime une fraîcheur minérale adoucie par des notes de pâte d'amandes, de gelée de coing. Ses dix-huit mois en fût le confortent sans nuire à sa pureté. Le même **1er cru Beaurepaire 2003 rouge** obtient deux étoiles. Il peut vieillir deux ans.

Jean Moreau, Dom. de la Buissière, 21590 Santenay, tél. 03.80.20.61.79, fax 03.80.20.64.76, e-mail moreau.jean@laposte.net
t.l.j. 8h-13h 14h-20h

DOM. CAPUANO-FERRERI ET FILS Vieilles Vignes 2004 ★★

n.c. n.c. 8 à 11 €

Chaleureux et vineux, ce 2004 pourpre sombre à l'accent mêlé (kirsch et fruits rouges), riche et structuré, s'impose d'emblée. Dans deux ou trois ans – peut-être même dix – il accompagnera une selle d'agneau.

Dom. Capuano-John, 14, rue Chauchien, 21590 Santenay, tél. 03.80.20.68.04, fax 03.80.20.65.75, e-mail john.capuano@wanadoo.fr r.-v.

DOM. MAURICE CHARLEUX ET FILS Clos Rousseau 2003

1er cru 0,52 ha 2 000 11 à 15 €

Voici trois générations que cette famille des Maranges possède de la vigne en 1er cru sur Santenay. Il est vrai que Dezize si proche « mérite d'être compté dans la Côte-d'Or » (Dr Jules Lavalle, 1855). Rubis moyen, un Clos Rousseau rond et plaisant. Vendange le 23 août ! Le fruit mûr, notamment le pruneau, est soutenu par un fin boisé. Ce 2003 peut s'ouvrir encore.

Dom. Maurice Charleux et Fils, Petite-Rue, 71150 Dezize-lès-Maranges, tél. 03.85.91.15.15, fax 03.85.91.11.81 r.-v.

CH. DE LA CHARRIÈRE Sous la Roche 2004

1 ha 4 500 11 à 15 €

Santenay a longtemps rêvé de marier la nymphe des eaux au dieu du vin, par vocation thermale. La vigne a pris le dessus. Or clair à reflets verts, ce vin accorde fleurs blanches et fruits blancs. Sa longueur est moyenne mais on estime que beaucoup d'arômes vont éclater au vieillissement. Il faudra « voir à voir », comme on dit en Bourgogne. *Climat* juché sur Beaurepaire.

Dom. Yves Girardin, Ch. de La Charrière, 1, rte des Maranges, 21590 Santenay, tél. 03.80.20.64.36, fax 03.80.20.66.32 r.-v.

DOM. CHEVROT Clos Rousseau 2004

1er cru 1,62 ha 7 935 11 à 15 €

Dans la même fourchette de prix, le **village 2004 blanc**, assez boisé, ou ce 1er cru rouge, rubis clair et limpide. Il a encore peu de nez, mais en bouche s'impose un fruité long et très présent. Expressif dans un style léger et souple, d'une acidité assez marquée. Deux vins différents, et pas seulement par la couleur.

Dom. Chevrot et Fils, 19, rte de Couches, 71150 Cheilly-lès-Maranges, tél. 03.85.91.10.55, fax 03.85.91.13.24, e-mail contact@chevrot.fr
r.-v.

FRANÇOISE ET DENIS CLAIR Clos Genêt 2004 ★

1,3 ha 6 000 11 à 15 €

Un Clos Genêt, toujours intéressant et faisant bien partie du paysage. Burlat violacé, un beau vin bien fait qui ne dédaignera pas le canard au sang. Arômes de café et de petits fruits, souplesse et rondeur, pas le moindre sentiment d'agressivité, finale assez chaleureuse, durée de vie correcte, ce n'est pas un mauvais carnet scolaire... Le choisir pour une côte de bœuf.

Françoise et Denis Clair, 14, rue de la Chapelle, 21590 Santenay, tél. 03.80.20.61.96, fax 03.80.20.65.19
r.-v.

JACQUES GIRARDIN Les Terrasses de Bievaux 2004

2 ha 14 000 8 à 11 €

Parcelles plantées en terrasses (1985-1986) en raison d'une pente accusée. Le millésime précédent fut coup de cœur l'an passé. Voici un blanc pâle par la robe, minéral et floral par la suite, finissant en arrondi ; un peu d'amertume dit-on, mais ce n'est pas le sentiment général autour de la table. On le voit plutôt brioché. Bievaux pourrait revendiquer à bon droit le 1er cru pour une partie du *climat*, car sa notoriété est ancienne et sa qualité confirmée. Oubli des années 1930.

Jacques Girardin, 13, rue de Narosse, 21590 Santenay, tél. 03.80.20.60.12, fax 03.80.20.64.96
r.-v.

ANDRÉ GOICHOT La Maladière 2004 ★★

1er cru n.c. 3 600 15 à 23 €

Rouge vif et foncé à belles larmes, un vin sur le pain grillé et presque sur le géranium, œilleté (pour spécialistes), assez typé sur cette tonalité puissante. La goulache est conseillée, mais là... il faudra aller passer un week-end à Prague, car si on l'aime plus relevée qu'un bœuf bourguignon et très Europe centrale, il faut voyager. Maladière en pleine forme durant trois à quatre ans.

SA André Goichot et Fils, av. Charles-de-Gaulle, 21200 Beaune, tél. 03.80.25.91.30, fax 03.80.25.91.34, e-mail infos@goichotsa.com

JEAN-MICHEL GUILLON Les Bras 2004 ★

0,49 ha 3 650 11 à 15 €

Il vient de Gevrey, *climat* fort peu connu, sur Clos Rousseau, et les bras tendus sur Maranges. Un blanc frais et gourmand, dont les notes de miel et de fleurs blanches sont durables en finale. La truite aux amandes s'accommodera à merveille de ce vin jaune d'or brillant de mille feux.

🔑 Jean-Michel Guillon, 33, rte de Beaune,
21220 Gevrey-Chambertin, tél. 03.80.51.83.98,
fax 03.80.51.85.59, e-mail eurlguillon@aol.com
r.-v.

DOM. DES HAUTES-CORNIÈRES
Beaurepaire 2003

1er cru	1,61 ha	5 400	11 à 15 €

Les Cornières sont un *climat* de Santenay. Les Hautes ? C'est beaucoup dire car on se trouve ici sur le piémont du cru. Ce domaine est réputé et ce Beaurepaire vendangé le 29 août est sympathique. Il évolue favorablement à l'aération : la matière est suffisante.

🔑 Chapelle et Fils, Dom. des Hautes-Cornières,
21590 Santenay, tél. 03.80.20.60.09, fax 03.80.20.61.01,
e-mail contact@domainechapelle.com
t.l.j. sf dim. 9h-12h 14h-17h

LOUIS JADOT Clos de Malte 2000 ★

	n.c.	n.c.	15 à 23 €

Le Clos de Malte (entre guillemets sur l'étiquette, et c'est correct) n'est pas un lieu-dit officiel, mais une des innombrables dénominations d'usage : historiquement, cela se défend ; à tout le moins il ne s'agit pas d'un nom de fantaisie. Or paille, silex et miel d'acacia, ce vin grimpe en bouche pour laisser une impression de plein soleil. Attention ! C'est un 2000, pas trop cher s'il en existe encore, sans la moindre ride ni le plus léger signe de vieillissement. Louis Jadot vous fait ce plaisir.

🔑 Louis Jadot, 21, rue Eugène-Spuller, BP 117,
21203 Beaune Cedex, tél. 03.80.22.10.57,
fax 03.80.22.56.03, e-mail contact@louisjadot.com
r.-v.

GABRIEL ET PAUL JOUARD
Les Champs-Claudes 2003 ★

	1,3 ha	3 500	8 à 11 €

L'âme du volnay et le corps du pommard, a-t-on dit du santenay. Pourquoi recourir aux comparaisons quand on a affaire à un vin de caractère ? Rouge appuyé, celui-ci n'en manque pas. Nez bourgeon de cassis, d'un boisé réussi (douze mois en fût). Les sécateurs étaient en action le 31 août : d'où un peu de fermeté due aux tanins et la chaleur habituelle du millésime. Mais ce vin reste en bouche et regoûté il ne se dérobe pas : il confirme ses bonnes dispositions. Ce *climat* est situé côté Chassagne ; il est d'ailleurs présenté par un domaine de Chassagne.

🔑 Dom. Gabriel et Paul Jouard, 3, rue du Petit-Puits,
21190 Chassagne-Montrachet, tél. 03.80.21.94.73,
fax 03.80.21.91.34,
e-mail domgetpauljouard@club-internet.fr r.-v.

HERVÉ DE LAVOREILLE
Clos des Gravières 2004 ★

1er cru	0,55 ha	3 000	11 à 15 €

« La souche est bonne », jolie devise familiale d'autant que le blason illustre le sujet. Coup de cœur l'an dernier : si la souche est bonne, le reste ne l'est pas moins. Gravières blanc, doré clair et prêt à être servi, tout en fleurs blanches vanillées, doté d'une belle acidité grimpante qui reste longtemps sur le citron. Sa jeunesse lui va bien, mais on peut tout aussi bien l'attendre un peu.

🔑 Hervé de Lavoreille, 10, rue de la Crée,
les Hauts de Santenay, 21590 Santenay,
tél. 03.80.20.61.57, fax 03.80.20.66.03,
e-mail delavoreille.herve@wanadoo.fr
t.l.j. 8h-12h 14h-20h

LOUIS LEQUIN La Comme 2003 ★

1er cru	1 ha	3 200	11 à 15 €

En 1831 le Dr Denis Morelot, dans son livre célèbre, survole rapidement les vins de Santenay (comme de Puligny), se bornant à les citer parmi les « arrière-côtes ». Jugement sommaire, erroné, montrant cependant bien à quel point cette partie de la Côte a dû jouer des coudes pour acquérir sa reconnaissance. Le bon Dr Morelot rendrait grâce à coup sûr à cette Comme cerise noire, respirant le raisin mûr et ensoleillé (raisins coupés le 27 août), corpulente et tannique, riche et de garde (trois à quatre ans). Notez qu'au XIX^e^s. les Lequin exploitaient des mines de silice servant à la fabrication du verre. En 1872, ils sont passés du contenant au contenu !

🔑 Dom. Louis Lequin, 1, rue du Pasquier-du-Pont,
21590 Santenay, tél. 03.80.20.63.82, fax 03.80.20.67.14,
e-mail louis.lequin@wanadoo.fr r.-v.

RENÉ LEQUIN-COLIN Les Charmes 2003 ★

	0,46 ha	1 743	8 à 11 €

Coup de cœur pour son 2000 ; ce ne sont pas des choses qu'on oublie ici. En Bourgogne, il faut raisonner dans le temps et la continuité. Un domaine se juge selon la constance. Pas toujours le premier, mais généralement parmi les très bons. On y est. De l'éclat rubis, l'épice des dix-sept mois en fût, la fraise des bois en embuscade, la convivialité des tanins, la charpente de bon compagnon, tout nous mène vers 2010 et cette sorte de bonheur assez tangible que nous offre un vin sûr, prenant ses marques et capable de distance.

🔑 René Lequin-Colin, 10, rue de Lavau,
21590 Santenay, tél. 03.80.20.66.71, fax 03.80.20.66.70,
e-mail renelequin@aol.com r.-v.

CH. DE LA MALTROYE La Comme 2003 ★★

1er cru	0,86 ha	3 280	15 à 23 €

Souvent coup de cœur, ce domaine, qui possède de superbes caves du XV^e^s., n'en était pas loin cette année. Grenat intense et limpide, son nez chasse à la billebaude comme dans les romans de Vincenot : sous-bois, gibecière, cuir, pruneau cuit... Bien boisé, structuré, gras et charpenté, il n'est pas 2003 pour rien, récolté le 1er septembre sans hâte ni retard. Une Comme comme ça, on en ferait volontiers sa médecine quotidienne !

🔑 Ch. de la Maltroye, 16, rue de la Murée,
21190 Chassagne-Montrachet, tél. 03.80.21.32.45,
fax 03.80.21.34.54,
e-mail chateau.maltroye@wanadoo.fr r.-v.
🔑 J.-P. Cournut

LE MANOIR MURISALTIEN Passetemps 2003 ★

1er cru	0,21 ha	1 500	15 à 23 €

Passetemps eut au XIX^e^s. un propriétaire illustre : J.-M. Duvault-Blochet, acquéreur notamment de la Romanée-Conti qui était vinifiée et élevée ici à cette époque. Quant à ce 2003 vendangé le 28 août, il semble avoir prononcé ses vœux monastiques, mais ceux-ci ne sont sans doute pas perpétuels. Robe cerise noire, caractère silencieux, austérité des tanins, voilà pour le temps présent. Ce noviciat rigoureux annonce une belle et grande vie.

BOURGOGNE

Le Manoir Murisaltien, 4, rue du Clos-de-Mazeray, 21190 Meursault, tél. 03.80.21.21.83, fax 03.80.21.66.48, e-mail vin@demessey.com
t.l.j. sf sam. dim. 8h-12h 14h-17h; f. août

MESTRE PÈRE ET FILS Passetemps 2003 **

1er cru 0,75 ha 5 000 15 à 23 €

Le Dr Jules Lavalle (1855) signale la présence de nombreux pieds de pinot gris en Passetemps, *climat* inscrit par lui en 1re cuvée. Ce qui équivaut à nos 1ers crus d'aujourd'hui. Ce cépage s'est peu à peu effacé, au profit du pinot noir et du chardonnay car, comme à Chassagne, on produit à Santenany volontiers les deux couleurs. Ici un blanc or lumineux. Son nez ne prend pas de risque en adoptant un ton classique. Frais et élégant, ce 2003 est remarquable : aucune lourdeur, aucune rupture d'équilibre entre l'acidité et l'alcool, des arômes qui ne s'imposent pas par la force.

Mestre Père et Fils, 12, pl. du Jet-d'Eau, BP 24, 21590 Santenay, tél. 03.80.20.60.11, fax 03.80.20.60.97, e-mail gilbert.mestre@wanadoo.fr
t.l.j. 10h-12h30 14h-18h30; f. 23 déc.-2 jan.

LUCIEN MUZARD ET FILS Gravières 2004 *

1er cru n.c. n.c. 15 à 23 €

Quelle joie de musarder chez les Muzard ! Honorons ces Gravières puissantes et concentrées, très réussies dans le millésime 2004, à mettre en cave jusqu'en 2010-2012 car le grand bonheur est à venir, pour le gibier. Jolies notes réglissées. Le **Maladière 1er cru 2003 rouge** obtient la même distinction, mais il sera à boire un peu plus tôt.

SARL Lucien Muzard et Fils, 1, rue de la Chapelle, 21590 Santenay, tél. 03.80.20.61.85, fax 03.80.20.66.02, e-mail lucien-muzard-et-fils@wanadoo.fr r.-v.

DOM. CLAUDE NOUVEAU Les Charmes Dessus 2003 *

0,9 ha 4 500 8 à 11 €

Charmes Dessus possède une robe vive et jeune qui enveloppe un pinot noir parti en cuverie le 25 août. Le nez raconte forcément la confiture de vieux garçon (si vous ne la connaissez pas, ce sont de bons fruits divers à l'eau-de-vie). Tonalité analogue au palais. Il y a de la gourmandise dans ce vin qui promet un plaisir durable dans trois à quatre ans. Le **1er cru Grand Clos Rousseau 2003 (11 à 15 €)** est lui aussi de grande classe et obtient une étoile.

EARL Dom. Claude Nouveau, Marchezeuil, 21340 Change, tél. 03.85.91.13.34, fax 03.85.91.10.39, e-mail domaine-claude-nouveau@wanadoo.fr
r.-v.

DOM. OLIVIER PÈRE ET FILS Beaurepaire 2004 *

1er cru 0,91 ha 4 500 11 à 15 €

Rouge, pair et gagne... si l'on était au casino de Santenay. On y joue souvent le 9, grandes années fréquentes dans la Côte. Mais le 4 Beaurepaire a rendez-vous ici avec la chance. Rouge grenat brillant, la cerise à l'alcool dans sa manche, la martingale en bouche (équilibre, longueur et fruits rouges). Encore faut-il citer le **village 2004 rouge (8 à 11 €)** et en **santenay blanc Les Coteaux sous la Roche 2004**, réussis l'un et l'autre.

Dom. Olivier, 5, rue Gaudin, 21590 Santenay, tél. 03.80.20.61.35, fax 03.80.20.64.82, e-mail antoine.olivier2@wanadoo.fr r.-v.

LA POUSSE D'OR Clos Tavannes 2004 *

1er cru 2,09 ha 11 000 15 à 23 €

Nul ne sait vraiment si l'illustre maréchal de Saulx-Tavannes a un quelconque rapport avec ce clos connu sous ce nom bien avant le XIXes. Les classements historiques font toujours caracoler en tête le Clos Tavannes (ou de Tavannes), partie d'un *climat* disparu du cadastre, Les Brussanes. Pourpre enflammé, le nez délicat (juste un soupçon de framboise ou de fraise écrasée), celui-ci tient parfaitement en selle. Acidité, tanins, corps, boisé, tout est soigneusement pesé et réparti. Bon vin tout en finesse.

Dom. de La Pousse d'Or, rue de la Chapelle, 21190 Volnay, tél. 03.80.21.61.33, fax 03.80.21.29.97, e-mail patrick@lapoussedor.fr
t.l.j. sf sam. dim. 9h-12h 13h30-17h30

G. PRIEUR Comme 2003 *

1er cru n.c. n.c. 15 à 23 €

Prieur, il y en a plusieurs en Côte de Beaune. Celui-ci est bien connu : *cum priore vino prior Deum laudat*, n'est-ce pas ? Le latin reste en Bourgogne une langue vivante. Cette Comme grenat intense est, en raison de sa date de naissance, imprégnée de pruneau cuit, de raisin mûr avec un boisé correct. Sans trop de longueur, ce 2003 est intense et mûr, fortifiant comme la quintonine naguère. Il sera de bon niveau dans l'année qui vient. Le **Maladière 2003 rouge**, sobre et de bonne compagnie, obtient la même distinction.

Maison G. Prieur, 21590 Santenay-le-Haut, tél. 03.80.20.60.56, fax 03.80.20.64.31 r.-v.

BERNARD REGNAUDOT 2003 **

0,5 ha 2 000 8 à 11 €

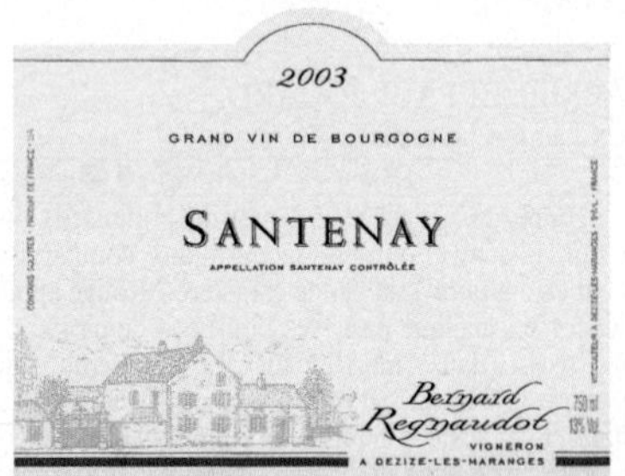

Au rubis intense et violacé de la robe s'ajoute un éclat superbe. À la mûre s'associent des notes de sous-bois (fougère) et une touche torréfiée (quinze mois de fût). Complet et équilibré, il ne donne aucun signe de surmaturation. Beau travail ! Tout en puissance contenue, il parcourt le palais avec élégance. Haut de gamme et particulièrement intéressant.

Bernard Regnaudot, rte de Nolay, 71150 Dezize-lès-Maranges, tél. et fax 03.85.91.14.90
r.-v.

JEAN-CLAUDE REGNAUDOT ET FILS Grand Clos Rousseau 2004 **

1er cru 0,3 ha 1 800 8 à 11 €

Un santenay rouge, surtout en 1er cru, est le plus souvent de garde. Celui-ci, de moyenne garde, est à déboucher courant 2008 et pourra être servi avec un canard au poivre vert. Rubis bien affirmé, il compose un

bouquet de petits fruits sur fond légèrement torréfié. En bouche, un fruit riche et mûr s'insère dans des tanins nobles. La matière est belle, le fût sollicité avec mesure.
🔑 Jean-Claude Regnaudot et Fils, Grande-Rue, 71150 Dezize-lès-Maranges, tél. 03.85.91.15.95, fax 03.85.91.16.45 ☑ 𝐈 r.-v.

CH. DE SASSANGY 2004

■	0,58 ha	3 300	◐	8 à 11 €

On peut vivre au château et produire du bio. Si les vins de ce type sont souvent discutés, celui-ci témoigne en faveur de cette approche – d'autant que Jean et Geno ont depuis pas mal de temps une réelle démarche d'agriculture biologique. Méfiez-vous des idées toutes faites : voici un vin très extrait, coloré, mûr et fauve, d'une concentration et d'une surmaturation qui étonne dans le millésime 2004.
🔑 Ch. de Sassangy, Le Château, 71390 Sassangy, tél. 03.85.96.18.61, fax 03.85.96.18.62, e-mail musso.jean@wanadoo.fr ☑ 𝐈 ✶ r.-v.
🔑 Jean et Geno Musso

SORINE ET FILS 2004 ★

□	0,83 ha	6 600	◐	8 à 11 €

Nous ne sommes pas loin des Gravières en 1er cru, pour l'un de nos dégustateurs ; on se fait plaisir en le dégustant. Or soutenu, beurre et miel tirant sur le fruit mûr, ce 2004 se montre assez floral, bien équilibré et persistant. Petite amertume en prenant congé : cela se comprend, car pourquoi la nature humaine et celle du vin seraient-elles tellement différentes ? Sur votre carnet notez encore le **santenay 2003 rouge**. Sa souplesse et sa distinction lui confèrent également une étoile.
🔑 Sorine et Fils, 4, rue Petit, Le Haut-Village, 21590 Santenay, tél. 06.86.98.04.77, fax 03.80.20.61.65, e-mail christiansorine@club-internet.fr ☑ 𝐈 ✶ r.-v.

A.-MARIE ET J.-MARC VINCENT
Les Gravières 2004 ★

□ 1er cru	n.c.	n.c.	◐	15 à 23 €

Sage et prudente, cette bouteille ne met pas tout son or sur sa robe et en garde assez pour la bouche. Celle-ci apparaît fraîche et ronde. Ses notes toastées sont fondues et le gras s'épaule à une structure bien ferme. Ses arômes suggèrent le miel, la noisette grillée. Le terroir est marqué, sans ostentation. L'acidité devrait lui permettre de garder dans son dos une petite brise de printemps, mais il faut lui laisser le temps de s'arrondir.
🔑 Anne-Marie et Jean-Marc Vincent, 3, rue Sainte-Agathe, 21590 Santenay, tél. et fax 03.80.20.67.37, e-mail vincent.j-m@wanadoo.fr ☑ 𝐈 ✶ r.-v.

Maranges

Le vignoble de maranges situé en Saône-et-Loire (Chailly, Dezize, Sampigny) bénéficie depuis 1989 d'un regroupement en une AOC unique, comportant six premiers crus. Il s'agit de vins rouges et blancs, les premiers ayant droit également à l'AOC côte-de-beaune-villages et étant naguère vendus ainsi. Fruités, ayant du corps et bien charpentés, ils peuvent vieillir de cinq à dix ans. En 2005, l'AOC maranges a produit 6 582 hl en vin rouge et 254 hl en blanc.

DOM. DU BEAUREGARD
Les Clos Roussots 2003 ★

■ 1er cru	0,22 ha	1 200	◐	8 à 11 €

Récoltés le 6 septembre 2003, ces raisins ne se sont pas précipités sur le sécateur. Bien leur en a pris. Beaucoup d'intensité colorante, un parfum discret de fruits rouges dans un contexte boisé (dix-huit mois en fût) pour un corps charpenté. Une certaine finesse tempère sa montée en puissance. Son petit côté tannique ne masque pas ses qualités bien réelles. Supérieur à la moyenne. Le **Vieilles Vignes 2003 rouge (5 à 8 €)** obtient une citation.
🔑 Michel Depernon, Dom. du Beauregard, 9, rue de Mercey, 71510 Saint-Sernin-du-Plain, tél. et fax 03.85.45.55.17, e-mail michel.depernon@wanadoo.fr ☑ 𝐈 ✶ r.-v.

ALBERT BICHOT Clos Roussots 2004 ★

■ 1er cru	n.c.	3 600	▮◐	11 à 15 €

Bon pour une pièce de bœuf dans quelques années : sa robe soutenue, son nez à la fois minéral et fruité, complexe, sa bouche aux tanins équilibrés, denses, longs, mêlés à des notes de mûre et de myrtille, tout est très réussi.
🔑 Maison Albert Bichot, 6 bis, bd Jacques-Copeau, 21200 Beaune, tél. 03.80.24.37.37, fax 03.80.24.37.38, e-mail bourgogne@albert-bichot.com

DOM. JEAN-FRANÇOIS BOUTHENET
Sur le Chêne Élevé en fût de chêne 2004 ★

□	0,37 ha	2 500	◐	8 à 11 €

Un blanc or intense au nez délicat, floral, fruité (agrumes), légèrement épicé. Sa fraîcheur accompagne l'amateur jusque dans une longue finale.
🔑 Jean-François Bouthenet, 4, rue du Four, Mercey, 71150 Cheilly-lès-Maranges, tél. 03.85.91.14.29, fax 03.85.91.18.24, e-mail bouthenetjf@free.fr ☑ 𝐈 ✶ r.-v.

DOM. MARC BOUTHENET La Fussière 2004 ★

■ 1er cru	0,75 ha	3 500	◐	8 à 11 €

Rubis clair et limpide, il a le caractère, la solidité d'un maranges, et se montre à la hauteur d'un 1er cru. Son bouquet est encore assez caché et si l'on cherche bien, on trouve quelques traces de fruits rouges bien mûrs. L'approche est tannique, avec un fond de vin agréable. L'alcool se réveille en finale et apporte un souffle chaleureux. Typicité réussie dans les contours de son millésime.
🔑 Dom. Marc Bouthenet, 11, rue Saint-Louis, Mercey, 71150 Cheilly-lès-Maranges, tél. 03.85.91.16.51, fax 03.85.91.13.52 ☑ 𝐈 ✶ r.-v. 🏠 Ⓖ

DOM. MAURICE CHARLEUX ET FILS
Les Clos Roussots 2003 ★★

■ 1er cru	0,8 ha	3 400	◐	8 à 11 €

Coup de cœur il y a trois ans et cette année aux places d'honneur, Maurice et Vincent Charleux exploitent quelque 13 ha. Vendangés un 23 août, ces Clos Roussots portent une robe d'un rouge si foncé qu'il paraît noir. Un fruit délicat prêt à monter au front, voilà pour le bouquet. Quant à la bouche, son acidité est bien fondue, sa structure importante et ses tanins apparaissent déjà affinés. Cela peut tenir dans le temps si l'horizon est raisonnable. Le 1er cru **Le Clos des Rois 2004 rouge** doit s'arrondir et en paraît capable. Il obtient une étoile.

Dom. Maurice Charleux et Fils, Petite-Rue, 71150 Dezize-lès-Maranges, tél. 03.85.91.15.15, fax 03.85.91.11.81 r.-v.

DOM. CHEVROT Sur le Chêne 2004 *

3,26 ha 15 393 8 à 11 €

Établie depuis 1936 et passée de 5 ha à 15 ha, cette exploitation familiale adopte la démarche bio (la moitié du domaine en 2005). Elle illustre les efforts qualitatifs d'un vignoble voué jadis au gamay et maintenant en pleine renaissance. Beau vin élégant, pas entièrement ouvert au jour de notre dégustation, mais qui paraissait alors décidé à s'épanouir. On peut penser que ce sera chose faite en 2007. Cerise, framboise, un fruité recherché.

Dom. Chevrot et Fils, 19, rte de Couches, 71150 Cheilly-lès-Maranges, tél. 03.85.91.10.55, fax 03.85.91.13.24, e-mail contact@chevrot.fr r.-v.

CH. DE LA CRÉE 2004 *

0,36 ha 2 400 11 à 15 €

Première vinification en 2004 : une bouteille inaugurale ! Château du XIXes., caves du XVes. : ce domaine réanimé avance à grandes enjambées. Pour s'en tenir à la richesse du vin, celle-ci éclate dès sa présence dans le verre : gras, glycérol, larmes. Ses arômes (cerise) n'ont pas encore une forte expression. Tout le monde s'accorde pourtant à prédire à ce 2004 un avenir souriant. Ample et consistant, il devra acquérir d'ici 2010 toute la finesse nécessaire.

SARL Ch. de La Crée, 11, rue Gaudin, 21590 Santenay, tél. 03.80.20.63.86, fax 03.80.20.63.36 r.-v.

DOM. M.-C. DERATS-DUMAY Clos des Rois 2003

1er cru 1,2 ha 4 000 8 à 11 €

Les *royes* étaient jadis des bandes plantées dans la vigne pré-phylloxérique, des raies, des rangs. La Bourgogne républicaine en a fait des rois ! Jeunes Rois à Gevrey, par exemple. Peu importe, ce 2003 rouge prononcé à reflets noirs ne laisse pas dormir son fruit. Sa structure imposante ne nuit pas à sa recherche d'élégance.

Dom. Derats-Dumay, 17, rue Saint-Antoine, 71150 Sampigny-lès-Maranges, tél. 03.85.91.11.95, fax 03.85.91.16.74, e-mail derats.dumay@cegetel.net r.-v.

DOUDET-NAUDIN Clos Roussot 2004

1er cru 0,3 ha 2 890 11 à 15 €

Seuls les hasards de la délimitation départementale ont privé ce coteau des Maranges (prolongeant très exactement celui de Santenay) de la gloire de la Côte de Beaune... En réalité, ces vins sont proches cousins et une recherche d'ADN le montrerait assurément ! Rubis violet, ce 2004 fruité au premier nez, entre le brûlé et le fumé au deuxième, se montre encore vif, bien que sa texture tannique tende à l'équilibre. Saveurs et arômes mêlés : des poirettes au vin à la prunelle, estime un excellent dégustateur.

Doudet-Naudin, 3, rue Henri-Cyrot, 21420 Savigny-lès-Beaune, tél. 03.80.21.51.74, fax 03.80.21.50.69, e-mail doudet-naudin@wanadoo.fr r.-v.

Yves Doudet

DUFOULEUR PÈRE ET FILS 2003 *

n.c. 4 800 8 à 11 €

On peut être le maire de Nuits-Saint-Georges et mettre le pied en Saône-et-Loire... Les Bourguignons ont réappris à vivre à l'heure régionale. Ce 2003 est d'un rouge cerise étincelant. Le bourgeon de cassis s'impose au nez. Une légère ouverture fruitée se dessine en bouche sur un caractère de terroir marqué. Puissant et intéressant.

Dufouleur Père et Fils, 17, rue Thurot, 21700 Nuits-Saint-Georges, tél. 03.80.61.21.21, fax 03.80.61.10.65, e-mail dufouleur@dufouleur.com t.l.j. 9h-19h

MARINOT-VERDUN La Fussière 2004

1er cru n.c. 9 000 5 à 8 €

À boire certes, mais pas trop tôt. L'air est connu, mais on aime son refrain. Et puis, la Bourgogne n'est pas le Nouveau Monde et on ne produit pas ici des lévriers épuisés au bout d'un tour de piste. D'un rouge vermillon aux nuances sombres, ce vin est déjà sur ses jambes, notez-le. Son parfum de myrtille et de cassis ne manque pas d'attraits. En bouche, on croque le fruit ; le palais se révèle complexe, légèrement épicé. Bref, faute de patience, vous aurez du bon. Avec la patience, du meilleur.

Marinot-Verdun, Mazenay, 71510 Saint-Sernin-du-Plain, tél. 03.85.49.67.19, fax 03.85.45.57.21 t.l.j. sf dim. 8h-12h 14h-18h

CH. DE MERCEY Les Clos Roussots 2003 **

1er cru 4,2 ha 13 106 11 à 15 €

Au cœur des Hautes Côtes, ce château dispose d'un vignoble de 52 ha. Il a de bonnes réserves, ce 1er cru à la robe profonde, presque noire. Des assises généreuses et fruitées, le boisé respectant un juste équilibre. Cette bouteille a tout pour plaire.

Antonin Rodet, 71640 Mercurey, tél. 03.85.98.12.12, fax 03.85.45.25.49, e-mail rodet@rodet.com r.-v.

DOM. RENÉ MONNIER Clos de la Fussière Monopole 2004

1er cru 1,04 ha 5 000 8 à 11 €

Rubis foncé à reflets violines, un vin parfait pour une meurette. Ses arômes chocolatés évoluent peu à peu vers le fruit tandis que l'entame apparaît fraîche. Tout cela sent bon le raisin mûr, et les tanins se déclarent surtout sur la fin.

Dom. René Monnier, 6, rue du Docteur-Rolland, 21190 Meursault, tél. 03.80.21.29.32, fax 03.80.21.61.79, e-mail j.l.b.vins@wanadoo.fr t.l.j. sf dim. 8h30-12h 14h-18h

M. et Mme Bouillot

DOM. EDMOND MONNOT ET FILS Les Clos Roussots 2003 *

1er cru 0,78 ha 1 500 11 à 15 €

André et Paul, Edmond, Stéphane, la saga des Monnot atteint déjà les soixante-quinze ans ; une quinzaine d'hectares pour ce domaine. Vendange le 25 août pour ces Clos Roussots rubis franc, à la couleur à peine évoluée. Après un bouquet confituré, le suivi aromatique est intéressant au palais. Net et franc, équilibré et persistant, forcément tannique, réglissé en finale et gourmand tout le temps, ce vin a du corps.

🔑 Dom. Edmond Monnot et Fils, rue de Borgy, 71150 Dezize-lès-Maranges, tél. 03.85.91.16.12, fax 03.85.91.15.99, e-mail domaine.monnotetfils@free.fr ☑ 🍷 🚶 r.-v.

DOM. CLAUDE NOUVEAU La Fussière 2003 *

■ 1er cru 0,5 ha 3 500 ▮◍ 11 à 15 €

Dans sa *Billebaude*, Henri Vincenot raconte d'une plume merveilleuse son amour naissant pour une fille des Maranges qui devint la compagne de toute sa vie. Il connaissait bien ce vignoble et lui consacra un autre roman. Dégustant cette Fussière, on ressent le même charme d'intensité visuelle et d'arômes de fruits, de charpente bien ferme et d'heureuse amertume, de talents mis en réserve. Aucune hargne tannique, de bons sentiments à assouplir simplement.

🔑 EARL Dom. Claude Nouveau, Marchezeuil, 21340 Change, tél. 03.85.91.13.34, fax 03.85.91.10.39, e-mail domaine-claude-nouveau@wanadoo.fr ☑ 🍷 🚶 r.-v. 🏠 Ⓓ

DOM. PAGNOTTA La Fussière 2004

■ 1er cru 1,5 ha 8 000 ◍ 8 à 11 €

Domaine créé il y a trente ans sur l'appellation rully, étendu depuis au voisinage. D'une teinte très dense, cette Fussière au nez progressif (neutre puis exubérant) mérite d'être attendue. Le viticulteur a tenté quelque chose : lorsque les tanins se seront arrondis, un jambon persillé se plaira en sa compagnie.

🔑 Dom. Pagnotta, 1, rue de Chaudenay, 71150 Chagny, tél. 03.85.87.22.08, fax 03.85.87.03.22, e-mail domaine.pagnotta@wanadoo.fr ☑ 🍷 🚶 r.-v.

SERGE PROST ET FILS Côte-de-Beaune 2003

■ 0,45 ha 2 600 ▮ 5 à 8 €

Georges Rozet voyait dans les Maranges « le point de soudure entre la Côte-d'Or et la Saône-et-Loire ». Rien de plus vrai, tant le paysage suscite cette transition, tant le pied de vigne établit le lien. Ici, vendange le 23 août et tempérament assez pointu, sans être agressif. L'œil est plein d'attraits, le nez prudent et avisé (fruit modéré). Réussi, compte tenu des contraintes du millésime. Promesses ? On en discute, et si on en discute, c'est déjà bon signe...

🔑 EARL Serge Prost et Fils, Les Foisons, 71490 Couches, tél. 06.24.98.55.86, fax 03.85.49.50.27 ☑ 🍷 🚶 r.-v.

BERNARD REGNAUDOT
Clos des Loyères 2004 *

■ 1er cru 0,3 ha 1 600 ◍ 8 à 11 €

On ne risque pas de l'oublier, celui-ci, coup de cœur dans les Guides 2005 et 2003. Ce Clos des Loyères porte une robe magenta, pourpre ; le château de Sully et les Mac-Mahon, ducs de Magenta, ne sont guère éloignés d'ici. Après un nez de cassis et de mûre puis une attaque souple et fine, s'imposent une belle matière et un boisé bien fondu. Les tanins convenables permettront de déboucher sans souci cette bouteille dans deux ans. Le **1er cru Clos des Rois 2004 rouge** obtient également une étoile.

🔑 Bernard Regnaudot, rte de Nolay, 71150 Dezize-lès-Maranges, tél. et fax 03.85.91.14.90 ☑ 🍷 🚶 r.-v.

JEAN-CLAUDE REGNAUDOT ET FILS
La Fussière 2004 *

■ 1er cru 1 ha 2 700 ◍ 8 à 11 €

Un coup de cœur dans les mémoires, et un **village rouge 2004 (5 à 8 €)** cité, maranges pur et dur : très extrait, il ressemble à une armoire rustique. Quant à cette Fussière, elle est également typée dans sa robe grenat profond à reflets violacés. Au nez, le fruit mûr conserve sa fraîcheur sans renier la vanille boisée. Les tanins s'arrondiront avec le temps : la matière est équilibrée. De garde, bien sûr.

🔑 Jean-Claude Regnaudot et Fils, Grande-Rue, 71150 Dezize-lès-Maranges, tél. 03.85.91.15.95, fax 03.85.91.16.45 ☑ 🍷 r.-v.

BOURGOGNE

Côte-de-beaune-villages

À ne pas confondre avec l'appellation côte-de-nuits-villages qui possède une aire de production particulière, l'appellation côte-de-beaune-villages n'est en elle-même pas délimitée. C'est une appellation de substitution pour tous les vins rouges des appellations communales de la Côte de Beaune, à l'exception des beaune, aloxe-corton, pommard et volnay. L'AOC a produit 282 hl de blanc et 240 hl de rouge en 2005.

MAISON JOULIÉ 2004 *

■ n.c. 20 000 ▮◍ 8 à 11 €

Le meilleur de la série, à prix moyen. En chair et en os, le pinot noir a presque cette robe. Cuve et fût, fruits noirs et tabac, son bouquet est complexe. Le vin attaque sur la fraîcheur, mais il y a derrière de la matière et du charme. Tanins un peu mordants en finale sur une amertume classique... Un ensemble bien vinifié et bien dans son appellation.

🔑 Maison Joulié, 10, av. Charles-Jaffelin, 21200 Beaune, tél. 03.80.22.06.20, fax 03.80.22.91.91, e-mail joulie@maisonjoulie.com

NAUDIN-VARRAULT 2004

■ n.c. 4 500 ◍ 8 à 11 €

Rachetée par Prosper Maufoux il y a maintenant plus de vingt ans, Naudin-Varrault était depuis longtemps une maison beaunoise sérieuse. Rouge foncé à reflets framboise, ce vin légèrement boisé (quinze mois en fût) laisse toute sa place à un joli fond de cassis. Une extraction solide, des tanins souples et fondus ne trahissent pas sa cause. Les œufs en meurette devraient se plaire en sa compagnie.

🔑 Naudin-Varrault, 1, pl. du Jet-d'Eau, 21590 Santenay, tél. 03.80.20.60.40, fax 03.80.20.63.26, e-mail maisondesgrandscrus@wanadoo.fr

🔑 Robert Fairchild

ALBERT PONNELLE 2003

■ 0,6 ha 3 000 ▮◍ 11 à 15 €

Du gras au démarrage et beaucoup de fruit sur table. Il s'agit d'un 2003 et forcément cette rondeur s'accompagne de l'ensoleillement de cet été historique. D'où ce petit côté vallée du Rhône qui n'est pas déplacé ici. Rouge grenat très ferme, ce vin respire les fruits cuits, les épices et le feuillage sec. À boire dans un an : il aura encore arrondi certaines choses à ce moment-là. Pas plus tard cependant.

Albert Ponnelle, 38, fg Saint-Nicolas, BP 107, 21200 Beaune, tél. 03.80.22.00.05, fax 03.80.24.19.73 t.l.j. 8h30-12h 13h30-18h; f. août

La Côte chalonnaise

Bourgogne-côte-chalonnaise

Située entre Chagny et Saint-Gengoux-le-National (Saône-et-Loire), la Côte chalonnaise possède une identité reconnue à juste titre. Née le 27 février 1990, l'AOC bourgogne-côte-chalonnaise a donné 20 069 hl en rouge, et 7 825 hl en blanc en 2005. Selon la méthode appliquée déjà dans les Hautes-Côtes, un agrément résultant d'une seconde dégustation complète la dégustation obligatoire qui a lieu partout.

FRANÇOIS D'ALLAINES 2004 *

n.c. 7 200 5 à 8 €

Qu'est-ce qu'un vin féminin ? Un vin plein de charme, de tendresse, d'élégance... Cette bouteille en offre l'exemple. Un blanc, évidemment. Fin, fruité, un rien exotique (pamplemousse), d'une acidité convenable, il se présente bien et il confirme cette fidélité à un seul parfum : les agrumes.

François d'Allaines, La Corvée du Paquier, 71150 Demigny, tél. 03.85.49.90.16, fax 03.85.49.90.19, e-mail francois@dallaines.com r.-v.

LA BUXYNOISE 2004

4,53 ha 35 000 5 à 8 €

La cave des vignerons de Buxy, née en 1931, a effectué d'importants investissements. Sa visite est spectaculaire, notamment celle du cellier en style roman... contemporain, contenant 1 200 fûts et 17 foudres. Sans être extraordinaire, ce chardonnay net et frais, plus fleuri que fruité, bien typé n'est pas mal du tout. À servir à l'apéritif ou sur une entrée comme la terrine de poisson. Le **rouge 2004**, assez boisé, obtient lui aussi une citation.

SICA Les vignerons réunis à Buxy, 2, rte de Chalon, 71390 Buxy, tél. 03.85.92.03.03, fax 03.85.92.08.06, e-mail labuxynoise@cave-buxy.fr t.l.j. sf dim. 9h-12h 14h-18h30

MADAME JOCELYNE CHAUSSIN
La Fortune 2004

0,19 ha 1 600 5 à 8 €

La Fortune ? Ce *climat* au nom prédestiné doit se situer à Bouzeron. Un tout petit peu évolué en bouche, ce vin a de l'entrain. La robe ? D'une discrétion de bon aloi. Le nez ? Pas trop ouvert. L'ensemble reste intéressant.

Jocelyne Chaussin, 3, rue des Dames, 71150 Bouzeron, tél. 03.85.87.09.01, fax 03.85.46.40.40, e-mail jeanlouis.chaussin@francetelecom.com r.-v.

DOM. DANIEL DAVANTURE ET FILS 2003 **

1 ha 6 000 5 à 8 €

Le grand-père exploitait 3 ha de vignes, le père 12 ha. Aujourd'hui : 20 ha. Phénomène assez classique de la Bourgogne vitivinicole moderne. Encore faut-il faire de la qualité et réussir à commercialiser un tel volume ! Ce domaine est sur la bonne voie : coup de cœur et meilleur vin de la dégustation ! Pourpre intense, le nez un peu sauvage et évoluant vers le kirsch, il est – pour parler simplement – très agréable à boire, avec une mâche raisonnable et un retour fruité. D'accès facile, une excellente introduction pour découvrir cette appellation régionale en pinot noir. Quant au **blanc 2004**, il obtient une étoile.

Dom. Daniel Davanture et Fils, rue de la Messe, Cidex 1516, 71390 Saint-Désert, tél. 03.85.47.90.42, fax 03.85.47.95.57 r.-v.

DOM. DE L'ÉVÊCHÉ 2004 *

1 ha 7 500 5 à 8 €

Il a un joli nez d'agrumes, de fleurs blanches, de beurre frais : toute l'expression du chardonnay dans ce vin limpide et brillant, d'une bonne acidité, tout aussi élégant en bouche que dans sa présentation.

EARL Henri et Vincent Joussier, Dom. de l'Évêché, 71640 Saint-Denis-de-Vaux, tél. 03.85.44.30.43, fax 03.85.44.53.61 t.l.j. 8h-20h; dim. sur r.-v.; f. 15 au 25 août

DOM. MICHEL GOUBARD ET FILS
Mont-Avril 2004 *

3,5 ha 23 000 5 à 8 €

Sur l'étiquette on écrit Bourgogne et en dessous Côte chalonnaise dans un corps d'imprimerie plus petit... Mont-Avril est un *climat* authentique cité dans la littérature depuis le XVIII[e]s. à tout le moins. Contrairement à l'image d'un chardonnay tendre et chantant, on a affaire ici à un vin coloré, porté sur les agrumes et très intense au palais. Puissant, ainsi que complexe. Une douzaine d'escargots se plairont en sa compagnie dès cette année. Quant au **Mont-Avril rouge 2004**, il obtient une citation.

Dom. Michel Goubard et Fils, Bassevelle, 71390 Saint-Désert, tél. 03.85.47.91.06, fax 03.85.47.98.12, e-mail earl.goubard@wanadoo.fr t.l.j. 8h-12h 14h-19h; dim. sur r.-v.

Le Chalonnais et le Mâconnais

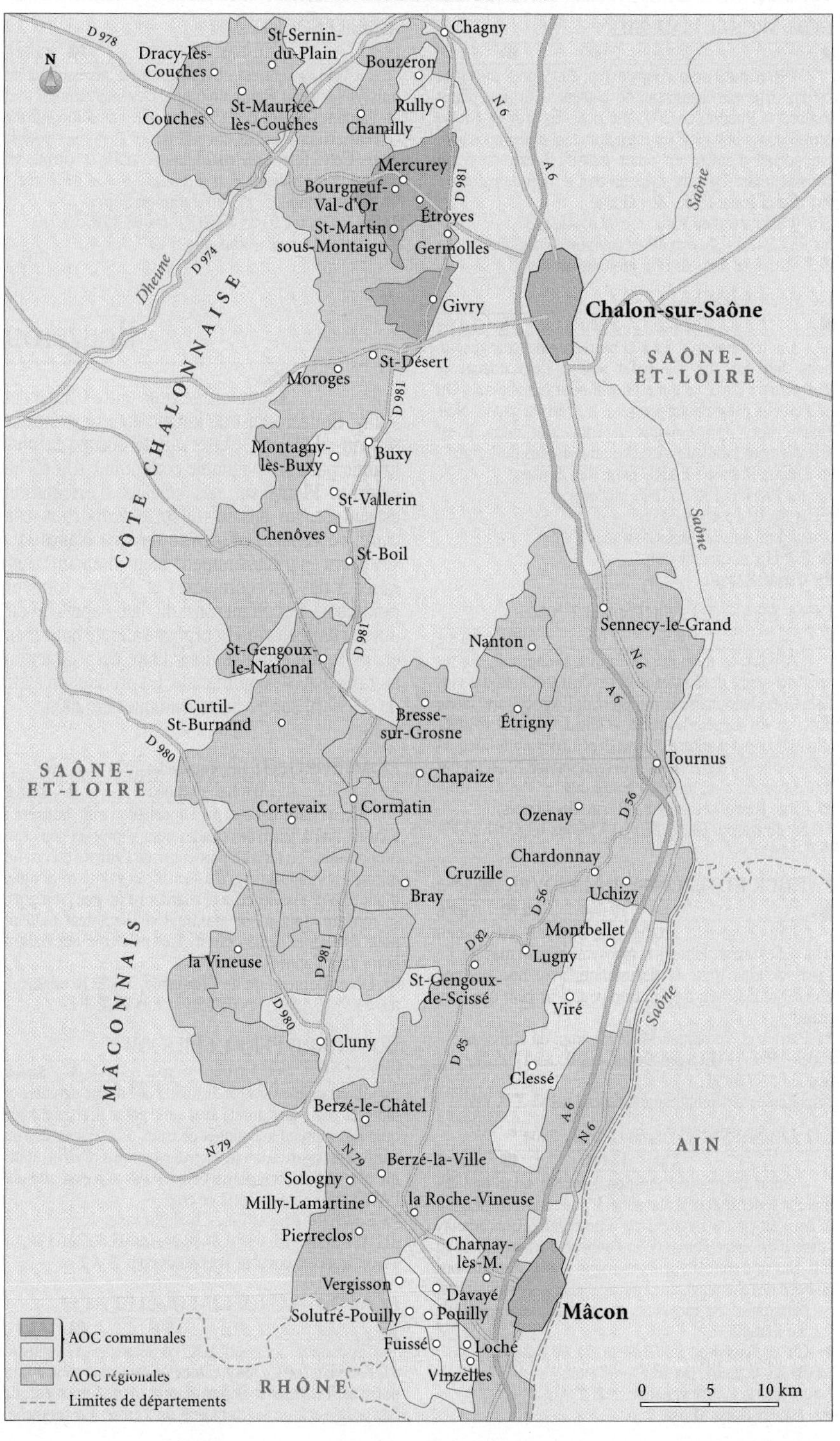

N
D 978
Dracy-lès-Couches
St-Sernin-du-Plain
Chagny
Bouzeron
Couches
St-Maurice-lès-Couches
Rully
Chamilly
Mercurey
Bourgneuf-Val-d'Or
Étroyes
St-Martin-sous-Montaigu
Germolles
Givry
D 981
N 6
A 6
Saône
Dheune
D 974
CÔTE CHALONNAISE
Chalon-sur-Saône
St-Désert
Moroges
SAÔNE-ET-LOIRE
Montagny-lès-Buxy
Buxy
St-Vallerin
Chenôves
St-Boil
Sennecy-le-Grand
Nanton
St-Gengoux-le-National
Curtil-St-Burnand
Bresse-sur-Grosne
Étrigny
D 980
Tournus
Chapaize
Cortevaix
Cormatin
Ozenay
D 56
Chardonnay
Cruzille
Uchizy
Bray
Montbellet
D 82
Lugny
la Vineuse
MÂCONNAIS
St-Gengoux-de-Scissé
Viré
Cluny
D 85
Clessé
Berzé-le-Châtel
N 79
AIN
Berzé-la-Ville
Sologny
Milly-Lamartine
la Roche-Vineuse
Pierreclos
Charnay-lès-M.
Vergisson
Davayé
Solutré-Pouilly
Pouilly
Mâcon
Fuissé
Loché
Vinzelles
RHÔNE
AOC communales
AOC régionales
Limites de départements
0
5
10 km

DOM. MICHEL ISAÏE 2003 ★

■ 3,25 ha 2 000 5 à 8 €

On retrouve notre coup de cœur 2005 (pour son blanc 2001), mais en changeant de couleur. Carmin, plutôt sombre et intense, ce 2003 est riche en arômes (fraise écrasée, sous-bois) et d'une structure tannique imposante. Un portail d'entrée en pinot massif ! L'extraction est poussée, mais il y a du style, un bon « coup de patte ».

Michel Isaïe, chem. de l'Ouche, 71640 Saint-Jean-de-Vaux, tél. 03.85.45.23.32, fax 03.85.45.29.38, e-mail michel.isaie@wanadoo.fr t.l.j. sf dim. 9h-19h; groupes sur r.-v.

DOM. DES JONLAIS 2003 ★

■ 2,23 ha 5 200 3 à 5 €

Les femmes sont ici à la barre depuis trois générations. Sur 4,57 ha. Ce pinot noir a été vendangé le 9 septembre 2003, ce qui est tardif pour le millésime. On ne s'est pas pressé pour presser... Le pari est gagné. Noir violine, doté d'un bouquet de fruits très mûrs, il est sensiblement tannique, rustique au bon sens du terme.

Derain-Rabasté, EARL Dom. des Jonlais, rue du 19-Mars-1962, 71640 Mellecey, tél. et fax 03.85.45.10.33, e-mail domaine.des.jonlais@wanadoo.fr t.l.j. sf dim. 8h-20h

Carole Rabasté

DOM. FRANCE LÉCHENAULT 2004

0,8 ha 2 000 5 à 8 €

À boire en mémoire de France Léchenault, qui fut sénateur-maire de Bouzeron et l'avocat très actif des vins de la Côte chalonnaise au ministère de l'Agriculture. Jaune doré, ce vin suggère le citron, le tilleul. Qui veut voyager loin ménage sa monture : un peu lent au départ, le bouquet a du souffle. Sa légère acidité lui rend service. S'il n'est pas très expressif, c'est un 2004 honorable.

Mme Reine Léchenault, 11, rue des Dames, 71150 Bouzeron, tél. 03.85.87.17.56, fax 03.85.91.27.17 r.-v.

PATRICK ET VÉRONIQUE MAZOYER 2003 ★

■ 3 ha 15 000 5 à 8 €

Un vin soyeux, aromatique, bien fait, en un mot « fin ». Ses tanins flatteurs composent une jolie matière. Le cassis domine toute la dégustation, avec une élégante pointe vanillée – ni trop ni trop peu. Il ne peut que faire plaisir.

Patrick et Véronique Mazoyer, imp. du Ruisseau, Cidex 1509, 71390 Saint-Désert, tél. 03.85.47.95.28, fax 03.85.47.98.91, e-mail coteauxdemontbagre@cegetel.net r.-v.

CH. DE SASSANGY Sous la Roche 2004 ★

2 ha 13 000 5 à 8 €

Domaine bio (certification Écocert) selon une démarche sérieuse et déjà ancienne. L'étiquette le mentionne et ce n'est pas si fréquent en Bourgogne... Chardonnay jaune d'or, entre l'amande et l'aubépine (douze mois en fût). Sur une suite de fleurs sauvages (celles des buissons au bord des chemins), une bouche plaisante et recherchée. Sa persistance est moyenne, mais l'impression générale suscite l'intérêt.

Ch. de Sassangy, Le Château, 71390 Sassangy, tél. 03.85.96.18.61, fax 03.85.96.18.62, e-mail musso.jean@wanadoo.fr r.-v.

Jean et Geno Musso

ALBERT SOUNIT 2004 ★

0,4 ha 3 500 8 à 11 €

« Tout ce qui est bourguignon est accessoirement universel » disait Henri Vincenot. Devenue danoise tout en gardant l'accent de la région, cette maison confirme cette assertion, après un coup de cœur l'an dernier pour le 2003. Cette fois-ci un chardonnay vanille et citron, vif comme un bon diable et très réussi dans son millésime.

Albert Sounit, 5, pl. du Champ-de-Foire, 71150 Rully, tél. 03.85.87.20.71, fax 03.85.87.09.71, e-mail albert.sounit@wanadoo.fr r.-v.

Bouzeron

Petit village situé entre Chagny et Rully, Bouzeron est de longue date réputé pour ses vins d'aligoté. Cette variété occupe la plus grande partie du vignoble communal, soit 62 ha environ. Planté sur des coteaux d'orientation est-sud-est, sur des sols à forte proportion calcaire, ce cépage à l'origine de vins blancs vifs s'exprime particulièrement bien, donnant naissance à des vins complexes et d'une « rondeur pointue ». Les vignerons du lieu, après avoir obtenu l'appellation bourgogne aligoté bouzeron en 1979, ont réussi à hisser l'aire de production au rang d'AOC communale. La production a été de 2 997 hl sur 52 ha revendiqués en 2005.

DOM. BORGEOT Les Tournelles 2004 ★

0,6 ha 4 000 5 à 8 €

Cerné sur trois côtés par l'appellation rully, bouzeron a eu du mal à jouer des coudes pour s'imposer sous son propre nom. Le registre particulier de l'aligoté du cru lui offrait une originalité qu'il a su saisir et valoriser. Souple, d'une finesse ciselée, celui-ci chardonne un peu (son gras, sa rondeur) tout en se montrant suffisamment piquant pour témoigner de son esprit. Très pâle et le nez frais, à boire dans l'année.

Dom. Borgeot, rte de Chassagne, 71150 Remigny, tél. 03.85.87.19.92, fax 03.85.87.19.95 r.-v.

BOUCHARD PÈRE ET FILS 2004 ★

n.c. n.c. 5 à 8 €

L'attaque est souple, le milieu de bouche agréable et plein, la finale sans dureté avec cette petite flèche acidulée qui vise et atteint le bouquet de fruits secs. Pâleur de son teint : à cet égard il a tout du jeune marquis XVIII^e^s. dans un film italien. Bouchard Père et Fils n'a pas attendu l'AOC pour s'intéresser à ce cru.

Bouchard Père et Fils, Ch. de Beaune, 21200 Beaune, tél. 03.80.24.80.24, fax 03.80.22.55.88, e-mail france@bouchard-pereetfils.com r.-v.

DOM. DE LA CROIX JACQUELET 2003 ★

2,32 ha 6 099 5 à 8 €

À propos, dix ans d'AOC communale... On s'invite à la fête ! Un 2003, à juger comme tel et dans son évolution normale. Très mûr et déjà patriarche, il tire forcément sur l'or paille-vert, sur le fruit laissé sur l'arbre. En revanche, sa droiture et sa minéralité attestent une certaine jeunesse qu'il n'était pas si facile de maintenir à bout de bras dans le temps. En deux mots, fin et élégant.

Dom. de La Croix Jacquelet, 71640 Mercurey,
tél. 03.85.45.12.23, fax 03.85.45.26.42
r.-v.

ANNE-SOPHIE DEBAVELAERE 2004

0,8 ha 4 000 5 à 8 €

Sa robe serait-elle petite ? Préfère-t-on l'or lourd et les flonflons du bal ? Sur des notes d'amande douce (pas de fût, pas de grillé), le nez apparaît ni trop long ni trop épais : simple et droit. Une note de pierre à fusil est mêlée à un fruit honnête, sans accroc dans la démarche. C'est bien fait et dans son appellation. À servir en entrée avec du jambon persillé.

Anne-Sophie Debavelaere, 21, rue des Buis,
71150 Rully, tél. 03.85.48.65.64, fax 03.85.93.13.29,
e-mail as.debavelaere@club-internet.fr r.-v.

DOM. DE L'HERMITAGE DE NANTOUX 2005 *

3,5 ha 15 000 5 à 8 €

Brillant, floral, parfait en bouche, il fait penser à Alphonse Daudet quand il parle du froid coupant et sain qui ravive les étoiles la nuit de Noël. Très représentatif de l'appellation, il sera prêt dans l'année.

GAEC Jean Moreteaux et Fils, Nantoux,
71150 Chassey-le-Camp, tél. 03.85.87.19.10,
fax 03.85.91.23.74, e-mail jean-louis@moreteaux.com
r.-v.

DOM. A. ET P. DE VILLAINE 2005 *

9,6 ha n.c. 8 à 11 €

Le maire du village a célébré un mariage quelque peu exceptionnel. Quand le bouzeron a épousé le... jambon persillé. On n'en est pas encore aux noces d'or, mais chaque année l'anniversaire est dignement fêté. Jardin secret de Pamela et Aubert de Villaine, ces vignes produisent ici un vin élevé en foudre, de mise récente qui ouvre la voie aux 2005 bourguignons. Discrètement doré, celui-ci développe des arômes de pomme au fruitier. Vif et franc, il promet pour l'année en cours.

A. et P. de Villaine, 2, rue de la Fontaine,
71150 Bouzeron, tél. 03.85.91.20.50, fax 03.85.87.04.10,
e-mail dom.devillaine@wanadoo.fr r.-v.

Rully

La Côte chalonnaise assure la transition entre le vignoble de Côte-d'Or et celui du Mâconnais. L'appellation rully déborde de sa commune d'origine sur celle de Chagny, petite capitale gastronomique. On y produit plus de vins blancs (11 377 hl) que de vins rouges (5 957 hl en 2005). Nés sur le jurassique supérieur, ils sont aimables et généralement de bonne garde. Certains lieux-dits classés en 1er cru ont déjà accédé à la notoriété.

DOM. CHRISTIAN BELLEVILLE Chapitre 2004 *

1er cru 0,42 ha 1 500 11 à 15 €

Domaine de 3 ha quand le grand-père l'a créé en 1922, de 38 ha aujourd'hui. Et le vent souffle dans le bon sens : la voile est si gonflée que trois vins franchissent le cap de notre sélection. D'abord **Les Cloux 1er cru 2004 blanc** et **Labourcé 1er cru 2004 blanc**. Et puis ce Chapitre 1er cru rouge, rubis brillant, parfumé de notes de bourgeon de cassis et de mousse. La bouche encore juvénile montre des tanins pointus ; sa matière est assez riche pour lui permettre de se parfaire en cave. Cette bouteille est en effet capable de vieillir deux à trois ans encore.

Dom. Christian Belleville, 1, rue des Bordes,
71150 Rully, tél. 03.85.91.06.00, fax 03.85.91.06.01
r.-v.

JEAN-CLAUDE ET ANNE BRELIÈRE Les Préaux 2004 *

1er cru n.c. 11 000 11 à 15 €

Coup de cœur à deux reprises dans le passé, un domaine de 7 ha conduit par Jean-Claude Brelière depuis 1983. Robe de velours rouge-noir intense, un pinot noir né sur un terroir prédestiné d'argile et de marnes, développant des arômes allant de la cerise confite à la mûre sauvage. La bouche, plutôt suave, ronde, toujours dans ces parfums n'est pas dénuée de quelques tanins à raboter encore.

Jean-Claude Brelière, 1, pl. de l'Église, 71150 Rully,
tél. 03.85.91.22.01, fax 03.85.87.20.64,
e-mail domainebreliere@wanadoo.fr r.-v.

DOM. MICHEL BRIDAY La Pucelle 2004 *

1er cru 0,5 ha 3 000 11 à 15 €

Une Pucelle pas si innocente que ça ! Nom flatteur sans doute, mais la commission d'experts des années 1980 remarquait que ce *climat* s'appelait en réalité La Crée. Cela dit, peu importe. Or soutenu à reflets or gris, une bouteille chardonnant à merveille : fleur d'aubépine, toast beurré composent le bouquet tandis que la bouche vive et souple, se penche ensuite sur le miel et la noisette ; l'alcool n'en est pas absent. On peut lui mettre la bague au doigt sans trop prolonger les fiançailles. Notez aussi que **Les Champs Cloux rouge 2004**, vin plaisir par sa légèreté, ont obtenu une citation.

EARL Stéphane Briday,
31, Grande-Rue, BP 7, 71150 Rully,
tél. 03.85.87.07.90, fax 03.85.91.25.68,
e-mail stephane.briday@wanadoo.fr
t.l.j. 9h-12h 15h-18h; dim. sur r.-v.

DOM. CHANZY L'Hermitage 2003

4,17 ha 25 000 8 à 11 €

Légère et court vêtue... elle ressemble à Perrette dans la fable. Mais il ne s'agit pas du pot au lait. Une bouteille de rully baptisée Hermitage. Ni un lieu-dit ni un *climat* de cette appellation : un nom choisi par ce producteur installé en 1974 à l'âge de vingt et un ans dans une bâtisse bourguignonne située à 200 m de l'église du XIIIes. Son vin ? On a parlé de la robe, or pâle à reflets verts. Au nez, une petite note de silex accompagne les évocations d'agrumes. L'attaque est souple, l'acidité arrive très vite. À servir en 2007 avec des crustacés.

Dom. Chanzy,
1, rue de la Fontaine, 71150 Bouzeron,
tél. 03.85.87.23.69, fax 03.85.87.62.12,
e-mail daniel@chanzy.com
t.l.j. sf sam. dim. 8h-12h 13h30-18h; groupes sur r.-v.; f. 1er-15 août

ANNE-SOPHIE DEBAVELAERE
Les Pierres 2004 *

1er cru	0,22 ha	2 200	8 à 11 €

Né en 1984, ce domaine couvre aujourd'hui 9 ha. Son vingtième millésime, après une attaque vive, se montre équilibré par une acidité convenable. Doté d'une capacité raisonnable de garde, un 2004 aux arômes originaux de fleurs blanches (tubéreuses) et à l'œil jaune d'or. Le boisé reste à sa place.

Anne-Sophie Debavelaere, 21, rue des Buis, 71150 Rully, tél. 03.85.48.65.64, fax 03.85.93.13.29, e-mail as.debavelaere@club-internet.fr r.-v.

DOM. ANNE ET JEAN-FRANÇOIS DELORME
Varot 2003

	10 ha	60 000	8 à 11 €

Ayant cédé sa maison de crémant et quitté la présidence du Bureau interprofessionnel des vins de Bourgogne, Jean-François Delorme peut se consacrer pleinement à ses vignes. Varot est sa bouteille de proue : il en possède 10 ha. Ce millésime présente une robe assez profonde et une composition aromatique encore discrète, orientée vers la confiture de fraises, les épices douces. À l'attaque chaleureuse succède un front tannique qui contribue à sa carrure. À servir dans un à deux ans sur une pièce de charolais.

Anne et Jean-François Delorme, 12, rue Saint-Laurent, 71150 Rully, tél. 03.85.87.04.88, fax 03.85.87.24.62
t.l.j. sf dim. 8h30-12h 14h-17h30; f. août

VINCENT DUREUIL-JANTHIAL
En Guesnes 2004 *

	1,06 ha	6 500	11 à 15 €

Avec Vincent, on ne risque pas de trouver le temps long. Coup de cœur dans les éditions 2006, 2005 et 2001. Cette année encore il réalise un beau tir groupé : **Maizière rouge 2004** et **Maizière blanc 2004**, **Meix-Cadot blanc 2004 1er cru** obtiennent tous une étoile. Comme il faut en choisir un, ce sera celui-ci : *climat* peu connu mais, à en juger par cette bouteille, qui mérite d'être découvert. Pourpre violacé, intense et tout en fruit, rond et très typé, il n'a qu'un défaut : nous ne vieillirons pas ensemble. À servir dans l'année.

Vincent Dureuil-Janthial, 10, rue de la Buisserolle, 71150 Rully, tél. 03.85.87.26.32, fax 03.85.87.15.01, e-mail vincent.dureuil@wanadoo.fr r.-v.

DOM. JACQUES DURY Meix Cadot 2004 *

1er cru	1,78 ha	7 000	8 à 11 €

Le grand-père partant de rien, le père commençant à « faire de la bouteille » sur quelque 15 ha en rully et mercurey : scénario classique. Ce Meix Cadot provient du plus long coteau, du nord-est au sud-ouest. Il a une jolie couleur et des arômes de fleurs blanches. Ample, gras, structuré, il accompagnera toutes les viandes blanches.

EARL Dom. Jacques Dury, 16, hameau du Château, 71150 Rully, tél. 03.85.87.14.49, fax 03.85.87.37.54 r.-v.
Hervé Dury

DOM. DE L'ÉCETTE Les Cailloux 2003 *

	1,65 ha	7 000	8 à 11 €

Viticulteur dans le Mâconnais, Jean Daux quitte ce vignoble en 1983 pour s'installer à Rully. Son fils Vincent le rejoint et s'associe en 1997. Pour souffler les bougies de ce dixième anniversaire, un vin doré pâle, au nez d'agrumes, d'abricot et de fleurs blanches. Après une bonne attaque sur les fruits jaunes, la bouche se révèle bien construite, en train de se développer. Cette bouteille sera à point courant 2007.

Jean et Vincent Daux, Dom. de L'Écette, 21, rue de Geley, 71150 Rully, tél. 03.85.91.21.52, fax 03.85.91.24.33 r.-v.

DOM. DE LA FOLIE Clos Saint-Jacques 2004 *

1er cru	1,69 ha	4 600	11 à 15 €

Si vos invités s'intéressent au cinéma, à la photographie, servez-leur cette bouteille du domaine qu'Étienne-Jules Marey (1830-1904) vendangea à l'époque où il présidait l'Académie des sciences et inventa la chronophotographie. Or vert, ce vin, encore sur les arômes primaires, est ample et gras, bien constitué. Notez aussi le **Clos de Bellecroix rouge 2004 (8 à 11 €)**, sur Chagny également, vin pour l'instant un peu austère et cistercien, avec du potentiel. Ce *climat* est « d'usage » et on a discuté longtemps de sa présence ou non en 1er cru.

Dom. de La Folie, 71150 Chagny, tél. 03.85.87.18.59, fax 03.85.87.03.53, e-mail domaine.de.la.folie@wanadoo.fr
t.l.j. 9h-12h 14h-18h
J. Noël-Bouton

DOM. JAEGER-DEFAIX Préaux 2004 *

1er cru	n.c.	n.c.	11 à 15 €

Viticultrice à Milly près de Chablis auprès de son mari Didier Defaix, Hélène a repris en 2002 l'exploitation de sa grand-tante, Henriette Niepce, à Rully. Peut-on rêver plus beau mariage en blanc, quand le Chablisien et la Côte chalonnaise vont ensemble à l'autel ? C'est pourtant un Préaux rouge que nous goûtons. Brillance, larmes, anneau violacé, rien ne semble lui manquer. Le nez offre des perspectives délicates de fruits rouges. Structuré, typé, le palais ne se laisse dominer ni par les tanins ni par le fût. Assez de fraîcheur en réserve pour la finale. **Mont-Palais blanc 1er cru 2004** ne nous fait pas défaut. Il obtient lui aussi une étoile.

Dom. Jaeger-Defaix, 17, rue du Château, 89800 Milly, tél. 03.86.42.40.75, fax 03.86.42.40.28, e-mail helene.jaeger@wanadoo.fr r.-v.

CLAUDIE JOBARD La Folie 2003 *

	2,3 ha	4 000	8 à 11 €

Claudie et son père Roger Jobard, pépiniériste viticole, travaillent ensemble depuis 2002. Produit sur Chagny, ce *climat* réputé donne ici ce vin or pâle. Brioché et floral au bouquet, il glisse une œillade tendre à la Côte de Beaune, si proche en vérité ! Miellé et corpulent, il a dans le corps les rayons de soleil de ce fameux été. Mais aussi du bon gras, une certaine minéralité. À déboucher maintenant. On pourrait le croire évolué : en fait il ne l'est pas, il est 2003. Mention honorable pour **La Chaume 2003 rouge**.

Dom. Jobard, rte de Beaune, 71150 Demigny, tél. 03.85.49.91.01, fax 03.85.49.48.63, e-mail claudiejobard@hotmail.com r.-v.

OLIVIER LEFLAIVE Vauvry 2004 **

1er cru	n.c.	6 700	11 à 15 €

Ex-cogérant du domaine Leflaive, Olivier a créé sa propre maison en 1984. « Le poli et la fraîcheur du marbre », pour reprendre une image d'Hubert Duyker

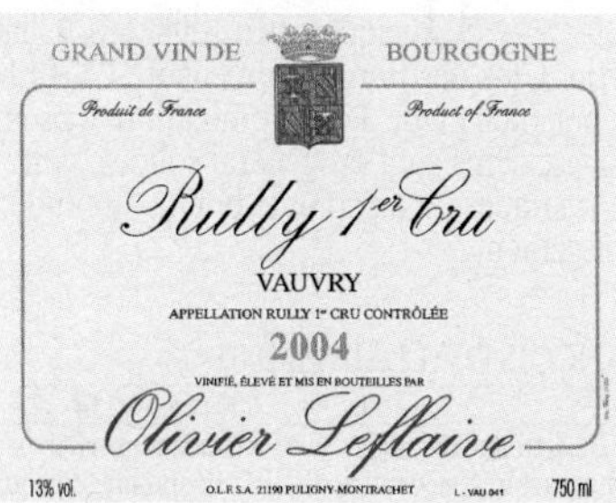

inspirée par le rully. Cette bouteille épanouie plaira à tous les palais. Quelques reflets végétaux se glissent en son or pâle. Une minéralité citronnée enveloppe son bouquet. La bouche est encore assez serrée en raison de son support acide, mais elle s'ouvrira : la chose est sûre. Déjà de délicieuses notes de fruits blancs (poire) conduisent ce 2004 au coup de cœur.

Olivier Leflaive Frères, pl. du Monument, 21190 Puligny-Montrachet, tél. 03.80.21.37.65, fax 03.80.21.33.94, e-mail contact@olivier-leflaive.com r.-v.

DOM. DE LA MADONE Les Grésigny 2004

1er cru 1,3 ha 6 800 11 à 15 €

La gamme des Montpalais, Margotée, Pucelle... Grésigny est l'un des *climats* les plus célèbres de rully, non sans raison. La robe ici semble un effet rayonnant de la nature. Floral, toasté, beurré et brioché, à la limite pierre à fusil (pour autant qu'on en ait quelque souvenir !), le bouquet y mêle un boisé discret. Un ensemble vif comme un... 2004. Pas trop de concentration comme un... 2004. Mais équilibré, prometteur (un à trois ans).

SARL Dom. de La Madone, 7, rte de Monthélie, 21190 Meursault, tél. 03.80.21.22.45, fax 03.80.21.28.05

LA MAISON BLEUE 2003

8 ha 11 500 8 à 11 €

La Maison bleue, ou le négociant-éleveur Pierre Janny en Mâconnais. Celui-ci connaît bien la « Bourgogne du haut » et sait y faire ses achats. Ce rully par exemple ne pose pas problème. Or blanc, minéral et crayeux, il se laisse aller à un léger muscaté. Doux, flatteur, il demande à passer à table et on ne le lui refusera pas.

La Maison bleue, La Condemine, Cidex 1556, 71260 Péronne, tél. 03.85.23.96.20, fax 03.85.36.96.58, e-mail pierre-janny@wanadoo.fr

CH. DE MONTHÉLIE 2003 *

1er cru 2,6 ha 5 620 11 à 15 €

Un pied en Côte chalonnaise et l'autre en Côte de Beaune, cette « vieille famille » du pays a choisi la culture en biodynamie. Paille clair et brillant, ce 2003 blanc célèbre la noisette et l'acacia comme si ces chansons avaient été apprises à l'école. Du gras dès l'entrée en bouche, et une matière puissante réussissent le tour de force de demeurer en équilibre. Bien pour l'année car c'est un vin complet.

Éric de Suremain, Ch. de Monthélie, 21190 Monthélie, tél. 03.80.21.23.32, fax 03.80.21.66.37, e-mail desuremain@wanadoo.fr t.l.j. sf dim. 10h-12h 14h-18h

MORET-NOMINÉ Les Saints Jacques 2004 *

n.c. 3 000 8 à 11 €

Sur Chagny et longtemps en débat pour un classement en 1er cru, Les Saints Jacques ne sont pas loin de La Folie et ce n'est pas perdre la tête que d'y céder. Jaune doré brillant, riche de notes d'agrumes et de vanille, ce vin entre en conquérant et démontre vite ses mérites. De la vivacité d'esprit, du gras, de la longueur et du fruité : une constitution attirante. Sa persistance n'est pas son moindre atout.

Moret-Nominé, hameau de Barboron, 21420 Savigny-lès-Beaune, tél. 03.80.21.58.35, fax 03.80.26.10.59 r.-v.

D. Moret

DOM. NINOT Grésigny 2004

1er cru 0,8 ha 3 000 8 à 11 €

« Les vins blancs des *climats* de Grésigni et de Varot ont de la réputation », note l'abbé Courtépée à la fin du XVIIIe s. Il s'agit ici de la deuxième vinification d'Erell Ninot : elle a repris l'exploitation familiale en 2003. Or jaune, une robe classique. Si le premier nez garde ses secrets, la suite relève du minéral, de l'écorce d'orange. L'alcool et le bois sont bien maîtrisés. La trame est de qualité sous une étoffe pas trop épaisse mais soyeuse. « J'aime » note un juré. Pour un fromage à pâte cuite.

Erell Ninot, Le Meix Guillaume, 2, rue de Chagny, 71150 Rully, tél. 03.85.87.07.79, fax 03.85.91.28.56, e-mail ninot.domaine@wanadoo.fr r.-v.

DOM. PONSOT Moulène 2004 *

1er cru 1,17 ha 3 000 8 à 11 €

Jean-Baptiste Ponsot a repris le domaine familial en 2000. La production est commercialisée par le négoce, et l'objectif est de passer rapidement à 100 % de vente à la propriété. Le **Montpalais 2004 blanc 1er cru** obtient une citation et accompagnera des ravioles d'escargot. Moulène nous paraît plus intéressant. Or léger à reflets verdâtres, il montre une activité olfactive assez nourrie, sur le minéral et le miel. Les relations entre le gras et l'acidité sont bien négociées, le boisé correctement marié, l'expression vive. Ce qu'on attend d'un 1er cru mais sans patienter au-delà de deux ans.

Jean-Baptiste Ponsot, 26, Grande-Rue, 71150 Rully, tél. et fax 03.85.87.17.90 t.l.j. sf dim. 8h-19h

CH. DE RULLY 2003

18 ha 70 000 11 à 15 €

Cette place forte médiévale confiée à Antonin Rodet en 1986 donne à voir chaque année en juillet une exposition artistique. Ce 2003 emplira-t-il le verre de Charles de Saint-Ligier (XVIe s.) conservé au château par la famille ? Il contient 3 l et tout futur gendre devait se soumettre à ce test. Certes nous l'avons déjà dit dans nos éditions précédentes, mais pensez aux nouveaux lecteurs... Jaune doré, le nez fin et légèrement exotique (ananas), ce vin en conserve une touche au palais tout en faisant appel à une bonne assistance acide. Peu expressif encore, mais il existe. Élevage : deux tiers en fût durant une année et le reste en cuve.

Ch. de Rully, 71150 Rully, tél. 03.85.98.12.12, fax 03.85.45.25.49, e-mail rodet@rodet.com r.-v.

Comtes de Ternay

BOURGOGNE

VIGNOBLE DU DOM. SAINT-JACQUES
Marissou 2003

1er cru 4 ha 3 000 11 à 15 €

Si vous cherchez les thèmes iconographiques traditionnels de l'étiquette bourguignonne, vous avez là un bon spécimen. Franc et net, ce vin porte une robe de printemps. Ses notes grillées montrent qu'il a gardé bon souvenir de son année de fût. En bouche, le gras l'emporte : une douceur beurrée et une queue de fleur blanche comme une fin de comète ; cela se déguste bien, et se goûtera encore mieux dans les temps à venir.

Christophe-Jean Grandmougin,
11, rue Saint-Jacques, 71150 Rully, tél. 03.85.87.23.79,
fax 03.85.87.17.34 r.-v.

ALBERT SOUNIT Saint Jacques 2004 *

0,55 ha 3 500 11 à 15 €

Coup de cœur dans l'édition 2005 pour son Grésigny 2002, cette maison devenue danoise tout en conservant l'accent bourguignon signe un Saint Jacques (sur Chagny) qui avance sur le droit chemin. Jaune pâle, finement boisé et sans excès, ce 2004 bénéficie d'une bonne acidité (gage de durée) et d'une expression fidèle à son terroir. Prêt à être servi sur le saumon à l'oseille inventé par un cuisinier de Chalon-sur-Saône appelé... Pierre Troisgros.

Albert Sounit, 5, pl. du Champ-de-Foire,
71150 Rully, tél. 03.85.87.20.71, fax 03.85.87.09.71,
e-mail albert.sounit@wanadoo.fr r.-v.

DOM. ROLAND SOUNIT La Bergerie 2004

1 ha 5 900 8 à 11 €

Cerise noire, le nez discret mais pur (léger sous-bois, acacia), un vin assez fluide jusqu'au réveil de ses tanins en fin de bouche. Le volume est suffisant, le fruit en espérance. Comme ce 2004 a du répondant, pourquoi ne pas le laisser venir ?

SCEA Dom. Roland Sounit, rte de Monthélie,
21190 Meursault, tél. 03.80.21.22.45, fax 03.80.21.28.05

DOM. DE LA VIEILLE FONTAINE Grésigny 2004

1er cru 0,55 ha 3 600 8 à 11 €

Il possède toute la matière voulue, du gras, de l'acidité, une pointe d'alcool. Il a un nez puissant de fleurs, de fruits jaunes un peu confits ; le boisé bien marié laisse toute sa place à la fraîcheur.

Dom. de La Vieille Fontaine,
3, rue du Clos-L'Évêque, 71640 Mercurey,
tél. 03.85.87.02.29, fax 03.85.45.22.76,
e-mail david.depres@9online.fr
t.l.j. sf dim. 9h-19h

Mercurey

Mercurey, situé à 12 km au nord-ouest de Chalon-sur-Saône, en bordure de la route Chagny-Cluny, jouxte au sud le vignoble de Rully. C'est l'appellation communale la plus importante en volume de la Côte chalonnaise : 24 144 hl de vins rouges et 3 813 hl en blanc en 2005. Elle s'étend sur trois communes : Mercurey, Saint-Martin-sous-Montaigu et Bourgneuf-Val-d'Or.

Quelques lieux-dits tels Champ Martin, Clos des Barrault ou encore Clos l'Évêque bénéficient de la dénomination « premier cru ». Les vins sont en général solides, voire un peu rustiques, mais d'une bonne aptitude au vieillissement.

FRANÇOIS D'ALLAINES 2003 *

n.c. 600 8 à 11 €

Particulier, certainement. La fraîcheur du fruit s'allie à des caractères très mûrs. Il faut cependant tenir grand compte du millésime de la canicule. Or paille, ce vin propose des notes miellées et des arômes de fruits jaunes oubliés sur l'arbre, la bouche reprenant ce thème sur un mode assez chaud. À servir maintenant à des amateurs éclairés qui sauront l'apprécier.

François d'Allaines, La Corvée du Paquier,
71150 Demigny, tél. 03.85.49.90.16, fax 03.85.49.90.19,
e-mail francois@dallaines.com r.-v.

BOUCHARD PÈRE ET FILS 2003 *

n.c. n.c. 11 à 15 €

Ce 2003 est d'attaque. Rubis sombre, le nez discrètement framboisé, il entre en bouche avec entrain, et avec une vivacité qui ne l'empêche pas de rester longtemps sur le fruit. Encore tannique, plus spontané que complexe, il revendique avec force une grande qualité : la franchise.

Bouchard Père et Fils, Ch. de Beaune,
21200 Beaune, tél. 03.80.24.80.24, fax 03.80.22.55.88,
e-mail france@bouchard-pereetfils.com r.-v.

DOM. CAPUANO-FERRERI ET FILS
Clos du Paradis 2004

1er cru n.c. n.c. 11 à 15 €

« Il y a pires saints en paradis ! », disait-on autrefois en manière de compliment. De fait, ce Clos du Paradis, jaune doré soutenu, livre des arômes d'agrumes. Il possède assez d'acidité et de souplesse fruitée pour qu'on y prenne goût. John Capuano est toujours présent dans le Guide depuis la création du domaine en 1999.

Dom. Capuano-John, 14, rue Chauchien,
21590 Santenay, tél. 03.80.20.68.04, fax 03.80.20.65.75,
e-mail john.capuano@wanadoo.fr r.-v.

CH. DE CHAMILLY Les Puillets 2003

1er cru 1,25 ha 3 700 11 à 15 €

Vous serez reçu dans les anciennes cuisines du château. Ce dernier est représenté sur la superbe étiquette. « Il a la langue bien longue », disait-on jadis d'un grand parleur. Comme ce vin, gras et riche, le fruit un peu effacé, les tanins en position stratégique. Le cassis vient sans peine à bout d'un premier nez légèrement boisé. On peut déboucher cette bouteille sur un « plat canaille » comme le veau aux carottes ou l'andouille aux haricots.

Véronique Desfontaine, le Château, 71510 Chamilly,
tél. 03.85.87.22.24, fax 03.85.91.23.91,
e-mail chateau.chamilly@wanadoo.fr r.-v.

CH. DE CHAMIREY 2003 **

20,76 ha 50 000 15 à 23 €

Coup de cœur dans les éditions 2003 et 2005, le mercurey du château de Chamirey provient d'une propriété familiale Devillard (le Domaine des Perdrix souvent titré en Côte de Nuits) attachée au souvenir du marquis de

Jouennes, haute figure du vignoble bourguignon. Ce 2003 fermement extrait (« œil du Sud », écrit sur sa fiche l'un des plus éminents dégustateurs de la région) offre un nez expressif de fruits rouges et de boisé bien intégré. Tanins suaves, compote de fruits très mûrs, chaleur définissent un vin moderne et de garde intéressante. Notez aussi le **1er cru La Mission blanc 2003**, une étoile, tout comme le **1er cru Les Ruelles rouge 2003**.

Dom. du Château de Chamirey,
BP 5, 71640 Mercurey,
tél. 03.85.45.21.61, fax 03.85.98.06.62,
e-mail contact@chateaudechamirey.com r.-v.
Famille Devillard

CH. D'ETROYES Les Velley 2004 ★

1er cru	1,39 ha	4 000	11 à 15 €

Installés au château depuis 1930, les Protheau n'en sont pas moins viticulteurs depuis le XVIIIes. Une poularde de Bresse se réjouira en compagnie de ce premier cru rouge cerise, dont le nez épicé, boisé et fumé se montre assez sauvage. Après une attaque franche, l'équilibre s'installe, construit sur des tanins mûrs et longs.

Dom. Maurice Protheau,
Ch. d'Etroyes, 71640 Mercurey,
tél. 03.85.45.10.84, fax 03.85.45.26.05,
e-mail contact@domaine-protheau-mercurey.fr
t.l.j. sf dim. 10h-12h 14h-19h

DOM. DE L'EUROPE Les Chazeaux 2004 ★

	1 ha	5 000	8 à 11 €

Quel duo ! Une artiste belge, peintre. Un vigneron de Mercurey fou de montgolfière. Allez les voir, le septième ciel est en vol libre en ballon et dans la cave. Tendre et vineux, un *village* rouge chair de cerise, au bouquet épanoui (petits fruits) et dont la mâche s'accompagne de rondeur. La finale joue les prolongations. Notez aussi **Les Chazeaux Vieilles Vignes rouge 2004**, une étoile. Domaine mouchoir de poche (2,5 ha).

Guy et Chantal Cinquin, Dom. de l'Europe,
7, rue du Clos-Rond, 71640 Mercurey,
tél. 06.08.04.28.12, fax 03.85.45.23.82,
e-mail cote.cinquin@wanadoo.fr r.-v. 3

DOM. DE L'ÉVÊCHÉ Les Murgers 2004

	0,85 ha	4 000	5 à 8 €

Dans les petits sacs sont les bonnes épices. Dans les grands verres aussi. La cerise se joint ici à la vanille et au poivre. La bouche est franche et réalise un équilibre correct entre l'acidité, l'alcool et les tanins jusqu'à la finale agréable. Avec son épouse Sylvie, Vincent Joussier a repris le domaine (12,5 ha) en 2003 au décès de son père.

EARL Henri et Vincent Joussier, Dom. de l'Évêché,
71640 Saint-Denis-de-Vaux, tél. 03.85.44.30.43,
fax 03.85.44.53.61
t.l.j. 8h-20h; dim. sur r.-v.; f. 15 au 25 août

FAIVELEY La Framboisière 2004 ★

	11,11 ha	44 000	11 à 15 €

La maison J. Faiveley (dirigée maintenant par Erwan, fils de François) possède une très vaste superficie de vignes à Mercurey. La Framboisière est un nom de fantaisie. Elle se présente de façon nette et limpide. Ses arômes tournent autour du bourgeon de cassis et du grillé (quatorze mois en fût). L'équilibre se réalise sur des tanins épicés et relativement imposants. Gardez cette bouteille pour 2008.

Bourgognes Faiveley, 8, rue du Tribourg,
21701 Nuits-Saint-Georges Cedex, tél. 03.80.61.04.55,
fax 03.80.62.33.37,
e-mail bourgognes@bourgognes-faiveley.com r.-v.

DOM. STÉPHANE GADAN Vieilles Vignes 2004

	0,6 ha	2 300	11 à 15 €

Après dix ans dans l'industrie nucléaire, virage à 180 ° pour revenir sur la propriété familiale. Ce vin est à surveiller pour apprécier pleinement ce qu'il cache un peu aujourd'hui. Il est en effet en pleine jeunesse et devra être dégusté vers 2010. Grenat à reflets violacés, il a le nez charmeur dès lors qu'il sort du bois pour parcourir un champ de cassissiers. Tannique, épicé, vif, il dispose d'un corps de garde. Le **1er cru Les Vellées rouge 2004**, bien travaillé, est également cité.

Dom. Stéphane Gadan, 1, rue de Touches,
71640 Mercurey, tél. 03.85.45.09.61, fax 03.85.98.04.85,
e-mail gadan.stephane@tiscali.fr r.-v.

BOURGOGNE

DOM. PHILIPPE GARREY La Chassière 2004 ★

1er cru	0,3 ha	1 400	11 à 15 €

Philippe Garrey a repris le domaine familial en 2000. Le fond tannique du mercurey est une évidence dans l'appellation. Il ne faut donc pas s'en formaliser. Ce vin rouge très sombre se trouve donc dans les paramètres voulus. La vanille se montre courtoise et laisse parler la violette, l'iris... Beaucoup de substance dans ce 2004 encore un peu fermé et à laisser dormir deux à trois ans. Pas davantage.

Dom. Philippe Garrey, Le Bourg,
71640 Saint-Martin-sous-Montaigu, tél. 03.85.45.23.20,
fax 03.85.45.15.94, e-mail d-pg@wanadoo.fr
r.-v.

DOM. GOUFFIER Clos l'Évêque 2003 ★★

1er cru	1 ha	3 000	11 à 15 €

« Main de fer, gant de velours » écrit Henri Elwing inspiré par le mercurey. Ce Clos l'Évêque confirme l'image. Fruité élégant, corps bien dessiné, rondeurs appétissantes et de proportions harmonieuses : il trace sa route et paraît capable d'atteindre les trois à quatre ans de garde. N'eût été la référence épiscopale, on parlerait d'un pinot sensuel. Au nez, floral et boisé font bon ménage. Signe de jeunesse : sa robe pourpre à reflets roses. Le **Clos de la Charmée en village 2003 rouge** est diablement gourmand ; il obtient une étoile.

Dom. Gouffier, 11, Grande-Rue, 71150 Fontaines,
tél. 03.85.91.49.66, fax 03.85.91.46.98,
e-mail jerome.gouffier@cegetel.net r.-v.

DOM. PATRICK GUILLOT
Clos des Montaigu 2004

1er cru	1,31 ha	7 900	8 à 11 €

Une première impression très agréable : la robe est « magnifique », sombre, profonde. Le nez empyreumatique joue la pierre à fusil. Structurée, solide, dense, la bouche ne cache pas sa préférence pour les petits fruits noirs. Un vin sérieux, de garde.

Dom. Patrick Guillot, 9 A, rue de Vaugeailles,
71640 Mercurey, tél. 03.85.45.27.40, fax 03.85.45.28.57
r.-v.

JABOULET-VERCHERRE Les Grimpettes 2003

■ n.c. 24 000 30 à 38 €

Aujourd'hui présidée par Laurent Max, la maison Jaboulet-Vercherre propose des Grimpettes pleines d'allant, assez sauvages par leurs notes de fruits mûrs, par leur puissance. À attendre un à deux ans.

Jaboulet-Vercherre, 6, rue de Chaux, BP 4, 21700 Nuits-Saint-Georges, tél. 03.80.62.43.27, fax 03.80.62.68.02

JAFFELIN Clos de Paradis 2004 ★

■ 1er cru n.c. n.c. 11 à 15 €

Maison beaunoise acquise par Jean-Claude Boisset et demeurant elle-même. Le Paradis, c'est un 1er cru à Saint-Martin-sous-Montaigu. Le jury apprécie sa bonne concentration aromatique, ses tanins équilibrés, sa finesse. Pourpre un peu mauve, ce 2004 n'a rien à se reprocher. Le boisé ? Présent, certes, mais de la garde (un an) jaillit souvent le fruit.

Maison Jaffelin, 2, rue Paradis, 21200 Beaune, tél. 03.80.22.12.49, fax 03.80.24.91.87, e-mail jaffelin@maisonjaffelin.com

JEANNIN-NALTET PÈRE ET FILS
Clos des Grands Voyens Monopole 2003

■ 1er cru 4,91 ha 25 000 11 à 15 €

La famille Jeannin-Naltet montre pour la Côte chalonnaise un patriotisme sans défaut depuis cinq générations et plus. Son Clos des Grands Voyens provient d'une vigne de près de 5 ha en monopole. Le 1999 a obtenu le coup de cœur dans le Guide 2003. Le 2003 ? Pourpre noir, il pinote avec délicatesse entre le cassis et la rose. La bouche est d'un accès immédiat, d'un fruit suave et prégnant. Beaucoup de mâche : on le laissera reposer un an ou deux.

Jeannin-Naltet Père et Fils, 4, rue de Jamproyes, 71640 Mercurey, tél. 03.85.45.13.83, fax 03.85.45.18.24, e-mail jeannin-naltet-pere-et-fils@wanadoo.fr
r.-v.

DOM. ÉMILE JUILLOT
La Cailloute Monopole 2004 ★

■ 1er cru 1,55 ha 6 500 11 à 15 €

Ce domaine créé par les grands-parents a doublé de surface depuis sa reprise par Nathalie et Jean-Claude Theulot (11,5 ha de nos jours). Aucune querelle byzantine dans cette Cailloute (monopole sur 1,55 ha) à la robe soutenue et plutôt rubis ; le nez est assez floral (pivoine) et la bouche, ample et profonde, charnue sinon dodue, évolue sur fond tannique en sachant tenir la mesure. Droiture et vinosité.

Nathalie et Jean-Claude Theulot, 4, rue de Mercurey, 71640 Mercurey, tél. 03.85.45.13.87, fax 03.85.45.28.07, e-mail e.juillot.theulot@wanadoo.fr
t.l.j. 8h-12h 13h30-18h; sam. dim. sur r.-v.

DOM. MICHEL JUILLOT Clos des Barraults 2004 ★

■ 1er cru 2,5 ha 10 000 15 à 23 €

Le Clos des Barraults (sur Mercurey) – dont l'orthographe varie – est l'un des 1ers crus promus après les enquêtes des années 1980. Il fait partie des terroirs marneux offrant en général les vins les plus charpentés. Rubis sombre, ce 2004 évolue sur des notes de pruneau et de sous-bois ; fondé sur un support acide assez marqué, il conclut sur l'épice. À boire jeune et sur son fruit. Citons **Les Vignes de Maillonge en village 2004 rouge (11 à 15 €)**, un vin vineux avec du potentiel, encore boisé, très construit.

Dom. Michel Juillot, 59, Grande-Rue, 71640 Mercurey, tél. 03.85.98.99.89, fax 03.85.98.99.88, e-mail infos@domaine-michel-juillot.fr
t.l.j. 9h-19h
Laurent Juillot

LES HÉRITIERS LAMY Clos des Montaigus 2003 ★

■ 1er cru 1,05 ha 1 500 11 à 15 €

Domaine établi depuis deux cent cinquante ans ! Sous sa robe très profonde légèrement nuancée de violet, ce Clos des Montaigus (1er cru historique de l'appellation) affiche un nez ouvert. Ses tanins et son acidité trouvent des accommodements agréables et fondus. Le charme spontané et rustique de la tradition (vendange au 1er septembre).

Les Héritiers Lamy, 103, rue de Sèvres, 92100 Boulogne-Billancourt, tél. et fax 01.46.04.46.57, e-mail blamy@leshe4eritierslamy.com r.-v.

DOM. DE LA MADONE Les Ormeaux 2004 ★

■ 3 ha 13 300 8 à 11 €

Dans sa petite robe de fête, moyennement intense et légère, un vin fruité : il faut un peu aller chercher ses parfums. La suite communique plus volontiers : ce gras, cette rondeur agrémentée de framboise procurent un plaisir ne laissant aucun remords. Un vin agréable et ferme, à servir dès cette année.

SARL Dom. de La Madone, 7, rte de Monthélie, 21190 Meursault, tél. 03.80.21.22.45, fax 03.80.21.28.05

DOM. JEAN MARÉCHAL Clos Baraults 2004 ★

■ 1er cru 0,73 ha 4 314 11 à 15 €

Grenat sombre légèrement bleuté en ses reflets secrets, il met en scène des arômes fruités persistants, un peu fleuris peut-être (rose). Sa fraîcheur ne souffre pas de tanins bien présents et son vanillé est raisonnable. Charpenté sans astringence, un vin de garde moyenne (environ trois ans).

Dom. Jean Maréchal, 20, Grande-Rue, 71640 Mercurey, tél. 03.85.45.11.29, fax 03.85.45.18.52, e-mail domainejmarechal@free.fr
t.l.j. sf dim. 8h30-19h30

DOM. DU MEIX-FOULOT Les Saumonts 2003 ★★

■ 1er cru 1,1 ha 2 500 11 à 15 €

Fille de Paul de Launay, qui joua un rôle très actif au service de la Côte chalonnaise, Agnès obtient le coup de cœur pour ce vin si intensément rouge qu'il en devient presque noir. D'une belle fraîcheur aromatique, ce 2003 s'exprime avec autant de droiture que de complexité future (réglisse, mûre, argile). Dense et charnu, le corps repose sur des tanins fermes et serrés, sérieux. Vinification impeccable, préservant une exceptionnelle fraîcheur (on y revient, mais c'est un trait dominant).

⊶ Agnès Dewe de Launay, dom. du Meix-Foulot, 71640 Mercurey, tél. 03.85.45.13.92, fax 03.85.45.28.10, e-mail meixfoulo@club.fr ☒ Y ☆ r.-v.

DOM. L. MENAND PÈRE ET FILS
Les Vaux 2004 ★★

■ 3 ha 10 000 ◍ 8 à 11 €

La belle vallée des Vaux est la haute vallée de la petite Orbise. Couleur griotte proche du noir, nez complexe tirant sur le fruit confit, ce vin est embelli par le fût mais néanmoins riche en qualités propres. Il fait d'ailleurs partie du peloton de tête de la dégustation. Sa bouche est ample, dépourvue de sécheresse : le vin l'emplit entièrement. Le **1er cru Clos des Combins blanc 2004 (11 à 15 €)** obtient une citation.

⊶ Dom. Menand, Clos des Combins, 71640 Mercurey, tél. 03.85.45.19.19, fax 03.85.45.10.23, e-mail domainemenand@wanadoo.fr ☒ Y ☆ r.-v.

CH. DE MERCEY En Sazenay 2003 ★

■ 1er cru 1,7 ha 7 213 ◍ 15 à 23 €

Un vin signé Nadine Gublin, à la robe profonde, intense, très jeune encore. Le nez de fruits mûrs est vanillé. La bouche est plus élégante, équilibrée par de fins tanins bien fondus. À ouvrir dès à présent. En **blanc un village 2004 (11 à 15 €)** obtient la même note.

⊶ Antonin Rodet, 71640 Mercurey, tél. 03.85.98.12.12, fax 03.85.45.25.49, e-mail rodet@rodet.com ☒ Y r.-v.

DOM. NINOT Vieilles Vignes 2004

■ 1 ha 4 700 ◍ 8 à 11 €

Erell est un prénom, celui de la fille de Pierre-Marie, passionnée par la vigne et signant ici sa deuxième vinification. Rubis limpide, la vanille associée à la fraise, un 2004 souple et tendre dont la présence en bouche demeure calme et aimable jusqu'à la fin.

⊶ Erell Ninot, Le Meix Guillaume, 2, rue de Chagny, 71150 Rully, tél. 03.85.87.07.79, fax 03.85.91.28.56, e-mail ninot.domaine@wanadoo.fr ☒ Y ☆ r.-v.

THIBAUT NOUVION Les Chavances 2004

■ n.c. 2 500 ◍ 8 à 11 €

Il faut une loupe pour lire la devise de ce viticulteur sur l'étiquette : « Je suis seul dans le ciel » (en latin). Mais il l'explique : « Sauf les vendanges, je fais tout tout seul. » Rubis grenat clair entouré de notes de cassis écrasé et de vanille, ce vin d'une acidité suffisante possède une bonne présence tannique. Il a tout d'un mercurey.

⊶ Thibaut Nouvion, 129, Grande-Rue, 71640 Mercurey, tél. et fax 03.85.45.11.27, e-mail thibaultnouvion@voila.fr ☒ Y ☆ r.-v.

⊶ Gal et Mme J.-L. Brette

FRANÇOIS RAQUILLET Les Veleys 2004 ★★

■ 1er cru 0,45 ha 2 000 ◍ 11 à 15 €

Celui-ci ne pense pas que l'important soit de participer... Il a mis tous les atouts de son côté pour gagner et il remporte en numéro un le coup de cœur. Ce Veleys rouge profite de la marne profonde pour donner le meilleur de lui-même tout en gardant des réserves pour l'avenir. Ourlée de violet, sa robe très sombre appelle un parfum généreux, un fruit explosif, une matière très enveloppante, tamisée en finesse. Ce n'est pas tout : **Les Naugues 1er cru rouge 2004** obtiennent une étoile.

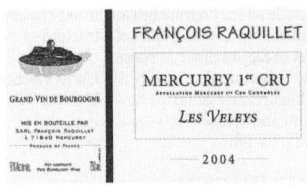

⊶ François Raquillet, 19, rue de Jamproyes, 71640 Mercurey, tél. 03.85.45.14.61, fax 03.85.45.28.05 ☒ Y ☆ r.-v.

OLIVIER RAQUILLET Les Vellées 2004

■ 1er cru 0,85 ha 4 800 ◍ 11 à 15 €

Petit domaine familial de 5,5 ha. Rouge vif, cerise de pied en cap, un Vellées (le mot s'écrit de plusieurs façons) au nez assez sauvage. Ses tanins sont encore serrés, mais l'ensemble est charnu et gourmand.

⊶ Olivier Raquillet, 125, Grande-Rue, 71640 Mercurey, tél. 03.85.45.18.38, fax 03.85.45.20.35 ☒ Y ☆ t.l.j. sf lun. 10h-19h

ALBERT SOUNIT Le Fourneau 2004 ★

□ 1er cru 0,43 ha 1 800 11 à 15 €

Maison bourguignonne devenue danoise sans perdre ses repères. Elle possède deux des cinq premiers crus déterminés en rouge dès les années 1940, rejoints par d'autres quarante ans plus tard. Ces bouteilles de proue sur l'océan du mercurey proviennent de Saint-Martin-sous-Montaigu. Ainsi ce Fourneau 2004 en blanc. Paille soutenu, beurre et fruits blancs, il est solide et classique, frais et net. Chardonnay encore pour le **Clos du Roy 1er cru 2004 blanc** à la hauteur de son appellation. Son élégance est teintée d'une petite impulsivité qui en anime le parcours et qui lui permet d'obtenir une étoile.

⊶ Albert Sounit, 5, pl. du Champ-de-Foire, 71150 Rully, tél. 03.85.87.20.71, fax 03.85.87.09.71, e-mail albert.sounit@wanadoo.fr ☒ Y ☆ r.-v.

DOM. ROLAND SOUNIT
Les Varennes Élevé et vieilli en fût de chêne 2004 ★

■ 2,1 ha 11 000 ◍ 8 à 11 €

Belle couleur nette et soutenue, brillante : cela part bien. La dégustation se poursuit par une légère note de pain grillé rappelant l'élevage en fût, assortie de nuances de petits fruits rouges et noirs. Franche et fruitée, l'attaque est ronde. Les tanins ont besoin d'un peu de temps pour se polir tout à fait. Une touche épicée paraît en finale. Un vin typé et représentatif de son millésime lorsqu'il est réussi.

⊶ SCEA Dom. Roland Sounit, rte de Monthélie, 21190 Meursault, tél. 03.80.21.22.45, fax 03.80.21.28.05

DOM. TRÉMEAUX PÈRE ET FILS
Les Naugues Élevé en fût de chêne 2003 ★

■ 1er cru 0,51 ha 2 500 ◍ 8 à 11 €

« Savez-vous ce qu'est une caresse ? Buvez du vin de Mercurey ! » disait Colette, experte en la matière. Ce n'est d'ailleurs pas toujours le cas, ce vin ayant parfois la main

dure. Rien de tel ici. Pourpre brillant, le nez chaleureux et assez vanillé, un 2003 souple et structuré à la fois, savoureux et faisant durer le plaisir.
Dom. Trémeaux Père et Fils, 10, Curtil-Valentin, 71640 Mercurey, tél. et fax 03.85.45.23.03, e-mail domaine.tremeaux@wanadoo.fr
t.l.j. 9h-19h

TUPINIER-BAUTISTA
Les Vellées Vieilles Vignes 2004 ★★

1er cru n.c. n.c. 11 à 15 €

Coup de cœur l'an passé, ce domaine réussit à placer cette fois deux bouteilles tout près du podium : un **Clos Marcilly 2004 rouge** assez animal, mais de façon complexe ; et cette cuvée Les Vellées, vineuse, qui possède ce qu'on appelle « un beau fond » sous un rouge grenat affirmé. Charnu, riche, équilibré, en un mot « gourmand », ce vin joue sur des notes de fruits rouges. En **blanc 2004, Les Vellées Vieilles Vignes (15 à 23 €)** et le **Clos de Touches 2004** obtiennent chacun une étoile.
EARL Tupinier-Bautista, 21, rue de la Cure, 71640 Mercurey, tél. 03.85.45.26.38, fax 03.85.45.27.99, e-mail tupinier.bautista@wanadoo.fr r.-v.

Givry

À 6 km au sud de Mercurey, cette petite bourgade typiquement bourguignonne est riche en monuments historiques. Le givry rouge, la production principale (11 436 hl en 2005), aurait été le vin préféré d'Henri IV. Mais le blanc (2 457 hl) intéresse aussi. Les prix sont très abordables. L'appellation s'étend principalement sur la commune de Givry, mais « déborde » légèrement sur Jambles et Dracy-le-Fort.

GUILLEMETTE ET XAVIER BESSON
Les Grands Prétans 2004 ★

1er cru 1,5 ha 7 000 11 à 15 €

La Matrosse 2004 (8 à 11 €) obtient une citation, occasion de rappeler qu'une Matrosse fut coup de cœur dans l'édition 2005 pour le millésime 2002. Ce 1er cru Les Grands Prétans offre une belle constitution tannique, un peu rustique, très sincère. Allez jusqu'au rôti de sanglier : ses arômes de fruits noirs, de prunelle et de grillé ne seront pas dépaysés.
Guillemette et Xavier Besson, 9, rue des Bois-Chevaux, 71640 Givry, tél. 03.85.44.42.44, fax 03.85.94.88.21
t.l.j. sf dim. 8h-12h 14h-18h 4

RENÉ BOURGEON Clos de la Brûlée 2004

n.c. n.c. 5 à 8 €

« Le miel est le cantique de l'amour » pensait Federico Garcia Lorca. Cette bouteille en est très riche : de l'œil au nez (amande et fleurs jaunes) et du nez au palais, large et long, tout miel. Sucrosité excessive ? Ce n'est pas l'avis de tout le monde autour de la table. Plus carré que rond, ce givry en impose. À boire dans les temps qui viennent avec une tarte Tatin.
GAEC René Bourgeon, 2, rue du Chapitre, 71640 Jambles, tél. 03.85.44.35.85, fax 03.85.44.57.80
r.-v. 3

DOM. CHOFFLET-VALDENAIRE
Les Galaffres 2004 ★

1,3 ha 6 000 8 à 11 €

Trois siècles de viticulture pour cette famille qui conduit 13 ha. Jaune discret et légèrement verdâtre, d'intensité moyenne, ce givry s'efforce de tirer un profit équitable de ses douze mois de fût. Il est beurré vanillé. Le corps est doté de gras, d'une vivacité heureuse, et termine sur le minéral. À boire maintenant. Vous pouvez également vous intéresser au **Clos de Choué 1er cru 2003 rouge (11 à 15 €)** vineux et puissant, des notes de gibier l'emportant sur le fruité. Il est cité.
Dom. Chofflet-Valdenaire, Russilly, 71640 Givry, tél. 03.85.44.34.78, fax 03.85.44.45.25, e-mail chofflet.valdenaire@wanadoo.fr r.-v.
Valdenaire

DOM. DU CLOS SALOMON
La Grande Berge 2004

1er cru 0,4 ha 2 500 11 à 15 €

Ventre Saint-Gris ! Qu'ont-ils donc tous à nous proposer du chardonnay cette année ? Cet hommage serait-il du goût d'Henri IV, chargé de la promotion du givry... bien qu'il ne soit plus là pour nous le dire. Coup de cœur dans l'édition 2004 (Clos Salomon rouge 2001), ce domaine joue cette fois en blanc et en Grande Berge : robe sympathique, nez où le fût se montre présent aux côtés du beurré et du minéral. À attendre pour que le boisé s'atténue. Une étoile se dessinera sans doute alors.
EARL Clos Salomon, 16, rue du Clos-Salomon, 71640 Givry, tél. 03.85.44.32.24, fax 03.85.44.49.79
t.l.j. sf dim. 9h-12h 14h-19h
Du Gardin-Perrotto

DANIEL DAVANTURE ET FILS 2004 ★

0,47 ha 2 400 5 à 8 €

Huit générations et les trois fils de Daniel Davanture ont créé avec lui le GAEC des Murgers, exploitant 20 ha. L'exemple d'une réussite en Côte chalonnaise et de ce qu'il faudrait faire partout en France pour garder les jeunes à la terre et au pays. Un bon chardonnay or léger à reflets gris-vert, brioché et vanillé sur un zeste d'orange, vif et fondu en bouche, ayant de la conversation. Bouteille sérieuse, bonne pour le service dans les deux ans. Et allez-y voir : de belles maisons, un paysage émouvant et la rivière qui passe à côté.
Dom. Daniel Davanture et Fils, rue de la Messe, Cidex 1516, 71390 Saint-Désert, tél. 03.85.47.90.42, fax 03.85.47.95.57 r.-v.
GAEC des Murgers

PROPRIÉTÉ DESVIGNES 2003

5,5 ha 15 000 5 à 8 €

Pourpre à reflets violacés, il s'entoure de senteurs de petits fruits rouges. La finesse est en bouche, les tanins sont bien placés. Une note tannique en fin de dégustation lui donne un côté un peu austère, mais il tient bon sur ses jambes et devrait évoluer de façon satisfaisante durant les deux ans à venir.

Propriété Desvignes, 36, rue de Jambles, Poncey, 71640 Givry, tél. 03.85.44.51.23, fax 03.85.44.43.53, e-mail domainedesvignes@wanadoo.fr
t.l.j. sf dim. 8h-19h

DIDIER ERKER En Chenèvre 2004

0,64 ha 5 000 5 à 8 €

Le givry blanc était assez rare jusqu'à une époque récente (quelque 75 000 bouteilles, contre dix fois plus en rouge). L'encépagement est aujourd'hui en faveur du chardonnay sans doute plus aisément commercialisable. Jaune un peu doré, celui-ci présente un bouquet sur la réserve, s'ouvrant peu à peu sur le beurré. Bien construit, il est rond, charnu même et soutenu par une certaine impulsivité qui ne le dessert pas.

Didier Erker, 7 bis, bd Saint-Martin, 71640 Givry, tél. et fax 03.85.44.39.62, e-mail didier.erker@wanadoo.fr
t.l.j. sf dim. 8h30-20h

DOM. FERREY MONTANGERAND 2004 ★

0,74 ha 4 000 8 à 11 €

Reprise du domaine en 2004 : sans doute les parents sont-ils là, mais la première vinification constitue un « rite de passage » en Bourgogne. On ne vous dit pas une date de naissance. On vous dit : « j'ai vinifié en 2004. » Et justement, le voici, le millésime historique. Givry très intéressant, beau vin fin, impression de bonne à très bonne, nos fiches de dégustation lui mettent le vent en poupe. Rubis soutenu, mûre et violette, c'est d'un merrain convivial, d'un tanin noble et poivré, le tout frais, ample et durable. Le temps apaisera la finale percutante.

EARL Ferrey Montangerand, Le Bourg, 71390 Saules, tél. 03.85.44.02.33, fax 03.85.44.07.76, e-mail domaine-ferrey-montangerand@ifrance.com
r.-v.

DOM. DE LA FERTÉ Servoisine 2003 ★★

1er cru 0,67 ha 1 500 15 à 23 €

Ancien propriétaire du journal dijonnais *Le Bien public*, le baron Arnould Thénard obtient le coup de cœur (après un millésime 1999) pour cette Servoisine vendangée le 26 août et d'une réussite parfaite. Aucun compliment ne lui fait défaut. Notez que le **village 2003 rouge (11 à 15 €)** participa lui aussi à la finale du coup de cœur. C'est dire le beau doublé ! La Ferté fut la première fille de l'abbaye de Cîteaux en 1113. Ces vignes sont confiées de nos jours à la famille Devillard (domaine des Perdrix en Côte de Nuits, château de Chamirey).

Dom. de La Ferté, Chamirey, BP 5, 71640 Mercurey, tél. 03.85.45.21.61, fax 03.85.98.06.62, e-mail contact@domaine-de-la-ferte.com r.-v.
Arnould Thénard

CHRISTOPHE GONOT La Putin 2004

0,35 ha 2 100 8 à 11 €

Domaine créé en 1870 et toujours dans la même famille. Une Putin « à voir dans son évolution », comme l'écrit un des dégustateurs. Que voulez-vous, on n'est pas responsable de son nom... Jaune très pâle, un 2004 au bouquet orienté vers les agrumes, les fruits à chair blanche. Il a du caractère (droiture et minéralité), gardant jusqu'en finale une pointe de vivacité. Il est conseillé de le laisser dormir un an ou deux en cave.

Christophe Gonot, Russilly, 71640 Givry, tél. 06.08.68.95.00, fax 03.85.44.43.38, e-mail gonot.christophe@free.fr r.-v.

DOM. MICHEL GOUBARD ET FILS Champ-Pourot 2004

0,3 ha 2 200 5 à 8 €

Quatre siècles à Saint-Désert ! Les Goubard détiennent-ils le record de longévité familiale sur un vignoble ? Avec leur vin on respire la fraîcheur : agrumes, silex, amande grillée. Doré pâle, ce 2004 a de l'éclat. En bouche, sa première apparence est gracile, mais sous le nerf tendu on sent une chair ferme et juteuse. Petite note de lies. Elle ne dure pas. On retrouve sur la fin une vivacité de bon aloi.

Dom. Michel Goubard et Fils, Bassevelle, 71390 Saint-Désert, tél. 03.85.47.91.06, fax 03.85.47.98.12, e-mail earl.goubard@wanadoo.fr
t.l.j. 8h-12h 14h-19h; dim. sur r.-v.

PIERRE JANNY 2003

n.c. 21 000 8 à 11 €

Rouge cardinal, il est assez structuré pour son millésime, encore jeune et ferme. Ferme ne signifie pas fermé, même si un seul accent distingue les deux mots. Non, il décline des notes aromatiques classiques sur un solo de cassis. Sans aller jusqu'à la prochaine décennie, il possède de raisonnables capacités de garde.

Pierre Janny Grands vins de Bourgogne, La Condemine, Cidex 1556, 71260 Péronne, tél. 03.85.23.96.20, fax 03.85.36.96.58, e-mail pierre-janny@wanadoo.fr

DOM. MASSE PÈRE ET FILS Champ Lalot 2003 ★★

0,5 ha 2 500 8 à 11 €

L'étiquette à motif photographique eut jadis ses heures de gloire : un ovale entourant le village ou la propriété. Ce domaine y reste fidèle. En finale du coup de cœur, en conséquence parmi les bouteilles les mieux appréciées. Franc, un Champ Lalot très fruité (cassis), d'une fraîcheur ravissante et mordante. C'est merveilleusement authentique et à un prix sage. N'hésitez pas à lui faire faire un petit sommeil en cave. Au réveil une tourte ou un pâté. Le **Clos de la Brûlée rouge 2004** obtient une citation.

Dom. Masse Père et Fils, Theurey, 71640 Barizey, tél. et fax 03.85.44.36.73 r.-v.

DOM. RAGOT Clos Jus 2004 *

■ 1er cru 1 ha 5 000 11 à 15 €

Le Clos Jus fait en 1er cru tout l'honneur de Dracy-le-Fort. Au XVIIIe s., l'abbé Courtépée le rangeait parmi les meilleurs *climats* de la Côte chalonnaise. « Suivez mon panache rouge ! » semble dire cette bouteille. La robe est royale, le parfum concentré entre le fruit et le fût, la constitution puissante. La matière, significative, est portée à la plénitude malgré une légère pointe de chaleur. Pour une pièce charolaise, mais pas avant deux ans.

Dom. Jean-Paul Ragot, 4, rue de l'École, Poncey, 71640 Givry, tél. 03.85.44.35.67, fax 03.85.44.38.84, e-mail vin@domaine-ragot.com
t.l.j. sf dim. 8h-20h

DOM. DE LA RENARDE Virgaudine 2004

n.c. 1 000 8 à 11 €

Un or à reflets argentés pour ce vin au nez assez ouvert mais peu complexe. Une pincée de fruits secs et d'agrumes. En bouche la mie de pain chaude, sortant tout juste du four, produit une sensation agréable. Acidité et vivacité trouvent leur équilibre avec un bon gras.

André Delorme, 2, rue de la République, 71150 Rully, tél. 03.85.87.10.12, fax 03.85.87.04.60, e-mail andre-delorme@wanadoo.fr
t.l.j. sf dim. 8h30-12h 14h-17h30; sam. sur r.-v.

MICHEL SARRAZIN ET FILS
Les Grands Pretants 2004 **

■ 1er cru 1,3 ha 8 000 8 à 11 €

Ce domaine a gagné cinq fois le coup de cœur dans l'appellation ! Cette année encore, il participe au grand jury et arrive à un doigt de cette distinction. Pourpre intense, le nez confituré avec une petite touche de pruneau, ce 2004 ne fait pas les choses à moitié : il a du volume et du corps, sans pour autant perdre l'équilibre. Voir également le **1er cru 2004 blanc** (une étoile) : de bons vins accessibles.

Dom. Michel Sarrazin et Fils, Charnailles, 71640 Jambles, tél. 03.85.44.30.57, fax 03.85.44.31.22, e-mail sarrazin2@wanadoo.fr
t.l.j. 9h-19h; dim. 9h-12h

LA SAULERAIE Champ Nalot 2004 *

■ 1,5 ha 9 000 8 à 11 €

Abonné au coup de cœur (éditions 2000, 2002, 2003, 2004) : on est tenté de l'installer hors concours. Ce vin demeure respectueux. D'un rouge plutôt sombre, grenat bien soutenu, il développe un éventail de senteurs : la cerise rouge douce, l'épice légère. Certes, les douze mois en chêne restent assez influents, mais face à cette bouche bien pleine, à cet équilibre sur la puissance, à cette ferme vinosité, à cette dureté tannique qui ne surprend pas, on conclut qu'il se présente bien et sera de garde moyenne. Les noces du givry et du brie de Meaux ont été célébrées en 1993. Renouvelons-les.

Gérard et Laurent Parize, 18, rue des Faussillons, 71640 Givry, tél. 03.85.44.38.60, fax 03.85.44.43.54, e-mail laurent.parize@wanadoo.fr t.l.j. 9h-19h

DOM. JEAN TATRAUX ET FILS Clos Jus 2004

■ 1er cru 0,25 ha 1 700 8 à 11 €

Propriété de 6 ha fondée en 1763. La Côte chalonnaise sait ce que continuité familiale veut dire. Cerise clair, ce Clos Jus affiche un bouquet légèrement sauvage au boisé assez net. Ses tanins sont un peu sévères, mais il parvient à tirer du millésime un résultat honorable. À boire dans l'année qui arrive sur une volaille rôtie.

EARL Jean Tatraux et Fils, 20, rue de l'Orcène, Poncey, 71640 Givry, tél. 03.85.44.36.89, fax 03.85.44.59.43, e-mail sylvain.tatraux@wanadoo.fr
r.-v.

DOM. THÉNARD Clos Saint-Pierre 2003 *

■ 1er cru 2,12 ha 9 000 8 à 11 €

Illustre chimiste et inventeur du premier moyen de lutte contre le phylloxéra (sulfure de carbone), le baron Paul Thénard (1819-1884) reçut le domaine de Givry à la suite de son mariage avec Philippine-Bonne Derrion-Duplan. Et aussi près de 2 ha en montrachet. Cette exploitation demeure familiale. Le Clos Saint-Pierre était un lieu-dit des Bois Chevaux promu 1er cru à part entière. Si le concierge du paradis garde là-haut cette bouteille à portée de la main, nul doute qu'il saura accueillir dignement les âmes de la Côte chalonnaise ! Rubis, réglissé, tendre tout en sachant s'affirmer, il exprime une exquise féminité. Le **village blanc 2003 (5 à 8 €)**, bien construit, obtient une étoile.

Dom. Thénard, 7, rue de l'Hôtel-de-Ville, 71640 Givry, tél. 03.85.44.31.36, fax 03.85.44.47.83
r.-v.

DOM. DE LA VERNOISE Le Vigron 2003 *

■ 1er cru 0,8 ha 3 600 8 à 11 €

Étiquette personnalisée, honorant la mémoire d'André Pelletier (1898-1953) trop tôt disparu. Henri prit le relais, avec son gendre Luc Hibon en 2001. On se trouve ici à Poncey, hameau de Givry. Pour un 1er cru rubis limpide moiré de noir, cherchant sa dominante aromatique entre la pomme cuite, le pruneau et l'épice douce. Concentré, chaud et puissant, tannique sans dureté, il est de garde bien sûr. L'extraction est une chose il est vrai, mais il faut veiller à la pureté des arômes.

EARL Pelletier-Hibon, La Vernoise, Poncey, 71640 Givry, tél. et fax 03.85.94.87.42, e-mail pelletierhibon@club-internet.fr r.-v.

Montagny

Entièrement voué aux vins blancs, Montagny, village le plus méridional de la région, annonce déjà le Mâconnais. L'appellation peut être produite sur quatre communes : Montagny, Buxy, Saint-Vallerin et Jully-lès-Buxy. Plusieurs premiers crus : les Coères, les Burnins, les Platières... sont délimités sur la commune de Montagny. Les vins produits sont assez subtils, avec des arômes d'agrumes et une touche de minéralité. D'une bonne garde, ces vins mériteraient d'être mieux connus. La production a atteint 17 781 hl en 2005.

FRANÇOIS D'ALLAINES
Les Vignes Derrière 2003 *

1er cru n.c. 1 500 11 à 15 €

Malgré les efforts prodigués durant les années 1980 et 1990, il subsiste quarante-neuf *climats* sur l'appellation,

à tout le moins reconnus officiellement en 1er cru ! Rond et plaisant, ce vin se pare d'une couleur soignée et intense. Son bouquet est plutôt épicé (dix-huit mois en fût), son attaque bien conduite, son gras très sérieux et sa persistance aromatique fondée sur le coing assez mûr.
François d'Allaines, La Corvée du Paquier, 71150 Demigny, tél. 03.85.49.90.16, fax 03.85.49.90.19, e-mail francois@dallaines.com r.-v.

JEAN-PIERRE BERTHENET Les Platières 2004 ★

1er cru 1,37 ha 10 000 5 à 8 €

Jean-Pierre Berthenet a quitté la cave coopérative après le millésime 2002 pour voler de ses propres ailes. Ce 1er cru, jaune d'or brillant, a une approche minérale et fraîche. Puis le fruit jaune (abricot) s'installe dans un environnement puissant en même temps qu'élégant.
Dom. Jean-Pierre Berthenet, Le Bourg, 71390 Montagny-lès-Buxy, tél. 03.85.92.17.06, fax 03.85.92.06.98, e-mail domaineberthenet@free.fr r.-v.

LA BUXYNOISE Les Coères 2004 ★

1er cru 15,23 ha 90 000 8 à 11 €

Côte de Buxy : ainsi appelait-on souvent le montagny au temps jadis. Parmi les 1ers crus, Les Coères font figure de chef de file : production importante (ici, une quinzaine d'hectares confiés à la cave coopérative) et qualité reconnue. Jaune peu intense mais limpide, un style pomme et pamplemousse. Chaleureux en ouverture, maintenant un bon équilibre entre l'acidité et le gras, un 2004 très réussi.
SICA Les vignerons réunis à Buxy, 2, rte de Chalon, 71390 Buxy, tél. 03.85.92.03.03, fax 03.85.92.08.06, e-mail labuxynoise@cave-buxy.fr t.l.j. sf dim. 9h-12h 14h-18h30

CH. DE CARY POTET Les Jardins 2004 ★

1er cru 0,92 ha 5 500 8 à 11 €

Château pittoresque, famille ancienne (du Besset). L'un est vigneron, l'autre l'un des architectes les plus titrés de France, lauréat de la prestigieuse Équerre. Minéral et linéaire, un vin sans doute en quête d'ouverture et qui explose en finale sur un cocktail de citronnelle et d'agrumes mêlés. À servir avec langouste ou ris de veau. Le **1er cru Les Burnins 2004** n'est pas très typé mais d'un bon niveau. Il obtient la même note.
Du Besset, Ch. de Cary Potet, rte de Chenevelle, 71390 Buxy, tél. 03.85.92.14.48, fax 03.85.92.11.88, e-mail carypotet@wanadoo.fr r.-v.

DOM. DU CLOS SALOMON Le Clou 2004

1 ha 6 000 8 à 11 €

Déjà prêt, c'est tout dire. Un 2004 qui vous emballe le tout avec pamplemousse et pain grillé. La robe est limpide, le nez mi-floral mi-végétal. *Climat* connu. Un simple *village*, il est vrai, est rare en montagny et on lui fait bien bon accueil.
EARL Clos Salomon, 16, rue du Clos-Salomon, 71640 Givry, tél. 03.85.44.32.24, fax 03.85.44.49.79 t.l.j. sf dim. 9h-12h 14h-19h

CH. DE DAVENAY Clos Chaudron 2003 ★

1er cru 4,96 ha 8 800 8 à 11 €

Parmi les quatre domaines sur lesquels Michel Picard veille en Côte chalonnaise, le château de Davenay. Il a produit ce montagny or vert et jaune, aux parfums choisis : anis, pain d'épice, fleurs blanches. Agréable, équilibré, ce vin fait honneur à son millésime.
Maison Michel Picard, Ch. de Chassagne-Montrachet, 21190 Chassagne-Montrachet, tél. 03.80.21.98.57, fax 03.80.21.97.83, e-mail contact@michelpicard.com t.l.j. sf dim. 10h-17h

DOM. FEUILLAT-JUILLOT Les Crets 2004

1 ha 7 000 8 à 11 €

Domaine de 14,50 ha. Situés au cœur du village, Les Crets couvrent ici 1 ha. Comme on déguste souvent en montagny des 1ers crus, il est intéressant d'examiner un *village*. Sous des traits d'un jaune à reflets verts, ce 2004 laisse deviner un nez élégant et d'intensité moyenne, floral et fruité. L'attaque est sans bavures, puis vient une bouche assez équilibrée avec une touche d'agrumes. À servir maintenant, à l'apéritif par exemple, en raison de sa vivacité.
Dom. Feuillat-Juillot, BP 13, 71390 Montagny, tél. 03.85.92.03.71, fax 03.85.92.19.21, e-mail domaine_feuillat_juillot@yahoo.fr t.l.j. 9h-12h 14h-18h30, sam. dim. sur r.-v.; f. 15-31 août

CAVE DE GENOUILLY Les Vignes du Soleil 2004 ★

1er cru 0,9 ha 5 000 5 à 8 €

Avec une centaine d'hectares placés sous sa responsabilité, c'est la plus petite cave coopérative de Bourgogne. Elle signe un oiseau rare qu'on prend plaisir à dénicher. Son or discret met bien en valeur un nez plus complexe que la norme dans cette appellation : aubépine, pomme verte. En bouche, ce 2004 a quelque chose d'un 2003 en raison de sa corpulence.
Cave des vignerons de Genouilly, allée du 19-Mars-1962, 71460 Genouilly, tél. 03.85.49.23.72, fax 03.85.49.23.58, e-mail vigneronsgenouilly@wanadoo.fr t.l.j. sf dim. 8h-12h 14h-18h

DOM. LE GRÉGOIRE Cuvée de l'Élégante 2003 ★

0,2 ha 1 500 8 à 11 €

Anciennement Dionysos, domaine (8 ha) acquis en 2001 par Corinne Tournier et Thierry Gautier, puis devenu Le Grégoire en 2004. Assez original, marqué par la fleur, relativement minéral, ce 2003 vendangé tard (8 septembre, nous dit-on) est riche et puissant. Il accroche un peu sur la fin, le bois étant présent, mais cela reste dans l'ordre des choses. **Les Vignes du Soleil 1er cru 2003** obtiennent elles aussi une étoile.
Dom. Le Grégoire, 71460 Culles-les-Roches, tél. 03.85.44.01.90, fax 03.85.44.08.61, e-mail domainelegregoire@wanadoo.fr r.-v.

CH. DE LA GUICHE 2004 ★

0,7 ha 5 100 8 à 11 €

La typicité n'est peut-être pas son fort, mais il n'y a pas à dire : il est bien dans son assiette, si l'on peut parler ainsi du verre de dégustation. Bel or distingué sans excès de robe, nez particulièrement plaisant (acacia, silex) et gras bien enveloppé. Finale en deux temps : d'abord, il ne se passe pas grand-chose, puis le fût raisonné, la petite touche acide, l'ombre d'une queue de paon. On aime.
Mme A. Rolande Goichot, Ch. de la Guiche, 71390 Jully-lès-Buxy Jully-les-Buxy, tél. 03.85.92.17.56, fax 03.80.26.80.76

BOURGOGNE

DOM. MICHEL-ANDREOTTI 2004

1er cru 2,15 ha 15 000 5 à 8 €

On peut venir ici faire du camping. On peut même venir en autocar de tourisme. Il y a tout ce qu'il faut pour l'accueil. Sans parler de la descente de cave... Très brillant, un peu mentholé, un vin qui se place bien grâce à sa vivacité ainsi qu'à sa vinosité. Un chèvre frais et vous verrez soudain combien la vie est douce à vivre. **Les Guignottes 2004 en village** peuvent également vous plaire, mais jusqu'à début 2007, pas plus tard.

Arlette et Philippe Andreotti, Les Guignottes, 71390 Saint-Vallerin, tél. 03.85.92.11.16, fax 03.85.92.09.60, e-mail philippe.andreotti@freesbee.fr r.-v.

B. Michel

NAUDIN-TIERCIN 2004

n.c. 5 000 8 à 11 €

Les vins sont comme les hommes, et il y en a de discrets. De bon niveau standard, moyennement minéral, un 2004 encore un peu fermé, jaune soutenu, fleurs blanches et agrumes. Oui, discret. Courant 2007, il en sera sans doute différemment car on le voit s'éveiller aux bonheurs de la vie.

Naudin-Tiercin, av. Charles-de-Gaulle, 21200 Beaune, tél. 03.80.25.91.30, fax 03.80.25.91.29

SA A. Goichot

LOUIS PICAMELOT Vieux Château 2003 ★

1er cru 0,19 ha 1 200 11 à 15 €

Vieux Château fait partie des 1ers crus qui ont su sortir de l'anonymat pour se faire un nom et une réputation. Si l'on connaît surtout Picamelot en crémant, il n'est pas trop mal placé non plus en vin tranquille. Témoin ce montagny que l'âge habille d'or vert. Fleurs blanches, menthol, le nez est classique. Du vif pour la fraîcheur, du gras pour la longueur, cela tient debout. Arômes secondaires de pomme verte, dans l'esprit de l'appellation.

Louis Picamelot, 12, pl. de la Croix-Blanche, BP 2, 71150 Rully, tél. 03.85.87.13.60, fax 03.85.87.63.81, e-mail louispicamelot@wanadoo.fr

t.l.j. sf dim. 8h-12h 13h30-18h30; sam. sur r.-v.

PAUL REITZ 2003

1er cru n.c. 5 300 8 à 11 €

Les bons négociants connaissent bien le montagny, où ils viennent choisir de belles cuvées à des prix restant abordables. Ainsi ce 2003 qui fait son âge, ample et gras, doré sur tranche et aux arômes capiteux de fruits en compote. À boire maintenant sur la volaille ou le poisson, mais ne lésinez pas sur la crème !

Maison Paul Reitz, 120-124, Grande-Rue, 21700 Corgoloin, tél. 03.80.62.98.24, fax 03.80.62.96.83, e-mail contact@paulreitz.com

r.-v.

ALBERT SOUNIT Les Bassets 2004 ★★

1er cru 0,27 ha 2 100 11 à 15 €

« Haleine fraîche et idées claires » accompagnent, selon le proverbe du cru, la dégustation d'un montagny. Ce 2004 or jaune pâle marie la fleur et le fruit sans craindre l'exotique. Son acidité ne nuit pas à sa rondeur. Il semble que ses capacités de garde soient supérieures à la moyenne : jusqu'aux années 2010 sans doute. Faites-en l'expérience sur un rôti de veau aux girolles. À l'attention des puristes : larmes importantes sur le verre.

Albert Sounit, 5, pl. du Champ-de-Foire, 71150 Rully, tél. 03.85.87.20.71, fax 03.85.87.09.71, e-mail albert.sounit@wanadoo.fr r.-v.

Le Mâconnais

Mâcon, mâcon supérieur et mâcon-villages

Les appellations mâcon, mâcon supérieur ou mâcon suivi de la commune d'origine sont utilisées pour les vins rouges, rosés et blancs. Les vins blancs peuvent s'appeler aussi mâcon-villages. L'aire de production est relativement vaste et, de la région de Tournus jusqu'aux environs de Mâcon, la diversité des situations se traduit par une grande variété dans la production. Le secteur de Lugny, Chardonnay et Viré, propice à la production de vins blancs légers et agréables, est le plus connu.

L'ensemble du Mâconnais a produit en AOC communales 200 738 hl de vin blanc et 31 500 hl de vin rouge en 2005. C'est d'ailleurs dans ce secteur que la production s'est plus particulièrement développée.

Mâcon

CH. DE LA BRUYÈRE

Igé Vieilles Vignes Élevé en fût de chêne 2004 ★★★

0,6 ha 6 500 5 à 8 €

Le château de La Bruyère, sis à Igé, s'élève sur une légère éminence qui domine une vallée bucolique. Ayant appartenu à de nombreux propriétaires depuis sa construction au XIe s., il est aujourd'hui entre les mains des Borie. Issue de vieux gamays de quatre-vingts ans de moyenne d'âge, cette cuvée a été vendangée à la main fin septembre, avant de séjourner neuf mois en fût de chêne. Elle se présente vêtue d'une robe rouge foncé à reflets violets ; son nez, très puissant, développe des senteurs d'iris et de fruits mûrs. Sa bouche, volumineuse, repose sur des tanins satinés et une matière enveloppante. Un vin à la carrière prometteuse, qui sublimera un bœuf bourguignon.

Paul-Henry Borie, GFA de La Bruyère, Ch. de La Bruyère, 71960 Igé, tél. 03.85.33.30.72, fax 03.85.33.40.65, e-mail mph.borie@wanadoo.fr

t.l.j. 8h-12h 13h-19h

DOM. LES BRUYÈRES Pierreclos 2005 ★★

8 ha 30 000 5 à 8 €

Les coteaux de Pierreclos offrent des terroirs privilégiés pour la production de vins rouges. Issue de ceps de gamay âgés de cinquante ans en moyenne et plantés sur sol sablonneux, cette cuvée se présente vêtue d'une robe couleur cerise de belle intensité. Sa palette aromatique mêle les notes fraîches et fruitées de jeunesse aux arômes torréfiés. Franc en attaque, puis concentré et puissant, fort d'une vinosité très présente mais respectueuse du fruit, ce vin est « une grande personnalité, qui ne laisse pas indifférent », conclut un dégustateur.

Maurice Lapalus et Fils, Dom. Les Bruyères, 71960 Pierreclos, tél. et fax 03.85.35.71.79 r.-v.

CH. DU CHARNAY 2005

■ 3,3 ha n.c. 5 à 8 €

Le château du Charnay est situé au cœur du Val lamartinien et surplombe les coteaux argilo-calcaires de Sologny. Ce 2005, à la robe franche ourlée de reflets violets, est issu de gamay ayant grandi sur ces terroirs. De fins arômes de fruits rouges précèdent une bouche élégante et flatteuse. La faible structure tannique donne l'avantage au fruité du palais. Harmonieux et rond, ce vin devrait bien s'entendre avec les grillades.

Cave de Prissé-Sologny-Verzé, Les Grandes-Vignes, 71960 Prissé, tél. 03.85.37.88.06, fax 03.85.37.61.76, e-mail cave.prisse@cavedeprisse.com r.-v.

DOM. DE CHERVIN Burgy 2003 *

■ 2,3 ha 4 072 8 à 11 €

Ce 2003 ne se livre pas d'emblée, un passage en carafe est nécessaire pour apprécier pleinement son énorme potentiel. La robe sombre, presque noire, est en parfait accord avec les arômes qui associent la pivoine et la mûre. Tannique dès l'approche, la bouche se montre ensuite puissante et riche ; elle laisse une empreinte de confiture de cassis sur sa longueur. Un mâcon de caractère et de garde, que vous pourrez associer dans trois ou quatre ans à un gibier en sauce.

Goyard et Fils, Dom. de Chervin, 71260 Burgy, tél. 03.85.33.22.07, fax 03.85.33.00.49 t.l.j. 9h-19h; dim. sur r.-v.

DOM. DE LA COMBE DE BRAY Bray La Canicule 2003 ***

■ 3 ha 6 000 8 à 11 €

Domaine de la Combe de Bray
La canicule
MACON BRAY 2003
APPELLATION MÂCON BRAY CONTROLÉE
Vendanges manuelles
PRODUCE OF FRANCE
750 ml
Henri LAFARGE
PROPRIÉTAIRE-VITICULTEUR, BRAY 71250 CLUNY
Mis en bouteille au Domaine

Voilà trente ans qu'Henri Lafarge est installé à Bray ; et de mémoire de vigneron, jamais on n'a connu une année chaude et sèche comme 2003. Ce gamay âgé de quarante ans, situé dans un secteur pourtant tardif, a dû être récolté le 25 août afin qu'il conserve un peu d'acidité. Les conditions climatiques exceptionnelles de cette année ont d'ailleurs donné le nom de cette cuvée Canicule. Dans sa robe rouge grenat intense brillent de nombreux reflets cuivrés ; les parfums rappellent la mûre, les petits fruits rouges et la confiture de vieux garçon. Superbement construit, ce 2003 se pare de tanins fins et soyeux dans un équilibre savoureux. Puissant et chaleureux, il sera prêt dès cet automne pour le gibier et les champignons. Le plus beau des coups de cœur de la série.

Henri Lafarge, EARL Dom. de La Combe, Le Bourg, 71250 Bray, tél. 03.85.50.02.18, fax 03.85.50.05.37, e-mail henri.lafarge@wanadoo.fr r.-v.

JEAN-MICHEL COMBIER Serrières 2004 *

■ 2 ha 12 000 3 à 5 €

Cité pour sa cuvée **Sélection Vieilles Vignes 2004 rouge (5 à 8 €)** qui nécessite probablement un peu de temps pour se livrer, Jean-Michel Combier, réputé pour son savoir-faire et son sérieux, est étoilé grâce à sa cuvée classique. Derrière sa robe cerise étincelante, les fruits rouges rivalisent avec des notes grillées. De structure assez fine, équilibrée et fraîche, la bouche persiste longuement sur des notes de griotte. Un vin de copains à petit prix, à boire dès maintenant à l'occasion d'un mâchon.

Jean-Michel Combier, Les Provenchères, 71960 Serrières, tél. 03.85.35.75.80, fax 03.85.35.79.67 r.-v.

DOM. DE LA CROIX SENAILLET Vignes aux mésanges 2004

4,5 ha 39 000 5 à 8 €

Or clair à reflets verts, ce mâcon offre un nez ouvert de fleurs blanches (aubépine) et d'agrumes. Frais, rond avec une acidité de bon aloi, le palais s'étire longuement sur des arômes de cédrat confit. Harmonieux, c'est un joli vin franc, frais et élégant, que l'on débouchera à l'apéritif avec des anchois marinés. Une belle réalisation des frères Martin, sur un terroir difficile car riche en argile.

Richard et Stéphane Martin, Dom. de La Croix Senaillet, 71960 Davayé, tél. 03.85.35.82.83, fax 03.85.35.87.22 t.l.j. sf sam. dim. 8h-12h 13h30-17h30

LES VIGNERONS D'IGÉ Igé La Berthelotte 2005

■ 2 ha 3 000 3 à 5 €

Issue de vieux gamay planté sur un sol argilo-calcaire, cette Berthelotte a bonne mine : d'une luminosité et d'une limpidité exceptionnelles, elle semble revêtue d'une parure carmin à reflets rubis. Elle offre un nez intense de fruits rouges et une bouche où se retrouve la cerise associée aux fruits cuits. Équilibrée par des tanins légers, elle se révèle typique et bien construite. Une citation également pour le **Igé rouge 2005**, fruité et gouleyant. Encore deux belles réalisations des vignerons d'Igé qui, sous la houlette – ne devrait-on pas dire plutôt la baguette ? – du maître de chai, Gilles Charlot, se sont fait une spécialité des vins rouges.

Cave des vignerons d'Igé, rue du Tacot, 71960 Igé, tél. 03.85.33.33.56, fax 03.85.33.41.85, e-mail lesvigneronsdige@lesvigneronsdige.com t.l.j. 9h-12h 14h-18h

LES ESSENTIELLES DE MANCEY Mancey Vieilles Vignes 2005 ***

■ n.c. 15 000 5 à 8 €

Du splendide millésime 2005, les vignerons de Mancey ont tiré le meilleur. Cette cuvée de vieilles vignes de gamay est exceptionnelle. Des reflets carmin animent la robe rouge profond. Difficile de résister à son nez enchanteur évoquant le panier de petits fruits : framboise, cerise, mûre... Sa bouche séduit par sa structure pleine et

BOURGOGNE

dense dans laquelle les tanins soyeux se fondent. Puissance et harmonie seront toujours au rendez-vous après deux ans de garde ; patientez et accordez-le à une viande de bœuf du Charolais. Cette même cuvée en **mâcon-villages Vieilles vignes 2004** obtient une étoile.

Cave des vignerons de Mancey, BP 100, RN 6, 71700 Tournus, tél. 03.85.51.00.83, fax 03.85.51.71.20, e-mail bourgogne.vigne.verre@wanadoo.fr
t.l.j. 8h-12h 14h-18h

LE MANOIR MURISALTIEN
Cruzille Les Avoueries 2004 ★★★

■ 1 ha 7 000 5 à 8 €

Issu d'un des plus beaux terroirs à gamay du Nord Mâconnais, ce Cruzille a enchanté le jury et frôle le coup de cœur. Le Manoir Murisaltien, négociant-éleveur, a sélectionné les meilleurs raisins de la contrée pour élaborer ce millésime pourtant réputé difficile. D'emblée, ce vin séduit par sa teinte rubis profond, par la finesse de ses arômes de cerise et de griotte. L'attaque savoureuse annonce une grosse matière, avec des tanins présents mais élégants. Son fort potentiel aromatique fruité confère au palais une longueur de plusieurs caudalies. Une grande bouteille que l'on réservera au meilleur morceau de bœuf dans un à deux ans.

Le Manoir Murisaltien, 4, rue du Clos-de-Mazeray, 21190 Meursault, tél. 03.80.21.21.83, fax 03.80.21.66.48, e-mail vin@demessey.com
t.l.j. sf sam. dim. 8h-12h 14h-17h; f. août

DOM. MATHIAS Chaintré 2004

■ 0,33 ha 2 000 **5 à 8 €**

Cet automne, préparez une fricassée de champignons des bois que vous aurez cueillis, servez ce Chaintré 2004 et laissez parler l'accord. Sous une robe rubis étincelante se dissimulent des arômes de fruits rouges et de sous-bois qui, après avoir tournoyé dans le verre, s'expriment intensément, surtout la cerise. La bouche, vive et chaleureuse en attaque, doit son attrait à sa longue persistance aromatique associant le kirsch aux fruits secs.

Dom. Mathias, rue Saint-Vincent, 71570 Chaintré, tél. 03.85.27.00.50, fax 03.85.27.00.52, e-mail domaine-mathias@wanadoo.fr
t.l.j. 10h-19h

DOM. DE MONTERRAIN
Clos de Monterrain 2005 ★

0,45 ha 4 300 **5 à 8 €**

La production de blanc issu de chardonnay est une nouveauté au domaine de Monterrain. En effet, depuis plusieurs générations, seuls les cépages rouges bourguignons, gamay et pinot noir, étaient cultivés. Jaune d'or légèrement perlant, ce 2005 offre des notes de fruits confits alliées à la minéralité du terroir de Serrières. En bouche, l'attaque se fait perlante, puis elle développe du gras et de la longueur. Peu acide mais frais, ce vin est destiné à des fromages produits par ce domaine. Cinquante mille bouteilles du **Serrières rouge 2005** obtiennent une citation. À attendre six à douze mois.

Patrick et Martine Ferret, Dom. de Monterrain, Les Monterrains, 71960 Serrières, tél. 03.85.35.73.47, fax 03.85.35.75.36, e-mail domaine.de.monterrain@wanadoo.fr
r.-v.

CH. DE NOBLES 2003 ★

■ 0,66 ha 2 000 **5 à 8 €**

Château du XVes., dont il subsiste deux tours. Il fut, jusqu'en 1906, une importante propriété viticole. Laissé à l'abandon, ou presque, le vignoble a été rénové à partir de 1982, date d'arrivée de Bertrand de Cherisey à la tête de la propriété. Composé de 80 % de gamay et de 20 % de pinot noir, ce 2003 a fière allure dans sa robe pourpre à reflets noirs. Clou de girofle, cassis et petits fruits rouges forment un joli bouquet d'arômes secondaires plaisants. La bouche, à l'attaque puissante et confiturée, parle de rendements faibles et de vieilles vignes (soixante ans). Encore frais et surtout aromatique, ce mâcon donnera la réplique à une viande rouge rôtie.

Bertrand de Cherisey, Ch. de Nobles, 71700 La Chapelle-sous-Brancion, tél. 03.85.51.00.55, e-mail cheriseyb@free.fr
t.l.j. 8h-20h; f. nov.

CAVE DU PÈRE TIENNE Élevé en fût 2004 ★★

■ 2,7 ha 20 000 5 à 8 €

Ce domaine est très souvent cité dans le Guide pour ses vins rouges d'excellente qualité. Le 2003, millésime solaire, avait été jugé remarquable ; le 2004, millésime difficile car très généreux, obtient la même note. À n'en pas douter, le travail fourni par Agnès et Éric Panay sur ce dernier millésime aura été titanesque. Ils obtiennent ainsi un vin à la robe rouge orangé, peu intense mais brillante et limpide. Les arômes du nez rappellent que ce vin a été élevé sous bois : note grillée, prune et vanille. Après une attaque souple, des tanins présents mais agréables marquent le palais. À boire au cours des deux prochaines années avec une viande en sauce.

Éric Panay, Cave du Père Tienne, La Place, 71960 Sologny, tél. 03.85.37.78.05, fax 03.85.37.75.95, e-mail caveduperetienne@wanadoo.fr
t.l.j. 8h-19h

DOM. DES RIOTS
Pierreclos Cuvée Vieilles Vignes 2004 ★

■ 1,5 ha 4 000 **5 à 8 €**

Pas facile dans ce millésime 2004 très, voire trop, généreux d'obtenir un vin plein et puissant. Sur ces vignes de soixante-dix ans avec un rendement maîtrisé, Thierry Moreau a su tirer son épingle du jeu. Il propose un mâcon brillant et limpide à la teinte rubis, dans lequel fruits rouges et épices se donnent la réplique. À cette palette aromatique intense et complexe répond une bouche équilibrée et puissante. La trame tannique veloutée laisse une finale longue et plaisante. Un vin corpulent que le jury conseille de garder deux à trois ans.

Thierry Moreau, Dom. des Riots, Le Pré du Poirier, 71960 Pierreclos, tél. 03.85.35.70.02, fax 03.85.35.78.81, e-mail thierry.moreau@tiscali.fr r.-v.

DOM. DE ROCHEBIN Azé 2004

■ 8 ha 26 000 ▮ 3 à 5 €

Ce domaine familial se trouve à 2 km d'Azé, sur les hauteurs ; le détour est aisé après une visite des grottes préhistoriques du village. La légèreté est le credo de ce vin à la robe rubis clair, au nez dominé par les petits fruits rouges subtilement associés à de douces notes épicées. Sa bouche tout en rondeur n'est pas d'une grande persistance mais elle est très plaisante et rafraîchissante. Vin de soif, gouleyant et facile à boire ; on le réservera au pique-nique. À noter qu'une nouvelle étiquette dans les tons de parme et d'argent habille élégamment cette bouteille.

Dom. de Rochebin, En Normont, 71260 Azé,
tél. 03.85.33.33.37, fax 03.85.33.34.00,
e-mail domaine-de-rochebin@club-internet.fr
r.-v.
Marllier

DOM. DE RUÈRE Pierreclos Cuvée Prestige 2004

■ 1,5 ha 4 000 ▮ 3 à 5 €

Issue de vieilles vignes de gamay ancrées dans un sol granitique typique de ce secteur du Mâconnais, cette cuvée Prestige présente des arômes d'épices et de cassis. Vêtue d'une robe pourpre intense, elle dévoile une bouche tout en rondeur et une finale doucement épicée. Souple et harmonieux, ce vin à prix tout doux s'accordera avec de fines charcuteries.

Didier Éloy, Ruère, 71960 Pierreclos,
tél. 06.10.69.76.71, fax 03.85.35.76.65 r.-v.

VIGNOBLE DE SOMMÉRÉ
La Roche-Vineuse 2004

■ 0,4 ha 2 000 ▮ 3 à 5 €

Sur la route de Sommeré, en serpentant à travers les vignes, vous laisserez le château de Monceau, et sa « solitude » si chère à Alphonse de Lamartine pour retrouver en plein cœur du hameau le domaine d'Hervé Santé. Vous y découvrirez cette cuvée de belle facture, habillée de cerise et de cuivre. Au nez floral, tendant vers l'iris, succède une bouche équilibrée, bien en chair. La structure est soutenue par des tanins qui demandent encore à s'affiner. Vin élégant, qui s'épanouira dans l'année.

Hervé Santé, Sommeré, 71960 La Roche-Vineuse,
tél. 03.85.37.80.57, fax 03.85.37.64.13,
e-mail domaine.sante@wanadoo.fr r.-v.

LES TEPPES MARIUS 2005 ★

■ 22 ha 40 000 ▮ 5 à 8 €

Établi à Crèches-sur-Saône, petite bourgade à la frontière du Mâconnais et du Beaujolais, ce négociant a de nouveau présenté les Teppes Marius, coup de cœur dans le millésime 2003. La robe intense à la teinte grenat est le prélude d'une dégustation que l'on sent prometteuse. Velouté et d'une belle élégance tannique, ce vin laisse s'exprimer, aussi bien au nez qu'en bouche, des arômes fruités et floraux. Sa finale ronde et souple le fera choisir pour un petit salé aux lentilles.

Collin-Bourisset, rue de la Gare,
71680 Crèches-sur-Saône, tél. 03.85.36.57.25,
fax 03.85.37.15.38,
e-mail bienvenue@collinbourisset.com r.-v.

DIDIER TRIPOZ Clos des Tournons 2005 ★★

■ 2 ha 10 000 ▮ 5 à 8 €

On attend avec impatience le nouvel habillage, actuellement en cours de création, de cette bouteille. En tout cas, le contenu a d'ores et déjà séduit le jury, grâce à sa robe grenat soutenu, ses parfums intenses de fruits cuits et de kirsch. En bouche, d'élégants tanins se manifestent, enveloppés d'une matière riche et puissante qui se poursuit longuement. Un vin de garde qu'il faudra attendre deux à trois ans pour qu'il se donne.

Catherine et Didier Tripoz,
450, chem. des Tournons, 71850 Charnay-lès-Mâcon,
tél. 03.85.34.14.52, fax 03.85.20.24.99,
e-mail didier.tripoz@wanadoo.fr r.-v.

DOM. DES VIGNES DU MAYNES
Cruzille 2004 ★

■ 1,5 ha 3 800 8 à 11 €

Pionnier de l'agriculture biologique dans les années 1950, Alain Guillot a passé le flambeau à son fils Julien, qui a reconverti le vignoble en biodynamie. Imaginez un peu, les sols de ce gamay ont toujours été labourés et n'ont jamais connu de produits chimiques ! C'est donc le terroir qui parle dans ces vins, et le jury l'a bien saisi. D'un rouge intense, légèrement voilé (pas de filtration), ce 2004 explose au nez : hors du commun, celui-ci révèle des notes d'épices, de tabac et de fruits rouges mûrs. Onctueux à l'attaque, il possède une matière riche et dense dans laquelle on retrouve les épices de l'olfaction. Les tanins présents, encore un peu sévères, marquent la finale. Du temps sera nécessaire à l'épanouissement de cette bouteille. La cuvée **Les Rosiers 2004 (15 à 23 €)** est citée pour son expression aromatique intense et longue.

Alain et Julien Guillot,
Dom. des Vignes du Maynes, Sagy-le-Haut,
71260 Cruzille, tél. 03.85.33.20.15, fax 03.85.33.01.91,
e-mail info@vignes-du-maynes.com r.-v.

BOURGOGNE

Mâcon supérieur rouge

PAUL BEAUDET Terres rouges 2005 ★

■ n.c. 13 000 3 à 5 €

Ce négociant-éleveur a sélectionné des parcelles de gamay âgées de plus de trente ans sur les terroirs granitiques de Pierreclos, réputés pour fournir des raisins de qualité. Une vinification « à la bourguignonne » avec foulage et une cuvaison courte ont donné ce rubis profond aux légers reflets violacés. Des senteurs agréables de fruits rouges et de bonbon anglais dominent l'olfaction. On retrouve ce fruité en bouche avec un soupçon de minéralité, dans un environnement ample et riche. Une certaine rigueur anime encore les tanins, mais ils seront domptés d'ici un à deux ans.

Paul Beaudet, La Terrière,
69220 Cercié-en-Beaujolais, tél. 04.74.66.73.19,
fax 04.74.66.73.07, e-mail contact@paulbeaudet.com
t.l.j. sf sam. dim. 8h-12h 13h30-17h30; f. août

Mâcon-villages

DOM. DE LA BONGRAN Cuvée Tradition 2001 ★

10,1 ha 50 000 15 à 23 €

Jean Thévenet, vigneron emblématique du Mâconnais, a l'audace de proposer aux dégustateurs un vin du millésime 2001 ; ceux-ci ne s'en plaignent pas ! Une teinte jaune d'or profond enveloppe un parfum puissant de poire cuite, de raisins secs dans une atmosphère doucement sucrée. On rencontre à nouveau la poire en bouche, mariée au beurre frais et au muscat. Sa rondeur, associée à son acidité, lui assure une consistance et une persistance importantes. À savourer cet hiver sur des noix de Saint-Jacques ou un sandre.

🔑 EARL Jean Thévenet, Quintaine, Cidex 654, 71260 Clessé, tél. 03.85.36.94.03, fax 03.85.36.99.25, e-mail contact@bongran.com ☑ Y ✶ r.-v.

DOM. BOURDON 2004 ★

	1,8 ha	3 200	■	5 à 8 €

Une unité familiale de presque 15 ha créée par les arrière-grands-parents venus s'installer dans le vignoble et où sont aujourd'hui impliqués Sylvie et François Bourdon. Limpide, ce vin brille d'or et de reflets verts. À l'olfaction, après une légère aération, on distingue de discrètes notes de fleurs d'acacia, mais il reste encore un peu fermé. Très intéressant par sa légèreté, son fruit et sa persistance citronnée, il sera parfait dans un an ou deux avec des filets de sole meunière.

🔑 Dom. François et Sylvie Bourdon, Pouilly, 71960 Solutré-Pouilly, tél. et fax 03.85.35.81.44 ☑ Y ✶ r.-v.

NATHALIE BRESSAND Solutré-Pouilly 2004

	0,15 ha	1 100	■	5 à 8 €

Originaire de Solutré, Nathalie Bressand s'est installée en 1999 à Davayé dans une maison de vigneron, autrefois dépendance du château de Chevigné. Elle propose un 2004 or vert très soutenu et brillant. Au nez, ce vin peine à s'ouvrir et laisse échapper de discrètes notes d'aubépine et de pierre à fusil. La bouche s'avère plus expressive, avec de la souplesse, de la minéralité et un bon équilibre. Vin de comptoir par excellence, à réserver pour l'apéritif.

🔑 Dom. Nathalie Bressand, Hameau de Chevigné, 71960 Davayé, tél. et fax 03.85.35.84.32, e-mail nathalie.bressand@club-internet.fr ☑ Y ✶ r.-v.

BRET BROTHERS

Vinzelles Le Clos de Grand-Père 2004 ★

	0,95 ha	6 200	■ ⬤	8 à 11 €

Cette parcelle appartenant au grand-père maternel des frères Bret est un clos très ancien situé sur une veine rocheuse de calcaire dur, en bas du coteau des pouilly-vinzelles. L'âge moyen des ceps de chardonnay est de cinquante-cinq ans ; les vendanges se font manuellement, puis le pressurage, tout en douceur, en grappes entières ; 90 % vinifiés et élevés en cuve Inox et 10 % en demi-muids (fût de 600 l). Habillé d'une robe dorée intense, ce 2004 garde l'empreinte de son passage en bois, notamment à l'olfaction, où l'on retrouve le pain de mie toasté et beurré. En bouche, le gras et la rondeur rivalisent avec les arômes de fruits confits et de miel. Chaleureux, c'est un vin à boire d'ici un an ou deux. Une étoile aussi pour le pouilly-vinzelles **La Soufrandière Les Quarts, Cuvée millerandée 2004 (23 à 30 €).**

🔑 SARL Bret Brothers, La Soufrandière, 71680 Vinzelles, tél. et fax 03.85.35.67.72, e-mail contact@bretbrothers.com ☑ Y ✶ r.-v.

DOM. DE LA CHAPELLE Solutré-Pouilly 2005 ★

	1,43 ha	12 000	■ ⬤	5 à 8 €

Implantés sur les sols argilo-calcaires des coteaux de la roche de Solutré, ces chardonnays de onze ans donnent, malgré leur jeunesse, un excellent résultat. Il est vrai qu'ils sont entre de bonnes mains, car Pascal Rollet a toujours privilégié la très haute qualité, en associant la tradition (labours, vendanges manuelles) à la modernité (thermo-régulation, oxygénation par microbullage). D'un or intense, la robe séduit d'emblée. Le nez est fortement typé par des notes de fruits mûrs et d'agrumes ; la bouche se révèle fraîche et plaisante. Une finale de caramel enrobe les papilles et laisse une légère impression de sucrosité. À garder deux à trois ans.

🔑 Pascal Rollet, hameau de Pouilly, 71960 Solutré-Pouilly, tél. 03.85.35.81.51, fax 03.85.35.86.43, e-mail rolletpouilly@wanadoo.fr ☑ Y ✶ t.l.j. 8h-19h; f. du 15-30 juil.

DOM. CHÊNE

La Roche-Vineuse Élevé en fût de chêne 2004 ★

	5,75 ha	40 000	■ ⬤	5 à 8 €

Ce domaine, établi en plein cœur du Val lamartinien, dispose d'un important vignoble : 34 ha répartis dans plusieurs appellations. Il a élaboré un 2004 d'un bel or pâle à reflets verts. Intense et fin à la fois, le nez mêle fruits exotiques, minéralité et notes boisées. Après une attaque plaisante, la bouche, bien constituée, développe des arômes muscatés longs et purs. Un très joli représentant du millésime, à boire dès aujourd'hui ou à garder un an ou deux.

🔑 Dom. Chêne, Ch. Chardon, 71960 La Roche-Vineuse, tél. 03.85.37.65.30, fax 03.85.37.75.39, e-mail gaecchene@aol.com ☑ Y ✶ t.l.j. 9h30-12h 14h30-19h

DOM. DES CHENEVIÈRES

Les Poncemeugnes 2004 ★

	0,7 ha	6 600	■	5 à 8 €

Ces Poncemeugnes ont laissé le jury assez perplexe ; en effet, s'il juge cette cuvée très réussie, c'est surtout un succès technologique. Il lui manque l'expression de son terroir d'origine, et un petit supplément d'âme qui lui donnerait de la personnalité. Elle n'en reste pas moins d'une belle couleur or soutenue et brillante. Son nez curieux et intense de bonbon anglais et de lis est très agréable. Sa bouche riche et équilibrée témoigne d'un élevage parfaitement maîtrisé. « Un vin provocateur mais très bien fait » conclut un dégustateur. Une citation pour le **mâcon-villages 2004 (3 à 5 €)** classique, franc et sympathique.

🔑 Dom. des Chenevières, 71260 Saint-Maurice-de-Satonnay, tél. 03.85.33.31.27, fax 03.85.33.31.71 ☑ Y ✶ t.l.j. 9h-12h 14h-19h

🔑 Lenoir

DOM. DE CHERVIN Burgy 2003 ★

	1,5 ha	7 440	■	11 à 15 €

Récoltés à la main, au petit matin du 23 août 2003, les raisins étaient gorgés de sucre. Vinifié gentiment, sans levurage, ce mâcon-Burgy a ensuite été élevé durant vingt-cinq mois en cuve, temps nécessaire à son épanouissement. Il est revêtu d'une robe légère or pâle. Les fruits et les fleurs blanches semblent danser dans le verre. La bouche vive et gourmande évoque les fruits mûrs et les agrumes. Riche et prêt, ce vin se distingue par sa fraîcheur et son équilibre. Un excellent travail orchestré par Bruno Goyard, coup de cœur dans l'édition précédente pour le 2002.

🗝 Goyard et Fils, Dom. de Chervin, 71260 Burgy, tél. 03.85.33.22.07, fax 03.85.33.00.49
☑ Y ☆ t.l.j. 9h-19h; dim. sur r.-v.

DOM. MICHEL CHEVEAU Le Clos 2004 ★★

0,5 ha	1 500	■	5 à 8 €

Nicolas Cheveau et son épouse Aurélie ont repris, en 1999, les rênes du domaine familial et ont largement contribué au développement de la vente en bouteilles. Par la qualité des vins qu'ils proposent aujourd'hui, ils représentent la viticulture de demain dont le Mâconnais a besoin. Leur mâcon-villages 2004 s'habille d'une robe or vert et révèle d'intenses parfums de fleurs blanches et de pêche de vigne. La palette aromatique se poursuit en bouche, accompagnée d'une acidité bien enrobée de gras. La longue finale annonce une bonne évolution sur deux à trois ans.

🗝 Dom. Michel Cheveau, Hameau de Pouilly, 71960 Solutré-Pouilly, tél. 03.85.35.81.50, fax 03.85.35.87.88, e-mail m.cheveau@tiscali.fr
☑ Y ☆ r.-v.

CLOS DE PIZE 2004 ★

22 ha	25 000	■	5 à 8 €

Cette cave a été créée en 1928 par un groupe de producteurs de vin de la région de Prissé. Elle a grandi au fil des décennies pour atteindre 500 ha en 1996. En 1997, deux autres caves coopératives ont rejoint Prissé : la cave de Verzé (fondée en 1928) et la cave de Sologny (fondée en 1951) pour former un groupe d'environ quatre cents coopérateurs à la tête de 980 ha produisant bon an mal an 60 000 hl. 22 ha de chardonnay ont donné cette cuvée à la robe or vert, au nez évoquant le coing et la poire. Équilibré et frais, le palais charnu possède des fondations minérales laissant présager une bonne évolution dans le temps.

🗝 Cave de Prissé-Sologny-Verzé, Les Grandes-Vignes, 71960 Prissé, tél. 03.85.37.88.06, fax 03.85.37.61.76, e-mail cave.prisse@cavedeprisse.com ☑ r.-v.

DOM. DU CLOS DES ROCS 2004

1 ha	10 000	■	5 à 8 €

Habillé d'une robe or pâle à reflets verts témoins de son extrême jeunesse, ce 2004 développe des arômes fins de fruits jaunes, de miel mais également de fleurs d'acacia. Riche et chaud au palais, il mérite un plat de caractère pour l'accompagner, tel un foie gras chaud à la figue fraîche.

🗝 Olivier Giroux, SCEA Vignoble du Clos des Rocs, Les Mollards, 71960 Fuissé, tél. 03.85.32.97.53, fax 03.85.35.69.83 ☑ Y ☆ r.-v.

CHRISTOPHE CORDIER
Fuissé Vieilles Vignes 2004 ★

n.c.	6 000	(I)	11 à 15 €

Jaune à reflets bronze, ce mâcon-Fuissé possède un nez encore marqué par l'élevage sous bois, avec de fortes notes de mie de pain toastée et de café, derrière lesquelles on peut distinguer du fruit et du miel. Souple, ample et généreux, le palais se révèle gourmand, avec une petite finale citronnée qui le rafraîchit. Le **mâcon-Milly-Lamartine Vieilles Vignes 2004** est cité. Son nez discret s'ouvre sur de légères notes fumées, tandis que sa bouche vanillée laisse percevoir des nuances de fruits secs. Deux réalisations du talentueux négociant Christophe Cordier, spécialiste de l'élevage en fût de chêne.

🗝 Christophe Cordier, 71960 Fuissé, tél. 03.85.35.62.89, fax 03.85.35.64.01, e-mail domaine-cordier@wanadoo.fr

DOM. CORDIER PÈRE ET FILS Fuissé 2004

0,75 ha	3 000		11 à 15 €

Issue de Fuissé, village surtout réputé pour ses pouilly-fuissé, cette cuvée se souvient encore du berceau dans laquelle elle fut élevée. D'une teinte jaune d'or tirant presque sur le bronze, elle offre un premier nez intensément boisé puis un second, plus typique, tirant sur les fruits mûrs. Encore marquée par le fût, la bouche possède néanmoins de nombreuses qualités : elle est équilibrée, ronde, et laisse une bonne impression gustative avec une finale miellée. À réserver aux amateurs de vins boisés.

🗝 Dom. Cordier Père et Fils, 71960 Fuissé, tél. 03.85.35.62.89, fax 03.85.35.64.01, e-mail domaine.cordier@wanadoo.fr ☆r.-v.

DOMINIQUE CORNIN Chânes 2004 ★

1,6 ha	12 000	■	5 à 8 €

Dominique Cornin est un vigneron passionné par ses terroirs, qui accorde une importance primordiale à la matière première, c'est-à-dire ses raisins de chardonnay sains et bien mûrs. Son **mâcon-Chaintré 2004** est cité. Ce Chânes présente une structure plus solide, avec une richesse et une matière plus denses. Dans le verre, il a un bel aspect doré et sa palette aromatique aérienne se compose de notes florales, telles que l'aubépine et l'acacia. Délicat, il devrait bien s'entendre avec un filet de sole meunière.

🗝 Dominique Cornin, chem. du Roy-de-Croix, 71570 Chaintré, tél. et fax 03.85.37.43.58, e-mail dominique@cornin.net ☑ Y ☆ r.-v.

DOM. DES COTEAUX DE MARGOTS 2004

0,5 ha	2 000	■	3 à 5 €

Les Margots ? Un lieu-dit de Pierreclos accroché à flanc de coteau et dominant le majestueux château du XII[e]s. Âgés de cinquante ans, ces chardonnays, bichonnés par Jean-Luc Duroussay toute l'année, ont été récoltés manuellement à pleine maturité, le 5 octobre 2004. Paré d'une étole jaune pâle, ce vin se dévoile timidement au nez : fleurs blanches et pierre à fusil. Délicat au palais, il possède une structure assez légère mais très agréable. Il est jugé très mâconnais par le jury. On le partagera, pour le plaisir, avec ses meilleurs amis.

🗝 Jean-Luc Duroussay, Les Margots, 71960 Pierreclos, tél. 03.85.35.73.91 ☑ Y ☆ r.-v. 🏠 B

DOM. DENUZILLER Solutré 2004

1 ha	4 000	■	3 à 5 €

Ce domaine familial de 14 ha ne compte pas moins de soixante-cinq parcelles réparties sur plusieurs communes. La parcelle de 1 ha de chardonnay qui a donné ce vin à la robe cristalline est à dominante argilo-calcaire. Expressif, le premier nez est original, avec des senteurs rappelant le linge propre séchant au grand air. Plus classique ensuite, il offre des arômes de fleurs blanches et de fruits mûrs. Minéral au palais et d'une bonne complexité aromatique, ce *villages* révèle, par ses notes de citron et d'amande douce, un bel élevage. Sa longue finale renoue avec le fruit et confirme qu'il faudra être patient pour profiter pleinement de ce 2004.

🔑 Dom. Denuziller, Le Bourg,
71960 Solutré-Pouilly,
tél. 03.85.35.80.77, fax 03.85.35.83.38
☑ Y 🚶 t.l.j. 8h-12h 13h-18h30

GEORGES DUBŒUF 2004

	n.c.	60 000	▮	3 à 5 €

À une dizaine de kilomètres au sud de Mâcon, mais déjà dans le Beaujolais, cette maison familiale de négoce-éleveur produit des vins exportés dans le monde entier. Ce mâcon-villages a retenu l'attention du jury par son caractère fruité mêlant la pêche, l'ananas et le citron jaune, par sa bouche équilibrée, tout en finesse, qui s'achève sur des notes de fleurs blanches délicates. Il se suffit à lui-même.

🔑 Les Vins Georges Dubœuf,
La Gare, 71570 Romanèche-Thorins,
tél. 03.85.35.34.20, fax 03.85.35.34.25,
e-mail gduboeuf@duboeuf.com
☑ Y 🚶 t.l.j. 9h-18h au Hameau-en-Beaujolais; f. 1er-15 jan.

DOM. FICHET Igé Vieilles Vignes 2004

	0,5 ha	3 000	▮ ⏺	8 à 11 €

L'élevage de six mois en fût de chêne a apporté à ce vin une robe cristalline à reflets argentés et de plaisants parfums de beurre frais et d'ananas, associés à de séduisantes senteurs épicées. L'attaque en bouche, gourmande, s'estompe rapidement pour laisser la place à une structure légère à l'équilibre harmonieux. Cette bouteille, bien vinifiée, est typique d'un millésime généreux comme 2004. Elle pourra être gardée deux ou trois ans en cave avant d'être servie à l'apéritif avec de petits fromages de chèvre.

🔑 Dom. Fichet, Le Martoret, 71960 Igé,
tél. 03.85.33.30.46, fax 03.85.33.44.45 ☑ Y 🚶 r.-v.

DOM. DE FUSSIACUS Fuissé 2004 *

	3 ha	23 000	▮	5 à 8 €

Fils de vigneron, petit-fils de vigneron-tonnelier, Jean-Paul Paquet a succédé à son père en 1978 sur un domaine de 3 ha. Aujourd'hui, après diverses acquisitions, le vignoble compte 12 ha sur plusieurs appellations du Mâconnais. Cette cuvée séduit par sa couleur or jaune profonde et son nez discret mais complexe de pêche, de fleur d'acacia et de silex. La bouche ample, souple en attaque, laisse une impression flatteuse grâce à sa longue finale acidulée. Frivole, elle accompagnera parfaitement une pêche de Saône (sandre, brochet).

🔑 Jean-Paul Paquet, 71960 Fuissé,
tél. 03.85.27.01.06, fax 03.85.27.01.07,
e-mail fussiacus@wanadoo.fr ☑ Y 🚶 r.-v.

DOM. DE LA GENIÈRE La Roche-Vineuse 2003

	0,9 ha	3 800	⏺	11 à 15 €

Cette cuvée 2003, issue d'une sélection des plus vieilles vignes de chardonnay du domaine, a été élevée durant deux ans en fût de chêne. Ce long séjour sous bois lui a conféré une robe or paille très soutenue, des arômes puissants de fruits confits et des senteurs d'Orient. Opulent et riche, son palais possède un caractère affirmé, notamment par la présence d'arômes d'évolution. À boire dans l'année avec un poulet à la crème.

🔑 Dom. Lacharme et Fils,
Le Pied du Mont, 71960 La Roche-Vineuse,
tél. 03.85.36.61.80, fax 03.85.37.77.02,
e-mail domlacharme@hotmail.com ☑ Y 🚶 r.-v.

DOM. GIROUD La Garde 2004 **

	2,8 ha	18 000	▮	5 à 8 €

Situé à 10 km de Tournus, Uchizy est une charmante petite bourgade qui possède d'excellents terroirs à dominante calcaire. Ce domaine, créé de toutes pièces en 1990, y exploite aujourd'hui 14 ha de vignes. Son mâcon-villages La Garde sait se mettre en valeur avec une robe or vert et un nez puissant de fleurs blanches (acacia, aubépine) et de fruits mûrs. Souple à l'attaque, d'une bonne constitution, il associe les arômes variétaux du chardonnay à des nuances plus surprenantes de coing, d'amandes grillées et de brioche. Un excellent vin à boire dès cet automne. Pourquoi pas sur un vol-au-vent ? Une citation pour le **mâcon-villages 2004** aux saveurs orientales (figues, dattes et épices).

🔑 Dom. Giroud, Le Quart, 71700 Uchizy,
tél. et fax 03.85.40.52.24, e-mail les-tilles@freesurf.fr
☑ Y 🚶 r.-v.

DOM. GONON 2004 *

	1,5 ha	8 000	▮	5 à 8 €

En plein cœur de Vergisson, pittoresque village du Mâconnais, ce domaine commande un vignoble de 12 ha. Il a produit un vin jaune à reflets verts, brillant et limpide. Le chardonnay a laissé son empreinte dans les arômes intenses : pêche à chair blanche, citron et fleurs blanches. La bouche, à l'attaque progressive, est généreusement fruitée (poire williams) et fait preuve d'un bel équilibre entre acidité et rondeur. Tout contribue à donner à ce 2004 d'indéniables caractères de finesse et de pureté. Cette bouteille pourra accompagner un poisson d'eau douce.

🔑 Dom. Gonon, En Carementrant, 71960 Vergisson,
tél. 03.85.37.78.42, fax 03.85.37.77.14,
e-mail domgonon@aol.com ☑ Y 🚶 r.-v.

SYLVIE ET GILLES GUERRIN
Vergisson La Roche 2004 *

	0,5 ha	4 000	⏺	5 à 8 €

Coup de cœur dans la précédente édition du Guide pour le 2003, Sylvie et Gilles Guerrin persévèrent dans la recherche de la qualité, aidés en cela par un excellent terroir, la Roche, jouxtant les pouilly-fuissé. Ce 2004 est élégant dans sa robe or pâle aux reflets verts. Ses arômes intenses de fleurs blanches et de beurre frais rehaussés par de fines notes boisées annoncent une structure équilibrée, dans laquelle le bois se fond. Sa finale est plaisante, presque gouleyante. Un joli vin à servir dans un an, sur des escargots de Bourgogne.

🔑 Gilles Guerrin, La Truche, 71960 Vergisson,
tél. 03.85.35.80.38, fax 03.85.35.87.07 ☑ Y 🚶 r.-v.

NADINE ET MAURICE GUERRIN
Vergisson La Roche 2004 *

	0,8 ha	4 500	▮	5 à 8 €

La Roche, lieu-dit emblématique du village de Vergisson, donne du pouilly-fuissé sur les parcelles les plus pentues, accrochées à la roche, mais également du mâcon sur les bas de coteau. Comme vous pouvez l'imaginer, le sol à dominante calcaire sur le haut devient plus argileux sur les parcelles du bas. Les vignes de chardonnay, plantées en 1984 par Maurice Guerrin, ont donné vingt ans après un breuvage à la couleur or vert, au nez tout en finesse de fleurs blanches et de fruit frais. Délicat au palais, il se révèle harmonieux, plein et rond, tandis que la finale s'étire longuement sur le fruit.

Maurice Guerrin, Les Bruyères, 71960 Vergisson, tél. 03.85.35.80.25, fax 03.85.35.82.75 r.-v.

DOM. GUILLOT-BROUX
Chardonnay Les Combettes 2004

1,44 ha 7 000 11 à 15 €

Ayant pris le parti de travailler leurs vignes en culture biologique, dans un souci de préservation des terroirs et de l'environnement, les trois frères Guillot font figure de pionniers dans cette partie du Mâconnais où la presque totalité des parcelles de vignes est destinée à la coopérative locale. Ce 2004 a divisé le jury : pour les uns, il est l'expression même de son terroir et pour les autres, cette forte personnalité dérange. Un consensus est obtenu au moment de la mise en bouche : l'attaque est florale, des saveurs rappelant le pain grillé et le citron se succèdent dans un environnement de douceur et de finesse. Harmonieux dans sa construction, il devra être servi sur un fromage de caractère comme un roquefort.

GAEC du Dom. Guillot-Broux, Le Bourg, 71260 Cruzille, tél. et fax 03.85.33.29.74, e-mail domaine.guillotbroux@wanadoo.fr t.l.j. 8h-12h 13h30-18h; sam. dim. sur r.-v.
L., P., E. Guillot

PHILIPPE HÉBERT Loché 2004

1,01 ha 8 000 15 à 23 €

Située au cœur de Beaune, la maison Philippe Hébert se consacre à l'élaboration de vins naturels ; elle figure d'ailleurs parmi les premières sociétés de négoce en Bourgogne à être certifiées Écocert. Les contrats d'achat de raisins signés avec les vignerons imposent le labourage des vignes et le respect de l'environnement et du sol (suppression des insecticides et des pesticides). Ce 2004, paré d'un bel or jaune, exhale d'intenses arômes de fruits confits, de pâte de coings et de mirabelle. Rondeur et volume s'imposent dès la mise en bouche, tandis que la finale alourdit l'ensemble. Un vin à marier à votre chapon de Noël.

Maison Philippe Hébert, 1, pl. Saint-Jacques, BP 327, 21200 Beaune, tél. 03.80.22.62.58, fax 03.80.24.65.72, e-mail maison.philippe.hebert@wanadoo.fr r.-v.

LAURENT HUET 2004

0,4 ha 3 500 3 à 5 €

Issu des terroirs calcaires de Clessé, ce vin se présente drapé d'une étole jaune d'or à reflets bronze. Discret à l'approche, il développe, après aération, un nez franc de fruits jaunes et d'agrumes. En bouche, il se montre structuré, gras et plein, tout en restant vif grâce à ses saveurs intenses d'ananas. Il demande deux à trois années de garde pour exprimer pleinement son potentiel aromatique. Associez-le alors à un fromage de chèvre mâconnais.

Laurent Huet, rte de Germolles, 71260 Clessé, tél. 03.85.36.96.99, fax 03.85.36.98.87 r.-v.

MARC JAMBON ET FILS
Pierreclos Cuvée Fût de Chêne 2004 ★★★

n.c. 6 500 5 à 8 €

Cette cuvée provient de vignes de chardonnay de trente-cinq ans et a été élevée en fût pendant douze mois. D'un très beau jaune canari, elle emplit le nez de douces nuances fruitées et grillées. Beaucoup de matière en bouche, où les notes de raisin gorgé de soleil s'associent à la noisette dans un équilibre parfait entre finesse et puissance. Le terroir est ici magnifié par la vinification et l'élevage merveilleusement bien orchestrés. « De quoi faire revivre un poisson en sauce ! » conclut un juré. Un vin très proche du coup de cœur. Plus simple, mais fort bien travaillée, la **cuvée classique Pierreclos 2004** est citée pour son fruit et sa vivacité, tout comme le **mâcon Pierreclos rouge 2004 Élevé en fût**.

Dom. Marc Jambon et Fils, La Roche, 71960 Pierreclos, tél. 03.85.35.73.15, fax 03.85.35.75.62 r.-v.

DOM. DE LANQUES
Péronne Cuvée Chrysalide 2004

4 ha 6 000 5 à 8 €

Quoi de plus normal, quand on se nomme Monsieur Papillon, d'élaborer une cuvée répondant au joli nom de Chrysalide ? Issu de terroir argilo-calcaire, ce vin à l'allure printanière par ses nombreux reflets verts évoque les fleurs blanches et les agrumes. La chair citronnée dès la mise en bouche fait preuve d'une bonne expression aromatique et d'une longueur rafraîchissante. Un bon mâcon-villages à déguster sur des huîtres. Signalons la création d'une étiquette vert anis très tendance, qui habille joliment cette bouteille.

GAEC Papillon, Saint-Pierre-de-Lanques, 71260 Péronne, tél. et fax 03.85.23.95.70, e-mail earl.papillon@free.fr t.l.j. 8h-12h 14h-18h

DOM. LAROCHETTE Chaintré 2005

0,3 ha 1 000 5 à 8 €

Seules mille bouteilles de ce joli 2005 ont été produites par ce domaine du Beaujolais. Sans être complexe, ce vin laisse le souvenir d'un ensemble agréable, notamment par ses notes d'agrumes. Franc, long et frais, il réclame quelques mois de vieillissement avant d'être servi sur une andouillette à la mâconnaise.

Laurence et Daniel Larochette, Les Barbiers, 71570 Chânes, tél. et fax 03.85.37.17.45 r.-v.

DOM. LAROCHETTE-MANCIAT Charnay 2005 ★

2,3 ha 20 000 5 à 8 €

C'est encore un vin issu des terroirs de Charnay-lès-Mâcon. Pourtant cette ville située aux portes de Mâcon est aujourd'hui très prisée par les acteurs du marché immobilier et ces parcelles plantées en vignes tentent désespérément de lutter contre l'urbanisation du lieu. À n'en pas douter, la qualité des vins produits sera un facteur décisif pour le maintien des vignes en place. Ce 2005 est un bel ambassadeur de ce terroir. Il possède une robe dorée, un nez flatteur et franc à dominante de fruits exotiques et une bouche agréable et savoureuse dans laquelle on distingue l'ananas frais. Un vin gourmand prêt à passer à table.

Dom. Larochette-Manciat, rue du Lavoir, 71570 Chaintré, tél. 03.85.35.61.50, fax 03.85.35.67.06, e-mail o-larochette@club-internet.fr r.-v.
O. et M.P. Larochette

CAVE DE LUGNY Péronne En Chassigny 2005 ★

8,5 ha 72 000 5 à 8 €

Cette cave, créée en 1926, est aujourd'hui la première coopérative de Bourgogne par son volume avec 1 417 ha récoltés. En pointe dans le domaine technique, elle conseille le vigneron qui est en contrat qualité. Ce 2005 offre un nez séduisant, mêlant les agrumes à une légère note minérale. La bouche est franche et fruitée, bien typée

mâcon. Également jugé très réussi, **l'Originel 2005** est issu des parcelles du village de Chardonnay : frais, dominé par les fleurs blanches et le citron, il persiste longuement.
SCV Cave de Lugny, rue des Charmes, BP 6, 71260 Lugny, tél. 03.85.33.22.85, fax 03.85.33.26.46, e-mail commercial@cave-lugny.com r.-v.

DOM. ROGER LUQUET
Clos de Condemine 2005 *

4,2 ha 35 000 5 à 8 €

« J'achète ! » s'exclame un juré enthousiaste, sans doute séduit par la robe or vert pâle de ce 2005 et par le nez discret, mais agréable, évoquant les fleurs blanches et le miel. Le palais, bien construit, possède de la chair, du volume et une longue finale citronnée. Archétype de l'appellation, notamment par sa gamme aromatique (fleurs, agrumes...), ce vin est à attendre deux à trois ans et à servir avec un poisson à la crème. Attention, 75 % de la production de ce domaine sont vendus à l'étranger.
Dom. Roger Luquet, 71960 Fuissé, tél. 03.85.35.60.91, fax 03.85.35.60.12, e-mail domaine-roger.luquet@club-internet.fr t.l.j. sf dim. 8h-19h; f. une semaine à Noël

MANOIR DU CAPUCIN 2004

1,08 ha 3 200 5 à 8 €

D'une brillante robe jaune d'or se libère un bouquet d'arômes de fruits jaunes et de silex. Progressif dès l'attaque, le palais reste sous l'emprise de la minéralité du terroir et s'achève sur des notes mûres de pêche et de poire. Une bouteille harmonieuse destinée aux poissons de rivière.
Chloé Bayon, Manoir du Plan, 71960 Fuissé, tél. et fax 03.85.35.87.74 r.-v.

JEAN-PIERRE MICHEL Quintaine 2004 *

1,5 ha 10 000 5 à 8 €

2004 est le premier millésime en solitaire de Jean-Pierre Michel, après avoir exercé le métier vingt-cinq ans au sein de la structure familiale. Les raisins, nés de vignes âgées de cinquante ans et implantées sur le célèbre terroir de Quintaine, ont été cueillis manuellement le 4 octobre 2004. Ils étaient sains et bien mûrs et ont donné ce vin à la belle allure, jaune d'or brillant et limpide. Son nez, discret, ne se révèle pas d'emblée mais après aération, il évoque les agrumes, les fruits frais et les fleurs blanches. Après une attaque fraîche, le palais évolue en densité mais également en délicatesse pour s'achever sur une finale épicée persistante. D'un beau potentiel de garde, cette bouteille fera un beau mariage avec un chèvre de la région.
Jean-Pierre Michel, Quintaine, 71260 Clessé, tél. 06.25.01.03.95, fax 03.85.33.23.47, e-mail vinsjpmichel@aol.com r.-v.

DOM. DU MORTIER
Péronne Élevé en fût de chêne 2004

7,4 ha 660 5 à 8 €

Propriété reprise fin 2000 par Renaud Chandioux, jeune vigneron qui s'est donné deux objectifs : produire des vins de qualité et développer la vente directe à la propriété. Les efforts consentis commencent à porter leurs fruits. En effet, ce 2004 se pare d'une robe limpide, d'un bel or à reflets argentés. Le nez intense est totalement sur le fruit, mêlant la pêche jaune à la noix de coco. L'équilibre bois-vin est encore un peu fragile en bouche, mais la fraîcheur de la finale confirme que cette bouteille sera parfaite dans un an sur une viande blanche.
Renaud Chandioux, Le Mortier, 71260 Péronne, tél. et fax 03.85.36.98.93 r.-v.

CH. DE NANCELLE 2004 *

4,5 ha 19 000 3 à 5 €

S'il n'est pas des plus faciles à trouver, ce château possède néanmoins énormément de cachet, niché dans son petit écrin de verdure. À proximité, Nathalie et Patrick Corsin rénovent un bâtiment en pierre datant du milieu du XIX[e]s. pour en faire un cuvage. Leur vin, d'une couleur bouton d'or, déploie un bouquet intense de fleurs blanches associées à des notes plus mûres comme le miel, la cire d'abeille et le coing. Volumineux en bouche, il ne manque cependant pas de finesse. Plaisant, il sera le parfait compagnon d'une viande blanche.
Patrick Corsin, Nancelle, 71960 La Roche-Vineuse, tél. et fax 03.85.34.80.18 r.-v.

DOM. DES NIALES Vieilles Vignes 2004 **

1 ha 6 000 5 à 8 €

Saint-Maurice-de-Satonnay est un petit village viticole du Nord Mâconnais, dans lequel est installée la famille Marin depuis cent quarante ans. Les propriétaires actuels, à la tête de 2,60 ha de chardonnay, élaborent un vin blanc authentique, dans le respect des traditions viticoles locales. D'une belle robe nuancée de vert parfaitement limpide s'échappent de fins effluves rappelant le silex et la pierre à fusil, accompagnés de touches vanillées. Équilibré et ample, le palais est agrémenté de notes minérales et citronnées. Un ensemble harmonieux et élégant.
Marin, 71260 Saint-Maurice-de-Satonnay, tél. 03.85.33.32.00, fax 03.85.20.10.99 t.l.j. 8h-20h

DOM. PERRATON FRÈRES Loché 2004 **

2,4 ha 17 000 5 à 8 €

Vigneron-récoltant depuis de nombreuses années, la famille Perraton est aujourd'hui représentée par deux frères, Christophe et Franck. Ces derniers ont repris en 2004 l'exploitation aux magnifiques caves voûtées en pierre datant de 1849. Pour le premier millésime, ils réussissent un tour de force, avec ce mâcon-Loché qui frôle le coup de cœur. Sous une teinte mordorée se distinguent des arômes de coing et de fleurs blanches. Après une attaque douce, le palais se révèle puissant mais soyeux dans un environnement frais et acidulé, d'une belle longueur.
Dom. Perraton Frères, rue du Paradis, Cidex 411, 71570 Chaintré, tél. 03.85.35.63.36, fax 03.85.35.67.45, e-mail gaec.perraton@wanadoo.fr r.-v.

CH. DE PIERRECLOS Pierreclos 2004 **

0,47 ha n.c. 5 à 8 €

À flanc de coteaux, entourée de vignes, la silhouette massive du château de Pierreclos porte joliment ses neuf siècles d'histoire. Plusieurs fois dévasté et abandonné, il a survécu grâce à la volonté de Monique Pidault qui a pris en main sa destinée en 1989. En revanche, c'est son fils Jean-Marie qui prend soin des vignes du château, et c'est à lui que l'on doit ce remarquable mâcon-Pierreclos. À l'œil, l'or est pâle mais brillant ; au nez le genièvre, le citron et les raisins secs semblent jouer une symphonie. Quant à la bouche, elle attaque sur des notes fraîches et minérales, puis exhibe une superbe construction (équilibre gras/acidité), fruit d'un travail bien maîtrisé. Un vin racé, à oublier en cave quelques années (trois à cinq ans).

🔑 Monique Pidault, Ch. de Pierreclos,
71960 Pierreclos, tél. 03.85.35.73.73, fax 03.85.35.74.60,
e-mail chateaudepierreclos@wanadoo.fr
t.l.j. 9h-18h30; f. sam. dim. en hiver

ALBERT PONNELLE 2004 ★★

0,5 ha 3 000 8 à 11 €

Ce 2004, sélectionné par Albert Ponnelle, négociant de la place de Beaune, est un mâcon-villages savoureux, comme l'annonce sa couleur or vert limpide. Il offre un nez de bonne intensité, dans lequel on distingue des notes florales soulignées de touches de beurre frais et de vanille. Souple dès l'attaque, il développe au fur et à mesure de la dégustation une matière bien mûre et un équilibre en harmonie avec les arômes boisés présents en finale. Une belle bouteille qui saura vous ravir à la fin de l'année sur des ris de veau.

🔑 Albert Ponnelle, 38, fg Saint-Nicolas, BP 107,
21200 Beaune, tél. 03.80.22.00.05, fax 03.80.24.19.73
t.l.j. 8h30-12h 13h30-18h; f. août

DOM. DU ROURE DE PAULIN Fuissé 2004 ★★

0,59 ha 5 000 5 à 8 €

Toute la noblesse de ce vin s'exprime déjà dans la magnifique robe or vert brillant et limpide. Le nez extrêmement délicat offre des senteurs insolites de roses blanches, de craie et de kiwi. La bouche est gourmande : on y retrouve les arômes de l'olfaction mêlés à des notes d'agrumes vivifiantes. Un grand vin tout en finesse et en élégance, signé d'un homme discret : Jean-Claude du Roure de Paulin. Déjà agréable, cette bouteille devrait bien évoluer au cours des cinq prochaines années.

🔑 Dom. du Roure de Paulin, 71960 Fuissé,
tél. 03.85.35.65.48, fax 03.85.35.68.50,
e-mail domaine.duroure@wanadoo.fr r.-v.

DOM. DE RUÈRE 2004

1 ha 3 500 3 à 5 €

De la cour de ce domaine, il est possible d'apercevoir la tour du XII[e]s. du château de Pierreclos, dans laquelle se trouve la chambre de Jacqueline Marguerite de Pierreclos, la célèbre Laurence du poème d'Alphonse de Lamartine, *Jocelyn*. L'amateur de mâcon s'attardera devant ce 2004 au nez complexe de fruits, de fleurs et de menthe fraîche. D'une bonne présence en bouche, le vin fait preuve d'un bon équilibre et les notes iodées de la finale laissent présager un accord mets et vin réussi avec des fruits de mer.

🔑 Didier Éloy, Ruère, 71960 Pierreclos,
tél. 06.10.69.76.71, fax 03.85.35.76.65 r.-v.

DOM. SAINT-DENIS Lugny 2004

1,5 ha 10 000 8 à 11 €

Hubert Laferrère, vigneron méticuleux, propose ses vins en vente primeur, pratique peu courante dans la région. Ses dix mille bouteilles ont-elles déjà trouvé acquéreurs ? Il faut espérer que non car quelques flacons de ce vin se doivent de figurer prochainement dans votre cave. Brillant de mille feux, il sent les fleurs blanches et le miel. Sa bouche, tout en rondeur, est à l'image de ce que l'on attend d'un vin de Mâcon, rafraîchissant, gouleyant et gourmand.

🔑 Hubert Laferrère, Dom. Saint-Denis,
rte de Péronne, 71260 Lugny, tél. 03.85.33.24.33,
fax 03.85.33.25.02, e-mail domaine.saintdenis@free.fr
r.-v.

CUVÉE DE LA SAINT-MARTIN ★★★

2 ha 12 000 5 à 8 €

Ce vin, assemblage des vendanges 2003 et 2004, a enchanté le jury, malgré son caractère liquoreux peu typique de son appellation (65 g/l de sucres résiduels). Mais l'existence et la splendeur d'une telle cuvée ne vont-elles pas permettre à l'Union des Producteurs des vins de Mâcon de conforter et, pourquoi pas, d'accélérer la démarche de reconnaissance en cours de l'AOC mâcon en liquoreux ? À suivre. En attendant, les jurés se sont enthousiasmés pour sa robe ambrée très profonde, son nez mariant l'écorce d'orange confite au miel. En bouche, c'est l'apothéose tant celle-ci est riche, ronde, puissante et équilibrée avec des notes agréables de moka et de cédrat. Un dégustateur conclut ainsi sa note : « il y a du génie dans ce vin qui appelle les loukoums ». Une étoile distingue le **mâcon-Azé 2004, Sélection Prestige**, dans un registre nettement plus classique : couleur jaune citron, nez intense dominé par des notes muscatées. Il ravira les gastronomes sur une poêlée de saint-jacques.

🔑 Cave coop. d'Azé, En Tarroux, 71260 Azé,
tél. 03.85.33.30.92, fax 03.85.33.37.21,
e-mail contact@caveaze.com
t.l.j. 9h-12h 14h-18h (19h en juin, jui. août et déc.)

RAPHAËL SALLET Chardonnay 2004

3,5 ha 16 000 5 à 8 €

Le terroir argilo-calcaire du village de Chardonnay a donné naissance à un 2004 très caractéristique par ses arômes de fleurs blanches associés à des notes minérales. Encore jeune et vif, l'ensemble possède une structure équilibrée qui lui permettra d'évoluer favorablement. Les poissons et les crustacés s'accorderont bien à ce vin à la robe or vert étincelante.

🔑 Raphaël Sallet, rte de Chardonnay, 71700 Uchizy,
tél. 03.85.40.50.45, fax 03.85.40.59.86,
e-mail earl-sallet@club-internet.fr r.-v. 3

GUY SAUMAIZE Davayé Les Belouzes 2004 ★

1,6 ha 12 000 5 à 8 €

Ce domaine exploite aujourd'hui un vignoble de 13 ha, principalement planté en chardonnay sur quatre communes : Davayé, siège de l'exploitation, Vergisson, commune d'origine de la famille Saumaize, Solutré, village célèbre pour sa Roche et Prissé, petite ville réputée pour son saint-véran. Voici son mâcon-Davayé. D'intenses reflets verts dansent dans le verre, tandis que s'échappent de discrètes notes fruitées. L'attaque est élégante, puis laisse la place à une structure puissante et charnue, comme la poire mûre qu'elle évoque. Une petite pointe fraîche conclut la dégustation. À servir sur un saint-pierre à l'oseille.

Guy Saumaize, Les Maillettes, 71960 Davayé, tél. 03.85.35.82.65, fax 03.85.35.86.69, e-mail guy.saumaize.maillette@wanadoo.fr r.-v.

JACQUES ET NATHALIE SAUMAIZE

Bussières Montbrison 2004 ★★

	0,5 ha	4 600		5 à 8 €

MÂCON-BUSSIÈRES
APPELLATION MÂCON-BUSSIÈRES CONTRÔLÉE
"MONTBRISON"
13% vol.
MIS EN BOUTEILLE À LA PROPRIÉTÉ
750 ml
JACQUES & NATHALIE SAUMAIZE
VITICULTEURS À VERGISSON F 71960 PRODUCT OF FRANCE

Depuis 1983, Jacques Saumaize et son épouse Nathalie conduisent, de main de maître, ce vignoble de 7,50 ha principalement constitué de chardonnay. En 2002 ils reprennent cette parcelle familiale à Bussières, au Montbrison, qu'ils travaillent dans le même esprit, c'est-à-dire dans le respect du terroir. Ce 2004 se présente dans une robe dorée à reflets argentés. Ses arômes mêlent le fruit aux fleurs blanches dans un écrin citronné. Une richesse aromatique que l'on retrouve au palais, soutenue par un équilibre gras-acidité parfait. D'une grande délicatesse et plein de fruits, ce millésime garde une ligne pure et nette tout au long de la dégustation.

Jacques et Nathalie Saumaize, Les Bruyères, 71960 Vergisson, tél. 03.85.35.82.14, fax 03.85.35.87.00, e-mail nathalie.saumaize@wanadoo.fr r.-v.

DOM. DE LA SOUFRANDISE

Fuissé Le Ronté 2004

	1 ha	9 000		8 à 11 €

Jaune intense, ce vin présente au nez une corbeille de fruits mûrs : ananas, pêche, poire, mangue, fraise... relevés par une note de gingembre très fraîche. Au palais, on retrouve cette explosion fruitée dans une enveloppe gourmande et généreuse, mais dont la finale ne s'éternise pas. Cette bouteille peut passer à table dès cet automne sur un mets délicat, telle une truite aux amandes.

Françoise et Nicolas Melin, Dom. la Soufrandise, 71960 Fuissé, tél. 03.85.35.64.04, fax 03.85.35.65.57, e-mail la-soufrandise@wanadoo.fr r.-v.

GÉRALD ET PHILIBERT TALMARD

Uchizy 2004 ★★

	11,5 ha	80 000		3 à 5 €

D'un excellent rapport qualité-prix, ce mâcon-Uchizy 2004, jaune paille à l'œil, possède un vrai nez du Mâconnais, où la fleur le dispute au silex. Opulente dès l'attaque, la bouche équilibrée met en valeur une expression muscatée, dans laquelle on retrouve des notes de miel et de fruits confits. Élégante et fraîche, la longue finale s'étire dans un registre minéral, témoin de son origine calcaire. Beau vin de terroir, à associer à une friture de Saône. Le **mâcon-Chardonnay 2004 cuvée Joseph Talmard**, a plu, dans un registre similaire : il est jaune citron, dégage des arômes de poire et d'orange confite, réveille les papilles. Il obtient une étoile.

EARL Gérald et Philibert Talmard, rue des Fosses, 71700 Uchizy, tél. 03.85.40.53.18, fax 03.85.40.53.52, e-mail gerald.talmard@wanadoo.fr r.-v.

DOM. THIBERT PÈRE ET FILS Fuissé 2004 ★★

	4 ha	25 000		5 à 8 €

Né sur des sols composés de limon, d'argile et de silice, le chardonnay exprime toute sa finesse dans ce vin jaune d'or à reflets vert anis. Le nez est intense et complexe : fruits, fleurs blanches, épices douces et citron se mêlent dans une joyeuse farandole olfactive. La bouche ample, bien équilibrée repose sur une texture onctueuse et s'achève sur des notes acidulées rafraîchissantes. Son excellente harmonie générale en fait un vin à déguster dès aujourd'hui mais qui peut également très bien vieillir deux à trois ans.

Dom. Thibert Père et Fils, Le Bourg, 71960 Fuissé, tél. 03.85.27.02.66, fax 03.85.35.66.21, e-mail domthibe@wanadoo.fr
t.l.j. sf sam. dim. 8h30-12h 13h30-18h

DOM. DE LA TOUR VAYON

Pierreclos Clos de la Condemine 2004

	2,65 ha	23 916		5 à 8 €

Vous trouverez désormais ce domaine à Bussières, où Jean-Marie Pidault vient d'achever la construction d'un cuvage ultra-moderne et d'un caveau de dégustation ouvert à la clientèle particulière depuis mars 2006. Ne manquez pas d'y goûter ce Clos de la Condemine. Sous un habit jaune-vert apparaît une corbeille de fruits et d'agrumes. Le plaisir se poursuit au palais avec une attaque franche et précise, une matière dense et une longueur importante. Ce vin laisse en finale une impression globale de netteté et d'équilibre.

Jean-Marie Pidault, Dom. de la Tour Vayon, chem. Testot-Ferry, 71960 Bussières, tél. 03.85.35.71.78, fax 03.85.35.78.03 r.-v.

DIDIER TRIPOZ

Charnay Prestige des Tournons 2004 ★★

	1 ha	5 000		8 à 11 €

En 1920, en Mâconnais, les vins du Clos des Tournons jouissaient déjà d'une excellente réputation. Didier Tripoz y exploite aujourd'hui 5 ha sur les 35 que compte ce magnifique clos. Il en résulte deux remarquables cuvées dont la dernière-née de la gamme, Prestige des Tournons, issue des vignes les plus âgées du clos (soixante ans). D'un jaune canari soutenu, ce 2004 révèle, après aération, une belle complexité aromatique mariant la roche et la fleur blanche. L'attaque en bouche se fait en douceur, puis s'installe une matière équilibrée et dense avant une longue finale épicée et poivrée (plusieurs caudalies). Une belle expression de son terroir d'origine. Le **mâcon Charnay Le Clos des Tournons 2004 (5 à 8 €)** reçoit la même note pour sa grande minéralité qu'égaye un bouquet de fleurs blanches.

Catherine et Didier Tripoz, 450, chem. des Tournons, 71850 Charnay-lès-Mâcon, tél. 03.85.34.14.52, fax 03.85.20.24.99, e-mail didier.tripoz@wanadoo.fr r.-v.

CÉLINE ET LAURENT TRIPOZ

Loché Les Chênes 2004

	0,6 ha	4 000		8 à 11 €

Les constants efforts consentis par Céline et Laurent Tripoz, aussi bien à la vigne (biodynamie, labours...) qu'à la cave, ont fait de ce domaine un incontournable de la région. Ce vin, récolté manuellement début octobre, a été élevé onze mois en fût de chêne avec des bâtonnages réguliers. Couleur jaune d'or à l'œil, il laisse échapper d'intenses notes de pain grillé, de noisette et de fruits frais. La bouche équilibrée, dotée d'un gras soutenu, est marquée en finale par une petite vivacité agréable. Elle observe une retenue qui ne l'empêche pas d'annoncer un plaisir intense à la dégustation, d'ici deux à trois ans.

Céline et Laurent Tripoz, pl. de la Mairie, Loché, 71000 Mâcon, tél. 03.85.35.66.09, fax 03.85.35.64.23, e-mail cltripoz@free.fr r.-v.

CH. D'UXELLES Vigne au Roi 2004 *

1 ha 6 000 5 à 8 €

Situé entre Cormatin et Brancion, perdu en pleine campagne romane, le château d'Uxelles se dresse fièrement sur sa butte et un dolmen en garde l'entrée. Il est aujourd'hui possible d'y séjourner, en formule gîte ou en chambre d'hôte. Issu de la Vigne au Roi, ce 2004 dispose déjà de nombreux atouts : une belle robe jaune d'or qui, quand on la fait tourner dans le verre, laisse de nombreuses larmes s'écouler. Subtil et fin, le nez offre des senteurs de poire, de vanille et de beurre frais. La bouche repose sur une matière riche et veloutée gardant encore quelques traces de l'élevage en fût. Sa finale austère, pour le moment, s'épanouira après deux à trois années de garde.

Ch. d'Uxelles, Notre-Dame, 71460 Savigny-sur-Grosne, tél. 03.85.50.16.71, fax 03.85.50.15.10, e-mail alfreddelachapelle@wanadoo.fr r.-v. 4 B

DOM. VESSIGAUD Charnay Bois Maréchal 2004 **

1,06 ha 8 000 8 à 11 €

2004
Pierre
VESSIGAUD
Vigneron
VIN DE BOURGOGNE
MACON - CHARNAY
Appellation Mâcon-Charnay Contrôlée
"BOIS MARECHAL"
Mise en bouteille au Domaine Vessigaud
Vigneron à Pouilly 71960 SOLUTRÉ France.

Le domaine Vessigaud tire en partie sa réputation de la production de vins blancs des grands terroirs du secteur de Solutré-Pouilly, qui lui ont déjà permis de décrocher de nombreuses étoiles et même des coups de cœur. Issu de chardonnays plantés en 2001 sur les sols argilo-calcaires de Charnay-lès-Mâcon, voici un superbe vin jaune paille brillant. Son nez, très fin, évoque les fruits secs, le citron et la pierre à fusil, tandis que sa bouche s'étire longuement sur des notes florales dans une harmonie parfaite. Le grand jury conseille de l'oublier deux à trois ans en cave avant de le servir sur un poulet de Bresse à la crème. Une citation pour le **mâcon-Fuissé Les Tâches 2004** encore sous l'emprise de son élevage en fût, et qui devrait bien se comporter dans quelques années.

EARL Dom. Pierre Vessigaud, Pouilly, 71960 Solutré-Pouilly, tél. 03.85.35.81.18, fax 03.85.35.84.29, e-mail contact@domainevessigaud.com t.l.j. sf dim. 9h-12h 14h-18h

La reproduction d'une étiquette signale un coup de cœur.

Viré-clessé

Appellation communale récente née le 4 novembre 1998, viré-clessé a de solides ambitions en matière de vins blancs. La délimitation porte sur 552 ha dont les quatre cinquièmes sont actuellement plantés ; ils ont produit 23 944 hl en 2005. Les dénominations mâcon-viré et mâcon-clessé ont disparu avec le millésime 2002.

DOM. ANDRÉ BONHOMME Cuvée spéciale 2004 *

3 ha 25 400 8 à 11 €

André Bonhomme est l'un des précurseurs en Mâconnais de la mise en bouteilles à la propriété, puisqu'il l'a débutée en 1956. Il conseille aujourd'hui de boire les millésimes 1969, 1971 ! Si vous n'avez pas la chance de détenir ces bouteilles, vous pourrez vous consoler avec ses 2004. La Cuvée spéciale, élevée pour partie en fût de chêne, a séduit par sa robe or vert, son nez fin de pêche jaune et sa bouche charnue, citronnée en finale. Un joli vin qui pourra attendre trois à quatre ans avant d'être servi aux côtés d'une viande blanche. La cuvée **Hors classe 2004** a obtenu une étoile.

André Bonhomme, rue Jean-Large, Cidex 2108, 71260 Viré, tél. 03.85.27.93.93, fax 03.85.27.93.94 t.l.j. 8h30-12h 13h30-18h

DOM. DES CHAZELLES Vieilles Vignes 2003 **

0,2 ha 12 000 8 à 11 €

Les ceps de chardonnay de soixante ans d'âge moyen, plantés sur les sols argilo-calcaires typiques de Viré, ont bien résisté à l'été caniculaire de 2003. Ils ont donné un vin d'une belle teinte or pâle brillant. Séduits par une olfaction discrète jouant sur le fruit et les fleurs, les jurés ont apprécié le palais rond et vif, harmonieux et long. Étonnante pour un 2003, sa finale très fraîche rappelle les agrumes. Ce viré-clessé s'exprimera pleinement d'ici quelques mois, en accompagnement d'un fromage de chèvre local. Un travail d'orfèvre réalisé par un couple perfectionniste : Josette et Jean-Noël Chaland.

Josette et Jean-Noël Chaland, En Jean Large, rue de la Grappe-d'Or, 71260 Viré, tél. 03.85.33.11.18, e-mail chazellesdom@aol.com t.l.j. 9h-19h; dim. sur r.-v. 3

LE CLOS DU CHÂTEAU Cuvée Chartine Élevé en fût de chêne 2004

0,5 ha 5 000 5 à 8 €

À la tête depuis 1994 de ce domaine situé au cœur de Clessé, Robert Marin pratique une vinification traditionnelle avec un élevage en fût de douze mois. Jaune d'or brillant, ce vin présente un nez ouvert d'agrumes, de pêche, auquel s'ajoutent des nuances de grillé dues à son passage sous bois. La bouche est équilibrée, fraîche et typique sans être un monstre de puissance. Finesse et légèreté caractérisent la finale ; à apprécier à l'apéritif dans un an ou deux.

Robert Marin, rte de la Vigne-Blanche, 71260 Clessé, tél. 03.85.36.95.92, fax 03.85.36.93.07 r.-v.

DOM. LES COMBELIÈRES 2004 ★

7,85 ha 20 000 ▮ 5 à 8 €

Ce domaine produit des vins représentatifs du secteur calcaire de Clessé. En 2004, millésime généreux s'il en est, il offre un vin de haute tenue, associant la maturité du raisin chardonnay, récolté sain, aux notes minérales et crayeuses de son terroir. Équilibré et rond, le palais s'étire longuement sur l'abricot. Toutes ces qualités sont réunies dans un écrin jaune d'or étincelant. Le prix de cette cuvée augmentera également le plaisir de la posséder.

EARL Claudius Rongier et Fils, rue du Mur, 71260 Clessé, tél. et fax 03.85.36.94.05 r.-v.

ÉMILIAN 2002 ★★

4 ha 24 000 ▮ 11 à 15 €

Suivant les mêmes exigences qu'au domaine de La Bongran, Jean Thévenet et son fils Gautier élaborent la cuvée Émilian, en hommage à l'ancêtre fondateur du vignoble familial, Émilian Gillet (1812-1885). Revendiquée jusqu'alors en mâcon-villages, cette cuvée porte enfin l'appellation de son terroir de naissance, viré-clessé. Et elle en est digne, d'abord par sa couleur intense or vert, son nez d'abricot confit nuancé de notes minérales. Sa pureté, sa richesse bien équilibrée par une pointe acidulée agréable laissent la bouche fraîche. Riche et charnu, ce vin a encore du potentiel, ce qui lui permet d'envisager une longue garde. Un modèle du genre pour cette nouvelle appellation reconnue en 1998.

SCV Émilian Gillet, Quintaine, Cidex 654, 71260 Clessé, tél. 03.85.36.94.03, fax 03.85.36.99.25, e-mail contact@domainegillet.com r.-v.
Gautier Thévenet

JEAN-PIERRE MICHEL Sur le chêne 2004 ★★

1 ha 5 000 11 à 15 €

Jean-Pierre Michel, après avoir exercé son métier de vigneron au sein de la structure familiale, a décidé en 2004 de voler de ses propres ailes. Il a entrepris récemment la restauration d'un tinailler (nom local du cuvage) à proximité de la place de Quintaine, au cœur du vignoble de Viré-Clessé. Sa cuvée Sur le chêne hésite entre or et bronze, fruits mûrs et pâtisserie. En bouche, l'orientation est nette : c'est un vin riche, puissant, dont les arômes rappellent les fleurs de printemps, avec une finale citronnée très fraîche. Féminin dans ses senteurs, masculin dans sa structure, il est déjà très harmonieux. On le servira sur un foie gras. Une étoile pour le **Quintaine 2004 (8 à 11 €)**, compagnon idéal d'un poulet au citron vert.

Jean-Pierre Michel, Quintaine, 71260 Clessé, tél. 06.25.01.03.95, fax 03.85.33.23.47, e-mail vinsjpmichel@aol.com r.-v.

RIJCKAERT Les Vercherres 2004

0,75 ha 4 300 11 à 15 €

Ce vigneron-négociant, d'origine belge, a élu domicile à Leynes, petite bourgade du Beaujolais. C'est là qu'il vinifie et élève les vins de son vignoble mais également les raisins qu'il achète et sélectionne avec soin et minutie. Son viré-clessé 2004 possède de nombreux reflets jaune d'or qui l'illuminent. Les premières impressions olfactives laissent parler le fût, puis, après aération, la poire et l'amande prennent le dessus. D'une belle présence, la bouche mêle le gras et l'acidité de façon harmonieuse, même si l'empreinte boisée persiste. La touche beurrée de la finale s'accordera bien à des coquilles Saint-Jacques cet hiver.

Jean Rijckaert, Correaux, 71570 Leynes, tél. et fax 03.85.35.15.09, e-mail jeanrijckaert@infonie.fr r.-v.

DOM. DE ROALLY 2003

2 ha 14 500 ▮ 8 à 11 €

Gautier Thévenet a repris ce modeste domaine de 3,5 ha en 2001. Très attaché au terroir et à l'identité forte des vins produits par Henry Goyard, son prédécesseur, il a souhaité travailler dans le même esprit : respect du terroir, vendanges manuelles, fermentation naturelle sans ajout de levures... Il propose un 2003 encore fringant, à la robe or clair, au nez fin et discret évoquant les fleurs blanches et à la bouche ronde et puissante, bien équilibrée, par l'acidité de la finale. Ce vin aura atteint sa plénitude dès cet automne.

Gautier Thévenet, SCEA de Roally, Quintaine, Cidex 654, 71260 Clessé, tél. 03.85.36.94.03, fax 03.85.36.99.25, e-mail thevenetgautier@wanadoo.fr r.-v.

DOM. SAINTE BARBE L'Épinet 2004 ★★★

0,41 ha 2 000 8 à 11 €

Cette parcelle, âgée d'une cinquantaine d'années, exposée au soleil levant, bénéficie du microclimat de la vallée de la Saône. Le chardonnay puise dans son sol de calcaire à entroques du jurassique moyen toute la typicité du terroir de Viré. Élevé dix mois en fût, ce vin est déjà d'une couleur dorée intense. Il offre au nez une palette aromatique complexe évoquant un panier de fruits très mûrs. On retrouve cette richesse dans un palais ample et équilibré, dans lequel le bois de l'élevage s'est bien fondu. Une superbe bouteille à déguster dès cet hiver mais qui peut également être gardée deux ans.

Jean-Marie Chaland, En Chapotin, 71260 Viré, tél. 03.85.33.96.72, fax 03.85.33.15.58 t.l.j. 8h-12h 14h-19h 4

DOM. DE LA VERPAILLE Élevé en fût de chêne 2004 ★★★

0,07 ha 600 8 à 11 €

Entrée en fanfare dans le Guide de ce jeune couple, Estelle et Baptiste Philippe, qui, pour leur premier millésime, récoltent tous les honneurs du jury. Deux cuvées sont remarquées, dont l'une, élevée en fût de chêne, est jugée exceptionnelle et frôle même le coup de cœur. D'un or paille intense s'échappent des arômes de fleurs blanches mariés à de douces notes beurrées et grillées. La bouche, en accord avec le nez, possède du gras et une acidité qui l'équilibre et la rafraîchit. Le **viré-clessé 2004 (5 à 8 €)**, qui n'a pas connu le bois, obtient une étoile pour son fruité (pêche et raisin) et son volume intéressant.

Baptiste et Estelle Philippe, lieu-dit Au Buc, 71260 Viré, tél. et fax 03.85.33.14.47, e-mail domaine.verpaille@tiscali.fr r.-v.

Pouilly-fuissé

Le profil des roches de Solutré et de Vergisson s'avance dans le ciel comme la proue de deux navires ; à leur pied, le vignoble le plus prestigieux du Mâconnais, celui de pouilly-fuissé, se développe sur les communes de Fuissé, Solutré-Pouilly, Vergisson, et Chaintré. La production a atteint 41 766 hl en 2005.

Les vins de Pouilly ont acquis une très grande notoriété, notamment à l'exportation, et leurs prix ont toujours été en compétition avec ceux des chablis. Ils sont vifs, pleins de sève et parfumés. Lorsqu'ils sont élevés en fût de chêne, ils acquièrent en vieillissant des arômes caractéristiques d'amande grillée ou de noisette.

J. PIERRE ET MICHEL AUVIGUE Vieilles Vignes 2004

1 ha 9 000 11 à 15 €

Cette maison de négoce, spécialisée en vins du Mâconnais de très haute qualité, présente un 2004 jaune d'or qui séduit par ses arômes floraux mêlés à des notes de noisette grillée, de pralin et de vanille. En bouche, le bois domine légèrement mais le vin devrait se révéler car il est corsé et racé. Une bouteille qu'il faudra attendre quatre ou cinq ans : elle en a le potentiel. Toutefois si vous souhaitez la servir dès maintenant, pensez à l'aérer par un passage en carafe.

Vins Auvigue, Le Moulin-du-Pont, 71850 Charnay-lès-Mâcon, tél. 03.85.34.17.36, fax 03.85.34.75.88, e-mail vins.auvigue@wanadoo.fr r.-v.

CH. DE BEAUREGARD Les Pouilly 2004

1,5 ha 5 000 15 à 23 €

Le nom de Beauregard provient de la situation unique de ce château : isolé sur le plateau viticole, au milieu des vignes de l'AOC pouilly-fuissé, il bénéficie d'une vue magnifique embrassant les villages de Pouilly et de Fuissé, les roches de Solutré et de Vergisson. Cet environnement exceptionnel a reçu le label Grand Site de France en 2005. La robe de ce vin est jaune d'or ; le nez expressif se parfume délicatement de fleurs blanches et d'une élégante touche boisée. Une belle complexité se développe en bouche autour du gras et du bois fondu. Une finale pain d'épice classe ce 2003 parmi les vins originaux.

Joseph Burrier, Ch. de Beauregard, 71960 Fuissé, tél. 03.85.35.60.76, fax 03.85.35.66.04 r.-v.

DENIS BOUCHACOURT Cuvée Feuille de laurier 2004

3,5 ha 1 500 11 à 15 €

Denis Bouchacourt a brillamment présidé aux destinées de l'appellation de 1994 à 2000. Cette cuvée Feuille de laurier, habillée d'une magnifique étiquette, est un clin d'œil aux habitants préhistoriques de Solutré et à leur artisanat particulièrement fin et élégant. Vêtue d'une robe brillante, elle dévoile au nez d'intenses fragrances d'abord minérales, puis de fruits secs, de cardamome et de miel, dans un environnement boisé. La minéralité se confirme au palais ainsi que la présence du fût. « Il peut attendre c'est sûr, mais on se fait déjà drôlement plaisir ! » conclut un dégustateur.

Denis Bouchacourt, Les Gerbeaux, 71960 Solutré-Pouilly, tél. 03.85.35.81.88, fax 03.85.35.82.92, e-mail denbouc@free.fr r.-v.

DOM. HENRI CARRETTE 2004 *

3,95 ha 12 800 8 à 11 €

Henri de Villamont est une des marques phares de Schenk, grand groupe suisse de distribution de vins (204 millions de cols vendus en 2005). Il possède également une unité de vinification à proximité de Beaune. C'est là qu'a été vinifié, élevé et conditionné ce 2004, originaire de Solutré-Pouilly. Éclatant dans sa parure dorée, il livre d'emblée de puissantes notes briochées puis florales (chèvrefeuille), dans un écrin boisé. La bouche se montre douce et ronde en attaque, puis s'équilibre par une bonne présence acide. L'élégance et la fraîcheur caractérisent la fin de bouche.

SA Henri de Villamont, 2, rue du Dr-Guyot, 21420 Savigny-lès-Beaune, tél. 03.80.24.70.07, fax 03.80.22.54.31, e-mail contact@hdv.fr r.-v.

DOM. DE LA CHAPELLE 2004 *

n.c. 12 000 8 à 11 €

D'une robe très pâle à reflets vert tendre s'échappent de douces fragrances d'abord florales puis minérales. La bouche crayeuse nous rappelle le terroir d'origine : les calcaires de Pouilly. D'une grande précision aromatique, c'est un très beau vin de terroir, typé, puissant, sans lourdeur aucune. Sa finale harmonieuse et tendue en fait un modèle de l'appellation et du millésime 2004. À savourer seul pour sa pureté aromatique. Une belle cuvée signée Georges Dubœuf.

Les Vins Georges Dubœuf, La Gare, 71570 Romanèche-Thorins, tél. 03.85.35.34.20, fax 03.85.35.34.25, e-mail gduboeuf@duboeuf.com t.l.j. 9h-18h au Hameau-en-Beaujolais; f. 1er-15 jan.

DOM. DE LA CHAPELLE Vieilles Vignes 2004 *

2,3 ha 9 000 11 à 15 €

Après avoir été métayer de ce domaine durant vingt-quatre ans, Pascal Rollet a pu enfin acquérir l'ensemble de son outil de travail en 2005. Une belle satisfaction pour ce valeureux vigneron, qui a toujours su anticiper les évolutions de son métier. Marqués et soutenus, les reflets dorés de la robe enveloppent ce chardonnay très aromatique, dominé d'abord par les notes empyreumatiques, puis par les fleurs blanches et les fruits. Nerveux en attaque, ce vin possède un joli grain qui enchante les papilles. La minéralité, qui succède au gras de la bouche, lui permet d'envisager un long vieillissement : il en a l'aptitude. L'accord gourmand se fera avec des fromages affinés.

Pascal Rollet, hameau de Pouilly, 71960 Solutré-Pouilly, tél. 03.85.35.81.51, fax 03.85.35.86.43, e-mail rolletpouilly@wanadoo.fr t.l.j. 8h-19h; f. du 15-30 juil.

DOM. CHATAIGNERAIE-LABORIER La Roche 2004 *

0,5 ha 3 500 11 à 15 €

Après avoir passé quinze ans dans l'industrie électronique, Gilles Morat décide de changer radicalement de cap et prend la tête du domaine familial. Travail des sols, vendanges manuelles, rendements limités, vinification et élevage en fût avec bâtonnage... tout est mis en œuvre pour obtenir des vins de grande qualité. Cette Roche 2004 le montre : or blanc à reflets verts, elle possède à l'œil toutes les qualités d'un jeune chardonnay. Son nez expressif mêle les arômes du bois au fruit, à la fougère et aux épices. Une touche de miel adoucit l'ensemble. La dégustation révèle, derrière une matière charnue, une légère note chaleureuse et toujours cette présence boisée. Il faut donc attendre un peu.

Gilles Morat, Dom. Chataigneraie-Laborier, Les Bruyères, 71960 Vergisson, tél. 03.85.35.85.51, fax 03.85.35.82.42, e-mail gil.morat@wanadoo.fr

CHÂTEAU-FUISSÉ Vieilles Vignes 2004 *

6 ha 20 000 23 à 30 €

80 % de la production de ce domaine référence en Mâconnais est destinée à l'exportation, vers des destinations aussi surprenantes que Dubaï, l'Ukraine et le Maroc. Les amateurs de vins des quatre coins de la planète vont donc adopter cette cuvée comme l'a fait le jury. Elle dévoile, sous une teinte or pâle à reflets brillants, un nez complexe de fleurs blanches et de fruits mûrs associés aux notes grillées du fût et minérales du terroir. Ces arômes accompagnent le développement de la chair ronde et puissante, avec une pointe de vivacité en finale. Corpulente et riche, cette bouteille peut déjà se boire mais son avenir est prometteur.

J.J. Vincent, Ch. de Fuissé, 71960 Fuissé, tél. 03.85.35.61.44, fax 03.85.35.67.34, e-mail domaine@chateau-fuisse.fr

t.l.j. 8h-12h 13h30-17h30; sam. dim. sur r.-v.; f. semaine 15 août

DOM. MICHEL CHEVEAU L'Exception 2004 *

0,4 ha 800 15 à 23 €

Les Cheveau cultivent leurs 14 ha de vignes, principalement de chardonnay, dans le Sud Mâconnais autour de la célèbre roche de Solutré. De couleur jaune d'or limpide, cette cuvée s'annonce par des parfums délicats de fleurs blanches, de beurre, de vanille et par un discret sous-bois. Charnue et ample, la bouche délivre d'intenses notes boisées ainsi que des saveurs fruitées et épicées qui lui confèrent de la longueur et de la persistance. Encore légèrement sous l'emprise du chêne, il demandera un peu de temps pour que le bois se fonde dans sa matière riche. Une terrine de foie gras devrait lui convenir.

Dom. Michel Cheveau, Hameau de Pouilly, 71960 Solutré-Pouilly, tél. 03.85.35.81.50, fax 03.85.35.87.88, e-mail m.cheveau@tiscali.fr

r.-v.

COLLOVRAY & TERRIER Plénitude de bonté 2004 *

1 ha n.c. 15 à 23 €

Une expression en vieux français disait qu'un raisin doit être cueilli en « plénitude de bonté », c'est-à-dire complètement mûr et bon... Ce vieil adage, la maison de négoce Collovray et Terrier en a fait sa maxime. Sa sélection de raisins issus de parcelles contiguës à celles qu'elle exploite se fait de façon minutieuse : Fuissé pour les arômes floraux, Pouilly pour la puissance et Vergisson pour la minéralité. Élevé en fût de chêne, ce vin se pare d'une robe or paille à reflets verts. Au nez, il joue de gourmandise en offrant des senteurs de pêche de vigne et de pain grillé. Ample dès l'attaque, il se révèle musclé et aromatique (fleurs blanches et agrumes confits). À associer dans un an à un vieux comté.

Collovray et Terrier, Les Personnets, 71960 Davayé, tél. 03.85.35.86.51, fax 03.85.35.86.12, e-mail vinsdespersonnets@club-internet.fr r.-v.

DOM. CORDIER PÈRE ET FILS Vieilles Vignes 2004 *

3 ha 10 000 15 à 23 €

Cette cuvée a fait débat au sein du jury, d'ailleurs comme à chaque fois que se présente un vin ayant séjourné en fût de chêne marqué par un brûlage intense. Pour certains, il est puissant et le bois parfaitement harmonisé à la matière dense de la bouche. Pour d'autres, son élevage sous bois l'empêche de décliner l'identité de son terroir. Un consensus semble se former sur la longueur et la puissance aromatique de la fin de bouche et sur le fait que le vieillissement lui permettra de révéler son origine. L'éditeur peut ajouter, une fois l'anonymat levé, que la qualité du domaine, dont la notoriété n'est plus à faire, permet d'accorder toute confiance à cette bouteille. Une cuvée à réserver aux « fondus » de bois.

Dom. Cordier Père et Fils, 71960 Fuissé, tél. 03.85.35.62.89, fax 03.85.35.64.01, e-mail domaine.cordier@wanadoo.fr r.-v.

CORNIN Clos Reyssié 2004 **

0,4 ha 3 000 11 à 15 €

Dominique Cornin ne vous est sans doute pas inconnu car c'est un habitué du Guide, qui propose toujours d'excellents mâcon-villages ou pouilly-fuissé. Aujourd'hui, deux cuvées de pouilly sont à l'honneur. **Les Chevrières 2004** étoilées, encore légèrement marquées par le fût et fermées, possèdent une structure qui devrait leur permettre de bien vieillir. Quant au Clos Reyssié, à la robe dorée intense, il ne cache pas son élevage sous bois, mais sa bouche se révèle ample, équilibrée et tout en finesse. Des arômes de verveine, de tilleul et d'acacia nous rappellent qu'il est né de père chardonnay et de mère argilo-calcaire. Un vin de grande gastronomie qui se réjouira de la compagnie d'un poulet de Bresse à la crème.

Dominique Cornin, chem. du Roy-de-Croix, 71570 Chaintré, tél. et fax 03.85.37.43.58, e-mail dominique@cornin.net r.-v.

DOM. DE LA CROUZE Les Vignerais 2004

0,75 ha 2 000 11 à 15 €

Nouveaux venus dans le Guide, Nathalie Valette et Pierre Desroches ont quitté la cave coopérative de Prissé pour se lancer dans la grande aventure de la vinification, de l'élevage et de la commercialisation. Il semble qu'ils aient pris la bonne voie pour réussir : rendement maîtrisé à la taille, abandon des désherbants chimiques, fermentation naturelle sans ajout de levures... Le résultat : un pouilly-fuissé de bon aloi, aux arômes confits de fruits bien mûrs, qui perdurent dans une bouche équilibrée. À boire dans l'année sur un feuilleté de chèvre chaud.

Dom. de La Crouze, La Crouze, 71960 Vergisson, tél. et fax 03.85.37.80.09, e-mail pierre.desroches@cegetel.net r.-v.

P. Desroches

CORINNE ET THIERRY DROUIN Maréchaude 2004 *

0,11 ha 900 11 à 15 €

Dans ce domaine familial de près de 9 ha implanté sur les coteaux calcaires de Vergisson, les vendanges se font encore manuellement. Ces chardonnays trentenaires ont donné un vin blanc à la robe doré soutenu. Les notes boisées de l'élevage en fût se marient harmonieusement aux notes variétales comme les fleurs blanches et la poire.

En bouche, on assiste à une explosion de saveurs dans un environnement gras et riche. Des arômes de confiture et de compote de pommes étirent longuement la finale. Une bouteille à servir dans un an en accompagnement d'une viande blanche.

Corinne et Thierry Drouin,
Le Grand Pré,
71960 Vergisson,
tél. 03.85.35.84.36, fax 03.85.35.86.84,
e-mail corinneetthierrydrouin@wanadoo.fr r.-v.

DOM. J.-A. FERRET
Tournant de Pouilly Cuvée spéciale 2004 ★★

	0,96 ha	6 600	15 à 23 €

Inouï, le palmarès de ce domaine : ses trois 2004 sont proposés au grand jury des coups de cœur ! Deux étoiles brillent dans les cieux du **Clos Cuvée spéciale 2004**, équilibré et rond, ainsi que dans ceux des **Ménétrières Cuvée spéciale 2004**, remarquables par leur minéralité et leur élégance. Quant au Tournant de Pouilly, il sort grand vainqueur : habillé d'or paille, il offre un nez complexe mêlant la minéralité de son origine aux fleurs blanches de son cépage et aux arômes de miel et de pain d'épice de son élevage en fût. Puis l'on enchaîne sur une bouche riche et délicate à la fois, suffisamment fraîche et d'une rare longueur. Un vin d'une grande pureté et d'une distinction exceptionnelle que l'on réservera aux mets les plus délicats comme un homard breton.

EARL Ferret-Lorton, Le Plan, 71960 Fuissé,
tél. 03.85.35.61.56, fax 03.85.35.62.74,
e-mail earlferretlorton@terre-net.fr r.-v.
Colette Ferret

ÉRIC FOREST Haut de Crays Vieilles Vignes 2004 ★

	0,2 ha	1 000	15 à 23 €

Cette vigne du Haut de Crays, plantée en 1930, a résisté aux assauts de l'orage de grêle du mois de juillet. Les raisins de chardonnay récoltés à la main et sévèrement triés ont donné un jus doré et bien sucré, qui a ensuite fermenté en fût. Élevée douze mois dans ce berceau de bois, cette cuvée se présente parée d'une robe limpide à la couleur paille. Elle livre un bouquet intense de fruits jaunes, de beurre, de caramel sur un support minéral frais. Le jury a apprécié sa matière dense et ses saveurs de pêche blanche. Si l'attaque impressionne par sa rondeur, la finale empreinte d'une sucrosité alourdit un peu l'ensemble aujourd'hui. À boire dans un an sur des queues de langoustines à la truffe.

Éric Forest, Le Martelet, 71960 Vergisson,
tél. 06.22.41.42.55, fax 03.85.35.88.67,
e-mail eric-forest@fr.st r.-v.

MICHEL FOREST Les Crays 2004 ★

	1,25 ha	5 000	11 à 15 €

Le 20 juillet 2004 en fin d'après-midi, un orage de grêle s'est abattu avec force et violence sur une partie du sud du Mâconnais, touchant durement le vignoble de Vergisson et des environs. Michel Forest a, malgré tout, vinifié une partie des raisins épargnés de son terroir des Crays et le jury a apprécié. Or pâle à l'œil, ce vin développe à l'olfaction des arômes de noisette grillée, de pomme, de poire et d'abricot. Élégant, vif à souhait, il s'avère plein et racé. Une excellente bouteille qui a tout pour affronter une ou deux années de garde et se marier harmonieusement à un fromage de chèvre de la région.

Michel Forest, Les Crays, 71960 Vergisson,
tél. 03.85.35.84.79, fax 03.85.35.86.14 r.-v.

DOM. DE FUSSIACUS Vieilles Vignes 2004

	3 ha	13 000	11 à 15 €

De la fraîcheur et même de la vivacité pour ces Vieilles Vignes florales avec des notes de chocolat blanc, tout en rondeur et en souplesse, et qui ne recherchent pas la puissance. En auraient-elles les moyens ? Ce n'est pas sûr, il faut rappeler que ce millésime 2004 fut très généreux. Citées pour leur palette aromatique, elles ne vous décevront pas dans un an avec un fromage de chèvre, plutôt frais.

Jean-Paul Paquet, 71960 Fuissé, tél. 03.85.27.01.06,
fax 03.85.27.01.07, e-mail fussiacus@wanadoo.fr
r.-v.

DOM. GAILLARD Les Crays 2004

	1,6 ha	2 000	11 à 15 €

Davayé est la commune limitrophe de Vergisson sur laquelle cette cuvée a vu le jour. Elle a charmé le jury, notamment pour son « mariage réussi entre le fruit et la sophistication ». Elle est lumineuse dans sa tenue or pâle à reflets verts ; elle déploie une palette aromatique complexe associant les fleurs blanches au miel et à la confiture. Son attaque, tout en puissance, retombe légèrement en milieu de bouche mais laisse libre cours au coing et au beurre, qui s'encanaillent en finale. Un vin à boire pour le plaisir sans se poser de question existentielle.

Roger Gaillard, Les Plantes, 71960 Davayé,
tél. 03.85.35.83.31, fax 03.85.35.80.81,
e-mail domaine.gaillard@wanadoo.fr r.-v.

DOM. DES GERBEAUX Vieilles Vignes 2004

	n.c.	5 000	8 à 11 €

Parée d'une jolie robe jaune pâle, voici une cuvée élégante, parfumée de senteurs fruitées et épicées, qui saura séduire par sa structure souple et onctueuse. Sa finale, encore sur les tanins du chêne qui l'a vu naître, doit encore s'arrondir pendant deux à trois ans.

Jean-Michel Drouin, Dom. des Gerbeaux,
71960 Solutré-Pouilly, tél. 03.85.35.80.17,
fax 03.85.35.87.12 r.-v.

DOM. J. GOYON 2004

	n.c.	n.c.	8 à 11 €

En 1848, l'arrivée du chemin de fer à Meursault incite Jean Ropiteau à fonder sa maison de négoce : ainsi les vins sont exportés hors de la Bourgogne et de la France. Le succès est tel, que quelque cent cinquante ans après, cette maison existe encore mais a changé de mains. Elle est devenue propriété de Jean-Claude Boisset. Originaire de Solutré, ce chardonnay a donné un vin doré au nez fin et discret de noisette et de berlingot de Carpentras. Sa bouche élégante et équilibrée reste sur la fraîcheur de la mirabelle et sa finale minérale laisse le palais net. Vin gourmand, vin de plaisir à consommer à l'apéritif.

Ropiteau Frères, Cour des Hospices, 13, rue du 11-Novembre-1918, 21190 Meursault, tél. 03.80.21.69.20, fax 03.80.21.69.29, e-mail ropiteau@ropiteau.fr t.l.j. 9h-18h30; f. fin nov. à Pâques

CAVE DES GRANDS CRUS BLANCS 2004 *

5,49 ha 25 000 8 à 11 €

D'un bel or gris profond et lumineux s'échappent de nombreux effluves d'une grande pureté, d'abord sur des notes minérales, puis florales (acacia, aubépine). Ronde, fraîche et aromatique, la bouche est gourmande avec une agréable finale reine-claude. Ce vin racé, d'une franchise séduisante, demande une année pour achever son épanouissement. Il sera alors un compagnon savoureux pour une poularde de Bresse aux écrevisses.

Cave des Grands Crus Blancs, 71680 Vinzelles, tél. 03.85.27.05.70, fax 03.85.27.05.71, e-mail contact@cavevinzellesloche.com t.l.j. 9h-12h30 13h30-18h30

THIERRY GUÉRIN Clos de France 2004 *

0,23 ha 1 800 11 à 15 €

Situé au pied de la roche de Vergisson, ce Clos de France a été grêlé le 20 juillet 2004. Durement touchés, les raisins ont néanmoins produit, avec le savoir-faire de Thierry Guérin, un vin de bon aloi. Séduisante par sa robe jaune pâle aux mille reflets d'or, cette cuvée l'est également par ses senteurs de fruits confits, de miel et de vanille. Sa bouche, ample dès l'attaque, évolue avec beaucoup de gras et d'acidité et perdure longuement sur des notes de clafoutis aux cerises. Un ensemble savoureux et chaleureux à servir sur un mets de caractère comme un fromage d'Époisses.

Thierry Guérin, Le Sabotier, 71960 Vergisson, tél. 03.85.35.84.06, fax 03.85.35.87.38 r.-v.

NADINE ET MAURICE GUERRIN
Cuvée Vieilles Vignes Élevé en fût de chêne 2004 *

0,55 ha 3 600 11 à 15 €

Typique de son appellation et de son millésime, ce pouilly-fuissé est reconnu comme un modèle du genre, que l'on ne se privera pas de mettre en cave quelques années. Claire et brillante, sa robe pâle laisse échapper d'intenses notes fruitées comme la poire, la pêche de vigne et la noisette. Gras, minéralité et longueur caractérisent le palais qui se termine par des notes citronnées de jeunesse. Un excellent vin qui allie finesse et puissance, que l'on servira tout simplement à ses meilleurs amis à l'apéritif.

Maurice Guerrin, Les Bruyères, 71960 Vergisson, tél. 03.85.35.80.25, fax 03.85.35.82.75 r.-v.

DOM. JEANDEAU Ammonite 2004 *

1 ha 4 000 15 à 23 €

Cette Ammonite a été trouvée dans une vigne de vieux ceps de chardonnay sise sur la commune de Fuissé. Elle n'a rien d'un fossile tant elle est présente et vivante dans le verre. D'abord sa couleur ambrée séduit le premier regard ; ensuite son nez est un ravissement : vanille, coing et même une pointe iodée. Fin et distingué, son palais reste un peu sur la réserve, mais laisse deviner un potentiel énorme aussi bien dans sa structure que dans ses arômes. Un vin prometteur, bien né et bien élevé, qui mérite un peu de patience.

Dom. Denis Jeandeau, 26, allée du Teil, 71850 Charnay-lès-Mâcon, tél. et fax 03.85.29.20.46 r.-v.

DOM. LAPIERRE Vieilles Vignes 2004

2,5 ha 4 000 11 à 15 €

Cette cuvée Vieilles Vignes représente la moitié de la production du domaine. Cueillis à la main fin septembre, ces chardonnays ont ensuite été pressés délicatement puis vinifiés et élevés en fût de chêne pendant neuf mois. Le vin en garde l'empreinte, surtout au nez où les arômes boisés dominent. En revanche, le palais se montre équilibré avec une petite pointe d'acidité qui met en valeur de superbes arômes de pamplemousse. Long dans son développement, ce vin conviendrait à un fromage de chèvre mâconnais plutôt affiné.

Michel Lapierre, Le Bourg, 71960 Solutré-Pouilly, tél. 03.85.35.80.45, fax 03.85.35.87.61, e-mail metclapierre@wanadoo.fr r.-v.

MANOIR DE CAPUCIN Essentiel 2004

2,6 ha 2 050 8 à 11 €

Des colonnades de style toscan ornent ce manoir du XVII[e]s. Une jeune femme est à la tête du vignoble de 12,50 ha principalement classé en pouilly-fuissé. C'est la cuvée Essentiel qui a retenu l'attention du jury. D'un bel or jaune brillant et de bonne intensité s'échappent de discrètes senteurs de fleurs blanches et de beurre. Nerveuse dès l'attaque, la bouche développe une belle matière mais également une légère amertume. Ce vin demande une garde de deux à trois ans.

Chloé Bayon, Manoir du Plan, 71960 Fuissé, tél. et fax 03.85.35.87.74 r.-v.

Claude Bayon

CÉDRIC MARTIN 2004

0,4 ha 2 000 8 à 11 €

Cédric Martin est un jeune vigneron qui, grâce à ses parents, eux-mêmes vignerons, a pu s'installer sur 6 ha de gamay et de chardonnay. Les lecteurs du Guide le connaissaient en AOC saint-amour pour laquelle il a obtenu la Grappe de bronze du Guide Hachette 2005 ! Il propose ici un pouilly-fuissé or vert au fin nez de fleurs blanches et de miel. Simple mais élégant, ce 2004 est gras et harmonieux. La présence du bouquet floral se prolonge longuement en bouche. Un joli vin à boire dans l'année.

Cédric Martin, Les Verchères, 71570 Chânes, tél. 03.85.37.46.32, fax 03.85.37.47.43 r.-v.

DOM. DES NEMBRETS
La Roche Vieille Vigne 2004 *

0,22 ha 1 760 15 à 23 €

Denis Barraud s'est installé en 1994 sur un vignoble comptant 3,11 ha de chardonnay répartis sur trois communes. Jusqu'en 2000, date de sa première mise en bouteilles, il a vendu ses raisins à un négociant-éleveur local. Aujourd'hui, ses efforts sont récompensés : une étoile brille sur cette Vieille Vigne de La Roche comme pour fêter son quatre-vingt-dixième anniversaire. D'un or brillant, elle livre des parfums de fruits très mûrs, presque confits, à la limite de la surmaturité, relevés par des notes originales de poivre. Une attaque souple aux accents de fruits secs introduit une bouche équilibrée et soyeuse. Le bois est présent, il faudra donc attendre cette bouteille un ou deux ans.

Denis Barraud, Les Nembrets, 71960 Vergisson, tél. 06.03.65.77.62, fax 03.85.35.85.85, e-mail barraud-denis@wanadoo.fr r.-v.

DOM. DANIEL POLLIER Les Perrières 2004 *

0,46 ha 3 600 11 à 15 €

Cette cuvée issue d'un sol essentiellement calcaire, propice au chardonnay a été élevée dix mois en cuve et dix mois en fût. Cet assemblage a donné un vin or clair à reflets verts, qui décline une palette aromatique complexe alliant le tilleul à la brioche et le citron au pain grillé. La bouche vive reprend les mêmes arômes en y ajoutant des notes de miel. Rien ne sert d'attendre ce 2004 délicat et plaisant dès aujourd'hui. Servez-le cet hiver sur une sole à la dieppoise.

EARL Dom. Daniel Pollier, Le Bourg, 71960 Fuissé, tél. et fax 03.85.35.66.85, e-mail domaine.daniel.pollier@club-internet.fr r.-v.

JACQUES ET NATHALIE SAUMAIZE Les Courtelongs 2004

n.c. 3 400 11 à 15 €

Or paille à reflets émeraude, cette cuvée Les Courtelongs flatte l'œil dès le service. Son nez intense et agréable de caramel et de noisette invite à la dégustation. La bouche très portée sur les agrumes (citron et pamplemousse) apporte de la fraîcheur. Une légère amertume en finale engage à l'attendre un peu. Son gage de qualité indéniable aujourd'hui est d'être produite par Nathalie et Jacques Saumaize.

Jacques et Nathalie Saumaize, Les Bruyères, 71960 Vergisson, tél. 03.85.35.82.14, fax 03.85.35.87.00, e-mail nathalie.saumaize@wanadoo.fr r.-v.

DOM. SAUMAIZE-MICHELIN Pentacrine 2004 *

n.c. 6 000 11 à 15 €

Le pentacrine est un fossile apparenté à l'étoile de mer, que l'on trouve dans les sols calcaires de Vergisson. Touché durement par la grêle du mois de juillet 2004, le domaine Saumaize-Michelin a su tirer parti des raisins épargnés. La robe jaune paille de ce millésime brille de reflets émeraude. Un panier de fruits mûrs compose le nez assorti de nuances beurrées et grillées dues à son passage sous bois. Le palais se révèle équilibré par une forte présence d'acidité, de gras et d'arômes fruités. Un vin qui fait honneur à l'appellation. Le **Clos Sur la Roche 2004** est cité. Une à deux années de garde seront nécessaires pour digérer le bois, aujourd'hui très présent.

Dom. Saumaize-Michelin, Le Martelet, 71960 Vergisson, tél. 03.85.35.84.05, fax 03.85.35.86.77, e-mail saumaize-michelin@wanadoo.fr r.-v.

DOM. JEAN-PIERRE SÈVE Terroir 2004 **

2 ha 13 000 8 à 11 €

Depuis plus de vingt ans, Jean-Pierre Sève préside à la destinée de ce domaine familial de 7,30 ha de chardonnay. Le jury a été impressionné par ce 2004 vif et frais à l'attaque, et tout en rondeur au palais. Son bouquet de fruits (pêche, poire, citron) et de fleurs (pivoine, acacia) nuancé de notes minérales se développe tout au long de la dégustation jusqu'à la finale, où il laisse un agréable souvenir. Étoffé et harmonieux dès aujourd'hui, ce vin possède également une aptitude au vieillissement ; alors ne vous en privez pas ! Une citation pour la cuvée **Aux Chailloux 2004 Élevé en fût de chêne**, cohérente dans le style de l'appellation et du millésime.

Jean-Pierre Sève, Le Bourg, 71960 Solutré-Pouilly, tél. 03.85.35.80.19, fax 03.85.35.80.58, e-mail domainejpseve@tiscali.fr r.-v.

DOM. SIMONIN Les Ammonites 2004

1 ha 1 500 15 à 23 €

Ces Ammonites ont la couleur de l'or du bijoutier, limpide et lumineuse. Le bouquet intense fait défiler des arômes évoquant déjà une certaine évolution : pâte de coings, miel... L'attaque est belle, et, dans sa construction, on distingue une certaine richesse. Un vin à servir dès cet automne.

Jacques Simonin, Le Bourg, 71960 Vergisson, tél. 03.85.35.84.72, fax 03.85.35.85.34, e-mail domsimonin-ja@wanadoo.fr r.-v.

DOM. LA SOURCE DES FÉES Cep éternel 2004

3,5 ha 8 000 11 à 15 €

Quel joli nom pour désigner ces vignes de chardonnay soixantenaires ! Une touche d'originalité qui va bien aux associés de ce domaine. Ils proposent en revanche un pouilly-fuissé très... classique, or vert de moyenne intensité ; le nez s'ouvre sur de discrètes notes de fleurs blanches et de calcaire. Après une attaque ferme et franche, on devine un vin net et bien vinifié, qui aurait mérité un élevage un peu plus long. Le terroir est présent sur la finale et le jury conseille de servir cette bouteille dès cet automne sur des charcuteries fines.

Greffet-Nouvel, Le Bourg, 71960 Fuissé, tél. 03.85.35.67.02, fax 03.85.35.62.22, e-mail t.nouvel@wanadoo.fr t.l.j. sf dim. 9h-20h

Mlle Patissier

DOM. THIBERT PÈRE ET FILS Vieilles Vignes 2004 *

1,6 ha 12 000 11 à 15 €

Issue de vignes octogénaires, cette cuvée est lumineuse par sa couleur or et ses nombreux reflets argentés. Son nez aérien et fin évoque le petit déjeuner par ses arômes de miel, de beurre frais et de pain grillé. Opulent dès la mise en bouche, le vin se révèle frais et gourmand et sa finale citronnelle se prolonge langoureusement dans un environnement riche et puissant. Une poularde de Bresse à la crème et aux morilles lui conviendrait bien. Un fleuron de l'appellation signé du domaine Thibert, une des valeurs sûres du Mâconnais.

Dom. Thibert Père et Fils, Le Bourg, 71960 Fuissé, tél. 03.85.27.02.66, fax 03.85.35.66.21, e-mail domthibe@wanadoo.fr t.l.j. sf sam. dim. 8h30-12h 13h30-18h

DOM. VESSIGAUD Vieilles Vignes 2004 **

6 ha 40 000 15 à 23 €

À bonne école auprès de son père Lucien, Pierre Vessigaud a repris les rênes du domaine en 1998. Aujourd'hui, il monte sur la deuxième marche du podium avec ce pouilly-fuissé, issu d'un assemblage de plusieurs climats de Fuissé et de différents types de sols : calcaires, argileux et caillouteux. Intensité et complexité caractérisent la palette aromatique fruitée (pêche jaune, noix de coco) et boisée (toast beurré, grillé) de ce vin à la teinte or et bronze. Derrière une attaque tout en fraîcheur se développe une matière charnue et dense dans laquelle le

chêne se fond délicatement. Sa finale longue et truffée lui confère de la noblesse. Un potentiel énorme pour les trois à cinq prochaines années.

🔑 EARL Dom. Pierre Vessigaud, Pouilly, 71960 Solutré-Pouilly, tél. 03.85.35.81.18, fax 03.85.35.84.29, e-mail contact@domainevessigaud.com ☑ Y ⚲ t.l.j. sf dim. 9h-12h 14h-18h

DOM. DES VIEILLES PIERRES Les Crays 2004 *

0,71 ha 2 800 15 à 23 €

Attardez-vous devant ce 2004, rescapé de l'orage de grêle qui a fait de nombreux ravages sur Vergisson et aux alentours. Voyez ses beaux reflets dorés qui miroitent dans votre verre, sentez ses arômes de fruits bien mûrs – pomme, pêche – et ses douces fragrances boisées. Au palais, laissez-vous envelopper par son épaisse matière et ses notes fruitées, même si le bois persiste un peu sur la finale. Un grand moment de plaisir, à différer de deux ans afin que la marque de l'élevage sous bois s'estompe.

🔑 Jean-Jacques Litaud, Les Nembrets, 71960 Vergisson, tél. 03.85.35.85.69, fax 03.85.35.86.26, e-mail jean-jacques.litaud@wanadoo.fr ☑ Y ⚲ r.-v.

Pouilly-loché et pouilly-vinzelles

Beaucoup moins connues que leur voisine, ces petites appellations situées sur les communes de Loché et Vinzelles produisent des vins de même nature que le pouilly-fuissé, avec peut-être un peu moins de corps. En 2005, la production a atteint 1 910 hl en loché et 3 060 hl en vinzelles, uniquement en vins blancs.

Pouilly-loché

CLOS DES ROCS Monopole 2004 *

1,5 ha 10 000 11 à 15 €

Après avoir « roulé sa bosse » un peu partout et notamment dans le Gard au château de Panery, Olivier Giroux est revenu au bercail en 2001 et a racheté le domaine Saint-Philibert à Loché, vignoble d'un seul tenant, avec de magnifiques bâtiments en pierre dorée. Son Monopole 2004 s'ouvre d'abord sur des nuances minérales, associées à des notes boisées et citronnées. Ample et bien construit, le palais laisse supposer une vendange mûre à point, mais il est encore légèrement marqué par le bois en finale. Deux ou trois années lui permettront de s'affiner. Une citation pour la cuvée **Domaine Clos des Rocs Les Mûres 2004 (8 à 11 €)**, tonique et élégante.

🔑 Olivier Giroux, SCEA Vignoble du Clos des Rocs, Les Mollards, 71960 Fuissé, tél. 03.85.32.97.53, fax 03.85.35.69.83 ☑ Y ⚲ r.-v.

ALAIN DELAYE 2004 *

1 ha 7 200 8 à 11 €

Ce domaine se situe à 500 m de la très belle église romane de Loché, au clocher octogonal, dont la porte du XVIe s. est une splendeur du genre, très ouvragée. Il produit des vins toujours à la hauteur de son appellation comme ce 2004, brillant, net et limpide, au nez frais et élégant, citronné et miellé. Sa bouche présente une belle rondeur. L'ensemble est très avenant et ne manquera pas de vous apporter du plaisir dans trois à quatre ans.

🔑 Alain Delaye, Les Mûres, 429, rte de Fuissé, 71000 Loché, tél. et fax 03.85.35.61.63, e-mail michele.delaye@wanadoo.fr ☑ Y ⚲ t.l.j. 9h-11h30 13h30-17h30

CAVE DES GRANDS CRUS BLANCS Les Mûres 2004 **

2,41 ha 14 400 5 à 8 €

Cette cave, fondée en 1929, est située à la croisée des chemins non loin de la sortie d'autoroute « Mâcon Sud », ce qui lui vaut une clientèle de passage nombreuse et fidèle. D'ailleurs, tout est conçu dans l'esprit de l'accueil du public. Faites une halte et venez goûter cette cuvée or clair à reflets verts. Elle offre un nez fleuri associé à des notes minérales. Sa bouche est solide, présentant des arômes d'agrumes très frais mais également des nuances de fruits confits. Un beau vin de garde. Plus simple, la cuvée classique **pouilly-loché 2004** est citée pour sa vigueur et son équilibre.

🔑 Cave des Grands Crus Blancs, 71680 Vinzelles, tél. 03.85.27.05.70, fax 03.85.27.05.71, e-mail contact@cavevinzellesloche.com ☑ Y t.l.j. 9h-12h30 13h30-18h30

CH. DE LOCHÉ 2003 *

n.c. n.c. 11 à 15 €

Louis Jadot, célèbre négociant beaunois, a un contrat avec le propriétaire du château de Loché, lui permettant tous les ans de récolter, de vinifier et d'élever cette cuvée. Jacques Lardières, l'éminent œnologue de la maison, suit cela de près, et pour ce difficile millésime 2003, c'est un succès tant ce vin semble frais et plein de jeunesse. Or vert, il est fringant avec ses petits arômes floraux, sa touche beurrée et miellée. Longue et persistante, la bouche est équilibrée avec des notes boisées fines. Vin complet et harmonieux, à boire à la fin de l'année.

🔑 Louis Jadot, 21, rue Eugène-Spuller, BP 117, 21203 Beaune Cedex, tél. 03.80.22.10.57, fax 03.80.22.56.03, e-mail contact@louisjadot.com Y ⚲ r.-v.

Pouilly-vinzelles

DOM. CLOS DES ROCS 2004

1,5 ha 10 000 8 à 11 €

On retrouve encore Olivier Giroux, jeune vigneron qui s'affirme comme un espoir du Mâconnais. Il propose cette jolie cuvée pâle et brillante qui offre à l'olfaction de nombreuses senteurs. Ce vin plaisir est facile à boire dès aujourd'hui sur sa fraîcheur.

🔑 Olivier Giroux, SCEA Vignoble du Clos des Rocs, Les Mollards, 71960 Fuissé, tél. 03.85.32.97.53, fax 03.85.35.69.83 ☑ Ⲧ ⛹ r.-v.

DOM. THIBERT PÈRE ET FILS

Les Longeays 2004 ★★

	1,99 ha	15 000	🛢 11 à 15 €

Fidèle à son habitude, l'équipe familiale du domaine Thibert a attendu la fin septembre pour vendanger ses Longeays afin que le chardonnay soit parfaitement mûr. Elle a été bien inspirée, car ce vin à l'allure fringante brille de mille reflets émeraude dans sa robe d'or. Si le bois est encore présent, notamment au nez avec des notes empyreumatiques puissantes, on découvre que ce 2004 possède un énorme potentiel. Sa structure pleine et ronde, qui lui donne de la consistance, et sa finale minérale invitent à l'attendre deux à trois ans, voire davantage.

🔑 Dom. Thibert Père et Fils, Le Bourg, 71960 Fuissé, tél. 03.85.27.02.66, fax 03.85.35.66.21, e-mail domthibe@wanadoo.fr ☑ Ⲧ ⛹ t.l.j. sf sam. dim. 8h30-12h 13h30-18h

Saint-véran

Réservée aux vins blancs produits sur huit communes de la Saône-et-Loire, saint-véran a été reconnue en 1971. La production (39 664 hl en 2005) peut être située dans la hiérarchie entre le pouilly et les mâcon suivis d'un nom de village. Ces vins sont légers, élégants, fruités, et accompagnent à merveille les débuts de repas.

Produite surtout sur des terroirs calcaires, l'appellation constitue la limite sud du Mâconnais.

DOM. DE LA BÂTIE 2004

	8 ha	9 000	▮ 5 à 8 €

Le 16 novembre 1658, les chanoines du chapitre de Saint-Vincent de Mâcon, alors seigneurs du lieu, reçurent Louis XIV ; le Roi-Soleil accorda aux chanoines le « droit de beuverie », c'est-à-dire le monopole de la vente dans les douze cabarets de Mâcon. Ce vin cherche à ressembler au Roi-Soleil dans son habit de lumière or vert ! Il a fière allure et laisse échapper de douces notes de fleurs et d'herbe fraîche, que l'on retrouve en bouche. Celle-ci, bien structurée et harmonieuse, présente un équilibre gras-acidité réussi. Une bouteille destinée aux viandes blanches.

🔑 Anne de Milly, SCEA Dom. de La Bâtie, Aux Bulands Cidex 1312, 71570 Saint-Véran, tél. et fax 03.85.35.14.66 ☑ Ⲧ ⛹ r.-v.

DOM. BOURDON 2004 ★★★

	0,63 ha	3 600	▮ 5 à 8 €

François Bourdon a repris en 1983 le domaine fondé par ses arrière-grands-parents. Cette cuvée confidentielle, élaborée à partir de chardonnay âgé de quinze ans et élevée sept mois en cuve, séduit par sa grande fraîcheur et son fruit. Brillante, la robe primesautière est dorée à reflets vert anis ; le nez d'une superbe complexité évoque un panier de

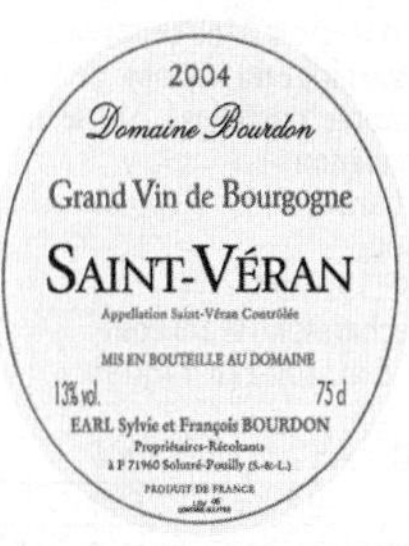

fruits (citron, poire, ananas, mangue...). On retrouve en bouche les arômes fruités sur une matière fraîche et charnue. Sa finale minérale rappelle son origine calcaire et le classe dans la catégorie des vins de terroir. « Un vin frais et gai comme une matinée printanière », conclut un dégustateur enthousiaste. Bien typé saint-véran, il fera un beau mariage avec un poisson grillé.

🔑 Dom. François et Sylvie Bourdon, Pouilly, 71960 Solutré-Pouilly, tél. et fax 03.85.35.81.44 ☑ Ⲧ ⛹ r.-v.

BRET BROTHERS En Combe 2004 ★

	0,3 ha	1 800	🛢 11 à 15 €

Devenue incontournable en Mâconnais, cette petite structure de négoce propose maintenant une cuvée de saint-véran. Celle-ci, issue d'achat de raisins contractualisé au moment de la taille de la vigne, permet aux deux frères Bret de garder la maîtrise du processus d'élaboration. Une cueillette manuelle, un pressurage lent et un élevage sous bois d'un an fait le reste. Or pâle mais brillant, le nez frais et agréable marqué par le chêne du fût, ce vin harmonieux possède une matière dense dans laquelle on distingue des arômes de pain d'épice et de noisette grillée. Encore sous l'emprise du bois, il gagnera à être attendu deux à trois ans afin que l'ensemble s'harmonise.

🔑 SARL Bret Brothers, La Soufrandière, 71680 Vinzelles, tél. et fax 03.85.35.67.72, e-mail contact@bretbrothers.com ☑ Ⲧ ⛹ r.-v.

CH. DES CHAILLOUX

Or des Chailloux Vieilles Vignes 2004

	4,5 ha	20 000	🛢 8 à 11 €

En janvier 2005, tous les vins produits par ce domaine ont été dégustés par la Marine française, au large du cap Horn ! Ont-ils été appréciés ? L'histoire ne le dit pas ; ce qui est sûr, c'est que le jury, lui, a été séduit. Jaune à reflets or vert, cet Or des Chailloux sent bon le citron vert et la minéralité du terroir qui l'a vu naître. Il se développe avec fraîcheur, dans le même registre aromatique, avant de s'achever sur une légère amertume. Ce vin peut déjà être apprécié sur un tartare de thon frais.

🔑 Frédéric Curis, Ch. des Chailloux, 71960 Davayé, tél. 03.85.35.88.02, fax 03.85.35.88.03, e-mail f.curis@terre-net.fr ☑ Ⲧ ⛹ r.-v.

PHILIPPE CHARMOND 2004 ★

	0,3 ha	3 400	▮ 5 à 8 €

Des vendanges manuelles soigneusement triées, ainsi qu'un pressurage en raisins entiers et un élevage de neuf mois ont donné naissance à ce vin bien typé que l'on servira sur un médaillon de veau à la crème et aux morilles. Les senteurs du nez, intenses et complexes, rappellent les fruits et les fleurs, et la bouche associe la richesse de la matière à la minéralité du terroir. Une belle réalisation de Philippe Charmond, qui exploite un vignoble de 5 ha de chardonnay réparti en quatorze parcelles ! Ah, le morcellement du vignoble bourguignon !

Philippe Charmond, Le Reposterre, 71960 Vergisson, tél. et fax 03.85.35.87.98, e-mail philippecharmond@aol.com
t.l.j. sf dim. 10h-12h 14h-19h

CH. CHASSELAS Premium 2004

0,8 ha 4 000 8 à 11 €

Cette propriété viticole créée au XIVe s. a changé de nombreuses fois de mains. Depuis 1999, les nouveaux propriétaires s'emploient à lui rendre sa notoriété et son éclat d'antan, notamment en améliorant la qualité des vins produits, alliant pour cela traditions locales, nouvelles technologies et respect de l'environnement. Premium est la cuvée haut de gamme du château Chasselas, issue de vieux chardonnay (cinquante ans d'âge). Habillée de jaune d'or intense, elle livre une matière puissante encore marquée, pour l'heure, par l'apport boisé de l'élevage. D'abord discret, le nez s'ouvre ensuite sur des notes vanillées et beurrées. Ces mêmes arômes se retrouvent dans une finale persistante. Un vin apte à une garde de deux ans.

Ch. Chasselas, 71570 Chasselas, tél. 03.85.35.12.01, fax 03.85.35.14.38, e-mail chateauchasselas@aol.com
t.l.j. 10h-12h 14h-18h
Veyron La Croix, Martinon

DOM. CLOS DE CHEVIGNE 2004

3,9 ha 6 666 5 à 8 €

Des notes minérales dues à son lieu de naissance émanent de ce vin à l'aspect jaune pâle, qui laisse une agréable impression de fraîcheur. La bouche allie le gras de la maturité du raisin à la vivacité de son terroir. Acidulé dans sa finale, ce Clos de Chevigne accompagnera un fromage de chèvre frais local.

Cave de Charnay, En Condemine, 54, chem. de la Cave, 71850 Charnay-lès-Mâcon, tél. 03.85.34.54.24, fax 03.85.34.86.84, e-mail carryc.coop.charnay@free.fr r.-v.

CLOS LA BOISSEROLLE 2004 *

1,65 ha 13 000 11 à 15 €

Frédéric Girard est un nouveau venu dans le Guide. Son grand-père, propriétaire en 1920 du « Café de Flore » à Paris, a acheté alors ce domaine qu'il a repris en 2003, sortant de la cave coopérative. Voici son deuxième millésime, à la robe jaune d'or soutenue. Le nez séduit par ses flaveurs de mirabelle et de nougat glacé dans un environnement beurré et fruité. On découvre ensuite un palais riche et équilibré qui s'étire longuement sur une finale citronnée. Un vin de gastronomie qui exprimera sa plénitude d'ici deux à trois ans.

Frédéric Girard, chem. de La Boisserolle, 71960 Prissé, tél. et fax 03.85.37.81.66, e-mail saint-veran@clos-la-boisserolle.com r.-v.

DOM. CORDIER PÈRE ET FILS En Faux 2004 **

1 ha 3 000 11 à 15 €

Dans le Mâconnais, le nom de Cordier est devenu une garantie de qualité pour les amateurs de vins boisés. Une réputation que ce saint-véran ne démentira pas, tant son mariage avec le fût de chêne est remarquable. Sa robe est soutenue, en accord avec les notes intenses de torréfaction, de pain grillé beurré et de vanille. De discrètes notes florales essaient de se faire entendre derrière la fanfare aromatique empyreumatique. L'attaque est franche et puissante, puis la matière et le bois s'associent pour donner une bouche riche et harmonieuse. Café et moka terminent la dégustation en compagnie de fruits mûrs et d'ananas. Une belle bouteille à accorder à un mets riche.

Dom. Cordier Père et Fils, 71960 Fuissé, tél. 03.85.35.62.89, fax 03.85.35.64.01, e-mail domaine.cordier@wanadoo.fr r.-v.

CH. DES CORREAUX Vieilles Vignes 2004

1,5 ha 10 000 8 à 11 €

La famille Bernard exploite à Leynes depuis 1803 un vignoble de gamay et de chardonnay. D'immenses caves voûtées abritent les pièces bourguignonnes (228 l), récipients dans lesquels ces deux cuvées ont été élevées, durant une année. Si la cuvée **Les Spires 2004 (11 à 15 €)** en garde encore une empreinte marquée, la cuvée Vieilles Vignes a déjà bien digéré son bois. Elle exhale de nombreux effluves fruités (raisin mûr, pêche de vigne) et vanillés. Le palais assez gras apprécie la pointe citronnée de la longue finale. À déguster dans un an sur un fromage de chèvre affiné.

Jean Bernard, Les Correaux, 71570 Leynes, tél. 03.85.35.11.59, fax 03.85.35.13.94, e-mail bernardleynes@yahoo.fr r.-v.

DOM. CORSIN Tirage précoce 2004 *

2,6 ha 22 500 5 à 8 €

Cette cuvée témoigne d'un travail soigné. Élaborée à partir de chardonnay de vingt-cinq ans, elle a été élevée seulement cinq mois en cuve Inox. Mais déjà sa robe d'or aguiche l'œil, le nez fin et complexe allie la poire à la craie et la fleur d'acacia au litchi. Jeune et fraîche, la bouche développe des arômes intenses de citron, de pamplemousse et d'ananas. Sa matière équilibrée donne plus dans la finesse que dans la puissance. Un vin élégant et printanier que l'on servira frais à l'apéritif ou sur un poisson grillé.

Dom. Corsin, Les Plantes, 71960 Davayé, tél. 03.85.35.83.69, fax 03.85.35.86.64, e-mail jjcorsin@domaine-corsin.com r.-v.

LA CROIX SENAILLET 2004

11 ha 95 000 5 à 8 €

Ce domaine réputé de l'appellation est depuis cette année en reconversion à l'agriculture biologique. Cette démarche, initiée par le président de l'appellation lui-même, sera-t-elle suivie par le plus grand nombre dans les années à venir ? Cette cuvée élaborée pour les magasins U a conquis le jury par sa typicité et sa fraîcheur. À l'œil, de discrets reflets verts illuminent une robe or pâle. Le nez puissant offre des senteurs de fleurs blanches et de beurre frais. La bouche ample et plaisante est légèrement acidulée dans son prolongement.

Richard et Stéphane Martin, Dom. de La Croix Senaillet, 71960 Davayé, tél. 03.85.35.82.83, fax 03.85.35.87.22
t.l.j. sf sam. dim. 8h-12h 13h30-17h30

DOM. DE LA CROUZE Tradition 2004

2 ha 6 000 5 à 8 €

Du chardonnay de cinquante ans, un terroir constitué d'argile et de calcaire ont donné cette cuvée de caractère,

à la somptueuse couleur or vert. Ses arômes expriment des nuances de sous-bois, comme le champignon frais, dans un environnement floral (acacia, tilleul). En bouche, la chair agréable est relevée par une belle vivacité. Un vin typique de son appellation, proposé par ce nouveau domaine, fraîchement sorti de la cave coopérative en 2003.
Dom. de La Crouze, La Crouze, 71960 Vergisson, tél. et fax 03.85.37.80.09, e-mail pierre.desroches@cegetel.net r.-v.
Pierre Desroches

DOM. DES DEUX ROCHES Vieilles Vignes 2004

3 ha 15 000 11 à 15 €

Ce domaine de 36 ha sélectionne les parcelles de vignes les plus âgées (entre cinquante et quatre-vingts ans) réparties sur différents terroirs, plus ou moins calcaires, caillouteux et d'orientations différentes. Cet assemblage a donné un 2004 jaune pâle à reflets verts. Évoquant le citron, l'ananas et le melon, le nez annonce un palais plein et équilibré. Le bois, très discret tout au long de la dégustation, apparaît finale. Sur la réserve aujourd'hui, ce vin dispose d'un bon potentiel pour s'ouvrir pleinement dans un an. On le servira alors sur une daurade grillée.
Dom. des Deux Roches, 71960 Davayé, tél. 03.85.35.86.51, fax 03.85.35.86.12 r.-v.

GEORGES DUBŒUF 2004 *

n.c. 18 000 5 à 8 €

Les vins de ce célèbre négociant du Beaujolais sont présents dans cent vingt pays à travers le monde. Cette cuvée respire la jeunesse avec sa robe or vert pâle, son nez intense de brioche, de citron confit et de torréfaction. La suite révèle un saint-véran de bonne étoffe, rond, équilibré, avec une finale gourmande jouant sur le caramel. Un ris de veau l'attend.
Les Vins Georges Dubœuf, La Gare, 71570 Romanèche-Thorins, tél. 03.85.35.34.20, fax 03.85.35.34.25, e-mail gduboeuf@duboeuf.com
t.l.j. 9h-18h au Hameau-en-Beaujolais; f. 1er-15 jan.

DOM. DE LA FEUILLARDE
Cuvée Prestige 2004 **

0,8 ha 6 000 8 à 11 €

Remarqué pour ses vins rouges (mâcon et bourgogne) dans l'édition précédente du Guide, ce domaine de 18 ha propose une cuvée remarquable habillée d'un bel or blanc, au nez gourmand mêlant des arômes classiques comme les fruits blancs à des notes plus originales comme la menthe, la crème fraîche et la brioche. Sa bouche riche et suave développe une matière tout en rondeur subtilement associée au boisé de l'élevage. La finale particulièrement longue est vivifiée par la minéralité du terroir. Cette bouteille est digne d'une poularde de Bresse.
Lucien Thomas, Dom. de La Feuillarde, 71960 Prissé, tél. 03.85.34.54.45, fax 03.85.34.31.50, e-mail contact@domaine-feuillarde.com
t.l.j. 8h-12h30 13h30-19h

J. ET P. FORTUNE 2004 **

2 ha 3 000 5 à 8 €

Ce saint-véran est originaire de la partie méridionale de l'appellation, où le microclimat, associé aux pentes escarpées des coteaux, permet au chardonnay de mûrir précocement. Il doit en être ainsi pour ce 2004, or jaune soutenu, qui dévoile des notes de surmaturité comme le coing et l'abricot. Bien équilibrée et abricotée, la bouche est pleine et gourmande. Doté d'un bon potentiel, un excellent vin que l'on pourra déjà servir à l'apéritif ou laisser vieillir une à deux années.
J. et P. Fortune, 1059, Le Petit Dracé, rte de Dracé, 71680 Crèches-sur-Saône, tél. et fax 03.85.37.47.27, e-mail pat.fortune@infonie.fr r.-v.

DOM. DE FUSSIACUS 2004

1,1 ha 9 500 8 à 11 €

Ce 2004 a bénéficié d'un élevage traditionnel de six mois en fût et en cuve. Il est simple mais plaisant, idéal pour un fromage de chèvre affiné. La robe vert clair annonce un vin fruité (citron, pêche blanche) et floral (tilleul), tandis que la bouche franche et nette, elle aussi florale, s'achève sur des notes d'alcool chaleureuses. À déguster en toutes occasions mais avec modération.
Jean-Paul Paquet, 71960 Fuissé, tél. 03.85.27.01.06, fax 03.85.27.01.07, e-mail fussiacus@wanadoo.fr
r.-v.

PIERRE ET VÉRONIQUE GIROUX
À la Côte 2004

1,1 ha 2 200 5 à 8 €

La parcelle de chardonnay qui a donné naissance à ce vin est située sur la commune de Chasselas, dans le secteur méridional de l'appellation. Pour fêter leurs vingt ans à la tête de l'exploitation, Véronique et Pierre Giroux proposent cette cuvée teintée d'or. Elle développe un nez simple mais franc, plutôt fruité (poire), tandis que la bouche souple et plaisante procure une agréable sensation, surtout en finale, muscatée. Simple, expressive et tout simplement bonne, elle flattera une quiche.
Pierre Giroux, Le Plan, 71960 Fuissé, tél. 03.85.35.66.07, fax 03.85.32.90.54, e-mail girouxpierre@wanadoo.fr r.-v.

DOM. GONON 2004 *

0,38 ha 3 200 5 à 8 €

Né sur des marnes, ce chardonnay présente des reflets or vert pâle presque cristallins. Les arômes, discrets de prime abord, sont flatteurs après aération ; ils évoquent les fleurs blanches et les fruits frais. L'attaque franche et nette est suivie d'une matière onctueuse et longue. La finale acidulée laisse la bouche fraîche et présage d'une bonne évolution dans le temps.
Dom. Gonon, En Carementrant, 71960 Vergisson, tél. 03.85.37.78.42, fax 03.85.37.77.14, e-mail domgonon@aol.com r.-v.

DOM. GUEUGNON-REMOND 2004 *

1 ha 7 900 5 à 8 €

Beaucoup de fraîcheur dans ce 2004 à la robe or vert translucide. Son nez très expressif privilégie la fleur d'acacia et le chèvrefeuille. La bouche se montre ronde, puissante et équilibrée, avec une finale citronnée agréable. Un saint-véran bien né et bien vinifié par la sympathique équipe du domaine Gueugnon-Remond. On le réservera à un plat de coquillages comme des moules marinière ou des coques au vin blanc.
Dom. Gueugnon-Remond, 117, chem. de la Cave, 71850 Charnay-lès-Mâcon, tél. 03.85.29.23.88, fax 03.85.20.20.72, e-mail vinsgueugnonremond@free.fr
r.-v.
Remond

BOURGOGNE

ROGER LASSARAT Le Cras 2004

0,54 ha 3 200 15 à 23 €

Les vignes anciennes qui trouvent vie dans ce sol maigre et caillouteux puisent au minéral le « sang de la terre » : Le Cras est un terroir à la limite du possible. Née dans de telles conditions, cette cuvée, encore sur la réserve aujourd'hui, détient un potentiel énorme, que les dégustateurs n'ont pas manqué de déceler. Or bronze à l'œil, elle affiche une bonne maturité au nez, tout en gardant un souvenir intense de son élevage sous bois. La bouche reste marquée par les tanins de bois très présents mais qui devraient se fondre dans la matière dense et grasse. C'est un vin très flatteur, surtout avec sa finale marquée par le pain d'épice, que l'on dégustera dans trois ou quatre ans sur un poulet de Bresse à la crème.

Roger Lassarat, Le Martelet, 71960 Vergisson, tél. 03.85.35.84.28, fax 03.85.35.86.73, e-mail info@roger-lassarat.com r.-v.

DOM. DES PONCETYS Clos du Château 2004

1,14 ha 10 000 5 à 8 €

Cette cuvée est élaborée par l'équipe pédagogique du lycée viticole de Mâcon-Davayé, avec l'aide des élèves en formation. Après un pressurage lent, ce Clos du Château est vinifié sous bois (pièces et foudres). Seuls 30 % de la cuvée, qui correspondent au cœur de presse, sont élevés en fût neuf. Le résultat est probant : robe or pâle brillante, nez ouvert de fleurs blanches, légèrement boisé avec des notes de caramel frais, bouche équilibrée dans laquelle on retrouve les saveurs du chêne associées à une touche mentholée. Frais en finale, il n'est pas très puissant mais charmeur. Une bouteille prête à être servie.

Lycée viticole de Mâcon-Davayé, Dom. des Poncetys, 71960 Davayé, tél. 03.85.33.56.22, fax 03.85.35.86.34, e-mail domaineponcetys@macon-davaye.com t.l.j. 9h-12h 14h-18h; sam. dim. sur r.-v.; f. 24 déc.-3 jan.

PASCAL RENOUD-GRAPPIN 2004 ★

3,6 ha 4 900 5 à 8 €

Installé en 1996 sur 26 ares, Pascal Renoud-Grappin est aujourd'hui à la tête d'une coquette propriété de 9 ha, située à 2 km de la roche de Solutré. Son saint-véran, paré d'une robe dorée brillante, présente un nez où le fruit s'allie à la noisette et au beurre. Malgré cette domination des fruits secs, l'attaque est franche et nette et introduit une bouche ronde et équilibrée. « Ce vin possède toutes les caractéristiques de son AOC », commente un juré ; il se mariera donc bien à une andouillette mâconnaise.

Pascal Renoud-Grappin, Les Plantes, 71960 Davayé, tél. 03.85.35.81.35, fax 03.85.35.87.82 r.-v.

ANTONIN RODET 2004

n.c. 7 466 8 à 11 €

Antonin Rodet crée la maison de négoce en 1875, puis, avec son gendre le marquis de Juennes, il acquiert de nombreuses propriétés bourguignonnes. En 2006, si les hommes ont changé, l'esprit de la maison demeure. Sélectionné avec soin par Nadine Gublin, la célèbre œnologue de la maison, ce saint-véran vous séduira. Or blanc cristallin, il est élégant, notamment grâce à ses fines notes florales et minérales et à sa belle construction. On retrouve au palais les fleurs blanches accompagnées de notes d'agrumes. Franc et vif, un vin à servir sur des coquillages.

Antonin Rodet, 71640 Mercurey, tél. 03.85.98.12.12, fax 03.85.45.25.49, e-mail rodet@rodet.com r.-v.

DOM. DES VALANGES
Cuvée Hors Classe 2004 ★★★

1,35 ha 7 500 8 à 11 €

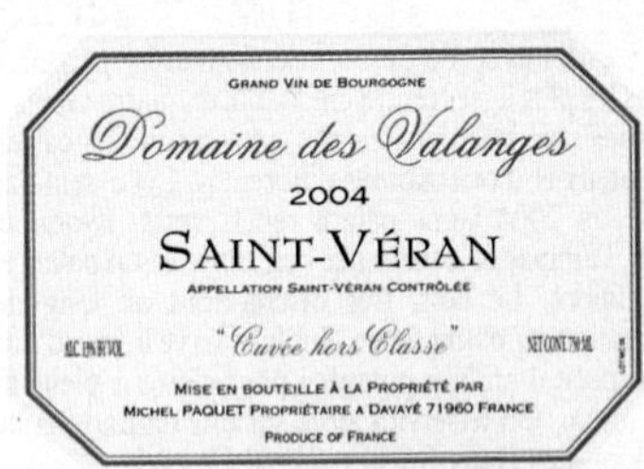

Et un de plus pour Michel Paquet et sa cuvée Hors Classe. Après ceux obtenus pour les millésimes 1994, 1995, 1997, 1999 et 2001, un nouveau coup de cœur récompense le plus beau 2004 de la série. Cette cuvée, créée en 1993, est issue d'une sélection des meilleures vieilles vignes du domaine, sises sur Davayé et exposées sud-est. Teintée d'or, elle offre des senteurs intenses d'un fruit mûr mariées à celles d'un boisé élégant, héritées de neuf mois d'élevage en chêne. Puissant en attaque, ample et concentré, le palais séduit par son fruité, toujours agrémenté de notes grillées. Une exceptionnelle harmonie et un potentiel de garde certain. Jugée remarquable pour sa palette aromatique complexe (noisette, ananas, vanille, agrumes) et pour sa personnalité racée et pure, la cuvée **Les Cras 2004** arrive en deuxième place au grand jury des coups de cœur. Une réussite exemplaire, dans un millésime plutôt difficile.

Michel Paquet, Dom. des Valanges, 71960 Davayé, tél. 03.85.35.85.03, fax 03.85.35.86.67, e-mail domaine-des-valanges@wanadoo.fr r.-v.

DOM. DES VIEILLES PIERRES
Les Pommards 2004 ★★

1,44 ha 9 000 5 à 8 €

Ce village typique est situé entre les célèbres roches de Solutré et de Vergisson. Au détour d'une balade en Sud Mâconnais, faites une halte au domaine des Vieilles Pierres, où Jean-Jacques Litaud vous réservera un accueil chaleureux. Son 2004 mérite également votre visite : dans sa robe dansent de nombreux reflets d'or d'où émanent de douces fragrances rappelant le fruit mûr, la pêche blanche et le citron. Sa jolie bouche charnue charme par ses arômes d'amande fraîche, de menthe et de raisin. Un soupçon de bois s'invite sur la finale. Soyeux et plaisant, il sera servi frais sur un fromage de chèvre local ou chambré sur des escargots de Bourgogne à la persillade.

Jean-Jacques Litaud, Les Nembrets, 71960 Vergisson, tél. 03.85.35.85.69, fax 03.85.35.86.26, e-mail jean-jacques.litaud@wanadoo.fr r.-v.

LA CHAMPAGNE

LA CHAMPAGNE

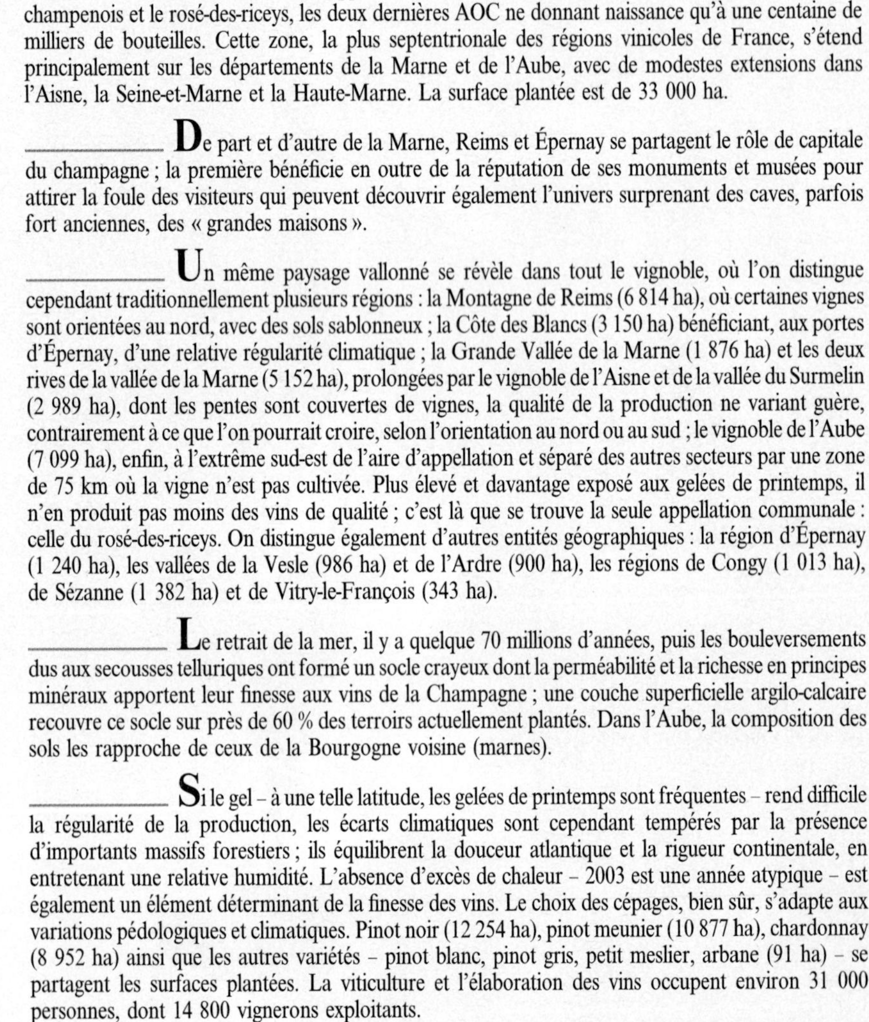

Vin des rois et des princes devenu celui de toutes les fêtes, le champagne s'auréole de la gloire et du prestige de porter dans le monde entier l'élégance et la séduction françaises. Son illustre réputation, il la doit autant à son histoire qu'à ses traits spécifiques qui font que, pour beaucoup, il n'est vin de Champagne que le champagne ; ce n'est pourtant pas si simple...

En effet, la région champenoise, située à moins de 200 km au nord-est de Paris, constitue l'aire délimitée de trois appellations d'origine contrôlée : le champagne, les coteaux-champenois et le rosé-des-riceys, les deux dernières AOC ne donnant naissance qu'à une centaine de milliers de bouteilles. Cette zone, la plus septentrionale des régions vinicoles de France, s'étend principalement sur les départements de la Marne et de l'Aube, avec de modestes extensions dans l'Aisne, la Seine-et-Marne et la Haute-Marne. La surface plantée est de 33 000 ha.

De part et d'autre de la Marne, Reims et Épernay se partagent le rôle de capitale du champagne ; la première bénéficie en outre de la réputation de ses monuments et musées pour attirer la foule des visiteurs qui peuvent découvrir également l'univers surprenant des caves, parfois fort anciennes, des « grandes maisons ».

Un même paysage vallonné se révèle dans tout le vignoble, où l'on distingue cependant traditionnellement plusieurs régions : la Montagne de Reims (6 814 ha), où certaines vignes sont orientées au nord, avec des sols sablonneux ; la Côte des Blancs (3 150 ha) bénéficiant, aux portes d'Épernay, d'une relative régularité climatique ; la Grande Vallée de la Marne (1 876 ha) et les deux rives de la vallée de la Marne (5 152 ha), prolongées par le vignoble de l'Aisne et de la vallée du Surmelin (2 989 ha), dont les pentes sont couvertes de vignes, la qualité de la production ne variant guère, contrairement à ce que l'on pourrait croire, selon l'orientation au nord ou au sud ; le vignoble de l'Aube (7 099 ha), enfin, à l'extrême sud-est de l'aire d'appellation et séparé des autres secteurs par une zone de 75 km où la vigne n'est pas cultivée. Plus élevé et davantage exposé aux gelées de printemps, il n'en produit pas moins des vins de qualité ; c'est là que se trouve la seule appellation communale : celle du rosé-des-riceys. On distingue également d'autres entités géographiques : la région d'Épernay (1 240 ha), les vallées de la Vesle (986 ha) et de l'Ardre (900 ha), les régions de Congy (1 013 ha), de Sézanne (1 382 ha) et de Vitry-le-François (343 ha).

Le retrait de la mer, il y a quelque 70 millions d'années, puis les bouleversements dus aux secousses telluriques ont formé un socle crayeux dont la perméabilité et la richesse en principes minéraux apportent leur finesse aux vins de la Champagne ; une couche superficielle argilo-calcaire recouvre ce socle sur près de 60 % des terroirs actuellement plantés. Dans l'Aube, la composition des sols les rapproche de ceux de la Bourgogne voisine (marnes).

Si le gel – à une telle latitude, les gelées de printemps sont fréquentes – rend difficile la régularité de la production, les écarts climatiques sont cependant tempérés par la présence d'importants massifs forestiers ; ils équilibrent la douceur atlantique et la rigueur continentale, en entretenant une relative humidité. L'absence d'excès de chaleur – 2003 est une année atypique – est également un élément déterminant de la finesse des vins. Le choix des cépages, bien sûr, s'adapte aux variations pédologiques et climatiques. Pinot noir (12 254 ha), pinot meunier (10 877 ha), chardonnay (8 952 ha) ainsi que les autres variétés – pinot blanc, pinot gris, petit meslier, arbane (91 ha) – se partagent les surfaces plantées. La viticulture et l'élaboration des vins occupent environ 31 000 personnes, dont 14 800 vignerons exploitants.

L'élaboration particulière du champagne sur plusieurs années (en moyenne trois ans et beaucoup plus pour les millésimés) oblige à un stockage supérieur à 1 milliard de bouteilles. Selon UBIFRANCE, l'exportation du champagne (1,867 milliard d'euros, soit + 6,1 % par rapport aux valeurs de 2004) représente une part importante du chiffre d'affaires des exportations françaises de vin.

On fait du vin en Champagne au moins depuis l'invasion romaine. Il fut blanc, puis rouge et enfin gris, c'est-à-dire blanc ou presque, issu de pressurage de raisins noirs. Déjà, il avait la fâcheuse habitude de « bouillonner dans ses vaisseaux », c'est-à-dire de mousser dans les tonneaux. Ce fut sans doute en Angleterre que l'on inventa la mise en bouteilles systématique de ces vins instables qui, jusqu'en 1700 environ, étaient livrés en fût ; cela eut pour effet de permettre au gaz carbonique de se dissoudre dans le vin : le vin effervescent était né. Procureur de l'abbaye de Hautvillers et technicien avant la lettre, dom Pérignon produira dans son abbaye les meilleurs vins ; c'est aussi lui qui les vendra le plus cher...

En 1728, le conseil du roi autorise le transport du vin en bouteilles ; un an plus tard, la première maison de vin de négoce est fondée : Ruinart. D'autres suivront (Moët en 1743), mais c'est au XIX^e^s. que la plupart des grandes maisons se créent ou s'affirment. En 1804, Mme Clicquot lance le premier champagne rosé, et, dès 1830, apparaissent les premières étiquettes collées sur les bouteilles. À partir de 1860, Mme Pommery boit des « bruts », tandis que, vers 1870, sont proposés les premiers champagnes millésimés. Raymond Abelé invente, en 1884, le banc de dégorgement à la glace, avant que le phylloxéra puis les deux guerres ne ravagent les vignobles. Depuis 1945, les fûts de bois ont cédé la place, le plus souvent, aux cuves en acier inoxydable, dégorgement et finition sont automatisés, alors que le remuage lui-même se mécanise.

Une grande partie des vignerons champenois appartient aujourd'hui à la catégorie des producteurs de raisins : ce sont les « vendeurs au kilo ». Ils cèdent tout ou partie de leur production aux grandes marques qui vinifient, élaborent et commercialisent. Cette pratique a conduit l'Interprofession à proposer – les lois de la concurrence interdisent de fixer un prix obligé – un prix recommandé des raisins et à attribuer à chaque commune une cotation en fonction de la qualité de sa production : c'est l'échelle des crus. Les vins issus des communes viticoles sont classés dans une échelle des crus, apparue dès la fin du XIX^e^s. Cotés 100 %, ils ont droit au titre de « grand cru », ceux cotés de 99 à 90 % bénéficient de la mention « premier cru », la cotation des autres s'échelonne de 89 à 80 %. Le prix des raisins varie selon le pourcentage communal. Le rendement maximum à l'hectare est modulé chaque année, alors que 160 kg de raisins ne permettent pas d'obtenir plus d'un hectolitre de moût apte à être vinifié en champagne.

Champagne

La singularité du champagne apparaît dès les vendanges. La machine à vendanger est interdite ; toute la cueillette est manuelle car il est essentiel que les baies (grains) de raisin parviennent en parfait état au lieu de pressurage. Pour cela, on remplace les hottes par de petits paniers, afin que le raisin ne soit pas écrasé. Il a fallu aussi créer des centres de pressurage disséminés au cœur du vignoble afin de raccourcir le temps de transport du raisin. Pourquoi tous ces soins ? Parce que le champagne étant un vin blanc issu en majeure partie d'un raisin noir – les pinots –, il convient que le jus incolore ne soit pas taché au contact de l'extérieur de la peau.

Le pressurage, lui, doit se faire sans délai et permettre de recueillir successivement et séparément le jus issu des zones concentriques du grain ; d'où la forme particulière des pressoirs traditionnels champenois : on y entasse le raisin sur une vaste surface mais à une faible hauteur, pour ne pas abîmer les baies et pour faciliter la circulation du jus ; la vendange n'est jamais éraflée.

Le pressurage est sévèrement réglementé. On compte 1 929 centres de pressurage, et chacun doit recevoir un agrément pour avoir le droit de fonctionner. De 4 000 kg de raisins, on ne peut extraire que 25,5 hl de moût. Cette unité s'appelle un marc. Le pressurage est fractionné entre la cuvée (20,5 hl) et la taille (5 hl).

La Champagne

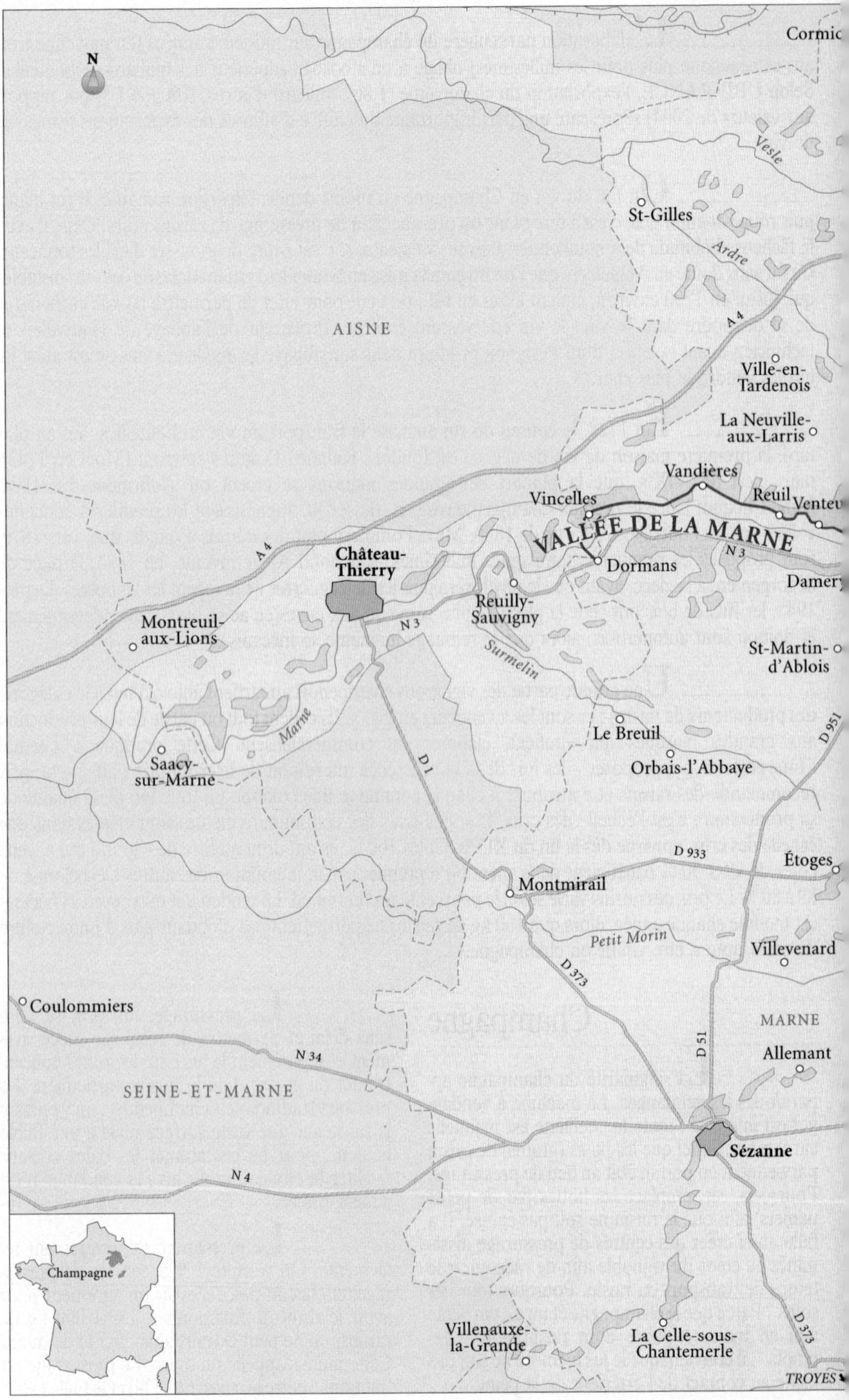

N
Cormic
Vesle
St-Gilles
Ardre
A 4
AISNE
Ville-en-
Tardenois
La Neuville-
aux-Larris
Vandières
Vincelles
Reuil
Venteu
VALLÉE DE LA MARNE
N 3
Dormans
Damery
A 4
Château-
Thierry
Reuilly-
Sauvigny
N 3
Montreuil-
aux-Lions
Surmelin
St-Martin-
d'Ablois
Marne
Le Breuil
D 951
Saacy-
sur-Marne
Orbais-l'Abbaye
D 1
D 933
Étoges
Montmirail
Petit Morin
Villevenard
D 373
Coulommiers
MARNE
D 51
Allemant
N 34
SEINE-ET-MARNE
Sézanne
N 4
Champagne
Villenauxe-
la-Grande
La Celle-sous-
Chantemerle
D 373
TROYES

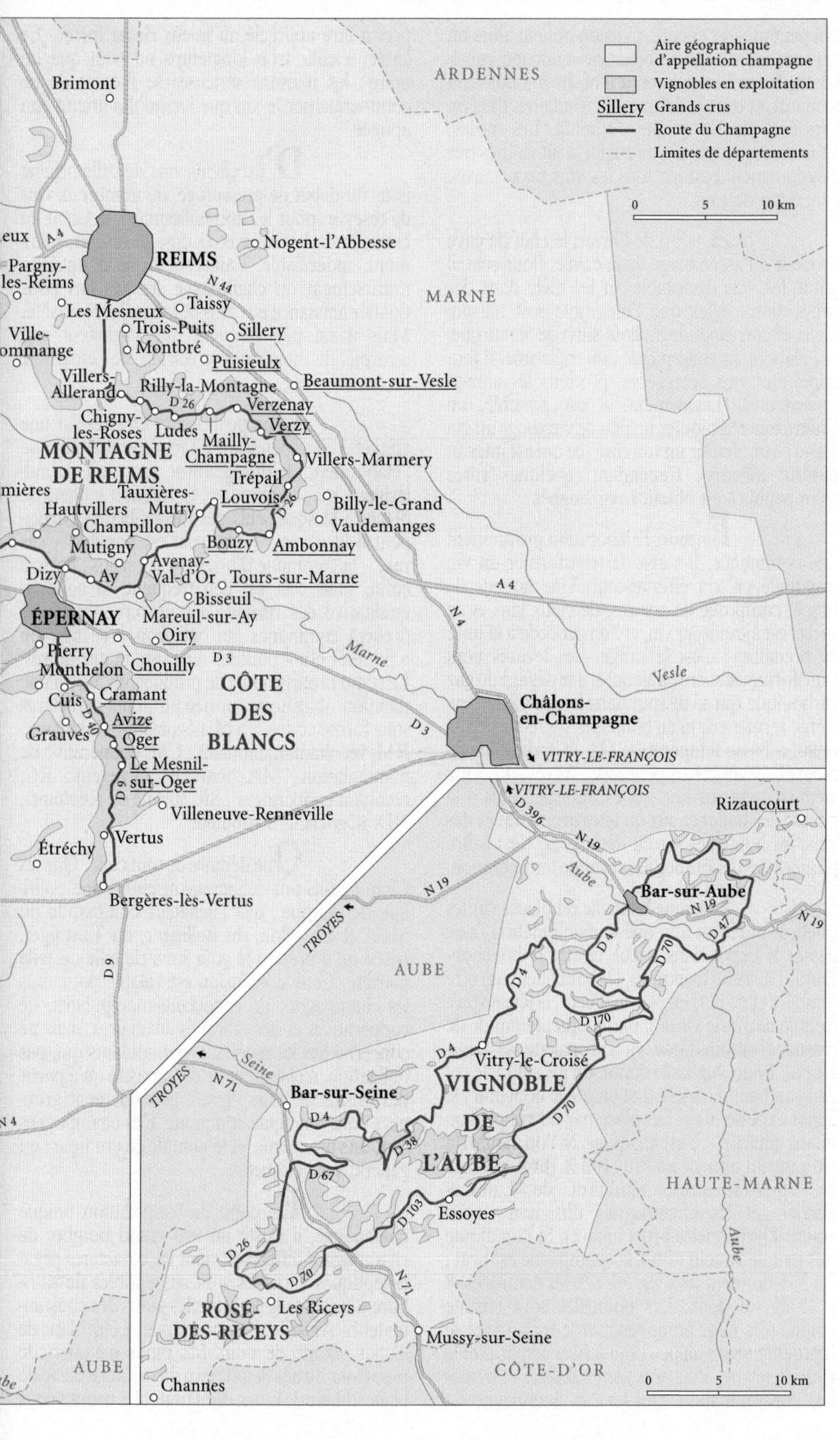
Aire géographique d'appellation champagne
Vignobles en exploitation
Sillery Grands crus
Route du Champagne
Limites de départements
0 5 10 km
ARDENNES
MARNE
Brimont
REIMS
Nogent-l'Abbesse
Pargny-les-Reims
Les Mesneux
Taissy
Trois-Puits
Sillery
Montbré
Puisieulx
Villers-Allerand
Rilly-la-Montagne
Beaumont-sur-Vesle
Chigny-les-Roses
Ludes
Verzenay
Verzy
Mailly-Champagne
Villers-Marmery
MONTAGNE DE REIMS
Trépail
Tauxières-Mutry
Louvois
Billy-le-Grand
Hautvillers
Champillon
Vaudemanges
Mutigny
Bouzy
Ambonnay
Avenay-Val-d'Or
Dizy
Ay
Tours-sur-Marne
Bisseuil
ÉPERNAY
Mareuil-sur-Ay
Oiry
Pierry
Chouilly
Monthelon
CÔTE DES BLANCS
Cuis
Cramant
Avize
Grauves
Oger
Le Mesnil-sur-Oger
Villeneuve-Renneville
Vertus
Étréchy
Bergères-lès-Vertus
Châlons-en-Champagne
VITRY-LE-FRANÇOIS
Marne
Vesle
A 4
N 44
N 4
D 26
D 3
D 40
D 9
Rizaucourt
D 396
N 19
Aube
Bar-sur-Aube
D 47
D 70
D 4
D 170
TROYES
AUBE
Seine
N 71
Vitry-le-Croisé
VIGNOBLE DE L'AUBE
Bar-sur-Seine
D 38
D 67
D 103
Essoyes
HAUTE-MARNE
D 26
Les Riceys
ROSÉ-DES-RICEYS
Mussy-sur-Seine
CÔTE-D'OR
Channes
0 5 10 km

On peut presser encore, mais on obtient alors un jus sans intérêt qui ne bénéficie d'aucune appellation, la « rebêche » (on a « bêché » à nouveau le marc), et qui est destiné à la distillerie. Plus on pressure, plus la qualité s'affaiblit. Les moûts, acheminés par camion au cuvier, sont vinifiés très classiquement comme tous les vins blancs, avec beaucoup de soin.

A la fin de l'hiver, le chef de cave procède à l'assemblage de la cuvée. Pour cela, il goûte les vins disponibles et les mêle dans des proportions telles que l'ensemble soit harmonieux et corresponde au goût suivi de la marque. S'il élabore un champagne non millésimé, il fera appel aux vins de réserve, produits les années précédentes. Légalement, il est possible, en Champagne, d'ajouter un peu de vin rouge au vin blanc pour obtenir un ton rosé (ce qui est interdit partout ailleurs). Cependant, quelques rosés champenois sont obtenus par saignée.

Ensuite, l'élaboration proprement dite commence. Il s'agit de transformer un vin tranquille en vin effervescent. Une liqueur de tirage, composée de levures, de vieux vins et de sucre, est ajoutée au vin, et l'on procède à la mise en bouteilles : c'est le tirage. Les levures vont transformer le sucre en alcool et il se dégage du gaz carbonique qui se dissout dans le vin. Cette deuxième fermentation en bouteilles s'effectue lentement, à basse température (11 °C), dans les fameuses caves champenoises. Après un long vieillissement sur lies, qui est indispensable à la finesse des bulles et aux qualités aromatiques des vins, les bouteilles seront dégorgées, c'est-à-dire purgées des dépôts dus à la seconde fermentation.

Chaque bouteille est placée sur les célèbres pupitres, afin que la manipulation fasse glisser le dépôt dans le col, contre le bouchon. Durant deux ou trois mois, les bouteilles vont être remuées et de plus en plus inclinées, la tête en bas, jusqu'à ce que le vin soit parfaitement limpide (le remuage automatique en gyropalette se développe). Pour chasser le dépôt, on gèle alors le col dans un bain réfrigérant et on ôte le bouchon ; le dépôt expulsé, il est remplacé par un vin plus ou moins édulcoré : c'est le dosage. Si l'on ajoute du vin pur, on obtient un brut 100 % (brut sauvage de Piper-Heidsieck, ultra-brut de Laurent-Perrier, et les champagnes dits non dosés, aujourd'hui appelés bruts nature). Si l'on ajoute très peu de liqueur (1 %), le champagne est brut ; 2 à 5 % donnent les secs, 5 à 8 % les demi-secs, 8 à 15 % les doux. Les bouteilles sont ensuite poignettées pour homogénéiser le mélange et se reposent encore un peu pour laisser disparaître le goût de levure. Puis elles sont habillées et livrées à la consommation. Dès lors, le champagne est prêt à être apprécié au mieux de sa forme. Le laisser vieillir trop longtemps ne peut que lui nuire : les maisons sérieuses se flattent de ne commercialiser le vin que lorsqu'il a atteint son apogée.

D'excellents vins de belle origine issus du début de pressurage, de nombreux vins de réserve (pour les non-millésimés), le talent du créateur de la cuvée et le dosage discret, minimum, indécelable, s'allieront donc à un long mûrissement du champagne sur ses lies pour donner naissance aux vins de la meilleure qualité. Mais il est peu fréquent que l'acheteur soit informé, du moins avec précision, de l'ensemble de ces critères.

Que peut-on lire en effet sur une étiquette champenoise ? La marque et le nom de l'élaborateur ; le dosage (brut, sec, etc.) ; le millésime – ou son absence ; la mention « blanc de blancs » lorsque seuls des raisins blancs participent à la cuvée ; quand cela est possible – cas rare – la commune d'origine des raisins ; parfois enfin, mais cela est peu fréquent, la cotation qualitative des raisins : « grand cru » pour les dix-sept communes qui ont droit à ce titre ou « premier cru » pour les quarante et une autres. Le statut professionnel du producteur, lui, est une mention obligatoire, portée en petits caractères sous forme codée : NM, négociant-manipulant ; RM, récoltant-manipulant ; CM, coopérative de manipulation ; MA, marque d'acheteur ; RC, récoltant-coopérateur ; SR, société de récoltants, ND, négociant-distributeur.

Que déduire de tout cela ? Que les Champenois ont délibérément choisi une politique de marque ; que l'acheteur commande du Moët et Chandon, du Bollinger, du Taittinger, parce qu'il préfère le goût suivi de telle ou telle marque. Cette conclusion est valable pour tous les champagnes de négociants-manipulants, de coopératives et des marques auxiliaires, mais ne concerne pas les récoltants-manipulants qui, par obligation, n'élaborent de champagne qu'à partir des raisins de leurs vignes, généralement groupées dans une seule commune. Ces champagnes sont dits monocrus, et le nom de ce cru figure en général sur l'étiquette.

En dépit de l'appellation unique champagne, il existe un très grand nombre de champagnes différents, dont les caractères organoleptiques variables sont susceptibles de satisfaire tous les usages et tous les goûts des consommateurs. Ainsi, le champagne peut-il être blanc de blancs ; blanc de noirs (de pinot meunier, de pinot noir ou des deux) ; issu du mélange blanc de blancs/blanc de noirs, dans toutes les proportions imaginables ; d'un seul cru ou de plusieurs ; originaire d'un grand cru, d'un premier cru ou de communes de moindre prestige ; millésimé ou non (les non-millésimés peuvent être composés de vins jeunes, ou faire appel à plus ou moins de vins de réserve ; parfois ils sont le produit de l'assemblage d'années millésimées) ; non dosé ou dosé très variablement ; mûri brièvement ou longuement sur ses lies ; dégorgé depuis un temps plus ou moins long ; blanc ou rosé (rosé obtenu par mélange ou par saignée)... La plupart de ces éléments pouvant se combiner entre eux, il existe donc une infinité de champagnes. Quel que soit son type, on s'accorde à penser que le meilleur est celui qui a mûri le plus longtemps sur ses lies (cinq à dix ans), consommé dans les six mois suivant son dégorgement.

En fonction de ce qui précède, on s'explique mieux que le prix des bouteilles puisse varier de un à huit, et qu'il existe des hauts de gamme ou des cuvées spéciales. Il est malheureusement certain que, dans les grandes marques, les champagnes les moins chers sont les moins intéressants. En revanche, la grande différence de prix qui sépare la gamme intermédiaire (millésimés) de la plus élevée ne traduit pas toujours rigoureusement un saut qualitatif.

Le champagne se boit entre 7 et 9 °C, frais pour les blancs de blancs et les champagnes jeunes, moins rafraîchi pour les millésimés et les champagnes vineux. Outre la bouteille classique de 75 cl, le champagne est proposé en quart, demi, magnum (2 bout.), jéroboam (4 bout.), mathusalem (8 bout.), salmanazar (12 bout.)... La bouteille sera refroidie progressivement par immersion dans un seau à champagne contenant de l'eau et de la glace. Pour la déboucher, enlever ensemble muselet et habillage. Si le bouchon tend à être expulsé par la pression, on le laissera venir avec habillage et muselet. Lorsque le bouchon résiste, on le maintient d'une main alors que l'on fait tourner la bouteille de l'autre. Le bouchon est extrait lentement, sans bruit, sans décompression brutale.

Le champagne ne doit pas être servi dans des coupes, mais dans des verres de cristal, étroits et élancés, secs, non refroidis par des glaçons, exempts de toute trace de détergent qui tuerait les bulles et la mousse. Il se boit aussi bien en apéritif qu'avec les entrées et les poissons maigres. Les vins vineux, à majorité blancs de noirs, et les grands millésimés sont souvent servis avec les viandes en sauce. Au dessert et avec les mets sucrés, on boira un demi-sec plutôt qu'un brut, le sucre renforçant trop la sensibilité du palais aux structures acides.

Les derniers millésimes : 1982, grand millésime complet ; 1983, droit, sans artifices ; 1984 n'est pas un millésime, n'en parlons pas ; 1985, grandes bouteilles ; 1986, qualité moyenne, rarement millésimé ; 1987, un mauvais souvenir ; 1988, 1989, 1990, trois belles années à savourer ; 1991 : faible, généralement non millésimé ; 1992, 1993, 1994 : années moyennes ; quelques grandes maisons ont millésimé 92 ou 93 ; 1995 : la meilleure année depuis 1990 ; 1996 : grande année millésimée ; 1997 : rarement millésimé ; 1998 : bon millésime ; 1999 : parfois millésimé ; 2000 : surtout connu pour ses trois zéros...

AGRAPART Minéral 1998 ★★

Gd cru 2 ha 20 000 23 à 30 €

Ce domaine très morcelé de la Côte des Blancs a été créé il y a plus d'un siècle. Le blanc de blancs Minéral 1998 passe par le bois ; on y découvre le pain beurré et les fleurs blanches. La bouche harmonieuse persiste longuement sur des notes de citron confit. Deux autres cuvées de blanc de blancs sont citées : **Terroirs (15 à 23 €)** née des années 2000 et 2001 et **Vénus 2001 (46 à 76 €)** ; la première mentholée au nez et quelque peu confiturée, la seconde fraîche et longue. (RM)

Agrapart et Fils, 57, av. Jean-Jaurès, 51190 Avize, tél. 03.26.57.51.38, e-mail champagne.agrapart@wanadoo.fr r.-v.

Y. ALEXANDRE Sélection ★

5 ha 40 000 11 à 15 €

Les ancêtres d'Yves Alexandre étaient viticulteurs en 1720. L'exploitation (12 ha répartis dans neuf communes) est située à 10 km au sud-ouest de Reims. Elle élabore du champagne depuis les années 1930. Issu de la récolte 1999 complétée par du vin de réserve de 1997 et 1998, celui-ci est dominé par les raisins noirs (80 % dont 70 % de pinot meunier). Agréable et fin au nez, il évoque les fruits blancs (pêche et poire). Sa fraîcheur, son côté léger et aérien en font un champagne tout indiqué pour l'apéritif. (RM)

Yves Alexandre, 3, rue Saint-Vincent, 51390 Courmas, tél. 03.26.49.20.78, fax 03.26.49.76.09 r.-v.

DE L'ARGENTAINE Blanc de blancs 1995 ★

0,6 ha 5 000 15 à 23 €

La coopérative de Vandières, dans la vallée de la Marne, a été fondée en 1956. Sous sa marque De l'Argentaine, elle propose un blanc de blancs 1995 – un excellent millésime de plus en plus rare. Celui-ci ne donne aucun signe de fatigue, bien que son âge soit perceptible à l'or soutenu de sa robe. On y découvre le coing confituré serti dans une structure équilibrée. (CM)

Coop. vinicole l'Union Vandières, Cidex 318, 51700 Vandières, tél. 03.26.58.68.68, fax 03.26.58.68.69, e-mail delargentaine@wanadoo.fr

lun. mar. jeu. ven. 9h-12h 14h-17h; f. août et déc.

JEAN-ANTOINE ARISTON
Blanc de blancs Vieilles Vignes 1999 ★

1 ha 10 000 15 à 23 €

À la tête de son vignoble de 6,5 ha situé dans la vallée de l'Ardre, Jean-Antoine Ariston propose un 1999 blanc de blancs vif, fruité, équilibré, très jeune pour son âge. Quant à sa cuvée **Carte blanche (11 à 15 €)** assemblage de 60 % de chardonnay et de 40 % de pinot noir des années 2001 à 2003, elle a été citée. C'est un champagne intense et nerveux. (RM)

🔑 Jean-Antoine Ariston, 4, rue Haute, 51170 Brouillet, tél. 03.26.97.47.02, fax 03.26.97.49.75, e-mail champagne.ariston@wanadoo.fr ☑ Y ⛹ r.-v.

ARISTON FILS Tradition

● 5 ha 30 000 ▮ 11 à 15 €

Cet autre domaine Ariston de Brouillet est exploité par Remi et Paul-Vincent Ariston. Leur cuvée Tradition naît des trois cépages champenois à parts égales. Un début d'évolution contribue à son fruité compoté. Sont cités également les champagnes **Aspasie blanc de blancs (15 à 23 €)** et **Aspasie Brut de fût (23 à 30 €)**. Le premier, de la récolte 2002, attaque vivement, puis laisse en bouche des saveurs de pêche de vigne ; le second, mi-noirs mi-blancs de 1998, a connu le chêne ; il est évolué, souple et convient aux repas. (RM)

🔑 EARL Remi Ariston, 4 et 8, Grande-Rue, 51170 Brouillet, tél. 03.26.97.43.46, fax 03.26.97.49.34, e-mail contact@champagne-aristonfils.com ☑ Y ⛹ t.l.j. sf dim. 9h-12h 14h-17h 🏠 ❸

MICHEL ARNOULD ET FILS Grande Cuvée ★

● Gd cru 0,5 ha 3 500 ▮ 15 à 23 €

Les Arnould commercialisent leur champagne depuis le début des années 1960. Ils exploitent un vignoble de 12 ha autour de Verzenay, commune classée en grand cru. Leur Grande Cuvée privilégie le pinot noir (70 % pour 30 % de chardonnay) et naît de raisins récoltés en 2002 ; c'est un champagne gourmand, brioché, beurré et frais. La cuvée **Carte d'or 1999 grand cru**, mi-noirs mi-blancs, est citée pour sa palette aromatique originale, vanillée et anisée. (RM)

🔑 Michel Arnould et Fils, 28, rue de Mailly, 51360 Verzenay, tél. 03.26.49.40.06, fax 03.26.49.44.61, e-mail info@champagne-michel-arnould.com ☑ Y ⛹ t.l.j. 9h-12h 14h-16h30; dim. sur r.-v.

CH. DE L'AUCHE Cuvée Tradition ★

● n.c. 100 000 ▮ 11 à 15 €

Marque d'une coopérative des environs de Reims, fondée en 1961. Ses adhérents possèdent 130 ha de vignes. Elle s'est distinguée par deux blancs de noirs qui font la part belle au meunier : 85 %, pour 15 % de pinot noir. Très réussie, cette Cuvée Tradition est issue des années 2001 à 2003. Puissante au nez, légèrement mentholée, franche à l'attaque, elle offre des arômes de pâte de fruits soulignés par le dosage. Citée, la **Cuvée Sélection** assemble les années 2000 à 2002. Elle est retenue pour sa finesse, en dépit d'un dosage sensible. (CM)

🔑 Ch. de L'Auche, rue de Germigny, 51390 Janvry, tél. 03.26.03.63.40, fax 03.26.03.66.93, e-mail info@champagne-de-lauche.com ☑ Y ⛹ r.-v.

AUTRÉAU DE CHAMPILLON

● 1er cru n.c. n.c. ▮ 11 à 15 €

Établie dans la vallée de la Marne, la famille d'Éric Autréau travaille la vigne depuis plus de trois siècles et cultive aujourd'hui près de de 30 ha. Son brut 1er cru est dominé par les pinots (75 % dont 50 % pour le pinot noir). Il est cité pour ses arômes de fleurs blanches et sa bouche équilibrée. Citée également, la cuvée **Les Perles de la Dhuy 1999 (15 à 23 €)** fait la part belle au chardonnay. Elle est fine et nerveuse. (NM)

🔑 SARL Les Vignobles champenois, 15, rue René-Baudet, 51160 Champillon, tél. 03.26.59.46.00, fax 03.26.59.44.85, e-mail champagne.autreau@wanadoo.fr ☑ Y ⛹ r.-v.

🔑 Éric Autréau

AUTRÉAU-LASNOT Carte d'or ★

● 3 ha 14 000 ▮ ⦀ 11 à 15 €

À Venteuil et alentours (vallée de la Marne), Fabien et Florent, les deux fils de Gérard Autréau, ont porté la surface du vignoble à 13 ha. Le chardonnay et le pinot noir à parts égales (40 % chacun), complétés par 20 % de pinot meunier des années 2000 à 2002, composent cette cuvée Carte d'or aux arômes miellés et floraux dont le fruité distingué convient à l'apéritif. Le **rosé**, assemblage des mêmes cépages et des mêmes années que le précédent, dans des proportions identiques, a été cité. Il est souple, rond et acidulé. Même note pour la **Carte bleue Cuvée de réserve**, un blanc de noirs issu à 95 % de meunier des années 2001 à 3003. Un champagne équilibré et long. (RM)

🔑 Autréau-Lasnot, 6, rue du Château, 51480 Venteuil, tél. 03.26.58.49.35, fax 03.26.58.65.44, e-mail info@champagne-autreau-lasnot.com ☑ Y ⛹ t.l.j. 9h-12h 13h30-18h; dim. mat. et groupes sur r.-v.

AYALA Blanc de blancs 1999 ★★

● n.c. 20 000 30 à 38 €

Maison d'Aÿ fondée en 1860 et reprise par le Champagne Bollinger. Elle réalise une belle prestation puisqu'elle obtient deux fois deux étoiles et deux fois une étoile ! Son blanc de blancs 1999 est un champagne au charme printanier, floral, fin, ample, parfaitement dosé. Remarquable elle aussi, la cuvée haut de gamme **Perle d'Ayala 1998 (38 à 46 €)**, dominée par le chardonnay (80 %), tout en finesse, en élégance et en vivacité. Quant au **brut Majeur (23 à 30 €)** et au **brut zéro dosage (23 à 30 €)** qui naissent chacun de pinot noir (50 %), de pinot meunier (20 %) et de chardonnay (30 %), ils obtiennent tous les deux une étoile pour leur fraîcheur, leur attaque nette et leur équilibre. (NM)

🔑 Ayala & Co, 2, bd du Nord, 51160 Aÿ, tél. 03.26.55.15.44, fax 03.26.51.09.04, e-mail contact@champagne-ayala.fr ☑ Y ⛹ r.-v.

🔑 SJB

A. BAGNOST Cuvée de réserve

● 1,6 ha 13 000 ▮ 11 à 15 €

Marque lancée en 2000 par les Bagnost de Pierry afin de bénéficier du statut de négociant (NM) et d'avoir la faculté d'acheter du raisin, ce qui est interdit aux récoltants-manipulants. La maison, à dimension familiale, s'approvisionne auprès des vignerons de la commune où elle est établie, près d'Épernay. Les trois cépages champenois des années 2000 et 2003 collaborent en parts égales à sa Cuvée de réserve. Un nez complexe, fruité, compoté et brioché et un corps rond et plein en font un champagne adapté aux repas. (NM)

🔑 Arnaud Bagnost, 24, rue du Gal-de-Gaulle, 51530 Pierry, tél. 03.26.54.10.59, fax 03.26.55.67.17, e-mail marie_astrid@club-internet.fr ☑ Y ⛹ r.-v.

BAGNOST PÈRE ET FILS Carte d'or ★

3 ha	27 000	11 à 15 €

Les Bagnost se succèdent de père en fils depuis 1890, sur une propriété qui compte aujourd'hui 8 ha. Les vignes sont implantées sur des coteaux au sud d'Épernay. La cuvée Carte d'or marie à parts égales les trois cépages champenois des années 2000 et 2002. Minérale, fine, fraîche et facile d'accès, elle est destinée au début du repas. Le **rosé** assemble 60 % de pinot noir au chardonnay et naît de l'année 2003. Bien coloré, il révèle des arômes de fruits rouges et demeure frais en dépit d'un dosage perceptible. Il est cité, tout comme la **Cuvée de réserve**, qui allie à parts égales les trois cépages champenois récoltés en 2002. Cette dernière s'exprime avec puissance et vinosité. (RM)

EARL Bagnost Père et Fils, 30, rue du Gal-de-Gaulle, 51530 Pierry, tél. 03.26.54.04.22, fax 03.26.55.67.17 r.-v.

Claude Bagnost

ALAIN BAILLY Extra Brut Grande Réserve ★

4 ha	28 176	11 à 15 €

Établi dans la vallée de l'Ardre, célèbre par son circuit des églises romanes, ce domaine a été créé au début des années 1960. Il s'étend sur près de 12 ha. Son Extra Brut naît de 75 % de pinots dont 50 % de meunier et de 25 % de chardonnay, récoltés de 1999 à 2001 : son nez très fin de fruits à chair blanche, sa longue bouche d'agrumes lui valent une étoile. Quant au **rosé**, issu des mêmes années mais encore davantage marqué par les raisins noirs (55 % de meunier, 35 % de pinot noir pour 10 % de chardonnay), c'est un champagne fruité, intense, rond et long : une citation. (RM)

Alain Bailly, 3, rue du Tambour, 51170 Serzy-et-Prin, tél. 03.26.97.41.58, fax 03.26.97.44.53, e-mail champagne-bailly@wanadoo.fr r.-v.

Franck Bailly

CHRISTIAN BANNIÈRE Masterclass

Gd cru	1 ha	3 000	15 à 23 €

En 1948, Jacques Bannière, viticulteur dans la Montagne de Reims, commercialise ses premières bouteilles. Trente ans plus tard, Christian Bannière s'installe sur le domaine. Il exploite aujourd'hui 4,5 ha du côté de Bouzy, commune célèbre pour son pinot noir. C'est ce cépage qui domine largement l'assemblage de ce rosé (80 % pour 20 % de chardonnay). De couleur soutenue, c'est un champagne puissant et souple destiné aux repas. (RM)

Christian Bannière, 5, rue Yvonnet, 51150 Bouzy, tél. 03.26.57.08.15, fax 03.26.59.35.02, e-mail contact@champagne-christian-banniere.com r.-v.

PAUL BARA Spécial Club 2000 ★★

Gd cru	9 ha	15 000	23 à 30 €

Une fois de plus, on retrouve cette propriété réputée, disposant d'un vignoble de 11 ha implanté à Bouzy, commune classée en grand cru. Logée dans une bouteille spéciale, la cuvée Spécial Club se compose de deux tiers de pinot noir et d'un tiers de chardonnay. Son nez de brioche et de fleurs blanches est relevé d'agrumes. On retrouve ces derniers en bouche (citron et pamplemousse), soutenus par une structure équilibrée. Un ensemble franc et frais. Le jury a par ailleurs cité, toujours en grand cru, le **Grand Rosé (15 à 23 €)** ; c'est un rosé de pinot noir issu de l'année 2003. Délicat mais discret au nez, ce champagne apparaît plus imposant en bouche. (RM)

Paul Bara, 4, rue Yvonnet, 51150 Bouzy, tél. 03.26.57.00.50, fax 03.26.57.81.24, e-mail champagnepaulbara@wanadoo.fr

BARBIER-LOUVET Tradition

1er cru	1,3 ha	12 000	11 à 15 €

Située à Tauxières, à l'ouest de Bouzy, cette propriété créée en 1935 s'étend sur 7 ha et commercialise ses vins en bouteilles depuis plus de cinquante ans. Sa cuvée Tradition assemble deux tiers de vins de 2003 et un tiers des trois années antérieures. Les raisins noirs y sont prépondérants (90 % de pinot noir). C'est un champagne aux arômes de fruits rouges, bien équilibré, même si on le trouve alourdi par son dosage. La cuvée **Saint-Hilaire 1er cru** est à 5 % un blanc de blancs. Elle marie 70 % de vins de 2001 et 30 % de 2000. Sa finesse miellée, son attaque fraîche et sa finale citronnée lui valent la même note. (RM)

EARL Barbier-Louvet, 8, rue de Louvois, 51150 Tauxières-Mutry, tél. 03.26.57.04.79, fax 03.26.52.60.18, e-mail barbierserge@wanadoo.fr r.-v.

BARDOUX PÈRE ET FILS 1998 ★★

2 ha	2 740	15 à 23 €

Au nord de Villedommange s'étendent la plaine de Reims et la cité en pleine mutation avec le chantier du TGV. Là-haut sur la Montagne prospèrent les vignes séculaires. Les Bardoux les cultivent dans ce village depuis 1684 – même si ce n'est qu'en 1929 que Prudent Bardoux s'est lancé dans l'élaboration du champagne. L'exploitation couvre près de 4 ha. 48 % de chardonnay et les deux pinots à parts égales, telle est la composition de ce 1998 riche et opulent à l'olfaction, sur des notes de miel, d'acacia, de fruits jaunes et de coing. En bouche, ce millésimé s'impose par sa rondeur, son onctuosité et sa longueur. Le **2000** est un peu plus marqué par les raisins noirs (60 % des deux pinots, dont 35 % de meunier). Il obtient une étoile pour son intensité empyreumatique. Quant au **1999** (65 % des deux pinots), cité, il a atteint son apogée. (RM)

Pascal Bardoux, 5-7, rue Saint-Vincent, 51390 Villedommange, tél. 03.26.49.25.35, fax 03.26.49.23.15, e-mail contact@champagne-bardoux.com r.-v.

DE BARFONTARC

Belle Cuvée Sainte-Germaine 1999 ★

n.c.	13 700	11 à 15 €

Marque de la coopérative de Baroville, dans l'Aube, créée en 1964, et vinifiant les vendanges de 100 ha. Ce 1999 assemble 60 % de pinot noir et 40 % de chardonnay. Un champagne rond, équilibré et puissant. Produit des récoltes de 2002 et 2003, le brut **Tradition**, cité, est encore davantage marqué par les raisins noirs (80 % de pinot noir). Pêche, fruits confits et notes miellées se marient dans ce vin charnu et puissant, fait pour la table. (CM)

SCV de Baroville, rte de Bar-sur-Aube, 10200 Baroville, tél. 03.25.27.07.09, fax 03.25.27.23.00 t.l.j. sf dim. 9h-12h 13h30-17h30

BARNAUT Grande Réserve ★

Gd cru	n.c.	n.c.	15 à 23 €

Edmond Barnaut fut, en 1874, l'un des premiers vignerons à élaborer son propre champagne. Philippe Secondé, qui représente la cinquième génération, est à la tête d'une quinzaine d'hectares autour de Bouzy, commune classée en grand cru. Sa Grande Réserve, qui marie deux tiers de pinot noir à un tiers de chardonnay, séduit par la complexité de ses arômes empyreumatiques et fruités ainsi que par sa bouche équilibrée. Quant au **rosé Authentique grand cru**, très marqué par le pinot noir (90 %), il affiche une maturité annoncée par sa robe cuivrée, confirmée par son nez riche et complexe et par son palais ample et généreux aux accents de fruits compotés : même note. (RM)

Philippe Secondé, 2, rue Gambetta, BP 19, 51150 Bouzy, tél. 03.26.57.01.54, fax 03.26.57.09.97, e-mail barnaut@orange.fr r.-v.

BARON ALBERT La Préférence ★★

1,05 ha 10 500 11 à 15 €

Située dans l'Aisne, une petite entreprise familiale riche de trois siècles d'expérience, de 35 ha de vignes répartis dans sept villages de la vallée de la Marne, d'une vingtaine de personnes employées à la vigne et à la cave et d'installations modernes. L'encépagement en noir est dominé par le meunier et les vins de la maison ne font pas leur fermentation malolactique. Le dosage, à en juger par les vins goûtés, est généreux. Cette cuvée La Préférence comprend 80 % de chardonnay et 20 % de meunier ; elle passe par le bois. Elle séduit par son bouquet floral, son attaque nette et son équilibre puissant. Deux cuvées nées des années 1999 à 2001 obtiennent par ailleurs une étoile : la **Carte d'or**, mi-blancs mi-noirs, et la **cuvée Jean de la Fontaine Prestige**, assemblage de 40 % de chardonnay et de 60 % de pinots. La première plaît par son bouquet intense et complexe et sa bouche empyreumatique, la seconde par sa fraîcheur juvénile. Enfin, cité par le jury, le **rosé** marie 58 % des deux pinots au chardonnay et provient des années 2000 à 2002. Sa rondeur gourmande s'accordera avec salades de fruits et fraisiers. (NM)

Baron Albert, 1, rue des Chaillots, Grand-Porteron, 02310 Charly-sur-Marne, tél. 03.23.82.02.65, fax 03.23.82.02.44, e-mail champagnebaronalbert@wanadoo.fr r.-v.

BAUGET-JOUETTE Cuvée Jouette ★★

0,4 ha 4 000 23 à 30 €

Constitué à partir du XIXe s., le domaine s'étend sur 13,5 ha dans six communes des environs d'Épernay. Cette cuvée d'une remarquable finesse est un hommage à Suzanne Bauget, aujourd'hui âgée de quatre-vingt-quinze ans et qui n'a cessé son activité qu'à quatre-vingt-deux ans. Elle assemble deux tiers de pinot noir et un tiers de chardonnay, des raisins récoltés en 2002. Un nez complexe dominé par la noisette et le beurre prélude à une bouche franche à l'attaque, d'un équilibre parfait et d'une longueur exemplaire, parfaitement équilibrée. Quant au **blanc de blancs 2002**, jeune, vif, frais et long, il a obtenu une citation. (NM)

Bauget-Jouette, 1, rue Champfleury, BP 271, 51200 Épernay, tél. 03.26.54.44.05, fax 03.26.55.37.99, e-mail champagne.bauget@wanadoo.fr r.-v.

BAUSER Réserve 2002 ★★

1 ha 15 000 11 à 15 €

Ce vigneron de l'Aube apportait son raisin à la coopérative jusqu'en 1970 puis s'est lancé dans la manipulation. Il vient de rénover sa cave. Sa commune, Les Riceys, est célèbre par son pinot noir, cépage à l'origine de cette Réserve 2002. Un champagne floral au nez, gras, structuré, rond, harmonieux et persistant. (RM)

Bauser, rte de Tonnerre, 10340 Les Riceys, tél. 03.25.29.37.37, fax 03.25.29.96.29, e-mail champagne-bauser@worldonline.fr t.l.j. 10h-12h 15h-18h; f. dim. de oct. à mars

NOËL BAZIN

1er cru 0,8 ha 8 000 11 à 15 €

Installé en 1988 sur la propriété familiale, Noël Bazin a lancé son champagne en 1999. Il exploite 2,4 ha de vignes à Villers-Marmery, commune de la Montagne de Reims, célèbre pour son chardonnay. Ce champagne doit tout à ce cépage. Il assemble deux années, 2002 et 2003, et les vins passent par le bois. Amandes, pain d'épice et fruits à chair blanche enchantent le nez et la bouche. Le **2000 (15 à 23 €)**, autre blanc de blancs élevé en cuve, est proche du précédent. (RM)

Noël Bazin, 1, rue Perrin, 51380 Villers-Marmery, tél. 03.26.97.97.07, fax 03.26.84.80.57, e-mail champagne.bazin@wanadoo.fr r.-v.

HERBERT BEAUFORT
Blanc de blancs Cuvée du mélomane ★★

Gd cru 4 ha 17 000 15 à 23 €

La famille Beaufort produit du vin depuis le XIXe s. Au début du XXe s., Marcelin Beaufort vend ses premières bouteilles, du vin tranquille, de ses bons terroirs de Bouzy, puis du champagne, à partir de 1929. Aujourd'hui, le domaine s'étend sur plus de 16 ha. Les blancs de blancs de Bouzy, village célèbre pour son pinot noir, sont rares. En voici un, issu des années 2002 et 2003. Il séduit les dégustateurs par la subtilité de son bouquet floral et fruité, son ampleur et sa complexité. Quant à la cuvée **Carte or Tradition**, provenant de années 1999 à 2002, elle doit presque tout au pinot noir (90 %). Un champagne vif et léger. (RM)

Herbert Beaufort, 32, rue de Tours-sur-Marne, 51150 Bouzy, tél. 03.26.57.01.34, fax 03.26.57.09.08, e-mail beaufort-herbert@wanadoo.fr t.l.j. 9h-12h 14h-17h; f. du dim. de Pâques aux vendanges

Henri Beaufort

JACQUES BEAUFORT 2000 ★★

5,5 ha 9 000 23 à 30 €

La conversion précoce (1969) de Jacques Beaufort à l'agrobiologie a pour origine des préoccupations sanitaires : confronté à des allergies causées par des produits chimiques de synthèse, il a renoncé à ces substances. C'est vers la même époque qu'il a acquis un vignoble à Polisy (Aube) et, vingt ans plus tard, le château du même nom dans les caves duquel a été vinifié et élevé huit mois dans le bois ce 2000 issu d'une majorité de pinot noir. Ses parfums riches, puissants et boisés se prolongent dans une bouche ronde. (RM)

Jacques Beaufort, 1, rue de Vaudemange, 51150 Ambonnay, tél. 03.26.57.01.50, fax 03.26.52.83.50 r.-v.

BEAUMET

n.c. 80 000 15 à 23 €

Fondée en 1878, cette maison a son siège au château Malakoff à Épernay. Reprise en 1978 par Jacques Frouillard, elle a été cédée en 2004 au groupe Laurent-Perrier. Dominé par les pinots (85 % dont 65 % de pinot noir), ce rosé de couleur saumoné retient l'attention par ses arômes fruités et vanillés. (NM)

Beaumet, Ch. Malakoff, 3, rue Malakoff, 51200 Épernay, tél. 03.26.59.50.10, fax 03.26.54.78.52, e-mail contact@chateau-malakoff.com

BEAUMONT DES CRAYÈRES
Fleur de prestige 1999

8 ha 60 000 15 à 23 €

Marque d'une coopérative rassemblant depuis 1955 des viticulteurs de la région d'Épernay ; elle regroupe pas moins de deux cent cinquante adhérents dont certains ne détiennent que quelques ares de vignes. Mi-blancs mi-noirs (40 % de pinot noir), sa cuvée Fleur de prestige 1999 est marquée par l'amande et les fruits à chair jaune. Elle est fraîche et légère en bouche. (CM)

Beaumont des Crayères, BP 1030, 51318 Épernay Cedex, tél. 03.26.55.29.40, fax 03.26.54.26.30, e-mail contact@champagne-beaumont.com r.-v.

FRANÇOISE BEDEL **

6,27 ha n.c. 15 à 23 €

Adepte de la biodynamie, Françoise Bedel exploite un peu plus de 7 ha dans la vallée de la Marne, aux confins de l'Aisne et de la Seine-et-Marne. Né de la vendange 2002 mais sans année, son brut doit presque tout aux raisins noirs (96 % dont 70 % de pinot meunier). Frais, citronné, élégant et long, il est flatteur, facile d'accès. Quant à la cuvée **Entre ciel et terre (23 à 30 €)**, provenant de l'année 1999 et des trois cépages champenois (59 % de pinots dont 35 % de pinot noir), son nez miellé et caramélisé et sa bouche équilibrée aux arômes briochés lui valent une étoile. (RM)

Françoise Bedel, 71, Grande-Rue, 02310 Crouttes-sur-Marne, tél. 03.23.82.15.80, fax 03.23.82.11.49, e-mail chfbedel@champagne-francoise-bedel.fr r.-v.

GÉRARD BELIN *

0,2 ha 2 000 11 à 15 €

Essômes-sur-Marne est un petit bourg situé à 2 km de Château-Thierry. Olivier Belin, œnologue, y exploite depuis 1997 le vignoble familial. La vallée de la Marne est la région d'élection du pinot meunier, cépage qui domine dans ce rosé (80 %, auxquels s'ajoutent 10 % de pinot noir et 10 % de chardonnay) issu des années 2001 et 2002. Un champagne rond, flatteur et harmonieux. Le domaine obtient par ailleurs une citation pour la cuvée **Sélection**, assemblage de 75 % de pinots (meunier 50 %) et de chardonnay récoltés en 2002 et 2003. Elle est discrète au nez, fruitée et généreusement dosée. (RM)

Gérard Belin, 30, Aulnois, 02400 Essômes-sur-Marne, tél. 03.23.70.88.43, fax 03.23.83.10.97, e-mail champagne-belin@wanadoo.fr r.-v.

LE BERCEAU DU CHAMPAGNE Cuvée Prestige

4,55 ha 11 307 15 à 23 €

Marque des Vignerons d'Hautvillers, coopérative créée en 1931 dans cette commune de la vallée de la Marne qui doit beaucoup à Dom Pérignon. Les dégustateurs ont retenu cette Cuvée Prestige, un blanc de noirs issu des deux pinots (40 % de meunier) et des années 2000 et 2001. Intense et vineuse, elle exprime les fruits secs (figue et raisin). Un champagne corpulent pour le repas. (CM)

Coop. Les Vignerons d'Hautvillers, chem. des Garennes, 51160 Hautvillers, tél. 03.26.59.40.06, fax 03.26.59.44.13, e-mail contact@berceau-du-champagne.com r.-v.

BERÈCHE ET FILS Reflet d'antan *

0,8 ha 2 000 23 à 30 €

Depuis un siècle et demi, les Berèche ont constitué un vignoble de 9 ha sur la Montagne de Reims, autour de Craon-de-Lude. Leurs champagnes ne font pas leur fermentation malolactique. La cuvée Reflet d'antan assemble les trois cépages champenois à parts égales et provient des années 2000 à 2002. Le tirage se fait sous liège et les vins séjournent dans le bois. Intense, empyreumatique et grillé au nez, ce champagne fait preuve en bouche d'une fraîcheur soulignée de saveurs d'agrumes. La **Cuvée du centenaire 1er cru** est un 2000. Elle privilégie le chardonnay (60 %), complété par les deux pinots à parts égales. Fraîche et briochée au nez, nerveuse en bouche, elle est citée. (RM)

Berèche et Fils, Le Craon-de-Ludes, BP 18, 51500 Ludes, tél. 03.26.61.13.28, fax 03.26.61.14.14, e-mail info@champagne-bereche-et-fils.com r.-v.

J.-P. Berèche

F. BERGERONNEAU-MARION
Cuvée Prestige Vinifié en fût de chêne ***

1er cru 0,5 ha 3 500 15 à 23 €

Florent Bergeronneau est établi à Villedommange, village de la Montagne dominant la plaine de Reims. Il a lancé son champagne en 1982. Ses vins ont fait grande impression cette année. Le meunier l'emporte d'une courte majorité (55 %) dans cette cuvée blanc de noirs issue de l'année 2002 et vinifiée dans le chêne. Il en résulte des arômes complexes, boisés, empyreumatiques et beurrés. Vif à l'attaque, équilibré et de grande longueur, ce champagne fait l'unanimité. La **Grande Réserve 1er cru (11 à 15 €)**, issue de l'année 2001 et très marquée par les raisins noirs (90 % dont 60 % de meunier), et le **2000 1er cru (23 à 30 €)**, dominé lui aussi par les pinots (80 % des deux variétés à parts égales pour 20 % de chardonnay) obtiennent tous deux une étoile. La première est miellée et souple, le second brioché et rond. (RM)

Florent Bergeronneau, 22, rue de la Prévôté, 51390 Villedommange, tél. 03.26.49.75.26, fax 03.26.49.20.85

t.l.j. 10h-18h; f. 15 août-1er sept.

PAUL BERTHELOT Réserve *

n.c. n.c. 11 à 15 €

Créée en 1884, cette maison de négoce a son siège à Dizy, commune jouxtant Épernay au nord, en bordure du canal latéral à la Marne. Elle dispose d'un vignoble de 22 ha. Sa cuvée Réserve donne une large primauté aux raisins noirs, puisque le pinot noir (70 %) et le meunier composent 90 % de l'assemblage. Elle s'exprime par des arômes confits et miellés et se montre soyeuse. Mi-blancs mi-noirs (pinot noir), la cuvée **Blason d'or** recueille elle aussi une étoile pour son harmonie, sa longueur et son dosage parfait. (NM)

🔑 Paul Berthelot, 889, av. du Gal-Leclerc, 51530 Dizy, tél. 03.26.55.23.83, fax 03.26.54.36.31 ☑ 🍷 🚶 r.-v.

BERNARD BIJOTAT *

● 6,3 ha 52 000 ▮ 11 à 15 €

Bernard Bijotat cultive près de 7 ha de vignes à l'ouest de la vallée de la Marne. Cépage privilégié de cette partie du vignoble, le pinot meunier est majoritaire (85 %) dans ce champagne presque entièrement issu de raisins noirs (5 % de chardonnay seulement) et provenant des années 2001 à 2003. Brioché, beurré ét épicé au nez, ce vin vif, riche, harmonieux et long offre en bouche des arômes empyreumatiques aux nuances de grillé et de fruits secs. Il pourra accompagner un repas. (RM)

🔑 Bernard Sébastien Bijotat, 2, rte Nationale, 02310 Romeny-sur-Marne, tél. 03.23.70.12.51, fax 03.23.70.61.03, e-mail bbs.champagne.bijotat@wanadoo.fr ☑ 🍷 🚶 r.-v. 🏠 ©

BILLECART-SALMON Blanc de blancs **

● Gd cru n.c. n.c. 38 à 46 €

Les Billecart sont implantés à Mareuil-sur-Aÿ depuis le XVIIe s. De leur union avec les Salmon en 1818 est née cette prestigieuse maison toujours dirigée par les descendants des fondateurs. Celle-ci propose un blanc de blancs issu des années 1999 à 2001. Parfaitement typé, ce champagne est fumé et floral au nez, ample, frais, intense et harmonieux. (NM)

🔑 Billecart-Salmon, 40, rue Carnot, 51160 Mareuil-sur-Aÿ, tél. 03.26.52.60.22, fax 03.26.52.64.88, e-mail billecart@champagne-billecart.fr ☑ 🍷 🚶 r.-v.

BINET Blanc de blancs 1997 *

● n.c. n.c. 30 à 38 €

Cette maison, créée en 1849, porte le nom du fondateur, Léon Binet, à qui l'on doit le dégorgement à la glace. Elle a connu de nombreux propriétaires avant que Daniel Prin ne la reprenne en 2000. Son blanc de blancs 1997 ne fait pas son âge : ses parfums d'agrumes et de fruits exotiques, qui côtoient des nuances briochées, contribuent à sa fraîcheur équilibrée. La cuvée **Sélection (38 à 46 €)**, assemblage de 70 % de pinot noir et de 30 % de chardonnay est vineuse, avec des arômes de sous-bois. Elle est citée, tout comme le **brut Élite (15 à 23 €)**, mariage de 60 % de raisins noirs (40 % de pinot noir) et de 40 % de chardonnay, qui est un champagne floral, vanillé et rond. (NM)

🔑 Binet, 30, Rempart-du-Midi, 51190 Avize, tél. 03.26.59.65.00, fax 03.26.59.65.05, e-mail info@champagne-binet.com ☑ 🍷 🚶 t.l.j. 8h-12h 14h-18h

🔑 Daniel Prin

CH. DE BLIGNY Demi-sec Grande Réserve

● n.c. n.c. ▮ 11 à 15 €

Les « châteaux du vin » sont rares en Champagne. Celui-ci a été construit au XVIIIe s. dans la région de Bar-sur-Aube, et son vignoble s'est développé au XXe s. Le champagne retenu par le jury n'est pas non plus d'un style si courant : il s'agit d'un demi-sec. Son nez discrètement fruité évoque les agrumes. La bouche est équilibrée, bien fondue et la finale poivrée. (RM)

🔑 Ch. de Bligny, 10200 Bligny, tél. 03.25.27.40.11, fax 03.25.27.04.52 ☑ 🍷 🚶 r.-v.

H. BLIN & Co 2000 *

● 8 ha 46 000 ▮ 15 à 23 €

Fondée en 1947 par Henri Blin, cette coopérative implantée à Vincelles, sur la rive droite de la Marne, vinifie aujourd'hui quelque 110 ha de vignes. Elle a proposé un 2000 issu des trois cépages champenois à parts égales. Un champagne au bouquet discret, équilibré et aux saveurs de café et de tabac. Le **chardonnay**, né des vendanges 2002 et 2003, est discrètement floral et brioché, vif et plein de jeunesse. Il obtient la même note. (CM)

🔑 H. Blin & Co, 5, rue de Verdun, 51700 Vincelles, tél. 03.26.58.20.04, fax 03.26.58.29.67, e-mail contact@champagne-blin.com ☑ 🍷 🚶 r.-v.

BLONDEL Carte d'or *

● 10 ha 100 000 ▮ 11 à 15 €

Fondée en 1904 par l'arrière-grand-père, notaire, cette maison dispose de 10 ha de vignes en une seule parcelle exposée plein sud, sur les versants de la Montagne de Reims. Sa Carte d'or assemble 70 % de pinot noir au chardonnay, cépages issus des années 2001 et 2002. Ses notes discrètes de fleurs blanches se mêlent à des impressions mentholées plus nettes, et son dosage est perceptible. Quant au **Vieux Millésime 1999 (15 à 23 €)**, un blanc de blancs, il n'est pas si « vieux » même s'il a atteint son apogée. Sa palette aromatique est faite d'arômes briochés et de nuances de pain grillé et il se montre gras et équilibré. (NM)

🔑 Blondel, Dom. des Monts-Fournois, 51500 Ludes, tél. 03.26.03.43.92, fax 03.26.03.44.10, e-mail contact@champagneblondel.com ☑ 🍷 🚶 r.-v.

BOIZEL Joyau de France 1995 **

● n.c. 50 000 ▮ 🛢 38 à 46 €

Créée en 1834, cette maison est toujours pilotée par une descendante du fondateur, mais elle a rejoint le groupe BCC en 1994. La cuvée Joyau de France, qui est son haut de gamme, est passée par le bois. Dans l'assemblage, le pinot noir l'emporte légèrement (55 %) sur le chardonnay. Puissant, tant au nez qu'en bouche, ce champagne d'un grand millésime a gardé une étonnante jeunesse. Il offre des arômes grillés, persiste en bouche et apparaît parfaitement dosé. (NM)

🔑 Boizel, 46, av. de Champagne, 51200 Épernay, tél. 03.26.55.21.51, fax 03.26.54.31.83, e-mail boizelinfo@boizel.fr

🔑 Boizel, Chanoine Champagne

BOLLINGER Special Cuvée **

● n.c. n.c. 🛢 30 à 38 €

Depuis 1829, cette maison toujours familiale maintient pavillon haut. Si elle contrôle maintenant Ayala, autre affaire agéenne, elle mène une politique de croissance mesurée et privilégie les cuvées haut de gamme, en petit nombre d'ailleurs. Un de ses fleurons – que nous aimerions avoir goûté –, les Vieilles Vignes françaises, naît d'une parcelle de pinot noir pré-phylloxérique, franc de pied (non greffé), travaillé à l'ancienne et à petits rendements. La maison a toujours vinifié en petits fûts de bois. La Special Cuvée est – comme son nom ne l'indique pas –,

la cuvée « normale ». Elle naît d'un quart de raisins blancs et de trois quarts de raisins noirs. Une vinification raffinée contribue à son bouquet flatteur, brioché et grillé, et à sa bouche vineuse, fraîche, fruitée et longue, qui lui valent un coup de cœur. Le **RD 95 (plus de 75 €)**, jugé remarquable l'an dernier, conserve ses deux étoiles car il a gardé ses qualités : des arômes vanillés et abricotés, un corps plein, rond, structuré et long, qui en fait un champagne de caractère. (NM)

Bollinger, 16, rue Jules-Lobet, 51160 Aÿ, tél. 03.26.53.33.66, fax 03.26.54.85.59 r.-v.

JEAN-LUC BONDON 1996 *

n.c. n.c. 15 à 23 €

Jean-Luc Bondon exploite 5 ha autour de Reuil, commune de la vallée de la Marne proche d'Épernay. Issu des trois cépages champenois, son 1996 est riche et fin au nez, complexe, plein et long. Le dosage est perceptible. (RM)

Jean-Luc Bondon, 24 Grande-Rue, 51480 Reuil, tél. 03.26.58.38.87, fax 03.26.51.92.49

BONNAIRE Cramant Blanc de blancs 1998 ***

Gd cru 9 ha 20 000 15 à 23 €

Cette exploitation a lancé son champagne en 1932. Elle dispose d'un coquet vignoble de 22 ha, tant dans la Côte des Blancs que dans la vallée de la Marne. De Cramant, grand cru de la Côte des Blancs où elle a son siège, et du millésime 1998, elle a tiré un champagne exemplaire. La complexité de sa palette aromatique, où se bousculent des notes beurrées, grillées, des nuances d'agrumes, de coing et de pain d'épice enchante le jury. À cette belle richesse s'ajoutent des qualités d'équilibre, de rondeur et de longueur : coup de cœur ! Une étoile pour la cuvée **Tradition** issue des trois cépages champenois à parts égales et des années 2002 et 2003. Un champagne élégant, citronné, ample et long. (RM)

Bonnaire, 120, rue d'Épernay, 51530 Cramant, tél. 03.26.57.50.85, fax 03.26.57.59.17, e-mail info@champagne-bonnaire.com

t.l.j. 9h-12h 14h-17h, dim. sur r.-v.; f. août 6

ALEXANDRE BONNET Grande Réserve

n.c. 200 000 11 à 15 €

Créée dans les années 1930 et reprise en 1998 par le groupe BCC, cette maison des Riceys, dans l'Aube, dispose d'un vaste vignoble (plus de 40 ha). Sa Grande Réserve est fortement marquée par les raisins noirs (90 % dont 70 % de pinot noir). C'est un champagne classique, équilibré, qui trouvera facilement sa place à l'apéritif. (NM)

Alexandre Bonnet, 138, rue du Gal-de-Gaulle, 10340 Les Riceys, tél. 03.25.29.30.93, fax 03.25.29.38.65, e-mail info@alexandrebonnet.com

r.-v.

BCC

BONNET-GILMERT
Blanc de blancs Cuvée de réserve 1999 **

Gd cru n.c. 2 000 15 à 23 €

Denis Bonnet a repris en 1992 le domaine familial implanté à Oger, commune de la Côte des Blancs classée en grand cru. Les deux vins retenus sont d'ailleurs des blancs de blancs grand cru. Celui-ci, un 1999, est le préféré : il est fruité, équilibré, onctueux, riche et rond. Notée une étoile, la **Cuvée de réserve (11 à 15 €)** provient des années 2001 et 2002. Elle est jeune, délicate avec rondeur. (RM)

Bonnet-Gilmert, 16, rue de la Côte, 51190 Oger, tél. 03.26.59.49.47, fax 03.26.59.00.17, e-mail contact@champagne-bonnet-gilmert.com

r.-v.

Denis Bonnet

BONNET-PONSON Cuvée spéciale 2001 *

0,8 ha 6 300 11 à 15 €

Créée en 1862 par Grégoire Bonnet, cette propriété située dans la Montagne de Reims s'est agrandie et s'étend aujourd'hui sur 10 ha. La marque est devenue Bonnet-Ponson en 1957. La Cuvée spéciale 2001 privilégie le chardonnay (80 %), complété par le pinot noir. Il s'agit d'un millésime difficile, et le producteur s'en tire honorablement avec un champagne frais, sensiblement dosé. Cité également, le **brut 1er cru**, assemblage des années 1998 à 2000, est floral, brioché et vineux. (RM)

Bonnet-Ponson, 20, rue du Sourd, 51500 Chamery, tél. 03.26.97.65.40, fax 03.26.97.67.11, e-mail champagne.bonnet.ponson@wanadoo.fr

r.-v.

FRANCK BONVILLE
Blanc de blancs Cuvée Les Belles Voyes **

Gd cru 0,8 ha 5 000 30 à 38 €

Implanté dans la Côte des Blancs, ce domaine s'étend sur 18 ha. Il a été constitué en 1938 et commercialise du champagne depuis 1945. La Cuvée Les Belles Voyes a été élevée dix mois en fût, d'où un léger boisé parfaitement intégré dans ce vin puissant, bien construit, épicé, rond et long, qui a atteint son apogée. Un champagne de repas. (RM)

Franck Bonville, 9, rue Pasteur, 51190 Avize, tél. 03.26.57.52.30, fax 03.26.57.59.90, e-mail contact@champagne-franck-bonville.com

r.-v.

BOREL-LUCAS
Blanc de blancs Cuvée Soleil d'or 1999

Gd cru 1 ha 2 000 15 à 23 €

Christophe Crépaux est issu d'une lignée de vignerons remontant aux années 1780, et sa famille s'est lancée dans la commercialisation directe en bouteilles dès 1929, ce qui était audacieux à l'époque. Son domaine s'étend sur

14 ha de vignes, dans la Côte des Blancs et, plus au sud, autour d'Étoges. Du chardonnay des grands crus d'Avize, de Cramant et de Chouilly est à l'origine de ce 1999 – un millésime qui se fait quelque peu oublier. Léger et fin au nez, harmonieux en bouche, c'est un champagne d'apéritif. (RM)

Borel-Lucas, 3, rue Richebourg, 51270 Étoges, tél. 03.26.59.30.46, fax 03.26.51.59.84, e-mail champagne-borel-lucas@wanadoo.fr
t.l.j. 9h-12h 14h-19h; dim. 9h-12h; f. 15-31 août

BOUCHÉ PÈRE ET FILS Blanc de blancs **

3 ha 25 000 11 à 15 €

Cette maison fondée en 1945 par Pierre Bouché a été agrandie par les générations successives. Elle est aujourd'hui dirigée par José Bouché, rejoint il y a deux ans par son fils Nicolas, œnologue. Elle dispose de 35 ha de vignes. Né de l'assemblage des années 2000 et 2001, ce blanc de blancs atteint son apogée. Également floral et beurré au nez, il est fin et onctueux. Son dosage est perceptible. Il pourra accompagner une fricassée de coquilles Saint-Jacques. Quant à la **cuvée Saphir (15 à 23 €)**, citée par le jury, elle est mi-blancs mi-noirs (40 % de pinot noir, 10 % de meunier) et marie les vendanges de 1998 et de 1999. Complexe et souple, elle devrait faire bon ménage avec des plats comme des ris de veau. (NM)

Bouché Père et Fils, 10, rue du Gal-de-Gaulle, 51530 Pierry, tél. 03.26.54.12.44, fax 03.26.55.07.02
t.l.j. sf dim. 8h-12h 14h-18h; f. 15-31 août

RAYMOND BOULARD 2000 *

n.c. 4 075 23 à 30 €

De 1952 à nos jours, ce domaine est passé de 1,5 ha à plus de 10 ha et son vignoble contribue essentiellement à la production de la maison. Après un 1998 coup de cœur de l'édition 2005, voici un 2000, mi-blancs mi-noirs (30 % de pinot noir, 20 % de meunier) vinifié en fût de réemploi. Caramel et miel marquent le nez, tandis que l'amande grillée s'impose en bouche. Assez vif, le palais termine par une élégante finale citronnée. Un joli vin d'apéritif. (NM)

Raymond Boulard, 1, rue du Tambour, 51480 La Neuville-aux-Larris, tél. 03.26.58.12.08, fax 03.26.61.54.92, e-mail contact@champagne-boulard.fr r.-v.
Raymond Boulard et Fils

JEAN-PAUL BOULONNAIS Blanc de blancs

1er cru n.c. 15 000 11 à 15 €

Cette propriété familiale établie à Vertus, au sud de la Côte des Blancs, s'étend sur 5 ha. Elle est conduite par Jean-Paul Boulonnais et son fils Frédéric. Le chardonnay, qui l'emporte dans sa production, est à l'origine de ce champagne, issu des années 2001 et 2002, habillé d'or vert, au nez plaisant de caramel au lait et à la bouche vive, qui finit sur une pointe d'amertume. Un ensemble agréable. (NM)

Jean-Paul Boulonnais, 14, rue de l'Abbaye, 51130 Vertus, tél. 03.26.52.23.41, fax 03.26.52.27.55
r.-v.

BOURDAIRE-GALLOIS Tradition

2,6 ha 13 000 11 à 15 €

L'exploitation, située à Pouillon, village voisin de Saint-Thierry au nord-ouest de Reims, a été créée dans les années 1950 par le grand-père de David Bourdaire. Ce dernier a vinifié ses premières bouteilles en 1995. Il a amélioré son outil de production, si bien qu'il élabore lui-même la majorité de son champagne – 30 % de sa récolte étant livrée au négoce. Son vignoble de quelque 3 ha comprend 85 % de pinot meunier, cépage qui compose la totalité de cette cuvée Tradition, née des années 2003 et 2004. Un champagne qui révèle un début d'évolution, tant au nez qu'en bouche. Assez léger avec des arômes de pêche en confiture, il conviendra à l'apéritif. (RM)

Bourdaire-Gallois, 15, rue Haute, 51220 Pouillon, tél. 03.26.03.02.42, fax 03.26.04.45.98, e-mail bourdaire-gallois@cder.fr r.-v.

EDMOND BOURDELAT Cuvée Sélection **

5 ha 4 000 11 à 15 €

Créé dans les années 1970 par Edmond Bourdelat, ce domaine de 5 ha est dirigé depuis dix ans par son fils Bruno. Avec l'Association des villages des Coteaux sud d'Épernay, ce dernier organise en juin l'Escapade pétillante et gourmande en Champagne, randonnée pédestre et gastronomique (sur réservation). Sa Cuvée Sélection est pratiquement mi-blancs mi-noirs (35 % de meunier, 18 % de pinot noir, 47 % de chardonnay). Les dégustateurs ne cachent pas le plaisir que leur donne ce champagne minéral et beurré au nez, frais, onctueux et complexe au palais. La **Cuvée de réserve** et le **1998 (15 à 23 €)** obtiennent pour leur part une citation. La première est fruitée et longue, le second puissant et rond. (RM)

Edmond Bourdelat, Bruno et Sandrine Bourdelat, 13, rue du Château, 51530 Brugny, tél. 03.26.59.95.25, fax 03.26.59.05.16, e-mail champagne.bourdelat.edmond@wanadoo.fr
r.-v.

BOURGEOIS Cuvée du dernier siècle 1998 **

n.c. n.c. 15 à 23 €

Installé à la tête d'un domaine de 10 ha, Michel Bourgeois est un habitué du Guide Hachette et de ses étoiles. Il le confirme une fois de plus avec cette Cuvée du dernier siècle dont le millésime 1995 avait obtenu un coup de cœur. Ce 1998 assemble 60 % des deux pinots (dont 40 % de pinot noir) à 40 % de chardonnay. Empyreumatique (amande grillée, café), il est harmonieux et bien construit. Sa très longue finale est soulignée par une fraîcheur citronnée. Quant au chardonnay **Cuvée de l'Écu 2000**, il obtient deux étoiles. Comme le précédent, il n'a pas fait sa fermentation malolactique. Empyreumatique également, avec des notes fumées et torréfiées, il est fin, élégant et complexe. Il s'entendra avec un poisson en sauce. (NM)

Bourgeois, 43, Grande-Rue, 02310 Crouttes-sur-Marne, tél. 03.23.82.15.71, fax 03.23.82.55.11, e-mail contact@champagne-bourgeois.com
t.l.j. sf dim. 9h-12h 13h30-18h; f. août

BOURGEOIS-BOULONNAIS Blanc de blancs *

1er cru 5 ha n.c. 11 à 15 €

Cette propriété familiale s'étend sur 5,5 ha dans le territoire de Vertus, commune du sud de la Côte des Blancs classée en 1er cru. Elle reste fidèle au remuage manuel sur pupitre. Or pâle au fin cordon, son blanc de blancs non millésimé marie les années 2001 et 2002. Il libère de discrets effluves de fleurs blanches. Légèrement miellé en bouche, il brille par son équilibre. On pourra le servir à l'apéritif ou avec des viandes blanches. Provenant des mêmes années, la **cuvée Tradition 1er cru** est très marquée par le chardonnay (85 % pour 15 % de pinot noir). Briochée et grillée, élégante et ronde, elle obtient une citation. (RM)

Bourgeois-Boulonnais, 8, rue de l'Abbaye, 51130 Vertus, tél. 03.26.52.26.73, fax 03.26.52.06.55, e-mail bourgeoi@hexanet.fr r.-v.

CHRISTIAN BOURMAULT Hermance

3 ha 4 000 23 à 30 €

Cette exploitation familiale dispose de 6 ha de vignes autour d'Avize, dans la Côte des Blancs. Sa cuvée Hermance naît des trois cépages champenois vendangés en 2002 et 2003 et le vin est élevé en fût, d'où la touche boisée ornant ce champagne nerveux, à la vivacité élégante. (RM)

EARL Bourmault et Fils, 41, Rempart-du-Midi, 51190 Avize, tél. 03.26.59.79.41, fax 03.26.58.67.74, e-mail christian.bourmault@wanadoo.fr r.-v.

CH. DE BOURSAULT Tradition

14 ha 52 430 15 à 23 €

Le seul « château du vin » de la Marne dresse sa silhouette néo-Renaissance sur la rive gauche de la Marne. Construit au milieu du XIX[e]s. pour Mme Vve Clicquot, il servit de cadre à de brillantes fêtes avant d'être acquis en 1927 par la famille Fringhian. Il commande aujourd'hui un vignoble de 15 ha, à l'origine des cuvées suivantes qui ont été toutes citées. Cette cuvée Tradition naît de 58 % des deux pinots et de 42 % de chardonnay et provient des années 1999 à 2002. Un peu fugace, elle brille par sa vivacité. Le **rosé**, qui doit tout aux raisins noirs (les deux pinots à parts égales récoltés en 2001) est bien coloré, gourmand, réglissé et long. Quant à la **cuvée Prestige (23 à 30 €)**, assemblage des trois cépages champenois à parts égales (des 1995 pour les trois quarts, complétés par des 1993 et 1994), elle est florale, ample et persistante. (NM)

Ch. de Boursault, 2, rue Maurice-Gilbert, 51480 Boursault, tél. 03.26.58.42.21, fax 03.26.58.66.12, e-mail info@champagnechateau.com t.l.j. 9h-12h 14h-18h

BOUTILLEZ-GUER 1996 ★★

1er cru 0,1 ha 1 100 15 à 23 €

Les Boutillez sont enracinés depuis cinq siècles à Villers-Marmery, commune où ils exploitent 4,5 ha de vignes. Ce village de la Montagne de Reims est réputé pour son chardonnay, renom justifié à en juger par ce 1996 au fruité de pomme et de prune, gourmand, ample et parfaitement évolué. Assemblage de 80 % de chardonnay et de 20 % de pinot noir vendangés de 2001 à 2003, la cuvée **Tradition (11 à 15 €)** libère de discrets effluves de fleurs blanches et se montre fugace mais équilibrée en bouche : une citation. (RM)

Boutillez-Guer, 38, rue Pasteur, 51380 Villers-Marmery, tél. 03.26.97.91.38, fax 03.26.97.94.95, e-mail boutillez.guer@wanadoo.fr r.-v.

L. ET F. BOYER Chouilly

Gd cru 2 ha n.c. 11 à 15 €

Lydie et Francis Boyer ont repris en 1994 l'exploitation familiale fondée en 1959 et lancé un champagne à leur nom. Ils disposent de 6 ha, autour de Hautvillers et de Châtillon, dans la vallée de la Marne, et dans le secteur de Chouilly. C'est de ce dernier village, grand cru de la Côte des Blancs que provient ce champagne. Cette année, le chardonnay assemble les récoltes de 2002 et, pour les trois quarts, de 2003. Le 2002 a séjourné dans le bois. Il en résulte un vin discrètement brioché au nez et élégant en bouche. (RM)

L. et F. Boyer, 27, rue Dom-Pérignon, 51530 Chouilly, tél. 03.26.55.41.06, fax 03.26.55.01.78, e-mail francis.boyer@free.fr r.-v.

SÉBASTIEN BRESSION Tradition

0,3 ha 2 000 11 à 15 €

La première vinification de Sébastien Bression qui, installé sur 80 a de vignes, apportait auparavant son raisin au négoce. Assemblage de 70 % de chardonnay et de 30 % de pinot meunier, cette cuvée Tradition aux arômes de fruits blancs à noyau est fraîche, tonique, élégante et révèle un dosage exemplaire. (RM)

Sébastien Bression, 8, rue Landot, 51270 Étoges, tél. 03.26.57.77.28 r.-v.

BRESSION-SALMION Carte d'or

2,4 ha 16 750 11 à 15 €

Au sud-ouest de la Côte des Blancs, prospèrent discrètement quelques vignobles. C'est le cas de celui d'Étoges, commune où cette exploitation familiale a son siège. Créée en 1970, elle s'est agrandie et dispose de plus de 4 ha dans quatre villages différents. Sortie de la coopérative en 1994, elle propose une cuvée née de 60 % de chardonnay et de 40 % de pinot meunier des années 2002 et 2003. Un champagne brioché, torréfié, long et évolué. Quant à la **Cuvée prestige**, assemblage des mêmes années dominé par le chardonnay (90 % à côté du pinot meunier), elle aussi évoluée, elle obtient la même note pour sa vinosité, son fruité et son équilibre. (RM)

Bression-Salmon, 8, rue Saint-Antoine, 51270 Étoges, tél. 03.26.59.34.51, fax 03.26.59.36.30 r.-v.

BRETON.C.GAILLARD Blanc de blancs ★

2 ha 5 000 11 à 15 €

Plantations, restructurations de vignobles, constructions... depuis son installation en 1983, il a fallu vingt ans à Christophe Breton, producteur de l'Aube, pour créer son vignoble (7 ha) et un outil de production, efficace depuis 2003. Il en résulte un blanc de blancs « sudiste » au nez intense de fleurs blanches, équilibré, fruité et assez long. Un joli vin d'apéritif, à découvrir près des remparts de Bar-sur-Aube. (RM)

Christophe Breton, Ch. Gaillard, 10200 Bar-sur-Aube, tél. 03.25.27.16.23, fax 03.25.27.57.77 t.l.j. 9h-12h 13h30-19h

BRETON FILS Tradition

8 ha 80 000 11 à 15 €

La famille Breton est établie à Congy, village situé entre la Côte des Blancs et le Sézannais. Dans les années 1950, Ange Breton, père de l'exploitant actuel, a creusé sa cave. Le domaine s'est agrandi et compte aujourd'hui quelque 16 ha répartis dans plusieurs secteurs de la région. Sa cuvée Tradition marie à parts égales les trois cépages champenois. L'attaque est fraîche, les saveurs allient les agrumes et l'amande verte : un champagne d'apéritif. Sont également cités le **blanc de blancs**, brut sans année de la récolte de 2002, frais et élégant, et la **Grande Réserve (15 à 23 €)** – un autre blanc de blancs non millésimé issu de l'année 2000 – d'une belle finesse, au dosage perceptible. (RM)

🔑 SCEV Breton Fils, 12, rue Courte-Pilate, 51270 Congy, tél. 03.26.59.31.03, fax 03.26.59.30.60, e-mail contact@champagne-breton-fils.fr ☑ Y ⚲ r.-v.

BREUZON Blanc de blancs ★

0,5 ha 4 000 ▮ 11 à 15 €

À quelques kilomètres à l'est, dans le département voisin de la Haute-Marne, un autre Colombey (avec un « y ») plus célèbre. À Colombé-le-Sec, dans la Côte des Bars, le champagne ne tarit pas. La troisième génération de Breuzon exploite 13 ha aux alentours. Né des années 2002 et 2003, ce blanc de blancs évoque la pomme verte. Il est charnu, acidulé et long. Le **B de Breuzon (15 à 23 €)** assemble deux tiers de blancs et un tiers de noirs (pinot noir) des années 2001 à 2003. Un ensemble floral, minéral et mentholé au nez, rond et long ; il est cité, tout comme le blanc de noirs **Grande Réserve**, issu des mêmes années. Ce dernier, légèrement rose, « fait l'œil ». Gras et dosé, il accompagnera un repas. (NM)

🔑 Breuzon, rue Saint-Antoine, 10200 Colombé-le-Sec, tél. 03.25.27.02.06, fax 03.25.27.26.55 ☑ Y ⚲ t.l.j. 9h-12h 14h-17h30

BRICE Cramant ★★

Gd cru 1,2 ha 12 000 ▮ 23 à 30 €

Héritier d'une lignée de vignerons établis à Bouzy depuis le XVIIe s., Jean-Paul Brice, rejoint par son fils Jean-René, a fondé en 1994 une maison qui a pour particularité de proposer une gamme de champagnes de grands crus. Une fois de plus (voir éditions 2000 et 2004), le Cramant se détache. Né des vendanges de 2000 et 2001, il affiche une réelle puissance au nez comme en bouche et se révèle rond et remarquablement équilibré. Provenant des mêmes années, les cuvées **Aÿ** et **Verzenay** obtiennent chacune une étoile. La première est issue à 90 % de pinot noir, la seconde à 75 %, le chardonnay complétant l'assemblage. Toutes deux ont atteint leur apogée. Leur attaque est vive ; leur fruité mûr et compoté et leur palais marqué par la rondeur. À signaler : ces trois champagnes ne font pas leur fermentation malolactique. (NM)

🔑 Brice, 22, rue Gambetta, 51150 Bouzy, tél. 03.26.52.06.60, fax 03.26.57.05.07, e-mail contact@champagne-brice.com ☑ Y ⚲ r.-v.

BROCHET-HERVIEUX 1998 ★

1er cru n.c. 12 000 ▮ 15 à 23 €

Ce domaine est établi à Écueil, village situé au nord-ouest de la Montagne de Reims. Il ne compte pas moins de 16 ha et produit du champagne depuis 1945. Son 1998 assemble un tiers de chardonnay aux deux pinots (pinot noir surtout). Avec ses arômes briochés et confits, c'est un champagne évolué. Noté lui aussi une étoile, le **Brut extra 1er cru (11 à 15 €)** n'est pas un extra-brut, puisqu'il est dosé à 10 g/l. Il privilégie les noirs également (85 % dont 77 % de pinot noir) et provient des années 2001 et 2002. Les dégustateurs louent aussi son nez intense, floral et brioché, et son corps rond, velouté, équilibré et harmonieux. Quant au **brut 1er cru** né de l'année 1999, dominé lui aussi par les pinots (70 %), il est puissant, frais et long : une citation. (RM)

🔑 Brochet-Hervieux, 12, rue de Villers-aux-Nœuds, 51500 Écueil, tél. 03.26.49.77.44, fax 03.26.49.77.17, e-mail albrochet@wanadoo.fr ☑ Y ⚲ r.-v.

ANDRÉ BROCHOT Grande Réserve 2001

0,5 ha n.c. ▮ 11 à 15 €

Francis Brochot exploite un domaine créé peu après la guerre dans les coteaux sud d'Épernay. Ce vignoble est propice au chardonnay et au pinot meunier. Deux cépages à l'origine de cette Grande Réserve qui se distingue par son équilibre et par sa puissance. (RM)

🔑 Francis Brochot, 21, rue de Champagne, 51530 Vinay, tél. et fax 03.26.59.91.39 ☑ Y ⚲ r.-v.

M. BRUGNON Sélection

3 ha 10 000 ▮ 11 à 15 €

C'est Maurice Brugnon, le grand-père d'Alain, qui a commercialisé les premières bouteilles de champagne en 1947. Le vignoble s'étend sur trois terroirs différents : petite Montagne de Reims, près d'Écueil, Montagne de Reims autour de Rilly et vallée de la Marne. La cuvée Sélection assemble deux tiers de chardonnay et un tiers de pinot noir récoltés en 2003. Les vins n'ont que partiellement fait leur fermentation malolactique. Il en résulte un champagne aux arômes discrets mais fins, d'une nervosité citronnée sans faille. (RC)

🔑 Alain Brugnon, 1, rue Brûlée, 51500 Écueil, tél. 03.26.49.25.95, fax 03.26.49.76.56, e-mail brugnon@cder.fr ☑ Y ⚲ r.-v.

RENÉ BRUN

n.c. n.c. ▮ 🛢 15 à 23 €

Cette maison a été fondée il y a un demi-siècle par René Brun, d'Aÿ, neveu d'Édouard Brun qui avait créé son affaire en 1898. En 2004, elle a rejoint la société Édouard Brun, chaque maison proposant une gamme de champagne. Cette cuvée assemble 80 % de pinots (60 % de pinot noir) au chardonnay et provient des années 2001 et 2002. La fermentation alcoolique s'effectue en fût, la fermentation malolactique en cuve. C'est un champagne de repas au fruité très mûr rappelant la compote et le coing, puissant, vineux et persistant. (NM)

🔑 Édouard Brun et Cie, 14, rue Marcel-Mailly, BP 11, 51160 Aÿ, tél. 03.26.55.20.11, fax 03.26.51.94.29, e-mail contact@champagne-edouard-brun.fr ☑ Y ⚲ r.-v.
🔑 Delescot

ÉRIC BUNEL Cuvée de réserve ★

1er cru 2,3 ha 11 500 ▮ 11 à 15 €

Marque créée en 1970 par son actuel propriétaire. Le domaine a son siège à Louvois, au sud-est de la Montagne de Reims. Trois quarts de pinot noir se marient au chardonnay dans cette Cuvée de réserve issue des années 1999 à 2001. Un champagne séduisant par son nez complexe de miel et de fruits secs, sa bouche équilibrée et harmonieuse, et qui tiendra bien sa place à l'apéritif. Mi-blancs mi-noirs (pinot noir), le **1998 (15 à 23 €)** reçoit lui aussi une étoile pour sa minéralité complexe, sa longueur et son dosage juste. (RM)

Éric Bunel, 32, rue Michel-Letellier, 51150 Louvois, tél. 03.26.57.03.06, fax 03.26.52.31.66, e-mail champagne.bunel@wanadoo.fr r.-v.

CHRISTIAN BUSIN Réserve ★

Gd cru | 1 ha | 7 000 | 15 à 23 €

Installé en 1997, Luc Busin représente la quatrième génération sur le domaine familial de 6 ha. Il exporte peu mais compte des Chinois parmi ses clients. Le terroir Verzenay, grand cru de la Montagne de Reims, privilégie le pinot noir, cépage majoritaire dans les deux cuves retenues, qui obtiennent chacune une étoile ; complété par le chardonnay, il entre à 80 % dans cette Réserve et à 75 % dans la **Cuvée d'Uzès grand cru**. La Réserve naît des vendanges 2001 et 2002. Elle s'exprime en puissance, vinosité et rondeur ; la Cuvée d'Uzès, issue des années 1997 à 1999 est souple, équilibrée et empyreumatique. (RM)

Christian Busin, 4, rue d'Uzès et, 33, rue Thiers, 51360 Verzenay, tél. 03.26.49.40.94, fax 03.26.49.44.19, e-mail champagnebusin@aol.com r.-v.

JACQUES BUSIN Carte d'or

Gd cru | 5 ha | 40 000 | 11 à 15 €

Ici, la maison date de 1848, mais le pressoir et la cuverie sont flambant neufs. Le remuage est toujours manuel. Constitué il y a un siècle, le vignoble s'étend exclusivement dans des grands crus : Verzenay, Verzy, Ambonnay et Sillery. La cuvée Carte d'or naît de deux tiers de pinot noir et d'un tiers de chardonnay des années 2001 et 2002. Si elle s'enfuit vite, elle intéresse par sa palette aromatique évoquant le caramel au nez ; elle est poivrée en bouche. (RM)

Jacques Busin, 17, rue Thiers, 51360 Verzenay, tél. 03.26.49.40.36, fax 03.26.49.81.11, e-mail jacques-busin@wanadoo.fr r.-v.

GUY CADEL Grande Réserve ★

4 ha | 10 000 | 11 à 15 €

Des viticulteurs acquièrent un vignoble après 1945, réaménagent une ancienne ferme d'élevage et se lancent dans la manipulation : voilà le parcours de cette famille établie à Mardeuil, aux portes d'Épernay, sur la rive gauche de la Marne. Née de la vendange 2002, sa Grande Réserve privilégie le chardonnay (70 %), complété par le pinot meunier ; c'est un vin élégant, à l'attaque souple, puissant et généreux, séduisant par sa palette complexe mêlant les fleurs, le miel et la noisette. On pourra l'ouvrir à l'apéritif et continuer à le servir sur une viande blanche. Une citation pour le **rosé**, très marqué par le meunier (90 % pour 10 % de chardonnay) et issu de l'année 2003. Un ensemble nerveux, surprenant par ses arômes de fraise écrasée et de figue. (RM)

Thiébault, Guy Cadel, 13, rue Jean-Jaurès, 51530 Mardeuil, tél. 03.26.55.24.59, fax 03.26.55.25.83 r.-v.

DANIEL CAILLEZ Référence ★

2 ha | 3 500 | 11 à 15 €

Installé à Damery, en face d'Épernay, Daniel Caillez crée son vignoble et sa marque en 1977. Son fils Vincent le rejoint dix ans plus tard, puis prend en 2002 les commandes de l'exploitation : 5,6 ha de vignes. Sa cuvée Référence marie trois quarts de raisins noirs (dont 50 % de meunier) à un quart de chardonnay et provient de la récolte de 2001. Le bouquet associe le noyau à des nuances empyreumatiques ; la bouche équilibrée offre des saveurs miellées. (RM)

Daniel Caillez et Fils, 19, rue Pierre-Curie, 51480 Damery, tél. 03.26.58.46.02, fax 03.26.52.04.24, e-mail champagnedanielcaillez@club-internet.fr r.-v.

CANARD-DUCHÊNE Cuvée Léonie ★

n.c. | n.c. | 15 à 23 €

Créée en 1868 par un couple de Ludes, cette maison a toujours son siège et ses caves dans ce village de la Montagne de Reims, mais elle a été reprise par Veuve Clicquot puis, en 2003, par Alain Thiénot. Dédiée à la fondatrice, cette cuvée privilégie les noirs (80 % des deux pinots complétés par le chardonnay). C'est un champagne floral et équilibré, un peu généreusement dosé. Cité, le **brut sans année**, né d'un assemblage analogue au précédent, apparaît souple et évolué, avec des arômes de torréfaction. Un champagne de repas. Quant à la **Grande Cuvée Charles VII (23 à 30 €)**, qui marie 45 % de chardonnay aux deux pinots (45 % de pinot noir), elle est empyreumatique et assez persistante : elle est citée, elle aussi. (NM)

Canard-Duchêne, 1, rue Edmond-Canard, 51500 Ludes, tél. 03.26.61.10.96, fax 03.26.61.13.90, e-mail info@canard-duchene.fr r.-v.

Alain Thiénot

JEAN-YVES DE CARLINI
Blanc de noirs Cuvée de la montgolfière ★

Gd cru | 3 ha | 8 000 | 11 à 15 €

Cette propriété familiale créée en 1955 par Roger de Carlini a été reprise en 1970 par Jean-Yves qui signe ses cuvées de son prénom. Elle s'étend sur 6,50 ha autour de Verzenay, grand cru de la Montagne de Reims. Le pinot noir, qui y prospère, est à l'origine de cette Cuvée de la montgolfière, bien connue des lecteurs du Guide. Elle assemble ici les années 2000 à 2003. Monocépage, elle est cependant complexe, avec profondeur et longueur. Le jury a encore retenu, avec une étoile également, le **1999 (15 à 23 €)**, un champagne mi-blancs mi-noirs grillé, fruité, puissant et gras. (RM)

Jean-Yves de Carlini, 13, rue de Mailly, 51360 Verzenay, tél. 03.26.49.43.91, fax 03.26.49.46.46 r.-v.

CARRÉ-GUÉBELS ★★

1er cru | 1 ha | 5 000 | 11 à 15 €

Vincent Carré a repris en 1997 le domaine familial : plus de 20 ha sur les communes de Verzy et de Trépail, sur le flanc est de la Montagne de Reims. Il dispose également d'un centre de pressurage. Son vignoble est planté à 70 % de vignes blanches, et le chardonnay entre à 88 % dans ce rosé issu des années 2002 et 2003. Du vin rouge donne au vin sa couleur saumoné léger. Aussi subtil que complexe, le nez marie les agrumes, le cassis, la violette et des touches grillées, rejointes en bouche par la cerise griotte et l'abricot sec. Équilibré et long, c'est un rosé de table. (RM)

EARL Vincent Carré, 3, rue de l'Égalité, 51380 Trépail, tél. 03.26.57.05.02, fax 03.26.57.61.72, e-mail champagne.carre.guebels@wanadoo.fr r.-v.

CHAMPAGNE

DE CASTELLANE Commodore 1999 ★★

	5 ha	50 000	23 à 30 €

Fondée en 1895 par un membre de l'aristocratie la plus huppée, cette maison d'Épernay appartient aujourd'hui au groupe Laurent-Perrier. Lancée en 1961, Commodore est à peine plus noire que blanche (52 % de raisins noirs) et légèrement dosée, à 9 g/l. La cuvée millésimée 1999 est la vingt-quatrième du nom. Ses points forts sont l'harmonie entre ses arômes de fruits à chair blanche et d'agrumes très mûrs, avec ampleur et longueur. Un champagne destiné à un repas savoureux (NM).

de Castellane, 63, av. de Champagne,
51200 Épernay, tél. 03.26.51.19.19, fax 03.26.54.24.81
t.l.j. 10h-12h 14h-18h

DE CASTELNAU 1996 ★★

	n.c.	6 000	15 à 23 €

La Coopérative régionale des vins de Champagne, fondée en 1962, s'est considérablement développée en quarante ans : elle produisait à l'origine quelque 80 000 bouteilles ; elle vinifie actuellement la récolte de 860 ha et ses caves peuvent stocker 23 millions de cols. Elle a repris il y a quelques années la marque De Castelnau lancée en 1916 en l'honneur du général éponyme. Les trois cépages champenois (dont 50 % de chardonnay) sont mis à contribution dans ce 1996 structuré et harmonieux, à la palette aromatique mûre et complexe, faite de figue sèche, de vanille, de sous-bois, de notes beurrées et confiturées. Un dégustateur écrit : « magnifique, mais pour consommateur averti ». (CM)

CRVC, 5, rue Gosset, 51100 Reims,
tél. 03.26.77.89.12, fax 03.26.77.89.01,
e-mail commercial@crvc.fr r.-v.

CATTIER Blanc de noirs

	n.c.	10 000	30 à 38 €

Les Cattier ont constitué leur vignoble à partir de 1763 : la maison, qui a vendu ses premières bouteilles en 1920, dispose de 20 ha en propre. Elle a son siège à Chigny-les-Roses, dans la Montagne de Reims, à 50 m de l'église. Son blanc de noirs fait appel aux deux pinots : pinot noir (70 %) et meunier. Gourmand, bien fruité, il est quelque peu alourdi par le dosage. (NM)

Cattier, 6 et 11, rue Dom-Pérignon,
51500 Chigny-les-Roses, tél. 03.26.03.42.11,
fax 03.26.03.43.13, e-mail champagne@cattier.com
r.-v.

CHARLES DE CAZANOVE
Tradition Père et Fils Tête de cuvée ★★

	n.c.	n.c.	15 à 23 €

Fondée en 1811, une maison de négoce longtemps demeurée familiale et maintenant dirigée par la famille Rapeneau. Sa Tête de cuvée séduit d'emblée par son nez élégant et complexe, aux notes d'acacia, de miel, de brioche. Ces qualités se confirment dans une bouche très équilibrée, ample et longue. Un champagne de repas. La cuvée **Stradivarius 98**, florale et ronde, est citée. (NM)

G.H. Martel, 69, av. de Champagne, BP 1011,
51318 Épernay Cedex, tél. 03.26.51.06.33,
fax 03.26.54.41.52

CHANOINE Blanc de noirs ★★

	n.c.	n.c.	15 à 23 €

Fondée en 1730, c'est l'une des plus anciennes maisons de champagne. Elle a failli disparaître ; le groupe BCC lui redonne vie. Elle se distingue avec ce blanc de noirs couronné par le jury. Assemblage de pinot noir (60 %) et de meunier, ce vin à la robe jaune soutenu s'annonce par un nez intense de fruits jaunes (pêche, mirabelle...) et se montre charnu, structuré, puissant, complexe et long. Un champagne de repas. La moisson d'étoiles continue avec des cuvées jugées très réussies : la **Grande Réserve dry**, née du chardonnay, un champagne sec, c'est-à-dire... pas très sec (dosage à 23 g/l), riche et puissant ; le **Chanoine 1er cru**, mi-blancs mi-noirs (pinot noir), tout en rondeur et en longueur ; le brut **Grande Réserve**, dominé par les noirs (70 % de pinot noir, 15 % de meunier, 15 % de chardonnay, récoltés de 2000 à 2003), plein et vineux, pour le repas. Quant à la cuvée spéciale **Tsarine 1996 (38 à 45 €)**, mariant 45 % de chardonnay et 55 % des deux pinots, elle est citée. C'est un champagne dense et nerveux. (NM)

Chanoine Frères, allée du Vignoble, 51100 Reims,
tél. 03.26.36.61.60, fax 03.26.36.66.62,
e-mail chanoine-freres@wanadoo.fr r.-v.

CHAPUY Blanc de blancs Réserve ★★

	Gd cru	3 ha	10 000	15 à 23 €

Un Chapuy figure au nombre des premiers maires d'Oger, après la Révolution. Son descendant, Serge Chapuy, fut premier magistrat de cette commune de la Côte des Blancs et fonda la marque familiale en 1952. Le domaine (près de 6 ha) est maintenant conduit par son fils Arnold. Son blanc de blancs Réserve exprime un brioché délicat, légèrement beurré. Son équilibre et son dosage sont jugés parfaits, et il a des réserves pour l'avenir. Quant à la cuvée **Tradition**, elle marie deux tiers de blancs et un tiers de noirs et les années 1999 à 2002. Elle est citée pour sa vivacité, sa fraîcheur florale et son ampleur. (NM)

SA Chapuy, 8 bis, rue de Flavigny, 51190 Oger,
tél. 03.26.57.51.30, fax 03.26.57.59.25,
e-mail champagne.chapuy@web-agri.fr r.-v.

CHARDONNET ET FILS Blanc de blancs ★★★

	0,3 ha	3 000	11 à 15 €

Gabriel, Michel et, depuis 1995, le petit-fils Lionel : trois générations de Chardonnet défendent la cause du grand cépage de la Côte des Blancs : le... chardonnay. Détenteurs de 5 ha autour d'Avize, de Cramant, de Chouilly et dans la vallée de la Marne, ils cultivent aussi quelques pinots. Leur blanc de blancs, né de la récolte de 2001, a suscité l'enthousiasme : son nez expressif, beurré et brioché, son palais plein, généreux, sa maturité parfaite, sa finale fraîche, son dosage exact sont unanimement salués. La cuvée **Tradition**, assemblage de chardonnay (70 %) et de pinot noir (30 %) récoltés de 2000 à 2002 associe fruits blancs et notes briochées au nez et se montre nerveuse, minérale et élégante en bouche : une étoile. (RM)

EARL Lionel Chardonnet, 167, rue des Chapelles, 51190 Avize, tél. 03.26.57.78.30, fax 03.26.57.84.46, e-mail champagne.chardonnet.et.fils@wanadoo.fr
r.-v.

GUY CHARLEMAGNE
Blanc de blancs Cuvée Charlemagne 1999 ★

Gd cru 1,5 ha 9 000 15 à 23 €

Vignerons dans la Côte des Blancs depuis plus d'un siècle, les Charlemagne ont lancé leur champagne en 1950 ; ils disposent aujourd'hui de 15 ha de vignes. Leur cuvée Charlemagne 1999 atteint son apogée. C'est un blanc de blancs typé, mûr, beurré et grillé au nez, complexe et ample en bouche. Autre blanc de blancs grand cru millésimé, la cuvée **Mesnillésime 2000 (23 à 30 €)** obtient, elle aussi, une étoile. C'est un champagne vif aux fragrances d'acacia. Quant au **blanc de blancs grand cru Réserve**, issu des années 2001 à 2002, il est cité pour ses arômes de noisette verte et de mangue fraîche. Son dosage est sensible. (SR)

Guy Charlemagne, 4, rue de La Brèche-d'Oger, BP 15, 51190 Le Mesnil-sur-Oger, tél. 03.26.57.52.98, fax 03.26.57.97.81, e-mail info@champagne-guy-charlemagne.com
r.-v.
Philippe Charlemagne

CHARLIER ET FILS 2000 ★

n.c. 7 500 15 à 23 €

Chez les Charlier, qui exploitent 14 ha dans la vallée de la Marne, on peut visiter un petit musée d'anciens outils champenois et admirer des rangées de foudres, car les champagnes passent ici par le bois. C'est le cas de ce 2000 qui y a séjourné un an. Il assemble à parts égales les trois cépages champenois. Beurré et brioché au nez, gras, rond et long au palais, il laisse une impression d'équilibre. (RM)

Charlier et Fils, 4, rue des Pervenches, 51700 Montigny-sous-Châtillon, tél. 03.26.58.35.18, fax 03.26.58.02.31, e-mail champagne.charlier@wanadoo.fr
r.-v. C

J. CHARPENTIER Prestige ★

3 ha 25 000 15 à 23 €

Établis sur la rive droite de la Marne, les Charpentier exploitent un vignoble de 12 ha. Leur fils Jean-Marc se charge des vinifications, qui font parfois appel à des pièces de chêne. Cette cuvée Prestige a été élevée en cuve. Elle privilégie les raisins noirs (60 % de pinot noir et 20 % de meunier pour 20 % de chardonnay). Jaune d'or intense, elle apparaît évoluée, des notes empyreumatiques, grillées et des nuances de fruits mûrs se mêlant aux arômes floraux qui marquent la finale. Un champagne de repas. Également adapté à la table, le **1999**, assemblage de 70 % de raisins noirs et de 30 % de blancs, est cité pour son ampleur et sa longueur. (RM)

J. Charpentier, 88, rue de Reuil, 51700 Villers-sous-Châtillon, tél. 03.26.58.05.78, fax 03.26.58.36.59, e-mail champagnejcharpentier@wanadoo.fr
t.l.j. 9h-12h 14h-17h; dim. sur r.-v. B

JEAN-MARC ET CÉLINE CHARPENTIER
Réserve

2 ha 10 000 15 à 23 €

Jean-Marc et Céline Charpentier sont les héritiers d'une longue lignée de vignerons qui vinifiaient peut-être avant que le champagne ne prenne mousse et écoulaient leur production auprès des cochers et bateliers qui descendaient la vallée de la Marne. Leurs ancêtres tenaient un relais de poste, eux tiennent chambres d'hôte. Issue des années 2000 à 2003, leur Réserve donne la préférence aux raisins noirs (80 % dont 70 % de pinot meunier). Un ensemble intense, vif, équilibré et de bonne longueur. (RC)

Jean-Marc et Céline Charpentier, 11, rte de Paris, 02310 Charly-sur-Marne, tél. 03.23.82.10.72, fax 03.23.82.31.80, e-mail jean-marc@champagne-charpentier.com
r.-v. 4

CHARTOGNE-TAILLET Fiacre Tête de cuvée ★

n.c. 7 000 23 à 30 €

Depuis plusieurs siècles, les Chartogne sont vignerons dans le massif de Saint-Thierry, berceau du vignoble champenois. Ils proposent une cuvée spéciale, assemblage classique de 60 % de chardonnay et de 40 % de pinot noir, des raisins récoltés pour l'essentiel en 2000. Un champagne puissant, mûr et équilibré. (RM)

Chartogne-Taillet, 37-39, Grande-Rue, 51220 Merfy, tél. 03.26.03.10.17, fax 03.26.03.19.15, e-mail chartogne-taillet@wanadoo.fr r.-v.

CHASSENAY D'ARCE Cuvée Première ★

50 ha 340 000 11 à 15 €

Une maison bourgeoise du XIXe s. pour accueillir les visiteurs, des manifestations culturelles, des installations ultramodernes, cent trente adhérents cultivant 310 ha de vignes : voilà décrite à grands traits cette coopérative de la Côte des Bars, qui fête en 2006 son cinquantième anniversaire. Assemblage de cinq années (1997 à 2001), sa Cuvée Première doit presque tout au pinot noir (10 % de chardonnay). Son nez de fruits confits aux nuances grillées et fumées annonce une bouche gourmande, fraîche à l'attaque sur des notes d'agrumes et longuement fruitée. Un champagne bien dosé. Une étoile encore pour le **blanc de blancs 2000** au bouquet discret mais tout en finesse, très vif et plein de jeunesse. (CM)

Chassenay d'Arce, 11, rue du Pressoir, 10110 Ville-sur-Arce, tél. 03.25.38.30.70, fax 03.25.38.79.17, e-mail champagne@chassenay.com
t.l.j. sf sam. dim. 9h-12h 14h-17h30; f. 1er -8 jan.

CHAUDRON ET FILS Cuvée Capucine

1er cru n.c. n.c. 11 à 15 €

La famille Chaudron est établie dans la Montagne de Reims depuis 1820. Dominée par le pinot noir (70 %), sa Cuvée Capucine mêle au nez des fragrances florales et des notes plus évoluées rappelant le miel et le café. Une attaque franche prélude à une bouche étayée par une bonne fraîcheur, complexe et harmonieuse. (NM)

🔑 Chaudron, 2, rue de Beaumont, 51360 Verzenay, tél. 03.26.50.08.68, fax 03.26.50.08.71, e-mail champagnechaudron@wanadoo.fr
☒ Y ⛹ t.l.j. sf sam. dim. 9h-12h 14h-17h; f. août

A. CHAUVET Cachet rouge 1996 ★★

○	1 ha	8 500	23 à 30 €

Fondée en 1848 par un marchand de vins de Tours-sur-Marne, à l'est d'Épernay, cette maison de négoce est toujours conduite par une vieille famille champenoise. Elle a proposé un remarquable 1996 mi-blancs mi-noirs. Discret au nez, ce champagne n'en séduit pas moins par la grande fraîcheur de ses parfums de fleurs blanches, mêlés d'une touche de fruits secs. Ces impressions se confirment dans une bouche tout en dentelle, étonnamment jeune et parfaitement harmonieuse. Mariant les années 2000 à 2002, le **blanc de blancs Cachet vert (15 à 23 €)** obtient une étoile pour son ampleur et sa vivacité. Un champagne d'apéritif. (NM)
🔑 Chauvet, 41, av. de Champagne, 51150 Tours-sur-Marne, tél. 03.26.58.92.37, fax 03.26.58.96.31, e-mail champagnechauvet@yahoo.fr
☒ Y ⛹ r.-v.
🔑 Famille Paillard-Chauvet

HENRI CHAUVET Réserve ★

○	2 ha	13 000	▮ 11 à 15 €

Henri Chauvet, viticulteur et pépiniériste, a lancé son champagne au début du XXe s. Depuis, René, Henri et Damien (installé en 1987) se sont succédé à la tête du vignoble qui s'étend sur 8 ha dans la Montagne de Reims. Cette Réserve privilégie le pinot noir (70 %), complété par le chardonnay : nez léger et délicat, finesse, équilibre. Quant au **blanc de noirs** (90 % de pinot noir), avec ses arômes de fruits cuits, il est simple et facile, rond et gourmand : une citation. (RM)
🔑 Damien Chauvet, 6, rue de la Liberté, 51500 Rilly-la-Montagne, tél. 03.26.03.42.69, fax 03.26.03.45.14, e-mail contact@champagne-chauvet.com ☒ Y ⛹ r.-v.

MARC CHAUVET Sélection

○	2,25 ha	20 500	▮ 11 à 15 €

Les Chauvet sont légion à Rilly, dans la Montagne de Reims. Un Nicolas Chauvet, qui cultivait déjà la vigne au début du XVIe s., est enterré dans l'église du village, qu'une rue sépare de cette propriété. Cette maison Chauvet est conduite depuis 1996 par Nicolas et Clotilde, frère et sœur. Mi-blancs mi-noirs (pinot noir), cette Sélection née des vendanges de 2000 et 2001 ne fait que partiellement sa fermentation malolactique. Cela contribue à la vivacité et au mordant de ce champagne citronné et floral. (RM)
🔑 SCEV Marc Chauvet, 3, rue de la Liberté, 51500 Rilly-la-Montagne, tél. 03.26.03.42.71, fax 03.26.03.42.38, e-mail chauvet@cder.fr
☒ Y ⛹ t.l.j. 8h30-12h 13h30-17h30 ; sam. dim. sur r.-v.

ANDRÉ CHEMIN Tradition

○ 1er cru	3 ha	30 000	▮ 11 à 15 €

Créé en 1948, ce domaine, qui porte le nom de son fondateur, est géré par la deuxième et la troisième génération. Il a son siège à Sacy, au nord-ouest de la Montagne de Reims et s'étend sur 6,5 ha. Assemblage des années 2001 à 2003, cette cuvée Tradition donne la primauté au pinot noir (89 % pour 11 % de chardonnay). Minérale et fruitée au nez, elle est gourmande, fraîche, équilibrée et justement dosée. On l'appréciera à l'apéritif ou sur des entrées. (RM)
🔑 EARL André Chemin, 3, rue de Châtillon, 51500 Sacy, tél. 03.26.49.22.42, fax 03.26.49.74.89, e-mail sebastian.chemin@wanadoo.fr ☒ Y ⛹ r.-v.
🔑 Jean-Luc Chemin

ARNAUD DE CHEURLIN Cuvée Prestige ★

○	1,2 ha	9 000	▮ 11 à 15 €

Ce récoltant-manipulant exploite un vignoble de 6,5 ha dans l'Aube. Sa Cuvée Prestige est un champagne mi-blancs mi-noirs (pinot noir), habillé d'or soutenu. Il présente un nez puissant et une bouche équilibrée et complexe, beurrée et briochée. (RM)
🔑 Arnaud de Cheurlin, 58, Grande-Rue, 10110 Celles-sur-Ource, tél. 03.25.38.53.90, fax 03.25.38.58.07 ☒ Y r.-v.
🔑 Eisentrager

GASTON CHIQUET 1998

○ 1er cru	3 ha	9 000	▮ 15 à 23 €

Héritiers d'une lignée de viticulteurs remontant au milieu du XVIIIe s., les frères Chiquet se sont lancés dans l'élaboration et la commercialisation de leur champagne dès la fin de la Première Guerre mondiale. La marque Gaston Chiquet a vu le jour en 1935, et les descendants du fondateur sont à la tête d'un vignoble de plus de 22 ha autour de Dizy, Aÿ, Mareuil-sur-Aÿ et Hautvillers. Assemblage de 60 % de pinot noir et de 40 % de chardonnay, ce 1998 a retenu l'attention par son fruité, sa fraîcheur, sa rondeur et une certaine longueur. (RM)
🔑 SA Gaston Chiquet, 912, av. du Gal-Leclerc, 51530 Dizy, tél. 03.26.55.22.02, fax 03.26.51.83.81, e-mail info@gastonchiquet.com ☒ Y ⛹ r.-v.

CHARLES CLÉMENT Tradition ★★

○	n.c.	n.c.	▮ 11 à 15 €

Cette coopérative auboise fête cette année son cinquantième anniversaire. Elle comptait à l'origine huit membres fondateurs, dont Charles Clément qui a légué son nom à la cave. Elle vinifie aujourd'hui la production de 150 ha. Assemblage de 70 % de pinots (dont 40 % de pinot noir) et de 30 % de chardonnay récoltés en 2000 et 2001, sa cuvée Tradition a été fort louée par les jurés. Sa finesse, sa complexité fruitée, épicée et grillée, son corps à la fois puissant et charnu, frais et soyeux en ont fait une candidate au coup de cœur. Issus des années 2001 et 2002, deux autres champagnes ont obtenu chacun une étoile : la **Cuvée des vignerons**, dominée par les raisins noirs (83 %, surtout du pinot noir) et la cuvée **Gustave Belon (15 à 23 €)**, un blanc de blancs. La première est toastée, vineuse et longue, la seconde élégante et fraîche. Deux vins d'apéritif. (CM)

🔑 Sté coopérative vinicole de Colombé-le-Sec, rue Saint-Antoine, 10200 Colombé-le-Sec, tél. 03.25.92.50.71, fax 03.25.92.50.79, e-mail champagne-charles-clement@wanadoo.fr
☑ Ɪ ⛹ t.l.j. sf dim. et lun. 8h-12h 13h30-17h30; dim. ouv. juil. août

GEORGES CLÉMENT

1er cru 6 ha 60 000 11 à 15 €

Créé en 1957 par les époux Lheureux-Saintot, ce domaine géré depuis 1997 par Georges Lheureux a son siège à Mutigny, près d'Épernay. Deux tiers de raisins noirs (dont 60 % de pinot noir) et un tiers de chardonnay composent la cuvée de ce premier cru délicat au nez comme en bouche, tendre et fruité. (NM)

🔑 Georges Clément, Manoir de Montflambert, 51160 Mutigny, tél. 03.26.52.33.21, fax 03.26.59.71.08, e-mail manoir-de-montflambert@wanadoo.fr
☑ Ɪ ⛹ r.-v. 🏠 ❼
🔑 Lheureux

J. CLÉMENT Vieilles Vignes 2000 *

0,4 ha 3 000 15 à 23 €

Ce vignoble familial de 8 ha est implanté à Reuil, dans la vallée de la Marne. Ce secteur du vignoble est propice au pinot meunier qui compose 80 % de ce blanc de noirs. Franc et élégant au nez, c'est un champagne opulent et long. Assemblage de 70 % de chardonnay et de 30 % de pinot noir vendangés en 2000, la **cuvée Prestige (11 à 15 €)**, plutôt fugace, a été retenue pour son nez floral et son palais franc et rond. (RM)

🔑 James Clément, 1, rue de l'Avenir, 51480 Reuil, tél. 03.26.58.00.08, fax 03.26.57.10.64 ☑ Ɪ ⛹ r.-v.

CLÉRAMBAULT Grande Époque 1996 *

n.c. 1 500 15 à 23 €

Fondée au début des années 1950, cette coopérative auboise rassemble des producteurs de Neuville-sur-Seine, dans la Côte des Bar, et vinifie la récolte de près de 150 ha. Elle propose un 1996 mariant 60 % de raisins noirs (dont 40 % de pinot noir) à 40 % de chardonnay. Intense au nez, ce champagne associe le miel et le sous-bois. En bouche, il allie minéralité, vinosité et puissance. (CM)

🔑 Clérambault, 122, Grande-Rue, 10250 Neuville-sur-Seine, tél. 03.25.38.38.60, fax 03.25.38.24.36, e-mail champagne-clerambault@wanadoo.fr ☑ Ɪ ⛹ r.-v.

PAUL CLOUET

Gd cru 3 ha n.c. 15 à 23 €

Ce récoltant-manipulant de Bouzy, apparenté aux Bonnaire, vinifie ses champagnes à Cramant, autre commune classée en grand cru. Né des récoltes de 2001 et de 2002, celui-ci a du caractère et montre de l'évolution dans sa robe paille dorée, dans ses parfums de cire et de fruits mûrs et dans son palais. Il est riche, a du fond et affiche un dosage généreux. On le destinera aux repas. (RM)

🔑 Paul Clouet, 10, rue Jeanne-d'Arc, 51150 Bouzy, tél. 03.26.57.07.31, fax 03.26.52.64.65, e-mail contact@champagne-paul-clouet.com
☑ Ɪ ⛹ t.l.j. sf dim. 9h-12h 14h-17h; f. août 🏠 ❻
🔑 Marie-Thérèse Bonnaire

COLLARD-CHARDELLE Cuvée Prestige 2000 *

n.c. 18 000 15 à 23 €

Conduit depuis 1974 par Daniel Collard, ce domaine de la vallée de la Marne compte aujourd'hui un peu plus de 8 ha. Ici, certains vins sont élevés en foudre de chêne. C'est le cas de ce 2000 jaune cuivré, assemblage de 63 % des deux pinots pour 37 % de chardonnay. Complexe et mûr au nez, il mêle des notes grillées et miellées aux nuances de pain d'épice. Il est gourmand, ample et puissant. Un **1986 (30 à 38 €)** obtient la même note. Dominé par les raisins noirs (80 % dont 70 % de meunier), il a gardé une belle tenue. Sa robe or soutenu s'accorde avec les arômes de miel, de fruits confits et d'abricot sec que l'on retrouve avec puissance et vinosité dans une bouche longue. Une étoile encore pour la **Cuvée Prestige**, mariage de 75 % de pinots (50 % de meunier) et de 25 % de chardonnay, de 2001 et de vins de réserve. Elle est passée par le bois et séduit par sa complexité, son gras et sa persistance qui en font un vin de gastronomie. (RM)

🔑 Collard-Chardelle, 68, rue de Reuil, 51700 Villers-sous-Châtillon, tél. 03.26.58.00.50, fax 03.26.58.34.76 ☑ Ɪ ⛹ r.-v.
🔑 Daniel Collard

COLLARD-PICARD Cuvée Prestige **

3 ha 26 000 15 à 23 €

Installés en 1996, Caroline et Olivier Collard exploitent 10 ha de vignes dans la vallée de la Marne et la Côte des Blancs. Les deux vins sélectionnés passent environ un an dans le bois et assemblent 75 % de pinots (dont 50 % de meunier) et 25 % de chardonnay. Cette Cuvée Prestige provient des années 1999 à 2001. Sa robe soutenue aux nuances ambrées trahit son évolution. Elle annonce une palette complexe, miellée, florale, avec des notes de fruits cuits, un palais ample, gras, confit et harmonieux. La **Cuvée Prestige 2000** obtient une étoile pour son nez floral, son corps structuré et long. (RM)

🔑 Collard-Picard, 61, rue du Château, 51700 Villers-sous-Châtillon, tél. 03.26.52.36.93, fax 03.26.59.90.82, e-mail collard-picard@wanadoo.fr
☑ Ɪ ⛹ r.-v.
🔑 Olivier Collard

RAOUL COLLET

3 ha 30 000 15 à 23 €

Raoul Collet a légué son nom à la coopérative qu'il a fondée à Aÿ en 1920, et qui est la plus ancienne de Champagne. Cette cave rassemble quelque quatre cents adhérents qui livrent leurs raisins récoltés sur 450 ha. De couleur saumonée, son rosé est issu de 70 % de pinot noir et de 30 % de chardonnay. Sa structure, son équilibre et sa rondeur le destinent à la table. (CM)

🔑 Raoul Collet, 14, bd Pasteur, 51160 Aÿ, tél. 03.26.55.15.88, fax 03.26.54.02.40, e-mail info@champagne-raoul-collet.com ☑ r.-v.

RENÉ COLLET Empreinte de terroir

1,2 ha 11 440 11 à 15 €

Cette exploitation familiale constituée dans les années 1970 a son siège dans le sud du département de la Marne, aux confins de la Seine-et-Marne, et s'étend sur près de 5 ha. La cuvée Empreinte de terroir est mi-blancs mi-noirs (pinot noir) et provient de l'année 2003. Miellée et fruitée au nez, ample et équilibrée en bouche, elle finit sur des nuances empyreumatiques. (RM)

🔑 EARL René Collet, 6, ruelle de Louche, 51120 Fontaine-Denis, tél. 03.26.80.22.48, fax 03.26.80.29.34, e-mail rene-collet@wanadoo.fr
☑ Ɪ ⛹ r.-v.

CHARLES COLLIN Classique ★

● n.c. 6 000 🍾 15 à 23 €

Cette coopérative de la Côte des Bar a son siège à Fontette, village situé à 6 km d'Essoyes où l'on peut voir l'atelier et la tombe de Renoir. Elle regroupe plus de cent viticulteurs et vinifie le produit de 300 ha de vignes. Deux tiers de pinot noir et un tiers de chardonnay récoltés en 2001 et 2002 composent cette cuvée aux arômes de fruits mûrs, ronde, directe, charnue et qui atteint son apogée. La cuvée **Extra-brut (23 à 30 €)** obtient elle aussi une étoile. Très peu dosée (4,5 g/l), elle assemble 80 % de chardonnay et 20 % de pinot noir et provient de la seule année 1999. Un champagne floral, équilibré et long pour le début du repas. Quant à la **Cuvée Charles**, elle résulte d'un assemblage identique à la cuvée précédente de laquelle elle est proche, mais naît de la vendange 1998 ; elle est citée. (CM)

Charles Collin, 27, rue des Pressoirs, 10360 Fontette, tél. 03.25.38.31.00, fax 03.25.38.31.07, e-mail champagne-charles-collin@wanadoo.fr
r.-v.

PHILIPPE COPIN Demi-sec

● n.c. n.c. 🍾 11 à 15 €

Descendant d'une lignée de viticulteurs, Philippe Copin a lancé son champagne après son installation il y a une dizaine d'années. Il exploite 3,5 ha de vignes dans la vallée de la Marne. Les vins de réserve entrent pour moitié dans son demi-sec où le pinot meunier tient une place de choix. Le dosage à 19 g/l est compensé par son acidité. Le bouquet évoque le pamplemousse et la bouche est bien construite. À servir avec des desserts pas trop sucrés. (RC)

Philippe Copin, 11, rue Principale, 51700 Vandières, tél. 03.26.52.67.29, fax 03.26.52.18.23, e-mail champagne.copinphilippe@wanadoo.fr
r.-v.

JACQUES COPINET Blanc de blancs Sélection ★

● 1 ha 10 000 🍾 15 à 23 €

Ce domaine du Sézannais a été fondé dans les années 1970 par Jacques Copinet. Il s'étend sur 8 ha et vient d'exporter ses premières bouteilles en Chine. Il propose un blanc de blancs issu des années 1999 à 2001. Un champagne au nez fin, évolué, fait de noisette et de sous-bois, au palais frais, ample et persistant. (RM)

Jacques Copinet, 11, rue de l'Ormeau, 51260 Montgenost, tél. 03.26.80.49.14, fax 03.26.80.44.61, e-mail info@champagne-copinet.com r.-v.

STÉPHANE COQUILLETTE 2001

● 1 ha 4 845 🍾 15 à 23 €

Marque lancée en 1993 par Stéphane Coquillette, dont la famille est bien connue dans la Côte des Blancs. À la tête d'un vignoble de 6 ha, ce dernier a proposé un blanc de noirs millésimé de pur pinot noir. Un champagne au nez intense, frais et équilibré. Une réussite dans un millésime difficile. (RM)

Stéphane Coquillette, 15, rue des Écoles, 51530 Chouilly, tél. 03.26.51.74.12, fax 03.26.54.90.97
r.-v.

COUCHE PÈRE ET FILS ★★

● 1 ha 8 700 15 à 23 €

Cette exploitation familiale de la Côte des Bar dispose de près de 10 ha dont plus de 6 ha plantés en pinot noir et 3 ha plantés en chardonnay. Installé en 1996, Vincent Couche vient de moderniser sa cave et vinifie depuis quelques années en fût. Les raisins noirs entrent à 70 % dans ce rosé provenant des années 2001 à 2003. Un champagne très équilibré qui laisse une impression de fraîcheur et de puissance. (RM)

EARL Couche, 29, Grande-Rue, 10110 Buxeuil, tél. 03.25.38.53.96, fax 03.25.38.41.69, e-mail champagne.couche@wanadoo.fr r.-v.

ROGER COULON Grande Réserve ★

● 1er cru 3 ha 35 000 🍾 11 à 15 €

Établie à l'ouest de Reims, la famille Coulon cultive la vigne depuis deux siècles. Son domaine de 10,5 ha comporte soixante-dix parcelles, dont l'une des plus anciennes, plantée en 1953, est franche de pied. Cette Grande Réserve, née de ceps de près de quarante ans d'âge, fait appel aux trois cépages champenois à parts égales et provient des années 2001 et 2002. Les vins ont été élevés sept mois en pièces de chêne. Il en résulte un ensemble floral, miellé, vanillé, fruité et équilibré. (RM)

Roger Coulon, 12, rue de la Vigne-du-Roy, 51390 Vrigny, tél. 03.26.03.61.65, fax 03.26.03.43.68, e-mail contact@champagne-coulon.com r.-v.
Éric Coulon

DOMINIQUE CRÉTÉ ET FILS Cuvée Émeraude 2000 ★★

● 0,5 ha 2 500 🍾 15 à 23 €

Ce domaine fondé dans les années 1920 est conduit depuis 1984 par la quatrième génération. Il a son siège au sud d'Épernay, et s'étend sur plus de 7 ha. Mi-blancs mi-noirs (pinot meunier), cette Cuvée Émeraude est remarquée pour son fruité, son ampleur et son équilibre. La cuvée **Sélection (11 à 15 €)** obtient une étoile. Elle assemble la récolte 2003 à un soupçon de 2002. Son bouquet de fleurs, de citron confit et d'amande fraîche précède une bouche ronde et riche aux saveur miellées. Un vin d'apéritif et de poisson. Autre champagne cité pour sa fraîcheur et son dosage juste : le **blanc de blancs Bulles blanches grand cru (11 à 15 €)** de la récolte 2002. (RM)

Dominique Crété et Fils, 99, rue des Prieurés, 51530 Moussy, tél. 03.26.54.52.10, fax 03.26.52.79.93
r.-v.

LYCÉE DE CRÉZANCY Blanc de noirs

● 2 ha 11 000 🍾 11 à 15 €

À Crézancy, dans la vallée de la Marne, le lycée agricole et viticole dispose d'un vignoble de 3 ha créé en 1953. Le jury a retenu un blanc de noirs de pinot meunier, né de la récolte de 2003. Ce champagne a été apprécié pour son nez tout en fruit, son attaque franche et son équilibre. Cité également, le **blanc de blancs** met à contribution les vendanges de 2002. Si son dosage est apparent, il retient l'attention par ses notes grillées et sa persistance. (RM)

Lycée agricole et viticole de Crézancy, rue de Paris, 02650 Crézancy, tél. 03.23.71.50.70, fax 03.23.71.50.71
r.-v.

LUCIEN DAGONET ET FILS Tradition ★

● 4 ha 30 000 11 à 15 €

Implanté sur la rive gauche de la Marne, cette exploitation créée par le grand-père du propriétaire actuel s'étend sur 6,5 ha. Cépage vedette de ce secteur du vignoble, le pinot meunier entre pour 65 % dans l'assemblage de cette cuvée Tradition, un blanc de noirs intense, rond et équilibré, aux arômes de pain grillé. On pourra le choisir pour un apéritif dînatoire. (RM)

🔑 SCEV Lucien Dagonet et Fils,
7, rue Maurice-Gilbert, 51480 Boursault,
tél. 03.26.58.60.38, fax 03.26.58.48.34,
e-mail champagne.dagonet@wanadoo.fr
t.l.j. 10h-12h 14h-17h30

COMTE A. DE DAMPIERRE Family Reserve 2000 *

Gd cru | n.c. | 10 000 | 38 à 46 €

Cette maison créée en 1986 a son siège au nord-ouest de Reims, près de Saint-Thierry. Sa cuvée Family Reserve 2000 est un blanc de blancs subtilement floral et généreusement dosé. On suggère de la servir sur des produits de la mer délicats, un carpaccio de coquilles Saint-Jacques, par exemple. (NM)

🔑 Comte A. de Dampierre, 3, pl. Boisseau,
51140 Chenay, tél. 03.26.03.11.13, fax 03.26.03.18.05,
e-mail champagne.dampierre@wanadoo.fr r.-v.

DAUTEL-CADOT Tradition

2,5 ha | 24 000 | 11 à 15 €

Descendant d'une lignée de viticulteurs, René Dautel a créé son domaine en 1958 et lancé son champagne en 1971. Cela fait quarante-huit ans qu'il dirige son exploitation. Le pinot noir, qui prospère dans ce coin de l'Aube, est à l'origine de cette cuvée Tradition issue des années 2001 à 2003. Un champagne qui attire l'attention par ses arômes complexes, et qui apparaît vif et minéral en bouche. (RM)

🔑 Dautel-Cadot, 10, rue Saint-Vincent,
10110 Loches-sur-Ource, tél. 03.25.29.61.12,
fax 03.25.29.72.16 r.-v.
🔑 René Dautel

HENRI DAVID-HEUCQ Cuvée rosé

n.c. | 4 000 | 11 à 15 €

Fleury-la-Rivière est un village proche d'Épernay, sur l'autre rive de la Marne. Henri David y a développé ses caves dans les années 1970. Produit des vendanges de 2002 et de 2003, son rosé doit tout aux raisins noirs. Le pinot meunier, qui entre à 90 % dans l'assemblage, a donné naissance à un champagne très coloré, aux intenses arômes de fruits rouges et noirs confiturés, au palais souple, puissant, vineux et concentré. (RM)

🔑 SARL David-Heucq & Fils, rte de Romery,
51480 Fleury-la-Rivière, tél. 03.26.58.47.19,
fax 03.26.52.36.25,
e-mail champ.davidheucq@wanadoo.fr r.-v.
🔑 Henri David

JACQUES DEFRANCE Prestige

1 ha | 4 000 | 11 à 15 €

Ce récoltant-manipulant installé en 1988 exploite une dizaine d'hectares autour des Riceys, commune de l'Aube célèbre par son rosé tranquille. Mais c'est surtout de chardonnay que naît cette cuvée Prestige issue des années 1999 et 2000 puisque ce cépage, complété par le pinot noir, entre à hauteur de 90 % dans l'assemblage. Si ce champagne n'est pas des plus persistants, on apprécie son équilibre et ses arômes complexes, beurrés et briochés, avec des nuances de fruits secs. (RM)

🔑 Jacques Defrance, 28, rue de la Plante,
10340 Les Riceys, tél. 03.25.29.32.20,
fax 03.25.29.77.83 r.-v.

DEHOURS Extra-Brut Grande Réserve

7 ha | 4 000 | 15 à 23 €

Fondée dans les années 1930, cette maison établie sur la rive gauche de la Marne a été un temps associée à un groupe financier avant de reprendre son indépendance il y a dix ans. Issue des années 1998 à 2001, sa Grande Réserve est bien, comme l'indique l'étiquette, un extra-brut : elle est dosée à 4 g/l. Assemblage de 75 % de pinots (dont 55 % de meunier) et de 25 % de chardonnay, c'est un champagne intense, harmonieux et de bonne longueur. (NM)

🔑 Dehours et Fils, 2, rue de la Chapelle,
51700 Cerseuil, tél. 03.26.52.71.75, fax 03.26.52.73.83,
e-mail champagne.dehours@wanadoo.fr r.-v.

DELABARRE Cuvée réservée **

1,5 ha | 8 000 | 15 à 23 €

Établis à Vandières, sur la rive sud de la vallée de la Marne, les Delabarre exploitent depuis les années 1920 un vignoble qui s'étend aujourd'hui sur 6 ha. L'assemblage de leur Cuvée réservée, issue des années 2000 et 2001, donne une écrasante majorité aux raisins noirs (90 % dont 60 % de pinot noir). Il en résulte un champagne qui recueille tous les suffrages. Les dégustateurs soulignent la complexité de sa palette aromatique, où se cotoient nuances grillées, beurrées, miellées et confites, son harmonie, sa richesse et sa générosité gourmande. (RM)

🔑 Christiane Delabarre, 26, rue de Châtillon,
51700 Vandières, tél. 03.26.58.02.65, fax 03.26.57.10.94,
e-mail delabarre.christiane@wanadoo.fr r.-v.

DELAHAIE Prestige **

n.c. | 20 000 | 11 à 15 €

C'est Jacques Brochet qui élabore les champagnes Delahaie, fréquemment mentionnés dans le Guide. Assemblage de 60 % de pinot noir et de 40 % de chardonnay, cette cuvée séduit par ses arômes complexes où l'on décèle des agrumes, des fruits mûrs et des nuances vanillées, ainsi que par son équilibre, sa longueur et son dosage juste. Le **Brut premier** est jugé quant à lui un peu trop dosé. Cependant, cet assemblage dominé par les raisins noirs (80 % dont 60 % de meunier) mérite d'être cité pour sa bouche onctueuse, confite, bien évoluée. (NM)

🔑 Jacques Brochet, Champagne Delahaie,
allée de la Côte-des-Blancs, 51200 Épernay,
tél. 03.26.54.08.74, fax 03.26.54.34.45,
e-mail champagne.delahaie@wanadoo.fr
t.l.j. sf sam. dim. 9h-12h 14h-17h; f. août

DELAMOTTE Blanc de blancs 1997

n.c. | n.c. | 23 à 30 €

L'une des plus anciennes maisons de Champagne, fondée en 1760. Son siège est au Mesnil-sur-Oger, contigu à celui du Champagne Salon – les deux font maintenant partie du groupe Laurent-Perrier. Établi au cœur de la Côte des Blancs, Delamotte élabore plusieurs cuvées à partir du chardonnay. Ce blanc de blancs 1997 a atteint son apogée. Il demeure vif, citronné et fait preuve d'une bonne longueur. Quand au **blanc de blancs sans année**, c'est aussi un champagne mûr, au bouquet de sous-bois, fin et persistant. (NM)

Delamotte, 7, rue de la Brèche-d'Oger,
51190 Le Mesnil-sur-Oger, tél. 03.26.57.51.65,
fax 03.26.57.79.29,
e-mail champagne@salondelamotte.com r.-v.

ANDRÉ DELAUNOIS Cuvée du Fondateur **

1er cru | 1,5 ha | 7 000 | 15 à 23 €

Edmond Delaunois s'est fait manipulant dès les années 1920. À la tête d'un vignoble de 7,6 ha situé dans la Montagne de Reims, ses arrière-petits-enfants lui dédient cette cuvée issue de deux tiers de chardonnay et d'un tiers de raisins noirs (les deux pinots). De cet assemblage de vins des années 2001 et 2003 résulte un champagne aromatique, élégant, équilibré, de bonne longueur et parfaitement dosé. La **Cuvée sublime (11 à 15 €)**, qui exploite les trois cépages champenois, marie la récolte de 2004 (60 %) et des vins de réserve des deux années précédentes. Elle n'est pas très longue, mais ses arômes de fruits mûrs, de figue et de miel ainsi que son équilibre lui valent une citation. Un champagne d'apéritif. (RM)

André Delaunois, 17, rue Roger-Salengro,
51500 Rilly-la-Montagne, tél. 03.26.03.42.87,
fax 03.26.03.45.40,
e-mail champagne.a.delaunois@wanadoo.fr
t.l.j. 8h-12h 13h30-18h, sam. et dim. sur r.-v.

DELAVENNE PÈRE ET FILS Cuvée rose *

Gd cru | 1,5 ha | 15 000 | 11 à 15 €

Implantée à Bouzy, célèbre commune classée en grand cru, cette exploitation familiale fondée dans les années 1920 dispose de 8,50 ha de vignes. Sa Cuvée rose doit sa couleur saumonée à 15 % de bouzy rouge incorporé dans 50 % de pinot noir et 35 % de chardonnay. Griotte et groseille au nez, c'est un rosé fruité, rond et structuré, pour la table. Même note pour la **Cuvée de réserve**, qui marie 60 % de pinot noir et 40 % de chardonnay récoltés en 2000. Le nez s'ouvre doucement, mais se révèle agréable, tandis que somptuosité et fraîcheur rivalisent en bouche. (RM)

Delavenne Père et Fils, 6, rue de Tours,
51150 Bouzy, tél. 03.26.57.02.04, fax 03.26.58.82.93
t.l.j. 10h-12h 15h-18h; f. 10 août au10 sep.

DELOUVIN-NOWACK Extra Sélection 1999 *

1,5 ha | 18 645 | 15 à 23 €

Vignerons ou tonneliers de père en fils depuis le XVIe s., les Delouvin sont enracinés à Vandières, dans la vallée de la Marne. Ils ont commencé à élaborer et à commercialiser leur champagne dès les années 1930. Leur 1999 associe 60 % de chardonnay à 40 % de pinot meunier. Vineux au nez avec des arômes de bergamote, il est agréable, assez puissant. Son évolution est sensible, de même que son dosage. (RM)

Delouvin-Nowack, 29, rue Principale,
51700 Vandières, tél. 03.26.58.02.70, fax 03.26.57.10.11,
e-mail info@champagne-delouvin-nowack.com
r.-v.

YVES DELOZANNE 2000 **

1,5 ha | 3 000 | 15 à 23 €

Établie de longue date dans la vallée de l'Ardre, la famille Delozanne apportait au début du XXe s. son raisin au négoce. Elle a longtemps vécu de polyculture, avant de se spécialiser avec Yves Delozanne, qui a lancé son champagne en 1972. Le domaine dispose d'un vignoble de près de 9 ha. Il en a tiré un 2000 des plus séduisants. Mi-blancs mi-noirs (pinot noir), ce champagne charme par sa franchise, son intensité, sa longueur et par la complexité de sa palette aromatique, faite de fruits confits ou compotés... Quant au **rosé (11 à 15 €)**, il obtient une étoile. Assemblage des années 2000 et 2003, ce rosé de noirs (les deux pinots à égalité) présente un nez élégant de fruits rouges, une bouche épanouie et longue. (RM)

Yves Delozanne, 67, rue de Savigny,
51170 Serzy-et-Prin, tél. 03.26.97.40.18,
fax 03.26.97.49.14,
e-mail info@champagne-yvesdelozanne.com r.-v.

P. DEMARCQ Blanc de blancs Prestige *

n.c. | n.c. | 15 à 23 €

P. Demarcq est une marque de la maison Bourgeois. Ce blanc de blancs légèrement mentholé termine sur une touche végétale. Un ensemble frais et fin qui conviendra à l'apéritif. (NM)

Diffusion Bourgeois, 19, rue de Metz,
51204 Épernay Cedex, tél. 03.23.82.15.71,
fax 03.23.82.55.11,
e-mail contact@champagne.bourgeois.com r.-v.

MARIE DEMETS Cuvée 19ème

1,4 ha | 13 000 | 11 à 15 €

Cette maison de négoce établie à Gyé-sur-Seine, dans l'Aube, reproduit sur l'étiquette de sa Cuvée 19ème un fragment du tableau d'Auguste Renoir, *La Danse à Bougival*. Est-ce pour rappeler qu'en 1895 le peintre avait installé son atelier à quelques kilomètres de Gyé, à Essoyes, joli village des bords de l'Ource ? Mi-blancs mi-noirs des années 2001 et 2002, le champagne passe cinq mois dans le bois. Il livre de subtils effluves briochés tout en révélant un fruité frais et nerveux en bouche. (NM)

SA Demets-Brement, 7, rue des Vignes,
10250 Gyé-sur-Seine, tél. 03.25.38.23.30,
fax 03.25.38.25.04,
e-mail champagnemariedemets@wanadoo.fr
r.-v.

SERGE DEMIÈRE Blanc de blancs 2003 **

1er cru | 1,2 ha | 12 000 | 11 à 15 €

Un domaine constitué dans les années 1970 et implanté à Ambonnay, commune classée en grand cru. Si ce village est surtout célèbre par son pinot noir, c'est un blanc de blancs qui vaut à Serge Demière sa meilleure note. Avec ses arômes élégants, floraux et beurrés aux nuances d'agrumes, sa bouche équilibrée et harmonieuse, il offre tout ce que l'on peut attendre de ce type de champagne. Le brut **Réserve grand cru** assemble à parts égales le pinot noir et le chardonnay des années 2001 à 2003. Assez simple, il est cité pour son attaque franche et sa rondeur. (RM)

Serge Demière, 7, rue de la Commanderie,
51150 Ambonnay, tél. 03.26.57.07.79,
fax 03.26.57.82.15 r.-v.

MICHEL DEMIÈRE ET FILS ★

3 ha n.c. 11 à 15 €

Implanté autour de Trépail, sur le flanc oriental de la Montagne de Reims, un domaine de 6 ha constitué en 1975 et exploité par ses créateurs et leur fils. Son brut sans année privilégie le chardonnay (70 %), complété par le pinot noir. Légèrement évolué au nez, il divise les dégustateurs : certains jugent cette évolution excessive, tandis que ses partisans apprécient ses arômes fruités et miellés, sa richesse et son harmonie. Question de goût. (RM)

SCEV Michel Demière, 2, allée du Jardinot, 51380 Trépail, tél. 03.26.57.06.23, fax 03.26.57.83.04 r.-v.

GASTON DERICBOURG Cuvée de réserve ★★

2 ha 20 000 15 à 23 €

Gaston Dericbourg a été maire du village de Pierry et président des Vignerons du village pendant trente ans. La marque et les 5 ha de vignes ont été repris il y a une cinquantaine d'années par la maison Mandois. Cette Cuvée de réserve assemble 70 % de raisins noirs (dont 40 % de pinot meunier) au chardonnay. Sa puissance, sa fraîcheur, son ampleur et son élégance ont séduit les dégustateurs. Très réussi, le **rosé** marie 70 % de chardonnay et 30 % de pinot noir. Rose violacé, il offre au nez comme en bouche des arômes de fraise et de violette qui lui apportent de la complexité et font rêver les membres du jury d'un apéritif sur la terrasse. (NM)

Gaston Dericbourg, 66, rue du Gal-de-Gaulle, BP 9, 51530 Pierry, tél. 03.26.54.03.18, fax 03.26.51.53.66 r.-v.

Mandois

DÉROT-DELUGNY Rosé ★

1 ha 4 000 11 à 15 €

Les grands-parents de François Dérot construisaient des charrues vigneronnes et des tracteurs enjambeurs, ce qui ne les a pas empêchés de vendre du champagne dès 1929 ! La propriété, sise dans la vallée de la Marne, s'étend aujourd'hui sur 12 ha. Le brut rosé du domaine assemble 60 % de pinots (50 % de meunier) au chardonnay, des raisins récoltés en 2002 et 2003. Son fruité de framboise et de fraise, son équilibre et son élégance lui valent une étoile. Par ailleurs, la cuvée **Coiffe d'or**, assemblage de 75 % de pinot meunier et de 25 % de chardonnay des années 2000 à 2002, est citée pour son équilibre. (RM)

François Dérot, 15, Grande-Rue, 02310 Crouttes-sur-Marne, tél. 03.23.82.18.18, fax 03.23.82.08.78 r.-v.

DÉROUILLAT Cuvée Arthémia ★

1er cru 0,6 ha 5 000 11 à 15 €

Établi à Monthelon, non loin d'Épernay, Luc Dérouillat exploite près de 5,50 ha de vignes. Il a aménagé il y a quelques années de nouveaux locaux climatisés. Issu des années 2002 à 2004, son rosé Arthémia privilégie le chardonnay (85 %). Un peu de pinot meunier lui donne une couleur rose tendre. C'est un rosé vif aux arômes agréables de fleurs, de fraise, de bonbon anglais et de fruits exotiques (ananas). Pour un apéritif, une salade de fruits ou une charlotte aux fraises... (RM)

Luc Dérouillat, 23, rue des Chapelles, 51530 Monthelon, tél. 03.26.59.76.54, fax 03.26.59.77.27, e-mail champagne.derouillat@wanadoo.fr r.-v.

MICHEL DERVIN ★

2 ha 4 965 11 à 15 €

Cette maison créée en 1983 dispose d'un vignoble de 5 ha dans le secteur de Cuchery, village implanté auprès d'un petit affluent de la Marne, sur la rive droite, et d'une cuverie flambant neuve. Elle a présenté un rosé de noirs issu des deux pinots (meunier 70 %) et des années 2000 à 2002. Citronnelle, bergamote et minéralité s'y expriment avec fraîcheur et intensité. (NM)

Michel Dervin, rte de Belval, 51480 Cuchery, tél. 03.26.58.15.22, fax 03.26.58.11.12, e-mail dervin.michel@wanadoo.fr r.-v.

CHARLES DESFOURS Blanc de blancs ★

2 ha 20 000 15 à 23 €

Marque de Jacques Copinet, récoltant établi dans le sud de l'appellation, non loin de Sézanne et de Provins. Ce blanc de blancs, issu des années 2000 à 2002, apparaît discret mais élégant au nez. Sa vivacité et sa finesse le rendent très plaisant. (RM)

Jacques Copinet, 11, rue de l'Ormeau, 51260 Montgenost, tél. 03.26.80.49.14, fax 03.26.80.44.61, e-mail info@champagne-copinet.com r.-v.

PAUL DÉTHUNE

Gd cru 1 ha 5 000 15 à 23 €

Implantée à Ambonnay, commune classée en grand cru, cette exploitation familiale fondée en 1840 s'étend aujourd'hui sur 7 ha. Les Déthune sont attachés à la vinification en foudre de chêne, et ce rosé a fait un court séjour dans le bois. Composé de 80 % de pinot noir et de 20 % de chardonnay des années 2000 à 2003, ce champagne en robe grenadine, encore jeune, retient l'attention par son caractère acidulé et ses arômes de fruits rouges confiturés. Il pourra accompagner de la volaille grillée, des magrets de canard. (RM)

Paul Déthune, 2, rue du Moulin, 51150 Ambonnay, tél. 03.26.57.01.88, fax 03.26.57.09.31, e-mail info@champagne-dethune.com r.-v.

AMOUR DE DEUTZ Blanc de blancs 1999 ★★

n.c. 25 000 + de 76 €

Créée en 1838, cette maison d'Aÿ poursuit son développement dans le giron de Roederer depuis 1993. Elle est installée dans un hôtel particulier du second Empire et l'Amour est son emblème. Le chardonnay qui est à l'origine de ce 1999 est de haute provenance : deux grands crus, Le Mesnil-sur-Oger et Avize, auquel s'ajoutent 5 % de vins de Villers-Marmery. Au nez : de la finesse, des fleurs, du pamplemousse, des notes minérales. En bouche : de la pêche jaune, de la mirabelle, de la réglisse, fraîcheur et longueur. À servir sur un repas fin. Deux champagnes obtiennent une étoile : la cuvée **William Deutz 1998** (coup de cœur l'an dernier dans le millésime 1996), assemblage de deux tiers de noirs et d'un tiers de blancs, un ensemble pur, brioché avec des nuances de noisette, au dosage sensible, et le brut **Classic (23 à 30 €)**, mariage à parts égales des trois cépages champenois, un vin aromatique, complexe, puissant, net et jeune. (NM)

Deutz, 16, rue Jeanson, BP 9, 51160 Aÿ, tél. 03.26.56.94.00, fax 03.26.56.94.13 r.-v.

JACQUES DEVILLERS ★

● 0,2 ha 1 500 ▮ 11 à 15 €

Viticulteurs de père en fils depuis 1795, les Devillers exploitent 2 ha de vignes à une vingtaine de kilomètres au sud-ouest de Reims. Ils ont élaboré un rosé de noirs composé principalement de pinot meunier (90 %). Riche et complexe, ce champagne évoque un panier de fruits rouges (fraise et framboise), avec des nuances de fruits confits et de violette. Tonique à l'attaque, ample, justement dosé, il allie la puissance et la fraîcheur. (RM)

Jacques Devillers, 19, rue de Paradis, 51480 La Neuville-aux-Larris, tél. 03.26.58.14.04, fax 03.26.59.40.73, e-mail devillers.jacques@wanadoo.fr r.-v.

FRANÇOIS DILIGENT Cuvée Signature 1998

0,74 ha 7 182 30 à 38 €

Les Moutard sont vignerons depuis quatre siècles à Buxeuil, dans la Côte des Bar (Aube), et commercialisent du champagne depuis les années 1920. Leur vignoble s'étend sur 22,50 ha. Cette cuvée millésimée assemble 60 % de pinot noir au chardonnay. Elle s'annonce par de frais parfums d'agrumes et offre en bouche une fraîcheur minérale et une bonne longueur. (NM)

Moutard-Diligent, 6, rue des Ponts, BP 1, 10110 Buxeuil, tél. 03.25.38.50.73, fax 03.25.38.57.72

DOM BASLE 1999

Gd cru 1 ha 8 000 ▮ 11 à 15 €

Dom Basle est une marque du Champagne Lallement-Deville qui rappelle le souvenir d'un ermite du haut Moyen Âge qui aurait vécu autour de Verzy. Plus de traces de l'ermite, mais la forêt et ses faux – extraordinaires hêtres aux formes tortueuses – méritent une visite. Quant à ce millésimé mi-blancs mi-noirs (pinot noir), il a été vinifié sans collage ni filtration et a intéressé le jury par son caractère vineux, puissant et structuré. (RM)

Dom Basle, 28, rue Gass, BP 29, 51380 Verzy, tél. 03.26.97.95.90, fax 03.26.97.98.25, e-mail dombasle@wanadoo.fr r.-v.

Damien Lallement

PIERRE DOMI Cuvée Memory ★

0,4 ha 2 000 ▮ 15 à 23 €

Implantée à Grauves, village entouré de vignes et de bois à l'orée de la Côte des Blancs, une exploitation créée en 1947. Née de la récolte de 2001, sa Cuvée Memory privilégie le pinot meunier, qui représente 80 % de l'assemblage, complété par le chardonnay. Un champagne bien équilibré, expressif et complexe, aux arômes de fruit de la Passion, d'abricot et de pain d'épice. Le **blanc de blancs (11 à 15 €)**, issu de la vendange 2000, mêle l'acacia et le citron vert et s'impose par sa puissance. Il est cité, tout comme la **Grande Réserve (11 à 15 €)**, composée de chardonnay (60 %) et de meunier récoltés en 2003 : un ensemble floral, frais, délicat et léger, pour l'apéritif. (RM)

Pierre Domi, 8, Grande-Rue, 51190 Grauves, tél. 03.26.59.71.03, fax 03.26.52.86.91, e-mail champagnepierredomi@wanadoo.fr r.-v.

DOM PÉRIGNON 1998 ★★

n.c. n.c. + de 76 €

Une des plus célèbres cuvées de prestige. Elle tire son nom du cellérier de l'abbaye d'Hautvillers, dans la vallée de la Marne, qui garde pour la postérité le titre glorieux d'inventeur du champagne. S'il n'est pas avéré qu'il découvrit la façon de faire prendre mousse aux vins, il fut un maître de chai hors pair et pratiqua avec un art consommé l'assemblage, à la base des champagnes de qualité. À marque légendaire, champagne de légende. Le nombre de bouteilles produites est tenu secret, de même que la composition de la cuvée, mais « on » sait qu'en moyenne, celle-ci comprend autant de chardonnay que de pinot noir, parfois une once de plus. Des raisins de haute origine, ce qui explique son élégance proverbiale. On y découvre un soupçon de fumé et un équilibre sans faille. Un des meilleurs 1998. (NM)

Moët et Chandon, 20, av. de Champagne, 51200 Épernay, tél. 03.26.51.20.20 r.-v.

DOQUET-JEANMAIRE Blanc de blancs Tradition ★

1er cru 5,5 ha 40 000 ▮ 11 à 15 €

Depuis 2004, c'est Pascal Doquet qui est l'unique propriétaire de cette exploitation de la Côte des Blancs fondée trente ans auparavant. Celui-ci conduit ses 10,60 ha selon les principes de l'agriculture raisonnée. Issu des années 2000 à 2002, ce blanc de blancs Tradition évoque les fleurs blanches et le pamplemousse rose. Il est nerveux et long. Une étoile pour le **blanc de blancs de la Cense**, né des années 1998 à 2000, aux arômes de fleurs et de fruits mûrs, complexe, ample et persistant. Très marquée elle aussi par les raisins blancs (75 % de chardonnay avec 25 % de pinot noir), la cuvée **Cœur de terroir 1er cru 1996 (15 à 23 €)** mêle les agrumes et le miel et montre une belle persistance. Elle est citée. (SR)

Doquet-Jeanmaire, 44, chem. du Moulin-de-la-Cense-Bizet, 51130 Vertus, tél. 03.26.52.16.50, fax 03.26.59.36.71, e-mail info@champagne-doquet-jeanmaire.com r.-v.

Pascal Doquet

DIDIER DOUÉ Blanc de blancs 2000 ★★

0,7 ha n.c. ▮ 15 à 23 €

Didier Doué pratique la sélection parcellaire et adhère à l'association Sève qui promeut des vins de terroirs authentiques et originaux. Son domaine de 5 ha s'étend autour de Montgueux, commune proche de Troyes connue pour la qualité de ses chardonnays. En témoigne ce blanc de blancs délicat, floral et fruité au nez, souple et minéral, qui sera parfait à l'apéritif. La cuvée **Prestige** assemble 70 % de chardonnay et 30 % de pinot noir. Florale et miellée, subtile et racée, elle obtient une étoile. (RM)

Didier Doué, 3, voie des Vignes, 10300 Montgueux, tél. 03.25.79.44.33, fax 03.25.79.40.04 r.-v.

ÉTIENNE DOUÉ Cuvée de réserve

1,5 ha 6 000 ▮ 11 à 15 €

Un autre domaine Doué de Montgueux, avec vue sur la ville de Troyes. Étienne Doué a créé son vignoble en 1972 et lancé sa marque cinq ans plus tard. Sa Cuvée de réserve est un blanc de blancs issu des années 2000 à 2002. Le nez expressif annonce une bouche équilibrée et aromatique mêlant la pêche jaune et les fruits exotiques (mangue). Pour un poisson en sauce. Même note pour le **blanc de blancs Cuvée Prestige 1999 (15 à 23 €)**, pour son nez d'agrumes et son palais ample privilégiant la puissance. (RM)

Étienne Doué, 11, rte de Troyes, 10300 Montgueux, tél. 03.25.74.84.41, fax 03.25.79.00.47 r.-v.

DOYARD Blanc de blancs Cuvée Vendémiaire

5 ha 20 000 15 à 23 €

Exploitation de 7 ha créée en 1927 par Maurice Doyard, l'un des créateurs des organisations professionnelles qui régissent la viticulture champenoise. Ce blanc de blancs naît de l'assemblage de vins des années 1996 à 1998, élevés six mois dans le bois. Il est brioché, grillé, vanillé, de bonne persistance. Il a atteint son apogée. (RM)

Robert Doyard et Fils, 63, av. Bammental, BP 3, 51130 Vertus, tél. 03.26.52.14.74, fax 03.26.52.24.02, e-mail champagne.doyard@hexanet.fr r.-v.

Y. Doyard

DOYARD-MAHÉ Blanc de blancs 1999 *

1er cru n.c. 4 300 23 à 30 €

Philippe Doyard-Mahé est le petit-fils de Maurice Doyard, co-fondateur du Comité interprofessionnel du vin de Champagne. Il exploite 6 ha autour de Vertus, dans la Côte des Blancs. Son blanc de blancs 1999 est biscuité, souple, soyeux et persistant. Tout aussi réussi, le **rosé 1er cru (15 à 23 €)** doit beaucoup au chardonnay (de la récolte de 2003) pour 88 % dans l'assemblage. Du vin rouge de pinot noir lui donne sa couleur saumonée. Intensément aromatique et vineux, il évoque la griotte et le kirsch et se montre équilibré, frais et long. (RM)

Philippe Doyard-Mahé, Moulin d'Argensole, 51130 Vertus, tél. 03.26.52.23.85, fax 03.26.59.36.69 t.l.j. sf dim. 10h-12h 14h-18h

DRAPPIER Blanc de blancs

n.c. n.c. 15 à 23 €

En près de deux siècles, les Drappier ont constitué un important vignoble : pas moins d'une cinquantaine d'hectares, autour d'Urville, dans l'Aube. Ils sont en outre à la tête d'une activité de négoce alimentée par des contrats portant sur 75 ha. Leur blanc de blancs évoque une floraison printanière. Il en a l'élégance... et la fugacité. La **Grande Sendrée 1998 (30 à 38 €)** obtient la même note. Son assemblage donne une légère majorité aux raisins noirs (55 % de pinot noir). Complexe au nez comme en bouche, c'est un champagne fortement dosé. (NM)

Drappier, rue des Vignes, 10200 Urville, tél. 03.25.27.40.15, fax 03.25.27.41.19, e-mail info@champagne-drappier.com r.-v.

DRIANT-VALENTIN 1995 **

1er cru 1,5 ha 10 000 15 à 23 €

Situé à l'ouest d'Avize, un peu en arrière de la Côte des Blancs, le village de Grauves est environné de vignes et dominé par des falaises. Jacques Driant y exploite les 6 ha de la propriété familiale fondée en 1924. Son 1995 a séduit le jury par son harmonie. Faisant la part belle au chardonnay (80 %) marié au pinot noir, il est citronné et miellé au nez comme en bouche. L'abricot sec et l'amande viennent compléter cette palette aromatique dans un palais vif à l'attaque et assez long. On pourra servir cette bouteille avec un foie gras poêlé. Assemblage analogue au vin précédent, mais des années 1997 et 1998, l'**Extra-brut Grande Réserve 1er cru**, citronné et nerveux, reste équilibré et laisse une impression de fraîcheur : une étoile. (RM)

Jacques Driant, 4, imp. de la Ferme, 51190 Grauves, tél. 03.26.59.72.26, fax 03.26.59.76.55, e-mail champagne.driant-valentin@laposte.net r.-v.

DROUILLY L.V. Œil de Perdrix Extra Dry 2002

0,7 ha 2 000 11 à 15 €

Voilà dix ans que Roland Drouilly exploite les 8 ha du domaine familial situé dans l'Aube. Il a proposé un rosé de noirs de 2002, un champagne deux fois étrange : par sa désignation « œil de perdrix », qui veut dire rosé très clair – ainsi appelait-on autrefois les moûts tachés – et par son dosage dit « extra dry », alors qu'il ne semble pas plus sec qu'un brut. Ses arômes agréables et complexes rappellent la confiserie et les fruits compotés. Un ensemble fondu, complexe, évolué. (RM)

EARL Roland Drouilly, 1, rte de Chacenay, 10360 Noé-les-Mallets, tél. 03.25.29.65.35, fax 03.25.38.25.30, e-mail champagnedlv@wanadoo.fr r.-v.

CLAUDE DUBOIS
Les Almanachs Grande Réserve *

0,7 ha n.c. 15 à 23 €

En souvenir de son grand-père Edmond Dubois, surnommé le « Rédempteur » pour sa participation active au mouvement de défense des vignerons champenois lors de la crise qui frappa la région viticole en 1911, Claude Dubois vinifie un an en foudre de bois. La cuvée Les Almanachs est un blanc de noirs issu de pinot noir des années 2001 et 2002. Empyreumatique au nez, elle mêle des notes grillées à des nuances d'abricot sec et révèle des notes confites et miellées dans un palais harmonieux et persistant. Quant au **brut Claude Dubois (11 à 15 €)** dominé par les deux pinots (90 %), il assemble les années 2002 et 2003 et apparaît très jeune avec sa robe pâle, son nez d'agrumes et ses saveurs printanières. Il est cité. (RM)

Claude Dubois, rte d'Arty, 51480 Venteuil, tél. 03.26.58.48.37, fax 03.26.58.63.46, e-mail redempteur@wanadoo.fr t.l.j. 9h-12h 13h30-17h30; sam. dim. sur r.-v.

HERVÉ DUBOIS Blanc de blancs Réserve *

Gd cru 2 ha 3 000 11 à 15 €

Depuis 1980, Hervé Dubois exploite un vignoble de 5 ha autour d'Avize, village de la Côte des Blancs classé en grand cru. Son blanc de blancs Réserve, issu des années 2000 et 2001, intéresse par son nez de fruits jaunes et ses saveurs chaudes et épicées. Le **brut**, issu de la récolte de 2001, obtient une citation. Les trois cépages champenois (55 % des deux pinots) collaborent à ce champagne gras, puissant, assez complexe et concentré, adapté au repas. (RM)

Hervé Dubois, 67, rue Ernest-Vallé, 51190 Avize, tél. 03.26.57.52.45, fax 03.26.57.99.26 r.-v.

DUMÉNIL *

1er cru 6 ha 42 150 11 à 15 €

Ce domaine créé entre les deux guerres s'étend sur 10 ha autour de Chigny-les-Roses, dans la Montagne de Reims. Trois de ses cuvées ont été retenues, toutes trois mariant les cépages champenois dans les mêmes proportions : 60 % de chardonnay, 30 % de pinot noir, 10 % de meunier. Ce brut 1er cru provient des années 2000 et 2001. Iodé au premier nez puis marqué par les agrumes, il séduit par son attaque franche et par sa complexité. Née des récoltes de 2001 et 2002, la **cuvée Prestige (15 à 23 €)** obtient elle aussi une étoile pour ses parfums floraux, son équilibre et sa fraîcheur : un champagne d'apéritif. C'est le pain grillé qui marque la palette du **1999 (15 à 23 €)** ; un champagne équilibré et persistant, qui obtient une citation. (RM)

CHAMPAGNE

🔑 Duménil, rue des Vignes, 51500 Chigny-les-Roses, tél. 03.26.03.44.48, fax 03.26.03.45.25, e-mail info@champagne-dumenil.com ☑ Y ⚲ r.-v.
🔑 Frédérique Poret

DANIEL DUMONT Grande Réserve

● 1er cru 6 ha 60 000 ▮ 11 à 15 €

La famille Dumont exploite plus de 10 ha dans la Montagne de Reims. Sa cuvée Grande Réserve fait appel à 60 % de pinots (dont 40 % de pinot noir) et à 40 % de chardonnay, récoltés en 2001 et 2002. Les dégustateurs y découvrent des arômes de réglisse et une forme de douceur. Les trois cépages champenois interviennent dans les mêmes proportions dans les deux autres cuvées également citées : le **rosé 1er cru**, né des vendanges de 2002 et 2003, saumoné, marqué par des notes de cassis et de bonne longueur, et la **Réserve 1er cru 2000 (15 à 23 €)**, au nez de sous-bois et au palais vif. (RM)
🔑 Daniel Dumont, 11, rue Gambetta, 51500 Rilly-la-Montagne, tél. 03.26.03.40.67, fax 03.26.03.44.82, e-mail info@champagne-danieldumont.com ☑ Y ⚲ r.-v.

R. DUMONT ET FILS 1996 *

● 1 ha 1 000 ▮ 23 à 30 €

Les Dumont étaient viticulteurs bien avant la Révolution. Ils ont constitué un important vignoble qui s'étend sur 22 ha autour de Champignol-lez-Mondeville (Aube). Leur 1996 doit tout au pinot noir. S'il n'est pas très long, il a intéressé les dégustateurs par son nez brioché, ses arômes de fruits confits et par son palais charnu et équilibré. (RM)
🔑 SCEV R. Dumont et Fils, rue de Champagne, 10200 Champignol-lez-Mondeville, tél. 03.25.27.45.95, fax 03.25.27.45.97, e-mail rdumontetfils@wanadoo.fr ☑ Y ⚲ r.-v.

DUVAL-LEROY Fleur de Champagne *

● 1er cru n.c. n.c. ▮ 23 à 30 €

Depuis 1991, Carol Duval dirige avec talent la maison familiale – la plus importante de la Côte des Blancs, avec son vignoble de 170 ha. Chez Duval-Leroy, on privilégie le chardonnay, qui entre au moins à hauteur de deux tiers dans les assemblages, complété par le pinot noir. Bien marquée par les blancs, fraîche, charnue et élégante, cette cuvée Fleur de Champagne est un « vin de fête », écrit un dégustateur. La cuvée de prestige **Femme de Champagne 1995 (46 à 76 €)** semble d'une éternelle jeunesse. Fraîcheur et harmonie sont au rendez-vous de ce champagne floral, beurré et long : une étoile également. Brioché, équilibré et ample, le **1996 (30 à 38 €)** est cité, comme le **blanc de chardonnay 1998 (30 à 38 €)**, tout en légèreté. (NM)
🔑 Duval-Leroy, 69, av. de Bammental, BP 37, 51130 Vertus, tél. 03.26.52.10.75, fax 03.26.52.37.10, e-mail champagne@duval-leroy.com ☑ Y ⚲ r.-v.

ALBÉRIC DUVAT 2000 **

● 2 ha 15 000 ⏸ 15 à 23 €

Établie à Fèrebrianges, entre Côte des Blancs et Sézannais, la famille Duvat exploite 10 ha de vignes répartis dans trois départements : l'Aube, pour le pinot noir, l'Aisne, pour le pinot meunier, et la Marne pour le chardonnay. 60 % de chardonnay et 40 % de pinots (dont 10 % de meunier) se marient dans ce 2000 riche, élégant, harmonieux et long. Les pinots sont majoritaires (60 % dont 40 % de meunier) dans la cuvée **Carte noire (11 à 15 €)** issue des années 2001 et 2002 et citée pour ses arômes d'agrumes et de fruits jaunes, sa touche minérale et son équilibre. Quant à la **Tête de cuvée Prestige Xavier Duvat et Fils 2002**, mi-blancs mi-noirs, sa rondeur, son ampleur et ses arômes de fruits secs lui valent la même note. (RM)
🔑 Xavier Duvat, 20, Grande-Rue, 51270 Fèrebrianges, tél. 03.26.59.35.69, fax 03.26.59.34.04, e-mail xduvat@wanadoo.fr ☑ Y ⚲ r.-v.

CHARLES ELLNER 1997

● 1 ha 9 000 ⏸ 15 à 23 €

Cette maison familiale discrète, fondée en 1890, a constitué un vaste vignoble : 54 ha répartis dans tous les secteurs de la Champagne, de l'Aisne à l'Aube et de la Montagne de Reims au Sézannais, sans oublier les coteaux d'Épernay, berceau de la société. Son 1997 assemble 75 % de chardonnay au pinot noir. Ses arômes évoquent les fruits compotés mais il a gardé sa fraîcheur en dépit de son âge. Un champagne de repas. Quant au **brut en bouteille sérigraphiée**, également cité, il apparaît évolué, avec des arômes empyreumatiques, des nuances de noisette et de pain d'épice. Son attaque est charnue et sa vivacité extrême. Pour amateurs avertis. (NM)
🔑 Charles Ellner, 6, rue Côte-Legris, BP 223, 51207 Épernay Cedex, tél. 03.26.55.60.25, fax 03.26.51.54.00, e-mail info@champagne-ellner.com ☑ Y ⚲ r.-v.

CHRISTIAN ÉTIENNE 1997

● n.c. 10 000 ▮ 11 à 15 €

Installé en 1978, ce récoltant-manipulant travaille sur l'exploitation familiale depuis l'âge de dix-sept ans. Son domaine, qui totalise 9,5 ha répartis sur le territoire de trois villages, est implanté à 9 km de Bar-sur-Aube. Christian Étienne signe un 1997 mi-blancs mi-noirs aux arômes de fleurs blanches. Sa finesse et sa légèreté destinent ce champagne à l'apéritif. (RM)
🔑 Christian Étienne, 12, rue de la Fontaine, 10200 Meurville, tél. 03.25.27.46.66, fax 03.25.27.45.84 ☑ Y ⚲ r.-v.

JEAN-MARIE ÉTIENNE Cuvée spéciale *

● 1 ha 8 000 ▮ 11 à 15 €

L'histoire de cette famille, établie sur la rive droite de la Marne à deux pas de Hautvillers, berceau du champagne, illustre les mutations du vignoble : les ancêtres de la famille partageaient leur temps entre un atelier de maréchal-ferrant et leurs vignes. Aujourd'hui, Daniel et Pascal Étienne élaborent leur propre champagne, dont la marque a été lancée à la fin des années 1950 par leur père Jean-Marie. Mi-blancs mi-noirs (45 % de pinot noir), leur Cuvée spéciale provient des années 1998 à 2000. C'est un champagne vineux et complexe, aux arômes de caramel et de cacao. (RM)
🔑 Jean-Marie Étienne, 33, rue Louis-Dupont, 51480 Cumières, tél. 03.26.51.66.62, fax 03.26.55.04.65, e-mail champetienne@hotmail.fr ☑ Y ⚲ r.-v.

ÉTIENNE-BÉNARD Tradition

● 1,8 ha 15 000 ▮ 11 à 15 €

Pascal Étienne a repris en 1993 l'exploitation familiale située à Mardeuil, aux portes ouest d'Épernay, et lancé la marque dix ans plus tard. Produit des récoltes de 1999 et 2000, son brut Tradition est dominé par les raisins noirs (85 %, dont 50 % de meunier). Si ses arômes briochés, citronnés, miellés puis épicés s'estompent un peu rapidement, révélant un dosage généreux, l'impression reste agréable. Quant au **rosé**, issu des années 2000 et 2002, il doit tout aux noirs (dont 85 % de meunier). Ses arômes de fleur de cassis, de fruits rouges et sa fraîcheur conviendront à un apéritif champêtre. (RM)

Pascal Étienne, 39, rte Nationale, 51530 Mardeuil, tél. et fax 03.26.54.49.60,
e-mail pascal-etienne@wanadoo.fr r.-v.

EUSTACHE DESCHAMPS Cuvée de réserve *

n.c. 200 000 11 à 15 €

Né à Vertus (Côte des Blancs) au milieu du XIV[e]s., Eustache Deschamps fut un puissant personnage de la cour de Charles V et VI, un poète fécond et un grand amateur de vins – on lui doit l'une des premières mentions du *pynos*. La coopérative de sa petite patrie lui rend hommage. Cette Cuvée de réserve est composée à 90 % de chardonnay, complété par le pinot noir, et assemble les années 1998 à 2000. Elle délivre des arômes de fruits à chair blanche, se montre vive, citronnée et persistante. Le **blanc de blancs 1998** de la cave est cité pour sa touche empyreumatique rappelant le café et pour son élégance raffinée. (CM)

Coopérative La Vigneronne, 38, av. Bammental, 51130 Vertus, tél. 03.26.52.18.95, fax 03.26.58.39.47,
e-mail coop.lavigneronne@wanadoo.fr r.-v.

FRANÇOIS FAGOT

0,6 ha 6 300 11 à 15 €

La famille Fagot cultive la vigne depuis cinq générations et a lancé son champagne en 1960. Son domaine s'étend sur 7 ha dans la Montagne de Reims. Le rosé de François Fagot fait la part belle aux pinots (90 % dont 60 % de pinot noir). Très coloré, de couleur grenadine, il évoque les fruits rouges confiturés et se montre structuré et bien équilibré. (NM)

SARL François Fagot, 26, rue Gambetta, 51500 Rilly-la-Montagne, tél. 03.26.03.42.56,
fax 03.26.03.41.19 r.-v.

SERGE FAŸE La Louve 2000

1er cru 0,3 ha 3 000 23 à 30 €

Serge Faÿe a repris en 1984 le domaine constitué par son père trente ans plus tôt. Il est établi à Louvois, commune située au flanc sud-est de la Montagne de Reims, et qui garde le souvenir du ministre de la Guerre de Louis XIV. Cuvée de la Louve ? Le dessin de l'étiquette – Romulus et Remus – semble renvoyer aux origines de la ville des Sept collines, mais comment s'appellent les habitants de Louvois ? Les... Louveteaux. De quoi alimenter les conversations au sujet de ce 2000 mi-blancs mi-noirs, jaune doré soutenu, pas très long mais puissant. (RM)

Serge Faÿe, 2 bis, rue André-Lenôtre, 51150 Louvois, tél. 03.26.57.81.66, fax 03.26.59.45.12,
e-mail sergefaye@hexanet.fr r.-v.

PHILIPPE FAYS Blanc de noirs *

2 ha 12 000 11 à 15 €

Voici vingt ans que Philippe Fays a repris le vignoble familial : 4,5 ha situés du côté de Celles-sur-Ource, dans l'Aube. Issu de pur pinot noir récolté en 2002 et 2003, son blanc de noirs ne manque pas d'atouts : des arômes de fruits rouges, une attaque fraîche, une rondeur élégante, un bel équilibre et une longue finale racée. (RM)

Philippe Fays, 94, Grande-Rue, 10110 Celles-sur-Ource, tél. 03.25.38.51.47, fax 03.25.38.23.04,
e-mail champ.philippefays@wanadoo.fr r.-v.

FENEUIL-POINTILLART Cuvée Louis 1999 **

1er cru 0,3 ha 2 500 15 à 23 €

Les Feneuil et les Pointillart sont établis depuis le XVII[e]s. à Chamery, village classé en 1er cru blotti sur le flanc nord de la Montagne de Reims. Daniel Feneuil a repris en 1972 le domaine de 7,5 ha. La cuvée Louis est un millésimé qui privilégie le chardonnay (70 %). Les vins ne font pas leur fermentation malolactique. Est-ce pour cette raison que les dégustateurs le trouvent vif et acidulé ? Une fraîcheur qui contribue à l'agrément de ce champagne séduisant par son attaque et son élégance. (RM)

Feneuil-Pointillart, 21, rue du Jard, 51500 Chamery, tél. 03.26.97.62.35, fax 03.26.97.67.70,
e-mail champagne.fp@wanadoo.fr r.-v.
Daniel Feneuil

NICOLAS FEUILLATE 2000 *

n.c. 12 000 15 à 23 €

Créé en 1972, le centre vinicole de Chouilly impressionne par son gigantisme : cette union de producteurs intéresse 5 000 viticulteurs, regroupés dans 83 coopératives locales qui fournissent les récoltes de plus de 2 150 ha répartis dans toute la région, soit 7 % de l'aire délimitée. Ici, on peut produire 20 000 cols à l'heure... Que dire du champagne ? Les dégustateurs ont apprécié ce 2000, dominé par les raisins noirs (80 % à parts égales). Son nez discret mais plein de délicatesse associe au fruit de la Passion une touche de menthe. On retrouve les fruits exotiques mêlés à la pêche au sirop dans un palais rond, bien équilibré et assez persistant. Quant au **rosé**, très marqué lui aussi par les noirs (90 %, dont 60 % de pinot noir), il est cité pour son côté aromatique et sa longueur. (CM)

Nicolas Feuillatte, Centre vinicole champagne, BP 210, Chouilly, 51206 Épernay, tél. 03.26.59.55.50, fax 03.26.59.55.82 r.-v.

DANY FÈVRE 1999 **

0,5 ha 2 500 15 à 23 €

Si la marque n'a vu le jour qu'en 1990, ce vignoble aubois, qui couvre près de 7 ha, a cent vingt-cinq ans d'existence. Le pinot noir compose les deux tiers de son 1999, complété par le chardonnay. Son fruité évoquant la mirabelle, sa finesse et sa longueur sont fort appréciés. Deux autres champagnes, issus des années 2001 à 2003, et qui privilégient davantage encore les raisins noirs, obtiennent chacun une étoile : la cuvée **Isabelle (11à 15 €)**, 75 % de pinot noir, équilibrée et persistante, aux arômes d'amande fraîche, et la cuvée **Tradition (11 à 15 €)**, 95 % de pinot noir, mêlant les fleurs et les fruits rouges, un vin vineux, rond et complet. (RM)

Dany Fèvre, 8, rue Benoit, 10110 Ville-sur-Arce, tél. 03.25.38.76.63, fax 03.25.38.78.52,
e-mail champagne.fevre@wanadoo.fr r.-v.

BERNARD FIGUET Cuvée spéciale **

6,5 ha 60 000 11 à 15 €

Ce domaine viticole s'étend sur 10,50 ha dans la vallée de la Marne, aux confins de l'Aisne et de la Seine-et-Marne. Il élabore son champagne depuis soixante ans. Cette Cuvée spéciale est très marquée par les raisins noirs (90 % dont 75 % de pinot meunier). Elle séduit par sa fraîcheur et par la complexité de son fruité de pêche et d'abricot, animé par une touche exotique de mangue. Un vin de gastronomie. (RM)

Bernard Figuet, 144, rte Nationale, 02310 Saulchery, tél. 03.23.70.16.32, fax 03.23.70.17.22 r.-v.

Éric Figuet

FLEURY-GILLE 2000 *

0,8 ha 7 500 15 à 23 €

Le village de Trélou est situé au cœur de la vallée de la Marne, du côté de Dormans et en amont de Château-Thierry. Pierre-Louis Fleury y était déjà vigneron en 1842. Ses descendants exploitent plus de 8 ha et disposent d'une salle à manger de 40 couverts où ils organisent des repas à thèmes et des séances de dégustation. Mi-blancs mi-noirs (pinot noir), leur 2000 présente un nez brioché et empyreumatique. Il est équilibré et de bonne longueur. (RM)

EARL Fleury et Fils, 23, rue Pascal, hameau de Courcelles, 02850 Trélou-sur-Marne, tél. 03.23.70.21.58, fax 03.23.70.14.91, e-mail fleury-gille@wanadoo.fr r.-v.

Jean-François Fleury

FLEURY PÈRE ET FILS Fleur de l'Europe **

3,5 ha 40 000 23 à 30 €

Chantre du « bio » dans la Côte des Bar, Jean-Pierre Fleury s'est orienté dès son installation en 1973 vers une conduite de la vigne respectueuse de l'environnement et, en 1989, s'est tourné vers la biodynamie. Il exploite 13 ha et a développé et modernisé en 2004 ses installations de vinification. Fruit des années 1999 et 2000, sa cuvée Fleur de l'Europe privilégie les raisins noirs (85 % de pinot noir). Elle a séduit par son nez franc et puissant, sa bouche équilibrée aux arômes de fruits à chair blanche. Deux rosés de noirs (pinot noir) sont par ailleurs cités : le **rosé sans année (15 à 23 €)** de la vendange 2003, d'un joli rose, équilibré et rond, et le **rosé demi-sec 1997 (30 à 38 €)**, dosé à 34 g/l, au fruité complexe (cassis, fraise des bois, abricot, citron), plaisant et original – les rosés demi-secs ne sont pas légion. (NM)

Fleury, 43, Grande-Rue, 10250 Courteron, tél. 03.25.38.20.28, fax 03.25.38.24.65, e-mail champagne-fleury@wanadoo.fr r.-v.

FLUTEAU Carte rubis *

3 ha 5 000 11 à 15 €

Nombre de récoltants-manipulants deviennent négociants, pour vinifier des raisins achetés en dehors de leur propriété. Les Fluteau ont fait l'inverse. Thierry Fluteau, à la tête depuis dix ans de l'affaire familiale créée au milieu des années 1930, a adopté récemment le statut de récoltant-manipulant. Il dispose de 8,50 ha dans l'Aube. Le pinot noir règne dans les trois cuvées retenues dont ce rosé issu de la vendange 2002 qui exprime un beau fruité et se montre vineux, frais, fin et persistant. La cuvée **Carte blanche**, des années 2000 à 2002, est épicée, droite, fraîche, et équilibrée : une citation. Dix pour cent de chardonnay viennent à peine entamer la suprématie du pinot noir dans la **Cuvée réservée**, née des années 1999 à 2001. Ses arômes toastés et fruités (prune jaune), sa fraîcheur et sa délicatesse lui valent une citation. (RM)

EARL Thierry Fluteau, 5, rue de la Nation, 10250 Gyé-sur-Seine, tél. 03.25.38.20.02, fax 03.25.38.24.84 r.-v.

FOREST-MARIÉ Tradition *

5,7 ha 25 000 11 à 15 €

Ce vignoble familial se répartit entre les terroirs d'Écueil, près de Reims, et de Trigny, un peu plus au nord, dans le massif de Saint-Thierry. Sa cuvée Tradition est issue de 70 % de pinots (dont 40 % de pinot noir) et de 30 % de chardonnay récoltés de 1999 à 2002. Elle associe les fruits confiturés, des touches grillées, mentholées et s'impose par sa souplesse et sa rondeur. Dans le **Brut de blancs**, le chardonnay a été vendangé en 2001 et 2002. Discret et fin au nez, plus complexe au palais, ce champagne obtient une citation. (RM)

Thierry Forest-Marié, 20, rue de la Chapelle, 51140 Trigny, tél. 03.26.03.13.23, fax 03.26.03.19.72 r.-v.

JEAN FORGET Tradition

1er cru 1 ha 3 000 11 à 15 €

Ce récoltant-manipulant de Ludes, dans la Montagne de Reims, propose une cuvée Tradition née des trois cépages champenois en égales proportions. Intense au nez, elle est fraîche et équilibrée en bouche. (RM)

Christian Forget, 2, rue Nationale, 51500 Ludes, tél. et fax 03.26.61.81.96, e-mail champagnejforget@aol.com r.-v.

FORGET-BRIMONT Cuvée Prestige 1998 **

1er cru 15 ha 2 000 15 à 23 €

Fondée en 1978 à Ludes par Michel Forget, cette maison dispose en propre de 15 ha dans les 1ers crus et grands crus de la Montagne de Reims. Mi-blancs mi-noirs (pinot noir), son brut Prestige 1998 affiche une belle évolution dans sa robe jaune paille, son nez élégant de brioche, de fruits exotiques et d'agrumes et ses arômes de miel et de fruits mûrs. Flatteur, souple et rond, il atteint son apogée. On pourra le servir avec de la cuisine thaïlandaise. Quant au **brut 1er cru (11 à 15 €)**, dominé par les pinots (80 % des deux cépages noirs à parts égales) et issu des années 2000 à 2002, il est généreusement dosé mais mérite d'être cité pour son fruité, son harmonie et sa longueur. (NM)

Forget-Brimont, 11, rte de Louvois, 51500 Craon-de-Ludes, tél. 03.26.61.10.45, fax 03.26.61.11.58, e-mail contact@champagne-forget-brimont.fr t.l.j. sf sam. dim. 8h-12h 14h-18h

Michel Forget

FORGET-CHEMIN Spécial Club 2000 **

1 ha 4 300 15 à 23 €

Après Eugène, Paul et Edmond, Thierry Forget, œnologue, a pris les rênes du domaine familial. Si le siège de l'exploitation, où s'effectuent le pressurage, les vinifications et le vieillissement, est situé à Ludes, dans la Montagne de Reims, les 12 ha de son vignoble se répartissent bien au-delà, sur dix villages et soixante parcelles. Ce 2000 assemble 40 % de pinot noir ne faisant pas sa fermentation malolactique et 60 % de chardonnay. Agréable et fin au nez, gras et corpulent au palais, il pourra accompagner un repas. La cuvée **Carte blanche (11 à 15 €)** marie à parts égales les trois cépages champenois des années 2001 à 2003. Elle est citée pour son fruité confit et son corps tout en rondeur. (RM)

Forget-Chemin, 15, rue Victor-Hugo, 51500 Ludes, tél. 03.26.61.12.17, fax 03.26.61.14.51, e-mail champagne.forget-chemin@voila.fr r.-v.

FOURNAISE THIBAUT 2000 *

1 ha 10 000 11 à 15 €

Établi sur la rive droite de la Marne, Daniel Fournaise exploite 3 ha de vignes. Il exporte la moitié de sa production, ce qui est rare pour un récoltant-manipulant. Mi-blancs mi-noirs (pinot noir), son 2000 doit son élégance à une bonne acidité qui lui confère une belle fraîcheur jusqu'en finale. Le **blanc de blancs** recueille également une étoile pour son nez brioché, ses arômes de fruits cuits, voire confits et sa complexité. (RM)

Daniel Fournaise, 2, rue des Boucheries, 51700 Châtillon-sur-Marne, tél. 03.26.58.06.44, fax 03.26.51.60.91, e-mail champagne.fournaise.thibaut@wanadoo.fr r.-v.

PHILIPPE FOURRIER 2000 *

1,5 ha 2 100 15 à 23 €

Philippe Fourrier a pris les rênes du vignoble familial en 1976 et a lancé son champagne en 1981. Il exploite 11 ha dans l'Aube. Le pinot noir et le chardonnay sont à égalité dans son 2000 épicé, à la fois acidulé et miellé, et qui séduit par sa finesse. Ont été cités la **Cuvée Prestige**, un blanc de blancs de 2002 floral, brioché et harmonieux, le **rosé Bel'vigne (11 à 15 €)**, rosé de saignée de pinot noir, très coloré et intensément marqué par la cerise, et le brut **Bel'vigne (11 à 15 €)**, issu à 80 % de pinot noir et de l'année 2003, légèrement empyreumatique, assez long. (NM)

Philippe Fourrier, rte de Bar-sur-Aube, 10200 Baroville, tél. 03.25.27.13.44, fax 03.25.27.12.49, e-mail champagne.fourrier@wanadoo.fr r.-v.

FRANÇOIS-BROSSOLETTE Blanc de blancs ***

1,5 ha 4 000 11 à 15 €

Ce domaine familial aubois établi à Polisy, dans la vallée de la Seine, s'étend sur 12,5 ha et a lancé son champagne en 1991. Son blanc de blancs, des vendanges 2002 et 2003, a frôlé le coup de cœur. Les dégustateurs ne tarissent pas d'éloges sur son cordon persistant, son nez délicat et frais de fleurs et d'agrumes qui annonce une bouche à la fois tendre et tonique, tout en dentelle. « Un blanc de blancs comme j'aime ! », conclut un juré. Très marquée par les raisins noirs (85 %, surtout du pinot noir), la cuvée **Tradition**, des années 2001 à 2003, obtient deux étoiles pour ses fins arômes de brioche et de fruits secs, sa rondeur, sa persistance et son dosage juste. Issue des mêmes années la **Cuvée de réserve**, qui assemble deux tiers de raisins noirs et un tiers de blancs, a de l'étoffe et des arômes de fruits compotés et confits : une étoile. (RM)

François-Brossolette, 42, Grande-Rue, 10110 Polisy, tél. 03.25.38.57.17, fax 03.25.38.51.56, e-mail francois-brossolette@wanadoo.fr r.-v.

FRESNET-BAUDOT Élégance 1998 **

Gd cru 0,5 ha 1 000 15 à 23 €

À la tête de 3 ha de vignes, les Fresnet figurent au nombre des rares récoltants-manipulants de Sillery, commune classée en grand cru située au sud-est de Reims, dans la vallée de la Vesle. Composé de chardonnay (60 %) et de pinot noir, leur 1998 a connu le bois. Il est brioché, grillé, dense, vineux et long. (RM)

Fresnet-Baudot, 9, rue de Puisieulx, 51500 Sillery, tél. 03.26.49.11.74, fax 03.26.49.10.72, e-mail courrier@champagne-fresnet.fr r.-v.

Jean-Pierre Fresnet

FRESNET-JUILLET Carte d'or *

6 ha 71 000 11 à 15 €

Les conditions de vie du manipulant se rapprochent parfois de celles du tunnelier, du mineur de fond et du maçon : pour élaborer du champagne, il faut des capacités de stockage et donc des caves. Le père de Vincent Fresnet a mis de longues années à creuser les siennes à partir des années 1950. Vincent, installé en 1999, a développé les installations ; il conduit un domaine de 7 ha, implantés dans plusieurs secteurs du vignoble. Issue des vendanges 2002 à 2004, la cuvée Carte d'or privilégie les noirs (80 % de pinot noir). Citronné au nez comme en bouche, avec une nuance minérale, c'est un champagne droit, bien équilibré. Une étoile également pour la cuvée **Carte blanche** : un blanc de blancs de Verzy et de Bisseuil, floral au nez, marqué par les agrumes en bouche, souple et vif à la fois, justement dosé, et qui laisse une agréable impression de légèreté. (NM)

Fresnet-Juillet, 10, rue de Beaumont, 51380 Verzy, tél. 03.26.97.93.40, fax 03.26.97.92.55, e-mail info@champagne-fresnetjuillet.com r.-v.

Vincent Fresnet

MICHEL FURDYNA Carte blanche *

5 ha 25 000 11 à 15 €

Ce champagne porte le nom du créateur du vignoble, qui a lancé sa marque en 1976. Le domaine, situé dans l'Aube, s'étend sur 8 ha. Mariant les années 2002 et 2003, la cuvée Carte blanche naît d'un assemblage peu commun : ses 80 % de pinot noir et 10 % de chardonnay sont complétés par 10 % de pinot blanc, cépage autorisé mais rare dans le vignoble. Un vin frais, harmonieux et au dosage judicieux. Quant à la cuvée **Réserve**, des années 2001 et 2002, elle doit tout au pinot noir et obtient une citation pour l'élégance de ses arômes floraux et miellés, sa rondeur et son équilibre. (RM)

Michel Furdyna, 13, rue du Trot, 10110 Celles-sur-Ource, tél. 03.25.38.54.20, fax 03.25.38.25.63, e-mail champagne.furdyna@wanadoo.fr r.-v.

GABRIEL-PAGIN FILS
Cuvée Roger Gabriel 2000 *

3 ha 9 200 15 à 23 €

Ce domaine familial créé en 1946 et repris par Pascal Gabriel en 1984 s'étend sur trois crus : Cramant, Avize et Avenay-Val-d'Or. Mi-blancs mi-noirs (pinot noir), ce 2000 apparaît finement évolué. Son oxydation ménagée donne de la complexité à une bouche structurée et équilibrée. (RM)

Pascal Gabriel, 4, rue des Remparts, 51160 Avenay-Val-d'Or, tél. 03.26.52.31.03, fax 03.26.58.87.20, e-mail gabriel.pagin@wanadoo.fr r.-v.

GAIDOZ-FORGET

1er cru n.c. 5 000 15 à 23 €

Établis à Ludes, dans la Montagne de Reims, les Gaidoz exploitent 9 ha de vignes. Leur rosé privilégie les noirs (90 % dont 70 % de pinot meunier) et assemble les vendanges 2002 et 2003. Séduisant par ses arômes de fruits rouges et sa persistance, il pourra accompagner un dessert aux fruits. Les pinots sont également très majoritaires (90 % dont 80 % de meunier) dans la cuvée **Carte d'or (11 à 15 €)**, issue des mêmes années que le précédent. Un champagne souple, frais et puissant. (RM)

Gaidoz-Forget, 1, rue Carnot, 51500 Ludes, tél. 03.26.61.13.03, fax 03.26.61.11.65, e-mail info@champagne-gaidoz-forget.com r.-v.
Luc Gaidoz

GAILLARD-GIROT 2000

0,2 ha 2 000 **11 à 15 €**

Installée à Mardeuil, tout près d'Épernay, cette famille exploite 3,50 ha de vignes. Son 2000 assemble 71 % de raisins noirs (dont 59 % de meunier) au chardonnay. Il est puissant et... très généreusement dosé. (RM)

EARL Gaillard-Girot, 43, rue Victor-Hugo, 51530 Mardeuil, tél. 03.26.51.64.59, fax 03.26.51.70.59, e-mail champagne-gaillard-girot@wanadoo.fr
r.-v.

GALLIMARD PÈRE ET FILS
Chardonnay Cuvée Grande Réserve 2001 ★★

1 ha 8 000 11 à 15 €

Vignerons au XIX^{e}s., les Gallimard ont élaboré leurs premières bouteilles de champagne en 1930. Établis aux Riceys dans l'Aube, ils disposent de 10 ha de vignes en propre. Elle ne s'appelle pas « Collection blanche », cette cuvée de l'année 2001 qui doit tout au chardonnay, mais Grande Réserve. Fine et fraîche, elle brille par sa jeunesse, tant au nez qu'en bouche. On la servira à l'apéritif ou avec des fruits de mer. Quant à la **Cuvée Prestige 2000**, elle assemble deux tiers de pinot noir et un tiers de chardonnay. Riche, intense, complexe, équilibrée, elle obtient une étoile. (NM)

Gallimard Père et Fils, 18-20, rue Gaston-Cheq, 10340 Les Riceys, tél. 03.25.29.32.44, fax 03.25.38.55.20
t.l.j. sf sam. dim. 9h-12h 14h-17h30; f. 15-30 août

CH. GARDET & C° Selected Reserve ★

1 ha 10 000 **15 à 23 €**

Cette maison de négoce de Chigny-les-Roses fondée en 1895 signe une cuvée née des années 1999 et 2000, assemblage de 60 % de raisins noirs (dont 40 % de pinot noir) et de 40 % de chardonnay. Un champagne complexe, vif et vineux. Le **brut Spécial Georges Gardet**, issu des vendanges 1998 et 1999 et des trois cépages champenois à parts égales, est, lui, cité pour sa minéralité et sa fraîcheur. (NM)

Georges Gardet, 13, rue Georges-Legros, 51500 Chigny-les-Roses, tél. 03.26.03.42.03, fax 03.26.03.43.95, e-mail info@champagne-gardet.com
r.-v.

GAUTHEROT Cuvée de réserve ★

7,5 ha 62 770 **11 à 15 €**

Les deux grands-pères de l'exploitant actuel ont lancé cette marque auboise en 1935. La propriété compte aujourd'hui plus de 12 ha. Sa Cuvée de réserve assemble 75 % de pinot noir et 25 % de chardonnay des années 2001 et 2002. Avec son nez de fruits mûrs un peu brioché et sa bouche onctueuse, volumineuse et longue, aux arômes de fruits blancs, elle accompagnera volontiers une viande blanche. (RM)

EARL Gautherot, 29, Grande-Rue, 10110 Celles-sur-Ource, tél. 03.25.38.50.03, fax 03.25.38.58.14, e-mail contact@champagne-gautherot.com r.-v.

GAUTHIER 2000 ★

n.c. 15 000 **23 à 30 €**

Cette maison a été créée au milieu du XIX^{e}s. Ses champagnes sont aujourd'hui vinifiés par Lanson. Le 2000 est dominé par le chardonnay (62 %), complété par du pinot noir. Complexe au nez, il marie des notes empyreumatiques à des nuances de coing. Un ensemble expressif, fruité et assez long, qui donne une impression de puissance. Citée, la **Grande Réserve (15 à 23 €)** privilégie les raisins noirs (74 % dont 61 % de meunier). Sa grande légèreté la destine à l'apéritif. (NM)

Lanson international, 22, rue Maurice-Cerveaux, 51200 Épernay, tél. 03.26.78.50.50, fax 03.26.78.50.52
r.-v.

MICHEL GENET Extra-brut Blanc de blancs

Gd cru 3 ha 24 000 **11 à 15 €**

Domaine de la Côte des Blancs créé en 1960 par Michel Genet et conduit aujourd'hui par ses fils Antoine et Vincent. Il s'étend sur 8 ha dont 6 ha en chardonnay grand cru. Issu des années 2000 à 2003, ce blanc de blancs aux arômes d'amande, d'agrumes et de fleurs est un extra-brut, très peu dosé, d'où son caractère vif, voire nerveux. Même note pour le **blanc de blancs grand cru Grande Réserve 2001 (15 à 23 €)**, rond, vineux et droit. (RM)

Michel Genet, 22, rue des Partelaines, 51530 Chouilly, tél. 03.26.55.40.51, fax 03.26.59.16.92, e-mail champagne.genet.michel@wanadoo.fr
r.-v.

PIERRE GERBAIS Tradition

6,2 ha 50 000 **11 à 15 €**

Cette maison de négoce auboise dispose de 13,5 ha de vignes et a lancé son champagne au début des années 1960. Elle a une faiblesse pour le pinot blanc, variété presque inconnue en Champagne, et en a versé un soupçon (5 %, avec 10 % de chardonnay) dans cette cuvée Tradition. Ce champagne tient toutefois surtout du pinot noir, pièce maîtresse de l'assemblage (85 %). Il offre un fruité mûr, confituré, et apparaît souple, ample et riche, un rien trop dosé. Un vin gourmand. (NM)

Pierre Gerbais, 13, rue du Pont, BP 17, 10110 Celles-sur-Ource, tél. 03.25.38.51.29, fax 03.25.38.55.17, e-mail champ.gerbais@wanadoo.fr
r.-v.

JEAN GIMONNET Réserve

1er cru 3 ha n.c. **11 à 15 €**

Cette propriété sise à Cuis, dans la Côte des Blancs, est l'héritière d'une longue lignée de Gimonnet. Sa cuvée Réserve est, à 5 % près, un blanc de blancs. Sa palette aromatique délicate mêle les fleurs, les agrumes et les fruits blancs. Un champagne léger et convivial, pour l'apéritif. (RM)

Jean Gimonnet, 16, rue Jean-Mermoz, 51530 Cuis, tél. 03.26.59.78.39, fax 03.26.51.05.07 r.-v.

PIERRE GIMONNET ET FILS
Cuis Blanc de blancs ★

1er cru n.c. 140 000 **15 à 23 €**

C'est avec Pierre Gimonnet que cette propriété de Cuis se lance dans l'élaboration et la commercialisation du champagne. Le fondateur de la marque constitue un important vignoble de 25 ha, planté en chardonnay grand cru ou 1er cru. Aussi toutes les cuvées de la maison sont-elles des blancs de blancs de la Côte des Blancs – des vins assez peu dosés (respectivement 8 et 6 g/l pour les deux vins retenus). Celui-ci, assemblage des années 1999 à 2003, est fin au nez, vif à l'attaque, assez persistant : un classique. Cité par le jury, le **blanc de blancs 1er cru Spécial Club 1999 (23 à 30 €)** présente un nez d'agrumes et un corps puissant et frais. (RM)

SA Pierre Gimonnet et Fils,
1, rue de la République, 51530 Cuis,
tél. 03.26.59.78.70, fax 03.26.59.79.84,
e-mail info@champagne-gimonnet.com r.-v.

GIMONNET-GONET Blanc de blancs Brut or *

4 ha 30 000 11 à 15 €

Les deux familles les plus connues de la Côte des Blancs sont alliées sur cette étiquette apparue en 1990 pour commercialiser le produit d'un vignoble de 12,5 ha situé dans la Côte des Blancs – évidemment – et dans la vallée de la Marne. Deux blancs de blancs de la propriété obtiennent chacun une étoile : ce Brut or aux arômes de fleurs et d'agrumes, agréable et bien équilibré – même si certains dégustateurs l'auraient souhaité un peu moins dosé –, et la **Cuvée Prestige (15 à 23 €)** d'une finesse et d'une élégance pleines de séduction. (RM)

Philippe Gimonnet-Gonet,
Le Bas-des-Auges, BP 35, 51190 Le Mesnil-sur-Oger,
tél. 03.26.57.51.44, fax 03.26.58.00.03,
e-mail charlanne.gimonnet@wanadoo.fr r.-v.

GIMONNET-OGER Blanc de blancs Prestige

1er cru 4 ha n.c. 15 à 23 €

Blotti autour de sa belle église romane, le village de Cuis, dans la Côte des Blancs, est facile à trouver. En revanche, une fois arrivé sur place, il faut de l'attention pour distinguer un Gimonnet d'un Gimonnet... Complication supplémentaire, tous font du blanc de blancs... comme cette cuvée Prestige mêlant au nez des parfums floraux et des fragrances de tilleul, avec des touches de verveine et de menthol. Un rien trop dosé, ce champagne reste fin et délicat. Le **blanc de blancs Sélection blanc 1er cru**, discret au nez, plus ouvert et fruité en bouche, obtient la même note. (RM)

Gimonnet-Oger, 7, rue Jean-Mermoz, 51530 Cuis,
tél. 03.26.59.86.50, fax 03.26.59.86.53,
e-mail chg.o@free.fr r.-v.

BERNARD GIRARDIN 2000

0,7 ha 5 000 15 à 23 €

Situé à Mancy, dans les coteaux sud d'Épernay, ce domaine créé par Bernard Girardin en 1970 a été repris en 1998 par sa fille Sandrine Britès-Girardin. Celle-ci signe un 2000 assemblant 58 % de raisins noirs (les deux pinots à égalité) et 42 % de chardonnay. Floral, rond et dosé, ce champagne sera agréable à « siroter à l'apéritif », conclut un dégustateur. (RM)

Sandrine Britès-Girardin, Champagne Bernard Girardin, 14, Grande-Rue, 51530 Mancy,
tél. et fax 03.26.59.70.78,
e-mail info@champagne-bgirardin.com
r.-v. 4

PAUL GOBILLARD Carte blanche **

n.c. n.c. 11 à 15 €

Le Champagne Paul Gobillard a été repris par Jean-Louis Malard, associé d'Alain Thiénot et directeur de Canard-Duchêne. Sa cuvée Carte blanche, dominée par le chardonnay (75 %), complété par les deux pinots, a été fort remarquée ; son nez délicat, brioché et biscuité, avec des nuances de fruits blancs, est en harmonie avec une bouche très bien équilibrée et longue. Un champagne dosé avec une louable discrétion. Assemblage de pinot noir et de chardonnay des années 1985, 1989 et 1990, la cuvée spéciale **Prestige (23 à 30 €)** est marquée par des arômes d'agrumes (citron et pamplemousse) qui lui assurent une bonne vivacité. Elle est citée. (NM)

Paul Gobillard, 43, rue Léon-Bourgeois,
Ch. de Pierry, 51530 Pierry, tél. 03.26.54.05.11,
fax 03.26.54.46.03, e-mail paulgobillard@wanadoo.fr
t.l.j. sf dim. 9h-12h 14h-17h; sam. 10h-12h 14h-17h;
f. lun. juill-août

J.-M. GOBILLARD ET FILS Tradition

11 ha 150 000 11 à 15 €

L'étiquette porte le nom du fondateur de la maison, Jean-Marie Gobillard, qui a lancé sa marque en 1955. La société possède un vignoble de 25 ha autour d'Hautvillers, village célèbre par son abbaye qui eut pour cellérier dom Pérignon. Sa cuvée Tradition naît des trois cépages champenois (70 % des deux pinots à parts égales et 30 % de chardonnay) et des années 2002 et 2003. Vive et élégante avec des arômes d'agrumes, elle trouvera sa place à l'apéritif. Citée également, la cuvée **Privilège des moines (15 à 23 €)** assemble 70 % de chardonnay au pinot noir et naît des vendanges 2000 et 2001. Les vins de base fermentent et séjournent un an sous bois. Un vin harmonieux et gras, évoquant l'aubépine au nez et les fruits confits en bouche. (NM)

J.-M. Gobillard et Fils, 38, rue de l'Église,
51160 Hautvillers, tél. 03.26.51.00.24,
fax 03.26.51.00.18,
e-mail champagne-gobillard@wanadoo.fr r.-v.

GODMÉ PÈRE ET FILS Blanc de blancs *

1er cru 0,5 ha 5 000 11 à 15 €

Établie dans la Montagne de Reims, la famille Godmé exploite 11,50 ha de vignes dans trois grands crus (Verzenay, Verzy et Beaumont-sur-Vesle) et deux 1ers crus (Villedommange et Villers-Marmery). Renommée pour ses chardonnays, cette dernière commune n'est sans doute pas étrangère à ce blanc de blancs au nez floral et citronné, vif, frais et élégant : un classique. Le **blanc de noirs grand cru (15 à 23 €)**, de pur pinot noir, s'annonce par un nez puissant de brioche, de pain d'épice et de fruits mûrs. Son fruité est un peu alourdi par le dosage, mais l'ensemble séduit par son ampleur et son équilibre : une étoile également. Enfin, le **1999 grand cru (15 à 23 €)**, qui marie deux tiers de blancs au pinot noir, est cité : un champagne de caractère, ferme et fortement fruité (fruits rouges, cassis). (RM)

Godmé Père et Fils, 10, rue de Verzy,
51360 Verzenay, tél. 03.26.49.48.70, fax 03.26.49.45.30,
e-mail contact@champagne-godme4e.fr r.-v.

PAUL GOERG Blanc de blancs

1er cru 90 ha 100 000 11 à 15 €

Créée en 1950, la coopérative de Vertus, dans la Côte des Blancs, s'est d'abord exclusivement consacrée à la manipulation pour le compte de ses adhérents avant de lancer sa marque Paul Goerg en 1984. La cave vinifie aujourd'hui la récolte de 117 ha. Son blanc de blancs sans année, qui marie les récoltes de 2000 à 2002, se montre vif, puissant, volumineux et semble d'une extrême jeunesse. Le

2000 1er cru (15 à 23 €) est aussi un blanc de blancs. Il est proche du précédent, plus aérien, même si son dosage est perceptible. Quant au **1998 Lady M 1er cru (23 à 30 €)**, il comprend 15 % de pinot noir mais reste très marqué par le chardonnay, qui s'exprime dans des arômes d'agrumes confits, de pêche et de fruits secs. Un ensemble équilibré et assez complexe, cité comme les deux vins précédents. (CM)

🔑 Paul Goerg, 30, rue du Gal-Leclerc, BP 10, 51130 Vertus, tél. 03.26.52.15.31, fax 03.26.52.23.96, e-mail info@champagne-goerg.com ☑ Y ⚲ r.-v.

PHILIPPE GONET Blanc de blancs Roy Soleil ★★

Gd cru | 1 ha | 7 000 | 15 à 23 €

Les Gonet sont nombreux dans la Côte des Blancs. Philippe Gonet, établi au Mesnil-sur-Oger, a repris en 2001 l'exploitation : pas moins de 19 ha dans le grand cru du Mesnil, mais aussi dans d'autres secteurs du vignoble, jusque dans l'Aube. Le chardonnay qui compose cette cuvée Roy Soleil a été récolté en 2002 et en 2003. Mêlant au nez agrumes confits, notes briochées et raisins secs, le champagne se montre généreux en bouche. Il aimera un poisson en sauce. Le **blanc de blancs grand cru Spécial Club 2000 (23 à 30 €)** est cité pour ses arômes d'amande et sa bouche fraîche. (RM)

🔑 Philippe Gonet, 1, rue de la Brèche-d'Oger, 51190 Le Mesnil-sur-Oger, tél. 03.26.57.53.47, fax 03.26.57.51.03, e-mail info@champagne-philippe-gonet.com ☑ Y ⚲ t.l.j. 8h-12h 14h-18h, sam. et dim. sur r.-v.

GONET-SULCOVA Blanc de blancs

4 ha | 20 000 | **11 à 15 €**

Vincent Gonet exploite le vignoble familial constitué au début du XXes. : 17 ha répartis entre la Côte des Blancs (Oger, Vertus...) et l'Aube (Montgueux, Loches-sur-Ource...). Il a lancé son champagne en 1985. Deux de ses cuvées sont citées, nées des années 2000 et 2001. Ce blanc de blancs est vif et jeune, un peu ferme en finale. Le **brut sans année étiqueté Vincent Gonet** assemble 60 % de pinot noir au chardonnay. Subtil, floral et miellé au nez, il allie légèreté et finesse. (RM)

🔑 Gonet-Sulcova, 13, rue Henri-Martin, 51200 Épernay, tél. 03.26.54.37.63, fax 03.26.54.87.73, e-mail gonet-sulcova@wanadoo.fr ☑ Y ⚲ r.-v.
🔑 Davy Gonet

GOSSET Grand Rosé ★★

n.c. | 80 000 | **38 à 46 €**

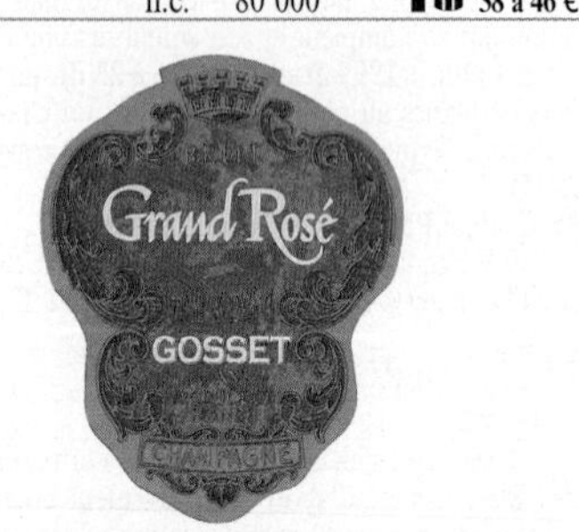

Du XVIes. à 1993, quatorze générations de Gosset ont fait du vin, puis du champagne. Aujourd'hui, Béatrice Cointreau (du cognac Frapin) préside aux destinées de la maison. Les champagnes Gosset ne font pas leur fermentation malolactique. Né des récoltes de 2000 et 2001, ce Grand Rosé résulte de l'assemblage de 56 % de chardonnay, 35 % de pinot noir et 9 % de vin rouge de Bouzy et d'Ambonnay dont 10 % de vins de réserve. Il charme par sa richesse aromatique, sa finesse et son équilibre. Le **rosé Celebris 1998 (46 à 76 €)** obtient une étoile. Fruit d'un assemblage du même style que le précédent (61 % de chardonnay, 39 % de pinot noir dont 7 % de vins rouges), il s'habille d'une robe cuivré léger et mêle des notes de miel et de coing aux arômes de fruits rouges. Regoûté cette année, le **brut Celebris 1995 (46 à 76 €)**, coup de cœur il y a deux ans, marie 46 % de chardonnay et 54 % de pinot noir. Amande et fleurs blanches au nez, harmonieux et long, il plaira aux amateurs de champagnes évolués et trouvera sa place lors d'un repas de luxe. Enfin, la **Grande Réserve (30 à 38 €)**, assemblage de 46 % de chardonnay et de 54 % des deux pinots, dont 12 % de vins de réserve, récoltés de 1998 à 2000, est citée. Un champagne rond, grillé, assez évolué. (NM)

🔑 Gosset, 69, rue Jules-Blondeau, BP 7, 51160 Aÿ, tél. 03.26.56.99.56, fax 03.26.51.55.88, e-mail info@champagne-gosset.com

GOUSSARD & DAUPHIN Prestige ★

2 ha | 5 191 | **11 à 15 €**

De vieille famille vigneronne, Didier Goussard, œnologue, s'est associé avec sa sœur et son beau-frère, les Dauphin, pour se lancer dans la manipulation. Ils commercialisent leur champagne depuis 1990 et exploitent un vignoble de 7 ha à 6 km des Riceys, dans l'Aube. Le chardonnay (60 %) et le pinot noir des années 1999 à 2001 se marient dans cette cuvée subtilement épicée et poivrée au nez, acidulée en bouche, et qui fera honneur à l'heure apéritive. La cuvée **Tradition**, issue des vendanges 2001 à 2003, naît de pur pinot noir. Elle « fait l'œil », montrant des reflets orangés, et plaira par son caractère intensément aromatique et fruité, son côté vineux et rond. (RM)

🔑 Goussard et Dauphin, GAEC du Val de Sarce, 2, chem. Saint-Vincent, 10340 Avirey-Lingey, tél. 03.25.29.30.03, fax 03.25.29.85.96, e-mail goussard-dauphin@wanadoo.fr ☑ Y ⚲ r.-v.

GÉRARD GOUTHIÈRE Cuvée Prestige ★

1 ha | 3 000 | **15 à 23 €**

Gérard Gouthière a créé son exploitation en 1973. Il exploite près de 5 ha de vignes au nord-est de Bar-sur-Aube. Issue des années 2002 et 2003, sa Cuvée Prestige est fortement marquée par le chardonnay, qui compose 80 % de l'assemblage, complété par les deux pinots. Son nez expressif et complexe, mêlant les fleurs, la vanille, la noisette et le sous-bois, son attaque fraîche et sa bouche équilibrée en font un « très beau vin ». Des mêmes années, la cuvée **Tradition** doit presque tout aux raisins noirs (95 %, dont 90 % de pinot noir). Un champagne nerveux aux arômes empyreumatiques d'amande et de torréfaction. (RM)

🔑 Gérard Gouthière, rue des Tilleuls, 10200 Saulcy, tél. 03.25.27.12.06, fax 03.25.27.15.56, e-mail info@champagne-gouthiere.com ☑ Y ⚲ r.-v.

HENRI GOUTORBE Spécial Club Trésors 1999 ★★

Gd cru | n.c. | 10 000 | **23 à 30 €**

Les Goutorbe sont pépiniéristes viticoles depuis plus de quatre-vingts ans. Après la guerre, ils ont commencé à produire du champagne, activité qu'ils ont développée ces trente dernières années. Le vignoble a été porté à 20 ha. Le

Spécial Club 1999 privilégie les noirs (trois quarts de pinot noir pour un quart de chardonnay). Puissant au nez comme en bouche, miellé, fruité, équilibré, c'est un champagne de repas, prêt à paraître à table. (RM)

SARL Goutorbe Père et Fils, 9, bis rue Jeanson, 51160 Aÿ, tél. 03.26.55.21.70, fax 03.26.54.85.11, e-mail info@champagne-henri-goutorbe.com
r.-v.

GRANZAMY PÈRE ET FILS

0,4 ha 3 000 11 à 15 €

Créée au début du XXᵉs., cette exploitation est implantée sur la rive droite de la Marne. Le pinot meunier, très présent dans ce secteur, constitue la base de l'assemblage de ce rosé (67 %, complétés par 20 % de chardonnay et 13 % de vin rouge) issu des années 2002 et 2003. Un champagne léger au nez de bergamote, fumé en bouche. (NM)

SARL Granzamy Père et Fils, 15, rue de Champagne, 51480 Venteuil, tél. 03.26.58.60.62, fax 03.26.51.10.21 r.-v.

ALFRED GRATIEN Cuvée Paradis ★★★

n.c. n.c. 46 à 76 €

De 1864, date de sa création, à 2000, année de son acquisition par le groupe allemand Henkell et Söhnlein, cette maison est demeurée familiale. La Cuvée Paradis est vinifiée et élevée en pièce de chêne. Le chardonnay intervient pour 60 % dans l'assemblage. Il est complété dans ce rosé par 25 % de pinot noir et par 15 % de meunier. Un rosé en robe pâle qui transporte les dégustateurs au paradis ! Tous décrivent avec enthousiasme son nez mûr et complexe, grillé, fruité, minéral, épicé (cannelle) ; son palais tout aussi complexe, puissant, frais et long, sans aucune lourdeur. Un rosé de gastronomie. La **Cuvée Paradis brut**, fruit d'un assemblage très proche, obtient une étoile pour son ampleur et sa palette aromatique boisée, grillée et fumée. (NM)

Alfred Gratien, 30, rue Maurice-Cerveaux, 51200 Épernay, tél. 03.26.54.38.20, fax 03.26.54.53.44, e-mail contact@alfredgratien.com r.-v.

GRONGNET Spécial Club 1997

2 ha 6 300 15 à 23 €

Guy Grongnet est installé à Étoges, joli village situé au sud-ouest de la Côte des Blancs et célèbre par son château du début du XVIIᵉs. Il soigne ses vinifications : deux tiers des vins de base séjournent en foudre et ne font pas leur fermentation malolactique. C'est le cas de ce Spécial Club qui assemble deux tiers de raisins noirs (les deux pinots à parts presque égales) au chardonnay. Un champagne qui se souvient de son séjour dans le chêne : il est boisé et vanillé. Équilibré et long, il s'accordera avec une viande blanche. (RM)

Guy Grongnet, 41, Grande-Rue, 51270 Étoges, tél. 03.26.59.30.50, fax 03.26.59.30.98, e-mail champagnegrongnet@wanadoo.fr r.-v.

GRUET Sélection ★★

13 ha 240 000 11 à 15 €

Claude Gruet exploite 13 ha de vignes autour de Buxeuil, commune de la Côte des Bar située au bord de la Seine. Il appartient à une ancienne famille de la région, puisqu'il a pris la suite de onze générations. C'est lui qui a commercialisé les premières bouteilles de champagne au début des années 1970. Sa cuvée Sélection assemble 80 % de pinots (dont 70 % de pinot noir) et 20 % de chardonnay. Florale et miellée au nez, vive à l'attaque, harmonieuse et longue, elle trouvera sa place aussi bien à l'apéritif qu'à table. Les noirs (sans meunier) et les blancs sont mariés dans les mêmes proportions dans la **cuvée Charles 1er 2002 (15 à 23 €)**, un champagne droit, au nez expressif et complexe, très fruité et floral : une étoile. Une citation enfin pour le **brut 2002 (15 à 23 €)**, assemblage de 70 % de pinot noir et de 30 % de chardonnay : un jeune champagne discret et fin au nez, vif en bouche avec des arômes d'agrumes, dosé judicieusement. (NM)

SARL Champagne Gruet, 48, Grande-Rue, 10110 Buxeuil, tél. 03.25.38.54.94, fax 03.25.38.51.84, e-mail champagne-gruet@wanadoo.fr
t.l.j. 8h30-12h 14h-18h; sam. dim. sur r.-v., f. sem. 15 août

G. GRUET ET FILS Grande Réserve 2002

n.c. 200 000 11 à 15 €

Marque d'un groupement de producteurs de Béthon, commune située au sud de l'appellation, entre Sézanne et Nogent-sur-Seine. La Grande Réserve est composée de 70 % de pinot noir et de 30 % de chardonnay de 2002. C'est un champagne rond et ample, intensément fruité, qui conviendra à l'apéritif. (CM)

G. Gruet et Fils, 5, rue des Pressoirs, 51260 Béthon, tél. 03.26.80.48.19, fax 03.26.80.44.57, e-mail champagne.g.gruetetfils@ebc.net r.-v.
UVCB

MAURICE GRUMIER 1996 ★

1 ha 8 000 15 à 23 €

De la propriété, on domine la vallée de la Marne. C'est Armand Grumier qui a commencé à faire du champagne en 1928, mais la marque actuelle n'a été lancée qu'après la guerre. Fabien Grumier a rejoint en 1999 l'exploitation, qui couvre aujourd'hui 8 ha. Composé pour les trois quarts de chardonnay, complété par le pinot noir, ce 1996 jaune soutenu est dominé par le pain grillé au nez comme en bouche. Il est rond, harmonieux et persistant. Le **rosé**, né des trois cépages champenois à parts égales et des récoltes de 2001 et 2002, est fruité et révèle un bon fondu des vins blancs et rouges. Il est cité, comme le **brut blanc de blancs (15 à 23 €)** des années 2000 et 2001, évolué au nez et frais en bouche. (RM)

Maurice Grumier, 13, rte d'Arty, 51480 Venteuil, tél. 03.26.58.48.10, fax 03.26.58.66.08, e-mail champagnegrumier@wanadoo.fr r.-v.
Guy et Fabien Grumier

ROMAIN GUISTEL ★

● 0,5 ha 3 000 ▮ 11 à 15 €

La famille Guistel cultive la vigne depuis plus de deux siècles. Romain et Richard Guistel exploitent aujourd'hui un domaine de 5 ha autour de Damery, commune proche d'Épernay sur la rive droite de la Marne. Ils ont proposé un rosé, assemblage de 70 % des deux pinots (dont 60 % de meunier) et de 30 % de chardonnay. Libérant à l'aération des parfums de framboise et de cerise, fin, léger, aérien, ce champagne sera parfait à l'apéritif. (NM)

Romain Guistel, 1, rue du Rempart-de-l'Ouest, 51480 Damery, tél. 03.26.58.40.40, fax 03.26.52.04.28, e-mail r.guistel@wanadoo.fr r.-v.

HAMM Réserve ★

1er cru n.c. 40 000 15 à 23 €

Cette maison d'Aÿ remonte aux années 1880. Elle a commencé à élaborer des champagnes en 1910 et a pris le statut de négociant en 1930. L'affaire est restée familiale. Sa discrétion s'explique : elle ne vend qu'aux particuliers, en France comme à l'étranger. Les dégustateurs ont retenu cette Réserve, assemblage de 60 % de pinot noir et de 40 % de chardonnay. Les vins de base ne font pas leur fermentation malolactique. Agrumes, pain grillé beurré et fruits secs donnent de la complexité à ce champagne à la fois mûr et frais. (NM)

Hamm et Fils, 16, rue N.-Philipponnat, 51160 Aÿ, tél. 03.26.55.44.19, fax 03.26.51.98.68
t.l.j. 9h-12h 14h-18h; sam. dim. sur r.-v.

JEAN HANOTIN Tradition

Gd cru 4 ha 30 000 11 à 15 €

Ce vignoble de la famille Hanotin a été constitué au début du XXᵉs. Il s'étend aujourd'hui sur 6 ha autour de Verzy, grand cru de la Montagne de Reims. La cuvée Tradition favorise les raisins noirs (70 % de pinot noir) et met à contribution l'année 2002, complétée par un peu de 2001. Au nez, elle séduit par sa complexité, apportée par une touche fumée qui s'ajoute à des nuances confiturées et florales. Au palais, elle se montre équilibrée et d'une belle finesse. Un ensemble harmonieux. (RM)

Jean Hanotin, 9, rue de Villers, 51380 Verzy, tél. 03.26.97.93.63, fax 03.26.97.95.17, e-mail champagne.hanotin@wanadoo.fr r.-v.
Valérie Hanotin

HARLIN Grand Chardonnay

1er cru 1,5 ha 3 500 15 à 23 €

« Maison de Tours-sur-Marne fondée en 1848, propriétaire de vignes » dit l'étiquette, de style ancien. Le champagne est élaboré par l'entreprise voisine : Chauvet. Ce Grand Chardonnay assemble des blancs des récoltes 2002 (75 %) et 2001. Avec son nez floral (jasmin), son palais discret, équilibré et léger, il conviendra à l'apéritif. (NM)

Harlin, 41, av. de Champagne, 51150 Tours-sur-Marne, tél. 03.26.51.88.95, fax 03.26.58.96.31, e-mail champagneharlin@wanadoo.fr r.-v.

HARLIN PÈRE ET FILS ★★

Gd cru 2 ha 11 000 ▮ 11 à 15 €

Établie à Mareuil-le-Port, sur la rive gauche de la Marne, la famille Harlin cultive la vigne depuis près d'un siècle aux alentours de Tours-sur-Marne. Elle exploite aujourd'hui 8,50 ha. Pinot noir (60 %) et chardonnay (40 %) récoltés en 2001 et 2002 sont associés dans ce champagne complexe qui décline les fruits secs grillés, la viennoiserie, la confiserie (praline) au nez comme en bouche, avec ampleur et élégance. Une belle personnalité, à découvrir sur une volaille à la crème. Issu des trois cépages champenois et des vendanges de 2002 et 2003, mi-noirs mi-blancs, le brut **Gouttes d'or** recueille une étoile pour sa finesse et son élégance. (RM)

Harlin Père et Fils, 8, rue de la Fontaine, Port-à-Binson, 51700 Mareuil-le-Port, tél. 03.26.58.34.38, fax 03.26.58.63.78
t.l.j. sf dim. 9h-12h 14h-18h; f. 10-31 août

JEAN-NOËL HATON Cuvée de réserve ★

n.c. n.c. ▮ 11 à 15 €

Il y a plusieurs maisons Haton à Damery, sur la rive droite de la Marne. Celle-ci, fondée en 1928 par Octave Haton, dispose d'un vignoble de 14 ha. Les trois cépages champenois collaborent à cette Cuvée de réserve dominée par les raisins noirs (60 % des deux pinots à parts égales), discrète au nez, fraîche et légère. Le **Vintage Extra 2000 (15 à 23 €)** privilégie le chardonnay (70 %, pour 30 % de pinot noir). Un champagne cité pour ses arômes d'agrumes et de pêche blanche et pour son équilibre. (NM)

Jean-Noël Haton, 5, rue Jean-Mermoz, 51480 Damery, tél. 03.26.58.40.45, fax 03.26.58.63.55, e-mail contact@champagne-haton.com r.-v.

HATON ET FILS Cuvée Prestige ★

1 ha 6 000 ▮ 15 à 23 €

Cette maison fondée en 1890 par Eugène Haton est toujours dans les mains de ses descendants, qui l'ont développée. Elle a son siège à Damery, village de la vallée de la Marne situé à 6 km au nord-ouest d'Épernay, sur l'autre rive. Sa Cuvée Prestige, mi-blancs mi-noirs (pinot meunier) provient de l'année 2001. Son nez complexe d'où ressort le pain brioché beurré à côté de touches florales et fruitées, sa bonne attaque, son équilibre et son dosage réussi en font un champagne gourmand. (NM)

Haton et Fils, 3, rue Jean-Mermoz, 51480 Damery, tél. et fax 03.26.58.41.11, e-mail contact@champagnehatonetfils.com r.-v.

BERNARD HATTÉ ET FILS
Spécial Club Trésors de Champagne 1998 ★★

Gd cru 0,4 ha 3 000 15 à 23 €

Établie à Verzenay, grand cru de la Montagne de Reims, la famille Hatté apportait son raisin aux maisons de champagne jusqu'à ce que le père de Bernard Hatté se lance dans la manipulation. Les vins sont maintenant élaborés par Christophe Hatté, qui signe un remarquable 1998 mi-blancs mi-noirs (pinot noir). Si ce champagne montre des signes d'évolution au nez, ceux-ci n'apparaissent pas en bouche, laquelle est pleine, harmonieuse, complexe et longue. (RM)

EARL Bernard Hatté et Fils, 1, rue de la Petite-Fontaine, 51360 Verzenay, tél. 03.26.49.42.43, fax 03.26.49.41.39 r.-v.
Christophe Hatté

MARC HÉBRART Blanc de blancs ★

1er cru 1 ha 7 000 ▮ 11 à 15 €

Jean-Paul Hébrart, fils de Marc Hébrart, fondateur du vignoble au début des années 1960, exploite un vignoble situé dans trois grands crus (Aÿ, Oiry, Chouilly) et quatre 1ers crus (Mareuil-sur-Aÿ, Avenay-Val-d'or, Mutigny et

Bisseuil). Il signe un blanc de blancs classique, né des vendanges de 2000 à 2002. Un peu fermé au nez, ce champagne s'ouvre lentement sur des arômes de fruits blancs avant de révéler une bouche équilibrée. (RM)
EARL Champagne Hébrart, 18, rue du Pont, 51160 Mareuil-sur-Aÿ, tél. 03.26.52.60.75, fax 03.26.52.92.64, e-mail champagne.hebrart@wanadoo.fr r.-v.

CHARLES HEIDSIECK
Blanc des millénaires 1995 ★★

n.c. n.c. 46 à 76 €

Maison fondée en 1851 et conduite depuis 1985 par le groupe Rémy-Cointreau qui détient également le groupe Piper-Heidsieck. Cette cuvée, qui assemble les meilleurs vins amenés lentement à maturité, a recueilli nombre d'étoiles et cinq coups de cœur (notamment pour les millésimes 1983, 1985 et 1990). Le 1995 est salué pour son nez puissant, ses arômes biscuités, fruités, floraux et miellés, pour son ampleur et sa finale fraîche qui traduisent une belle évolution. Un seul dégustateur est sensible au dosage. Issu des trois cépages champenois à parts égales, le brut **Réserve (23 à 30 €)** est cité. Il révèle une fraîcheur élégante, des arômes délicats de noisette et de pêche blanche et se montre équilibré et long. (NM)
Charles Heidsieck, 12, allée du Vignoble, 51100 Reims, tél. 03.26.84.43.50, fax 03.26.84.43.99 r.-v.
Rémy-Cointreau

HEIDSIECK & C° MONOPOLE
Gold Top 2000 ★★

n.c. n.c. 15 à 23 €

Aux origines lointaines de cette société (comme de la précédente), Florens Louis Heidsieck, qui a créé sa maison avant la Révolution. La société Heidsieck Monopole a été fondée en 1834 et a connu au XIX^{e}s. des clients prestigieux, tel le tsar de Russie qui faisait venir les cuvées par trains entiers. La marque a été reprise par Vranken. Ce Gold Top, issu des trois cépages champenois, libère des parfums de fleurs blanches assortis de nuances minérales – une minéralité fraîche que l'on retrouve dans une bouche harmonieuse et longue. (NM)
Heidsieck & C° Monopole, 5, pl. du Gal-Gouraud, 51689 Reims Cedex 02, tél. 03.26.61.62.63, fax 03.26.61.63.98 r.-v.

P. HENIN Tradition ★

1er cru 1,4 ha 11 000 11 à 15 €

Une petite exploitation familiale (un peu plus de 2 ha) créée en 1935 et transmise de père en fils. Sa cuvée Tradition assemble 60 % de pinot noir et 40 % de chardonnay des années 2002 et 2003. Les fleurs et les agrumes se rencontrent dans ce champagne élégant et facile. La cuvée **Réserve 1er cru** propose un même assemblage mais naît des vendanges de 2000 et 2001. Florale, ample et persistante, elle reçoit également une étoile. Une étoile encore pour le **grand cru 2000**, où les cépages précédents sont à égalité. Discrètement floral, il est remarqué pour son équilibre et sa fraîcheur. (RM)
Pascal Henin, 22, rue Jules-Lobet, 51160 Aÿ, tél. 03.26.54.61.50, fax 03.26.51.69.25, e-mail champagne.henin.pascal@hexanet.fr r.-v.

MARC HENNEQUIÈRE Cuvée Marie-Nelly

0,5 ha 3 500 11 à 15 €

Installé en 1980 sur moins de 75 a de vignes, Marc Hennequière s'est constitué une petite propriété (3,30 ha) à Avirey-Lingey, non loin des Riceys. Dédiée à son épouse, cette cuvée fait la part belle aux raisins noirs (75 %, pinot noir surtout). Son fruité imposant, son volume et sa structure en font un champagne de repas, qui s'entendra avec une viande blanche. (RM)
Marc Hennequière, 1, rte de Pargues, 10340 Avirey-Lingey, tél. 03.25.29.85.32, fax 03.25.29.14.80, e-mail champagne-hennequiere@wanadoo.fr

D. HENRIET-BAZIN Carte d'or 2000

1er cru 1 ha 5 000 15 à 23 €

Cette famille cultive la vigne depuis 1890 et produit du champagne depuis les années 1930. L'exploitation s'étend sur 7,50 ha autour de Villers-Marmery, sur le flanc nord-est de la Montagne de Reims. Sa Carte d'or 2000 associe 60 % de pinot noir et 40 % de chardonnay. Son fruité de pomme et de poire se fait compoté en bouche. « Il devrait plaire à la majorité » conclut un dégustateur. (RM)
Henriet-Bazin, 9 bis, rue Dom-Pérignon, 51380 Villers-Marmery, tél. 03.26.97.96.81, fax 03.26.97.97.30, e-mail henriet.bazin@wanadoo.fr r.-v.

HENRIOT Blanc souverain ★

n.c. n.c. 23 à 30 €

Au XVIII^{e}s., la famille Henriot était propriétaire de vignes et se consacrait au négoce. La maison a été fondée en 1808 par Apolline Godinot – une des nombreuses dynamiques veuves champenoises. Demeurée familiale, l'affaire est aujourd'hui dirigée par Stanislas Henriot. Ce Blanc souverain doit tout au chardonnay, des années 1998 à 2000. Dominé par des nuances empyreumatiques, grillées et toastées au nez, il affirme en bouche des notes beurrées et citronnées. Avec son attaque franche et sa finale vive, c'est un « blanc de blancs très musclé », souligne un dégustateur. Le **brut 1998 (30 à 38 €)** associe pinot noir et chardonnay pour donner un champagne intense et équilibré, aux arômes grillés (fruits secs, café...), qui atteint son apogée. On pourra le servir avec du foie gras. (NM)
Henriot, 81, rue Coquebert, 51100 Reims, tél. 03.26.89.53.00, fax 03.26.89.53.10, e-mail contact@champagne-henriot.com

PAUL HÉRARD

n.c. 10 000 11 à 15 €

Cette maison auboise qui porte le nom de son fondateur a été créée dès les années 1920 et s'appuie sur un vignoble de 10 ha. La troisième génération en prend les commandes. Elle propose un rosé de pur pinot noir au nez d'agrumes, rond, puissant et ample, et que l'on pourra servir avec un gâteau au chocolat. La **Cuvée Paul (15 à 23 €)** privilégie les raisins blancs (60 %, pour 40 % de pinot noir). Un champagne souple aux arômes de bergamote et de coing. (NM)
SA Paul Hérard, 31, Grande-Rue, 10250 Neuville-sur-Seine, tél. 03.25.38.20.14, fax 03.25.28.25.05 t.l.j. 9h-12h 14h-18h

CHAMPAGNE

DIDIER HERBERT ★

● 1er cru 0,8 ha 6 000 ▮ 11 à 15 €

Établi à Rilly-la-Montagne, à 10 km de Reims, Didier Herbert a pris en 1982 la suite de deux générations de récoltants-manipulants. Il dispose de 7 ha mais a adopté le statut de négociant qui lui permet d'acheter des raisins. Il se fournit auprès de viticulteurs de son village (1er cru). Son rosé associe 60 % de chardonnay et 40 % de pinot. Frais et framboisé au nez, il s'arrondit en bouche et se montre équilibré et long. À signaler, pour les amateurs, le **blanc de blancs grand cru vieilli en fût de chêne Herbert Private Cœur de cuvée (23 à 30 €)**, cité pour son « nez de chardonnay » et son « palais boisé ». (NM)

Didier Herbert, 32, rue de Reims,
51500 Rilly-la-Montagne, tél. 03.26.03.41.53,
fax 03.26.03.44.64, e-mail infos@champagneherbert.fr
r.-v.

FRANÇOIS HEUCQ Réserve

○ 3 ha 8 000 ▮ 11 à 15 €

François Heucq est établi à Fleury-la-Rivière, dans un secteur proche de la vallée de la Marne. Il cultive plus de 5 ha de vignes. Sa cuvée Réserve associe la récolte de 2002 à des vins de réserve de 2000 et 2001. Elle privilégie les pinots (70 % dont 60 % de meunier). Marquée par des arômes d'amande au nez comme en bouche, elle est généreusement dosée. (RM)

François Heucq, 3, impasse de l'École,
51480 Fleury-la-Rivière, tél. 03.26.58.60.20,
fax 03.26.57.12.96 r.-v.

HEUCQ PÈRE ET FILS Cuvée Prestige

○ 0,9 ha 8 000 ▮ 15 à 23 €

André Heucq a repris la propriété familiale située à Cuisles, village niché dans un vallon au nord-ouest d'Épernay. À la tête de 5,6 ha de vignes, il a présenté un brut issu de l'année 2000. Un champagne dominé par les raisins noirs (60 % de pinot noir), longuement élevé en cuve et passant un an dans le bois. De couleur jaune d'or, il mêle au nez les agrumes et les fruits cuits. Structuré, souple et tout en rondeur, il révèle un dosage plutôt généreux. (RM)

André Heucq, 6, rue Eugène-Moussé, 51700 Cuisles,
tél. 03.26.58.10.08, fax 03.26.58.12.00 r.-v.

M. HOSTOMME ET SES FILS
Blanc de blancs Grande Réserve

○ Gd cru 3 ha 20 000 ▮ 11 à 15 €

Laurent Hostomme est à la tête d'une affaire de négoce qui a son siège à Chouilly, grand cru de la Côte des Blancs. Il possède un vignoble de 10 ha dans ce secteur ainsi que dans la vallée de la Marne. Issue des années 1999 à 2001, sa Grande Réserve n'est pas des plus longues, mais avec son nez frais d'agrumes et sa bouche vive, elle est bien représentative d'un blanc de blancs. (NM)

M. Hostomme, 5, rue de l'Allée, 51530 Chouilly,
tél. 03.26.55.40.79, fax 03.26.55.08.55,
e-mail champagne.hostomme@wanadoo.fr r.-v.
Laurent Hostomme

HUGUENOT-TASSIN Cuvée Tradition ★

○ 4 ha 30 000 ▮ 11 à 15 €

Benoît Huguenot cultive un vignoble de plus de 6 ha à Celles-sur-Ource. Dans l'Aube, le pinot blanc – cépage autorisé – s'est maintenu. Il entre presque pour moitié (45 %) dans cette cuvée, chardonnay (5 %) et pinot noir (50 %) complétant l'assemblage. Le résultat est convaincant, avec un champagne harmonieux, frais et complexe, structuré et équilibré. (RM)

Benoît Huguenot, 4, rue du Val-Lune,
10110 Celles-sur-Ource, tél. 03.25.38.54.49,
fax 03.25.38.50.40,
e-mail champhuguenot.tassin@free.fr r.-v.

FERNAND HUTASSE ET FILS

○ 5 ha n.c. ▮ 11 à 15 €

Ces récoltants-manipulants installés à Bouzy exploitent un vignoble de 11 ha. Ils ont élaboré un brut sans année, assemblage de 60 % de pinot noir et de 40 % de chardonnay. Un champagne miellé, toasté, velouté et de bonne longueur. (RM)

Rudy et Nathalie Hutasse-Tornay,
rue du Haut Petit-Chemin, 51150 Bouzy,
tél. 03.26.57.08.58, fax 03.26.57.06.62,
e-mail info@champagne-tornay.fr
t.l.j. 8h30-18h, sam. et dim. sur r.-v.;
f. 12 au 31 août

ÉRIC ISSELÉE Cuvée rosé ★

● Gd cru 0,3 ha 2 500 ▮ 11 à 15 €

Établi à Cramant, Éric Isselée a repris en 1985 la propriété familiale fondée par ses parents. L'exploitation a son siège à Cramant, grand cru de la Côte des Blancs, et ce rosé est très marqué par le chardonnay (93 %). Le reste de l'assemblage est composé de vin rouge – un vin qui devait être aussi puissant que coloré, à en juger par ce champagne rose soutenu, aux arômes de cerise et de fraise, vineux et équilibré. Un champagne de table. (RM)

Éric Isselée, 350, rue des Grappes-d'Or,
51530 Cramant, tél. 03.26.57.54.96, fax 03.26.53.91.76,
e-mail champagneissele.e@wanadoo.fr
r.-v. 3

ROBERT JACOB Prestige ★

○ 1,5 ha 6 000 ▮ 15 à 23 €

En 1960, Robert Jacob a créé son domaine dans la vallée de l'Arce (Aube). Seize ans plus tard, Daniel Jacob a repris les 6 ha de vignes et lancé la marque. Cette cuvée Prestige est un blanc de blancs. Le chardonnay donne du nerf à ce champagne qui reste plein de jeunesse. Le **rosé** est pour sa part dominé par les raisins noirs (90 %). Joliment habillé de rose pâle, il obtient lui aussi une étoile pour ses arômes de fruits rouges, de fruits confits et d'amande, pour sa vinosité ronde et sans lourdeur. (RM)

Jacob, 14, rue de Morres, 10110 Merrey-sur-Arce,
tél. 03.25.29.83.74, fax 03.25.29.34.86,
e-mail champagnejacob@wanadoo.fr
t.l.j. sf dim. 9h-12h 14h-18h
Daniel Jacob

JACQUART Mosaïque ★

○ n.c. 1 300 000 ▮ 15 à 23 €

Jacquart est le nom d'une puissante union de coopératives commercialisant le produit de 800 ha de vignes. La cave a son siège à Reims dans des bâtiments classés ornés d'une célèbre mosaïque illustrant l'élaboration du champagne, œuvre d'art qui a donné son nom à cette cuvée. Né des trois cépages champenois, c'est un champagne mi-noirs mi-blancs classique, équilibré, à la finale franche. « Excellent brut sans année, à point » écrit un dégustateur. Deux cuvées de prestige sont citées : **Katarina (30 à 38 €)** et le **brut de Nominée (30 à 38 €)**. La

première, qui assemble deux tiers de raisins noirs et un tiers de chardonnay, montre un petit nez bien dessiné et une grande bouche fraîche ; la seconde, mi-noirs mi-blancs, est un champagne mûr, élégamment beurré et brioché. (CM)
Jacquart et Associés Distribution, 6, rue de Mars, 51100 Reims, tél. 03.26.07.88.40, fax 03.26.07.12.07, e-mail jacquart@jad.fr

YVES JACQUES ★

●	2 ha	15 000	11 à 15 €

André Jacques s'est établi à Baye, entre la Côte des Blancs et le Sézannais, et a créé son domaine en 1932. Yves Jacques a repris l'exploitation en 1955, et lancé sa marque cinq ans plus tard. Installée en 1985, la troisième génération exploite 16 ha de vignes. Les raisins noirs (80 % dont 50 % de meunier), complétés par le chardonnay, animent ce rosé né des années 2001 à 2004, un vin au joli fruité de cerise et de fruits blancs, intense et élégant en bouche. Issue des années 2000 à 2003, la **Cuvée Sélection**, citée, est un blanc de blancs floral et frais, un rien trop dosé. (RM)
Yves Jacques, 1, rue de Montpertuis, 51270 Baye, tél. 03.26.52.80.77, fax 03.26.52.83.97
t.l.j. 8h-12h 13h-19h

CAMILLE JACQUET Blanc de blancs Excellence ★★

Gd cru	4 ha	30 000	11 à 15 €

Cette marque appartient à la maison Jean Pernet, maître d'œuvre de cette cuvée qui fut coup de cœur dans l'édition 2006. Cette année, ce sont des chardonnays de 2002 et 2003 qui composent ce blanc de blancs qui reste très apprécié pour son équilibre, son élégance et la justesse de son dosage. (NM)
Camille Jacquet, 3, Le Pont-de-Bois, 51530 Chavot-Courcourt, tél. 03.26.57.54.24, fax 03.26.57.96.98, e-mail champagne.pernet@wanadoo.fr r.-v.
champagne Jean Pernet

JACQUINET-DUMEZ Cuvée L'Excellence 2000 ★

1er cru	0,3 ha	n.c.	15 à 23 €

Cette exploitation familiale créée en 1932 a son siège aux Mesneux, aux portes de Reims. Elle dispose de 7 ha de vignes en 1er cru, à l'origine de deux champagnes mi-blancs mi-noirs (pinot noir) qui ont obtenu chacun une étoile. Cette Cuvée L'Excellence est florale, à la fois riche et fine, de bonne persistance. Quant au brut **Prestige**, issu des années 2000 à 2003, il s'impose par ses parfums miellés, vineux et confits que l'on retrouve dans une bouche équilibrée. (RM)
Jacquinet-Dumez, 26, rue de Reims, 51370 Les Mesneux, tél. 03.26.36.25.25, fax 03.26.36.58.92, e-mail jacquinet-dumez@wanadoo.fr
r.-v.

É. JAMART ET Cie ★

●	n.c.	4 000	11 à 15 €

En 1934, les raisins se vendaient mal. Émilien Jamard, qui était boulanger, et son beau-père, caviste, saisirent cette opportunité pour monter une affaire de négoce familiale, dirigée depuis 1986 par Jean-Michel Oudart . La maison, qui a son siège dans les coteaux sud d'Épernay, propose un joli rosé né des années 2002 et 2003, dominé par le pinot meunier (85 % pour 15 % de chardonnay). Habillé d'une robe framboise, ce champagne séduit par son fruité et par son équilibre. (NM)
É. Jamart et Cie, 13, rue Marcel-Soyeux, 51530 Saint-Martin-d'Ablois, tél. 03.26.59.92.78, fax 03.26.59.95.23, e-mail champagne.jamart@wanadoo.fr
t.l.j. 9h-12h 14h-17h30, dim. sur r.-v. ; f. 15-31 août
Jean-Michel Oudart

CHRISTOPHE JANISSON Tradition ★

Gd cru	1 ha	10 000	11 à 15 €

Cette famille cultive la vigne depuis deux siècles et fait du champagne depuis les années 1920. Elle est établie à Mailly, grand cru de la Montagne de Reims. Christophe Janisson a pris les rênes des quelque 8 ha de vignes en 1984. Il a proposé deux cuvées élaborées sans fermentation malolactique. Ce brut Tradition privilégie les raisins noirs (pinot noir : 80 %). Son nez expressif de fruits secs, ses arômes de violette et de miel, son équilibre et sa persistance sont fort appréciés. Une étoile encore pour le brut **Séduction grand cru 2000**, qui doit presque tout aux raisins noirs (pinot noir : 90 %). On y découvre les fruits secs vanillés, une attaque franche et un bon équilibre. (RM)
Christophe Janisson, 20, rue Kellermann, 51500 Mailly-Champagne, tél. 03.26.49.46.82, e-mail christophe.janisson@libertysurf.fr r.-v.

PH. JANISSON Grande Réserve ★

Gd cru	4 ha	5 000	15 à 23 €

Cette maison est implantée à Chigny-les-Roses, dans la Montagne de Reims. Le domaine familial s'est développé sur quatre grands crus et trois 1ers crus de ce secteur. Il est dirigé depuis 1969 par Philippe Janisson qui a lancé son champagne en 1984. Issue des années 2000 et 2001, sa Grande Réserve assemble pinot noir et chardonnay à parts égales. On appréciera maintenant sa maturité et son équilibre. Le **brut Prestige 1er cru** marie deux tiers de chardonnay à un tiers de pinot noir des vendanges 2000 à 2002. Vineux, compoté, structuré et long, il obtient également une étoile. Fruit des mêmes années que le précédent et d'un assemblage proche, le **rosé cuvée Prestige 1er cru** est cité : un champagne classique, assez léger. (NM)
Philippe Janisson, 17, rue Gougelet, 51500 Chigny-les-Roses, tél. 03.26.03.46.93, fax 03.26.03.49.00, e-mail champagne@janisson.fr
r.-v.

JANISSON ET FILS Tradition ★

	n.c.	100 000	11 à 15 €

En 1923, Robert Arnould élabore et commercialise ses premières bouteilles. Aujourd'hui, Manuel Janissson, son petit-fils, poursuit le développement de cette maison établie à Verzenay, grand cru de la Montagne de Reims. Sa cuvée Tradition marie 70 % de pinot noir à 30 % de chardonnay. Elle révèle au nez un fruité très mûr, se montre équilibrée, avec une rondeur et une ampleur qui lui donnent de l'allonge. (NM)
Janisson et Fils, 6 bis, rue de la Procession, 51360 Verzenay, tél. 03.26.49.40.19, fax 03.26.49.43.58, e-mail champagne@janisson.com r.-v.

RENÉ JARDIN Blanc de blancs Grande Réserve

Gd cru	7 ha	n.c.	11 à 15 €

En 2004, la maison René Jardin, propriétaire d'un vignoble de 22 ha situé notamment dans la Côte des Blancs a changé de mains. Son président est désormais Bruno Paillard. Le blanc de blancs Grande Réserve est floral, citronné, gourmand. Il n'échappe cependant pas au piège du surdosage. (NM)

René Jardin, av. de Champagne, 51100 Reims, tél. 03.26.36.90.80, fax 03.26.36.90.86, e-mail renejardin@aol.com

JEANMAIRE

n.c. 80 000 15 à 23 €

Fondée en 1933, cette maison a été reprise en 1981 par la société Trouillard qui l'a cédée en 2004 au groupe Laurent-Perrier. Les trois cépages champenois collaborent à ce rosé sans année issu de la récolte de 2003. Les raisins noirs y sont très présents (85 %, dont 65 % de pinot noir). Un champagne au nez de fraise qui privilégie la finesse. Également citée, la cuvée **Élysée** est née des années 2000 et 2002 et d'une majorité de raisins noirs (50 % de pinot noir et 10 % de meunier). Discrètement florale au nez, elle est ample et franche en bouche mais alourdie par le dosage. (NM)

Jeanmaire, Ch. Malakoff, 3, rue Malakoff, 51200 Épernay, tél. 03.26.59.50.10, fax 03.26.54.78.52, e-mail contact@chateau-malakoff.com

JEAUNAUX-ROBIN Prestige

0,6 ha 5 000 15 à 23 €

Cette exploitation familiale créée en 1964 dans la vallée du Petit Morin dispose d'un vignoble de 5,5 ha. Issue des années 2000 et 2001, sa cuvée Prestige est dominée par le chardonnay (70 %), marié au pinot noir. Elle est briochée, équilibrée, animée par une touche de vanille. Même note pour la **Grande Tradition (11 à 15 €)** qui donne la primauté aux noirs (90 %, dont 60 % de meunier) et assemble les vendanges de 2001 et 2002. Des raisins très mûrs apportent gras, structure, puissance et souplesse à ce champagne de repas. (RM)

EARL Jeaunaux-Robin, 1, rue de Bannay, 51270 Talus-Saint-Prix, tél. 03.26.52.80.73, fax 03.26.51.63.78, e-mail cjeaunaux@ifrance.com
r.-v.

Jeaunaux

ABEL JOBART Cuvée Réserve *

1 ha 8 000 11 à 15 €

Le domaine, situé dans la vallée de l'Ardre, et la marque ont été créés en 1975 par les parents de Thierry, Laurent et Vincent Jobart qui conduisent les 10 ha de la propriété depuis 2002. Sa Cuvée Réserve se compose de 60 % de meunier et de 40 % de chardonnay de 2002. Elle séduit par ses arômes floraux et citronnés ainsi que par sa bouche élégante mais dosée. Citée par le jury, la **Cuvée Prestige** marie 75 % de raisins noirs (dont 50 % de meunier) au chardonnay des années 2002 et 2003. C'est un champagne droit, nerveux, à la palette aromatique complexe. (RM)

Abel Jobart et Fils, 4, rue de la Sous-Préfecture, 51170 Sarcy, tél. 03.26.61.89.89, fax 03.26.61.89.90, e-mail contact@champagne-abeljobart.com
t.l.j. 8h-12h 14h-18h; groupes sur r.-v.

RENÉ JOLLY Cuvée spéciale RJ *

4 ha 4 000 15 à 23 €

Vignerons depuis plus de deux cent cinquante ans dans la Côte des Bar (Aube), les Jolly exploitent 11 ha de vignes. Une nouvelle génération s'est installée en 2000. Cette Cuvée spéciale des années 2000 et 2002 donne une courte majorité au chardonnay (56 %, pour 44 % de pinot noir). Intense et mûre, elle développe des senteurs de cire d'abeille et de fruits secs auxquelles s'ajoutent en bouche des nuances de brioche et de pain de mie. Un ensemble équilibré, destiné à la table. Quant au **blanc de blancs**, issu des années 2000 à 2002, il est cité pour ses arômes de fleurs et de fruits blancs, pour son attaque souple et sa finesse. (RM)

René Jolly, 10, rue de la Gare, 10110 Landreville, tél. 03.25.38.50.91, fax 03.25.38.30.51, e-mail contact@jollychamp.com r.-v.

JOLY-CHAMPAGNE *

2 ha 8 000 11 à 15 €

Les Joly cultivent la vigne depuis les années 1930 et ont lancé leur champagne en 1950. Ils ont élaboré un rosé de noirs des années 2001 à 2003. Cépage très présent dans la vallée de la Marne où est implantée cette exploitation, le pinot meunier domine l'assemblage (80 %). Saumoné dans le verre, ce vin est framboisé au nez, vineux, ample et persistant : un champagne de repas. (RM)

Joly-Champagne, 16, rte de Paris, 51700 Troissy, tél. 03.26.52.70.28, fax 03.26.52.97.93, e-mail info@champagne-joly-champagne.com
r.-v.

JEAN JOSSELIN Trois Cépages *

1,36 ha 4 253 11 à 15 €

« Vignoble fondé en 1854 » précise l'étiquette ; c'est le père de Jean-Pierre Josselin qui a lancé la marque. Le domaine, implanté autour de Gyé-sur-Seine, non loin des Riceys, s'étend sur plus de 10 ha. Son brut Trois Cépages assemble des vins de 2002 et 2003. Il associe au nez les fleurs blanches et les agrumes à une pointe de minéralité et se montre complexe, ample et harmonieux. Issue des mêmes années, la cuvée **Tradition** est citée. Elle privilégie le pinot noir (60 %), complété par le chardonnay. Fruité, rond, corsé et généreux, ce brut tiendra sa place à table. (RM)

Jean-Pierre Josselin, 14, rue des Vannes, 10250 Gyé-sur-Seine, tél. 03.25.38.21.48, fax 03.25.38.25.00, e-mail champagne-josselin@wanadoo.fr r.-v.

KRUG 1995 **

n.c. n.c. + de 76 €

Fondée en 1843, cette maison a été reprise en 1999 par LVMH mais reste dirigée par les descendants de Jean-Joseph Krug. Elle a toujours produit un millésimé dont la composition fait appel aux trois cépages champenois : un tiers de chardonnay, deux tiers de pinots, dont 50 % en pinot noir et le solde de pinot meunier de Leuvrigny, le meilleur de Champagne. Ce 1995 présente un nez beurré et gras qui annonce une bouche ample, ronde, miellée, rappelant le caramel au lait. Une touche de nervosité, soulignée d'arômes de citron vert, assure un équilibre idéal à ce grand champagne de table, qui vaut à Krug son vingt-huitième coup de cœur. Deux étoiles encore pour la **Collection 1985**, une cuvée exceptionnelle, dans le style de la précédente, assemblant elle aussi les trois cépages (48 % de pinot noir, 22 % de meunier, 30 % de chardonnay) ; un grand millésime ancien, souple, équilibré et sans dosage perceptible. Le nouveau millésime **1995 du Clos du Mesnil à plus de 500 €** la bouteille propose une robe or paille, un nez puissant, tout en agrumes compotés et fruits à chair blanche. Il est à la hauteur de sa réputation. Nouvelle étiquette. (NM)

Krug Vins fins de Champagne, 5, rue Coquebert, 51100 Reims, tél. 03.26.84.44.20, fax 03.26.84.44.49, e-mail rkrug@krug.fr r.-v.

LVMH

GEORGES LACOMBE Sélection

n.c. 200 000 **11 à 15 €**

Une marque lancée en 2004. Élaboré par René-James Lallier, ce champagne est issu de 70 % de raisins noirs (dont 20 % de meunier). Le nez subtil libère après aération des parfums fruités, empyreumatiques et mentholés. Vif à l'attaque, le palais fait preuve d'un bon équilibre. Un classique. (NM)

Georges Lacombe, 4, pl. de la Libération, 51160 Aÿ, tél. 03.26.55.43.40, fax 03.26.55.79.93 r.-v.

LACROIX 2000 ★★

1 ha 8 000 15 à 23 €

Jean Lacroix a constitué un vignoble dans la vallée de la Marne à la fin des années 1960 et lancé son champagne dans les années 1970. Il a élaboré un 2000 mi-blancs mi-noirs (avec les deux pinots à égalité) qui révèle une vinification bien menée. Un tiers des vins ont fait un séjour en foudre de bois, ce que détectent les dégustateurs. Les agrumes sont très présents dans ce champagne ; on y découvre aussi des notes complexes de fruits mûrs, d'épices et de vanille. Un palais bien structuré, gras et frais, une longue finale élégante dessinent le portrait d'un vin charmeur. Le **brut Tradition (11 à 15 €)**, de l'année 2002, est largement dominé par les raisins noirs (90 % de l'assemblage, dont 70 % de meunier). Miel et fruits confits au nez, il est franc, équilibré, marqué en finale par une fraîcheur citronnée. (RM)

Lacroix, 14, rue des Genêts, 51700 Châtillon-sur-Marne, tél. 03.26.58.35.17, fax 03.26.58.36.39, e-mail champlacroix2@wanadoo.fr r.-v.

LACROIX-TRIAULAIRE ET FILS
Cuvée Blason 1998 ★

n.c. 4 000 11 à 15 €

Ce domaine aubois a été fondé en 1972 et s'étend sur plus de 7 ha. Il signe un millésimé composé pour l'essentiel par les deux pinots (90 %). Son fruité exotique lui donne du caractère et séduit les dégustateurs qui apprécient aussi sa richesse et sa longueur. Le brut **Tradition** fait, lui aussi, la part belle aux raisins noirs (75 % de pinot noir). Son nez intense, mûr et chaleureux aux accents de pain d'épice, sa consistance et sa rondeur lui valent une citation. (RM)

Lacroix-Triaulaire, 4, rue de la Motte, 10110 Merrey-sur-Arce, tél. 03.25.29.83.59, fax 03.25.29.63.44 r.-v.

CHARLES LAFITTE ★★

n.c. n.c. **30 à 38 €**

Une pluie d'étoiles pour Charles Lafitte dont le blanc de blancs est jugé remarquable, avec son nez intense évoquant le moka et sa bouche expressive et harmonieuse, grillée elle aussi. Pour un loup au fenouil. Quant à la **Grande Cuvée**, assemblage classique des deux pinots (60 % à parts égales) et de chardonnay, elle obtient une étoile pour son nez floral, sa fraîcheur et son équilibre. (NM)

Charles Lafitte, 5, pl. Général-Gouraud, BP 1049, 51689 Reims Cedex 2, tél. 03.26.61.62.63, fax 03.26.61.61.28 r.-v.

CHARLES LAFITTE
Blanc de noirs Cuvée spéciale ★★★

n.c. n.c. 23 à 30 €

Créée au XIXᵉ s., la maison Charles Lafitte produisait à l'origine du cognac ; elle acheta ensuite une maison champenoise. La marque appartient aujourd'hui au groupe Vranken. Elle s'illustre cette année, puisqu'elle obtient deux coups de cœur ! Conformément à la règle du Guide, une seule étiquette est reproduite, celle du blanc de noirs – un style qui semble à la mode cette année. Avec trois étoiles, ce champagne sort du lot. Il est composé de deux tiers de pinot noir et d'un tiers de pinot meunier. Son bouquet très net d'abricot compoté et de brioche, sa bouche franche, équilibrée, tout en vivacité et en élégance emportent l'adhésion. Le **brut Cuvée spéciale (15 à 23 €)**, habillé d'une étiquette très proche, vermillon et or, est mi-blancs mi-noirs (dont 30 % de pinot noir). Il reçoit deux étoiles pour son nez droit et complexe, fait de fleurs et de fruits blancs avec une touche minérale, et pour son palais plein et équilibré. (NM)

Charles Lafitte, 5, pl. Général-Gouraud, BP 1049, 51689 Reims Cedex 2, tél. 03.26.61.62.63, fax 03.26.61.61.28 r.-v.

BENOÎT LAHAYE Blanc de noirs Prestige ★★

1 ha 3 500 15 à 23 €

Ce domaine fondé en 1930 a lancé son champagne quelques années après. La troisième génération l'oriente vers l'agriculture biologique et fait séjourner dans le bois certains vins de base. Les 4,5 ha de vignes s'étendent autour de Bouzy, grand cru célèbre par son pinot noir, variété dont la propriété tire un blanc de noirs qui a été fort remarqué cette année, une cuvée issue des récoltes de 2002 et 2003. Sa robe « fait l'œil » : elle montre des reflets saumonés. Flatteur, le nez reflète bien le cépage avec ses arômes de fruits confits ; la bouche se montre souple, corsée et agréable. Un champagne pour viandes et fromages. Le **brut grand cru (11 à 15 €)** privilégie lui aussi les raisins noirs (85 % de pinot noir). Né des années 2000 à 2002 (40 % de vins de réserve), il ne fait que partiellement sa fermentation malolactique. Fruité, brioché, nerveux et persistant, il obtient une étoile. (RM)

EARL Benoît Lahaye, 33, rue Jeanne-d'Arc, 51150 Bouzy, tél. 03.26.57.03.05, fax 03.26.52.79.94, e-mail lahaye.benoit@wanadoo.fr r.-v.

LAHERTE FRÈRES Tradition

1er cru 7 ha 60 000 11 à 15 €

Chavot-Courcourt ? Un village près d'Épernay, avec son église du XII[e]s. au milieu des vignes. Cette maison fondée en 1889 dispose de plus de 10 ha autour de cette commune, dans la vallée de la Marne et la Côte des Blancs. Son brut Tradition naît de 70 % de raisins noirs (dont 60 % de meunier) et de 30 % de chardonnay. Assemblant les années 2001 à 2003, il comprend 40 % de vins de réserve élevés en barrique jusqu'à deux ans. Il exprime des arômes empyreumatiques (pain grillé) et briochés et se montre puissant et équilibré. (NM)

Laherte Frères, 3, rue des Jardins, 51530 Chavot-Courcourt, tél. 03.26.54.32.09, fax 03.26.51.54.77 r.-v.

ALAIN LALLEMENT Tradition

Gd cru 1,5 ha 15 000 11 à 15 €

Si vous passez par Verzy, allez vous promener dans les bois qui couronnent la Montagne de Reims pour admirer les faux, ces rares hêtres aux formes extraordinaires. Au village, vous pourrez séjourner chez les Lallement, viticulteurs depuis un siècle dans ce vignoble grand cru. Alain Lallement, à la tête du domaine depuis 1975, signe un brut Tradition des années 2002 et 2003, composé de 62 % de pinot noir et de 38 % de chardonnay. Le nez discret évoque le caramel ; la bouche fraîche et équilibrée finit sur une note végétale. Produit d'un assemblage comparable mais issu des vendanges 2001 et 2002, le **rosé grand cru**, saumoné aux nuances orangées, fait songer aux petits fruits rouges, au nez comme en bouche. Sa légèreté le destine à l'apéritif. (RM)

Alain Lallement, 19, rue Carnot, 51380 Verzy, tél. et fax 03.26.97.92.32, e-mail champagne.alain.lallement@club-internet.fr r.-v.

LALLIER Grande Réserve

Gd cru 6 ha 60 000 15 à 23 €

Signée par une maison de négoce d'Aÿ créée en 1996, cette Grande Réserve naît de 70 % de pinot noir d'Aÿ et de 30 % de chardonnay de Cramant et d'Avize. La puissance est son principal atout. Le **blanc de blancs grand cru (23 à 30 €)** a une particularité : 70 % des chardonnays sont originaires d'Aÿ, village réputé pour son pinot noir. Les 30 % restants proviennent plus classiquement de Cramant et d'Avize (Côte des Blancs). Un champagne équilibré et intense, à son apogée à en juger par ses arômes évolués de fleurs séchées et de réséda. (NM)

René-James Lallier, 4, pl. de la Libération, 51160 Aÿ, tél. 03.26.55.43.40, fax 03.26.55.79.93, e-mail contact@champagne-lallier.fr r.-v.

LAMIABLE Spécial Club 2000 *

Gd cru 1 ha 3 500 15 à 23 €

Cette exploitation créée dans les années 1950 dispose de 5,70 ha de vignes autour de Tours-sur-Marne, commune classée en grand cru à l'est d'Épernay. Ce 2000 assemble 60 % de chardonnay au pinot noir. Son nez profond et complexe annonce un équilibre harmonieux au palais. Un champagne de repas. Le jury a par ailleurs cité l'**extra-brut (11 à 15 €)** qui provient cette année des vendanges de 2002 et 2003 et assemble 60 % de pinot noir et 40 % de chardonnay. Sa palette aromatique mêle le citron et la mirabelle, nuances que l'on retrouve au palais accompagnées de notes de poire. Après une attaque assez souple, la bouche est marquée par une grande fraîcheur jusqu'en finale. (RM)

Lamiable, 8, rue de Condé, 51150 Tours-sur-Marne, tél. 03.26.58.92.69, fax 03.26.58.76.67, e-mail lamiable@champagnelamiable.com r.-v.

CLAUDE LANCELOT Cuvée Brio 1998 *

Gd cru 1 ha 6 500 15 à 23 €

Claude Lancelot est depuis 1978 à la tête d'une propriété de 5 ha implantée à Avize, dans la Côte des Blancs. Sa cuvée Brio privilégie de fait le chardonnay (60 %). Discrète au nez, elle s'ouvre sur des notes d'amande et de moka. Fruitée en bouche, elle se déploie avec ampleur et générosité. (RM)

Lancelot-Goussard, 30, rue Ernest-Vallé, 51190 Avize, tél. 03.26.57.94.68, fax 03.26.57.79.02, e-mail champagne-lancelot-goussard@wanadoo.fr r.-v.

LANCELOT-PIENNE

Blanc de blancs Cuvée de la Table ronde 2000 *

Gd cru 0,5 ha 3 000 15 à 23 €

Ce domaine, implanté à Cramant, ménage un beau panorama sur la Côte des Blancs. Il a été constitué par Albert Lancelot, originaire d'une vieille famille de viticulteurs, rejoint depuis une dizaine d'années par son fils Gilles, œnologue. Leur Cuvée de la Table ronde 2000 est un champagne expressif, droit, tendre et long. Quant à la cuvée **Sélection (11 à 15 €)**, elle assemble deux tiers de raisins noirs (dont 50 % de meunier) au chardonnay et provient des années 1998 à 2001. Finement briochée, équilibrée, elle révèle une belle évolution : une citation. (RM)

Lancelot-Pienne, 1, allée de la Forêt, 51530 Cramant, tél. 03.26.57.55.74, fax 03.26.57.53.02, e-mail lancelot-pienne@wanadoo.fr r.-v.

YVES LANCELOT-WANNER

Chardonnay Réserve

Gd cru 3 ha 35 000 11 à 15 €

Deux anciennes familles de Cramant, grand cru de la Côte des Blancs, sont à l'origine de ce champagne lancé en 1974. À la tête de plus de 4 ha de vignes, Yves Lancelot a proposé un blanc de blancs issu des années 2000 à 2003. Le nez original associe le chèvrefeuille à une touche végétale, arômes que l'on retrouve dans une bouche complexe et persistante. (RM)

Yves Lancelot-Wanner, 155, rue de la Garenne, 51530 Cramant, tél. 03.26.57.58.95, fax 03.26.57.00.30 r.-v.

LANSON Black Label *

n.c. 500 000 15 à 23 €

Marque de grande réputation fondée en 1760 et reprise en 2006 par le groupe BCC. Les champagnes Lanson ne font pas leur fermentation malolactique. Cuvée ancienne et prestigieuse, le Black Label associe 65 % de raisins noirs (dont 50 % de pinot noir) et 35 % de chardonnay. Elle séduit par son bouquet de pain d'épice, son attaque fraîche, sa bouche aromatique, veloutée et harmonieuse. (NM)

Lanson, 66, rue de Courlancy, 51100 Reims, tél. 03.26.78.50.50, fax 03.26.78.53.89 r.-v.

GUY LARMANDIER

Cramant Blanc de blancs Extra-brut **

Gd cru	4,5 ha	n.c.	11 à 15 €

Après la disparition de Guy Larmandier, son épouse Colette, son fils et sa fille ont pris en main les destinées de cette exploitation. Ses 9 ha de vignes sont situés exclusivement dans la Côte des Blancs ; ils comprennent deux 1ers crus, à Cuis et à Vertus, et deux grands crus, à Chouilly et à Cramant, commune dont provient cet extra-brut qui frise le coup de cœur. Sa palette aromatique complexe, mêlant les fruits blancs, les agrumes et des notes grillées, sa fraîcheur, son équilibre, son harmonie et sa persistance emportent l'adhésion. Le **grand cru Cramant Cuvée Prestige 1999 (15 à 23 €)**, un blanc de blancs également, obtient une étoile pour son nez fin et élégant sur les agrumes, et pour sa rondeur réglissée. Il s'accordera avec des entrées cuisinées, des crustacés ou des saint-jacques. (RM)

Guy Larmandier, 30, rue du Gal-Koenig, 51130 Vertus, tél. 03.26.52.12.41, fax 03.26.52.19.38 r.-v.

LARMANDIER-BERNIER Blanc de blancs *

1er cru	6 ha	40 000	15 à 23 €

Une autre branche des Larmandier de la Côte des Blancs. La marque a été lancée en 1972 et l'exploitation (15 ha à Cramant et à Vertus, respectivement grand cru et 1er cru) reprise par Pierre Larmandier qui l'a orientée vers la biodynamie. Issu des années 2001 à 2003, son blanc de blancs 1er cru a séjourné neuf mois dans le bois, un élevage qui lui a probablement légué ses arômes complexes, épicés et torréfiés. En bouche, on y trouve de la grâce, de la rondeur et de l'ampleur, sans complications. Pour une poêlée de saint-jacques. (RM)

Larmandier-Bernier, av. du Gal-de-Gaulle, 51130 Vertus, tél. 03.26.52.13.24, fax 03.26.52.21.00, e-mail larmandier@terre-net.fr r.-v.

LARMANDIER PÈRE ET FILS

Chardonnay Spécial Club 1998

Gd cru	n.c.	4 500	23 à 30 €

Jules Larmandier fut un vigneron célèbre, l'un des premiers récoltants de la Côte des Blancs à commercialiser son champagne – dès 1872 – et à faire valoir le vin de propriété. L'exploitation, aujourd'hui dirigée par Françoise Gimonnet-Larmandier et ses fils, Olivier et Didier Gimonnet, est spécialisée dans le blanc de blancs et vinifie par terroirs. Ce 1998 provient pour 60 % de Cramant et pour 40 % de Chouilly. Il s'ouvre lentement sur les agrumes. En bouche, sa vivacité souligne sa longueur. (RM)

Larmandier Père et Fils, 1, rue de la République, 51530 Cuis, tél. 03.26.57.52.19, fax 03.26.59.79.84, e-mail champagne.larmandier@wanadoo.fr r.-v.

JEAN LARREY Blanc de blancs Sélection **

	2 ha	20 000	15 à 23 €

Marque appartenant à Jacques Copinet, récoltant-manipulant établi à une quinzaine de kilomètres de Sézanne. Issu des années 2000 à 2002, ce blanc de blancs libère des senteurs de pâte de coings, tandis qu'en bouche se manifestent des arômes d'agrumes. Vif, ample et puissant, ce champagne est salué pour son élégance. (RM)

Jacques Copinet, 11, rue de l'Ormeau, 51260 Montgenost, tél. 03.26.80.49.14, fax 03.26.80.44.61, e-mail info@champagne-copinet.com r.-v.

J. LASSALLE

1er cru	6 ha	n.c.	11 à 15 €

Établi dans la Montagne de Reims, ce récoltant-manipulant exploite un vignoble de 11 ha constitué dans les années 1940. Assemblant trois quarts de raisins noirs (dont 60 % de meunier) et un quart de chardonnay des années 1999 et 2000, son brut ne suscite qu'une réserve : on l'aurait souhaité un peu moins dosé. Son nez complexe, fait de miel, de fruits secs et de prune et sa bouche riche et structurée lui valent d'être cité. Mariant 60 % de pinot noir et 40 % de chardonnay, la **cuvée Angeline 1999, 1er cru, (15 à 23 €)**, elle aussi généreusement dosée, est empyreumatique et légère : même note. (RM)

J. Lassalle, 21, rue du Châtaignier, 51500 Chigny-les-Roses, tél. 03.26.03.42.19, fax 03.26.03.45.70, e-mail champagne.j.lassalle@wanadoo.fr r.-v.

P. LASSALLE-HANIN Cuvée de réserve

	10 ha	30 000	11 à 15 €

Fondé dans les années 1950, ce vignoble s'étend sur 10 ha dans la Montagne de Reims. Il est exploité par deux frères et le fils de l'un d'eux. Leur Cuvée de réserve assemble les trois cépages champenois. Fine et élégante, elle trouve son équilibre dans la fraîcheur et la légèreté. Un vin d'apéritif. (RM)

P. Lassalle-Hanin, 2, rue des Vignes, 51500 Chigny-les-Roses, tél. 03.26.03.40.96, fax 03.26.03.42.10, e-mail gaec.lassalle-hanin@wanadoo.fr r.-v.

LÉON LAUNOIS Cuvée réservée

Gd cru	n.c.	n.c.	11 à 15 €

Marque de la maison Mignon d'Épernay. Ce blanc de blancs propose un nez d'agrumes et de fruits blancs, avec une touche de menthe. Souple à l'attaque, il est ample, équilibré et justement dosé. (NM)

SARL Léon Launois et Cie, 6, rue Joliot-Curie, 51200 Épernay, tél. 03.26.58.16.16 r.-v.

Mignon

LAUNOIS PÈRE ET FILS

Chardonnay Cuvée réservée **

Gd cru	10 ha	80 000	11 à 15 €

Les Launois cultivent la vigne dans la Côte des Blancs depuis les années 1870. Leur vignoble couvre aujourd'hui 21 ha. Les propriétaires ont ouvert un intéressant musée consacré à la vigne et au vin et organisent des repas pour faire découvrir leurs champagnes : « journées d'hiver au coin du feu » et « journées vendanges ». Leur Cuvée réservée a été jugée remarquable par la finesse de ses arômes légèrement confits et par son dosage bien adapté à son acidité. Un ensemble élégant. Le **blanc de blancs 1999 (15 à 23 €)**, assez mûr, est cité pour son nez de noisette et d'amande, son équilibre et sa longueur. (RM)

Launois Père et Fils, 2, av. Eugène-Guillaume, 51190 Le Mesnil-sur-Oger, tél. 03.26.57.50.15, fax 03.26.57.97.82 r.-v.

LAURENT-GABRIEL Grande Réserve ★

1er cru 1,5 ha 12 000 11 à 15 €

Daniel et Martine Laurent-Gabriel ont repris les vignes de Théo Laurent en 1982. Leur fille a rejoint cette année l'exploitation implantée sur la rive droite de la Marne, non loin d'Épernay. La Grande Réserve assemble 85 % de raisins noirs (dont 70 % de pinot noir) au chardonnay et provient des années 1996 à 1998. Torréfié, cacaoté, fumé et miellé, le nez montre des signes d'évolution que l'on ne retrouve pas en bouche. Le palais est frais et bien équilibré. La **Cuvée spéciale (15 à 23 €)** privilégie elle aussi les noirs, avec 70 % de pinot noir. Elle est principalement issue de la vendange de 1996, avec un soupçon de vins de 1995 et 1997. Sa finale est longue et acidulée, et ses arômes complexes, où l'on reconnaît la noix, révèlent une nette évolution, diversement appréciée : une citation. (RM)

EARL Laurent-Gabriel, 2, rue des Remparts, 51160 Avenay-Val-d'Or, tél. 03.26.52.32.69, fax 03.26.59.92.08, e-mail champagne.laurent-gabriel@wanadoo.fr r.-v.

LAURENT-PERRIER 1997 ★★

n.c. n.c. 30 à 38 €

Fondée en 1818 à Tours-sur-Marne par Alphonse Pierlot, un tonnelier originaire de Chigny-les-Roses, la maison est devenue Laurent-Perrier dans les années 1880 lorsque Eugène Laurent, le chef de cave, marié à Mathilde-Émilie Perrier, a repris l'affaire. La société a connu des difficultés pendant la Seconde Guerre mondiale mais elle a su résister, et Bernard de Nonancourt en a fait l'une des plus importantes de Champagne. Aujourd'hui, elle contrôle de nombreuses autres maisons, dont Salon et Delamotte. Mi-blancs mi-noirs (pinot noir), ce 1997 séduit par son nez complexe, assez confit. En bouche il allie une fraîcheur nerveuse à une vinosité riche et finit sur des notes d'agrumes mentholés. Mi-blancs mi-noirs elle aussi, la cuvée **Grand Siècle (plus de 76 €)** naît de l'assemblage de grandes années qui ont été millésimées. Un champagne floral et minéral au nez, fruité et torréfié au palais. Rond, équilibré et élégant, il révèle un dosage insistant. (NM)

Laurent-Perrier, Dom. Laurent-Perrier, 51150 Tours-sur-Marne, tél. 03.26.58.91.22, fax 03.26.58.77.29 r.-v.

Famille de Nonancourt

ALAIN LEBŒUF ★

4,6 ha 32 000 8 à 11 €

Installé en 1988, Alain Lebœuf représente la troisième génération sur ce vignoble aubois. Il cultive près de 7 ha et a tiré des deux pinots (dont 80 % de pinot noir) récoltés en 2003 un blanc de noirs au nez discret de sous-bois, fruité, vif et équilibré. (RM)

Alain Lebœuf, 1, rue du Moulin, 10200 Colombé-la-Fosse, tél. 03.25.27.11.26, fax 03.25.27.17.23, e-mail leboeuf.alain@wanadoo.fr r.-v.

PAUL LEBRUN Blanc de blancs Grande Réserve ★★

4,3 ha 38 026 11 à 15 €

Fondée en 1902, la propriété s'étend sur 16 ha autour de Cramant, grand cru de la Côte des Blancs. Elle ne produit que des blancs de blancs. Cette Grande Réserve, née de la vendange de 1999, mêle des notes grillées, des nuances de fruits secs et de miel. Structurée, équilibrée, gourmande, parfaitement dosée, elle s'accordera à un foie gras poêlé. La **Cuvée Prestige (15 à 23 €)** provient de l'année 1998. Son nez évolué et complexe décline le café, le coing et les fruits mûrs, son palais franc reste frais : une étoile. La **Carte d'or**, assemblage des récoltes de 2001 et 2002, est citée pour son bouquet de fruits cuits, de fruits secs et pour sa longueur. (NM)

SA Vignier-Lebrun, 35, rue Nestor-Gaunel, 51530 Cramant, tél. 03.26.57.54.88, fax 03.26.57.90.02, e-mail champagne.vignier-lebrun@wanadoo.fr r.-v.

M.-P. Vignier

LE BRUN DE NEUVILLE Cuvée Chardonnay ★

n.c. 65 000 15 à 23 €

Cette coopérative de Béthon, village du sud du Sézannais, regroupait à l'origine une vingtaine de viticulteurs. Elle compte aujourd'hui 150 adhérents et vinifie plus de 150 ha. Sa Cuvée Chardonnay est un blanc de blancs classique et fin, élégamment brioché au nez, complexe et équilibré en bouche. Une étoile encore pour la cuvée **Lady de N (23 à 30 €)**, un blanc de blancs : son nez expressif et flatteur, fruité et légèrement grillé, son palais riche aux accents de pêche et de fruits compotés en font un champagne gourmand. (CM)

Le Brun de Neuville, rte de Chantemerle, 51260 Béthon, tél. 03.26.80.48.43, fax 03.26.80.43.28, e-mail lebrundeneuville@wanadoo.fr r.-v.

LE BRUN SERVENAY ★

0,7 ha 3 500 11 à 15 €

Cette exploitation implantée à Avize, dans la Côte des Blancs, a été créée après la guerre. Son vignoble privilégie le chardonnay, cépage entrant à hauteur de 86 % dans ce rosé qui doit sa couleur saumon et ses arômes de fraise à 14 % de pinot noir vinifié en rouge. Vineux et rond, ce champagne n'en est pas moins fin et élégant. (RM)

SCEV Le Brun-Servenay, 14, pl. Léon-Bourgeois, 51190 Avize, tél. 03.26.57.52.75, fax 03.26.57.02.71, e-mail contact@champagnelebrun.com r.-v.

LECLAIRE-GASPARD Blanc de blancs 1998 ★★

Gd cru 1 ha 2 000 38 à 46 €

La famille Leclaire exploite un vignoble de 5,7 ha qui appartint jadis à la maison Philipponnat. Ce blanc de blancs provient d'Avize, grand cru de la Côte des Blancs. Il mêle au nez les fleurs blanches et le pain grillé et se montre beurré et d'une grande finesse au palais. « Il ne fait pas son âge », souligne un dégustateur. (RM)

Leclaire, 26, rue Sadi-Carnot, 51160 Mareuil-sur-Aÿ, tél. 03.26.52.88.05, fax 03.26.58.87.71, e-mail champagne.leclaire.thiefaine@wanadoo.fr r.-v.

LECLERC-MONDET Grande Réserve ★★

0,5 ha 5 000 11 à 15 €

René Mondet et Henri Leclerc ont planté leurs premières vignes au début des années 1950 et commercialisé leur champagne dix ans plus tard. Le domaine, qui s'étend sur 9 ha dans la vallée de la Marne, est conduit par la troisième génération. Issue des trois cépages champenois (meunier 40 % ; pinot noir 30 % ; chardonnay 30 %) récoltés en 1998 et 1999, cette Grande Réserve apparaît beurrée et briochée au nez comme en bouche. Équilibrée avec rondeur, ampleur et richesse, elle pourra accompagner un repas. (RM)

🔑 Leclerc-Mondet, 5, rue Beethoven, 02850 Chassins, tél. 03.23.70.23.39, fax 03.23.70.10.59
☑ 𝕐 ⚲ t.l.j. 9h-12h 14h-19h, dim. 9h-12h
🔑 Leclerc

ÉMILE LECLÈRE Cuvée de réserve ★

1er cru 5 ha 40 000 ▮ 11 à 15 €

Située à Mardeuil, près d'Épernay, cette propriété dont les bâtiments remontent au XVIII[e]s. dépendait de l'abbaye d'Hautvillers, où officia dom Pérignon. Mais dans ce « Château vert », on ne produisait alors pas de vin, mais du lait. C'est la famille Leclère qui planta de vignes le domaine dans les années 1880. L'exploitation s'étend aujourd'hui sur 12 ha. Le pinot meunier (80 %) complété par le chardonnay est à l'origine de cette Cuvée de réserve issue de la vendange de 2002. Le nez de miel, de cire et de fleurs séchées montre des signes d'évolution, tandis que la bouche équilibrée reste fraîche. (RM)

🔑 Émile Leclère, 15, rue Victor-Hugo, 51530 Mardeuil, tél. 03.26.55.24.45, fax 03.26.55.05.13
☑ 𝕐 ⚲ r.-v.
🔑 Delouvin

XAVIER LECONTE Cuvée Alexis

1,5 ha 4 044 ▮ 🛢 11 à 15 €

Depuis presque un siècle, les Leconte sont vignerons sur la rive droite de la Marne. Xavier Leconte dispose de 10 ha de vignes et a équipé en 2001 l'exploitation d'une cuverie moderne et d'un chai à barriques. Dédiée à son fils qui s'apprête à s'installer sur le domaine, sa Cuvée Alexis marie 70 % de chardonnay et 30 % de pinot meunier et provient de la récolte de 2002. Les vins ont séjourné un an dans le bois. Il en résulte un champagne ample, équilibré et fin, aux arômes de noisette. Citée elle aussi, la cuvée **Prestige** est un blanc de noirs (les deux pinots, dont 30 % de meunier) de 2001, également élevé en fût. Doré soutenu, c'est un champagne assez évolué aux nuances de fruits confits, de pruneau et d'abricot que l'on retrouve en bouche avec des notes de brioche et de caramel. (RM)

🔑 Xavier Leconte, 7, rue des Berceaux, Bouquigny, 51700 Troissy, tél. 03.26.52.73.59, fax 03.26.52.71.81, e-mail xavier-leconte@wanadoo.fr ☑ 𝕐 ⚲ r.-v.

LEFEBVRE Cuvée Réserve ★★

n.c. 100 000 11 à 15 €

Maison reprise en 2000 par le Champagne Cuperly. Issue des années 2001 et 2002, cette cuvée Réserve privilégie les noirs (75 %, dont 50 % de pinot noir). Elle comprend 30 % de vins de réserve partiellement vieillis en fût de chêne. Jaune d'or intense, elle est tout aussi intense au nez, et mêle des notes empyreumatiques, grillées, à des nuances de coing. Elle apparaît complexe, équilibrée, justement dosée, sans aucune lourdeur. Une réelle harmonie. Provenant des mêmes années avec 60 % de pinots (40 % de pinot noir) et 40 % de chardonnay, la **Cuvée spéciale Amarande** est un champagne volumineux et puissant : une citation. (NM)

🔑 Lefebvre, 2, rue Drouot, 51140 Hourges, tél. 03.26.63.83.61, fax 03.26.70.22.41, e-mail champagne.lefebvre@wanadoo.fr ☑ 𝕐 ⚲ r.-v.

LEGOUGE-COPIN ★

4,5 ha 3 000 ▮ 11 à 15 €

Ce domaine familial de 4,5 ha est implanté essentiellement dans la vallée de la Marne. Son rosé assemble l'année 2003 à du vin de réserve de 2002. Il privilégie largement les raisins noirs et tire sa couleur intense d'un important pourcentage de vins rouges (24 %). Il est équilibré, fruité, complexe et fin. Le **brut 1998** est dominé lui aussi par les raisins noirs (80 % de pinot noir pour 20 % de chardonnay). Vineux et équilibré, il est cité. (RM)

🔑 Legouge-Copin, 6, rue de l'Abbé-Bernard, 51700 Verneuil, tél. 03.26.52.96.89, fax 03.26.51.85.62, e-mail legougecopin@free.fr ☑ 𝕐 ⚲ r.-v.

ÉRIC LEGRAND Réserve ★

5 ha 50 000 ▮ 11 à 15 €

Éric Legrand a repris au début des années 1980 le vignoble familial qui s'étend sur 7 ha dans l'Aube. Sa cuvée Réserve donne la primauté aux raisins noirs (80 % de pinot noir) et assemble la récolte de 2003 avec des vins de 2001 et 2002. Floral, fin et très frais, c'est un champagne d'apéritif. (RM)

🔑 Éric Legrand, 39, Grande-Rue, 10110 Celles-sur-Ource, tél. 03.25.38.55.07, fax 03.25.38.56.84, e-mail champagne.legrand@wanadoo.fr
☑ 𝕐 ⚲ t.l.j. sf sam. dim. 9h-12h 14h-17h30; f. août

PIERRE LEGRAS Cuvée spéciale ★★

Gd cru 2 ha 20 000 ▮ 15 à 23 €

Les Legras sont vignerons à Chouilly, en Côte des Blancs, depuis le règne du Roi Soleil. Pierre Legras est une nouvelle marque lancée en 2003, née d'une scission au sein du Champagne R. et L. Legras. La maison dispose de 8,50 ha de vignes aux alentours de Chouilly, commune classée en grand cru. Elle propose une cuvée spéciale issue de vins de 1995. Un champagne qui ne fait pas son âge, empyreumatique, torréfié et brioché, plein, à la finale vive et citronnée. Le **blanc de blancs grand cru (11 à 15 €)** provient de l'année 1999. Il obtient une étoile pour ses arômes de fleurs blanches, de noisette fraîche, d'amande et de beurre caractéristiques du cépage, pour son attaque franche, son équilibre et sa netteté. Un champagne d'apéritif. (NM)

🔑 Pierre Legras, 28, rue Saint-Chamand, 51530 Chouilly, tél. 03.26.56.30.97, fax 03.26.56.30.98, e-mail pierre.legras@wanadoo.fr ☑ 𝕐 ⚲ r.-v.

LEGRAS ET HAAS Tradition ★

7 ha 20 000 ▮ 15 à 23 €

Sept générations de viticulteurs et trois générations d'élaborateurs sont à l'origine de cette maison de Chouilly (Côte des Blancs) disposant d'un important vignoble : 30 ha. Mi-blancs mi-noirs (les deux pinots à parts égales), ce brut Tradition provient des années 2000 à 2003. Son attaque est vive ; son équilibre réussi et sa rondeur briochée lui donnent de l'allonge. Une citation pour le **blanc de blancs grand cru 2002 (23 à 30 €)**, très fin, frais et léger, qui n'a qu'un défaut : sa jeunesse. (NM)

🔑 Legras et Haas, 7, Grande-Rue, 51530 Chouilly, tél. 03.26.54.92.90, fax 03.26.55.16.78, e-mail legras-haas@wanadoo.fr ☑ 𝕐 ⚲ r.-v.

FERNAND LEMAIRE

1er cru 3 ha n.c. ▮ 11 à 15 €

Les Lemaire sont nombreux dans la vallée de la Marne, on prendra garde aux prénoms. Frédéric Lemaire, qui cultive plus de 6 ha, a repris en 1984 le vignoble familial. Son champagne porte le nom du fondateur du domaine, au début du XX[e]s. Son brut 1er cru assemble trois

CHAMPAGNE

quarts de raisins noirs (dont 50 % de meunier) et un quart de chardonnay. Discret au nez, il est bien construit, équilibré, souple et servi par son dosage. (RM)

Fernand Lemaire, 88, rue des Buttes,
51160 Hautvillers, tél. 03.26.59.40.44,
fax 03.26.51.88.97,
e-mail fernand.lemaire1@libertysurf.fr r.-v.
Frédéric Lemaire

HENRI LEMAIRE Blanc de blancs *

0,5 ha 2 400 11 à 15 €

Cette exploitation familiale est logée dans une maison au bord de la Marne. Le vignoble a été constitué dans les années 1920. Son blanc de blancs sans année est issu des vendanges 2002 et 2003. Or clair dans le verre, légèrement brioché au nez, c'est un vin de caractère, équilibré et persistant, mais extrêmement jeune. Il s'accordera avec poissons et crustacés. (RM)

SCEV Lemaire-Fourny, 13, rue Raymond-Poincaré, 51480 Damery, tél. 03.26.53.83.12, fax 03.26.59.01.14, e-mail champagne-lemairefourny@wanadoo.fr
t.l.j. sf dim. 9h-12h 14h-18h; sam. sur r.-v.

PHILIPPE LEMAIRE 2000 **

1er cru n.c. n.c. 15 à 23 €

Cette exploitation sise à Œuilly sur la rive gauche de la Marne pratique l'élevage dans le bois. Son 2000 doit tout au chardonnay. Complexe au nez, il apparaît assez évolué pour son âge. Il est gras, ample et vineux, et sa finale laisse un bon souvenir. Produit des années 2000 à 2003, le brut **Sélection (11 à 15 €)** assemble 75 % de raisins noirs (dont 50 % de meunier) et 25 % de chardonnay. Son bouquet de coing révèle un début d'évolution, sa souplesse contribue à son agrément : une citation. (RM)

Philippe Lemaire, 40, rue du 8-Mai, 51480 Œuilly, tél. 03.26.58.30.82, fax 03.26.52.92.44 r.-v.

LEMAIRE-RASSELET Cuvée Tradition

n.c. n.c. **11 à 15 €**

Établie à 1 km du château de Boursault, dans la vallée de la Marne, cette exploitation est conduite par Françoise Lemaire, qui a élaboré à partir de vins de 1997 à 2000 ce brut Cuvée Tradition dominé par les raisins noirs (85 % dont 70 % de meunier). Discrètement fruité au nez, c'est un champagne direct et franc en bouche. (RM)

EARL Lemaire-Rasselet,
5, rue de la Croix-Saint-Jean, Villesaint,
51480 Boursault, tél. et fax 03.26.58.44.85,
e-mail champ.lemaire.rasselet@wanadoo.fr r.-v.
Françoise Lemaire

MICHEL LENIQUE Blanc de blancs Réserve

1,5 ha 13 000 **11 à 15 €**

Les Lenique, vignerons en Champagne depuis 1768, sont établis à Pierry. Depuis quelques années, la maison est dirigée par Alexandre Lenique, fils de Michel, et par son gendre, Bertrand Robinet. Elle dispose de plus de 9 ha de vignes répartis sur sept communes autour d'Épernay. Le blanc de blancs Réserve assemble des vins de 2002 (60 %), 2001 et 2000. Brioché et floral au nez (fleurs blanches), il est franc de goût. Il pourra accompagner le premier plat du repas. (NM)

SA Lenique et Fils, 20, rue du Gal-de-Gaulle,
51530 Pierry, tél. 03.26.54.03.65, fax 03.26.51.57.14,
e-mail salenique@wanadoo.fr r.-v.

A.R. LENOBLE Blanc de blancs **

Gd cru 7 ha n.c. 15 à 23 €

Fondé dans les années 1920, une maison sérieuse dont la réputation croît d'année en année. Elle est forte d'un vignoble de 18 ha, situé en particulier dans le grand cru de Chouilly d'où provient ce blanc de blancs assemblant des vins de 2001 à 25 % de vins de réserve élevés en fût. Une légère touche boisée contribue à l'élégance de ce vin complet, modèle d'équilibre. Seul son dosage perceptible le prive d'un coup de cœur. Beurré et toasté avec des arômes de noix, le **blanc de blancs grand cru 1996 (23 à 30 €)** retient l'attention par sa puissance, son soyeux, son ampleur et aussi par son dosage : une étoile. (NM)

A.R. Lenoble, 35, rue Paul-Douce, 51480 Damery, tél. 03.26.53.42.60, fax 03.26.58.65.57 r.-v.
Malassagne

ABEL LEPITRE 1997 **

n.c. 3 000 15 à 23 €

Cette maison rémoise, qui porte le nom de son fondateur, est passée sous le contrôle du groupe BCC après divers changements de main. Elle a proposé un 1997, millésime considéré comme plutôt difficile. Le temps qui s'écoule le bonifie. Celui-ci atteint son apogée en alliant finesse et légèreté. Son dosage précis n'altère pas sa fraîcheur. (NM)

Abel Lepitre, allée du Vignoble, 51100 Reims,
tél. 03.26.36.61.60, fax 03.26.36.66.62 r.-v.

PAUL LEREDDE Réserve Carte rouge

n.c. 11 745 **11 à 15 €**

« Paul Leredde, viticulteur à Crouttes-sur-Marne » dit l'étiquette. Cette commune de l'Aisne est l'une des plus proches de Paris apte à produire du champagne. Jean-Yves Leredde s'est installé en 1979 sur l'exploitation familiale de 6 ha et a décidé de sortir de la coopérative pour élaborer ses cuvées. Née des vendanges de 2002 et 2003, celle-ci assemble 75 % de raisins noirs (dont 60 % de meunier) et 25 % de blancs. Un champagne rond et jeune, aux arômes de pomme et de fruits frais. (RM)

Paul Leredde, 49, rue de Bezu,
02310 Crouttes-sur-Marne, tél. 03.23.82.09.41,
fax 03.23.82.00.22,
e-mail contact@champagne-paul-leredde.com
r.-v.
Jean-Yves Leredde

LÉTÉ-VAUTRAIN *

1 ha 7 000 11 à 15 €

Ce vignoble de près de 8 ha est implanté sur un coteau, proche de Château-Thierry : la célèbre cote 2004 qui fut le théâtre des combats de la deuxième bataille de la Marne en 1918. L'exploitation, fondée à la fin des années 1960 par M. et Mme Lété-Vautrain, est aujourd'hui conduite par leur fils Frédéric Lété. Dominé par les raisins noirs (90 %, dont 50 % de pinot noir), ce brut rosé naît des années 2002 et 2003. Évoquant la framboise et le cerisier en fleur, « il est tout en dentelle », selon un dégustateur qui loue sa finesse et son élégance. Le **brut traditionnel**, issu des mêmes années, provient d'un assemblage proche (80 % de raisins noirs, dont 60 % de meunier). Fruité, dense et ample, il obtient la même note. (RM)

Lété-Vautrain, 11, rue Semars, Courteau,
02400 Château-Thierry, tél. 03.23.83.05.38,
fax 03.23.83.87.45, e-mail lete.vautr@quid-info.fr
t.l.j. sf dim. 8h30-12h30 13h30-19h

LIÉBART-RÉGNIER Chardonnay ★

2 ha 4 000 11 à 15 €

Depuis 1987, Laurent Liébart conduit une exploitation de 9 ha nichée dans un vallon perpendiculaire à la vallée de la Marne. Il a proposé un blanc de blancs sans année, mais issu de la vendange de 2001. Fleurs blanches et fruits blancs au nez, c'est un champagne équilibré et persistant. (RM)

Liébart-Régnier, 6, rue Saint-Vincent, 51700 Baslieux-sous-Châtillon, tél. 03.26.58.11.60, fax 03.26.52.34.60, e-mail info@champagne-liebart-regnier.com r.-v.

Laurent Liébart

LOCRET-LACHAUD ★

1er cru n.c. n.c. 11 à 15 €

Les Locret étaient déjà vignerons à Hautvillers du vivant de dom Pérignon. Gaston Locret a commercialisé les premières bouteilles en 1920. Ses descendants exploitent un vignoble de plus de 10 ha. Les trois cépages champenois (de l'année 2002 avec 15 % de vins de réserve) composent la cuvée de ce 1er cru, empyreumatique, complexe et de bonne longueur, adapté à l'apéritif comme au repas. Le **rosé 1er cru Cuvée spéciale** met aussi les deux pinots et le chardonnay à contribution, avec une dominante de raisins noirs (72 %, dont 17 % de vin rouge qui lui donnent sa teinte). Son fruité fait songer à la fraise des bois, sa bouche est nerveuse, généreusement dosée : une citation. (RM)

Locret-Lachaud, 40, rue Saint-Vincent, Le Point du Jour, 51160 Hautvillers, tél. 03.26.59.40.20, fax 03.26.59.40.92, e-mail champagne.locret.lachaud@wanadoo.fr r.-v.

BERNARD LONCLAS Blanc de blancs ★★

4 ha 28 000 11 à 15 €

Il y a trente ans, Bernard Lonclas entreprend une œuvre de longue haleine : créer son vignoble (7,5 ha aujourd'hui), le chai de vinification, la cave, et même un caveau de dégustation ! Proche de Vitry-le-François, à l'est de l'aire d'appellation, la région de Bassuet où il est établi est propice au chardonnay. Ce blanc de blancs, issu des années 2002 et 2003, séduit les dégustateurs car il offre tout ce que l'on attend de ce style de champagne : il est tout en dentelle, délicat, frais, citronné, avec ampleur et longueur, et devrait pouvoir vieillir. Pour l'apéritif et les fruits de mer. Assemblage de 80 % de chardonnay et de 20 % de meunier, le **2000 (15 à 23 €)** reçoit lui aussi deux étoiles pour sa palette aromatique flatteuse et complexe de fleurs blanches et de mirabelle et pour sa bouche très équilibrée, à la fois consistante et fine. (RM)

Bernard Lonclas, chem. de Travent, 51300 Bassuet, tél. 03.26.73.98.20, fax 03.26.73.16.17, e-mail champagne.lonclas@heyanet.fr r.-v.

JACQUES LORENT Cuvée Tradition ★

10 ha 80 000 15 à 23 €

Marque de la coopérative de Mardeuil, tout près d'Épernay. Fondée en 1955, la cave rassemble près de deux cent cinquante adhérents propriétaires de 85 ha de vignes. La Cuvée Tradition marie 75 % de raisins noirs (dont 60 % de meunier) et 25 % de blancs des années 2002 à 2004. Tous les dégustateurs conseillent de l'attendre car elle souffre de sa jeunesse, mais tous lui reconnaissent sa finesse, sa vivacité, sa richesse et sa puissance. On peut déjà l'ouvrir à l'apéritif. (CM)

Jacques Lorent, 64, rue de la Liberté, 51530 Mardeuil, tél. 03.26.55.29.40, fax 03.26.54.26.30, e-mail contact@champagne-beaumont.com r.-v.

GÉRARD LORIOT Sélection ★★

1,2 ha 9 000 11 à 15 €

Installé dans la vallée de la Marne, Gérard Loriot a repris en 1981 le vignoble familial, doublant sa surface pour la porter à 7,50 ha. Sa Sélection, née de la récolte de 2002, donne une courte majorité aux raisins noirs (55 % de meunier). Complexe au nez comme en bouche, avec des notes empyreumatiques (pain grillé) et miellées, fondue, ronde et charmeuse, elle « vaut le détour » pour un dégustateur qui lui aurait bien donné un coup de cœur. Le brut **Tradition**, des années 2002 et 2003, est un blanc de noirs de pinot meunier. Il est cité pour ses arômes intensément briochés, son équilibre et sa longueur. Un champagne de repas. (RM)

Gérard Loriot, rue Saint-Vincent, Le Mesnil-le-Huttier, 51700 Festigny, tél. 03.26.58.35.32, fax 03.26.51.93.71 r.-v.

CHAMPAGNE

MICHEL LORIOT Prestige ★

0,5 ha 3 000 15 à 23 €

Le premier pressoir de Festigny (vallée de la Marne) a été mis en place en 1908 par l'arrière-grand-père de Michel Loriot, dont la famille commercialise son champagne depuis le début des années 1930. Le vignoble s'étend aujourd'hui sur 6,50 ha. Issu de la vendange de 2002, ce brut Prestige comporte 70 % de pinot meunier et 30 % de chardonnay. Floral et miellé au nez, il est agréablement rond et assez long. Le **rosé**, issu de l'année 2003 et de vins de réserve de 2001 et 2002, privilégie les noirs (85 % dont 70 % de meunier). De couleur pâle, il offre de subtils parfums de fraise des bois et montre un équilibre nerveux. Il est cité. (RM)

Michel Loriot, 13, rue de Bel-Air, 51700 Festigny, tél. 03.26.58.34.01, fax 03.26.58.03.98, e-mail info@champagne-michelloriot.com r.-v.

JOSEPH LORIOT-PAGEL Blanc de blancs 1999 ★

1 ha 4 000 15 à 23 €

L'arrière-grand-père de Joseph Loriot fut l'un des premiers vignerons en Champagne à reconstituer son vignoble pendant la crise phylloxérique en plantant en ligne des plants greffés. En 1980, Joseph Loriot et son épouse, née Odile Pagel, lancent leur marque. Leur domaine s'étend sur plus de 8 ha, dans la vallée de la Marne et la Côte des Blancs. De ce dernier secteur provient ce blanc de blancs 1999, que les dégustateurs décrivent comme classique et représentatif de son millésime, mais encore jeune et discret. La **Cuvée de réserve 1999** assemble les trois cépages champenois à parts égales. Sa palette aromatique mêle les fleurs, les fruits blancs et la prune, et son agréable fraîcheur en fait un joli vin d'apéritif. Elle est citée. La **Carte d'or (11 à 15 €)**, assemblage des années 1999 à 2002, reçoit la même note pour sa fraîcheur légère. (RM)

Joseph Loriot, 33, rue de la République, 51700 Festigny, tél. 03.26.58.33.53, fax 03.26.58.05.37 r.-v.

LOUIS-MAÎTREJEAN ET FILS
Blanc de blancs 2001 ★

0,15 ha 1 064 11 à 15 €

Une petite propriété du Sézannais : à peine plus d'un hectare. Elle n'en produit pas moins son champagne, depuis la fin des années 1980. Son blanc de blancs 2001 propose un bouquet floral intense et une bouche épicée marquée d'une touche végétale. Quant au **blanc de blancs sans année**, cité, il assemble l'année 2003 à des vins de 1998 à 2000. Ses parfums de fleurs blanches se nuancent d'accents iodés, et il se montre vif en bouche. (RM)

Louis-Maîtrejean et Fils, 6, rue des Tuileries, 51260 La Celle-sous-Chantemerle, tél. et fax 03.26.80.20.44 r.-v.

Louis

YVES LOUVET Cuvée de réserve ★

1,5 ha 10 000 11 à 15 €

Établi à Tauxières, sur le versant sud de la Montagne qui regarde la vallée de la Marne, Yves Louvet a repris en 1972 l'exploitation familiale (8 ha) et lancé sa propre marque. Sa Cuvée de réserve, qui naît de l'année 2000, assemble 75 % de pinot noir au chardonnay. Elle est beurrée, citronnée, fraîche, riche, encore jeune. La **Cuvée de sélection** associe les noirs et les blancs dans les mêmes proportions que le précédent mais provient des années 2001 et 2002. Son fruité de fraise des bois, son attaque souple et sa finale fraîche lui valent une citation. (RM)

Yves Louvet, 21, rue du Poncet, 51150 Tauxières-Mutry, tél. 03.26.57.03.27, fax 03.26.57.67.77 r.-v.

PHILIPPE DE LOZEY Blanc de blancs Vinifié sous bois

2 ha 6 500 15 à 23 €

Philippe Cheurlin est vigneron et négociant à Celles-sur-Ource (Aube). Il exploite un vignoble familial créé en 1950 et vend principalement son champagne sous la marque de Lozey. Ce blanc de blancs est vinifié sous bois, le vin y gagne, outre un léger boisé, de la complexité. Le **1997** assemble 70 % de pinot noir au chardonnay. Il obtient la même note pour ses arômes de fruits rouges et sa longueur. (NM)

de Lozey, 72, Grande-Rue, 10110 Celles-sur-Ource, tél. 03.25.38.51.34, fax 03.25.38.54.80, e-mail de.lozey@wanadoo.fr r.-v.

Ph. Cheurlin

MACQUART-LORETTE Cuvée Prestige ★

1er cru 4,8 ha 3 500 15 à 23 €

Situé aux portes de la Ville des Sacres, ce vignoble familial s'étend sur près de 5 ha. Son brut Prestige naît de 40 % de chardonnay assemblés à 60 % de pinot noir récoltés en 2001. Fleurs blanches et fruits secs donnent de l'élégance à ce champagne frais et équilibré. Le **brut Tradition 1er cru (11 à 15 €)** est un blanc de noirs de 2002 et 2003. Un peu alourdi par le dosage, il révèle un fruité harmonieux qui lui vaut une citation. (RM)

André Macquart, 6, chem. des Glaises, 51500 Écueil, tél. 03.26.49.74.42, fax 03.26.49.77.42, e-mail contact@champagne-macquart.fr r.-v.

M. MAILLART Réserve ★

1er cru 1,6 ha 13 000 15 à 23 €

Installé en 2003, ce récoltant-manipulant exploite un vignoble à Écueil, village proche de Reims classé en 1er cru. Deux de ses cuvées obtiennent une étoile ; elles assemblent deux tiers de pinot noir et un tiers de chardonnay. Cette Réserve, née de la vendange de 2000, est un rosé très coloré, vineux, puissant au nez comme en bouche, équilibré et complexe avec des arômes floraux et fruités. Le **1989 Prestige 1er cru (30 à 38 €)** mêle le miel, les fruits mûrs et les agrumes. Rond au palais, il a gardé une certaine fraîcheur mais il est à réserver aux amateurs de vieux champagnes. (RM)

SCEV M. Maillart, 11, rue de Villers, 51500 Écueil, tél. 03.26.49.77.89, fax 03.26.49.24.79, e-mail champagnemaillart@tiscali.fr r.-v.

MICHEL MAILLIARD Cuvée Prestige ★★★

1er cru n.c. n.c. 11 à 15 €

Michel Mailliard est un « propriétaire-récoltant », précise l'étiquette. La propriété de 14 ha de vignes a été créée au début du XXe s., à Vertus, 1er cru de la Côte des Blancs. Elle s'était distinguée il y a deux ans avec un blanc de blancs 2000 élu coup de cœur. Elle renouvelle l'exploit avec un vin de la récolte de 1999 qui doit, lui aussi, tout au chardonnay. Les compliments fusent : « Des arômes complexes de pêche, d'abricot, de brioche, de miel... ; un vin riche, superbe et long ». Le **rosé Alexia 1er cru (15 à 23 €)** obtient une étoile. Il privilégie également les raisins blancs puisqu'il ne comprend que 8 % de pinot noir, dont 6 % de vin rouge qui lui donne sa couleur. Un champagne apprécié pour sa fraîcheur, sa rondeur, son équilibre et la justesse de son dosage, et que l'on pourra servir aussi bien avec une viande qu'avec un dessert. (RM)

Michel Mailliard, 52, av. de Bammental, 51130 Vertus, tél. 03.26.52.15.18, fax 03.26.52.24.05, e-mail info@champagne-michel-mailliard.com r.-v. 5

MAILLY GRAND CRU 1996 ★★

Gd cru n.c. 11 262 46 à 76 €

Cette coopérative créée en 1929 tient du club : ne peuvent devenir adhérents que des vignerons dont les vignes sont situées dans la commune de Mailly, grand cru de la Montagne de Reims. Cette cuvée de prestige assemble trois quarts de pinot noir et un quart de chardonnay. Elle naît du grand millésime 1996 qui donne ici toute sa mesure : le champagne demeure frais et intense, complexe, floral et équilibré. Le **blanc de noirs (23 à 30 €)** obtient une étoile pour son fruité, épicé, flatteur et pour sa finale persistante sur les agrumes confits. (CM)

Mailly Grand Cru, 28, rue de la Libération, 51500 Mailly-Champagne, tél. 03.26.49.41.10, fax 03.26.49.42.27, e-mail contact@champagne-mailly.com r.-v.

MALARD Excellence ★

1er cru n.c. n.c. 15 à 23 €

Cette maison créée en 1996 par Jean-Louis Malard ne propose que des 1ers et des grands crus. Alain Thiénot participe à son développement. Le pinot meunier, pour les deux tiers, et le chardonnay participent à cette Excellence florale au nez, équilibrée et bien ronde, qui trouvera sa place au repas. (NM)

🗝 Jean-Louis Malard, 67, av. de Champagne, 51200 Épernay, tél. 03.26.57.84.00, fax 03.26.52.75.54, e-mail info@champagnemalard.com Y

FRÉDÉRIC MALETREZ Sélection 2000

1er cru	0,5 ha	3 500	11 à 15 €

De vieille souche vigneronne, Frédéric Maletrez a lancé sa marque en 1984. Il exploite un vignoble à Chamery, village en 1er cru situé dans la Montagne, au sud-ouest de Reims. Sa Sélection 2000 est un blanc de blancs. Briochée et toastée au nez, avec des notes de fruits secs et d'agrumes, franche à l'attaque, elle privilégie la fraîcheur. Également citée, la **Réserve** est issue des trois cépages champenois (dont deux tiers de pinots) et des années 1999, 2000 et 2002. Un champagne confit, gras, volumineux et généreux. (RM)

🗝 Frédéric Maletrez, 11, rue de La Bertrix, 51500 Chamery, tél. 03.26.97.63.92, fax 03.26.97.66.40 Y r.-v.

HENRI MANDOIS Victory 2000 ★

	4 ha	25 000	23 à 30 €

Cette maison familiale dispose d'un important vignoble : 34 ha. Ses caves du XVIII[e]s. sont creusées sous l'église de Pierry. La cuvée Victory 2000 est une cuvée spéciale blanc de blancs. C'est un jeune champagne floral et fruité, élégant, extrêmement vif, pour amateurs de vin nerveux. La cuvée **Réserve (15 à 23 €)** assemble 60 % de raisins noirs (les deux pinots à égalité) au chardonnay. Fraîche et légère, elle conviendra à l'apéritif. Elle est citée. (NM)

🗝 Henri Mandois, 66, rue du Gal-de-Gaulle, BP 9, 51530 Pierry, tél. 03.26.54.03.18, fax 03.26.51.53.66, e-mail info@champagne-mandois.fr Y r.-v.

PATRICE MARC ★

	0,3 ha	2 000	11 à 15 €

Patrice Marc, qui a lancé sa marque en 1977, exploite plus de 3 ha de vignes à Fleury-la-Rivière, un vignoble proche de la vallée de la Marne dans lequel il trouve des fossiles, vestiges de la mer à qui la Champagne doit son sol crayeux. Son brut rosé assemble 80 % de raisins noirs (dont 50 % de meunier) au chardonnay et marie les années 2002 et 2003. Vineux et souple, brioché, il est marqué par des arômes de prune. (RM)

🗝 Patrice Marc, 1, rue du Creux-Chemin, 51480 Fleury-la-Rivière, tél. 03.26.58.46.88, fax 03.26.59.48.21, e-mail champagne-marc@wanadoo.fr Y r.-v.

MARGUET PÈRE ET FILS ★

	2 ha	10 000	15 à 23 €

Dirigée depuis 2005 par Benoît Marguet, la maison Marguet Père et Fils a pris la suite de la société Marguet-Bonnerave fondée en 1905. Elle accorde une place importante aux rosés, dont voici un représentant fort apprécié. Issu des années 2002 et 2003, ce brut comprend 60 % de chardonnay et 40 % de pinot noir. Sa couleur provient d'une légère saignée de raisins noirs complétée par un apport de vin rouge. Il en résulte un champagne saumoné aux nuances orangées, équilibré, vineux, aux intenses arômes de fruits rouges. (NM)

🗝 Marguet Père et Fils, 3, rue du Château, 51150 Ambonnay, tél. 03.26.53.78.61, fax 03.26.53.81.80, e-mail benoit@champagne-marguet.fr Y r.-v.

MARIE-LE BRUN Sélection 2003

1er cru	1 ha	9 500	11 à 15 €

Françoise Le Brun a repris il y a dix ans une exploitation familiale dont le vignoble est implanté à Cuis et à Cramant, dans la Côte des Blancs. Son brut Sélection est un blanc de blancs, assemblage de la récolte de 2003 (pour les trois quarts) et de 2002. Un jeune champagne aux arômes citronnés nuancés de notes de fruits secs et plein de vivacité. (RM)

🗝 Le Brun, 2, rte des Caves, 51530 Cuis, tél. et fax 03.26.59.79.83 Y r.-v.

MARIE STUART Cuvée de la reine ★

	n.c.	n.c.	23 à 30 €

Maison créée en 1867, dont l'acquisition par Alain Thiénot en 1994 a préludé à une belle carrière d'entrepreneur champenois. La Cuvée de la reine, le haut de gamme de la marque, est très marquée par le chardonnay (90 % de l'assemblage). Minérale, florale, fraîche et citronnée, elle s'accordera avec des crustacés et des fruits de mer. (NM)

🗝 Marie Stuart, Chez Champagne Thiénot, 4, rue Joseph-Cugnot, 51500 Taissy, tél. 03.26.57.84.00, fax 03.26.52.75.54

🗝 Alain Thiénot

JEAN MARNIQUET Carte blanche ★★

1er cru	6 ha	12 000	11 à 15 €

Sur l'étiquette, deux ailes, car Jean Marniquet, aviateur dans les années 1920, a lancé sa marque pour ses amis pilotes. Brice Marniquet a élaboré une excellente cuvée : cette Carte blanche assemble au chardonnay 80 % de raisins noirs (dont 70 % de pinot noir). Son fruité complexe, mûr et confit, son palais puissant, rond et structuré sont fort appréciés. (RM)

🗝 EARL Brice Marniquet, 12, rue Pasteur, 51160 Avenay-Val-d'Or, tél. 03.26.52.32.36, fax 03.26.52.65.89 Y t.l.j. 10h-19h

JEAN-PIERRE MARNIQUET Cuvée de réserve 1998 ★★

	n.c.	10 000	15 à 23 €

Jean-Pierre Marniquet dirige depuis 1974 une exploitation dont le vignoble s'étend sur 7 ha dans la vallée de la Marne. Son 1998 comprend deux tiers de pinots (dont 55 % de meunier) pour un tiers de chardonnay. Avec 6 g/l, il est faiblement dosé. Profond et vanillé au nez, brioché et légèrement citronné au palais, il est ample et onctueux. Née des récoltes de 2002 et 2003 et des trois cépages champenois assemblés dans des proportions identiques au précédent, la cuvée **Tradition (11 à 15 €)** obtient la même note pour ses riches arômes d'amande et de pâtisserie miellée et pour son harmonie. Quant au **rosé (11 à 15 €)**, cité par le jury, il doit presque tout au chardonnay (90 %). Il est frais, nerveux et élégant. (RM)

🗝 Jean-Pierre Marniquet, 8, rue des Crayères, 51480 Venteuil, tél. 03.26.58.48.99, fax 03.26.58.45.21, e-mail jp.marniquet@cder.fr Y r.-v.

MARTEAUX-GUYARD Rosé de Saignée

	0,5 ha	2 500	11 à 15 €

Vigneron depuis 1968 dans la vallée de la Marne, Joël Marteaux-Guyard élabore du champagne depuis dix ans. Son rosé provient d'une saignée de pinot meunier. Très coloré, il exprime de puissants arômes de cassis et de cerise. Son côté corsé et vineux en fait un vin de caractère, à servir avec des viandes blanches et même des fromages légers. (RM)

Joël Marteaux-Guyard, 63, Grande-Rue,
02400 Bonneil, tél. 03.23.82.90.04, fax 03.23.82.05.69
r.-v.

G. H. MARTEL & Cº Cuvée Romance 2000 ★★

Gd cru n.c. n.c. 15 à 23 €

Marque ancienne (1869) reprise en 1970 par la dynamique famille Rapeneau. Après un coup de cœur l'an dernier, elle décroche nombre d'étoiles dans cette édition. Notamment grâce à cette Cuvée Romance en grand cru. La version millésimée séduit d'emblée par l'élégance de son nez empyreumatique (pain grillé) et brioché. Sa finesse se prolonge au palais, avec rondeur et persistance, dans un parfait équilibre. La cuvée **Romance grand cru sans année** obtient une étoile et montre des qualités proches : un nez délicat de fleurs et de pêche, une belle attaque, une bouche raffinée et très équilibrée. Très réussis également, la cuvée **Victoire 2000**, fraîche et harmonieuse, et le **brut 1er cru**, un bon brut sans année pour l'apéritif et le début du repas. (NM)

G.H. Martel, 69, av. de Champagne, BP 1011,
51318 Épernay Cedex, tél. 03.26.51.06.33,
fax 03.26.54.41.52

DENIS MARX Réserve ★

n.c. 30 000 11 à 15 €

Denis Marx exploite plus de 10 ha de vignes sur sept communes de la vallée de la Marne. Après avoir fait sensation l'an dernier en obtenant un coup de cœur, il a présenté aux dégustateurs une Réserve fort réussie, issue de 70 % de raisins noirs (dont 40 % de meunier) et de 30 % de chardonnay. Légèrement évoluée au nez, elle mêle des notes de brioche, d'amande et de cire, tandis qu'en bouche elle évoque le miel et les raisins secs. Équilibré, structuré et d'une belle finesse, un champagne mûr à servir avec du poisson ou des viandes blanches. (RM)

Denis Marx, 31, rue de la Chapelle, Cerseuil,
51700 Mareuil-le-Port, tél. 03.26.52.71.96,
fax 03.26.52.72.65 r.-v.

MASSÉ PÈRE ET FILS 1999 ★

8 ha 50 000 15 à 23 €

Massé est une marque du Champagne Lanson. Ce vin ne fait pas sa fermentation malolactique. Il fait appel aux trois cépages champenois (33 % de chardonnay, 33 % de pinot noir pour 34 % de meunier). Les dégustateurs l'auraient souhaité un peu moins dosé, mais il n'en reste pas moins harmonieux, consistant et frais avec ses arômes de fleurs et d'agrumes. On pourra le servir au repas. (NM)

Lanson, 66, rue de Courlancy, 51100 Reims,
tél. 03.26.78.50.50, fax 03.26.78.53.89 r.-v.

THIERRY MASSIN Réserve

n.c. 30 000 11 à 15 €

La famille Massin cultive la vigne dans l'Aube depuis plusieurs générations. Thierry Massin et sa sœur ont créé leur vignoble et lancé leur champagne en 1977. Ils exploitent aujourd'hui 10 ha. Leur Réserve naît de 85 % de pinot noir et de 15 % de chardonnay. Elle associe la récolte de 2003 et 45 % de vins de réserve de 2000 et 2001. On y découvre des fragrances de fleurs blanches mentholées, des arômes de mirabelle et une grande fraîcheur. (RM)

Thierry Massin, 6, rte des Deux-Bar,
10110 Ville-sur-Arce, tél. 03.25.38.74.01,
fax 03.25.38.78.89
t.l.j. sf dim. 9h-12h 13h30-18h30; sam. sur r.-v.

RÉMY MASSIN ET FILS Cuvée Prestige ★

3 ha 13 000 15 à 23 €

Héritiers d'une lignée de vignerons aubois, Rémy Massin a lancé sa marque en 1974. S'étendant sur 20 ha, le domaine constitue une véritable entreprise familiale : le fils de Rémy élabore les cuvées et le petit-fils conduit le vignoble. Mi-blancs mi-noirs (pinot noir), cette Cuvée Prestige est issue des années 2001 à 2003. Elle est empyreumatique, confite, ronde, ample, harmonieuse et persistante. Une étoile encore pour le **1998**, un peu plus marqué par les raisins blancs (60 % de chardonnay), légèrement anisé, équilibré et vif. (RM)

Rémy Massin et Fils, 34, Grande-Rue,
10110 Ville-sur-Arce, tél. 03.25.38.74.09,
fax 03.25.38.77.67, e-mail remy.massin.fils@wanadoo.fr
t.l.j. 9h-12h 13h30-18h30; sam. dim. sur r.-v.

LOUIS MASSING Cuvée Prestige ★

Gd cru 2 ha 10 000 15 à 23 €

Le vignoble – aujourd'hui 11 ha – et la marque ont été créés en 1922 par Louis Massing. Ses descendants sont toujours à la tête de la maison. Les termes « Avize » et « grand cru » qui figurent sur l'étiquette de ce brut font songer au blanc de blancs. De fait, ce champagne doit tout au chardonnay récolté en 1998. Il est assez complexe, torréfié, équilibré, élégant, charnu et long. Citée par le jury l'**Excellence cuvée grand cru, élaboré en fût de chêne (23 à 30 €)** provient de l'année 2002. Elle est miellée, fruitée avec fraîcheur et ne montre pas de caractère boisé. (NM)

SAS Deregard-Massing, La Haie Maria, RD 9,
51190 Avize, tél. 03.26.57.52.92, fax 03.26.57.78.23,
e-mail champagne.louismassing@wanadoo.fr
t.l.j. sf sam. dim. 9h-12h 14h-16h30

HERVÉ MATHELIN Réserve ★

3,3 ha 29 000 11 à 15 €

En 1930, Gaëtan Mathelin constitue le vignoble dans la vallée de la Marne. Celui-ci s'étend aujourd'hui sur 14 ha, conduit depuis 1999 par Nicolas Mathelin. Quant au champagne, il a été lancé au début des années 1960. Cette Réserve est issue à parts égales des trois cépages champenois récoltés en 2003. Sa palette aromatique allie les fleurs blanches et les fruits à noyau. Son équilibre et son dosage séduisent. Produit de la même année, le **rosé** résulte d'un assemblage proche du précédent (40 % de chardonnay, 60 % des deux pinots à parts égales) et manifeste avec plus de légèreté les mêmes qualités : un fruité élégant d'agrumes et de fraîcheur qui lui valent une citation. (RM)

Hervé Mathelin, 2, rte de Paris, 51700 Troissy,
tél. 03.26.52.74.42, fax 03.26.57.16.54,
e-mail herve.mathelin@wanadoo.fr r.-v.

SERGE MATHIEU Select Tête de Cuvée ★

1 ha 6 000 15 à 23 €

Ce vignoble aubois a été constitué dans les années 1770, et le champagne lancé deux siècles plus tard. Serge Mathieu exploite aujourd'hui 11 ha. Il a proposé une cuvée mi-blancs mi-noirs (pinot noir) issue des années 1999 et 2000. Le Select est mi-noirs. C'est un champagne vineux, mûr et long aux arômes d'agrumes et de torréfaction. La **cuvée Tradition blanc de noirs (11 à 15 €)** est citée ; elle assemble des vins de 2003 et des vins de réserve de 2000 à 2002. Elle est souple, facile, pleine et équilibrée. (RM)

🔑 Serge Mathieu, 6, rue des Vignes, 10340 Avirey-Lingey, tél. 03.25.29.32.58, fax 03.25.29.11.57, e-mail information@champagne-serge-mathieu.fr ☑ Y r.-v.

MATHIEU-PRINCET 1998 ★

1er cru 0,8 ha 6 000 ▮ 15 à 23 €

Créée en 1960, cette exploitation est implantée à Grauves, village proche d'Avize. Le domaine s'étend aujourd'hui sur 8,5 ha. Son 1998 comprend 60 % de chardonnay pour 40 % de pinot noir. On a servi aux dégustateurs la bouteille n° 14, car il s'agit d'une cuvée numérotée. Le jury y a découvert des arômes mentholés et vanillés, une bonne attaque, un corps puissant et équilibré. Un champagne de repas. (RM)

🔑 SARL Mathieu-Princet, 16, rue Bruyère, 51190 Grauves, tél. 03.26.59.73.72, fax 03.26.59.77.75, e-mail mathieu.princet@cegetel.net ☑ Y 🚶 r.-v.

🔑 Michel Mathieu

DE MÉRIC Grande Réserve Sous bois ★

1er cru n.c. 50 000 ▮ 🛢 15 à 23 €

Cette maison de négoce a été fondée en 1959 par la famille Besserat qui l'a cédée à un « groupe d'amateurs » américains, allemands et français. Les nouveaux propriétaires sont attachés aux méthodes traditionnelles de vinification et au remuage manuel. Ils élèvent aussi leurs vins dans le bois – une pratique plus fréquente aujourd'hui qu'hier, l'idéal étant d'obtenir un boisé extrêmement discret qui ne s'impose pas. C'est le cas de cette Grande Réserve, assemblage de 85 % de raisins noirs (pinot noir 80 %) et de 15 % de chardonnay, qui a séjourné six mois en fût. Expressif au nez, frais à l'attaque, souple en bouche, c'est un champagne harmonieux. (NM)

🔑 De Méric, 17, rue Gambetta, BP 24, 51160 Aÿ, tél. 03.26.55.20.72, fax 03.26.55.69.23, e-mail de-meric@wanadoo.fr ☑ Y 🚶 r.-v.

BRUNO MICHEL
Blanc de blancs Cuvée de la Terre ★★

2 ha 12 000 15 à 23 €

La marque J.-B. Michel, mentionnée dans la précédente édition, disparaît. Désormais, Bruno Michel, élaborateur des cuvées, signe ses champagnes. Établi à Pierry, près d'Épernay, il exploite 15 ha répartis en trente-cinq parcelles, et vient de convertir son domaine à l'agrobiologie. Sa Cuvée de la Terre assemble les années 1999 et 2000. Ce blanc de blancs séduit par ses parfums beurrés et briochés, complétés en bouche par des arômes de fruits confits. Un ensemble élégant. La **Cuvée blanche** marie à parts égales chardonnay et meunier des récoltes 2001 et 2002. Florale au nez, fruitée en bouche (fruits blancs), elle est citée. (RM)

🔑 Bruno Michel, 4, allée de la Vieille-Ferme, 51530 Pierry, tél. 03.26.55.10.54, fax 03.26.54.75.77 ☑ Y 🚶 r.-v.

JEAN MICHEL Blanc de blancs 2000 ★

0,5 ha 2 500 ▮ 11 à 15 €

Les Michel cultivent la vigne depuis le milieu du XIXe s. La maison a connu un développement notable ces quinze dernières années, avec la création de la société familiale Jean Michel en 1991. Le domaine s'étend aujourd'hui sur 12 ha répartis dans neuf crus différents. Les 2000 évoluent assez vite, ce sont des champagnes prêts à boire ; celui-ci n'échappe pas à la règle avec son bouquet floral (jasmin et jacinthe) et sa finale mentholée. (RM)

🔑 Jean Michel, 15, rue Jean-Jaurès, 51530 Moussy, tél. 03.26.54.03.33, fax 03.26.51.62.66, e-mail champagnejeanmichel@yahoo.fr ☑ Y 🚶 r.-v.

PAUL MICHEL Cuvée rosé ★

1er cru 1 ha 6 000 ▮ 15 à 23 €

Dominé par son église romane, le village de Cuis est bâti à flanc de coteau. Vous y trouverez cette propriété familiale, forte d'un vignoble de 19 ha. Elle a présenté sans surprise un blanc de blancs, la **Carte blanche pur chardonnay 1er cru (11 à 15 €)**, un champagne de l'année 2001, floral, charpenté et persistant, que le jury a cité. Mais les dégustateurs ont préféré ce rosé, qui doit tout aux raisins noirs (les deux pinots). Issu de la même année que le précédent, ce champagne cuivré livre de francs parfums de petits fruits rouges et se montre gras et frais au palais. Un « vin plaisir ». (RM)

🔑 Paul Michel, 20, Grande-Rue, 51530 Cuis, tél. 03.26.59.79.77, fax 03.26.59.72.12 ☑ Y t.l.j. sf sam. dim. 9h-12h 14h-17h; f. août

GUY MICHEL ET FILS Blanc de blancs ★★

8 ha 16 000 ▮ 11 à 15 €

Rappelez-vous le palmarès de l'édition précédente : un coup de cœur, un « trois étoiles », un « deux étoiles ». La propriété n'est pas loin de renouveler cet exploit cette année, avec un coup de cœur pour ce blanc de blancs et deux étoiles pour une cuvée millésimée. Issu de l'année 2002, le premier séduit par son fruité complexe qui joue sur les fruits blancs – pomme, poire – avant d'évoluer sur les agrumes, arômes qui se prolongent dans une bouche fraîche, ronde et persistante. Un modèle de blanc de blancs. Quant à la **Cuvée du Prieuré 1998 (15 à 23 €)**, mi-blancs mi-noirs (les deux pinots), empyreumatique (café grillé) et compotée, ronde, à la fois ample et délicate, elle est saluée pour sa remarquable harmonie. (RM)

🔑 SCEV Guy Michel et Fils, 54, rue Léon-Bourgeois, 51530 Pierry, tél. 03.26.54.67.12, fax 03.26.58.15.84 ☑ Y 🚶 r.-v.

CHARLES MIGNON
Blanc de blancs Tête de cuvée ★

n.c. n.c. ▮ 15 à 23 €

Dynamique marque de négoce d'Épernay, fondée en 1995. Elle exploite de nombreuses marques : Fiévet Comte de Marne, Louis Tollet. Ce blanc de blancs séduit par ses arômes d'amande et de fruits jaunes ; miellé et grillé au palais, il laisse un souvenir de fruit exotique. Le **blanc de blancs Fiévet Comte de Marne** obtient la même note ; son nez mûr aux notes de miel et de pain grillé, son palais rond, onctueux et chaleureux, dessinent le portrait d'une bouteille à son apogée, à servir au repas. La **Grande Cuvée Fiévet Comte de Marne** assemble 65 % des deux pinots (45 % de pinot noir) au chardonnay. Elle est citée pour son nez fruité et poivré ainsi que pour son intensité. (NM)

🔑 Vignobles Mignon, 7, rue Joliot-Curie, 51200 Épernay, tél. 03.26.58.33.33, fax 03.26.51.54.10, e-mail bmignon@champagne-mignon.fr ☑ Y ✶ r.-v.

PIERRE MIGNON Cuvée de Madame 1996 ★

●	2 ha	15 000	▮ 15 à 23 €

En 1970, Pierre et Yveline Mignon reprennent la propriété familiale au Breuil, dans la vallée du Surmelin, et lancent leur unique champagne : ce 1996 – une grande année – est toujours de belle tenue et naît de 60 % de chardonnay et de 40 % de pinots (dont 30 % de meunier). C'est un champagne empyreumatique et frais. Il révèle une touche d'évolution, fréquente dans ce millésime. La bouche est nerveuse, le dosage précis, juste. Cette bouteille devrait être excellente au repas. (NM)

🔑 Pierre Mignon, 5, rue des Grappes-d'Or, 51210 Le Breuil, tél. 03.26.59.22.03, fax 03.26.59.26.74, e-mail p.mignon@voila.fr ☑ Y ✶ t.l.j. 9h-12h 14h-18h

MILAN Blanc de blancs Symphorine Sélection 2000

●	1 ha	10 000	15 à 23 €

On ne peut pas ne pas remarquer le Champagne Milan, au cœur du village d'Oger. La maison a été créée en 1864 par Charles Milan qui fut l'un des premiers récoltants-manipulants de la Côte des Blancs. Henry-Pol Milan, à la tête de son vignoble de 6 ha et de caves taillées dans la craie, pratique une vinification traditionnelle. Son blanc de blancs 2000 est un classique, au bouquet discret de pomme qui se prolonge en bouche. (NM)

🔑 Milan, 6, rue d'Avize, 51190 Oger, tél. 03.26.57.50.09, fax 03.26.57.78.47, e-mail info@champagne-milan.com ☑ Y ✶ r.-v. 🏠 2

🔑 Henry-Pol Milan

FABRICE MILINAIRE Blanc de blancs Cuvée Clément ★

●	0,1 ha	1 000	◍ 11 à 15 €

Hermonville, village dans lequel Fabrice Milinaire cultive son vignoble de plus de 3 ha et élabore son champagne (lancé en 1999), est situé au nord-nord-ouest de Reims, dans le massif de Saint-Thierry, à la lisière de l'aire d'appellation. Du chardonnay de 2001 et 2002, élevé dix mois dans le bois, compose cette Cuvée Clément, puissante, miellée, légèrement boisée et d'un bel équilibre. (RM)

🔑 Fabrice Milinaire, 20, av. de Champagne, 51220 Hermonville, tél. et fax 03.26.97.49.42, e-mail fabrice.milinaire@wanadoo.fr ☑ Y ✶ r.-v.

ALBERT DE MILLY Sélection

●	n.c.	n.c.	▮ 11 à 15 €

Une exploitation récente (1978), fondée par le fils d'Albert Demilly, viticulteur. Elle a son siège sur les bords de la Marne et dispose d'un coquet vignoble de 15 ha. Les trois cépages champenois collaborent à cette cuvée Sélection à l'attaque nette et aux arômes de caramel, au nez comme en bouche. (NM)

🔑 Albert de Milly, lieu-dit La Maladrie, 51150 Bisseuil, tél. 03.26.52.33.44, fax 03.26.58.94.00, e-mail demilly@wanadoo.fr ☑ Y ✶ r.-v.

MOËT ET CHANDON 1999 ★★

●	n.c.	n.c.	38 à 46 €

Depuis 1743, la maison Moët devenue Moët et Chandon domine la production de champagne et intervient dans l'interprofession. Son rosé 1999 fait la part belle au pinot, il présente une robe haute couture qui ne doit rien au hasard, rosée avec un reflet orangé. Les dégustateurs sont sensibles à ses fragrances de rose fanée et de pivoine, à son attaque souple et à son élégante complexité. Consistant, frais et harmonieux, un champagne de classe. (NM)

🔑 Moët et Chandon, 20, av. de Champagne, 51200 Épernay, tél. 03.26.51.20.20 ☑ Y ✶ r.-v.

🔑 LVMH

PIERRE MONCUIT Blanc de blancs 1996 ★★

● Gd cru	5 ha	36 646	▮ 23 à 30 €

Fondé en 1889 par la famille Moncuit, ce domaine a son siège au Mesnil-sur-Oger, grand cru de la Côte des Blancs ; son vignoble s'étend sur plus de 19 ha. Nicole Moncuit élabore de savantes cuvées de blanc de blancs dont ce 1996, modèle de subtilité minérale, au nez comme en bouche. Un dosage limité ne dénature pas l'équilibre de ce vin fin et persistant. Deux autres blancs de blancs recueillent une étoile : la **cuvée Pierre Moncuit-Delos (15 à 23 €)**, un grand cru de 2003 (mais sans année), légère, élégante, exactement dosée, et la **cuvée Hugues de Coulmet (11 à 15 €)**, demi-sec : une symphonie d'agrumes confits. (RM)

🔑 Pierre Moncuit, 11, rue Persault-Maheu, 51190 Le Mesnil-sur-Oger, tél. 03.26.57.52.65, fax 03.26.57.97.89, e-mail contact@pierre-moncuit.fr ☑ Y ✶ r.-v.

🔑 Nicole et Yves Moncuit

ROBERT MONCUIT Blanc de blancs 2000 ★★

● Gd cru	1 ha	10 000	▮ 15 à 23 €

Une autre lignée de Moncuit du Mesnil-sur-Oger. Le vignoble a été planté à la fin du XIXe s., la marque lancée en 1928. Le domaine (8 ha) est dirigé depuis 2000 par Pierre Amillet qui représente la cinquième génération. Il s'est distingué l'an dernier avec un blanc de blancs extra-brut. Cette année, son 2000 est fort apprécié. Pour l'heure, son bouquet aux complexes notes empyreumatiques (tabac, fleurs séchées, fruits secs) séduit, ainsi que son intensité et sa longueur. Mais son évolution déjà perceptible ne devrait pas le conduire à une longue garde. On pourra le servir avec lotte ou foie gras. Issu des vendanges 2001 et 2002, le **blanc de blancs grand cru (11 à 15 €)** obtient une étoile. Un champagne ample adapté au repas. (RM)

🔑 Pierre Amillet, 2, pl. de la Gare, 51190 Le Mesnil-sur-Oger, tél. 03.26.57.52.71, fax 03.26.57.74.14, e-mail contact@champagnerobertmoncuit.com ☑ Y ✶ r.-v.

MONMARTHE 2000

● 1er cru	1,5 ha	12 000	▮ 15 à 23 €

Une histoire simple et qui s'inscrit dans la longue durée : en 1737, les Monmarthe sont vignerons à Ludes. Quelque deux siècles plus tard, Ernest Monmarthe lance son champagne. En 1990, Jean-Guy Monmarthe reprend l'exploitation et le vignoble de 17 ha, situés entièrement sur le territoire de Ludes, commune de la Montagne de Reims, classée 1er cru. 40 % de pinot noir et 60 % de chardonnay composent ce 2000 minéral, mielleux et frais. (RM)

🔑 Jean-Guy Monmarthe, 38, rue Victor-Hugo, 51500 Ludes, tél. 03.26.61.10.99, fax 03.26.61.12.67, e-mail champagne-monmarthe@wanadoo.fr ☑ Ɏ ⚲ r.-v.

MONTAUDON Grande Rose *

● n.c. 100 000 ▮ 15 à 23 €

Créée en 1891, cette maison de négoce rémoise est toujours conduite par les decendants du fondateur. Né des récoltes de 2002 et 2003, son rosé privilégie les raisins noirs (60 % de pinot noir). Il est souple et rond. Son fruité confit de cerise, avec des notes biscuitées, et sa rondeur en font un champagne gourmand que l'on pourra servir à table. Quant au **chardonnay 1er cru (23 à 30 €)**, issu de l'année 2000, il est cité pour son équilibre et sa légèreté. Il conviendra à l'apéritif. (NM)

🔑 Montaudon, 6, rue Ponsardin, BP 2742, 51100 Reims, tél. 03.26.79.01.01, fax 03.26.47.88.82, e-mail info@champagnemontaudon.com ☑ r.-v.

DANIEL MOREAU Carte d'or

○ 1 ha 6 000 ▮ 15 à 23 €

Daniel Moreau exploite 6,50 ha de vignes dans la vallée de la Marne. Lors de son installation en 1978, il s'est retiré de la coopérative pour élaborer lui-même ses champagnes. Il avait obtenu un coup de cœur dans l'édition 2005. Ce blanc de blancs des années 2002 et 2003 est nettement plus modeste, mais le jury l'a retenu pour son attaque fraîche et sa bouche harmonieuse. (RM)

🔑 Daniel Moreau, rte de Verneuil, 51700 Vandières, tél. 03.26.58.01.64, fax 03.26.58.15.64 ☑ Ɏ ⚲ r.-v.

MOREL PÈRE ET FILS Rosé de cuvaison *

● 2 ha 4 500 ▮ 15 à 23 €

On ne s'étonnera pas qu'une maison spécialisée dans l'élaboration de rosé-des-riceys - donc de rosé obtenu par saignée - use de cette même technique pour vinifier son champagne rosé, dit « rosé de cuvaison », de pur pinot noir. Celui-ci, issu des années 2002 et 2003, séduit par son fruité qui fait songer au nez comme en bouche, à la fraise et à la framboise. Ample et rond, il pourra accompagner un repas. (RM)

🔑 Morel Père et Fils, 93, rue du Gal-de-Gaulle, 10340 Les Riceys, tél. 03.25.29.10.88, fax 03.25.29.66.72, e-mail morel.pereetfils@wanadoo.fr ☑ Ɏ ⚲ r.-v.

🔑 Pascal Morel

MORIZE PÈRE ET FILS *

● 1,5 ha 12 933 ▮ 11 à 15 €

Installés aux Riceys en 1830, les Morize ont constitué leur vignoble au début des années 1960, après avoir fabriqué des charrues à vignes. Ils élaborent du champagne et du rosé-des-riceys. Produit de la récolte de 2003, ce rosé naît de pur pinot noir. Son équilibre et la persistance de son fruité de fruits rouges en font un vin harmonieux qu'un dégustateur servirait bien avec un rôti de veau aux morilles. (RM)

🔑 Morize Père et Fils, 122, rue du Gal-de-Gaulle, 10340 Les Riceys, tél. 03.25.29.30.02, fax 03.25.38.20.22 ☑ Ɏ ⚲ r.-v.

MOUSSÉ-GALOTEAU ET FILS Extra quality *

○ 5 ha 50 000 11 à 15 €

Établie à égale distance d'Épernay et de Dormans, sur la rive droite de la Marne, cette famille commercialise du champagne depuis 1958. Celui-ci, produit de la récolte de 2002, privilégie le pinot meunier (70 %) complété par le chardonnay. Le nez subtil révèle des notes de miel d'acacia que l'on retrouve dans une bouche tout en finesse, complexe et longue. (RM)

🔑 EARL Moussé-Galoteau et Fils, 19, rue Blanche, 51700 Binson-et-Orquigny, tél. 03.26.58.08.91, fax 03.26.57.02.21 ☑ Ɏ ⚲ t.l.j. 8h-12h 13h30-18h

CORINNE MOUTARD 1996

○ n.c. n.c. 15 à 23 €

Corinne Moutard appartient à une très ancienne famille de vignerons de l'Aube. Elle a décidé, en 1988, de créer sa propre maison. Son 1996 est un blanc de noirs (pinot noir). Au bouquet, il présente des traces d'évolution propres à ce millésime. En bouche, des arômes d'amande et d'agrumes contribuent à l'harmonie de ce champagne équilibré et mûr. (NM)

🔑 Corinne Moutard, 51, Grande-Rue, 10110 Polisy, tél. 03.25.38.52.47, fax 03.25.29.37.46, e-mail champagnecorinnemoutard@wanadoo.fr ☑ Ɏ ⚲ r.-v. 🏠 ©

MOUTARDIER Cuvée rosée *

● n.c. 10 000 ▮ 11 à 15 €

Sur l'étiquette du champagne Moutardier, on peut lire « Le Breuil » : un village de la vallée du Surmelin, propice au pinot meunier. On en trouve beaucoup dans ce rosé : 20 % pour le vin rouge qui lui apporte la teinte soutenue, plus 60 % vinifiés en blanc. Le chardonnay complète l'assemblage de ce champagne envahi par les fruits rouges, au nez et en bouche, avec puissance et nervosité. (NM)

🔑 Jean Moutardier, chem. des Ruelles, 51210 Le Breuil, tél. 03.26.59.21.09, fax 03.26.59.21.25, e-mail contact@champagne-jean-moutardier.fr ☑ Ɏ ⚲ r.-v.

MOUTARD PÈRE ET FILS 1992 **

○ 0,64 ha 6 300 ▮ 46 à 76 €

La création de ce vignoble aubois - plus de 22 ha aujourd'hui - remonte à 1642 ! Les premières bouteilles de champagne ont été commercialisées dans les années 1920. La maison a proposé un 1992 - millésime rare. Il s'agit d'un blanc de blancs. Ce vin allie une grande fraîcheur à des arômes de caramel nuancés de notes briochées et toastées ; il se distingue par sa longueur. Un champagne d'amateurs qui s'accordera avec un poisson en sauce. Mi-noirs mi-blancs l'**Extra-brut (15 à 23 €)** obtient une étoile. Cette dénomination et les 2 g/l de sucres qu'il contient signalent qu'il est fort peu dosé voire pas du tout - car le vin peut receler un peu de sucre résiduel. Très harmonieux, il mêle les fruits confits et l'aubépine. Sa rondeur est surprenante pour un extra-brut. On pourra ouvrir cette bouteille à l'apéritif et la finir avec du poisson. (RM)

🔑 Moutard, 6, rue des Ponts, BP 1, 10110 Buxeuil, tél. 03.25.38.50.73, fax 03.25.38.57.72, e-mail champagne.moutard@wanadoo.fr ☑ Ɏ ⚲ t.l.j. sf dim. 9h-12h 14h-18h; groupes sur r.-v.

PH. MOUZON-LEROUX Grande Réserve *

○ Gd cru n.c. 80 000 11 à 15 €

La famille Mouzon a créé son vignoble en 1776 à Verzy, dans la Montagne de Reims. Elle commercialise du champagne depuis la fin des années 1930. La neuvième génération dispose de près de 11 ha et exploite plusieurs marques. Sa Grande Réserve privilégie les raisins noirs (75 % de pinot noir). Elle assemble 50 % de 2000 à des vins de réserve de 1999 à 2001 ; 70 % du vin ne fait pas sa fermentation malolactique. Il en résulte un beau brut sans année, miellé et fruité, riche et frais, d'une élégante maturité. Le **brut grand cru (15 à 23 €)**, logé dans une bouteille peinte, assemble deux tiers de pinot noir de 1996 et un tiers de chardonnay de 1995. Un champagne miellé et raffiné lui aussi : une citation. (RM)

EARL Mouzon-Leroux, 16, rue Basse-des-Carrières, 51380 Verzy, tél. 03.26.97.96.68, fax 03.26.97.97.67, e-mail champagne-mouzon-leroux@wanadoo.fr
r.-v.

MOUZON PÈRE ET FILS Grande Réserve

Gd cru n.c. 12 000 **11 à 15 €**

Sous la marque Mouzon Père et Fils sont commercialisés des champagnes de la structure de négoce de Philippe Mouzon. Cette Grande Réserve assemble 70 % de pinot noir et 30 % de chardonnay des années 2000 à 2002. Une partie des vins de base ne fait pas sa fermentation malolactique. Assez complexe, ce champagne se distingue par son équilibre, sa fraîcheur et sa longue finale élégante. (NM)

Philippe Mouzon, rue du Point-du-Jour, 51380 Verzy, tél. 03.26.83.67.16, fax 03.26.97.97.67
r.-v.

MUMM Mumm de Cramant *

Gd cru 15 ha 38 000 **46 à 76 €**

Œuvre d'une grande marque, voici une cuvée très particulière, lancée en 1934. Il s'agit d'un blanc de blancs monocru, une démarche et une vinification exceptionnelles dans un groupe d'importance (Mumm est aujourd'hui dans l'orbite de Pernod-Ricard). Aussi distingué que son étiquette (une carte de visite), un blanc de blancs brioché, légèrement empyreumatique, à l'équilibre généreux. (NM)

G.-H. Mumm, 29, rue du Champ-de-Mars, 51100 Reims, tél. 03.26.49.59.69, fax 03.26.40.46.13, e-mail mumm@mumm.fr r.-v.
Pernod-Ricard

NAPOLÉON 1995

n.c. n.c. **15 à 23 €**

La coopérative La Goutte d'or de Vertus a acheté la maison Prieur fondée en 1825, maison qui avait longuement bataillé pour avoir le droit d'appeler son champagne Napoléon. Deux tiers de blancs, un tiers de noirs (pinot noir), tel est l'assemblage de ce 1995 aux arômes de brioche et de fruits confits qui a atteint son apogée. (NM)

SAS Ch. et A. Prieur, 2, rue de Villers-aux-Bois, BP 41, 51130 Vertus, tél. 03.26.52.11.74, fax 03.26.52.29.10, e-mail champagne-napoleon@wanadoo.fr r.-v.
Coopérative La Goutte d'or

BERNARD NAUDÉ 2000 *

0,6 ha 5 000 **11 à 15 €**

La famille Naudé exploite 8 ha de vignes à l'ouest de la vallée de la Marne. Elle signe un 2000 né de 60 % de chardonnay et de 40 % de meunier. Un champagne vineux, équilibré et de bonne longueur. Blanc de noirs issu des deux pinots à parts égales, la **Cuvée de prestige** est citée pour son équilibre. (RM)

SCEV Bernard Naudé, 12, av. Fernand-Drouet, 02310 Charly-sur-Marne, tél. 03.23.82.09.26, fax 03.23.82.85.62, e-mail info@champagne-bernard-naude.com
t.l.j. sf dim. 9h-12h 13h30-18h30; groupes sur r.-v.

OLIVIER PÈRE ET FILS 1999 *

2 ha 3 835 **11 à 15 €**

La famille Olivier exploite 9,5 ha sur le territoire de Trélou-sur-Marne, village proche de Dormans. Trois de ses cuvées obtiennent une étoile. Toutes exploitent les trois cépages champenois et font la part belle aux raisins noirs. Ce 1999 (75 % de noirs dont 50 % de pinot noir) plaît par son fruité et par sa fraîcheur nerveuse. La **Grande Réserve**, des années 2001 et 2002 (60 % de noirs, dont 40 % de meunier), est ronde, puissante, équilibrée. Quant au **rosé**, il ne comporte que 5 % de raisins blancs (80 % de meunier, 15 % de pinot noir). Il est fruité, ample, soyeux, élégant. (RM)

EARL Olivier Père et Fils, 2, rue Kennedy, 02850 Trélou-sur-Marne, tél. 03.23.70.25.96, fax 03.23.70.02.56, e-mail contact@champagne-olivier-pereetfils.com r.-v.

LUCIEN ORBAN Demi-sec *

n.c. n.c. **11 à 15 €**

Hervé Orban a repris en 1991 la propriété familiale située dans la vallée de la Marne, en gardant la marque de son père. Il exploite 6 ha de vignes. Deux de ses cuvées ont obtenu une étoile. Elles proviennent de la même année, 2003, et d'un assemblage identique : 90 % de meunier, 10 % de pinot noir. Ce sont donc des blancs de noirs. Seul le dosage diffère : il est important dans ce demi-sec, que sa relative douceur permet de servir en fin de repas. Un vin miellé qui séduit par sa rondeur et son équilibre sucre-acidité réussi. Quant au **brut Carte d'or**, complexe, rond, riche et long, il est d'une belle harmonie. (RM)

Hervé Orban, 8, rue du Gal-de-Gaulle, 51700 Cuisles, tél. 03.26.58.16.11, fax 03.26.52.84.82, e-mail herve.orban@wanadoo.fr r.-v.

OUDINOT Cuvée brut 2000

n.c. 120 000 **15 à 23 €**

Fondée en 1889, reprise par la famille Trouillard en 1981, cette maison fait partie du groupe Laurent-Perrier depuis 2004. Elle signe un 2000 qui doit tout au chardonnay. Jaune pâle à reflets verts, ce champagne est intensément marqué par les agrumes – citron et pamplemousse –, au nez comme en bouche. (NM)

Oudinot, Ch. Malakoff, 3, rue Malakoff, 51200 Épernay, tél. 03.26.59.50.10, fax 03.26.54.78.52, e-mail contact@chateau-malakoff.com r.-v.

BRUNO PAILLARD Première Cuvée **

n.c. n.c. **30 à 38 €**

Bruno Paillard a créé sa maison en 1981. Il dispose d'un chai ultramoderne et de 25 ha de vignes. Ses champagnes haut de gamme sont exportés à 75 %. Chaque bouteille indique la date de dégorgement. Ce rosé de couleur rose orangé comprend une majorité de raisins noirs (85 % de pinot noir). De subtiles notes de fruits rouges nuancées d'agrumes contribuent à son harmonie. Pour un repas à deux, suggère un dégustateur. Mi-blancs mi-noirs, la cuvée **Nec plus ultra N.P.U. 1995 (plus de 76 €)** est vinifiée et élevée en petit fût – une pratique qui ne

recherche pas le boisé, mais la richesse et la complexité. Il en résulte un champagne vif et long aux arômes d'amande grillée et de brioche : une étoile. (NM)
🔑 Bruno Paillard, av. de Champagne, 51100 Reims, tél. 03.26.36.20.22, fax 03.26.36.57.72, e-mail info@brunopaillard.com ☑ r.-v.

PIERRE PAILLARD 2000

Gd cru 10 ha 14 210 ▮ **15 à 23 €**

Les ancêtres de Pierre Paillard cultivaient déjà la vigne à Bouzy en 1767. Ce dernier exploite 10 ha classés en grand cru. Né de pinot noir et de chardonnay, fruité et brioché, ce 2000 se montre souple, fin et léger : autant de traits qui en font un « vin de plaisir » qui trouvera facilement sa place en toutes occasions. (RM)
🔑 Pierre Paillard, 2, rue du XXe Siècle, 51150 Bouzy, tél. 03.26.57.08.04, fax 03.26.57.83.03, e-mail benoit.paillard@wanadoo.fr
☑ Y ✱ t.l.j. sf mer. dim. 9h30-12h 13h30-17h; f. août

PAILLETTE

7,25 ha 64 500 ▮ **11 à 15 €**

Cette exploitation familiale a été fondée au début des années 1920. Elle a son siège à Essômes-sur-Marne, à 4 km en aval de Château-Thierry et s'étend sur plus de 7 ha. Issu des années 2002 et 2003, son brut assemble 60 % de raisins noirs (dont 50 % de meunier) au chardonnay. Rond et équilibré, c'est un champagne facile et flatteur. (RM)
🔑 Paillette, 4, Aulnois, 02400 Essômes-sur-Marne, tél. 03.23.70.82.63, fax 03.23.83.78.01 ☑ Y ✱ r.-v.

PALMER & C° 1998 ★★

n.c. n.c. ▮ 15 à 23 €

Fondée en 1947, cette coopérative impose aux producteurs des conditions d'admission strictes, destinées à maintenir un standard de qualité. Elle commercialise des millésimes anciens logés en nabuchodonosor. Celui-ci, mi-blancs mi-noirs, n'est qu'un 1998, mais il a suscité des commentaires élogieux. Sa palette aromatique est complexe et riche, dominée par des notes empyreumatiques, toastées et briochées ; son palais souple et long brille par son équilibre. Deux autres cuvées obtiennent chacune une étoile : le **blanc de blancs 2000**, délicatement floral, minéral et biscuité, et le **brut** (assemblage de 57 % de chardonnay et de 43 % de pinot noir), un champagne vineux aux arômes de pomme et de poire compotées. (CM)
🔑 Palmer et C°, 67, rue Jacquart, 51100 Reims, tél. 03.26.07.35.07, fax 03.26.07.45.24 ☑ ✱ r.-v.

PANNIER Blanc de noirs 1999 ★

n.c. n.c. ▮ **23 à 30 €**

Cette marque, créée en 1899, porte le nom du fondateur d'une maison de négoce rachetée par la Covama, importante coopérative de Château-Thierry (elle vinifie 640 ha). Les vins mûrissent dans des caves aménagées dans des carrières médiévales, qui ont des airs de grottes. Ce millésimé est un blanc de noirs (95 % de pinot noir). On y découvre les fruits secs et le pamplemousse, de la souplesse et de la persistance. Très réussi lui aussi, le **rosé (15 à 23 €)** assemble 70 % de raisins noirs (dont 50 % de pinot noir) à 30 % de chardonnay. Sa robe délicate prélude à des impressions de fraîcheur et de subtilité, dans une gamme aromatique à la fois florale (violette) et fruitée. (CM)
🔑 SCVM Covama, 25, rue Roger-Catillon, BP 55, 02400 Château-Thierry, tél. 03.23.69.51.30, fax 03.23.69.51.31, e-mail champagnepannier@champagnepannier.com
☑ Y ✱ r.-v.

PAQUES ET FILS Carte or ★

1er cru 6 ha 50 000 ▮ **11 à 15 €**

Exploitation créée en 1905 par l'arrière-grand-père de Philippe Paques, qui en a pris les rênes quatre-vingt-dix ans plus tard. Le vignoble s'étend sur 10,5 ha sur la Montagne de Reims. Pinot meunier (50 %), pinot noir (30 %) et chardonnay (20 %) des années 2002 et 2003 collaborent à cette Carte or pas très complexe mais fraîche et harmonieuse, qui fera un bon champagne d'apéritif. (RM)
🔑 Paques et Fils, 1, rue Valmy, 51500 Rilly-la-Montagne, tél. 03.26.03.42.53, fax 03.26.03.40.29, e-mail phil.paques@wanadoo.fr
☑ Y ✱ r.-v.

FRANCK PASCAL Cuvée Prestige 1999 ★★

1 ha 7 692 ▮ 🛢 **23 à 30 €**

Installé en 1999 dans la vallée de la Marne, Franck Pascal exploite son vignoble en biodynamie. Depuis trois ans, il pratique l'henherbement naturel, n'utilise pas d'engrais et combat les insectes ravageurs par la confusion sexuelle. Il signe un 1999 au nez élégant et fin, à la bouche franche et nerveuse, bien structurée. Un excellent potentiel. (RM)
🔑 Franck Pascal, 1 bis, rue Valentine-Regnier, 51700 Baslieux-sous-Châtillon, tél. 03.26.51.89.80, fax 03.26.51.88.98, e-mail franck.pascal@wanadoo.fr
☑ r.-v.

PASCAL-DELETTE ET FILS Cuvée Adrien ★

0,3 ha 2 880 ▮ **15 à 23 €**

Cette exploitation familiale de la vallée de la Marne signe une Cuvée Adrien (chardonnay et meunier à parts égales, de la récolte 1998) remarquée pour l'élégance de son nez beurré, brioché, minéral et exotique, avec une touche mentholée. Au palais, elle ne déçoit pas, vineuse, riche et bien équilibrée. (RM)
🔑 Pascal-Delette, 48, rue Valentine-Régnier, 51700 Baslieux-sous-Châtillon, tél. 03.26.58.11.35, fax 03.26.57.11.93 ☑ Y ✱ r.-v. 🏠 7

CHRISTIAN PATIS 2000 ★

0,8 ha 3 900 ▮ 11 à 15 €

Christian Patis a créé son vignoble en 1972. Il est établi dans un hameau de Sermiers, petit village de la Montagne de Reims. Deux de ses cuvées obtiennent chacune une étoile. Toutes deux mettent à contribution les trois cépages champenois. Mi-noirs mi-blancs, ce 2000 mêle au nez les fleurs blanches et la bergamote et séduit par sa nervosité élégante. Un jeune champagne qui a du potentiel. La cuvée **Tradition** marie 80 % de noirs et 20 % de blancs de l'année 2002 ; il se distingue par sa fraîcheur et son équilibre. (RM)
🔑 Christian Patis, 19, rue du Pré-des-Bourgs, Montaneuf, 51500 Sermiers, tél. 03.26.97.60.05, fax 03.26.97.61.94 ☑ Y ✱ r.-v.

DENIS PATOUX Carte d'or ★

n.c. n.c. 11 à 15 €

Ce récoltant de la vallée de la Marne signe deux champagnes fort réussis. Sa Carte d'or s'annonce par un nez floral et fruité. Au palais, des nuances miellées viennent compléter sa palette aromatique. Un ensemble riche, ample, bien équilibré et justement dosé, à servir à l'apéritif ou sur du poisson en sauce. La **Cuvée Prestige 1995** n'est pas avare de notes miellées, associées à des nuances d'agrumes. Elle obtient la même note. (RM)

Denis Patoux, 1, rue Bailly, 51700 Vandières, tél. 03.26.58.36.34, fax 03.26.59.16.10 r.-v.

HUBERT PAULET Cuvée Risléus

1er cru 8 ha n.c. 23 à 30 €

La propriété est née à la fin du XIXe s., mais elle n'a pris son essor commercial que dans les années 1930, sous l'impulsion d'Hubert Paulet, grand-père d'Olivier. Celui-ci exploite un peu plus de 8 ha, à Rilly, 1er cru situé au pied de la Montagne de Reims. Olivier Paulet est un vigneron attentif et un élaborateur créatif : sa cuvée Risléus, issue de l'année 2001, est vinifiée et élevée en fût de chêne. Son boisé est très perceptible au nez comme en bouche, nuancé de notes mentholées et épicées. Un champagne de table pour amateurs avertis. (RM)

Olivier Paulet, 55, rue de Chigny, 51500 Rilly-la-Montagne, tél. 03.26.03.40.68, fax 03.26.03.48.63, e-mail champ.h.paulet@wanadoo.fr r.-v.

PÉHU SIMONET 2000 **

Gd cru n.c. n.c. 15 à 23 €

David Péhu a repris en 2000 l'exploitation familiale créée au début du XXe s. à Verzenay, grand cru de la Montagne de Reims. La marque est restée, les étiquettes ont été rajeunies. Les vins séjournent volontiers dans le bois. C'est le cas de ce 2000 qui a séduit les dégustateurs. Tous soulignent la qualité de son nez à la fois intense et tout en finesse, épicé et mentholé, sa bonne attaque, sa franchise et son équilibre. Ils l'imaginent aussi bien à l'apéritif qu'au repas, accompagné d'un plat de fête, comme des cailles farcies ou un poisson en sauce. Sous la marque **Antonin Péhu, le blanc de blancs (11 à 15 €)** et le **rosé (11 à 15 €)** obtiennent une citation. (RM)

David Péhu, 7, rue de la Gare, BP 22, 51360 Verzenay, tél. 03.26.49.43.20, fax 03.26.49.45.06, e-mail champagne.pehu-simonet@wanadoo.fr

JEAN-MICHEL PELLETIER **

0,2 ha 1 500 11 à 15 €

Établi à Passy-Grigny dans la vallée de la Marne, Jean-Michel Pelletier exploite près de 5 ha. Il a tiré des vendanges de 2002 et 2003 un très joli rosé qui fait appel majoritairement au pinot meunier (70 %, dont 15 % vinifié en rouge pour 30 % de chardonnay). Son fruité évoque la cerise à l'eau-de-vie et la prune, son palais est vineux, structuré, bien équilibré. Un champagne de repas. (RC)

EARL Jean-Michel Pelletier, 22, rue Bruslard, 51700 Passy-Grigny, tél. et fax 03.26.52.65.86, e-mail champagnejmpelletier@free.fr r.-v.

PERNET-LEBRUN Cuvée d'Argent-Sol

n.c. 4 991 11 à 15 €

En cinq générations, les Pernet-Lebrun ont constitué un vignoble de 12 ha implanté sur les coteaux sud d'Épernay. Ils signent une cuvée spéciale mi-blancs mi-noirs (meunier) de l'année 2001. C'est un champagne droit, direct, citronné et fin, de bonne longueur. (RM)

Pernet-Lebrun, Ancien Moulin, 51530 Mancy, tél. 03.26.59.71.63, fax 03.26.57.10.42, e-mail contact@champagnepernetlebrun.com r.-v.

JOSEPH PERRIER Cuvée royale 1998 ***

n.c. 50 000 30 à 38 €

Au XIXe s. Châlons-en-Champagne comptait quelques vignobles et une dizaine de maisons de champagne. Il ne reste plus que Joseph Perrier, fondée en 1825, reprise en 1888 par Paul Pithois, arrière-grand-père de Jean-Claude Fourmon, P.-DG et principal actionnaire de la société avec son cousin Alain Thiénot. Une maison assez discrète mais de qualité, témoin ce 1998 coup de cœur. Mi-blancs mi-noirs (pinot noir surtout), cette cuvée a suscité l'enthousiasme des dégustateurs qui décrivent son nez léger, distingué, fruité et vanillé, son palais tout en finesse, gras, souple et long. Un champagne superbe par son élégance, qui appelle une poularde de Bresse ou un poisson noble au beurre blanc. (NM)

SA Joseph Perrier, 69, av. de Paris, BP 31, 51000 Châlons-en-Champagne, tél. 03.26.68.29.51, fax 03.26.70.57.16, e-mail contact@josephperrier.fr r.-v.

JOSEPH PERRIER Blanc de blancs Cuvée royale **

n.c. 25 000 30 à 38 €

Un beau palmarès pour cette maison qui, outre la cuvée coup de cœur, a présenté cette année deux vins remarquables : ce blanc de blancs et la **cuvée Joséphine 1995 (plus de 76 €)**. Le premier séduit par son nez expressif, aux nuances de brioche et de fruits secs, par son élégance et son dosage juste. La seconde est une cuvée de prestige logée dans un flacon à l'ancienne doré à l'or fin – qui rappellera, une fois vide, un champagne harmonieux, velouté, complexe, floral et mentholé, « à déguster en fin de soirée ». Une étoile enfin pour la **Cuvée royale brut (23 à 30 €)**, assemblage des trois cépages champenois à parts sensiblement égales, empyreumatique, équilibré, puissant et frais. (NM)

SA Joseph Perrier, 69, av. de Paris, BP 31, 51000 Châlons-en-Champagne, tél. 03.26.68.29.51, fax 03.26.70.57.16, e-mail contact@josephperrier.fr r.-v.

PERRIER-JOUËT Belle Époque 1998 *

n.c. 497 000 + de 76 €

Une maison fondée en 1811 par un bouchonnier d'Épernay, associée durant de nombreuses années au Champagne Mumm, vendue à plusieurs reprises comme ce dernier et acquise en 2005 par Pernod-Ricard. Décorée par un motif floral d'Émile Gallé, la bouteille Belle Époque, lancée en 1969, est souvent considérée comme la plus belle bouteille de champagne – un flacon de collection, parfois revendu vide ! Mi-blancs mi-noirs (pinot noir surtout), le 1998 a déjà atteint son apogée. La pêche blanche s'allie au miel dans ce vin puissant, fin et équilibré. Le **Grand Brut (23 à 30 €)** est le cheval de bataille de la marque (plus d'un million et demi de cols). Il provient de l'année 2002 complétée par des vins de réserve, assemble trois quarts de raisins noirs (dont 40 % de meunier) et un quart de raisins blancs. Confit, floral, brioché, c'est un champagne droit qui sera parfait à l'apéritif. (NM)

Perrier-Jouët, 28, av. de Champagne, 51200 Épernay, tél. 03.26.53.38.00, fax 03.26.54.54.55, e-mail info@perrier-jouet.fr

Pernod-Ricard

DANIEL PERRIN 1998 ★★

3,8 ha 22 000 15 à 23 €

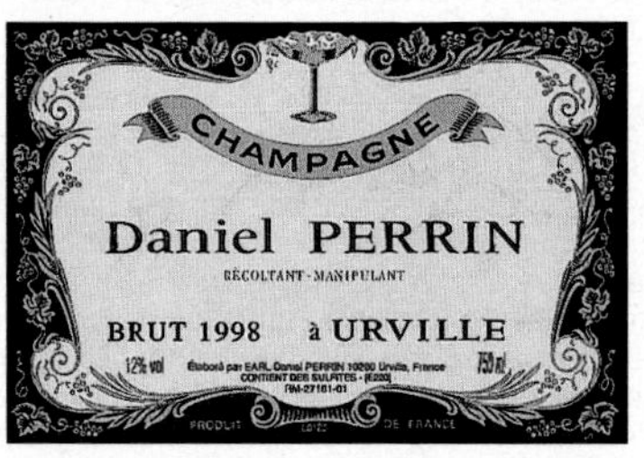

Les 13 ha de ce domaine familial s'étendent à Urville, dans la Côte des Bar. Les vignes couvrent un coteau de la formation marno-calcaire du Kimmeridgien, exploitée aussi dans le proche Chablisien. C'est en 1957 que Daniel Perrin a commercialisé ses premières bouteilles. Mi-blancs mi-noirs (pinot noir), ce 1998 a emporté l'adhésion par sa grande finesse, ses senteurs de bergamote, de fruits exotiques ou à chair blanche, son équilibre et sa rémanence. Deux autres cuvées reçoivent chacune une étoile : le **rosé (11 à 15 €)**, un pur pinot noir puissant, rond, long et dosé, et le brut **Prestige (11 à 15 €)**, des années 1999 et 2000, associant des arômes d'agrumes à un côté nerveux. (RM)

EARL Daniel Perrin, 40, rue des Vignes, 10200 Urville, tél. 03.25.27.40.36, fax 03.25.27.74.57

r.-v.

GASTON PERRIN Tradition ★

3 ha 24 000 11 à 15 €

Situé dans la vallée de la Marne, sur la rive gauche, le vignoble a été créé après guerre par le beau-père de Jacky Illis, qui le gère depuis 1990. Sa cuvée Tradition privilégie les raisins noirs : 70 % de pinot meunier et 10 % de pinot noir pour 20 % de chardonnay ; un bouquet fumé et minéral confère de l'élégance à ce champagne riche et bien construit. La **Cuvée spéciale** donne au contraire la primauté aux blancs : 90 %, pour 10 % des deux pinots, des récoltes de 1996, 1997, 1999 et 2000. Elle obtient la même note pour son fruité mûr et complexe, abricoté et miellé, et pour son intensité. (RM)

Gaston Perrin, 5, rue de la Source, 51700 Festigny, tél. 03.26.59.48.49, fax 03.26.57.12.09 r.-v.

Jackie et Annie Illis

PERSEVAL-FARGE Cuvée Jean-Baptiste

1er cru 2 ha 2 000 15 à 23 €

Les Perseval habitent depuis deux siècles à Chamery, pittoresque village de la Montagne de Reims, autour duquel ils exploitent 4 ha de vignes. Les trois cépages champenois, des années 1994 à 1996, contribuent à cette cuvée mi-blancs mi-noirs au riche bouquet d'ananas et d'abricot, qui attaque avec puissance. Un vin mûr qui convient à l'apéritif. (RM)

Isabelle et Benoist Perseval, 12, rue du Voisin, 51500 Chamery, tél. 03.26.97.64.70, fax 03.26.97.67.67, e-mail champagne.perseval-farge@wanadoo.fr

r.-v.

PERTOIS-MORISET Blanc de blancs 2000 ★

Gd cru 9 ha 30 000 15 à 23 €

Cette marque familiale porte le nom du couple qui a lancé ce champagne dans les années 1950. Conduite depuis 1978 par Dominique Pertois, l'exploitation s'étend sur 18 ha et a son siège en plein cœur de la Côte des Blancs, dans un village classé en grand cru. Du chardonnay, le récoltant a tiré deux cuvées bien accueillies par le jury, en particulier ce 2000 au bouquet délicat et complexe – fleurs, verveine, camomille, vanille et fruits blancs – qui séduit aussi par son attaque nette et sa puissance. Quant au **blanc de blancs grand cru sans année (11 à 15 €)**, issu de la récolte de 1999, il n'est pas très long mais mérite d'être cité pour sa puissance, sa rondeur et sa richesse. (RM)

Dominique Pertois, 13, av. de la République, 51190 Le Mesnil-sur-Oger, tél. 03.26.57.52.14, fax 03.26.57.78.98

t.l.j. 8h-12h 14h-18h; sam. dim. sur r.-v.; f. août

PIERRE PETERS
Blanc de blancs Cuvée de réserve ★★

Gd cru 10 ha 120 000 11 à 15 €

Originaire du Luxembourg, Pierre Peters a repris un vignoble de la Côte des Blancs dans les années 1940. Le domaine, qui compte aujourd'hui 17,50 ha, est conduit par François Peters. Établi dans le grand cru du Mesnil-sur-Oger, il a fait du blanc de blancs sa spécialité. Sa Cuvée de réserve est pétrie de qualités : finesse, élégance, fraîcheur, ampleur et longueur. Outre les accords classiques avec le premier plat, notamment poissons et crustacés, on pourra essayer un mariage avec les fromages régionaux. Quant au **blanc de blancs extra-brut (15 à 23 €)**, cité, il est intense, vif et léger et conviendra à l'apéritif. (RM)

Pierre Peters, 26, rue des Lombards, 51190 Le Mesnil-sur-Oger, tél. 03.26.57.50.32, fax 03.26.57.97.71, e-mail champagne-peters@wanadoo.fr r.-v.

F. Peters

PHILIPPONNAT Blanc de blancs Grand Blanc 1999

5 ha 40 000 **30 à 38 €**

La présence des Philipponnat est attestée à Aÿ dès le XVI[e]s. et le blason qui figure sur les étiquettes date du XVII[e]s. La maison de champagne a été créée en 1910, date à laquelle la famille a acquis de superbes caves voûtées du XVIII[e]s. à Mareuil-sur-Aÿ. Malgré quelques changements de mains, c'est toujours un Philipponnat qui dirige la société. De pur chardonnay, le Grand Blanc 1999 est un champagne souple mêlant élégamment au nez notes briochées et de bois de santal. (RM)

Philipponnat, 13, rue du Pont, 51160 Mareuil-sur-Aÿ, tél. 03.26.56.93.00, e-mail info@champagnephilipponnat.com r.-v.

PHILIZOT ET FILS Alquente *

	0,8 ha	4 000	15 à 23 €

Viticulteurs depuis quatre générations à Reuil, sur la rive droite de la Marne, les Philizot se sont faits négociants en 2002. Issue de la récolte de 1998, la cuvée Alquente assemble 60 % de chardonnay à 40 % de pinot noir. De couleur or soutenu, elle présente un bouquet intense et vineux de fruits confits, arômes qui se prolongent en bouche. Un champagne que l'on peut servir au repas. (NM)

Philizot, 49, Grande-Rue, 51480 Reuil, tél. et fax 03.26.51.02.96, e-mail champagne.philizot.fils@wanadoo.fr r.-v.

JACQUES PICARD Art de vigne 1999 **

	0,5 ha	3 000	23 à 30 €

Un domaine quelque peu excentré, puisqu'il a son siège à 7 km au nord-est de Reims. Créé au début des années 1950, il ne compte pas moins de 17 ha. La cuvée Art de vigne 1999 mérite bien son nom. Composée à 60 % de chardonnay, complété par 40 % des deux pinots à parts égales, elle s'annonce par un nez complexe, dominé par les agrumes (citron et pamplemousse) avec des notes grillées. Une attaque vive prélude à un palais vineux et d'un très bel équilibre. Cité par le jury, le **rosé (11 à 15 €)** naît des années 2001 à 2003 et privilégie les blancs (80 %). Il est framboisé, élégant et nerveux. (RM)

Jacques Picard, 12, rue de Luxembourg, 51420 Berru, tél. 03.26.03.22.46, fax 03.26.03.26.03, e-mail champagnepicard@aol.com r.-v.

PICARD & BOYER Cuvée Réserve *

	1,5 ha	n.c.	15 à 23 €

Planté par Mme Boude-Huet en 1928, le vignoble, qui s'étend aujourd'hui sur près de 5 ha, conserve des parcelles de cette époque. Il a été repris en 1993 par MM. Picard et Boyer. Cette Cuvée Réserve est un blanc de noirs de pinot meunier, élevé quatre mois dans des pièces bourguignonnes de trois vins en provenance de Meursault. Elle évoque au nez les fruits rouges bien mûrs, voire cuits, et séduit en bouche par son côté charnu et onctueux, sa richesse et sa complexité, avec des notes grillées et fumées. Le champagne de repas par excellence, à servir par exemple avec un poulet de Bresse aux morilles. (RM)

SCEV Picard et Boyer, chem. de Vrilly, 51100 Reims, tél. 03.26.85.11.69, fax 03.26.82.60.88, e-mail contact@champagne-picard-boyer.fr r.-v.

A. Picard

PIERSON-CUVELIER Cuvée Joseph Cuvelier *

1er cru	6 ha	25 000	11 à 15 €

Constitué dans les années 1900 par le grand-père du propriétaire actuel, le domaine s'étend aujourd'hui sur plus de 9 ha, autour de Louvois (grand cru). Issue des récoltes de 2000 à 2002, cette cuvée privilégie le pinot noir (80 %, pour 20 % de chardonnay). Un champagne fin, minéral, bien construit et équilibré. Née des vendanges de 1999 à 2001, la **Cuvée Prestige grand cru** obtient la même note ; c'est un blanc de noirs (pinot noir) anisé et confit au nez, puissant, généreux et confituré au palais, pour la table. Quant au **rosé grand cru**, complexe assemblage des années 2000 à 2002 comprenant 15 % de rosé de saignée et 9 % de bouzy rouge, le reste étant du pinot noir vinifié en blanc, il est puissant mais sans lourdeur : une citation. (RM)

Pierson-Cuvelier, 4, rue de Verzy, 51150 Louvois, tél. 03.26.57.03.72, fax 03.26.51.83.84
t.l.j. 9h-12h 14h-18h; dim. sur r.-v.; f. 15-30 août

PIERSON WHITAKER *

	0,5 ha	4 000	15 à 23 €

Marque créée en 1992 par Didier Pierson et sa compagne Imogen Whitaker, d'origine britannique. Le premier a élaboré à partir des vendanges de 2000 et 2002 un rosé mi-blancs mi-noirs. Du vin rouge entre à hauteur de 20 % dans l'assemblage de ce vin saumoné foncé. Son bouquet vineux, mêlant les fruits cuits et le pruneau, se prolonge dans un palais nerveux à l'attaque, frais et persistant. (NM)

Didier Pierson, 14, rue d'Oger, 51190 Avize, tél. 03.26.57.77.04, fax 03.26.57.97.97, e-mail champagnepiersonwhitaker@club-internet.fr
r.-v. 3

GASTON POITTEVIN *

1er cru	1,3 ha	8 000	11 à 15 €

La famille Poittevin exploite près de 6 ha de vignes sur le territoire de Cumières, village de la vallée de la Marne classé en 1er cru. Issu des années 1999 et 2000, son brut 1er cru doit presque tout aux raisins noirs (90 % des deux pinots, dont 60 % de pinot noir). Le bouquet complexe, miellé et confit précède une bouche fraîche et persistante. Le dosage est perceptible, mais l'impression reste agréable. (RM)

Gaston Poittevin, 129, rue Louis-Dupont, 51480 Cumières, tél. 03.26.55.38.37, fax 03.26.54.30.89
r.-v.

POL ROGER Sir Winston Churchill 1996 ***

	n.c.	n.c.	+ de 76 €

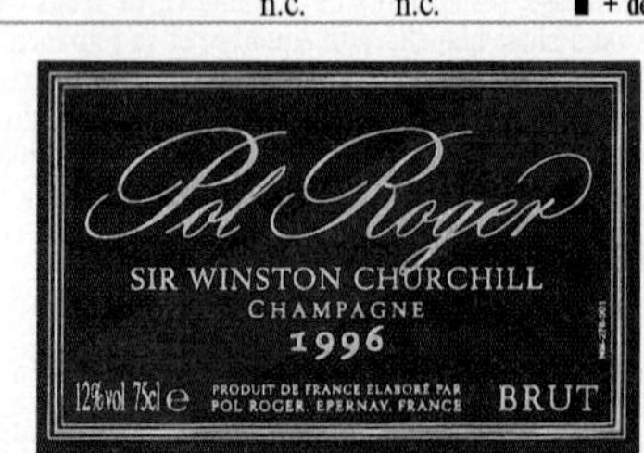

Fondée en 1849, cette maison dotée d'un vignoble de 85 ha est l'une des rares – et des meilleures – à avoir conservé son caractère familial. C'était la préférée de Winston Churchill qui a donné son nom à cette cuvée haut de gamme. Une composition de pinot noir et de chardonnay avec une prédominance de noirs. Empyreumatique, complexe, plein, puissant, structuré et long, ce 1996 révèle une parfaite évolution. Il tiendra sa place lors d'une soirée en tête à tête. Le **rosé Extra Cuvée de réserve 1998 (46 à 76 €)** est cité. Il marie 35 % de chardonnay à 50 % de pinot noir et à 15 % de « coteaux » rouge. Ample, tendre et frais, il agrémentera un repas fin. Le blanc de blancs est l'une des spécialités de Pol-Roger. Cette même cuvée en **chardonnay 1998 (46 à 76 €)** allie gras, puissance et finesse. Elle obtient également une citation. (NM)

SA Pol Roger, 1, rue Henri-Lelarge, 51200 Épernay, tél. 03.26.59.58.00, fax 03.26.55.25.70, e-mail polroger@polroger.fr r.-v.

POMMERY Cuvée Louise 1998 ★

n.c. n.c. + de 76 €

Les origines de cette maison rémoise remontent à 1836. Louis A. Pommery lui a légué son nom en 1858, et après sa mort prématurée, c'est sa veuve qui a développé l'affaire, fait construire le château néogothique élizabethain et aménager les immenses caves (cent vingt crayères d'époque romaine reliées par des galeries sur 18 km). Dotée d'un vaste vignoble, la société est demeurée familiale jusqu'à son acquisition en 1978 par Moët & Chandon (LVMH) qui a revendu en 2002 la marque et le superbe chai au groupe Vranken. Créée en hommage à Louise Pommery, la cuvée Louise 1998 assemble deux tiers de chardonnay et un tiers de pinot noir. Son bouquet allie agrumes et notes minérales, impressions que l'on retrouve dans une bouche équilibrée et longue. Un champagne à son apogée. Quant au **grand cru 1998 (30 à 38 €)**, mi-blancs mi-noirs, il est souple, avec des arômes de brioche, de figue, de noisette et de cerise : une citation. (NM)

Pommery, 5, pl. du Gal-Gouraud, BP 1049, 51100 Reims, tél. 03.26.61.62.63, fax 03.26.61.61.35 r.-v.

Vranken

PASCAL PONSON Cuvée du domaine ★

1er cru 0,65 ha 6 235 15 à 23 €

Situé à 10 km à l'ouest de Reims, ce domaine de 13 ha a été repris en 1977 par Pascal Ponson. Sa Cuvée du domaine marie 45 % de chardonnay et 55 % de pinots (dont 30 % de meunier) des années 1997 et 1998. C'est un champagne fruité, souple, déjà évolué mais équilibré, pour la table. Le brut **Prestige 1er cru (11 à 15 €)** est pour sa part très marqué par les raisins noirs (84 % dont 67 % de meunier). Floral, frais, léger, dosé, il conviendra pour l'apéritif. (RM)

Pascal Ponson, 2, rue du Château, 51390 Coulommes-la-Montagne, tél. 03.26.49.20.17, fax 03.26.49.76.48 r.-v.

ROGER POUILLON ET FILS
La Fleur de Mareuil ★

1er cru 0,5 ha 3 000 15 à 23 €

Héritier d'une lignée de vignerons, Roger Pouillon a lancé son champagne en 1947 ; en 1998, son petit-fils Fabrice, après ses études et des expériences professionnelles en Bourgogne et dans le Sauternais, a rejoint le domaine : 6,5 ha de vignes, avec des parcelles au Mesnil-sur-Oger et à Aÿ, en grand cru, et dans trois 1ers crus. Les Pouillon sont attachés à l'élevage en fût, et cette Fleur de Mareuil, cuvée mi-blancs mi-noirs des années 1999 et 2000, a séjourné douze mois dans le bois, d'où un boisé qui n'a pas échappé aux dégustateurs. Un champagne puissant, gras et fruité. (RM)

Roger Pouillon et Fils, 3, rue de la Couple, 51160 Mareuil-sur-Aÿ, tél. 03.26.52.60.08, fax 03.26.59.49.83, e-mail contact@champagne-pouillon.com r.-v.

POUL-JUSTINE 2000

1er cru 2 ha 32 000 15 à 23 €

En 1955, Pierrette Justine épouse Marcel Poul, d'où le nom de la marque. Le domaine, aujourd'hui exploité par Michel Poul, couvre plus de 8 ha. Il a son siège à Avenay-Val-d'Or, près d'Aÿ. Les vins de cette propriété ne font pas leur fermentation malolactique. Mi-blancs mi-noirs (pinot noir), ce 2000 est un jeune champagne ferme et puissant, vinifié pour être bu à table. La cuvée **Éternel 1er cru (23 à 30 €)** privilégie le pinot noir (80 %), complété par le chardonnay. L'assemblage n'exploite que les meilleures années de la période 1993 à 1999. Il en résulte un champagne surprenant, rond et long. (RM)

Poul-Justine, 6, rue Gambetta, 51160 Avenay-Val-d'Or, tél. 03.26.52.32.58, fax 03.26.52.65.92 r.-v.

Michel Poul

PRESTIGE DES SACRES 2000 ★★

n.c. 3 500 15 à 23 €

Marque de la coopérative de Janvry, proche de Reims, fondée en 1961 et vinifiant aujourd'hui les vendanges de quelque 130 ha. Mi-blancs mi-noirs (pinot noir), ce 2000 est grillé, toasté et brioché. Il attaque vivement mais sans agressivité, et se montre étoffé et fondu. La **Réserve spéciale (11 à 15 €)** met à contribution les trois cépages champenois à parts égales et naît des années 2001 à 2003. Son nez discret mais agréable, son palais équilibré et sa jolie finale composent une bouteille bien adaptée à l'apéritif : une étoile. (CM)

Prestige des Sacres, rue de Germigny, 51390 Janvry, tél. 03.26.03.63.40, fax 03.26.03.66.93, e-mail info@champagne-prestige-des-sacres.com r.-v.

PRÉVOTEAU-PAVEAU ★

4,05 ha 21 000 11 à 15 €

Établie à Avize (Côte des Blancs), Estelle Prévoteau exploite 4 ha de vignes. Les trois cépages champenois vendangés en 2002 collaborent en égales proportions à ce brut aux arômes de fruits confits et de noyau, nuancés en bouche de notes d'agrumes. Le palais est frais, la finale longue et suave. Une réserve ? Le dosage perceptible. Mais l'impression est très favorable. (RM)

Prévoteau-Paveau, 1, rue Sainte-Dorothée, 51190 Avize, tél. 03.26.51.95.92, fax 03.26.52.09.51 r.-v.

PRÉVOTEAU-PERRIER Adrienne Lecouvreur

2 ha 20 000 15 à 23 €

La marque a été lancée en 1947 à la suite du mariage d'une demoiselle Perrier avec un monsieur Prévoteau. La maison dispose de 16 ha de vignes. Elle a hérité à Damery de la maison natale d'Adrienne Lecouvreur, illustre tragédienne du XVIIIe s., d'où le nom de cette cuvée mi-blancs mi-noirs (pinot noir). Frais et discrètement citronné au nez comme en bouche, vif et persistant, ce champagne trouvera sa place à l'apéritif. (NM)

Prévoteau-Perrier, 15, rue André-Maginot, 51480 Damery, tél. 03.26.58.41.56, fax 03.26.58.65.88, e-mail champagneprevoteau-perrier@wanadoo.fr r.-v.

P. Prévoteau et C. Boudard

CLAUDE PRIEUR Cuvée de réserve ★

n.c. 4 000 11 à 15 €

La famille Prieur exploite plus de 9 ha autour de Bergères, village proche de Bar-sur-Aube. Mi-blancs mi-noirs, sa Cuvée de réserve assemble les années 2000 et 2001. Empyreumatique et citronné, équilibré, c'est un champagne de bonne facture. La cuvée **Prestige** privilégie le chardonnay (83 %) et provient de la récolte de 2003. Elle est citée pour son fruité et sa fraîcheur. (RM)

🔑 Claude Prieur, 2, rue Gaston Cheq, 10200 Bergères, tél. 03.25.27.44.01, fax 03.25.92.80.84, e-mail champrieur@free.fr ☑ 🍷 🚶 r.-v.

PRIN PÈRE ET FILS Grande Réserve ★★

●	n.c.	n.c.	23 à 30 €

Cette maison de négoce d'Avize (Côte des Blancs) élabore des champagnes qui ne font pas leur fermentation malolactique. Le chardonnay (60 %) et le pinot noir (40 %) collaborent à cette Grande Réserve remarquée pour ses arômes épicés, briochés et beurrés ainsi que pour sa fraîcheur. Le **blanc de blancs 1995** obtient une étoile. Il associe des notes empyreumatiques, grillées, à des nuances de fruits à chair blanche et se montre frais et direct. Quant au **blanc de blancs 6ᵉ sens (30 à 38 €)**, il est cité pour sa fraîcheur florale et son élégance. (NM)

🔑 Prin Père et Fils, 28, rue Ernest-Vallé, 51190 Avize, tél. 03.26.53.54.55, fax 03.26.53.54.56, e-mail info@champagne-prin.com ☑ 🍷 🚶 r.-v.

SERGE RAFFLIN Cuvée ★★

●	n.c.	n.c.	▮ 11 à 15 €

La famille Rafflin cultive la vigne depuis 1740 et commercialise du champagne depuis les années 1920. En 1985, Denis Rafflin a pris en main la conduite de l'exploitation qui s'étend autour de Ludes, dans la Montagne de Reims. Les pinots (80 % dont 60 % de meunier) l'emportent largement dans ce brut fruité, mentholé, équilibré et frais, jugé très agréable. La **Cuvée Prestige 2001 (15 à 23 €)** privilégie au contraire le chardonnay (60 %), complété par le pinot noir. Mêlant au nez le miel et le citron vert, c'est un champagne jeune et nerveux, qui obtient une citation. (RM)

🔑 Denis Rafflin, 1a, rue de Chigny, BP 25, 51500 Ludes, tél. 03.26.61.12.84, fax 03.26.61.14.07, e-mail champagnesergerafflin@wanadoo.fr ☑ 🍷 🚶 r.-v.

DIDIER RAIMOND Tradition ★

●	3 ha	10 000	▮ 🛢 11 à 15 €

Didier Raimond cultive plus de 6 ha de vignes, implantées majoritairement sur les pentes des coteaux d'Épernay. Il a présenté deux vins issus des années 2001 et 2002 qui ont obtenu chacun une étoile. Cette cuvée Tradition associe 65 % de chardonnay aux deux pinots (pinot noir 25 %) des années 2001 et 2002. Un cinquième des vins passe par le bois. Il en résulte un champagne complexe dont les arômes d'agrumes (citron, pamplemousse) et d'abricot se nuancent de vanille. Le palais équilibré, frais à l'attaque, se fait doux en finale. Mi-blancs mi-noirs (pinot noir), la **Grande Réserve** fait aussi intervenir l'élevage en fût, pour la moitié des vins. Des notes grillées et des évocations de pain d'épice se mêlent dans cet ensemble élégant, ample, charnu et harmonieux, qui s'accordera avec viandes et poissons en sauce. (RM)

🔑 Didier Raimond, 39, rue des Petits-Prés, 51200 Épernay, tél. et fax 03.26.54.51.70, e-mail champagnedidier.raimond@wanadoo.fr ☑ 🍷 🚶 r.-v.

BERNARD REMY Blanc de blancs

●	Gd cru	1 ha	5 000	▮ 11 à 15 €

Installé dans le Sézannais, Bernard Remy a planté ses premières vignes en 1968. À la tête d'une affaire de négoce, il dispose d'un vignoble de 10,50 ha. Son blanc de blancs assemble les vendanges de 2002 à 2004. Discrètement floral au nez, il évoque en bouche le citron confit et révèle une structure légère qui le destine à l'apéritif. (NM)

🔑 SARL Bernard Remy et Fils, 19, rue des Auges, 51120 Allemant, tél. 03.26.80.60.34, fax 03.26.80.37.18, e-mail info@champagnebernardremy.com ☑ 🍷 🚶 r.-v.

R. RENAUDIN
Blanc de blancs Grande Réserve 1999 ★

●	n.c.	25 586	▮ 15 à 23 €

Exploité aujourd'hui par le champagne Renaudin, le domaine des Conardins fut à l'origine une terre noble. Le dernier seigneur, Pierre Louis de Failly, abandonna la carrière des armes pour se consacrer à la vigne. Il émigra en 1791 comme de nombreux aristocrates. La propriété (24 ha) s'étend sur les coteaux d'Épernay et la Côte des Blancs. Son blanc de blancs 1999 est salué pour son nez expressif de fruits confits et d'épices, son attaque charnue et son palais gras qui laisse une impression d'équilibre. (RM)

🔑 R. Renaudin, 31, rue de la Liberté, 51530 Moussy, tél. 03.26.54.03.41, fax 03.26.54.31.12, e-mail champagne@r-renaudin.com ☑ 🍷 🚶 r.-v.
🔑 Tellier

VINCENT RENOIR Tradition ★

●	Gd cru	1,2 ha	8 000	▮ 11 à 15 €

Trois générations et trois marques pour cette famille installée à Verzy, village de la Montagne de Reims classé en grand cru. Vincent Renoir conduit les 5 ha de l'exploitation depuis 1983. Le pinot noir (70 %) domine sa cuvée Tradition, complété par le chardonnay ; assemblage des années 2000 et 2001, celle-ci est légèrement musquée au nez, vineuse, équilibrée et longue. Ce sont les raisins blancs qui l'emportent dans la **Réserve grand cru**, issue des années 1999 et 2000 : 60 % de chardonnay pour 40 % de pinot noir. Ses arômes de miel, de nougat et d'épices, sa rondeur et son élégance valent à cette cuvée une citation. (RM)

🔑 Vincent Renoir, 19, rue de la Gare, 51380 Verzy, tél. 03.26.97.95.59, fax 03.26.97.94.67, e-mail vincent.renoir@wanadoo.fr ☑ 🍷 🚶 r.-v.

VALÉRY ROBERT Cuvée Désirée ★

●	n.c.	7 000	▮ 11 à 15 €

Créée par Jean-Pierre Robert, reprise en 2001 par son fils, cette exploitation auboise dispose de plus de 12 ha de vignes. La Cuvée Désirée fait appel à 70 % de chardonnay et à 30 % de pinot noir. Ses arômes sont minéraux et citronnés. Après une attaque vive, fleurs et fruits blancs contribuent à l'élégance de ce champagne qui sera parfait à l'apéritif. (RM)

🔑 SCEV Robert, 8, rue de Bagneux, 10340 Les Riceys, tél. 03.25.29.10.33, fax 03.25.29.12.64, e-mail champagnerobert@wanadoo.fr ☑ 🍷 🚶 t.l.j. 8h-19h; dim. sur r.-v.

ÉRIC RODEZ Blanc de blancs ★★

●	Gd cru	6,12 ha	10 000	▮ 🛢 15 à 23 €

Éric Rodez, qui exploite plus de 6 ha de vignes autour d'Ambonnay, s'est distingué récemment avec deux blancs de blancs coups de cœur (éditions 2005 et 2003). Il renouvelle l'exploit cette année avec un champagne très subtilement vinifié. Une réussite presque paradoxale puisqu'elle place au sommet un chardonnay d'Ambonnay, grand cru célèbre par son pinot noir ! L'assemblage marie des vins de 1997 à 2001, dont 80 % passent par le bois. Deux tiers ne font pas leur fermentation malolactique. Un

blanc de blancs de caractère, structuré, d'une belle finesse d'arômes et au boisé bien fondu, qui révèle une évolution idéale. Autre blanc de blancs d'Ambonnay, la **cuvée Empreinte de terroir 1996 (38 à 46 €)** est entièrement vinifiée en fût. C'est un champagne gras et gourmand, aux nuances de figue et de miel : une étoile. (RM)

🗝 Éric Rodez, 4, rue de Isse, 51150 Ambonnay, tél. 03.26.57.04.93, fax 03.26.57.02.15, e-mail e.rodez@champagne-rodez.fr ☑ Y ⅄ r.-v.

LOUIS ROEDERER Cristal 1996 ★★

	n.c.	n.c.	+ de 76 €

Cette importante maison rémoise, respectée pour son haut niveau d'exigence, dispose de 200 ha de vignes. Elle est restée familiale : Frédéric Rouzaud, qui en a pris la direction en 2006, représente la sixième génération des descendants de Louis Roederer. La cuvée Cristal est la doyenne des cuvées de prestige, créée en 1876 pour le tsar Alexandre II. Elle affirme haut et fort sa prééminence avec ce 1996, un millésime d'excellente qualité et de longue garde, typique par son acidité extrêmement vive, par son équilibre et par son bouquet qu'il faut attendre afin que le vin prenne l'air. Minéral avec des notes d'agrumes, un champagne bon pour les dix prochaines années ! Cité, le **rosé 1999** naît d'une technique de vinification rare : un pressurage lent permettant aux pellicules du pinot noir de Cumières de colorer le moût. Du chardonnay (30 %) vient alléger cette cuvée raffinée, pâle en couleur, délicatement fruitée, tout en nuances. Un rosé aristocratique. (NM)

🗝 Louis Roederer, 21, bd Lundy, 51100 Reims, tél. 03.26.40.42.11, fax 03.26.61.40.35, e-mail com@champagne-roederer.com

ROUILLÈRE FILS ★

	4,2 ha	18 000	▮ 11 à 15 €

Situé dans la vallée de la Marne, ce domaine familial a été fondé dans les années 1930. Hervé Rouillère conduit depuis 1988 les quelque 4 ha de vignes de l'exploitation. Il a élaboré à partir de la vendange de 2003 un brut très marqué par les raisins noirs, qui représentent 78 % de l'assemblage (dont 63 % de meunier). Un champagne fruité, frais, équilibré et long, dont les dégustateurs soulignent la rondeur. (RM)

🗝 Hervé Rouillère, 5, rue du Vieux-Moulin, 51700 Baslieux-sous-Châtillon, tél. et fax 03.26.58.15.26, e-mail champagne.rouillere@wanadoo.fr ☑ Y ⅄ r.-v. 🏠 ❸

ROUSSEAUX-BATTEUX

	1,8 ha	18 000	▮ 11 à 15 €

Un domaine conduit par le neveu et la nièce d'Albert Batteux, qui fut attaquant et entraîneur du glorieux Stade de Reims de 1950 à 1963. Issu des années 2002 et 2003, ce blanc de noirs (100 % pinot noir) n'est pas allé en finale mais il s'est bien défendu en affichant sa richesse, sa rondeur et un dosage juste, ce qui lui a évité l'élimination. On peut faire circuler les coupes. (RM)

🗝 Rousseaux-Batteux, 17, rue de Mailly, 51360 Verzenay, tél. 03.26.49.81.81, fax 03.26.49.48.49, e-mail rousseaux.batteux@wanadoo.fr ☑ Y ⅄ r.-v.

LE ROYAL COTEAU
De Roualles Grande Réserve ★

	n.c.	15 000	▮ 11 à 15 €

Créée en 1948, la petite coopérative de Grauves, commune située au sud d'Épernay, vinifie 60 ha de vignes. Ses vins sont étiquetés Pierre Lefranc ou Le Royal Coteau. Issu des trois cépages champenois de 2000 à 2002, cette cuvée de Roualles séduit par la finesse et l'élégance de ses arômes de fleurs blanches, de fruits blancs, de pêche et d'orange confite. Les mêmes années sont à l'origine du **Royal Coteau brut**, un champagne mi-blancs mi-noirs bien construit, vif à l'attaque et de bonne longueur : même note. (CM)

🗝 Le Royal Coteau, 11, rue de la Coopérative, 51190 Grauves, tél. 03.26.59.71.12, fax 03.26.59.77.66 ☑ Y ⅄ r.-v.

ROYER PÈRE ET FILS
Blanc de blancs Cuvée Prestige ★

	2 ha	15 300	▮ 11 à 15 €

Établie à Landreville, village situé au bord de l'Ource dans la Côte des Bar (Aube), la famille Royer a élaboré à partir des vendanges de 2002 et 2003 un blanc de blancs vif et floral, d'une grande fraîcheur, bien équilibré et parfaitement dosé. Mi-blancs mi-noirs, le **2000** est cité pour son bouquet floral à la fois expressif et aérien et pour sa bouche équilibrée et persistante. (RM)

🗝 Royer Père et Fils, 120, Grande-Rue, BP 6, 10110 Landreville, tél. 03.25.38.52.16, fax 03.25.38.37.17, e-mail infos@champagne-royer.com ☑ Y ⅄ r.-v.

RUELLE-PERTOIS
Blanc de blancs Cuvée de réserve ★★

	1er cru	3 ha	15 000	11 à 15 €

Implantée à Moussy, près d'Épernay, cette exploitation familiale dispose de 6 ha de vignes répartis sur sept communes. Sa Cuvée de réserve s'annonce par un bouquet complexe, brioché et grillé avec des notes de fleurs blanches nuancées de fleurs séchées. Ces sensations olfactives se retrouvent dans une bouche franche à l'attaque, harmonieuse et persistante. Un ensemble plaisant que l'on pourra ouvrir à l'apéritif et terminer sur du poisson en sauce. (RM)

🗝 SCEV Ruelle-Pertois, 11, rue de Champagne, 51530 Moussy, tél. 03.26.54.05.12, fax 03.26.52.87.58, e-mail ruellemi@wanadoo.fr ☑ Y ⅄ r.-v.

RUFFIN ET FILS Chardonnay d'or ★★

	5 ha	35 000	▮ 15 à 23 €

Cette affaire familiale a son siège à Étoges, entre Côte des Blancs et Sézannais. Jean Ruffin, qui a lancé sa marque en 1947, travaille encore à sa prospérité, avec son fils Dominique – qui l'a rejoint en 1973 et assure la fonction de chef de cave – et son petit-fils Alexandre, directeur des ventes depuis 1995. Le vignoble s'étend sur 11 ha. Issu des années 2002 et 2003, ce Chardonnay d'or séduit par la complexité florale de son nez où l'œillet côtoie la pivoine. En bouche, sa fraîcheur, son équilibre et sa longueur le rendent très agréable. (NM)

🔑 Ruffin et Fils, 20, Grande-Rue, 51270 Étoges, tél. 03.26.59.30.14, fax 03.26.59.34.96, e-mail contact@champagnes-ruffin.com
☑ Y 🚶 t.l.j. sf dim. 8h-12h 14h-17h

RUINART ★

●	n.c.	n.c.	38 à 46 €

Fondée en 1729, la marque doyenne tire son nom de dom Ruinart, condisciple de dom Pérignon. La maison a été créée par le neveu du moine bénédictin, Nicolas, qui était à l'origine drapier à Épernay ; elle s'est spécialisée dans le champagne à la deuxième génération. Ce rosé, habillé sans timidité, offre un bouquet vanillé qui souligne sa nuance « pinot », un pinot riche et confit. Plein et rond, il tient en bouche : un champagne fait pour la table. (NM)

🔑 Ruinart, 4, rue des Crayères, BP 85, 51053 Reims Cedex, tél. 03.26.77.51.51, fax 03.26.82.88.43 Y 🚶 r.-v.

RENÉ RUTAT 1998

○ 1er cru	n.c.	5 000	▮ 15 à 23 €

René Rutat a commencé à commercialiser du champagne au début des années 1960. L'exploitation, conduite depuis 1985 par Michel Rutat, s'étend sur 6,5 ha autour de Vertus, au sud de la Côte des Blancs. Ce 1998 est d'ailleurs un blanc de blancs, même si l'étiquette ne l'indique pas. Fleurs blanches et fruits cuits voisinent élégamment avec le pain grillé dans une structure fondue et équilibrée. (RM)

🔑 René Rutat, 27, av. du Gal-de-Gaulle, 51130 Vertus, tél. 03.26.52.14.79, fax 03.26.52.97.36, e-mail champagne-rutat@wanadoo.fr ☑ Y 🚶 r.-v.
🔑 Michel Rutat

LOUIS DE SACY

○ Gd cru	11 ha	150 000	▮ ⦀ 15 à 23 €

« Famille en Champagne depuis 1633 » proclame l'étiquette. À Verzy, dans la Montagne de Reims. Une telle antériorité mérite bien une particule pour le champagne... Aujourd'hui Alain Sacy est à la tête de 20 ha répartis dans les principaux secteurs du vignoble. Son brut grand cru assemble deux tiers de raisins noirs et un tiers de blancs. Une partie des vins est logée dix-huit mois dans le bois. Sous-bois au nez, poire et coing en bouche, ce champagne se montre charnu et frais. (NM)

🔑 Louis de Sacy, 6, rue de Verzenay, 51380 Verzy, tél. 03.26.97.91.13, fax 03.26.97.94.25, e-mail contact@champagne-louis-de-sacy.fr ☑ Y 🚶 r.-v.
🔑 Alain Sacy

SAINT-CHAMANT Cuvée de chardonnay 1998 ★★

○	n.c.	15 542	▮ 15 à 23 €

Les Coquillette cultivent 11 ha de vignes autour d'Épernay et dans la proche Côte des Blancs. Le chardonnay est à l'origine des deux cuvées sélectionnées. Ce 98 a atteint son apogée et gagné en complexité. On y découvre les accents briochés, beurrés et miellés des blancs de blancs floraux et fins. Quant à la **Cuvée de chardonnay 1996 (23 à 30 €)**, redégustée cette année et citée, elle confirme ses qualités de finesse et de complexité, ainsi que son évolution. « Elle restera toujours acidulée » précise un juré. (RM)

🔑 Christian Coquillette, Saint-Chamant, 50, av. Paul-Chandon, 51200 Épernay, tél. 03.26.54.38.09, fax 03.26.54.96.55 ☑ r.-v.

DE SAINT-GALL
Blanc de blancs Cuvée Orpale 1996 ★

○ Gd cru	50 ha	35 000	▮ 46 à 76 €

Marque d'Union Champagne, groupement de coopératives qui vinifie les vendanges de plus de mille huit cents adhérents. Il est implanté à Avize, et d'importantes superficies de la Côte des Blancs, en 1er cru et en grand cru, alimentent ses cuvées. Orpale est le champagne de prestige de Saint-Gall. Le millésime 1996 présente encore la couleur or pâle du chardonnay. Son fruité apparaît légèrement confit, avec quelques notes d'évolution. Un champagne agréable, puissant au nez comme en bouche. Rappelons que le millésime précédent a obtenu un coup de cœur. (CM)

🔑 Union Champagne, 7, rue Pasteur, 51190 Avize, tél. 03.26.57.94.22, fax 03.26.57.57.98, e-mail info@union-champagne.fr

SALMON ★

●	5 ha	9 000	▮ 15 à 23 €

La famille Salmon exploite une dizaine d'hectares dans la vallée de l'Ardre, à l'ouest de Reims, et commercialise du champagne depuis la fin des années 1950. Né des vendanges de 2002 et 2003, son rosé est un rosé de noirs de pur pinot meunier. C'est un champagne gourmand, ample et élégant, au dosage discret et aux arômes de fraise des bois et de groseille. Cité, le **brut 2001** – un millésime difficile – assemble 70 % de meunier et 30 % de chardonnay. Il est équilibré, agréable, quoique fortement dosé. Sa légèreté en fait un champagne d'apéritif. (RM)

🔑 EARL Salmon, 21-23, rue du Capitaine-Chesnais, 51170 Chaumuzy, tél. 03.26.61.82.36, fax 03.26.61.80.24, e-mail champagne.salmon@wanadoo.fr ☑ Y 🚶 r.-v.

SALON Blanc de blancs 1996 ★★

○	n.c.	n.c.	▮ + de 76 €

Fondée en 1911 et reprise en 1989 par Laurent-Perrier, cette maison est unique : elle est la seule à ne proposer qu'un seul champagne, et encore pas toutes les années, car elle ne met sur le marché que des millésimés. Toujours blanc de blancs, le champagne Salon provient exclusivement du Mesnil-sur-Oger, grand cru de la Côte des Blancs. Son 1995 a été salué par un coup de cœur l'an dernier. Le 1996 ? Un milllésime attendu, et qui ne déçoit pas. Il est très nerveux, mais son ampleur séduira ceux qui seraient effarouchés par son acidité vive. Le parfait équilibre d'un champagne à boire et à mettre en cave. (NM)

🔑 Salon, 5, rue de la Brèche-d'Oger, 51190 Le Mesnil-sur-Oger, tél. 03.26.57.51.65, fax 03.26.57.79.29, e-mail champagne@salondelamotte.com Y 🚶 r.-v.

SANCHEZ-LE GUÉDARD Prestige 1998 ★★

○	0,6 ha	4 730	▮ 15 à 23 €

En 1953, un salarié viticole, Bernard Le Guédard, crée un vignoble de 1,50 ha autour de Cumières, près d'Hautvillers. Il l'agrandit au fil des ans pour transmettre en 1983 à sa fille et à son gendre une exploitation de 5 ha dans la vallée de la Marne. José Sanchez a élaboré un 1998 mi-blancs mi-noirs (pinot noir) dans lequel les agrumes confits s'allient au coing avec finesse. Une attaque soyeuse introduit une bouche aussi ample que persistante. (RM)

🔑 Sanchez-Le Guédard, 106, rue Gaston-Poittevin, 51480 Cumières, tél. et fax 03.26.51.66.39 ☑ Y 🚶 r.-v.
🔑 José Sanchez

SANGER

● n.c. n.c. ▮ 11 à 15 €

Le lycée d'Avize forme les acteurs de la viticulture française. En 1952, les ex-élèves ont créé la « Coopérative des anciens », souvent mentionnée dans cet ouvrage : elle a même obtenu un coup de cœur (édition 2004). Cette année, les dégustateurs ont retenu un rosé né de 85 % de chardonnay, auquel 15 % de vin rouge de pinot noir donne ses nuances cuivrées. Un champagne assez charmeur, offrant « un plaisir simple », pour reprendre la conclusion d'un juré. Pour un dessert aux fruits rouges. (CM)

Coopérative des Anciens, Lycée viticole, 51190 Avize, tél. 03.26.57.79.79, fax 03.26.57.78.58, e-mail champagne.sanger@hexanet.fr
t.l.j. sf sam. dim. 8h-12h 14h-18h

CAMILLE SAVÈS Bouzy Carte d'or *

Gd cru 4,3 ha 25 494 15 à 23 €

Ingénieur agronome, Eugène Savès épouse en 1894 une fille de vignerons de Bouzy. En 1982, son arrière-petit-fils prend en main les 9 ha de l'exploitation. Sa Carte d'or, issue des années 2000 et 2001, associe trois quarts de pinot noir et un quart de chardonnay. Elle n'a pas fait sa fermentation malolactique. Miel et fruits blancs précèdent une bouche très présente, structurée, marquée par une touche d'acidité. La **Cuvée de réserve Bouzy grand cru**, des années 2001 et 2002, une étoile, privilégie les raisins blancs (deux tiers de chardonnay). Ronde, souple, équilibrée et longue, elle a la fraîcheur de la pomme et de la poire. Mêmes années d'assemblage pour le **rosé grand cru**, onctueux et gourmand, dominé lui aussi par le chardonnay (60 % pour 40 % de pinot noir dont 12 % de bouzy rouge élevé en pièce). Il est cité. (RM)

Camille Savès, 4, rue de Condé, 51150 Bouzy, tél. 03.26.57.00.33, fax 03.26.57.03.83, e-mail champagne.saves@hexanet.fr
t.l.j. 8h-12h30 14h-19h; dim. sur r.-v.
Hervé Savès

FRANÇOIS SECONDÉ Blanc de blancs 2001 **

Gd cru 1 ha 2 500 15 à 23 €

À 10 km au sud-est de Reims, sur la rive gauche de la Vesle, le grand cru de Sillery a joui d'une bonne réputation dès le début du XVII[e]s. Si les maisons de négoce y sont présentes, les récoltants manipulants n'y sont pas légion. François Secondé y exploite 5,50 ha de vignes. Il propose un blanc de blancs du millésime 2001, une année de modeste réputation. Pourtant, il en a tiré un vin plein d'agréments, au nez puissant, un rien fumé, rond et frais au palais. Un champagne mûr aux arômes de fruits confits et de miel. (RM)

François Secondé, 6, rue des Galipes, 51500 Sillery, tél. 03.26.49.16.67, fax 03.26.49.11.55 r.-v.

CRISTIAN SENEZ Grande Réserve 1998 ***

2 ha 12 500 ▮ 15 à 23 €

Dans les années 1950, Cristian Senez défriche et plante ses premiers ares de vignes. En 1973, il élabore ses premières cuvées. Aujourd'hui, sa fille et son gendre héritent d'une affaire forte d'un vignoble de 30 ha et investissent dans la cuverie. Trois quarts de pinot noir et un quart de chardonnay contribuent à ce champagne aussi fin au nez qu'en bouche, aux parfums de fleurs blanches et au palais citronné, ample et velouté, sans la moindre lourdeur. Coup de cœur unanime. Peut-être s'envolera-t-il vers la Nouvelle-Calédonie et d'autres territoires d'outre-mer, destination privilégiée des Champagnes Senez. (NM)

Cristian Senez, 6, Grande-Rue, 10360 Fontette, tél. 03.25.29.60.62, fax 03.25.29.64.63, e-mail contact@champagne-senez.com r.-v.

SERVEAUX FILS 2000 *

0,6 ha 5 000 ▮ 15 à 23 €

Situé dans la vallée de la Marne, en amont de Château-Thierry, ce domaine de 12 ha a été créé dans les années 1950 par le père de Pascal Serveaux, qui l'a repris en 1993. Son 2000 marie deux tiers de blancs et un tiers de noirs (pinot noir) : assemblage classique. Il est floral. Quoi d'étonnant ? Mais que ce bouquet évoque la rose, voilà qui est plus surprenant. La bouche prolonge le nez, avec élégance et raffinement. Un ensemble jeune et prometteur. Le 1998 avait été coup de cœur. (RM)

Pascal Serveaux, 2, rue de Champagne, 02850 Passy-sur-Marne, tél. 03.23.70.35.65, fax 03.23.70.15.99, e-mail serveaux.p@wanadoo.fr
r.-v.

SIMART-MOREAU Grande Réserve *

Gd cru 1 ha 8 000 ▮ 11 à 15 €

Née au début des années 1970 de l'union de deux domaines, cette propriété familiale, forte de 4,50 ha dans la Côte des Blancs, fait ses premiers pas à l'export. Issue des années 2001 et 2002, sa Grande Réserve donne l'avantage au chardonnay, qui entre à 80 % dans l'assemblage de cette cuvée, complété par le pinot noir. Le miel, les fruits confits et les fruits secs s'associent dans ce champagne harmonieux, rond et souple. (RM)

Pascal Simart, 9, rue du Moulin, 51530 Chouilly, tél. 03.26.55.42.06, fax 03.26.55.95.92, e-mail simart.moreau@wanadoo.fr r.-v.

SIMON-SELOSSE Blanc de blancs

Gd cru 1 ha n.c. ▮ 15 à 23 €

Philippe Simon préside depuis 1990 aux destinées de la propriété familiale. Situés dans la Côte des Blancs, ses 4,5 ha sont plantés exclusivement de vignes blanches. Certaines parcelles s'étendent dans les grands crus d'Avize, de Cramant et d'Oger. Ce blanc de blancs met à contribution les années 2001 et 2002. Fidèle reflet du chardonnay au nez comme en bouche, c'est un champagne un rien alourdi par le dosage mais agréable. (RM)

Simon-Selosse, 20, rue d'Oger, 51190 Avize, tél. 03.26.57.52.40, fax 03.26.52.85.16, e-mail champ.simon-selosse@wanadoo.fr r.-v.

SOURDET-DIOT Cuvée de réserve **

2,5 ha 25 000 ▮ 11 à 15 €

Ce récoltant-manipulant est établi dans un petit village blotti entre Marne et Surmelin. Il exploite un vignoble de 7,50 ha, planté au début des années 1960, et commercialise ses champagnes auprès des particuliers depuis 1990. Issue des années 2001 et 2002, sa Cuvée de

CHAMPAGNE

réserve est très marquée par le pinot meunier, une variété qui excelle dans ce secteur. Le miel, le beurre de noisette et les fruits secs se marient dans ce champagne gras et puissant, qui agrémentera les repas. Deux autres cuvées obtiennent chacune une étoile : le brut **Prestige (15 à 23 €)** (60 % de meunier et 40 % de chardonnay des années 2000 et 2001), vineux et complexe, et le **1999** (70 % de chardonnay et 30 % de meunier), un champagne persistant aux arômes de fleurs et de fougère. (RM)

Sourdet-Diot, 1, hameau de Chézy,
02330 La Chapelle-Monthodon, tél. 03.23.82.46.18,
fax 03.23.82.18.82, e-mail sourdet-diot@wanadoo.fr
r.-v.

SOUTIRAN Perle noire *

Gd cru | 1 ha | 5 800 | 15 à 23 €

Une autre maison Soutiran à Ambonnay, fondée par Alain Soutiran en 1970 et aujourd'hui dirigée par sa fille Valérie Renaux. La Perle noire est un blanc de noirs (pur pinot noir) partiellement élevé dans le bois. Briochée, structurée, ample et longue, elle a atteint son apogée. Le **rosé grand cru**, une étoile également, doit aussi tout au pinot noir. Il s'agit d'un rosé de saignée, qui ne provient que d'une seule année. De couleur soutenue aux reflets tuilés, il apparaît évolué au nez, avec des nuances de fruits secs. Vineux, puissant et long, il révèle un dosage généreux qui, s'il l'alourdit un peu, lui donne de la douceur. (NM)

A. Soutiran, 3, rue de Crilly, 51150 Ambonnay,
tél. 03.26.57.07.87, fax 03.26.57.81.74,
e-mail info@soutiran.com
t.l.j. 9h-12h 13h30-18h

PATRICK SOUTIRAN Précieuse d'argent 1996 **

Gd cru | n.c. | 3 000 | 23 à 30 €

Vignerons à Ambonnay, les Soutiran ont développé la vente en bouteilles dans les années 1950, avec Gérard, le père de Patrick. Ce dernier exploite 3 ha de vignes autour de ce grand cru et du village voisin de Trépail. La Précieuse d'argent est une cuvée spéciale. C'est un blanc de blancs d'Ambonnay – une originalité car ce sont les pinots noirs qui font la réputation de cette commune. Agrumes et coing au nez, c'est un champagne équilibré et harmonieux, qui sera parfait à l'apéritif. Deux autres cuvées obtiennent chacune une étoile : le **blanc de blancs 1er cru (15 à 23 €)**, issu de Trépail et des années 2000 à 2003, un autre champagne d'apéritif vanillé et mentholé, ample et frais ; et le **brut grand cru (15 à 23 €)** des vendanges de 2001 à 2003, un blanc de noirs souple et puissant aux arômes d'agrumes. (RM)

Patrick Soutiran, 3, rue des Crayères,
51150 Ambonnay, tél. 03.26.53.85.94,
fax 03.26.57.81.87, e-mail patrick.soutiran@wanadoo.fr
r.-v.

TAITTINGER Comtes de Champagne 1999 **

n.c. | 33 500 | + de 76 €

Le Crédit agricole vient d'acquérir la prestigieuse maison fondée en 1734. L'équipe Taittinger, qui a toujours connu le succès, reste aux commandes et la gamme demeure inchangée. On retrouve sa cuvée de prestige, Comtes de Champagne, ici en rosé. L'assemblage comprend 70 % de pinot noir (dont 12 % vinifié en rouge) et 30 % de chardonnay. Élégance, finesse soyeuse et classe définissent ce fleuron de la maison. Né de l'année 1999 et mi-noirs mi-blancs, le **sec cuvée Nocturne (30 à 38 €)** obtient une étoile. Son dosage à 18 g/l en fait un champagne suave, minéral au nez, marqué par la pêche et la mangue. Pour un souper fin, autour de foie gras et de mignardises. Le **brut 1999 (38 à 46 €)** assemble lui aussi pinot noir et chardonnay à parts égales. Il est cité pour sa complexité, son dosage juste, son équilibre et son potentiel. **Les Folies de la Marquetterie (30 à 38 €)**, un des rares champagnes de clos, naissent d'un vignoble dominé par le château du même nom (XVIIIes.), propriété de la maison. Le chardonnay (55 %) et le pinot noir (45 %) de 2002 et 2003 contribuent à cet ensemble brioché, souple, équilibré et élégant. Une nouvelle cuvée qui prouve la vitalité de la marque. (NM)

Taittinger, 9, pl. Saint-Nicaise, 51100 Reims,
tél. 03.26.85.45.35, fax 03.26.50.14.30,
e-mail export@taittinger.fr r.-v.

TANNEUX-MAHY Cuvée de réserve

2,8 ha | 30 000 | 11 à 15 €

Ce vignoble s'étend sur 6 ha autour de Mardeuil, tout près d'Épernay. Jacques Tanneux l'a repris en 1987. À partir des vendanges de 2002 et 2003, il a élaboré un champagne très marqué par les raisins noirs : 80 % dont 70 % de meunier. Les vins de base passent un an dans le bois, mais le champagne exprime avant tout de légers arômes de fruits rouges et d'agrumes. Frais à l'attaque, nerveux, il trouvera sa place à l'apéritif. (RM)

Jacques Tanneux, 7, rue Jean-Jaurès,
51530 Mardeuil, tél. 03.26.55.24.57, fax 03.26.52.84.59
r.-v.

TARLANT Prestige 1997 **

1 ha | 7 000 | 23 à 30 €

Vignerons de père en fils depuis 1687, élaborateurs de champagne depuis 1929, les Tarlant exploitent aujourd'hui 13,50 ha de vignes. De Georges (quatre-vingt-dix-sept ans) à Benoît (vingt-neuf ans), quatre générations décident ensemble des assemblages ! Ce millésime qui passe par le bois met à contribution les trois cépages champenois : chardonnay (60 %), pinot noir (30 %) et meunier (10 %). Floral, équilibré et long, il atteint son apogée sans avoir perdu de sa fraîcheur et en gagnant de la complexité. (RM)

Tarlant, 51480 Œuilly, tél. 03.26.58.30.60,
fax 03.26.58.37.31, e-mail champagne@tarlant.com
t.l.j. sf dim. 10h-12h 13h30-17h30; f. jan.

EMMANUEL TASSIN Cuvée de réserve *

3 ha | 22 000 | 11 à 15 €

Le grand-père d'Emmanuel Tassin fut dans les années 1930 l'un des premiers vignerons de Celles-sur-Ource (Aube) à commercialiser son champagne. Aujourd'hui, la nouvelle génération exploite 7 ha et signe ses cuvées. Celles-ci font intervenir un cépage autorisé mais presque introuvable dans la Marne : le pinot blanc, qui constitue 15 % de cette Réserve, avec 20 % de chardonnay et 65 % de pinot noir – des vendanges 2002 et 2003. Un champagne très fruité, équilibré et long. Née des années 2001 et 2002, la **Cuvée perlée** est un blanc de blancs très original, puisqu'elle aussi met à contribution le pinot blanc (50 %). Le pain au levain et le jasmin se marient dans ce vin de caractère, assez souple et de bonne longueur. À réserver aux amateurs, la **Cuvée ancestrale élevée en fût de chêne 2000 (15 à 23 €)** associe trois quarts de chardonnay et un quart de pinot noir qui ont séjourné neuf mois en fût. Riche et longue, elle offre de jolies notes boisées et vanillées. Trois champagnes intéressants : une étoile chacun. (RM)

Emmanuel Tassin, 104, Grande-Rue,
10110 Celles-sur-Ource, tél. 03.25.38.59.44,
fax 03.25.29.94.59 r.-v.

J. DE TELMONT Grande Réserve *

32 ha 1 000 000 11 à 15 €

Fondée en 1912, cette affaire restée familiale a son siège à Damery, en face d'Épernay. Elle dispose d'un important vignoble (32 ha). Les trois cépages champenois à parts égales, des années 2000 à 2003, collaborent à cette Grande Réserve que son fruité intense et sa vinosité généreuse destinent à la table. Un blanc de blancs, la **Cuvée Grand Couronnement 1998 (23 à 30 €)**, issu de trois grands crus de la Côte des Blancs, obtient la même note. Il est fin, onctueux, équilibré, avec une touche de nervosité en finale. (NM)

J. de Telmont, 1, av. de Champagne,
51480 Damery, tél. 03.26.58.40.33, fax 03.26.58.63.93,
e-mail commercial@champagne-de-telmont.com
r.-v.

V. TESTULAT Carte d'or

15 ha 150 000 11 à 15 €

« Maison fondée en 1862 » peut-on lire sur l'étiquette. En cinq générations, la famille Testulat a constitué un vignoble de 17 ha. Sa Carte d'or est un blanc de noirs des vendanges de 2001 et 2002 qui assemble les deux pinots à parts égales. Discrètement florale au nez, elle laisse un fruité généreux se développer en bouche. Issu des mêmes années, le **blanc de blancs** est alourdi par un dosage sensible mais, avec son fruité bien mûr, il offre un côté flatteur. (NM)

V. Testulat, 23, rue Léger-Bertin, BP 21,
51201 Épernay, tél. 03.26.54.10.65, fax 03.26.54.61.18,
e-mail vtestulat@champagne-testulat.com r.-v.

JACKY THERREY Cuvée spéciale **

1 ha 8 000 11 à 15 €

À l'origine apporteur de raisins pour de grandes maisons de négoce, Jacky Therrey signe ses champagnes depuis 1980. Il exploite 5,50 ha autour de Montgueux, vignoble isolé à l'ouest de Troyes – et l'un des rares de l'Aube à être réputé pour son chardonnay. Ce cépage, qui lui a valu un coup de cœur dans l'édition 2005, entre à hauteur de 90 % dans cette Cuvée spéciale déjà fort louée l'an passé. Cette année, l'assemblage met à contribution les vendanges de 2002 et de 2003. Ce champagne aux arômes d'agrumes, de fruits blancs et de brioche révèle une grande finesse tout en se montrant gras et dense. Un très bel équilibre. (RM)

Jacky Therrey, 8, rte de Montgueux,
La Grange-au-Rez, 10300 Montgueux,
tél. 03.25.70.30.87, fax 03.25.70.30.84,
e-mail therrey.eric@wanadoo.fr r.-v.

THÉVENET-DELOUVIN Carte noire *

2 ha 15 000 11 à 15 €

Cette marque, lancée en 1992, et l'exploitation, de plus de 6 ha, résultent de l'alliance de deux familles de viticulteurs, l'une établie sur la rive droite de la Marne, l'autre sur la rive gauche. La Carte noire est un blanc de noirs dominé par le pinot meunier (75 %). Elle n'en est pas moins florale et subtile. Très équilibrée, assez longue, elle laisse le souvenir d'un ensemble aérien. Les raisins noirs sont très présents dans la **Réserve** (80 % dont 60 % de meunier), un champagne déclinant les agrumes, la cire et le miel, avec en bouche des notes de prune et d'abricot mûr. Bien équilibré, vineux, étoffé et fondu, il obtient lui aussi une étoile. Une dégustatrice le servirait bien sur des ravioles de tourteau sauce crémée. (RM)

Xavier Thévenet, 28, rue Bruslard,
51700 Passy-Grigny, tél. 03.26.52.91.64,
fax 03.26.52.97.63, e-mail xavier.thevenet@wanadoo.fr
r.-v.

GUY THIBAUT

Gd cru 1,6 ha 12 000 11 à 15 €

Installée dans le grand cru de Verzenay (Montagne de Reims), cette petite exploitation familiale exporte plus du tiers de sa production. Assemblage de 80 % de pinot noir et de 20 % de chardonnay, son brut grand cru avait été fort loué dans la dernière édition. Cette année, l'assemblage fait intervenir des vins plus jeunes d'où un niveau plus modeste. Un nez frais, une bouche vineuse et assez longue composent cependant un champagne équilibré qui mérite d'être cité. (RM)

SCEV Guy Thibaut, rue de Beaumont,
51360 Verzenay, tél. 03.26.08.41.30, fax 03.26.49.42.16,
e-mail info@champagne-thibaut-guy.com r.-v.

CHAMPAGNE

ALAIN THIÉNOT
Blanc de blancs La Vigne aux gamins 1997 *

n.c. 3 475 46 à 76 €

D'abord courtier, Alain Thiénot a créé sa marque, acquis des vignobles avant de prendre le contrôle de Marie Stuart, Joseph Perrier et Canard-Duchêne. Il est également très présent en Bordelais. Cette Vigne aux gamins, sélectionnée par ses enfants, est un blanc de blancs en provenance d'une parcelle de vieux ceps implantés dans le grand cru d'Avize. Les dégustateurs ont tiré un grand plaisir de ce champagne intense, complexe, miellé et brioché, velouté et harmonieux. « Espérons qu'il y en a beaucoup... » écrit un dégustateur qui s'interroge sur son prix. Le prix d'une production limitée à 3 475 flacons numérotés... La **Grande Cuvée 1996** obtient la même note. Elle donne une courte majorité (55 %) aux raisins noirs et connaît le bois neuf. Elle charme par son équilibre et sa fraîcheur. Quant au **brut (23 à 30 €)**, issu des trois cépages champenois, son nez riche de fleurs, de miel, de fruits jaunes et sa rondeur lui valent une citation. (NM)

Alain Thiénot, 4, rue Joseph-Cugnot, 51500 Taissy,
tél. 03.26.77.50.10, fax 03.26.77.50.19,
e-mail infos@thienot.com r.-v.

JEAN THIERCELIN PÈRE ET FILS
Carte noire 1998 ***

10 ha 10 000 15 à 23 €

Fondé en 1893 par Louis Thiercelin, ce domaine, qui a son siège à Moussy dans les coteaux d'Épernay, s'étend aujourd'hui sur 17 ha. Il est exploité par les quatrième et cinquième générations. Cuvée classique assemblant 60 % de chardonnay et 40 % des deux pinots (dont 30 % de meunier), cette Carte noire a tout pour plaire : un nez élégant aux arômes de fruits exotiques (litchi), une bouche superbe, intense, ronde, équilibrée, complexe, aux saveurs de kiwi. « Grand vin » conclut un membre du jury. (RM)

Jean-Louis Thiercelin, 50-54, rue du 11-Novembre,
51530 Moussy, tél. 03.26.54.02.69, fax 03.26.51.57.18,
e-mail cavethiercelin@aol.com r.-v.

J.-M. TISSIER

● 0,2 ha 2 000 ▮ 11 à 15 €

Autre fils de Diogène Tissier, Jean-Marie et maintenant son petit-fils Jacques poursuivent avec un vignoble de 5 ha une aventure qui a commencé en 1931. Le jury a retenu leur rosé, qui fait la part belle aux noirs : 80 %, dont 70 % de meunier. Non millésimé, ce champagne provient de la vendange 2003. Léger à l'œil et au nez, à la fois charnu et nerveux, justement dosé, il sera excellent à table. Rappelons le coup de cœur pour la cuvée Apollon 2000 l'an dernier. (RM)

Jacques Tissier, 9, rue du Gal-Leclerc,
51530 Chavot-Courcourt, tél. 03.26.54.17.47,
fax 03.26.59.01.43,
e-mail champagne.tissier@wanadoo.fr r.-v.

DIOGÈNE TISSIER ET FILS Cuvée de réserve ★

2,5 ha 25 000 ▮ 11 à 15 €

Diogène dans son tonneau... Ne cherchez pas un nouveau cynique près d'Épernay, à l'ombre de l'église romane de Chavot. On parle ici de la figure emblématique de la maison, représentée plutôt dans le registre de l'art naïf, ou encore de ces réclames du début du XX^e^s., comme les peignaient Rabier ou Vavasseur. De Diogène, fondateur de la société en 1931. Son petit-fils Vincent dirige aujourd'hui l'entreprise qui dispose de 9,50 ha. Deux de ses champagnes, issus des années 2001 à 2003, ont été retenus. Avec une étoile, cette Cuvée de réserve mariant les trois cépages champenois (60 % de chardonnay), florale, fraîche et équilibrée ; cité, le **rosé**, né d'un assemblage proche du précédent, avec 12 % de vin rouge qui lui donne sa teinte saumonée ; un champagne équilibré aux arômes de fruits rouges et de miel. (NM)

Diogène Tissier et Fils, 10, rue du Gal-Leclerc,
51530 Chavot-Courcourt, tél. 03.26.54.32.47,
fax 03.26.54.32.48, e-mail diogenetissier@hexanet.fr
r.-v.

GUY TIXIER Cuvée de réserve ★

3 ha 24 000 ▮ 11 à 15 €

Une histoire simple : en 1920, André Tixier, établi dans la Montagne de Reims, crée son vignoble. En 1960, Guy Tixier lance sa marque. En 1989, son fils Olivier lui succède. Issue de la récolte de 2003 assistée de vins de 1999, 2000 et 2002, sa Cuvée de réserve privilégie les noirs : 80 % des deux pinots à parts égales complétés par le chardonnay. Florale, équilibrée et fraîche, elle finit sur une touche d'amertume. (RC)

Olivier Tixier, 12, rue Jobert,
51500 Chigny-les-Roses, tél. 03.26.03.42.51,
fax 03.26.03.43.00, e-mail champguytixier@wanadoo.fr
r.-v.

MICHEL TIXIER Cuvée réservée ★★

2,8 ha 19 420 ▮ 11 à 15 €

En 1963, Michel Tixier crée sa propriété. En 1998, son fils Benoît lui succède. Sa Cuvée réservée, issue des années 2001 et 2002, fait la part belle aux pinots : 80 % (dont 60 % de meunier). On y découvre le pain d'épice, l'amande grillée, la pâte de fruits, les agrumes confits, avec équilibre et longueur. Complété par le chardonnay, le meunier (60 %) domine aussi la **cuvée Suprême 1er cru 1999 (15 à 23 €)**. Puissant, structuré et volumineux avec des arômes de fruits secs ou compotés, ce champagne pourra être servi à table : une étoile. (RM)

Michel Tixier, 8, rue des Vignes,
51500 Chigny-les-Roses, tél. 03.26.03.42.61,
fax 03.26.03.41.80,
e-mail champ.michel.tixier@wanadoo.fr r.-v.
Benoît Tixier

ANDRÉ TIXIER ET FILS
Réserve des grandes années ★

● 1 ha 4 000 ▮ 11 à 15 €

Implantée dans la Montagne de Reims, cette exploitation de 5 ha a été créée en 1925 par le grand-père de Patrice Tixier, l'actuel propriétaire. Réserve des grandes années ? Le terme appelle... une réserve. La cuvée est assez mal nommée en l'occurrence, puisqu'elle met à contribution la récolte de 2001, d'assez faible potentiel, et celle de 2002, qui mérite la mention « bonne année ». Quoi qu'il en soit, l'élaborateur a tiré de ces années non mémorables un rosé de noirs des plus réussis, issu des deux pinots à égalité. Très vineux, long et correctement dosé, c'est un rosé de repas. (RM)

Patrice Tixier, 19, rue des Carrières,
51500 Chigny-les-Roses, tél. 03.26.03.44.62,
fax 03.26.03.44.43,
e-mail champagne-andre-tixier@wanadoo.fr r.-v.

G. TRIBAUT

1er cru n.c. n.c. ▮ 15 à 23 €

Depuis trois générations, les Tribaut sont installés à Hautvillers, le village où vécut dom Pérignon. Ils ont élaboré un 1er cru mi-blancs mi-noirs (les deux pinots à égalité) droit, fruité, fondu et persistant. Quant à leur **2000**, cité également, il est composé en majorité de chardonnay (60 % pour 40 % de pinot noir). Un peu bref, il est corpulent et gras. (RM)

G. Tribaut, 88, rue d'Eguisheim, BP 5,
51160 Hautvillers, tél. 03.26.59.40.57,
fax 03.26.59.43.74,
e-mail champagne.tribaut@wanadoo.fr
t.l.j. 9h-12h 14h-18h; dim. 9h-12h

TRIBAUT-SCHLOESSER Cuvée René ★

10,47 ha 20 000 15 à 23 €

Cette maison familiale fondée en 1929 est implantée à Romery, à 2 km d'Hautvillers, le « berceau du champagne ». Elle dispose de quelque 16 ha de vignes. Le chardonnay l'emporte (60 %), complété par le pinot noir, dans sa Cuvée René au nez grillé et épicé, au palais brioché, plein et équilibré. On pourra servir ce champagne avec un poisson en sauce. (NM)

Tribaut-Schloesser, 21, rue Saint-Vincent,
51480 Romery, tél. 03.26.58.64.21, fax 03.26.58.44.08,
e-mail contact@champagne-tribaut.com
t.l.j. sf sam. dim. 8h30-12h 13h30-17h30

ALFRED TRITANT Cuvée Prestige ★

Gd cru 2 ha 8 000 ▮ 11 à 15 €

Enracinés à Bouzy, village du flanc sud-est de la Montagne de Reims, les Tritant apportaient leur raisin au négoce avant de se lancer dans la manipulation entre les deux guerres. Ils exploitent un vignoble sur le territoire de cette commune classée en grand cru. Leur Cuvée Prestige assemble deux tiers de noirs et un tiers de blancs des années 1998 à 2000. Discrète au nez, aromatique en bouche, elle se révèle équilibrée et fraîche. La **Carte d'or grand cru** mérite une citation. L'assemblage est identique à celui du champagne précédent, mais il est plus jeune (années 1999 à 2001). Des notes mentholées apportent de la fraîcheur à ce vin équilibré mais au dosage perceptible. (RM)

Alfred Tritant, 23, rue de Tours, 51150 Bouzy, tél. 03.26.57.01.16, fax 03.26.58.49.56, e-mail champagne-tritant@wanadoo.fr

t.l.j. 9h-12h 14h-17h, sam. et dim. sur r.-v.

JEAN VALENTIN ET FILS 2000 ★★★

1er cru 0,5 ha 5 000 11 à 15 €

Aux origines du domaine, le mariage en 1922 de Jane Roualet avec un Valentin. Les Roualet sont établis depuis quatre siècles dans la région et portent le nom d'un outil de vigneron, le rouale. Jean Valentin succède à sa mère de 1946 à 1994. Depuis lors, son fils Gilles exploite les 6 ha de la propriété, majoritairement situés dans la Montagne de Reims. Il signe un 2000 né de 40 % de chardonnay et de 60 % des deux pinots (dont 45 % de pinot noir). Un champagne plébiscité pour son nez élégant, ses arômes d'agrumes, de brioche, de fleurs blanches et d'amande, pour sa puissance et sa vinosité, alliées à une fraîcheur exceptionnelle : un modèle d'équilibre et d'harmonie. Le palmarès ne s'arrête pas à ce coup de cœur : le **1er cru Tradition**, issu de raisins du terroir de Sacy et des récoltes 2001 à 2003, reçoit deux étoiles. Un assemblage axé sur les noirs (85 % dont 50 % de meunier) pour un champagne de belle tenue, fruité, équilibré et long. Une étoile enfin pour le **1er cru Sélection** (les trois cépages des années 2000 à 2002), dominé lui aussi par les noirs (70 %) : un champagne puissant aux notes de miel, d'amande amère et de fruits rouges. (RM)

Jean Valentin et Fils, EARL les Coteaux Valentin, 9, rue Saint-Rémi, 51500 Sacy, tél. 03.26.49.21.91, fax 03.26.49.27.68, e-mail givalentin@wanadoo.fr

r.-v.

VARNIER-FANNIÈRE

Avize Cuvée Saint-Denis Blanc de blancs ★

Gd cru 0,9 ha 8 000 15 à 23 €

Les Fannière étaient vignerons dans la Côte des Blancs en 1860. Jean Fannière s'est lancé dans l'élaboration du champagne en 1950. Son gendre Guy Varnier puis, en 1989, son petit-fils, Denis Varnier, œnologue, ont assuré la pérennité du domaine qui s'étend sur quatre grands crus. L'exploitation vinifie presque exclusivement du chardonnay. Sa Cuvée Saint-Denis est un monocru d'Avize issu d'une seule parcelle de vignes de soixante-cinq ans : le Clos du grand-père. Les années 2001 et 2002 sont mariées dans ce champagne ample, épicé, fruité et long. (RM)

Varnier-Fannière, 23, rempart du Midi, 51190 Avize, tél. 03.26.57.53.36, fax 03.26.57.17.07, e-mail contact@varnier-fanniere.com r.-v.

Denis Varnier

VAUTRAIN-PAULET Blanc de blancs ★

n.c. 5 000 11 à 15 €

En cinq générations, cette famille a constitué un vignoble de 11 ha autour de Dizy (1er cru) et d'Aÿ (grand cru), près d'Épernay. Son blanc de blancs s'est distingué par ses arômes fins et fumés, par sa vivacité et son dosage juste. La **Carte blanche** obtient la même note. Elle assemble trois quarts de noirs (dont 65 % de pinot noir) et un quart de blancs. Florale au nez, elle est plutôt fugace mais séduit par sa bonne attaque et son équilibre. (RM)

Vautrain-Paulet, 147-195, rue du Colonel-Fabien, 51530 Dizy, tél. 03.26.55.24.16, fax 03.26.51.97.42, e-mail contact@champagne-vautrain-paulet.fr

r.-v.

F. VAUVERSIN Blanc de blancs ★★★

Gd cru 1,5 ha 11 000 11 à 15 €

Depuis 1640, les Vauversin sont vignerons à Oger, grand cru de la Côte des Blancs. En 1930, le grand-père a valorisé la propriété en commercialisant lui-même son champagne. Bruno Vauversin, qui a repris en 1998 les 3 ha de vignes, en a tiré le meilleur, puisque deux de ses champagnes obtiennent trois étoiles ! Celui-ci, issu des années 2002 et 2003, a été élevé sept mois en cuve. Fin et flatteur au nez, avec ses nuances beurrées et briochées, il est équilibré, parfaitement dosé (8 g/l), élégant. Un modèle de chardonnay. Le **blanc de blancs Réserve élevé en fût (15 à 23 €)** a hérité de notes boisées des douze mois qu'il a passés en fût. Il est surtout complexe (fleurs blanches, rose, beurre, miel, citron vert, notes fumées et minérales), équilibré, long et pur, avec un dosage de 6 g/l. (RM)

F. Vauversin, 9 bis, rue de Flavigny, 51190 Oger, tél. 03.26.57.51.01, fax 03.26.51.64.44, e-mail bruno.vauversin@wanadoo.fr r.-v.

VAZART-COQUART Blanc de blancs Réserve

Gd cru n.c. 50 000 **11 à 15 €**

Établis en Côte des Blancs depuis plusieurs générations, les Vazart ont lancé leur marque au début des années 1950. En 1995, Jean-Pierre Vazart a repris les 11 ha de vignes qui s'étendent autour de Chouilly. Ce brut Réserve est né de la vendange de 2003 et de vins de réserve de 2000 à 2002. Discret au nez, mais typé du chardonnay avec ses fragrances d'aubépine, il demeure frais en bouche. Un champagne à son apogée, que l'on pourra ouvrir à l'apéritif, puis servir sur des entrées chaudes. (RM)

Vazart-Coquart, 6, rue des Partelaines, 51530 Chouilly, tél. 03.26.55.40.04, fax 03.26.55.15.94, e-mail vazart@cder.fr r.-v.

JEAN VELUT Tradition ★

2,3 ha 20 500 11 à 15 €

Cette exploitation auboise élabore son champagne depuis 1976. Elle est implantée à 12 km à l'ouest de Troyes, dans l'îlot viticole de Montgueux, dont le terroir argilo-calcaire est propice au chardonnay. Cette variété marque fortement l'assemblage de cette cuvée (85 %, complétée par du pinot noir) qui a valu à Denis Velut un coup de cœur dans l'édition 2005. Cette année, ce brut marie des vins des récoltes de 2001 à 2003. Les fruits secs s'allient aux fleurs dans ce champagne frais, minéral et élégant, qui tiendra sa place à l'apéritif aussi bien qu'à table. (RM)

EARL Velut, 9, rue du Moulin, 10300 Montgueux, tél. 03.25.74.83.31, fax 03.25.74.17.25, e-mail champ.velut@wanadoo.fr r.-v.

FRANÇOISE VÉLY Cuvée Alix 1999 ★★

n.c. 2 000 15 à 23 €

Installée dans la vallée de la Marne, Françoise Vély est à la tête d'un vignoble de 3,3 ha depuis 1972. Elle signe cette cuvée Alix, où sont assemblés 70 % de raisins noirs (dont 20 % de meunier) et 30 % de chardonnay. Floral et minéral au nez, c'est un champagne droit, bien construit, frais et à la finale agréable. Quant au **blanc de blancs Vély-Rasselet**, fruit de la récolte de 2000, il est souple avec des arômes d'agrumes : une citation. (RM)

Françoise Vély, 4, rue du Château, 51480 Reuil, tél. 03.26.58.38.60, fax 03.26.57.15.50 r.-v.

VÉLY-CHARTIER FILS Demi-sec ★

5,95 ha 36 000 11 à 15 €

Constitué dans les années 1950 par le père de l'exploitant actuel, ce vignoble de la vallée de la Marne s'est étoffé entre 1970 et 1980. Il compte aujourd'hui près de 6 ha de vignes. José Vély, qui a repris l'exploitation en 1985, est l'auteur de ce demi-sec issu des années 1999 et 2001 qui doit presque tout aux raisins noirs (95 %, dont 90 % de meunier). Intense au nez comme en bouche, ce champagne exprime les fruits mûrs, voire compotés. Il est riche, ample et puissant. (RM)

Vély-Chartier fils, rue des Limoneaux, 51700 Festigny, tél. 03.26.58.00.49, fax 03.26.58.93.58, e-mail champ-vely-chartier@yahoo.fr r.-v.

José Vély

DE VENOGE Blanc de blancs 1996 ★

n.c. 15 000 30 à 38 €

Reprise en 1998 par le groupe BCC, cette maison a été fondée en 1837 par Henri-Marc de Venoge, dont les ancêtres étaient bourgeois de Morges, commune viticole du canton de Vaud. Floral, brioché, avec des notes plus confites et évoluées, ce blanc de blancs 1996 est tout en vivacité et en fraîcheur au palais. Créée en 1851, la cuvée **Cordon bleu (23 à 30 €)** symbolise la maison ; le cordon évoque autant la petite rivière Venoge, qui se jette dans le lac Léman, que le cordon de l'ordre du Saint-Esprit, décoration royale. Trois quarts de pinots (dont 50 % de pinot noir) et un quart de chardonnay composent cette cuvée florale et légère au nez, très pleine et un peu lourde en bouche, qui obtient également une étoile. (NM)

De Venoge, 46, av. de Champagne, 51200 Épernay, tél. 03.26.53.34.34, fax 03.26.53.34.35, e-mail infos@champagnedevenoge.com

J.L. VERGNON Extra-brut Blanc de blancs ★

Gd cru 4,4 ha 36 000 15 à 23 €

Ce domaine, qui a son siège au Mesnil-sur-Oger, grand cru de la Côte des Blancs, dispose de plus de 5 ha de vignes – du chardonnay évidemment. Il s'est fait une spécialité de champagnes faiblement dosés, tel ce blanc de blancs extra-brut (2 g/l) assemblant la récolte de 2002 avec des vins de 1999 à 2001. Les vins ne font que partiellement leur fermentation malolactique. Celui-ci, marqué par une fine acidité, citronné, vif et droit, sera aussi à l'aise à l'apéritif qu'à table. (RM)

J.-L. Vergnon, 1, Grande-Rue, 51190 Le Mesnil-sur-Oger, tél. 03.26.57.53.86, fax 03.26.52.07.06, e-mail contact@champagne-jl-vergnon.com t.l.j. 8h-12h 13h30-17h30; sam. dim. sur r.-v.

ALAIN VESSELLE Cuvée Saint-Éloi ★

Gd cru n.c. n.c. 15 à 23 €

Les Vesselle sont nombreux à Bouzy, grand cru situé sur le versant sud de la Montagne de Reims. Ils y cultivent la vigne depuis les années 1880. Éloi Vesselle dispose aujourd'hui de 18 ha. Mi-blancs mi-noirs (pinot noir), la cuvée Saint-Éloi provient de l'année 2002. Elle est fine, élégante, fraîche et d'un bon équilibre. (RM)

SCEV Alain Vesselle, 8, rue de Louvois, 51150 Bouzy, tél. 03.26.57.00.88, fax 03.26.57.09.77, e-mail champagneavesselle@wanadoo.fr r.-v.

Éloi Vesselle

B. VESSELLE ★

Gd cru n.c. 15 000 15 à 23 €

Georges Vesselle dispose d'un vignoble de 17,50 ha à Bouzy, commune dont il a été maire durant vingt-cinq ans. Son fils Bruno a lancé sa propre marque en 1994. Issu des années 2001 et 2002, ce brut grand cru privilégie le pinot noir, qui représente 70 % de l'assemblage, complété par le chardonnay. Floral au nez, il est imposant en bouche, avec souplesse. La cuvée **Juline grand cru de Georges Vesselle (23 à 30 €)** est, elle aussi, dominée par le pinot noir (90 %, pour 10 % de chardonnay) et assemble les années 1995, 1996 et 1998. Elle est citée pour son originalité aromatique et pour sa rondeur soulignée par le dosage. (NM)

Bruno Vesselle, 16, rue des Postes, 51150 Bouzy, tél. 03.26.57.00.15, fax 03.26.57.09.20, e-mail contact@champagne-vesselle.fr

MAURICE VESSELLE 1996

Gd cru 2,5 ha 16 000 15 à 23 €

Un autre domaine Vesselle de Bouzy, fondé en 1955 et entièrement implanté en grand cru. Ses champagnes ne font pas leur fermentation malolactique. Celui-ci, comme un certain nombre de 1996, affiche une nette évolution. Ses senteurs de fleurs séchées, de miel et de tabac sont caractéristiques, et ces impressions se prolongent en bouche, ce qui est plus rare. À réserver aux amateurs. Le **rosé grand cru**, de l'année 2002, a été obtenu par macération courte de pinot noir. Pâle de couleur, il est intense au nez, plein, ample et vineux. (RM)

Maurice Vesselle, 2, rue Yvonnet, 51150 Bouzy, tél. et fax 03.26.57.00.81, e-mail champagne.vesselle@wanadoo.fr t.l.j. 10h-12h 14h-18h

VEUVE A. DEVAUX Cuvée D 1996 ★★

5 ha 10 000 30 à 38 €

Créée en 1848 par les frères Devaux à Épernay, cette marque a été acquise en 1986 par l'Union auboise qui en a fait son cheval de bataille. Le siège de la coopérative, qui vinifie les 1 400 ha de ses adhérents, est aujourd'hui dans la Côte des Bar. À peine plus de chardonnay (53 %) que de pinot noir dans ce 1996 charmeur, jeune, élégant, complexe, aérien et équilibré. La **Grande Réserve (15 à 23 €)** assemble les années 1998 à 2001 et comprend 60 % de pinot noir pour 40 % de chardonnay. Elle obtient une étoile pour sa finesse et sa longueur. Une étoile encore pour la **Cuvée D (23 à 30 €)**, marquée par le pinot noir (73 % pour 27 % de chardonnay). Assemblage de vins moins jeunes (1996 à 1998), c'est un vin équilibré et évolué, pour la table. (CM)

Union Auboise, Champagne Devaux, Dom. de Villeneuve, 10110 Bar-sur-Seine, tél. 03.25.38.30.65, fax 03.25.29.73.21, e-mail info@champagne-devaux.fr r.-v.

VEUVE CLICQUOT PONSARDIN
Vintage rosé 1999 ★★

● n.c. n.c. **38 à 46 €**

Nicole Barbe Ponsardin perd son mari en 1805 – à vingt-sept ans : c'est elle la veuve qui a permis la renommée mondiale de cette maison emblématique, fondée par son beau-père Philippe Clicquot en 1772. Depuis 1987, la marque est contrôlée par le groupe LVMH. Le rosé est une teinte fétiche chez Veuve Clicquot : la maison fut la première à commercialiser du champagne de cette couleur. Ce 1999 assemble deux tiers de noirs et un tiers de blancs, avec 15 % de vin rouge. Il charme par sa complexité, aussi bien au bouquet, fait d'agrumes, de pain grillé et de fruits secs, qu'en bouche, où des notes fumées épousent des nuances fruitées dans un corps souple et harmonieux : un grand rosé de repas. Deux autres cuvées obtiennent une étoile : le **brut Carte jaune (23 à 30 €)**, où les raisins noirs et blancs sont assemblés dans des proportions proches du précédent, pour son nez de zeste d'agrumes, un rien brioché et grillé, et pour son palais frais et fruité, sans aucune lourdeur ; et le **demi-sec (23 à 30 €)**, plus marqué encore par les raisins noirs (quatre cinquièmes dont un petit tiers de meunier) et dosé à 45 g/l, pour ses arômes de pêche blanche, de miel, de pain d'épice et sa persistance. (NM)

Veuve Clicquot Ponsardin, 12, rue du Temple, 51054 Reims Cedex, tél. 03.26.89.54.40, fax 03.26.40.60.17 r.-v.

VEUVE CLICQUOT PONSARDIN
La Grande Dame 1995 ★★

● n.c. n.c. **+ de 76 €**

Une rareté, superbe, coûteuse, et que l'on n'oublie pas : la Grande Dame rosé 1995. Deux tiers de pinot noir et un tiers de chardonnay composent sa cuvée – comme souvent chez Veuve Clicquot – colorée par 15 % de vin rouge. Un rosé délicat, saumoné, panier de fruits rouges au bouquet, et qui s'affirme en bouche par sa rondeur et sa longueur. À réserver aux repas fins, et à accompagner de crustacés ou de viandes blanches. (NM)

Veuve Clicquot Ponsardin, 12, rue du Temple, 51054 Reims Cedex, tél. 03.26.89.54.40, fax 03.26.40.60.17 r.-v.

VEUVE DOUSSOT 2000

○ 1,3 ha 10 200 **15 à 23 €**

Chaque bouteille de cette propriété, qui commercialise ses cuvées depuis les années 1970, affiche en médaillon le portrait d'une vigneronne de caractère, belle-mère du fondateur. Aujourd'hui, c'est son arrière-petit-fils, Stéphane Joly, qui dirige la maison établie dans la Côte des Bar. Son 2000 assemble 70 % de pinot noir au chardonnay et demeure six mois sur lies. Il est floral, vineux, puissant et rond. Cité également, le **rosé (11 à 15 €)** est un rosé de noirs de l'année 2003. Un rosé coloré, au fruité de cerise et de cassis équilibré par une touche acidulée. (RM)

Veuve Doussot, 1, rue de Chatet, 10360 Noé-les-Mallets, tél. 03.25.29.60.61, fax 03.25.29.11.78, e-mail champagne.veuve.doussot@wanadoo.fr r.-v.

Stéphane Joly

VEUVE ÉLÉONORE
Blanc de blancs Prestige d'antan 2000 ★★★

○ Gd cru 0,6 ha 4 000 **15 à 23 €**

Ce récoltant-manipulant exploite plus de 13 ha autour d'Oger, grand cru de la Côte des Blancs. Sa cuvée Prestige d'antan – malgré son nom commercial un peu rebattu – sort du lot. Elle montre les potentialités d'un terroir de haute origine. De la finesse, de subtiles impressions beurrées, une touche fumée, un équilibre dominé par la fraîcheur, de la délicatesse et une extrême élégance dessinent les contours d'une bouteille hors du commun et... rare : quelques milliers de bouteilles. (RM)

Bernard Dzieciuck, 11, rue Margot, 51190 Oger, tél. 03.26.57.50.49, fax 03.26.59.17.72, e-mail veuve.eleonore@cder.fr r.-v.

VEUVE FOURNY ET FILS
Blanc de blancs 1999 ★★

○ 1er cru 0,5 ha 5 000 **23 à 30 €**

Les Fourny cultivent la vigne depuis le milieu du XIXe s. et font du champagne depuis 1930. Le domaine, qui s'étend sur la commune de Vertus, village 1er cru de la Côte des Blancs, est surtout planté en chardonnay. « Madame veuve Fourny », qui a légué son nom à la marque, a assuré la continuité de la maison, aujourd'hui dirigée par ses deux fils. Ces derniers s'attachent à l'expression des terroirs en pratiquant la vinification parcellaire. Ce blanc de blancs doit ainsi sa qualité aux vieilles vignes des Monts Ferrés, situés au cœur du village. Les dégustateurs sont conquis par son élégance, son ampleur, sa vivacité et son parfait équilibre, sur des notes de pêche fraîche. Citée par le jury, la **Grande Réserve 1er cru (15 à 23 €)** est elle aussi marquée par le chardonnay, qui compose 80 % de l'assemblage, complété par le pinot noir. Un champagne aux arômes d'agrumes, droit et frais. (NM)

Veuve Fourny et Fils, 2-5, rue du Mesnil, 51130 Vertus, tél. 03.26.52.16.30, fax 03.26.52.20.13, e-mail info@champagne-veuve-fourny.com r.-v.

VEUVE MAÎTRE GEOFFROY Grand Rosé ★

● 1er cru 2 ha 19 000 **11 à 15 €**

Soulignons le rôle des veuves dans la production de ce vin de fête qu'est le champagne. Comme d'autres avant elle, l'arrière-grand-mère du récoltant, au décès de son mari en 1878, s'est investie dans l'exploitation familiale, qui s'étend aujourd'hui sur 12 ha, du côté de Cumières. Thierry Maître a assemblé 60 % de pinot noir et 40 % de chardonnay des années 2002 et 2003 pour obtenir ce rosé cuivré, au fruité de griotte, rond, ample et structuré, qui laisse une très bonne impression en finale. (RM)

Veuve Maître-Geoffroy, 116, rue Gaston Poittevin, 51480 Cumières, tél. 03.26.55.29.87, fax 03.26.51.85.77, e-mail th.maitre@wanadoo.fr

t.l.j. 9h-12h 14h-17h, sam. et dim. sur r.-v.

VEUVE MAURICE LEPITRE 1998

1er cru 0,3 ha 1 500 ■ 15 à 23 €

Créée en 1905 par Maurice Lepitre, disparu en 1926, cette propriété est conduite par ses descendants. Elle a son siège dans une ancienne maison à colombage de Rilly et dispose d'un vignoble dans la Montagne de Reims. Son brut assemble 60 % des deux pinots (dont 40 % de pinot noir) et 40 % de chardonnay. Nerveux et plein de jeunesse, il plaira aux amateurs de champagnes vifs. (RM)

Veuve Maurice Lepitre, 26, rue de Reims, 51500 Rilly-la-Montagne, tél. 03.26.03.40.27, fax 03.26.03.45.76, e-mail mlepitre@free.fr r.-v.

MARCEL VÉZIEN

Cuvée de prestige Double Eagle II *

1,5 ha 13 000 ■ 11 à 15 €

Commune viticole de la Côte des Bar, Celles-sur-Ource abrite de nombreux vignerons, comme Jean-Pierre Vézien, qui exploite le domaine (15 ha) constitué à la fin du XIXes. par son arrière-grand-père Armand. C'est son père Marcel qui a commercialisé les premières bouteilles dans les années 1950. La cuvée Double Eagle II met à contribution 80 % de pinot noir et 20 % de chardonnay des années 2000 et 2001. Elle séduit par son expression fruitée suave, sa rondeur et son ampleur. Sa fraîcheur est soulignée d'une touche acidulée. (NM)

Marcel Vézien et Fils, 68, Grande-Rue, 10110 Celles-sur-Ource, tél. 03.25.38.50.22, fax 03.25.38.56.09, e-mail contact@champagne-vezien.com
t.l.j. 8h-18h, sam. dim. sur r.-v.

FLORENT VIARD Tradition *

1er cru 0,6 ha 6 000 11 à 15 €

Florent Viard conduit depuis 1994 un petit vignoble de 2,6 ha autour de Vertus, dans la Côte des Blancs. Ses parcelles sont majoritairement plantées de chardonnay, qui constitue 60 % de l'assemblage de cette cuvée Tradition, complété par le pinot noir. Issu des années 2001 et 2002, ce brut est floral au nez, volumineux à l'attaque, minéral et équilibré au palais. Un joli champagne d'apéritif. Marquée encore davantage par les blancs (85 %), la **Cuvée Prestige (15 à 23 €)** obtient la même note pour ses arômes miellés, sa fraîcheur et son équilibre. (RC)

EARL Florent Viard, 35, av. Saint-Vincent, 51130 Vertus, tél. 03.26.51.60.82, fax 03.26.59.36.66
r.-v.

VILMART ET CIE Grand Cellier d'or 1999 **

n.c. 7 000 23 à 30 €

Domaine de la Montagne de Reims fondé en 1890 par Désiré Vilmart et exploité par ses descendants. Il dispose de 11 ha de vignes. Ici, les champagnes sans année sont vinifiés dix mois en foudre tandis que les millésimés séjournent le même temps en pièces de chêne. Assemblant 80 % de chardonnay et 20 % de pinot noir, ce 1999 a été goûté l'an dernier. Son boisé s'est bien fondu pour offrir un ensemble des plus séduisants : au nez, il se nuance de vanille et d'épices, avec une touche mentholée. Cette palette aromatique se retrouve dans une bouche fine et équilibrée. Destinée aux amateurs de champagnes boisés, cette bouteille peut se garder au moins dix ans, souligne un dégustateur. (RM)

Vilmart et Cie, 5, rue des Gravières, 51500 Rilly-la-Montagne, tél. 03.26.03.40.01, fax 03.26.03.46.57, e-mail laurent.champs@champagnevilmart.fr
r.-v.
Laurent Champs

VINCENT-LAMOUREUX *

0,5 ha 4 000 ■ 11 à 15 €

Jean-Michel Lamoureux est établi aux Riceys, où il élabore du rosé tranquille (AOC rosé-des-riceys) et du champagne. Son rosé, né des vendanges de 2001 à 2003, doit tout au pinot noir. D'un rose très soutenu, il offre un fruité puissant de fraise, de cerise et de grenadine ; il se montre équilibré et vineux en bouche. (RM)

Vincent Lamoureux, 2, rue du Sénateur-Lesaché, 10340 Les Riceys, tél. 03.25.29.39.32, fax 03.25.29.80.30, e-mail lamoureux-vincent@wanadoo.fr r.-v.

A. VIOT & FILS *

4 ha 39 565 ■ 11 à 15 €

Fondée en 1918, cette exploitation auboise, aujourd'hui conduite par la quatrième génération, s'étend sur près de 8 ha. Deux tiers de pinot noir mariés à un tiers de chardonnay donnent vie à ce champagne né de l'année 2001 épaulée par 20 % de 2000. Une cuvée délicatement florale, souple, ample et droite, au dosage marqué. (RM)

A. Viot et fils, 59, Grande-Rue, 10200 Colombé-la-Fosse, tél. 03.25.27.02.07, fax 03.25.27.77.70, e-mail champagneviot@aol.com
t.l.j. 8h30-12h 13h30-18h

VOIRIN-DESMOULINS

Blanc de blancs Spécial Club 2000

Gd cru 3 ha 9 000 ■ 15 à 23 €

Bernard Voirin et Nicole Desmoulins se sont lancés dans la manipulation en 1960. Depuis une dizaine d'années, leur fille Pascale conduit les 9 ha de l'exploitation. Deux de ses champagnes ont été cités : ce Spécial Club, un blanc de blancs 2000 empyreumatique au nez, d'une fraîcheur nerveuse et mentholée, et la **Réserve (11 à 15 €)**, une cuvée mi-blancs mi-noirs des années 2001 et 2002. Sélectionnée pour son bouquet épicé, son attaque fraîche et sa bouche ronde et vineuse, cette dernière s'accordera avec le premier plat du repas. (RM)

Voirin-Desmoulins, 24, rue des Partelaines, 51530 Chouilly, tél. 03.26.54.50.30, fax 03.26.52.87.87, e-mail pascale.voirin@wanadoo.fr r.-v.
Voirin

VOIRIN-JUMEL Blanc de blancs

Gd cru 3 ha 24 000 11 à 15 €

Cette famille, établie à Cramant, grand cru de la Côte des Blancs, exploite un vignoble de 11 ha et développe l'accueil des visiteurs. Elle a proposé un blanc de blancs des années 2002 et 2003, cité pour ses arômes de fleurs blanches et sa bouche équilibrée aux arômes de pêche. (RM)

Voirin-Jumel, 555, rue de la Libération, 51530 Cramant, tél. 03.26.57.55.82, fax 03.26.57.56.29, e-mail info@champagne-voirin-jumel.com
r.-v. 2 C

VOLLEREAUX Blanc de blancs

n.c. n.c. 15 à 23 €

Victor Vollereaux tire ses premières bouteilles en 1923. Ses successeurs constituent un important vignoble : 40 ha. La maison a son siège à Pierry près d'Épernay. Son blanc de blancs sans année présente un bouquet original, quelque peu exotique. Il se montre plus classique en bouche, où il apparaît marqué par la fraîcheur des agrumes, vif et bien dosé. (NM)

Vollereaux, 48, rue Léon-Bourgeois, BP 4, 51530 Pierry, tél. 03.26.54.03.05, fax 03.26.54.88.36, e-mail champagne.vollereauxsa@wanadoo.fr
t.l.j. 10h30-12h 15h-18h; dim. 10h30-12h

VRANKEN Diamant ★★

n.c. n.c. 30 à 38 €

Paul-François Vranken est devenu l'un des acteurs les plus importants de la Champagne en rachetant Charles Lafitte, Heidsieck Monopole puis Pommery. Il a aussi développé ses propres marques : Diamant, en 1975, Vranken, en 1976, et Demoiselle en 1985. Mi-blancs mi-noirs (pinot noir), ce Diamant brut a été fort remarqué pour son nez grillé, épicé et miellé ainsi que pour son palais équilibré et puissant. Le **Diamant blanc 1999 (plus de 76 €)** est lui aussi jugé remarquable. Assemblant 80 % de chardonnay et 20 % de pinot noir grands crus, il séduit par sa palette aromatique complexe, toastée, briochée, florale, miellée et vanillée, par son équilibre tout en souplesse et en rondeur et par sa longueur. Le **Diamant rose 1998 (plus de 76 €)** obtient une étoile : un assemblage de grands crus à 40 % chardonnay et 60 % pinot noir pour un rosé vineux et confituré. Quant à la cuvée **Demoiselle La Parisienne rosé (46 à 76 €)**, composée de 75 % de chardonnay et de 25 % de pinot noir (dont 15 % de bouzy rouge) et logée dans la bouteille art nouveau de la gamme, en verre dépoli, elle est citée pour ses arômes de pâte de fruits et sa finesse. (NM)

Vranken, 5, pl. du Gal-Gouraud, 51100 Reims, tél. 03.26.61.62.63, fax 03.26.61.61.35 r.-v.

ALAIN WARIS ET FILS Blanc de blancs ★★

Gd cru 2 ha n.c. 11 à 15 €

La famille Waris est établie à Avize, grand cru de la Côte des Blancs. Le vignoble, transmis de génération en génération depuis 1885, s'étend aujourd'hui sur 6 ha. Alain Waris en a tiré un blanc de blancs charmeur au bouquet très présent d'aubépine et de fruits cuits. En bouche, on trouve des fruits à chair blanche, des agrumes, de l'églantine dans un corps ample – un peu alangui par le dosage, regrette un dégustateur. Le vin n'en est pas moins magnifique. (RM)

Odile Waris, 1, rue Pasteur, 51190 Avize, tél. 03.26.57.87.35, fax 03.26.51.61.45
t.l.j. 10h-12h 14h-17h; sam. dim. sur r.-v.; f. août

WARIS-HUBERT Blanc de blancs ★★

Gd cru 1,5 ha 13 000 11 à 15 €

Jeune viticulteur installé en 1998, Olivier Waris exploite un vignoble de 6 ha autour de Cramant, grand cru de la Côte des Blancs. Son blanc de blancs provient de la vendange de 2002. À la fois intense et très fin au nez, ce champagne est peu dosé, parfaitement équilibré. Sa finale fraîche sur les agrumes laisse le souvenir d'un ensemble harmonieux. (RM)

Olivier Waris, 227, rue du Moutier, 51530 Cramant, tél. 03.26.58.29.93, fax 03.26.51.26.57, e-mail olivier-waris@wanadoo.fr
t.l.j. 9h-12h30 14h-18h; f. 16-31 août

WARIS-LARMANDIER Blanc de blancs Tradition

Gd cru 1 ha 12 000 11 à 15 €

Cette exploitation familiale dispose de 5,50 ha et comprend des vignes dans trois grands crus de la Côte des Blancs : Cramant, Avize et Chouilly. Son blanc de blancs Tradition est discrètement floral au nez. Équilibré au palais, il révèle des notes de noisette et de brioche avec quelques caractères d'évolution. Également cité, le **rosé** privilégie aussi le chardonnay, qui contribue pour 80 % à cette cuvée, complété par le pinot noir. Léger et élégant, il sera excellent à l'apéritif. (RM)

Marie-Hélène Waris-Larmandier, 608, rempart du Nord, 51190 Avize, tél. 03.26.57.79.05, fax 03.26.52.79.52, e-mail earlwarislarmandier@wanadoo.fr r.-v.

Coteaux-champenois

Appelés vins nature de Champagne, ils devinrent AOC en 1974 et prirent le nom de coteaux-champenois. Tranquilles, ils sont rouges, plus rarement rosés ; on boira les blancs avec respect et curiosité historique, en songeant qu'ils sont la survivance de temps anciens, antérieurs à la naissance du champagne. Comme lui, ils peuvent naître de raisins noirs vinifiés en blanc (blanc de noirs), de raisins blancs (blanc de blancs) ou encore d'assemblages.

Le coteaux-champenois rouge le plus connu porte le nom de la célèbre commune de Bouzy (grand cru de pinot noir). Dans cette commune, on peut admirer l'un des deux vignobles les plus étranges au monde (l'autre est situé à Aÿ) : un vaste panneau indique « vieilles vignes françaises préphylloxériques » ; on ne les distinguerait pas des autres si elles n'étaient conduites en foule, selon une technique immémoriale abandonnée partout ailleurs. Tous les travaux sont exécutés artisanalement, à l'aide d'outils anciens. C'est la maison Bollinger qui entretient ce joyau destiné à l'élaboration du champagne le plus rare et le plus cher.

Les coteaux-champenois se boivent jeunes, à 7-8 °C et avec les plats convenant aux vins très secs pour les blancs, à 9-10 °C et avec des mets légers (viandes blanches et... huîtres) pour les rouges que l'on pourra, pour quelques années exceptionnelles, laisser vieillir.

ALAIN BAILLY

0,5 ha 1 000 8 à 11 €

La famille Bailly s'est établie dans la vallée de l'Ardre au début des années 1960. Elle signe un coteaux-champenois sans année, assemblant 85 % de pinot meunier et 15 % de chardonnay : une curiosité en vin tranquille. Le résultat ? Un vin or pâle, aux arômes de fruit de la Passion, à l'attaque nerveuse et marqué par une minéralité un rien monocorde.

Alain Bailly, 3, rue du Tambour, 51170 Serzy-et-Prin, tél. 03.26.97.41.58, fax 03.26.97.44.53, e-mail champagne-bailly@wanadoo.fr r.-v.

Monique Bailly

BAUSER 2003 ★★

0,5 ha 3 000 11 à 15 €

Ce producteur exploite 15 ha dans la commune des Riceys et élabore ses vins depuis 1970. Il présente un coteaux-champenois rouge vinifié et élevé en cuve. La robe grenat foncé de ce 2003 tend vers le noir. Ses arômes de mûre caramélisée se retrouvent en bouche, soutenus par des tanins fondus, souples et vineux. Une remarquable réussite pour ce millésime si particulier.

Bauser, rte de Tonnerre, 10340 Les Riceys, tél. 03.25.29.37.37, fax 03.25.29.96.29, e-mail champagne-bauser@worldonline.fr t.l.j. 10h-12h 15h-18h; f. dim. de oct. à mars

René Bauser

HERBERT BEAUFORT Bouzy 2002

2 ha 5 000 15 à 23 €

Ce récoltant-manipulant de Tours-sur-Marne exploite plus de 16 ha, avec des parcelles dans le grand cru Bouzy à l'origine de ce 2002 élevé dix-huit mois dans le bois. Ce vin encore très jeune s'ouvre petit à petit sur des notes fruitées et vanillées. En bouche, on découvre une structure un peu légère, de la rondeur et de la finesse, avec des tanins encore fermes en finale.

Herbert Beaufort, 32, rue de Tours-sur-Marne, 51150 Bouzy, tél. 03.26.57.01.34, fax 03.26.57.09.08, e-mail beaufort-herbert@wanadoo.fr t.l.j. 9h-12h 14h-17h; f. du dim. de Pâques aux vendanges

Henri Beaufort

DOM. DEHOURS

Mareuil-le-Port Élevé en fût de chêne 2002 ★

0,3 ha 1 130 15 à 23 €

Ce coteaux blanc, né dans la vallée de la Marne, est élevé en fût de chêne, d'où une touche boisée-vanillée au nez et en bouche. Ce vin élégant, gras, beurré et souple, allie notes minérales et saveurs d'agrumes. Pour du poisson ou des crustacés en sauce ou des fromages à pâte cuite.

Dehours et Fils, 2, rue de la Chapelle, 51700 Cerseuil, tél. 03.26.52.71.75, fax 03.26.52.73.83, e-mail champagne.dehours@wanadoo.fr r.-v.

GOUSSARD & DAUPHIN 2002

1 ha 600 8 à 11 €

Cette propriété familiale située dans l'Aube au sud de Bar-sur-Seine dispose de 7 ha et élabore ses vins depuis une quinzaine d'années. Elle a présenté un vin rouge issu de pinot noir partiellement éraflé et élevé douze mois en fût. La robe est foncée, violacée ; le nez, bien ouvert, fruité et vanillé. La bouche, de structure moyenne, associe des notes boisées à de puissants arômes de cassis. Une bouteille à ouvrir sur des plats mijotés traditionnels.

Goussard et Dauphin, GAEC du Val de Sarce, 2, chem. Saint-Vincent, 10340 Avirey-Lingey, tél. 03.25.29.30.03, fax 03.25.29.85.96, e-mail goussard-dauphin@wanadoo.fr r.-v.

OLIVIER HORIOT Riceys En Valingrain 2004 ★

0,6 ha 400 11 à 15 €

Explorateur de ses terroirs et expérimentateur dans l'âme, Olivier Horiot a proposé au jury une cuvée confidentielle destinée aux amateurs curieux : un « coteaux » blanc de la commune des Riceys, commune célèbre par son pinot noir à l'origine d'un rosé. Son terroir argilo-calcaire ressemble-t-il au kimméridgien du chablisien voisin ? Ce chardonnay a été vinifié et élevé en fût, bâtonné, sans collage ni filtration. Empyreumatique au nez et en bouche, il est gras, rond et équilibré : la réussite est au rendez-vous. Pour une dégustation autour d'un bon poisson.

Olivier Horiot, 25, rue de Bise, 10340 Les Riceys, tél. 03.25.29.32.16, fax 03.25.29.17.99, e-mail champagne.horiot@libertysurf.fr r.-v.

BENOÎT LAHAYE 2003

0,5 ha 1 500 11 à 15 €

Cette exploitation qui dispose de 4,5 ha autour de Bouzy, cru célèbre par son pinot noir, réserve un demi-hectare de ce grand terroir pour élaborer du « coteaux ». Son 2003 à la robe profonde a été élevé dix-huit mois dans le bois. Un bouzy rouge classique, bien construit, tannique et ample.

EARL Benoît Lahaye, 33, rue Jeanne-d'Arc, 51150 Bouzy, tél. 03.26.57.03.05, fax 03.26.52.79.94, e-mail lahaye.benoit@wanadoo.fr r.-v.

LARMANDIER-BERNIER Vertus 2002

1er cru 1 ha 2 000 15 à 23 €

La commune de Vertus est située au sud de la Côte des Blancs mais ce « coteaux » provient du pinot noir. Pierre Larmandier l'a élevé dix-huit mois dans le bois. Au nez, ce 2002 libère des parfums de fruits noirs confiturés, soulignés d'une touche boisée. Les tanins sont présents en bouche et incitent à attendre deux ans cette bouteille. À signaler : une exploitation convertie à la biodynamie.

Larmandier-Bernier, av. du Gal-de-Gaulle, 51130 Vertus, tél. 03.26.52.13.24, fax 03.26.52.21.00, e-mail larmandier@terre-net.fr r.-v.

HUBERT PAULET 2004 ★

1er cru 0,14 ha 1 250 11 à 15 €

Quatre cinquièmes de pinot noir et un cinquième de pinot meunier sont assemblés dans ce vin rouge de la Montagne de Reims (Rilly). L'élevage en fût de chêne se prolonge douze mois. Une robe grenat foncé presque noire, annonce un nez confit de mûre, de cassis, voire de sureau et un boisé vanillé. On retrouve ces notes aromatiques dans une bouche souple. Ce « coteaux » gagnera toutefois à attendre.

Olivier Paulet, 55, rue de Chigny, 51500 Rilly-la-Montagne, tél. 03.26.03.40.68, fax 03.26.03.48.63, e-mail champ.h.paulet@wanadoo.fr r.-v.

PIERSON-CUVELIER Bouzy 2002 ★

Gd cru 0,75 ha 2 000 8 à 11 €

Les premières bouteilles ont été vendues ici en 1928 et les caves ont été d'abord aménagées dans des abris de

la Grande Guerre. Louvois est voisin de Bouzy, et l'exploitation dispose de parcelles dans ce grand cru, à l'origine de ce vin vinifié en cuve et élevé deux ans dans le bois. Sa robe rouge cerise doit son reflet prune à son élevage prolongé. Sa bouche fondue, souple, élégante et harmonieuse en fait une bouteille à savourer sans attendre.
Pierson-Cuvelier, 4, rue de Verzy, 51150 Louvois, tél. 03.26.57.03.72, fax 03.26.51.83.84
t.l.j. 9h-12h 14h-18h; dim. sur r.-v.; f. 15-30 août

EMMANUEL TASSIN 2000

n.c. n.c. **11 à 15 €**

Un coteaux-champenois blanc de Celles-sur-Ource, dans l'Aube. Il se distingue par une robe très pâle et par une grande minéralité, tant au nez qu'en bouche. À cela s'ajoutent une touche empyreumatique et un léger boisé.
Emmanuel Tassin, 104, Grande-Rue, 10110 Celles-sur-Ource, tél. 03.25.38.59.44, fax 03.25.29.94.59 r.-v.

ALAIN VESSELLE Bouzy 2002 ★★

Gd cru 3 ha 10 000 11 à 15 €

Établi à Bouzy depuis cent vingt ans, cette propriété a élaboré un « coteaux » rouge digne de ce grand terroir : sa robe rouge foncé profond, ses arômes flatteurs et complexes de griotte que l'on retrouve dans une bouche ample aux tanins fondus composent une bouteille harmonieuse à déboucher dès maintenant avec un brie des pâtures voisines.
SCEV Alain Vesselle, 8, rue de Louvois, 51150 Bouzy, tél. 03.26.57.00.88, fax 03.26.57.09.77, e-mail champagneavesselle@wanadoo.fr r.-v.
Éloi Vesselle

GEORGES VESSELLE Bouzy

Gd cru 2,2 ha 15 000 **11 à 15 €**

Cette autre famille Vesselle du grand cru de la Montagne propose un bouzy rouge non millésimé car il naît de l'assemblage de vins de 2002 et 2003. Il a été élevé longuement dans le bois (deux à trois ans), ce qui explique le reflet tuilé de sa robe rouge clair. Son nez, fin et racé, s'impose. En bouche, une attaque souple précède un corps équilibré à la finale réglissée.
Georges Vesselle, 16, rue des Postes, 51150 Bouzy, tél. 03.26.57.00.15, fax 03.26.57.09.20, e-mail contact@champagne-vesselle.fr
t.l.j. sf sam. dim. 9h-12h 14h-17h

Rosé-des-riceys

Les trois villages des Riceys (Haut, Haute-Rive et Bas) sont situés à l'extrême sud de l'Aube, non loin de Bar-sur-Seine. La commune des Riceys accueille les trois appellations : champagne, coteaux-champenois et rosé-des-riceys. Ce dernier est un vin tranquille, d'une grande rareté et d'une grande qualité, l'un des meilleurs rosés de France. C'est un vin que buvait déjà Louis XIV : il aurait été apporté à Versailles par les canats, spécialistes réalisant les fondations du château, originaires des Riceys.

Ce rosé est issu de la vinification par macération courte de pinot noir, dont le degré alcoolique naturel ne peut être inférieur à 10 °. Il faut interrompre la macération – saigner la cuve – à l'instant précis où apparaît le « goût des Riceys » qui, sinon, disparaît. Ne sont labellisés que les rosés marqués par ce goût spécial. Élevé en cuve, le rosé-des-riceys se boit jeune, à 8-9 °C ; élevé en pièce, il attendra entre trois et dix ans, et on le servira alors à 10-12 °C pendant le repas. Jeune, il se boira à l'apéritif ou au début du repas.

JACQUES DEFRANCE 2003 ★

2,5 ha 3 300 **11 à 15 €**

Trois bourgs, autour de trois églises Renaissance, forment la commune des Riceys. Son vignoble s'étend sur quelque 750 ha, plantés à 95 % de pinot noir, cépage qui donne des champagnes et le rosé-des-riceys. Celui-ci présente un rosé à la robe soutenue ; ses parfums de fruits rouges évoluent vers des impressions confiturées et des notes de pâte de fruits. L'attaque franche prélude à une bouche dont les arômes de cerise prennent des tons réglissés, avec une touche d'astringence.
Jacques Defrance, 28, rue de la Plante, 10340 Les Riceys, tél. 03.25.29.32.20, fax 03.25.29.77.83 r.-v.

OLIVIER HORIOT En Valingrain 2003 ★

0,6 ha 3 200 **11 à 15 €**

Coup de cœur dans l'édition 2005 pour un 2002, Olivier Horiot est un passionné du rosé-des-riceys. Perfectionniste, il vinifie par terroir et élève ses vins pour moitié en cuve et pour moitié en fût de un à trois vins, sans collage ni filtration. Il signe un 2003 riche au nez comme en bouche, en dépit d'un millésime difficile. Gras et fondu au palais, ce vin mêle des notes de merise et de griotte à des saveurs fumées et boisées.
Olivier Horiot, 25, rue de Bise, 10340 Les Riceys, tél. 03.25.29.32.16, fax 03.25.29.17.99, e-mail champagne.horiot@libertysurf.fr r.-v.

VINCENT LAMOUREUX 2003 ★

0,5 ha 2 500 **11 à 15 €**

Marque créée en 1958 à la suite de la réunion des exploitations de Sylvie et Jean-Michel Lamoureux. Ce rosé-des-riceys est très coloré, il séduit par la finesse de son nez de petits fruits de bois – petits fruits que l'on retrouve en bouche avec ampleur, minéralité et longueur.
Vincent Lamoureux, 2, rue du Sénateur-Lesaché, 10340 Les Riceys, tél. 03.25.29.39.32, fax 03.25.29.80.30, e-mail lamoureux-vincent@wanadoo.fr r.-v.

PASCAL WALCZAK 2004

0,9 ha 2 600 **11 à 15 €**

Pascal Walczak consacre près d'un hectare de son vignoble de 7 ha au rosé-des-riceys. Il vinifie en cuve et son vin passe par le bois. Son 2004 évolue rapidement comme le montrent les nuances brique foncé de sa robe. Sa bouche chaleureuse est marquée par les épices.
Pascal Walczak, Parc Saint-Vincent, 10340 Les Riceys, tél. 03.25.29.39.85, fax 03.25.29.62.05, e-mail champagne.walczak@wanadoo.fr
t.l.j. 8h-12h 13h30-19h sf dim. 8h-12h

LE JURA, LA SAVOIE ET LE BUGEY

LE JURA, LA SAVOIE ET LE BUGEY

Le Jura

Faisant le pendant de celui de la haute Bourgogne, de l'autre côté de la vallée de la Saône, ce vignoble occupe les pentes qui descendent du premier plateau des monts du Jura vers la plaine, selon une bande nord-sud traversant tout le département, depuis la région de Salins-les-Bains jusqu'à celle de Saint-Amour. Ces pentes, beaucoup plus dispersées et irrégulières que celles de la Côte-d'Or, se répartissent sous toutes les expositions, mais ce ne sont que les plus favorables qui portent des vignes, à une altitude se situant entre 250 et 400 m. Le vignoble couvre 1 913 ha sur lesquels ont été produits, en 2005, environ 89 000 hl.

Nettement continental, le climat voit ses caractères accusés par l'orientation générale en façade ouest et par les traits spécifiques du relief jurassien, notamment l'existence des « reculées » ; les hivers sont très rudes et les étés très irréguliers, mais avec souvent beaucoup de journées chaudes. La vendange s'effectue pendant une période assez longue, se prolongeant parfois jusqu'à novembre en raison des différences de précocité qui existent entre les cépages. Les sols sont en majorité issus du trias et du lias, surtout dans la partie nord, ainsi que des calcaires qui les surmontent, surtout dans le sud du département. Les cépages locaux sont parfaitement adaptés à ces terrains argileux et sont capables de réaliser une remarquable qualité spécifique. Ils nécessitent toutefois un mode de conduite assez élevé au-dessus du sol, pour éloigner le raisin d'une humidité parfois néfaste à l'automne. C'est la taille dite « en courgées », longs bois arqués que l'on retrouve sur les sols semblables du Mâconnais. La culture de la vigne est ici très ancienne : elle remonte au moins au début de l'ère chrétienne si l'on en croit les textes de Pline ; et il est sûr que le vin du Jura, qu'appréciait tout particulièrement Henri IV, était fort en vogue dès le Moyen Âge.

Pleine de charme, la vieille cité d'Arbois, si paisible, est la capitale de ce vignoble ; on y évoque le souvenir de Pasteur qui, après y avoir passé sa jeunesse, y revint souvent. C'est là, de la vigne à la maison familiale, qu'il mena ses travaux sur les fermentations, si précieux pour la science œnologique ; ils devaient, entre autres, aboutir à la découverte de la « pasteurisation ».

Des cépages locaux voisinent avec d'autres, issus de la Bourgogne. L'un d'entre eux, le poulsard (ou ploussard), est propre aux premières marches des monts du Jura ; il n'a été cultivé, semble-t-il, que dans le Revermont, ensemble géographique incluant également le vignoble du Bugey, où il porte le nom de mècle. Ce très joli raisin à gros grains oblongs, délicieusement parfumé, à pellicule fine peu colorée, contient peu de tanin. C'est le cépage type des vins rosés, qui sont en fait vinifiés ici le plus souvent comme des rouges. Le trousseau, autre cépage local, est en revanche riche en couleur et en tanin, et c'est lui qui donne les vins rouges classiques très caractéristiques des appellations d'origine du Jura. Le pinot noir, venu de la Bourgogne, lui est souvent associé en petites proportions pour l'élaboration des vins rouges. Il a par ailleurs un avenir important pour la vinification de vins blancs de noirs destinés à des assemblages avec le blanc de blancs, pour élaborer des mousseux de qualité. Le chardonnay, comme en Bourgogne, réussit ici parfaitement sur les terres argileuses, où il apporte aux vins blancs leur bouquet inégalable. Le savagnin, cépage blanc local, cultivé sur les marnes les plus ingrates, donne, après plus de six ans d'élevage spécial dans des fûts en vidange, le magnifique vin jaune de très grande classe. Le vin de paille est également l'une des grandes productions du Jura.

La région paraît spécialement favorable à l'obtention d'un type d'excellents mousseux de belle classe, issus, comme on l'a dit, d'un assemblage de blanc de noirs (pinot) et de blanc de blancs (chardonnay). Ces mousseux sont de grande qualité, depuis que les vignerons ont compris qu'il fallait les élaborer avec des raisins d'un niveau de maturité assurant la fraîcheur nécessaire.

Les vins blancs et rouges sont de style classique, mais, du fait semble-t-il d'une attraction pour le vin jaune, on cherche à leur donner un caractère très évolué, presque oxydé. Il y a un demi-siècle, il existait même des vins rouges de plus de cent ans, mais on est maintenant revenu à des évolutions plus normales.

Le rosé, quant à lui, est en fait un vin rouge peu coloré et peu tannique, qui se rapproche souvent plus du rouge que du rosé des autres vignobles. De ce fait, il est apte à un certain vieillissement. Il ira très bien sur les mets assez légers, les vrais rouges – surtout issus de trousseau – étant réservés aux mets puissants. Le blanc a les usages habituels, viandes blanches et poissons ; s'il est vieux, il sera un bon partenaire du fromage de comté. Le vin jaune excelle sur le comté mais aussi sur le roquefort et sur certains plats difficiles à accorder aux vins tels le canard à l'orange ou les préparations en sauce américaine.

Arbois

La plus connue des appellations d'origine du Jura s'applique à tous les types de vins produits sur douze communes de la région d'Arbois, soit 864 ha ; la production a atteint 39 045 hl en 2005, dont 21 641 hl de rouges et rosés, 16 798 hl de blancs ou jaunes, 606 hl de vins de paille. Il faut rappeler l'importance des marnes triasiques dans cette zone, et la qualité toute particulière des « rosés » de poulsard qui sont issus des sols correspondants.

FRUITIÈRE VINICOLE D'ARBOIS Rubis 2003 *

■ 10 ha 60 000 ◖◗ 5 à 8 €

Une centenaire des plus alertes dont les volumes ont contribué à faire connaître les vins d'Arbois dans, et surtout en dehors de la zone de production. Dans ce vin d'assemblage on retrouve poulsard, pinot noir et trousseau. Rubis à l'œil comme son nom l'indique, ce 2003 présente un nez fruité intense doublé d'une jolie petite nuance poivrée soulignée d'un trait de fleur fanée. Joli vin en bouche assurément. Des tanins doux, une pointe acidulée : il y a à la fois la structure et la fraîcheur. On pourra choisir de le servir tout de suite ou d'ici trois à cinq ans. La pièce de bœuf reste de toute façon recommandée.

Fruitière vinicole d'Arbois, 2, rue des Fossés, 39601 Arbois Cedex, tél. 03.84.66.11.67, fax 03.84.37.48.80, e-mail contact@chateau-bethanie.com r.-v.

PAUL BENOIT ET FILS
Pupillin Chardonnay 2003 *

2,5 ha 12 000 ◖◗ 5 à 8 €

Connaissez-vous le « biou », cette énorme grappe que l'on transporte en procession le troisième dimanche de septembre à Pupillin ? Une occasion aussi d'aller à la rencontre d'une cuvée de chardonnay vinifiée avec talent dans ce millésime. Foin fraîchement coupé, pomme verte et fruits mûrs sont autant de notes aromatiques éclairant le parcours de la vigne jusqu'aux vendanges. Avec également une étoile, la cuvée de **pinot noir La Grande Chenevière 2004 (15 à 23 €)** a été élaborée par Christophe Benoit, arrivé sur l'exploitation en 2003. Rubis foncé aux nuances violettes, c'est un vin fruité, épicé et vanillé au nez. La bouche, gourmande, est bien équilibrée, avec des arômes fruités et des nuances vanillées persistants. Élément indispensable de la palette jurassienne, le **vin jaune 1998 (23 à 30 €)** obtient la même note. De la discrétion au nez, mais aussi de la distinction. Malgré l'acidité, c'est un vin plein, chaleureux en finale. Un dégustateur conclut : « On a envie de le boire. »

Paul Benoit et Fils, La Chenevière, rue du Chardonnay, 39600 Pupillin, tél. 03.84.37.43.72, fax 03.84.66.24.61, e-mail benoit-pupillin@tiscali.fr t.l.j. 9h-12h 14h-19h

DOM. DE LA BORDE
Pupillin chardonnay Sous la Roche 2004

0,5 ha 3 200 ◖◗ 5 à 8 €

Julien Mareschal s'est installé en 2003, année de sécheresse. Le chai était à peine terminé au 15 août que les premières vendanges arrivaient. De quoi faire des souvenirs. Avec le millésime suivant il a obtenu un vin d'une couleur or clair qui, de plus, charme le nez de ses tons floraux rehaussés d'une touche de grillé. Typé pour son millésime, vif en bouche, cet arbois gagnera à attendre quelques mois avant d'accompagner un poisson grillé.

Julien Mareschal, chem. des Vignes, 39600 Pupillin, tél. 03.84.66.25.61, e-mail julien.mareschal@wanadoo.fr r.-v.

P. BULABOIS Savagnin 2002 **

3,3 ha 5 000 ◖◗ 8 à 11 €

Une rentrée fracassante pour ce jeune viticulteur installé il y a peu en reprenant une partie des vignes familiales. Le domaine est complanté à 70 % de savagnin et, pour sa première participation au Guide, il propose une cuvée jaune doré née exclusivement de ce cépage, qui

décroche un coup de cœur. Très franc, le nez se donne entre notes briochées et tons fruités de pomme verte et de noix. Suivant le même cheminement aromatique, la bouche présente une matière à la fois structurée et fraîche. Un dégustateur s'imagine même le nez au-dessus du fameux voile de levures. Typé mais très agréable, c'est un vin de charme pour amateurs exigeants.

🔑 Philippe Bulabois, 51, rte de Villette, 39600 Arbois, tél. 03.84.66.03.42, fax 03.84.66.01.93 ☑ 🍷 🚶 r.-v.

COLETTE ET CLAUDE BULABOIS Melon 2004

▒ 2 ha 2 000 ▮◉ 5 à 8 €

Claude Bulabois s'est installé en 1974 et pratique la vente directe depuis 1994. Il propose une cuvée de melon d'Arbois, synonyme local du chardonnay. Élevé six mois en cuve et six mois en fût, ce vin se présente au nez sur des tons de noisette et d'amande avant d'évoluer sur des odeurs anisées. Léger et vif en bouche, il devra patienter deux à trois ans en cave.

🔑 Claude et Colette Bulabois, 1, Petite-Rue, 39600 Villette-lès-Arbois, tél. et fax 03.84.66.01.93 ☑ 🍷 🚶 t.l.j. 17h-20h

CAVEAU DES BYARDS Rubis 2004 *

■ 1 ha 4 000 ◉ 5 à 8 €

Cette coopérative a son siège au Vernois, entre Lons-le-Saunier et Château-Châlon, dans l'aire de l'AOC côtes-du-jura, mais quelques vignes implantées dans l'AOC arbois ont permis de produire ce vin d'assemblage où le pinot noir est majoritaire, à côté du poulsard et du trousseau : un joli nez plein, à la fois frais et épicé, une bouche équilibrée, avec de belles notes de fruits rouges. Sa longueur est moyenne, mais, pour un 2004, c'est une belle réussite.

🔑 Caveau des Byards, rue de Voiteur, 39210 Le Vernois, tél. 03.84.25.33.52, fax 03.84.25.38.02, e-mail info@caveau-des-byards.fr ☑ 🍷 🚶 r.-v.

CH. DE CHAVANES Ploussard Changoin 2002 **

■ 0,9 ha 4 900 ◉ 8 à 11 €

Le domaine du château de Chavanes appartient depuis le XVIe s. à la famille Boutechoux de Chavanes : une réelle présence dans le temps, à l'instar de cet arbois pur ploussard à la robe intense. Puissant et franc, le nez est orienté vers le côté fruité mûr, voire confituré, relevé d'une note épicée. La chair apparaît généreuse en bouche ; harmonieux et soyeux, l'alcool et l'acidité sont bien équilibrés, les tanins fondus. Corsé pour un ploussard, ce vin laisse une impression flatteuse. Doté d'un potentiel de garde non négligeable, il peut toutefois d'ores et déjà faire votre bonheur avec une poularde aux champignons.

🔑 Ch. de Chavanes, quartier Saint-Laurent, 39600 Montigny-lès-Arsures, tél. 03.84.37.47.95, fax 03.84.37.47.65, e-mail fdechavanes@chateau-de-chavanes.com ☑ 🍷 🚶 r.-v. 🏠 7

DANIEL DUGOIS Vin jaune 1998 *

▒ 1,4 ha 2 000 ◉ 23 à 30 €

Le vin jaune 1997 de cette propriété située au nord d'Arbois avait décroché un coup de cœur dans l'édition 2006 du Guide. Et dans la décennie précédente, les 1988 et 1989. Le 1998, sous une robe jaune d'or, présente un joli nez de foin sec et de pomme mûre, agrémenté d'une touche de vanille. On retrouve ce côté mûr de la gamme aromatique en bouche a
finesse. La charpe
dure pour l'instar
ce vin qualifié de

🔑 Daniel Dugo
39600 Les Arsur
fax 03.84.37.44.
☑ 🍷 🚶 t.l.j. 10h-

MICHEL GA

Trousseau Grar

■

Ce n'est pas que le village de Montigny ... soit bien grand, mais le nombre de vignerons y est élevé. Alors pour vous guider, cherchez l'église. Vous trouverez Michel Gahier sur la place. Il propose un vin de pur trousseau, cépage que l'on célèbre dans la commune. Une couleur bien attrayante pour ce rouge aux allures cerise et aux reflets orangés. De la puissance au nez sur les fruits noirs (cassis, mûre, myrtille) et les épices. Dans le même registre aromatique, la bouche dévoile une structure équilibrée, ronde et souple. Un vin à boire sans attendre avec des côtes d'agneau grillées. Le 2000 avait obtenu un coup de cœur.

🔑 Michel Gahier, pl. de l'Église, 39600 Montigny-lès-Arsures, tél. 03.84.66.17.63, fax 03.84.66.58.21 ☑ 🍷 🚶 r.-v.

JURA

DOM. GEILLON Chardonnay 2004

▒ n.c. 12 000 ▮ 5 à 8 €

Cette gamme de vins élaborés par la maison Henri Maire est destinée à la grande distribution. Blanc pâle,

Le Jura

...olontairement vinifié dans le style ...à la hauteur des ambitions : fleur ...e se jettent puissamment à l'assaut du ...che suit le même style dans une grande ...ile de préciser que ce vin, qui pourrait ...e comparé à un vin de base de crémant, est à ...on fruité délicat, adapté aux fruits de mer, n'at-...a pas.

Auguste Pirou, Caves royales, 39600 Arbois,
tél. 03.84.66.42.70, fax 03.84.66.42.71,
e-mail info@auguste-pirou.fr

DOM. AMÉLIE GUILLOT

Chardonnay Vieilles Vignes 2003 ★

0,3 ha 1 500 8 à 11 €

Œnologue, Amélie Guillot a créé son exploitation il y a une dizaine d'années. Si son premier vin jaune vient de sortir de son fût, nous allons nous attarder sur ce vin blanc né de chardonnay. Couleur or, assez original au nez : la pomme cuite côtoie l'abricot mûr, l'orange et la figue sèche. Très aromatique aussi en bouche, ce 2003 procure un plaisir simple et agréable. Issue d'un milieu urbain, Amélie Guillot aurait-elle prédestiné ce vin - qui semble convenir à un dîner pour jeune couple citadin, ayant acheté un plat exotique en sortant du bureau ?

Amélie Guillot, 1, rue du Coin-des-Côtes,
39600 Molamboz, tél. et fax 03.84.66.04.00,
e-mail amelie.guillot@wanadoo.fr r.-v.

DOM. LIGIER PÈRE ET FILS

Les mille et une nuits... 2002 ★

1,2 ha 5 000 8 à 11 €

Vingt ans, c'est l'âge de ce domaine qui a su grandir et démontrer son sérieux, notamment à travers trois coups de cœur obtenus dans le Guide ces cinq dernières années. Un anniversaire qui se fête jusqu'au bout de la nuit, voire des mille et une nuits, avec ce 2002 qui se pare au nez des plus beaux attributs du chardonnay et du savagnin (assemblés dans cette cuvée élevée trois ans sous un voile de levures à la manière d'un « jaune ») : amande et noix fraîche. Une matière bien présente donne une bouche ample et riche. Une harmonie intense et pleine de promesses. À base de savagnin ouillé élevé deux ans sur lies fines, la **cuvée des Poètes 2003 blanc** reçoit elle aussi une étoile. Très équilibré – et c'est rare pour ce millésime –, ce vin fait preuve d'une riche présence tant dans sa structure que dans ses arômes. Mais cette ode à la nature ne tiendra pas des siècles : savourez-la sans délai.

Dom. Ligier Père et Fils, 56, rue de Pupillin,
39600 Arbois, tél. 03.84.66.28.06, fax 03.84.66.24.38,
e-mail ligier@netcourrier.com r.-v.

FRÉDÉRIC LORNET Vin jaune 1999 ★★

1 ha 3 000 23 à 30 €

Frédéric Lornet est établi dans une ancienne abbaye. La robe vieil or de son vin jaune est déjà du plus bel effet, mais que dire de ce nez brioché et vineux où la noix mûre se fait déjà non pas entendre mais plutôt sentir. Quoique ? Il y a une sorte de musique aromatique autour de la noix qui sonne jusqu'en rétro-olfaction ; outre cette belle persistance aromatique, cet arbois est servi par un réel équilibre. Très agréable, il fera déjà des heureux mais il peut attendre. Né du même cépage savagnin, que Frédéric Lornet nomme « naturé », de son nom local, l'**arbois blanc 2004 (8 à 11 €)** est cité. Agréablement typé, il doit vieillir un peu pour calmer une certaine vivacité de jeunesse. Également citée, la cuvée **Trousseau des Dames 2004 rouge (8 à 11 €)** offre des arômes de fruits rouges caractéristiques. Le millésime précédent avait obtenu un coup de cœur.

Frédéric Lornet, L'Abbaye,
39600 Montigny-lès-Arsures, tél. 03.84.37.45.10,
fax 03.84.37.40.17,
e-mail frederic.lornet@club-internet.fr
t.l.j. sf dim. 9h-12h 14h-19h

HENRI MAIRE

Collection privée Henri Maire Rubis 2004 ★

n.c. 8 500 11 à 15 €

La célèbre maison de négoce d'Arbois sort le grand jeu : parcelles sélectionnées de pinot et de trousseau, vieillissement pendant neuf mois en fûts de chêne – pour moitié neufs et pour moitié d'un vin – en provenance de France, d'Europe et d'Amérique. Effectivement, le travail en fût se ressent tant au nez qu'en bouche. La structure de ce vin permet le mariage en toute harmonie. Le fruité se mêle ainsi aux notes torréfiées et aux nuances de chocolat au sein d'une matière riche et équilibrée. À boire ou à attendre.

Henri Maire, Ch. Boichailles, 39600 Arbois,
tél. 03.84.66.12.34, fax 03.84.66.42.42,
e-mail info@henri-maire.fr r.-v.

DOM. MARTIN-FAUDOT Trousseau 2004 ★

2 ha 5 000 11 à 15 €

Sur votre route, ne demandez pas au passant M. Martin-Faudot. Il s'agit de M. Martin et de M. Faudot qui travaillent ensemble une exploitation de 14 ha près d'Arbois. Leur vin de trousseau a la couleur cerise des beaux jours. Élégant et intense, le nez donne dans l'airelle et autres petits fruits rouges. Framboise et cerise reprennent le flambeau dans une bouche dotée d'une bonne matière et bien structurée. Cette bouteille gagnera à être aérée avant d'aller à la rencontre d'un filet de bœuf. Plus chaleureux, le **poulsard 2004 (8 à 11 €)** est cité pour sa palette aromatique. L'**arbois blanc chardonnay 2004 (8 à 11 €)** obtient la même note. Il faut l'attendre.

Dom. Martin-Faudot, 1, rue Bardenet,
39600 Mesnay, tél. 03.84.66.29.97, fax 03.84.66.29.84,
e-mail info@domaine-martin.fr r.-v.

DÉSIRÉ PETIT ET FILS Pupillin ploussard 2004

3,2 ha 18 000 5 à 8 €

L'exploitation, qui s'étend sur 23 ha, porte le nom de son fondateur. Ce sont les deux fils de Désiré Petit, Gérard et Marcel, qui la conduisent avec talent depuis 1970. Ils organisent tous les ans au domaine un week-end portes ouvertes au moment de l'Ascension. De quoi découvrir toute la gamme des vins du Jura, dont cet arbois Pupillin pur ploussard à la robe claire. Un premier nez de « cave », quand on « monte à l'étage », prend rapidement des tons de sucreries ou de confiserie ! En bouche, on apprécie la cohérence et l'harmonie de cette bouteille, ainsi que des arômes de fruits rouges fort sympathiques.

Désiré Petit, rue du Ploussard, 39600 Pupillin,
tél. 03.84.66.01.20, fax 03.84.66.26.59,
e-mail domaine-desire-petit@wanadoo.fr
t.l.j. 8h-12h 13h30-19h; groupes sur r.-v.
Gérard et Marcel Petit

DOM. DE LA PINTE Les Genevrets 2003 ★★

■ 2 ha 2 000 15 à 23 €

De solides bâtisses disposées au milieu des vignes : l'œuvre de Roger Martin s'impose depuis plus d'un demi-siècle avec rigueur au lieu-dit La Pinte à la Capitaine. L'exploitation, qui s'étend sur 34 ha, s'est orientée vers l'agrobiologie. Si le savagnin est le roi du domaine, le poulsard y tient tout de même son rang. D'une couleur profonde, celui-ci donne tout de suite le ton au nez dans ses élans d'épices, de chocolat, de musc et de cuir. La bouche est très charpentée, avec un boisé encore présent. Elle laisse une certaine impression de surmaturité et semble assez atypique, mais ce caractère n'a rien d'extraordinaire pour un 2003. Un vin déjà mûr sur le plan aromatique mais qui conserve un potentiel de garde grâce à sa structure solide. La cuvée **Grain de folie 1997 blanc (23 à 30 €)** reçoit une étoile. C'est un vin issu de vendanges tardives de savagnin, vieilli sept ans en fût ouillé. Ne vous laissez pas surprendre par le premier nez fermé ; l'aération va lui permettre de s'ouvrir progressivement sur des notes de fruits confits. Même réserve lors de la première approche en bouche ; le vin va se découvrir lentement pour finalement s'offrir dans la richesse et l'équilibre d'une matière très mûre. Il faudra donc le carafer pour l'apprécier pleinement.

Dom. de La Pinte, rte de Lyon, 39600 Arbois,
tél. 03.84.66.06.47, fax 03.84.66.24.58,
e-mail accueil@lapinte.fr
t.l.j. 9h-12h 13h30-18h; dim. sur r.-v.
Famille Martin

JACQUES PUFFENEY
Trousseau Cuvée Les Bérangères 2004 ★★

■ 0,8 ha 4 000 11 à 15 €

Cette cuvée n'en est pas à sa première mention dans le Guide. Il faut dire que le trousseau trouve à Montigny-lès-Arsures son terroir de prédilection. Les fruits rouges sont ici déclinés magistralement : robe cerise, nez de fraise et pointe de cassis. La bouche est à l'unisson. Tout cela est très racé, agrémenté de touches épicées, réglissées ou encore de sous-bois. L'attaque est souple mais la structure s'affirme dans l'équilibre. Un vin de caractère que l'on peut déjà apprécier même si l'idéal serait de l'attendre un an. En blanc, la cuvée de **chardonnay 2004 (8 à 11 €)** est citée. Un vin plutôt « moderne » qui fleure bon le fruit exotique.

Jacques Puffeney, quartier Saint-Laurent,
39600 Montigny-lès-Arsures, tél. 03.84.66.10.89,
fax 03.84.66.08.36, e-mail jacques-puffeney@wanadoo.fr
r.-v.

FRUITIÈRE VINICOLE DE PUPILLIN
Chardonnay Grande Réserve
Élevé en fût de chêne 2003 ★★

1,08 ha 8 600 8 à 11 €

La fruitière est installée au centre du village de Pupillin, le long de la route principale. Au cœur de nos envies se trouve cet arbois Pupillin tout d'or paré. Puissant, le nez donne ce qu'il a de meilleur : les notes d'abricot et de pomme mûre croisent des tons gourmands de miel. On retrouve vraiment ici ce que la profession baptise « vin floral » par opposition aux vins blancs « tradition » élevés sous voile et sans ouillage. De la rondeur du nez on passe sans aucune rupture à une bouche douce, équilibrée et toujours très délicate. Une finesse qui n'exclut heureusement ni le volume ni la longueur : cet arbois a décidément tout pour plaire. Quant au **ploussard cuvée Michel**

Aviet Vieilles Vignes rosé 2002, il est cité. Né du cépage fétiche de Pupillin, c'est un vin que sa légèreté destine aux entrées, notamment aux charcuteries.

Fruitière vinicole de Pupillin, rue du Ploussard,
39600 Pupillin, tél. 03.84.66.12.88, fax 03.84.37.47.16,
e-mail fvp39@wanadoo.fr
t.l.j. 8h30-12h 14h-18h

DOM. DE LA RENARDIÈRE
Pupillin Ploussard 2003

■ 2 ha 10 000 5 à 8 €

Tous les samedis de juin, Jean-Michel Petit peut vous emmener faire ce qu'il appelle un tour de vignes. Le verre en main, il accompagne ses hôtes à la découverte de la géologie des différentes parcelles et leur fait goûter le vin correspondant. Au retour, un repas vigneron les attend. Inscription au domaine pour les amateurs. Au-delà de la géologie, ce vin montre que la vigne est aussi très sensible au climat. Ce 2003, sur des notes de cassis très mûr au nez, sur des nuances épicées et torréfiées, ne renie pas en bouche l'année caniculaire qui l'a vu naître, et qui lui a légué de sa chaleur.

Jean-Michel Petit, rue du Chardonnay,
39600 Pupillin, tél. 03.84.66.25.10, fax 03.84.66.25.70,
e-mail renardiere@libertysurf.fr
t.l.j. 9h-12h 13h30-18h30;
dim. sur r.-v.

DOM. ROLET Mémorial 2003 ★

■ 3 ha 15 000 8 à 11 €

Fondé dans les années 1940, ce domaine viticole familial s'est développé progressivement pour devenir avec 63 ha, répartis dans trois aires d'AOC, un des plus gros du Jura. Les Rolet montrent tout leur savoir-faire avec cette cuvée d'assemblage trousseau-pinot à la robe assez sombre et au nez d'une belle fraîcheur, aux notes de fruits mûrs rappelant le cassis. La bouche chaleureuse traduit bien le millésime. On y retrouve les fruits mûrs en harmonie avec les premières impressions, associés à des notes épicées. Ce vin est prêt mais il peut attendre deux à quatre ans. Dans un autre registre, le **vin de paille 2002 (15 à 30 €)** reçoit aussi une étoile. La robe dorée, presque cuivrée, est brillante. Complexe, le nez joue sur des tons de miel, de caramel et d'abricot. La douceur est plutôt dominante mais la complexité aromatique fait de ce vin une belle bouteille que le chocolat noir mettra terriblement en valeur.

Dom. Rolet Père et Fils, Montesserin, rte de Dole,
39600 Arbois, tél. 03.84.66.00.05, fax 03.84.37.47.41,
e-mail rolet@wanadoo.fr
t.l.j. 9h-12h 14h-18h30 au caveau
11, rue de l'Hôtel-de-Ville

DOM. ANDRÉ ET MIREILLE TISSOT
Savagnin 2001 ★

3 ha 10 000 15 à 23 €

Cette exploitation de 35 ha, proche d'Arbois, s'est orientée depuis 2004 vers la biodynamie. Elle a obtenu une dizaine de coups de cœur au gré des éditions du Guide. À côté de cuvées de savagnin ouillé et de vin jaune, voilà quelques années que le domaine s'essaye à la vinification de savagnin pur, sans en faire un véritable vin jaune. Élevé quarante-deux mois en fût, ce 2001 s'habille d'or soutenu. Léger, mais agréable, boisé, le nez s'ouvre sur des notes de noix et des touches chocolatées. La bouche très typée présente des caractères proches de ceux d'un « jaune ». Elle est chaleureuse sans agresser. Les accords gourmands ? Comté et plats à la crème.

André et Mireille Tissot,
39600 Montigny-lès-Arsures, tél. 03.84.66.08.27,
fax 03.84.66.25.08 r.-v.
Stéphane Tissot

JACQUES TISSOT Trousseau En Poussots 2004 ★

1,5 ha 5 000 8 à 11 €

Le bâtiment de 3000 m² le long de la N 83 en sortant d'Arbois, c'est lui. Mais le domaine Jacques Tissot, c'est aussi deux charmants petits caveaux en ville. Le vigneron donne en outre de multiples occasions de le rencontrer lors de foires qui se tiennent dans de nombreuses régions de France. Sous sa très belle robe grenat, son vin de trousseau, lui aussi, se dépense sans compter pour séduire : franc et intense au nez, il n'est pas avare de parfums de fruits rouges, fraise en tête. Pas très longue mais bien constituée, la bouche est agréablement typée, toujours dans des tons de fruits rouges. Une bouteille à marier sans trop attendre avec des viandes grillées.

Dom. Jacques Tissot, 39, rue de Courcelles,
39600 Arbois, tél. 03.84.66.14.27, fax 03.84.66.24.88,
e-mail courrier@domaine-jacques-tissot.fr
r.-v.

DOM. DE LA TOURNELLE Vin de paille 2002 ★★

0,25 ha 450 15 à 23 €

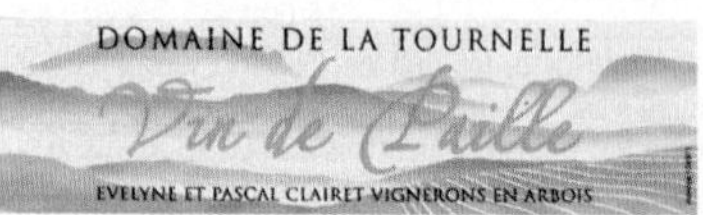

Des origines du domaine, il y a une quinzaine d'années, aux pratiques culturales et à la vinification d'aujourd'hui, Évelyne et Pascal Clairet se disent guidés par la passion dans leur métier. Comment ne pas les croire avec ce vin de paille qui suscite les éloges suivants : « C'est un exemple de réussite » ; « Si j'avais à choisir, c'est ce vin que j'aurais dans ma cave. » Une passion qui conduit à un coup de cœur pour cette robe ambrée aux reflets de cuivre, ce nez de pain d'épice assorti de notes d'agrumes si délicates qu'elles évoquent la peau d'orange séchée au coin d'un feu de bois. Et que dire de cette bouche à la fois suave et vive, qui se partage entre pruneau et pain d'épice ? Et point de débordement passionnel ici, l'équilibre est parfait. Un superbe ensemble. De la même exploitation, l'**arbois rouge Trousseau des Corvées 2004 (8 à 11 €)** est cité. C'est un vin plein de chaleur, au nez intense et franc.

Évelyne et Pascal Clairet, 5, Petite-Place,
39600 Arbois, tél. 03.84.66.25.76, fax 03.84.66.27.15,
e-mail domainedelatournelle@wanadoo.fr
t.l.j. sf dim. 10h-12h 14h30-18h30; jan.-fév. sur r.-v.

RÉMI TREUVEY
Chardonnay Cuvée Le Louis 2004 ★★

0,1 ha 600 5 à 8 €

Les viticulteurs qui vendent leur production directement se sont petit à petit spécialisés. Rares sont ceux qui, comme Rémi Treuvey, ont encore d'autres activités agricoles. Si l'élevage n'existe plus sur l'exploitation depuis une trentaine d'années, les céréales sont encore présentes sur cette propriété de plus de 40 ha, située à 3 km d'Arbois. Cette vigne de chardonnay, c'est le grand-père de Rémi Treuvey qui l'a plantée il y a quarante-cinq ans. Son petit-fils en a tiré un vin d'un jaune très pâle, presque cristallin. Le nez se développe sur la pâte d'amandes, le beurre et la pâte de coings. En harmonie avec le nez, la bouche suit tout en finesse la route aromatique de l'amande et de la noisette, dans un remarquable équilibre. « Longue vie en vue », s'exclame un dégustateur, se régalant déjà. Une belle leçon de transmission des valeurs dans le temps.

Rémi Treuvey, 20, Petite-Rue,
39600 Villette-lès-Arbois, tél. et fax 03.84.66.14.51,
e-mail remi.treuvey@cegetel.net r.-v.

Château-chalon

Le plus prestigieux des vins du Jura, produit sur 49 ha, est exclusivement du vin jaune, le célèbre vin de voile élaboré selon des règles strictes. Le raisin est récolté sur les marnes noires du lias, dans un site remarquable : un vieux villages établi sur les falaises. La production est limitée mais elle a atteint, en 2005, 1 726 hl ; la mise en vente s'effectue six ans et trois mois après la vendange. Il est à noter que, dans un souci de qualité, les producteurs eux-mêmes ont refusé l'agrément en AOC pour les récoltes de 1974, 1980, 1984 et 2001.

CELLIER DE BELLEVUE 1998

0,5 ha 1 200 23 à 30 €

Il n'y a pas d'habitations au milieu des vignes de l'AOC château-chalon, seules quelques rares maisonnettes vigneronnes dont celle du Clos Bacchus, acquise en 1976 par la famille Crédoz. Un point de repère pour trouver cette exploitation. La propriété est née de la scission de la maison Victor Crédoz gérée par les deux frères Daniel et Jean-Claude jusqu'en 2002. Le premier signe un vin jaune qu'on ne peut ignorer tant sa présence au nez est affirmée. En bouche, de l'alcool et de l'acidité avec une certaine intensité aromatique. Une ligne solide tout au long de la dégustation, qui n'est pas sans rappeler un type « arbois ».

Daniel Crédoz, Cellier de Bellevue, rte des Granges, 39210 Menétru-le-Vignoble, tél. 03.84.85.26.98, fax 03.84.44.62.41, e-mail cellier-de-bellevue@wanadoo.fr
t.l.j. sf dim. 10h-12h30 15h-19h; f. mi-jan.

DOM. BERTHET-BONDET 1999

5 ha 15 000 23 à 30 €

1999 : ce n'est pas le millésime du siècle, mais c'est en tout cas le dernier – après de remarquables 1996 et 1998. Aucune tristesse dans cette robe d'un joli or pâle. Le nez, bien que peu intense, évolue des notes lactées vers le cacao, les fruits secs et un fond de noix bien typique. Chaleureux en bouche, c'est un vin qui conserve heureusement l'acidité nécessaire. À attendre deux à trois ans.

Berthet-Bondet, rue de la Tour, 39210 Château-Chalon, tél. 03.84.44.60.48, fax 03.84.44.61.13, e-mail domaine.berthet.bondet@wanadoo.fr
r.-v.

PHILIPPE BUTIN 1999 *

0,16 ha 1 000 23 à 30 €

Ça commence bien : cette robe or vert est tout à fait ce que l'on attend d'un jeune château-chalon. Tout en finesse, expansif et sympathique, le nez est constitué de citron et de noisette et monte en puissance. Les épices viennent couronner cette ascension olfactive. Jeune, subtile, la bouche est vraiment avenante. Une grande élégance à apprécier tout de suite ou à attendre. Le millésime 1996 avait obtenu un coup de cœur.

Philippe Butin, 21, rue de la Combe, 39210 Lavigny, tél. 03.84.25.36.26, fax 03.84.25.39.18, e-mail ph.butin@wanadoo.fr r.-v.

DOM. COURBET 1998

2 ha 1 500 23 à 30 €

Entre les deux grands sites jurassiens que constituent Château-Chalon et le cirque de Baume-les-Messieurs, la route qui suit la vallée de la Seille passe devant la maison de la famille Courbet. On ne s'étonnera point de déguster dans une ancienne église romane ce vin qui fut l'honneur des abbesses de Château-Chalon, avant d'aller visiter un des joyaux de l'art roman de Franche-Comté. Le nez de ce 1998 est expressif, entre noix et curry, tandis que la bouche fraîche est qualifiée de « droite » pour saluer sa franchise. À attendre cinq à dix ans.

GAEC Courbet, rue du Moulin, 39210 Nevy-sur-Seille, tél. 03.84.85.28.70, fax 03.84.44.68.88, e-mail dcourbet@hotmail.com
t.l.j. sf dim. 8h-12h 14h-19h

DOM. JEAN-CLAUDE CRÉDOZ 1998 *

0,5 ha 2 000 23 à 30 €

Quand dans certains vignobles on est contraint d'arracher la vigne, ici on plante 1 ha en 2006, avec un projet d'agrandissement de la cave. Une cave née en 2002, lorsque Jean-Claude Crédoz, jusqu'alors associé à son frère Daniel au sein du domaine Victor Crédoz, a pris son indépendance. Son château-chalon est tout à fait ouvert au nez. La noix s'affiche et s'affirme avec élégance. En bouche, l'acidité est présente, garante d'une bonne garde, tandis que dans une belle longueur l'expression aromatique apparaît fine et harmonieuse. « C'est du jaune et c'est du bon », dit un dégustateur ravi.

Dom. Jean-Claude Crédoz, rue des Chèvres, 39210 Château-Chalon, tél. 03.84.44.64.91, fax 03.84.44.98.76, e-mail domjccredoz@aol.com
t.l.j. 8h-12h 13h-19h

J. ET B. DURAND-PERRON
Vignes aux Dames 1997 **

1,5 ha 2 000 23 à 30 €

Ce château-chalon vient des « Vignes aux Dames » : un bien beau nom de lieu-dit, qui rappelle qu'à Château-Chalon les dames abbesses firent beaucoup pour le développement du vignoble. Ce 1997 nous fait également remonter le temps dans sa parure vieil or. Le nez est à la fois délicat et intense. Très ouvert, il se livre sur la noix et des notes chocolatées. L'attaque en bouche est vive mais le développement aromatique se fait à l'unisson du nez. C'est un vin encore en devenir qu'il faut laisser en paix pendant cinq à dix ans.

Jacques et Barbara Durand-Perron, 18, rue des Roches, 39210 Voiteur, tél. 03.84.44.66.80, fax 03.81.31.02.86, e-mail jbdp@wanadoo.fr
t.l.j. 10h-12h 16h-19h; f. mai

FRANCK GUIGNERET 1998 *

0,4 ha 1 000 23 à 30 €

Ici le savagnin, c'est une religion ; l'adresse électronique de la propriété en témoigne. Et ce savagnin, Franck Guigneret l'exporte même en Chine. Ce vin jaune à la couleur vieil or n'est pas très intense au nez, mais néanmoins typique. Les épices, les tons chocolatés, le curry et une certaine minéralité s'affichent fraîchement. Ronde et harmonieuse, la bouche n'est pas puissante mais retient l'attention par sa netteté et son élégance. Un vin fin, aérien... Pas étonnant qu'il voyage et qu'il nous fasse voyager par la même occasion.

Franck Guigneret, rue des Chèvres, 39210 Château-Chalon, tél. 03.84.44.67.97, fax 03.84.44.69.20, e-mail savagnin@aol.com
r.-v.

Côtes-du-jura

L'appellation englobe toute la zone du vignoble de vins fins. En 2005, la surface en production était de 604 ha et a donné 23 979 hl (16 111 hl en vins blancs ou jaunes, 7 370 hl en rouges et rosés, 498 hl en vins de paille).

CH. D'ARLAY Vin jaune 1998 *

2 ha 5 000 23 à 30 €

Une origine médiévale, des bâtiments du XVIII[e]s., des gazons, un boulingrin, un parc romantique, un théâtre de verdure, un domaine viticole remontant au XI[e]s. et qui s'étend aujourd'hui sur 30 ha : ici le château n'est pas une simple étiquette – il y a d'ailleurs peu de véritables châteaux dans le vignoble jurassien... Celui-ci est un Monument historique classé, ouvert à la visite en été. Son vin jaune est doré à l'œil. La nuance de noix au nez, qui fait

partie de ses attributs, s'accompagne de quelques ornementations aromatiques telles que la noisette ou les champignons secs. Une bouche tendre incite à déguster cette bouteille assez rapidement. Le **Corail 2001 (8 à 11 €)** est cité. Ce rosé, né de cinq cépages locaux rouges et blancs macérés ensemble, est lui aussi prêt à boire.
Alain de Laguiche, Ch. d'Arlay, rte de Saint-Germain, 39140 Arlay, tél. 03.84.85.04.22, fax 03.84.48.17.96, e-mail alaindelaguiche@aol.com t.l.j. 9h-12h 14h-18h; dim. sur r.-v.

BENOÎT BADOZ Vin jaune 1999 *

3 ha 4 000 15 à 23 €

Il se peut que vous trouviez les vins de Benoît Badoz en vous déplaçant au Vietnam. Le vigneron exporte quelques flacons dans ce pays, mais le plus sûr est de vous rendre à Poligny : le caveau se trouve au pied de la collégiale Saint-Hippolyte. L'exotisme est toutefois à portée de nez grâce à ce vin jaune qui s'ouvre sur les épices. Sans souffrir d'aucun décalage horaire, la bouche nous ramène, dans une belle ampleur, sur un sentier aromatique plus local avec la noix fraîche. Les dégustateurs reviennent de ce voyage en pleine forme, mais le vin semble un peu fatigué par la mise en bouteilles ou une filtration récentes. Attendons qu'il reprenne son souffle. La robe orange caramel du **vin de paille 2002** n'est pas pour déplaire. Noté une étoile également, c'est un vin au nez intense qui marie la mirabelle, l'abricot sec, la figue et même la confiture de pissenlits. Riche et concentrée, la bouche comporte suffisamment d'acidité pour soutenir cette bouteille dans le temps.
Benoît Badoz, 3, av. de la Gare, 39800 Poligny, tél. 03.84.37.11.85, fax 03.84.37.11.18, e-mail infos@badoz.fr t.l.j. sf dim. 8h-12h 14h-19h

BAUD Rouge ancestral 2004 *

1,6 ha 8 000 5 à 8 €

N'est pas ancestral qui veut. C'est en 1642 que Jean-François Baud est arrivé au Vernois comme vigneron tâcheron. Aujourd'hui ses descendants lui rendent indirectement hommage avec cette cuvée issue d'une assemblage de 70 % de trousseau et de 30 % de pinot noir. Une robe corail et un joli nez de fruits attirent l'attention. La simplicité est au rendez-vous en bouche, mais dans ce qu'elle a de léger, de tendre et de vraiment agréable. Du fruit, de la fraîcheur : tout ce qu'il faut pour accompagner des grillades. Le **blanc cuvée Tradition 2002 (8 à 11 €)**, assemblage mi-chardonnay mi-savagnin élevé trois ans en fût, reçoit aussi une étoile. Son nez flatteur est fait d'un subtil mélange de vanille, d'agrumes et de curry. En bouche, son gras est relevé par une fine acidité. À attendre deux ans.
Dom. Baud Père et Fils, rte de Voiteur, 39210 Le Vernois, tél. 03.84.25.31.41, fax 03.84.25.30.09, e-mail abaud@domainebaud.com t.l.j. sf dim. 9h-12h 14h-18h

BERNARD FRÈRES Vin jaune 1997 *

0,9 ha 1 500 23 à 30 €

Chaque premier week-end de février a lieu la fameuse « Percée du vin jaune » : un événement itinérant dans les différents villages du vignoble, où le nouveau millésime est offert à la dégustation. Ce 1997 s'ouvre tranquillement mais sûrement au nez sur des notes de noix et de curry. La bouche est équilibrée : sa matière puissante est bien soutenue par une acidité suffisante. Un ensemble de bonne facture qui doit pouvoir vieillir.
Bernard Frères, 15, rue Principale, 39570 Gevingey, tél. 03.84.47.33.99 r.-v.

DOM. BERTHET-BONDET Savagnin 2001

2 ha 7 000 15 à 23 €

Le savagnin, cépage local, est à l'honneur dans cette propriété logée dans une maison du XVI[e]s. dans le superbe village de Château-Chalon : c'est le cépage du château-chalon, et 5 ha sur les 19 ha que compte le vignoble sont destinés à cette appellation de vin jaune. Cette variété est aussi à l'origine de cette cuvée parée d'une robe d'or, qui a séjourné trois ans en fût. Ce 2001 montre de la fraîcheur dans son nez de noisette, une pointe lactée mais aussi de la profondeur avec des épices et du foin très mûr. Encore assez impétueux en bouche, il est à l'âge ingrat et demande quelques années de repos.
Berthet-Bondet, rue de la Tour, 39210 Château-Chalon, tél. 03.84.44.60.48, fax 03.84.44.61.13, e-mail domaine.berthet.bondet@wanadoo.fr r.-v.

LUC ET SYLVIE BOILLEY Vin jaune 1996 *

6 ha 5 000 23 à 30 €

Une cave pratique d'accès puisque située à proximité de la N 83, entre Lons-le-Saunier et Poligny. En vin jaune, les 1996 deviennent rares à la vente. En voici un, d'un jaune doré presque ambré et déjà assez évolué au nez. La bouche est équilibrée, plutôt souple pour le millésime, avec une dominante de noix et de pomme mûre. C'est un vin facile à consommer et d'ailleurs prêt à boire. La cuvée **Les Goulesses 2004 (11 à 15 €)**, pur trousseau, obtient aussi une étoile. Rouge intense, ce vin offre au nez un festival de nuances aromatiques : cerise, mûre, pruneau, clou de girofle... Très boisée, la bouche est marquée par des tanins solides et prégnants ; il faut donc attendre cette bouteille. Jaune doré, la cuvée **La Chaze 2004 (8 à 11 €)**, née de pur chardonnay, est du genre qui ne se cache pas. Les épices et la pomme emplissent nez et bouche, dans un ensemble harmonieux et original. À boire.
Luc Boilley, rte de Domblans, 39210 Saint-Germain-lès-Arlay, tél. et fax 03.84.44.97.33, e-mail boilley.fremiot@wanadoo.fr r.-v.

ANDRÉ BONNOT 2001

n.c. 6 500 5 à 8 €

Une petite affaire familiale de négoce implantée au cœur du vignoble. Elle signe un vin de pur pinot noir à la robe rouge sombre marquée d'une évolution orangée. Pain d'épice, cassis et fraise s'invitent au nez, avec là aussi une légère marque d'évolution dans des nuances de pruneau cuit. La bouche souple conviendrait bien à un magret de canard aux griottes. À servir sans attendre.
André Bonnot, 75, rte du Revermont, 39230 Saint-Lothain, tél. 03.84.37.10.89, fax 03.84.37.10.64 t.l.j. sf sam. dim. lun. 8h-12h 14h-18h

LA CAVE DU BON PAYS Chardonnay 2003 **

1 ha 6 000 5 à 8 €

Depuis 2002, cette société achète les moûts de quatorze vignerons, puis les vinifie et les élève. Le résultat est salué par les dégustateurs, en particulier cette cuvée de chardonnay qui s'ouvre au nez sur une palette fruitée, à tendance confite. La même sève poursuit son œuvre dans une bouche qui manque certes un peu d'acidité, en raison du millésime caniculaire... Alors on s'attarde plutôt sur la grande maîtrise de l'élevage sous bois, sur la belle révélation aromatique et l'agrément de cette bouteille, à apprécier tout de suite ou d'ici cinq ans. En rouge, le **pinot noir 2004** donne un vin jugé très réussi. Du fruit au nez (fraise, cassis...), une attaque franche et une bonne persistance composent un ensemble déjà plaisant, et qui gagnera à vieillir deux à trois ans.

⊶ Les Vignerons du Sud Revermont, imp. du Rochet, 39190 Orbagna, tél. et fax 03.84.25.09.76 ☑ Y r.-v.

DANIEL BROCARD
Tradition Vieilli en fût de chêne 2002 ★

1 ha 3 000 ⦶ 8 à 11 €

Pannessières se trouve sur la route des lacs et des célèbres cascades du Hérisson. On ne va pourtant pas ici conseiller de mettre de l'eau dans son vin. Celui-ci, assemblage de chardonnay et de savagnin, s'affiche dans une robe bouton d'or et diffuse au nez de plaisantes notes de miel et de grillé. Gras et puissant en bouche, plutôt chaleureux, il ira bien avec des plats à la crème ou avec du fromage (comté). Prêt à boire, il peut cependant se garder. Pour l'apéritif, cité, le **vin de paille 2001 (15 à 23 €)** vous transportera dans un univers de miel et de fruits.

⊶ Daniel Brocard, 7, rue de l'Église,
39570 Pannessières, tél. 03.84.43.04.67,
fax 03.84.86.28.99 ☑ Y ⚲ t.l.j. 8h-20h; dim. 8h-12h

CLAUDE BUCHOT Vin jaune 1998

0,6 ha 1 200 ▮ ⦶ 23 à 30 €

Un vin issu de raisins cultivés selon les méthodes de l'agriculture biologique. La robe est jaune citron, le nez dominé par un côté lactique mais l'amande pointe. La bouche est franche, dans un style léger. Le **blanc 2002 (11 à 15 €)**, également issu de savagnin élevé quarante mois dans le bois, a divisé notre jury. Son côté « oxydatif » est diversement apprécié. Pour certains, c'est l'archétype d'un vin élevé sous voile et commercialisé en blanc ; pour d'autres, il a un côté caricatural. Il ne laisse en tout cas pas indifférent. Pour les amateurs de « goût de jaune ».

⊶ Claude Buchot, 39190 Maynal, tél. 03.84.85.94.27,
fax 03.84..85.94.27 ☑ Y r.-v.

PHILIPPE BUTIN Vin de paille 2000 ★

0,5 ha 1 500 ⦶ 15 à 23 €

Proche de Lons-le-Saunier, Lavigny est un petit village dominé par une falaise calcaire. Les vignes y poussent sur ses pentes, sous la protection d'une chapelle située au milieu du coteau. D'une couleur d'ambre, voire de bronze, ce vin de paille charme de ses notes de miel tant au nez qu'en bouche. Très liquoreux mais bien équilibré, il imprime durablement ses accents de figue et de mirabelle cuite. Il y a ceux qui aimeront le partager avec un foie gras en entrée ; ceux qui trouveront que le gâteau au chocolat est un parfait accompagnement pour le dessert ; et enfin ceux qui le serviront à l'entrée et au dessert !

⊶ Philippe Butin, 21, rue de la Combe, 39210 Lavigny,
tél. 03.84.25.36.26, fax 03.84.25.39.18,
e-mail ph.butin@wanadoo.fr ☑ Y ⚲ r.-v.

CAVEAU DES BYARDS Chardonnay 2003 ★

2 ha 12 000 ⦶ 5 à 8 €

2003... année caniculaire. Les vendanges des grappes de chardonnay ont commencé le 17 août pour les adhérents de cette cave coopérative. Jaune doré, ce vin qui en est issu, après un séjour de dix-huit mois dans le bois, ne renie pas son millésime. Le nez de fruits mûrs, voire confits, rappellerait presque celui d'un liquoreux ! La bouche est chaleureuse, avec une note boisée qui souligne finement un vin bien travaillé à partir d'une matière première particulièrement atypique. Apprécions tout de suite cette belle bouteille élaborée dans un contexte difficile, car le potentiel de garde n'est pas certain.

⊶ Caveau des Byards, rue de Voiteur,
39210 Le Vernois, tél. 03.84.25.33.52,
fax 03.84.25.38.02, e-mail info@caveau-des-byards.fr
☑ Y ⚲ r.-v.

LES CHAIS DU VIEUX BOURG
B.B.1 Élevé en fût de chêne 2004

1,12 ha 2 000 ⦶ 8 à 11 €

Nom de code : B.B.1, pour un vin floral, assemblage de chardonnay et de savagnin. Le nez est puissant, voire violent. Exubérantes, les salves de bonbon anglais, d'ananas et les notes citronnées ne laissent aucun répit. Un peu de repos en bouche ? Que non ! Une bouffée de fraîcheur et de fruits qui explose en bouche, aidée par une pointe perlante. « Qu'adviendra-t-il ? » se demande un dégustateur. Un autre répond que cette bouteille est « à consommer sans attendre pour garder cette fraîcheur ». Un ensemble original, mettant bien en valeur le millésime. Il est signé par Ludwig Bindernagel, un architecte devenu vigneron en 2003.

⊶ Ludwig Bindernagel, Les Chais du Vieux Bourg,
Vieux-Bourg, 39140 Arlay, tél. 03.84.85.07.91
☑ Y ⚲ r.-v.

DENIS ET MARIE CHEVASSU Vin de paille 2002

n.c. 700 ⦶ 15 à 23 €

Ici ce sont principalement les femmes de la maison qui cueillent et sélectionnent les grappes de chardonnay, de poulsard et de savagnin qui ont donné, après un séchage de trois mois et un séjour de trois ans sous bois, ce vin de paille très ambré. Outre des notes de mirabelle ou de raisin sec, le nez libère aussi des nuances plus « vertes » rappelant l'avocat ou la rhubarbe. La bouche est fraîche sur des tons acidulés.

⊶ Denis Chevassu, Granges-Bernard,
39210 Menétru-le-Vignoble, tél. et fax 03.84.85.23.67
☑ Y ⚲ t.l.j. 10h-12h30 14h-19h30

CLOS DES GRIVES Savagnin 2001 ★

0,7 ha 2 500 ⦶ 11 à 15 €

Une propriété aux abords de Lons-le-Saunier, préfecture du Jura. Elle propose un vin de savagnin élevé quatre ans en fût. Ce 2001 revêt une robe d'or clair « très bien en couleur », comme le résume un des dégustateurs. Il séduit par sa finesse au nez même s'il n'a pas beaucoup d'intensité. Sa nature assez réservée apparaît aussi en bouche, mais celle-ci laisse une impression d'harmonie.

⊶ Claude Charbonnier, Clos des Grives,
204, Grande-Rue, 39570 Chille, tél. 03.84.47.23.78,
fax 03.84.47.29.27 ☑ Y ⚲ r.-v.

DOM. JEAN-CLAUDE CRÉDOZ Savagnin 2001

0,8 ha 3 200 ⦶ 11 à 15 €

Généralement les vins de savagnin sont plutôt intenses. Celui-ci, qui a passé quatre ans en fût, s'ouvre tranquillement et modérément au nez, sur des tons lactiques et des nuances de noisette. La bouche suit cette voie, dans une structure légère. Ce 2001 peut être déjà dégusté mais le mieux serait d'attendre un peu.

Dom. Jean-Claude Crédoz, rue des Chèvres, 39210 Château-Chalon, tél. 03.84.44.64.91, fax 03.84.44.98.76, e-mail domjccredoz@aol.com
t.l.j. 8h-12h 13h-19h

RICHARD DELAY
Vin jaune 1998 ★★

	0,4 ha	2 000		23 à 30 €

Avec un coup de cœur l'an dernier pour un macvin-du-jura, Richard Delay est de nouveau distingué cette année pour un vin jaune plein de promesses. Robe jaune citron et reflets verts : le ton est donné. Délicatement floral au premier nez, ce 1998 évolue ensuite vers l'amande, le grillé et les herbes sèches. Et si la bouche n'était pas à la hauteur ? On est vite rassuré : l'attaque est des plus nettes, les arômes explosent au sein d'une matière pleine et équilibrée. La noix, le sous-bois, le grillé et le torréfié se déploient longuement. Une harmonie et une élégance qu'un vieux comté mettra bien en valeur. Mais attendez un peu... Pour patienter, débouchez la **cuvée Paul Delay 2003 (8 à 11 €)** jugée très réussie. Assemblage de chardonnay et de savagnin, c'est un vin gras dominé par les agrumes. À vrai dire il mérite, lui aussi, d'attendre un peu.
Richard Delay, 37, rue du Château, 39570 Gevingey, tél. 03.84.47.46.78, fax 03.84.43.26.75, e-mail delay@freesurf.fr r.-v.

J. ET B. DURAND-PERRON
Chardonnay Tradition 2000

	1,5 ha	2 500		5 à 8 €

Il est toujours intéressant de voir comment un site prestigieux comme Château-Chalon était représenté quelques siècles auparavant, en témoigne l'estampe de 1600 reproduite sur l'étiquette du côtes-du-jura des époux Durand-Perron. Ces derniers signent une cuvée de chardonnay élevée douze mois en cuve et vingt-quatre mois en fût. Ouverte au nez, sur des notes de vanille, de miel, d'agrumes et de fleurs blanches, elle est équilibrée en bouche. C'est un beau vin mais qui a déjà atteint son apogée. Il est donc conseillé de le servir avant fin 2007.
Jacques et Barbara Durand-Perron, 18, rue des Roches, 39210 Voiteur, tél. 03.84.44.66.80, fax 03.81.31.02.86, e-mail jbdp@wanadoo.fr
t.l.j. 10h-12h 16h-19h; f. mai

SYLVAIN FAUDOT Chardonnay 2004

	0,25 ha	1 200		5 à 8 €

Créé en 1998 par Sylvain Faudot, ce domaine s'étend sur 4 ha au nord d'Arbois. Une partie du vignoble est revendiquée en AOC côtes-du-jura et l'autre en AOC arbois. Né de pur chardonnay et élevé douze mois en fût, ce vin de teinte jaune doré présente un nez plutôt plaisant de pomme verte et de tabac blond. Équilibré en bouche, il est souple et harmonieux. Déjà prêt, il peut aussi attendre.
Sylvain Faudot, 13, rte de Salins, 39600 Saint-Cyr-Montmalin, tél. et fax 03.84.37.41.03
t.l.j. sf dim. 10h30-12h 13h30-19h

FLEUR DE MARNE
Chardonnay En Chalasse 2002 ★

	0,25 ha	900		11 à 15 €

Les marnes, ce sont ces roches sédimentaires de couleurs variées, formées d'un mélange de calcaire et d'argile. Elles constituent des éléments géologiques majeurs du vignoble jurassien. Le chardonnay y a ici plongé ses racines, donnant un vin or intense. Au nez, le chêne est très prononcé, légué par un séjour de dix-huit mois en fût. La structure en bouche est riche et chaleureuse, avec ce qu'il faut d'acidité. Un côtes-du-jura pour les amateurs de vins boisés, qui gagne de la finesse olfactive et gustative à l'aération.
Alain Labet, pl. du Village, 39190 Rotalier, tél. 03.84.25.11.13, e-mail domainelabet@wanadoo.fr
r.-v.

DOM. GANEVAT Vin de paille 2002 ★

	0,25 ha	1 000		15 à 23 €

Cette propriété se transmet de père en fils depuis 1650. Jean-François Ganevat l'exploite en agriculture biologique ; il en a pris les rênes après avoir exercé dix ans comme maître de chai à Chassagne-Montrachet. Très remarqué dans le millésime 2000, son vin de paille 2002 arbore des tons orangés et caramel. L'intensité au nez n'est pas très forte mais la qualité olfactive est au rendez-vous : figue, raisin sec, eau-de-vie de mirabelle et miel se succèdent. En bouche, la douceur dominante s'accompagne de nouveau d'arômes de figue assortis de notes d'abricot cuit avec un retour du miel en finale. Dépêchez-vous de faire cuire un gâteau au chocolat noir... Pour accompagner la viande, un cuissot de sanglier par exemple, le **côtes-du-jura rouge 2004 cuvée Julien (11 à 15 €)** sera parfait. Très réussi lui aussi, ce vin de pur pinot noir donne ostensiblement dans la mûre et la crème de cassis au nez. Très puissant aussi en bouche, il dévoile une matière charnue qui a besoin d'un peu de temps pour s'adoucir. En blanc, le **chardonnay cuvée Grands Teppes Vieilles Vignes 2002 (11 à 15 €)** est cité. Très travaillé, il donne la sensation d'un vin élevé sur lies ou batonné. Un côté gras compense une attaque vive. Les agrumes et les fleurs forment une élégante succession aromatique.
Dom. J.-F. Ganevat, La Combe, 39190 Rotalier, tél. et fax 03.84.25.02.69 r.-v.

DOM. GRAND FRÈRES Tradition 2002 ★★

	1,5 ha	9 000		8 à 11 €

À l'instar d'autres vignerons jurassiens, les Grand commercialisent non seulement des vins de cépages purs, mais aussi des vins d'assemblage, comme cette Tradition issue de 60 % de chardonnay et de 40 % de savagnin. Mixité rime ici avec complexité : les agrumes et le miel se mêlent au nez avec bonheur. Aucune rupture avec la bouche qui poursuit son œuvre de séduction, gagnant en puissance et réalisant une remarquable harmonie. On aime déjà cette élégance et cette rondeur, mais d'ici trois ans ce 2002 se sera encore bonifié. Le **vin de paille 2002 (15 à 23 €)** s'est offert une nouvelle bouteille depuis quelques années. Un nouveau « look » pour le contenant mais une tradition bien

gardée pour le contenu : jugé très réussi, il a une richesse encore réservée. Ses notes de raisin sec et d'écorce d'orange amère sont perceptibles mais demandent quelques années pour s'épanouir.
Dom. Grand, 139, rue du Savagnin, 39230 Passenans, tél. 03.84.85.28.88, fax 03.84.44.67.47, e-mail domaine-grand@wanadoo.fr r.-v.

PATRICK ET ÉLISABETH GRANDMAISON Chardonnay 2004

0,5 ha 2 700 5 à 8 €

Une propriété située au nord du vignoble, à 5 km de Salins-les-Bains. Le logo du domaine représente un rapace, sans doute l'aigle d'Aiglepierre. L'oiseau porte dans ses serres une grappe de raisin avec une attitude ample et souple que semble avoir imité ce côtes-du-jura pur chardonnay. Un vin classique qui peut être bu dès à présent.
Patrick et Élisabeth Grandmaison, EARL Les Sarmentelles, 7, rue des Orcières, 39110 Aiglepierre, tél. et fax 03.84.73.26.16 r.-v.

CAVEAU DES JACOBINS Rubis 2003

2,5 ha 13 800 5 à 8 €

Au moment de fêter son centenaire, cette petite coopérative a dû prendre un nouvel élan en rejoignant sa consœur d'Arbois. Son Rubis est le fruit de l'assemblage des trois cépages rouges jurassiens : poulsard, pinot noir et trousseau. Bonne pioche : la couleur est... rubis ! C'est le fruit qui le caractérise au nez, tandis que la bouche légère et fraîche confirme qu'il s'agit d'un vin de soif à servir avec grillades et charcuteries.
Caveau des Jacobins, rue Nicolas-Appert, 39800 Poligny, tél. 03.84.37.01.37, fax 03.84.37.30.47 r.-v.

CLAUDE ET CÉDRIC JOLY Pinot noir 2003 ★★

0,8 ha 4 000 8 à 11 €

À côté du trousseau et du poulsard, cépages rouges locaux, le pinot noir arrive à donner dans le terroir jurassien de fort beaux vins, tel celui-ci, d'un rouge profond aux reflets violacés. Le nez de cassis, qui tire un peu sur la confiture, est très puissant. La bouche, pourtant forte d'une matière impressionnante, fait preuve d'un équilibre irréprochable. « Du velours », commente un dégustateur, quand un autre se régale avec son bouquet de petits fruits rouges bien mûrs. Réussite d'autant plus marquée que c'est un 2003, millésime souffrant souvent de manque d'acidité. À savourer avec un gigot tout de suite ou d'ici cinq ans. Signalons que le pinot noir 1997 avait lui aussi reçu un coup de cœur. Quant au **blanc Le Monceau 2001**, il est cité. Cet assemblage de chardonnay et de savagnin donne dans les tons de pomme verte. Il est conseillé de le carafer une heure avant le service.
EARL Claude et Cédric Joly, chem. des Patarattes, 39190 Rotalier, tél. 03.84.25.04.14, fax 03.84.25.14.48 r.-v.

JULIEN LABET Chardonnay En Billat 2003 ★★

0,2 ha 600 11 à 15 €

2003, c'est l'année de l'installation de Julien Labet. Des débuts prometteurs, à en juger par ce vin pur chardonnay, citronné de la robe au nez. Intense et distinguée, la bouche est dotée d'une belle acidité, apportant une fraîcheur bienvenue, et d'un gras harmonieux. Les notes vanillées d'un boisé plaisant concourent avec celles de fruits mûrs à donner un vin des plus gourmands. Profitez-en tout de suite. La cuvée **Les Varrons 2003**, née du même cépage, reçoit une étoile. Or blanc elle est, elle aussi, fort marquée par les agrumes au nez, en toute franchise. Sa fraîcheur de bon aloi est soutenue par un perlant. On y trouve du volume et une très bonne persistance. Enfin, toujours en chardonnay, la cuvée **La Reine 2003** est également considérée comme très réussie ; avec ses parfums de vanille et d'agrumes, sa pointe de CO_2 en bouche, c'est un vin frais et gouleyant.
Julien Labet, chem. Monceau, 39190 Rotalier, tél. 03.84.25.11.13, fax 03.84.25.06.75, e-mail domainelabet@wanadoo.fr r.-v.

JEAN MACLE 2003

8 ha 20 000 8 à 11 €

De ce domaine réputé, on se souvient encore du château-chalon 1997, coup de cœur dans le Guide 2006. Le millésime 2003 fut vraiment difficile. Les vignes de chardonnay (85 % de l'assemblage) et de savagnin qui ont engendré ce côtes-du-jura ont été vendangées à partir du 25 août ! Prometteur, le nez tire plutôt sur les agrumes. Déjà bien évoluée, cette bouteille est prête mais peut vieillir aussi quelques années. On suggère de la servir avec une truite aux noisettes.
Dom. Macle, rue de la Roche, 39210 Château-Chalon, tél. 03.84.85.21.85, fax 03.84.85.27.38, e-mail maclel@wanadoo.fr r.-v.
Laurent Macle

LA MAISON DE ROSE 2003 ★

0,3 ha 600 8 à 11 €

La Maison de Rose... le mental nous entraîne dans le domaine du floral quand la réalité de la dégustation nous plonge dans un univers aromatique tout autre, dominé par le fruité, le miel et les épices. En bouche, ce vin de pur savagnin est rond, gras sans excès. Construit sur une grande maturité, solaire et harmonieux, il devra encore attendre deux à trois ans. On pourra alors accompagner cette bouteille de ris de veau, de homard et de plats à la crème.
Dominique Grand, La Maison de Rose, 8, rue de l'Église, 39230 Saint-Lothain, tél. et fax 03.84.37.01.32, e-mail lamaisonderose@wanadoo.fr r.-v.

DOM. MOREL-THIBAUT Tradition 2002 ★★

1,5 ha 4 000 5 à 8 €

Un jeu d'associations gagnant : celle de Jean-Luc Morel et de Michel Thibaut, amis d'enfance qui exploitent

JURA

ensemble 10 ha de vignes, et celle de deux cépages. Les deux producteurs ont engagé dans cette cuvée le doublé chardonnay et savagnin. Les deux variétés, après fermentation malolactique, ont séjourné dans le bois séparément (dans des fûts de 500 l pour le chardonnay et de 220 l pour le savagnin) ; l'assemblage a été réalisé deux mois avant la mise en bouteilles. Le nez se laisse deviner minute après minute : de la vanille par-ci, une touche citronnée par-là... et encore tant à découvrir dans une palette d'une grande complexité. La bouche soyeuse est néanmoins très structurée, avec un boisé discret. Mettez le turbot... à cuire. Une bien belle bouteille qui ne ternit en rien le **vin jaune 1999 (15 à 23 €)** qui vient à nous dans une robe jaune aux reflets verts. Il se fait noisette au nez quand la bouche nous plonge par ses notes terreuses au cœur de nos racines. La note ? Largement une étoile.

Dom. Morel-Thibaut, 8, rue Coittier, 39800 Poligny, tél. et fax 03.84.37.07.61
t.l.j. 15h-19h; dim. 10h-12h

JEAN-LUC MOUILLARD Chardonnay 2004 *

1,5 ha	5 000	5 à 8 €

Deux vins très réussis à découvrir dans les caves du XVI[e]s. de Jean-Luc Mouillard. L'objectif du vigneron était d'obtenir ici un vin floral en élevant le chardonnay en fût ouillé. Le résultat est là : le fruité acidulé du nez, autour du citron et de l'ananas, est relevé d'un joli trait de boisé. Équilibrée et harmonieuse en bouche, c'est une bouteille flatteuse et homogène. Quant au **côtes-du-jura 2004**, issu de l'assemblage de pinot, de trousseau et de poulsard, il associe les fruits rouges à une petite touche animale ou épicée. Simple mais fort agréable, il se mariera très bien aux viandes. Rien ne sert d'attendre, il est prêt.

Jean-Luc Mouillard, rue du Parron, 39230 Mantry, tél. 03.84.25.94.30, fax 03.84.25.97.29, e-mail jean-luc.mouillard@wanadoo.fr
t.l.j. 8h-12h 14h-19h

DOM. DE LA PETITE MARNE Poulsard 2004 *

0,6 ha	3 500	5 à 8 €

2004 : deuxième récolte vinifiée et commercialisée par la famille Noir, après sa décision de quitter la cave coopérative. Trois vins retenus dans le Guide ! Ce pur poulsard est bien typé au nez : cerise, griotte et framboise jouent avec un soupçon de cuir. Donnant une grande impression de rondeur, de gras en bouche, il caresse le palais avec toutefois ce qu'il faut d'acidité pour être parfaitement équilibré. Friand avec ses notes de fruits rouges légèrement évolués, il se prêtera à de multiples accords : on le verrait bien avec une salade franc-comtoise ou une escalope. Même note pour le **trousseau 2004**. Les fruits rouges se font accompagner ici d'une touche plus épicée, plus sauvage, plus sévère, correspondant bien au type. Les tanins sont encore présents, il faut donc attendre trois à cinq ans qu'ils se fondent. En côtes-du-jura blanc le **chardonnay 2004** est cité. Léger, c'est un vin pas compliqué et déjà prêt à boire.

Noir Frères, Dom. de la Petite Marne, 39800 Poligny, tél. et fax 03.84.37.20.32 r.-v.

DOM. PIGNIER Trousseau 2004 **

1,2 ha	4 000	8 à 11 €

Il y a des vins qui s'imposent comme une évidence : celui-ci sera un coup de cœur. Le jury unanime se retrouve autour de cette certitude qui s'insinue avec la contemplation d'une robe rouge grenat aux reflets pourpres : le

trousseau est là. Le nez de fruits rouges bien mûrs et d'épices, souligné d'un trait animal, vient définitivement convaincre. Il y a quelque chose de grand là-dedans. Puis vient, comme une confirmation, une attaque soyeuse grâce à des tanins présents mais discrets ; de la charpente sous une belle fraîcheur que le fruit entraîne avec brio. On a plaisir à découvrir la maîtrise du vigneron tant à la vigne qu'à la cave, au service de ce cépage. En plus, on peut servir cette bouteille tout de suite. Le **chardonnay À la Percenette 2004** est également remarquable. Un fruité expansif et un boisé de qualité font ressortir le savoir-faire technologique plus que le terroir. Le **rouge pinot noir 2004** est cité. Il demande à vieillir pour que le boisé se fonde. À signaler, ce domaine est conduit en biodynamie.

Dom. Pignier, Cellier des Chartreux, 39570 Montaigu, tél. 03.84.24.24.30, fax 03.84.47.46.00, e-mail pignier-vignerons@wanadoo.fr
t.l.j. sf dim. 9h-12h 14h-19h

DOM. QUILLOT Vin de paille 2000 *

1,6 ha	4 000	11 à 15 €

Un domaine vinifié par la Compagnie des Grands Vins du Jura, négociant établi à Crançot. Issu essentiellement de cépages blancs (chardonnay, savagnin), ce vin de paille se montre dans une belle robe vieil or. Fin et soutenu au nez, il décline la figue, le miel ou encore l'abricot. La bouche est large, avec une matière bien équilibrée. Cité, dans un millésime plus difficile, le **côtes-du-jura blanc 2001 (5 à 8 €)** issu de savagnin est sur le registre de la fraîcheur. On suggère de le servir avec du poulet au gingembre.

Dom. Quillot, 39570 Crançot, tél. 03.84.87.61.30, fax 03.84.48.21.36 r.-v.
Helfrich

XAVIER REVERCHON Vin jaune 1999

1 ha	2 700	23 à 30 €

Souvenez-vous de ce vin jaune 1997, sacré coup de cœur dans le Guide 2005. Le 1999 exhale des notes de fumé, de grillé et de café : le tiercé de la série empyreumatique dans l'ordre ! Après une attaque très nette, la dégustation évolue sur les impressions chaleureuses de l'alcool. Attendons, attendons. La cuvée des **Trouillots 2004 rosé (5 à 8 €)** est également citée. Pur poulsard, c'est un vin appétissant et vif, qui possède un nez bien fruité. Agréable en bouche, il sera à déguster un peu frais.

Xavier Reverchon, 2, rue du Clos, 39800 Poligny, tél. 03.84.37.02.58, fax 03.84.37.00.58, e-mail reverchon.chantemerle@wanadoo.fr r.-v.

DOM. PIERRE RICHARD Vin de paille 2000 **

0,4 ha	1 100	15 à 23 €

Le savagnin est surtout connu pour être le cépage du vin jaune, autre grande spécialité jurassienne. Il entre aussi dans la composition de ce vin de paille. Il représente ici un tiers de l'assemblage aux côtés du chardonnay et du poulsard. D'emblée, ce 2000 offre tout ce qu'il faut : au nez, de la puissance, de la fraîcheur et de la finesse. La pomme cuite joue avec les raisins secs tandis que l'amande succède à la mirabelle. Un peu moins d'ampleur en bouche mais un bel équilibre et toujours beaucoup de finesse sur des notes d'abricot, de miel ou de figue.

Pierre Richard, rte de Voiteur, 39210 Le Vernois, tél. 03.84.25.33.27, fax 03.84.25.36.13 r.-v.

DOM. DES RONCES Pinot noir 2004 *

0,8 ha | 2 500 | 5 à 8 €

Une belle robe pourpre pour ce vin pur pinot noir. Point de mûre pour ce Domaine des Ronces mais de la fraise et des tanins qui s'invitent au nez et s'installent durablement en bouche. Il y a encore une certaine acidité, mais c'est sans doute un péché de jeunesse. Deux années de garde devraient permettre également de fondre de jolis tanins.

Michel Mazier, Dom. des Ronces, 9, imp. du Rochet, 39190 Orbagna, tél. et fax 03.84.25.09.76 r.-v.

CH. DE SELLIÈRES Savagnin 2000

0,5 ha | 1 300 | 11 à 15 €

Si vous aviez décidé de servir à vos amis un petit blanc pris sous la tonnelle, ce vin-là, un pur savagnin vieilli quatre ans dans le chêne, n'est pas des mieux placés. Réservez-le plutôt à un dîner hivernal et à des plats à la crème, il se sentira nettement plus à l'aise. Les notes lactiques dominent au nez, accompagnant la noix et la noisette. La bouche apparaît sous une certaine sévérité, mais c'est sa nature et le temps ne viendra pas la gommer complètement. Le millésime précédent avait obtenu un coup de cœur.

EURL Ch. de Sellières, chez Juraboissons, rue des Grangettes, 39570 Perrigny, tél. 03.84.86.11.11, fax 03.84.86.11.12

MICHEL TISSOT ET FILS 2004

n.c. | 19 000 | 3 à 5 €

La petite maison de négoce de Nevy-sur-Seille a été reprise depuis 2005 par le grand négociant de la place : la maison Henri Maire. Elle signe un vin d'assemblage (40 % pinot, 30 % poulsard, 30 % trousseau) doté d'un joli nez fruité. Si l'attaque est fraîche, la matière se fait vite imposante sur un fond boisé. Il va falloir attendre deux à trois ans pour que le tout s'arrondisse.

Michel Tissot, BP 40012, 39601 Arbois Cedex, tél. 03.84.66.47.97, fax 03.84.66.47.75, e-mail info@mtissot.com

CAVEAU DU VIEUX PRESSOIR
Trousseau 2003 *

n.c. | n.c. | 5 à 8 €

Une robe engageante, rouge aux reflets violacés presque noirs. De l'intensité au nez aussi, avec des notes de fraise confite, de fruits noirs surmûris. Une charpente solide, étayée par des tanins encore assez présents, et du gras. Une réussite dans ce millésime pour le moins chaud, à apprécier dès à présent. Si vous n'avez jamais goûté au pavé d'autruche, c'est le moment. À défaut, une viande rouge ou du gibier feront l'affaire. Très exotique elle aussi, la **cuvée Solène 2003** est citée pour son côté aromatique très agréable, même si elle n'est pas représentative d'un assemblage chardonnay-savagnin.

Caveau du Vieux Pressoir, rue des Teppes, 39190 Vincelles, tél. 06.81.83.67.80, fax 03.84.25.05.47

Georges Caire

FRUITIÈRE VINICOLE DE VOITEUR
Chardonnay Vieilli un an en fût de chêne 2003 **

8 ha | 50 000 | 5 à 8 €

En 2007, la coopérative de Voiteur fêtera ses cinquante ans d'existence. La cave signe une cuvée de chardonnay élevé un an en cuve et un an en fût. Paré d'une robe jaune doré, ce 2003 présente un nez très typé, associant la noix et les fleurs blanches. L'attaque franche dévoile une acidité discrète qui apporte la fraîcheur nécessaire, puis le gras se développe sur une belle matière. On retrouve au palais les notes aromatiques perçues à l'olfaction, qui persistent longuement. Un vin prêt à accompagner du fromage mais qui peut également attendre cinq à dix ans. Le **chardonnay 2004 (3 à 5 €)**, élevé en cuve, a été, pour sa part jugé très réussi. D'un jaune pâle, ce vin séduit par ses parfums d'agrumes et sa bouche équilibrée. À servir dès la sortie du Guide.

Fruitière vinicole de Voiteur, 60, rue de Nevy, 39210 Voiteur, tél. 03.84.85.21.29, fax 03.84.85.27.67, e-mail voiteur@fruitiere-vinicole-voiteur.fr r.-v.

Crémant-du-jura

Reconnue par décret du 9 octobre 1995, l'AOC crémant-du-jura s'applique à des mousseux élaborés selon les règles strictes des crémants, à partir de raisins récoltés à l'intérieur de l'aire de production de l'AOC côtes-du-jura. Les cépages rouges autorisés sont le poulsard (ou ploussard), le pinot noir appelé localement gros noirien, le pinot gris et le trousseau ; les cépages blancs sont le savagnin (appelé localement naturé), le chardonnay (appelé melon d'Arbois ou gamay blanc). Notez qu'en 2005 ont été déclarés 17 891 hl de crémant.

CAVEAU DES BYARDS 2004

14 ha | 33 000 | 5 à 8 €

Le crémant-du-jura, on y croit dans cette petite coopérative, au point d'y consacrer une partie importante des surfaces (14 ha sur 34). Ainsi, 33 000 bouteilles d'un vin à la bulle délicate, né de pur chardonnay, sont à votre disposition. Le nez s'offre agréablement sur des tons floraux et minéraux. Pas de doute, c'est bien un effervescent en bouche : la bulle y est vive.

Caveau des Byards, rue de Voiteur, 39210 Le Vernois, tél. 03.84.25.33.52, fax 03.84.25.38.02, e-mail info@caveau-des-byards.fr r.-v.

MARCEL CABELIER 2004 ★★

200 ha 500 000 5 à 8 €

Sous le nom de Marcel Cabelier, cette cuvée est l'œuvre de la Compagnie des Grands Vins du Jura, sise à Crançot, entreprise de négoce qui a toujours largement investi dans cette appellation. Composé de 80 % de chardonnay et de 20 % de pinot noir, voici un vin brillant et limpide dans lequel les bulles forment une mousse généreuse. Le beau nez est à la fois minéral, grillé et finement beurré. L'attaque vive reste agréable : le travail de la bulle est assurément soigné. Une certaine vinosité fait de la minéralité sa première alliée, tandis que la noisette ou quelques zestes de mandarine apportent des touches discrètes mais appréciées. Ce crémant accompagnera très harmonieusement tout un repas.

Compagnie des Grands Vins du Jura, rte de Champagnole, 39570 Crançot, tél. 03.84.87.61.30, fax 03.84.48.21.36 r.-v.

DENIS ET MARIE CHEVASSU 2003 ★★

0,4 ha 4 000 5 à 8 €

Élaboré à 3 km de Château-Chalon, un crémant blanc de blancs issu du seul chardonnay. Ici pas de démonstration de force intempestive. Dans une robe jaune pâle, la bulle se fait discrète et fine. « Le top du top », résume un dégustateur, s'arrêtant sur un nez tout aussi discret mais d'une grande complexité, sur un fruité d'abricot et des nuances minérales. La bouche est plus affirmée, dans un élan vineux, mais elle conserve une élégance marquée. Le fruit mûr, tel le coing, se plaît à entretenir une belle longueur. On n'est pas près d'oublier cette bouteille.

Denis Chevassu, Granges-Bernard, 39210 Menétru-le-Vignoble, tél. et fax 03.84.85.23.67 t.l.j. 10h-12h30 14h-19h30

RICHARD DELAY ★

n.c. n.c. 5 à 8 €

Richard Delay recommande son crémant pour tout instant de fête et de convivialité. On ne peut que lui donner raison avec ce vin d'une belle générosité. Dans ce crémant né de pur chardonnay, la bulle est abondante mais aussi persistante, sur un fond jaune avenant. Délicatement floral (aubépine, acacia), le nez évolue aussi sur les agrumes ou le pain de mie dans une réelle complexité. L'attaque rappelle qu'il s'agit d'un effervescent. La vivacité est bien là, mais très vite l'équilibre s'établit dans ce brut bien dosé. Un ensemble soigné.

Richard Delay, 37, rue du Château, 39570 Gevingey, tél. 03.84.47.46.78, fax 03.84.43.26.75, e-mail delay@freesurf.fr r.-v.

JOSEPH DORBON 2002 ★

1 ha 6 000 5 à 8 €

Joseph Dorbon, qui habite place de la Liberté, nous permettra de trinquer à cette dernière en compagnie de ce crémant (100 % chardonnay) dont la mousse a un peu les attributs d'un lendemain de 14 juilllet : une certaine apathie. Mais rapidement, toute l'intensité de la vie s'éveille à nouveau : le nez part à l'assaut sur des tons de fruits exotiques. Une rondeur très séduisante se manifeste en bouche, qui fait dire à un dégustateur : « On en redemande. » Vive le crémant-du-jura, vive la liberté, vive la vie !

Joseph Dorbon, pl. de la Liberté, 39600 Vadans, tél. 03.84.37.47.93, e-mail contact@vigneron-dorbon.com t.l.j. 10h-19h E

DOM. GRAND Prestige ★

8 ha 70 000 5 à 8 €

À la suite du départ à la retraite, fin 2005, de Georges Grand, le GAEC Grand Frères est devenu le domaine Grand. Il rassemble désormais Emmanuel et ses parents, Lothain et Christine, qui perpétuent sur leurs 23 ha une tradition viticole remontant au XVII[e]s. Leur brut Prestige, issu de chardonnay, est très élégant au nez, dans des notes d'agrumes. La bouche ronde et harmonieuse laisse entrevoir une nuance de poire.

Dom. Grand, 139, rue du Savagnin, 39230 Passenans, tél. 03.84.85.28.88, fax 03.84.44.67.47, e-mail domaine-grand@wanadoo.fr r.-v. D

CAVEAU DES JACOBINS ★

2,5 ha 27 000 5 à 8 €

La petite coopérative a fusionné à la fin 2005 avec sa grande sœur la Fruitière vinicole d'Arbois. Élaboré avant ce rapprochement, ce crémant n'est pas tout à fait un blanc de blancs puisque 5 % de pinot noir côtoient le chardonnay. Dans une robe couleur paille monte une fine mousse. Le nez, assez vineux, suscite beaucoup d'éloges tant la palette aromatique est riche : du minéral, il nous fait passer au fruit sec, quand le fruité ou le torréfié ne se rappellent pas à notre bon souvenir. Laissant toujours une impression de grande ampleur, la bouche reste néanmoins fraîche.

Caveau des Jacobins, rue Nicolas-Appert, 39800 Poligny, tél. 03.84.37.01.37, fax 03.84.37.30.47 r.-v.

FRÉDÉRIC LAMBERT

1 ha 5 500 **5 à 8 €**

Après une bonne balade entre amis dans la superbe forêt de Chaux toute proche de ce domaine, pourquoi ne pas rendre visite à Frédéric Lambert et goûter à ce crémant né de pur chardonnay, au cordon régulier et persistant ? Les agrumes dominent au nez dans une bonne intensité aromatique. S'il n'y a pas trop d'effervescence, la bulle est agréable dans cet ensemble aux tons grillés. Amicalement vôtre.

Frédéric Lambert, 14, pont du bourg, 39230 Le Chateley, tél. et fax 03.84.25.97.83 r.-v.

DOM. QUILLOT 2003 ★

3 ha 20 000 5 à 8 €

Élaboré à partir de 90 % de chardonnay et 10 % de pinot noir, ce crémant n'est pas avare : la bulle fine monte en cordon généreux pour former une mousse crémeuse. La mirabelle type fortement un nez qui ajoute à sa palette des tons grillés mais aussi des arômes de poire ou de pomme. L'attaque est vive puis le vin s'équilibre en cours de dégustation. Suivant cette évolution, la gamme aromatique débute sur la pomme tendre, passe par le grillé puis finit sur la mirabelle et même l'eau-de-vie de mirabelle. La finale complexe laisse une bonne impression. Pourquoi ne pas essayer cette bouteille avec du saumon fumé !

Dom. Quillot, 39570 Crançot, tél. 03.84.87.61.30, fax 03.84.48.21.36 r.-v.

Helfrich

LA RENARDIÈRE *

0,5 ha 3 000 5 à 8 €

Il souffle dans ce crémant un vent de légèreté et d'insouciance. Sur fond jaune pâle, la bulle monte tranquillement dans le verre. Avec un certain côté féminin, le nez nous emporte dans les tons d'agrumes, de beurré et de fruits exotiques. Rondeur et fraîcheur se donnent le mot en bouche pour perpétuer l'équilibre. Le côté frais et fruité de ce vin ne doit pas empêcher de le servir en fin de repas, avec un bon dessert.

Jean-Michel Petit, rue du Chardonnay, 39600 Pupillin, tél. 03.84.66.25.10, fax 03.84.66.25.70, e-mail renardiere@libertysurf.fr
t.l.j. 9h-12h 13h30-18h30; dim. sur r.-v.

ROLET Cœur de chardonnay 2002 **

2 ha 12 000 8 à 11 €

Voilà soixante-cinq ans que le père des actuels propriétaires du domaine a planté son premier cep à Arbois. Désiré est son nom. Désirée pourrait se nommer cette cuvée à la robe jaune pâle où monte une bulle fine aux reflets argentés. Le nez intense marie le grillé, le brioché et le beurré, la pêche ou l'abricot. Matin d'été, force de la nature. Un crémant dentelle en bouche, tout en harmonie et en équilibre, sur fond d'agrumes, de pêche et d'amande. Cœur de chardonnay, coup de cœur !

Dom. Rolet Père et Fils, Montesserin, rte de Dole, 39600 Arbois, tél. 03.84.66.00.05, fax 03.84.37.47.41, e-mail rolet@wanadoo.fr
t.l.j. 9h-12h 14h-18h30 au caveau 11, rue de l'Hôtel-de-Ville

JEAN-LOUIS TISSOT 2002 **

0,8 ha 6 000 5 à 8 €

Si, sur une partie du domaine, est utilisée la machine à vendanger, celle-ci n'a pas le droit de cité pour le crémant, ici comme ailleurs. Des vendanges manuelles ont donc participé à ce vin jaune pâle d'où se dégage une mousse fine et élégante. Sans tambour ni trompette, le nez s'annonce dans des tons briochés et abricotés. L'approche est pleine de séduction. Ni trop vive ni trop lourde, la bouche s'offre dans une belle minéralité. Un effervescent de repas qui pourra accompagner les convives de l'entrée au dessert.

Jean-Louis Tissot, Vauxelles, 39600 Montigny-lès-Arsures, tél. 03.84.66.13.08, fax 03.84.66.08.09, e-mail jean.louis-tissot.vigneron.arbois@wanadoo.fr
t.l.j. 8h30-12h 14h-18h; dim. sur r.-v.

JEAN-YVES VAPILLON 2004 **

2 ha 12 000 5 à 8 €

Jean-Yves Vapillon s'est lancé dans la viticulture avec 70 ares de vignes. En une dizaine d'années, il a presque décuplé ses superficies puisqu'il cultive maintenant 6 ha ; un quart est consacré au crémant. Celui-ci déborde d'énergie dans une mousse très abondante et persistante au sein d'une robe jaune pâle. Il se calme au nez dans des tons légèrement beurrés et délicatement compotés. Une relative discrétion qui n'empêche pas l'expression d'une certaine élégance. Fruité et touche lactique donnent une bouche fraîche, tout en équilibre. Un ensemble harmonieux.

Jean-Yves Vapillon, 120, rte de Macornay, 39000 Lons-le-Saunier, tél. et fax 03.84.47.45.65, e-mail jean-yves.vapillon@wanadoo.fr r.-v.

FRUITIÈRE VINICOLE DE VOITEUR *

8 ha 60 000 5 à 8 €

Ce qu'il y a de merveilleux avec le vignoble jurassien, c'est qu'il produit vraiment des vins pour tous les goûts. Celui qui pourrait être étonné de la force de caractère du vin jaune – dont on est très fier à la Fruitière de Voiteur (levez les yeux et Château-Chalon vous regarde) – peut trouver dans ce crémant une fraîcheur qui le séduira. Avec sa belle mousse, c'est un vin fin et discret au nez, mais qui évolue dans le bon sens. Agrumes et cire se partagent une bouche vive, qui reste équilibrée. Un bon moment à l'apéritif.

Fruitière vinicole de Voiteur, 60, rue de Nevy, 39210 Voiteur, tél. 03.84.85.21.29, fax 03.84.85.27.67, e-mail voiteur@fruitiere-vinicole-voiteur.fr r.-v.

L'étoile

Le village doit son nom à des fossiles, segments de tiges d'encrines (échinodermes en forme de fleurs), petites étoiles à cinq branches. Son vignoble (48 ha) a produit 2 616 hl de vins blancs, jaunes, de paille et mousseux en 2005.

CH. L'ÉTOILE Cuvée des Ceps d'or 2003

6 ha 20 000 8 à 11 €

Pour voir les étoiles, il faut lever la tête. Si vous cherchez le château du même nom, faites de même : il est perché sur la colline du village, le mont Muzard. La famille Vandelle, propriétaire depuis 1883, y a produit un 2003 finement doré qui porte déjà des marques d'évolution au nez. La bouche ample, ronde et souple est fort plaisante. Typé, cet étoile allie finesse et expression. On peut déjà l'apprécier. Outre cette cuvée de chardonnay, le **vin jaune 1998 (23 à 30 €)** de la propriété est également cité. Les amateurs d'arômes de noix seront ravis.

G. Vandelle et Fils, GAEC Ch. L'Étoile,
994, rue Bouillod, 39750 L'Étoile, tél. 03.84.47.33.07,
fax 03.84.24.93.52, e-mail info@chateau-etoile.com
r.-v.

DOM. GENELETTI 2004 *

2,5 ha 20 000 5 à 8 €

Les Geneletti père et fils sont installés à L'Étoile mais aussi à Château-Chalon. S'ils ont une prédilection pour les vins blancs, ils produisent aussi du rouge dans l'AOC côtes-du-jura. Cet étoile brille et offre un joli nez de fleurs blanches, avec des nuances de pomme verte et d'agrumes. Déjà ouvert, il s'annonce frais mais sans excès au palais. Un vin expressif, tout comme le **vin de paille 2002 (15 à 23 €)**, également très réussi, qui joue au nez entre miel, fruits secs et mine de crayon. La bouche est peut-être un peu austère mais le plaisir l'emporte grâce à ses arômes. Le **vin jaune 1998 (23 à 30 €)** est cité. Furtif au nez, il prend sa revanche dans une bouche puissante. Le coq au vin jaune et aux morilles reste d'actualité.

Dom. Geneletti, rue Saint-Jean,
39210 Château-Chalon, tél. 03.84.44.95.06,
fax 03.84.47.38.18,
e-mail contact@domainegeneletti.net r.-v.

CLAUDE ET CÉDRIC JOLY Vin jaune 1998 *

0,5 ha 1 500 23 à 30 €

Régulièrement présents dans le Guide, Claude et Cédric Joly possèdent des vignes dans l'AOC l'étoile mais sont domiciliés à Rotalier, un village qui n'est pas dans la zone d'appellation, mais au sud du vignoble des côtes-du-jura. Leur vin jaune se présente avec discrétion sous une robe assez pâle et un nez plutôt réservé. La bouche reste dans cette ligne de faible épaisseur mais dévoile une certaine finesse, sans aucune agressivité. À boire ou à attendre, comme il vous plaira.

EARL Claude et Cédric Joly, chem. des Pataratttes,
39190 Rotalier, tél. 03.84.25.04.14, fax 03.84.25.14.48
r.-v.

DOM. DE MONTBOURGEAU Vin jaune 1998 *

1 ha 4 000 23 à 30 €

On aborde le domaine de Montbourgeau par une allée de tilleuls centenaires. C'est ce que l'on peut appeler une bonne maison, avec une tradition familiale où chaque génération apporte sa pierre à l'édifice. Deux de ses vins, issus du même cépage, le savagnin, obtiennent une étoile : ce vin jaune, élevé en fût pendant sept ans, encore assez nerveux – mais c'est le propre de ce vin de garde que d'être doté d'une acidité maîtrisée – et un **blanc 2001 (11 à 15 €)**, élevé six mois en cuve et trois ans en fût. S'il n'a pas l'ampleur du premier, ce vin retient l'attention par son expression aromatique fine et complexe. Sa colonne vertébrale acide lui garantit également une bonne conservation. Vous cherchez un vin du domaine à déguster tout de suite ? Prenez le **vin de paille 2000 (15 à 23 €)** au joli nez de cacao, qui reçoit lui aussi une étoile, ou, en sec, le **blanc 2003 (5 à 8 €)** issu du chardonnay. Cette bouteille est citée pour sa plaisante fraîcheur.

Nicole Deriaux, Dom. de Montbourgeau,
53, rue de Montbourgeau, 39570 L'Étoile,
tél. 03.84.47.32.96, fax 03.84.24.41.44,
e-mail domaine.montbourgeau@wanadoo.fr r.-v.

CH. DE PERSANGES Vin de paille 2002 *

0,5 ha 2 000 15 à 23 €

Ici, on assure gîte et vin, ce qui n'est déjà pas si mal. Pour le reste du couvert, il y a tout ce qu'il faut à proximité : la préfecture du Jura n'est pas loin. Très proche de nos envies, ce vin de paille ambré nous enlace dans des notes de fumé, de miel et de mirabelle. Il se montre rond, voire gras dans une bouche où la cire d'abeille rivalise avec la pâte de coings. Il faut rappeler les vertus reconstituantes du vin de paille... avec modération, bien sûr. L'étoile **blanc 2001 (5 à 8 €)** est cité. Assemblage de chardonnay et de savagnin, il offre avec son nez de noix une expression intéressante pour un millésime délicat.

Ch. de Persanges, 1516, rte de Saint-Didier,
39570 L'Étoile, tél. 06.77.86.47.50, fax 03.84.47.33.04
t.l.j. sf dim. lun 9h30-12h 14h30-19h
Lionel-Marie d'Arc

DOM. PHILIPPE VANDELLE Vieilles Vignes 2002 **

4 ha 10 500 5 à 8 €

Bernard et Philippe Vandelle vous recevront au cœur du village de L'Étoile, dans une vieille maison vigneronne rénovée, située à flanc de coteau. Né d'un assemblage de chardonnay et de savagnin, leur étoile Vieilles Vignes a séduit le jury. La robe dorée est avenante et l'annonce olfactive des plus prometteuses. Noisette et amande fraîche dominent tandis qu'une note d'alcool discrète s'efface devant des nuances de pomme. Puissance et richesse s'affichent en bouche sans qu'aucune agressivité ni aspérité ne viennent contrarier une belle expression, fine et élégante. Un vin à maturité à servir avec un poisson de rivière. Le **vin jaune 1998 (15 à 23 €)** reçoit également deux étoiles pour la noix mûre de son nez, sa bouche solide et sa longueur. Sa présence affirmée lui permettra de tenir tête à un curry d'agneau aux épices ou à un vieux comté.

Dom. Philippe Vandelle, 186, rue Bouillod,
39570 L'Étoile, tél. 03.84.86.49.57, fax 03.84.86.49.58,
e-mail info@vinsphilippevandelle.com
t.l.j. sf dim. 9h-12h 14h-19h

JEAN-YVES VAPILLON Chardonnay 2002

n.c. 3 000 5 à 8 €

La préfecture du Jura abrite en son sein quelques viticulteurs dont Jean-Yves Vapillon qui possède des vignes dans l'AOC l'étoile. Ce dernier signe un vin blanc de pur chardonnay qui affiche sa robe d'or de manière presque ostentatoire. Nez et bouche sont dans un registre plus discret. Pour un poisson de rivière ou des langoustines.

Jean-Yves Vapillon, 120, rte de Macornay,
39000 Lons-le-Saunier, tél. et fax 03.84.47.45.65,
e-mail jean-yves.vapillon@wanadoo.fr r.-v.

Vin de liqueur du Jura

Macvin-du-jura

Tirant probablement son origine d'une recette des abbesses de l'abbaye de Château-Chalon, l'AOC macvin-du-jura – anciennement maquevin ou marc-vin-du-jura – a été reconnue en 1991. C'est en 1976 que la Société de Viticulture engagea pour la première fois une démarche de reconnaissance en AOC pour ce produit très original. L'enquête fut longue. En effet, au cours du temps, le macvin, d'abord vin cuit additionné d'aromates ou d'épices, est devenu mistelle, élaboré à partir du moût concentré par la chaleur (cuit), puis vin de liqueur muté soit au marc, soit à l'eau-de-vie de vin de Franche-Comté. La méthode la plus courante a été finalement retenue ; il s'agit pour l'AOC d'un vin de liqueur mettant en œuvre du moût ayant subi un tout léger départ en fermentation, muté avec l'eau-de-vie de marc de Franche-Comté à appellation d'origine, issue de la même exploitation que les moûts. Le moût doit provenir des cépages et de l'aire de production ouvrant droit à l'AOC. L'eau-de-vie doit être « rassise », c'est-à-dire vieillie en fût de chêne pendant dix-huit mois au moins.

Après cette ultime association qui se fait sans filtration, le macvin doit « reposer » pendant un an en fût de chêne, puisque sa commercialisation ne peut se faire avant le 1er octobre de l'année suivant la récolte.

La production, en évolution, s'est située à 3 508 hl en 2005 (sur 53 ha). C'est un apéritif d'amateur qui rappelle les produits jurassiens à forte influence du terroir.

COURBET

0,2 ha 1 000 11 à 15 €

À Nevy-sur-Seille, tous les sens sont en éveil : la petite vallée qui s'ouvre d'un côté sur le cirque de Baume et de l'autre côté sur celui de Ladoye est un décor de carte postale. Après cette contemplation du paysage, ajoutez le plaisir de regarder longuement ce macvin jaune paille. Le nez est élégant, bien fondu. Même si les puristes peuvent regretter la finale un peu courte, ce vin retient l'attention par sa bouche où alcool et sucre sont harmonieusement mêlés.

GAEC Courbet, rue du Moulin, 39210 Nevy-sur-Seille, tél. 03.84.85.28.70, fax 03.84.44.68.88, e-mail dcourbet@hotmail.com
t.l.j. sf dim. 8h-12h 14h-19h

DANIEL DUGOIS

1 ha 3 700 11 à 15 €

Henri IV est omniprésent sur les étiquettes et autres supports de communication de la maison. Sans doute aurait-il aimé ce macvin or clair au nez léger et harmonieux. Jouant sur des notes de miel et de marc, celui-ci affiche encore beaucoup de jeunesse. Tant à l'attaque que tout au long de la dégustation, cette fraîcheur juvénile persiste. C'est agréable, bien fait. Il serait bon d'attendre un à deux ans qu'il se fonde.

Daniel Dugois, 4, rue de la Mirode, 39600 Les Arsures, tél. 03.84.66.03.41, fax 03.84.37.44.59, e-mail daniel.dugois@wanadoo.fr
t.l.j. 10h-12h 14h-19h; dim. sur r.-v.

LIGIER PÈRE ET FILS

0,5 ha 3 000 11 à 15 €

Créé en 1986, ce domaine a aménagé une aire où les camping-caristes peuvent faire reposer leur monture. Profitez-en pour découvrir au caveau ce macvin jaune pâle aux reflets verts. La discrétion de la robe se retrouve aussi au nez, qui n'en est pas moins agréable. La bouche, encore nerveuse, a besoin de deux ans pour s'apaiser. Repos pour tout le monde, donc.

Dom. Ligier Père et Fils, 56, rue de Pupillin, 39600 Arbois, tél. 03.84.66.28.06, fax 03.84.66.24.38, e-mail ligier@netcourrier.com r.-v.

DOM. DE LA PINTE *

1 ha 3 000 15 à 23 €

La visite des caves où s'alignent les fûts est déjà source de sensations fortes : c'est ici que l'eau-de-vie de marc de savagnin a lentement mûri, puis a été associée au moût pour effectuer ce que l'on appelle le mutage, avant de séjourner encore trois ans en fût de chêne sous les immenses voûtes de pierre. Vieil or, ce macvin offre un superbe nez de noix, de raisin sec et de figue. La bouche harmonieuse affiche une belle rondeur, de la puissance, de la persistance et un bel équilibre. Rien ne sert d'attendre, il est prêt.

Dom. de La Pinte, rte de Lyon, 39600 Arbois, tél. 03.84.66.06.47, fax 03.84.66.24.58, e-mail accueil@lapinte.fr
t.l.j. 9h-12h 13h30-18h; dim. sur r.-v.
Pierre Martin

AUGUSTE PIROU

n.c. 18 000 11 à 15 €

La marque de la maison Henri Maire est de diffusion nationale. Vous pouvez donc retrouver en grande distribution ce macvin doté d'une très belle présentation, or profond aux reflets ambrés. Très fin, le nez évoque les fruits à noyau ou encore les agrumes. Le développement aromatique en bouche (pétale de rose et caramel) est apprécié par le jury qui note cependant son caractère quelque peu atypique.

Auguste Pirou, Caves royales, 39600 Arbois, tél. 03.84.66.42.70, fax 03.84.66.42.71, e-mail info@auguste-pirou.fr

DOM. DE LA RENARDIÈRE

0,3 ha 2 000 11 à 15 €

Demandez à votre vigneron préféré de vous donner le petit livret intitulé « Les vins du Jura s'invitent à table ». Vous y trouverez la recette du pain d'épice glacé au macvin, celle du velouté de pomme à la vanille et caramel

JURA

de vin jaune, ou encore celle du mac coffee. De quoi accompagner ce macvin d'une belle couleur or, élégant au nez, bien fondu et rond en bouche.
Jean-Michel Petit, rue du Chardonnay, 39600 Pupillin, tél. 03.84.66.25.10, fax 03.84.66.25.70, e-mail renardiere@libertysurf.fr
t.l.j. 9h-12h 13h30-18h30; dim. sur r.-v.

PIERRE RICHARD

0,5 ha 2 200 11 à 15 €

Avec la volonté de satisfaire toujours plus sa clientèle, Pierre Richard a augmenté la durée de vieillissement sous bois de son macvin en la portant désormais à trois ans. Fin et fruité, le nez est fondu mais garde encore beaucoup de jeunesse. Assez vive, la bouche développe de jolies notes de fruits confits.
Pierre Richard, rte de Voiteur, 39210 Le Vernois, tél. 03.84.25.33.27, fax 03.84.25.36.13 r.-v.

DOM. DES RONCES *

1 ha 1 500 11 à 15 €

De belles larmes coulent sur les parois du verre, mais point de tristesse dans cette robe jaune orangé, voire rosé. Complexe, le nez offre une jolie évocation de fruits secs. La bouche divise le jury par son côté sucré marqué. Les uns aiment sa rondeur plutôt suave, les autres moins. Tout le monde sera d'accord pour le proposer en accompagnement d'un melon.
Michel Mazier, Dom. des Ronces, 9, imp. du Rochet, 39190 Orbagna, tél. et fax 03.84.25.09.76 r.-v.

DOM. DE SAVAGNY **

1 ha 5 000 11 à 15 €

Élaboré par la compagnie des Grands Vins du Jura, ce vin de liqueur couleur or a pour base un moût provenant essentiellement du cépage chardonnay complété par un peu de savagnin. Son nez de fruits secs, d'agrumes ou encore de levure de boulanger reçoit des éloges. Même sensation de finesse et d'équilibre en bouche où le marc a capturé le sucre pour mieux l'étreindre. Il le rend à la vie dans une belle longueur. Cette harmonie ouvre l'appétit et invite à un apéritif au roquefort.
Dom. de Savagny, rte de Champagnole, 39570 Crançot, tél. 06.24.54.22.89
t.l.j. sf dim. 9h-12h 14h-18h

La Savoie

Du lac Léman à la vallée de l'Isère, dans les deux départements de la Savoie et de la Haute-Savoie, le vignoble occupe les basses pentes favorables des Alpes. En constante extension (2047 ha en 2005), il produit bon an mal an environ 140 000 hl. Il forme une mosaïque complexe au gré des différentes vallées dans lesquelles il est établi en îlots plus ou moins importants. Cette diversité géographique se retrouve dans les variantes climatiques, les caractères montagnards étant accentués par le relief ou tempérés par le voisinage des lacs Léman et du Bourget.

Vin-de-savoie et roussette-de-savoie sont les appellations régionales, utilisées dans toutes les zones ; elles peuvent être suivies de la mention d'un cru, mais ne s'appliquent alors en général qu'à des vins tranquilles, uniquement blancs pour les roussettes. Les vins des secteurs de Crépy et de Seyssel ont droit chacun à leur propre appellation.

Les cépages, du fait de la grande dispersion du vignoble, sont assez nombreux mais, en réalité, un certain nombre n'existent qu'en très faible quantité : le pinot et le chardonnay, notamment. Quatre blancs et deux noirs sont les principaux, en même temps que ceux qui donnent des vins originaux spécifiques. Le gamay, importé du Beaujolais voisin après la crise phylloxérique, est celui des vins frais et légers, à consommer dans l'année. La mondeuse, cépage local, donne des vins rouges bien charpentés, notamment à Arbin, dont elle est la variété exclusive ; c'était, avant le phylloxéra, le cépage le plus important de la Savoie ; il est souhaitable qu'elle reprenne sa place, car ses vins sont de belle qualité et ont beaucoup de caractère. La jacquère est le cépage blanc le plus répandu ; elle donne des vins blancs frais et légers, à consommer jeunes. L'altesse est un cépage très fin, typiquement savoyard, celui des vins blancs vendus sous le nom de roussette-de-savoie. La roussanne, portant le nom local de bergeron, donne également des vins blancs de haute qualité, spécialement à Chignin, avec le chignin-bergeron. Enfin, le chasselas, présent sur les rives du lac Léman, est utilisé dans la partie haut-savoyarde de l'AOC.

Crépy

Comme sur toute la rive du lac Léman, c'est le chasselas qui est planté dans le vignoble de Crépy (40 ha en 2005) ; il est le cépage unique. Il a donné 1 541 hl de vin blanc léger en 2005. Cette petite région a obtenu l'AOC en 1948.

SÉLECTION NOBLE DE LA GOUTTE D'OR 2004 ★★

2 ha 3 000 15 à 23 €

Chaque année, aux environs du 15 décembre, Claude Mercier vendange les meilleures baies botrytisées de son vignoble. Il a fallu deux mois à ce raisin très concentré pour fermenter, puis le vin a séjourné en cuve et en fût sept mois durant. Il en résulte un vin liquoreux, original dans l'appellation, qui a enthousiasmé le jury. Sous une robe jaune à reflets ambrés apparaissent des arômes puissants : miel, amande grillée, figue et notes empyreumatiques (café). La douceur se fond délicatement au palais, sans masquer les nombreuses flaveurs dominées par les fruits secs et le miel de châtaignier. Un dessert chocolaté conviendra parfaitement à ce crépy. (Bouteille de 37,5 cl.) La **Cuvée tardive de décembre 2004**, moins complexe dans son expression aromatique, est citée pour son équilibre. (Bouteille de 50 cl.)

Claude Mercier, Dom. de La Grande Cave, Ballaison, 74140 Douvaine, tél. 04.50.94.01.23, fax 04.50.94.19.86, e-mail clmercier74@aol.com
t.l.j. 8h-12h 13h30-18h30

JACQUES MÉTRAL 2005 ★

3 ha 13 000 5 à 8 €

À 8 km du village médiéval d'Yvoire, sur les rives du lac Léman, Jacques Métral s'attache à tirer la quintessence de ses vignes de chasselas. Après quatre mois d'élevage en fût, ce crépy décline une longue gamme d'arômes de fleurs (tilleul et chèvrefeuille), de melon, de litchi, de citron : une véritable symphonie. Ronde, relevée d'un léger caractère acidulé, la bouche équilibrée témoigne d'une vinification réussie. Un ambassadeur de l'appellation.

Jacques Métral, Dom. Le Chalet, 225, chem. du Chalet, 74140 Loisin, tél. 04.50.94.10.60, fax 04.50.94.18.39, e-mail jacques.metral@wanadoo.fr
t.l.j. sf dim. 9h-12h 14h-19h

Vin-de-savoie

Le vignoble donnant droit à l'appellation vin-de-savoie est installé le plus souvent sur les anciennes moraines glaciaires ou sur les éboulis, ce qui, joint à la dispersion géographique, conduit à une diversité souvent consacrée par l'adjonction d'une dénomination locale à celle de l'appellation régionale. Au bord du Léman, c'est, comme sur la rive suisse, le chasselas qui, à Marin, Ripaille, Marignan, donne des vins blancs légers, à boire jeunes, et que l'on élabore souvent perlants. Les autres zones ont des cépages différents et, selon la vocation des sols, produisent des vins blancs ou des vins rouges. On trouve ainsi, du nord au sud, Ayze, au bord de l'Arve, avec des vins blancs pétillants ou mousseux, puis, au bord du lac du Bourget (et au sud de l'appellation seyssel), la Chautagne, dont les vins rouges en particulier ont un caractère affirmé. Au sud de Chambéry, les bords du mont Granier recèlent des vins blancs frais, comme l'Apremont et le cru des Abymes, vignoble établi sur le site d'un effondrement qui, en 1248, fit des milliers de victimes. En face, Monterminod, envahi par l'urbanisation, a malgré tout conservé un vignoble qui donne des vins remarquables ; il est suivi de ceux de Saint-Jeoire-Prieuré, de l'autre côté de Challes-les-Eaux, puis de Chignin, dont le bergeron qui a une renommée parfaitement justifiée. En remontant l'Isère par la rive droite, les pentes sud-est sont occupées par les crus de Montmélian, Arbin, Cruet et Saint-Jean-de-la-Porte.

Cette région très touristique a produit 126 309 hl, dont 87 771 hl de blanc en 2005). Les vins sont surtout consommés dans leur jeunesse, sur place, avec un marché où la demande dépasse parfois l'offre. Les blancs vont bien sur les produits des lacs ou de la mer, et les rouges issus de gamay s'accordent avec beaucoup de mets. Il est cependant dommage de consommer jeunes les vins rouges de mondeuse, qui ont besoin de plusieurs années pour s'épanouir et s'assouplir : ces bouteilles de haut niveau conviendront aux plats puissants, au gibier, à l'excellente tomme de Savoie et au fameux reblochon.

DOM. G. BLANC ET FILS
Apremont Sélection 2005

2,5 ha 22 000 3 à 5 €

C'est au Cellier des Chênes, boutique créée par Willy Blanc et son père, que vous pourrez acquérir cet Apremont jaune pâle brillant, non dénué de complexité dans sa palette à dominante végétale. La bouche de bonne tenue paraît moins fringante, mais équilibrée. Cette bouteille trouvera sa place à l'apéritif.

Dom. Gilbert Blanc et Fils, 73, chem. de Revaison, 73190 Saint-Baldoph, tél. et fax 04.79.28.36.90
t.l.j. sf mar. dim. 9h-12h 15h-19h

FRANÇOIS ET ÉRIC CARREL
Jongieux Mondeuse 2005 ★

1,2 ha 8 000 5 à 8 €

Une mondeuse très amène, habillée d'une robe pourpre limpide, qui développe de fringants arômes de fruits nuancés de grillé. Bien élevée, elle se laisse apprivoiser en bouche sans a priori : elle dispose de sérieux

atouts tels que des tanins parfaitement fondus, une chair ample et fruitée. Certains *aficionados* de mondeuse pourraient trouver ce vin trop docile, mais il n'en illustre pas moins la complexité aromatique de ce cépage.
François et Éric Carrel, 73170 Jongieux, tél. 04.79.33.18.48, fax 04.79.33.10.49
t.l.j. 14h-19h; matin sur r.-v.

EUGÈNE CARREL ET FILS
Jongieux Gamay Prestige Vieilles Vignes 2005 ★★

1,2 ha 10 000 5 à 8 €

Issue de vieilles vignes de gamay, cette cuvée témoigne des qualités du terroir de Jongieux pour la production de vins rouges de qualité. La voici qui révèle dès le premier nez ses arômes complexes à dominante de fruits rouges. Une gamme qui se prolonge au palais, en accompagnement d'une chair ronde et de tanins certes puissants, mais élégants. Accordez cette bouteille avec un gibier à plume.
Dom. Eugène Carrel et Fils, Le Haut, 73170 Jongieux, tél. 04.79.44.00.20, fax 04.79.44.03.06, e-mail carrel-eugene@wanadoo.fr
t.l.j. 8h-12h 14h-19h

PHILIPPE CHAPOT Apremont 2005 ★

6,5 ha 51 000 3 à 5 €

Voici dix ans que Philippe Chapot a repris l'exploitation familiale. Installé dans des bâtiments modernes, en bordure de la départementale 201, il propose un Apremont jaune pâle très brillant. Floral au nez, ce vin apparaît gras et rond en bouche, doté de beaucoup de matière. Il est tout disposé à s'exprimer dès la sortie du Guide.
SCEA Philippe Chapot, La Serraz, 73190 Apremont, tél. et fax 04.79.28.26.20 r.-v.

CAVE DE CHAUTAGNE Chautagne 2005

20 ha 100 000 3 à 5 €

Issu d'un assemblage de jacquère et d'aligoté, ce vin rappelle que le terroir de Chautagne n'est pas exclusivement réservé aux vins rouges. Il libère des arômes minéraux et citronnés, puis se montre léger au palais.
Cave de Chautagne, Saumont, 73310 Ruffieux, tél. 04.79.54.27.12, fax 04.79.54.51.37, e-mail info@cave-de-chautagne.com r.-v.

CHEVALLIER-BERNARD
Jongieux Mondeuse 2005 ★

1,1 ha 9 000 5 à 8 €

Chantal et Jean-Pierre Bernard pratiquent la lutte intégrée et ont engagé une démarche de certification en ce sens. Ils ont joliment réussi deux vins rouges, dont cette mondeuse qui éveille les sens dès le premier regard porté sur sa robe à reflets pourpres. Aucun signe de faiblesse dans les arômes de kirsch, ni même au palais tant les tanins offrent de soyeux et les flaveurs de violette, de réglisse, de cassis et de framboise persistent. Le **Jongieux gamay 2005 (3 à 5 €)** brille d'une étoile lui aussi. Aromatique, il est rustique au palais, mais ce n'est pas un défaut.
EARL Chevallier-Bernard, Le Haut, 73170 Jongieux, tél. 04.79.36.86.90 r.-v.
Chantal et Jean-Pierre Bernard

DOM. DU COLOMBIER Apremont 2005 ★★

1,25 ha 11 300 3 à 5 €

Patrick Tardy, installé depuis bientôt vingt ans à la tête du domaine familial, a apporté une attention particulière à cet Apremont d'un millésime généreux. Celui-ci est en tout point remarquable, depuis sa teinte jaune pâle, ses arômes exotiques charmeurs jusqu'à sa bouche équilibrée et persistante.
Patrick Tardy, chem. de la Grue, Saint-André, 73800 Les Marches, tél. 04.79.28.04.92, fax 04.79.71.57.64 r.-v.

DOM. LA COMBE DES GRAND'VIGNES
Mondeuse 2005 ★

1,3 ha 3 500 5 à 8 €

Denis et Didier Berthollier s'attachent à tirer le meilleur parti du cépage mondeuse que leur père privilégiait auparavant. Par une taille sévère et en limitant au maximum les intrants, ils privilégient le qualitatif sur le quantitatif. Leur vin est marqué par les arômes de fruits rouges et plus encore par les notes de cassis ; il présente un caractère animal évocateur de viande fumée au palais, souligné par des tanins encore jeunes mais qui devraient se fondre dans le temps. Cette bouteille, après deux ans de garde, accompagnera dignement un gibier en sauce.
Denis et Didier Berthollier, Dom. La Combe des Grand'Vignes, Le Viviers, 73800 Chignin, tél. 04.79.28.11.75, fax 04.79.28.16.22
r.-v.

CAVE DES VINS FINS DE CRUET
Cruet Jacquère 2005 ★

2 ha 18 000 3 à 5 €

Sur un terroir propice à l'élaboration de célèbres vins rouges, cette cave coopérative, qui regroupe des adhérents sur 350 ha, a produit un vin blanc de jacquère de caractère. Les dégustateurs l'ont unanimement qualifié d'exotique tant les fruits de ce registre – notamment le litchi – dominent la palette aromatique, au nez comme en bouche. Son charme sera encore souligné par un accord avec un poisson du lac.
Cave des vins fins de Cruet, Quartier Gavy, 73800 Cruet, tél. 04.79.84.28.52, fax 04.79.84.08.70
t.l.j. 8h-19h

CAVE DELALEX Marin 2005

6 ha 10 500 3 à 5 €

Les vignes furent gelées à 75 % sur les bords du lac Léman en 2005 et le cru Marin ne fut pas épargné. Toutefois, la cave Delalex a réussi à produire un vin de qualité à partir de ses vignes de chasselas. D'un jaune très pâle, celui-ci libère une ribambelle d'arômes de fleurs (chèvrefeuille, narcisse et aubépine), puis développe une bouche très ronde, suave même en finale.
Cave Delalex, La Grappe Dorée, Marinel, 74200 Marin, tél. 04.50.71.45.82, fax 04.50.71.06.74, e-mail samuel.delalex@wanadoo.fr
t.l.j. sf dim. 9h-12h 14h-19h

DOM. GENOUX
Arbin Mondeuse L'Authentique 2005 ★

5,5 ha 40 000 5 à 8 €

Installés au château de Mérande (fin du XVIes.) depuis 2001, André et Daniel Genoux travaillent dans le cadre authentique d'une vieille cave voûtée. Authentiques également, ces ceps de mondeuse âgés de cinquante ans qui ont donné naissance à un vin rouge profond, presque noir. Au nez poivré répond une bouche souple, aux tanins déjà fondus. Les flaveurs ont évolué vers d'élégantes notes, comme le chocolat. Un Arbin qui pourra se faire oublier quelques années avant d'apparaître sur la table aux côtés d'une viande en sauce.

🔑 GAEC Dom. Genoux, Ch. de Mérande, 73800 Arbin, tél. 06.60.84.11.26, fax 04.79.65.24.32, e-mail domaine.genoux@wanadoo.fr ☑ 🍷 🚶 r.-v.

CHARLES GONNET Chignin 2005

▒ 6 ha 50 000 🍾 5 à 8 €

Charles Gonnet possède encore sur ses 12 ha de vieilles vignes plantées par son arrière-grand-père en 1919. Des ceps de jacquère presque centenaires, il a obtenu ce vin jaune pâle qui fleure bon le pétale de rose et qui se montre souple au palais. Bel apéritif. Le **Chignin-bergeron 2005 (8 à 11 €)**, marqué par les agrumes, est également cité.

🔑 Charles Gonnet, Chef-lieu, 73800 Chignin, tél. 04.79.28.09.89, fax 04.79.71.55.91 ☑ r.-v.

JEAN-PIERRE ET PHILIPPE GRISARD
Saint-Jean-de-la-Porte Mondeuse Cuvée Prestige 2005 ★

■ 1 ha 8 000 🍾 5 à 8 €

À la fois viticulteurs et pépiniéristes, Jean-Pierre et Philippe Grisard proposent une sémillante mondeuse de couleur pourpre. Si le nez semble encore discret, il n'en est pas moins prometteur par ses arômes d'épices et de fruits mûrs. Les tanins soyeux encadrent la chair parfumée de prune et de fruits rouges. Toute la typicité du cru s'exprime dans ce vin persistant, à servir avec un gibier.

🔑 Jean-Pierre et Philippe Grisard, Chef-lieu, 73250 Fréterive, tél. 04.79.28.54.09, fax 04.79.71.41.36, e-mail gaecgrisard@aol.com ☑ 🍷 r.-v.

La Savoie et le Bugey

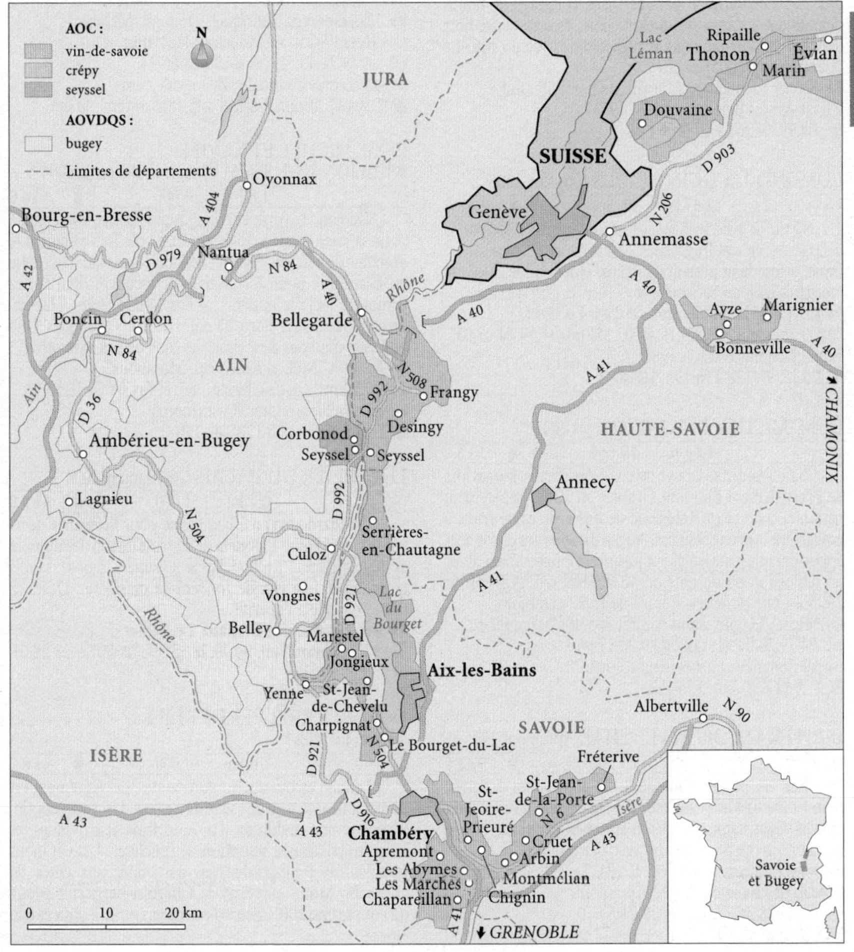

DOM. IDYLLE Mondeuse 2005 *

■ 3 ha 12 000 ▮ 5 à 8 €

À la tête de cette propriété, familiale depuis 1860, Philippe et François Tiollier ont élaboré ce vin qui ne peut renier son terroir. Pourpre à reflets violets, celui-ci conjugue d'intenses effluves grillés aux petits fruits rouges. La matière est bien présente en bouche, avec une pointe tannique caractéristique du cépage. Accordez cette bouteille à une pièce de bœuf.

Philippe et François Tiollier, Dom. de l'Idyllle, Saint-Laurent, 73800 Cruet, tél. 04.79.84.30.58, fax 04.79.65.26.26, e-mail tiollier.idylle@wanadoo.fr
r.-v.

XAVIER JACQUELINE Pinot noir 2005 *

■ 0,52 ha 3 200 3 à 5 €

Fils de médecin, Xavier Jacqueline est œnologue. En 1984, il a acheté 5 ha de friches au bord du lac du Bourget qu'il a progressivement transformées en vignoble. Son pinot noir, produit en quantités infimes, est bien typé : il développe un nez déjà évolué, de type animal (cuir), puis une bouche marquée par les fruits rouges. Les tanins demandent à s'arrondir quelque peu ; ce sera chose faite dans un an, lorsque vous le présenterez avec un rôti. Le **chardonnay 2005** est cité.

Xavier Jacqueline, 7, chem. de Saint-Simond, 73100 Aix-les-Bains, tél. 06.74.49..57.05, fax 04.79.69.26.89 r.-v.

EDMOND JACQUIN ET FILS Jongieux 2005

2,37 ha 21 500 ▮ 5 à 8 €

D'un or pâle brillant, ce vin est appréciable par la délicatesse de ses fragrances de citron et de rose. Il est franc, légèrement perlant au palais. Une fondue s'accommoderait bien de ce Jongieux.

GAEC Edmond Jacquin et Fils, Le Haut, 73170 Jongieux, tél. 04.79.44.02.35, fax 04.79.44.03.05, e-mail jacquin4@wanadoo.fr
t.l.j. 9h-12h 15h-19h

DOM. MICHEL MAGNE Abymes 2005 *

1,64 ha 10 666 ▮ 5 à 8 €

Saint-André se trouve au cœur des éboulis laissés lors de l'écroulement du mont Granier en 1248. Légèrement perlante, cette jacquère exhale de fins arômes de fruits à noyau telle la pêche blanche. Au palais, les notes citronnées apportent une juste fraîcheur jusqu'à la longue finale. Pour un reblochon ou un poisson au vin blanc. L'**Apremont 2005** est cité pour ses arômes de fruits exotiques.

Michel Magne, Saint-André, 38530 Chapareillan, tél. 04.79.28.07.91, fax 04.79.28.17.96, e-mail domaines.michel.magne@neuf.fr
t.l.j. sf dim. 15h-19h

JEAN-FRANÇOIS MARÉCHAL Apremont 2005

3 ha 25 000 ▮ 3 à 5 €

Sur les pentes enherbées du coteau des Belettes, Jean-François Maréchal a récolté la jacquère pour obtenir ce vin léger, aux arômes d'agrumes, dont la bonne fraîcheur invite à un accord avec des crudités.

Jean-François Maréchal, EARL Le P'tiou Vigneron, Coteau des Belettes, 73190 Apremont, tél. 04.79.28.36.23, fax 04.79.71.67.10
r.-v.

DOM. JEAN MASSON ET FILS
Apremont Vieilles Vignes 2005 *

1,5 ha 10 000 ▮ 5 à 8 €

Ce domaine a récolté la jacquère à bonne maturité, relativement tard dans la saison des vendanges. Un choix judicieux à en juger la qualité des deux cuvées retenues en Apremont. Celle-ci, issue de vieilles vignes de soixante-quinze ans, a été appréciée pour l'intensité de ses arômes d'agrumes perceptibles au nez comme en bouche. La **cuvée Lisa Apremont 2005** est citée. D'un abord réservé, elle s'ouvre davantage au palais. Vous la marierez à un gruyère de Savoie.

Dom. Jean Masson et Fils, Le Villard, 73190 Apremont, tél. 04.79.28.23.02, fax 04.79.28.38.79
r.-v.

DOM. DE MÉJANE Chardonnay 2005

10 ha 12 600 ▮ 5 à 8 €

Vendangé précocement, ce chardonnay développe des effluves caractéristiques du cépage : brioche, pain grillé. La vivacité de la bouche n'a d'égale que l'ampleur des arômes de fruits secs. Un vin séduisant.

Jean-Georges Henriquet, Dom. de Méjane, Les Reys, 73250 Saint-Jean-de-la-Porte, tél. 04.79.71.48.51, fax 04.79.28.66.94, e-mail contact@domaine-de-mejane.com
t.l.j. sf dim. 9h-12h 14h-18h; o. dim. en été

DOM. MICHEL ET XAVIER MILLION-ROUSSEAU Jongieux Jacquère 2005 *

1,8 ha 10 000 ▮ 3 à 5 €

Demandez votre chemin jusqu'à la chapelle connue pour sa piéta classée, vous trouverez dès lors aisément le domaine de Michel et Xavier Million-Rousseau. Une halte est nécessaire pour découvrir cette jacquère dont le nez complexe mêle le minéral, le floral et le fruité. Harmonieuse, la bouche s'égaye de notes de fruits exotiques. Une bouteille qui vous fera aimer les vins blancs savoyards.

M. et X. Million-Rousseau, Monthoux, 73170 Saint-Jean-de-Chevelu, tél. et fax 04.79.36.83.93, e-mail x-millionrouseau@wanadoo.fr
t.l.j. sf dim. 8h-12h 14h-19h

LE CELLIER DU PALAIS Chardonnay 2004

0,4 ha 3 000 ▮ 5 à 8 €

Ce chardonnay a été apprécié pour l'élégance de sa teinte paille d'orge et pour la délicatesse de son nez de litchi et de mandarine. En bouche, la noisette s'impose, tandis qu'en finale une grande rondeur se manifeste. Destinez cette bouteille à l'apéritif.

René et Béatrice Bernard, Le Cellier du Palais, 73190 Apremont, tél. 04.79.28.33.30, fax 04.79.28.28.61
r.-v.

DOM. PERRIER PÈRE ET FILS
Apremont 2005 **

10 ha 30 000 ▮ 5 à 8 €

Produit en quantités intéressantes, cet Apremont est un bel ambassadeur des vins de Savoie. Un rien cabotin, il décline une multitude d'arômes frais et exotiques, et laisse au palais une sensation de fraîcheur. Un vin indiscutablement fréquentable, en particulier aux côtés de crustacés. Moins expressif, le **Chignin-bergeron Fleur de roussanne 2005** n'en est pas moins typé. Il obtient une étoile.

🔑 Dom. Perrier Père et Fils, Saint-André, 73800 Les Marches, tél. 04.79.28.11.45, fax 04.79.28.09.91
t.l.j. sf sam. dim. 9h-12h 14h-17h

DOM. MARC PORTAZ Abymes 2005 *

1,3 ha 11 700 3 à 5 €

À 5 km du château de Bellecombe, perché à 700 m d'altitude, Marc Portaz possède près de 10 ha de vignes. Il a porté un soin particulier à cet Abymes qui évoque d'emblée le tilleul parmi une multitude de notes florales. La bouche est empreinte d'arômes fruités, tels que la pomme et la poire, puis laisse en finale une certaine impression de douceur qui pourra étonner les amateurs.

🔑 Dom. Marc Portaz, allée du Colombier, 38530 Chapareillan, tél. 04.76.45.23.51, fax 04.76.45.57.60, e-mail domainemarcportaz@wanadoo.fr r.-v.

LA CAVE DU PRIEURÉ Jongieux Gamay 2005 *

10 ha 60 000 3 à 5 €

L'un des dégustateurs a qualifié le nez de ce vin de « primesautier ». Un Jongieux qui dès le premier nez s'exprime spontanément et qui, dès la première mise en bouche, émoustille les papilles par sa fraîcheur. Un gamay typique de la Savoie, à proposer avec un plateau de fromages de la région.

🔑 Raymond Barlet et Fils, La Cave du Prieuré, 73170 Jongieux, tél. 04.79.44.02.22, fax 04.79.44.03.07, e-mail caveduprieure@wanadoo.fr
t.l.j. sf dim. 14h-19h

BERTRAND QUÉNARD
Mondeuse Vieilles Vignes 2005 *

0,17 ha 1 500 5 à 8 €

Parée d'une robe rouge soutenu, cette cuvée présente la gamme aromatique idéale d'une mondeuse : des fruits et des épices, du cassis et du poivre. Si les tanins semblent encore relativement austères, ils sauront se fondre à la matière concentrée à la faveur de quelques années de cave. Une viande grillée accompagnera alors sa dégustation.

🔑 Bertrand Quénard, Montlevin, 73800 Chignin, tél. 06.20.08.29.75, e-mail vin.bq@voila.fr r.-v.

ANDRÉ ET MICHEL QUÉNARD
Chignin-Bergeron Les Terrasses 2005 **

3 ha 20 000 8 à 11 €

Issu d'une vendange non foulée, réalisée par tries successives, ce Chignin-bergeron a été qualifié de puissant par tous les dégustateurs. En effet, il développe des arômes d'abricot et de coing typiques et d'une rare intensité ; la bouche équilibrée et structurée fait preuve d'une remarquable persistance, avec une agréable note de sucres résiduels. Le **Chignin Coteau de Torméry 2005 (5 à 8 €)**, d'un tout autre registre, est cité pour la franchise de ses senteurs florales et fruitées.

🔑 André et Michel Quénard, Torméry, 73800 Chignin, tél. 04.79.28.12.75, fax 04.79.28.19.36, e-mail am.quenard@wanadoo.fr r.-v.

JEAN-PIERRE ET JEAN-FRANÇOIS QUÉNARD
Chignin-Bergeron Vieilles Vignes 2005 **

0,8 ha 7 000 11 à 15 €

Si le 2004 n'en était pas loin l'an passé, le 2005 obtient sans ambiguïté le coup de cœur. De teinte or, il dévoile d'emblée ses qualités en libérant des fragrances intenses

d'abricot et de pain grillé. En bouche, la persistance des flaveurs ne semble pas avoir de limites ; la matière est présente et la structure équilibrée, faite pour durer. Un foie gras poêlé s'impose pour accompagner un tel vin. Deux autres vins du domaine brillent de deux étoiles. La **cuvée Anne de La Biguerne 2005 (5 à 8 €)**, produite à partir de la jacquère, développe un nez de noisette et d'aubépine, puis une bouche fruitée et suave. La **cuvée Élisa mondeuse 2004 (8 à 11 €)**, élevée douze mois en fût et en demi-muid, est friande, fraîche et aromatique.

🔑 J.-Pierre et J.-François Quénard, caveau de la Tour-Villard, 73800 Chignin, tél. 04.79.28.08.29, fax 04.79.28.18.92
r.-v.

PASCAL ET ANNICK QUÉNARD
Mondeuse 2004

0,8 ha 4 500 5 à 8 €

Accompagné de son épouse, Pascal Quénard a pris en 2006 la tête de la totalité du domaine familial autour de la maison que son grand-père a construite en 1927. Il propose cette mondeuse élevée un an durant en cuve, qui présente un nez de fruits confiturés puis une bouche ample, à dominante de fruits rouges. En blanc, le **Chignin-bergeron cuvée Noé 2005 (11 à 15 €)** est également cité : il mérite d'attendre un an.

🔑 Dom. Pascal et Annick Quénard, Le Villard, 73800 Chignin, tél. 04.79.28.09.01, fax 04.79.28.13.53, e-mail pascal.quenard.vin@wanadoo.fr r.-v.

HERVÉ ET PATRICE RAT-PATRON
Abymes 2005

6,27 ha 50 000 3 à 5 €

Une certaine minéralité mêlée de notes citronnées caractérise ce vin qui possède suffisamment de matière pour paraître ample et rond. On attendrait un peu plus de fraîcheur dans un Abymes, mais l'ensemble est agréable. Son meilleur allié sera un reblochon fermier bien affiné.

🔑 Hervé et Patrice Rat-Patron, chem. des Abymes, 73800 Myans, tél. et fax 04.79.28.09.52 r.-v.

PHILIPPE RAVIER Mondeuse 2005 **

0,8 ha 5 000 3 à 5 €

L'année 2005 semble avoir bien réussi à Philippe Ravier qui maîtrise indubitablement son sujet. Il propose une mondeuse de caractère, égayée de notes fruitées (cassis, mûre, cerise, framboise) et épicées. Puissant, équilibré et persistant, ce vin attendra deux ou trois ans pour tenir toutes ses promesses. En blanc, le **Chignon-bergeron 2005 (5 à 8 €)** exprime bien la roussanne par ses notes florales, tandis que l'**Abymes jacquère 2005** présente une ligne minérale et fruitée. Tous deux obtiennent une étoile.

🔑 Philippe Ravier, Lèche, 73800 Myans,
tél. et fax 04.79.28.17.75 ☑ 🍷 r.-v.

LES ROCAILLES Abymes 2005 *

	22 ha	50 000	🍾	3 à 5 €

Après une promenade au bord du lac Saint-André et une visite du musée du Vigneron, vous découvrirez chez Pierre Boniface cet Abymes légèrement perlant, dont les senteurs de pierre à fusil sont d'une étonnante intensité. La bouche est un modèle d'harmonie entre la fraîcheur de l'attaque et la rondeur finale. Un vin typique, destiné à l'apéritif.

🔑 Pierre Boniface, Les Rocailles, Saint-André,
73800 Les Marches, tél. 04.79.28.14.50,
fax 04.79.28.16.82,
e-mail lesrocailles.boniface@wanadoo.fr ☑ 🍷 r.-v.

DOM. DE ROUZAN
Apremont Cuvée Prestige 2005 *

	3,6 ha	n.c.	🍾	5 à 8 €

Denis Fortin a agrandi son chai en 2005. Il a désormais toute la place pour élaborer des vins comme cet Apremont plein de fraîcheur minérale. Après une attaque franche, la bouche présente un équilibre parfait. À marier à une raclette. Le **gamay 2005** est cité : fruité, nuancé de cuir, il pourra attendre deux ans en cave pour assouplir ses tanins.

🔑 Denis Fortin, 152, chem. de la Mairie,
73190 Saint-Baldoph, tél. 04.79.28.25.58,
fax 04.79.28.21.63, e-mail denis.fortin@wanadoo.fr
☑ 🍷 🚶 r.-v.

DOM. SAINT-GERMAIN
Mondeuse Le Pied de la Barme 2005

■	0,7 ha	6 000	🍾	5 à 8 €

De 3,5 ha en 1997, la propriété est passée à 11 ha. Cette mondeuse semble timide de prime abord, mais elle s'ouvre à l'aération pour dévoiler des notes de poivre, de grillé et de fruits rouges. Une même ligne aromatique se prolonge en bouche, en contrepoint de la chair puissante, typique du cépage. Les tanins encore sauvages s'assoupliront au cours de deux ou trois ans de garde.

🔑 Dom. Saint-Germain, rte du Col-du-Frêne,
73250 Saint-Pierre-d'Albigny, tél. et fax 04.79.28.61.68,
e-mail vinsstgermain1@aol.com ☑ 🍷 🚶 r.-v.

CHANTAL ET GUY TOURNOUD Abymes 2005 *

	2,5 ha	10 000	🍾	3 à 5 €

Si les vins blancs d'Apremont ont permis à Chantal et Guy Tournoud de figurer dans les Guides 2004 et 2005, c'est le terroir des Abymes qui, cette année, se distingue dans leur production. Perlant, ce vin libère un nez fin, mais intense, de pierre à fusil et d'agrumes. Vif et franc en attaque, il fait preuve d'ampleur et de persistance sur ces mêmes notes d'agrumes. Un 2005 frais et harmonieux. L'**Apremont 2005** est cité.

🔑 Guy Tournoud, rue Basse-du-Château-Fort,
Bellecombe, 38530 Chapareillan,
tél. et fax 04.76.45.22.05 ☑ 🍷 🚶 r.-v.

LE CELLIER DES TOURS
Chignin Mondeuse 2005 **

■	1,2 ha	10 000		5 à 8 €

Parmi les vins des frères Quénard, c'est la mondeuse de Chignin qui a la préférence du jury. Élevée en foudre, elle révèle d'admirables qualités : une robe intense à reflets pourpres, un nez empyreumatique et épicé qui n'oublie pas les fruits, une bouche tout aussi aromatique, persistante et structurée par des tanins fondus. Toute la typicité du cépage et du cru.

🔑 Les Fils de René Quénard, Les Tours-Le Villard,
Cidex 4707, 73800 Chignin, tél. 04.79.28.01.15,
fax 04.79.28.18.98, e-mail fils.rene.quenard@wanadoo.fr
☑ 🍷 🚶 r.-v.

LES FILS DE CHARLES TROSSET
Arbin Mondeuse Prestige des Arpents 2005 **

■	4 ha	30 000	🍾	5 à 8 €

Est-il encore besoin de présenter la mondeuse d'Arbin élaborée par le domaine Trosset, elle qui en est à son troisième coup de cœur en quatre ans ? Le 2005, d'un pourpre profond, libère un nez d'épices (girofle, muscade) et de petits fruits (framboise, cassis, mûre, myrtille), premier signe d'une concentration remarquable. Dès l'attaque, cette impression se confirme. Complexe, la bouche laisse s'exprimer de longues flaveurs à la fois fruitées, torréfiées et épicées. Cette bouteille a tant de potentiel qu'elle pourra tout aussi bien être dégustée dès la parution du Guide que dans cinq ans.

🔑 SCEA Les Fils de Charles Trosset,
chem. des Moulins, 73800 Arbin, tél. et
fax 04.79.84.30.99 ☑ 🍷 r.-v.

ADRIEN VACHER
Apremont La Sasson Réserve gastronomique 2005 *

	3 ha	20 000	🍾	3 à 5 €

Des fruits de mer ou un poisson des lacs savoyards pour cette cuvée gastronomique jaune pâle brillant qui livre des notes végétales, puis une bouche fraîche et suffisamment persistante. L'**Abymes La Sasson Réserve gastronomique 2005**, floral, végétal et très citronné, est cité.

🔑 Maison Adrien Vacher, Z.A. plan Cumin,
73800 Les Marches, tél. 04.79.28.11.48,
fax 04.79.28.09.26, e-mail vacher.adrien@wanadoo.fr
☑ 🍷 t.l.j. sf sam. dim. 8h-12h 14h-18h

DOM. DE VÉRONNET Chautagne 2005 *

■	2,9 ha	25 000		3 à 5 €

Comment ne pas reconnaître le territoire de Chautagne à la dégustation de ce vin ? Expressif, le nez présente un caractère animal affirmé. Celui-ci se prolonge en bouche, en s'associant à quelques notes de grillé et de fruits rouges surmûris. Un 2005 charpenté qui se bonifiera au cours de quelques années de garde avant de rejoindre une côte de bœuf.

Alain Bosson, Dom. de Véronnet,
73310 Serrières-en-Chautagne, tél. et fax 04.79.63.73.11,
e-mail alain.bosson@wanadoo.fr
t.l.j. sf dim. 9h-19h

ADRIEN VEYRON 2005

0,5 ha 4 500 3 à 5 €

À la tête de 9 ha de vignes à Apremont, Adrien Veyron a élaboré un petit volume de vin rosé à partir du gamay. Rose pâle à reflets orangés, celui-ci déploie des notes multiples, depuis le pétale de rose jusqu'à la réglisse. Il a toute la fraîcheur attendue pour accompagner des charcuteries. L'**Apremont 2005** est cité pour ses arômes fruités.

Adrien Veyron, La Ratte, 73190 Apremont,
tél. 04.79.28.20.20, fax 04.79.28.26.95
t.l.j. sf dim. 8h-12h 14h-19h

DOM. VIALLET
Apremont Jacquère Vieilles Vignes 2005

3 ha n.c. 3 à 5 €

Un Apremont bien né sur les pentes du mont Granier. Il est apprécié pour sa fraîcheur empreinte d'une minéralité élégante. Sa timidité l'empêche de s'exprimer à sa juste valeur, mais son potentiel est perceptible.

EARL Dom. Viallet, rte de Myans,
73190 Apremont, tél. 04.79.28.33.29,
fax 04.79.28.20.68, e-mail viallet-vins-prod@wanadoo.fr
r.-v.

CH. DE LA VIOLETTE Gamay 2005

1,5 ha n.c. 5 à 8 €

Dans des registres bien différents, le gamay et la **mondeuse 2005** du château de La Violette ont retenu l'attention des dégustateurs. Le premier, si intensément fruits rouges et tout en rondeur, donne envie à l'un des dégustateurs de l'emporter dans le panier à pique-nique, avec les charcuteries. La seconde, plus vive, doit vieillir quelques années pour exprimer le potentiel perçu par le jury.

Charles-Henri Gayet, Ch. de La Violette,
73800 Les Marches, tél. 04.79.28.13.30,
fax 04.79.28.09.26 t.l.j. sf dim. 9h-12h 15h-18h

Roussette-de-savoie

Issue du seul cépage altesse (depuis le nouveau décret du 18 mars 1998), la roussette-de-savoie se trouve essentiellement à Frangy, le long de la rivière des Usses, à Monthoux et à Marestel, au bord du lac du Bourget. L'usage qui veut que l'on serve jeunes les roussettes de ce cru est regrettable, puisque, bien épanouies avec l'âge, elles font merveille avec des préparations de poisson ou de viandes blanches ; ce sont elles qui accompagnent le beaufort local. 2 590 hl ont été produits en 2005.

JEAN-NOËL BLARD 2004 ★

0,36 ha 3 300 5 à 8 €

Coup de cœur l'an passé pour sa roussette 2003, Jean-Noël Blard a dû composer avec le millésime 2004, plus délicat. Pari réussi. La teinte jaune d'or annonce d'emblée la richesse de la chair, de même que les arômes de miel et de tilleul rehaussés de citron. Au palais se manifestent du gras et des arômes persistants ; seule une légère pointe d'austérité en finale appelle à une garde de deux ou trois ans.

Dom. Blard et Fils, Le Darbé, 73800 Les Marches,
tél. 06.11.50.30.37, fax 04.79.28.01.35,
e-mail blardsavoie@yahoo.fr r.-v.

GILBERT BOUCHEZ 2005

1,2 ha 10 000 5 à 8 €

Un vin franc, frais et même vif en finale. Sous une teinte jaune pâle à reflets verts, les arômes floraux et citronnés persistent agréablement tout au long de la dégustation. Un poisson du lac saura apprivoiser cette impression de vivacité.

Gilbert Bouchez, Saint-Laurent, 73800 Cruet,
tél. 04.79.84.30.91, fax 04.79.84.30.50 r.-v.

SAVOIE

DOM. G. ET G. BOUVET Cuvée L'Altesse 2004

0,7 ha 4 000 3 à 5 €

Dix cépages sont cultivés sur ce domaine dont les créateurs, en 1991, étaient pépiniéristes. Delphine et Frédéric Garanjoud sont, depuis 2003, à la tête des 16 ha de vignes plantées sur les coteaux argilo-calcaires de la combe de Savoie. Leur roussette possède un caractère floral de bonne intensité, que des notes de miel viennent nuancer au palais. Elle se montre légère, vive en finale, disposée à accompagner une tomme des Bauges.

Dom. G. et G. Bouvet, Le Villard, 73250 Fréterive,
tél. 04.79.28.54.11, fax 04.79.28.51.97,
e-mail contact@domainebouvet.com
t.l.j. 8h30-12h30 13h30-18h

FRANÇOIS ET ÉRIC CARREL
Marestel La Marété 2005 ★

1,68 ha 7 000 5 à 8 €

Pour la troisième année consécutive, La Marété brille d'une étoile dans le Guide. Le 2005 fleure bon le grillé et la mirabelle. En bouche, des notes de miel se fondent à la chair toute douce, mais équilibrée, d'une persistance notable. Un vin flatteur, à marier dès aujourd'hui avec un gâteau de... Savoie, évidemment.

François et Éric Carrel, 73170 Jongieux,
tél. 04.79.33.18.48, fax 04.79.33.10.49
t.l.j. 14h-19h; matin sur r.-v.

EUGÈNE CARREL ET FILS
Marestel Grande Réserve 2004 ★

0,25 ha 1 800 8 à 11 €

Cette cuvée est issue d'une petite parcelle réimplantée au lieu-dit Le Cognet, un toponyme qui traduit bien l'ensoleillement remarquable du vignoble... À l'évidence, le terroir argilo-calcaire y est aussi de qualité. Cette roussette possède tous les caractères aromatiques recherchés : des notes intenses de cire d'abeille et de coing. La bouche généreuse et structurée en fait un partenaire tout

indiqué pour un feuilleté de saint-jacques ou un filet de lavaret. Le **Marestel 2005 (5 à 8 €)**, empreint de fleurs blanches et de miel, est cité.
Dom. Eugène Carrel et Fils, Le Haut, 73170 Jongieux, tél. 04.79.44.00.20, fax 04.79.44.03.06, e-mail carrel-eugene@wanadoo.fr
t.l.j. 8h-12h 14h-19h

CHEVALLIER-BERNARD Marestel 2005

0,45 ha 1 800 8 à 11 €

En 2001, Jean-Pierre et Chantal Bernard ont replanté des vignes sur les parties les plus escarpées du coteau de Marestel, où la mécanisation est impossible. Ils ont produit un 2005 jaune paille à reflets verts, dont les arômes évoquent les fleurs et le miel d'acacia avec discrétion. L'équilibre se réalise dans le registre de la finesse et de la légèreté. Pour un poisson des lacs alpins.
EARL Chevallier-Bernard, Le Haut, 73170 Jongieux, tél. 04.79.36.86.90 r.-v.
Bernard

CAVE DES VINS FINS DE CRUET 2005

4 ha 30 000 3 à 5 €

De l'or pâle brille dans le verre, tandis que s'élèvent avec subtilité des notes citronnées. Le vin offre une ligne florale, agréablement portée par une légère vivacité en finale.
Cave des vins fins de Cruet, Quartier Gavy, 73800 Cruet, tél. 04.79.84.28.52, fax 04.79.84.08.70
t.l.j. 8h-19h

FRÉDÉRIC GIACHINO 2004

0,7 ha 6 000 5 à 8 €

De l'élégance dans cette couleur or clair. De l'élégance encore dans les discrètes notes de fleurs. La bouche n'est pas en reste, ouverte sur des flaveurs de beurre et de poire. Dommage que ces agréables sensations ne durent que l'espace d'un instant. Le **vin-de-savoie mondeuse 2004**, élevé en fût pendant un an, est cité pour ses tanins suffisamment fondus.
Frédéric Giachino, La Palud, 38530 Chapareillan, tél. et fax 04.76.45.57.11 r.-v.

JEAN-PIERRE ET PHILIPPE GRISARD 2005 *

1,5 ha 10 000 5 à 8 €

Sûr de son potentiel, ce vin se montre humble et discret pour l'heure. Jaune pâle, il développe de sympathiques notes de miel, conjuguées en finale à des flaveurs de poire. Il présente équilibre et structure, une juste vivacité aussi. Dans un an, vous le redécouvrirez au meilleur niveau et le servirez avec une tartiflette ou une raclette.
Jean-Pierre et Philippe Grisard, Chef-lieu, 73250 Fréterive, tél. 04.79.28.54.09, fax 04.79.71.41.36, e-mail gaecgrisard@aol.com r.-v.

GUY JUSTIN Monthoux 2004

0,5 ha 2 800 5 à 8 €

Le cépage altesse représente 70 % de l'encépagement du domaine. Ce 2004 provient du cru Monthoux, au sud de celui de Marestel. Sa teinte jaune doré suggère un bon potentiel, ce que confirme le nez, dès l'abord, par des notes florales et grillées. Légèrement doux et miellé en finale, il sait toutefois garder de la fraîcheur et laisse une impression d'équilibre.
EARL Guy Justin, La Touvière, 73170 Billième, tél. et fax 04.79.36.81.61 r.-v.

BRUNO LUPIN Frangy 2005

4 ha 26 000 5 à 8 €

Cette roussette haut-savoyarde a connu une fermentation malolactique. Elle en a conservé un nez d'abricot et de pêche jaune frais, ainsi qu'une rondeur certaine. Pourquoi ne pas la servir avec un omble-chevalier ?
Bruno Lupin, rue du Grand-Pont, 74270 Frangy, tél. 04.50.44.75.04, fax 04.50.32.29.12
t.l.j. sf dim. lun. 9h-13h30 17h-19h30; f. début sept.

DOM. DE MÉJANE 2005 *

1,03 ha 9 000 3 à 5 €

L'une des roussettes les plus fringantes de ce millésime. Jaune à reflets verts, elle révèle un léger perlant et laisse une sensation de vivacité, nuancée de flaveurs de fruits blancs. Elle devrait s'harmoniser dans les deux à trois prochaines années.
Jean-Georges Henriquet, Dom. de Méjane, Les Reys, 73250 Saint-Jean-de-la-Porte, tél. 04.79.71.48.51, fax 04.79.28.66.94, e-mail contact@domaine-de-mejane.com
t.l.j. sf dim. 9h-12h 14h-18h; o. dim. en été

CH. DE MONTERMINOD 2005

4 ha 25 000 5 à 8 €

Certes, elle est intense cette roussette qui mêle des notes grillées à des arômes de fruits secs comme l'abricot. Pourtant, elle se fait moins loquace en bouche, légèrement acidulée et perlante. Proposez-lui un soufflé au fromage : elle lui fera bon accueil.
Dom. Perrier Père et Fils, Saint-André, 73800 Les Marches, tél. 04.79.28.11.45, fax 04.79.28.09.91
t.l.j. sf sam. dim. 9h-12h 14h-17h

JEAN PERRIER ET FILS Cuvée réservée 2004 *

n.c. 20 000 5 à 8 €

D'une teinte jaune or caractéristique du millésime, ce vin laisse échapper de douces fragrances de miel, de tilleul et de fleurs blanches. La surmaturité du raisin se traduit par une chair ample et complexe, empreinte d'arômes de cire d'abeille et de poire. Un poisson à la crème serait un parfait allié de tant de délicatesse.
SAS Jean Perrier et Fils, Saint-André, 73800 Les Marches, tél. 04.79.28.11.45, fax 04.79.28.09.91, e-mail vperrier@vins.perrier.com
t.l.j. sf sam. dim. 9h-12h 14h-17h

DOM. SAINT-GERMAIN 2005

1 ha 5 000 5 à 8 €

De la complexité dans la palette de fleurs blanches, égayée d'une note mentholée séduisante. De la franchise et de la vivacité au palais avec, en contrepoint des flaveurs fruitées, quelques notes beurrées. Une légère amertume signe la dégustation, mais elle devrait s'atténuer au fil du temps. Vous servirez cette bouteille avec une viande blanche à la crème.
Dom. Saint-Germain, rte du Col-du-Frêne, 73250 Saint-Pierre-d'Albigny, tél. et fax 04.79.28.61.68, e-mail vinsstgermain1@aol.com r.-v.
Raphaël et Étienne Saint-Germain

CHANTAL ET GUY TOURNOUD 2004 ★

0,35 ha 2 800 3 à 5 €

Elle a du caractère cette roussette au nez floral intense. La voici qui s'affirme au palais, avec puissance et générosité, enveloppée de flaveurs de poire et d'abricot mûrs. Il est peu courant de rencontrer un vin de cépage altesse aussi déterminé à s'affirmer.

Guy Tournoud, rue Basse-du-Château-Fort, Bellecombe, 38530 Chapareillan, tél. et fax 04.76.45.22.05 r.-v.

DOM. JEAN VULLIEN ET FILS 2005

1,94 ha 15 000 5 à 8 €

Jaune pâle à reflets verts, ce 2005 a un certain relief. Ses arômes fruités et floraux (tilleul) font preuve d'intensité, de même que la bouche souple, équilibrée et persistante. Il liera facilement amitié avec un beaufort d'alpage.

EARL Jean Vullien et Fils, La Grande Roue, 73250 Fréterive, tél. 04.79.28.61.58, fax 04.79.28.69.37, e-mail jeanvullien@wanadoo.fr

t.l.j. sf dim. 9h-12h 14h-18h30; sam. 9h-12h

Le Bugey

Bugey AOVDQS

Dans le département de l'Ain, le vignoble du Bugey occupe les basses pentes des monts du Jura, dans l'extrême sud du Revermont, depuis le niveau de Bourg-en-Bresse jusqu'à Ambérieu-en-Bugey, ainsi que celles qui, de Seyssel à Lagnieu, descendent sur la rive droite du Rhône. Autrefois important, il est aujourd'hui réduit et dispersé sur 499 ha. En 2005, 29 707 hl ont été déclarés.

Il est établi le plus souvent sur des éboulis calcaires de pentes assez fortes. L'encépagement reflète la situation de carrefour de la région : en rouge, le poulsard jurassien – limité à l'assemblage des effervescents de Cerdon – y voisine avec la mondeuse savoyarde et le pinot et le gamay de Bourgogne ; de même, en blanc, la jacquère et l'altesse sont en concurrence avec le chardonnay – majoritaire – et l'aligoté, sans oublier la molette, cépage local surtout utilisé dans l'élaboration des vins mousseux.

MAISON ANGELOT Mondeuse 2005 ★

1,03 ha 9 600 5 à 8 €

Philippe et Éric Angelot ont converti ce domaine à la vigne, il y a une vingtaine d'années. C'est à la fin mars que vous vous y rendrez, lors des portes ouvertes organisées pour présenter au public le terroir de Marignieu et les vinifications. Pour la troisième année consécutive, la mondeuse est présente dans le Guide. Le 2005 a besoin d'être aéré pour dévoiler ses arômes fruités et poivrés. Il fait preuve d'un bon équilibre entre fraîcheur et rondeur, avec quelques tanins encore adolescents, mais qui promettent de s'arrondir au cours de deux ans de garde. Il aura une certaine accointance avec un reblochon affiné. Le **gamay 2005 (3 à 5 €)**, gouleyant, obtient la même note. Vous le réserverez à des charcuteries.

GAEC Maison Angelot, Au bourg, 01300 Marignieu, tél. 04.79.42.18.84, fax 04..79.42.13.61, e-mail maison.angelot@proveis.com

t.l.j. 9h-12h 14h-19h

DOM. DE BEL-AIR Mondeuse 2005 ★★

0,5 ha 1 600 5 à 8 €

Sur les pentes caillouteuses et abruptes du Grand Colombier, exposées au sud, la famille Gardoni a récolté sur des vignes de cinq ans seulement (deuxième récolte) des raisins de qualité. Vinifiée en grappe entière et mise en fût juste après une longue macération carbonique, la mondeuse a donné naissance à ce vin riche d'arômes de fruits confits, de réglisse et de bonbon anglais. La bouche généreuse est tout aussi expressive, avec un léger accent torréfié des plus séduisants. Sa fougue juvénile s'apaisera au fil du temps, mais si vous ne pouvez patienter, il vous suffira de passer le vin en carafe avant la dégustation. Vinifié différemment, le **pinot 2005** reçoit une étoile : ample et persistant, il doit juste fondre son boisé. Le **chardonnay 2005**, issu de vignes plus âgées, est cité pour sa fraîcheur minérale.

Dom. de Bel-Air, rue Albert-Ferier, 01350 Culoz, tél. 04.79.87.04.20, fax 04.79.87.18.23, e-mail cellierbelair@aol.com

t.l.j. 9h-12h 15h-19h; dim. sur r.-v.

Valérie Glaizal

CAVEAU SYLVAIN BOIS

Altesse Coteau de Chambon 2005 ★

0,9 ha 6 700 3 à 5 €

Si vous reprenez le Guide 2006, vous observerez qu'un millésime plus tard les mêmes vins sont présents, mais avec des notes inverses. En effet, c'est l'altesse du coteau de Chambon qui brille d'une étoile aujourd'hui : elle est appréciée pour son nez floral et sa finale originale de Zan, pour sa bouche franche, nuancée de notes torréfiées. Peut-être semble-t-elle légère ? La jeunesse des ceps n'y est pas étrangère. Le **chardonnay 2005**, tout en fruits exotiques, est cité.

Sylvain Bois, Les Mortiers, 01350 Béon, tél. et fax 04.79.87.23.26, e-mail caveausylvainbois@vinsdubugey.net

t.l.j. sf dim. 9h-12h 14h-18h30

CHRISTIAN BOLLIET
Cerdon Méthode ancestrale 2005 *

● 2,63 ha 26 000 ▮ 5 à 8 €

Une pointe de poulsard jurassien est associée au gamay dans cette cuvée aux fringants arômes de groseille. Au palais, un duo de framboise et de fraise laisse une sensation acidulée fort plaisante. Pouvait-on imaginer une telle expression au regard de l'étonnante robe rose à reflets saumon ?

Christian Bolliet, hameau de Bôches, 01450 Saint-Alban, tél. 04.74.37.37.21, fax 04.74.37.37.69 r.-v.

NATHALIE ET PASCAL BONNOD-LACOUR
Cerdon Méthode ancestrale Vieilles Vignes 2005

● 0,32 ha 3 300 ▮ 5 à 8 €

Entrés dans le Guide l'an passé pour la première fois, Nathalie et Pascal Bonnod-Lacour semblent bien avoir l'intention d'y faire d'autres apparitions. Les voici avec deux cuvées de Cerdon. La première, issue de vieux ceps de gamay plantés dans les années 1930, s'affichent dans une robe vraiment foncée. Le nez et la bouche complexes laissent le souvenir délicieux du bonbon à la fraise. Le **Cerdon méthode ancestrale 2005**, plus clair, est également cité.

Bonnod-Lacour, Cornelle, 01640 Boyeux-Saint-Jérôme, tél. et fax 04.74.36.87.28 t.l.j. sf dim. 8h-12h 14h-19h

LE CAVEAU BUGISTE
Manicle La Cuvée de la truffière 2004

■ 1 ha 4 500 11 à 15 €

Dans la gamme des vingt-cinq vins élaborés par la coopérative, cette cuvée, issue du pinot noir et élevée dix mois en fût, a été retenue pour ses arômes de fruits à l'eau-de-vie et de torréfaction comme pour sa générosité. Elle doit être servie sans attendre. Le **chardonnay Vieilles Vignes 2005 (5 à 8 €)**, bien typé cépage et très doux, est cité ; proposez-lui une cassolette de cuisses de grenouilles pour le rehausser de fraîcheur.

Le Caveau Bugiste, Chef-lieu, 01350 Vongnes, tél. 04.79.87.92.32, fax 04.79.87.91.11 t.l.j. 9h-12h 14h-19h

P. CHARLIN Montagnieu 2004 *

● 2,76 ha 28 500 ▮ 5 à 8 €

Issu d'un assemblage de chardonnay, majoritaire, et d'une pointe d'altesse, ce bugey effervescent chardonne puissamment au nez, puis offre sa chair toute empreinte de fruits exotiques, avec un accent de noyau de pêche en finale.

Patrick Charlin, Le Richenard, 01680 Groslée, tél. 04.74.39.73.54, fax 04.74.39.75.16 r.-v.

CLOS DU COLOMBIER
Vieilles Vignes Sommet de coteaux 2005 *

■ 0,53 ha 3 000 8 à 11 €

Si le chardonnay 2004 avait obtenu un coup de cœur l'an passé, c'est un bugey de pinot noir qui se distingue aujourd'hui. Timide de prime abord, celui-ci s'ouvre à l'aération pour dévoiler des arômes exquis de fruits rouges. Le passage en fût lui a légué des tanins encore très présents, mais la matière est telle qu'elle tend déjà à les envelopper. Un vin à déguster dès maintenant ou à attendre entre un et deux ans. Il faudra être plus patient pour déguster la **mondeuse 2005**, malgré son nez fruité flatteur. Elle obtient elle aussi une étoile.

SARL Duport-Dumas, Pont-Bancet, 01680 Groslée, tél. 04.74.39.75.19, fax 04.74.39.70.05 r.-v.

PIERRE DUCOLOMB Millière Mondeuse 2005 ***

■ 0,17 ha 1 500 5 à 8 €

C'est à 500 m de la petite église romane du village que vous trouverez Pierre Ducolomb. Celui-ci vous étonnera par son savoir-faire, de la même façon que son vin a fasciné le jury. Ce 2005 d'un rouge profond laisse exploser ses arômes : des fruits rouges en abondance, des épices vanillées et de la réglisse, sillage tracé par un élevage en fût. Il est tout aussi expressif en bouche, ample et persistant, avec en finale une très légère austérité qui aura tôt fait de disparaître à la garde. Dans deux ans, ce bugey aura atteint son meilleur niveau. Dommage qu'il soit produit en si petite quantité. Le **chardonnay 2005 (3 à 5 €)** est cité pour son nez floral et sa douceur.

Pierre Ducolomb, 01680 Lhuis, tél. et fax 04.74.39.82.58 t.l.j. 8h-19h

MAISON DUPORT
Chardonnay Vieilles Vignes Bancet 2005 *

2 ha 18 000 ▮ 3 à 5 €

Le jury a unanimement salué la qualité de la vinification de ce chardonnay. Des arômes toastés et légèrement torréfiés se manifestent à la dégustation, tant au nez qu'en bouche, après une attaque vive et fruitée. Un vin amène et franc.

Maison Denis et Yves Duport, Le Lavoir, 01680 Groslée, tél. et fax 04.74.39.74.33, e-mail maison.duport@wanadoo.fr r.-v.

MICHEL ET STÉPHANE GIDARDI Brut 2004 **

● 0,47 ha 4 880 ▮ 5 à 8 €

Parti de 2 ha en 1983, Michel Girardi a porté son vignoble à 6 ha sur un sol caillouteux et bénéficie depuis bientôt dix ans de l'aide de son neveu, Stéphane. Tous deux proposent un vin à la mousse fine et persistante, qui libère des fragrances de fruits exotiques. La bouche est avenante, partagée entre fruits et fleurs. Ce 2004 fera un très beau vin d'honneur. Le **Cerdon demi-sec rosé 2005**, issu de gamay, obtient une étoile. D'un rose framboise pimpant, il est parfumé de fruit de la Passion au nez, puis de fraise des bois au palais. Prenez le temps de le savourer avec une part de biscuit de Savoie encore tiède.

GAEC Michel et Stéphane Girardi, rue de la Gumarde, 01450 Cerdon, tél. 04.74.39.95.90, fax 04.74.39.93.47 t.l.j. 8h-12h 13h30-20h

DOM. MONIN Manicle 2005 ★★

■ 1 ha 4 000 8 à 11 €

Le millésime 2005 a plus d'ampleur que le 2004. C'est pour cette raison que ce Manicle brille de tant d'éclat. Certes, l'empreinte du fût est perceptible, mais elle reste délicate et respecte l'expression du pinot noir. La bouche franche, charnue et bien équilibrée par une juste fraîcheur, fait la part belle aux notes de fraise et de framboise. Un bugey déjà séduisant, mais qui pourra attendre deux ou trois ans avant de rejoindre un chevreuil sur la table.

Dom. Monin, 01350 Vongnes, tél. 04.79.87.92.33, fax 04.79.87.93.25, e-mail info@domaine-monin.fr
t.l.j. 9h-12h30 14h-19h30

FRANCK PEILLOT
Montagnieu Réserve de Jean 2004 ★★

0,7 ha 5 000 5 à 8 €

Défenseur dès la première heure du cépage altesse en Bugey, le domaine obtient aussi de beaux résultats avec le chardonnay. En témoigne ce vin à la mousse fine, illustration remarquable des effervescents de Montagnieu. La pêche blanche domine au nez, tandis que la bouche ample porte la marque des fruits mûrs. À servir frais à l'apéritif, accompagné d'une gougère. La **mondeuse de Montagnieu 2005**, notée une étoile, dévoile une palette épicée intense et une bouche fruitée, bien structurée. Ses tanins demandent juste un peu de temps pour s'arrondir.

Franck Peillot, Au village, 01470 Montagnieu, tél. 04.74.36.71.56, fax 04.74.36.14.12, e-mail franckpeillot@aol.com r.-v.

ÉLIE ET ALAIN RENARDAT-FACHE
Cerdon Méthode ancestrale 2005 ★★

● 2,6 ha 23 400 5 à 8 €

Le Cerdon est la spécialité du domaine Renardat-Fache. Comment en douter à la dégustation de cette méthode ancestrale ? Habillée de rose fuchsia seyant, elle libère des notes de pamplemousse au nez, puis des flaveurs de fruits exotiques et d'autres agrumes au palais. Elle ne perd à aucun moment son équilibre et se prolonge durablement en finale. Une alliée remarquable d'un apéritif pris dans le jardin.

Alain et Élie Renardat-Fache, Le Village, 01450 Mérignat, tél. 04.74.39.97.19, fax 04.74.39.93.39
r.-v.

BERNARD RONDEAU
Cerdon Méthode ancestrale 2005

● 4 ha 35 000 5 à 8 €

Le domaine Rondeau est souvent présent dans le Guide grâce à ses Cerdon. 2005 ne fait pas exception. De belles bulles attirent le regard dans une robe rose vif à reflets violets. Les fruits s'expriment dans une matière très douce. Proposez ce vin au dessert, avec une tarte aux fruits, plutôt qu'à l'apéritif.

Marjorie et Bernard Rondeau, hameau de Cornelle, 01640 Boyeux-Saint-Jérôme, tél. et fax 04.74.37.12.34, e-mail bernardrondeau@wanadoo.fr r.-v.

THIERRY TISSOT Mataret Mondeuse 2005 ★

■ 0,99 ha 4 250 5 à 8 €

Après la renaissance du vignoble de Mataret, dont Thierry Tissot et son père ont récemment replanté le coteau, voici une mondeuse pourpre intense, toute fruitée après une légère aération. Elle se montre souple et fraîche, apte à accompagner une côte de bœuf grillée dans sa jeunesse, ou un gibier en sauce après une garde de deux ans. Le **gamay 2005 (3 à 5 €)**, riche et empreint de fruits confiturés, obtient la même note, tandis que l'**altesse de Mataret 2005** est citée pour son caractère floral et fruité.

Thierry Tissot, quai du Buizin, 01150 Vaux-en-Bugey, tél. 06.81.14.02.17, fax 04.74.35.80.55, e-mail thierrytissot@hotmail.com r.-v.

DOM. DE VILLENEUVE Montagnieu 2003 ★

1,7 ha 10 945 5 à 8 €

2003 n'était pas un millésime propice aux effervescents, sauf chez Philippe et Dominique Perdrix. Voyez plutôt ce vin aux notes de cire d'abeille et de fleurs qui n'a rien perdu de son caractère minéral. Il offre au palais un caractère certes évolué, mais équilibré. N'attendez plus pour le servir. La **cuvée Robert Perdrix 2004 Méthode traditionnelle blanc (8 à 11 €)**, qui doit son nom au fondateur du domaine, est citée pour ses arômes de coing.

Philippe Perdrix, Dom. de Villeneuve, 01300 Saint-Benoît, tél. et fax 04.74.39.74.24, e-mail vin.philippeperdrix@wanadoo.fr
t.l.j. 9h-11h 14h-19h

LE LANGUEDOC
ET LE ROUSSILLON

LE LANGUEDOC ET LE ROUSSILLON

Entre la bordure méridionale du Massif central et les régions orientales des Pyrénées, c'est une mosaïque de vignobles et une large palette de vins qui s'offrent à travers quatre départements côtiers : le Gard, l'Hérault, l'Aude, les Pyrénées-Orientales, grand cirque de collines aux pentes parfois raides se succédant jusqu'à la mer, constituant quatre zones successives : la plus haute, formée de régions montagneuses, notamment de terrains anciens du Massif central ; la deuxième, région des soubergues (coteaux pierreux) et des garrigues, la partie la plus ancienne du vignoble ; la troisième, la plaine alluviale assez bien abritée présentant quelques coteaux peu élevés (200 m) ; et la quatrième, zone littorale formée de plages basses et d'étangs dont les récents aménagements ont fait l'une des régions de vacances les plus dynamiques d'Europe. Ici encore, c'est aux Grecs que l'on doit sans doute l'implantation de la vigne, dès le VIII^e^s. av. J.-C., au voisinage des points de pénétration et d'échanges. Avec les Romains, le vignoble se développa rapidement et concurrença même le vignoble romain, si bien qu'en l'an 92 l'empereur Domitien ordonna l'arrachage de la moitié des surfaces plantées ! La culture de la vigne resta alors une spécificité de la Narbonnaise pendant deux siècles. En 270, Probus redonna au vignoble du Languedoc-Roussillon un nouveau départ, en annulant les décrets de 92. Celui-ci se maintint sous les Wisigoths, puis dépérit lorsque les Sarrasins intervinrent dans la région. Le début du IX^e^s. marqua une renaissance du vignoble, dans laquelle l'Église joua un rôle important grâce à ses monastères et à ses abbayes. La vigne est alors placée surtout sur les coteaux, les terres de plaine étant réservées aux cultures vivrières.

LANGUEDOC

Le commerce du vin s'étendit surtout aux XIVe et XV^e^s., de nouvelles technologies voyant le jour, tandis que les exploitations se multipliaient. Aux XVIe et XVII^e^s. se développa aussi la fabrication des eaux-de-vie.

Aux XVIIe et XVIII^e^s., l'essor économique de la région passe par la création du port de Sète, l'ouverture du canal des Deux Mers, la réfection de la voie romaine, le développement des manufactures de tissage de draps et de soieries. Il donne une nouvelle impulsion à la viticulture. Facilitée par les nouvelles infrastructures de transport, l'exportation du vin et des eaux-de-vie est encouragée.

On assiste alors au développement d'un nouveau vignoble de plaine, et l'on voit apparaître dès cette période la notion de terroir viticole, où les vins liquoreux occupent déjà une grande place. La création du chemin de fer, entre les années 1850 et 1880, diminue les distances et assure l'ouverture de nouveaux marchés dont les besoins seront satisfaits par l'abondante production de vignobles reconstitués après la crise du phylloxéra.

Grâce à ses terroirs situés sur les coteaux, dans le Gard, l'Hérault, le Minervois, les Corbières et le Roussillon, un vignoble planté de cépages traditionnels (voisin des vignobles qui avaient fait la gloire du Languedoc-Roussillon au siècle précédent) va se développer à partir des années 1950. Un grand nombre de vins deviennent alors AOVDQS et AOC, tandis que l'on constate une orientation vers une viticulture de qualité.

Les différentes zones de production du Languedoc-Roussillon se trouvent dans des situations très variées quant à l'altitude, à la proximité de la mer, à l'établissement en terrasses ou en coteaux, aux sols et aux terroirs.

Les sols et les terroirs peuvent être ainsi des schistes de massifs primaires comme à Banyuls, à Maury, en Corbières, en Minervois et à Saint-Chinian ; des grès du lias et du trias alternant souvent avec des marnes comme en Corbières et à Saint-Jean-de-Blaquière ; des terrasses et cailloux roulés du quaternaire, excellent terroir à vignes comme à Rivesaltes, Val-d'Orbieu, Caunes-Minervois, dans la Méjanelle ou les Costières de Nîmes ; des terrains calcaires à cailloutis souvent en pente ou situés sur des plateaux, comme en Roussillon, en Corbières, en Minervois ; ou, dans les coteaux du Languedoc, des terrains d'alluvions récentes (sans oublier les arènes granitiques et gneiss des Albères et Fenouillèdes).

Le climat méditerranéen assure l'unité du Languedoc-Roussillon, climat fait parfois de contraintes et de violence. C'est en effet la région la plus chaude de France (moyenne annuelle voisine de 14 °C, avec des températures pouvant dépasser 30 °C en juillet et en août) ; les pluies sont rares, irrégulières et mal réparties. La belle saison connaît toujours un manque d'eau important du 15 mai au 15 août. Dans beaucoup d'endroits du Languedoc-Roussillon, seule la culture de la vigne et de l'olivier est possible. Il tombe 350 mm d'eau au Barcarès, la localité la moins arrosée de France. Mais la quantité d'eau peut varier du simple au triple suivant l'endroit (400 mm au bord de la mer, 1 200 mm sur les massifs montagneux). Les vents viennent renforcer la sécheresse du climat lorsqu'ils soufflent de la terre (mistral, cers, tramontane) ; au contraire, les vents provenant de la mer modèrent les effets de la chaleur et apportent une humidité bénéfique à la vigne.

Le réseau hydrographique est particulièrement dense ; on compte une vingtaine de rivières, souvent transformées en torrents après les orages, souvent à sec à certaines périodes de sécheresse. Elles ont contribué à l'établissement du relief et des terroirs depuis la Vallée du Rhône jusqu'à la Têt, dans les Pyrénées-Orientales.

Sols et climat constituent un environnement très favorable à la vigne en Languedoc-Roussillon, ce qui explique qu'y soient localisés près de 40 % de la production nationale, dont annuellement environ 2 700 000 hl en AOC et 30 000 hl en AOVDQS.

Dans le vignoble de vins de table, on constate depuis 1950 une évolution de l'encépagement : régression très importante de l'aramon, cépage de vins de table légers planté au XIXe s., au profit des cépages traditionnels du Languedoc-Roussillon (carignan, cinsault, grenache noir, syrah et mourvèdre) ; et implantation d'autres cépages plus aromatiques (cabernet-sauvignon, cabernet franc, merlot et chardonnay).

Dans le vignoble de vins fins, les cépages rouges sont le carignan qui apporte au vin structure, tenue et couleur ; le grenache, cépage sensible à la coulure, qui donne au vin sa chaleur, participe au bouquet mais s'oxyde facilement lors du vieillissement ; la syrah, cépage de qualité, qui apporte ses tanins et un arôme se développant avec le temps ; le mourvèdre, qui vieillit bien et donne des vins élégants, résistants à l'oxydation ; le cinsault enfin, qui, cultivé en terrain pauvre, donne un vin souple présentant un fruité agréable et surtout entrant dans l'assemblage des vins rosés.

Les blancs sont produits à base de grenache blanc pour les vins tranquilles, de picpoul, de bourboulenc, de macabeu, de clairette – donnant une certaine chaleur mais madérisant assez rapidement. Depuis peu, marsanne, roussanne et vermentino agrémentent cette production. Pour les vins effervescents, on fait appel au mauzac, au chardonnay et au chenin.

Blanquette-de-limoux

Ce sont les moines de l'abbaye Saint-Hilaire, commune proche de Limoux, qui, découvrant que leurs vins repartaient en fermentation, ont été les premiers élaborateurs de blanquette-de-limoux. Trois cépages sont utilisés pour son élaboration : le mauzac (90 % minimum), le chenin et le chardonnay, ces deux derniers cépages étant introduits à la place de la clairette et apportant à la blanquette acidité et finesse aromatique.

La blanquette-de-limoux est élaborée suivant la méthode de fermentation en bouteille et se présente sous dosages brut, demi-sec ou doux.

AIMERY

500 ha 150 000 **5 à 8 €**

La cave coopérative Aimery élabore ses vins à partir de vignes situées sur tout le territoire des 41 communes de l'appellation. Ceci lui permet de jouer au mieux avec maturité et terroirs. Cette blanquette-de-limoux attire le regard par sa mousse fine et sa robe cristalline. Le nez est délicatement floral. La bouche apparaît vive et fraîche. Ce vin jeune, délicat, friand, sera dégusté à l'apéritif. Citée également, la **cuvée Princesse**.

Aimery-Sieur d'Arques, av. de Carcassonne, BP 30, 11300 Limoux, tél. 04.68.74.63.00, fax 04.68.74.63.12 t.l.j. 9h30-12h30 14h-18h

DOM. DE FOURN Carte or ★

10 ha 60 000 5 à 8 €

C'est en effervescents que le domaine de Fourn se distingue régulièrement dans le Guide. Achetée en 1938 par Pierre Robert, la propriété est actuellement gérée par la troisième génération. Cette blanquette est assez emblématique de la production maison. Sa robe jaune pâle aux reflets verts est des plus seyantes. Ses arômes de sous-bois, de grillé, rehaussés d'un soupçon de fleur blanche, sa bouche bien équilibrée en font un vin agréable, recommandé sur un turbot en sauce aux champignons.

GFA Robert, Dom. de Fourn, 11300 Pieusse, tél. 04.68.31.15.03, fax 04.68.31.77.65, e-mail robert.blanquette@wanadoo.fr r.-v.

JEAN LAFON ★★

n.c. 100 000 5 à 8 €

Françoise Antech, directrice de l'entreprise depuis peu, fait partie de la sixième génération de la dynastie. Elle a, à travers rénovations et démarche de développement durable, apporté sa griffe à l'évolution de cette maison limouxine. Une robe jaune pâle à reflets verts confère de l'élégance à cette cuvée. Des parfums complexes de fleurs blanches et de coing ajoutent à sa finesse. La bouche souple, délicate et d'une belle longueur en fait un vin plaisir. Cette bouteille saura accompagner les fruits de mer, tout comme la **cuvée Élégance** qui obtient une étoile pour sa fraîcheur et sa complexité.

Georges et Roger Antech, Dom. de Flassian, 11300 Limoux, tél. 04.68.31.15.88, fax 04.68.31.71.61, e-mail courriers@antech-limoux.com t.l.j. sf sam. dim. 8h-12h 14h-18h

DOM. ROSIER 2004 ★★

20 ha 30 000 3 à 5 €

Mais quel est le secret de ce Champenois Limouxin d'adoption, pour être présent régulièrement dans le Guide ? Certes, on connaît la rigueur de Michel Rosier, le soin particulier qu'il apporte à la vinification ; la touche du maître y est pour beaucoup. Dans cette cuvée l'expression aromatique, discrète mais agréable, suggère la fleur d'acacia. La bouche fraîche, plaisante, bien équilibrée offre une finale d'agrumes à dominante de pamplemousse. À boire en apéritif ou sur une tarte au citron.

Dom. Rosier, rue Farman, 11300 Limoux, tél. 04.68.31.48.38, fax 04.68.31.34.16, e-mail domainerosier@wanadoo.fr r.-v.

Blanquette méthode ancestrale

AOC à part entière, la blanquette méthode ancestrale reste un produit confidentiel. Le principe d'élaboration réside dans une seule fermentation en bouteille. Aujourd'hui, les techniques modernes permettent d'élaborer un vin peu alcoolisé (autour de 6 % vol.), doux, provenant du seul cépage mauzac.

ALAIN CAVAILLÈS Fruité 2004 ★★

1 ha 3 000 5 à 8 €

Situé au cœur du pays cathare, le petit village de Magrie est lié à l'histoire des chevaliers de l'ordre de Malte. Le nez fruité de ce 2004 vagabonde autour de la pomme, du coing et de la pêche jaune. Très douce en bouche, cette cuvée d'une belle harmonie est typique de l'appellation. À recommander sur les crêpes et les tartes aux pommes.

Alain Cavaillès, chem. d'Alon, 11300 Magrie, tél. et fax 04.68.31.11.01, e-mail cavailles.alain@wanadoo.fr r.-v.

CLAIR DE LUNE 2004 ★★

n.c. n.c. 5 à 8 €

Ce Clair de lune est né dans le charmant petit village d'Antugnac, disposé en amphithéâtre à 265 m d'altitude, et tourné vers le... soleil du Midi et les Pyrénées. Or pâle, ce vin s'exprime sur des notes d'agrumes et de fleurs blanches qui persistent en bouche. Sa fraîcheur et sa douceur lui donnent un caractère particulier qui en fera un agréable compagnon d'une tarte au citron.

🗝 Delmas, 11, rte de Couiza, 11190 Antugnac,
tél. 04.68.74.21.02, fax 04.68.74.19.90,
e-mail domainedelmas@wanadoo.fr
☑ Ⲧ ☦ t.l.j. 8h-12h 14h-18h

PRIMA PERLA 2004 ★

3 ha 20 000 5 à 8 €

Prima Perla, « première perle », évoque les premières bulles que notre bon moine de Saint-Hilaire réussit à obtenir en créant en 1531 le premier effervescent du monde. Or pâle aux reflets verts, cette cuvée offre un nez intense et caractéristique de pomme verte et de fleur de tilleul. D'un excellent équilibre et d'une bonne longueur, elle offre tout ce que l'on demande à une méthode ancestrale.

🗝 Vignobles Vergnes, Dom. de Martinolles,
11250 Saint-Hilaire, tél. 04.68.69.41.93,
fax 04.68.69.45.97, e-mail martinolles@wanadoo.fr
☑ Ⲧ ☦ t.l.j. sf sam. dim. 8h-12h 13h30-18h30 🏠 Ⓔ

Crémant-de-limoux

Reconnu par le décret du 21 août 1990, le crémant-de-limoux n'en est pas pour autant peu expérimenté. En effet, les conditions de production de la blanquette étaient déjà très strictes. Les Limouxins n'ont eu aucune difficulté à adopter la rigueur de l'élaboration du crémant.

Depuis déjà quelques années s'affinaient dans les chais des cuvées issues de subtils mariages entre la personnalité et la typicité du mauzac, l'élégance et la rondeur du chardonnay, la jeunesse et la fraîcheur du chenin.

En 2004, le décret de l'AOC crémant-de-limoux a été modifié. Le mauzac, cépage traditionnel de la région, est désormais réservé à la blanquette et c'est le chardonnay qui règne en maître dans l'appellation.

ANTECH Cuvée Expression 2004 ★

n.c. 39 288 5 à 8 €

Une évolution – consacrée par les décrets – a donné au chardonnay une part croissante dans l'assemblage des crémants-de-limoux. Elle a permis à Georges et Roger Antech de créer cette cuvée Expression (64 % chardonnay, 26 % chenin et 10 % mauzac). Un effervescent très expressif. La robe jaune clair s'anime d'une mousse fine. Le nez d'agrumes est intense. La bouche ample, légèrement empyreumatique, laisse sur la douceur du miel.

🗝 Georges et Roger Antech, Dom. de Flassian,
11300 Limoux, tél. 04.68.31.15.88, fax 04.68.31.71.61,
e-mail courriers@antech-limoux.com
☑ Ⲧ ☦ t.l.j. sf sam. dim. 8h-12h 14h-18h

DOM. B&B BOUCHÉ

3 ha 10 000 **5 à 8 €**

La Digne-d'Aval fait partie de ces villages du Languedoc construits en circulades. Née à l'époque médiévale, cette architecture unique, où l'habitat est disposé en anneaux successifs autour d'un noyau central occupé par une église, était destinée à protéger les habitants. Le crémant du domaine Bouché est séduisant par sa couleur or pâle, son nez de pain d'épice, sa bouche aromatique et persistante, marquée par la fleur blanche et une touche miellée. Un vin original, d'une réelle fraîcheur.

🗝 Dom. Bernadette et Bruno Bouché,
Les Chais du Soleil, 6, av. de Limoux,
11300 La Digne-d'Aval,
tél. 06.08.70.04.63, fax 04.68.31.64.95,
e-mail bruno-bouche@wanadoo.fr ☑ Ⲧ ☦ r.-v.

DOM. J. LAURENS Les Graimenous 2004 ★★

12 ha 70 000 ▮ 5 à 8 €

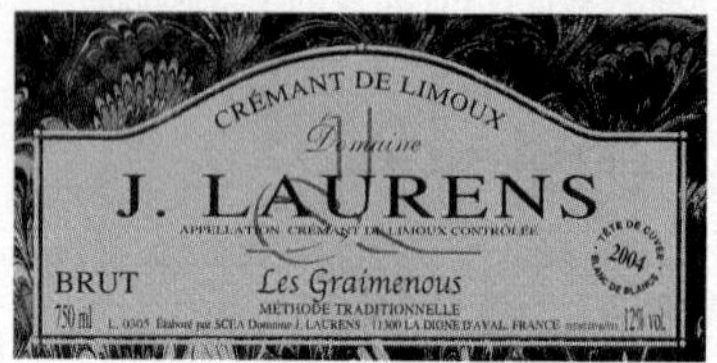

Pas moins de quatre cépages composent cette superbe cuvée. Élaborée en 2004, elle a pu bénéficier de la nouvelle réglementation autorisant désormais chardonnay, chenin, mauzac et pinot noir. Dans ce crémant, on retrouve l'intensité aromatique du chardonnay, la fraîcheur du chenin, la typicité du mauzac et un rien de vinosité dû au pinot. Puissant, rond, charpenté, d'une belle longueur, le vin a su tirer le meilleur de chaque cépage. Coup de cœur du grand jury.

🗝 SCEA Dom. J. Laurens,
rte de La Digne-d'Amont, 11300 La Digne-d'Aval,
tél. 04.68.31.54.54, fax 04.68.31.61.61,
e-mail domaine.jlaurens@wanadoo.fr
☑ Ⲧ ☦ t.l.j. 8h-12h 13h30-19h30; f. 1er-15 août

DOM. DE MARTINOLLES 2004

3 ha 15 000 **8 à 11 €**

Il fallait oser le faire et ils l'ont fait : cette cuvée ne possède pas de mauzac, cépage traditionnel de la région. Avec 70 % de chardonnay, 20 % de chenin et 10 % de pinot noir, ce crémant encore jeune a déjà beaucoup de personnalité. Sa robe jaune à reflets vert pâle, ses notes florales

légèrement végétales et sa bouche fraîche, un tantinet vineuse, en font un vin de caractère recommandé sur les poissons en sauce.
Vignobles Vergnes, Dom. de Martinolles, 11250 Saint-Hilaire, tél. 04.68.69.41.93, fax 04.68.69.45.97, e-mail martinolles@wanadoo.fr
t.l.j. sf sam. dim. 8h-12h 13h30-18h30

ROBERT 2001

4 ha 20 000 8 à 11 €

Remarqué également en AOC blanquette-de-limoux, le domaine Robert propose ici une cuvée de caractère. Ce millésime 2001 composé de 60 % de mauzac s'habille d'une belle robe or doré agrémentée d'une mousse fine et très présente. La bouche est ample, fondue, agréable et bien équilibrée. La longue finale offre le plaisir des petits fruits sur fond légèrement grillé.
GFA Robert, Dom. de Fourn, 11300 Pieusse, tél. 04.68.31.15.03, fax 04.68.31.77.65, e-mail robert.blanquette@wanadoo.fr r.-v.

SIEUR D'ARQUES 2003 *

500 ha 150 000 8 à 11 €

Fondée en 1946, cette cave coopérative, autrefois appelée Société des producteurs, est devenue la cave Aimery-Sieur d'Arques en référence au seigneur des lieux courageux et combatif. Dans les années 1970, il fallait près de six heures d'attente aux viticulteurs pour atteindre les quais. Actuellement, la vendange est acheminée dans des centres de réception disséminés sur tout le territoire, préservant ainsi qualité et fraîcheur du raisin. Dans sa robe or pâle, ce vin est pétillant et vif. Il surprend par ses senteurs florales rappelant le maquis, accompagnées par une touche minérale discrète. Harmonieux, ample, fondu, légèrement épicé en bouche, il finit sa course aromatique sur des touches à la fois miellées et un peu acidulées. La **Grande Cuvée 1531** obtient une étoile pour ses arômes floraux et son caractère souple et aérien.
Aimery-Sieur d'Arques, av. de Carcassonne, BP 30, 11300 Limoux, tél. 04.68.74.63.00, fax 04.68.74.63.12 t.l.j. 9h30-12h30 14h-18h

Limoux

L'appellation limoux nature reconnue en 1938 désignait en réalité le vin de base destiné à l'élaboration de l'appellation blanquette-de-limoux et toutes les maisons de négoce en commercialisaient quelque peu.

En 1981, cette AOC s'est vu interdire au grand regret des producteurs l'utilisation du terme *nature* et elle est devenue limoux. Resté à 100 % mauzac, le limoux a décliné lentement, les vins de base de la blanquette-de-limoux étant alors élaborés avec du chenin, du chardonnay et du mauzac.

Cette appellation renaît depuis l'intégration, pour la première fois à la récolte 1992, des cépages chenin et chardonnay, le mauzac restant toutefois obligatoire. Une particularité : la fermentation et l'élevage jusqu'au 1er mai, à réaliser obligatoirement en fût de chêne. La dynamique équipe limouxine voit ainsi ses efforts récompensés.

Depuis 2004, l'AOC produit des vins rouges à partir des cépages atlantiques cabernet, merlot et cot et des cépages méditerranéens.

DOM. DE BARON'ARQUES 2004 ***

19,14 ha 80 000 30 à 38 €

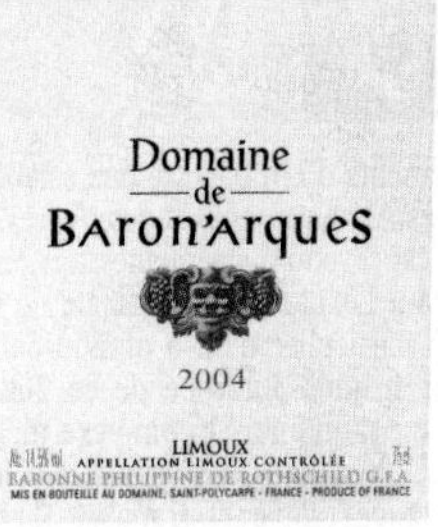

Abrité du vent du nord, lové au milieu des pins, le domaine de Lambert qui existait déjà au XVIIe s. est un petit paradis pour les écureuils et les amateurs de vins. Acheté par la baronne Philippine de Rothschild fin 1998, il a fait l'objet d'importantes rénovations tant au vignoble que dans les chais. Composé de six cépages, trois bordelais et trois méditerranéens, ce limoux rouge obtient un coup de cœur dès sa première participation à la sélection du Guide. Rouge profond, il exprime des arômes intenses et complexes de fruits noirs confits et vanillés, agrémentés de notes de cacao. D'une remarquable structure, la bouche repose sur des tanins puissants, riches et élégants. La finale persistante confirme le potentiel de cette cuvée. À boire dans quatre à cinq ans sur un tournedos de chevreuil ou une côte de bœuf.
Dom. de Baron'Arques, 11300 Saint-Polycarpe, tél. 04.68.31.96.60, fax 04.68.31.54.23, e-mail vpous@domainedebaronarques.com
r.-v.
GFA Baronne Philippine de Rothschild

DOM. BEGUDE 2004 **

6,5 ha 26 000 8 à 11 €

Situé sur un coteau exposé au sud, terroir original aux sols de sable et de galets, le domaine offre une vue surprenante sur les sommets enneigés des Pyrénées. Propriété depuis peu de Kinglake, le domaine a bénéficié d'importantes rénovations. Vendu à 95 % à l'étranger, ce vin brillant enchante par la qualité de ses arômes de noisette verte, de fruits blancs légèrement toastés. Agréable en bouche, il glisse en finale sur une touche doucement boisée. Sa nervosité lui promet une réelle longévité. À servir sur des poissons ou de la cuisine asiatique.

Dom. Begude, Dom. Haute-Begude,
11300 Cépie, tél. et fax 04.68.69.20.41,
e-mail info@domainebegude.com r.-v.
Kinglake

DOM. DE CASSAGNAU
Les Sarments d'Hippocrate
Élevé en fût de chêne 2004 ★★

0,48 ha 3 700 5 à 8 €

Des serments d'Hippocrate aux sarments d'Hippocrate : Jacques Abet a franchi le pas. Après des études de médecine, il est revenu à ses racines terriennes en reprenant et relevant l'exploitation familiale de 9 ha. Et c'est avec un soin particulier qu'il a obtenu ce limoux blanc plébiscité par le jury. La robe de ce 2004 est vive et lumineuse. Le nez intense et complexe mêle une touche d'aubépine et une dominante exotique. Un vin harmonieux, à l'attaque ample et franche, agrémenté d'une longue finale très aromatique.

Jacques Abet, Dom. de Cassagnau,
11300 Pauligne, tél. et fax 04.68.69.55.64,
e-mail jacques.abet@wanadoo.fr r.-v.

CHEMIN DE MARTIN 2004 ★

5 ha 15 000 8 à 11 €

Un vin signé par une cave coopérative dirigée par Guy Andrieu et qui a pris le nom du duc Anne de Joyeuse, soldat émérite et de caractère, né dans la région en 1560. Tout comme ce personnage, ce 2004 possède beaucoup de personnalité. La robe d'un rouge sombre, le nez complexe de fruits rouges surmûris, de vanille et de grillé révèlent une solide matière et un excellent équilibre. Prêt à boire, ce millésime promet aussi une belle vie sur trois à quatre ans. Rappelons le coup de cœur l'an dernier pour le millésime 2003 blanc.

Cave Anne de Joyeuse, 34, promenade du Tivoli,
11300 Limoux, tél. 04.68.74.79.40, fax 04.68.74.79.49,
e-mail commercial.france@cave-adj.com
t.l.j. 9h-12h 15h-19h

TOQUES ET CLOCHERS
Haute Vallée Élevé en fût de chêne 2003 ★

50 ha 35 000 11 à 15 €

La cave du Sieur d'Arques a été à la pointe de la recherche pour l'amélioration de l'AOC limoux. C'est elle qui, la première, a mené des études sur la relation entre le brûlage et l'origine des bois de chêne et la qualité des vins produits. Rien d'étonnant donc, à ce que l'on retrouve cette année trois cuvées sélectionnées. Le Haute Vallée 2003 se présente sous une robe jaune paille aux reflets dorés. Les arômes complexes de vanille et de pêche blanche précèdent une bouche ample et puissante à la finale longue et intense. La **cuvée Les Hauts Clochers 2003 Élevé en fût de chêne (8 à 11 €)** obtient une étoile tout comme l'**Océanique 2003**.

Aimery-Sieur d'Arques, av. de Carcassonne,
BP 30, 11300 Limoux, tél. 04.68.74.63.00,
fax 04.68.74.63.12 t.l.j. 9h30-12h30 14h-18h

TOQUES ET CLOCHERS
Méditerranéen Élevé en fût de chêne 2004 ★

5 ha 33 000 8 à 11 €

À l'initiative de la cave, la région a été partagée en quatre terroirs dont deux réussissent particulièrement pour les blancs ; il s'agit des terroirs Océanique et Haute-Vallée. Pour ce millésime, en rouge, c'est le Méditerranéen qui tire son épingle du jeu. Doté d'un bouquet puissant, fin et complexe (épices, fruits rouges surmûris légèrement réglissés), ce 2004 développe une belle structure avec des notes de vanille et une touche minérale. Un vin que l'on peut boire dès à présent mais qui se bonifiera encore pendant deux ou trois ans.

Aimery-Sieur d'Arques, av. de Carcassonne,
BP 30, 11300 Limoux, tél. 04.68.74.63.00,
fax 04.68.74.63.12 t.l.j. 9h30-12h30 14h-18h

Cabardès

Les cabardès proviennent de terroirs situés au nord de Carcassonne et à l'ouest du Minervois. Le vignoble s'étend sur 592 ha et dix-huit communes. Il a produit environ 15 000 hl de vins rouges et rosés, associant les cépages méditerranéens et atlantiques. Ces vins d'appellation sont assez différents des autres vins du Languedoc-Roussillon : produits dans la région la plus occidentale, ils subissent davantage l'influence océanique. C'est pourquoi les cépages autorisés comprennent le merlot et le cabernet-sauvignon à côté du grenache noir et de la syrah.

CH. LA BASTIDE ROUGEPEYRE 2005 ★

4,99 ha 15 000 3 à 5 €

Chargée d'histoire, La Bastide Rougepeyre est l'un des avant-postes des châteaux cathares qui ont marqué l'histoire de cette région. C'est un rosé qui est mis en vedette cette année pour sa belle robe rose saumon et son nez au fruité intense que l'on retrouve en bouche. Celle-ci, dotée d'un bon équilibre entre acidité et moelleux et d'une grande persistance, ne déçoit pas.

SCEA du Ch. de La Bastide,
La Bastide Rougepeyre, 11610 Pennautier,
tél. et fax 04.68.72.51.91,
e-mail dominiquedelorgeril@rougepeyre.com r.-v.
Dominique de Lorgeril

DOM. DE CABROL La Dérive 2003 ★★★

21 ha n.c. 15 à 23 €

Claude Carayol, dont le vignoble est inscrit au cœur des garrigues d'Aragon, sait toujours attendre la lente

maturation de ses raisins. Ce vin associe puissance et finesse : ses arômes intenses évoquent les fruits mûrs, avec déjà quelques accents de sous-bois. La bouche, ample et de grande harmonie, s'appuie sur un boisé finement marié et une très belle longueur.
Claude Carayol, Dom. de Cabrol, D 118, 11600 Aragon, tél. 04.68.77.19.06, fax 04.68.77.54.90, e-mail domaine.de.cabrol@tiscali.fr
t.l.j. sf dim. 11h-12h 17h-19h

FONT JUVÉNAL L'Asphodèle 2003 ★★

6 ha 13 500 8 à 11 €

L'aventure continue pour ce pépiniériste qui a décidé de reconstruire son domaine familial, ancienne dépendance de l'abbaye de Lagrasse, et, qui, à soixante-deux ans, a créé une cave particulière. Ce sont certainement les rendements faibles, voulus par le vigneron, qui apportent une extrême finesse à cette cuvée. Gouleyante et suffisamment structurée, avec un tanin présent qui se fait oublier et une remarquable longueur, elle est prête.
Georges et Colette Casadesus, 26, chem. de la Croix, 11800 Trèbes, tél. 04.68.79.15.55, fax 04.68.79.10.78 r.-v.

CH. JOUCLARY
Cuvée Guilhaume de Jouclary Élevé en fût 2003 ★★★

2 ha 8 000 8 à 11 €

Après avoir visité Carcassonne, prenez la route qui mène au nord à la Montagne Noire et, à 16 km, visitez Conques-sur-Orbiel. Puis, sur la route de Villegailhenc, arrêtez-vous au château de Jouclary. Cette propriété est distinguée par un coup de cœur, et s'affirme comme la valeur sûre du cabardès. Elle signe un vin tout à la fois puissant et élégant, aux arômes complexes de fruits noirs, d'épices assortis d'une pointe de truffe. Ample et plein en bouche, avec un joli grain de tanins, c'est un parfait représentant de l'appellation.
Gianesini, Ch. Jouclary, rte de Villegailhenc, 11600 Conques-sur-Orbiel, tél. 04.68.77.10.02, fax 04.68.77.00.21, e-mail chateau.jouclary@wanadoo.fr
t.l.j. sf dim. 17h30-19h30; sam. sur r.-v.

L'ESPRIT DE PENNAUTIER 2003 ★★

5,62 ha 30 000 **15 à 23 €**

Ce vaste domaine viticole de 230 ha est un habitué du Guide : cette année encore, c'est L'Esprit de Pennautier, fruit d'une sélection rigoureuse, qui est sélectionné. La robe est profonde. Le nez puissant évoque les épices douces, avec une pointe de cade et des notes de torréfaction. La bouche, pleine et volumineuse, marie un raisin concentré et un bois neuf. Encore jeune, ce vin atteindra toute sa plénitude après deux ou trois ans d'élevage. Retenus également, le **Château Lorgeril rosé 2005 (3 à 5 €)** et le **Château Lorgeril rouge 2004 (3 à 5 €)**.
M. de Lorgeril, SCEA Ch. de Pennautier, BP 4, 11610 Pennautier, tél. 04.68.72.65.29, fax 04.68.72.65.84, vignobles-lorgeril.com
t.l.j. sf dim. 10h-18h

CH. SALITIS Cuvée des Dieux 2004 ★

n.c. n.c. 5 à 8 €

Ce très ancien domaine du Cabardès est une ancienne dépendance de l'abbaye de Lagrasse. La cinquième génération de vignerons perpétue un travail de rigueur depuis vingt ans. Cette cuvée des Dieux à la robe soutenue, riche et fruitée a du style. Grasse et gouleyante, avec des tanins soyeux et une finale originale, offrant quelques notes de cacao, elle peut être servie dès à présent sur un gigot d'agneau ou conservée quelque temps dans une bonne cave.
Depaule-Marandon et Frédéric Maurel, Ch. Salitis, 11600 Conques-sur-Orbiel, tél. 04.68.77.16.10, fax 04.68.77.05.69, e-mail salitis@wanadoo.fr r.-v.

CH. VENTENAC Le Carla 2005 ★★

15 ha 100 000 3 à 5 €

Toujours présent dans le Guide, ce vigneron, qui sait allier tradition et modernité, est remarqué cette année pour ce rosé à la pimpante robe grenadine aux nuances vives. Le nez intense de fruits rouges et l'attaque ronde apportent d'emblée beaucoup d'élégance. Une très légère note vanillée apparaît en fin de dégustation. Un vin de terroir très original.
SARL Vignobles Alain Maurel, 1, pl. du Château, 11610 Ventenac, tél. 04.68.24.93.42, fax 04.68.24.81.16
t.l.j. sf sam. dim. 8h-12h 14h-19h

Clairette-du-languedoc

Les vignes du cépage clairette sont cultivées sur 60 ha dans huit communes de la vallée moyenne de l'Hérault. Après vinification à basse température avec le minimum d'oxydation, on obtient un vin blanc généreux, à la robe jaune soutenu. Il peut être sec, demi-sec ou moelleux. En vieillissant, il acquiert un goût de rancio qui plaît à certains consommateurs. Il s'allie bien à la bourride sétoise et à la baudroie à l'américaine.

ADISSAN Moelleux 2005 ★

6 ha 26 000 3 à 5 €

La tradition de la clairette-du-languedoc est longue à Aspiran. Le décret permet même d'indiquer le nom de ce village sur l'étiquette. Vous servirez cette clairette moelleuse de couleur jaune paille, ronde et confiturée en bouche, sur un foie gras – ou même en apéritif. En revanche, réservez le **blanc sec l'Églantier** cité, floral et assez rond, à une poularde à la crème.
La Clairette d'Adissan, 34230 Adissan, tél. 04.67.25.01.07, fax 04.67.25.37.76, e-mail clairette.adissan@wanadoo.fr r.-v.

CH. VAILLÉ 2005 ★

1 ha 3 000 3 à 5 €

Autour du lac du Salagon, le contraste entre la couleur des vignes et celles du sol très rouge est saisissant. La robe dorée de ce vin complète le tableau : les arômes de pâte de coings et de fruits confits sont le signe d'une bonne maturité des raisins. La bouche ronde et suffisamment fraîche s'achève sur une pointe d'amertume sympathique qu'une volaille à la crème ne boudera pas.

Fulcran et Vincent Vaillé, SARL Vaillé, 1, rue Marguerite, 34700 Salelles-du-Bosc, tél. 04.67.44.71.98, fax 04.67.44.73.11

t.l.j. sf dim. 10h-13h 15h-19h

Corbières

Les corbières, VDQS depuis 1951, sont passés AOC en 1985. L'appellation s'étend sur plus de 13 167 ha, sur quatre-vingt-sept communes, pour une production de 551 726 hl en 2005. Ce sont des vins généreux, puisqu'ils titrent entre 11 % vol. et 13 % vol. d'alcool. Ils sont élaborés à partir d'assemblage de cépages comportant un maximum de 60 % de carignan complétés par le grenache noir, la syrah,

Le Languedoc

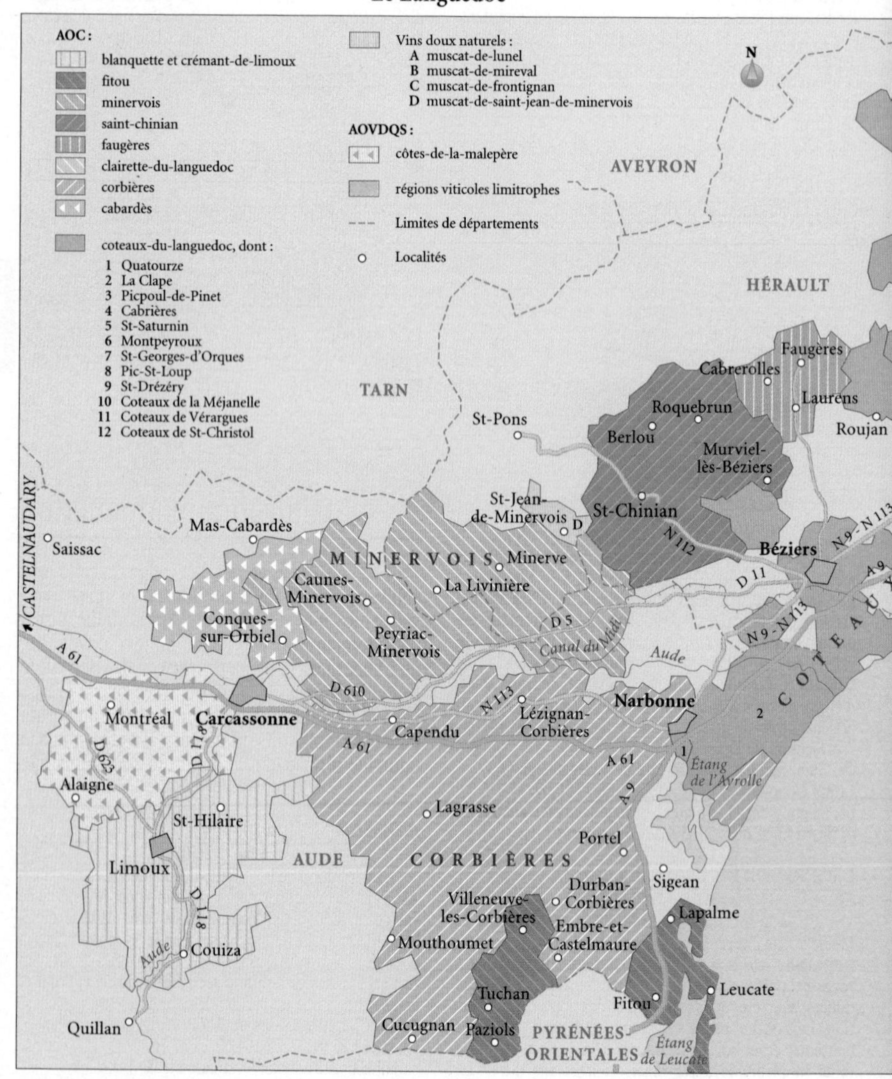

le cinsault, le mourvèdre, en rouge et rosé et pour les blancs le grenache, le maccabeo, le bourboulenc, la marsanne, la roussanne et le vermentino.

Les Corbières constituent une région typiquement viticole, et n'offrent guère d'autres possibilités de culture. L'influence méditerranéenne dominante, mais également une certaine influence océanique à l'ouest, le cloisonnement des sites par un relief accentué, l'extrême diversité des sols, conduisent aujourd'hui à une réflexion sur les spécificités des terroirs de l'AOC, notamment ceux de Boutenac, Durban, Lagrasse et Sigean.

ABBAYE DE FONTFROIDE

Deo Gratias 2004 ★★★

■ 2,5 ha 9 000 11 à 15 €

Fondée au XIes. au milieu d'un paysage de collines calcaires, Fontfroide devint au siècle suivant une puissance religieuse et foncière après son affiliation à l'ordre de Cîteaux. Saint-Julien de Septime est la plus proche et la plus ancienne des dépendances agricoles du monastère. En

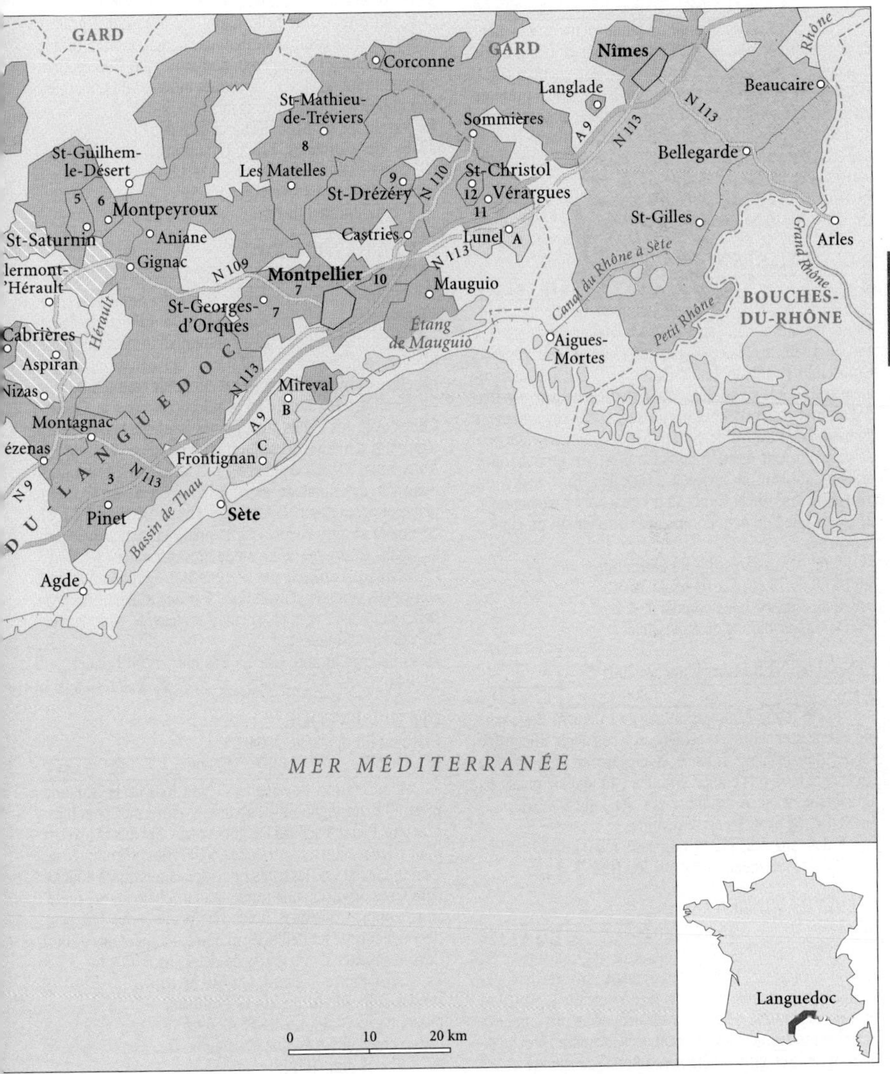

LANGUEDOC

grande partie restauré, le domaine (près de 35 ha au cœur d'un site naturel protégé) propose une cuvée née de la syrah et du grenache, avec un soupçon de carignan. La robe grenat foncé étincelle. Le nez puissant associe le cassis et une touche d'agrumes originale. La bouche soyeuse et longue développe des notes de mangue séduisantes et hors du commun. Un vin unique à déguster dès maintenant et pendant deux à trois ans.
🔑 Ch. de Saint-Julien de Septime,
abbaye de Fontfroide, RD 13, 11100 Narbonne,
tél. 04.68.45.11.08, fax 04.68.45.18.31,
e-mail vin@fontfroide.com
☑ 🍷 t.l.j. 10h30-12h30 14h-18h; f. nov.-mars
🔑 De Cheuron Villette

CH. AURIS-ALBERT 2005 ★

1,5 ha 10 000 8 à 11 €

Premier millésime pour un jeune vigneron qui vient de reprendre ce domaine. À en juger par ce blanc né de marsanne et de grenache, le résultat est encourageant. D'un jaune pâle brillant et lumineux, ce 2005 présente un nez intense de fruits à chair blanche accompagnés de touches briochées. La pêche blanche s'associe à la noisette dans une bouche ample et longue. Une réelle harmonie.
🔑 Albert, D 613, 11100 Narbonne,
tél. 04.68.45.16.85 ☑ 🍷 ✶ r.-v. 🏠 E

A D'AUSSIÈRES 2004 ★

105 ha 90 000 8 à 11 €

Aussières était jadis un hameau habité par plusieurs vignerons. Le site, laissé à l'abandon dans les années 1980, a été repris par les Domaines Barons de Rothschild (Château Lafite-Rothschild) qui ont entièrement restauré le vignoble. L'écosystème bénéficie à la fois de l'air marin du proche étang de Bages et du rayonnement du massif de Fontfroide. Syrah (63 %), grenache et un peu de carignan ont donné naissance à un vin grenat foncé brillant, qui sent la garrigue ensoleillée. En bouche, on trouve du gras, de la vanille et du sous-bois. Une bouteille de classe que l'on peut commencer à servir sur un gigot à la broche.
🔑 Dom. d'Aussières, 11100 Narbonne,
tél. 04.68.45.17.67, fax 04.68.45.76.38,
e-mail aussieres@lafite.com ☑ 🍷 ✶ r.-v.
🔑 Domaines Barons de Rothschild

LES AUZINES Fleurs blanches 2005 ★

n.c. 4 000 8 à 11 €

Cette jeune exploitation s'inscrit dans la démarche bio. Né de grenaches gris et blanc, son corbières affiche une robe jaune brillant. Intense et élégant au nez, il mêle l'acacia et les fruits blancs. Franc à l'attaque, le palais est agréablement épicé, équilibré et assez long.
🔑 SCEA Maison Henri Valentine,
Dom. des Auzines, 11220 Lagrasse, tél. 04.68.43.10.13,
e-mail chateaulesauzines@wanadoo.fr ☑ 🍷 ✶ r.-v.

CH. AYRAUD 2004 ★★

20 ha 50 000 8 à 11 €

Créée en 1933, la coopérative d'Ornaisons s'est agrandie plusieurs fois. Elle a aussi investi dans les équipements, installé un vaste chai à barriques. Après sa fusion avec la cave de Luc-sur-Orbieu, elle a pris son nom actuel, en souvenir d'une ancienne *villa* romaine proche de Narbonne. Ses vins reflètent son souci de qualité et ses

efforts de sélection. Un coup de cœur pour ce 2004 grenat brillant, issu du carignan, du grenache et de la syrah et élevé douze mois dans le bois. Le nez mêle les fruits confits et le boisé dans une belle harmonie. Des notes grillées apportent de la complexité dans une bouche étoffée, ample et persistante. Un superbe corbières que l'on pourra commencer à servir dans quelques mois sur un pot-au-feu et à apprécier pendant trois ans.
🔑 Vignerons du Mont Ténarel d'Octaviana,
53, av. des Corbières, 11200 Ornaisons,
tél. 04.68.27.09.76, fax 04.68.27.58.15,
e-mail info@cuve4eesextant.com
☑ 🍷 t.l.j. 8h-12h 14h-18h

CH. LA BASTIDE 2004 ★

25 ha 100 000 5 à 8 €

Entre Lézignan-Corbières et la vallée de l'Aude, cette bastide restaurée avec soin campe sa silhouette d'une sobriété toute classique. Elle s'entoure d'un vaste domaine (95 ha) qui, repris en 1989 par Guilhem Durand, a bénéficié ces dernières années d'efforts de restructuration. Le résultat ? De nombreuses sélections dans le Guide. Cette cuvée aux reflets grenat, pour être légère en couleur, n'en est pas moins fort séduisante. Friande au nez, sur les fruits frais, elle est équilibrée, ronde, et persiste longuement sur des notes de garrigue. Un vin moderne, bien pensé et prometteur. **L'Optimée rouge 2004 (8 à 11 €)** est boisée et, plus encore que la précédente, marquée par la syrah, le cépage à la mode très prisé ici (80 % de l'assemblage, complété par le grenache). Sa robe soutenue, aux reflets orangés d'évolution, son nez puissant de groseille, sa bouche vive, charpentée et élégante, sa longueur lui valent aussi une étoile.
🔑 Guilhem Durand, Ch. La Bastide, 11200 Escales,
tél. 04.68.27.08.47, fax 04.68.27.26.81 ☑ 🍷 ✶ r.-v.

CH. BEL ÉVÊQUE
Élevé en fût de chêne 2004 ★

8 ha 25 000 8 à 11 €

Une maison de vacances. Non loin de là, sur une presqu'île, un vignoble à l'abandon, entre mer et étangs. L'acteur Pierre Richard l'achète voici vingt ans et investit pour relever cette terre. Il signe un 2004 de couleur intense. Le nez penche vers les fruits à l'alcool, tandis que la bouche équilibrée privilégie une rondeur assez chaleureuse. L'élevage apporte quelques notes de torréfaction. On peut déboucher cette bouteille dès maintenant, même si ce 2004 devrait profiter d'une garde de deux ans.
🔑 SCEA Pierre Richard, Ch. Bel Évêque,
rte des Salins-du-Midi, 11430 Gruissan,
tél. 04.68.75.00.48, fax 04.68.49.09.23,
e-mail chateau.bel.eveque@wanadoo.fr
☑ 🍷 t.l.j. sf dim. 10h-13h 15h-18h

DOM. DES BLANQUIÈRES 2005 ★

■ 15,4 ha 80 000 3 à 5 €

Un deuxième nom bien occitan et plein d'enthousiasme pour la coopérative de Névian, fondée en 1936 : *Vivo lou vi !* Inutile de traduire... L'histoire régionale retiendra que cette cave a accueilli avec enthousiasme l'installation d'une ferme éolienne sur son territoire – soutien avant-gardiste (en France) au développement durable. Son rosé du Domaine des Blanquières est quant à lui susceptible de séduire les nouveaux amateurs de vins. D'un rose pâle brillant, il est aromatique, tout en finesse et équilibré. Généreux et friand, il s'accordera à la cuisine sucrée-salée fort appréciée aujourd'hui.

Vignerons coopérateurs Cellier Vivo Lou Vi!, rue de la Coopérative, 11200 Névian, tél. 04.68.93.60.62, fax 04.68.93.48.00, e-mail coop.nevian@wanadoo.fr r.-v.

CH. LE BOUÏS K 2004

■ 1 ha 4 000 15 à 23 €

Entre les étangs littoraux et la montagne de la Clape aux odeurs de garrigue, un hameau viticole acquis en 2000 par la famille de Kerouartz, devenu en quelques années un lieu d'œnotourisme haut de gamme : chambres d'hôtes, gîtes, bar, restaurant. Coup de cœur dans la dernière édition pour un 2003, le domaine a proposé cette année une cuvée très marquée par la syrah (90 % de l'assemblage avec un appoint de grenache) et par l'élevage. Un vin qui respire la puissance, les fruits mûrs, le laurier et le romarin. Une touche de poivre et de coriandre. De l'étoffe, et des tanins encore très présents. À oublier trois ans en cave.

De Kerouartz, SCEA Ch. Le Bouïs, rte Bleue, 11430 Gruissan, tél. 04.68.75.25.25, fax 04.68.75.25.26, e-mail chateau.le.bouis@wanadoo.fr r.-v. 7 E

LE C DE CAMPLONG 2003 ★

■ 4 ha 6 600 15 à 23 €

Abritée par le mont Alaric, cette coopérative fondée en 1932 vinifie 293 ha de vignes. Elle s'attache depuis longtemps à valoriser sa production par une politique de qualité, en proposant par exemple des cuvées haut de gamme comme celle-ci, à l'étiquette moderne et graphique. Quatre cépages sont assemblés dans ce vin élevé quatorze mois sous bois : de la syrah (50 %), du grenache, du (vieux) carignan et du mourvèdre. La robe pourpre intense, profonde et brillante, annonce un nez puissant et complexe, confituré et grillé. Rond et suave en attaque, le palais est équilibré et concentré : de la matière et de l'harmonie.

Vignerons de Camplong, av. de la Promenade, 11200 Camplong-d'Aude, tél. 04.68.43.60.86, fax 04.68.43.69.21, e-mail vignerons-camplong@wanadoo.fr t.l.j. sf dim. 8h-12h 14h-18h

CH. DE CARAGUILHES 2005 ★★

■ 3 ha 10 000 11 à 15 €

Ancienne grange de l'abbaye de Lagrasse, puis terre noble. Château construit à l'époque d'Henri IV. L'un des plus vastes domaines (96 ha) du sud de la France cultivé en agriculture biologique. Il est vrai que son écosystème, dans un pays de coteaux et de vallées protégés de l'humidité par une garrigue toujours présente, se prête à cette démarche. La production ne manque pas de personnalité. Voyez ce blanc limpide et brillant, au nez intense de fruits blancs, légèrement citronné. En bouche, il est ample, fin et élégant, avec une vivacité bienvenue qui se prêtera à un accord avec des produits de la mer. Deux étoiles aussi pour le **rosé 2005**, lumineux dans le verre, puissant, floral et charmeur au nez. Richesse, ampleur, finale en dentelles, ce vin n'a qu'un défaut : son prix.

Ch. de Caraguilhes, 11220 Saint-Laurent-de-la-Cabrerisse, tél. 04.68.27.88.99, fax 04.68.27.88.90, e-mail chateau.caraguilhes@louis-max.fr t.l.j. sf sam. dim. 8h-12h 13h30-17h30; ven. 8h-12h

Laurent Max

CH. CASCADAIS 2004

■ 24 ha 116 000 5 à 8 €

Encore un Médocain pour s'intéresser au Languedoc viticole : le propriétaire de ce domaine de 64 ha n'est autre que Philippe Courrian, qui détient aussi Tour Haut Caussan, cru bourgeois supérieur en médoc. Composé de cinq cépages (syrah, grenache et carignan avec un appoint de cinsault et de mourvèdre), ce corbières grenat foncé mêle au nez le boisé de l'élevage, des notes animales et une touche d'eucalyptus. Sa structure n'est pas énorme, mais il plaît par sa rondeur fruitée et ses tanins déjà polis.

Philippe Courrian, 28, rue Beurada, 11220 Saint-Laurent-de-la-Cabrerisse, tél. 05.56.09.00.77, fax 05.56.09.06.24, e-mail courrian@tourhautcaussan.com r.-v.

LES CLOS PERDUS Cuvée 21 2004 ★

■ 1,6 ha 7 000 8 à 11 €

Fermier dans le Wiltshire, Hugo Stewart s'est associé à Paul Old, ancien danseur formé à l'œnologie en Australie, pour acheter et exploiter en bio quinze parcelles dispersées dans les Corbières (9 ha en tout). Leur cuvée 21, issue de vignes de quarante ans, assemble le grenache (70 %), le mourvèdre et le carignan : ni syrah, ni bois pour ce vin rubis limpide, floral, fruité et poivré au nez, avec un soupçon d'animal. La bouche équilibrée reste sur le fruit. Un vin gourmand à servir dès maintenant sur des grillades.

Hugo Stewart et Paul Old, 17, rue du Marché, 11440 Peyriac-de-Mer, tél. 06.70.08.00.65, fax 04.68.41.10.70, e-mail hugo@lesclosperdus.com r.-v. D

DOM. LA COMBE GRANDE 2005 ★

■ 3 ha 8 000 3 à 5 €

Dominé au nord-ouest par le mont Alaric, cet important domaine (75 ha) présente une synthèse de l'appellation par son altitude, son exposition et la diversité de ses sols. Le grenache (85 %) et un appoint de syrah sont à l'origine de ce rosé saumon brillant, au nez puissant mêlant les fruits secs (noisette) et les fruits rouges (framboise). Vif, gourmand, volumineux, ce vin pourra accompagner des grillades.

Jacques Tibie, SCEA Dom. Combe Grande, 23, av. de la Promenade, 11200 Camplong-d'Aude, tél. et fax 04.68.43.51.73 r.-v.

ROSÉ DES DEMOISELLES 2005 ★

■ 8 ha 30 000 3 à 5 €

Qui sont ces Demoiselles ? Des viticultrices qui ont géré cette coopérative fondée en 1914 pendant que les hommes étaient au front. Cette cave, qui vinifie 800 ha de vignes, a une longue tradition dans l'innovation et la recherche de vins typiques et de caractère. D'un rose pâle brillant, ce rosé exprime avec intensité les fruits et les fleurs blanches et séduit en bouche par son côté rafraîchissant, qui en fait un très bon représentant de l'appellation. Le **blanc de blancs des Demoiselles 2005**, assemblage de grenache, macabeu, bourboulenc et marsanne, obtient la même note. Discret au nez, il se montre gras et long. Le 2002 avait obtenu un coup de cœur.

SCV Cellier des Demoiselles,
5, rue de la Cave, 11220 Saint-Laurent-de-la-Cabrerisse,
tél. 04.68.44.02.73, fax 04.68.44.07.05,
e-mail coopstlaurent@wanadoo.fr
t.l.j. sf sam. dim. 8h-12h 14h-18h

CH. LA DOMÈQUE Élevé en fût de chêne 2004 ★★

6,66 ha 40 000 5 à 8 €

Installé non loin de Narbonne, Frédéric Roger, avec une belle régularité, produit des cuvées fort bien accueillies des jurés du Guide. Des vins authentiques comme ce 2004 profond et brillant, qui gagnera à attendre avant d'accompagner une pièce de viande rouge. Intense et complexe, le nez mêle les fruits rouges confiturés et des nuances d'épices douces, de poivre et de cèdre. La bouche charnue aux tanins ronds conjugue, elle aussi, la puissance et la finesse et persiste longuement. De la classe et de l'avenir (au moins trois ans).

Roger, Ch. La Domèque, 11200 Canet-d'Aude,
tél. 04.68.27.84.50, fax 04.68.27.84.51,
e-mail accueil@froger-vignobles.com r.-v.

DURBANUM 2004 ★

n.c. n.c. 8 à 11 €

À l'ouest, la montagne du Tauch. Tout proche, à l'est, le château d'Aguilar ; à peine plus loin, celui de Quéribus. C'est au milieu de la garrigue rocailleuse, ensoleillée et battue par les vents, que s'étendent les vignes à l'origine de ce vin diffusé par une maison de négoce. Pourpre brillant, ce 2004 présente un nez floral accompagné d'une pointe de figue et relevé d'épices. Franc à l'attaque, souple et soyeux, il est bien équilibré, frais en finale. Déjà prêt, il pourra être servi avec de l'agneau.

Vins Vents Vignerons, rte de Faste, 11350 Tuchan,
tél. 04.68.45.06.37, fax 04.68.45.45.29,
e-mail r.ferrer@mont-tauch.com

CH. DES ERLES La Récaoufa 2004 ★

n.c. 6 500 23 à 30 €

Jacques et François Lurton dans leurs œuvres languedociennes. Ce vaste château des Erles acquis il y a quelques années traduit l'intérêt actuel des Bordelais pour ces terres méditerranéennes. Cette Récaoufa à la consonance chaleureuse revêt une robe brillante et profonde. Le nez associe des notes épicées et poivrées et des fragrances délicates de fruits rouges, dans un environnement de garrigue plein d'attraits. La bouche présente une chair et une générosité typiques. La finale laisse une impression d'équilibre et d'harmonie.

SA Jacques et François Lurton,
Dom. de Poumeyrade, 33870 Vayres,
tél. 05.57.55.12.12, fax 05.57.55.12.13,
e-mail jfl@jflurton.com

CH. DE FONTENELLES Renaissance 2004 ★

6 ha 20 000 11 à 15 €

Douzens est situé entre Narbonne et Carcassonne. Au sud, la montagne de l'Alaric. La famille Tastu est enracinée dans ces coteaux, puisque ses ancêtres habitaient déjà les lieux au début du XVIIIe s. La dernière génération, installée en 1985, cultive 40 ha en culture raisonnée. Sa cuvée Renaissance s'habille d'un rouge profond et offre une nez réglissé intense. Agréable, la bouche révèle une structure moyenne. À déboucher dans les deux ans.

Thierry Tastu, Dom. de Fontenelles,
78, av. des Corbières, 11700 Douzens,
tél. et fax 04.67.58.15.27,
e-mail t.tastu@fontenelles.com r.-v.

GRAFFAN 2005 ★★★

1,28 ha 8 533 3 à 5 €

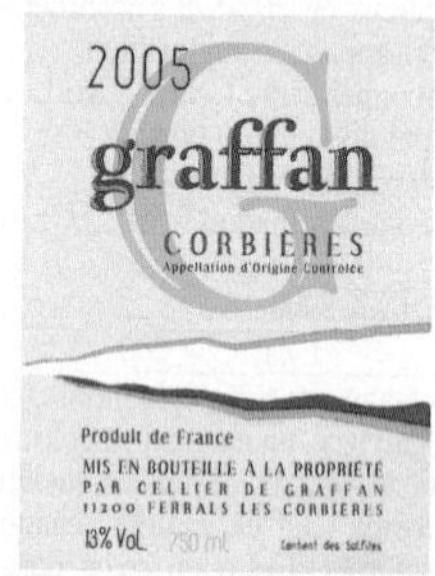

Graffan est le fleuron de la coopérative de Ferrals-les-Corbières, dans la vallée de l'Orbieu. Ce domaine, situé au cœur du village, sur la route de la mer, a été acquis par la cave en 1991 : on y accueille l'été les visiteurs avant d'y fêter la fin des vendanges en réunissant les villageois pour une soirée « châtaignes ». Ici, l'œnotourisme n'est pas un vain mot. Ce vin vaut le détour. On aimerait le goûter après avoir parcouru le sentier pédestre vigneron qui relie Ferrals et Boutenac. La robe limpide brille de reflets verts lumineux. Bien ouvert et insistant, intense et délicat à la fois, le nez associe les fleurs blanches et le cassis. Très expressive elle aussi, d'un superbe équilibre, la bouche emporte l'adhésion par sa persistance aromatique soulignée d'une grande fraîcheur.

Cellier de Graffan, av. des Vignerons,
11200 Ferrals-les-Corbières, tél. 04.68.27.83.80,
fax 04.68.27.83.84, e-mail cave.ferrals@wanadoo.fr
t.l.j. sf sam. dim. 8h-12h 14h-18h

DOM. DU GRAND ARC
Cuvée des Quarante 2004 ★★★

4 ha 15 000 5 à 8 €

Fabienne et Bruno Schenck ont pris un nouveau départ en créant dans les années 1990 ce domaine dans les hautes Corbières, proche des châteaux de Quéribus et de Peyrepertuse : 15 ha aux confins du Roussillon. Heureuse reconversion, qui vaut à l'amateur des vins souvent couverts d'étoiles, alliant un grand caractère à la délicatesse. On retrouve cette année la cuvée des Quarante dans un millésime superbe. Profonde et brillante, la robe donne envie de humer le vin. Le nez riche et élégant se partage entre les fruits et le chêne dans une belle harmonie. Avec un boisé bien fondu et des tanins soyeux, la bouche séductrice promet beaucoup. Un vin de garde : attente recommandée (deux à trois ans). Également boisée, la cuvée **En sol majeur rouge 2004 (8 à 11 €)** est citée pour son nez complexe et sa bouche solide, encore ferme.

Dom. du Grand Arc, Le Devez, 11350 Cucugnan,
tél. et fax 04.68.45.01.03, e-mail info@grand-arc.com
r.-v. 2
Bruno Schenck

CH. DU GRAND CAUMONT Impatience 2004 *

■ 8,6 ha 46 000 8 à 11 €

Implanté à l'emplacement d'une *villa* romaine, le Grand Caumont a un passé. Château du XIXes. (un édifice plus ancien brûla à la Révolution), tour mauresque, parc arboré, le cadre est intéressant. Le domaine (95 ha aujourd'hui) a été acquis au début du XXes. par Louis Rigal, également producteur de roquefort. Carignan et syrah (40 % chacun) avec un appoint de grenache composent cette cuvée de caractère. Pourpre profond, ce 2004 associe plaisamment au nez fruits rouges bien mûrs, fruits secs, notes grillées. Une attaque fine, aromatique, introduit une bouche étoffée, aux tanins présents mais fondus. De la classe et de l'avenir (cinq ans de garde).

SARL F.L.B. Rigal,
Ch. du Grand Caumont, 11200 Lézignan-Corbières,
tél. 04.68.27.10.82, fax 04.68.27.54.59,
e-mail chateau.grand.caumont@wanadoo.fr
t.l.j. sf dim. 8h-12h 13h-18h; sam. sur r.-v.

DOM. DU GRAND CRÈS Cuvée majeure 2003 *

■ 3 ha 12 000 11 à 15 €

Un vin signé par un ancien régisseur de la Romanée-Conti, installé près de Boutenac depuis 1989. Très réussie dans le millésime précédent, sa Cuvée majeure fait la part belle à la syrah (90 %), complétée par le grenache. Son nez intense associe des notes fruitées à des nuances animales évoquant le cuir. Cette palette se retrouve dans un palais ample et rond, aux tanins souples et élégants. À déboucher dès maintenant.

Hervé Leferrer,
40, av. de la Mer, 11200 Ferrals-les-Corbières,
tél. 04.68.43.69.08, fax 04.68.43.58.99,
e-mail grand.cres@wanadoo.fr r.-v.

DOM. DE LA GRANGE 2004 *

■ 3,48 ha 17 000 5 à 8 €

Situé dans les hautes Corbières, dans un vallon au nord de la Serre de Quintilien, ce domaine a la particularité d'être implanté sur des schistes. Rubis brillant, ce vin présente un nez plutôt discret, tout en finesse. Sans dominante marquée, il hésite entre le minéral, l'animal et la garrigue. La bouche souple est dans la continuité du nez. Le boisé n'en est pas absent. Un vin original qui devrait satisfaire les nouveaux consommateurs.

Les Maîtres Vignerons de Cascastel, Grand-Rue,
11360 Cascastel, tél. 04.68.45.91.74, fax 04.68.45.82.70,
e-mail info@cascastel.com t.l.j. 8h-12h 14h-18h

CH. HAUTERIVE LE HAUT
Élevé en fût de chêne 2004 *

■ 8,5 ha 54 000 3 à 5 €

Le terroir de Boutenac produit des vins puissants traditionnellement élevés sous bois. C'est le cas de ce 2004 de couleur soutenue, issu de quatre cépages (50 % de carignan). Le nez fin et élégant suggère la résine. Franc à l'attaque, le palais est vif et rond, équilibré et long. Son côté souple, friand et gourmand devrait plaire. Une étoile encore pour la cuvée **Taïti rouge 2004 (5 à 8 €)** née de vieux ceps et elle aussi élevée dans le chêne. Une robe pourpre profond, un nez se partageant entre la vanille, les épices et les fruits rouges, une bouche fine, ronde, aux tanins assagis, une finale longue et aromatique pour cette bouteille à déguster sans se hâter.

Jean-Marc Reulet, Ch. Hauterive-le-Haut,
ancien chem. de Ferrals, 11200 Boutenac,
tél. 04.68.27.62.00, fax 04.68.27.12.73,
e-mail contact@hauterive-le-haut.com r.-v.

CH. HAUT GLÉON Élevé en fût de chêne 2004 *

■ 18,09 ha 50 000 8 à 11 €

Les Treilles, seigneurs de Gléon, reçurent cette terre du vicomte de Narbonne en 1223 et furent maîtres des lieux pendant six cent trente-huit ans avant de céder la propriété en 1861. Les Duhamel, qui l'ont acquise en 1991, ont fait du château un lieu de culture accueillant aux visiteurs. Ses vins intéressent souvent le Guide. Ce 2004, paré d'une robe soutenue et brillante, réserve un grand plaisir avec son nez puissant et réglissé, sa bouche généreuse, aromatique et longue. Une étoile également pour le **blanc 2005 Élevé en fût de chêne (11 à 15 €)**, assemblage de quatre cépages (roussanne, grenache blanc, marsanne et bourboulenc). Un nez de toast et de fruits mûrs, une bouche élégante pour ce vin qui appelle une viande blanche aux morilles et, pourquoi pas, aux truffes. Quant au **rosé 2005**, cité, il est gras, rond et... boisé.

Léon-Nicolas Duhamel, Ch. Haut-Gléon,
11360 Villesèque, tél. 04.68.48.85.95,
fax 04.68.48.46.20, e-mail contact@hautgleon.com
t.l.j. 9h-12h 14h-19h 5 E

CH. DE L'HORTE Réserve spéciale 2003 *

■ 4 ha 12 000 5 à 8 €

Le nom de ce château suggère un jardin. Jean-Pierre Biard et Johanna van der Spek ont trouvé ici leur jardin secret dont ils partagent les richesses. Quatre cépages et de très vieux ceps (quatre-vingts ans) sont à l'origine de cette Réserve spéciale d'un rubis intense et brillant aux nuances grenat. Le nez n'évoque pas l'orchidée, comme pourrait le suggérer la jolie étiquette, mais il n'en est pas moins agréable avec ses senteurs de fruits compotés. Présent en bouche, ample et élégant, ce vin laisse en finale une impression d'équilibre. Un corbières de très bonne facture qui accompagnera la cuisine locale, notamment le gibier à poil.

Jean-Pierre Biard et Johanna van der Spek,
Ch. de L'Horte, 11700 Montbrun-des-Corbières,
tél. 04.68.43.91.70, fax 04.68.43.95.36,
e-mail horte@wanadoo.fr r.-v. D

CH. DE L'ILLE 2004 **

■ 8 ha 46 500 5 à 8 €

Un site merveilleux pour cette propriété, située sur une presqu'île, entre les étangs de Bages et de Sigean et la garrigue. Un terroir intéressant de longue date: dans l'Antiquité, il y avait ici une *villa* romaine. Il engendre des

LANGUEDOC

vins typiques, puissants dans l'équilibre, pleins de charme sans manquer de caractère. Ce 2004 affiche une robe sombre et profonde et un nez aromatique où le pin, le thym et la vanille se répondent. Ample et rond à souhait, soutenu par des tanins soyeux, cette bouteille fera plaisir dès maintenant avec une pièce de bœuf ou du gibier à poil.

Ch. de L'Ille, 11440 Peyriac-de-Mer,
tél. 04.68.41.05.96, fax 04.68.42.81.73,
e-mail chateau-de-lille@wanadoo.fr r.-v.

CH. DE LASTOURS Réserve 2004 ★★

5,7 ha 21 000 15 à 23 €

Racheté en 2004, le château de Lastours a deux amours : les sports mécaniques et les vins. Le vaste domaine (100 ha) couvre des plateaux dominant la Grande Bleue, à des altitudes très variées. Trois bouteilles sur la ligne d'arrivée. À la première place, cette Réserve, un vin opulent au nez de pruneau un rien mentholé, prolongé par une bouche confiturée. De la matière, de la longueur (« superbe fond de verre », souligne un dégustateur) et des perspectives de garde (six ans recommandés). Deux cuvées obtiennent une étoile : le **blanc 2005 (8 à 11 €)**, au nez de tilleul un rien muscaté (10 % de muscat à petit grain à côté du bourboulenc et du grenache), franc et généreux ; et la **cuvée Simone Descamps rouge 2004 (5 à 8 €)**, un vin élevé sous bois mais surtout marqué par le fruit rouge frais.

SCA Famille P. et J. Allard,
Ch. de Lastours, 11490 Portel-des-Corbières,
tél. 04.68.48.64.74, fax 04.68.40.06.94,
e-mail contact@chateaudelastours.com
t.l.j. 9h-12h30 13h30-18h; f. dim. oct.-mai

CH. DE LUC
Les Murets Élevé en fût de chêne 2004 ★

n.c. 80 000 5 à 8 €

Quatorze générations se sont succédé jusqu'à Louis Fabre, aux commandes de la propriété depuis 1992. Le château domine le village de Luc-sur-Orbieu, et ses caves souterraines anciennes recèlent un chai à barriques où a dû séjourner cette cuvée. Le vigneron élabore des vins plaisir qui expriment bien le terroir. Celui-ci, d'un pourpre lumineux engageant, présente un nez puissant, très marqué par un boisé fumé et vanillé. En bouche, il est équilibré, aromatique (la vanille laisse une place aux fruits rouges) et ne manque pas de longueur. De la matière, du caractère, mais aussi de la délicatesse.

Louis Fabre, Ch. de Luc, 11200 Luc-sur-Orbieu,
tél. 04.68.27.10.80, fax 04.68.27.38.19,
e-mail vignoble.louisfabre@wanadoo.fr
t.l.j. 9h-12h 14h-17h; sam. dim. sur r.-v.

RÉSERVE DU CH. MANSENOBLE 2004 ★

17 ha 25 000 11 à 15 €

Niché au pied de la montagne d'Alaric, ce domaine est la propriété d'un grand connaisseur venu de Belgique il y a plus de dix ans. Ses étiquettes élégantes sur lesquelles le domaine apparaît en relief par un gaufrage ont été reproduites plus d'une fois dans le Guide (coups de cœur pour un 2001 et un 1998). Quant à ce 2004, il revêt une robe grenat profond. Le nez exprime les fruits mûrs (cassis) et la prune à l'eau-de-vie. Sa souplesse, ses tanins fondus confèrent un côté tendre au palais qui finit sur une touche épicée. S'il a du potentiel (deux ans), ce vin peut déjà accompagner une perdrix au chou.

Guido Jansegers, Ch. Mansenoble, 11700 Moux,
tél. 04.68.43.93.39, fax 04.68.43.97.21,
e-mail mansenoble@wanadoo.fr
t.l.j. 9h30-11h30 14h30-17h30;
sam. dim. sur r.-v.

CH. MEUNIER SAINT-LOUIS 2005 ★

5 ha 24 600 5 à 8 €

Régulièrement présent dans le Guide, ce vaste domaine (140 ha) est implanté sur des terrasses anciennes de l'ère tertiaire dont les sols de galets roulés de quartz confèrent aux vins qui en sont issus une personnalité riche et puissante. Trois cépages ont engendré ce corbières blanc : le grenache blanc, le bourboulenc et, pour une faible part, le rolle, lentement pressurés et élevés sur leurs lies. Une robe brillante aux reflets verts, un nez floral (lilas) pour ce 2005 souple en bouche, aromatique et long, offrant une belle harmonie entre le nez et le palais. le **blanc A Capella 2005 (8 à 11 €)** a connu le bois. Dominé par le grenache blanc complété par le rolle, il est ample et long. Il plaira aux amateurs de vins blancs élevés en barrique.

Ph. Pasquier-Meunier, Ch. Meunier Saint-Louis,
11200 Boutenac, tél. 04.68.27.09.69, fax 04.68.27.53.34,
e-mail info@pasquier-meunier.com r.-v.

CH. MONTAURIOL RIGAUD
Grande Réserve 2003 ★

18,23 ha n.c. 5 à 8 €

Situé au cœur des Corbières centrales, ce domaine bénéficie de son exposition en amphithéâtre qui permet d'obtenir des vins de caractère. Celui-ci, né de carignan, de syrah et de grenache, s'habille d'un grenat sombre évoquant la cerise mûre. Le nez complexe et intense offre une variation sur les fruits rouges. La bouche encore ferme finit sur des nuances de violette. Cette bouteille pourra accompagner dès maintenant des grillades.

SCAV Cellier Roque d'Agnel,
38, av. de la Mer, 11200 Thézan-des-Corbières,
tél. 04.68.43.32.13, fax 04.68.43.35.24,
e-mail scav-thezan@tiscali.fr r.-v.

CH. MONTRABECH-PITT 2004 ★

n.c. 25 000 5 à 8 €

Non loin du domaine, le canal du Midi, artère calme et souvent verte, accueillante aux promeneurs. Le vignoble s'étend sur 50 ha autour de la petite cité viticole de Lézignan-Corbières. Grenache (50 %), syrah, carignan et un soupçon de mourvèdre sont assemblés dans cette cuvée pourpre intense, qui révèle surtout son élevage dans son nez intense aux nuances de boisé, de café, de pain d'épice et de sous-bois. Le fruit noir parle dans une bouche ronde et assez dense. À déguster sans se hâter avec agneau, civet et fromage.

Marie-Paule Pitt, 10, rue Dantoine,
11000 Carcassonne, tél. et fax 04.68.25.56.18,
e-mail pitt.marie.paule@wanadoo.fr r.-v.

CH. OLLIEUX ROMANIS Cuvée or 2003

5 ha 7 000 15 à 23 €

Sur ce vaste domaine, des vestiges gallo-romains et les ruines d'un prieuré qui dépendait de l'abbaye de Fontfroide. Quelques très vieilles vignes (soixante-dix ans) sont à l'origine de cette cuvée, assemblage de carignan, de grenache et de mourvèdre, avec un soupçon de syrah. Un vin pourpre, expressif et élégant, où les fruits cuits se mêlent à la vanille de l'élevage tout au long de la dégustation. Étoffé, bien structuré, harmonieux de bout en bout, il est prêt à paraître à table.

Jacqueline Bories, Ch. Ollieux Romanis,
TM 13, 11200 Montséret, tél. 04.68.43.35.20,
fax 04.68.43.35.45, e-mail ollieuxromanis@hotmail.com
t.l.j. 9h-18h

CH. LES PALAIS Cuvée Tradition 2003

12 ha 70 000 5 à 8 €

Ces Palais étaient en fait des bâtiments abbatiaux. Le monastère, fondé au XIIe s. et tombé à l'abandon, fut repris par la famille de Volontat en 1820. Du Moyen Âge reste une chapelle qui abrite le caveau de dégustation. Le domaine (140 ha) s'est distingué dans les éditions précédentes par plusieurs cuvées remarquables et deux coups de cœur. Ce 2003 assemble carignan (55 %), grenache et syrah. Sa robe rubis profond se teinte de reflets d'évolution. Son nez puissant associe le fruit confit et la pivoine. Une attaque douce introduit une bouche harmonieuse, suave et fondue : une bouteille à déboucher maintenant.

Anne et Xavier de Volontat,
Ch. Les Palais, 11220 Saint-Laurent-de-la-Cabrerisse,
tél. 04.68.44.01.63, fax 04.68.44.07.42,
e-mail chateau.les.palais@wanadoo.fr
t.l.j. 9h-12h 14h-18h

PRIEURÉ SAINTE-MARIE-D'ALBAS
Quatre Saisons 2004 *

1,2 ha 4 000 11 à 15 €

Situé sur le flanc nord de la montagne d'Alaric, le prieuré, du XIIIe s., a été rattaché en 1700 à l'abbaye de Lagrasse. Les vins du domaine sont régulièrement « étoilés » dans le Guide, et même souvent jugés remarquables. Celui-ci, issu de vignes de quarante ans, assemble syrah, grenache, mourvèdre et carignan. La robe sombre montre de brillants reflets violines, le nez complexe décline les fruits rouges confiturés et les épices. Une attaque tendre et fruitée prélude à une suite plus tannique. Une belle concentration du fruit dans ce vin en devenir, qui devrait bénéficier d'une petite garde (deux ans).

Gisèle et Jean-Louis Galibert,
Prieuré Sainte-Marie-d'Albas, 11700 Comigne,
tél. 04.68.79.09.64, fax 04.68.79.28.39,
e-mail ste-marie-albas@wanadoo.fr r.-v.

DOM. PY Antoine 2004 *

3 ha 6 000 5 à 8 €

Situé au cœur de l'aire d'appellation, ce domaine de 30 ha a rénové sa cave en 2003. Sa cuvée Antoine, née de la trilogie syrah-grenache-carignan, se présente dans une robe intense, brillante et profonde. Le nez explore la vanille. On retrouve en bouche ce boisé vanillé et grillé, qui laisse s'exprimer le fruit. La matière est là et la persistance notable. Attente recommandée (deux à trois ans), même si les impatients peuvent déboucher cette bouteille dès maintenant.

Jean-Pierre Py, 131, av. des Corbières,
11700 Douzens, tél. et fax 04.68.79.21.53,
e-mail py.jeanpierre@wanadoo.fr r.-v.

CH. RÉVEILLON
Cuvée Roches grises Élevé en fût de chêne 2004 **

4,2 ha 13 000 5 à 8 €

Philippe Nougaret est installé depuis 1997 sur le domaine acquis par sa famille dans les années 1960 et situé aux portes de Narbonne, face à l'étang de Bages : un environnement équilibré entre chaleur et humidité, soleil et vent. Carignan et grenache, avec un appoint de 10 % de syrah, ont donné naissance à un vin brillant et au nez expressif, qui rappelle à un dégustateur la forêt méditerranéenne. Les fruits rouges très mûrs sont aussi de la partie. La bouche est vive, gourmande et complexe. La **cuvée Vieilles Vignes 2003 (3 à 5 €)** n'a pas connu le bois. Composée des mêmes cépages que la précédente, elle comprend davantage de syrah (30 %), mais autant de carignan (50 %). Robe profonde, nez de fleurs et de fruits rouges, bouche élégante et très fruitée : une étoile. Des vins révélateurs d'une évolution régionale prometteuse.

Philippe Nougaret, rte de Perpignan,
RN 9, 11100 Bages-d'Aude,
tél. 06.20.64.61.64, fax 04.68.42.30.46,
e-mail chateau.reveillon@wanadoo.fr
t.l.j. sf dim. 10h-12h 15h-19h

CH. ROMILHAC Les Terrasses 2004 **

2,3 ha 7 500 11 à 15 €

Un coup de cœur pour cette même cuvée dans le millésime précédent. Un autre pour un 2001. Et deux fois deux étoiles dans cette édition, ce qui témoigne du sérieux de cet artisan-vigneron (moins de 10 ha), qui a acquis son domaine en 1992. Une architecture du XVIIe s., mais un vignoble à restructurer. Premières mises en 2000 et très vite des étoiles dans le Guide. De couleur soutenue, ces Terrasses, dominées par la syrah (70 %) avec un appoint de grenache et de carignan, développent un fruité complexe, réglissé et légèrement fumé. En bouche, le bois et le fruit vivent en harmonie. De la personnalité et de l'avenir. Mêmes éloges pour la **cuvée Rapsodie 2003** (assemblage analogue à la précédente) : robe profonde, nez fruité accompagné d'un toasté élégant, bouche d'une rondeur séduisante, finale puissante. Un vin bien élevé à déboucher maintenant.

Élie et Nadia Bouvier, Ch. Romilhac,
chem. des Geyssières, 11100 Narbonne,
tél. et fax 04.68.41.59.67,
e-mail chateau-de-romilhac@wanadoo.fr r.-v.

ROQUE SESTIÈRE
Carte blanche Élevé en fût de chêne 2004 *

2 ha 7 000 5 à 8 €

Valeur sûre de l'appellation, régulièrement étoilée, cette propriété a pris son essor en 1978. Depuis 2003, elle a réduit de moitié sa superficie (12 ha aujourd'hui) pour centrer ses efforts sur la qualité et la vente en bouteilles : elle s'est dotée cette même année d'une nouvelle cave. Syrah (60 %) et carignan sont assemblés dans ce 2004 à la robe dense et profonde, et dont le nez annonce une matière mûre et équilibrée. Fruitée et fraîche, c'est une bouteille dans le goût moderne. La finale boisée est fort séduisante. À servir sur de la viande en sauce. Le **Vieilles Vignes blanc 2005** obtient une citation.

EARL Roland Lagarde, Roque Sestière,
8, rue des Étangs, 11200 Luc-sur-Orbieu,
tél. 04.68.27.18.00, fax 04.68.27.04.18,
e-mail roque.sestiere@wanadoo.fr
t.l.j. sf dim. 10h-18h

CH. SAINT-JAMES Prieuré 2004

19 ha 80 000 5 à 8 €

Ce domaine proche de Narbonne signe un corbières grenat aux reflets cerise, né d'un assemblage de syrah

(50 %), de grenache et de mourvèdre. Il a connu le bois, mais cet élevage de huit mois l'a peu marqué. Au nez s'expriment des notes vives de petits fruits. Ces impressions se poursuivent dans une bouche fraîche à l'attaque, souple et fruitée. Le type même du vin friand, à servir dès maintenant.

Christophe Gualco, Ch. Saint-James, 11200 Névian, tél. 04.68.27.00.03, fax 04.68.27.24.63, e-mail christophe.gualco@wanadoo.fr t.l.j. 8h-12h 14h-19h

CH. SAINT-JEAN-DE-LA-GINESTE Rosée de la Saint-Jean 2005 ★★

n.c. 15 000 3 à 5 €

Situé sur la route des abbayes (Fontfroide, Lagrasse), ce domaine a misé sur l'œnotourisme en offrant à l'amateur un gîte rural. Il propose un rosé léger en couleur mais brillant. Les fruits rouges (framboise, fraise) dominent la palette aromatique, complétés par des notes florales (jasmin). En bouche, ce vin se distingue par un remarquable équilibre et une finale d'une rare finesse. Une bouteille à ne pas réserver à la nuit de la Saint-Jean : elle pourra accompagner toute l'année de la cuisine exotique.

Dominique et Marie-Hélène Bacave, Saint-Jean-de-la-Gineste, 11200 Saint-André-de-Roquelongue, tél. et fax 04.68.45.12.58, e-mail saintjeandelagineste@wanadoo.fr r.-v.

DOM. SERRES-MAZARD Cuvée Annie 2003 ★

2,5 ha 5 000 15 à 23 €

La famille Mazard exploite 63 ha dans le Termenès. Sa cuvée Annie, déjà distinguée dans le millésime précédent, assemble 80 % de syrah à 20 % de vieux carignan. Vêtue d'une robe grenat profond, elle décline au nez toutes les nuances du boisé (dix-huit mois de fût) : le chocolat, le café et le pain grillé, avec des notes empyreumatiques, du tabac. Le tout s'accompagne d'une touche mentholée. Cette palette se prolonge au palais, où le boisé ne masque pas le fruit. Souple et équilibré, un vin aux tanins fins que l'on peut servir dès maintenant sur des grillades. Citée, la **cuvée Henri Serres 2003 (11 à 15 €)** mise sur la trilogie syrah-carignan-grenache. À l'olfaction, des fruits rouges confiturés, de la vanille et des notes réglissées. En bouche, une puissance chaleureuse et des tanins très présents qui s'accorderont avec des plats mijotés.

Annie et Jean-Pierre Mazard, Dom. Serres-Mazard, 11220 Talairan, tél. 04.68.44.02.22, fax 04.68.44.08.47, e-mail mazard.jean-pierre@wanadoo.fr avril à oct. t.l.j. 9h-20h; hiver sur r.-v.

CH. DE TRÉVIAC 2005 ★

0,7 ha 1 600 5 à 8 €

Mentionnée dès l'an mil, cette terre de Tréviac, à la croisée de trois routes, dépendait jadis de l'abbaye de Lagrasse. Nichée entre garrigue et chênes centenaires, la propriété a été achetée par l'arrière-grand-père d'Arnaud Sié dans les années 1920. Si le domaine a une tradition viticole multiséculaire, ce vin est né de toutes jeunes vignes blanches (grenache blanc avec un peu de roussanne) : quatre ans. Cela ne l'a pas empêché d'être apprécié pour sa robe jaune pâle aux brillants reflets verts, l'élégance de ses arômes floraux, sa bouche vive et persistante à la finale enjouée.

Arnaud Sié, pl. de la République, 11220 Talairan, tél. et fax 04.68.44.09.84, e-mail treviac@wanadoo.fr r.-v.

CH. VALMONT Cuvée Sélection 2003 ★★

2,6 ha 13 000 5 à 8 €

La maison et le chai sont situés sur un îlot. Quant au vignoble, entre garrigue et étang, il a été acheté en 2000 par une famille belge qui a renouvelé son encépagement, plantant de la syrah et du mourvèdre. La cave de vinification a été rénovée en 2005. Ce 2003 n'a pas bénéficié de ces installations ; qu'importe, il a fait grande impression. Vendangé le 13 septembre, il affiche une robe intense, un nez riche et très fruité pour le millésime. Équilibré, gourmand et élégant, typique de l'appellation, il a encore deux ans devant lui, peut-être davantage.

EARL Bodson, Ch. Valmont, Ferrier, 11440 Peyriac-de-Mer, tél. 04.68.41.38.68, fax 04.68.41.05.93, e-mail domaine.valmont@wanadoo.fr r.-v.

CH. VAUGELAS Élevé en fût de chêne 2004 ★★

30 ha 140 000 8 à 11 €

Proche de Lagrasse, ce domaine fut une création des Bénédictins. Il s'étend sur 120 ha. Protégé par le mont Alaric, le vignoble révèle une forte personnalité. Des plants de carignan, de grenache et de syrah vieux d'un demi-siècle sont à l'origine de ce vin rubis au fruité remarquable, marqué par le cassis. Des tanins veloutés lui font une bouche élégante et soyeuse, le boisé reste mesuré et la persistance est notable. De la classe.

SCEA Ch. Vaugelas, 11200 Camplong-d'Aude, tél. 04.68.43.68.41, fax 04.68.43.57.43, e-mail chateauvaugelas@wanadoo.fr r.-v.

Bonfils

CH. VIEUX MOULIN Les Ailes 2004 ★★

n.c. 10 000 11 à 15 €

Vieux Moulin ? Peut-être... Mais aussi les ailes modernes des éoliennes implantées sur la commune. Espérons que la vigne continuera à favoriser, elle aussi, un développement durable. Carignan, grenache et mourvèdre à parts égales ont engendré un vin grenat brillant, mêlant au nez les fruits, les épices douces et un toasté délicat dans une belle harmonie. Cette palette se prolonge dans une bouche équilibrée, structurée, aromatique et à la longue finale épicée. Une bouteille déjà présente et qui ne manque pas d'avenir.

EARL Alexandre They et Associés, Ch. Vieux Moulin, 11700 Montbrun-des-Corbières, tél. 04.68.43.29.39, fax 04.68.43.29.36, e-mail alex.they@vieuxmoulin.net r.-v.

CH. DU VIEUX PARC La Sélection 2004 ★

10 ha 40 000 8 à 11 €

Louis Panis a pris en 1988 les rênes de cette propriété (60 ha dans la vallée de l'Aude, non loin de Lézignan-Corbières). Sa production, régulièrement mentionnée dans le Guide, témoigne de son sérieux. Cette Sélection vêtue d'une robe brillante, rubis foncé, exprime le fruit rouge dans un nez harmonieux. Cette élégance et ce fruité se prolongent dans une bouche ample et tout en finesse. Déjà prêt, ce vin pourrait se bonifier dans les deux ans qui viennent. Le 2003 avait obtenu un coup de cœur. Assemblage de grenache (80 %) et de rolle, **La Sélection blanc 2005** est citée. Son grillé sur fond d'agrumes plaira aux amateurs de vins blancs élevés en fût.

⊶ SARL Louis et Claudine Panis, Ch. du Vieux Parc, av. des Vignerons, 11200 Conilhac-Corbières, tél. 04.68.27.47.44, fax 04.68.27.38.29, e-mail louis.panis@wanadoo.fr ☑ Ƴ ⛹ r.-v.

DOM. DE VILLEMAJOU 2004 ★

■ 75 ha 400 000 ⦀ 8 à 11 €

Villa major : la grande ferme. Ce vaste domaine (110 ha aujourd'hui), conduit par Gérard Bertrand, fils de Georges, ne manque pas d'antériorité. Témoin de l'évolution des Corbières, il a été pionnier à plusieurs égards. Il fut ainsi l'un des premiers dans la région à pratiquer la vente à la propriété, dès les années 1960, et à recourir à l'élevage en fût de chêne. Sa production, pour être importante, offre ce que l'on attend de l'appellation. Élevé en fût, ce vin couleur cerise mûre exprime avant tout le raisin : ses arômes puissants et élégants évoquent le fruit rouge confituré. Des tanins doux confèrent une belle harmonie à la bouche qui finit sur des notes épicées. Attente toutefois conseillée (un an ou deux).

⊶ Gérard Bertrand, Ch. L'Hospitalet, rte de Narbonne-Plage, BP 20409, 11104 Narbonne Cedex, tél. 04.68.45.36.00, fax 04.68.45.27.17, e-mail vins@gerard-bertrand.com ☑ ⛹ t.l.j. 9h30-12h30 14h-19h 🏠 Ⓔ

CH. LA VOULTE-GASPARETS
Cuvée Romain Pauc 2004 ★

■ 12,32 ha 37 000 ⦀ 15 à 23 €

Voici trente ans que Patrick Reverdy poursuit sa quête de l'excellence. Il vient d'aménager un nouveau chai à barriques ainsi qu'un caveau de dégustation. Sa cuvée Romain Pauc a été coup de cœur dans les millésimes 2000 et 2002. Un assemblage de carignan (50 %), de grenache et de mourvèdre, la syrah ne venant qu'en appoint pour ce 2004. De très vieux ceps. Le tout donne un vin dense dans le verre et puissant au nez, aux arômes tertiaires racés et élégants rappelant le cuir. Bien équilibré, le palais est charnu et long, soutenu par des tanins solides mais agréables. Son fruité se mêle à un boisé fondu. Du caractère et de la séduction. Attente recommandée (un an ou deux) pour cette bouteille à marier à une cuisine solide. Même note pour le **blanc 2005 (5 à 8 €)**, assemblage de rolle, de grenache et de macabeu, aussi pâle de couleur que généreux et sensuel. Une bouteille élégante.

⊶ Patrick Reverdy, Ch. La Voulte-Gasparets, 11200 Boutenac, tél. 04.68.27.07.86, fax 04.68.27.41.33, e-mail chateaulavoulte@wanadoo.fr ☑ Ƴ ⛹ t.l.j. 9h-12h 14h-18h

Coteaux-du-languedoc

Cent soixante-huit communes, dont cinq dans l'Aude et dix-neuf dans le Gard, les autres étant dans l'Hérault, constituent un ensemble de terroirs disséminés en Languedoc, dans la zone des coteaux et des garrigues s'étendant de Narbonne à Nîmes, du pied de la Montagne Noire et des Cévennes à la mer Méditerranée. Ces terroirs spécialisés plus particulièrement dans le vin rouge et rosé produisent des AOC coteaux-du-languedoc, appellation d'origine contrôlée depuis 1985, à laquelle peuvent être ajoutées des dénominations particulières en rouge et rosé : la Clape et Quatourze dans l'Aude, Cabrières, Grès de Montpellier, Terrasses du Larzac, Montpeyroux, Saint-Saturnin, Pic Saint-Loup, Saint-Georges-d'Orques, la Méjanelle, Saint-Drézéry, Saint-Christol et les coteaux de Vérargues dans l'Hérault ; ainsi que deux dénominations en blanc : la Clape et Picpoul-de-Pinet. Toutes sont issues des vins renommés dans les siècles passés.

Les coteaux-du-languedoc ont produit 62 085 hl de vin blanc sur 1 400 ha et 325 536 hl de rouge et de rosé sur 8 273 ha en 2005. Six cépages dominent la production des vins rouges : carignan et cinsault (limités à 40 %) complétés par grenache noir, lladoner, mourvèdre et syrah ; grenache blanc, clairette et bourboulenc dominent en blanc, avec le piquepoul, la marsanne et la roussanne.

ABBAYE DE VALMAGNE
Grès de Montpellier Cardinal de Bonzi 2003 ★

■ 3 ha 2 000 ⦀ 15 à 23 €

Voici une nouvelle cuvée de Valmagne qui sera une raison de plus – s'il en fallait – pour visiter cette abbaye cistercienne du XII[e]s. Mourvèdre et syrah se mêlent subtilement dans ce vin à la robe violine bien jeune. Aux côtés des fruits cuits, les notes boisées dominent un peu au nez, puis se fondent en bouche dans une matière harmonieuse et bien équilibrée.

⊶ Philippe d'Allaines, Abbaye de Valmagne, 34560 Villeveyrac, tél. 04.67.78.06.09, fax 04.67.78.02.50 ☑ Ƴ r.-v.

ABBAYE DU FENOUILLET 2003

■ 0,45 ha 1 200 ▮⦀ 11 à 15 €

Havre de calme, bâtiments anciens en pierre entourés de collines plantées de vignes, ce domaine a du cachet, comme ce vin, d'un grenat brillant, aux riches senteurs de fruits rouges confiturés, de poivre et de pain toasté. Le gras, la matière enrobée en font un vin d'hiver pour accompagner les recettes méditerranéennes.

⊶ Abbaye du Fenouillet, Le Fenouillet, 34270 Vacquières, tél. 06.20.77.61.76, fax 04.67.59.03.15, e-mail abbayedefenouillet@wanadoo.fr ☑ Ƴ ⛹ r.-v. 🏠 Ⓔ

CH. D'ANGLÈS
Terroir de la Clape Élevé en fût de chêne 2004 ★

□ 12 ha 12 000 ▮⦀ 11 à 15 €

Originaire du Médoc, Éric Fabre choisit en 2001 la Clape. Trois vins du domaine reçoivent une étoile : ce 2004 au nez complexe (cire, fleurs, vanille) et à la bouche délicate et racée, mais aussi le **blanc 2005 (5 à 8 €)** qui joue davantage sur la fraîcheur. Enfin, le **rouge Terroir de la Clape 2004**, qui offre de puissants arômes de fruits noirs et d'épices et une matière qui n'a pas peur du temps.

Ch. d'Anglès, 11560 Saint-Pierre-la-Mer,
tél. 04.68.33.61.33, fax 04.68.33.90.32,
e-mail info@chateaudangles.com t.l.j. 9h-19h
Éric Fabre

DOM. ARNAL Les Mégères 2003 *

	1,5 ha	3 000		11 à 15 €

C'est en demi-muids que Frédéric et Vincent Arnal ont choisi d'élever ce vin, avec patience, durant vingt-quatre mois. Cette cuvée Les Mégères garde un fort caractère : robe grenat à nuances brunes, arômes de pain grillé, de camphre et de fruits mûrs. La bouche se montre enrobante et bien persistante avec une finale agréablement fraîche. Sur un poulet de Bresse aux morilles, ce vin fera sensation.

Dom. Arnal, 251, chem. des Aires, 30980 Langlade,
tél. 04.66.81.31.37, fax 04.66.81.83.08
t.l.j. sf dim. 9h-12h 14h-19h

LES COCALIÈRES D'AUPILHAC Montpeyroux 2004 *

	6 ha	13 000		15 à 23 €

Les vignes qui ont donné ce vin sont implantées sur le lieu-dit Les Cocalières, d'où le nom de cette cuvée bien brillante, au nez de garrigue, de fruits noirs et de boisé discret. La bouche est intéressante par sa bonne présence et sa finale marquée par la vivacité. Si l'on vous conseille une brouillade aux truffes, laissez-vous tenter.

Sylvain Fadat, 28, rue du Plô, 34150 Montpeyroux,
tél. 04.67.96.61.19, fax 04.67.96.67.24,
e-mail aupilhac@aupilhac.com r.-v.

CH. DE BEAULIEU Lion de Pourpre 2004 *

	0,5 ha	2 200		8 à 11 €

Au cœur d'un terroir déjà cultivé par les Romains, Le Nôtre dota le parc du château d'un jardin à la française. Ce vin a l'élégance et la délicatesse requises dans un tel lieu : robe vive grenat, nez très intéressant aux notes minérales, puis aux nuances de violette et de vanille, bouche fine et complexe sans concentration excessive. Pour un mets raffiné.

Georges de Ginestous, baron de La Liquisse,
28, pl. de l'Église, 34160 Beaulieu-en-Languedoc,
tél. 04.67.86.45.45, fax 04.67.86.44.44,
e-mail contact@ginestous.com r.-v.

BEAUVIGNAC Picpoul de Pinet 2005 *

	150 ha	1 200 000		3 à 5 €

Il n'a rien de confidentiel, ce Picpoul de Pinet bien typique et traditionnel, avec sa robe claire étincelante aux reflets verts, ses notes fines de citronnelle et de fleurs blanches, sa bouche vive et harmonieuse. Idéal sur des huîtres de Bouzigues.

Cave Coop. Les Costières de Pomerols,
av. de Florensac, 34810 Pomerols, tél. 04.67.77.01.59,
fax 04.67.77.77.21, e-mail info@cave-pomerols.com
t.l.j. 8h30-12h 14h-18h

DOM. DE BELLE MARE Picpoul-de-Pinet 2005

	4,72 ha	34 000		3 à 5 €

De couleur jaune pâle, ce vin discret au nez s'ouvre en bouche sur des notes de pamplemousse et de fleurs blanches. L'équilibre plaisant et bien vif est dans la caractéristique des Picpoul-de-Pinet. À ne pas manquer si vous passez près de l'étang de Thau.

SA Dom. de Belle Mare, CD 18, 34140 Mèze,
tél. 04.67.43.17.68, fax 04.67.43.14.68,
e-mail contact@belle-mare.com
t.l.j. 8h30-12h30 13h30-17h30 (ven . 16h30); f.sam. dim. (hors été)
Fabienne Capello

DOM. BELLES PIERRES Les Clauzes de Jo 2004 **

	2 ha	9 000		8 à 11 €

Un très beau palmarès pour Damien Coste : **Les Clauzes de Jo rouge 2004**, au boisé déjà fondu, ainsi que le **Chant des Âmes rouge 2003 (11 à 15 €)**, encore en devenir, obtiennent une étoile. Quant à ce blanc, il marie finesse et typicité : une robe or paille, un bouquet de fleurs blanches aux côtés de notes minérales et vanillées, une bouche ronde et diablement alléchante.

Damien Coste, 24, rue des Clauzes,
34570 Murviel-lès-Montpellier, tél. et fax 04.67.47.30.43,
e-mail bellespierres@wanadoo.fr
t.l.j. sf dim. 10h-12h30 17h-19h30

LE BIEN DÉCIDÉ 2003 *

	3 ha	8 160		23 à 30 €

Voici la première récolte du domaine de Gérard Depardieu installé à Aniane et géré par le Bordelais Bernard Magrez. Tout a été bichonné : faibles rendements, maturité optimale, vendange et tri manuels, élevage en barrique neuve de chêne français. On dit que les vins ressemblent parfois à leur vigneron ; en tout cas, voici un vin puissant et imposant : robe profonde, senteurs de cade, de vanille et de fruits confiturés, bouche dense et d'une belle sucrosité. Les notes boisées dominent encore en finale, mais le temps va l'épanouir davantage et lui fera sans doute gagner une seconde étoile.

Gérard Depardieu, Le Secret des Templiers,
216, av. du Docteur-Nancel-Pénard, 33600 Pessac,
tél. 05.57.26.38.38, fax 05.57.26.38.39

DOM. BOISANTIN Montpeyroux Le Grand Champ 2003

	1,5 ha	5 000		11 à 15 €

Situé en plein cœur de Montpeyroux, ce domaine est installé dans une ancienne bergerie. Voici un vin grenat dont les arômes de garrigue (cade, laurier) reflètent la typicité du terroir. Quelques notes boisées et flaveurs de fruits cuits complètent la gamme aromatique dans une bouche généreuse et équilibrée. Prêt pour accompagner vos viandes rouges grillées ou rôties.

SARL Les Domaines de la Solane,
99, rue de la Dysse, 34150 Montpeyroux,
tél. et fax 04.67.96.61.37,
e-mail boisantin@wanadoo.fr r.-v.

BOIS DE LÉRINS Saint-Christol 2005 *

	4 ha	20 000		3 à 5 €

Un sol de galets roulés pour ce rosé très pâle aux arômes intenses de fleurs et de garrigue. Sa rondeur et sa finesse rendent la bouche bien attendrissante. La cuvée **L'Esprit des 9 Vignerons rouge 2003 (8 à 11 €)**, citée, sera tout à fait prête à boire à l'automne.

SCV Les Coteaux de Saint-Christol,
51 b, av. de la Cave-Coopérative, 34400 Saint-Christol,
tél. 04.67.86.01.11, fax 04.67.86.81.04,
e-mail pascalconge@wanadoo.fr
t.l.j. sf dim. 8h-12h 14h-18h

CH. CAPION COLLECTION 3 C 2004 ★

■	2,5 ha	6 000	🛢 23 à 30 €

Ce vin provient d'une sélection des plus vieilles vignes rattachées à ce château du XVIe s. et a été élevé dans des fûts de chêne neufs issus de la forêt de Tronçais. Dans ce verre presque noir, on flaire des arômes de cacao, de fruits confits et de grillé. La bouche déploie de la rondeur et des tanins fins, ainsi que de fines notes boisées et poivrées. Aujourd'hui ou d'ici trois ans, à choisir pour un salmis de pintade.

SCA de Ch. Capion, 34150 Gignac,
tél. 04.67.57.71.37, fax 04.67.57.47.39,
e-mail chateau-capion@wanadoo.fr
t.l.j. sf sam. dim. 9h-12h 14h-18h

CH. CAPITOUL La Clape Maelma 2001 ★★

■	3 ha	10 000	🛢 30 à 38 €

Charles Mock, bien ancré dans le terroir de la Clape, valorise toujours mieux Capitoul : après l'aménagement de la cave – l'intérieur ressemble à un bateau – il procède à la réhabilitation de belles salles pour accueillir des groupes. Le **Château Capitoul Rocaille 2004 blanc (8 à 11 €)**, distingué et délicatement boisé, reçoit une étoile. Quant à cette cuvée, elle marie la puissance du terroir au classicisme de l'élevage : robe encore sombre, bouquet complexe de café, de fruits noirs, d'épices et une touche boisée élégante. La bouche ronde et structurée persiste longtemps en finale. Ce vin qui a déjà cinq ans a encore de beaux jours devant lui.

Charles Mock, Ch. Capitoul,
rte de Gruissan, 11100 Narbonne,
tél. 04.68.49.23.30, fax 04.68.49.55.71,
e-mail contact@chateau-capitoul.com
t.l.j. 9h-20h

DOM. DU CAUSSE D'ARBORAS
Terrasses du Larzac Cuvée 3J 2003 ★

■	6,5 ha	8 000	🛢 15 à 23 €

En 2003, Jean-Louis, Jean-Luc et Jean-René, les trois Jean (d'où le nom de la cuvée 3J), créaient la première cave indépendante d'Arboras. Situé à 350 m d'altitude sur les contreforts des Cévennes, le terroir s'exprime ouvertement dans ce vin : superbe robe pourpre, arômes de fruits secs et d'épices, bouche concentrée mais toutefois chaleureuse et soyeuse. Déjà fondu, ce vin pourra se garder au moins trois ans et fera merveille sur un lapin gibelotte.

Jean-Louis Sagne, SCEA du Causse d'Arboras,
Le Mas de Caze, 477, rue Georges-Cuvier,
34090 Montpellier,
tél. 06.11.51.08.41, fax 04.67.04.11.40,
e-mail causse-arboras@wanadoo.fr r.-v.

CH. DE CAZENEUVE
Pic Saint-Loup Le Roc des Mates 2004 ★

■	8 ha	20 000	🛢 15 à 23 €

Chez André Leenhardt, talent et passion sont toujours au rendez-vous ; ainsi le jury est séduit par les nuances pourpres chatoyantes à l'œil de ce 2004. Et tout est à la hauteur : le vin, timide, secret, s'éveille d'un coup et se développe dans un feu d'artifice de fruits rouges confits (cerise) et d'épices. L'entrée en bouche est franche et onctueuse, suivie d'un cortège de saveurs réglissées, épicées et de tanins encore présents. Il convient d'avoir un peu de patience, un an, pour mieux l'apprécier pendant trois à cinq ans.

André Leenhardt, Dom. de Cazeneuve,
34270 Lauret, tél. 04.67.59.07.49, fax 04.67.59.06.91,
e-mail andre.leenhardt@wanadoo.fr r.-v.

DOM. CELINGUET
Les Noces de la Terre et du Soleil 2004 ★★

■	1,5 ha	4 500	8 à 11 €

Myriam Rouquette a choisi de ne cultiver que 10 ha, ce qui lui permet d'apporter les soins les plus minutieux à son vignoble. Résultat : la plénitude et la complexité de ce 2004 à la robe presque noire, au riche bouquet mêlant le thym à du genêt, des fruits confits à du cassis. La chaleur et la générosité en bouche côtoient des tanins serrés d'une grande finesse qui assureront une remarquable garde à ce vin.

Myriam Rouquette, Dom. Celinguet,
2, Le Plas, 34380 Argelliers, tél. 04.67.55.62.36,
fax 04.67.55.52.11 r.-v.

CHEMIN DE L'ÉTANG Picpoul de Pinet 2005 ★

□	20 ha	n.c.	3 à 5 €

Le nez puissant et séduisant, avec ses notes de fruits exotiques (mangue, Passion) et de bourgeon de cassis, a provoqué des discussions au sein du jury. Certains n'y ont pas retrouvé les arômes classiques du Picpoul-de-Pinet, d'autres ont adoré... Puis la bouche arrive, franche et croquante, avec sa persistance fruitée. À apprécier dans sa jeunesse.

AVF Signatures du Sud,
7, rue de Clermont-L'Hérault, 34230 Plaissan,
tél. 04.67.44.90.50, fax 04.67.44.90.51,
e-mail signatures.sud@wanadoo.fr

CLAPAS Les Grès de Montpellier 2002 ★★

■	2 ha	6 000	🛢 8 à 11 €

2002 : premier millésime pour les Grès de Montpellier. La typicité ? La voilà : une robe pourpre à reflets bruns, des senteurs de grillé, de fruits mûrs, de cuir, accompagnées de fines notes boisées qui restent bien discrètes. En bouche, c'est plein, fondu, soyeux. Et toujours cette touche de réglisse en finale, que l'on retrouve souvent dans les coteaux-du-languedoc du domaine.

Michel Moreau, Dom. de Terre Mégère,
10, rue Jeu-de-Tambourin, 34660 Cournonsec,
tél. 04.67.85.42.85, fax 04.67.85.25.12,
e-mail terremegere@wanadoo.fr r.-v.

CLOS DE L'AMANDAIE Huis Clos 2003 ★

■	2 ha	3 000	🛢 11 à 15 €

Le Guide avait mis à l'honneur ce domaine dès le millésime 2002, année d'installation du vigneron. Depuis, 3 ha ont été défrichés et un caveau de vente a été inauguré. Vous y trouverez ce vin de couleur grenat, au nez fin et très agréable de cassis, de poivre et d'épices douces. Soyeux en bouche, ample et très chaleureux en finale, il peut être apprécié dès aujourd'hui sur une côte de bœuf.

Stéphane et Philippe Peytavy,
Mas Arnaud, 34230 Aumelas,
tél. 06.86.68.08.62, fax 04.67.88.72.37,
e-mail closdelamandaie@caramail.com
lun. à ven. 17h30-20h; sam. 14h-19h; dim. 9h-12h

CLOS DES AUGUSTINS Le Gamin 2004 ★

■	2,36 ha	9 458	🛢 8 à 11 €

Le Clos des Augustins, c'est une affaire de famille : toutes les cuvées portent le prénom d'un membre de la lignée, actuel ou disparu, ou y font référence. Le Gamin est un vin festif, à la robe d'un violet intense ; le cassis et les fruits compotés lui donnent son côté espiègle. La belle facture des tanins, la rondeur, le fruit permettent de le servir dès maintenant sur une grillade familiale. **L'Aîné 2003 rouge (23 à 30 €)**, aux notes grillées, encore marqué par l'élevage, devrait atteindre sa plénitude dans trois à cinq ans. Il obtient une citation.

EARL Les Augustins, 111, chem. de la Vieille, 34270 Saint-Mathieu-de-Tréviers, tél. 04.67.54.73.45, fax 04.67.54.52.77, e-mail closdesaugustins@wanadoo.fr r.-v.

Mezy

CLOS DES ESTIVENCS
Saint-Christol Grande Cuvée 2004 *

■	1,51 ha	4 000	30 à 38 €

Nous connaissions depuis longtemps le muscat-de-lunel des Lacoste. Voici en revanche le premier millésime en rouge issu du terroir de Saint-Christol. Produite à 20 hl/ha, cette cuvée a su mettre en évidence élégance et subtilité : robe rubis délicate, nez de fruits bien mûrs, de moka et d'épices, bouche fondue, souple sans manquer de structure. Ce que l'on appelle un vin très goûteux.

EARL Francis et Régine Lacoste, Mas de Bellevue, rte de Sommières, 34400 Saturargues, tél. 04.67.83.24.83, fax 04.67.71.48.23 r.-v.

CLOS DES NINES O 2003 *

■	1,5 ha	3 000	15 à 23 €

Premier millésime pour ce terroir niché dans la garrigue. Avec un nom qui chante, et rappelle les petites-filles d'Isabelle Mangeart, cette cuvée plaît d'entrée par sa robe pourpre velouté. Le nez, discret de prime abord, déroule peu à peu des effluves de confiture et d'épices. L'harmonie en bouche est due aussi bien à sa qualité aromatique qu'à ses tanins fins, présents mais enrobés. Attendre deux ans pour que le plaisir soit plus grand.

Isabelle Mangeart, 329, chem. du Pountiou, 34690 Fabrègues, tél. et fax 04.67.68.95.36, e-mail clos.des.nines@free.fr r.-v.

DOM. DU CLOS ROCA 2004 *

■	6,8 ha	12 000	11 à 15 €

Un couple de jeunes vignerons inspirés sur un domaine ayant du cachet – il abrite une mignonne chapelle du XVI[e]s. –, un terroir villafranchien : tout concourt pour que ce vin, d'un rubis à reflets bleutés, accompagne dès maintenant votre carré d'agneau aux herbes. Heureux mariage de fruits, de poivre et de senteurs de garrigue, il est de bonne tenue en bouche, fruité, reposant sur des tanins enrobés. De l'équilibre et de l'élégance.

Michaux, Dom. du Clos Roca, 34320 Nizas, tél. 04.67.25.19.43, fax 04.67.25.15.89, e-mail contact@closroca.com t.l.j. 9h-18h; sam. dim. sur r.-v.

CH. LA CLOTTE-FONTANE
Mouton la Clotte 2004 *

■	2,2 ha	6 000	11 à 15 €

Dans son décor très arboré, le château La Clotte-Fontane a élevé en fût durant douze mois ce 2004 fort élégant dans sa robe pourpre. Autant dire qu'il est un peu tôt pour en goûter toute la personnalité, mais derrière ses notes boisées et torréfiées, il se montre prometteur : sa bouche nette, ses tanins serrés et sa longueur ne trompent pas. Attendez un peu et n'hésitez pas à le carafer.

Maryline Pagès, Ch. La Clotte-Fontane, rte de Lecques, 30250 Salinelles, tél. 04.66.80.06.09, fax 04.66.80.42.60, e-mail clotte@club-internet.fr r.-v.

CONQUÊTES 1 2003 *

■	1 ha	1 620	15 à 23 €

Philippe Ellner est venu de Champagne il y a dix ans pour valoriser ce terroir déjà cultivé au Moyen Âge par les moines sous l'impulsion de saint Benoît d'Aniane. Le résultat est bien languedocien : robe pourpre profond, senteurs de garrigue, de tabac et de fruits rouges, bouche puissante et chaleureuse aux tanins déjà soyeux. Cette bouteille n'aura pas peur d'un civet de lièvre.

Sylvie et Philippe Ellner, chem. des Conquêtes, 34150 Aniane, tél. et fax 04.67.57.35.99, e-mail ellner.philippe@neuf.fr t.l.j. sf dim. 9h-12h 14h-19h

DOM. DE LA COSTE MOYNIER
Saint-Christol Cuvée sélectionnée Élevé en fût 2003 *

■	3,3 ha	13 000	8 à 11 €

Des terrasses de villafranchien pour terroir, un millésime très ensoleillé. Résultat : on ne peut vraiment pas nier l'origine languedocienne de ce vin de couleur profonde à reflets bruns. Du verre se dégagent des arômes d'olive noire, de fruits confits et de cuir. En bouche, la matière présente et serrée côtoie une onctuosité qui fera le bonheur d'un chevreuil en sauce grand veneur.

Luc et Elisabeth Moynier, Dom. de La Coste Moynier, 34400 Saint-Christol, tél. 04.67.86.02.10, fax 04.67.86.07.71, e-mail luc.moynier@wanadoo.fr t.l.j. 9h-12h30 13h30-19h; dim. 9h-12h30

LES COTEAUX DU PIC
Pic Saint-Loup Cuvée spéciale 2003 **

■	4,5 ha	22 000	5 à 8 €

En buvant ce vin, vous êtes transporté au pied du pic Saint-Loup. Le grenat profond de la robe vous parle du soleil. Les senteurs mêlées, puissantes de fruits noirs, de thym, de poivre, de menthol, de cade et d'épices vous montrent la garrigue. Vous apprécierez particulièrement l'ampleur, la chaleur, les tanins charnus de cette bouteille, ses notes de mûre sauvage et de sureau sur un confit de canard. Un vin racé, typé, à boire ou à attendre : il est très polyvalent.

Les Coteaux du Pic, 140, av. des Coteaux-de-Montferrand, 34270 Saint-Mathieu-de-Tréviers, tél. 04.67.55.81.19, fax 04.67.55.81.20, e-mail info@coteaux-du-pic.com t.l.j. sf dim. 8h30-12h 14h-18h

COUR SAINT VINCENT
Grès de Montpellier Clos du Prieur 2004

■	2,5 ha	5 000	11 à 15 €

Quelle belle robe noire introduit ce vin aux arômes de fruits compotés, de grillé et de cuir ! La bouche encore très jeune porte l'empreinte des tanins, tandis qu'une fine touche boisée se dessine en finale. Comme ce 2004 ne manque pas de gras, le temps va l'épanouir et l'arrondir, c'est certain.

Francis Bouys, 1, pl. Saint-Vincent, 34730 Saint-Vincent-de-Barbeyrargues, tél. 04.67.59.60.74, fax 04.99.62.02.06 r.-v.

CH. DES CRÈS RICARDS Œnothera 2004

■ 0,71 ha 3 500 15 à 23 €

Le jury a apprécié la robe aux reflets d'encre, les arômes de fruits des bois et de Zan à la violette. Velouté à l'attaque, ce vin développe en bouche une réelle puissance et se laisse un peu dominer par l'alcool en finale. Il réserve certainement de bonnes surprises dans l'avenir, mais certains dégustateurs l'apprécieraient volontiers dès maintenant sur une épaule d'agneau.

Colette et Gérard Foltran, Dom. des Crès Ricards, 34800 Ceyras, tél. et fax 04.67.44.67.63, e-mail contact@cresricards.com r.-v.

CREYSSELS 2005 *

0,6 ha 2 000 5 à 8 €

Ce domaine, bastide du XVI[e]s., est situé à proximité de l'étang de Thau, dans l'aire du Picpoul-de-Pinet. Il présente ce coteaux-du-languedoc bien doré, dans lequel la marsanne et la roussanne côtoient 15 % de piquepoul. Fin, classique et élégant au nez, ce 2005 a inspiré un dégustateur qui a évoqué le « charme discret de la bourgeoisie ». La bouche est ample et longue, puis se glissent des notes fruitées et un boisé intelligent. On rêve d'un fromage de chèvre.

H. et J. Benau, Dom. de Creyssels, rte de Marseillan, 34140 Mèze, tél. 04.67.43.80.82, fax 04.67.51.42.87, e-mail chateaucreyssels@aol.com t.l.j. sf lun. 10h-12h30 16h-19h

DOM. LA CROIX CHAPTAL
Seigneurie de Cambous Les Origines 2004 *

■ 1 ha 2 500 15 à 23 €

Charles-Walter Pacaud soigne son vignoble et ses vins avec une minutie et une délicatesse dignes des moines bénédictins du XI[e]s. qui l'ont précédé sur ce domaine. Dans ce vin, la douceur le dispute à la puissance. La couleur grenat à reflets violines prédit la complexité des arômes : grillé, épices, fruits secs et une touche de vanille discrète. Le velouté du palais marié à des tanins de caractère lui permettra d'être à la hauteur d'un lièvre au chocolat.

Pacaud-Chaptal, Dom. La Croix Chaptal, hameau de Cambous, 34725 Saint-André-de-Sangonis, tél. 06.82.16.77.82, fax 04.67.16.09.36, e-mail lacroixchaptal@wanadoo.fr r.-v.

Charles-Walter Pacaud

DOM. ELLUL-FERRIÈRES Les Romarins 2003

■ 3,5 ha 13 000 11 à 15 €

Situé à 2 km du château de Castries, ce domaine marie avec subtilité grenache et mourvèdre dans cette cuvée. D'où la robe brillante à reflets discrètement orangés, les arômes d'épices, de laurier et de cuir, la bouche fondue, ronde et parfumée. Il n'est pas nécessaire d'attendre.

Gilles Ellul, Dom. Ellul-Ferrières, Fontmagne, RN 110, 34160 Castries, tél. 04.67.02.28.28, fax 04.67.02.28.26, e-mail ellulferrieres@aol.com r.-v.

CH. DE L'ENGARRAN Grès de Montpellier 2003 *

■ 8 ha 45 000 8 à 11 €

Voici la cuvée Grès de Montpellier du château de l'Engarran, folie du XVIII[e]s. située au cœur du terroir de Saint-Georges-d'Orques. Sur l'étiquette, au premier plan, les grilles qui fermaient autrefois la place de la Comédie à Montpellier. La robe rubis élégante et brillante promet des arômes de belle finesse : épices douces, vanille, sous-bois et fruits confits. Bien fondu en bouche, ce vin se montre équilibré, long, avec une pointe agréable de fraîcheur en finale. Il n'a sûrement pas encore atteint son sommet.

SCEA du Ch. de L'Engarran, 34880 Lavérune, tél. 04.67.47.00.02, fax 04.67.27.87.89, e-mail lengarran@wanadoo.fr r.-v.

Famille Grill

ERMITAGE DU PIC SAINT-LOUP
Pic Saint-Loup 2001 **

■ 2 ha 5 000 23 à 30 €

Ce vin prêt à boire a connu un long et patient élevage qui en magnifie les qualités. Impossible de rester indifférent, tant l'invitation au plaisir est grande. La robe est intense, le nez puissant, la bouche riche et harmonieuse. En bouche, des notes de sous-bois, de fruits noirs mûrs font écho à des tanins fondus et à une belle onctuosité. Et on en profite longtemps. Remarquable (deux étoiles également), la **cuvée Sainte-Agnès blanc 2004 (8 à 11 €)**, d'un doré lumineux, marie puissance, élégance et complexité. Des notes de fleurs blanches, de genêt et de grillé complètent le tableau de ce vin de haute gastronomie.

Ravaille, GAEC Ermitage du Pic Saint-Loup, 34270 Saint-Mathieu-de-Tréviers, tél. 04.67.55.20.15, fax 04.67.55.23.49 t.l.j. 10h-12h 15h-18h30

L'ESPRIT DE FONT CAUDE Montpeyroux 2002 *

■ 4 ha 12 000 15 à 23 €

Ce domaine créé en 1992 propose une cuvée tout en puissance et retenue. L'œil est attiré par sa couleur grenat aux bordures brunes. Il faut prendre le temps de laisser le vin s'ouvrir sur des senteurs de fruits noirs et de garrigue, ponctuées de touches grillées. La mise en bouche est soutenue ; l'harmonie, la fraîcheur et les tanins mûrs accompagneront un navarin d'agneau.

SARL Dom. Alain Chabanon, chem. de Saint-Étienne, 34150 Lagamas, tél. 04.67.57.84.64, fax 04.67.57.84.65, e-mail alainchabanon@free.fr mer. sam. 9h30-12h30

CH. L'EUZIÈRE
Pic Saint-Loup Les Escarboucles 2004

■ 6 ha 12 000 11 à 15 €

La cave de vinification renferme une cuve remontant au XVIII[e]s. : nous sommes bien dans un château du vin. Voici une cuvée de bonne facture, harmonieuse, aux notes confites et épicées. La bouche est dans la même lignée aromatique et les tanins ont du grain. L'ensemble est tonifié par une certaine vivacité.

Michel et Marcelle Causse, ancien chem. d'Anduze, 34270 Fontanès, tél. et fax 04.67.55.21.41, e-mail chateau.leuziere@free.fr r.-v.

CH. D'EXINDRE
Grès de Montpellier Amélius 2003 **

■ 1 ha 4 000 11 à 15 €

Situé à 5 km de l'abbaye de Maguelonne, ce vignoble subit une forte influence maritime qui s'est avérée très favorable durant l'été 2003 particulièrement sec. Les raisins n'ont donc pas souffert au cours de leur maturation et cela apparaît dans le bel équilibre de ce vin grenat à reflets bruns. Au nez, réglisse et notes boisées – élégantes –

se disputent la vedette. La bouche a enchanté le jury avec sa finesse, sa structure bien soyeuse et sa douceur remarquable.

Catherine Sicard-Géroudet, La Magdelaine d'Exindre, 34750 Villeneuve-lès-Maguelonne, tél. et fax 04.67.69.49.77, e-mail catherinegeroudet@yahoo.fr
lun. mar. jeu. ven. 15h-19h; sam. 9h-12h

DOM. DE FAMILONGUE 2003

	2,69 ha	8 500	8 à 11 €

Les Quinquarlet, installés en cave particulière depuis 2002, élèvent aussi des perroquets – emblème que l'on retrouve sur les étiquettes. Les cinq cépages de l'appellation sont présents dans ce vin grenat, aux arômes de laurier, d'épices et de vanille. Chaleur, sensation tannique bien présente et notes chocolatées ne trahissent pas l'appartenance au millésime 2003.

SCEA Jean-Luc Quinquarlet, 3, rue Familongue, 34725 Saint-André-de-Sangonis, tél. 06.10.29.52.18, fax 04.67.57.26.32, e-mail contact@domainedefamilongue.fr r.-v.

DOM. FAURMARIE

Grès de Montpellier Reliure 2003 ★

	1 ha	2 500	11 à 15 €

Si la cuvée **L'Écrit Vin rouge 2003 (8 à 11 €)** mérite bien une citation pour ses jolis arômes de grillé, d'épices et sa bouche ronde et ample, la cuvée Reliure a paru plus complexe encore au nez : cerise mûre, laurier, poivre noir. La bouche réunit des caractères bien méditerranéens : une structure solide et enrobée, et un gras enveloppant. Des notes de sous-bois enrichissent le bouquet en finale.

Christian Faure, 260, rue du Mistral, 34160 Galargues, tél. 06.16.12.23.95, fax 04.67.86.87.26, e-mail faurmarie@free.fr r.-v.

DOM. FERRI ARNAUD

La Clape Cuvée Romain Élevé en fût de chêne 2003

	1,5 ha	2 500	11 à 15 €

Dans ce vin grenat sombre, les notes d'eucalyptus reflètent bien le terroir. Viennent ensuite un boisé de type noix de coco, puis une bouche qui ne trahit pas le millésime avec ses tanins bien structurés, sa sucrosité et sa chaleur – un peu excessive, au goût de l'un des dégustateurs. C'est le vin qu'il faut pour une daube languedocienne.

EARL Ferri Arnaud, av. de l'Hérault, 11560 Fleury-d'Aude, tél. 04.68.33.62.43, fax 04.68.33.74.38, e-mail catyferri-domaineferriarnaud@wanadoo.fr
t.l.j. 9h30-13h 15h-20h
Richard Ferri

CH. DE FLAUGERGUES

Grès de Montpellier Cuvée Colbert 2003 ★

	3 ha	12 666	11 à 15 €

Folie montpelliéraine du XVIII[e]s., Flaugergues est l'un des derniers vignobles de la ville. Les Colbert aiment ouvrir les portes du château, les grilles du jardin et du parc pour en faire découvrir les merveilles. Élevé avec soin, ce vin fait honneur au lieu : une robe pourpre sombre, des arômes de torréfaction, de fruits confits et d'épices. Rond à l'attaque, plus charpenté en finale, il évolue sur des notes boisées de qualité. Gardez-le un peu en cave, il a du potentiel. Souvenez-vous qu'un millésime plus ancien avait obtenu la Grappe d'or, récompense suprême du Guide.

Henri de Colbert, 1744, av. Albert-Einstein, 34000 Montpellier, tél. 04.99.52.66.37, fax 04.99.52.66.44, e-mail colbert@flaugergues.com
t.l.j. sf dim. 9h-12h30 14h30-19h

CH. FONT DES PRIEURS Grand Prieur 2003 ★★

	5 ha	3 500	23 à 30 €

Cette cuvée est issue d'un terroir de schistes et de parcelles du prieuré de Cassan, dont l'origine remonte à Charlemagne ! L'architecture du vin est remarquable. L'œil est charmé par l'intensité, la densité de la robe. Le bouquet allie réglisse, fumé, cacao, soutenus par une fraîcheur mentholée. L'élégance caractérise une bouche charnue, complexe, où l'élevage en barrique s'efface devant le vin. Accord gourmand avec une côte de bœuf à l'os. La cuvée **Les Pères 2003 rouge (8 à 11 €)** obtient une étoile pour son équilibre et sa richesse aromatique : un méli-mélo de fruits et d'épices.

Vignobles Rambier Tournant, Montfreux-de-Fages, rte de Mèze, 34340 Marseillan, tél. 04.67.77.59.17, fax 04.67.77.59.18, e-mail vignobles@montfreux-de-fages.com
t.l.j. sf sam. dim. 10h-12h 14h-17h30

LA FONT FRANÇAISE Picpoul de Pinet 2005 ★

	52 ha	200 000	3 à 5 €

Si vous avez le bonheur de participer à la fête du Picpoul, fin juillet, vous découvrirez deux jolies cuvées de cette cave, pilier de l'appellation. Le **Duc de Morny 2005 blanc**, une étoile, est égalé cette année par ce vin pâle et très fruité (fruits exotiques, agrumes). La bouche intense et vive est en continuité avec le nez et confirme que cette bouteille est faite pour être bue dans l'année.

Cave de L'Ormarine, 13, av. du Picpoul, 34850 Pinet, tél. 04.67.77.03.10, fax 04.67.77.76.23, e-mail caveormarine@wanadoo.fr r.-v.

CH. DE FOURQUES

Saint-Georges d'Orques La vigne de Madame 2005 ★

	0,5 ha	1 500	8 à 11 €

Cinq générations de femmes se sont succédé sur ce domaine et voici La vigne de Madame. Ce blanc bien doré, aux arômes de grillé et d'abricot vanillé, offre une bouche pleine – mais sans lourdeur – et un velouté soutenu par une jolie acidité. Une tourte aux poireaux sera parfaite.

Mme Fons-Vincent, EARL du Ch. de Fourques, rte de Laverune, 34990 Juvignac, tél. 04.67.47.90.87, fax 04.67.27.48.72, e-mail fourques@net-courrier.com r.-v.

CUVÉE FULCRAND CABANON

Cabrières 2005 ★★

	10 ha	7 000	5 à 8 €

Le décret impose 40 % minimum de cinsault pour les rosés de Cabrières. La finesse de ce 2005 est extrême : robe éclatante, touches fleuries subtiles, bouche ronde, fruitée et gorgée de terroir. La **clairette-du-languedoc Les Hauts de Saint-Rome moelleuse 2005 (3 à 5 €)**, avec ses deux étoiles bien brillantes, illuminera vos desserts. Quant au **coteaux-du-languedoc rouge Maestro Élevé en fût de chêne 2003 (15 à 23 €)**, cité, le temps révèlera sa vraie complexité. Un sans-faute pour cette cave blottie dans son terroir de schistes.

SCA Vignerons de Cabrières,
rte de Roujan, 34800 Cabrières, tél. 04.67.88.91.60,
fax 04.67.88.00.15, e-mail sca.cabrieres@wanadoo.fr
t.l.j. 9h-12h 14h-18h

DOM. DE GALABERT Pic Saint-Loup 2004 *

22 ha 25 000 5 à 8 €

Le terroir est argilo-calcaire, comme souvent dans le pic Saint-Loup, et syrah et grenache s'y trouvent bien. Pour preuve, ces arômes intenses et frais de petits fruits rouges et quelques effluves de gentiane. La bouche est dans la même lignée, généreuse, ronde, construite sur des tanins fins et veloutés. Ce vin riche s'accordera avec des grillades ou des viandes rouges braisées.

SCA Les Vignerons du Pic, 285, av. de Sainte-Croix,
34820 Assas, tél. 04.67.59.62.55, fax 04.67.59.56.39,
e-mail cavevigneronsdupic@wanadoo.fr
t.l.j. sf lun. 8h-12h 15h-18h

DOM. LES GRANDES COSTES
Les Sept Rangées 2003 *

0,5 ha 1 200 23 à 30 €

Chez Jean-Christophe Granier, tout concourt à développer l'harmonie du vin : un travail précis au vignoble, respectant la vigne et le sol, un soin particulier pour les raisins, de la douceur dans la vinification et l'élevage. Et c'est réussi. La robe grenat montre de légers reflets d'évolution. Les arômes suaves mêlent les fruits mûrs épicés et le pain toasté. On appréciera particulièrement la rondeur et le grain des tanins sur un cochon de lait à la broche ou une fricassée de volaille. L'éditeur tient à publier un extrait d'un texte plaidoyer de ce producteur : « S'il est vrai que l'immense choix offert au consommateur est effrayant, il n'en demeure pas moins que c'est ce même choix qui lui assure sa liberté de goût ». C'est là aussi le message de notre Guide.

Jean-Christophe Granier,
Dom. Les Grandes Costes, 2, rte du Moulin-à-Vent,
34270 Vacquières, tél. et fax 04.67.59.27.42,
e-mail jcgranier@grandes-costes.com r.-v.

DOM. DE GRANOUPIAC
Terrasses du Larzac Les Cresses 2004 *

5,6 ha 9 000 8 à 11 €

Toujours fidèle au rendez-vous, voici Granoupiac, ancienne *villa* gallo-romaine. Son 2004 est bien dans la lignée du précédent millésime, avec la couleur pourpre de sa robe et ses arômes de garrigue (romarin) et de fruits confits. La bouche, bien construite, donne une sensation d'équilibre. Sa pointe de fraîcheur, son velouté et ses tanins fondus s'accorderont avec une selle d'agneau des Causses au caviar d'aubergine.

Claude Flavard, Dom. de Granoupiac,
34725 Saint-André-de-Sangonis, tél. 04.67.57.58.28,
fax 04.67.57.95.83, e-mail cflavard@infonie.fr
t.l.j. 9h-12h30 15h-19h30; dim. sur r.-v.

DOM. DE GRAVANEL 2004

6 ha 24 000 5 à 8 €

Lorsqu'un avocat rêve pendant vingt-cinq ans de devenir vigneron, il lui faut bien sauter le pas ! Chose faite en 2002. Voici la deuxième vendange, née sur une mosaïque de sols villafranchiens, schisteux, basaltiques et argilo-calcaires. Cette cuvée ne sera pas de très longue garde, mais elle plaira par sa robe violine, ses arômes associant fruits et réglisse, son attaque franche suivie par une jolie présence du vin aux tanins ronds et veloutés. Choisir une viande grillée.

Dom. de Gravanel, 5, rue du Forgeron,
34320 Neffiès, tél. et fax 04.67.24.83.98,
e-mail domainedegravanel@wanadoo.fr
r.-v. 3

DOM. DES GRECAUX
Montpeyroux Hêmèra 2003 **

4 ha 6 000 15 à 23 €

Vous cherchez un vin de garde mais qui peut déjà être apprécié ? Ce 2003 a tout pour vous plaire. La robe est intense, d'un pourpre sombre ; le nez séduit par sa diversité, sa finesse. En bouche, violette, cassis, vanille, myrtille s'allient avec éclat à la réglisse, à un moelleux soutenu par une certaine acidité. Tout concourt pour donner du charme à cette cuvée. On citera également la **Terra Solis 2004 rouge (11 à 15 €)**, fraîche, fruitée, destinée à une grillade aux herbes.

Isabelle et Alain Caujolle-Gazet,
Dom. des Grecaux, 4, av. du Monument,
34150 Saint-Jean-de-Fos, tél. et fax 04.67.57.38.83,
e-mail caujolle@club-internet.fr r.-v.

GRÈS SAINT-PAUL
Grès de Montpellier Antonin 2004 *

10 ha 40 000 8 à 11 €

C'est un réel plaisir de déguster le nouveau millésime de la cuvée Antonin. On ne résiste pas à l'attrait de sa robe grenat et de ses arômes de fruits confits et de fumé. La bouche, charnue et charpentée, conjugue avec succès typicité du terroir et élevage soigné. Le jury prédit un épanouissement remarquable dans les mois à venir.

Jean-Philippe Servière, GFA Grès Saint-Paul,
rte de Restinclières, 34400 Lunel, tél. 04.67.71.27.90,
fax 04.67.71.73.76, e-mail contact@gres-saint-paul.com
t.l.j. sf dim. 9h-13h 15h-19h

DOM. GUILLEMARINE Picpoul de Pinet 2005 **

10 ha 35 000 3 à 5 €

Millésime réussi pour ce domaine bordé par la voie Domitienne. Le **Domaine Reine Juliette Picpoul-de-Pinet Terres rouges 2005 blanc** reçoit une étoile, tandis que ce Guillemarine prend le devant cette année grâce à la luminosité de sa robe aux reflets vert pâle, à la finesse de ses arômes (agrumes, fleurs), à l'ampleur et à la persistance de sa bouche vive. Typique du terroir.

EARL Allies, 4, av. de Florensac, 34810 Pomerols,
tél. 04.67.24.78.77, fax 04.67.24.78.74,
e-mail reinejuliette@free.fr
t.l.j. sf dim. lun. 10h-12h 16h-18h

DOM. GUINAND
Saint-Christol Cuvée Vieilles Vignes 2004 *

30 ha 100 000 3 à 5 €

Deux vins charmeurs ont su séduire le jury : le **rosé Vieilles Vignes 2005**, qui obtient une citation, et ce rouge aux reflets violines, très marqué au nez par le cassis et la fraise des bois. La bouche se montre souple, fruitée et équilibrée. Un vin plaisir pour un prix bien doux.

Dom. Guinand, 36, rue de l'Épargne,
34400 Saint-Christol, tél. 04.67.86.85.55,
fax 04.67.86.07.59 r.-v.

LANGUEDOC

DOM. GUIZARD Saint-Georges d'Orques
Cuvée Prestige Élevé en fût de chêne 2004

■ 0,6 ha 2 500 5 à 8 €

Cette cave est située au cœur du village de Laverune, dans une belle bâtisse du XVIII[e]s. Le jury a apprécié la robe encore jeune de ce vin, l'intensité de son fruit (cassis, griotte) et ses notes de grillé. En bouche, le boisé apparaît bien fondu aux côtés de tanins sages. Déjà équilibré, ce 2004 est harmonieux.

SCEA Consorts Guizard, 12, bd de la Mairie, 34880 Laverune, tél. et fax 04.67.27.86.59 r.-v.

DOM. DE L'HORTUS
Pic Saint-Loup Grande Cuvée 2003 ★★

■ 17,5 ha 68 840 11 à 15 €

Nichés entre pic Saint-Loup et Hortus, le domaine et le vignoble, cernés de garrigue, sont situés dans un lieu magique. Quant à Jean Orliac, le vigneron, il a du magicien tant le charme opère avec cette Grande Cuvée. Celle-ci est un vin tout en puissance ; son grenat intense attire l'œil. La palette aromatique, subtile et fournie – écorce d'orange, sous-bois, thym, épices douces, vanille, cannelle – attise l'appétit. Ampleur, chaleur, intensité, alliées aux fruits réglissés forment en bouche un beau cortège. La matière de qualité et la grande persistance résisteront au temps.

Jean Orliac, Dom. de L'Hortus, 34270 Valflaunès, tél. 04.67.55.31.20, fax 04.67.55.38.03, e-mail orliac-hortus@wanadoo.fr t.l.j. sf dim. 9h-12h 13h30-18h; sam. 10h-12h 15h-18h

CH. L'HOSPITALET
La Clape Cuvée Grand Vin 2003 ★

■ 10 ha 40 000 8 à 11 €

50 000 visiteurs viennent chaque année au cœur de la Clape, dans un paysage minéral, découvrir les vins de ce domaine, ainsi que ses restaurants, ses gîtes et ses ateliers autour du vin et de l'art. Le **blanc 2005 La Réserve** ne décevra pas sur une fricassée de lotte, avec ses arômes de fleurs et de citron confit et son bel équilibre. Ce rouge, profond en couleur, se caractérise par ses notes complexes de torréfaction, de fruits noirs et d'humus ; sa belle matière finement boisée lui assure un avenir certain.

Gérard Bertrand, Ch. L'Hospitalet, rte de Narbonne-Plage, BP 20409, 11104 Narbonne Cedex, tél. 04.68.45.36.00, fax 04.68.45.27.17, e-mail vins@gerard-bertrand.com t.l.j. 9h30-12h30 14h-19h

CH. DES HOSPITALIERS
Saint-Christol Prestige 2005

2,5 ha 13 000 3 à 5 €

Ce blanc est parmi les premiers à avoir été vinifiés dans le chai en pierre du Gard qui vient d'être construit. Le jury a aimé sa couleur brillante or pâle, ses arômes de fleurs blanches, sa bouche élégante et fraîche. Pour un poisson grillé.

SCEA Ch. des Hospitaliers, 923, av. Boutonnet, 34400 Saint-Christol, tél. 04.67.86.03.50, fax 04.67.86.90.02, e-mail martin-pierrat@wanadoo.fr t.l.j. 9h-19h

Martin-Pierrat

CH. DE JONQUIÈRES La Baronnie 2001

■ 3 ha 6 000 11 à 15 €

C'est un vin issu des quatre cépages de l'appellation (carignan, syrah, grenache et mourvèdre). Sa robe est rutilante et son nez exhale des senteurs balsamiques. Au palais, la rondeur, la qualité des tanins et l'équilibre permettent un accord gourmand avec des viandes de bœuf – rôties ou en sauce.

François de Cabissole, Ch. de Jonquières, 34725 Jonquières, tél. 04.67.96.62.58, fax 04.67.88.61.92, e-mail contact@chateau-jonquieres.com r.-v.

LA LIGNÉE JULIEN 2004 ★

■ 0,6 ha 3 000 11 à 15 €

Chez les frères Julien, l'agriculture est biologique. C'est de cette rigueur qu'est née cette cuvée sombre en couleur, très séduisante au nez avec ses effluves de garrigue (thym, romarin) et ses notes de sous-bois. Si elle est encore un peu fermée en bouche aujourd'hui, ses tanins puissants et sa belle présence lui garantissent un remarquable avenir.

Julien Frères, Mas de Janiny, 21, pl. de la Pradette, 34230 Saint-Bauzille-de-la-Sylve, tél. 04.67.57.96.70, fax 04.67.57.96.77, e-mail julien-thierry@wanadoo.fr r.-v.

ROSÉ DES KARANTES 2005

■ 2,5 ha 10 000 5 à 8 €

En décembre 2004, un Américain, Walter Knysz, rachète ce domaine blotti dans les garrigues du massif de la Clape, à 2 km à peine de la Méditerranée. Il choisit Christophe Coppolani, ancien directeur des vignobles Roederer, pour s'occuper du vignoble et des chais. Voici leur premier rosé : robe pastel délicatement saumonée, nez expressif d'agrumes, d'acacia et de pâte de fruits. Sa vivacité en bouche est bien équilibrée par le moelleux. On attend avec impatience les premiers rouges.

SCEA Dom. des Karantes, Karantes le Haut, 11100 Narbonne-Plage, tél. 04.68.43.61.70, fax 04.68.32.14.58, e-mail chateaudeskarantes@wanadoo.fr r.-v.

Walter Knysz

DOM. LACROIX-VANEL Clos Mélanie 2004

■ 3,5 ha 7 315 15 à 23 €

Le terroir est un mélange de galets et de basaltes. Le vigneron, homme de convictions, travaille au vignoble comme en cave pour être au plus près du terroir et du raisin. Le résultat, c'est ce Clos Mélanie à la robe grenat intense, qui formera un accord gourmand avec les viandes blanches grâce à son fruité intense, à ses épices douces et à son onctuosité.

Jean-Pierre Vanel, 41, bd du Puits-Allier, 34720 Caux, tél. et fax 04.67.09.32.39, e-mail lacroix-vanel@wanadoo.fr r.-v.

DOM. DES LAMBRUSQUES
Pic Saint-Loup 2004 ★★

■ 16 ha 25 000 3 à 5 €

Un vin de cette qualité à ce prix-là ! Anne-Lise Fraisse l'élabore et AVF le commercialise. La robe intense est auréolée de violet. Au nez, c'est une profusion de senteurs de garrigue, de fruits d'été – pêche, abricot, fraise, framboise. La bouche est typiquement méditerranéenne, ronde, franche, fraîchement réglissée, épicée, équilibrée. À déguster dès maintenant et pendant trois à cinq ans. On citera le **faugères Domaine de l'Auster 2004 rouge**, à boire, pour ses notes déjà évoluées d'épices et de fruits et son harmonie en bouche.

AVF Signatures du Sud,
7, rue de Clermont-L'Hérault, 34230 Plaissan,
tél. 04.67.44.90.50, fax 04.67.44.90.51,
e-mail signatures.sud@wanadoo.fr
Anne-Lise Fraisse

CH. DE LANCYRE
Pic Saint-Loup Vieilles Vignes 2003 *

■	9 ha	46 000	▮	5 à 8 €

C'est en 1960 que les familles Durand et Valentin ont acquis ce domaine, sis sur le hameau de Lancyre ; les parties les plus anciennes des bâtiments, qui datent du XVIe s., abritent le caveau de dégustation. Vous y découvrirez la cuvée **La Rouvière 2004 blanc** aux notes florales et fraîches et d'une vivacité tempérée par la rondeur (elle est citée). Et ce très joli vin aux notes de cerise à clafoutis, de cade, de poivre, de sous-bois. Un vin d'avenir pour consommateur averti, car il faut savoir attendre que les tanins s'attendrissent avec le temps. Sa belle mâche se porte garante de son avenir.
SCEA Ch. de Lancyre, Lancyre, 34270 Valflaunès,
tél. 04.67.55.32.74, fax 04.67.55.23.84,
e-mail chateaudelancyre@wanadoo.fr
r.-v.
Durand et Valentin

CH. DE LASCAUX
Pic Saint-Loup Les Nobles Pierres 2003 *

■	4,3 ha	20 000	▮	11 à 15 €

Les Nobles Pierres ? Le terroir rouge caillouteux qui porte les parcelles, bien mis en valeur par un vigneron régulièrement mentionné dans le Guide. La robe rubis foncé propose une entrée en matière intense, confirmée par le nez de confiture et de garrigue, de menthe, qui monte et monte encore. Une belle fraîcheur pour le millésime s'installe en bouche sur un subtil équilibre entre gras et tanins soyeux. Une étoile également pour **Les Pierres d'Argent 2004 blanc** : ses notes riches de fleurs, de silex et de coing sont portées par une belle fraîcheur jusqu'en finale.
Jean-Benoît Cavalier, Ch. de Lascaux,
pl. de l'Église, 34270 Vacquières,
tél. 04.67.59.00.08, fax 04.67.59.06.06,
e-mail jb.cavalier@wanadoo.fr r.-v.

CH. DES LÉGENDES Terrasses du Larzac 2004 *

■	1 ha	2 800		8 à 11 €

Ce vin de couleur grenat sombre est né sur des sols de schistes et de basaltes noirs. Cacao et vanille se mêlent à des fruits rouges tandis que la bouche offre déjà des tanins fondus et une belle maturité. Vous pouvez attendre un peu cette bouteille ou la boire dès à présent sur un gigot d'agneau à l'ail.
Christophe Deffontaines, 5, rue du Barry,
34700 Le Bosc, tél. 06.86.27.44.14, fax 04.67.15.06.79,
e-mail deffontaines@wanadoo.fr r.-v.

DOM. LEYRIS MAZIÈRE Les Pouges 2004

■	n.c.	6 000		11 à 15 €

Voici un vin à forte extraction. L'un des dégustateurs le qualifie de « viril ». La profondeur se perçoit dans la couleur de la robe presque noire et dans les arômes de torréfaction et de fruits noirs – sans oublier une petite touche animale. En bouche, la matière est très dense et ferme, mais l'on sent bien que la maturité des raisins était bien là. Un peu déroutant aujourd'hui vu sa jeunesse, c'est assurément un flacon à fort potentiel, à garder patiemment en cave.
Gilles Leyris, Dom. Leyris-Mazière,
chem. des Pouges, 30260 Cannes-et-Clairan,
tél. et fax 04.66.93.05.98,
e-mail gilles.leyris@libertysurf.fr r.-v.

MARCIANICUS Grès de Montpellier 2004 *

■	15 ha	30 000	▮	5 à 8 €

En 2004, les vignerons de la cave de Saint-Geniès-des-Mourgues se sont associés à ceux de la cave de Montpellier. Et voici ce Marcianicus qui se distingue non seulement par l'élégance de son étiquette mais surtout par son fondu satiné. La robe pourpre profond laisse augurer une jolie palette d'arômes : du cacao, des fruits confits, de la noix. En bouche, le bel équilibre – entre matière et fluidité – appelle un laguiole bien affiné. La cuvée **Insania rouge 2003 (8 à 11 €)**, très remarquée pour ses arômes de myrtille et de tabac, reçoit une étoile.
SCA Les Coteaux de Montpellier, rte des Carrières,
BP 13, 34160 Saint-Geniès-des-Mourgues,
tél. 04.67.86.21.99, fax 04.67.86.22.65,
e-mail coteauxdemontpellier@wanadoo.fr r.-v.

CH. PAUL MAS
Clos des Mûres Élevé en fût de chêne 2004 *

■	18 ha	45 000		8 à 11 €

Ici, aux portes de Pézenas, vous aurez peut-être la chance d'entendre la légende de Vinus le héron, animal emblématique du domaine. Si la couleur de ce vin ressemble à celle d'une cerise burlat bien mûre, son nez évoque des confitures vanillées, avec du poivre et du sous-bois. Généreuse et structurée à la fois, la bouche sera à la hauteur d'un ragoût d'escoubilles.
Domaines Paul Mas, Dom. Nicole,
rte de Villeveyrac, 34530 Montagnac,
tél. 04.67.90.16.10, fax 04.67.98.00.60,
e-mail jcmas@paulmas.com r.-v.

MAS BRUGUIÈRE
Pic Saint-Loup Le Septième 2003 *

■	1 ha	1 500		30 à 38 €

Le pic Saint-Loup, du haut de ses 658 m, veille sur ce domaine conduit depuis 1974 par Guilhem Bruguière, l'un des acteurs du renouveau qualitatif des vins de la région. Son fils Xavier prend la relève. Ses deux vins sont sélectionnés. La cuvée **Les Mûres blanc 2005 (8 à 11 €)** obtient une étoile pour sa robe dorée brodée de reflets verts, ses notes florales et fruitées, et pour sa bouche très équilibrée entre gras et fraîcheur, qui présente un beau potentiel de garde. En rouge, cette nouvelle cuvée, Le Septième, est une histoire de famille. L'abord apparaît discret, secret, puis se développe un bouquet complexe et élégant de garrigue, de fruits à l'alcool et d'épices vanillées. L'entrée en bouche est montante, puis cerise et moka participent à l'harmonie de l'ensemble. Finale superbe et longue.
SCEA du Mas Bruguière, hameau de la Plaine,
34270 Valflaunès, tél. et fax 04.67.55.20.97,
e-mail guilhem.bruguiere@wanadoo.fr
t.l.j. 10h-12h 15h-19h; dim. sur r.-v.

MAS BRUNET 2005 *

■	1,2 ha	3 850	▮	5 à 8 €

Dans ce terroir – l'un des plus septentrionaux de l'appellation –, la vivacité et la finesse sont souvent au

LANGUEDOC

rendez-vous. Ce rosé en est une belle illustration avec sa robe rose tendre très brillante, ses arômes de pivoine et d'agrumes, sa bouche fraîche et bien équilibrée. Le **blanc Élevé en fût de chêne 2004 (8 à 11 €)** reçoit une citation et mérite toute votre confiance.

GAEC du Dom. de Brunet,
rte de Saint-Jean-de-Buèges, 34380 Causse-de-la-Selle,
tél. 04.67.73.10.57, fax 04.67.73.12.89,
e-mail domainebrunet@tiscali.fr r.-v.
Coulet

MAS CAL DEMOURA L'Infidèle 2003

■ 6,9 ha 20 000 11 à 15 €

En 2004, Jean-Pierre Jullien a passé le relais à Vincent Goumard. Ce 2003 reste fidèle aux millésimes précédents avec sa robe violacée, ses arômes de cassis, de thym et de fumé, sa bouche douce et équilibrée. Un carafage lui permettra de s'ouvrir davantage.

Vincent Goumard, Mas Cal Demoura,
34725 Jonquières, tél. et fax 04.67.44.70.82,
e-mail info@caldemoura.com r.-v.

MAS D'AUZIÈRES Les Éclats 2004 **

■ 9 ha 20 000 8 à 11 €

Un petit mas isolé entouré de bois au pied du pic Saint-Loup, acquis en 2003. Sélectionnés l'an dernier pour leur premier millésime, Irène et Philippe Tolleret réitèrent l'exploit. Cette cuvée tire son nom des gros éclats calcaires qui tapissent le sol. Tout est brillant dans ce vin. La robe scintille de reflets violets ; le nez démarre doucement, puis explose sur le cade, la garrigue, les épices et le sous-bois. Mais c'est avant tout en bouche qu'il séduit par son élégance, son côté friand, ses tanins bien fondus qui donnent un sentiment de plénitude. Avec une viande de veau en sauté aux olives ou en côtes grillées, vous réaliserez l'accord parfait.

Mas d'Auzières, rte de Saint-Mathieu,
34820 Guzargues, tél. 06.25.45.16.60,
fax 04.67.85.39.54, e-mail irene@auzieres.com r.-v.
Tolleret

DOM. DU MAS DE BLAISE La Tongue 2002 *

■ 3 ha 10 000 5 à 8 €

Issue d'une dizaine de parcelles, la cuvée La Tongue décline ses variations, et le premier mot qui vient à l'esprit est « original ». Le pourpre est profond, le nez intense joue sur le tabac, la réglisse et surtout le brûlé. Au palais, l'attaque est ronde, puis, en cascade, arômes variés et tanins fins combinés à une bonne fraîcheur donnent un ensemble appétissant.

Saget et Tigana, 2, rue de la Rauzière,
34320 Gabian, tél. 06.80.70.22.71, fax 02.38.86.74.20

MAS DE FOURNEL
Pic Saint-Loup Cuvée classique 2004 *

■ 3 ha 13 000 8 à 11 €

Le four à pain a donné son nom au domaine, dont les plus anciennes pierres remontent au XIVe s. La **cuvée du Nombre d'or 2004 (23 à 30 €)**, à attendre trois à cinq ans, présente des notes intenses d'olive noire, de muscade, de cannelle, et une bouche structurée qui s'adoucira avec le temps. Cette Cuvée classique, d'abord discrète, exprime sa finesse dans des notes de fruits compotés. On a aussi envie de s'attarder sur une bouche montante, aux tanins raffinés, procurant beaucoup de plaisir. Deux vins sélectionnés avec une étoile.

Gérard Jeanjean, SCEA Mas de Fournel,
34270 Valflaunès, tél. 04.67.55.22.12, fax 04.67.55.70.43
t.l.j. 9h-19h

MAS DE LA BARBEN Les Lauzières 2004 **

■ 7,5 ha 25 000 8 à 11 €

Dans ce mas situé aux portes de Nîmes, les vieilles vignes de grenache à faible rendement expriment avec subtilité la typicité du terroir ; ce cépage est majoritaire dans ce vin dont la robe rubis se montre bien alléchante. Quelle belle palette d'arômes méditerranéens ! Du grillé, des fruits à l'eau-de-vie, des épices et une pointe mentholée. En bouche, ce 2004 est la douceur incarnée. Étonnemment souple et plein, gras et délicat, il est expressif et typé, et devrait faire fondre de plaisir sur un gigot d'agneau aux herbes. La cuvée **Véronique rosé 2005 (5 à 8 €)** obtient une étoile. À servir sur des crustacés grillés.

Marcel Hermann, Mas de La Barben, rte de Sauve,
30900 Nîmes, tél. 04.66.81.15.88, fax 04.66.63.80.43,
e-mail masdelabarben@wanadoo.fr
t.l.j. sf dim. 10h-12h 14h-19h

MAS DE LA SERANNE Antonin et Louis 2003 *

■ 1,5 ha 4 500 15 à 23 €

Coup de cœur pour son 2001, voici de nouveau la cuvée Antonin et Louis dans un millésime qui ne cache pas la chaleur de son été (2003). Une robe d'un rouge intense, un nez de caractère, où le grillé rivalise avec la garrigue et les fruits noirs. Le palais, bien concentré, se montre voluptueux et dévoile une subtile touche de fraîcheur. Le vin est déjà prêt, mais nous parions qu'il va encore s'épanouir dans l'avenir.

Isabelle et Jean-Pierre Venture,
Mas de La Seranne, rte de Puechabon, 34150 Aniane,
tél. et fax 04.67.57.37.99,
e-mail mas.seranne@wanadoo.fr
t.l.j. sf dim. 10h-12h 15h-19h

LE MAS DE L'ÉCRITURE Émotion occitane 2003

■ 2 ha 5 000 8 à 11 €

Cette cave d'architecture contemporaine abrite des vins bien typés par leur terroir. Dans cette jolie cuvée à la robe pourpre vous sentirez de la garrigue, des épices et des fruits rouges. La bouche équilibrée et fondue a la finesse requise pour accompagner, dès maintenant, un médaillon de veau sauté et sa poêlée de trompettes de la mort.

Pascal Fulla,
rue de la Font-du-Loup, 34725 Jonquières,
tél. 04.67.96.13.21, fax 04.67.96.06.97,
e-mail pascal-fulla@wanadoo.fr r.-v.

DOM. MAS DE MARTIN
Grès de Montpellier Cuvée Ultreïa 2004 ***

■ 5 ha 16 500 15 à 23 €

Un tel caractère dans un vin ne peut être le fruit du hasard. D'autant plus que c'est le deuxième coup de cœur que remporte cette cuvée. Classé premier par le grand jury, cet Ultreïa s'est imposé dans sa robe profonde à nuances brunes. Épices, fumé, fruits à l'eau-de-vie et vanille explosent au nez. Puissant et généreux, charnu, ce vin conjugue classicisme et typicité avec une petite touche rustique bien sympathique en finale. Il est fait pour durer et saura tenir tête à un sanglier en civet. La **cuvée Cinarca rouge 2004 (11 à 15 €)** obtient une citation.

MAS DE MARTIN
GRÈS DE MONTPELLIER
COTEAUX DU LANGUEDOC
CUVÉE ULTREÏA

Christian Mocci, Dom. Mas de Martin, rte de Carnas, 34160 Saint-Bauzille-de-Montmel, tél. et fax 04.67.86.98.82, e-mail masdemartin@wanadoo.fr r.-v.

MAS DOMERGUE
Grès de Montpellier Font d'Armand 2003 *

1,5 ha	5 000	8 à 11 €

Il faut pénétrer au cœur du village, autour de l'église du XII^e^s., pour dénicher cette cave. Le vin, lui, se dévoile facilement avec sa robe rubis très brillante, ses notes intenses de cassis et de pain grillé. Vif en bouche, élégant sans excès de concentration, voilà un style de vin original, plutôt sur la fraîcheur.

Olivier Bouis, 12, rue des Aires, 34160 Sussargues, tél. et fax 04.67.86.61.06, e-mail mas-domergue@wanadoo.fr sam. 9h-12h 14h-18h

MAS DU NOVI Prestigi 2003 *

12 ha	69 750	8 à 11 €

Ancienne grange viticole de l'abbaye de Valmagne, le mas du Novi était entretenu par les moines novices. Ce vin de facture classique témoigne d'un beau savoir-faire : robe grenat à reflets bruns, arômes de moka, de fruits à noyau et de vanille, bouche douce aux tanins encore un peu fermes. Les amateurs de notes boisées adoreront sa finale.

SAS Saint-Jean du Noviciat, Mas du Novi, rte de Villeveyrac, 34530 Montagnac, tél. et fax 04.67.24.07.32, e-mail masdunovi@wanadoo.fr t.l.j. 10h-19h

LE MAS DU POUNTIL 2003 *

2 ha	10 000	8 à 11 €

Un domaine constitué d'une vingtaine de petites parcelles, chacune inférieure à 1 ha. Les Bautou en ont sélectionné deux pour confectionner ce vin de couleur pourpre soutenu. La générosité de la bouche est contrebalancée par une bonne structure et une pointe d'acidité. La finale est bien en continuité avec les arômes du nez (grillé, épices, pruneau). Pour un gigot d'agneau au thym.

Brice et Bernard Bautou, 10 bis, rue du Foyer-Communal, 34725 Jonquières, tél. et fax 04.67.44.67.13, e-mail mas.du.pountil@wanadoo.fr t.l.j. sf dim. 15h-19h (hiver 17h-19h)

MAS DU SOLEILLA La Clape Réserve 2002 *

1,5 ha	3 800	30 à 38 €

Une cuvée élevée lentement et avec sérieux dans des fûts soigneusement sélectionnés. Le faible rendement des vignes d'où elle est issue (25 hl/ha) contribue à sa bonne tenue : une robe de couleur cerise mûre, un nez puissant de fruits secs et confiturés, de poivre et une bouche généreuse aux tanins fondus. Le boisé se devine sans s'imposer.

Peter Wildbolz, Mas du Soleilla, rte de Narbonne-Plage, 11100 Narbonne, tél. 04.68.45.24.80, fax 04.68.45.25.32, e-mail vins@mas-du-soleilla.com t.l.j. 8h-20h

MAS FABREGOUS Sentier botanique 2004 *

2 ha	7 500	11 à 15 €

Belle entrée dans le Guide pour ce domaine de 6 ha situé au pied du Larzac, sur un terroir fortement pentu. De couleur violine, ce vin dégage des senteurs de thym, de laurier, de poivre et de muscade qui rappellent l'odeur des petits placards à épices. Tannique sans excès, frais sans manquer de gras, il confirme en bouche son élégance aromatique typique des terroirs d'altitude.

Corinne et Philippe Gros, 1772, mas Fabregous, chem. d'Aubaygues, 34700 Soubes, tél. 04.67.44.31.75, e-mail masfabregous@free.fr r.-v.

MAS FOULAQUIER
Pic Saint-Loup Les Calades 2003 *

3 ha	12 000	11 à 15 €

Un architecte suisse rencontre un administrateur parlementaire. Tous deux décident de devenir vignerons et choisissent ce vieux mas en 1998. Issu d'éboulis calcaires, ce vin représente, par sa profonde maturité, le vin méditerranéen par excellence. Intensité et chaleur le caractérisent. Reflet de la campagne environnante, le nez mêle thym et réglisse à un soupçon de pâte de coings. La bouche achève de convaincre par sa puissance, sa sucrosité tempérée par une bonne fraîcheur, la qualité du grain des tanins et sa longueur. La cuvée **Les Tonillières rouge 2004 (8 à 11 €)** reçoit la même note. Elle est gourmande, charnue, avec un joli fruit et des tanins veloutés.

Mas Foulaquier, rte des Embruscalles, 34270 Claret, tél. 04.67.59.96.94, fax 04.67.59.70.65, e-mail contact@masfoulaquier.com r.-v.

Jequier-Chauchat-Stolt-Fallot

MAS GRANIER Les Marnes 2004

3 ha	12 000	5 à 8 €

Dans ce mas situé à quelques kilomètres de Sommières, la famille Granier a élevé soigneusement dix mois en fût ce vin blanc. Il se présente dans une robe brillante, pâle et dorée à la fois. Confiture de coings, miel et abricot se succèdent lorsque l'on s'approche du verre. La bouche se montre ronde et vive mais un peu plus timide aujourd'hui que le nez. Sur un pélardon des Cévennes ? Le bonheur.

EARL Granier, Mas Montel, Cidex 1110, 30250 Aspères, tél. 04.66.80.01.21, fax 04.66.80.01.87, e-mail montel@wanadoo.fr t.l.j. 9h-19h; dim. sur r.-v.

MAS NICOT La Valière 2003

2 ha	6 000	8 à 11 €

Stéphanie et Olivier Ponson ont décidé, en 2000, de prendre la relève dans ce mas languedocien qui n'a pas quitté leur famille depuis 1683. De couleur sombre et profonde, leur vin évoque au nez la myrtille et le moka, avec du grillé. La bouche, charnue à l'attaque, se prolonge sur des notes de pruneau. Quant aux tanins encore un peu saillants en finale, ils devraient être adoucis par le temps.

Stéphanie et Olivier Ponson, Mas de Perry, 34980 Murles, tél. 04.67.84.40.89, fax 04.67.84.01.79, e-mail masdeperry@wanadoo.fr r.-v.

MAS NOIR La Méjanelle 2004

	4 ha	6 900		8 à 11 €

Mas cévenol du XVIIIᵉs. dominant la mer. Mas noir agrège les meilleurs coteaux du domaine. Si la robe de ce vin est relativement claire, son nez s'affirme sans timidité : fruits confits et touches boisées. La bouche gourmande et déjà fondue accompagnera aujourd'hui – ou d'ici deux ans – un perdreau aux cerises.

Ch. Ministre, Mas du Ministre, 34130 Maugio, tél. 04.67.12.19.09, fax 04.67.15.13.66, e-mail chateauministre@wanadoo.fr
t.l.j. 10h-12h 14h-19h

MAS PEYROLLE Chant de l'Aire 2003 *

	2,1 ha	6 000		8 à 11 €

Une belle entrée dans le Guide pour le deuxième millésime de Patrick Peyrolle en tant que vinificateur. Son Chant de l'Aire plaît par sa robe d'un grenat intense et la finesse de son nez aux arômes de fruits à noyau et de sous-bois. La bouche aux tanins présents mais arrondis est équilibrée. Une bouteille qui peut se bonifier pendant deux ou trois ans. La cuvée **Esprit 2004 rouge (5 à 8 €)**, joli vin d'hiver pour plats en sauce, est citée pour sa structure tannique ferme et ses arômes balsamiques.

Patrick Peyrolle, rte de Corconne, 34270 Vacquières, tél. 06.20.07.69.69, fax 04.67.55.99.50 r.-v.

DOM. DE MASSEREAU Les Cistes 2003

	2 ha	5 000		8 à 11 €

À proximité de Sommières, ce domaine aux bâtisses imposantes a produit ce vin de couleur rubis bien brillant, au nez flatteur de petits fruits rouges, de cacao et d'épices. La bouche, grâce à sa souplesse, à la discrétion de ses tanins et à sa bonne persistance aromatique, s'accordera avec un fromage de chèvre mariné à l'huile d'olive.

Arnaud Freychet, 1990, rte d'Aubais, 30250 Sommières, tél. 06.11.43.58.30, fax 04.66.77.71.91, e-mail info@massereau.com r.-v.

MAS THÉLÈME
Pic Saint-Loup Exultet Hommage à Francis 2003 **

	1,6 ha	3 790		15 à 23 €

Le nom de cette cuvée du mas Thélème est bien choisi car la boire est une vraie jubilation. Fabienne et Alain Bruguière, pour leur premier millésime, réalisent un coup de maître. La robe chatoie dans un grenat légèrement tuilé. Le nez, il faut prendre le temps de le découvrir, un mélange de griotte, de réglisse et de touches toastées. La bouche est accomplie : longue, équilibrée entre tanins présents, fruits mûrs compotés et épices. Vin de convivialité, pour maintenant ou dans cinq ans.

Fabienne et Alain Bruguière, rte de Cazeneuve, 34270 Lauret, tél. et fax 04.67.59.53.97
sam. dim. 10h-12h 17h-19h

DOM. MIRABEL Pic Saint-Loup Les Éclats 2004 **

	2,5 ha	6 500		11 à 15 €

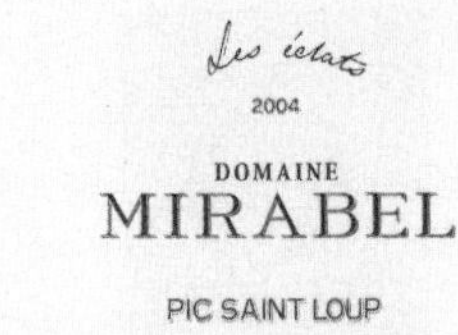

Samuel et Vincent Feuillade, jeunes vignerons, font chanter le terroir avec ce vin. Assemblage complet de syrah, de grenache, de mourvèdre avec une touche de cinsault nés sur un cailloutis calcaire, ce 2004 ne peut pas laisser indifférent. La robe pourpre vif est rutilante ; le nez complexe et chaleureux distille des notes de poivre, de menthol, de fruits noirs, de résine de pin, d'anis, de figue : c'est toute la richesse méditerranéenne ici déclinée. Au palais, tout n'est que puissance, chaleur, épices, matière. Une bouteille qui a du tonus et qui le communique. À recommander avec une daube ou une gardiane de taureau.

Samuel et Vincent Feuillade, Mirabel, 30260 Brouzet-les-Quissac, tél. 06.22.78.17.47, fax 04.66.77.48.88 r.-v.

CH. MIRE L'ÉTANG La Clape 2005 **

	5 ha	15 000		5 à 8 €

Coup de cœur l'an dernier pour son rouge, Mire l'Étang démontre qu'il a plus d'une corde à son arc. Quels beaux reflets verts et dorés dans ce vin ! Quelle expression dans ses arômes de fruits compotés, de poire et de fleurs blanches ! Frais à l'attaque, il se montre ensuite chaleureux et concentré, gras sans être lourd. Un régal sur une bouillabaisse.

Ch. Mire L'Étang, 11560 Fleury-d'Aude, tél. 04.68.33.62.84, fax 04.68.33.99.30, e-mail mireletang@tiscali.fr r.-v.

CH. DES MONGES La Clape Réserve de l'abbaye Élevé en fût de chêne 2003 *

	1,34 ha	7 000		8 à 11 €

L'abbaye des Monges, sur le penchant ouest de la Clape, fut l'un des rares monastères cisterciens de femmes du Languedoc. Il reste aujourd'hui la chapelle Notre-Dame des Ollieux, au cœur du vignoble. Ce vin est à la hauteur du site : une robe grenat, des arômes de garrigue, de cassis et de sous-bois, une bouche soyeuse et épicée. Plein de charme aujourd'hui, il a aussi les capacités d'attendre.

Paul de Chefdebien, abbaye des Monges, rte de Gruissan, 11100 Narbonne, tél. 04.68.32.26.61, fax 04.68.65.39.03, e-mail abbayedesmonges@wanadoo.fr
t.l.j. 8h30-12h30 14h-19h

DOM. MON MOUREL La Bruguière 2004 *

	1 ha	4 000		8 à 11 €

À 10 km au nord de Pézenas, ce vignoble est installé sur une terrasse villafranchienne. Une robe d'une belle profondeur introduit ce vin bien typé au nez par de la garrigue et des fruits cuits. À la fois intense et friande, la bouche s'appuie sur une structure modérée, une jolie rondeur et de douces notes boisées en finale.

Jérémie Costal, Dom. Mon Mourel, rte de Péret, 34800 Aspiran, tél. 06.15.40.47.09, fax 04.67.44.69.83, e-mail jeremiecostal@aol.com r.-v.

DOM. DE MORIN-LANGARAN

Picpoul de Pinet 2005 ★

4,29 ha 20 000 3 à 5 €

Ici, le vignoble regarde l'étang de Thau, dont les coquillages sont les compagnons parfaits des Picpoul-de-Pinet. Cette bouteille – étiquette blanche – affiche bien la typicité de son terroir : robe pâle, arômes d'agrumes et de fleurs blanches, bouche vive se prolongeant sur des notes de poire et de fleur d'oranger. Profitez de sa jeunesse.

Morin, Dom. Morin-Langaran, 34140 Mèze,
tél. 04.67.43.71.76, fax 04.67.43.77.24,
e-mail domainemorin-langaran@wanadoo.fr
r.-v.

MORTIÈS 2004 ★★

4 ha 3 000 8 à 11 €

Mortiès fait bien partie des « grands » du Languedoc. Après le coup de cœur de l'an dernier, voici un blanc merveilleux : quelques reflets verts, des effluves floraux, citronnés et grillés. Un beau volume en bouche joue avec la délicate acidité. Certains proposent de le garder encore, tout comme la cuvée **Jamais content rouge 2003 (11 à 15 €)** qui reçoit une étoile et qui promet un épanouissement remarquable dans les années à venir.

GAEC du Mas de Mortiès, rte de Cazevieille,
34270 Saint-Jean-de-Cuculles, tél. et fax 04.67.55.11.12,
e-mail contact@morties.com r.-v.

CH. DES MOUCHÈRES

Pic Saint-Loup Cuvée Les Centaurées 2004

n.c. 2 700 **5 à 8 €**

Sur ce domaine qui appartient à la famille depuis le XVII[e]s., la première vinification de Jean-Philippe Teissèdre entre dans le Guide. Cette cuvée Les Centaurées, prête à boire, présente une couleur grenat et des notes chaleureuses de cerise à l'eau-de-vie et de cannelle, au nez comme en bouche. C'est un vin délicat, aux tanins bien fondus.

Jean-Philippe Teissèdre, hameau de la Vieille,
34270 Saint-Mathieu-de-Tréviers,
tél. et fax 04.67.55.20.17,
e-mail chateaudesmoucheres@free.fr
t.l.j. 12h-19h

CH. DE LA NÉGLY

La Clape La Brise marine 2005 ★

25 ha 24 500 5 à 8 €

Situé sur le flanc est du massif de la Clape, le vignoble reçoit une influence maritime qui favorise la maturation. Le bourboulenc, présent à 70 %, contribue à la typicité de ce vin : robe pâle, arômes de pain grillé, de pêche et d'agrumes, belle présence en bouche où la fraîcheur se mêle à la rondeur. On se prend à rêver d'une excellente bouillabaisse.

SCEA Ch. de La Négly, 11560 Fleury-d'Aude,
tél. 04.68.32.36.28, fax 04.68.32.10.69,
e-mail lanegly@wanadoo.fr
t.l.j. 10h-12h 14h-16h30; sam. dim. sur r.-v.

DOM. DU NOUVEAU MONDE 2003 ★

2 ha 6 000 5 à 8 €

De gros galets roulés sur un plateau situé à 6 km de la mer, voici un terroir bien particulier. Le nez de ce vin ne manque pas de typicité avec ses notes de garrigue, d'eucalyptus et de fruits cuits. La robe est sombre tandis que la bouche ronde et équilibrée saura se tenir devant une côte de bœuf.

SCEA Gauch, Dom. Le Nouveau Monde,
34350 Vendres, tél. 04.67.37.33.68, fax 04.67.37.58.15,
e-mail domaine-lenouveaumonde@wanadoo.fr
r.-v.

DOM. LE PAS DE L'ESCALETTE

Terrasses du Larzac Les Clapas 2004

4 ha 12 000 **11 à 15 €**

Le pas de l'Escalette est un passage emblématique entre le Larzac et la Méditerranée. Le vignoble s'accroche à de petites terrasses bordées de murets appelés « clapas ». On retrouve dans ce vin la finesse caractéristique des terroirs d'altitude : robe grenat très brillante, nez de groseille et de garrigue, jolie fraîcheur aux côtés de tanins bien ciselés. Pour une grive rôtie.

Dom. Le Pas de l'Escalette, 1, pl. de l'Aire,
34700 Pégairolles-de-l'Escalette, tél. 04.67.96.13.42,
e-mail escalette@wanadoo.fr r.-v.
Zernott

CH. PECH-REDON La Clape Les Cades 2004 ★

15 ha 30 000 5 à 8 €

Situé sur l'un des points culminants du massif de la Clape, Pech-Redon pratique la culture biologique. Cette cuvée bien jeune encore a mis en avant pour séduire sa robe grenat et ses arômes de tabac blond et de grillé. La bouche dévoile une belle vivacité un peu accentuée par le côté encore fougueux des tanins. Attendons un peu.

Christophe Bousquet, Ch. Pech-Redon,
rte de Gruissan, 11100 Narbonne,
tél. 04.68.90.41.22, fax 04.68.65.11.48,
e-mail chateaupechredon@wanadoo.fr
t.l.j. sf dim. 10h-12h 14h-19h

LANGUEDOC

VIGNERONS DE PÉGAIROLLES

Terrasses du Larzac L'Astié 2004

1,5 ha 3 000 **5 à 8 €**

Voici l'un des villages les plus septentrionaux de l'appellation. Les vignobles cultivés en terrasses y sont d'un charme fou. La robe rubis de ce 2004 et ses arômes de fruits rouges, de sous-bois et de garrigue ont retenu l'attention du jury. Vient ensuite une bouche équilibrée, aux tanins déjà fondus, soutenue par une vivacité bien caractéristique de ce terroir d'altitude. Nous retrouvons cette fraîcheur dans le **rosé 2005 Farrières roses (3 à 5 €)**, cité lui aussi.

SCA des Vignerons de Pégairolles-de-l'Escalette,
34700 Pégairolles-de-l'Escalette,
tél. 04.67.44.09.93, fax 04.67.44.15.83 r.-v.

PLAN DE L'OM Roucan 2002 ★

3 ha 6 000 **15 à 23 €**

Roucan : cette cuvée arrive aujourd'hui à maturité. Sa robe garde une belle intensité. Au nez, c'est le moka qui domine aux côtés de fruits confits et de griotte. Son fondu en bouche est indiscutable et flattera une pistache d'agneau braisée aux olives. Rappelons que Joël Foucou a acheté cette propriété en 1987 et qu'auparavant il fut marin tout en étant diplômé de pharmacie.

Joël Foucou, Mas Plan de l'Om,
chem. de la Charité, 34700 Saint-Jean-de-la-Blaquière,
tél. et fax 04.67.10.91.25,
e-mail plan-de-lom@wanadoo.fr r.-v.

PRIEURÉ DE SAINT-JEAN DE BÉBIAN
2003 ★★

3 ha 8 800 23 à 30 €

À Saint-Jean de Bébian, les coteaux aux sols calcaires lacustres du miocène se révèlent de grands terroirs de blancs. La jeunesse et les notes anisées de **La Chapelle de Bébian blanc 2005 (8 à 11 €)** (une étoile) exalteront des gambas à la citronnelle. Quant à ce 2003 élevé avec patience dans des fûts en chêne des Vosges, intensément doré et aromatique (pâte de coings, vanille, abricot), il offre au palais un gras et une tenue qui s'imposeront sur un gratin de Saint-Jacques.

EARL Lebrun-Lecouty,
Prieuré de Saint-Jean de Bébian, rte de Nizas,
34120 Pézenas, tél. 04.67.98.13.60, fax 04.67.98.22.24,
e-mail bebian@wanadoo.fr r.-v.

PRIEURÉ SAINT-HIPPOLYTE 2005 ★★

50 ha 150 000 3 à 5 €

Revoilà ce rosé pimpant dont le précédent millésime s'était déjà bien fait remarquer. Il est l'inverse de la discrétion : une robe fuchsia éclatante, des arômes explosifs de fruits rouges, une bouche ronde et longue. Dans un registre plus classique, le **Château Latude rouge 2003 (8 à 11 €)**, cité, affiche des notes boisées encore dominantes à ce jour.

Cave coop. La Fontesole, bd Jules-Ferry,
34320 Fontès, tél. 04.67.25.14.25, fax 04.67.25.30.66,
e-mail la.fontesole@wanadoo.fr
t.l.j. sf dim. 8h-12h 14h-18h

PRIEURÉ SAINT-MARTIN DE CARCARÉS
Élevé en fût de chêne 2004

15 ha 7 000 8 à 11 €

Tours et Terroirs regroupe depuis 2004 les caves coopératives de Gignac et de Saint-André-de-Sangonis. Ce 2004 aux reflets violets exprime de jolies notes de violette et de fruits noirs. La bouche, plus discrète, est d'un bon équilibre mais laisse apparaître en finale des tanins un peu fougueux. C'est vrai que le vin est encore jeune !

Tours et Terroirs, 10, av. Marcellin-Albert,
34150 Gignac, tél. 04.67.57.51.94, fax 04.67.57.89.00,
e-mail info@tours-et-terroirs.com
t.l.j. sf dim. 9h-12h 14h-18h30

DOM. DE LA PROSE
Saint-Georges d'Orques Les Cadières 2003

3,5 ha 12 200 5 à 8 €

Implanté sur un beau terroir et situé à 100 m d'altitude dans un écrin de garrigue, ce vignoble aperçoit la mer. On ne peut pas nier l'origine languedocienne de cette cuvée à la robe rubis assez légère : ses arômes de griotte à l'eau-de-vie, de mûre et d'épices, une sensation tannique encore présente malgré la rondeur exprimant bien ces régions méridionales. Un vin à ouvrir une heure avant de le servir.

Bertrand de Mortillet, Dom. de la Prose,
34570 Pignan, tél. 04.67.03.08.30, fax 04.67.03.48.70,
e-mail domaine-de-la-prose@wanadoo.fr
t.l.j. 9h-12h 14h-18h30

CH. PUECH-HAUT Tête de Bélier 2004 ★★

11,8 ha 30 000 15 à 23 €

À Puech-Haut, vous n'êtes pas seulement surpris par les têtes de bélier en pierre qui supportent les cuves en bois. Il y a aussi ce blanc, bien doré, qui embaume les fleurs blanches, le miel, puis la vanille. La bouche se montre puissante, longue et distinguée à la fois. Le **rouge 2003 Tête de Bélier**, une étoile, développe des notes grillées et boisées apportées par le fût. Sa persistance et son volume lui assureront un bel avenir.

Gérard Bru, Ch. Puech-Haut,
2250, rte de Teyran, 34160 Saint-Drézéry,
tél. 04.99.62.27.27, fax 04.99.62.27.29,
e-mail chateau-puech-haut@wanadoo.fr
t.l.j. 10h-12h 14h-18h

DOM. LES QUATRE PILAS
Saint-Georges d'Orques 2005 ★

1 ha 4 000 5 à 8 €

Joseph Bousquet a de qui tenir avec ses deux grands-pères, l'un tonnelier et l'autre vigneron. Son rosé de saignée séduit par une robe pastel bien brillante, un nez intense de fruits à noyau (pêche, abricot), et par une bouche ronde et rafraîchissante à la fois. À choisir pour des rougets grillés.

Joseph Bousquet,
chem. de Pignan, 34570 Murviel-lès-Montpellier,
tél. et fax 04.67.47.89.32 r.-v.

DOM. DE REILHE 2003

2,5 ha 6 000 5 à 8 €

Situé à 10 km de Sommières, le domaine de Reilhe est commandé par un bâtiment de la fin du XVI[e]s. qui a conservé sa cour carrée et son escalier à vis. La robe de son 2003 reste encore jeune avec ses reflets violacés, tandis que le nez riche affiche un bouquet subtil parvenu à maturité : fruits à noyau, menthol, olive noire. La bouche, un peu en retrait, se montre équilibrée et plaisante. À boire maintenant.

Hervé Sauvaire, Mas de Reilhe,
30260 Crespian, tél. et fax 04.66.77.89.71,
e-mail herve@domaine-sauvaire.com r.-v.

CH. RICARDELLE La Clape Closablières 2004

2,48 ha 11 000 8 à 11 €

Situé entre Narbonne et Gruissan, le château de Ricardelle propose de charmants gîtes. Vous y serez bien placé pour apprécier ce 2004 très brillant, aux arômes de fruits noirs, de poivre et de sous-bois. Finesse et élégance sont au rendez-vous. Cette bouteille accompagnera vos côtes d'agneau.

Ch. Ricardelle, rte de Gruissan, 11100 Narbonne,
tél. 04.68.65.21.00, fax 04.68.32.58.36,
e-mail ricardelle@wanadoo.fr
t.l.j. 9h-12h 14h-19h
Pellegrini

DOM. ROCAUDY Tour de magie 2004 ★★

3 ha 6 000 11 à 15 €

Vailhan est connu des amateurs de pêche car il s'y déroule chaque année un concours où l'on vient de toute l'Europe pour pêcher carpes et sandres... Une occasion de passer par ce domaine implanté dans la garrigue. Pour son troisième millésime, la famille Oury obtient encore cette année deux étoiles : pas de mystère, c'est le terroir et le talent qui s'expriment dans ce vin de schistes. La robe, d'un pourpre sombre, aiguise l'envie d'en connaître plus : des notes de cuir, de fruits et de torréfaction, d'abord discrètes, se développent aussi bien au nez qu'en bouche. L'équilibre est remarquable entre tanins puissants et onctuosité, élégance et complexité. Ce 2004 devrait encore se bonifier d'ici à cinq ans.

Pascal Oury, Dom. Rocaudy,
6, rue Bouscarel, 34320 Vailhan,
tél. 04.67.24.18.92, fax 03.87.52.09.17 r.-v.

CH. DE ROCQUEFEUIL
Montpeyroux Grande Cuvée 2003 *

1,9 ha	6 060	8 à 11 €

À Montpeyroux, les vignes humanisent le paysage presque minéral. L'élevage en fût, durant douze mois, n'a pas dissimulé ici la typicité du terroir. Derrière la robe violine, on retrouve des notes caractéristiques de garrigue, de pain grillé et de menthol. Un équilibre soyeux s'installe en bouche et appelle un lapereau aux noisettes – et ils sont nombreux dans la garrigue. Très belle étiquette : comme la plupart dans cette appellation, elle est élégante.

La Cave de Montpeyroux,
5, pl. François-Villon, 34150 Montpeyroux,
tél. 04.67.96.61.08, fax 04.67.88.60.91,
e-mail cave@montpeyroux.com r.-v.

CH. LA ROQUE Clos des Bénédictins 2004 **

3 ha	15 000	8 à 11 €

Cette cuvée est un hommage aux moines bénédictins qui, au Moyen Âge, cultivaient déjà leurs pieds de vigne sur les pentes de ce coteau de cailloutis calcaire. Le brillant de la robe et ses reflets or et verts sont dignes d'une grande fête. Le nez à la fois subtil et intense évoque le chèvrefeuille et la pêche de vigne. Élégant, rond et vif à la fois, ce vin a gardé la tendreté de sa jeunesse tout en offrant une complexité due à son élevage patient et soigné.

Jack Boutin, Ch. La Roque, 34270 Fontanès,
tél. 04.67.55.34.47, fax 04.67.55.10.18,
e-mail chateau-laroque@wanadoo.fr
t.l.j. sf dim. 10h-12h 14h-18h

DOM. DE ROQUEMALE Grès de Montpellier 2004

2,07 ha	8 000	8 à 11 €

Roquemale signifie en patois « mauvaise roche », une aubaine car la vigne y produit peu. Sur ce 2004 de velours pourpre, la concentration est bien là mais sans excès. Au nez, les notes de fruits frais et de cassis reflètent sa jeunesse. Vient ensuite du chocolat, puis des épices dans une bouche élégante et soyeuse, chaleureuse et très réglissée en finale.

Dominique Ibanez, 12, rte de Clermont,
34560 Villeveyrac, tél. et fax 04.67.78.24.10,
e-mail contact@roquemale.com r.-v.

CUVÉE ROUCAILLAT R 2003 **

4 ha	6 000	8 à 11 €

Tout au bout d'une piste incertaine qui s'enfonce dans la garrigue sauvage, vous découvrirez ce vignoble de blancs. Issu de ce terroir rocailleux, le Roucaillat puissant et typé va faire parler de lui. Sa robe bien dorée en impose déjà. Au nez, ses effluves balsamiques et minéraux, ses notes de fruits confits et de miel, son profil évolutif subtil et maîtrisé ont fasciné les dégustateurs. En bouche, tout est dans le gras et la générosité. Le fort caractère de ce blanc peut surprendre, mais quand on l'aime, on l'adore. Un grand moment sur une bourride de baudroie à la sétoise. L'éléphant sur l'étiquette rappelle le passage d'Hannibal dans ce village.

Paul Reder, Comberousse, rte de Gignac,
34660 Cournonterral, tél. et fax 04.67.85.05.18,
e-mail paul@comberousse.com r.-v.

CH. ROUQUETTE-SUR-MER La Clape 2005 *

4 ha	16 000	5 à 8 €

Quel paysage merveilleux, ces vignes accrochées sur les pentes des falaises face à la Méditerranée ! Dans sa robe brillante à reflets verts, ce blanc – un classique de la Clape – déploie son charme : des arômes de fruits exotiques, d'agrumes et d'acacia, une bouche fraîche et délicate. Moules marinière et seiches grillées se le disputeront.

Jacques Boscary, rte Bleue, 11100 Narbonne-Plage,
tél. 04.68.65.68.65, fax 04.68.65.68.68,
e-mail bureau@chateaurouquette.com
t.l.j. 10h-12h 15h-19h

SAINT-FÉLIS 2004

2,25 ha	6 666	8 à 11 €

Plus de 1 000 ha sont vinifiés dans cette cave qui regroupe aujourd'hui les Vignerons de Saint-Jean-de-la-Blaquière et de Saint-Félix-de-Lodez. Ce 2004 grenat profond rappelle les parfums de mûre sauvage qui embaument dans toute une maison au moment des confitures, mais aussi les épices. Agréable et suffisamment ample et structuré, il doit pouvoir attendre deux années encore.

SCA Les Vignerons de Saint-Félix-Saint-Jean, 21, av. Marcellin-Albert, 34725 Saint-Félix-de-Lodez,
tél. 04.67.96.60.61, fax 04.67.88.61.77,
e-mail info@vignerons-saintfelix.com r.-v.

LANGUEDOC

LES VIGNERONS DE SAINT-GEORGES-D'ORQUES
Saint-Georges d'Orques Ocre rouge Prestige 2003

15 ha	10 000	11 à 15 €

Un vignoble historique, situé aux portes de Montpellier, et qui résiste à l'urbanisation galopante de la ville. Pourpre à reflets bruns, ce vin offre des arômes familiers d'épices et de fruits mûrs. En bouche, le profil est chaleureux, mais c'est la charpente tannique qui s'impose, demandant un peu de temps pour se fondre. Un tajine de mouton ne lui fera pas peur.

Les Caves de Saint-Georges-d'Orques,
21, av. de Montpellier, 34680 Saint-Georges-d'Orques,
tél. 04.67.75.11.16, fax 04.67.40.56.10,
e-mail cavesstgeorges@wanadoo.fr r.-v.

CH. SAINT-MARTIN DE LA GARRIGUE
Grès de Montpellier 2004 *

5,26 ha	26 000	11 à 15 €

Cette cuvée profondément pourpre a été élevée avec des soins minutieux qui ont respecté la typicité du terroir : nez d'olive noire, de violette et d'épices, bouche très élégante, délicatement boisée, aux tanins fins. Sa longue persistance laisse présager un bel avenir. Quant au **blanc 2005 (8 à 11 €)**, frais et floral, il ne fera pas mentir son étoile sur un loup à l'aneth.

⊶ SCEA Saint-Martin de la Garrigue,
Ch. Saint-Martin de la Garrigue, 34530 Montagnac,
tél. 04.67.24.00.40, fax 04.67.24.16.15,
e-mail jezabalia@stmartingarrigue.com
t.l.j. 8h-12h 13h30-17h30; sam. dim. sur r.-v.
⊶ Umberto Guida

LA SAUVAGEONNE

Terrasses du Larzac Pica Broca 2004 **

■ 8 ha 28 000 8 à 11 €

Cette cuvée Pica Broca commence à être connue des fidèles du Guide. Deux étoiles déjà l'an passé. Pour la première année toutefois, elle est étiquetée Terrasses du Larzac, à la suite de la reconnaissance officielle de cette dénomination. D'une couleur pourpre profond, ce vin enthousiasme par sa richesse et la concentration d'arômes qu'il déploie : genévrier cade, tabac blond, tapenade et notes de torréfaction. La bouche généreuse, quoique fine, possède des tanins puissants, d'une longueur remarquable, gage d'un bon potentiel de garde. Idéal sur une daube de sanglier. Une étoile pour la cuvée **Les Arbousiers 2005 rosé (5 à 8 €)** au teint pâle, à la bouche friande, fraîche et savoureuse : on croit croquer des fruits d'été.

⊶ La Sauvageonne, rte de Saint-Privat,
34700 Saint-Jean-de-la-Blaquière,
tél. 04.67.44.71.74, fax 04.67.44.71.02,
e-mail la-sauvageonne@wanadoo.fr r.-v.
⊶ Gavincrisfield

SEIGNEUR DES DEUX VIERGES

Saint-Saturnin Élevé en fût de chêne 2003 **

■ 4,9 ha 12 000 8 à 11 €

Le rocher des Deux Vierges surplombe le village et le vignoble de Saint-Saturnin, et a donné son nom à cette cuvée aux reflets noirs, au nez complexe de cuir, de fumé et de garrigue. Plein et généreux à l'attaque, ce vin développe en bouche une structure puissante et une longue finale imprégnée de Zan et d'olive noire. D'un grand potentiel de garde, il vous fera éprouver de grandes sensations dans les prochaines années.

⊶ Les Vins de Saint-Saturnin,
av. Noël-Calmel, 34725 Saint-Saturnin-de-Lucian,
tél. 04.67.96.61.52, fax 04.67.88.60.13,
e-mail contact@vins-saint-saturnin.com r.-v.

SOUMESTRE 2003 *

■ 2 ha 1 000 8 à 11 €

Voici un domaine situé à 1 km de la Méditerranée et d'une immense plage de sable fin. Les vignes occupent le plateau caillouteux. Dans ce vin, les dégustateurs ont aimé l'intensité du fruit (mûre) et du grillé, le gras en bouche, la souplesse des tanins et, dit l'un d'entre eux, l'impression de maturité parfaite. À servir dès aujourd'hui sur une côte de bœuf.

⊶ Michel Abel, 97, av. de la Plage, 34410 Sérignan,
tél. 06.14.97.35.21, fax 04.67.32.25.39,
e-mail dom.querelle@wanadoo.fr r.-v.

STELLA NOVA Les Pléiades 2004 **

■ 2,3 ha 6 500 11 à 15 €

La cuvée Les Pléiades, à la forte personnalité, reflète le terroir dont elle est issue. Sa robe sombre, presque noire, annonce l'intensité et la complexité du nez où se mêlent fruits rouges, épices et garrigue. L'équilibre est parfait entre la fraîcheur et les tanins très présents. Ce vin emplit la bouche, et coq au vin, entrecôte aux cèpes, viandes en sauce n'ont qu'à bien se tenir.

⊶ Philippe Richy, Dom. Stella Nova,
546, rte d'Usclas, 34230 Paulhan,
tél. 04.67.00.10.76, fax 04.67.25.35.28,
e-mail stellanova@wanadoo.fr r.-v.

CH. TAURUS-MONTEL

Pic Saint-Loup Prestige Élevé en fût de chêne 2004 *

■ 2 ha 8 000 15 à 23 €

La cave, qui date du XIX^{e}s., a été construite avec les pierres d'une ancienne église. Effet du hasard, sans doute, et pourtant, au nez fin et élégant se développent des fragrances de santal et d'encens combinées à des notes de fruits noirs frais. Fraîche également est la bouche, puissante, ronde aussi, dotée de tanins veloutés aux saveurs de cèdre. Elle laisse en finale une sensation gourmande intense. À accorder avec un jambonneau braisé.

⊶ SCEA Ch. Montel, 1, rue du Devès, 34820 Teyran,
tél. 04.67.70.20.32, fax 04.67.70.92.03,
e-mail contact@chateau-montel.com r.-v.

DOM. LA TOUR PENEDESSES

Les Volcans 2004 **

■ 5,6 ha 50 000 11 à 15 €

Tout concourt à la qualité exceptionnelle de cette cuvée finement ciselée : des techniques culturales qui respectent son terroir volcanique de basaltes, des vinifications précises à la parcelle et un « artiste vigneron », Alexandre Fouque. C'est un vin harmonieux et gourmand. La robe est d'encre. Les arômes de confiture et de réglisse, puissants, sont magnifiés en bouche par des tanins fondus. Idéal pour des viandes en sauce typées. Une étoile distingue le domaine en **faugères Montagne Noire rouge 2004 (8 à 11 €)** : si ses notes boisées sont encore marquées, l'équilibre et la longueur laissent augurer des lendemains gourmets. Attendre trois à quatre ans.

⊶ Dom. La Tour Penedesses, 2, rue Droite,
34600 Faugères, tél. 04.67.95.17.21, fax 04.67.95.44.03,
e-mail domainedelatourpenedesses@yahoo.fr
t.l.j. sf dim. 9h-12h 14h-18h30; f. jan.
⊶ Alexandre Fouque

DOM. DES TREMIÈRES

Longueur de temps 2003 *

■ 0,7 ha 3 500 11 à 15 €

Est-ce parce que ce vin promet du plaisir dès aujourd'hui sans exclure un potentiel de garde qu'il porte l'étrange nom de Longueur de temps ? Sa robe est d'un rouge violine vif, son nez évoque le cassis, le pruneau, le poivre et la vanille. Le jury a été sous le charme de sa puissance délicate, de son soyeux et de sa longueur.

🔑 Bernadette et Alain Rouquette, Dom. des Tremières, 34800 Nébian, tél. 06.16.79.30.28, fax 04.67.96.34.83 ☑ Y ☆ r.-v.

CH. VALOUSSIÈRE 2004

■ 20 ha 100 000 ■ 3 à 5 €

Un bon rapport qualité-prix pour cette importante cuvée née au cœur du « désert » d'Aumelas. De couleur grenat, elle se montre très fruitée au nez (griotte, cassis) et légèrement épicée. La bouche charmeuse et bien équilibrée en fait, selon l'avis de tous, une bouteille prête à boire dès maintenant.

🔑 SARL Mas de Lunes, Cabrials, 34230 Aumelas, tél. 04.67.88.81.72, fax 04.67.88.80.62

VERMEIL DU CRÈS
Collection Vermeil Élevé en fût de chêne 2004

■ 6,32 ha 17 596 ⏸ 5 à 8 €

Du haut de leur plateau graveleux, les vignes regardent la Méditerranée et la plage de Sérignan, protégée par son cordon dunaire. De couleur grenat, ce vin développe des arômes de cerise à l'eau-de-vie ainsi qu'une petite touche mentholée. Frais à l'attaque, il se révèle soyeux et élégant. Prêt à boire, il saura attendre un peu.

🔑 SCAV Les Vignerons de Sérignan, av. Roger-Audoux, 34410 Sérignan, tél. 04.67.32.23.26, fax 04.67.32.59.66, e-mail contact@vignerons.serignan.com ☑ Y ☆ t.l.j. sf dim. 9h-12h 15h-18h

CH. LA VERNÈDE Élevé en fût de chêne 2003 *

■ 8 ha 30 000 ⏸ 8 à 11 €

Bâtie sur un site romain, La Vernède possède un parc somptueux. Une étoile brille sur les vins du millésime 2003 : d'une part, la cuvée **Caccilia 2003 rouge (15 à 23 €)**, dont les arômes grillés et vanillés témoignent bien de l'élevage en fût ; d'autre part, cette cuvée d'un rouge profond marquée au nez par le cuir et les fruits rouges compotés. Sa concentration en bouche n'est pas extrême, mais c'est au profit de son équilibre et de son élégance.

🔑 Jean-Marc Ribet, Ch. de La Vernède, rte de Salles, 34440 Nissan-lez-Enserune, tél. 04.67.37.00.30, fax 04.67.36.60.11, e-mail chateaulavernede@infonie.fr ☑ Y ☆ t.l.j. 9h-18h; f. sam. dim. en hiver

VILLA SYMPOSIA L'Équilibre 2004 *

■ 6 ha 23 000 ⏸ 8 à 11 €

Deuxième millésime du domaine, deuxième sélection pour cette cuvée. Les arômes sont un savant dosage de petits fruits noirs très mûrs, de violette et de notes d'élevage. Au palais, le volume et la complexité, soulignés par la même richesse aromatique, confèrent à cette bouteille une réelle harmonie. À servir dès à présent ou à attendre : ce vin est décidément très polyvalent.

🔑 SCEA L'Hermitage, chem. Saint-Georges, 34800 Aspiran, tél. 05.57.74.43.51, fax 05.57.74.45.13, e-mail info@rolvalentin.com ☑ Y ☆ r.-v.

🔑 E. Prissette

DOM. ZUMBAUM TOMASI
Pic Saint-Loup Clos Maginiai 2004 *

■ 9,85 ha 11 000 ■ ⏸ 11 à 15 €

Ce domaine est un habitué du Guide avec ce Clos Maginiai, issu d'un terroir argilo-calcaire travaillé selon les plus purs principes de l'agriculture biologique. La robe est intense, violacée, mais ce qu'on apprécie particulièrement, c'est l'harmonie générale qui se dégage de cette cuvée. Son équilibre, sa finesse, l'élégance de son nez aux notes de fruits mûrs, sa belle plénitude en bouche avec des tanins fermes, des notes mentholées et une finale épicée permettent d'assurer que ce vin, déjà intéressant, sera à son zénith d'ici trois ans, lorsque les notes toastées, cacaotées de l'élevage se seront adoucies.

🔑 Zumbaum, 83, rue des Airs, 34270 Claret, tél. 04.67.55.78.77, fax 04.67.02.82.84, e-mail guilhem@zumbaum-tomasi.net ☑ Y ☆ t.l.j. 9h-12h 13h30-18h

Faugères

Les vins de Faugères sont des vins AOC depuis 1982, comme les saint-chinian leurs voisins. La région de production, qui comporte sept communes situées au nord de Pézenas et de Béziers et au sud de Bédarieux, a produit 73 113 hl en 2005 sur près 1 904 ha de vin dont 802 hl de blanc. Les vignobles sont plantés sur des coteaux à forte pente, d'altitude relativement élevée (250 m), dans les premiers contreforts schisteux peu fertiles des Cévennes. Produit à partir de grenache, syrah, mourvèdre, carignan et cinsault, le faugères est un vin bien coloré, pourpre, capiteux, aux arômes de garrigue et de fruits rouges.

ABBAYE SYLVA PLANA
Le Songe de l'abbé 2004 **

■ 8 ha 30 000 ■ ⏸ 11 à 15 €

Deux familles, celles des Bouchard et des Guy, se sont réunies pour valoriser le terroir de l'Abbaye et offrir à l'amateur cette belle cuvée. Un 2004 au nez complexe de fruits mûrs et d'épices, gras, ample et très réglissé en fin de bouche. Ce beau vin n'est pas un songe mais une réalité que vous pouvez apprécier dès maintenant, sur un carré d'agneau par exemple.

🔑 Bouchard-Guy, Abbaye Sylva Plana, 3, rue de Fraïsse, 34290 Alignan-du-Vent, tél. 04.67.24.91.67, fax 04.67.24.94.21, e-mail info@vignoblesbouchard.com ☑ Y ☆ t.l.j. sf dim. 8h-12h 14h-19h

CH. DES ADOUZES 2005 *

■ 5 ha 20 000 ■ 5 à 8 €

Habitué du Guide, Jean-Claude Estève obtient cette année une citation pour un **rouge 2004** au nez expressif de fruits frais et de violette. Très floral en bouche, ce vin a du volume et une finale plutôt épicée. L'étoile est allée à cet excellent rosé 2005 au nez floral et à la bouche fraîche et élégante, à déguster en apéritif pour lui-même ou sur des crustacés.

🔑 Jean-Claude Estève, Ch. des Adouzes, 2, rue Tras du Castel, 34320 Roquessels, tél. 04.67.90.24.11, fax 04.67.90.12.74, e-mail adouzes@tiscali.fr ☑ Y ☆ t.l.j. 9h30-12h 14h-19h

LANGUEDOC

L'ANCIENNE MERCERIE
Cuvée Couture 2003 ★★

■ 3 ha 5 000 🛢 11 à 15 €

Propriétaire d'une mercerie, la grand-mère était couturière, d'où le nom de cette superbe cuvée. D'un rouge profond, cette bouteille offre un nez de petits fruits (cerise noire, mûre), une bouche ample, généreuse, structurée et fraîche ; c'est du cousu main. À consommer sans trop tarder.

François Caumette, 6, rue de l'Égalité, 34480 Autignac, tél. et fax 04.67.90.27.02, e-mail ancienne.mercerie@free.fr ☑ Y ⛹ r.-v.

BARON ERMENGAUD 2004 ★

■ 8 ha 14 000 ▮ 5 à 8 €

Deux vins présentés par la cave coopérative de Laurens ont retenu l'attention du jury. Ce Baron Ermengaud, au nez de fruits frais, présente en bouche les qualités d'un vin de fête : souple, rond, agréable. À déguster entre amis autour d'un barbecue. Cité, le **Domaine des Jeantels 2004 Élevé en fût de chêne (3 à 5 €)** au nez de pruneau et de mûre, à la bouche ronde et plutôt riche est à réserver aux viandes rouges grillées.

Maîtres Vignerons du Faugerois, chem. de la Murelle, 34480 Laurens, tél. 04.67.90.28.23, fax 04.67.90.25.47, e-mail caveaudesschistes@nerim.net ☑ Y ⛹ t.l.j. 9h-12h 14h-18h

DOM. CAUVY Campauvre 2003 ★★

■ 1 ha 5 000 ▮🛢 8 à 11 €

Un vin composé par tiers de grenache, syrah et mourvèdre. Un nez de fruits mûrs puis de fruits à l'alcool puis une attaque fraîche, élégante ; fruits et tanins conjuguent leur effort pour donner une impression de plaisir omniprésente. Une belle bouteille de faugères et une étiquette originale.

Philippe et Andrée Cauvy, Montée des Fontenelles, 34600 Caussiniojouls, tél. 04.67.95.38.32, fax 04.67.95.13.31, e-mail cauvy.pezenas@wanadoo.fr ☑ Y ⛹ t.l.j. sf dim. 9h-12h 14h-17h30

CH. CHENAIE Les Ceps d'Émile 2003 ★★

■ 1,3 ha 5 000 🛢 8 à 11 €

Propriétaire du château à l'imposant donjon datant du XIIe s., la famille Chabbert a décidé de le mettre en valeur en y installant son chai à barriques et son caveau de vente où vous pourrez déguster les vins du domaine. D'abord ces Ceps d'Émile aux arômes de grillé et de violette très flatteurs, gourmands et longs en bouche. Puis, retenu avec une étoile, **Les Douves 2004** imprégnées jusqu'en finale d'élégantes notes d'épices douces et de garrigue.

EARL André Chabbert et Fils, Ch. Chenaie, 34600 Caussiniojouls, tél. 04.67.95.48.10, fax 04.67.95.44.98 ☑ Y ⛹ r.-v.

CH. DES ESTANILLES Tradition 2003 ★★

■ 20 ha 60 000 ▮🛢 5 à 8 €

Le château des Estanilles, constellé d'étoiles dans les précédentes éditions du Guide, ne faillit pas à la tradition ; encore deux vins doublement étoilés cette année. Le premier est rouge et assemble tous les cépages de l'AOC. Nez expressif de petits fruits noirs et d'épices, gras, ampleur, richesse et longueur en bouche : c'est le terroir de Faugères et le savoir-faire de Michel Louison qui s'exprime dans ce 2003. Également remarquable, le **faugères blanc du même nom 2004 (8 à 11 €)**, à base de marsanne et de roussanne, est un grand faugères blanc, aux arômes de fleur et de cannelle et à la bouche ample et longue.

Michel Louison, Ch. des Estanilles, Lentheric, 34480 Cabrerolles, tél. 04.67.90.29.25, fax 04.67.90.10.99, e-mail earl.louison@worldonline.fr ☑ Y ⛹ r.-v.

DOM. DE FENOUILLET 2004 ★★

■ 50 ha 200 000 ▮🛢 3 à 5 €

Installés à Faugères depuis 1990, Hugues et Bernard Jeanjean ont proposé maintes fois de très belles cuvées. Celle-ci est dans la lignée des plus réussies. De couleur pourpre, elle offre un nez puissant de fruits rouges et d'épices, et se montre ample et ronde. Le mariage entre les tanins soyeux et les arômes devrait bientôt se réaliser. Retenue avec une étoile, la cuvée **Clos Roque d'Aspes 2004 (5 à 8 €)**, au nez d'épices douces et à la bouche charnue, doit être attendue un an ou deux avant d'accompagner une daube, par exemple.

SCEA Le Fenouillet, BP1, 34725 Saint-Félix-de-Lodez, tél. 04.67.88.81.97, fax 04.67.88.80.62

CH. GRÉZAN Cuvée Vieilles Vignes 2003 ★

■ 2 ha 8 000 🛢 11 à 15 €

Commanderie des Templiers au XIIe s., remaniée par un disciple de Viollet-le-Duc au XIXe s., ce domaine fortifié est surnommé le « petit Carcassonne du Biterrois ». Côté vin, la cuvée Vieilles Vignes a bien des atouts. À l'œil sombre, au nez puissant d'épices et de tabac, succède une bouche souple aux tanins fondus et vanillés. Ce beau vin est à déguster sans trop tarder sur une entrecôte.

Ch. Grézan, D 909, 34480 Laurens, tél. 04.67.90.27.46, fax 04.67.90.29.01, e-mail contact@chateau-grezan.fr ☑ Y ⛹ t.l.j. sf dim. 8h-12h 14h-18h (basse saison); sf dim. mat. 8h-19h (haute saison) 🏠 7 🏠 E

Fardel et Pujol

CH. HAUT-FABRÈGUES
Cuvée Prestige Vinifié en fût de chêne 2005

□ 2 ha 8 000 🛢 5 à 8 €

Installé depuis 1965 dans une ancienne commanderie des Templiers, Jean-Luc Saur propose ce faugères blanc à la robe jaune paille, au nez expressif de fruits secs. Souple et rond en bouche, ce 2005 fera un excellent apéritif pour les chaudes soirées cet automne.

Jean-Luc Saur, Ch. Haut-Fabrègues, 34480 Cabrerolles, tél. 04.67.90.28.67, fax 04.67.90.11.17, e-mail jean-luc.saur@wanadoo.fr ☑ Y ⛹ t.l.j. 9h-12h 13h-20h; dim. sur r.-v.

HECHT & BANNIER 2003

■ n.c. n.c. ▮🛢 15 à 23 €

Hecht & Bannier, négociant-éleveur, a choisi de présenter ce faugères 2003, élevé vingt mois en fût, grillé, toasté, boisé au nez comme en bouche ; il faudra s'armer de patience (quatre ou cinq ans) avant de déguster ce vin charpenté mais encore trop marqué par son élevage.

Hecht & Bannier, 42, Grand-Rue, 34140 Bouzigues, tél. 04.67.74.66.38, fax 04.67.74.66.45, e-mail contact@hbselection.com ☑ t.l.j. sf dim. 9h-12h 14h-18h

CH. DE LA LIQUIÈRE Vieilles Vignes 2004 ★★

■ 14 ha 60 000 ▮ 8 à 11 €

Dans cette appellation faugères, il est quelques domaines où l'amateur est sûr de trouver un bon accueil. Le château de La Liquière fait partie de ceux-là. Cette fois, deux vins ont été mis en avant par le jury ; en rouge, la cuvée Vieilles Vignes aux arômes de fruits mûrs, de poivre et de réglisse qui accompagnent une bouche douce et équilibrée. La cuvée **Cystus blanc 2005** aux effluves de miel et de fleur d'acacia obtient une étoile. Avec son attaque vive et élégante, elle devrait faire merveille avec des coquilles Saint-Jacques.

Ch. de La Liquière, La Liquière, 34480 Cabrerolles, tél. 04.67.90.29.20, fax 04.67.90.10.00, e-mail info@chateaulaliquiere.com
t.l.j. sf dim. 9h-12h 15h-18h; sam. sur r.v.
Vidal-Dumoulin

MAS GABINÈLE Rarissime 2004 ★★★

■ 4 ha 8 000 23 à 30 €

Installé en 1997, coup de cœur de l'édition 2004, Thierry Rodriguez reçoit cette année trois étoiles pour cette cuvée Rarissime, c'est dire s'il maîtrise son sujet. Le jury a été enthousiasmé par sa teinte sombre, par ses arômes intenses de grillé et d'épices, par son attaque ample, ses tanins soyeux et vanillés, sa finale longue : une réussite exceptionnelle dans ce millésime délicat. Une suggestion culinaire en accord avec ce vin : un gigot d'agneau tout simplement.

Thierry Rodriguez, hameau de Veyran, 34490 Causses-et-Veyran, tél. 04.67.89.71.72, fax 04.67.89.70.69, e-mail throdriguez@wanadoo.fr r.-v. E

DOM. DU MÉTÉORE 2005 ★★

□ 2 ha 3 000 ▮ 5 à 8 €

Geneviève Libes veille avec compétence aux destinées de ce domaine depuis 1985. Elle est en train de devenir une référence en matière de faugères blanc. Que d'éloges pour cet assemblage de roussanne et de marsanne ! Sa robe jaune clair, ses arômes d'agrumes complexes, son attaque vive et élégante, son palais aromatique et persistant font de ce vin l'ambassadeur de l'appellation.

Geneviève Libes, Dom. du Météore, 34480 Cabrerolles, tél. 04.67.90.21.12, fax 04.67.90.11.92, e-mail domainedumeteore@wanadoo.fr
t.l.j. sf sam. dim. 9h30-12h 15h-19h; hiver sur r.-v. D

MOULIN DE CIFFRE Élevage en fût de chêne 2004

■ 6 ha 12 000 8 à 11 €

Cet ancien moulin à eau et à vent a été repris en 1998 par B. et J. Lesineau ; sans perdre de temps, ils ont obtenu le coup de cœur de l'édition du Guide 2005. Cette année, la cuvée présentée, sortant de douze mois de fût, est apparue encore trop jeune pour briguer les premières places. Mais elle est prometteuse par son nez de fruits surmûris et confiturés, son attaque franche et ses tanins fermes. L'amateur devra attendre quelque temps pour apprécier ce vin dans sa plénitude.

Lesineau, SARL Ch. Moulin de Ciffre, 34480 Autignac, tél. 04.67.90.11.45, fax 04.67.90.12.05, e-mail info@moulindeciffre.com
t.l.j. sf dim. 10h-12h 16h-19h; sam. sur r.-v.

DOM. OLLIER-TAILLEFER Grande Réserve 2004 ★

■ 5 ha 20 000 ▮ 5 à 8 €

Dans le pittoresque village de Fos, vous trouverez facilement ce domaine régulièrement « étoilé » dans le Guide. Depuis 2003, il offre des conditions d'accueil remarquables, sous la forme d'un caveau de dégustation « Vins et produits du terroir ». Vous y dégusterez deux vins notés chacun une étoile : cette Grande Réserve aux arômes de fruits rouges et d'épices, ainsi que le **blanc Allegro 2005**, assemblage de roussanne et de rolle, au nez de fleur d'acacia et de sous-bois, à la bouche fraîche, équilibrée et persistante. Que du plaisir !

Dom. Ollier-Taillefer, rte de Gabian, 34320 Fos, tél. 04.67.90.24.59, fax 04.67.90.12.15, e-mail ollier.taillefer@wanadoo.fr
t.l.j. sf dim. 11h-12h 15h-18h
Luc et Françoise Ollier

PARFUM DE SCHISTES 2004 ★

■ 20 ha 80 000 ▮ 5 à 8 €

Sur son vignoble de 540 ha, la cave coopérative en a sélectionné 20 pour produire cette cuvée au nez épicé et brioché d'une belle intensité. Gras, rond, aux tanins fondus marqués par le moka et les fruits cuits, ce vin à la forte personnalité aura de chauds partisans. Également une étoile, le faugères **blanc 2005 l'Ort d'Amorel**, issu essentiellement d'un assemblage de roussanne et de marsanne présente un nez minéral et frais. À réserver aux coquillages.

Cave coop. de Faugères, Mas Olivier, 34600 Faugères, tél. 04.67.95.08.80, fax 04.67.95.14.67, e-mail contact@lescrusfaugeres.com
t.l.j. 9h-12h 14h-19h 3 E

DOM. DES PRÉS-LASSES Le Castel-Viel 2004 ★★

■ 5 ha 18 600 ▮ 15 à 23 €

Souvent mentionnée depuis quelques années, cette cuvée d'un rouge profond, marquée par un élevage en fût de quatorze mois, a été qualifiée cette année de remarquable. Remarquables sont ses arômes de fruits mûrs et compotés. Remarquables sa puissance en bouche et son boisé bien fondu qui participe à une longueur à n'en plus finir. Joli vin qu'il conviendra d'oublier un an ou deux avant de le redécouvrir au mieux de sa forme.

Feigel, Dom. des Prés-Lasses, 5, rue de L'Amour, 34480 Autignac, tél. et fax 04.67.90.21.19 r.-v.

DOM. DE LA REYNARDIÈRE Cuvée Prestige 2004 ★

■ 2 ha 8 000 ▮ 5 à 8 €

Dans la famille dès le début du XIXe s., ce domaine a produit des faugères depuis 1986. La cuvée Prestige, d'un beau rouge rubis, présente un nez de fruits mûrs et de cassis, une attaque ronde et charnue, des tanins fondus et élégants, une rétro-olfaction d'épices douces, une finale agréable : de quoi satisfaire plus d'un amateur.

Dom. de La Reynardière, 7, cours Jean-Moulin, 34480 Saint-Geniès-de-Fontedit, tél. 04.67.36.25.75, fax 04.67.36.15.80, e-mail domaine.reynardiere@wanadoo.fr
t.l.j. sf dim. 10h-12h 15h-19h

SALAMANDRE 2004 ★

■ 3 ha 12 000 ▮ 5 à 8 €

Première cuvée de Véronique Vaquer-Bergan, et un résultat encourageant puisque ce faugères à base de

grenache et de cinsault, aux arômes de garrigue et de fruit à l'alcool, a retenu l'attention du jury. Rond en bouche, poivré et finalement assez long, ce 2004 pourrait accompagner un gigot d'agneau. À consommer dans l'année.
🔑 Dom. La Borie-Fouisseau, 3, av. de la Gare, 34480 Laurens, tél. 06.18.38.00.60, fax 04.67.32.93.82, e-mail vaquerdago@aol.com ☑ Y ⚲ r.-v.
🔑 Vaquer-Bergan

TRANSHUMANCE 2004 *

■ 3 ha 12 000 ⓓ 11 à 15 €

Cette structure de négoce-éleveur de la vallée du Rhône septentrionale exploite des vignes à Faugères. Elle propose au jury ce vin puissant au nez marqué par ses quatorze mois de fût mais où bergamote et garrigue arrivent à se frayer un chemin. La bouche riche aux tanins encore sévères ne demande qu'un peu de temps pour s'affiner. Un réel potentiel pour ce vin qu'il faudra savoir attendre. À noter l'élégance de l'étiquette graphique.
🔑 Les Vins de Vienne, 1108, rte de Roche-Couloure, Le Bas-Seyssuel, 38200 Seyssuel, tél. 04.74.85.04.52, fax 04.74.31.97.55, e-mail vdv@lesvinsdevienne.fr ☑ Y ⚲ r.-v.
🔑 Cuilleron-Gaillard-Villard

DOM. VALAMBELLE Florentin Abbal 2004 ***

■ 1,8 ha 7 300 ▮ 8 à 11 €

Le commentaire du vin présenté par la famille Abbal dans la dernière édition du Guide se terminait par « un domaine à suivre... » Ce jugement clairvoyant se vérifie dès cette année par un coup de cœur unanime du grand jury pour la cuvée Florentin Abbal, au nez complexe de garrigue, d'épice et de guimauve. Sa bouche ronde, pleine et réglissée, persiste longtemps en bouche. Un régal ! Ce vin accompagnerait avantageusement une souris d'agneau.
🔑 Famille Abbal, GAEC Dom. de Valinière, 25, av. de la Gare, 34480 Laurens, tél. 04.67.90.12.12, fax 04.67.92.95.50, e-mail m.abbal@tiscali.fr ☑ Y ⚲ t.l.j. 9h-12h 15h-19h

Fitou

L'appellation fitou, la plus ancienne AOC rouge du Languedoc-Roussillon (1948), est située dans la zone méditerranéenne de l'aire des corbières avec à l'est le fitou maritime qui borde l'étang de Leucate et à l'ouest le fitou de l'intérieur à l'abri du mont Tauch ; elle s'étend sur neuf communes qui ont également le droit de produire les vins doux naturels rivesaltes et muscat-de-rivesaltes. La production est de 91 416 hl en rouge en 2005 pour une superficie déclarée de 2 562 ha. Le carignan trouve ici son terroir de prédilection. Il peut être complété par le grenache noir, le mourvèdre et la syrah. C'est un vin d'une belle couleur rubis foncé qui compte au minimum 12 ° d'alcool et dont l'élevage dure au moins neuf mois.

DOM. DE LA BÉGOU 2004 *

■ 13,04 ha 70 000 ⓓ 3 à 5 €

Le fitou doit beaucoup à l'ensemble du négoce languedocien qui a toujours accompagné les vignerons, trouvant dans ces terroirs calcaires et schisteux où s'enracinent carignan et grenache l'originalité qui fait la force des appellations. Sous une robe grenat très dense, le côté empyreumatique domine ici un fruité mûr. Belle complicité des deux cépages pour un vin structuré qui se développe sur le fruit confit avec une touche de tabac épicé en finale. Cette bouteille pourra attendre deux à trois ans un civet, des viandes rouges ou un fromage de caractère.
🔑 SA Jeanjean, BP 1, 34725 Saint-Félix-de-Lodez, tél. 04.67.88.80.00, fax 04.67.96.65.57
☑ Y ⚲ t.l.j. sf dim. 9h-12h 14h-18h
🔑 Vignerons de Cascastel

DOM. BERTRAND-BERGÉ Les Mégalithes 2004 ***

■ 3 ha 10 000 ▮ 8 à 11 €

Coup de cœur durant cinq années consécutives, le domaine Bertrand-Bergé a flirté à nouveau avec cette distinction, mais cette année ce n'est pas la **cuvée Jean Sirven 2004 (30 à 38 €)**, deux étoiles, qui prend la tête, ni **la cuvée ancestrale 2004**, une étoile, qui ont eu la préférence du jury. La surprenante cuvée Les Mégalithes, à forte dominante de très vieux carignan, se laisse attendre au nez, histoire de faire admirer sa robe fraîche pourpre profond. L'expression est magnifique en bouche. Harmonieux, un remarquable tanin accompagne toute la dégustation qui allie le fruit à la touche sauvage du laurier et du genévrier jusqu'à une finale très fraîche. Un vin prêt pour le salmis de palombe ou le civet de lièvre.
🔑 Dom. Bertrand-Bergé, av. du Roussillon, 11350 Paziols, tél. 04.68.45.41.73, fax 04.68.45.03.94, e-mail bertrand-berge@wanadoo.fr
☑ Y ⚲ t.l.j. 9h-12h 14h-19h
🔑 Jérôme Bertrand

LES MAÎTRES VIGNERONS DE CASCASTEL Carte or 2004 *

■ 39,47 ha 180 000 ⓓ 3 à 5 €

Cette cuvée de la Cave de Cascastel commercialisée par le Club des vignerons, symbolise le partenariat traditionnel du négoce avec les vignerons. Ici, le choix porte sur un fitou classique dans sa conception avec une forte base carignan-grenache et douze mois d'élevage en fût. Cette alliance se traduit par une attaque franche, puis le gras apporté par le grenache et la charpente léguée par le carignan se complètent ; le fruité du premier s'allie aux senteurs de sous-bois humide et de genévrier du second. Une belle expression également pour les **Terrasses des Lauriers 2004**, de plus longue garde qui obtient la même note.

Le Club des Vignerons, Dom. de Mermian, 34300 Agde, tél. 04.67.94.48.73, fax 04.67.94.36.33, e-mail leclubdesvignerons@wanadoo.fr
Les Maîtres Vignerons de Cascastel

CH. DE CASCASTEL 2004 *

■ 27,41 ha 143 000 5 à 8 €

Vignerons en corbières, en minervois, en coteaux-du-languedoc, négociant, G. Bertrand, ancien international de rugby, allonge sa haute stature et déploie sa curiosité viticole sur tout ce qui est bon et de qualité. Sa signature est recherchée et son talent reconnu. Autour d'une robe très fraîche, ce vin s'exprime tour à tour sur des notes de sous-bois, de genévrier, de mûre et d'épices vanillées. Ample, charnu, structuré, il est encore très jeune et son boisé intense. Il faudra l'attendre un à deux ans.

Gérard Bertrand, Ch. L'Hospitalet, rte de Narbonne-Plage, BP 20409, 11104 Narbonne Cedex, tél. 04.68.45.36.00, fax 04.68.45.27.17, e-mail vins@gerard-bertrand.com
t.l.j. 9h30-12h30 14h-19h
Les Maîtres Vignerons de Cascastel

DOM. COMERADE 2004 **

■ 12,01 ha 62 000 5 à 8 €

On ne va pas à Cascastel par hasard, mais la route, qui des plages du littoral mène au village, vaut le détour, même si elle n'en manque pas ! Après, le charme du lieu agit, et l'on est surpris par la modernité de la cave et par la qualité de ses produits. Ça s'est joué à très peu entre Comerade et le **Château du Seigneur d'Arse 2004**, deux étoiles également ; peut-être l'approche du premier, élégante, épicée, très marquée par le fruit noir et tout en finesse lui vaut une légère préférence sur le deuxième, aux notes plus assouplies de pruneau, de fruits à noyau et aux nuances légèrement torréfiées ? Les deux vins révèlent en bouche un remarquable équilibre, des tanins fondus. Autre différence : une belle garde à venir pour Comerade et un plaisir immédiat sur un bœuf Gardian pour le Château du Seigneur d'Arse.

Les Maîtres Vignerons de Cascastel, Grand-Rue, 11360 Cascastel, tél. 04.68.45.91.74, fax 04.68.45.82.70, e-mail info@cascastel.com t.l.j. 8h-12h 14h-18h

ÉOLE 2004 ***

■ n.c. 130 000 5 à 8 €

Lorsque l'on imagine Fitou, vient à l'esprit l'image de collines calcaires plongeant vers la mer sous un ciel bleu azur bien dégagé par Éole, le dieu grec des vents. Gênant pour le sable des plages, il est l'allié des vignerons et fournit désormais l'énergie du futur avec ces grands moulins à vent qui ne fleurissent pas ici par hasard. À deux doigts du coup de cœur, ce vin grenat profond offre des senteurs caractéristiques de sous-bois, de fruits mûrs et un soupçon de venaison. Ample, gras, empreint de sucrosité, remarquable d'équilibre, il allie une superbe structure aux tanins savoureux à une chair fruitée et fondue à souhait.

Cave des Vignerons de Fitou-Lapalme, RN 9, Les Cabanes, 11510 Fitou, tél. 04.68.45.71.41, fax 04.68.45.60.32, e-mail contact@fitou-lapalme.com
t.l.j. sf dim. 9h-12h 13h30-18h30

CH. DES ERLES Cuvée des Ardoises 2004 **

■ 30 ha 130 000 8 à 11 €

Associée à une vigneronne du cru, la famille Lurton décroche un abonnement au Guide ! Cette cuvée joue l'équilibre sur la trilogie carignan-grenache-syrah, cépages ancrés dans ces schistes délités qui jouent entre brun, gris, vert et lie-de-vin. Sous un grenat profond, les arômes sont aériens, mêlant fruité mûr et touche fumée de la barrique. Un vin travaillé, bien élevé et prêt à boire, remarquable par la fraîcheur de son attaque, sa présence en bouche sans excès et son tanin soyeux qui confère un fondu fort apprécié. À retenir également, le **Mont Luzis 2004**, cité.

SA Jacques et François Lurton, Dom. de Poumeyrade, 33870 Vayres, tél. 05.57.55.12.12, fax 05.57.55.12.13, e-mail jfl@jflurton.com

DOM. ESTRADELLE Cuvée réservée 2004

■ n.c. 60 000 5 à 8 €

Le terroir du fitou a la particularité d'être composé de deux zones distinctes séparées par une barrière de collines calcaires formant les premiers contreforts des Corbières. Cette Cuvée réservée est le fruit de la partie maritime du cru où le vignoble glisse doucement jusqu'en bordure d'étang avant la Grande Bleue. La dominante carignan lui apporte des notes de garrigue et une ossature aux accents fruités, tandis que le grenache lègue sa touche chaleureuse. Le mourvèdre se glisse pour lier l'ensemble avec l'aide des notes grillées dues à l'élevage sous bois. Pour vos prochaines grillades.

Les Domaines Auriol, 16, rue Gustave-Eiffel, BP 79, Zigaujac, 11200 Lezignan-Corbières, tél. 04.68.58.15.15, fax 04.68.58.15.16, e-mail info@saint-auriol.com
M. Costes

CH. DE LA GRANGE Via Fonteius 2004 *

■ 1 ha 3 000 8 à 11 €

Au cœur du fitou maritime, les Cabanes de La Palme constituent pour nombre de vacanciers la porte des stations estivales de Leucate, du Barcarès. C'est là que la famille Dell'Ova vous accueillera et, verre dans « la palme » (la paume), vous parlera fitou. Au-delà des senteurs d'épices et de petits fruits des bois, l'expression de celui-ci est très réussie en bouche. Il a beaucoup de présence, de volume, un joli fondu et offre une touche végétale fraîche entre mûre, cerise charnue, note vanillée des tanins. Il saura attendre. Pour viande grillée ou poularde aux morilles.

GAEC Dell'Ova Frères, Cabanes de La Palme, BP 5, 11480 Lapalme, tél. 04.68.48.17.88, fax 04.68.48.24.59 r.-v.

DOM. LERYS Cuvée Prestige 2004 **

■ 12 ha n.c. 8 à 11 €

Au pied du col d'Extrême qui sépare les deux terroirs du Haut Fitou, le village de Villeneuve s'étire nonchalamment à l'ombre des vieux platanes. Là, entre vignes et caveau, Alain Izard et les siens auront toujours du temps pour vous. Belle empreinte de ce terroir schisteux des Hautes Corbières qui confère au vin beaucoup de fraîcheur tant au nez (cassis, ciste, géranium) qu'en bouche où l'on trouve de la vivacité, de l'élégance, un très agréable grain de tanin et cette touche mentholée qui relève la finale.

Izard, Dom. Lerys, chem. de Pech-de-Grill, 11360 Villeneuve-les-Corbières, tél. 04.68.45.95.47, fax 04.68.45.86.11, e-mail domlerys@aol.com r.-v.

DOM. LES MILLE VIGNES
Les Vendangeurs de la violette 2004

■ 1 ha 3 500 30 à 38 €

C'est le vin des amis, fruit de la passion d'un homme qui, parti de mille ceps, s'est construit un petit vignoble pour le plaisir. Plaisir qu'il fait partager lors de vendanges conviviales, regroupant des passionnés comme lui, et dont le point d'orgue est le banquet final. Voici un vin à la robe très profonde qui traduit la recherche d'extraction. Il se dévoile lentement sur le cassis, les fruits confiturés et une note de maquis. L'attaque gourmande, d'une grande richesse aromatique, apparaît encore marquée par des tanins solides. Il faudra carafer cette bouteille avant de la servir sur des viandes rouges ou du gibier, dans un ou deux ans.

J. et G. Guérin, Dom. Les Mille Vignes, 24, av. Saint-Pancrace, 11480 Lapalme, tél. et fax 04.68.48.57.14 r.-v.

MONTMAL 2004 ★★★

■ 1 ha 5 000 8 à 11 €

Le domaine de Montmal porte bien mal son nom si l'on considère la qualité des vins qui en sont issus et son admirable situation géographique au cœur des collines schisteuses qui illustrent la beauté sauvage des Hautes Corbières. Le fitou doit être d'un rouge profond ; son boisé fin et sans excès, en équilibre avec le fruit mûr. Il doit montrer du caractère en bouche, du volume, des tanins charpentés au grain velouté, une touche de fruit confituré jouant avec les épices, agrémenté d'un soupçon de venaison. Ce Montmal offre bien ce que l'on attend de l'appellation : c'est un vin à la fois plein de charme et apte à la garde – et au gibier.

Vins Vents Vignerons, rte de Faste, 11350 Tuchan, tél. 04.68.45.06.37, fax 04.68.45.45.29, e-mail r.ferrer@mont-tauch.com

PRIEURÉ DE SÉGURE
Vieilles Vignes Élevé en fût de chêne 2004 ★

■ 9,5 ha 50 000 5 à 8 €

Vérifiant l'adage selon lequel « qui n'avance pas recule » les Vignerons de Tuchan ont aménagé autour de l'ancienne cave, telle une mégapole, une impressionnante cuverie Inox, des bâtiments de stockage, de tirage et des locaux administratifs à la mesure de leur développement ; surprenante modernité au cœur des Corbières sauvages. Cités, le **Mont Tauch Vieilles Vignes 2004 Élevé en fût (8 à 11 €)** et l'**Exception 2004 Élevée en fût (11 à 15 €)**. Avec ce Prieuré de Ségure, voici un fitou solide et équilibré. L'élevage en barrique apporte rondeur aux tanins, fondu du fruit et de l'épice. Un vin déjà prêt à boire, dont la note mûre se plaira sur un gibier aux épices.

Les Vignerons de Mont Tauch, 11350 Tuchan, tél. 04.68.45.41.08, fax 04.68.45.45.29, e-mail contact@mont-tauch.com
t.l.j. sf sam. dim. 9h-12h 14h-18h

DOM. DE LA ROCHELIERRE
Cuvée Privilège Élevé en fût de chêne 2004

■ 4 ha 15 000 8 à 11 €

Compétent, sérieux, Jean-Marie Fabre perpétue l'héritage de quatre générations de vignerons. Il respecte de bonnes pratiques : le vignoble en culture organique bénéficie pour son expression d'un atout de plus avec la cave familiale creusée dans le calcaire du vieux Fitou. Ce vin offre un très agréable compromis entre structure de garde et fraîcheur. Équilibré, harmonieux, encore un peu fermé, il s'exprime à l'aération sur des notes de cerise, de fruits noirs et de sous-bois. À carafer pour obtenir un mariage réussi avec du gibier ou une poularde aux morilles.

Jean-Marie Fabre, Dom. de la Rochelierre, 17, rue du Vigné, 11510 Fitou, tél. et fax 04.68.45.70.52 t.l.j. 8h-12h 14h-19h

DOM. DE ROLLAND
La Colline des fées Élevé en fût de chêne 2003 ★★

■ 3 ha 6 000 15 à 23 €

Avec l'arrivée du fils sur le domaine, la très vieille cave située au cœur du village de Tuchan accueille sa sixième génération de vinificateurs. Dans cette cuvée, l'élevage de douze mois en fût conforte une couleur rouge profond et fait hésiter le vin entre fruits noirs, cerise à l'eau-de-vie et grillé. En revanche, pas d'hésitation en bouche : nous sommes au pays du fitou ; le vin est généreux, ample, de belle structure, encore bien sur le fruit, et joue l'harmonie sur des notes empyreumatiques.

Louis Colomer, Dom. de Rolland, imp. Saint-Roch, 11350 Tuchan, tél. 04.68.45.42.07, fax 04.68.45.49.50, e-mail contact@domainederolland.com r.-v.

CH. WIALA Sélection Élevé en fût de chêne 2004

■ 3 ha 6 000 5 à 8 €

Changer de vie, de pays et devenir vignerons ! Il faut de la volonté, du courage, une bonne dose d'insouciance, mais surtout beaucoup d'amour pour la terre et les ceps. Depuis cinq ans, Wiebke Seubert et Alain Voorons montrent qu'ils réunissent toutes ces qualités. Cette année encore, leur fitou est traditionnel : l'élevage sous bois lui apporte de belles notes grillées et nappe le fruit des bois d'un soupçon chocolaté. Chaleureux, le fruit est bien présent autour d'une structure souple, empreinte de fraîcheur. À boire sur du fromage ou des plats épicés.

Wiebke Seubert et Alain Voorons, rue de la Gare, 11350 Tuchan, tél. 04.68.45.49.49, fax 04.68.45.92.13, e-mail vins@chateau-wiala.com t.l.j. 16h-20h

Minervois

Le minervois, vin AOC, est produit sur soixante et une communes, dont quarante-cinq dans l'Aude et seize dans l'Hérault. Cette région plutôt calcaire, aux collines douces et au revers exposé au sud, protégée des vents froids par la Montagne Noire, produit des vins blancs, rosés et rouges : ces derniers représentent 95 % de la production ; en tout 166 494 hl en 2005 dans les trois couleurs sur 4 297 ha.

Le vignoble du Minervois est sillonné de routes séduisantes ; un itinéraire fléché constitue la route des Vins, bordée de nombreux caveaux de dégustation. Un site célèbre dans l'histoire du Languedoc celui de l'antique cité de Minerve, où eut lieu un acte décisif de la tragédie cathare, de nombreuses petites chapelles romanes et les intéressantes églises de Rieux et de Caune sont les atouts touristiques de la région.

ABBAYE DE THOLOMIES 2004 ★★

■ 12 ha 20 000 ▮ 5 à 8 €

La cave est installée dans l'abbaye même. Spectacle surréaliste que ces belles voûtes du Xe s. abritant le matériel de pointe œnologique ! Avec un peu d'imagination, on pourrait presque entendre résonner des chants grégoriens... Plus prosaïque, ce vin séduit par sa robe rubis profond. Les arômes apparaissent complexes ; vanillés, fumés, ils sont parsemés d'épices. Le palais est franc, rond et concentré ; l'élevage accentue encore la subtilité des arômes et se fond dans la puissante matière. L'avenir de cette bouteille est assuré.

🔑 SARL Lucien Rogé,
Abbaye de Tholomiès, 34210 La Livinière,
tél. 04.68.78.10.21, fax 04.68.78.36.04 ☑ Y ✱ r.-v.

CH. D'AGEL Caudios 2003

■ 2 ha 10 000 ◍ 11 à 15 €

Un domaine de 40 ha acquis en 2003 et une belle étiquette. Coup double ! En plus de ce 2003, il faut également saluer la présence dans le Guide du **blanc 2005 (8 à 11 €)** du même nom. Grenache et syrah se livrent dans ce Caudios un *mano a mano* intéressant : la chaleur, l'onctuosité et le cassis sont bien relayés par la fraîcheur des notes de sous-bois et de noisette. L'ensemble se retrouve fondu, à la fois concentré et soyeux. Ce vin n'attend plus que vous, maintenant.

🔑 SAS Ch. d'Agel, 1, rue de la Fontaine, 34210 Agel,
tél. 04.68.91.37.74, fax 04.68.91.12.76,
e-mail contact@chateaudagel.com ☑ r.-v.

ARAGONITE 2004 ★★

■ 2 ha 4 000 ◍ 8 à 11 €

Le nom de cette cuvée est empruntée à un cristal étalé, présent dans le splendide gouffre de Cabresbine. On ne peut qu'être séduit par la complexité aromatique de ce vin : épices, mûre, griotte caracolent devant le cacao ; dix-huit mois de fût assurent sa solidité et apportent un bel équilibre à l'ensemble doté de tanins fermes. Une longue et intense finale réglissée lui confère un caractère affirmé. Les palais avertis l'apprécieront dès maintenant ; les bouches sensibles préfèreront l'attendre.

🔑 Vignerons et Passions,
BP 1, 34725 Saint-Félix-de-Lodez,
tél. 04.67.88.45.75, fax 04.67.88.45.79
☑ Y ✱ t.l.j. sf dim. 9h-12h30 14h-19h

CH. BASSANEL Les Hauts de Bassanel 2004 ★★★

■ 3 ha 9 000 ◍ 11 à 15 €

Vous pourrez faire une halte sous la pinède ou vous recueillir à la chapelle du château avant de déguster notre lauréat. Issu des coteaux environnants et paré d'une robe grenat aux nuances tuilées, ce vin a retiré de douze mois d'élevage des accents torréfiés, mais laisse la part belle aux

fruits rouges et aux épices. L'attaque en bouche est ronde, bien en chair sur une matière chaleureuse et vanillée. Le palais dense offre encore une poignée de fruits noirs délicats. La **Réserve rouge 2003 (15 à 23 €)** est remarquable.

🔑 Vezon, Ch. Bassanel, RD 11, 34210 Olonzac,
tél. 04.68.27.27.00, fax 04.68.27.84.60,
e-mail contact@bassanel.com
☑ Y ✱ t.l.j. 8h-12h 13h30-18h, sam. dim. sur r.-v.

DOM. BORIE DE MAUREL
Cuvée Maxime 2003 ★★

■ n.c. n.c. ▮ 11 à 15 €

Michel Escande pratique désormais la biodynamie. Avec cette cuvée constituée de mourvèdre et dédiée au fils cadet Maxime, il apprivoise ce cépage au caractère rugueux et difficile pour en faire un ami franc, généreux, d'une belle présence. Arrivé à maturité, ce vin évoque une épice poivrée qui titille agréablement le nez, puis fait ensuite le grand écart en bouche, accompagné d'une myriade de fruits noirs. Porté par la puissance et la finesse des tanins, il reste parfaitement équilibré jusque dans une longue finale.

🔑 GAEC Michel et Sylvie Escande,
rue de la Sallele, 34210 Félines-Minervois,
tél. 04.68.91.68.58, fax 04.68.91.63.92,
e-mail contact@boriedemaurel.fr ☑ Y ✱ r.-v.

CH. CABEZAC Belvèze Grande Cuvée 2003 ★

■ 5 ha 11 000 ◍ 15 à 23 €

D'abord il y a ici, depuis 1997, des vignes bien maîtrisées, puis des baies passées à l'épreuve de la table de tri. Ensuite, Michel Fabre met tout son talent à l'écoute de ses cuves pour élaborer ce vin à la robe rouge profond et scintillant, parfumé de violette, de réglisse suave. Tout est équilibre et harmonie. Ici pas de démonstration de force mais une douceur chaleureuse, comme l'accueil qui vous sera réservé au caveau.

🔑 Dondain-Fabre, SCEA Ch. Cabezac,
16-18, hameau de Cabezac, 11120 Bize-Minervois,
tél. 04.68.46.23.05, fax 04.68.46.21.93,
e-mail ch.cabezac@wanadoo.fr
☑ Y ✱ t.l.j. en été 9h-12h30 14h30-19h30

DOM. LE CAZAL Le Pas de Zarat 2004 ★★

■ 3 ha 6 000 ◍ 11 à 15 €

Le Pas de Zarat est le passage qui permet de descendre dans le canyon de Tréminal qui borde ce domaine situé à 300 m d'altitude. Claude et Martine viennent de rejoindre Pierre Derroja qui est à la tête de ce domaine familial depuis 1963. Ce dernier a conçu dans le millésime 2004 un concentré du Cazal qui invite à respirer les senteurs capiteuses des garrigues où ciste, menthol et romarin sont à la fête. Rubis profond, ce vin offre en bouche un panier d'épices poivrées, de mûre et de myrtille, pendant que des tanins fondus et grillés à point entourent un ensemble charnu, harmonieux, équilibré et voluptueux. Idéal sur viandes rôties et fromage de chèvre du Causse.

Claude et Martine Derroja, Dom. Le Cazal,
34210 La Caunette, tél. et fax 04.68.91.62.53,
e-mail info@lecazal.com r.-v.

Pierre Derroja

DOM. CROS Les Aspres 2003 ★★★

■ 2 ha 5 000 15 à 23 €

Dns le jargon rugbystique, « toucher le morceau de bois » signifie remporter le titre suprême, comme ce vin qui vous séduira, tant il est racé, puissant et enrobé de vanille. Un énième coup de cœur pour Pierre Cros, dont le vin est qualifié de « grandiose » par le jury intarissable : « une cascade de tanins et d'épices, muscade et poivre ; un corps de rêve dans un drapé de fruits mûrs et compotés ; de la chaleur qui sublime des arômes torréfiés et balsamiques ». Le tout suscite une unanimité à la mesure de la finale infinie. Le **2004 Vieilles Vignes rouge (8 à 11 €)** est de la même veine, éclatant de jeunesse. Soyez patient, car ces bouteilles sont de garde.

Pierre Cros, 20, rue du Minervois, 11800 Badens,
tél. 04.68.79.21.82, fax 04.68.79.24.03
r.-v.

CH. LES DEUX TERRES Cuvée des Pins 2004 ★

■ 1,5 ha 5 000 8 à 11 €

Est-ce la rigueur germanique de Catherine ou le tempérament latin de Jean-François Prax qui, dans ce vin, s'expriment ? Certainement la fusion des deux, pour une belle réussite. Vinifiée en grains entiers, cette cuvée violine, puissante et complexe, nous amène vers les sous-bois pour cueillir un bouquet de fleurs et quelques brins de menthe. La bouche est délicate, fondue, épicée et invite à croquer au passage un carré de réglisse. Parfait pour un petit gibier ou un gigot au tournebroche.

Catherine et Jean-François Prax,
Dom. Les Deux Terres, 11700 Azille,
tél. 04.68.91.63.28, fax 04.68.91.57.70,
e-mail domaine.les.deux.terres@wanadoo.fr
t.l.j. sf dim. 10h-12h 15h-18h

CH. DU DONJON Prestige 2004 ★★

■ 5 ha 20 000 8 à 11 €

Véritable curiosité, le donjon du XIIIes. jaillit au milieu de la cave du XXIes. Le vin ? Ne vous fiez pas d'emblée à son allure souple, c'est un vrai dur au cœur tendre et chaleureux, dont la matière vanillée côtoie l'élégance de la violette tout en conservant cette force tannique tranquille qui fait l'apanage des grands vins. Complexité et finesse restent complices jusque dans la finale qui bat le rappel des caudalies. À noter également la sélection du **rosé 2005 (3 à 5 €)**.

Jean Panis, Ch. du Donjon, 11600 Bagnoles,
tél. 04.68.77.18.33, fax 04.68.72.21.17,
e-mail jean.panis@wanadoo.fr
t.l.j. 9h-12h 15h-19h; sam. dim. sur r.-v.

DOM. PIERRE FIL

Cuvée Elisyces Élevé en fût de chêne 2003

■ 2,5 ha 14 000 8 à 11 €

Une propriété familiale transmise au fil du temps et située sur la commune de Mailhac, dont les premiers habitants, entre 900 et 400 av. J.-C., les Elisyces, ont donné leur nom à cette cuvée. On vous parlera des trente-six mois d'élevage nécessaire pour apprivoiser ce vin aux accents d'épices poivrées, de fruits mûrs et de caramel. Ce 2003 est ainsi devenu soyeux. Son avenir est assuré.

Jérôme Fil, 12, imp. les Combes, 11120 Mailhac,
tél. et fax 04.68.46.13.09, e-mail fil.pierre@yahoo.fr
r.-v.

CH. LA GRAVE Privilège 2004 ★

1,2 ha 6 500 8 à 11 €

Ici la vigne est une histoire de famille depuis des générations. Josiane et Jean-Pierre Orosquette ont transmis le flambeau à leur fils Jean-François rejoint par son beau-frère pour exploiter 95 ha. Jamais à cours d'originalité, La Grave présente un 2004 sémillant sur lequel le temps n'a pas d'emprise ! C'est dans la garrigue et les pins qu'il entraîne le dégustateur, lui offrant aussi une corbeille d'agrumes vive et intense. S'appuyant sur une bouche ronde et enrobée à l'équilibre surprenant et délicat, sa symphonie d'arômes conduit à une finale chaleureuse, longue et harmonieuse.

Jean-François Orosquette, Ch. La Grave,
11800 Badens, tél. 04.68.79.16.00, fax 04.68.79.22.91,
e-mail chateaulagrave@wanadoo.fr
t.l.j. 9h-12h 14h-18h, sam. dim. sur r.-v.

CH. GUÉRY 2004 ★★

■ 2,32 ha 15 000 5 à 8 €

Adossée au château médiéval d'Azille, la maison des Guéry propose au regard ses décors de terre cuite du XIXes. René-Henri y perpétue la tradition et une lignée de vignerons remontant à trois siècles. Cette cuvée forte de vingt-quatre mois d'élevage se répand dans le verre en une sarabande d'arômes grillés – cacao et moka. La bouche concentrée et veloutée repose sur une matière équilibrée tandis que, taquin, un petit fruit rouge vient ajouter son élégance. Loin d'être pesant, ce vin finit avec classe et souplesse.

René-Henry Guéry, 4, av. du Minervois,
11700 Azille, tél. et fax 04.68.91.44.34,
e-mail rhguery@club-internet.fr r.-v.

HAUT BOUSQUETS 2003

■ 2 ha 8 500 8 à 11 €

Lorsque vous visiterez le splendide chai des vignerons de Pouzols, vous aurez le choix entre cette cuvée enrobée de cuir, aux tanins onctueux, enveloppés de chocolat ; et le **Florilège 2004 rouge (3 à 5 €)**, enfant primesautier du carignan et de la syrah qui monte en finesse vers des notes de cerise et d'abricot.

Les Vignerons de Pouzols,
RD 5, 11120 Pouzols-Minervois,
tél. 04.68.46.13.76, fax 04.68.46.33.95,
e-mail lesvigneronsdepouzols@wanadoo.fr
t.l.j. 8h-12h 14h-18h

HEGARTY CHAMANS N° 1 2003 ★

■ 4 ha 11 500 🍷 11 à 15 €

Un premier millésime pour John Hegarty installé en 2003. Il pratique ici le culte de la nature et les esprits poètes lui ont soufflé un sonnet à la gloire des vignes du domaine, petite pièce qui figure sur la contre-étiquette. Nulle alchimie dans ce N° 1 ; c'est un vin puissant, profond dans sa robe grenat. La violette et le bourgeon de cassis enchantent l'olfaction, puis on reste sous le charme de tanins enrobés de douces notes de fruits surmûris. D'un excellent équilibre, ce 2003 ne finit pas sur un petit tour de passe-passe, mais persiste longuement.

John Hegarty, Dom. de Chamans, 11160 Trausse-Minervois, tél. et fax 04.68.78.46.21, e-mail chamans@wanadoo.fr r.-v.

L'EXCEPTION DE LAURAN CABARET Vin élevé en barrique 2003

■ 3 ha 4 000 🍷 15 à 23 €

Les producteurs de Laure savent cultiver l'exception, car il fallait oser mettre en présence le mourvèdre qui évoque les épices poivrées avec la syrah pleine de prestance, reflet de la chaleur de la garrigue. L'union débouche sur un vin typé, à la structure patinée, aux accents de cuir de Russie, corsé, et finalement élégant. Comme quoi il n'y a rien de contradictoire dans les grands terroirs !

Cellier Lauran Cabaret, 11800 Laure-Minervois, tél. 04.68.78.12.12, fax 04.68.78.17.34, e-mail laurancabaret@hotmail.com
t.l.j. sf dim. 8h-12h 14h-18h, ouv. dim. en juil. août

LE LOUP BLANC La Mère Grand 2003

■ 2,5 ha 70 000 🍷 11 à 15 €

À la recherche d'un vignoble, un Québécois était dans le vignoble « connu comme le Loup Blanc ». Le nom de son domaine était tout trouvé et celui de cette cuvée y répond naturellement. Nous pourrions jouer de la métaphore avec ce vin car les notes de genièvre et de griotte invitent à sortir du bois. Encore dense et monolithique, l'ensemble demande à attendre pour donner à savourer les fruits en confiture qui ne manqueront pas de s'exprimer.

Vignoble du Loup Blanc, Hameau de La Roueyre, 11120 Bize-Minervois, tél. 04.67.38.18.82, fax 04.67.89.72.63, e-mail vignoble.loupblanc@wanadoofr r.-v.
Rochard

CH. MALVES Les Frères Bousquet 2005 ★

■ n.c. 6 600 5 à 8 €

Deux créations en rosé et blanc du millésime 2005, l'un portant une étiquette rose, l'autre jaune. Le rosé, gourmand, tout en finesse et en onctuosité, aux notes de bonbon anglais et d'agrumes dépasse d'une courte tête le **blanc 2005** clair et vif, qui pointe le bout de son nez... avec la même marque de fabrique aromatique. Suavement équilibrés, floraux, tous deux affichent une persistance intéressante.

SCEA Bousquet, Ch. de Malves, 11600 Malves-en-Minervois, tél. 04.68.72.25.32, fax 04.68.72.25.00, e-mail malves-bousquet@wanadoo.fr
t.l.j. 8h-12h 14h-19h; sam. dim. sur r.-v.

MÉTAIRIE NEUVE Pierre droite 2004 ★

■ 0,64 ha 4 260 5 à 8 €

Cette syrah pure aurait pu paraître monolithique ; détrompez-vous, la suavité de ses fragrances exprime les subtilités du cépage sur fond de grand terroir calcaire. Ce modèle d'équilibre est porté aromatiquement sur le cassis et l'épice. Ses tanins, polis, ronds et réglissés, viennent s'abandonner délicatement au palais. Vin plaisir qui ne laissera pas de marbre sur un canard à l'orange.

Marie-Hélène Boyer, Métairie Neuve, 11800 Laure-Minervois, tél. 04.68.78.00.78, fax 04.68.91.23.14, e-mail metairie.neuve.mhb@wanadoo.fr
r.-v. 5

CH. MIRAUSSE Le Cendrous 2003 ★★

■ 1 ha 3 600 🍷 11 à 15 €

Raymond Julien excelle chaque année à apporter à l'amateur son lot de bonheur. Le Cendrous ! Un nom, une vigne, un terroir : sa robe est profonde et soutenue. Le nez, un cap... où viennent doubler le chocolat des îles et l'iris exotique. La bouche fond comme une cerise au sirop et ses tanins sont si suaves qu'ils en paraissent presque miellés. On imagine Dionysos resté sans voix devant la longueur et la puissance de cette merveille...

Raymond Julien, Ch. Mirausse, 11800 Badens, tél. et fax 04.68.79.12.30 r.-v.

DOM. MONASTREL Bizan 2003 ★

■ 3 ha 15 000 5 à 8 €

En cinq ans, les Enaud ont trouvé la clef du sol de leur domaine. La cuvée Bizan associe à parts égales syrah, carignan et grenache qui jouent avec finesse et harmonie sur des notes de mûre, de cassis, accompagnées d'une pointe de menthol et d'une élégante touche de Zan. Rondeur et souplesse offrent un réel plaisir jusqu'à une finale suave et chaleureuse.

Brigitte et Vincent Enaud, 24, rte de Mailhac, 11120 Bize-Minervois, tél. 04.68.46.01.55, fax 04.68.46.01.85, e-mail domaine@monastrel.com r.-v.

MOULIN DES NONNES Cuvée Inès 2005

□ 3 ha 10 000 🍷 5 à 8 €

« Que des cépages du Minervois » ! Voilà la profession de foi de Louis Andrieu. Travaillant en agriculture biologique, il livre, tel un grand couturier, son modèle Inès en robe vert taffetas. Dans son sillage défilent d'intenses effluves d'acacia et d'agrumes. L'équilibre est séduisant ; sa rondeur bien méridionale accompagne la souplesse de la finale. Un classique de l'appellation.

Andrieu Frères, Ch. La Rèze, 11700 Azille, tél. 04.68.78.10.19, fax 04.68.78.20.42, e-mail lareze@wanadoo.fr
t.l.j. sf sam. dim. 8h-12h 13h30-17h30 (ven. 16h30)
Louis Andrieu

CH. D'OUPIA Oppius 2004 ★★

■ 2 ha 5 000 🍷 15 à 23 €

Millésime après millésime, les dégustateurs – à l'aveugle – le confirment : Oppius est dans lignée des grands classiques du Minervois. En grande tenue pourpre, il joue une symphonie complexe où les notes de fruits noirs, d'épices, de griotte et de cacao rivalisent de puissance pour mieux se confondre, en harmonie avec une trame tannique ample et généreuse. L'équilibre est subtil, d'une douceur infinie ; le vin fond lentement avec la sucrosité du caramel au lait.

🔑 Famille André Iché,
EARL Ch. d'Oupia, 34210 Oupia,
tél. 04.68.91.20.86, fax 04.68.91.18.23 ☑ 🍷 r.-v.

DOM. DE LA PARRA 2003

■ 0,5 ha 2 000 ⏸ 8 à 11 €

Une *parra* est en Espagne une treille. N'a-t-il pas un caractère ibérique, ce vin généreux ? Il est bien méditerranéen, en tout cas. Et, comme beaucoup de 2003, il est puissant et charpenté, gorgé de soleil et présente des arômes de fruits cuits et de cerise à l'eau-de-vie. L'élevage en fût a été bien mené, ce qui lui permet d'être prêt pour une gardianne de taureau.

🔑 Célian Parra, 11700 Azille, tél. et fax 04.68.91.45.23, e-mail spakhomoff@yahoo.fr ☑ 🍷 ⛹ r.-v.

DOM. DU PETIT CAUSSE
Griotte de Ventajou 2004

■ 3 ha 3 000 5 à 8 €

Si ce domaine a été créé par le grand-père, ce n'est qu'en 1988 que Philippe et Maguy Chabbert ont décidé d'élaborer eux-mêmes leur production. En 2003, ils créent leur cave de vinification. Les dégustateurs ont loué les caractères de fruits frais de cette cuvée au nom bien choisi. La cerise burlat et la mûre conduisent le bal jusque dans une bouche dont la chair, la douceur et l'élégance autorisent un plaisir immédiat.

🔑 Philippe et Maguy Chabbert,
rue de la Sallèle, 34210 Félines-Minervois,
tél. et fax 04.68.91.66.12 ☑ 🍷 ⛹ r.-v. 🏠 Ⓑ

CH. PIQUE-PERLOU La Sellerie 2003 ★

■ 1,4 ha 6 000 ⏸ 15 à 23 €

Un pigeonnier aménagé en caveau en plein centre du village vous permettra de découvrir ce vin né de vieux carignan à parts égales avec la syrah. Parfaitement construit, ce pur-sang de la terre entre en piste sous casaque pruneau et toque cerise. Il affiche de la puissance et des notes de fruits à noyau. Son potentiel tannique est dressé par vingt-quatre mois d'élevage. Il passe aisément la barre des huit caudalies. On peut parier sur lui...

🔑 Véronique et Serge Serris, 12, av. des Écoles,
11200 Roubia, tél. et fax 04.68.43.22.46,
e-mail chateau.pique-perlou@wanadoo.fr ☑ 🍷 ⛹ r.-v.

PLAISIR DES LYS 2004

■ 5 ha 20 000 ▮ 5 à 8 €

Si l'étiquette affiche un graphisme original, le vin sort aussi des sentiers battus avec ses senteurs de menthol et de garrigue. En bouche, la cerise, puis le fruit à l'eau-de-vie dominent dans un ensemble chaleureux et souple qui finit sur un grain de tanin rocailleux, typique du carignan qui compose en bonne partie ce 2004. La cuvée **Lauraire des Lys rouge 2003 (15 à 23 €)** est également citée.

🔑 Khalkhal-Pamiès, Vialanove, 34210 La Caunette,
tél. et fax 04.67.97.07.11,
e-mail laurairedeslys@wanadoo.fr ☑ 🍷 ⛹ r.-v.

DOM. PLÔ NOTRE DAME NA 2003 ★

■ 0,86 ha 1 420 ▮⏸ 11 à 15 €

La propriété fut achetée par l'arrière-grand-mère avec un chaudron de louis d'or porté sur la tête ! Ses descendants doivent se féliciter de son investissement car deux millésimes sont à l'actif de l'exploitations au bilan des dégustations. Ce 2003 (belle étiquette carrée) présente un taux d'intérêt légèrement supérieur avec un rapport tanin/alcool très avantageux. Riche en fruits mûrs et en bigarreau, il monte en bouche, chaleureux et reste longuement présent. Le **domaine 2004 (5 à 8 €)**, qui ne connaît pas le bois (étiquette jaune et longue), est tout aussi plaisant.

🔑 Azalbert, L'Atelier, rte du Pouzet, 11600 Bagnoles,
tél. et fax 04.68.77.05.33,
e-mail azalbert.nath.nico@wanadoo.fr ☑ 🍷 ⛹ r.-v.

DOM. LA PRADE MARI
Conte des garrigues 2004 ★★

■ 8 ha 24 000 ⏸ 8 à 11 €

Éric Mari réussi cette année encore le doublé. Ce Conte des garrigues écrit une brillante histoire au rythme aromatique soutenu, tandis que le **Chant de l'olivier 2003 rouge (5 à 8 €)** offre un timbre profond et chaleureux. Le premier est un vin gourmand et fondant, gorgé d'arômes de petite cerise, de confiture de mûres et de pruneau, il a été parfaitement élevé, ses tanins étant polis par douze mois de fût. Rond, tout en élégance vanillée, il se pose délicatement et s'abandonne dans la douceur capiteuse des essences de garrigue.

🔑 Éric Mari, Dom. La Prade Mari,
La Prade, 34210 Aigne, tél. et fax 04.68.91.22.45,
e-mail domainelaprademari@wanadoo.fr ☑ 🍷 ⛹ r.-v.

PRIEURÉ SAINT-MARTIN DE LAURE
Peyralbe 2004 ★

■ 6 ha 24 000 ▮ 5 à 8 €

Les Romains avaient nommé *Jubilatio* (joie) la colline sur laquelle est aujourd'hui implanté ce domaine. Retenue pour la troisième année consécutive, cette « pierre blanche » (peyralbe) est un pur concentré de bonheur. Bâtie sur les quatre piliers : syrah, carignan, grenache, cinsault, elle présente un édifice tannique équilibré, décoré d'intenses notes de sous-bois et de fruits mûrs. Puissance et finesse sont à l'unisson, tandis que le boisé fondu susciterait presque de l'allégresse. Pour du gibier ou une oie farcie.

🔑 Prieuré Saint-Martin de Laure,
hameau Gibalaux, 11800 Laure-Minervois,
tél. 04.68.78.47.35, fax 04.68.78.47.42,
e-mail legoux@wanadoo.fr ☑ 🍷 ⛹ r.-v.
🔑 GFA Saint-Martin

DOM. DU ROC Passion 2004

■ 2 ha 12 000 ⏸ 8 à 11 €

Contrairement à son lieu d'origine, ce 2004 n'est pas dur comme le roc ; bien au contraire, on est surpris par la délicatesse de son boisé et par la douceur fondue de ses tanins enrobés de vanille. Harmonieux, l'ensemble laisse une sensation épicée qui vient titiller chaleureusement le velouté de sa finale. Pourquoi ne pas l'essayer sur une côte de bœuf braisée ?

🔑 Alain Vies, Dom. du Roc,
15, chem. de Rieux, 11700 Pépieux,
tél. et fax 04.68.91.83.40, e-mail avies@club-internet.fr
☑ 🍷 ⛹ t.l.j. sf dim. 9h-12h 15h-19h

CH. SAINT-JACQUES D'ALBAS
La Chapelle 2003 ★

■ 0,8 ha 4 000 ⏸ 11 à 15 €

Des vestiges du VIII[e]s., une chapelle du XI[e]s. : sur cette propriété de 70 ha, où s'est installé en 2001 un nouveau propriétaire, on y trouve une salle de concert... Si le **2004 rouge (5 à 8 €)** obtient une citation du jury, le vin de La Chapelle l'emporte pour son nez de fin cacao tout auréolé d'épices. En bouche, il n'est que rondeur et

équilibre ; la charpente au boisé patiné offre des formes douces. Puissante, la dégustation s'achève sur une élégante note de vanille sucrée.
⊶ Ch. Saint-Jacques d'Albas, Le Bas,
11800 Laure-Minervois, tél. 04.68.78.24.82,
fax 04.68.78.37.78, e-mail stjacques.albas@wanadoo.fr
t.l.j. sf dim. 10h-18h; hors saison sur r.-v.
⊶ Graham Nutter

DOM. SICARD Hommage à Élie 2003

■ 2,47 ha 6 500 5 à 8 €

Cette cuvée est dédiée au créateur du domaine dans les années 1920. Après vingt-quatre mois d'élevage, dont douze de fût, le vin se présente dans une robe rouge grenat aux reflets bruns entourée de parfums de fruits cuits et de notes vanillées. Les tanins jouent sur un rythme ample, puissant et bien harmonieux. L'ensemble finit sur une note de fruits mûrs.
⊶ Dom. Sicard,
11, rte de Saint-Pons, 34210 Aigues-Vives,
tél. 04.68.91.23.94, fax 04.68.91.12.83,
e-mail gaecsicard@wanadoo.fr r.-v.

CH. VILLERAMBERT-MOUREAU
Cuvée des Marbreries hautes 2004 ★

■ 3 ha 9 200 11 à 15 €

Depuis 1986, Jean-Jacques, Marc et Frédéric ont repris la propriété de leur père Marceau Moureau. Depuis 2004, ils pratiquent l'agriculture raisonnée. Ce millésime a les reflets pourpres et la couleur profonde du marbre de Caunes qui habille le Trianon. Coïncidence ou effet terroir ? Il ne peut renier son sol de schistes qui s'affirme tant par une pointe minérale que par un délicat fruit à l'alcool. Éclatant de jeunesse et de puissance, il affiche un boisé intense que le vin saura apprivoiser avec le temps. On le choisira pour accompagner un gibier en sauce.
⊶ Marceau Moureau et Fils,
Ch. de Villerambert, 11160 Caunes-Minervois,
tél. 04.68.77.16.40, fax 04.68.77.08.14
t.l.j. sf sam. dim. 10h-12h 14h-18h

Minervois-la-livinière

La commune de La Livinière s'inscrit désormais dans le cadre d'une appellation minervois-la-livinière regroupant cinq communes des contreforts de la Montagne noire. Elle a produit 6 786 hl de vin uniquement rouge en 2005 sur 200 ha.

CLOS DE L'ESCANDIL 2003 ★★★

■ 5 ha 15 000 15 à 23 €

Au cœur des vignes et des oliviers, le village de La Livinière dresse fièrement le clocher de son église. Sur ce terroir parsemé de chapelles romanes, les vignes ont donné ce clos composé de syrah, de grenache et de mourvèdre. Fort de seize mois de fût, ce 2003 offre des arômes de moka et de chocolat noir qui se fondent avec de chaleureuses

notes de griotte. Tout en suavité et rondeur, la bouche joue sur la cerise accompagnée d'une touche de gingembre. Sa concentration et son ampleur conseillent un certain temps de garde et promettent un délicieux moment.
⊶ Gilles Chabbert, Dom. des Aires Hautes,
34210 Siran, tél. et fax 04.68.91.54.40,
e-mail gilles.chabbert@wanadoo.fr r.-v.

CH. FAÎTEAU 2003 ★★

■ 1,5 ha 8 000 8 à 11 €

La cave est abritée sous une charpente typique des constructions du XIXe s. en Languedoc, dite « pointe de diamant ». Dans cet écrin se trouvent deux joyaux : un **minervois Château Faîteau rouge 2004 (5 à 8 €)** et ce livinière brillant de mille feux rubis et grenat. Vanille, épices et fruits rouges se conjuguent avec des tanins parfaitement polis constituant une structure harmonieuse. Une touche de cannelle accompagne la finale persistante.
⊶ GAEC Yves et Jean-Michel Arnaud,
Ch. Faîteau, 18, rte des Meulières, 34210 La Livinière,
tél. 06.15.90.89.48, fax 04.68.91.48.28,
e-mail jma-ch-faiteau@wanadoo.fr
t.l.j. 10h-12h 17h-19h; r.-v. (nov. à mai)

CUVÉE GAÏA 2004 ★

■ 15 ha 76 533 8 à 11 €

Proposée par la coopérative d'Olonzac mais venue d'Azillanet, dont les vignes côtoient les terrasses d'oliviers, cette cuvée invite à un péché de gourmandise tant elle caresse les sens par la douceur de ses épices, de sa vanille et de ses notes de myrtille. Élégante, équilibrée, tissée de tanins serrés, la bouche ouvre une voie royale à une finale chaleureuse. On peut ici saluer le talent du maître œnologue Tomasoni.
⊶ SCV Les Crus du Haut-Minervois, 34210 Olonzac,
tél. 04.68.91.22.61, fax 04.68.91.19.46,
e-mail les3blasons@wanadoo.fr
t.l.j. 8h30-12h30 14h30-18h30

CH. MIGNAN Les Trois Clochers 2003 ★

■ 2,5 ha 14 000 8 à 11 €

Ce vigneron installé depuis 2003 a bousculé la hiérarchie du Guide en s'imposant en deux temps et trois millésimes au sein des élus. Privilégiant les fruits noirs saupoudrés de fines épices, cette cuvée ne s'entoure pas de la seule vanille ; celle-ci ne fait que souligner un ensemble élégant, à l'équilibre suave ; au palais viennent se serrer chaleureusement des tanins altiers. À choisir pour des fromages à pâte molle ou du petit gibier.
⊶ Christian Mignard, Ch. Mignan, 34210 Siran,
tél. et fax 04.68.49.35.51,
e-mail chateaumignan@wanadoo.fr r.-v.

PRIMO PALATUM
Mythologia Vieilles Vignes 2004 *

■ 2 ha 1 800 15 à 23 €

Xavier Copel a créé en 1996 une structure de négoce qui lui permet de vinifier les terroirs qu'il aime. Le succès n'a pas tardé comme le prouvent les nombreuses sélections qu'il a obtenues dans ce Guide depuis. Le jury a comparé la dégustation à un voyage exotique : au nez, la cannelle, intense, côtoie d'autres épices et le cacao. Les treize mois de fût imprègnent ce vin généreux et complexe de notes de grillé et de réglisse. Ample, sur le fruit confit et le caramel, le palais dessine l'archétype du vin moderne.

Xavier Copel, Primo Palatum,
1, Roy, 33190 Pondaurat,
tél. 05.56.71.39.39, fax 05.56.71.39.40,
e-mail xavier-copel@primo-palatum.com r.-v.

DOM. LA ROUVIOLE 2003 **

■ 0,93 ha 5 500 15 à 23 €

Alors que beaucoup se sont brûlé les ailes cette année-là (2003), La Rouviole a sorti son épingle du jeu en tissant des vins cousus main, certes chaleureux mais délicieusement doux et veloutés. Ainsi le jury a retenu **La Sélection en minervois rouge 2003 (8 à 11 €)**. Quant à ce minervois-la-livinière à la robe rouge profond, il se partage au nez entre fruits rouges intensément parfumés et garrigue baignée de soleil. En bouche, il évolue sur une trame tannique à la fois structurée et soyeuse imprégnée de fruits noirs et de réglisse. L'ensemble affiche sans complexe son accent méridional.

Léonor, Dom. La Rouviole, 34210 Siran,
tél. et fax 04.68.91.42.13,
e-mail franck.leonor@wanadoo.fr
t.l.j. 9h-12h30 15h-19h; sam. dim. sur r.-v.

Saint-chinian

VDQS depuis 1945, le saint-chinian est devenu AOC en 1982 ; cette appellation couvre vingt communes sur 3 129 ha et a produit 124 129 hl de vins rouges et rosés et 1 365 hl de vins blancs en 2005. Dans l'Hérault, au nord-ouest de Béziers, sur des coteaux s'élevant à 100 ou 200 m d'altitude, le vignoble est orienté vers la mer. Les sols sont constitués de schistes, surtout dans la partie nord, et de cailloutis calcaires, dans le sud. Les vins nés du grenache, de la syrah, du mourvèdre, du carignan et du cinsault ont un potentiel de garde de quatre à cinq ans. Ils sont réputés depuis très longtemps : on en parlait déjà en 1300. Une maison des Vins a été créée à Saint-Chinian.

BARON D'AUPENAC 2004 *

■ 54 ha 25 000 15 à 23 €

Seigneur et Baron d'Aupenac ont brillé dans ce millésime 2004. La différence réside dans l'assemblage et l'élevage, mais dans les deux cuvées le terroir domine. Le **Seigneur d'Aupenac** révèle des parfums de cerise noire à l'eau-de-vie, des épices et une note de torréfaction. Le Baron est plus marqué par le cacao et la minéralité. Deux vins d'une structure suave et ronde et un très bon équilibre ; canard à la broche, civet, grillade les mettront en valeur. Un cru et des vignerons qui devraient avoir un très bel avenir.

Cave de Roquebrun,
av. des Orangers, 34460 Roquebrun,
tél. 04.67.89.64.35, fax 04.67.89.57.93,
e-mail cave@cave-roquebrun.fr r.-v.

BORIE LA VITARÈLE Les Schistes 2004 *

■ 4 ha 10 000 8 à 11 €

Une leçon sur le terroir ou un cours de cuisine : passez un moment inoubliable avec les Izarn, couple chaleureux qui travaille sa vigne en biodynamie. Cette cuvée montre la puissance, la finesse et l'originalité de ce terroir. Au nez, le côté floral a gardé toute son importance dans la palette d'épices. Il en va de même au palais où ces arômes soulignent le caractère déjà agréable du vin. Pour un pigeon aux épices.

Jean-François Izarn,
Borie la Vitarèle, 34490 Causses-et-Veyran,
tél. 04.67.89.50.43, fax 04.67.89.70.79,
e-mail jf.izarn@libertysurf.fr r.-v.

CH. BOUSQUETTE Prestige 2003 **

■ 2 ha 7 000 8 à 11 €

Ce domaine, depuis sa création, respecte les principes de l'agriculture biologique. On retrouve dans sa cuvée Prestige l'expression d'une grande authenticité que tout amateur, éclairé ou non, saura apprécier. La robe est grenat. Le nez intense de coing et de fleurs laisse poindre une note minérale. L'attaque est franche, l'ensemble enrobé malgré des tanins assez puissants, gage d'un bon équilibre général. La bouche, très longue, permettra à cette bouteille d'accompagner une épaule d'agneau confite aux poireaux des vignes.

Éric Perret, Dom. de la Bousquette,
34460 Cessenon, tél. 04.67.89.65.38, fax 04.67.89.57.58,
e-mail labousquette@wanadoo.fr
t.l.j. 9h-12h 14h-16h; sam. dim. sur r.-v.

CH. CASTIGNO Le Sabinas 2004 *

■ 5 ha 21 000 5 à 8 €

Des dinosaures de divers types ont laissé leur trace sur ce site. Un terroir de garrigue qui mérite d'être découvert. Ce 2004 encore discret au premier nez révèle un beau potentiel après agitation. L'attaque se fait en douceur et développe des arômes de réglisse dans un environnement suave et bien équilibré. À boire ou à garder deux à trois ans.

Jean-Pierre Sireyjol, Castigno, 34360 Villespassans,
tél. et fax 04.67.38.05.50,
e-mail chateaudecastigno@wanadoo.fr r.-v.

CH. CAZAL VIEL Vieilles Vignes 2004 *

■ 20 ha 120 000 5 à 8 €

Henri Miquel est une figure incontournable du saint-chinian. Son fils Laurent exporte plus de 85 % de sa production vers quatre continents. Une affaire de famille où l'on travaille sur la finesse et l'élégance. Dès l'attaque, on assiste à une véritable explosion de fruits rouges et d'épices. L'élevage bien maîtrisé permet aux tanins d'être

souples et ronds. Un vin harmonieux qui s'exprime d'emblée. La cuvée **Vieilles Vignes rosé 2005** brille elle aussi d'une étoile pour son fruité ainsi que la cuvée **Bardou 2003 rouge (11 à 15 €)**.
Ch. Cazal-Viel, hameau Cazal-Viel,
34460 Cessenon-sur-Orb, tél. 04.67.89.63.15,
fax 04.67.89.65.17, e-mail info@cazal-viel.com
t.l.j. 8h-12h 13h-17h; sam. dim. sur r.-v.
Henri Miquel

CLOS BAGATELLE Veillée d'automne 2003 *

6 ha	30 000	8 à 11 €

Une visite de l'ancienne tuilerie et du musée de la Vigne vous permettra de comprendre l'histoire de ce domaine, fondé en 1623 par un ancêtre de Luc et Christine Simon, qui le font vivre dans le respect des traditions. Ce saint-chinian exprime une forte concentration de fruits rouges avec des notes de poivre. Il s'appuie sur un beau volume au palais. Bien constitué, il offre d'excellentes garanties pour l'avenir. Une étoile encore distingue le **rosé 2005 (5 à 8 €)** pour sa complexité et sa fraîcheur. Ce vin accompagnerait volontiers des tagliatelles aux tomates séchées.
Luc et Christine Simon, EARL Bagatelle,
Clos Bagatelle, 34360 Saint-Chinian, tél. 04.67.93.61.63,
fax 04.67.93.68.89, e-mail closbagatelle@wanadoo.fr
t.l.j. sf dim. 9h-12h 14h-18h

CLOS SEGUIN Derrière la grange 2003

3 ha	4 000	11 à 15 €

La typicité du terroir de schiste ressort très bien lors de la dégustation de cette cuvée, deuxième millésime de J.-R. Seguin. Le nez libère du fumé, du grillé et des notes de réglisse. L'attaque ronde et souple introduit une bouche aux tanins bien mûrs et fondus. Un vin plaisant et harmonieux à boire sur un lapin au thym.
J.-R. Seguin, rue de la Gare, 34220 Pons,
tél. 04.67.85.09.91 r.-v.

DOM. LA CROIX SAINTE-EULALIE Cuvée Baptiste 2003 **

2,4 ha	10 000	8 à 11 €

Une croix au cœur du vignoble, qui rappelle l'emplacement d'une chapelle aujourd'hui détruite, donne son nom à ce cru. Le terroir de schiste marque ce saint-chinian au nez complexe de petits fruits rouges, de cassis, de fruits à noyau associés à des notes minérales. Plus tendre que puissant, fin et souple, d'une belle persistance, c'est un vin très agréable dont l'élevage a été bien maîtrisé. À servir avec un lapin de garenne au thym. Le **blanc cuvée Clémence 2004 (11 à 15 €)** a obtenu également deux étoiles. À choisir pour une tarte au saumon fumé.
Michel Gleizes,
EARL Dom. La Croix Sainte-Eulalie,
av. de Saint-Chinian, hameau de Combejean,
34360 Pierrerue, tél. et fax 04.67.38.08.51,
e-mail michel.gleizes@club-internet.fr
t.l.j. 8h30-12h30 13h30-19h30

DONNADIEU Cuvée Mathieu et Marie 2005 **

5 ha	28 000	5 à 8 €

Donnadieu est un petit hameau au nord de Saint-Chinian où, le 21 mars 1994, fut plantée la syrah qui a donné ce merveilleux résultat. Le même jour Mathieu naissait, aussi cette cuvée porte-t-elle le nom des deux enfants de Christine Deleuze. La robe fuchsia de ce 2004 est très brillante ; cette jeunesse se retrouve au nez avec des parfums de violette qui laissent cependant paraître une complexité fruitée sous-jacente. Les tanins, amples, harmonieux, ronds et souples donnent à ce 2005 un profil de vin plaisir à boire dès aujourd'hui.
Christine Deleuze, 9, bd Pasteur,
34370 Cazouls-lès-Béziers r.-v.

DOM. LES ÉMINADES Cebenna 2003

2,5 ha	6 600	8 à 11 €

Argilo-calcaire, grès, silex sont les composantes du terroir de Cébazan. Luc et Patricia Bettoni ont su l'exploiter pour exprimer la typicité de ce saint-chinian. Élevée douze mois en barrique, cette cuvée d'un rouge profond s'ouvre sur des parfums fruités et épicés. Les tanins dominent au palais et devraient s'affiner avec le temps. À servir sur une épaule d'agneau à l'ail confit.
Luc et Patricia Bettoni, rue des Vignes,
34360 Cébazan, tél. et fax 04.67.36.14.38,
e-mail les.eminades@wanadoo.fr r.-v.

EN SILENCE 2004 *

4,06 ha	20 000	8 à 11 €

En silence, Bernard Magrez s'installe dans le Languedoc et vinifie sur différents terroirs. Ici, celui de Villespassans, où il a acquis une ancienne magnanerie. La grande qualité de ce vin tient à son ampleur, à sa rondeur et à ses tanins épanouis. Le nez, complexe, agrémente de notes de tabac et d'épices, une dominante de garrigue. L'équilibre pourra encore se parfaire au cours d'un an ou deux de garde.
Ch. La Tempérance, 216, av. du Dr-Nanlel-Penard,
33600 Pessac, tél. 05.57.26.38.38, fax 05.57.26.38.39,
e-mail bernardmagrez@bernard-magrez.com
Bernard Magrez

CH. ÉTIENNE DES LAUZES Cuvée Yneka 2003 ***

n.c.	11 300	15 à 23 €

L'œuvre de femmes motivées. Elles cultivent, vinifient, commercialisent, gèrent et, en plus, gardent le sourire ! Et signent ici une bouteille d'exception. Une somptueuse robe presque noire retient le regard. Les arômes, d'une riche complexité, marient le menthol, le pain grillé, la vanille et les épices. Les tanins mûrs et bien présents assureront la garde. La même famille a produit le **Château La Dournie rosé 2005 (5 à 8 €)**, cité par le jury.
Étienne, Ch. La Dournie,
rte de Saint-Pons, 34360 Saint-Chinian,
tél. 04.67.38.19.43, fax 04.67.38.00.37,
e-mail chateau.la.dournie@wanadoo.fr r.-v.

CH. FONTANCHE Les centenaires 2004

■ 1 ha 3 500 11 à 15 €

Pour une première vinification dans le Languedoc, c'est encourageant. Un vin plaisant, bien fait, facile d'accès : les dégustateurs ont été sous le charme. D'un rouge profond, ce 2004 présente un nez intense où des arômes de garrigue accompagnent une note réglissée. Les tanins mûrs, ronds et fondus participent au côté velouté de cette bouteille.

Frédéric Lornet, Fontanche, 34310 Quarante, tél. 03.84.37.45.10, fax 03.84.37.40.17, e-mail frederic.lornet@club-internet.fr r.-v.

CH. GRAGNOS Charmes d'antan 2005

■ 1,9 ha 10 000 3 à 5 €

La cinquième génération est à la tête de l'exploitation établie sur la commune de Saint-Chinian. Parée d'une robe grenat, cette cuvée exprime des parfums de fruits rouges frais et de violette. C'est un vin simple, jeune et harmonieux qui peut se boire dès à présent ; toutefois, il est apte à une petite garde (un à deux ans).

Laurent Babeau, Ch. Gragnos, 10, Grand-Rue, 34360 Saint-Chinian, tél. et fax 04.67.38.03.79, e-mail chateau.gragnos@free.fr r.-v.

MICHEL ET POMPILIA GUIRAUD
La suite dans les idées 2004 ★★

■ 1,85 ha 4 000 8 à 11 €

Ce coup de cœur unanime distingue un domaine mais surtout un terroir de schiste, celui de Roquebrun. Un assemblage de tous les cépages : syrah, grenache, carignan, cinsault, avec une dominante de mourvèdre. La robe sombre s'anime de reflets violets. Les arômes sont intenses et complexes (fruits noirs, réglisse, fumée et une superbe note minérale). Les tanins suaves et généreux révèlent beaucoup de rondeur et de gras. Un grand vin à laisser mûrir en bouteille entre deux et cinq ans. Cependant, les impatients pourront le servir dès maintenant en carafe.

GAEC Boissezon-Guiraud, av. de Balaussan, 34460 Roquebrun, tél. et fax 04.67.89.68.17, e-mail gaec.guiraud@wanadoo.fr r.-v.

Michel Guiraud

DOM. DES JOUGLA Viels Arrasics 2003

■ 1,5 ha 4 775 11 à 15 €

Alain Jougla est un habitué du Guide. Sa cuvée Vieilles Racines – traduction de Viels Arrasics – a tous les traits d'un saint-chinian né de schiste et d'argilo-calcaire. Le nez, flatteur, offre des parfums de garrigue, de grillé, de fruit confit et une pointe d'eucalyptus. La bouche généreuse est soutenue par des tanins jeunes et très présents. Ce vin se dévoilera mieux dans trois à quatre ans.

Alain Jougla, Le Village, 34360 Prades-sur-Vernazobre, tél. 04.67.38.06.02, fax 04.67.38.17.74 t.l.j. sf dim. 9h-12h 15h-18h30

JULES-MILHAU 2003

■ n.c. 10 000 3 à 5 €

Une cuvée en hommage à Jules Milhau qui a participé au développement des appellations d'origine contrôlée en Languedoc. Les vignerons de Murviel-lès-Béziers ont sélectionné des vieilles vignes pour réaliser ce 2003 à la robe soutenue, au nez dominé par le thym et les épices. La bouche décline le fruit et finit sur de bons tanins. Un vin à servir dès maintenant sur un gibier à plume. La **cuvée Schistes rouge 2003 (5 à 8 €)** a été citée.

Les Coteaux de Rieutort, 12, av. Edouard-Bonnafé, 34490 Murviel-lès-Béziers, tél. 04.67.37.87.51, fax 04.67.37.78.72, e-mail lescoteauxderieutort@wanadoo.fr r.-v.

DOM. DU LANDEYRAN Grains de passion 2004 ★

■ 1,5 ha 5 000 8 à 11 €

Installés en 1993, Michel et Patricia Soulier venaient du secteur bancaire. Passionnés par ce superbe terroir de schistes, ils vinifient de très belles cuvées comme celle-ci, habillée d'une robe pourpre. Le nez mêle des notes complexes d'épices, de fruits rouges et de sous-bois. Relevé par une nuance de romarin, ce vin élégant en attaque manifeste ensuite de la fraîcheur pour finir sur une surprenante pointe tannique. À garder au moins trois ans pour accompagner une grillade d'agneau au thym.

EARL du Landeyran, rue de la Vernière, 34490 Saint-Nazaire-de-Ladarez, tél. et fax 04.67.89.67.63, e-mail domainedulandeyran@wanadoo.fr r.-v.

Soulier

DOM. LA LINQUIÈRE
Le Chant des cigales Élevé en fût de chêne 2004 ★★

■ 3 ha 10 000 8 à 11 €

Le 2003 fut coup de cœur dans le Guide 2006 et le 2004 n'est pas très loin de cette distinction. Une vinification qui respecte les terroirs. Schiste, argilo-calcaire et grès, un mariage original pour cette cuvée pleine de promesses. De couleur pourpre, ce vin joue sur la réglisse, le cachou, le Zan avec une petite note florale (rose). Soyeux et gras, il possède volume et longueur. On en a plein la bouche et on peut l'attendre trois à cinq ans. Quel plaisir que ce vin de soleil !

Robert Salvestre et Fils, Dom. La Linquière, 34360 Saint-Chinian, tél. 04.67.38.25.87, fax 04.67.38.04.57 t.l.j. 9h-12h 14h30-19h

DOM. LA MADURA 2003 ★

■ 3 ha 12 000 15 à 23 €

Vrais Languedociens malgré neuf années passées en Bordelais, les Bourgne s'installent à Saint-Chinian en 1998 sur une mosaïque de terroirs (schistes et argilo-calcaires). Ils pratiquent la lutte raisonnée et élaborent des vins de garde, difficiles à juger dans leur jeunesse : il faudra être patient pour apprécier celui-ci, aux tanins riches et fins, dont les arômes complexes évoquent les épices, avec du grillé et des fruits mûrs. À attendre, bien sûr. Un tajine d'agneau l'accompagnera.

Nadia et Cyril Bourgne, 12, rue de la Digue, 34360 Saint-Chinian, tél. et fax 04.67.38.17.85, e-mail lamadura@wanadoo.fr r.-v.

MARQUISE DES MÛRES Les Sagnes 2003 ★

■ 7 ha 15 000 ▮◖◗ 8 à 11 €

Ce domaine comblera les amateurs qui ne manqueront pas de rendre visite à Jean-Jacques Mailhac en admirant les paysages somptueux du village et du terroir de Roquebrun. Il n'y a pas de doute, ce vin a de l'avenir. Sa belle matière est bien mise en valeur par l'élevage. Déjà, il manifeste de la puissance et de la rondeur en bouche ; les arômes de sous-bois et de garrigue dominent un ensemble qui offre un plaisir immédiat mais qui peut aussi se garder deux ans. Le millésime 2002 de cette cuvée fut coup de cœur avec trois étoiles !

Dom. des Marquises,
av. de Balaussan, 34460 Roquebrun,
tél. 06.84.30.76.20, fax 04.67.89.55.63 r.-v.

MAS CHAMPART Causse du Bousquet 2004 ★★

■ 4,5 ha 12 000 ▮◖◗ 8 à 11 €

Un site exceptionnel, des vignes en terrasses, un mas méridional à flanc de coteaux, un paysage magnifique et des vignerons de talent. Tout est réuni pour réaliser ce grand vin d'un rouge intense. Un riche bouquet s'exprime après aération : menthe, épices et fruits rouges bien mûrs. Gracieux, distingué, long et persistant, ce 2004 possède un intéressant potentiel de garde. Attendre trois à quatre ans avant de le servir, par exemple, sur un pigeon accompagné d'une purée de céleri truffée.

EARL Champart, Bramefan, rte de Villespassans,
34360 Saint-Chinian, tél. et fax 04.67.38.20.09,
e-mail mas-champart@wanadoo.fr r.-v.

MAS CLAVAT 2004 ★

■ 0,5 ha 2 700 ◖◗ 5 à 8 €

Dans une cave du XIX[e]s., Frédéric Aribaud vous fera découvrir le superbe terroir de Babeau-Bouldoux. On est bien en saint-chinian avec ce nez complexe de cuir, de griotte et de fruits rouges bien mûrs. Fraîcheur et rondeur laissent place à une enveloppe tannique sympathique. Un plat de viande aux herbes de la garrigue permettrait de passer un bon moment en compagnie de ce très joli vin.

Frédéric Aribaud,
pl. Henri-Babeau, 34360 Babeau-Bouldoux,
tél. 04.67.24.65.71, fax 04.67.31.61.24 r.-v.

MAS D'ALBO Tradition 2004

■ 2 ha 5 500 ▮◖◗ 5 à 8 €

Max Azema a repris une propriété familiale et réalise son premier millésime en 2004. Rouge grenat à reflets violets, cette cuvée exprime des parfums de garrigue, de menthol et d'eucalyptus. Des tanins assez fins sont associés à de la rondeur mais il faudra attendre deux à trois ans pour atteindre à une pleine harmonie. « À servir avec un rôti de veau aux cèpes » recommande un dégustateur.

Max Azema, Mas d'Albo, 34460 Roquebrun,
tél. et fax 04.67.24.98.36,
e-mail masdalbo@wanadoo.fr r.-v.

MAS DE CYNANQUE Plein Grès 2004

■ 4 ha 4 400 ▮ 5 à 8 €

Récemment installé sur un superbe terroir de grès, Xavier de Franssu a créé sa cave. Il faut suivre ce domaine de près, car ce vin y est prometteur. D'une robe pourpre avenante, ce 2004 parfumé d'épices douces, de fruits rouges et de notes animales se montre harmonieux en bouche : beaucoup de personnalité se dégage de ce saint-chinian qui pourrait accompagner une cuisine du terroir. À carafer.

Xavier et Violaine de Franssu,
Mas de Cynanque, rte d'Assignan, 34310 Cruzy,
tél. 06.20.08.37.57, fax 04.99.57.10.97,
e-mail masdecynanque@yahoo.fr r.-v.

CH. MILHAU-LACUGUE
Cuvée des Chevaliers 2004

■ 5 ha 26 000 5 à 8 €

Ce domaine réputé du Saint-Chinianais est situé à 3 km de la remarquable abbaye de Fontcaude. Il occupe une ancienne métairie des Hospitaliers de Saint-Jean-de-Jérusalem. Cela explique le nom de cette cuvée rouge soutenu à reflets violets. Ses arômes sont francs et très typés argilo-calcaires, avec des nuances de fruits rouges, de garrigue et de réglisse. Charnu, puissant et marqué par une pointe animale, ce vin demande à être carafé. Les viandes rouges lui seront acquises.

Ch. Milhau-Lacugue, Dom. de Milhau,
rte de Cazedarnes, 34620 Puisserguier,
tél. 04.67.93.64.79, fax 04.67.93.51.93,
e-mail lacuguejean@yahoo.fr
t.l.j. 10h-12h 14h-17h; sam. dim. sur r.-v.
Lacugue

DOM. DE MONTPLO Cuvée Louise 2004 ★

■ 3 ha 10 500 ▮◖◗ 8 à 11 €

Installé près de Cruzy dans un hameau isolé au cœur des vignes plantées à 200 m d'altitude sur des terrasses villafranchiennes, Jean-Michel Consul vinifie des raisins issus de vieux ceps. Il décroche aujourd'hui une étoile grâce à ce vin grenat à reflets violets. Le nez profond est marqué par des nuances de sous-bois, de fruits mûrs et des notes balsamiques. La bouche ample et charnue révèle des tanins bien fondus. Une belle suavité clôture la dégustation. Un rôti de porc aux pruneaux devrait s'accorder avec cette bouteille.

Jean-Michel Consul, Dom. de Montplo,
34310 Cruzy, tél. 06.89.42.97.70, fax 04.67.24.97.92,
e-mail jmconsul34@wanadoo.fr
t.l.j. 9h-12h 14h-18h

DOM. NAVARRE Cuvée Olivier 2004

■ 4 ha n.c. ▮◖◗ 11 à 15 €

Une vigne centenaire complantée de différents cépages vinifiés ensemble ; un terroir exceptionnel et un vigneron respectant la nature sont à l'origine de ce solide 2004 en robe sombre et au nez animal qui demande à être aéré par un passage en carafe. Sa charpente est encore très sensible mais le gras devrait l'enrober d'ici un an ou deux. Il gagnera en charme sur un gibier à plume.

Thierry Navarre,
av. de Balaussan, 34460 Roquebrun,
tél. 04.67.89.53.58, fax 04.67.89.70.88,
e-mail thierry.navarre@wanadoo.fr r.-v.

CH. PECH-MÉNEL 2003

■ 2 ha 6 600 ▮ 8 à 11 €

Née sur un très vaste domaine entouré de pins, d'oliviers, d'amandiers et de garrigue, cette cuvée porte une robe profonde. Son nez de fruits mûrs accompagnés de quelques notes balsamiques annonce une bouche puissante et d'une belle longueur. Un vin élégant et probablement prêt dès 2007.

Marie-Françoise et Élisabeth Poux,
SCEA Dom. de Pech-Ménel, 34310 Quarante,
tél. 04.67.89.41.42, fax 04.67.89.38.17,
e-mail pech-menel@wanadoo.fr r.-v.

CH. DU PRIEURÉ DES MOURGUES
Grande Réserve 2004 ★

■ 5 ha 12 000 11 à 15 €

Ce saint-chinian se montre typique des schistes par sa finesse et son élégance. Même si la syrah domine, le nez présente des notes empyreumatiques et des nuances de petits fruits noirs. En bouche, le fruité l'emporte sur des tanins amples et reposants. Choisissez un gigot d'agneau à la broche pour l'accompagner.

Jérôme Roger, Ch. du Prieuré des Mourgues,
34360 Pierrerue, tél. 04.67.38.18.19, fax 04.67.38.27.29,
e-mail prieure.des.mourgues@wanadoo.fr
r.-v.

PRIEURÉ SAINT-ANDRÉ Cuvée Andréus 2004

■ 1 ha 4 000 8 à 11 €

Carignan, mourvèdre et syrah s'assemblent harmonieusement dans ce vin rouge profond. Le nez un peu fermé au départ décline des notes empyreumatiques typiques des schistes. La bouche puissante repose sur des tanins encore jeunes qui demandent deux à trois ans de garde. Le jury a également cité le **rosé 2005 (3 à 5 €)** pour sa fraîcheur et son fruité. Repas de chasse pour le premier, salade composée (avec fromages) pour le second.

Michel Claparède, Prieuré Saint-André,
34460 Roquebrun, tél. 04.67.89.70.82,
fax 04.67.89.71.41, e-mail prieure.st.andre@wanadoo.fr
t.l.j. 8h-12h 14h-18h

CH. PUYSSERGUIER 2004

2,91 ha 4 250 8 à 11 €

L'originalité aromatique de ce 2004 étonne : noisette, amande, notes grillées, anis et miel. Les vignerons de Puisserguier sont des champions pour les vins blancs. À l'attaque, le vin est un peu timide mais une bonne fraîcheur est perceptible en milieu de bouche et en finale. Une séduisante étiquette moderne pour ce millésime typique et plaisant, encore un peu jeune.

Vignerons de Puisserguier, 29, rue Georges-Pujol,
34620 Puisserguier, tél. 04.67.89.39.16,
fax 04.67.89.30.76, e-mail info.export@v3t.fr r.-v.

DOM. DES QUAT'Z'ARTS 2004 ★

■ 2 ha 7 500 8 à 11 €

Une entrée remarquée dans le Guide : élaboré à partir de 43 % de syrah, 30 % de grenache et 27 % de mourvèdre, ce vin pourpre limpide et brillant offre de merveilleux parfums de garrigue (cade, genévrier) assortis de fruits rouges bien mûrs. L'attaque est franche puis se révèlent des tanins amples et bien fondus. Cette cuvée gagnera à attendre quelques mois et à être servie en carafe.

Dom. des Quat'z'arts, 3, av. du Château,
34310 Quarante, tél. 06.68.37.55.32, fax 04.67.89.77.23,
e-mail philippe@domainedesquatzarts.com r.-v.
Philippe Delhaye

CH. SAINT-JEAN-DE-CONQUES 2004 ★

■ 5,6 ha 35 000 8 à 11 €

Chez les Boussagol, de l'expérience on n'en manque pas ! Ce vin pourpre en témoigne. Au nez, il mêle des senteurs de garrigue, de laurier et de poivre noir. Puissant, construit sur des tanins élégants, il présente un très bel équilibre entre le moelleux et la fraîcheur. Il mérite d'être attendu deux à trois ans. Patience.

François-Régis Boussagol,
Dom. Saint-Jean-de-Conques, 34310 Quarante,
tél. 04.67.89.34.18, fax 04.67.89.35.46,
e-mail fr.boussago@wanadoo.fr r.-v.

SCHISTEIL 2005 ★

15 ha 28 000 5 à 8 €

Un vin blanc qui mérite bien la nouvelle appellation saint-chinian blanc, signé par la cave de Berlou, l'un des fleurons du saint-chinian. Ce 2005 présente une robe jaune brillant et un nez fin, élégant, floral et fruité. L'attaque est fraîche avec du volume et une belle minéralité. Un vin d'apéritif très typique. Cité, le **Château des Albières rouge 2003 cuvée Georges Dardé (11 à 15 €)**, riche et fin est prêt à passer à table.

Les Coteaux de Berlou, av. des Vignerons,
34360 Berlou, tél. 04.67.89.58.58, fax 04.67.89.43.74,
e-mail pro.berlou@wanadoo.fr
r.-v.

DOM. DE LA SERVELIÈRE 2004 ★

■ 2 ha 10 000 3 à 5 €

La Servelière est l'ancien nom du village de Babeau. Un village et un domaine qu'il faut visiter pour comprendre le terroir de schiste de cette appellation. Typé par l'intensité de sa robe, ce vin se révèle très expressif après agitation (épices, fleurs, fruits secs). Après une attaque franche, la bouche se montre souple et repose sur des tanins élégants. Un saint-chinian plaisant, à servir avec un pot-au-feu ou de l'agneau.

Joël Berthomieu,
1, rue des Cèdres, 34360 Babeau-Bouldoux,
tél. et fax 04.67.38.17.08 r.-v.

DOM. DU TABATAU Lo Tabataïre 2003 ★

■ 3 ha 15 000 8 à 11 €

Deux frères, artistes chacun dans son domaine, sont à l'origine de cette cuvée. Il faut les rencontrer tranquillement, visiter leur terroir et prendre un cours de dégustation avec Bruno. Leur vin construit sur l'élégance présente un nez tout de douceur aux senteurs d'épices et de laurier ; puissant en bouche, généreux et d'une belle longueur, il accompagnera dès à présent une daube languedocienne.

GAEC du Dom. du Tabatau, rue du Bal,
34360 Assignan, tél. 04.67.38.19.60, fax 04.67.38.19.54,
e-mail domainedutabatau@wanadoo.fr r.-v.

DOM. DE TRIANON 2004 ★

■ 8 ha 41 000 5 à 8 €

100 % schiste. Les vignerons de la cave de Saint-Chinian élaborent un vin de terroir qui a du caractère. Le mariage des épices et des fruits rouges traduit une bonne maturité et une vinification bien maîtrisée. L'attaque est souple mais les tanins demandent à s'affiner. La jeunesse n'est pas un défaut : il faut savoir attendre...

Cave des Vignerons de Saint-Chinian,
rte de Sorteilho, 34360 Saint-Chinian,
tél. 04.67.88.45.75, fax 04.67.88.45.79
t.l.j. 9h-12h30 14h-19h

DOM. DE TUDERY
Les Capitelles Vieilli en fût de chêne 2003 ★

■ 8,5 ha 50 000 5 à 8 €

Les vignerons d'Ensérune défendent leur terroir argilo-calcaire. Après un passage de douze mois en barrique, cette cuvée offre un nez complexe de fruits mûrs, de garrigue, de réglisse, complétés d'une pointe de vanille. Elle révèle des tanins puissants et très présents, mais qui devraient gagner en fondu d'ici l'hiver prochain. Un gigot de sanglier cuit sept heures au four lui conviendra.

SCA Les Vignerons du pays d'Ensérune, 235, av. Jean-Jaurès, 34370 Maraussan, tél. 04.67.88.45.75, fax 04.67.88.45.79, e-mail vignerons.enserune@wanadoo.fr
t.l.j. 9h-12h30 14h-19h

CH. VIRANEL Tradition 2003 ★

7,5 ha 50 000 5 à 8 €

Propriété de famille depuis 1550, ce domaine s'est fait connaître par un très bon millésime 1988. Ce 2003, issu de syrah, de grenache, de mourvèdre et de carignan s'habille de pourpre brillant. Le nez intense libère des parfums de garrigue et de fruits rouges. La structure ample et ronde s'appuie sur des tanins bien présents mais sans excès. Attendez sagement cette bouteille deux ou trois ans. Le **Château Viranel blanc coteaux-du-languedoc rouge** a obtenu également une étoile. Il est floral et élégant. Viandes grillées pour le rouge, rougets pour le blanc.

GFA de Viranel, 34460 Cessenon, tél. 04.67.89.60.59, fax 04.67.89.64.99, e-mail info@chateau-viranel.com r.-v.
Bergasse-Milhé

Côtes-de-la-malepère AOVDQS

On a produit 19 563 hl de cette AOVDQS en 2005 sur trente et une communes de l'Aude comptant 403 ha déclarés, dans un terroir soumis à l'influence océanique et situé au nord-ouest des Hauts-de-Corbières qui le protègent de l'influence méditerranéenne. Ces vins rouges ou rosés, corsés et fruités, comprennent non pas du carignan, mais, en plus du grenache et du cot, les cépages bordelais cabernet-sauvignon, cabernet franc et merlot dominants.

DOM. DE CAZES Le Clos des Chênes 2004 ★

0,5 ha 4 000 5 à 8 €

La rigueur est toujours présente dans ce domaine expérimental, catalyseur de tous les progrès réalisés dans cette appellation. Vous y découvrirez un sentier botanique et ampélographique. Le millésime 2004 peut se définir par un seul mot : puissance. D'une couleur rouge sombre encore jeune, ce Clos des Chênes est accompagné par un boisé très présent. Ample en bouche, c'est le type même du vin de garde.

SICA Dom. de Cazes, 11240 Alaigne, tél. 04.68.69.01.14, fax 04.68.69.33.46, e-mail domaine.cazes@aude.chambagri.fr
t.l.j. sf sam. dim. 9h-12h 14h-18h

CH. DE COINTES Cuvée Marie-Anne 2004 ★

3 ha 10 000 5 à 8 €

Ce sont les premiers consuls de Carcassonne, au XVIIe s., qui donnèrent leur nom à ce domaine qui fait preuve d'une grande régularité par sa présence dans le Guide. Cette cuvée Marie-Anne a particulièrement attiré l'attention des dégustateurs. Une robe profonde annonce le bel équilibre de ce vin. La concentration et le gras accompagnent la dégustation, sur des notes de fruits mûrs. À boire ou à conserver.

Anne Gorostis, Ch. de Cointes, 11290 Roullens, tél. 04.68.26.81.05, fax 04.68.26.84.37, e-mail gorostis@chateaudecointes.com
r.-v.

LE FOUCAULD 2005 ★

n.c. 15 400 3 à 5 €

Les investissements importants réalisés par la cave La Malepère ces dernières années se retrouvent dans ce joli rosé à la robe pâle. Très riche, le nez marie les fleurs blanches et les fruits. La bouche équilibrée est accompagnée par une légère vivacité qui met en valeur l'élégance du fruité.

Cave La Malepère, av. des Vignerons, 11290 Arzens, tél. 04.68.76.71.71, fax 04.68.76.71.72
t.l.j. sf sam. dim. 8h-12h 14h-18h

DOM. DE FOURNERY 2003 ★★

20 ha 100 000 3 à 5 €

Routier donne à voir son église fortifiée Saint-Laurent, du XIIIe s. C'est aussi le siège de la coopérative, souvent présente dans le Guide avec le domaine de Fournery. Le 2003, tout en harmonie, offre souplesse, élégance et un nez complexe de fruits mûrs. Un vin à boire. À signaler, le **Château de Montclar rouge 2003**, très réussi, tout en puissance, au fin boisé, que l'amateur devra élever quelque temps dans sa cave. Rappelons les dix coups de cœur obtenus par la coopérative (sept pour le Château de Montclar et trois pour le Domaine de Fournery).

Cave du Razès, 11240 Routier, tél. 04.68.69.02.71, fax 04.68.69.00.49, e-mail info@cave-razes.com
t.l.j. sf sam. dim. 9h-12h 14h-18h

DOM. GIRARD Tradition 2004 ★★★

1 ha 5 000 5 à 8 €

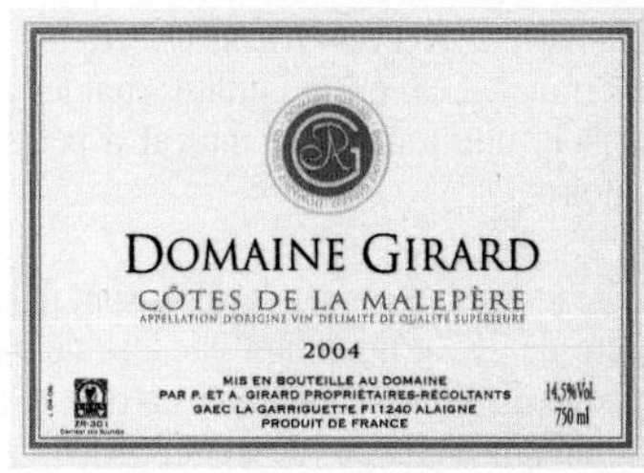

Est-ce la proximité du domaine expérimental de la Malepère qui conduit à l'élaboration de tels vins ? C'est sans hésitation que le jury lui a attribué le coup de cœur.

Mariage de l'élégance et de la puissance, il affiche un nez d'une rare complexité ; la bouche concentrée et longue annonce une très grande bouteille. À signaler également, la **cuvée Néri rouge 2003 (8 à 11 €)**, très réussie.
🔑 Dom. Girard, 5, rue de la Fontaine, 11240 Alaigne, tél. et fax 04.68.69.05.27, e-mail domaine-girard@wanadoo.fr ☑ 🍷 🚶 r.-v.

CH. GUILHEM Grande Cuvée 2004 ★★★

■ 1,1 ha 3 500 ▮ 🛢 11 à 15 €

Ce millésime confirme le renouveau du domaine après l'arrivée de la nouvelle génération en 2003 : un élan de modernité conjugué à la tradition, comme le montre cette Grande Cuvée qui a frôlé le coup de cœur. Le nez intense et fruité aux nuances d'amande grillée annonce une bouche puissante, au joli grain de tanins, et au boisé encore très présent sur des notes de fruits à l'alcool. Très joli vin à découvrir en même temps que le domaine, dont le parc jouxte le joli village en circulades. La **cuvée rosé 2005 (5 à 8 €)** est très réussie.
🔑 Dom. Guilhem, Le Château de Malviès, 11300 Malviès, tél. 04.68.31.14.41, fax 04.68.31.58.09, e-mail contact@chateauguilhem.com
☑ 🍷 🚶 t.l.j. sf dim. 9h-12h 14h-18h
🔑 B. Gourdou

DOM. LA LOUVIÈRE Sélection 2004 ★★

■ 3,14 ha 16 000 ▮ 8 à 11 €

Notre coup de cœur de l'an dernier... dans son nouveau millésime. On ne peut que féliciter Klaus Grohe d'avoir choisi ce terroir dont il sait tirer le meilleur. Voyez ce remarquable 2004 : sa robe rubis, encore jeune, annonce un nez de fruits déjà accompagnés de notes de sous-bois. L'ampleur de la bouche repose sur des tanins enrobés. Équilibré et onctueux, ce vin est prêt à passer sur une table de fête.
🔑 Klaus Grohe, Dom. La Louvière, 11300 Malviès, tél. 04.68.20.71.55, fax 04.68.20.58.37, e-mail domainelalouviere@wanadoo.fr ☑ 🍷 🚶 r.-v.

DOM. DE MATIBAT Tradition 2003 ★

■ 1,8 ha 7 000 ▮ 5 à 8 €

Déjà plusieurs années que Jean-Claude Turetti a pris les rênes de la propriété, avec un succès certain. Il propose un vin mûr, au nez très ouvert sur un fruité frais aux accents de framboise. Souple et équilibré, tout entier sur le fruit, ce 2003 est onctueux et long, avec des tanins qui se font oublier : il est prêt.
🔑 Jean-Claude Turetti, Dom. de Matibat, 11300 Saint-Martin-de-Villeréglan, tél. 04.68.31.15.52, fax 04.68.31.04.29, e-mail jeanclaude.turetti@free.fr
☑ 🍷 t.l.j. sf dim. 8h30-12h 14h-18h30; sam. sur r.-v.

Vins doux naturels du Languedoc

Dès l'Antiquité, les vignerons de la région ont élaboré des vins liquoreux de haute renommée. Au XIII[e]s., Arnaud de Villeneuve découvrit le mariage miraculeux de la « liqueur de raisin et de son eau-de-vie » : c'est le principe du mutage qui, appliqué en pleine fermentation sur des vins rouges ou blancs, arrête celle-ci en préservant ainsi une certaine quantité de sucre naturel.

Les vins doux naturels d'appellation contrôlée se répartissent dans la France méridionale : Pyrénées-Orientales, Aude, Hérault, Vaucluse et Corse, jamais bien loin de la Méditerranée. Les cépages utilisés sont les grenaches (blanc, gris, noir), le macabeu, la malvoisie du Roussillon, dite tourbat, le muscat à petits grains et le muscat d'Alexandrie. La taille courte est obligatoire.

Les rendements sont faibles, et les raisins doivent, à la récolte, avoir une richesse en sucre de 252 g minimum par litre de moût. L'agrément des vins est obtenu après un contrôle analytique. Ils doivent présenter un taux d'alcool acquis de 15 à 18 % vol., une richesse en sucre de 45 g minimum à plus de 100 g pour certains muscats, et un taux d'alcool total (alcool acquis plus alcool en puissance) de 21,5 % vol. minimum. Certains sont commercialisés tôt (muscats), d'autres le sont après trente mois d'élevage. Vieillis sous bois de manière traditionnelle, c'est-à-dire dans des fûts, ils acquièrent parfois après un long élevage des notes très appréciées de rancio.

Muscat-de-lunel

Le terroir de Lunel est principalement constitué de gress, cailloutis sur plusieurs mètres d'épaisseur à ciment d'argile rouge. Le vignoble se localise sur ces nappes caillouteuses, au sommet des coteaux. Ici, seul le muscat à petits grains est utilisé ; les vins finis doivent avoir au minimum 125 g de sucre. 7 775 hl ont été élaborés pour le millésime 2005 sur une superficie de 357 ha.

GRÈS SAINT PAUL Rosanna 2004 ★★

0,7 ha 2 000 11 à 15 €

Quelque soit le millésime, les sols villafranchiens du château Grès-Saint-Paul constituent des terroirs d'élite pour le cépage muscat : trois coups de cœur ces dernières années dans cette appellation, sans parler de ceux obtenus en vin sec ! Rosanna était montée sur le podium l'an dernier. Le 2004 affiche une robe jaune paille, un nez compoté de coing et de pruneau. La bouche se montre très ronde, presque dense. Sa puissance lui permet de donner la réplique à du foie gras. La **cuvée Sévillane 2005 (8 à 11 €)** obtient une étoile. Elle n'a pas connu le bois et offrira du plaisir en toute simplicité.

Jean-Philippe Servière, GFA Grès Saint-Paul, rte de Restinclières, 34400 Lunel, tél. 04.67.71.27.90, fax 04.67.71.73.76, e-mail contact@gres-saint-paul.com t.l.j. sf dim. 9h-13h 15h-19h

MAS DE BELLEVUE
Lacoste Cuvée Tradition 2005 ★★

8 ha 20 000 8 à 11 €

Cette cuvée revêt une robe paille mûre. Intense au nez, elle embaume les fruits exotiques. Elle est charmeuse en bouche, presque charnue. Sa rétro-olfaction de litchi accompagne une belle longueur. Ce vin réjouira une salade de fruits. La **Cuvée Vieilles Vignes Clos Bellevue 2005 (11 à 15 €)** présente une sucrosité plus faible que par le passé (112 g/l). Le jury note un parfait équilibre en bouche, et lui atttribue une étoile. À découvrir.

EARL Francis et Régine Lacoste, Mas de Bellevue, rte de Sommières, 34400 Saturargues, tél. 04.67.83.24.83, fax 04.67.71.48.23 t.l.j. sf dim. 9h-18h (19h en été)

Muscat-de-frontignan

Le frontignan a été le premier muscat à obtenir l'appellation d'origine contrôlée en 1936. C'est un jugement du tribunal de Montpellier (du 4 juillet 1935) qui a fixé la nature des terroirs susceptibles de produire ces vins. Les muscat-de-frontignan ne peuvent naître que de terrains généralement secs, caillouteux, pierreux, issus de couches jurassiques, molassiques et d'alluvions anciennes – des sols ingrats à toute autre culture. Ils proviennent exclusivement du muscat à petits grains (anciennement appelé « muscat doré de Frontignan »). Ces vins doivent garder 125 g de sucre par litre. Puissants, ils ne manquent pourtant jamais d'élégance. Les 800 ha de l'AOC ont produit 19 582 hl en 2005.

DOM. DU MAS ROUGE 2005 ★

2,8 ha 9 000 8 à 11 €

Situé au bord de mer, ce mas typique des constructions régionales a été acquis en 1997 par Julien Cheminal. Une robe jaune pâle, des arômes de raisins bien mûrs, de verveine et d'ananas frais accompagnent ce muscat à la saveur élégante et délicate. La rétro-olfaction mentholée participe à sa fraîcheur et le rend presque aérien. On trouve également dans cette propriété d'excellents muscat-de-mireval.

Julien Cheminal, Dom. du Mas Rouge, 30, chem. de la Poule-d'Eau, 34110 Vic-la-Gardiole, tél. 04.67.51.66.85, fax 04.67.51.66.89, e-mail contact@domainedumasrouge.com r.-v.

CH. DE LA PEYRADE Cuvée Prestige 2005 ★★

n.c. 50 000 5 à 8 €

Le muscat de cette propriété aux mulitiples coups de cœur n'est plus à présenter aux habitués du Guide, tant sa production a déjà fait l'objet de descriptions élogieuses. Fraîcheur olfactive (agrumes, pamplemousse, menthol), équilibre sucre-alcool parfait classent ce frontignan parmi les plus réussis de l'appellation. Également deux étoiles, le **Sol Invictus 2005 (8 à 11 €)** offre des arômes exotiques et citronnés et une bouche soyeuse ; de la finesse, de l'élégance, c'est tout le Château La Peyrade.

Yves Pastourel et Fils, Ch. de La Peyrade, 34110 Frontignan, tél. 04.67.48.61.19, fax 04.67.43.03.31, e-mail info@chateaulapeyrade.com t.l.j. sf dim. 9h-12h 14h-18h30

DOM. PEYRONNET Cuvée Belle Étoile 2005 ★★

10 ha 8 000 8 à 11 €

Voilà un coup de cœur qui réjouira bien des Frontignanais ! Depuis 1990 qu'il est à la tête de cette propriété familiale, Alain Peyronnet, œnologue, a patiemment modernisé son outil de production tout en lui gardant son caractère traditionnel et attachant. La cuvée qu'il présente cette année est à l'image des précédentes, c'est-à-dire soignée, expressive, empreinte de douceur au nez (verveine, mangue) mais explosive en bouche, avec une finale particulièrement harmonieuse, intense et persistante. Ce frontignan remarquable et cette propriété exemplaire sont de beaux ambassadeurs pour cette appellation.

LANGUEDOC

🔑 EARL Dom. Peyronnet, 9, av. de la Libération, 34110 Frontignan, tél. 04.67.48.34.13, fax 04.67.48.14.42, e-mail caves.favier-bel@tiscali.fr
☑ Y 🚶 t.l.j. 9h-12h 14h-19h

CH. DE PEYSSONNIE 2005 ★★

	20 ha	36 000	🍾	5 à 8 €

Cette coopérative élabore près de 80 % des muscat-de-frontignan et regroupe deux cent soixante-quinze producteurs. Ce bel outil de production a toujours été, par le passé, le gardien de la tradition. Ces dernières décennies, il a su aussi évoluer avec la technologie pour présenter une gamme de produits de qualité. Le château de Peyssonnie en est la parfaite illustration. Le nez est fait de verveine, de tilleul et de mandarine. La bouche reste fraîche et équilibrée jusqu'en finale. Cité, le **20 ans d'Âge (15 à 23 €)** est à réserver aux amateurs de rancio.
🔑 SCA Coop. de Frontignan, 14, av. du Muscat, 34110 Frontignan, tél. 04.67.48.12.26, fax 04.67.43.07.17, e-mail frontignancoop@wanadoo.fr
☑ Y 🚶 t.l.j. 9h30-12h30 14h30-18h30; groupes sur r.-v.

DOM. DE LA PLAINE Mill Or 2004 ★

	n.c.	2 000		8 à 11 €

À 3 km du littoral, ce domaine est préservé des vents par le massif de la Gardiole. Francis Sala présente cette année un muscat-de-frontignan original, marqué par un élevage en plein air de six à huit mois, dans des bonbonnes ! Le résultat ? Une robe ambrée, brillante, un nez de noix fraîche et de peau d'orange, une bouche très douce, ample, et qui a su garder de la fraîcheur. À recommander aux amateurs de rancio.
🔑 Francis Sala, Dom. de la Plaine, 6, rte de Montpellier, 34110 Vic-la-Gardiole, tél. 04.67.48.10.78, fax 04.67.48.18.67, e-mail muscat-de-f@wanadoo.fr ☑ Y 🚶 t.l.j. 8h-19h

CH. DE STONY Sélection de vendanges 2005 ★★

	15 ha	26 000	🍾	8 à 11 €

En 1860, un aïeul savoyard, fabricant de vermouth, s'installe à Sète et plante le vignoble. Plus tard, les héritiers s'orientent vers la production de frontignan, avec bonheur. Coup de cœur du Guide 2006, Frédéric et Henri Nodet ont bien failli réitérer l'exploit avec ce muscat doré à reflets verts, au nez de verveine, de gentiane et de raisins frais. La bouche ample persiste infiniment. À réserver au meilleur foie gras.
🔑 Nodet, GAEC Ch. de Stony, La Peyrade, 34110 Frontignan, tél. 04.67.18.80.30, fax 04.67.43.24.96 ☑ Y 🚶 r.-v.

Muscat-de-mireval

Ce vignoble est délimité par Frontignan à l'ouest, le massif de la Gardiole au nord et la mer et les étangs au sud. Les sols sont d'origine jurassique et se présentent sous forme d'alluvions anciennes de cailloutis calcaires. Le cépage est uniquement le muscat à petits grains ; il a donné, en 2005, 6 694 hl de vins doux naturels.

Le mutage est effectué assez tôt, car les vins doivent avoir un minimum de 125 g de sucre ; ils sont moelleux, fruités et liquoreux.

DOM. DE LA CAPELLE Parcelle n° 8 2004 ★

	5 ha	6 000	🍾	23 à 30 €

Alexandre Maraval, petit-fils du fondateur de ce domaine, présente cette année le vin de la parcelle n° 8. Un exemple de traçabilité pour ce muscat or pâle, au nez de miel de sapin et de fruits confits. Onctueux sans paraître trop liquoreux, il offre un équilibre parfait. Il accompagnera un foie gras entier aux figues chaudes.
🔑 Alexandre Maraval, Dom. de La Capelle, av. Gambetta, 34110 Mireval, tél. 04.67.78.15.14, fax 04.67.78.58.96
☑ Y 🚶 t.l.j. sf dim. 9h30-12h 14h-19h

CH. D'EXINDRE Vent d'Anges 2004 ★★★

	2,51 ha	8 000	🍾	8 à 11 €

Comme pour fêter leur vingtième année à la tête du domaine familial, les propriétaires ont proposé au jury un produit d'exception. Sa robe jaune doré, ses effluves complexes de cire d'abeille, d'amande grillée et de fruits secs, son palais ample et très long, composent une bouteille de haute expression, de forte personnalité et possédant l'équilibre d'un grand liquoreux. À essayer avec une tarte caramélisée aux abricots.
🔑 Catherine Sicard-Géroudet, La Magdelaine d'Exindre, 34750 Villeneuve-lès-Maguelonne, tél. et fax 04.67.69.49.77, e-mail catherinegeroudet@yahoo.fr
☑ Y 🚶 lun. mar. jeu. ven. 15h-19h; sam. 9h-12h 🏠 D

DOM. DU MAS NEUF 2004 ★★

	8,3 ha	26 000	🍾	8 à 11 €

Une robe or pâle brillant aux reflets verts engageants pour ce muscat aux arômes compotés. En bouche, des pétales de rose. Un modèle d'élégance et d'harmonie. Également deux étoiles pour le **Domaine de Gibraltar 2004 (5 à 8 €)** : des fragrances de fruits mûrs, de litchi ; du volume et de la densité en bouche. Une puissance rare qui lui permettra d'accompagner un fondant au chocolat.
🔑 Bernard-Pierre Jeanjean, Dom. du Mas Neuf, 34110 Vic-la-Gardiole, tél. 04.67.78.37.44, fax 04.67.78.37.46, e-mail masdesetangs@aol.com 🏠 E

DOM. DU MAS ROUGE Cuvée Excellence 2004 ★★

	10 ha	14 000	🍾	8 à 11 €

Le domaine du Mas Rouge, restauré en 1997, est déjà une valeur sûre du muscat-de-mireval : il fut coup de cœur pour le millésime 2002. La cuvée 2004 supporte la comparaison avec sa devancière : la verveine, la pâte de coings, le cyprès se prolongent en bouche avec puissance et harmonie. Pourquoi ne pas l'associer avec un canard à l'orange ?

Julien Cheminal, Dom. du Mas Rouge, 30, chem. de la Poule-d'Eau, 34110 Vic-la-Gardiole, tél. 04.67.51.66.85, fax 04.67.51.66.89, e-mail contact@domainedumasrouge.com r.-v.

DOM. DU MOULINAS 2004

18,47 ha 10 023 5 à 8 €

Établie au cœur du village de Mireval, une propriété traditionnelle. André Aymes signe une cuvée aux arômes intenses de fruits mûrs et compotés. En bouche, finesse et légèreté masquent la sucrosité naturelle pour donner un vin simple mais élégant, à déguster sur un foie gras poêlé, par exemple.

SCA Les Fils Aymes, 24, av. du Poilu, BP 1, 34114 Mireval, tél. 04.67.78.13.97, fax 04.67.78.57.78, e-mail contact@caves-aymes.fr

t.l.j. sf dim. lun. 9h-12h 15h-19h

André Aymes

Muscat-de-saint-jean-de-minervois

Ce muscat est produit par un vignoble perché à 200 m d'altitude et dont les parcelles s'imbriquent dans un paysage de garrigue. Il s'ensuit une récolte tardive, près de trois semaines environ après les autres appellations de muscat de l'Hérault. Le vignoble est implanté sur des sols calcaires d'un blanc étincelant où apparaît parfois la coloration rouge de l'argile. Là encore, seul le muscat à petits grains est autorisé ; les vins obtenus doivent avoir un minimum de 125 g/l de sucre. Ils sont très aromatiques, avec beaucoup de finesse, de fraîcheur et des notes florales caractéristiques. C'est la plus petite AOC de muscat sur le continent (188 ha) avec une production de 5 334 hl en 2005.

BAGATELLE 2005 ★

3 ha 8 500 5 à 8 €

Là où la majorité des producteurs recherchent finesse et légèreté, le Clos Bagatelle présente un vin marqué par l'ampleur et la liqueur. Ses arômes minéraux ne manquent ni d'élégance ni de personnalité. On vous le conseille sur une caille aux raisins confits.

EARL Bagatelle, Clos Bagatelle, 34360 Saint-Chinian, tél. 04.67.93.61.63, fax 04.67.93.68.84, e-mail closbagatelle@wanadoo.fr

t.l.j. sf dim. 9h-12h 14h-18h

DOM. DE BARROUBIO Classique 2004 ★★

17 ha 50 000 8 à 11 €

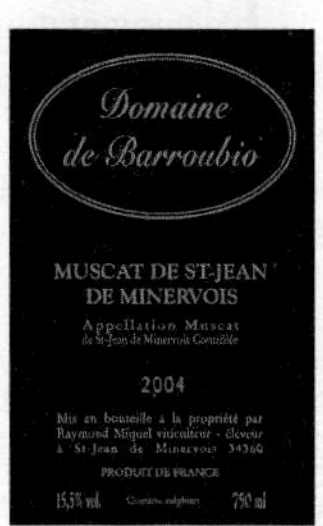

Il est certaines fois où le rédacteur manque de qualificatifs pour présenter un domaine tellement l'excellence y règne en maître. Toute la production du domaine de Barroubio porte le sceau de la qualité : il décroche deux étoiles sur les trois vins présentés avec en prime le coup de cœur (le sixième !) pour la cuvée Classique où les fruits exotiques mais aussi la gentiane jouent de concert. La bouche fine, équilibrée et expressive élève ce muscat au plus haut rang. La **cuvée bleue 2004 (5 à 8 €) les 50 cl** et la **cuvée Dieuvaille 2004 (11 à 15 €)** sont de la même veine.

Raymond Miquel, Barroubio, 34360 Saint-Jean-de-Minervois, tél. et fax 04.67.38.14.06, e-mail barroubio@barroubio.fr

t.l.j. 10h-12h 14h-18h

PETIT GRAIN 2005

5,97 ha 23 700 8 à 11 €

Bien dans la tradition de la cave coopérative, le Petit Grain 2005 présente un fruité d'abricot frais et de miel. Son équilibre est conforme aux attentes, sa liqueur bien masquée. Un saint-jean-de-minervois à déguster en apéritif.

SCA Le Muscat, Le Village, 34360 Saint-Jean-de-Minervois, tél. 04.67.38.03.24, fax 04.67.38.23.38, e-mail lemuscat@wanadoo.fr r.-v.

DOM. DU SACRÉ-CŒUR Cuvée Kevin 2005 ★

2 ha 8 000 8 à 11 €

La famille Cabaret avait déjà montré son savoir-faire par le passé. Ce n'est donc pas une surprise de retrouver dans cette sélection la cuvée Kevin 2005, au nez discret de fruits exotiques, à la bouche marquée par une grande légèreté. Qui peut encore soutenir que les muscats sont des vins lourds en bouche ?

GAEC du Sacré-Cœur, 34360 Assignan, tél. 04.67.38.17.97, fax 04.67.38.24.52, e-mail gaecsacrecoeur@wanadoo.fr

t.l.j. 9h-12h30 45h-19h

Luc et Marc Cabaret

LANGUEDOC

Le Roussillon

L'implantation de la vigne en Roussillon, sous l'impulsion des marins grecs attirés par les richesses minières de la côte catalane, date du VII^e^s. avant notre ère. Elle se développa au Moyen Âge, et les vins doux de la région connurent de bonne heure une solide réputation. Après l'invasion phylloxérique, la vigne a été replantée en abondance sur les coteaux du plus méridional des vignobles de France.

Amphithéâtre tourné vers la Méditerranée, le vignoble du Roussillon est bordé par trois massifs : les Corbières au nord, le Canigou à l'ouest, les Albères au sud, qui font la frontière avec l'Espagne. La Têt, le Tech et l'Agly sont des fleuves qui ont modelé un relief de terrasses dont les sols caillouteux et lessivés sont propices aux vins de qualité, et particulièrement aux vins doux naturels que vous trouverez dans ce chapitre. On rencontre également des sols d'origine différente avec des schistes noirs et bruns, des arènes granitiques, des argilo-calcaires ainsi que des collines détritiques du pliocène.

Le vignoble du Roussillon bénéficie d'un climat particulièrement ensoleillé, avec des températures clémentes en hiver, chaudes en été. La pluviométrie (350 à 600 mm) est mal répartie, et les pluies d'orages ne profitent guère à la vigne. Il s'ensuit une période estivale sèche, dont les effets sont souvent accentués par la tramontane qui favorise la maturation des raisins.

La vigne est encore le plus souvent conduite en gobelet, avec une densité de 4 000 pieds. La culture reste traditionnelle, souvent peu mécanisée. L'équipement des caves se modernise avec la diversification des cépages et des techniques de vinification. Après de rigoureux contrôles de maturité, la vendange est transportée en comportes ou petites bennes sans être écrasée ; une partie des raisins est traitée par macération carbonique. Les températures au cours de la vinification sont de mieux en mieux maîtrisées, afin de protéger la finesse des arômes : tradition et technicité se côtoient.

Côtes-du-roussillon et côtes-du-roussillon-villages

Ces appellations sont issues des meilleurs terroirs de la région. Le vignoble, de 8 000 ha environ, dont 5 854 déclarés en 2005, produit 220 516 hl de côtes-du-roussillon, dont 5 485 hl en blanc et 70 339 hl en côtes-du-roussillon-villages. Les côtes-du-roussillon-villages sont localisés dans la partie septentrionale du département des Pyrénées-Orientales ; quatre communes bénéficient de l'appellation avec le nom du village : Caramany, Lesquerde, Latour-de-France et Tautavel. Terrasses de galets, arènes granitiques, schistes confèrent aux vins une richesse et une diversité qualitatives que les vignerons ont bien su mettre en valeur. Au sud de Perpignan, depuis 2003, on produit des côtes-du-roussillon-Les-Aspres.

Les vins blancs sont produits principalement à partir des cépages macabeu, malvoisie du Roussillon et grenache blanc, mais également avec la marsanne, la roussanne et le rolle, vinifiés par pressurage direct. Ils sont méditerranéens, avec un arôme fin, floral (fleur de vigne). Ce sont des compagnons de choix pour les fruits de mer, les poissons et les crustacés.

Les vins rosés et les vins rouges sont obtenus à partir de plusieurs cépages : le carignan noir (60 % maximum), le grenache noir, le lladonner pelut, le cinsault, comme cépages principaux, et la syrah, le mourvèdre et le macabeu (10 % maximum dans les côtes-du-roussillon) comme cépages complémentaires ; il faut obligatoirement trois cépages. Tous ces cépages (sauf la syrah) sont conduits en taille courte à deux yeux. Souvent, une partie de la vendange est vinifiée en macération carbonique, surtout à partir du carignan qui donne, avec cette méthode de vinification, d'excellents résultats. Les vins rosés sont vinifiés obligatoirement par saignée.

Les vins rosés sont fruités, corsés et nerveux ; les vins rouges sont fruités, épicés, d'une richesse alcoolique de 12 % vol. environ. Les côtes-du-roussillon-villages sont plus corsés et plus chauds ; certains peuvent se boire jeunes, mais d'autres peuvent se garder plus longtemps et développer alors un bouquet intense et complexe. Leurs qualités organoleptiques diversifiées leur permettent de s'associer avec les mets les plus variés.

Côtes-du-roussillon

CH. AMALRIC Élevé en fût de chêne 2003

■ 38 ha 30 000 3 à 5 €

Les Templiers ont joué un rôle important dans le développement agricole du Roussillon. Ils ont asséché les zones insalubres, mettant en place des réseaux d'irrigation et d'évacuation des eaux qui sont à l'origine du vignoble dans maints secteurs... Hommage leur est rendu avec cette cuvée dédiée à Amalric, un des leurs... Ce 2003, sous une robe tuilée, se montre très expressif, ouvert sur les fruits mûrs, le grillé, avec une note de sous-bois et de clou de girofle. Fondu, chaleureux, assoupli par l'élevage de douze mois sous bois, il est prêt à partager avec vos amis autour d'une grillade catalane.

Les Vignerons de Saint-Hippolyte, 66510 Saint-Hippolyte, tél. 04.68.28.31.85, fax 04.68.28.59.10 t.l.j. sf dim. 9h-12h 14h-18h

ARNAUD DE VILLENEUVE
Vieilles Vignes 2005 *

25 ha 40 000 3 à 5 €

Les Vignobles du Rivesaltais regroupent depuis 1993 les caves de Rivesaltes (créées en 1932) et de Salses-le-Château (1927). L'alliance des traditionnels grenache, macabeu (et plus rarement malvoisie) avec la marsanne, la roussanne et le vermentino donne des produits remarquables et reconnus par les initiés. La preuve en est que ce vin est essentiellement vendu en bouteilles ! Fort beau travail que celui de l'équipe de F. Baixas : ce blanc très tendre, fin, élégant, au fruité mûr, nerveux, joue sur la fraîcheur tout en montrant une réelle présence. On retrouve la subtile dualité du riche grenache et du fin macabeu.

Les Vignobles du Rivesaltais, 1, rue de la Roussillonnaise, 66600 Rivesaltes, tél. 04.68.64.06.63, fax 04.68.64.64.69, e-mail vignobles.rivesaltais@wanadoo.fr r.-v.

L'AUTRE TERRE 2004 **

■ 0,5 ha 1 850 5 à 8 €

À force d'enseigner viticulture et œnologie, il arrive que l'on se prenne au jeu et que l'on souhaite illustrer la théorie par la pratique. C'est ce qui est arrivé à Olivier Tailhan : la plus petite cave du Languedoc-Roussillon, c'est lui, et le vin le plus original aussi, car il est rare de trouver une base de mourvèdre aussi élevée. Cela donne un très beau volume autour des fruits noirs à dominante de cassis. Élégant, charnu montrant toute la finesse soyeuse caractéristique des tanins du mourvèdre, l'ensemble est distingué et harmonieux. La finale est impressionnante. À servir par exemple sur une poularde aux groseilles ou du comté.

Olivier Tailhan, 8, rue des Albatros, 66600 Rivesaltes, tél. 04.68.64.54.63, e-mail tailhan.olivier@wanadoo.fr r.-v.

CH. BARRERA 2004

■ 1,3 ha 4 000 5 à 8 €

La demeure construite voilà bientôt deux siècles dans le style des villas palladiennes a gardé tout son cachet. Il est vrai que cette partie du Crest, plus connue pour ses stations estivales de bord de mer tels Le Barcarès, Sainte-Marie ou Torreilles, a conservé son authenticité. Ce vin témoigne de la belle expression et de la finesse de la syrah accompagnée de la note plus mûre et grillée du mourvèdre. Gouleyant, frais, aromatique et doté de tanins soyeux, il est prêt à être servi sur des viandes rouges ou des charcuteries épicées.

SCEA Ch. Barrera, 66470 Sainte-Marie-la-Mer, tél. 04.68.80.54.51, fax 04.68.80.47.62, e-mail chateaubarrera@wanadoo.fr t.l.j. 10h-12h30 16h-19h30 (été); sur r.-v. en hiver

Pierre d'Amarzit

DOM. BISCONTE
Cuvée Mandorle Élevé en fût de chêne 2004 *

■ 23 ha 15 614 5 à 8 €

Du Perthus à Argelès, les Pyrénées ont eu la délicatesse, avant de plonger en mer, de nous donner ce superbe terroir des Albères. Terroir viticole fort ancien si l'on se réfère aux représentations figurant sur le linteau du cloître de Saint-Genis, chef-d'œuvre de l'art roman, situé à 100 m de cette cave. Ce vin ? Sa robe rouge grenat satiné prend un reflet tuilé ; il s'affirme au nez par un fruité mûr finement toasté. Souple, fondu, le palais repose sur un tanin savoureux ; les notes de sous-bois et d'épices accompagnent la dégustation de cette bouteille prête à servir. La **cuvée principale le Domaine Bisconte rouge 2004**, citée, est également prête.

Les Vignerons des Albères, rte de Brouilla, 66740 Saint-Genis-des-Fontaines, tél. 04.68.89.60.18, fax 04.68.89.80.45 t.l.j. sf dim. 9h30-12h 15h30-18h

DOM. BOUDAU Le Clos 2004 *

■ 10 ha 35 000 5 à 8 €

Nés dans les vignes, le frère et la sœur continuent l'œuvre familiale. Ils ont depuis 1993 modernisé cave et vignoble et se sont fait un nom à la fois à Rivesaltes et dans le monde puisqu'ils exportent désormais près de 50 % de la production de leurs 50 ha. Ce 2004 est en pleine jeunesse : profond, lumineux, brillant, il exprime à l'aération des notes de fraise et de mûre. Souple à l'attaque, friande, la bouche s'exprime sur la cerise et la confiture de mûres. Sa belle charpente demande un peu de garde. Dans une paire d'années, ce vin donnera libre cours à son expression sur une poularde aux morilles ou aux truffes.

Dom. Boudau, 6, rue Marceau, 66600 Rivesaltes, tél. 04.68.64.45.37, fax 04.68.64.46.26, e-mail domaineboudau@wanadoo.fr t.l.j. sf dim. 10h-12h 15h-19h

MAÎTRE DE CABESTANY
Élevé en fût de chêne 2003

■ 29 ha 35 000 3 à 5 €

Jouxtant Perpignan, la commune de Cabestany s'est développée avec intelligence. Elle a su éviter de devenir une ville dortoir et a conservé fièrement un important vignoble qui se partage entre vins de cépages et AOC sur les terrasses

ROUSSILLON

ensoleillées propices également aux vins doux naturels. L'élevage en fût apporte à cette cuvée des senteurs d'épices exotiques (vanille) et une touche de genévrier. La bouche est dominée par le fondu et la finesse de la syrah (variété dominante), accompagnés de notes d'amande grillée et de noix de coco léguées par le fût. Harmonieux dès cet automne, un vin à servir sur des mets épicés.

Les vignerons de Cabestany et d'Alenya,
1, av. du Roussillon, 66330 Cabestany,
tél. 04.68.50.48.59, fax 04.68.50.97.80,
e-mail vignerons.cabestany@wanadoo.fr r.-v.

CH. CAP DE FOUSTE
Grande Réserve Élevé en fût de chêne 2002 ★

■	4 ha	15 000		5 à 8 €

Aux portes de Perpignan, cette superbe demeure catalane s'agrémente d'un parc. Havre de fraîcheur sur ce plateau caillouteux, c'est aussi un lieu de manifestations viticoles. Beaucoup de présence pour ce 2002 à la robe très fraîche, au nez hésitant entre les fruits mûrs, le grillé de la barrique et une légère évolution animale. Équilibré par une belle charpente, il affirme la richesse du grenache et la fraîcheur de la syrah. Un vin typique, de bonne facture, à servir avec une côte de bœuf ou des *boles de picolat.*

SCI Ch. Cap de Fouste, rte d'Espagne,
D 39, 66180 Villeneuve-de-la-Raho,
tél. 04.68.55.91.04, fax 04.68.55.87.66,
e-mail capdefouste@free.fr r.-v.
Groupama

CLOS MASSOTTE Corail d'automne 2004 ★★★

■	2 ha	7 000		8 à 11 €

En cave particulière depuis 2003, Pierre-Nicolas Massotte est la révélation de l'année avec les 7 000 cols de ce Corail d'Automne, conçu autour de vieux grenaches et d'une remarquable syrah, cépages se complétant à plaisir, issus des argilo-calcaires du village des Aspres. La couleur sombre annonce un vin d'expression qui s'ouvre sur un boisé fumé puis évolue sur des notes de fruits à l'eau-de-vie, de cerise, de mûre accompagnées d'une touche réglissée très fraîche. La suite est à l'avenant : solide, épicée, avec un joli fruit au cœur d'une bouche charnue. On retrouve la réglisse qui épouse la cerise et le cassis. L'ensemble est harmonieux, riche et plein de vie.

Pierre-Nicolas Massotte, 3, rue des Alzines,
66300 Trouillas, tél. 06.23.36.43.01, fax 04.68.53.49.66,
e-mail pn@massotte.com r.-v.

DOM BRIAL 2004 ★

■	10 ha	68 000		3 à 5 €

Avec plus de 100 000 hl de volume, les côtes-du-roussillon en rosé représentent une production majeure qui a désormais dépassé les côtes en rouge. Chez Dom Brial, cette couleur a toujours fait partie de la gamme remarquable que propose une équipe dynamique autour de R. Torreilles et J.-C. Pédrol. De teinte pivoine, voilà bien un rosé d'ici ! Une note amylique accompagne les arômes de fraise, une touche de sous-bois et de cassis. Vif, gouleyant, tout en petits fruits rouges, très frais, ce vin se révèle de belle longueur. Compagnon idéal des paellas traditionnelles, des charcuteries ou escalivades estivales. Le **Dom Brial blanc 2004** est réussi, surprenant de fraîcheur lui aussi.

Cave de Baixas-Vignobles Dom Brial,
14, av. du Mal-Joffre, 66390 Baixas,
tél. 04.68.64.22.37, fax 04.68.64.26.70,
e-mail contact@dom-brial.com r.-v.

CH. DOTRERA 2003 ★

■	0,9 ha	1 464		5 à 8 €

Aller à Tarerach, c'est... prendre le temps de vivre, de remonter la Têt, puis de se fondre dans les petites routes sinueuses gardées par des sentinelles de granite. Après, c'est se poser sur le plateau où le village se laisse nonchalamment caresser par le soleil, bien à l'abri du Roc de Maure. Cette petite cuvée est caractéristique d'une syrah d'altitude qui apporte finesse et fraîcheur ainsi que des notes de cassis et de myrtille ; elle porte aussi la marque du carignan dans sa fière structure assouplie par neuf mois de fût. Un vin qui surprend par son accroche fraîche, sa touche confiturée et son côté friand. Pour un plaisir immédiat.

Les Vignerons de Tarerach,
Le Village, BP 31, 66320 Tarerach,
tél. 04.68.96.54.96, fax 04.68.96.17.91 r.-v.

DOM. FERRER-RIBIÈRE Mémoire des temps 2003

■	2,8 ha	10 000		**8 à 11 €**

Depuis 1993, le duo Ferrer-Ribière joue une partition originale. Il se tourne aujourd'hui vers la biodynamie, histoire d'interroger les galets roulés de la terrasse des Aspres et d'imprégner son vin de la mémoire des temps. Fruits confits, épices, pain toasté sont les parfums émanant de cette bouteille solide à la robe grenat profond. L'attaque est franche, le fruit présent, les tanins apparaissent encore jeunes et l'ensemble est soutenu par une surprenante fraîcheur. Une cuvée à attendre et à réserver à une côte de bœuf. Également citée, la **cuvée Cana rouge 2003 (15 à 23 €)** est tout en puissance.

Dom. Ferrer-Ribière, SCEA des Flo,
20, rue du Colombier, 66300 Terrats,
tél. 04.68.53.24.45, fax 04.68.53.10.79,
e-mail domferrerribiere@aol.com r.-v.

DOM. FONTANEL 2004 ★★

■	3 ha	8 000		8 à 11 €

Si Tautavel est mondialement connu pour son homme préhistorique, il l'est moins pour ses superbes côtes-du-roussillon-villages et pour son terroir si particulier capable de donner cette surprenante complicité entre le grenache et la très rare malvoisie. Le travail en fût apporte une note briochée qui se mêle à la fraîcheur des fruits exotiques. Le vin s'exprime surtout en bouche avec finesse, élégance, ampleur ; le bel équilibre vanillé laisse la place à la pêche et à un soupçon d'amande en finale. Le **Domaine Fontanel rouge 2004 (5 à 8 €)** obtient une étoile.

Dom. Fontanel, 25, av. Jean-Jaurès, 66720 Tautavel, tél. 04.68.29.04.71, fax 04.68.29.19.44, e-mail domainefontanel@hotmail.com
t.l.j. 10h30-12h30 14h-19h
Pierre Fontaneil

FORÇA 2003 ★★★

■ n.c. 50 000 3 à 5 €

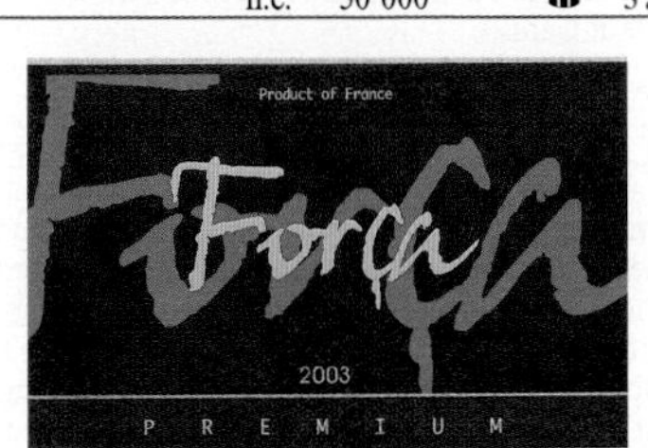

Propriétaire et négociant, J.-P. Henriquès, avec l'aide de son fils, signe ici une cuvée d'exception très largement distribuée à l'export. Un de ces vins plaisir dont le boisé accompagne le raisin sans se faire remarquer et où la complicité des cépages est parfaite. La tenue est remarquable, éclatante. Les arômes se bousculent entre thym et romarin, vanille et fruité mûr. Le palais est glissant, harmonieux, le fruit fondu, le tanin soyeux. C'est frais, agréable, élégant.
Henriquès, rue Pierre-Pascal-Fauvelle, 66000 Perpignan, tél. 04.68.85.06.07, fax 04.68.85.49.00, e-mail info@forcareal.com

DOM. LAFAGE Les Aspres Cuvée Léa 2003 ★★★

■ n.c. 20 000 11 à 15 €

Un vignoble en terrasses, au pied des Pyrénées. La jeune génération des Lafage continue de s'imposer dans la cour des grands. Avec plus de 60 % des ventes à l'export, elle porte loin le renom du Roussillon. Baptisée du nom de leur fille née en 1998, cette cuvée offre une remarquable harmonie entre le fruit rouge confituré, l'épice, la minéralité et un soupçon de torréfaction. Ample, jouant sur la fraîcheur de la framboise et la maturité de la cerise noire, elle s'entoure d'un tanin déjà très fondu. Une note minérale prolonge une finale enlevée. Un vin d'harmonie et d'équilibre. La cuvée **côtes-du-roussillon Le Vignon rouge 2003 (15 à 23 €)** obtient une étoile.
SCEA Dom. Jean-Marc Lafage, Mas Durand, 66140 Canet-en-Roussillon, tél. 04.68.80.35.82, fax 04.68.80.38.90, e-mail domaine.lafage@wanadoo.fr r.-v.

DOM. LAGUERRE Le Ciste 2004 ★

10,5 ha 13 000 11 à 15 €

Aller en Fenouillèdes, c'est prendre le temps de vivre, prendre de la hauteur par rapport à la turbulence des plages. C'est aussi découvrir de somptueux paysages, apprécier la fraîcheur de ce terroir remarquable pour ses blancs. La robe de celui-ci est d'or, et si un boisé de qualité est à l'accueil, il est en bonne compagnie avec une touche iodée et une note de sous-bois, de châtaigne. La complexité de la bouche est due à l'apport de la roussanne et de la marsanne qui confèrent du gras et du volume ; un soupçon d'exotisme paraît en finale avec la marque fumée de la barrique.

Le Roussillon

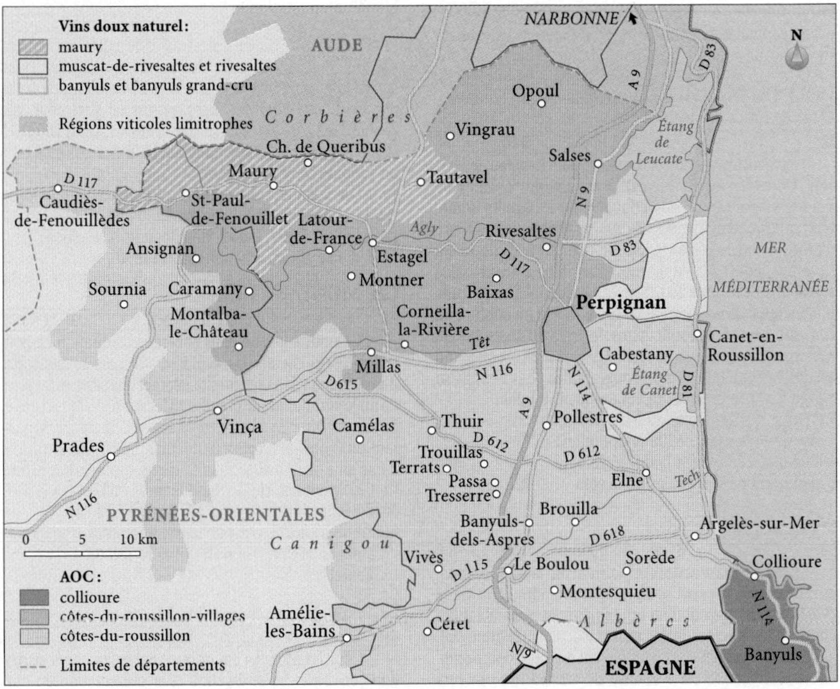

Vins doux naturel :
maury
muscat-de-rivesaltes et rivesaltes
banyuls et banyuls grand-cru
Régions viticoles limitrophes

AOC :
collioure
côtes-du-roussillon-villages
côtes-du-roussillon
Limites de départements

Dom. Laguerre, Le Village, 66220 Saint-Martin-de-Fenouillet, tél. et fax 04.68.59.26.92, e-mail domaine.laguerre@free.fr r.-v.

DOM. DE LA MADELEINE 2004 ★★

■ 0,96 ha 4 000 5 à 8 €

De l'histoire ancienne on retiendra que ce mas catalan est situé sur la voie Domitienne avec comme adresse : chemin de Charlemagne. Pour le présent, c'est la résistance à l'urbanisation de Cabestany et Perpignan qui fait l'histoire... Sur un rable de lièvre ou des boles de picolat vous apprécierez ce vin à la bouche élégante, finement boisée, parfumée d'épices et constituée de tanins soyeux. Sa belle présence complète des senteurs complexes de résine, de pain toasté et de cerise.

Georges Assens, chem. de Charlemagne, 66000 Perpignan, tél. et fax 04.68.50.02.17, e-mail domainedelamadeleine@wanadoo.fr t.l.j. sf sam. dim. 8h-12h 13h-17h

MAS BAUX Soleil rouge 2003 ★

■ 7 ha 6 000 11 à 15 €

Après la reprise du vignoble en 1998 et le remarquable réaménagement technique du chai en 2001, Serge Baux s'est doté d'une cave enterrée pour la conservation des vins. Une adresse désormais reconnue au festival des vins catalans. Voyez celui-ci, habillé d'une robe noire : son nez complexe et élégant allie la note végétale du cèdre à celle, réglissée, du fût puis à des senteurs de cassis et de fruits à l'eau-de-vie. Cette cuvée marquée par une bonne charpente tannique et un fruité agréable et gourmand, offre une surprenante fraîcheur en finale.

EARL Mas des Baux, chem. du Mas-Durand, 66140 Canet-en-Roussillon, tél. et fax 04.68.80.25.04, e-mail contact@mas-baux.com r.-v.

Serge Baux

DOM. DU MAS BÉCHA Élevé en fût de chêne 2002 ★

■ 2,5 ha 13 900 5 à 8 €

Aux portes sud de Perpignan, le petit hameau de Nyls était trop bien placé, bien calé au dos des collines de Ponteilla pour ne pas être convoité par les agents immobiliers. Il prend désormais des airs de petit bourg, entouré d'arbres fruitiers et de vignes. Un petit air frais de ville à la campagne cher à Alphonse Allais. Une couleur tuilée souligne la robe de ce 2002 bien élevé, aux arômes de fruits mûrs teintés de venaison et de fumé. L'âge lui confère un beau fondu ; le fruit confit épouse le grillé et l'ensemble est accompagné de tanins soyeux. Un vin prêt à boire, qui accompagnera une viande rouge grillée. Le **Tradition rouge 2004** se prépare un bel avenir. Il est cité.

Perez, SARL Dom. du Mas Bécha, 1, av. de Pollestres, 66300 Nyls-Ponteilla, tél. 04.68.56.23.64, fax 04.68.56.23.65, e-mail hachette2007@masbecha.com r.-v.

MAS LAS CABES 2004

■ 8 ha 35 000 5 à 8 €

Les terres noires de l'Agly offrent un paysage original et rare. Sur ce support sombre, le vert tendre de la vigne et le bouquet du maquis au printemps sont plaisants. Elles constituent un remarquable terroir viticole où le grenache, la syrah et le carignan s'épanouissent en toute complicité. La robe de ce vin est à l'image du terroir ; les senteurs minérales jouent avec le cassis et la mûre. Encore jeune, comme le révèle une forte présence tannique, ce 2004 savoureux évolue sur la cerise charnue et une note de truffe de bon aloi. À garder et à carafer avant de le servir sur un lièvre à la royale ou tout gibier cuisiné.

Dom. Gardiès, 1, rue Millère, 66600 Vingrau, tél. 04.68.64.61.16, fax 04.68.64.69.36, e-mail domgardies@wanadoo.fr r.-v.

Jean Gardiès

DOM. DU MAS ROUS Tradition 2004 ★

■ 4 ha 21 145 5 à 8 €

Superbe terroir que celui des Albères qui fait naître des vins alliant fraîcheur et finesse. Rares sont pourtant les vignerons qui résistent et continuent à magnifier ce terroir, tant les attraits de la mer, des balades sous les chênes-lièges ou... de l'urbanisation sont grands. Ce beau domaine familial fondé en 1837 perpétue, par les femmes, cet engagement viticole. Avec succès comme le prouve cette cuvée dont les arômes de fruits réglissés et de truffe se révèlent à l'aération. Un vin à carafer qui séduira par sa finesse et un fruité épicé teinté de minéralité. Quant à ce fabuleux terroir, vous le découvrirez dans la finale en savourant la fraîcheur et le soyeux des tanins. Tajine, volailles et fromages persillés sauront accompagner cette bouteille.

José Pujol, Dom. du Mas Rous, BP 4, 66740 Montesquieu-des-Albères, tél. 04.68.89.64.91, fax 04.68.89.80.88, e-mail masrous@mas-rous.com r.-v.

CH. MIRAFLORS Élevé en fût de chêne 2002

■ 7 ha 5 000 5 à 8 €

Sur le site de l'ancien Vilarnau, village fondé au V^es., antérieur à la ville de Perpignan, longtemps recherché et mis au jour autour de Miraflors lors de l'établissement d'une rocade, la vigne est présente depuis bientôt mille ans. Situées à 5 mn de la mer, ces terrasses de galets vous offrent un 2002 aux reflets tuilés, de sage évolution, aux légers accents de venaison, de pruneau et de confiture de fruits rouges. D'une bonne matière, ce vin est prêt pour une épaule d'agneau. On réservera le **Tramuntanan 2001 (15 à 23 €)**, aux notes empyreumatiques, à des grillades ou à un pavé de bœuf aux épices.

Alain Cibaud, Ch. Miraflors et Belloch, rte de Canet, 66000 Perpignan, tél. 04.68.50.24.92, fax 04.68.67.20.02, e-mail vins.cibaud@wanadoo.fr t.l.j. sf dim. 9h-12h 15h30-18h30

CH. MONTANA Silencio 2003

■ 2,2 ha 6 500 11 à 15 €

Ce nouveau venu dans la commercialisation en bouteilles, après dix ans de vente en vrac, ne manque pas d'imagination. Il a créé un site internet qui permettra, pour un millésime donné, de prendre en location quelques ceps et de suivre leur évolution. Ceux-ci ont donné un 2003, puissant, aux notes de venaison et de fruits mûrs (pruneau), doté d'une jolie finale aux accents de cacao apportés par le fût.

Ch. Montana, rte de Saint-Jean-Lasseille, 66300 Banyuls-dels-Aspres, tél. 04.68.37.54.84, fax 04.68.21.86.37, e-mail chateaumontana@wanadoo.fr t.l.j. sf dim. 10h-12h30 14h30-18h

Saurel

CH. MOSSÉ Tradition 2004 ★★★

■ 12 ha 60 000 3 à 5 €

Chez les Mossé, l'environnement est une préoccupation constante. La rénovation et la préservation du plus beau village des Aspres, c'est l'œuvre du père. Le travail viticole et la chaleur de l'accueil c'est celle de Joëlle, de Jacques et désormais de Jean-Philippe. Quant à la qualité des vins, c'est l'acquis de cinq générations. Voyez celui-ci : la robe évoque la cerise burlat ; du verre naissent un paysage de garrigue et un fruit très épicé, élégant et fin. L'attaque est souple et fraîche. Le fruit mûr accompagne un tanin au grain soyeux. Tout est là : l'harmonie, la présence, avec juste ce qu'il faut de force pour prolonger la finesse. La cuvée **Coume d'Abeille rouge 2004 (8 à 11 €)**, de belle garde, obtient une étoile.

Jacques Mossé, Ch. Mossé,
Sainte-Colombe-de-la-Commanderie,
BP 8, 66301 Thuir Cedex,
tél. 04.68.53.08.89, fax 04.68.53.35.13,
e-mail chateau.mosse@worldonline.fr r.-v.

DOM. DES ORMES
Cuvée Azur Élevé en fût de chêne 2004 ★★

■ 6 ha 3 000 8 à 11 €

Dans les collines des Aspres, situées au sud de Perpignan, les vieux carignans tant décriés en plaine donnent, avec la sagesse de l'âge, une base de travail que beaucoup de vignerons envient. Robustes et adaptés au Midi, ils apportent la structure, une note épicée et confiturée comme le montre ce vin solide ; complété par la finesse de la syrah et le velouté des tanins de mourvèdre, il offre un bel équilibre. Le jury a salué sa force tranquille et sa fraîcheur finale. Une bouteille prête pour des viandes rouges ou du gibier.

Dom. des Ormes, 1, Cami de Cantarana,
66300 Sainte-Colombe-de-la-Commanderie,
tél. et fax 04.68.38.82.50,
e-mail domainedesormes@yahoo.fr r.-v.
Georges Rossignol

CH. DE L'OU 2005 ★

■ 2,5 ha 7 000 5 à 8 €

À proximité du lac de Villeneuve, petit paradis pour les pêcheurs qui en tirent d'énormes carpes et pour les joggers, ce vieux mas viticole étale son vignoble sur les coteaux des Aspres. Là, Philippe Bourrier développe son savoir du bio acquis dans une vie antérieure en Amérique latine. Son rosé est tendre, légèrement saumoné, riche d'arômes de petits fruits (fraise et groseille) avec un retour floral sur fond de banane. Vif, frais, élégant, accompagné par une belle présence perlante, c'est un vin gourmand. Également sélectionnés, le **blanc 2005** et le **rouge 2003** tout en fruit.

Ch. de l'Ou, rte de Villeneuve, 66200 Montescot,
tél. 06.03.13.67.49, fax 04.68.35.50.51,
e-mail chateaudelou@wanadoo.fr r.-v. 3
Bourrier

PETIT TAUREAU 2004 ★★

■ 3 ha 8 000 **11 à 15 €**

Installé en 2003, Jean-Philippe Padié a été conquis par la diversité des terroirs de Calce. Son vignoble, il l'a voulu éclectique, touchant toutes les variantes pédologiques. Il a créé un chai à barriques dans les fondations de l'ancien château du village. La robe grenat profond de cette cuvée séduit d'emblée, tout comme sa complexité aromatique. Le vin joue sur l'élevage, avec de belles notes grillées, des nuances de sous bois, un soupçon de truffe et d'épices. La bouche est appréciée pour son élevage, sa surprenante fraîcheur, ses tanins réglissés, son fruit mûr et sa touche de venaison. Une bouteille de garde à réserver à un gigot d'agneau ou à un cuissot de chevreuil.

Jean-Philippe Padié, 11, rue des Pyrénées,
66600 Calce, tél. 04.68.64.29.85, fax 04.68.64.06.83,
e-mail jppadie66@aol.com r.-v.

CH. PÉZILLA Élevé en fût 2003 ★★

■ 150 ha 20 000 5 à 8 €

Si être vigneron, c'est aujourd'hui prendre sa valise pour conquérir des marchés lointains, c'est aussi affirmer une culture et une histoire. C'est ce qu'a compris ce groupe vigneron. Il a élaboré, en hommage à l'enfant du pays qui a aboli l'esclavage à la Réunion, une cuvée Sarda Garriga qui fait désormais un malheur dans l'île. C'est la cuvée du château que le jury a retenue pour sa robe grenat ; si le nez est dominé par l'élevage boisé avec un superbe toasté et la touche exotique de la vanille, l'équilibre est parfait en bouche. Le fruit mûr y reprend ses droits, se croque et joue avec bonheur sur la réglisse et la finesse des tanins.

Les Vignerons de Pézilla, 1, av. du Canigou,
66370 Pézilla-la-Rivière, tél. 04.68.92.00.09,
fax 04.68.92.49.91, e-mail scv.pezilla@wanadoo.fr
r.-v.

DOM. PIQUEMAL Les Terres grillées 2004 ★★

□ 2,5 ha 14 000 8 à 11 €

Grenache blanc et macabeu, cépages traditionnels des rivesaltes ambrés, peuvent se décliner en vin sec avec une aisance déconcertante. Les voici sous la baguette des Piquemal, nés de sols de schistes noirs (terres grillées), jouant sur les épices, l'agrume, le pain grillé et le genêt. On retrouve cette complexité en bouche autour de notes de pêche blanche, d'amande grillée, d'impressions toastées. D'un beau volume, ces Terres grillées offrent un fondu remarquable et une jolie longueur.

Dom. Piquemal,
1, rue Pierre-Lefranc, 66600 Espira-de-l'Agly,
tél. 04.68.64.09.14, fax 04.68.38.52.94,
e-mail contact@domaine-piquemal.com r.-v.

DOM. OLIVIER PITHON Saturne 2003 ★

■ 4 ha 6 000 **11 à 15 €**

À deux pas de Perpignan, Calce offre un havre de quiétude, au creux de collines chaleureuses, épargnées par l'urbanisation. C'est aussi un terroir varié qui attire les vignerons exigeants tels Olivier Pithon, venu ici compléter l'action du climat ensoleillé par la pratique de l'agriculture biologique. La cuvée Saturne porte une robe très sombre, signant une recherche de l'extraction. Le bouquet intense évoque le cassis et la mûre, agrémentés de vanille. Le fruit est charnu, riche, le tanin présent, adouci par l'élevage en fût qui lui confère des notes épicées et réglissées. Un vin en devenir.

Dom. Olivier Pithon, 19, rte d'Estagel, 66600 Calce,
tél. et fax 04.68.38.50.21,
e-mail pithon.olivier@wanadoo.fr
lun. mar. mer. 9h-12h 14h-17h

CH. PLANÈRES Prestige 2005

□ 10 ha 30 000 3 à 5 €

Les collines de Saint-Jean constituent le dernier contrefort des Aspres avant de déboucher sur la colline maraîchère bordant la Méditerranée. La vigne y règne en maitre cédant le pas de-ci de-là à des chênaies en bosquets ou en lignes discontinues soulignant comme ici le plateau de Planères. Cette cuvée est d'un bel or pâle qui souligne

ROUSSILLON

son élégance, sa finesse, sa fragilité ; l'ensemble offre de belles notes florales (aubépine) légèrement miellées. Le vin est vif, aérien, très frais : une touche fruitée de pêche jaune vient compléter le bouquet. Il coule, tout simplement.

Vignobles Jaubert et Noury,
Ch. Planères, 66300 Saint-Jean-Lasseille,
tél. 04.68.21.74.50, fax 04.68.21.87.25,
e-mail contact@chateauplaneres.com
t.l.j. 9h-12h 14h-18h

DOM. PONTET-LAURIGA 2004 **

5 ha 27 000 3 à 5 €

Les Vignerons catalans : plus de 2 500 producteurs regroupés en caves coopératives, et aussi un savoir-faire affirmé pour la mise en valeur de domaines particuliers, avec une présence à l'export dans plus de 35 pays. Le duo dominant syrah-carignan joue ici sur le fruit et l'épice avec un air de garrigue. Le grenache en appoint (10 %) apporte la rondeur, l'onctuosité de l'alcool et le fruité de cerise mûre. Le carignan donne la charpente, la fraîcheur, une touche épicée et des tanins de qualité. Un assemblage judicieux pour un plaisir immédiat et futur.

Vignerons catalans en Roussillon,
1870, av. Julien-Panchot, BP 29000,
66962 Perpignan Cedex 9,
tél. 04.68.85.04.51, fax 04.68.55.25.62,
e-mail peyroutou@vigneronscatalan.com

DOM. LES PORTES Roi des lézards 2003 *

2,6 ha 5 000 11 à 15 €

Entre Fitou et Salses, un monument étrange surprend le voyageur. D'immenses portes jouent à laisser passer la tramontane et marquent la frontière entre Languedoc et Roussillon. Adeptes de la biodynamie, N. et K. Bantlin se sont épris de vieux ceps noueux et proposent un 2003 au grenat intense, hésitant entre les senteurs méditerranéennes de la garrigue et la fraîcheur de la violette. Un ensemble gras, ample, chaleureux, d'une belle complexité aromatique, soutenu par des tanins structurés qui prolongent le fruité jusqu'à une finale réglissée très agréable.

Dom. Les Portes, 10, rue Gilbert-Salamo,
11510 Fitou, tél. et fax 04.68.45.69.75,
e-mail carolinbantlin@gmx.de r.-v.

RASIGUÈRES 2005 *

15 ha 87 000 3 à 5 €

L'Agly, fleuve original, s'est payé des vacances, dit-on, en allant faire un détour sinueux dans les Fenouillèdes. Bien lui en a pris ! Grâce à ce parcours capricieux sont nés autour de Rasiguères et de son voisin Planèzes des terroirs frais et acides convenant à merveille aux muscats et aux rosés. L'approche de celui-ci est typique des rosés catalans : un rose soutenu, pivoine, affirmant la noblesse de la syrah. Fruité, avec un soupçon d'aubépine, ce vin est agréable, rond, présent et gourmand, remarquablement enrobé par le grenache. D'un excellent équilibre, il procurera bien du plaisir ; à servir sur des charcuteries catalanes.

Vignerons catalans en Roussillon,
1870, av. Julien-Panchot, BP 29000,
66962 Perpignan Cedex 9, tél. 04.68.85.04.51,
fax 04.68.55.25.62,
e-mail peyroutou@vigneronscatalan.com

CH. DE REY Les Galets Roulés 2004

3,2 ha 8 000 11 à 15 €

La Têt, avant de s'effacer en mer, a eu la bonne idée de déposer à Canet une belle étendue de sable et de limons, terroir de prédilection pour l'artichaut et, il y a bien plus longtemps encore, de superbes terrasses de galets d'où la vigne regarde la mer. Ce domaine, dans la même famille depuis 1860, propose un vin équilibré, de belle intensité aromatique. Après aération, le boisé encore présent et très épicé joue avec le fruit mûr. La jeunesse de ce 2004 lui promet un bel avenir.

Philippe et Cathy Sisqueille,
Ch. de Rey, rte de Saint-Nazaire,
66140 Canet-en-Roussillon, tél. 04.68.73.86.27,
fax 04.68.73.15.03, e-mail contact@chateauderey.com
t.l.j. sf sam. dim. 9h-12h 14h-17h

CH. ROMBEAU 2004 **

1,5 ha 7 500 5 à 8 €

Pierre-Henri de la Fabrègue est un homme sensible, cultivé et des plus accueillants. C'est aussi un restaurateur apte à tenir tête en simultané à trois mariages ! Et un vigneron passionné ! Le vin n'est-il pas destiné au plaisir de la table ? Pour une marmite de lotte mijotée au vin blanc, choisissez celui-ci qui réjouira vos convives : il offre un bel accord entre les notes vanillées, grillées et toastées du nez et la fraîcheur, le volume, la rondeur de la bouche. Il a séduit par sa présence aromatique légèrement citronnée avec un soupçon d'exotisme et par l'équilibre parfait entre le volume et la fraîcheur.

de la Fabrègue, av. de la Salanque,
66600 Rivesaltes, tél. 04.68.69.35.35, fax 04.68.69.64.66,
e-mail domainederombeau@wanadoo.fr
t.l.j. 8h-19h (20h en été)

DOM. ROSSIGNOL
Le Graal Élevé en fût de chêne 2003 **

2,5 ha 5 792 11 à 15 €

Pascal Rossignol rêvait depuis 1995 de vignes naturelles sans désherbants, d'un chai convivial pour y faire la fête, d'un lieu associant plaisir et culture. Voilà qui est fait ! Il organise des expositions. C'est un homme attachant, lié à son terroir, un vigneron de qualité aujourd'hui reconnu. Le Graal, c'est un bouquet de violette, de cassis, agrémenté de la touche sauvage du clou de girofle. Ample, généreux, solide mais velouté, empreint de la fraîcheur du cassis, ce vin offre le charnu de la cerise et une touche de truffe. D'une grande élégance, c'est l'œuvre d'un véritable artiste.

Pascal Rossignol, rte de Villemolaque, 66300 Passa,
tél. et fax 04.68.38.83.17,
e-mail domaine.rossignol@free.fr
t.l.j. sf dim. 10h30-12h30 16h-19h30

DOM. ROZÈS 2003 ***

10 ha 25 000 5 à 8 €

L'Agly, petite rivière tumultueuse, déroule tout au long de son cours un film haut en couleurs. Ici, à Espira, après les bancs calcaires et avant les sables ocres du pliocène, il semble s'arrêter sur le noir des marnes schisteuses. Un scénario de qualité pour ce vin à la robe rouge profond, aux senteurs de cannelle et de fruits des bois mêlés dont l'acteur principal est la structure. Celle-ci, ample, présente par un tanin velouté très réglissé, s'affirme sur un fruit confituré qui se fond dans l'épice. Une excellente réalisation que l'on aura plaisir à revoir d'ici trois ou quatre ans.

⊶ Dom. Rozès,
3, rue de Lorraine, 66600 Espira-de-l'Agly,
tél. 04.68.38.52.11, fax 04.68.38.51.38,
e-mail rozes.domaine@wanadoo.fr ☑ Y ⩚ r.-v.

DOM. SOL-PAYRÉ Scelerata 2003

■ 2 ha 5 000 ⊕ 15 à 23 €

Le caveau est toujours à Elne à deux pas du magnifique cloître et de la cathédrale du XI[e]s. La cave, construite dans un pur style catalan, se trouve désormais sur les coteaux de Saint-Martin face aux Pyrénées. Ce 2003 ne l'a pas connu. Un boisé de qualité prend le pas aujourd'hui sur ce vin à dominante de syrah. Si la structure est robuste, soulignant une forte extraction, le vin n'en est pas moins gras, d'une bonne sucrosité, avec un goût de cerise noire. Il faudra attendre que l'ensemble se fonde.

⊶ Jean-Claude Sol, rue de Paris, 66200 Elne,
tél. 04.68.22.17.97, fax 04.68.22.50.42,
e-mail domaine@solpayre.com
☑ Y ⩚ t.l.j. 9h-12h 15h-19h

DOM. DES TROIS ORRIS Lhusanes 2004 ★★

■ 6,06 ha 16 648 ▮ 5 à 8 €

Passionné de vin et de montagne, chaleureux, vaillant et attachant, Joep Graler, originaire du Plat Pays, a trouvé son bonheur en Roussillon. Ses vins ont conquis les dégustateurs qui ont retenu ses trois cuvées en rouge : **Pierre Blanche 2004**, une étoile, à base de carignan et grenache, **Figarasse 2004 (8 à 11 €)** élevé sous bois, cité, et Lhusanes qui a les faveurs du jury avec son regard sombre, sa touche sauvage et minérale, ses notes de myrtille, de petits fruits noirs. Un vin structuré, aromatique, généreux, charnu, conservant une fraîcheur remarquable qui contribue à sa longueur.

⊶ Dom. des Trois Orris, Mas LLosannes,
66320 Tarérach, tél. 06.75.02.51.00, fax 04.68.05.29.19,
e-mail troisorris@wanadoo.fr ☑ Y ⩚ r.-v.

CELLIER TROUILLAS
Cuvée du Gouverneur Élevé en fût de chêne 2001 ★★

■ 8 ha 25 000 ▮⊕ 5 à 8 €

Le Mas Deu, sur la commune de Trouillas, a joué un rôle essentiel dans l'histoire des vins doux ; il est également à l'origine de la coopérative. En effet, c'est après le morcellement de l'imposant vignoble du mas que fut créé en 1927 cet outil coopératif. Ce 2001 aux beaux reflets tuilés rappelle le sous-bois et la venaison. Très ronde dès l'attaque, la bouche est remarquable ; les années lui ont apporté un superbe fondu, la patine des tanins et des notes de confiture de cerises et de pruneaux. Chaleureux, de belle présence, c'est un vin de soleil pour grillades ou pavé de bœuf.

⊶ Cellier de Trouillas,
1, av. du Mas-Deu, 66300 Trouillas, tél. 04.68.53.47.08,
fax 04.68.53.24.56, e-mail fg@cellier-trouillas.com
☑ Y ⩚ t.l.j. sf dim. 9h-12h 14h-18h

CH. VALMY 2004 ★★

■ 6,29 ha 25 993 ▮ 8 à 11 €

Lorsque vous allez à Valmy aujourd'hui, vous êtes saisi par la beauté du site avec, en décor changeant, la mer Méditerranée. Tout y est réalisé avec goût et passion ; la vigne ne cède sa place qu'aux chênes-lièges et au parc du château. Remarquable investissement de Bernard et Martine Carbonnell dans ce haut lieu de culture viticole totalement délaissé il y a vingt ans et qui affiche avec classe et talent une nouvelle jeunesse. La robe de ce vin est franche, limpide, d'un rouge profond ; le nez, avec une touche de sous-bois, se partage entre cerise, cassis et épices. L'attaque est ronde, élégante sur les fruits des bois ; les tanins soyeux confèrent un bel équilibre à la bouche, sur fond de minéralité. Le **Premier de Valmy rouge 2002 (15 à 23 €)** est remarquable également par sa puissance et son élevage bien mené.

⊶ Carbonnell, Ch. de Valmy, chem. de Valmy,
66700 Argelès-sur-Mer, tél. 04.68.81.25.70,
fax 04.68.81.15.18, e-mail chateau.valmy@tiscali.fr
☑ Y ⩚ t.l.j. 10h-12h30 14h30-18h30;
f. sam. dim. d'oct. à mars 🏠 ⓿

CH. LA VIGNE BARBÉ
N° 1 Élevé en fût de chêne 2004 ★

■ 7 ha 4 500 ▮⊕ 8 à 11 €

Depuis 2003, année où ils ont décidé de réaliser une cave particulière de qualité, Sylvie et José Barbé ont bataillé pour défendre ce bout de terroir du Crest dans le monde viticole rivesaltais. Bien leur en a pris ! D'autant que leur passion est contagieuse car leurs enfants sont désormais prêts à les épauler, l'un en agriculture, l'autre en œnologie. Cette bouteille, issue à 60 % de carignan, est parée d'une robe sombre et offre des senteurs mêlées de cassis et d'eucalyptus. La bouche, charnue à l'attaque, garde une belle fraîcheur ; le fruit, toujours présent, laisse le pas à des tanins encore solides mais de bon aloi. Dans un an ou deux, vous servirez ce vin sur un marcassin ou une côte de bœuf.

⊶ Sylvie et José Barbé, chem. de Torreilles,
66530 Claira, tél. et fax 04.68.61.38.71
☑ Y ⩚ t.l.j. 10h-12h 17h-19h; sam. 14h-19h; dim. 10h-12h

VILAFORCA Les Aspres 2004 ★

■ 4 ha 7 070 ▮⊕ 5 à 8 €

La dénomination Les Aspres recouvre en Roussillon la partie du vignoble située au sud de Perpignan. Sont retenues, après examen des parcelles, toutes les vignes aptes, pour l'année, à revendiquer cette dénomination. Ce fut le cas pour celles-ci qui ont donné un vin encore jeune, de belle présentation et qui se révèle à l'aération. Sa palette aromatique complexe joue sur le cuir, la venaison, le tabac miellé et le fruit noir. Ample, charpentée par un tanin bien présent au grain velouté, cette bouteille d'une grande fraîcheur est assurée d'un avenir prometteur.

⊶ SCA Les Vignerons de Fourques,
1, rue des Taste-Vin, 66300 Fourques,
tél. 04.68.38.80.51, fax 04.68.38.89.65,
e-mail vigneronsdefourques@wanadoo.fr
☑ Y ⩚ t.l.j. sf dim. 14h-18h; sam. 9h-12h

Côtes-du-roussillon-villages

ARCADIE 2003 ★

■ 4,5 ha 12 600 ▮⊕ 8 à 11 €

Agnès Graugnard, venue de la vallée du Rhône, commercialise sous la marque Arcadie des vins de vignerons. Un terroir schisteux et d'argilo-calcaire, la petite touche du cépage très catalan lladonner pelut donnent au vin une belle présence de fruits mûrs, d'épices et de grillé. Des tanins soyeux et suaves autour de notes torréfiées et de café se fondent en une finale longue où perce une pointe de poivre vert. Un vin recommandé sur un carré d'agneau à la crème de truffe et aux girolles.

Agnès Graugnard, Enclos du Moulin, Arcadie, 66220 Saint-Arnac, tél. et fax 04.68.29.46.45, e-mail vins_arcadie@yahoo.fr r.-v.

LES ARÈNES DE GRANIT Lesquerde 2004 *

15 ha 13 000 5 à 8 €

Lesquerde, village niché entre deux vallons, est d'une grande beauté. Sur ce terroir particulier, des vignerons passionnés ont élaboré cette cuvée qui, avec sa robe cerise burlat mûre aux reflets noirs, son nez de bourgeon de cassis et d'agrumes, procure un plaisir certain. L'attaque vive, la structure tannique et la présence de fruits signent un bel équilibre d'ensemble. Un vin charpenté, doté d'un joli potentiel à qui l'on donne rendez-vous dans un an. Signalons l'élégance exceptionnelle de sa nouvelle étiquette.

SCV Lesquerde, rue du Grand-Capitoul, 66220 Lesquerde, tél. 04.68.59.02.62, fax 04.68.59.08.17, e-mail lesquerde@wanadoo.fr t.l.j. sf dim. 9h-12h 14h-18h

ARNAUD DE VILLENEUVE Altatura 2003 **

8 ha 25 000 11 à 15 €

En 1993, les caves de Rivesaltes et de Salses-le-Château se sont regroupées ; sous la houlette de Fernand Baixas, le directeur œnologue, toute une équipe dynamique propose au fil des millésimes de grandes réussites. Altatura 2003 est un vin où syrah, grenache et mourvèdre issus d'un terroir argilo-calcaire apportent des notes intenses de fruits mûrs associées à des touches boisées, fumées et à des épices poivrées. Proche des trois étoiles, cette cuvée souple et ronde, aux tanins soyeux, possède une finale longue et équilibrée. Deux étoiles également pour la **cuvée AV 2003 (5 à 8 €)**, un vin élégant, de très bonne facture, à la finale réglissée.

Les Vignobles du Rivesaltais, 1, rue de la Roussillonnaise, 66600 Rivesaltes, tél. 04.68.64.06.63, fax 04.68.64.64.69, e-mail vignobles.rivesaltais@wanadoo.fr r.-v.

CH. AVERNUS
Tautavel Élevé en fût de chêne 2003 ***

10 ha 40 000 11 à 15 €

La cave des Vignerons de Tautavel est située au pied du musée de l'Homme. Les vignes plantées alentour sur ce terroir argilo-calcaire donnent cette cuvée exceptionnelle revêtue d'une robe dense d'un beau grenat violine. Le nez entraîne dans un univers de cassis, de fumé et de grillé. Une attaque très onctueuse puis un côté volumineux et charnu affirment la personnalité de ce 2003. Sa finale délicate et son superbe équilibre font dire à l'un des dégustateurs qu'il s'agit d'« un beau vin charmeur de grande classe ».

Les Maîtres Vignerons de Tautavel, 24, av. Jean-Badia, 66720 Tautavel, tél. 04.68.29.12.03, fax 04.68.29.41.81, e-mail vignerons.tautavel@wanadoo.fr t.l.j. 9h-12h 14h-18h

DOM. BOUDAU Cuvée Henri Boudau 2003 ***

5 ha 20 000 8 à 11 €

Sur le Crest de leur enfance, Véronique et Pierre Boudau développent sur la propriété familiale une jolie

gamme de vins. Dans le caveau en pierres de rivière et cayrous, situé au centre de Rivesaltes, ils vous feront découvrir ce coup de cœur, un vin profond aux reflets noirs. Riche, élégant et complexe avec ses notes de fruits mûrs et d'épices (réglisse et muscade), ce 2003 est tout en finesse. Ample et généreux, il fait partie des grands. La qualité du travail d'élevage accentue son volume et souligne sa finale persistante. Une bouteille digne d'un filet de bœuf aux morilles.

Dom. Boudau, 6, rue Marceau, 66600 Rivesaltes, tél. 04.68.64.45.37, fax 04.68.64.46.26, e-mail domaineboudau@wanadoo.fr t.l.j. sf dim. 10h-12h 15h-19h

CH. DE CALADROY
La Juliane Élevé en fût de chêne 2002 *

8 ha 24 000 11 à 15 €

Une mer d'oliviers et de vignes entoure cette forteresse du XIIe s. De vallonnements en petites routes sinueuses, on atteint la chapelle merveilleusement restaurée où se trouve le nouveau caveau de dégustation. Une Juliane pleine de charme vous attend. Ce vin élégant aux tanins ronds reflète bien le millésime, tout en harmonie sur des notes légèrement confiturées et réglissées. À servir, par exemple, avec du gigot d'agneau cuit à la ficelle pendant sept heures.

SCEA Ch. de Caladroy, 66720 Bélesta, tél. 04.68.57.10.25, fax 04.68.57.27.76, e-mail chateau-caladroy@wanadoo.fr t.l.j. sf sam. dim. 8h-12h 13h30-17h30

Mézerette

DOM. CALVET-THUNEVIN
Les Dentelles 2003 **

14,15 ha 7 000 15 à 23 €

Jean Roger Calvet s'installe en 1999 et décide de vinifier en cave particulière. Dès 2001, il s'associe avec J.-L. Thunevin et réalise le premier millésime. Tous deux servent avec ce 2003 un véritable vin de terroir. Son rouge profond, son nez de liqueur de cassis et ses notes fumées rappellent qu'il naît sur des schistes. La minéralité se retrouve en bouche où fraîcheur et élégance répondent à des tanins souples et soyeux.

EARL Calvet-Thunevin, 13, rue Pierre-Curie, 66460 Maury, tél. 06.16.66.93.75, fax 04.68.59.20.73, e-mail calvet.marie@wanadoo.fr r.-v.

DOM. CAZES Alter 2001

15 ha 20 000 11 à 15 €

Biodynamie et vente de la totalité de la production en bouteilles, voilà la ligne de la troisième génération de vignerons chez les Cazes, à la tête de 170 ha. Syrah, grenache noir et mourvèdre se partagent cet Alter de couleur brique. Son nez confituré s'ouvre sur le cassis. La

réglisse apparaît en bouche sur une belle structure ronde et grasse, tout en douceur. Un vin prêt à accompagner un gibier rôti.
🔑 Dom. Cazes, 4, rue Francisco-Ferrer, BP 61, 66602 Rivesaltes, tél. 04.68.64.08.26, fax 04.68.64.69.79, e-mail info@cazes-rivesaltes.com ☒ 🍷 🚶 r.-v.

DOM. COMELADE Cuvée Clara 2003 ★★

■ 3 ha 3 500 ⓘ 11 à 15 €

Lionel Comelade exprime toute la passion qu'il porte au vin dans cette cuvée où la syrah domine, plantée sur un sol argilo-calcaire. Des notes florales et des arômes de cerise et d'épices douces s'y épanouissent. Un vin concentré, boisé et corsé où le fumé enrobe la puissance et le volume jusque dans une finale harmonieuse. Une côte de bœuf grillée, accompagnée d'une sauce Choron ne pourra résister à cette bouteille.
🔑 Dom. Comelade, 8, rue Fournalau, 66310 Estagel, tél. et fax 04.68.29.16.40, e-mail domaine.comelade@wanadoo.fr ☒ 🍷 🚶 r.-v.

DOM. DEPEYRE 2004 ★★

■ 3,7 ha 7 000 ▮ 8 à 11 €

L'aventure continue pour Serge Depeyre et Brigitte Bile, récemment installés en Roussillon mais exploitant de vieilles vignes. Cités l'an passé, ils se surpassent avec ce vin de garde. Les quatre cépages, carignan, grenache, syrah et mourvèdre, apportent à cette cuvée un nez complexe de mûre et de pruneau à l'eau-de-vie sur des notes minérales. Une belle évolution aromatique sur le cassis et les épices agrémente ce 2003 volumineux et étoffé. Affichant beaucoup de personnalité, cette bouteille apte à vieillir formera un accord parfait avec du gros gibier tel un civet de sanglier.
🔑 Brigitte Bile et Serge Depeyre, 1, rue Pasteur, 66600 Cases-de-Pène, tél. et fax 04.68.38.94.98 ☒ 🍷 r.-v.

CH. DONA BAISSAS Les Hauts de Dona 2003 ★★

■ 10 ha 4 000 ⓘ 11 à 15 €

En quittant Estagel, la cave se dresse sur votre droite, majestueuse, toute en pierres et cayrous. Cette cuvée à la robe noire, élevée un an en barrique, développe des senteurs variées : boisé aux nuances de santal, ambre, fruits mûrs et épices. Beaucoup de concentration et des raisins très mûrs confèrent au palais une palette aromatique d'une belle longueur. Un vin que l'on n'oubliera pas de carafer pour en apprécier toute la complexité.
🔑 SCP Cellier de la Dona, ancienne rte de Maury, 66310 Estagel, tél. 04.68.29.00.02, fax 04.68.29.09.26, e-mail donabaissas@tiscali.fr ☒ 🍷 🚶 r.-v.

DOM. DE L'EDRE L'Edre 2004 ★★

■ 1,5 ha 2 500 ⓘ 15 à 23 €

En 2002, Jacques Castany et Pascal Dieunidou reviennent à Vingrau, leur village natal. Ils délaissent la vie citadine et remettent en valeur le patrimoine familial. Face à la grotte de l'Homme de Tautavel, sur des coteaux pentus, les petites parcelles de carignan, de grenache noir et de syrah sont entretenues avec passion. Une démarche réfléchie permet à leurs vins d'exprimer les caractéristiques de ce terroir. L'Edre, séducteur par son nez plaisant, confituré et finement boisé, s'ouvre en bouche sur les fruits rouges et les épices douces. Un vin structuré typique de l'appellation. La **cuvée l'Aïbre 2004 (11 à 15 €)**, une étoile, se pare d'une robe profonde et révèle des notes de venaison, de fruits cuits et d'épices. Intense et chaleureuse, dotée d'un bel équilibre, elle est déjà savoureuse.
🔑 Dom. de L'Edre, 1, rue des Écoles, 66600 Vingrau, tél. 06.08.66.17.51, fax 04.68.68.55.44, e-mail pdieuni@wanadoo.fr ☒ 🍷 🚶 r.-v.
🔑 D. Dieunidou

DOM. FONTANEL Tautavel Cistes 2004 ★★

■ 4 ha 20 000 ⓘ 8 à 11 €

Cette année, le jury a apprécié les Cistes de Pierre et Marie-Claude Fontaneil, de grands habitués du Guide. Pierre travaille chaque millésime avec la précision d'un artiste. Toujours doté d'une robe profonde, son vin est très typé, puissant, avec ses notes de buis et de réglisse. La mûre et le cassis apparaissent en bouche et soulignent des tanins soyeux et fondus. Charnu mais subtil, ce 2004 s'affirme dans la rondeur et la finesse.
🔑 Dom. Fontanel, 25, av. Jean-Jaurès, 66720 Tautavel, tél. 04.68.29.04.71, fax 04.68.29.19.44, e-mail domainefontanel@hotmail.com ☒ 🍷 🚶 t.l.j. 10h30-12h30 14h-19h
🔑 Fontaneil

DOM. GARDIÉS La Torre 2003 ★★★

■ 4 ha 8 000 ⓘ 23 à 30 €

Personnalité et typicité, puissance et élégance, ces termes sont souvent utilisés pour les vins de Jean Gardiés. Dans cette cuvée issue d'un terroir de schistes et d'argilo-calcaire, le mourvèdre domine. Derrière la robe grenat soutenu aux reflets violines, le nez est une explosion de fruits, de vanille et de fin boisé. Musclée et équilibrée, la matière est très présente. Le palais dévoile une remarquable structure tannique qui offre une finale savoureuse.
🔑 Dom. Gardiès, 1, rue Millère, 66600 Vingrau, tél. 04.68.64.61.16, fax 04.68.64.69.36, e-mail domgardies@wanadoo.fr ☒ 🍷 🚶 r.-v.

HECHT & BANNIER 2003 ★★

■ n.c. 10 000 ⓘ 11 à 15 €

Un travail de négoce bien fait. Les sélections sont réussies et ont donné un vin remarquable apprécié pour son nez plaisant, ouvert et vanillé. Sa belle charpente laisse une sensation de moelleux et révèle des tanins fins, des épices. La longue finale est exquise. Très joli profil dans l'appellation, cette cuvée peut se déguster dès aujourd'hui mais ne souffrira pas d'une garde de deux ans.
🔑 Hecht & Bannier, 42, Grand-Rue, 34140 Bouzigues, tél. 04.67.74.66.38, fax 04.67.74.66.45, e-mail contact@hbselection.com ☒ t.l.j. sf dim. 9h-12h 14h-18h

CUVÉE HUGUET DE CARAMAN Caramany Élevé en fût de chêne 2003 ★★

■ 4 ha 6 600 ⓘ 8 à 11 €

La cave des vignerons de Caramany domine le lac entouré d'un vignoble dont les ceps noueux s'enracinent sur un sol de gneiss et d'arènes granitiques. Trois cépages, le grenache, la syrah et le carignan, ce dernier vinifié en macération carbonique, apportent leurs lots d'arômes à des vins friands. Cette cuvée 2003, dans sa robe grenat profond aux reflets tuilés, vous accueillera avec des fruits frais (cerise, griotte), du thym et des épices douces. Autour de tanins élégants et veloutés, le boisé maîtrisé s'exprime en nuances de muscade et en notes grillées et cacaotées. D'une belle longueur en bouche, ce vin est à déguster sans attendre sur des viandes rouges. La **cuvée du Presbytère 2004 (5 à 8 €)** obtient une étoile. Mûre et cassis dominent dans un équilibre plein de fraîcheur, souple et gourmand.

ROUSSILLON

🔑 SCV de Caramany, 66720 Caramany,
tél. 04.68.84.51.80, fax 04.68.84.50.84,
e-mail vigneronsdecaramany@wanadoo.fr ☑ 🍷 🚶 r.-v.

MAS CAMPS La Ronde des Vents 2004 ★

■ 1,3 ha 5 200 8 à 11 €

Dans ce couloir de Maury, la tramontane a soufflé du bonheur sur cette cuvée déjà étoilée dans le millésime 2003. Le mourvèdre, la syrah et le carignan révèlent de plaisantes nuances de petits fruits rouges, de banane séchée et quelques épices douces. Le vin charnu, structuré, aux tanins soyeux et au boisé fondu offre une bouche gourmande.

🔑 GAEC Castells-Simard, RD 117, 66460 Maury,
tél. 04.68.29.48.07, fax 04.68.57.87.41,
e-mail isabelle.castells@wanadoo.fr ☑ 🍷 🚶 r.-v.

MAS DE LA DEVÈZE 2004 ★★

■ 4 ha 11 000 15 à 23 €

Anne-Lise et Olivier Bernstein ont repris ce domaine il y a seulement trois ans. Le mas qu'ils restaurent petit à petit avait été abandonné depuis vingt ans. C'est donc au milieu des vignes qu'ils viennent de vinifier leur deuxième millésime. Ils font une entrée remarquée dans le Guide avec cette cuvée d'un noir impénétrable, qui développe un bouquet de mûre, de cassis, de poivre et de cacao. Cette richesse se retrouve en bouche autour d'une attaque puissante. Volume, gras, boisé maîtrisé et complexité caractérisent ce vin en devenir. Citée par le jury, la **cuvée 66 2004 (11 à 15 €)** ne manque pas de charme.

🔑 Mas de La Devèze,
66720 Tautavel, tél. et fax 04.68.29.42.47,
e-mail vinum@wanadoo.fr ☑ 🍷 🚶 r.-v.
🔑 Olivier Bernstein

MAS JAUME Tautavel Cuvée Candice 2004 ★

■ 10 ha 30 000 5 à 8 €

Des vins d'expression, une note de terroir : Sylvie et Charles Faisant ont peaufiné la charpente de cette cuvée Candice à travers un élevage en fût. Né de l'assemblage des quatre cépages méditerranéens, ce vin grenat aux reflets violines possède un nez intense. Complexe, il s'ouvre sur des notes de buis, de garrigue accompagnées d'une pointe de venaison agréable. Très rond dès l'attaque, il se révèle chaleureux et ample ; des notes grillées et des tanins fondus composent une belle harmonie générale. À apprécier sur le fameux civet de lièvre de Tautavel.

🔑 SCEA Sylvie et Charles Faisant, Mas Séguala,
66720 Tautavel, tél. 04.67.30.09.06, fax 04.67.29.45.99,
e-mail faisantsylvie@aol.com ☑ 🍷 🚶 r.-v.

DOM. MOUNIÉ Tautavel Expression 2003 ★

■ 4 ha 10 000 5 à 8 €

En 1993, Claude Rigaill, le beau-fils du fondateur, avec l'aide de son épouse Hélène, devient vigneron à part entière. Souvent mentionné dans le Guide, ce domaine est une valeur sûre. Cette année, l'Expression 2003 acquiert son étoile. Robe d'encre, nez complexe de prune noire cuite, d'eau-de-vie de framboise et pointe de grillé. Équilibré, structuré, tannique et réglissé, ce vin en devenir promet de belles expressions à sa maturité.

🔑 Dom. Mounié, 1, av. du Verdouble, 66720 Tautavel,
tél. 04.68.29.12.31, fax 04.68.29.05.59,
e-mail domainemounie@free.fr ☑ 🍷 🚶 r.-v.
🔑 Claude Rigaill

CH. LES PINS 2002 ★

■ 11 ha 61 000 8 à 11 €

Un château pour les vignerons de Baixas : une magnifique bâtisse au centre du village où l'une des caves abrite des foudres centenaires, des demi-muids et des barriques. Les vignobles Dom Brial, c'est aussi, autour de Roger Torreilles et de Jean-Claude Pedrol, le dynamisme et l'enthousiasme d'une équipe. Création, innovation, jeunesse et des cuvées tendance comme Dim, Dam, Dom, Fizzy ou Daisy... Mais la gamme des vins Château Les Pins est toujours le fleuron de la cave. Ce 2002 exprime des notes de violette, d'épices et de boisé. La bouche met en scène fruits rouges, réglisse, nuances fumées et légèrement vanillées. La finale est gourmande. Une belle bouteille pleine de saveurs à déguster entre amis.

🔑 Cave de Baixas-Vignobles Dom Brial,
14, av. du Mal-Joffre, 66390 Baixas,
tél. 04.68.64.22.37, fax 04.68.64.26.70,
e-mail contact@dom-brial.com ☑ 🍷 🚶 r.-v.

DOM. POUDEROUX Latour de Grès 2004 ★★★

■ 2,5 ha 10 000 11 à 15 €

Entre Latour-de-France et Maury, Robert et Cathy Pouderoux jouent leurs gammes sur une mosaïque de terroirs. Vins secs ou vins doux naturels, les partitions sont toujours de belle écriture. Cette cuvée où les quatre cépages (carignan, mourvèdre, syrah et grenache) se partagent des sols de grès et de schistes a enchanté le jury. La robe rouge profond et le nez élégant et puissant donnent le ton. Le corps du vin, équilibré, rond et confituré, développe un beau potentiel de vieillissement.

🔑 Dom. Pouderoux, 2, rue Émile-Zola, 66460 Maury,
tél. 04.68.57.22.02, fax 04.68.57.11.63,
e-mail 123pou@wanadoo.fr ☑ 🍷 🚶 r.-v.

LES ROCHES NOIRES Élevé en fût de chêne 2003

■ n.c. 30 000 5 à 8 €

Ils sont connus et reconnus pour leurs vins doux naturels d'AOC maury. Mais chaque année, les vignerons de la cave de Maury proposent une cuvée de vin sec dans laquelle le grenache domine. Cette variété a donné à celui-ci une robe rubis. Les fruits secs et les épices typiques du cépage laissent la place à des notes de fruits rouges et de boisé que l'on retrouve en bouche, après une attaque franche. Un vin aérien, plein d'élégance.

🔑 SCAV Les Vignerons de Maury,
128, av. Jean-Jaurès, 66460 Maury,
tél. 04.68.59.00.95, fax 04.68.59.02.88 ☑ 🍷 r.-v.

CH. ROMBEAU Cuvée Élise Vieilles Vignes 2003 ★

■ 4 ha 15 000 11 à 15 €

Un magret de canard aux côtes-du-roussillon-villages, voilà ce que vous propose Pierre-Henri de la Fabrègue, le propriétaire des lieux, dans son restaurant qui jouxte la cave et les vignes ; vous apprécierez son franc-parler et ses vins... Dans cette cuvée la garrigue, le genièvre et la réglisse accompagnent en bouche des notes fumées et fruitées. Un vin de belle expression.

🔑 de la Fabrègue, av. de la Salanque,
66600 Rivesaltes, tél. 04.68.64.35.35, fax 04.68.64.64.66,
e-mail domainederombeau@wanadoo.fr
☑ 🍷 🚶 t.l.j. 8h-19h (été 20h)

DOM. ROUAUD Têt Pourpre 2004 ★★

■ 1 ha 3 000 8 à 11 €

Remarquable travail de Jérôme Rouaud sur ses 9 ha de vignes. Engagé en conversion bio en 2004 dans le cadre des contrats d'agriculture durable, il cultive, vendange, vinifie, élève, met en bouteilles, commercialise sa production et va même jusqu'à réaliser les étiquettes ! Ce millésime ne manque pas d'agrément. Aux reflets violines répondent des parfums de fruits rouges et noirs bien mûrs. Les notes florales et boisées, les nuances de fruits exotiques et de noyau, illustrent sa complexité. La matière charpentée par des tanins encore très présents demande un repos de trois à quatre ans en cave.

Jérôme Rouaud,
7, rue du Portal-d'Amont, 66370 Pézilla-La-Rivière,
tél. 08.75.91.82.33, fax 04.68.92.46.59,
e-mail rouaud.vigneron@wanadoo.fr r.-v.

DOM. DES SCHISTES
Tautavel Les Terrasses 2003 ★★★

■ 4 ha 8 000 11 à 15 €

PRODUCT OF FRANCE
Domaine des Schistes
Les Terrasses
CÔTES DU ROUSSILLON VILLAGES TAUTAVEL
APPELLATION CÔTES DU ROUSSILLON VILLAGES TAUTAVEL CONTRÔLÉE
2003
Mis en bouteille au Domaine
Alc. 14% by vol. Jacques et Nadine SIRE 66310 ESTAGEL 750 ml

Jacques et Mickaël Sire, père et fils, à l'unisson : au domaine des Schistes, la recherche fait partie des traditions familiales. Cette démarche s'appuie sur ce terroir spécifique de schistes et sur la valorisation des cépages. Une belle unité dans les trois cuvées proposées au jury : **Tradition 2004 (5 à 8 €)**, **La Coumeille 2003 (15 à 23 €)**, deux étoiles chacune, et ces Terrasses 2003 ont charmé les dégustateurs. Cette année, la troisième cuvée a conquis le grand jury. Véritable bouquet de fruits rouges et noirs, celle-ci déploie une séduisante palette aromatique. Autour de tanins fermes et élégants, les épices, la réglisse, les figues compotées et des notes grillées jouent une partition remarquablement orchestrée. Cette bouteille fait aussi preuve d'une grande fraîcheur et d'une persistance qui permettent d'en profiter rapidement ou de l'attendre trois à quatre ans. Vin de gastronomie, il trouvera sa place autour d'un canard aux figues.

Jacques Sire, Dom. des Schistes, 1, av. Jean-Lurçat,
66310 Estagel, tél. 04.68.29.11.25, fax 04.68.29.47.17,
e-mail sire-schistes@wanadoo.fr r.-v.

SEMPER Lesquerde Voluptas 2003 ★★

■ 6 ha 9 000 8 à 11 €

Établie à Maury, la famille Semper possède quelques vignes sur les arènes granitiques de Lesquerde. Habituée du Guide, elle propose cette année une cuvée remarquable et bien nommée. La vinification en barrique joliment maîtrisée permet au vin d'exprimer ses notes de fruits cuits, de cerise à l'eau-de-vie et des petites touches d'épices douces. Véritable vin méditerranéen, il possède cette charpente, ce volume et cette puissance qui soulignent la longue finale.

Dom. Paul et Geneviève Semper,
6, rte de Cucugnan, 66460 Maury,
tél. et fax 04.68.59.14.40,
e-mail domani.semper@wanadoo.fr r.-v.

DOM. SERRELONGUE Saveur de vigne 2003 ★

■ 2 ha 4 500 8 à 11 €

4 ha des 36 ha qui constituent la propriété familiale sont vinifiés en cave particulière. C'est autour d'un assemblage de trois cépages (grenache, mourvèdre et syrah) plantés sur ce fabuleux terroir de schistes que la famille Fournier nous emporte dans un univers de saveurs. Derrière les notes grillées, fumées, boisées et les nunaces de fruits rouges, ce vin montre un corps séveux et puissant. Ses tanins bien présents et la note épicée confèrent au vin une finale agréable.

GAEC Fournier, 149, av. Jean-Jaurès,
66460 Maury, tél. 04.68.59.02.17, fax 04.68.59.08.10,
e-mail julienf66@aol.com r.-v.

DOM. DE TERRE ROUSSE
Cuvée Lune Rousse 2003

■ 6 ha 11 500 8 à 11 €

Importateur de bouchons en Bordelais, Serge Rousse crée son domaine en 2003. Il installe son chai dans un bâtiment de matériels, un des seuls sites disponibles sur le village de Maury. Son vin est un assemblage des quatre cépages emblématiques du Roussillon plantés sur un magnifique terroir de schistes et de gneiss. Un joli cocktail d'épices, de garrigue et de fruits confits montre la richesse du nez. Après une attaque moelleuse, une bonne charpente, des arômes puissants et persistants donnent à ce 2003 une finale nette et agréable.

Serge Rousse, 31, rue Eugène-Delacroix,
33500 Libourne, tél. 06.12.94.10.35, fax 05.57.51.05.73,
e-mail sergerousse@wanadoo.fr r.-v.

ROUSSILLON

DOM. JEAN-LOUIS TRIBOULEY
Latour-de-France Les Trois Lunes 2003 ★★

■ 4 ha 5 500 15 à 23 €

En 2002, Jean-Louis Tribouley a créé son domaine : 12 ha de vieux ceps ; les deux tiers des vignes ont plus de soixante ans et le dernier tiers trente ans. Dans la cave aménagée dans sa maison de village, il a élaboré une cuvée où syrah et carignan dominent. Un élevage de quinze mois en barrique apporte une saveur nuancée à ce vin puissant, volumineux et de belle expression. Beaucoup d'épices, de poivre et de la violette confèrent au vin une incontestable harmonie.

Jean-Louis Tribouley, 9, pl. Marcel-Vié,
66720 Latour-de-France, tél. et fax 04.68.29.03.86,
e-mail luisajeanlouis@aol.com r.-v.

CH. DE TRINIAC
La Tour de France Cuvée l'Ancestrale 2001 ★

■ n.c. 4 194 5 à 8 €

Dans le joli village de Latour situé au cœur de la vallée de l'Agly, les vignerons de la cave possèdent leur château. Fin, racé, élégant et équilibré, ce vin savoureux présente de la rondeur, des tanins veloutés et mêle fruits mûrs et épices douces. De belle présence et de bonne facture, il accompagnera dignement un filet de bœuf aux morilles.

SCV Les Vignerons de La Tour de France,
2, av. du Gal-de-Gaulle, 66720 Latour-de-France,
tél. 04.68.29.11.12, e-mail scv.magasin@wanadoo.fr
t.l.j. sf dim. 8h-12h 14h-18h

DOM. DU VIEUX CHÊNE
Villages Haut Valoir 2002 ★★

■ 5 ha 8 000 11 à 15 €

Autour de son arbre, Denis Sarda possède un domaine familial implanté sur ces fameux schistes noirs qui

entourent Espira-de-l'Agly. Il a restructuré le vignoble en 1993, réaménagé la cave en 1995. Il vinifie grenache noir, mourvèdre, syrah et carignan. Cette cuvée respire la garrigue aux senteurs de thym et offre en bouche une belle structure. La pointe de venaison, la touche de truffe ainsi que l'apport judicieux du bois confèrent au vin toute sa finesse gourmande. Un magret de canard aux cèpes donnera une savoureuse réplique à ce joli flacon.
Dom. du Vieux Chêne,
Mas Kilo, rte de Vingrau, 66600 Espira-de-l'Agly,
tél. 06.08.57.17.34, fax 04.68.38.95.79,
e-mail venise@hautvaloir.com r.-v.
Denis Sarda

Collioure

Portant le nom d'un charmant petit port méditerranéen, cette toute petite appellation couvre actuellement, 568 ha produisant 15 817 hl en rouge et rosé et 2 456 hl de blanc. Le terroir est le même que celui de l'appellation banyuls ; il regroupe les quatre communes de Collioure, Port-Vendres, Banyuls-sur-Mer et Cerbère.

L'encépagement est à base de grenache noir, de mourvèdre et de syrah, le cinsault et le carignan entrant comme cépages accessoires. Jusqu'à 2002, les collioure étaient uniquement des vins rouges et rosés, élaborés en début de vendanges, avant la récolte des raisins pour le banyuls. La faiblesse des rendements est à l'origine de vins bien colorés, chaleureux, corsés, aux arômes de fruits rouges bien mûrs. Les rosés sont aromatiques, riches et néanmoins nerveux. Le collioure blanc, qui fait la part belle aux grenaches blanc et gris, est produit depuis le millésime 2002.

ABBAYE DE VALBONNE 2004

5 ha 130 000 11 à 15 €

Rouge à reflets tuilés, cette cuvée où le mourvèdre accompagne le grenache dévoile des notes intenses de ciste, de cassis et une pointe d'anis. Sous sa charpente tannique encore solide, les petits fruits rouges, la garrigue et la venaison se mêlent en une finale qui joue la vivacité.
Cellier des Templiers,
rte du Mas-Reig, 66650 Banyuls-sur-Mer,
tél. 04.68.98.36.70, fax 04.68.98.36.91,
e-mail accueil-visite@templiers.com
t.l.j. 10h-12h30 14h30-19h

ABBÉ ROUS Cornet & Cie 2005 **

n.c. 4 800 11 à 15 €

Un rosé de gastronomie signé par la cave de l'Abbé Rous. La cuvée Cornet & Cie, élevée pour les deux tiers dans des demi-muids pendant un mois, dévoile une robe soutenue. Les arômes de fruits rouges et d'épices imprègnent une bouche charnue, puissante et persistante. Une zarzuela de poissons de Méditerranée sera la bienvenue. De la même coopérative, le **collioure rosé Cuvée des peintres 2005 (5 à 8 €)**, jouant sur des notes de fruits frais et sur la vivacité, obtient lui aussi deux étoiles alors que le **collioure rouge Cyrcée 2002 (30 à 38 €)** reçoit une citation. Trois vins de plaisir à déguster sans attendre.
Cave de l'Abbé Rous, 56, av. Charles-de-Gaulle,
66650 Banyuls-sur-Mer, tél. 04.68.88.72.72,
fax 04.68.88.30.57, e-mail contact@banyuls.com

DOM. BERTA-MAILLOL Arrels 2004 *

3 ha 10 000 8 à 11 €

C'est dans la cave du mas familial, à côté des foudres centenaires où mûrit aussi le banyuls que les frères Berta ont vinifié cette cuvée Arrels, les « racines » en catalan. À deux pas du musée Maillol, et à partir des vignes qui appartenaient au sculpteur, ils ont élaboré un vin rouge profond aux reflets noirs. Les notes sauvages de bourgeon de cassis dominent. Un ensemble bien fondu, sans excès de volume où l'onctuosité joue sur une finale très fraîche.
Dom. Berta-Maillol, rte des Mas,
66650 Banyuls-sur-Mer, tél. et fax 04.68.88.00.54,
e-mail domaine.berta-maillol@tele2.fr
t.l.j. 10h-12h30 15h-19h

COUME DEL MAS Quadratur 2004 ***

3,5 ha 5 000 23 à 30 €

Pour Philippe et Nathalie Gard, l'aventure familiale banyulencque commencée en 2001 sur ces terrasses de schistes continue dans le respect du terroir et des cépages. Philippe recherche une maturité optimale, procède à des tris minutieux et aime la minéralité dans ses vins. Trois cépages pour cette cuvée remarquable : du mourvèdre, du grenache et du carignan. L'élevage sur lies lui donne une robe grenat sombre aux reflets violines. Douze mois de barrique apportent cette chair que l'on savoure sur une attaque onctueuse. Les tanins encore fermes sont très élégants. La pointe fumée, vanillée, et la finale persistante révèlent un vin de haute gastronomie qu'il faudra savoir attendre.
Philippe Gard, Coume Del Mas,
3, rue Alphonse-Daudet, 66650 Banyuls-sur-Mer,
tél. et fax 04.68.88.37.03,
e-mail coumedelmas@tiscali.fr r.-v.

L'ÉTOILE 2004 *

10,06 ha 10 000 8 à 11 €

Xavier Saint-Dizier a pris la direction de la cave depuis le départ de l'emblématique Jean-Paul Ramio. Plein de fougue et d'entrain, ce jeune directeur propose un nouvel habillage pour cette cuvée 2004. Patrick Terrier, l'œnologue maison, offre, lui, une bouteille complexe aux notes sauvages de thym, de confiture de mûres, de fraises accompagnées de touches de sous-bois, de venaison et de cuir. Très fondu et épicé autour de tanins soyeux, ce joli vin de terroir développe beaucoup de volume et de finesse aromatique. Son équilibre chaleureux laisse une impression d'élégance dans une finale fruitée.
SCV L'Étoile,
26, av. du Puig-del-Mas, 66650 Banyuls-sur-Mer,
tél. 04.68.88.00.10, fax 04.68.88.15.10,
e-mail cave.letoile@tiscali.fr r.-v.

DOM. MADELOC Cuvée Trémadoc 2004 ★★

	4 ha	8 200	11 à 15 €

Pierre Gaillard, Jean et Mathieu Baills ont créé ce domaine en 2003. Leur collioure blanc a séduit le jury par sa complexité. Ses notes intenses de fruits, d'agrumes frais et une petite pointe d'anis et de vanille s'imposent d'emblée. En bouche, l'élégance, l'harmonie, la puissance et la longueur se conjuguent à plaisir. Un vin remarquable. De la même veine, le collioure rouge **cuvée Serral 2004** se laisse apprécier dès aujourd'hui.

Pierre Gaillard et Jean Baills, Dom. Madeloc, 1 bis, av. du Gal-de-Gaulle, 66650 Banyuls-sur-Mer, tél. 04.68.88.38.29, fax 04.68.88.04.65, e-mail domaine-madeloc@wanadoo.fr
t.l.j. 9h-12h 14h-18h; sam. dim. sur r.-v.

DOM. DE LA MARQUISE
Cuvée Caroline 2004 ★★★

■	0,5 ha	2 500	11 à 15 €

Produit de France
DOMAINE de la MARQUISE
2004
COLLIOURE
appellation collioure contrôlée
Cuvée Caroline
MIS EN BOUTEILLE AU DOMAINE
JACQUES PY VIGNERON A COLLIOURE
75 cl 14% vol.

En 1987, Jacques Py est étudiant, mais la passion de la terre l'emporte et il reprend la propriété familiale. Les premières vignes ont été achetées par son grand-père à un monsieur Marquis qui avait perdu sa fortune au jeu ! Travailleur infatigable, amoureux du paysage qui l'entoure, Jacques remanie ses vignes, replante les cépages traditionnels et remonte les murettes de schiste. Toujours entreprenant, il restaure un casot sur sa plus belle parcelle toute en terrasses qui domine la baie de Collioure. En 1997, le domaine de La Marquise a pris forme. En 2006, sa nouvelle cave voit le jour. Et cette année, la cuvée Caroline dans sa robe grenat profond a enchanté le jury. Subtile et expressive, elle offre un véritable bouquet d'arômes où se mêlent ciste, genévrier, fruits rouges et quelques notes réglissées. Ses notes de cerise et de mûre viennent se fondre dans des tanins veloutés. Riche, agréable ou « très en jambes », comme l'écrit un dégustateur, ce vin charmeur et gourmand trouvera sa place auprès d'une épaule d'agneau rôtie en croûte d'épices. Une bouteille que l'on doit carafer.

Jacques Py, Dom. de la Marquise, rte Impériale, 66190 Collioure, tél. 04.68.98.03.77, fax 04.68.98.09.14, e-mail domainedelamarquise@wanadoo.fr r.-v.

DOM. PIÉTRI-GÉRAUD 2004 ★

■	3,75 ha	10 000	8 à 11 €

Dans ce domaine, tout se conjugue au féminin : mère et fille, Maguy et Laetitia mènent tambour battant leur superbe vignoble en terrasses dominant la baie. Dans leur minuscule cave au cœur de Collioure, elles travaillent avec la complicité d'Hélène Grau, œnologue, depuis le début de l'aventure. Derrière la robe profonde à reflets grenat apparaissent des arômes de fruits mûrs et d'épices. Les tanins sont fins, d'une vivacité savoureuse. Un vin qui peut être apprécié dès maintenant. Jolie réussite aussi pour le **collioure rosé (5 à 8 €)**, une étoile, gourmand et croquant, à déguster sur la terrasse à l'ombre du figuier.

Maguy et Laetitia Piétri-Géraud, 7, rue du Dr-Coste, 66190 Collioure, tél. 04.68.82.07.42, fax 04.68.98.02.52, e-mail domaine.pietri-geraud@wanadoo.fr
t.l.j. sf lun. 10h-12h30 15h30-19h; sur r.-v. en hiver

DOM. SAINT-SÉBASTIEN 2004 ★★★

■	0,65 ha	3 800	8 à 11 €

Depuis trois générations les vignes appartiennent à la famille. C'est en 2000 que les Becque quittent la cave coopérative et créent le domaine Saint-Sébastien, saint patron de la ville de Banyuls-sur-Mer. La cave, située sur le front de mer, possède un joli jardin ombragé face au port. C'est là que vous découvrirez cette cuvée qui passe à deux doigts du coup de cœur. La robe est d'un rouge profond ; le nez intense de fruits frais et de bourgeon de cassis révèle aussi des notes d'épices douces. Souple, fondu, le cœur de bouche est tout fruit. Beaucoup de rondeur et de fraîcheur pour ce 2004 d'exception à savourer sur un filet de loup à la planxa accompagné d'une tombée de pleurotes marinées au vin.

SCEA Saint-Sébastien, 10, av. du Fontaulé, 66650 Banyuls-sur-Mer, tél. 04.68.88.30.14, fax 04.68.88.35.77, e-mail st.sebastien@wanadoo.fr
t.l.j. 9h-20h (haute-saison); 10h-18h (basse-saison); f. jan.

ROUSSILLON

DOM. LA TOUR VIEILLE Puig Oriol 2004 ★★

■	2 ha	6 800	11 à 15 €

Vins de terroir, vins de vigneron : les vins de ce domaine portent toujours une signature. De la personnalité à revendre, de belles expressions de fruits, de la matière et un équilibre surprenant. La cuvée Puig Oriol 2004 ne déroge pas à cette règle. Le grenache joue à merveille sa partition. La puissance maîtrisée autour de jolis arômes de petits fruits rouges enchante le palais et la finale est fabuleuse. Profitez rapidement de cette bouteille en l'accompagnant d'une pintade à la catalane.

Dom. la Tour Vieille, 12, rte de Madeloc, 66190 Collioure, tél. 04.68.82.44.82, fax 04.68.82.38.42
t.l.j. 10h30-12h30 16h-19h30 avr. à oct.; r.-v. en hiver
Campadieu et Cantié

DOM. DU TRAGINER Capatas 2003 ★

■	2 ha	5 000	11 à 15 €

Pur et dur, adepte de la culture bio et respectueux du terroir, Jean-François Deu, vigneron de cœur, élabore des vins à forte personnalité. Générosité et structure sont les maîtres mots de ses cuvées. En particulier, ce Capatas dont la robe grenat presque noire donne le ton. L'attaque sur un boisé maîtrisé révèle des arômes subtils de fruits mûrs et d'épices. L'équilibre entre le gras, les tanins et le volume est parfait. Une bouteille d'excellente facture, pour se faire plaisir tout simplement.

Jean-François Deu, Dom. du Traginer, 56, av. du Puig-del-Mas, 66650 Banyuls-sur-Mer, tél. 04.68.88.15.11, fax 04.68.88.31.48 r.-v.

DOM. DE LA VILLE D'AMONT 2004 ★

■	n.c.	3 000	11 à 15 €

Smaïn Alliche, jeune producteur, a quitté la coopérative depuis cinq ans. Dans son domaine, au cœur de

Banyuls, il vinifie les raisins de ses vignes, toutes en terrasses, des vignes battues par la tramontane. Dans ce 2004, la syrah domine les arômes de fruits rouges et les notes d'épices confèrent à l'ensemble une belle finesse. Une attaque puissante et chaleureuse révèle un vin structuré. Extraction, tanins présents et de bonne qualité : encore jeune, cette bouteille atteindra la plénitude après un à deux ans de garde.

Smaïn Alliche,
20, av. du Puig-del-Mas, 66650 Banyuls-sur-Mer,
tél. 08.75.95.76.31, fax 04.68.88.36.07,
e-mail smain.alliche@wanadoo.fr r.-v.

Les vins doux naturels du Roussillon

Banyuls et banyuls grand cru

Voici un terroir exceptionnel, comme il en existe peu dans le monde viticole : à l'extrémité orientale des Pyrénées, des coteaux en pente abrupte sur la Méditerranée. Seules les quatre communes de Collioure, Port-Vendres, Banyuls-sur-Mer et Cerbère bénéficient de l'appellation. Le vignoble (1 134 ha environ) s'accroche le long des terrasses installées sur des schistes dont le substrat rocheux est, sinon apparent, tout au plus recouvert d'une mince couche de terre. Le sol est donc pauvre, souvent acide, n'autorisant que des cépages très rustiques, comme le grenache, aux rendements extrêmement faibles, souvent moins d'une vingtaine d'hectolitres à l'hectare : la production de banyuls et de banyuls grand cru a produit 25 213 hl en 2005.

En revanche, l'ensoleillement optimisé par la culture en terrasses – culture difficile où le vigneron entretient manuellement les terrasses, en protégeant la terre qui ne demande qu'à être ravinée par le moindre orage – et le microclimat qui bénéficie de la proximité de la Méditerranée sont sans doute à l'origine de la noblesse des raisins gorgés de sucre et d'éléments aromatiques.

L'encépagement est à base de grenache ; ce sont surtout de vieilles vignes qui occupent le terroir. La vinification se fait par macération des grappes ; le mutage intervient parfois sur le raisin, permettant ainsi une longue macération de plus d'une dizaine de jours ; c'est la pratique de la macération sous alcool, ou mutage sur grains.

L'élevage joue un rôle essentiel. En général, il tend à favoriser une évolution oxydative du produit, dans le bois (foudres, demi-muids) ou en bonbonnes exposées au soleil sur les toits des caves. Les différentes cuvées ainsi élevées sont assemblées avec le plus grand soin par le maître de chai pour créer les nombreux types que nous connaissons. Dans certains cas, l'élevage cherche à préserver au contraire le fruit du vin jeune en empêchant toute oxydation ; on obtient alors des produits différents aux caractéristiques organoleptiques bien précises : ce sont les rimages. Il faut noter que, pour l'appellation grand cru, l'élevage sous bois est obligatoire pendant trente mois.

Les vins sont rouges, de couleur rubis à acajou, avec un bouquet de raisins secs, de fruits cuits, d'amandes grillées, de café, d'eau-de-vie de pruneau ou plus rarement blancs (2 450 hl). Les rimages gardent des arômes de fruits rouges, de cerise et de kirsch. Les banyuls se dégustent à une température de 12 ° à 17 °C selon leur âge ; on les boit à l'apéritif, au dessert (certains banyuls sont les seuls vins à pouvoir accompagner un dessert au chocolat), avec un café et un cigare, mais également avec du foie gras, un canard aux cerises ou aux figues, et certains fromages à pâte persillée.

Banyuls

DOM. DE LA CASA BLANCA Hors d'âge ★★

1 ha 1 500 15 à 23 €

« À deux, on fait mieux que tout seul ! » C'est ce que pensait Alain Soufflet en accueillant Laurent Escapa en 1989 et ce qui a poussé ce dernier, après la retraite d'Alain, à accueillir à son tour, pour un retour à la terre, Hervé Levano, en 1999. Et le Guide confirme cet adage avec ce hors d'âge qui flirte avec l'ambré et le rancio. Aux surprenantes notes d'agrumes s'ajoutent celles de cacao et de tabac blond. Un vin ample, très aromatique, au tanin soyeux et de belle fraîcheur. Y penser pour un dessert chocolaté à l'orange (bouteilles de 50 cl). Le **2003 Mise Tardive (11 à 15 €)**, une étoile, vous attend à l'apéritif.

Dom. de la Casa Blanca,
16, av. de la Gare, 66650 Banyuls-sur-Mer,
tél. 04.68.88.12.85, fax 04.68.88.04.08 r.-v.
Laurent Escapa, Hervé Levano

CLOS CHATART 1995

■ 1,25 ha 3 000 ■ ◧ 15 à 23 €

Le nom francisé de ce vieux mas aux murs de schiste bleu vient de l'entomologiste catalan Barthélemy Xatard, propriétaire de ce manoir agreste, édifice rare dans la vallée viticole sauvage de la Baillaury. La judicieuse complémentarité de l'élevage en cuve et en foudre donne ce vin à la robe au tuilé soutenu, et ce mariage de fruits (cerise confiturée, mûre et figue) avec le cacao, le moka et un soupçon de fruits secs. Un plaisir qui peut encore attendre, à savourer sur chocolat ou dessert aux fruits.

Jacques Laverrière, Clos Chatart,
Vallon du Musée-Mayol, 66650 Banyuls-sur-Mer,
tél. 04.68.88.12.58, fax 04.68.88.51.51
t.l.j. 10h-13h 16h-19h; f. janv.

L'ÉTOILE Select vieux 1988 *

■ 1,88 ha 5 000 ■ ◧ 30 à 38 €

Si J.-P. Ramio a laissé les rênes de la plus ancienne cave du cru après de nombreuses années de bons et loyaux services, il n'a pas fini de marquer le Guide de sa patte avec ces vieux millésimes, toujours soignés par son complice P. Terrier. Dans ce banyuls de presque vingt ans, paré d'acajou, le rancio perce sous les senteurs d'épices, de foudres patinés, de pruneau et de chocolat. La bouche est ronde, agréable, confiturée : l'élevage lui confère un superbe fondu qui complète sa belle gamme aromatique. Le **Macéré tuilé 1996 (15 à 23 €)**, cité, se prépare également un bel avenir. Rappelons le coup de cœur de l'an dernier, un exceptionnel Extra vieux 93 !

SC L'Étoile, 26, av. du Puig-del-Mas,
66650 Banyuls-sur-Mer,
tél. 04.68.88.00.10, fax 04.68.88.15.10,
e-mail cave.letoile@tiscali.fr t.l.j. 8h-12h 14h-18h

GALATEO 2004

■ 2 ha 4 000 ◧ 11 à 15 €

En peu de temps, puisqu'il s'est installé au hameau de Cosprons en 2001, Philippe Gard s'est fait un nom auprès des connaisseurs de banyuls. Son travail porte sur les longues extractions dont il considère qu'elles lui permettent de donner la meilleure expression du grenache. Dès l'approche, ce vin à la robe pourpre profond se laisse désirer. C'est en bouche qu'il se révèle, sur des notes de cassis, de mûre, de cerise noire. Son volume et la force veloutée de ses tanins sont le gage de son avenir. (Bouteilles de 50 cl.)

Philippe Gard, Coume Del Mas,
3, rue Alphonse-Daudet, 66650 Banyuls-sur-Mer,
tél. et fax 04.68.88.37.03,
e-mail coumedelmas@tiscali.fr r.-v.

HELYOS 2002 **

■ n.c. 18 000 ◧ 38 à 46 €

Précurseur original de la vente de vin en bouteilles, l'Abbé Rous, qui voulait ainsi restaurer son église, doit sourire en voyant Helyos jouer en pleine lumière avec les étoiles du Guide. Un vin d'extraction et de garde, au regard sombre. Présent, ample, riche de fruits mais les épaules solides, charnu, fondant sous les épices, il joue sur la vanille et la note toastée du fût. Un grenache bien élevé de la trempe des grands banyuls.

Cave de l'Abbé Rous, 56, av. Charles-de-Gaulle,
66650 Banyuls-sur-Mer, tél. 04.68.88.72.72,
fax 04.68.88.30.57, e-mail contact@banyuls.com

DOM. MADELOC Cirera 2004 *

■ 2 ha 2 500 15 à 23 €

Pierre Gaillard et Jean Baills se sont retrouvés sur leur terroir de prédilection. Un terroir plutôt en pente puisqu'il associe les coteaux de la Côte-Rôtie à ceux de Banyuls. L'anecdote dit qu'ils se sont rencontrés en buvant le café à Banyuls... en terrasse naturellement. La soupe de fruits rouges saupoudrée de chocolat, voilà ce à quoi l'on pense face aux notes de cerise et de fraise qui s'habillent de pourpre et s'allient au parfum de la cannelle. Cerise à croquer, tanins au grain savoureux, un soupçon de cacao, une bouche ample : les vieilles vignes de grenache savent s'exprimer. (Bouteilles de 50 cl.)

Pierre Gaillard et Jean Baills, Dom. Madeloc,
1 bis, av. du Gal-de-Gaulle, 66650 Banyuls-sur-Mer,
tél. 04.68.88.38.29, fax 04.68.88.04.65,
e-mail domaine-madeloc@wanadoo.fr
t.l.j. 9h-12h 14h-18h; sam. dim. sur r.-v.

DOM. MANYA-PUIG Rimage 2004

■ 1 ha 5 000 15 à 23 €

De vieille souche colliourencque, les Manya étaient médecins et vignerons. C'est d'ailleurs dans la pharmacie du village qu'ont été commercialisées les premières bouteilles ! Sur ordonnance on suppose... Depuis 2000, le docteur J. Manya a « ouvert » son domaine à de jeunes vignerons, M. et Mme Puig. Voici un rimage (récolte en catalan), qui affiche sa jeunesse dans sa robe grenat. Le nez et la bouche sont imprégnés de fruits rouges, hésitant entre framboise et mûre et de l'acidité de la myrtille. Le tanin est souple, le vin agréable, un rien chaleureux mais fort plaisant.

Dom. Manya-Puig, 7, av. de la République,
66190 Collioure, tél. et fax 04.68.98.02.59 r.-v.
Puig

DOM. PIÉTRI-GÉRAUD 2004

□ 1,3 ha 4 173 ◧ 11 à 15 €

Il fallait patience, douceur et sensibilité pour dompter ce rude terroir de Banyuls et donner au grenache blanc ses lettres de noblesse. Le charme et le savoir-faire des dames de Collioure ont encore opéré. Le bouquet aux senteurs miellées de l'acacia et de la fleur d'amandier entoure le plus bel or. Suave, fondue, la touche boisée confère à l'ensemble des notes grillées et des nuances de fruits secs accompagnant les effluves doux de l'orange confite. Tarte aux poires, sorbets ou pourquoi pas Saint-Honoré attendent ce flacon.

Maguy et Laetitia Piétri-Géraud, 7, rue du Dr-Coste,
66190 Collioure, tél. 04.68.82.07.42, fax 04.68.98.02.52,
e-mail domaine.pietri-geraud@wanadoo.fr
t.l.j. sf lun. 10h-12h30 15h30-19h;
sur r.-v. en hiver

DOM. LA TOUR VIEILLE Vendanges 2004 ***

■ 1,5 ha 7 500 ■ 11 à 15 €

Le village de Collioure ne se présente plus. Il a inspiré les plus grands peintres et doit également sa notoriété au paysage sculpté par des vignerons de talent tel Vincent Cantié. Ce courage et cette passion, le grenache les lui rend bien. Il vous faut découvrir ce vignoble ancré dans ses terrasses où chaque pierre est œuvre humaine. Ce coup de cœur est signe du grenache noir pour la couleur, du schiste satiné pour le velouté des tanins, des raisins mûrs pour le fruit confituré, du soleil pour le glissant de l'alcool, de la tramontane pour la fraîcheur. C'est le *puis* qui est à boire. Est citée la **cuvée François Cantié (15 à 23 €)**. (Bouteilles de 50 cl. pour les deux.)

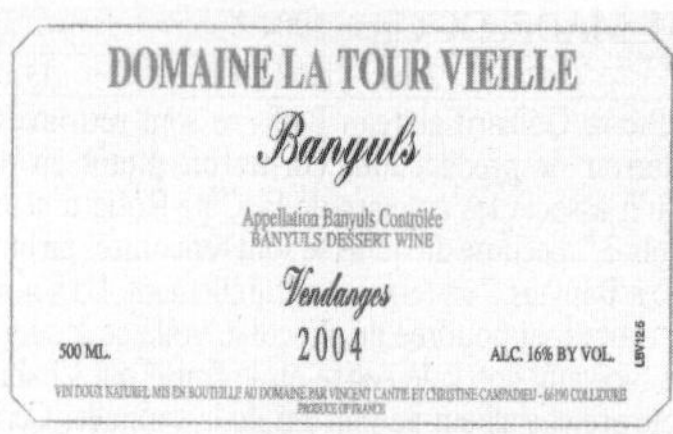

🔑 Dom. la Tour Vieille, 12, rte de Madeloc, 66190 Collioure, tél. 04.68.82.44.82, fax 04.68.82.38.42 ☑ 🍷 ⛹ t.l.j. 10h30-12h30 16h-19h30 avr. à oct.; r.-v. en hiver

🔑 Christine Campadieu et Vincent Cantié

DOM. DU TRAGINER Rimage 2004 ★★

■ 2,8 ha 5 000 11 à 15 €

Un petit vignoble cultivé en biodynamie avec l'aide d'une mule : Jean-François Deu est néanmoins un grand de Banyuls, incontournable défenseur de l'authenticité du produit et bien attaché à ses racines ; son charisme séduit jusqu'au Japon. Ce 2004 ? Un cocktail de fruits des bois complète l'approche sombre et vineuse. La bouche dévoile un vin ample, généreux, épicé et sur le fruit. De fort beaux tanins bien présents confèrent volume et charpente. Le clou de girofle et le fruit charnu agrémentent l'ensemble. D'un réel potentiel, ce banyuls pourra accompagner du chocolat noir, un soupe de fruits ou un melon macéré.

🔑 Jean-François Deu, Dom. du Traginer, 56, av. du Puig-del-Mas, 66650 Banyuls-sur-Mer, tél. 04.68.88.15.11, fax 04.68.88.31.48 ☑ 🍷 ⛹ r.-v.

DOM. VALCROS Hors d'âge

■ 30 ha 50 000 🛢 5 à 8 €

Au-delà de sa gamme Croix Milhas, la SIVIR propose quelques vins de domaines qui confirment la connaissance du terroir local par cette maison, tant ce choix est judicieux. Voici un vin bien élevé en fût, sage dans sa robe tuilé acajou, nappé de chocolat, partagé entre pruneau à l'eau-de-vie et amande grillée. La note kirschée se fond dans l'apport empyreumatique du fût avant une finale où domine le fruit sec. Bien équilibré, un hors d'âge prêt pour un mariage heureux avec café, cigare ou forêt noire. (Bouteilles de 50 cl.)

🔑 SIVIR, 1870, av. Julien-Panchot, BP 19908, 66962 Perpignan Cedex 09, tél. 04.68.85.77.07, fax 04.68.85.77.00, e-mail sivir@sivir.fr

Banyuls grand cru

CASTELL DES HOSPICES 1998 ★

■ n.c. 7 000 🛢 23 à 30 €

Un peu de cuve, trente mois de fût et un long affinage en bouteilles signent ce vieux banyuls traditionnel, commercialisé par les caves de l'Abbé Rous dont le bâtiment a été réhabilité avec goût en plein centre de Banyuls. Grasse, pleine, équilibrée, la bouche joue sa partition entre fruits à l'eau-de-vie, cacao sur fond de cannelle et d'amande grillée. Sur un équilibre plus sec, la **cuvée Joseph Nadal** est à savourer sur chocolat noir ou havane. Elle obtient elle aussi une étoile.

🔑 Cave de l'Abbé Rous, 56, av. Charles-de-Gaulle, 66650 Banyuls-sur-Mer, tél. 04.68.88.72.72, fax 04.68.88.30.57, e-mail contact@banyuls.com

CAMILLE DESCOSSY 2000

■ 3 ha 5 000 11 à 15 €

Dans l'ancien couvent des Dominicains de Collioure, monument historique du XIII^e^s., les foudres repus de banyuls sommeillent entre poutres peintes et murailles de schistes à deux pas d'une place inondée de soleil. Voici une bouteille classique pour les amateurs de banyuls élevés. Un ensemble gourmand, sur les fruits cuits, confiturés, avec juste ce qu'il faut de torréfaction pour appeler le moka ou une tarte à l'orange.

🔑 SCV Le Dominicain, pl. Orfila, 66190 Collioure, tél. 04.68.82.05.63, fax 04.68.82.43.06, e-mail le-dominicain@wanadoo.fr ☑ 🍷 ⛹ t.l.j. 8h-12h 14h-19h

GICB 1998 ★

■ Gd cru 30 ha 50 000 🛢 11 à 15 €

Trente mois d'élevage sous bois sont nécessaires pour un grand cru, mais c'est souvent bien plus. Ce 1998 a vécu six ans dans de grands foudres avant d'atteindre sa plénitude et d'acquérir sa couleur chatoyante de tuilé. Au-delà de senteurs très douces de pain d'épice et de miel, apparaît une élégance complexe alliant un début de rancio, de fruits secs et de tabac. La finesse de la bouche, le soyeux des tanins s'accompagnent de notes de fruits confits et de café. C'est le compagnon idéal de fin de soirée entre café, vieille prune et cigare.

🔑 SIVIR, 1870, av. Julien-Panchot, BP 19908, 66962 Perpignan Cedex 09, tél. 04.68.85.77.07, fax 04.68.85.77.00, e-mail sivir@sivir.fr

CELLIER DES TEMPLIERS
Cuvée du Président Henri Vidal 1994 ★★

■ n.c. 21 000 🛢 30 à 38 €

Le Cellier des Templiers est réputé pour ses vieux banyuls. Il est vrai que l'élevage en demi-muids, en bonbonnes au soleil, en grands foudres, en cuves et l'affinage en bouteille dans la cave du Mas Reig y sont pratiqués avec une maîtrise reconnue de tous. Ces techniques sont à l'origine du tuilé lumineux de la robe, de l'équilibre entre le fruité du pruneau, de la figue, des épices et des notes torréfiées du café. Elles apportent surtout le velouté des tanins, l'ampleur, la sucrosité, l'élégance et une finale légère de rancio qui prolonge le plaisir.

🔑 Cellier des Templiers, rte du Mas-Reig, 66650 Banyuls-sur-Mer, tél. 04.68.98.36.70, fax 04.68.98.36.91, e-mail accueil-visite@templiers.com ☑ 🍷 ⛹ t.l.j. 10h-12h30 14h30-19h

Rivesaltes

Longtemps, rivesaltes fut la plus importante des appellations des vins doux naturels : elle atteignait 14 000 ha et 264 000 hl en

1995. Après un Plan rivesaltes qui a permis la reconversion d'une partie de ce vignoble, la production de cette appellation en difficulté économique est tombée à 131 000 hl en 2000. En 2005, elle a représenté 67 299 hl (l'AOC grand-roussillon ayant atteint 42 580 hl) ; elle est désormais dépassée en volume par le muscat-de-rivesaltes dont les volumes atteignent 104 863 hl. Le terroir du rivesaltes s'étend en Roussillon et dans une toute petite partie des Corbières, sur des sols pauvres, secs, chauds, favorisant une excellente maturation. Quatre cépages sont autorisés : grenache, macabeu, malvoisie et muscat. Cependant, ces deux derniers n'interviennent que très peu dans l'élaboration de ces produits. La vinification se fait en général en blanc, mais aussi en rouge, à partir de grenaches noirs, qui subissent une macération, afin de donner le maximum de couleur et de tanin.

L'élevage des rivesaltes est fondamental pour la détermination de la qualité. En cuve ou dans le bois, ils développent des bouquets bien différents. Il existe une possibilité de repli dans l'appellation grand-roussillon.

Les couleurs varient de l'ambré au tuilé. Le bouquet rappelle la torréfaction, les fruits secs, et le rancio dans les cas les plus évolués. Les rivesaltes rouges ont, dans leur phase de jeunesse, des arômes de fruits rouges : cerise, cassis, mûre. On les boira à l'apéritif ou au dessert, à une température de 11 ° à 15 °C, selon leur âge.

VIGNERONS DES ALBÈRES
Ambré Élevé en fût de chêne 1996 *

20 ha 10 000 — 5 à 8 €

Les Pyrénées, avant de se perdre en mer, ont eu la bonne idée de faire quelques soubresauts qui ont donné les Albères. Entre la route littorale d'un côté et le Perthus de l'autre, c'est un petit paradis doublé d'un terroir engendrant des produits d'une rare finesse. Marqué par l'élevage, ce vin hésite entre ambré et tuilé, entre toasté, banane flambée et eau-de-vie de noyau. En bouche, le pas est pris : nous sommes en pays ambré sur tabac miellé, fruits secs grillés et touche chocolatée.

Les Vignerons des Albères, rte de Brouilla, 66740 Saint-Genis-des-Fontaines, tél. 04.68.89.60.18, fax 04.68.89.80.45
t.l.j. sf dim. 9h30-12h 15h30-18h

DOM. BOUDAU Grenat Sur grains 2004 **

6 ha 18 000 — 8 à 11 €

Le rivesaltes sur grains des Boudau élaboré à l'aide d'une longue macération en grains entiers sous alcool est ici une référence. Véronique et Pierre Boudau, frère et sœur, semblent avoir pactisé avec le grenache qui trouve sur le Crest rivesaltais un terroir de prédilection. Le grenat profond de la robe annonce une belle extraction comme le confirme la riche et puissante structure qui se fond dans la sucrosité de la cerise, en un parfait équilibre. La fraîcheur d'une touche de cassis accompagne une pointe tannique. Une bouteille d'une superbe présence.

Dom. Boudau, 6, rue Marceau, 66600 Rivesaltes, tél. 04.68.64.45.37, fax 04.68.64.46.26, e-mail domaineboudau@wanadoo.fr
t.l.j. sf dim. 10h-12h 15h-19h

LES MAÎTRES VIGNERONS DE CASCASTEL
Rancio 5 ans d'âge 2001 *

54,89 ha 20 000 — 5 à 8 €

Surprenant de trouver dans ce coin reculé des Hautes-Corbières une superbe cave moderne : elle est née de la volonté des coopérateurs d'effacer le souvenir de la crue catastrophique de la Berre et de maintenir la vocation vinicole du lieu. Le grenache gris représente 90 % de l'assemblage de ce vin, qui hésite entre ambré et tuilé : il joue sur l'acajou avant de s'exprimer sur des notes de figue, de pêche, de cuir et de toast mêlées à des touches de tabac blond, de fruit sec (amande grillée) et d'agrumes. Une bouteille de belle composition, bien dans le type rancio, à la finale relevée.

Les Maîtres Vignerons de Cascastel, Grand-Rue, 11360 Cascastel, tél. 04.68.45.91.74, fax 04.68.45.82.70, e-mail info@cascastel.com t.l.j. 8h-12h 14h-18h

CASTELL RÉAL
Hors d'âge Ambré Vieilli en fût de chêne **

2,25 ha 3 000 — 15 à 23 €

Prenez, depuis Corneilla, une petite route sinueuse, puis un chemin qui saute de terrasse en terrasse jusqu'au sommet de Força Réal. De loin en loin vous croiserez quelques *casats*, ces cabanons qui parsèment les vignes. La récompense ? Cet ambré roux d'où émanent des senteurs d'eau-de-vie de prune. C'est l'âge qui a apporté un superbe fondu en bouche, un remarquable équilibre, une déclinaison d'arômes de fruits secs, de miel, de cacao, jusqu'à une finale de rancio.

SCV Cellier Castell Réal, 152, rte Nationale, 66550 Corneilla-la-Rivière, tél. 04.68.57.38.93, fax 04.68.57.23.36, e-mail cassell-real-com@wanadoo.fr
t.l.j. sf dim. 10h-12h 16h-18h; juil. sept. (19h)

CUVÉE AIMÉ CAZES Ambré 1976 ***

10 ha 10 000 — 46 à 76 €

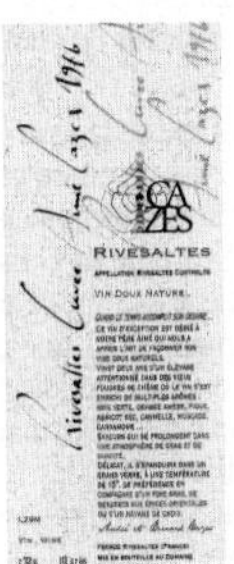

Référence incontournable en Roussillon, et plus encore en vins doux naturels, ce domaine possède 170 ha et, au cœur de ses superbes foudres, des trésors ambrés que vous aurez plaisir à découvrir, tel celui-ci qui assemble 20 % de grenache noir au grenache blanc. Sa superbe robe, entre vieil or cuivré et ambre roux, séduit d'emblée.

Puis viennent des parfums d'agrumes, de kumquat et de verveine. En bouche, l'élevage apporte la marque d'une grande maturité, un équilibre parfait, une ampleur sans pareille autour d'une palette où l'on retrouve la verveine et les agrumes accompagnés d'eau-de-vie de mirabelle. Et quelle fraîcheur ! Autre cuvée, le **Grenat 2003 du domaine (11 à 15 €)** obtient une étoile.

Dom. Cazes, 4, rue Francisco-Ferrer, BP 61, 66602 Rivesaltes, tél. 04.68.64.08.26, fax 04.68.64.69.79, e-mail info@cazes-rivesaltes.com r.-v.

DOM. COLL DE ROUSSE Tuilé 2000

3 ha 2 000 8 à 11 €

Haut lieu de la grande bataille qui vit les Français se défaire des Espagnols, Tresserre doit son nom à « trois serres », collines allongées séparées par des ruisseaux profonds. Sur l'une d'elles, avec en toile de fond les Pyrénées et la Méditerranée, on peut suivre, sur un chemin balisé, les faits marquants de cet affrontement. Plus pacifique, ce tuilé limpide, lumineux, s'ouvre sur le pruneau et des notes boisées et miellées. Souple à l'attaque, le vin évolue vers des arômes de figue confiturée ; puis le tanin s'affirme jusqu'à une finale chocolatée. Si vous êtes fumeur de cigare, un verre de ce rivesaltes sera parfait. Sinon choisissez le moment d'un café gourmand. (Bouteilles de 50 cl.)

Boussuge, 2, rue de Montesquieu, 66300 Tresserre, tél. 06.73.72.58.20, fax 04.68.38.83.29, e-mail coll.de.rousse@tiscali.fr r.-v.

DOM. DEPRADE-JORDA
Hors d'âge Ambré Vieilli en fût de chêne ★

2 ha 4 000 11 à 15 €

Toujours avec le sourire, Jacques Deprade vous expliquera qu'il est passé de 25 à 70 ha en vingt-cinq ans. En 2006, son fils Thomas arrive sur la propriété. Un très beau travail d'élevage a été accompli pour ce vin qui allie les fruits secs et le coing à la figue, au pain d'épice et à des notes torréfiées. De la présence, du volume, un fondu remarqué : une bouteille intéressante qui se plaira avec du foie gras ou un dessert au chocolat.

Dom. Deprade-Jorda, 98, rte Nationale, 66700 Argelès-sur-Mer, tél. 04.68.81.10.29, fax 04.68.89.04.64, e-mail domainedepradejorda@free.fr t.l.j. 8h30-12h 16h-18h30

CUVÉE DU DR BANET Hors d'âge
Vieille Réserve Élevé en fût de chêne 1998 ★

n.c. 5 000 8 à 11 €

L'imposante bâtisse de la cave se dresse à la limite de Salanque et du Crest, tel un phare protégeant le calme du vignoble avant le cordon littoral, siège des transhumances estivales colorées et turbulentes. Est-ce la proximité du rivage ? Le fait est que les arômes d'eau-de-vie de noyau et de figue sont accompagnés par une note iodée étonnante. Ample, fondue, la bouche s'appuie sur le fruit charnu en confiture. L'évolution perce déjà, marquée par une note de cacao qui s'allie en finale avec les fruits secs.

Les Vignerons de Saint-Hippolyte, 66510 Saint-Hippolyte, tél. 04.68.28.31.85, fax 04.68.28.59.10 t.l.j. sf dim. 9h-12h 14h-18h

DOM. FORÇA RÉAL Hors d'âge
Cuvée spéciale Vieilli en fût de chêne 1996 ★★

n.c. 2 000 5 à 8 €

Millas est un village connu pour l'huile produite par le seul vieux moulin en activité. La commune possède aussi, autour de Força Réal d'où l'on peut balayer d'un seul coup d'œil tout le Roussillon, un superbe terroir viticole. Voici un 1996. L'ambré roux est limpide, entouré de notes de fruits confits, d'abricot sec et du grillé des vieux foudres. L'élevage sous bois accentue les notes de fruits secs avec un début de rancio. Une belle matière apporte douceur et volume à un vin qui offrira bien des plaisirs, en accompagnant des gâteaux secs et des croquants aux amandes.

SCV Les Vignerons de Força Réal, rue Léo-Lagrange, 66170 Millas, tél. 04.68.57.35.02, fax 04.68.57.28.09 r.-v.

DOM. DES GORGES DU SOLEIL Ambré 2002

10 ha 4 000 3 à 5 €

Les murs de la vieille cave ont tremblé lorsque les Beille ont été attaqués par Vodka Absolut pour avoir vendu du vin sous le terme de Tinto Absoluto. La grande marque a perdu, projetant sur le devant de la scène ce domaine repris par Jean-Philippe Beille en 2003 lors de la disparition de son père, alors qu'il terminait une thèse de droit à l'université de Genève. Voici un 2002 élevé quatre ans. L'ambré est roux, presque tuilé ; le nez apparaît dominé par des notes chaleureuses d'eau-de-vie, de vieux foudres et de cire. Déjà légèrement ranciοté, le vin évolue en bouche sur des notes de fruits secs et de tabac brun dans un registre relativement sec, propice à un accord avec le chocolat.

Mas Beille, chem. de Saint-Nazaire, 66330 Cabestany, tél. 04.68.50.77.58, fax 04.68.50.39.75, e-mail d.g.s.beille@wanadoo.fr r.-v.

J.-Ph. Beille

MONT TAUCH Vieille Réserve 1995 ★

12 ha 19 000 11 à 15 €

Presque centenaire, la cave de Tauch n'arrête pourtant pas de rajeunir : batterie de vinification ultramoderne, chai d'élevage, bâtiments administratifs constituent, dit-on avec humour, la moitié du village. Ils affirment aussi la réussite de cette coopérative créée en 1913 et qui regroupe deux cents vignerons aujourd'hui. Dix-huit mois de bois ont donné au grenache l'allure d'un vieux pinot, la note mûre du pruneau et un soupçon de rancio. Le tabac brun et la touche grillée de l'amande complètent ensuite en bouche des accents de café et la douceur du pain brioché.

Les Vignerons de Mont Tauch, 11350 Tuchan, tél. 04.68.45.41.08, fax 04.68.45.45.29, e-mail contact@mont-tauch.com t.l.j. sf sam. dim. 9h-12h 14h-18h

CH. MOSSÉ
Vignes des Causses Vieilli en fût de chêne 2004 ★

2,5 ha 4 000 8 à 11 €

Dans ce superbe bijou des Aspres qu'est Sainte-Colombe, vous découvrirez après avoir poussé le grand portail la magie de la vieille cave des Mossé, l'intimité du caveau et des hommes animés par leur passion, mais non dénués d'humour. Ce rivesaltes fruité fait partie de leurs trésors. D'une couleur profonde, il laisse percer la mûre, la cerise et la marque fraîche du clou de girofle. Il s'impose en bouche sur un équilibre doux. La chair de la cerise et une note sauvage de cassis appellent la soupe de fruits. Signalons également une cuvée **Hors d'âge ambré 1976 (15 à 23 €)**, une étoile elle aussi.

Jacques Mossé, Ch. Mossé, Sainte-Colombe-de-la-Commanderie, BP 8, 66301 Thuir Cedex, tél. 04.68.53.08.89, fax 04.68.53.35.13, e-mail chateau.mosse@worldonline.fr r.-v.

CH. NADAL-HAINAUT
Hors d'âge Cuvée Jean Nadal ★

	3 ha	6 000		11 à 15 €

Cet ancien prieuré cistercien du XIIes. a été racheté après la Révolution par Jean-Denis Hainaut, ancêtre de Jean-Marie Nadal. Depuis, planté sur la terrasse argilo-calcaire, le grenache noir exprime en vin doux naturel sa force tranquille. Voyez ce Hors d'âge. Le temps lui a donné des reflets tuilés, des senteurs de pruneau et de cerise confiturée. Jouant sur l'élevage en cuve et en barrique, le vinificateur a cherché à assouplir les tanins, à fondre la sucrosité du grenache et la fraîcheur de l'alcool. Entre le kirsch et le grillé paraît une touche chocolatée fort appréciée.

Jean-Marie Nadal, Ch. Nadal-Hainaut, 66270 Le Soler, tél. 04.68.92.57.46, fax 04.68.38.07.38 r.-v.

PATUS 2003 ★

	3,5 ha	4 950		8 à 11 €

Vous êtes ici au château La Commanderie du Mas Deu, appartenant à la même famille depuis le XVIIIes. Adossé à l'ancien mur d'enceinte de la cité de Pollestres, ce domaine dont les cuves sont centenaires, livre Patus, une cuvée fort réussie. D'un beau rubis franc, le vin ne cache pas la qualité de son élevage sous bois – confirmée par ses arômes fumés, des nuances de tabac blond, de vanille et de grillé. La bouche fruitée, charnue, solidement charpentée offre une finale empyreumatique et longue. Un 2003 prêt à passer à table.

Philippe et Marisabel Baylion-Gorrand, 49, av. de l'Hôtel-de-Ville, 66450 Pollestres, tél. 04.68.54.50.43 r.-v.

LES VIGNERONS DE PÉZILLA Ambré 8 ans ★

	n.c.	10 000		5 à 8 €

Sur la rive gauche de la Têt, la vigne part à l'assaut du col de la Dona, escaladant des terrasses plein sud sur lesquelles le raisin donne des rivesaltes de grande expression. Celui-ci, d'une belle couleur ambrée, offre des notes de foin coupé et une touche de tabac miellé. Il est gras et souple ; le grillé de l'amande équilibre la douceur de la bouche et prolonge la saveur maltée. Un soupçon de noix accompagne la finale. Une étoile a également été attribuée à un **Hors d'âge (8 à 11 €)** tout en finesse et élégance.

Les Vignerons de Pézilla, 1, av. du Canigou, 66370 Pézilla-la-Rivière, tél. 04.68.92.00.09, fax 04.68.92.49.91, e-mail scv.pezilla@wanadoo.fr r.-v.

CH. LES PINS Primage 2000 ★

	4 ha	7 608		8 à 11 €

La cave de Baixas, réputée pour ses Dom Brial et Château Les Pins, a la particularité d'innover avec succès. De forte extraction, voici un vin de garde encore jeune, aux tanins toujours bien présents, jouant sur des arômes de mûre, de cerise noire et d'épices. D'un excellent volume, puissant, il sera parfait avec une soupe de fruits des bois car sa note grillée et chocolatée sera du plus bel effet. **L'Ambré Dom Brial 1989 (11 à 15 €)** obtient également une étoile et le **Château Les Pins Ambré 1995 (11 à 15 €)** est cité.

Cave de Baixas-Vignobles Dom Brial, 14, av. du Mal-Joffre, 66390 Baixas, tél. 04.68.64.22.37, fax 04.68.64.26.70, e-mail contact@dom-brial.com r.-v.

DOM. PIQUEMAL Prestige 2000

	2 ha	4 000		8 à 11 €

Vigneron dans l'âme, Pierre Piquemal sait que la passion doit se transmettre : Franck et Marie-Pierre qui s'affairent déjà dans le caveau s'inscrivent bien dans la lignée. Retour sur un millésime mythique : sa robe rouge est encore profonde, et ce caractère est dû à un élevage essentiellement en cuve qui lui confère également des notes de cuir, de sous-bois et de confiture de cerises, arômes que l'on retrouve en bouche. Ample, fondu, glissant sur le fruit, ce vin sera un bon partenaire des fruits des bois nappés de chocolat.

Dom. Piquemal, 1, rue Pierre-Lefranc, 66600 Espira-de-l'Agly, tél. 04.68.64.09.14, fax 04.68.38.52.94, e-mail contact@domaine-piquemal.com r.-v.

CH. PRADAL Tuilé Cuvée Aurélien 1995 ★★★

	1,5 ha	1 800		8 à 11 €

Centre du monde, selon Salvador Dali, la gare de Perpignan est à deux pas de ce domaine, le seul à vinifier encore au cœur de la grande ville, cité dont il vous faut découvrir le charme des rues anciennes, des monuments témoignant de son riche passé. Là, ne manquez pas Pradal et ses deux cuvées sélectionnées. L'une, **L'Ambré hors d'âge Prestige 1969 (46 à 76 €)**, tout en fruits secs (abricot), tabac blond et notes de vieux calvados, obtient deux étoiles. L'autre est ce coup de cœur, équilibré, fondu, jouant sur des notes de chocolat, d'amande grillée, de pain d'épice, de miel, de pruneau. Un festival de fragrances. (Bouteilles de 50 cl.)

André Coll-Escluse, 58, rue Pépinière-Robin, 66000 Perpignan, tél. 04.68.85.04.73, fax 04.68.56.80.49 r.-v.

DOM. DE RANCY Ambré Cuvée Delphine 1982 ★★

	n.c.	1 500		38 à 46 €

La culture du rancio est importante dans la maison Verdaguer. Des vins merveilleux et rares mais aussi particuliers comme celui-ci à la robe acajou, roux avec des reflets verdâtres. L'élevage lui apporte un nez complexe de tabac, de fruits secs, de rancio, de pruneau et de tourbe. La bouche ample offre une saveur de notes de figue, de fruits confiturés, de tabac, de fumé des vieux foudres, de café, de chocolat jusqu'à une finale interminable sur la noix. De quoi ravir tous les convives.

ROUSSILLON

Jean-Hubert Verdaguer, Dom. de Rancy,
11, rue Jean-Jaurès, 66720 Latour-de-France,
tél. 04.68.29.03.47, fax 04.68.29.06.13,
e-mail rancy2@wanadoo.fr
t.l.j. 10h-12h 15h-19h; dim. 10h-12h

CH. DE REY-SISQUEILLE
Tuilé Cuvée Olivia 1980 ★★

n.c. n.c. 30 à 38 €

Nul doute que l'alternance des vents marins et de la tramontane influence l'élevage des vins doux naturels. Ici, à deux pas de l'étang et de la mer, ce domaine est idéalement placé pour recevoir leurs bienfaits. Pour vous en convaincre, voici ce tuilé assoupli par l'élevage. Les senteurs de foudre et d'eau-de-vie de prune se poursuivent dans une bouche suave, où des notes de banane flambée sont entourées de vanille et de fruits confiturés. Cette douceur fondue plaira à un foie gras aux raisins ou à une cuisine exotique.

Marie-Valérie Sisqueille,
Ch. de Rey-Sisqueille, BP 6, 66140 Canet-en-Roussillon,
tél. 04.68.80.31.45, fax 04.68.73.06.79,
e-mail marie-valerie.sisqueille@wanadoo.fr r.-v.

CH. DE SAÜ Ambré Hors d'âge ★★

2,8 ha 2 500 15 à 23 €

Le rivesaltes peut être millésimé ou issu de millésimes assemblés qui garantissent qualité et régularité du produit. C'est tout cet art que maîtrise Hervé Passama, jouant sa partition avec les seuls grenaches gris. Un savoir-faire reconnu. Ce hors d'âge, à l'ambré roux, aux senteurs mêlées de foudre, d'abricot sec et de début de rancio est remarquable en bouche ; ample, gras, onctueux, il explose au palais, entre miel et épice, cannelle et figue sèche et surtout avec une touche de cacao accompagnant l'eau-de-vie de noix. Un réel plaisir.

Hervé Passama, Ch. de Saü, 66300 Thuir,
tél. 04.68.53.21.74, fax 04.68.53.29.07,
e-mail chateaudesau@aol.com
t.l.j. sf dim. 10h-12h 16h-19h E

DOM. DES SCHISTES Hors d'âge Solera ★★

7 ha 3 000 11 à 15 €

Au débouché d'un parcours sinueux, l'Agly prend ses aises à Estagel ; il accueille l'AOC maury et marque la limite des terroirs de Tautavel, Latour-de-France, et autre Maury. Un camp de base avancé et animé, à la limite de la garrigue et du maquis. La technique de la solera garantit un suivi du produit mais les nuances existent : ainsi cette cuvée joue sur le registre des fruits secs et d'un début de rancio. Une touche de noisette complète celle de l'abricot sec et adoucit une finale aux notes d'eau-de-vie de noix.

Jacques Sire, Dom. des Schistes, 1, av. Jean-Lurçat,
66310 Estagel, tél. 04.68.29.11.25, fax 04.68.29.47.17,
e-mail sire-schistes@wanadoo.fr r.-v. D

TERRASSOUS Tuilé Hors d'âge 1998 ★★

10 ha n.c. 5 à 8 €

En finissant de prononcer Terrats, il vous semble déjà entendre le bruit des cigales, celui du vent agitant les pins et les chênes, et percevoir l'odeur douce des cistes... Née sur la terrasse de cailloux roulés, cette cuvée se présente dans une robe encore profonde après six ans de fût. Intéressant, ce 1998 a gardé la fraîcheur de la cerise et du cassis et s'approche cependant des fruits cuits et des notes toastées. La bouche épicée évoque le fruit mûr ; la figue apparaît ainsi que de belles notes torréfiées jusque dans une finale réglissée. **Le Parfum de Terrassous Ambré 2001 (8 à 11 €)** obtient une étoile pour sa fraîcheur et son élégance.

SCV Les Vignerons de Terrats, BP 32,
66302 Terrats, tél. 04.68.53.02.50, fax 04.68.53.23.06,
e-mail scv-terrats@wanadoo.fr
t.l.j. sf dim. 8h30-12h 14h-18h30

TORRE DEL FAR 2001 ★

5 ha 20 000 8 à 11 €

Tautavel fait partie des terroirs d'exception qui auraient leur place dans la hiérarchie des vins français. Bien sûr pour la qualité de son terroir. C'est sur ce site que furent mis au jour les restes qui ont permis de reconstituer l'Homme de Tautavel qui vivait ici il y a 450 ans. Créée en 1927, la coopérative propose un vin doux naturel grenat profond, très aromatique, avec des notes de cerise, de mûre et de fruits en confiture. La bouche généreuse, suave, est tout en fruit, charnue et parfaitement équilibrée. Le volume et la touche finement grillée du grenache n'attendent que le chocolat. La meilleure expression du savoir-faire de l'équipe du président Monzo !

Les Maîtres Vignerons de Tautavel,
24, av. Jean-Badia, 66720 Tautavel,
tél. 04.68.29.12.03, fax 04.68.29.41.81,
e-mail vignerons.tautavel@wanadoo.fr
t.l.j. 9h-12h 14h-18h

DOM. DU VIEUX CHÊNE
Excellence Haut Valoir 1977 ★

1 ha 2 000 38 à 46 €

Terres noires, ocres du pliocène, rouge de l'argilo-calcaire : au mas, vous pouvez découvrir la couleur des terroirs. Vous aurez également une vue imprenable sur le blanc des neiges du Canigou, le vert sombre des pins et, en fond de tableau, sur le bleu de la Méditerranée. Ce 1977, dans sa robe café, affiche des arômes intenses et complexes de miel, de pruneau confit, de foin coupé et de vieux bois réglissé. Les fruits cuits et la touche de figue laissent en bouche le pas aux notes empyreumatiques et à une belle fraîcheur finale sur les fruits secs. Trente ans d'attente pour un festival aromatique.

Dom. du Vieux Chêne,
Mas Kilo, rte de Vingrau, 66600 Espira-de-l'Agly,
tél. 06.08.57.17.34, fax 04.68.38.95.79,
e-mail venise@hautvaloir.com r.-v.
Denis Sarda

VILAFORCA Hors d'âge Ambré ★

48 ha 6 000 5 à 8 €

Les collines du piémont du Canigou sont le paradis des cyclistes : petites routes sinueuses, forêts de chênes et, en récompense, la fraîcheur accueillante de charmants villages, tel Fourques environné de vignes et de forêt. Ce Hors d'âge ? Le vin s'est adouci et a acquis le vieil or lié à la patine du temps, le nez complexe, lacté, miellé, glissant sur les agrumes et le coing. La bouche offre du volume et un superbe fondu dans un équilibre doux où reviennent l'orange amère et un début de fruits secs. La finale est relevée par la fraîcheur d'une note d'eau-de-vie de noyau. À servir à l'apéritif avec des fruits secs ou une tarte aux abricots.

SCA Les Vignerons de Fourques,
1, rue des Taste-Vin, 66300 Fourques,
tél. 04.68.38.80.51, fax 04.68.38.89.65,
e-mail vigneronsdefourques@wanadoo.fr
t.l.j. sf dim. 14h-18h; sam. 9h-12h

Muscat-de-rivesaltes

Sur l'ensemble du terroir des rivesaltes, maury et banyuls, le vigneron peut élaborer du muscat-de-rivesaltes, lorsque l'encépagement se compose à 100 % de cépages muscat. La superficie de ce vignoble représente 5 340 ha, pour une production de 104 863 hl en 2005. Les deux cépages autorisés sont le muscat à petits grains et le muscat d'Alexandrie. Le premier, souvent appelé muscat blanc ou muscat de Rivesaltes, est précoce et se plaît dans des terrains relativement frais et si possible calcaires. Le second, appelé aussi muscat romain, est plus tardif et très résistant à la sécheresse.

La vinification s'opère soit par pressurage direct, soit avec une macération plus ou moins longue. La conservation se fait obligatoirement en milieu réducteur, pour éviter l'oxydation des arômes primaires. Les vins sont liquoreux, avec 100 g minimum de sucre par litre. Ils sont à boire jeunes, à une température de 9 ° à 10 °C. Ils accompagnent parfaitement les desserts : tartes au citron, aux pommes ou aux fraises, sorbets, glaces, fruits, touron, pâte d'amandes... ainsi que le roquefort.

CH. AVERNUS 2005 ★★

30 ha 40 000 8 à 11 €

Sise à deux pas du célèbre musée de la Préhistoire, la cave des vignerons de Tautavel est l'un des fleurons de l'appellation. Le millésime 2005, à base de muscat à petits grains (80 %) est particulièrement réussi. Sa robe est brillante, claire avec des reflets verts. À la finesse du nez (fleur d'acacia, poire fraîche) succède une bouche tout en élégance et en fraîcheur. La finale aux notes de rose et de pamplemousse est finement acidulée.

Les Maîtres Vignerons de Tautavel,
24, av. Jean-Badia, 66720 Tautavel,
tél. 04.68.29.12.03, fax 04.68.29.41.81,
e-mail vignerons.tautavel@wanadoo.fr
t.l.j. 9h-12h 14h-18h

DOM. BERTRAND-BERGÉ 2005 ★★

2 ha 4 500 8 à 11 €

Les sols argilo-calcaires des Corbières sont un terroir de prédilection pour le muscat à petits grains. La cuvée de ce domaine régulièrement sélectionné dans le Guide est cette année tout à fait remarquable. Dans sa robe d'or vert brillant, elle exhale des parfums finement végétaux de bourgeon de cassis, de pêche verte et d'agrumes frais. L'attaque est charnue, l'équilibre plaisant et la persistance agréable sur des notes de fruits exotiques.

Dom. Bertrand-Bergé,
av. du Roussillon, 11350 Paziols,
tél. 04.68.45.41.73, fax 04.68.45.03.94,
e-mail bertrand-berge@wanadoo.fr
t.l.j. 9h-12h 14h-19h
Jérôme Bertrand

(D.) DE BLANES 2004 ★

n.c. 5 000 8 à 11 €

Cultivée sur les coteaux schisteux, environnée d'oliviers centenaires, la vigne trouve ici un terroir de prédilection. Vêtu d'une belle robe d'or jaune brillant, le muscat du domaine est à la fois intense et complexe, déclinant des arômes de cédrat confit, de rose et de géranium. Ample et élégant en bouche, il s'épanouit sur des notes de fleurs, d'abricot et de citron confits.

Dom. de Blanes,
Mas Blanes, 66370 Pézilla-La-Rivière,
tél. 04.68.92.00.51, fax 04.68.38.08.90,
e-mail mariebories@aol.com r.-v.
Bories

DOM. BOUDAU 2005

10 ha 20 000 8 à 11 €

Valeur sûre du Guide, coup de cœur l'année dernière, ce domaine y figure toujours en bonne place. La robe de ce 2005 est or jaune aux reflets verts. Le nez puissant est dominé par des notes d'alcool de poire et des nuances de fruits exotiques. La bouche finement acidulée est marquée par des arômes d'eau-de-vie de mirabelle et d'agrumes.

Dom. Boudau, 6, rue Marceau, 66600 Rivesaltes,
tél. 04.68.64.45.37, fax 04.68.64.46.26,
e-mail domaineboudau@wanadoo.fr
t.l.j. sf dim. 10h-12h 15h-19h

CH. DE CALADROY 2005

3 ha 6 000 5 à 8 €

Dans un site superbe, le château élève ses murailles datant du XIIe s. C'est dans la chapelle, reconvertie en caveau de vente, que l'on peut déguster ce 2005 à la robe légère, tout en finesse avec ses notes de fleur d'acacia, de pamplemousse, de pêche et d'abricot. Un vin d'une belle fraîcheur dans lequel se retrouve toute la subtilité du muscat à petits grains.

SCEA Ch. de Caladroy, 66720 Bélesta,
tél. 04.68.57.10.25, fax 04.68.57.27.76,
e-mail chateau-caladroy@wanadoo.fr
t.l.j. sf sam. dim. 8h-12h 13h30-17h30
Mezerette

VIGNOBLE CASENOVE 2005 ★

2,8 ha 4 000 5 à 8 €

Les schistes de Montner, plus le muscat à petits grains, plus le savoir-faire d'un vigneron de talent égalent... un vin à la robe d'or vert brillant, aux arômes mêlant fruits exotiques, fleurs fraîches, verveine et bourgeon de cassis ; le tout d'une expression affirmée et d'une belle harmonie d'ensemble.

Christian Casenove, 15, rue des Mimosas,
66720 Montner, tél. et fax 04.68.29.05.89 r.-v.

CH. LA CASENOVE 2003 ★

3 ha n.c. 11 à 15 €

Ce domaine familial vit dans le respect des productions traditionnelles. Le muscat 2003 en est un exemple très réussi. La robe jaune doré montre des reflets cuivrés. Les arômes sont élégamment évolués, comme le révèlent les notes de miel et de confiture de pastèque à l'orange. La bouche est ample et longue. On imagine fort bien l'ensemble en compagnie d'une fougasse aux cheveux d'ange (pâtisserie traditionnelle catalane).

Etienne Montès, Ch. La Casenove, 66300 Trouillas,
tél. 04.68.21.66.33, fax 04.68.21.77.81,
e-mail chateau.la.casenove@wanadoo.fr
t.l.j. 10h-12h 16h-19h

DOM. CAZES 1994 ★★

	20 ha	2 000	■ 23 à 30 €

Un muscat de plus de dix ans ! Il n'y a que le domaine Cazes pour oser une telle « hérésie ». Et ce, pour le plus grand plaisir de l'œnophile averti. Le bonheur commence avec la somptuosité de la robe vieil or aux reflets orangés. Vient ensuite l'explosion des arômes : verveine, gentiane, miel, mandarine confite, figue sèche et pain d'épice. Sans parler du volume et de la longueur en bouche ! Une autre façon de concevoir le muscat.

Dom. Cazes, 4, rue Francisco-Ferrer, BP 61, 66602 Rivesaltes, tél. 04.68.64.08.26, fax 04.68.64.69.79, e-mail info@cazes-rivesaltes.com ☑ Ɪ ⅄ r.-v.

CLOS ORLINE 2005 ★★

	7 ha	10 000	■ 5 à 8 €

Le domaine est situé aux portes de Perpignan. Remarquable performance du millésime 2005 qui se voit attribuer un coup de cœur. La robe est d'or pâle brillant. Le nez exhale des parfums intenses et complexes de mangue, d'agrumes confits et d'alcool de poire. La bouche apparaît délicate, finement mentholée et exotique. Une pointe de vivacité agréable participe d'un équilibre particulièrement réussi.

Jean-Marie Soulage, Mas Orline, 3202 chem. de Mailloles, 66000 Perpignan, tél. 04.68.85.01.42, fax 04.68.68.03.54

CH. LAS COLLAS 2004 ★

	2,5 ha	5 000	■ 8 à 11 €

Dans la lignée des millésimes précédents, le domaine propose un beau vin classique aux élégantes notes d'évolution. Le vieil or illumine la robe. Les arômes d'orange confite et de miel sont intenses. La bouche est ample, liquoreuse et d'une longueur notable. Un muscat qui réjouira les amateurs de tradition.

Jacques Bailbé, Ch. Las Collas, 66300 Thuir, tél. et fax 04.68.53.40.05, e-mail chateau.las.collas@wanadoo.fr ☑ Ɪ ⅄ r.-v.

DOM. DE LA COUME DU ROY 2005 ★

	4 ha	5 500	■ 11 à 15 €

Ce domaine est spécialisé dans la commercialisation de vieux millésimes de maury. Sur ce terroir d'exception, il produit également un muscat d'excellente facture. La robe jaune pâle de ce 2005 montre des reflets argentés. Le nez élégant associe les fleurs, les agrumes, les fruits exotiques. L'attaque est fraîche ; la bouche se déploie ensuite avec ampleur et s'épanouit en une finale d'agrumes et de fruits à chair blanche.

A. de Volontat-Bachelet, Dom. de la Coume du Roy, 13, rte de Cucugnan, 66460 Maury, tél. et fax 04.68.59.67.58, e-mail devolontatbachelet@lacoumeduroy.com ☑ Ɪ ⅄ r.-v.

CROIX-MILHAS 2005 ★★

	60 ha	200 000	■ 3 à 5 €

Une marque de négoce déjà remarquée dans le Guide. La cuvée 2005, d'un jaune doré brillant, libère des notes intenses de fruits exotiques, de pamplemousse et de rose avec une pointe minérale. L'attaque est fraîche, la rondeur agréable et l'équilibre particulièrement plaisant. Un grand vin doux naturel à tout petit prix !

SIVIR, 1870, av. Julien-Panchot, BP 19908, 66962 Perpignan Cedex 09, tél. 04.68.85.77.07, fax 04.68.85.77.00, e-mail sivir@sivir.fr

DOM. FONTANEL L'Âge de Pierre 2005 ★

	4 ha	9 000	■ 8 à 11 €

Le nom de cette cuvée rappelle l'ancienneté de la présence de l'homme à Tautavel (les restes de l'*Homo erectus* remontent à 450 000 ans). Depuis 1989, ce domaine prend part à la notoriété de la région, notoriété confirmée par ce vin à la robe d'or pâle brillant de reflets verts. Les arômes fins et d'une grande complexité égrènent des notes de tilleul, de mimosa, de mandarine fraîche, de pain d'épice et de cédrat confit. La bouche est d'une belle sincérité, acidulée et moelleuse. Beaucoup de sève et de délicatesse pour un muscat de grande classe.

Dom. Fontanel, 25, av. Jean-Jaurès, 66720 Tautavel, tél. 04.68.29.04.71, fax 04.68.29.19.44, e-mail domainefontanel@hotmail.com ☑ Ɪ ⅄ t.l.j. 10h30-12h30 14h-19h

DOM. FORÇA REAL 2004 ★

	n.c.	n.c.	■ 5 à 8 €

La colline de Força Real est l'un des sites remarquables du Roussillon. Surmontées de son ermitage, ses pentes orientées vers le sud forment un terroir de haute expression, témoin, ce muscat 2004. La robe est joliment paillée, et les arômes puissants évoquent le miel, le tilleul, la fleur d'oranger et la citronnelle. Liqueur et fraîcheur sont harmonieusement dosées dans un vin tout en élégance. (Bouteilles de 50 cl.)

Dom. Força Real, Mas de la Garrigue, 66170 Millas, tél. 04.68.85.06.07, fax 04.68.85.49.00, e-mail info@forcareal.com ☑ Ɪ ⅄ r.-v.

Henriques

DOM. DE LA GRANGE 2005 ★

	5 ha	10 000	■ 5 à 8 €

Une découverte que ce domaine des Corbières où le muscat à petits grains s'exprime si bien sur les terroirs argilo-calcaires. La couleur est d'or pâle brillant, les arômes intenses ont des accents de fruits à chair blanche, de fruits exotiques, de cannelle et de vanille. Rond et long en bouche, ce 2005 s'achève sur une délicate note de citronnelle.

GAEC Dell'Ova Frères, Cabanes de La Palme, BP 5, 11480 Lapalme, tél. 04.68.48.17.88, fax 04.68.48.24.59 ☑ Ɪ ⅄ r.-v.

DOM. DES HOSPICES DE CANET 2005 ★

	3 ha	8 000	■ 5 à 8 €

Au cœur du vieux village de Canet, la cave est située dans les anciens hospices, alors que les vignes s'étendent sur les terrasses caillouteuses qui dominent la mer. Un vignoble de tradition pour un vin très élégant à la robe d'or pâle et aux arômes d'une grande finesse. Fruits exotiques, pêche, abricot et fleurs blanches dominent au nez. La bouche, fraîche et onctueuse, offre une belle persistance aromatique sur des notes délicatement végétales.

GAEC Benassis-Lavail, 5, imp. de l'Hort, 66140 Canet-en-Roussillon, tél. 04.68.80.34.14, e-mail culturevin@wanadoo.fr r.-v.

DOM. LAFAGE Grain de Vignes 2005 ★

5 ha 10 000 8 à 11 €

Une belle constance dans la qualité pour ce domaine mené depuis 1995 par un couple d'œnologues talentueux. La robe brillante de ce Grain de Vignes se pare d'or jaune aux reflets nacrés. Les fragrances de fruits exotiques et de fleurs sont puissantes. L'attaque est fraîche et l'équilibre harmonieux sur des notes d'agrumes frais.

SCEA Dom. Jean-Marc Lafage, Mas Durand, 66140 Canet-en-Roussillon, tél. 04.68.80.35.82, fax 04.68.80.38.90, e-mail domaine.lafage@wanadoo.fr r.-v.

DOM. DU MAS BÉCHA Tradition 2003

9 ha 20 000 8 à 11 €

D'une belle couleur jaune clair aux reflets verts, ce 2003 exhale des arômes d'une étonnante jeunesse : rose, litchi, pêche blanche, bonbon acidulé à l'orange. Bien équilibré en bouche, moelleux et vif à la fois, il finit sur des notes d'ananas frais.

Perez, SARL Dom. du Mas Bécha, 1, av. de Pollestres, 66300 Nyls-Ponteilla, tél. 04.68.56.23.64, fax 04.68.56.23.65, e-mail hachette2007@masbecha.com r.-v.

DOM. LES MILLE VIGNES 2003 ★

1 ha 5 200 23 à 30 €

La parcelle n'avait que mille pieds (d'où le nom du domaine) lors de l'achat de la propriété. Elle est récoltée dans une ambiance amicale par les « vendangeurs de la violette » qui se voient attribuer un diplôme lors du traditionnel banquet des vendanges. Le millésime 2003 présente une robe d'or brillant ; il exhale des arômes de miel, de tilleul et de confiture de pêches. La bouche est nerveuse et d'une belle longueur sur des notes de verveine. (Bouteilles de 50 cl.)

J. et G. Guérin, Dom. Les Mille Vignes, 24, av. Saint-Pancrace, 11480 Lapalme, tél. et fax 04.68.48.57.14 r.-v.

DOM. MOUNIÉ 2005 ★★

3 ha 7 000 8 à 11 €

Une robe d'or pâle brillant, un nez intense et complexe où se mêlent harmonieusement la rose, le tilleul, la clémentine et le kumquat confits... le tout servi par un équilibre rare, fait de fraîcheur, d'onctuosité et d'un léger perlant. Une longueur superbe sur des notes exotiques et de pêche blanche. Tels sont les atouts de ce muscat d'une réelle personnalité.

Dom. Mounié, 1, av. du Verdouble, 66720 Tautavel, tél. 04.68.29.12.31, fax 04.68.29.05.59, e-mail domainemounie@free.fr r.-v.
Claude Rigaill

CH. DE NOUVELLES Cuvée Prestige 2005 ★

7 ha 15 000 8 à 11 €

Dans ce site majestueux des Corbières, la famille Daurat-Fort travaille le domaine depuis six générations. La propriété comporte des ruines d'un château féodal du XII[e]s. Son muscat est l'une des valeurs sûres du Guide. Le millésime 2005 ne déroge pas à la règle. Toujours léger, il affiche une couleur brillante aux reflets verts. Ses arômes évoquent les fruits à chair blanche, la verveine, le tilleul, la menthe fraîche et la citronnelle. À ce joli bouquet répond une bouche tout en finesse et en vivacité.

SCEA R. Daurat-Fort, Ch. de Nouvelles, 11350 Tuchan, tél. 04.68.45.40.03, fax 04.68.45.49.21, e-mail daurat-fort@terre-net.fr
t.l.j. sf. sam. dim. 9h-12h 14h-18h

DOM. PARCÉ L'Exotisme 2005 ★

4,6 ha 5 000 5 à 8 €

Élaboré à base de muscat à petits grains planté dans la région des Aspres, L'Exotisme nous fait voyager dans un univers de légèreté. Sa robe d'or pâle aux reflets verts annonce un vin tout en fraîcheur. Les arômes évoquent le fruit frais (abricot, litchi, agrumes) assorti de nuances de fleurs d'amandier. La bouche est d'un équilibre extrêmement plaisant, vif et léger.

EARL A. Parcé, 21 ter, rue du 14-Juillet, 66670 Bages, tél. 04.68.21.80.45, fax 04.68.21.69.40, e-mail vinsparce@aol.com r.-v.

ROUSSILLON

CH. PEYRESTORTES 2004 ★★

15 ha 18 000 8 à 11 €

La marque est liée à la présence d'un château du XI[e]s. dans lequel on a retrouvé des traces d'une cave de vinification. La robe de ce 2004 est d'un vieil or intense et brillant. Les arômes puissants et originaux mêlent des notes iodées, du kumquat confit, de la rose et du géranium. L'équilibre en bouche est très réussi, à la fois frais et liquoreux, prolongé par une remarquable finale sur des notes de miel d'acacia.

Les Collines de l'Agly, 39, rue Thiers, 66600 Espira-de-l'Agly, tél. 04.68.64.17.54, fax 04.68.64.10.76
t.l.j. sf dim. 8h30-12h 14h-18h

CH. PÉZILLA Cuvée Prestige 2005 ★

170 ha 15 000 5 à 8 €

Cette cuvée est récoltée sur des sols de colluvions schisteuses. Sa robe d'or pâle s'anime de reflets d'argent. Son nez, tout d'abord discret, se révèle ensuite sur des notes de menthol et d'agrumes. L'attaque en bouche, ronde et agréable, dévoile des arômes de citron vert, de pamplemousse, d'alcool de poire et de menthe fraîche jusque dans une plaisante finale acidulée.

Les Vignerons de Pézilla, 1, av. du Canigou, 66370 Pézilla-la-Rivière, tél. 04.68.92.00.09, fax 04.68.92.49.91, e-mail scv.pezilla@wanadoo.fr r.-v.

CH. LES PINS 2004 ★★

4 ha 12 000 8 à 11 €

Cités pour leur cuvée **Dom Brial 2004 (5 à 8 €)**, les Vignerons de Baixas vous enchanteront avec cette superbe cuvée du Château Les Pins, l'un des fleurons de la cave. La robe est or jaune. Les arômes puissants font la part belle à la rose et au fruit de la Passion. En bouche, toute la somptuosité de la liqueur se révèle, soutenue par une grande fraîcheur. La finale d'une rare intensité persiste sur des notes d'agrumes confits.

Cave de Baixas-Vignobles Dom Brial,
14, av. du Mal-Joffre, 66390 Baixas,
tél. 04.68.64.22.37, fax 04.68.64.26.70,
e-mail contact@dom-brial.com r.-v.

CH. ROMBEAU 2005

9,1 ha 16 000 8 à 11 €

Depuis des années, le muscat du domaine est un incontournable des sélections. Le millésime 2005 ne déroge pas à la règle. Beaucoup de fraîcheur à tous niveaux : la couleur (pâle aux reflets verts), les arômes (finement végétaux aux nuances de bourgeon de cassis) et la bouche d'une belle vivacité. Un excellent muscat d'apéritif.

SCEA Dom. de Rombeau,
P. de la Fabrègue, av. de la Salanque, 66600 Rivesaltes,
tél. 04.68.64.35.35, fax 04.68.64.64.66,
e-mail domainederombeau@wanadoo.fr
t.l.j. 8h-19h (20h l'été)

DOM. ROZÈS 2003 *

5 ha 15 000 8 à 11 €

Si la cave est située au cœur du village, les vignes, elles, sont plantées en bordure de la vallée de l'Agly. Dans sa robe paille brillante, ce millésime 2003 offre des nuances aromatiques finement évoluées : écorce d'orange confite, raisin surmûri. S'y mêlent des notes de menthol et de litchi. Expressif et suave en bouche, ce muscat évolue sur des arômes de pêche cuite et de vanille.

Dom. Rozès,
3, rue de Lorraine, 66600 Espira-de-l'Agly,
tél. 04.68.38.52.11, fax 04.68.38.51.38,
e-mail rozes.domaine@wanadoo.fr r.-v.

SEMPER 2005 **

1,07 ha 3 000 8 à 11 €

Déjà remarqué pour d'autres productions, le domaine entre pour la première fois dans le Guide avec son muscat. Le jury a apprécié la belle robe d'or vif, les arômes intenses de fruits exotiques, de fleurs, de citron et de menthol. Et que dire de la bouche ? Fraîche, enrobée, suave et d'un parfait équilibre... Un vin dans l'air du temps.

Dom. Paul et Geneviève Semper,
6, rte de Cucugnan, 66460 Maury,
tél. et fax 04.68.59.14.40,
e-mail domani.semper@wanadoo.fr r.-v.

LES VIGNERONS DE LA TAUTAVELLOISE 2005

n.c. 2 700 8 à 11 €

Pour la première fois cité, le muscat 2005 de cette coopérative à l'essor récent se pare d'une robe d'or clair aux reflets verts. Les arômes sont extrêmement fruités (melon, poire et fruits exotiques) mais également floraux (fleurs blanches, rose). L'attaque se montre fraîche, la bouche aérienne et la finale d'une amertume savoureuse.

Les Vignerons de la Tautavelloise,
rte de Paziols, 66720 Tautavel,
tél. 04.68.29.04.75, fax 04.68.29.14.04 r.-v.

DOM. LES TOURDELLES 2005 **

8,5 ha 2 000 5 à 8 €

Ce tout jeune domaine se fait dignement remarquer avec sa première cuvée. La robe apparaît très légère, dorée aux reflets verts. Les arômes, d'une belle intensité, sont extrêmement originaux. S'y mêlent menthe, verveine, résine et une pointe de feuille de géranium. La bouche est tout en vivacité. Un vin frais et plaisant, parfait à l'apéritif ou sur un dessert aux fruits. N'oubliez pas, après avoir rencontré les Majoral, de visiter l'église d'Estagel, du XII[e]s.

Jean-Louis Majoral, 3, imp. des Champs,
66310 Estagel, tél. et fax 04.68.29.08.87,
e-mail lestourdelles-majoral@wanadoo.fr r.-v.

VAQUER 2005 *

1,5 ha 3 300 8 à 11 €

Un vaste domaine d'un seul tenant sous la houlette d'une jeune femme dynamique et courageuse. Frédérique Vaquer signe un 2005 des plus réussis. La robe jaune clair aux reflets dorés dévoile un muscat aux arômes d'une belle fraîcheur (agrumes, poire, fruits exotiques). La bouche est expressive et élégante, la finale d'une bonne longueur sur des notes finement végétales.

Dom. Vaquer, 1-2, rue des Écoles, 66300 Tresserre,
tél. 04.68.38.89.53, fax 04.68.38.84.42,
e-mail domainevaquer@terre-net.fr r.-v.

Maury

L'aire de maury recouvre la commune de Maury, au nord de l'Agly, et une partie des communes limitrophes. Ce sont des collines escarpées couvertes de schistes noirs de l'aptien plus ou moins décomposés. On y a produit 11 064 hl de vin en 2005 sur 600 ha, à partir du grenache noir. La vinification se fait souvent par de longues macérations, et l'élevage permet d'affiner des cuvées remarquables.

D'un rouge profond lorsqu'ils sont jeunes, les vins prennent par la suite une teinte acajou. Le bouquet est d'abord très aromatique, à base de petits fruits rouges. Celui des vins plus évolués rappelle le cacao, les fruits cuits et le café. Les maury sont appréciés à l'apéritif et au dessert, et peuvent également se prêter à des accompagnements sur des mets à base d'épices et de sucre.

CROIX-MILHAS

60 ha 200 000 3 à 5 €

Le négoce est rare en Roussillon, anéanti par la concentration. L'effort de la SIVIR est donc plus que louable : à travers une gamme simple, cette maison résiste et décline sous le nom de Croix-Milhas les quatre AOC de vins doux naturels du Roussillon. Ici, l'approche est douce, le rouge tendre, velouté. Le vin est tout en fruit (cerise noire, cassis et mûre). Gourmand, le tanin soyeux, équilibré et finement épicé, il exprime toute la richesse veloutée du grenache noir en pays de Maury.

SIVIR, 1870, av. Julien-Panchot, BP 19908, 66962 Perpignan Cedex 09, tél. 04.68.85.77.07, fax 04.68.85.77.00, e-mail sivir@sivir.fr

LES VIGNOBLES OLIVIER DECELLE
Vieilli en foudre de chêne ★★

■ n.c. 40 000 5 à 8 €

Olivier Decelle a acquis le célèbre Mas Amiel (160 ha) en 1999. Il a proposé deux vins de sa propriété, le **Mas Amiel Vintage 2003 (11 à 15 €)**, deux étoiles, et le **Mas Amiel Vintage élevé en fût 2003 (11 à 15 €)**, une étoile ; il a également développé une activité de négoce et c'est cette cuvée qui a la vedette. Car ce maury vieilli en foudres en a surpris plus d'un ! Voilà un vin au rapport qualité-prix remarquable qui joue le charmeur avec une robe dépouillée, acajou, du plus bel effet, et qui s'impose par sa puissance aromatique. Jugez plutôt les commentaires : « café, figue sèche, cacao, réglisse, touche rancio, énorme intensité dans une jolie structure. » Ces sacrés vieux foudres du Mas Amiel vous réservent là une bien bonne surprise.

Les Vignobles Olivier Decelle, Mas Amiel, 66460 Maury, tél. 04.68.29.01.02, fax 04.68.29.17.82, e-mail lvod@wanadoo.fr t.l.j. 9h-12h 14h-17h

MAS DE LAVAIL Expression 2004 ★

■ 3 ha 8 500 8 à 11 €

La passion s'exprime partout, à la vigne, au chai, à l'accueil et elle se transmet : Nicolas, le fils, n'a rien à envier aux parents. Il est vrai que cette vallée de Maury est superbe, et qu'ici la vigne, quand on la comprend et qu'on l'aime, vous le rend bien ! L'élevage de douze mois en bois apporte à ce 2004 de la profondeur et des notes intenses de grillé et d'épice. Le fruit mûr charnu et kirsché joue avec le café et le chocolat noir enrobés par la note empyreumatique du fût. Un vin très bien élevé qui saura attendre plusieurs années un dessert chocolaté. Le **Mas de Lavail maury blanc 2004 (8 à 11 €)** aux notes d'abricot sec et de vanille est destiné à un apéritif convivial. Il obtient une étoile.

Nicolas Batlle, Dom. de Lavail, 18, rue Henri-Barbusse, 66460 Maury, tél. 04.68.59.15.22, fax 04.68.29.08.95, e-mail masdelavail@wanadoo.fr r.-v.

MAS KAROLINA K 2004 ★

■ 1 ha 3 600 8 à 11 €

Les vignerons, c'est bien connu, même en vacances, se baladent dans les autres vignobles. Séduite par Maury, la fille, Caroline, n'est pas repartie dans le Bordelais avec ses parents. Bien lui en a pris : installée en 2003 et déjà dans le Guide ! Beaucoup de rigueur et de technicité dans le travail pour ce jeune maury à la robe rouge profond, aux senteurs de mûre et de cerise noire accompagnées d'un soupçon d'eau-de-vie de noyau. Le fruité occupe la bouche de sa présence généreuse et solide. Un vin à oser sur un foie gras poêlé aux figues ; pour l'apéritif, un **Maury blanc (8 à 11 € la bouteille de 50 cl)** charmeur, frais et un brin sauvage : une citation.

Caroline Bonville, 29, bd de L'Agly, 66220 Saint-Paul-de-Fenouillet, tél. 06.20.78.15.77, fax 04.68.84.78.30, e-mail mas.karolina@wanadoo.fr r.-v.

LES VIGNERONS DE M
Vieille Réserve 1992 ★★

■ n.c. 3

Vous arrivez, les mains da de tire-bouchon, vous levez le bo et surprise, le grenache noir s'est l'ambré roux. C'est normal, aprè fût. Vous y découvrirez café, prun nante d'agrume confit et cette bouc ...levée par un tanin encore puissant autour de la figue sèche et de la noix. De préférence apportez votre gâteau aux noix ou un bon cigare cubain. Appréciez également le **Chabert de Barbera 1985 (30 à 38 €)** et ses vingt ans de fût. Il obtient une étoile.

SCAV Les Vignerons de Maury, 128, av. Jean-Jaurès, 66460 Maury, tél. 04.68.59.00.95, fax 04.68.59.02.88 r.-v.

DOM. POUDEROUX Hors d'âge ★★★

■ 2 ha 6 000 15 à 23 €

Que ce soit en maury jeune avec un **Vendange 2004 (11 à 15 €)** (étiquette noire et rouge), cité, ou en vin élevé, R. Pouderoux a la main sur le grenache noir. Voici qu'il s'invite également avec un **maury blanc (11 à 15 €)** à base de grenache, une étoile. Mais revenons à ce Hors d'âge rouge aux reflets tuilés qui enchante par ses senteurs intenses et mêlées de fruits rouges, de schiste chaud, de figue et de cacao. La bouche offre beaucoup d'ampleur, de rondeur ; l'élevage sous bois apporte sa touche à l'équilibre et enrobe cerise mûre et figue d'un nappage d'épices et de cacao.

Dom. Pouderoux, 2, rue Émile-Zola, 66460 Maury, tél. 04.68.57.22.02, fax 04.68.57.11.63, e-mail 123pou@wanadoo.fr r.-v.

ROUSSILLON

DOM. DES SCHISTES La Cerisaie 2004 ★★★

■ 3 ha 6 000 11 à 15 €

Quelle belle expression du grenache sur ce terroir si particulier de Maury qui a donné son nom au domaine ! La robe profonde et dense, flirte avec le noir. Mûre, réglisse, épices, un soupçon de cacao : le nez puissant et accueillant invite au plaisir de la bouche. Et là, l'attaque donne le ton ; le vin est ample, généreux, charnu. Le fruit domine ; la cerise se croque, finement enrobée d'un grillé suave. L'équilibre parfait appelle la forêt noire et l'exercice pourra être renouvelé pendant au moins dix ans.

Jacques Sire, Dom. des Schistes, 1, av. Jean-Lurçat, 66310 Estagel, tél. 04.68.29.11.25, fax 04.68.29.47.17, e-mail sire-schistes@wanadoo.fr r.-v.

LE POITOU ET LES CHARENTES

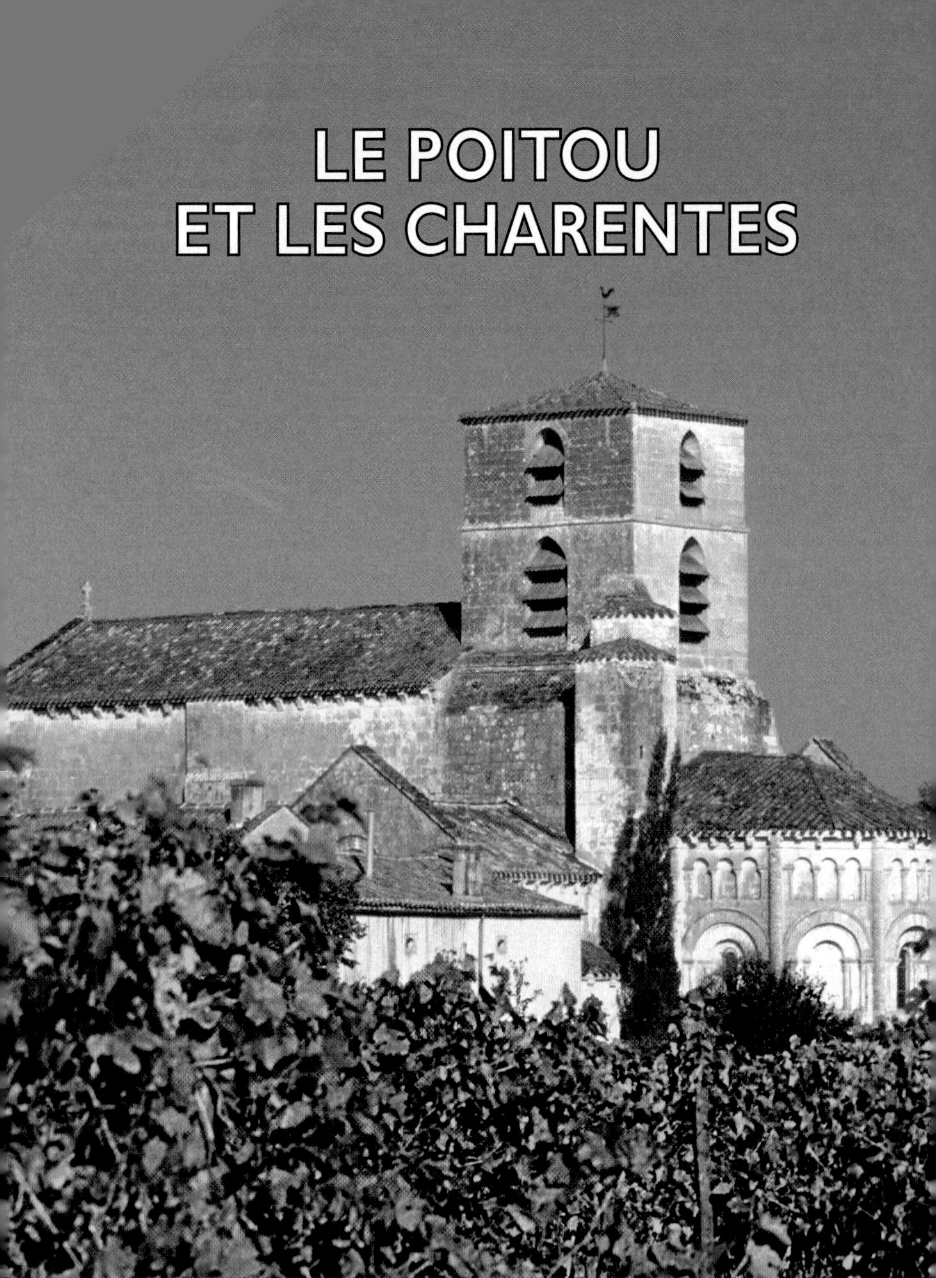

POITOU-CHARENTES

À l'ouest, la Vendée ; au nord-ouest, l'Anjou ; au nord-est, la Touraine ; à l'est, les plateaux du Limousin ; au sud, le Bassin aquitain. Géologiquement, le Poitou, enserré entre les terrains primaires du Massif armoricain et du Massif central, fait communiquer les deux grands bassins sédimentaires du territoire français, le Bassin parisien et le Bassin aquitain : d'où le nom de seuil du Poitou. Ses terrains jurassiques sont de nature sédimentaire, tout comme ceux, au sud, des pays charentais, auréoles crétacées et tertiaires du Bassin aquitain. La région est marquée par des paysages de plaines en Poitou, plus ondulés en Charente, où les sols prennent çà et là la couleur blanchâtre du calcaire.

La région administrative comprend quatre départements : la Vienne, les Deux-Sèvres, la Charente et la Charente-Maritime. D'un point de vue viticole, elle s'identifie à son vignoble principal, celui du cognac, qui s'étend sur les deux Charentes, avec une incursion en Dordogne. Ce n'est pas le seul ; le vignoble du Saumurois pousse une pointe en Poitou-Charentes, tout au nord des Deux-Sèvres, dans la plaine de Thouars. Et au nord-est de Poitiers, vers Neuville, subsistent des lambeaux du vignoble du Poitou, dont les vins, au XII^{e}s., dépassaient en notoriété ceux du Bordelais.

Son climat océanique très doux, souvent ensoleillé en été ou à l'arrière-saison, avec de faibles écarts de températures qui permettent une lente maturation des raisins, rapproche la région Poitou-Charentes de l'Aquitaine. C'est tout aussi vrai de l'histoire. Dès l'époque gallo-romaine, les pays des Pictaves et des Santones ont été rattachés à la même province que Bordeaux, et à partir du X^{e}s., Aquitaine et Poitou ont été réunis sous un même duché, avant de devenir partie intégrante, au milieu du XII^{e}s., du grand royaume Plantagenêt, comprenant Aquitaine, Poitou, Anjou et Angleterre. Leur histoire viticole présente ainsi bien des traits communs, quoique les époques de prospérité n'aient pas toujours coïncidé.

Aux temps gallo-romains, malgré l'éclat de Saintes et de Poitiers, nul indice d'une viticulture prospère dans la région, alors que Bordeaux possède déjà des vignobles réputés. C'est au Moyen Âge que le vignoble poitevin s'épanouit. Sa viticulture a un caractère hautement spéculatif : elle est suscitée par l'essor des villes de l'Europe du Nord et par le renouveau de la navigation maritime. Ce nouveau patriciat urbain veut consommer du vin. Des navires, plus gros et plus perfectionnés qu'auparavant, partent en quête de la boisson aristocratique. Les Poitevins répondent à cette demande. On plante en quantité dans les diocèses de Poitiers et de Saintes : vins de la Rochelle, de Ré et d'Oléron, vins de Niort, vins de Saint-Jean d'Angély, vins d'Angoulême.... Fondée par Guillaume X et protégée par les ducs d'Aquitaine, La Rochelle est l'un des principaux ports d'expédition, mais le moindre port de rivière profite de ce commerce. On appelle aussi vins du Poitou les produits nés dans les régions voisines de l'Aunis, de la Saintonge et de l'Angoumois – les provinces historiques situées sur le territoire actuel des deux Charentes.

Si la prise de La Rochelle par le roi de France, en 1224, ferme aux vins du Poitou le marché anglais qui achète désormais des clarets bordelais, la soif des autres régions de l'Europe du Nord permet aux vignobles de la région de survivre. La Hollande devient leur principal débouché, surtout après 1579, quand les Provinces-Unies prennent leur indépendance et s'affirment comme une puissance maritime et commerciale. Les Hollandais apprécient les vins blancs doux. Néanmoins, la production de la région devenue pléthorique voyage mal. Les négociants hollandais trouvent la solution : le *brandwijn*, ou eau-de-vie. Grâce à la distillation, ils remédient non seulement à la surproduction mais parviennent à valoriser des vins faibles. Une opération tellement intéressante que l'alambic se répand dans les campagnes de l'Aunis et de la Saintonge.

Cette eau-de-vie est devenue cognac, dont la notoriété s'est affirmée aux XVIII^{e}s. et XIX^{e}s. La crise phylloxérique, si elle a suscité l'essor des alcools de grains, n'a pas ruiné durablement le vignoble charentais, qui bénéficiait d'un grand prestige, consacré par une AOC dès 1909. En revanche, le vignoble poitevin, resté très étendu mais dont la réputation avait pâli, a failli disparaître complètement du paysage viticole.

Haut-poitou AOVDQS

Le docteur Guyot rapporte, en 1865, que le vignoble de la Vienne représente 33 560 ha. De nos jours, outre le vignoble du nord du département, rattaché au Saumurois, et une enclave dans les Deux-Sèvres, le seul intérêt porté à la vigne se situe autour des cantons de Neuville et de Mirebeau. Marigny-Brizay est la commune la plus riche en viticulteurs indépendants. Les autres se sont regroupés pour former la cave de Neuville-de-Poitou. Les vins du haut Poitou ont produit 26 965 hl en 2005 dont 15 007 en blanc sur une surface déclarée de 469 ha. Le haut Poitou est en passe de demander l'accession à l'appellation d'origine contrôlée.

Les sols du plateau du Neuvillois, évolués sur calcaires durs et craie de Marigny ainsi que sur marnes, sont propices aux différents cépages de l'appellation ; le plus connu d'entre eux est le sauvignon (blanc).

DOM. DU CENTAURE Gamay 2005 ★

■ 0,5 ha 2 300 ▮ 3 à 5 €

Une couleur intense brille dans le verre, signe de la concentration de la vendange de gamay. Quoique timide encore, le vin libère des arômes francs de fruits confiturés auxquels se mêlent des notes fumées. Des sensations qui se confirment au palais, en accompagnement d'une chair ronde et souple, suffisamment persistante. Les tanins ne montrent aucune agressivité, ce qui autorise une dégustation dès aujourd'hui et dans les deux ans à venir.

Gérard Marsault, EARL du Centaure, 4, rue du Poirier, 86380 Chabournay, tél. 05.49.51.19.39, e-mail gm86@wanadoo.fr
t.l.j. 17h-19h

CAVE DU HAUT-POITOU
La Légende Chardonnay 2005

64 ha 100 000 ▮ 3 à 5 €

La cave coopérative a été créée en 1948, soit bien avant que le VDQS haut-poitou ne soit reconnu (1970). Jaune intense à reflets dorés, ce vin affiche des arômes complexes de fruits blancs, relevés d'une pointe de fumée. La bouche laisse une bonne impression par sa souplesse, son équilibre et sa fraîcheur. À découvrir sans tarder. Cités également : le **Château de Brizay sauvignon 2005 blanc (5 à 8 €)** et le **Château La Fuye cabernet franc 2005 rouge (5 à 8 €)**.

SA Cave du Haut-Poitou, 32, rue Alphonse-Plault, 86170 Neuville-de-Poitou, tél. 05.49.51.21.65, fax 05.49.51.16.07, e-mail c-h.p@wanadoo.fr
r.-v.

DOM. DES LISES Cabernet franc 2005

■ 1 ha 5 000 ▮ 3 à 5 €

Fille de vigneron et œnologue, Pascale Bonneau a repris le domaine paternel en 1995. Vous la rencontrerez dans son chai à l'entrée de Mirebeau, village médiéval, et découvrirez ce vin de cabernet franc vêtu d'un rouge soutenu à reflets violacés. Celui-ci évoque avec subtilité les fruits rouges et noirs, notamment le cassis. Il est vif, équilibré et fruité au palais.

🔑 Pascale Bonneau,
21, rue Nationale, 86110 Mirebeau,
tél. 05.49.50.53.66, fax 05.49.50.90.50,
e-mail domainedeslises@wanadoo.fr
☑ 🍷 🚶 t.l.j. (été) sf dim. 10h-19h; t.l.j. (hiver) 18h-19h et sam. 10h-12h30 15h-19h

DOM. DE LA ROTISSERIE

Cabernet franc 2005 ★

■ 2 ha 7 200 ▮ 5 à 8 €

Le four de la cave, creusé dans la craie tuffeau et qui servait à la cuisson de la nourriture des villageois, est l'emblème de l'exploitation. Jacques Baudon a produit un vin d'un rouge violacé qui rappelle les fruits compotés, la griotte et le bourgeon de cassis. Ces arômes se mêlent à la chair ronde, aux tanins bien enrobés.

🔑 Jacques Baudon, 35, rue de l'Habit-d'Or,
86380 Marigny-Brizay, tél. 05.49.52.09.02,
fax 05.49.37.11.44
☑ 🍷 🚶 t.l.j. 8h-12h 14h-19h, sam. et dim. sur r.-v.

DOM. LA TOUR BEAUMONT

Gamay 2005 ★

■ 3,5 ha 15 000 ▮ 3 à 5 €

Situé à 6 km du Futuroscope de Poitiers, ce domaine familial de 14 ha propose un 2005 de teinte soutenue, presque noire. Celui-ci dévoile des arômes typiques du gamay, avec une dominante de bonbon anglais. Il tapisse le palais de sa matière ronde et ample, très aromatique et épicée. Les tanins légers et soyeux se font oublier. Le **Domaine La Tour Beaumont chardonnay 2005** obtient la même note pour sa fraîcheur fruitée (agrumes), nuancée de notes florales et minérales.

🔑 Gilles et Brigitte Morgeau, 2, av. de Bordeaux,
86490 Beaumont, tél. 05.49.85.50.37,
fax 05.49.85.58.13 ☑ 🍷 🚶 t.l.j. sf dim. 14h-18h

DOM. DE VILLEMONT Sauvignon 2005

□ 1,9 ha 14 500 ▮ 3 à 5 €

Si vous fréquentez les salons du vin, vous rencontrerez peut-être Rodolphe et Virginie Bourdier, les enfants des propriétaires de ce domaine de 17 ha. Ils vous proposeront ce 2005 d'un jaune pâle, typique du sauvignon par ses arômes, qui laisse à la fois une impression de richesse et de légèreté. Le **cabernet 2005** est cité également pour sa souplesse et ses arômes fruités.

🔑 Alain Bourdier,
6, rte de l'Ancienne Commune,
Seuilly, 86110 Mirebeau,
tél. 05.49.50.51.31, fax 05.49.50.96.71,
e-mail domaine-de-villemont@wanadoo.fr
☑ 🍷 🚶 t.l.j. sf dim. 9h30-12h30 14h-18h30; f. 1-15 janv.

Le Poitou-Charentes

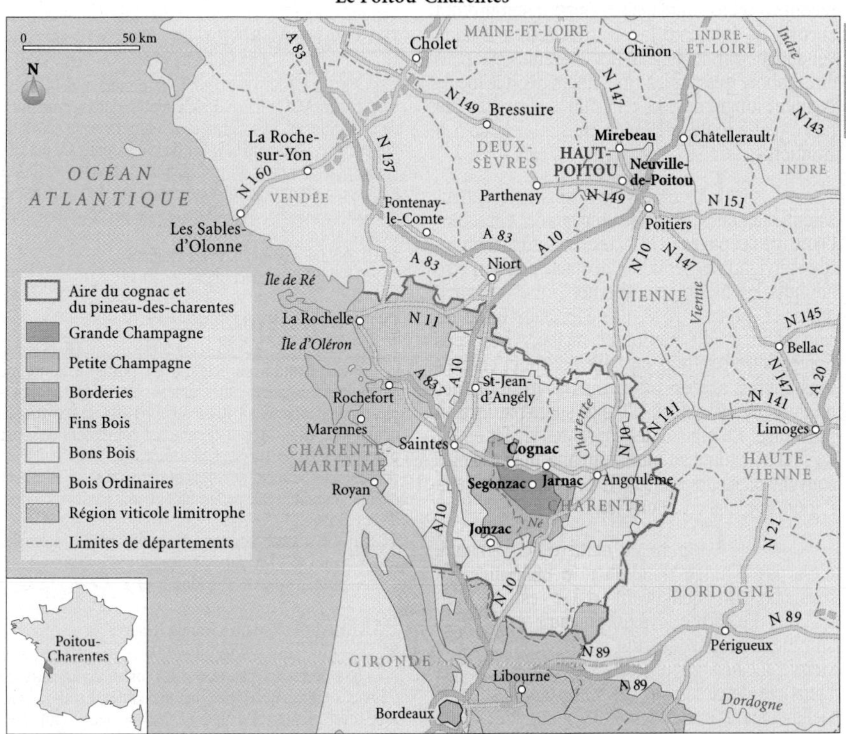

Vins de liqueur des Charentes

Pineau-des-charentes

Le pineau-des-charentes est produit dans la région de Cognac qui forme un vaste plan incliné d'est en ouest d'une altitude maximum de 180 m, et qui s'abaisse progressivement vers l'océan Atlantique. Le vignoble, traversé par la Charente, est implanté sur des coteaux au sol essentiellement calcaire et couvre plus de 79 000 ha, dont la destination principale est la production du cognac. Le cognac est « l'esprit » du pineau-des-charentes : ce vin de liqueur est en effet le résultat du mélange des moûts des raisins charentais frais ou partiellement fermentés avec du cognac.

Selon la légende, c'est par hasard qu'au XVIe s. un vigneron un peu distrait commit l'erreur de remplir de moût de raisin une barrique qui contenait encore du cognac. Constatant que ce fût ne fermentait pas, il l'abandonna au fond du chai. Quelques années plus tard, alors qu'il s'apprêtait à vider la barrique, il découvrit un liquide limpide, délicat, à la saveur douce et fruitée : ainsi serait né le pineau-des-charentes. Le recours à cet assemblage se poursuit aujourd'hui encore, de la même façon artisanale à chaque vendange, car le pineau-des-charentes ne peut être élaboré que par les viticulteurs. Restée locale pendant longtemps, sa renommée s'est étendue peu à peu à toute la France, puis au-delà de nos frontières.

Les moûts de raisins proviennent essentiellement, pour le pineau-des-charentes blanc, des cépages ugni blanc, colombard, montils, sauvignon et sémillon auxquels peuvent être adjoints les merlot et cabernet franc ou sauvignon, et, pour le rosé, des cabernets franc ou sauvignon et du merlot et malbec. Les ceps doivent être conduits en taille courte et cultivés sans engrais azotés. Les raisins devront donner un moût dépassant les 170 g de sucre par litre en puissance. Le pineau-des-charentes vieillit en fût de chêne pendant au minimum une année, le plus souvent plusieurs années. Il ne peut sortir de la région que mis en bouteilles.

Comme en matière de cognac, il n'est pas d'usage d'indiquer le millésime. En revanche, un qualificatif d'âge est souvent spécifié. Le terme « vieux pineau » est réservé au pineau de plus de cinq ans et celui de « très vieux pineau » au pineau de plus de dix ans. Dans ces deux cas, il doit passer son temps de vieillissement exclusivement en barrique et la qualité de ce vieillissement doit être reconnue par une commission de dégustation. Le degré alcoolique est généralement compris entre 17 % vol et 18 % vol et la teneur en sucre non fermenté de 125 à 150 g ; le rosé est généralement plus doux et plus fruité que le blanc, lequel est plus nerveux et plus sec. La production annuelle est de 83 772 hl dont 48 973 hl de blanc et 34 799 hl de rosé en 2005.

Nectar de miel et de feu, dont la merveilleuse douceur dissimule une certaine traîtrise, le pineau-des-charentes peut être consommé jeune (à partir de deux ans) ; il donne alors tous ses arômes de fruits, encore plus abondants dans le rosé. Avec l'âge, il prend des parfums de rancio très caractéristiques. Par tradition, il se consomme à l'apéritif ou au dessert ; cependant, de nombreux gastronomes ont noté que sa rondeur accompagne le foie gras et le roquefort, que son moelleux intensifie le goût et la douceur de certains fruits, principalement le melon (charentais), les fraises et les framboises. Il est utilisé également en cuisine pour la confection de plats régionaux (mouclades).

JEAN-PAUL AUBINEAU *

0,43 ha 4 133 8 à 11 €

Sur les 20 ha que compte le domaine, 9,44 ha se trouvent en AOC pineau-des-charentes, dans la commune de Saint-Simeux. Les vignes couvrent un coteau au sol de groie légère, dominant la vallée de la Charente. Ce pineau, jaune pâle à reflets dorés, illumine le verre et laisse s'échapper des arômes de fleurs blanches. Le fruité prend le relais en bouche, avec des notes de pêche, puis le miel s'exprime en finale.

Jean-Paul Aubineau, Chez Dallaud, 16120 Saint-Simeux, tél. 05.45.97.50.14

DOM. D'AUDEVILLE Vieux **

1,5 ha 3 500 11 à 15 €

Une attention particulière est portée à la vigne : agriculture raisonnée, enherbement partout dans le vignoble, rendement limité à 40 ou 50 hl/ha afin de favoriser la qualité du raisin. Merlot et cabernet composent ce vieux pineau à la robe tuilée. Les arômes de fruits cuits, de pruneau et de rancio témoignent d'un long vieillissement en fût. L'équilibre et la persistance ne sont pas les moindres de ses atouts.

Sylvie et Pascal Sauzeau, Audeville, 16120 Malaville, tél. et fax 05.45.97.53.00, e-mail sauzeau.sylvie@wanadoo.fr r.-v.

BARBEAU Très vieux Grande Réserve *

1 ha 1 000 15 à 23 €

Issu de merlot planté sur des sols silico-argileux, ce très vieux pineau développe un rancio intense sous sa belle robe tuilée : marques d'un long vieillissement en fût. Très

fin et harmonieux, il séduira les gourmands. Il ne vous reste plus qu'à trouver une excellente recette de dessert au chocolat.
Maison Barbeau et Fils, Les Vignes, 17160 Sonnac, tél. 05.46.58.57.42, fax 05.46.58.53.62, e-mail barbeaumi@wanadoo.fr r.-v.

VEUVE BARON ET FILS Vieux Logis de Brissac *

1,8 ha 3 000 11 à 15 €

Ancien pavillon de chasse d'époque François Ier, la demeure domine une grande partie du vignoble des Borderies. Le domaine fut acquis en 1730 par Léon Alexis de Brémond, vicomte d'Ars, mais, depuis 1851, il appartient à la famille Baron. Ce pineau jaune d'or révèle des senteurs de fruits jaunes et un rancio discret, puis offre une matière équilibrée, dans la même ligne aromatique. Le **pineau-des-charentes blanc (8 à 11 €)** reçoit également une étoile.
Jean-Michel Baron, SCEA Vignobles Baron, Logis du Coudret, 16370 Cherves-Richemont, tél. 05.45.83.16.27, fax 05.45.83.18.67, e-mail veuve.baron@wanadoo.fr r.-v.

JEAN-RENÉ BATARD *

1,8 ha 3 300 8 à 11 €

Faites une halte à Vénérand, à 10 km de Saintes, pour découvrir ses richesses architecturales : églises romanes, fontaines gallo-romaines, château Le Douhet, paléosite. Pour savourer les vins également, notamment ce pineau d'un grenat profond qui développe des senteurs de fruits rouges à l'envi. Du corps, de la rondeur, de l'élégance : tout concourt au plaisir du dégustateur.
Jean-René Batard, 8, chem. des Sous-Bois, chez Jaguenaud, 17100 Vénérand, tél. et fax 05.46.97.27.16
t.l.j. 9h-13h 14h-20h B

DOM. DE BIRIUS *

3 ha 5 500 8 à 11 €

Les 23 ha de vignes se situent sur les sols argilo-calcaires de la Petite Champagne. Philippe Bouyer pratique la vente directe depuis six ans ; il propose ici un pineau dont la couleur rappelle celle du blé doré et les reflets la lumière de la Saintonge. Dense et équilibré, il laisse un souvenir durable de fruits confits.
EARL Bouyer, 4, rue des Peupliers, Dom. de Birius - La Brande, 17800 Biron, tél. et fax 05.46.91.22.71, e-mail contact@cognac-birius.com
t.l.j. sf dim. 9h-12h30 14h-19h; de janv. à juin sur r.-v. D

BRARD BLANCHARD *

2,02 ha 17 000 8 à 11 €

Cette exploitation proche de Cognac pratique l'agriculture biologique sur ses 20 ha. Le montils et l'ugni blanc composent ce pineau jaune pâle qui décline de fines touches florales avant d'offrir une grande fraîcheur, légèrement acidulée. Un vin persistant que vous apprécierez avec des noix de Saint-Jacques, du roquefort ou un fromage de chèvre.
GAEC Brard Blanchard, 1, chem. de Routreau, 16100 Boutiers-Saint-Trojan, tél. 05.45.32.19.58, fax 05.45.36.53.21, e-mail brard.blanchard@free.fr
t.l.j. sf dim. 9h-12h 14h-18h C

DOMINIQUE CHAINIER ET FILS

3 ha 7 000 8 à 11 €

Au cœur de la région de Cognac, le vignoble de 38 ha s'étend dans les crus de la Petite et de la Grande Champagne. Le domaine, situé à une douzaine de kilomètres des thermes de Jonzac et du centre ludo-aquatique, a développé des activités touristiques en proposant chambres et table d'hôtes. Il propose un pineau élégant, aux arômes de fruits rouges, dont la fraîcheur et le caractère acidulé seront appréciés à l'apéritif.
Dominique Chainier et Fils, La Barde Fagnouse, 17520 Arthénac, tél. 05.46.49.12.85, fax 05.46.49.18.91, e-mail vignoblechainier@free.fr
t.l.j. sf dim. 9h-19h 3

PASCAL CLAIR Vieux *

2 ha 8 000 11 à 15 €

Depuis cinq générations, la famille Clair est aux commandes de cette exploitation qui compte aujourd'hui 21 ha. Ce vieux pineau provient d'un assemblage de 70 % de sémillon et de 30 % d'ugni blanc plantés sur des sols argilo-calcaires. D'un étincelant vieil or, il dévoile un rancio intense, complété de notes de noix et d'amande, d'un boisé subtilement fondu. La bouche ample, aux flaveurs de fruits exotiques, se prolonge durablement sur le miel.
EARL Pascal Clair, La Genebrière, 17520 Neuillac, tél. 05.46.70.22.01, fax 05.46.48.06.77, e-mail pascal.clair@free.fr r.-v.

FAMILLE ESTÈVE Vieux **

3 ha 2 000 15 à 23 €

Jacques Estève bénéficie d'une grande expérience dans l'élaboration de vieux cognacs sur le terroir de Petite Champagne. Il n'est donc pas étonnant de découvrir dans sa production ce pineau-des-charentes remarquable. Vieil or, celui-ci libère des arômes intenses de fleurs, de noix, de noisette et d'amande, puis il affiche au palais un rancio puissant. La souplesse le caractérise jusqu'à la finale persistante, tout en notes de miel d'acacia.
Jacques Estève, 87, rte de la Vallée-du-Né, 17520 Celles, tél. 05.46.49.51.20, fax 05.46.49.25.57
r.-v.

FAVRE ET FILS L'Insulaire *

11 ha 40 000 5 à 8 €

La Fromagerie, drôle de nom pour un village où l'on vient déguster le pineau-des-charentes des Favre. Vous servirez plutôt un crumble aux fruits rouges avec ce vin grenat, à la fois rond et frais, qui libère d'agréables arômes

CHARENTES

de cerise et de groseille tout au long de la dégustation. Le pineau-des-charentes **La Réserve oubliée blanc (8 à 11 €)** obtient une étoile également.
SCEA Favre et Fils, La Fromagerie, 17310 Saint-Pierre-d'Oléron, tél. 05.46.47.05.43, fax 05.46.75.03.18, e-mail pas-favr@club-internet.fr
t.l.j. sf dim. 9h-12h30 14h30-19h

PIERRE GAILLARD Très Vieux ★★

n.c. 1 000 15 à 23 €

Le domaine se situe au cœur de la Saintonge romane, à 10 km de Jonzac, capitale de la haute Saintonge. Cet assemblage d'ugni blanc et de sémillon a longuement vieilli en fût de chêne, ce qui lui a donné cette teinte ambrée, ces notes de noisette grillée mêlées à l'abricot. Le volume et le gras perceptibles au palais contribuent à sa remarquable qualité.
Pierre Gaillard, 3, chez Trébuchet, 17240 Clion, tél. 05.46.70.47.35, fax 05.46.70.39.30
t.l.j. sf dim. 9h-12h 14h-18h

HENRI GEFFARD ★★

2 ha 16 000 5 à 8 €

Passé le portail surmonté d'un cintre en pierre, vous pénétrerez dans la cour fermée de cette ferme charentaise. Karine et Frédéric Geffard vous y accueilleront et vous proposeront ce vin jaune pâle, prêt à libérer ses arômes de fleurs et de miel. Une impression de velouté et de fruité domine agréablement au palais.
SARL Henri Geffard, La Chambre, 16130 Verrières, tél. 05.45.83.02.74, fax 05.45.83.01.82, e-mail cognac.geffard@tiscali.fr
t.l.j. sf dim. 8h-12h 13h30-18h30

GUÉRINAUD ★★

2 ha 4 000 5 à 8 €

Emmanuel Guérinaud a repris l'exploitation familiale en 1998 et a développé la production de pineau-des-charentes. Remarquable sélection que ce vin jaune doré brillant. D'une bonne intensité aromatique, il emplit le palais de sa chair ronde et complexe. Le **pineau-des-charentes rosé** obtient lui aussi deux étoiles tant il éclate de fraîcheur et de fruits rouges.
Emmanuel Guérinaud, Le Bourg, 17800 Mazerolles, tél. et fax 05.46.94.01.56, e-mail emmanuel.guerinaud@terre-net.fr r.-v.

GUÉRIN FRÈRES ★★

22 ha 70 000 5 à 8 €

Le vignoble jouit d'un cadre exceptionnel : les coteaux calcaires de l'estuaire de la Gironde où l'ensoleillement est favorable au mûrissement du raisin. Une vendange mûre, telle est bien la source de ce pineau si concentré en arômes de cassis, si rond et intensément fruité au palais. Réservez-lui une salade de fruits, un melon ou un gâteau au chocolat.
Sté Puy Gaudin, Plaine des Grands Champs, 17260 Gémozac, tél. 05.46.90.41.57, fax 05.46.90.41.37, e-mail puygaudin@wanadoo.fr
t.l.j. sf sam. dim. 8h-12h 14h-18h

GUILLON-PAINTURAUD Extra vieux ★★

2,5 ha 3 000 15 à 23 €

Situé au cœur de la Grande Champagne, ce domaine transmis de génération en génération depuis 1610 est régulièrement présent dans le Guide. Nouvelle réussite grâce à ce vin puissamment aromatique, aux notes de fruits cuits et de rancio. En bouche, l'intensité et le volume sont remarquables, de même que la longue finale.
SCEV Guillon-Painturaud, Biard, 16130 Segonzac, tél. 05.45.83.41.95, fax 05.45.83.34.42, e-mail infos@guillon-painturaud.com
t.l.j. sf dim. 9h-12h 14h-18h

JULLIARD Vieux Or rose ★★★

3,4 ha 6 000 11 à 15 €

Sur le terroir argilo-calcaire de la Petite Champagne, ce domaine a produit un exceptionnel vieux pineau. Des arômes fins de fruits rouges comme la framboise, une attaque puissante aussitôt relayée d'une sensation de rondeur et de longues flaveurs de fruits rouges tout en subtilité. Tout n'est qu'équilibre dans cette bouteille que vous savourerez avec un moelleux au chocolat ou des galettes charentaises.
EARL Vignobles Julliard, 8, rue de l'Église, 17800 Pérignac, tél. 05.46.96.30.42, fax 05.46.96.34.06, e-mail vignoblesjulliard@wanadoo.fr r.-v.

THIERRY JULLION ★★

2 ha 10 000 8 à 11 €

Ce domaine viticole de 35 ha produit non seulement des vins de pays charentais et des pineaux-des-charentes, mais aussi des liqueurs. Le jury a été enthousiasmé par ce vin issu exclusivement de merlot. Tout est concentration, depuis la robe cerise profond, le nez de griotte jusqu'à la bouche volumineuse, charnue et si fruitée. Les tanins, la vivacité ? Ils se fondent parfaitement à l'ensemble.
Thierry Jullion, Montizeau, 17520 Saint-Maigrin, tél. 05.46.70.00.73, fax 05.46.70.02.60, e-mail jullion@wanadoo.fr
t.l.j. sf dim. 15h-19h; sam. 9h-12h

LASCAUX Très vieux ★★

4 ha 800 15 à 23 €

Le domaine est entré dans la famille de Sylvain Lascaux en 1921 : il couvre aujourd'hui 21 ha commandés par une demeure typiquement charentaise avec son porche, datant du XVIIIes. Après une visite du musée et de la maison de François Mitterrand, à 3 km à peine, vous y viendrez découvrir ce vin de 1991, typé, aux notes de rancio, de noix et de confiture de fruits. En bouche, une légère ligne boisée se fond dans la chair ronde et harmonieuse. Le **pineau-des-charentes blanc (5 à 8 €)** né de la vendange 2001 brille d'une étoile pour son fruité d'agrumes.
Lascaux, Logis du Renfermis, 16720 Saint-Même-les-Carrières, tél. 05.45.81.90.48, fax 05.45.81.98.34 t.l.j. 8h-20h

MARCADIER-BARBOT

2 ha 10 000 **8 à 11 €**

Sise en Grande Champagne, cette propriété de 40 ha est commandée par une ancienne demeure du XIXes., en pierre apparente. Voici un vin qui donne envie de recevoir des amis à l'apéritif : grenat à reflets tuilés, il présente des notes de fruits à noyau et de confiture, puis laisse une impression de rondeur avenante.
GAEC de la Combe de Bussac, Le Pible, 16130 Segonzac, tél. 05.45.83.41.18, fax 05.45.83.43.21, e-mail marcadier-barbot@wanadoo.fr
r.-v.
Serge Marcadier et Alain Barbot

MÉNARD Très vieux ★★

▨ 3 ha 5 000 🍷 15 à 23 €

Sur le terroir calcaire de la Grande Champagne, l'ugni blanc a donné naissance à un pineau vieil or, d'une réelle subtilité dans ses arômes de miel d'acacia. De la rondeur, de la longueur, des notes boisées bien fondues : il ne vous reste plus qu'à trouver un excellent foie gras pour le proposer à table.

J.-P. Ménard et Fils, 2, rue de la Cure, 16720 Saint-Même-les-Carrières, tél. 05.45.81.90.26, fax 05.45.81.98.22, e-mail menard@cognac-menard.com
t.l.j. sf sam. dim. 8h-12h 14h-18h

VIGNOBLES MORANDIÈRE Le Patoisan ★★

■ 2 ha 13 000 🍷 8 à 11 €

C'est avec talent que Guy et Vincent Morandière sont parvenus à restituer le caractère des merlot et cabernets plantés sur les coteaux calcaires de l'estuaire de la Gironde. D'un rouge intense dans le verre, ce vin mêle élégamment le cassis et la mûre, puis laisse exploser au palais des flaveurs complexes de fruits. De la souplesse, de la structure et de la persistance.

Vignobles Morandière, Le Breuil, 17150 Saint-Georges-des-Agouts, tél. 05.46.86.02.76, fax 05.46.70.63.11, e-mail vignoblesmorandiere@wanadoo.fr r.-v.
Vincent Morandière

MORPAIN JORAND ★

▨ 1,16 ha 6 000 🍷 5 à 8 €

Ce pineau de l'île d'Oléron est aussi ensoleillé que les plages de la région. Au nez harmonieux, marqué par des arômes de fruits à noyau, succède une bouche souple et longue, tout en rondeur. Servez en accompagnement de cette bouteille des moules, puis, au dessert, une galette charentaise.

Jean-Claude Morpain, 112, rue du Docteur-Seguin, Cheray, 17190 Saint-Georges-d'Oléron, tél. et fax 05.46.76.69.03 r.-v.

CH. DE L'OISELLERIE Rubis ★

■ 5 ha 10 000 🍷 8 à 11 €

À la fin du XV[e]s., on élevait au château des gerfauts pour la chasse royale, mais on y produisait aussi un cognac réputé. Aujourd'hui, il est le siège d'un lycée agricole où l'on prépare aux métiers de la vigne et du vin. Exercice pratique réussi : ce pineau issu d'un terroir argilo-calcaire affiche une teinte rubis et offre un nez fin de groseille. La bouche d'abord acidulée gagne en ampleur et en volume, toujours accompagnée d'un fruité intense.

Lycée agricole l'Oisellerie, 16400 La Couronne, tél. 05.45.67.36.90, fax 05.45.67.16.51, e-mail exploitation.oisellerie@wanadoo.fr r.-v.

DOM. PAUTIER Vieux ★

▨ 1 ha 800 🍷 11 à 15 €

Le domaine Pautier est une ancienne maison de négoce de cognac qui connut de belles heures aux XIXe et XX[e]s. La bâtisse est typique de la région, tandis que le chai voûté se situe sur les bords de la Charente, le long d'un chemin de halage. Son vieux pineau affirme un caractère rancio sans rien perdre de son élégance. L'attaque est souple, la bouche ronde. Tout contribue à faire de ce pineau un excellent compagnon de l'apéritif avec des toasts au foie gras et des morceaux de fromage (comté, beaufort, chèvre).

Patrick Pautier, EARL de la Romède, Veillard, 16200 Bourg-Charente, tél. 05.45.81.24.89, fax 05.45.81.04.44, e-mail domaine.pautier@cer16.cernet.fr
t.l.j. 10h-12h 15h30-19h; dim. sur r.-v.

ANDRÉ PETIT Sélection ★

■ 1,3 ha 9 500 🍷 8 à 11 €

Entreprise familiale créée en 1960 par André Petit, le vignoble est implanté sur des coteaux argilo-calcaires. Non loin se trouve une église des XIe et XII[e]s., intéressante pour ses fresques de la même époque. Au domaine, vous choisirez ce pineau qui livre des arômes complexes de fruits rouges tout au long de la dégustation. La douceur et la fraîcheur s'équilibrent au palais, avec en finale un retour d'une agréable fraîcheur. Le **pineau-des-charentes blanc**, composé à parts égales d'ugni blanc et de colombard, obtient lui aussi une étoile.

André Petit, Au bourg, 16480 Berneuil, tél. 05.45.78.55.44, fax 05.45.78.59.30, e-mail andrepetit3@wanadoo.fr r.-v.
Jacques Petit

DOM. DE LA PETITE FONT VIEILLE

■ 0,5 ha 5 000 🍷 5 à 8 €

Cette exploitation familiale depuis 1936 n'a cessé de s'agrandir et de se diversifier : cognac, vin de pays et pineau-des-charentes qu'illustre ce vin grenat. De légers arômes de griotte, de framboise et de fraise rappellent la présence de merlot. L'attaque est ronde, la bouche puissante et agréablement persistante.

Éric et Carole Aiguillon, 10, rue Grimard, 17520 Jarnac-Champagne, tél. et fax 05.46.49.55.54, e-mail familleaiguillon@hotmail.com r.-v. E

THIERRY POUILLOUX ★

▨ n.c. 10 000 🍷 8 à 11 €

Plusieurs fois référencé dans le Guide, ce domaine se situe entre Cognac et Pons, sur des coteaux argilo-calcaires. Après le rosé étoilé l'an passé, les dégustateurs ont attribué la même note à ce blanc puissamment aromatique : des fleurs, du miel et de la vanille s'échappent du verre. En bouche se manifestent des notes de bois, d'épices et de fruits secs avec une harmonie sans faille.

Thierry Pouilloux, 6, imp. du Sud, Peugrignoux, 17800 Pérignac, tél. 05.46.96.41.41, fax 05.46.96.35.04, e-mail pouilloux.thierry@wanadoo.fr
t.l.j. 9h30-12h30 15h-20h

DOM. DE LA RAMBAUDERIE ★

▨ 2,5 ha 8 000 🍷 5 à 8 €

Trois cépages entrent dans la composition de ce pineau : du sémillon à 50 %, du colombard à 30 % et de l'ugni blanc pour le reste. C'est ainsi que l'on découvre un nez complexe, riche d'arômes de fruits secs, une chair parfumée et bien équilibrée. Invitez quelques amis autour d'une mouclade.

SCEA Boucher, Dom. de La Rambauderie, 78, rue des Ajoncs, 17150 Saint-Sorlin-de-Conac, tél. 05.46.86.00.72, fax 05.46.49.06.58, e-mail boucher.suzette@neuf.fr r.-v.

CHAI DU ROUISSOIR ★

■ 1 ha 4 000 🍷 8 à 11 €

Non loin de la ville thermale de Jonzac, Didier Chapon et son fils Hugues élaborent du pineau, du cognac et des vins de pays charentais sur un ancien site où l'on cultivait et rouissait le chanvre et le lin. Leur rosé couleur bigarreau est dominé par des notes de cassis et de fruits rouges macérés dans l'alcool. Des arômes qui trouvent écho en bouche, soulignant l'impression de rondeur et de gras. Le **pineau-des-charentes blanc** brille lui aussi d'une étoile.

GAEC Chapon, Roussillon, 17500 Ozillac,
tél. et fax 05.46.48.14.76,
e-mail chaidurouissoir@hotmail.com
t.l.j. sf dim. 17h-20h

ROUSSILLE Doré ***

6,43 ha 9 000 8 à 11 €

C'est en 1928 que Gaston Roussille constitua ce domaine ; la moitié du vignoble de 30 ha est réservée à la production de pineau-des-charentes. Celui-ci, intensément floral, traduit bien l'empreinte des cépages ugni blanc, sémillon et montils. Une sensation à la fois fraîche et ronde au palais contribue à l'équilibre de ce vin.

Pascal Roussille, Libourdeau, 16730 Linars,
tél. 05.45.91.05.18, fax 05.45.91.13.83,
e-mail sca.pineau-roussille@terre-net.fr
t.l.j. 8h-12h 14h-19h; sam. dim. sur r.-v.

CH. SAINT-SORLIN Très vieux **

4 ha 2 200 30 à 38 €

Avant de vous régaler de ce vin, prenez le temps de visiter la magnifique demeure qui domine l'estuaire de la Gironde. Vous serez séduit par la passion communicative et la personnalité attachante du propriétaire des lieux. La séduction a également opéré dans l'anonymat de la dégustation Hachette. Ce très vieux pineau (1985) charme, en effet, par ses arômes intenses de pruneau, comme par son développement long, souple et élégant au palais. Les nombreuses années de vieillissement lui ont donné toute la complexité souhaitée. Denys Castelnau obtient par ailleurs une étoile pour son **vieux pineau-des-charentes rosé (11 à 15 €)**.

Ch. Saint-Sorlin, 17150 Saint-Sorlin-de-Conac,
tél. 05.46.86.01.27, fax 05.46.70.65.59,
e-mail denys.castelnau@wanadoo.fr
t.l.j. 8h-13h 14h-20h30; dim. sur r.-v.
Famille Castelnau

LA PROVENCE
ET LA CORSE

LA PROVENCE ET LA CORSE

La Provence

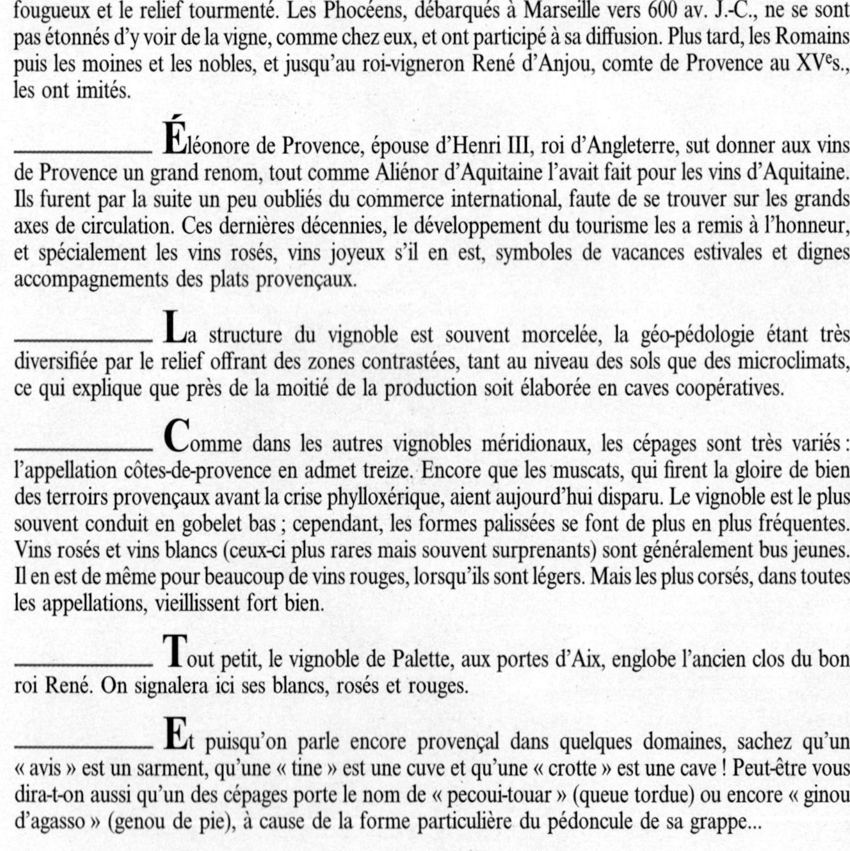

La Provence, pour tout un chacun, c'est un pays de vacances, où « il fait toujours soleil » et où les gens, à l'accent chantant, prennent le temps de vivre... Pour les vignerons, c'est aussi un pays de soleil, qui brille trois mille heures par an. Les pluies y sont rares mais violentes, les vents fougueux et le relief tourmenté. Les Phocéens, débarqués à Marseille vers 600 av. J.-C., ne se sont pas étonnés d'y voir de la vigne, comme chez eux, et ont participé à sa diffusion. Plus tard, les Romains puis les moines et les nobles, et jusqu'au roi-vigneron René d'Anjou, comte de Provence au XV^e^s., les ont imités.

Éléonore de Provence, épouse d'Henri III, roi d'Angleterre, sut donner aux vins de Provence un grand renom, tout comme Aliénor d'Aquitaine l'avait fait pour les vins d'Aquitaine. Ils furent par la suite un peu oubliés du commerce international, faute de se trouver sur les grands axes de circulation. Ces dernières décennies, le développement du tourisme les a remis à l'honneur, et spécialement les vins rosés, vins joyeux s'il en est, symboles de vacances estivales et dignes accompagnements des plats provençaux.

La structure du vignoble est souvent morcelée, la géo-pédologie étant très diversifiée par le relief offrant des zones contrastées, tant au niveau des sols que des microclimats, ce qui explique que près de la moitié de la production soit élaborée en caves coopératives.

Comme dans les autres vignobles méridionaux, les cépages sont très variés : l'appellation côtes-de-provence en admet treize. Encore que les muscats, qui firent la gloire de bien des terroirs provençaux avant la crise phylloxérique, aient aujourd'hui disparu. Le vignoble est le plus souvent conduit en gobelet bas ; cependant, les formes palissées se font de plus en plus fréquentes. Vins rosés et vins blancs (ceux-ci plus rares mais souvent surprenants) sont généralement bus jeunes. Il en est de même pour beaucoup de vins rouges, lorsqu'ils sont légers. Mais les plus corsés, dans toutes les appellations, vieillissent fort bien.

Tout petit, le vignoble de Palette, aux portes d'Aix, englobe l'ancien clos du bon roi René. On signalera ici ses blancs, rosés et rouges.

Et puisqu'on parle encore provençal dans quelques domaines, sachez qu'un « avis » est un sarment, qu'une « tine » est une cuve et qu'une « crotte » est une cave ! Peut-être vous dira-t-on aussi qu'un des cépages porte le nom de « pecoui-touar » (queue tordue) ou encore « ginou d'agasso » (genou de pie), à cause de la forme particulière du pédoncule de sa grappe...

Côtes-de-provence

Née en 1977, cette appellation, dont la production est considérable (982 523 hl en 2005) vient de reconnaître les dénominations Sainte-Victoire sur 162 ha et Fréjus sur 28 ha. Elle occupe un bon tiers du département du Var, avec des prolongements dans les Bouches-du-Rhône, jusqu'aux abords de Marseille, et une enclave dans les Alpes-Maritimes, sur une superficie de 20 108 ha. Trois terroirs la caractérisent : le massif siliceux des Maures, au sud-est, bordé au nord par une bande de grès rouge allant de Toulon à Saint-Raphaël, et, au-delà, l'importante masse de collines et de plateaux calcaires qui annonce les Alpes. On conçoit que les vins issus de nombreux cépages différents, en proportions variables, sur des sols et des expositions tout aussi divers, présentent, à côté d'une parenté due au soleil, des variantes qui font précisément leur charme... Un charme que le Phocéen Protis goûtait sans doute déjà, 600 ans avant notre ère, lorsque Gyptis, fille du roi, lui offrait une coupe en aveu de son amour...

Sur les blancs tendres (33 642 hl) mais sans mollesse du littoral, les nourritures maritimes et très fraîches seront tout à fait à leur place, tandis que ceux qui sont un peu plus « pointus », un peu plus au nord, apaiseront mieux les irritations des écrevisses à l'américaine et des fromages piquants. Les rosés, tendres ou nerveux, selon l'humeur et le goût, seront les meilleurs compagnons des fragrances puissantes de la soupe au pistou, de l'anchoïade, de l'aïoli, de la bouillabaisse, et aussi des poissons et des fruits de mer aux arômes iodés : rougets, oursins, violets. Enfin, dans les rouges, ceux qui sont tendres (à servir frais) conviennent aux gigots, aux rôtis, mais aussi aux pots-au-feu, et en particulier au pot-au-feu froid en salade ; les rouges corsés, puissants, généreux, qui peuvent parfois vieillir une dizaine d'années, conviendront aux civets, aux daubes, aux bécasses. Et pour ceux qui ne sont pas ennemis d'harmonies insolites, rosé frais et champignons, rouge et crustacés en civet, blanc avec daube d'agneau (au vin blanc) procurent de bonnes surprises.

CH. L'AFRIQUE Cuvée César 2005 ★★

■ 1 ha 4 000 **11 à 15 €**

Cette bouteille est une œuvre d'art. Le carton qui l'emballe est une compression d'étiquettes, création du sculpteur César, qui fut l'un des amis de la famille Sumeire. Quant à l'étiquette de cette cuvée, elle représente une toile de Géricault. Tout est remarquable dans ce 2005 : la robe pétale de rose et le nez intense de pêche de vigne, d'agrumes (clémentine) et d'ananas. La bouche équilibrée et persistante s'inscrit dans le droit fil du bouquet. Tout en élégance, ce vin tiendra compagnie à une blanquette de lotte. La pâleur de la **cuvée Van Gogh rosé 2005 (5 à 8 €)** est inversement proportionnelle à sa fraîcheur (une étoile).

Famille Élie Sumeire, Ch. L'Afrique, 83390 Cuers, tél. 04.42.61.20.00, fax 04.42.61.20.01, e-mail sumeire@chateaux-elie-sumeire.fr ☑ Y ✝ r.-v.

DOM. DE L'AMAURIGUE 2004

■ 4 ha 10 900 **8 à 11 €**

Depuis son acquisition par la famille De Groot en 1999, ce domaine a bénéficié d'une rénovation complète, dont la dernière étape fut la construction d'un chai en 2000. L'élevage sous bois de douze mois est perceptible dans ce vin jeune d'apparence, vêtu de grenat violacé, qui libère des arômes évidents de vanille. Après une attaque ferme, il fait montre de sa puissance, avec des tanins encore pleins de fougue et des notes grillées. Les dégustateurs vous conseillent de le conserver et de suivre son évolution dans le temps.

SARL Dom. de L'Amaurigue, rte de Cabasse, 83340 Le Luc-en-Provence, tél. 04.94.50.17.20, fax 04.94.50.17.21, e-mail domaine-l-amaurigue@wanadoo.fr ☑ Y ✝ r.-v.

Dick De Groot

CH. DES ANGLADES Collection privée 2005 ★

■ 2 ha 6 000 **8 à 11 €**

Une allée de palmiers traverse le vignoble et mène à cette séduisante bastide, dont les origines remontent au XVII[e]s. Le cadre se prête remarquablement aux banquets de mariage ; et les vins du domaine tout autant. Du romantisme dans ce rosé de teinte pâle qui développe des arômes intenses de fruits exotiques, de chèvrefeuille et de framboise. La bouche ronde et équilibrée laisse le souvenir pérenne d'un exotisme plaisant. Un vin d'honneur.

Ch. des Anglades, quartier Couture, 83400 Hyères, tél. 04.94.65.22.21, fax 04.94.65.96.69 ☑ Y r.-v.

Gautier

DOM. DE L'ANGUEIROUN Prestige 2005 ★★★

■ 3 ha 12 500 **8 à 11 €**

Plusieurs fois distingué pour la Cuvée spéciale, Éric Dumon connaît aujourd'hui la consécration pour cette cuvée Prestige. Angueiroun signifie « petite anguille » en provençal. Si les coteaux schisteux du domaine, ancienne réserve de chasse, sont peu propices à la survie de cet animal, ils sont en revanche profitables au mûrissement des raisins. Ce rosé à la robe pâle, presque charnelle, livre au nez une corbeille de fruits où dominent le pomelo et la pêche de vigne. Sa bouche structurée et élégante se prolonge jusqu'à une finale de petits fruits rouges. Tout simplement superbe.

PROVENCE

Éric Dumon, 1077, chem. de l'Angueiroun, 83230 Bormes-les-Mimosas, tél. 04.94.71.11.39, fax 04.94.71.75.51, e-mail angueiroun@wanadoo.fr
t.l.j. sf dim. 8h-12h 14h-18h

DOM. DE L'ANTICAILLE 2005 ★

3,5 ha 20 000 5 à 8 €

À la limite des départements du Var et des Bouches-du-Rhône, sous le mont Aurélien, cette propriété cultive la vigne depuis plusieurs générations. Le jury a apprécié son rosé, assemblage typique de grenache et de syrah. Sous la belle robe rose aux reflets saumonés apparaissent des arômes d'agrumes et de fruits rouges. Ronde d'attaque, la bouche se montre ensuite plus vive et structurée.

Martine Paillet, Dom. de L'Anticaille, D 57, 13530 Trets, tél. 04.42.29.22.64, fax 04.42.29.41.64, e-mail domainedelanticaille@hotmail.com r.-v.
Féraud

CELLIER DES ARCHERS Cuvée Terroir 2005 ★

n.c. 13 000 3 à 5 €

Le village, appelé Archos au XIe s., garde en son cœur son aspect médiéval dans le quartier du Parage. Après une visite, dirigez vos pas vers la coopérative, dont la création remonte à 1923. Un rosé de teinte saumonée vous y attend, riche d'agrumes et de petits fruits rouges (groseille, framboise), chaleureux dans son expression gustative. Un vin séduisant.

La Provence

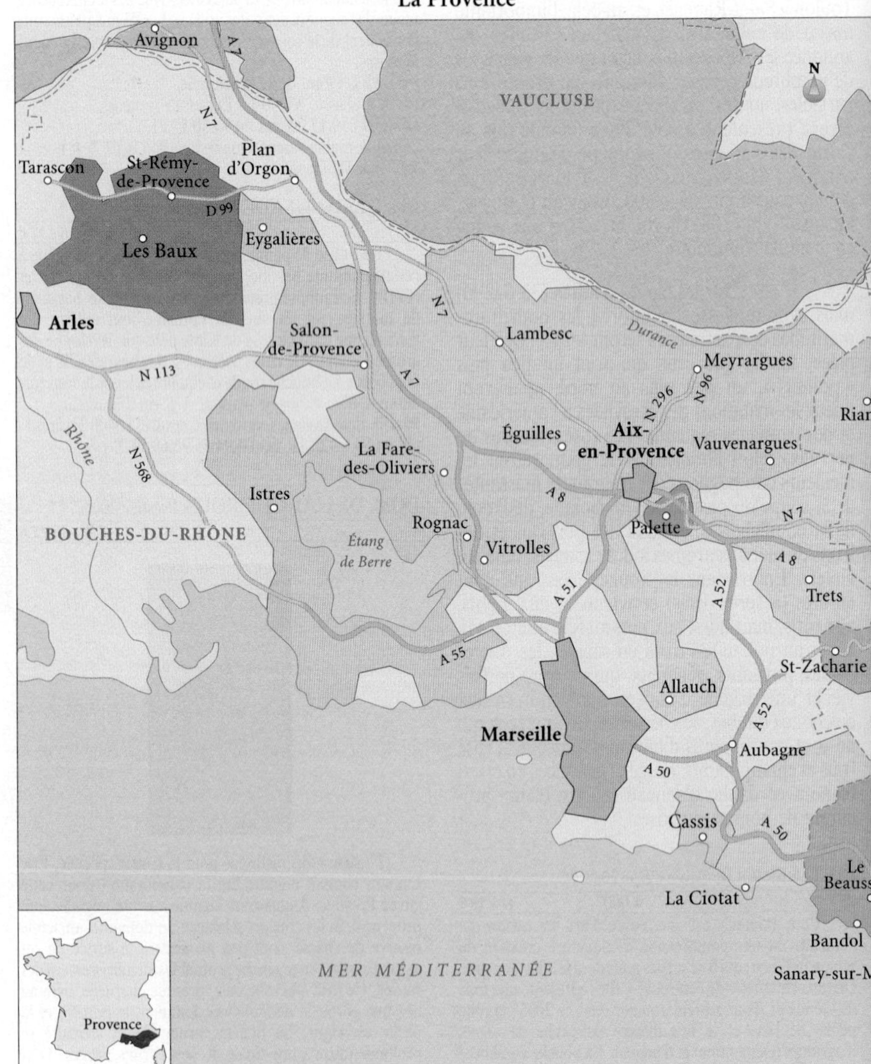

🔑 Cellier des Archers, quartier des Laurons, 83460 Les Arcs-sur-Argens, tél. 04.94.73.30.29, fax 04.94.47.56.41 ☑ 🍷 🚶 r.-v.

CH. DE L'AUMERADE Cuvée Sully 2005 ★★

Cru clas.	5 ha	30 000		8 à 11 €

Un hommage au duc de Sully qui, en 1594, fit planter dans la propriété le premier mûrier de France, sur ordre du roi Henri IV, et introduisit les vins du domaine à la cour. Ce 2005 est logé dans la marie-christine, bouteille inspirée d'une pâte de verre d'Émile Gallé, créée par Henri et Louis Fabre en 1956 et qui fête cette année ses cinquante ans. Le voici, brillant de reflets verts, qui s'ouvre crescendo sur les fruits mûrs, la poire, la banane et la pêche. Il tapisse le palais de sa matière ample, généreuse et équilibrée, d'une remarquable expression. La cuvée **Seigneur de Piegros 2005 rosé**, légèrement fruitée, fraîche, dotée d'une pointe acidulée en finale, obtient une étoile. Elle suscitera la convivialité à l'apéritif.

🔑 SCEA des Domaines Fabre, Ch. de L'Aumerade, 83390 Pierrefeu-du-Var, tél. 04.94.28.20.31, fax 04.94.48.23.09, e-mail info@aumerade.com ☑ 🍷 🚶 t.l.j. sf dim. 8h30-12h30 14h-18h; groupes sur r.-v.

LA BADIANE Les Bouissons 2004

■	2 ha	5 000		8 à 11 €

La Badiane est une petite structure de négoce-éleveur originale qui intervient sur toutes les appellations du

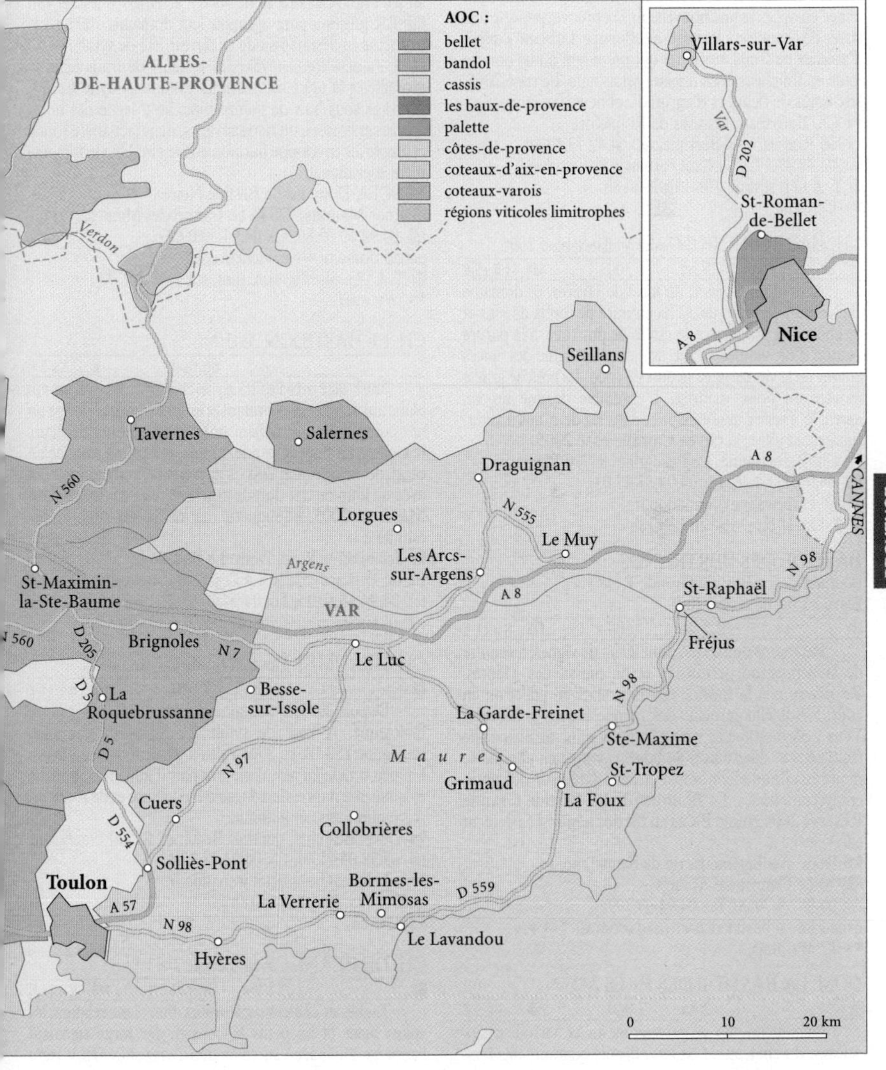

PROVENCE

Sud-Est. Chaque cuvée, limitée en volume, provient de techniques de vinification différentes. Ce rouge, issu de carignan, de mourvèdre et de cinsault de la commune de Puget-Ville, a séduit le jury par son équilibre et l'association fruité-vanillé. Encore jeune, il parviendra bientôt à maturité.

🔑 SA La Badiane, S. Croisette II,
RN 154, 83250 La Londe-les-Maures,
tél. 06.07.87.98.05, fax 04.94.15.92.11,
e-mail contact@labadiane.com ☒ Ɪ ⻀ r.-v.
🔑 Jean-Luc Poinsot

CH. BARBANAU 2005 ★★

	4 ha	10 000	5 à 8 €

Dans un site enchanteur, digne de *Manon des Sources*, cette propriété, régulièrement présente dans le Guide, vinifie avec un même succès des vins blancs et rosés. Cette année en apporte une nouvelle fois la preuve, puisque une cuvée de chaque couleur est sélectionnée. Le blanc explose d'arômes de fruits exotiques qui préparent à une bouche toute en fraîcheur et en finesse, persistante. Le **rosé 2005**, aux notes de fleurs et d'agrumes, obtient une étoile.

🔑 Ch. Barbanau, hameau de Roquefort,
13830 Roquefort-la-Bédoule, tél. 04.42.73.14.60,
fax 04.42.73.17.85, e-mail barbanau@wanadoo.fr
☒ Ɪ ⻀ t.l.j. sf dim. 10h-12h 15h-18h
🔑 Cerciello

CH. BARBEIRANNE Cuvée Vallat-Sablou 2005

	0,5 ha	3 300	⏸ 11 à 15 €

À 30 km de la mer, au nord de Hyères, ce domaine exploite un vignoble de 32 ha entouré de forêts de pins et de chênes. Il propose cette cuvée de pur rolle, à la parure bouton d'or, vinifiée en fût, qui joue la gamme des épices autour de la vanille et de la noix de coco. La bouche grasse montre un boisé maîtrisé. L'ensemble dessine un vin agréable à servir maintenant et dans les deux ans à venir. Également citée, la **cuvée Camille rosé 2005**.

🔑 Ch. Barbeiranne, La Pellegrine, 83790 Pignan,
tél. 04.94.48.84.46, fax 04.94.33.27.03,
e-mail barbeiranne@wanadoo.fr
☒ Ɪ t.l.j. sf dim. 9h-12h 13h-18h

BASTIDE DES BERTRANDS
Bouquet de La Bastide Grande Réserve
Élevé en fût de chêne 2005

	2,2 ha	600	⏸ 8 à 11 €

Pas moins de 200 ha, dont 90 ha de vignes, au centre de la dépression permienne et du massif des Maures. Rendez-vous à la Bastide des Bertrands en juillet ou en août, lorsqu'elle accueille des manifestations culturelles. Vous y découvrirez ce vin au bouquet minéral, nuancé de fruits secs et d'agrumes. Sa bouche souple en attaque se montre suffisamment ample et persistante sur des notes empyreumatiques. Le **Bouquet de La Bastide Grande Réserve 2004 rouge Élevé en fût de chêne** est également cité.

🔑 Dom. des Bertrands, rte de Saint-Tropez,
83340 Le Cannet-des-Maures,
tél. 04.94.99.79.00, fax 04.94.99.79.09,
e-mail info@bastidedesbertrands.com ☒ Ɪ ⻀ r.-v.
🔑 L. Marotzki

DOM. LA BASTIDE DES PRÉS 2005 ★

	2 ha	9 000	▮ 3 à 5 €

Plus aucun cep ne prospérait sur ce terroir argilo-calcaire du château de Salgues depuis quarante ans lorsque, en 1993, la famille Héraud décida d'y replanter la vigne. Grenache (50 %), syrah et cinsault ont donné naissance à ce rosé plaisant qui livre d'emblée ses arômes de fruits rouges frais (cerise, fraise). Un caractère friand le définit grâce à un bon équilibre entre vivacité et rondeur. Le **2005 rouge**, fruité, est cité.

🔑 EARL La Bastide des Prés, rte de Mappe,
83510 Saint-Antonin-du-Var, tél. 04.94.04.49.04,
fax 04.94.69.59.86, e-mail labastide154@aol.com
☒ Ɪ t.l.j. sf mer. 10h-12h 16h-19h; f. 1er au 15 nov.
🔑 Héraud

DOM. DE LA BASTIDE NEUVE
Clos des Muraires 2003 ★★

	2 ha	3 500	⏸ 15 à 23 €

Le clos des Muraires est une parcelle en restanques, au sol argilo-calcaire, dont Nicole et Hugo Wiestner ont fait l'acquisition pour agrandir leur domaine. 2003 est le troisième millésime issu de ce terroir. Né de syrah (90 %) et de mourvèdre, il révèle des senteurs de fruits telles la groseille et la mûre, de garrigue comme le thym. Certes, l'élevage sous bois de quinze mois lui a légué des notes épicées et boisées, un rien sauvages, mais la matière ronde et ample les enveloppe harmonieusement. Un vin typiquement méridional.

🔑 SCEA Dom. de La Bastide Neuve,
quartier Maltrate, 83340 Le Cannet-des-Maures,
tél. 04.94.50.09.80, fax 04.94.50.09.99,
e-mail domaine@bastideneuve.fr
☒ Ɪ ⻀ t.l.j. 8h-17h, sam. dim. sur r.-v. 🏠 6
🔑 Wiestner

CH. LE BASTIDON 2005 ★

	n.c.	66 000	▮ 3 à 5 €

Situé face aux îles d'Or, le château propose un vin blanc aux reflets verts, brillant et limpide, qui développe un nez complexe où se mêlent notes d'agrumes et de fleurs blanches. La bouche ronde, ample, s'exprime avec beaucoup de finesse. Ce 2005 s'appréciera particulièrement avec un loup ou une dorade grillée au feu de bois. Le **rosé Mélusine 2005**, à l'étiquette marine figurant une sirène, est cité.

🔑 Jean-Pierre Rose, Dom. Le Bastidon,
rte du Pansard, 83250 La Londe-les-Maures,
tél. 04.94.66.80.15, fax 04.94.66.68.23,
e-mail vigneronvar@aol.com ☒ Ɪ ⻀ r.-v.

CH. BEAUMET Élevé en fût de chêne 2003 ★

	2 ha	8 600	⏸ 8 à 11 €

Depuis 2003, le domaine s'oriente vers l'agriculture biologique. À base de syrah (50 %) et de cabernet-sauvignon (50 %), ce 2003 rubis a gardé tous ses attraits. Un peu timide au nez, il montre plus d'audace en bouche et laisse une impression durable d'équilibre et de rondeur. À savourer dès cet automne.

🔑 Dom. Beaumet, quartier Beaumet, 83590 Gonfaron,
tél. 04.98.05.21.00, fax 04.94.78.27.40,
e-mail chateaubeaumet@wanadoo.fr
☒ Ɪ ⻀ t.l.j. 9h-12h 14h-18h
🔑 Gierling

CH. DE BERNE Cuvée spéciale 2003 ★

	25 ha	16 000	⏸ 8 à 11 €

Taches de couleur sur les murs d'un blanc éclatant, les volets bleus et les petits balcons de fer forgé signalent l'auberge aménagée au cœur de ce vignoble. On y vient goûter les parfums de la Provence, apprendre à cuisiner les plats de la région, découvrir le fruit de la vigne. Bon exercice pratique que la dégustation de cette cuvée d'un rouge profond à reflets presque noirs. Le nez est riche de notes de fruits et de réglisse, de même que la bouche dense, soutenue par des tanins encore fermes, mais prometteurs. Dans un an ou deux, cette bouteille pourra rejoindre votre table. Une étoile est également attribuée à la **Cuvée spéciale 2004 blanc (11 à 15 €)**, boisée, qui s'accordera à une blanquette de veau.

Ch. de Berne, 83510 Lorgues,
tél. 04.94.60.43.60, fax 04.94.60.43.58,
e-mail infos@chateauberne.com t.l.j. 10h-18h
Muddyman

DOM. BOUISSE-MATTERI Harmonie 2005 ★

	2 ha	5 000		5 à 8 €

Dans un caveau hispano-baroque, Bruno Merle vous invite à découvrir ce rosé élégamment vêtu, tout disposé à décliner ses notes de groseille et de fraise, un accent épicé en prime pour l'originalité. La bouche est à l'avenant, ronde et persistante. La cuvée **Clos du Paradis 2005 blanc (3 à 5 €)** est citée pour son équilibre, sa fraîcheur finement aromatique (fleurs, ananas, miel).

Dom. Bouisse-Matteri, 3301, rte des Loubes,
83400 Hyères, tél. 04.94.38.65.05, fax 04.94.38.65.30,
e-mail bruno.merle@wanadoo.fr
t.l.j. sf dim. 9h-19h
Mathilde Merle

DOM. DE LA BOUVERIE 2005 ★

	n.c.	50 000	5 à 8 €

Entre Lascaux et Picasso, la belle étiquette de ce vin représente, on n'en attendait pas moins, deux bovidés stylisés. Du style, cet assemblage grenache, cinsault, syrah n'en manque pas. Rose pâle aux reflets saumonés, il développe un nez élégant de fruits auxquels s'associent des notes minérales. La bouche est ronde et complexe, animée par une bonne vivacité. Le jury a apprécié la concentration et la longueur qui font de ce joli vin rosé un accompagnement de choix pour de petits rougets grillés au feu de bois.

Jean Laponche, Dom. Viticole de La Bouverie,
83520 Roquebrune-sur-Argens,
tél. 04.94.44.00.81, fax 04.94.44.04.73,
e-mail domainedelabouverie@wanadoo.fr
t.l.j. sf dim. 9h30-12h 15h-18h30

CH. DE BRÉGANÇON Cuvée Prestige 2003 ★

Cru clas.	3 ha	6 000		15 à 23 €

Face au fort de Brégançon, où traditionnellement résident les présidents de la République en été, ce domaine de 52 ha s'étend autour d'une demeure du XVII[e]s., ancienne ferme où l'on produisait aussi bien du raisin que des vers à soie et de l'huile d'olive. Le millésime 2003, marqué par la canicule, présente souvent un certain déséquilibre. Il n'en est rien dans ce vin de teinte profonde à reflets noirs. Aux arômes d'épices et de garrigue répond une bouche ronde, aux flaveurs de fruits rouges compotés. Les tanins réglissés sont encore jeunes, certes, mais ils se portent garants d'un bon vieillissement sur un an ou deux. Vous réserverez alors cette bouteille à un plat relevé ou à un gibier en sauce. La **cuvée Prestige 2005 blanc (8 à 11 €)**, minérale, obtient la même note, tandis que la **cuvée Prestige 2005 rosé (8 à 11 €)**, aux senteurs amyliques et épicées, est citée.

Jean-François Tézenas, Ch. de Brégançon,
639, rte de Léoube, 83230 Bormes-les-Mimosas,
tél. 04.94.64.80.73, fax 04.94.64.73.47,
e-mail chateaudebregancon@wanadoo.fr
t.l.j. 9h-12h 14h-18h

DOM. BUNAN Bélouvé 2005 ★

	n.c.	n.c.		5 à 8 €

Au XVIII[e]s., on élaborait déjà dans les caves de cette bastide du vin à partir de beaux raisins (« bélouvé ») récoltés sur les sols de calcaires, de grès et de marnes. Cabernet, syrah, cinsault et ugni blanc composent ce rosé de caractère qui allie vivacité, rondeur et intensité aromatique. Complexe, il développe des senteurs florales (acacia) et fruitées (abricot), nuancées de pointes épicées, presque mentholées. Prenez le temps d'admirer sa robe, très pâle à nuance saumon. Le **Bélouvé 2005 rouge**, dans la catégorie des vins souples et fruités, est cité. Réservez-le à des charcuteries.

Domaines Bunan, Moulin des Costes,
BP 17, 83740 La Cadière-d'Azur,
tél. 04.94.98.58.98, fax 04.94.98.60.05,
e-mail bunan@bunan.com r.-v.

DOM. DE CANTA RAINETTE Noblesse 2005

	3 ha	13 000	3 à 5 €

Proche du site des gorges de Pennafort, le domaine, propriété de la famille Castellino depuis 1990, propose un rosé de belle expression, couleur rose pastel, issu de l'assemblage de grenache, de cinsault et de syrah. Discret mais élégant, celui-ci s'ouvre sur des arômes de pêche jaune et d'abricot. La bouche souple renoue avec les nuances d'abricot frais, auxquelles se joignent des notes de melon dans une finale de bonne longueur.

Édouard Castellino, Dom. de Canta Rainette,
1144, rte de Bagnols, 83920 La Motte,
tél. et fax 04.94.70.28.25,
e-mail canta.rainette@wanadoo.fr r.-v.

DOM. CARAMBOLE 2005

	11 ha	53 000		5 à 8 €

L'étiquette aux petites touches d'aquarelle évoquant un paysage de bord de mer est toute provençale. Une bonne maîtrise des techniques de vinification et une sélection sérieuse ont permis l'élaboration de ce rosé franc, à la robe framboise, brillant, aromatique et rond. Un vin équilibré qui tiendra son rôle à l'apéritif et avec les entrées.

Cellier Val de Durance, Le Grand Jardin,
84360 Lauris, tél. 04.90.08.26.36, fax 04.90.08.28.27

CH. CARPE DIEM Major 2004

	2,35 ha	10 000		8 à 11 €

Cotignac est un village pittoresque, construit près d'une falaise percée de grottes, dont les ocres brillent de nuances changeantes sous le soleil. Une demeure bourgeoise du XVIII[e]s. commande les 32 ha de cette propriété dont les vins ne sont vendus qu'ici. Ce 2004 vermillon ne manque pas de matière, même si l'élevage en barrique a laissé une empreinte encore tenace. Accordez-lui deux à trois ans, le temps qu'il s'harmonise.

Francis Adam, Ch. Carpe Diem,
rte de Carcès, RD 13, 83570 Cotignac,
tél. 04.94.04.72.88, fax 04.94.04.77.50
t.l.j. 9h30-12h30 15h-19h; f. 15-31 jan.

PROVENCE

CH. DU CARRUBIER 2005 ★

■ 4 ha 17 500 ▮ **5 à 8 €**

Calaos, jabirus, ibis, perroquets : des couleurs à vous faire perdre la tête dans le jardin d'oiseaux tropicaux de La Londe-les-Maures. Bonbon, litchi, fruits exotiques, banane : des arômes à croquer dans ce rosé de teinte pâle, légèrement violine. Un côté acidulé rafraîchissant marque le palais franc, équilibré, qui contribuera à ouvrir l'appétit de vos hôtes. Le **2005 blanc** obtient une citation pour son caractère minéral et floral.

SC du Dom. du Carrubier,
rte de Brégançon, 83250 La Londe-les-Maures,
tél. 04.94.66.82.82, fax 04.94.35.00.01 ☑ Y r.-v.

CH. DE CHAUSSE 2005 ★

■ 7 ha 33 000 **5 à 8 €**

Créé en 1990 par Yves et Roseline Schelcher, ce vignoble est implanté sur un terroir de schistes à proximité de la Méditerranée. Issu d'un assemblage de grenache et de cinsault, ce rosé à la robe rose pâle présente un nez élégant d'agrumes, d'acacia et de miel. La bouche ronde retrouve les arômes du nez, agrémentés de flaveurs de pêche et soutenus par une bonne vivacité. À apprécier avec des plats asiatiques.

Ch. de Chausse,
rue Frédéric-Mistral, 83420 La Croix-Valmer,
tél. 04.94.79.60.57, fax 04.94.79.59.19,
e-mail chausse2@wanadoo.fr ☑ Y ⚲ r.-v.
Schelcher

CH. CLARETTES Grande Cuvée 2005 ★

■ 1 ha 4 000 **5 à 8 €**

Sur un site argilo-calcaire du trias, voué à l'agriculture depuis l'époque gallo-romaine, des vignes furent plantées dans les années 1920 ; elles prirent leur essor sous la houlette de la famille Crocé-Spinelli, à partir de 1950. Sous une robe pâle, ce 2005 s'épanouit dans des tonalités à la fois douces et fraîches. Il fait preuve de finesse grâce à ses longs arômes biscuités et floraux. La **Grande Cuvée 2004 rouge Élevage en bois (8 à 11 €)** est citée : dense, mais encore ferme, elle devra patienter deux ou trois ans.

Crocé-Spinelli, Dom. des Clarettes,
83460 Les Arcs-sur-Argens, tél. 04.94.47.45.05,
fax 04.94.73.30.73, e-mail earlvcspinelli@aol.com
☑ Y t.l.j. 10h-12h 14h-18h30

CLOS GAUTIER 2005 ★★

■ 3 ha 16 000 **5 à 8 €**

La cave, toute récente, présente avec ce 2005 sa troisième vinification, mais le vignoble est ancien. Du vieux grenache agrémenté d'une pointe de mourvèdre est à l'origine de cette cuvée. Très pâle et limpide, avec des reflets argentés, celle-ci livre un nez intense de fruits rouges et d'agrumes. Au palais, elle renoue avec ces arômes dans un ensemble plein d'élégance. Un vin flatteur.

SARL Mouton-Gautier, Clos Gautier,
quartier Mouneye, 83570 Carces,
tél. 04.94.80.05.05, fax 04.94.80.05.06,
e-mail clos.gautier@free.fr ☑ Y ⚲ r.-v.
S. Pereira

CLOS LA NEUVE Sainte-Victoire 2005

■ 1,5 ha 8 000 ▮ **5 à 8 €**

Difficile de ne pas remarquer cette nouvelle cave, rebâtie en 2003 dans un style provençal après les intempéries de 2002. En bordure de la N7, elle s'offre au regard des transhumants de l'été. Ce rosé de syrah et de grenache est resté très pâle. Amande, noisette et fleurs blanches participent à son bouquet, tandis que ses saveurs s'équilibrent harmonieusement.

Joly, EARL Dom. de La Neuve,
La Neuve, 83910 Pourrières, tél. 04.94.78.17.02,
fax 04.94.59.86.42 ☑ Y ⚲ t.l.j. 9h-12h 14h-19h

CLOS RÉQUIER L'Excellence 2005

■ 20 ha 15 000 ▮ **11 à 15 €**

Refaite en 2005, la cave du château Réquier a accueilli les grappes de cinsault et de syrah qui ont servi à produire cette cuvée. Vêtue d'une robe pâle de couleur chair, elle libère un nez aromatique qui mêle les agrumes, les fruits exotiques et le bonbon anglais. Elle n'est pas moins friande au palais ; sa rondeur et ses saveurs s'accorderont bien avec des petits farcis aux légumes ou une ratatouille.

SCEA Ch. Réquier, La Plaine, 83340 Cabasse,
tél. 04.94.80.22.01, fax 04.94.80.21.14,
e-mail chateaurequier@aol.com ☑ Y ⚲ r.-v.
Alain Loison

CH. COLLET REDON 2005 ★

■ 0,54 ha 2 000 ▮ **5 à 8 €**

Un tout nouveau caveau accueille le visiteur qui s'attardera à la dégustation de ce vin cristallin, aux légers accents floraux (acacia) et fruités (agrumes, dont le pamplemousse). Vif, le palais traduit bien la jeunesse du millésime. Citée, la **cuvée Valentin 2004 rouge (8 à 11 €)**, qui a connu un séjour de six mois sous bois, affiche une matière concentrée. Le jury conseille une garde de deux à trois ans avant de la servir avec un gibier.

Pierre Terrier, Ch. Collet Redon, 1695, N 555,
83490 Le Muy, tél. 04.94.45.06.09, fax 04.94.45.80.15
☑ Y t.l.j. sf mer. dim. 10h-12h 15h-18h

LES CAVES DU COMMANDEUR
Dédicace 2005 ★★

■ 7 ha 15 000 ▮ **5 à 8 €**

Deux étoiles en rouge l'an dernier, deux étoiles en rosé cette année : la cuvée Dédicace confirme qu'elle est bien l'un des fleurons de la cave de Montfort-sur-Argens. Sous une robe pâle, brillante avec des reflets violines, elle exprime des notes de fruits rouges, (groseille) et de bonbon anglais. À la fois tendre et charnu, elle charme par sa fraîcheur et sa finesse. Du même groupement, la cuvée classique **Caves du Commandeur rosé 2005 (3 à 5 €)** obtient une étoile.

Les Caves du Commandeur,
44, rue de la Rouguière, 83570 Montfort-sur-Argens,
tél. 04.94.59.59.02, fax 04.94.59.53.71,
e-mail valcommandeur@aol.com ☑ Y ⚲ r.-v.

DOM. DE LA COURTADE L'Alycastre 2005 ★

■ 6,22 ha 37 000 ▮ **8 à 11 €**

Partez en croisière et abordez sur l'île de Porquerolles. Initialement créé pour servir de pare-feu, ce domaine a su, depuis vingt ans, valoriser chaque cépage autochtone. Ici, le rolle exprime son potentiel aromatique : fleurs blanches, litchi, fruits secs, miel. Sous une robe pâle et lumineuse, aucune fausse note n'apparaît. Tout n'est que rondeur et équilibre, persistance et maturité. Une dorade royale, voilà le délicieux accord que mérite ce côtes-de-provence.

Dom. de La Courtade, 83400 Île-de-Porquerolles, tél. 04.94.58.31.44, fax 04.94.58.34.12, e-mail domaine@lacourtade.com
t.l.j. sf sam. dim. 9h-12h 13h-16h30

CH. COUSSIN Sainte-Victoire 2005

	6 ha	33 000		8 à 11 €

La voie Aurelia traversait ce territoire qui, en 102 av. J.-C., fut le théâtre d'un combat dont les légions du général Marius sortirent vainqueurs. Propriété de la famille Sumeire depuis 1903, ce château propose un rosé clair, aux nuances printanières ; il exprime en toute simplicité les fruits sur fond minéral. Il s'inscrit dans la lignée des vins légers et frais.

Famille Élie Sumeire, Ch. Coussin Sainte-Victoire, 13530 Trets, tél. 04.42.61.20.00, fax 04.42.61.20.01, e-mail sumeire@chateaux-elie-sumeire.fr r.-v.

DOM. DE LA CROIX 2005

Cru clas.	1,5 ha	4 000		8 à 11 €

Délaissé pendant plusieurs années, ce domaine retrouve une jeunesse sous l'impulsion de ses nouveaux propriétaires. Quelques dizaine d'hectares viennent d'être replantés, mais en attendant leur production, ce sont rolle et sémillon d'une dizaine d'années qui sont à l'origine de ce vin blanc harmonieux et tout en fraîcheur, aux effluves floraux. Le bel équilibre a été salué par les dégustateurs.

Dom. de La Croix et Bastide Blanche, Le Saunier-Neuf, BP 28, 83420 La Croix-Valmer, tél. 04.94.79.73.49, fax 04.94.79.76.05, e-mail diaz.erich@wanadoo.fr r.-v.

Bolloré

CH. LES CROSTES Cuvée Prestige 2004

	16 ha	15 000		8 à 11 €

Des vignes, des oliviers et des forêts composent ce domaine d'un seul tenant, commandé par un château du XVII[e]s. Syrah et cabernet-sauvignon à parts égales ont donné naissance à ce vin grenat soutenu qui laisse un long sillage de fruits rouges et d'épices. Les tanins marquent encore de leur empreinte le palais, mais ils devraient gagner en amabilité à la faveur de deux ou trois ans de garde. Plus aérienne, la **cuvée Prestige 2005 rosé (5 à 8 €)** est citée.

Ch. Les Crostes, chem. de Saint-Louis, BP 55, 83510 Lorgues, tél. 04.94.73.98.40, fax 04.94.73.97.93, e-mail chateau.les.crostes@wanadoo.fr
t.l.j. sf dim. 10h-18h (juil. août 9h-19h)

DOM. DE CUREBÉASSE Fréjus Angelico 2005 ★

	3 ha	14 000		8 à 11 €

Fort aujourd'hui de 20 ha, ce domaine, déjà présent sur les cartes du XVII[e]s., est conduit par Jean et Pascale Paquette, aidés de leur fils Jérôme. Il porte un nom original, du provençal *curo*, « prendre soin », et *baisso* qui désigne la musette. Prenez soin de cette bouteille fidèle à son terroir de Fréjus. Portée sur les épices, les fruits mûrs (pêche, banane), elle offre une bouche ronde et persistante. La cuvée **Forum Julii 2005 blanc**, fruitée, complexe et dense, obtient aussi une étoile.

SCEA Paquette, Dom. de Curebéasse, rte de Bagnols-en-Forêt, 83600 Fréjus, tél. 04.94.40.87.90, fax 04.94.40.75.18, e-mail courrier@curebeasse.com
t.l.j. 9h-12h30 14h-18h

CH. DEFFENDS Cuvée Première 2005 ★

	3,6 ha	24 000		5 à 8 €

Assemblage subtil de grenache, de syrah et de cinsault issus d'un terroir de graves et d'argilo-calcaires, ce vin revêt une robe rose pâle et libère d'élégants arômes de fruits blancs mêlés d'agrumes et d'abricot. Il fait preuve d'équilibre entre rondeur et fraîcheur, de sorte qu'il accompagnera avec succès des viandes blanches ou un gigot d'agneau de Sisteron.

Vergès, EARL Ch. Deffends, 83660 Carnoules, tél. et fax 04.94.28.33.12, e-mail verges.xavier@wanadoo.fr
t.l.j. 9h-12h 15h-19h

CHARMES DES DEMOISELLES 2005 ★

	5 ha	20 000		11 à 15 €

Cette ancienne propriété de la famille Grimaldi, prince de Monaco, vient d'être rachetée en 2005 par l'actuel propriétaire du château Sainte-Roseline. Le charme opère à la dégustation de cette cuvée rose pâle qui procède par petites touches aromatiques de fleurs blanches et de fruits rouges avant de dévoiler sa rondeur agréable, relevée d'une juste vivacité. À réserver à l'apéritif. Frais, le **2005 blanc** offre un nez exubérant, minéral et floral, nuancé de boisé. Une citation lui est attribuée.

SEDA Les Demoiselles, 2040, rte de Callas, 83920 La Motte, tél. 04.94.99.50.30, fax 04.94.47.53.08 r.-v. 7

B. Teillaud

DOM. DESACHY Cuvée Chloé Élevé en barrique 2004 ★

	0,9 ha	5 100		5 à 8 €

Anne et Marc Desachy travaillent avec leur père sur ce domaine d'une douzaine d'hectares, dont la création remonte aux années 1980. Au cœur du terroir londais, face à la mer, ils ont produit un vin d'un rouge foncé, riche d'arômes épicés. On sent de la structure au palais, soulignée par un boisé vanillé qui devrait se fondre à la faveur de quelques mois de garde.

Desachy, Le Bas Pansard, 83250 La Londe-les-Maures, tél. et fax 04.94.66.84.46
t.l.j. sf dim. 9h-12h 15h-18h30

LE DIVIN 2005 ★

	2 ha	3 000		5 à 8 €

Sur la N7, vous trouverez aisément cette cave coopérative de la région des Maures, dirigée par Laurent Rugon et Jean-Philippe Manzoni. Le rosé accroche le regard par ses reflets argentés, puis il se montre charmeur par ses senteurs de fruits, nuancées d'une note amylique, puis par sa bouche équilibrée et fraîche. Il sera « divin », en effet, à l'apéritif. Le **Cellier Saint-Bernard 2005 rosé (3 à 5 €)**, plus violacé, est cité pour ses arômes de fruits rouges et sa vivacité. L'alliance ne manquera pas d'intérêt avec un plat sucré-salé.

Cellier Saint-Bernard, av. du Général-de-Gaulle, 83340 Flassans-sur-Issole, tél. 04.94.69.71.01, fax 04.94.69.71.80 r.-v.

DOM. DU DRAGON Cuvée Saint-Michel Élevé en fût de chêne 2004 ★★

	3 ha	14 500		8 à 11 €

Le dragon dont il est question ici est celui qui orne le blason de la ville de Draguignan, anéanti, selon la légende, par l'évêque d'Antibes au V[e]s. Il ne s'agit donc pas du

PROVENCE

dragon terrassé par l'archange saint Michel, auquel pourtant cette cuvée semble rendre hommage. Quoi qu'il en soit, ce vin, souvent sélectionné et distingué d'un coup de cœur en 2001, trouve cette année encore le chemin des étoiles. Assemblage de grenache, de syrah et de cabernet-sauvignon, d'une couleur pourpre, il présente un nez complexe de fruits rouges et de torréfaction. L'attaque en bouche est franche et ouvre sur des tanins fins accompagnés d'un boisé bien fondu et discret. La **cuvée Prestige rosé 2005 (5 à 8 €)**, gourmande et vive, est citée.

SCEA Dom. du Dragon,
av. Frédéric-Henri-Manhes, 83300 Draguignan,
tél. 04.98.10.23.00, fax 04.98.10.23.01,
e-mail domaine.dragon@wanadoo.fr
t.l.j. 10h-12h 16h-19h; sam. dim. sur r.-v.
Houppertz

DUPÉRÉ BARRERA Nowat 2003 *

n.c. 1 500 15 à 23 €

Emmanuelle Dupéré et Laurent Barrera, à la tête d'un domaine de 7 ha, se sont lancés dans un style de vinification bien à eux : le Nowat... comprenez *no watt*, « sans électricité ». De quoi s'agit-il ? D'un travail manuel de A à Z, depuis l'égrappage, le foulage aux pieds, jusqu'au pressurage. Les vins connaissent un élevage de dix-huit mois en fûts de un à deux vins, puis sont mis en bouteilles sans filtration préalable. Au final, une cuvée grenat brillant, dont les arômes évoquent le cassis et la groseille. Des tanins riches étayent sa chair ronde et persistante, non dénuée d'élégance. Déjà agréable, cette bouteille le restera encore jusqu'en 2008. Une citation revient au **Domaine du Clos de La Procure 2004 rouge (11 à 15 €)** : un vin chaleureux qui évoque le sous-bois et la réglisse.

Dupéré Barrera, 254, rue R.-Schumann,
83130 La Garde, tél. 04.94.23.36.08, fax 04.92.94.77.63,
e-mail vinsduperebarrera@hotmail.com r.-v.

DOM. DE L'ÉOUVE 2005

6,2 ha 45 000 5 à 8 €

L'éouve désigne le chêne vert en provençal, symbole de force et de sagesse, mais aussi du terroir de cette propriété implantée sur sol argilo-calcaire. Vêtu d'une robe claire, saumonée, ce rosé légèrement fruité trouve un élégant équilibre, dominé par la souplesse et la rondeur. Dégustez-le avec des pieds paquets à la provençale.

Serge Ramella, Dom. de L'Éouve,
rte de Bagnols, 83920 La Motte, tél. 04.94.70.27.80,
fax 04.94.85.39.78, e-mail eouve@wanadoo.fr r.-v.

CH. ESCARAVATIERS 2004

0,5 ha 1 000 8 à 11 €

Obtenu à partir du rolle, cépage typiquement provençal, sur un terroir argilo-calcaire riche en cailloutis, ce vin blanc à la robe jaune d'or, élevé en barrique, a retenu l'attention du jury. Son nez intense et complexe révèle des arômes d'agrumes associés à des notes de vanille et de pain brioché. Une belle attaque en bouche et beaucoup de rondeur soutenue par de la vivacité offrent à ce vin un potentiel d'évolution. À déguster avec un foie gras ou en apéritif.

SNC Domaines B.-M. Costamagna,
Dom. des Escaravatiers, 83480 Puget-sur-Argens,
tél. 04.94.19.88.22, fax 04.94.45.59.83,
e-mail escaravatiers@wanadoo.fr
mar. jeu. sam. 10h-12h 14h-18h; f. juil.-août

DOM. DE L'ESPARRON Cuvée Virginie 2005

2 ha 13 300 5 à 8 €

Après la visite du village des Tortues de Gonfaron, il vous sera aisé de vous arrêter au domaine Esparron. Changement de décor : aux chênes-lièges, arbousiers et cistes du maquis provençal succèdent les vignes, parmi lesquelles les grenache, syrah et cinsault qui composent ce rosé charpenté. La teinte est claire, mais ne vous y fiez pas. Car la syrah s'exprime puissamment à travers les arômes de fruits rouges. Une sensation chaleureuse s'impose au palais, équilibrée par le gras de la chair. Un vin de repas, à réserver à une viande blanche ou une volaille de Bresse.

Migliore, Dom. de L'Esparron, 83590 Gonfaron,
tél. 04.94.78.34.41, fax 04.94.78.34.43
t.l.j. sf dim. 8h-12h 13h30-19h

L'ESTANDON 2005 *

50 ha 333 000 3 à 5 €

Avec plus d'un demi-siècle d'existence, cette marque, créée initialement pour le marché niçois où elle a construit sa renommée, perdure aujourd'hui bien au-delà de la seule Côte d'Azur. En 2005, c'est un assemblage de grenache, de cinsault et de syrah qui dessine un vin de plaisir dont on apprécie le fruité et l'équilibre en bouche.

Les Vignerons des Caves de Provence,
ZI Les Consacs, 83170 Brignoles, tél. 04.94.37.21.00,
fax 04.94.59.14.84, e-mail info@cercleprovence.fr

L'ESTELLO 2005

3 ha 16 000 5 à 8 €

Un vin à découvrir dans les restaurants de la région ou directement au domaine. Gilles Malinge, qui a repris cette propriété de 22 ha en 2003, a déjà fait ses preuves dans le Guide l'an passé. Il propose ici un vin pétale de rose qui exhale avec délicatesse des notes de fleurs blanches et de pêche. La rondeur et la légèreté seront des atouts lors d'un service avec une bourride ou des saint-jacques poêlées.

Dom. de L'Estello, rte de Carcès, 83510 Lorgues,
tél. 04.94.73.22.22, fax 04.94.73.29.29,
e-mail lestello@lestello.com
t.l.j. sf dim. 9h-12h30 14h-18h;
ouv. dim. matin juil.-août
G. Malinge

CH. DES FERRAGES
Sainte-Victoire Cuvée Mon Plaisir 2005 *

2,5 ha 10 000 8 à 11 €

La basilique du XIII^e^s. de Saint-Maximin mérite une halte prolongée avant votre arrivée à Pourcieux où vous rencontrerez José Garcia. Celui-ci vous fera partager son plaisir en vous présentant cette cuvée d'un rose seyant, toute disposée à livrer ses arômes d'agrumes et de fruits rouges. L'équilibre se réalise au palais jusqu'à la finale fruitée. Une bouteille qui trouvera tout naturellement sa place à table.

José Garcia, RN 7, 83470 Pourcieux,
tél. 04.94.59.45.53, fax 04.94.59.72.49
t.l.j. sf dim. 8h-12h 13h-18h

CH. FERRY LACOMBE Sainte-Victoire 2005 *

2 ha 6 000 11 à 15 €

Hommage à Cézanne et à la musique : la montagne Sainte-Victoire a résonné des notes de la symphonie n° 5 de Mahler, interprétée par l'orchestre philharmonique de Berlin lors d'un concert unique donné dans le cadre du festival d'Aix-en-Provence 2006. Au château Ferry Lacombe, une autre formation s'est réunie sur ce terroir, celle de la syrah, du grenache et du cinsault qui a donné naissance à un vin rose tendre, brillant de reflets framboise. Au nez intense et complexe de groseille, de framboise et de fleurs répond une vivacité toute fruitée, typique des vins de la Montagne Sainte-Victoire. Le côtes-de-provence **rosé 2005 (5 à 8 €)** obtient également une étoile.

Ch. Ferry Lacombe, rte de Saint-Maximin,
13530 Trets, tél. 04.42.29.40.04, fax 04.42.61.46.65,
e-mail info@ferrylacombe.com
t.l.j. sf dim. 10h-12h 14h-19h (hiver 18h)
Pinot

CH. FONT DU BROC 2005 ★

	2,5 ha	12 000	11 à 15 €

Dans la toute nouvelle cave souterraine de son château de style provençal, Sylvain Massa a vinifié cette cuvée de pur rolle, à la robe chatoyante, peu soutenue, presque vaporeuse. Encore timide au nez, ce vin demande une légère aération avant d'exprimer pleinement toute sa puissance au palais, heureux mariage de corps, de chair et de finesse. À déguster dès aujourd'hui avec un bar grillé.

Sylvain Massa, chem. de la Font-du-Broc,
83460 Les Arcs-sur-Argens,
tél. 04.94.47.48.20, fax 04.94.47.50.46,
e-mail caveau@chateau-fontdubroc.com
t.l.j. sf dim. 9h-12h 14h-18h

LES FOULEURS DE SAINT-PONS Marjolis 2005

	n.c.	90 000	5 à 8 €

La cave des Fouleurs de Saint-Pons, construite en 1962, se situe au pied du massif des Maures, non loin du golfe de Saint-Tropez. Un assemblage de grenache et de cinsault a donné naissance à ce rosé pâle, brillant de reflets saumonés, dont le nez délicat évoque les fleurs blanches. La bouche ronde et équilibrée développe des flaveurs de pêche de vigne. Un bon compagnon de la cuisine méridionale. Le **Domaine des Marquets 2005 rosé**, frais et franc, est également cité.

Les Fouleurs de Saint-Pons, rte de Grimaud,
83120 Plan-de-la-Tour, tél. 04.94.43.70.60,
fax 04.94.43.00.55, e-mail ode.fsp@wanadoo.fr
t.l.j. 9h-12h 15h-18h30

DOM. DE LA FOUQUETTE
Cuvée Brin de mimosa 2005 ★

	1 ha	2 740	5 à 8 €

Isabelle Daziano a repris en 2005 les rênes du domaine familial, situé sur les contreforts du massif des Maures et où vous pourrez vous rendre pour un séjour en chambres d'hôtes ou simplement pour un repas gastronomique à la ferme. Son vin au nez intense de fruits blancs et de pêche de vigne affiche une bouche ronde et équilibrée, animée d'une bonne vivacité. Le **rosé 2005 cuvée Pierres de Moulin** obtient une citation.

Isabelle Daziano, Dom. de La Fouquette,
83340 Les Mayons,
tél. 04.94.60.00.69, fax 04.94.60.02.91,
e-mail domaine.fouquette@wanadoo.fr
r.-v. 4

DOM. FOUSSENQ Collet Redoun 2005 ★

	1,5 ha	10 000	3 à 5 €

Issu d'une famille vigneronne carçoise depuis 1566, Manuel Foussenq connaît bien sa région, son terroir argilo-calcaire et ses cépages. La sélection de trois de ses vins dans le Guide témoigne de son savoir-faire. Ce rosé, délicatement floral sous une teinte bois de rose, se montre corsé par sa structure, qui ne masque pas pour autant le fruité. « Vin de bouche », il s'accommodera avec des viandes blanches et une cuisine épicée. Le **Collet Redoun 2005 blanc**, aux notes originales d'épices et de réglisse, ainsi que la **cuvée Antoine 2003 rouge Élevé en fût de chêne (5 à 8 €)**, dont les tanins sont encore jeunes, sont cités.

Dom. Manuel Foussenq, 9, pl. Gabriel-Peri,
83570 Carcès, tél. 04.94.04.54.18, fax 04.94.04.37.77,
e-mail foussenq@wanadoo.fr r.-v.

CH. DE LA GALINIÈRE
Grande Cuvée Charles Losma 2003 ★★

	1 ha	7 400	15 à 23 €

Situé au pied de la montagne Sainte-Victoire, chère à Cézanne, sur un sol argilo-calcaire, le vignoble du château de La Galinière (16 ha) s'est largement développé depuis sa reprise par Amédée-Laurent Musso en 1997. Ce vin grenat profond mêle des senteurs complexes et intenses d'épices (poivre), de réglisse et de cuir. La bouche ample et puissante bénéficie du soutien de tanins présents, mais fins qui respectent l'expression persistante des arômes en finale. Un côtes-de-provence destiné à un civet de lièvre ou à une daube de sanglier.

Amédée-Laurent Musso,
Ch. de la Galinière, 13790 Châteauneuf-le-Rouge,
tél. 04.42.29.09.84, fax 04.42.29.09.82,
e-mail chateaudelagaliniere@wanadoo.fr
t.l.j. 10h-13h 15h-18h

CH. DU GALOUPET 2005 ★

Cru clas.	n.c.	29 000	8 à 11 €

Ce très ancien domaine a conservé sa cave voûtée souterraine. C'est là qu'a été vinifié ce vin jaune pâle à reflets verts, issu de l'assemblage de rolle et de sémillon. Son nez élégant et complexe développe des arômes de pêche blanche de vigne, de brioche et de vanille. La bouche franche et bien équilibrée montre beaucoup de rondeur ; le jury a perçu des arômes de pain d'épice et à nouveau de brioche. Ce côtes-de-provence s'alliera harmonieusement avec une volaille à la crème.

Ch. du Galoupet, Saint-Nicolas,
83250 La Londe-les-Maures,
tél. 04.94.66.40.07, fax 04.94.66.42.40,
e-mail galoupet@club-internet.fr r.-v.

CH. DES GARCINIÈRES Cuvée du Prieuré 2005 ★

	1,3 ha	6 500	5 à 8 €

Ancienne abbaye cistercienne devenue demeure seigneuriale, puis domaine viticole à part entière, cette propriété appartient depuis plus d'un siècle à la même famille. « La nature est notre guide » indique l'étiquette : la vigne est ici cultivée en lutte raisonnée. Le résultat est ce vin, à la robe rose pâle et brillant, qui développe des arômes intenses de pamplemousse et de fruits blancs relevés d'une pointe d'épices. Bien équilibrée, la bouche rejoue les agrumes et les fruits blancs compotés dans une longue finale. Un rosé plein de finesse qui s'accordera avec la cuisine asiatique ou méridionale.

Famille Valentin, Ch. des Garcinières,
83310 Cogolin, tél. 04.94.56.02.85, fax 04.94.56.07.42,
e-mail garcinieres@wanadoo.fr
t.l.j. 9h-13h 15h-19h; hiver 9h-12h 14h-18h

PROVENCE

VIGNOBLES GASPERINI
Cuvée Dame Jardin 2005

■ 3 ha 20 000 5 à 8 €

Dame Jardin évoque Joséphine Jardin, l'arrière-grand-mère de la famille. À base de cinsault et de grenache, ce vin s'identifie à son appellation par une teinte claire à nuance orangée, de francs arômes d'agrumes et une bouche légère. La **cuvée des Commandeurs 2004 rouge**, aux saveurs harmonieuses et de teinte pâle, est citée.

Vignobles Gasperini, 42, av. de la Libération, 83260 La Crau, tél. 04.94.66.70.01, fax 04.94.66.10.33, e-mail gasperini.vins@wanadoo.fr
t.l.j. sf sam. dim. 8h-12h 14h-18h

DOM. GAVOTY Cuvée Clarendon 2005 *

3 ha 16 000 11 à 15 €

En 2006, cette propriété familiale fête son bicentenaire. À nouveau, sa cuvée Clarendon, hommage à Bernard Gavoty qui signait ses critiques musicales au *Figaro* sous ce pseudonyme, remporte un franc succès auprès des dégustateurs. Sous une teinte juvénile et élégante, elle révèle l'expression de son terroir et laisse une sentation chaleureuse au palais. Le **Hautbois Solo 2003 rouge**, en accord avec les soirées musicales estivales dans les chais du château, est friand par ses arômes de griotte et sa structure équilibrée. Une citation lui est attribuée.

Roselyne et Pierre Gavoty, Dom. Gavoty, Le Grand Campdumy, 83340 Cabasse, tél. 04.94.69.72.39, fax 04.94.59.64.04, e-mail domaine.gavoty@wanadoo.fr r.-v.

CH. GIROUD 2005

■ 1,75 ha 8 000 5 à 8 €

De la passion et de la volonté pour cette première vinification de Thierry Giroud dans sa toute nouvelle cave. Il est épaulé par son épouse dans cette aventure. Son 2005 rouge vif à nuances violacées se montre encore jeune par la fraîcheur de son expression fruitée (cassis, pruneau). Le boisé laisse une petite sensation d'austérité au palais, mais les dégustateurs sont confiants : dans un an, il n'y paraîtra plus.

Thierry Giroud, Ch. Giroud, rte du Luc, 83340 Cabasse, tél. 06.82.86.52.29, fax 04.94.80.29.83, e-mail contact@chateaugiroud.fr
t.l.j. 9h-18h; sam. dim. sur r.-v.

DOM. DE LA GISCLE Moulin de L'Isle 2005 *

1 ha 6 600 5 à 8 €

Un ancien moulin à farine, devenu un temps magnanerie, commande aujourd'hui ce vignoble implanté sur schistes et graviers. Les trois couleurs sont représentées dans le Guide, à commencer par ce 2005 pâle à reflets verts qui évoque la noix de coco, la torréfaction, avec une touche citronnée. Le bois, bien maîtrisé, accompagne le développement d'une matière ample. Entre dix-huit et vingt-quatre mois de garde sont à la portée de ce vin original. Une étoile revient également au **Moulin de L'Isle 2005 rosé**, porté sur les agrumes et les fruits rouges, tandis que la **Carte noire 2004 rouge**, marquée par le fruit confit, est citée.

EARL Dom. de La Giscle, hameau de l'Amirauté, rte de Collobrières, 83310 Cogolin, tél. 04.94.43.21.26, fax 04.94.43.37.53, e-mail dom.giscle@wanadoo.fr
t.l.j. sf mer. 9h-12h 14h-18h30; dim. 9h-12h
Pierre Audemard

LES MAÎTRES VIGNERONS DE GONFARON
Cuvée Jules César 2005

6 ha 29 400 3 à 5 €

Produite par un groupement de vignerons dont les sélections ont déjà séduit, cette cuvée célèbre l'empereur romain qui, si l'on en croit l'étiquette, vanta jadis les mérites du terroir de Gonfaron. Sous sa robe vive aux nuances corail et grenat, elle dévoile un fruité intense (fraise notamment). Son équilibre en bouche en fait un vin agréable, à servir avec des rougets à la menthe.

Les Maîtres vignerons de Gonfaron, quartier Murier, 83590 Gonfaron, tél. 04.94.78.30.02, fax 04.94.78.27.33 r.-v.

CH. LA GORDONNE 2005 *

130 ha 900 000 3 à 5 €

Le conseiller de Gourdon, qui acheta le domaine en 1650, fut à l'origine du nom de ce château. Depuis 1960, les domaines Listel contrôlent la destinée de ces 240 ha. Un rosé de Provence franc et fruité, d'une harmonieuse rondeur et légèreté. Sa simplicité n'ôte en rien son caractère plaisant.

Dom. Listel, Ch. La Gordonne, 83390 Pierrefeu-du-Var, tél. et fax 04.94.28.20.35, e-mail njulian@listel.fr
t.l.j. 8h-12h 13h-18h30; sam. dim. sur r.-v.

LE GRAND CROS L'Esprit de Provence 2005 *

1,3 ha 6 000 5 à 8 €

Tout l'esprit de la Provence concentré dans ce vin de rolle et de sémillon. Les fragrances de fleurs, de fruits et de miel invitent à poursuivre la dégustation, à la découverte de saveurs équilibrées entre rondeur et fraîcheur, délicatement ponctuées de notes de pamplemousse. Une citation est attribuée à **L'Esprit de Provence 2005 rosé**, empreint de fruits rouges.

Julian Faulkner, Dom. du Grand Cros, RD 13, 83660 Carnoules, tél. 04.98.01.80.08, fax 04.98.01.80.09, e-mail info@grandcros.fr
t.l.j. sf dim. 9h-12h 14h-18h

DOM. HOUCHART Sainte-Victoire 2004 *

■ 4 ha 12 000 5 à 8 €

Aurélien Houchart, ami de Cézanne, acheta ce domaine en 1890. Celui-ci est aujourd'hui dirigé par ses descendants. Issu d'un terroir de cailloutis calcaires, ce 2004 arbore une robe rouge grenat d'une intensité profonde. Le nez s'ouvre sur des fruits rouges mûrs, agrémentés de notes épicées et briochées. La bouche est ronde, complexe, soutenue par des tanins présents mais bien fondus qui offrent à ce vin un véritable potentiel de garde. À ouvrir dans un ou deux ans sur une daube provençale.

Vignobles Jérôme Quiot, av. Baron-Le-Roy, 84231 Châteauneuf-du-Pape, tél. 04.90.83.73.55, fax 04.90.83.78.48, e-mail contact@jeromequiot.com r.-v.

DOM. JACOURETTE Sainte-Victoire 2005 *

0,75 ha 5 000 5 à 8 €

Le terroir de la Montagne Sainte-Victoire est désormais reconnu. Hélène Dragon a su affirmer sa typicité avec ce rosé couleur framboise, lumineux. Groseille et aubépine pour le bouquet, fraîcheur des fruits, rondeur et souplesse pour la bouche : un vin croquant en somme. Le **2004 rouge (8 à 11 €)** est cité pour ses arômes de fruits surmûris et sa structure réglissée.

Dom. de Jacourette, rte de Trets, RD 23, 83910 Pourrières, tél. 04.94.78.54.60, fax 04.94.78.54.90, e-mail helene.dragon@jacourette.com t.l.j. sf lun. dim. 15h30-18h30
Hélène Dragon

DOM. DE JALE La Nible 2004 **

1,5 ha	4 000	15 à 23 €

La régularité dans la qualité. Voilà qui résume bien le profil de la cuvée La Nible d'une année à l'autre. Le 2004, profondément coloré, déroule une ligne boisée, épicée et grillée d'une réelle élégance. Puis il se révèle rond et dense, d'une remarquable persistance. Une étoile sied bien à la cuvée **La Lone 2005 blanc (11 à 15 €)** qui exprime sans retenue son bouquet floral, sa puissance et sa fraîcheur.

Dom. de Jale, chem. des Fenouils, rte de Saint-Tropez, 83550 Vidauban, tél. et fax 04.94.73.51.50 t.l.j. sf dim. 9h30-12h 14h30-18h
François Seminel

LE JAS DE LA BARRE 2005 *

6,3 ha	34 000	3 à 5 €

Fruit de nombreuses années d'effort et de sélection de terroirs, ce vin rouge a été élaboré par les vignerons de la coopérative de Vidauban. Issu d'un assemblage de syrah (90 %) complété de mourvèdre, il présente une robe pourpre soutenue. Le nez se révèle intense et complexe, avec des senteurs de fruits rouges auxquelles se mêlent des notes épicées et poivrées. La bouche ronde offre des tanins fins et retrouve les fruits rouges dans une longue finale. À attendre encore un ou deux ans.

La Vidaubanaise, 89, chem. Sainte-Anne, 83550 Vidauban, tél. 04.94.73.00.12, fax 04.94.73.54.67 r.-v.

DOM. DU JAS D'ESCLANS Cuvée du Loup 2005 *

Cru clas.	2,5 ha	12 000	5 à 8 €

Depuis cette ancienne magnanerie du XVIII[e]s., le regard se perd vers la mer, pourtant distante de 12 km. La vigne, qui s'est développée sur ce terroir argilo-calcaire entre les deux guerres, est aujourd'hui conduite en agriculture biologique. Cette cuvée, tout en fruits frais (fraise, mûre), se révèle progressivement à l'aération, en libérant des notes plus florales de genêt. Sa rondeur et sa persistance en font un vin de repas. La **cuvée du Loup 2004 rouge Élevé en barrique (11 à 15 €)**, charnue et structurée, brille d'une étoile. Elle décline des arômes de fruits rouges, d'épices et de sous-bois.

SARL du Dom. du Jas d'Esclans, 3094, rte de Callas, 83920 La Motte, tél. 04.98.10.29.29, fax 04.98.10.29.28, e-mail mdewulf@terre-net.fr r.-v.
De Wulf

CH. DE JASSON Cuvée Éléonore 2005 **

8,02 ha	48 000	11 à 15 €

Implantés dans la zone littorale de l'aire d'appellation, les quelque 16 ha de vignes produisent des vins d'une expression riche et régulière. Ce rosé, pâle, offre une palette harmonieuse de fleurs blanches et d'agrumes, puis se montre rond et persistant, élégant. La **cuvée Jeanne 2005 blanc**, fraîche et aromatique (ananas, fruits secs et pamplemousse en finale), obtient une étoile.

Benjamin de Fresne, Ch. de Jasson, D 88, 83250 La Londe-les-Maures, tél. 04.94.66.81.52, fax 04.94.05.24.84, e-mail chateau.de.jasson@wanadoo.fr t.l.j. 9h30-12h30 14h30-19h

VIGNOBLES KENNEL Réserve 2005 *

0,6 ha	3 000	5 à 8 €

Le nom de Kennel est familier dans la région. Quel vigneron n'a pas dans sa cave un foudre de la tonnellerie Kennel ? Pourtant, pas de passage sous bois pour ce vin qui trouve un bon équilibre entre le gras et la fraîcheur, puis déroule longuement ses arômes de fleurs blanches, de pain d'épice, d'amande et de menthol. Les poissons et les fruits de mer lui iront bien.

EARL Vignobles Kennel, Dom. de Saint-Pierre-les-Baux, Les Baux, 83390 Pierrefeu-du-Var, tél. 04.94.28.20.39, fax 04.94.48.14.77, e-mail vignoble.kennel@wanadoo.fr t.l.j. sf dim. 9h-12h 14h-18h, sam. 9h-12h

CH. DES LAUNES 2005 **

n.c.	2 000	8 à 11 €

Au pied du massif des Maures, le vignoble s'étend sur 15 ha d'un terroir de schistes et de phyllades. Élaboré à partir de rolle, ce 2005 jaune pâle à reflets verts affiche un nez puissant d'agrumes, ponctué de notes minérales, puis se développe avec rondeur et complexité jusqu'à une longue finale.

Dielesen, SA Ch. Les Launes, rue Pontevès, 83680 La Garde-Freinet, tél. 04.94.60.01.95 r.-v.

DOM. DE LA LAUZADE 2005 **

7 ha	30 000	5 à 8 €

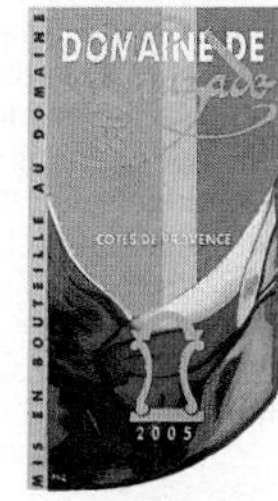

Une bastide qui correspond parfaitement à l'image que l'on se fait de la Provence, avec une fontaine millénaire et des platanes tricentenaires. C'est ainsi que se découvre La Lauzade, dont les origines remontent à 46 av. J.-C., date de construction d'une *villa* romaine sur ce terroir argilo-calcaire et gréseux. Son vin remporte l'adhésion du jury. Or pâle à reflets verts, il décline volontiers des notes d'agrumes (pamplemousse) et de mangue. Long sillage qui se poursuit au palais comme pour mieux rehausser la chair ronde et onctueuse. L'élégance est toujours de mise.

Dom. de La Lauzade Kinu-Ito, 3423, rte de Toulon, 83340 Le Luc-en-Provence, tél. 04.94.60.72.51, fax 04.94.60.96.26, e-mail contact@lauzade.com t.l.j. sf dim. 8h30-12h 14h-17h30, sam. 8h30-12h

CH. DE LÉOUBE Les Forts de Léoube 2004

15 ha	8 000	11 à 15 €

Sur la route du fort de Brégançon, ce vaste domaine en bordure de mer pratique la culture oléicole tout en préservant la production de vin. Cette cuvée issue d'un assemblage de multiples cépages (syrah, cabernet-sauvignon, grenache, cinsault et mourvèdre) dévoile des nuances boisées élégantes, sous une robe pourpre. Bien construite autour de tanins encore fermes, elle accorde aussi une bonne place au fruité. Laissez-lui deux ou trois ans pour s'ouvrir.

Ch. de Léoube, 2387, rte de Léoube,
83230 Bormes-les-Mimosas, tél. 04.94.64.80.03,
fax 04.94.71.75.40, e-mail bureau@chateaudeleoube.fr
t.l.j. 9h-12h 14h-18h
Sir Antony Bamford

LOU BASSAQUET Rascailles 2005

4,97 ha n.c. 3 à 5 €

La cuvée Rascailles se décline en rosé et en rouge. Habillé d'une robe flatteuse rose bonbon, ce 2005 livre des arômes de friandises, accompagnés d'une note minérale. Sa structure affirmée ne cache en rien le fruité mûr qui contribue à une impression de rondeur. Une citation également pour le **Rascailles 2004 rouge**, aux arômes d'épices légères, de cuir et de tabac. Les flaveurs de fruits rouges s'épanouissent autour de tanins encore un peu austères en finale.

Cellier Lou Bassaquet, chem. du Loup,
BP 22, 13530 Trets, tél. 04.42.29.20.20,
fax 04.42.29.32.03, e-mail contact@loubassaquet.com
t.l.j. sf dim. 9h-12h 15h-18h30

DOM. LUDOVIC DE BEAUSÉJOUR
L'Exception de Bacarras 2005 *

1,5 ha 7 400 15 à 23 €

Fidèle du Guide, ce domaine a été créé en 1994 grâce au défrichement de collines boisées. Le 2005, à dominante de syrah (80 %), s'habille d'une robe pourpre à reflets grenat. Son nez aussi puissant que complexe annonce une bouche structurée et de bonne longueur. Du beau travail que les plus impatients découvriront dès cet hiver, et les connaisseurs d'ici trois ans. Coquillages et crustacés accompagneront **L'Exception de Crystallis 2005 blanc (11 à 15 €)**, de tempérament vif, qui obtient une citation.

Dom. Ludovic de Beauséjour,
hameau de la Basse-Maure,
rte de Salernes-Flayosc, 83510 Lorgues,
tél. 04.94.50.91.90, fax 04.94.50.91.97 r.-v.
Maunier

CH. MAÏME
Cuvée Véronique Vieilli en fût de chêne 2003 *

2 ha 11 000 11 à 15 €

Né sur un terroir de schistes, ce vin de syrah, grenache et mourvèdre présente une couleur pourpre, puis un nez intense et complexe : la violette se mêle à des notes animales et aux petits fruits noirs. Une rondeur équilibrée, de la longueur aussi : des atouts que complètent des tanins fins, garants d'une bonne aptitude au vieillissement.

Sibran, Ch. Maïme, RN 7,
83460 Les Arcs-sur-Argens, tél. 04.94.47.41.66,
fax 04.94.47.42.08, e-mail maime.terre@wanadoo.fr
t.l.j. sf dim. 10h-12h 14h-18h
Sibran, Garcia

CH. MARAVENNE Collection privée 2003 *

2 ha 7 000 5 à 8 €

Situé à proximité du jardin d'oiseaux exotiques et de la mer, ce domaine prévoit prochainement l'ouverture d'un musée de la Vigne et du Vin. En attendant, le caveau de dégustation est ouvert pour goûter ce 2003. Cépages nobles, cuvaison soignée et élevage en bois sont à l'origine de cette cuvée bien travaillée. D'une robe profonde, elle exhale des senteurs de fruits rouges, de mûre et de grillé. C'est un vin structuré, aux tanins puissants mais élégants, garants d'un bon potentiel de garde.

Gourjon, Ch. Maravenne, rte de Valcros,
83250 La Londe-les-Maures, tél. 04.94.66.80.20,
fax 04.94.66.97.79, e-mail maraven.gourjon@terre-net.fr
t.l.j. 8h-12h 14h-18h 6 6

CH. MAROUÏNE 2004

2,9 ha 10 000 8 à 11 €

Exploitant les éboulis du plateau calcaire triasique, à l'endroit où il rencontre la plaine des Maures, ce petit domaine jouit d'une situation privilégiée et d'un panorama d'exception. On y produit des vins à forte personnalité, bien élevés, et qui peuvent se garder. Ce 2004, mariage d'un mourvèdre impertinent et d'un carignan « bourru », offre des senteurs de fruits mûrs, de bois exotique. La bouche encore jeune et un peu austère ne demande qu'à s'arrondir.

Marie-Odile Marty, Ch. Marouïne,
83390 Puget-Ville, tél. 04.94.48.35.74,
fax 04.94.48.37.61, e-mail chateaumarouine@aol.com
t.l.j. sf dim. 9h-19h

CH. DES MARRES 2005 *

19 ha 95 000 8 à 11 €

Coup de cœur l'an passé pour son 2004 rosé, le château des Marres est de retour cette année grâce à un vin de teinte pâle, qui se décline *tutti frutti* avec souplesse et équilibre. Un côtes-de-provence « très tendance », conclut un juré.

René Gartich, Ch. des Marres,
rte des Plages, 83350 Ramatuelle,
tél. 04.94.97.22.61, fax 04.94.96.33.84,
e-mail contact@chateaudesmarres.com r.-v.

CH. LA MARTINETTE Cuvée Prestige 2003

2 ha 8 000 8 à 11 €

Assemblage de syrah majoritaire (80 %) complétée de cabernet-sauvignon, cette cuvée élevée dans le bois arbore une robe foncée, presque noire aux reflets violacés. Empreinte d'arômes de fruits rouges et de vanille, la bouche se fait remarquer par sa puissance et sa structure. À servir dès maintenant avec une viande rouge.

EARL Ch. La Martinette,
4005, chem. de La Martinette, 83510 Lorgues,
tél. 04.94.73.84.93, fax 04.94.73.88.34 r.-v.

CH. LA MASCARONNE
Cuvée Guy Da Nine 2005 *

10 ha 30 000 5 à 8 €

Rose pâle à reflets saumonés, ce vin de grenache et de cinsault récoltés sur des coteaux argilo-calcaires arbore un nez intense, mêlant fleurs blanches et notes minérales. S'il se montre rond, il bénéficie d'une fraîcheur agréable qui met en valeur les flaveurs de fleurs blanches et de fruits exotiques. Le jury attribue une citation au **2004 rouge (15 à 23 €)**.

Ch. La Mascaronne, 83340 Le Luc,
tél. 04.94.86.39.33, fax 04.94.86.49.79 r.-v.

MAS DE CADENET 2005

1,5 ha 6 600 5 à 8 €

Depuis 1813, la famille Négrel possède ce domaine qui ménage une vue enchanteresse sur la montagne Sainte-Victoire. Le rolle pur est à l'origine de ce 2005 pâle à reflets verts. Les arômes de fruits mûrs et de fruits confits se déclinent avec subtilité, annonçant la douceur du palais. Le **2003 rouge (11 à 15 €)**, au boisé vanillé, est cité également.

Guy Négrel, Mas de Cadenet, CD 57, 13530 Trets, tél. 04.42.29.21.59, fax 04.42.61.32.09, e-mail mas-de-cadenet@wanadoo.fr
t.l.j. sf dim. 9h-12h 14h-19h

MAS-FLEUREY 2005 *

112 ha 770 000 3 à 5 €

Cet important site de la société Castel Frères produit des rosés de marque. Ainsi de ce vin de couleur tendre qui s'exprime pleinement au palais. Rond, élégant, riche de flaveurs de fruits blancs, il ne se départit jamais de son harmonie. Aucune fausse note à la dégustation du **rosé Aimé Roquesante 2005**. De teinte saumonée, il libère des notes de fruits secs et se montre gouleyant. Il est cité.

Confrérie de Provence, 1265, chem. de Marafiance, 83550 Vidauban, tél. 04.94.73.56.73, fax 04.94.73.10.93 r.-v.
Castel Frères

CH. MATHERON 2004

1,5 ha 3 000 5 à 8 €

Une borne milliaire témoigne de l'occupation historique de ce terroir, aujourd'hui porteur de 35 ha de vignes. Le cabernet-sauvignon et le carignan révèlent leur potentiel dans ce vin d'un rouge soutenu, marqué de quelques notes animales en complément des arômes de fruits et de violette. La fraîcheur caractérise la bouche, relayée par l'expression de tanins boisés-épicés en finale. Le **2005 rosé**, tout en fruits blancs, est cité également.

EARL Bernard, 400, chem. de Matheron, 83550 Vidauban, tél. et fax 04.94.73.01.64, e-mail bernardmatheron@aol.com
t.l.j. 9h30-12h 14h30-18h; f. 1 semaine en nov. et fév.

DOM. DE MATOURNE Cuvée spéciale 2003 *

2 ha 8 000 5 à 8 €

Créé de toutes pièces en 1974 avec la plantation des premiers pieds de vigne, le domaine de Jurgen Spaethe a prospéré et compte aujourd'hui près de 7 ha. Ce sont ainsi des vignes de plus de vingt-cinq ans qui sont à l'origine de cet assemblage de cabernet-sauvignon et de grenache. Paré d'une robe rubis à reflets pourpres, ce vin intense dévoile des arômes de fruits rouges et d'épices. La bouche est bien équilibrée, ronde, avec des tanins fins et soyeux. Un 2003 gourmand et agréable à déguster avec une guardiane de taureau.

GFA Dom. de Matourne, 235, chem. des Plaines-de-Matourne, 83780 Flayosc, tél. 04.94.70.43.74, fax 04.94.70.40.76, e-mail jurgen.spaethe@wanadoo.fr
t.l.j. 9h-19h
Jurgen Spaethe

DOM. DE MAUVAN Sainte-Victoire 2005 *

1,5 ha 6 000 8 à 11 €

Situé au pied de la Montagne Sainte-Victoire, sur un superbe terroir de cailloutis, ce domaine familial propose un rosé rose tendre à reflets saumonés, composé de grenache (70 %) et de syrah (30 %). Le nez intense joue sur les fruits rouges et l'amande fraîche. La bouche est ronde, bien équilibrée, avec de la vivacité. Ce vin s'appréciera en apéritif. Mêmes cépages mais en proportions inverses pour le **rouge 2004 Sainte-Victoire (11 à 15 €)**, qui obtient une étoile pour son expression élégante et sa souplesse.

Gaëlle Maclou, Dom. de Mauvan, RN 7, 13114 Puyloubier, tél. et fax 04.42.29.38.33, e-mail mauvan@wanadoo.fr r.-v.

DOM. DE LA MAYONNETTE
Cuvée Saint-Bernard 2004 *

1 ha 2 000 11 à 15 €

Ce 2004 est un assemblage de syrah (70 %), de grenache et de cabernet-sauvignon (15 % chacun) élevé quatorze mois en fût. À l'image du chat qui orne son étiquette, c'est un vin à la fois rond et prêt à bondir, avec une bouche gourmande aux tanins encore pleins de jeunesse. Côté arômes, les fruits mûrs et les épices sont au rendez-vous. Le **rosé 2005 cuvée Françoise**, dominé par le cinsault, aux accents de fruits rouges, obtient également une étoile.

Julian, Dom. de la Mayonnette, rte de Pierrefeu, 83260 La Crau, tél. 04.94.48.28.38, fax 04.94.28.26.66
t.l.j. sf dim. 9h-12h30 13h30-18h

DOM. DES MÉGUIÈRES 2005 *

0,7 ha 2 000 5 à 8 €

Il suffit de passer le vieux pont pour accéder au domaine et se diriger vers la bâtisse du XVIII[e]s., située au pied de la source de Saint-Andrieu. Depuis 2003, la famille Bignon s'attache à restructurer le vignoble. Son vin de rolle exprime harmonieusement des arômes de citron et d'autres agrumes. Il doit son caractère plaisant à son équilibre comme à sa longueur. Dégustez-le dès aujourd'hui avec des fruits de mer.

SAS Dom. de Saint-Andrieu, BP 32, 83570 Correns, tél. 04.94.59.52.42, fax 04.94.77.73.18, e-mail bdutartre@club-internet.fr r.-v.
Bignon

PROVENCE

CH. MENTONE 2004 **

2 ha 6 000 8 à 11 €

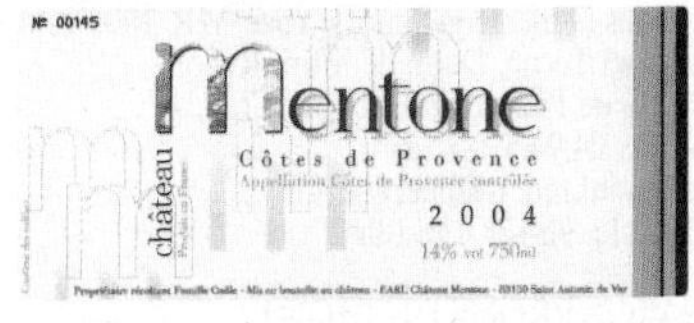

Passer une nuit en chambre d'hôte, organiser une réception dans la magnanerie, découvrir le parc et son parcours de l'eau... les raisons ne manquent pas de se rendre au château Mentone, et ce n'est pas la moindre que de venir déguster ce coup de cœur à la robe profonde et aux nuances chatoyantes. D'expression agréable, il s'épanouit délicatement. La bouche ample bénéficie de tanins présents mais fins, avant une finale dense qui rappelle le fruit. L'harmonie du boisé et de la matière contribue à la complexité de cette bouteille.

EARL du Ch. Mentone,
401, chem. de Mentone, 83510 Saint-Antonin-du-Var,
tél. 04.94.04.42.00, e-mail info@chateau-mentone.fr
t.l.j. 8h-12h 14h-18h
M. P. Caille

CH. MINUTY Prestige 2004 ★★

Cru clas. 4 ha 15 000 11 à 15 €

Depuis le XVIII[e]s., la vigne prospère sur ce terroir de mica-schistes, dans la presqu'île de Saint-Tropez. Pourtant, c'est un domaine à l'abandon, d'une vingtaine d'hectares, que découvrit Gabriel Farnet en 1936. Ses efforts de rénovation, poursuivis par ses descendants, Jean-Étienne et François Matton, ont donné naissance à une propriété de 72 ha (en cru classé depuis 1955). Le mourvèdre et le grenache se conjuguent dans cette cuvée qui a tout d'un vin du Sud : une robe sombre à reflets violacés, un premier nez légèrement animal (cuir), relayé par des notes de réglisse et de fruits rouges confiturés. Les tanins se fondent dans la matière puissante et longuement fruitée. La **cuvée de l'Oratoire 2005 rosé (8 à 11 €)**, tout en fleurs et en fruits, brille d'une étoile tant elle revêt d'élégance.

Matton, SA Ch. Minuty, 83580 Gassin,
tél. 04.94.56.12.09, fax 04.94.56.18.38
t.l.j. sf sam. dim. 9h-12h 14h-18h

CH. MIRAVAL Terre blanche 2004 ★

3 ha 5 000 11 à 15 €

Ce domaine présente une chronologie de l'Histoire à travers ses différents bâtiments : cimetière romain, chapelle du XVIIe, bastide du XVIIIe et cave du XIX[e]s., conçue par l'inventeur du béton armé, Joseph Lambot. Couleur pastel pour ce vin sans aucune timidité. Il exprime des arômes d'agrumes et de grillé, puis révèle une construction de qualité, enveloppée de rondeur et de flaveurs boisées. Un côtes-de-provence persistant et généreux.

Ch. Miraval, 83143 Le Val,
tél. 04.94.86.39.33, fax 04.94.86.46.79
t.l.j. sf sam. dim. 9h-12h 14h-18h

DOM. DE MONT REDON M R 2004 ★

2 ha 6 000 5 à 8 €

Discret mais non dénué de charme, régulièrement présent dans le Guide, ce domaine lance une nouvelle étiquette pour sa cuvée MR. Habillage parfaitement réussi pour parer une vin éloquent et généreux. Si les premiers effluves sont subtils, la bouche, en revanche, s'affirme charnue et pleine de fruits, avec des tanins présents mais fins. Dans la même gamme, le **rosé MR 2005** est cité.

Michel Torné, Dom. de Mont Redon,
2496, rte de Pierrefeu, 83260 La Crau,
tél. et fax 04.94.57.82.12,
e-mail mont.redon@libertysurf.fr
t.l.j. 9h-12h 14h-18h

LES VIGNERONS DU MONT SAINTE-VICTOIRE Cuvée des Terres rouges 2005 ★

6 ha 10 000 3 à 5 €

Cette cuvée exprime toute la complicité des cépages grenache, syrah et cabernet-sauvignon cultivés sur un sol argilo-calcaire dominé par la Sainte-Victoire. Rouge grenat intense, avec un nez de petits fruits noirs et une bouche complexe, équilibrée et persistante, ce vin trouvera son plein épanouissement en accompagnement de perdreaux à la broche. Le jury a aussi été séduit par la cuvée **Les Élégantes rosé 2005**, qui obtient une citation.

Les Vignerons du Mont Sainte-Victoire,
1, av. d'Aix, 13114 Puyloubier,
tél. 04.42.66.32.21, fax 04.42.66.34.20,
e-mail vignerons-msv@wanadoo.fr r.-v.

CH. MOURESSE Grande Cuvée 2005 ★

3 ha 16 000 8 à 11 €

Fête des Vendanges et du Vin bourru, jazz picnic, paella flamenco ou exposition Art et Vin : les événements ne manquent pas au château Mouresse. Cette Grande Cuvée dominée par le cinsault s'enveloppe d'une robe pâle et se décline dans une parfaite cohérence, sur une ligne minérale et fruitée. La **Grande Cuvée 2003 rouge (15 à 23 €)** est citée pour sa palette de fruits rouges, de violette et de réglisse.

Famille Horst, Ch. Mouresse,
3353, chem. de Pied-de-Banc, 83550 Vidauban,
tél. 04.94.73.12.38, fax 04.94.73.57.04,
e-mail chateau-mouresse@voila.com
t.l.j. 10h-12h30 13h30-18h

CH. LA MOUTÈTE Vieilles Vignes 2005 ★

3,5 ha 15 000 8 à 11 €

Le millésime 2004 en rosé avait obtenu un coup de cœur l'an passé. Cette année, la vedette revient à un vin rubis nuancé de reflets violines qui exhale des arômes de fruits rouges, puis offre une chair ronde, dont les flaveurs de cerise et de myrtille cèdent progressivement place à la vanille et autres épices en finale. Structuré, il demande à s'affiner avec le temps. Le **2005 blanc**, tirant sur le vert, n'est pas avare de senteurs (acacia, pamplemousse) et se révèle ample. Il obtient également une étoile.

SAS Gérard Duffort, Ch. La Moutète,
quartier Saint-Jean, 83390 Cuers,
tél. 04.94.98.71.31, fax 04.94.60.44.87,
e-mail contact@domainesduffort.com
t.l.j. sf sam. dim. 9h-12h 14h-17h

DOM. DES MYRTES Cuvée spéciale 2005 ★★

2 ha 8 500 5 à 8 €

Situé sur les coteaux de schistes et de phyllades de La Londe, le domaine des Myrtes propose ce rosé pâle à reflets saumonés, issu de l'assemblage classique de grenache, de cinsault et de syrah. Le nez puissant et élégant évoque les fruits exotiques, les agrumes et le buis. La bouche est bien équilibrée, ronde, avec une juste vivacité qui vient égayer et soutenir durablement la palette aromatique. Un vin plein de finesse.

GAEC Barbaroux, Dom. des Myrtes,
83250 La Londe-les-Maures,
tél. 04.94.66.83.00, fax 04.94.66.65.73 r.-v.

DOM. DES NIBAS 2005 ★

3,5 ha 5 650 5 à 8 €

Nicolas Hentz quitte en 1997 la coopérative pour créer sa propre cave sur son domaine situé au cœur de la plaine des Maures, terroir d'exception et sanctuaire écologique où vit la tortue d'Hermann. Ce rosé 2005 présente une robe pâle, pétale de rose. Le nez élégant exprime les fleurs blanches et la pêche de vigne. La bouche ronde et équilibrée fait place aux flaveurs de fruits blancs qui persistent longuement. Une étoile également pour le **blanc 2005**, aromatique et équilibré, et une citation pour la **Cuvée spéciale Ingénue rouge 2004 Vinifié et élevé en fût de chêne (11 à 15 €)**.

Nicolas Hentz, Dom. des Nibas,
9130, RD 48, 83550 Vidauban,
tél. et fax 04.94.73.67.46, e-mail nic-hentz@wanadoo.fr
t.l.j. 10h-12h 14h-18h; f. vendanges

CH. DE PALAYSON Grande Cuvée 2004 ★★

n.c. 8 000 15 à 23 €

Christine et Alan von Eggers Rudd ont été séduits par ce domaine riche d'une longue histoire : de *villa* romaine, au IIe s. av. J.-C., il devint la propriété des moines de Sainte-Victoire au Moyen Âge. Les nouveaux propriétaires n'ont pas ménagé leurs efforts pour le remettre en état. Après le coup de cœur du Guide 2006, leur Grande Cuvée brille encore de deux étoiles dans le nouveau millésime 2004. Assemblage de syrah (70 %) et de cabernet, elle marie parfaitement le bois à sa chair puissante et structurée. Quelques notes sauvages apparaissent d'emblée, bientôt relayées par le grillé, les fruits et les épices qui se prolongent jusqu'en finale. Attendez quelques années avant de proposer cette bouteille lors d'un repas automnal.

Ch. de Palayson, chem. de Paylayson,
83520 Roquebrune-sur-Argens, tél. 04.98.11.80.40,
fax 04.98.11.80.39, e-mail chateaupalayson@aol.com
t.l.j. sf dim. 10h-12h30 14h-18h30
von Eggers Rudd

CH. DE PAMPELONNE Prestige 2005 ★★★

n.c. 20 000 8 à 11 €

Situé sur la presqu'île de Saint-Tropez et propriété de la famille Gasquet-Pascaud depuis 1840, le vignoble s'étend sur 52 ha. « Après les nuages vient le soleil » : c'est la devise du propriétaire. On ne saurait dire où sont les nuages, mais le soleil est clairement dans le vin de cette cuvée Prestige, qui après son étoile en 2004, obtient la plus haute note pour son 2005. Après la robe brillante à reflets verts, on découvre un nez intense de fleurs blanches, de miel d'acacia et d'agrumes. La bouche ronde s'enrichit d'une pointe citronnée qui vient soutenir la palette aromatique. Le **rosé 2005** obtient une étoile pour sa vivacité et son intensité aromatique.

Ch. de Pampelonne, 83350 Ramatuelle,
tél. 04.94.56.32.04, fax 04.94.43.42.57 r.-v.
Pascaud

CH. PAS DU CERF 2005 ★★

8,5 ha 55 000 5 à 8 €

La sérénité de cette étroite vallée contraste avec le fourmillement tumultueux de la station balnéaire de La Londe. Au cœur d'une nature tourmentée, minérale et sauvage, autrefois peuplée de cerfs, ce domaine a produit un rosé pâle, très aromatique, où dominent des notes d'agrumes et de fruits exotiques. Au palais, finesse et longueur sont au rendez-vous. La cuvée **Diane rosé 2005**, dont on ne sait si elle rend hommage à la déesse ou bien à l'une des filles du propriétaire, obtient une étoile pour sa bouche souple et fruitée.

Patrick Gualtieri, Ch. Pas du Cerf,
rte de Collobrières, 83250 La Londe-les-Maures,
tél. 04.94.00.48.80, fax 04.94.00.48.81,
e-mail info@pasducerf.com r.-v.

DOM. DES PEIRECÈDES
Cuvée Règue des Botes 2003 ★★

3 ha 10 000 8 à 11 €

Vignerons de père en fils depuis quatre générations, la famille Baccino a réussi un doublé avec sa cuvée Règue des Botes. Issu de l'assemblage de mourvèdre, de syrah et de cabernet-sauvignon cultivés sur les terrasses de schistes de Pierrefeu, ce 2003 arbore une robe rubis aux légers reflets bruns. Son nez fin et intense exprime les fruits rouges mûrs associés à des notes épicées. La bouche ronde et complexe est structurée par des tanins fins. La **cuvée Règue des Botes rosé 2005 (5 à 8 €)**, aux notes florales, reçoit une étoile.

SCEA Alain Baccino,
Dom. des Peirecèdes, Pierrefeu, 83390 Cuers,
tél. 04.94.48.67.15, fax 04.94.48.52.30,
e-mail alainbaccino@free.fr r.-v.

CH. PEYRASSOL 2005 ★

3 ha 15 000 8 à 11 €

En 2001, Philippe Austruy a acheté ce domaine créé en 1204 par l'ordre des Templiers, puis repris un siècle plus tard par les chevaliers de Malte. Son 2005, couleur pétale de rose à reflets argentés, s'ouvre sur les fruits rouges et les fleurs blanches, puis se développe au palais avec rondeur dans la même ligne aromatique.

Commanderie de Peyrassol,
RN 7, 83340 Flassans-sur-Issole,
tél. 04.94.69.71.02, fax 04.94.59.69.23,
e-mail contact@peyrassol.com r.-v.
Austruy

LES MAÎTRES VIGNERONS DE LA PRESQU'ÎLE DE SAINT-TROPEZ
Carte noire 2005 ★

7 ha 40 000 5 à 8 €

Depuis 1964, cette association de vignerons assure la mise en commun de l'unité d'embouteillage et de la commercialisation de leurs vins. Cette cuvée bien connue des lecteurs, et qui se décline dans les trois couleurs, est retenue cette année en blanc. Le 2005 apparaît brillant sous des reflets paille auréolés de vert. Le nez mêle les fleurs et les agrumes. La bouche est fraîche et bien équilibrée, d'une persistance aromatique flatteuse. Ce vin tiendra sa place lors d'un apéritif amélioré avec des tapas.

Les Maîtres vignerons de la Presqu'île
de Saint-Tropez, carrefour de la Foux, 83580 Gassin,
tél. 04.94.56.32.04, fax 04.94.43.42.57,
e-mail info@mavigne.com
t.l.j. sf dim. 9h-12h 15h-19h

PRESTIGE DU THORONET
Cuvée des Abbés 2005

5 ha 22 000 3 à 5 €

Implantée non loin de l'abbaye du Thoronet – une pure architecture romane du XIIe s. –, la cave du Cannet, rénovée en 2005, a voulu rendre hommage à ceux qui y officiaient. Ce rosé, qui n'a rien évidemment d'un vin de messe, paraît toutefois sur la réserve au premier abord, comme en méditation. Une agitation suffit à libérer ses arômes fruités relevés de notes poivrées et épicées. La bouche complexe et longue fait preuve d'une certaine vivacité. Pour accompagner une soupe au pistou.

La Guilde des Vignerons Cœur du Var,
rond-point Saint-Louis, 83340 Le Cannet-des-Maures,
tél. 04.94.50.05.94, fax 04.94.60.71.73,
e-mail guilde-vignerons@wanadoo.fr
t.l.j. sf dim. 9h-12h 14h-18h

CH. DU PUGET Cuvée de Chavette 2004 ★

2,5 ha 5 335 5 à 8 €

Un sol argilo-calcaire, un assemblage de cabernet-sauvignon (70 %) et de syrah, un élevage bien mené : une robe grenat soutenu met en valeur ce vin élevé soigneusement sous bois, douze mois durant. Ample, celui-ci bénéficie de tanins de qualité et d'une chair riche qui le portent jusqu'à une agréable finale. Le **Château du Puget 2005 blanc**, floral et minéral, mérite une citation.

Ch. du Puget, rue Mas-de-Clappier,
83390 Puget-Ville, tél. 04.94.48.31.15,
fax 04.94.33.58.55, e-mail chateaupuget@wanadoo.fr
t.l.j. sf dim. lun. 9h-12h 15h-18h
Grimaud

CH. RASQUE Cuvée Alexandra 2005 *

32,4 ha 91 000 11 à 15 €

Originaire des coteaux gréseux et calcaires de Taradeau, ce vin à la robe rose tendre, né du grenache et du cinsault, laisse s'épanouir des arômes intenses de fleurs blanches et de pêche de vigne. La bouche est ronde et complexe, agrémentée de notes de fruits blancs. La cuvée **Pièce noble 2003 rouge** obtient une étoile pour ses tanins soyeux qui autorisent une dégustation dès aujourd'hui.

SCEA du Ch. Rasque, rte de Draguignan,
83460 Taradeau, tél. 04.94.99.52.20, fax 04.94.99.52.21,
e-mail chateau-rasque@wanadoo.fr
t.l.j. 9h-18h30
Biancone

CH. RÉAL D'OR 2005

1,5 ha 6 000 5 à 8 €

Ce domaine est situé au pied du massif des Maures sur un terroir de schistes et de grés. Au milieu de l'étiquette coule une rivière d'or... tandis que dans le verre coule ce rosé à la teinte cerise, issu d'un assemblage de cinsault et de syrah. Il présente des arômes fins et élégants de fruits rouges qui se retrouvent et persistent dans une bouche ronde et équilibrée. Un vin qui s'harmonisera avec la cuisine asiatique.

SCEA Ch. Réal d'Or, rte des Mayons,
RD 75, 83590 Gonfaron, tél. 04.94.60.00.56,
fax 04.94.60.01.05, e-mail realdor@free.fr
t.l.j. 10h-13h 15h-19h30

CH. RÉAL MARTIN Grande Cuvée 2005

6,25 ha 27 600 11 à 15 €

À la limite de l'aire des coteaux-varois, cet ancien domaine des comtes de Provence se situe à 350 m d'altitude, dans un environnement boisé. De la délicatesse dans ce rosé clair à reflets violines qui libère des senteurs florales de lilas. Avec sa bouche fraîche, évocatrice de bonbon acidulé, il s'invite à votre table pour un déjeuner dans le jardin. Le **Château Réal Martin 2005 blanc** est cité également pour son potentiel aromatique (citron, pamplemousse).

Jean-Marie Paul, SCEA Ch. Réal Martin,
rte de Barjols, 83143 Le Val-en-Provence,
tél. 04.94.86.40.90, fax 04.94.86.32.23,
e-mail crm@chateau-real-martin.com r.-v.

CH. REILLANNE Grande Réserve 2005 *

85 ha 400 000 5 à 8 €

Issu d'une famille savoyarde, Guillaume de Chevron Villette est propriétaire depuis 1979 de ce domaine situé non loin de Saint-Tropez. Sa Grande Réserve assemble à parts égales le cinsault et le grenache récoltés sur des sols argilo-siliceux. Une large palette aromatique contribue à sa fraîcheur, faite de notes de citron, de menthol et de bergamote. Le palais rond laisse une impression tout aussi plaisante, avec en finale une pointe de gingembre. Bien structuré, ce rosé pâle à reflets orangés sera le compagnon d'un filet de loup grillé aux herbes.

Comte G. de Chevron Villette, Ch. Reillanne,
rte de Saint-Tropez, 83340 Le Cannet-des-Maures,
tél. 04.94.50.11.70, fax 04.94.50.11.75,
e-mail chateau.reillanne@wanadoo.fr
t.l.j. sf sam. dim. 8h-12h 14h-17h

DOM. DU RÉVAOU 2004

10 ha 13 000 5 à 8 €

Pour son rouge 2004, Bernard Scarone a décliné toute la gamme des cépages méditerranéens, puisque pas moins de cinq d'entre eux composent l'assemblage de cette cuvée. Carignan, mourvèdre, grenache, cinsault et syrah, issus de vignes de vingt-cinq ans d'âge en moyenne, cultivées en agriculture biologique, se marient dans ce vin à la robe grenat foncé, à la bouche charnue et structurée, marquée par une note empyreumatique. Pour accompagner une daube d'agneau.

Bernard Scarone, Dom. du Révaou,
Les 3e Borrels, 83250 La Londe-les-Maures,
tél. 04.94.65.68.44, fax 04.94.35.88.54,
e-mail bernard.scarone@wanadoo.fr r.-v.

DOM. RICHEAUME Cuvée Columelle 2004 *

5 ha 8 000 23 à 30 €

Situé au pied de la Montagne Sainte-Victoire, le vignoble est conduit en agriculture biologique. Des vignes de quarante-cinq ans d'âge ont produit ce vin dense en couleur et en expression. Encore marqué par son élevage, il cache une bonne matière aux arômes naissants de fruits écrasés et de bergamote. En finale, le retour aromatique est plus boisé, vanillé. Élégant, c'est un vin à déguster dès cet hiver et à redécouvrir au cours des deux ou trois prochaines années.

SCEA Hoesch,
Dom. Richeaume, 13114 Puyloubier,
tél. 04.42.66.31.27, fax 04.42.66.30.59 r.-v.

RIMAURESQ R 2003 *

Cru clas. 4,8 ha 13 500 15 à 23 €

Acquis par une famille écossaise en 1988, Rimauresq s'est agrandi de 18 ha en 2004 sur Cuers. Issue d'une sélection parcellaire, cette cuvée élevée en foudre de chêne porte une étiquette qui vous invite à laisser « vos papilles s'émouvoir ». Cela ne sera pas difficile, tant ce 2003 est odorant, très fruité, tant ses tanins sont fondus et l'élevage bien intégré. Un vin riche et équilibré, plaisant maintenant mais qui a de l'avenir.

Dom. de Rimauresq, rte Notre-Dame-des-Anges,
83790 Pignans, tél. 04.94.48.80.45, fax 04.94.33.22.31,
e-mail rimauresq@wanadoo.fr r.-v.
Wemyss

CH. RIO-TORD 2005 *

n.c. 25 000 5 à 8 €

Cette propriété familiale, auparavant en cave coopérative, vinifie aujourd'hui ses cuvées sous la houlette du château Mont-Redon à Châteauneuf-du-Pape. Avec ce 2005, on découvre donc pour la première fois sa production. Ce rosé de la plaine des Maures, assemblage de grenache, de cinsault et de syrah, se partage entre intensité et délicatesse sur des notes de fruits d'été prononcées. Un vin de plaisir, harmonieux et équilibré, à servir lors d'apéritifs conviviaux.

🔑 Ch. Rio-Tord,
c/o Ch. Mont-Redon, 84230 Châteauneuf-du-Pape,
tél. 04.90.83.72.75, fax 04.90.83.77.20,
e-mail chateaumontredon@wanadoo.fr ☒ Y r.-v.
🔑 Abeille Frères

CH. DE ROQUEFEUILLE 2005 *

■ 70 ha 150 000 ▮ 5 à 8 €

Présentée par la maison Gilardi, cette cuvée provient des vignes d'Henri Bérenger, propriétaire à Pourrières. Grenache, cinsault et syrah se sont retrouvés comme à l'accoutumée pour donner ce rosé à la robe pâle, mais au bouquet intense de fruits blancs et de pamplemousse. Franche d'attaque, la bouche se fait soyeuse et offre une finale persistante aux notes florales.

🔑 SA Gilardi, ZAC du Pont Rout,
83460 Les Arcs-sur-Argens, tél. 04.98.10.45.45,
fax 04.98.10.45.49, e-mail gilardi@gilardi.fr
🔑 Henri Bérenger

LES VIGNERONS DE ROQUEFORT-LA-BÉDOULE
Sur un air de mistral 2005 *

■ 2 ha 10 000 5 à 8 €

Du vent froid et sec qui balaie régulièrement le vignoble, cette cuvée de la cave de Roquefort a pris le nom. À moins que ce ne soit un hommage au poète provençal ? Issu de l'assemblage de rolle et de clairette, produits sur un terroir argilo-calcaire, ce vin offre un nez délicat de fleurs blanches. La bouche est bien équilibrée, avec de la rondeur et une bonne persistance aromatique. Une bouteille que l'on peut apprécier déjà avec une soupe de poisson de roche.

🔑 Les Vignerons de Roquefort-la-Bédoule,
rte de Cuges-les-Pins, 13830 Roquefort-la-Bédoule,
tél. 04.42.73.22.80, fax 04.42.73.01.37,
e-mail lesvigneronsderoquefort@wanadoo.fr
☒ Y ★ t.l.j. sf dim. 8h30-12h 14h-19h30

DOM. DE LA ROSE TRÉMIÈRE
Cuvée Amandine Élevé en fût de chêne 2004 **

■ 10 ha 2 000 ⏸ 5 à 8 €

Pierre Maunier, vigneron passionné, est à la tête du domaine depuis plus de soixante ans. Il propose cette année une cuvée de pur grenache élevée dans le bois, dont l'élégance transparaît dès l'étiquette aux touches florales d'aquarelle. Après la robe profonde couleur rubis, on découvre un nez complexe et chaleureux où se mêlent notes de fruits noirs, de cacao et d'épices. La bouche est ronde et complexe, soutenue par des tanins présents, mais élégants. Un vin remarquable à servir avec un civet de sanglier ou de lièvre.

🔑 Pierre Maunier, Dom. de la Rose Trémière,
2230, rte Carcès, 83510 Lorgues,
tél. et fax 04.94.73.26.93,
e-mail larosetremiere83@aol.com
☒ Y t.l.j. 9h-12h 15h-19h

CH. ROUBINE Cuvée Philippe Riboud 2005 *

■ Cru clas. 3 ha 13 000 ▮ 8 à 11 €

Sur l'étiquette, un cep de vigne semble manier l'épée... Au domaine, c'est plutôt Philippe Riboud, ancien épéiste, qui manie les ceps ! Avec dextérité, il a su tirer de ses vignes de tibouren ce rosé prometteur à la robe saumon ravivée de nuances abricot. Expressif et complexe (grenadine, fraise, melon), le vin laisse une sensation de sucrosité, contrebalancée par une juste vivacité qui rehausse les flaveurs de poivre et de fruits rouges. De l'équilibre pour cette bouteille ouverte au plaisir des sens.

🔑 Ch. Roubine, RD 562, 83510 Lorgues,
tél. 04.94.85.94.94, fax 04.94.85.94.95,
e-mail riboud@chateau-roubine.com
☒ Y ★ t.l.j. 9h-18h; groupes sur r.-v.
🔑 Riboud

CH. DU ROUËT Belle Poule 2004

■ 4 ha 30 000 ⏸ 8 à 11 €

Hommage au bateau qui rapporta les cendres de Napoléon de Sainte-Hélène en France, cette cuvée est un assemblage de syrah et de grenache complété d'une touche de cabernet, élevé en fût pendant un an. Elle en porte encore la marque au nez comme en bouche, arborant une solide et puissante charpente que les dégustateurs conseillent de laisser s'arrondir deux à trois ans.

🔑 Sté Dom. du Ch. du Rouët,
rte de Bagnols, 83490 Le Muy, tél. 04.94.99.21.10,
fax 04.94.99.20.42, e-mail chateau.rouet@wanadoo.fr
☒ Y ★ t.l.j. 8h-12h 14h-18h; dim. 14h-18h 🏠 ⑤ 🏠 Ⓓ
🔑 B. Savatier

DOM. DE LA ROUILLÈRE Grande Réserve 2003

■ 1,5 ha 6 660 ⏸ 11 à 15 €

À deux pas de Saint-Tropez, sur la route de Ramatuelle, vous trouverez le domaine qui emprunte son nom à un ruisseau surgi des collines de Gassin. Cette cuvée rubis intense est issue de l'assemblage de syrah, de grenache et de cabernet-sauvignon. Le nez un peu timide s'ouvre sur des arômes de fruits rouges et des notes vanillées. En bouche, le vin s'exprime tout en élégance sur des tanins assez fins. Également citée, la cuvée **Grande Réserve 2004 blanc (8 à 11 €)**.

🔑 Dom. de La Rouillère, rte de Ramatuelle,
83580 Gassin, tél. 04.94.55.72.60, fax 04.94.55.72.61,
e-mail contact@domainedelarouillere.com ☒ Y ★ r.-v.
🔑 Letartre

PROVENCE

DOM. SAINT-ALBERT Cuvée Prestige 2004

■ 2,5 ha 4 200 ▮ 5 à 8 €

Olivier Foucou se partage entre les arbres fruitiers (abricot, pêche, coing) et la vigne. Un bel étal gourmand que ce 2004 rubis, aux accents de fruits secs, de figue et de cuir. L'attaque franche évolue vers une douceur de fruits rouges (griotte). Les dégustateurs suggèrent un plaisir simple avec de la charcuterie et des viandes grillées.

🔑 Olivier Foucou, Dom. Saint-Albert,
3846, 3e Borrels, 83400 Hyères, tél. 04.94.65.68.64,
fax 04.94.65.30.66 ☒ Y t.l.j. 10h-12h 15h-19h

DOM. SAINT ANDRÉ DE FIGUIÈRE
Réserve 2005 *

■ 1,5 ha 6 000 ▮ 11 à 15 €

Une réputation non usurpée et une signature pour ce rosé très pâle, presque transparent. Son premier nez est marqué de senteurs d'agrumes (pamplemousse), mais en bouche, ce sont des notes florales qui dominent. D'une belle intensité, le vin régale les papilles et saura tenir tête à une langouste grillée. Le **blanc Vieilles Vignes 2005 (8 à 11 €)**, au nez puissant de fleurs et de miel, est cité, tout comme la **Réserve rouge 2005 (15 à 23 €)**, élevée en fût, qu'il faudra laisser patienter deux ans.

🔑 Dom. Saint-André de Figuière, quartier Saint-Honoré, BP 47, 83250 La Londe-les-Maures, tél. 04.94.00.44.70, fax 04.94.35.04.46, e-mail figuiere@figuiere-provence.com
t.l.j. sf dim. 9h-12h 14h-18h
🔑 Alain Combard

DOM. DE SAINTE-CROIX 2005 ★★★

n.c. 6 700 5 à 8 €

À un jet de pierres de l'abbaye du Thoronet, ce domaine de 30 ha étend ses vignes sur des coteaux argilo-calcaires. C'est ici, sur ces collines du haut-pays provençal, que le cépage rolle trouve l'environnement climatique propice à son expression. Cette cuvée en apporte une preuve éblouissante. Agrumes et fruits exotiques, fleurs blanches et aubépine composent un nez intense, tandis que la matière persistante laisse une impression savoureuse. Le **Rosé charmeur 2005** (cinsault, syrah, grenache, rolle) décroche une étoile pour son harmonie marquée par les fruits rouges, tandis que le **Clos Manuelle rouge 2004 (8 à 11 €)** est cité pour son équilibre vanillé et sa bouche friande.

🔑 Christian Pélépol, Dom. de Sainte-Croix, rte du Thoronet, 83570 Carcès, tél. 04.94.04.56.51, fax 04.94.04.38.10, e-mail saintecroix@wanadoo.fr
t.l.j. sf dim. 9h-12h 14h-18h (été 15h-19h)

CH. SAINTE-CROIX Rosé charmeur 2005 ★★

4 ha 20 000 5 à 8 €

Sur leur terroir de Sainte-Croix, les frères Jacques et Christian Pélépol ont décidé de séparer leur activité. C'est pourquoi il existe deux entités, l'une sous le nom de château, l'autre sous celui de domaine. Ce Rosé charmeur tient les promesses de l'étiquette : teinte de marbre rose, nez élégant de petits fruits rouges et bouche fraîche à la finale délicate. Il est né d'un assemblage de grenache, cinsault, syrah, cabernet et ugni blanc. La **cuvée Acacia blanc 2005** obtient également deux étoiles pour ses notes florales de jasmin et sa bouche complexe. Enfin, la cuvée classique **rosé 2005 (3 à 5 €)** brille d'une étoile.

🔑 Jacques Pélépol, Ch. Sainte-Croix, rte du Thoronet, 83570 Carcès, tél. 06.29.97.22.48, fax 04.93.33.44.08, e-mail saintecroix@wanadoo.fr r.-v.

L'ESPRIT DE SAINTE-MARGUERITE 2005 ★★★

11,28 ha 48 000 5 à 8 €

Depuis trente ans, Jean-Pierre et Brigitte Fayard président aux destinées de ce cru. Aujourd'hui, entourés de leurs enfants, ils produisent ce que le terroir peut offrir de meilleur. C'est sans doute cela l'esprit de Sainte-Marguerite. Sous la teinte marbre rose, ce vin exprime le pamplemousse, la pêche et l'abricot. La bouche ? Ronde et gourmande, elle s'étire en finale comme pour prolonger le plaisir... Autre couleur, le **M de Château Sainte-Marguerite rouge 2004 (8 à 11 €)**, cru classé, est cité pour sa matière et ses tanins soyeux.

🔑 Jean-Pierre Fayard, Ch. Sainte-Marguerite, BP 1 Le Haut-Pansard, 83250 La Londe-les-Maures, tél. 04.94.00.44.44, fax 04.94.00.44.45, e-mail info@chateausaintemarguerite.com r.-v.

DOM. SAINTE MARIE
Terroir de la Roche blanche 2005

5 ha 20 000 5 à 8 €

Cette cuvée est issue de vignes implantées sur un terroir de micaschistes et de quartz. De couleur pâle, elle livre un bouquet de fleurs et d'agrumes, puis laisse une sensation de légèreté et de rondeur. Elle devrait bien convenir à une terrine de légumes.

🔑 Dom. Sainte-Marie, RN 98, 83230 Bormes-les-Mimosas, tél. 04.94.49.57.15, fax 04.94.49.58.57, e-mail domaine.saintemarie@wanadoo.fr
t.l.j. sf dim. 9h-19h
🔑 Henri Vidal

CH. SAINTE ROSELINE
Lampe de méduse 2004 ★★

Cru clas. 47 ha 150 000 11 à 15 €

Au XIVe s., le futur pape Jean XXII, alors évêque de Fréjus, encouragea la plantation de vignes autour de l'Abbaye fondée deux siècles plus tôt par un ermite. Le château doit son nom à Roseline, mère prieure de 1300 à 1329, qui fut sanctifiée au XIXe s. Cette Lampe de méduse est intense en couleur, tout en harmonie d'arômes avec une préférence fruitée. Élégante, elle possède des tanins soyeux et une matière dense. Confirmant toute la qualité de ce domaine, deux autres cuvées obtiennent deux étoiles : le **Roseline Prestige rosé 2005 (5 à 8 €)**, puissant, gras et harmonieux, à la finale légèrement minérale ; et la **cuvée Prieuré blanc 2004** qui intègre parfaitement le boisé à la matière.

🔑 SARL Roseline Diffusion, Ch. Sainte-Roseline, 83460 Les Arcs-sur-Argens, tél. 04.94.99.50.30, fax 04.94.47.53.06, e-mail contact@sainte-roseline.com r.-v.
🔑 Bernard Teillaud

DOM. DU SAINT-ESPRIT Grande Cuvée 2004

2 ha 10 000 8 à 11 €

Livrée sombre, robe profonde : le duo syrah-cabernet, complété d'une pointe de grenache, présente après un élevage d'un an en fût, un caractère bien affirmé. Jouant sur les fruits rouges mûrs et les notes grillées, ce vin à la structure tannique marquée est encore en devenir, mais le potentiel est là et il devrait atteindre sa pleine harmonie d'ici un an. Le **rosé 2005 Grande Cuvée (5 à 8 €)** est également cité pour sa fraîcheur aux accents de fleurs blanches.

🔑 Crocé-Spinelli, Dom. des Clarettes, 83460 Les Arcs-sur-Argens, tél. 04.94.47.45.05, fax 04.94.73.30.73, e-mail earlvcspinelli@aol.com
t.l.j. 10h-12h 14h-18h30

CH. SAINT MARC Cuvée Épicure 2003 ★

7 ha 20 000 8 à 11 €

Le millésime 2003, marqué par la canicule, réserve de bonnes surprises. Cette cuvée constituée majoritairement de syrah (90 %) en fait partie. Elle a séduit par ses arômes de fruits mûrs, de sous-bois et de tabac blond, agrémentés d'une légère pointe épicée. Élevée en fût, elle s'appuie sur une trame de tanins serrée qui contribue à sa puissance.

🔑 Dom. Saint-Marc, quartier Leï-Crottes, 83310 Cogolin, tél. 04.94.54.69.92, fax 04.94.54.01.41 t.l.j. 9h-12h 14h-18h
🔑 Fiscel

DOM. SAINT MARC DES OMÈDES
Cuvée l'Amiral 2004 ★

■ 0,5 ha 1 200 5 à 8 €

Lindsay et Anne-Marguerite Phillips, couple anglo-belge, sont les propriétaires de ce vignoble situé sur un coteau argilo-calcaire. Ils ont assemblé cabernet-sauvignon (85 %) et syrah pour élaborer ce vin rubis soutenu, qui présente un nez subtil de myrtille, de figue mûre et d'épices. La bouche dense, épicée, livre des arômes de cerise confite. Une bonne alliance avec un civet de lièvre ou de chevreuil.

Lindsay Phillips, Dom. Saint-Marc des Omèdes, 83510 Lorgues, tél. 04.94.67.69.17, fax 04.94.67.66.58, e-mail winephil@aol.com t.l.j. 9h-12h 14h-18h

CH. DE SAINT-MARTIN
Cuvée Grande Réserve 2005 ★★

■ Cru clas. 15 ha 30 000 8 à 11 €

Le temps semble s'être arrêté dans ce domaine viticole ancien, appartenant à la même famille depuis 1750. Peut-être est-ce pour cela qu'on vient régulièrement y tourner des films d'époque en costumes. En 2005, ce cru classé propose un rosé de caractère qui se présente sous une robe légèrement framboisée. Son expression aromatique jouant sur les agrumes est empreinte de finesse. Elle persiste tout au long de la dégustation. D'un parfait équilibre entre rondeur et vivacité, l'ensemble est séduisant et le restera de l'apéritif au dessert.

Ch. de Saint-Martin, rte des Arcs, 83460 Taradeau, tél. 04.94.99.76.76, fax 04.94.99.76.77, e-mail chateaudesaintmartin@wanadoo.fr r.-v. 5

Mme De Barry

CH. SAINT-PIERRE Cuvée du Prieuré 2005 ★★

■ 2 ha 4 000 5 à 8 €

Situé non loin du village médiéval des Arcs, ce domaine propose une cuvée à l'assemblage dominé par le rolle (90 %) avantageusement complété de clairette, qui a séjourné trois mois en fût. Intense et puissante, celle-ci livre des notes boisées et mentholées. Dans la continuité, le palais s'épanouit jusqu'à une longue finale. Ce vin de haute gastronomie accompagnera saumon fumé et poisson en sauce. Le **rosé 2005 cuvée Marie** obtient une étoile pour ses arômes de fruits rouges.

Jean-Philippe Victor, Ch. Saint-Pierre, rte de Taradeau, 83460 Les Arcs-sur-Argens, tél. 04.94.47.41.47, fax 04.94.73.34.73, e-mail contact@chateausaintpierre.fr t.l.j. sf dim. 9h-12h 14h-18h

DOM. DE SAINT-SER
Les Hauts de Saint-Ser 2003 ★

■ 1,5 ha 6 400 15 à 23 €

Situé sur le versant sud de la Montagne Sainte-Victoire, le domaine présente cette cuvée qui traduit bien sa position géographique : c'est l'un des plus élevés du secteur. Les dégustateurs l'ont décrit comme un vin ample et généreux, aux tanins fondus, remarquable d'équilibre sur des notes intenses de cassis, de mûre et de vanille. Une belle complicité de l'élevage et de la matière. Si ce 2003 a des atouts à faire valoir dès maintenant, il garde aussi quelques cartes pour l'avenir.

Dom. de Saint-Ser, RD 17, 13114 Puyloubier, tél. 04.42.66.30.81, fax 04.42.66.37.51, e-mail saintser@wanadoo.fr t.l.j. 11h-12h 14h-18h

Pierlot

CH. SALINS 2005 ★

■ 13 ha 95 000 5 à 8 €

La cave a été rénovée en 2003, mais le platane vieux de deux cent cinquante ans veille toujours sur le domaine, témoin de l'histoire de cette propriété qui remonte au début du XVIIIe s. L'assemblage de grenache (60 %) et de cinsault (40 %) cultivés sur un terroir de schistes a donné naissance à ce rosé pâle à reflets saumonés. Le nez délicat exprime des notes de pêche de vigne et d'agrumes. La bouche, vive et ronde, déroule les mêmes arômes jusqu'à une longue finale. Un bon compagnon de l'apéritif.

Armand Mathieu-Resuge, 83400 Les Salins-d'Hyères, tél. 04.94.66.40.15, fax 04.94.66.49.30, e-mail mra@club-internet.fr r.-v. 4

LA SANGLIÈRE S 2005 ★

■ 5 ha 30 000 5 à 8 €

Cette cuvée signature est produite par la partie négoce du domaine de La Sanglière. Marqué par les fruits à chair blanche (pêche), ce rosé pâle s'exprime sans retenue. Il se développe avec équilibre et générosité. Incontestablement un vin plaisir. La cuvée **Prestige rouge 2004 (8 à 11 €)**, aux arômes de fruits rouges et de grillé, obtient une étoile. Après une attaque ronde apparaissent des tanins de qualité dont la maturité est à venir. À découvrir d'ici un à deux ans.

EARL La Sanglière, 3886, rte de Léoube, 83230 Bormes-les-Mimosas, tél. 04.94.00.48.58, fax 04.94.00.43.77, e-mail remy@domaine-sangliere.com r.-v. 7 E

DOM. DE SANT JANET Cuvée Cézanne 2004 ★

■ 0,85 ha 5 000 8 à 11 €

Situé sur un terroir de cailloutis argilo-calcaires, ce domaine conduit en agriculture biologique a été repris par Jean Lecocq en 2004. Cette cuvée pourpre est donc son premier millésime. Elle offre un nez puissant et complexe de fruits noirs associés à des notes de grillé et de torréfaction, témoignage de dix mois d'élevage en barrique. La bouche est structurée et les tanins fins, mais présents, laissent présager une bonne évolution au cours des deux à trois prochaines années.

Jean Lecocq, Dom. de Sant-Janet, 83570 Cotignac, tél. 04.94.04.77.69, fax 04.94.04.76.31 r.-v.

DOM. DES SAURONNES 2004

■ 1,5 ha 10 000 5 à 8 €

C'est la première vinification en dehors de la cave coopérative pour ce domaine familial. Le carignan et le grenache laissent une petite part au mourvèdre dans ce vin de couleur rouge vif. Un ensemble rond et chaleureux, animé d'une pointe de fraîcheur qui vient à point, accompagné de notes de cerise et de cuir. Vous servirez cette bouteille avec un pot-au-feu.

GAEC des Terres Rouges, Les Sauronnes, 83390 Puget-Ville, tél. 04.94.48.37.04, fax 04.94.28.61.36 r.-v.

Bouisson

DOM. DE LA SAUVEUSE Cuvée Philippine 2004 ★

■ 1,3 ha 5 400 5 à 8 €

La source qui coule au domaine ne se serait jamais tarie, repoussant sécheresse et misère, et aurait gagné ainsi son nom de « sauveuse ». Elle coule aujourd'hui encore,

PROVENCE

tout comme cette cuvée produite sur les graves argilo-calcaires de Puget-Ville et qui concentre toutes les qualités de son terroir : profondeur de la robe, structure et richesse de la matière, complexité et persistance. Assurément c'est un vin de garde, et trois ans de patience ne pourront que lui être bénéfiques. La **cuvée Carolle rouge 2004** est citée pour son fruité et son côté torréfié.

Dom. de La Sauveuse, Grand-Chemin-Vieux, 83390 Puget-Ville, tél. 04.94.28.59.60, fax 04.94.28.52.48, e-mail sauveuse@wanadoo.fr
t.l.j. sf dim. 9h-12h 14h-17h30
Salinas

DOM. SIOUVETTE Cuvée Marcel Galfard 2005 *

6 ha 25 000 8 à 11 €

Au cœur du massif schisteux des Maures, à l'entrée du village de la Môle, cette propriété produisait autrefois du bois d'œuvre. Reconvertie à la vigne au début du XX[e]s., elle élabore des rosés régulièrement distingués. Cette cuvée haut de gamme est dominée par le grenache qui lui confère son fruité d'agrumes. La bouche chaleureuse et intense se révèle plus vive en finale.

Sylvaine Sauron, Dom. Siouvette, RN 98, 83310 La Môle, tél. 04.94.49.57.13, fax 04.94.49.59.12, e-mail sylvaine.sauron@wanadoo.fr
t.l.j. 8h-12h30 13h30-19h

LES VIGNERONS DE TARADEAU
Le Prestige 2005 *

3,2 ha 21 300 5 à 8 €

Dins nostre vin la verita : telle est la devise de la cave de Taradeau. Est-ce la vérité que les dégustateurs ont trouvée dans cette cuvée Prestige de couleur pâle très tendance ? Des notes de fleurs (glycine, acacia), d'agrumes et de brioche se déclinent, annonçant la bouche à la fois vive et charnue, longue et équilibrée.

Les Vignerons de Taradeau, quartier de l'Ormeau, 83460 Taradeau, tél. 04.94.73.02.03, fax 04.94.73.56.69, e-mail vigneron-de-taradeau@wanadoo.fr r.-v.

DOM. DES THERMES 2005

1 ha 6 000 5 à 8 €

Un vin frais et souple, à la tonalité de fruits rouges, issu d'un assemblage de syrah (80 %) et de cabernet-sauvignon. Sa belle longueur est mise en valeur par une légère amertume. N'hésitez pas à ouvrir cette bouteille quelque temps avant de la servir pour favoriser son expression. Le **blanc 2005** mettra en appétit les convives. Fin, aromatique (poire, coing, fleur de camomille), il se présente avec simplicité. Il est cité. Rappelons que ce domaine a obtenu la Grappe de bronze du Guide 2000.

EARL Michel Robert, Dom. des Thermes, RN 7, 83340 Le Cannet-des-Maures, tél. 04.94.60.75.15, fax 04.94.99.29.71
t.l.j. 8h-19h

CH. LA TOUR DE L'ÉVÊQUE 2005 **

2 ha 6 000 5 à 8 €

Cette propriété familiale est dirigée par Régine Sumeire. La rénovation de la cave en 2005 a apparement été tout de suite profitable à cet assemblage de rolle (63 %) et de sémillon (37 %). C'est un vin complexe qui s'appuie sur une matière ample et persistante, dominée par des notes grillées jusqu'à la finale chaleureuse. Il accompagnera un plateau de fromages de chèvre.

Régine Sumeire, Ch. La Tour de l'Evêque, La Tour Sainte-Anne, 83390 Pierrefeu-du-Var, tél. 04.94.28.20.17, fax 04.94.48.14.69, e-mail regine.sumeire@toureveque.com
t.l.j. sf dim. 9h-17h (19h en saison)

DOM. LA TOUR DES VIDAUX
Cuvée Farnoux Élevé en fût de chêne 2004 ***

3 ha 3 800 11 à 15 €

Depuis dix ans, les Weindel cultivent ce domaine en biodynamie. Le sol de schistes et l'assemblage de syrah (80 %) et de grenache, élevé en fût, ont donné un vin fruité aux accents de violette, ample, concentré et équilibré. Qualifié de « force tranquille » par un dégustateur, ce 2004 parviendra à une complète harmonie dans un an. La cuvée **Saint-Paul rouge 2004 Élevé en barrique**, aux accents plus boisés, reçoit deux étoiles.

Paul Weindel, Dom. La Tour des Vidaux, quartier Les Vidaux, 83390 Pierrefeu-du-Var, tél. 04.94.48.24.01, fax 04.94.48.24.02, e-mail tourdesvidaux@wanadoo.fr
t.l.j. sf dim. 9h-12h 14h30-18h30

DOM. LA TOURRAQUE 2005 *

2,5 ha 13 000 5 à 8 €

L'été, le festival de théâtre rappelle que Gérard Philippe s'installa à Ramatuelle dans les années 1950. Il repose dans le cimetière du village. La réputation du domaine est autant le fait de la gentillesse de son œnologue, José Craveris, que de la qualité de ses rosés. Couleur marbre rose, ce 2005 révèle un nez intense et élégant, à la pointe citronnée. La bouche, agréable, joue les équilibristes entre vivacité et rondeur, puis gagne en ampleur jusqu'à une finale de pêche blanche. Une bouteille destinée à une occasion simple et conviviale.

GAEC Brun-Craveris, Dom. La Tourraque, 83350 Ramatuelle, tél. 04.94.79.25.95, fax 04.94.79.16.08
t.l.j. sf dim. 9h-12h 14h-18h30; sam. sur r.-v. l'hiver

CH. TOUR SAINT-HONORÉ
Cuvée Olivier 2005 **

1 ha 3 000 8 à 11 €

Olivier, le fils aîné de Serge et Chantal Portal, est le parrain d'une bien belle cuvée. Coup de cœur pour son 2003 et deux étoiles pour son 2004 blanc dans les précédents éditions, il brille cette année en rouge. Sous la robe grenat se révèle un bouquet complexe à la finesse florale, d'où s'échappent aussi des notes chaudes de café et d'épices. Des tanins présents étayent harmonieusement une matière riche aux accents de fruits rouges et de boisé vanillé. À découvrir cet hiver ou dans deux à trois ans. Dans un registre plus vif, la **cuvée Olivier blanc 2005 (11 à 15 €)** joue l'exotisme et le plaisir immédiat. Elle est citée.

Serge Portal, Ch. La Tour Saint-Honoré, RD 559, 83250 La Londe-les-Maures, tél. 04.94.66.98.22, fax 04.94.66.52.12, e-mail chateau-tsh@wanadoo.fr
t.l.j. sf dim. 9h-12h 16h-19h

LES TREILLES D'ANTONIN L'Organdi 2005

8 ha 6 000 5 à 8 €

Après une visite au château d'Entrecasteaux, poussez la promenade jusqu'à Saint-Antonin-du-Var, dont la cave coopérative se distingue avec la cuvée Organdi en rouge et en rosé. L'**Organdi rouge 2004** a vu le bois quelques mois. Il en offre les arômes avant de dévoiler une structure de tanins souples. C'est un vin franc et léger, tout comme son frère **rosé 2005**, également cité, intéressant par son bouquet de fruits rouges, son équilibre réussi entre rondeur et fraîcheur. Tous deux apprécient charcuteries et grillades.

🔑 Les Treilles d'Antonin,
107, rte d'Entrecasteaux, 83510 Saint-Antonin-du-Var,
tél. 04.94.04.42.79, fax 04.94.04.47.29 ☑ 🍷 r.-v.

DOM. DE LA TUILERIE 2004 *

■ 4 ha 5 000 5 à 8 €

Repris en 1997 par Hélène Cauvet, ce domaine familial hyérois étend ses vignes sur un terroir de schistes au pied du massif de Maures. Cette cuvée, issue à 90 % de syrah, d'un rouge profond, se caractérise par des notes animales et des arômes de fruits noirs. En bouche, les tanins sont présents mais assez fins, respectueux de l'équilibre d'ensemble et de l'harmonie de la finale persistante. À marier avec un cuisseau de chevreuil au four.

🔑 SCEA Dom. de La Tuilerie,
rte de Pierrefeu, 83400 Hyères, tél. 04.94.35.41.53,
fax 04.94.38.92.86, e-mail helene.cauvet@wanadoo.fr
☑ 🍷 t.l.j. 9h-12h 14h-18h 🏠 Ⓔ
🔑 Hélène Cauvet

DOM. DE VALBOURGÈS
Cuvée Prestige Élevé en fût de chêne 2003

■ 0,5 ha 2 000 5 à 8 €

Acquis en 1918 par la famille Turcot-Méry, constructeurs d'automobiles marseillais, ce domaine est aujourd'hui entre les mains de leurs descendants. En tournage dans la région pour le film *Le Corniaud*, Bourvil s'y est arrêté. Marchez dans ses pas pour découvrir ce 2003 rubis profond, aux notes de fruits mûrs et d'épices. La bouche franche s'épanouit avec rondeur. Les tanins savoureux complètent ce vin élégant, à servir dès maintenant.

🔑 Méry, Dom. de Valbourges, 83920 La Motte,
tél. 04.94.70.24.69, fax 04.94.84.31.07,
e-mail s.mery@worldonline.fr ☑ 🍷 🚶 r.-v.

CH. LES VALENTINES 2005 ***

■ 16,84 ha 100 000 ▮ 8 à 11 €

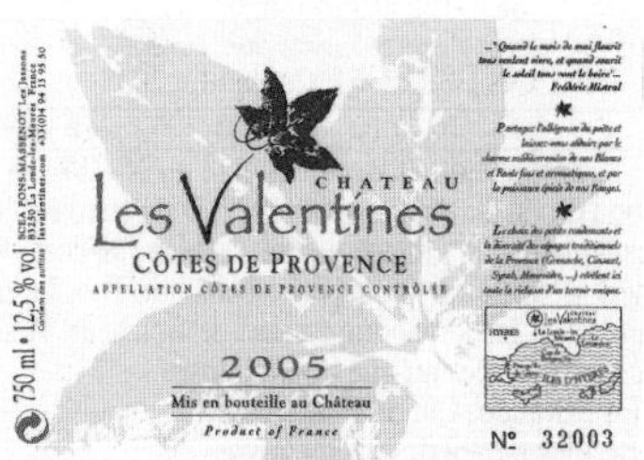

Il est loin le temps où ce domaine, apparu aux premières heures du XXe s., apportait sa vendange à la coopérative ; en 1997, Gilles Pons a ouvert un nouveau chapitre de son histoire et l'a inscrit dans la tradition familiale en le baptisant du nom de ses enfants, Valentin et Clémentine. Rappelez-vous : le 2004 était charmant dans le Guide de l'an passé. Le 2005, lui, est ravissant, exceptionnel même. De teinte pâle, il dispense d'intenses arômes de fraise des bois, d'agrumes, d'épices et de fleurs des champs tel le muflier. Une féerie d'arômes qui se poursuit au palais, dans un univers de fraîcheur et de délicatesse. La cuvée **Bagnard 2004 rouge (15 à 23 €)** brille d'une étoile tant elle séduit par ses arômes de fruits confits épicés, tandis que le **Château Les Valentines 2005 blanc**, élégamment parfumé de fruits exotiques, est cité.

🔑 SCEA Pons-Massenot, Ch. Les Valentines,
lieu-dit Les Jassons, 83250 La Londe-les-Maures,
tél. 04.94.15.95.50, fax 04.94.15.95.55,
e-mail contact@lesvalentines.com
☑ 🍷 🚶 t.l.j. sf dim. 9h-12h30 14h30-19h
🔑 Gilles Pons

CH. DE VAUCOULEURS Fréjus 2005 **

■ 2 ha 10 000 ▮ 8 à 11 €

On retrouve cette année ce domaine, souvent sélectionné pour ses vins rouges ou blancs, grâce à son rosé de nuance orangée, parfaitement représentatif de ce terroir de Fréjus nouvellement reconnu en côtes-de-provence. Ce 2005 a profité de la rénovation du chai en 2004. Il allie rondeur, fraîcheur et volume, sans exubérance mais avec une personnalité affirmée, sur des saveurs d'épices douces (poivre blanc, clou de girofle), d'abricot sec et de notes grillées. Un rosé de repas, prometteur.

🔑 P. Le Bigot,
Ch. de Vaucouleurs, RN 7, 83480 Puget-sur-Argens,
tél. et fax 04.94.45.20.27,
e-mail chateau.vaucouleurs@wanadoo.fr ☑ 🍷 r.-v.

DOM. DE LA VERNÈDE 2004 *

■ 1 ha 3 000 ⏸ 5 à 8 €

À quelques pas de Fréjus, et du massif des Maures, voici une halte bienvenue. Prestation remarquée du 2004, assemblage de syrah (70 %) et de grenache (30 %), qui affiche un élevage boisé maîtrisé. Honneur au palais volumineux, bien construit sur des tanins qui montent en puissance, puis jouent sur du velours. Cuir, violette et pointe balsamique sont les prémices d'un bouquet aromatique en devenir. Pas de souci pour son avenir proche ou lointain. Dans la nouvelle dénomination, le **rosé Fréjus 2005** garde une fraîcheur et une légèreté empreinte de notes iodées, de fruits mûrs et même d'épices. Avec sa robe nuancée d'orange, il est cité.

🔑 A. et F. Carrassan,
Dom. de La Vernède, 83480 Puget-sur-Argens,
tél. 04.94.53.97.21 ☑ 🍷 🚶 r.-v.

CH. VERT 2005

■ 10 ha 45 000 5 à 8 €

Dans la grande bastide du XVIIIe s., toutes les boiseries sont vertes, ce qui a donné son nom au château. Ce rosé, assemblage de grenache (60 %) et de cinsault (40 %) vinifiés dans la cave rénovée, peut être servi à table dès maintenant. Très aromatique au nez (fruits frais, pêche blanche), franc en bouche, il accompagnera sans complexe des salades composées.

🔑 Dom. du Ch. Vert, av. Georges-Clemenceau,
83250 La Londe-les-Maures, tél. 04.94.66.80.59,
fax 04.94.66.64.42, e-mail chateau.vert@tiscali.fr
☑ 🍷 🚶 t.l.j. sf dim. 9h-12h 15h-18h
🔑 Marmottant

PROVENCE

Cassis

Un creux de rochers, auquel on n'accède que par des cols relativement hauts depuis Marseille ou Toulon, abrite, au pied des plus hautes falaises de France, des calanques, des anchois et une certaine fontaine qui, selon les Cassidens, rendait leur ville plus remarquable que Paris... Mais aussi un vignoble que se disputaient déjà, au XIes., les puissantes abbayes, en demandant l'arbitrage du pape. Le vignoble occupe aujourd'hui 196 ha, dont 140 en cépages blancs pour un volume total de 7 934 hl en 2005. Les vins sont rouges, rosés et surtout blancs (5 540 hl). Mistral disait de ces derniers qu'ils sentaient le romarin, la bruyère et le myrte. Bues avec les bouillabaisses, les poissons grillés, les coquillages et les viandes blanches, les cuvées de ces blancs capiteux et parfumés ne sont plus de simples vins de comptoir mais des vins de classe.

DOM. DU BAGNOL Marquis de Fesques 2005 *

9,5 ha 57 000 ▮ 8 à 11 €

Situé dans la plaine au pied du cap Canaille, la plus haute falaise maritime de France, ce domaine propose un cassis très aromatique qui exprime avec élégance et fraîcheur des notes d'agrumes, d'abricot et de miel. À déguster dès maintenant avec un poisson grillé ou des crustacés. Le **Marquis de Fesques rosé 2005** est un vin de plaisir, à la robe bois de rose et aux senteurs fines : il obtient une citation.

Sébastien Genovesi, Dom. du Bagnol,
12, av. de Provence, 13260 Cassis,
tél. 04.42.01.78.05, fax 04.42.01.11.22
t.l.j. sf sam. dim. 9h-12h 13h30-18h

CLOS D'ALBIZZI 2005

11 ha 50 000 ▮ 8 à 11 €

Le domaine créé en 1523 par le Florentin Antonio d'Albizzi couvre 13 ha d'un seul tenant, adossé au mont Gibaou, sur un sol argilo-calcaire et marneux. Faites tourner dans le verre ce 2005 jaune citron pour percevoir les notes de fruits exotiques (ananas) accompagnées d'une pointe de garrigue mariée à l'iris. D'attaque franche, le vin dévoile beaucoup de rondeur et de maturité. À boire dès aujourd'hui et pendant toute l'année.

François Dumon, Ferme Saint-Vincent,
Clos d'Albizzi, 13260 Cassis,
tél. et fax 04.42.01.11.43 r.-v.

CLOS VAL BRUYÈRE Kalahari 2004 *

2 ha 2 000 15 à 23 €

Au Château Barbanau, on célèbre l'Afrique avec cette cuvée au nom et à l'étiquette évocateurs (un zèbre sur cette dernière). La robe jaune intense aux reflets dorés flatte l'œil. Si les notes de torréfaction et de vanille dominent au nez, la bouche ample et ronde s'ouvre sur des flaveurs de fruits confits et de fruits secs. Cette cuvée qui a connu le bois aura encore besoin de quelques années de garde pour être à son optimum. Citée, la cuvée classique **blanc 2004 (8 à 11 €)** plaît par ses arômes d'agrumes, de cédrat, de miel et de coing, comme par sa fraîcheur.

Ch. Barbanau, hameau de Roquefort,
13830 Roquefort-la-Bédoule, tél. 04.42.73.14.60,
fax 04.42.73.17.85, e-mail barbanau@wanadoo.fr
t.l.j. sf dim. 10h-12h 15h-18h

DOM. COURONNE DE CHARLEMAGNE 2005

5,59 ha 30 000 ▮ 8 à 11 €

Le domaine étagé en restanques doit son nom à la falaise à laquelle il est adossé. Son 2005 offre un nez floral et minéral d'une juste fraîcheur. La bouche garde une même vivacité sous une tonalité d'agrumes. Ce vin sera parfaitement à l'aise à l'apéritif et pourra attendre un à deux ans.

Bernard Piche, Dom. Couronne de Charlemagne,
Les Janots, 13260 Cassis, tél. et fax 04.42.01.15.83,
e-mail bp@couronnedecharlemagne.com
t.l.j. 10h-12h 16h-18h

DOM. LA FERME BLANCHE 2005 **

12 ha 66 000 ▮ 8 à 11 €

Depuis 1714, l'exploitation acquise par François de Garnier est restée dans la même famille. Elle sait allier tradition et modernité : ainsi, les chais ont-ils été rénovés en 2003, mais la cave voûtée du XVIIIes. a été conservée. D'une rare complexité, ce 2005 développe des notes de fleurs, d'agrumes (zeste de citron, pamplemousse) et d'ananas. La bouche prolonge agréablement le nez en alliant gras et rondeur. D'un bel équilibre, cette bouteille s'exprimera avec encore plus d'harmonie d'ici un an.

Dom. La Ferme Blanche, RD 559, 13260 Cassis,
tél. 04.42.01.00.74, fax 04.42.01.73.94,
e-mail fermeblanche@wanadoo.fr t.l.j. 9h-19h
F. Paret

CH. DE FONTBLANCHE 2004 *

10 ha 60 000 ▮ 11 à 15 €

Le vignoble fut créé, en 1890 après la crise phylloxérique, par Émile Bodin, sacré par son ami Frédéric Mistral « Prince vigneron de Cassis ». Sous sa robe or jaune clair, ce 2004 livre des notes d'agrumes, puis une bouche équilibrée portée par la vivacité. Cité, le **rosé 2005**, saumoné à reflets orangés, joue la fraîcheur avec un zeste citronné.

SCEA Bontoux-Bodin Père et Fils,
Ch. de Fontblanche, rte de Carnoux, 13260 Cassis,
tél. 04.42.01.00.11, fax 04.42.01.32.11,
e-mail chateau.fontblanche@terre-net.fr
t.l.j. 8h30-12h30 14h-17h30

CH. DE FONTCREUSE Cuvée «F» 2005

16,43 ha 90 000 ▮ 8 à 11 €

Si l'origine du château remonte au XVIIes., la production de vin n'a débuté qu'en 1922. D'un terroir calcaire et caillouteux du crétacé est né ce blanc délicat, floral (genêt) et fruité (abricot, pêche blanche). Il brille de sa parure or et laisse une impression de fraîcheur. À servir avec des crustacés ou une bouillabaisse.

J.-F. Brando, Ch. de Fontcreuse,
13, rte Pierre-Imbert, 13260 Cassis,
tél. 04.42.01.71.09, fax 04.42.01.32.64,
e-mail fontcreuse@wanadoo.fr r.-v.

DOM. DU PATERNEL 2005 **

20 ha 100 000 ▮ 8 à 11 €

Du nom du domaine jusqu'à son histoire, tout évoque la famille. Depuis plus de quarante ans à la tête de

la propriété créée par son oncle, Jean-Pierre Santini travaille aujourd'hui avec ses trois enfants. La robe de ce blanc récolté dans les derniers jours d'août apparaît lumineuse, d'un jaune tilleul. Caractéristiques de l'appellation, ses arômes expressifs rappellent la rose, l'iris et la pêche. Ample, gras et rond en attaque, il évolue sur des notes abricotées égayées d'une pointe de vivacité bienvenue, puis persiste longuement, rejouant les notes fruitées et florales. Il est prêt mais pourra être conservé encore quelques années. La **Grande Réserve rouge 2004** est citée pour sa fraîcheur et sa palette fruitée et épicée.

EARL Santini, Dom. du Paternel,
11, rte Pierre-Imbert, 13260 Cassis,
tél. 04.42.01.77.03, fax 04.42.01.09.54,
e-mail domaine.paternel@wanadoo.fr
t.l.j. sf dim. 11h-12h 14h-18h; f. sam. oct.-mars

Bellet

De rares privilégiés connaissent ce minuscule vignoble (48 ha) situé sur les hauteurs de Nice, dont la production est réduite (926 hl) et presque introuvable ailleurs qu'à Nice. Elle est faite de blancs originaux et aromatiques, grâce au rolle, cépage de grande classe, et au chardonnay (qui se plaît à cette latitude quand il est exposé au nord et suffisamment haut) ; de rosés soyeux et frais ; de rouges somptueux, auxquels deux cépages locaux, la fuella et le braquet, donnent une originalité certaine. Ils seront à leur juste place avec la riche cuisine niçoise si originale, la tourte de blettes, le tian de légumes, l'estocaficada, les tripes, sans oublier la socca, la pissaladière ou la poutine.

DOM. AUGIER 2004 *

0,3 ha 800 15 à 23 €

Dans un écrin grenat, ce 2004 issu de folle noire et de grenache joue une symphonie d'arômes balsamiques, mentholés et épicés. Il exprime avec beaucoup de personnalité la typicité de l'appellation. Des tanins présents, mais fins et élégants, et une bonne persistance sont le signe d'un fort potentiel.

Rose Augier, 680, rte de Bellet, 06200 Nice,
tél. et fax 04.93.37.81.47 r.-v.

CLOS SAINT-VINCENT Clos 2004 **

4 ha 5 000 23 à 30 €

Cette cuvée de Joseph Sergi et Roland Sicardi a été souvent distinguée dans le Guide. Issue en 2004 de l'assemblage de folle noire (*fuella nera*, 90 %) et de grenache, elle s'habille de rubis à reflets violacés et développe des arômes complexes de fruits noirs auxquels se mêlent des notes de noix muscade et d'amande fraîche. La bouche puissante, aux saveurs épicées, s'appuie sur des tanins présents mais fins, garants d'une bonne aptitude à la garde.

Joseph Sergi et Roland Sicardi,
Collet des Fourniers, Saint-Roman-de-Bellet,
06200 Nice, tél. et fax 04.92.15.12.69,
e-mail clos.st.vincent@wanadoo.fr r.-v.

LES COTEAUX DE BELLET 2005

1,28 ha 5 060 11 à 15 €

Situées sur un terroir typique de galets roulés, les vignes d'Hélène Calviera dominent la vallée du Var, à quelques pas de la ville de Nice. Celle-ci propose cette année un vin rose pâle brillant aux reflets saumonés, qui développe un nez de fruits blancs, de pêche de vigne et d'abricot. La bouche délicate, ronde et équilibrée fait de ce 2005 un bon compagnon de petits farcis niçois.

SCEA Les Coteaux de Bellet,
325, chem. de Saquier, 06200 Nice,
tél. 04.93.29.92.99, fax 04.93.18.10.99,
e-mail lescoteauxdebellet@wanadoo.fr r.-v.
Hélène Calviera

CH. DE CRÉMAT 2004 **

4,8 ha 12 000 15 à 23 €

Bâti il y a un siècle dans le style néogothique en vogue à l'époque, ce château est une des « folies » de Nice. Jaune pâle à reflets verts, son vin est issu de l'assemblage de rolle (90 %) et de chardonnay. Le nez intense et complexe développe des arômes de cire et de miel agrémentés de notes de fleurs blanches. La bouche bien équilibrée, avec beaucoup de rondeur, reste dans la même ligne aromatique. Un bellet typé qui s'associera à la cuisine méditerranéenne. Le **rosé 2005** est noté une étoile pour son élégance.

Ch. de Crémat, SCEA Kamerbeek,
442, chem. de Crémat, 06200 Nice, tél. 04.92.15.12.15,
fax 04.92.15.12.13 t.l.j. sf sam. dim. 10h-18h

MAX GILLI 2005

0,25 ha 850 11 à 15 €

Situé sur les restanques de galets roulés typiques de l'appellation, le vignoble de Max Gilli propose des cuvées confidentielles. Ce rosé 2005 allie le braquet, le cinsault, le rolle et le grenache. Présentant une délicate robe rose tendre, il exprime un nez élégant d'agrumes et de fruits frais, arômes qui accompagnent la bouche ronde et complexe. Un vin à associer à la cuisine asiatique.

Max Gilli, Les Séoules, chem. de Saint-Roman,
06200 Nice, tél. et fax 04.93.37.82.71
t.l.j. 9h-18h30

DOM. DE TOASC 2005 *

0,65 ha 2 600 11 à 15 €

Depuis 1995, Bernard Nicoletti développe son vignoble sur de superbes restanques dominant la vallée du Var. Le jury a apprécié son rosé 2005 rose tendre, au nez élégant de fleurs blanches et d'abricot mûr. La bouche est

PROVENCE

ronde, équilibrée, avec une bonne persistance aromatique. Un vin qui saura accompagner un loup ou une daurade grillée. Le **blanc 2005 (15 à 23 €)** obtient également une étoile pour ses arômes généreux, presque exotiques, tandis que le **rouge 2004 (15 à 23 €)** est cité.
Dom. de Toasc, 213, chem. de Crémat, 06200 Nice, tél. 04.92.15.14.14, fax 04.92.15.14.00
r.-v.
Nicoletti

Bandol

Noble vin produit sur les terrasses brûlées de soleil des villages de Bandol, Le Beausset, La Cadière-d'Azur, Le Castellet, Évenos, Ollioules, Saint-Cyr-sur-Mer et Sanary, à l'ouest de Toulon. Recouvrant une superficie de 1 553 ha, le bandol (54 336 hl en 2005) est blanc, rosé ou rouge. Ce dernier est corsé et tannique grâce au mourvèdre, cépage qui le compose pour plus de la moitié. Vin généreux, compagnon idéal des venaisons et des viandes rouges, il apporte ses subtilités aromatiques faites de poivre, de cannelle, de vanille et de cerise noire. Il supporte fort bien une longue garde.

DOM. BARTHÈS 2005 ★★

20,41 ha 106 000 8 à 11 €

Le déroulement du cycle végétatif en 2005 a été bénéfique à la qualité du raisin et donc du vin. Ce rosé étincelant, assemblage de grenache (40 %), de mourvèdre et de cinsault (30 % chacun), fait honneur à son terroir. Si les fleurs blanches, les agrumes et le bonbon anglais sont d'une indéniable séduction, c'est sans conteste l'alliance de finesse et de concentration au palais qui lui permet d'accéder à la plus haute marche.
Monique Barthès, chem. du Val-d'Arenc, 83330 Le Beausset, tél. 04.94.98.60.06, fax 04.94.98.65.31 r.-v.

LA BASTIDE BLANCHE Cuvée Estagnol 2004 ★

1,6 ha 6 000 11 à 15 €

Cuvée phare du domaine, l'Estagnol est élaborée quasi exclusivement à partir du raisin de vieux mourvèdre, complété de celui de grenache. Encore jeune, le 2004 apparaît timide au nez, mais des soupçons de fruits noirs et de cuir prometteurs se révèlent. La structure tannique puissante, encore sévère, mais parfaitement construite, laisse présager une bonne évolution. Votre patience sera récompensée.
EARL Bronzo, 367, rte des Oratoires, 83330 Sainte-Anne-du-Castellet, tél. 04.94.32.63.20, fax 04.94.32.74.34, e-mail earl.bronzo@wanadoo.fr r.-v.

CH. DES BAUMELLES 2004 ★★

4 ha 13 000 8 à 11 €

Ce château aux quatre tours, entouré d'une végétation luxuriante, à l'abri des routes touristiques, ne manque pas de charme, mais les cuvées qu'il produit ne sont ni vinifiées, ni vendues sur place mais à la Bastide Blanche. Dommage pour le coup d'œil, mais on se consolera sans peine avec ce vin de caractère qui sent bon le cuir et la réglisse, sur un fond boisé bien intégré. Un 2004 puissant et harmonieux, au bon potentiel de vieillissement. Rappelons que le 2001 fut grappe d'argent du Guide 2004.
EARL Bronzo, 367, rte des Oratoires, 83330 Sainte-Anne-du-Castellet, tél. 04.94.32.63.20, fax 04.94.32.74.34, e-mail earl.bronzo@wanadoo.fr r.-v.

DOM. DE LA BÉGUDE 2004

4 ha 12 000 15 à 23 €

Certainement le plus élevé en altitude des domaines de Bandol, La Bégude est aussi un terroir : des sols argilo-calcaires favorables à la production de vins structurés. Il en est ainsi de ce 2004, aux accents boisés prononcés. Une garde lui permettra de s'assouplir et d'être pleinement apprécié.
Tari, Dom. de La Bégude, rte des Garrigues, 83330 Le Camp-du-Castellet, tél. 04.42.08.92.34, fax 04.42.08.27.02, e-mail domaines.tari@wanadoo.fr
t.l.j. sf sam. dim. 9h-15h

DOM. DE CAGUELOUP 2005 ★

15,78 ha 30 000 11 à 15 €

Incontournable dans l'appellation, ce domaine traditionnel se fait régulièrement remarquer pour la qualité de ses vins. Le jury a retenu ce rosé pâle, dont le nez fin évoque la fraise et le pamplemousse. Plein et gouleyant, ce 2005 allie typicité et modernité. Servez-le avec une terrine de légumes.
Richard Prebost, Dom. de Cagueloup, rte de la Cadière, 83270 Saint-Cyr-sur-Mer, tél. 04.94.26.15.70, fax 04.94.26.54.09
t.l.j. 8h-12h 14h-18h

DOM. CASTELL-REYNOARD 2003 ★

1,35 ha 7 000 11 à 15 €

Cette petite propriété familiale a bien maîtrisé un millésime au demeurant difficile. Élevé dix-huit mois en fût, ce vin s'habille d'une robe profonde aux reflets violets. Les arômes de fruits encore très présents annoncent la fraîcheur du palais tandis que les tanins serrés, mais déjà fondus, invitent à une dégustation aujourd'hui comme demain.
SCEA Castell, Dom. Castell-Reynoard, quartier Thouron, 83740 La Cadière-d'Azur, tél. et fax 04.94.90.10.16, e-mail jcastell@wanadoo.fr
t.l.j. 9h-12h 15h-19h

DOM. DE FONT-VIVE 2005 *

■ 4,95 ha 26 000 ▮ 8 à 11 €

Font-Vive est un domaine récent, perdu dans les restanques, qui ne manque pas de talent et qui a trouvé depuis plusieurs années les chemins de la sélection du Guide avec ses vins blancs et surtout ses rosés. En témoigne ce 2005 d'une couleur pâle, très tendance, qui fait preuve de complexité aromatique. On y relève des notes de fleurs, de tilleul et de citron, tandis qu'en bouche on apprécie son équilibre entre rondeur et fraîcheur. À ouvrir à l'apéritif et à garder pour accompagner l'entrée.

Philippe Dray, Dom. de Font-Vive, chem. du Val-d'Arenc, 83330 Le Beausset, tél. 04.94.98.60.06, fax 04.94.98.65.31 r.-v.

DOM. DE FRÉGATE 2005

■ 15 ha 75 000 ▮ 8 à 11 €

Peu de vignes d'appellation bandol se situent sur la commune de Saint-Cyr. Le domaine de Frégate en exploite l'essentiel et son vignoble en surplomb de la mer, entre golf et hôtel de luxe, jouit d'un microclimat particulier. De telles conditions ont permis l'élaboration de cette cuvée saumonée, empreinte d'arômes de fruits exotiques et d'une agréable rondeur.

Dom. de Frégate, rte de Bandol, 83270 Saint-Cyr-sur-Mer, tél. 04.94.32.57.57, fax 04.94.32.24.22, e-mail domainedefregate@wanadoo.fr r.-v.

DOM. LE GALANTIN 2005

■ 15 ha 40 000 ▮ 8 à 11 €

Un rosé très pâle qui se partage entre des notes d'agrumes provençales et d'autres plus épicées, ce qui lui confère une bonne typicité. La bouche est fraîche, harmonieuse, bien aromatique.

Famille Achille Pascal, Dom. Le Galantin, 690, chem. du Galantin, 83330 Le Plan-du-Castellet, tél. 04.94.98.75.94, fax 04.94.90.29.55, e-mail domaine-le-galantin@wanadoo.fr r.-v.

DOM. DU GROS NORÉ 2003 *

■ 11,29 ha 44 500 15 à 23 €

Une cave récente, tout en pierre traditionnelle, qui ne manque ni de caractère ni de charme. Alain Pascal élabore des vins rouges structurés, au fort accent local. Ce 2003 s'inscrit dans cette lignée avec ses notes de fruits mûrs et d'épices, et ses tanins puissants, mais déjà fondus, qui autorisent une dégustation dès maintenant.

Alain Pascal, Dom. du Gros Noré, 675, chem. de l'Argile, 83740 La Cadière-d'Azur, tél. 04.94.90.08.50, fax 04.94.98.20.65, e-mail alainpascal@gros-nore.com r.-v.

DOM. DE L'HERMITAGE 2005 **

■ 21 ha 80 000 ▮ 11 à 15 €

Perpétuant la tradition familiale, Olivier Duffort, qui a succédé en 2004 à son père Gérard, élabore des rosés à la fois délicats et généreux. Ce 2005, partagé entre mourvèdre, grenache et cinsault, est aussi discret à l'œil qu'expressif au nez : un mélange complexe de fleurs et de fruits exotiques. Concentré, équilibré et long en bouche, il offre, comme le souligne un dégustateur, « ce que l'on attend d'un bandol rosé ».

SAS Gérard Duffort, Dom. de L'Hermitage, Le Rouve, BP 41, 83330 Le Beausset, tél. 04.94.98.71.31, fax 04.94.90.44.87, e-mail contact@domainesduffort.com
t.l.j. sf sam. dim. 9h-12h 15h-18h
Olivier Duffort

DOM. LAFRAN-VEYROLLES 2005 *

■ 3,9 ha 20 000 ▮ 11 à 15 €

Établie sur les pentes des côtes de Veyrolles et fort bien exposée, cette propriété remonte au XVII[e]s. Régulièrement distinguée pour ses vins rouges, elle a séduit cette année avec le rosé. Un 2005 très bandol, aux arômes subtils d'épices et d'agrumes, à la bouche délicate et ample à la fois, avec une pointe de tanins perceptibles. Rien d'étonnant à une telle structure, puisque ce rosé est issu à 75 % de mourvèdre. L'évolution devrait être des plus intéressantes.

Mme Jouve-Férec, Dom. Lafran-Veyrolles, 2115, rte de l'Argile, 83740 La Cadière-d'Azur, tél. 04.94.90.13.37, fax 04.94.90.11.18
t.l.j. sf dim. 8h30-12h 14h-18h; sam. sur r.-v.

DOM. DE LA LAIDIÈRE 2005 **

■ 11,4 ha 56 000 ▮ 11 à 15 €

Au pied des grès de Sainte-Anne, sur un terroir partagé entre sable et calcaire, le domaine de La Laidière cultive sa différence. Réputé pour ses vins blancs, plusieurs fois coup de cœur, il maîtrise aussi la vinification du mourvèdre. Le rosé 2005, issu à 60 % de ce cépage, joue une partition aromatique de fleurs blanches, d'agrumes et de notes plus minérales. À la fois charnu et soyeux, équilibré, il fait preuve d'une remarquable persistance.

Estienne, Dom. de La Laidière, 426, chem. de Font-Vive, Sainte-Anne-d'Évenos, 83330 Évenos, tél. 04.98.03.65.75, fax 04.94.90.38.05, e-mail info@laidiere.com
t.l.j. sf dim. 9h-12h 14h-18h

Bandol

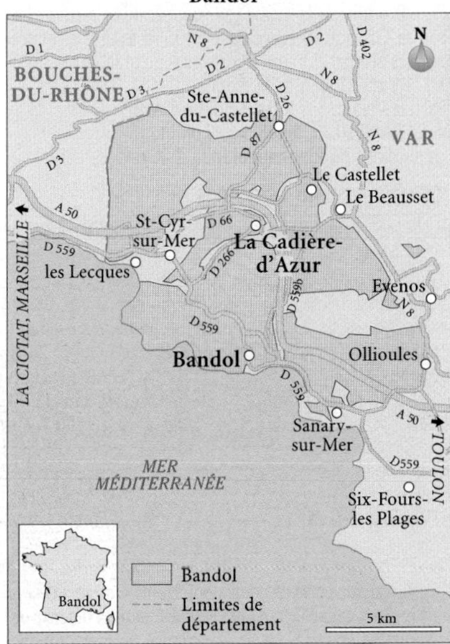

PROVENCE

DOM. LES LUQUETTES 2003 ★

■ 2,3 ha 13 000 🀫 15 à 23 €

Ce petit domaine s'était illustré l'an passé grâce à un rosé 2004 élégant. À l'époque, la cave hébergeait aussi un bandol rouge 2003 en plein mûrissement et qui a atteint aujourd'hui une certaine plénitude. Des arômes de fruits noirs et de sous-bois, des nuances grillées, une attaque chaleureuse qui enchaîne sur des tanins serrés mais fondus : tous les éléments d'un bandol typé sont réunis.

SCEA Le Lys, Dom. Les Luquettes,
20, chem. des Luquettes, 83740 La Cadière-d'Azur,
tél. 04.94.90.02.59, fax 04.94.98.31.95,
e-mail info@les-luquettes.com r.-v.
E. Lafourcade

DOM. MAUBERNARD 2005 ★

■ 5 ha 12 000 ▮ 5 à 8 €

Un petit domaine aux portes de Saint-Cyr, d'où l'on jouit d'un magnifique panorama sur la baie de La Ciotat et son célèbre Bec de l'Aigle qui plonge dans la mer. Partagé entre cinsault, grenache et mourvèdre, ce rosé pâle et aromatique séduit par son intensité en bouche. Fraîcheur, puis rondeur et longueur sont au rendez-vous.

SCA Dom. de Maubernard,
4949, chem. de Saint-Antoine,
quartier La Bourrasque, 83270 Saint-Cyr-sur-Mer,
tél. 04.91.37.03.44, fax 04.91.57.01.52,
e-mail domaine.maubernard@wanadoo.fr
t.l.j. sf sam. dim. 9h-12h 15h-18h
Vidal

DOM. DE LA NARTETTE 2003 ★

■ n.c. n.c. 🀫 11 à 15 €

Les vignes appartiennent au Conservatoire du littoral et les raisins qu'elles produisent sont vinifiés par le Moulin de la Roque. Terroir et savoir-faire sont au rendez-vous dans ce vin où domine le fruit avec des nuances d'épices et de sous-bois. Le palais n'est pas en reste, qui se réjouit de la caresse de tanins fondus et de la chaleur d'un vin de soleil. Produit par la même cave coopérative, la cuvée **La Roque Grande Réserve rosé 2005 (8 à 11 €)** est citée pour ses arômes floraux délicats et son équilibre.

Cave du Moulin de la Roque,
quartier Vallon, 83740 La Cadière-d'Azur,
tél. 04.94.90.10.39, fax 04.94.90.08.11,
e-mail cave@laroque-bandol.fr r.-v.

CH. DE LA NOBLESSE 2005 ★★

□ 0,3 ha 1 500 ▮ 8 à 11 €

Troisième coup de cœur pour Henri Gaussen désormais relayé par sa fille qui s'est engagée dans la défense de l'appellation. Le grand jury a plébiscité ce bandol blanc moitié clairette, moitié ugni blanc, floral au premier nez, puis qui s'ouvre sur des notes complexes de fruits à chair blanche. En bouche, il présente un équilibre harmonieux entre volume, fraîcheur et délicatesse. Le **rouge 2003 (11 à 15 €)** obtient une étoile pour sa matière structurée et ses arômes épicés.

Agnès et Henri Gaussen, Ch. de La Noblesse,
1685, chem. de l'Argile, 83740 La Cadière-d'Azur,
tél. 04.94.98.72.07, fax 04.94.98.40.41
t.l.j. sf dim. 10h-12h 14h-18h

DOM. DE L'OLIVETTE 2003

■ 13 ha 60 000 🀫 11 à 15 €

Dans la même famille depuis deux cents ans, ce domaine commandé par une ancienne bastide couvre une cinquantaine d'hectares. Derrière une robe sombre et profonde se cache un vin secret, aux notes empyreumatiques. Un côté fruité apparaît en bouche, accompagnant le développement d'une chair pleine, mais encore un peu austère. Un bandol prometteur qui mérite d'attendre un peu.

SCEA Dumoutier, Dom. de L'Olivette,
83330 Le Castellet, tél. 04.94.98.58.85,
fax 04.94.32.68.43, e-mail info@domaine-olivette.com
t.l.j. sf sam. dim. 8h-12h 14h-18h (17h hiver)

DOM. DU PEY-NEUF
Vieilli en fût de chêne 2003 ★★

■ 4 ha 20 000 🀫 8 à 11 €

Le labour à cheval est encore pratiqué sur certaines parcelles – restanques obligent – de ce domaine de 46 ha (dont 22 ha en bandol), tandis que le cuvier bénéficie d'équipements du dernier cri. Un raisin gorgé de soleil a donné naissance à ce vin aux arômes de fruits mûrs, de grillé et de cacao. L'élevage en bois a laissé son empreinte, sans nuire à la rondeur et à l'équilibre.

Guy Arnaud, Dom. du Pey-Neuf,
367, rte de Sainte-Anne, 83740 La Cadière-d'Azur,
tél. et fax 04.94.26.13.89,
e-mail domaine.peyneuf@wanadoo.fr r.-v.

CH. DE PIBARNON 2005 ★

■ 15 ha 43 000 ▮ 15 à 23 €

En 1978, Henri et Catherine de Saint-Victor, la cinquantaine, se sont lancés dans l'aventure viticole à Pibarnon, conquis par ce site remarquable, sur la colline du Télégraphe. Aujourd'hui, Éric de Saint-Victor conduit la destinée de ce domaine qui s'est agrandi au fil du temps, des 3,5 ha des origines aux 50 ha actuels. Issu de mourvèdre et de cinsault à parts égales, ce rosé aux arômes de pêche blanche révèle une bouche ronde et équilibrée. Les plats de la Méditerranée lui iront tout naturellement, mais la cuisine exotique saura aussi le mettre en valeur. Rappelons le dernier coup de cœur pour le bandol rouge 2002.

Éric de Saint-Victor, Ch. de Pibarnon,
83740 La Cadière-d'Azur, tél. 04.94.90.12.73,
fax 04.94.90.12.98, e-mail contact@pibarnon.com
t.l.j. sf dim. 9h-12h 14h-18h; groupes sur r.-v.

CH. LA ROUVIÈRE 2004 ★

■ 4 ha 15 000 ▮🀫 15 à 23 €

Le château La Rouvière est l'une des trois propriétés de la famille Bunan qui a six coups de cœur à son actif. Dernier millésime vinifié par R. Gago, qui vient de passer la main, ce 2004 illustre bien le caractère et la complexité d'un bandol : un vin jeune, encore timide, aux notes de camphre et de cuir, qui emplit bien un palais riche et équilibré. Les tanins demandent juste un peu de temps (quatre à cinq ans) pour s'assouplir. Sous la même étiquette, le **blanc 2005** obtient une étoile.

Domaines Bunan, Moulin des Costes, BP 17, 83740 La Cadière-d'Azur, tél. 04.94.98.58.98, fax 04.94.98.60.05, e-mail bunan@bunan.com r.-v.

CH. SAINTE-ANNE 2003

5 ha 19 500 15 à 23 €

Que de chemin parcouru depuis 1964... Lorsque Françoise et François Dutheil de la Rochère reprirent ce domaine, tout était à restaurer : le vignoble comme la maison de maître du milieu du XIXe s., aujourd'hui entourée d'un parc de pins et de cèdres. La propriété a retrouvé sa splendeur. Vous y découvrirez ce 2003, très marqué par le fruit et les épices, d'une structure équilibrée, grâce à des tanins présents, mais souples.

Dutheil de la Rochère, Ch. Sainte-Anne, 83330 Évenos, tél. 04.94.90.35.40, fax 04.94.90.34.20, e-mail chateausteanne@free.fr r.-v.

CH. SALETTES 2005 ★★

14,29 ha 69 000 11 à 15 €

Nicolas Boyer a succédé à son père Jean-Pierre à la tête de ce domaine familial (40 ha d'un seul tenant) dont l'histoire remonte à dix-sept générations. Reprise couronnée de succès comme le prouve ce rosé pâle, à majorité de mourvèdre qui a séduit le grand jury par son alliance de finesse et de complexité. À la fois floral et fruité, structuré, il plaît déjà mais possède aussi un réel potentiel pour l'avenir.

EARL Boyer et Fils, Ch. Salettes, 83740 La Cadière-d'Azur, tél. 04.94.90.06.06, fax 04.94.90.04.29, e-mail salettes@salettes.com r.-v.

DOM. SORIN 2004 ★

1,5 ha 7 000 15 à 23 €

Luc Sorin exporte 50 % de sa production et destine 40 % à la restauration et aux cavistes. Vous trouverez donc aisément ses vins non loin de chez vous. Ce 2004, élevé dix-huit mois en fût, décline des arômes de fruits mûrs et d'épices en préambule, puis des notes plus boisées et résineuses. La chair gourmande s'appuie sur des tanins fondus. Une typicité et déjà de la maturité pour ce bandol prêt à boire avec des gibiers, mais qui saura aussi patienter.

Dom. Sorin, 1617, rte de La Cadière-d'Azur, 83270 Saint-Cyr-sur-Mer, tél. 04.94.26.62.28, fax 04.94.26.40.06, e-mail luc.sorin@wanadoo.fr t.l.j. sf dim. 8h-12h 15h-18h30

DOM. DE SOUVIOU 2005 ★

5,9 ha 26 000 11 à 15 €

En provençal, *soouvi* signifie sauge, un parfum qui flotte dans l'air de cette propriété en restanques, plantée d'oliviers et de vignes. Un cadre qui enchanta l'actrice Danielle Darrieux, un temps propriétaire. Une même harmonie se dégage de ce rosé pâle, aux arômes de pêche blanche, de pamplemousse, de litchi et de réglisse. Sa chair délicate caresse le palais de sa fraîcheur et laisse un long souvenir de fruit de la Passion et d'agrumes.

EARL Olivier Pascal, Dom. de Souviou, RN 8, 83330 Le Beausset, tél. 04.94.90.57.63, fax 04.94.98.62.74, e-mail souviou@aol.com t.l.j. sf dim. 9h-12h 14h-18h; groupes sur r.-v.

DOM. LA SUFFRÈNE Cuvée Les Lauves 2004 ★★

2 ha 8 500 15 à 23 €

En 1996, Cédric Gravier, petit-fils des propriétaires, a su donner au domaine une nouvelle impulsion en créant une cave de vinification. Dix ans plus tard, les résultats sont des plus probants. Cette cuvée a déjà eu les honneurs du Guide dans le millésime 2001, coup de cœur, trois étoiles. Le 2004, issu à 90 % de mourvèdre élevé en foudre, marie avec élégance des parfums de garrigue, de fruits bien mûrs, de sous-bois et de grillé. D'un abord souple, il développe toute sa structure et son élégance jusqu'à une longue finale. Le **rosé 2005 (8 à 11 €)** mérite une étoile pour ses arômes de pamplemousse et sa fraîcheur.

GAEC Gravier-Piche, Dom. La Suffrène, 1066, chem. de Cuges, 83740 La Cadière-d'Azur, tél. 04.94.90.09.23, fax 04.94.90.02.21, e-mail suffrene@wanadoo.fr t.l.j. sf sam. dim. 9h-12h 14h-18h

Cédric Gravier

DOM. DE TERREBRUNE 2003 ★

15 ha 600 000 15 à 23 €

Aux portes de Toulon, sous la pression de l'expansion urbaine, Terrebrune fait de la résistance. Il jouit d'une exposition idéale et de terroirs calcaires triasiques originaux dans l'appellation. Ce 2003 aux arômes de laurier et de garrigue déroule des saveurs fines et équilibrées, soutenues par des tanins fondus, aux accents épicés. Pour un plaisir immédiat, avec une viande en sauce.

Delille, Dom. de Terrebrune, chem. de la Tourelle, 83190 Ollioules, tél. 04.94.74.01.30, fax 04.94.88.47.51, e-mail delille@terrebrune.fr t.l.j. sf dim. 9h-12h30 14h-18h

PROVENCE

DOM. DE LA TOUR DU BON 2005

1 ha 2 500 11 à 15 €

Au nord-ouest de l'aire d'appellation, ce domaine doit son nom à une tour sarrasine, autrefois située au sommet de la colline. Au début des années 1970, la famille Hocquard le convertit de la production de raisin de table à celle de vin. Trente-cinq ans plus tard, Agnès Henry-Hocquard propose ce vin lumineux, brillant de reflets verts. Aux arômes fruités, encore discrets, répond une bouche charnue et complexe. Un bandol typique des vieilles vignes de clairette dont il est issu, qui accompagnera tout un repas.

R. & C. Hocquard, Dom. de La Tour du Bon, 714, chem. de l'Olivette, 83330 Le Brûlat-du-Castellet, tél. 04.98.03.66.22, fax 04.98.03.66.26, e-mail tourdubon@wanadoo.fr r.-v.

DOM. DE VAL D'ARENC 2003

7 ha 30 000 11 à 15 €

Peu facile d'accès, le val d'Arenc est un secteur sauvage de petites restanques où la vigne cohabite parfois intimement avec la garrigue. Ce vin se partage entre des notes de menthe et de romarin, et d'autres, plus sensuelles, de réglisse et de cannelle. Bien construit, équilibré, il est déjà plaisant.

SCA Dom. de Val d'Arenc, 997, chem. du Val-d'Arenc, 83330 Le Beausset, tél. 04.94.98.71.89, fax 04.94.98.74.10 r.-v.

Seneclauze

CH. VANNIÈRES 2003

15 ha 30 000 23 à 30 €

Un magnifique château dont l'architecture du XIXe s. contraste avec celle, beaucoup plus ancienne, de son chai. On y élabore des vins puissants et ce 2003 ne déroge pas à la règle avec ses notes boisées et réglissées. La chair est dense, les tanins encore jeunes et marqués par l'élevage. Laissez à ce bandol le temps de s'assagir.

Ch. Vannières, 83740 La Cadière-d'Azur, tél. 04.94.90.08.08, fax 04.94.90.15.98, e-mail info@chateauvannieres.com
t.l.j. sf dim. 8h-12h 14h-18h

Boisseaux

Palette

Tout petit vignoble, aux portes d'Aix, qui englobe l'ancien clos du bon roi René. Blancs, rosés et rouges sont produits régulièrement sur 43 ha et ont donné 1 545 hl de vin en 2005. Le plus souvent, et après une bonne maturation (car le rouge est de longue garde), on y retrouve une odeur de violette et de bois de pin.

LA BADIANE Langesse 2004

1 ha 2 000 15 à 23 €

Un socle calcaire jurassique porte le terroir dont est issue cette cuvée or jaune brillant proposée par un négociant. Elle associe les notes fruitées, cacaotées et épicées. La bouche consistante bénéficie de tanins fondus qui autorisent un service immédiat comme une garde.

SA La Badiane, S. Croisette II, RN 154, 83250 La Londe-les-Maures, tél. 06.07.87.98.05, fax 04.94.15.92.11, e-mail contact@labadiane.com r.-v.

CH. HENRI BONNAUD 2004 ★

1 ha 4 000 15 à 23 €

En 2004, Stéphane Spitzglous décide de voler de ses propres ailes et, en hommage à son grand-père, donne le nom de celui-ci à la propriété. C'est ainsi que le domaine du Grand Côté quitte la coopérative pour devenir le Château Henri Bonnaud. Ce 2004 apparaît sombre mais brille de reflets rubis. Au bouquet complexe de fruits compotés, de caramel au lait, de cuir, de vanille répond une bouche marquée par le boisé, mais aux tanins soyeux et à la finale longue. Un palette qui ne manque pas de relief. Le **blanc 2005** est cité : encore jeune, il a du potentiel et devra attendre un an ou deux.

Stéphane Spitzglous, 945, chem. de la Poudrière, Le Grand Côté, 13100 Le Tholonet, tél. 04.42.66.86.28, fax 04.42.66.94.644, e-mail stephane.spitzglous@wanadoo.fr
t.l.j. sf dim. 10h-12h 14h-18h

CH. CRÉMADE 2005 ★

1,9 ha 7 000 15 à 23 €

Adossée à la montagne Sainte-Victoire, cette bastide du XVIIIe s. fréquentée par Paul Cézanne et Émile Zola peut être le point de départ d'une promenade sur les pas du peintre. Une touche de la palette de Cézanne pour ce rosé tendre et fin, dont l'assemblage comprend pas moins de six cépages (grenache, syrah, cinsault, mourvèdre, muscat et carignan). Cependant qu'au nez, il livre des arômes de pêche de vigne et de mandarine, en bouche, il se montre friand avec une finale longue et généreuse, qui lui donne du relief. Le **rouge 2003**, aux accents de cuir, s'appuie sur des tanins fermes au goût de réglisse. Il obtient une étoile.

SCEA Dom. de La Crémade, rte de Langesse, 13100 Le Tholonet, tél. 04.42.66.76.80, fax 04.42.66.76.81 r.-v.

Coteaux-d'aix-en-provence

Sise entre la Durance au nord et la Méditerranée au sud, entre les plaines rhodaniennes à l'ouest et la Provence triasique et cristalline à l'est, l'AOC coteaux-d'aix-en-provence appartient à la partie occidentale de la Provence calcaire. Le relief est façonné par une succession de chaînons, parallèles au rivage marin et couverts naturellement de taillis, de garrigue ou de résineux : chaînon de la Nerthe près de l'étang de Berre, chaînon des Costes prolongé par les Alpilles, au nord.

Entre ces reliefs s'étendent des bassins sédimentaires d'importance inégale (bassin de l'Arc, de la Touloubre, de la basse Durance) où se localise l'activité viticole, soit sur des formations marno-calcaires donnant des sols caillouteux à matrice argilo-limoneuse, soit sur des formations de molasses et de grès avec des sols très sableux ou sablo-limoneux caillouteux. 3 959 ha ont produit 174 561 hl en 2005, dont 8 137 en blanc. La production de vins rosés s'est développée récemment. Grenache et cinsault forment encore la base de l'encépagement, avec une prédominance du grenache ; syrah et cabernet-sauvignon sont en progression et remplacent progressivement le carignan.

Les vins rosés sont légers, fruités et agréables. Ils doivent être bus jeunes avec des plats provençaux : ratatouille, artichauts barigoule, poisson grillé au fenouil, aïoli... Les vins rouges sont des vins équilibrés. Ils bénéficient d'un contexte pédologique et climatique favorable. Jeunes et fruités, avec des tanins souples, ils peuvent accompagner viandes grillées et gratins. Ils atteignent leur plénitude après deux ou trois ans d'élevage et se marient alors avec viandes en sauce et gibier. Ils méritent que l'on parte à leur (re)découverte. La production de vins blancs est limitée. La partie nord de l'aire de production est plus favorable à leur élaboration, qui mêle la rondeur du grenache blanc à la finesse de la clairette, du rolle et du bourboulenc.

LES BASTIDANS 2005 ★★

■ 13,3 ha 97 500 ▮ 3 à 5 €

Ce rosé proposé par une union de caves coopératives, s'il n'a pas eu le coup de cœur, a fini dans le carré de tête. Frais et franc, il possède des arômes complexes de fleur d'oranger et de salade de fruits légèrement épicée. Sa belle matière lui permettra d'accompagner des sushis ou un poulet citronné. La cuvée **Premium de Saint-Louis rouge 2004 Élevé en fût de chêne** est citée pour ses notes réglissées et vanillées, mélangées à des fruits noirs et rouges.

🔑 Le Cellier de Saint-Louis,
ZI Les Consacs, 83170 Brignoles, tél. 04.94.37.21.00,
fax 04.94.59.14.84, e-mail info@cercleprovence.fr

DOM. LES BÉATES Les Béatines 2005 ★★

■ 20 ha 50 000 ▮ 5 à 8 €

Sur son domaine de 50 ha cultivé en biodynamie, la famille Terrat produit ce vin très méridional dans sa constitution, assemblage de grenache (60 %) et de syrah (30 %) agrémenté d'une pincée de cinsault et de cabernet-sauvignon. Un rosé pâle aux reflets rose vif et violets, qui fait preuve de rondeur et de sucrosité, avant une finale acidulée évocatrice de cerise et de citron. Un vin original à découvrir à l'apéritif.

🔑 Dom. Les Béates, rte de Caireval, BP 52,
13410 Lambesc, tél. 04.42.57.07.58, fax 04.42.57.19.70,
e-mail contact@domaine-des-beates.com
☑ Ɪ ⚲ t.l.j. sf dim. 9h-18h
🔑 Terrat

CH. BEAUFÉRAN Élevé en fût de chêne 2004 ★

■ 5 ha 10 000 ⓫ 8 à 11 €

Ce domaine a subi un grave incendie en 2004. Les alentours forestiers ont été détruits, mais le vignoble n'a pas été touché. Surmontant cette épreuve, les propriétaires se sont attelés à la vinification de ce vin pourpre aux reflets noirs, qui possède une matière de qualité. Un fin boisé, des notes animales et cacaotées se dégagent de cet ensemble bien construit. Le **rosé 2005 (5 à 8 €)**, structuré, décroche une citation.

🔑 Ch. Beauféran, 870, chem. de la Degaye, D 20,
13880 Velaux, tél. 04.42.87.92.88, fax 04.42.87.42.96,
e-mail chateau.beauferan@wanadoo.fr
☑ Ɪ ⚲ t.l.j. sf dim. 9h-12h 14h-18h; sam. 9h-12h30
🔑 SCEA Adam

CH. BEAULIEU Cuvée Bérengère 2003 ★★

■ 2 ha 12 000 ⓫ 8 à 11 €

Riche de quelque 220 ha de vignes plantées au cœur du cratère du volcan éteint de la Trévaresse, le Château Beaulieu, situé à 350 m d'altitude, est commandé par une bâtisse du XVIIes.. Mais au-delà du lieu, ce sont ses vins qui séduisent, et dans les trois couleurs. Ce 2003 rouge tout d'abord, à la robe violine soutenue et au nez expressif de cuir, de confiserie et de pâtisserie. Suave et élégant, il possède des tanins puissants, mais déjà harmonieux, qui mènent à une longue finale. « Une main de fer dans un gant de velours », note un dégustateur... Le **Château Beaulieu blanc 2005 (5 à 8 €)**, aux arômes citronnés et à la grande fraîcheur, obtient une citation. Enfin, produit par le Château, le **Domaine Robert rosé 2005 Les 3 Sources (5 à 8 €)** décroche une étoile pour ses arômes de fraise et de mangue et sa bouche équilibrée.

🔑 SCEA Ch. Beaulieu, D14C, 13840 Rognes,
tél. 04.42.50.20.19, fax 04.42.50.19.53,
e-mail contact@chateaubeaulieu.fr ☑ Ɪ ⚲ r.-v.
🔑 Guenant

CH. DE BEAUPRÉ 2005

■ 10 ha 40 000 ▮ 5 à 8 €

Une bastide du XVIIIes. commande un vignoble créé à la fin du XIXes. Ce domaine est plutôt connu des habitués du Guide pour ses vins blancs ou ses vins rouges. Il montre cette année qu'il maîtrise aussi la vinification en rosé, avec ce vin rond et charnu, dont la finesse des arômes de fruits rouges a séduit le jury. Frais et harmonieux, d'une bonne longueur, il s'affirme comme un rosé de repas, destiné à des brochettes de poulet, accompagnées de ratatouille.

🔑 Double, EARL Ch. de Beaupré, RN 7,
13760 Saint-Cannat, tél. 04.42.57.33.59,
fax 04.42.57.27.90, e-mail contact@beaupre.fr
☑ Ɪ ⚲ t.l.j. 9h-12h 14h-18h30

DOM. DE BELAMBRÉE Cuvée Cipiere 2004

■ 3,5 ha 2 000 ▮⓫ 5 à 8 €

Créé par détachement d'une partie du vignoble du château des Gavelles, ce domaine possède depuis 1998 son propre chai, implanté au milieu des vignes. Cette cuvée élevée en barrique développe des notes fruitées aux nuances végétales et balsamiques. La bouche est élégante, avec une bonne fraîcheur et des tanins présents mais fondus qui permettent de profiter de ce vin dès maintenant.

🔑 SARL Dom. de Belambrée, 2070, rte du Seuil,
13540 Aix-en-Provence, tél. et fax 04.42.28.04.77,
e-mail belambree_roy1@tiscali.fr ☑ Ɪ ⚲ r.-v.
🔑 Éric Roy

PROVENCE

DOM. DE LA BRILLANE La Brillane 2004

■ 8 ha 40 000 ▮ 8 à 11 €

Conduit en agriculture biologique, ce domaine propose un assemblage de cabernet, grenache, carignan, counoise et cinsault. Il en résulte un vin fruité, tout en fraîcheur, dont les tanins discrets laissent le devant de la scène aux fruits rouges.

Birch-Rupert, Dom. de La Brillane,
195, rte de Couteron, 13100 Aix-en-Provence,
tél. 06.80.93.55.63, fax 04.42.54.31.25,
e-mail domaine@labrillane.com ☑ Y ✩ r.-v.

DOM. DE LA CADENIÈRE 2005 *

■ 3,44 ha 26 000 ▮ 3 à 5 €

Ce domaine familial, exploité aujourd'hui par les trois fils de Gérard Tobias, présente deux rosés, tous deux étoilés, qui se distinguent par leur assemblage et leur étiquette. Tout d'abord, ce rosé portant blason, élaboré à partir de grenache (80 %) associé à de la syrah et à du cinsault à parité, s'affirme comme un vin gourmand de belle expression, dont la bouche soyeuse, ronde et équilibrée laisse le souvenir de flaveurs de groseille, de fleurs blanches et de pâtisseries. Le second **rosé 2005**, dont l'étiquette est illustrée d'un dessin de la propriété, fait la part belle au grenache (90 %) complété uniquement de cinsault ; il joue le même registre avec toutefois plus de sucrosité et de chaleur.

Tobias Frères,
EARL La Cadenière, 13680 Lançon-de-Provence,
tél. et fax 04.90.42.82.56 ☑ Y ✩ r.-v.

CH. CALISSANNE Clos Victoire 2005 ***

■ 3 ha n.c. ▮ 11 à 15 €

Huitième coup de cœur pour ce domaine, dont trois pour ce Clos rosé et des étoiles que l'on ne compte plus... Le graphisme des étiquettes a été revu ; le contenu des bouteilles reste inchangé : toujours la même qualité, grâce au travail à la vigne et au chai de Jean Bonnet. En 2005, ce rosé peut bien crier victoire, tant il fait preuve de concentration au nez, offrant une palette aromatique impressionnante (sirop de fraise et fleur de sureau notamment). En bouche, il se révèle gras, long, aristocratique dans son maintien. Un rosé qui vous tiendra compagnie sans faiblir tout un repas. Deux autres cuvées décrochent chacune deux étoiles : le **Clos Victoire blanc 2005 (15 à 23 €)**, puissant et gras, aux notes de verveine et d'eucalyptus ; et le **Château Calissanne rouge 2004 (5 à 8 €)**, à la matière épicée.

Ch. Calissanne, RD 10, 13680 Lançon-de-Provence,
tél. 04.90.42.63.03, fax 04.90.42.40.00,
e-mail contact@calissanne.fr
☑ Y ✩ t.l.j. 9h-19h; dim. 9h-13h; groupes sur r.-v.
M. Kessler

DOM. DE CAMAÏSSETTE

Cuvée Amadeus 2003 **

■ 3 ha 12 000 8 à 11 €

Sur l'ancienne voie qui reliait Rome à l'Espagne se trouve ce domaine appartenant à la même famille depuis 1901, et qui nous en fait voir cette année de toutes les couleurs. En ces temps de célébration de Mozart, cette cuvée Amadeus se distingue : un vin presque noir, dans sa jeunesse, qui laisse poindre des notes de confiture de cerises noires, de torréfaction et de cuir. L'attaque est franche, la bouche ronde et la finale marquée par des tanins présents et serrés. Une partition qu'il faudra redécouvrir dans un an ou deux. Le **rosé 2005 (3 à 5 €)**, vin de repas idéal pour plats épicés et aromatiques, reçoit une étoile. Enfin, le **blanc 2005 (3 à 5 €)**, aux arômes de fruits exotiques, est cité.

Michelle Nasles, Dom. de Camaïssette,
13510 Éguilles, tél. 04.42.92.57.55, fax 04.42.28.21.26,
e-mail michelle.nasles@wanadoo.fr
☑ Y ✩ t.l.j. sf dim. 9h-12h 14h30-18h30

CELLIER D'ÉGUILLES

Cuvée du Sieur d'Éguilles 2004

■ 5 ha 15 000 3 à 5 €

Implantée au cœur du village, la cave d'Éguilles propose un assemblage dominé par le cabernet-sauvignon (90 %), complété de grenache. Le résultat est un vin à la robe intense brillant de reflets violets, au nez opulent et riche exprimant la framboise, la mûre, la figue sèche, la garrigue et une pointe de paprika. D'attaque franche, la bouche offre une finale longue, encore marquée par les tanins.

Le Cellier d'Éguilles, 1, pl. Lucien-Fauchier,
13510 Éguilles, tél. 04.42.92.51.12, fax 04.42.92.38.57,
e-mail cellierdeguilles@tiscali.fr ☑ Y ✩ r.-v.

COMMANDERIE DE LA BARGEMONE 2004

■ 4 ha n.c. ▮ 5 à 8 €

Cette propriété est une authentique commanderie des Templiers, construite au XIII[e]s. et qui fut ensuite possession du comte des Baux. Le vignoble, abandonné, fut reconstitué en 1972. Dans ce lieu chargé d'histoire, est né ce vin dont le nez de fruits rouges et noirs laisse deviner une matière riche. Si la structure tannique est encore un peu ferme, il n'y paraîtra plus dans deux ou trois ans.

Jean-Pierre Rozan,
SCMM DEP Agricole, RN 7, 13760 Saint-Cannat,
tél. 04.42.57.22.44, fax 04.42.57.26.39
☑ Y ✩ t.l.j. sf sam. dim. 8h-12h 14h-18h

DOM. DE COSTEBONNE 2005 *

■ 15,93 ha 30 000 3 à 5 €

Situé au cœur des Alpilles, ce domaine de plus de 15 ha d'un seul tenant, à flanc de colline, est conduit en agriculture biologique. Il joue à plein la carte des cépages méditerranéens, puisque cinq rentrent dans l'assemblage de ce rosé : grenache, cinsault, mourvèdre, carignan et syrah. Il en résulte un vin assez foncé, au nez de fruits rouges et de bonbon anglais, qui livre une bouche puissante et généreuse, avec beaucoup de gras et une bonne longueur. Assurément, un rosé qui accompagnera tout un repas.

SCIEV Benoît, La Gare, BP 17, 13940 Mollégès,
tél. 04.90.95.19.06, fax 04.90.95.42.00,
e-mail costebonne@wanadoo.fr
☑ Y ✩ t.l.j. sf dim. 9h-12h 14h-18h; sam. 9h-12h

DOM. D'ÉOLE Réserve des Gardians 2004 *

	4 ha	15 000		5 à 8 €

Conduit en agriculture biologique, ce domaine habitué du Guide propose cette année un rosé « très Sud, chaleureux et opulent », comme le note un dégustateur. Au nez, il délivre d'intenses arômes de fruits noirs, enveloppés de notes de grillé. La bouche, solide, offre de la matière et des tanins bien travaillés qui permettent une dégustation immédiate comme une garde de quelques années. La cuvée principale **rouge 2004 (8 à 11 €)**, plus souple, joue dans le même registre aromatique et obtient une citation.

EARL Dom. d'Éole, rte de Mouriès,
D 24, 13810 Eygalières,
tél. 04.90.95.93.70, fax 04.90.95.99.85,
e-mail domaine@domainedeole.com r.-v.
C. Raimont

CH. DE FONSCOLOMBE Cuvée spéciale 2005 **

	2,5 ha	10 700		5 à 8 €

Le château, construit en 1720 dans le style quattrocento italien, reçut en 1965 la visite de la reine mère d'Angleterre, qui planta un cèdre dans le parc. À l'ombre de celui-ci, on peut, quarante ans plus tard, découvrir ce vin jaune pâle aux reflets dorés, dont le bouquet mêle les fruits aux fleurs blanches, relevés d'une touche d'épices. La bouche, franche en attaque, livre une finale toute en longueur sur la vivacité.

SCA des Domaines de Fonscolombe,
rte de Saint-Canadet, 13610 Le Puy-Sainte-Réparade,
tél. 04.42.61.70.00, fax 04.42.61.70.01,
e-mail mail@fonscolombe.com r.-v.
De Saporta

CH. DES GAVELLES 2004

	2 ha	9 300		3 à 5 €

Depuis sa construction, ce domaine est voué à la viticulture, comme l'attestent ses deux caves voûtées et en témoigne son nom actuel, issu d'un mot provençal signifiant « fagot de sarments de vigne ». Son 2004, deux tiers syrah, un tiers grenache, affiche un nez complexe de fruits rouges relevé de notes mentholées et poivrées. La bouche, légère, est marquée par la fraîcheur et le fruit. Le **blanc 2005 (5 à 8 €)**, dominé par le rolle (70 %), aux arômes de pêche jaune, est cité.

Ch. des Gavelles, 165, chem. de Maliverny,
13540 Puyricard, tél. 04.42.92.06.83, fax 04.42.92.24.12,
e-mail mail@chateaudesgavelles.fr
t.l.j. 9h30-12h30 15h-19h; dim. 9h30-12h30
James de Roany

DOM. DU MAS BLEU 2005 **

	1,2 ha	6 000		3 à 5 €

Propriété familiale, le Mas Bleu s'est agrandi en 1996 en rachetant le domaine du Val des Vignes sur la commune de Velaux. Ces deux terroirs différents permettent l'élaboration de vins ayant chacun leur typicité. Le blanc 2005 a séduit les dégustateurs et frôlé le coup de cœur avec son nez intense de pamplemousse, d'abricot et de mangue. En bouche, c'est un vin équilibré et aromatique. Le **rouge 2004**, assemblage de grenache et de cabernet-sauvignon, élégant, à la matière suave et aux arômes de fruits mûrs, reçoit une étoile. Même note pour le **Val des Vignes rouge 2003 (5 à 8 €)**, à majorité de syrah, qui s'affirme comme un vin puissant, marqué par le boisé.

EARL du Mas Bleu, 6, av. de la Côte-Bleue,
13180 Gignac-la-Nerthe, tél. 04.42.30.41.40,
fax 04.42.30.32.53 r.-v.
Didier Rougon

DOM. NAÏS 2005 *

	1,5 ha	10 000		3 à 5 €

Deux amis d'enfance passionnés par la terre et la vigne se sont associés en 2002 pour reprendre ce domaine. Ils proposent cette cuvée bien vinifiée, qui exprime les cépages constitutifs de son assemblage. La clairette (40 %) apporte la finesse et la dimension florale du bouquet, tandis que l'ugni blanc (50 %) confère à la bouche de la vivacité, avant une finale acidulée. Ajoutez à cela 10 % de rolle, et vous obtenez ce vin plaisant tout en fraîcheur.

Laurent Bastard et Éric Davin, rte du Puy,
13840 Rognes, tél. et fax 04.42.50.16.73,
e-mail domainenais@club-internet.fr
t.l.j. sf dim. 9h-12h 15h-19h

CH. PARADIS Cristal de Rosé 2005 *

	1,11 ha	7 000		11 à 15 €

Ce domaine a été racheté en 2003 par Philippe et Juliette Deschamps qui se sont attelés à remettre le vignoble en état, puis ont entrepris la construction d'une cave en 2004. Leurs efforts semblent porter leurs fruits, puisque, après une citation l'an dernier, cette cuvée décroche aujourd'hui une étoile. C'est un rosé pâle, au nez expressif de cassis et de framboise, qui montre au palais de la franchise et beaucoup de fraîcheur. Autre réussite, le **blanc 2005**, prometteur, reçoit une étoile pour son boisé fin, héritage d'un élevage en fût maîtrisé.

Ch. Paradis, quartier Paradis,
13610 Le Puy-Sainte-Réparade, tél. 04.42.54.09.43,
fax 04.42.54.05.05, e-mail chateauparadis@wanadoo.fr
t.l.j. sf sam. 9h-12h 14h-18h; groupes sur r.-v.
Deschamps

CH. PETIT SONNAILLER 2005 *

	4 ha	20 000		5 à 8 €

Ancienne commanderie des Templiers située sur la route du sel, cette propriété accueille aujourd'hui les visiteurs dans ses chambres d'hôtes comme dans son chai où ils pourront déguster ce rosé 2005. La présence de cépages blancs (grenache et rolle à hauteur de 10 %) dans un assemblage est assez rare dans l'appellation pour être mentionnée. Sous la robe pétale de rose pâle et brillante de reflets bleus, on découvre un nez fin, floral et fruité. Ces arômes se retrouvent dans une bouche pleine de fraîcheur. Le **rouge 2004**, marqué par le cabernet-sauvignon, est cité.

Dominique Brulat,
Ch. Petit Sonnailler, 13121 Aurons, tél. 04.90.59.34.47,
fax 04.90.59.32.30 t.l.j. 8h-19h 4

DOM. PEY BLANC 2005 *

	1,4 ha	7 000		3 à 5 €

2005 est seulement le deuxième millésime vinifié au domaine, et ce rosé témoigne déjà des progrès effectués depuis la citation dans le Guide l'an dernier. Cabernet, syrah, grenache et cinsault entrent à parts égales dans la composition de ce vin au nez expressif de framboise et de groseille. Ces arômes accompagnent une bouche ronde et fraîche à la fois, persistante. Un vin corsé, à servir avec des plats provençaux ou même exotiques.

EARL Giusiano Vignerons,
1080, chem. du Vallon-des-Mourgues,
13090 Aix-en-Provence, tél. 04.42.12.34.76,
fax 04.42.20.10.92 t.l.j. sf dim. 9h-19h

CH. PIGOUDET 2005 *

	3,6 ha	25 000		3 à 5 €

Résidence d'été de l'archevêché d'Aix, ce château possède des origines viticoles plus lointaines encore, dont témoignent les vestiges d'une vaste cave romaine. Assemblage de vermentino (75 %), de grenache blanc (15 %) et de sauvignon (10 %), ce 2005 jaune à reflets dorés livre des arômes de fleurs blanches et de fruits exotiques. Vive en attaque, la bouche offre ensuite de la rondeur et du gras, avant une longue finale légèrement acidulée et citronnée.

SCA Ch. Pigoudet, rte de Jouques, 83560 Rians,
tél. 04.94.80.31.78, fax 04.94.80.54.25,
e-mail chateau.pigoudet@wanadoo.fr r.-v.
Schiot-Rabe

CH. PONTET-BAGATELLE

La Rosée de Bagatelle 2005 **

	2 ha	6 500		5 à 8 €

Si l'on trouve à Paris dans les jardins de Bagatelle une magnifique roseraie, on trouve à Pontet-Bagatelle un magnifique rosé ! Dans sa propriété de Lambesc, surnommé le Versailles aixois, Thierry Van Themsche a mis toute sa passion pour produire ce vin intense, à la robe violine aux éclats orangés. Le nez expressif mêle les senteurs de fraise, de framboise et de violette, dans des tonalités sucrées. La bouche ample, fraîche et fruitée, s'étire sur la vivacité. Un rosé gourmand et harmonieux.

Thierry Van Themsche,
Ch. Pontet-Bagatelle, rte de Pélissanne, 13410 Lambesc,
tél. 04.42.92.70.50, fax 04.42.92.90.85
t.l.j. 10h-12h30 15h-18h30

LES QUATRE TOURS Tradition 2004 **

	3 ha	20 000		3 à 5 €

Coup de cœur l'an dernier, cette cave coopérative confirme cette année toute la qualité de son travail, avec trois cuvées notées deux étoiles, dont une coup de cœur. L'heureuse élue, la cuvée Tradition, « aromatique à souhait » note un dégustateur, s'entoure de parfums fruités et mentholés. Ample, longue et puissante, la bouche dévoile une matière aux accents de fruits confits. La cuvée **Prestige blanc 2005 (5 à 8 €)**, issue exclusivement de rolle, aux notes minérales et de fleurs blanches, est un vin à forte personnalité. Enfin, coup de cœur dans le millésime 2003, la cuvée **Esprit Sud rouge 2004 (5 à 8 €)** renouvelle le mariage remarquable du fruit et du fût.

Les Quatre Tours, RN 96, 13770 Venelles,
tél. 04.42.54.71.11, fax 04.42.54.11.22 r.-v.

COOP. VINICOLE DE ROGNES

Cuvée Roquemenourgue
Vieilli en barrique de chêne 2004

	n.c.	20 000		5 à 8 €

Créée en 1924, la cave de Rognes mise 60 % de sa production sur le rosé, contre 30 % de vin rouge et 10 % de vin blanc. Si l'on aurait souhaité sentir un peu plus l'expression du terroir ou la typicité d'un cépage, il n'en reste pas moins que le travail d'élevage en fût de onze mois a été bien maîtrisé lors de l'élaboration de ce 2004. Ronde d'attaque, la bouche développe des arômes de fruits rouges et noirs accompagnés des fines notes empyreumatiques laissées par des tanins fondus.

Coop. vinicole de Rognes,
1, pl. de la Coopérative, 13840 Rognes,
tél. 04.42.50.26.79, fax 04.42.50.15.12 r.-v.

LES VIGNERONS DU ROY RENÉ

Cuvée Royale 2004

	20 ha	35 000		5 à 8 €

Si elle s'affiche « royale », cette cuvée de la coopérative de Lambesc ne s'en laisse pas moins aborder facilement. Assemblage à parts presque égales de cabernet-sauvignon, de grenache et de syrah, elle se révèle ronde et aromatique, associant les notes de cassis à celles de poivron et de tabac blond.

Les Vignerons du Roy René,
6, av. du Général-de-Gaulle, RN 7, 13410 Lambesc,
tél. 04.42.57.00.20, fax 04.42.92.91.52,
e-mail lesvigneronsduroyrene@wanadoo.fr r.-v.

CELLIER SAINT-AUGUSTIN

Les Caillas Élevé en fût de chêne 2004

	n.c.	8 900		5 à 8 €

Grenache, syrah et cabernet-sauvignon forment l'assemblage de cette cuvée qui a patienté neuf mois en fût. La voici parée d'une robe pourpre sombre, qui révèle un nez de fruits rouges et noirs relevé de notes de fumé. La bouche ronde prolonge cette ligne aromatique, soutenue par des tanins présents, mais bien fondus. Un vin plaisant, à boire sans attendre.

Cellier Saint-Augustin,
quartier de la Gare, 13560 Sénas,
tél. 04.90.57.20.25, fax 04.90.59.22.96 r.-v.

DOM. SAINTE PHILOMÈNE 2005

	5 ha	20 000		3 à 5 €

Ce domaine a été repris en 2005 par la famille de la Perrière, qui l'a rebaptisé en hommage à la sainte si chère au curé d'Ars et à laquelle le père des propriétaires portait une grande dévotion. Dominé par le grenache (98 %) agrémenté d'un soupçon de cabernet-sauvignon, ce premier millésime est un vin marqué par le gras et les notes de cassis et de buis. Cité, le **rouge 2003**, encore fermé, porte la marque de la canicule, avec sa bouche chaleureuse aux notes de fruits à l'eau-de-vie.

De la Perrière, rte de Cazan, 13330 Pelissanne,
tél. et fax 04.90.53.28.61,
e-mail dominiquebrac@yahoo.fr
t.l.j. sf lun. 9h-12h30 15h-19h; dim. 15h-19h

CH. DU SEUIL 2005 ★★

20 ha 70 000 5 à 8 €

Au début des années 1970, Janine et Philippe Carreau ont été séduits par ce château des XIIIe et XVIIe s., ancienne propriété d'une famille du parlement d'Aix. Leur fille France conduit aujourd'hui la destinée des 55 ha de vignes. Ce rosé 2005 de teinte claire offre un nez de fruits blancs (pêche), puis se développe harmonieusement, entre rondeur et fraîcheur. Le **Château Grand Seuil rouge 2004 (8 à 11 €)**, encore dominé par l'élevage en barrique, mais possédant déjà une bonne maturité fruitée, reçoit une étoile.

Carreau-Gaschereau, Ch. du Seuil, 4690, rte du Seuil, 13540 Puyricard, tél. 04.42.92.15.99, fax 04.42.28.05.00, e-mail contact@chateauduseuil.fr t.l.j. 9h-12h 14h-19h (18h nov.-avr.)

DOM. DE ST-JULIEN-LES-VIGNES Cuvée du Château 2004 ★

10 ha 8 000 5 à 8 €

Ce domaine a changé de mains en 2005 ; c'est donc une cuvée vinifiée par les anciens propriétaires qui est sélectionnée ici. On découvre un vin fait pour durer, qui ne cède pas à la facilité. Puissant et riche au nez, avec des notes de réglisse, de figue, de torréfaction et d'épices, il offre une bouche équilibrée, dotée de tanins élégants et d'une juste fraîcheur. À garder un an ou deux pour une harmonie complète.

Ch. Saint-Julien-Les-Vignes, 2495, rte du Seuil, 13540 Puyricard, tél. 04.42.92.10.02, fax 04.42.92.10.74, e-mail chateausaintjulien@wanadoo.fr t.l.j. sf dim. 9h-12h 14h-19h

CH. SULAUZE Cuvée Saint-Jean 2005 ★

7 ha 20 000 5 à 8 €

Ce vaste domaine, qui compte en son sein une chapelle et une crypte troglodytique, a changé de mains en 2004. Les nouveaux propriétaires ont rénové le chai en août 2005, juste à temps pour accueillir la vendange. Sous une robe pétale de rose soutenu aux reflets bleus, se libèrent d'élégantes notes de rose, de fleurs blanches et de pêche blanche. Vive en attaque, la bouche fait preuve de persistance sur la fraîcheur. Un vin de plaisir pour accompagner des hors-d'œuvre.

Ch. Sulauze, RN 569, 13140 Miramas, tél. 04.90.58.02.02, fax 04.90.58.04.37, e-mail domaine.sulauze@wanadoo.fr r.-v.

Lefèvre

DOM. DE SURIANE 2004

4,2 ha 15 000 3 à 5 €

Marie-Laure Merlin, à la tête de la propriété familiale depuis 2002, présente ici son troisième millésime vinifié en rouge. Bien que le cabernet-sauvignon ne rentre qu'à 40 % dans l'assemblage, il marque ce vin de sa présence, avec ses arômes caractéristiques de poivron que l'on retrouve au nez comme en bouche. Associé à la syrah, il contribue à l'originalité de son expression.

Marie-Laure Merlin, SCEA Dom. de Suriane, CD 10, 13250 Saint-Chamas, tél. 04.90.50.91.19, fax 04.90.50.92.80, e-mail domaine.suriane@wanadoo.fr t.l.j. sf dim. 9h-19h

DOM. LES TOULONS Cuvée Sanlaurey 2005 ★

3 ha 4 000 5 à 8 €

Avec son corps de ferme construit en 1767 sur le site d'une ancienne *villa* romaine, cette propriété plonge ses racines loin dans l'histoire. Quant à son rosé, un dégustateur a trouvé qu'il était typé syrah. Tout juste ! Ce cépage compte pour moitié dans l'assemblage, complété par le grenache et le cabernet. Un vin franc et intense, aux arômes persistants de bonbon anglais, de fruits rouges et d'épices. À servir avec des foies de volaille.

Denis Alibert, Dom. Les Toulons, 83560 Rians, tél. 04.94.80.37.88, fax 04.94.80.57.57, e-mail lestoulons@wanadoo.fr r.-v.

DOM. VALCAIRE 2005 ★★

3 ha 8 500 5 à 8 €

Installé en 2003 comme jeune agriculteur, Guillaume Reynier a construit sa cave en 2005, puis son caveau de réception en 2006. Il est maintenant fin prêt à vous accueillir pour vous faire découvrir, sous une étiquette japonisante, ce rosé clair, rose bonbon, très aromatique, d'abord amylique, puis floral et fruité (fruits exotiques). Au palais, la fraîcheur est au rendez-vous, de même que les flaveurs de fruits relevées d'une pointe d'épices. Un vin plein de charme.

Guillaume Reynier, Dom. Valcaire, BP 30, 13840 Rognes, tél. 06.79.71.28.93, fax 04.42.50.94.79, e-mail rgreynier@aol.com r.-v.

CH. DE VAUCLAIRE 2005 ★

4 ha 10 000 3 à 5 €

Résidence d'été de style florentin, située dans un parc ombragé, Vauclaire invite à la rêverie. Une même harmonie se dégage de ce rosé classique dans son assemblage, mêlant grenache (70 %) et cinsault (30 %). Sa couleur est rose pâle à reflets orangés, et les arômes vont des notes de pâtisseries aux fruits rouges confiturés. On les retrouve au palais, dans une finale longue qui joue la fraîcheur. Une étoile également pour la cuvée **Grande Réserve blanc 2005 Élevé en fût de chêne (5 à 8 €)**, au boisé encore dominant, mais qui révèle un beau potentiel.

Uldaric Sallier, Ch. de Vauclaire, 13650 Meyrargues, tél. 04.42.57.50.14, fax 04.42.63.47.16, e-mail chateaudevauclaire@wanadoo.fr t.l.j. sf dim. 9h-12h 14h-18h (19h mai-oct.)

CH. VIGNELAURE 2003

17,4 ha 60 000 11 à 15 €

L'an passé, le Guide soulignait la capacité de David O'Brien à réussir ses vins, même dans les millésimes difficiles. Ce 2003, né dans la canicule, en fournit à nouveau un exemple. Si l'élevage de deux ans en fût se fait encore sentir par un boisé marqué, les tanins jeunes paraissent prometteurs. Ils fournissent à ce vin une bonne structure sans nuire au fruité et laissent leurs accents de Zan en finale. À attendre encore un an, pour une harmonie complète.

Ch. Vignelaure, rte de Jouques, 83560 Rians, tél. 04.94.37.21.10, fax 04.94.80.53.39, e-mail david.obrien@wanadoo.fr t.l.j. 9h-12h30 14h-18h

CH. VIRANT Tradition 2005 ★★

6 ha 40 000 3 à 5 €

Des rangées de vignes, des champs d'oliviers, une cave de vinification et un moulin à huile : pas de doute, vous êtes ici en Provence ! La famille Cheylan y ajoute ce rosé saumoné brillant qui présente un nez complexe de fleurs coupées et de fruits secs. L'attaque est fraîche, la

PROVENCE

bouche ronde, prélude à une finale où percent des notes de melon et d'agrumes confits. Un vin très harmonieux. Le **Tradition blanc 2005**, élaboré uniquement avec du rolle, est cité pour son expression intense d'agrumes.

🔑 Cheylan Père et Fils, Ch. Virant, CD 10,
13680 Lançon-de-Provence, tél. 04.90.42.44.47,
fax 04.90.42.54.81, e-mail info@chateauvirant.com
🅥 🍷 🚶 t.l.j. 8h-12h 14h-18h30

Les baux-de-provence

Les Alpilles, chaînon le plus occidental des anticlinaux provençaux, est un massif érodé, au relief pittoresque taillé en biseau, fait de calcaires et calcaires marneux du crétacé. C'est le paradis de l'olivier. Le vignoble trouve également dans ce secteur un milieu favorable, sur les dépôts caillouteux très caractéristiques de cette région. Les grèzes litées sont peu épaisses et la fraction fine, dont dépend la réserve hydrique du sol, est importante. Au sein de l'AOC coteaux-d'aix-en-provence, ce secteur se distingue par une nuance climatique qui en fait une zone précoce, peu gélive, chaude et plus arrosée (650 mm).

Des règles de production plus affinées (rendement plus bas, densité plus élevée, taille plus restrictive, élevage d'au moins douze mois pour les vins rouges, minimum de 50 % de saignée pour les vins rosés), un encépagement mieux défini reposant sur le couple grenache-syrah, accompagné quelquefois du mourvèdre, sont à la base de la reconnaissance de cette appellation sous-régionale en 1995. Elle est réservée aux vins rouges (80 %) et rosés, et met en valeur un terroir original autour de la citadelle des Baux-de-Provence sur une superficie de 305 ha qui ont produit un volume de 7 403 hl en 2005.

MAS DE GOURGONNIER Grande Réserve 2004

■ 1 ha 2 000 **11 à 15 €**

Propriété familiale depuis cinq générations, conduite en agriculture biologique depuis trente ans, le Mas présente cette cuvée élevée en demi-muid et qui en porte encore la marque. Le nez est dominé par l'élevage, mais la bouche se montre généreuse et offre une matière structurée par des tanins arrondis. À garder quelques années pour que le bois se fonde plus harmonieusement dans l'ensemble.

🔑 Mme Nicolas Cartier et ses Fils,
Mas de Gourgonnier, 13890 Mouriès,
tél. 04.90.47.50.45, fax 04.90.47.51.36,
e-mail contact@gourgonnier.com
🅥 🍷 t.l.j. 9h-12h 14h-18h; f. dim. janv.-mars

MAS DE LA DAME La Stèle 2003 ★

■ 3 ha 8 000 **11 à 15 €**

La mer s'arrêtera-t-elle au pied de cette stèle, comme l'a prédit Nostradamus, cité sur l'étiquette ? En tout cas, vous serez bien avisé de vous arrêter au domaine pour déguster cette cuvée, au nez flatteur d'épices (poivre), de fruits noirs (mûre) confiturés et de cacao. Au palais, la structure puissante est une invitation à attendre ce vin un an ou deux pour l'apprécier pleinement. La **Réserve du Mas 2003 rouge (8 à 11 €)**, aux arômes de fruits secs, très ronde, obtient également une étoile. Enfin, le **Rosé du Mas 2005 (5 à 8 €)** est cité pour son côté chaleureux et ses notes de bourgeon de cassis.

🔑 Mas de La Dame,
RD 5, 13520 Les Baux-de-Provence,
tél. 04.90.54.32.24, fax 04.90.54.40.67,
e-mail masdeladame@masdeladame.com
🅥 🍷 🚶 t.l.j. 8h-19h
🔑 Missoffe et Poniatowski

MAS SAINTE-BERTHE
Cuvée Louis David 2004 ★★

■ 6 ha 25 000 **8 à 11 €**

Christian Nief propose cette année encore un remarquable vin, issu d'un assemblage de grenache, de syrah et de cabernet-sauvignon à parts presque égales et élevé en fût. Celui-ci séduit par son nez délicat de mûre écrasée, de réglisse et d'épices. L'attaque est riche, gourmande, les tanins encore bien présents et la finale poivrée ne manque pas de piquant. À attendre deux à trois ans, puis à déguster avec un navarin d'agneau. Le **Passe-Rose 2005 rosé (5 à 8 €)**, au nez fin et fruité, reçoit une étoile.

🔑 Mas Sainte-Berthe, 13520 Les Baux-de-Provence,
tél. 04.90.54.39.01, fax 04.90.54.46.17,
e-mail info@mas-sainte-berthe.com
🅥 🍷 🚶 t.l.j. 9h-12h 14h-18h
🔑 Rolland

CH. ROMANIN La Chapelle de Romanin 2003 ★

■ 47 ha 75 000 **8 à 11 €**

Ce domaine cultivé en biodynamie, coup de cœur l'an dernier, retrouve la sélection avec sa cuvée principale, assemblage de sept cépages, des piliers grenache-syrah jusqu'à la plus confidentielle counoise. Le résultat est un vin burlat intense d'où s'échappent des notes de griotte, d'épices, de girofle et de mûre. La bouche s'ouvre sur la truffe, les épices et le sous-bois, puis livre des tanins bien présents qui devraient s'affiner d'ici un an ou deux. Vous présenterez alors cette bouteille avec une poêlée de champignons sauvages.

🔑 SCEA Ch. Romanin,
13210 Saint-Rémy-de-Provence,
tél. 04.90.92.45.87, fax 04.90.92.24.36,
e-mail contact@romanin.com 🅥 🍷 🚶 r.-v.
🔑 Peyraud

DOM. TERRES BLANCHES 2003

■ 20 ha 50 000 **8 à 11 €**

Né sur un terroir sablo-calcaire, d'un assemblage de grenache (50 %), de syrah (30 %) et de cabernet-sauvignon (20 %) cultivés en agriculture biologique, ce vin est marqué par son millésime, qui lui confère des arômes de cerise à l'eau-de-vie et une certaine chaleur en bouche. D'attaque souple, celle-ci se montre ensuite généreuse, rehaussée de notes mentholées et épicées. Un vin prêt à servir avec des viandes rouges mijotées.

🔑 SCEA Dom. des Terres Blanches, rte de Cavaillon,
13210 Saint-Rémy-de-Provence, tél. 04.90.95.91.66,
fax 04.90.95.99.04, e-mail terres.blanches@wanadoo.fr
🅥 🍷 🚶 r.-v.

DOM. DE LA VALLONGUE
Réserve C. De Clerck 2005 *

■ 5 ha 10 000 ▮ 5 à 8 €

Pratiquant l'agriculture biologique, ce domaine propose un rosé de saignée à la robe pétale de rose brillant. Son nez d'une grande finesse livre des senteurs d'eucalyptus et de romarin, auxquelles s'ajoute une nuance de bonbon anglais. De la rondeur, de la fraîcheur aussi, de la gourmandise même : présage d'apéritifs des plus réussis.

Dom. de La Vallongue, D 24, rte de Mouriès, BP 4, 13810 Eygalières, tél. 04.90.95.91.70, fax 04.90.95.97.76, e-mail vallongue@wanadoo.fr r.-v.

Paul-Cavallier

Coteaux-varois-en-provence

Les coteaux-varois-en-provence sont produits dans le département du Var sur vingt-huit communes entre les massifs calcaires boisés. Les vins, à servir jeunes, sont friands, gais et tendres, à l'image de Brignoles, jolie petite ville provençale qui fut résidence d'été des comtes de Provence. Ils ont été reconnus en AOC par décret du 26 mars 1993 et recouvrent 2 200 ha ; rosés, rouges et blancs se partagent les 105 236 hl de l'AOC agrées en 2005. Signalons, l'exception est méritée, que le siège du syndicat est dans l'ancienne abbaye de La Celle reconvertie en hôtel-restaurant de luxe sous la houlette d'Alain Ducasse.

ABBAYE DE SAINT-HILAIRE 2003

■ 120 ha 100 000 ▮ 5 à 8 €

Ce vignoble de 156 ha se situe au pied du mont Aurélien et de la Sainte-Victoire. Arborant une étiquette au graphisme moderne et stylisé, son vin joue la simplicité et la franchise. Son équilibre, sa texture agréable, sans défaut, ont attiré la sympathie des dégustateurs.

Abbaye de Saint-Hilaire, rte de Rians, 83740 Ollières, tél. 04.98.05.40.10, fax 04.98.05.40.17, e-mail cave@domainesdeprovence.com r.-v.

Pierre Burel

DOM. DES ALYSSES Cuvée Angélique 2000

■ 5 ha 11 000 8 à 11 €

Les ruines impressionnantes du château et des remparts de Pontevès dominent le village et la vallée. C'est dans ce cadre que se développe ce domaine conduit en agriculture biodynamique. Ce 2000, resté étonnamment jeune, mérite d'être servi en carafe pour valoriser son bouquet de kirsch et de cuir. Soutenu par une bonne structure, il associe une juste fraîcheur à la douceur des flaveurs de prune mûre, de cire et d'épices. Un vin intéressant à découvrir ces prochaines années.

Dom. des Alysses, Le Bas Deffens, 83670 Pontevès, tél. 04.94.77.10.36, fax 04.94.77.11.64 t.l.j. 8h-19h

Étienne

DOM. DES ANNIBALS 2005 *

■ 8,36 ha 30 000 ▮ 5 à 8 €

Ce très ancien vignoble d'une trentaine d'hectares est conduit en culture biologique. Selon la légende, Hannibal serait passé sur ce site avec ses éléphants. Ce rosé pâle, agrémenté de nuances d'agrumes, de fraise écrasée et de fruits frais, est porté par une structure équilibrée ; il laisse une sensation goûteuse persistante. Le **rouge 2004**, aux arômes de fruits mûrs, accompagnés d'une note animale, obtient une étoile et peut être présenté à table dès maintenant.

Dom. des Annibals, hameau des Gaetans, rte de Bras, 83170 Brignoles, tél. 04.94.69.30.36, fax 04.94.69.50.70, e-mail dom.annibals@wanadoo.fr t.l.j. 9h-12h 15h-19h; f. dim. lun. d'oct. à mars

Coquelle

LA BASTIDE DES OLIVIERS 2005 *

■ 6 ha 30 000 ▮ 5 à 8 €

Depuis la création de sa cave en 2000, Patrick Mourlan met tout en œuvre pour préserver le terroir en adoptant les règles de l'agriculture biologique. Son savoir-faire s'exprime dans ce 2005 rose pâle, marqué par le fruit. En témoignent la structure du vin, sa souplesse et sa persistance. Citée, la **cuvée Mathieu rouge 2004 (8 à 11 €)** est dominée par l'empreinte du fût ; il faudra attendre que l'ensemble se fonde.

Patrick Mourlan, Dom. La Bastide des Oliviers, 1011, chem. Louis-Blériot, 83136 Garéoult, tél. et fax 04.94.04.03.11, e-mail patrick.mourlan@wanadoo.fr r.-v.

DOM. DE LA BATELIÈRE 2003

■ 1,05 ha 2 500 5 à 8 €

Ce mas provençal du XVIII[e]s., situé sur l'ancienne voie Aurélienne, propose un vin rouge sombre aux arômes complexes de fruits noirs, d'épices et de tabac blond. Plus simple, la bouche offre une structure équilibrée avec en finale des notes vanillées et réglissées qui lui donnent du relief. Les plus impatients ouvriront cette bouteille cet hiver, tandis que les plus patients attendront trois ou quatre ans.

Philippe Chabas, Dom. de La Batelière, 83470 Saint-Maximin, tél. et fax 04.94.78.01.21, e-mail philippe.chabas@wanadoo.fr r.-v.

BERGERIE D'AQUINO 2003 **

■ 1,5 ha 3 000 15 à 23 €

Cette ancienne bergerie en cours de restauration présente son premier millésime. Un vin rouge puissant et complexe, qui doit à ses tanins soyeux une structure de qualité. Le bouquet opulent, animal, boisé, épicé (cannelle) et fruité (fruits rouges mûrs) se prolonge dans la chair ample et persistante, avec en finale des notes capiteuses de pivoine nuancées de boisé. Laissez à ce coteaux-varois le temps de grandir, même s'il est déjà fort amène aujourd'hui.

La Bergerie d'Aquino, RN 7, Le Boulon, 83170 Tourves, tél. 04.94.86.46.80, fax 04.94.86.46.79

Bové

DOM. LA BESSONNE 2005 ★

■ 15 ha 100 000 ▮ - de 3 €

Les dégustateurs ont apprécié le nez ouvert sur les fruits frais ainsi que la bouche équilibrée, fine et tout aussi fruitée. Produit par la même cave, le **Terres de Saint-Louis rosé 2005** est cité. Dans la légèreté de sa robe, de son nez fruité et de sa bouche, il reste harmonieux.

Le Cellier de Saint-Louis,
ZI Les Consacs, 83170 Brignoles, tél. 04.94.37.21.00,
fax 04.94.59.14.84, e-mail info@cercleprovence.fr
Serge Loudes

CH. LA CALISSE 2005 ★★

■ 1,5 ha 5 000 ▮ 8 à 11 €

Ce vignoble a été entièrement reconstitué depuis son acquisition en 1991 par Patricia Ortelli. Souvenez-vous de son coup de cœur l'an dernier. Cette cuvée de syrah et de grenache à parts égales reflète par sa robe pâle cristalline une légère macération. Expressive, elle décline les arômes de fruits tout au long de la dégustation et laisse en finale une sensation savoureuse. La **cuvée Étoiles rouge 2005 (23 à 30 €)**, aux notes de fruits, de cassonade et de pain frais obtient une étoile pour sa fraîcheur. Il en va de même du **blanc 2005**, floral et tonique.

Patricia Ortelli, Ch. La Calisse, RD 560,
83670 Pontevès, tél. 04.94.77.24.71, fax 04.94.77.05.93,
e-mail contact@chateau-la-calisse.fr r.-v.

CH. DE CANCERILLES
L'Ambroisie du Terroir 2003 ★

■ 0,8 ha 3 000 8 à 11 €

Dans la vallée de Belgentier, cette imposante bastide a fait de l'accueil une priorité : que ce soit pour une dégustation, un repas, une nuit en chambre d'hôtes ou une semaine en gîte rural, vous serez bien reçu par la famille Garcia. Une occasion de découvrir cette Ambroisie à la robe profonde dont le bouquet mêle des odeurs de garrigue, de laurier et d'épices. Des notes plus évoluées de fruits secs (raisin sec) apparaissent en bouche et s'associent à un boisé assez présent. Ronde, la matière est soutenue par de la fraîcheur et des tanins soyeux.

Chantal et Serge Garcia, 1400, rte de Belgentier,
Vallée du Gapeau, 83870 Signes,
tél. et fax 04.94.90.83.93
t.l.j. 10h-12h 14h-19h

CH. DES CHABERTS Cuvée Prestige 2005 ★

■ 4 ha 13 000 5 à 8 €

Ce fleuron de l'appellation, aux multiples coups de cœur et encore plus nombreuses étoiles, propose un 2005 ouvert sur d'élégants arômes de fruits et de garrigue. D'agréables saveurs et une structure harmonieuse sont d'autres de ses atouts. Réservez-lui une dorade grillée aux herbes. La **cuvée Prestige rouge 2003**, au bouquet de griotte, d'épices et d'aromates, est citée.

SCI Ch. des Chaberts, 83136 Garéoult,
tél. 04.94.04.92.05, fax 04.94.04.00.97,
e-mail chaberts@wanadoo.fr
t.l.j. 9h-12h 14h-18h; dim. sur r.-v.
B.-A. Cundall

LES CAVES DU COMMANDEUR 2004 ★

■ 2 ha 8 000 3 à 5 €

Au fil des ans, l'œnologue Valérie Courrèges affirme son talent dans la cave de Montfort-sur-Argens. Du plaisir et de la complexité dès le premier nez de ce vin rouge vif. Les arômes de fruits rouges bien mûrs accompagnent la bouche ronde et ample. Si les tanins semblent encore un peu austères, ils cèdent place en finale à un agréable retour fruité persistant. Le **rosé 2005** de la cave reçoit aussi une étoile.

Les Caves du Commandeur,
44, rue de la Rouguière, 83570 Montfort-sur-Argens,
tél. 04.94.59.59.02, fax 04.94.59.53.71,
e-mail valcommandeur@aol.com r.-v.

DOM. DU DEFFENDS Clos du Bécassier 2005 ★

■ 1,75 ha 10 000 ▮ 5 à 8 €

Ce petit domaine familial, sur les contreforts des monts Auréliens, bénéficie d'une exposition favorable à l'est-sud-est. Est-ce l'origine de cette réussite dans un millésime assez difficile ? Très ouvert, le bouquet décline des arômes de cassis frais, de fruits rouges, de menthe sauvage. Relevée de notes poivrées, la bouche structurée par des tanins fins possède chair et volume. Ce vin a le potentiel pour vieillir quelques années ; il accompagnera avec élégance une viande rouge ou une bécasse...

Suzel de Lanversin, Dom. du Deffends,
83470 Saint-Maximin-la-Sainte-Baume,
tél. 04.94.78.03.91, fax 04.94.59.42.69,
e-mail domaine@deffends.com
t.l.j. sf dim. 9h-12h 15h-18h; groupes sur r.-v.

CH. DUVIVIER L'Amandier 2005 ★

■ 3,22 ha 18 000 ▮ 8 à 11 €

Conduites en agriculture biologique, les vignes de vermentino, de grenache blanc et de clairette ont donné naissance à ce vin doré, parfumé de fleurs et de pêche blanche. La bouche est riche et persistante, d'une même expression aromatique. Cette bouteille peut déjà être présente sur votre table pour accompagner un risotto aux zestes de citron.

SCI Ch. Duvivier, rte de Draguignan,
83670 Pontevès, tél. 04.94.77.02.96, fax 04.94.77.26.66,
e-mail aak@delinat.com r.-v.

CH. DE L'ESCARELLE Les Belles Bastilles 2005

■ 5,8 ha 20 000 5 à 8 €

Sous l'étiquette colorée, on découvre un vin rose pâle à reflets lilas. À la puissance des arômes de fruits rouges (fraise, groseille) s'associent la finesse des notes de fleurs et une vivacité toute citronnée. Le **rouge 2004** est cité ; marqué par le fût, il mérite d'attendre quelque temps en cave.

Ch. de L'Escarelle, 83170 La Celle,
tél. 04.94.69.09.98, fax 04.94.69.55.06,
e-mail l.escarelle@free.fr t.l.j. 9h-12h 14h-18h

FONTAILLADE 2004 ★

■ n.c. 5 000 3 à 5 €

Essentiellement à base de syrah (90 %) complétée de cabernet, le palais se révèle ample et s'appuie sur des tanins présents, mais assez souples. Une pointe de vivacité apparaît en finale comme un autre signe de bonne tenue dans le temps (trois à quatre ans).

SCV Fontaillade,
av. de Saint-Maximin, 83119 Brue-Auriac,
tél. et fax 04.94.80.90.10,
e-mail fontaillade.cavecoop@free.fr r.-v.

DOM. DE FONTLADE
Cuvée de l'Ermitage 2004 ★★

■ 4,5 ha 11 000 5 à 8 €

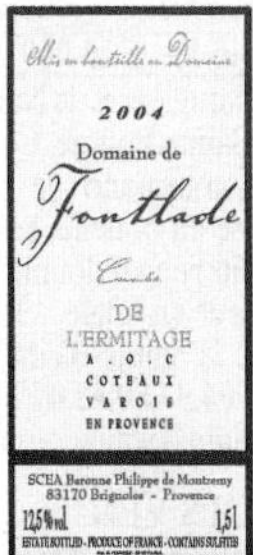

Ancienne propriété des moines de Saint-Victor, ce domaine a procédé à la rénovation de sa cave en 2004 et les résultats ne se sont pas fait attendre. Après le rosé 2004 l'an dernier, pas moins de trois cuvées obtiennent deux étoiles cette année, avec un coup de cœur à la clé pour le rouge. Complexe, le vin libère à la faveur de l'aération des arômes de petits fruits rouges nuancés de boisé. Les tanins veloutés, accompagnés par les épices et la réglisse, soutiennent la chair ample et garantissent une bonne évolution dans le temps. La **cuvée Saint-Quinis rosé 2005**, puissante et aromatique, traduit bien son terroir d'origine. Quant à la **cuvée de l'Ermitage blanc 2005**, elle est l'expression d'un boisé maîtrisé.

SCEA Baronne Philippe de Montrémy, Dom. de Fontlade, 83170 Brignoles, tél. 04.94.59.24.34, fax 04.94.72.02.88, e-mail fontlade@aol.com
t.l.j. sf dim. 10h-19h

DOM. DE GARBELLE 2003 ★★

■ 2 ha 4 600 5 à 8 €

L'actualité du domaine est cette année l'ouverture des chambres d'hôtes. Que vous y séjourniez ou que vous soyez seulement de passage, ne manquez pas ce 2003 sombre dont le bouquet complexe décline la réglisse, les fruits noirs, la vanille et les épices. La bouche, remarquablement équilibrée, donne une impression de sucrosité par son gras et ses notes de mûre. Les tanins sont déjà soyeux. Si cette bouteille peut se boire sans attendre, elle est encore pleine de promesses pour les quatre à cinq ans à venir. La **cuvée Les Barriques de Garbelle rouge 2005 (11 à 15 €)**, citée, sera prête à servir dans un an.

Gambini, vieux chemin de Brignoles, 83136 Garéoult, tél. et fax 04.94.04.86.30, e-mail gambini.jean-charles@neuf.fr
t.l.j. 9h-12h 14h-18h30

DOM. LA GAYOLLE Prestige 2004 ★★

■ 3 ha 1 500 8 à 11 €

La chapelle de La Gayolle a été édifiée sur des vestiges mérovingiens. C'est sur ce site remarquable que le domaine s'est développé. Ce 2004 rubis recèle des arômes de fruits rouges macérés et de réglisse. La bouche puissante et équilibrée laisse une sensation complexe de maturité. Harmonieux dès maintenant, ce vin saura aussi attendre plusieurs années.

Jacques Paul, Dom. La Gayolle, La Celle, 83170 Brignoles, tél. 04.94.59.10.88, fax 04.94.72.04.34, e-mail paulgayolle@wanadoo.fr r.-v.

DOM. LA GOUJONNE 2005 ★

■ 7 ha 12 000 5 à 8 €

Un rosé pâle, légèrement saumoné. Les fruits rouges (fraise, cassis) et les fruits exotiques se déclinent volontiers, accompagnant une bouche ronde, goûteuse, égayée d'une pointe de vivacité. La finesse aromatique et l'impression de fraîcheur qui se dégage de ce vin en font un bon candidat pour l'apéritif ou des coquillages.

Kraus et Fils, Dom. La Goujonne, quartier Vicary, 83170 Tourves, tél. 04.94.78.72.61, fax 04.94.78.84.10 r.-v.

LA GRAND'VIGNE Les Fournerys 2005 ★

■ 3 ha 10 000 5 à 8 €

Coup de cœur deux années de suite pour ses rosés, il va sans dire que ce domaine maîtrise ce type de vinification. La cuvée 2005 le prouve encore une fois, parée d'une teinte pétale de rose. Rondeur et vivacité s'équilibrent en bouche, rehaussées de notes savoureuses de fruits exotiques, de fraise, de pêche et de fruit de la Passion. Appréciez cette bouteille avec des filets de rougets à la tapenade. Le **Grand'Vigne blanc 2005 (3 à 5 €)**, franc et complexe, développe un fruité citronné et abricoté sur un fond de douceur florale. Une étoile lui est attribuée.

MM Mistre, La Grand'Vigne, rte de Cabasse, 83170 Brignoles, tél. 04.94.69.37.16, fax 04.94.69.15.59, e-mail rmistre@club-internet.fr t.l.j. 9h-19h

CH. LAFOUX 2005 ★★

2 ha 5 000 8 à 11 €

Les travaux de rénovation du domaine entrepris par le nouveau propriétaire des lieux depuis 1999 n'ont pas été vains comme le démontre ce coup de cœur. Jaune pâle à reflets verts, ce 2005 a séduit le grand jury par ses arômes intenses, tout en fraîcheur, qui associent fruits exotiques et agrumes. D'une remarquable tenue au palais, il développe ces flaveurs de pamplemousse, de fruit de la Passion, d'abricot et de cassis. Le **rosé 2005 (5 à 8 €)** brille d'une étoile pour son agréable vivacité.

Ch. Lafoux, RN 7, 83170 Tourves, tél. et fax 04.94.78.77.86
t.l.j. sf dim. 9h-12h 14h-18h30

CH. LA LIEUE 2005 ★★

6,36 ha 36 000 5 à 8 €

Un domaine de 300 ha, dont 70 plantés de vignes, situé sur la voie romaine Aurélienne. À base de vermentino (95 %) et d'ugni blanc, ce 2005 exprime un bouquet puissant et équilibré. La bouche, en accord avec le nez, présente beaucoup de fraîcheur et de la longueur. Subtile harmonie d'ensemble. La **cuvée Batilde Philomène**

PROVENCE

rosé 2005, axée sur les fruits rouges, obtient une étoile pour sa rondeur, sa pointe de vivacité et sa bonne persistance aromatique. Même note pour la **cuvée Batilde Philomène rouge 2004** qui a encore besoin de s'ouvrir et d'arrondir sa structure.
EARL Famille Vial, Ch. La Lieue, rte de Cabasse, 83170 Brignoles, tél. 04.94.69.00.12, fax 04.94.69.47.68, e-mail chateau.la.lieue@wanadoo.fr t.l.j. 9h-12h30 14h-19h; dim. 10h-12h30 15h-18h

DOM. DU LOOU Esprit de Blancs 2005 *

5 ha 8 000 5 à 8 €

D'une soixantaine d'hectares, ce domaine est conduit par un homme qui s'est considérablement engagé pour la reconnaissance de l'appellation et qui préside aux destinées du syndicat. Ce 2005, impeccable dans sa robe pâle à reflets verts, libère des arômes frais de pêche de vigne et de pomelo, agrémentés d'une pointe minérale. Ronde et complexe, la bouche fait preuve de fraîcheur en finale. Un vin équilibré, à boire avec des gambas grillées.
SCEA Di Placido, Dom. du Loou, 83136 La Roquebrussanne, tél. 04.94.86.94.97, fax 04.94.86.80.11, e-mail domaine-du-loou@wanadoo.fr r.-v.

DOM. DES MÉGUIÈRES 2005

6,31 ha 10 600 5 à 8 €

À la tête de la propriété depuis 2003, M. et Mme Bignon proposent cette année un rosé pâle aux reflets légèrement saumonés. Une fraîcheur exotique, nuancée de fruits rouges, séduit le nez, puis laisse place à la rondeur et à une finale persistante. Un vin à la personnalité harmonieuse, compagnon de côtes de porc ou de sardines grillées.
SAS Dom. de Saint-Andrieu, BP 32, 83570 Correns, tél. 04.94.59.52.42, fax 04.94.77.73.18, e-mail bdutartre@club-internet.fr r.-v.
Bignon

DOM. LA MERCADINE 2004

1,3 ha 6 500 5 à 8 €

Un domaine qui vole de ses propres ailes depuis 2001. Cabernet, grenache et syrah sont les trois cépages de ce 2004 à la robe profonde, aux reflets cerise noire. Celui-ci a besoin d'aération pour libérer ses notes de torréfaction et de grillé, ainsi qu'une touche animale. Au palais, une fraîcheur toute fruitée se manifeste, accompagnée de tanins encore pleins de jeunesse, qui demandent à s'assagir. À ouvrir sur des plats chasseurs dans un à deux ans. Également cité, le **rosé Terra vitis 2005 (3 à 5 €)**, marqué par le bourgeon de cassis, offre davantage de douceur.
Lucie Moutonnet-Demirdjian, Dom. La Mercadine, Les Mercadiers, 83670 Pontevès, tél. et fax 04.94.77.12.05 r.-v.

DOM. DE RAMATUELLE
Cuvée Bienfait de Dieu 2005

3,1 ha 14 000 5 à 8 €

La source de Ramatuelle, « bienfait de Dieu » dans la langue des Maures, est longtemps restée tarie... puis s'est remise à couler à la naissance de la première petite fille de Bruno Latil ! Si elle a la limpidité et l'éclat de l'eau de source, cette cuvée a bien la couleur d'un rosé de Provence. Fruité, rondeur et fraîcheur finale sont ses autres atouts. Cité, le **rouge 2005** du domaine est original par ses notes de sous-bois. À déguster frais avec une viande grillée aux herbes.
EARL Bruno Latil, Dom. de Ramatuelle, 83170 Brignoles, tél. et fax 04.94.69.10.61, e-mail ramatuelle2@wanadoo.fr r.-v.

CH. LA RIPERTE 2005

10 ha 20 000 3 à 5 €

Le vignoble de Rougiers et de Nans-les-Pins s'étale au pied du massif de la Sainte-Baume. Ce rosé pâle à la teinte corail livre un nez gourmand de pêche, de fraise et d'abricot. Dès la mise en bouche, les notes fruitées sont présentes, puis les fruits rouges dominent pour finir sur une impression de fraîcheur en finale.
Les Vignerons de la Sainte-Baume, rte de Brignoles, 83170 Rougiers, tél. 04.94.80.42.47, fax 04.94.80.40.85, e-mail cave.saintebaume@wanadoo.fr r.-v.

DOM. LA ROSE DES VENTS
Réserve Seigneur de Broussan 2004 **

1,5 ha 5 000 5 à 8 €

Ce domaine d'une trentaine d'hectares est situé sur le plateau argilo-calcaire de La Roquebrussanne et dominé par la chaîne de la Sainte-Baume. Sa cuvée 2004 offre une image d'un vin plaisir. Rubis profond, elle révèle une palette aromatique variée : cassis, fruits rouges, cuir, vanille, figue sèche, pâte de fruits. Sa structure équilibrée étaye sa chair ample, toute de velours en finale. L'accord sera réussi aussi bien à l'apéritif qu'avec une viande rouge ou, pourquoi pas, une salade de fruits. La **Réserve Seigneur de Broussan rosé 2005**, dans la gamme florale et exotique, joue entre rondeur et vivacité : elle obtient une étoile.
Dom. La Rose des Vents, rte de Toulon, 83136 La Roquebrussanne, tél. 04.94.86.99.28, fax 04.94.86.91.75, e-mail rose-des-vents@infonie.fr r.-v.
Gilles Baude-Thierry Josselin

CH. ROUTAS Infernet 2004 **

2,9 ha 13 400 5 à 8 €

Cabernet-sauvignon, syrah et grenache forment l'assemblage de cette cuvée au caractère bien trempé. Déclinant des arômes de cuir, de figue sèche et de fruits à l'alcool, celle-ci dévoile des tanins soyeux et une matière dense. La finale douce prend des accents cacaotés et vanillés. Ne tardez pas à acquérir cette bouteille, car ici, 90 % de la production part à l'export !
SARL Rouvière-Plane, Ch. Routas, rte de Barjols, 83149 Châteauvert-Bras, tél. 04.98.05.25.80, fax 04.98.05.25.81, e-mail rouviere.plane@wanadoo.fr t.l.j. sf sam. dim. 8h-12h 13h-17h

LE CELLIER DE LA SAINTE-BAUME 2005

n.c. 25 000 - de 3 €

À Saint-Maximin, faites une halte découverte à la cave coopérative qui a élaboré un rosé de couleur vive, à la bouche équilibrée, marquée par le fruit (cassis, fruits rouges). Puis visitez la basilique du XIII[e]s. ; peut-être aurez-vous la chance d'y entendre résonner ses orgues.
Le Cellier de la Sainte-Baume, RN 7, 83470 Saint-Maximin-la-Sainte-Baume, tél. 04.94.78.03.97, fax 04.94.78.07.40 t.l.j. 8h-12h 14h-17h45, dim. 8h-12h

DOM. DE SAINT-FERRÉOL 2005

1 ha 4 400 3 à 5 €

Aussi loin que remontent les archives, la vigne a toujours été une culture traditionnelle du domaine et, depuis quelques années, Armelle et Guillaume de Jerphanion développent gîte et chambres d'hôtes. Ce rosé couleur bois de rose laisse au palais une sensation fraîche et fruitée, suffisamment persistante. Ses arômes vont du fruit mûr aux notes de garrigue. Il ne reste plus qu'à l'associer à un plat de terroir.

Guillaume de Jerphanion,
Dom. de Saint-Ferréol, 83670 Pontevès,
tél. 04.94.77.10.42, fax 04.94.77.19.04,
e-mail saint-ferreol@wanadoo.fr
r.-v. 4 D

DOM. SAINT-JEAN-DE-VILLECROZE
Cuvée spéciale 2005 ★

4 ha 10 000 5 à 8 €

Ce vignoble créé par un couple franco-américain puis repris par des Italiens est à l'origine de ce rosé printanier. Le nez fin développe des notes d'agrumes, de zeste d'orange, de fraise et de rose. La bouche est fraîche tout en gardant de la souplesse et l'on retrouve des flaveurs de fraise agréables. Un vin gourmand.

Dom. Saint-Jean, 83690 Villecroze,
tél. 04.94.70.63.07, fax 04.94.70.67.41
t.l.j. 9h-12h 14h-19h
F. Caruso

DOM. DE SAINT JEAN LE VIEUX 2005 ★

3 ha 20 000 3 à 5 €

Ce domaine familial propose en été des expositions autour de l'art et du vin. C'est une bonne occasion d'aller découvrir le rosé sélectionné par les jurés. Sous une robe pâle à reflets bois de rose se développent des senteurs délicates, florales et fruitées (jasmin, noisette) et une touche de menthol. Souple et frais, le vin persiste savoureusement. Le **blanc 2005** reçoit également une étoile pour sa bouche ample aux saveurs exotiques.

Dom. de Saint Jean le Vieux,
317, rte de Bras, 83470 Saint-Maximin-la-Sainte-Baume,
tél. 04.94.59.77.59, fax 04.94.59.73.35,
e-mail saint-jean-le-vieux@wanadoo.fr
t.l.j. sf dim. 8h-12h30 14h-19h
Pierre Boyer

CH. SAINT-JULIEN Le Clos vieux Réserve 2005 ★

0,36 ha 2 600 5 à 8 €

Dans la cave construite sur les vestiges d'une ancienne bergerie, Maurice Garrassin a produit une cuvée brillante de reflets jaunes, composée à 95 % de rolle, complété de grenache blanc. Des notes d'amande fraîche, d'acacia, de genêt et même de poivre forment une palette originale, mais ce sont les arômes d'agrumes qui persistent au palais, laissant en finale quelques touches acidulées rafraîchissantes.

EARL Dom. Saint-Julien, rte de Tourves,
83170 La Celle, tél. et fax 04.94.59.26.10,
e-mail info@domaine-st-julien.com
t.l.j. sf dim. lun. 14h-18h
M. Garrassin

CH. THUERRY Les Abeillons 2003 ★

4,5 ha 22 800 11 à 15 €

Un chai ultramoderne côtoie une imposante bâtisse templière du XII[e]s. Là a été élaborée cette cuvée équilibrée. Les tanins agréables se fondent dans la chair ronde, empreinte de riches arômes de fruits confits et de tabac. Les raisins ont certainement été vendangés à parfaite maturité dans ce millésime marqué par la chaleur. Couleur framboise, le **rosé 2005 (5 à 8 €)** est intéressant par ses notes de fruits rouges relevées d'une pointe de garrigue. Il est cité.

Ch. Thuerry, 83690 Villecroze, tél. 04.94.70.63.02,
fax 04.94.70.67.03 r.-v. E
Croquet

CH. TRIANS 2004 ★

2,65 ha 10 000 5 à 8 €

L'exposition plein nord des vignes situées au pied de la montage Saint-Clément impose ici des vendanges assez tardives. Issu d'un assemblage de sémillon, d'ugni blanc et de rolle, ce 2004 se présente sous une robe jaune doré. Il se développe de manière agréable sur des notes florales d'une réelle finesse. Une bouteille très réussie dans ce millésime, à découvrir avec un poisson en sauce.

Dom. de Trians, chem. des Rudelles,
83136 Néoules, tél. 04.94.04.08.22, fax 04.94.04.84.39,
e-mail trians@wanadoo.fr
t.l.j. 9h-12h 14h-18h E
J.- L. Masurel

La Corse

Une montagne dans la mer : la définition traditionnelle de la Corse est aussi pertinente en matière de vins que pour mettre en évidence ses attraits touristiques. La topographie est en effet très tourmentée dans toute l'île, et même l'étendue que l'on appelle la côte orientale – et qui, sur le continent, prendrait sans doute le nom de costière – est loin d'être dénuée de relief. Cette multiplication des pentes et des coteaux, inondés le plus souvent de soleil mais maintenus dans une relative humidité par l'influence maritime, les précipitations et le couvert végétal, explique que la vigne soit présente à peu près partout. Seule l'altitude en limite l'implantation.

Le relief et les modulations climatiques qu'il entraîne s'associent à trois grands types de sols pour caractériser la production vinicole, dont la majeure partie est constituée de vins de pays et de vins de table. Le plus répandu des sols est d'origine granitique ; c'est celui de la quasi-totalité du sud et de l'ouest de l'île. Au nord-est se rencontrent des sols de schistes et, entre ces deux zones, existe un petit secteur de sols calcaires.

Associés à des cépages importés, on trouve en Corse des cépages spécifiques d'une originalité certaine, en particulier le nielluciu, au caractère tannique dominant et qui excelle sur le calcaire. Le sciaccarellu, lui, présente plus de fruité et donne des vins que l'on apprécie davantage dans leur jeunesse. En blanc, le vermentinu (ou malvoisia) est, semble-t-il, apte à produire les meilleurs vins des rivages méditerranéens. La viticulture corse compte 374 déclarants. Elle couvre 7 000 ha pour une production moyenne de 380 000 hl. La part des AOC représente 34% de la production avec 109 221 hl couvrant 3 092 ha.

En règle générale, on consommera plutôt jeunes les blancs et surtout les rosés ; ils iront très bien sur tous les produits de la mer et avec les excellents fromages de chèvre du pays, ainsi qu'avec le brocciu. Les vins rouges, eux, conviendront, selon leur âge et la vigueur de leurs tanins, aux différentes préparations de viande et, bien sûr, à tous les fromages de brebis. À noter que certains grands vins blancs, passés ou non en bois, ont une belle aptitude au vieillissement.

Corse ou vins-de-corse

Les vignobles de l'appellation corse ou vins-de-corse couvrent une superficie de 2 310 ha, soit 75 % de la superficie totale d'AOC en production. Selon les régions et les domaines, les proportions respectives des différents cépages ajoutées aux variétés des sols apportent des tonalités diverses qui, dans la plupart des cas, justifient une indication spécifique de la micro-région dont le nom peut être associé à l'appellation (Coteaux-du-Cap-Corse, Calvi, Figari, Porto-Vecchio, Sartène). L'AOC corse peut être produite sur l'ensemble des terroirs classés de l'île, à l'exception de l'aire d'appellation patrimonio. La majeure partie des 86 350 hl vinifiés (dont 71 % en rouge et rosé) est issue de la côte orientale, où cinq coopératives occupent une place prépondérante.

DOM. AGHJE VECCHIE Vecchio 2005 ★

0,75 ha 5 000 ▮ 8 à 11 €

Florence Giudicelli, jeune vigneronne épaulée par son mari Jérôme, œnologue, propose un Vecchio aux notes de menthe poivrée et de fleurs blanches subtiles. Un vin complexe, rond et ample qui accompagnera à la perfection un loup grillé. Le **Vecchio rosé 2005 (5 à 8 €)**, rose pâle teinté de gris, affiche des arômes de fleurs blanches nuancés de camphre, et ne montre aucune agressivité au palais. Il est cité.

☛ Antoine-Jacques Giudicelli, Dom. Aghje Vecchie, 20230 Canale-di-Verde, tél. 06.03.78.09.96, fax 04.95.38.03.37, e-mail vecchio@tele2.fr
☑ Y ⚑ t.l.j. sf dim. 10h-12h 16h-19h; hiver sur r.-v. 🏠 Ⓔ

DOM. D'ALZIPRATU
Calvi Cuvée Fiumeseccu 2005 ★★

3 ha 10 000 ▮ 5 à 8 €

Non loin de Zilia, source réputée de haute Corse, se situe le domaine d'Alzipratu. Pierre Acquaviva, malgré ses importantes responsabilités syndicales auprès de la viticulture insulaire, suit de près son vignoble, lequel a échappé de peu au grave incendie de juillet 2005. Il propose cette année un vin aérien, encore discret au nez (orange et mandarine). On retrouve en bouche la palette aromatique traditionnelle du vermentinu, soutenue par une fraîcheur vivifiante. Deux étoiles brillent également pour la **cuvée Fiumeseccu 2004 rouge**, aux arômes épicés (poivre, cannelle). Le sciaccarellu, qui la compose pour un tiers, n'est pas étranger à sa puissance aromatique, tandis que le nielluciu apporte la structure et le grenache la rondeur. À goûter avec un filet de bœuf au poivre blanc.

☛ Pierre Acquaviva, Dom. d'Alzipratu, 20214 Zilia, tél. 04.95.62.75.47, fax 04.95.60.32.16
☑ Y ⚑ t.l.j. sf sam. dim. 9h-12h 14h-18h

DOM. CASABIANCA 2005 ★

13,59 ha 40 000 ▮ 3 à 5 €

Le plus grand domaine de Corse en superficie. L'équipe, sous l'impulsion du propriétaire, et dirigée par Philippe Cazali, a entrepris en 2004 de moderniser l'entreprise. Sélectionnées cette année par les jurés, les trois couleurs sont à l'honneur. Ce vin blanc présente un nez fruité et floral, puis une bouche équilibrée, longue, marquée par le vermentinu. À la fois rond et frais, le **2005 rosé**, une étoile également, libère des arômes expressifs, typiques du sciaccarellu. La **cuvée Excellence 2004 rouge (8 à 11 €)** est citée pour son caractère classique d'un vin corse.

☛ SCEA du Dom. Casabianca, Coteaux de Santa Maria, 20230 Bravone, tél. 04.95.38.96.00, fax 04.95.38.81.91, e-mail domainecasabianca@wanadoo.fr ☑ Y ⚑ r.-v.

CLOS D'ORLÉA 2005

1,8 ha 6 000 5 à 8 €

François Orsucci et son épouse ont choisi de nouveaux habillages pour leurs bouteilles qu'ils ont voulus plus contemporains. Sous ces nouvelles étiquettes, ils proposent ce 2005 fin et racé, aux notes muscatées surprenantes. Le **2005 rosé** est également cité pour ses arômes originaux de cèdre et de menthol. Deux vins à découvrir dans leur jeunesse.

François Orsucci, Clos d'Orléa, 20270 Aléria, tél. 04.95.57.13.60, fax 04.95.57.09.64, e-mail francois.orsucci@wanadoo.fr t.l.j. 10h-13h 16h-20h

CLOS FORNELLI 2005 *

0,83 ha 5 000 5 à 8 €

Josée Vanucci est fille de vigneron. Après une vie parisienne et un début de carrière dans l'informatique, elle revient sur ses terres en 2005, afin de reprendre le vignoble de ses parents. Accompagnée de son mari Fabrice, elle effectue sa première vinification en 2005, dans une cave à l'ancienne, mais totalement modernisée. Limpide, ce vin blanc, issu de vermentinu, a été apprécié pour ses arômes de fruits blancs et de citron. Ouvert, long en bouche, il pourra être dégusté dans sa jeunesse, avec un poisson sur le gril ou des huîtres chaudes. Le **2005 rosé** est cité pour sa robe claire à reflets gris et sa fraîcheur, de même que **La Robe d'Ange 2005 rouge**, couleur carmin, aux arômes persistants.

Clos Fornelli, Pianiccia, Quercete, 20270 Tallone, tél. et fax 04.95.57.11.54, e-mail josee.vanucci@laposte.net r.-v.

Vanucci

CLOS LANDRY Calvi Gris 2005 **

24 ha 80 000 5 à 8 €

Le Clos Landry est situé non loin de l'aéroport de Calvi, à quelques centaines de mètres des plus belles plages de la ville. Cathy Paolini, qui dirige les 30 ha de la propriété, s'est résolument tournée vers le rosé puisque pas moins de 75 % du vignoble est consacré à ce type de vin. Le choix est judicieux à en juger par ce 2005 diaphane à reflets d'argent, tout en finesse, naviguant entre fleur de pommier et framboise. Un remarquable équilibre en bouche, sans agressivité, invite à le consommer à l'apéritif, entouré d'amis, au soleil couchant. La **cuvée Léa 2004 rouge**, microcuvée de 3 000 bouteilles, reçoit également deux étoiles grâce à ses arômes de fruits rouges épicés et à sa structure tannique peu marquée. Le **Clos Landry 2004 rouge**, plus classique, est cité pour son côté friand et fruité.

Fabien et Cathy Paolini, Clos Landry, rte de la Forêt de Bonifato, 20260 Calvi, tél. 04.95.65.04.25, fax 04.95.65.37.56, e-mail closlandry@wanadoo.fr t.l.j. sf dim. 9h-12h30 14h-19h; f. fév.

CLOS LUCCIARDI 2005 *

2 ha 8 000 5 à 8 €

En 2004, Josette Lucciardi et son mari ont relancé la production viticole de cette propriété, dans la famille depuis le Second Empire. Leur rosé de niellucciu, couleur pastel, présente un nez encore un peu timide, mais qui laisse deviner des notes de cassis frais et de cerise. Soutenu par une fraîcheur vivifiante, il sera apprécié à l'apéritif ou en début de repas. Le **2005 blanc (8 à 11 €)**, issu de vermentinu, est cité pour sa robe cristalline et ses discrets arômes d'agrumes et de menthol.

Josette Lucciardi, Dom. de Pianiccione, 20270 Antisanti, tél. 06.77.07.27.34, fax 04.95.32.20.97, e-mail josette.lucciardi@wanadoo.fr r.-v.

CLOS MILELLI 2005 *

10 ha 40 000 3 à 5 €

La coopérative d'Aghione est spécialisée dans les rosés, mais le savoir-faire de l'équipe technique lui permet également de se distinguer en rouge, avec ce 2005 aux arômes de fruits noirs (mûre et cassis) nuancés de notes empyreumatiques (pain grillé). Les tanins bien présents lui feront préférer la cave plutôt que la table pour quelques mois au moins. Un vin à réserver ensuite à des gibiers en daube ou à des fromages de caractère. Le **Clos Milelli rosé 2005**, de teinte claire, est cité pour son harmonie générale.

Cave coop. d'Aghione, Samuletto, 20270 Aléria, tél. 04.95.56.60.20, fax 04.95.56.61.27, e-mail coop.aghione.samuletto@wanadoo.fr r.-v.

La Corse

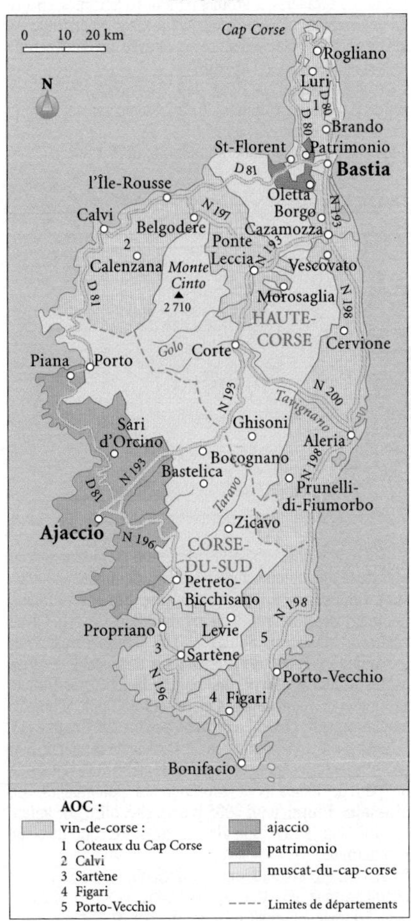

CORSE

CLOS POGGIALE 2004

■ n.c. 30 000 ⬛⬛ 11 à 15 €

Élise et Christian Costa proposent un vin élevé huit mois en fût. Le bois est bien fondu, les notes épicées se retrouvent en bouche, soutenues par une structure tannique encore bien présente. Ce 2004 a besoin de quelques mois de patience pour révéler ses indéniables qualités en compagnie d'un gigot d'agneau à la ficelle, par exemple.

Les Vignobles de Terravecchia, Sasterravecchia, Dom. Terravecchia, 20270 Tallone, tél. 04.95.57.20.30, fax 04.95.57.08.98, e-mail elise.costa@kalli.com r.-v.

DOM. DE LA FIGARELLA

Calvi Cuvée Prestige 2005 ★

5 ha 12 000 5 à 8 €

Depuis peu, Achille Acquaviva, propriétaire du domaine, travaille avec sa fille Marina. Une nouvelle construction, inaugurée en 2005, avec un petit laboratoire d'analyses, des bureaux, un lieu de vente et de dégustation... Bref, un coup de jeune qui se traduit cette année pour ce blanc en un coup de maître. Le vermentinu s'exprime à travers des arômes typiques d'agrumes, encore un peu retenus. Une garde de quelques mois permettra au vin de se révéler pleinement. À servir avec un poisson grillé ou à déguster seul, en apéritif.

Achille Acquaviva, dom. de La Figarella, rte de la Forêt-de-Bonifato, 20214 Calenzana, tél. 04.95.61.06.69, fax 04.95.65.41.58, e-mail domainefigarella@wanadoo.fr r.-v.

DOM. FIUMICICOLI Sartène 2005 ★★

■ 14 ha 75 000 5 à 8 €

Ce domaine, situé à l'extrême sud de la Corse, tout près de la magnifique cité de Sartène, tient chaque année ses promesses dans les trois couleurs. Simon Andréani, homme discret de nature, s'exprime dans ses vins avec beaucoup de talent. Son rosé, 100 % sciaccarellu, fait l'unanimité grâce à une présentation impeccable, un nez expressif intense et typé, une bouche fraîche, très fruitée. Les notes épicées subtiles s'éternisent en finale. Pour les connaisseurs de rosés. La **cuvée Vassilia 2004 rouge (11 à 15 €)**, deux étoiles également, est un vin de caractère, issu de 80 % de sciaccarellu et de 20 % de syrah ; elle demande un peu de temps pour exprimer ses potentialités. Le **Domaine Fiumicicoli 2005 blanc**, cité, offre une agréable fraîcheur florale ; son aîné, le 2004, fut coup de cœur l'an dernier.

EARL Andréani, Dom. Fiumicicoli, rte de Levie, 20100 Sartène, tél. 04.95.77.10.20, fax 04.95.76.24.24, e-mail domaine.fiumicicoli@laposte.net r.-v.

DOM. DE GRANAJOLO

Porto-Vecchio Cuvée Monika 2005

■ 0,9 ha 3 000 5 à 8 €

La famille Boucher a choisi, dès la mise en place du vignoble, l'agriculture biologique. Le vignoble, situé non loin de Porto-Vecchio, est aujourd'hui dirigé par Monika et Gwenaële Boucher, épouse et fille du fondateur. Les dégustateurs ont apprécié ce rosé dont ils retiennent la robe rose soutenu et la palette aromatique sur les fruits rouges. À boire lors du repas, avec une côte de veau cuite sur le gril.

Monika et Gwenaële Boucher, 20144 Sainte-Lucie-de-Porto-Vecchio, tél. 04.95.70.37.83, fax 04.95.71.57.36, e-mail granajolo@aol.com r.-v.

DOM. MAESTRACCI Calvi E Prove 2005

■ 4 ha 20 000 8 à 11 €

Coup de cœur l'an dernier pour son Calvi Clos Reginu 2004, Michel Raoust propose un joli rosé issu à parts égales de sciaccarellu et de niellucciu. On y retrouve les notes minérales et épicées du premier, les pointes de fruits rouges frais du second. Un vin à déguster avec une salade aux fruits de mer.

Michel Raoust, Clos Reginu, rte de Santa-Reparata, 20225 Feliceto, tél. 04.95.61.72.11, fax 04.95.61.80.16, e-mail clos.reginu@wanadoo.fr
été t.l.j. sf dim. 9h-12h30 14h-19h30

DOM. DU MONT-SAINT-JEAN

Cuvée antique Vieilli en fût de chêne 2003 ★★

■ 2 ha 4 000 8 à 11 €

Roger Pouyau est aujourd'hui secondé par sa fille Julia. Il a mis en marché ces dernières années une importante série de marques, sélections diverses des raisins de son domaine. Cette cuvée sombre et brillante développe des arômes de kirsch et de fruits confits. Structurée par des tanins fins, elle se développe au palais autour de flaveurs de fruits rouges et de sous-bois. À boire jeune avec une viande grillée ou, plus âgée, avec un rôti de veau braisé. Attention, les bouteilles sont peu nombreuses : il faudra être rapide. La **cuvée Castellu Vecchiu 2005 rouge (5 à 8 €)** reçoit une étoile, tandis que la cuvée **Santu Niolu 2005 rouge (3 à 5 €)** est citée. Les tanins sont encore jeunes, mais le fruit est présent et l'on imagine facilement le potentiel de ces deux vins dans les deux années à venir.

Dom. du Mont-Saint-Jean, Campo Quercio Antisanti, BP 19, 20270 Aléria, tél. 04.95.57.13.21, fax 04.95.56.16.99, e-mail montstjean@wanadoo.fr r.-v.
Roger Pouyau

DOM. PERO LONGO

Sartène Cuvée du Lion 2003 ★

■ 2 ha 6 000 5 à 8 €

Pierre Richarme a repris le vignoble familial en 1993 ; après un passage par les structures coopératives, il a créé sa propre cave. En 2000, il s'est tourné vers l'agriculture biologique, puis biodynamique. Sa cuvée du Lion, référence au rocher de Rocapina situé non loin de la propriété, s'habille de pourpre à reflets légèrement tuilés (c'est un 2003 !). Elle présente des arômes torréfiés relevés de cuir, puis des tanins bien présents, accompagnés de notes légèrement animales. À attendre jusqu'à l'hiver prochain pour la déguster avec une viande braisée marinée ou sur un gibier.

Pierre Richarme, Dom. Pero Longo, lieu-dit Navara, 20100 Sartène, tél. et fax 04.95.77.10.74 r.-v.

DOM. DE PETRA BIANCA

Figari Vinti Legna 2005

2 ha 6 000 8 à 11 €

Une présence régulière dans le Guide pour ce domaine situé très près du village de Figari, sous la protection de l'Omu di Cagna. Habillé de rose corail, ce vin présente des arômes de cerise bigarreau, puis une bouche fraîche, de bonne longueur. À servir en accompagnement de plats orientaux. Le **Figari Vinti Legna 2004 rouge** est cité pour ses notes boisées, relevées de poivre blanc et de ciste, et ses tanins fondus. Un vin à boire sans trop attendre.

Dom. de Petra Bianca, 20114 Figari, tél. et fax 04.95.71.01.62, e-mail joel.rossi@worldonline.fr r.-v.

DOM. DE PIANA 2005 *

15 ha n.c. 5 à 8 €

Ce vignoble se situe à quelques kilomètres du joli village de Linguizzetta. Éric Poli, par ailleurs président de l'appellation corse, présente un pur vermentinu, aux arômes atypiques de poire et de coing. Ample et long en bouche, ce vin accompagnera un fromage léger ou un brocciu passu. Le **2005 rosé**, cité, de couleur plutôt soutenue, parfumé de fruits rouges, s'accordera à une salade exotique.

Ange Poli, Linguizzetta, 20230 San-Nicolao, tél. 04.95.38.86.38, fax 04.95.38.94.71, e-mail domaine-de-piana@wanadoo.fr r.-v.

DOM. PIERETTI Sélection Vieilles Vignes 2004

1 ha 4 500 8 à 11 €

Lina Venturi-Pieretti vous recevra dans sa cave ancestrale située à la marina de Santa-Severa. Au bord de l'eau, vous pourrez découvrir ce vin charnu, aux notes de fruits rouges cuits nuancées de pointes iodées. Encore un peu de patience pour laisser les tanins se fondre, puis vous l'apprécierez avec un filet de bœuf nappé de sauce au poivre. Succès garanti.

Lina Venturi-Pieretti, Santa-Severa, 20228 Luri, tél. et fax 04.95.35.01.03 t.l.j. 10h-13h 16h30-21h; du 1er oct. au 31 avr. sur r.-v.

DOM. DE LA PUNTA 2004 *

5 ha 20 000 5 à 8 €

Le vignoble existe depuis 1964. En 2003, une cave a été créée en bordure de nationale, non loin du village d'Aléria. Sur les 10 ha de propriété, la moitié a été consacrée en 2004 à la production de vins rouges. Les dégustateurs ont aimé le côté épicé apporté par le niellucciu qui compose ce vin à 60 %. Le complément de syrah et de grenache apporte une trame veloutée, empreinte de notes de sous-bois et de fourrure. Pour un gibier en daube.

Lugarini et Paoli, 20270 Aléria, tél. 04.95.30.60.68, fax 04.95.32.68.03, e-mail lapunta@wanadoo.fr r.-v.

RÉSERVE DU PRÉSIDENT 2005 **

25 ha 160 000 3 à 5 €

Président est la marque phare de la coopérative d'Aléria, la plus importante structure de vinification de l'appellation. Dotée d'installations techniques performantes, menée par une équipe dynamique, celle-ci travaille depuis plusieurs années sur des gammes de vins rosés. Ce 2005 allie fruits rouges, banane et fleur de pêcher. D'une fraîcheur caressante, ce vin sera apprécié dans sa jeunesse, servi tout simplement à l'apéritif. La **Réserve du Président 2004 rouge**, une étoile, en robe carminée, présente de généreuses notes de sous-bois et d'épices exotiques. D'une structure légère, elle doit être dégustée sans trop attendre, avec une pièce de viande grillée. La **Réserve du Président 2005 blanc** est citée pour son harmonie générale et sa couleur pailletée de reflets verts.

Union des Vignerons de l'Île de Beauté, Padulone, 20270 Aléria, tél. 04.95.57.02.48, fax 04.95.56.15.86, e-mail cavecoopaleria@aol.com r.-v.

DOM. SANTA MARIA

Hommage au Fondateur 2004 *

15 ha 50 000 5 à 8 €

Autre propriété de la famille Casabianca, ce domaine revient en force avec ce vin grenat soutenu qui possède un nez fruité et épicé. La bouche ronde et harmonieuse s'exprime dans une dominante de fruits mûrs. Une étoile est attribuée également au **Domaine Santa Maria 2004 rouge (3 à 5 €)**, plus expressif au nez et aux tanins plus présents, qui se mariera à une daube traditionnelle. Il en va de même du **2005 rosé (3 à 5 €)**, saumoné, qui libère des fragrances de fruits rouges, typées framboise, et se développe avec équilibre jusqu'à une très légère pointe d'amertume. Le compagnon d'un plat de tagliatelles au basilic.

Dom. Santa Maria, 20230 Bravone, tél. 04.95.38.96.08, fax 04.95.38.96.09 r.-v.
Casabianca

DOM. SANT'ARMETTU Sartène 2005 *

3 ha n.c. 5 à 8 €

Gilles Seroin vinifie dans ses propres installations depuis quelques années, après être passé par le système coopératif. Ses 3 ha de vermentinu ont produit ce vin qui associe les fragrances traditionnelles du cépage – orange et bigaradier – à des notes plus exotiques d'ananas et fruit de la Passion. En bouche, cette gamme se complète d'amande et de pain grillé, révélée par une juste vivacité. Dégustez cette bouteille à l'apéritif ou avec un fromage jeune et crémeux. Le **2005 rosé**, ample et parfumé de notes de banane, est cité.

EARL San'Armetto, Les Cannes, 20113 Olmeto, tél. 04.95.76.05.18, fax 04.95.76.24.47, e-mail santarmettu@wanadoo.fr t.l.j. sf dim. 8h-18h; f. déc.
Gilles Seroin

DOM. SAPARALE Sartène Casteddu 2004 **

3 ha 13 000 8 à 11 €

Philippe Farinelli est un exemple de constance. Sa cuvée Casteddu grimpe sur la plus haute marche du podium. Élevée douze mois en fût, elle doit attendre dans votre cave. Patience donc pour découvrir ce vin ample et riche. Le **Casteddu 2005 blanc**, une étoile, a été différemment apprécié par le jury selon que le boisé plaît ou non mais il fera sans doute l'unanimité après avoir pris un peu d'âge. Le **Domaine Saparale 2004 rouge** et le **Domaine Saparale 2005 rosé (tous deux 5 à 8 €)** sont cités.

DOMAINE SAPARALE
CASTEDDU
APPELLATION CORSE SARTENE CONTROLEE
2004
13,5% vol.
MISE EN BOUTEILLE AU DOMAINE
PHILIPPE FARINELLI 20100 SARTÈNE F
75 cl

🔑 Philippe Farinelli, 5, cours Bonaparte, 20100 Sartène, tél. 04.95.77.15.52, fax 04.95.73.43.08, e-mail pfarinelli@wanadoo.fr ☑ Y ⛹ r.-v.

TERRA MARIANA 2005 *

26 ha 120 000 ▮ 3 à 5 €

La cave de la Marana est la seconde coopérative de Corse en termes de production. Son directeur, Alain Mazoyer, a choisi la voie de la modernité. Né sur les sols argilo-schisteux, cette cuvée séduit par toutes les sensations qu'elle offre. On y retrouve la palette aromatique classique du sciaccarellu. À déguster avec un denti rôti au romarin. Le **Terra Nostra Cuvée ancestrale 2004 rouge (8 à 11 €)**, issu du niellucciu, est cité. Encore dominé par le bois, il devra attendre au moins deux ans avant d'être servi avec un gibier ou une viande en sauce.

🔑 Cave coop. de la Marana, Rasignani, 20290 Borgo, tél. 04.95.58.44.00, fax 04.95.38.38.10, e-mail uval.sica@corsicanwines.com ☑ t.l.j. sf dim. 9h-12h 15h-19h

DOM. DE TORRACCIA
Porto-Vecchio Oriu Réserve 2003

8 ha 40 000 ▮ 15 à 23 €

Ce domaine d'une quarantaine d'hectares, situé non loin de Porto-Vecchio, est cultivé en bio. Cette cuvée présente des notes animales et une structure soyeuse. Le **Domaine de Torraccia 2004 rouge (8 à 11 €)**, plus structuré, pourra patienter en cave deux ou trois ans. Vous en apprécierez alors les notes de sous-bois et d'épices, ainsi que les tanins plus fondus. Le **2005 rosé (8 à 11 €)**, en tenue saumonée, est destiné à l'entrée du repas. Ces deux vins sont également cités.

🔑 Christian Imbert, Dom. de Torraccia, 20137 Lecci, tél. 04.95.71.43.50, fax 04.95.71.50.03 ☑ Y ⛹ t.l.j. sf dim. 8h-12h 14h-18h

DOM. VICO 2005 *

15 ha 30 000 3 à 5 €

Vico est le seul domaine du centre Corse, dirigé par Yves Melleray, œnologue bien connu sur l'île. Ce vignoble de 80 ha, dont on aperçoit les installations aux premiers hectomètres de la Balanina, en allant vers Calvi, propose un vin aux notes de mirabelle et de citrus. Il est rafraîchissant, équilibré. Une courte garde en bouteilles révèlera son potentiel. Ensuite, en accompagnement de tapas aux fruits de mer, il ne vous laissera pas indifférent.

🔑 SCEA Dom. Vico, 20218 Ponte-Leccia, tél. 04.95.47.61.35, fax 04.95.47.32.04, e-mail melleray.yves@wanadoo.fr ☑ Y ⛹ t.l.j. sf dim. 9h-12h 14h-18h

Ajaccio

L'appellation ajaccio, dont les vignes couvrent 239 ha, borde sur quelques dizaines de kilomètres la célèbre cité impériale et son golfe. Ce terroir d'exception, généralement granitique, permet au sciaccarellu, cépage phare pour les rouges et rosés, et au vermentinu d'exprimer tout leur potentiel.

La production (7 000 hl environ) est essentiellement axée sur les vins rouges (50-55 %), tandis que les vins blancs (10-15 %) restent minoritaires. Les rosés ne sont pas en reste (40-45 %) dans ce beau millésime 2005 : ajaccio, terre d'élection du rosé ?

DOM. ABBATUCCI Cuvée Faustine 2005 *

n.c. n.c. **11 à 15 €**

Préserver le capital de sa terre, tel est le leitmotiv de Jean-Charles Abbatucci. Ardent défenseur d'une agriculture respectueuse, il gère son vignoble en biodynamie. La cuvée Faustine, jaune pâle à reflets verts, décline des fragrances de fleurs blanches légèrement beurrées avec une remarquable persistance. Belle complexité pour le **rosé 2005 (8 à 11 €)**, au nez d'épices et de tilleul qui obtient une étoile. Une citation, enfin, pour la structure et le potentiel du **2004 rouge (8 à 11 €)** : attendez-le un an ou deux avant de le servir avec une pièce de veau corse bio grillée, aux senteurs du maquis.

🔑 Jean-Charles Abbatucci, lieu-dit Chiesale, 20140 Casalabriva, tél. 04.95.74.04.55, fax 04.95.74.26.39, e-mail domaine-abbatucci@infonie.fr ☑ Y r.-v. 🏠 ©

CLOS CAPITORO 2005 **

7 ha 25 000 ▮ 5 à 8 €

Jacques Bianchetti a su tirer le meilleur parti des coteaux argilo-siliceux de son vignoble. Le vermentinu révèle sa pleine expression dans ce 2005 : arômes de fleurs blanches et de fruits exotiques (mangue et ananas mûr), équilibre tout en élégance. Une puissance et une rondeur que l'amateur appréciera en accompagnement d'une langouste ou d'un poisson de roche au gril. Une couleur pure, un nez floral intense ainsi qu'une belle longueur font briller le **2005 rosé** d'une étoile. Il en est de même pour le **2003 rouge**, ample et riche, aux notes épicées typiques du sciaccarellu.

Jacques Bianchetti, Clos Capitoro, Pisciatella, 20166 Porticcio, tél. 04.95.25.19.61, fax 04.95.25.19.33, e-mail info@closcapitoro.com r.-v.

CLOS D'ALZETO 2002 ★★

10 ha 35 000 5 à 8 €

La famille Albertini veille sur le golfe de Sagone depuis 1820. Le domaine, accroché à la montagne, est en effet le plus haut vignoble de Corse. Exigence est le maître mot de Pascal et d'Alexis, père et fils. Le sciaccarellu est sublimé dans ce vin cerise soutenu, au nez de fruits rouges et à la finale animale. La bouche, souple en attaque, bénéficie de tanins soyeux et enrobants. Un 2002 élégant et complexe. Lecteurs avertis, vous ne resterez pas de marbre devant l'harmonie du **rosé d'Alzeto 2005** de couleur pure et délicate, aux arômes typiques de sciaccarellu. Ses deux étoiles frôlent le coup de cœur. À savourer sans attendre avec des filets de rougets cuits au feu de bois, rehaussés d'un filet d'huile d'olive de Bonifacio. La fraîcheur du **2005 blanc** lui vaut une citation.

Pascal Albertini, Clos d'Alzeto, 20151 Sari-d'Orcino, tél. 04.95.52.24.67, fax 04.95.52.27.27, e-mail contact@closdalzeto.com t.l.j. sf dim. 8h-12h 14h-18h

CLOS ORNASCA 2005 ★★

3,04 ha 17 733 5 à 8 €

La Saint-Vincent, fête des vignerons d'Ajaccio, fut créée en 2001, à l'initiative de Vincent Tola aujourd'hui disparu. Sa fille, Laetitia, vigneronne dans l'âme, gère la propriété d'une dizaine d'hectares avec son compagnon. Son rosé de couleur claire et délicate se développe en bouche avec croquant et fraîcheur. Ses arômes raviront dès maintenant l'amateur de sciaccarellu, en accompagnement d'une volaille rôtie et d'une compotée d'oignons de Sisco. Le **2004 rouge**, rond, évoque la cerise et les fruits rouges confits. Une étoile pour ce vin prometteur après une petite garde. Le **2005 blanc**, moderne, est cité pour sa vivacité.

Tola-Manenti, Clos Ornasca, Eccica Suarella, 20117 Cauro, tél. 04.95.25.09.07, fax 04.95.25.96.05, e-mail earl-clos-ornasca@wanadoo.fr r.-v.

Tola Père et Fille

DOM. COMTE PERALDI Clos du Cardinal 2003 ★★

n.c. 18 000 11 à 15 €

Le domaine est idéalement situé aux portes d'Ajaccio. D'un seul tenant, il subit les influences des arènes granitiques dont Guy Tyrel de Poix, secondé par Christophe George, tire le meilleur parti. Fait rare, tous les vins présentés sont étoilés. Ce Clos du Cardinal, couleur cerise à reflets tuilés dus au millésime, présente un boisé vanillé, puis une bouche structurée aux flaveurs de poivre, relevées de cuir en finale. À réserver à un gibier après une garde d'un an ou deux. Le **rosé 2005 (8 à 11 €)** présente une robe saumon clair teintée de gris, des arômes de fruit de la Passion et de mangue. L'assemblage subtil de sciaccarellu (70 %) et de cinsault lui vaut une étoile. Il en est de même du **2004 blanc (8 à 11 €)**, issu de vermentinu, qui déploie des fragrances de fleurs jaunes ainsi qu'un côté miellé qui accentue le soyeux de la bouche. Une étoile toujours pour le **2004 rouge (8 à 11 €)**, au boisé élégamment fondu, souple et expressif.

Guy Tyrel de Poix, Dom. Peraldi, chem. du Stiletto, 20167 Mezzavia, tél. 04.95.22.37.30, fax 04.95.20.92.91 r.-v.

DOM. DE PIETRELLA 2004 ★

6 ha 22 000 3 à 5 €

Situé sur la commune de Cauro, le domaine de Toussaint Tirroloni s'étend sur une quarantaine d'hectares. Typiquement sciaccarellu, son 2004, rubis précieux à reflets orangés, livre des arômes d'épices, puis dévoile son caractère chaleureux et soyeux en bouche avant une finale poivrée. Une citation pour le **rosé 2005 (5 à 8 €)**, saumon clair, qui s'ouvre sur des notes minérales et exotiques.

Toussaint Tirroloni, Dom. de Pietrella, 20117 Cauro, tél. 06.11.36.41.20, fax 04.95.25.35.26 t.l.j. sf dim. 9h-12h 15h-18h

DOM. DE PRATAVONE 2004 ★★

7,3 ha 44 000 5 à 8 €

Isabelle Courrèges met tout son talent d'œnologue au profit des 31 ha du domaine familial dont elle est à la tête depuis 2001. Nouveau coup de cœur, cette fois en rouge. Son 2004, à dominante de sciaccarellu, s'habille de rubis clair et libère un nez explosif mêlant fruits rouges, épices et notes mentholées. Fort d'une rondeur et d'une structure de qualité, il possède un potentiel indiscutable (une petite garde est envisageable). Le **2005 rosé**, aux reflets orangés, obtient deux étoiles pour sa fraîcheur tonique. Une étoile est attribuée au **2005 blanc**, généreux et intense, que vous dégusterez avec une tarte Tatin.

Jean Courrèges, Dom. de Pratavone, 20123 Cognocoli-Monticchi, tél. 04.95.24.34.11, fax 04.95.24.34.74, e-mail domainepratavone@wanadoo.fr r.-v.

DOM. DE LA SORBA 2005 ★

4 ha 6 500 5 à 8 €

Vingt-cinq hectares en coteaux dominant Ajaccio et son golfe, tel est le patrimoine que Louis Musso valorise avec détermination. Le sciaccarellu, roi des arômes, y figure en bonne place. Ce rosé de teinte soutenue affiche un nez floral (fleur d'églantine), nuancé d'une pointe beurrée. Il est léger et rafraîchissant. Cité, le **2004 rouge** est rond et agréable.

Louis Musso, EARL Dom. San Biaggio, Dom. de La Sorba, rte du Finosello, 20090 Ajaccio, tél. et fax 04.95.23.38.26, e-mail domainedelasorba@wanadoo.fr r.-v.

DOM. DE VACCELLI Tradition 2003 ★★

1,54 ha 7 200 5 à 8 €

Le domaine d'Alain et de Gérard Courrèges fait face au site préhistorique de Filitosa dans la vallée du Taravu.

CORSE

Le sciaccarellu, emblèmatique de l'appellation, y règne en maître. La cuvée Tradition possède beaucoup de volume et de longueur. Aux riches arômes de réglisse et de cuir succède une bouche dominée par le poivre et les épices, bien structurée par des tanins suaves. Un ajaccio à apprécier sans attendre avec un cochon de lait à la broche. Une étoile brille pour la **cuvée Roger Courrèges 2002 rouge (8 à 11 €)**, habillée d'un rouge cerise légèrement tuilé, qui exprime des arômes de fruits rouges et de poivre. Le **rosé 2005 Tradition** est cité pour ses notes minérales et sa fraîcheur. Il en est de même de la **cuvée Robert Courrèges 2005 blanc (8 à 11 €)**, vive, qui développe des accents de pomme et de cannelle.

EARL Dom. Alain Courrèges, Aja Donica, 20123 Cognocoli-Monticchi, tél. 04.95.24.35.54, fax 04.95.24.38.07, e-mail vaccelli@aol.com r.-v.

Patrimonio

La petite enclave (420 ha en production) de terrains calcaires, qui, depuis le golfe de Saint-Florent, se développe vers l'est et surtout vers le sud, présente vraiment les caractères d'un cru bien homogène dans lequel l'encépagement, s'il est bien adapté, permet d'obtenir des vins de très haut niveau. Ce sont le niellucciu à 90 % en rouge et le vermentino à 100 % en blanc qui donnent des produits très typés et d'excellente qualité. Selon les millésimes, les rouges peuvent être somptueux et de très longue garde. La production est répartie en moyenne entre 50 % de rouges, 18 % de blancs et 32 % de rosés.

NAPOLÉON BRIZI 2005 ★

2,5 ha 10 000 5 à 8 €

Tiercé gagnant pour Napoléon Brizi qui, cette année, voit ses trois couleurs de vin retenues par les dégustateurs. Le rosé, en robe soutenue, libère de fines notes fruitées et beurrées, puis offre une bouche pleine et fraîche. Pour accompagner une cuisine relevée ou des sushis. Cité, le **2004 rouge**, assez léger en couleur comme en tanins, est à consommer jeune, servi entre 14 et 16 °C, avec une viande grillée. Le **blanc 2005**, tout en légèreté et en finesse, sera le bienvenu à l'apéritif. Une citation lui est également attribuée.

Napoléon Brizi, 20217 Saint-Florent, tél. et fax 04.95.37.08.26 r.-v.

DOM. DE CATARELLI 2004 ★

3 ha 12 000 5 à 8 €

Laurent Le Stunff, propriétaire des 8 ha du domaine situé sur la route ouest du cap Corse, propose un 2004 aux arômes de violette. Incontestablement vinifié à l'aide d'une technologie moderne, celui-ci fait preuve d'harmonie grâce à une structure souple et une chair empreinte de fruits rouges, de sous-bois et de notes légèrement épicées. Le sciaccarellu, présent dans l'assemblage, n'y est probablement pas étranger. Un vin dont l'accord sera facile à trouver et qui pourra être servi rapidement.

EARL Dom. de Catarelli, marina de Farinole, rte de Nonza, 20253 Patrimonio, tél. 04.95.37.02.84, fax 04.95.37.18.72

t.l.j. sf dim. 9h-12h 15h-19h; f. nov.-mars

Laurent Le Stunff

CLOS CLEMENTI 2004 ★★

2 ha 7 000 5 à 8 €

Antoine et Jean-Pierre Clementi, jeunes vignerons, ont repris le vignoble familial créé par leur grand-père en 1936 et qui couvre aujourd'hui une dizaine d'hectares. Leur 2004, issu à 90 % de niellucciu, présente toutes les caractéristiques du patrimonio : couleur rubis profond, notes de fruits rouges et de sous-bois nuancées de pointes épicées, tanins présents mais veloutés. Un vin de garde à attendre encore deux ans, puis à servir avec un filet de bœuf aux cèpes. La **cuvée Emma 2005 blanc**, citée, à base de vermentinu, est encore un peu timide, mais on devine de jolies notes d'agrumes et une pointe de menthol. La bouche est fraîche et persistante. À découvrir avec un poisson mariné à l'huile d'olive, cuisiné en papillote.

Jean-Pierre Clementi, hameau Olivacce, 20232 Poggio-d'Oletta, tél. 06.76.47.51.67, fax 04.95.39.05.62, e-mail closclementi@aol.com

t.l.j. 9h-17h; f. en hiver

CLOS DE BERNARDI 2004 ★★

5 ha 20 000 8 à 11 €

Jean-Laurent de Bernardi est un homme réservé. Pourtant, il a accepté d'être président du Syndicat de patrimonio il y a quelques années. La propriété d'un seul tenant, créée en 1880, bénéficie d'un terroir exceptionnel, travaillé à l'ancienne et qui réserve encore des secrets. Les vins qu'il élabore avec son frère Jean-Paul sont, cette année, d'un haut niveau. Ce 2004 rubis chatoyant laisse échapper des effluves complexes de fruits noirs, ponctués de notes réglissées et épicées. Un corps sculptural, des rondeurs, de l'équilibre, du fruit mûr, des tanins fins et une finale qui n'en finit pas... Superbe ! Le **2005 blanc (5 à 8 €)**, pur malvasia (autre nom du vermentinu en Corse), brille d'une étoile. Une petite production de 4 000 bouteilles issue d'un rendement de 30 hl/ha a favorisé l'expression du terroir et du cépage.

Jean-Laurent de Bernardi, 20253 Patrimonio, tél. 04.95.37.01.09, fax 04.95.32.07.66

t.l.j. 9h-13h 14h-19h

CLOS MARFISI Vieilles Vignes 2004 ★

2,5 ha 10 000 8 à 11 €

Le Clos Marfisi (12 ha) possède un terroir remarquable, visible sur la route ouest du cap Corse, en allant vers Nonza. Cette cuvée, élevée douze mois en cuve, se drape de rubis à reflets légèrement tuilés et dévoile des notes de pruneau et de fruits confits. Harmonieuse, elle peut compter sur des tanins élégants, sans excès. À boire sans attendre avec une côte de bœuf au barbecue. La cuvée **Vieilles Vignes 2005 blanc** est citée. Plutôt discrète, elle présente une palette typique du vermentinu sur les agrumes et les fleurs blanches. Goûtez-la avec un poisson grillé ou, plus simplement, à l'apéritif.

Toussaint Marfisi, Clos Marfisi, av. Jules-Ventre, 20253 Patrimonio, tél. 04.95.37.07.49, fax 04.95.37.06.37

t.l.j. 9h-13h 14h-19h; f. déc.

CLOS SAN QUILICO 2005

■ 6 ha 35 000 ■ 5 à 8 €

Le domaine San Quilico est l'autre propriété d'Henri Orenga, située à Poggio d'Oletta. À compter de 2006 (et du millésime 2004 en rouge), il change de nom pour devenir Clos San Quilico. Vignoble de 35 ha d'un seul tenant, il a droit à ce nom. Ce rosé de couleur claire développe des arômes de fruits rouges printaniers que l'on retrouve en bouche, soutenus par une vivacité rafraîchissante. Servez-le à l'apéritif ou avec une salade de légumes. Le **2004 rouge**, élevé en cuve, présente des tanins encore jeunes qui imposent un séjour en cave de dix-huit mois. Il se mariera ensuite avec un rôti de bœuf braisé ou un fromage de caractère. Une citation lui revient également.

EARL Dom. San Quilico, Morta-Majo, 20253 Patrimonio, tél. 04.95.37.45.00, fax 04.95.37.14.25 r.-v.

Henri Orenga

CLOS TEDDI 2005 *

■ 3 ha 12 000 ■ 5 à 8 €

Depuis 1999, Marie-Brigitte Poli-Juillard a repris en main les vinifications, après un court passage par le système coopératif. Son vignoble de 35 ha, situé dans les premiers kilomètres du désert des Agriates, n'est accessible que par une piste difficile. La patience étant toujours récompensée, vous découvrirez à votre arrivée une charmante vigneronne et deux vins très réussis. Ce blanc moderne en robe jaune et brillante présente des arômes puissants de fleurs blanches, de miel et de pêche. En bouche, appuyée par une fraîcheur printanière, la gamme aromatique se complète de quelques pointes d'agrumes. Réservez cette bouteille à un saumon aux agrumes. Une étoile également pour le **2005 rosé**, à reflets violacés, qui présente des touches amyliques au nez. Encore vif en bouche, sur une gamme épicée, il sera à son aise dès septembre en compagnie d'une salade de poivrons doux grillés.

Marie-Brigitte Poli-Juillard, EARL Clos Teddi, Casta, sentier des Agriates, 20217 Saint-Florent, tél. 06.10.84.11.73, fax 04.95.37.24.07 r.-v.

DOM. GENTILE 2005 *

■ 4 ha 20 000 ■ 11 à 15 €

Jean-Paul Gentile présente un vin issu à 100 % de vermentinu, dont les dégustateurs ont souligné l'harmonie générale. Jaune à reflets verts, il flatte par ses notes d'agrumes et de fleurs blanches, complétées de touches exotiques. Long en bouche, sans agressivité, il sera apprécié dans sa jeunesse, mais quelques bouteilles pourront être conservées une ou deux années pour accompagner un beaufort ou un abondance. Cité, le **2002 rouge (15 à 23 €)**, élevé un an en foudre, présente une robe légèrement tuilée. Le nez est un peu fermé, aussi conviendra-t-il de le passer en carafe pour mieux révéler ses arômes de sous-bois et d'épices. Souple en bouche, il conviendra à un rôti de bœuf en croûte de poivre.

Dom. Gentile, Olzo, 20217 Saint-Florent, tél. 04.95.37.01.54, fax 04.95.37.16.69, e-mail domaine.gentile@wanadoo.fr t.l.j. sf dim. 8h30-12h 14h30-19h

GIACOMETTI Cru des Agriates 2004 **

■ 16 ha 25 000 5 à 8 €

Christian Giacometti est devenu en quelques années un maître de l'appellation. N'a-t-il pas obtenu un coup de cœur l'an dernier ? Sa propriété se situe dans la partie la plus septentrionale de patrimonio, dans le désert des Agriates. Ce 2004 carmin décline des notes de fruits rouges confits, relevées de pointes poivrées, tandis qu'en bouche il est rythmé par des touches boisées et des tanins fins. La **cuvée Sarah 2004 (8 à 11 €)**, aux arômes de fruits confiturés et de sous-bois légèrement balsamiques, se montre assez souple pour être servie fraîche dans sa jeunesse, en accompagnement d'un tajine d'agneau relevé à la coriandre. Elle obtient une étoile. Le **cru des Agriates 2005 rosé**, habillé de clair et équilibré, est cité.

Christian Giacometti, Casta, 20217 Saint-Florent, tél. 04.95.37.00.72, fax 04.95.37.19.49 t.l.j. sf sam. dim. 8h-12h 14h-18h

DOM. GIUDICELLI 2005 **

■ 1,7 ha 5 600 ■ 8 à 11 €

2005
Domaine Giudicelli
PATRIMONIO
Appellation Patrimonio contrôlée
13,5% alc. by vol.
750 ml
MIS EN BOUTEILLE AU DOMAINE
POGGIO D'OLETTA - 20 232 CORSICA - FRANCE

L'exploitation, en cours de conversion à l'agriculture biologique, dispose de sols argilo-calcaires dont la capacité à produire de grands vins est indéniable. D'année en année, Muriel Giudicelli assure une constance dans la qualité de sa production, si bien qu'en 2002 elle a décidé de ne pas revendiquer l'appellation, insatisfaite des résultats obtenus. En revanche, elle peut être fière du 2005. Vêtu d'une robe d'été rose soutenu, ce vin affiche un nez intense, festival de fruits rouges et de fleurs qui se prolonge en bouche. L'équilibre et la longueur sont remarquables. Le **Domaine Giudicelli 2005 blanc**, cité, est encore timide, mais ne manquera pas de se révéler dans les prochains mois. Le **2004 rouge**, élevé dix-huit mois en cuve, est cité également pour son nez original, puissant et complexe. Les tanins un peu austères incitent à une garde de deux ans.

Muriel Giudicelli-Liobard, 5, bd Auguste-Gaudin, 20200 Bastia, tél. et fax 04.95.35.62.31, e-mail muriel.giudicelli@wanadoo.fr r.-v.

DOM. LAZZARINI 2004 *

■ 2,5 ha 1 300 ■ 5 à 8 €

Les frères Lazzarini, sourire aux lèvres et œil malicieux, vous accueilleront dans leur caveau qui domine la cave, modernisée en 2004, à l'entrée de Patrimonio. Ne manquez pas la belle collection de photos les représentant *in situ*. Cette toute petite cuvée attire par sa robe cerise avant de charmer par ses notes de beurre, de fruits rouges et de réglisse. Sa belle matière enrobe les tanins et laisse un souvenir fruité. Profitez de ce vin dans son jeune âge avec des charcuteries corses ou un fromage de brebis. Une citation est attribuée au **2005 blanc**, clair et fruité, qui accompagnera un pavé de cabillaud aux herbes du maquis.

Dom. Lazzarini, 20253 Patrimonio, tél. 04.95.37.18.61, fax 04.95.37.13.17, e-mail christophe.lazzarini@wanadoo.fr t.l.j. 7h-19h; f. fin oct.-début avr.

CORSE

DOM. LECCIA Petra Bianca 2003 ★★

■	2,5 ha	12 000	▮ 15 à 23 €

Une nouvelle aventure pour le domaine, conduit depuis les vendanges 2005 en solo par Annette Leccia. Un nouvel œnologue, Michel Guagnini, a pris ses fonctions au cours de l'année pour relever le défi. Le terroir, les cépages et le savoir-faire sont là, donc pas d'inquiétude ! Le 2003, élevé vingt-quatre mois en cuve, livre une palette complexe, riche d'épices, de fruits mûrs confits et de notes animales. Il peut évidemment attendre encore, pour les gourmets patients. Le **2005 rosé (8 à 11 €)**, de teinte soutenue à reflets violacés, est cité pour son harmonie gustative.

🔑 Annette Leccia, Dom. Leccia, Morta-Piana, 20232 Poggio-d'Oletta, tél. 04.95.37.11.35, fax 04.95.37.17.03, e-mail domaine.leccia@wanadoo.fr
☒ 🍷 🚶 t.l.j. sf dim. 9h-19h

YVES LECCIA 2005 ★★

▒	1 ha	6 000	▮ 15 à 23 €

Installé depuis 1980 sur le domaine familial qu'il a dirigé avec sa sœur Annette, Yves Leccia a fait le choix en 2005 de créer son propre domaine, reprenant une partie des vignes de son père situées au lieu-dit E Croce. Son vin blanc, issu de pressée directe et élevé quelques mois sur lies fines, a enthousiasmé le grand jury. Du grand Yves Leccia ! Tout y est ! Intensité, subtilité et complexité aromatique. Bouche expressive, suave qui n'en finit pas d'enchanter les papilles. Le nec plus ultra ? Les blancs d'Yves Leccia se boivent jeunes ou vieux car ils s'enrichissent considérablement avec l'âge. Noté une étoile, le **2004 rouge (11 à 15 €)**, d'un rubis sombre, décline les arômes typiques du niellucciu : fruits rouges et noirs, épices et réglisse. La bouche, bien structurée, augure une capacité de moyenne garde.

🔑 Yves Leccia, lieu-dit Morta Piana, 20232 Poggio-d'Oletta, tél. et fax 04.95.30.72.33, e-mail leccia.yves@wanadoo.fr
☒ 🍷 🚶 t.l.j. 10h-12h30 15h-19h; f. janv. fév.

LOUIS MONTEMAGNI
Cuvée Prestige du Menhir 2005 ★★

▒	3 ha	18 000	▮ 5 à 8 €

Le domaine vinifie quelques cuvées spéciales, dont celle du Menhir sous la houlette d'Aurélie Melleray, œnologue. Ce 2005 offre des notes de fruits exotiques, relevées de touches d'anis et de poivre blanc. Expressif et persistant en bouche, il accompagnera un poisson du golfe de Saint-Florent, grillé au fenouil. Quelques bouteilles pourront être conservées jusqu'au printemps 2007. La **cuvée Prestige du Menhir 2005 rosé** est citée. Rose pâle, elle présente une structure légère et de fins arômes d'agrumes et de cerise. Une étoile brille pour le **Domaine Montemagni 2005 blanc (3 à 5 €)**, vin original, habillé de clair, surfant sur une gamme aromatique allant de la pomme verte à la noix de muscade en passant par les fleurs blanches et une pointe muscatée. Léger en bouche, il peut être apprécié dans sa jeunesse, à l'apéritif.

🔑 SCEA Montemagni, Puccinasca, 20253 Patrimonio, tél. 04.95.37.14.46, fax 04.95.37.17.15, e-mail scea.montemagni@wanadoo.fr
☒ 🍷 🚶 r.-v. 🏠 3

DOM. NOVELLA 2005

▒	1,5 ha	3 300	▮ 5 à 8 €

Pierre-Marie Novella a repris la propriété familiale en 1976. Les plus rapides d'entre vous seront satisfaits d'acquérir ce 2005 pour accompagner un bar grillé au romarin. Les arômes de citron vert et d'ananas, rehaussés de menthol et d'eucalyptus, seront en parfait accord. Le **rosé 2005**, issu de niellucciu et de vermentinu, se montre timide, mais s'ouvrira bientôt pour vous plaire à l'apéritif.

🔑 Pierre-Marie Novella, 20232 Oletta, tél. et fax 04.95.39.07.41 ☒ 🍷 🚶 r.-v.

ORENGA DE GAFFORY Cuvée Felice 2004 ★★

■	3 ha	8 000	▮ 8 à 11 €

Depuis 2003, Henri Orenga a enrichi sa gamme par une nouvelle cuvée : Felice. Une cuvée confidentielle par rapport à l'importance de la propriété. Vinifié de manière traditionnelle, sans élevage en barrique, le 2004 a été présenté à la finale du grand jury et a manqué de peu le coup de cœur. Il s'habille de rouge profond et révèle toute l'expression aromatique du niellucciu dont il est issu : fruits rouges, complétés d'une pointe de cuir. Ses riches tanins s'enveloppent d'une chair ronde. Il ne faudra pas hésiter à conserver quelques bouteilles en cave, mais les plus impatients l'apprécieront jeune avec un civet de marcassin. Le **Domaine de Gaffory 2005 blanc (5 à 8 €)**, né du vermentinu, obtient une étoile. Encore timide, vif en bouche, il sera servi à l'apéritif. Une étoile également pour le **rosé 2005 (5 à 8 €)**, très clair, aux fragrances florales et épicées. D'une agréable vivacité et d'une longueur remarquée, il s'accordera à un tajine de viande ou de poisson.

🔑 GFA Orenga de Gaffory, Morta-Majo, 20253 Patrimonio, tél. 04.95.37.45.00, fax 04.95.37.14.25, e-mail domaine.orenga@wanadoo.fr ☒ 🍷 🚶 r.-v.
🔑 Henri Orenga

DOM. PASTRICCIOLA 2003 ★★

■	4 ha	15 000	▮ 5 à 8 €

Le domaine, repris par trois copains vignerons en 1989, se situe à la sortie du village de Patrimonio, en direction de Saint-Florent. D'un seul tenant, les 15 ha s'étendent en coteaux exposés sud-sud-est : un modèle cultural. Des rendements très bas de 28 hl/ha sont à l'origine de ce vin d'une grande complexité par ses arômes d'épices, de fruits rouges confits qui se prolongent en bouche merveilleusement. À boire dès à présent en accompagnement de viandes grillées, de prizuttu ou d'un fromage corse affiné.

🔑 GAEC Pastricciola, rte de Saint-Florent, 20253 Patrimonio, tél. 04.95.37.18.31, fax 04.95.37.08.83 ☒ 🍷 🚶 t.l.j. 9h-19h; f. nov.

Muscat-du-cap-corse

L'appellation muscat-du-cap-corse a été reconnue par décret en date du 26 mars 1993. C'est l'aboutissement des longs efforts d'une poignée de vignerons regroupés sur les terroirs calcaires de Patrimonio et ceux, schisteux, de l'AOC vins-de-corse coteaux-du-cap-corse, soit 17 communes de l'extrême nord du l'île couvrant 105 ha.

Les vins élaborés à partir de muscat blanc à petits grains répondent aux conditions de production des vins doux naturels, mariage du raisin avec une eau-de-vie de vin, principe du mutage qui, appliqué en pleine fermentation sur le raisin muscat, arrête celle-ci et préserve ainsi au moins 95 g/l de sucres résiduels. Ce sont de délicieux vins très frais qui pourraient être servis lors des cocktails avec des canapés de foie gras ou du fromage et des salades de fruits.

CASA ANGELI 2005

0,8 ha 1 400 11 à 15 €

Ce domaine, situé sur la jolie commune de Tomino, dans le nord du cap Corse, est présent dans le Guide pour la deuxième fois. Coup de cœur l'an dernier, Antoine Angeli a réussi ce millésime équilibré et long en bouche, aux notes florales, à l'image de l'étiquette originale qui orne la bouteille. Le nombre de bouteilles est limité : n'hésitez pas !

Antoine Angeli, Casa Angeli,
Stoppione, 20248 Tomino,
tél. 06.76.99.15.36, fax 04.95.32.07.79
r.-v.

NAPOLÉON BRIZI 2005 *

3,25 ha 13 300 8 à 11 €

Situé entre la commune de Saint-Florent et de Patrimonio, ce vignoble a été créé en 1900. Ce vigneron expérimenté dirige ce domaine depuis 1975 ; il est régulièrement présent dans le Guide. Le millésime 2005, très aromatique, est caractérisé par un goût fruité, un bel équilibre et de la rondeur. Les senteurs de fleur d'oranger font de ce vin très doux et persistant un excellent compagnon des desserts peu sucrés.

Napoléon Brizi, 20217 Saint-Florent,
tél. et fax 04.95.37.08.26 r.-v.

DOM. DE CATARELLI 2005 *

1 ha 4 000 11 à 15 €

Faisant face au désert des Agriates, le vignoble de la famille Le Stunff est situé à proximité de la mer, non loin d'une petite crique où il fait bon se reposer. Ce vin doré, élaboré dans une cave récente, semi-enterrée, ravira par son harmonie. Expressif, il est riche d'arômes persistants de fruits mûrs et de fleurs blanches, mis en valeur par un bon équilibre. À boire dès à présent ou à laisser vieillir.

EARL Dom. de Catarelli, marina de Farinole,
rte de Nonza, 20253 Patrimonio,
tél. 04.95.37.02.84, fax 04.95.37.18.72
t.l.j. sf dim. 9h-12h 15h-19h; f. nov.-mars
Laurent Le Stunff

CLOS NICROSI Muscatellu 2005 **

4 ha 7 000 11 à 15 €

Un muscatellu sinon... rien ! Bien frais et sans glace, bien sûr ! Voilà ce que vous pourriez demander à la terrasse d'un café, par une fin de journée pour évoquer les plaisirs partagés... Ce 2005 couleur d'or aux reflets d'ambre est un hommage au savoir-faire, un hymne à la tradition. Des vins comme celui-ci, il ne s'en fait plus beaucoup et c'est bien dommage. Le Clos Nicrosi signe une bouteille remarquable qui mérite le nom de nectar. Dans un bal d'arômes de fruits mûrs, passerillés et confits, il vous emporte vers la Corse authentique.

Jean-Noël Luigi,
SCEA Clos Nicrosi, 20247 Rogliano,
tél. 04.95.35.41.17, fax 04.95.35.47.94,
e-mail clos.nicrosi@wanadoo.fr
t.l.j. 10h-12h 16h-19h; f. 1er oct.-20 mai

CLOS SAN QUILICO 2005 **

3 ha 12 500 8 à 11 €

Les vignes de muscat à petits grains sont implantées sur des coteaux argilo-calcaires et schisteux au cœur d'un domaine de 35 ha situé non loin de la magnifique chapelle San Quilico. Ce vin moderne est le fruit d'une conduite traditionnelle de la vigne. La robe jaune clair à reflets verts est brillante, d'une élégance égale à celle du nez floral et fruité, discret. En bouche, le fruit frais est associé à des arômes délicats de citronnelle et de verveine. À savourer très frais, en apéritif ou en accompagnement d'un dessert à la châtaigne.

EARL Dom. San Quilico,
Morta-Majo, 20253 Patrimonio,
tél. 04.95.37.45.00, fax 04.95.37.14.25 r.-v.
Henri Orenga

DOM. GENTILE 2005

▒ 3,99 ha 15 000 15 à 23 €

Le Domaine Gentile propose un 2005 aux reflets dorés, brillant. Les arômes, fins et discrets, s'inscrivent dans le registre floral. La bouche est ronde, équilibrée et fruitée. Idéal en accompagnement d'un dessert au chocolat noir.

Dom. Gentile, Olzo, 20217 Saint-Florent,
tél. 04.95.37.01.54, fax 04.95.37.16.69,
e-mail domaine.gentile@wanadoo.fr
t.l.j. sf dim. 8h30-12h 14h30-19h

DOM. LAZZARINI 2005

▒ 7 ha 22 600 8 à 11 €

Rendez-vous au village de Patrimonio, au cœur d'un vignoble ancestral pour découvrir ce vin équilibré et harmonieux. Un muscat typé par des arômes de fleurs blanches et de mangue qui accompagnera fort bien un foie gras. Un domaine qui a déjà obtenu trois coups de cœur.

Dom. Lazzarini, 20253 Patrimonio,
tél. 04.95.37.18.61, fax 04.95.37.13.17,
e-mail christophe.lazzarini@wanadoo.fr
t.l.j. 7h-19h; f. fin oct.-début avr.

DOM. LECCIA 2005 ★★

▒ 3,2 ha 13 000 15 à 23 €

Le vignoble est situé sur la commune de Poggio-d'Oletta, sur un terroir argilo-calcaire. Ce vin a bénéficié des techniques modernes. Le jury a apprécié son expression harmonieuse, tant aromatique que gustative. C'est un muscat jaune doré, dont les arômes complexes de fruits secs et de rose montent en puissance au palais, jusqu'à la longue finale.

Annette Leccia,
Dom. Leccia, Morta-Piana, 20232 Poggio-d'Oletta,
tél. 04.95.37.11.35, fax 04.95.37.17.03,
e-mail domaine.leccia@wanadoo.fr
t.l.j. sf dim. 9h-19h

LE SUD-OUEST

LE SUD-OUEST

Groupant sous la même bannière des appellations aussi éloignées qu'irouléguy, bergerac ou gaillac, la région viticole du Sud-Ouest rassemble ce que les Bordelais appelaient « les vins du Haut-Pays » et le vignoble de l'Adour. Jusqu'à l'apparition du rail, le premier groupe, qui correspond aux vignobles de la Garonne et de la Dordogne, a vécu sous l'autorité bordelaise. Fort de sa position géographique et des privilèges royaux, le port de la Lune dictait sa loi aux vins de Duras, Buzet, Fronton, Cahors, Gaillac et Bergerac. Tous devaient attendre que la récolte bordelaise soit entièrement vendue aux amateurs d'outre-Manche et aux négociants hollandais avant d'être embarqués, quand ils n'étaient pas utilisés comme vin « médecin » pour remonter certains clarets. De leur côté, les vins du piémont pyrénéen ne dépendaient pas de Bordeaux, mais étaient soumis à une navigation hasardeuse sur l'Adour avant d'atteindre Bayonne. On peut comprendre que, dans ces conditions, leur renommée ait rarement dépassé le voisinage immédiat.

Et pourtant, ces vignobles, parmi les plus anciens de France, sont le véritable musée ampélographique des cépages d'autrefois. Nulle part ailleurs on ne trouve une telle diversité de variétés. De tout temps, les Gascons ont voulu avoir leur vin et, quand on connaît leur goût du particularisme, on ne s'étonne pas de la découverte de ces terroirs épars et de leur forte personnalité. Les cépages manseng, tannat, négrette, duras, len-de-l'el (loin-de-l'œil), mauzac, fer-servadou, arrufiac et baroque ainsi que le raffiat de Moncade et le camaralet de Lasseube au nom charmant sont sortis de la nuit des temps viticoles et donnent à ces vins des accents d'authenticité, de sincérité et de typicité inimitables. Loin de renier le qualificatif de vin « paysan », toutes ces appellations le revendiquent avec fierté en donnant à ce terme toute sa noblesse. La viticulture n'a pas exclu les autres activités agricoles, et les vins côtoient sur le marché les produits fermiers avec lesquels ils se marient tout naturellement. Les cuisines locales trouvent dans les vins de leur pays une confraternité qui fait de ce Sud-Ouest l'une des régions privilégiées de la gastronomie de tradition.

Le piémont du Massif central

Cahors

D'origine gallo-romaine, le vignoble de Cahors (4 110 ha déclarés pour 189 195 hl en 2005) est l'un des plus anciens de France. Jean XXII, pape d'Avignon, fit venir des vignerons quercinois pour cultiver le châteauneuf-du-pape, et François Ier planta à Fontainebleau un cépage cadurcien ; l'Église orthodoxe l'adopta comme vin de messe et la cour des tsars comme vin d'apparat... Pourtant, le vignoble de Cahors revient de loin ! Totalement anéanti par les gelées de 1956, il était retombé à 1 % de sa surface antérieure. Reconstitué dans les méandres de la vallée du Lot avec des cépages nobles traditionnels – le principal étant l'auxerrois qui porte aussi les noms de cot ou malbec, représentant 70 % de l'encépagement, complété par le tannat (moins de 2 %) ou le merlot (environ 20 %) –, le terroir de Cahors a retrouvé la place qu'il mérite parmi les terres productrices de vins de qualité. On assiste d'ailleurs à des tentatives courageuses de reconstitution sur les causses, comme dans les temps anciens.

Les cahors sont puissants, robustes, hauts en couleur (le *black wine* des Anglais) ; ce sont incontestablement des vins de garde. Un cahors peut toutefois être bu jeune : il est alors charnu et aromatique avec un bon fruité, et doit être consommé légèrement rafraîchi, sur des grillades par exemple. Après deux ou trois années où il devient fermé et austère, le cahors se reprend, pour donner toute son harmonie au bout d'un délai égal, avec des arômes de sous-bois et d'épices. Sa rondeur, son ampleur en bouche en font le compagnon idéal des truffes sous la cendre, des cèpes et du gibier. Les différences de terroir, d'encépagement et de vinification donneront des vins plus ou moins aptes à la garde.

JEAN-LUC BALDÈS Pierres rouges 2004 ★★

■ 15 ha 20 000 ▮ 3 à 5 €

Le nom de Baldès, famille pilier de l'appellation, est inséparable de l'histoire moderne du cahors. Cette année, c'est la cuvée Pierres rouges, vin de belle extraction élevé longuement (dix-huit mois), qui a retenu l'attention du jury. Le rideau d'une couleur profonde aux reflets violacés se lève sur une trilogie fruits rouges, violette, épices. Celle-ci s'exprime au nez, puis se retrouve dans une bouche classique et gourmande, dont les tanins présents, mais déjà ronds, sont un gage de longévité.

🗝 SARL Jean-Luc Baldès-Triguedina, Les Poujols, 46700 Vire-sur-Lot, tél. 05.65.21.30.81, fax 05.65.21.39.28, e-mail triguedina@laposte.net
☑ Ɪ ⛹ r.-v.
🗝 Jean-Luc Baldès

CH. LES BOUYSSES 2004 ★

■ 20 ha 80 000 ◐ 8 à 11 €

La coopérative de Parnac voit trois de ses vins élevés en fût sélectionnés par le jury. Ce château tout d'abord, d'un beau classicisme, a été apprécié pour son nez réglissé et confituré et sa bouche équilibrée, bien structurée. Il demandera quelques années de garde pour gagner encore en harmonie. Une étoile également pour la cuvée **Terre de Gaule 2004 Vieilles Vignes Élevé en fût de chêne (5 à 8 €)**, au nez plus marqué par les fruits rouges et aux tanins encore fermes. Enfin, une citation pour le **Château Beauvillain-Monpezat 2004 Élevé en fût de chêne (5 à 8 €)**, au nez expressif de fruits noirs et cuits et à la bouche plus souple. Une jolie palette de cahors, une gamme de plaisir.

🗝 Côtes d'Olt, 46140 Parnac, tél. 05.65.30.71.86, fax 05.65.30.35.28 ☑ Ɪ ⛹ r.-v.

CH. LA CAMINADE Esprit 2003 ★★

■ 1 ha 3 300 ◐ 30 à 38 €

Voici un Esprit qui ne manque pas de suite dans les idées... Déjà deux fois coup de cœur, cette cuvée décroche à nouveau cette année deux étoiles. Rubis à reflets cerise, elle livre un nez complexe marqué par les arômes de fruits (mûre, cassis) et par le séjour en fût, qui lui a conféré des notes de caramel et de vanille. La bouche réussit un parfait équilibre, avec beaucoup de chair et une puissance maîtrisée. Un grand classique. Des mêmes auteurs, la **Mission La Caminade 2004 (3 à 5 €)** obtient une étoile pour son fruité et sa belle matière.

🗝 Ressès et Fils, SCEA Ch. La Caminade, 46140 Parnac, tél. 05.65.30.73.05, fax 05.65.20.17.04, e-mail resses@wanadoo.fr
☑ Ɪ t.l.j. sf sam. dim. 9h-11h30 14h-18h

CH. CAMP DEL SALTRE

Chevalier de Malecoste Élevé en fût de chêne 2004 ★

■ 2 ha 10 000 ◐ 5 à 8 €

Pur malbec, ce Chevalier élevé un an en fût devra encore patienter en cave avant d'être dégusté. Qu'il n'ait crainte, il est bien armé pour cela. Le nez offre une belle expression fruitée, agrémentée d'arômes confiturés et de

Le Sud-Ouest

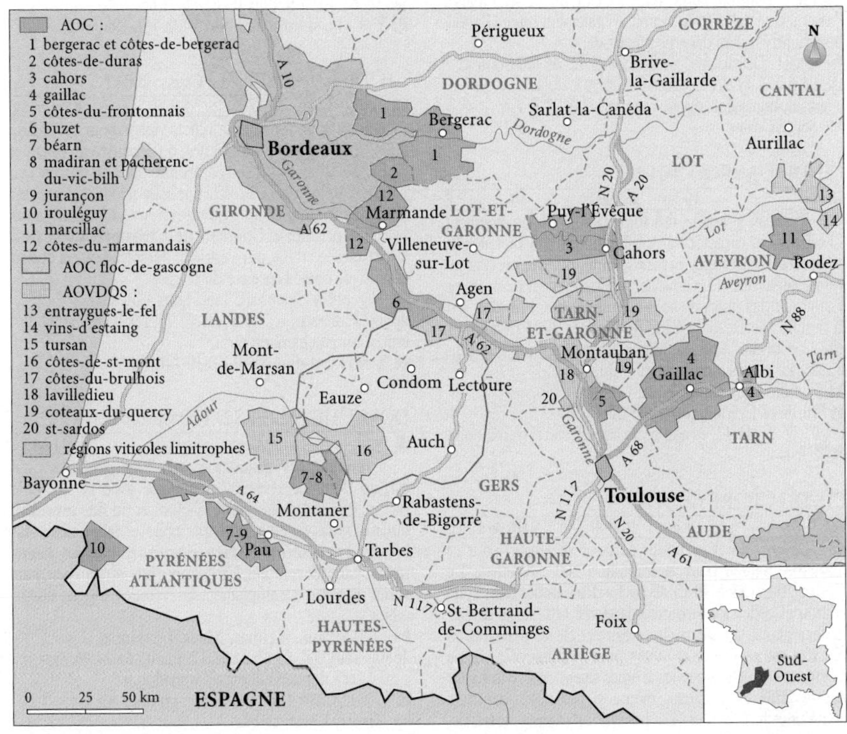

notes boisées bien marquées. Les fruits rouges se retrouvent au palais associés à la vanille, dans une bouche agréable, longue et équilibrée.
⊶ Gérard Delbru, Ch. Camp del Saltre, rte du Collège, 46220 Prayssac, tél. 05.65.22.42.40, e-mail d.g.delbru@wanadoo.fr ☑ Y ⛹ r.-v.

CH. CANTELAUZE Le Cotagé 2004 ★

■ 2 ha 4 000 ▮ 5 à 8 €

Ce Cotagé est né de malbec, cépage également appelé cot, implanté sur des graves argileuses. D'une couleur pourpre violet, il joue la carte de la concentration. On le devine dès le nez, particulièrement complexe et expressif, où se côtoient fruits rouges, myrtille, mûre et notes de menthol. La bouche reste souple et très équilibrée. Un vin plein de sensualité.
⊶ Laurent Nominé, Ch. Cantelauze, Lieu-dit Cantelauze, 46700 Duravel, tél. et fax 05.65.20.11.84, e-mail nominel@aol.com
☑ Y ⛹ t.l.j. 10h-13h 16h-20h 🏠 Ⓖ

DOM. DE CAUSE
Notre-Dame des Champs 2003 ★★

■ 4 ha 8 300 ⏛ 11 à 15 €

Ce domaine est un grand habitué du Guide, et cette cuvée tout en élégance, à la belle robe grenat, ne l'est pas moins. Après une année d'élevage en fût, elle a su conserver tout le panier de fruits de son bouquet, fruits noirs, plutôt cassis, que viennent relever des notes de réglisse, d'épices et un fond de boisé. Ce fruité se confirme dans une bouche aux tanins puissants qui demandent à s'arrondir. La cuvée **La Lande Cavagnac 2003 (8 à 11 €)**, du même style mais à l'assemblage de 15 % de tannat, a également retenu l'attention du jury qui lui décerne une étoile.
⊶ EARL Durou et Costes, Cavagnac, 46700 Soturac, tél. 05.65.36.41.96, fax 05.65.36.41.95, e-mail domainedecause@wanadoo.fr ☑ Y ⛹ r.-v.
⊶ Serge Costes

CH. DU CAYROU 2004 ★

■ 30 ha 80 000 ⏛ 5 à 8 €

Franc et agréable, tels sont les adjectifs qui viennent à l'esprit pour caractériser ce cahors. Vêtu de violet, il mêle au nez les fruits rouges au cassis, senteurs soutenues par un vanillé bien fondu. La bouche, ronde, rejoue les arômes en y ajoutant des notes de sous-bois. Également produit par la famille Jouffreau, le **Clos de Gamot 2004 (8 à 11 €)**, cité, s'exprime dans la même ligne avec un nez plus framboisé et des tanins plus marqués.
⊶ Famille Jouffreau, Ch. du Cayrou, 46700 Puy-l'Évêque, tél. 05.65.22.40.26, fax 05.65.22.45.44, e-mail maisonjouffreau@wanadoo.fr
☑ Y ⛹ r.-v.

CH. DU CÈDRE GC 2003 ★★

■ 5 ha 10 000 ⏛ 46 à 76 €

Les années et les coups de cœur se suivent pour ce domaine. Sacrée pour le millésime 2002, la cuvée **Le Cèdre 2003 (23 à 30 €)** décroche deux étoiles dans cette édition et cède sa couronne à la cuvée GC. Issue de pur malbec planté sur sol argilo-calcaire et élevée deux ans en fût, elle est puissante et taillée pour la longévité. On ne s'étonnera donc pas que les arômes soient encore dominés par le grillé et le cacao, même si des notes de fruits commencent à percer. La bouche est ample, torréfiée,

fumée. On laissera le temps faire son œuvre (trois ans) et magnifier ce beau vin.
⊶ Verhaeghe et Fils, Ch. du Cèdre, Bru, 46700 Vire-sur-Lot, tél. 05.65.36.53.87, fax 05.65.24.64.36, e-mail chateauducedre@wanadoo.fr
☑ Y ⛹ t.l.j. sf dim. 9h-12h 14h-18h

CH. DE CESSAC 2004 ★

■ 8 ha 5 000 ▮ 3 à 5 €

Voici un cahors très avenant dans sa robe rubis profond. Élevé en cuve et comprenant 15 % de merlot dans son assemblage, il joue sans complexe la carte du fruité. Au nez, les fruits noirs et rouges s'expriment dans un ensemble très gourmand. La bouche est fraîche et souple, sans agressivité, presque gouleyante. Un vin à servir tout de suite, pour le plaisir.
⊶ Alibert-Debaere, rue de l'Église, 46140 Douelle, tél. 05.65.30.91.92, fax 05.65.36.71.66
☑ Y ⛹ t.l.j. sf sam. dim. 9h15-13h 15h-19h

CH. DE CHAMBERT Le Causse 2004 ★

■ 12 ha 55 000 ▮ 3 à 5 €

Belle robe rouge vif à reflets violets pour ce Causse 2004, frais et gourmand. Au nez, on découvre un bouquet de fruits noirs mêlés d'épices, arômes que l'on retrouve au palais. Ample, la bouche offre une belle acidité et des tanins bien maîtrisés par un long élevage en cuve. Une étoile pour la cuvée principale **Château de Chambert 2003 (8 à 11 €)**, élevée en fût, qui s'enrichit de notes boisées et doit encore affronter l'épreuve du temps.
⊶ Vignobles Chambert, Les Hauts Coteaux, 46700 Floressas, tél. 05.65.31.95.75, fax 05.65.31.93.56, e-mail info@chambert.com
☑ Y ⛹ t.l.j. sf dim. 8h30-12h30 14h-18h30

DOM. CHEVALIERS D'HOMS 2004 ★

■ 2,25 ha 12 000 ▮ 11 à 15 €

Habitué des distinctions, en bon chevalier qu'il est, ce domaine revient cette année avec ce 2004 de pur malbec à la robe grenat violacé et au nez expressif, qui marie la violette, les fruits noirs et le pruneau. La bouche est opulente et bien charpentée par des tanins riches, gage d'évolution. Un cahors à attendre un peu, puis à ouvrir pour accompagner des viandes rouges ou du gibier.
⊶ SCEA Dom. d'Homs, Maux, Les Homs, 46800 Saux, tél. 05.65.24.93.12, fax 05.65.24.96.78, e-mail scea.domaine.dhoms@wanadoo.fr
☑ Y ⛹ t.l.j. 10h-18h (19h l'été) ; groupes sur r.-v.
⊶ Thierry Cauzit et Fils

LE CLOS D'UN JOUR
Un Jour sur Terre 2004 ★★

■ 5,5 ha 15 000 8 à 11 €

Beau pari que celui de Véronique et Stéphane Azemar, venus de Paris pour reprendre cette propriété en 1999, avec l'envie de produire des vins de qualité respectueux du terroir... et pari réussi puisqu'ils décrochent cette année deux coups de cœur pour leurs cuvées 100 % malbec. « Un Jour sur Terre » mais dix-huit mois en terre pour ce vin élevé en jarre non émaillée, ce qui permet une oxygénation ménagée naturelle et continue. Il en est sorti habillé d'une robe violacée profonde qui annonce de la concentration. Son bouquet explosif mêle les fruits rouges et la violette à la réglisse et au cacao. La bouche, particulièrement souple, offre une jolie matière et une bonne intensité aromatique. À suivre avec attention. Autre coup de cœur, la cuvée **Un jour... 2004 (11 à 15 €)**, élevée en fût, et tout aussi pleine de promesses.

🔑 Véronique et Stéphane Azemar, Le Port,
46700 Duravel, tél. et fax 05.65.36.56.01,
e-mail s.azemar@wanadoo.fr
☑ 🍷 🚶 t.l.j. sf dim. 10h-19h 🏠 ©

CLOS TROTELIGOTTE La Perdrix 2004

■ 6 ha 30 000 ▮ 5 à 8 €

Cette cuvée s'était déjà distinguée dans notre précédente édition par sa belle extraction. Il en est de même pour ce millésime 2004 qui s'habille d'une magnifique robe aubergine à reflets noirs et se caractérise par ses arômes fruités discrets associés au caramel et au fumé. La bouche est souple, avec des tanins maîtrisés. Une belle expression du terroir.

🔑 C. J. et E. Rybinski, GAEC La Fumade,
Le Cap Blanc, 46090 Villesèque, tél. et
fax 05.65.36.94.58, e-mail clostroteligotte@hotmail.com
☑ 🍷 🚶 t.l.j. sf dim. 9h-18h

CH. LA COUSTARELLE
Grande Cuvée Prestige 2004 ★

■ 15 ha 90 000 🛢 11 à 15 €

Cinq générations se sont succédé depuis 1870 sur cette exploitation, avec toujours le souci de faire des vins de qualité. Cette Grande Cuvée Prestige, née sur la « petite côte » des troisièmes terrasses du Lot, ne déroge pas à la règle. Sous sa robe grenat violacé, son nez encore marqué par le boisé se montre plaisamment confituré. D'attaque franche, la bouche, ample et réglissée, s'achève sur une finale agréable. Une bouteille qui ne manque déjà pas d'intérêt, même s'il faut attendre quelques années pour qu'elle se révèle totalement.

🔑 SCEA Michel et Nadine Cassot, Ch. La Coustarelle,
Les Canis, 46220 Prayssac,
tél. 05.65.22.40.10, fax 05.65.30.62.46,
e-mail chateaulacoustarelle@wanadoo.fr
☑ 🍷 🚶 t.l.j. sf dim. 9h-12h 14h-19h

CH. LES CROISILLE Divin Croisille 2003 ★

■ 1 ha 1 700 🛢 15 à 23 €

Il y a quelque vingt-cinq ans, Cécile et Bernard Croisille ont décidé, en couple et en autodidactes, de se

Cahors

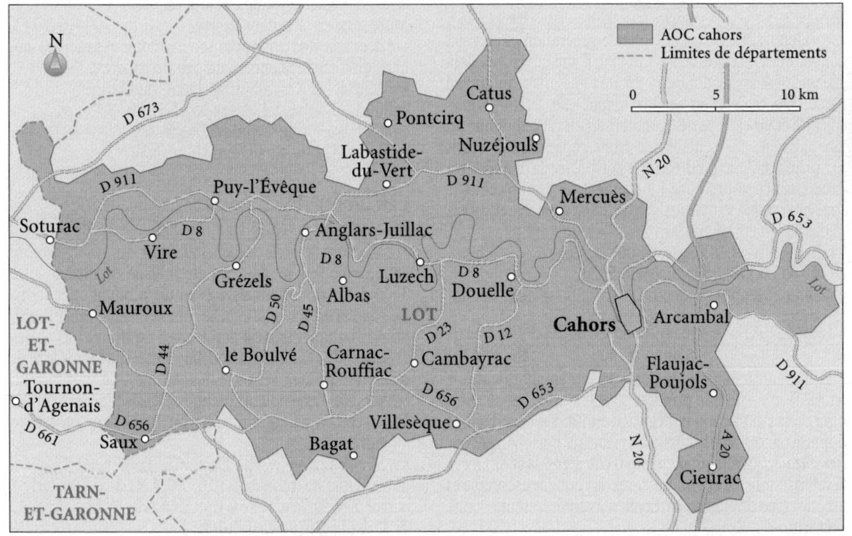

lancer dans le vin en redonnant vie à une très ancienne propriété viticole. Ils proposent aujourd'hui cette cuvée bien aboutie, parée de grenat pourpre, dont le bouquet mêle des arômes intenses de fruits noirs, de cannelle et de toasté. La bouche est concentrée et s'enrichit de fruits confits. Un vin équilibré et plein d'avenir.

Bernard et Cécile Croisille, Fages, 46140 Luzech, tél. 05.65.30.53.88, fax 05.65.30.70.33, e-mail contact@chateaulescroisille.fr.st
t.l.j. sf dim. 9h-19h

CH. CROZE DE PYS 2004 ★★

30 ha | n.c. | 3 à 5 €

Un terroir plutôt siliceux, un assemblage cot-merlot, voilà de quoi personnaliser ce vin qui s'affirme comme un cahors harmonieux, élégant, presque gouleyant. Les arômes du bouquet sont très fins : mûre et cassis, relevés d'épices et de réglisse. On les retrouve au palais dans une bouche charnue et friande. Un très beau vin pour le plaisir, dont vous pourrez profiter dès maintenant. La cuvée **Prestige 2004 Élevé en fût de chêne (5 à 8 €)** obtient une étoile : du même style, elle demande néanmoins encore un peu de patience.

Jean Roche, SCEA des Domaines Roche, Ch. Croze de Pys, 46700 Vire-sur-Lot, tél. 05.65.21.30.13, fax 05.65.30.83.76, e-mail chateau-croze-de-pys@wanadoo.fr r.-v.

CH. DE L'ÉGLANTIER 2004 ★

15 ha | 17 000 | 3 à 5 €

Voici un cahors tout en séduction. Sous une robe grenat à reflets orangés, il dévoile un nez expressif aux arômes de fraise et de violette, relevé d'une pointe de fumé. La bouche, souple, a déjà su assagir ses tanins. Un vin très bien fait qui pourrait accompagner – pourquoi pas ? – des plats exotiques. La **Cuvée du Causse 2003 Vieilli en fût de chêne (8 à 11 €)**, à l'élevage bien maîtrisé, décroche également une étoile.

Michel Benac, Ch. de l'Églantier, Cournou, 46140 Saint-Vincent-Rive-d'Olt, tél. 05.65.30.71.48, fax 05.65.30.54.46 r.-v.

CH. FAGES VIe Génération 2004 ★★

1 ha | 3 000 | 11 à 15 €

Depuis 2005, c'est la septième génération qui est aux commandes de ce domaine familial. Cette cuvée, vendangée en 2004, arrive donc comme un témoignage du travail passé. Du malbec en cépage unique, un terroir argilo-calcaire et un élevage de dix-huit mois en fût ont donné un vin puissant, aux senteurs de fruits rouges, où le cassis s'exprime sur un fond vanillé. Au palais, la matière est généreuse et se prolonge longuement sur les épices et le sous-bois. Déjà remarquable, ce 2004 gagnera encore à patienter quelques années.

Bel, EARL Ch. Fages, 46140 Luzech, tél. 05.65.20.11.83, fax 05.65.30.53.58, e-mail belfages@wanadoo.fr t.l.j. sf dim. 9h-20h

CH. FAMAEY Élevé en fût de chêne 2003 ★★

15 ha | 40 000 | 5 à 8 €

Remarquable, ce vin l'est par son équilibre entre le fruité et le boisé. Il se présente sous une robe cerise noire qui révèle l'extraction et l'élevage en fût. Le nez, d'abord dominé par les fruits mûrs et le pruneau, puis marqué par les notes de torréfaction qui viennent prendre en douceur le relais, confirme ces impressions. La bouche est ample et longue, avec des tanins particulièrement fins et une bonne sucrosité.

SCEA Luyckx-Van Antwerpen, Ch. Famaey, Les Inganels, 46700 Puy-l'Évêque, tél. 05.65.30.59.42, fax 05.65.30.50.53, e-mail chateau.famaey@wanadoo.fr
t.l.j. sf dim. 8h-12h30 13h30-19h

DOM. DE FANTOU Cuvée Prestige La Batelière Vieilli en fût de chêne 2004 ★

2 ha | 10 000 | 5 à 8 €

Depuis cinq générations, les Aldhuy élaborent leurs vins en famille. Leur cuvée Prestige a déjà été sélectionnée dans le Guide par le passé pour son élégance. Ce millésime 2004, élevé dix mois en fût, marie de façon très équilibrée le fruité et le vanillé. La bouche est souple et les tanins sont en train de se fondre, signe d'une évolution favorable. À ouvrir dans deux ans sur un magret de canard.

B. A. A. Aldhuy, Dom. de Fantou, 46220 Prayssac, tél. 05.65.30.61.85, fax 05.65.22.45.69, e-mail domainedefantou@wanadoo.fr
t.l.j. 8h-19h; dim. sur r.-v.

DOM. DE LA GARDE Élevé en fût de chêne 2003

3,6 ha | 9 000 | 5 à 8 €

Habillé de cerise et orné de reflets pourpres, ce cahors joue sans complexe la carte du plaisir. Les arômes du nez mêlent la violette, le poivre et la vanille dans une harmonie réussie. En bouche, il offre une matière soyeuse dans laquelle certains dégustateurs ont reconnu de la groseille. Ne vous fiez pas à son nom, et buvez-le dès maintenant...

Jean-Jacques Bousquet, Le Mazut, 46090 Labastide-Marnhac, tél. et fax 05.65.21.06.59, e-mail domainedelagarde@yahoo.fr
t.l.j. sf dim. 9h-12h 14h-19h

DOM. DU GARINET Fût de chêne 2003 ★

1,6 ha | 6 368 | 8 à 11 €

Voici un vin sérieux, issu de malbec et d'un terroir argilo-calcaire, élevé plus d'un an en fût, qui se présente sous une belle robe rubis intense. Son nez joue la trilogie fruits rouges, épices, fumé, classique mais toujours appréciée. La bouche est souple et tout en plaisir. Un cahors prêt à être servi en attendant la cuvée **classique 2004 (5 à 8 €)**, qui décroche une étoile pour son harmonie et sa générosité, mais qui demande encore un peu de patience.

Michael et Susan Spring, Dom. du Garinet, 46800 Le Boulvé, tél. et fax 05.65.31.96.43, e-mail mike.spring@worldonline.fr
t.l.j. 11h-18h30; dim. 14h-18h30

CH. LA GINESTE Secrets de La Gineste 2003 ★

13,25 ha | 26 400 | 8 à 11 €

Levons le voile sur quelques-uns des « secrets » de cette cuvée très réussie : un assemblage de malbec avec 30 % de merlot, et un élevage en fût pendant seize mois. Le résultat est un vin à la belle robe brillante grenat foncé, dont le bouquet associe des arômes de fruits cuits et des notes de torréfaction. La bouche pleine, aux tanins fermes mais de qualité, retrouve les arômes du nez en les rehaussant d'une note de cachou et d'une touche de grillé. Des secrets à partager maintenant entre amis, ou à faire attendre...

SCEA Les Vignobles Dega, Ch. La Gineste, 46700 Duravel, tél. 05.65.30.37.00, fax 05.65.30.37.01, e-mail chateau-la-gineste@wanadoo.fr
t.l.j. 8h30-12h 14h-17h30

CH. HAUTE BORIE 2004 ★

■ 10 ha 69 000 ▮ 3 à 5 €

90 % de malbec, complété de merlot, c'est l'assemblage de ce 2004 issu d'un vignoble situé au sommet d'un plateau argilo-siliceux du quaternaire. Ce terroir particulier donne un vin original d'une couleur rouge intense, dont le nez séduit par son mélange de senteurs florales et fruitées. La bouche bien équilibrée, plutôt fraîche, se montre toute en souplesse et en rondeur aromatique. Un cahors plaisant et généreux.

Jean-Marie Sigaud, Ch. Haute Borie, 46700 Soturac, tél. 05.65.22.41.80, fax 05.65.30.67.32

CH. DE HAUTE-SERRE 2004 ★★★

■ 10 ha 50 000 ⊕ 8 à 11 €

Georges Vigouroux est l'une des fortes personnalités du Sud-Ouest et un habitué du Guide. Ce cahors exceptionnel a enthousiasmé le jury. Paré d'une robe grenat profond, il livre un nez complexe où domine la mûre, agrémentée d'un vanillé très fin, signe d'un élevage parfaitement maîtrisé. La bouche, flatteuse et pleine de fraîcheur, en apporte une nouvelle preuve avec ses tanins veloutés au boisé bien intégré. Un vin taillé pour l'avenir. Du même producteur, le **Château de Mercuès 2004**, plus riche en merlot mais de la même veine, obtient deux étoiles.

GFA Georges Vigouroux, Ch. de Haute-Serre, 46230 Cieurac, tél. 05.65.20.80.80, fax 05.65.20.80.81, e-mail vigouroux@g-vigouroux.fr r.-v.

CH. HAUT-MONPLAISIR Pur Plaisir 2003 ★★

■ 3 ha 3 500 ⊕ **15 à 23 €**

On s'en voudrait de jouer sur les mots, mais il faut pourtant reconnaître que le nom de ce domaine et celui de sa cuvée sont loin d'être trompeurs ! La robe est profonde, en légère évolution ; le nez réussit le mariage entre un fruité gourmand (cassis, pruneau) et un boisé déjà fondu, que viennent rehausser les notes d'épices et de figue. La bouche, charpentée, offre un toasté fin et une sucrosité remarquable. Daniel et Cathy Fournié proposent une tout aussi remarquable cuvée **Prestige 2003 (8 à 11 €)**, dans les mêmes notes, mais à servir dès maintenant, en attendant le « Pur Plaisir »...

Daniel et Cathy Fournié, Ch. Haut-Monplaisir, 46700 Lacapelle-Cabanac, tél. 05.65.24.64.78, fax 05.65.24.68.90, e-mail chateau.hautmonplaisir@wanadoo.fr t.l.j. sf dim. 9h-12h 14h-18h

CH. LES HAUTS D'AGLAN A 2004 ★★

■ 3,5 ha 12 000 ▮ **15 à 23 €**

Régulièrement distinguée depuis sa création en 2000, cette cuvée confirme encore sa qualité cette année avec ce millésime 2004. « A », comme le Ah ! d'exclamation des dégustateurs devant ce vin à la robe tulipe noire très sensuelle, dont le nez est une explosion de fruits rouges et noirs, agrémentée de notes de violette et d'épices. On retrouve ces arômes, dans une bouche aux tanins soyeux qui offre une chair pleine de gourmandise. Un ensemble très maîtrisé pour une bouteille à déguster dès aujourd'hui.

Isabelle Rey-Auriat, Aglan, 46700 Soturac, tél. 05.65.36.52.02, fax 05.65.24.64.27, e-mail isabelle.auriat@terre-net.fr t.l.j. sf sam. dim. 9h-19h

CH. LES IFS Prestige 2004 ★★

■ 2 ha 12 000 ⊕ 5 à 8 €

Terroir de graves et de silices et 100 % de malbec pour cette cuvée Prestige qui confirme dans ce millésime sa réputation. Sous une robe cerise burlat, le nez complexe exprime un bouquet de fruits mûrs, dans lequel le cassis apporte une touche de fraîcheur. La vanille et le cacao, témoignage et héritage de l'année d'élevage en fût, viennent compléter la palette aromatique. La bouche, ronde, montre des tanins bien maîtrisés. Le temps ne pourra que valoriser encore cette belle réalisation.

Jean-Paul Buri, EARL La Laurière, 46220 Pescadoires, tél. 05.65.22.44.53, fax 05.65.30.68.52, e-mail chateau.les.ifs@wanadoo.fr t.l.j. sf dim. 8h-12h 14h-19h

CH. LACAPELLE CABANAC Cuvée Prestige 2003 ★★

■ 3 ha 12 000 ⊕ 5 à 8 €

Plantées sur un causse argilo-calcaire, les vignes de Thierry Simon et Philippe Vérax sont cultivées depuis 2002 en agriculture biologique. Elles ont produit cette cuvée de malbec complété de merlot (15 %), élevée quatorze mois dans le bois. Le résultat ? Ce vin à la robe sombre et au bouquet complexe de fruits confits et de pruneau, agrémenté de notes torréfiées. Le kirsch se mêle au toasté et à la réglisse dans une bouche remarquablement fondue. À servir maintenant, ou dans quelques années pour un supplément d'harmonie.

SCEA Ch. de Lacapelle, Le Château, 46700 Lacapelle-Cabanac, tél. 05.65.36.51.92, fax 05.65.36.52.62, e-mail contact@lacapelle-cabanac.com t.l.j. sf dim. 9h-12h 13h30-17h30

CH. LAGRÉZETTE Le Pigeonnier 2003 ★★

■ 2,8 ha 2 500 ⊕ **+ de 76 €**

Présente-t-on encore ce domaine, repris et redéveloppé par Alain-Dominique Perrin dans les années 1980 ? On retrouve cette année Le Pigeonnier tel qu'en lui-même : magnifique robe pourpre à reflets noirs, nez expressif de fruits confits égayés par la violette, bouche pleine de volume et de souplesse dans laquelle les arômes redoublent d'intensité. Pour maintenant, pour demain. Une citation pour le **Seigneur de Grézette 2003 (8 à 11 €)** au boisé maîtrisé.

Alain-Dominique Perrin, Dom. de Lagrézette, 46140 Caillac, tél. 05.65.20.07.42, fax 05.65.20.06.95, e-mail lagrezette-adpsa@chateau-lagrezette.tm.fr t.l.j. 10h-17h; f. déc.-fév.

CH. LAMARTINE Expression 2004 ★

■ 3 ha 12 000 ⊕ **15 à 23 €**

La robe grenat annonce la concentration de cette cuvée, pur malbec, qui se présente comme un vin d'élevage où les arômes de fruits à l'eau-de-vie et le boisé vanillé dominent le nez, avec une pointe d'épices pour la typicité. Le palais retrouve le bouquet du nez, sur un lit de tanins bien fondus qui donnent déjà du plaisir. Un beau potentiel. Une citation pour la **Cuvée particulière 2004 (8 à 11 €)**, avec 10 % de tannat, qui joue la même ligne aromatique mais demandera encore quelques années de patience.

SCEA Ch. Lamartine, 46700 Soturac, tél. 05.65.36.54.14, fax 05.65.24.65.31, e-mail chateau-lamartine@wanadoo.fr t.l.j. 9h-12h 14h-19h; dim. sur r.-v.

Gayraud

SUD-OUEST

CH. LERET MONPEZAT 2004 *

■ 35 ha 150 000 🛢 5 à 8 €

Ce domaine, déjà sélectionné dans le Guide depuis qu'il vinifie lui-même ses raisins, propose cette cuvée 2004, assemblage d'auxerrois (80 %), de merlot et de tannat (10 % chacun), à l'élevage en fût très réussi. La robe grenat violacé laisse imaginer une concentration que le bouquet, dominé par les fruits rouges et les notes de torréfaction, vient confirmer. La bouche, charnue et persistante, laisse sur une sensation pleine de douceur.

SCEA Comte Jean-Baptiste de Monpezat, Ch. Leret Monpezat, 46140 Albas, tél. 05.65.20.80.80, fax 05.65.20.80.81, e-mail vigouroux@g-vigouroux.fr
t.l.j. 9h-12h 14h-18h

DOM. MARCILHAC Cuvée Nilamon 2004 *

■ 0,25 ha 1 200 🛢 11 à 15 €

Cette cuvée célèbre un ancêtre des actuels propriétaires, Jean Nilamon. L'hommage est réussi : issue de malbec à 100 %, élevée dix-huit mois en fût, elle sait préserver tout son fruit. Vêtue de grenat violacé, elle offre un nez de cassis et d'épices. La bouche, souple, joue les notes de fruits rouges sur des tanins encore jeunes. Un vin harmonieux et équilibré, qu'il faut laisser grandir.

Cagnac, La Prade, 46140 Douelle, tél. 05.65.30.90.32, fax 05.65.30.54.03, e-mail domaine-marcilhac@wanadoo.fr
t.l.j. 9h-19h

MAS DEL PÉRIÉ
Prestige Élevé en fût de chêne 2004 *

■ 0,4 ha 2 400 🛢 8 à 11 €

Ce domaine propose deux cuvées qui obtiennent chacune une étoile : le traditionnel **Mas del Périé 2004 (3 à 5 €)**, élevé en cuve, tout dans le croquant et les fruits noirs, et celle-ci élevée en fût, pour laquelle le jury recommande de la patience. Sur un fond aromatique de fruits rouges et de cerise, le boisé est encore très présent au nez. Ces arômes se retrouvent dans une bouche charpentée et toute en longueur.

Marie-Rose Ortalo, Le Bourg, 46090 Trespoux-Rassiels, tél. 05.65.30.18.07, fax 05.65.53.12.13, e-mail masdelperie@wanadoo.fr
r.-v.

MÉTAIRIE GRANDE DU THÉRON
La Métairie 2004 *

■ 3 ha 13 000 🛢 8 à 11 €

Prestige, sans doute, harmonie, c'est certain ! Paré d'une robe profonde ciselée de reflets violets, cette cuvée de pur malbec exprime un bouquet composé d'arômes de fruits rouges et noirs et de notes fumées et grillées, héritage de son élevage en fût. La bouche reste fraîche et livre un boisé bien fondu. Du même domaine, la cuvée principale **Métairie Grande du Théron 2004 (3 à 5 €)** obtient une étoile : le malbec est complété de merlot à hauteur de 10 % ; élevée en cuve, elle a été appréciée pour son fruité (mûre) et sa capacité d'évolution.

Liliane Barat-Sigaud, Métairie Grande du Théron, 46220 Prayssac, tél. 05.65.22.41.80, fax 05.65.30.67.32, e-mail barat-sigaud@wanadoo.fr r.-v.

CH. NOZIÈRES
Ambroise de l'Her Élevé en fût de chêne 2003

■ 3 ha 8 000 🛢 5 à 8 €

Cette cuvée avait déjà été citée pour son millésime 2002 ; on la retrouve avec ce 2003 à la jolie robe grenat, et aux senteurs de fruits à l'alcool associées à des notes torréfiées. La bouche, équilibrée, offre un boisé discret et des arômes de pruneau. Un cahors friand, à servir maintenant.

Maradenne-Guitard, Ch. Nozières, Bru, 46700 Vire-sur-Lot, tél. 05.65.36.52.73, fax 05.65.36.50.62
t.l.j. 8h-12h 14h-19h; dim. sur r.-v.

CH. PAILLAS 2004

■ 28,59 ha 220 000 5 à 8 €

Pas un cep ne poussait sur cette parcelle argilo-calcaire lorsque, en 1978, Germain Lescombes décida d'y créer son domaine. Un peu moins de 29 ha cernent aujourd'hui les anciens bâtiments du XIIIe s. et les chais modernes. Sous une teinte burlat nuancée de pourpre, le 2004 affiche un nez franc et montant, à dominante de cerise. La bouche souple et fraîche, équilibrée, propose en finale de discrets arômes de fruits rouges. Un cahors friand.

SCEA de Saint-Robert, Paillas, 46700 Floressas, tél. 05.65.36.58.28, fax 05.65.24.61.30, e-mail info@paillas.com
t.l.j. sf sam. dim. 8h-12h 13h30-17h30

CH. PERRY 2004

■ 10,75 ha 80 000 3 à 5 €

Voici un cahors tout en finesse, habillé d'une robe pourpre intense, dont le nez délicat exprime la fraise et la framboise relevées d'une pointe d'épices. Ces arômes se retrouvent dans une bouche souple à la finale légère. Pour le plaisir, tout simplement. Le domaine produit également le **Château de Grézels 2004 Prestige Élevé en fût de chêne (5 à 8 €)**, qui obtient une citation.

SCEA du Ch. de Grézels, 46700 Grézels, tél. 05.65.30.78.13, fax 05.65.36.76.40, e-mail maite.rigal@wanadoo.fr
t.l.j. sf dim. 8h-12h 14h-18h

CH. PINERAIE L'Authentique 2004 **

■ 5 ha 20 000 🛢 15 à 23 €

Jean-Luc Burc propose cette année un Authentique 2004 très abouti, pour lequel les qualificatifs « souple » et « gourmand » ont souvent été utilisés par les dégustateurs. Dans sa robe cerise, ce vin exhale des senteurs complexes de fruits rouges, mêlées de notes de cassis et de sous-bois. La bouche, souple et grasse, rejoue les arômes du nez en les agrémentant d'une touche vanillée. Un ensemble déjà équilibré et plein d'avenir. Le **Château Pineraie 2004 Vieilli en fût de chêne (5 à 8 €)**, qui comprend 15 % de merlot, décroche une étoile.

Jean-Luc Burc, Leygues, 46700 Puy-l'Évêque, tél. 05.65.30.82.07, fax 05.65.21.39.65, e-mail chateaupineraie@wanadoo.fr
t.l.j. sf dim. 8h-12h 14h-18h

CH. DU PLAT FAISANT
Cuvée de l'Ancêtre Élevé en fût de chêne 2004 *

■ 2 ha 8 000 🛢 8 à 11 €

Robe rouge aux reflets violacés, ce cahors développe un nez classique d'intensité moyenne aux arômes de fruits rouges et d'épices. D'attaque souple, la bouche renoue avec les arômes sur un lit de tanins bien fondus. Un vin de plaisir, qui célèbre les ancêtres et dont on pourra profiter sans plus attendre.

Bessières, Les Roques,
46140 Saint-Vincent-Rive-d'Olt,
tél. 05.65.30.76.38, fax 05.65.30.76.10,
e-mail chateauplatfaisant@wanadoo.fr r.-v.

CH. DU PORT Cuvée Prestige 2003 *

■ 5 ha 30 150 5 à 8 €

Ce domaine est situé sur la commune d'Albas, village perché sur une falaise dominant le Lot. Il produit cette cuvée 100 % malbec, élevée en cuve puis en fût, qui se présente sous des habits très foncés, pourpres à reflets noirs, témoignage d'une belle extraction. Le nez confirme cette impression de l'œil, avec son expression intense de fruits noirs et de réglisse. La bouche, ample et grasse, livre des tanins qui demandent encore à s'assagir. À garder, même s'il peut être apprécié dès maintenant.

Pelvillain, GAEC de Circofoul, 46140 Albas,
tél. 05.65.20.13.13, fax 05.65.30.75.67 r.-v.

PRIEURÉ DE CÉNAC 2004 *

■ 30 ha 130 000 5 à 8 €

Le Prieuré de Cénac est un vin bien extrait et bien élevé. La robe tulipe noire, engageante, annonce un nez gourmand de fruits noirs, de violette et de vanille. La bouche ronde et fraîche est marquée par la griotte. Du plaisir pour aujourd'hui et pour après...

SCEA Ch. Saint-Didier-Parnac, 46140 Parnac,
tél. 05.65.30.78.13, fax 05.65.36.76.40,
e-mail maite-rigal@wanadoo.fr
t.l.j. sf dim. 8h-12h 14h-18h
Franck Rigal

DOM. DU PRINCE Lou Prince 2004 **

■ 1 ha n.c. 15 à 23 €

Quoi de plus normal pour un prince que de finir couronné ? Sous une magnifique robe cerise burlat, les arômes de fruits noirs et confiturés se mêlent à un boisé encore soutenu. La bouche s'inscrit dans le même fil, avec un toasté marqué mais également des notes de kirsch qui amènent de la fraîcheur. Un beau potentiel qui mérite d'attendre. Pour cela, goûtez donc la cuvée principale **Domaine du Prince Tradition 2004 (3 à 5 €)**, élevée en cuve, tout en fruit et en matière gourmande, qui vient confirmer avec son étoile le remarquable travail de la famille Jouves.

Jouves, GAEC de Pauliac, Cournou,
46140 Saint-Vincent-Rive-d'Olt,
tél. 05.65.20.14.09, fax 05.65.30.78.94,
e-mail domaine-du-prince@libertysurf.fr
t.l.j. 9h-20h

CH. LA REYNE Le Prestige 2003 *

■ 11 ha 20 000 5 à 8 €

Coup de cœur l'an dernier, cette cuvée Prestige a ravi les dégustateurs dans ce nouveau millésime. La robe grenat aux reflets violacés annonce de la concentration. Ce n'est pas le nez qui dira le contraire, avec ses arômes de fruits noirs, de boisé fondu relevé d'une pointe d'épices. La bouche se montre également puissante, avec des tanins enrobés. Un vin à garder quelques années sans crainte, pour mieux en profiter. Une citation pour la cuvée **L'Excellence 2004 (15 à 23 €)**, élevée un peu plus longtemps en fût, qui demande encore de la patience.

SCEA Ch. La Reyne, Leygues, 46700 Puy-l'Évêque,
tél. 05.65.30.82.53, fax 05.65.21.39.83,
e-mail chateaulareyne@cegetel.net
t.l.j. sf dim. 9h-12h 14h-18h
Johan Vidal

RIGAL 3e Terrasse Élevé en fût de chêne 2003 *

■ n.c. 100 000 3 à 5 €

La robe de ce 2003 est d'un rouge très intense aux nuances brun acajou. D'abord un peu retenu, le nez s'ouvre à l'aération sur des senteurs de fruits, mais surtout d'épices variées : girofle, cannelle, poivre... En bouche, d'attaque franche, les sensations défilent : c'est d'abord la chaleur, soutenue par les notes d'épices et de fruits à l'eau-de-vie, puis le gras, et enfin des tanins enveloppés encore un peu austères en finale. Un vin qu'il faut laisser s'arrondir.

SAS Rigal, Ch. Saint-Didier, 46140 Parnac,
tél. 05.65.30.70.10, fax 05.65.20.16.24,
e-mail marketing@rigal.fr

CH. DES ROCHES Vendémiaire 2004 *

■ 2 ha 13 000 5 à 8 €

Cette cuvée Vendémiaire 2004, distinguée à plusieurs reprises dans les différentes éditions du Guide, se situe bien dans la lignée de ses prédécesseurs. Habillée de rouge cerise, elle développe un nez expressif aux arômes de fruits, auquel une touche de menthol vient apporter un peu de fraîcheur. La bouche est généreuse, sans lourdeur, agrémentée de tanins présents mais jouant la souplesse et la finesse.

Jean Labroue, Les Roches, 46220 Prayssac,
tél. 05.65.30.61.49, fax 05.65.30.83.53
t.l.j. 9h-13h 15h-20h

LE THÉRON 2004 *

■ 4,3 ha 26 000 15 à 23 €

Le Théron, cuvée de pur malbec, cultive la générosité. Il propose au nez un fruité gourmand sur les fruits rouges, associé à des arômes de vanille et de cacao, héritage de son élevage de seize mois en fût. La bouche, souple, renoue avec les flaveurs du bouquet et se distingue par son grand équilibre. C'est un cahors fait pour plaire, et c'est très réussi.

SCEA Dom. du Théron, Le Théron,
46220 Prayssac, tél. 05.65.30.64.51, fax 05.65.30.69.20,
e-mail domainetheron@wanadoo.fr
t.l.j. 10h-19h; sam. dim. sur r.-v.
Pauwels

CH. VINCENS Les Graves de Paul 2004 **

■ 2,5 ha 10 000 11 à 15 €

Créée en 1998 pour célébrer la naissance de Paul, représentant de la cinquième génération de Vincens sur le domaine, cette cuvée n'a cessé de grandir avec son parrain, pour obtenir cette année deux étoiles. La robe cerise annonce un vin où dominent les fruits : fraise et griotte, perçues au nez, se confirment en bouche, soutenues par

SUD-OUEST

une belle acidité. Typicité et équilibre caractérisent ce vin au boisé bien intégré, qui offre déjà du plaisir et a l'avenir devant lui. La cuvée **Prestige 2003 Élevé en fût de chêne (5 à 8 €)**, qu'il faudra attendre un peu, est citée.
GAEC Ch. Vincens, Foussal, 46140 Luzech, tél. 05.65.30.51.55, fax 05.65.20.15.63, e-mail isabelle.vincens@free.fr
t.l.j. sf sam. dim. 8h-12h 14h-19h

DOM. DE VINSSOU 2004 ★

■ 2 ha 12 000 ▮ 5 à 8 €

Le moins que l'on puisse dire, c'est que Louis Delfau a la passion de la vigne : il a planté la sienne au fil des années sur son exploitation agricole. Il fait des vins « bien à lui » ; il y a un style Vinssou. Sous une robe d'un rouge vif très avenant aux reflets légèrement violacés, on découvre un nez de « panier de fruits », où les fruits noirs mûrs se mélangent aux épices et même à des notes de garrigue. La bouche est authentique, volumineuse, avec des tanins qui tiennent leur rang. Une belle rencontre pour un plaisir immédiat.
Louis Delfau, Dom. de Vinssou, rue du Castagnol, 46090 Mercuès, tél. et fax 05.65.30.99.91, e-mail vinssou.cahors@wanadoo.fr
t.l.j. 10h-19h; dim. sur r.-v.; f. 1 sem. fin août

Coteaux-du-quercy AOVDQS

Située entre Cahors et Gaillac, la région viticole du Quercy s'est reconstituée assez récemment. Mais, comme dans toute l'Occitanie, la vigne y était cultivée dès avant notre ère. La vigne connut cependant plusieurs périodes de reflux : au Iers., à la suite de l'édit de Domitien interdisant toute nouvelle plantation hors d'Italie, au XVes., en raison de la prépondérance de Bordeaux, puis au début du XXes., à cause du poids du Languedoc-Roussillon. La recherche de la qualité, qui s'est mise en place à partir de 1965 avec le remplacement des hybrides, a conduit à la définition d'un vin de pays en 1976. Peu à peu, les producteurs ont isolé les meilleurs cépages et les meilleurs sols. Ces progrès qualitatifs ont débouché sur l'accession à l'AOVDQS 1999. Le territoire délimité s'étend sur 33 communes des départements du Lot et du Tarn-et-Garonne.

L'appellation est réservée aux vins rouges et rosés. Les vins rouges, d'une couleur pourpre soutenu, sont charnus et généreux, avec une complexité aromatique apportée par l'assemblage de cabernet franc, cépage principal pouvant atteindre 60 %, et de tannat, cot, gamay noir ou merlot (chacune de ces variétés à hauteur de 20 % maximum). Les vins rosés, fruités et vifs, sont issus du même encépagement. La déclaration de récolte en 2005 a atteint 7 033 hl pour 144 ha. Elle est assurée par une trentaine de producteurs, dont trois caves coopératives.

L'ABBAYE 2005 ★

■ n.c. 106 000 ▮ 3 à 5 €

C'est sous une robe grenat soutenu aux reflets violacés que vous découvrirez cette cuvée tout à fait réussie de la cave coopérative. Elle offre un nez intense de fruits mûrs et de petites baies noires, agrémenté de notes florales et d'épices. La bouche, assez grasse, retrouve cette expression du fruit, bien équilibrée par l'acidité, sur un lit de tanins charnus.
Côtes d'Olt, 46140 Parnac, tél. 05.65.30.71.86, fax 05.65.30.35.28 r.-v.

DOM. D'ARIÈS Cuvée Princesse 2004

■ 11 ha 26 000 ▮ 3 à 5 €

Cabernet franc (60 %) et cot (40 %) forment l'assemblage de cette cuvée. Sous une robe cerise aux nuances d'acajou, elle s'ouvre sur un nez assez intense évoquant les fruits rouges confiturés et des notes animales. Après une attaque franche, la bouche présente de la souplesse et de la rondeur dans un volume moyen, avec des tanins feutrés et des arômes déjà évolués.
GAEC Belon et Fils, Dom. d'Ariès, 82240 Puylaroque, tél. 05.63.64.92.52, fax 05.63.31.27.49 t.l.j. 9h-12h 14h-18h

DOM. DE LA GARDE Élevé en fût de chêne 2004 ★★

■ 3 ha 14 000 ▮ 5 à 8 €

Déjà présent l'année dernière pour sa cuvée principale, revoici le 2004 de Jean-Jacques Bousquet, cette fois-ci vieilli en fût. Séjour très profitable, dont il sort paré d'une robe sombre, avec un nez sur la retenue, mais qui montre déjà de la profondeur et distille des senteurs de fruits noirs et d'épices, rehaussées de délicates notes animales et boisées. La bouche, ronde, pleine et équilibrée, est en parfait accord avec le bouquet. Un vin typé.
Jean-Jacques Bousquet, Le Mazut, 46090 Labastide-Marnhac, tél. et fax 05.65.21.06.59, e-mail domainedelagarde@yahoo.fr
t.l.j. sf dim. 9h-12h 14h-19h

DOM. DE GUILLAU 2004 ★★

■ 4 ha 13 000 ▮ 3 à 5 €

Déjà connu des lecteurs du Guide, ce domaine présente cette année des vins de très bon niveau. Deux cuvées obtiennent en effet une étoile : le **rouge 2003 Élevé**

en fût de chêne (5 à 8 €) et le **rosé 2005** ; quant à ce 2004, c'est le coup de cœur ! Dès l'abord, il séduit par sa robe aux reflets violets et son nez complexe et bien affiné, garni de fruits et d'épices, que vient relever une agréable note mentholée. Au palais, il plaît tout autant : d'attaque fraîche, la bouche, pleine et grasse, équilibrée et expressive, offre une matière riche et bien mûre. Une bouteille harmonieuse et élégante.

Jean-Claude Lartigue, Dom. de Guillau, 82270 Montalzat, tél. 05.63.93.17.24, fax 05.63.93.28.06, e-mail jc.lartigue@worldonline.fr
r.-v.

DOM. DE LACOSTE 2004

■ 5 ha 9 000 3 à 5 €

Le lycée viticole propose ce 2004 d'un joli rouge aux nuances violines, dont le nez s'ouvre sur les fruits rouges (cerise, fraise) relevés d'une pincée d'épices. D'attaque franche, la bouche est bien équilibrée et plutôt souple, avec une expression aromatique intéressante et des tanins qui gagneraient à être plus enrobés.

Dom. de Lacoste, Lycée viticole de Cahors, 46090 Le Montat, tél. 05.65.21.03.67, fax 05.65.21.00.01, e-mail cecile.morgeau@educagri.fr
t.l.j. 8h-19h; sam. dim. sur r.-v.

DOM. DE LAFAGE Tradition 2004 ★★

■ 8 ha 13 000 5 à 8 €

Vigneron travaillant en biodynamie, Bernard Bouyssou est aussi une référence dans l'appellation. Cette cuvée, d'un beau rouge grenat aux nuances violines, propose au nez une jolie corbeille de fruits rouges et noirs assez mûrs, soutenue par une note plus fraîche, mentholée. La bouche offre une attaque sur la sucrosité, de l'équilibre, du volume et une richesse d'arômes et de saveurs qui laissent la place à une solide trame de tanins en finale. Du travail sérieux.

Bernard Bouyssou, Dom. de Lafage, 82270 Montpezat-de-Quercy, tél. 05.63.02.06.91, fax 05.63.02.04.55, e-mail domainedelafage@free.fr
r.-v.

DOM. DU MERCHIEN VAT 465 2004 ★

■ 5 ha 15 000 5 à 8 €

Cabernet franc, merlot, cot, gamay, tannat, ce 2004 joue toute la gamme des cépages de l'appellation. Il se présente dans une robe intense, presque noire, et s'ouvre sur un bouquet corsé et suave qui évoque la réglisse, le Zan et les épices. Ces arômes se retrouvent dans une bouche, ample et puissante, sur des tanins présents en finale mais bien mûrs. La cuvée principale du domaine en **rouge 2004** est citée.

David et Sarah Meakin, Dom. du Merchien, Penchenier, 46230 Belfort-du-Quercy, tél. et fax 05.63.64.97.21, e-mail wine@merchien.net
t.l.j. sf dim. 11h-19h

PEYRE FARINIÈRE Élevé en fût de chêne 2004 ★

■ 2 ha 13 000 5 à 8 €

De la cave des Vignerons du Quercy, on retiendra cette année deux cuvées : le **Bessey de Boissy rouge 2004 Tradition (3 à 5 €)**, cité, et celle-ci, qui a séjourné onze mois dans le fût. Sa robe est très sombre, presque noire, et son nez puissant exprime des notes florales et épicées. La bouche, assez ample et bien structurée, reflète parfaitement les arômes du bouquet, qui forment avec les tanins frais un ensemble équilibré.

Vignerons du Quercy, RN 20, 82270 Montpezat-de-Quercy, tél. 05.63.02.03.50, fax 05.63.02.00.60, e-mail lesvigneronsduquercy@tiscali.fr
t.l.j. sf sam. dim. 9h-12h 14h-19h

DOM. SAINT-JULIEN 2004 ★

■ 4,5 ha 12 000 3 à 5 €

Situé entre la bastide de Castelnau et le village perché de Flaugnac, le domaine de Jacques Vignals produit ce vin à la robe rouge grenat intense et limpide, qui offre un nez fin et soutenu, mélange de senteurs de fruits rouges et noirs frais et de notes d'épices. Au palais, les fruits se font plus mûrs dans une bouche souple et équilibrée, pleine de volume, dont les tanins présents s'affirment en finale.

GAEC Saint-Julien, Le Gros, 46170 Castelnau-Montratier, tél. 05.65.21.95.86, fax 05.65.21.83.89, e-mail gaecsaintjulien@wanadoo.fr
r.-v.

Jacques Vignals

Gaillac

Comme l'attestent les vestiges d'amphores fabriquées à Montels, les origines du vignoble gaillacois remontent à l'occupation romaine. Au XIII[e]s., Raymond VII, comte de Toulouse, prit à son endroit un des premiers décrets d'appellation contrôlée, et le poète occitan Auger Gaillard célébrait déjà le vin pétillant de Gaillac bien avant l'invention du champagne. Le vignoble (4 189 ha) se divise entre les premières côtes, les hauts coteaux de la rive droite du Tarn, la plaine, la zone de Cunac et le pays cordais pour une production de 117 202 hl de vins rouges et rosés et 69 900 hl de vins blancs en 2005.

Les coteaux calcaires se prêtent admirablement à la culture des cépages blancs traditionnels comme le mauzac, le len-de-l'el (loin-de-l'œil), l'ondenc, le sauvignon et la muscadelle. Les zones de graves sont réservées aux cépages rouges, duras, braucol ou fer-servadou, syrah, gamay, négrette, cabernet, merlot. La variété des cépages explique la palette des vins gaillacois.

Pour les blancs, on trouvera les secs et perlés, frais et aromatiques, et les moelleux des premières côtes, riches et suaves. Ce sont ces vins, très marqués par le mauzac, qui ont fait la renommée du gaillac. Le gaillac mousseux peut être élaboré soit par une méthode artisanale à partir du sucre naturel du raisin, soit par la méthode traditionnelle ; la première donne des vins plus fruités, avec du caractère. Les rosés de saignée sont légers et faciles à boire, les vins rouges dits de garde, typés et bouquetés.

CH. ADÉLAÏDE
Cuvée prestige Vieilli en fût de chêne 2004 *

■ 3 ha 15 000 8 à 11 €

Il aurait été dommage de laisser à l'abandon cette ferme de style tarnais, bâtie à la fin du XVIII[e]s., et ses 40 ha. Christine et Michel Cornet-Tesconi ont ouvert un nouveau chapitre de son histoire, voilà six ans. Ils proposent aujourd'hui un vin brillant de reflets violines, évocateur de fruits rouges, de chocolat, d'épices et de fumée, le boisé venant en contrepoint. La bouche ronde, soutenue par une trame de tanins fins laisse une impression de taffetas jusqu'à la longue finale. Un gaillac bien élaboré, à déguster dès maintenant ou à attendre.

Ch. Adélaïde, Lieu-dit Cinq-Peyres,
81140 Cahuzac-sur-Vère, tél. et fax 05.63.33.92.76,
e-mail chadelaide@aol.com r.-v.
C. Cornet-Tesconi

DOM. DES ARDURELS Doux 2004 *

1,3 ha 7 500 5 à 8 €

De la muscadelle à 80 % et du loin-de-l'œil à 20 % dans ce vin jaune paille à reflets or, dont le nez expressif mêle le miel d'acacia, la compote de pommes et la gelée de coing. S'il fait preuve de concentration, il bénéficie aussi d'une juste fraîcheur qui met en valeur ses arômes fruités et laisse en finale un agréable caractère acidulé. Un gaillac original et plaisant.

Sébastien Cabal, Dom. des Ardurels,
81150 Lagrave, tél. et fax 05.63.41.74.79
t.l.j. 9h-19h

CH. D'ARLUS 2004 **

■ 2,3 ha 13 000 5 à 8 €

Implanté sur les coteaux de la rive droite du Tarn, ce domaine est de création récente (2000), mais il affiche déjà de beaux résultats, à l'image de ce gaillac issu du seul braucol. Celui-ci, habillé d'une robe légère, aux subtils reflets brique, évoque avec délicatesse la cerise et les épices, relevées d'une touche de menthol. Au palais, il se développe en souplesse et en rondeur jusqu'à une finale fraîche et aérienne. Un équilibre irréprochable.

EARL Lucien Schmitt, Les Homps, 81140 Montels,
tél. 05.63.33.15.06, fax 05.63.57.90.87,
e-mail arlus3@wanadoo.fr r.-v.

DOM. DE BALAGÈS Sec 2005 *

1,3 ha 4 000 5 à 8 €

Du sauvignon allié à 5 % de loin-de-l'œil pour la touche typiquement gaillacoise. De couleur pâle à reflets argentés, ce vin arbore un nez intense de rhubarbe, de pêche, d'abricot et d'agrumes. Juste ce qu'il faut de rondeur, de la fraîcheur pour soutenir une finale persistante ; l'équilibre est très réussi. Tout aussi flatteuse, la **cuvée Rêveline 2004 rouge** obtient une étoile.

Claude Candia, Dom. de Balagès, 81150 Lagrave,
tél. 05.63.41.74.48 r.-v.

BARON THOMIÈRES
Cuvée Paco Rabanne 2004 **

■ 0,5 ha 4 000 15 à 23 €

De la haute couture, en effet, ce gaillac élégant dans sa robe sombre éclairée de rubis. Non seulement intense mais aussi fin, il mêle des arômes de fruits noirs mûrs (cassis, sureau) à un bouquet d'épices. La bouche est ronde et chaleureuse, riche de sève et de flaveurs persistantes. Les tanins, encore fermes en finale, lui offrent une structure de qualité. C'est puissant, c'est classe ! Le gaillac **doux Les Secrets de la Réserve Miel d'automne blanc 2005 (5 à 8 €)** brille d'une étoile.

Laurent Thomières, La Mailhourie,
81150 Castelnau-de-Lévis, tél. 05.63.60.39.03,
fax 05.63.53.11.99, e-mail gaillac@baron-thomieres.com
t.l.j. sf dim. 14h30-18h30; f. 1er-20 janv.

DOM. BARREAU 2004 *

■ 8 ha 18 000 5 à 8 €

Il aura fallu quatorze ans, de 1981 à 1995, pour que Jean-Claude Barreau restructure toute une partie de ses 30 ha de vignes. Aujourd'hui, braucol, syrah et merlot donnent naissance à ce vin pourpre brillant, marqué par des arômes de fruits rouges et noirs (framboise, cassis). La bouche ample et ronde, toujours fruitée, bénéficie du soutien de tanins bien enrobés qui laissent en finale un grain velouté, à peine épicé. Un gaillac déjà appréciable, mais qui saura aussi attendre deux ou trois ans.

Jean-Claude Barreau, Boissel, 81600 Gaillac,
tél. 05.63.57.57.51, fax 05.63.57.66.37,
e-mail domaine.barreau@wanadoo.fr
t.l.j. 9h-12h 14h-19h

ESPRIT DE LA BASTIDIÉ Méthode gaillacoise *

7 ha 60 000 5 à 8 €

Cette cave, connue dans le Guide pour ses gaillac perlés, présente ici une méthode gaillacoise de belle facture. Un chapelet de perles abondantes, fines et régulières anime sa robe à reflets jaunes et verts. Le nez élégant, décline d'agréables arômes de pomme, de poire et de brioche gourmande, annonce d'une chair ronde. Des bulles douces caressent le palais, puis la fraîcheur s'impose en finale. L'**Esprit de Labastidié 2005 rosé (3 à 5 €)** obtient la même note pour sa souplesse comme pour ses senteurs de rose et de fruits rouges.

Cave de Labastide-de-Lévis, BP 12,
81150 Marssac-sur-Tarn, tél. 05.63.53.73.73,
fax 05.63.53.73.74, e-mail info@cave-labastide.com
r.-v.

CH. BOURGUET 2005 **

2,23 ha 16 000 3 à 5 €

Cordes-sur-Ciel est un village médiéval perché sur un piton rocheux où travaillent de nombreux artisans d'art. Au cours de votre promenade dans les ruelles, vous serez fascinés par les sculptures mystérieuses des façades gothiques. L'image de la cité ne vous quittera pas lorsque vous vous rendrez au château Bourguet, à 6 km. Votre intérêt sera alors centré sur ce vin rose pâle, aux reflets fluorescents, assemblage de braucol (40 %), de duras et de syrah. Le nez intense mêle avec subtilité les fleurs à quelques notes de fruits rouges (groseille), puis la bouche franche dès l'attaque se montre souple, ronde, tout en finesse et fruitée, avec un agréable retour de la fraîcheur en finale. Le **Château Bourguet blanc sec 2005**, frais et floral, brille d'une étoile.

Jean et Jérôme Borderies, Les Bourguets,
81170 Vindrac-Alayrac, tél. et fax 05.63.56.15.23,
e-mail jean.borderies@libertysurf.fr
t.l.j. sf dim. 9h-12h 15h-19h; ouv. dim. juil.-août; groupes sur r.-v.

DOM. DE BROUSSE Élevé en fût de chêne 2004 *

■ 1,2 ha 5 500 5 à 8 €

Sur les premiers coteaux du plateau cordais, exposé plein sud et soumis au vent d'Autan, les vignes de syrah et

de braucol ont produit ce vin grenat sombre, encore discret dans ses évocations de fruits rouges (griotte) nuancées d'un léger boisé. Souple et svelte, celui-ci s'appuie sur des tanins fins et fondus qui contribuent à l'impression de rondeur.
Philippe et Suzanne Boissel, Dom. de Brousse, 81140 Cahuzac-sur-Vère, tél. et fax 05.63.33.90.14, e-mail domainedebrousse@wanadoo.fr
t.l.j. 10h-12h30 15h-19h

DOM. CARCENAC Doux Frisson d'automne 2005 *

3 ha 6 000 5 à 8 €

Rendez-vous à Montans pour visiter l'archéosite et vous plonger dans l'univers des potiers gallo-romains. De retour au XXI[e]s., c'est au domaine Carcenac que vous dégusterez deux bons représentants de gaillac. Ce vin doux, de teinte pâle à reflets verts, propose des arômes frais et intenses de fleurs blanches et de poire. Une même sensation de fraîcheur, relevée de fruité, emplit le palais, juste le temps d'un frisson... **Les Grèzes 2004 rouge (3 à 5 €)**, une étoile également, méritent d'attendre un peu pour fondre leurs tanins.
Dom. Carcenac, Le Jauret, 81600 Montans, tél. 05.63.57.57.28, fax 05.63.57.68.41, e-mail domaine.carcenac@wanadoo.fr
t.l.j. 8h-12h 14h-20h

DOM. DES CASSAGNOLS
Cuvée des Collines 2004 *

3 ha 4 000 3 à 5 €

Village fortifié du XIII[e]s., Lisle-sur-Tarn fit fortune grâce au commerce du pastel, puis du vin. Arrêtez-vous sur sa place aux arcades, la plus grande de toutes les villes du Sud-Ouest, avant de rejoindre ce domaine qui garde lui aussi trace du passé. Vous y découvrirez ce gaillac aux nombreux reflets d'évolution, qui affine ses arômes à mesure de l'aération : cassis, poivre et menthol. L'attaque est franche, la bouche fraîche et équilibrée, étayée par des tanins souples. La finale s'étire suffisamment pour laisser une bonne impression d'ensemble. Le **Domaine des Cassagnols blanc sec 2005** obtient la même note.
Éric Stilhart, Saint-Salvy, 81310 Lisle-sur-Tarn, tél. et fax 05.63.33.34.59, e-mail eric.stilhart@wanadoo.fr r.-v.

ALAIN CAZOTTES Terre originelle 2004 **

3,5 ha 13 000 8 à 11 €

Sur les tout premiers coteaux de Gaillac, exposés sud sud-ouest, la grande bastide des Terrisses, dont les plus anciens bâtiments remontent au milieu du XVIII[e]s., ne passe pas inaperçue. Le braucol, associé à 20 % de syrah, est à l'origine de ce gaillac noir d'encre qui affiche un puissant bouquet d'épices et de fruits presque confits. La trame de tanins se fond remarquablement dans la chair séveuse et ronde, au fruité légèrement vanillé. La cuvée **Terre originelle blanc sec 2005** est citée.
Alain Cazottes, Les Terrisses, 81600 Gaillac, tél. 05.63.57.16.80, fax 05.63.41.05.87, e-mail domaine.des.terrisses@wanadoo.fr r.-v.

CH. CHAUMET-LAGRANGE 2004 **

3,3 ha 17 000 5 à 8 €

Christophe Boizard a repris en 2001 ce domaine de 35 ha sur sols graveleux, qu'il s'est attaché à restaurer. Issu de fer-servadou à 60 %, de merlot et de syrah à 20 %, son

Gaillac

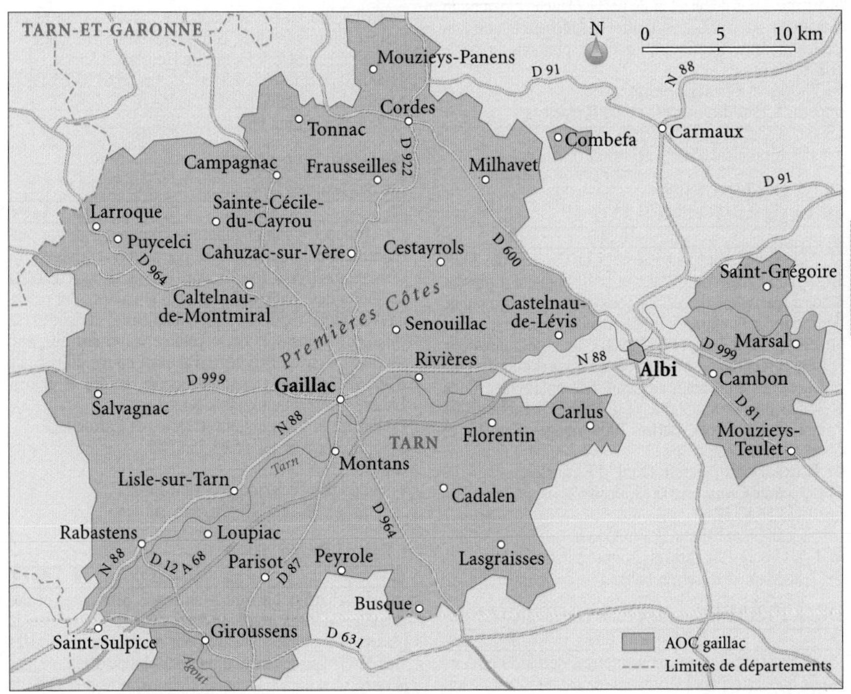

2004 arbore une teinte sombre, en harmonie avec le bouquet complexe : quelques notes animales d'abord, puis des fruits noirs (cassis), de la réglisse et des épices. Le vin est souple, rond et équilibré, intensément fruité. Une agréable fraîcheur lui donne plus de relief encore en finale. Le **Château Chaumet-Lagrange blanc sec 2005 (3 à 5 €)**, frais et floral, mérite une étoile.

🔑 SCEA Chaumet-Lagrange, Les Fediès,
81600 Gaillac, tél. 05.63.57.07.12, fax 05.63.57.64.12,
e-mail chateau.ch.lagrange@wanadoo.fr ☑ 🍷 🚶 r.-v.
🔑 Ch. Boizard

CH. CLÉMENT-TERMES L'Esprit 2004 *

■ 2,5 ha 2 000 🛢 11 à 15 €

En 1868, avant même de construire son château, Clément Termes fit bâtir un chai pour vinifier le fruit des vignes héritées de son père. Ce sont aujourd'hui 93 ha que conduit François David, assisté de ses enfants Olivier et Caroline. Bel héritage et équipe efficace sont les clés de la réussite de ce 2004 grenat profond et expressif, riche de fruits rouges et noirs mûrs. L'attaque est souple, la bouche pleine, elle aussi fruitée et épicée. Les tanins ronds, enveloppés d'un discret boisé, se manifestent en finale comme pour rappeler qu'une petite année de garde est possible.

🔑 François David, Ch. Clément-Termes, Les Fortis,
81310 Lisle-sur-Tarn, tél. 05.63.40.47.80,
fax 05.63.40.45.08, e-mail clement-termes@wanadoo.fr
☑ 🍷 🚶 t.l.j. sf dim. 9h-12h 14h-19h

L'ENCLOS DES BRAVES Sec 2005 *

□ 0,3 ha 1 400 🛢 5 à 8 €

Tout nouveau et déjà tout beau, le vin de ce domaine créé en 2005. Voyez plutôt sa teinte jaune pâle à reflets verts et argentés. Tournez-le délicatement dans le verre : il libère des notes de tilleul et de pêche blanche typiques du sauvignon. Au palais, il vous offre sa fraîcheur tendre, son caractère rond et brioché, sa finale plaisante, à peine relevée de boisé.

🔑 Nicolas et Chantal Lebrun,
imp. du Séjour des Braves, 81800 Rabastens,
tél. 06.08.30.27.81, fax 05.63.40.33.49,
e-mail lebrun.nicolas@cegetel.net ☑ 🍷 🚶 r.-v.

DOM. D'ESCAUSSES
Sec La Vigne de l'oubli 2004 **

□ 3 ha 16 000 🛢 5 à 8 €

Coup de cœur l'an passé pour La Croix Petite 2003, Roselyne et Jean-Marc Balaran se distinguent à présent grâce à leur Vigne de l'oubli. Tous deux n'ont rien oublié des modes de vinification traditionnels et laissent le temps au temps. Or brillant, ce 2004 marie les notes muscatées, épicées et mentholées aux arômes de fruits exotiques. Une fraîcheur qui se prolonge au palais, relevant la chair ronde et longuement aromatique. **La Vigne blanche 2004 rouge** et **La Croix Petite 2004 rouge (8 à 11 €)** obtiennent une étoile.

🔑 EARL Denis Balaran, Dom. d'Escausses,
81150 Sainte-Croix, tél. 05.63.56.80.52,
fax 05.63.56.87.62,
e-mail jean-marc.balaran@wanadoo.fr
☑ 🍷 🚶 t.l.j. 9h-19h; dim. et groupes sur r.-v.
🔑 Jean-Marc et Roselyne Balaran

DOM. FERRET Doux Les Authentiques 2004 **

□ 1,7 ha 5 000 ▮ 5 à 8 €

Dans sa vieille cave semi-enterrée, Bernard Ferret ne vinifie que les cépages locaux du Gaillacois. C'est un vin de pur loin-de-l'œil (len-de-l'el en occitan) qu'il propose ici. Jaune paille éclatant, celui-ci s'ouvre généreusement sur la pâte de fruit, la pomme, la poire et la gelée de coing, l'abricot et les agrumes confits. Il présente un parfait équilibre entre moelleux et fraîcheur, ainsi que des arômes persistants, en harmonie avec ceux perçus à l'olfaction. « Authentique » harmonie.

🔑 Bernard Ferret, Mauriac, 81600 Senouillac,
tél. 05.63.41.51.94, e-mail bernard.ferret@wanadoo.fr
☑ 🍷 🚶 r.-v.

DOM. DE GINESTE Cuvée pourpre 2004 *

■ 4,5 ha 26 000 ▮ 5 à 8 €

Duras à 65 % et syrah à 35 % : un assemblage apparemment simple, mais efficace. Couleur soutenue, nez intense, évocateur de confitures maison de fruits rouges et noirs, légèrement épicées. Des débuts prometteurs. La matière dense et complexe est certes soutenue par une trame de tanins serrés, elle n'en laisse pas moins une sensation de rondeur et décline longuement ses flaveurs. Un gaillac qui a de la tenue.

🔑 SARL Dom. de Gineste, Gineste-Técou,
81600 Gaillac, tél. 05.63.33.03.18, fax 05.63.33.04.11,
e-mail info@domainedegineste.com
☑ 🍷 🚶 t.l.j. sf dim. 10h-12h30 14h30-18h30
🔑 Maugeais-Delmotte

CH. DES HOURTETS La Grande Cuvée 2004

■ 8 ha 50 000 ▮ 5 à 8 €

Hourtet, du latin *hortus*, signifie « jardin ». Un cirque à l'abri des gelées de printemps, exposé sud sud-ouest, sert d'écrin à la vigne de ce domaine. Le 2004, cerise burlat à l'œil, possède des arômes typés de poivre vert et de menthol, de poivron et d'herbes de Provence. Il trouve un bon équilibre au palais entre une matière dense et ces mêmes flaveurs fraîches, complétées de fruits rouges.

🔑 Kabakian, SCEA Dom. des Hourtets, Laborie,
81600 Gaillac, tél. 05.63.33.19.15, fax 05.63.33.20.49,
e-mail edouard.kabakian@wanadoo.fr
☑ 🍷 🚶 t.l.j. sf dim. 9h-12h 15h-18h

DOM. DE LARROQUE
Les Seigneurines Élevé en fût de chêne 2004 **

■ 1,25 ha 6 000 🛢 5 à 8 €

Braucol, syrah et cabernets composent ce vin profondément coloré qui se livre par petites touches empyreumatiques (fumé, torréfaction) et boisées (santal) avant de libérer des nuances plus florales et fruitées. Au palais, il révèle toute sa puissance, son ampleur et sa richesse, sa chair enveloppant le boisé comme les tanins au grain soyeux. La cuvée **Privilège d'Antan rouge 2004** brille d'une étoile pour sa matière ample, fruitée et épicée. Laissez-la s'épanouir dans le temps.

🔑 Patrick et Valérie Nouvel, Dom. de Larroque,
81150 Cestayrols, tél. 05.63.56.87.63,
fax 05.63.56.87.40,
e-mail domainedelarroque@wanadoo.fr
☑ 🍷 🚶 t.l.j. 9h-12h 14h-19h; dim. sur r.-v.

CH. LARROZE 2004 *

■ 14 ha 80 000 ▮ 5 à 8 €

Le château Larroze a aménagé deux gîtes et des chambres d'hôtes non loin du chai. Il vous sera aisé de passer du vignoble à la cave pour mieux comprendre les vins de Gaillac, le temps d'un week-end de détente. Dans le verre, c'est un 2004 intense, d'abord floral, puis riche de fruits noirs et d'épices qui illustre l'appellation. La bouche est ronde, souple, dotée de fraîcheur, de fruits et d'une note prononcée de poivre en finale. Un gaillac déjà agréable, mais capable de bien évoluer au cours de la garde.

La Colombarié, Ch. Larroze,
81140 Cahuzac-sur-Vère, tél. 05.63.33.92.62,
fax 05.63.33.92.49, e-mail larroze@anavim.com
r.-v.

Linard

CH. LASTOURS Sec Les Graviers 2005 *

8 ha 30 000 3 à 5 €

Au château Lastours la tradition viticole remonte au XVIIIe s. Pierric et Hubert de Faramond poursuivent le développement de ce domaine de plus de 40 ha sur sols de graves. Leur 2005, jaune clair brillant, exprime volontiers ses arômes typés de fruits exotiques, de pomme et d'agrumes. Il se montre frais, tout en finesse au palais, d'une persistance fort agréable.

Hubert et Pierric de Faramond, Ch. Lastours,
81310 Lisle-sur-Tarn, tél. 05.63.57.07.09,
fax 05.63.41.01.95, e-mail chateau-lastours@wanadoo.fr
t.l.j. sf dim. 9h-12h 14h-18h

CH. LECUSSE Cuvée spéciale 2004 *

6,4 ha 38 600 5 à 8 €

Pernille et Mogens N. Olesen, d'origine danoise, ne sont pas seulement amateurs de vin, mais aussi de fleurs. Propriétaires d'une entreprise d'obtention de rosiers et de clématites dans leur pays, ils sont les fournisseurs officiels de sa Majesté la reine du Danemark. À Gaillac, ils s'occupent de leurs 45 ha de vignes comme d'une roseraie, avec soin et méthode, depuis 1994. Leur 2004, vêtu de sombre, affirme un nez puissant de fruits mûrs et d'épices, rehaussé d'une pointe animale. Franc en attaque, puis bien équilibré entre fraîcheur et rondeur, et agréablement fruité en finale, il peut compter sur des tanins mesurés pour se bonifier encore dans le temps. Le **Château Lecusse 2004 rouge Vieilli en fût de chêne (8 à 11 €)**, de même qualité, remporte une étoile.

Mogens N. Olesen, SCA du Ch. Lecusse, Broze,
81600 Gaillac, tél. 05.63.33.90.09, fax 05.63.33.94.36,
e-mail post@chateaulecusse.fr r.-v.

DOM. MAS PIGNOU Cuvée Mélanie 2004 *

3 ha 17 000 5 à 8 €

Mélanie, l'arrière-grand-mère de Jacques et Bernard Auque, était une femme de caractère. Cette cuvée lui rend hommage, avec un même tempérament. Presque noire, elle envahit le verre de ses arômes de cerise à l'eau-de-vie, de crème de cassis et d'épices. Après une attaque souple, elle trouve l'appui de tanins d'abord veloutés, puis affirme son caractère chaleureux et se montre plus ferme en finale. Dans un an ou deux, tout sera rentré dans l'ordre.

Jacques et Bernard Auque, Dom. Mas Pignou,
81600 Gaillac, tél. 05.63.33.18.52, fax 05.63.33.11.58,
e-mail maspignou@free.fr
t.l.j. 10h-12h 14h-19h; dim. sur r.-v.

CH. LES MÉRITZ L'Élixir 2004 *

1,8 ha 10 000 5 à 8 €

Philippe Gayrel possède deux domaines : Vigné-Lourac et Les Méritz. Ce dernier, coup de cœur pour sa cuvée Prestige dans l'édition 2006, est à l'origine de ce vin rouge profond à reflets violets, expressif et chaleureux, qui rappelle la violette et la cerise à l'eau-de-vie. L'attaque est douce, la bouche volumineuse et puissamment structurée. Un gaillac bien travaillé, dont les tanins doivent encore se fondre. Une étoile revient également au **V de Vigné-Lourac rouge 2004** qui mérite d'attendre deux ou trois ans lui aussi.

Les Dom. Philippe Gayrel, Ravailhe,
81140 Cahuzac-sur-Vère, tél. 05.63.33.91.16,
fax 05.63.33.95.76

CH. MONTELS 2004 **

6 ha 24 000 5 à 8 €

Si vous parcourez la région de Gaillac à pied ou à VTT, vous trouverez, sans trop vous écarter des chemins de randonnées, la demeure de Bruno Montels : une maison de maître du milieu du XIXe s., en pierre blanche du plateau cordais. Un arrêt s'impose pour découvrir ce gaillac riche de fruits et d'épices sous une robe sombre qui laisse de nombreuses larmes sur la paroi du verre. Un vin gras, charnu, qui bénéficie d'une excellente structure. La finale intense finit de convaincre. Un ravissement pour les deux à trois prochaines années. Le **Château Montels 2005 blanc sec (3 à 5 €)** brille d'une étoile tant il est expressif et rond.

SCEV Bruno Montels, Burgal, 81170 Souel,
tél. 05.63.56.01.28, fax 05.63.56.15.46 r.-v.

DOM. DU MOULIN Florentin 2004 **

0,5 ha 2 000 15 à 23 €

Un ancien moulin à vent sert d'emblème à ce domaine dont les vignes couvrent deux terroirs, l'un argilo-calcaire, l'autre graveleux. Le braucol semble parfaitement s'exprimer sur les graves. En témoigne ce 2004 couleur cerise burlat qui décline avec discrétion des senteurs de fruits rouges mûrs sur fond boisé-vanillé. Issu d'un bon travail de vinification, il offre une chair ronde et concentrée, aux tanins bien fondus. Les arômes se prolongent en un long écho, dans les registres fruité et boisé, aux accents soutenus de café et de réglisse.

Nicolas et Jean-Paul Hirissou, Dom. du Moulin,
chem. de Bastié, 81600 Gaillac, tél. 05.63.57.20.52,
fax 05.63.57.66.67, e-mail hirissou81@wanadoo.fr
t.l.j. sf dim. 8h-12h 14h-19h

CH. MOUSSENS Doux 2005 **

n.c. n.c. 8 à 11 €

60 % de mauzac, 20 % de loin-de-l'œil et autant de muscadelle composent ce moelleux aux reflets d'or et d'argent. Au nez frais, à la fois floral et fruité, répond un léger perlant qui préserve cette sensation de légèreté au cœur d'une bouche ronde et fruitée. Un vin parfaitement équilibré.

Alain Monestié, Moussens, 81150 Cestayrols,
tél. 05.63.56.86.60, fax 05.63.56.86.65
r.-v.

SUD-OUEST

DOM. PEYRES ROSES Vieilles Vignes 2004 ★

■ 1 ha 5 000 ▮ 8 à 11 €

Entre vignes, truffiers et prairies apparaît la maison vigneronne d'Olivier Bonnafont. Après un millésime 2003 marqué par la sécheresse et la grêle, mais bien réussi en gaillac sec (reportez-vous au Guide 2006), celui-ci propose sa première vinification sans levurage à partir d'un assemblage de duras, de braucol et de merlot. Rubis intense, le vin donne l'impression de croquer dans les fruits rouges tout juste cueillis, légèrement épicés. Il est équilibré au palais, tout aussi frais et fruité, sans aucune aspérité. Un gaillac authentique et fin.

Olivier Bonnafont, Dom. Peyres Roses,
Cinq Peyres, 81140 Cahuzac-sur-Vère,
tél. et fax 05.63.33.23.34,
e-mail olivier.bonnafont@wanadoo.fr r.-v.

DOM. DE PIALENTOU
Les Gentilles Pierres Élevé en fût de chêne 2004 ★

■ 2,8 ha 10 000 8 à 11 €

De « gentilles pierres » que ces boulbènes et argiles qui constituent le terroir du Pialentou. Syrah, cabernet-sauvignon, merlot et braucol y ont prospéré pour produire ce vin noir d'encre, nuancé de grenat. Puissant, celui-ci évoque les fruits noirs mûrs, ponctués de notes de garrigue, puis il livre une chair pleine et corsée, d'une concentration pareille à celle des confitures de fruits épicées. Le boisé se fond dans cette palette, tandis que les tanins se manifestent subtilement en finale. La même note revient à la cuvée **Les Gentilles Pierres rouge 2004 (5 à 8 €)** qui n'a pas connu le bois : elle est équilibrée et fruitée.

SCEA du Pialentou, Dom. de Pialentou,
81600 Brens, tél. 05.63.57.17.99, fax 05.63.57.20.51,
e-mail domaine.pialentou@wanadoo.fr
t.l.j. sf dim. 8h-12h 13h30-17h30
J. Gervais

ROBERT ET BERNARD PLAGEOLES
Doux Caprice d'Autan 2004 ★

5,76 ha 2 500 ▮ 30 à 38 €

Prunelart, mauzac noir, ondenc ne sont que quelques-uns des quatorze cépages typiquement gaillacois que Robert Plageoles et son fils Bernard ont fait revivre. Après un coup de cœur, l'an passé, pour le célèbre Vin d'Autan dans le millésime 2003, c'est un Caprice qui trouve sa place dans le Guide cette année. Un liquoreux de pur ondenc, jaune d'or, aux arômes intenses de pomme et de coing bien mûrs, relevés d'une pointe de safran. D'une réelle concentration, il trouve l'appui d'une juste fraîcheur au palais, tout en complétant sa palette de touches miellées.

EARL Robert et Bernard Plageoles,
Dom. des Très-Cantous, 81140 Cahuzac-sur-Vère,
tél. 05.63.33.90.40, fax 05.63.33.95.64
t.l.j. 8h-12h 14h-18h
Myriam et Bernard Plageoles

RAIMBAULT Cuvée Magistrale 2005 ★★

■ 19 ha 150 000 ▮ 3 à 5 €

Ayant bénéficié de toute la technologie dont dispose cette cave en perpétuelle modernisation, ce rosé est un modèle du genre. Ses reflets chatoyants sont une invitation à poursuivre la dégustation pour déceler dans la riche palette les notes de fruits à chair blanche, de fraise et de rose. Tout en souplesse, il offre à la fois de la rondeur et une vivacité suffisante pour lui assurer équilibre et longueur. Magistral, en effet ! Le **Baron de Lyssart blanc doux 2005 (5 à 8 €)** obtient deux étoiles également pour son nez intense et sa concentration, tandis que le **Château Lapeyre rouge 2004 Élevé en fût de chêne** brille d'une étoile.

Vignerons de Rabastens, 33, rte d'Albi,
81800 Rabastens, tél. 05.63.33.73.80,
fax 05.63.33.85.82,
e-mail cave@vigneronsderabastens.com r.-v.

CH. DE RHODES Élevé en fût 2004 ★★

■ 0,5 ha 3 735 8 à 11 €

Un travail sérieux à la vigne et de gros efforts de modernisation ont permis à ce domaine, repris en 2002, de réussir de belles cuvées, à l'image de ce 2004 rouge profond à reflets pourpres. Avec des arômes chaleureux de kirsch et d'épices pour invite, celui-ci révèle une chair ronde, pleine de fruits mûrs qu'un boisé bien dosé, frais et vanillé, souligne. Les tanins apparaissent fondus, comme une preuve supplémentaire d'harmonie.

Éric Lépine, Ch. de Rhodes, Boissel, 81600 Gaillac,
tél. 05.63.57.06.02, fax 05.63.57.66.63,
e-mail info@chateau-de-rhodes.com
t.l.j. 9h-12h 13h30-17h30; sam. dim. sur r.-v

DOM. RENÉ RIEUX Harmonie 2004 ★★

■ 3 ha 11 000 ▮ 3 à 5 €

Un assemblage de braucol à 80 % et de syrah à 20 %, telle est l'origine de ce vin pourpre, de bonne intensité dans ses arômes de fruits à l'eau-de-vie épicés, témoins d'une forte maturité du raisin. L'attaque est franche, la bouche chaleureuse mais équilibrée et toujours aromatique. La trame de tanins soyeux confère beaucoup d'élégance à ce gaillac qui porte bien son nom.

Dom. René Rieux, CAT Boissel, 1495,
rte de Cordes, 81600 Gaillac, tél. 05.63.57.29.29,
fax 05.63.57.51.71,
e-mail domainerenerieux@wanadoo.fr
t.l.j. sf dim. 9h-12h 14h-17h30; groupes sur r.-v.
Adapeai

DOM. ROTIER Doux Renaissance 2005 ★

6,8 ha 14 200 11 à 15 €

Dans la gamme Renaissance, qui représente l'excellence du domaine Rotier, le jury a retenu avec la même note le **2004 sec (8 à 11 €)** issu de loin-de-l'œil et d'une touche de sauvignon, ainsi que ce liquoreux. Ce dernier, brillant de reflets ambrés, s'ouvre comme une coupe de fruits sur l'abricot, le coing et les agrumes confits, tout en déclinant des senteurs de fleurs blanches et des notes fumées. Très concentré, il possède une sève déjà riche, qui saura se fondre dans le temps pour remporter de nouvelles étoiles lors de vos propres dégustations.

Dom. Rotier, Petit Nareye, 81600 Cadalen,
tél. 05.63.41.75.14, fax 05.63.41.54.56,
e-mail rotier@terre-net.fr
t.l.j. sf dim. 8h-12h 14h-19h:
groupes sur r.-v.
Alain Rotier et Francis Marre

DOM. DE SALMES
Doux Méthode gaillacoise 2005 ★

0,5 ha 1 300 ▮ 5 à 8 €

Un pur mauzac, tout de douceur constitué comme l'annoncent la robe dorée et le nez délicat de tarte Tatin. Certes ample et rond au palais, il possède pourtant suffisamment de fraîcheur pour ne jamais céder à la lourdeur et rehausser ses arômes en finale. Destinez-le à un goûter entre amis, avec des oreillettes. La **cuvée Tradition rouge 2004** est citée.

EARL Jean-Paul Pezet, Dom. de Salmes, 81150 Bernac, tél. 05.63.55.42.53, fax 05.63.53.10.26

t.l.j. 9h-19h; sam. dim. sur r.-v.

DOM. SANBATAN Doux 2004 ★

2 ha 6 000 5 à 8 €

De la muscadelle, rien que de la muscadelle, ce cépage que l'on retrouve dans le sauternes. Version gaillacoise, elle se traduit par un vin jaune cuivré, évocateur de miel, de tilleul et de fruits confits. La bouche est plus intense encore, ronde et grasse, avec cette fraîcheur attendue pour soutenir les arômes en finale. Un vin original.

Jacques Crayssac, Dom. Sanbatan, Le Lavecavet, 81600 Montans, tél. 05.63.57.25.48, fax 05.63.57.33.42

r.-v.

CH. DE SAURS Réserve Éliézer 2004 ★★★

3,8 ha 13 000 8 à 11 €

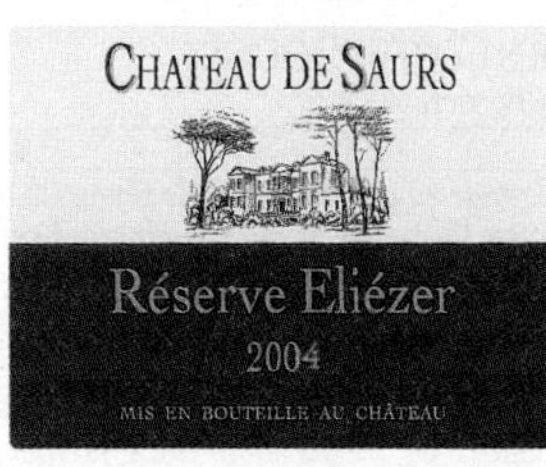

CHATEAU DE SAURS
Réserve Eliézer
2004
MIS EN BOUTEILLE AU CHÂTEAU

Dans la vaste cave voûtée, creusée sous toute la superficie du château du XIXe s. à l'architecture d'inspiration palladienne, est née cette Réserve : un hommage à l'arrière-grand-père de l'actuel propriétaire qui fit bâtir cette demeure. Habillée de pourpre à nuances violines, celle-ci affiche un nez intense de fruits mûrs, de chocolat et d'épices associés à un boisé fumé et vanillé. Dans sa chair ronde et pleine, l'empreinte du fût se fond élégamment à l'instar des tanins fins, respectueux de l'expression finale de fruits et de réglisse. Ce vin affrontera le temps sans inquiétude. Le **Château de Saurs rouge 2004 (5 à 8 €)**, noté une étoile, mérite de vieillir pour assouplir ses tanins.

SCEA Ch. de Saurs, 81310 Lisle-sur-Tarn, tél. 05.63.57.09.79, fax 05.63.57.10.71, e-mail info@chateau-de-saurs.com r.-v. 4

Burrus

CAVE DE TÉCOU

Passion Élevé en fût de chêne 2004 ★

40 ha 200 000 5 à 8 €

L'aimerez-vous un peu, beaucoup, passionnément ? Le jury, lui, l'a jugé à son goût et lui a attribué une étoile. Pourpre intense, le vin réunit des senteurs de bois neuf, de fruits rouges écrasés, de violette et d'épices douces en un bouquet déjà complexe. Le voici ample, rond et fruité au palais, qui ne tarde pas à révéler toute sa structure soulignée par un boisé aromatique. Un beau gaillac qui devrait encore s'harmoniser.

SCA Cave de Técou, Pagesou, 81600 Técou, tél. 05.63.33.00.80, fax 05.63.33.06.69, e-mail passion@cavedetecou.fr r.-v.

CH. DE TERRIDE

Demi-sec Méthode gaillacoise 2005 ★

0,5 ha 4 000 5 à 8 €

Alix et Xavier David sont à la tête de ce domaine depuis 2003. Ils ont à cœur de restaurer la demeure en pierre ocre, construite au XIXe s., et de mettre en valeur les 40 ha situés entre la forêt de Grésigne et celle de Sivens. Une étoile pour le 2004 l'an passé, une étoile pour le 2005 aujourd'hui : édifiante régularité. Celui-ci livre une mousse abondante sur fond pâle, ainsi qu'un cordon persistant de bulles fines. Élégamment parfumé de pomme et de fleurs, particulièrement frais, il se montre franc et équilibré, encore plus aromatique en finale. Un demi-sec à apprécier à l'apéritif comme au dessert.

Alix et Xavier David, Ch. de Terride, 81140 Puycelsi, tél. 05.63.33.26.63, fax 05.63.33.26.46, e-mail info@chateau-de-terride.com

t.l.j. 9h-12h 14h-19h; dim. sur r.-v.

CH. TOUNY LES ROSES Cuvée du Poète 2004 ★

n.c. 6 500 8 à 11 €

Un poème contemporain par son étiquette comme par sa composition de syrah (60 %) et de merlot. Un poème que l'on ouvre aujourd'hui et que l'on ouvre encore demain avec un plaisir renouvelé. C'est ainsi que vous aborderez ce gaillac rubis qui parle de fruits rouges et noirs, de boisé discret. Dans sa matière concentrée et chaleureuse, les tanins veloutés se dessinent, retrouvant en finale la petite fougue de la jeunesse.

Ch. Touny les Roses, Touny, 81150 Lagrave, tél. 05.63.57.90.90, fax 05.63.57.90.91, e-mail chateau@tounylesroses.fr r.-v. 5

DOM. VAYSSETTE Doux Cuvée Maxime 2004 ★★

5 ha 3 000 11 à 15 €

DOMAINE
Vayssette
GAILLAC
CUVÉE MAXIME
Mis en Bouteille au Domaine

Six et un font sept. Sept coups de cœurs dans le Guide Hachette pour ce domaine qui a débuté en 1973 avec 8 ha de vignes sur les premiers coteaux argilo-calcaires de Gaillac pour parvenir aujourd'hui à 26 ha. Le mauzac (70 %) complété de muscadelle a produit ce vin or intense, à reflets cuivrés, qui présente déjà toute la complexité des grands liquoreux dans sa palette de fruits confits (abricot, nèfle) et de fruits secs (amande, noix de cajou) rehaussés d'une note fumée. Au palais, la chair séveuse, ronde et onctueuse, déroule à l'infini ses flaveurs. Huit à dix ans de garde sont à la portée d'une telle bouteille. La **cuvée Léa 2004 rouge (8 à 11 €)** obtient deux étoiles pour son nez fruité concentré, son boisé fondu et sa sève.

Dom. Vayssette, Laborie, 81600 Gaillac, tél. 05.63.57.31.95, fax 05.63.81.56.84

t.l.j. 9h-12h 14h-19h; groupes sur r.-v.

Patrice Vayssette

SUD-OUEST

Vins-d'estaing AOVDQS

Entouré par les causses de l'Aubrac, les monts du Cantal et le plateau du Lévezou, le vignoble de l'Aveyron serait plutôt à classer parmi ceux du Massif central. Ces petites appellations sont très anciennes ; leur fondation par les moines de Conques remonte au IX[e]s.

Les vins-d'estaing (17,52 ha) se partagent entre rouges et rosés frais et parfumés (cassis, framboise), à base de fer-servadou et de gamay (605 hl pour les rouges et les rosés en 2005), et blancs originaux, assemblages de chenin, de mauzac et de rousselou (1,67 hl). Ils sont vifs avec des parfums de terroir.

LES VIGNERONS D'OLT Cuvée Prestige 2005

■ 6,5 ha 31 000 ▮ 3 à 5 €

Ici, à proximité de Marcillac, sur des sols composés à 50 % schiste et à 50 % calcaire, on associe le fer-servadou (30 %) à d'autres cépages : le cabernet-sauvignon (35 %) et le cabernet franc (35 %). La robe est intense, d'un rouge assez sombre. Le nez préserve un caractère végétal sous des notes de poivron, le tout relevé d'une touche épicée. La bouche est fraîche, agréable, soutenue par une légère acidité et un bon tour de moulin à poivre. Un vin original.

Les Vignerons d'Olt, Z.A. La Fage, 12190 Estaing, tél. et fax 05.65.44.04.42, e-mail cave.vigneronsdolt@wanadoo.fr r.-v.

Entraygues-le-fel AOVDQS

Les vins blancs d'Entraygues, cultivés sur d'étroites banquettes de sols schisteux à flanc de coteaux abrupts, sont issus de chenin et de mauzac ; ils sont frais et fruités. Ils font merveille sur les truites sauvages et le cantal doux. Les vins rouges du Fel, solides et terriens, seront bus sur l'agneau des Causses et la potée auvergnate. Sur 22 ha déclarés en 2005, les blancs ont représenté 119 hl, les rosés et les rouges 427 hl.

VIGUIER 2004 *

□ 2 ha 8 000 ▮ 5 à 8 €

Parmi les rares producteurs de cette appellation, Jean-Marc Viguier est, sinon le plus important, en tout cas un des incontournables. Il propose des vins dans les trois couleurs, mais c'est le blanc qui garde l'avantage : une étoile pour cette cuvée et une citation pour le **rouge 2004** et le **rosé 2004 (3 à 5 €)**. Jaune pâle est la robe de ce vin, délicat son nez tout fleuri et à peine miellé qui évoque la première coupe de foin de printemps. En bouche, on appréciera le bon équilibre entre gras, douceur et acidité. Cette dernière assure une belle tenue, tendue jusqu'au bout. Typé et très réussi.

Jean-Marc Viguier, Les Buis, 12140 Entraygues, tél. 05.65.44.50.45, fax 05.65.48.62.72, e-mail gaecviguier@tele2.fr t.l.j. 9h-12h 14h-19h

Marcillac

Dans une cuvette naturelle, le « vallon », au microclimat favorable, le mansoi (fer-servadou) donne aux vins rouges de marcillac une grande originalité empreinte d'une rusticité tannique et d'arômes de framboise. En 1990, cette démarche de typicité, cette volonté d'originalité ont été reconnues par l'accession à l'AOC. L'aire d'appellation recouvre aujourd'hui 178 ha et a produit, en 2005, 7 035 hl d'un vin reconnaissable entre tous.

DOM. DES COSTES ROUGES Clos de la Ferrière 2004 *

■ 0,8 ha 3 400 ▮ 5 à 8 €

De passage au gîte d'étape et de séjour du domaine, vous serez très bien accueilli par Claudine et Éric Vinas et de plus vous pourrez goûter aux deux cuvées qu'ils produisent avec passion et qui décrochent chacune une étoile ; la cuvée principale **Dom. des Costes Rouges 2005 (3 à 5 €)** et celle-ci, qui traduit bien l'expression des sols ferrugineux de l'appellation. Sous sa robe sombre nuancée de violet, elle révèle un nez typé et intense de fruits rouges. La bouche joue la cohérence avec le nez et présente une bonne matière et beaucoup de franchise. Un produit authentique.

Claudine et Éric Vinas, Combret, 12330 Nauviale, tél. et fax 05.65.72.83.85, e-mail domaine-des-costes-rouges@wanadoo.fr r.-v.

DOM. DU CROS Cuvée Vieilles Vignes 2004

■ 4 ha 25 000 8 à 11 €

Ayant acquis à son installation une vigne dont la plantation remontait à 1912, Philippe Teulier a choisi de vinifier à part ces raisins et de procéder à un élevage différent. Le résultat est cette cuvée qui a séjourné dix-huit mois dans le fût, à la robe rouge sombre et au nez subtil exprimant le fruit. La bouche est équilibrée, avec des tanins savoureux et le retour des fruits rouges en finale. Également citée, la cuvée **Lo Sang del Païs 2004 (5 à 8 €)**.

Philippe Teulier, Dom. du Cros, 12390 Goutrens, tél. 05.65.72.71.77, fax 05.65.72.68.80, e-mail pteulier@domaine-du-cros.com t.l.j. sf dim. 9h-12h 14h-19h, groupes sur r.-v.

DOM. LAURENS 2004

■ 12 ha 70 000 ▮ 5 à 8 €

Située au centre du village médiéval de Clairvaux dont l'église romane est classée, cette cave produit ses propres vins depuis 1997. Le cabernet (1 %) est un simple appoint du fer-servadou dans ce vin limpide rouge vif. Agréable, le nez annonce une bouche équilibrée et fraîche qui aimera les plats du terroir.

⊶ Dom. Laurens, 7, av. de la Tour, 12330 Clairvaux, tél. 05.65.72.69.37, fax 05.65.72.76.74, e-mail info@domaine-laurens.com ☑ Y ⁂ r.-v.

DOM. DU MIOULA 2004 **

■ 4 ha 12 000 ▮ 5 à 8 €

Coup de cœur à son entrée dans le Guide l'année dernière avec sa cuvée Terres d'Angles 2003, ce domaine était à nouveau présent au grand jury cette année. Ce 2004 se présente habillé d'une robe d'un beau rouge vif plutôt intense. Son bouquet, bien marqué, fait la part belle aux fruits rouges. La bouche est à la fois souple et ample, chaleureuse et équilibrée, et d'une persistance aromatique assez longue.

⊶ Bernard Angles, Le Mioula, 12330 Salles-la-Source, tél. 06.08.95.15.60, fax 05.65.68.50.45 ☑ ⁂ r.-v.

LES VIGNERONS DU VALLON
Cuvée réservée 2004 *

■ 12 ha 80 000 ▮ 3 à 5 €

Cette année, trois vins de la cave du Vallon ont été retenus : la cuvée **Élevé en fût de chêne 2004 (5 à 8 €)**, la **cuvée Les Crestes 2004** et enfin cette cuvée, d'un rouge vif soutenu, qui arbore en toute simplicité un nez fruité, franc et agréable. Le palais, tout en rondeur et en longueur, porte encore plus haut le fruit dans un parfait équilibre.

⊶ Les Vignerons du Vallon, RN 140, 12330 Valady, tél. 05.65.72.70.21, fax 05.65.72.68.39, e-mail valady@groupe-unicor.com
☑ Y ⁂ t.l.j. sf dim. 9h-12h 14h-18h

Côtes-de-millau AOVDQS

L'appellation AOVDQS côtes-de-millau a été reconnue le 12 avril 1994. La production atteint 1 967 hl sur 52,10 ha déclarés en 2005 dont 72 hl en blanc et 1 895 hl en rouge et rosé. Les vins sont composés de syrah et de gamay noir et, dans une moindre proportion, de cabernet-sauvignon, de fer-servadou et de duras.

DOM. MONTROZIER Collection spéciale 2004 *

■ 3,46 ha 3 000 ⏺ 8 à 11 €

La coopérative d'Aguessac a créé cette marque en 2004 pour démontrer qu'en procédant à des sélections rigoureuses de vendanges et en adaptant leur élevage, les vins des côtes-de-millau pouvaient atteindre une haute expression. Le résultat est convaincant : nez original de cuir, de fumée et de suie, bouche structurée, tanins jeunes un peu riches, finale franche ; les amateurs de vins de garde peuvent le commander, mais pour le consommer il conviendra d'attendre deux ou trois ans. Citée, la cuvée **Seigneurs de Peyreviel 2004 (3 à 5 €)**, de structure légère, est marquée par les épices au nez et en bouche. À déguster avec de la charcuterie aveyronnaise.

⊶ SCV Les Vignerons des Gorges du Tarn, 6, av. des Causses, 12520 Aguessac, tél. 05.65.59.84.11, fax 05.65.59.17.90, e-mail scvcotesdemillau@wanadoo.fr ☑ Y ⁂ r.-v.

DOM. DU VIEUX NOYER 2004 **

■ 2,83 ha 13 800 ▮ 3 à 5 €

Le vieux noyer qui a donné son nom au domaine vient de mourir de vieillesse. Pour pérenniser son souvenir, la famille Portalier a tenu à le sculpter. Quelle démarche délicate ! La présentation au Guide d'une des plus belles cuvées de l'appellation est encore à mettre au crédit de Carmen, Bernard et Ludovic. Avec sa robe grenat, son nez de petits fruits noirs (myrtille, mûre) mais aussi de bourgeon de cassis, ce vin propose une rétro-olfaction de cerise noire soutenue par des tanins encore fermes et une finale nette et réussie. Un très beau côtes-de-millau à consommer dans les deux ans à venir.

⊶ Dom. du Vieux Noyer, Boyne, 12640 Rivière-sur-Tarn, tél. et fax 05.65.62.64.57
☑ Y ⁂ t.l.j. 9h-12h30 14h-18h30

La moyenne Garonne

Côtes-du-frontonnais

Vin des Toulousains, le côtes-du-frontonnais provient d'un très ancien vignoble, autrefois propriété des chevaliers de l'ordre de Saint-Jean-de-Jérusalem. Lors du siège de Montauban, Louis XIII et Richelieu se livrèrent à force dégustations comparatives... Reconstitué grâce à la création des coopératives de Fronton et de Villaudric, le vignoble a conservé un encépagement original avec la négrette, cépage local que l'on retrouve à Gaillac ; lui sont associés le cot, le cabernet franc et le cabernet-sauvignon, la syrah, le gamay et le mauzac.

Le terroir occupe environ 2 000 ha sur les trois terrasses du Tarn, avec des sols de boulbènes, graves ou rougets. La production a atteint 88 622 hl en 2005. Les vins rouges, à forte proportion de cabernet, gamay ou syrah, sont légers, fruités et aromatiques. Les plus riches en négrette sont plus puissants, tanniques, dotés d'un fort parfum de terroir. Les rosés sont francs, vifs, avec un agréable fruité.

CH. BAUDARE 2004 *

■ 25 ha 150 000 ▮ 5 à 8 €

Avec ce rouge 2004, Claude et David Vigouroux ont élaboré un fronton bien typé. Grenat profond aux reflets violacés, il offre un nez moyennement intense mais agréable de fruits relevés de quelques épices. La bouche est harmonieuse, chaude et souple. À servir en attendant la cuvée **Secret des anges rouge 2004 (8 à 11 €)** citée.

⊶ Claude et David Vigouroux, Ch. Baudare, 82370 Labastide-Saint-Pierre, tél. 05.63.30.12.98, fax 05.63.64.07.24, e-mail vigouroux@aol.com
☑ Y ⁂ r.-v.

SUD-OUEST

CH. BELLEVUE LA FORÊT
La Forêt royale 2004 ★★

■ 6 ha 25 000 5 à 8 €

Triple mention pour Patrick Germain et son Château Bellevue La Forêt cette année : une citation pour son **rosé 2005 (3 à 5 €)**, une étoile pour son **rouge 2004 (3 à 5 €)** et deux étoiles pour cette remarquable Forêt royale à la robe profonde avec des reflets de cerise burlat. Le bouquet est d'une belle complexité, mariant agréablement la typicité des cépages et l'élevage sous bois dans un mélange de fruits rouges, d'épices, de violette et de fumé. La bouche, moelleuse, ample et charnue, offre ses arômes de violette, de fruits cuits et de pain grillé sur un lit de tanins enrobés et déjà fondus. Une très belle harmonie.

Ch. Bellevue la Forêt, 4500, av. de Grisolles, 31620 Fronton, tél. 05.34.27.91.91, fax 05.61.82.39.70, e-mail contact@chateaubellevuelaforet.com r.-v.

Patrick Germain

CH. BOUISSEL Haute Expression 2004 ★★★

■ 1,5 ha 5 300 **11 à 15 €**

Après un coup de cœur dans la précédente édition pour le 2003, Pierre et Anne-Marie Selle poursuivent leur démarche de « haute expression » avec brio. Ce nouveau millésime exceptionnel en est la preuve, qui se dévoile sous une profonde robe grenat aux nuances violettes. Le nez encore retenu, offre un concentré de violette, de fruits rouges et noirs et d'épices. La bouche est ronde, pleine, riche et subtilement parfumée. Elle se prolonge sur de savoureux tanins aux accents réglissés. La **cuvée Sélection rouge 2004 élevée en fût de chêne (8 à 11 €)** du même Château est citée.

Pierre et Anne-Marie Selle, Ch. Bouissel, 200, chem. du Vert, 82370 Campsas, tél. 05.63.30.10.49, fax 05.63.64.01.22, e-mail chateaubouissel@free.fr

t.l.j. sf dim. 9h-12h 14h-19h; groupes sur r.-v.

CH. BOUJAC Éole Élevé en fût de chêne 2004

■ 2 ha 5 000 **5 à 8 €**

Il y a la jolie robe rubis aux reflets pourpres, mais c'est le nez qui interpelle ici, avec son intéressant mélange de fruits mûrs, de pivoine et de vanille, agrémenté d'une note de fumé. L'attaque est franche, la bouche est ferme et tenue par des tanins présents issus d'un boisé encore très marqué. Un vin à suivre.

Michelle et Philippe Selle, 427, chem. de Boujac, 82370 Campsas, tél. 05.63.30.17.79, fax 05.63.30.19.12, e-mail selle.philippe@wanadoo.fr

t.l.j. sf dim. 9h-19h

CH. CAHUZAC L'Authentique 2004 ★

■ 13 ha 80 000 3 à 5 €

Très sombre, presque noire, la robe de ce 2004 révèle un nez montant, intense, aux senteurs fruitées et florales. La bouche est ronde et souple, avec des tanins feutrés ; la concentration relative laisse monter la chaleur en finale tout en portant les arômes. Une belle cohérence pour un vin qui peut patienter un peu ou être servi maintenant sur des charcuteries.

EARL de Cahuzac, Les Peyronnets, 82170 Fabas, tél. 05.63.64.10.18, fax 05.63.67.36.97, e-mail chateau.cahuzac@wanadoo.fr

lun. ven. 14h-18h; sam. 10h-12h

Ferran Père et Fils

CH. CARROL DE BELLEL 2005 ★

■ 2 ha 12 000 3 à 5 €

Limpide et brillant, ce rosé offre un nez bien ouvert fait de notes florales et d'arômes de confiserie. L'attaque fraîche est un préambule à une bouche équilibrée, grasse, ronde et harmonieuse, qui retrouve les arômes de bonbon du nez et les exprime dans une belle finale. Un bon représentant des rosés de cette appellation.

Gilbert Gasparotto, 82370 Campsas, tél. 05.63.64.01.80, fax 05.63.30.11.42, e-mail vignobles@arbeau.com

CH. CLAMENS Sélection 2004 ★

■ 6,5 ha 34 000 3 à 5 €

Robe grenat intense et pleine d'éclat pour cette Sélection 2004, dont le nez soutenu penche nettement vers le fruit, agrémenté toutefois de notes d'épices et de réglisse. Elle se révèle agréable en bouche, avec une attaque souple, un palais aromatique et charpenté, soutenu par des tanins soyeux, déjà fondus. Un ensemble bien équilibré.

Jean-Michel Bégué, 720, chem. du Tapas, 31620 Fronton, tél. 05.61.82.45.32, fax 05.62.79.21.73, e-mail chateau.clamens@terre-net.fr

t.l.j. sf dim. 9h30-12h 14h-19h

CH. CLOS MIGNON Villaudric 2004

■ 12 ha 40 000 **3 à 5 €**

Sous sa robe légère, nette et limpide, ce 2004 développe un nez frais aux notes de violette et de menthol, légèrement épicé. La bouche, équilibrée, légère et toute en souplesse, retrouve cet arôme de violette... de Toulouse ! Un vin agréable, à servir dès maintenant.

Olivier Muzart, EARL du Ch. Clos Mignon, 31620 Villeneuve-les-Bouloc, tél. 05.61.82.10.89, fax 05.61.82.99.14, e-mail omuzart@closmignon.com

t.l.j. sf lun. 9h-12h 15h-19h, dim. 10h-12h

CH. LA COLOMBIÈRE Vin gris Villaudric 2005

■ 2,33 ha 13 000 **5 à 8 €**

Un rosé, oui, un gris ! Moitié négrette, moitié gamay, ce vin se présente sous une robe très attrayante, d'un rose bonbon soutenu, et offre au nez de plaisantes notes de fruits rouges. L'attaque est fraîche et la bouche bien acidulée, avec des arômes de confiserie assez persistants. Un rosé franc et friand, agréable. La cuvée **Tradition rouge 2004** obtient également une citation.

Ch. La Colombière, 190, rte de Vacquiers, 31620 Villaudric, tél. 05.61.82.44.05, fax 05.61.82.57.56, e-mail vigneron@chateaulacolombiere.com

t.l.j. sf dim. 9h-12h 14h-18h

Diane de Driésen-Cauvin

CH. DEVÈS 2005

■ 1 ha 2 500 **3 à 5 €**

Négrette (50 %), syrah (40 %) et cabernet franc (10 %) : voici l'heureuse composition de ce rosé à la couleur franche et brillante. Le nez s'ouvre sur des senteurs fruitées et florales délicates. En bouche, l'attaque est vive, le volume moyen, mais les arômes du nez trouvent une expression plus marquée, le tout formant un bel ensemble harmonieux. Également citée, la cuvée **Allegro rouge 2004 (5 à 8 €)**, bien structurée et à servir dans deux ans.

Michel Abart, Ch. Devès, 2255, rte de Fronton, 31620 Castelnau-d'Estretefonds, tél. et fax 05.61.35.14.97 r.-v.

CH. FERRAN Tradition 2004 ★★

■ 18 ha 120 000 ▮ 5 à 8 €

Coup de cœur l'an passé, Nicolas Gélis propose deux vins de son Château Ferran. Cette cuvée Tradition tout d'abord, d'un rouge profond, au nez assez complexe et intense évoquant l'encens, les fruits rouges, la violette et les épices. Une bouche généreuse, concentrée et bien structurée, où les arômes du nez se retrouvent encore plus prononcés. Un vin remarquable, qu'il faudra savoir attendre quelques années. Le **rosé 2005** est cité.

Nicolas Gélis, Ch. Ferran, 31620 Fronton, tél. 05.61.35.30.58, fax 05.61.35.30.59, e-mail chateau.ferran@wanadoo.fr r.-v.

CH. LA FONCELIÈRE 2004

■ n.c. 71 600 ▮ 3 à 5 €

Robe grenat d'une belle intensité. Ce 2004 présente un nez encore sur la réserve, aux senteurs de fruits confiturés et d'épices. La bouche, également un peu retenue, révèle néanmoins un bon équilibre où l'on retrouve les arômes du nez sur une trame de tanins serrés en finale.

Cave de Fronton, rte de Montauban, 31620 Fronton, tél. 05.62.79.97.79, fax 05.62.79.97.70 r.-v.

CH. FONT BLANQUE 2004 ★

■ 2,3 ha 2 000 ▮ 3 à 5 €

Paré d'une robe couleur cerise, propre et nette, ce vin développe un nez d'intensité moyenne composé de notes fruitées, d'épices et de violette. Ces arômes se retrouvent dans une bouche expressive et longue, aux tanins souples. Un vin complet, qui peut attendre encore deux ans mais qu'il sera agréable de déguster dès maintenant après un passage en carafe.

Jacqueline et Didier Bonhoure, GAEC de Font Blanque, 1055, rte de Fabas, 82370 Campsas, tél. 05.63.64.08.91, fax 05.63.67.95.89 t.l.j. sf dim. 8h-12h 14h-19h

CH. FONVIEILLE 2004 ★

■ 7,5 ha 55 000 ▮ 3 à 5 €

Avec 70 % de négrette, complétée à parts égales de cabernet-sauvignon et de syrah, voici un 2004 très réussi. Une couleur cerise aux nuances roses et violines soutenues, voilà pour la robe. Au nez, on reconnaît la négrette avec ses arômes typiques de fruits rouges et noirs, relevés d'épices et de notes de violette. L'attaque est douce, la bouche plutôt équilibrée avec beaucoup de chaleur et de fruit, des tanins très présents et une finale sur la violette. Déjà intéressant, il devrait encore s'affiner d'ici deux à trois ans. Du même producteur, une citation pour le **Chemin Saint-Jacques rouge 2004 (moins de 3 €)**.

ABA, 149, av. Charles-de-Gaulle, 82000 Montauban, tél. 05.63.20.23.15, fax 05.63.03.06.64

CH. JOLIET Fantaisie 2004

■ 3,6 ha 15 000 ▮ 3 à 5 €

Est-ce le nom du Château qui inspire ceux, joyeux, de ses cuvées ? Double citation en tout cas, cette année, pour la cuvée **Mélodie rouge 2004 (5 à 8 €)**, à garder pendant que vous boirez cette cuvée Fantaisie. Habillée de rouge, avec des nuances acajou, celle-ci offre un nez puissant de cerise à l'eau-de-vie relevé de poivre, où percent également des notes florales (violette, pivoine). La bouche est équilibrée, moyennement intense mais néanmoins aromatique.

François Daubert, Ch. Joliet, 345, chem. de Caillol, 31620 Fronton, tél. 05.61.82.46.02, fax 05.61.82.34.56, e-mail chateau.joliet@wanadoo.fr t.l.j. sf dim. 9h-12h 14h-18h, f. 1 sem. en août

CH. LAUROU Tradition 2004 ★★

■ 39 ha 50 000 ▮ 3 à 5 €

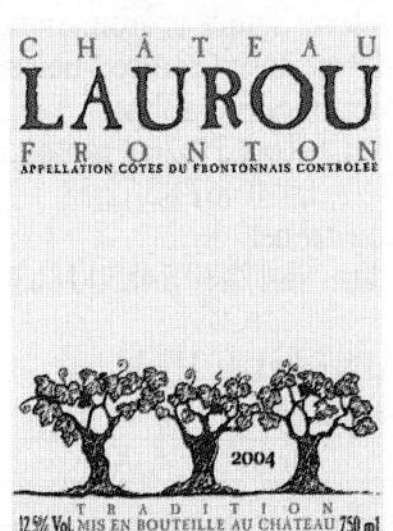

Cette cuvée Tradition a surpris agréablement le grand jury, qui lui a décerné un coup de cœur pour son élégance et son charme indiscutables. C'est d'abord parée d'une superbe et profonde robe aubergine qu'elle se dévoile à nos yeux. Viennent ensuite les arômes, avec un nez d'une belle complexité, à la fois fruité et floral, très légèrement fumé tout en sachant rester frais. L'attaque est souple, veloutée ; la bouche ronde, longue et bien remplie, chaude sans excès de puissance et en même temps doucement acidulée et toujours aromatique. Une bien jolie matière.

Guy Salmona, Dom. de Laurou, 2250, rte de Nohic, 31620 Fronton, tél. 05.61.82.40.88, fax 05.61.82.73.11, e-mail chateau.laurou@wanadoo.fr r.-v.

CH. MARGUERITE Le Rosé de Marguerite 2005 ★

■ 26 ha 173 000 3 à 5 €

Sous une robe d'un beau rose tyrien soutenu tirant vers le rouge, on découvre un nez intense et ouvert aux senteurs de bonbon anglais, accompagnées de notes de fruits rouges (fraise, cerise). La bouche est un modèle d'équilibre entre l'acide et le moelleux, avec beaucoup de volume et de gras, et des arômes qui se relancent dans une finale acidulée. Un rosé expressif. Du même propriétaire, le **Château La Palme rosé 2004** est cité.

SCEA Ch. Marguerite, 1709, chem. des Cavailles, 82370 Campsas, tél. et fax 05.63.64.08.21, e-mail chateau.marguerite@wanadoo.fr

SUD-OUEST

CH. MONTAURIOL
Mons Aureolus Élevé en fût 2004 ★★

■ 7 ha 30 000 8 à 11 €

Une moitié de négrette, un quart de syrah et un quart de cabernet-sauvignon : un assemblage qui réussit à Nicolas Gélis et lui vaut son deuxième « deux étoiles » cette année après Château Ferran. Sous une remarquable robe pourpre presque noire, on découvre un nez d'une grande finesse, aux accents de fruits à l'eau-de-vie et d'épices agrémentés de notes de torréfaction. Après une attaque pleine de sucrosité, la bouche, très aromatique, retient par son volume, son ampleur et son gras. Les tanins sont enrobés et le boisé encore assez présent demandant un peu de patience. Citation pour le **rosé 2005 (5 à 8 €)**.

Nicolas Gélis, Ch. Montauriol, rte des Châteaux, 31340 Villematier, tél. 05.61.35.30.58, fax 05.61.35.30.59, e-mail contact@chateau-montauriol.com r.-v.

DOM. LE ROC Don-Quichotte 2004 ★

■ 3 ha 13 000 ▮ 5 à 8 €

Une double sélection cette année pour la famille Ribes : une citation pour le **Château Flotis rouge 2004**, propriété reprise il y a seulement quelques années, et une étoile pour cette cuvée Don-Quichotte. Elle se présente sous une robe profonde de cerise burlat, avec un nez intense et bien relevé. Souple et aromatique dès la prise en bouche, elle s'affirme ensuite grâce à une charpente solide et serrée mais néanmoins enrobée.

Ribes, Dom. Le Roc, 31620 Fronton,
tél. 05.61.82.93.90, fax 05.61.82.72.38,
e-mail leroc@cegetel.net
t.l.j. sf dim. 9h-12h30 14h30-18h30

DOM. DE SAINT-GUILHEM
Cuvée Renaissance 2004 ★★

■ 2 ha 6 700 5 à 8 €

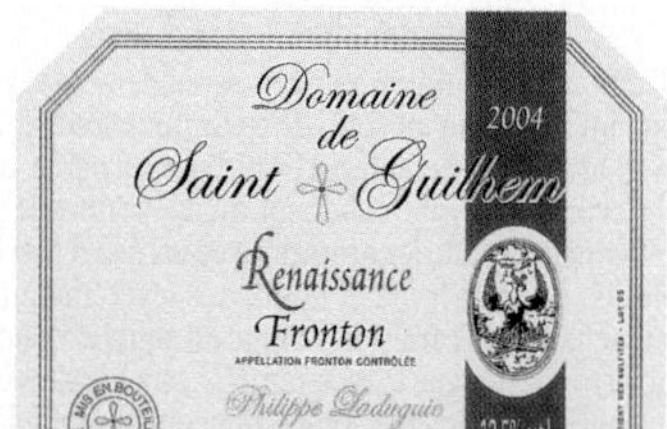

Voici une cuvée somptueuse, mi-négrette, mi-cabernet-sauvignon. Sortie tout droit de quatorze mois d'élevage en barrique, elle apparaît sombre, profonde, presque noir d'encre, avec quelques reflets violets. Elle offre un nez puissant et corsé qui marie en un bouquet complexe les fruits mûrs, les épices et les senteurs de sous-bois. En bouche, la matière est très présente, encore serrée autour de tanins bien structurants qui lui promettent un bel avenir. Enfin, on prendra plaisir à s'attarder sur la montée en puissance, sur fond de réglisse et de fruits. Incontestablement, un vin à fort potentiel.

Philippe Laduguie,
1619, chem. de Saint-Guilhem,
31620 Castelnau-d'Estretefonds,
tél. 05.61.82.12.09, fax 05.61.82.65.59
t.l.j. 10h-19h; dim. sur r.-v. 4 B

CH. SAINT-LOUIS
Élevé en fût de chêne 2004 ★

■ 11,02 ha 50 000 5 à 8 €

Hôte d'une ou plusieurs nuits d'Alain Mahmoudi, peut-être aurez-vous le plaisir de déguster ce 2004 rouge cerise, agréable à l'œil, aux nuances acajou. Son nez assez intense évoque un mélange de fruits rouges à l'eau-de-vie et d'épices, relevés de notes grillées. La bouche, ronde et douce avec des tanins fins, garde une vraie fraîcheur. Un bel équilibre pour un vin de plaisir. La cuvée **L'Esprit rouge 2004 (8 à 11 €)** est citée.

Alain Mahmoudi, Ch. Saint-Louis,
BP 8, 82370 Labastide-Saint-Pierre,
tél. 05.63.30.20.20, fax 05.63.30.58.76,
e-mail proprietaire@chateausaintlouis.fr
t.l.j. 9h-12h 14h-18h; sam. dim. sur r.-v. 7

TOT ÇÒ QUE CAL 2004 ★

■ 2,4 ha 4 850 15 à 23 €

L'étiquette ne ment pas : *Tot çò que cal*, ce vin a en effet « tout ce qu'il faut » pour séduire, sous sa robe intense entre rubis et grenat. Le nez, d'une belle complexité, exprime de superbes arômes de fruits mûrs, suivis de notes d'épices qu'accompagne une pointe de violette. La bouche offre une belle montée en puissance, chaleureuse, fruitée et réglissée. La trame du vin est assez serrée, sans être massive ; l'élevage est bien maîtrisé.

EARL de Plaisance, pl. de la Mairie,
31340 Vacquiers, tél. 05.61.84.97.41, fax 05.61.84.11.26,
e-mail chateau-plaisance@wanadoo.fr
mer. à sam. 9h-12h 15h-19h
Louis et Marc Penavayre

Lavilledieu AOVDQS

Au nord du Frontonnais, sur les terrasses du Tarn et de la Garonne, le vignoble de Lavilledieu produit des vins rouges et rosés. La production, classée en AOVDQS, est très confidentielle (2 033 hl en 2005 sur 43 ha). La négrette (30 %), le cabernet franc, le gamay, la syrah et le tannat sont les cépages autorisés.

CHEVALIER DU CHRIST 2004 ★

■ 29 ha 40 000 ▮ - de 3 €

Fondée en 1949 par trois grands producteurs théopolitains (comprenez « de Lavilledieu-du-Temple »), la cave coopérative produit aujourd'hui 95 % des vins de l'appellation. Ce 2004 rubis clair, dont le nez floral est franc et intense, offre une bouche souple et fruitée, bien équilibrée. Notez son excellent rapport qualité-prix. **Le Dôme du Rochert 2004 rouge (5 à 8 €)**, léger et fruité, mérite une citation.

Cave de Lavilledieu-du-Temple,
337, rte de Meauzac, 82290 Lavilledieu-du-Temple,
tél. 05.63.31.60.05, fax 05.63.31.69.11,
e-mail cave-lavilledieu@wanadoo.fr r.-v.

Côtes-du-brulhois AOVDQS

Passés de la catégorie des vins de pays à celle des AOVDQS en novembre 1984, ces vins sont produits de part et d'autre de la Garonne, autour de la petite ville de Layrac, dans les départements du Gers, du Lot-et-Garonne et du Tarn-et-Garonne sur une superficie de 206,11 ha. Essentiellement rouges, ils sont issus des cépages bordelais et des cépages locaux, tannat et cot, et ont représenté 10 586 hl en 2005. La majeure partie de la production est assurée par deux caves coopératives.

CLOS POUNTET L'Horloge 2004 ★★

■ 1 ha 7 500 11 à 15 €

Le nom de cette cuvée fait référence à la tour de l'Horloge construite sous Louis XIV, en pierre et en brique, dans le village d'Auvillar, l'un des plus beaux de France. Le temps n'est pas près de s'arrêter pour le 2004. Habillé d'une robe étonnamment intense, nuancée de violet, ce vin exprime des arômes puissants de fruits rouges à l'eau-de-vie, de réglisse, soulignés d'un caractère toasté de qualité. Il impressionne par son volume, l'ampleur de sa structure, la richesse de sa sève pleine de fruits confiturés et harmonieusement boisée. Un vin d'une remarquable persistance et d'un grand potentiel. La cuvée **Éclats de fruits 2004 (5 à 8 €)** obtient une étoile. Elle doit patienter deux ou trois ans en cave pour fondre ses tanins.

Guillaume Combes, Clos Pountet, La Simone, 82340 Saint-Cirice, tél. 06.23.84.82.45, fax 05.53.43.22.05, e-mail guillaume.combes@libertysurf.fr r.-v.

PARVIS DES TEMPLIERS 2004 ★

■ 30 ha 50 000 5 à 8 €

Un vin grenat intense, brillant de reflets roses, qui laisse sur les parois du verre d'abondantes larmes. Les arômes de fruits rouges, de cassis et de cerise noire mûrs apportent une sensation de fraîcheur et se marient harmonieusement avec les notes de garrigue, d'épices (poivre et réglisse). Si les tanins manifestent encore leur présence, ils ne tarderont pas à se fondre dans cette matière ample et fruitée. Deux à quatre ans de garde sont à la portée de cette bouteille. Le **Carrelot des amants 2004** obtient la même note et demande un temps de garde identique.

Les Vignerons du Brulhois, Cellier du Brulhois, 82340 Dunes, tél. 05.63.39.91.92, fax 05.63.39.82.83, e-mail info@vigneronsdubrulhois.com t.l.j. sf dim. lun. 9h-12h 14h-18h

LA RÉSERVE DE 2 SŒURS EN AQUITAINE 2004 ★★

■ 10 ha 10 000 5 à 8 €

Au Moyen Âge, La Bastide vendait en Angleterre sa production qu'elle transportait par sa propre flotte de bateaux. Aujourd'hui encore, Catherine et Isabelle Orliac, les deux sœurs en Aquitaine, exportent leurs vins outre-Manche. Ce 2004 satisfera tous les palais, car il est rond et chaleureux, structuré par des tanins déjà bien fondus. De sa robe grenat à reflets pourpres émanent des arômes puissants de cassis mûr, d'épices et de réglisse. Un côtes-du-brulhois bien composé.

Catherine Orliac, GAEC Magistère, Ch. La Bastide, 47270 Clermont-Soubiran, tél. 05.53.87.41.02, fax 05.53.68.22.64, e-mail chateau.orliac@wanadoo.fr r.-v.

LA VOÛTE SAINT-ROC Élevé en fût de chêne 2004 ★★

■ 20 ha 30 000 8 à 11 €

La cave des vignerons du Brulhois est née en 2002 de la fusion des coopératives de Goulens et de Donzac. Elle défend les couleurs de l'appellation par de nombreuses cuvées de qualité. La préférence du jury va à ce vin entre rubis et grenat qui mêle savamment les arômes de petits fruits rouges et noirs aux nuances de cuir, de réglisse et de vanille. La bouche volumineuse et charpentée trouve un juste équilibre. Une bouteille déjà agréable, mais également prometteuse. **Le Vin noir 2004 (11 à 15 €)** brille d'une étoile, de même que le **Château Grand Chêne Sélection 2004 (5 à 8 €)**.

Les Vignerons du Brulhois, Cellier du Brulhois, 82340 Dunes, tél. 05.63.39.91.92, fax 05.63.39.82.83, e-mail info@vigneronsdubrulhois.com t.l.j. sf dim. lun. 9h-12h 14h-18h

Buzet

Connu depuis le Moyen Âge comme partie intégrante du haut-pays bordelais, le vignoble de Buzet s'étageait entre Agen et Marmande. D'origine monastique, il a été développé par les bourgeois d'Agen. Réduit à l'état de souvenir après la crise phylloxérique, il est devenu à partir de 1956 le symbole de la renaissance du vignoble du haut-pays. Deux hommes, Jean Mermillod et Jean Combabessouse, ont présidé à ce renouveau, qui doit aussi beaucoup à la Cave coopérative des Producteurs réunis, laquelle élève une grande partie de sa production en barriques régulièrement renouvelées. Ce vignoble s'étend aujourd'hui entre Damazan et Sainte-Colombe, sur les premiers coteaux de la Garonne près des villes touristiques de Nérac et Barbaste.

L'alternance de boulbènes, de sols graveleux et argilo-calcaires permet d'obtenir des vins à la fois variés et typés. Les rouges, puissants, profonds, charnus et soyeux, rivalisent avec certains de leurs voisins girondins. Ils s'accordent à merveille avec la gastronomie locale : magret, confit et lapin aux pruneaux. S'étendant sur 2 115 ha, buzet a donné 95 622 hl dont 91 229 hl en rouge et rosé et 4 393 hl en blanc, car, si le buzet est rouge par tradition, blancs et rosés complètent une palette consacrée aux harmonies pourpres, grenat et vermillon.

CH. BALESTÉ 2004

■ 15 ha 25 270 5 à 8 €

Installé sur un promontoire en arc de cercle ouvert de l'est au sud, ce domaine couvre une superficie d'une

SUD-OUEST

quinzaine d'hectares. Le millésime 2004 obtient une citation. Sous une robe intense, il développe un fruité agréable au nez, que l'on retrouve au palais sur des tanins souples et fondus.

Les Vignerons de Buzet, BP 17,
47160 Buzet-sur-Baïse, tél. 05.53.84.74.30,
fax 05.53.84.74.24, e-mail buzet@vignerons-buzet.fr
r.-v.
O. Bernede

BARON D'ALBRET 2004 *

	50 ha	290 000		5 à 8 €

Double distinction cette année pour le Baron d'Albret. La première revient à ce rouge 2004 à la robe brillante, d'un beau rubis profond, dont le nez d'abord sur la réserve s'ouvre ensuite sur les fruits noirs et bien mûrs. En bouche, il se révèle chaud et rond, avec des tanins un peu serrés et légèrement boisés. Le **rosé 2005 (8 à 11 €)** décroche lui aussi une étoile : très fruité au nez et en bouche, il présente une sucrosité importante bien atténuée en finale par une fraîcheur marquée. Enfin, pour rester dans les barons, citons également le **Baron d'Ardeuil blanc 2005 Élevé en fût de chêne (8 à 11 €)**.

Les Vignerons de Buzet, BP 17,
47160 Buzet-sur-Baïse, tél. 05.53.84.74.30,
fax 05.53.84.74.24, e-mail buzet@vignerons-buzet.fr
r.-v.

CH. DU BOUCHET 2004 *

	9,5 ha	59 983		3 à 5 €

Un habitué de la sélection, dont le millésime 2004 confirme l'étoile attribuée au 2003. Si la robe est légère, d'intensité moyenne, le nez s'affirme puissant, finement boisé avec des notes de vanille. L'attaque est plaisante, marquée par le fruit. Les tanins encore très présents sont une invitation à patienter deux ou trois ans. À attendre également, le **Château de Mazelières rouge 2004**, fruité au nez, qui obtient une citation.

Les Vignerons de Buzet, BP 17,
47160 Buzet-sur-Baïse, tél. 05.53.84.74.30,
fax 05.53.84.74.24, e-mail buzet@vignerons-buzet.fr
r.-v.

LES VIGNERONS DE BUZET Tradition 2004

	200 ha	1 330 000		3 à 5 €

La cuvée Tradition est la plus ancienne des cuvées produites par les Vignerons de Buzet. En 2004, elle joue sans complexe le registre fruité et savoureux, avec une bouche ronde et une finale agréable. Citée également, la cuvée **Grande Réserve rouge 2003 (11 à 15 €)**, élevée quatorze mois en fût.

Les Vignerons de Buzet, BP 17,
47160 Buzet-sur-Baïse, tél. 05.53.84.74.30,
fax 05.53.84.74.24, e-mail buzet@vignerons-buzet.fr
r.-v.

DOM. DE LA CROIX Vieilles Vignes 2004 *

	12 ha	53 100		5 à 8 €

Ce sont des vignes de plus de vingt ans, vendangées manuellement, qui ont servi à produire cette cuvée. D'une couleur intense et soutenue, elle révèle un nez chaleureux et puissamment fruité. La bouche est également sur le fruit, avec des tanins agréables et finement boisés, prélude à une finale persistante et équilibrée. Un vin qu'il faudra savoir attendre deux à trois ans.

Les Vignerons de Buzet, BP 17,
47160 Buzet-sur-Baïse, tél. 05.53.84.74.30,
fax 05.53.84.74.24, e-mail buzet@vignerons-buzet.fr
r.-v.
P. Pozzoli

CH. DU FRANDAT Cuvée Privilège 2003 *

	3 ha	16 500		5 à 8 €

Le Château du Frandat est une valeur sûre, qui fut coup de cœur l'an passé. Nous le retrouvons cette année avec sa cuvée Privilège, d'un rubis dense et profond, au nez expressif, ouvert et complexe, fait de notes de réglisse, de pruneau et de cuir. L'attaque est ronde et grasse. Les tanins, très présents notamment en finale, sont fins et soyeux. Un vin typique du millésime 2003, qui rappelle toute la chaleur de cet été. La cuvée classique **rouge 2004**, ronde et légère, se voit également attribuer une étoile.

Patrice Sterlin, Ch. du Frandat, 47600 Nérac,
tél. 05.53.65.23.83, fax 05.53.97.05.77
t.l.j. sf dim. 10h-12h 14h-18h; f. 15 jan.-15 fév.

CH.DE GUEYZE 2004 **

	32 ha	109 000		8 à 11 €

Une cuvée remarquable qui a séduit le grand jury. La robe est brillante et d'un beau rubis ; le nez intense, boisé, vanillé avec des notes de fruits cuits et de pruneau. L'attaque est agréable, d'une belle sucrosité, et l'on retrouve au palais ces arômes de fruits cuits, mêlés d'orange confite. Les tanins sont présents mais fondus dans une longue finale. Un vin parfaitement équilibré que l'on peut consommer jeune mais qui gagnera à vieillir. Le **rosé 2005** du Château, assez proche d'un clairet, tannique, est cité.

Les Vignerons de Buzet, BP 17,
47160 Buzet-sur-Baïse, tél. 05.53.84.74.30,
fax 05.53.84.74.24, e-mail buzet@vignerons-buzet.fr
r.-v.

HARMONIE 73 2003

	6,05 ha	42 693		8 à 11 €

Cette cuvée rend hommage à l'année 1973, qui vit Buzet accéder au statut d'AOC. Couleur rubis, elle dévoile un nez complexe aux notes d'orange confite et de boisé. L'attaque est souple et chaleureuse ; les tanins, très présents, témoignent de l'élevage en fût, mais sont porteurs d'avenir pour ce vin qui devrait se bonifier avec l'âge.

Les Vignerons de Buzet, BP 17,
47160 Buzet-sur-Baïse, tél. 05.53.84.74.30,
fax 05.53.84.74.24, e-mail buzet@vignerons-buzet.fr
r.-v.

CH. DE PADÈRE 2004 ★

■ 7,5 ha 40 150 ▮ 5 à 8 €

Ce 2004 s'habille de pourpre et offre un nez très intense et aromatique, fruité. La bouche est assez tannique, avec du gras, et développe des arômes d'orange, de cerise et d'épices, pour conclure sur une finale longue et harmonieuse. Un vin flatteur et équilibré à servir dans un an.

Les Vignerons de Buzet, BP 17,
47160 Buzet-sur-Baïse, tél. 05.53.84.74.30,
fax 05.53.84.74.24, e-mail buzet@vignerons-buzet.fr
r.-v.

SEIGNEUR DE LUZIN 2004 ★

■ 39 ha 270 000 ▮ 3 à 5 €

Sous une belle robe pourpre, on découvre un nez intense marqué par les notes de fruits rouges. Le palais retrouve ces mêmes arômes fruités, soutenus par des tanins agréables, moyennement concentrés. Un vin sympathique à goûter pour se faire plaisir, tout simplement. Dans le même style, la cuvée **Roc de Breyssac rouge 2004** est citée. C'est un vin souple et léger que l'on pourra consommer dans sa jeunesse.

Les Vignerons de Buzet, BP 17,
47160 Buzet-sur-Baïse, tél. 05.53.84.74.30,
fax 05.53.84.74.24, e-mail buzet@vignerons-buzet.fr
r.-v.

Côtes-du-marmandais

Non loin de l'Entre-deux-Mers, des vins de Duras et de Buzet, les côtes-du-marmandais sont produits en majorité par la Cave du Marmandais qui regroupe les sites de Beaupuy et de Cocumont, sur les deux rives de la Garonne. Les vins blancs, à base de sémillon, de sauvignon, de muscadelle et d'ugni blanc, sont secs, vifs et fruités. Les vins rouges, à base de cépages bordelais et d'abouriou, syrah, cot et gamay, sont bouquetés et d'une bonne souplesse. Le vignoble occupe environ 1 406 ha qui ont produit 2 208 hl de vins blancs et 67 987 hl de rouges et rosés.

CH. DE BEAULIEU Élevé en fût de chêne 2003 ★★

■ 20 ha 85 000 5 à 8 €

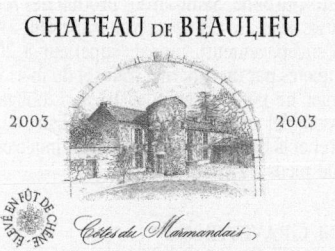

Un château que l'on ne présente plus, et dont le vignoble est aujourd'hui en restructuration. Le nez de ce 2003 révèle à la fois des senteurs de fruits très mûrs et un boisé agréable. La bouche développe des arômes de fruits rouges, soutenus par une charpente tannique puissante mais équilibrée, pour finir tout en longueur sur des notes d'épices et de vanille. Un vin remarquable qui parvient à réunir fraîcheur, vivacité, harmonie et élégance. Dans le même style, mais moins concentré, le **rouge 2004** décroche une étoile, distinction qu'obtient également la **Cuvée de l'Oratoire rouge 2004 (11 à 15 €)**.

Robert et Agnès Schulte, Ch. de Beaulieu,
47180 Saint-Sauveur-de-Meilhan, tél. 05.53.94.30.40,
fax 05.53.94.81.73,
e-mail chateau_de_beaulieu@hotmail.com
t.l.j. 8h-12h 14h-18h; sam. dim. sur r.-v.

BEROY Élevé en fût de chêne 2004 ★★

■ 3 ha 10 000 5 à 8 €

Voici une cuvée qui figure souvent dans notre sélection. Un séjour de dix-huit mois dans le fût a conféré à ce 2004 des qualités qui ne demanderont qu'à s'exprimer d'ici deux à trois ans. Au nez, on perçoit déjà les arômes de fruits rouges accompagnés de notes grillées et épicées. En bouche, la structure est puissante et équilibrée, avec un boisé encore un peu dominant qui profitera de la garde pour s'arrondir et se fondre dans l'ensemble. Également élevé en fût et marqué par le bois, le **Château Monplaisir rouge 2004 (3 à 5 €)** obtient une étoile. Deux cuvées en devenir.

Cave du Marmandais, La Vieille Église,
47250 Cocumont, tél. 05.53.94.50.21, fax 05.53.94.52.84,
e-mail accueil@origine-marmandais.fr
t.l.j. sf dim. 8h-12h 14h30-18h

CH. BOIS BEAULIEU
Cuvée Belle du Méras Élevé en fût de chêne 2003 ★

■ 1,5 ha 10 000 ▮ 5 à 8 €

Au domaine, le mariage de la passion de la vigne et de celle du cheval a donné naissance à cette cuvée, hommage à une jument « merens ». Sous une robe grenat foncé, ce 2003 est marqué par un fruité léger aux accents épicés. La bouche présente une structure charpentée dans laquelle s'expriment à nouveau les arômes de fruits, agrémentés de notes de grillé.

SCEA de Campot, 47180 Saint-Sauveur-de-Meilhan,
tél. 05.53.94.32.41, fax 05.53.64.65.11,
e-mail tarascon.jp@wanadoo.fr
sam. 9h-12h 14h-18h
J.-P. Tarascon

CLOS CAVENAC Terra 2004 ★

■ 6 ha 10 000 ▮ 3 à 5 €

C'est le premier millésime de la propriété et cette cuvée Terra obtient déjà une étoile : voilà qui semble prometteur. Sous une robe rouge grenat, elle développe un nez fin et intense de fruits rouges bien mûrs. Le palais retrouve ce fruité très plaisant, dans une structure qui ne joue pas la puissance mais allie rondeur et vivacité. Un vin à servir maintenant.

Emmanuelle Piovesan, Cavenac,
47180 Castelnau-sur-Gupie, tél. et fax 05.53.83.81.20,
e-mail closcavenac@yahoo.fr r.-v.

ELIAN DA ROS Le Vin est une fête 2004 ★

■ 6 ha 25 000 5 à 8 €

Une entrée remarquée dans le guide pour Elian Da Ros et ses trois cuvées issues de vignes cultivées en agriculture biologique, qui décrochent chacune une étoile.

Le Vin est une fête fait honneur à son nom. Rouge grenat limpide, il exhale un bouquet de fruits rouges aux légères notes grillées et offre une bouche ronde et charnue : on a l'impression de croquer dans le fruit. Le **Vignoble d'Elian rouge 2004 (8 à 11 €)** se révèle plus tannique et plus concentré, mais il a su garder fruité et souplesse. Enfin, la cuvée **Chante Coucou rouge 2003 (11 à 15 €)** est plus charpentée, avec un boisé bien présent.
Elian Da Ros, Laclotte, 47250 Cocumont, tél. 05.53.20.75.22, fax 05.53.94.79.29 r.-v.

EXCELLENCE DE BAZIN 2004 ★★

4 ha 30 000 11 à 15 €

Excellence, dites-vous ? En tout cas, cette cuvée a été jugée remarquable par nos dégustateurs. Le nez est puissant, dominé par des notes de boisé et de grillé sous lesquelles pointe le fruit. Des tanins enrobés offrent à la bouche, marquée par le fruit, une belle structure. La finale, longue, apporte des arômes de cachou et de réglisse. Gardez deux ans cette bouteille, vous ne le regretterez pas. Un peu moins charpenté, le **Prestige de Beaupuy rouge 2004 (5 à 8 €)** obtient une étoile.
Cave du Marmandais, La Vieille Église, 47250 Cocumont, tél. 05.53.94.50.21, fax 05.53.94.52.84, e-mail accueil@origine-marmandais.fr
t.l.j. sf dim. 8h-12h 14h30-18h

GRAINS DE PLAISIR 2005 ★

3 ha 10 000 3 à 5 €

Cette cuvée joue la carte du style frais et primeur. Sous une robe brillante couleur rubis pointe un bouquet fruité et fin, aux notes de cerise. La bouche se fait ronde, avec des tanins souples et élégants, pour offrir une finale fraîche et acidulée. Un vin fringant et vif, pour tous les palais. Souples et fruités, le **Grains de plaisir rosé 2005** et le **Grains de bonheur rosé 2005** obtiennent tous deux une étoile.
Cave du Marmandais, La Vieille Église, 47250 Cocumont, tél. 05.53.94.50.21, fax 05.53.94.52.84, e-mail accueil@origine-marmandais.fr
t.l.j. sf dim. 8h-12h 14h30-18h

LASSOLLE 2003 ★

7,2 ha 7 000 11 à 15 €

Situé en bordure de la forêt landaise, ce vignoble est cultivé de manière naturelle en biodynamie. Ce 2003 s'affirme tout en puissance. Rouge grenat presque noir, il présente un nez solide de fruits mûrs relevé de boisé et de cuir. Au palais, on retrouve les arômes de fruits sur un lit de tanins bien charpentés. Un vin harmonieux qui évoluera rapidement.
SCEA Cruselect, Ch. Lassolle, 47250 Romestaing, tél. et fax 05.53.94.55.73, e-mail chateau.lassolle@wanadoo.fr r.-v.
Stéphanie Roussel

RICHARD 1er 2004 ★★

5 ha 30 000 3 à 5 €

De son passage en fût, ce vin a hérité d'un nez marqué par le bois, aux notes d'épices, de café et de torréfaction, auxquelles se mêlent des arômes de fruits noirs et de griotte. La bouche compose une belle harmonie de fruité et de boisé, avec des tanins puissants et ronds, et une longue finale toute en fraîcheur. Un vin remarquable que vous aurez la sagesse de faire vieillir quelques années. Produite par la même cave, la cuvée **Secret de vigneron rouge 2003 (8 à 11 €)** obtient une étoile.
Cave du Marmandais, La Vieille Église, 47250 Cocumont, tél. 05.53.94.50.21, fax 05.53.94.52.84, e-mail accueil@origine-marmandais.fr
t.l.j. sf dim. 8h-12h 14h30-18h

TAP D'E PERBOS Élevé en fût de chêne 2004 ★

7 ha 80 000 5 à 8 €

Cette cuvée de la Cave du Marmandais est une valeur sûre, que l'on retrouve régulièrement dans ce guide. Ce 2004 offre un compromis intéressant entre le bois et le fruit. Le nez, encore un peu fermé, laisse déjà entrevoir ses arômes de fruits noirs. La bouche, souple et soyeuse, exprime le fruit, auquel les tanins puissants et équilibrés viennent apporter une note boisée. De la même cave, la cuvée **Terrefort rouge 2004** obtient également une étoile.
Cave du Marmandais, La Vieille Église, 47250 Cocumont, tél. 05.53.94.50.21, fax 05.53.94.52.84, e-mail accueil@origine-marmandais.fr
t.l.j. sf dim. 8h-12h 14h30-18h

CH. VIDEAU 2004 ★

6,5 ha 9 500 5 à 8 €

Après une reprise de fermage, la récolte 2004 a été vinifiée pour la première fois à la propriété. Le résultat ? Un vin très réussi, d'un rubis clair brillant, au bouquet marqué par les notes de fumé. Souple en attaque, il offre une bouche puissante et chaude qui se termine sur une note légèrement acidulée.
Michel Charlot, Dom. Bonnet Laborde, La Chalosse, 47180 Lagupie, tél. 06.14.74.78.90, fax 05.53.83.43.07, e-mail bonnet.gc@libertysurf.fr
r.-v.

Saint-sardos AOVDQS

Dernier né des AOVDQS, saint-sardos est consacré depuis le 1er octobre 2005. Historique, ce vignoble fut créé au XIIes. lors de la fondation de l'Abbaye de Grandselve à Bouillac. Ses 200 ha de vigne sont plantés en rive gauche de la Garonne, au sud-ouest du Tarn-et-Garonne, et au nord du département de la Haute-Garonne. Saint-sardos produit des rouges et rosés issus des cépages syrah (supérieur à 40 % de l'encépagement), tannat (supérieur à 20 %) complétés par du cabernet franc et du merlot, ce dernier ne pouvant excéder 10 %. L'obligation d'assembler au moins trois cépages figure dans le décret et la densité de plantation minimale est de 4 000 pieds à l'hectare.

ROSÉ GRAVETTE 2005 ★

5 ha 20 000 3 à 5 €

Toute nouvelle appellation, saint-sardos a accédé à l'automne 2005 au statut d'AOVDQS. Voici donc le premier millésime retenu en rosé. Syrah (70 %), tannat

(20 %) et cabernet (10 %) forment l'assemblage de ce vin très limpide, à la robe entre saumon et groseille. Le nez frais évoque les agrumes (pamplemousse rose et orange sanguine) et la poire. Douce en attaque, la bouche élégante de bonbon acidulé est d'une assez belle longueur. Une étoile également pour la cuvée **Grand Selve 2004 (5 à 8 €)**.

Vignerons de Saint-Sardos, Le Bourg, 82600 Saint-Sardos, tél. 05.63.02.52.44, fax 05.63.02.62.19, e-mail contact@cave-saint-sardos.com r.-v.

Le Bergeracois et Duras

Bergerac

Bergerac est l'une des villes les plus connues de France par le personnage d'Edmond de Rostand, Cyrano de Bergerac. C'est aussi une capitale gastronomique, qui a donné son nom à l'AOC en 1936. Vallonné, véritable mosaïque de terroirs, le vignoble représente un intérêt touristique non négligeable.

Les vins peuvent être produits dans 90 communes de l'arrondissement de Bergerac ; le vignoble représente 10 232 ha, dont 3 026 ha en blanc. Le rosé, frais et fruité, est souvent issu de cabernet ; le rouge, aromatique et souple, est un assemblage des cépages traditionnels. Leur production a atteint 169 973 hl en blanc et 345 970 hl en rouge et rosé.

CH. BELINGARD 2005

■ 15 ha 100 000 ■ 3 à 5 €

C'est une cuvée très classique et bien maîtrisée que propose ce domaine. Le nez flatteur est dominé par les fruits rouges, sous lesquels percent des notes florales de violette. La bouche, également sur le fruit, offre une attaque soyeuse et des tanins ronds, avant une finale sur la fraîcheur. Un vin qui accompagnera élégamment une pièce de veau.

SCEA Comte de Bosredon, Ch. Belingard, 24240 Pomport, tél. 05.53.58.28.03, fax 05.53.58.38.39, e-mail laurent.debosredon@wanadoo.fr r.-v.

CH. BELLES FILLES

La Belle Inconnue Élevé en fût de chêne 2004

■ 4 ha 2 000 11 à 15 €

Cette Belle Inconnue s'avance habillée d'une robe grenat sombre. Son nez est à la fois fruité et toasté, avec un boisé pas encore tout à fait fondu. La bouche, pleine et très tannique, est également marquée par le bois. Un vin de garde qu'il faut attendre quelques années avant de le déguster sur un magret ou, pourquoi pas, sur un rôti de bison.

Earl De Conti, Les Eymaries, 24240 Thénac, tél. 05.53.24.52.11, fax 05.53.24.56.29, e-mail chateaubellesfilles@telei.fr t.l.j. sf dim. 9h-12h 15h-18h; f. nov. à janv.

Le Bergeracois

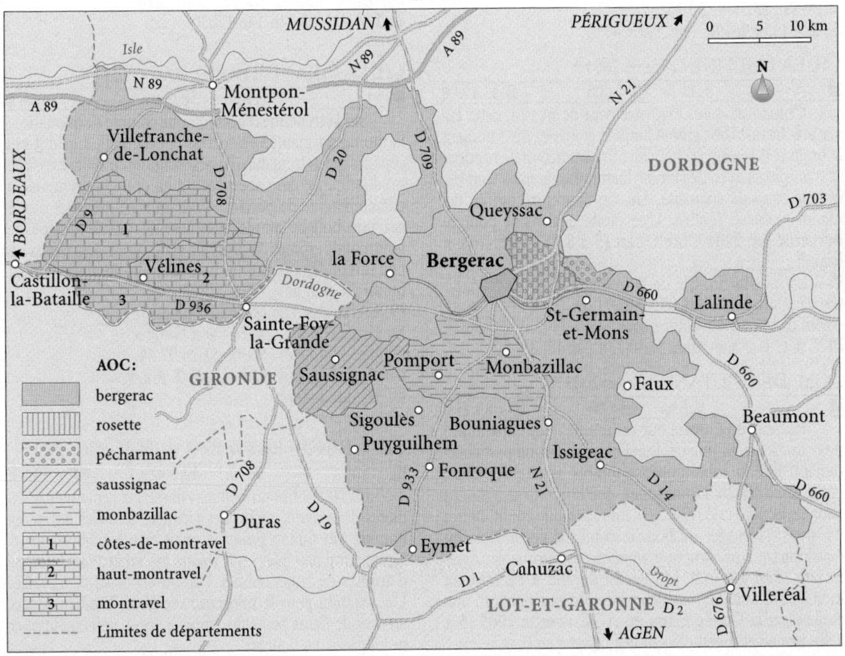

CH. DU BLOY Sirius 2004 *

1 ha 4 000 5 à 8 €

Sous une robe grenat intense, ce 2004 dévoile un nez complexe joliment fruité, agrémenté de notes confites et boisées. En bouche, on apprécie l'attaque franche et puissante, ainsi que la fraîcheur des tanins, qui profiteront d'une année de garde pour se fondre davantage. Le jury a également décerné une étoile au **montravel blanc 2004 cuvée Le Bloy (11 à 15 €)**, aromatique et harmonieux, marqué par le sauvignon et un boisé discret.

SCEA Lambert Lepoittevin-Dubost, Le Blois, 24230 Bonneville, tél. 05.53.22.47.87, fax 05.53.27.56.34, e-mail chateau.du.bloy@wanadoo.fr r.-v.

DOM. DU CANTONNET 2004

11 ha 6 890 3 à 5 €

Sous une robe rubis assez soutenu, qui présente déjà quelques notes d'évolution, on découvre un nez fruité moyennement puissant, mais fin et agréable. On retrouve les mêmes sensations dans une bouche ronde aux tanins encore un peu austères qui ne demandent qu'à s'assouplir.

EARL Vignobles Rigal, Le Cantonnet, 24240 Razac-de-Saussignac, tél. 05.53.27.88.63, fax 05.53.27.12.31 r.-v.

CASTEL LA PÈZE 2005

n.c. 15 000 3 à 5 €

Neuf générations se sont succédé sur cette exploitation, que Patrick Daniel a reprise dès l'âge de dix-huit ans. Il propose ce 2005 à la robe pourpre intense et au nez marqué par le cabernet (notes végétales). L'attaque puissante développe des arômes de fruits rouges relevés de notes poivrées. À servir légèrement frais avec quelques charcuteries du pays.

P. & S. Daniel, La Pèze, 24240 Pomport, tél. et fax 05.53.61.33.35 t.l.j. 9h-19h; dim. sur r.-v.

CH. LA COLLINE Carminé 2004 *

1,38 ha 7 000 15 à 23 €

Composée quasi exclusivement de merlot, cette cuvée affiche une robe grenat limpide et un nez où dominent le brûlé et le toasté. La bouche offre beaucoup de rondeur et d'ampleur, avec des tanins bien présents mais souples, et beaucoup de sucrosité. Un vin concentré qui ne demande qu'à se fondre. Une étoile également pour le **bergerac sec 2004 Côté Ouest (5 à 8 €)**, fruité, frais et friand.

Charles Martin, Ch. de la Colline, 24240 Thénac, tél. 05.53.61.87.87, fax 05.53.61.71.09, e-mail charlesm@la-colline.com t.l.j. sf sam. dim. 9h30-13h 14h-16h30

DOM. DE COUTANCIE Jules 2005 **

0,7 ha 4 600 8 à 11 €

Habitué du Guide pour ses rosette, c'est cette année pour un bergerac que ce domaine se distingue particulièrement. Dès la robe, pourpre sombre aux reflets noirs, cette cuvée affiche sa puissance, que l'on retrouve au nez dans un bouquet de raisin très mûr, presque confit, relevé de notes d'élevage. La bouche confirme ces arômes en développant une structure tannique remarquable, agrémentée d'un joli fruit. Un vin en devenir à attendre au moins cinq ans. Les moelleux ne sont pas oubliés : une étoile pour la **Cuvée Elina en AOC rosette 2005 (5 à 8 €)**, fruitée et mentholée au nez comme en bouche.

SCEA Maury, Dom. de Coutancie, 24130 Prigonrieux, tél. 05.53.57.52.26, fax 05.53.58.76.76, e-mail coutancie@wanadoo.fr r.-v.

CH. DES EYSSARDS

Cuvée Prestige Élevé en fût de chêne 2004 **

6 ha 50 000 5 à 8 €

Cette cuvée, toujours appréciée, fut coup de cœur l'an dernier. Le nouveau millésime, vêtu de violet offre un nez puissant de fruits mûrs : cassis, framboise et griotte. La bouche est ronde et grasse, avec des tanins serrés qui nous invitent à attendre quelques années pour un supplément d'harmonie. La même cuvée en **bergerac sec 2004** obtient une citation : les notes fraîches d'agrumes au nez s'inscrivent dans un ensemble ample et agréable, qui témoigne d'une parfaite maîtrise de la vinification.

GAEC des Eyssards, 24240 Monestier, tél. 05.53.24.36.36, fax 05.53.58.63.74, e-mail eyssards@wanadoo.fr r.-v.

FONCAUSSADE

Le 12 Mois Élevé en fût de chêne 2004 *

3 ha 18 000 3 à 5 €

L'aviez-vous deviné ? Ce vin a subi un élevage d'un an en barrique de chêne, séjour dont il porte haut la marque. Le nez exprime des notes de fruits noirs avec un boisé très présent mais agréable. En bouche, les tanins puissants, encore un peu rudes, commencent à se fondre. À garder deux ou trois ans pour en profiter pleinement. Produit par la même cave, le **Château Le Vigneau 2005**, à la belle structure de tanins héritée des cabernets, obtient une citation.

Les Vignerons de Sigoulès, 24240 Sigoulès, tél. 05.53.61.55.00, fax 05.53.61.55.10 t.l.j. 9h-12h 14h-17h30

CH. LA GRANDE BORIE 2005 *

8 ha 50 000 5 à 8 €

Sur la trentaine d'hectares que compte l'exploitation, la moitié est plantée en merlot et cabernets. Ce sont ces cépages qui entrent dans l'assemblage de ce 2005, avec une prédominance des cabernets qui lui donne ce bouquet si caractéristique de poivron. L'attaque est grasse et ouvre sur une bouche ample et généreuse qui développe de gourmands arômes de groseille et de cerise. Les tanins un peu serrés démontrent un bon potentiel de vieillissement (quatre à cinq ans).

EARL des Vignobles Lafon-Lafaye, La Grande Borie, 24520 Saint-Nexans, tél. 05.53.24.33.21, fax 05.53.24.97.74, e-mail cllafaye@wanadoo.fr r.-v.

Claude Lafaye

CH. GRINOU Réserve Élevé en fût de chêne 2005 *

10 ha 40 000 5 à 8 €

Ce 2005 offre un bouquet floral aux senteurs printanières de violette, auxquelles viennent se mêler des notes boisées. Les tanins, puissants mais bien équilibrés, structurent un palais plein qui rejoue la violette, agrémentée d'arômes de fruits confits. Un vin expressif et travaillé. Une citation pour le **bergerac sec 2005 Tradition**, aux arômes de fleurs blanches, apprécié pour son équilibre et sa longueur en bouche.

Catherine et Guy Cuisset, Ch. Grinou, 24240 Monestier, tél. 05.53.58.46.63, fax 05.53.61.05.66, e-mail chateaugrinou@wanadoo.fr ☒ Y ✱ r.-v.

CH. HAUT MINZAC 2004

■ 9,5 ha 5 000 ▮ 3 à 5 €

Le merlot (95 %) confère à ce bergerac un côté fruité et sympathique, qui s'exprime dès le nez, jeune et frais aux notes épicées. Sa bouche très fruitée également est bien structurée et offre une bonne persistance en finale. Un vin léger et complexe, à servir un peu frais sur des grillades.

Serge Dussutour, Le Canton, 24610 Minzac, tél. et fax 05.53.81.80.26 ☒ Y ✱ r.-v.

DOM. DU HAUT TERREFORT 2004

■ 1 ha 7 000 ▮ 3 à 5 €

Aux confins de la Dordogne, le vignoble et le chai sont situés sur une butte marquant la limite du département. Robe grenat aux reflets violacés, ce 2004 offre un nez simple et agréable, et une bouche ronde aux tanins harmonieux. Un vin plaisant à servir maintenant.

Thierry Moro, La Vergnasse, 33570 Saint-Cibard, tél. et fax 05.57.40.65.75, e-mail vignobles.tmoro@wanadoo.fr ☒ Y ✱ r.-v.

CH. JONC-BLANC Les Sens du fruit 2004 ★★

■ 6 ha 30 000 ▮ 5 à 8 €

Voici un vin qui porte bien son nom : dans leurs cuves, Isabelle Carles et Franck Pascal sont allés chercher l'essence du fruit qui ravira vos sens. Sous une robe d'un grenat assez soutenu, on découvre un nez complexe très marqué par les arômes de fruits, sur un fond légèrement animal et épicé. Les fruits rouges se retrouvent dans une bouche ronde aux tanins bien équilibrés et de belle longueur. Un vrai vin plaisir à déguster sur une viande rouge.

SCEA I. Carles et F. Pascal, Le Jonc-Blanc, 24230 Vélines, tél. et fax 05.53.74.18.97, e-mail jonc.blanc@free.fr ☒ Y ✱ r.-v.

JULIEN DE SAVIGNAC 2004 ★★

■ n.c. 58 000 ◖◗ 5 à 8 €

Quatre cuvées de Julien de Savignac ont été sélectionnées cette année. La plus remarquable est ce rouge 2004 au bouquet intense et harmonieux composé de notes de fruits rouges et de vanille. La bouche est particulièrement riche et pleine, avec beaucoup de souplesse et des tanins présents mais soyeux. La finale marquée par le bois incite à patienter encore quelques années. Les trois autres cuvées sont citées : le **bergerac rosé 2005**, fruité et frais ; le **bergerac sec 2005**, riche et rond en bouche ; enfin, le **bergerac rouge 2004 Les Jardins de Cyrano, cuvée Le Feuillardier (3 à 5 €)**, harmonieux et long, qui joue le fruit et les épices.

Julien de Savignac, av. de la Libération, 24260 Le Bugue, tél. 05.53.07.10.31, fax 05.53.07.16.41, e-mail julien.de.savignac@wanadoo.fr ☒ Y ✱ t.l.j. 9h-12h30 14h45-19h15; dim. 10h-12h30

PRESTIGE DES JUSTICES
Vieilles Vignes Élevé en fût de chêne 2004

■ 0,5 ha 3 200 ◖◗ 5 à 8 €

Trente-cinq ans, c'est l'âge moyen des vignes qui ont servi à produire cette cuvée. Sous la robe grenat aux reflets violines, le nez fruité et vanillé révèle un élevage sous bois maîtrisé. La bouche offre une bonne concentration, avec des tanins marqués en finale. Un bergerac assez classique à servir maintenant.

GAEC Vignobles Fruttero, Ch. Les Justices, 24500 Sadillac, tél. 05.53.58.41.93, fax 05.53.57.83.48, e-mail vignobles.fruttero@wanadoo.fr ☒ Y ✱ r.-v.

CH. KALIAN Élevé en barrique 2004 ★

■ 0,42 ha 1 200 ◖◗ 5 à 8 €

Cette cuvée confidentielle a fait l'objet de tous les soins, depuis la récolte manuelle jusqu'à l'élevage en barrique. Le nez, intense et particulièrement plaisant, offre des arômes de cassis, de myrtille et un boisé bien présent. La bouche est pleine avec beaucoup de volume, mais encore un peu marquée par le bois. Un vin qui ne demande qu'à vieillir.

Alain et Anne Griaud, Ch. Kalian, lieu-dit Bernasse, 24240 Monbazillac, tél. et fax 05.53.24.98.34, e-mail kalian.griaud@wanadoo.fr ☒ Y ✱ t.l.j. 9h-19h30

L'INSPIRATION DES MIAUDOUX 2004 ★★

■ 4 ha 13 000 ◖◗ 11 à 15 €

Habitué du Guide, ce domaine décroche un nouveau coup de cœur grâce à ce vin remarquable tout en finesse. Le nez est un puissant bouquet de fruits rouges accompagné de notes boisées et épicées. En bouche, l'attaque est ronde avec beaucoup de sucrosité, les tanins sont soyeux et bien fondus et le boisé sait se faire discret. Profond et plein de personnalité, ce 2004 est promis à un bel avenir. La même cuvée en **bergerac sec 2004** obtient une étoile pour son gras et sa vivacité. Enfin, le **Château Miaudoux en AOC saussignac 2004 (15 à 23 €)**, gras, complexe et de belle fraîcheur, est cité.

Gérard Cuisset, Les Miaudoux, 24240 Saussignac, tél. 05.53.27.92.31, fax 05.53.27.96.60, e-mail gerard.cuisset@wanadoo.fr ☒ Y ✱ r.-v. 🏠 E

CH. MONTPLAISIR 2005 ★

■ 1,3 ha 7 000 ▮ 3 à 5 €

À 5 km au nord de Bergerac, cette exploitation produit, en rouge et en blanc, des vins de plaisir et de qualité. Ce 2005 pourpre sombre présente un nez agréable sur les fleurs, relevé en fond par une pointe animale. L'attaque est fruitée, les tanins sont bien présents mais souples, avec une note de surmaturation en finale. Le **rosette 2005 (5 à 8 €)** décroche également une étoile : c'est un vin agréable et frais aux arômes de réglisse et de litchi.

Charles Blanc, rte de Montpon, Peymilou, 24130 Prigonrieux, tél. et fax 05.53.24.68.17, e-mail info@chateau-montplaisir.com ☒ Y ✱ t.l.j. 9h-19h

SUD-OUEST

DOM. DE MOULIN-POUZY
Cuvée Prestige Élevé en fût de chêne 2004 *

■ 2,5 ha 15 000 5 à 8 €

Les équipements du domaine ont été agrandis en juillet 2005, avec l'adjonction d'un nouveau chai à barriques. C'est du bois justement que sort cette cuvée à la couleur sombre et au nez puissant marqué par les fruits mûrs. Le fruité se retrouve au palais qui, après une attaque franche, offre une évolution tannique réussie, sans excès. Un vin de concentration à faire un peu patienter. Pour cela, goûtez le **bergerac rosé (3 à 5 €)**, rond, frais et fruité, décoré d'une étoile.

Famille Castaing, La Font-du-Roc, 24240 Cunèges, tél. 05.53.58.41.20, fax 05.53.58.02.29, e-mail info@moulin-pouzy.com
t.l.j. sf dim. 8h30-12h 14h-17h30; sam. sur r.-v.

CH. PERROU Marquis de Lentilhac 2004 *

■ 15 ha 60 600 5 à 8 €

Cette cuvée est dédiée au marquis de Lentilhac, aïeul des actuels propriétaires, qui vécut au château jusqu'à une chute de cheval mortelle en 1880. L'hommage est très réussi : robe cerise, brillante, et bouquet complexe de fruits noirs et de pruneau forment un heureux préambule à la bouche, tannique et puissante encore marquée par le bois. À revisiter dans quelques années.

SCEA Famille d'Amécourt, Bellevue-Saint-Romain, 33540 Sauveterre-de-Guyenne, tél. 05.56.71.54.56, fax 05.56.71.83.95, e-mail chateauperrou@aol.com
r.-v.

CH. LA RAYRE Premier Vin 2004

■ 1 ha 3 000 8 à 11 €

Pur merlot, ce bergerac a passé une année dans le fût. Il en est sorti avec un nez d'une belle intensité, marqué par des notes de boisé et de torréfaction. En bouche, l'attaque est souple et d'une belle sucrosité, mais les tanins sont encore un peu austères, signe qu'il faut laisser le temps faire son œuvre.

EARL Ch. La Rayre, 24560 Colombier, tél. 05.53.58.32.17, fax 05.53.24.55.58, e-mail vincent.vesselle@wanadoo.fr r.-v.
V. Vesselle

CH. LA RESSAUDIE Cuvée Rive droite 2004 *

■ 1,5 ha 7 000 5 à 8 €

Si vous séjournez à la propriété, en gîte ou en chambre d'hôte, vous aurez sans doute l'occasion de déguster les vins qu'elle produit. Ce 2004 vous séduira par son joli nez où les fruits se mêlent à la vanille. En bouche, vous apprécierez son attaque soyeuse et ronde et ses tanins fins bien fondus dans le bois, témoignage d'un élevage maîtrisé. Vous pourrez aussi goûter à l'autre vin étoilé du domaine, le **haut-montravel 2005 (3 à 5 €)**, plein de fraîcheur et de fruit.

Jean et Évelyne Rebeyrolle, Ch. La Ressaudie, 33220 Port-Sainte-Foy, tél. 05.53.24.71.48, fax 05.53.58.52.29, e-mail vinlaressaudie@aol.com
r.-v. 3 E

CH. LE REYSSAC 2005 *

■ 6,88 ha 56 000 3 à 5 €

Ce Reyssac fait partie de ces vins simples qui procurent de grands plaisirs. L'œil pétille à la vue de la robe rubis profond, très fraîche, et le nez se réjouit des puissants arômes de cerises bien mûres. Quant à la bouche, elle goûte l'équilibre maîtrisé entre les tanins fondus et le fruit. Un Reyssac harmonieux à servir sur une viande rouge grillée.

Marc Gouy, La Haute Brande, 24240 Pomport, tél. 05.53.58.63.94, e-mail alegal@socav.fr r.-v.
SAS Socav

CH. LA TILLERAIE 2005 **

■ 4 ha 13 000 5 à 8 €

Si le nom du domaine vient des arbres (tilleuls) qui bordent l'allée menant au très beau manoir du XVIIIe s., c'est sans conteste du côté du fruit que son bergerac tire ses qualités. Le nez de ce 2005 évoque en effet les fruits rouges (fraise) et le pruneau. La bouche, souple et ronde, offre à son tour un beau fruité, sur des tanins fondus et équilibrés. Un vin de tonnelle à servir un peu frais. Citation pour le **pécharmant 2004 Vieilli en fût de chêne (8 à 11 €)**, très boisé et d'une belle concentration.

SARL Ch. La Tilleraie, 24100 Pécharmant, tél. et fax 05.53.57.86.42, e-mail contact@vignobles-fauconnier.fr
t.l.j. 9h-19h
B. Fauconnier

CH. TOUR D'ARFON 2004 *

■ n.c. n.c. 3 à 5 €

Dominante merlot pour ce 2004 à la robe profonde aux reflets violacés, qui joue le fruit et la puissance. Le nez intense exprime des arômes de fruits rouges et de fruits noirs bien mûrs. La bouche offre une attaque plaisante, à la fois ronde et fruitée, et une structure tannique solide avec une légère pointe d'amertume. Un vin concentré, à servir dans deux ou trois ans.

Fabienne et Xavier Ferté, La Tour d'Arfon, 24240 Monestier, tél. et fax 05.53.93.75.57 r.-v.

Bergerac rosé

CLOS DU MAINE-CHEVALIER 2005 *

■ 2,12 ha 6 000 3 à 5 €

La robe est fraîche, d'une jolie teinte cerise. D'une belle intensité, le nez développe des arômes de groseille et de cassis. Assez gras en bouche, ce vin laisse percevoir une petite sensation sucrée avec heureusement une belle acidité en finale. Une bouteille idéale pour un public jeune.

Claude et Claudine Caillard, EARL Clos du Maine-Chevalier, 24560 Plaisance, tél. et fax 05.53.58.55.63, e-mail claude-caillard@wanadoo.fr
t.l.j. 10h-12h30 13h30-19h

DOM. DE LA COMBE 2005 *

■ 5,09 ha 13 000 3 à 5 €

C'est un rosé à la couleur cerise plutôt soutenue et aux reflets violines que propose la famille Sergenton. Le bouquet est intense et complexe, sur le fruit mûr, la confiture de fruits et la fraise. Après une attaque franche et perlante, la bouche est à l'image du nez : puissante, longue et équilibrée. Un vin très sympathique pour ceux qui aiment les rosés de caractère.

EARL Dom. de la Combe, La Combe, 24240 Razac-de-Saussignac, tél. 05.53.27.86.51, fax 05.53.27.99.87, e-mail domainedelacombe24@wanadoo.fr r.-v.
Sergenton

FONCAUSSADE Les Parcelles 2005 *

15 ha	100 000	- de 3 €

Une cuvée importante et un prix très doux pour cet agréable rosé à la robe brillante, assez pâle. Le nez est flatteur, aromatique, avec principalement des notes de cassis et de bourgeon de cassis. La bouche, souple, retrouve ces arômes fruités. Un vin friand et croquant, tout en finesse. Le **bergerac sec Les Parcelles 2005** obtient une étoile. Son nez évoque les fleurs blanches et le buis, et sa bouche est grasse, harmonieuse et délicate.
Les Vignerons de Sigoulès, 24240 Sigoulès, tél. 05.53.61.55.00, fax 05.53.61.55.10 t.l.j. 9h-12h 14h-17h30

CH. MARIE PLAISANCE Le Brin de Plaisance 2005 **

6,6 ha	32 000	3 à 5 €

Ce Château propose une gamme de vins tout à fait intéressante. Ce rosé, qui obtient deux étoiles comme l'an passé, attire l'œil par sa jolie couleur vive. Il connaît ses classiques et affiche un bouquet tout en fruits : cassis, fraise et framboise. En bouche, il révèle une complexité, un équilibre et une finesse que vient agrémenter une légère pointe d'amertume. Le **côtes-de-bergerac blanc 2004** obtient une étoile : aromatique et frais, il offre un nez fruité et une bouche ronde. Enfin, le **bergerac sec 2005**, tout aussi frais et gouleyant, est cité.
Alain Merillier, La Ferrière, 24240 Gageac-et-Rouillac, tél. et fax 05.53.27.86.23, e-mail chateau.marie.plaisance@wanadoo.fr t.l.j. sf dim. 9h-12h 14h-18h

CH. PÉROUDIER 2005

1,7 ha	7 000	3 à 5 €

C'est un rosé de cabernet-sauvignon et il ne s'en cache pas. La robe est brillante et assez intense. Le nez frais, fruité, exprime des arômes de cassis si typiques du cépage. La bouche est fruitée, ample, avec une légère présence tannique qui lui confère de l'amertume. Un rosé puissant qui peut accompagner tout un repas.
SCEA du Ch. Péroudier, Famille Loisy, Le Péroudier, 24240 Monbazillac, tél. 05.53.58.30.04, fax 05.53.24.55.20 t.l.j. 8h30-19h30

CH. SEIGNORET LES TOURS Perle de Rosé 2005 **

1,7 ha	11 400	3 à 5 €

Installé depuis 1993, Serge Gazziola règne sur un domaine de 25 ha. Assemblage de malbec, de cabernet franc et de merlot pour ce coup de cœur à la robe claire et vive, d'un joli rose aux reflets violines, et au nez très nettement marqué par le fruit (fraise, cassis). Le plaisir ne s'arrête pas là : en bouche, vous serez séduit par son équilibre, mélange de gras, de rondeur et de fruité, auxquels s'ajoutent une belle sucrosité, de la fraîcheur et une bonne persistance. Parfait pour l'apéritif. Le **bergerac rouge 2004 cuvée Séduction Élevé en fût de chêne (8 à 11 €)** obtient une étoile. Un vin de grande maturité, harmonieux, au potentiel de garde certain.

EARL Vignobles Serge Gazziola, Les Plaguettes, 24240 Saussignac, tél. 06.08.61.58.77, fax 05.53.22.37.79, e-mail contact@vignobles-gazziola.com r.-v.

Bergerac sec

La diversité des sols (calcaire, graves, argile, boulbènes) donne des expressions aromatiques variées. Jeunes, les vins sont fruités et élégants, avec une pointe de nervosité. S'ils sont vinifiés dans le bois, il faudra patienter un an ou deux pour discerner l'expression du terroir.

CH. LA BRIE 2005

8,8 ha	74 000	3 à 5 €

Une cuvée produite dans un chai pédagogique et reçue à l'examen ! La robe est brillante, jaune paille. Le nez d'intensité moyenne évoque à la fois la fleur et le fruit, notamment les agrumes. La bouche est bien équilibrée, puissante et longue en finale.
Ch. La Brie, Lycée viticole, Dom. de La Brie, 24240 Monbazillac, tél. 05.53.74.42.42, fax 05.53.58.24.08, e-mail lpa.bergerac@educagri.fr t.l.j. sf sam. dim. 10h30-12h 13h30-17h30; f. jan.

CHÊNE PEYRAILLE 2005

15 ha	70 000	3 à 5 €

C'est une cuvée phare de la cave de Sigoulès que le jury a appréciée, tant en blanc sec qu'en rosé. Le nez du premier est typique du sauvignon avec ses arômes d'agrumes si présents. L'attaque est franche et la bouche ample, assez longue avec une belle puissance aromatique sur les agrumes. On l'aurait aimé un peu plus gras pour le déguster sur des fruits de mer. Le **bergerac rosé 2005** est lui aussi cité. Très floral et flatteur au nez, la bouche laisse sur une petite pointe d'amertume.
Les Vignerons de Sigoulès, 24240 Sigoulès, tél. 05.53.61.55.00, fax 05.53.61.55.10 t.l.j. 9h-12h 14h-17h30

CLOS D'YVIGNE Cuvée Nicholas 2004 **

4 ha	7 300	11 à 15 €

Réputée pour ses saussignac plusieurs fois coup de cœur dans le Guide, c'est pour ses bergerac que Patricia

SUD-OUEST

Atkinson obtient cette année les faveurs du grand jury. Robe jaune soutenu, le sec 2004 offre un nez intense et complexe, mélange de notes fruitées, camphrées et boisées. C'est en bouche qu'il donne toute son expression en développant une énorme puissance aromatique. Un vin remarquable qu'il faudra attendre un ou deux ans. Deux étoiles brillent également pour le **côtes-de-bergerac rouge 2003 cuvée Le Petit Prince (8 à 11 €)**, très cassis et toasté au nez ; sa bouche puissante présente une belle densité favorable au vieillissement.

Clos d'Yvigne, Le Bourg, 24240 Gageac-et-Rouillac, tél. 05.53.22.94.40, fax 05.53.23.47.67, e-mail patricia.atkinson@wanadoo.fr r.-v.
Patricia Atkinson

CLOS LA SELMONIE 2004

2 ha	1 200	5 à 8 €

Voici un bergerac sec sans prétention mais aussi sans complexe et plutôt réussi. La robe est brillante et le nez particulièrement expressif joue les notes florales. La bouche est elle aussi très aromatique, pleine de vivacité et de légèreté. Parfait pour l'apéritif.

Christian Beigner, Ch. Le Chrisly, 24240 Pomport, tél. 05.53.58.42.35, e-mail lechrislybeigner@aol.com r.-v.

CH. LE FAGÉ
Cuvée Maurice Vinifié en fût de chêne 2004 ★★

0,7 ha	2 286	8 à 11 €

Habitué du Guide, François Gérardin revient cette année avec cette cuvée remarquable, d'un jaune soutenu, qui développe un nez assez intense de fleurs, de fruits mûrs et d'agrumes, relevé de discrètes notes boisées. La bouche est un modèle d'équilibre : une attaque souple, un fruité plein et charnu et une finale longue et fraîche où le boisé s'estompe rapidement. Un beau vin de repas. Une citation pour le **côtes-de-bergerac rouge 2003 Cuvée Prestige Élevé en fût de chêne**, épicé au nez et en bouche, aux tanins déjà souples et friands, à servir sans attendre.

François Gérardin, Ch. Le Fagé, 24240 Pomport, tél. 05.53.58.32.55, fax 05.53.24.57.19, e-mail info@chateau-le-fage.com
t.l.j. 9h-12h15 13h45-18h; sam. dim. sur r.-v.

LA SOURCE DE FONGRENIER 2004 ★

0,75 ha	3 600	5 à 8 €

Voici l'exemple d'un mariage réussi entre un joli vin et une belle barrique. Sous une robe limpide et claire, le nez aromatique et frais révèle un boisé bien fondu que l'on retrouve au palais. On aurait aimé un peu plus de nervosité en bouche, mais celle-ci n'en demeure pas moins très fruitée et bien équilibrée. À servir dès maintenant.

Henry Stuart, Ch. Fongrenier-Stuart, 24240 Razac-de-Saussignac, tél. 05.53.27.80.97, fax 05.53.27.80.86, e-mail needmorewine@hotmail.com
r.-v.

DOM. DE GRANGE NEUVE 2005 ★★

2,13 ha	17 333	3 à 5 €

Ce domaine appartient depuis plus d'un siècle à la même famille. Est-ce cette cohérence qui a inspiré aux dégustateurs des commentaires aussi unanimes ? Du nez jugé puissant et expressif, ils ont en tout cas tous retenu les notes d'agrumes (pamplemousse) qu'ils ont retrouvées et appréciées au palais. La bouche, ronde, offre une finale longue et harmonieuse. Un vin remarquable, caractéristique du millésime 2005.

SCEA de Grange Neuve, Castaing et Fils, 24240 Pomport, tél. 05.53.58.42.23, fax 05.53.61.35.50

CH. DE LA JAUBERTIE 2005 ★★

23 ha	160 000	5 à 8 €

Coup de cœur l'an dernier pour son 2004, ce domaine s'inscrit dans la régularité et reste une valeur sûre en Bergeracois. Le nez est dominé par les notes florales du sauvignon, cépage représentant 60 % de l'assemblage. L'attaque est puissante avec beaucoup de netteté et de fraîcheur. La finale, d'une belle longueur, laisse sur une pointe de fraîcheur. À attendre encore un peu.

SA Ryman, Ch. de La Jaubertie, 24560 Colombier, tél. 05.53.58.32.11, fax 05.53.57.46.22, e-mail jaubertie@wanadoo.fr
t.l.j. sf sam. dim. 10h30-17h30

CH. K 2004 ★

1 ha	3 000	5 à 8 €

Ne vous y trompez pas : si le nom du château, réduit à une initiale, vous paraît simple et dépouillé, il n'en est pas de même pour ce bergerac sec qu'il a produit. Le nez, un peu fermé, offre des arômes de fruits mûrs. La bouche, en revanche, se révèle complexe, puissante et charnue et d'une très belle longueur. L'équilibre est très frais et plaisant. Un vin bien fait à goûter sans attendre.

Katharina Mowinckel, Le Fougueyrat, 24240 Saussignac, tél. 06.72.13.73.17, fax 05.53.58.79.60, e-mail mowi@wanadoo.fr
r.-v.

CH. LESTEVÉNIE 2005 ★★

2 ha	10 000	3 à 5 €

Dominique Audoux sort des sentiers battus avec cet assemblage de muscadelle et de sémillon : déroutant,

peut-être, coup de cœur, assurément ! Le nez est fin, mûr, avec des arômes de muscat et de fruits tropicaux que l'on retrouve avec une belle ampleur au palais, avant une finale fondue qui offre un retour sur l'acidité. Un vin remarquable, à apprécier en début de repas sur une viande blanche.
Jolaine et Dominique Audoux, Le Gadon, 24240 Gageac-et-Rouillac, tél. 05.53.74.24.48, fax 05.53.74.24.49 r.-v.

CH. LES MERLES 2005 **

10 ha 50 000 3 à 5 €

Après son étoile pour le 2004, Les Merles nous rejouent cette année une bien jolie mélodie. La robe de ce bergerac tire un peu vers le jaune paille. Le nez est intense, floral, avec des arômes de sauvignon puissants. La bouche est particulièrement équilibrée et harmonieuse avec une acidité un peu marquée. À marier sans plus attendre à une bonne douzaine d'huîtres du Cap-Ferret. Le **bergerac rouge 2004 (5 à 8 €)** obtient une étoile. C'est un véritable bouquet de fruits au nez et en bouche, avec des tanins ronds et charnus, pleins d'avenir.
J. et A. Lajonie, GAEC Les Merles, 24520 Mouleydier, tél. et fax 05.53.63.43.70, e-mail vignobles-lajonie@libertysurf.fr r.-v.

DOM. DE MIQUE 2005 *

1,1 ha 4 000 3 à 5 €

Mis en valeur par la même famille depuis trois générations, le domaine est également connu pour être un site préhistorique. Le nez n'évoque pas le silex de nos ancêtres mais le sauvignon, avec ses arômes complexes de fleurs blanches et de genêt. La bouche présente un fruité tendre et délicat avec de l'ampleur, de la longueur et de la fraîcheur. À essayer sur quelques poissons pêchés dans la Dordogne.
SCEA Auroux Frères, Mique, 24560 Boisse, tél. 05.53.24.56.69, fax 05.53.57.88.09 t.l.j. 9h-19h

CH. DE PANISSEAU Divin 2004 *

1,89 ha 5 895 15 à 23 €

De ce bergerac sec, on retiendra le mariage, la fusion même, d'un vin concentré avec un bois de qualité bien dosé. Le nez, puissant et fruité, présente des notes boisées déjà agréablement fondues. La bouche offre un équilibre très réussi entre le fruit mûr, le bois fin et une fraîcheur sans excès. Deux autres vins du Château sont cités : le **bergerac rouge 2004 cuvée Tradition (8 à 11 €)**, à la structure intéressante et déjà évoluée, et le **côtes-de-bergerac blanc 2004 Volubilis**, très concentré, avec de beaux arômes vanillés.
SA Panisseau, Ch. de Panisseau, 24240 Thénac, tél. 05.53.58.40.03, fax 05.53.58.94.46, e-mail panisseau@ifrance.com
t.l.j. sf dim. 9h-12h 13h30-17h30; sam. sur r.-v.

CH. LE PARADIS 2005

1,66 ha 6 500 3 à 5 €

C'est un vin blanc aux reflets verts, au nez puissant et aromatique mais qui demande encore à s'ouvrir. La bouche est bien équilibrée avec du gras, du fruit et de la fraîcheur. Un bergerac sec très classique mais toujours plaisant.
EARL Tonneau de Couty, Les Mayets, 24560 Saint-Perdoux, tél. 06.07.60.35.49, fax 05.53.73.16.16 r.-v.

CH. PÉCANY 2005 *

6 ha 26 000 5 à 8 €

Cet imposant château, dont le vignoble était un peu à l'abandon, a été racheté en 2004 par Eduard Tsinker, d'origine russe. Résultat, ce 2005 brillant aux reflets verts et au bouquet bien présent, classique d'un vin d'assemblage. La bouche, grasse et fruitée, offre une belle longueur en finale. Une citation est décernée également au **monbazillac 2004 (15 à 23 €)** : le nez moyennement intense exprime des notes fruitées et iodées, marquées par un peu de cire ; la bouche, ample, révèle un boisé très présent qui lui confère une certaine sévérité.
EARL Eduard Tsinker, chez Bedem, 24240 Pomport, tél. 05.53.24.85.75, fax 05.53.24.85.76 r.-v.

CH. PINTOUCAT Cuvée Éléa 2004 *

0,5 ha 1 500 5 à 8 €

L'élevage en fût de cette cuvée a été parfaitement maîtrisé. Il en sort un vin à la robe jaune et limpide, dont le nez marie le fruit concentré avec un boisé bien présent. La bouche, d'une belle complexité, retrouve ces notes boisées maintenant fondues, avec une vivacité et une fraîcheur qui lui confèrent un bel équilibre.
Georges Beaudoin, Le Pintoucat, 24240 Monbazillac, tél. 05.53.57.00.84, fax 05.53.61.35.97, e-mail chateau.pintoucat@wanadoo.fr r.-v.

CH. REPENTY 2005

2,6 ha 20 000 3 à 5 €

Élaboré selon des méthodes traditionnelles, ce bergerac sec se révèle intéressant par son nez qui exprime des notes florales de rose et une certaine minéralité. Après une attaque franche, la bouche reste fraîche et vive avec une réelle persistance. Un bon vin à proposer en apéritif pour ouvrir grand l'appétit.
Jean-Pierre Roulet, Repenty, 24240 Monestier, tél. et fax 05.53.58.41.96, e-mail chateaurepenty@wanadoo.fr r.-v.

CH. LA ROBERTIE Vinifié en fût de chêne 2004 **

0,42 ha 3 400 8 à 11 €

Après la rénovation des chais, la priorité est mise sur le vignoble avec des plantations à 5 500 pieds par hectare. Le nez de ce bergerac sec est très aromatique, élégant ; les arômes de fruits et de sauvignon dominent totalement le boisé. L'attaque est vive, assez longue avec du gras et du fruit. Un vin équilibré au joli boisé bien fondu. Le **monbazillac Vendanges de Brumaire 2003 (15 à 23 €)** est cité. Complexe et concentré, il est aujourd'hui encore un peu dominé par le bois.
Ch. La Robertie, 24240 Rouffignac-de-Sigoulès, tél. 05.53.61.35.44, fax 05.53.58.53.07, e-mail chateau.larobertie@wanadoo.fr
t.l.j. 10h-19h; dim. sur r.-v.
J.-P. et B. Soulier

DOM. DU SIORAC Tradition 2005

3,3 ha 9 000 3 à 5 €

Sous la robe brillante d'un joli vert pâle, cette cuvée dévoile un nez de sauvignon, avec ses arômes de genêt et de buis si caractéristiques. La bouche fruitée exprime des notes d'écorce d'agrumes et présente une longueur correcte sur l'acidité. Un sauvignon bien maîtrisé pour un vin réussi.

SUD-OUEST

🔑 Landat Fils, Dom. du Siorac,
24500 Saint-Aubin-de-Cadelech, tél. 05.53.74.52.90,
fax 05.53.58.35.32, e-mail info@domainedusiorac.fr
t.l.j. sf dim. 9h-12h 14h-18h

CH. DE TIREGAND 2005 ★

	1,8 ha	8 800		3 à 5 €

Plus connu pour ses pécharmant, le château de Tiregand prouve qu'il sait aussi produire des vins blancs secs de qualité. La robe de ce 2005 est jaune pâle avec des reflets verts. Son nez assez intense rappelle les agrumes (le citron) et le buis. Frais et vif en attaque, l'ensemble est assez rond en milieu de bouche avec une finale acidulée et citronnée. À servir jeune sur des fruits de mer.

🔑 Héritiers Comtesse F. de Saint-Exupéry,
Ch. de Tiregand, 24100 Creysse, tél. 05.53.23.21.08,
fax 05.53.22.58.49,
e-mail chateautiregand@club-internet.fr r.-v.

CH. TOUR DES GENDRES Le Classique 2005 ★

	5 ha	30 000		3 à 5 €

Ce sont deux cuvées fétiches de la famille De Conti que l'on retrouve avec plaisir. Le Classique annonce clairement ses prétentions : sous une robe jaune citron, le nez peu intense révèle néanmoins beaucoup de finesse avec ses notes sauvignonnées. La bouche, grasse et longue, présente une pointe d'acidité et d'amertume en finale qui lui promet une bonne garde. Dans la même appellation, le **Casanova des Conti 2005**, cité, a été apprécié pour ses arômes de fruits exotiques et d'agrumes.

🔑 SARL La Julienne, Les Gendres, 24240 Ribagnac,
tél. 05.53.57.12.43, fax 05.53.58.89.49,
e-mail familledeconti@wanadoo.fr r.-v.
🔑 Famille De Conti

CH. TOUR MONTBRUN 2005

	0,35 ha	2 900		3 à 5 €

C'est un producteur que l'on retrouve régulièrement dans la sélection. Sous sa robe vert pâle brillante, ce 2005 dévoile un nez léger et subtil aux notes de fruits bien présentes. La bouche également fruitée est agréable, avec une acidité toutefois un peu marquée. À réserver aux fruits de mer.

🔑 Philippe Poivey, Montravel, 24230 Montcaret,
tél. et fax 05.53.58.66.93,
e-mail philippe.poivey@wanadoo.fr r.-v.

L'EXCELLENCE DU CHÂTEAU LES TOURS DES VERDOTS
Les Verdots selon David Fourtout 2004 ★★★

	1,9 ha	6 500		15 à 23 €

Ce vin est passé tout près du coup de cœur. Après une robe dorée limpide, la dégustation révèle un nez très aromatique avec des fruits exotiques et un boisé superbement intégré. En bouche, l'attaque est soyeuse avec beaucoup de gras et un fruité qui rappelle le muscat. Un vin d'une exceptionnelle longueur avec une belle minéralité en finale. Le château produit également un **monbazillac 2004** qui se voit attribuer une étoile pour ses arômes de fruits confits agréablement mêlés au boisé.

🔑 David Fourtout, Les Verdots,
24560 Conne-de-Labarde, tél. 05.53.58.34.31,
fax 05.53.57.82.00, e-mail verdots@wanadoo.fr
t.l.j. 9h-12h 14h-19h

Côtes-de-bergerac

Cette appellation ne définit pas un terroir mais des conditions de récolte plus restrictives qui doivent permettre d'obtenir des vins riches et charpentés. Ils sont recherchés pour leur concentration et leur durée de garde plus longue.

DOM. DE L'ANCIENNE CURE L'Extase 2003 ★

	2 ha	6 600		15 à 23 €

En raison de la canicule de l'été 2003, cette cuvée a été élaborée uniquement avec des cabernets ayant subi un très long élevage (vingt mois). Le résultat ? Un vin couleur cerise, au nez toasté relevé de notes de fruits noirs, et pour lequel il faudra s'armer de patience : la bouche encore marquée par le bois demande à s'arrondir. Profitez-en pour déguster le **bergerac rouge 2005 (5 à 8 €)** du domaine, une étoile également, fruité au nez et au palais et d'un abord plus facile.

🔑 SARL L'Ancienne Cure, 24560 Colombier,
tél. 05.53.58.27.90, fax 05.53.24.83.95,
e-mail ancienne-cure@wanadoo.fr
t.l.j. 9h-18h; dim. sur r.-v.

CH. LA BARDE-LES TENDOUX
Vieilli en fût de chêne 2003 ★

	n.c.	n.c.		11 à 15 €

Belle régularité pour ce domaine, sélectionné depuis six ans sans interruption dans le Guide. Ce 2003 est intense et noir. Cette puissance devinée se confirme au nez, mélange de cassis, de pistache et de mûre sur des notes vanillées. L'attaque est ronde, suivie par une montée des tanins. Le bois est encore très marqué ; vous laisserez donc ce vin bien construit s'affiner sagement au fond de votre cave.

🔑 SARL de La Barde, Ch. La Barde,
24560 Saint-Cernin-de-Labarde, tél. 05.53.22.49.84,
fax 05.53.58.08.12, e-mail alegal@socav.fr

CH. BRIAND
Cuvée Zen Élevé en fût de chêne 2003 ★

	6,5 ha	4 000		8 à 11 €

Sous une robe pourpre à reflets violets, le nez se montre encore un peu sur la réserve mais révèle déjà des notes fruitées (mûre, framboise, cassis) sur un boisé élégant et discret. Après une attaque suave, les tanins montent et dominent la finale. Restez zen, et attendez donc quelques années qu'ils se fondent. Même note pour le **côtes-de-bergerac blanc 2005 Cuvée Aléna**, aux accents grillés et toastés, et pour le **bergerac sec 2005 Élevé en fût de chêne (5 à 8 €)**, frais et fruité.

🔑 Gilbert Rondonnier, Les Nicots, 24240 Ribagnac,
tél. 05.53.58.23.50, fax 05.53.24.94.63
t.l.j. 10h-19h; dim. sur r.-v.

CH. CAILLEVET Accent 2003 ★★

	3,63 ha	15 000		11 à 15 €

Les cuvées Accent sont nées de la volonté du château de révéler pleinement les expressions de son terroir. Ainsi ce 2003, à 90 % de merlot, au nez complexe et flatteur de fruits rouges, arômes qui explosent en bouche sur des tanins apportant puissance, rondeur et sucrosité. Une finale persistante et équilibrée vient parachever ce

remarquable ouvrage. Le **bergerac sec 2004 Accent (8 à 11 €)**, vif, frais et équilibré, à dominante de sémillon, est cité.
SCEA Ch. Caillevet, Le Caufour, 24240 Thénac, tél. 05.53.58.80.71, fax 05.53.61.39.94, e-mail chateaucaillevet@free.fr r.-v.
Chemel

CH. LE CLÉRET
Cuvée Cornélia Élevé en barrique 2003

■ 1,1 ha 5 260 5 à 8 €

Voici un vin qui, s'il manque d'un peu de puissance pour bien dompter ses tanins, ne manque pas d'intérêt. Preuve en est son bouquet, aux arômes de fruits et de violette, relevé de notes mentholées et d'un fin boisé. Rendez-vous est pris dans trois ans pour ouvrir la bouteille.
Richard et Cornélia Matson, Le Cléret, 106, av. du Périgord, 33220 Port-Sainte-Foy, tél. 05.53.57.75.95, fax 05.53.57.75.96 r.-v.

CLOS DES TERRASSES Cuvée Le Clos 2003 *

■ 3 ha 8 000 15 à 23 €

Son souci de l'environnement ne date pas d'hier, mais ce domaine a franchi un cap supplémentaire en 2006 en passant à l'agriculture biologique. Ce 2003, d'un noir profond, offre un nez complexe mêlant les fruits frais, le cuir et des notes toastées. D'attaque soyeuse, le palais affiche finesse et souplesse, pour une finale encore un peu austère qui devrait s'arrondir d'ici un ou deux ans.
SCEA de Suyrot, Clos des Terrasses, Les Terrasses, 24240 Sigoulès, tél. et fax 05.53.63.22.60
t.l.j. sf sam. dim. 8h-12h 14h-19h; f. nov. déc. jan.
Fabrice de Suyrot

CH. COMBRILLAC Élevé en fût de chêne 2003 *

■ n.c. n.c. 11 à 15 €

Deux tiers de cabernet-sauvignon et un tiers de merlot pour ce 2003 dont on devine, à la robe soutenue, qu'il est d'une belle concentration. Son bouquet boisé se pare de notes de torréfaction et de cacao. L'attaque est franche, avec une montée très rapide sur des tanins serrés mais déjà bien enrobés. La bouche joue sur le fruit, avec une légère amertume en finale qui disparaîtra après un an de garde. Pour les amateurs de tanins concentrés et boisés.
GFA Combrillac, Coucombre, 24130 Prigonrieux, tél. 05.53.57.63.61, fax 05.53.58.08.12, e-mail alegal@socav.fr

HAUT-MONTLONG Les Vents d'Anges 2004 *

■ 2 ha 6 000 8 à 11 €

Robe rubis aux reflets fuchsia, ce 2004 offre un nez agréable de fruits frais, avec un vanillé évoluant sur du toasté. Suave en attaque, le palais est marqué par un boisé encore sévère, qu'il faudra laisser s'arrondir quelques années. Une étoile également pour le **monbazillac 2003 Cuvée Font Romaine (11 à 15 €)**, marqué par le fruit confit et à servir d'ici deux ou trois ans. Enfin, une citation pour le **bergerac sec 2005 (3 à 5 €)**, typé sauvignon.
EARL Haut-Montlong, Montlong, 24240 Pomport, tél. 05.53.58.81.60, fax 05.53.58.09.42, e-mail sergenton-haut-montlong@wanadoo.fr
t.l.j. sf sam. dim. 8h30-12h 14h-18h30

CH. LA MAURIGNE Cuvée La Maurigne 2003

■ 1,5 ha 3 000 5 à 8 €

Cette cuvée joue la carte du fruit rouge : au nez, agrémenté d'une légère note animale et d'un boisé vanillé bien net ; au palais plaisant, tout en souplesse, avant une finale tannique encore un peu sévère. Deux autres citations pour le château : le **saussignac 2004 Cuvée La Maurigne (8 à 11 €)**, très sucré, et le **saussignac 2003 Cuvée Petit Charles (8 à 11 €)**.
Chantal et Patrick Gérardin, Ch. La Maurigne, 24240 Razac-de-Saussignac, tél. et fax 05.53.27.25.45, e-mail contact@chateaulamaurigne.com
t.l.j. 9h-19h

CH. MONESTIER LA TOUR Émily 2003 **

■ 3 ha 13 600 15 à 23 €

Ce vin de forte extraction a interpellé les dégustateurs et ne vous laissera sans doute pas indifférent. Dès la robe, noire et sombre, on plonge dans le mystère. Puis on découvre un nez riche et intense, au boisé dominant. Après une attaque plutôt souple, voici les tanins qui s'avancent, puissants et persistants. Une bouteille à attendre pour mieux la redécouvrir. Deux étoiles brillent aussi pour la cuvée classique en **bergerac rouge 2004 (8 à 11 €)**. Souple et harmonieuse, elle présente des tanins bien mûrs et déjà fondus.
SCEA Monestier La Tour, Ch. Monestier La Tour, 24240 Monestier, tél. 05.53.24.18.43, fax 05.53.24.18.14, e-mail contact@chateaumonestierlatour.com
t.l.j. sf sam. dim. 9h-12h 14h-18h
De Haseth Moller

MOULINS DE BOISSE Floriane 2003 *

■ 0,5 ha 2 400 8 à 11 €

Ce vignoble est installé sur les pentes d'une colline dominée par deux anciens moulins à vent. Il produit cette cuvée au nez intense de fruits et de bourgeon de cassis, à l'attaque pleine et puissante également sur le fruit. Les tanins, serrés, se montrent soyeux en finale. Un vin généreux à servir maintenant. Le **bergerac sec 2004 Alexandre Élevé en fût de chêne**, au bouquet mentholé agrémenté d'agrumes, est cité.
Bernard Molle, Speretout, 24560 Boisse, tél. 06.08.94.24.70, fax 05.53.24.12.01, e-mail moulins.de.boisse@wanadoo.fr
t.l.j. 8h-12h 14h-19h

CH. LES SAINTONGERS D'HAUTEFEUILLE
Élevé en fût de chêne 2003 **

■ 1,9 ha 5 933 8 à 11 €

Ce vignoble, situé sur un plateau calcaire et encadré d'un muret de pierres sèches, s'épanouit dans la douce chaleur de la roche à fleur de terre. Il livre ce 2003 concentré et fin, au nez subtil de menthol et de groseille rehaussé de notes boisées et torréfiées. L'attaque est souple et pleine de sucrosité, pour une bouche jouant les arômes de griotte. Les tanins sont soyeux et bien fondus dans le bois, témoignage d'un élevage parfaitement maîtrisé.
Catherine d'Hautefeuille, Les Saintongers, 24560 Saint-Cernin-de-Labarde, tél. 05.53.24.32.84, fax 05.53.57.77.18, e-mail catherine.d-hautefeuille@wanadoo.fr r.-v.

CH. THÉNAC Fleur du Périgord 2003 **

■ 6 ha 29 740 8 à 11 €

C'est sur les ruines d'un prieuré qu'a été construit ce château qui a produit cette délicate Fleur du Périgord, pleine de finesse et de nuances. Sous une robe limpide, intense mais sans excès, elle s'ouvre pour dévoiler des

SUD-OUEST

arômes de violette et de fruit sur des notes boisées et grillées. Souple et grasse à l'attaque, la bouche évolue sur des tanins serrés et fins, avant une finale qui retrouve les fruits rouges et un boisé discret.
SCEA Ch. Thénac, Le Bourg, 24240 Thénac, tél. 05.53.61.36.85, fax 05.53.58.37.13 r.-v.

CH. TOUR DE GRANGEMONT 2003 *

■ 3 ha 15 000 3 à 5 €

La robe de ce 2003 est d'une belle intensité, et son nez élégant porte des arômes de fruits rouges et de violette sur un boisé discret. En bouche, les fruits se font plus discrets et on découvre un vin concentré aux tanins soyeux et équilibrés, avec une pointe d'acidité en finale. Le domaine obtient une citation pour son **bergerac rouge 2005**, au fruit puissant (cerise, mûre, pruneau), à faire vieillir pour que se fondent ses tanins encore un peu serrés.
EARL Lavergne, Portugal, 24560 Saint-Aubin-de-Lanquais, tél. 05.53.24.32.89, fax 05.53.24.56.77 t.l.j. sf dim. 8h-12h 14h-19h

CH. TOUR DES GENDRES
La Gloire de mon père 2003 **

■ 20 ha 50 000 8 à 11 €

On ne compte plus les coups de cœur de Luc De Conti. En voici un nouveau. Le voyage commence dès la robe, évidemment sombre et profonde, qui nous emmène à la découverte du nez, riche d'arômes de fruits noirs et de moka, que relèvent des notes toastées et boisées. L'aventure continue avec la bouche, pleine, ample et très grasse, qui offre des tanins denses, serrés mais d'une grande sucrosité. Un vin qui laisse sur une impression de richesse, de fondu et de plénitude. Dans un registre beaucoup plus souple, le **bergerac rouge 2004 Le Classique (5 à 8 €)** est cité.
SCEA De Conti, Tour des Gendres, 24240 Ribagnac, tél. 05.53.57.12.43, fax 05.53.58.89.49, e-mail familledeconti@wanadoo.fr r.-v.

Côtes-de-bergerac blanc

Les mêmes cépages que les vins blancs secs, mais récoltés à surmaturité, permettent d'élaborer ces vins moelleux recherchés pour leurs arômes de fruits confits et leur souplesse.

CH. CAPULLE
Les Grains d'or Élevé en fût de chêne 2003 ***

1 ha 4 000 5 à 8 €

Pas de coup de cœur, peut-être, mais trois étoiles pour cette cuvée au nom prédestiné. Son nez extraordinaire vous séduira par ses arômes intenses de fruits confits et son léger boisé. D'attaque nette et puissante, sa bouche ronde et équilibrée vous ravira. Ce moelleux, qui s'apparente à un liquoreux avec sa sucrosité intense et son acidité, devra attendre encore quelques années que son boisé se fonde. Pour patienter, essayez donc les deux autres vins du domaine cités par le jury : le **bergerac rosé 2005 (3 à 5 €)** légèrement rond et sucré, et le **côtes-de-bergerac rouge 2003 Élevé en fût de chêne**, fruité et aux tanins élégants.
Jean-Paul Migot, Ch. Capulle, 24240 Thénac, tél. 05.53.58.42.67, fax 05.53.58.39.50, e-mail jeanpaul.migot@free.fr r.-v.

LE CLÉRET Cuvée Dalmain 2004 **

1,4 ha 3 200 5 à 8 €

Un moelleux ? Un liquoreux, plutôt, tant il impressionne par sa concentration ! Sa robe dorée est une invite à découvrir son bouquet complexe : corbeille de fruits, miel et notes florales. L'attaque très nette mêle le sucre et l'acidité, préambule à une bouche longue aux arômes persistants de concentré de raisin et à une finale sur le miel. À découvrir sur un foie gras poêlé avec des raisins. (Bouteilles de 50 cl.)
SCEA Le Cléret, 106, av. du Périgord, 33220 Port-Sainte-Foy, tél. 05.53.58.09.72, fax 05.53.57.75.96, e-mail info@lecleret.com r.-v.

CH. LES FONTENELLES 2005

5,03 ha 36 900 3 à 5 €

Authenticité, générosité et naturel, telle est la devise de la famille Bourdil pour l'élaboration de ses vins. Ce 2005 ne déroge pas à la règle, qui joue simplement la carte du fruit : au nez tout d'abord, puis en bouche, rehaussé de notes d'agrumes, avant une finale vive et longue. Pas trop sucré, c'est un vin réussi pour l'apéritif.
GAEC Les Fontenelles, Les Fontenelles, 24500 Saint-Julien-d'Eymet, tél. et fax 05.53.58.82.01, e-mail chateau.fontenelles@free.fr r.-v.
Bourdil

CH. LES GANFARDS 2005 *

3,5 ha 20 000 3 à 5 €

Ce moelleux délicat pointe sous sa robe jaune pâle aux reflets dorés un nez fin et net de fleurs blanches et de fruits. On découvre ensuite une belle harmonie entre le sucre et l'acidité, qui met en valeur les arômes de fruits mûrs et confits dans une bouche onctueuse et équilibrée. Un vin à servir maintenant, mais qui peut tenir un ou deux ans.
EARL Vignobles Géraud, Les Ganfards, 24240 Saussignac, tél. 05.53.27.92.18, fax 05.53.22.37.82, e-mail ganfardvins@yahoo.fr r.-v.

CH. LES MARNIÈRES
Élevé en fût de chêne 2004 **

2,1 ha 2 400 5 à 8 €

Ce coup de cœur est d'autant plus méritoire que le domaine a été victime d'un orage de grêle sur ce millésime. Les gros efforts de tri ont permis d'obtenir cette cuvée à la robe jaune pâle brillant, dont le nez exprime des arômes de fruits exotiques, avec une pointe de botrytis et un vanillé

assez fondu. La bouche, grasse et onctueuse, offre de belles notes de fruits confits. Un vin particulièrement bien équilibré, qui n'est plus un moelleux sans être encore tout à fait un liquoreux. Également fruité mais d'un boisé plus austère, le **bergerac sec 2004 Élevé en fût de chêne** est cité.

Reine et Christophe Geneste, GAEC des Brandines, 24520 Saint-Nexans, tél. 05.53.58.31.65, fax 05.53.73.20.34, e-mail christophe.geneste2@wanadoo.fr t.l.j. 10h-19h; sam. dim. sur r.-v.

CH. LA MOULIÈRE 2004

n.c. n.c. 3 à 5 €

Voici un moelleux moyennement concentré, que vous servirez de préférence à l'apéritif. Sa couleur jaune aux reflets verts cache un nez fin et agréable composé d'arômes d'agrumes (citron), proche de celui d'un blanc sec. Vif en attaque, il offre une bouche fraîche et fruitée.

SCEA des Vignobles Fournier, Ch. La Moulière, 24240 Gageac-et-Rouillac, tél. 05.57.84.12.18, fax 05.57.84.15.36, e-mail fournier.colette@wanadoo.fr r.-v.

DOM. DE PÉCOULA 2003

1 ha 4 000 3 à 5 €

Ce bon moelleux, un peu timide, gagnerait à s'exprimer. Le nez encore discret recèle un mélange de fruits et d'arômes complexes ; la bouche est classique, de concentration moyenne avec une belle fraîcheur en finale. Le domaine produit également un **bergerac rosé 2005**, très marqué par le cassis au nez comme au palais, qui obtient une citation.

GAEC de Pécoula, 24240 Pomport, tél. 05.53.58.46..48, fax 05.53.58.82.02, e-mail pecoula.labaye@wanadoo.fr t.l.j. sf dim. 8h30-12h 13h30-18h
Labaye

LES RAISINS OUBLIÉS 2004 *

3 ha 5 000 3 à 5 €

Cet « oubli », volontaire bien entendu, a permis à la nature et à la pourriture noble de produire cette cuvée très concentrée, d'un jaune doré brillant. Puissance et finesse se marient dans un bouquet aux notes d'orange et d'abricot. Le palais retrouve ces arômes abricotés, agrémentés de fruits exotiques légèrement confits. Ce vin doux et riche n'en séduit pas moins par sa vivacité. (Bouteilles de 50 cl.)

Les Vignerons de Sigoulès, 24240 Sigoulès, tél. 05.53.61.55.00, fax 05.53.61.55.10 t.l.j. 9h-12h 14h-17h30
Domaine et Châteaux Périgord

DOM. DES VINS CŒURS
Douceur paysanne 2005 **

0,5 ha 3 000 3 à 5 €

D'après Serge Durand, en portant un verre de ce vin à l'oreille, vous entendrez des histoires de vignerons et de vendangeurs. Ils vous parleront sans doute du nez typique de ce moelleux, marqué par les notes de fruits confits ; ou bien des arômes d'agrumes et de la vivacité de sa bouche, qui réalise un parfait équilibre entre la fraîcheur et le gras. Modestes, ils omettront peut-être de parler de l'étoile décernée à leur cuvée **La Magie du terroir en bergerac rouge 2005 (5 à 8 €)**, un vin plein de finesse et de fruits mûrs aux tanins civilisés. Oubli réparé.

Dom. des Vins Cœurs, 24, Le Tuquet, 24560 Bouniagues, tél. et fax 05.53.73.19.18, e-mail durand.serge2@wanadoo.fr r.-v.
Serge Durand

CH. DES VIOLINES Cuvée Richard Yahya 2005 *

0,4 ha 1 400 5 à 8 €

Reprise en 2004, la propriété est ravagée en mai 2005 par un terrible orage de grêle. Malgré cela, le millésime est très réussi puisque trois vins sont sélectionnés et reçoivent chacun une étoile. Le moelleux offre un nez intense où se mêlent les fleurs et les fruits, et une bouche onctueuse et grasse. Un côtes-de-bergerac tout en finesse et en concentration. Le **bergerac sec 2005** développe un nez puissant de buis et d'agrumes typique du sauvignon, et surprend au palais par sa légère sucrosité. Enfin, le **bergerac rosé 2005**, sur le fruit et le bonbon anglais, est destiné aux amateurs de rosés ronds et sucrés.

Yahya Richard, Le Muscat, 24500 Sadillac, tél. 06.11.78.84.47, fax 05.53.73.11.35, e-mail richard.yahya@wanadoo.fr r.-v.

Monbazillac

Au cœur du Bergeracois, sur des coteaux pentus exposés au nord de la rive gauche de la Dordogne, les vignes reçoivent la fraîcheur et les brumes de l'automne favorisant le développement du botrytis, pourriture noble donnant des vins moelleux et liquoreux.

S'étendant sur 2 500 ha dont 1 904 revendiqués pour une production de 49 092 hl en 2005, le vignoble de monbazillac propose des vins riches. Le sol argilo-calcaire apporte des arômes intenses ainsi qu'une structure complexe et puissante qui s'harmonisera avec le foie gras, les viandes blanches à la crème ou les fraises du Périgord.

SUD-OUEST

DOM. DE L'ANCIENNE CURE
L'Abbaye 2004 **

4 ha 8 000 15 à 23 €

La belle série continue pour Christian Roche qui décroche cette année son cinquième coup de cœur pour cette cuvée décidément remarquable. Sous une robe dorée,

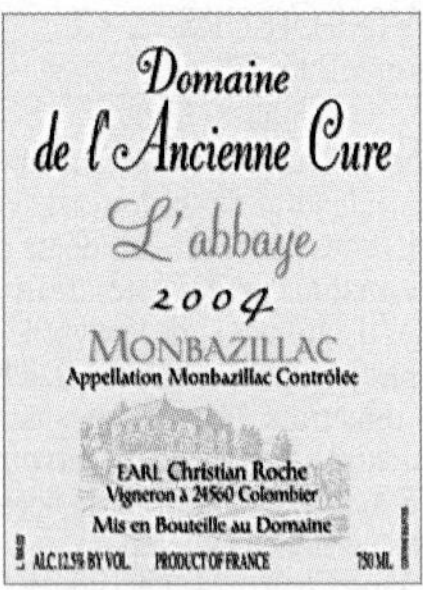

le nez au boisé encore présent laisse deviner des senteurs d'abricot, de cédrat et d'orange confite. En bouche, ce vin réalise l'alliance parfaite entre le gras et la fraîcheur, qui sert de cadre idéal à l'expression des arômes, abricot, noix et banane, sur un joli vanillé qui sait rester discret. Un vin somptueux à déguster seul, pour le plaisir. (Bouteilles de 50 cl.)

🔑 EARL Christian Roche, L'Ancienne Cure, 24560 Colombier, tél. 05.53.58.27.90, fax 05.53.24.83.95, e-mail ancienne-cure@wanadoo.fr
V Y ⚲ r.-v.

CH. BELLEVUE
Réserve Lajonie Élevé en fût de chêne 2004 ★

10 ha 10 000 ■ 11 à 15 €

Ce monbazillac présente un nez expressif de caramel et un bouquet complexe aux senteurs de banane et de prune cuite. On retrouve ces arômes au palais agrémentés de notes de réglisse et de vanille. Vous vous laisserez surprendre par ce côté cuit et réglissé, car l'équilibre en bouche est parfait. Du même producteur, deux autres vins sont cités : le **Château Pintouquet bergerac sec 2005 (5 à 8 €)**, pour ses arômes de sauvignon et le **Château Pintouquet bergerac rouge 2004 (5 à 8 €)**, pour sa fraîcheur et ses notes épicées.

🔑 SCEA Lajonie D.A.J., Saint-Christophe, 24100 Bergerac, tél. 05.53.57.17.96, fax 05.53.58.06.46, e-mail vignobles-lajonie@libertysurf.fr V Y ⚲ r.-v.

DOM. DE LA BORIE BLANCHE
Vinifié et élevé en fût de chêne 2004 ★★

3,58 ha 4 800 ■ 11 à 15 €

Coup de cœur pour le précédent millésime, ce vin fut plus difficile à élaborer en 2004 en raison de deux orages de grêle qui se sont abattus sur le vignoble fin juillet et fin août. Le résultat n'en est pas moins remarquable. Sous une robe jaune paille aux reflets dorés, le nez se fait intense et complexe, avec des arômes de fruits confits, d'abricot, de coing et d'agrumes relevés de notes grillées et toastées. L'attaque ronde et d'une bonne sucrosité donne de l'ampleur à la bouche, marquée par le boisé mais qui retrouve la fraîcheur et le fruit en finale. Un vin très prometteur. (Bouteilles de 50 cl.)

🔑 Emmanuelle et Jean-Luc Ojeda, La Borie Blanche, 24240 Pomport, tél. et fax 05.53.73.02.45, e-mail ejlojeda@wanadoo.fr
V Y ⚲ t.l.j. 10h30-19h30; oct.-avr. sur r.-v.

CLOS-BELLEVUE 2003

3,51 ha 12 000 ■ 5 à 8 €

Ce 2003 est paré d'un bel or brillant. Son nez est fermé et vous aurez donc soin de décanter ce vin pour libérer ses arômes. La bouche, de concentration moyenne, réalise un équilibre réussi entre le gras et la fraîcheur. Un monbazillac classique, plaisant.

🔑 Royère-Blanchard, Bellevue, 24240 Flaugeac, tél. 05.53.58.40.23, fax 05.53.58.40.31, e-mail closbellevue2@wanadoo.fr
V Y ⚲ t.l.j. 8h30-12h30 14h-18h; sam. dim. sur r.-v

CLOS LA SERAINE 2003

2,5 ha 3 500 ■ 8 à 11 €

Bien connu pour ses vins rouges, c'est cette année pour son monbazillac que ce domaine a retenu l'attention du jury. Sous une robe brillante de couleur or, son nez intense et expressif rappelle la pâte de fruits et l'orange confite. Il offre une attaque fraîche qui mène à une bouche marquée par la richesse des sucres. Un vin plaisant à servir maintenant.

🔑 Marlène et Alain Mayet, Le Bois de Pourquié, 24560 Conne-de-Labarde, tél. 05.53.58.25.58, fax 05.53.61.34.59, e-mail domaine-du-bois-de-pourquie@wanadoo.fr V Y ⚲ r.-v.

GRANDE MAISON Cuvée des monstres 2003 ★★

2 ha 1 200 ■ 46 à 76 €

Voici une cuvée qui porte bien son nom et qui joue le crescendo dans la dégustation. La robe dorée, limpide et lumineuse est une entrée en matière discrète. Le nez tarde à s'ouvrir, puis révèle à l'aération des arômes de fruits confits, de fruits secs et d'abricot. Enfin, c'est au palais que ce monbazillac se dévoile, en offrant une bouche très grasse et concentrée, sans aucune lourdeur, parfaitement équilibrée par une belle fraîcheur. Un vin de dessert, à servir sur une tarte aux fruits. Une citation pour la **Cuvée du château 2003 (15 à 23 €)**, au boisé discret et agréable.

🔑 Desprès, Grande Maison, 24240 Monbazillac, tél. 05.53.58.26.17, fax 05.53.24.97.36, e-mail thierry.despres@free.fr
V Y ⚲ t.l.j. sf sam. dim. 9h-12h 14h-18h30

CH. LES HAUTS DE CAILLEVEL
Muscad'elle 2003 ★★

0,3 ha 900 ■ 15 à 23 €

Issue de très vieilles vignes de muscadelle, cette cuvée rare et remarquable se présente parée d'une robe jaune doré soutenue. Au nez, c'est une explosion de sensations : arômes d'abricot, de pêche de vigne, de fruits exotiques et d'orange confite, le tout relevé d'un léger boisé vanillé bien fondu. La bouche, complexe et puissante, se révèle également très aromatique. (Bouteilles de 50 cl.) La cuvée **Grains de folie 2003 (11 à 15 € – bouteilles de 50 cl)**, équilibrée, croquante et gourmande, obtient une étoile. Même distinction enfin pour le **bergerac rouge 2005 Fruissance (3 à 5 €)**, pour son joli fruité et sa puissance tannique.

🔑 Sylvie Chevallier, Ch. Les Hauts de Caillevel, 24240 Pomport, tél. et fax 05.53.73.92.72, e-mail caillevel@wanadoo.fr
V Y ⚲ t.l.j. sf dim. 10h-12h30 14h-18h

CH. HAUT-THEULET 2003

20 ha 25 000 ■ 11 à 15 €

Le séjour de vingt-quatre mois dans le fût a conféré à ce 2003 une richesse qui en fait un vin déjà évolué et prêt. De couleur jaune doré intense, il développe un bouquet aux notes de miel et de cire. La bouche est concentrée et puissante.

🔑 GAEC Ch. Caillavel, 24240 Pomport,
tél. 05.53.58.43.30, fax 05.53.58.20.31
☑ Ɪ ⚲ t.l.j. sf dim. 8h-12h 13h30-18h30
🔑 Lacoste GFA

DOM. DE LA LANDE Le Louis d'or 2003 ★

1 ha 1 500 11 à 15 €

Composé presque exclusivement de sémillon (95 %), ce monbazillac jaune doré brillant développe un beau nez de fruits relevé d'un discret boisé. Au palais, il offre équilibre et harmonie, souplesse et complexité. Il joue sur des notes de fruits confits et boisées. Un vin à servir maintenant ou à attendre. (Bouteilles de 50 cl.)

🔑 Fabrice Camus, Dom. de La Lande,
24240 Monbazillac, tél. et fax 05.53.73.21.79
☑ Ɪ ⚲ r.-v.

CH. MONBAZILLAC 2003 ★

27 ha 61 744 11 à 15 €

Le château de Monbazillac est unique par son architecture, alliance du modèle militaire médiéval et de l'élégance de la Renaissance. En bouteille, c'est une autre alliance que l'on trouve, celle réussie entre un vin concentré et un joli boisé. Fruits confits, notamment abricot, et notes boisées de vanille constituent un bouquet complexe et intense. La bouche, riche en sucres, garde beaucoup de fraîcheur. Un 2003 équilibré, plein de finesse et d'élégance. (Bouteilles de 50 cl.) Vinifié par la même cave, le **Château le Touron bergerac rouge 2003 Cuvée Prestige Élevé en fût de chêne (5 à 8 €)** est cité pour son charme et sa rondeur.

🔑 Cave coopérative de Monbazillac,
rte de Mont-de-Marsan, 24240 Monbazillac,
tél. 05.53.63.65.00, fax 05.53.63.65.09,
e-mail cavedemonbazillac@dial.oleane.com
☑ Ɪ ⚲ t.l.j. sf dim. 10h-12h30 14h-19h

CH. MONTDOYEN
Cuvée La Part des anges 2003 ★★★

n.c. 4 000 30 à 38 €

Que de chemin parcouru par Jean-Paul Hembise depuis le rachat, en 1996, de cette propriété presque à l'abandon ! Avec cette cuvée, plus de doute pour les anges : ils sont bien au paradis. En robe brillante dorée, presque ambrée, ce 2003, encore sur la réserve, développe un nez aux notes de fruits confits, de fleurs blanches, d'abricot et de miel. Après une attaque rapide et plaisante sur les fruits exotiques et confits, on découvre une bouche d'une concentration énorme et bien équilibrée par une fraîcheur marquée. Un vin expressif, déjà plaisant, mais qui pourra vieillir une dizaine d'années. (Bouteilles de 50 cl.) Le **bergerac sec 2004 (5 à 8 €)**, aromatique et rond, est cité.

🔑 SARL des Vignobles Jean-Paul Hembise,
Ch. Montdoyen, 24240 Monbazillac,
tél. 05.53.58.85.85, fax 05.53.61.67.78,
e-mail chateaumontdoyen@wanadoo.fr ☑ Ɪ ⚲ r.-v.

DOM. DE THEULET-MARSALET
Grande réserve Élevé et vinifié en fût de chêne 2003

n.c. 5 300 11 à 15 €

Ce domaine est orienté depuis de nombreuses années vers l'agriculture biologique. Il a produit ce 2003 à la robe d'une belle couleur jaune doré et au nez qui évoque les fruits confits et les fleurs blanches. La bouche, riche en sucres, présente un équilibre agréable. Un vin d'apéritif.

🔑 René et Fanny Monbouché, EARL
Theulet-Marsalet, Le Marsalet,
24240 Monbazillac,
tél. 05.53.57.94.36, fax 05.53.61.34.81,
e-mail rene.monbouche@wanadoo.fr ☑ Ɪ ⚲ r.-v.

CH. TILLAC 2003 ★★★

3 ha 4 000 15 à 23 €

Soulignons ici la performance de Martine Tissier-Lacombe, qui propose ce vin exceptionnel, car quand elle a repris l'exploitation en 1999, les vignes étaient pratiquement en friches. Quatre ans plus tard, son 2003 arbore fièrement une robe jaune doré très soutenue, à la légère évolution orangée ; le nez, d'abord floral, révèle ensuite à l'agitation de belles notes de fruits confits, d'abricot et de fruits exotiques, agrémentées d'une touche de miel. La bouche également pleine de fruits exotiques offre une rondeur et une longueur remarquables. On croque du fruit tout au long de la dégustation, avec une belle fraîcheur. Un style parfait.

🔑 Martine Tissier-Lacombe, Le Tertre de Larchère,
24240 Pomport, tél. et fax 05.53.58.53.61,
e-mail tissierm@free.fr

GRAINS NOBLES DE LA TRUFFIÈRE 2003 ★★

3 ha 3 000 11 à 15 €

Cette cuvée s'offre à l'œil habillée d'une robe jaune doré. Son nez, intense et expressif, livre des arômes de figue, de coing et de fleurs d'acacia. La bouche moelleuse est équilibrée par une belle acidité, prélude à une finale longue et persistante. Un vin remarquable, à la fois puissant et frais. (Bouteilles de 50 cl.). Du même producteur, le **Château Beauportail AOC pécharmant 2004 Élevé en fût de chêne (8 à 11 €)**, cité, est à attendre pour que ses tanins puissants et complexes se fondent.

🔑 EARL La Truffière-Beauportail,
14, rte des Cabernets, 24100 Pécharmant,
tél. 05.53.24.85.16, fax 05.53.61.28.63,
e-mail truffiere@beauportail.com ☑ Ɪ ⚲ t.l.j. 10h30-19h
🔑 Fabrice Feytout

CH. VARI Élevé en fût de chêne 2004

10 ha 24 000 8 à 11 €

Robe légèrement dorée aux reflets verts, ce 2004 dévoile un bouquet très frais de citron et de pamplemousse. De concentration moyenne, la bouche bien équilibrée offre un fruité léger et subtil. Un vin d'apéritif plaisant pour ceux qui aiment le monbazillac plus frais que sucré.

🔑 Vignobles Jestin, Ch. Vari, 24240 Monbazillac,
tél. 05.53.24.97.55, fax 05.53.61.84.98,
e-mail jestin@oenomedia.fr ☑ Ɪ r.-v.
🔑 Yann Jestin

Montravel

Sur les coteaux, de Port-Sainte-Foy et Ponchapt jusqu'à Saint-Michel-de-Montaigne, le terroir de Montravel produit, sur 352 ha, des vins blancs secs et moelleux toujours remarqués pour leur élégance. En 2005, le montravel a atteint 9 578 hl en blanc sec, le haut-montravel 2 007 hl tandis que le côtes-de-montravel a donné 2 307 hl. Depuis la récolte 2001, les vins rouges aux tanins concentrés peuvent prétendre, eux aussi, à l'AOC montravel.

CH. BRUNET-CHARPENTIÈRE 2004

3,5 ha 2 500 3 à 5 €

Voici un vin classique, dans lequel on reconnaît le sauvignon. Son bouquet assez intense offre des nuances de genêt, de buis, de feuilles de buis même. En bouche, après une attaque fraîche et nerveuse, le sauvignon s'exprime avec un côté un peu sauvage. Un compagnon intéressant pour les fruits de mer.

Franck Descoins, Les Charpentières,
24230 Montazeau, tél. et fax 05.53.27.54.71,
e-mail franckdescoins@tiscali.fr r.-v.

RÉVÉLATION DE GRIMARDY 2003 *

1 ha 4 000 15 à 23 €

À dominante de merlot (80 %), cette cuvée élevée en fût arbore une robe brillante de teinte rouge cerise. Son nez révèle des notes de fruits confits, de prune et de cuir. Au palais, ce sont plutôt les arômes réglissés et chocolatés qui se découvrent, sur des tanins veloutés. C'est un vin à la tendance hispanisante, chaleureux comme tous les 2003, et à servir maintenant.

Marcel et Marielle Establet, Dom. de Grimardy,
24230 Montazeau, tél. 05.53.57.96.78,
fax 05.53.61.97.16, e-mail m.establet@libertysurf.fr
r.-v.

CH. LAULERIE Comtesse de Ségur 2005 ***

3 ha 15 000 8 à 11 €

Coup de cœur l'an dernier, cette cuvée se classe deuxième au grand jury cette année. Une valeur sûre. Son nez intense est encore très marqué par le toasté, le grillé et le fumé de la barrique. Après une attaque franche, la bouche impressionne par sa sucrosité et sa concentration, prélude à une finale dominée par le boisé. Le potentiel de ce 2005 est énorme, vous le laisserez donc sereinement vieillir encore au moins trois ans. La cuvée principale du château en **blanc 2005 (3 à 5 €)** obtient deux étoiles : nerveux et marqué par le sauvignon, c'est un vin gourmand caractéristique de l'appellation. Enfin, le **bergerac rouge 2004 (5 à 8 €)**, aux tanins puissants et ronds, décroche une étoile.

Vignobles Dubard, Le Gouyat,
24610 Saint-Méard-de-Gurçon, tél. 05.53.82.48.31,
fax 05.53.82.47.64,
e-mail vignobles-dubard@wanadoo.fr
t.l.j. 8h-13h 14h-19h; dim. sur r.-v. 7

CH. LESPINASSAT Vieilles Vignes 2005

2 ha 12 000 5 à 8 €

C'est un vin de passion dont les raisins (sémillon, muscadelle et sauvignon) ont été récoltés entièrement à la main. Ceux-ci ont donné ce 2005 à la robe claire et aux reflets verts, dont le nez exprime des arômes de fleur de vigne et de poire. La bouche est agréable et bien équilibrée. Pour accompagner des huîtres.

Agnès Verseau, Les Oliviers, 24230 Montcaret,
tél. 05.53.58.34.23, fax 05.53.61.36.57,
e-mail agnes.verseau@wanadoo.fr r.-v.

CH. DE LA MALLEVIEILLE 2005 *

1,5 ha 10 000 5 à 8 €

Issu d'un assemblage à parts égales de sauvignon et de muscadelle, ce 2005 se distingue par le vieillissement de la muscadelle pendant six mois dans des fûts d'acacia. Sous une robe plutôt blanche à reflets verts, son nez très expressif développe des notes florales de pétales de rose et d'aubépine, ainsi que des arômes de coing et des notes muscadées. La bouche, gourmande et friande, allie ampleur et fraîcheur. Un vin d'entrée déjà plaisant, mais qui a de la réserve.

Vignobles Biau, La Mallevieille, 24130 Monfaucon,
tél. 05.53.24.64.66, fax 05.53.58.69.91,
e-mail chateaudelamallevieille@wanadoo.fr
t.l.j. 9h-12h 14h-19h

CH. MOULIN CARESSE
Grande Cuvée Cent pour 100 2003 ***

3,5 ha 15 000 11 à 15 €

Une grande propriété familiale du XVIII[e]s. conduite par J.-F. Deffarge depuis 1980, épaulé depuis 1991 par son épouse Sylvie, ingénieur horticole. Titulaires de la Grappe de bronze du Guide 2002. Que dire de plus ? Que cette cuvée confirme son rang exceptionnel et obtient de plus un coup de cœur ! Sous une robe foncée aux reflets noirs, le nez laisse deviner des petits fruits noirs sauvages auxquels le bois, brûlé, amène des notes fumées et torréfiées. En bouche, on découvre un vin charnu, aux tanins puissants et veloutés et au boisé marqué, qu'il faudra attendre au moins cinq ans et qui supportera d'être servi sur de la venaison. Le **côtes-de-bergerac rouge 2003 cuvée Prestige Élevé en fût de chêne (8 à 11 €)**, au boisé puissant qui ne demande qu'à se fondre, obtient une étoile.

Sylvie et Jean-François Deffarge, Couin,
24230 Saint-Antoine-de-Breuilh, tél. 05.53.27.55.58,
fax 05.53.27.07.39, e-mail moulin.caresse@wanadoo.fr
t.l.j. 9h-12h 14h-18h; sam. dim. sur r.-v. E

CH. MOULIN GARREAU Les Régates 2005 ***

2,2 ha 13 000 5 à 8 €

Pharmacien reconverti dans la viticulture, Alain Péronnet signe ici son premier millésime et obtient déjà la plus haute note et un coup de cœur. Moitié sauvignon, moitié sémillon, la robe de ce 2005 est blanche avec des

reflets verts. Son nez encore un peu fermé évoque à la fois des notes minérales et le bourgeon de cassis. La bouche est ample, complexe, nerveuse. On sent que ce vin, élevé sur lies, a de la réserve et ne demande qu'à exploser. Le moment venu, vous le servirez en entrée sur une quiche ou une salade de gésiers.

Alain et Nathalie Péronnet, SCEA Moulin Garreau, Garreau, 24230 Lamothe-Montravel,
tél. et fax 05.53.61.26.97, e-mail aperonnet@wanadoo.fr
r.-v. 3

TERRE DE PIQUE-SÈGUE

Anima Vitis Élevé en fût de chêne 2003 ★★

5,3 ha 23 000 11 à 15 €

Son nom évoque la terre et « l'âme de la vigne » : il n'en fallait pas plus pour comprendre que ce vin présente concentration et caractère. Cette impression se confirme dès la robe rubis profond, puis au nez, qui évoque le pain d'épice, le cuir et la réglisse. La bouche s'inscrit dans la même ligne en offrant une matière charnue et des tanins pleins et serrés. Un vin bien travaillé à apprécier sur un gibier d'ici trois à quatre ans. Deux vins blancs du château sont cités : en sec, le **montravel 2005 (3 à 5 €)**, pour sa fraîcheur et sa densité; en moelleux, le **côtes-de-montravel 2005 (5 à 8 €)**, pour son fruité intéressant.

SNC Ch. Pique-Sègue, Ponchapt,
33220 Port-Sainte-Foy, tél. 05.53.58.52.52,
fax 05.53.58.77.01,
e-mail chateau-pique-segue@wanadoo.fr
r.-v. E
Philip et Marianne Mallard

SONGE DE PUY-SERVAIN 2003 ★

n.c. 7 876 15 à 23 €

Daniel Hecquet, œnologue, élabore des cuvées toujours très intéressantes et a reçu plusieurs coups de cœur. Le boisé est encore présent dans ce vin, auquel il faudra laisser encore deux à trois ans pour qu'il s'affine et s'arrondisse. La robe est profonde, de couleur cerise noire. Le nez est essentiellement sur le pain brûlé, sous lequel percent des notes fruitées. La bouche est riche, également boisée, avec des tanins qui demandent à s'arrondir.

SCEA Puy-Servain, Calabre, 33220 Port-Sainte-Foy,
tél. 05.53.24.77.27, fax 05.53.58.37.43,
e-mail oenovit.puyservain@wanadoo.fr
t.l.j. sf sam. dim. 8h-12h 14h-18h
Daniel Hecquet

CH. LE RAZ Les Filles 2003 ★★★

4,93 ha 24 940 11 à 15 €

Voici un trois étoiles qui a frôlé le coup de cœur, ce qui en dit long sur ses qualités. La robe déjà attire par son rubis profond. Le nez, ensuite, séduit par ses accents fumés et épicés agrémentés de notes beurrées. Et la bouche ? Après une attaque serrée, elle s'ouvre sur un joli fruit et des tanins présents qui commencent à se fondre dans le bois de la barrique. Un grand vin à passer en carafe pour l'apprécier pleinement. Le **montravel blanc 2004 Cuvée Grand Chêne Élevé en fût de chêne (5 à 8 €)**, un sec agréable à ouvrir rapidement, est cité.

Vignobles Barde, GAEC du Maine, Le Raz,
24610 Saint-Méard-de-Gurçon, tél. 05.53.82.48.41,
fax 05.53.80.07.47, e-mail vignobles-barde@le-raz.com
t.l.j. sf dim. 8h30-12h30 14h30-18h30; sam. sur r.-v.

Côtes-de-montravel

CH. DAME DE FONROQUE 2004

1,65 ha 2 000 5 à 8 €

Cette ancienne ferme fortifiée du XVI[e]s., proche de la citadelle de Montravel, a été reconstruite en 1868 dans le style de l'époque. Ce moelleux présente une robe jaune pâle à reflets verts et un nez marqué par des notes végétales de fleurs et de feuilles de cassis. La bouche est souple, fruitée, avec un bel équilibre entre le sucre et l'acidité. Un vin plaisant, d'une belle fraîcheur, à déguster en apéritif.

Brigitte Fried, Fonroque, 24230 Montcaret,
tél. 05.53.58.65.83, fax 05.53.58.60.04,
e-mail brigittefried@wanadoo.fr
r.-v. 5 A
SCI Fonroquemo

CH. LES GRIMARD

Cuvée spéciale Élevé en fût 2003 ★

0,69 ha 2 443 3 à 5 €

Voici un moelleux chargé d'histoire : le chai à barriques dans lequel il a séjourné un an se trouve dans une grange construite à la fin de la guerre de Cent Ans. D'une couleur jaune paille intense, ce 2003 offre un nez complexe et agréable, dominé par des arômes de fruits jaunes bien mûrs et agrémenté d'une petite touche boisée. En bouche, les fruits cèdent la place à une rondeur très sucrée, avant une finale légèrement acidulée. Un vin complet pour l'apéritif et un début de repas.

GAEC des Grimard, Les Grimard,
24230 Montazeau, tél. 05.53.61.73.34,
fax 05.53.24.90.14, e-mail ch.lesgrimard@wanadoo.fr
t.l.j. 8h-20h; dim. sur r.-v.
Joyeux

CH. MASMONTET 2003 ★

0,6 ha 850 11 à 15 €

Après une vendange manuelle, ce 2003 a été vinifié, fait rare, en demi-muid d'acacia. Il en résulte un vin à la robe dorée, brillante, et au bouquet mêlant les fleurs fraîches, les fruits confits et le miel. La bouche, concentrée et d'une belle maturité, offre un équilibre harmonieux entre le miel et l'acidité. Un moelleux très agréable qui joue déjà les liquoreux.

Thibaut Guillermier, Ch. Masmontet, 24230 Vélines,
tél. 05.53.74.39.56, fax 05.53.74.39.60
t.l.j. sf dim. 9h-12h 14h-18h

DOM. DE LA ROCHE MAROT 2004 *

	0,8 ha	2 200		8 à 11 €

C'est pas à pas et avec humilité que la famille Boyer, qui a racheté le domaine en 1989, a appris le métier de vigneron. Elle propose ce vin à mi-chemin entre un moelleux et un liquoreux. Sous sa robe jaune doré et limpide, ce millésime développe un nez moyennement intense de notes de coing et de miel, relevé d'une pointe d'alcool. Ces arômes se retrouvent dans une bouche pleine et intense.

GAEC de la Roche Marot, La Roche Marot, 24230 Lamothe-Montravel, tél. et fax 05.53.58.52.05 r.-v.

Famille Boyer

Haut-montravel

CH. LE BONDIEU
Cuvée Gabriel Élevé en fût de chêne 2003 **

	0,43 ha	700		11 à 15 €

À l'œil déjà, ce moelleux remarquable séduit par sa couleur dorée intense, puis on découvre son nez, rôti, marqué par les fruits secs et les notes de coing et d'abricot. La bouche, très grasse et pleine de rondeur, offre des arômes d'orange confite et de caramel, qui font place à une finale sur le boisé. C'est un vin de garde puissant qu'il faudra attendre quelques années avant de le marier à un foie gras. (Bouteilles de 50 cl.) Du même domaine, le **montravel blanc 2005 (3 à 5 €)** obtient une étoile. Ce sauvignon qui allie tenue et fraîcheur sera un bon vin de soif pour l'été.

EARL d'Adrina, Le Bondieu, 24230 Saint-Antoine-de-Breuilh, tél. 05.53.58.30.83, fax 05.53.24.38.21 r.-v.

Didier Feytout

Pécharmant

Au nord-est de Bergerac, ce « Pech », colline couverte de 441 ha de vignes, donne un vin rouge très riche, apte à la garde. La production 2005 est de 17 632 hl.

CH. DE BIRAN
Cuvée Prestige Bacchus Élevé en fût de chêne 2003 **

	1 ha	3 300		15 à 23 €

Cette cuvée haut de gamme a frôlé le coup de cœur et s'est classée deuxième au grand jury. Elle ne manque en effet pas d'atouts : une robe profonde d'un joli rubis et un nez très toasté qui affiche des notes boisées et un petit côté animal. En bouche, l'attaque est vive et marquée par le fruit, et si le bois domine encore, la structure est agréable et équilibrée, avec des notes animales qui ressortent en finale. Un vin en devenir au potentiel remarquable.

EARL Vignobles de Biran, 24520 Saint-Sauveur-de-Bergerac, tél. 05.53.22.46.29, fax 05.53.27.54.31, e-mail chbiran@aol.com t.l.j. 9h-12h30 15h-19h

Pascal Chiffoleau

LES CHEMINS D'ORIENT
Cuvée Jacques Fournot 2004 *

	n.c.	n.c.		15 à 23 €

Tous deux issus de la médecine humanitaire, les actuels propriétaires se sont reconvertis avec passion, et succès, dans le vin. Ils proposent une cuvée à la couleur profonde et aux reflets vermillon, dont le nez est marqué par un boisé discret. La bouche complexe présente des tanins jeunes encore, un peu austères en finale, qui profiteront de deux ou trois ans de garde pour s'arrondir. La même attente est conseillée pour la cuvée **Caravansérail 2004 (5 à 8 €)**, une étoile également.

SCEA Régis Lansade - Robert Saleon Terras, 19, chem. du Château-d'Eau, 24100 Creysse, tél. 06.75.86.47.54, fax 05.53.22.08.38, e-mail regis.lansade@wanadoo.fr t.l.j. 8h-20h

CH. CORBIAC 2004 *

	17,63 ha	50 000		8 à 11 €

Ici, la qualité n'est pas une idée neuve. Le château s'est en effet vu décerner une prime d'honneur au concours agricole... de 1864, des mains de Napoléon III ! Cent quarante ans plus tard, on découvre ce vin d'une belle intensité colorante, dont le nez pas encore très ouvert délivre surtout des notes truffées. L'attaque, souple et soyeuse, ouvre sur une matière fondue et élégante et un boisé harmonieux, prélude à une finale persistante. Un 2004 agréable et complet.

Bruno de Corbiac, Ch. de Corbiac, rte de Corbiac-Pécharmant, 24100 Bergerac, tél. 05.53.57.20.75, fax 05.53.57.89.98, e-mail corbiac@corbiac.com t.l.j. 9h-19h

DOM. DES COSTES 2004 **

	10 ha	40 000		8 à 11 €

En pleine reconversion vers l'agriculture biologique depuis 2004, ce domaine obtient deux étoiles pour ce millésime, comme pour le précédent. Des reflets grenat viennent rehausser la couleur profonde de ce 2004 au nez fin et subtil, qui mêle intimement le fruité au boisé. Les tanins sont présents tout au long de la bouche, avec une belle sucrosité. Un vin parfaitement vinifié et équilibré, à réserver pour une côte de bœuf.

Nicole Dournel, 4, rue Jean-Brun, 24100 Bergerac, tél. 05.53.57.64.49, fax 05.53.61.69.08, e-mail jean-marc.dournel@wanadoo.fr t.l.j. sf dim. 10h-13h 15h-19h

DOM. DE LA CURGUETIÈRE 2003 *

	n.c.	8 000		8 à 11 €

Doté d'une robe intense couleur grenat, ce 2003 dévoile un bouquet fruité d'arômes de cerise et de cassis, rehaussé d'une touche boisée et vanillée. La bouche, équilibrée et structurée, présente des tanins encore dominants qu'il faut laisser au temps le soin d'assouplir.

Jean-Régis Guibert, Le Marsalou, 24240 Flaugeac, tél. 05.53.58.41.91, fax 05.53.73.21.77 r.-v.

ÉTIQUETTE NOIRE Élevé en fût de chêne 2003 *

■ n.c. 48 160 🅘 5 à 8 €

Étiquette noire mais robe rubis profond pour cette cuvée de la cave coopérative, qui offre un bouquet aux accents de café et aux notes torréfiées. En bouche, elle montre un bel équilibre et de la fraîcheur, ainsi qu'une structure de tanins jeunes qui demandent à se fondre. La cave produit également le **Château Pech-Marty 2004 Élevé en fût de chêne**, qui obtient une citation.

Union vinicole Bergerac-Le Fleix, Le Vignoble, 24130 Le Fleix, tél. 05.53.24.64.32, fax 05.53.24.65.46
t.l.j. sf dim. 8h-12h 14h-18h

CH. LES FARCIES DU PECH' 2004 **

■ 7 ha 42 000 🅘 5 à 8 €

Reprise par la famille Dubard en 2000, cette belle chartreuse propose des chambres d'hôte de grand standing aux portes de Bergerac. Standing également pour ce 2004 qui séduit par son nez mêlant les fleurs blanches à un boisé bien fondu. En bouche, le vin est nerveux mais reste rond et charpenté, avec des tanins enrobés par le bois et relevés de jolies notes de réglisse. Un vin original qui réussit une harmonie entre la matière, la vigueur et l'expression. La **Cuvée du Hameau 2003**, fraîche en attaque et à la présence tannique en finale, est citée.

SARL Hameau de Pécharmant, Ch. Les Farcies du Pech', 24100 Bergerac, tél. 05.53.82.48.31, fax 05.53.82.47.64, e-mail vignobles-dubard@wanadoo.fr
t.l.j. 8h-12h 14h-18h; dim. sur r.-v. 7

DOM. DU GRAND JAURE Mémoire 2003 **

■ 1 ha 4 500 🅘 8 à 11 €

Si l'on devait décrire ce vin en trois mots, on dirait élégance, douceur et subtilité. Sa robe rouge assez sombre séduit et invite à découvrir son nez boisé, agrémenté de jolies notes de torréfaction. En bouche, l'attaque est franche avec une belle acidité, qui ouvre sur une structure tannique puissante aux notes épicées, prélude à une finale particulièrement suave et longue. La cuvée principale du domaine **2004 Élevé en fût de chêne** obtient également deux étoiles. Plus souple et plus ouvert, c'est un vin soyeux aux tanins bien fondus dans un boisé léger.

GAEC Baudry, 16, chem. de Jaure, 24100 Lembras, tél. 05.53.57.35.65, fax 05.53.57.10.13, e-mail domaine.du.grand.jaure@wanadoo.fr
t.l.j. sf dim. 8h30-12h30 14h-19h

DOM. LES GRANGETTES Selon Gaston 2003 ***

■ 2 ha 15 300 🅘 8 à 11 €

Situé au pied du château de Monbazillac, ce domaine est exploité par la famille Borderie depuis quatre générations. C'est dire s'ils ont eu le temps de parfaire leur maîtrise du pécharmant, et le 2003 qu'ils proposent est tout simplement exceptionnel. Les petits fruits noirs qui ouvrent le nez laissent ensuite la place à des arômes complexes de réglisse et de café torréfié. Le palais, structuré, charpenté et gras, séduit par ses tanins enrobés et agréables. Une bouteille équilibrée et puissante. Deux autres vins du domaine sont cités : le **Château Poulvère monbazillac 2004 Damien**, à la finale fraîche sur les arômes d'agrumes confits et de pruneau, et le **Château Poulvère côtes-de-bergerac blanc 2004 (5 à 8 €)**, aux arômes de fruits confits bien travaillés.

GFA Poulvère et Barses, Poulvère, 24240 Monbazillac, tél. 05.53.58.30.25, fax 05.53.58.35.87, e-mail francis.borderie@poulvere.com r.-v.

DOM. DU HAUT-PÉCHARMANT
Cuvée Veuve Roches 2003 *

■ 3 ha 21 000 🅘 8 à 11 €

Sur le lieu-dit de Pécharmant, cette exploitation produisait déjà du vin de ce nom avant que l'AOC ne soit reconnue. On apprécie beaucoup le nez de petits fruits des bois de cette cuvée, relevé de quelques notes mentholées. La bouche séduit également par son attaque souple et ronde et ses arômes de fruits cuits. Les tanins sont puissants, mais mariés à une belle acidité qui les aidera à bien vieillir. La **Cuvée prestige 2003 Élevé en fût de chêne**, plus légère, est citée.

Didier Roches, Dom. du Haut-Pécharmant, 24100 Bergerac, tél. 05.53.57.29.50, fax 05.53.24.28.05, e-mail dhp2@tiscali.fr r.-v.

CH. HUGON Élevé en fût de chêne 2004 **

■ 1,7 ha 9 700 🅘 5 à 8 €

Ce domaine est un petit vignoble de 4 ha cultivé comme un jardin, avec beaucoup de soin. Il produit ce vin à la robe impressionnante d'un grenat intense et profond, dont le nez enchante par ses arômes de fruits mûrs, ses notes de truffe et son joli boisé. La bouche offre une véritable symphonie de sensations : après une attaque ronde, le volume se fait puissant et on découvre des tanins soyeux et pleins de vigueur, avant une finale très agréable sur un boisé fondu. Un 2004 de belle matière qui peut vieillir mais se révèle déjà plaisant.

Bernard Cousy, Pécharmant, 24100 Bergerac, tél. 05.53.63.28.44 t.l.j. 9h-12h 14h-18h

CH. LA RENAUDIE Élevé en fût de chêne 2004

■ n.c. 42 000 🅘 5 à 8 €

Sous une robe brillante et profonde, on découvre un nez expressif marqué par les notes vanillées du bois. La bouche porte également la marque du fût, et offre du volume et des tanins qui demandent encore à se fondre. Un vin pour les amateurs de boisé, à servir dans deux ans.

SCEA Ch. La Renaudie, RN 21, 24100 Lembras, tél. 05.53.27.05.75, fax 05.53.73.37.10, e-mail contact@chateaurenaudie.com
t.l.j. 9h-19h
Y.-M. Allamagny

CH. DU ROOY Élevé en fût de chêne 2004 **

■ 2 ha 13 000 🅘 5 à 8 €

Parti de rien, avec un vignoble en mauvais état, Gilles Gérault améliore chaque année ses vignes, son chai et la qualité de ses vins. Ce remarquable 2004 en est la preuve.

SUD-OUEST

Sous une robe très noire, il livre un nez complexe alliant le bois et le fruit. La bouche, structurée, offre du gras, de la sucrosité et une concentration sur des tanins soyeux et bien enrobés. Des atouts indéniables qui permettent de profiter dès maintenant de cette bouteille, ou de la laisser vieillir quelques années. Le **rosette 2005** n'est pas en reste puisqu'il décroche lui aussi deux étoiles pour son fruité marqué et sa fraîcheur.

Gilles Gérault, Rosette, 24100 Bergerac, tél. 05.53.24.13.68, fax 05.53.73.87.65, e-mail gilles.gerault@wanadoo.fr r.-v.

CH. TERRE VIEILLE
L'Ambroisie Vieillie en fût de chêne 2003 *

0,5 ha 2 000 30 à 38 €

On ne plaisante pas avec le nectar des dieux : c'est pourquoi cette cuvée n'est produite que les meilleures années et à partir des meilleurs terroirs. Ce 2003 exprime un bouquet légèrement boisé aux arômes de fruits mûrs et de réglisse. L'attaque sur une belle sucrosité fait place à une montée des tanins, puissants, sur lesquels il faut laisser le temps mettre sa patine. Une citation pour la cuvée **Cros de la Sal 2003 Vieilli en fût de chêne (8 à 11 €)** agréable par sa fraîcheur et son fruité.

Gérôme et Dolorès Morand-Monteil, Ch. Terre-Vieille, Grateloup, 24520 Saint-Sauveur-de-Bergerac, tél. 05.53.57.35.07, fax 05.53.61.91.77, e-mail gerome-morand-monteil@wanadoo.fr t.l.j. 9h-19h; sam. et dim. sur r.-v. l'hiver

DOM. DU VIEUX SAPIN
Élevé en fût de chêne 2003 **

n.c. 43 600 5 à 8 €

Voici trois cuvées de propriétaires vinifiées par la cave de Bergerac. Le Domaine du Vieux Sapin de Christian Casenille développe un nez complexe et agréable mêlant des arômes de fruits noirs, de réglisse et de café avec des notes boisées. Ample en attaque, la bouche dévoile une puissante structure qui s'orne de notes de fruits rouges, de café et d'épices. La finale, toute en fraîcheur, est longue et persistante. Un vin harmonieux et fin qu'il faut laisser vieillir quatre à cinq ans. Le **Domaine Brisseau-Belloc 2003 Élevé en fût de chêne** de Jeanne Brisseau et le **Château La Mouthe 2004 Élevé en fût de chêne** de Claude Chadourne, équilibrés et élégants, marqués au nez et en bouche par un boisé qui demande à se fondre, obtiennent chacun une étoile.

Union vinicole Bergerac-Le Fleix, Le Vignoble, 24130 Le Fleix, tél. 05.53.24.64.32, fax 05.53.24.65.46 t.l.j. sf dim. 8h-12h 14h-18h

CH. COMBRILLAC L'Inédit 2005 *

1 ha 4 500 8 à 11 €

Jaune pâle aux reflets verts, cette cuvée affiche un nez fin aux notes de pêche blanche et d'ananas confit. Le palais bien structuré séduit par sa fraîcheur et offre une longue finale relevée d'une pointe de boisé, souvenir du passage en fût. (Bouteilles de 50 cl.) La cuvée principale **Château Combrillac 2005 (5 à 8 €)**, fruitée et fraîche, décroche également une étoile.

Girou, Combrillac, 24130 Prigonrieux, tél. et fax 05.53.58.02.06, e-mail combrillac@hotmail.com r.-v.

DOM. DU GRAND JAURE 2005 ***

1,14 ha 5 600 5 à 8 €

Pour sa première vendange de moelleux, la famille Baudry obtient un coup de cœur, qui vient s'ajouter à celui reçu cette année également pour son pécharmant. Ce rosette a totalement séduit le jury, et il ne manque en effet pas d'atouts. Sous sa robe jaune pâle aux reflets verts, il développe un nez intense de fruits, d'agrumes et de litchi, agrémenté d'une note de bonbon anglais. La bouche, fraîche, ample et très croquante, fait preuve de beaucoup de jeunesse et de fraîcheur. Un moelleux harmonieux et de belle longueur, qui enchantera vos apéritifs.

GAEC Baudry, 16, chem. de Jaure, 24100 Lembras, tél. 05.53.57.35.65, fax 05.53.57.10.13, e-mail domaine.du.grand.jaure@wanadoo.fr t.l.j. sf dim. 8h30-12h30 14h-19h

CH. PUYPEZAT ROSETTE 2003

n.c. 9 000 5 à 8 €

Assemblage de sémillon (80 %) et de muscadelle (20 %), ce 2003 se présente sous une robe limpide de couleur jaune d'or, et offre un nez intense et riche d'arômes d'abricot et de coing. La bouche fraîche et légère ne démérite pas.

GAEC de Puypezat, Bernad Frères, Rosette, 24100 Bergerac, tél. 05.53.57.27.69, fax 05.53.24.63.23, e-mail bernadfreres@aliceadsl.fr t.l.j. 8h30-20h

Rosette

Dans un amphithéâtre de collines dominant au nord la ville de Bergerac et sur un terroir argilo-graveleux, rosette est l'appellation la plus méconnue et la plus confidentielle de la région avec 748 hl produits sur 20 ha.

Saussignac

Loué au XVI[e]s. par le Pantagruel de François Rabelais, inscrit au cœur d'un superbe paysage de plateaux et de coteaux, ce terroir engendre de grands vins moelleux et liquoreux. La production a atteint 1 130 hl pour 53 ha.

CH. LE CHABRIER Cuvée Éléna 2004 ★

3,25 ha 3 000 23 à 30 €

Nous retrouvons avec plaisir cette cuvée de Pierre Carle, habituée du Guide depuis quelques années. Habillée d'une robe jaune orangé, elle offre un nez d'une belle intensité évoquant les fruits mûrs et la pâte de coings. On retrouve ces arômes moins marqués dans une bouche remarquable de sucrosité, qui offre une agréable fraîcheur citronnée en finale. Un vin bien fait que l'on pourra attendre quelques années.

Pierre Carle, Ch. Le Chabrier,
24240 Razac-de-Saussignac, tél. 05.53.27.92.73,
fax 05.53.23.39.03, e-mail chateau-le-chabrier@free.fr
r.-v.

CH. COURT-LES-MÛTS 2003 ★

13 ha 32 000 11 à 15 €

Pur sémillon, cette cuvée arbore une robe dorée et brillante, et un bouquet intense de fruits confits. On retrouve ces arômes dans une bouche sympathique et équilibrée. (Bouteilles de 50 cl.) Deux autres moelleux sont distingués : du même château, une étoile pour le **côtes-de-bergerac blanc 2005 (5 à 8 €)**, au joli fruité porté sur les agrumes et une citation pour le **côtes-de-bergerac blanc Château Petite Borie 2004 (5 à 8 €)**, sur la fraîcheur.

Pierre-Jean Sadoux,
Ch. Court-Les-Mûts, 24240 Razac-de-Saussignac,
tél. 05.53.27.92.17, fax 05.53.23.77.21,
e-mail court-les-muts@wanadoo.fr
t.l.j. 9h-12h 14h-18h; sam. dim. sur r.-v.

CH. LE TAP Élevé en fût de chêne 2004 ★

2,5 ha 6 400 11 à 15 €

Voici une belle gamme de vins que propose le château Le Tap. Ce saussignac d'abord, à la robe jaune pâle, qui livre un nez tout en finesse dont les notes de fruits et d'agrumes se mêlent à un boisé fondu. L'attaque est vive, avec une montée en puissance sur un fruit bien mûr, avant une finale encore un peu austère sur le bois et qui demande quelques années pour s'arrondir. (Bouteilles de 50 cl.) Ensuite le **bergerac sec 2005 (5 à 8 €)** s'orne également d'une étoile, pour son fruité subtil marqué par le bois. Enfin, le **bergerac rouge 2005 (3 à 5 €)**, remarqué par sa fraîcheur et son fruité, est cité.

Olivier Roches, Ch. Le Tap, 24240 Saussignac,
tél. 05.53.27.53.41, fax 05.53.22.07.55,
e-mail chateauletap@tiscali.fr
t.l.j. 9h-13h 14h-19h D

CH. TOURMENTINE 2003 ★

1 ha 2 800 15 à 23 €

Le domaine s'est doté d'un gîte rural de grande capacité, dans lequel sont organisés des séjours thématiques sur la vigne et le vin. Si vous y allez, vous aurez sans doute l'occasion de déguster ce liquoreux doré, dont le nez un peu discret est marqué par le bois, mais dont la bouche superbe délivre des arômes de fruits confits très plaisants. L'acidité marquée apporte de la fraîcheur en finale. (Bouteilles de 50 cl.)

EARL Vignobles Huré, Tourmentine,
24240 Monestier, tél. 05.53.58.41.41,
fax 05.53.63.40.52, e-mail aetjmhure@wanadoo.fr
t.l.j. sf dim. 9h-12h 14h-18h E

Côtes-de-duras

Les côtes-de-duras sont issus d'un vignoble de près de 2 043 ha qui est le prolongement naturel du plateau de l'Entre-deux-Mers et a produit en 2005 112 764 hl. On raconte qu'après la révocation de l'Édit de Nantes, les exilés huguenots gascons faisaient venir le vin de Duras jusqu'à leur retraite hollandaise et marquaient d'une tulipe les rangs de vigne qu'ils se réservaient.

Sur des coteaux découpés par la Dourdèze et ses affluents, avec des sols argilo-calcaires et des boulbènes, les côtes-de-duras ont accueilli tout naturellement les cépages bordelais. En blanc, sémillon, sauvignon et muscadelle ; en rouge, cabernet franc, cabernet-sauvignon, merlot et malbec. La gloire de Duras, c'est bien le vin blanc avec 39 420 hl (blancs secs à base de sauvignon et moelleux suaves). Racés, nerveux, dotés d'un bouquet spécifique, ils accompagnent à merveille fruits de mer et poissons de l'Océan. Les vins rouges, souvent vinifiés en cépages séparés, sont charnus, ronds et d'une belle couleur. La région a également produit des vins rosés fruités et gouleyants. Rouges et rosés représentent 73 344 hl.

DOM. DES ARGILES
Moelleux Cuvée du Soleil 2004 ★

1,4 ha 6 000 5 à 8 €

Comme le soleil qui a doré les grains de ses raisins et lui a donné son nom, cette cuvée arbore une belle robe jaune. Son nez intense est particulièrement marqué par les arômes fruités, que l'on retrouve dans une bouche pleine et riche. Un moelleux harmonieux et équilibré, à ouvrir à l'apéritif ou sur un fromage à pâte persillée.

EARL Pénicaud, Dom. des Argiles, Pont-de-Roche,
47120 Saint-Astier, tél. 05.53.94.73.91,
fax 05.53.83.08.57 r.-v.

QUINTESSENCE DE BERTICOT
Élevé en fût de chêne 2004 ★

n.c. 20 000 5 à 8 €

Robe rubis profond avec des reflets brillants pour cette cuvée au nez intense de fruits, agrémenté de notes de cuir et de noisette grillée. Rond et souple en bouche, elle offre des arômes de fruits bien mûrs et des tanins pleins et délicats, pour finir sur une belle longueur. Un vin harmonieux, complexe et complet, à servir maintenant ou à garder un peu. Une étoile également pour le **rosé 2005 Les Remparts de Berticot (3 à 5 €)**, léger, fruité et persistant, avec une fraîcheur très agréable.

Prodiffu, 17-19, rte des Vignerons,
33790 Landerrouat, tél. 05.56.61.33.73,
fax 05.56.61.40.57, e-mail prodiffu@prodiffu.com

SÉLECTION BERTICOT 2004 ★

n.c. 40 000 3 à 5 €

Cette Sélection présente une couleur rubis assez brillante et un nez finement boisé aux délicates touches de fruits. Souple et rond en attaque, le palais offre un fruit très présent et un boisé bien maîtrisé, et réussit l'harmonie

SUD-OUEST

entre les tanins du vin et ceux de la barrique. Autre cuvée intéressante de la cave, **La Grange aux garçons 2003 rouge (8 à 11 €)**, dont le jury a apprécié la chair et la sucrosité ; elle obtient également une étoile.

SCA Les Vignerons de Landerrouat-Duras, Berticot, 47120 Duras, tél. 05.53.83.75.47, fax 05.53.83.82.40, e-mail berticot@wanadoo.fr r.-v.

LES VIGNERONS DE BERTICOT

Grande Réserve Élevé en fût de chêne 2004 *

n.c. 50 000 3 à 5 €

Cette Grande Réserve limpide et d'une belle couleur, possède un nez peu intense dominé par les notes de sous-bois. La bouche, équilibrée, offre des tanins doux et soyeux. Structuré mais sans excès, c'est un vin déjà très plaisant. Les **Hauts de Berticot 2004 rouge Élevé en fût de chêne (5 à 8 €)**, dont la structure tannique riche mais encore un peu jeune a besoin de temps pour s'arrondir, reçoit aussi une étoile.

Prodiffu, 17-19, rte des Vignerons, 33790 Landerrouat, tél. 05.56.61.33.73, fax 05.56.61.40.57, e-mail prodiffu@prodiffu.com

CH. DE LA BLANCHE Sec sauvignon 2005 *

4,01 ha 35 500 3 à 5 €

Sous une robe brillante, d'un jaune très pâle, le nez se révèle discret mais complexe, avec des notes d'agrumes. La bouche ronde et agréable porte une belle matière fruitée qui se fond dans une finale longue et fraîche. Un vin harmonieux, tout en finesse, idéal pour les coquillages et les crustacés.

Prodiffu, 17-19, rte des Vignerons, 33790 Landerrouat, tél. 05.56.61.33.73, fax 05.56.61.40.57, e-mail prodiffu@prodiffu.com

CH. DES BRUYÈRES 2005 *

1,1 ha 7 400 3 à 5 €

Voici un rosé qui se révélera un bon compagnon de début de repas, sur des charcuteries par exemple. Sous sa robe brillante, il présente un nez moyennement expressif sur le fruit. C'est en bouche qu'il séduit : puissante et savoureuse, avec un fruité bien présent, elle offre une finale longue et harmonieuse.

Piet et Annelies Heide, Ch. des Bruyères, 47120 Loubès-Bernac, tél. et fax 05.53.94.22.61, e-mail chateaudesbruyeres@wanadoo.fr r.-v.

CHATER Oak aged 2004 **

2 ha 6 000 8 à 11 €

2004 est le premier millésime réalisé par les nouveaux propriétaires de ce vignoble, auparavant vinifié par la coopérative. Les anglicistes l'auront compris, cette cuvée a vieilli en fût de chêne. Elle en a retiré une robe profonde et un nez complexe marqué par des notes de sous-bois, de moka et de tabac blond. Ces arômes se retrouvent dans une bouche à l'attaque franche et aux tanins particulièrement veloutés et soyeux. Un vin d'une puissance et d'une souplesse remarquables. Le domaine obtient une étoile pour deux autres de ses vins : la cuvée classique **rouge 2004 (5 à 8 €)**, harmonieuse et moins tannique, et le **sauvignon sec 2005 (5 à 8 €)**, frais et fruité.

Iain et Jacky Chater, Vignoble de la Lègue, 47120 Saint-Sernin-de-Duras, tél. et fax 05.53.64.67.14, e-mail domainechater@hotmail.com r.-v.

DOM. DE FERRANT

Cuvée Clément Élevé en fût de chêne 2003 *

1 ha 6 000 5 à 8 €

Moitié merlot, moitié cabernet-sauvignon, ce 2003 porte la marque de la barrique. Au nez, cela donne des notes vanillées, boisées, torréfiées, grillées, toastées... qui dominent le fruit. En bouche, le boisé bien fondu permet d'apprécier pleinement les qualités du vin. On découvre alors une matière souple et charnue qui porte des notes de cerises à l'eau-de-vie et s'épanouit dans une finale aromatique et tendre. À ouvrir dans quelques années.

SCEA Vignobles Vuillien, Dom. de Ferrant, 47120 Esclottes, tél. 05.53.84.45.02, fax 05.53.93.52.10, e-mail vignobles.vuillien@free.fr t.l.j. sf dim. 8h30-17h30

DOM. DU GRAND MAYNE

Sec sauvignon 2005 **

10 ha 70 000 3 à 5 €

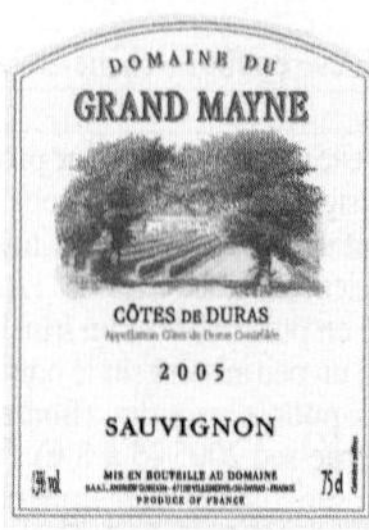

Aucun doute sur le cépage : c'est bien du sauvignon et il trouve ici une expression remarquable. On perçoit au nez les arômes si caractéristiques de buis, de cassis, de fleurs et d'agrumes. Le palais est également marqué par les fruits exotiques et offre rondeur et puissance, et surtout beaucoup de fraîcheur et de nervosité. Un vin de plaisir à déguster bien frais entre amis à l'apéritif. La **Cuvée des Vendangeurs 2005 sec (5 à 8 €)** décroche aussi deux étoiles. L'élevage en fût lui apporte, au nez comme en bouche, un boisé fondu très plaisant.

Andrew Gordon, Le Grand Mayne, 47120 Villeneuve-de-Duras, tél. 05.53.94.74.17, fax 05.53.94.77.02, e-mail domaine-du-grand-mayne@wanadoo.fr t.l.j. sf sam. dim. 9h-18h

DOM. DU GRAND MAYNE

Cuvée Prestige 2004 **

2 ha 14 000 5 à 8 €

Robe sombre à reflets grenat, cette cuvée remarquable exprime un bouquet intense aux accents de vanille et de grillé sur un joli fruit mûr. D'une grande puissance tannique, elle sait rester souple en bouche et d'une belle sucrosité, avec un boisé parfaitement fondu qui contribue à l'harmonie de l'ensemble. La cuvée **Révolution 2004 rouge (11 à 15 €)**, encore marquée par le bois mais très réussie, obtient une étoile. Même note, enfin, pour le **rosé 2005 (3 à 5 €)** dont on a apprécié le fruité complexe et intense.

Andrew Gordon, Le Grand Mayne, 47120 Villeneuve-de-Duras, tél. 05.53.94.74.17, fax 05.53.94.77.02, e-mail domaine-du-grand-mayne@wanadoo.fr
Y ⅄ t.l.j. sf sam. dim. 9h-18h

DOM. LAS BRUGUES-MAU MICHAU 2003 *

■ 6,63 ha 52 000 3 à 5 €

La robe de ce 2003 est franche et limpide, d'un rouge grenat qui commence légèrement à évoluer. Son nez, net et fin, présente des arômes un peu végétaux de poivron, de bois et de lierre. C'est au palais qu'il se révèle, avec une bouche ronde et souple d'une belle sucrosité, et des tanins plus mûrs qu'au nez marqués par des notes épicées et de pruneau. Finale fraîche pour ce vin à consommer jeune.

Véronique et Pascal Prévot, Mau Michau, 47120 Monteton, tél. 05.53.20.24.51, fax 05.53.20.80.57, e-mail mprevot@wanadoo.fr
Y ⅄ t.l.j. 9h-12h 14h-19h

CH. LAVANAU 2005 *

8,9 ha 30 000 3 à 5 €

Voici un rosé exclusivement de merlot, ce qui tranche avec les habitudes locales. Sous une robe rose pâle intense, son nez évoque avec beaucoup de puissance les fruits de la Passion, que l'on retrouve dans une bouche souple et ronde. À servir maintenant en accompagnement d'une viande blanche.

Paul et Juliana Uhart, Ch. Lavanau, Les Faux, 47120 Loubès-Bernac, tél. et fax 05.53.94.86.45, e-mail paul.uhart@neuf.fr
Y ⅄ t.l.j. 10h-12h 14h-18h; f. nov.-fév.

DOM. MOUTHES LE BIHAN Vieillefont 2004 *

■ 4 ha 20 000 8 à 11 €

En plus de l'élevage de leurs vins, Catherine et Jean-Mary Le Bihan s'adonnent également sur leur exploitation à l'élevage des chevaux, animal que vous retrouverez sur l'étiquette de cette cuvée. D'une grande intensité, le nez révèle avec délicatesse des arômes de fruits mûrs, surmûris même. La bouche séduit par son charme et sa rondeur, et sa matière tannique parfaitement équilibrée par un boisé discret. La finale est longue et sur le fruit. À consommer sur une viande rouge.

Catherine et Jean-Mary Le Bihan, Mouthes, 47120 Saint-Jean-de-Duras, tél. 05.53.83.06.98, fax 05.53.89.62.70, e-mail domainemoutheslebihan@wanadoo.fr
Y ⅄ r.-v.

CH. LES ROQUES 2004 *

■ 8,78 ha 50 000 - de 3 €

Le propriétaire revendique l'honneur de posséder le vignoble le plus haut du Lot-et-Garonne. En tout cas, du plateau de Loubès-Bernac où il est situé on aperçoit, tout proches, les vignobles du Bergeracois à l'est et de la Gironde au sud. Fruits rouges et sous-bois se mêlent au nez de ce 2004 avec beaucoup de finesse et de complexité. En bouche, les tanins sont soyeux et flatteurs. Un vin un peu atypique qui plaira par sa souplesse et son fruité.

SCEA Ch. Guillaume, Guillaume Blanc, BP 43, 33220 Saint-Philippe-du-Seignal, tél. 05.57.46.42.16, fax 05.57.46.42.76 Y ⅄ r.-v.

DOM. DU VIEUX BOURG Sec sauvignon 2005 *

11 ha 40 000 3 à 5 €

Robe brillante de couleur jaune pâle pour ce 2005, dont on apprécie les arômes fruités complexes. La bouche, ample et ronde sur une jolie matière, offre une finale plaisante et de bonne longueur sur la fraîcheur. Poissons, coquillages et crustacés mettront ce vin en valeur.

Bernard Bireaud, Le Vieux Bourg, 47120 Pardaillan, tél. 05.53.83.02.18, fax 05.53.83.02.37, e-mail vieux-bourg2@wanadoo.fr
Y ⅄ t.l.j. 9h-12h 14h30-18h; sam. dim. sur r.-v.

Le piémont pyrénéen

Madiran

D'origine gallo-romaine, le madiran fut pendant longtemps le vin des pèlerins de Saint-Jacques-de-Compostelle. La gastronomie du Gers et ses ambassadeurs dans la capitale représentent ce vin pyrénéen. Sur les 1 260 ha de l'appellation déclarés en 2005, le cépage roi est le tannat, qui donne un vin âpre dans sa jeunesse, très coloré, avec des arômes primaires de framboise ; il s'exprime après un long vieillissement. Lui sont associés cabernet-sauvignon et cabernet franc (ou bouchy), fer-servadou (ou pinenc). Les vignes sont conduites en demi-hautain. La production a atteint 66 754 hl en 2005.

Le vin de Madiran est le vin viril par excellence. Quand sa vinification est adaptée, il peut être bu jeune, ce qui permet de profiter de son fruité et de sa souplesse. Il accompagne les confits d'oie et les magrets saignants de canard. Les madiran traditionnels, à forte proportion de tannat, supportent très bien le passage sous bois et doivent attendre quelques années. Les vieux madiran sont sensuels, charnus et charpentés, avec des arômes de pain grillé, et s'allient avec le gibier et les fromages de brebis des hautes vallées.

CH. BARRÉJAT
Cuvée des Vieux Ceps Élevé en fût de chêne 2004 **

■ 4 ha n.c. 5 à 8 €

Cette cuvée impose le respect que l'on doit aux anciens : en effet, ce sont des vignes âgées de plus de quatre-vingts ans qui lui ont donné leurs raisins. Le nez est intense, dominé par un joli boisé vanillé, toasté et balsamique qui cède ensuite la place aux fruits noirs et aux épices. L'élevage est réussi, en témoigne la bouche opulente et riche, encore marquée par un fort boisé mais superbement structurée, entre tanins fermes et sucrosité. La **cuvée de l'Extrême**

2003 Élevé en fût de chêne neuf (11 à 15 €) et le **pacherenc-du-vic-bilh moelleux 2004 cuvée de la Passion Élevé en fût de chêne** (bouteilles de 50 cl) viennent ajouter chacun leur étoile au tableau d'honneur.
Denis Capmartin, Ch. Barréjat,
32400 Maumusson-Laguian, tél. 05.62.69.74.92,
fax 05.62.69.77.54
t.l.j. sf dim. 8h-12h30 14h-19h

DOM. DE BASSAIL 2004 *

1,8 ha	2 670	3 à 5 €

Ce madiran 2004 possède un nez déjà bien affiné où l'on retrouve des senteurs de caramel, de café et de vanille, ainsi que quelques notes de fruits rouges. Souple d'attaque, la bouche ronde et grasse offre une petite sucrosité et des tanins agréables dans un ensemble bien fondu. Le **pacherenc-du-vic-bilh moelleux cuvée Muriel 2004 (5 à 8 €)** obtient également une étoile.
Patrick Berdoulet et Françoise Roca,
GAEC du Dom. Bassail, 32400 Viella,
tél. 05.62.69.76.62, fax 05.62.69.78.02
t.l.j. 9h-12h 14h-18h

DOM. DOU BERNÈS Élevé en fût de chêne 2003 *

4 ha	6 000	5 à 8 €

Plein sud, c'est l'orientation du terroir qui a servi à produire cette cuvée à 90 % de tannat, qui affiche un nez puissant mêlant les fruits rouges à un boisé toasté et à des notes de cuir. Jouant le fruit, le palais révèle un certain volume et un équilibre très réussi, dans une structure déliée avec des tanins présents en finale. Il faudra laisser du temps au temps pour qu'ils se fondent.
Cazenave, Curon, 64330 Aydie, tél. 05.59.04.04.49,
fax 05.59.04.05.79 r.-v.

DOM. BERNET Tradition 2004

7 ha	30 000	3 à 5 €

Robe sombre mais nette pour ce madiran très viril, qui dévoile un bouquet assez intense, mélange d'épices, de fruits mûrs et de cuir. La bouche apparaît concentrée avec du gras, du volume et de la chaleur, puis les tanins s'imposent en force sur la finale affirmant sa vocation de vin de garde.
Yves Doussau, Dom. Bernet, 32400 Viella,
tél. 05.62.69.71.99, fax 05.62.69.75.08
t.l.j. 8h30-12h 14h-19h

DOM. BERTHOUMIEU
Cuvée Charles de Batz Élevé en fût de chêne 2003 **

6,7 ha	40 000	11 à 15 €

Habituée du Guide, cette cuvée a revêtu pour son millésime 2003 une robe profonde, presque opaque, signe d'une concentration intense. Confirmation en est donnée par le nez d'une belle complexité, qui marie parfaitement les fruits des bois, l'encre et la réglisse à un boisé raffiné. Souple et suave en attaque, la bouche prend rondeur et ampleur pour exprimer ses arômes de fruits sauvages agréablement boisés, dans une structure tannique affirmée. Un madiran à la fois charmeur et viril. Une étoile est décernée à la cuvée **Haute Tradition 2004 (5 à 8 €)** ainsi qu'au **pacherenc-du-vic-bilh moelleux 2004 Symphonie d'automne (8 à 11 € – bouteilles de 50 cl)**.
Didier Barré, Dutour, 32400 Viella,
tél. 05.62.69.74.05, fax 05.62.69.80.64,
e-mail barre.didier@wanadoo.fr
t.l.j. 8h-12h 14h-19h; dim. sur r.-v.

CLOS BASTÉ 2004 **

2,5 ha	14 000	11 à 15 €

Le tannat, unique cépage utilisé, donne ici un vin opulent qu'il faudra garder au moins cinq ans afin d'en profiter au mieux. Sous une robe noire aux reflets violets, le nez ouvert et complexe évoque des pâtisseries aux fruits rouges, le café, la vanille et les fruits secs grillés. La bouche est équilibrée, d'une grande richesse, avec du gras soutenu par une forte présence tannique qui se fondra avec le temps. L'**Esprit de Basté 2004 (5 à 8 €)** est distingué d'une étoile, tandis que le **pacherenc-du-vic-bilh moelleux 2004 (8 à 11 €)** en décroche deux.
Chantal et Philippe Mur, Clos Basté,
64350 Moncaup, tél. et fax 05.59.68.27.37
t.l.j. sf dim. 10h-18h

CLOS DE L'ÉGLISE 2004

13 ha	80 000	5 à 8 €

60 % de tannat et 40 % de cabernet franc, c'est l'assemblage de ce 2004 rouge bigarreau. Moyennement intense, le nez marie les fruits rouges et les épices. L'attaque est souple et la bouche fraîche, svelte, avec un fruité plus marqué que celui du nez et des tanins feutrés en finale.
Arnaud Vigneau-Pouquet, rte de l'Église,
64350 Crouseilles, tél. 05.59.68.13.46,
fax 05.59.68.16.17 t.l.j. 8h-12h 14h-20h

CLOS FARDET Élevé en fût de chêne 2003 *

1,5 ha	4 000	8 à 11 €

Voici un vin de repas très réussi, qui joue la carte du corsé. L'intensité se devine dès la robe rouge grenat et se confirme avec le bouquet de fruits rouges et noirs compotés, rehaussé de notes de chêne de qualité. D'attaque souple, la bouche est ronde, assez ample et bien structurée, et révèle des arômes de fruits à l'eau-de-vie et un boisé marqué.
Pascal Savoret, Clos Fardet, 3, chem. de Beller,
65700 Madiran, tél. 05.62.31.91.37,
e-mail closfardet@aliceadsl.fr t.l.j. 9h-18h
SCEA Moutoue

DOM. DU CRAMPILH
Vignes vieilles Élevé en fût de chêne 2003 *

2 ha	7 000	11 à 15 €

À la profondeur de la robe, presque noire avec des nuances violines, répond la profondeur du nez, qui allie des senteurs minérales et organiques à un boisé intense et des fruits très mûrs, voire confits. Belle attaque sur le fruit, qui débouche sur un palais correctement structuré, un boisé qui s'estompe et une finale encore un peu austère. À déboucher dans deux ou trois ans. Même distinction pour le **pacherenc-du-vic-bilh moelleux 2004 (8 à 11 € - bouteilles de 50 cl)**.
Bruno Oulié, Dom. du Crampilh,
64350 Aurions-Idernes, tél. 05.59.04.00.63,
fax 05.59.04.04.97, e-mail madirancrampilh@aol.com
t.l.j. 9h-12h 14h-19h; dim. sur r.-v.

C DE CROUSEILLES 2004 **

15 ha	12 000	15 à 23 €

Un coup de cœur pour la Cave de Crouseilles, parmi tous les vins retenus. Ce « C » à 80 % de tannat s'affirme comme une vraie signature. La robe réjouit l'œil, avec sa teinte rouge foncé, entre rubis et bigarreau. Le nez profond et complexe se dévoile peu à peu, exprimant d'abord un joli

boisé aux nuances de vanille et de noisette grillée pour s'ouvrir ensuite sur les fruits rouges confits agrémentés de notes d'épices. À faire patienter quelques années. La Cave obtient une étoile pour trois autres de ses vins : l'**Ostau d'Estile cuvée Réserve 2004 (5 à 8 €)**, le « **1907** » **2004 (5 à 8 €)** et le **Château de Crouseilles Premium 2003 Élevé en fût de chêne (11 à 15 €)**.
Cave de Crouseilles, 64350 Crouseilles,
tél. 05.59.68.57.15, fax 05.62.69.66.08,
e-mail m.darricau@crouseilles.com ☑ Y ★ r.-v.

CRU DU PARADIS Tradition 2004 ★★

■ 15 ha 80 000 ▮ 5 à 8 €

Le tannat (60 %) et les cabernets (20 % chacun) composent cette cuvée à la robe rubis intense et au nez franc marqué par le fruit frais, les accents de mûre et de cerise et le pain grillé. L'attaque également fraîche et fruitée nous amène vers un palais harmonieux, plein de volume et de gras, aux tanins bien fondus. Un vin dont vous pourrez profiter dès maintenant.
Jacques Maumus, Le Paradis, 65700 Saint-Lanne,
tél. 05.62.31.98.23, fax 05.62.31.93.23,
e-mail cru.du.paradis@wanadoo.fr
☑ Y ★ t.l.j. sf sam. dim. 9h-13h 14h-19h

DOM. DAMIENS Tradition 2004 ★

■ 6 ha 35 000 ▮ 5 à 8 €

Une couleur intense aux reflets violacés habille cette cuvée au nez qui s'ouvre sur le fruit frais (cassis, fraise) accompagné de notes végétales. Ces arômes se retrouvent au palais, très équilibré, où la générosité du fruit côtoie la fraîcheur et des tanins de bonne constitution.
André et Pierre-Michel Beheity, Dom. Damiens, 64330 Aydie, tél. 05.59.04.03.13, fax 05.59.04.02.74
☑ Y ★ t.l.j. 9h-12h30 14h-19h; dim. sur r.-v.

CH. DE DIUSSE 2004 ★★

■ 10 ha 65 000 ▮ 5 à 8 €

Ce vin authentique et sincère a séduit le grand jury, qui lui a décerné ce coup de cœur enthousiaste. Sa robe d'un rouge profond est une invite à découvrir les notes fruitées intenses, confiture de mûres et liqueur de cassis, de son bouquet. L'histoire ne s'arrête pas là : en bouche, après une attaque franche, vous retrouverez un concentré d'arômes, du volume et de la sucrosité sur une trame de tanins solides. Très élégante, la **cuvée Privilège 2003 Élevé en fût de chêne** récolte également deux étoiles. Diusse est producteur, mais surtout un Centre d'aide par le travail dont la mission est l'intégration des travailleurs handicapés.
Ch. de Diusse, Dom. de Diusse, 64330 Diusse,
tél. 05.59.04.00.52, fax 05.59.04.05.77 ☑ Y ★ r.-v.

LAFFONT Hecate 2004 ★

■ 1,5 ha 6 000 ⏀ 23 à 30 €

La robe noire profonde avec de jolis reflets violets traduit toute la puissance du tannat. Le nez mêle les petits fruits noirs à un boisé complexe, épicé et grillé. La bouche n'est pas en reste : grosse concentration, du gras, de la chaleur, une large charpente et des tanins solides, avec une pointe de sucrosité... Une belle matière. Très réussie également, la cuvée « **666** » **2004 (46 à 76 €)**, 100 % tannat, œuvre collective originale, réunissant une barrique de chacun des producteurs suivants : Christine Dupuy, Pierre Speyer et Guy Capmartin.
Laffont, 32400 Maumusson-Laguian,
tél. 05.62.69.75.23, fax 05.62.69.80.27 ☑ Y ★ r.-v.
Pierre Speyer

CH. DE LA MOTTE 2004 ★★

■ 10 ha 10 000 ▮ 5 à 8 €

Voici un des domaines vinifiés par la Cave de Crouseilles, dont deux madiran sont distingués : une étoile pour son **Grand Vin 2003 (11 à 15 €)** et une de plus pour la cuvée principale. Le jury l'a remarquée pour sa robe violacée particulièrement intense et son nez harmonieux qui allie les fruits confiturés à une douce note toastée. La bouche évolue tout en douceur et en souplesse : grasse et chaleureuse, elle sait renouveler ses arômes de fruits sous les mêmes accents toastés en finale.
SCEV Ch. de La Motte, 64350 Crouseilles,
tél. 05.59.68.57.15, fax 05.62.69.66.08,
e-mail m.darricau@crouseilles.com
☑ Y ★ t.l.j. sf dim. 9h-12h 14h30-18h

DOM. DU MOULIÉ Tradition 2004 ★★

■ 3 ha 15 000 ▮ 5 à 8 €

Quatre générations se sont succédé sur ce domaine depuis près de cinquante ans, pour faire du Moulié une véritable histoire de famille. Ce 2004 a revêtu une robe sombre, dont les nuances laissent déjà percevoir une légère évolution. Le bouquet, bien net, évoque les confitures de cerises, de cassis et de prunes. Les tanins, solides, et les arômes, concentrés et intenses, forment avec le gras l'équilibre parfaitement maîtrisé du palais. Assurément, la tradition a du bon !
Famille Charrier, Dom. du Moulié, 32400 Cannet,
tél. 05.62.69.77.73, fax 05.62.69.83.66,
e-mail domainedumoulie@wanadoo.fr
☑ Y ★ t.l.j. sf dim. 9h-12h30 14h-19h

SUD-OUEST

CH. PEYROS Greenwich 2003 ★

■ 1,5 ha 6 000 ⏀ 11 à 15 €

90 % de tannat et un élevage de vingt mois dans le bois ont donné à cette cuvée un certain caractère. Le bouquet dévoile d'abord un côté animal, évoquant le cuir, puis développe des notes de confiture sur un fond boisé. L'équilibre se fait en bouche entre une matière très mûre et des tanins bien présents, prélude à une finale assez longue où l'on retrouve tous les arômes du nez.

Jean-Jacques Lesgourgues, SA Ch. Peyros, 64350 Corbère-Abères, tél. 05.62.09.06.02, fax 05.62.69.08.62, e-mail chateau.peyros@leda-sa.com r.-v.

PRIMO PALATUM

Mythologia Sélection Vieilles Vignes 2003 ★★

1 ha 1 800 15 à 23 €

Ceux qui connaissent leur latin auront compris qu'ici, « le goût passe avant tout ». Contrat rempli en effet pour ces deux vins qui jouent chacun leur partition : fruitée pour la cuvée **Classica 2003 (8 à 11 €)**, une étoile, plus corsée pour cette Mythologia à la robe burlat très intense. Son bouquet profond évoque des fruits noirs bien mûrs relevés d'épices, sur un lit de boisé intense. Ample et grasse, la bouche fournit une mâche savoureuse et parfumée, soutenue par une large structure aux tanins déjà bien enrobés. Xavier Copel sait décidément bien choisir ses fournisseurs.

Xavier Copel, Primo Palatum, 1, Cirette, 33190 Morizès, tél. 05.56.71.39.39, fax 05.56.71.39.40, e-mail xavier-copel@primo-palatum.com r.-v.

CH. SAINT-BENAZIT

Élevé en fût de chêne 2004 ★★

24 ha 60 000 5 à 8 €

Les Producteurs de Plaimont proposent une large gamme de madiran, dont trois se sont vu attribuer une étoile : les cuvées **Arte Benedicte 2003 (11 à 15 €)** et **Maestria 2004**, ainsi que le **Château Viella Fontaina 2003 (15 à 23 €)**. Ce Saint-Benazit possède un premier nez dominé par un boisé intense, qui se fond peu à peu dans des notes de fruits rouges et noirs. L'attaque franche et pleine laisse place à une bouche équilibrée chaleureuse, qui devrait bien s'accommoder de cette trame de tanins encore fermes, et qui profitera d'une garde de trois à cinq ans pour s'arrondir.

Producteurs Plaimont, rte d'Orthez, 32400 Saint-Mont, tél. 05.62.69.62.87, fax 05.62.69.66.71, e-mail f.lhau@plaimont.fr r.-v.

DOM. SERGENT

Vieilles Vignes Élevé en fût de chêne 2003 ★★

2 ha 15 000 8 à 11 €

Ce pur tannat se présente paré d'une superbe robe grenat intense, sous laquelle on découvre un bouquet complexe de fruits confits, d'épices douces (vanille) et de réglisse, agrémenté de notes florales et balsamiques. Fraîcheur et arômes se marient dans une bouche bien équilibrée dont la finale va crescendo. Remarquable, tout comme le **pacherenc-du-vic-bilh sec 2005 Élevé en fût de chêne (5 à 8 € – bouteilles de 37,5 cl)**, très aromatique.

Famille Dousseau, Dom. Sergent, 32400 Maumusson-Laguian, tél. 05.62.69.74.93, fax 05.62.69.75.85, e-mail b.dousseau@32.sideral.fr t.l.j. sf dim. 8h30-12h30 14h-18h30

DOM. TAILLEURGUET 2004

4 ha 25 000 5 à 8 €

Robe rouge foncé aux nuances grenat pour ce madiran. Le nez relativement intense balance entre nuances végétales et fruitées. Le même équilibre d'arômes se retrouve dans une bouche svelte, oblongue et bien structurée.

EARL Dom. Tailleurguet, 32400 Maumusson-Laguian, tél. 05.62.69.73.92, fax 05.62.69.83.69 t.l.j. sf dim. 9h-12h30 14h-19h

Pacherenc-du-vic-bilh

Sur la même aire que le madiran, ce vin blanc est issu de cépages locaux (arrufiac, manseng, courbu) et bordelais (sauvignon, sémillon) ; cet ensemble apporte une palette aromatique d'une extrême richesse. Suivant les conditions climatiques du millésime, les vins (11 000 hl sur 267 ha) seront secs et parfumés ou moelleux et vifs. Leur finesse est alors remarquable ; ils sont gras et puissants avec des arômes mariant l'amande, la noisette et les fruits exotiques. Ils feront d'excellents vins d'apéritif et, moelleux, seront parfaits sur le foie gras en terrine.

CH. D'AYDIE Moelleux 2004 ★★

2,5 ha 8 000 8 à 11 €

Présenté au grand jury, ce moelleux de petit manseng n'a peut-être pas décroché le coup de cœur, mais il a en tout cas marqué les palais et les esprits ! Sous une robe de teinte bouton d'or, son nez s'ouvre admirablement à l'aération, d'abord sur des notes de fleurs et de miel, puis sur des arômes de fruits confits et des nuances de cacao. Étonnant ! La bouche est explosive, intensément parfumée par les fruits et le boisé. Un vin de plaisir plein de sensualité. (Bouteilles de 50 cl.) Le **madiran 2003 (11 à 15 €)**, 100 % tannat, obtient une étoile.

GAEC Vignobles Laplace, Ch. d'Aydie, 64330 Aydie, tél. 05.59.04.08.00, fax 05.59.04.08.08, e-mail pierre.laplace@wanadoo.fr t.l.j. 9h-12h30 14h-19h

ALAIN BRUMONT Moelleux Vendémiaire 2004 ★★

40 ha 50 000 8 à 11 €

Coup de cœur l'an passé, cette cuvée est dans ce nouveau millésime encore couronnée de deux étoiles, preuve s'il en était besoin du talent d'Alain Brumont, qui excelle dans tous les domaines : son **pacherenc sec Château Montus 2005 (11 à 15 €)** et son **madiran Torus 2004 (5 à 8 €)** décrochent en effet tous deux une étoile. Vêtu d'une palette de couleurs chaudes allant du vieil or à l'ambre, son moelleux s'ouvre largement au nez sur des senteurs de fruits secs et confits (coing), des notes de zeste d'orange et une légère touche toastée. Le palais n'est pas en reste, qui montre beaucoup d'ampleur et offre une riche liqueur longuement parfumée. (Bouteilles de 50 cl.)

Alain Brumont, SCEA Montus Bouscassé, Ch. Bouscassé, 32400 Maumusson-Laguian, tél. 05.62.69.74.67, fax 05.62.69.70.46, e-mail brumont.commercial@wanadoo.fr t.l.j. sf dim. 9h-12h30 14h-18h

DOM. CAPMARTIN Moelleux Cuvée du Couvent Élevé en fût de chêne 2004 ★★

1,1 ha 4 000 8 à 11 €

C'est dans l'ancien couvent de Maumusson, auquel cette cuvée rend hommage, que Guy Capmartin a installé son domaine en 1987. Son moelleux vous fera vivre une aventure gustative des plus enrichissantes, qui commence par la robe aux superbes reflets or et cuivre. Vous découvrirez ensuite son nez, intense, garni de fruits surmûris et confits, que viennent accompagner de délicates notes de cire et de résine. Enfin, la bouche vous séduira par son équilibre, son gras et sa puissance, qu'elle met en scène sur un boisé bien fondu, avant une finale rappelant les mêmes arômes. Découvrez deux autres vins du domaine : la **Cuvée du Couvent madiran 2003 Élevé en fût de chêne** qui obtient deux étoiles, et le **madiran Tradition 2004 (3 à 5 €)** qui en décroche une.

Guy Capmartin, Le Couvent, 32400 Maumusson-Laguian, tél. 05.62.69.87.88, fax 05.62.69.83.07, e-mail gcapmart@wanadoo.fr

t.l.j. 9h-19h, dim. sur r.-v.

DOM. LABRANCHE LAFFONT Moelleux 2004 ★

1,5 ha 6 000 11 à 15 €

Petit et gros mansengs pour ce moelleux jaune clair à reflets verts d'un bel éclat. Son nez subtil est une montée dans les senteurs, d'abord florales, puis fruitées (fruits frais et exotiques), pour finir sur un joli boisé à peine toasté. La bouche bien fraîche joue l'équilibre entre vivacité et gras, offrant un charmant retour aromatique. Un style original et moderne.

Christine Dupuy, 32400 Maumusson-Laguian, tél. 05.62.69.74.90, fax 05.62.69.76.03, e-mail labranchelaffont@aol.com

t.l.j. 9h-12h30 14h-19h

CH. LAFFITTE-TESTON Sec Ericka Élevé en fût de chêne 2005 ★

4 ha 24 000 5 à 8 €

Trois vins de ce château sont sélectionnés cette année dans le Guide. Une étoile tout d'abord pour ce pacherenc sec à la robe jaune pâle, qui livre un nez élégant d'une bonne intensité, marqué par des arômes fruités et des notes d'élevage (vanille). La bouche offre un bon équilibre sur le fruit, avec de la fraîcheur et des tanins enrobés. Une bouteille agréable et harmonieuse. Une étoile également pour le **moelleux 2004 Rêve d'automne (8 à 11 €)**, aux notes de fruits confits. Une citation enfin pour le **madiran 2004 Vieilles Vignes Vieilli en fût de chêne (8 à 11 €)**.

Jean-Marc Laffitte, Ch. Laffitte-Teston, 32400 Maumusson-Laguian, tél. 05.62.69.74.58, fax 05.62.69.76.87, e-mail info@laffitte-teston.com

t.l.j. sf dim. 9h-12h30 13h30-19h

DOM. LAOUGUÉ Moelleux 2004

2 ha n.c. 8 à 11 €

100 % de petit manseng pour ce pacherenc à la robe brillante ciselée d'or et de cuivre. Le nez, d'abord floral, dévoile ensuite des senteurs d'agrumes et de fruits exotiques, pour finir sur des notes grillées. La bouche est ronde, plutôt vive mais légère, avec un retour agréable sur les fruits associés à un boisé fondu. (Bouteilles de 50 cl.)

Pierre Dabadie, rte de Madiran, 32400 Viella, tél. 05.62.69.90.05, fax 05.62.69.71.41, e-mail earldabadie.pierre@32.sideral.fr

t.l.j. sf dim. 9h-19h; groupes sur r.-v.

LOUSTAÜ CASAUBON Moelleux 2004 ★★

40 ha 80 000 5 à 8 €

Quatre cuvées produites par la cave de Crouseilles en moelleux sont sélectionnées ici : avec une étoile, la **Cuvée Réserve Ostau d'Estile 2004 (8 à 11 €)** et la **Carte d'Or 2004**, et avec deux étoiles, le **Prélude à l'Hivernal 2004 (11 à 15 €)** et cette cuvée limpide aux reflets d'or. Son nez assez intense et frais, à la fois épicé et minéral, développe à l'agitation des arômes de fruits exotiques. L'attaque suave ouvre sur une bouche moelleuse, équilibrée et fraîche, qui revient en finale sur les fruits exotiques, agrémentés de notes miellées. Un bel ambassadeur de son appellation.

Vignerons du Madiran, 64350 Crouseilles, tél. 05.59.68.57.15, fax 05.62.69.66.08, e-mail m.darricau@crouseilles.com

t.l.j. sf dim. 9h-12h 14h30-18h

CH. DE MASCARAAS Moelleux 2004 ★★

1 ha 3 700 11 à 15 €

Sous une robe paille bien dorée, ce pacherenc livre un nez riche et friand aux arômes de fleurs et de fruits exotiques, agrémenté de miel et d'épices et relevé d'une pointe minérale. Fraîche en attaque, la bouche ample et bien équilibrée se fait moelleuse, avant un beau retour sur les fruits surmûris en finale. Autre château vinifié par la cave, le **Château d'Arricau-Bordes 2004 moelleux** décroche une étoile.

SCEV Ch. de Mascaraas, 64330 Mascaraas-Maron, tél. 05.59.68.57.15, fax 05.62.69.66.08, e-mail m.darricau@crouseilles.com r.-v.

SAINT-ALBERT Moelleux 2004 ★★

10 ha 60 000 11 à 15 €

Issue de cépages traditionnels locaux (gros et petit mansengs, petit courbu et arrufiac), cette cuvée respire l'harmonie. Habillée d'une robe couleur vieil or, elle dévoile un bouquet fin et complexe, mariage réussi de notes florales, beurrées et confiturées. Suave en attaque, la bouche se montre ample, ronde, grasse et offre un bel équilibre riche en arômes. Autre vin, autre saint, la cave produit également en moelleux le **Château Saint-Bénazit 2004 Élevé en fût de chêne (8 à 11 €)**, auréolé d'une étoile.

Producteurs Plaimont, rte d'Orthez, 32400 Saint-Mont, tél. 05.62.69.62.87, fax 05.62.69.66.71, e-mail f.lhau@plaimont.fr

r.-v.

SUD-OUEST

SAINT-MARTIN Moelleux 2004 ★★

10 ha 40 000 11 à 15 €

Plus que des soldats, ce sont des vendangeurs que vous verrez sans doute défiler le 11 novembre dans les vignes de la cave de Plaimont, car c'est aux alentours de cette date, jour de la Saint-Martin, que sont récoltés les raisins qui servent à produire cette cuvée coup de cœur. Confits sur pieds, ils donnent au vin une robe aux reflets d'or très distinguée, qu'ils accompagnent d'un bouquet à la fois sensuel, complexe et puissant, mêlant les fruits confits et le tabac blond à un boisé aux accents fumés et vanillés. La bouche regorge d'une belle matière, mûre et concentrée, qui ne manque pas de fraîcheur et livre une expression aromatique ample et persistante. Un sujet parfaitement maîtrisé. Deux étoiles également pour **La Magie d'Or 2004 moelleux (5 à 8 € - bouteilles de 50 cl)**, et une pour la **Chênaie du Tilh 2005 sec (3 à 5 €)**.

Vignoble de Gascogne, 32400 Riscle,
tél. 05.62.69.62.87, fax 05.62.69.66.71,
e-mail f.lhau@plaimont.fr r.-v.

CH. VIELLA Moelleux 2004 *

5 ha 8 000 8 à 11 €

Vous pourrez découvrir ce domaine de 25 ha en empruntant le parcours pédestre ludique le sillonnant, qui vous propose, entre autres attractions, un jardin des senteurs, des jeux d'eau et une table d'orientation. Pour clore cette balade, dégustez donc un verre de ce pacherenc au bouquet intense évoquant les fruits secs et confits ainsi que la vanille. En bouche, c'est une suave liqueur très moelleuse et aromatique qui vous séduira. Un vin tout en douceur, comme une confiserie. (Bouteilles de 50 cl.)

Alain Bortolussi, Ch. Viella, rte de Maumusson,
32400 Viella, tél. 05.62.69.75.81, fax 05.62.69.79.18,
e-mail chateauviella@32.sideral.fr
t.l.j. sf dim. 8h-12h 14h-19h

Côtes-de-saint-mont AOVDQS

Prolongement du vignoble de Madiran, le côtes-de-saint-mont a été consacré AOVDQS en 1981. Le vignoble déclaré en 2005 couvre 1 115 ha, produisant 72 326 hl. Le cépage rouge principal est encore ici le tannat, les cépages blancs se partageant entre la clairette, l'arrufiac, le courbu et les mansengs. L'essentiel de la production est assuré par l'union dynamique des caves coopératives Plaimont. Les vins rouges sont colorés et corsés, et deviennent vite ronds et plaisants. Ils seront bus avec des grillades et de la garbure gasconne. Les rosés sont fins et fruités. Les blancs (13 542 hl) ont des parfums de terroir et sont secs et nerveux.

BASTZ D'AUTAN Élevé en fût de chêne 2005 **

50 ha 180 000 3 à 5 €

Toujours aussi remarquable ce Bastz d'Autan de la coopérative. Deux étoiles pour le 2003 rouge l'an passé, deux étoiles pour ce 2005 blanc. Des reflets or et argent brillent dans le verre comme une invitation à la dégustation. Intenses et complexes, les arômes floraux et fruités trouvent un long écho au palais, en contrepoint d'une chair grasse et volumineuse, bien équilibrée. **Le Passé authentique 2005 blanc (5 à 8 €)** est noté une étoile pour sa fraîcheur et sa palette subtile de fruits exotiques.

Vignoble de Gascogne, 32400 Riscle,
tél. 05.62.69.62.87, fax 05.62.69.66.71,
e-mail f.lhau@plaimont.fr r.-v.

DOM. DE MAOURIES Terres fortes 2004

5 ha 40 000 3 à 5 €

Le vignoble de 25 ha couvre des coteaux argilo-calcaires exposés au sud. Ici, deux générations sont réunies pour produire des vins dans trois appellations : madiran, pacherenc-du-vic-bilh et côtes-de-saint-mont. Dans cette dernière AOC, voici un vin brillant de reflets violets qui offre un nez de fruits rouges et d'épices. S'il est peu concentré en bouche, il exprime un agréable fruité. À servir sans attendre.

Dom. de Maouries, 32400 Labarthète,
tél. 05.62.69.63.84, fax 05.62.69.65.49,
e-mail domainemaouries@32.sideral.fr
t.l.j. sf dim. 9h-12h 14h-18h30
Dufau

MONASTÈRE DE SAINT-MONT 2004 **

7 ha 18 000 11 à 15 €

Le monastère de Saint-Mont, du XIe s., est l'emblème du village, tant et si bien qu'un vin des Producteurs Plaimont porte son nom. Le 2004, couleur cerise burlat, affiche des arômes soutenus de fruits confiturés, d'épices douces et de torréfaction. En bouche, sa richesse s'exprime progressivement, soulignée par un fruité et un boisé persistants. La trame de tanins est solidement tissée, sans jamais être imposante. Un côtes-de-saint-mont tout en douceur.

SCEV Monastère de Saint-Mont, 32400 Saint-Mont,
tél. 05.62.69.62.87, fax 05.62.69.61.68,
e-mail f.lhau@plaimont.fr r.-v.

CH. DE SABAZAN 2004 **

16 ha 70 000 11 à 15 €

Situé entre Aignan et Termes, le château de Sabazan se reconnaît à son corps de bâtiment encadré de quatre tours rondes et à sa façade ocre. Henri IV y aurait séjourné à plusieurs reprises. Ce vin séduit l'œil par sa robe grenat sombre comme par son nez puissant et complexe de fruits à l'eau-de-vie, d'épices et de réglisse. Au palais, il monte en puissance, laissant une sensation d'ampleur et de richesse jusqu'à la finale toute fruitée (pruneau) et vanillée. Un côtes-de-saint-mont étonnant de sagesse, à découvrir dès maintenant ou à garder. Notés une étoile, **L'Esprit de**

vignes 2004 rouge (8 à 11 €) et **Les Hauts de Bergelle 2004 rouge (3 à 5 €)** méritent d'attendre en cave deux ou trois ans pour fondre leurs tanins.
Producteurs Plaimont, rte d'Orthez, 32400 Saint-Mont, tél. 05.62.69.62.87, fax 05.62.69.66.71, e-mail f.lhau@plaimont.fr
r.-v.

CH. SAINT-GO Expression 2005 *

38 ha 30 000 5 à 8 €

70 % de tannat, 15 % de pinenc (ou fer-servadou) et 15 % de cabernets récoltés sur sols argilo-calcaires et de sables fauves ont donné naissance à un rosé de belle présentation, saumon cristallin. Le nez intense décline les fruits rouges, de même que la bouche franche dès l'attaque, ample et ronde, avec un agréable caractère acidulé en finale. Un vin friand et harmonieux.
Producteurs Plaimont, rte d'Orthez, 32400 Saint-Mont, tél. 05.62.69.62.87, fax 05.62.69.66.71, e-mail f.lhau@plaimont.fr
r.-v.

THIBAULT DE BRÉTHOUS Vieilles Vignes 2004 **

50 ha 150 000 5 à 8 €

Pourpre sombre, presque noir, ce vin s'ouvre à l'aération sur les fruits rouges et noirs mûrs. Puis apparaissent des accents de cuir et des notes de torréfaction bien mariées. La bouche est tout aussi gourmande, riche et ronde, étayée par des tanins fondus. La longueur des flaveurs est un atout supplémentaire. Une remarquable bouteille à attendre un an, puis à servir pendant de nombreuses années.
Vignoble de Gascogne, 32400 Riscle, tél. 05.62.69.62.87, fax 05.62.69.66.71, e-mail f.lhau@plaimont.fr r.-v.

Tursan AOVDQS

Autrefois vignoble d'Aliénor d'Aquitaine, le terroir de Tursan représente 275 ha pour une production de 15 556 hl en 2005. Il produit des vins rouges et rosés (12 827 hl) et blancs. Les plus intéressants sont les blancs, issus d'un cépage original, le baroque. Sec et nerveux, au parfum inimitable, le tursan blanc accompagne alose, pibale et poisson grillé.

CH. DE BACHEN 2004 *

5,3 ha 38 050 8 à 11 €

L'histoire de Christine et Michel Guérard à Eugénie-les-Bains a commencé en 1974 lorsqu'ils ont repris et restauré un vaste complexe hôtelier et thermal. Dix ans plus tard, ils se lancent dans une aventure vineuse en acquérant le domaine historique du château de Bachen. Et le premier millésime de naître en 1988, avec deux cuvées de tursan blanc : Château de Bachen et Baron de Bachen. Dans le millésime 2004, le Château de Bachen est un vin jaune paille limpide, ouvert sur un agréable boisé aux accents de noisette et d'amande grillée. Les fruits frais ne tardent pas à se manifester et trouvent un bel écho au palais, en accompagnement de la chair ronde et ample, relevée d'une juste fraîcheur. Le **Baron de Bachen 2004 (11 à 15 €)**, frais et léger, est cité.
Michel Guérard, Cie hôtelière et fermière d'Eugénie-les-Bains, 40320 Eugénie-les-Bains, tél. 05.58.71.76.76, fax 05.58.71.77.77, e-mail direction@michelguerard.com r.-v.

MÉMOIRE DE TURSAN 2005 *

7 ha 50 000 5 à 8 €

Créée en 1956, la cave de Tursan est la mémoire de l'appellation, mais elle s'attache aussi à assurer l'avenir. Ce 2005 illustre cette volonté. Sombre et profond, il dévoile un séduisant fruité, puis une bouche soyeuse, que des tanins fins ne semblent pas perturber malgré leur présence plus marquée en finale. À servir dès à présent ou à attendre un an. Une étoile également pour le **Château Bourda 2005 rouge**, rond et légèrement épicé.
Les Vignerons Landais, 40320 Geaune, tél. 05.58.44.51.25, fax 05.58.44.40.22, e-mail tech.vlandais@wanadoo.fr
t.l.j. sf dim. 9h-12h 14h-17h30

PAYSAGE 2005 *

50 ha 250 000 3 à 5 €

Face à la cave, vous pourrez découvrir les vins de Tursan à la maison des Vignerons, ancienne bâtisse landaise. Vous n'aurez que l'embarras du choix, mais vous suivrez l'avis du jury en dégustant ce 2005 qui libère volontiers, sous sa robe sombre, de frais arômes fruités, typiques du cabernet. La bouche ronde, équilibrée insiste longuement sur le fruit, et c'est tant mieux. Attardez-vous aussi sur les tursan **Secret 2005 rouge (11 à 15 €)** et **Haute Carte 2005 blanc** qui ont obtenu la même note.
Les Vignerons Landais, 40320 Geaune, tél. 05.58.44.51.25, fax 05.58.44.40.22, e-mail tech.vlandais@wanadoo.fr
t.l.j. sf dim. 9h-12h 14h-17h30

CH. DE PERCHADE 2005 *

3 ha 24 000 5 à 8 €

Jambon de Bayonne indispensable pour savourer ce rosé brillant, animé de légères perles. Le nez décline délicatement des notes suaves de bonbon à la framboise, puis la bouche se révèle ronde et souple, chaleureuse. Un bon équilibre général.
EARL Dulucq, Ch. de Perchade, 40320 Payros-Cazautets, tél. 05.58.44.50.68, fax 05.58.44.57.75, e-mail tursan-dulucq@wanadoo.fr
t.l.j. sf dim. 8h-13h 14h30-19h

SUD-OUEST

Béarn

Les vins du Béarn peuvent être produits sur trois aires séparées. Les deux premières coïncident avec celles du jurançon et du madiran. La zone purement béarnaise comprend les communes qui entourent Orthez et Salies-de-Béarn. C'est le béarn de Bellocq. Cette AOC couvre environ 258 ha pour 13 414 hl dont 13 355 hl ont été produits en 2005 en rouges et rosés, 58 hl en blanc.

Reconstitué après la crise phylloxérique, le vignoble occupe les collines pré-pyrénéennes et les graves de la vallée du Gave. Les cépages rouges sont constitués par le tannat, les cabernet-sauvignon et cabernet franc (bouchy), les anciens manseng noir, courbu rouge et fer-servadou. Les vins sont corsés et généreux, et accompagnent garbure (soupe régionale) et palombe grillée. Les rosés de Béarn, les meilleurs produits de l'appellation, sont vifs et délicats, avec des arômes fins de cabernet et une bonne structure en bouche.

CHEVALIER DE SADIRAC 2005 **

■ 65 ha 80 000 ▮ 3 à 5 €

Présente aussi dans l'appellation madiran, la cave de Crouseilles signe ici deux belles cuvées : **Les Hautains rosé 2005**, une étoile, et ce Chevalier, remarquable dans sa robe couleur grenadine aux nuances fluo. Le nez présent et frais offre de jolies notes de rose, de framboise et d'agrumes. Fraîcheur en bouche également grâce à une pointe de gaz carbonique, qui anime une présence aromatique fruitée et persistante.

Cave de Crouseilles, 64350 Crouseilles, tél. 05.59.68.57.15, fax 05.62.69.66.08, e-mail m.darricau@crouseilles.com r.-v.

DOM. GUILHEMAS 2004

■ 3 ha 18 000 ▮ 5 à 8 €

Habitué du Guide, Pascal Lapeyre présente ce 2004 rouge intense aux nuances purpurines. Le nez affiche du caractère, avec des notes animales et épicées, puis s'ouvre sur les fruits noirs. Le fruité reste présent dans une bouche solidement structurée. Un vin pastoral.

Pascal Lapeyre, 52, av. des Pyrénées, 64270 Salies-de-Béarn, tél. 05.59.38.10.02, fax 05.59.38.03.98

t.l.j. sf dim. 9h-12h30 14h30-19h30; groupes sur r.-v.

CAVE DES PRODUCTEURS DE JURANÇON 2005

■ 50 ha 100 000 ▮ 3 à 5 €

Les producteurs de Jurançon savent aussi, en leur pays, faire des vins rouges et rosés. Témoin, cette sympathique cuvée à la robe franche et vive, dont le nez assez intense évoque le bonbon anglais et les fruits rouges. La bouche est vive, légère et évanescente grâce à la présence discrète de gaz carbonique en fines perles.

Cave des producteurs de Jurançon, 53, av. Henri-IV, 64290 Gan, tél. 05.59.21.57.03, fax 05.59.21.72.06, e-mail cave@cavedejurancon.com

r.-v.

Jurançon et jurançon sec

« Je fis, adolescente, la rencontre d'un prince enflammé, impérieux, traître comme tous les grands séducteurs : le jurançon », écrit Colette. Célèbre depuis qu'il servit au baptême d'Henri IV, le jurançon est devenu le vin des cérémonies de la maison de France. On trouve ici les premières notions d'appellation protégée – car il était interdit d'importer des vins étrangers – et même une hiérarchie des crus, puisque toutes les parcelles étaient répertoriées suivant leur valeur par le parlement de Navarre. Comme les vins de Béarn, le jurançon, alors rouge ou blanc, était expédié jusqu'à Bayonne, au prix de navigations parfois hasardeuses sur les eaux du Gave. Très prisé des Hollandais et des Américains, le jurançon parvint à un vedettariat qui ne prit fin qu'avec le phylloxéra. La reconstitution du vignoble fut effectuée avec les méthodes et les cépages anciens, sous l'impulsion de la cave de Gan et de quelques propriétaires fidèles.

Ici plus qu'ailleurs, le millésime revêt une importance primordiale, surtout pour les jurançon moelleux qui demandent une surmaturation tardive par passerillage sur pied. Les cépages traditionnels, uniquement blancs, sont le gros et le petit manseng, et le courbu. Les vignes sont cultivées en hautains pour échapper aux gelées. Il n'est pas rare que les vendanges se prolongent jusqu'aux premières neiges.

Le jurançon sec, 75 % de la production, est un blanc de blancs d'une belle couleur claire à reflets verdâtres, très aromatique, avec des nuances miellées. Il accompagne truites et saumons du Gave. Les jurançon moelleux ont une belle couleur dorée, des arômes complexes de fruits exotiques (ananas et goyave) et d'épices, comme la muscade et la cannelle. Leur équilibre acide-liqueur en fait des faire-valoir tout indiqués du foie gras. Ces vins peuvent vieillir très longtemps et donner de grandes bouteilles qui accompagneront un repas, de l'apéritif au dessert en passant par les poissons en sauce et le fromage pur brebis de la vallée d'Ossau. La production a atteint 42 120 hl en 2005 pour 1 046 ha déclarés.

Jurançon

DOM. BORDENAVE Cuvée Savin 2004 **

□ 12 ha n.c. 15 à 23 €

Deux cuvées de moelleux ont retenu l'attention du jury et obtiennent deux étoiles : la **Cuvée des Dames 2004 (11 à 15 €)**, élevée en cuve et qui offre un feu d'artifice de fruits frais, et celle-ci élevée en fût, qui se présente sous une robe brillante d'un jaune paille soutenu. Son nez très ouvert livre un bouquet de fruits jaunes et exotiques porté par de douces notes de miel, de vanille et de toasté. La bouche ample et nette montre un bel équilibre entre chaleur et vivacité, et reste longuement parfumée pour finir sur une note acidulée.

🔑 Gisèle Bordenave, Dom. Bordenave, quartier Ucha, 64360 Monein, tél. 05.59.21.34.83, fax 05.59.21.37.32, e-mail contact@domaine-bordenave.com
☑ Y ⚘ t.l.j. 9h-19h

DOM. BRU-BACHÉ L'Éminence 2004 ★★

	1,5 ha	3 000	⏸ 38 à 46 €

Claude Loustalot est devenu l'un des grands hommes de l'AOC en poursuivant l'œuvre de son oncle sur ce célèbre domaine. Une fois encore, il prouve son savoir-faire avec cette cuvée Éminence. Jaune doré soutenu et légèrement cuivrée, elle présente un nez chaleureux évoquant une profonde maturité du raisin par des senteurs de fruits confits, de figue, de pâte de fruits et de cire d'abeille. La bouche moelleuse offre une matière riche et très dense, soutenue par une fraîcheur qui porte loin les arômes. Autre cuvée fameuse du domaine, **La Quintessence 2004 (15 à 23 €)** obtient la même distinction.

🔑 Dom. Bru-Baché, 39, rue Barada, 64360 Monein, tél. 05.59.21.36.34, fax 05.59.21.32.67, e-mail domaine.bru-bache@wanadoo.fr ☑ Y ⚘ r.-v.

🔑 Claude Loustalot

DOM. DE CABARROUY Cuvée Sainte-Catherine Élevé en fût de chêne 2004 ★★★

	1 ha	5 000	⏸ 8 à 11 €

Régulièrement sélectionné, voici le premier coup de cœur pour ce domaine, qui vient saluer le travail entrepris par Patrice Limousin et Freya Skoda depuis 1988. La présentation de ce vin est impeccable, avec sa robe cousue d'or aux reflets de cuivre, brillante et soutenue. Le nez très expressif réalise un mariage parfait entre les fruits bien mûrs, les fruits exotiques, le zeste d'orange confite et un superbe toasté. La bouche joue l'équilibre entre douceur, rondeur et fraîcheur, avec une matière concentrée et d'une grande richesse aromatique. Magnifique ! À boire en apéritif, pour en profiter pleinement. (Bouteilles de 50 cl.)

🔑 Dom. de Cabarrouy, 64290 Lasseube, tél. 05.59.04.23.08, fax 05.59.04.21.85
☑ Y ⚘ t.l.j. 10h-12h30 14h-19h; dim. sur r.-v.

🔑 P. Limousin et F. Skoda

CAMIN LARREDYA À Sólhevat 2004 ★

	2 ha	3 000	⏸ 23 à 30 €

Avec ce millésime 2004, Jean-Marc Grussaute affiche pleinement ses terroirs, en nommant ses cuvées du nom des parcelles qui leur ont donné leurs raisins. Nous en avons retenu deux : **Au Capcèu (15 à 23 €)**, la « tête au ciel », issue de vignes situées au sommet de la colline obtient une étoile, et celle-ci provenant de vignes exposées à l'est, au « soleil levé ». Le nez intense et expressif mêle des senteurs de fruits très mûrs (figue, nèfle) et de caramel à des notes de sous-bois et de truffe sur un fond élégamment boisé. En bouche, où l'on trouve une belle matière avec beaucoup de volume et de fruit, la douceur équilibrée par l'acidité apporte de la fraîcheur sur toute la longueur.

🔑 Jean-Marc Grussaute, Chapelle-de-Rousse, 64110 Jurançon, tél. 05.59.21.74.42, fax 05.59.21.76.72, e-mail contact@caminlarredya.fr ☑ Y ⚘ r.-v.

DOM. CAUHAPÉ Quintessence du petit-manseng 2004 ★

	2 ha	2 500	⏸ + de 76 €

Ce domaine a joué un grand rôle pour les vins de la région, portant leur renommée aux quatre coins de la planète. Le nom de cette cuvée ne ment pas, et comme l'a noté un dégustateur, voici un « monstre de concentration » ! Sous la robe jaune doré intense à reflets ambrés, on découvre un nez profond et complexe qui exprime les fruits exotiques et les fruits jaunes très mûrs sous un riche boisé. La bouche est dense, concentrée, puissante, et parfaitement équilibrée. Un beau vin en devenir. La cuvée **Noblesse du temps 2004 (23 à 30 €)**, obtient également une étoile.

🔑 Henri Ramonteu, Dom. Cauhapé, quartier Castet, 64360 Monein, tél. 05.59.21.33.02, fax 05.59.21.41.82, e-mail contact@cauhape.com
☑ Y ⚘ t.l.j. sf dim. 8h-18h; sam. 10h-19h

CLOS BELLEVUE Cuvée Tradition 2004 ★

	5 ha	20 000	▮ 8 à 11 €

Le nez d'abord relativement discret s'ouvre à l'aération sur des notes florales, puis libère des arômes de poire et de fruits jaunes, pour certains exotiques. L'attaque sur le gras conduit à une bouche attrayante, pleine de volume et de matière, où l'on croque le raisin avec beaucoup de fraîcheur. Un jurançon typé et très plaisant.

🔑 Olivier Muchada, Clos Bellevue, chem. des Vignes, 64360 Cuqueron, tél. et fax 05.59.21.34.82, e-mail closbellevue@club-internet.fr
☑ Y ⚘ t.l.j. sf sam. dim. 9h-12h 13h30-19h

CLOS BENGUÈRES Le Chêne couché 2004 ★★

	2,1 ha	5 000	⏸ 11 à 15 €

« Couché » dans le chêne, ce vin l'a été pendant une année ; il en ressort paré d'une robe jaune doré soutenu, sous laquelle on découvre un bouquet de fruits exotiques mûrs aux notes miellées et épicées. L'attaque douce et généreusement fruitée ouvre sur une bouche ample et grasse, dont la belle sucrosité est balancée par ce qu'il faut de fraîcheur. L'ensemble est puissant et harmonieux, et d'une bonne longueur aromatique soulignée par de discrètes nuances boisées. Un jurançon très agréable.

🔑 Thierry Bousquet, Clos Benguères, chem. de l'École, 64360 Cuqueron, tél. 05.59.21.48.40, fax 05.59.21.43.03, e-mail closbengueres@aol.com
☑ Y ⚘ t.l.j. sf dim. 9h30-12h 14h-18h; f. 15-30 août

CLOS CASTET Cuvée spéciale Vieilli en fût de chêne 2004 ★★

	3 ha	10 000	⏸ 11 à 15 €

Ce moelleux exclusivement composé de petit manseng se présente dans une tenue de vieil or aux nuances ambrées. Son nez intense et plutôt complexe développe de belles notes de miel, mais aussi d'abricot, de fruits exotiques, d'ananas et de vanille. Le palais offre une douce liqueur vite portée par une éclatante fraîcheur, qui prépare la bouche à une explosion d'arômes dans une finale tout acidulée. Superbe ! Issu de gros manseng, le **jurançon sec 2005 (3 à 5 €)** du Clos obtient une étoile.

Alain Labourdette, GAEC Dom. Labourdette, 64360 Cardesse, tél. 05.59.21.33.09, fax 05.59.21.28.22 t.l.j. 9h-19h

CLOS LAFFITTE CAMPAGNE 2004 **

7,25 ha 28 000 5 à 8 €

Voici une sélection de 2004 d'un très bon niveau parmi la gamme de moelleux produits par la cave de Jurançon : une étoile pour les cuvées **Privilège d'automne Vendanges tardives (11 à 15 €)** et **Prestige d'automne (8 à 11 €)**, et deux étoiles pour le **Clos Nousty Canterou (8 à 11 €)** ainsi que pour cet autre Clos dans sa robe de paille fraîche aux reflets verts. Son nez exprime une jolie gamme aromatique de fleurs et de fruits frais, puis s'ouvre sur des fruits plus mûrs. La bouche souple et fraîche, très gourmande, développe tout son fruit sur un bel équilibre des saveurs. Sortez des sentiers battus, et dégustez-le sur des cailles laquées au miel de romarin.

Cave des producteurs de Jurançon, 53, av. Henri-IV, 64290 Gan, tél. 05.59.21.57.03, fax 05.59.21.72.06, e-mail cave@cavedejurancon.com r.-v.

CLOS THOU Cuvée Julie 2004

2,5 ha 11 800 8 à 11 €

Sous une robe couleur de chaume, ce 2004 livre un bouquet qui évoque les abricots secs, les agrumes confits, le zeste et la fleur d'orange. D'attaque souple, comme beurrée, la bouche se montre grasse, plutôt pleine et équilibrée par une acidité qui se maintient jusqu'en finale, marquée par un retour des agrumes.

Henri Lapouble-Laplace, chem. Larredya, clos Thou, 64110 Jurançon, tél. 05.59.06.08.60, fax 05.59.06.87.81, e-mail clos.thou@wanadoo.fr t.l.j. 9h-12h 14h-18h30; dim. sur r.-v.

DOM. GAILLOT Sélection 2004 *

2 ha 6 600 11 à 15 €

Le millésime 2003 de cette cuvée avait séduit et fait remonter des souvenirs d'enfance ; le 2004 vous emmènera dans une aventure gustative intéressante. Le nez ouvert et généreux offre une corbeille de fruits bien mûrs, que viennent relever des notes florales et miellées et une légère pointe de minéralité. Après une attaque ronde et très suave, la bouche pleine de fraîcheur et d'exotisme se fait explosive, dévoilant une large complexité aromatique et une matière concentrée qui laisse une agréable sensation en finale.

Francis Gaillot, quartier Laquidée, 64360 Monein, tél. 05.59.21.31.69, fax 05.59.21.45.96 t.l.j. sf dim. 9h-19h; sam. 9h-12h

DOM. GUIRARDEL Bi de Prat 2004 **

2,52 ha 12 200 8 à 11 €

Tomberez-vous comme nous sous le charme de ce jurançon moelleux, qui séduit dès l'œil par sa robe d'un beau jaune doré brillant et soutenu ? Au nez, il joue la carte des fruits frais, fruits à chair blanche, fruits exotiques, agrumes et abricot. Ces arômes se retrouvent au palais dans un bon volume et un bel équilibre, et sont parfaitement portés par une agréable fraîcheur qui monte jusqu'en fin de bouche et vous laisse sur une sensation friande...

GFA Dom. Guirardel, quartier Marquemale, 64360 Monein, tél. 05.59.21.31.48, fax 05.59.21.48.31 t.l.j. 9h-19h

CH. LAFITTE Cuvée Lison 2004 *

2 ha n.c. 15 à 23 €

Sous la robe jaune pâle à légers reflets dorés, c'est principalement du miel et des fruits secs grillés que vous découvrirez, agrémentés de quelques arômes de fruits au sirop. Au palais, la palette aromatique se fait plus fraîche et s'accompagne de notes boisées plus intenses, dans une bouche souple et ample qui offre une finale pleine de sucrosité. Un vin intéressant.

Jacques Balent, Ch. Lafitte, 64360 Monein, tél. 05.59.21.49.44, fax 05.59.21.43.01, e-mail j.balent@wanadoo.fr r.-v.

CH. LAPUYADE Élevé en fût de chêne 2004 **

1 ha n.c. 11 à 15 €

Élevée quatorze mois dans le bois, cette cuvée de petit manseng apparaît sous une robe jaune paille bien dorée. Son nez déjà complexe balance entre fruits frais, fruits confits et fruits secs, relevés d'une pointe de vanille. Moelleuse à souhait en attaque, la bouche volumineuse et dense se montre très équilibrée, et sa vivacité porte longuement son généreux fruité.

Aurisset, SCEA Clos Marie-Louise, 64360 Cardesse, tél. 05.59.21.32.01, fax 05.59.21.46.99, e-mail clos.marie-louise@wanadoo.fr r.-v.

DOM. LARROUDÉ Un jour d'automne 2004 *

1 ha 3 000 15 à 23 €

Un nouvel automne est passé pour cette cuvée coup de cœur l'an dernier, que l'on retrouve avec plaisir dans ce même millésime sous sa magnifique robe brillante et dorée. Son bouquet intense évoque parfaitement la surmaturité, avec des notes de confiture de fruits, de pâte de coings, de marmelade d'oranges et de nèfles... Rondeur, gras et acidité forment en bouche un équilibre très réussi, dans un ensemble bien fondu qui rejoue les arômes du nez. Du même domaine, le **jurançon sec 2005 (5 à 8 €)** est cité.

Julien Estoueigt, Dom. Larroudé, quartier Marquesouqueres, 64360 Lucq-de-Béarn, tél. 05.59.34.35.40, fax 05.59.34.35.92, e-mail domaine.larroude@wanadoo.fr r.-v.

DOM. MALARRODE Cuvée Prestige Vieilli en fût de chêne 2004 *

2,5 ha 6 000 11 à 15 €

Sous sa robe jaune paille aux nuances d'ambre, le bouquet assez intense livre une harmonie de senteurs de figue, de raisins de Corinthe et de caramel, accompagnées de notes de fruits plus frais et de beurre. La bouche est plaisante par son moelleux et son équilibre, dans lequel la fraîcheur arrive pour jouer longtemps la gamme des arômes.

Gaston Mansanné, quartier Ucha, 64360 Monein, tél. et fax 05.59.21.44.27 r.-v.

DOM. DE MONTESQUIOU Grappe d'or 2004 *

2 ha 8 000 11 à 15 €

Sous une robe jaune paille à reflets dorés, limpide et brillante, pointe un nez relevé aux senteurs de miel,

d'agrumes et de vanille. L'attaque est suave. La bouche ample et grasse offre un équilibre intéressant plutôt dominé par la vivacité, qui accompagne un retour des arômes du nez et laisse une bouche bien nette en finale.
🔑 GAEC Bordenave-Montesquieu et Fils, quartier Haut-Ucha, 64360 Monein, tél. et fax 05.59.21.43.49, e-mail domainedemontesquiou@wanadoo.fr
☑ Y ⛹ r.-v.

DOM. PEYRETTE 2004 ★★

2 ha 6 800 ▮ 8 à 11 €

Pure petit manseng, cette cuvée à l'étiquette noire affiche des caractères dorés, comme les reflets de sa robe couleur jaune paille. Son nez délicat et fin, encore un peu sur la retenue, oscille entre les fruits confits, l'abricot sec et les épices. En bouche, la sucrosité se fait discrète et on surfe sur une vivacité agréable et un peu de chaleur, qui forment un ensemble bien contrasté au sein duquel se développe une palette aromatique complexe à la persistance intéressante. Un jurançon qui devrait encore se distinguer avec le temps.
🔑 Patrick Peyrette, Dom. Peyrette, chem. des Vignes, 64360 Cuqueron, tél. et fax 05.59.21.31.10
☑ Y ⛹ t.l.j. 9h-19h; dim. sur r.-v.

CH. DE ROUSSE 2004 ★★

4 ha 15 000 ◖◗ 8 à 11 €

Une moitié de petit manseng, un quart de gros manseng et un quart de courbu, c'est l'assemblage gagnant de ce 2004 remarquable à la robe jaune d'or à reflets verts. Le nez, bien montant, s'ouvre sur une note de poire William, puis propose une variété de fruits exotiques et de confitures autour d'un joli boisé. Au palais, l'équilibre entre fraîcheur et moelleux s'impose tout de suite et tient sur toute la longueur de la dégustation, dans un ensemble plein de rondeur, de gras et d'arômes. Un jurançon très frais et agréable.
🔑 Marc Labat, Ch. de Rousse, La Chapelle-de-Rousse, 64110 Jurançon, tél. 05.59.21.75.08, fax 05.59.21.76.55, e-mail mlabat@nomade.fr ☑ Y ⛹ r.-v.

DOM. DE SOUCH 2004 ★

3 ha 11 000 ▮ 15 à 23 €

Situé au sommet d'un coteau, face au pic du Midi d'Ossau, ce vignoble de 6 ha d'un seul tenant reçoit les influences du fœhn d'Espagne et des vents maritimes de la côte basque. Il en résulte des vins moelleux plein de fraîcheur, comme cette cuvée dont le nez mêle les senteurs florales aux notes de pêche blanche, sur un fond de beurre et de vanille. En bouche, sucrosité et fraîcheur équilibrent une matière dense où l'on retrouve la pêche mariée au citron confit, arômes qui se répondent dans une finale bien relancée. Un jurançon plein de jeunesse et prometteur.
🔑 Yvonne Hegoburu, 805, chem. de Souch, 64110 Laroin, tél. 05.59.06.27.22, fax 05.59.06.51.55, e-mail domaine.desouch@neuf.fr
☑ Y ⛹ t.l.j. sf dim. 10h-12h30 14h-19h30

DOM. VIGNAU LA JUSCLE 2004 ★★

2,77 ha 8 000 ◖◗ 15 à 23 €

Michel Valton est installé depuis 1983 sur ce vignoble qu'il a replanté et qu'il cultive en agriculture biologique. Coup de cœur pour ce jurançon issu de grains de petit manseng, qui arbore une robe d'un vieil or aux reflets ambrés plutôt intense. La forte maturité du fruit se révèle au nez, qui exprime des notes de miel fin prononcées et

d'agrumes confits, soutenues par un boisé bien dosé. La bouche est immédiatement envahie par une superbe liqueur, ample, riche et suave, d'une grande complexité aromatique qui persiste grâce à une étonnante fraîcheur. Splendide !
🔑 Michel Valton, Dom. Vignau la Juscle, 64290 Aubertin, tél. et fax 05.59.83.03.66 ☑ Y ⛹ r.-v.

Jurançon sec

DOM. BELLEGARDE La Pierre blanche 2004 ★★

3 ha 11 000 ◖◗ 11 à 15 €

La robe de ce 2004 se colore d'un beau jaune aux nuances dorées ; son nez riche et assez puissant évoque les fruits exotiques, la noix de coco, le moka et la vanille sous des nuances grillées. Après une attaque à la fois souple et fraîche, on découvre une bouche ample et ronde, presque moelleuse, mais relevée d'une pointe de vivacité. Un parfum d'agrumes vient enrichir un beau retour aromatique qui s'étire en longueur. Un vin de grande classe. En moelleux, le **jurançon 2004 Cuvée Thibault** obtient une étoile.
🔑 Pascal Labasse, Dom. Bellegarde, quartier Coos, 64360 Monein, tél. 05.59.21.33.17, fax 05.59.21.44.40, e-mail contact@domainebellegarde-jurancon.com
☑ Y ⛹ r.-v.

CAMIN LARREDYA 2005 ★★

3 ha 15 000 ▮◖◗ 8 à 11 €

Arrivée seconde au grand jury, cette cuvée a frôlé le coup de cœur. Elle a fait forte impression par sa belle couleur jaune presque doré, soutenue et brillante. Elle a séduit ensuite par son nez subtil et délicatement floral, d'abord légèrement miellé, puis plus frais sur des notes d'agrumes, de bois frais et d'épices. Elle a convaincu enfin par sa bouche ronde et grasse, à la fois vive et tendue, qui porte haut les arômes dans une finale très savoureuse. Un beau jurançon sec d'un grand potentiel.
🔑 Jean-Marc Grussaute, Chapelle-de-Rousse, 64110 Jurançon, tél. 05.59.21.74.42, fax 05.59.21.76.72, e-mail contact@caminlarredya.fr ☑ Y ⛹ r.-v.

DOM. CAPDEVIELLE Brise océane 2005 ★

1,5 ha 6 200 ▮ 5 à 8 €

Gros manseng à 100 % pour cette cuvée jaune pâle à légers reflets verts dont le nez, moyennement intense et délicat, mélange les fleurs, les fruits à chair blanche et les agrumes. L'attaque est fraîche et la bouche bien équilibrée entre vigueur et rondeur reste toujours parfumée de fruit exotiques, avant une finale sur la vivacité. Voici une « Brise » bien tonique !

Didier Capdevielle, quartier Coos, 64360 Monein, tél. et fax 05.59.21.30.25, e-mail domaine-capdevielle@wanadoo.fr
t.l.j. 8h30-12h 13h30-19h; dim. sur r.-v.

DOM. CAUHAPÉ Sève d'automne 2004 ★★

3,4 ha 20 000 11 à 15 €

Un domaine aux multiples coups de cœur et aux nombreuses étoiles, qui enchante chaque année par ses cuvées. Celle-ci se présente sous une robe jaune pâle, limpide et brillante, et son nez déjà intense s'ouvre encore plus largement, promesse d'une belle évolution, sur une palette de fruits très mûrs, de brioche et de toasté. La bouche fait preuve de la même générosité, en offrant volume, rondeur et gras, ainsi qu'une longue persistance aromatique qui s'enrichit d'épices et de vanille, avant une finale sur une note acidulée. Un grand vin plein d'harmonie, à servir maintenant ou à attendre.

Henri Ramonteu, Dom. Cauhapé, quartier Castet, 64360 Monein, tél. 05.59.21.33.02, fax 05.59.21.41.82, e-mail contact@cauhape.com
t.l.j. sf dim. 8h-18h; sam. 10h-19h

CLOS DE LA VIERGE Confidences du Clos 2004 ★

1 ha 6 600 5 à 8 €

La robe toute cristalline de ce 2004, d'un jaune pâle aux nuances de paille, se lève sur un nez assez intense qui allie des senteurs d'ananas, de miel et de vanille. L'attaque fraîche ouvre sur une bouche ronde et souple, comme légèrement sucrée, avec un joli retour aromatique sur la poire et quelques épices issues d'un boisé bien fondu.

EARL Barrère, pl. de l'Église, 64150 Lahourcade, tél. 05.59.60.08.15, fax 05.59.60.07.38
t.l.j. sf dim. 8h-19h; f. 1er oct.-15 nov.

CLOS GUIROUILH 2005 ★★

2 ha 12 000 5 à 8 €

Grand habitué du Guide et de ses étoiles, ce domaine décroche cette année un coup de cœur pour ce jurançon sec qui s'impose dès la robe, parfaite, ciselée d'or et d'argent. Son nez très expressif et haut en couleurs mêle la pêche et l'abricot à d'autres fruits plus exotiques, voire à quelques fruits secs, le tout relevé de discrètes notes grillées. L'attaque belle et franche libère les arômes, puis on découvre une bouche équilibrée, à la fois vive et grasse, d'un beau volume et au parfum toujours renouvelé. En moelleux, le **jurançon 2003 Petit Cuyalàa (30 à 38 €)**, très concentré et au boisé réussi, obtient une étoile.

Jean Guirouilh, rte de Belair, 64290 Lasseube, tél. 05.59.04.21.45, fax 05.59.04.22.73 r.-v.

CHARLES HOURS Cuvée Marie 2004 ★★

7,5 ha 40 000 8 à 11 €

Cette cuvée est un modèle de constance et une vraie référence qui se situe parmi les meilleurs blancs secs de l'appellation. D'un beau jaune légèrement doré, elle offre un nez franc et assez intense à la fois floral, fruité et même épicé, agrémenté d'une petite note de bois frais. Fraîche en attaque, la bouche tout acidulée et aromatique reste vive et ronde, et se termine dans une belle longueur. Le moelleux **jurançon 2004 Uroulat (15 à 23 €)** reçoit une étoile.

SARL Charles Hours, quartier Trouilh, 64360 Monein, tél. 05.59.21.46.19, fax 05.59.21.46.90, e-mail charleshours@wanadoo.fr r.-v.

CH. JOLYS Terrae Escencia 2005 ★

7 ha 60 000 5 à 8 €

Gros manseng à 100 %, cette cuvée est-elle allée chercher « l'essence de son terroir » ? L'avenir nous le dira, car il faut encore laisser une petite année à ce vin prometteur pour qu'il se révèle pleinement. Déjà il plaît avec son nez assez intense marqué par les agrumes, quelques fruits exotiques et une note de buis frais. L'attaque est fraîche et la bouche pleine de vivacité retrouve les parfums du bouquet.

Sté des Domaines Latrille, Ch. Jolys, 64290 Gan, tél. 05.59.21.72.79, fax 05.59.21.55.61, e-mail chateau.jolys@wanadoo.fr
t.l.j. sf sam. dim. 8h-12h 13h30-17h

LAPEYRE Vitatge Vielh 2004 ★★

3 ha 10 000 8 à 11 €

Cette cuvée « vieilles vignes » offre à l'œil une couleur jaune paille brillante d'une belle intensité. Son bouquet complexe et soutenu mêle harmonieusement les senteurs de fruits exotiques mûrs à des notes beurrées et boisées. La bouche ronde, très équilibrée, se développe tout en douceur sur une acidité bien dosée et des arômes fondus qui perdurent en de longues caudalies. Un vin original et raffiné. La cuvée principale du domaine en **jurançon sec 2005 (5 à 8 €)** obtient une étoile.

Jean-Bernard Larrieu, Chapelle-de-Rousse, 64110 Jurançon, tél. 05.59.21.50.80, fax 05.59.21.51.83, e-mail contact@lapeyreenjurancon.com
t.l.j. 9h-12h 14h-18h; dim. sur r.-v.

DOM. MONTAUT 2005 ★

0,75 ha 5 000 5 à 8 €

Plusieurs fois distingué dans ce guide pour ses moelleux depuis son départ de la coopérative en 2000, voici Fernand Montaut sélectionné cette année pour son jurançon sec. Jaune pâle à reflets argentés, ce 2005 révèle à l'aération un bouquet aux senteurs florales, puis fruitées. Franche en attaque, la bouche affiche une bonne acidité et un retour très cohérent des arômes du nez. À ouvrir maintenant.

Fernand Montaut, quartier Haut-Ucha, 64360 Monein, tél. et fax 05.59.21.38.17, e-mail pmanseng@wanadoo.fr
t.l.j. 8h-13h 14h-20h

CH. DE NAVAILLES 2005 ★★

9 ha 27 000 5 à 8 €

Une large gamme de jurançon secs de la cave coopérative a été retenue dans le millésime 2005 : les **Domaines Guilhem**, le **Château les Astous**, le **Domaine Loustalé** et le **Château Roquehort** obtiennent tous une étoile. Quant à ce Château de Navailles, élégant et bien construit, il en décroche deux. Son nez délicat est à la fois floral et fruité, avec une petite note beurrée. Souple et fraîche en attaque, la bouche se fait vive et suave, ronde et assez volumineuse, en restant toujours bien aromatique, avant une finale soignée.

Cave des producteurs de Jurançon, 53, av. Henri-IV, 64290 Gan, tél. 05.59.21.57.03, fax 05.59.21.72.06, e-mail cave@cavedejurancon.com r.-v.

DOM. DE NAYS-LABASSÈRE 2005 *

2,5 ha 6 000 8 à 11 €

Sous une robe d'une belle brillance, jaune à reflets verts et argentés, le nez moyennement intense mais assez fin présente de jolies notes florales et d'agrumes sur fond de pain d'épice un peu fumé. Franche d'attaque, la bouche vive et souple, équilibrée et longue développe ses arômes autour de notes fumées. À servir maintenant ou dans l'année.

Hélène Laban de Nays, Chapelle-de-Rousse, 64110 Jurançon, tél. 06.82.58.40.43 t.l.j. sf dim. 9h-12h 14h-18h

DOM. NIGRI 2005 **

2,5 ha 15 000 5 à 8 €

Les années passent et les distinctions se succèdent pour ce domaine, qui obtient cette année deux étoiles pour ce 2005 à la robe pâle avec des reflets verts et argentés. Son nez délicat livre des notes florales d'acacia et de chèvrefeuille, auxquelles s'ajoutent des parfums d'agrumes, citron et pamplemousse. La bouche avance sur un bel équilibre entre fraîcheur et douceur, en déclinant la palette des agrumes avec beaucoup de subtilité. Un vin tout en délicatesse. En moelleux, le **jurançon 2004 Réserve (11 à 15 €)** décroche une étoile.

Dom. Nigri, Candeloup, 64360 Monein, tél. 05.59.21.42.01, fax 05.59.21.42.59 t.l.j. 9h-12h 13h30-19h; dim. sur r.-v.

Jean-Louis Lacoste

PRIMO PALATUM Classica 2004 *

2 ha 1 200 15 à 23 €

L'une des fameuses cuvées de Xavier Copel. Elle s'affiche sous une robe jaune très pâle, parfaitement limpide. Son nez, intense et bien ouvert, est un festival de senteurs : fleurs blanches, miel et fruits exotiques se marient à de riches notes boisées (vanille, noix de coco et grillé). Tonique en attaque, la bouche reste tendue par une belle vivacité qui relève la jolie palette aromatique du nez et l'exprime longuement. Un vin racé qui a du potentiel.

Xavier Copel, Primo Palatum, 1, Cirette, 33190 Morizès, tél. 05.56.71.39.39, fax 05.56.71.39.40, e-mail xavier-copel@primo-palatum.com r.-v.

Irouléguy

Dernier vestige d'un grand vignoble basque dont on trouve la trace dès le XIe s., l'irouléguy (le chacoli, côté espagnol) témoigne de la volonté des vignerons de perpétuer l'antique tradition des moines de Roncevaux. Le vignoble s'étage sur le piémont, dans les communes de Saint-Étienne-de-Baïgorry, d'Irouléguy et d'Anhaux sur quelque 215 ha.

Les cépages d'autrefois ont à peu près disparu pour laisser place au cabernet-sauvignon, au cabernet franc et au tannat pour les vins rouges, au courbu et aux gros et petit mansengs pour les blancs. La presque totalité de la production est vinifiée par la coopérative d'Irouléguy, mais de nouveaux vignobles sont en train de voir le jour. Le vin rosé est vif, bouqueté et léger, avec une couleur cerise ; il accompagnera la piperade et la charcuterie. L'irouléguy rouge est un vin parfumé, parfois assez tannique, qui conviendra aux confits. La production a atteint 7 662 hl en 2005.

DOM. ABOTIA 2004 **

7 ha 35 000 8 à 11 €

Cerné par la chaîne des Pyrénées, à deux pas de Saint-Jean-Pied-de-Port, ce domaine de plus de 8 ha a été repris en 2002 par Louisette et Peïo Errecart qui ont depuis prouvé leur savoir-faire. Le 2004 en témoigne. Issu de 65 % de tannat, de 10 % de cabernet franc et de 25 % de cabernet-sauvignon, il a connu un élevage de dix mois en fût. Le voici rouge soutenu qui explose dans le verre de senteurs boisées et empyreumatiques, puis de notes de fruits rouges et d'épices. La bouche, ronde dès l'attaque, chaleureuse, ne semble jamais devoir se départir des flaveurs de torréfaction. Un irouléguy charmeur. Le **rosé 2005 (5 à 8 €)** brille d'une étoile tant il se montre fruité, souple et persistant.

Louisette et Peïo Errecart, Dom. Abotia, 64220 Ispoure, tél. 05.59.37.03.99, fax 05.59.37.23.57, e-mail abotia@wanadoo.fr r.-v.

DOM. ARRETXEA Cuvée Haitza 2004 **

2,25 ha 10 000 11 à 15 €

Domaine Arretxea
Cuvée Haitza
2004
IROULÉGUY
APPELLATION IROULÉGUY CONTRÔLÉE

Thérèse et Michel Riouspeyrous sont bien connus des amateurs d'irouléguy qui auront certainement goûté leur coup de cœur l'an passé. Conduit en agriculture biologique et en biodynamie, leur vignoble couvre 8,5 ha à flanc de montagne. Tannat à 70 % et cabernet-sauvignon sont à l'origine de cette cuvée d'un rubis profond et brillant. Aux arômes intenses rappelant le cassis et le sirop de fruits noirs, nuancés de notes toastées, répond une matière gourmande, riche de flaveurs, qu'étayent des tanins mûrs. La cuvée **Hegoxuri 2005 blanc**, évocatrice de fruits exotiques, très ronde, obtient une étoile.

SUD-OUEST

Thérèse et Michel Riouspeyrous, Dom. Arretxea, 64220 Irouléguy, tél. et fax 05.59.37.33.67, e-mail domainearretxea@free.fr r.-v.

DOM. ETXEGARAYA Cuvée Lehengoa 2004

2 ha 8 000 8 à 11 €

Le nom de cette cuvée, *Lehengoa*, signifie « d'autrefois » en basque. Une référence aux anciens plants de tannat datant de 1850, dont le raisin entre dans sa composition en association à 30 % de cabernet-sauvignon. D'un rouge presque noir à reflets violets, le vin s'ouvre sur des arômes de griotte à l'eau-de-vie et d'épices. La bouche est ferme, puissante, soutenue par des tanins serrés. Deux ou trois ans de garde permettront à l'ensemble de se fondre.

Marianne et Joseph Hillau, Dom. Etxegaraya, 64430 Saint-Étienne-de-Baïgorry, tél. et fax 05.59.37.23.76, e-mail etxegaraya@wanadoo.fr r.-v.

GORRI D'ANSA 2004 ★★

18 ha 120 000 5 à 8 €

La cave des Vignerons du Pays basque a le souci de la pédagogie : elle propose aux visiteurs un circuit de découverte à travers les 150 ha de vignoble de ses adhérents, ainsi que des jeux pour comprendre les terroirs et apprécier les arômes des vins d'Irouléguy. Ce 2004 pourra lui servir de cas d'école. Voyez sa teinte soutenue, nuancée de fuchsia. Humez ses arômes puissamment floraux (violette), fruités et épicés. En bouche, tout est souplesse tant la matière est ronde et les tanins fondus. La finale apporte une fraîcheur bienvenue et revient sur le fruit. Le **Domaine de Mignaberry 2004 rouge (8 à 11 €)**, élevé sous bois, obtient une étoile : il mérite d'attendre pour s'assouplir.

Les Vignerons du Pays basque, rte de Saint-Jean-Pied-de-Port, 64430 Saint-Étienne-de-Baïgorry, tél. 05.59.37.41.33, fax 05.59.37.47.76, e-mail irouleguy@hotmail.com t.l.j. 9h-12h 14h-18h; f. dim. d'oct. à avr.

DOM. ILARRIA Cuvée Bixintxo 2003 ★

1,6 ha 6 500 11 à 15 €

Ce domaine (8 ha de vignes), dont la création remonte au milieu du XIX[e]s., est aujourd'hui conduit en agriculture biologique. Peio Espil a réservé un élevage de dix-huit mois en fût à cette cuvée habillée d'une robe soutenue ; les arômes de fruits des bois et de griotte s'allient ainsi au cuir et aux accents boisés. Souple et assez frais, le vin est structuré par des tanins encore marqués avant de retrouver en finale de légères notes fruitées. Un irouléguy plaisant dès aujourd'hui. Le **rosé 2005 (5 à 8 €)**, bien frais, est cité.

Dom. Ilarria, 64220 Irouléguy, tél. et fax 05.59.37.23.38, e-mail ilarria@wanadoo.fr r.-v.

DOM. MOURGUY 2003 ★

n.c. n.c. 8 à 11 €

Après une promenade dans les ruelles médiévales de Saint-Jean-Pied-de-Port, rejoignez ce domaine qui a su tirer parti de l'intérêt touristique d'Irouléguy. Depuis son chai, Florence Mourguy vous fera apprécier le magnifique panorama sur la montagne Arradoy piquetée de ceps, puis elle vous proposera des balades à dos d'âne à travers le vignoble. Au retour, découvrez ce vin rouge sombre, nuancé d'acajou, qui livre un nez intense de fruits noirs et rouges, souligné d'une touche animale. La bouche ronde et souple fait preuve d'équilibre et laisse l'agréable souvenir de ses flaveurs de fruits cuits.

Florence Mourguy, Etxeberria, Ispoure, 64220 Saint-Jean-Pied-de-Port, tél. et fax 05.59.37.06.23, e-mail domainemourguy@hotmail.com t.l.j. sf dim. 10h-12h 15h-19h 5 6

XURI D'ANSA 2005 ★

6 ha 28 000 8 à 11 €

Créée en 1952, la cave coopérative fut un acteur majeur de la renaissance du vignoble d'Irouléguy alors réduit à une superficie de 50 ha à peine. Elle demeure aujourd'hui encore un porte-drapeau de l'appellation grâce à la modernisation de ses équipements et au souci de qualité de ses adhérents. Cette cuvée jaune pâle à reflets paille libère de subtiles senteurs de fruits à chair blanche, de fruits secs et de vanille. Ronde et souple, équilibrée, elle offre en finale une note minérale complexe. Associez-la à la cuisine locale (poissons cuisinés et fromages de brebis). L'**Anderena blanc 2005 (5 à 8 €)** est noté une étoile également pour ses arômes d'agrumes persistants et son gras.

Les Vignerons du Pays basque, rte de Saint-Jean-Pied-de-Port, 64430 Saint-Étienne-de-Baïgorry, tél. 05.59.37.41.33, fax 05.59.37.47.76, e-mail irouleguy@hotmail.com t.l.j. 9h-12h 14h-18h; f. dim. d'oct. à avr.

Vin de liqueur de Gascogne

Floc-de-gascogne

Le floc-de-gascogne est produit dans l'aire géographique d'appellation bas-armagnac, armagnac-ténarèze et haut-armagnac répondant aux dispositions du décret du 25 mai 2005. Cette région viticole fait partie du piémont pyrénéen et se répartit sur trois départements : le Gers, les Landes et le Lot-et-Garonne. Afin de donner une force supplémentaire à l'antériorité de leur production, les vignerons du floc-de-gascogne ont mis en place un principe nouveau qui n'est ni une délimitation parcellaire telle qu'on la rencontre pour les vins, ni une simple aire géographique telle qu'on la rencontre pour les eaux-de-vie. C'est le principe des listes parcellaires approuvées annuellement par l'INAO.

Les blancs (4 000 à 5 000 hl) sont issus des cépages colombard, gros manseng et ugni blanc, qui doivent ensemble représenter au moins 70 % de l'encépagement, et ne peuvent dépasser seuls 50 % depuis 1996, avec pour cépages complémentaires le baroque, la folle blanche, le petit manseng, le mauzac, le sauvignon, le sémillon ; pour les rosés (4 500 à 5 500 hl), les cépages sont le cabernet franc et le cabernet-sauvignon, le cot, le fer-servadou, le merlot et le tannat, ce dernier ne pouvant dépasser 50 % de l'encépagement.

Les règles de production mises en place par les producteurs sont contraignantes : 3 300 pieds/ha taillés en guyot ou en cordon, nombre d'yeux à l'hectare toujours inférieur à 60 000, irrigation des vignes strictement interdite en toute saison, rendement de base des parcelles inférieur ou égal à 60 hl/ha.

Chaque viticulteur doit, chaque année, souscrire la déclaration d'intention d'élaboration destinée à l'INAO, afin que ce dernier puisse vérifier réellement sur le terrain les conditions de production. Les moûts récoltés ne peuvent avoir moins de 170 g/l de sucres de moût. La vendange, une fois égrappée et débourbée, est mise dans un récipient où le moût peut subir un début de fermentation. Aucune adjonction de produits extérieurs n'est autorisée. Le mutage se fait avec une eau-de-vie d'armagnac d'un compte d'âge minimum 0 et d'un degré minimum de 52 % vol. Tous les lots de vins sont dégustés et analysés. En raison de l'hétérogénéité toujours à craindre de ce type de produit, l'agrément se fait en bouteilles et ne peuvent sortir des chais des récoltants avant le 15 mars de l'année qui suit celle de la récolte.

BORDENEUVE-ENTRAS

0,23 ha 2 770 8 à 11 €

Une fois de plus, on retrouve dans cette sélection les deux flocs des Maestrojuan, qui obtiennent chacun une citation. Le blanc pour sa teinte jaune pâle brillant, son nez floral (acacia) et sa bouche ronde, sucrée, fruitée, chaleureuse et longue. Le **rosé** pour sa robe rouge profond aux reflets légèrement tuilés, son bouquet assez intense d'arômes de cassis et son palais gras en attaque, puis souple et équilibré, qui se termine sur des notes de chocolat et de fruits mûrs.

GAEC Bordeneuve-Entras, Entras, 32410 Ayguetinte, tél. 05.62.68.11.41, fax 05.62.68.15.32, e-mail mbrmaestrojuan@wanadoo.fr t.l.j. 9h-12h30 14h-18h (20h en été); dim. sur r.-v.

Maestrojuan

DOM. DE CASSAGNAOUS ★★

0,97 ha 2 500 8 à 11 €

Sur sa propriété de 15 ha travaillés de manière artisanale et traditionnelle, la famille Zago récolte les fruits de son labeur avec deux flocs sélectionnés. Paré d'une robe rouge soutenu aux reflets grenat, ce rosé livre un nez puissant de fruits rouges mûrs (framboise, groseille, cassis) agrémentés de notes épicées (poivre). L'attaque sucrée, d'une bonne persistance aromatique et d'un réel équilibre procure en bouche ampleur et harmonie. La qualité des vendanges (manuelles) n'est pas étrangère à cette réussite. Une étoile pour le **blanc** jaune pâle lumineux, au nez de fleurs blanches (acacia), de miel et d'armagnac. Équilibré en bouche, avec du volume, il se montre expressif et d'une belle longueur.

EARL de Cassagnaous, Cassagnaous, 32250 Montréal-du-Gers, tél. et fax 05.62.29.44.81 t.l.j. 9h-12h 14h30-19h

Zago

DOM. DES CASSAGNOLES ★

2 ha 4 000 8 à 11 €

En route vers Saint-Jacques-de-Compostelle, vous vous arrêterez peut-être chez la famille Baumann pour goûter ces deux flocs très réussis. Le blanc, légèrement doré et de couleur vive, offre un nez très fin de fleurs et d'orange confite. Bien équilibré en bouche, avec des notes miellées, il se montre persistant. Robe rouge grenat dévoilant un nez de fruits compotés (prune) relevé d'une pointe vanillée, le floc **rosé**, d'une grande ampleur au palais, joue les arômes de fruits mûrs et procure une sensation de plénitude.

J. et G. Baumann, Dom. des Cassagnoles, 32330 Gondrin, tél. 05.62.28.40.57, fax 05.62.28.42.42, e-mail j.baumann@domainedescassagnoles.com t.l.j. sf dim. 9h-18h; sam. 10h-17h30

DE CASTELFORT

15 ha 120 000 5 à 8 €

La cave de Nogaro propose cette année ce floc rosé, d'un rouge brillant couleur framboise, qui présente une certaine complexité au nez où le floral (jacinthe, rose) domine le fruité (banane). La bouche, d'attaque fraîche, se révèle agréable et livre des arômes fruités légèrement « armagnac ».

Cave des Producteurs réunis de Nogaro, Les Hauts de Montrouge, 32110 Nogaro, tél. 05.62.09.01.79, fax 05.62.09.10.99, e-mail cpr@de-castelfort.com r.-v.

DOM. DE CHIROULET ★★

2 ha 10 000 8 à 11 €

À proximité de l'église d'Heux datant du XIII^e^s., le *chiroulet* (sifflet) de la famille Fezas va se faire entendre sur les coteaux de Gascogne, au cœur de la Ténarèze, avec ce coup de cœur pour son rosé de couleur rouge profond, brillant de reflets rubis. D'une grande complexité fruitée (coing, prune, fruits rouges) et florale (tilleul), relevé d'une note fumée, le nez est puissant et harmonieux. La même palette d'arômes avec une touche de chocolat noir et de fruits mûrs procure en bouche un réel plaisir. La com-

SUD-OUEST

plexité de ce floc en fait sa richesse et son intérêt. Très réussi, le **blanc**, couleur jaune pâle aux reflets verts, est légèrement marqué par un armagnac de qualité, avec une touche de miel ; d'un bel équilibre sucre-alcool, il suscite une sensation de fraîcheur. Deux produits qui valent incontestablement le détour.

EARL Famille Fezas, Dom. de Chiroulet, 32100 Larroque-sur-l'Osse, tél. 05.62.28.02.21, fax 05.62.28.41.56, e-mail chiroulet@wanadoo.fr
r.-v.

CAVE DE CONDOM ★

4 ha 18 500 5 à 8 €

Dans la capitale de la Ténarèze, la cave coopérative a achevé sa rénovation en refaisant son accueil-vente où vous pourrez déguster deux flocs de qualité égale. Le blanc, jaune clair, développe un nez de poire associée à l'armagnac. Le palais, rond, fruité, souple et long, montre un bel équilibre sur de la fraîcheur. Le **rosé** rouge brique aux arômes de fruits frais (framboise), avec toujours un armagnac de qualité, présente un nez complexe. La bouche, à la hauteur des espérances procurées par le nez, est une explosion de fruits rouges. À déguster en musique au milieu des bandas, les yeux fermés.

Les Producteurs de la Cave de Condom-en-Armagnac, Terres de Gascogne, 59, av. des Mousquetaires, 32100 Condom, tél. 05.62.28.12.16, fax 05.62.68.39.62, e-mail cavedecondom@terresdegascogne.fr r.-v.

FERME DE GAGNET ★★

1 ha 5 000 8 à 11 €

Construite au XVIIIe s., la ferme de Gagnet mérite bien son nom. En dehors des produits viticoles, on y trouve en effet de l'élevage de volailles qui va jusqu'à la conserverie, le tout mené dans un esprit familial et convivial. La ferme propose deux flocs de qualité. Un remarquable rosé, de couleur grenat à reflets violacés, au nez très marqué par le cassis et soutenu par un bon armagnac. Du sucre, de la rondeur et une finale longue composent une bouche vive et fruitée, où l'armagnac, toujours présent, sait rester discret. Cité, le **blanc** clair d'une couleur étincelante se caractérise au nez par le bourgeon floral. En bouche, il est aérien et gouleyant.

Ferme de Gagnet, Mme Lorenzon, 47170 Mézin, tél. 05.53.65.73.76, fax 05.53.97.22.04, e-mail fermedegagnet@wanadoo.fr
t.l.j. 9h-13h 15h-20h

DOM. DU GRAND COMTÉ ★

0,5 ha 1 900 8 à 11 €

La famille Baylac perpétue dans la tradition une belle histoire familiale, avec une touche de modernité et un mérite certain, car c'est une des dernières à produire en zone haut-armagnac. Le jury a décerné une étoile à son floc rosé, de teinte claire à reflets rouge vif. Le mariage armagnac et fruits rouges parfaitement réussi donne un nez intense et tout en finesse. En bouche, gras, rondeur, fruité et une pointe de fraîcheur en font un floc élégant. Une étoile également pour le floc **blanc** d'un jaune soutenu, au nez épicé, jouant sur les fruits secs et les agrumes. Bien structuré en bouche, il exprime des arômes floraux secondés par un armagnac de qualité.

Michel Baylac, Dom. du Grand Comté, 32810 Roquelaure, tél. 05.62.65.59.45, fax 05.62.65.59.49 t.l.j. 9h-19h

DOM. DE JOŸ ★

0,84 ha 6 000 8 à 11 €

La famille Gessler, implantée dans le Gers depuis 1934, s'est parfaitement intégrée jusqu'à devenir l'un des fleurons de la viticulture gersoise avec une gamme de produits de haute qualité. Elle propose notamment ce floc blanc de couleur jaune brillant à reflets verts, au nez très puissant de fruits secs ponctués de notes grillées, épicées. Sa bouche équilibrée, très vanillée, lui confère un certain style, plaisant et surprenant ; le jury lui a décerné une étoile.

GAEC Gessler et Fils, Dom. de Joÿ, 32110 Panjas, tél. 05.62.09.03.20, fax 05.62.69.04.46, e-mail contact@domaine-joy.com r.-v.

CH. DE JULIAC ★★

5 ha 35 000 5 à 8 €

Le chai du château, détruit par le feu en 2003, est en phase finale de rénovation et en attente (peut-être ?) d'un nouvel alambic. Pierre Cassagne propose un floc blanc remarquable, à la couleur jaune clair légèrement doré brillant. Son nez agréable et intense développe des senteurs de fleurs et de fruits confits, accompagnées de notes de pruneau. On retrouve les arômes du nez dans une bouche d'une grande longueur.

Pierre Cassagne, Ch. de Juliac, 40240 Betbezer-d'Armagnac, tél. 05.58.44.88.64, fax 05.58.44.81.16, e-mail xaviercassagne@free.fr
t.l.j. 8h-12h 14h-18h

DOM. DE LARTIGUE ★

1 ha 3 300 8 à 11 €

La propriété autrefois horticole a évolué dans les années 1950 vers la viticulture. Le siège social, une maison de maître du XVIIIe s., a abrité jusqu'en 1945 un hôpital pour pèlerins. L'heureux propriétaire, Francis Lacave, a présenté deux flocs qui héritent chacun d'une étoile. Le blanc, couleur jaune d'or aux reflets vert brillant, au nez de fruits secs et de fruits à chair blanche, offre un palais gras, rond, prélude à une finale fruitée sur l'armagnac. Le **rosé** d'un rouge clair à reflets orangés développe un nez puissant de fruits rouges mûrs et confits. En bouche, l'attaque très riche et d'une grande sucrosité en fait un floc gourmand et de plaisir.

EARL Francis Lacave, Au village, 32800 Bretagne-d'Armagnac, tél. 05.62.09.90.09, fax 05.62.09.79.60, e-mail francis.lacave@wanadoo.fr
r.-v.

DOM. DE LAUROUX

0,11 ha 3 200 5 à 8 €

Propriétaire du domaine depuis 2004, cette famille anglaise s'est parfaitement adaptée aux pratiques vitivinicoles. La preuve en est ce floc blanc cité pour sa robe jaune clair limpide et son nez fin et floral. Très plaisant au palais, il montre un bon équilibre avant une finale agréable sur le miel. Au pays du rugby c'est un essai qu'il faudra transformer.

EARL Dom. de Lauroux, 32370 Manciet, tél. 05.62.08.56.76, e-mail karen@lauroux.com
r.-v. 4 6

Nicolas et Karen Kitchener

GILLES LHOSTE

n.c. 6 000 5 à 8 €

Sur un vignoble entourant un vieux moulin à vent, avec les Pyrénées en point de vue, Gilles Lhoste a élaboré un floc jaune paille clair au nez complexe de fruits secs et

de zeste d'orange. La bouche, ronde de sucrosité, réalise un bel équilibre qui ne s'attarde pas en finale. Un floc de qualité dans la simplicité.
Gilles Lhoste, Au moulin, 32290 Averon-Bergelle, tél. 05.62.08.52.57, fax 05.62.08.52.62 r.-v.

DOM. DE MALARTIC ★

0,3 ha 1 900 5 à 8 €

Cette propriété appartenant à la même famille depuis 1900 produisait traditionnellement de l'armagnac. Elle s'est diversifiée depuis 1982 avec la production de floc-de-gascogne et, depuis peu, de vin de pays des Côtes-de-Gascogne. Issu de colombard (50 %), de gros manseng (40 %) et d'ugni blanc, ce floc se présente sous une robe de couleur jaune d'or vive. Son nez est fleuri, expressif et agréable, et sa bouche offre du volume et une belle finale aux notes grillées avec des saveurs de confiture de coings excellente. À déguster sur une croustade.
EARL Périssé Père et Fils, Dom. de Malartic, 32400 Sarragachies, tél. 05.62.69.75.72, fax 05.62.69.80.37, e-mail malartic@aol.com r.-v.

CH. DE MILLET ★

2 ha 10 000 **8 à 11 €**

À 3 km d'Eauze, capitale de l'Armagnac, et à proximité d'un site de fouilles archéologiques important, la famille Dèche élabore sur des coteaux ensoleillés des vins de qualité. Parmi ceux-ci, le jury a retenu ce floc à la robe jaune paille à reflets dorés, dont le nez intense conjugue harmonieusement l'armagnac et des notes miellées. En bouche, il montre beaucoup de sucrosité et une certaine longueur, qui se termine sur du pain d'épice.
Famille Dèche, Ch. de Millet, 32800 Eauze, tél. 05.62.09.87.91, fax 05.62.09.78.53, e-mail chateaudemillet@wanadoo.fr t.l.j. 9h-12h 14h-18h; dim. sur r.-v.

CH. MONLUC ★

1,5 ha 11 700 **8 à 11 €**

Un mélange d'ugni blanc, de colombard et de gros manseng à parts égales issus de plateaux argilo-calcaires, c'est la formule gagnante de ce floc blanc. De teinte jaune vif limpide, il livre un nez agréable de fleurs blanches, une bouche vive et chaleureuse qui procurent une sensation de jeunesse. Un floc typique.
SAS Dom. de Monluc, Ch. Monluc, 32310 Saint-Puy, tél. 05.62.28.94.00, fax 05.62.28.55.70, e-mail monluc-sa-office@wanadoo.fr t.l.j. sf lun. 10h-12h 15h-19h; f. jan.
Lassus

DE MONTAL

18 ha 50 000 **5 à 8 €**

Le château de Roquelaure est classé depuis 1969 à l'inventaire des Monuments historiques. Il abrite le siège de la Compagnie des produits de Gascogne, dont le floc blanc est élaboré dans la région de Nogaro, en bas-armagnac. Sous sa robe jaune clair, lumineuse, le nez intense est légèrement marqué par l'armagnac. La bouche, volumineuse, réalise un juste équilibre entre le sucre et l'alcool dans une bonne longueur.
Compagnie des Produits de Gascogne, Ch. de Rieutort, 32810 Roquelaure, tél. 05.62.09.01.79, fax 05.62.09.10.99, e-mail montal@de-montal.com r.-v.

CH. DE SALLES ★★

0,5 ha 3 300 8 à 11 €

Profitant de l'intérêt architectural de son domaine, où la maison de maître du XVIIIe s. jouxte des bâtiments du XIXe construits sur les douves du château, Benoît Hébert a ouvert son activité sur le tourisme en créant deux gîtes ruraux. Il vous y proposera un floc blanc à proportions égales d'ugni blanc et de gros manseng, d'un jaune pâle à reflets vifs, dont le nez très floral est bien épaulé par l'armagnac. Sa bonne sucrosité, ses arômes de fleurs et de coing aux connotations confites en font un produit remarqué. Cité, son **rosé** de robe claire aux nuances ambrées, au nez de pêche et de violette, et à la bouche mariant le sucre et l'acidité complétera la dégustation.
Benoît Hébert, Ch. de Salles, 32370 Salles-d'Armagnac, tél. et fax 05.62.69.03.11, e-mail chsalle@club-internet.fr
t.l.j. 9h-12h 14h-19h; nov.-avril sur r.-v.

DOM. SAN DE GUILHEM

3 ha 16 000 **8 à 11 €**

Président du Syndicat des producteurs de floc-de-gascogne, Alain Lalanne propose deux flocs cités. Jaune clair à reflets brillants et doté d'un nez floral, le blanc offre une bouche sucrée d'une bonne persistance. Le **rosé**, d'un rouge grenat à reflets rubis, exprime au nez des arômes de cassis, de miel et de reine des prés. Soutenu et gras en bouche, il développe des notes de coing et de prune, et pourra s'apprécier sur une charlotte.
Alain Lalanne, Dom. San de Guilhem, 32800 Ramouzens, tél. 05.62.06.57.02, fax 05.62.06.44.99, e-mail domaine@sandeguilhem.com t.l.j. sf sam. dim. 8h-12h 13h30-17h30

LES VIGNERONS DE LA TÉNARÈZE ★★

n.c. 6 000 8 à 11 €

La cave coopérative de Vic, tout en continuant les efforts techniques, s'est penchée sur l'accueil en rénovant les locaux administratifs et le point de vente, où vous retrouverez notamment ces deux flocs. Le rosé est remarquable par sa couleur grenat rubis soutenu d'une belle brillance. Son nez fruité (cassis, prune, fraise, mûre) et floral (acacia, aubépine) aux nuances épicées (cannelle) est riche, complexe et plein de finesse. D'une grande ampleur aromatique et bien équilibrée, la bouche sait rester fraîche malgré la richesse en fruits. Quel plaisir ! Le **blanc (5 à 8 €)** jaune paille cristallin, au nez de fruits secs et confits, est harmonieux. L'attaque franche, l'équilibre armagnac-fruits et la bonne longueur donnent en bouche une sensation de finesse et de simplicité. Il décroche une étoile.
SCV Les Vignerons de la Ténarèze, rte de Mouchan, 32190 Vic-Fezensac, tél. 05.62.58.05.25, fax 05.62.06.34.21, e-mail mdg@mdgfrance.com r.-v.

DOM. DE TOUADE ★

n.c. 1 300 5 à 8 €

Produit sur des boulbènes caillouteuses, ce floc blanc d'une belle robe jaune pâle brillante à reflets verts, dévoile un nez délicat aux notes de fleurs et de fruits exotiques légèrement marquées par l'armagnac. Sa bouche joue le fruité, avec une fraîcheur et une bonne longueur légèrement acidulée.
Éric Canezin, Touade, 32190 Mourède, tél. et fax 05.62.06.40.82 r.-v.

VINS DE
PROPRIETE
Dégustation
Vente
26
AU VIN DE LOIRE

LA VALLÉE DE LA LOIRE ET LE CENTRE

Unis par un fleuve que l'on a dit royal, et qui justifierait le qualificatif par sa seule majesté si les rois en effet n'avaient aimé résider sur ses rives, les divers pays de la vallée de la Loire sont baignés par une lumière unique, mariage subtil du ciel et de l'eau qui fait éclore ici le « jardin de la France ». Et dans ce jardin, bien sûr, la vigne est présente ; des confins du Massif central jusqu'à l'estuaire, les vignobles ponctuent le paysage au long du fleuve et d'une dizaine de ses affluents, dans un vaste ensemble que l'on désignera sous le nom de « vallée de la Loire et Centre », plus étendu que ne l'est le Val de Loire au sens strict, sa partie centrale. C'est dire combien le tourisme est ici varié, culturel, gastronomique ou œnologique ; et les routes qui suivent le fleuve sur les « levées », ou celles, un peu en retrait, qui traversent vignobles et forêts sont les axes d'inoubliables découvertes.

Jardin de la France, résidence royale, terre des Arts et des Lettres, berceau de la Renaissance, la région est vouée à l'équilibre, à l'harmonie, à l'élégance. Tantôt étroite et sinueuse, rapide et bruyante, tantôt imposante et majestueuse, calme d'apparence, la Loire en est bien le facteur d'unité ; mais il convient cependant d'être attentif aux différences, surtout lorsqu'il s'agit des vins.

Depuis Roanne ou Saint-Pourçain jusqu'à Nantes ou Saint-Nazaire, la vigne occupe les coteaux de bordure, bravant la nature des sols, les différences de climat et les traditions humaines. Sur près de 1 000 km, plus de 70 000 ha couverts de vignes (dont 52 000 en AOC et AOVDQS) donnent, avec de grandes variations, entre 9,50 et 10 % de la production française. En 2005, la production a été de 1 481 469 en AOC de vins blancs et et de 1 150 290 en AOC de vins rouges et rosés. Les vins de cette vaste région ont pour points communs la fraîcheur et la délicatesse de leurs arômes, essentiellement dues à la situation septentrionale de la plupart des vignobles.

Vouloir désigner toutes ces productions sous le même vocable est un peu audacieux malgré tout, car, bien qu'identifiés comme septentrionaux, certains vignobles sont situés à une latitude qui, dans la vallée du Rhône, subit l'influence climatique méditerranéenne... Mâcon est à la même latitude que Saint-Pourçain et Roanne que Villefranche-sur-Saône. C'est donc le relief qui influe ici sur le climat ; le courant d'air atlantique s'engouffre d'ouest en est dans le couloir tracé par la Loire, puis s'estompe peu à peu au fur et à mesure qu'il rencontre les collines du Saumurois et de la Touraine.

Les vignobles formant de véritables entités sont donc ceux de la région nantaise, de l'Anjou et de la Touraine. Mais on y a joint ceux du haut Poitou, du Berry, des côtes d'Auvergne et roannaises ; il faut bien les associer à une grande région, et celle-ci est la plus proche, aussi bien géographiquement que par les types de vins produits. Il paraît donc nécessaire, sur un plan général, de définir quatre grands ensembles, les trois premiers cités, plus le Centre.

Dans la basse vallée de la Loire, l'aire du muscadet et une partie de l'Anjou reposent sur le Massif armoricain, constitué de schistes, de gneiss et d'autres roches sédimentaires ou éruptives de l'ère primaire. Les sols évolués sur ces formations sont très propices à la culture de la vigne, et les vins qui y sont produits sont d'excellente qualité. Encore appelée région nantaise, cette première entité, la plus à l'ouest du Val de Loire, présente un relief peu accentué, les roches dures du Massif armoricain étant entaillées à l'abrupt par de petites rivières. Les vallées escarpées ne permettent pas la formation de coteaux cultivables, et la vigne occupe les mamelons de plateau. Le climat est océanique, assez uniforme toute l'année, l'influence maritime atténuant les variations saisonnières. Les hivers sont peu rigoureux et les étés chauds et souvent humides ; l'ensoleillement est bon. Les gelées printanières viennent cependant parfois perturber la production.

L'Anjou, pays de transition entre la région nantaise et la Touraine, englobe historiquement le Saumurois ; cette région viticole s'inscrit presque entièrement dans le département du Maine-et-Loire, mais géographiquement le Saumurois devrait plutôt être rattaché à la Touraine occidentale avec laquelle il présente davantage de similitudes, tant au point de vue des sols que du climat. Les formations sédimentaires du Bassin parisien viennent d'ailleurs recouvrir en transgression des formations primaires du Massif armoricain, de Brissac-Quincé à Doué-la-Fontaine. L'Anjou se divise en plusieurs sous-régions : les coteaux de la Loire (prolongement de la région nantaise), en pente douce d'exposition nord, où la vigne occupe la bordure du plateau ; les coteaux du Layon, schisteux et pentus, les coteaux de l'Aubance ; et la zone de transition entre l'Anjou et la Touraine, dans laquelle s'est développé le vignoble des rosés.

Le Saumurois se caractérise essentiellement par la craie tuffeau sur laquelle poussent les vignes ; au-dessous, les bouteilles rivalisent avec les champignons de Paris pour occuper galeries et caves facilement creusées. Les collines un peu plus élevées arrêtent les vents d'ouest et favorisent l'installation d'un climat qui devient semi-océanique et semi-continental. En face du Saumurois, on trouve sur la rive droite de la Loire les vignobles de Saint-Nicolas-de-Bourgueil, sur le coteau turonien. Plus à l'est, après Tours, et sur le même coteau, le vignoble de Vouvray se partage avec Chinon – prolongement du Saumurois sur les coteaux de la Vienne – la réputation des vins de Touraine. Azay-le-Rideau, Montlouis, Amboise, Mesland et les coteaux du Cher complètent la panoplie de noms à retenir dans ce riche « Jardin de la France », où l'on ne sait plus si l'on doit se déplacer pour les vins, les châteaux ou les fromages de chèvre (sainte-maure, selles-sur-cher, valençay) ; mais pourquoi pas pour tout à la fois ? Les petits vignobles des coteaux du Loir, de l'Orléanais, de Cheverny, de Valençay et des coteaux du Giennois peuvent être rattachés à la troisième entité naturelle que forme la Touraine.

Les vignobles du Berry (ou du Centre) constituent une quatrième région, indépendante et différente des trois autres tant par les sols, essentiellement jurassiques, voisins du Chablisien pour Sancerre et Pouilly-sur-Loire, que par le climat semi-continental, aux hivers froids et aux étés chauds. Pour la commodité de la présentation, nous rattachons Saint-Pourçain, les côtes roannaises et le Forez à cette quatrième unité, bien que sols (Massif central primaire) et climats (semi-continental à continental) soient différents.

Si, pour aborder les domaines spécifiquement viticoles, on reprend la même progression géographique, le muscadet est caractérisé par un cépage unique (le melon) produisant un vin « unique », blanc sec irremplaçable. Le cépage folle blanche est également dans cette région à l'origine d'un autre vin blanc sec, de moindre classe, le gros-plant. La région d'Ancenis, elle, est « colonisée » par le gamay noir.

Dans l'Anjou, en blanc, le cépage chenin ou pineau de la Loire est le principal ; le chardonnay et le sauvignon y ont été récemment associés. Il est à l'origine des grands vins liquoreux ou moelleux, ainsi que, suivant l'évolution des goûts, d'excellents vins secs et mousseux. En cépage rouge, autrefois très répandu, citons le grolleau noir. Il donne traditionnellement des rosés demi-secs. Cabernet franc, anciennement appelé « breton », et cabernet-sauvignon produisent des vins rouges fins et corsés ayant une bonne aptitude au vieillissement. Comme les hommes, les vins reflètent, ou contribuent à constituer la « douceur angevine » : à un fond vif dû à une acidité forte vient souvent s'associer une saveur douce résultant de la présence de sucres restants. Le tout dans une production multiple, à la diversité un peu déroutante.

À l'ouest de la Touraine, le chenin en Saumurois, Vouvray et Montlouis ou dans les coteaux du Loir, et le cabernet franc à Chinon, Bourgueil et dans le Saumurois, puis le grolleau à Azay-le-Rideau, sont les principaux cépages. Le gamay noir en rouge et le sauvignon en blanc produisent, dans la région est, des vins légers, fruités et agréables. Citons enfin, pour être complet, le pineau d'Aunis des coteaux du Loir, à la nuance poivrée, et le gris meunier, dans l'Orléanais.

Dans le vignoble du Centre, le sauvignon (en blanc) est roi à Sancerre, Reuilly, Quincy et Menetou-Salon, ainsi qu'à Pouilly, où il est encore appelé blanc-fumé. Il partage là son territoire avec quelques vignobles vestiges de chasselas, donnant des blancs secs et nerveux. En rouge, on perçoit le voisinage de la Bourgogne, puisque à Sancerre et Menetou-Salon les vins sont produits à partir de pinot noir.

Pour être exhaustif, il convient d'ajouter quelques mots sur le vignoble du haut Poitou, réputé en blanc pour son sauvignon aux vins vifs et fruités, son chardonnay aux vins corsés, et, en rouge, pour ses vins légers et robustes issus des cépages gamay, pinot noir et cabernet. Sous un climat semi-océanique, le haut Poitou assure la transition entre le Val de Loire et le Bordelais. Entre Anjou et Poitou, la production du vignoble du Thouarsais (AOVDQS) est confidentielle. Quant au vignoble des Fiefs vendéens, terroir AOVDQS anciennement dénommé vin des Fiefs du Cardinal et implanté le long du littoral atlantique, ses vins les plus connus sont les vins rosés de Mareuil, issus de gamay noir et de pinot noir ; la curiosité de la région étant constituée par le vin de « ragoûtant », issu du cépage négrette et difficile à trouver.

La vallée de la Loire

Val de Loire

Rosé-de-loire

Il s'agit de vins d'appellation régionale, AOC depuis 1974, qui peuvent être produits dans les limites des AOC régionales d'anjou, saumur et touraine. Cabernet franc, cabernet-sauvignon, gamay noir à jus blanc, pineau d'Aunis et grolleau se retrouvent dans ces vins rosés secs dont la production a atteint 43 694 hl en 2005.

DOM. AMBROISE 2005

■ n.c. 13 599 ▮ 3 à 5 €

Michel Gouny travaille en partenariat avec le négociant Joseph Verdier pour l'élaboration et la commercialisation de ses vins. Celui-ci assemble 70 % de gamay et 30 % de grolleau plantés sur des terrains sableux. Avec sa robe délicatement saumonée, son fruité léger et sa bouche harmonieuse et friande, mariant agréablement des impressions de douceur et de fraîcheur, son rosé-de-loire est bien caractéristique de l'appellation.

Dom. Michel Gouny, 58, rue de la Gigotière, 41140 Noyers-sur-Cher, tél. 02.41.40.22.71, fax 02.41.40.22.60, e-mail j.verdier@wanadoo.fr

VIGNOBLE DE L'ARCISON 2005 ★

■ 2 ha 10 000 ◖◗ 3 à 5 €

Située dans la vallée du Layon, cette exploitation a tiré du cabernet (70 %) et du grolleau plantés sur des sols de graviers un vin d'un rose orangé pimpant, agréable et complexe au nez, délicat et harmonieux au palais.

Damien Reulier, Le Mesnil, 49380 Thouarcé, tél. 02.41.54.16.81, fax 02.41.54.31.12, e-mail damien.reulier@wanadoo.fr r.-v.

DOM. DE BOIS MOZÉ 2005 ★★

■ 2,45 ha 15 000 ▮ 3 à 5 €

Installée à l'ouest du Saumurois, cette propriété s'étend sur près de 24 ha. Un assemblage de cabernet franc (60 %) et de grolleau plantés sur terrains argilo-sableux compose ce rosé-de-loire, remarquable ambassadeur de l'appellation. Tuilé et limpide à l'œil, il est aussi fruité au nez qu'en bouche, franc et harmonieux.

René Lancien, Dom. de Bois Mozé, 49320 Coutures, tél. 02.41.57.91.28, fax 02.41.57.93.71, e-mail boismoze@ansamble.fr r.-v.

CH. DE CHAMPTELOUP 2005 ★

■ 16 ha 100 000 ▮ 3 à 5 €

Cette société de négoce fournit d'importants volumes de rosés, ce qui ne l'empêche pas d'offrir des vins de qualité, bons représentants de l'appellation. Cabernet, grolleau et gamay se marient dans celui-ci, fort élégant. La robe aux reflets grenadine est soutenue, le nez expressif, floral avec une touche réglissée, tandis qu'en bouche la rondeur se conjugue avec la fraîcheur. Cité, le **cabernet d'anjou 2005** obtient une citation. Équilibré, il est plaisant par ses notes de cassis et de bonbon anglais.

SCEA Champteloup, 49700 Tigné, tél. 02.40.36.66.00

DOM. DE LA CLARTIÈRE 2005 *

■ n.c. n.c. 3 à 5 €

Originaire de terrains argilo-schisteux du haut Layon, et né d'une majorité de grolleau, complété par le cabernet franc, ce vin rose clair aux reflets saumonés s'ouvre sur des parfums frais et élégants, floraux et fruités. La bouche reste dans la même veine, ronde et suave avec ce qu'il faut de vivacité. Sa persistance aromatique prolonge le plaisir.

Pinet, Dom. de la Clartière, 49560 Nueil-sur-Layon, tél. et fax 02.41.59.53.05 r.-v.

LE CLOS DES MOTÈLES 2005 *

■ 3,5 ha 5 600 - de 3 €

Cette exploitation familiale est implantée au sud de l'appellation, dans la région de Thouars (Deux-Sèvres). Les ceps de grolleau (70 %) et de cabernet plongent leurs racines dans des sols graveleux pour donner un rosé-de-loire bien équilibré, laissant une impression de fraîcheur et de fruité tant au nez qu'en bouche. La jolie finale laisse le souvenir d'une belle harmonie.

GAEC Le Clos des Motèles, 42, rue de la Garde, 79100 Sainte-Verge, tél. 05.49.66.05.37, fax 05.49.66.37.14

t.l.j. sf dim. 8h30-12h 14h-18h30

CLOSERIE DE LA PICARDIE 2005 **

■ 1,4 ha 3 500 3 à 5 €

À 5 km de Brissac et de son château, cette exploitation familiale a été constituée en 1904, mais elle ne s'est spécialisée dans la viticulture que plus tard. Mi-grolleau mi-cabernet franc, ce rosé-de-loire issu d'un terroir argilo-sableux et graveleux séduit par son élégance. Rose limpide, il exprime des parfums flatteurs, frais et fruités. Intense et équilibré, il persiste longuement au palais.

Benoît Rocher, Closerie de La Picardie, 49380 Notre-Dame-d'Allençon, tél. 02.41.54.30.32, fax 02.41.54.32.27, e-mail benoit.rocher@aliceadsl.fr

t.l.j. 9h-20h; dim. sur r.-v.

LE COTILLON BLANC 2005 *

■ n.c. n.c. 3 à 5 €

Dans les pays de la Loire, les exploitations agricoles consacraient parfois une part de leurs surfaces au tabac, culture qui a fortement régressé. C'est ainsi que Gauthier Gassot, installé en 2003 dans la vallée du Layon, a reconverti en chai un séchoir à tabac. Mi-cabernet mi-grolleau, son Cotillon naît de sols argilo-sableux. Il charme dans sa robe soutenue à reflets orangés, par son nez à la fois intense et subtil et son palais très équilibré, d'une harmonieuse fraîcheur.

Gauthier Gassot, 2, rue du Cotillon-Blanc, 49380 Chavagnes-les-Eaux, tél. et fax 02.41.54.01.27 r.-v.

DOM. DES DEUX ARCS 2005 *

■ 2 ha 2 500 - de 3 €

La cinquième génération vient de s'installer sur ce domaine de 37 ha implanté dans la vallée du Layon. Grolleaux gris et noir (80 %) complétés de cabernet franc s'allient dans ce rosé limpide, dont le fruité flatteur se prolonge dans une bouche agréable et bien équilibrée.

Michel Gazeau, Dom. des Deux Arcs, 11, rue du 8-Mai-1945, 49540 Martigné-Briand, tél. 02.41.59.47.37, fax 02.41.59.49.72, e-mail do2arcs@wanadoo.fr r.-v.

DOM. DE LA DUCQUERIE 2005 **

■ 1,5 ha 4 000 3 à 5 €

Saint-Lambert-du-Lattay est un village des coteaux du Layon. Parmi les nombreuses exploitations que compte la commune, le domaine de la Ducquerie, repris en 2003 par la dernière génération, s'étend sur 48 ha. Son rosé-de-loire assemble grolleau (70 %) et cabernet. Tout en lui est intense : la robe, rubis clair, qui attire d'emblée ; les arômes de fruits rouges, qui se confirment dans une bouche équilibrée, fraîche et longue.

EARL de la Ducquerie, 2, chem. du Grand-Clos, 49750 Saint-Lambert-du-Lattay, tél. 02.41.78.42.00, fax 02.41.78.48.17

t.l.j. sf dim. 8h-12h30 14h-19h

DOM. DES GÂTINES 2005 *

■ 1,5 ha 5 000 3 à 5 €

Implanté à Tigné, sur la rive gauche du Layon, cet important domaine est régulièrement mentionné, en particulier pour ses vins rouges ou rosés. Celui-ci, assemblage de grolleau (70 %) et de cabernet, est très typique du Val de Loire, avec sa robe aux jolis reflets, ses arômes de fruits frais discrets mais fins, sa bouche légère, fruitée et vive.

Vignoble Dessèvre, 12, rue de la Boulaie, 49540 Tigné, tél. 02.41.59.41.48, fax 02.41.59.94.44, e-mail domaine-de-gatines-dessevre@wanadoo.fr

t.l.j. sf dim. 8h-12h 14h-18h

DOM. DES HAUTES VIGNES 2005 *

■ 1,6 ha 2 500 5 à 8 €

Créée par André Fourrier en 1961, cette exploitation du Saumurois est passée en quarante-cinq ans d'un demi à quarante hectares ! Son rosé-de-loire, né de cabernet franc, s'habille d'une robe pâle aux reflets orangés et offre sans lésiner des parfums de fruits rouges que l'on retrouve dans une bouche légère et fraîche.

SCA Fourrier et Fils, 22, rue de la Chapelle, 49400 Distré, tél. 02.41.50.21.96, fax 02.41.50.12.83, e-mail fourrieralain@wanadoo.fr r.-v.

DOM. DES IRIS 2005

■ 2 ha 15 000 3 à 5 €

Établi à Tigné, village gros producteur de rosé, le domaine des Iris en livre des volumes non négligeables en partenariat avec le négociant Joseph Verdier. Issu de trois cépages angevins, ce 2005 réjouit l'œil par sa robe rose orangé limpide. Il en émane des senteurs de fruits rouges et de fruits exotiques typiques de l'appellation, arômes qui se prolongent dans une bouche fraîche, friande et assez longue.

Joseph Verdier, SARL Dom. des Iris, La Roche Coutant, 49540 Tigné, tél. 02.41.40.22.50, fax 02.41.40.29.69, e-mail j.verdier@wanadoo.fr

LE LOGIS DU PRIEURÉ 2005

■ 2 ha 4 000 3 à 5 €

La famille Jousset exploite une trentaine d'hectares dans le haut Layon. Son rosé-de-loire se pare d'une robe, rose framboise aux reflets saumonés. Complexe au nez, il mêle agréablement des parfums fruités et floraux qui imprègnent aussi la bouche souple et ronde.

SCEA Jousset et Fils, Le Logis du Prieuré, 49700 Concourson-sur-Layon, tél. 02.41.59.11.22, fax 02.41.59.38.18, e-mail logis.prieure@wanadoo.fr

t.l.j. sf dim. 9h-12h 14h-19h

DOM. DE MONTCELLIÈRE 2005 ★

■ 4 ha 6 000 ▮ - de 3 €

Installée à Trémont, sur la rive gauche du Layon, la famille Guéneau est à la tête de 58 ha de vignes. Cabernet franc, grolleau et gamay plantés sur schistes composent son rosé-de-loire qui se présente dans une robe intense aux nuances cuivrées. Complexe, fin et élégant, le nez décline les petits fruits rouges et les fleurs, arômes qui s'expriment tout au long de la dégustation. Un vin sympathique à partager à la sortie du Guide, durant les journées ensoleillées de l'arrière-saison.

SCEA Louis Guéneau et Fils, Montcellière, 49310 Trémont, tél. 02.41.59.60.72, fax 02.41.59.66.15, e-mail mickael.gueneau@wanadoo.fr r.-v.

CH. DE MONTGUÉRET 2005 ★

■ 21,33 ha 118 000 ▮ 3 à 5 €

Ce château est depuis une vingtaine d'années la propriété des Lacheteau, négociants en vins de Loire. Il commande un vaste vignoble (122 ha) d'où naît une gamme variée de vins d'Anjou. Assemblage de trois cépages angevins, celui-ci sait se présenter : paré dune robe saumonée brillante et limpide, il offre de légers arômes de fruits rouges et de bonbon. Toujours fruité au palais, bien équilibré, frais et assez long, il « donne envie de le partager avec des amis », écrit un dégustateur.

SCEA Ch. de Montguéret, rue de la Mairie, 49560 Nueil-sur-Layon, tél. 02.41.59.59.19, fax 02.41.59.59.02 r.-v.

CH. DE PASSAVANT 2005

■ 6,32 ha 25 000 ▮ 3 à 5 €

Construit par Foulque Nerra à l'époque féodale sur un site dominant le Layon, le château de Passavant a gardé de ces temps primitifs deux tours trapues qui lui donnent encore une allure de forteresse, même si les bâtiments principaux évoquent plutôt l'époque classique. Il commande un domaine aujourd'hui exploité en agriculture biologique. Assemblage de grolleau (70 %) et de cabernet, né de sols schisteux, ce rosé-de-loire apparaît très coloré. Sa couleur grenadine annonce des parfums de framboise qui évoluent vers le bonbon anglais. Ces arômes imprègnent un palais rond, équilibré.

SCEA David-Lecomte, Ch. de Passavant, rte de Tancoigné, 49560 Passavant-sur-Layon, tél. 02.41.59.53.96, fax 02.41.59.57.91, e-mail passavant@wanadoo.fr t.l.j. sf sam. dim. 8h-12h30 14h-18h30

DOM. DES RICHÈRES 2005 ★

■ 1 ha 3 000 3 à 5 €

Le domaine des Richères s'étend sur 29 ha autour de Chavagnes-les-Eaux, dans l'aire des coteaux-du-layon. Né du grolleau, son rosé-de-loire se pare d'une robe limpide aux reflets saumonés. Il charme par ses intenses parfums fruités et frais et par son palais aromatique et équilibré, où une pointe acidulée avive le plaisir.

Alain Guibert, 7, rte d'Angers, Millé, 49380 Chavagnes-les-Eaux, tél. 02.41.54.10.47, fax 02.41.44.97.91, e-mail faguibert@yahoo.com r.-v.

CH. DE LA VARENNE 2005 ★

■ 4,84 ha 38 667 ▮ 3 à 5 €

Aux confins de l'Anjou et de la région nantaise, le château de la Varenne (XIX[e]s.) domine la Loire et commande un vignoble de 22 ha. Mi-cabernet mi-gamay, né de sols siliceux, ce rosé-de-loire s'habille d'une robe rose tendre et exprime des notes aromatiques fraîches et légères, pleines d'élégance. Sa touche d'acidité n'est pas pour déplaire.

Pascal Pauvert, Le Marais, 49270 La Varenne, tél. et fax 02.40.98.55.58 r.-v.

Crémant-de-loire

Ici encore, l'appellation régionale peut s'appliquer à des vins effervescents produits dans les limites des appellations anjou, saumur, touraine et cheverny. La méthode traditionnelle fait merveille ; la production de ces vins de fête atteint 62 722 hl en 2005, en nette progression par rapport à 2004. Les cépages sont nombreux : chenin ou pineau de Loire, cabernet-sauvignon et cabernet franc, pinot noir, chardonnay, etc. Si la plus grande part de la production est constituée de vins blancs, on trouve aussi quelques rosés.

CH. DE BELLEVUE 2002 ★

● 2,7 ha 17 000 ▮ 5 à 8 €

Ce crémant vient du village de Saint-Aubin-de-Luigné, surnommé la « Perle des coteaux du Layon ». Assemblage de quatre cépages blancs et noirs (chardonnay 53 %, chenin 19 %, complétés par grolleau et cabernet), il est bien représentatif de son appellation. Des bulles abondantes animent sa robe jaune pâle, ses subtils parfums évoquent les fruits frais, les agrumes, sa bouche souple finit sur une touche de vivacité. À servir bien frais.

Tijou et Fils, Ch. de Bellevue, 49190 Saint-Aubin-de-Luigné, tél. 02.41.78.33.11, fax 02.41.78.67.84, e-mail earl.tijou@terre-net.fr t.l.j. sf dim. 9h-12h30 14h-19h

DOM. DE BRIZÉ ★★

● 1,5 ha 8 200 5 à 8 €

Pour avoir son siège dans la vallée du Layon, ce domaine, qui a quatre coups de cœur récents à son actif, dont deux pour des vins « à bulles » (encore un saumur l'an dernier), n'en est pas moins une référence dans les effervescents. Les vins sont tirés sur l'exploitation, la durée de l'élevage sur lies est au minimum de vingt-quatre mois et atteint régulièrement trente-six mois. Mariant 40 % de chenin, 30 % de chardonnay et 30 % de cabernet franc, celui-ci révèle une grande maîtrise d'élaboration en tout point : sa robe jaune pâle traversée d'une effervescence fine, ses arômes intenses de fruits frais bien mûrs, de miel et de fleurs blanches, sa bouche ronde et riche, qui conserve pourtant cette légèreté vive propre aux grands vins effervescents.

Line et Luc Delhumeau, EARL Dom. de Brizé, village de Cornu, BP 4, 49540 Martigné-Briand, tél. 02.41.59.43.35, fax 02.41.59.66.90, e-mail delhumeau.scea@free.fr r.-v.

PAUL BUISSE

● n.c. 15 000 5 à 8 €

Ce crémant est l'œuvre d'une maison établie à Montrichard, bourg sur le Cher, entre Tours et Blois. De

LOIRE

fines bulles montent dans sa robe jaune doré ; ses arômes intenses évoquent la brioche accompagnée de notes de coing, de tilleul et de miel caractéristiques du chenin (70 % de l'assemblage, complété par le chardonnay). Les dégustateurs ont apprécié sa vivacité et son volume qui permettent de l'associer à tout un repas.

SA Paul Buisse, 69, rte de Vierzon, 41400 Montrichard, tél. 02.54.32.00.01, fax 02.54.32.09.78, e-mail contact@paul-buisse.com t.l.j. sf sam. dim. 8h30-12h 14h-17h; groupes sur r.-v.

CHAPIN-LANDAIS

n.c. 60 000 5 à 8 €

Tout près de Saumur, Saint-Hilaire-Saint-Florent abrite de nombreuses maisons de négoce, telles que celle-ci fondée en 1848 et aujourd'hui dans la galaxie de Bouvet-Ladubay, elle-même prise en main par le groupe indien UB. Elle signe un crémant mariant chenin et chardonnay. Un cordon persistant de fines bulles monte dans la robe jaune pâle aux reflets dorés de ce vin qui décline arômes de fleurs blanches et de pâtisserie. Agréable et délicat, le palais laisse une plaisante sensation de légèreté. Un classique.

Chapin-Landais, rue Jean-Ackerman, 49400 Saint-Hilaire-Saint-Florent, tél. 02.41.83.83.80, fax 02.41.50.33.55 t.l.j. 9h-17h30

CHESNEAU ET FILS 2003 *

0,75 ha 3 600 5 à 8 €

Ce domaine s'étend sur près de 15 ha aux portes de la Sologne, dans l'aire du cheverny. Issu de pur chardonnay, son crémant s'habille d'une robe jaune clair brillant à bulles fines et persistantes. Le nez se partage entre miel et agrumes. De bonne tenue en bouche, ce vin assez souple pourra paraître à la fin d'un repas.

EARL Chesneau et Fils, 26, rue Sainte-Néomoise, 41120 Sambin, tél. 02.54.20.20.15, fax 02.54.33.21.91, e-mail contact@chesneauetfils.fr r.-v.

COMTE DE TREILLIÈRE *

19 ha 143 000 5 à 8 €

Établies au cœur de l'Anjou, les Caves de la Loire ont été fondées en 1951. Elles vinifient les vendanges de 1 800 ha, ce qui en fait la plus grande cave coopérative de la région. Comte de Treillère ou **Diamant de Loire** ? Les deux crémants font jeu égal, avec une étoile. Tous deux séduisent par une même élégance et procurent une sensation de fraîcheur très représentative des vins effervescents élaborés dans le Val de Loire.

Les Caves de la Loire, rte de Vauchrétien, 49320 Brissac-Quincé, tél. 02.41.91.22.71, fax 02.41.54.20.36, e-mail loire-wines@uapl.fr t.l.j. sf dim. 9h-12h30 14h-18h30

DOM. DE LA DÉSOUCHERIE 2002

1 ha 9 000 5 à 8 €

Ce domaine, dirigé depuis 1969 par Christian Tessier, rejoint il y a cinq ans par son fils Fabien, s'étend sur près de 30 ha entre Chambord et Cheverny. Bien connu des lecteurs du Guide pour ses vins tranquilles d'appellation cheverny et cour-cheverny, il produit aussi des vins effervescents. Celui-ci assemble 70 % d'arbois – un cépage

La vallée de la Loire

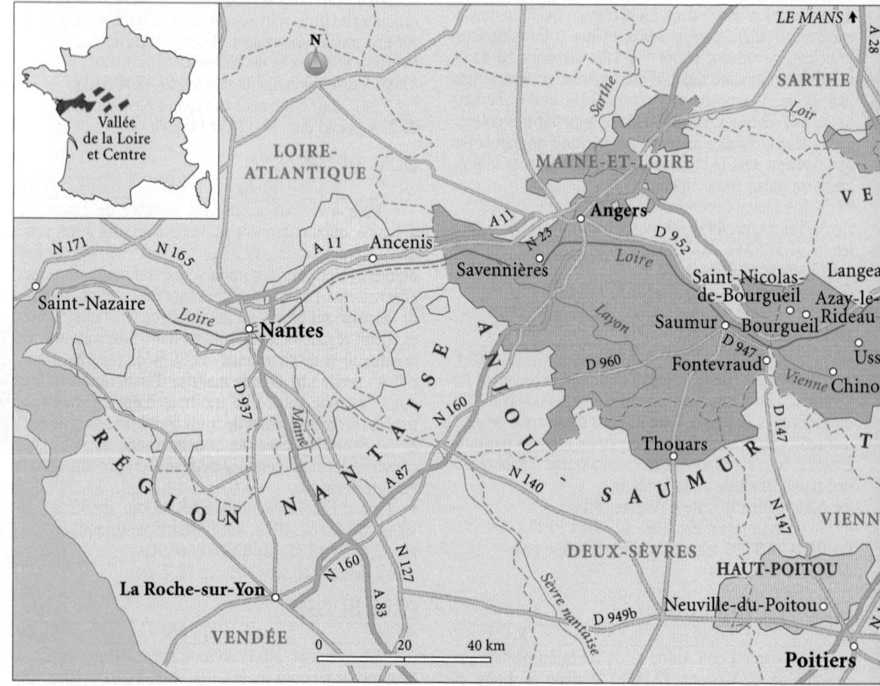

local appelé aussi menu pineau – au chardonnay. Il est frais, nerveux, avec des arômes de pomme.
Christian et Fabien Tessier, Dom. de La Désoucherie, 41700 Cour-Cheverny, tél. 02.54.79.90.08, fax 02.54.79.22.48, e-mail infos@christiantessier.com
r.-v.

MICHEL ET JEAN-CLAUDE DUBOIS ★★

	1 ha	4 000	5 à 8 €

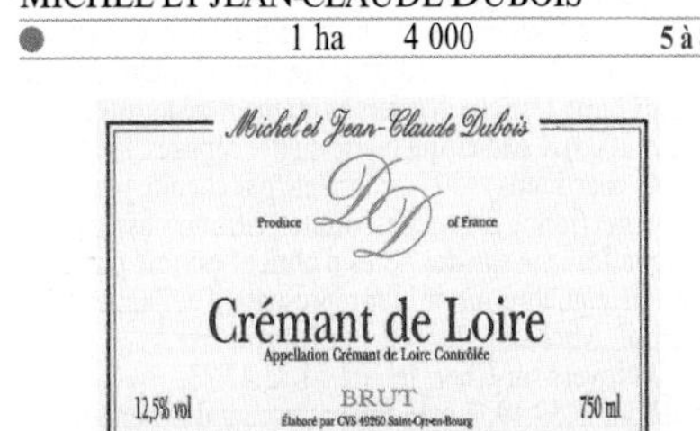

Ce n'est pas la première fois que ce domaine empoche le coup de cœur en crémant (voir l'édition 1995). L'exploitation est située au cœur de l'AOC saumur-champigny, réputée pour ses vins rouges. C'est d'ailleurs un cépage noir, le cabernet franc, qui a permis d'élaborer ce crémant rosé. Sa robe rose tendre animée d'une effervescence délicate et persistante, ses parfums subtils et vifs de framboise et de fraise auxquels font écho au palais des impressions de fruits frais, sa bouche harmonieuse et fine ont enchanté le jury.

EARL Dubois, 8, rte de Chacé, 49260 Saint-Cyr-en-Bourg, tél. 02.41.51.61.32, fax 02.41.51.95.29 r.-v.

DOM. DE L'ÉTÉ 2004 ★

	1,3 ha	11 870	5 à 8 €

Le nom de ce domaine de la vallée du Layon, repris en 2001 par Catherine Nolot et régulièrement mentionné dans le Guide, est évocateur de soleil. Il s'agirait d'un lieu-dit, utilisé dès le XVII[e]s. Le vin à l'origine de ce crémant est constitué de l'assemblage de cépages blancs (70 % de chardonnay et 15 % de chenin) et de cépages noirs (cabernet franc). Le résultat est convaincant : une robe jaune vert, des arômes complexes, fruités et floraux, et une plaisante légèreté composent une bouteille de caractère qui séduit par sa délicatesse et sa fraîcheur.
SCEA Catherine Nolot, Dom. de L'Été, 49700 Concourson-sur-Layon, tél. 02.41.59.11.63, fax 02.41.59.95.16, e-mail domainedelete@wanadoo.fr
t.l.j. sf dim. 9h-17h; sam. 9h-12h

CH. DU FRESNE Marquis de Gilbourg 2002

	1 ha	5 000	5 à 8 €

Établie dans la vallée du Layon, une importante propriété (76 ha) qui décline des marques et lieux-dits réputés : La Butte des Chervriottes, Chevalier Le Bascle et le célèbre Clos des Cocus. Chardonnay (70 %) et chenin s'associent dans ce crémant jaune pâle aux arômes de fleurs blanches, de fruits jaunes et d'agrumes. La bouche est souple, vivifiée par des notes citronnées. Une belle harmonie et une sensation de fraîcheur caractéristique des vins du Val de Loire.

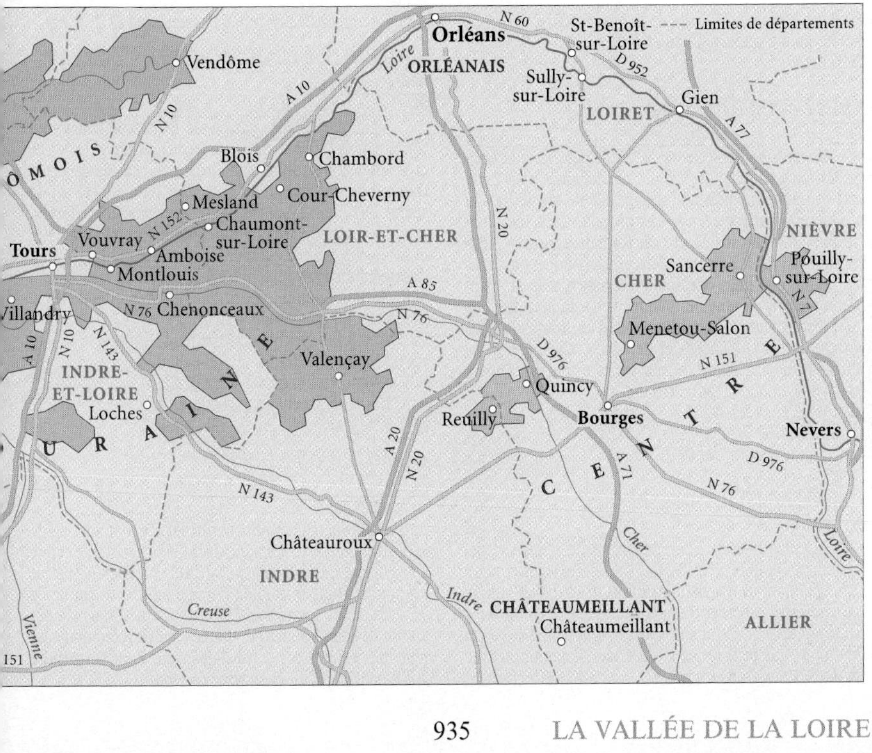

🔑 Vignobles Robin-Bretault, Ch. du Fresne, 49380 Faye-d'Anjou, tél. 02.41.54.30.88, fax 02.41.54.17.52, e-mail fresne@voila.fr
☒ 🍷 🚶 t.l.j. sf dim. 8h-12h 14h-19h
🔑 Bretault

DOM. DE LA GABILLIÈRE

● 1,8 ha 9 500 ▮ 5 à 8 €

Les exploitations dépendant des lycées d'enseignement professionnel, comme celle-ci, rattachée au lycée viticole d'Amboise, offrent souvent des vins intéressants. Ainsi, on ne négligera pas ce crémant rosé à la fine collerette de bulles persistantes, issu de cépages noirs (cabernet franc 60 %, pinot noir 30 %, grolleau 10 %). Complexe au nez, ce vin mêle des notes de noisette, de grillé et de fruits mûrs. En bouche, il fait preuve d'une certaine élégance. Il accompagnera tout un repas.

🔑 Dom. de La Gabillière, Lycée viticole, 46, av. Émile-Gounin, 37400 Amboise, tél. 02.47.23.53.80, fax 02.47.57.01.76, e-mail expl.lpa.amboise@educagri.fr
☒ 🍷 🚶 t.l.j. sf sam. dim. 8h-12h 14h-17h

PATRICK HUGUET 2004 ★★

○ 1 ha 8 000 5 à 8 €

Ce jeune viticulteur règne sur son petit royaume de cailloux siliceux, établi entre trois châteaux : celui de Blois, juste en face sur l'autre rive de la Loire, et ceux de Chambord et de Cheverny, à peine plus loin. Mi-chenin mi-chardonnay, son crémant brille par son élégance. Jaune pâle aux nuances vertes et aux bulles fines et persistantes, il offre en bouche toute la fraîcheur d'une source. Sa finesse en fera un excellent vin d'apéritif.

🔑 Patrick Huguet, 12, rue de la Franchetière, 41350 Saint-Claude-de-Diray, tél. 02.54.20.57.36
☒ 🍷 🚶 r.-v.

YVES LAMBERT ★

○ 9 ha 50 000 5 à 8 €

Bien connu des lecteurs du Guide pour ses vins tranquilles – voyez le chapitre saumur-champigny – Yves Lambert consacre une part non négligeable de ses 40 ha à la production d'effervescents. Les parcelles réservées à ce type de vin sont installées sur des formations argilo-calcaires aux sols crayeux du Turonien caractéristiques du vignoble saumurois. Elles ont donné naissance à un crémant harmonieux et élégant, mi-chenin mi-chardonnay. Les bulles se distinguent par leur délicatesse, et les arômes de fruits blancs, de fleurs blanches et de pêche reflètent bien ce terroir particulier. Une bouteille parfaite pour une entrée.

🔑 Yves Lambert, Dom. de Saint-Just, 12, rue de la Prée, 49260 Saint-Just-sur-Dive, tél. 02.41.51.62.01, fax 02.41.67.94.51, e-mail infos@st-just.net ☒ 🍷 🚶 r.-v.

LAMÉ DELISLE BOUCARD 2004

● 0,46 ha 4 000 5 à 8 €

Installée dans le Bourgueillois, cette famille vigneronne a mis pour la première fois à profit ses vignes rouges pour élaborer ce crémant rosé aux fines bulles qui se partage entre cabernet franc et cabernet-sauvignon. Très fruité au nez, sur des nuances de cassis et de fraise, ce vin développe une belle rondeur. À servir à l'apéritif ou avec un dessert aux fruits rouges.

🔑 EARL Lamé Delisle Boucard, Dom. des Chesnaies, 21, rue Galotière, 37140 Ingrandes-de-Touraine, tél. 02.47.96.98.54, fax 02.47.96.92.31, e-mail lame.delisle.boucard@wanadoo.fr
☒ 🍷 t.l.j. sf dim. 9h-17h30; sam. 9h-12h

DOM. MICHAUD

○ 1,5 ha 14 500 5 à 8 €

Établi depuis plus de vingt ans dans la vallée du Cher, en amont de Chenonceaux, Thierry Michaud a agrandi son exploitation (25 ha aujourd'hui) et obtenu six coups de cœur dans le Guide, les deux derniers en crémant-de-loire (éditions 2002 et 2003). Celui-ci, qui marie quatre cépages, fait la part belle au chardonnay (50 %, complété par chenin, pinot noir et cabernet franc). Si le nez est discret, citronné, assez jeune, l'attaque franche sur des notes d'abricot est fort plaisante. Assez vif, équilibré, un vin bien représentatif de l'appellation.

🔑 Dom. Michaud, 20, rue Les Martinières, 41140 Noyers-sur-Cher, tél. 02.54.32.47.23, fax 02.54.75.39.19, e-mail thierry-michaud@wanadoo.fr
☒ 🍷 🚶 t.l.j. sf dim. 8h30-12h 14h-19h

MONMOUSSEAU 2003

○ 9 ha 59 490 ▮ 5 à 8 €

Fondée en 1886, cette maison est devenue filiale de la société Massard de Grevenmacher, au Luxembourg. Cela ne l'empêche pas de soigner particulièrement la typicité ligérienne de ses crémants en faisant participer le chenin à ses assemblages. Ce cépage entre pour un tiers dans ce crémant, complété par une autre variété bien d'ici, le cabernet franc, et par le chardonnay. Il en résulte un vin souple et élégant aux originales notes de fruits confits. Destiné à l'apéritif.

🔑 SA Monmousseau, 71, rte de Vierzon, BP 25, 41400 Montrichard, tél. 02.54.71.66.66, fax 02.54.32.56.09, e-mail monmousseau@monmousseau.com ☒ 🍷 🚶 r.-v.

LYCÉE VITICOLE DE MONTREUIL-BELLAY

Sec

● 0,2 ha 1 900 ▮ 5 à 8 €

Signé par le lycée viticole de Montreuil-Bellay, qui forme depuis 1957 les viticulteurs et techniciens viticoles, ce crémant-de-loire rosé est issu exclusivement de cabernet franc. Il ne s'agit pas d'un brut, mais d'un sec (18 g/l de sucre). Sa robe saumoné pâle est parcourue d'une effervescence délicate, son nez marie le cassis et des notes végétales et sa bouche offre de plaisantes notes de fruits rouges. Son dosage important – perceptible dans sa bouche moelleuse et sa finale douce – lui permettra d'accompagner des desserts, notamment des tartes aux fruits.

🔑 Lycée prof. agricole de Montreuil-Bellay, rte de Méron, 49260 Montreuil-Bellay, tél. 02.41.40.19.27, fax 02.41.38.72.86, e-mail montreuil-bellay.expl@educagri.fr
☒ 🍷 🚶 t.l.j. sf sam. dim. 9h-12h 14h-17h

DOM. DE PAIMPARÉ 2005 ★★

○ 1 ha 6 000 ▮ 5 à 8 €

« Un nez festif ». Entendez : « léger et élégant ». Ces impressions aériennes ont charmé le jury tout au long de la dégustation de ce crémant, de la bulle persistante et fine à la bouche rafraîchissante et délicate en passant par les arômes de fruits frais et de pomme mûre. Un vin né de 75 % de chardonnay et de 25 % de cabernet franc plantés autour de Saint-Lambert-du-Lattay, une des communes les plus importantes des coteaux-du-layon. Pour surprendre vos amis à l'apéritif et égayer vos repas.

SCEA Michel Tessier, 32, rue Rabelais, 49750 Saint-Lambert-du-Lattay, tél. 02.41.78.43.18, fax 02.41.78.41.73 r.-v.

DOMINIQUE PERCEREAU 2002 ★★

1,6 ha 12 500 5 à 8 €

Né à 10 km d'Amboise et de son château et mûri dans des galeries percées au flanc d'une falaise, ce vin s'habille du bleu des rois de France et enchante déjà le regard par sa robe jaune aux fins reflets verts. Il est né d'une majorité de chardonnay agrémenté de 20 % de chenin pour la verve. Ce dernier cépage est présent dans les parfums intenses et un rien évolués de tilleul, de miel, de pêche et d'amande, qui accompagnent la dégustation jusqu'à la finale glorieuse. Un vin harmonieux et rond qui trouvera sa place ainsi bien à l'apéritif qu'au repas.

Dominique Percereau, 85, rue de Blois, 37530 Limeray, tél. 02.47.30.11.40, fax 02.47.30.16.51, e-mail domainedespoupelines@wanadoo.fr r.-v.

PASCAL PIBALEAU 2002 ★

1,5 ha 10 000 5 à 8 €

À la tête de 15 ha, Pascal Pibaleau conduit depuis dix ans l'exploitation familiale située à 3 km d'Azay-le-Rideau. Il soigne ses crémant-de-loire, AOC qui lui a déjà valu un coup de cœur (édition 1999). Dominé par le chenin (80 %), complété par le cabernet franc et le grolleau, ce vin sait se présenter : une robe jaune paille aux reflets verts l'habille, et sa palette aromatique faite de brioche, de coing et de tilleul ne manque pas de complexité. Souple à l'attaque, le palais est marqué par quelques notes vineuses et évoluées qui lui vont bien. Un ensemble harmonieux qui pourra accompagner des coquilles Saint-Jacques.

Pascal Pibaleau, 68, rte de Langeais, 37190 Azay-le-Rideau, tél. 02.47.45.27.58, fax 02.47.45.26.18, e-mail pascal.pibaleau@wanadoo.fr t.l.j. sf dim. 9h-12h30 13h30-19h

DOM. DE SAINTE-ANNE 2004 ★★

2,9 ha 24 000 5 à 8 €

Exploité de père en fils depuis six générations, ce domaine situé dans l'aire des coteaux-de-l'aubance a proposé un crémant plein d'attraits, assemblage de 40 % de pinot noir et de 60 % de chardonnay. Ses parfums délicats et complexes s'épanouissent à l'aération : fruits frais (agrumes et pêche jaune), fruits secs. Cette fraîcheur fruitée perdure dans une bouche ample, remarquablement dosée.

EARL Marc Brault, Dom. de Sainte-Anne, 49320 Brissac-Quincé, tél. 02.41.91.24.58, fax 02.41.91.25.87, e-mail eva.brault@wanadoo.fr t.l.j. sf dim. 9h-12h 14h-19h (18h sam.)

DOM. DE LA TONNELLERIE 2003

0,5 ha 1 000 5 à 8 €

Cette exploitation, qui tire son nom d'un ancêtre tonnelier installé vers 1800 dans ce coin de Touraine, signe un crémant composé à 80 % de chenin complété par le cabernet : finesse des bulles et robe aux reflets verts, effluves de noisette et d'aubépine en première approche puis touche minérale en bouche. Peu de longueur mais une bonne harmonie.

Vincent Péquin, 71, rue de Blois, 37530 Limeray, tél. 02.47.30.13.52, fax 02.47.30.06.23 r.-v.

La région nantaise

Ce sont des légions romaines qui apportèrent la vigne il y a deux mille ans en pays nantais, carrefour de la Bretagne, de la Vendée, de la Loire et de l'Océan. Après un hiver terrible en 1709 où la mer gela le long des côtes, le vignoble fut complètement détruit, puis reconstitué principalement par des plants du cépage melon venu de Bourgogne.

L'aire de production des vins de la région nantaise occupe aujourd'hui 16 000 ha et s'étend géographiquement au sud et à l'est de Nantes, débordant légèrement des limites de la Loire-Atlantique vers la Vendée et le Maine-et-Loire. Les vignes sont plantées sur des coteaux ensoleillés exposés aux influences océaniques. Les sols plutôt légers et caillouteux se composent de terrains anciens entremêlés de roches éruptives. Le vignoble produit, bon an mal an, 960 000 hl dans les quatre appellations d'origine contrôlée : muscadet, muscadet-coteaux-de-la-loire, muscadet-sèvre-et-maine et muscadet-côtes-de-grand-lieu, ainsi que les AOVDQS gros-plant du pays nantais, coteaux-d'ancenis et fiefs-vendéens.

Les AOC du muscadet et le gros-plant du pays nantais

Le muscadet est un vin blanc sec qui bénéficie de l'appellation d'origine contrôlée depuis 1936. Il est issu d'un cépage unique : le melon. La superficie du vignoble est de 14 100 ha. Quatre appellations d'origine contrôlée sont distinguées suivant la situation géographique et ont produit 650 077 hl de vin en 2005 : le muscadet-sèvre-et-maine, qui représente à lui seul 8 182 ha et 408 408 hl, le muscadet-côtes-de-grand-lieu (284 ha et 14 140 hl), le muscadet-coteaux-de-la-loire (189 ha, 9 229 hl) et le muscadet (3 690 ha, 218 298 hl).

La mise en bouteilles sur lie est une technique traditionnelle de la région nantaise, qui fait l'objet d'une réglementation précise, renforcée en 1994. Pour bénéficier de cette mention, les vins doivent n'avoir passé qu'un hiver en cuve ou en fût, et se trouver encore sur leur lie et dans leur chai de vinification au moment de la mise en bouteilles ; celle-ci ne peut intervenir qu'à des périodes définies et en aucun cas avant le 1er mars, la commercialisation étant autorisée seulement à partir du premier jeudi de mars. Ce procédé permet d'accentuer la fraîcheur, la finesse et le bouquet des vins. Par nature, le muscadet est un vin blanc sec mais sans verdeur, au bouquet épanoui. C'est le vin de toutes les heures. Il accompagne parfaitement les poissons, les coquillages et les fruits de mer, et constitue également un excellent apéritif. Il doit être servi frais mais non glacé (8-9 °C). Quant au gros-plant, c'est par excellence le vin d'accompagnement des huîtres.

Muscadet

CH. DE L'AUJARDIÈRE
Sur lie Élevé en fût de chêne 2004 ★

1 ha 6 600 3 à 5 €

Installé sur un ancien domaine seigneurial, cette propriété s'appuie sur un terroir de micaschiste. Sous une robe d'or, ce vin développe un nez d'une bonne intensité, à dominante de grillé en raison de son passage en barrique. Épanoui, gras et long, il offre en bouche une belle harmonie avec un bois bien fondu.

EARL Lebrin, L'Aujardière, 44430 La Remaudière, tél. 02.40.33.72.72, fax 02.40.33.74.18, e-mail earl.lebrin@wanadoo.fr
t.l.j. sf dim. 9h-12h30 14h-19h; sam. 9h-12h30

LE B DE BEAUQUIN 2005 ★★

16,36 ha 120 000 - de 3 €

Les chais de la société Sautejeau, très ancienne maison de négoce de la région nantaise, ont été construits en 1922 par Besnier, architecte de la première ligne de métro parisien. La cuvée « B » de Beauquin est typique avec ses arômes très expressifs de fruit de la Passion et ses notes florales. Fruitée également, la bouche livre une matière ronde et pleine de souplesse. Un vin agréable et équilibré à déguster dès maintenant.

SA Marcel Sautejeau, Dom. de L'Hyvernière, 44330 Le Pallet, tél. 02.40.06.73.83, fax 02.40.06.76.49, e-mail marcelsautejeau@marcel-sautejeau.fr

DOM. DE BEAUREPAIRE Cuvée Baptiste 2003

0,73 ha 5 800 5 à 8 €

L'année 2003 fut favorable aux secteurs tardifs de la région nantaise. Cette cuvée, du prénom du grand-père du propriétaire actuel, ne déroge pas à cette règle. Nez peu intense mais très fin et subtil. Sur le gras et l'alcool, avec beaucoup de rondeur, la bouche indique une évolution bien avancée. Un vin qui tient bien au palais, même s'il manque un peu de vivacité. À boire rapidement sur un sandre au beurre blanc nantais.

Jean-Paul Bouin-Boumard, 5, La Recivière, 44330 Mouzillon, tél. et fax 02.40.36.35.97
t.l.j. 10h-19h; dim. sur r.-v.

CH. DE LA PREUILLE
Sur lie Tête de Cuvée 2004 ★★

9 ha 48 000 5 à 8 €

C'est au château de La Preuille que la duchesse de Berry lança son coup d'État en mai 1832, pour donner le trône à son fils le duc de Bordeaux. Le château fut construit aux XIIIe et XIVe s. et est entouré d'une grande métairie de style clissonnais, dotée d'une vaste cour carrée. Habillé d'or vert pâle, ce vin laisse exploser au nez son fruité de mangue et de litchi. En bouche, il se montre doux et fruité. Des flaveurs anisées et mentholées se prolongent dans une finale persistante qui contribue à son caractère de fraîcheur et de finesse. Du même château, le **muscadet 2003**, très harmonieux, aux arômes subtils de noisette, est cité.

Philippe et Christian Dumortier, Ch. de La Preuille, 85600 Saint-Hilaire-de-Loulay, tél. 02.51.46.32.32, fax 02.51.46.48.98, e-mail chateaudelapreuille@free.fr
t.l.j. 9h30-12h30 14h-18h; dim. lun. sur r.-v.

Muscadet-sèvre-et-maine

LES ALUTEAUX Sur lie 2005 ★★

n.c. n.c. - de 3 €

Proposé par l'un des grands négociants de la région nantaise, ce vin bien typé révèle, derrière sa robe jaune aux reflets verts, un caractère équilibré. Il offre beaucoup de matière en bouche, avec une finale sur des notes très agréables, le tout dans une harmonie parfaite entre l'acidité et la sucrosité. À déguster en apéritif avec une douzaine d'huîtres morbihannaises.

SA Antoine Subileau, 6, rue Saint-Vincent, BP 89507, 44330 Vallet, tél. 02.40.36.69.70, fax 02.40.36.63.99, e-mail antoine-subileau@wanadoo.fr
r.-v.

ATLANTICK Sur lie Éric Tabarly 2005 ★

23 ha 153 330 3 à 5 €

Hommage au navigateur, une partie des bénéfices de la vente de cette cuvée est reversée à la fondation Éric Tabarly pour l'entretien de la flotte Pen Duick. Paré d'une robe jaune or pâle, ce 2005 exprime au nez des arômes de fruit de la Passion très marqués. La bouche, friande, renoue avec les fruits exotiques relevés d'une note mentholée. Ampleur et fraîcheur caractérisent ce muscadet de grande classe. Commercialisée par la même maison, la cuvée **Les Caractères Sur lie 2005**, très aromatique, décroche une étoile également.

SA Marcel Sautejeau, Dom. de L'Hyvernière, 44330 Le Pallet, tél. 02.40.06.73.83, fax 02.40.06.76.49, e-mail marcelsautejeau@marcel-sautejeau.fr

DOM. DE L'AUBINERIE
Sur lie Cuvée Tradition Vieilles Vignes 2004 ★

2 ha 2 200 5 à 8 €

À deux pas d'un ancien pont gallo-romain, les vieilles vignes du domaine ont produit cette cuvée à la robe assez soutenue, aux reflets jaune paille. Doté d'un nez de fleurs blanches avec une touche de seringat, celle-ci est charpentée et encore très jeune. Ce muscadet bien vinifié donnera sa pleine mesure dans quelques mois sur des brochettes de coquilles Saint-Jacques.

Jean-Marc Guérin, La Barillère, 44330 Mouzillon, tél. et fax 02.40.36.37.06
t.l.j. sf dim. 8h-12h 14h-19h

LES BARBOIRES Sur lie 2004 ★

1,5 ha 10 000 5 à 8 €

Gilbert Bossard vendange tardivement ses vignes malgré la précocité des terroirs de La Chapelle-Heulin, dont sont issus ses vins. Ainsi en est-il de celui-ci, élégant dans sa robe très dorée. Le nez actuellement un peu fermé offre des notes sauvages relevées d'une pointe de genêt. Ce 2004 révèle beaucoup de gras en bouche après une attaque douce et aromatique de fruits mûrs, un peu compotés. À déguster sur des plats asiatiques. Très réussi également, le **Domaine Gilbert Bossard 2005 Sur lie (3 à 5 €)** a séduit par ses nuances florales (violette, jacinthe) et fruitées (poire, melon, pêche) ; c'est un vin pour connaisseurs. Enfin, le **gros-plant du pays nantais Sur lie Domaine Basse-Ville 2005 (3 à 5 €)** est cité.

GAEC Gilbert Bossard, EARL Dom. Basse-Ville, 44330 La Chapelle-Heulin, tél. 02.40.06.74.33, fax 02.40.06.77.48, e-mail gilbert.bossard@wanadoo.fr
t.l.j. sf dim. 8h-12h30 14h-18h30; sam. 9h-12h

DOM. DE LA BAREILLE Sur lie 2005 ★★

7,4 ha 49 000 3 à 5 €

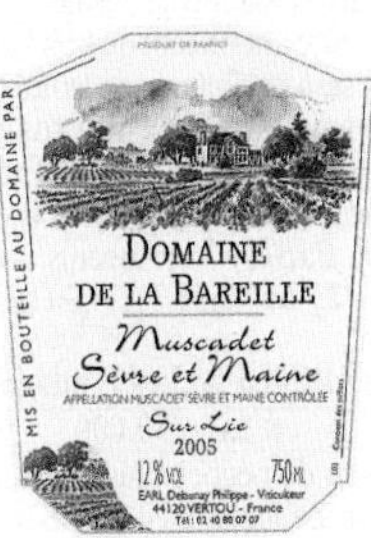

Le domaine de La Bareille est l'un des premiers vignobles situés en bordure de la Sèvre, à la sortie de Nantes, sur la commune de Vertou. Il a produit ce 2005 au nez intense, qui marie les arômes de fruits (litchi, citron, pêche blanche de vigne) et les notes végétales. L'attaque est encore vive, la bouche montre une très bonne structure. Prenez ce vin en apéritif avec des huîtres plates de Riec-sur-Belon : vous obtiendrez une harmonie parfaite. Du même domaine, un **2003** très réussi, au nez noble

La région nantaise

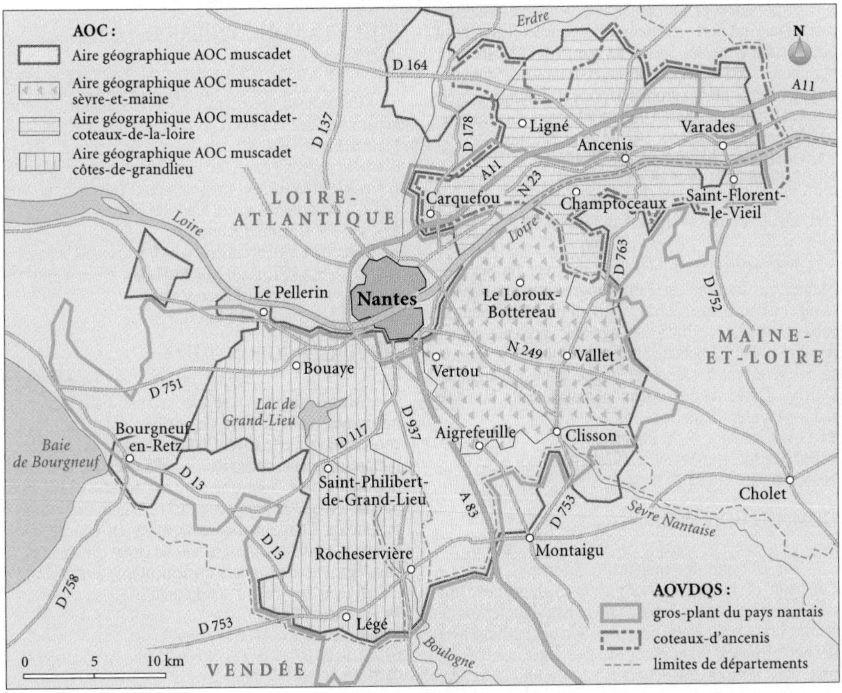

AOC :
Aire géographique AOC muscadet
Aire géographique AOC muscadet-sèvre-et-maine
Aire géographique AOC muscadet-coteaux-de-la-loire
Aire géographique AOC muscadet côtes-de-grandlieu

AOVDQS :
gros-plant du pays nantais
coteaux-d'ancenis
limites de départements

plutôt floral et végétal (tilleul, verveine, thé), qui offre une finale de fruits confits et frais et un équilibre très satisfaisant pour le millésime.
EARL Philippe Delaunay, 28, rue de l'Herbray, 44120 Vertou, tél. et fax 02.40.80.07.07 r.-v.

DOM. A. BARRÉ Sur lie 2005 *

7 ha 40 000 3 à 5 €

Un 2005 au nez légèrement marqué par des arômes de bonbon anglais. Il est encore fermé en bouche, mais sa finesse et sa structure annoncent un bon vieillissement. Son côté très perlant sera parfait pour accompagner les huîtres à Noël. De la même maison, le **gros-plant du pays nantais Sur lie 2005 (moins de 3 €)**, frais, léger et d'une bonne persistance, obtient la même note.
EARL Dom. Barré, rte d'Ancenis, 44330 Vallet, tél. 02.40.33.96.42, fax 02.51.71.74.00 r.-v.

BARRÉ FRÈRES Sur lie Les Printanières 2005

8 ha 50 000 3 à 5 €

Cette maison de négoce plus que centenaire a élevé cette cuvée à la robe légèrement verte tirant sur le jaune pâle, qui réalise l'harmonie entre les flaveurs d'agrumes et de fruits. D'une acidité légère, ces Printanières sont destinées à une consommation immédiate. L'amateur sera séduit par la longue finale minérale. Barré Frères propose également une cuvée en **gros-plant du pays nantais Sur lie Les Printanières 2005 (moins de 3 €)**, aux agréables notes de pamplemousse, qui obtient une citation.
Barré Frères, Beau-Soleil, 44190 Gorges, tél. 02.40.06.90.70, fax 02.40.06.96.52 r.-v.

DOM. DE LA BERNARDIÈRE Sur lie 2005 *

8 ha 16 000 3 à 5 €

À proximité de La Bernardière, se trouve l'emplacement d'un petit port : le Montru. Les bateaux remontaient autrefois la Loire et les canaux des marais de Goulaine pour acheminer vers Nantes des barriques de muscadet. Original et typé, ce vin fruité aux arômes de poire et d'orange se révèle souple et ample au palais. Un muscadet qui a du caractère.
Dominique Coraleau, 14, rue des Châteaux, La Bernardière, 44330 La Chapelle-Heulin, tél. 02.40.06.76.21 r.-v.

CH. DE LA BIGOTIÈRE Sur lie 2005 **

20 ha 120 000 3 à 5 €

Joli petit château du XIXe s. au cœur du Sèvre-et-Maine. Ce domaine est entré progressivement dans la famille, d'abord en métayage puis en propriété. Sous sa robe jaune pâle, ce 2005, très agréable, présente un nez floral et grillé. La bouche équilibrée et ample se montre vive (légèrement citronnée) et longue, d'une remarquable typicité. Dotée d'un excellent potentiel, cette bouteille saura patienter un ou deux ans.
GAEC Gobin, 30, la Bigotière, 44690 Maisdon-sur-Sèvre, tél. 02.40.03.81.63, fax 02.40.03.85.14 r.-v.

DOM. DU BOIS PERRON Sur lie 2005 **

n.c. 7 000 3 à 5 €

Sur la route des moulins, à mi-chemin entre Le Landreau et Le Loroux-Bottereau, ce domaine d'une trentaine d'hectares a élaboré un vin issu d'un terroir de schiste, limpide, à reflets jaune pâle. Son nez parfumé livre des notes fruitées. Franc et net, le palais, léger, semble déjà prêt, mais il saura aussi attendre un peu afin de révéler toute sa complexité. Pour un fromage de chèvre, un sainte-maure de Touraine par exemple.

GAEC du Bois Perron, Le Perron, 44430 Le Loroux-Bottereau, tél. 02.51.71.90.63, fax 02.40.03.71.55 r.-v.
Brégeon-Burot

DOM. BOUFFARD Sur lie 2005 *

2 ha 13 300 3 à 5 €

À l'extrémité est de l'appellation sèvre-et-maine, Saint-Crespin est une des rares communes du Maine-et-Loire produisant cette AOC. Nez intéressant que celui de ce vin intense et suave, qui évoque les fleurs blanches (jacinthe, aubépine) avant d'évoluer vers le minéral. La bouche fraîche et ample confirme cette impression, avant une longue finale de caractère. Il faudra patienter environ deux ans.
GAEC Gilles et Frédéric Bouffard, La Brosse, 49230 Saint-Crespin-sur-Moine, tél. et fax 02.41.70.43.42 r.-v.

CH. DE LA BOURDINIÈRE Sur Lie Tradition 2005 *

15 ha 75 000 5 à 8 €

Ce château appartenait à Pierre Landais, trésorier général du duc François II et champion de l'Indépendance bretonne au XVe s. Ce vin au nez fin, élégant et frais s'impose par son gras et son équilibre en bouche. Mariant l'élégance et la finesse, c'est un grand classique du muscadet, à accorder avec des fruits de mer.
Pierre et Chantal Lieubeau, La Croix de La Bourdinière, 44690 Château-Thébaud, tél. 02.40.06.54.81, fax 02.40.06.51.08, e-mail pierreetchantal@lieubeau.com t.l.j. 11h-12h30 14h-19h

MICHEL BRÉGEON 2000 **

8 ha 40 000 5 à 8 €

Michel Brégeon est bien connu pour ses vieux millésimes, qu'il a l'art de vinifier pour une longue conservation. Cette cuvée 2000 est bien dans la lignée de l'impressionnante collection de millésimes anciens dont il dispose en cave. Sous une robe aux reflets dorés, le nez intense évoque le pain grillé relevé d'une légère touche mentholée. D'une grande complexité en bouche où se mêlent harmonieusement le buis, le curry et les épices, ce vin élégant accompagnera dignement une terrine de lotte à l'estragon après avoir été décanté.
A. Michel Brégeon, 5, Les Guisseaux, 44190 Gorges, tél. 02.40.06.93.19, fax 02.40.06.95.91 t.l.j. 9h-18h; dim. sur r.-v.

DOM. DE LA BREGEONNETTE Sur lie 2005 ★

4 ha 20 000 3 à 5 €

Stéphane Orieux a pris la succession de son père en 1997 en poursuivant dans la voie de l'agriculture biologique empruntée depuis 1993. Ce 2005 a séduit les dégustateurs par son côté floral et une note de grillé. Souple et tendre en bouche, il présente du fruit et une pointe d'amertume que quelques mois de garde devraient effacer.

Stéphane Orieux, La Touche, 44330 Vallet, tél. 02.41.56.53.90, fax 02.41.56.54.09, e-mail stephane.orieux@wanadoo.fr r.-v.

DOM. DE LA BRETONNIÈRE Sur lie 2005 ★★

5 ha 33 000 3 à 5 €

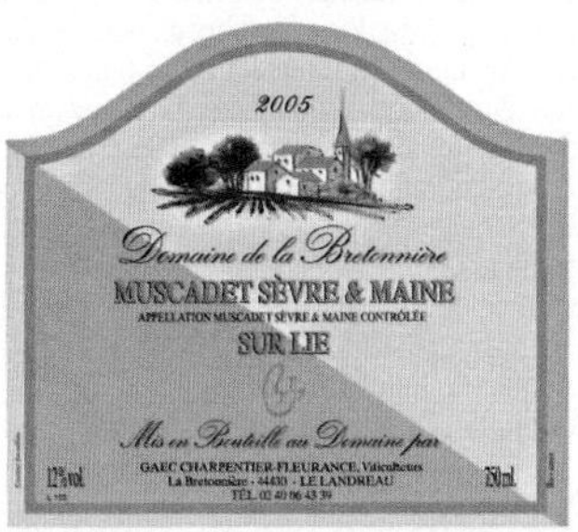

À l'orée du Landreau, près du château de Briacé, Pierre-Yves et Patrice Charpentier ont élaboré une cuvée remarquable d'harmonie. Fruits blancs et minéralité : le terroir domine nettement au nez. En bouche, on découvre de la puissance, un bon équilibre entre le sucre et l'acidité, prélude à une longue finale. La pointe de gaz carbonique est typique d'un vin élevé sur lie. À Noël, ce vin sera pleinement épanoui. Il est digne d'une volaille de Challans rôtie au caramel de muscadet.

GAEC Charpentier-Fleurance, La Bretonnière, 44430 Le Landreau, tél. 02.40.06.43.39, fax 02.40.06.44.05, e-mail labretonnierecharpentier@wanadoo.fr r.-v.

CH. DE BRIACÉ Sur lie 2005 ★★

10 ha 12 000 3 à 5 €

Une partie du château de Briacé fut détruit pendant la Révolution. C'est aujourd'hui un lycée agricole où sont formés les vignerons et techniciens de demain. Le terroir de gneiss de Briacé est l'un des plus précoces de la région. Le nez de ce 2005 s'ouvre bien à l'aération sur des notes de fruits mûrs. D'une belle fraîcheur à l'attaque, la bouche évolue tout en souplesse et en fruits, jusqu'à une finale longue, savoureuse et d'une grande complexité. Une étoile pour le **gros-plant du pays nantais Sur lie 2005 (moins de 3 €)** du château, un classique de l'appellation.

AFG Ch. de Briacé, Lycée agricole, 44430 Le Landreau, tél. 02.40.06.49.16, fax 02.40.06.46.15 r.-v.

CH. CASSEMICHÈRE Sur lie 2005 ★★

17,32 ha 50 000 3 à 5 €

Le château Cassemichère est l'un des berceaux du muscadet. Sa devise : « Ni témérité, ni timidité, fidélité », pourrait s'appliquer à ce remarquable 2005. Des arômes minéraux nuancés de fougère, très intenses, lui donnent du caractère. Équilibrée, structurée, la bouche fait preuve d'une vivacité de bon aloi et d'une grande ampleur. La longue finale légèrement acidulée est des plus réussies.

SCEA Ch. Cassemichère, La Cassemichère, 44330 La Chapelle-Heulin, tél. 02.40.06.74.07, fax 02.28.01.14.43, e-mail chateaucassemichere@noos.fr r.-v. 4

Daniel Ganichaud

CH. DE CHASSELOIR
Sur lie Comte Leloup de Chasseloir
Cuvée des Ceps centenaire 2005 ★★

3 ha 20 000 5 à 8 €

Sur la route touristique du vignoble, arrêtez-vous au château de Chasseloir pour visiter le cellier très réputé pour ses figurines représentant les péchés capitaux, ainsi que pour ses vitraux. Sur les coteaux dominant la Maine, cette propriété a conservé des vignes centenaires, dont est issue cette cuvée. Les arômes d'agrumes se mêlent à une minéralité que les vieux ceps ont puisée dans le terroir. La bouche est encore ferme en raison d'une grande concentration des raisins, mais sa structure, sa fraîcheur et sa longueur signent un vin qui pourra attendre plusieurs années, pour atteindre son plein épanouissement. Une étoile pour le **Château de La Chesnaie 2005 Sur lie**, du même producteur, à l'attaque franche et droite et à la longue finale.

Bernard Chéreau, Chasseloir, 44690 Saint-Fiacre-sur-Maine, tél. 02.40.54.81.15, fax 02.40.54.81.70, e-mail bernard.chereau@wanadoo.fr t.l.j. sf dim. 9h-18h

CH. DE LA CHAUVINIÈRE
Granit de Château-Thébaud 2001 ★★★

1,1 ha 4 000 5 à 8 €

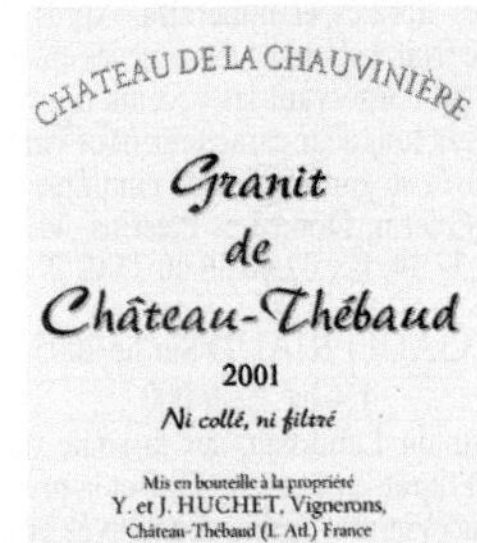

Un coup de cœur pour cette cuvée exceptionnelle du château de La Chauvinière, qui domine la Maine et dont les vieux millésimes sont vinifiés avec art par la famille Huchet. Ce 2001, au nez de fruits secs très complexe, est d'un profil original. En bouche, il montre un grand équilibre. Sa vivacité est relevée d'une pointe balsamique puis s'imposent des notes de pain brioché et de fruits confits. S'il est déjà exquis aujourd'hui, ce vin pourra attendre plusieurs années. Essayez-le donc avec une fricassée de saint-jacques et d'huîtres... Très réussi, le **Domaine de La Chauvinière Sur lie 2005 (3 à 5 €)**, aux senteurs minérales, au caractère vif, exprime pleinement son terroir de granite.

Jérémie Huchet, La Chauvinière, 44690 Château-Thébaud, tél. 02.40.06.51.90, fax 02.40.06.57.13, e-mail domaine-de-la-chauviniere@wanadoo.fr r.-v.

CH. LA CHEVILLARDIÈRE Sur lie 2005 *

12 ha 80 000 3 à 5 €

À la frontière de Vallet et du Landreau, la Chevillardière est une vieille demeure du XVIIIe s., typique par ses cinq œils-de-bœuf. C'est une ancienne dépendance du château des Montys, tenue par la même famille de viticulteurs depuis quatre générations. Affichant un nez de pêche et d'abricot mûr, ce 2005 se montre en bouche plutôt souple, puis les arômes arrivent en puissance. Une légère pointe de gaz carbonique vient apporter vivacité et fraîcheur à la finale, marquée par une pointe de pierre à fusil.

Raymond Pichon, La Chevillardière, 44330 Vallet, tél. et fax 02.40.06.74.29 r.-v.

CH. DU CLÉRAY Sur lie Réserve 2005 *

27 ha 80 000 5 à 8 €

Ce château, situé au milieu d'un jardin et de 30 ha de vignes, possède des caves voûtées, rares dans le vignoble nantais. Vous y dégusterez ce vin expressif au caractère de terroir assez net, développant des notes citronnées et minérales. Ample et puissante, équilibrée, sa bouche révèle des arômes de fruits blancs et s'achève sur une impression de finesse très agréable. À boire maintenant, ou à laisser patienter : sa personnalité se développera encore.

Sauvion, Ch. du Cléray-en-Éolie, BP 79453, 44194 Vallet, tél. 02.40.36.22.55, fax 02.40.36.34.62, e-mail sauvion@sauvion.fr
t.l.j. sf sam. dim. 8h-12h30 14h-17h

CLOS DE LA PINGOSSIÈRE Vallet 2003 *

0,95 ha 5 200 5 à 8 €

À la sortie de Vallet, sur la route de la Régrippière, le clos de La Pingossière propose des vins très originaux. D'une robe assez brillante, couleur paille tirant sur l'ocre orangé, ce 2003 développe un nez de terroir, expressif et fin, aux notes florales et minérales. Après une attaque franche sur le fruit, la bouche exprime les épices (cannelle, vanille) tout en conservant les accents floraux. Bel équilibre, richesse et longueur caractérisent ce vin prêt à boire, mais qui pourra se garder plus de cinq ans.

Philippe Guérin, Dom. Les Pèlerins, 44330 Vallet, tél. 02.40.36.37.34, fax 02.40.36.40.73 r.-v.

CLOS DU GAUFFRIAUD Sur lie 2005 *

1,4 ha 9 000 3 à 5 €

Au cœur du Landreau, sur la route de Vallet, La Renouère est réputée pour la qualité et la précocité de ses vins. Jean-Luc Viaud a vinifié cette cuvée au nez un peu fermé qui demande à s'ouvrir. Après une attaque vive, la bouche se fait ronde et grasse dans une belle expression aromatique. Dans la même appellation, la cuvée **Fleur de Panloup Schiste de Goulaine 2002 (5 à 8 €)** est citée. Enfin, toujours du même producteur, le **gros-plant du pays nantais Sur lie Domaine de La Renouère 2005 (moins de 3 €)** obtient une étoile.

Jean-Luc Viaud, La Renouère, 44430 Le Landreau, tél. 02.40.06.40.65, fax 02.40.06.45.43, e-mail jean_luc.viaud@tiscali.fr r.-v.

CLOS DU PARADIS Sur lie 2005 **

5 ha 30 000 5 à 8 €

Du nom du lieu-dit, le Val-Fleuri, jusqu'à celui du cru, tout ici invite au plaisir. Et du plaisir, vous en aurez certainement en dégustant ce remarquable 2005, au nez délicatement parfumé par les senteurs de poire cuite. L'attaque veloutée et souple ouvre sur une bouche riche et ronde qui se prolonge dans une finale agréable, relevée d'une note légèrement végétale. « Une invitation à y revenir », comme l'a noté un dégustateur...

Yves et Jacqueline Delaunay, Le Val-Fleuri, 44430 Le Loroux-Bottereau, tél. 02.40.33.86.84, fax 02.40.33.88.99, e-mail domaineduvalfleuri@wanadoo.fr r.-v.

CH. DU COING DE SAINT FIACRE Sur lie 2005 **

8 ha n.c. 5 à 8 €

Situé au confluent de la Sèvre et de la Maine, le château du Coing, propriété ancestrale détruite pendant les guerres de Vendée en 1793, fut reconstruit entre 1810 et 1820. Ce vin aux nuances blanches montre un joli nez, frais et très complexe. Bien équilibré en bouche, perlant et fruité, il offre une finale d'une longueur remarquable, sur des notes citronnées. Produit par la même maison, le **Grand Fief de La Cormeraie 2005 Sur lie**, d'une certaine vivacité et harmonieux dans ses composantes, reçoit une étoile.

Véronique Günther-Chéreau, Ch. du Coing-de-Saint-Fiacre, 44690 Saint-Fiacre-sur-Maine, tél. 02.40.54.85.24, e-mail contact@chateau-du-coing.com
t.l.j. 9h-12h30 14h-17h30

BRUNO CORMERAIS Granite de Clisson 2002 *

1 ha 5 000 8 à 11 €

Bruno Cormerais s'est fait un nom en élaborant de vieux millésimes, mais aussi parce qu'il vinifie des vendanges tardives. De couleur paille avec des reflets verts et or, ce 2002 se distingue par un nez original aux senteurs de noisette, puissant et frais, évoluant vers les fruits et l'acidulé. Très rond et long en bouche, il développe de beaux arômes de pain grillé et de miel. Du même producteur, la cuvée **Chambaudière 2005 Sur lie (3 à 5 €)** obtient la même note.

Bruno Cormerais, La Chambaudière, 44190 Saint-Lumine-de-Clisson, tél. 02.40.03.85.84, fax 02.40.06.68.74, e-mail b.mf.cormerais@wanadoo.fr
r.-v.

DOM. DES CORMIERS 2005 **

2 ha 10 000 3 à 5 €

Lieu-dit prédestiné pour Brigitte et Michel Loiret, La Bouteillerie est niché au cœur de Vertou. Discret au premier nez, ce vin dévoile à l'aération des arômes de type minéral. Après une belle attaque, il offre une bouche pleine, dont les sensations se fondent harmonieusement. Souplesse et gras, fraîcheur et flaveurs d'agrumes préludent à une longue finale. Une bouteille remarquable à proposer sur des palourdes.

Brigitte et Michel Loiret, 47, rte de La Haye-Fouassière, La Bouteillerie, 44120 Vertou, tél. et fax 02.40.34.28.13 r.-v.

DOM. DE LA COUR DU CHÂTEAU DE LA POMMERAIE Sur lie 2005 **

15 ha 80 000 3 à 5 €

Sur la route d'Ancenis, au nord de Vallet, les vignes de ce domaine sont situées sur une petite lentille de granite. Commercialisée par une très ancienne société de négoce de la région nantaise, cette cuvée coup de cœur surprend par sa présence : son nez intense exprime les fleurs de genêt ; sa bouche équilibrée révèle le fruit confit du coing

et fait preuve de persistance sur une note de zeste d'orange. À servir sur des filets de sole meunière. Également distribué par cette maison de négoce, le **Château de La Jousselinière Sur lie 2005**, obtient une étoile pour son nez puissant et riche, à la petite pointe de fruits exotiques.
🔑 SARL Gilbert Chon et Fils, Le Bois Malinge, 44450 Saint-Julien-de-Concelles, tél. 02.40.54.11.08, fax 02.40.54.19.90, e-mail muscadetchon@aol.com
🔑 Albert Poilane

DOM. DE L'ESPÉRANCE
Sur lie Prestige de l'Espérance 2002 ★

4 ha 1 300 3 à 5 €

Aux portes de l'Anjou, Tillière est l'une des deux communes du Maine-et-Loire en appellation muscadet-sèvre-et-maine. Encore légèrement perlant dans sa robe jaune d'or, ce 2002 se caractérise par des senteurs de pomme au caramel. Tout en rondeur à l'attaque, il dévoile une légère pointe acidulée en fin de bouche. À servir sur une tarte Tatin. Le **Prestige de l'Espérance 2005 Sur lie**, légèrement citronné, vif et limpide, est cité.
🔑 Patrice et Anne-Sophie Chesné, Dom. de L'Espérance, 49230 Tillières, tél. et fax 02.41.70.46.09 r.-v.

CH. DE LA FERTÉ Sur lie 2005 ★

3,5 ha 23 000 3 à 5 €

Typique des muscadets d'aujourd'hui, ce vin issu d'un sol limoneux sur schistes, plutôt semi-tardif, se présente sous une robe claire. Son palais, ample, plein et opulent, est très flatteur. Voici une bouteille de plaisir, à boire maintenant ou à garder un peu.
🔑 Jérôme Sécher et Hervé Denis, La Ferté, 44330 Vallet, tél. et fax 02.40.33.95.54
t.l.j. sf dim. 9h-12h30 14h-18h30

LE FIEF DUBOIS Sur lie Cuvée antique 2004 ★

1 ha 5 000 5 à 8 €

À la limite des orthogneiss et des gneiss, La Févrie fut longtemps réputée pour la sélection des greffons qui étaient prélevés sur les vignes de ce clos. Cette cuvée, élevée en fût de chêne, révèle un nez franc très expressif de fruits mûrs évoluant vers l'amande. L'attaque douce ouvre sur des notes de cannelle et de caramel, mais la bouche a su garder une certaine fraîcheur. Accompagnera agréablement un saumon fumé à l'aneth ou une cassolette de saint-jacques.
🔑 Bruno Dubois, 53, La Févrie, 44690 Maisdon-sur-Sèvre, tél. 02.40.36.93.84, fax 02.40.36.98.87, e-mail fief-dubois@wanadoo.fr
r.-v.

DOM. DE LA FOLIETTE
Sur lie fine Tradition Vinifié en fût de chêne 2004 ★

4 ha 24 000 5 à 8 €

La Foliette, ou petite folie, était un lieu construit par des armateurs nantais au XVII[e]s. qui y organisaient des fêtes après leurs traversées de l'Atlantique. Cette cuvée ne cache pas qu'elle a été vinifiée en fût de chêne, ce qui lui donne un nez caractéristique de vanille et de pain d'épice grillé. Si le bois y est encore très présent, la bouche offre néanmoins une bonne longueur et une belle harmonie. C'est un vin qu'il faut attendre.
🔑 Dom. de la Foliette, 35, rue de la Fontaine, 44690 La Haye-Fouassière, tél. 02.40.36.92.28, fax 02.40.36.98.16, e-mail domaine.de.la.foliette@wanadoo.fr r.-v.

CH. DE FROMENTEAU Sur lie 2005 ★

4 ha 24 000 3 à 5 €

C'est en 1998 que Christian Braud eut l'idée de créer une ferme pédagogique, puis deux ans plus tard un parcours ludique dans un labyrinthe de vignes, ouvert au public. Son 2005 à la robe jaune pâle dévoile un nez puissant et minéral. Après une attaque franche, la bouche se montre ample et structurée, équilibrée. Un muscadet typique, à servir sur des huîtres.
🔑 EARL Anne et Christian Braud, Fromenteau, 44330 Vallet, tél. et fax 02.40.36.23.75, e-mail info@chateaudefromenteau.fr
t.l.j. sf sam. dim. 13h-19h30 (juil.-août t.l.j.)

M. DE LA FRUITIÈRE 2005 ★★★

12 ha 50 000 3 à 5 €

Sélectionné au grand jury, ce M. de La Fruitière n'a pas obtenu le coup de cœur, mais il n'en demeure évidemment pas moins exceptionnel. Récoltée aux environs du château de La Placelière datant du XVIII[e]s., cette cuvée est d'une grande élégance. Souple et vive à la fois, fine et riche, bien longue, elle allie les arômes du terroir à ceux d'une fermentation bien maîtrisée. À boire sur une lotte à la crème pour un accord parfait. Très réussi, le **Domaine de La Fruitière Sur lie 2005**, est bien équilibré, fin et élégant.
🔑 Jean Douillard et Jean-Michel Boussonnière, La Fruitière, 44690 Château-Thébaud, tél. 02.40.06.53.05, fax 02.40.06.54.55, e-mail domainedelafruitiere@wanadoo.fr
t.l.j. 8h-12h 14h-18h30

GADAIS PÈRE ET FILS
Sur lie La Grande Réserve du moulin 2005 ★

9 ha 60 000 5 à 8 €

Coup de cœur en 2006, pour leur muscadet Aux Avineaux, les Gadais Père et Fils sont des habitués du Guide. Cette cuvée-ci a été récoltée près du moulin de la Faubretière dans la commune de La Haye-Fouassière, sur un terroir particulier, l'orthogneiss. Paré d'une robe brillante, ce 2005 affiche un nez assez ouvert, complexe et vif, dont le fruité est dominé par l'ananas. La bouche, légère, montre de l'élégance et de la finesse.
🔑 Gadais Père et Fils, Les Perrières, 44690 Saint-Fiacre-sur-Maine, tél. 02.40.54.81.23, fax 02.40.36.70.25, e-mail musgadais@wanadoo.fr
r.-v.
🔑 Christophe Gadais

CHRISTIAN GAUTHIER
Sur lie Cuvée des Granits 2005 *

	2 ha	13 000		3 à 5 €

La nouvelle tendance dans la région nantaise est de sélectionner des terroirs pour élaborer des cuvées particulières. C'est ce qu'a fait Christian Gauthier avec cette cuvée des Granits, au nez expressif ouvert sur des senteurs fruitées. La bouche, tendre et complexe en attaque, se fait vive et persistante, développant une jolie palette aromatique dans un bon équilibre.

Christian Gauthier, 19, La Mainguionnière, 44190 Saint-Hilaire-de-Clisson, tél. 02.40.54.42.91, fax 02.40.54.25.83, e-mail vinsgauthierc@aol.com r.-v.

GRAND MORTIER GOBIN Sur lie 2004 *

	n.c.	8 000		3 à 5 €

Daniel Bideau a une technique de vinification bien à lui qui personnalise beaucoup ses vins, renforcée par un terroir qui leur donne un caractère très particulier. Sous une robe soutenue, dorée et intense, ce 2004 livre un nez de noisette et de pain grillé. De bonne fraîcheur, la bouche est équilibrée. Déjà à son apogée, ce vin est à marier à un navarin de saint-pierre.

Bideau-Giraud, La Cornillère, 44690 La Haye-Fouassière, tél. 02.40.54.83.24, fax 02.40.54.89.85, e-mail scea.bideau.giraud@wanadoo.fr r.-v.

DOM. R. DE LA GRANGE
Sur lie Vieilles Vignes 2005 *

	5 ha	25 000		5 à 8 €

Dans la partie sud de la commune du Landreau, vous découvrirez le domaine R. de La Grange de Rémy Luneau. Sa cuvée de vieilles vignes plantées sur gneiss et micaschistes présente un nez très complexe de fleurs, de fruits et de minéralité. La bouche confirme cette palette aromatique qui explose au palais pour terminer par une petite pointe de pain grillé. À citer, la cuvée **Le Grand R de La Grange 2002 Sur lie**, au nez de cire et de fruits secs, à l'attaque souple : un vin bien équilibré.

Rémy Luneau, La Grange, 44430 Le Landreau, tél. 02.40.06.45.65, fax 02.40.06.48.17, e-mail domaine.r.delagrange@wanadoo.fr t.l.j. sf dim. 9h-12h 14h15-19h; sam. sur r.-v.

DOM. DE LA GRANGE Sur lie 2005 **

	20 ha	30 000		3 à 5 €

Provenant d'un terroir tardif de gabbro, ce vin blanc-vert brillant affirme une qualité franche. Son nez fruité est relevé d'une pointe d'épices. Au palais, ses arômes légèrement citronnés et sa touche de vivacité sont caractéristiques d'un muscadet sur lie issu de ce secteur. Matière et longueur viennent compléter l'harmonie générale de cette bouteille remarquable, à ouvrir maintenant mais qui peut aussi patienter un peu.

Dominique Hardy, La Grange, 44330 Mouzillon, tél. 02.40.33.93.60, fax 02.40.36.29.79 t.l.j. sf dim. 8h-12h 14h-18h

DOM. DE GUÉRANDE Sur lie Le Vigneau 2005 *

	2 ha	10 000		3 à 5 €

Les vignes du domaine de Guérande sont situées sur la butte de la Roche, terroir qui marque particulièrement les vins qui en sont issus. Si son nez est un peu fermé, ce 2005 présente une bouche fraîche à l'attaque, qui s'ouvre à l'aération sur des notes très complexes de fruits (pêche de vigne). Encore un peu secret, ce vin devrait s'affirmer d'ici un ou deux ans. Citée, la **cuvée Sélection 2005** est bien équilibrée et d'une bonne intensité.

EARL Jussiaume, Guérande Margais, 44430 Le Loroux-Bottereau, tél. 02.40.33.82.65, fax 02.40.33.85.76, e-mail domainedeguerande@wanadoo.fr r.-v.

DOM. DE LA HARDONNIÈRE Sur lie 2005

	7,5 ha	50 000		3 à 5 €

Situé près de la voie express Nantes-Cholet, le domaine de La Hardonnière propose un vin bien typé. Il révèle, derrière sa robe jaune légèrement dorée, un nez de fruits exotiques agrémenté d'une pointe de fleurs blanches d'une réelle intensité. La bouche, à la fois ample et fine, est élégante. Également citée, la cuvée **Vieilles Vignes Sur lie 2000**, légèrement fumée et à la finale minérale.

Jean-Michel Bouyer, 19, La Hardonnière, 44115 Haute-Goulaine, tél. 02.40.54.93.16, fax 02.40.05.38.28, e-mail domainehardonniere@cegetel.net r.-v.

DOM. DES HAUTS-PÉMIONS Sur lie 2005 *

	3 ha	15 000		3 à 5 €

Monnières est un très joli petit village situé sur un promontoire, à proximité duquel vous pourrez découvrir le moulin de la Bitière. Joseph et Christophe Drouard se sont associés pour exploiter le vignoble familial de 26 ha et produire ce 2005 aux senteurs complexes de fleurs blanches et de pierre à fusil. Ample, la bouche finement acidulée et longue présente une juste souplesse.

SCEA Joseph et Christophe Drouard, La Hallopière, 44690 Monnières, tél. 02.40.54.61.26, fax 02.40.54.65.32 r.-v.

DOM. DE LA JOCONDE Sur lie 2005 **

	10 ha	60 000		3 à 5 €

Très petit village pittoresque en bordure de la Sèvre, Le Pé-de-Sèvre accueille depuis plusieurs années le festival Jazz sur lie. D'une teinte dorée à reflets verts, ce vin séduit par ses intenses fragrances fruitées et minérales. Très puissant en bouche, il réalise une harmonie parfaite ; la longueur est au rendez-vous et l'équilibre sucre-acidité est bien réalisé. Un muscadet à découvrir sans plus attendre.

Yves Maillard, Le Pé-de-Sèvre, 44330 Le Pallet, tél. et fax 02.40.80.43.29 r.-v.

DOM. DE LA LOGE Sur lie 2004 **

	3,5 ha	21 000		3 à 5 €

Conduit par la même famille de vignerons depuis cinq générations, le domaine de La Loge produit cette cuvée sur des terroirs de schiste et de gabbro. Celle-ci surprend et ravit par son nez fruité (abricot, agrumes mûrs), minéral et floral (genêt). En bouche, elle se révèle riche, ample et puissante et livre une longue finale. Pour accompagner un bar de ligne.

Jean-Yves Sécher, Dom. de La Loge, 44330 Vallet, tél. 02.40.33.97.08, fax 02.40.33.91.99, e-mail jysecher@domaine-delaloge.com t.l.j. 9h-12h30 14h-19h; sam. dim. sur r.-v.

GILLES LUNEAU Gorgeois 2000 *

	1 ha	6 000		8 à 11 €

La dénomination « Gorgeois » se réfère à une démarche entreprise par un certain nombre de viticulteurs de la région de Gorges qui se sont engagés à maîtriser les rendements et à rechercher un lien plus fort au terroir. Ce 2000, âgé de six ans, montre de la vivacité, une légère amertume et une belle longueur. Et, fait rare dans cette AOC, il est doté d'un potentiel de garde de quatre à cinq ans. À déguster sur un poisson gras en sauce.

Gilles Luneau, Ch. Elget, Les Forges, 44190 Gorges, tél. 02.40.54.05.09, fax 02.40.54.05.67, e-mail chateau-elget@wanadoo.fr
t.l.j. 8h-12h30 14h-19h30; sam. dim. sur r.-v.

MARQUIS DE GOULAINE Sur lie Cuvée du Millénaire 2005 ★

7 ha 39 000 3 à 5 €

Cette cuvée Marquis de Goulaine n'est pas sans évoquer le magnifique château de la Loire du même nom, l'un des fleurons de la région nantaise. Sous une robe d'or pâle brillante, le nez expressif rappelle le bonbon anglais. La bouche gourmande de fruits rouges est réveillée en finale par une note de fraîcheur. Un muscadet friand à boire pour le plaisir.

Vinival, La Sablette, 44330 Mouzillon, tél. 02.40.36.66.00, fax 02.40.33.95.81

CH. DE LA MERCREDIÈRE Sur lie 2003

6 ha 30 000 5 à 8 €

Cette magnifique propriété d'une surface de 42 ha d'un seul tenant est une des plus belles de la région nantaise par sa chapelle, son parc et ses hautes futaies. Comment a évolué ce millésime ? Sa robe est jeune et son nez encore marqué par son élevage sur lie ; légèrement empyreumatique, il s'ouvre sur des notes d'abricot et de pêche. La bouche joue la vivacité plus que le gras. Un vin qui demande à s'ouvrir. À déguster en entrée avec des crabes farcis.

Futeul Frères, Ch. de La Mercredière, 44330 Le Pallet, tél. 02.40.54.80.10, fax 02.40.54.89.79, e-mail michel.futeul@laposte.net
t.l.j. sf sam. dim. 9h-12h 14h-18h; f. 1er-20 août

LOUIS MÉTAIREAU Sur lie One 1999 ★

1,8 ha 13 033 8 à 11 €

Sélection des plus belles vignes du domaine du Grand Mouton, cette cuvée One affiche une très belle robe jaune d'or. Le nez intense et complexe allie les arômes de fruits cuits marqués, se rapprochant de la compote de pêches. La bouche confirme la douceur avec une pointe de vanille. Un vieux millésime à servir sur un brochet au beurre blanc nantais : l'accord sera parfait.

Louis Métaireau, Le Gué-Joubert 14, 44690 Maisdon-sur-Sèvre, tél. 06.76.67.45.22, e-mail louis-donation.metaireau@wanadoo.fr

CH. LA MORINIÈRE Sur lie 1re Cuvée du château 2005

8 ha 53 000 3 à 5 €

À l'extrême est du vignoble nantais, La Regrippière est une commune dont le terroir marque particulièrement les vins qui en sont issus. Ce château La Morinière parade dans une robe d'un bel or aux reflets jaunes et attire l'attention par des arômes de violette et de fruits exotiques (litchi). Il devrait encore attendre quelques années pour que sa personnalité s'affirme davantage encore.

Couillaud Frères, GAEC Ragotière, Ch. Morinière, 44330 La Regrippière, tél. 02.40.33.60.56, fax 02.40.33.61.89, e-mail freres.couillaud@wanadoo.fr
t.l.j. sf sam. dim. 8h-12h 14h-18h

DOM. DE MOTTE-CHARETTE Sur lie 2005 ★★

9,13 ha 60 000 3 à 5 €

En bordure de la Sèvre nantaise, le domaine de Motte-Charette a élaboré sur un terroir sablo-argileux ce vin à reflets vert pâle, qui laisse échapper des senteurs complexes et intenses de fleur d'acacia. Tendre en attaque, bien équilibré et remarquable, il fait la part belle à la fraîcheur jusque dans une finale longue, ample et légèrement acidulée. Un vin élégant et flatteur pour acccompagner des fruits de mer.

GAEC Mabit Dabin, La Simplerie, 44190 Gorges, tél. 06.81.04.44.51, fax 02.40.54.78.44 r.-v.

DOM. DU MOULIN Sur lie 2005 ★★

10 ha 15 000 5 à 8 €

Après une visite de Saint-Fiacre et de son église byzantine, allez découvrir la cave de la famille Déramé : la porte d'entrée vous réservera des surprises ! Vous pourrez y acquérir cette remarquable cuvée au nez délicat et complexe mêlant notes minérales et florales, ainsi qu'une pointe d'aneth. La bouche, bien structurée, confirme la minéralité jusqu'en finale. Ensuite, vous goûterez la cuvée **Cave du Château de La Morandière 2003 Les Roches Gaudinières (8 à 11 €)**, qui obtient une étoile.

EARL Alexandre Déramé et Fils, La Morandière, 44330 Mouzillon, tél. 02.40.54.83.80, fax 02.40.54.80.87, e-mail derame@wanadoo.fr
r.-v.

LE MOULIN DES BOIS Sur lie 2005 ★★

2 ha 12 000 3 à 5 €

Il reste quelques moulins dans la région, témoignages d'un temps où la polyculture dominait les exploitations. Ce moulin des bois représenté sur l'étiquette est un vestige de ce passé. Sur ce terroir de gneiss à deux micas, Gilles Savary a élaboré un vin discret au premier nez, qui dévoile ensuite à l'aération des arômes typés d'agrumes et de fruits frais et blancs. En bouche, les sensations se fondent harmonieusement et persistent longuement. Un bon mariage pour un poisson au beurre blanc.

Gilles Savary, Les Bois, 44330 La Chapelle-Heulin, tél. 06.61.81.46.16, fax 02.40.06.76.86, e-mail savary.moulindesbois@wanadoo.fr
t.l.j. sf dim. 9h-19h

DOM. DE LA MOUTONNIÈRE Sur lie 2005 ★★

7 ha 20 000 3 à 5 €

De couleur paille avec des reflets verts, ce vin se distingue par un nez légèrement citronné, puissant et frais, évoluant vers les fruits secs (noisette). Après une attaque franche et fruitée, la bouche offre de la rondeur et un bel équilibre, avant une finale longue légèrement acidulée. La maison Guilbaud commercialise également la marque **Le Soleil nantais Sur lie 2005**, bien connue de la restauration avec son étiquette en forme d'hermine bretonne, et qui obtient une citation.

SCEA Guilbaud-Mouin, 1, rue de La Planche, 44330 Mouzillon, tél. 02.40.06.90.69, fax 02.40.06.90.79
r.-v.

DOM. DE LA NOË Sur lie 2005 ★

30 ha 200 000 3 à 5 €

Château-Thébaud est une jolie commune en bordure de la Maine où vous aurez plaisir à parcourir les sentiers pédestres qui partent de Pont-Coffino. Nez un peu fermé avec une dominante de minéralité pour ce 2005, qui fait bonne impression en bouche avec de la matière et de la puissance. C'est un vin bien équilibré qu'il faudra savoir attendre. À passer en carafe pour une bonne dégustation.

Dom. de La Noë, 44690 Château-Thébaud,
tél. et fax 02.40.06.50.57,
e-mail domainelanoe@wanadoo.fr
t.l.j. sf dim. 8h-12h30 14h-19h
Drouard Frères

PAQUEREAU ET FILS Granite de Clisson 2001 ★

1 ha 2 000 5 à 8 €

Le domaine de l'Épinay est une ancienne propriété du seigneur espagnol de l'Espinose, qui dépendait du château de Clisson au XVIe s. Ce Granite de Clisson est une cuvée issue d'un terroir de granite, au nez intense et brioché. Encore vive en attaque malgré son âge, la bouche est équilibrée ; une légère amertume en fin de dégustation signe sa fraîcheur.

Cyrille et Sylvain Paquereau, 20, rte de la Sablette,
L'Épinay, 44190 Clisson, tél. et fax 02.40.36.13.57,
e-mail paquereau-cyrille2@wanadoo.fr
t.l.j. sf dim. 9h-12h 14h-18h

STÉPHANE ET VINCENT PERRAUD
Sur lie Sélection des Cognettes 2005 ★

9 ha 60 000 3 à 5 €

Allez découvrir la ville de Clisson, reconstruite à l'ancienne au début du XIXe s., avant de passer chez Stéphane et Vincent Perraud. Ils vous feront goûter leur 2005 au nez floral. Bien qu'encore jeune, il montre déjà, en bouche, une bonne structure et développe des arômes intéressants. Muscadet typique, c'est un bon ambassadeur de son appellation.

Stéphane et Vincent Perraud, Bournigal,
1, chem. des Sauts, 44190 Clisson, tél. et
fax 02.40.54.45.62, e-mail vincentperraud@wanadoo.fr
t.l.j. sf dim. 8h30-12h45 14h-19h15

CH. LA PETITE GIRAUDIÈRE Sur lie 2005 ★★

25 ha 48 000 - de 3 €

Sur un terroir de gabbro, Françoise et Joël Luneau cultivent et vinifient leurs raisins dans le respect de la tradition. Le résultat est ce vin riche et bien fait, qui manifeste un équilibre remarquable et une grande intensité. Son nez est peu expressif au premier abord, puis s'ouvre à l'aération sur des notes florales (fleurs blanches) et fruitées (agrumes). La bouche est soyeuse et harmonieuse ; un peu de perlant lui donne de la vivacité. À décanter impérativement avant de servir.

EARL Françoise et Joël Luneau, Les Giraudières,
44190 Gorges, tél. et fax 02.40.54.45.23,
e-mail francoise-joel.luneau@wanadoo.fr r.-v.

DOM. DES PETITES COSSARDIÈRES
Sur lie Cuvée Vieilles Vignes 2005 ★★

2 ha 13 000 3 à 5 €

À la sortie du Landreau, sur la route du Loroux-Bottereau en passant par les moulins, le domaine des Petites Cossardières domine le vignoble. C'est sur des terroirs de gneiss et micaschiste qu'est né ce 2005, dont les senteurs complexes de fleurs blanches et de pierre à fusil (silex) s'expriment avec force. Ample, la bouche finement acidulée et longue présente une juste rondeur. Un muscadet bien typique à servir sur une viande blanche, comme un chapon de Bresse aux morilles.

EARL Jeannine et Jean-Claude Couillaud,
17, rue de la Loire, 44430 Le Landreau,
tél. 02.40.06.42.81, fax 02.40.06.49.14,
e-mail jean-claude.couillaud@wanadoo.fr r.-v.

PIERRE DE SOLEIL Terroir Privilège 2003

1,5 ha 7 000 5 à 8 €

Le millésime 2003 fut marqué par la canicule et par une extrême sécheresse. Couleur or pâle tirant sur le vert, cette cuvée est entourée de notes florales à dominante d'aubépine. La bouche très riche offre beaucoup de rondeur, tout en gardant de la fraîcheur grâce à un léger perlant. Un vin qui devrait évoluer vers plus de minéralité. Recommandé sur un poulet de Bresse à la crème.

Didier Pasquereau, Dom. de La Rinière,
44430 Le Landreau, tél. 02.40.06.44.23,
fax 02.40.06.48.56 r.-v.

DANIEL PINEAU
Plume d'argent Élevé en fût de chêne 2004 ★★

1 ha 7 000 5 à 8 €

L'année 2006 a été celle de la construction d'un chai pour Daniel Pineau, qui a repris l'exploitation familiale il y a maintenant quinze ans. Sous une robe or pâle aux reflets verts, ce 2004 développe un nez complexe évoquant la vanille et la noisette, caractéristique des vins passés en fût de chêne. Riche et puissant en bouche, il fait preuve d'une fraîcheur irréprochable. Un bel accord avec un saumon de Loire au beurre blanc nantais.

Daniel Pineau, La Martelière,
44430 Le Loroux-Bottereau, tél. et fax 02.40.33.81.82
r.-v.

DOM. DE LA POITEVINIÈRE Sur lie 2002 ★★★

16 ha n.c. 3 à 5 €

Typique des muscadets d'aujourd'hui, ce vin équilibré, issu d'un sous-sol plutôt tardif de gabbro dominant la Sèvre, développe des notes de miel et de fruits exotiques intenses et délicates. L'attaque souple, franche et harmonieuse fait place à une explosion aromatique qui renouvelle les flaveurs du nez, agrémentées de notes d'agrumes, prélude à une longue finale bien marquée par le terroir. À boire dans l'année, avec une langouste grillée sur des sarments de melon.

Vincent Rineau, Dom. de La Poitevinière,
44190 Gorges, tél. 02.40.06.96.93, fax 02.40.54.47.71
r.-v.

DOM. DE LA POTARDIÈRE Sur lie 2005 ★

n.c. 20 000 - de 3 €

La butte de La Roche domine le marais de Goulaine et son château historique. Cette magnifique butte où le gneiss affleure donne des vins expressifs, comme ce 2005 aux arômes intenses de fruits exotiques et de fleurs blanches. En bouche, le fruit domine, avant une finale légèrement poivrée. Puissant et harmonieux, ce vin est très plaisant.

EARL Couillaud-Jannin, La Potardière,
44430 Le Loroux-Bottereau, tél. 02.40.33.82.50,
fax 02.51.71.92.42
t.l.j. sf dim. 8h30-12h30 14h-19h

CH. DU POYET Sur lie 2005 ★

	15 ha	90 000	■	5 à 8 €

Le château du Poyet fit partie du domaine seigneurial des marquis de Goulaine, entre 1491 et 1621. Il fut partiellement détruit, puis reconstruit en 1832. La famille Bonneau y exploite un domaine de 46 ha ; elle a produit ce muscadet à la robe jaune aux reflets verts, qui développe un nez d'une bonne intensité à dominante d'agrumes (pamplemousse) et de fleurs (aubépine). Après une attaque perlante, la bouche fraîche évolue jusqu'à une finale acidulée.

Famille Bonneau, Ch. du Poyet, 44330 La Chapelle-Heulin, tél. 02.40.06.74.52, fax 02.40.06.77.52, e-mail chateau.dupoyet@wanadoo.fr
t.l.j. sf dim. 9h-12h30 14h-19h

DOM. DE LA PROUTIÈRE Sur lie Cuvée royale 2005 ★

	4 ha	20 000	■	3 à 5 €

Voici un muscadet-sèvre-et-maine né d'un terroir de gabbro. Encore timide, il exhale de délicats arômes floraux, légèrement citronnés, et présente une bouche de pierre à fusil avec une touche de vivacité. À la complexité succède une sensation de fraîcheur acidulée. Un vin de bonne longueur qui évoluera favorablement au fil des mois.

GAEC Claude Blanchard et Fils, 4, Le Quarteron, 44190 Gorges, tél. 06.22.51.70.38, fax 02.40.54.07.82
r.-v.

DOM. DE LA PYRONNIÈRE Sur lie 2005 ★

	2 ha	9 000	■	3 à 5 €

Sur la rive gauche de la Sèvre nantaise, le domaine de La Pyronnière a élaboré un vin assez fin aux arômes de pomme verte agrémentés d'une pointe de tilleul. Une petite note de réglisse termine agréablement la dégustation de ce 2005 dont la structure et la matière présagent d'un vin de garde.

EARL Stéphane et Henri Drouet, La Pyronnière, 44190 Gorges, tél. 06.80.10.06.38, fax 02.40.06.98.98
t.l.j. sf dim. 9h-19h; sam. 9h-12h30; f. 10-30 août

DOM. DU RAFOU Sur lie Clos de Béjarry 2005 ★★

	10 ha	60 000	■	3 à 5 €

Aux portes de l'Anjou, sur les coteaux de la Sanguère, les trois frères Luneau président aux destinées de ce domaine, grand habitué des sélections du Guide. Leur 2005 a charmé les dégustateurs par son exceptionnelle harmonie, sa longueur et son caractère flatteur, qui témoigne d'une grande maîtrise de la vinification. Un muscadet plein de finesse à découvrir maintenant, ou à faire patienter car il saura vieillir.

EARL Marc et Jean Luneau, Dom. du Rafou de Béjarry, 49230 Tillières, tél. et fax 02.41.70.68.78, e-mail micheline.luneau@wanadoo.fr r.-v.

DOM. DE LA ROCHE BLANCHE Sur lie 2005 ★★

	26 ha	40 000	■	3 à 5 €

Coup de cœur il y a quatre ans pour le 2001, ce domaine familial au terroir silico-argileux propose cette année un 2005 remarquable. Le terroir est bien là : avec son nez intense de pierre à fusil et ses arômes de fruits blancs relevés de touches épicées et minérales, ce vin est parfaitement typique de la région de Vallet. Équilibré, riche et déjà long en bouche, il peut aisément patienter un an ou deux.

EARL Lechat et Fils, 12, av. des Roses, 44330 Vallet, tél. 02.40.33.94.77, fax 02.40.36.44.31
r.-v.

DOM. PATRICK SAILLANT Sur lie 2005 ★★

	5 ha	8 000	■	- de 3 €

Ce domaine est une histoire de famille : transmis de père en fils, il est tenu depuis 1993 par Patrick Saillant, qui a mis sur l'étiquette la photographie de son grand-père ! Un portrait haut en couleurs, synonyme de joie de vivre et de convivialité. Une bonne mise en condition pour découvrir ce 2005 aux arômes intenses de fruits. Souple en attaque, la bouche offre de l'ampleur et beaucoup de finesse, avant une finale longue sur des notes minérales. Un léger perlant vient animer l'ensemble d'une touche de fraîcheur. À boire frais, un dimanche au bord de l'eau...

EARL Saillant-Esneu, 8, La Grenaudière, 44690 Maisdon-sur-Sèvre, tél. et fax 02.40.03.80.10, e-mail saillant_esneu@caramail.com r.-v.

Patrick Saillant

DOM. DE LA SAULZAIE Sur lie 2005 ★

	1,5 ha	10 000	■	3 à 5 €

La Chapelle-Basse-Mer est une commune essentiellement maraîchère ; pourtant, sur les coteaux dominant la Loire, le domaine de La Saulzaie montre que la vigne ne démérite pas. Il a produit ce vin perlant aux reflets jaune soutenu et au nez très aromatique de fruits exotiques. Bien charnue en même temps que fraîche, la bouche fine et élégante offre une finale minérale.

EARL Luc Pétard, 60, rte de la Loire, 44450 La Chapelle-Basse-Mer, tél. et fax 02.40.33.30.92, e-mail petard.luc@wanadoo.fr r.-v.

CH. LA TARCIÈRE L'Héritage 2003 ★

	0,6 ha	3 000	■	5 à 8 €

Au centre de l'appellation sèvre-et-maine, sur le site d'une demeure médiévale à l'origine de la commune de La Chapelle-Heulin, le château La Tarcière est planté en vignes depuis plus de deux siècles. Aujourd'hui, Rémi et Jean-Jacques Bonnet exploitent ce vignoble conduit selon les pratiques de la lutte raisonnée. Ils produisent cette cuvée au nez intense ouvert sur le végétal (tilleul, menthe). La bouche offre une grande fraîcheur fruitée (pomme fraîche) et de la rondeur. L'ensemble donne un vin pimpant et gai à boire avec un poisson à l'aneth. La cuvée **Les Gautronnières 2005 Sur lie (3 à 5 €)**, d'une belle longueur et d'une bonne tenue, est citée.

Bonnet-Huteau, La Levraudière, 44330 La Chapelle-Heulin, tél. 02.40.06.73.87, fax 02.40.06.77.56, e-mail contact@bonnet-huteau.com
t.l.j. sf dim. 8h-12h30 14h-18h30

LA TOUR DU FERRÉ Sur lie 2005 ★

	2 ha	11 500	■	3 à 5 €

Le clos du Ferré est très réputé à Vallet, car il imprègne de sa personnalité les vins qui en sont issus. La Tour du Ferré est un pur produit de ce terroir, avec un nez très particulier où se mêlent la minéralité et les fruits blancs (poire, pêche). D'une bonne longueur, la bouche offre puissance et équilibre, témoignage probable d'une vendange bien mûre.

Philippe Douillard, La Champinière, 44330 Vallet, tél. 02.40.36.61.77, fax 02.40.36.38.30, e-mail latourduferre@wanadoo.fr r.-v.

DOM. DE LA TOURLAUDIÈRE Sur lie 2005 ★

22 ha 130 000 ■ 5 à 8 €

Cete cuvée, riche et puissante en bouche, est intéressante pour son nez minéral, un peu fermé actuellement car elle provient de terroirs de gabbro qui sont longs à s'exprimer. Assez aromatique, avec des notes minérales, elle montre une bonne longueur en finale. Un vin qu'il conviendra d'attendre, afin que se réalise tout son potentiel.

EARL Petiteau-Gaubert, Dom. de La Tourlaudière, 174, Bonne-Fontaine, 44330 Vallet, tél. 02.40.36.24.86, fax 02.40.36.29.72, e-mail vigneron@tourlaudiere.com t.l.j. 9h30-12h30 14h30-18h

CAVE DE VAL ET MONT Sur lie 2005 ★

25 ha 146 000 ■ - de 3 €

Les muscadets d'assemblage peuvent être du meilleur niveau. Cette cuvée élevée par un négociant de l'Anjou en est la preuve, avec son nez de fleurs blanches, sa longueur et son intensité aromatique légèrement épicée. Flatteur, le perlant est là avec juste ce qu'il faut pour être agréable. Citée, la **Cave de la Frémonderie Sur lie 2005**, au nez floral et fleuri, est bien équilibrée.

Les Vendangeoirs du Val de Loire, La Frémonderie, 49230 Tillières, tél. 02.41.70.45.93, fax 02.41.70.43.74, e-mail vvl@rolandeau.fr

DOM. DU VIEUX FRÊNE Sur lie 2005 ★

4 ha 25 000 ■ 3 à 5 €

Ce domaine, bien connu pour son souci de la qualité et la diversité de ses produits, propose un joli 2005 au nez marqué par les fruits secs (noisette, amande grillée). La bouche confirme cette tendance et laisse apparaître un léger côté fruité et floral en finale. L'ensemble est harmonieux et bien équilibré.

EARL Baudrit, La Récivière, 44330 Mouzillon, tél. et fax 02.40.36.47.70 t.l.j. 8h-12h 14h-19h

DOM. DU VIGNEAU Sur lie 2005 ★★

7,8 ha 45 000 ■ 3 à 5 €

Ce groupement de vignerons cherche à tirer la quintessence des terroirs dont il vinifie le raisin. Le domaine du Vigneau est un exemple qui illustre cette démarche. La réussite est incontestable. Ce vin limpide présente en bouche un caractère « sur lie » marqué, synonyme de vivacité et de fraîcheur. Gourmande, la finale est très minérale. L'ensemble dessine un vin remarquable, qui rend justice aux efforts déployés. Le **Domaine de La Bigotière Vieilles Vignes 2005 Sur lie** au nez de fleur d'aubépine, très expressif, montre encore une légère amertume, gage d'une bonne longévité. Enfin, la cuvée **Lieu-dit Le Besson 2005 Sur lie** est citée.

Coopérative Maîtres Vignerons nantais, 79, ZI Les Roitelières, 44330 Le Pallet, tél. 02.40.80.95.64, fax 02.40.80.99.81, e-mail maitres-vignerons-nantais@terre-net.fr t.l.j. sf sam. dim. 8h30-12h30 14h-17h30

ANDRÉ VINET Petit Tonneau 2005 ★

13 ha 60 000 ■ - de 3 €

Ce muscadet est un grand classique qui, malgré son nom, a été vinifié en cuve. Sous sa robe aux reflets verts, on découvre un bouquet terroité marqué par le silex. Bien franche en attaque, la bouche se montre fraîche, d'une bonne minéralité. On note un retour élégant des fruits en finale. Un vin fin et agréable à boire.

André Vinet, BP 49601, 44196 Clisson Cedex, tél. 02.40.06.90.74 r.-v.

Muscadet-côtes-de-grand-lieu

DOM. DE BEL-AIR Sur lie 2005 ★

1,8 ha 11 000 ■ 3 à 5 €

Le domaine de Bel-Air a été repris par Dominique Jacquet en 1994. Situé sur la commmune de Saint-Aignan-Grand-Lieu, à dominante de sable à galets (pliocène marin), il a produit ce 2005 au nez discret de fleurs et de fruits blancs (aubépine, poire) caractéristique des terroirs légers. Après une attaque discrète mais d'une grande finesse, la bouche révèle une touche de minéralité et des arômes subtils mais encore peu développés. À déguster sur des langoustines au sel de Guérande.

EARL Bouin-Jacquet, Dom. de Bel-Air, 44860 Saint-Aignan-Grand-Lieu, tél. 02.51.70.80.80, fax 02.51.70.80.79 t.l.j. sf dim. 14h-19h

LE DEMI-BŒUF Sur lie 2005 ★

12 ha 70 000 ■ 3 à 5 €

Pendant les guerres de Vendée, les royalistes furent surpris par les troupes républicaines alors qu'ils grillaient un bœuf. Ils durent abandonner la moitié de l'animal à l'ennemi pour se disperser dans la campagne alentour. Voilà pour le lieu-dit. Quant au vin, il est à dominante minérale, héritage de son terroir composé de roches vertes. Souple et bien équilibrée, la bouche se pare d'une pointe de fraîcheur. Très représentatif de l'appellation muscadet-côtes-de-grand-lieu, il peut être conservé pendant plusieurs années grâce à sa structure et à sa charpente.

EARL Michel Malidain, Le Demi-Bœuf, 44310 La Limouzinière, tél. 02.40.05.82.29, fax 02.40.05.95.97, e-mail ledemiboeuf@vignoblemalidain.com r.-v.

FIEF GUÉRIN Sur lie 2005 ★

17 ha 109 000 ■ 3 à 5 €

En sortant de Nantes sur l'ancienne route de Pornic, vous ne pourrez pas manquer le pin parasol du domaine du Fief Guérin. Les Choblet ont vinifié cette cuvée à la robe claire et d'une bonne intensité avec un léger perlant. Alliance de la puissance et de la finesse, ce vin accompagnera délicieusement des anguilles du lac de Grand-Lieu grillées sur sarments de vigne.

SARL Dom. des Herbauges, 44830 Bouaye, tél. 02.40.65.44.92, e-mail domherbauges@wanadoo.fr r.-v.

CH. DE LA GRANGE Sur lie 2005 ★★

10 ha 70 000 ■ 3 à 5 €

Le terroir de Corcoué-sur-Logne est marqué par des roches vertes (amphibolites). Le château de La Grange n'échappe pas à cette typicité qui imprègne cette cuvée aux reflets verts et au nez légèrement citronné. Dotée d'une bonne attaque, la bouche se montre bien équilibrée et laisse apparaître une légère amertume en finale, signe de longévité. Une dorade au sel de Noirmoutier accompagnera agréablement ce beau vin.

EARL B. Goulaine, Ch. de La Grange, 44650 Corcoué-sur-Logne, tél. 02.40.26.68.66, fax 02.40.26.66.73 r.-v.

LIEU-DIT GRANVILLE Sur lie 2005 ★★

6,86 ha 35 000 ■ 3 à 5 €

Les vignerons de la Noëlle vinifient des terroirs particuliers. Granville, lieu-dit situé sur la commune de

Pont-sur-Père, en est un exemple parfait. Issu d'un sous-sol de gneiss et de micaschiste, cette cuvée flatte par son nez subtil de vanille. En bouche, richesse et équilibre se conjuguent dans une gamme aromatique agréable. La structure et la charpente laissent de plus présager d'un devenir certain. Du même groupement, un **muscadet-sèvre-et-maine sur lie 2005 Pierre Chanau (moins de 3 €)** chez Auchan est cité par les dégustateurs. Autre appellation, le **muscadet-coteaux-de-la-loire lieu-dit Les Grandes Vignes sur lie 2005** obtient une étoile. Né sur les gneiss de la rive gauche, il a su traduire toute la minéralité du lieu.

Vignerons de la Noëlle, Terrena, bd des Alliés, 44150 Ancenis, tél. 02.40.98.92.72, fax 02.40.98.96.70, e-mail vignerons-noelle@terrena.fr t.l.j. sf dim. 9h-18h30

DOM. DU HAUT BOURG Sur lie 2005 **

5 ha 33 000 3 à 5 €

Depuis plusieurs générations, le vignoble de la famille Choblet est menacé par l'urbanisation car la commune de Bouaye est située aux portes de Nantes. La qualité de cette cuvée ne peut que les encourager dans ce combat. Au premier nez, c'est la pomme verte qui domine. Souple, la bouche évolue dans une palette aromatique conforme au nez. Un vin élégant qui révélera sa bonne tenue et sa longueur sur un bar de ligne légèrement crémé. Du même domaine, le **gros-plant du pays nantais sur lie 2005 (moins de 3 €)**, aux arômes de fleurs blanches, bien équilibré en bouche après une attaque fraîche et élégante, reçoit également deux étoiles.

Dom. du Haut Bourg, 11, rue de Nantes, 44830 Bouaye, tél. 02.40.65.47.69, fax 02.40.32.64.01, e-mail hautbourg@free.fr t.l.j. sf dim. 9h-12h 14h-17h

Michel et Hervé Choblet

DOM. LES HAUTES NOËLLES Sur lie 2005

7 ha 40 000 3 à 5 €

Saint-Léger-Les-Vignes sur les coteaux bordant l'Acheneau porte bien son nom. Serge Batard y a élevé un muscadet-côtes-de-grand-lieu au nez de fleurs blanches et de sous-bois subtil et léger. Finesse et équilibre en font un vin bien structuré. Il patientera volontiers quelques mois avant de passer à table.

Serge Batard, La Haute Galerie, 44710 Saint-Léger-les-Vignes, tél. 02.40.31.53.49, fax 02.40.04.87.80, e-mail sb.lhn@wanadoo.fr r.-v.

DOM. DE LA RÉVELLERIE Sur lie 2005 *

11,2 ha 59 600 - de 3 €

À la tête de la propriété depuis 1988, Jean-Michel Mercier est le représentant de la troisième génération de viticulteurs sur le domaine. Plutôt souple et friand en bouche, avec de la matière et de l'élégance, son 2005 développe, après une bonne attaque, des arômes à dominante de mangue. Sa tenue en bouche et une appréciable persistance aromatique montrent une parfaite maîtrise de la fermentation. Un vin original à déguster avec des fruits de mer.

Jean-Michel Mercier, La Révellerie, 44310 Saint-Philbert-de-Grand-Lieu, tél. et fax 02.40.78.73.70 r.-v.

Muscadet-coteaux-de-la-loire

DOM. DU CHAMP CHAPRON Sur lie 2005 *

12 ha 80 000 3 à 5 €

Le domaine avait obtenu un coup de cœur l'an dernier pour son 2004. Cette propriété, située à la limite de l'Anjou et du Pays nantais, a élaboré cette année une cuvée au nez fin et fruité rappelant le coing confit. En tout point plaisante, dès l'attaque, la dégustation s'achève sur une touche minérale. Un beau vin que l'on peut boire maintenant mais qui devrait réserver de bonnes surprises si l'on sait patienter un peu.

EARL Suteau-Ollivier, Dom. du Champ Chapron, 44450 Barbechat, tél. 02.40.03.65.27, fax 02.40.33.34.43, e-mail suteau.ollivier@wanadoo.fr r.-v.

DOM. GUINDON Sur lie Tradition 2005 *

3,5 ha 21 000 5 à 8 €

En sortant de Saint-Géréon, sur la rive droite de la Loire, vous trouverez cette propriété fondée en 1907. Cette cuvée issue des schistes anceniens a de légers reflets jaune pâle. Aux discrètes notes de fruits secs répond une attaque souple et ample, avec une pointe de minéralité caractéristique des vins de cette région. Le **coteaux-d'ancenis malvoisie blanc 2005**, du domaine, est également cité.

Dom. Guindon, La Couleuverdière, 44150 Saint-Géréon, tél. 02.40.83.18.96, fax 02.40.83.29.51, e-mail domaine.guindon@hotmail.com t.l.j. sf dim. 9h-12h 14h-18h

DOM. DU HAUT FRESNE Sur lie 2005 *

7 ha 40 000 3 à 5 €

Les frères Renou vinifient avec beaucoup de soin une gamme importante de vins. Parmi ceux-ci, ce muscadet à la robe légèrement pâle ciselée de légers reflets verts. Plutôt souple en bouche, avec de la matière et de l'élégance, il termine par une dominante fruitée, une nuance de minéralité et une pointe de pétillement caractéristique des vins élevés sur lies.

Renou Frères, Dom. du Haut Fresne, 49530 Drain, tél. 02.40.98.26.79, fax 02.40.98.27.86, e-mail contact@renou-freres.com r.-v.

CH. MESLIÈRE Sur lie 2005 *

3,4 ha 22 700 3 à 5 €

Sur le domaine, installé sur un site préhistorique renommé dominant la Loire, s'élève un mégalithe, devenu aujourd'hui lieu d'escalade. Issu d'un terroir de micaschiste ancenien, ce vin au nez brioché et floral développe en bouche des arômes de fruits exotiques. Bien équilibré, puissant, avec une bonne attaque et une belle longueur, il montre une excellente harmonie et possède un fort potentiel de vieillissement.

Jean-Claude Toublanc, Les Pierres Meslières, 44150 Saint-Géréon, tél. et fax 02.40.83.23.95, e-mail jean-claude.toublanc@wanadoo.fr t.l.j. 8h30-12h30 13h30-19h

DOM. DE PORT-JEAN Sur lie 2005 **

0,8 ha 6 000 3 à 5 €

François Ier disait que l'Erdre était la plus belle rivière de France. Du domaine de Port-Jean, on peut admirer ce magnifique cours d'eau. Issu d'un terroir de micaschiste, ce vin montre un fort potentiel de garde. Ses reflets jaune pâle annoncent des notes végétales. La bouche offre une présence harmonieuse de fruits secs et d'épices avant une finale longue et séductrice. À servir sur une marmite de saint-jacques en coques d'oursins. Le **Nectar de l'Erdre 2003 (5 à 8 €)** obtient également deux étoiles. Son nez intense et minéral, sa bouche très grasse, riche et puissante, en font un fleuron de l'appellation.

EARL de Port-Jean, L'Angle, 44470 Carquefou, tél. et fax 02.40.50.94.64, e-mail becavin.cyrille@neuf.fr r.-v.

Bécavin

DOM. DU QUARTERON Sur lie 2005 **

7 ha 6 600 3 à 5 €

Depuis plus d'un siècle, la famille Vincent préside aux destinées du domaine de La Vasinière. Preuve d'une belle continuité sur quatre générations de Vincent à la tête de la propriété, trois se prénomment François ! Sur des terroirs de schistes, le domaine a produit ce 2005 à la robe jaune clair et au nez très intense rappelant une corbeille de fruits (abricot, pêche de vigne). La bouche, d'une belle ampleur, montre de la fraîcheur et une certaine légèreté. Un vin équilibré et plein d'harmonie.

EARL François Vincent, La Vasinière, 69530 Bouzillé, tél. 02.40.98.11.22, fax 02.40.09.65.41, e-mail francois-vincent1@free.fr r.-v.

DOM. DE SAINT-MÉEN Sur lie 2005

n.c. 8 000 3 à 5 €

Certains vignerons de Sèvre-et-Maine ont traversé la Loire pour reprendre des exploitations en coteaux-de-la-loire. Pierre Luneau-Papin est de ceux-ci. Situé au Cellier, le domaine de Saint-Méen domine le fleuve. Il produit ce vin riche et bien fait, équilibré et d'une bonne intensité aromatique, avant d'offrir une finale légèrement acidulée.

Pierre Luneau-Papin, Dom. Pierre Luneau-Papin, 44430 Le Landreau, tél. 02.40.06.45.27, fax 02.40.06.46.62, e-mail domaineluneaupapin@wanadoo.fr r.-v.

Gros-plant AOVDQS

Le gros-plant du pays nantais est un vin blanc sec, AOVDQS depuis 1954, produit dans trois départements : Loire-Atlantique, Maine-et-Loire et Vendée. Il est issu d'un cépage unique : la folle blanche, d'origine charentaise, appelée ici gros-plant. En 2005, la production a atteint un volume de 111 641 hl sur une superficie de 1 475 ha. Comme le muscadet, le gros-plant peut être mis en bouteilles sur lie. Vin blanc sec, il convient parfaitement aux fruits de mer en général et aux coquillages en particulier ; il doit être servi, lui aussi, frais mais non glacé (8-9 °C).

L'AUDIGÈRE Sur lie 2005

6 ha 25 000 - de 3 €

À 5 km de Clisson, l'Audigère est une ancienne seigneurie qui appartint à la famille de la marquise de Sévigné. La propriété, qui s'étend sur 70 ha, est dirigée par Jean Aubron depuis 1985. Issu d'un terroir classique de Vallet, son gros-plant s'annonce par un nez floral de bonne intensité. Ses notes acidulées sont caractéristiques d'un gros-plant sur lie.

Jean Aubron, L'Audigère, 44330 Vallet, tél. 02.40.33.91.91, fax 02.40.33.91.31, e-mail jean.aubron@wanadoo.fr r.-v.

DOM. DE LA BOITAUDIÈRE Sur lie 2005 **

8,15 ha 41 200 - de 3 €

À la limite du Landreau et du Loroux-Bottereau, cette propriété a été créée sous le Directoire par un ancien officier de marine. Serge Sauvêtre, qui est à sa tête depuis 1972, signe un gros-plant plébiscité par le jury, dans la lignée du 2002 qui avait aussi obtenu un coup de cœur. Puissant, vif et franc, le nez est de bon augure. On y respire les agrumes, escortés de touches minérales et de nuances de noisette. En bouche, la souplesse rime avec la finesse. Ce vin donne vraiment envie de se mettre à table. On suggère de le servir avec de l'anguille fumée des marais de Goulaine aux pommes de terre de Noirmoutier.

EARL Ch. de La Boitaudière, 44430 Le Landreau, tél. et fax 02.40.06.42.69 t.l.j. sf dim. 9h-12h30 14h-18h

Serge Sauvêtre

DOM. DE LA CHÊNAIE Sur lie 2005 *

2,8 ha 5 300 - de 3 €

Ce gros-plant est né à l'extrême est de Vallet, aux confins du Maine-et-Loire. Sous une robe limpide aux reflets verts pointe un nez délicatement floral. Le palais suit, d'une bonne tenue et d'une persistance aromatique appréciable. Un classique de l'appellation.

EARL Katia et Dominique Martin, Dom. de la Chenaie, Les Sauvionnières, 44330 Vallet, tél. et fax 02.40.36.23.04, e-mail dominique.martin84@wanadoo.fr r.-v.

CLOS CAFFIN Sur lie 2005 *

3 ha 20 000 3 à 5 €

Bernard Chéreau est établi à Saint-Fiacre, village viticole proche du confluent de la Sèvre et de la Maine. Comme c'est la seule commune de l'appellation muscadet sèvre-et-maine à ne pas produire de gros-plant, il exploite ses vignes de folle blanche à Basse-Goulaine, un peu plus au nord. Née d'un terroir de micaschistes, cette cuvée très pâle à reflets verts développe de subtils parfums d'aubépine. Après une attaque vive, elle évolue sur des nuances fruitées et prend des rondeurs en finale.

Bernard Chéreau, Chasseloir,
44690 Saint-Fiacre-sur-Maine, tél. 02.40.54.81.15,
fax 02.40.54.81.70, e-mail bernard.chereau@wanadoo.fr
t.l.j. sf dim. 9h-18h

CLOS SAINT-VINCENT DES RONGÈRES Sur lie 2005 *

3 ha 11 000 3 à 5 €

Les gros-plants nés sur la commune du Landreau sont réputés pour leur finesse et leur souplesse. Une souplesse que l'on retrouve dans celui-ci, un vin clair et brillant, au nez expressif et au palais équilibré, montrant le perlant typique des « sur lie ». Ceux qui recherchent dans cette appellation des vins nerveux seront peut-être déconcertés. Mais cette vivacité mesurée en fait une bouteille facile à boire qui ne manquera pas d'amateurs.

Yves Provost et Fils, Le Pigeon Blanc,
44430 Le Landreau, tél. 02.40.06.43.54,
fax 02.40.06.47.10 r.-v.

DOM. LES COINS Sur lie 2005

4 ha 15 000 - de 3 €

La famille Malidain est installée dans la région depuis 1850. Didier, qui avait rejoint son père Jean-Claude sur l'exploitation il y a une dizaine d'années, a pris en 2003 les rênes de ce coquet domaine de 60 ha. Son gros-plant 2005, floral et fruité, est frais à l'attaque, souple et rond. Il laisse une impression flatteuse. À signaler encore, cité par le jury, le **muscadet-côtes-de-grandlieu 2003 cuvée Héritage (5 à 8 €)**. Jaune d'or intense, ce vin né de vieilles vignes (soixante-quinze ans pour les plus âgées) plantées sur micaschistes est prêt à boire. Minéral au premier nez, il s'ouvre sur des nuances d'abricot. En bouche, il se montre puissant et frais, avec une finale terroitée. Son gras permettra de le servir sur un plat exotique tel que le poulet au curry.

Didier Malidain, Grossève,
44650 Corcoué-sur-Logne, tél. 02.40.05.95.95,
fax 02.40.05.80.99, e-mail jeanclaude.malidain@free.fr
t.l.j. sf dim. 8h30-12h30 14h-18h30 (17h sam.)

DOM. GILDAS CORMERAIS Sur lie 2005

0,5 ha 3 000 - de 3 €

Malgré son nom, Maisdon-sur-Sèvre est plus proche de la Maine que de la Sèvre nantaise. Elle s'étend au nord le long de la rivière jusqu'à Pont-Caffino où une ancienne carrière a été aménagée en site de loisirs. Établi au hameau de La Bretonnière, Gildas Cormerais propose un gros-plant, production peu courante dans cette localité. Ce 2005 retient l'attention par ses parfums puissants et complexes d'agrumes, qui marquent aussi l'attaque vive aux accents de citron vert. Étoffé, plein et frais, ce vin ne demande qu'à s'épanouir et devrait bénéficier de quelques mois de cave.

Dom. Gildas Cormerais, 17, La Bretonnière,
44690 Maisdon-sur-Sèvre, tél. 02.40.36.90.13,
fax 02.40.36.99.95, e-mail earl.cormerais-gildas@free.fr
r.-v.

LE FIEF COGNARD Sur lie 2005 *

1,74 ha 15 000 3 à 5 €

Dominique Salmon est installé à Château-Thébaud, village perché sur un coteau rocheux dominant la Maine. Il propose un gros-plant né sur un terroir de granite, ce qui est relativement peu fréquent. Le vin est plaisant, avec son nez léger d'agrumes (citron vert) et de fruits exotiques, son attaque agréable, toujours sur le citron vert, sa bouche équilibrée et assez longue qui finit sur une touche iodée.

Dominique Salmon, Les Landes de Vin,
44690 Château-Thébaud, tél. 06.84.18.75.74,
fax 02.40.06.55.42, e-mail fiefcognard@wanadoo.fr
r.-v.

CH. DES GILLIÈRES Sur lie Cuvée Prestige 2005

21,22 ha 100 000 - de 3 €

Il ne reste plus rien du château des Gillières, détruit en 1789. Seule subsiste une vaste ferme traditionnelle, sans doute l'une des plus importantes propriétés de la région nantaise : près de 89 ha, presque d'un seul tenant. Elle a produit un gros-plant au nez typique, que sa pointe perlante et sa finale légèrement acidulée incitent à servir sur une douzaine d'huîtres.

SAS des Gillières, Ch. des Gillières,
44690 La Haye-Fouassière, tél. 02.40.54.80.05,
fax 02.40.54.89.56, e-mail lesgillieres@wanadoo.fr
t.l.j. sf sam. dim. 8h-12h 14h-17h; f. août
Régnier

GUILBAUD FRÈRES Sur lie 2005

2 ha 13 000 - de 3 €

Cette maison de négoce fondée dans les années 1920 a reçu l'an dernier un coup de cœur dans cette appellation. Le millésime suivant est plus timide, fermé au nez. Mais sa bonne attaque, son équilibre, sa vivacité dénuée d'agressivité et sa longue finale fraîche signent un vin de bonne facture, représentatif de l'appellation.

Guilbaud Frères, BP 49601, 44190 Clisson Cedex,
tél. 02.40.06.90.69, fax 02.40.06.90.79 r.-v.

CH. DE LA GUIPIÈRE Sur lie 2005 *

2,25 ha 10 000 - de 3 €

Trois vins de Joël Charpentier, issus d'un terroir de micaschiste, sont sélectionnés cette année. Ce gros-plant, au nez légèrement amylique, témoigne d'une bonne maîtrise de la vinification. Très traditionnel, souple et long, il s'achève sur une finale acidulée. Une étoile également pour le **muscadet-sèvre-et-maine Château de La Guipière Terroir de schiste 2003 (5 à 8 €)**, à la robe verte de jeunesse qui a gardé une certaine fraîcheur et de la vivacité. Enfin, dans cette appellation, la cuvée **L'Excellence Vieilles Vignes 2005 Sur lie (3 à 5 €)** obtient une citation.

GAEC Charpentier Père et Fils,
Ch. de La Guipière, 44330 Vallet, tél. 02.40.36.23.30,
fax 02.40.36.38.14 r.-v.

CH. DE LA MALONNIÈRE Sur lie 2005 *

7,34 ha 39 000 - de 3 €

En bordure des marais de Goulaine, un domaine chargé d'histoire : des remparts, des douves, des tours et une petite chapelle parlent des anciens bâtiments – un château fort du XV[e]s., rebâti à l'époque classique – qui ne sont pas sortis sans dommages des troubles révolutionnaires. Le vignoble a produit un gros-plant harmonieux, rond, fruité, un classique de l'appellation.

EARL Y. Sauvêtre et Fils,
Le château de La Malonnière,
44430 Le Loroux-Bottereau, tél. 02.40.33.81.48,
fax 02.40.33.87.67 r.-v.

PETIT TONNEAU Sur lie 2005 **

2 ha 5 000 - de 3 €

Petit Tonneau est né en cuve, mais quoi de plus naturel pour un gros-plant ? Son enseigne est banale, et pourtant le vin ne l'est pas. Ses arômes légers d'agrumes,

son fruité plein de fraîcheur, son attaque légèrement iodée, prélude à un palais gras, long et très bien équilibré, lui ont fait frôler le coup de cœur. Il ne reste plus qu'à ouvrir les huîtres.
André Vinet, BP 49601, 44196 Clisson Cedex, tél. 02.40.06.90.74 r.-v.

HENRI POIRON ET FILS Sur lie 2005 *

3 ha 9 000 - de 3 €

Pépiniéristes viticoles depuis 1898, les Poiron sont à la tête d'un domaine de 37 ha et développent l'accueil des touristes. Ils cultivent du gros-plant au cœur du Sèvre-et-Maine sur un terroir de limon et de schistes. Ce vin très typique s'annonce par de beaux reflets et un nez agréable ; au palais, il séduit par sa finesse et son équilibre. À déguster rapidement.
Dom. Henri Poiron et Fils, Les Quatre Routes, 44690 Maisdon-sur-Sèvre, tél. 02.40.54.60.58, fax 02.40.54.62.05, e-mail poiron.henri@wanadoo.fr
t.l.j. 9h-12h30 14h-18h30 (17h sam.); dim. sur r.-v.
Éric Poiron

DOM. LA ROCHE RENARD Sur lie 2005 *

2 ha 3 000 - de 3 €

La famille Denis exploite près de 22 ha autour de Vallet. Elle a élevé un gros-plant à la robe vive et limpide, et à la bouche très typée, acidulée. L'attaque est plaisante, le palais ne manque pas de volume. À servir très frais sur des fruits de mer ou du poisson grillé.
Isabelle et Philippe Denis, Les Laures, 44330 Vallet, tél. 02.40.36.63.65, fax 02.40.36.23.96 r.-v.

DOM. LA ROCHERIE Sur lie 2005 *

1 ha 4 000 3 à 5 €

Daniel Gratas est à la tête d'un domaine d'une vingtaine d'hectares autour du Landreau. Le gros-plant y est implanté sur un terroir de granite à deux micas. Il a donné ici naissance à un vin typique du millésime, à la robe cristalline, au nez discret et frais. Très plaisant en bouche, ce 2005 montre du volume et un bel équilibre entre puissance et fraîcheur.
Daniel Gratas, Dom. de La Rocherie, 44430 Le Landreau, tél. 02.40.06.41.55, fax 02.40.06.48.92 t.l.j. sf dim. 9h-19h

DOM. DE LA TARAUDIÈRE Sur lie 2005 **

6 ha 25 000 - de 3 €

Implanté à la limite de Vallet et du Landreau, ce domaine a produit sur un terroir de micaschistes un gros-plant équilibré, gras et long, avec ce qu'il faut de vivacité. Il a obtenu par ailleurs une étoile pour son **muscadet sèvre-et-maine sur lie Domaine de l'Errière Cuvée Prestige (3 à 5 €)** dont la minéralité plaira au connaisseur mais qui pourra surprendre par sa montée en puissance en fin de dégustation.
GAEC Madeleineau Père et Fils, L'Errière, 44430 Le Landreau, tél. 02.40.06.43.94, fax 02.40.06.48.82 r.-v.

DOM. DE LA VRILLONNIÈRE 2005

0,5 ha 2 000 - de 3 €

La famille Fleurance tire de son vignoble de nombreux styles de vins et aussi du jus de raisin. Elle est établie au Landreau, commune où naissent des gros-plants typiques et de qualité, comme celui-ci, aux légers parfums de fleurs et d'agrumes. L'attaque, légère et fort agréable, introduit un palais bien structuré et long, qui laisse le souvenir d'un ensemble plaisant.
Dom. de La Vrillonnière, 44430 Le Landreau, tél. 02.40.06.42.00, fax 02.40.06.45.75, e-mail lavrillonniere@netcourrier.com
t.l.j. sf dim. 8h-12h 14h-18h; sam. 8h-12h
Fleurance

Fiefs-vendéens AOVDQS

Anciens fiefs du Cardinal : cette dénomination évoque le passé de ces vins, appréciés par Richelieu après avoir connu un renouveau au Moyen Âge, ici, comme bien souvent, à l'instigation des moines. La dénomination AOVDQS fut accordée en 1984, confirmant les efforts qualitatifs qui ne se relâchent pas sur les 461 ha complantés pour une production de 22 526 hl de vins rouges et rosés et de 3 363 hl de vins blancs en 2005.

A partir de gamay, de cabernet et de pinot noir, la région de Mareuil produit des rosés et des rouges fins, bouquetés et fruités ; les blancs sont encore confidentiels. Non loin de la mer, le vignoble de Brem, lui, donne des blancs secs à base de chenin et de grolleau gris, mais aussi du rosé et du rouge. Aux environs de Fontenay-le-Comte, blancs secs (chenin, colombard, melon, sauvignon), rosés et rouges (gamay et cabernet) proviennent des régions de Pissotte et de Vix. On boira ces vins jeunes, selon les alliances classiques des mets et des vins.

DOM. ALOHA Brem Version Blanc 2005 *

0,6 ha 3 600 5 à 8 €

La culture du chenin dans la région de Brem est très ancienne. Les marins en partance pour les Antilles, au XVIIIe s., en embarquaient des tonneaux. À dominante de ce cépage, cette cuvée à la robe dorée très claire, au nez de fruits exotiques légèrement citronné procure en bouche une sensation très fraîche, équilibrée et persistante. On pourra conserver cette bouteille encore deux ans pour l'apprécier à son meilleur niveau, compte tenu de sa fraîcheur actuelle.
Samuel Mégnan, Le Poiré, 85150 Vairé, tél. 06.31.29.55.05, e-mail smegnan@wanadoo.fr
r.-v.

DOM. DE LA CAMBAUDIÈRE
Mareuil Cuvée sélectionnée 2005 **

3 ha 12 000 3 à 5 €

Dans cette cuvée 2005, la négrette entre dans une proportion de 10 %. Ce très vieux cépage a été introduit en Vendée bien avant le phylloxéra et a résisté à cette maladie. Sous une robe grenat, on devine des arômes complexes de fruits rouges. En bouche, la matière concentrée et ample laisse une impression de rondeur. Également remarquable, la même cuvée en **Mareuil rosé 2005** offre un nez flatteur de fraise et de framboise. Enfin, le **Mareuil blanc 2005** obtient une étoile.

Michel Arnaud, La Cambaudière, 85320 Rosnay, tél. 02.51.30.55.12, fax 02.51.28.22.57
t.l.j. 9h-12h30 14h-19h; dim. sur r.-v.

LE CLOS DES CHAUMES Mareuil 2005 *

4 ha 10 000 3 à 5 €

Sur la commune de La Couture, les schistes marquent les vins blancs et plus particulièrement le cépage chenin. La famille Murail y a produit un vin jaune légèrement pâle, assez limpide, dont la poire domine les arômes du nez. En bouche, le chardonnay apporte la longueur et le gras, et le chenin la fraîcheur. À déguster sur une daurade à l'oseille. Le **Mareuil rosé 2005**, à dominante de gamay, au nez assez aromatique de framboise, termine par une finale légèrement acidulée. Il obtient également une étoile, tout comme le **Mareuil rouge 2005**.

GAEC Gustave et Fabien Murail, La Tudelière, 85320 La Couture, tél. et fax 02.51.30.58.56
r.-v.

DOM. DES DAMES
Mareuil Les Aigues Marines 2005 *

8 ha 12 000 3 à 5 €

Situé sur une ancienne route du Sel, le domaine, dirigé par des femmes depuis plusieurs générations, est bien une histoire de « dames ». Assemblage de pinot noir (80 %) et de gamay (20 %), ce rosé à la belle robe limpide livre un nez discret où percent des notes florales. En bouche, il se révèle bien équilibré entre fraîcheur et rondeur. Le **Mareuil blanc 2005 Les Pierres Blanches** obtient une étoile pour son équilibre et sa longueur en bouche. Enfin, le **Domaine du Chemin Vert Mareuil rouge 2005** est étoilé par le jury pour ses tanins fondus qui lui confèrent souplesse et légèreté.

GAEC Vignoble Gentreau, Follet, 85320 Rosnay, tél. 02.51.30.55.39, fax 02.51.28.22.36, e-mail domaine.des.dames@free.fr r.-v.

DOM. DU LUX EN ROC Brem 2005 *

1 ha 3 000 3 à 5 €

Les chenins de cette région de Brem sont longs à s'exprimer, mais Jean-Pierre Richard a un secret pour les vinifier et les assembler au chardonnay. Ce 2005 offre un nez assez discret mais une bonne persistance en bouche, avec une certaine fraîcheur caractéristique du chenin. Des anguilles grillées sur sarments de vigne mettront en valeur cette cuvée. Le **Brem 2004 rouge (5 à 8 €)**, issu du cépage pinot noir, obtient également une étoile pour son équilibre et sa rondeur.

Jean-Pierre Richard, 5, imp. Richelieu, 85470 Brem-sur-Mer, tél. et fax 02.51.90.56.84
t.l.j. sf dim. 9h30-12h30 15h-19h30

CH. MARIE DU FOU Mareuil 2005 *

4,04 ha 28 800 5 à 8 €

Propriété viticole dont les caves datent du XIIe s., le château Marie du Fou exploite un domaine de 52 ha situés sur des terroirs originels de l'appellation Mareuil. Dans le caveau médiéval situé au pied du château, vous pourrez déguster cette cuvée moitié chenin, moitié chardonnay, au nez discret qui s'ouvre tranquillement sur des arômes de pain grillé et de brioche. En bouche, le chenin domine par sa fraîcheur. Un vin qui accompagnera agréablement un bar de ligne au beurre blanc. Le **Mareuil rosé 2005** subtil équilibre entre le pinot, le gamay et le cabernet franc, très réussi, au nez de framboise et de fraise des bois, est à déguster sur un sablé nantais aux fraises.

J. et J. Mourat, Ch. Marie du Fou, 5, rue de La Trémoille, 85320 Mareuil-sur-Lay, tél. 02.51.97.20.10, fax 02.51.97.21.58, e-mail chateau.marie.du.fou@wanadoo.fr
t.l.j. sf dim. 9h-12h30 14h30-19h

DOM. DES PIERRES FOLLES Mareuil 2005 **

5,25 ha 35 000 3 à 5 €

Le domaine des Pierres Folles a la particularité de présenter deux menhirs à son entrée. Cette cuvée exclusivement de gamay se pare d'une robe grenat aux reflets violets. Son nez de fruits rouges de bonne intensité mène à une bouche fraîche, équilibrée et légèrement épicée. Le **Mareuil rosé 2005**, mariage de 75 % de pinot noir et de 25 % de gamay, à l'attaque vive et fraîche, accompagnera agréablement des charcuteries.

Jean-François Tessier-Brunier, Pierre-Folle, 85320 Rosnay, tél. 02.51.28.21.00, fax 02.51.28.24.38
t.l.j. 9h-19h

CH. DE ROSNAY Mareuil Héritage 2005 *

7 ha 35 000 5 à 8 €

Le château de Rosnay fut construit en 1860 par un M. Guyet, le plus important propriétaire-récoltant de la région de Mareuil à cette époque. Depuis, Christian Jard a reconstitué le vignoble, qui compte maintenant 41 ha de vignes. Cet assemblage de pinot noir, cabernet franc et négrette, au nez assez discret de cassis, préfère, en bouche, les petits fruits rouges. C'est un vin tannique qu'il faudra attendre pour obtenir un épanouissement complet. À déguster sur une viande rouge. Le **Mareuil Héritage blanc 2005** est cité pour son nez floral et son équilibre en bouche.

Christian Jard, Ch. de Rosnay, 85320 Rosnay, tél. 02.51.30.59.06, fax 02.51.28.21.01, e-mail maison.jard@wanadoo.fr
t.l.j. sf dim. 9h-12h 14h-18h; groupes sur r.-v.

DOM. DE LA VIEILLE RIBOULERIE
Mareuil Cuvée des Moulins Brûlés 2005 **

2 ha 8 000 3 à 5 €

Cette cuvée tire son nom d'un moulin qui, pendant les guerres de Vendée, servait aux armées à transmettre des signaux ; il fut incendié à cette époque. D'un rouge cerise, la robe est brillante et limpide. Des senteurs d'épices flattent le nez. En bouche, une chair ronde laisse une impression sensuelle relevée en finale d'une fraîcheur et d'un bon équilibre. Du même domaine, la **cuvée des Rêves de l'Yon Mareuil rosé 2005**, à la robe saumonée et au nez discret, est citée, ainsi que la **cuvée Privilège blanc 2005**, mariage de 40 % de chardonnay et 60 % de chenin.

Vignoble Macquigneau-Brisson, Le Plessis, 85320 Rosnay, tél. 02.51.30.59.54, fax 02.51.28.21.80, e-mail macquigneauh@aol.com
t.l.j. 8h-12h 14h-19h; dim. sur r.-v.; f. fin août

DOM. DE LA VRIGNAIE Mareuil 2005 *

5 ha 40 000 3 à 5 €

Cette cuvée à dominante de pinot noir, cépage implanté depuis très longtemps dans les Fiefs vendéens, présente un nez discret encore un peu fermé. La bouche

offre de la souplesse et du gras, et une pointe d'amertume en finale. Le **Mareuil rouge 2005**, d'une belle teinte grenat, obtient également une étoile. Sa matière souple et ronde, équilibrée, et sa longue finale en font un vin digne d'accompagner des viandes en sauce. Enfin, le **Mareuil blanc 2005** aromatique et rond en bouche, est cité.
Daniel et Lydia Brisson, Dom. de La Vrignaie, La Noue, 85310 Le Tablier, tél. et fax 02.51.46.77.74, e-mail vrignaie@wanadoo.fr r.-v.

Coteaux-d'ancenis AOVDQS

Les coteaux d'ancenis sont classés AOVDQS depuis 1954. On en produit quatre types, à partir de cépages purs : gamay (80 % de la production), cabernet, chenin et malvoisie. La superficie du vignoble est de 187 ha déclarés et la production a été de 11 689 hl en 2005, dont 766 hl en blanc.

DOM. DE LA CAMBUSE
Moelleux Malvoisie 2005 *

0,45 ha 2 500 3 à 5 €

Cette cuvée fait honneur à la malvoisie, cépage confidentiel encore appelé pinot gris, qui, dans les années chaudes, exprime parfaitement les terroirs dont il est issu. Dans une robe aux reflets vert pâle, ce 2005 exprime un nez assez intense de menthe poivrée et de fruits exotiques. Rond et persistant, il est à servir sur une tarte Tatin tiède. Le **muscadet-coteaux-de-la-loire sur lie 2005 (moins de 3 €)** obtient également une étoile pour son bel éventail aromatique de fruits secs.
Dom. de la Cambuse, La Cambuse, 49530 Drain, tél. et fax 02.40.83.91.63, e-mail gaec.cambuse@wanadoo.fr
t.l.j. sf dim. 8h-12h30 14h-19h
Toublanc

DOM. DES CLÉRAMBAULTS Gamay 2005 *

3,68 ha 5 000 3 à 5 €

Ce 2005 à la robe soutenue, vif et frais, évolue sur des notes poivrées et épicées. Un vin typique du cépage gamay à déguster dans l'année. Bien typé également, le **muscadet-coteaux-de-la-loire sur lie 2005 (moins de 3 €)** est cité pour son équilibre et ses notes acidulées d'agrumes et de pamplemousse.
GAEC Terrien, 30, rue de Verdun, 49530 Bouzillé, tél. 02.40.98.15.38, fax 02.40.98.11.45 r.-v.

DOM. DES GALLOIRES
Moelleux Malvoisie 2005 **

2 ha 12 000 5 à 8 €

Le Domaine des Galloires jouit d'une vue imprenable sur la vallée de la Loire. Sa cuvée de malvoisie issue de micaschistes arbore une robe très pâle sous laquelle perce un délicieux parfum de menthe fraîche. La bouche, tout en rondeur, relevée par une remarquable note minérale, allie finesse et élégance et promet une harmonie sublime avec un fondant au chocolat ou un gratin de fruits exotiques. Le

coteaux-d'ancenis gamay rosé 2005 (moins de 3 €) à la robe rose intense, au nez de fruits rouges compotés, obtient également deux étoiles. Enfin, une étoile pour le **muscadet-des-coteaux-de-la-loire sur lie 2005 Cuvée de sélection (3 à 5 €)** à dominante de fruits secs. Une légère amertume signe l'espoir d'une bonne longévité.
GAEC des Galloires, Dom. des Galloires, 49530 Drain, tél. et fax 02.40.98.20.10, e-mail contact@galloires.com
t.l.j. sf dim. 8h-12h 14h-19h (17h sam.); groupes sur r.-v.

DOM. DU MOULIN GIRON Gamay 2005 **

4 ha 20 000 - de 3 €

À proximité du musée de Joachim du Bellay, le domaine du Moulin Giron a vinifié un gamay rosé à la robe rose pâle et au nez de fruits confiturés à dominante de fruits rouges. Au palais, des arômes d'épices et de thym se développent dans une bouche tout en fraîcheur et d'un bel équilibre. Préparez donc des grillades de thon à l'huile d'olive pour accompagner cette bonne bouteille. Le **gamay rouge 2005 (3 à 5 €)** obtient une étoile pour son équilibre très réussi entre le fruit et les épices.
EARL Allard Père et Fille, Le Moulin Giron, chai Bellevue, 49530 Liré, tél. 02.40.09.03.15, fax 02.40.96.11.95
t.l.j. sf mer. dim. 9h30-12h 14h30-18h30; 14-31 juill. sur r.-v.

Anjou-Saumur

À la limite septentrionale des zones de culture de la vigne, sous un climat atlantique, avec un relief peu accentué et de nombreux cours d'eau, les vignobles d'Anjou et de Saumur s'étendent dans le département du Maine-et-Loire, débordant un peu sur le nord de la Vienne et des Deux-Sèvres.

Les vignes ont depuis fort longtemps été cultivées sur les coteaux de la Loire, du Layon, de l'Aubance, du Loir, du Thouet... C'est à la fin du XIX[e]s. que les surfaces plantées sont les plus vastes. Le Dr Guyot, dans un rapport au ministre de l'Agriculture, cite alors 31 000 ha en Maine-et-Loire. Le phylloxéra anéantira le vignoble, comme partout. Les replantations s'effectueront au début du XXe s. et se développeront un peu dans les années 1950-1960, pour régresser ensuite. Aujourd'hui, ce vignoble couvre environ 17 380 ha, qui produisent un million d'hectolitres.

Les sols, bien sûr, complètent très largement le climat pour façonner la typicité des vins de la région. C'est ainsi qu'il faut faire une nette différence entre ceux qui sont produits sur « l'Anjou noir », constitué de schistes et autres roches primaires du Massif armoricain, et ceux qui sont produits sur « l'Anjou blanc », ou Saumurois, terrains sédimentaires du Bassin parisien dans lesquels domine la craie tuffeau. Les cours d'eau ont également joué un rôle important pour le commerce : ne trouve-t-on pas encore trace aujourd'hui de petits ports d'embarquement sur le Layon ? Les plantations sont de 4 500-5 000 pieds par hectare ; la taille, qui était plus particulièrement en gobelet et en éventail, a évolué en guyot.

La réputation de l'Anjou est due aux vins blancs moelleux, dont les coteaux-du-layon sont les plus connus. L'évolution conduit cependant désormais aux types demi-sec et sec, et à la production de vins rouges. Dans le Saumurois, ces derniers sont les plus estimés, avec les vins mousseux qui ont connu une forte croissance, notamment les AOC saumur et crémant-de-loire.

Anjou

Constituée d'un ensemble de près de 200 communes, l'aire géographique de cette appellation régionale englobe toutes les autres. On y trouve des vins blancs (environ 45 037 hl sur 999 ha en 2005) et des vins rouges (226 773 hl). Pour beaucoup, le vin d'anjou est, avec raison, synonyme de vin blanc doux ou moelleux. Le cépage est le chenin, ou pineau de la Loire, mais l'évolution de la consommation vers des secs a conduit les producteurs à y associer chardonnay ou sauvignon, dans la limite maximale de 20 %. La production de vins rouges est en train de modifier l'image de la région ; ce sont les cépages cabernet franc et cabernet-sauvignon qui sont alors mis en œuvre.

DOM. DE L'ARBOUTE 2005 *

■ 2,4 ha 5 000 ▮ 3 à 5 €

Ce domaine de la vallée du Layon existait déjà avant la Révolution. Il a été repris par Jules Massicot dans les années 1950. En 1985, son fils Yves s'est installé sur l'exploitation, puis en 2005, ses petits-fils. Dans la cave rénovée cette même année a été vinifié un anjou bien dans le style de l'appellation avec sa robe rouge intense, ses parfums de fruits mûrs et de cassis, son palais à la fois suave et frais, offrant en finale un joli retour fruité.

EARL Massicot Père et Fils,
Dom. de L'Arboute, 49380 Faye-d'Anjou,
tél. 02.41.54.03.38, fax 02.41.54.40.57,
e-mail earl.massicot@wanadoo.fr ☑ Y ⩚ r.-v.

DOM. BEAUMONT Cuvée Saint-Valentin 2005 *

□ 1 ha 1 000 ▮ 3 à 5 €

Ce domaine créé après la dernière guerre s'étend sur 37 ha, à l'est des Mauges. Sa cuvée Saint-Valentin, un anjou blanc moelleux, ne manque pas d'attraits avec sa robe jaune pâle, son nez floral ponctué de touches mentholées et sa bouche équilibrée et aromatique. On pourra la servir avec du fromage de chèvre.

GAEC Beaumont,
12, rue du Prieuré,
49310 Montilliers,
tél. 02.41.75.84.16, fax 02.41.71.04.53
☑ Y ⩚ lun., ven., sam. 8h-12h 14h-18h ou sur r.-v.

CHARLES BÉDUNEAU 2005 *

■ 1 ha 4 000 ▮ 3 à 5 €

Représentative des exploitations viticoles de l'Anjou, cette propriété de la vallée du Layon, constituée à la fin des années 1950, s'est développée et compte aujourd'hui 20 ha. Son anjou rouge s'habille d'une robe sombre aux reflets violacés et libère des parfums à la fois intenses et délicats rappelant les fruits mûrs, en particulier la framboise. Ce fruité frais persiste dans une bouche ronde et sans aspérité, qui laisse le souvenir d'un ensemble harmonieux. Le type même du vin à servir pendant tout un repas. Quant à l'anjou **blanc 2005** du domaine, flatteur avec ses arômes d'amande, de fruits blancs et son côté acidulé, il obtient une citation.

EARL Charles Béduneau,
18, rue Rabelais,
49750 Saint-Lambert-du-Lattay,
tél. 02.41.78.30.86, fax 02.41.74.01.46,
e-mail charles_beduneau.earl_@libertysurf.fr
☑ Y ⩚ t.l.j. 9h-12h 14h-19h; f. début sept.

DOM. DE LA BODIÈRE Méthode traditionnelle 2004 *

● n.c. 3 300 ▮ 5 à 8 €

Saint-Lambert-du-Lattay, dans l'aire des coteaux-du-layon, abrite de nombreux viticulteurs, comme les Rousseau, établis à 500 m du musée de la Vigne et du Vin d'Anjou. Ces derniers ont proposé un rosé de méthode traditionnelle, fruit de l'assemblage de cépages noirs : le grolleau (80 %), le gamay et le cabernet. Ses arômes de fruits frais et sa légèreté rendent cet effervescent très agréable. À servir à l'apéritif ou avec une salade de fruits rouges. Cité par le jury, l'anjou **rouge Les Bonnes Blanches 2004**, élevé en fût, mêle des notes de fruits rouges et des touches grillées et vanillées. Un ensemble harmonieux et de bonne facture à réserver aux amateurs de vins boisés.

EARL Rousseau, La Chauvière,
49750 Saint-Lambert-du-Lattay,
tél. 02.41.78.34.76, fax 02.41.78.44.40,
e-mail rousseau.domaine@wanadoo.fr
☑ Y ⩚ r.-v.

LOIRE

CH. DE BOIS-BRINÇON La Seigneurie 2004

■ 2 ha 10 000 ▮ 5 à 8 €

D'origine médiévale, ce vignoble représente aujourd'hui une superficie de 24 ha répartis sur plusieurs terroirs. Des sols de craie tuffeau sont à l'origine de cette sélection de La Seigneurie rouge grenat intense, aux arômes de fruits mûrs (cassis et framboise). Charnu et fruité à l'attaque, le palais laisse une impression d'extrême richesse due à une extraction importante des polyphénols. Un vin qui sera prêt à la parution du Guide.

Xavier Cailleau, Ch. de Bois-Brinçon, 49320 Blaison-Gohier, tél. 02.41.57.19.62, fax 02.41.57.10.46, e-mail chateau.bois.brincon@terre-net.fr

r.-v.

DOM. DES BONNES GAGNES 2005 *

■ 2 ha 10 000 ▮ 3 à 5 €

Le vignoble des Bonnes Gagnes fut planté en 1020 par les moines de l'abbaye du Ronceray d'Angers. Quant à la famille Héry, voilà bientôt quatre siècles qu'elle exploite ces terres crayeuses qui constituent l'auréole occidentale du Bassin parisien. Son anjou rouge s'habille d'une livrée sombre aux nuances noires et libère des parfums concentrés de fruits rouges bien mûrs. Sa richesse et sa structure tannique solide mais bien fondue font de ce vin un très bon représentant de l'appellation.

Vignerons Héry, Orgigné, 49320 Saint-Saturnin-sur-Loire, tél. 02.41.91.22.76, fax 02.41.91.21.58, e-mail hery.vignerons@wanadoo.fr

t.l.j. 9h-12h 14h-19h; dim. sur r.-v.

DOM. CADY 2004 *

■ 2 ha n.c. 3 à 5 €

L'un des domaines de référence pour la production de coteaux-du-layon. La plupart des parcelles de l'exploitation sont implantées en effet sur des coteaux abrupts du Layon, terre d'élection pour le chenin. Les vins rouges, s'ils occupent une place secondaire, ne manquent pas d'intérêt. Celui-ci provient d'une vigne en replat aux sols plus profonds que sur les pentes. Il séduit par son expression aromatique rappelant les fruits noirs (cassis). Sa bouche intense et harmonieuse révèle une structure tannique bien présente qui en fait une bouteille de caractère à servir avec des viandes rouges grillées.

Philippe Cady, EARL Dom. Cady, Valette, 49190 Saint-Aubin-de-Luigné, tél. 02.41.78.33.69, fax 02.41.78.67.79, e-mail domainecady@yahoo.fr

t.l.j. sf dim. 9h-12h 14h-19h

CH. DE CHAMBOUREAU 2005 *

■ 1,4 ha 7 500 5 à 8 €

Un vrai château (XV^e^s.-XVIII^e^s.) et un domaine viticole surtout célèbre par ses vins blancs de l'AOC savennières. Pour marginale qu'elle soit, la production d'anjou rouge ne démérite pas, témoin ce 2005 grenat intense au nez de framboise et de myrtille, délicat et harmonieux à l'attaque. Sa finale tannique suggère d'attendre cette bouteille quelque temps.

EARL Pierre Soulez, Ch. de Chamboureau, 49170 Savennières, tél. 02.41.77.20.04, fax 02.41.77.27.78, e-mail pierresoulez@wanadoo.fr

r.-v.

DOM. DES CHESNAIES Le Bretault 2005 *

■ 1,2 ha 6 600 ▮ 5 à 8 €

Un exemple de reconversion : Olivier de Cenival, gérant d'une société d'informatique, et Catherine, restauratrice, quittent Paris en 1998 pour miser sur le tourisme viticole. Ils achètent une gentilhommière dans les coteaux du Layon, un vignoble (18 ha), ouvrent des chambres d'hôtes et une salle de dégustation dans une orangerie. Ils ont proposé un anjou rouge 2005 intense au nez comme en bouche. Ample et généreux, ce vin offre des arômes persistants de cassis à l'alcool nuancés de sous-bois. Un très beau vin, d'une richesse peu commune dans l'appellation.

Olivier de Cenival, Dom. des Chesnaies, La Noue, 49190 Denée, tél. 02.41.78.79.80, fax 02.41.68.05.61, e-mail odecenival@wanadoo.fr r.-v.

DOM. ÉMILE CHUPIN Croix de la Varenne 2005 *

■ 5,92 ha 44 000 ▮ 3 à 5 €

Un vaste domaine (près de 100 ha) établi dans l'aire des coteaux-du-layon. Les vignes, en faible pente, sont implantées sur des formations sableuses, graveleuses et argileuses du début du secondaire, particulièrement propices aux cépages rouges. Ce 2005 développe à l'aération des notes rappelant le fumé et des nuances de fruits rouges. Léger et harmonieux, c'est un vin plaisir de bonne facture, typique de l'appellation.

SCEA Dom. Émile Chupin, 8, rue de l'Église, 49380 Champ-sur-Layon, tél. 02.41.78.86.54, fax 02.41.78.61.73, e-mail domaine.chupin@wanadoo.fr

r.-v.

DOM. DES COQUERIES Élevé en fût de chêne 2004

1 ha 2 000 5 à 8 €

Ce domaine a été repris il y a dix ans par Philippe Gilardeau, après ses études d'œnologie à Bordeaux ; il s'étend dans l'aire du bonnezeaux, un des grands liquoreux de la région, mais produit aussi des vins secs, comme ce 2004 jaune soutenu aux reflets dorés. Intense et fraîche, l'expression aromatique de cet anjou mêle des notes fruitées (raisin, coing) à des nuances de cire. Cette palette se prolonge dans une bouche à la finale vive. À marier à des coquillages cuisinés. L'anjou **rouge 2005 (3 à 5 €)** des Coqueries a reçu lui aussi une citation pour sa robe intense, ses arômes puissants de cerise mûre et sa bouche légère : un vin à servir dans l'année.

EARL Philippe Gilardeau, Les Noues, 49380 Thouarcé, tél. 02.41.54.39.11, fax 02.41.54.38.84

r.-v.

DOM. DE LA COUCHETIÈRE 2005 *

■ 4 ha 27 000 ▮ 3 à 5 €

Ce domaine familial géré par deux frères était à l'origine tourné vers la vente au négoce ; il commercialise aujourd'hui sa production auprès des particuliers. Les terres sableuses et argileuses de la commune de Notre-Dame-d'Allençon, village qui jouxte Bonnezeaux vers le nord, appartiennent aux premiers dépôts continentaux du début du secondaire et sont favorables à la production de vins rosés et rouges comme ce 2005 à la fois riche et tendre. Son expression aromatique, faite de fruits rouges avec des nuances de fenaison, intéresse. Son palais souple, frais et délicat en fait un représentant très réussi de l'appellation.

🗝 GAEC Brault, Dom. de La Couchetière, 49380 Notre-Dame-d'Allençon, tél. 02.41.54.30.26, fax 02.41.54.40.98
☑ Y 🚶 t.l.j. sf dim. 8h-12h 14h-18h30

DOM. DELAUNAY 2005 *

	1,2 ha	8 000		3 à 5 €

Aux confins occidentaux de l'Anjou, Montjean-sur-Loire était fort vivant au XIXᵉs. avec son port fluvial, ses mines de charbon et ses fours à chaux, activités dont l'écomusée du bourg porte témoignage. Il reste la vigne. Cette importante exploitation familiale (45 ha) a beaucoup développé ses installations de vinification et d'accueil à partir de 1992. Son anjou blanc s'habille d'une robe à reflets verts et offre de délicates fragrances florales. Riche et ample, il finit sur des impressions chaleureuses.

🗝 Dom. Delaunay Père et Fils, Daudet, rte de Chalonnes, 49570 Montjean-sur-Loire, tél. 02.41.39.08.39, fax 02.41.39.00.20, e-mail delaunay.anjou@wanadoo.fr
☑ Y 🚶 t.l.j. 8h-12h 14h-18h; sam. dim. sur r.-v.

DOM. PHILIPPE DELESVAUX

La Montée de l'Épine 2004 *

■	1,5 ha	3 000		5 à 8 €

Arrivé dans le vignoble en 1978 et non originaire du milieu viticole, Philippe Delesvaux a su s'y faire une place. Il propose ici un anjou rouge élaboré à partir de cabernet-sauvignon implanté sur des cendres volcaniques. D'un pourpre limpide engageant, c'est un vin au caractère affirmé, riche, plein et doté d'une structure tannique bien présente, qui lui permettra d'attendre.

🗝 Philippe et Catherine Delesvaux, Les Essards, La Haie Longue, 49190 Saint-Aubin-de-Luigné, tél. 02.41.78.18.71, fax 02.41.78.68.06, e-mail dom.delesvaux.philippe@wanadoo.fr ☑ Y 🚶 r.-v.

DOM. DES DEUX ARCS 2005 *

■	1,5 ha	9 000		3 à 5 €

Incendié en 1793, le château de Martigné-Briand dresse ses ruines encore imposantes à 150 m de ce domaine. Si cette commune est située dans l'aire des coteaux-du-layon, elle est également renommée pour ses

Anjou et Saumur

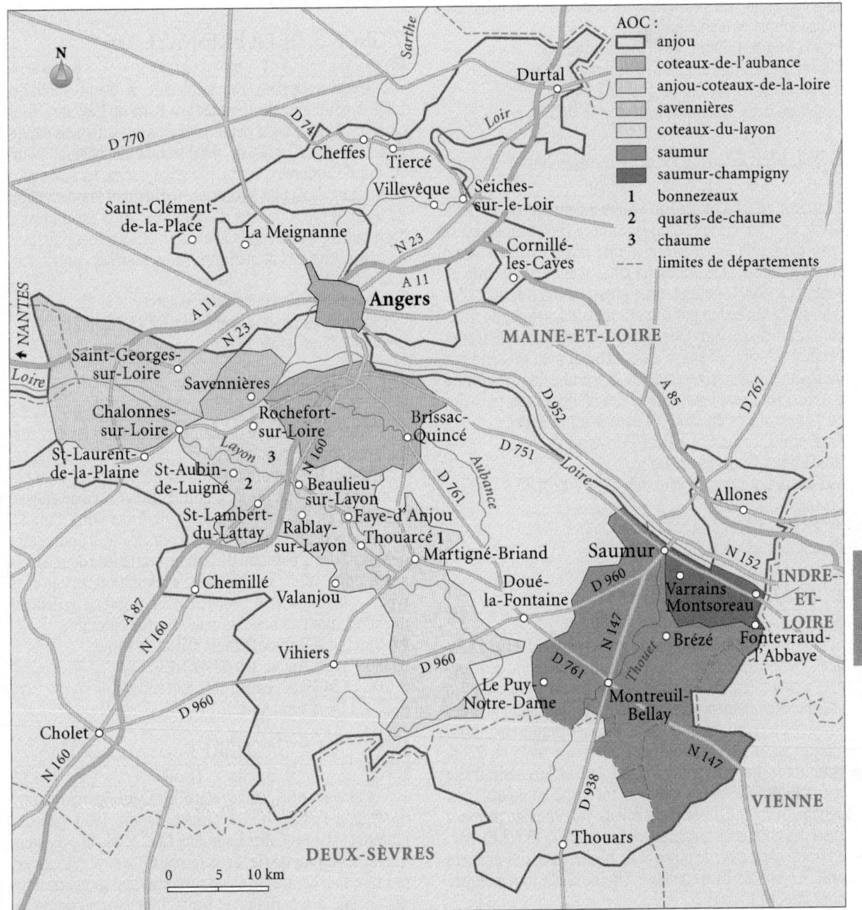

LOIRE

cabernets. Cet anjou bien vinifié et représentatif de son appellation est le premier millésime de Jean-Marie Gazeau, arrivé en 2005 sur l'exploitation familiale. Rouge intense, il délivre des arômes de cassis et de petits fruits des bois et se montre riche, charnu et dense. Tannique et austère le jour de la dégustation, la finale devrait s'être arrondie à la sortie du Guide.

Michel Gazeau, Dom. des Deux Arcs, 11, rue du 8-Mai-1945, 49540 Martigné-Briand, tél. 02.41.59.47.37, fax 02.41.59.49.72, e-mail do2arcs@wanadoo.fr r.-v.

DOM. DES DEUX MOULINS Expression du Chenin 2004 *

1 ha 2 500 5 à 8 €

Deux moulins caviers caractéristiques de l'Anjou ont donné leur nom à ce domaine qui a connu une extension rapide, puisqu'il a presque quintuplé sa surface en seize ans : il comptait 12 ha à sa création, et s'étend aujourd'hui sur 59 ha. Il propose un anjou blanc élevé en fût. La couleur jaune soutenu aux reflets dorés de ce 2004 est révélatrice d'une vendange surmûrie. Le nez, encore discret, mêle des notes d'agrumes et de boisé et annonce une certaine concentration. En harmonie avec le nez, la bouche est riche, souple et bien équilibrée.

D. Macault, Dom. des Deux Moulins, 20, rte de Martigneau, 49610 Juigné-sur-Loire, tél. 02.41.54.65.14, fax 02.41.54.67.94, e-mail les.deux.moulins@wanadoo.fr r.-v.

DOM. DHOMMÉ Clos des Fresnaies 2004 *

1,55 ha 5 000 5 à 8 €

Situé à Chalonnes, au confluent du Layon et de la Loire, ce domaine créé dans les années 1960 a aménagé sa cave dans une île. Il propose une cuvée d'anjou blanc élevée en fût dont le millésime 2002 avait reçu un coup de cœur. Ce 2004 obtient une grosse étoile. Jaune d'or intense, ce vin séduit par son nez mêlant les notes de fruits confits (abricot, coing), des nuances miellées, réglissées et vanillées. Ample et suave en bouche, il n'en possède pas moins une belle arête acide et laisse une impression de pureté. Prêt à servir sur des viandes blanches, des poissons ou des crustacés en sauce, il peut aussi attendre.

Dom. Dhommé, Le Petit Port-Girault, rte de Saint-Georges-sur-Loire, 49290 Chalonnes-sur-Loire, tél. 02.41.78.24.27, fax 02.41.74.94.91, e-mail domainedhomme@wanadoo.fr t.l.j. sf dim. 9h-12h 14h-19h

DOM. DULOQUET 2005 ***

2,4 ha 7 500 3 à 5 €

Depuis sa création par le grand-père d'Hervé Duloquet, cette exploitation s'est considérablement développée, non seulement en superficie (elle est passée de 7 à presque 30 ha), mais aussi en qualité. Située dans l'aire des coteaux-du-layon, elle a misé sur les liquoreux, mais montre ici un réel savoir-faire en rouge avec ce 2005, symphonie de petits fruits rouges – groseille, cassis, fraise et framboise. Toujours intensément fruité au palais, c'est un vin gourmand, frais et charmeur. Le domaine propose aussi des anjous secs, comme ce **blanc 2005 (5 à 8 €)**, cité, au fruité d'abricot, de poire et de pêche, avec des nuances vanillées, rond et bien équilibré. Une bouteille tout indiquée pour l'apéritif.

Hervé Duloquet, Les Mourseaux, 4, rte du Coteau, 49700 Les Verchers-sur-Layon, tél. 02.41.59.17.62, fax 02.41.59.37.53, e-mail dom.duloquet@wanadoo.fr r.-v.

CH. DE FESLES Sec 2005

4 ha 16 000 3 à 5 €

Implanté au cœur d'une zone de production de grands liquoreux, le château de Fesles a été repris en 1996 par Bernard Germain qui promeut les vins blancs secs élaborés à partir de tries et vinifiés en barrique. On retrouve cette année encore deux anjous blancs. La cuvée classique, élevée un an dans le bois, offre des arômes floraux et fruités typiques de l'appellation, accompagnés de notes miellées fort agréables. L'amande et l'acacia imprègnent le palais, composant un ensemble harmonieux. La cuvée **La Chapelle 2005 (5 à 8 €)**, élevée dix-huit mois en fût, présente un nez discret, floral et fruité, et une bouche ample et suave à l'attaque, aux arômes de fleurs blanches. Un vin structuré à attendre un peu.

Ch. de Fesles, 49380 Thouarcé, tél. 02.41.68.94.00, fax 02.41.68.94.01, e-mail loire@vgas.com t.l.j. sf sam. dim. 9h-18h

Bernard Germain

VIGNOBLE DE LA FRESNAYE 2005 *

1,5 ha 3 000 3 à 5 €

Cette propriété est implantée à Saint-Aubin-de-Luigné, commune surnommée la « Perle du Layon ». Si les coteaux abrupts de la petite rivière, avec leurs sols superficiels, sont les terres de prédilection du chenin, pourvoyeur de liquoreux, ceux de la rive gauche, en pente plus faible et aux sols plus profonds, permettent la production de tous les types de vins d'Anjou. Ce 2005 est un rouge harmonieux, à la fois délicat et riche. Ses arômes puissants de cassis, présents au nez comme en bouche, contribuent à sa séduction.

Joseph et Éric Halbert, Villeneuve, 49190 Saint-Aubin-de-Luigné, tél. 02.41.78.38.21, fax 02.41.78.66.44 r.-v.

CH. DU FRESNE 2005 *

1,5 ha 40 000 3 à 5 €

Avec ses 76 ha, ce domaine installé dans les coteaux-du-layon compte parmi les propriétés les plus importantes de l'Anjou. Il a élaboré un vin rouge intense aux nuances d'un violet sombre, presque noir. Flatteur et riche au nez, ce 2005 n'est pas avare d'arômes de fruits noirs. Ample, souple et généreux en bouche, toujours fruité, il pourra être débouché dès la parution du Guide ou attendre deux à trois ans. L'anjou **blanc sec 2005** de l'exploitation, aux arômes typiques d'abricot et de pêche blanche, a obtenu également une étoile pour sa bouche riche, fruitée et longue.

Vignobles Robin-Bretault, Ch. du Fresne, 49380 Faye-d'Anjou, tél. 02.41.54.30.88, fax 02.41.54.17.52, e-mail fresne@voila.fr t.l.j. sf dim. 8h-12h 14h-19h

DOM. DE LA GACHÈRE Cuvée Alexia 2005 **

1,7 ha 11 500 3 à 5 €

Cette propriété située dans les Deux-Sèvres, au sud du vignoble angevin, est dirigée depuis 1983 par des jumeaux, Alain et Gilles Lemoine. Dédiée à la fille d'Alain, née le même jour que les deux frères, cette cuvée Alexia est promise à un bel avenir. D'un rouge brillant moiré de noir, elle décline des parfums de fruits mûrs, voire compotés,

rappelant le pruneau et le cassis. On retrouve en bouche le cassis, avec les fruits rouges. Riche, ample et généreux, cet anjou est déjà prêt mais il peut attendre au moins deux ans.
Alain et Gilles Lemoine, Dom. de La Gachère, 79290 Saint-Pierre-à-Champ, tél. 05.49.96.81.03, fax 05.49.96.32.38, e-mail f.lemoine@wanadoo.fr
r.-v.

DOM. DE GAGNEBERT Cuvée G Sec 2004 *

2 ha 3 000 8 à 11 €

À 2 km de ce domaine familial implanté au cœur du massif ardoisier de Juigné-sur-Loire, des guinguettes sont installées au bord du fleuve. Y sert-on des anjous blancs secs comme ce 2004 ? À vrai dire, cette bouteille élégante, à marier avec poissons grillés ou en sauce et viandes blanches, pourra paraître aussi sur un repas fin. De couleur jaune doré, elle présente un nez complexe où les fleurs (tilleul) côtoient la citronnelle, les fruits blancs frais, avec une touche compotée. Toutes ces impressions aromatiques se retrouvent dans une bouche gourmande et harmonieuse.
GAEC Moron, Dom. de Gagnebert, 2, chem. de la Naurivet, 49610 Juigné-sur-Loire, tél. 02.41.91.92.86, fax 02.41.91.95.50, e-mail moron@domaine-de-gagnebert.com
t.l.j. sf dim. 9h-12h 15h-19h

DOM. GAUDARD Les Vauguérins 2005 *

3,5 ha 10 000 5 à 8 €

Personnalité du vignoble angevin, volontaire et rigoureux, Pierre Aguilas a contribué au renouveau qualitatif des vins de la région. La démarche est la même sur son exploitation : les rendements sont faibles et les maturités poussées à l'optimum. Il en résulte ici un anjou grenat intense et d'une richesse étonnante. Ses parfums complexes de fruits rouges et noirs précèdent une bouche opulente, dense, aux arômes de fruits mûrs. Une bouteille à la fois puissante et élégante.
Pierre Aguilas, Dom. Gaudard, rte de Saint-Aubin, 49290 Chaudefonds-sur-Layon, tél. 02.41.78.10.68, fax 02.41.78.67.72, e-mail pierre.aguilas@wanadoo.fr
t.l.j. 9h-12h 14h-18h; dim. sur r.-v.

DOM. GODEAU Les Gentils 2003

3 ha 1 000 5 à 8 €

Cette propriété implantée dans les coteaux-du-layon s'étend sur 17 ha. Elle possède depuis quelques années un chai à barriques où a été élevé cet anjou de couleur jaune aux légers reflets dorés. Boisé et vanillé au nez, ce 2003 est très marqué par le fût. Le palais se montre rond, riche et capiteux. On y retrouve la vanille, avec des notes grillées et fumées et des arômes de coing en compote. Un vin chaleureux à servir avec des viandes blanches ou du foie gras poêlé.
Marc Godeau, Dom. Godeau, L'Orée, 49750 Beaulieu-sur-Layon, tél. 02.41.78.41.64, fax 02.41.78.63.35 r.-v.

DOM. DE LA GRETONNELLE 2005 *

2 ha 3 000 3 à 5 €

Ce domaine est situé dans le nord du département des Deux-Sèvres, dont une dizaine de communes font partie du vignoble angevin. Il a proposé un anjou rouge très bien vinifié, harmonieux par sa structure sans aucune aspérité. Un vin limpide aux arômes de petits fruits rouges, délicat, rond et frais en bouche, qui sera très agréable dans quelques mois. Une petite cuvée d'anjou **blanc demi-sec 2005** a par ailleurs été citée pour son nez expressif et fruité, sur l'amande fraîche, et pour sa bouche souple et équilibrée aux accents de fruits surmûris.
EARL Charruault-Schmale, Les Landes, 79290 Bouillé-Loretz, tél. 05.49.67.04.49, fax 05.49.67.18.36 r.-v.

DOM. GROSSET Le Vau 2004 **

0,5 ha 2 000 5 à 8 €

Ce domaine a son siège dans une commune célèbre par ses liquoreux d'appellation quarts-de-chaume, produits sur des coteaux d'exposition sud exploités dès le Moyen Âge par les moines de l'abbaye de Ronceray. Mais cette année, il se distingue particulièrement en anjou blanc sec. De couleur paille intense aux reflets dorés, ce 2004 vinifié un an en fût libère des parfums puissants et complexes, où les notes de fruits confits caractéristiques d'une vendange bien mûre se mêlent à des nuances boisées. Ces arômes se prolongent dans une bouche impressionnante par sa richesse et par sa longue finale. L'anjou **rouge 2005 (3 à 5 €)** ne démérite pas : c'est un vin de plaisir immédiat, souple, gouleyant, bien fruité et délicat, qui obtient une étoile.
Serge Grosset, 60, rue René-Gasnier, 49190 Rochefort-sur-Loire, tél. 02.41.78.78.67, fax 02.41.78.79.79, e-mail segrosset@wanadoo.fr
r.-v.

CH. DE LA GUIMONIÈRE Sec 2004 *

n.c. 83 700 5 à 8 €

Cette propriété de 12 ha a été reprise en 2005 par Alain Château. Elle propose un anjou blanc plein d'attraits tout au long de la dégustation. De couleur jaune d'or, ce millésime allie au nez un fruité franc aux accents de fruits blancs à un boisé élégant et épicé (cannelle, muscade, girofle), avec une touche de caramel. La bouche ample et douce à la finale fraîche procure beaucoup de plaisir. Un vin élégant et de caractère, à servir avec des viandes blanches en sauce ou des fromages à pâte dure.
SARL Ch. Bellerive, Chaume, 49190 Rochefort-sur-Loire, tél. 02.41.78.33.66, fax 02.41.78.68.47, e-mail chateau.bellerive@wanadoo.fr
r.-v.
Alain Château

DOM. DES HAUTES BROSSES Ancestra 2005

8 ha 10 000 3 à 5 €

En trente ans, cette propriété familiale implantée sur la corniche angevine est devenue une exploitation qui compte dans le vignoble, passant de 2 ha en 1976 à 45 ha aujourd'hui. Sa cuvée Ancestra s'annonce par une élégante robe rouge aux nuances sombres et par des parfums de fruits noirs. Intense et dense au palais, elle se fait tannique en finale. Il est conseillé de la carafer avant de la servir sur des viandes rouges ou du fromage.
Pin, Les Hautes Brosses, 49190 Rochefort-sur-Loire, tél. 02.41.78.35.26, fax 02.41.78.98.21, e-mail pin@webmails.com
t.l.j. sf dim. 10h-12h 15h-19h

DOM. DES HAUTES OUCHES 2005 *

1 ha 1 300 5 à 8 €

Ce domaine connaît un essor considérable : il s'étend sur 55 ha. Il a proposé un anjou moelleux de couleur jaune paille, qui laisse percevoir des notes de fleurs jaunes (renoncule). Séducteur en bouche, ce vin se montre riche, ample et généreux. Sa vivacité assure un très bon équilibre avec la douceur. Cité par le jury, l'anjou **rouge 2005 Élevé en fût de chêne** a été élaboré avec les œnologues du négociant Joseph Verdier qui le distribue. Rouge sombre moiré de noir, il apparaît dominé au bouquet par des notes de l'élevage. Agréable en bouche, il révèle des tanins qui se fondront au vieillissement. Une bouteille plutôt hors normes pour l'appellation mais qui plaira aux amateurs de vins boisés.

EARL Joël et Jean-Louis Lhumeau, 9, rue Saint-Vincent, Linières, 49700 Brigné-sur-Layon, tél. 02.41.59.30.51, fax 02.41.59.31.75, e-mail dnehauteshouches@wanadoo.fr
r.-v.

DOM. DES IRIS Élevé en fût de chêne 2005

3,1 ha 7 000 5 à 8 €

Les vins de ce domaine sont élaborés par les œnologues du négociant Joseph Verdier. Ce millésime s'annonce par une robe jaune pâle aux reflets or et par des arômes intenses de fruits très mûrs, d'où ressortent l'abricot et la banane. La bouche est équilibrée, chaleureuse, un peu dominée par des impressions boisées. Elle pourrait gagner en amabilité après une petite garde.

SARL Dom. des Iris, La Roche-Coutant, 49540 Tigné, tél. 02.41.40.22.50, fax 02.41.40.22.69, e-mail j-verdier@wanadoo.fr

Joseph Verdier

DOM. DE JUCHEPIE Le Sec de Juchepie 2004

6,5 ha 7 000 5 à 8 €

Deux anciens quincailliers belges ont acquis cette propriété de 6,50 ha dans les coteaux-du-layon et l'exploitent en agriculture biologique. Leur 2004 élevé un an en fût offre une présentation attrayante avec sa robe or intense et son nez franc associant les fruits blancs à des touches rappelant le caramel. Ces impressions se prolongent dans un palais ample, bien structuré et équilibré. À servir sur des viandes blanches ou des poissons en sauce.

Oosterlinck-Bracke, Les Quarts, 49380 Faye-d'Anjou, tél. 02.41.54.33.47, fax 02.41.54.13.49 r.-v.

DOM. LEROY Vinifié en fût de chêne 2005 ★

1,5 ha 3 000 5 à 8 €

Les Leroy sont vignerons depuis cinq générations dans ce village de la vallée du Layon où l'on peut voir dans l'église de curieuses fresques en trompe-l'œil du XVIII[e]s. À la tête de 24 ha, ils ont élevé cinq mois en fût cet anjou blanc jaune pâle à reflets orangés, associant de puissants arômes fruités et floraux aux notes vanillées et torréfiées du bois. Agréable, équilibré, chaleureux en finale, c'est un vin à découvrir dès maintenant.

Jean-Michel Leroy, rue d'Anjou, 49540 Aubigné-sur-Layon, tél. 02.41.59.61.00, fax 02.41.59.96.47, e-mail leroy.domaine@wanadoo.fr
t.l.j. sf dim. 8h30-12h30 14h-19h; f. 1er juil-25 août

DOM. MATIGNON 2005 ★★★

n.c. n.c. 3 à 5 €

À 500 m du château de Martigné-Briand, ce domaine s'étend sur 38 ha. Il est situé au cœur de l'aire des coteaux-du-layon, mais la commune est réputée capitale des vins rosés de l'Anjou. Les Matignon ont réalisé un

travail de fond pour connaître les différents terroirs de la propriété. Le résultat est là, avec ce superbe 2005 d'un rouge violacé intense, dont le nez de fruits mûrs traduit une vendange effectuée à maturité optimale. Tendre, ronde, souple, délicate, constamment harmonieuse, cette bouteille est un modèle de l'appellation.

EARL Yves et Hélène Matignon, 21, av. du Château, 49540 Martigné-Briand, tél. 02.41.59.43.71, fax 02.41.59.92.34, e-mail domaine.matignon@wanadoo.fr
r.-v.

DOM. DE LA MOTTE 2005 ★★

2,5 ha 14 000 3 à 5 €

Les Sorin exploitent 19 ha de vignes autour de Rochefort-sur-Loire, village proche du confluent du Layon et de la Loire et réputé pour ses vins liquoreux. Cela n'empêche pas cette propriété de vinifier d'excellents anjous rouges. N'a-t-elle pas obtenu un coup de cœur dans cette appellation l'an dernier ? Ce remarquable 2005 est de la même veine que le millésime précédent. Rouge intense aux nuances plus sombres, d'un violet presque noir, il libère des parfums de fruits rouges bien mûrs, de cassis et autres fruits noirs. Riche et suave, la bouche est un modèle d'harmonie. Une bouteille au potentiel intéressant et digne d'une côte de bœuf.

EARL Sorin, Dom. de La Motte, 31-35, av. d'Angers, 49190 Rochefort-sur-Loire, tél. 02.41.78.72.96, fax 02.41.78.75.49, e-mail sorin.dommotte@wanadoo.fr r.-v.

GILLES MUSSET-SERGE ROULLIER Sec 2004

2 ha 10 000 5 à 8 €

Établi sur les coteaux de la Loire, ce domaine né de l'association en 1994 de deux propriétés s'étend sur 30 ha et élabore de nombreux styles de vins. Celui-ci affiche une robe or pâle qui attire le regard. Encore discret au nez, il laisse poindre des arômes de fleurs (acacia, tilleul) et de fruits secs (amande, noisette). Équilibrée et fruitée, la bouche finit sur une vivacité très agréable.

Vignoble Musset-Roullier, Le Chaumier, 49620 La Pommeraye, tél. 02.41.39.05.71, fax 02.41.77.75.76 r.-v.

CH. DE PASSAVANT Jarret de Mont Chenin 2003

1,1 ha n.c. 11 à 15 €

Ce domaine implanté dans le cours supérieur du Layon signe un anjou blanc élevé quatorze mois en fût. La couleur jaune doré de ce 2003 attire, comme le nez expressif et complexe où les fruits blancs se mêlent à des nuances vanillées. On retrouve avec plaisir cette riche palette née du raisin et de la barrique dans une bouche ronde, suave et veloutée.

🔑 SCEA David-Lecomte, Ch. de Passavant, rte de Tancoigné, 49560 Passavant-sur-Layon, tél. 02.41.59.53.96, fax 02.41.59.57.91, e-mail passavant@wanadoo.fr
☑ Y ✶ t.l.j. sf sam. dim. 8h-12h30 14h-18h30

CH. PIERRE-BISE Le Haut de la Garde 2004 ★★★

8 ha 20 000 5 à 8 €

Le vigneron de ce Haut de la Garde n'est autre que Claude Papin, producteur marquant de vins liquoreux (sept coups de cœur !) et fort disert sur la géologie des terroirs angevins. Son huitième coup de cœur va à un anjou sec où l'on retrouve les qualités d'arômes et de richesse présentes dans ses coteaux-du-layon et quarts-de-chaume. Jaune ambré, ce 2004 séduit par un nez d'une rare complexité, où les fruits blancs, les fruits confits (abricot, coing), le miel et le pain d'épice s'allient à un boisé réglissé. Cette complexité se prolonge dans un palais charnu, harmonieux et épicé. « Génial », conclut un dégustateur.

🔑 Claude Papin, Ch. Pierre-Bise, 49750 Beaulieu-sur-Layon, tél. 02.41.78.31.44, fax 02.41.78.41.24, e-mail chateaupb@hotmail.com
☑ Y ✶ r.-v.

CH. DU PIN 2005 ★

2,2 ha 16 000 3 à 5 €

Des bâtiments construits par François Ier, il ne subsiste qu'une tour. L'orangerie et la chapelle datent du XIX[e]s. Le château, dont une partie peut être louée à la semaine, comporte des jardins ouverts au public à la belle saison. Le domaine s'étend sur 45 ha. Il signe un anjou rouge au caractère affirmé, de couleur rouge sombre, au nez de fruits noirs (cassis), à la bouche riche et tannique. Un vin étoffé qui devrait gagner à attendre deux ans. À servir avec viandes rouges et gibier.

🔑 Dom. Delaunay Père et Fils, Daudet, rte de Chalonnes, 49570 Montjean-sur-Loire, tél. 02.41.39.08.39, fax 02.41.39.00.20, e-mail delaunay.anjou@wanadoo.fr
☑ Y ✶ t.l.j. 8h-12h 14h-18h; sam. dim. sur r.-v.
🔑 SCI Gignoux

DOM. DE PUTILLE 2005 ★

1,1 ha 5 000 3 à 5 €

Bien connu des lecteurs du Guide, le domaine de Putille est situé sur les coteaux bordant la Loire à l'ouest du département du Maine-et-Loire. Isabelle Sécher est la présidente des vins liquoreux qui y sont produits. Elle a présenté ici un vin rouge des plus réussis. Fort attirante, rouge sombre moiré de noir, la robe de ce 2005 annonce un nez de fruits noirs compotés (cassis) et de pruneau, arômes qui se confirment en bouche. Un vin ample et généreux, qui gagnera à attendre un an. Il s'accordera avec viandes rouges et fromages frais ou peu affinés.

🔑 Isabelle Sécher et Steve Roulier, Dom. de Putille, Putille, 49620 La Pommeraye, tél. 02.41.39.80.43, fax 02.41.39.81.91, e-mail domaine.de.putille@wanadoo.fr
☑ Y ✶ t.l.j. sf dim. 9h-12h 14h-19h

CH. DE PUTILLE

Méthode traditionnelle Les Schistes de Loire ★★

5 ha 33 000 5 à 8 €

Ce domaine de 44 ha vient d'agrandir ses chais et ses installations d'accueil. De fait, sa production, couverte d'étoiles par les jurys du Guide, et ce pour tous les styles de vins, lui vaut sans doute de nombreux visiteurs. Ces Schistes de Loire, méthode traditionnelle née de pur chenin, ne sont pas inconnus des habitués du Guide. Une effervescence délicate anime leur robe pâle, libère des parfums complexes de fruits à chair blanche (pomme) et de fruits exotiques et rafraîchit une bouche légère et harmonieuse : une apparente simplicité pour un vin de caractère. Deux étoiles encore pour l'anjou **blanc cuvée Prestige 2004** élevé en fût. Doré intense aux reflets ambrés, ce vin révèle une complexité naissante en laissant poindre des effluves fruités (coing, abricot, ananas, mangue). Puissant, généreux, ample, tout en fruits mûrs, le palais finit sur des impressions chaleureuses. Ces deux cuvées ont frôlé le coup de cœur.

🔑 Pascal Delaunay, EARL Ch. de Putille, 49620 La Pommeraye, tél. 02.41.39.02.91, fax 02.41.39.03.45, e-mail pascal.genevieve.delaunay@wanadoo.fr
☑ Y ✶ t.l.j. sf dim. 8h-12h30 14h-19h30

DOM. RICHOU Les Rogeries 2004 ★★

2 ha 8 500 8 à 11 €

Proche de la corniche angevine et du joli village de Denée, ce domaine est une valeur sûre du Guide, fort de sept coups de cœur. Ces Rogeries avaient obtenu cette distinction dans le millésime 2001. D'un jaune brillant et limpide, le 2004 développe des arômes intenses et complexes de fleurs blanches, de pomme et de poire bien mûres. Ce fruité séduisant se prolonge au palais. Plein de promesses, un ensemble équilibré, harmonieux et subtil, qui s'accordera avec une volaille à la crème.

🔑 GAEC D. et D. Richou, Chauvigné, 49610 Mozé-sur-Louet, tél. 02.41.78.72.13, fax 02.41.78.76.05, e-mail domaine.richou@wanadoo.fr
☑ Y ✶ t.l.j. sf dim. 8h30-12h 14h-19h

ROCHES DES ROCHELLES 2004 ★

3 ha 7 200 11 à 15 €

À la tête d'un domaine de 57 ha, Jean-Yves Lebreton élabore des vins de grande qualité. Si les rouges d'AOC anjou-villages-brissac sont sa spécialité, il ne démérite pas en anjou blanc, comme le montre ce 2004 que l'on déguste comme une friandise. Jaune paille soutenu, il libère d'agréables parfums de fruits exotiques nuancés de touches boisées. Frais, rond et long, il laisse une impression d'équilibre.

🔑 EARL J.-Y. A. Lebreton, Dom. des Rochelles, 49320 Saint-Jean-des-Mauvrets, tél. 02.41.91.92.07, fax 02.41.54.62.63, e-mail jy.a.lebreton@wanadoo.fr
☑ Y ✶ t.l.j. sf dim. 8h-12h 14h-19h

CH. DE LA ROULERIE Les Terrasses Sec 2005 ★

6 ha 12 000 11 à 15 €

Ce domaine de 23 ha est implanté dans l'aire des coteaux-du-layon. Il signe deux cuvées d'anjous secs très réussies (une étoile chacune), toutes deux élevées sous bois. Ces Terrasses de couleur paille brillent dans le verre. Leur bouquet intense mêle des notes florales aux nuances grillées et vanillées léguées par la barrique. Ces impressions se confirment dans une bouche ample, généreuse et fruitée. Un ensemble élégant. Le **sec 2005 (5 à 8 €)**, cuvée principale, se présente dans une livrée jaune pâle et libère des fragrances d'amande fraîche, tandis que la longue bouche se montre miellée et fondue. Un vin plaisir.

SCEA Ch. de La Roulerie,
49190 Saint-Aubin-de-Luigné,
tél. 02.41.54.88.26, fax 02.41.68.94.01,
e-mail loire@vgas.com r.-v.
Philippe Germain

DOM. SAINT-ARNOUL 2005 *

■ 5 ha 15 000 ■ 3 à 5 €

Ce domaine fait partie d'un hameau implanté sur des roches coquillières dans lesquelles de nombreuses caves ont été creusées. L'exploitation en a réhabilité deux, qui servent à l'élevage des vins liquoreux et des vins rouges de garde. Celui-ci a été vinifié pour être bu dans l'année. Rouge vif, il offre d'intenses arômes de fruits rouges. Rond et soyeux à l'attaque, plus tannique en finale, c'est un vin de caractère qui sera à son aise avec des viandes blanches ou rouges. Le 2002 avait obtenu un coup de cœur.

Alain Poupard, Dom. Saint-Arnoul, Sousigné,
49540 Martigné-Briand, tél. 02.41.59.43.62,
fax 02.41.59.69.23, e-mail saint-arnoul@wanadoo.fr
r.-v.

DOM. DE SAINT-MAUR 2005 *

■ 2,1 ha 5 500 ■ 3 à 5 €

Cette propriété était gérée par les bénédictins de l'abbaye de Saint-Maur jusqu'en 1905. Elle a été acquise par la famille Chouteau en 1962. Le vignoble couvre des coteaux calcaires surplombant la Loire, sur la rive gauche. Ce terroir a la réputation de donner naissance à des vins tendres. Celui-ci, rouge assez intense, livre les arômes de fruits rouges caractéristiques de l'appellation et offre une structure tannique soyeuse. Léger, souple et rond, il sera prêt à la sortie du Guide mais pourra se garder un à deux ans.

Xavier Chouteau, Saint-Maur,
49350 Le Thoureil,
tél. 02.41.57.30.24, fax 02.41.57.09.18,
e-mail domaine.de.saint-maur@wanadoo.fr r.-v.

DOM. SAUVEROY 2005 *

■ 3,4 ha 20 000 ■ 3 à 5 €

Ce domaine familial installé dans la vallée du Layon existe depuis deux générations. La cave a été construite en 1965 et, chaque décennie, des améliorations et des agrandissements sont mis en œuvre. L'exploitation jouit d'une solide réputation consacrée par plusieurs coups de cœur. Elle a proposé un anjou rouge d'une puissance peu commune dans l'appellation. Sa robe profonde, rouge sombre, annonce des arômes concentrés de fruits rouges et noirs et une bouche dense et riche, légèrement tannique en finale. Ce vin sera à son optimum dans un an. Son cousin, le **rosé de Loire 2005**, obtient une étoile.

EARL Pascal Cailleau,
Dom. Sauveroy,
49750 Saint-Lambert-du-Lattay,
tél. 02.41.78.30.59, fax 02.41.78.46.43,
e-mail domainesauveroy@sauveroy.fr r.-v.

DOM. DE TERREBRUNE 2005 *

■ 6 ha 50 000 ■ 3 à 5 €

Le domaine de Terrebrune dispose d'une cinquantaine d'hectares situés principalement sur les terres graveleuses et argileuses appartenant aux formations détritiques transgressives mises en place au début du secondaire. Son anjou rouge est typique de l'appellation avec sa robe intense, ses arômes de fleurs, de fruits et de coulis de fraises, sa bouche harmonieuse, souple et légère. Un vin simple mais gourmand et très bien fait, à déguster dès la sortie du Guide. Notez que le **rosé-de-loire 2005** du domaine obtient une citation.

Dom. de Terrebrune, La Motte,
49380 Notre-Dame-d'Allençon, tél. 02.41.54.01.99,
fax 02.41.54.09.06,
e-mail domaine-de-terrebrune@wanadoo.fr r.-v.

CH. LA VARIÈRE Cuvée Prestige 2005 *

■ 1,3 ha 8 000 ■ 5 à 8 €

Cette vaste exploitation (95 ha) élabore avec le même succès les AOC les plus prestigieuses de l'Anjou (bonnezeaux, quarts-de-chaume, coteaux-du-layon, coteaux-de-saumur, anjou-villages-brissac, saumur-champigny) et les plus simples, comme cet anjou rouge grenat, frais et gourmand. Fruité au nez comme en bouche, riche et dense, ce vin offre tout ce que l'on attend de cette appellation.

SARL Beaujeau, Ch. La Varière,
49320 Brissac-Quincé, tél. 02.41.91.22.64,
fax 02.41.91.23.44, e-mail beaujeau@wanadoo.fr
t.l.j. sf sam. dim. 10h-12h 15h-18h

LA VIGNE NOIRE 2005 *

■ 6,5 ha 5 500 ■ 3 à 5 €

Situé dans les Deux-Sèvres, au sud du vignoble angevin, ce domaine de 28 ha a été repris en 2001 par un jeune couple de vignerons. Leur anjou rouge 2005, de couleur intense, libère de puissants parfums de fruits rouges bien mûrs. C'est un vin de caractère, riche, plein, tannique en finale. Il exprimera son potentiel dès la fin de l'année et pourra accompagner une belle pièce de bœuf, rosbif ou côte.

Nathalie et Guillaume Cauty, La Vigne Noire,
79290 Bouillé-Saint-Paul, tél. et fax 05.49.96.83.19
r.-v.

Anjou-gamay

Vin rouge produit à partir du cépage gamay noir. Sur les terrains les plus schisteux de la zone, bien vinifié, il peut donner un excellent vin de carafe. Quelques exploitations se sont spécialisées dans ce type, qui n'a d'autre ambition que de plaire au cours de l'année de sa récolte. 9 538 hl ont été produits en 2005.

DOM. ROMPILLON 2005

■ 0,9 ha 5 000 ■ 3 à 5 €

L'anjou-gamay est essentiellement produit sur les terres schisteuses et caillouteuses du Massif armoricain, où il peut donner de bons résultats. C'est bien de tels sols que

provient ce vin né dans la vallée du Layon. Rouge vif, il offre au nez comme en bouche les arômes gourmands attendus dans cette appellation : du petit fruit rouge frais. À la fois ronde et vive, cette bouteille accompagnera dans l'année qui vient salades, charcuteries, quiches ou pizzas.
SARL Dom. Rompillon, L'Ollulière, 49750 Saint-Lambert-du-Lattay, tél. et fax 02.41.78.48.84 r.-v.

Anjou-villages

Le terroir de l'AOC anjou-villages correspond à une sélection de terrains dans l'AOC anjou : seuls les sols sains, précoces et bénéficiant d'une bonne exposition ont été retenus. Ce sont essentiellement des sols développés sur schistes, altérés ou non. Les dix communes constituant l'aire géographique de l'AOC anjou-villages-brissac, reconnue en 1998, sont situées sur un plateau en pente douce vers la Loire, limité au nord par ce fleuve, et au sud par les coteaux abrupts du Layon. Les sols sont profonds. La proximité de la Loire, qui limite les températures extrêmes, explique également la particularité du terroir. La vendange 2005 a produit 8 063 hl en anjou-villages et 4 483 hl en brissac.

DOM. DES BARRES Clos des Casses 2003 *

2 ha 6 000 3 à 5 €

Créée en 1930 sur la commune de Saint-Aubin-de-Luigné, l'exploitation s'étend sur 25 ha. Si elle est centrée sur la production de vins blancs secs ou liquoreux, ses vins rouges méritent également l'attention, témoin ce 2003 représentatif de son appellation. Rouge profond à nuances brunes, il offre des arômes de fruits cuits. Intense et suave à l'attaque, plutôt tannique en finale, il laisse une impression de richesse.
Patrice Achard, Dom. des Barres, 49190 Saint-Aubin-de-Luigné, tél. 02.41.78.98.24, fax 02.41.78.68.37, e-mail achardpatrice@wanadoo.fr r.-v.

DOM. DE LA BERGERIE Évanescence 2004 **

1,7 ha 5 000 8 à 11 €

Yves Guégniard est établi dans la vallée du Layon et exploite 36 ha de vignes. Renommé pour ses vins liquoreux, son domaine a obtenu l'an dernier un coup de cœur pour un savennières, appellation de vin sec. Il montre aussi son savoir-faire en rouge avec cet anjou-villages. Rouge intense moiré de noir, ce 2004 s'annonce par un nez puissant où se mêlent les fruits noirs compotés et un boisé vanillé, épicé et grillé, légué par un séjour d'un an en barrique. Remarquable de rondeur et de richesse, la bouche révèle un excellent vin de garde qui prendra de l'ampleur après un à deux ans passés en cave.
Yves Guégniard, Dom. de La Bergerie, 49380 Champ-sur-Layon, tél. 02.41.78.85.43, fax 02.41.78.60.13, e-mail domainede.la.bergerie@wanadoo.fr t.l.j. sf dim. 9h-12h 14h-19h; f. 15-30 août

DOM. MICHEL BLOUIN 2004

1,3 ha 8 000 5 à 8 €

Créée en 1870 sur les terres accidentées des coteaux du Layon, cette exploitation qui comptait à l'origine un peu moins de 3 ha de vignes s'est développée au fil des générations et s'étend aujourd'hui sur plus de 21 ha. Certaines parcelles sont réservées à la production de vins rouges de garde. Celui-ci affiche une robe rouge intense et des arômes simples de fruits rouges mûrs que l'on retrouve avec plaisir dans une bouche riche et intense. La finale tannique et austère suggère d'oublier ce 2004 en cave quelques années.
Dom. Michel Blouin, 53, rue du Canal-de-Monsieur, 49190 Saint-Aubin-de-Luigné, tél. 02.41.78.33.53, fax 02.41.78.67.61 r.-v.

DOM. DE BOIS MOZÉ Jean-Joseph 2004 *

1,18 ha 8 600 5 à 8 €

Ancien manoir du XVIe s. ayant appartenu à la famille d'Aubigné, la propriété est devenue au XVIIe s. une métairie du château de Montsabert qui domine encore aujourd'hui la plaine de Coutures. Quant au vignoble, qui a changé de mains en 1996, il compte plus de 23 ha implantés sur les terres crayeuses du Bassin parisien. Élevé pour partie en cuve pendant six mois et pour partie en barrique pendant douze mois, ce 2004 grenat intense associe des parfums concentrés de fruits rouges et un boisé vanillé et grillé. La bouche dense n'en laisse pas moins une impression de souplesse, d'harmonie et de délicatesse. De très bonne facture, ce vin accompagnera un gigot d'agneau ou un magret de canard grillé.
René Lancien, Dom. de Bois Mozé, 49320 Coutures, tél. 02.41.57.91.28, fax 02.41.57.93.71, e-mail boismoze@ansamble.fr r.-v.

DOM. DE BRIZÉ Clos Médecin 2004 **

3 ha 19 000 5 à 8 €

Le domaine de Brizé – 40 ha de vignes – jouit d'une solide réputation en matière de vins rouges et de vins effervescents. Après une superbe méthode traditionnelle plébiscitée l'an dernier, il obtient son cinquième coup de cœur grâce à ce Clos Médecin, une référence de l'appellation anjou-villages. Avec sa robe rouge vif aux reflets grenat sombre et ses arômes complexes de fruits rouges mûrs et d'épices, ce 2004 sait se présenter. En bouche, le fruité perdure avec délicatesse et l'harmonie est complète. Un vin d'excellente facture et au réel potentiel.
Line et Luc Delhumeau, EARL Dom. de Brizé, village de Cornu, BP 4, 49540 Martigné-Briand, tél. 02.41.59.43.35, fax 02.41.59.66.90, e-mail delhumeau.scea@free.fr r.-v.

LOIRE

DOM. DE CHANTEMERLE 2004 *

■ 0,5 ha 3 000 ◖◗ 3 à 5 €

Installés à Trémont, dans un vallon tributaire du Layon, les Laurilleux exploitent 26 ha de vignes. Ils organisent une journée portes ouvertes le 1er avril. Cet anjou-villages a séjourné treize mois en barrique. Il en résulte un vin grenat aux arômes intenses de fruits noirs et rouges nuancés d'épices. En bouche, ce 2004 plein et charnu donne une sensation de concentration et de richesse. Des tanins austères font sentir leur présence en finale et laissent augurer quelques années de garde. À attendre.

Patrick et Caroline Laurilleux,
Dom. de Chantemerle, 4, rue de l'École,
49310 Trémont, tél. 02.41.59.43.18, fax 02.41.50.02.99
r.-v.

DOM. LA CROIX DES LOGES
Les Grenuces 2004 *

■ 1 ha 4 000 ▮ 5 à 8 €

Ce domaine, qui s'étend sur 45 ha, sort souvent du lot en rosé : il a obtenu l'an dernier un coup de cœur en cabernet-d'anjou. Il sait aussi élaborer des vins rouges très agréables, comme cet anjou-villages. Les jeunes plants de cabernet-sauvignon à l'origine de ce vin sont arrivés précocement à maturité, un mois avant les autres vignes. La vinification a comporté une macération à froid de cinq jours, suivie d'une macération de huit jours, et un travail de micro-aération très pointu. Il en résulte un vin assez léger mais sans aspérité, très équilibré, au fruité de cerise et de fraise des bois fort agréable. Une belle harmonie.

SCEA Bonnin et Fils, Dom. La Croix des Loges,
49540 Martigné-Briand, tél. 02.41.59.43.58,
fax 02.41.59.41.11, e-mail bonninlesloges@aol.com
r.-v.

DOM. DES DEUX VALLÉES 2004 *

■ 2 ha 6 000 ◖◗ 5 à 8 €

Arboriculteur, Philippe Socheleau a racheté ce domaine en 2001 et s'est très vite passionné pour son nouveau métier. Il a élevé ce 2004 douze mois en barrique. Rouge sombre aux reflets violets tirant sur le noir, ce vin exprime avec puissance des arômes de fruits rouges et noirs et des nuances d'épices. Riche et dense au palais, il offre un joli retour de cassis et de mûre. Son austérité finale devrait s'estomper avec le temps : à attendre.

Philippe et René Socheleau, Dom. des Deux
Vallées, Bellevue, 49190 Saint-Aubin-de-Luigné,
tél. 02.41.78.33.24, fax 02.41.78.66.58,
e-mail domaine2vallees@wanadoo.fr
t.l.j. 9h-12h 14h-19h

DOM. DES ÉPINAUDIÈRES 2004 *

■ 0,9 ha 3 300 ▮ 3 à 5 €

Située au cœur des coteaux du Layon, cette exploitation de 21 ha a quarante ans d'existence. Roger Fardeau, le fondateur, a été rejoint en 1991 par son fils Paul et la nouvelle génération prend la relève. Son anjou-villages laisse paraître dans sa robe rouge intense des reflets d'évolution tirant sur le brun. Le nez délicat rappelle les fruits rouges. La bouche est ronde, équilibrée, avec un retour fruité et légèrement cacaoté. Un ensemble gourmand et généreux, prêt à boire.

SCEA Fardeau, Sainte-Foy,
49750 Saint-Lambert-du-Lattay, tél. 02.41.78.35.68,
fax 02.41.78.35.50, e-mail fardeau.paul@club-internet.fr
r.-v.

DOM. DE L'ÉTÉ
Cuvée Éclipse Élevé en fût de chêne 2004 *

■ 0,75 ha 3 000 ◖◗ 5 à 8 €

Depuis 2001, Catherine Nolot est à la tête de ce domaine de 35 ha situé dans les coteaux du Layon. « L'Été » est le nom du lieu-dit où la propriété est implantée, ce qui laisse supposer une situation favorisée par la nature. Grenat intense, la cuvée Éclipse, malgré son nom, a certainement vu le soleil. Elle a aussi connu le bois, pendant quatorze mois. Un élevage qu'elle ne peut dissimuler, tant le nez est marqué par des notes grillées et vanillées. Les arômes de fruits mûrs et de fraise apparaissent en rétro-olfaction. Rond, intense et riche, un ensemble d'une très belle harmonie, à réserver aux amateurs de vins boisés.

SCEA Catherine Nolot, Dom. de L'Été,
49700 Concourson-sur-Layon, tél. 02.41.59.11.63,
fax 02.41.59.95.16, e-mail domainedelete@wanadoo.fr
t.l.j. sf dim. 9h-17h; sam. 9h-12h

CH. GAILLARD 2004

■ 0,92 ha 6 000 ▮ 3 à 5 €

Ce domaine situé dans la vallée du Layon s'étend sur 48 ha. Le fils a rejoint l'exploitation en 2003 et s'occupe des vinifications. Il propose avec ce 2004 un anjou-villages simple, bien fait et agréable. Grenat intense, ce vin présente un nez de fruits rouges et noirs caractéristique de l'appellation. Assez courte et légère, la bouche séduit par ses arômes de fruits frais. Un vin à servir dès à présent ou à conserver un à deux ans.

EARL de la Ducquerie, 2, chem. du Grand-Clos,
49750 Saint-Lambert-du-Lattay, tél. 02.41.78.42.00,
fax 02.41.78.48.17
t.l.j. sf dim. 8h-12h30 14h-19h
Cailleau

DOM. AUX MOINES 2004 **

■ 0,78 ha 4 000 ▮ 5 à 8 €

Ce domaine a été créé au Moyen Âge par les moines, sur un éperon rocheux surplombant la Loire. Il est dirigé par deux femmes : Monique Laroche et sa fille Tessa, arrivée en 2001 pour s'occuper des vinifications. Les 8 ha sont surtout plantés de cépages blancs, et donnent notamment naissance au réputé savennières-roche-aux-moines. Une parcelle plantée en cabernets est à l'origine de cet anjou-villages qui a fait grande impression. Sa robe rouge foncé, ses arômes concentrés de fruits mûrs, sa bouche généreuse et opulente, ses tanins bien présents mais délicats composent une bouteille remarquable d'harmonie.

EARL Mme Laroche, Dom. aux Moines,
La Roche aux Moines, 49170 Savennières,
tél. 02.41.72.21.33, fax 02.41.72.86.55,
e-mail tessalaroche@wanadoo.fr
t.l.j. 9h-12h30 14h-19h; dim. sur r.-v.

DOM. DU PETIT CLOCHER 2004

■ 5 ha 6 400 ▮◖◗ 5 à 8 €

Créée avant guerre, cette exploitation du haut Layon s'est considérablement développée au fil des générations, pour s'étendre sur 68 ha aujourd'hui. Son anjou-villages offre ce que l'on attend dans cette appellation : une robe intense, rouge grenat, des arômes de fruits rouges, nuancés de notes vanillées et épicées (liées à un élevage pour partie en barrique), une bouche agréable et fruitée. La finale assez tannique devrait s'arrondir avec le temps.

⊶ Dom. du Petit Clocher, 3, rue du Layon, 49560 Cléré-sur-Layon, tél. 02.41.59.54.51, fax 02.41.59.59.70, e-mail petit.clocher@wanadoo.fr
▣ Ῑ ⽙ t.l.j. sf dim. 8h30-12h30 14h-19h
⊶ Denis Père et Fils

DOM. DE LA PETITE CROIX
Vieilles Vignes Quintessence du Mûrier 2003 ★★

■ 4 ha 4 400 ◍ 8 à 11 €

Conséquence de l'ensoleillement et de la température hors normes qui ont marqué l'été de cette année, les 2003 ont des caractéristiques méridionales. Celui-ci, d'une richesse inhabituelle, offre un excellent exemple du millésime de la canicule. Il a été élevé pendant deux ans en barrique. Cerise noire à l'œil, il mêle au nez les fruits frais, la mûre et les épices. Vineux et rond, il révèle une harmonie remarquable au palais, ainsi qu'un potentiel intéressant. Un vin surprenant et qui mérite le détour.

⊶ A. Denéchère et F. Geffard, Dom. de La Petite Croix, 49380 Thouarcé, tél. 02.41.54.06.99, fax 02.41.54.30.05, e-mail scea@lapetitecroix.com ▣ Ῑ ⽙ r.-v. ⌂ ©

CH. PIEGUË Qu1 2004 ★

■ 1 ha 4 000 ◍ 5 à 8 €

Situé sur le haut d'un coteau, le château de Piegüë fait face au vignoble de Savennières, installé sur l'autre rive de la Loire. Le domaine s'étend sur 27 ha. Il a proposé un anjou-villages rouge intense marqué par un élevage de dix-huit mois en barrique. Sa palette aromatique est dominée par les notes grillées et vanillées du fût, même si les fruits rouges se manifestent en rétro-olfaction. Rond et puissant, c'est un vin harmonieux et prêt à boire qui plaira aux amateurs de vins boisés.

⊶ Ch. Pieguë, 49190 Rochefort-sur-Loire, tél. 02.41.78.71.26, fax 02.41.78.75.03, e-mail chateau-piegue@wanadoo.fr
▣ Ῑ ⽙ t.l.j. sf dim. 9h-12h 14h-18h ⌂ 7

CH. DE PLAISANCE Clos de l'Étang 2004 ★

■ 2 ha 10 000 ▮ 5 à 8 €

Ce domaine proche du confluent du Layon et de la Loire dispose de 25 ha dans plusieurs appellations de vins blancs, mais possède aussi des parcelles de cabernets, en particulier ce Clos de l'Étang qui est la seule vigne rouge implantée sur le coteau de Chaume, réputé pour ses liquoreux. Rouge intense, ce 2004 délivre des parfums à la fois concentrés et délicats de fruits rouges et noirs. En bouche, il se montre vif, intense et riche ; son fruité frais est très agréable. La finale un rien tannique s'arrondira avec le temps. Une bouteille à servir avec un gigot, une entrecôte grillée ou un civet de lièvre. Le 2002 avait obtenu un coup de cœur.

⊶ Guy Rochais, Ch. de Plaisance, Chaume, 49190 Rochefort-sur-Loire, tél. 02.41.78.33.01, fax 02.41.78.67.52, e-mail rochais.guy@wanadoo.fr
▣ Ῑ ⽙ r.-v.

DOM. DE PUTILLE 2004 ★

■ 0,8 ha 6 300 ▮ 3 à 5 €

Situé à l'ouest du vignoble angevin, sur les coteaux de la Loire, ce domaine s'étend sur 15 ha. Son anjou-villages est un bon ambassadeur de l'appellation. D'un rouge sombre, il libère à l'aération des arômes de fruits rouges. Harmonieux en bouche, il laisse une sensation de fruits frais. Un ensemble simple et de bonne facture.

⊶ Isabelle Sécher et Steve Roulier, Dom. de Putille, Putille, 49620 La Pommeraye, tél. 02.41.39.80.43, fax 02.41.39.81.91, e-mail domaine.de.putille@wanadoo.fr
▣ Ῑ ⽙ t.l.j. sf dim. 9h-12h 14h-19h

MICHEL ROBINEAU 2004 ★★

■ 0,8 ha 2 600 ▮ 5 à 8 €

Situé au cœur des coteaux-du-layon, ce domaine est réputé pour ses liquoreux, mais ne démérite pas en rouge, où il a même reçu un coup de cœur (un 1997). Il élabore des vins de caractère, comme ce 2004 rouge sombre aux reflets violets et aux arômes intenses de fruits rouges et noirs. La mise en bouche révèle une riche matière, puissante, dense et complexe. Ce vin apte à la garde accompagnera aussi bien une grillade que du gibier.

⊶ Michel Robineau, 3, chem. du Moulin, Les Grandes Tailles, 49750 Saint-Lambert-du-Lattay, tél. et fax 02.41.78.34.67 ▣ Ῑ ⽙ r.-v.

Anjou-villages-brissac

DOM. DE BABLUT Petra Alba 2004 ★★

■ 5 ha 20 000 ▮ 8 à 11 €

Christophe Daviau est à la tête d'un domaine de 50 ha, fondé il y a quatre cent soixante ans. Vignerons et meuniers, ses ancêtres possédaient cinq moulins (trois à vent et deux à eau) et un vignoble situé sur les coteaux de l'Aubance. La cuvée Petra Alba, violet foncé, est née de cabernet franc implanté sur des marnes à ostracées. Elle libère des parfums de fruits noirs qui témoignent d'une très grande maturité de la vendange. Suave et ronde à l'attaque, la bouche se fait plus tannique en finale. Un ensemble remarquable qui devrait s'arrondir avec une petite garde (un ou deux ans).

⊶ Daviau, Bablut, 49320 Brissac-Quincé, tél. 02.41.91.22.59, fax 02.41.91.24.77, e-mail daviau.contact@wanadoo.fr
▣ Ῑ ⽙ t.l.j. sf dim. 9h-12h 14h-18h30

DOM. DES DEUX MOULINS
Le Clos au Chat 2004 ★

■ 0,5 ha 2 500 ◍ 5 à 8 €

Autrefois, les vignerons d'Anjou étaient parfois meuniers, et possédaient des moulins caviers (équipés d'une cave où étaient stockés à la fois le grain et le vin) comme ceux qui ont donné leur nom à ce domaine. La propriété, créée en 1989 par Daniel Macault avec 12 ha, s'étend aujourd'hui sur 59 ha. Vinifié et élevé en barrique pendant un an, son anjou-villages-brissac 2004 associe harmonieusement des arômes boisés (vanille, clou de girofle) à des nuances de fruits rouges frais (fraise, cerise). Cette sensation de fruits mûrs se retrouve dans une bouche tendre à l'attaque, austère en finale. Une garde de deux ans devrait permettre à ses tanins de s'assouplir.

⊶ D. Macault, Dom. des Deux Moulins, 20, rte de Martigneau, 49610 Juigné-sur-Loire, tél. 02.41.54.65.14, fax 02.41.54.67.94, e-mail les.deux.moulins@wanadoo.fr ▣ Ῑ ⽙ r.-v.

DOM. DITTIÈRE Clos de la Grouas 2004 ★

■ 1 ha 3 000 ▮ 5 à 8 €

Proche du château de Brissac, ce domaine familial s'étend sur 35 ha. Il a présenté une sélection de vieilles vignes âgées de soixante-cinq ans, assemblage de 90 % de cabernet franc et de 10 % de cabernet-sauvignon. De couleur rouge sombre, ce 2004 mêle des arômes de fruits sauvages (mûre, prunelle). Après une attaque puissante et moelleuse, la bouche finit sur des impressions tanniques plus austères. Ce vin étoffé et structuré s'affinera après deux à trois ans de garde.

Dom. Dittière, 1, chem. de la Grouas, 49320 Vauchrétien, tél. 02.41.91.23.78, fax 02.41.54.28.00, e-mail domaine.dittiere@wanadoo.fr
t.l.j. sf dim. 8h30-12h 14h-18h

DOM. DE GAGNEBERT 2004

■ n.c. 30 000 5 à 8 €

Le schiste de Juigné, exploité jusqu'à la Révolution, servit notamment à la reconstruction de Londres après le grand incendie de 1666. Ce domaine est implanté en plein cœur d'un massif ardoisier, sur un ancien site d'extraction de cette pierre que l'on retrouve dans les bâtiments et le caveau de la propriété. Les deux cabernets sont à l'origine de ce 2004 rubis intense à reflets brique, au nez évolué évoquant les fruits noirs compotés. Un peu court et tannique en finale, ce vin est rond et volumineux en bouche.

GAEC Moron, Dom. de Gagnebert, 2, chem. de la Naurivet, 49610 Juigné-sur-Loire, tél. 02.41.91.92.86, fax 02.41.91.95.50, e-mail moron@domaine-de-gagnebert.com
t.l.j. sf dim. 9h-12h 15h-19h

DOM. DE HAUTE PERCHE 2004 **

■ 5 ha 29 333 5 à 8 €

En 1966, le vignoble de l'exploitation produisait du vin de table. Aujourd'hui, Christian Papin joue à fond la carte des deux appellations phares du secteur de Brissac : les coteaux-de-l'aubance et l'anjou-villages-brissac. Dans cette dernière AOC, il a déjà obtenu deux coups de cœur, pour un 1997 et un 2002. Rubis intense moiré de noir, le 2004 séduit par son nez puissant de fruits noirs très mûrs et de groseille confite. Ces arômes de fruits mûrs se retrouvent dans une bouche ample, presque moelleuse. Un ensemble harmonieux et fondu que l'on pourra servir dès à présent sur des viandes rouges ou du gibier ou conserver plusieurs années.

EARL Agnès et Christian Papin, Dom. de Haute Perche, 7, chem. de la Godelière, 49610 Saint-Melaine-sur-Aubance, tél. 02.41.57.75.65, fax 02.41.57.75.42, e-mail domainedehauteperche@wanadoo.fr
t.l.j. sf dim. 9h-12h 14h30-19h

CH. PRINCÉ 2004 **

■ 0,8 ha 5 000 5 à 8 €

Deux passionnés du vin achètent en 2002 un domaine de 13 ha d'un seul tenant situé dans les aires d'appellation anjou-villages-brissac et coteaux-de-l'aubance. Ils mettent tous leurs efforts dans la conduite de la vigne, la sélection des parcelles, le respect du sol et la limitation des rendements, et leurs vins décrochent d'emblée des étoiles lors des commissions Hachette. Ce coup de cœur vient confirmer le bien-fondé de leur démarche. Il couronne un 2004 rouge sombre aux nuances violacées presque noires et aux parfums complexes de fruits rouges et noirs très mûrs. Ces arômes imprègnent une bouche charnue à l'attaque, dense et tannique en finale. Un superbe vin de viande rouge et de gibier, qui pourra attendre deux à trois ans en cave.

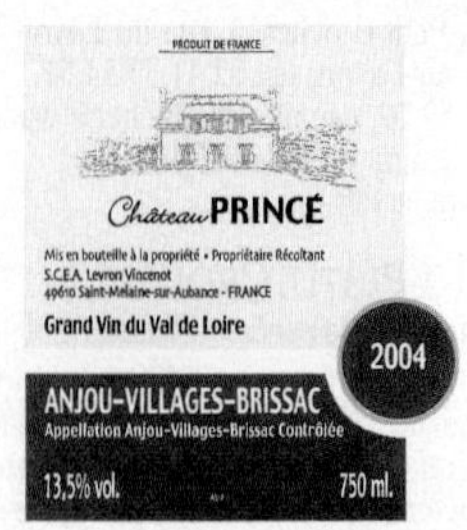

SCEA Levron-Vincenot, Le Petit Princé, 49610 Saint-Melaine-sur-Aubance, tél. 02.41.57.82.28, fax 02.41.57.73.78, e-mail chateauprince@wanadoo.fr
t.l.j. sf dim. 9h30-12h 14h-18h
Mathias Levron et Régis Vincenot

DOM. DES ROCHELLES
La Croix de Mission 2004 **

■ 8 ha 20 000 11 à 15 €

Ce domaine, qui s'étend aujourd'hui sur 57 ha, s'est spécialisé précocement. Il fait partie des références de l'Anjou pour la production de vins rouges. N'a-t-il pas à son actif trois coups de cœur dans cette AOC, dont un fabuleux 2003 ? La cuvée La Croix de Mission est son fer de lance. Née sur les terres schisteuses et caillouteuses de l'Anjou noir, c'est un modèle de vin de semi-garde. Le 2004 affiche une robe rouge sombre aux reflets vifs et offre un panier de petits fruits (myrtille, prunelle, griotte, framboise) avec des notes un peu grillées. À la fois intense et délicat au palais, imprégné d'arômes de fruits mûrs, ce vin harmonieux est à la hauteur de sa réputation. Quant à la **cuvée principale 2004 (8 à 11 €)**, très réussie, elle montre des reflets d'évolution dans sa robe carmin et s'épanouit à l'aération sur des notes de fraise et de myrtille en compote. Riche et intense en bouche mais tannique en finale, elle s'affinera après une petite garde.

EARL J.-Y. A. Lebreton, Dom. des Rochelles, 49320 Saint-Jean-des-Mauvrets, tél. 02.41.91.92.07, fax 02.41.54.62.63, e-mail jy.a.lebreton@wanadoo.fr
t.l.j. sf dim. 8h-12h 14h-19h

CH. LA VARIÈRE La Chevalerie 2004 **

■ 5 ha 25 000 11 à 15 €

Propriété des 95 ha du Château La Varière et d'un autre domaine dans le Saumurois, Jacques Beaujeau produit presque toutes les appellations de la région. Ses deux cuvées **Jacques Beaujeau 2004 (5 à 8 €)** et La Chevalerie proviennent de cabernet-sauvignon implanté sur des terres caillouteuses et schisteuses et résultent d'une vinification et d'un élevage d'un an sous bois. Cette sélection de La Chevalerie a été jugée remarquable par sa puissance et sa richesse. Sa robe est sombre, moirée de noir ; son nez intense mêle les fruits noirs compotés (mûre, myrtille) et de délicates notes fumées et vanillées léguées par la barrique. En bouche, c'est un vin à la fois étoffé et harmonieux, qui mérite d'attendre deux à trois ans. Très réussie, la cuvée Jacques Beaujeau est dans le même esprit, avec des notes de fruits noirs et de torréfaction tout au long de la dégustation.

SARL Beaujeau, Ch. La Varière, 49320 Brissac-Quincé, tél. 02.41.91.22.64, fax 02.41.91.23.44, e-mail beaujeau@wanadoo.fr
t.l.j. sf sam. dim. 10h-12h 15h-18h

Rosé-d'anjou

Après un fort succès à l'exportation, ce vin demi-sec se commercialise difficilement aujourd'hui. Le grolleau, principal cépage, autrefois conduit en gobelet, produisait des vins rosés, légers, appelés « rougets ». Il est de plus en plus vinifié en vin rouge léger, de table ou de pays.

CHANTAL FARDEAU Rosé Lumineux 2005 *

■ 1,3 ha 9 000 ▮ 5 à 8 €

Établi à Chaudefonds-sur-Layon, non loin de la confluence de cette rivière avec la Loire, ce domaine a présenté un rosé aux séduisants reflets saumonés et aux arômes de fruits mûrs intenses et engageants. Le palais moelleux et ample procure beaucoup de plaisir.

Chantal Fardeau, Les Hauts Perrays, 49290 Chaudefonds-sur-Layon, tél. 02.41.78.67.57, fax 02.41.78.68.78 r.-v.

DOM. DES HAUBERTIÈRES 2005

■ 0,68 ha 1 000 ▮ 3 à 5 €

Ce rosé provient de Chanzeaux, village situé au fond de la vallée de l'Hyrôme, petit affluent de la rive gauche du Layon. Aussi intense au nez qu'en bouche, souple et moelleux, il égaiera les repas sous la tonnelle.

Marc Besnard, La Jutière, 49750 Chanzeaux, tél. 02.41.78.36.59, fax 02.41.78.83.65 r.-v.

DOM. DES HAUTES OUCHES 2005 *

■ 5 ha 40 000 ▮ 3 à 5 €

Installés dans la vallée du Layon, les Lhumeau exploitent 55 ha de vignes. Ils ont eu plus d'une fois de bons résultats dans cette appellation (deux coups de cœur, le dernier pour un 2003). Ce 2005 rose intense à reflets saumonés évoque au nez les petits fruits rouges bien mûrs, en particulier la cerise. C'est un vin souple mais bien équilibré.

EARL Joël et Jean-Louis Lhumeau, 9, rue Saint-Vincent, Linières, 49700 Brigné-sur-Layon, tél. 02.41.59.30.51, fax 02.41.59.31.75, e-mail dnehauteshouches@wanadoo.fr r.-v.

DOM. DES IRIS 2005

■ 4 ha 30 000 ▮ 3 à 5 €

Ce domaine, qui travaille en partenariat avec le négociant Joseph Verdier, propose un rosé pimpant à l'œil, frais au nez, marqué en bouche par des notes florales et d'agrumes (pamplemousse). Un ensemble simple mais harmonieux.

SARL Dom. des Iris, La Roche-Coutant, 49540 Tigné, tél. 02.41.40.22.50, fax 02.41.40.22.69, e-mail j-verdier@wanadoo.fr

Joseph Verdier

DOM. LEDUC-FROUIN La Seigneurie 2005 *

■ 5 ha 14 000 ▮ 3 à 5 €

La famille Leduc exploite depuis 1873 un domaine qu'elle a acheté dans les années 1930 au seigneur du lieu. Depuis 1990, ce sont Antoine et Nathalie Leduc qui conduisent les 32 ha de vignes. Ils ont élaboré un rosé typique de son appellation, tant par sa robe rose violine que par ses arômes intenses et vifs de fruits bien mûrs. Frais, rond et équilibré, c'est un vin très harmonieux.

Antoine et Nathalie Leduc, La Seigneurie, Sousigné, 49540 Martigné-Briand, tél. 02.41.59.42.83, fax 02.41.59.47.90, e-mail info@leduc-frouin.com r.-v.

LES LIGÉRIENS 2005 *

■ n.c. 50 000 ▮ 3 à 5 €

Cette coopérative, qui vinifie 800 ha de vignes, a son siège à Ancenis. Outre les muscadets et autres vins de la région nantaise qui constituent sa production principale, elle propose aussi des vins d'Anjou, en particulier des rosés. Rose aux reflets violines, celui-ci est fruité, équilibré et rond.

Vignerons de la Noëlle, Terrena, bd des Alliés, 44150 Ancenis, tél. 02.40.98.92.72, fax 02.40.98.96.70, e-mail vignerons-noelle@terrena.fr t.l.j. sf dim. 9h-18h30

LA MONNERAIE 2005 **

■ n.c. 133 333 ▮ - de 3 €

Présenté par un négociant de la région nantaise, ce vin rose intense aux reflets violines livre à l'aération des parfums de fruits rouges et de bonbon anglais. Sa puissance, son équilibre et sa fraîcheur aromatique en font une véritable gourmandise.

SARL Vins du Terroir, Dom. de l'Hyvernière, 44330 La Chapelle-Heulin, tél. 02.40.06.73.83, fax 02.40.06.76.49, e-mail marcelsautejeau@marcel-sautejeau.fr

DOM. DE MONTCELLIÈRE 2005 **

■ n.c. 5 000 ▮ - de 3 €

Né sur la rive gauche du Layon, ce rosé assemble 80 % de grolleau à du gamay et à du cot. D'un rose légèrement saumoné, il charme par ses parfums délicats de fraise et de fleurs. Cette palette se teinte en bouche d'arômes de pêche et d'abricot qui contribuent à sa séduction.

SCEA Louis Guéneau et Fils, Montcellière, 49310 Trémont, tél. 02.41.59.60.72, fax 02.41.59.66.15, e-mail mickael.gueneau@wanadoo.fr r.-v.

CH. DE MONTGUÉRET 2005 *

■ 11,5 ha 80 000 ▮ 3 à 5 €

Propriété d'André et Dominique Lacheteau, le château de Montguéret, situé dans le haut Layon, s'étend sur 122 ha, ce qui lui permet de proposer plusieurs appellations d'Anjou-Saumur et de gros volumes de rosés. Rose intense aux reflets violets, celui-ci est un très bon représentant de l'appellation avec son nez intense mêlant le genêt et le pamplemousse, et son palais associant harmonieusement la fraîcheur et le moelleux, la matière et la finesse.

SCEA Ch. de Montguéret, rue de la Mairie, 49560 Nueil-sur-Layon, tél. 02.41.59.59.19, fax 02.41.59.59.02 r.-v.

LGCF

DE PRÉVILLE 2005

■ n.c. 200 000 - de 3 €

De Préville est une marque de la maison de négoce Lacheteau. Ce rosé-d'anjou revêt une robe rose violacé et offre un nez très frais aux nuances de bonbon anglais. Au palais, sa fraîcheur aromatique le rend très plaisant.

SA Lacheteau, ZI La Saulaie, 49700 Doué-la-Fontaine, tél. 02.41.59.26.26, fax 02.41.59.01.94, e-mail marc.brieau@lacheteau.fr

Cabernet-d'anjou

On trouve dans cette appellation d'excellents vins rosés demi-secs, issus des cépages cabernet franc et cabernet-sauvignon. À table, on les associe assez facilement, lorsqu'ils sont parfumés et servis frais, au melon en hors-d'œuvre, ou à certains desserts pas trop sucrés. En vieillissant, ils prennent une nuance tuilée et peuvent être bus à l'apéritif. La production a atteint 238 017 hl en 2005 sur 4 176 ha. C'est sur les faluns de la région de Tigné et dans le Layon que ces vins sont les plus réputés.

CH. D'AVRILLÉ 2005

■ n.c. 20 000 ■ 3 à 5 €

À 3 km de Brissac-Quincé, le château d'Avrillé campe sa haute façade classique (XVIII[e]s.) au-dessus de la vallée de l'Aubance et commande le plus vaste vignoble d'Anjou (200 ha), acheté par la famille Biotteau en 1938. Son cabernet-d'anjou est simple, bien vinifié et agréable. Un léger perlant lui donne une légèreté et une fraîcheur intéressantes. À servir à l'apéritif ou avec un dessert aux fruits.

Biotteau, Ch. d'Avrillé, L'Homois,
49320 Saint-Jean-des-Mauvrets, tél. 02.41.91.22.46,
fax 02.41.91.25.80, e-mail chateau.avrille@wanadoo.fr
t.l.j. sf dim. 9h30-12h30 14h30-18h30

DOM. DE LA BERGERIE Les Buissons 2005 ★★

■ 2 ha 8 000 ■ 3 à 5 €

Arrivé sur cette exploitation en 1979, Yves Guégniard en a fait l'une des plus renommées d'Anjou, notamment grâce à son savennières. Le coup de patte du vinificateur se révèle également dans ce cabernet-d'anjou d'une grande délicatesse. De couleur intense avec des reflets pourpres, ce rosé distille de fins arômes de petits fruits rouges et se montre ample et frais. Une belle harmonie.

Yves Guégniard, Dom. de La Bergerie,
49380 Champ-sur-Layon, tél. 02.41.78.85.43,
fax 02.41.78.60.13,
e-mail domainede.la.bergerie@wanadoo.fr
t.l.j. sf dim. 9h-12h 14h-19h; f. 15-30 août

CH. DE BERRYE 2005 ★

■ 3,1 ha 24 000 ■ 3 à 5 €

Le vignoble angevin dépasse au sud les limites du Maine-et-Loire pour pénétrer dans les Deux-Sèvres et la Vienne. C'est dans ce dernier département qu'est établi ce domaine implanté sur des coteaux calcaires appartenant aux auréoles sédimentaires du Bassin parisien. Vinifié en collaboration avec le négociant Joseph Verdier, ce cabernet-d'anjou rose saumon intense donne une bonne image de l'appellation grâce à ses arômes délicats de fruits mûrs et à son équilibre entre fraîcheur et douceur. Un vin gourmand à servir avec des entrées, du melon par exemple.

Jacques Pareuil, Ch. de Berrye, 86120 Berrie,
tél. 02.41.40.22.50, fax 02.41.40.29.69,
e-mail j.verdier@wanadoo.fr
Joseph Verdier

DOM. DES BLEUCES 2005 ★

■ 2,5 ha 18 000 ■ 3 à 5 €

Inès Proffit a pris en 2005 les rênes du domaine familial, dont une particularité est le chai à barriques, construit sous un ancien moulin datant des guerres de Vendée. Ce vin rose bonbon aux arômes de fraise n'y a pas séjourné. Ample, fruité et frais, c'est un vin pour maintenant, à servir sur de nombreuses spécialités exotiques ou sur un melon au jambon de Parme. Vous préférez déguster ce tendre rosé au dessert ? Pensez à un crumble aux fruits rouges ou à une tarte aux fraises. Le **coteaux-du-layon Clos des Bates 2005 (5 à 8 €)** obtient une citation. Prêt pour l'apéritif.

Inès et Benoît Proffit, Dom. des Bleuces,
49700 Concourson-sur-Layon, tél. 02.41.59.11.74,
fax 02.41.59.97.64
t.l.j. sf dim. 8h-12h 14h-18h; sam. 9h-12h

DOM. DE BOIS MOZÉ 2005 ★

■ 3,4 ha 24 900 ■ 3 à 5 €

Un vignoble commandé par un ancien manoir et implanté sur des terres calcaires correspondant aux auréoles les plus occidentales du Bassin parisien. Ce terroir particulier a marqué son empreinte sur ce cabernet-d'anjou qui se distingue par sa tendreté et séduit par ses arômes de fruits rouges. Pour une tarte aux fruits rouges.

René Lancien, Dom. de Bois Mozé,
49320 Coutures, tél. 02.41.57.91.28, fax 02.41.57.93.71,
e-mail boismoze@ansamble.fr r.-v.

DOM. CHUPIN 2005 ★

■ 11,55 ha 92 400 ■ 3 à 5 €

Vignoble situé dans l'aire des coteaux-du-layon, et dont les terres schisteuses et graveleuses sont favorables à la production de vins rosés. Rose brillant à reflets saumonés, celui-ci libère des parfums intenses de fruits à chair blanche nuancés de notes amyliques. Sa bouche douce et ronde révèle une matière intéressante et laisse une sensation de fraîcheur caractéristique des cabernets-d'anjou. Un ensemble harmonieux et bien fait.

SCEA Dom. Émile Chupin, 8, rue de l'Église,
49380 Champ-sur-Layon, tél. 02.41.78.86.54,
fax 02.41.78.61.73, e-mail domaine.chupin@wanadoo.fr
r.-v.

DOM. DU CLOS DES GOHARDS 2005 ★

■ 2 ha 2 000 ■ - de 3 €

Dans ce domaine de la vallée du Layon, créé en 1929, les chais de l'arrière-grand-père, où subsistent les anciens pressoirs à vis et des cuves en béton, côtoient les installations actuelles, rénovées il y a cinq ans. Rose intense, ce cabernet-d'anjou présente une palette aromatique dominée par le cassis. Gourmand et frais malgré sa douceur, il offre ce que l'on attend de cette appellation et se mariera avec entrées, rillauds et viandes blanches.

EARL Michel et Mickaël Joselon, Les Oisonnières,
49380 Chavagnes-les-Eaux, tél. et fax 02.41.54.13.98
r.-v.

LE COTILLON BLANC 2005

■ 0,25 ha 2 000 3 à 5 €

Après avoir fait ses classes en Bourgogne et dans le Saumurois, Gauthier Gassot, d'origine normande, a repris ce domaine en 2003. Ici, on fabriquait autrefois des jupons, d'où le nom de la propriété. Ce 2005 s'habille d'un joli

cotillon rose à rubans pourpres et se parfume de fleurs et de fruits. On conseille de le mettre en carafe avant de le servir.
🔑 Gauthier Gassot, 2, rue du Cotillon-Blanc,
49380 Chavagnes-les-Eaux, tél. et fax 02.41.54.01.27
r.-v.

DOM. DES ÉPINAUDIÈRES 2005 **

4,95 ha	11 600	3 à 5 €

Les terres schisteuses et caillouteuses sont ici caractéristiques de l'Anjou noir. Elles permettent au cabernet de donner naissance à ce vin rosé demi-sec si original. Sa robe rose aux reflets orangés, ses parfums délicats de fruits rouges, sa bouche onctueuse, toujours fruitée, élégante et longue en font un classique de l'appellation.
🔑 SCEA Fardeau, Sainte-Foy,
49750 Saint-Lambert-du-Lattay, tél. 02.41.78.35.68,
fax 02.41.78.35.50, e-mail fardeau.paul@club-internet.fr
r.-v.

DOM. GAUDARD 2005 *

4,5 ha	10 000	5 à 8 €

Figure du vignoble angevin, Pierre Aguilas considère l'appellation cabernet-d'anjou comme l'une des plus originales de la région. Rose intense à reflets pourpres, ce 2005 présente un air de famille avec les vins liquoreux produits dans les coteaux-du-layon, où cette exploitation est implantée : il procure une même sensation de douceur et de richesse. Ses arômes puissants de fruits compotés, de pêche et d'écorce d'orange en font un vin étonnant à servir à l'apéritif.
🔑 Pierre Aguilas, Dom. Gaudard, rte de Saint-Aubin,
49290 Chaudefonds-sur-Layon, tél. 02.41.78.10.68,
fax 02.41.78.67.72, e-mail pierre.aguilas@wanadoo.fr
t.l.j. 9h-12h 14h-18h; dim. sur r.-v.

DOM. DE LA GERFAUDRIE 2005 *

3 ha	8 000	3 à 5 €

Ce domaine est établi sur la corniche angevine, au-dessus de laquelle aimerait à planer, dit-on, le faucon ou gerfaut. Il signe un vin rose clair aux reflets tuilés, au nez délicat caractéristique d'une vendange récoltée à maturité. Sa bouche fraîche, harmonieuse, assez longue, nerveuse et légèrement tannique en finale, incite à servir cette bouteille bien fraîche avec des entrées ou des salades composées.
🔑 SCEV J.-P. et P. Bourreau, 25, rue de l'Onglée,
49290 Chalonnes-sur-Loire, tél. 02.41.78.02.28,
fax 02.41.78.03.07,
e-mail domaine-gerfaudrie@wanadoo.fr r.-v.

DOM. JOLIVET 2005 **

0,6 ha	4 000	3 à 5 €

Situé en plein cœur de l'aire des coteaux-du-layon, juste en face du célèbre cru quarts-de-chaume, ce domaine a proposé un cabernet-d'anjou remarquable d'élégance. De couleur rose aux légers reflets violacés, ce 2005 mêle au nez des notes amyliques et des parfums fruités et épicés. Riche et gourmande, la bouche offre avec harmonie ces impressions de fraîcheur et de richesse que l'on apprécie dans l'appellation.
🔑 Dom. Jolivet, 38 bis, rue Rabelais,
49750 Saint-Lambert-du-Lattay, tél. 02.41.78.30.35,
fax 02.41.78.45.34 r.-v.

DOM. MATIGNON 2005 **

n.c.	n.c.	3 à 5 €

Les Matignon sont installés dans la commune de Martignié-Briand, qui jouit de la réputation flatteuse de « capitale des vins rosés d'Anjou ». Aux vertus du lieu, ils ajoutent un travail d'examen des terroirs de la propriété, ce qui leur permet d'en tirer les productions les mieux adaptées. Avec leur anjou rouge, ce 2005 rose intense à reflets grenat, aux parfums subtils de fruits frais, au palais intense et riche, avec cette fraîcheur typique de l'appellation, est une autre belle réalisation à partir du cabernet. Reportez-vous également à l'AOC anjou...
🔑 EARL Yves et Hélène Matignon,
21, av. du Château, 49540 Martigné-Briand,
tél. 02.41.59.43.71, fax 02.41.59.92.34,
e-mail domaine.matignon@wanadoo.fr
r.-v. 1

CH. DE LA MULONNIÈRE 2005 *

5,75 ha	23 000	3 à 5 €

À la fin du XVIII[e]s., le Layon, canalisé en partie par Monsieur, frère du roi, était soumis à un trafic actif : l'Anjou y faisait circuler ses vins et le charbon de ses modestes mines et recevait le sel de l'Atlantique, entreposé sur des barques en petits tas recouverts d'argile, les mulons : c'est l'origine du nom de ce domaine. C'est de la douceur en bouteille que commercialise aujourd'hui la propriété, avec ce cabernet-d'anjou très réussi par son équilibre acidité-sucre. Un vin gourmand aux notes de fruits frais, à déguster comme une friandise.
🔑 SCEA Ch. de La Mulonnière,
49750 Beaulieu-sur-Layon, tél. 02.41.78.47.52,
fax 02.41.78.63.63 r.-v. 7
🔑 M. Saget

DOM. OGEREAU 2005 ***

3 ha	7 000	3 à 5 €

Six coups de cœur dans les précédentes éditions : une référence dans le vignoble angevin. On avait pu ainsi goûter, distingués par les jurys successifs, deux blancs secs, deux coteaux-du-layon liquoreux et deux anjou-villages rouges. Le septième coup de cœur couronne un rosé. Sa robe soutenue aux reflets rouge-violet annonce des parfums puissants de fruits frais bien mûrs. D'une richesse remarquable, la bouche n'en reste pas moins fraîche, légère, délicate. Un vin de caractère à déguster pour lui-même, à l'apéritif.
🔑 Vincent Ogereau, 44, rue de la Belle-Angevine,
49750 Saint-Lambert-du-Lattay, tél. 02.41.78.30.53,
fax 02.41.78.43.55,
e-mail domaine.ogereau@wanadoo.fr r.-v.

LOIRE

DOM. DE LA PETITE CROIX 2005 ★

7 ha 10 000 3 à 5 €

Alain Denéchère est établi à Thouarcé, commune réputée pour son bonnezeaux. Les vignes à l'origine de ce cabernet-d'anjou occupent des croupes graveleuses du début du secondaire, sur la rive gauche du Layon. Rose intense à reflets grenat, ce 2005 offre des arômes intenses de fruits rouges mûrs. Gourmande et fraîche, la bouche révèle une petite pointe perlante qui donne une sensation de légèreté fort agréable.

A. Denéchère et F. Geffard,
Dom. de La Petite Croix, 49380 Thouarcé,
tél. 02.41.54.06.99, fax 02.41.54.30.05,
e-mail scea@lapetitecroix.com r.-v.

DOM. ROMPILLON 2005 ★

0,9 ha 6 600 3 à 5 €

Ce domaine campe au milieu des vignes, à 2 km du musée de la Vigne et du Vin de Saint-Lambert-du-Lattay, un des villages des coteaux-du-layon. Mickaël et Hervé Rompillon ont rejoint l'exploitation après des stages en Alsace et dans le Sauternais. Leur cabernet-d'anjou se présente avec modestie, puis il s'épanouit tranquillement après aération, libérant des notes fruitées et florales. Sa bouche fraîche aux arômes de fruits rouges le rend fort agréable. Le **coteaux-du-layon 2005 (5 à 8 €)** est cité. Léger mais très aromatique, il est plaisant aujourd'hui.

SARL Dom. Rompillon, L'Ollulière,
49750 Saint-Lambert-du-Lattay,
tél. et fax 02.41.78.48.84 r.-v.

DOM. DES SAULAIES 2005

0,66 ha 5 700 5 à 8 €

Ici, on est vigneron depuis 1662 – arbre généalogique à l'appui. La propriété, implantée à Faye-d'Anjou dans la vallée du Layon, s'étend sur plus de 18 ha. Rose saumoné, son cabernet-d'anjou s'épanouit après aération, libérant des fragrances fruitées et florales. Frais et délicat au palais, il laisse une sensation de douceur en finale. On suggère de le servir avec des rillauds, dés de poitrine de porc rissolés et confits dans leur graisse de cuisson. Un repas roboratif, assurément.

EARL Philippe et Pascal Leblanc,
Dom. des Saulaies, 49380 Faye-d'Anjou,
tél. 02.41.54.30.66, fax 02.41.54.17.21
t.l.j. sf dim. 8h-12h30 14h-18h45

DOM. DES TROTTIÈRES 2005 ★★★

35,2 ha 210 000 3 à 5 €

Les amateurs de vins plaisir rouges ou rosés ne négligeront pas cet important domaine (82 ha), qui pourra fêter dignement son centième anniversaire avec ce coup de cœur. Pour la deuxième année consécutive, la propriété est couronnée en cabernet-d'anjou (après un rosé-de-loire 1999 et un anjou-gamay 1995). Ce 2005 offre les mêmes qualités de délicatesse et d'élégance que le millésime précédent. Tout en lui séduit, la robe rose aux nuances pourpres, les arômes intenses de petits fruits rouges et le remarquable équilibre entre la fraîcheur et la douceur. « Exceptionnel », conclut le jury. Et ici, exceptionnel ne rime pas avec confidentiel...

Dom. des Trottières, 49380 Thouarcé,
tél. 02.41.54.14.10, fax 02.41.54.09.00,
e-mail lestrottieres@wanadoo.fr
t.l.j. 8h30-12h30 14h-18h; sam. dim. sur r.-v.
Lamotte

DOM. VERDIER 2005 ★★

1 ha 6 000 3 à 5 €

Les Verdier comptent parmi les nombreux vignerons établis à Saint-Lambert-du-Lattay, dans la vallée du Layon. Sébastien, qui représente la quatrième génération, s'est installé il y a dix ans sur le domaine qui s'étend sur 27 ha. D'un rose délicat aux reflets orangés, ce 2005 est un modèle de cabernet-d'anjou avec son fruité frais de framboise, son bel équilibre sucre-acidité et son joli retour sur la framboise et la fraise.

EARL Verdier Père et Fils, 7, rue des Varennes,
49750 Saint-Lambert-du-Lattay,
tél. et fax 02.41.78.35.67
t.l.j. 8h-12h30 14h-18h30; sam. dim. sur r.-v.;
f. 2 août au 3 sept.

Coteaux-de-l'aubance

La petite rivière Aubance est bordée de coteaux de schistes portant de vieilles vignes de chenin, dont on tire un vin blanc moelleux qui s'améliore en vieillissant. La production a atteint 5 790 hl en 2005 sur 191 ha. Cette appellation a choisi de limiter strictement ses rendements.

Depuis 2002, la mention « Sélection de grains nobles » est autorisée pour les vins de vendanges présentant une richesse naturelle minimale de 234 g/l, soit 17,5 ° sans aucun enrichissement. Ceux-ci ne pourront être commercialisés que dix-huit mois après la récolte.

DOM. DES BONNES GAGNES La Butte 2004

2 ha 6 000 5 à 8 €

Bientôt un millénaire de viticulture sur le bien nommé domaine des Bonnes Gagnes, planté par les moines de l'abbaye du Ronceray d'Angers en 1020 ; et bientôt quatre siècles d'exploitation par la famille Héry, qui l'a acquis au début du XVII^e^s. Son vin jaune vif, comme s'il avait tout son temps, n'est pas pressé de s'exprimer. Il faut le solliciter et l'aérer pour qu'il libère ses arômes de fruits jaunes frais et de bonbon acidulé. Toujours fruité en bouche, minéral, assez simple, il finit sur des notes fraîches de fruits exotiques. On ne le laissera pas pour la postérité : mieux vaut l'apprécier dès maintenant.

Vignerons Héry, Orgigné,
49320 Saint-Saturnin-sur-Loire, tél. 02.41.91.22.76,
fax 02.41.91.21.58, e-mail hery.vignerons@wanadoo.fr
t.l.j. 9h-12h 14h-19h; dim. sur r.-v.

DOM. DE HAUTE PERCHE
Les Fontenelles 2004 *

4 ha 6 900 8 à 11 €

Ce domaine a brillé plus d'une fois grâce à ses vins rouges, mais ses blancs ne sont pas à négliger. Situé aux portes sud de la ville d'Angers, le vignoble occupe des sols schisteux appartenant au Massif armoricain. Une fois de plus distinguée dans le Guide, sa cuvée des Fontenelles naît de sols superficiels et caillouteux sur lesquels le chenin livre tout son potentiel. Il a donné ici naissance à un vin d'un jaune paille engageant, qui livre à l'aération des parfums de fruits mûrs, voire confits, et d'agrumes. La bouche révèle une grande matière et renoue avec les fruits mûrs dans une finale fraîche. Une riche bouteille qu'il est conseillé de carafer.

EARL Agnès et Christian Papin,
Dom. de Haute Perche, 7, chem. de la Godelière,
49610 Saint-Melaine-sur-Aubance, tél. 02.41.57.75.65,
fax 02.41.57.75.42,
e-mail domainedehauteperche@wanadoo.fr
t.l.j. sf dim. 9h-12h 14h30-19h

DOM. DE MONTGILET Les Trois Schistes 2004

9,88 ha 12 794 11 à 15 €

Les amateurs de moelleux et liquoreux d'Anjou guettent les résultats de ce domaine, champion des coups de cœur de cette appellation. Les schistes ont prodigué cette année leurs bienfaits avec parcimonie : ce 2004 ne fait pas oublier les superbes 2003, 2001 et 1999, pour s'en tenir aux millésimes les plus récents. Élaboré à partir de vendanges récoltées à forte maturité, il offre sans lésiner l'or de sa robe, ses arômes de fruits confits, de fruits secs, d'abricot et de miel, la richesse de sa matière. Une douceur extrême l'alourdit en finale, l'empêchant d'atteindre les étoiles. Cela en fait un bon vin de dessert, à servir avec des tartes aux fruits.

Victor et Vincent Lebreton, Dom. de Montgilet,
49610 Juigné-sur-Loire, tél. 02.41.91.90.48,
fax 02.41.54.64.25, e-mail montgilet@terre-net.fr
t.l.j. sf dim. 9h-18h

DOM. D'ORGIGNÉ 2005

1 ha 4 600 5 à 8 €

Si le terroir du coteaux-de-l'aubance est constitué de formations schisteuses et caillouteuses appartenant au Massif armoricain, celles-ci sont recouvertes dans la partie orientale de l'aire d'appellation par des formations du secondaire. C'est ainsi que ce domaine proche de Brissac est implanté sur une butte calcaire correspondant à une auréole sédimentaire crétacée du Bassin parisien. Il a proposé un 2005 jaune doré, aux arômes de fruits mûrs. Conjuguant richesse et fraîcheur en bouche, c'est un vin bien équilibré, gras, qui évoque tout au long de la dégustation les fruits mûrs concentrés.

Delaunay, Dom. d'Orgigné,
49320 Saint-Saturnin-sur-Loire, tél. 02.41.54.21.96,
fax 02.41.91.72.25 r.-v.

CH. PRINCÉ Cuvée Élégance 2004 **

1 ha 2 800 8 à 11 €

Même si ce domaine a obtenu un coup de cœur pour un anjou-villages-brissac 2004 dans cette même édition, on ne saurait parler de « révélation », tant cette exploitation proche d'Angers a fait parler d'elle depuis l'acquisition du vignoble en 2002 par Mathias Levron et Régis Vincenot. On retrouve sa cuvée Élégance, qui gagne une étoile par rapport au millésime précédent et mérite pleinement son nom. Jaune d'or, ce 2004 mêle au nez les fruits mûrs à la vanille et aux épices de l'élevage. Riche, intense et concentré en bouche, il n'en laisse pas moins une impression de délicatesse caractéristique des coteaux-de-l'aubance. Élevée en cuve, la **Cuvée Fraîcheur 2005 (5 à 8 €)** obtient une étoile pour ses arômes d'agrumes rafraîchissants.

SCEA Levron-Vincenot, Le Petit Princé,
49610 Saint-Melaine-sur-Aubance, tél. 02.41.57.82.28,
fax 02.41.57.73.78, e-mail chateauprince@wanadoo.fr
t.l.j. sf dim. 9h30-12h 14h-18h

DOM. DE ROCHAMBEAU Harmonie 2004 *

1,5 ha 5 300 11 à 15 €

M. Forest est le président des coteaux-de-l'aubance, appellation qui a commencé à acquérir ses lettres de noblesse à partir des années 1990. Il exploite ses 15 ha de vignes en agriculture biologique. Avec ses arômes de fruits mûrs tout au long de la dégustation et sa fraîcheur caractéristique, sa sélection Harmonie est un très bon ambassadeur de son AOC. Intense à l'œil, avec ses reflets paille, ce 2004 est plein de délicatesse au nez. On y respire les fruits jaunes, les fruits confits et l'acacia. L'intensité se confirme au palais, où la richesse se conjugue avec la fraîcheur. Le nom de la cuvée est bien choisi.

EARL Forest, Dom. de Rochambeau,
49610 Soulaines-sur-Aubance, tél. et fax 02.41.57.82.26,
e-mail rochambeau@wanadoo.fr
t.l.j. 9h-12h 14h-19h

DOM. DES ROCHELLES Tradition 2005 *

10 ha 10 000 11 à 15 €

Référence de l'Anjou en matière de vins rouges (voir l'AOC anjou-villages-brissac), ce domaine montre ici son savoir-faire en blanc avec ce coteaux-de-l'aubance élevé en fût. Un 2005 tiré un peu jeune de son chêne, ce qui n'a pas permis de l'estimer à sa juste valeur. Cependant, cette bouteille issue de vendanges strictement sélectionnées montre déjà un réel potentiel. Ses arômes concentrés de fruits confits sont typiques d'un vin de caractère.

EARL J.-Y. A. Lebreton, Dom. des Rochelles,
49320 Saint-Jean-des-Mauvrets, tél. 02.41.91.92.07,
fax 02.41.54.62.63, e-mail jy.a.lebreton@wanadoo.fr
t.l.j. sf dim. 8h-12h 14h-19h

VIGNES DE PRINCÉ Cuvée Tardive 2004 **

2,16 ha 4 000 11 à 15 €

Exploité par la même famille depuis 1801, ce domaine dispose d'un important vignoble : 53 ha. Michel Rabineau, pour être le président de l'AOC anjou-villages-brissac, n'a pas manqué ce vin blanc. Ce 2004 affiche une robe jaune d'or intense. Intense aussi est son nez de fruits jaunes mûrs et de miel. En harmonie avec ces premières impressions, sa bouche est concentrée et riche. On y retrouve le miel, escorté d'abricot confit et de coing. Superbe et typique. (Bouteilles de 50 cl.)

Rabineau-Fillion, La Douesnerie,
49320 Vauchrétien, tél. 02.41.54.81.62,
fax 02.41.54.82.73, e-mail rabineau@terre-net.fr
t.l.j. sf dim. 9h-12h30 14h-18h; f. 12-20 août

Anjou-coteaux-de-la-loire

L'appellation est réservée aux vins blancs issus du pinot de la Loire. Les volumes sont confidentiels (878 hl en 2005) par rapport à l'aire de production (une douzaine de communes), située uniquement sur les schistes et les calcaires de Montjean. Lorsqu'ils sont triés et qu'ils atteignent la surmaturité, ces vins se distinguent des coteaux-du-layon par une couleur plus verte. Ils sont généralement de type demi-sec. Dans cette région aussi, la reconversion du vignoble se fait peu à peu vers la production de vins rouges.

CH. LA FRANCHAIE 2004 *

1 ha 2 000 ▮ 8 à 11 €

Jeune vigneron, Jean-Marc Renaud a repris en 2004 ce domaine situé près de Savennières, sur la rive droite de la Loire. Il signe ici son premier millésime élaboré dans sa cave flambant neuve. Les raisins, vendangés le 5 novembre, ont donné un vin de qualité qui reflète l'engagement rigoureux de son auteur. Jaune d'or à reflets orangés, ce 2004 s'épanouit à l'aération sur des notes confites caractéristiques de la pourriture noble. Le palais est plein, chaleureux et dense, avec ce qu'il faut de fraîcheur. Un domaine à suivre...

Jean-Marc Renaud, Ch. La Franchaie, 49170 La Possonnière, tél. 02.41.39.18.16, fax 02.41.39.18.17, e-mail chateau.franchaie@wanadoo.fr ☑ Y ⚲ r.-v.

Chaillou

DOM. DU FRESCHE Clos du Chalet 2004 **

0,6 ha 1 800 11 à 15 €

Ce domaine figure au nombre de ceux qui ont relancé la production de liquoreux sur les coteaux de la Loire. Ce Clos du Chalet s'habille d'une robe jaune intense aux reflets orangés révélatrice d'une surmaturation sous l'effet de la pourriture noble. Cette impression se confirme dans une bouche tout imprégnée d'arômes de fruits secs ou confits, de pomme cuite. Malgré la richesse de la matière première, le palais reste frais et léger : tout ce que l'on attend de cette appellation.

EARL Alain Boré, Dom. du Fresche, rte de Chalonnes, 49620 La Pommeraye, tél. 02.41.77.74.63, fax 02.41.77.79.39, e-mail alainbore@aol.com
☑ Y ⚲ t.l.j. sf dim. 9h-12h 14h-18h

GILLES MUSSET-SERGE ROULLIER Moelleux 2004 *

1 ha 4 000 ▮ 5 à 8 €

Cette propriété, fruit de l'association en 1994 de deux domaines de La Pommeraye, offre un point de vue intéressant sur la vallée de la Loire. Sa production mérite aussi le détour : elle a obtenu quatre coups de cœur, dont deux dans cette AOC. Après des Raisins confits 2003 couronnés l'an dernier, ce moelleux jaune aux reflets dorés est plus discret mais séduit par sa finesse. Ses arômes délicats apparaissent lentement à l'aération. On respire alors la fleur blanche, le fruit exotique et le fruit confit. Fraîche à l'attaque, riche, la bouche se fait intense en finale, sur des impressions chaleureuses de fruits mûrs, de pomme cuite et de fleurs.

Vignoble Musset-Roullier, Le Chaumier, 49620 La Pommeraye, tél. 02.41.39.05.71, fax 02.41.77.75.76 ☑ Y ⚲ r.-v.

CH. DE PUTILLE Cuvée Pierre Carrée 2004 ***

5 ha 4 000 ▮ 8 à 11 €

Sept coups de cœur au fil des éditions du Guide : une des valeurs sûres de l'Anjou. Cette cuvée Pierre Carrée, issue de roches volcaniques acides qui forment de petits parallélépipèdes, est l'un de ses fleurons, deux fois couronnés par le jury (millésimes 1999 et 2000). Pas de coup de cœur cette année, mais la question a fait l'objet d'un débat. Jaune à reflets dorés, ce vin est né de raisins récoltés à une très forte maturité (plus de 20 ° nature). Au nez, de frais arômes de fruits concentrés, des fruits blancs, de la mangue. En bouche, de l'intensité et un équilibre parfait. Un ensemble délicat et qui se livre facilement. Il est déjà prêt, comme le superbe **Clos du Pirouet 2005 (5 à 8 €)**, deux étoiles. Typique lui aussi, il charme par la finesse de son fruité (fruits blancs, pêche de vigne et fruits exotiques au nez, agrumes en bouche) et par son palais intense, riche et frais à la finale vive.

Pascal Delaunay, EARL Ch. de Putille, 49620 La Pommeraye, tél. 02.41.39.02.91, fax 02.41.39.03.45, e-mail pascal.genevieve.delaunay@wanadoo.fr
☑ Y ⚲ t.l.j. sf dim. 8h-12h30 14h-19h30

Savennières

Ce sont des vins blancs de type sec, produits à partir du chenin sur environ 140 ha, essentiellement sur la commune de Savennières. Les schistes et grès pourpres leur confèrent un caractère particulier, ce qui les a fait définir longtemps comme crus des coteaux de la Loire ; mais ils méritent d'occuper une place à part entière. Cette appellation devrait s'affirmer et se développer. Pleins de sève, un peu nerveux, ses vins vont à merveille sur les poissons cuisinés. La production du savennières et de ses crus coulée-de-serrant et roche-aux-moines a atteint 5 102 hl en 2005.

CH. DE CHAMBOUREAU Cuvée d'Avant 2004 *

7,26 ha 37 000 ▮ 8 à 11 €

Un château déjà Renaissance, comme pour symboliser la renaissance du vignoble de Savennières, grâce à des vins comme cette cuvée d'Avant vinifiée en barrique et élevée les six derniers mois en cuve sur ses lies fines. Robe jaune aux légers reflets paille, nez délicat de fruits mûrs et de fleurs blanches : la présentation intéresse. Riche, intense et harmonieux au palais, ce 2004 est un vin de terroir très équilibré.

EARL Pierre Soulez, Ch. de Chambboureau,
49170 Savennières, tél. 02.41.77.20.04,
fax 02.41.77.27.78, e-mail pierresoulez@wanadoo.fr
r.-v.

CLOS DE COULAINE 2004 ★★★

n.c. 11 640 8 à 11 €

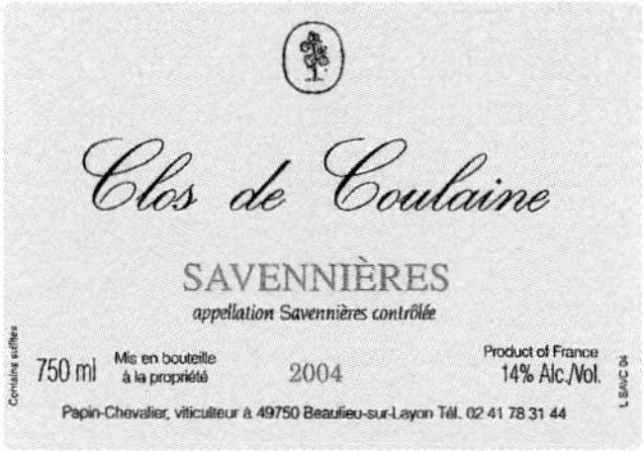

Le Clos de Coulaine est constitué de sables éoliens déposés au quaternaire sur un substrat gréseux. Le vigneron qui le met en valeur n'est autre que Claude Papin, fin connaisseur des terroirs angevins et artiste en vins liquoreux (voir le Château Pierre-Bise). Avec ce 2004, il obtient son septième coup de cœur et son premier en savennières. Cette sélection offre une expression idéale de l'appellation. Secrète, un rien austère avec ses notes minérales, mais aussi chaleureuse par ses arômes de fruits mûris par le soleil, elle porte en elle le paysage divers de Savennières, fait de couleurs froides – le gris bleu du schiste – et d'une luminosité tendre et apaisante, venue de la Loire.

Claude Papin, Ch. Pierre-Bise,
49750 Beaulieu-sur-Layon, tél. 02.41.78.31.44,
fax 02.41.78.41.24, e-mail chateaupb@hotmail.com
r.-v.

DOM. DU CLOSEL-CHÂTEAU DES VAULTS
Clos du Papillon 2004 ★

4 ha 17 200 15 à 23 €

Tradition et modernité : un fief constitué au XVᵉs., un vignoble dont l'origine se perd dans la nuit des temps, un château classique revisité par le XIXᵉs. et qui suffit à donner un aperçu de la grandeur du savennières... Mais aussi un site internet indiqué sur l'étiquette, un art de communiquer, d'inviter l'amateur : manifestations culturelles ou vineuses sont organisées tout au long de l'année ; concerts, expositions, « salons littéraires » sur la gourmandise ou encore, en juin, parcours à la découverte du « parfum merveilleux de la fleur de vigne ». Direction féminine. Le vin ? Les deux sélections présentées ont la classe des grands terroirs. Ce Clos du Papillon provient d'un lieu-dit renommé qui tire son nom de sa forme rappelant deux ailes. Austère par ses notes minérales et sa vivacité, il est chaleureux par ses arômes de fruits mûrs. Les **Caillardières 2004 (11 à 15 €)**, une étoile, concilient une puissance surprenante et une tendre délicatesse.

Evelyne de Ponbriand, Dom. du Closel,
Ch. des Vaults, 49170 Savennières, tél. 02.41.72.81.00,
fax 02.41.72.86.00, e-mail closel@savennieres-closel.com
t.l.j. 9h-12h30 13h30-18h30; sam. dim. sur r.-v.
de Jessey

CH. D'EPIRÉ Cuvée spéciale 2005 ★

1 ha 4 500 11 à 15 €

Construit en 1850 avec son orangerie, un « château du vin » version angevine. Il appartient à la même famille depuis le XIXᵉs. Les chais sont installés dans une église romane, comme pour rappeler l'ancienneté du vignoble, qui fournissait l'Angleterre aux temps des Plantagenêts. Tiré un peu tôt de son sommeil dans le chêne, ce jeune 2005 reste fermé au nez. Mais sa bouche riche et délicate, sa très belle finale sur la fraîcheur des agrumes lui promet un grand avenir. Mieux vaut le laisser dormir deux ans en cave.

Luc Bizard, SCEA Bizard-Litzow,
Chais du Ch. d'Epiré, 49170 Savennières,
tél. 02.41.77.15.01, fax 02.41.77.16.23,
e-mail luc.bizard@wanadoo.fr r.-v.

MOULIN DE CHAUVIGNÉ
Clos Brochard 2005 ★★

0,3 ha 1 500 8 à 11 €

Datant du XVIIIᵉs., un moulin cavier trapu donne son nom à ce domaine constitué à partir de 1992 par Christian et Sylvie Plessis-Termeau. Le vignoble compte aujourd'hui 10 ha. Les deux sélections présentées ont été retenues en bonne place, et ce Clos Brochard frôle même le coup de cœur. On y respire la minéralité puis, à l'aération, des notes de fleurs d'amandier et de fruits mûrs. Franc, frais et élégant, il pourra être ouvert à l'apéritif puis accompagner poissons ou crustacés en sauce, et même des asperges. Un dégustateur enthousiaste demande du turbot. La **cuvée principale 2005 (5 à 8 €)**, un peu jeune, offre de jolis arômes d'agrumes, d'abricot et de pêche, et a tout l'avenir devant elle : une étoile. Deux vins de garde, attente recommandée (trois ans).

Sylvie Plessis-Termeau, Le Moulin de Chauvigné,
49190 Rochefort-sur-Loire, tél. et fax 02.41.78.86.56
r.-v.

CH. DE LA MULONNIÈRE Grand Hamé 2004 ★

2 ha 6 000 5 à 8 €

Ce domaine, qui a son siège dans la vallée du Layon, est maintenant propriété de M. Saget. Les vignes du Grand Hamé sont implantées sur les sols schisto-gréseux du plateau d'Épiré. Elles ont donné naissance à un 2004 typique de son appellation : riche, nerveux, avec des arômes de fleurs blanches, de genêt et de fruits mûrs, c'est un vin tout en fraîcheur, qui accompagnera de sa délicatesse des poissons grillés, des coquilles Saint-Jacques ou encore des truffes.

SCEA Ch. de La Mulonnière,
49750 Beaulieu-sur-Layon, tél. 02.41.78.47.52,
fax 02.41.78.63.63 r.-v.
M. Saget

DOM. OGEREAU Clos du Grand Beaupréau 2004 ★

2 ha 8 000 8 à 11 €

Vincent Ogereau collectionne les coups de cœur, tant en rouge qu'en blanc. Son savennières 2004 étonne par son apparente facilité. Décrite à la fois comme un vin de plaisir et un vin de caractère, cette bouteille exprime un terroir délicat mis en valeur par un vinificateur de talent. La finale aux arômes complexes de fruits mûrs, de fleurs et de torréfaction ne se laisse pas oublier. À boire ou à garder ? Selon votre patience.

Vincent Ogereau, 44, rue de la Belle-Angevine,
49750 Saint-Lambert-du-Lattay, tél. 02.41.78.30.53,
fax 02.41.78.43.55,
e-mail domaine.ogereau@wanadoo.fr r.-v.

CH. DE PLAISANCE Le Clos 2004 ★

2 ha 10 000 8 à 11 €

Établi sur l'un de ses fleurons, le coteau de Chaume, le château de Plaisance a brillé cette année en liquoreux. Il étend ses possessions de l'autre côté de la Loire et élabore des savennières régulièrement mentionnés dans le Guide. Corsé, Le Clos 2004 fait montre d'un caractère affirmé, délivrant de puissantes notes de fruits mûrs, de torréfaction et de vanille. Il devrait être prêt à l'automne.

Guy Rochais, Ch. de Plaisance, Chaume,
49190 Rochefort-sur-Loire, tél. 02.41.78.33.01,
fax 02.41.78.67.52, e-mail rochais.guy@wanadoo.fr
r.-v.

CH. DE VARENNES 2004 ★★

7,3 ha 47 000 11 à 15 €

Le propriétaire est une société constituée en 2005, et qui regroupe trois vignobles appartenant aux plus grandes appellations de vins blancs de l'Anjou : chaume, quarts-de-chaume et savennières. Ce 2004 affiche une réelle personnalité avec ses arômes puissants de fleurs, de fruits mûrs, d'épices et de torréfaction. Intensité, richesse et fraîcheur règnent en bouche. Un ensemble racé et complexe.

SARL Ch. Bellerive, Chaume,
49190 Rochefort-sur-Loire, tél. 02.41.78.33.66,
fax 02.41.78.68.47, e-mail chateau.bellerive@wanadoo.fr
r.-v.
Alain Chateau

LES VIEUX CLOS 2004 ★★

4,5 ha 14 000 15 à 23 €

Praticien de la biodynamie sur son domaine, Nicolas Joly n'hésite pas à voyager, à l'occasion, en prosélyte passionné de cette agriculture qui proscrit tout produit de synthèse pour préserver la vie du sol. Au chai également, il combat le recours excessif à la technologie. *I don't want a good wine, I want a true wine.* Un vin authentique. Ce 2004 parle bien le langage de la vérité. Jaune intense, il offre des arômes puissants de fruits mûrs, de prune et de noix. En bouche, on trouve la même intensité, un côté chaleureux et de la complexité. La finale remarquable évoque les fruits macérés dans l'alcool.

EARL Nicolas Joly, Ch. de La Roche aux Moines,
49170 Savennières, tél. 02.41.72.22.32,
fax 02.41.72.28.68,
e-mail coulee-de-serrant@wanadoo.fr
t.l.j. sf dim. 9h-12h 14h-17h30

Savennières-roche-aux-moines, savennières-coulée-de-serrant

Il est difficile de séparer ces deux crus qui ont pourtant reçu une codification particulière, tant ils sont proches en caractères et en qualité. La coulée-de-serrant, plus restreinte en surface (7 ha), est située de part et d'autre de la vallée du petit Serrant. La plus grande partie est en pente forte, d'exposition sud-ouest. Propriété en monopole de la famille Joly, cette appellation a atteint, tant par sa qualité que par son prix, la notoriété des grands crus de France. C'est après cinq ou dix ans que ses qualités s'épanouissent pleinement. La roche-aux-moines appartient à plusieurs propriétaires et couvre une surface de 19 ha déclarés (qui n'est pas totalement plantée). Si elle est moins homogène que son homologue, on y trouve des cuvées qui n'ont cependant rien à lui envier.

Savennières-roche-aux-moines

CH. DE CHAMBOUREAU Cuvée d'Avant 2004 ★★

1,9 ha 12 000 15 à 23 €

Le manoir du XV^{e}s., avec sa tour octogonale recélant un escalier et ses mâchicoulis, a été complété au XVIII^{e}s. par deux pavillons. Le vignoble, qui s'étend aujourd'hui sur 18 ha, est dans la famille depuis environ un siècle. Le coteau de la Roche aux Moines correspond à un éperon rocheux surplombant la Loire. Constitué de schistes, ce terroir connu depuis le Moyen Âge s'exprime pleinement dans cette cuvée d'Avant. Ce 2004 conjugue en effet de façon étonnante des sensations de fraîcheur, de richesse, de suavité et d'amertume (en finale). Ce qu'on appelle du caractère.

EARL Pierre Soulez, Ch. de Chamboureau,
49170 Savennières, tél. 02.41.77.20.04,
fax 02.41.77.27.78, e-mail pierresoulez@wanadoo.fr
r.-v.

CLOS DE LA BERGERIE 2004 ★

n.c. n.c. 15 à 23 €

Jaune d'or intense, un vin haut en couleur, qui exprime bien le paysage de l'appellation, installée sur un éperon rocheux. La palette aromatique décline les fruits macérés à l'alcool, la prune et la noix, au sein d'une matière riche, puissante, très chaleureuse en finale. Un vin signé par un ardent défenseur de la biodynamie et détenteur de vignes dans tous les grands terroirs du savennières.

EARL Nicolas Joly, Ch. de La Roche aux Moines,
49170 Savennières, tél. 02.41.72.22.32,
fax 02.41.72.28.68,
e-mail coulee-de-serrant@wanadoo.fr
t.l.j. sf dim. 9h-12h 14h-17h30

CH. PIERRE-BISE 2004 ★

n.c. 6 000 11 à 15 €

Claude Papin brille dans les grands liquoreux de la vallée du Layon. En 2004, il a étendu son royaume sur l'autre rive de la Loire, sur les terres du savennières. Il a acquis une parcelle de cette roche-aux-moines qui manquait à sa collection de grands terroirs. Il en a tiré un vin délicat obtenu à partir de vendanges atteintes de pourriture noble. La robe est d'un jaune intense à reflets d'or. Le nez complexe joue sur les fleurs blanches, l'abricot sec et le miel. Ample et riche au palais, le vin reste tout au long de la dégustation sur une ligne d'élégance.

🔑 Claude Papin, Ch. Pierre-Bise,
49750 Beaulieu-sur-Layon, tél. 02.41.78.31.44,
fax 02.41.78.41.24, e-mail chateaupb@hotmail.com
r.-v.

Savennières-coulée-de-serrant

CLOS DE LA COULÉE DE SERRANT 2004 ★

7 ha n.c. **38 à 46 €**

Le fleuron de la propriété de Nicolas Joly : une petite enclave soumise directement au mésoclimat de la Loire, plantée au XIIe s. par cet « ordre vigneron » que constituèrent les cisterciens, et dont les vins furent célébrés par Louis XI, Louis XIV, puis par l'impératrice Joséphine. Sur les pentes escarpées de la Coulée de Serrant, nul tracteur n'accède : tout est fait à main d'homme, aidé à l'occasion par son meilleur ami, et selon les principes de la biodynamie. Au chai, la recherche d'un vin authentique : ni levures exogènes, ni débourbage, ni collage, ni passage au froid, très peu de bois neuf. Pour un 2004 jaune d'or intense, aux arômes puissants d'abricot sec, de prune cuite et de fruits macérés à l'alcool. À la fois majestueuse et délicate, la très belle bouche semble avoir capté la douce luminosité des bords de Loire. Le 2002 fut coup de cœur.

🔑 EARL Nicolas Joly, Ch. de La Roche aux Moines,
49170 Savennières, tél. 02.41.72.22.32,
fax 02.41.72.28.68,
e-mail coulee-de-serrant@wanadoo.fr
t.l.j. sf dim. 9h-12h 14h-17h30

Coteaux-du-layon

Sur les coteaux des communes qui bordent le Layon, de Nueil à Chalonnes, représentant quelque 1 703 ha, on a produit, en 2005, 48 067 hl de vins demi-secs, moelleux ou liquoreux. Le chenin est le seul cépage. Plusieurs villages sont réputés : le plus connu, devenu à part entière, est celui de Chaume. Six noms peuvent être ajoutés à l'appellation : Rochefort-sur-Loire, Saint-Aubin-de-Luigné, Saint-Lambert-du-Lattay, Beaulieu-sur-Layon, Rablay-sur-Layon, Faye-d'Anjou. Depuis 2002, les vins ont droit à la mention « Sélection de grains nobles » lorsque la richesse naturelle de la vendange minimale est de 234 g/l, soit 17,5 % vol. sans aucun enrichissement. Ils ne pourront être commercialisés avant dix-huit mois suivant la récolte. Vins subtils, or vert à Concourson, plus jaunes et plus puissants en aval, ils présentent des arômes de miel et d'acacia acquis lors de la surmaturation. Leur capacité de vieillissement est étonnante.

DOM. D'AMBINOS 2005

5 ha 15 000 **5 à 8 €**

Beaulieu-sur-Layon est riche de coteaux exposés au sud, et fait partie des cinq communes dont le nom peut figurer à côté de celui de l'appellation sur les étiquettes. Jean-Pierre Chéné cultive plus de 14 ha aux alentours. Dans cette exploitation traditionnelle, on conserve précieusement de vieux millésimes. Celui-ci, en revanche, est tout jeune et n'a pas livré ses secrets. Son nez est fermé à double tour, mais sa bouche est prometteuse par sa puissance et ses arômes – du miel et de frais arômes citronnés.

🔑 Jean-Pierre Chéné, 3, imp. des Jardins,
49750 Beaulieu-sur-Layon, tél. 02.41.78.48.09,
fax 02.41.78.61.72,
e-mail domainedambinos@libertysurf.fr r.-v.

DOM. DES BARRES
Saint-Aubin Les Paradis 2004 ★★

1,2 ha 4 000 **8 à 11 €**

Après s'être développée en surface depuis sa création dans les années 1930, cette exploitation mise sur la qualité depuis quinze ans. Cette cuvée Paradis, qui porte bien son nom, est l'un de ses chevaux de bataille : coup de cœur dans le millésime 2001, elle a obtenu deux étoiles dans les trois millésimes suivants. Jaune paille à reflets or vert, le 2004 mêle des parfums de fruits blancs, des notes de confiture à des nuances plus fraîches évoquant la rhubarbe. Un superbe équilibre s'établit dans une bouche imprégnée de fruits confits, de coing et d'abricot.

🔑 Patrice Achard, Dom. des Barres,
49190 Saint-Aubin-de-Luigné, tél. 02.41.78.98.24,
fax 02.41.78.68.37, e-mail achardpatrice@wanadoo.fr
r.-v.

DOM. DE LA BELLE ANGEVINE
Beaulieu Cuvée Béhuard 2004

2 ha 3 000 **11 à 15 €**

Où trouver ce domaine ? Sur une île de la Loire, celle de Béhuard, entre Savennières et Rochefort-sur-Loire. Constitué en 1993 par une pharmacienne et son mari agronome, le vignoble compte aujourd'hui 17 ha. Sa cuvée Béhuard est représentative de l'appellation avec sa robe jaune aux légers reflets orangés, son nez de raisin sec, de fruits confits et de miel. À la fois riche, élégante et de bonne longueur, elle peut être dégustée dès à présent.

🔑 Florence Dufour, Dom. de La Belle Angevine,
La Motte, 49750 Beaulieu-sur-Layon,
tél. 02.41.78.34.86, fax 02.41.72.81.58,
e-mail labelleangevine@wanadoo.fr r.-v.

DOM. DE LA BERGERIE
Cuvée Fragrance 2004 ★★

2 ha 2 500 **15 à 23 €**

Yves Guégniard est talentueux en liquoreux, témoin cette cuvée tirée de très vieux ceps et obtenue à partir d'une vendange dont la richesse naturelle était proche de 24 °C. D'un jaune d'or intense, ce 2004 mêle au nez des parfums de prune cuite (mirabelle), de poire et des notes de fruits macérés dans l'alcool. Puissant et dense, c'est un vin de connaisseur à apprécier à l'apéritif. (Bouteilles de 50 cl.)

🔑 Yves Guégniard, Dom. de La Bergerie,
49380 Champ-sur-Layon, tél. 02.41.78.85.43,
fax 02.41.78.60.13,
e-mail domainede.la.bergerie@wanadoo.fr
t.l.j. sf dim. 9h-12h 14h-19h; f. 15-30 août

DOM. MICHEL BLOUIN Beaulieu 2005 ★

n.c. 5 000 **5 à 8 €**

L'exploitation comptait 2 à 3 ha en 1870. Un travail de plusieurs générations l'a amenée aujourd'hui à 21 ha

LOIRE

et sa production est entièrement commercialisée en vente directe. Cette sélection séduit par son équilibre entre la richesse et la fraîcheur et par ses nuances intenses de fruits confits, d'abricot sec et de pâte de coings. Dans celle de **Saint-Aubin 2005**, citée, puissance rime avec élégance, tandis que l'expression aromatique, très flatteuse, se porte vers les fruits frais bien mûrs, pêche et abricot.

Dom. Michel Blouin,
53, rue du Canal-de-Monsieur,
49190 Saint-Aubin-de-Luigné,
tél. 02.41.78.33.53, fax 02.41.78.67.61 r.-v.

DOM. DE LA BODIÈRE
Saint-Lambert Vieilles Vignes 2005 ★★

n.c. 9 300 5 à 8 €

La commune de Saint-Lambert-du-Lattay est l'une des plus viticoles du vignoble angevin. Elle abrite un musée de la Vigne et du Vin qui retrace l'histoire des vins d'Anjou. De nombreux producteurs y sont installés, tels les Rousseau. Tony, qui a repris en 2002 les 27 ha de l'exploitation, propose un 2005 étonnant avec ses airs de vieux vin. Jaune à reflets or vert, cette cuvée présente un nez intense fait de fruits confits avec une touche pralinée. Le fruit confit règne aussi dans une bouche puissante qui finit sur la pâte de fruits. On pourra servir dès à présent cette bouteille ou l'attendre cinq ans.

EARL Rousseau, La Chauvière,
49750 Saint-Lambert-du-Lattay,
tél. 02.41.78.34.76, fax 02.41.78.44.40,
e-mail rousseau.domaine@wanadoo.fr
r.-v.

CH. DU BREUIL Beaulieu Vieilles Vignes 2004 ★

8 ha 3 500 15 à 23 €

Situé en haut de coteau, le château du Breuil domine majestueusement le Layon. Il est régulièrement présent dans le Guide, notamment grâce à cette sélection de vieilles vignes, et a obtenu un coup de cœur pour un 2002. Ce 2004 laisse une sensation de richesse et de concentration. Sa robe jaune d'or intense annonce des arômes de fruits confits et de miel. Généreux, puissant et pourtant délicat, ce « vin de soleil » pourra être apprécié dès la fin 2006.

Ch. du Breuil, 49750 Beaulieu-sur-Layon,
tél. 02.41.78.32.54, fax 02.41.78.30.03,
e-mail ch.breuil@wanadoo.fr r.-v.
Morgat

CH. DE BROSSAY
Sélection de Grains nobles 2004 ★★★

2 ha 500 15 à 23 €

Ce domaine est installé à Cléré-sur-Layon, à la source du Layon. Les vendanges à l'origine de cette sélection avaient une richesse proche de 24 °C nature. Elles ont donné naissance à un vin au nez de fruits confits, de pâte de fruits et de miel. Complexe en bouche, ce 2004 conjugue une rare opulence avec une fraîcheur étonnante et pourtant caractéristique des grands liquoreux d'Anjou. Une bouteille qui a frôlé le coup de cœur (le 1994 l'avait obtenu naguère). (Bouteilles de 50 cl.)

Raymond et Hubert Deffois,
Ch. de Brossay,
49560 Cléré-sur-Layon, tél. 02.41.59.59.95,
fax 02.41.59.58.81, e-mail chateau.brossay@wanadoo.fr
r.-v.

DOM. CADY
Saint-Aubin Grains nobles Cuvée Volupté 2004 ★

2 ha 2 900 15 à 23 €

Avec ses coteaux abrupts surplombant la rivière, Saint-Aubin-de-Luigné est une localité pleine de charme. Elle offre un des meilleurs terroirs de l'appellation, si bien que son nom peut être apposé à côté de celui de l'AOC sur les étiquettes. Créé en 1927, le domaine est présent dans le Guide dès la première édition et a trois coups de cœur à son actif. En 2006, Alexandre, vingt-quatre ans, a rejoint son père Philippe. Cuvée Volupté ou **Les Varennes 2004 (11 à 15 €)** ? Les deux font jeu égal (une étoile). Sélection de grains nobles superbe dans les deux millésimes précédents, la première mise sur sa puissance et ses arômes de pomme au four. La seconde offre un très bel équilibre entre les sensations chaleureuses et les notes de fraîcheur, et exprime avec délicatesse les agrumes, les fruits secs et la pâte de coings. L'œuvre d'un grand vigneron. (Bouteilles de 50 cl.)

Philippe Cady, EARL Dom. Cady, Valette,
49190 Saint-Aubin-de-Luigné, tél. 02.41.78.33.69,
fax 02.41.78.67.79, e-mail domainecady@yahoo.fr
t.l.j. sf dim. 9h-12h 14h-19h

CH. DE CHAMPTELOUP 2005 ★

4 ha 15 000 3 à 5 €

À la tête de 85 ha, la société Champteloup produit principalement des vins rosés d'Anjou. Cela ne l'a pas empêchée de proposer un coteaux-du-layon fort estimable. Jaune à reflets verts, ce 2005 associe au nez de frais parfums de fleurs blanches et de menthe à des nuances de raisin sec. Simple mais très bien équilibrée, la bouche offre en rétro-olfaction des arômes de fruits frais rappelant la pêche. Léger, friand, facile d'accès et très bien fait, ce vin donne une bonne image de son appellation. Prêt à boire, il peut aussi attendre cinq ans.

SCEA Champteloup, 49700 Tigné,
tél. 02.40.36.66.00

DOM. DE CHANTEMERLE Cuvée Prestige 2005 ★

1 ha 4 000 5 à 8 €

« Trois monts » ont donné leur nom à la commune de Trémont, située au niveau du cours supérieur du Layon, et dont le territoire a été intégré dernièrement à l'aire de production des coteaux-du-layon. Cette cuvée Prestige arbore une robe jaune intense. Fermée au premier nez, elle s'épanouit peu à peu à l'aération. Minérale et fraîche en bouche, elle finit sur des notes de fruits mûrs, d'abricot sec et de miel. Un vin à aérer avant de le servir. L'**anjou blanc 2005 (3 à 5 €)** obtient une citation.

Patrick et Caroline Laurilleux,
Dom. de Chantemerle, 4, rue de l'École,
49310 Trémont, tél. 02.41.59.43.18, fax 02.41.50.02.99
r.-v.

DOM. DE CLAYOU 2005

6,5 ha 20 000 5 à 8 €

Importante bourgade viticole, Saint-Lambert-du-Lattay compte de nombreux producteurs, dont les Chauvin, à la tête de 22 ha et qui figurent au nombre des vieilles familles de la commune. Leur 2005 est agréable par ses notes fraîches de fruits frais exotiques. Intense en bouche, il s'exprimera pleinement après quelques mois de vieillissement. Plus ouvert, le **Saint-Lambert 2004 (8 à 11 €)** obtient la même note. Il évoque les fruits très mûrs et confits tout au long de la dégustation. Équilibré, harmonieux et assez long, il est prêt.

🔑 SCEA Jean-Bernard Chauvin,
18 bis, rue du Pont-Barré,
49750 Saint-Lambert-du-Lattay, tél. 02.41.78.44.44,
fax 02.41.78.48.52, e-mail domainedeclayou@tiscali.fr
☑ Y 🚶 t.l.j. sf dim. 9h-12h 14h-19h; f. 15-30 août

CLOSERIE DE LA PICARDIE 2005

n.c. 2 500 ▮ 5 à 8 €

Installé en 2001, Benoît Rocher représente la quatrième génération sur ce domaine qui a fêté en 2004 son centième anniversaire. Ancienne ferme agricole, la propriété se consacre aujourd'hui entièrement à la viticulture. Avec sa robe jaune aux reflets or vert, ses arômes de fruits mûrs tirant sur l'exotique (mangue) et l'abricot, sa bouche riche et qui reste légère grâce à sa vivacité, ce 2005 est un bon ambassadeur de son appellation.

🔑 Benoît Rocher, Closerie de La Picardie,
49380 Notre-Dame-d'Allençon, tél. 02.41.54.30.32,
fax 02.41.54.32.27, e-mail benoit.rocher@aliceadsl.fr
☑ Y 🚶 t.l.j. 9h-20h; dim. sur r.-v.

DOM. DES CLOSSERONS
Faye La Placette 2004 ★★

1,74 ha 4 300 ▮ 11 à 15 €

Cette propriété fête en 2006 son cinquantième anniversaire. Elle fait partie de ces exploitations pionnières qui ont remis en état les coteaux abrupts de l'appellation, abandonnés après la Seconde Guerre mondiale. Le terroir de Faye a déjà valu à la famille Leblanc un coup de cœur (un 1999). Quant à ce 2004 jaune d'or, c'est un grand vin de terroir. Son nez marie des nuances de fruits compotés et des nuances plus fraîches d'agrumes (citron vert). Sa bouche gourmande, riche et ample persiste sur l'amande et, de nouveau, sur les agrumes. Une cuvée proche du coup de cœur, et qui gagnera à attendre.

🔑 EARL Jean-Claude Leblanc et Fils,
Dom. des Closserons, 49380 Faye-d'Anjou,
tél. 02.41.54.30.78, fax 02.41.54.12.02 ☑ Y 🚶 r.-v.

COTEAU SAINT VINCENT
Vieilles Vignes 2005 ★★

2,2 ha 3 200 ▮ 5 à 8 €

À l'ouest du Maine-et-Loire, le domaine s'étend sur près de 20 ha à Chalonnes-sur-Loire, au confluent du grand fleuve et du Layon, et à cheval sur les vignobles des coteaux-du-layon et ceux des coteaux-de-la-loire. Issue de ceps âgés d'un demi-siècle, sa cuvée Vieilles Vignes est une révélation, particulièrement appréciée pour sa légèreté et sa fraîcheur. Sa robe intense, dorée aux nuances cuivrées, sa palette aromatique puissante et élégante où le fruit mûr, confit ou sec s'allie au miel annoncent une grande concentration. Ces impressions se confirment en bouche, où une belle vivacité contrebalance la richesse et donne à l'ensemble un caractère rafraîchissant : un superbe équilibre et un coup de cœur.

🔑 EARL Voisine, Coteau Saint Vincent,
49290 Chalonnes-sur-Loire, tél. 02.41.78.59.00,
fax 02.41.78.18.26,
e-mail coteau-saint-vincent@wanadoo.fr ☑ Y 🚶 r.-v.

PHILIPPE DELESVAUX
Sélection de Grains nobles 2004 ★★

7 ha 6 000 ▮▮ 23 à 30 €

Philippe Delesvaux est à l'origine de la reconnaissance de la mention « Sélection de grains nobles » attribuée à des vins non enrichis et obtenus à partir de vendanges dont la richesse est supérieure à 17,5 % vol. Un engagement qui a été couronné de deux coups de cœur dans le Guide (millésimes 2001 et 2003). Fruits secs, figue et raisin de Corinthe au nez, avec une touche boisée, ce 2004 se montre dense, puissant au palais et pourtant délicat. Avec ce vin, le domaine s'affirme de nouveau comme une valeur sûre du vignoble. (Bouteilles de 50 cl.)

🔑 Philippe et Catherine Delesvaux, Les Essards,
La Haie Longue, 49190 Saint-Aubin-de-Luigné,
tél. 02.41.78.18.71, fax 02.41.78.68.06,
e-mail dom.delesvaux.philippe@wanadoo.fr ☑ Y 🚶 r.-v.

DOM. DES DEUX ARCS 2004 ★

1,5 ha 6 000 ▮ 5 à 8 €

Jean-Marie Gazeau, le fils de Michel, a rejoint en 2005 son père sur l'exploitation, qui compte aujourd'hui 37 ha de vignes. Si la commune de Martigné-Briand, où ce domaine a son siège, est surtout connue pour ses rosés, elle possède des lieux-dits réputés qui produisent des liquoreux, tel celui de Maligné considéré au XVIIIe s. comme l'égal des plus grands crus de la vallée du Layon. Ce 2004 est un très bon représentant de son appellation avec sa robe jaune aux légers reflets or, ses arômes de fleurs blanches assortis de notes de fruits frais ou cuits, sa bouche à la fois riche et fraîche finissant sur des nuances de fruits compotés.

🔑 Michel Gazeau, Dom. des Deux Arcs,
11, rue du 8-Mai-1945, 49540 Martigné-Briand,
tél. 02.41.59.47.37, fax 02.41.59.49.72,
e-mail do2arcs@wanadoo.fr ☑ Y 🚶 r.-v.

DOM. DES DEUX VALLÉES
Le Clos de la Motte 2005 ★★

2,5 ha 17 000 ▮ 8 à 11 €

Arrivé en 2001 dans le vignoble, Philippe Socheleau a très vite trouvé ses marques dans le vignoble des coteaux-du-layon. N'est-il pas aujourd'hui le président du cru Chaume ? Ce Clos de la Motte est un remarquable ambassadeur de l'appellation. Il saura se faire aimer avec

LOIRE

sa robe jaune d'or, son nez riche fait d'agrumes (citron), de tilleul et de fruits mûrs, son palais tout aussi complexe, riche et ample. (Bouteilles de 50 cl.) Quant à la sélection **Les Justices 2005**, une étoile, elle reflète une surmaturité des vendanges obtenue par passerillage des raisins.

Philippe et René Socheleau, Dom. des Deux Vallées, Bellevue, 49190 Saint-Aubin-de-Luigné, tél. 02.41.78.33.24, fax 02.41.78.66.58, e-mail domaine2vallees@wanadoo.fr t.l.j. 9h-12h 14h-19h

DOM. DHOMMÉ Les Beauvais 2004 *

2,15 ha 4 500 8 à 11 €

Ce domaine est implanté à Chalonnes, dans la zone de confluence entre le Layon et la Loire, et ses caves sont installées sur une île du grand fleuve. Ses coteaux-du-layon sont souvent très bien notés (mémorable 1999) et cette cuvée prend la suite d'un remarquable 2002. D'un bel or aux reflets cuivrés, le 2004 présente des arômes boisés un peu envahissants hérités d'un séjour d'un an en barrique. Les fruits confits s'épanouissent en bouche, à côté de la vanille et des épices, au sein d'une matière complexe, riche, puissante, associant des sensations d'onctuosité et de fruits frais.

Dom. Dhommé, Le Petit Port-Girault, rte de Saint-Georges-sur-Loire, 49290 Chalonnes-sur-Loire, tél. 02.41.78.24.27, fax 02.41.74.94.91, e-mail domainedhomme@wanadoo.fr t.l.j. sf dim. 9h-12h 14h-19h

DOM. DULOQUET

Sélection de grains nobles Cuvée Noblesse 2002 **

n.c. 1 500 15 à 23 €

Strictement réglementée depuis quatre ans, la mention « Sélection de grains nobles » n'est pas un vain mot. Bien sûr, aucun enrichissement n'est autorisé pour ces vins d'une richesse naturelle supérieure à 17 °, et qui ne peuvent être commercialisés qu'un an et demi après les vendanges. Hervé Duloquet s'investit dans la défense et l'illustration de ce style de vins. Cette cuvée donne une idée de leur originalité. Sa robe jaune d'or annonce des arômes de fruits secs, de raisin de Corinthe et de miel caractéristiques de raisins atteints par la pourriture noble. La bouche d'une extrême opulence finit sur les fruits confits. (Bouteilles de 50 cl.) Autre **Sélection de grains nobles, la Cuvée Carbonifères 2003 (11 à 15 €)** associe des notes torréfiées (café) et des nuances de fruits cuits. Presque légère, elle rappelle aussi les vieux alcools. (Bouteilles de 50 cl.)

Hervé Duloquet, Les Mourseaux, 4, rte du Coteau, 49700 Les Verchers-sur-Layon, tél. 02.41.59.17.62, fax 02.41.59.37.53, e-mail dom.duloquet@wanadoo.fr r.-v.

DOM. DES ÉPINAUDIÈRES

Saint-Lambert Cuvée Prestige 2003 *

1 ha 2 200 15 à 23 €

Ce domaine familial signe une cuvée caractéristique du millésime de la canicule qui a donné un air méditerranéen aux vins d'Anjou. Élaborée à partir de raisins « rôtis » par le soleil, elle porte une robe jaune orangé qui annonce des arômes de fruits confits et de fruits exotiques (mangue) bien mariés aux nuances de torréfaction de l'élevage. Ronde et souple, la bouche est légèrement acidulée. Un ensemble équilibré, riche et délicat.

SCEA Fardeau, Sainte-Foy, 49750 Saint-Lambert-du-Lattay, tél. 02.41.78.35.68, fax 02.41.78.35.50, e-mail fardeau.paul@club-internet.fr r.-v.

DOM. FARDEAU Vieilles Vignes 2005 *

2,5 ha 8 000 11 à 15 €

Ce domaine est situé au pied de la Corniche angevine, qui surplombe majestueusement les vallées du Layon et de la Loire. Il propose un 2005 qui ne montrera son vrai visage qu'après plusieurs mois de vieillissement : si la robe étincelle, le nez laisse à peine percer quelques discrets effluves de fruits blancs. Ces derniers s'affirment en rétro-olfaction, avec des notes de fruits secs et de fruits confits qui inspirent confiance. La bouche puissante, rafraîchie par une belle acidité, plaide aussi la cause de cette bouteille que l'on pourra déboucher dès la parution du Guide.

Chantal Fardeau, Les Hauts Perrays, 49290 Chaudefonds-sur-Layon, tél. 02.41.78.67.57, fax 02.41.78.68.78 r.-v.

DOM. DES FORGES

Saint-Aubin Les Chavagnes 2005 *

1,5 ha 3 000 11 à 15 €

40 ha de vignes et de parcelles situés dans les appellations vedettes de quarts-de-chaume, chaume, savennières et savennières-roche-aux-moines ; cinq coups de cœur au fil des éditions précédentes : le domaine des Forges est bien une valeur sûre de l'Anjou viticole. Encore massive le jour de la dégustation, cette sélection révélait cependant déjà les notes recherchées de fruits confits, de confiture et de fruits cuits, ainsi que les caractères propres aux grands liquoreux ligériens.

EARL Branchereau, Dom. des Forges, rte de la Haie-Longue, 49190 Saint-Aubin-de-Luigné, tél. 02.41.78.33.56, fax 02.41.78.67.51, e-mail forgescb@worldonline.fr r.-v.

CH. DE LA GENAISERIE

Saint-Aubin La Roche 2004 **

1,02 ha 2 400 11 à 15 €

Créé à l'époque de la Révolution, ce domaine, bastion de la chouannerie, subit de plein fouet les troubles qui agitèrent cette période. Aujourd'hui, Frédéric Julia sait faire mûrir paisiblement ses cuvées. Celle-ci est encore plus accomplie que dans le millésime précédent : son élégance et sa fraîcheur ont été saluées par le jury. Autres atouts : une robe jaune intense aux reflets orangés et des arômes de mandarine et d'abricot sec. Un vin gourmand et de caractère, que l'on pourra apprécier dès l'apéritif. (Bouteilles de 50 cl.)

Ch. de La Genaiserie, 49190 Saint-Aubin-de-Luigné, tél. 02.41.54.38.82, fax 02.41.54.60.45, e-mail genaiserie@aol.com t.l.j. 10h-12h 14h-18h; sam. dim. sur r.v.; f. 1er-15 août

F. Julia

DOM. GROSSET Rochefort Cuvée Acacia 2003 *

n.c. 500 23 à 30 €

Des ceps de plus d'un demi-siècle, le soleil méditerranéen du millésime de la canicule et vingt-deux mois de fût : cette cuvée a emmagasiné une bonne partie de la lumière de cette année-là, et ses raisins véritablement « rôtis » ont engendré un vin de grande garde qui pourra vivre plusieurs dizaines d'années. Le jaune orangé intense de la robe annonce des arômes qui évoquent, plutôt que l'acacia, l'orange confite : de la surmaturité et de la fraîcheur. Du boisé aussi. L'acidité perdure dans une bouche riche, complexe et puissante : elle permettra à ce 2003 d'affronter les ans. (Bouteilles de 50 cl.) Le **chaume 1er cru 2004 (11 à 15 €)** obtient une citation ; on lui prédit plusieurs décennies de vie.

Serge Grosset, 60, rue René-Gasnier, 49190 Rochefort-sur-Loire, tél. 02.41.78.78.67, fax 02.41.78.79.79, e-mail segrosset@wanadoo.fr
r.-v.

DOM. DES HAUTES BROSSES 2005 *

6 ha 20 000 5 à 8 €

Ce domaine situé sur les hauteurs de Rochefort-sur-Loire s'inscrit dans le paysage remarquable de la Corniche angevine, classé patrimoine mondial de l'humanité à l'UNESCO. Il dispose d'un chai flambant neuf, aménagé en 2006. Ce 2005 n'en a pas bénéficié mais il séduit par sa richesse et son élégance. Ses arômes rappellent les fruits exotiques et les fruits mûrs. Sa vivacité lui donne un caractère rafraîchissant malgré sa douceur.

Pin, Les Hautes Brosses, 49190 Rochefort-sur-Loire, tél. 02.41.78.35.26, fax 02.41.78.98.21, e-mail pin@webmails.com
t.l.j. sf dim. 10h-12h 15h-19h

DOM. LEDUC-FROUIN Florilège 2005

1,5 ha 3 000 **8 à 11 €**

Antoine Leduc, œnologue, et sa sœur Nathalie sont depuis 1990 aux commandes de cette « Seigneurie », ancienne « terre noble » travaillée et finalement acquise (en 1933) par leur famille. Leur richesse : 32 ha de vignes et des caves troglodytiques creusées dans le falun. Le domaine garde ses habitudes dans le Guide avec ce 2005. Encore très jeune, cette cuvée apparaît prometteuse par sa robe jaune d'or, sa matière équilibrée, ronde et fraîche, et par sa finale sur le fruit confit et le miel. Un vin qui surprendra dans quelques mois.

Antoine et Nathalie Leduc, La Seigneurie, Sousigné, 49540 Martigné-Briand, tél. 02.41.59.42.83, fax 02.41.59.47.90, e-mail info@leduc-frouin.com
r.-v.

LUC ET FABRICE MARTIN Cuvée Prestige 2004 **

3 ha 7 000 8 à 11 €

Association fructueuse pour Luc et Fabrice Martin, initiée en 1997, et qui leur a valu quatre coups de cœur, dont un pour cette cuvée Prestige (millésime 2002). Ce coteaux-du-layon a été obtenu à partir de vendanges strictement sélectionnées et la vinification s'est déroulée en barrique pendant un an. Il en résulte une robe jaune orangé, en harmonie avec des arômes complexes de fruits confits caractéristiques de raisins botrytisés, mêlés de notes légèrement éthérées rappelant les vieux alcools. La bouche opulente laisse une sensation de gras et de richesse impressionnante.

GAEC Luc et Fabrice Martin, 2 bis, rue du Stade, 49290 Chaudefonds-sur-Layon, tél. 02.41.78.98.25
r.-v.

DOM. DE MIHOUDY Les Valaises 2005 *

2 ha 6 000 **8 à 11 €**

Aubigné-sur-Layon est un charmant village fleuri, aux vieilles pierres soigneusement restaurées. La vigne fait partie du décor jusqu'au cœur de la commune. Elle nourrit des vignerons talentueux tels que les Cochard, à la tête de 51 ha au cœur des coteaux-du-layon. Si cette famille n'a pas oublié la Grappe de bronze du Guide qui a salué naguère son travail, elle donne régulièrement de nouveaux témoignages de son savoir-faire. Elle signe ainsi un 2005 bien représentatif de son appellation. D'un jaune brillant légèrement doré, ce vin libère des parfums d'acacia, d'amande fraîche et de fruits secs. Puissant en bouche, il révèle une agréable fraîcheur soulignée par des notes mentholées qui vivifient sa finale aux accents de miel et de fruits confits.

Cochard et Fils, Dom. de Mihoudy, 49540 Aubigné-sur-Layon, tél. 02.41.59.46.52, fax 02.41.59.68.77, e-mail mihoudy@wanadoo.fr
r.-v.

CH. DES NOYERS Réserve Vieilles Vignes 2004 *

5,5 ha 15 000 8 à 11 €

Aux Noyers, on rendait la justice. Au Moyen Âge, il y eut même une prison dans ses murs. Le château ouvre aujourd'hui aux visiteurs de luxueuses chambres d'hôte, et dans les anciennes geôles, réaménagées de longue date en chai, ne sont plus enfermées que des barriques. Le vignoble, présent dès le XVIIes., est aujourd'hui conduit par la famille Besnard. Un coup de cœur l'an dernier. Et ce 2004 ? Rigoureusement trié et vinifié en barrique pendant un an, il apparaît austère et élégant comme la façade du château, bâti à la fin du XVIes. dans un style déjà classique. En bouche règne un très bel équilibre : l'opulence se conjugue à des impressions bienvenues de fraîcheur et de légèreté. Les arômes apparaissent à l'aération : des fruits frais et confits, du raisin de Corinthe. Un ensemble bien agréable. (Bouteilles de 50 cl.)

Ch. des Noyers, 49540 Martigné-Briand, tél. 02.41.54.03.71, fax 02.41.54.27.63, e-mail webmaster@chateaudesnoyers.fr
r.-v.
Jean-Paul Besnard

CH. PIERRE-BISE Beaulieu L'Anclaie 2004 *

3 ha 9 900 **11 à 15 €**

Situé à Beaulieu-sur-Layon et conduit par Claude Papin depuis 1974, le château Pierre-Bise ne compte plus les coups de cœur. Cherchez le dernier dans cette édition ! Ce 2004 annonce sa richesse dans sa robe ensoleillée, jaune d'or aux nuances orangées. Sa complexité et sa très belle matière reflètent des raisin « rôtis ». Quelques notes de champignon, un peu terreuses, disparaîtront à l'aération. En bouche, la concentration signe un vin de longue garde (quelques dizaines d'années) que l'on peut déjà apprécier sans se hâter. (Bouteilles de 50 cl.)

Claude Papin, Ch. Pierre-Bise, 49750 Beaulieu-sur-Layon, tél. 02.41.78.31.44, fax 02.41.78.41.24, e-mail chateaupb@hotmail.com
r.-v.

DOM. DU PORTAILLE Planche Mallet 2005 **

4 ha 4 000 8 à 11 €

À Chavagnes-les-Eaux, on trouve du bon vin. François et Philippe Tisserond, qui exploitent les 35 ha de vignes du domaine familial, ont adopté une politique de qualité saluée par le Guide. On retrouve une fois de plus leur cuvée Planche Mallet, née non loin de l'aire du bonnezeaux. Dans la lignée des millésimes 2003 et 2002, ce 2005 affiche un réel potentiel dès l'approche, avec une robe dorée aux reflets orangés et cuivrés. Si le nez apparaît encore fermé, la bouche révèle une richesse et une puissance remarquables ainsi que des arômes complexes, où l'abricot, les raisins de Corinthe, la figue s'accompagnent de nuances beurrées. Ce vin surprendra dans quelques mois.

EARL François et Philippe Tisserond, 18, rue de Jarzé, Millé, 49380 Chavagnes, tél. 02.41.54.07.85, e-mail earl.tisserond@wanadoo.fr t.l.j. sf dim. 9h-19h

DOM. DE LA POTERIE
Saint Lambert Cuvée Nectar 2004

4 ha 2 000 8 à 11 €

Homme du Nord, Guillaume Mordacq s'est installé il y a dix ans au soleil des coteaux-du-layon, conseillé par des vignerons de la région. Il cultive en lutte raisonnée 12 ha de vignes. Une fois de plus, sa cuvée Nectar est retenue dans le Guide. Élaboré à partir de vendanges très mûres, le millésime 2004 apparaît presque massif. Sa puissance en bouche, sa finale sur les fruits cuits seront appréciées par les amateurs de coteaux-du-layon concentrés. (Bouteilles de 50 cl.)

Guillaume Mordacq, La Chevalerie, 16, av. des Trois-Ponts, 49380 Thouarcé, tél. 02.41.54.12.29, e-mail mordacqg@club-internet.fr r.-v.

DOM. DES QUARRES
Faye La Magdelaine Prestige 2004 ★★

6 ha 4 000 11 à 15 €

L'exploitation a remis en état dans les années 1970 un vignoble en terrasses de 13 ha sur la rive droite du Layon. Un site devenu emblématique de l'appellation et qui a engendré l'un des coups de cœur de la dernière édition. Le 2004 ne démérite pas. D'un jaune doré parcouru de reflets légèrement verts, il offre les arômes classiques d'une vendange récoltée à surmaturité : le fruit sec et l'abricot, à côté des agrumes (citron vert). Le tout forme une palette complexe avec les notes de vanille et de torréfaction de l'élevage (un an sous bois). Riche et intense, un vin qui fait la queue de paon – une expression chérie des dégustateurs et réservée aux bouteilles qui déploient une superbe complexité en finale. À boire ou à attendre, selon votre patience. (Bouteilles de 50 cl.)

SCEA Dom. des Quarres, 66, Grande-Rue, 49750 Rablay-sur-Layon, tél. 02.41.78.36.00, fax 02.41.78.62.58, e-mail domainedesquarres@wanadoo.fr r.-v.

Alfred Bidet

MICHEL ROBINEAU 2005 ★

n.c. 1 600 5 à 8 €

L'exploitation n'est pas grande en superficie, mais elle est animée d'un esprit remarquable. D'un jaune limpide et brillant, ce 2005, encore jeune, est promis à un bel avenir. Ses arômes de fruits blancs, d'agrumes et d'abricot s'affirment à l'aération. Ample et puissante, sa bouche est imprégnée d'arômes de fruits mûrs pleins de douceur. Des impressions chaleureuses dominent en finale. Un vin intéressant à découvrir maintenant ou dans cinq ans.

Michel Robineau, 3, chem. du Moulin, Les Grandes Tailles, 49750 Saint-Lambert-du-Lattay, tél. et fax 02.41.78.34.67 r.-v.

DOM. DE LA ROCHE MOREAU
Saint Aubin 2004 ★

n.c. 4 000 8 à 11 €

Il ne manque pas un caractère gothique, pas une couronne, pas un blason fleurdelysé sur l'étiquette parcheminée de La Roche Moreau. Les esthètes de la postmodernité ne tiendront pas rigueur à André Davy de son attachement à une vieille tradition graphique qui a ses partisans : la Corniche angevine où il est installé offre de multiples occasions de promenades, et le maître des lieux a plein d'anecdotes à raconter sur son domaine. Ses vins, eux aussi, ont beaucoup à dire. Jaune intense aux reflets orangés, celui-ci mêle au nez notes grillées, fruits compotés et agrumes. Riche et puissant, il renoue en finale avec des arômes de mandarine particulièrement agréables.

André Davy, Dom. de La Roche Moreau, La Haie Longue, 49190 Saint-Aubin-de-Luigné, tél. 02.41.78.34.55, fax 02.41.78.17.70, e-mail davy.larochemoreau@wanadoo.fr r.-v.

CH. DES ROCHETTES Vieilles Vignes 2005 ★★

5 ha 15 000 8 à 11 €

Des archives l'attestent : les ceps couvraient déjà le « fief des Rochettes » au XVe s. Le domaine est dans la famille depuis le XVIIIe s. et voici plus de trente ans que Jean Douet conduit les 25 ha de vignes, pour la plus grande satisfaction de l'amateur (quatre coups de cœur). Trois cuvées retenues cette année, et cinq étoiles ! Deux pour cette cuvée Vieilles Vignes qui montre un potentiel étonnant et laisse une sensation d'opulence et de générosité. Ses arômes mêlent la surmaturation à un boisé vanillé. Deux étoiles également pour la **cuvée Sophie (11 à 15 €)** : des vendanges rentrées à la veille de la Saint-Martin, le 10 novembre, une puissance équivalente au vin précédent, des saveurs de fruits confits et de pâte de fruits. Perspectives de garde identiques pour ces deux bouteilles : plusieurs dizaines d'années. Plus simple, le **moelleux 2005 (5 à 8 €, étiquette dorée)** laisse une sensation de fraîcheur très agréable : une étoile.

Jean Douet, Ch. des Rochettes, 49700 Concourson-sur-Layon, tél. 02.41.59.11.51, fax 02.41.59.37.73 r.-v.

DOM. SAINT-ARNOUL 2005 ★

2,3 ha 10 000 5 à 8 €

Situé à 300 m de la chapelle du XIIIe s. dont il a pris le nom, ce domaine, conduit depuis plus de vingt ans par Alain Poupard, dispose de deux caves troglodytiques creusées dans le falun de Sousigné, où mûrissent ses vins de garde. De couleur or pâle et dans sa prime jeunesse, ce 2005 mêle au nez de frais parfums mentholés et des notes de fruits mûrs. Cette fraîcheur se retrouve dans une bouche très équilibrée à la finale de coing. Un ensemble friand qui ne manque pourtant pas de caractère.

Alain Poupard, Dom. Saint-Arnoul, Sousigné, 49540 Martigné-Briand, tél. 02.41.59.43.62, fax 02.41.59.69.23, e-mail saint-arnoul@wanadoo.fr r.-v.

DOM. SAUVEROY Cuvée Vieille Vigne 2005 ★

4,5 ha 20 000 5 à 8 €

Le vignoble à l'origine de ce coteaux-du-layon a été planté de 1947 à 1955 par le père de Pascal Cailleau, qui a constitué le domaine (26 ha aujourd'hui). Limitée et concentrée par des vendanges en vert et un effeuillage préalable, la récolte a été réalisée quelques jours avant la

Toussaint. Les vendanges, séchées par le soleil et le vent, ont produit un vin doré apprécié pour sa complexité aromatique : le nez offre un panier de fruits mûrs (abricot et fruits exotiques) et de fruits confits. En bouche, une légère acidité confère un très bel équilibre à une matière riche et douce.

EARL Pascal Cailleau, Dom. Sauveroy,
49750 Saint-Lambert-du-Lattay, tél. 02.41.78.30.59,
fax 02.41.78.46.43,
e-mail domainesauveroy@sauveroy.fr r.-v.

DOM. DU VIGNEAU
Cuvée des Vieux Greffiers 2005

2 ha 5 000 5 à 8 €

La commune de Passavant-sur-Layon est située près de la source du Layon, rivière qui, dans son cours supérieur, prend une direction nord-nord-ouest. Les coteaux qui la bordent regardent l'est et l'ouest, et le secteur comporte quelques lieux-dits réputés pour leur production de liquoreux. Une robe surprenante pour cette cuvée des Vieux Greffiers : jaune d'or. De subtils parfums de surmaturation, légèrement miellés. Une bouche ample, généreuse, allégée par une petite vivacité fort agréable. Un rien mentholée, la finale laisse une plaisante impression de fraîcheur.

Patrick Robichon, pl. de l'Église,
49560 Passavant-sur-Layon, tél. et fax 02.41.59.51.04
r.-v.

Quarts-de-chaume

Le seigneur se réservait le quart de la production : il gardait le meilleur, c'est-à-dire le vin produit sur le meilleur terroir. L'appellation, qui couvre 54 ha pour un volume de 862 hl en 2005, est située sur le mamelon d'une colline, plein sud, autour de Chaume, à Rochefort-sur-Loire.

Les vignes sont vieilles, en général. La conjonction de l'âge des ceps, de l'exposition et des aptitudes du chenin conduit à des productions souvent faibles et de grande qualité. La récolte se fait par tries. Les vins sont du type moelleux, séveux et nerveux, et ont une bonne aptitude au vieillissement.

DOM. DE LA BERGERIE 2004 ★

1,36 ha 2 600 23 à 30 €

Ce quarts-de-chaume élégant, élevé quatorze mois dans le bois, reflète un même savoir-faire. Sa robe jaune d'or étincelle de reflets orangés. Ses arômes de fleurs blanches, de pâte de coings et de vanille gardent de la légèreté. Dominé en bouche par des notes boisées, ce vin à la fois suave et frais n'en esquisse pas moins en finale un fruité confit et exotique. Le jury lui prédit un bel avenir.

Yves Guégniard, Dom. de La Bergerie,
49380 Champ-sur-Layon, tél. 02.41.78.85.43,
fax 02.41.78.60.13,
e-mail domainede.la.bergerie@wanadoo.fr
t.l.j. sf dim. 9h-12h 14h-19h; f. 15-30 août

DOM. DES FORGES 2004 ★

0,89 ha 2 500 23 à 30 €

Aujourd'hui retraité, Claude Branchereau a été l'un des acteurs majeurs de l'évolution du coteaux-du-layon. Son fils Stéphane, installé depuis dix ans, a hérité de sa détermination. Une rigueur qui donne toute sa mesure dans ce quarts-de-chaume impressionnant par sa richesse (plus de 10 ° potentiel en sucres résiduels). Jaune d'or intense, ce 2004 fait fleurir à l'aération un parterre de fleurs blanches, ces fleurs de printemps qui mettent du miel dans l'air. Puissant et concentré, il exprimera pleinement son potentiel après quelques années de garde.

EARL Branchereau, Dom. des Forges,
rte de la Haie-Longue, 49190 Saint-Aubin-de-Luigné,
tél. 02.41.78.33.56, fax 02.41.78.67.51,
e-mail forgescb@worldonline.fr r.-v.

DOM. GAUDARD 2004 ★

1,7 ha 1 850 30 à 38 €

Pierre Aguilas est l'un des acteurs principaux du renouveau du vignoble angevin. Un travail rigoureux à la vigne et des vendanges strictement sélectionnées – leur degré naturel dépassait les 20 ° – sont à l'origine de ce quarts-de-chaume jaune intense à reflets orangés et au nez délicat de fleurs blanches, de fruits secs et confits. Avec sa bouche à la fois riche et élégante, concentrée et fraîche, ce vin est à la hauteur de son terroir.

Pierre Aguilas, Dom. Gaudard, rte de Saint-Aubin,
49290 Chaudefonds-sur-Layon, tél. 02.41.78.10.68,
fax 02.41.78.67.72, e-mail pierre.aguilas@wanadoo.fr
t.l.j. 9h-12h 14h-18h; dim. sur r.-v.

DOM. DU PETIT MÉTRIS 2003

1 ha 1 400 23 à 30 €

Les origines de cette propriété remontent à 1742. Réputé pour ses vins blancs, le vignoble a obtenu deux coups de cœur en quarts-de-chaume (millésimes 1990 et 1996). Vinifié en barrique pendant un an, ce 2003 plutôt pâle de couleur associe les fleurs blanches et les fruits mûrs aux épices et à la vanille du fût. En bouche, son équilibre le porte plutôt vers la rondeur et la richesse, mais avec délicatesse. Fruits confits, coing et fruits exotiques marquent la finale de cet ensemble bien vinifié et représentatif de son terroir.

GAEC Joseph Renou et Fils, Le Grand Beauvais,
49190 Saint-Aubin-de-Luigné, tél. 02.41.78.33.33,
fax 02.41.78.67.77 r.-v.

CH. PIERRE-BISE 2004 ★

3 ha 6 000 15 à 23 €

Passionné des terroirs, Claude Papin est une figure. En quarts-de-chaume, le 2001 avait été couronné. Ce 2004 pourrait bien gagner des étoiles à l'ancienneté. Il est fait d'une très belle matière et révèle une richesse surprenante, qu'annoncent ses arômes concentrés de fruits confits et de fruits secs. Encore fermé le jour de la dégustation, il devrait prendre son envol dans les années qui viennent. À conserver précieusement. (Bouteilles de 50 cl.)

Claude Papin, Ch. Pierre-Bise,
49750 Beaulieu-sur-Layon, tél. 02.41.78.31.44,
fax 02.41.78.41.24, e-mail chateaupb@hotmail.com
r.-v.

CH. DE PLAISANCE 2004 ★★

1,5 ha 3 000 23 à 30 €

Le château de Plaisance semble être le gardien du coteau de Chaume mis en valeur dès le XI^e^s. par l'abbaye

LOIRE

de Rochefort-sur-Loire. Le vignoble de quarts-de-chaume occupe le bas de ses pentes, qui bénéficie d'un microclimat particulièrement favorable au développement de la pourriture noble. Il a engendré ici un vin jaune orangé intense, mêlant au nez le coing, le miel et le vieil alcool. Ces impressions de richesse se prolongent dans une bouche puissante qui finit sur des notes superbes de vieux rhum. Un ensemble étonnant qui donne une bonne image de ce grand terroir.

Guy Rochais, Ch. de Plaisance, Chaume, 49190 Rochefort-sur-Loire, tél. 02.41.78.33.01, fax 02.41.78.67.52, e-mail rochais.guy@wanadoo.fr r.-v.

DOM. DE LA ROCHE MOREAU 2004 ★★★

n.c. n.c. 23 à 30 €

Dans ce coin de la Corniche angevine, on extrayait jadis du charbon. Une veine épuisée, mais reste le filon d'or des liquoreux régionaux, dont les vieux millésimes mûrissent dans les anciennes galeries. On peut très bien se contenter de millésimes récents, comme ce 2004 superbe d'élégance. Haut en couleur, jaune orangé brillant, ce vin affiche des arômes complexes de fruits exotiques, de fruits confits et de vanille. Délicat et raffiné au palais, il associe magistralement richesse, légèreté et fraîcheur.

André Davy, Dom. de La Roche Moreau, La Haie Longue, 49190 Saint-Aubin-de-Luigné, tél. 02.41.78.34.55, fax 02.41.78.17.70, e-mail davy.larochemoreau@wanadoo.fr r.-v.

Chaume

Petite enclave dans les coteaux-du-layon, l'AOC chaume a été créée par décret du 19 septembre 2003, répondant à l'ancienne dénomination coteaux-du-layon-chaume. Les vins sont issus des parcelles délimitées sur le territoire de la commune de Rochefort-sur-Loire. Pour la première fois dans la vallée de la Loire est instituée une hiérarchie de 1er cru, puisque l'AOC chaume peut être complétée par la mention Premier cru des coteaux-du-layon. Ce sont des vins dont la teneur en sucres résiduels ne peut être inférieure à 34g/l. En 2005, 1 252 hl ont été déclarés pour une superficie de 61 ha. Notez que le Conseil d'État a annulé le décret reconnaissant cette AOC.

DOM. CADY 2004 ★★

1er cru 1,7 ha 4 950 11 à 15 €

Valeur sûre du vignoble angevin, ce domaine créé en 1927 est une référence en vins liquoreux : ses coteaux-du-layon lui ont valu trois coups de cœur, sans parler d'autres cuvées couvertes d'étoiles. Dans la même veine, ce chaume allie richesse et délicatesse. Sa robe jaune doré intense annonce un nez délicat et complexe où les fruits confits et le coing s'associent à la pomme au four caramélisée et aux fleurs blanches. Les fruits mûrs restent présents dans une bouche charnue et longue, à la finale fraîche. Un vin de caractère, fruit d'un grand terroir valorisé par un grand savoir-faire.

Philippe Cady, EARL Dom. Cady, Valette, 49190 Saint-Aubin-de-Luigné, tél. 02.41.78.33.69, fax 02.41.78.67.79, e-mail domainecady@yahoo.fr t.l.j. sf dim. 9h-12h 14h-19h

DOM. DES DEUX VALLÉES 2004

1er cru 1,75 ha 6 000 8 à 11 €

Arrivé en 2001 sur l'exploitation, Philippe Socheleau a très vite trouvé ses marques : n'est-il pas le président de l'appellation ? Il a proposé au jury un vin facile d'accès et que sa structure fine permet d'apprécier dès à présent. Jaune intense aux reflets or vert, ce 2004 mêle au nez des touches fumées, du fruit mûr et du fruit confit. Léger et délicat en bouche, il ne manque pas pour autant de caractère : il privilégie l'élégance.

Philippe et René Socheleau, Dom. des Deux Vallées, Bellevue, 49190 Saint-Aubin-de-Luigné, tél. 02.41.78.33.24, fax 02.41.78.66.58, e-mail domaine2vallees@wanadoo.fr t.l.j. 9h-12h 14h-19h

DOM. DES FORGES Les Onnis 2004

1er cru 4,75 ha 3 600 11 à 15 €

Claude Branchereau est le vigneron qui a permis au chaume d'être reconnu en AOC 1er cru des coteaux-du-layon. Il a obtenu cinq coups de cœur en blanc, dont deux sur ce terroir (avant qu'il ne soit reconnu en AOC). Très souvent présente dans le Guide, cette cuvée Les Onnis révèle dans ce millésime une importante matière, du gras et une très belle charpente, mais il ne s'exprime pas encore. Le chêne, dans lequel il a séjourné dix mois, tend à monopoliser la conversation. Ce n'est qu'en finale que les fruits blancs et les fruits confits arrivent à faire passer le message : voilà un grand liquoreux d'Anjou. On le mettra en cave pour permettre au bois de se fondre.

EARL Branchereau, Dom. des Forges, rte de la Haie-Longue, 49190 Saint-Aubin-de-Luigné, tél. 02.41.78.33.56, fax 02.41.78.67.51, e-mail forgescb@worldonline.fr r.-v.

DOM. GAUDARD 2004 ★★

1er cru 1 ha 2 500 15 à 23 €

Encore une très belle performance de Pierre Aguilas avec ce chaume. Jaune doré à reflets ambrés, ce 2004 captive par la complexité de sa palette aromatique : on y trouve de la figue et de l'abricot secs, du miel, des fruits confits ainsi qu'un touche minérale. Riche en bouche, d'un remarquable équilibre sucre-acidité, le palais n'oublie pas cette délicatesse qui fait le charme des vins de cette appellation. De garde, bien sûr.

Pierre Aguilas, Dom. Gaudard, rte de Saint-Aubin, 49290 Chaudefonds-sur-Layon, tél. 02.41.78.10.68, fax 02.41.78.67.72, e-mail pierre.aguilas@wanadoo.fr
t.l.j. 9h-12h 14h-18h; dim. sur r.-v.

CH. DE PLAISANCE Les Zerzilles 2004 ★★★

1er cru 3 ha 4 000 15 à 23 €

Guy Rochais, dont le domaine campe au cœur de l'appellation, est le champion 2004 incontestable du chaume : deux vins présentés et deux coups de cœur ! Jaune ambré, cette cuvée des Zerzilles envoûte par ses parfums puissants de figue sèche et de fruits confits, accompagnés de notes étonnantes de vieil alcool. Sa bouche est d'une richesse et d'une puissance hors du commun. « Tout est dans ce vin ; beaucoup de bonheur, de plaisir, et quelle longueur ! », s'enthousiasme un dégustateur. La **cuvée principale 1er cru 2004 (8 à 11 €)**, même note et même distinction, est plus classique dans ses arômes de cire, de miel, d'agrumes et de fruits secs, caractéristiques d'un passerillage et d'une botrytisation des vendanges. Le type accompli du vin né d'un vignoble de haut de coteau balayé par les vents.

Guy Rochais, Ch. de Plaisance, Chaume, 49190 Rochefort-sur-Loire, tél. 02.41.78.33.01, fax 02.41.78.67.52, e-mail rochais.guy@wanadoo.fr
r.-v.

DOM. DE LA POTERIE 2003

1er cru 0,5 ha 2 000 15 à 23 €

Fils d'agriculteurs du nord de la France, Guillaume Mordacq s'est fait vigneron. Installé en Anjou depuis dix ans, il exploite 12 ha avec l'aide de producteurs confirmés de la région. Son domaine comporte une parcelle dans la prestigieuse appellation chaume, d'où il a tiré ce 2003. Élevé un an en barrique, ce vin jaune d'or brillant plaira avant tout aux amateurs de goût boisé. En effet, c'est cette nuance aromatique qui domine, couvrant des arômes floraux. Légère pour le millésime, la bouche laisse une sensation de fraîcheur fort agréable.

Guillaume Mordacq, La Chevalerie, 16, av. des Trois-Ponts, 49380 Thouarcé, tél. 02.41.54.12.29, e-mail mordacqg@club-internet.fr
r.-v.

CH. SOUCHERIE 2004

1er cru 4 ha 10 000 11 à 15 €

Acheté en 1952 à la princesse Arenberg, marquise de Brissac, ce château domine majestueusement la vallée du Layon et ses villages. Son chaume 2004 est un vin en devenir. Habillé d'un jaune d'or engageant, il livre à l'agitation des parfums rappelant la pomme cuite et les fruits confits. Ferme et fraîche, la bouche présente une structure légère et finit sur des impressions chaleureuses. Prêt dès cet automne, ce vin devrait se bonifier au cours des cinq prochaines années.

Pierre-Yves Tijou et Fils, Ch. Soucherie, 49750 Beaulieu-sur-Layon, tél. 02.41.78.31.18, fax 02.41.78.48.29, e-mail chateausoucherie@yahoo.fr
t.l.j. sf dim. 8h-12h 14h-19h
P.-Y. Tijou

Bonnezeaux

« C'est l'inimitable vin de dessert », disait le Dr Maisonneuve, en 1925. À cette époque, les grands vins liquoreux étaient essentiellement consommés à ce moment du repas ou dans l'après-midi, entre amis. De nos jours, on apprécie plutôt ce grand cru à l'apéritif. Très parfumé, plein de sève, le bonnezeaux doit toutes ses qualités au terroir exceptionnel qu'il occupe : plein sud, sur trois petits coteaux de schistes abrupts au-dessus du village de Thouarcé (La Montagne, Beauregard et Fesles).

Le volume de production a atteint, en 2005, 2 135 hl. L'aire de production comprend 130 ha plantables dont 104 ont été revendiqués. C'est un vin de grande garde.

DOM. DES COQUERIES Cuvée Séduction 2005 ★

2 ha 4 000 11 à 15 €

Arrivé en 1996 sur le vignoble familial, Philippe Gilardeau a entrepris un important travail de rénovation : construction d'un chai et remise en état du vignoble. Il a proposé un 2005 dans sa première jeunesse aux séductions encore cachées. Le nez ? Fermé à double tour. En bouche, ce vin révèle cependant les traits fondamentaux de l'appellation : un bel équilibre, associant richesse et fraîcheur, des sensations de légèreté, une finale prometteuse sur le miel et les fruits confits. Un ensemble en devenir à oublier en cave pendant un an ou deux.

EARL Philippe Gilardeau, Les Noues, 49380 Thouarcé, tél. 02.41.54.39.11, fax 02.41.54.38.84
r.-v.

CH. DE FESLES 2004 ★

6 ha 15 000 30 à 38 €

Le célèbre château de Fesles est situé sur le sommet d'un des coteaux constituant le village de Bonnezeaux. Son 2004 offre une heureuse expression de fruits secs et confits caractéristique du terroir. En bouche, il ne cache pas son séjour de dix-huit mois en barrique. Un vin équilibré et bien structuré qui révélera toute sa délicatesse lorsqu'il aura « digéré » le bois.

Ch. de Fesles, 49380 Thouarcé, tél. 02.41.68.94.00, fax 02.41.68.94.01, e-mail loire@vgas.com
t.l.j. sf sam. dim. 9h-18h

DOM. DES GAGNERIES Les Hauts fleuris 2005 ★

4 ha 4 000 8 à 11 €

Le chai du domaine est situé dans le hameau de Bonnezeaux, à 200 m d'un moulin cavier dominant le vignoble de l'appellation. Ces Hauts fleuris présentent un très bel équilibre. Caractéristique des vins obtenus par passerillage naturel de la vendange sur les coteaux abrupts du vignoble, il conjugue richesse et fraîcheur. Ses arômes ? Fruits secs, abricot et fleurs blanches (aubépine). À la fois friande et élégante, cette bouteille gagnera à attendre un an.

EARL Christian et Anne Rousseau,
Dom. des Gagneries, Bonnezeaux, 49380 Thouarcé,
tél. 02.41.54.00.71, fax 02.41.54.02.62 r.-v.

DOM. LES GRANDES VIGNES Malabé 2004 ★★★

2,1 ha 4 800 11 à 15 €

Laurence, Jean-François et Dominique Vaillant se sont associés pour le plus grand bénéfice du domaine familial. Non seulement celui-ci est passé en vingt ans de 15 à 52 ha, mais il est devenu une référence du vignoble angevin : en quelques années six coups de cœur en blanc, et le septième en bonnezeaux, pour la deuxième fois (après un 1997). Ce 2004 est d'une richesse et d'une élégance exceptionnelles. D'emblée, il affiche sa puissance dans une robe dorée qui laisse de nombreuses larmes sur les parois du verre. Son nez complexe parle de raisin et de fût avec une multitude de nuances : fruits confits, fruits secs, épices, grillé, et son palais se montre gras, dense et long. L'expression d'un grand terroir et d'un réel talent.

GAEC Vaillant, Dom. Les Grandes Vignes,
La Roche-Aubry, 49380 Thouarcé, tél. 02.41.54.05.06,
fax 02.41.54.08.21,
e-mail vaillant@domainelesgrandesvignes.com
r.-v.

DOM. DE MIHOUDY
Clos du Moulin des Quarts 2005 ★★

1 ha 3 000 15 à 23 €

La Grappe de bronze du Guide Hachette 1997 poursuit son chemin : rénovation du chai en 2004, installation du fils Bruno Cochard. La qualité est toujours au rendez-vous. Cette sélection traduit une maturité de haut de coteau, marquée par un desséchement des vendanges sous l'action des vents dominants. Ce 2005 jaune intense à reflets or livre des arômes de raisins passerillés, d'abricot sec et de fruits mûrs. Riche, intense et moelleux, il finit sur des impressions miellées. Plus simple et florale (fleurs blanches, aubépine), la **cuvée principale 2005 (11 à 15 €)** obtient une étoile. (Bouteilles de 50 cl.)

Cochard et Fils, Dom. de Mihoudy,
49540 Aubigné-sur-Layon, tél. 02.41.59.46.52,
fax 02.41.59.68.77, e-mail mihoudy@wanadoo.fr
r.-v.

DOM. DE LA PETITE CROIX
Cuvée Prestige 2004 ★

3,5 ha 2 000 15 à 23 €

Alain Denéchère est aux commandes du vignoble familial (40 ha) depuis 1971. C'est aussi le président de l'appellation bonnezeaux. Sa cuvée Prestige est bien représentative de son millésime. Jaune à reflets or vert, ce 2004 libère des arômes intenses de fruits blancs bien mûrs. Moelleux et riche, avec un équilibre sucre-acidité réussi, il termine sur des impressions chaleureuses. On le servira dès à présent.

A. Denéchère et F. Geffard,
Dom. de La Petite Croix, 49380 Thouarcé,
tél. 02.41.54.06.99, fax 02.41.54.30.05,
e-mail scea@lapetitecroix.com r.-v.

DOM. DES PETITS QUARTS
Vendangé grain par grain 2004 ★★★

4 ha 3 000 23 à 30 €

2-3-4-5. Ce n'est pas le tirage du dernier quarté, mais les résultats du « grand prix du Guide ». Si le favori n'est pas premier sur la ligne d'arrivée (après débat, pas de coup de cœur cette année), quatre de ses vins figurent en bonne place. Et celui-ci, vendangé grain par grain, obtient la note maximale pour sa richesse exceptionnelle (plus de 250 g/l de sucres résiduels, soit un équivalent de 15 ° potentiel). Sa concentration est étonnante et sa complexité séduit : le fruit confit bien sûr, mais aussi les multiples nuances épicées d'un boisé raffiné. On y trouve du « dynamisme et du relief », de la longueur et de la fraîcheur. Deux étoiles pour le **bonnezeaux Élevé en fût de chêne 2004 (15 à 23 €)** : à peine moins riche (200 g/l de sucres résiduels), il livre une corbeille de fruits confits et de fruits mûrs. La cuvée **Le Malabé 2004 (15 à 23 €)**, comparable à la précédente, offre un registre d'agrumes frais très agréable : une étoile. Quant au **bonnezeaux 2005 (15 à 23 €)**, il est cité pour son équilibre, son élégance et sa complexité. De quoi satisfaire tous les palais.

Godineau Père et Fils, Dom. des Petits Quarts,
49380 Faye-d'Anjou, tél. 02.41.54.03.00,
fax 02.41.54.25.36
t.l.j. sf dim. 8h-12h 14h-17h30

DOM. DU PETIT VAL La Montagne 2005 ★★

2,75 ha 3 000 15 à 23 €

En un demi-siècle, cette exploitation a décuplé sa superficie. Denis Goizil exploite aujourd'hui 45 ha de vignes, répartis sur les communes de Chavagnes et de Thouarcé, dont 19 sont consacrés au chenin et 3,5 au bonnezeaux. Le lieu-dit La Montagne correspond à l'un des trois coteaux de l'appellation, caractérisé par un des dénivelés les plus importants du vignoble des coteaux du Layon. Il a donné naissance à un vin jaune d'or éclatant, typique par son nez de raisins de Corinthe et d'autres fruits secs. D'un remarquable équilibre sucre-acidité, concentré et riche, ce 2005 n'en laisse pas moins une sensation de fraîcheur, presque de légèreté, que l'on apprécie dans les grands liquoreux d'Anjou.

EARL Denis Goizil, Dom. du Petit Val,
49380 Chavagnes, tél. 02.41.54.31.14,
fax 02.41.54.03.48, e-mail denisgoizil@tiscali.fr
r.-v.

DOM. DU PORTAILLE Coteaux de Fèles 2005

0,5 ha 1 500 11 à 15 €

Conduite par la deuxième génération depuis quelques années, cette propriété est située sur le coteau de Millé, qui jouxte le vignoble du bonnezeaux et qui était considéré dès le XVIIIe s. comme un lieu-dit réputé des coteaux du Layon. La vinification a eu lieu en barrique et les arômes boisés prennent encore le pas sur ce très jeune

vin du millésime 2005. Sa très belle matière et sa finale sur les fruits confits caractéristique des grands liquoreux d'Anjou inspirent confiance. À oublier en cave quelques années.
🔑 EARL François et Philippe Tisserond,
18, rue de Jarzé, Millé, 49380 Chavagnes,
tél. 02.41.54.07.85, e-mail earl.tisserond@wanadoo.fr
t.l.j. sf dim. 9h-19h

DOM. RENÉ RENOU Zénith 2004 ★

	8 ha	3 000	23 à 30 €

René Renou qui venait d'être reconduit pour six ans à la tête de l'Institut national des appellations d'origine est brutalement disparu au cours d'une mission à Séoul. C'était aussi un propriétaire-récoltant en bonnezeaux, qui avait pris la suite de six générations à Thouarcé. Ses fils vont assurer la pérennité du domaine. Cette cuvée Zénith, élaborée à partir des raisins les plus mûrs du domaine fait partie des belles réussites de l'appellation. Or dans le verre, encore discret au nez, le 2004 révèle une très belle matière en bouche et donne la sensation de croquer les raisins rôtis par le soleil. En devenir, son expression aromatique s'épanouira à la garde. (Bouteilles de 50 cl.)
🔑 Dom. René Renou, pl. du Champ-de-Foire,
49380 Thouarcé, tél. 02.41.54.11.33, fax 02.41.54.11.34,
e-mail domaine.rene.renou@wanadoo.fr
t.l.j. 8h-12h 14h-19h

DOM. LOUIS ET CLAUDE ROBIN Cuvée Privilège 2004 ★

	2 ha	1 300	11 à 15 €

Créée par le grand-père, l'exploitation compte aujourd'hui 28 ha situés pour la plupart sur les coteaux du Layon. Sa cuvée Privilège ne manque pas d'atouts mais elle a besoin de vieillir pour exprimer son potentiel et épanouir ses arômes. Sa structure, son équilibre sucre-acidité caractéristique de son appellation, sa richesse conjuguée à une belle fraîcheur donnent de l'espoir pour l'avenir.
🔑 EARL Louis et Claude Robin, 64, rue des Monts,
49380 Faye-d'Anjou, tél. 02.41.54.31.41,
fax 02.41.54.17.98
t.l.j. sf dim. 8h-12h 14h-18h30

DOM. DE TERREBRUNE Sélection 2005 ★

	2,5 ha	9 000	11 à 15 €

Implantée entre Layon et Aubance, sur les sables et graviers cénomaniens de l'ère secondaire, cette exploitation assez importante (48 ha) est principalement orientée vers la production de rosés. Elle possède quelques vignes sur le coteaux schisteux de Bonnezeaux, d'où elle a tiré un 2005 très agréable. D'abord facile et presque léger, ce vin n'en a pas moins le caractère et la race de son terroir d'origine. Sa fraîcheur équilibre sa richesse et il se croque comme grains de raisins rôtis au soleil.
🔑 Dom. de Terrebrune, La Motte,
49380 Notre-Dame-d'Allençon, tél. 02.41.54.01.99,
fax 02.41.54.09.06,
e-mail domaine-de-terrebrune@wanadoo.fr r.-v.

CH. LA VARIÈRE Les Melleresses 2004 ★★

	n.c.	2 000	15 à 23 €

Cette cuvée a un grand avenir devant elle. Éclatante dans sa robe aux reflets or vert, elle réunit dans son nez intense la suavité du coing et du miel et une vivacité presque « groseille », avec une légère touche boisée bien mariée. Toujours confite et miellée au palais, toujours intense, elle prendra son envol après quelques mois de garde. La **cuvée principale** du château, même millésime, elle aussi boisée, est plus simple. Elle obtient une étoile pour sa fraîcheur et sa délicatesse. (Bouteilles de 50 cl.)
🔑 SARL Beaujeau, Ch. La Varière,
49320 Brissac-Quincé, tél. 02.41.91.22.64,
fax 02.41.91.23.44, e-mail beaujeau@wanadoo.fr
t.l.j. sf sam. dim. 10h-12h 15h-18h

Saumur

L'aire de production (2 544 ha) s'étend sur trente-six communes. En 2005, on y a produit 45 524 hl de vins rouges et 22 226 hl en blancs secs et nerveux et 80 504 hl de vins mousseux avec les mêmes cépages que dans les AOC anjou. Leur aptitude au vieillissement est bonne.

Les vignobles s'étalent sur les coteaux de la Loire et du Thouet. Les vins blancs de Turquant et Brézé étaient autrefois les plus réputés ; les vins rouges du Puy-Notre-Dame, de Montreuil-Bellay et de Tourtenay, entre autres, ont acquis une bonne notoriété. Mais l'appellation est beaucoup plus connue par les vins mousseux dont l'évolution qualitative mérite d'être soulignée. Les élaborateurs, tous installés à Saumur, possèdent des caves creusées dans le tuffeau, qu'il faut visiter.

DOM. ANNIVY 2005

	0,14 ha	1 066	5 à 8 €

Bruno Bersan a commencé à se constituer un petit domaine depuis 2000. De couleur jaune pâle, son saumur blanc mêle au nez des arômes de fruits à chair blanche (pêche) et des nuances amyliques. Ce fruité qui se prolonge en bouche est la principale qualité de ce vin simple mais sympathique, à partager entre amis.
🔑 Bruno Bersan, 66, rue des Ducs-d'Anjou,
49400 Souzay-Champigny, tél. 02.41.50.73.49,
fax 02.41.38.64.66 r.-v.

CH. DE BEAUREGARD Cuvée Guy 2004 ★

	1 ha	6 600	5 à 8 €

Ce château date pour l'essentiel du XIX^e^s. mais il a remplacé des bâtiments plus anciens dont il subsiste des vestiges : un porche et un pigeonnier du XIII^e^s., des éléments du XVII^e^s. Commandant 25 ha de vignes, il est situé au Puy-Notre-Dame, bourg dominé par une collégiale du XII^e^s. Il a été acheté par l'arrière-grand-père d'Alain Gourdon. Ce dernier a proposé un saumur d'un jaune doré attirant, qui exprime des parfums intenses et délicats de fruits blancs, nuancés de notes florales. Ces arômes se prolongent dans une bouche de belle tenue, harmonieuse et assez longue. Un vin prêt à servir sur du poisson ou des viandes blanches en sauce. Le **saumur rouge cuvée Nathalie 2003** est souple puis plus tannique en finale. Il est cité.

LOIRE

🔑 EARL Alain Gourdon, Ch. de Beauregard, 4, rue Saint-Julien, 49260 Le Puy-Notre-Dame, tél. 02.41.52.25.33, fax 02.41.52.29.62, e-mail christine.gourdon@wanadoo.fr ☒ Y ⚘ r.-v.

DOM. LA BONNELIÈRE Tradition 2005 ★★

■ 1,8 ha 7 000 ▮ 3 à 5 €

Installés près de Saumur dans une maison de tuffeau, les Bonneau ont considérablement développé leur domaine depuis sa création au début des années 1970, décuplant sa superficie. Ils ont misé sur la vente à la propriété et multiplié leurs ventes par dix ces cinq dernières années. Avec ce saumur rouge, ils proposent un vin plaisir prêt à passer à table. Un vin qui parle de raisins mûrs. Sa robe profonde aux reflets violets, ses parfums complexes et intenses de fruits noirs compotés qui s'expriment à l'agitation, son attaque fraîche, sa bouche équilibrée et charnue, toujours fruitée, en font un représentant accompli de l'appellation. Le **saumur-champigny Les Poyeux cuvée Prestige 2005 (5 à 8 €)** obtient une étoile.

🔑 EARL Bonneau et Fils, Dom. La Bonnelière, 45, rue du Bourg-Neuf, 49400 Varrains, tél. 02.41.52.92.38, fax 02.41.67.35.48, e-mail bonneau@labonneliere.com ☒ Y r.-v.

DOM. DU BOURG NEUF 2005

■ 18 ha 120 000 ▮ 3 à 5 €

Christian Joseph a repris au début des années 1980 le domaine familial, dont il a étendu la superficie. Il a aussi équipé les caves, modernisées en 2005. Il signe une importante cuvée d'une couleur profonde aux reflets soutenus. Le nez, assez complexe, mêle des notes de fruits rouges et de cassis à une touche vanillée. En bouche, ce vin est riche, puissant et aromatique, sans doute un peu jeune mais suffisamment souple.

🔑 Christian Joseph, 35, rue des Menais, 49400 Chacé, tél. 02.41.52.94.43, fax 02.41.52.94.53 ☒ Y ⚘ r.-v.

BOUVET-LADUBAY Trésor 2004 ★

● n.c. 50 000 ⦀ 11 à 15 €

Étienne Bouvet, en créant cette maison en 1851, a bâti un véritable monument à la gloire des effervescents du Saumurois : 8 km de galeries, mais aussi un cadre raffiné, avec un théâtre pour le personnel... Dans le même esprit, la société organise des expositions et, chaque année, en avril, les Journées nationales du Livre et du Vin qui réunissent le temps d'un week-end tous les amis du vin et de la littérature. Thèmes de 2006 : Maupassant, les écrivains de marine, les écrivains cinéastes. Cette cuvée Trésor a la particularité d'avoir été élaborée à partir d'un vin de base vinifié en barrique. Elle séduit par la fraîcheur printanière de ses arômes de fleurs blanches et par son élégance en bouche. Nous apprenons, au moment où nous mettons sous presse, que cette maison de négoce passe dans le giron du troisième producteur mondial de bière et spiritueux, le groupe indien UB, cédée par le fonds d'investissement qui avait acquis le groupe Taittinger.

🔑 Bouvet-Ladubay, 1, rue de l'Abbaye, 49400 Saint-Hilaire-Saint-Florent, tél. 02.41.83.83.83, fax 02.41.50.24.32, e-mail contact@bouvet-ladubay.fr ☒ Y ⚘ t.l.j. 9h-12h 14h-17h30

DOM. DES CHAMPS FLEURIS Les Damoiselles 2004 ★★

▒ 5 ha 6 000 ⦀ 5 à 8 €

À Turquant, un moulin à vent rappelle que les meuniers étaient autrefois nombreux dans la région. Le

pays faisait vivre également des « tapeurs de pommes », qui déshydrataient ces fruits, destinés à la marine, dans des fours creusés au fond des caves troglodytiques avant de les taper pour les aplatir. Autant de professions qui ont disparu. Il reste des vignerons, nombreux dans ce bourg des bords de Loire. Parmi eux, on ne négligera pas la famille Rétiveau-Rétif, qui brille cette année en saumur blanc. Un an de fût a légué à ce vin or brillant un boisé discret qui laisse parler le fruit. Le nez, d'abord léger, fait pressentir une grande richesse, libérant des nuances florales et fruitées accompagnées d'une touche vanillée. Rond, souple, volumineux, complexe, chaleureux et long, ce vin ne demande qu'à s'épanouir. On peut commencer à le servir à l'apéritif ou sur poissons et crustacés.

🔑 EARL Rétiveau-Rétif, 54, rue des Martyrs, 49730 Turquant, tél. 02.41.38.10.92, fax 02.41.51.75.33 ☒ Y ⚘ t.l.j. sf dim. 8h-12h 13h30-19h

PIERRE CHANAU ★

● n.c. n.c. - de 3 €

Fondée en 1811, la maison Ackerman forme aujourd'hui avec la société Rémy Pannier une entreprise parmi les plus importantes du Val de Loire, qui élabore et commercialise des millions de bouteilles de vins tranquilles et effervescents. Destiné à la grande distribution (Auchan), ce saumur en robe jaune pâle laisse une sensation de fraîcheur représentative des vins de l'appellation : ses arômes rappellent le citron et les agrumes verts, et sa bouche harmonieuse et délicate donne l'impression de sucer des bonbons acidulés. Un vin rafraîchissant et qui met en appétit.

🔑 Auchan, 200, rue de la Recherche, 59650 Villeneuve-d'Ascq, tél. 04.74.69.09.18, fax 04.74.69.09.75

CHAPIN-LANDAIS 150 Cuvée du Cent Cinquantenaire Méthode Traditionnelle ★

● n.c. 30 000 ⦀ 8 à 11 €

Fondée en 1848, Chapin-Landais est aujourd'hui une marque de la maison Bouvet-Ladubay. La Cuvée du Cent Cinquantenaire a été élaborée à partir de vins de base vinifiés sous bois. Son nez floral, sa bouche légère aux arômes de fruits frais en font un joli vin d'apéritif.

🔑 Chapin-Landais, rue Jean-Ackerman, 49400 Saint-Hilaire-Saint-Florent, tél. 02.41.83.83.80, fax 02.41.50.33.55 ☒ Y ⚘ t.l.j. 9h-17h30

DOM. DES CLOS MAURICE 2005

■ 4 ha 30 000 ▮ 3 à 5 €

Un porche typique de l'architecture vigneronne du village de Varrains permet d'entrer dans la propriété de la

famille Hardouin, qui exploite 20 ha de vignes. Elle signe un saumur rouge vif aux reflets rosés. Au nez, ce 2005 libère d'intenses arômes de fruits rouges qui se prolongent dans une bouche chaleureuse aux tanins souples.
Maurice Hardouin et Fils, 18, rue de la Mairie, 49400 Varrains, tél. 02.41.52.93.76, fax 02.41.52.44.32, e-mail clos.maurice@wanadoo.fr r.-v.

DOM. DE LA CROIX DES VIGNES 2005 **

4,16 ha 30 000 3 à 5 €

Établis à Sanziers, petit village semi-troglodytique construit en tuffeau non loin du Puy-Notre-Dame, Annie Houet-Tessier et son frère Dominique exploitent un vaste domaine (80 ha). Ils ont proposé un saumur rouge plein de charme. Le type accompli du vin plaisir, que l'on pourra apprécier sans attendre. D'un grenat intense des plus engageants, ce 2005 libère à l'aération des nuances de griotte et de cassis avec une touche rappelant le chocolat. Une attaque pleine prélude à un palais riche, gras, ample et rond, soutenu par une structure de tanins soyeux. Un coup de cœur fut proposé...
SCEA Tessier et Fils, 14, rue Saint-Vincent, Sanziers, 49260 Le Puy-Notre-Dame, tél. 02.41.52.26.75, fax 02.41.38.89.11, e-mail tessieretfils@wanadoo.fr r.-v.

YVES DROUINEAU Les Beaumiers 2004 **

5 ha 5 000 3 à 5 €

Installé dans une maison de tuffeau du XVIII[e]s., Yves Drouineau a repris l'exploitation familiale en 1991 et conduit 21 ha de vignes avec un savoir-faire qui lui permet d'être régulièrement sélectionné dans les appellations du Saumurois, en rouge comme en blanc. Ce saumur séduit dès l'approche : jaune doré franc et brillant, il offre une très flatteuse expression aromatique, florale et fruitée, avec une touche minérale. Une attaque franche introduit une bouche souple, riche, équilibrée et harmonieuse, qui renoue en finale avec les notes florales associées à des nuances exotiques. Très agréable dans sa jeunesse, ce 2004 présente aussi un potentiel de garde de plusieurs années. Sous l'étiquette **La Seignère Clos du Vau 2004 (5 à 8 €)**, Yves Drouineau signe un autre saumur blanc des plus réussis, de sa robe étincelante de reflets dorés à la longue finale, en passant par ses arômes complexes de fruits blancs et d'agrumes. Sa matière riche, ample et structurée permet à ce vin déjà prêt d'attendre un an ou deux.
EARL Yves Drouineau, 3, rue Morains, 49400 Dampierre-sur-Loire, tél. 02.41.51.14.02, fax 02.41.50.32.00, e-mail y-d@yves-drouineau.com r.-v.

DOM. DE L'ENCHANTOIR Méthode traditionnelle *

3 ha 5 000 5 à 8 €

Située à 1 km de la vaste collégiale du XII[e]s. qui domine de ses hautes flèches la ville du Puy-Notre-Dame, cette exploitation créée en 1850 s'étend sur 18 ha. Commandée par une maison de maître du XIX[e]s., elle accueille aujourd'hui des groupes pour buffets, repas ou journées de vendanges. Didier Wieder l'a reprise en 2001. Cette méthode traditionnelle, élaborée cette année-là, est donc sa première production. Son effervescence fine, faite d'un long chapelet de bulles délicates, forme une belle entrée en matière. Ses arômes de fruits mûrs s'accompagnent de notes muscatées un peu inhabituelles mais très agréables, sa bouche donne l'impression de croquer le raisin frais.
EARL Didier Wieder, 4, rue l'Arguray, Chavannes, 49260 Le Puy-Notre-Dame, tél. 02.41.52.26.33, fax 02.41.52.23.34, e-mail d.wieder@wanadoo.fr r.-v.

DOM. DE L'ÉPINAY 2005 *

1 ha 6 000 3 à 5 €

Située dans la Vienne, non loin de Loudun, Pouançay se rattache administrativement à la région Poitou-Charentes mais Montreuil-Bellay n'est qu'à une dizaine de kilomètres et le vignoble est bien saumurois. Et du saumur, ce domaine en produit du bon, puisqu'il a obtenu l'an dernier un coup de cœur pour un rouge 2004. Que vaut ce blanc habillé d'or léger ? Discret au nez, ce n'est pas une force de la nature mais sa bouche aromatique, ronde, souple et équilibrée en fait une bouteille harmonieuse.
Laurent Menestreau, EARL de L'Épinay, 3, all. du Presbytère, 86120 Pouançay, tél. 05.49.22.98.08, fax 05.49.22.39.98, e-mail menestreau-epinay@wanadoo.fr r.-v.

CH. D'ÉTERNES Clos des Abbesses 2004 *

1 ha 6 000 11 à 15 €

Avec son air léché, ce superbe château donnerait presque l'impression d'une construction néogothique. Mais des parties de l'ensemble, comme ce romantique pigeonnier semi-troglodytique des XIIe et XIII[e]s., remettent sur la voie : ce domaine du Loudunois est bien d'une vénérable antiquité. Il dépendit des chanoines de Saint-Hilaire, avant d'être rattaché à l'abbaye de Fontevraud, distante de 4 km. Depuis 1994, la famille Marteling cultive les 16 ha de vignes en agriculture biologique. Elle propose un saumur élevé quatorze mois en fût. La couleur jaune doré soutenu intrigue et séduit. Le nez puissant est dominé par un côté surmûri (fruits confits, raisins secs), avec une touche vanillée et empyreumatique. Ces impressions se poursuivent dans une bouche volumineuse, riche et équilibrée. Un ensemble harmonieux à servir à l'apéritif, avec une viande blanche ou du fromage. Cité, le **saumur rouge 2002**, élevé trente-six mois en fût, est destiné aux amateurs de vins boisés.
Ch. d'Éternes, 86120 Saix, tél. et fax 05.49.22.34.77, e-mail chateau@chateau-eternes.com r.-v.
Marteling

DOM. DE FIERVAUX Cuvée exceptionnelle 2003 **

3 ha 7 000 5 à 8 €

Implanté dans un hameau en pierre de tuffeau typique du Saumurois, ce domaine s'étend aujourd'hui sur 38 ha. Les maîtres du lieu sont attachés à l'élevage en fût, et l'alignement de leurs barriques dans des galeries creusées au XII[e]s. constitue un spectacle intéressant. Ce 2003 a séjourné deux ans dans le bois, sans être écrasé par la barrique. Un léger boisé torréfié laisse s'exprimer un fruité mûr, compoté, signe de la belle maturité de cette vendange de la canicule. Une attaque qui donne l'impression de croquer dans le fruit et une finale persistante aux tanins bien fondus vaut à ce saumur harmonieux de chaleureux partisans. Le **saumur blanc Cuvée suprême 2004**, élevé aussi en barrique, est prêt à servir mais apte à la garde. Un vin doré, complexe au nez (fruits mûrs, fleurs, plantes aromatiques...), riche au palais, chaleureux, volumineux, surmûri et confit : une étoile.

LOIRE

⊶ SCEA Cousin-Maitreau, 235, rue des Caves, Oiré, 49260 Vaudelnay, tél. 02.41.52.34.63, fax 02.41.38.89.23 ☑ ⵖ ⚘ r.-v.

DOM. DES GARENNES 2005 *

■ 2 ha 12 000 ▮ 3 à 5 €

Avec ses remparts (XIIIe-XVIes.), ses quatre portes et son château surplombant le Thouet, Montreuil-Bellay mérite une visite. Le domaine des Garennes s'étend sur 37 ha aux alentours. Depuis quatre générations, il est transmis d'oncle en neveux. Il est actuellement conduit par deux cousins, qui signent un saumur rouge plein de promesses. Le rouge très intense de sa robe aux reflets soutenus est de bon augure. Sa palette aromatique flatteuse mêle les nuances de fruits rouges attendues à des touches grillées. Une même élégance règne en bouche où le fruité s'accompagne de tanins très présents mais déjà arrondis. Ce vin devrait bien évoluer dans les deux ans qui viennent.

⊶ GAEC Mainguin-Baron, 156, av. Paul-Painlevé, 49260 Montreuil-Bellay, tél. et fax 02.41.52.34.94 ☑ ⵖ ⚘ t.l.j. sf dim. 10h-13h 14h-19h

DOM. DE LA GIRARDRIE 2004 *

● 1,5 ha 10 000 ▮ 5 à 8 €

Ville-étape sur le chemin de Saint-Jacques-de-Compostelle, Le Puy-Notre-Dame a hérité de cette situation son riche patrimoine architectural et son vignoble. L'autre atout de cette commune, lié lui aussi à la présence de galeries dans le sous-sol, c'est le champignon de couche. C'est ainsi que le bourg fête, le premier week-end de juillet, le vin et le champignon. Sans doute fait-on sauter force bouchons. Cette sélection a été élaborée à partir d'un vin de base constitué d'un assemblage de cépages blancs (chenin 60 % et chardonnay 20 %) et de cabernet franc. Avec ses arômes délicats de viennoiseries et de fruits secs grillés, sa bouche gourmande et fraîche avec un joli retour sur la noisette et la brioche, c'est un classique de l'appellation, à servir à l'apéritif ou avec des viandes blanches.

⊶ SCEA Falloux et Fils, 1, rue de la Fontaine-de-Cix, 49260 Le Puy-Notre-Dame, tél. 02.41.52.25.10, fax 02.41.38.83.77 ☑ ⵖ ⚘ r.-v. 🏠 ©

GRATIEN ET MEYER Cuvée Flamme **

● n.c. 70 000 8 à 11 €

Dès 1864, à peine âgé de vingt-trois ans, Alfred Gratien a misé sur les vins effervescents : il a acheté près de 10 km d'anciennes galeries d'extraction de la pierre et fondé sa maison. Dix ans plus tard, il s'est associé à Albert Jean Meyer, venu d'Alsace, qui a assuré sa succession. La maison est toujours installée à Saumur, sur un site à flanc de coteau d'où l'on peut voir se déployer la vallée de la Loire. La cuvée Flamme est devenue une référence de l'appellation. Constituée d'un assemblage de cépages blancs (chenin 54 %, chardonnay 13 %) et de cabernet franc, elle délivre des nuances de fruits et de fleur de vigne remarquables de délicatesse et de fraîcheur. Quant au **saumur rosé (5 à 8 €)**, assemblage de cépages noirs, sa bulle fine, ses notes délicates de bonbon acidulé et son harmonie légère et vive lui valent une citation.

⊶ Gratien et Meyer, rte de Montsoreau, BP 22, 49400 Saumur, tél. 02.41.83.13.32, fax 02.41.83.13.49, e-mail contact@gratienmeyer.com ☑ ⵖ ⚘ t.l.j. 9h30-18h; sur r.-v. 1er nov.-31 mars

DOM. DE LA GUILLOTERIE 2005 *

■ 4 ha 20 000 ▮ 5 à 8 €

Le saumur de la famille Duveau se présente sous un jour sympathique, avec sa robe rouge foncé et son nez affable, sur le fruit rouge. La bouche reste dans la même tonalité : du fruit rouge, un peu de chaleur et beaucoup de rondeur. Un ensemble agréable.

⊶ SCEA Duveau Frères, 63, rue Foucault, 49260 Saint-Cyr-en-Bourg, tél. 02.41.51.62.78, fax 02.41.51.63.14, e-mail duveau@domainedelaguilloterie.com ☑ ⵖ ⚘ r.-v.

DOM. LAVIGNE 2005 *

□ 1,5 ha 6 000 ▮ 3 à 5 €

Ce domaine est établi dans l'aire du saumur-champigny et consacre la majorité de ses 35 ha de vignes à cette appellation. Cette petite cuvée illustre son savoir-faire en blanc. D'un jaune léger et limpide aux reflets dorés, la robe annonce un nez subtil, qui laisse poindre à l'agitation de fines nuances d'églantine. Après une attaque fruitée, la bouche joue dans le registre de la souplesse : un vin plaisir pour maintenant.

⊶ SCEA Lavigne-Véron, 15, rue des Rogelins, 49400 Varrains, tél. 02.41.52.92.57, fax 02.41.52.40.87, e-mail scea.lavigne-veron@wanadoo.fr ☑ ⵖ ⚘ t.l.j. sf dim. 9h-12h 14h-18h

DOM. MARTIN-CHANTREAU Vieilles Vignes 2004 *

□ 1 ha 4 000 ⦀ 5 à 8 €

Vieilles vignes ? Trente ans. Le **saumur rouge Vieilles vignes 2004** a donné un vin plaisant par ses intenses arômes de fruits rouges, malgré des tanins austères en finale : une citation. La préférence va à ce blanc aux reflets dorés. Est-ce l'élevage d'un an en fût qui lui a donné cette belle complexité ? En tout cas, le bois reste très discret : un rien de vanille au sein d'un ensemble floral et fruité (fruits blancs), avec des touches de plantes aromatiques et un soupçon de minéral. Une attaque franche, une bouche structurée et longue où l'on sent le raisin bien mûr en font un ensemble fort harmonieux pour maintenant ou les années qui viennent.

⊶ EARL Martin-Chantreau, 6 sur Tiron, rue Amiral-Maillé, 49260 Brézé, tél. 02.41.51.60.28, fax 02.41.67.52.03, e-mail martin-chantreau@wanadoo.fr ☑ ⵖ ⚘ r.-v.

⊶ Martin

DOM. DES MATINES Le Clos Riel 2005 *

□ 3 ha 17 000 ▮ 5 à 8 €

Cet important domaine (52 ha) a gardé toute une collection des millésimes produits depuis sa création en 1950. Sans doute ne pourrez-vous goûter que les plus récents, mais sachez que la propriété est régulièrement « étoilée » dans cette appellation. Ce Clos Riel, en blanc, fait jeu égal avec le **rouge Cuvée Vieilles Vignes 2005**. Le premier, encore dans sa prime jeunesse, attire par l'or intense de sa robe. Vendangés à la mi-octobre, les raisins très mûrs, voire surmûris, lui ont donné une richesse surprenante et des arômes de fruits confits. Original et intéressant. La seconde, en revanche, suit un registre plus classique avec sa robe intense et profonde, son nez de fruits rouges bien mûrs, prélude à une bouche riche, ronde, équilibrée et longue, aux tanins élégants et soyeux.

Dom. des Matines, 31, rue de la Mairie, 49700 Brossay, tél. 02.41.52.25.36, fax 02.41.52.25.50 r.-v.
Etchegaray Mallard

DOM. DE MONTFORT 2005

2,5 ha 16 000 3 à 5 €

Rubis léger, le type même du vin sans complications, à boire jeune et sur son fruit. Car du fruit, il n'en manque pas, du fruit rouge avec des nuances amyliques. Ronde et agréable, la bouche joue le même morceau. À partager entre amis autour d'un buffet.

Gérard Huet, 4, rte de Brossay, 49700 Montfort, tél. 02.41.67.02.20, fax 02.41.67.85.85, e-mail domaine-de-montfort@wanadoo.fr r.-v.

LYCÉE VITICOLE DE MONTREUIL-BELLAY

Cuvée des Hauts de Caterne 2005 ★★

1,33 ha 10 500 5 à 8 €

Établissement public, le lycée viticole de Montreuil-Bellay a été créé en 1967 alors qu'Edgard Pisani, maire de la commune, était ministre de l'Agriculture. Il forme les vignerons et techniciens viticoles du Val de Loire. Les étudiants sont à bonne école, à en juger par cette cuvée des Hauts de Caterne produite par l'exploitation du lycée, qui emporte le coup de cœur – et ce n'est pas la première fois (voir le 1994). Sa jeunesse exubérante et tout en fruits séduit, tout comme sa robe pourpre sombre aux reflets violets. Le nez ? Puissant, printanier, plein de framboise et de cassis, avec une pointe amylique. Ce fruité règne aussi en bouche, avec une même puissance, de la rondeur, et quelques tanins qui s'arrondiront dans l'année qui vient. Quant au **saumur blanc 2005**, il reçoit une étoile pour son expression aromatique fine et élégante, typique de l'AOC, et pour sa bouche souple et équilibrée.

Lycée prof. agricole de Montreuil-Bellay, rte de Méron, 49260 Montreuil-Bellay, tél. 02.41.40.19.27, fax 02.41.38.72.86, e-mail montreuil-bellay.expl@educagri.fr t.l.j. sf sam. dim. 9h-12h 14h-17h

DOM. DU MOULIN DE L'HORIZON

Méthode traditionnelle 2003 ★

4,5 ha 40 000 5 à 8 €

Des « vignerons ch'ti », arrivés en Saumurois depuis quatre ans. Venus du « plat pays » (Pas-de-Calais), ils se sont installés sur une butte argilo-calcaire qui constitue un des points culminants du Maine-et-Loire : 118 m ! Une ascension réussie à en juger par ce saumur. L'effervescence délicate porte des arômes aériens qui laissent une impression de fraîcheur. Des notes de citron vert et d'agrumes donnent à la bouche un côté légèrement acidulé. Un côté désaltérant apprécié.

Hervé et Christine Des Grousilliers-Lefort, Dom. du Moulin de L'Horizon, rue Saint-Vincent, Sanziers, 49260 Le Puy-Notre-Dame, tél. 02.41.52.25.52, fax 02.41.52.48.39, e-mail moulin.delhorizon@terre-net.fr r.-v.

DOM. DE LA PALEINE Sotto Voce 2004 ★★

5 ha 9 000 5 à 8 €

À la tête depuis trois ans de cette propriété et de ses 32 ha de vignes, les Vincent signent un saumur jaune d'or brillant qui retient l'attention par la complexité de son expression aromatique : outre les fleurs et les fruits blancs, on y décèle des agrumes (citron), de la verveine et autres plantes aromatiques. On retrouve ces arômes, avec une touche miellée, dans une bouche ronde à souhait, bien équilibrée, qui persiste sur des notes confites. À servir à l'apéritif, sur des viandes blanches ou sur du fromage.

SAS Dom. de La Paleine, 9, rue de La Paleine, 49260 Le Puy-Notre-Dame, tél. 02.41.52.21.24, fax 02.41.52.21.66, e-mail contact@domaine-paleine.com r.-v.
Marc Vincent

CH. LE PERDRIAU 2005

2 ha 13 000 3 à 5 €

Les lointaines origines de ce château remontent à la même époque que la collégiale du Puy-Notre-Dame : le XII[e]s. Louis XI y aurait séjourné. Il reste de ces temps anciens une tour et un puits, mais les bâtiments ont été reconstruit au XVIII[e]s. et au siècle suivant. Le vignoble passe aussi pour l'un des plus anciens de la commune. Il a donné naissance en 2005 à une cuvée rouge soutenu à reflets sombres, fruitée, chaleureuse et ronde, aux tanins déjà fondus.

SCEA Marcel Biguet, 5, pl. de La Paleine, 49260 Le Puy-Notre-Dame, tél. 02.41.52.26.68, fax 02.41.38.85.64 r.-v.

DE PRÉVILLE Méthode traditionnelle ★★

n.c. 106 000 3 à 5 €

La société Lacheteau, dont le siège est à Doué-la-Fontaine, est une entreprise de négoce spécialisée dans la production de vins effervescents. Cette sélection donne une bonne image de la qualité de cette structure. La remarquable délicatesse de sa palette aromatique évoquant la fleur de vigne, sa bouche franche, élégante, fraîche et longue ont fait passer ce saumur près du coup de cœur.

SA Lacheteau, ZI La Saulaie, 49700 Doué-la-Fontaine, tél. 02.41.59.26.26, fax 02.41.59.01.94, e-mail marc.brieau@lacheteau.fr

DOM. DE LA RENIÈRE Parole 2005 ★★

3 ha n.c. 5 à 8 €

Les ancêtres de René-Hugues Gay cultivaient déjà la vigne en 1631. Ce vin jaune doré se montre en effet fort éloquent. Dès l'approche, il laisse pressentir sa richesse, livrant des notes de fruits bien mûrs, de coing et de poire confits, de fruits secs. Puissante, souple, pleine de rondeurs, la bouche parle avec volubilité et devrait encore s'épanouir dans les temps qui viennent. Le **blanc cuvée Alliance 2005 (3 à 5 €)** sait se faire aimer par ses parfums de fruits compotés et de brioche. Sa matière riche, puissante et ronde lui donne un potentiel de garde, et son équilibre séduit : une étoile. Quant au **Clos de la Cerisaie Vieilles Vignes rouge 2005**, plutôt tannique en finale, il est cité pour ses arômes fruités et floraux et son équilibre.

⊶ René-Hugues Gay, Dom. de la Renière,
1, rue de la Cerisaie, 49260 Le Puy-Notre-Dame,
tél. 02.41.52.26.31, fax 02.41.52.24.62
▽ Y ✦ t.l.j. 9h30-19h; sam. dim. sur r.-v.

DOM. SAINT-JEAN 2005 ★

1 ha 2 500 5 à 8 €

Établie au centre de Turquant, la famille Anger se consacre à la vigne depuis le milieu du XIXe s. Installé en 1989, Jean-Claude Anger exploite 24 ha. Il signe un saumur agréable et déjà prêt. La robe jaune léger annonce un nez discret mais élégant. Une bonne attaque introduit une bouche fruitée, ronde, souple et bien équilibrée.

⊶ Jean-Claude Anger, Dom. Saint-Jean,
16, rue des Martyrs, 49730 Turquant,
tél. 02.41.38.11.78, fax 02.41.51.79.23 ▽ Y ✦ r.-v.

DOM. DE SAINT-JUST
La Coulée de Saint-Cyr 2004 ★★

2 ha 5 000 5 à 8 €

Jaune clair à reflets dorés, cette Coulée de Saint-Cyr reflète tout au long de la dégustation la grande maturité de la vendange. Fleurs blanches et fruits mûrs s'expriment au nez, ces derniers prenant des accents confits au palais. De la franchise à l'attaque, de la fermeté, la sensation de croquer dans le fruit, un soupçon de vanille, une note minérale en finale : une belle matière bien travaillée pour un vin harmonieux et apte à la garde.

⊶ Yves Lambert, Dom. de Saint-Just,
12, rue de la Prée, 49260 Saint-Just-sur-Dive,
tél. 02.41.51.62.01, fax 02.41.67.94.51,
e-mail infos@st-just.net ▽ Y ✦ r.-v.

CH. LA SALLE 2005 ★

5,55 ha 25 000 3 à 5 €

Montreuil-Bellay a gardé un cachet médiéval avec ses fortifications et son château mi-féodal mi-Renaissance. Le bourg possède aussi un lycée viticole et abrite nombre de vignerons. Grenat soutenu aux nuances violettes, ce saumur esquisse au nez de fines fragrances de fruits rouges bien mûrs qui s'affirment à l'attaque. En harmonie avec l'olfaction, le palais se montre aromatique, gras et long. Quelques tanins font sentir leur présence mais l'impression d'ensemble reste favorable.

⊶ SCEA La Salle, 306, rue du Presbytère,
49260 Montreuil-Bellay, tél. 02.41.52.88.88,
fax 02.40.69.69.10, e-mail gerard.j@chateaulasalle.com

CAVE DE SAUMUR Réserve des Vignerons 2005 ★

n.c. 200 000 3 à 5 €

Fondée en 1957, cette cave coopérative a son siège à 5 km du château de Saumur. Pour mûrir ses vins, elle dispose de 8 km de galeries. Celui-ci, jaune pâle limpide, laisse d'entrée une impression flatteuse avec ses parfums fruités délicats. La suite ne déçoit pas, élégante, souple et bien équilibrée. La **Réserve des vignerons rouge 2005** passe la barre grâce à sa robe profonde aux reflets violets, ses arômes fruités que l'on retrouve dans une bouche fraîche à l'attaque et ronde, plus tannique en finale.

⊶ Cave de Saumur, rte de Saumoussay,
49260 Saint-Cyr-en-Bourg, tél. 02.41.53.06.06,
fax 02.41.53.06.10,
e-mail infos@vignerons-de-saumur.com
▽ Y ✦ t.l.j. 10h-12h30 14h-18h30

DOM. DE LA SEIGNEURIE DES TOURELLES 2005 ★

3 ha 18 000 3 à 5 €

Les vins du domaine sont élaborés en collaboration avec les œnologues de la maison Verdier. Représentatif de l'appellation, celui-ci s'habille d'une robe légère et limpide. Son nez expressif s'ouvre sur d'intenses notes fruitées que l'on retrouve dans une bouche fraîche, souple, puissante et assez longue. Une petite nervosité agréable permettra à ce saumur d'accompagner du poisson de rivière.

⊶ SCEA Dubé Père et Fils,
324, rue Croix Saint-André, 49260 Le Vaudelnay,
tél. 02.41.40.22.50, fax 02.41.40.29.69,
e-mail j.verdier@wanadoo.fr
⊶ Joseph Verdier

CH. DE TARGÉ Les Fresnettes 2004 ★★

2 ha 8 200 11 à 15 €

Une église romane campe au milieu des vignes de ce domaine, à 1,5 km du château. La propriété appartient depuis 1655 à la même famille dont certains membres ont été au service de l'État, sans perdre complètement de vue les ors du chenin et la pourpre du cabernet. Ingénieur agronome, Édouard Pisani-Ferry la dirige depuis la fin des années 1970. Jaune pâle, or vert, sa cuvée Les Fresnettes emporte l'adhésion. Le bois (dix mois de fût) reste discret ; il apporte de la complexité avec une touche de vanille et de fumé, dans une palette à la fois intense et subtile composée de citron, de fleurs et de fruits blancs. Fraîche à l'attaque, la bouche est riche tout en laissant une impression de légèreté. Un ensemble séducteur, bien élevé et de garde.

⊶ Édouard Pisani-Ferry, Ch. de Targé, 49730 Parnay,
tél. 02.41.38.11.50, fax 02.41.38.16.19,
e-mail edouard@chateaudetarge.fr
▽ Y ✦ t.l.j. sf dim. 9h-12h 14h-18h; sam. sur r.-v.

DOM. DU VAL BRUN 2004 ★

n.c. 3 000 5 à 8 €

À 2 km de l'église romane de Parnay, ce domaine est dans la même famille depuis le début du XVIIIe s. Éric Charruau, qui l'exploite depuis une vingtaine d'années, a proposé un saumur jaune pâle aux reflets dorés qui charme par son élégance. Ses arômes subtils associent les fruits blancs (poire) et les fleurs, avec une légère pointe minérale. Ample et fraîche, la bouche reste sur ces qualités. Une grande finesse que l'on peut apprécier dès maintenant.

⊶ Éric Charruau, 74, rue Valbrun, 49730 Parnay,
tél. 02.41.38.11.85, fax 02.41.38.16.22,
e-mail eric-charruau@valbrun.com ▽ Y ✦ r.-v.

DOM. DU VIEUX PRESSOIR 2005 ★

6 ha 20 000 3 à 5 €

Bruno Albert exploite 26 ha de vignes, principalement implantées sur le plateau jurassique de Vaudelnay. Il signe un 2005 grenat foncé à reflets violets, qui offre tout ce que l'on attend de cette appellation : un nez frais et fruité sur les fruits rouges, avec des nuances de fruits secs, une bouche aromatique, souple et équilibrée, aux tanins soyeux jusqu'en finale. On peut aussi miser sur le **blanc 2005**, même note, bien représentatif lui aussi, expressif sur la pomme reinette et souple au palais, prêt à passer à table. Un peu réservée mais ronde et bien équilibrée, la **Cuvée Céline Vieilles Vignes rouge 2005 (5 à 8 €)** est citée. C'est aussi un vin à déboucher dans les temps qui viennent.

EARL B. et J. Albert, 205, rue du Château-d'Oiré, 49260 Vaudelnay, tél. 02.41.52.21.78, fax 02.41.38.85.83, e-mail vieuxpressoir@wanadoo.fr
r.-v. 3

DOM. DU VIEUX TUFFEAU 2005 *

0,8 ha 5 300 5 à 8 €

À 1 km de la collégiale du Puy-Notre-Dame et de la champignonnière de Saint-Maur, à 500 m du musée de la Soie, ce domaine s'étend sur plus de 14 ha. Il tire son nom des galeries creusées jadis dans le tuffeau et où mûrissent ses vins. Celui-ci se pare d'une robe jaune animée de reflets dorés. Nez agréable, sur le pamplemousse, bouche équilibrée et persistante dans le même registre frais et léger, toujours sur les agrumes. Un vin fringant, que l'on peut apprécier sans attendre.

Christian Giraud, SCEA Dom. du Vieux Tuffeau, Les Caves, 212, rue de la Cerisaie, 49260 Vaudelnay, tél. 02.41.52.27.41, fax 02.41.52.26.07, e-mail domaine@vieux-tuffeau.com
t.l.j. sf dim. 9h-12h30 13h30-19h; groupes sur r.-v.

CH. DE VILLENEUVE 2005 *

4 ha 24 000 5 à 8 €

Ce domaine chargé d'histoire a souffert des vicissitudes et des troubles qui n'ont pas manqué dans la région. Depuis 1969 aux mains de la famille Chevallier, il bénéficie du savoir-faire de ses propriétaires et collectionne étoiles et coups de cœur. Celui-ci, pour n'être pas un champion, sait se montrer attrayant par l'or pâle de sa robe et sa bouche fruitée, souple et agréable.

Chevallier, Ch. de Villeneuve, 3, rue Jean-Brevet, 49400 Souzay-Champigny, tél. 02.41.51.14.04, fax 02.41.50.58.24 t.l.j. sf dim. 9h-12h 14h-18h

Cabernet-de-saumur

Bien qu'elle ne représente que de faibles volumes (3 305 hl en 2005), l'appellation cabernet-de-saumur tient bien sa place par la finesse de ce cépage, élaboré en rosé et cultivé sur 55 ha de terrains calcaires.

DOM. LA BONNELIÈRE 2005 **

0,5 ha 1 500 3 à 5 €

La famille Bonneau est installée dans une maison bâtie en tuffeau et dispose d'une cave creusée dans cette craie tendre caractéristique du vignoble saumurois. L'exploitation s'est considérablement développée en trente ans, tant en superficie (28 ha aujourd'hui) qu'en nombre de bouteilles vendues à la propriété. Est-ce pour cela qu'elle fait figurer une corne d'abondance sur ses étiquettes ? Rose pâle aux reflets orangés, son cabernet-de-saumur donne aussi des signes de richesse, offrant avec générosité des arômes délicats de rose et de litchi, de fruits rouges et de cassis, le tout accompagné d'une petite pointe végétale. Souple, léger et vif, ce rosé désaltérant n'en présente pas moins un caractère affirmé.

EARL Bonneau et Fils, Dom. La Bonnelière, 45, rue du Bourg-Neuf, 49400 Varrains, tél. 02.41.52.92.38, fax 02.41.67.35.48, e-mail bonneau@labonneliere.com r.-v.

THIERRY CHANCELLE 2005

0,5 ha 2 000 3 à 5 €

L'aire de production de cette AOC s'étend sur les formations calcaires et crayeuses du Bassin parisien correspondant à l'Anjou blanc. C'est un secteur où l'on trouve nombre de caves troglodytiques, comme celle où Thierry Chancelle élève ses vins. Rose saumon, celui-ci associe au nez la rose et les fruits mûrs (cerise). D'une simplicité de bon aloi, souple, facile à boire et vivifié par un léger perlant, il laisse une sensation de fraîcheur désaltérante.

Thierry Chancelle, EARL Bourdin, 27, rue des Martyrs, 49730 Turquant, tél. 02.41.38.11.83, fax 02.41.51.47.71, e-mail earlbourdin@aol.com
t.l.j. sf dim. 9h-12h 15h-18h

DOM. DE LA PALEINE 2005 *

3 ha 6 000 5 à 8 €

Coiffée d'une collégiale du XIIe s., la colline sur laquelle est bâti le bourg du Puy-Notre-Dame est pour les géologues une butte témoin turonienne. Celle-ci constitue le deuxième point le plus haut du Maine-et-Loire. Le domaine de La Paleine dispose à ses pieds de 32 ha de vignes implantées sur les terres blanches caractéristiques du Saumurois. Harmonieux et rond, son cabernet-de-saumur laisse en bouche une sensation de fruits frais qui reflète bien son terroir d'origine. De couleur soutenue à reflets rouges, il mêle des arômes amyliques de fraise Tagada et des notes de petits fruits rouges.

SAS Dom. de La Paleine, 9, rue de La Paleine, 49260 Le Puy-Notre-Dame, tél. 02.41.52.21.24, fax 02.41.52.21.66, e-mail contact@domaine-paleine.com r.-v.
Marc Vincent

Coteaux-de-saumur

Ils ont acquis autrefois leurs lettres de noblesse. Les coteaux-de-saumur, équivalents en Saumurois des coteaux-du-layon en Anjou, sont élaborés à partir du chenin pur planté sur la craie tuffeau. Leur production a atteint 579 hl (22,39 ha déclarés en 2005).

LOIRE

THIERRY CHANCELLE 2003 *

0,5 ha 1 000 11 à 15 €

L'appellation coteaux-de-saumur définit un blanc liquoreux obtenu sur les terres crayeuses appartenant aux auréoles occidentales du Bassin parisien. Une des caractéristiques de ces vins est la sensation de fraîcheur qu'ils procurent, même si les raisins ont été récoltés à de fortes richesses naturelles. C'est le cas de ce 2003, affichant des notes d'agrumes puis de fruits blancs bien mûrs au nez. Il offre en bouche un fruité frais, concentré et miellé et révèle en finale une vivacité très agréable qui lui donne de la vie et de la gaieté.

🔑 Thierry Chancelle, EARL Bourdin,
27, rue des Martyrs, 49730 Turquant,
tél. 02.41.38.11.83, fax 02.41.51.47.71,
e-mail earlbourdin@aol.com
☑ 🍷 🚶 t.l.j. sf dim. 9h-12h 15h-18h

CH. GRATIEN 2004

2 ha 5 333 ▮ 11 à 15 €

Sous l'étiquette Château Gratien, la maison saumuroise Gratien et Meyer, fondée en 1864 et bien connue pour ses effervescents, vend des vins tranquilles, comme ce coteaux-de-saumur. Or paille, ce 2004 délivre des parfums subtils et appétissants de pâtisserie (brioche, tarte Tatin) et de pâte de coings. Frais et léger en bouche, il finit sur une pointe d'amertume. Un vin délicat, bien fait et typique de son appellation.

🔑 Gratien et Meyer, rte de Montsoreau, BP 22,
49400 Saumur, tél. 02.41.83.13.32, fax 02.41.83.13.49,
e-mail contact@gratienmeyer.com
☑ 🍷 🚶 t.l.j. 9h30-18h; sur r.-v. 1er nov.-31 mars

DOM. DES MATINES 2004 ★★

1,5 ha 3 600 ⦀ 11 à 15 €

Creusée dans le roc, la cave du domaine des Matines abrite tous les millésimes depuis 1950. Ce 2004 vinifié et élevé en barrique pendant neuf mois y trouvera une place de choix. Jaune d'or soutenu et brillant, il séduit par la complexité de sa palette aromatique où des notes fraîches de fleurs blanches et d'agrumes côtoient le miel et le caramel. En bouche, il allie également richesse, puissance et vivacité. Intense et élégant à la fois, il offre tout ce que l'on demande à un coteaux-de-saumur. Superbe.

🔑 Dom. des Matines, 31, rue de la Mairie,
49700 Brossay, tél. 02.41.52.25.36, fax 02.41.52.25.50
☑ 🍷 🚶 r.-v.
🔑 Etchegaray-Mallard

DOM. DE LA PALEINE 2003

4 ha 2 500 ⦀ 11 à 15 €

Ce domaine a élevé deux ans en barrique ce coteaux-de-saumur or soutenu. Ce séjour dans le chêne a légué à ce vin des arômes puissants de vanille et d'épices, sous lesquels on perçoit des parfums fruités. Très marquée par des notes de fruits secs, la bouche est intense, dominée par le boisé en finale. Un style qui trouvera bien des amateurs.

🔑 SAS Dom. de La Paleine, 9, rue de La Paleine,
49260 Le Puy-Notre-Dame, tél. 02.41.52.21.24,
fax 02.41.52.21.66,
e-mail contact@domaine-paleine.com ☑ 🍷 🚶 r.-v.
🔑 Marc Vincent

Saumur-champigny

En circulant dans les villages aux rues étroites du Saumurois, vous accéderez au paradis dans les caves de tuffeau qui abritent de nombreuses vieilles bouteilles. Si l'expansion de ce vignoble (1 521 ha) est récente, les vins rouges de Champigny sont connus depuis plusieurs siècles. Produits sur neuf communes, à partir du cabernet franc (ou breton), ils sont légers, fruités, gouleyants. La production a été d'environ 84 728 hl en 2005.

DOM. ANNIVY Vieilles Vignes 2005 ★

0,3 ha 1 300 ▮ 5 à 8 €

À la tête de 2 ha de vignes, Bruno Bersan se flatte de conduire un des plus petits domaines de l'appellation. Attiré dès l'adolescence par le métier de vigneron, il n'a pu réaliser son rêve qu'en 2000. Avec sa robe rubis profond traversée de nombreux reflets, son nez bien ouvert et de qualité évoquant les fruits rouges bien mûrs, son palais toujours agréablement fruité, souple et persistant, sa cuvée Vieilles Vignes est un saumur-champigny classique qui fera plaisir dès maintenant.

🔑 Bruno Bersan, 66, rue des Ducs-d'Anjou,
49400 Souzay-Champigny, tél. 02.41.50.73.49,
fax 02.41.38.64.66 ☑ 🍷 🚶 r.-v.

DOM. D'AUNIS 2005 ★

2,5 ha 14 000 ▮ 3 à 5 €

Présenté par une maison de négoce fondée il y a une soixantaine d'années, ce saumur-champigny s'habille d'une robe grenat aux nuances violet sombre. Il exprime d'emblée des parfums intenses et complexes de fruits rouges, de fruits secs et d'épices. Puissant, souple et chaleureux, il offre un joli retour fruité qui laisse un très bon souvenir.

🔑 SAS Besombes-Moc-Baril, 24, rue Jules-Amiot,
BP 125, 49400 Saint-Hilaire-Saint-Florent,
tél. 02.41.50.23.23, fax 02.41.50.30.45,
e-mail labo.besombes@uapl.fr

DOM. DES BLEUCES Fruits de la Forêt 2005 ★★

3 ha 14 000 ▮ 5 à 8 €

Les fidèles lecteurs du Guide associent ce domaine, qui a son siège dans l'aire des coteaux-du-layon, avec les appellations d'Anjou. En 2004, un an avant qu'Inès Proffit en prenne les rênes, il s'est agrandi grâce à l'acquisition d'une parcelle en saumur-champigny, d'où provient ce 2005. Un vin qui a tenu les dégustateurs sous le charme. Sa robe rubis intense et profonde annonce un nez bien ouvert aux nuances de fruits noirs – cassis et myrtille. La suite ne déçoit pas : le fruité se prolonge jusqu'en finale dans une bouche riche, puissante et ample aux tanins soyeux. « Il y a plein de vin, de bon vin », écrit un dégustateur enthousiaste. Une bouteille qui est passée près du coup de cœur.

🔑 Inès et Benoît Proffit, Dom. des Bleuces,
49700 Concourson-sur-Layon, tél. 02.41.59.11.74,
fax 02.41.59.97.64
☑ 🍷 🚶 t.l.j. sf dim. 8h-12h 14h-18h; sam. 9h-12h

DOM. DU BOIS MOZÉ PASQUIER
Clos du Bois Mozé 2005 ★

1,5 ha 12 000 ▮ 5 à 8 €

Patrick Pasquier a repris en 1994 le vignoble créé par ses parents dans les années 1950. L'exploitation, qui s'étend sur 8 ha, a son siège tout près de Champigny, à Chacé, petit village de la rive droite du Thouet. Elle comporte un clos que le propriétaire fait volontiers visiter, et qui est à l'origine de ce 2005 encore discret mais déjà agréable avec ses arômes de fruits rouges et son palais rond et harmonieux. Le saumur-champigny **Vieilles Vignes Élevé en fût de chêne 2004 (8 à 11 €)** naît de ceps âgés de près d'un demi-siècle. Sa robe grenat foncé brillante et profonde, ses parfums intenses et complexes de fruits rouges et noirs très mûrs, nuancés de notes animales, sa bouche ronde, ample, équilibrée, veloutée, elle aussi aromatique et légèrement boisée, lui valent également une étoile. Plus simple mais bien faite, la cuvée **Vieilles Vignes 2005**, élevée en cuve, obtient une citation (le 2002 avait obtenu un coup de cœur).

Patrick Pasquier, Dom. du Bois Mozé Pasquier, 7, rue du Bois-Mozé, 49400 Chacé, tél. et fax 02.41.52.59.73 ▼ Y ⚲ r.-v.

DOM. DU BOURG NEUF 2005 *

■ 8,3 ha 64 000 ▮ 5 à 8 €

Installé à Chacé, sur la rive droite du Thouet, dans des bâtiments en tuffeau typiques du Saumurois, Christian Joseph exploite 35 ha de vignes. Rubis intense, son 2005 s'ouvre sur des parfums de fruits rouges et de raisin frais. Sa bouche volumineuse, aux tanins bien présents mais arrondis, en fait une bouteille gourmande. Le **Domaine des Petites Marigrolles 2005** est une marque réservée à la grande distribution (Système U pour l'Ouest). Le vin, proche du précédent, obtient la même note.

Christian Joseph, 35, rue des Menais, 49400 Chacé, tél. 02.41.52.94.43, fax 02.41.52.94.53 ▼ Y ⚲ r.-v.

CH. DE CHAINTRES 2005 *

■ 17 ha n.c. ▮ 5 à 8 €

Des bâtiments du XVII[e]s. et un vignoble de 20 ha, situés dans un gros village viticole typique du Saumurois. Deux vins de la propriété ont été retenus dans cette AOC : ce 2005, encore discret au nez, qui libère à l'aération de complexes arômes de fruits rouges, au palais rond et équilibré, un peu tannique en finale, à attendre un peu ; la **Cuvée des Oratoriens 2003 (8 à 11 €)**, issue de vignes de soixante ans, élevée seize mois en fût, légèrement boisée et surtout bien fruitée, ronde, veloutée et longue, qui obtient elle aussi une étoile.

SA Dom. vinicole de Chaintres, 49400 Dampierre-sur-Loire, tél. 02.41.52.90.54, fax 02.41.52.99.92, e-mail info@chaintres.com ▼ Y ⚲ t.l.j. 9h-12h 14h-18h; sam. dim. sur r.-v.

De Tigny

THIERRY CHANCELLE 2005 *

■ 2 ha 14 000 ▮ 5 à 8 €

À l'est du Thouet et au sud de la Loire, un plateau de tuffeau constitue l'aire du saumur-champigny. Thierry Chancelle y exploite depuis 2000 le domaine familial, 14 ha autour de Turquant. Habillé d'une robe rouge intense aux nuances sombres presque noires, son saumur-champigny exprime avec une certaine discrétion des parfums délicats de fruits rouges et noirs. Avec sa bouche ample, charnue et fruitée, ce vin offre un caractère printanier.

Thierry Chancelle, EARL Bourdin, 27, rue des Martyrs, 49730 Turquant, tél. 02.41.38.11.83, fax 02.41.51.47.71, e-mail earlbourdin@aol.com ▼ Y ⚲ t.l.j. sf dim. 9h-12h 15h-18h

CLOS DES CORDELIERS Cuvée Prestige 2005

■ n.c. n.c. ▮ 8 à 11 €

Planté vers 1630, ce vignoble a été acquis par les moines cordeliers en 1696 et dépendit de cet ordre franciscain jusqu'à la Révolution. Mentionné par A. Julien dans sa *Description des vignobles du monde* au XIX[e]s., il a été acheté par la famille Ratron en 1932. Le domaine, qui s'étend aujourd'hui sur 19 ha, est entièrement voué au cabernet franc. Sa cuvée Prestige affiche une robe rubis foncé et libère à l'aération d'intenses parfums de fruits rouges qui se prolongent dans une bouche suave et longue.

Dom. Ratron, Clos des Cordeliers, 49400 Champigny, tél. 02.41.52.95.48, fax 02.41.52.99.50, e-mail domaine-ratron@clos-des-cordeliers.com ▼ Y ⚲ t.l.j. 8h-12h 14h-18h30; dim. sur r-.v

CLOS DES MORAINS 2005 **

■ 6 ha 40 000 ▮ 5 à 8 €

Frère et sœur, Dominique et Annie Tessier sont établis à Sanziers, village proche du Puy-Notre-Dame et de Montreuil-Bellay, connu aussi pour ses cultures de champignons de couche (un petit musée est consacré à cette activité). À la tête de 80 ha, ils ont présenté un saumur-champigny fort apprécié du jury. Grenat foncé aux reflets violacés, ce 2005 présente un nez expressif et flatteur, panier de fruits rouges bien mûrs, un rien compotés. Le plaisir reste entier au palais, grâce à des tanins fondus et à une bonne persistance. De l'étoffe et un superbe équilibre. Une citation pour le **Domaine des Hauts de Sanziers 2005**, un vin encore discret au nez mais séduisant par ses parfums de mûre et de pruneau et par sa bouche souple et ronde.

SCEA Tessier et Fils, 14, rue Saint-Vincent, Sanziers, 49260 Le Puy-Notre-Dame, tél. 02.41.52.26.75, fax 02.41.38.89.11, e-mail tessieretfils@wanadoo.fr ▼ Y ⚲ r.-v.

Annie Houet-Tessier et Dominique Tessier

DOM. DE LA CROIX DE CHAINTRES Les Champs Foux 2005 *

■ 2,5 ha 15 000 ▮ 5 à 8 €

À Dampierre, les lecteurs du Guide connaissent bien le domaine Filliatreau. Le domaine de La Croix de Chaintres, créé en 2005, est géré par les Filliatreau-Bercetche (Jean-Michel Bercetche étant le gendre de Paul Filliatreau). D'un rouge soutenu et limpide aux nuances plus sombres tirant sur le violet, la cuvée Les Champs Foux laisse des larmes sur les parois du verre. Après agitation, elle libère des parfums de fruits bien mûrs. Ce fruité se prolonge dans une bouche ferme à l'attaque, harmonieuse et aux tanins déjà arrondis, garants d'une bonne garde. Les impatients pourront déjà ouvrir cette bouteille qui devrait cependant se bonifier après deux ans de cave. Citée par le jury, la cuvée **Le Gory 2005** revêt une robe rubis profond. Avec son nez délicat de petits fruits rouges et noirs, sa bouche aux arômes de cassis, ce vin ample et élégant offre un caractère printanier.

Dom. de La Croix de Chaintres, 49, rue de la Croix-de-Chaintres, 49400 Dampierre-sur-Loire, tél. et fax 02.41.38.60.37 ▼ Y ⚲ r.-v. D

Filliatreau, Bercetche

DOM. DE LA CUNE Chaintres 2005 *

■ 10 ha 40 000 ▮ 5 à 8 €

Fondé en 1928, ce domaine s'étend sur 17 ha. Son saumur-champigny revêt une robe grenat intense du plus bel effet et libère de séduisants parfums de mûre et de cassis que l'on retrouve dans une bouche souple et ronde.

LOIRE

⊶ Jean-Luc et Jean-Albert Mary, Dom. de La Cune, Chaintres, 49400 Dampierre-sur-Loire, tél. 02.41.52.91.37, fax 02.41.52.44.13, e-mail jlmcune@wanadoo.fr ☑ 𝐈 ⚲ r.-v.

DOM. BRUNO DUBOIS 2005 *

■ 1,3 ha 8 500 ▮ 5 à 8 €

Installé il y a peu d'années, Bruno Dubois a proposé deux cuvées bien accueillies par le jury. La préférée est aussi la principale en volume. Le grenat de sa robe attire le regard. Ses parfums de fruits des bois, à la fois intenses et d'une grande délicatesse, imprègnent la bouche, où l'on trouve ampleur, souplesse et longueur. Bien structuré, ce vin procure déjà beaucoup de plaisir et devrait se bonifier dans les douze mois à venir. D'un rouge violacé intense, la cuvée **Vieilles Vignes 2004 (8 à 11 €)** a été élevée un an dans le bois. Elle a tiré de ce séjour dans le chêne des nuances vanillées qui se mêlent à des notes de fruits rouges et montre une certaine austérité en finale, même si l'impression de rondeur domine. Citée par le jury, elle plaira aux amateurs de vins boisés.

⊶ Dom. Bruno Dubois, 98, rue de La Paleine, 49260 Saint-Cyr-en-Bourg, tél. 06.07.70.95.20, fax 02.41.38.62.96, e-mail b-d@wanadoo.fr ☑ 𝐈 ⚲ r.-v.

DOM. DUBOIS Cuvée d'Automne 2005 **

■ 1,5 ha 10 000 ▮ 5 à 8 €

Coup de cœur en crémant, ce domaine est établi dans une importante commune de l'appellation, célèbre par ses carrières de tuffeau. Dans la lignée du millésime précédent, cette Cuvée d'Automne séduit d'emblée par la couleur intense de sa robe rubis profond. Le nez se révèle tout aussi intense, libérant après agitation de puissants arômes fruités qui se prolongent au palais. Fraîche, équilibrée, construite sur des tanins bien fondus, voilà une bouteille élégante à découvrir dès la sortie du Guide.

⊶ EARL Dubois, 8, rte de Chacé, 49260 Saint-Cyr-en-Bourg, tél. 02.41.51.61.32, fax 02.41.51.95.29 ☑ 𝐈 ⚲ r.-v.

DOM. FILLIATREAU Vieilles Vignes 2005 **

■ 9 ha 50 000 ▮ 8 à 11 €

Installé depuis près de quarante ans, Paul Filliatreau, aujourd'hui rejoint par son fils, porte haut le nom des vins rouges du Saumurois. N'a-t-il pas obtenu quatre coups de cœur dans cette appellation ? Cette année, trois cuvées recueillent des étoiles, 260 000 bouteilles ! Issue de vignes de cinquante ans, celle-ci, d'un grenat intense aux reflets violets, reste sur sa réserve mais laisse poindre des effluves fruités, tout en « bretonnant » un brin, avec une touche de poivron typique du cépage. Une structure aux tanins denses mais soyeux, une certaine vivacité concourent à l'harmonie de cette bouteille susceptible d'une garde de deux à trois ans. La **cuvée principale 2005 (5 à 8 €)** obtient une étoile pour son fruité concentré, frais et d'une belle finesse qui s'exprime au nez comme en bouche, pour son élégance souple et sa longueur. Deux étoiles enfin pour la cuvée **Léna Filliatreau 2005 (5 à 8 €)** : ses parfums de fruits rouges et noirs bien mûrs, sa bouche complexe, puissante et harmonieuse, sa finale soyeuse ont tenu les dégustateurs sous son charme.

⊶ Paul Filliatreau, Chaintres, 49400 Dampierre-sur-Loire, tél. 02.41.52.90.84, fax 02.41.52.49.92, e-mail domaine@filliatreau.fr ☑ 𝐈 ⚲ t.l.j. 8h-12h 13h30-17h30

DOM. DES HAUTES VIGNES 2005 *

■ 5 ha 25 000 ▮ 5 à 8 €

Sur la rive gauche du Thouet, Distré mérite un détour pour son église qui comporte de nombreuses parties romanes. Les Fourrier y sont établis depuis 1961, et, en quarante-cinq ans, leur exploitation est passée d'un demi-hectare à 40 ha. Ils signent un 2005 rubis léger au nez de fruits rouges. Très fruitée elle aussi, marquée par des arômes de cassis, la bouche ronde et très fraîche contribue au charme de cette bouteille qu'il faut apprécier maintenant.

⊶ SCA Fourrier et Fils, 22, rue de la Chapelle, 49400 Distré, tél. 02.41.50.21.96, fax 02.41.50.12.83, e-mail fourrieralain@wanadoo.fr ☑ 𝐈 ⚲ r.-v.

PHILIPPE JOULIN 2005 *

■ 5 ha 15 000 ▮ 5 à 8 €

Installé tout près de Champigny, à Chacé, Philippe Joulain exploite 15 ha de vignes. Il propose un vin grenat profond aux reflets bruns. Encore discret au nez, ce 2005 laisse entrevoir une certaine complexité, évoluant de parfums de fruits frais à des nuances surmûries, voire compotées. Une attaque ronde, souple et grasse prélude à une bouche puissante, dont la longue finale est soulignée de tanins fondus et soyeux. Déjà prête, cette bouteille pourra bénéficier d'une petite garde.

⊶ Philippe Joulin, 58, rue Émile-Landais, 49400 Chacé, tél. et fax 02.41.52.41.84 ☑ 𝐈 ⚲ r.-v.

DOM. LAVIGNE Cuvée traditionnelle 2005 *

■ 12 ha 80 000 ▮ 5 à 8 €

Après les Aïeules, qui ont obtenu un coup de cœur dans le millésime précédent, une cuvée traditionnelle fort plaisante. Derrière la robe rubis profond s'expriment des parfums complexes de fruits rouges et noirs. Bien structuré, rond, fruité avec du volume et des tanins soyeux, c'est un vin déjà agréable et qui a de l'avenir.

⊶ SCEA Lavigne-Véron, 15, rue des Rogelins, 49400 Varrains, tél. 02.41.52.92.57, fax 02.41.52.40.87, e-mail scea.lavigne-veron@wanadoo.fr
☑ 𝐈 ⚲ t.l.j. sf dim. 9h-12h 14h-18h

DOM. DE NERLEUX 2005

■ 27 ha 100 000 ▮ 5 à 8 €

Un porche classique ouvre sur une cour entourée d'élégants bâtiments du XVII[e]s. construits en tuffeau et coiffés d'ardoise : le domaine de Nerleux. L'important vignoble (45 ha) est principalement complanté de chenin et de cabernet franc. Ce dernier cépage est à l'origine de ce 2005 rouge profond aux agréables arômes de fruits rouges bien mûrs. Équilibré et bien structuré, ce vin apparaît tannique en finale. Quelques mois de garde devraient lui permettre de s'arrondir.

⊶ Régis Neau, Dom. de Nerleux, 4, rue de La Paleine, 49260 Saint-Cyr-en-Bourg, tél. 02.41.51.61.04, fax 02.41.51.65.34, e-mail contact@domaine-de-nerleux.fr
☑ 𝐈 ⚲ t.l.j. sf dim. 8h-12h 14h-18h; sam. 14h-18h

DOM. DE LA PERRUCHE Le Chaumont 2005 *

■ 13 ha 75 000 ⬮ 5 à 8 €

Une propriété à découvrir lors d'une visite de Montsoreau, dont le château, immortalisé par Alexandre Dumas, campe sa silhouette Renaissance au-dessus du confluent de la Loire et de la Vienne. Commandé par une bâtisse abritée par une falaise de tuffeau, le domaine de La

Perruche s'étend aujourd'hui sur 43 ha. Le maître des lieux n'est autre que Jacques Beaujeau, détenteur du château La Varière (anjou). Après un 2004 coup de cœur, ce 2005 est des plus harmonieux. D'un rouge profond moiré de noir, il offre un nez intense mêlant des notes de torréfaction léguées par l'élevage et des parfums de fruits rouges et noirs. Subtilement boisé et épicé, il se montre équilibré, ample, riche, gras et long.

Jacques Beaujeau, Dom. de La Perruche, 29, rue de la Maumenière, 49730 Montsoreau, tél. 02.41.91.22.64, fax 02.41.91.23.44, e-mail beaujeau@wanadoo.fr t.l.j. sf sam. dim. 10h-12h 15h-18h

LE PETIT SAINT VINCENT 2005

6 ha 35 000 5 à 8 €

Dominique Joseph a pris en 1990 la suite de trois générations sur le domaine familial : 12 ha de vignes en saumur-champigny. Il signe un 2005 pourpre qui laisse de belles jambes sur les parois du verre. Très fruité au nez, avec des nuances florales (pivoine et iris), ce vin se montre souple et léger en bouche : une bouteille pour maintenant.

EARL Dominique Joseph, 10, rue des Rogelins, 49400 Varrains, tél. 02.41.52.99.95, fax 02.41.38.75.76, e-mail d-joseph@petit-saint-vincent.com r.-v.

LE PRIEURÉ D'AUNIS Vieilles Vignes 2005 ★

8 ha 80 000 3 à 5 €

Situé à 3 km de Saumur, ce domaine est une ancienne dépendance de l'abbaye de Fontevraud. Enveloppée d'une robe rubis profond, sa cuvée Vieilles Vignes délivre d'intenses parfums de fruits noirs – cassis et myrtille. Bien structurée et soutenue par une trame de tanins déjà arrondis, la bouche révèle un vin prometteur, déjà agréable et qui se bonifiera encore dans l'année qui vient.

GAEC Nicolas et Jacques Pasquier, Le Prieuré d'Aunis, 49400 Dampierre-sur-Loire, tél. 02.41.50.33.61, fax 02.41.50.83.61, e-mail pasquier@terre-net.fr r.-v.

DOM. DES RAYNIÈRES Vieilles Vignes 2005 ★

2 ha 14 000 5 à 8 €

Jean-Pierre Rébeilleau, rejoint en 2006 par son fils Sylvain, exploite 30 ha autour de Varrains. Il a présenté deux cuvées, toutes deux sélectionnées. La favorite provient de vieilles vignes. Elle s'annonce par une robe avenante, grenat pur, et offre une palette aromatique complexe où les fruits rouges côtoient les nuances de poivron du cabernet. À la fois puissante et délicate, grasse et toujours fruitée, elle laisse une impression de richesse et d'harmonie. Citée, la **cuvée principale du Domaine des Raynières 2005** est typique de son appellation, complexe au nez, souple et fine en bouche.

Jean-Pierre Rébeilleau, SCEA Dom. des Raynières, 33, rue du Ruau, 49400 Varrains, tél. 02.41.52.44.87, fax 02.41.52.48.40, e-mail domraynieres@wanadoo.fr r.-v.

DOM. DE ROCFONTAINE Vieilles Vignes 2005

3 ha 13 500 5 à 8 €

Philippe Bougreau a repris en 1993 le vignoble familial, situé à Parnay en bord de Loire. Il vinifie séparément les quinze parcelles de l'exploitation, qui totalisent 13 ha. Issue de ceps âgés de quarante ans, sa cuvée Vieilles Vignes affiche une robe d'un grenat sombre et profond et libère des arômes de fruits rouges bien mûrs. Ronde, chaleureuse, puissante et harmonieuse, elle laisse une agréable sensation fruitée.

Philippe Bougreau, 7, ruelle des Bideaux, 49730 Parnay, tél. 02.41.51.46.89, fax 02.41.38.18.61, e-mail domaine-de-rocfontaine@wanadoo.fr r.-v.

DOM. DE ROCHEVILLE Le Prince 2005

4 ha 15 000 5 à 8 €

Racheté à un coopérateur, ce domaine de quelque 9 ha est géré par trois associés. Son Prince s'habille d'un pourpoint et se parfume de fruits rouges et noirs, cassis surtout. Sa bouche fraîche, voire acidulée, fruitée et harmonieuse lui permettra de s'inviter facilement à table. Étiquette au graphisme moderne.

Dom. de Rocheville, 18, rue de la Mairie, 49400 Varrains, tél. 02.41.52.93.76, fax 02.41.52.44.32 r.-v.

DOM. DES SABLES VERTS Cuvée ligérienne 2005 ★★

2 ha 15 000 5 à 8 €

Ce domaine tire son nom de sables déposés à l'ère secondaire, plus ou moins calcaires et riches en glauconie, minéral contenu dans le tuffeau de l'aire du saumur-champigny. Il compte une vingtaine d'hectares plantés essentiellement de vignes rouges. La Cuvée ligérienne révèle un bon potentiel tout au long de la dégustation. Sa robe rubis profond aux nuances sombres, ses parfums puissants de fruits rouges et noirs, accompagnés de notes de pivoine et d'iris, plaident en sa faveur. Ronde, puissante, dotée d'une belle structure aux tanins arrondis, la bouche laisse une sensation de fruits mûrs. Une bouteille remarquable d'harmonie et prête à boire. Quant à la **Cuvée des Sables verts 2004**, puissante, gouleyante et longue, elle obtient une étoile.

GAEC Dominique et Alain Duveau, 66, Grand-Rue, 49400 Varrains, tél. 02.41.52.91.52, fax 02.41.38.75.32, e-mail duveau@domaine-sables-verts.com r.-v.

DOM. SAINT-JEAN Les Vignoles 2005 ★★

1,5 ha 13 000 5 à 8 €

Un aïeul de Jean-Claude Anger cultivait déjà la vigne autour de Turquant en 1850. Le domaine s'étend aujourd'hui sur 24 ha. Deux de ses saumur-champigny ont charmé les dégustateurs au point qu'ils ont été tous deux proposés pour un coup de cœur. La cuvée Les Vignoles se pare d'une robe profonde, presque noire. Intense au nez, elle révèle un fruité complexe et chaleureux rappelant les fruits noirs compotés et le pruneau. Cette palette se confirme en bouche où, dès l'attaque, le vin s'impose par sa structure, sa richesse et son volume. Cet ensemble magnifique, s'il peut être apprécié dès maintenant, mérite d'attendre. La cuvée **Vieilles Vignes 2005** a obtenu elle aussi deux étoiles. Rubis intense aux reflets fuschia, elle offre au nez un panier de fruits rouges très mûrs que l'on retrouve au palais, avec de l'ampleur, de la souplesse et des tanins bien fondus.

Jean-Claude Anger, Dom. Saint-Jean, 16, rue des Martyrs, 49730 Turquant, tél. 02.41.38.11.78, fax 02.41.51.79.23 r.-v.

DOM. DE SAINT-JUST Les Terres Rouges 2005 ★★

■ 3 ha 10 000 ▮ 5 à 8 €

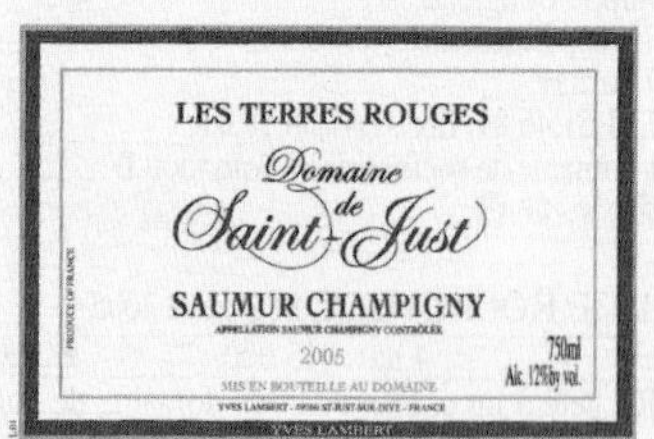

Venu du monde de la finance et de l'assurance, Yves Lambert s'honore depuis 1996 du titre de vigneron. Issue de formations argilo-calcaires – les terres rouges –, cette cuvée lui vaut son troisième coup de cœur dans cette AOC. D'un grenat soutenu fort engageant, ce 2005 séduit par la complexité et la délicatesse de ses arômes de fruits rouges et noirs. Une même élégance règne au palais, soutenu par des tanins déjà arrondis. Un ensemble ample et persistant, que les impatients pourront déjà apprécier mais qui s'épanouira dans les deux ans à venir. Une étoile pour le **Clos Moleton 2004 (11 à 15 €)**, né sur du calcaire du Turonien et élevé un an sous bois. Grenat sombre, ce vin mêle au nez des parfums de fruits très mûrs, voire compotés, à de fines notes boisées. Riche, ample et assez long, il gagnera à vieillir un an ou deux.

⊶ Yves Lambert, Dom. de Saint-Just, 12, rue de la Prée, 49260 Saint-Just-sur-Dive, tél. 02.41.51.62.01, fax 02.41.67.94.51, e-mail infos@st-just.net ☑ Y ⚲ r.-v.

ANTOINE SANZAY 2005 ★

■ 2 ha 10 000 ▮ 5 à 8 €

Une grande porte en chêne massif donne accès à ce domaine familial conduit depuis 2002 par Antoine Sanzay, qui représente la septième génération et exploite près de 11 ha de vignes. Ce dernier signe un vin rubis intense et à la palette de fruits rouges délicate et complexe qui se prolonge dans une bouche charnue, équilibrée et fraîche, assez tannique en finale. Déjà prêt, ce 2005 devrait se bonifier après une petite garde.

⊶ Antoine Sanzay, 19, rue des Roches-Neuves, 49400 Varrains, tél. 02.41.52.90.08, fax 02.41.50.27.39, e-mail antoine-sanzay@wanadoo.fr ☑ Y ⚲ r.-v.

DOM. DES SANZAY 2005 ★

■ 6 ha 40 000 ▮ 5 à 8 €

En 1991, Didier Sanzay a repris l'exploitation familiale. Son domaine s'étend sur 30 ha et produit majoritairement du saumur-champigny. Une fois de plus, on le retrouve mentionné dans cette appellation. De couleur rubis, son vin apparaît aussi intense à l'œil qu'au nez, et s'ouvre sur de puissants parfums de cassis. Ces arômes fruités se prolongent pour notre plus grand plaisir dans un palais structuré aux tanins ronds et souples. La petite cuvée **Les Poyeux 2005** est un vin simple mais agréable, typique par ses parfums de groseille et de fraise et sa bouche tout en souplesse. Elle est citée.

⊶ Didier Sanzay, Dom. des Sanzay, 93, Grand-Rue, 49400 Varrains, tél. 02.41.52.91.30, fax 02.41.52.45.93, e-mail didier@domaine-sanzay.com ☑ Y ⚲ r.-v.

CH. DE TARGÉ 2004 ★

■ 20 ha 72 000 ▮ 5 à 8 €

Flanqué à chaque angle d'une tour carrée, le château de Targé s'accroche au coteau. Cette résidence de chasse des secrétaires de Louis XIV et de Louis XV est restée dans la même famille après l'avènement de la République. Plusieurs propriétaires se sont consacrés au service de l'État, tels Charles Ferry – frère de Jules – ou encore, au milieu du XXes, Edgard Pisani. Elle est dirigée depuis 1976 par Édouard Pisani-Ferry, ingénieur agronome. Typique de l'appellation et prometteur, son saumur-champigny reste discret au nez mais s'affirme en bouche, révélant des arômes de fruits rouges bien mûrs et des tanins bien présents et déjà soyeux. Il gagnera à attendre un peu. En revanche, la **Cuvée Ferry 2003 (8 à 11 €)**, qui montre des nuances brique d'évolution, est à déguster maintenant ; elle est citée pour son nez de petits fruits rouge, sa vivacité, sa souplesse et son joli retour fruité.

⊶ Édouard Pisani-Ferry, Ch. de Targé, 49730 Parnay, tél. 02.41.38.11.50, fax 02.41.38.16.19, e-mail edouard@chateaudetarge.fr
☑ Y ⚲ t.l.j. sf dim. 9h-12h 14h-18h; sam. sur r.-v.

PATRICK VADÉ La Châtaigneraie 2005 ★★★

■ 5 ha 35 000 ▮ 5 à 8 €

Patrick Vadé a repris en 1984 le domaine familial qui s'étend sur les coteaux de la Loire (33 ha). Il réalise une réelle performance avec plusieurs cuvées fort appréciées du jury. Comme dans le millésime précédent, cette Châtaigneraie a été jugée digne d'un coup de cœur. Ce 2005 sait attirer l'attention avec sa robe intense et profonde et son nez exubérant de fruits rouges et noirs. La bouche confirme ces premières impressions ; toujours fruitée, d'un superbe équilibre, elle révèle une matière grasse, des tanins d'une grande finesse et persiste longuement. Vin prometteur, le **Domaine Saint-Vincent 2005** obtient deux étoiles. Son fruité élégant aux nuances grillées, un peu chocolatées, évoque une vendange bien mûre et son palais séduit par sa richesse, son ampleur et ses tanins fondus. Le **Domaine Saint-Vincent cuvée Les Adryalis 2005** et la cuvée **Les Trézellières 2005** (importante cuvée : 130 000 bouteilles) reçoivent chacun une étoile : deux vins expressifs, pleins et chaleureux.

⊶ Patrick Vadé, Dom. Saint-Vincent, 49400 Saumur, tél. 02.41.67.43.19, fax 02.41.50.23.28, e-mail p.vade@st-vincent.com ☑ Y ⚲ r.-v.

DOM. DU VAL BRUN Bay rouge 2005

■ 20 ha 80 000 ▮ 5 à 8 €

Proche du site troglodytique des Grandes Caves, à Parnay, et de son église au clocher roman, ce domaine est dans la famille Charruau depuis 1722. Le vignoble, qui s'étend sur plus de 20 ha, est à l'origine de cette cuvée rubis

foncé intense, au nez discret de fruits noirs. Ces arômes s'affirment au palais rond et long. Un vin harmonieux et classique de l'appellation.
Éric Charruau, 74, rue Valbrun, 49730 Parnay, tél. 02.41.38.11.85, fax 02.41.38.16.22, e-mail eric-charruau@valbrun.com r.-v.

DOM. DU VAL HULIN 2005 *

■ n.c. n.c. 5 à 8 €

Couronné par un moulin cavier, le hameau du Val Hulin a donné son nom à ce domaine exploité par Denis Rétiveau, sa sœur Catherine et son beau-frère Patrice Rétif. Rubis au disque violacé, le saumur-champigny du Val Hulin séduit par son nez frais aux accents de groseille et, au palais, par son côté souple, léger, gouleyant et par ses arômes persistants de fruits noirs d'une bonne finesse. Un vin plaisir à boire sur son fruit. La même famille possède en propre le domaine des Champs Fleuris (AOC saumur, coteaux-de-saumur, saumur-champigny) dont la cuvée **Les Tufolies 2005** a été citée pour son nez discret de fruits rouges très mûrs, sa bouche fruitée, puissante et longue. Le domaine des Champs Fleuris élabore aussi de très bons vins blancs : ne manquez pas son étiquette en AOC saumur !
EARL Rétiveau-Rétif, 54, rue des Martyrs, 49730 Turquant, tél. 02.41.38.10.92, fax 02.41.51.75.33 t.l.j. sf dim. 8h-12h 13h30-19h

DOM. DES VARINELLES Vieilles Vignes 2005 *

■ 4 ha 20 000 8 à 11 €

Situé à 3 km de Saumur, ce domaine familial, dont la réputation n'est plus à faire, s'étend sur 42 ha, plantés en cabernet franc, chenin et chardonnay. Il a trois coups de cœur à son actif, le dernier en date ayant couronné l'an dernier un 2003. Cette même cuvée Vieilles Vignes dans le millésime 2005 offre des arômes intenses de cassis et de myrtille, présents au nez comme en bouche. Ce fruité complexe contribue, avec les tanins soyeux, à l'harmonie de ce vin.
SCA Daheuiller, 28, rue du Ruau, 49400 Varrains, tél. 02.41.52.90.94, fax 02.41.52.94.63, e-mail daheuiller.vins@wanadoo.fr
t.l.j. sf dim. 9h-12h 14h-18h; sam. sur r.-v.

CH. DE VARRAINS 2003

■ 3,6 ha 24 000 11 à 15 €

S'étageant sur le coteau de la rive gauche du Thouet, Saint-Hilaire-Saint-Florent s'appelait à l'origine Saint-Hilaire-des-Grottes : c'est dire si les galeries souterraines y sont nombreuses. Depuis le XIXᵉs., la cité proche de Saumur abrite de nombreuses affaires de négoce. Spécialisée à l'origine dans l'élaboration de vins effervescents, la maison Langlois-Château a diversifié ses activités en achetant plusieurs vignobles répartis de la région nantaise au Sancerrois, dont le Château de Varrains en saumur-champigny. Elle signe un 2003 en robe pourpre, au nez puissant de fruits très mûrs nuancés de notes boisées. Le palais équilibré, ample et charnu est dominé par les notes boisées et vanillées de l'élevage. À attendre.
SA Langlois-Château, 3, rue Léopold-Palustre, 49400 Saint-Hilaire-Saint-Florent, tél. 02.41.40.21.40, fax 02.41.40.21.49, e-mail contact@langlois-chateau.fr
t.l.j. 10h-12h30 14h30-18h30

DOM. DES VERNES 2005 **

■ 1,3 ha 6 000 5 à 8 €

Ce domaine s'étend sur plus de 29 ha autour de Chacé, tout près de Champigny. Il signe un 2005 prometteur par sa matière riche et pleine et son fruité franc et très mûr, évoquant la prune, le pruneau et les fruits secs à côté des notes classiques de fruits rouges. Gras, ample et délicatement aromatique, c'est un superbe vin. La finale persistante soulignée de tanins soyeux prolonge le plaisir... Élevée en fût, la cuvée **Les Poyeux 2005 (8 à 11 €)** mêle des notes intenses de fruits rouges et des nuances boisées que l'on retrouve dans une bouche équilibrée et aux tanins très présents : une étoile.
Dominique et Sébastien Sanzay, 7, bd de Caulx, 49400 Chacé, tél. 02.41.52.99.13, fax 02.41.38.75.13 r.-v.

DOM. DU VIEUX BOURG 2005 *

■ 7,5 ha 50 000 5 à 8 €

Le saumur-champigny constitue la production essentielle de ce domaine situé dans un gros village viticole de l'appellation. Cette exploitation fait coup double avec deux vins qui reçoivent chacun une étoile : sa cuvée principale, qui séduit par ses beaux reflets rubis, ses parfums de fruits rouges à la fois intenses et subtils et par sa bouche souple, aromatique et fraîche ; et la cuvée **Le Clos 2005**, au nez complexe, fruité et floral ; bien vif lui aussi, c'est un vin agréablement gouleyant à apprécier jeune.
Dom. du Vieux Bourg, 30, Grand-Rue, 49400 Varrains, tél. 02.41.52.91.89, fax 02.41.52.42.43 t.l.j. sf dim. 9h-12h 15h-18h
J.-M. et N. Girard

CH. DE VILLENEUVE 2005

■ 20 ha 90 000 5 à 8 €

Ce domaine a connu une histoire riche et mouvementée. Pour s'en tenir au XXᵉs., il a été occupé et bombardé pendant la dernière guerre. Il a été acquis en 1969 par la famille Chevallier qui a remis les bâtiments en état et exploité le domaine avec savoir-faire. Aujourd'hui, celui-ci fait partie des vignobles qui comptent dans le Saumurois, tant par sa superficie (30 ha) que par la qualité de ses vins (cinq coups de cœur). Vêtu d'une robe profonde aux reflets bleutés, ce 2005 laisse échapper après aération des parfums de fruits rouges bien mûrs assortis d'une touche végétale. Franc et frais à l'attaque, ce vin équilibré révèle une structure moyenne. Il ne laisse pas oublier le 2003, coup de cœur de l'édition 2005.
Chevallier, Ch. de Villeneuve, 3, rue Jean-Brevet, 49400 Souzay-Champigny, tél. 02.41.51.14.04, fax 02.41.50.58.24 t.l.j. sf dim. 9h-12h 14h-18h

La Touraine

Les intéressantes collections du musée des Vins de Touraine à Tours témoignent du passé de la civilisation de la vigne et du vin dans la région ; et il n'est pas indifférent que les récits légendaires de la vie de saint Martin, évêque de Tours vers 380, émaillent la *Légende dorée* d'allusions viticoles ou vineuses... À Bourgueil, l'abbaye et son célèbre clos abritaient le

« breton », ou cabernet franc, dès les environs de l'an mil, et, si l'on voulait poursuivre, la figure de Rabelais arriverait bientôt pour marquer de faconde et de bien-vivre une histoire prestigieuse. Une histoire qui revit au long des itinéraires touristiques, de Mesland à Bourgueil sur la rive droite (par Vouvray, Tours, Luynes, Langeais), de Chaumont à Chinon sur la rive gauche (par Amboise et Chenonceaux, la vallée du Cher, Saché, Azay-le-Rideau, la forêt de Chinon).

Célèbre il y a donc fort longtemps, le vignoble tourangeau atteignit sa plus grande extension à la fin du XIX^e^s. Il se répartit essentiellement sur les départements de l'Indre-et-Loire et du Loir-et-Cher, empiétant au nord sur la Sarthe. Des dégustations de vins anciens, des années 1921, 1893, 1874 ou même 1858, par exemple, à Vouvray, Bourgueil ou Chinon, laissent apparaître des caractères assez proches de ceux des vins actuels. Cela montre que, malgré l'évolution des pratiques culturales et œnologiques, le « style » des vins de la Touraine reste le même ; sans doute parce que chacune des appellations n'est élaborée qu'à partir d'un seul cépage. Le climat joue aussi son rôle : le jeu des influences atlantique et continentale ressort dans l'expression des vins, les coteaux formant écran aux vents du nord. En outre, la succession de vallées orientées est-ouest, vallée du Loir, de la Loire, du Cher, de l'Indre, de la Vienne, multiplie les coteaux de tuffeau favorables à la vigne, sous un climat tout en nuances, et en entretenant une saine humidité. Ce tuffeau, pierre tendre, est creusé d'innombrables caves. Dans les sols des vallées, l'argile se mêle au calcaire et au sable, avec parfois des silex ; au bord de la Loire et de la Vienne, des graviers s'y ajoutent.

Ces différents caractères se retrouvent donc dans les vins. À chaque vallée correspond une appellation, dont les vins s'individualisent chaque année grâce aux variations climatiques ; et l'association du millésime aux données du cru est indispensable.

Le classement des millésimes est à moduler, bien sûr, entre les rouges tanniques de Chinon ou de Bourgueil (plus souples quand ils proviennent des graviers, plus charpentés quand ils sont issus des coteaux) et ceux plus légers, et parfois diffusés en primeur, de l'appellation touraine ; entre les rosés plus ou moins secs selon l'ensoleillement, tout comme les blancs d'Azay-le-Rideau ou d'Amboise, et ceux de Vouvray et de Montlouis dont la production va des secs aux moelleux en passant par les vins effervescents. Les techniques d'élaboration des vins ont leur importance. Si les caves de tuffeau permettent un excellent vieillissement à une température constante d'environ 12 °C, les vinifications en blanc se font à température contrôlée ; les fermentations durent quelquefois plusieurs semaines, voire plusieurs mois pour les vins moelleux. Les rouges légers, de type touraine, sont issus de cuvaisons au contraire assez courtes ; en revanche, à Bourgueil et à Chinon, les cuvaisons sont longues : deux à quatre semaines. Si les rouges font leur fermentation malolactique, les blancs et les rosés doivent au contraire leur fraîcheur à la présence de l'acide malique.

Touraine

S'étendant des portes de Montsoreau, à l'ouest, jusqu'à Blois et Selles-sur-Cher à l'est, l'ère d'appellation régionale touraine recouvre 5 071 ha. Elle est principalement localisée de part et d'autre des vallées de la Loire, de l'Indre et du Cher. Le tuffeau affleure rarement ; les sols surmontent le plus souvent l'argile à silex. Ils sont plantés surtout de gamay noir pour les vins rouges, accompagné selon les terrains de cépages plus tanniques, comme le cabernet franc et le cot. La majorité des vins rouges, dont les vins primeurs, légers et fruités, sont issus de ce gamay noir uniquement. À base de deux ou trois cépages, ils ont une bonne tenue en bouteille. Nés du cépage sauvignon qui depuis quarante ans a détrôné les autres, les blancs sont secs. Une partie de la production des blancs et des rosés est élaborée en mousseux selon la méthode traditionnelle. Enfin, les rosés toujours secs, friands et fruités, sont élaborés à partir des cépages rouges. La production a atteint environ 285 870 hl en 2005 dont 20 505 hl de touraine mousseux.

DOM. DE L'AZURÉ Chenin doux 2004 ★

0,5 ha 1 300 11 à 15 €

Le grand-père de Thierry Pillault s'intéressait déjà aux vins doux : il avait rapporté de ses voyages des plants de sémillon et de petit manseng, pour comparer leurs vins avec ceux qui naissent du ligérien chenin. C'est bien ce dernier cépage qui est à l'origine de ce moelleux plutôt pâle de couleur mais bien ouvert au nez. Ce 2004 exprime une surmaturité aux accents d'abricot que l'on retrouve avec plaisir tout au long de la dégustation, jusqu'à une finale de belle tenue. À découvrir dans la vallée du Cher, entre le donjon de Montrichard et le château de Chenonceaux.

Thierry Pillault, Parçay 9, chem. des Noues, Mozelles, 41400 Saint-Georges-sur-Cher, tél. et fax 02.54.32.34.12, e-mail thierry.pillault@tiscali.fr

t.l.j. sf dim. 8h30-12h30 14h-18h30

DOM. BARON Le Baron rouge 2004 ★★

■ 0,66 ha 5 000 ▮ 3 à 5 €

Samuel Baron s'est installé en 2002 sur le domaine familial (20 ha). Il s'est retiré de la coopérative l'année suivante, a aménagé un chai et... figuré d'emblée dans le Guide. Voici son deuxième millésime : coup de cœur ! Un domaine à suivre. Né sur les premières côtes de la vallée du Cher, ce 2004 mi-cot mi-cabernet fait honneur au « terroir de Chenonceaux » que l'INAO devrait prochainement reconnaître pour l'originalité de ses vins – une personnalité mise en lumière par des producteurs comme Samuel Baron. Ce Baron rouge arbore une élégante robe sombre d'où émanent des arômes exubérants de myrtille et de mûre. Puissance, harmonie, étoffe, ampleur : une bouteille d'avenir (au moins trois ans) que l'on pourra savourer dès à présent.

⊶ Dom. Baron, 6, rue Jean-Pinaut, 41140 Thésée,
tél. 02.54.71.58.67, fax 02.54.71.41.30,
e-mail vignoblebaron@aol.com ☑ Y ⛹ r.-v.

CELLIER DU BEAUJARDIN Sauvignon 2005 ★

□ 20 ha 50 000 ▮ 3 à 5 €

Cette coopérative de la vallée du Cher vinifie les vendanges de 210 ha de vignes. Elle signe un sauvignon qui respire le fruit blanc, sur fond exotique (ananas). Son corps, toujours aromatique et d'une rondeur harmonieuse, associe en finale une pointe de douceur à la fraîcheur.

⊶ SCA Cellier du Beaujardin,
32, av. du 11-Novembre-1918, 37150 Bléré,
tél. 02.47.57.91.04, fax 02.47.23.51.27
☑ Y ⛹ t.l.j. 8h-12h 14h-18h

DOM. BEAUSÉJOUR L'Excellence 2004 ★

■ 5 ha 20 000 ▮ 5 à 8 €

Ce fut l'un des coups de cœur de l'an dernier : un rouge séducteur, assemblage de cabernet franc et de cot. Cette Excellence assemble ces deux cépages à parts égales. Magnifique robe pourpre, nez enchanteur de framboise et de cerise, ce touraine sait se présenter. Le corps est harmonieux, droit, avec des tanins soyeux et une finale très friande sur la cerise burlat. Prête à boire, cette bouteille pourra aussi attendre deux ans. Ce style de vin se développe sur le terroir de Chenonceaux et l'on ne s'en plaint pas. Une étoile encore (un petit cran au-dessous) pour le **gamay 2005 (3 à 5 €)** et le **sauvignon 2005** du domaine. Le premier offre les arômes de fruits rouges attendus, avec rondeur et des tanins affables, le second des nuances d'agrumes.

⊶ Philippe Trotignon, Dom. Beauséjour,
14, rue des Bruyères, 41140 Noyers-sur-Cher,
tél. 02.54.71.34.17, fax 02.54.71.77.61,
e-mail philippe.trotignon@wanadoo.fr
☑ Y ⛹ t.l.j. sf dim. 9h-12h 14h-19h ⌂ Ⓑ

DOM. BELLEVUE Sauvignon 2005 ★

□ 12 ha 90 000 ▮ 3 à 5 €

Bellevue ? De la propriété, on domine la vallée du Cher avec Saint-Aignan à l'horizon. Bien installés sur les terres sableuses de Noyers-sur-Cher, les plants de sauvignon du domaine ont donné un vin une fois de plus au rendez-vous du Guide. Une régularité qui révèle un terroir. Le 2005 mêle au nez agrumes et fruit de la Passion. Très équilibré, il renoue en finale avec les agrumes (orange sanguine et citron mûr). Bonne entente avec les crustacés.

⊶ EARL Vauvy, Dom. Bellevue, 6, rue du Coteau,
Les Martinières, 41140 Noyers-sur-Cher,
tél. 02.54.71.42.73, fax 02.54.75.21.89,
e-mail domainebellevue@terre-net.fr ☑ Y ⛹ r.-v.

DOM. DE LA BERGEONNIÈRE Sauvignon 2005

□ 1,3 ha 6 500 ▮ 3 à 5 €

Créé dans les années 1920, le domaine s'étend aujourd'hui sur 14 ha et a été repris en 2003 par Delphine Benoist, qui signe un 2005 or léger. Quelques effluves de fleurs blanches, le nez est discret. La bouche apparaît dense, son équilibre la porte vers la rondeur, la souplesse. Un ensemble agréable à apprécier dans les deux ans. Fruité, rond et frais, le **rosé 2005**, issu de cabernet, est cité.

⊶ EARL Bodin, Dom. de La Bergeonnière, 26, rte des Fourneaux, 41140 Saint-Romain-sur-Cher,
tél. 02.54.71.70.43, fax 02.54.71.72.92,
e-mail jcbodin@wanadoo.fr
☑ Y ⛹ t.l.j. 9h-19h; dim. 9h-13h
⊶ Benoist

DOM. DES BESSONS Sauvignon Arroma 2005

□ 1 ha 3 500 ▮ 3 à 5 €

François Péquin exploite 9 ha de vignes en AOC touraine et touraine-amboise. Sa cave troglodytique est typique de la région. On retrouve sa cuvée Arroma, en sauvignon. Le 2005 est un vin léger et friand, aux senteurs de genêt. Équilibré, frais en finale, c'est l'archétype du touraine-sauvignon, à partager entre amis, à l'apéritif, puis avec des produits de la mer.

⊶ François Péquin, Dom. des Bessons,
113, rue de Blois, 37530 Limeray, tél. 02.47.30.09.10,
fax 02.47.30.02.25, e-mail francois.pequin@wanadoo.fr
☑ Y ⛹ r.-v.

JEAN-MARC BIET Cabernet 2004 ★

■ 4 ha 6 000 3 à 5 €

Établi sur la rive gauche du Cher, dans un village tout proche de Saint-Aignan, Jean-Marc Biet propose un cabernet de très bonne facture. Ce 2004 s'habille d'une robe légère et dispense des parfums de fruits rouges d'une belle finesse. Son corps équilibré montre encore une certaine fermeté qui permettra de le conserver quelques mois en cave.

⊶ Jean-Marc Biet, 38, rte de Bel-Air, 41110 Seigy,
tél. 02.54.75.34.34, e-mail jm.biet@wanadoo.fr ☑ Y ⛹

BLANC FOUSSY Tête de cuvée

○ n.c. 20 000 5 à 8 €

Depuis saint Martin et sans doute avant, la vigne prospère aux portes de Tours. En face de la cité, le coteau de Rochecorbon abrite de nombreuses caves. Grâce à leurs 3 km de galeries s'enfonçant à plus de 200 m sous le coteau, les caves de Saint-Roch produisent des vins effervescents sous la marque Blanc Foussy. Dans la fraîcheur de la roche, vous pourrez découvrir cette Tête de cuvée aux bulles fines et aux arômes de fruits blancs. Un vin ample jusqu'en finale, frais sans agressivité, et qui laisse un bon souvenir. Le **Blanc Foussy cuvée principale** est également cité pour ses notes de pain grillé et sa mousse onctueuse.

SA Blanc Foussy, 65, quai de la Loire, 37210 Rochecorbon, tél. 02.47.40.40.20, fax 02.47.52.65.82, e-mail tourisme@blancfoussy.com
r.-v.

DOM. DE LA BLINIÈRE Sauvignon 2005

4 ha 6 000 3 à 5 €

Situé sur la rive droite du Cher, en lisière de la forêt de Gros Bois, ce domaine remonte aux années 1870. Gaëlle Charbonnier-Marinier vient de prendre la succession de son père et 2005 est son premier millésime. De couleur jaune pâle, son sauvignon possède une intéressante palette aromatique mêlant agrumes et fleurs blanches sur un corps bien équilibré. Mi-gamay mi-cabernet, le **rosé 2005 (moins de 3 €)**, un rien tannique en finale, accompagnera entrées froides et charcuterie ; il est également cité.

Gaëlle Charbonnier-Marinier, Dom. de la Blinière, 41140 Saint-Romain-sur-Cher, tél. 02.54.71.48.60, fax 02.54.71.56.45, e-mail gaellecharbonnier@wanadoo.fr
t.l.j. sf dim. 16h30-19h30
Charbonnier

DOM. DES CAILLOTS Gamay 2005

4,5 ha 10 000 3 à 5 €

Un domaine remontant au XVIIIe s. Dominique Girault, qui est à sa tête depuis 1983, veille à l'équipement de ses chais, qu'il a agrandis (1983), modernisés (1992), climatisés (2002) et réaménagés en 2005. Quant au vignoble, il a doublé en superficie depuis 1983, pour atteindre aujourd'hui 20 ha. Noyers-sur-Cher apparaît comme une exception pédologique dans la vallée du Cher où l'argile à silex domine. Ici les sols sont plutôt sablo-argileux et donnent des vins en général plus souples. Trois vins, trois citations. Ce gamay, rouge intense, délicat au nez, est marqué par les fruits frais. Un ensemble agréable, concentré, chaleureux en finale. Le **sauvignon 2005**, or fin dans le verre, de bonne tenue, est typique de l'appellation. Du même cépage, la **cuvée Vieilles Vignes 2005 (5 à 8 €)** embaume le fruit mûr, la pêche de vigne et le coing, et se montre riche et persistante.

EARL Dominique Girault, 2, chem. du Vigneron, 41140 Noyers-sur-Cher, tél. 02.54.32.27.07, fax 02.54.75.27.87
t.l.j. 8h30-12h 14h-19h; dim. matin sur r.-v.

LA CHAPINIÈRE Sauvignon 2005

7,4 ha 10 000 3 à 5 €

Florence Veilex, qui officie au chai, signe un sauvignon sans prétention mais typique de l'appellation, avec son nez élégant axé sur les agrumes et son corps équilibré, souple et rond. Cité également, le **gamay 2005** se parfume de mûre et de cassis. Un vin équilibré, tout en rondeur également : deux bouteilles bien dans leur époque.

La Chapinière de Châteauvieux, 4, chem. de la Chapinière, 41110 Châteauvieux, tél. 02.54.75.43.00, fax 02.54.75.31.60, e-mail contact@lachapiniere.com
t.l.j. 10h-19h; dim. sur r.-v.
Florence Veilex

DOM. DU CHAPITRE Cuvée Prestige 2004 ★★

1 ha 7 000 3 à 5 €

Établie à la limite des terroirs de la vallée du Cher et de la Sologne viticole, la famille Desloges signe une très belle cuvée. La robe grenat sombre attire l'attention : ce 2004 sort du lot. Le nez fait assaut d'affabilité : de la myrtille, du cassis, et cette touche de poivron si fréquente en Touraine. Le cassis perdure dans une bouche souple à l'attaque, aux tanins arrondis, épicée et longue. Une bouteille à savourer sur une grillade de bœuf, dans les trois à quatre ans qui viennent.

Maryline et François Desloges, 82, rue Principale, 41140 Saint-Romain-sur-Cher, tél. 02.54.71.71.22, fax 02.54.71.08.21 r.-v.

DOM. CHARBONNIER Sauvignon 2005 ★

4 ha 25 000 3 à 5 €

Daniel et Michel Charbonnier, associés en 1989, ont été rejoints par Stéphane en 2001. La cave a été rénovée en 2003. Jaune pâle aux reflets dorés, leur sauvignon séduit par l'élégance de son nez brioché sur fond frais de minéralité. Tout d'abord discret, le fruité s'affirme lentement puis persiste, laissant le souvenir d'un vin complexe, harmonieux et long. De même niveau, le **gamay 2005** s'est fait aimer avec ses arômes francs de fruits rouges (cerise) un rien épicés et son palais ample et équilibré.

GAEC Charbonnier, 4, chem. de la Cossaie, 41110 Châteauvieux, tél. 02.54.75.49.29, fax 02.54.75.40.74, e-mail dms.charbonnier@wanadoo.fr r.-v.

DOM. DE LA CHARMOISE Gamay Première Vendange 2005 ★

8 ha 40 000 5 à 8 €

Un domaine qui compte en Sologne viticole : 62 ha, conduits depuis 1969 par Henry Marionnet. Pourpre foncé, la cuvée Première Vendange est un vin très marqué par son millésime. Son équilibre la porte vers la richesse. Rond et gras, ce 2005 sera prêt à paraître à table à la sortie du Guide. Quant au **sauvignon Vinifera 2005 (8 à 11 €)**, cité, c'est un vin tendre, surmûri, aux arômes de coing, d'agrumes et de tilleul, à la finale tendre, tel que l'aiment les palais anglo-saxons.

Henry Marionnet, Dom. de La Charmoise, 41230 Soings-en-Sologne, tél. 02.54.98.70.73, fax 02.54.98.75.66, e-mail henry@henry-marionnet.com
t.l.j. sf dim. 9h-12h 14h-17h30; sam. sur r.-v.; f. août

DOM. DES CHÉZELLES Sauvignon 2005 ★

10 ha 60 000 5 à 8 €

Exploité par la même famille depuis 1850, ce domaine, qui s'étend aujourd'hui sur 24 ha, est exploité depuis 1989 par Alain Marcadet. Après le périlleux millésime de la canicule, pourtant très réussi en sauvignon, voici le même cépage dans le millésime 2005. Un vin fringant dans sa robe or, puissant et très aromatique, sur le buis et le fruit de la Passion. De la même propriété, le **gamay 2005** affiche une robe pourpre vif et présente un côté primeur qui le rend aimable. Ample et fruité, il tire joyeusement sa révérence et met la majorité des dégustateurs de son côté. Une brillante étoile.

EARL Alain Marcadet, 18, rue du Grand-Mont, 41140 Noyers-sur-Cher, tél. 02.54.75.13.94, fax 02.54.75.44.09, e-mail alain.marcadet@wanadoo.fr
t.l.j. sf dim. 9h-12h 14h-19h

DOM. DES CLÉMENDIÈRES Gamay 2005 *

■ 7,5 ha 20 000 ▮ 3 à 5 €

Fort décrié à travers l'histoire – qu'on se rappelle son bannissement de Bourgogne par Philippe le Hardi, duc de Bourgogne –, le cépage gamay sait se montrer reconnaissant envers ceux qui savent l'écouter pousser. Celui-ci, dans sa robe grenat, fleure la cerise burlat, avec une chaude touche épicée. Bien présent, rond et gras, il persiste et signe en bouche, sur des tanins soyeux. À déboucher dès la sortie du Guide, il se prêtera à une petite garde (deux à trois ans). Quant au **sauvignon 2005**, il est cité pour son fruité.

GAEC L'Hardionnerie, 37150 Bléré, tél. 02.47.57.87.65, fax 02.47.30.39.50, e-mail domaineclemendieres@yahoo.com r.-v.

Ponlevoy

DOM. DU CLOS ROUSSELY
Anthologie du Clos 2004 *

■ 2,5 ha n.c. 5 à 8 €

Parcours d'un vigneron moderne : un séjour en Australie avant de reprendre, en 2000, les vignes familiales. Depuis, des sélections régulières. Cette cuvée Anthologie du Clos préfigure ce que pourrait être une AOC chenonceaux dans la vallée du Cher. Ce vin rouge d'assemblage (70 % de cabernet franc, 20 % de cabernet-sauvignon, 10 % de cot) affiche une belle prestance. Rubis foncé, il délivre des parfums intenses à dominante de cerise et se montre à la fois souple et puissant. Bien fait, apte à la garde (deux à trois ans), il accompagnera une viande rouge rôtie ou en sauce dès la fin de l'année 2006. Une étoile également pour le **sauvignon 2005 (3 à 5 €)**, équilibré, mûr et gras, tout en finesse.

Clos Vincent Roussely, La Chauverie, 41400 Saint-Georges-sur-Cher, tél. et fax 02.54.32.86.46, e-mail clos-roussely@yahoo.fr r.-v.

DOM. DE LA COLLINE Sauvignon 2005

□ 1,83 ha 15 866 ▮ 3 à 5 €

Négociant en Anjou, Joseph Verdier présente deux vins blancs de domaine assez homogènes. Ce Domaine de La Colline, malgré un nez à dominante végétale, est fin,équilibré et assez long. Propriété de Michel Gouny, le **Domaine Ambroise sauvignon 2005** est un clas-

La Touraine

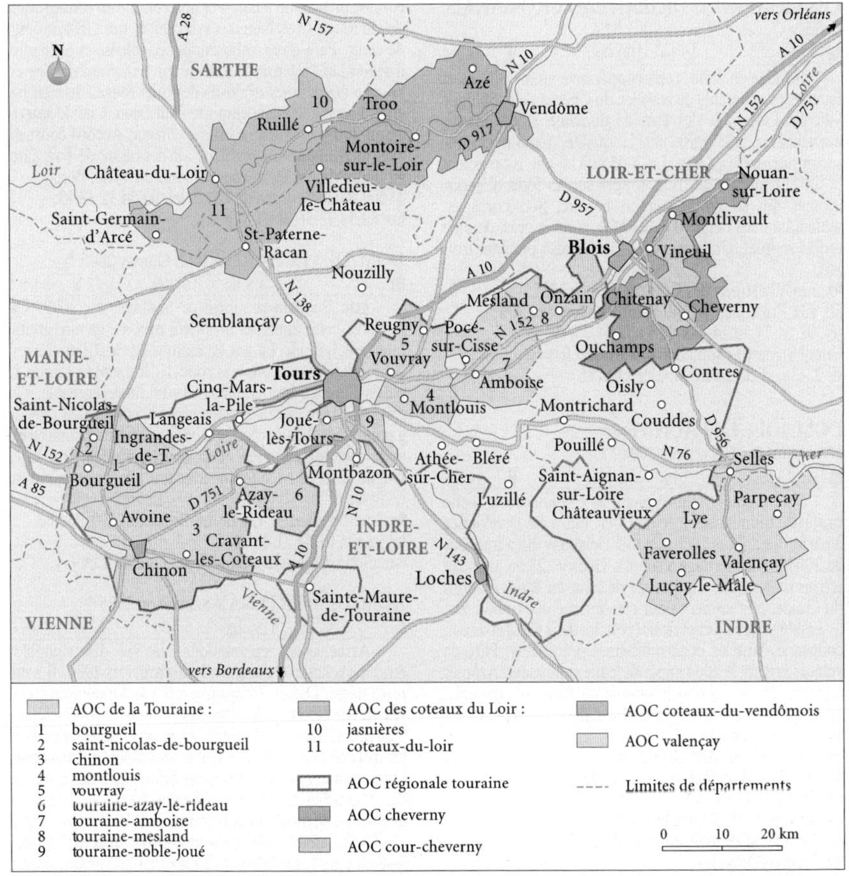

sique, franc et fruité, assez vif, peu représentatif de son millésime. Ces deux bouteilles obtiennent chacune une citation.

Joseph Verdier, 15, av. de la Gare,
41140 Noyers-sur-Cher, tél. 02.54.75.36.32,
fax 02.54.75.33.37, e-mail j.verdier@wanadoo.fr
Colin, Gouny

DOM. DES CORBILLIÈRES Sauvignon 2005 *

13 ha 95 000 5 à 8 €

Installé en Sologne viticole, Dominique Barbou sait parler de ses vins. Il sait aussi les élaborer, et a cinq coups de cœur à son actif. Son sauvignon 2005 se montre primesautier, intensément minéral. Gras et fruité sont bien présents dans une bouche équilibrée, ample, grasse et longue, fraîche en finale. Un ensemble typique du terroir d'Oisly. Une étoile encore pour le **gamay 2005** de la propriété, qui ne manque pas d'originalité avec ses arômes de fruits secs et sa bouche suave, presque douce, qui dénote une vendange récoltée à pleine maturité et soigneusement vinifiée.

EARL Barbou, Dom. des Corbillières, 41700 Oisly, tél. 02.54.79.52.75, fax 02.54.79.64.89 r.-v.

LES VIGNERONS DES COTEAUX ROMANAIS
Gamay Cuvée du Savoir 2005 **

15 ha 100 000 3 à 5 €

Fondée en 1958, cette coopérative vinifie 300 ha et fédère des adhérents de la vallée du Cher et de la Sologne viticole. Élaborant des vins de domaine et des cuvées particulières, elle mise sur la qualité, témoin ce très recommandable gamay. Le 2005 affiche une robe grenat et un nez intense de fruits rouges sur un fond d'épices, arômes qui se prolongent en bouche. Son corps est athlétique mais dénué d'agressivité, rond et gras, doté de tanins souples. Un beau vin qui fera plaisir pendant trois ans.

Les Vignerons des Coteaux Romanais,
50, rue Principale, 41140 Saint-Romain-sur-Cher,
tél. 02.54.71.70.74, fax 02.54.71.41.75,
e-mail vignerons.romanais@wanadoo.fr
t.l.j. sf dim. lun. 8h-12h 14h-18h

DOM. JOËL DELAUNAY
L'Antique des Cabotières 2004 *

2 ha 16 000 5 à 8 €

Située entre Saint-Aignan et Chenonceaux, cette propriété domine la vallée du Cher. Elle a été développée à partir des années 1960 par Joël Delaunay qui a transmis en 2003 un bel héritage à son fils Thierry : 23 ha, un beau terroir de coteaux. Cinq coups de cœur au fil des éditions du Guide. Notamment pour cet Antique des Cabotières, assemblage de cabernet franc (pour les deux tiers) et de cot, couronné dans les deux millésimes précédents. Paré de velours grenat, le 2004 apparaît jeune et puissant. Arômes intenses de cassis, bouche ample au fruité de groseille, finale harmonieuse. Un vin tendre et flatteur qui plaira par son côté authentique.

EARL Dom. Joël Delaunay,
48, rue de la Tesnière, 41110 Pouillé,
tél. 02.54.71.45.69, fax 02.54.71.55.97,
e-mail contact@joeldelaunay.com
t.l.j. sf dim. 9h-12h 14h-18h
Thierry Delaunay

DOM. DESLOGES Sauvignon 2005 **

8 ha 10 000 3 à 5 €

Depuis 1989, ce domaine a doublé sa superficie, passant de 10 à 20 ha. Et avec l'installation du petit-fils en 1997, il s'est équipé d'un chai de vinification. À la sortie du Guide, le sauvignon de la propriété, qui aura bénéficié de près d'une année d'élevage, sera parfait. Dès le printemps, le jury a apprécié en connaisseur sa robe dorée, son nez floral accompagné d'une touche de minéralité provenant du silex. Autant de caractères qui dénotaient une vendange arrivée à pleine maturité. Riche et gras, le palais persiste longuement en une belle finale renouant avec les nuances minérales de l'olfaction. Un coup de cœur fut proposé...

GAEC Desloges Père et Fils,
Les Petits Bois Bernier, 41400 Monthou-sur-Cher,
tél. et fax 02.54.71.41.54,
e-mail desloges.vins.touraine@wanadoo.fr
t.l.j. 9h-12h 14h-19h; dim. 9h-12h

DOM. DESROCHES 2005 **

1 ha 5 000 3 à 5 €

Au service du vin depuis le XVI[e]s., les Desroches abritent leurs vins dans le roc. Ils signent un vrai rosé. Ce vin peut atteindre à l'excellence quand il est considéré comme un produit à part – et non comme un sous-produit du vin rouge. C'est bien le cas de celui-ci, qui a frôlé le coup de cœur. Paré d'une robe saumonée intense et avenante, il séduit par l'intensité florale de son nez avant d'offrir en bouche des arômes explosifs de fruits rouges du plus bel effet. La longue finale emporte l'adhésion. Cité, le **sauvignon 2005** du domaine est sec et léger. Accord conseillé avec un pain de poissons blancs ou des rillons de Touraine.

Jean-Michel Desroches, 8, imp. du Vieux-Porche,
41400 Saint-Georges-sur-Cher, tél. 02.54.32.33.13,
fax 02.54.32.56.31 r.-v.

DOM. DES ÉCHARDIÈRES Gamay 2005 *

4,5 ha 10 000 3 à 5 €

Luc Poullain a repris ce domaine en 2000. On retrouve cette année la propriété avec ce gamay grenat intense et limpide. Le nez est marqué par les fruits rouges, sur fond d'épices. Souple et rond, légèrement amylique, le palais offre un bon équilibre et une finale agréable. Un classique, bien travaillé, tout comme le **rosé 2005** (75 % de gamay, 25 % de cabernet), qui obtient également une étoile pour son nez expressif et sa bouche étoffée, fruitée et longue, à servir à l'automne avec une terrine de faisan ou de lièvre.

Luc Poullain, 9, rue de La Brosse, 41110 Pouillé,
tél. et fax 02.54.71.46.66,
e-mail info@domaine-echardieres.com r.-v.

DOM. DE FONTENAY Sauvignon 2005 *

1,55 ha 5 000 3 à 5 €

Arrachages, replantations : la vie des vignobles semble cyclique. Celui-ci avait disparu vers 1980. Il a été replanté par Didier Corby qui a repris le domaine en 1996. Au vu des résultats de cette dégustation, le producteur a bien fait de miser sur la vigne : trois vins sélectionnés dans les trois couleurs. Ce sauvignon accomplit un sans-faute. Discret au nez, il mêle des notes briochées à des notes de fleurs blanches. Gouleyant et élégant, assez long, il finit sur une pointe de fraîcheur qui permettra de le servir aux repas à la fin de l'année 2006. Le **rosé 2005 (moins de 3 €)**, qui assemble grolleau (70 %), cot et cabernet-sauvignon, obtient la même note. D'une rare finesse, il penche vers un style sec et frais des plus réussis. Quant au **rouge 2004 Cuvée Prestige**, mi-cot mi-cabernet franc, il est cité pour sa souplesse et ses arômes de petits fruits rouges. Il accompagnera les viandes blanches.

EARL Didier Corby, 3, Fontenay, 37150 Bléré, tél. et fax 02.47.57.93.05 r.-v.

DOM. XAVIER FRISSANT
Les Roses du Clos 2005 *

2 ha 10 000 5 à 8 €

Installé à Meusnes, sur la rive gauche de la Loire, Xavier Frissant, tout en développant sa production de touraine-amboise rouge, élabore des vins blancs à partir de ses vignes de sauvignon implantées sur le plateau argilo-sableux qui domine sa cave. Ce 2005, légèrement perlant, est d'une grande finesse au nez, où le buis s'associe à l'ananas. Il persiste longuement en bouche sur des notes minérales. Pour une poêlée de coquilles Saint-Jacques.

Xavier Frissant, 1, chem. Neuf, 37530 Mosnes, tél. 02.47.57.23.18, fax 02.47.57.23.25, e-mail xavier.frissant@wanadoo.fr t.l.j. 8h-12h30 14h-19h; dim. sur r.-v.

DOM. DE LA GARENNE Sauvignon 2005

9 ha 15 000 3 à 5 €

En trente ans, Jacky Charbonnier a augmenté régulièrement la superficie de son domaine, qui est passé de 9 ha en 1976 à 23 ha aujourd'hui. Ces vignes, louées à l'origine, il les possède en toute propriété au moment où son fils le rejoint sur l'exploitation. Or pâle dans le verre et discret au nez, son sauvignon révèle une belle ampleur en bouche et une finale légèrement muscatée, sur une pointe d'amertume.

GAEC Jacky Charbonnier et Fils, 11, rte de la Vallée, 41400 Angé, tél. 02.54.32.10.06, fax 02.54.32.60.84 r.-v.

DOM. GARNIER Sauvignon 2005

2 ha 10 000 3 à 5 €

Les ancêtres d'Éric et Olivier Garnier cultivaient la vigne en 1822. La propriété est située à l'extrémité orientale de la vallée du Cher. Né sur des sols perrucheux – cette argile à silex dont on tirait la pierre à fusil –, ce sauvignon exprime les notes de buis et de fruits du cépage avec intensité. En bouche, il fait preuve de fraîcheur, voire de nervosité. Un classique de l'appellation.

Dom. Garnier, 81, rue Eugène-Delacroix, 41130 Meusnes, tél. 02.54.00.10.06, fax 02.54.05.13.36, e-mail garnier@terre-net.fr r.-v.

DOM. GAUDEFROY 2004

1 ha 2 200 3 à 5 €

Depuis une dizaine d'années, Hervé Gaudefroy est à la tête du domaine familial (21 ha) situé dans la vallée du Cher. Il a assemblé cot (60 %) et cabernet pour proposer cette cuvée de belle facture, au nez léger de cerise sur fond d'épices. Équilibré, souple et rond, encore dans l'adolescence, ce 2004 fera bonne figure à table dès la fin de l'année mais il devrait pouvoir être conservé deux à trois ans en cave.

Hervé Gaudefroy, Les Sablons, 41140 Saint-Romain-sur-Cher, tél. 02.54.71.72.83, fax 02.54.71.46.53, e-mail domaine.louet.gaudefroy@wanadoo.fr t.l.j. 8h-19h

DOM. GIBAULT Sauvignon Platine 2005 *

5 ha 40 000 5 à 8 €

À Noyers-sur-Cher, on cultive l'asperge en plaine et la vigne sur les coteaux. Pascal Gibault exploite 22 ha aux alentours. Il décroche cette année une étoile pour trois de ses vins. La plus belle va à la cuvée Platine qui est en réalité dorée. Elle naît de sauvignon très mûr à en juger par sa couleur, son nez intense sur les agrumes. Équilibrée, grasse et persistante, elle finit sur des impressions de douceur qui peuvent surprendre. La cuvée principale de **sauvignon 2005 (3 à 5 €)** est plus classique, assez souple en finale. Quant à la cuvée **Friandise rouge 2005 (3 à 5 €)**, c'est un gamay prêt à être partagé avec vos amis, qui apprécieront ses arômes croquants de fruits rouges, sa vivacité et sa rondeur traduisant ici aussi une vendange bien mûre. Un peu d'astringence en finale, qui s'estompera d'ici quelques mois.

Dom. Gibault, 11, rue des Vignes, Les Martinières, 41140 Noyers-sur-Cher, tél. 02.54.75.36.52, fax 02.54.75.29.79 r.-v.

LES MAÎTRES VIGNERONS DE LA GOURMANDIÈRE Sauvignon Tête de Cuvée 2005

n.c. 21 000 3 à 5 €

Cette coopérative fondée en 1925 vinifie 500 ha de vignes. Elle a son siège sur la rive gauche du Cher, en face du château de Chenonceaux. Le millésime 2005 lui a réussi puisque trois vins, dans trois couleurs, ont passé la barre (une citation). Ce sauvignon jaune paille est un classique avec son nez de pamplemousse, un peu minéral. On le boira dans les deux ans qui viennent. Le **gamay rosé Tête de cuvée 2005** sent la barbe à papa. Étoffé, équilibré, il finit sur le fruit rouge. Le **gamay rouge Tête de cuvée 2005** est bien dans le type, frais et fruité.

Les Maîtres Vignerons de La Gourmandière, 24, rte de Chenonceaux, 37150 Francueil, tél. 02.47.23.91.22, fax 02.47.23.82.50, e-mail info@vignerons-gourmandiere.com r.-v.

DOM. DU GRAND MOULIN Sauvignon 2005

9,32 ha n.c. 3 à 5 €

Le premier millésime de Vincent Seneau, qui a repris la propriété familiale en 2005. Dans la salle de dégustation creusée dans le roc, vous pourrez découvrir ce sauvignon jaune paille soutenu à reflets verts, au nez très fin mêlant notes minérales, agrumes et pêche de vigne. La bouche est suave, gage d'une belle maturité.

Vincent Seneau, EARL Dom. du Grand Moulin, 41110 Châteauvieux, tél. et fax 02.54.75.14.50 r.-v.

DOM. DE LA HAUTE CLÉMENCERIE
Gamay 2005

5 ha 4 000 3 à 5 €

Situé à une dizaine de kilomètres du château de Chenonceaux, ce domaine, créé en 1920, s'étend aujourd'hui sur 27 ha. Patrick Mahoudeau, qui l'exploite depuis une dizaine d'années, propose un gamay idéal pour accompagner les rillettes et rillons de Touraine. Ce 2005 encore fermé s'ouvre après aération sur les fruits rouges et les épices. Souple, bien structuré, il fera plaisir pendant un à deux ans.

EARL Haute Clémencerie, 7, rte Haute-Clémencerie, 41400 Faverolles-sur-Cher, tél. et fax 02.54.32.49.38, e-mail patrickmahoudeau@aol.com r.-v.

Patrick Mahoudeau

DOM. DU HAUT PERRON 2005 *

■ 1 ha 5 000 ▮ 3 à 5 €

Située sur la rive droite du Cher, Thésée a gardé des ruines du IIe s. ap. J.-C. Le site de Tasciaca, où s'était développé un commerce de céramiques, figure sur la plus ancienne carte connue du monde romain, sur la voie Tours-Bourges. Aujourd'hui, les quelque 400 ha de vignes constituent la richesse de la commune. Établi sur les côtes de la vallée du Cher, Guy Allion est à la tête du domaine familial depuis 1999. Il signe un rosé de pressurage direct 100 % gamay. Habillé de rose fuchsia, c'est un vin expressif (cassis-groseille), ample, vineux et assez long, avec ce qu'il faut de fraîcheur en finale pour garder un côté désaltérant. Deux vins sont cités : le **gamay rouge Les Perdriettes 2005**, fruité et léger, de style primeur, et le **sauvignon 2005**, exotique (ananas et mangue) et plutôt rond. Les caves troglodytiques sont à visiter.

Dom. Guy Allion, 15, rue du Haut-Perron,
41140 Thésée, tél. 02.54.71.48.01, fax 02.54.71.48.51,
e-mail contact@guyallion.com r.-v.

PATRICK LÉGER Gamay 2005

■ 1 ha 5 000 ▮ 3 à 5 €

Si la Touraine est riche d'un patrimoine architectural vénérable, comme la collégiale de Saint-Aignan des XIe et XIIe s., la jeunesse est le propre de ses vins. Cela n'exclut pas une certaine maturité, comme le montre cette bouteille au contenu soyeux et délicat. Fruits rouges en première impression, plaisant équilibre et harmonie en finale. Le vin qu'il faut pour une grillade.

Patrick Léger, La Girardière, 41110 Saint-Aignan,
tél. 02.54.75.42.44, fax 02.54.75.21.14,
e-mail contact@domainedelagirardiere.com r.-v.

ANDRÉ LHOMME Gamay 2005

■ 0,5 ha 2 500 3 à 5 €

Installé en lisière de la forêt de Blois, ce domaine est implanté à mi-chemin entre cette ville et Chaumont-sur-Loire, sur l'autre rive. Amboise n'est pas beaucoup plus loin : de nombreux châteaux à visiter... Et un touraine classique, de bonne facture, à découvrir, avec ce qu'il faut de rubis dans la robe et de fruit au nez. Sa sévérité finale devrait s'être estompée à la sortie du Guide.

André Lhomme, 2, chem. de Frottelièvre,
41190 Chambon-sur-Cisse, tél. 02.54.70.02.40
t.l.j. 8h-12h30 14h-19h

DOM. LOUET-ARCOURT
Gamay Climat de Touche Noue 2005 *

■ 3 ha 10 000 ▮ 3 à 5 €

Jean-Louis Arcourt est installé dans un petit village proche de Chaumont-sur-Loire, sur la rive gauche. Il signe un gamay jeune et gai, au nez de violette associée à une curieuse touche de tabac. Aromatique en bouche, assez structuré, ce vin accompagnera dès maintenant une viande blanche rôtie.

EARL Dom. Louet-Arcourt, La Berthaudière,
1, rue de la Paix, 41120 Monthou-sur-Bièvre,
tél. 02.54.44.04.54, fax 02.54.44.15.06 r.-v.

JEAN-CHRISTOPHE MANDARD
Sauvignon 2005 *

5,5 ha 25 000 ▮ 3 à 5 €

Un château (XVe-XVIIe s.) bien restauré, un autre du XIXe s., une sobre église romane et une chapelle constituent le patrimoine architectural de Mareuil-sur-Cher, village viticole où l'on trouve encore quelques troupeaux de chèvres et de moutons. Jean-Christophe Mandard exploite 16,50 ha aux alentours, selon la démarche de l'agriculture raisonnée. Buis avec une touche minérale : son sauvignon est marqué par le cépage au premier nez. Il se montre gras et frais en bouche. Cité, le **rosé 2005** se montre fin dans le style sec comme on l'affectionne en Touraine.

Jean-Christophe Mandard, 14, rue du Bas-Guéret,
41110 Mareuil-sur-Cher, tél. 02.54.75.19.73,
fax 02.54.75.16.70, e-mail mandard.jc@wanadoo.fr
r.-v.

DOM. DE MARCÉ Sauvignon 2005 *

12 ha 40 000 ▮ 3 à 5 €

Daniel Godet exploite 27 ha de vignes sur des terrains argilo-siliceux aux portes de la Sologne. Il propose avec ce 2005 une expression typique du sauvignon, qui libère d'intenses parfums de fleur de cassis. Dans une belle continuité, la bouche conjugue fraîcheur, gras et rondeur. Un vin intéressant et représentatif de ce secteur oriental de la Touraine.

GAEC Godet, Dom. de Marcé, 41700 Oisly,
tél. 02.54.79.54.04, fax 02.54.79.54.45
t.l.j. 8h-12h 14h-19h

DOM. JACKY MARTEAU Sauvignon 2005 **

10 ha 50 000 ▮ 3 à 5 €

Jacky Marteau est établi à une vingtaine de kilomètres en amont de Chenonceaux, sur la rive gauche ; son vignoble est installé sur les premières côtes du Cher, sur des terroirs que plusieurs vignerons de la vallée aimeraient voir classés en « chenonceaux ». Leurs sols argilo-siliceux ont donné naissance à un sauvignon jaune paille, qui distille de frais parfums de bourgeon de cassis, de pamplemousse, de buis et d'acacia. Élégant et racé au palais, très présent, ce 2005 persiste longuement sur une touche réglissée du plus bel effet : coup de cœur ! Deux étoiles également pour le **rouge cuvée Harmonie 2004 (5 à 8 €)**, assemblage à parts égales de cot et de cabernet élevé quinze mois, à marier à une viande rouge grillée ou en sauce. Nez puissant de fruits rouges sur un fond épicé, bouche soyeuse, aptitude à la garde (au moins trois ans). Avec de tels vins, la Touraine a un bel avenir devant elle.

Jacky Marteau, 36, rue de La Tesnière,
41110 Pouillé, tél. 02.54.71.50.00, fax 02.54.71.75.83
r.-v.

La reproduction d'une étiquette signale un coup de cœur.

DOM. MESLIAND
Sauvignon La Pindorgerie 2005 ★

1,3 ha 10 000 3 à 5 €

Stéphane Mesliand a repris en 2004 l'exploitation fondée en 1880 par son arrière-grand-père. Ce dernier était greffeur à l'époque de la replantation du vignoble consécutive aux ravages du phylloxéra. La propriété, située à quelques kilomètres en amont d'Amboise, sur l'autre rive, s'étend sur 15 ha et dispose de caves creusées dans le tuffeau. On trouve beaucoup de finesse dans son sauvignon La Pindorgerie, discret mais caractéristique du cépage avec ses arômes de buis. En bouche, l'équilibre se maintient dans la fraîcheur. Né de pur chenin, le **touraine mousseux** (méthode traditionnelle) du domaine est cité. Un vin bien fait, dans le style classique du Val de Loire, avec beaucoup de gras en finale. Pour l'apéritif.

Dom. Stéphane Mesliand, 15 bis, rue d'Enfer, 37530 Limeray, tél. et fax 02.47.30.11.15
t.l.j. 9h-21h

DOM. MICHAUD Ad vitam... 2004 ★★

2,6 ha 19 000 3 à 5 €

Ardent défenseur du terroir de Chenonceaux au cœur de la vallée du Cher, Thierry Michaud a cinq coups de cœur à son actif. Cette cuvée en reçut un dans le millésime 2000. Un assemblage de cabernet franc (60 %) et de cot très prometteur, qui ne durera pas *ad vitam aeternam* mais tout de même trois ans, en se bonifiant. La robe sombre, les arômes de petits fruits noirs sur une fine note animale annoncent un grand vin. Le corps est svelte, conforme au millésime, avec des tanins soyeux. Quant au **sauvignon 2005**, riche et long en bouche, il obtient une étoile.

Dom. Michaud, 20, rue Les Martinières, 41140 Noyers-sur-Cher, tél. 02.54.32.47.23, fax 02.54.75.39.19, e-mail thierry-michaud@wanadoo.fr
t.l.j. sf dim. 8h30-12h 14h-19h

MONMOUSSEAU Cuvée JM 2003 ★

n.c. 510 420 5 à 8 €

Si la SA Monmousseau, qui prospère depuis cent vingt ans, est passée dans l'orbite du groupe luxembourgeois Bernard Massard, elle a gardé son identité et cette cuvée JM de pur chenin est un beau vin d'initiation aux touraines effervescents. Au nez, des fleurs blanches sur un fond brioché. Une attaque vive et une longue finale aux accents de miel et de coing : de jolies bulles à prix doux. Attardez-vous à Montrichard, autour de son gros donjon carré : nombre de monuments méritent le coup d'œil.

SA Monmousseau, 71, rte de Vierzon, BP 25, 41400 Montrichard, tél. 02.54.71.66.66, fax 02.54.32.56.09, e-mail monmousseau@monmousseau.com r.-v.

DOM. DE MONTIGNY Sauvignon 2005

10 ha 12 000 3 à 5 €

Ce domaine situé aux confins de la Sologne dispose de 31 ha de vignes conduits en lutte raisonnée. Il signe deux vins représentatifs de ce secteur de l'appellation. Or pâle, ce sauvignon offre un nez légèrement muscaté et séduit en bouche par son fruité dominé par les agrumes. Le **gamay 2005** obtient la même note. Ce vin pourpre révèle beaucoup de matière et de rondeur. Il sera prêt à passer à table à la fin de l'année.

Annabelle Michaud, Dom. de Montigny, 41700 Sassay, tél. 02.54.79.60.82, fax 02.54.79.07.51
r.-v.

DOM. OCTAVIE Gamay 2005

5 ha 25 000 3 à 5 €

Octavie ? L'arrière-grand-mère d'Isabelle Rouballay, qui acquit les premiers hectares du domaine familial et mourut presque centenaire. L'exploitation s'étend aujourd'hui sur 30 ha, autour d'Oisly, aux portes de la Sologne. Le caveau de dégustation est installé dans un bâtiment du XVIII^e^s., tandis que le chai est moderne, récemment rénové. Deux vins intéressants : ce gamay, au nez puissant de fruits rouges très mûrs, au palais étoffé et généreux, que vous pourrez garder un an ; et le **sauvignon 2005**, cité lui aussi, bien typé avec sa robe or pâle et ses parfums de tilleul et de genêt, qui évoluent en bouche vers les agrumes.

Noë Rouballay, Dom. Octavie, Marcé, 41700 Oisly, tél. 02.54.79.54.57, fax 02.54.79.65.20, e-mail domaineoctavie@domaineoctavie.com
t.l.j. 9h-12h30 14h-18h30; dim. sur r.-v.

DOM. JAMES ET NICOLAS PAGET
Cuvée Tradition 2004 ★

1 ha 4 000 3 à 5 €

À mi-chemin des châteaux de Langeais (sur l'autre rive de la Loire) et d'Azay-le-Rideau, le village de Rivarennes est situé dans la zone de confluence de l'Indre et de la Loire. On y exportait naguère des poires tapées (déshydratées) dans toute l'Europe du Nord. Il reste un vignoble et des vinificateurs de talent, comme les Paget qui ont obtenu un coup de cœur avec cette même cuvée dans le millésime précédent. Assemblage de trois variétés (cabernet franc et gamay avec un peu de cot), ce 2004 s'habille d'une robe sombre et fait le plein de fruits noirs. En bouche, sa rondeur et sa finale d'une grande fraîcheur lui permettront de plaire dès maintenant.

Dom. James et Nicolas Paget, 7, rte de la Gadouillère, lieu-dit Armentières, 37190 Rivarennes, tél. 02.47.95.54.02, fax 02.47.95.45.90
t.l.j. sf dim. lun. 9h-12h 14h30-19h

CAVES DU PÈRE AUGUSTE Gamay 2005 ★

8,44 ha 18 000 3 à 5 €

Le père Auguste n'est pas une figure publicitaire. À la fin du XIX^e^s., il a creusé dans le roc les caves de la propriété et c'est le trisaïeul d'Alain, de Joël et de leur sœur Christine, responsables actuels de ce domaine tout proche de Chenonceaux. Le trio signe un gamay qui s'impose par sa finale veloutée et sa structure vigoureuse. Le nez discret esquisse des touches de fruits mûrs, l'attaque fraîche introduit une bouche assez charpentée. Cette bouteille sera épanouie dès cette année. Assemblage de cabernet (70 %) et de grolleau, le **rosé 2005**, pâle de couleur, fruité sur la framboise, sec, rond et frais, est cité.

Famille Godeau, GAEC Caves du Père Auguste, 14, rue des Caves, 37150 Civray-de-Touraine, tél. 02.47.23.93.04, fax 02.47.23.99.58, e-mail caves-du-pere-auguste@wanadoo.fr
t.l.j. 8h30-19h30; dim. 10h-12h

DOM. PLOU ET FILS Sauvignon 2005

3 ha 20 000 3 à 5 €

Les ancêtres de ces vignerons cultivaient déjà la vigne en 1508, à une lieue en amont d'Amboise (4,5 km).

LOIRE

Imaginez : ils ont dû voir les travaux d'agrandissement du château, sous les règnes de Louis XII et de François Ier. Peut-être y ont-ils mis la main ? Quant à ce sauvignon, il n'a pas vocation à traverser les siècles. Tout ce qu'on demande à ce vin simple est de faire bonne figure sur du poisson, en offrant l'éclat de son or blanc, son gras et sa finale fraîche.

Plou et Fils, 26, rue du Gal-de-Gaulle, 37530 Chargé, tél. 02.47.30.55.17, fax 02.47.23.17.02, e-mail plou@cegetel.net t.l.j. 9h-13h 14h30-19h

CH. DE POCÉ 2005

15 ha 130 000 3 à 5 €

Le château d'Amboise, à 3 km de là, celui de Pocé (XVᵉs.) et son parc, l'église (XVIᵉs.), des pigeonniers, des lavoirs, le cours bucolique de la Cisse... autant de raisons de faire un détour par Pocé. Le château produit du vin. Ce 2005, encore perlant le jour de la dégustation, est aromatique et bien équilibré. Il sera prêt à la fin de l'année.

SCA Dom. Chainier, Ch. de La Roche, 37530 Chargé, tél. et fax 02.47.30.73.07

DOM. DU PRÉ BARON L'Élégante 2005 *

4 ha 20 000 5 à 8 €

À la suite de Guy, qui a constitué le vignoble en 1964 et l'a conduit jusqu'en 1994, Jean-Luc Mardon exploite les 35 ha du domaine, situé en Sologne viticole. Engagé à faire reconnaître auprès de l'INAO la spécificité des vins d'Oisly, il est régulièrement présent dans le Guide. Cette Élégante drapée d'or pâle se parfume de cassis, sauvignonnant avec finesse. Tout en rondeurs, elle est souple, se meut avec ampleur et ne se laisse pas oublier. Une étoile va encore au **rosé 2005 (3 à 5 €)**, né de pineau d'Aunis, pour sa complexité et son intensité. Enfin, la cuvée principale **sauvignon 2005** est citée pour son classicisme et sa droiture.

Jean-Luc Mardon, Dom. du Pré Baron, 41700 Oisly, tél. 02.54.79.52.87, fax 02.54.79.00.45, e-mail jean-luc.mardon@wanadoo.fr r.-v.

CH. DE LA PRESLE Sauvignon 2005 *

23 ha 160 000 3 à 5 €

Installé à Oisly, Jean-Marie Penet sait exprimer à travers ses vins la personnalité des terroirs sablonneux de la Sologne viticole. Nuances muscatées, fragrances de fleur d'oranger et fruits exotiques parfument le verre et se prolongent au palais. Puissance et rondeur règnent en bouche jusqu'à une finale pêche de vigne du plus bel effet.

Dom. Jean-Marie Penet, Ch. de La Presle, 41700 Oisly, tél. 02.54.79.52.65, fax 02.54.79.08.50, e-mail domaine.jean-marie.penet@wanadoo.fr t.l.j. sf dim. 9h-12h 14h-18h30

F. et A.-S. Meurgey-Penet

DOM. DES QUATRE VENTS Gamay 2005 *

6 ha 20 000 3 à 5 €

José Marteau exploite 28 ha de vignes à Thenay, à une dizaine de kilomètres au nord de Montrichard. Son gamay affiche une pimpante couleur burlat et charme par ses arômes de type primeur, sur le fruit rouge et le bonbon anglais. Il évoque un vin de printemps plein de jeunesse, souple et vigoureux à la fois. Un plaisir pour maintenant.

José Marteau, 41, La Rouerie, 41400 Thenay, tél. 02.54.32.50.51, fax 02.54.32.18.52, e-mail josemarteau@msn.com t.l.j. 8h30-12h 14h-19h30; dim. 8h30-12h

CH. DE QUINÇAY 2004 *

n.c. 4 700 5 à 8 €

Né sur des sols graveleux au pays de la pierre à fusil, ce 2004 mi-cot mi-cabernet a été jugé par le jury très représentatif de sa catégorie. Aussi rouge dans sa robe que dans son fruité, il séduit par son corps bien structuré et harmonieux, à la finale longue et chaleureuse. Prêt à paraître à table mais apte à une petite garde, un vin de caractère comme on sait en produire dans la vallée du Cher.

Cadart Père et fils, Ch. de Quinçay, 41130 Meusnes, tél. 02.54.71.00.11, fax 02.54.71.77.72, e-mail quincay@cario.fr t.l.j. 9h-12h 14h-19h; dim. 10h-12h

DOM. DE LA RABOTIÈRE Gamay 2005

0,85 ha 6 500 3 à 5 €

Établie à 4 km de Montrichard et de son donjon, la famille Trotignon propose un gamay de couleur soutenue à reflets violacés, aux arômes intenses de fruits rouges et d'épices. Cette tonalité épicée se retrouve dans une bouche structurée, un peu tannique en finale. Une simplicité de bon aloi.

EARL Dom. de La Rabotière, 41-43, rte de la Vallée, La Rabotière, 41400 Angé, tél. 02.54.32.27.27, fax 02.54.32.01.65, e-mail rabotier@wanadoo.fr r.-v.

Jean-Marc Trotignon

DOM. CHARLY RAVENELLE Sauvignon 2005 *

6 ha 7 000 3 à 5 €

À la limite de la Sologne viticole et de la grande Sologne, Soings est un jardin qui produit non seulement du vin, mais des asperges, des pommes de terre, des poireaux, des fraises Mara-des-Bois, des plantes aromatiques, des fleurs. Le village est situé dans le canton de Selles-sur-Cher, où l'on fabrique un fromage de chèvre AOC qui s'entendra avec ce sauvignon flatteur, équilibré, aux arômes de fleurs blanches, de bourgeon de cassis et de genêt caractéristiques du cépage. Décidément, ce secteur de Touraine est en vedette dans le millésime 2005...

Charly Ravenelle, Champdilly, 41230 Soings-en-Sologne, tél. et fax 02.54.98.70.44, e-mail charly.ravenelle@wanadoo.fr r.-v.

DOM. DE LA RENAUDIE Perle de rosée 2005 *

1,3 ha 12 000 3 à 5 €

Aux confins de la Touraine, du Berry et de la Sologne, et à 3 km de la ville médiévale de Saint-Aignan, Bruno et Patricia Denis exploitent 22 ha de vigne. Une bonne adresse, régulièrement mentionnée dans le Guide. Ils ont su donner vie à cette Perle de rosée, vin gris aux fins arômes épicés issu du pineau d'Aunis, cépage autochtone du Val de Loire. Élégant dans son style sec, ample et fruité en finale, il s'accordera avec une entrée chaude ou des rillettes de Tours. Deux citations : le **sauvignon 2005**, aux arômes d'agrumes mûrs, et la cuvée **Les Guinetières rouge 2005**, un gamay à la palette aromatique harmonieuse sur les fruits rouges et les épices, souple et rond à l'attaque, bien structuré.

Bruno Denis, Dom. de La Renaudie, 115, rte de Saint-Aignan, 41110 Mareuil-sur-Cher, tél. 02.54.75.18.72, fax 02.54.75.27.65, e-mail domaine.renaudie@wanadoo.fr t.l.j. sf dim. 9h-12h 14h-19h

DOM. DU RIN DU BOIS 2005

■ 1 ha 6 000 ■ 5 à 8 €

« Rin du Bois » ? L'orée du bois, en patois solognot. Dans cette région d'Oisly où les sables de Sologne dominent, les cépages précoces comme le sauvignon ou le pinot noir s'expriment à merveille. Ce dernier entre à 80 % dans ce rosé, complété par le cabernet franc. De couleur saumonée, ce 2005 est élégant, léger, fruité et rafraîchissant. Tout aussi frais et friand, cité également, le **blanc 2005**, un sauvignon, apparaît légèrement *frizzante* (perlant), gras, et offre des arômes de raisins mûrs.

Pascal Jousselin, Dom. du Rin du Bois, 41230 Soings-en-Sologne, tél. 02.54.98.71.87, fax 02.54.98.75.09, e-mail jousselin@netcourrier.com

r.-v.

DOM. DE RIS

Chenin Dame de Touraine Vieilles Vignes 2004

■ 2,5 ha 10 000 ■ 5 à 8 €

Ce domaine de quelque 24 ha est situé à la limite de l'Indre-et-Loire, de l'Indre et de la Vienne. Si l'on remonte la Claise, le paysage change à quelques kilomètres de là : du vignoble, on passe dans la Brenne aux mille étangs. Au domaine de Ris, on cultive les cépages de cette partie occidentale de la Touraine, notamment le chenin qui a produit ce vin « juste », pour reprendre le terme d'un dégustateur. Des arômes d'ananas frais sur un corps juvénile : un ensemble plaisant pour des coquilles Saint-Jacques.

Dom. de Ris, 37290 Bossay-sur-Claise, tél. 02.47.94.64.43, fax 02.47.94.68.46, e-mail domaine-de-ris@wanadoo.fr

t.l.j. sf dim. 17h30-19h; dim. 10h-12h; f. en jan.

G. Sabadie

DOM. ROC DE CHÂTEAUVIEUX

Sauvignon 2005

■ 12 ha 72 500 ■ 3 à 5 €

Négociant apprécié en Touraine et producteur par ailleurs, Pierre Chainier a racheté en 2001 à la famille Paumier ce vignoble de 35 ha, situé sur la rive gauche du Cher. Issu de vignes de trente ans, son sauvignon est frais et gouleyant, avec des arômes d'agrumes : un classique. Le **rosé 2005** doit tout au pineau d'Aunis. Il est cité lui aussi pour son nez élégant de framboise et son équilibre.

SCEA Roc de Châteauvieux, 1bis, chem. de la Galerne, 41110 Châteauvieux, tél. et fax 02.54.75.46.25

DOM. DE LA ROCHETTE Sauvignon 2005

■ 15 ha 40 000 ■ 3 à 5 €

François Leclair exploite un coquet domaine sur la rive gauche du Cher. La majorité de ses 46 ha est implantée en premières côtes, et les vignes blanches représentent 15 ha. Elles ont donné naissance à un vin élégant, floral, bien équilibré et frais en finale : l'archétype du touraine sauvignon. Digne d'intérêt lui aussi (même note), le **rosé 2005**. Il naît de pineau d'Aunis, cépage local qui résiste ici face aux cépages « mondialisés », parce qu'il engendre sur ces terroirs de perruche (argile et silex) des vins originaux, que l'on ne trouve pas ailleurs. Un orangé pâle, des arômes épicés (une touche de piment d'Espelette), un corps souple et gras pour cette bouteille qui surprendra vos amis.

François Leclair, 79, rte de Montrichard, 41110 Pouillé, tél. 02.54.71.44.02, fax 02.54.71.10.94, e-mail info@vin-rochette-leclair.com

t.l.j. 8h-11h30 14h-17h30; sam. dim. sur r.-v.

DOM. DES ROY Cabernet 2004 ★

■ 2 ha 9 000 ■ 3 à 5 €

Proche de Montrichard, ce domaine familial fait partie du réseau *Bienvenue à la ferme* qui fait découvrir le monde agricole aux enfants. Il vient d'être repris par Anne-Cécile Roy, titulaire d'un diplôme d'œnologie de l'Université de Bordeaux ; elle a un faible pour les vins rouges, et a assemblé le cabernet franc (90 %) à un rien de cabernet-sauvignon pour obtenir son premier millésime. Une robe colorée donne fière allure à ce vin, puis ses arômes subtils, son équilibre, ses tanins présents sans excès et sa longue finale laissent une excellente impression.

Anne-Cécile Roy, Dom. des Roy, 3, rue Franche, 41400 Pontlevoy, tél. et fax 02.54.32.51.07, e-mail domaine-des-roy@wanadoo.fr r.-v.

ALAIN ET PHILIPPE SALLÉ

Gamay Champ du Bois 2005 ★

■ 8 ha 40 000 ■ 3 à 5 €

À Noyers-sur-Cher, ne manquez pas le dolmen, la chapelle Saint-Lazare (XIIe s.) et le moulin à vent. Et goûtez le vin de ses vignerons, comme ce gamay riche, équilibré, raisonnablement tannique et porté vers le fruit mûr, qui exprime tout le millésime 2005. Un ensemble de qualité qui se gardera un an.

EARL Alain et Philippe Sallé, 1, rue du Cher, 41140 Noyers-sur-Cher, tél. 02.54.75.48.10, fax 02.54.75.39.80

t.l.j. sf sam. dim. 8h-12h 14h-19h

DOM. SAUVÈTE Gamay Les Gravouilles 2005 ★★

■ 4 ha 15 000 ■ 5 à 8 €

Installé sur les hauteurs qui dominent la vallée du Cher, Jérôme Sauvète cultive ses 16 ha de vignes en agriculture biologique. Des labours, aucun engrais ni produit chimique, un souci constant de l'équilibre écologique dans ses parcelles, de petits rendements (30 à 35 hl/ha)... et des coups de cœur, le dernier pour un rouge 2003. Cette année, il en gagne deux ! Qui méprise le gamay ? Voyez ces Gravouilles : du rubis dans le verre. Humez-les : cassis, framboise, fraise des bois se mêlent sur fond d'épices. Appréciez ce corps soyeux, svelte et bien structuré. Un grand touraine. Autre modèle de l'appellation, le **gamay Passion 2005**. Une robe profonde, des arômes très mûrs de fruits des bois, un rien grillés. En bouche, une générosité impressionnante et pleine de charme. Deux grands moments de dégustation. Une étoile enfin pour la **cuvée Antéa 2004** de pur cot. Un vin ample, au nez confituré très mûr et pourtant d'une agréable fraîcheur en finale.

LOIRE

Dom. Sauvète, 9, chem. de La Bocagerie, 41400 Monthou-sur-Cher, tél. 02.54.71.48.68, fax 02.54.71.75.31, e-mail domaine.sauvete@wanadoo.fr t.l.j. sf dim. 10h-12h 14h-19h; f. 15-31 août

DOM. DES TABOURELLES
Chenin Douceur d'automne Moelleux Élevé en fût de chêne 2004 ★★

2,4 ha 1 600 8 à 11 €

La famille de Jean-Pierre Germain est établie depuis un siècle à Bourré, village de la rive droite du Cher tout proche de Montrichard. À quelques kilomètres en aval, Chenonceaux. Ici, les sols d'argile à silex sur calcaire du Turonien offrent à la culture du chenin d'excellentes conditions. Récolté le 8 novembre 2004, ce cépage a donné naissance à cette Douceur d'automne qui sent le miel et l'acacia. Le fruité prend des accents d'abricot dans un palais gras à souhait, légèrement boisé (neuf mois de fût) et long. Un excellent moelleux, qui étonnera vos amis.

Dom. des Tabourelles, 9, rte de Vierzon, 41400 Bourré, tél. et fax 02.54.32.07.58, e-mail domainedestabourelles@neuf.fr t.l.j. 9h-19h 3
Jean-Pierre Germain

DOM. MICHEL VAUVY Sauvignon 2005 ★

5 ha 8 000 3 à 5 €

Situé en face de Saint-Aignan, remarquable par sa collégiale, le village de Noyers-sur-Cher, sur la rive droite de la rivière, ne manque pas non plus d'agréments avec sa forêt, son canal et ses vignes. Michel Vauvy conduit 15 ha aux alentours. Caractéristique de l'appellation, son vin blanc libère des arômes intenses d'agrumes aux nuances de coing. En bouche, on découvre les fruits secs et le tilleul, dans un ensemble rond.

Michel Vauvy, 81, rue Nationale, 41140 Noyers-sur-Cher, tél. et fax 02.54.75.26.57 r.-v.

DOM. DU VIEUX PRESSOIR 2005 ★

2 ha 5 000 3 à 5 €

À 4 km du domaine, le château de Chaumont, célèbre par son festival des Jardins. Cette année, jusqu'au 15 octobre, « Allez jouer au jardin » (thème de 2006), puis faites une visite à l'enseigne du Vieux Pressoir : 26 ha de vignes plantées sur les coteaux de la rive gauche de la Loire. Des terrains qui conviennent aux cépages précoces comme le gamay et le grolleau. Le cabernet entre aussi dans l'assemblage de ce rosé saumoné. Ses parfums floraux très fins, son fruité agréable, sa fraîcheur alliée à de la rondeur composent un bel ensemble qui s'accordera à un pain de poisson. Deux citations : le **sauvignon 2005**, équilibré et frais, et le rouge **Cuvée des Sourdes 2004**, assemblage souple et fruité de cabernet (72 %) et de cot.

Joël Lecoffre, 27, rte de Vallières, 41150 Rilly-sur-Loire, tél. 02.54.20.90.84, fax 02.54.20.99.66, e-mail joel.lecoffre@wanadoo.fr t.l.j. 8h-20h

LE VILAIN P'TIT ROUGE 2004

2,3 ha 13 000 8 à 11 €

L'auteur de ce vin cultive les vignes (sur la rive droite du Cher) et l'humour dans le choix du nom de ses cuvées. De l'autodérision, et qui ne doit pas vous induire en erreur : son Petiot (un sauvignon) a été élevé au rang des vins coups de cœur dans le millésime 2003. Quant à ce Vilain-là, mi-cot mi-cabernet, il est plutôt joli. Un peu renfrogné le jour de la dégustation, n'ayant pas fini de digérer son bois (onze mois de fût). Trois ou quatre ans de cave pour s'assouplir et il devrait figurer aimablement à table, aux côtés d'une viande rouge rôtie ou en sauce.

Dom. Ricard, 19, rue de la Bougonnetière, 41140 Thésée, tél. 02.54.71.00.17, fax 02.57.71.00.17, e-mail domaine.ricard@wanadoo.fr r.-v.

Touraine-noble-joué

Présent à la cour du roi Louis XI, le noble-joué est au sommet de sa renommée au XIXe s. Grignoté par l'urbanisation de la ville de Tours, le vignoble, qui faillit disparaître, renaît sous l'impulsion de vignerons qui le reconstituent. Ce vin gris, issu des pinot meunier, pinot gris et pinot noir, a aujourd'hui repris sa place historique par sa consécration en AOC. Le millésime 2005 a produit 1 359 hl sur 21,95 ha.

BERNARD BLONDEAU 2005

2,5 ha 4 000 3 à 5 €

Sous une robe rose clair, le nez légèrement amylique évolue vers un fruité mûr et intense. La bouche puissante, peu portée vers l'acidité, joue la tendresse. On ne lui en voudra pas... Certains amateurs regretteront un petit manque de vivacité qui alourdit la finale, mais d'autres apprécieront cette rondeur.

Bernard Blondeau, 42, rue de la Castellerie, 37550 Saint-Avertin, tél. et fax 02.47.27.88.29 r.-v.

CLOS DE LA DORÉE 2005 ★

2 ha 1 200 3 à 5 €

De couleur saumonée, ce rosé présente un nez bien ouvert sur un fruité un rien amylique. En bouche, il séduit par sa souplesse et son équilibre et laisse une belle impression d'harmonie.

GAEC Clos de La Dorée, La Guérinière, 37320 Esvres-sur-Indre, tél. 02.47.26.50.65, fax 02.47.26.46.46 r.-v.
Rondeau

RÉMI COSSON 2005 ★

3 ha 10 000 3 à 5 €

Rose vif et limpide, cette bouteille est bien tentante. Très présent, le pinot meunier revêt un caractère frais et jovial. Le fruité est intense, au nez comme en bouche. La finale soutenue laisse une impression d'équilibre. Le plus difficile, avec cet agréable rosé, sera de garder la mesure : à partager avec de nombreux amis.

Rémi Cosson, La Hardellière, 37320 Esvres-sur-Indre, tél. 02.47.65.70.63, fax 02.47.34.80.13, e-mail remi.cosson@libertysurf.fr r.-v.

ANTOINE DUPUY 2005 ★

8 ha 30 000 3 à 5 €

Les Dupuy père et fils conduisent cette coquette exploitation : 10 ha de vignes. Le millésime 2005 a permis une belle maturité du raisin que l'on retrouve dans cette bouteille. Le nez, floral, fruité, un peu amylique est intense, presque lourd. Le vin se fait tendre en bouche, attaque avec souplesse et reste constamment équilibré.

EARL Antoine Dupuy, Le Vau, 37320 Esvres-sur-Indre, tél. 02.47.26.44.46, fax 02.47.65.78.86 r.-v.

ROUSSEAU FRÈRES 2005 *

12 ha 62 000 3 à 5 €

À la tête d'un domaine de 18 ha, les Rousseau ont un faible pour le pinot gris, appelé localement malvoisie et qui entre à hauteur de 35 % dans ce rosé, derrière le pinot meunier. Légèrement ambré, ce 2005 révèle beaucoup de maturité. Au nez, du fruit rouge très mûr. En bouche, des impressions chaleureuses et, pour finir, une touche d'amertume pas désagréable du tout. « Pur jus de terroir », selon un dégustateur.

Rousseau Frères, Le Vau, 37320 Esvres-sur-Indre, tél. 02.47.26.44.45, fax 02.47.26.53.12, e-mail rousseau.freres@libertysurf.fr
t.l.j. sf dim. 9h-12h30 14h-19h

JEAN-JACQUES SARD 2005 *

4,5 ha 23 000 3 à 5 €

Le jury a apprécié la robe vive qui donne envie d'en savoir plus long sur ce rosé. La suite ne déçoit pas, car le verre recèle beaucoup de finesse, de fruité, de souplesse et réserve une pointe de fraîcheur pour la finale. Que demander de plus ?

Jean-Jacques Sard, La Chambrière, 37320 Esvres-sur-Indre, tél. 02.47.26.42.89, fax 02.47.26.57.59 r.-v.

Touraine-amboise

De part et d'autre de la Loire sur laquelle veille le château des XVe et XVIes., non loin du manoir du Clos-Lucé où vécut et mourut Léonard de Vinci, le vignoble de l'appellation touraine-amboise (218 ha) a produit 9 552 hl de vins rosés et rouges en 2005 à partir du gamay, du cot et du cabernet franc. Ce sont des vins pleins, aux tanins légers ; lorsque cot et cabernet dominent, les vins ont une certaine aptitude au vieillissement. Les mêmes cépages donnent des rosés secs et tendres, fruités et bien typés. Secs à demi-secs selon les années, et pouvant également être gardés en cave, les blancs ont représenté 1 992 hl.

DOM. DES BESSONS Cuvée François Ier 2004

1 ha 6 000 3 à 5 €

Depuis 1980, François Péquin conduit les 9 ha du domaine familial qui a son siège en face d'Amboise, dans une maison vigneronne typique avec ses caves creusées dans la roche. Son vin rouge, lui aussi, est typique, bien dans son appellation ligérienne où fruité et légèreté sont souvent gage de qualité. Rubis intense, il offre des arômes de fruits rouges assortis d'une touche épicée. Une élégante souplesse règne en bouche. À servir dès à présent.

François Péquin, Dom. des Bessons, 113, rue de Blois, 37530 Limeray, tél. 02.47.30.09.10, fax 02.47.30.02.25, e-mail francois.pequin@wanadoo.fr
r.-v.

DOM. DUTERTRE 2005

2 ha 10 000 3 à 5 €

À la barre depuis dix ans, le propriétaire facétieux a inauguré sur son domaine une « place du Tertre » en présence d'un édile du XVIIIe arrondissement : celui des vignes de Montmartre. Une exploitation créée en 1900 par son arrière-grand-père à partir d'un hectare, et qui s'est agrandie à chaque génération pour atteindre aujourd'hui 37 ha. Souvent remarquée par les dégustateurs, elle signe cette année deux vins assez simples d'approche et qui peuvent intéresser de nombreux amateurs : ce rosé surtout, à la robe œil-de-perdrix, au fruité poivré et à la bouche friande grâce aux sucres restants ; et le **rouge cuvée Prestige 2004 (5 à 8 €)**, également cité, légèrement boisé et tannique, qui demande trois à cinq ans de garde avant d'atteindre sa plénitude.

EARL Dom. Dutertre, 20-21, rue d'Enfer, 37530 Limeray, tél. 02.47.30.10.69, fax 02.47.30.06.92
t.l.j. 9h-12h30 14h-18h; dim. 9h-12h30

XAVIER FRISSANT Renaissance 2004

2 ha 14 000 5 à 8 €

Ce domaine de 18 ha est bien connu des fidèles lecteurs du Guide. On retrouve cette année sa cuvée Renaissance, assemblage de cot (50 %), de cabernet franc (40 %) et de cabernet-sauvignon. Un vin de belle facture, au nez discret s'ouvrant sur des notes de fruits des bois qui se prolongent dans une bouche aux accents de myrtille. Son austérité tannique actuelle incite à le décanter et, mieux encore, à le laisser vieillir quelques années avant de le servir avec une viande rouge.

Xavier Frissant, 1, chem. Neuf, 37530 Mosnes, tél. 02.47.57.23.18, fax 02.47.57.23.25, e-mail xavier.frissant@wanadoo.fr
t.l.j. 8h-12h30 14h-19h; dim. sur r.-v.

DOM. DE LA GABILLIÈRE Cuvée François Ier 2004

3,6 ha 19 000 3 à 5 €

Le domaine de La Gabillière (20 ha) est le champ d'exercice des futurs viticulteurs, employés et cadres viticoles qui se forment au lycée d'Amboise, établissement public d'enseignement agricole. Il est une fois de plus présent dans le Guide à travers un assemblage de cot et de cabernet franc (40 % chacun) complétés par le gamay. L'œil est sombre et le nez de qualité, sur les fruits des bois. Les tanins apparaissent encore très présents, même si l'ensemble laisse une impression de souplesse et de gouleyance. Un séjour en cave achèvera de les arrondir (jusqu'à cinq ans).

Dom. de La Gabillière, Lycée viticole, 46, av. Émile-Gounin, 37400 Amboise, tél. 02.47.23.53.80, fax 02.47.57.01.76, e-mail expl.lpa.amboise@educagri.fr
t.l.j. sf sam. dim. 8h-12h 14h-17h

DOM. DE LA PRÉVÔTÉ Cuvée Renaissance 2004

2 ha 5 000 3 à 5 €

Des plants de chenin de trente-cinq ans sont à l'origine de cette cuvée qui plaira par ses arômes miellés

LOIRE

caractéristiques du cépage. Un boisé vanillé ajoute une note de complexité. Souple et rond, ce vin s'accordera avec les poissons en sauce.

GAEC Bonnigal, Dom. de La Prévôté, 17, rue d'Enfer, 37530 Limeray, tél. 02.47.30.11.02, fax 02.47.30.11.09, e-mail bonnigalprevote@wanadoo.fr t.l.j. sf dim. 9h-12h 14h-19h

DOM. TANCREZ Amarine 2004 ★

0,5 ha 2 000 5 à 8 €

Jeune vigneron fraîchement installé dans l'appellation sur un domaine de 17 ha, Pierre-Emmanuel Tancrez a présenté avec succès son premier millésime, en rouge et en blanc. Issue du chenin et élevée dix mois sous bois, cette cuvée Amarine affiche une robe jaune soutenu et attire l'attention par son nez mêlant les fleurs blanches et une touche minérale (le tuffeau !). Cette palette complexe se prolonge dans une bouche équilibrée et d'une plaisante fraîcheur. À apprécier pendant deux à trois ans sur poissons et viandes blanches. La **cuvée François Ier rouge 2004**, née du gamay (40 %), du cot et du cabernet franc, est citée. Un vin souple aux arômes de fruits, d'épices et de réglisse, à déboucher maintenant.

EARL P.-E. et S. Tancrez, Fleuray, 37530 Cangey, tél. 02.47.30.18.82, fax 02.47.30.02.79, e-mail pierresev@aol.com t.l.j. sf dim. 9h-18h30

Touraine-azay-le-rideau

Produits sur 150 ha, répartis sur les deux rives de l'Indre, les vins ont ici l'élégance du château qui se reflète dans la rivière et dont ils ont pris le nom. La moitié sont des blancs (1 420 hl en 2005) ; secs à tendres, particulièrement fins, vieillissant bien, ils sont issus du cépage chenin blanc (ou pineau de la Loire). Les cépages grolleau (60 % minimum de l'assemblage), gamay, cot (avec au maximum 10 % de cabernets) donnent des rosés secs et très friands (1 089 hl). Les vins rouges ont l'appellation touraine.

CH. DE L'AULÉE L'Aulée tendre 2004

2 ha 8 000 5 à 8 €

Depuis 1856, ce domaine commandé par un manoir Napoléon III à la façade sculptée, cultive le chenin sur des argiles riches en silex. Arnaud et Marielle Henrion, qui l'ont repris en 2004, y ont ouvert trois chambres d'hôtes. Le vignoble s'étend sur 37 ha où s'ébattent chevreuils, lapins et sangliers. Cette faune a tout de même laissé les quelques grappes qui ont donné une cuvée tendre. Ce 2004 a surpris par son boisé très présent au nez (neuf mois en fût), qui tend à masquer les arômes miellés. En bouche, la barrique se fait plus discrète et l'harmonie est plus réussie.

EARL Ch. de L'Aulée, rte de Tours, 37190 Azay-le-Rideau, tél. 02.47.45.44.24, fax 02.47.45.44.34, e-mail chateau-de-laulee@wanadoo.fr t.l.j. 9h-20h 4

Arnaud et Marielle Henrion

THIERRY BESARD Cuvée La Calotte 2004 ★

0,58 ha 2 500 3 à 5 €

Situé au confluent de l'Indre et de la Loire et à mi-chemin entre Azay-le-Rideau et Villandry, ce domaine a décroché l'an dernier un coup de cœur pour un moelleux 2003. Voici de nouveau un blanc, mais sec. La robe est jaune, le nez de rayon de cire miellée est caractéristique du chenin récolté à pleine maturité. L'attaque apparaît franche et fruitée ; la finale, bien que chaleureuse, conserve une dose de minéralité. Cité, le **rosé 2005** semble un peu évolué au nez mais intéresse par sa présence en bouche, rehaussée par une pointe de perlant.

Thierry Besard, 10, Les Priviers, 37130 Lignières-de-Touraine, tél. 02.47.96.85.37, fax 02.47.96.41.98 r.-v. B

DOM. JAMES ET NICOLAS PAGET 2004 ★

1 ha 4 000 5 à 8 €

Ce domaine est établi sur les bords de la Loire, dans la zone de confluence avec l'Indre. Au sud, la forêt de Chinon. Non loin, le château d'Ussé et, à peine plus distant, celui d'Azay. De belles promenades à bicyclette en perspective. Fidèle au poste, associé depuis peu avec son fils Nicolas, James Paget fournit toujours des vins friands. Celui-ci, dans sa robe pâle à reflets verts, est plein de charme. Finesse de ses arômes d'agrumes et de pêche blanche sur une note de cire, fraîcheur et équilibre de la bouche : un ensemble harmonieux à savourer avec poissons et crustacés.

Dom. James et Nicolas Paget, 7, rte de la Gadouillère, lieu-dit Armentières, 37190 Rivarennes, tél. 02.47.95.54.02, fax 02.47.95.45.90 t.l.j. sf dim. lun. 9h-12h 14h30-19h

PASCAL PIBALEAU 2005

4 ha 13 000 3 à 5 €

Trois châteaux à proximité du petit royaume de Pascal Pibaleau (15 ha). Ce vigneron est un perfectionniste, tant à la vigne qu'à la cave. Il a bien réussi son rosé de grolleau, dont la robe soutenue et les arômes bien présents de petits fruits rouges mettront le plus grand nombre de son côté. Quant au **blanc 2004**, cité également, s'il ne fait pas oublier le 2000 qui fut coup de cœur, il plaît par ses nuances d'agrumes, son équilibre et sa persistance. Ces deux vins pourront tous deux accompagner un poisson ou une viande blanche.

Pascal Pibaleau, 68, rte de Langeais, 37190 Azay-le-Rideau, tél. 02.47.45.27.58, fax 02.47.45.26.18, e-mail pascal.pibaleau@wanadoo.fr t.l.j. sf dim. 9h-12h30 13h30-19h

CH. DE LA ROCHE Chenin Cuvée Joséphine 2004

4 ha 8 000 8 à 11 €

En aval d'Azay-le-Rideau, ce domaine est commandé par un manoir Renaissance campé sur un coteau dominant la vallée de l'Indre. En 1429, Jeanne d'Arc, reliant Chinon à Tours, fit halte ici. Le vignoble (6,50 ha) est dirigé par Louis-Jean Sylvos depuis 2002. Des arômes frais, de la présence dans ce vin blanc franc à l'attaque et d'un bel équilibre sucre-acidité. S'il lui manque un rien d'originalité pour pouvoir prétendre à une étoile, ce 2004 fera bonne figure sur des charcutailles tourangelles.

Ch. de La Roche, La Roche, 37190 Cheillé, tél. 02.47.45.46.05, fax 02.47.45.29.60, e-mail louis.jean.sylvos@wanadoo.fr r.-v. E

Louis-Jean Sylvos

CHRISTOPHE VERRONNEAU
La Herpinière Vieilles Vignes 2004

1 ha 4 000 5 à 8 €

La propriété dispose de caves troglodytiques pour mûrir ses vins : ces galeries, du XVe s., ont-elles été creusées pour extraire la pierre qui a servi à construire les nombreux châteaux des environs (Azay-le-Rideau, Villandry, Langeais, Ussé) ? Le vignoble, de 9 ha, est exploité en agriculture biologique par Christophe Verronneau, aux commandes depuis 1994. Des ceps d'un demi-siècle sont à l'origine de ce vin pâle de couleur et à l'expression minérale intense. Puissant en bouche, nerveux, ce 2004 est un peu alourdi par les sucres. Sa finale acidulée permettra de le servir sur du poisson.

Christophe Verronneau, 17, La Vallée, 37190 Vallères, tél. 02.47.45.92.38, fax 02.47.45.92.39, e-mail laherpiniere@aol.com r.-v.

Touraine-mesland

Sur la rive droite de la Loire, au nord de Chaumont et en aval de Blois, le vignoble d'appellation couvre 200 ha. 4 625 hl ont été produits en 2005 dont 741 en blanc. Les sols sont perrucheux (argile à silex à couverture localement sableuse – miocène – ou limono-sableuse). La production de vins rouges est abondante ; issus du gamay assemblé avec du cabernet et du cot, ceux-ci sont bien structurés et typés. Comme les rosés, les blancs (issus surtout du chenin) sont secs.

DOM. D'ARTOIS 2005

2,9 ha 21 300 5 à 8 €

Un vaste domaine (plus de 70 ha) et deux bouteilles citées. Ce rouge, assemblage de gamay (50 %), de cabernet et de cot, est un vin « à l'ancienne ». De couleur pourpre, il présente un nez épicé, légèrement animal sur une pointe de rafle. En bouche, ne vous attendez pas à de la souplesse ou à de la rondeur : tout est ici mâche, tanins un peu rogues. De la chaleur en finale. Attente recommandée, sauf si vous aimez les vins tanniques : deux à trois ans au minimum. Le **blanc 2005**, cité, marie chenin (80 %) et chardonnay. Plus actuel, c'est un tendre, manifestant en finale une douceur qui lui va bien.

SCEA Dom. d'Artois, La Morandière, 41150 Mesland, tél. et fax 02.54.70.24.72 r.-v.
J.-L. Saget

DOM. DE LA BESNERIE Sec 2005 *

0,6 ha 3 000 5 à 8 €

Une propriété viticole de 1800 à 1925, puis la vigne a été délaissée. La famille Pironneau l'a remise en état, a construit un chai entre 1978 et 1985, puis des salles pour le stockage et la réception (1992), tout en restaurant la maison. Des investissements dans la durée pour un coquet domaine (16 ha) retenu cette année dans les trois couleurs. De teinte saumonée, ce rosé sec séduit par son fruité intense sur un corps gouleyant, frais et long. Il devrait se marier avec la cuisine asiatique. Mariage de gamay (50 %), de cabernet et de cot de plus de quarante ans, le **rouge Vieilles Vignes 2005**, pour l'heure fermé, doit être oublié en cave deux à trois ans avant de dévoiler toutes ses subtilités. Il obtient une citation. En revanche, le **blanc sec 2005** (chenin-chardonnay), également cité, d'une plaisante légèreté, est pour maintenant.

François Pironneau, Dom. de La Besnerie, 41, rte de Mesland, 41150 Monteaux, tél. 02.54.70.23.75, fax 02.54.70.21.89 r.-v.

CLOS DE LA BRIDERIE Gris 2005

n.c. 8 000 5 à 8 €

Issu d'un vignoble cultivé en biodynamie, ce gris de pur gamay s'habille d'une robe saumoné clair et présente un bon équilibre. Ses arômes le portent vers le fruit frais, avec une touche végétale en finale. Un vin de buffet. Pour un poisson poêlé, choisissez le **blanc Vieilles Vignes 2005**, cité, auquel chenin et chardonnay donnent des arômes de pomme verte et d'agrumes.

Vincent Girault, Clos de La Briderie, 41150 Monteaux, tél. 02.54.70.28.89, fax 02.54.70.28.70, e-mail vincent.girault@biovidis.fr r.-v.

CH. GAILLARD 2005

n.c. 50 000 5 à 8 €

Le domaine, cultivé en agriculture biologique, regarde le château de Chaumont, sur l'autre rive de la Loire. Château Gaillard rouge a mis le pont-levis : archifermé et occupé par une armée de tanins. Ce vin, qui met à contribution le gamay, avec un appoint de cot et de cabernet, doit attendre au minimum un an (et jusqu'à cinq) pour s'assouplir et épanouir ses arômes. À boire dès à présent, le **blanc 2005**, cité lui aussi, est un tendre à la finale fraîche. Un pain de poisson lui conviendra.

Vincent Girault, Ch. Gaillard, 41150 Mesland, tél. 02.54.70.25.47, fax 02.54.70.28.70, e-mail vincent.girault@biovidis.fr r.-v.

DOM. DU PARADIS Vieilles Vignes 2005

5 ha 15 000 3 à 5 €

Cette vaste exploitation familiale reprise en 1986 par Philippe Souciou, rejoint aujourd'hui par sa fille Laëtitia, s'étend sur 145 ha : la vigne (16 ha) y côtoie d'autres cultures (84 ha) et l'élevage (cinquante-cinq vaches allaitantes). Les trois principaux cépages rouges de la région sont à l'œuvre dans cette cuvée de fort belle facture, de couleur pourpre et au nez de fruits rouges. En bouche, ce vin est corsé et structuré, avec beaucoup de mâche. La finale tannique incite à le laisser vieillir quelques années.

EARL Philippe Souciou, Dom. du Paradis, 39, rue d'Asnières, 41150 Onzain, tél. 02.54.20.81.86, fax 02.54.33.72.35, e-mail earlsouciou@aol.com r.-v.

LOIRE

DOM. DES TERRES NOIRES 2005

0,8 ha 3 000 3 à 5 €

Établis à Onzain, en face de Chaumont, les trois frères Rédiguère se sont associés pour conduire ce domaine. Quatre cinquièmes de chenin pour un cinquième de chardonnay dans ce blanc pâle de couleur, et aux reflets verts. Ce vin s'exprime surtout au nez, où dominent les fleurs blanches. L'attaque est souple, sur un fruité léger. Un peu fugace, ce 2005 n'en exprime pas moins le Val de Loire.

🔑 GAEC des Terres Noires, 81, rue de Meuves, 41150 Onzain, tél. 02.54.20.72.87, fax 02.54.20.85.12 ☑ Y r.-v.

Bourgueil

À partir du cépage cabernet franc (breton), 68 409 hl de vins rouges et rosés ont été produits en 2005 sur les 1 405 ha du vignoble d'appellation contrôlée bourgueil, à l'ouest de la Touraine et aux frontières de l'Anjou, sur la rive droite de la Loire. Racés, dotés de tanins élégants, ils ont une très bonne aptitude au vieillissement, après une cuvaison longue, s'ils proviennent des sols sur tuffeau jaune des coteaux. Leur évolution en cave peut alors durer plusieurs dizaines d'années pour les meilleurs millésimes. Ils sont plus gouleyants et fruités s'ils proviennent des terrasses aux sols graveleux à sableux.

JEAN-MARIE ET NATHALIE AMIRAULT 2004 *

■ 7,9 ha 7 000 ▮ 5 à 8 €

La propriété vient du grand-père qui avait démarré avec quarante-cinq boisselées de vignes (2,50 ha). Aujourd'hui, elle comprend près de 8 ha. L'exploit de ces vignerons cette année est d'avoir élaboré une seule cuvée d'une telle qualité à partir de la totalité de la récolte du domaine. L'attaque est sur le fruit, puis la rondeur s'exprime avant une finale encore un peu sévère. Le vin n'est pas sorti de l'adolescence ; il faut le laisser grandir.

🔑 Jean-Marie Amirault, La Motte, 6, rue de Nozillon, 37140 Benais, tél. et fax 02.47.97.48.00, e-mail jm.amirault.vins@wanadoo.fr ☑ Y 🚶 r.-v.

YANNICK AMIRAULT Les Quartiers 2004 *

■ 1,5 ha 8 000 ⦀ 8 à 11 €

Ils sont rares les vignerons qui travaillent encore les rangs à la charrue et n'utilisent pas de désherbants. Yannick Amirault est de ceux-là. Mais ce n'est pas là tout son secret : les soins apportés aux raisins lors des vendanges et au suivi des vinifications comptent beaucoup. Les Quartiers font encore parler d'eux. Le vin ayant passé un an en fût, un léger boisé se manifeste au nez comme en bouche. La structure est bien construite, élégante même et entourée d'une forte matière. C'est la pleine jeunesse, l'âge adulte n'est pas pour tout de suite.

🔑 Yannick Amirault, 5, pavillon du Grand-Clos, 37140 Bourgueil, tél. 02.47.97.78.07, fax 02.47.97.94.78 ☑ Y 🚶 r.-v.

HUBERT AUDEBERT Vieilles Vignes 2004 *

■ 2 ha 10 000 ▮ 5 à 8 €

Le vignoble a été créé en 1900 par les arrière-grands-parents. Hubert Audebert se trouve à la tête de près de 10 ha. Cette cuvée est issue de pentes argilo-calcaires placées face au midi. L'attaque enrobée annonce richesse, puissance et volume, le tout soutenu par une forte ossature tannique. Un pari sur l'avenir, gagnant à coup sûr.

🔑 Hubert Audebert, 5, rue Croix-des-Pierres, 37140 Restigné, tél. 02.47.97.42.10, fax 02.47.97.77.53 ☑ Y 🚶 r.-v.

DOM. AUDEBERT ET FILS Vignoble Les Marquises 2004 **

■ 1,52 ha 8 000 ▮⦀ 5 à 8 €

François Audebert dirige la maison de négoce créée en 1839 dont le **rosé 2005** obtient deux étoiles. Il gère aussi ce domaine d'une vingtaine d'hectares qui s'étend au pied du coteau dominant la terrasse de Bourgueil. Le travail dans le chai à demi-enterré, fonctionnel, n'est pas étranger à la réussite de cette cuvée. Au nez, le fruit est légèrement nuancé de boisé, sans excès. À l'attaque, la rondeur et la souplesse s'imposent. Puis, le fruit revient progressivement pour compléter une impression de gras et de volume. Les notes animales en finale n'ont rien de désagréable. Un 2004 qui peut être servi dès maintenant. Le **Clos Sénéchal 2004 rouge** obtient une étoile.

🔑 Dom. Audebert et Fils, 20, av. Jean-Causeret, 37140 Bourgueil, tél. 02.47.97.70.06, fax 02.47.97.72.07, e-mail maison@audebert.fr ☑ Y 🚶 t.l.j. 8h30-12h 14h-18h; sam. dim. sur r.-v.

CATHERINE ET PIERRE BRETON Les Galichets 2004

■ 3 ha n.c. ▮ 8 à 11 €

Le vignoble est en culture biologique depuis 1989 et en biodynamie depuis 1997. Les vendanges sont manuelles et le vin n'est pas filtré. Qui dira que chez les Breton de Restigné on n'est pas très proche de la nature ? Un vin qui respire la cueillette à bonne maturité et qui offre une bouche riche, fondue, d'un parfait équilibre. Il peut être servi sans tarder.

🔑 Pierre Breton, 8, rue du Peu-Muleau, 37140 Restigné, tél. 02.47.97.30.41, fax 02.47.97.46.49, e-mail catherineetpierre.breton@libertysurf.fr ☑ Y 🚶 r.-v.

DOM. DE LA BUTTE Perrières 2004 *

■ 1 ha 6 350 ⦀ 8 à 11 €

Jacky Blot, dont l'activité principale est à Montlouis, s'intéresse aux vins de Bourgueil depuis 2002. Il met en valeur le domaine de La Butte d'une superficie de 14 ha. Rouge foncé, son vin est tout en fruits au nez, soulignés d'un léger boisé. La bouche conjugue équilibre, élégance et rondeur, avec un boisé fondu. Une bouteille prête pour le service.

🔑 Jacky Blot, La Butte, 37140 Bourgueil, tél. 02.47.45.11.11, fax 02.47.45.11.42 ☑ Y 🚶 r.-v.

LE CARROI Cuvée du Chasseur 2004

■ 2,5 ha 10 000 5 à 8 €

Un vin pour un retour de chasse, avec un beau tableau de préférence... Il égayera le repas et déliera les langues, chacun narrant ses exploits. La robe rubis est à l'image des fruits rouges du verger qui composent le bouquet. Les tanins sont souples, mais pourraient se fondre davantage si l'on sait attendre. Un vin de plaisir qui se boira facilement. La **cuvée Prestige 2004**, de même style, est citée également.

🔑 Bruno et Roselyne Breton, EARL du Carroi, 45, rue Basse, 37140 Restigné, tél. 02.47.97.31.35, fax 02.47.97.49.00 ☑ Y 🚶 t.l.j. 8h-12h 14h-19h

CASLOT-BOURDIN

La Charpenterie Vieilles Vignes Vieilli en fût de chêne 2004 ★★

■ 3 ha 7 000 5 à 8 €

La couleur est prononcée et le nez hésite entre la fraise, la myrtille et la groseille : un verger de fruits rouges. Souple, avec du volume et du gras autour de tanins modérés, c'est un vin aimable qui a sa place à table dès maintenant. Proposez-lui des grillades. Cyprien Caslot, installé depuis 1999 sur les 17 ha de La Charpenterie, obtient là un remarquable résultat.

EARL Caslot-Bourdin, 21, rue Brûlée, La Charpenterie, 37140 La Chapelle-sur-Loire, tél. 02.47.97.34.45, fax 02.47.97.44.80, e-mail info@caslot-bourdin.com r.-v.

DOM. CASLOT-PONTONNIER

Cuvée Hubert 2004

■ 3 ha 13 500 5 à 8 €

Le passage du domaine des parents au fils s'est fait progressivement. Franck Caslot conduit aujourd'hui les vignes de Bourgueil et celles des Pontonnier sur Saint-Nicolas. Que le visiteur se rassure, il aura toujours l'accueil chaleureux qu'il connaît à La Hurolaie, dans le bourg de Benais. Ce 2004 au nez ample évoque les fruits rouges mûrs. Volume et gras sont bien présents en bouche jusque dans une finale équilibrée. Les tanins gagneront en amabilité à la faveur d'une garde raisonnable.

Caslot-Pontonnier, 4, chem. de l'Épaisse, 37140 Saint-Nicolas-de-Bourgueil, tél. 02.47.97.84.69, fax 02.47.97.48.55 r.-v.

Franck Caslot

DOM. DE LA CHANTELEUSERIE

Vieilles Vignes 2004 ★

■ 1 ha 4 000 5 à 8 €

À La Chanteleuserie, les oiseaux chantent en toute liberté et les vins sont enchanteurs à l'image de cette cuvée. Le bois est certes omniprésent au nez et en bouche, mais les tanins très droits, bien plantés, sont enrobés de suffisamment de gras et de matière pour évoluer favorablement. Il faut juste un peu de temps pour que l'harmonie s'installe définitivement.

Thierry Boucard, La Chanteleuserie, 37140 Benais, tél. 02.47.97.30.20, fax 02.47.97.46.73, e-mail tboucard@terre-net.fr
t.l.j. sf dim. 9h-12h 14h-19h

DOM. DU CHÊNE ARRAULT

Cuvée Vieilles Vignes 2004 ★

■ 1,33 ha 8 000 5 à 8 €

Benais, c'est le terroir avec un grand T ! Les terres argilo-calcaires donnent des vins solidement constitués. Christophe Deschamps, qui en possède 4 ha, élabore des cuvées de garde. Il a la chance de posséder une cave, ancienne carrière, de 5 ha de superficie. À visiter pour qui aime le spectaculaire. Les fruits rouges et la réglisse composent le bouquet de ce vin. La bouche possède une attaque ronde, des tanins mûrs et une matière concentrée. Un bourgueil parti pour un long voyage dans le temps.

EARL Christophe Deschamps, 4, Le Chêne-Arrault, 37140 Benais, tél. 02.47.97.46.71, fax 02.47.97.82.90, e-mail domaine.du.chene.arrault@wanadoo.fr
r.-v.

DOM. DES CHESNAIES Cuvée Prestige 2004 ★★★

■ 8 ha 60 000 5 à 8 €

Lucien Lamé, le grand-père, créa le domaine en 1968, avec un très beau chai, rare à l'époque, équipé de foudres en bois. Les petits-enfants, Philippe et Stéphanie Boucard, ont repris le flambeau après de solides études d'œnologie. Les 43 ha du domaine sont donc entre de bonnes mains, d'autant que les conjoints sont impliqués. Cette cuvée est hors du commun. Rouge intense à reflets violets, elle laisse exploser une multitude de senteurs de fruits. Au palais la matière l'emporte. Dense, ronde, harmonieuse, on ne sent qu'elle. Des tanins de qualité structurent l'ensemble. Faut-il ouvrir cette bouteille maintenant ou la mettre en cave ? Nous vous laissons juge. Face à la **cuvée Vieilles Vignes 2004**, notée une étoile, la même question se pose.

EARL Lamé Delisle Boucard, Dom. des Chesnaies, 21, rue Galotière, 37140 Ingrandes-de-Touraine, tél. 02.47.96.98.54, fax 02.47.96.92.31, e-mail lame.delisle.boucard@wanadoo.fr
t.l.j. sf dim. 9h-17h30; sam. 9h-12h

Boucard et Degaugue

DOM. DE LA CHEVALERIE

Cuvée des Galichets 2004 ★★★

■ 4 ha 12 000 5 à 8 €

DOMAINE DE LA CHEVALERIE
Bourgueil
APPELLATION CONTRÔLÉE
Cuvée des Galichets
ALC.12,5% by Vol. RED WINE 750 ml
MIS EN BOUTEILLES À LA PROPRIÉTÉ PRODUCT OF FRANCE
CASLOT PIERRE, PROPRIÉTAIRE-RÉCOLTANT, "DOMAINE DE LA CHEVALERIE", RESTIGNÉ (I.&-L.)

Le vignoble de 33 ha qui couvre le coteau entoure la maison et la cave – l'une des plus belles de la région par ses dimensions et la portée de ses voûtes. Emmanuel et Stéphanie Caslot, qui représentent la quatorzième génération, ont rejoint le domaine désormais conduit en agriculture biologique et biodynamique. Nouveau coup de cœur après celui de l'an passé pour les Busardières 2003. La cuvée des Galichets, pourpre intense, révèle une constitution puissante grâce à une matière et à des tanins hors du commun. Un passage en fût de trois mois l'a marquée de nuances boisées, mais on perçoit aussi intensément le fruité. Un potentiel qui s'affirmera lors de la garde. La **cuvée Vieilles Vignes 2004** est citée.

Pierre Caslot, Dom. de La Chevalerie, 7, rue du Peu-Muleau, 37140 Restigné, tél. 02.47.97.37.18, fax 02.47.97.45.87, e-mail caslot.pierre@wanadoo.fr
t.l.j. 9h-12h 14h-18h; dim. sur r.-v.

DOM. DE LA CLOSERIE 2004 ★

■ 5 ha 15 000 5 à 8 €

Le nez expressif rappelle les fruits nuancés d'un léger boisé. On perçoit du volume et du gras dans une bouche structurée par des tanins élégants, mais c'est la souplesse d'ensemble que l'on retient. Un bourgueil d'argilo-calcaire, bien vinifié qui a sa place à table dès aujourd'hui.

LOIRE

Jean-François Mabileau, 28, rte de Bourgueil, 37140 Restigné, tél. 02.47.97.36.29, fax 02.47.97.48.33
r.-v.

DOM. DE LA CROIX-MORTE
Cuvée Albert 2004 *

■ 1,5 ha 2 000 5 à 8 €

Hommage est rendu au grand-père Albert, créateur du vignoble. Un peu en retrait aujourd'hui, cette cuvée ne demande qu'à s'exprimer à l'avenir. Elle donne l'impression d'une récolte faite à maturité optimale par ses évocations de pruneau. La matière ample enveloppe les tanins et laisse une sensation de fondu avenant. Le potentiel est réel, le temps fera le reste.

Fabrice Samson, 70, rte de Bourgueil, 37140 Restigné, tél. et fax 02.47.97.49.48, e-mail croixmorte@hotmail.com
t.l.j. 8h30-12h 14h-18h

DOM. SERGE DUBOIS Vieilles Vignes 2004 **

■ 2 ha 8 000 5 à 8 €

Trois générations sont à l'origine de ce domaine de 13 ha. Le grand-père a planté les premiers ceps, le père a agrandi le vignoble et, aujourd'hui, Serge Dubois crée un chai de vinification adapté. Il a en main tous les outils pour réussir ses cuvées. Celle-ci, au bouquet floral, fait au palais assaut d'élégance et de finesse malgré des tanins puissants. Une bouteille bien vinifiée et bien élevée qui progressera encore.

EARL Dom. Serge Dubois, 49, rue de Lossay, 37140 Restigné, tél. 02.47.97.31.60, fax 02.47.97.43.33, e-mail domaine.sergedubois@wanadoo.fr
r.-v.

Mickaël Dubois

DOM. BRUNO DUFEU
Cuvée Grand Mont 2004 **

■ 1,2 ha 6 500 5 à 8 €

Installé depuis 1995, Bruno Dufeu mise beaucoup sur l'accueil des visiteurs ; il prend plaisir à recevoir, présenter son vignoble et parler de ses vins. Il aura beaucoup à dire sur cette cuvée. Encore un peu discret, le bouquet s'annonce intéressant par ses notes de fraise et de cassis agrémentées de sous-bois. Onctueux et riche, le palais ne manque pourtant pas de fraîcheur. La finale ferme semble prête à évoluer. Un vin sérieux, pour connaisseurs.

Bruno Dufeu, Les Neusaies, 37140 Benais, tél. et fax 02.47.97.76.53, e-mail brunodufeu@wanadoo.fr
r.-v.

DUVAL VOISIN 2004

■ 7,47 ha 12 800 3 à 5 €

Séduisante expression de fruits rouges et de violette. Les qualités de souplesse et d'équilibre en bouche ne sont pas moins agréables, mais il reste les tanins, affirmés en fin de dégustation. Rien de grave pour un 2004 : il faut seulement un peu de temps pour modérer leur ardeur.

SCEA Duval Voisin, 6, rue de Fontenay, 37140 Ingrandes-de-Touraine, tél. et fax 02.47.96.95.91
r.-v.

LAURENT FAUVY Vieilles Vignes 2004 *

■ 2 ha 6 000 5 à 8 €

Le terroir de Benais, fidèle à sa réputation, a donné naissance à ce vin apte au vieillissement. À l'attaque ronde, très enrobée, suit une matière riche. Le fruit et la petite pointe de fraîcheur en font un vin plaisant aujourd'hui, mais susceptible de se bonifier pendant trois ou quatre ans de garde. La cuvée principale **Laurent Fauvy 2004 rouge (3 à 5 €)** obtient également une étoile : fruitée, élégante, souple, elle fera bel effet avec un tagine.

EARL Laurent Fauvy, Le Machet, 37140 Benais, tél. 02.47.97.46.67, fax 02.47.97.95.45
r.-v.

LA FONTAINE AUX FOUGÈRES
Pensée des Champs 2004 *

■ 1,1 ha 5 000 8 à 11 €

Sandrine Deschamps a beaucoup de détermination et réalise ses plans. Elle est viticultrice depuis 2003 à part entière sur un domaine modeste où elle a souhaité exclure tout traitement chimique. Elle est en passe d'obtenir son agrément en culture biologique. Sa cuvée Pensée des Champs (plante qui pousse sur le sol graveleux dont est issu le vin) est bien tentante avec sa bouche tendre, très enrobée de fruits. Souple, légère, elle est à inviter sans tarder.

Sandrine Deschamps, 4, Le Chêne-Arrault, 37140 Benais, tél. 02.47.97.46.71, fax 02.47.97.82.90, e-mail dca1@wanadoo.fr
r.-v.

DOM. DES FORGES Cuvée Vieilles Vignes 2004 **

■ 5 ha 20 000 8 à 11 €

L'église de Restigné, dont la partie la plus ancienne date du XI[e]s., est à deux pas du domaine des Forges. Vous vous passionnerez aussi bien pour l'une que pour l'autre. Cette cuvée équilibrée propose des arômes de griotte et de cacao. Après une attaque ronde se développent une matière riche et des tanins tout doux qui soutiennent une sympathique finale. Une bouteille à ouvrir maintenant ou plus tard. La cuvée **Les Bézards 2004 rouge (5 à 8 €)**, notée une étoile, a une vocation de garde plus affirmée.

Jean-Yves Billet, Dom. des Forges, 28, pl. des Tilleuls, 37140 Restigné, tél. 02.47.97.32.87, fax 02.47.97.46.47, e-mail J.Y.Billet@wanadoo.fr
r.-v.

FOUCHER-LEBRUN Les Grands Jardins 2004 *

■ n.c. n.c. 3 à 5 €

Paulin Lebrun était tonnelier de son état ; sa passion pour la vigne et le vin est venue de ses contacts avec les vignerons. Aujourd'hui, son petit-fils, Jack Foucher, est aux commandes du domaine et propose un 2004 franc, bien articulé. La bouche est ronde, les tanins modestes, le tout souligné par une fraîcheur plaisante. Pour tout de suite, à l'occasion d'un déjeuner amical. La cuvée **Cécile Lebrun Les Emblématiques 2004 rouge Élevé en fût de chêne (5 à 8 €)** est citée.

Foucher-Lebrun, 29, rte de Bouhy, 58200 Alligny-Cosne, tél. 03.86.26.87.27, fax 03.86.26.87.20, e-mail foucher.lebrun@wanadoo.fr
t.l.j. sf dim. lun. 8h-12h 14h-18h

DOM. DE LA GAUCHERIE 2004 *

■ 9 ha 15 000 5 à 8 €

Lorsque l'on vient de Tours, la terrasse de Bourgueil s'ouvre au niveau d'Ingrandes et le domaine de La Gaucherie, de 19 ha, apparaît sur les premières pentes, face au midi. Voici un vin dont on aurait tort de se priver maintenant. Des fruits rouges à revendre, de la souplesse en bouche avec une belle rondeur en finale. À retenir également, la cuvée principale **Domaine Régis Mureau 2004 rouge**, citée par le jury.

🗝 Régis Mureau, La Gaucherie,
37140 Ingrandes-de-Touraine, tél. 02.47.96.97.60,
fax 02.47.96.93.43, e-mail regismureau@wanadoo.fr
☑ 🍸 🚶 t.l.j. sf dim. 8h-12h 14h-19h

DOM. DES GÉLÉRIES Les Sablons 2004

■ 4 ha 30 000 ▮ 5 à 8 €

Jean-Marie Rouzier a un pied à Chinon, l'autre à Bourgueil. Ainsi en ont décidé les successions familiales. Son domaine de Bourgueil, de 8 ha environ, est situé au cœur du terroir, en terres graveleuses, non loin du bourg. Cette cuvée, agréable par sa souplesse et son fruité, se prolonge dans une finale fraîche que des tanins plus que modestes ne viennent pas importuner. Gouleyante, prête à servir : des qualités plutôt rares en 2004.

🗝 Jean-Marie Rouzier, Les Géléries, 37140 Bourgueil,
tél. 02.47.97.74.83, fax 02.47.97.48.73,
e-mail jean-marie.rouzier@wanadoo.fr
☑ 🍸 🚶 t.l.j. sf dim. 9h-12h30 14h-19h; f. 20 sep.-1er oct.

DOM. DES GESLETS L'Expression 2004 ★

■ 1 ha 3 000 ▮ 🛢 5 à 8 €

Vincent Grégoire travaille en agriculture raisonnée. L'équipement du chai, exemplaire, comprend une table de tri qui permet, avant fermentation, d'éliminer feuilles, bois et surtout les grappes non conformes. De tels soins pour la bien nommée cuvée L'Expression ne pouvaient qu'aboutir au succès. Les senteurs de petits fruits rouges s'entourent de nuances torréfiées. La matière souple s'allie à des tanins bien fondus qui s'estompent dans la finale de fruits, légèrement minérale. À servir ou à attendre.

🗝 EARL Vincent Grégoire, Dom. des Geslets,
37140 Bourgueil, tél. 02.47.97.97.06, fax 02.47.97.73.95,
e-mail domainedesgeslets@wanadoo.fr ☑ 🍸 🚶 r.-v.

VIGNOBLE DE LA GRIOCHE
Cuvée Prestige 2004 ★

■ 0,8 ha 4 500 🛢 5 à 8 €

Le fils, Stéphane Breton, a rejoint le père il y a quelques années déjà ; grâce à ses connaissances, il a donné un nouvel élan au domaine. Dans le même temps, un gîte a été aménagé. Toujours bien placés dans le Guide (coup de cœur en 2001), les Breton proposent deux jolies cuvées. La première, de prestige, a une aptitude certaine au vieillissement. Les tanins montent la garde dès l'attaque, mais la matière freine cette ardeur. Un vin puissant qui atteindra sa pleine expression avec le temps. La seconde, **cuvée de Santenay 2004**, plus aimable, mérite également une étoile.

🗝 Jean-Marc Breton, 19, rue des Marais,
37140 Restigné, tél. 02.47.97.31.64, fax 02.47.97.92.39
☑ 🍸 🚶 r.-v. 🏠 G

DOM. GUION Cuvée Prestige 2004 ★

■ 3 ha 12 000 🛢 5 à 8 €

Le domaine Guion, en agriculture biologique depuis quarante ans, fut l'un des premiers dans le Val de Loire à pratiquer ce mode de conduite de la vigne. Stéphane Guion, installé en 1994, a confirmé cette option. Il a produit un vin au nez ouvert et dont la bouche fraîche trouve un équilibre entre tanins et matière. Un bourgueil authentique, apte à la garde, mais qui satisfera aussi les plus impatients. La **cuvée Domaine 2004 rouge (3 à 5 €)**, dans le même style, reçoit aussi une étoile.

🗝 Stéphane Guion, 3, rte de Saint-Gilles,
37140 Benais, tél. 02.47.97.30.75, fax 02.47.97.83.17,
e-mail stephane.guion@terre-net.fr ☑ 🍸 🚶 r.-v.

ALAIN ET ARNAUD HOUX
Cuvée de la Chopinière 2004 ★

■ 1,5 ha 5 500 ▮ 🛢 5 à 8 €

Le domaine a été créé en 1975, mais ce n'est que récemment qu'Alain et Arnaud Houx, le père et le fils, se sont lancés dans la vinification de leur récolte. Bien leur en a pris car, maîtrisant l'élaboration des vins, ils ont obtenu cette cuvée dont le bouquet de fruits mûrs annonce une bouche élégante, bien pourvue en matière et en tanins soyeux. La finale fraîche, plaisante confirme sa qualité. Éventuellement, peut être mis en cave.

🗝 Alain et Arnaud Houx, 21, le Clos Barbin,
37140 Restigné, tél. et fax 02.47.97.30.95 ☑ 🍸 🚶 r.-v.

CHRISTIAN ET JÉRÔME HOUX 2004

■ 1 ha 3 000 ▮ 5 à 8 €

Le père et le fils sont maintenant en association et assurent leurs propres vinifications. Le nez discret de leur 2004, fait de petits fruits rouges nuancés d'épices et de réglisse, annonce une bouche souple : gras et tanins se font concurrence pour une impression de rondeur plaisante. Un bourgueil pour un repas sans chichi où la bonne humeur sera de mise.

🗝 GAEC Christian et Jérôme Houx,
9, rue Les Grandes-Rottes, 37140 Restigné,
tél. 02.47.97.30.38 ☑ 🍸 🚶 r.-v.

DOM. DE LA LANDE Prestige 2004 ★

■ 2 ha 7 000 8 à 11 €

Une association père-fils sur 16 ha qui marche bien et présente régulièrement de belles cuvées. Pourpre intense, celle-ci, élevée dix mois en foudre, laisse fuser des senteurs de fruits secs légèrement vanillés. La bouche est grasse et onctueuse, mais les tanins ne se font pas oublier. Une petite pause de deux ans lui conviendrait. La cuvée principale **Domaine de La Lande 2004 rouge (5 à 8 €)** est citée pour sa fraîcheur et son caractère plaisant immédiat.

🗝 EARL Delaunay Père et Fils, Dom. de La Lande,
20, rte du Vignoble, 37140 Bourgueil,
tél. 02.47.97.80.73, fax 02.47.97.95.65,
e-mail earl.delaunay.pfils@wanadoo.fr
☑ 🍸 🚶 t.l.j. 8h-12h 14h-18h; dim. sur r.-v.

LOIRE

LUCIEN LORIEUX Tuffeaux 2004 ★★

■ 1,85 ha 11 000 ▮ 5 à 8 €

Lucien Lorieux signe remarquablement son dernier millésime avec cette cuvée Tuffeaux. Il cède à son fils Damien ses 11 ha de vignes du plateau de Bourgueil. De la robe pourpre soutenu s'élève un bouquet de fruits mûrs. La bouche offre une structure de qualité tout en se parant de fraîcheur et de rondeur jusqu'en finale. Un vin à classer dans la catégorie des grands bourgueil. La cuvée **Graviers 2004 rouge**, une étoile, permettra d'attendre Les Tuffeaux.

🗝 Lucien Lorieux, 2, rue de la Percherie,
37140 Bourgueil, tél. et fax 02.47.97.88.44,
e-mail lorieux.lucien@wanadoo.fr
☑ 🍸 🚶 t.l.j. sf dim. 9h-12h 14h-19h

MICHEL ET JOËLLE LORIEUX Chevrette 2004 *

■ 2 ha n.c. 5 à 8 €

En 1979, le grand-père a mis le pied à l'étrier au jeune couple. Depuis, ce dernier a gagné en expérience et développé le vignoble qui couvre à ce jour 10 ha, non loin du coteau. Une activité qu'il juge sans doute insuffisante puisqu'il est également associé à l'exploitation du Clos de l'Abbaye, à Bourgueil. Le 2004 offre en bouche une expression de fruits rouges qui s'intègre à une matière souple et ample. Les tanins se rebellent en finale, mais sans conséquence ; le temps en fera son affaire.

Joëlle et Michel Lorieux, Chevrette, 26, rte du Vignoble, 37140 Bourgueil, tél. et fax 02.47.97.85.86, e-mail lorieux.michel@wanadoo.fr r.-v. B

FRÉDÉRIC MABILEAU Racines 2004 **

■ 1 ha 6 500 8 à 11 €

Frédéric Mabileau a repris le domaine de son père en 2003 et exploite aujourd'hui 28 ha. Dans le même temps, il s'est tourné vers la bioculture ; il laboure le sol dans le rang afin d'obliger les racines à s'enfoncer et à trouver ainsi une autre minéralité. Un retour aux pratiques anciennes qui donne des résultats probants. Cette cuvée est encore dominée par le boisé, mais la matière généreuse apporte de la souplesse et de la longueur. À mettre en cave quelques années.

Frédéric Mabileau, 6, rue du Pressoir, 37140 Saint-Nicolas-de-Bourgueil, tél. 02.47.97.79.58, fax 02.47.97.45.19, e-mail frederic@fredericmabileau.com t.l.j. 9h-12h 14h-18h

DOM. LAURENT MABILEAU 2004 **

■ 7,24 ha 45 000 5 à 8 €

Laurent Mabileau est à la fois producteur de bourgueil et de saint-nicolas-de-bourgueil. Rien d'étonnant : les deux appellations sont voisines et le hasard des successions fait tant de choses. Cette cuvée porte l'empreinte de son année passée sous bois. Néanmoins, la matière abondante, aux évocations de mûre et de pruneau, s'exprime librement, sans tanins dominateurs. Mettez cette bouteille de côté un temps.

Dom. Laurent Mabileau, La Croix-du-Moulin-Neuf, 37140 Saint-Nicolas-de-Bourgueil, tél. 02.47.97.74.75, fax 02.47.97.99.81, e-mail domaine@mabileau.fr r.-v.

DOM. DES MAILLOCHES
Cuvée Samuel Vieilli en fût de chêne 2004 *

■ n.c. 3 000 5 à 8 €

La maison tourangelle, flanquée d'une tour polygonale, date du XVIIIe s. À proximité, dans un ancien bâtiment, un gîte rural a été aménagé avec goût. Le vignoble de 2 ha s'étend non loin, sur des sols sableux et argilo-calcaires. Cette cuvée libère avec générosité des arômes de fruits rouges. Des évocations qui se poursuivent en bouche, mêlées à des tanins arrondis et à une matière souple. Un vin indiscutablement sur le fruit, dont il faut profiter rapidement.

Jean-François et Samuel Demont, EARL Dom. des Mailloches, 40, rue de Lossan, 37140 Restigné, tél. 02.47.97.33.10, fax 02.47.97.43.43, e-mail demont-j.f@wanadoo.fr r.-v. D

CH. DE MINIÈRE Le Clos 2004 *

■ 4,2 ha 15 000 8 à 11 €

Le château de Minière est un ancien fief de l'abbaye de Bourgueil. Il date des XVIIe et XVIIIe s. Le vignoble de plus de 7 ha se situe aux alentours. Ce vin à la robe grenat s'ouvre sur des senteurs de fruits rouges mûrs et un accent de violette. Ces mêmes arômes mettent en valeur une bouche souple, sans dureté et très expressive. Un bourgueil fruité, élégant, dont il faut profiter maintenant. Citée, la cuvée principale **Château de Minière 2004**, plus structurée, est à attendre.

Évelyne de Mascarel, Ch. de Minière, 37140 Ingrandes-de-Touraine, tél. 02.47.96.94.30, fax 02.47.96.91.53, e-mail chateau.de.miniere@wanadoo.fr r.-v.

BERNARD OMASSON 2004

■ 1 ha 2 000 5 à 8 €

Produite par des ceps de quarante ans, plantés sur les sols argilo-calcaires de la terrasse de Bourgueil, cette cuvée mêle des arômes de fruits rouges à quelques notes de poivron. L'attaque est souple, la bouche tout en volume, avec des tanins veloutés, la finale, fluide, sur les fruits rouges. À attendre pour que ses qualités se révèlent pleinement.

Bernard Omasson, La Perrée, 54, rue de Touraine, 37140 Ingrandes-de-Touraine, tél. 02.47.96.98.20 r.-v.

NATHALIE OMASSON 2004 *

■ 2 ha 1 500 3 à 5 €

La reprise par Nathalie Omasson de ce petit domaine de 8,30 ha est récente, et la cuvée présentée ici est l'une de ses toutes premières. Des plus classiques, celle-ci n'échappe pas aux arômes de fruits rouges mûrs. L'attaque est franche, les tanins enrobés et les fruits rouges ne s'estompent en finale que lentement. Un bourgueil qui fera son chemin.

Nathalie Omasson, 3, rue de la Cueille-Cadot, 37130 Saint-Patrice, tél. et fax 02.47.96.90.26 r.-v.

DOM. DES OUCHES 2004 **

■ 9 ha 35 000 5 à 8 €

On ne peut qu'encourager les amateurs de marche à pied à suivre Paul Gambier ou ses fils dans la visite de leur domaine. Outre la vigne et ses terroirs, ils y découvriront quelques beaux panoramas du vignoble bourgueillois. Au retour à la cave, la découverte sera cette cuvée parée d'une robe d'un rouge profond, à reflets violets. Le bouquet marqué par la cerise et la groseille se manifeste tout au long de la dégustation. Les tanins sont un peu dominateurs, mais il y a du répondant côté matière. Un potentiel que le temps exploitera.

Paul Gambier et Fils, 3, rue des Ouches, 37140 Ingrandes-de-Touraine, tél. 02.47.96.98.77, fax 02.47.96.93.08, e-mail domaine.des.ouches@wanadoo.fr t.l.j. sf dim. 8h-12h 14h-19h

ANNICK PENET 2004 **

■ 0,8 ha 3 000 3 à 5 €

Le vignoble n'est pas grand, mais les traditions sont bien ancrées chez Annick Penet. On préserve les vieilles vignes (dont une de plus de cent ans), on récolte peu et on vinifie à l'ancienne. Le résultat est un vin chargé en

couleur, en tanins et en matière. Une cuvée des plus traditionnelles que tout amateur de bourgueil doit avoir dans sa cave pour un événement futur, dans dix ans.
Annick Penet, 29, rue Basse, 37140 Restigné, tél. 02.47.97.33.68 r.-v.

DOM. DU PETIT BONDIEU

Le Petit Mont 2004 ★★

1,5 ha 8 000 5 à 8 €

Un vignoble de 21 ha sur les terres de Restigné et surtout un grand sens de l'accueil : voilà le domaine du Petit Bondieu. On y parlera du terroir, des hommes, de cette cuvée élevée pendant deux mois en fût, qui laisse percer des notes de fruits cuits et un léger boisé. Les tanins sont encore sévères, mais ne demandent qu'à évoluer, d'autant que la matière est là. La finale est longue et élégante. Il lui faut attendre pour atteindre quelques sommets. La cuvée **Les Couplets 2004 (8 à 11 €)** obtient aussi deux étoiles : sa grande matière invite à la garde.
J.-M. et T. Pichet, Dom. du Petit Bondieu, 30, rte de Tours, 37140 Restigné, tél. 02.47.97.33.18, fax 02.47.97.46.57, e-mail jean-marc-pichet@wanadoo.fr t.l.j. sf dim. 9h-12h 14h30-18h30

DOM. DE LA PETITE MAIRIE 2004 ★

5 ha 20 000 5 à 8 €

La Petite Mairie fleurie, pourrait-on dire. L'accueil est charmant, les fleurs abondent et il y a même des lauriers-roses. Les vins sont tout aussi plaisants, à l'image de ce 2004 aux arômes frais et délicats. La bouche souple et ronde allie la puissance à l'élégance. Un bourgueil qui peut éventuellement être réservé pour plus tard.
James Petit, Dom. de la Petite Mairie, 37140 Restigné, tél. 02.47.97.30.13, fax 02.47.97.44.33 r.-v.

DOM. DU PETIT SOUPER Vieilles Vignes 2004 ★

1,5 ha 10 000 3 à 5 €

Près de quarante ans d'ancienneté pour cette exploitation de 14 ha située sur la commune de Benais, là où les terres sont fortes, c'est-à-dire riches en argile. Elles donnent des vins solidement constitués qui plaisent aux amateurs de grands bourgueil de garde. Celui-ci en est l'exemple par sa couleur, pourpre et dense, par ses arômes de fruits mûrs comme par sa richesse en matière et ses tanins solides. À mettre en cave.
GAEC Thierry Dupuis, 13, rue de la Barbinière, 37130 Saint-Patrice, tél. et fax 02.47.96.97.46 r.-v.

CH. DE LA PHILBERDIÈRE 2004

6,5 ha 47 800 5 à 8 €

Le château fut reconstruit au XVIIe s., mais a conservé une tour polygonale du manoir du XVe s. On peut aussi y admirer une fuye ronde (pigeonnier) du XVIIe s. et une éolienne Bollée évidemment plus récente. La cuvée représente la quasi-totalité de la récolte du domaine de 7 ha. Elle se situe dans le registre des vins légers, plaisants, dominés par le fruit. À placer sur une table ouverte à tous les amis.
SCV Aubry et Fils, La Philberdière, 43, rue de Lossay, 37140 Restigné, tél. 02.47.97.33.21, fax 01.48.85.91.14 r.-v.

PHILIPPE DE VALOIS 2004 ★

17 ha 30 000 5 à 8 €

Fondée en 1931, bien avant la reconnaissance de l'appellation, la Cave des Grands Vins de Bourgueil est l'une des plus vieilles coopératives de la région. Ce 2004 témoigne du sérieux du travail réalisé. Bien calé sur le fruit, il surprend agréablement. Les tanins passent un peu inaperçus et c'est une impression de fraîcheur persistante qui prévaut. Le bourgueil **Marie Dupin 2004 rouge (3 à 5 €)**, avec une vocation de garde plus affirmée, est cité.
Cave des Grands Vins de Bourgueil, 16, rue Les Chevaliers, 37140 Restigné, tél. 02.47.97.32.01, fax 02.47.97.46.29, e-mail accueil@cave-de-bourgueil.com r.-v.

DOM. LES PINS Vieilles Vignes 2004 ★★

2 ha 15 000 8 à 11 €

Le vignoble de 23 ha, pratiquement d'un seul tenant, entoure la maison et les bâtiments d'exploitation, ce qui est rare en Bourgueillois. Ce vin au nez d'abord discret s'ouvre bientôt sur des évocations de fleurs et de fruits. L'élevage en cuve, réussi, se traduit par une bouche lisse, onctueuse, aux tanins fins. La finale plus ferme invite à un peu de garde. La **cuvée Clos Les Pins 2004 rouge (5 à 8 €)**, déjà agréable, obtient une étoile.
Pitault-Landry et Fils, Dom. Les Pins, 37140 Bourgueil, tél. 02.47.97.47.91, fax 02.47.97.98.69, e-mail philippe.pitault@wanadoo.fr r.-v.

DOM. LE PONT DU GUÉ 2004 ★

1 ha 5 500 3 à 5 €

D'un rouge très sombre, presque noir, ce bourgueil offre un nez ouvert, mais subtil, de fruits rouges (fraise en particulier). Les tanins un peu sur la réserve préservent la souplesse de la bouche ronde. Des qualités qui font de cette bouteille un bon choix dès aujourd'hui.
Éric Ploquin, Le Pont-du-Gué, 37140 Bourgueil, tél. 02.47.97.90.82, fax 02.47.97.95.68, e-mail ploquin-eric@free.fr r.-v.

DOM. DES RAGUENIÈRES Cuvée Les Haies 2004

1,4 ha 9 300 5 à 8 €

Deux vignerons associés exploitent ce domaine de près de 19 ha, sis sur les terres de Benais. Au cœur, la maison de maître en pierre de tuffeau n'échappe pas à la vue. Cette cuvée issue de sols argilo-calcaires est représentative des vins de cette commune où l'on élabore des bourgueil plutôt solides. Les tanins abondants s'allient à une matière généreuse. Un mariage qui ne sera heureux qu'après un peu de garde. La cuvée principale **Domaine des Raguenières 2004**, citée, mérite elle aussi un temps d'attente.
SCEA Dom. des Raguenières, 11, rue du Machet, 37140 Benais, tél. 02.47.97.30.16, fax 02.47.97.46.78 r.-v.
Maître et Viémont

VIGNOBLE DES ROBINIÈRES

Cuvée Vieilles Vignes 2004 ★

3 ha 18 000 5 à 8 €

Les deux fils Marchesseau ont repris l'exploitation du père en 1998. En bons organisateurs, ils se sont répartis les tâches : à Bertrand les vignes et la vinification, à Vincent l'élevage et la mise en marché. Cette cuvée est des plus classiques : fraise et framboise au nez, souplesse et tanins assagis en bouche. Un vin qui fera son effet avec une grillade ou un fromage de Sainte-Maure.

EARL Marchesseau Fils, 16, rue de l'Humelaye, 37140 Bourgueil, tél. 02.47.97.47.72, fax 02.47.97.46.36, e-mail earl.marchesseau@libertysurf.fr r.-v.

VIGNOBLE DE LA ROSERAIE 2004 *

4,5 ha 10 000 5 à 8 €

Les deux frères, Éric et Patrick Vallée, ont pris, il y a trois ans, les rênes de ce domaine de 30 ha en bourgueil et de 5 ha en saint-nicolas. La période de rodage étant terminée, place aujourd'hui aux belles cuvées. Celle-ci s'ouvre sur un nez développé de fruits mûrs, tandis que le palais s'appuie sur une structure de qualité, sur les fruits et sur une riche matière, les tanins jouant les modestes. À servir maintenant ou plus tard : c'est au choix.

Vignoble de La Roseraie, 46, rue Basse, 37140 Restigné, tél. 02.47.97.32.97, fax 02.47.97.44.24 r.-v.
Vallée

MICHEL THIBAULT Cuvée de l'Alouette 2004

0,5 ha 3 000 5 à 8 €

Une partie des bâtiments a plus de trois cents ans et le domaine lui-même est dans la famille depuis plusieurs générations. La cuvée de l'Alouette, en provenance du coteau, mérite intérêt par son caractère léger et fruité qui en fait un vin de plaisir. En cette année 2004, ils ne sont pas nombreux les bourgueil capables d'être servis dès aujourd'hui.

Michel Thibault, 1, rue de l'Échelle, 37140 Bourgueil, tél. 02.47.97.83.46, fax 02.47.97.93.11 r.-v.

DOM. THOUET-BOSSEAU Vieilles Vignes 2004 *

2,3 ha 9 000 5 à 8 €

Jean-Baptiste Thouet-Bosseau conduit son propre domaine, mais exploite en association avec un autre vigneron les vignes de l'abbaye de Bourgueil. C'est dans ses murs que naquit le vignoble de Bourgueil et les abbés qui s'y sont succédé (dont l'abbé Baudry) ont tous pris part à son développement. Le bouquet de ce vin repose sur les fruits rouges avec quelques notes empyreumatiques. La bouche souple en attaque prend de l'ampleur, soutenue par des tanins veloutés. Vin gourmand à servir ou à attendre.

Thouet-Bosseau, 13, rue de Santenay, L'Humelaye, 37140 Bourgueil, tél. 02.47.97.73.51, fax 02.47.97.44.65, e-mail domaine.thouet-bosseau@wanadoo.fr r.-v.

DOM. DES VALLETTES Vieilles Vignes 2004

2 ha 11 500 5 à 8 €

Francis Jamet et son fils mènent avec succès les 24 ha du domaine, à cheval sur les deux appellations bourgueil et saint-nicolas. Leur 2004 rubis mêle des senteurs de fruits rouges et d'épices, assorties d'un léger boisé. L'attaque souple, légère est vite relayée par des tanins arrondis qui s'étirent dans une finale où le bois se manifeste à nouveau. On peut envisager un service dans les prochains mois.

Francis et François Jamet, Dom. des Vallettes, 37140 Saint-Nicolas-de-Bourgueil, tél. 02.47.97.44.44, fax 02.47.97.44.45, e-mail francis.jamet@les-vallettes.com t.l.j. sf dim. 8h-12h 14h-18h

DOM. DES VIENAIS Cuvée Prestige 2004

2 ha 14 000 5 à 8 €

Installé en 1980, Gérard Poupineau n'a eu de cesse d'agrandir son domaine qui compte aujourd'hui 22 ha. Il dispose d'un chai adapté et, comme il se doit à Benais, de belles caves dans le tuffeau. Cette cuvée fait partie de ces bourgueil typiques, riches, aux tanins bien plantés, qui ne peuvent se passer d'un peu d'évolution (un an ou deux) pour être au mieux.

Gérard Poupineau, 3, rue des Lavandières, 37140 Benais, tél. 02.47.97.35.19, fax 02.47.97.46.91, e-mail domaine.desvienais@wanadoo.fr r.-v.

Saint-nicolas-de-bourgueil

Si les vignobles ont les mêmes caractéristiques que ceux de l'aire contiguë de Bourgueil, la commune de Saint-Nicolas-de-Bourgueil (simple paroisse détachée de Bourgueil au XVIII[e]s.) possède son appellation particulière.

Son vignoble croît, pour les deux tiers, sur les sols sablo-graveleux des terrasses de la Loire. Au-dessus, le coteau est protégé des vents du nord par la forêt ; le tuffeau y est surmonté d'une couverture sableuse. Bien que ce ne soit pas le cas des vins provenant exclusivement du coteau, les saint-nicolas-de-bourgueil, souvent issus d'assemblages, ont la réputation d'être plus légers que les bourgueil. Ils ont produit 55 988 hl en 2005 sur une superficie de 1 058 ha déclarés.

YANNICK AMIRAULT La Mine 2004

2,2 ha 13 000 8 à 11 €

Vinifiant avec soin, à la recherche du fruit et d'une modération dans les tanins, Yannick Amirault travaille dans le véritable esprit du saint-nicolas. Rond, équilibré et fruité, ce 2004 est un vin réussi, qui peut être bu dès maintenant après un passage en carafe, ou attendre encore avantageusement un an.

Yannick Amirault, 5, pavillon du Grand-Clos, 37140 Bourgueil, tél. 02.47.97.78.07, fax 02.47.97.94.78 r.-v.

DOM. AUDEBERT ET FILS 2004 *

5,92 ha 35 000 5 à 8 €

La douceur vanillée au nez et une évolution des tanins vers une rondeur agréable témoignent d'un passage en fût réussi pour ce 2004. À mettre sur la table sans tarder pour un vrai plaisir, en attendant de pouvoir déguster la cuvée **Les Graviers 2004**, qui reçoit elle aussi son étoile.

Dom. Audebert et Fils, 20, av. Jean-Causeret, 37140 Bourgueil, tél. 02.47.97.70.06, fax 02.47.97.72.07, e-mail maison@audebert.fr
t.l.j. 8h30-12h 14h-18h; sam. dim. sur r.-v.

BEAU PUY Vieilles Vignes 2004 **

2 ha 9 300 5 à 8 €

La propriété créée bien avant la Révolution est restée dans la famille Morin jusqu'à ce jour. Située sur une éminence, un « puy » comme on dit en Touraine, on y découvre toute la vallée de la Loire, d'Ussé jusqu'à

Gennes, au-delà du confluent de la Vienne et de la ville de Saumur. Discret au nez mais puissant en bouche, avec ses tanins bien présents mais suffisamment souples et son expression aromatique développée où les fruits cuits l'emportent, c'est un vin agréable dès maintenant mais qui pourra réserver des surprises si l'on sait patienter quelques années...

Jean-Paul Morin, 30, rue de la Lande, 37140 Bourgueil, tél. 02.47.97.76.92, fax 02.47.97.98.20 r.-v.

DOM. DES BERGEONNIÈRES 2004

15 ha 60 000 5 à 8 €

C'est un domaine familial depuis quatre générations, avec des sols de sable et de graves comme il se doit à Saint-Nicolas. La maison, une longère typiquement tourangelle, et les bâtiments en tuffeau ne manquent pas de charme. Un nez puissant mais bien net, axé sur les fruits, une attaque ronde, une suite équilibrée : voici un vin qui ne demande qu'à remplir son office rapidement.

André Delagouttière, Les Bergeonnières, 37140 Saint-Nicolas-de-Bourgueil, tél. 02.47.97.75.87, fax 02.47.97.48.47, e-mail andre.delagouttiere@laposte.net r.-v.

DOM. DU BOURG Cuvée Les Graviers 2004 ★★

5 ha 35 000 5 à 8 €

L'accueil au centre du bourg dans une salle de dégustation aménagée avec goût et la visite du chai attenant feront de votre halte au domaine une étape intéressante. D'autant que les vins sont superbes, en particulier cette cuvée des Graviers. « Un grand saint-nicolas », a dit le jury, par sa richesse aromatique en bouche faite de fruits rouges concentrés et par sa texture soyeuse. Un vin à boire jeune et frais pour profiter de ses rondeurs.

Jean-Paul Mabileau, Dom. du Bourg, 4, rue du Pressoir, 37140 Saint-Nicolas-de-Bourgueil, tél. 02.47.97.79.58, fax 02.47.97.45.19 t.l.j. 9h-12h 14h-18h

JEAN-CLAUDE BRUNEAU
Cuvée Martial Vieilles Vignes 2004 ★★

4 ha 30 000 5 à 8 €

Le père de Jean-Claude Bruneau, Martial, a créé l'exploitation en 1947 en plantant les premières vignes. Ce sont elles qui ont produit cette cuvée qui lui rend hommage. Point n'est besoin d'analyser sa composition, tout y est présent : richesse, volume, gras et tanins ronds, auxquels s'ajoute un fruit marqué. Vin remarquable que l'on peut mettre en réserve ou boire tout de suite si l'on est impatient.

Jean-Claude Bruneau, 4, La Chevalerie, 37140 Saint-Nicolas-de-Bourgueil, tél. 02.47.97.81.19, fax 02.47.97.40.73 t.l.j. 9h-12h30 14h-19h30; dim. sur r.-v.

CAVE BRUNEAU DUPUY Vieilles Vignes 2004

5 ha 35 000 5 à 8 €

C'est la troisième génération de Dupuy sur ce domaine qui compte aujourd'hui 16 ha. Doté d'un chai bien équipé et de belles caves dans le tuffeau, on y travaille la qualité. Cette cuvée Vieilles Vignes l'atteste. Bien articulée autour d'une attaque vive et d'une suite volumineuse, elle apparaît assez corsée ; influence du sol, ici argilo-calcaire. Sa vocation est de garde, sans aucun doute. À attendre également, la **cuvée Réserve 2004**, citée.

Sylvain Bruneau, EARL Bruneau Dupuy, 14, La Martellière, 37140 Saint-Nicolas-de-Bourgueil, tél. 02.47.97.75.81, fax 02.47.97.43.25, e-mail info@cave-bruneau-dupuy.com r.-v.

CARROI Élevage traditionnel en fût 2004 ★

2,2 ha 8 000 5 à 8 €

Le Carroi signifie sans doute le carrefour, un lieu-dit, où Bruno et Roselyne Breton exploitent 20 ha de vignes. Le nez de ce 2004 s'ouvre généreusement sur un ensemble de fruits que l'on retrouve en bouche, soutenu par un bon équilibre des autres constituants. À laisser évoluer un ou deux ans encore.

Bruno et Roselyne Breton, EARL du Carroi, 45, rue Basse, 37140 Restigné, tél. 02.47.97.31.35, fax 02.47.97.49.00 t.l.j. 8h-12h 14h-19h

CASLOT-BOURDIN
Les Malgagnes Élevé en fût de chêne 2004

0,62 ha 4 000 5 à 8 €

Les Malgagnes est un lieu-dit de la partie nord de Saint-Nicolas où les sols sont de nature assez forte ; il ne faut donc pas s'attendre à des vins légers. Celui-ci est très solide en début et en finale ; le fruit ne se manifeste guère. C'est le type même du vin à mettre au plus profond de sa cave pour le retrouver dans dix ans, miraculé.

EARL Caslot-Bourdin, 21, rue Brûlée, La Charpenterie, 37140 La Chapelle-sur-Loire, tél. 02.47.97.34.45, fax 02.47.97.44.80, e-mail info@caslot-bourdin.com r.-v.

Caslot

DOM. CASLOT-PONTONNIER
Cuvée Domaine 2004

3 ha 18 000 5 à 8 €

Franck Caslot exploite des vignes à Bourgueil et à Saint-Nicolas. Sur cette dernière commune, il réalise une cuvée Domaine d'un bon volume. La robe pourpre, brillante, annonce un nez très ouvert sur le fruit. Les tanins sont fermes et laissent présager une bonne garde. Une petite fraîcheur générale flotte en fin de dégustation.

Caslot-Pontonnier, 4, chem. de l'Épaisse, 37140 Saint-Nicolas-de-Bourgueil, tél. 02.47.97.84.69, fax 02.47.97.48.55 r.-v.

Franck Caslot

DOM. CHRISTOPHE CHASLE ET HERVÉ MÉNARD 2004

1,4 ha 10 000 5 à 8 €

Ce sont deux jeunes vignerons qui ont regroupé leurs exploitations pour aboutir à un ensemble de 16 ha. Les installations, pour partie dans le rocher, comprennent même un petit musée gallo-romain constitué de pièces du IIe s. trouvées sur place. Le nez discret offre de belles promesses, tandis que la bouche, assez vive, commence en souplesse pour finir sur les tanins.

GAEC Chasle et Ménard, 16, rue des Roches, 37130 Saint-Patrice, tél. 02.47.96.95.95, fax 02.47.96.99.23, e-mail chasle-menard@wanadoo.fr r.-v.

DOM. DE LA CHOPINIÈRE DU ROY
Cuvée Coquelicot Vieilles Vignes Élevée en fût de chêne 2004 ★★

0,85 ha 6 200 5 à 8 €

Trois générations travaillent actuellement en bonne entente sur ce domaine. Christophe Ory représente la

LOIRE

huitième, la plus jeune. De jolies fleurs de coquelicot annoncent le nom de la cuvée sur l'étiquette. Élevée en fût pendant huit mois, elle en porte encore la marque. L'attaque souple s'ouvre sur un fruit délicat. Les tanins, sur le retrait, sont agréables, et la bouche offre volume et longueur, que réveille une petite vivacité plaisante. Une pause d'une année lui sera profitable. La **cuvée Ludovic 2004 (3 à 5 €)** recueille une étoile.

Michel et Christophe Ory, 30, rue de la Rodaie, 37140 Saint-Nicolas-de-Bourgueil, tél. 02.47.97.77.74, fax 02.47.97.78.86, e-mail chopinierduroy@aol.com
t.l.j. 7h-20h

CLOS DES QUARTERONS Vieilles Vignes 2004 ★★

2,11 ha 13 500 5 à 8 €

La belle maison de maître du XIXe s. à l'entrée du bourg permet de repérer le Clos des Quarterons. Les vins de Thierry Amirault sont une raison pour s'y arrêter. L'élevage en barrique pendant treize mois, parfaitement maîtrisé, a marqué de son empreinte cette cuvée. Les notes boisées viennent s'intégrer facilement dans une matière ronde et ample, dotée d'arômes de charme. Deux années seront encore nécessaires à son évolution. **Les Quarterons 2004** se sont distingués d'une étoile.

Thierry Amirault, EARL Clos des Quarterons, 46, av. Saint-Vincent, 37140 Saint-Nicolas-de-Bourgueil, tél. 02.47.97.75.25, fax 02.47.97.97.97, e-mail amirault.thierry@wanadoo.fr
t.l.j. sf dim. 8h-12h 14h-18h

CLOS DU VIGNEAU 2004 ★

19,2 ha 100 000 5 à 8 €

En 1997, un regroupement familial, réunissant les deux frères Marc et Alain Jamet et leurs épouses, s'opère sur ce domaine de 22 ha. Le fils d'Alain, Cyprien, rejoindra bientôt cette fratrie. Le bouquet de fruits mûrs de ce vin se marie à des nuances de cannelle. La puissance tannique montre les mêmes délicates évocations fruitées et épicées. L'équilibre final promet un bel avenir. Vin de charme, vin de garde ; il est à deux fins. La cuvée **Les Dames du Temps Jadis 2004**, très harmonieuse, obtient une citation.

Anselme Jamet et Fils, EARL Clos du Vigneau, Le Vigneau BP 6, 37140 Saint-Nicolas-de-Bourgueil, tél. et fax 02.47.97.98.98, e-mail info@clos-du-vigneau.com
t.l.j. sf dim. 8h30-12h 14h-19h

DOM. DE LA CLOSERIE 2004 ★★

3 ha 13 000 5 à 8 €

Si le domaine de Jean-François Mabileau agit principalement sur le terroir de Bourgueil, celui-ci nous prouve, avec ce vin élevé douze mois en fût, qu'il maîtrise aussi son saint-nicolas. Le nez annonce de la puissance, ce que confirme le palais par son volume et sa longueur. Les tanins sont présents, charnus, et invitent à patienter encore une année pour mieux en profiter.

Jean-François Mabileau, 28, rte de Bourgueil, 37140 Restigné, tél. 02.47.97.36.29, fax 02.47.97.48.33
r.-v.

LYDIE ET MAX COGNARD-TALUAU Cuvée Estelle 2004 ★

7 ha 46 000 5 à 8 €

Estelle et Rodolphe se sont joints aux parents, et c'est toute une famille qui s'implique aujourd'hui dans la mise en valeur de ce domaine de près de 11 ha. La belle expression au nez, de vanille, de sous-bois et de grillé, se retrouve en bouche, accompagnant une attaque souple et franche. Les tanins sont présents et la finale persistante. Deux ans de garde pour une bonne harmonie.

Max et Lydie Cognard-Taluau, Chevrette, 37140 Saint-Nicolas-de-Bourgueil, tél. 02.47.97.76.88, fax 02.47.97.97.83, e-mail max.cognard@wanadoo.fr
t.l.j. 9h-12h 13h30-18h30; sam. dim. sur r.-v.

DOM. DE LA COTELLERAIE Les Perruches 2004 ★★

2,15 ha 12 000 5 à 8 €

Quatre générations vivent sur le domaine, et elles ne sont pas de trop au moment des vendanges, effectuées à la main. Une pratique qui réussit si l'on en juge par la qualité de cette cuvée Les Perruches, terme qui désigne en tourangeau un argile à silex chargé de nombreux éléments siliceux en surface. Ronde et d'un beau volume, la bouche repose sur des tanins mûrs qui se prolongent dans une finale agréable. Le boisé décelé au nez n'est pas dominant et se fondra facilement. Beau vin de garde mais qui, servi aujourd'hui, ne faillira pas à sa mission. La cuvée principale **rouge 2004** du Domaine obtient une étoile.

EARL Gérald Vallée, La Cotelleraie, 37140 Saint-Nicolas-de-Bourgueil, tél. 02.47.97.75.53, fax 02.47.97.85.90, e-mail gerald.vallee@wanadoo.fr
t.l.j. 9h-19h sf dim. 9h-12h

BERNARD DAVID La Claie Rotine 2004

3 ha 13 000 5 à 8 €

La Gardière, charmant petit hameau de Saint-Nicolas, ne viendra pas à vous, il faudra y aller. Vous n'y croiserez pas le fer, mais goûterez ce 2004 d'un rouge intense, légèrement vanillé au nez et doté en bouche d'une souplesse agrémentée d'une fraîcheur plaisante. Il répondra vite à votre invitation.

Bernard David, La Gardière, 37140 Saint-Nicolas-de-Bourgueil, tél. 02.47.97.81.51, fax 02.47.97.95.05 r.-v.

DOM. DU FONDIS 2004

7,5 ha 50 000 5 à 8 €

Au siège de l'exploitation se trouve une belle maison de maître tout en pierre de tuffeau, comme on savait les faire à la fin du XIXe s. : les ancêtres de Pierre Jamet pratiquaient déjà le bel ouvrage. Travail bien fait aussi dans ce vin, arômes de pruneau et de vanille au nez, souplesse et richesse en bouche avec une finale de café et de chocolat. Vin plaisant aujourd'hui, mais qui supportera sans peine un peu de garde.

Dom. du Fondis, 14, Le Fondis, 37140 Saint-Nicolas-de-Bourgueil, tél. 02.47.97.78.58, fax 02.47.97.43.59, e-mail domainedufondis@wanadoo.fr
t.l.j. sf dim. 9h-12h 14h-19h

DOM. DES GESLETS La Contrie 2004

3 ha 12 000 5 à 8 €

Producteur également de bourgueil où il s'est fait remarquer, le Domaine des Geslets présente un saint-nicolas des plus classiques, qui exprime bien son terroir de graves. À la fois frais, fruité et léger, il n'offre aucune aspérité et coule tout en douceur. Un vin qui mettra une ambiance folle dans une tablée amicale.

EARL Vincent Grégoire, Dom. des Geslets,
37140 Bourgueil, tél. 02.47.97.97.06, fax 02.47.97.73.95,
e-mail domainedesgeslets@wanadoo.fr r.-v.

DOM. DU GROLLAY Cuvée traditionnelle 2004 *

11 ha 30 000 3 à 5 €

Passer de 0,5 ha à leur installation à 14 ha aujourd'hui, voilà qui montre l'esprit d'entreprise et le dynamisme des responsables de ce domaine. Le chai modernisé récemment est largement équipé. En est issue cette Cuvée traditionnelle très portée sur le fruit au nez et au palais. Si les tanins signalent leur présence en finale, la structure sait néanmoins rester souple. Un vin disponible dès maintenant ou après une petite attente pour un supplément d'harmonie. La cuvée **Vieilles Vignes 2004 (5 à 8 €)** obtient une citation.

Jean Brecq, Le Grollay,
37140 Saint-Nicolas-de-Bourgueil,
tél. et fax 02.47.97.78.54 t.l.j. 9h-12h30 14h-19h

HAUT DE LA GARDIÈRE 2004 *

2 ha 10 000 3 à 5 €

Les vignes de Thierry Pantaléon sont à flanc de coteau, sur des terres fortes, loin des sables et graviers classiques de Saint-Nicolas. Elles y trouvent leur compte pour donner des vins avenants, qui demandent parfois une certaine évolution. C'est le cas de celui-ci, à l'attaque douce et au palais fruité et fondant, qui saura profiter d'un temps d'attente pour dompter ses tanins.

Thierry Pantaléon, 20, La Gardière,
37140 Saint-Nicolas-de-Bourgueil, tél. 02.47.97.87.26,
fax 02.47.97.47.71 r.-v.

VIGNOBLE DE LA JARNOTERIE
Cuvée Concerto Vieilles Vignes 2004 *

2,2 ha 18 000 5 à 8 €

Carine et Didier Rezé s'impliquent à fond dans la gestion de La Jarnoterie, qui couvre 24 ha. Preuve en est cette cuvée élevée en fût pendant huit mois, qui en porte encore les traces par son bouquet de poivron légèrement vanillé. Équilibrée, dans un registre puissant et tannique, elle est destinée à la garde. Légère et conviviale, la cuvée **MR 2004** décroche également une étoile.

EARL Jean-Claude Mabileau et Didier Rezé,
La Jarnoterie, 37140 Saint-Nicolas-de-Bourgueil,
tél. 02.47.97.75.49, e-mail mabileau.reze@wanadoo.fr
r.-v.

PASCAL LORIEUX
Les Mauguerets La Contrie 2004 **

3,5 ha 18 000 5 à 8 €

La belle installation de Pascal et Alain Lorieux à l'entrée du bourg de Saint-Nicolas n'échappe pas à la vue du visiteur. Ces deux frères gèrent un vignoble de 19 ha sur le plateau de l'appellation, et ils y produisent cette cuvée remarquable. Un nez de fruits rouges, une matière opulente et généreuse qui garde une belle expression de fruits. La bouche est longue, les tanins discrets. Un vrai travail d'équilibriste. La cuvée **Agnès Sorel 2004**, citée, affirme son caractère de garde.

Pascal et Alain Lorieux, Le Bourg,
37140 Saint-Nicolas-de-Bourgueil, tél. 02.47.97.92.93,
fax 02.47.97.47.88, e-mail contact@lorieux.fr r.-v.

FRÉDÉRIC MABILEAU Les Coutures 2004

1 ha 6 000 8 à 11 €

Les sols de Saint-Nicolas sont constitués de sable et de graviers pour la partie sud de l'appellation, sur laquelle officie Frédéric Mabileau. Ces éléments grossiers reposent sur le tuffeau, parfois à grande profondeur. Cette notion de sol est importante car elle joue sur le caractère du vin. Ici, c'est un type léger, plus élégant que puissant, mais assez marqué par le bois qui fait plus que « l'habiller d'une note d'élevage ». À laisser évoluer.

Frédéric Mabileau, 6, rue du Pressoir,
37140 Saint-Nicolas-de-Bourgueil, tél. 02.47.97.79.58,
fax 02.47.97.45.19,
e-mail frederic@fredericmabileau.com
t.l.j. 9h-12h 14h-18h

JACQUES ET VINCENT MABILEAU
La Gardière Cuvée Domaine 2004 **

10 ha 70 000 5 à 8 €

Une cuvée remarquable, tant par ses qualités que par son volume, puisqu'elle est produite sur une surface de 10 ha. Très linéaire dans son profil, elle affiche un bouquet intense de fruits rouges et noirs, une bouche souple et douce avec une finale fraîche et longue. Un saint-nicolas classique par excellence, dont vous pourrez découvrir les qualités sans plus attendre.

EARL Jacques et Vincent Mabileau, La Gardière,
37140 Saint-Nicolas-de-Bourgueil, tél. 02.47.97.75.85,
fax 02.47.97.98.03 r.-v.

LAURENT MABILEAU 2004 *

13,82 ha 90 000 5 à 8 €

Le domaine comporte 23 ha de vignes dont plus de 13 sont consacrés à cette cuvée : un exploit. C'est donc un volume de vin important, et de belle facture, qui est proposé à la commercialisation. Élevé en fût pendant un an, ce 2004 en porte la marque. Très bien équilibré avec un fond sain, il faut le laisser évoluer au moins deux ans pour une meilleure harmonie.

Dom. Laurent Mabileau, La Croix-du-Moulin-Neuf,
37140 Saint-Nicolas-de-Bourgueil, tél. 02.47.97.74.75,
fax 02.47.97.99.81, e-mail domaine@mabileau.fr
r.-v.

LYSIANE ET GUY MABILEAU 2004 *

2 ha 15 000 5 à 8 €

On est en présence ici d'un vin typique de graves. Les tanins sont aux abonnés absents et c'est le fruit qui s'impose au nez comme au palais, avec un éventail de senteurs du jardin impressionnant (cassis, framboise et amande). L'attaque souple débouche sur une suite ample, puissante même, avec juste ce qu'il faut de vivacité pour donner un brin de fraîcheur. Un vin bien construit dont il faut profiter tout de suite, en attendant par exemple la cuvée **Vieilles Vignes 2004**, citée.

GAEC Lysiane et Guy Mabileau,
17, rue du Vieux-Chêne,
37140 Saint-Nicolas-de-Bourgueil,
tél. et fax 02.47.97.70.43 t.l.j. sf dim. 9h-19h

VIGNOBLE DE LA MINERAIE
Élevé en fût de chêne 2004 *

0,5 ha 2 500 5 à 8 €

Un élevage de dix mois en fût de chêne a incontestablement profité à cette cuvée. C'est le rôle du bois, quand il est ancien, de permettre les échanges avec l'extérieur, afin

de gommer les aspérités des tanins et de donner de l'ampleur à la matière tout en révélant le fruit. C'est le cas de ce 2004 très réussi qui n'a point besoin d'attendre.
Richard Réthoré, La Mineraie,
37140 Saint-Nicolas-de-Bourgueil, tél. 02.47.97.76.45,
fax 02.47.97.69.34,
e-mail vignobledelamineraie@wanadoo.fr r.-v.

DOM. DU MORTIER Cuvée Dionysos 2004

1,5 ha 8 000 8 à 11 €

À la maison Boisard, c'est le retour aux sources. La récolte s'est faite en partie à l'ancienne, avec la jument pour transporter les caissettes. Avec un tel esprit, on ne pouvait que pratiquer l'agriculture biologique. Voici une cuvée d'autrefois tant la bouche est puissante avec des tanins amples. Elle doit évoluer encore en cave pour plus d'expression et un meilleur fondu du boisé.
Boisard Fils, Dom. du Mortier,
37140 Saint-Nicolas-de-Bourgueil,
tél. et fax 02.47.97.94.68, e-mail info@boisard-fils.com
r.-v.

PASCAL ET ÉDITH OBLIGIS Gravier 2004

11 ha 20 000 3 à 5 €

La cuvée présentée ici constitue la quasi-totalité de la récolte, ce qui montre la maîtrise de la production et de la vinification. Elle s'affiche comme un type léger, au bouquet de fruits rouges légèrement épicé. L'attaque est souple, presque aérienne, mais la puissance n'est pas totalement exclue et les tanins sont très effacés. Un vin de plaisir à boire sans tarder.
EARL Pascal et Édith Obligis, 3, rue de la Taille,
37140 Saint-Nicolas-de-Bourgueil, tél. 02.47.97.93.71,
fax 02.47.97.34.31 r.-v.

DOM. OLIVIER Cuvée du Mont des Olivier 2004 *

3 ha 19 000 5 à 8 €

Le domaine comprend 35 ha de vignes dont la quasi-totalité se trouve en saint-nicolas. C'est Patrick Olivier, le fils, qui gère l'ensemble depuis quelques années déjà. Cette cuvée est sans nul doute de forte constitution, bien faite, équilibrée. La matière y est généreuse, tout comme les tanins. Laissez-la reposer au moins deux ans, elle y gagnera en amabilité et en expression. La **cuvée Domaine 2004**, citée, vous permettra de patienter.
EARL Dom. Olivier, La Forcine,
37140 Saint-Nicolas-de-Bourgueil, tél. 02.47.97.75.32,
fax 02.47.97.48.18, e-mail patrick.olivier14@wanadoo.fr
r.-v.

DOM. CHRISTIAN PANTALÉON 2004

12,5 ha 3 500 3 à 5 €

Christian Pantaléon est sur ce domaine de 16 ha depuis 1986. Son gros souci a été récemment la modernisation de son chai, opération qu'il a menée avec enthousiasme afin de préparer l'avenir pour son fils. Le nez de ce 2004 est fruité, mais l'attaque reste discrète, voire neutre ; l'expression revient par la suite pour s'engager dans une finale agréable. À boire bientôt.
EARL Christian et Sylvie Pantaléon,
12, La Forcine,
37140 Saint-Nicolas-de-Bourgueil, tél. 02.47.97.91.83,
fax 02.47.97.89.53, e-mail pantache@wanadoo.fr
t.l.j. 8h-20h

DOM. DE LA PERRÉE Vieilles Vignes 2004 *

1,5 ha 10 000 5 à 8 €

Point n'est besoin de s'interroger sur la nature des terres à La Perrée. Le mot vient de « pierre », indiquant un sol particulièrement chargé en graviers de tous calibres, support qui exacerbe le fruit. Cette cuvée ne déroge pas à la règle, avec son superbe bouquet de fruits rouges. L'attaque est souple, mais des tanins un peu sévères qui suivent de trop près méritent d'être assagis par un peu de garde.
Patrice Delarue, La Perrée,
37140 Saint-Nicolas-de-Bourgueil,
tél. et fax 02.47.97.94.74 r.-v.

LES CAVES DU PLESSIS Réserve Stéphane 2004 *

1,3 ha 8 000 5 à 8 €

Stéphane, installé en 1995, représente la cinquième génération de Renou sur ce domaine de 27 ha. Au cœur du vignoble se situent une maison de maître du XIX[e]s. et une cave dans le tuffeau, ancienne carrière creusée au XIII[e]s. Aux arômes de fruits rouges teintés d'un léger boisé répond une bouche puissante et chaleureuse. Un peu d'épices dans une finale qui revient sur le fruit ne gâche rien. Un vin qui a tout à gagner à évoluer encore un peu. Une étoile également pour la cuvée **Vieilles Vignes 2004**.
Claude Renou, 17, La Martellière,
37140 Saint-Nicolas-de-Bourgueil, tél. 02.47.97.85.67,
fax 02.47.97.45.55,
e-mail lescavesduplessis@wanadoo.fr
t.l.j. sf dim. 9h-12h 14h-18h30

DOM. CHRISTIAN PROVIN
Vieilles Vignes 2004 **

1 ha 3 000 11 à 15 €

Bien calés contre le coteau, à l'abri des vents du nord et face au midi, les 17 ha de vignes de Christian Provin ne manquent pas d'atouts. Le maître mot est ici « qualité », ce dont témoigne le coup de cœur décroché par cette cuvée Vieilles Vignes. Ce sont les beaux tanins, mûrs et fruités, qui ont éveillé l'attention du jury. La richesse de la matière et la diversité des arômes, noix, cassis et mûre, ont emporté la décision. Ce saint-nicolas est déjà prêt à boire, mais on serait tenté de le mettre dans la réserve un moment.
Christian Provin, L'Épaisse,
37140 Saint-Nicolas-de-Bourgueil, tél. 02.47.97.85.14,
fax 02.47.97.47.75, e-mail provin.christian@wanadoo.fr
r.-v.

DOM. DU ROCHOUARD
Cuvée de la Pierre du Lane 2004 **

3 ha 6 000 5 à 8 €

La famille a son activité principale sur Bourgueil, mais possède à Saint-Nicolas une vigne de 3 ha plantée

dans des sols riches en argile, reposant sur des lits d'éléments grossiers. Le Lane, ruisseau qui passe à proximité, a donné son nom à cette cuvée, que l'on peut définir comme un vin de plaisir avec un potentiel de garde. Les senteurs mêlent les fleurs et les fruits à des notes de menthol. Ample et agréablement épicée, la bouche révèle un bel équilibre entre la fraîcheur et les tanins. Un coup de cœur qu'il faut avoir dans sa cave pour un jour de fête.

GAEC Duveau-Coulon et Fils, 1, rue des Géléries, 37140 Bourgueil, tél. 02.47.97.85.91, fax 02.47.97.99.13, e-mail contact@domainedurochouard.com
t.l.j. sf dim. 8h30-12h30 14h-18h30

LA RODAIE Élevé en fût de chêne 2004 *

■ 22 ha 90 000 5 à 8 €

Le domaine est dans la famille Morin depuis quatre générations. Fort de 28 ha, il est équipé d'un chai moderne et d'une salle d'accueil bâtie en pierre de tuffeau, avec poutres apparentes et cheminée, où le visiteur se sent bien. Ce dernier se sentira encore mieux après la dégustation de cette cuvée puissante au boisé délicat. Elle est prometteuse et il faut l'attendre, d'autant que quelques tanins en finale ont encore besoin de se fondre. Une autre cuvée en **rouge 2004 (3 à 5 €)**, mais qui n'a pas connu le fût, est citée.

EARL H. et J.-C. Morin, La Rodaie, 37140 Saint-Nicolas-de-Bourgueil, tél. 02.47.97.75.34, fax 02.47.97.97.37 t.l.j. sf dim. 8h-19h

VIGNOBLE DE LA ROSERAIE 2004

■ 5 ha 5 000 5 à 8 €

C'est le fils et le gendre qui ont en main aujourd'hui les 35 ha du domaine, dont 5 ha seulement en saint-nicolas, le reste étant en bourgueil. Les sols sont de purs graviers. Le riche bouquet de fruits reflète bien la matière, ample et longue, d'un bel équilibre. Les tanins sont absents. Très plaisant, c'est un vin à servir sans trop tarder.

Vignoble de La Roseraie, 46, rue Basse, 37140 Restigné, tél. 02.47.97.32.97, fax 02.47.97.44.24
r.-v.
Vallée

JOËL TALUAU Le Vau Jaumier 2004 **

■ 5,14 ha 36 153 5 à 8 €

La superficie a légèrement progressé ces derniers temps, pour passer à 26 ha. L'équipement a suivi le même chemin avec l'agrandissement et la rénovation du chai et surtout la construction d'une aile pour le stockage. Le bouquet de ce 2004 embaume les fruits et les épices tandis que la bouche, souple, fraîche et fruitée, se prolonge sur des tanins finement divisés. Une très belle évocation du terroir, qui se tient prête à passer à table. La cuvée **Vieilles Vignes 2004 (8 à 11 €)**, franchement de garde, obtient une étoile.

EARL Taluau-Foltzenlogel, Chevrette, 37140 Saint-Nicolas-de-Bourgueil, tél. 02.47.97.78.79, fax 02.47.97.95.60, e-mail joel.taluau@wanadoo.fr
t.l.j. sf dim. 9h-12h 14h-18h; sam. sur r.-v.

DOM. DES VALLETTES 2004 *

■ 18 ha 130 000 3 à 5 €

Francis et François Jamet, le père et le fils, œuvrent ensemble sur ce beau domaine de 24 ha, proposant des cuvées de qualité toujours très régulières. Ce 2004 est très plaisant, tant par sa robe d'un rubis éclatant que par son bouquet puissant de fruits et son palais rond, équilibré, où la trame tannique passe quasiment inaperçue. À boire maintenant, bien entendu !

Francis et François Jamet, Dom. des Vallettes, 37140 Saint-Nicolas-de-Bourgueil, tél. 02.47.97.44.44, fax 02.47.97.44.45, e-mail francis.jamet@les-vallettes.com
t.l.j. sf dim. 8h-12h 14h-18h

Chinon

Autour de la vieille cité médiévale qui lui a donné son nom et son cœur, au pays de Gargantua et de Pantagruel, l'AOC chinon (2 344 ha) est produite sur les terrasses anciennes et graveleuses du Véron (triangle formé par le confluent de la Vienne et de la Loire), sur les basses terrasses sableuses du val de Vienne (Cravant), sur les coteaux de part et d'autre de ce val (Sazilly) et sur les terrains calcaires, les « aubuis » (Chinon). Le cabernet franc, dit breton, y a donné environ 109 734 hl en 2005 de beaux vins rouges et de rosés secs : race, élégance des tanins, longue garde – certains millésimes exceptionnels pouvant dépasser plusieurs décennies ! Confidentiel mais très original, le chinon blanc (1 501 hl en 2005) est un vin plutôt sec, mais qui peut devenir tendre certaines années.

CAVES ANGELLIAUME
Cuvée du Père Léonce 2004 *

■ 1 ha 6 000 11 à 15 €

Les caves Angelliaume à Cravant doivent en partie leur notoriété à Léonce, le grand-père, qui avait toujours porte ouverte pour les amis. Le vin qui porte son nom a sa voie toute tracée : sept ans, lui donne le jury, pour être au mieux de sa forme. Pour l'heure, il montre une attaque délicate, mais des tanins prometteurs s'alignent bientôt en rangs serrés, cependant que des arômes de sous-bois et de fruits cuits font diversion. La **cuvée Vieilles Vignes 2004 rouge (5 à 8 €)**, ronde et légère, est citée ; ouvrez-la sans attendre.

EARL Caves Angelliaume, La Croix de Bois, 37500 Cravant-les-Coteaux, tél. 02.47.93.06.35, fax 02.47.98.35.19, e-mail caves.angelliaume@wanadoo.fr
t.l.j. sf dim. 8h30-12h 14h-18h; sam. 8h30-12h

L'ARPENTY Cuvée Prestige 2004 *

■ 1,5 ha 10 000 ▮ 5 à 8 €

Coup de cœur l'an passé pour leur millésime 2004, Francis et Françoise Desbourdes ont présenté cette année une cuvée au nez floral et vanillé engageant. La bouche, par sa puissance et ses tanins prometteurs sur fond de raisins mûrs, finit de convaincre. Un vin de garde. **L'Arpenty 2004 Élevé en fût de chêne**, déjà souple et prêt à être servi, est cité.

EARL Francis et Françoise Desbourdes, 11, rue de la Forêt, Arpenty, 37220 Panzoult, tél. et fax 02.47.95.22.86 r.-v.

DOM. CLAUDE AUBERT Cuvée Prestige 2004

■ 2 ha 12 000 ▮ 3 à 5 €

Les terroirs diffèrent sur les 15 ha du domaine Claude Aubert : terrasses graveleuses, pentes argilo-siliceuses ou coteaux argilo-calcaires. La cuvée Prestige provient de ces derniers, très chargés en éléments grossiers et qui reposent à plus ou moins grande profondeur sur le Turonien. Le nez est légèrement évolué, les tanins sont un peu durs, mais il y a suffisamment de matière pour en faire un bon chinon de moyenne garde.

SCEA Dom. Claude Aubert, 4, rte de Malvault, 37500 Cravant-les-Coteaux, tél. 02.47.93.33.73, fax 02.47.98.34.70 r.-v.

BALADELLE 2004 *

■ 10 ha 67 000 ▮ 3 à 5 €

De Saumur où elle dispose de grandes installations fonctionnelles, cette maison de négoce rayonne dans tout le Val de Loire depuis plus de quatre-vingts ans. Travaillant sous contrat avec les vignerons, elle oriente ses débouchés vers la grande distribution, la restauration et l'export. Le Baladelle obtient un franc succès par sa puissance et son volume. Les tanins assez discrets à l'attaque reviennent au premier plan en finale, montrant ainsi l'aptitude du vin au vieillissement. Le **Chatelain Desjacques 2004 rouge (3 à 5 €)** est cité.

SAS Besombes-Moc-Baril, 24, rue Jules-Amiot, BP 125, 49400 Saint-Hilaire-Saint-Florent, tél. 02.41.50.23.23, fax 02.41.50.30.45, e-mail labo.besombes@uapl.fr

Claude Dupuis

CHRISTOPHE BAUDRY ET JEAN-MARTIN DUTOUR Coteau des Chénaies 2005

1 ha 3 000 11 à 15 €

Christophe Baudry, qui gère avec beaucoup de talent le domaine de La Perrière à Cravant-les-Coteaux, s'est associé à Jean-Martin Dutour pour exploiter des vignes à Panzoult. Une riche idée qui débouche sur un chinon blanc au nez intense de fleurs et d'agrumes. La bouche est souple et fruitée, la finale légèrement fumée et vanillée.

Baudry-Dutour, La Morandière, 37220 Panzoult, tél. 02.47.58.53.01, fax 02.47.58.64.06, e-mail info@baudry-dutour.fr

t.l.j. sf dim. 10h-12h 14h30-18h

DOM. DE BEAUSÉJOUR 2004

■ 27,15 ha 100 000 ▮ 5 à 8 €

La propriété a été créée de toutes pièces en 1969 ; la maison et le chai, construits avec des matériaux anciens et implantés sur le coteau, dominent le vignoble qui couvre plus de 93 ha. Vous y trouverez gîtes et chambres d'hôtes. Le cabernet franc par ses arômes typés de poivron signe cette cuvée équilibrée dont tous les constituants sont bien fondus. À boire sans tarder.

Earl Gérard et David Chauveau, Dom. de Beauséjour, 37220 Panzoult, tél. 02.47.58.64.64, fax 02.47.95.27.13, e-mail info@domainedebeausejour.com

t.l.j. sf dim. 10h-12h30 14h-18h30

DOM. DES BÉGUINERIES Cuvée du Vent fleuri 2004 **

1 ha 3 000 8 à 11 €

« Le chinon, une valeur sûre aux papilles des vrais amateurs de vins ! », décrète Jean-Christophe Pelletier qui conduit ce domaine de 12 ha aux portes de la petite ville de Chinon, sur les bords de Vienne. Ce qui est sûr, c'est la capacité à bien faire de ce vigneron qui propose une cuvée d'un or soutenu. Pain d'épice au nez, festival de fruits (abricot, pomme et coing) en bouche, le tout dans une typicité remarquable et enveloppé de rondeur. La cuvée **Vieilles Vignes 2004 rouge (5 à 8 €)** décroche une étoile pour ses tanins fondus dans une agréable matière fruitée.

Jean-Christophe Pelletier, 52, Clos Braie-Saint-Louans, 37500 Chinon, tél. et fax 02.47.93.37.16 t.l.j. 10h-19h

DOM. DE BEL AIR Pauline 2005

1 ha 3 500 ▮ 3 à 5 €

Les rosés de chinon ont cette particularité de s'accorder avec le caractère caramélisé des grillades dorées. Cette cuvée épicée, un peu vive et dotée d'une bonne ampleur jusqu'à sa longue finale, fera la fête avec vous autour d'un barbecue. La cuvée **La Fosse aux loups 2004 rouge (5 à 8 €)** est citée. Laissez-lui fondre ses tanins et servez-la avec un fromage de Sainte-Maure.

EARL Raymond et Jean-Louis Loup, Dom. de Bel Air, 37500 Cravant-les-Coteaux, tél. 02.47.98.42.75, fax 02.47.93.98.30, e-mail jean-louis.loup@wanadoo.fr r.-v.

DOM. DE BERTIGNOLLES Vieilles Vignes 2004 **

■ 1,1 ha 8 000 5 à 8 €

Voilà près de quarante ans que Pierre Prieur officie sur son domaine des bords de Vienne, au terroir de graviers et de sables. Des conditions qui ont concouru à la qualité remarquable de ce chinon. Après un nez certes discret, mais plein de finesse, la bouche longue et savoureuse offre des tanins délicats, une touche de bois et de fumée ajoutant à sa subtilité. À servir maintenant ou à mettre en réserve.

Pierre Prieur, 1, rue des Mariniers, Bertignolles, 37420 Savigny-en-Véron, tél. 02.47.58.45.08, fax 02.47.58.94.56 r.-v.

BONNAVENTURE 2004

■ 4 ha 16 000 ▮ 11 à 15 €

La vigne a toujours été de tradition au château de Coulaine. Les plus anciennes plantations remontent au XIVe s. La crise phylloxérique a fait disparaître un temps le vignoble ; depuis 1988, il renaît sous l'impulsion d'Étienne de Bonnaventure. Ce chinon de couleur noire libère des arômes subtils de groseille et de cassis. Il est ample, nanti de gras, et laisse percer en finale des tanins solides, mais tempérés par un retour du fruit. Il gagnerait à attendre un peu.

🔑 Étienne de Bonnaventure, SCEA Ch. de Coulaine, 37420 Beaumont-en-Véron, tél. 02.47.98.44.51, fax 02.47.93.49.15, e-mail chateaudecoulaine@club-internet.fr ☑ Ῑ ⛹ r.-v.

CH. DE LA BONNELIÈRE Rive gauche 2005 ★★

■ 1,5 ha 8 000 ▮ 5 à 8 €

Marc Plouzeau qui conduit le vignoble de cette propriété familiale, sise sur les lieux mêmes où se déroula la guerre picrocholine, ne manque pas de rappeler ce bon précepte de Rabelais : « Buvez toujours avant la soif, jamais elle ne viendra. » L'illustre Chinonais aurait fait certainement sien ce remarquable rosé dont le nez et la bouche sont en continuité parfaite, dans une même sensation de fraîcheur et d'arômes de fruits. La cuvée **Chapelle 2004 rouge (8 à 11 €)** reçoit une étoile pour sa bonne matière.

🔑 Marc Plouzeau, 54, fg Saint-Jacques, 37500 Chinon, tél. 02.47.93.16.34, fax 02.47.98.48.23, e-mail caves@plouzeau.com ☑ Ῑ ⛹ t.l.j. sf dim. lun. 11h-13h 15h-19h

DOM. DES BOUQUERRIES Cuvée Confidence 2004 ★

■ 1,3 ha 5 000 ⓘ 11 à 15 €

La présence d'une église du IX[e]s., au cœur du vieux bourg, impose un arrêt à Cravant. Les vins de Guillaume et Jérôme Sourdais aussi. La cuvée Confidence ne mérite pas son nom, tant elle a besoin d'être connue ! Le nez comme la bouche libèrent un flot d'arômes de fruits rouges et un léger boisé. Matière et tanins serrés apportent de la puissance. Un bon vin de garde classique à l'avenir prometteur. La **Cuvée royale rouge 2004 (5 à 8 €)**, citée, mérite d'attendre elle aussi.

🔑 Guillaume et Jérôme Sourdais, GAEC des Bouquerries, 4, les Bouquerries, 37500 Cravant-les-Coteaux, tél. 02.47.93.10.50, fax 02.47.93.41.94, e-mail gaecdesbouquerries@wanadoo.fr ☑ Ῑ ⛹ r.-v.

DOM. PASCAL BRUNET Vieilles Vignes Élevé en fût de chêne 2004

■ 2 ha 6 000 ⓘ 5 à 8 €

Le nez frais de cassis annonce un vin de plaisir. On perçoit du volume, agrémenté d'arômes de grillé et de fruits. En soutien vient le boisé, qui devra se fondre dans l'ensemble au cours d'une petite garde.

🔑 Pascal Brunet, 11, Étilly, 37220 Panzoult, tél. et fax 02.47.58.62.80 ☑ Ῑ ⛹ r.-v.

DOM. CAMILLE Cuvée Tradition 2004 ★

■ 1 ha 4 100 ▮ 3 à 5 €

Tavant, dont l'église paroissiale des XIe et XII[e]s. possède dans sa crypte de magnifiques fresques restaurées, est une étape obligée. Vous en profiterez pour goûter les vins d'Alain Camille, toujours avenants. Rondeur est le mot-clé de cette dégustation. Les tanins sont agréables, les arômes de framboise assez intenses. Il n'y a plus qu'à se faire plaisir.

🔑 Alain Camille, 14, rue Grande, 37220 Tavant, tél. et fax 02.47.95.26.67 ☑ Ῑ ⛹ r.-v.

DOM. DES CHAMPS VIGNONS Vieilles Vignes 2004 ★★

■ 3 ha 12 000 ▮ⓘ 5 à 8 €

Le domaine a été créé dans les années 1960 par le grand-père venu de Pologne : il devait s'y connaître car il a jugé aptes à la culture de la vigne ces terres de Ligré, chargées en argile, toujours prêtes à donner des vins riches en matière et en tanins. Cette cuvée d'un rouge profond, vanillée, dense, reste souple et fraîche. Elle a tout du grand vin de garde.

🔑 SARL Les Champs Vignons, 2, rue Saint-Martin, 37500 Ligré, tél. 02.47.93.18.48, fax 02.47.98.41.64, e-mail nicolasreau@hotmail.com ☑ Ῑ ⛹ t.l.j. 9h-19h

🔑 Nicolas Réau

DOM. DE LA CHAPELLE Les Trois Quartiers 2004

■ 4 ha 18 000 ⓘ 8 à 11 €

Le domaine doit son nom aux ruines d'un ancien édifice religieux. Dans la cave où sont disposées les barriques, les propriétaires ont aménagé une salle dont la forme rappelle une chapelle. Un lieu de recueillement pour apprécier cette cuvée fraîche qui, malgré une bonne présence tannique, reste souple et coulante.

🔑 Philippe Pichard, 9, Malvault, 37500 Cravant-les-Coteaux, tél. 02.47.93.42.35, fax 02.47.98.33.76 ☑ Ῑ ⛹ r.-v.

DOM. DANIEL CHAUVEAU Vieilles Vignes 2004 ★★

■ 2,7 ha 9 000 ▮ⓘ 5 à 8 €

Daniel Chauveau est bien équipé en tire-bouchons ; il en possède une collection unique. Peut-être vous fera-t-il une démonstration en débouchant cette bouteille. Un chinon grenat qui porte au nez et au palais l'empreinte vanillée de son élevage en fût de douze mois. Rien de grave, car tout va se fondre bientôt dans une belle matière où les tanins restent en retrait. Une bouteille qui acceptera de vieillir.

🔑 Dom. Daniel Chauveau, Pallus, 37500 Cravant-les-Coteaux, tél. 02.47.93.06.12, fax 02.47.93.93.06, e-mail domaine.daniel.chauveau@wanadoo.fr ☑ Ῑ ⛹ r.-v.

DOM. LES CHESNAIES Cuvée Marie 2004 ★

■ 1,65 ha 7 600 ▮ⓘ 11 à 15 €

Installé en 1993 sur 3,50 ha, ce jeune couple est à la tête aujourd'hui d'un vignoble de 13 ha. Reconverti tout récemment en agriculture biologique, tendance biodynamique, il propose un chinon de belle facture où le bois joue les premiers rôles. D'attaque soyeuse, la bouche est ample, pleine, conséquence d'une grande maturité des raisins. Parce que le boisé est très présent, une garde est indispensable pour parvenir à une harmonie parfaite.

🔑 Béatrice et Pascal Lambert, Les Chesnaies, 37500 Cravant-les-Coteaux, tél. 02.47.93.13.79, fax 02.47.93.40.97, e-mail lambert-chesnaies@wanadoo.fr ☑ Ῑ ⛹ r.-v.

CLOS DE LA DIOTERIE 2004 ★★

■ 2,4 ha 10 000 ⓘ 15 à 23 €

Les responsables du domaine maintiennent ce qu'avait institué Charles Joguet : des cuvées séparées par terroirs. Un coup l'un, un coup l'autre... L'année dernière, c'était le Clos du Chêne vert qui obtenait le coup de cœur ; cette année, le Clos de La Dioterie lui vole la vedette. Le nez est encore discret, mais on y perçoit des notes de fruits, de vanille et de pain d'épice. Du gras, de l'ampleur en bouche, construite autour de tanins mûrs. L'équilibre est parfait. À mettre en cave. Le **Clos du Chêne vert 2004 (15 à 23 €)** n'est pas en reste avec une étoile.

SCEA Charles Joguet, La Dioterie, 37220 Sazilly, tél. 02.47.58.55.53, fax 02.47.58.52.22 r.-v.
J. Genet

CLOS DE LA HEGRONNIÈRE 2004

4,6 ha 8 000 5 à 8 €

Le village de Rivière doit son nom à sa situation près de la Vienne, mais la commune s'étend sur les coteaux environnants, exposés au midi. Le vignoble de 24 ha de Philippe Brocourt profite pleinement de cette situation. Tendre en attaque, ce chinon s'ouvre sur des évocations de fruits rouges plaisantes. La matière joue avec les tanins sans forcément gagner. Une garde de quatre à cinq ans lui donnera raison. La cuvée **Terroirs des Coteaux 2004 rouge (3 à 5 €)** et le **rosé Domaine des Clos Godeaux 2005 (3 à 5 €)**, fruité et vif, sont cités.

EARL Philippe Brocourt, 3, chem. des Caves, 37500 Rivière, tél. 02.47.93.34.49, fax 02.47.93.97.40, e-mail philippe.brocourt@gmail.com r.-v.

CLOS DE LA NIVERDIÈRE 2004

3 ha 18 000 5 à 8 €

Installé au château de La Rivière, cet établissement accueille des travailleurs handicapés venant du monde agricole et viticole, afin de les faire évoluer dans leur milieu. Le vignoble couvre 30 ha et vient d'être doté d'un nouveau chai. Ce chinon léger s'ouvre sur des nuances fruitées. Souple, équilibré, il fera alliance dès maintenant avec des mets tourangeaux. Le **Clos de La Lysardière 2004 rouge (5 à 8 €)** est également cité.

Vignobles du Paradis, 2, imp. du Grand-Bréviande, 37500 La-Roche-Clermault, tél. 02.47.95.81.57, fax 02.47.95.86.78
t.l.j. sf sam. dim. 9h-12h 13h30-17h

CLOS DE L'OLIVE 2004 ★★

4 ha 20 000 8 à 11 €

Les Couly sont alliés aux Farou, famille de vignerons à Saint-Louans, près de Chinon, depuis le XV[e]s. Les deux cousins, Pierre et Bertrand, ont entrepris de réunir des biens familiaux pour former un domaine de 25 ha, dont le Clos de L'Olive est le premier représentant. Le bouquet intense rappelle les fruits rouges mûrs. La bouche onctueuse, ronde, témoigne d'une matière de qualité. Les tanins fondus, assortis d'une petite fraîcheur, se manifestent discrètement en finale. À mettre en réserve deux ans.

Pierre et Bertrand Couly, rue de la Batellerie, Saint-Louans, 37500 Chinon, tél. 02.47.93.43.97, e-mail bertrand.couly@wanadoo.fr r.-v.

DOM. DU COLOMBIER Clos du Martinet 2004 ★

2,8 ha 13 000 5 à 8 €

L'ancienne propriété d'Yves Loiseau a été reprise par sa fille et son gendre. Un couple dynamique qui vient d'agrandir le domaine de 8 ha, le portant à 30. Une cinquième génération qui sera certainement digne de la précédente. Trois cuvées ont été retenues. Le Clos du Martinet affiche des arômes de fruits exotiques qui évoluent vers la violette, très typique du chinon. La bouche tout en douceur possède un équilibre flatteur et invite à une dégustation immédiate. La **cuvée Vieilles Vignes 2004 rouge** et la **cuvée de La Roche Bobreau 2004 rouge** sont citées.

EARL Loiseau-Jouvault, Dom. du Colombier, 37420 Beaumont-en-Véron, tél. 02.47.58.43.07, fax 02.47.58.93.99, e-mail chinon.colombier@club-internet.fr
t.l.j. sf dim. 9h-12h 14h-18h30
O. Jouvault

DOM. DE LA COMMANDERIE Renaissance 2004

4,2 ha 20 000 5 à 8 €

Dans la réglementation de l'appellation, le cabernet-sauvignon peut être admis en assemblage avec le cabernet franc ; il entre dans cette cuvée dans une proportion de 30 %. Il sera intéressant de suivre l'évolution du vin qui, pour l'heure, possède une structure tannique solide et des arômes de fruits mûrs.

Philippe Pain, Dom. de La Commanderie, 37220 Panzoult, tél. 02.47.93.39.32, fax 02.47.98.41.26, e-mail philippepain@wanadoo.fr
t.l.j. sf dim. 9h-12h 14h-18h

DOM. COTON Cuvée des Tonneliers 2004 ★

15 ha 5 000 5 à 8 €

Vendanges manuelles, long élevage en fût, on reste traditionnel chez les Coton jusqu'à la conception de l'étiquette. Cette cuvée joue sur des notes de groseille et de cassis avec une nuance de grillé. L'attaque souple et ample laisse place à des tanins soyeux. À boire ou à garder un peu, c'est selon. La cuvée principale **Domaine Coton 2004 rouge (3 à 5 €)** brille également d'une étoile.

EARL Dom. Guy Coton, La Perrière, 37220 Crouzilles, tél. 02.47.58.55.10, fax 02.47.58.55.69
r.-v.

COULY-DUTHEIL Clos de l'Écho 2004 ★★

20 ha 50 000 11 à 15 €

Des caves impressionnantes sous le château, un vignoble de plus de 100 ha et une notoriété indiscutable : la maison Couly fait partie intégrante du paysage viticole chinonais. Le Clos de l'Écho, propriété de la famille de Rabelais en son temps, est l'un de ses fleurons. À lui ce coup de cœur. De la robe presque noire naissent des arômes floraux qui évoluent vers la pâtisserie. L'attaque est douce, envahissante, puis les tanins se développent progressivement, mais sans ardeur excessive. Flatteur dès à présent, mais ne vaudrait-il pas mieux lui laisser un peu de temps ? De la même maison, **Les Chanteaux 2005 blanc (8 à 11 €)** obtient une étoile, tandis que le **Domaine René Couly 2004 (5 à 8 €)** est cité.

Couly-Dutheil, 12, rue Diderot, 37500 Chinon, tél. 02.47.97.20.20, fax 02.47.97.20.25, e-mail info@coulydutheil-chinon.com r.-v.

ALAIN DA COSTA 2004

■ 1 ha 3 000 - de 3 €

C'est un vin léger, issu des graviers de la Vienne, tout en souplesse et aux arômes fruités. Servez-le un peu frais, il n'en sera que plus agréable. Sa simplicité ne l'empêchera pas de tenir tête à de nombreux mets.

Alain Da Costa, 51, rte de Candes,
37420 Savigny-en-Véron, tél. 02.47.58.08.36 r.-v.

DEMOIS 2004 ★

■ 1 ha 4 000 3 à 5 €

Le domaine est dans la famille depuis plus de cent ans. Il couvre aujourd'hui 24 ha sur les sols alluvionnaires des bords de la Vienne. Sous une robe rouge, bigarreau bien mûr, apparaît un nez développé de poivron et de fumée, tandis que la bouche se développe, souple et riche, avec des accents de fruits secs. Un vin classique à proposer dès maintenant.

EARL Demois, Chézelet,
37500 Cravant-les-Coteaux, tél. 02.47.98.49.01,
fax 02.47.93.33.36 r.-v.

DOM. DES GALUCHES 2004 ★

■ 8 ha 10 000 5 à 8 €

L'exploitation n'a qu'une dizaine d'années. Partis de 5 ha, les propriétaires en cultivent aujourd'hui plus de 10. La cuvée du domaine est constituée de la presque totalité de la récolte. Bien typée chinon, elle flirte avec la mûre et la groseille, puis elle se montre souple à l'attaque et laisse ses tanins se développer progressivement dans une matière bien présente qui modère leurs excès. À revoir sous peu.

Laurence et Christian Millerand,
2 bis, imp. des Galuches, 37420 Savigny-en-Véron,
tél. 02.47.58.45.38, fax 02.47.58.08.52 r.-v.

JACKY ET FABRICE GASNIER
Fabrice Gasnier 2004

■ 1,5 ha 8 000 8 à 11 €

La cuvée résulte d'un assemblage de cabernet franc et de cabernet-sauvignon (10 %). Elle a connu un passage rapide en fût neuf, puis un élevage de quatorze mois avant d'être mise en bouteilles sans filtration. Ce mode d'élaboration se traduit dans le vin par un côté évolué et une empreinte boisée. La finale longue laisse apparaître un brin de fraîcheur. Ce vin n'échappera pas à une petite garde.

Fabrice Gasnier, Chézelet,
37500 Cravant-les-Coteaux, tél. 02.47.93.11.60,
fax 02.47.93.44.83, e-mail fabricegasnier@wanadoo.fr
t.l.j. sf dim. 8h-12h 14h-18h

DOM. DES GÉLÉRIES Vieilles Vignes 2004 ★

■ 1,5 ha 8 500 5 à 8 €

Jean-Marie Rouzier est installé à Bourgueil où il a tout son matériel. Il tient de son grand-père 8 ha de vigne à Chinon auxquels il est attaché. Son talent s'exerce dans les deux appellations avec autant de succès. Du fruit à revendre au nez, une bouche suave, vive avec des tanins soyeux, ce vin léger et simple ne demande qu'à être servi sans tarder.

Jean-Marie Rouzier, Les Géléries, 37140 Bourgueil,
tél. 02.47.97.74.83, fax 02.47.97.48.73,
e-mail jean-marie.rouzier@wanadoo.fr
t.l.j. sf dim. 9h-12h30 14h-19h; f. 20 sep.-1er oct.

DOM. GOURON 2005

■ 1 ha 6 000 3 à 5 €

Les deux petits-fils, Laurent et Stéphane Gouron, ont la charge des 28 ha du vignoble. Mais le grand-père est encore là, auquel ils doivent en grande partie le domaine. Les caves à flanc de coteaux ménagent l'un des plus beaux panoramas de la région. Ici, c'est un rosé qui est mis en avant : attaque souple, bonne longueur et surtout des arômes épicés, riches d'expression. Ce vin accompagnera les grillades.

GAEC Gouron, La Croix de Bois,
37500 Cravant-les-Coteaux, tél. 02.47.93.15.33,
fax 02.47.93.96.73, e-mail info@domaine-gouron.com
t.l.j. sf dim. 8h-12h 14h-18h

DOM. DU GRAND BOUQUETEAU
Réserve Vieilli en fût de chêne 2004

■ 2 ha n.c. 8 à 11 €

Une extraction en cuve thermorégulée, puis un élevage sous bois de quatre mois, tel est le mode d'élaboration de cette cuvée rouge légèrement tuilée, qui laisse échapper des notes de grillé. La bouche est ronde, pleine et longue. La finale laisse l'impression d'un vin qui a déjà évolué et qui est prêt pour un service immédiat.

SARL Le Grand Bouqueteau,
29, rue Pierre-et-Marie-Curie, 37500 Chinon,
tél. 02.47.52.60.77, fax 02.47.93.42.41 r.-v.

CH. DE LA GRILLE 2004

■ 27 ha 180 000 15 à 23 €

L'origine du château, impressionnant par son architecture et ses dimensions, remonte au XVIes. La famille Gosset, vignerons en Champagne depuis plus de quatre cents ans, en est propriétaire. Le vignoble de 27 ha, constitué en presque totalité par du cabernet franc, entoure le siège de l'exploitation, dotée du meilleur équipement pour la vinification. Cette dernière est particulière à La Grille. On y privilégie le vieillissement avant commercialisation. L'élevage en fût dure quatorze mois et la garde en bouteille entre deux et quatre ans. Avec sa robe d'un rouge profond à reflets violets, ses arômes de fruits noirs mûrs et ses tanins souples, ce vin offre un bon équilibre, mais il est appelé à évoluer encore. Le **Château de La Grille 2005 rosé (8 à 11 €)**, frais et épicé, est également cité.

Sylvie et Laurent Gosset, Ch. de La Grille,
rte de Huismes-et-Ussé, 37500 Chinon,
tél. 02.47.93.01.95, fax 02.47.93.45.91,
e-mail chateaudelagrille@wanadoo.fr r.-v.

VIGNOBLE GROSBOIS 2005

■ 0,9 ha 10 000 3 à 5 €

Les bâtiments des XIVe et XVes. constituaient une ancienne place forte du Bouchardais (région de l'Île-Bouchard). Le vignoble d'une dizaine d'hectares est constitué essentiellement de cabernet franc planté sur sols argilo-siliceux. Souple, fruité, élégant, doté d'une finale soutenue, ce vin pourra être proposé avec des grillades autour d'un barbecue.

Jacques Grosbois, Le Pressoir, 37220 Panzoult,
tél. 02.47.58.66.87, fax 02.47.95.26.52,
e-mail vignoble.grosbois@wanadoo.fr r.-v.

DOM. LA JALOUSIE Cuvée Yearling 2005 ★

■ 3,3 ha 21 500 5 à 8 €

On doit aimer les chevaux à La Jalousie pour faire figurer sur l'étiquette de cette cuvée une tête élégante de la

LOIRE

plus belle conquête de l'homme. Vous serez conquis par ce rosé saumon à la limite du cuivré, souple et fruité, qui développe dans une longueur appréciable sa minéralité. La **cuvée La Chapelle 2004 rouge (11 à 15 €)** est citée pour son gras relevé d'une pointe de fraîcheur.
EARL Michel Le Corre, 17, Briançon, 37500 Cravant-les-Coteaux, tél. et fax 02.47.93.90.83
r.-v.

PATRICK LAMBERT Cuvée Tradition 2004 *

■ 3 ha 3 000 3 à 5 €

Patrick Lambert ne cherche pas l'agrandissement de son exploitation à tout prix ; il s'en tient à son domaine de 8 ha, mais essaie toujours d'en améliorer la qualité. Cette année, un chinon de garde a séduit le jury. Une matière importante, des tanins souples et élégants : c'est un vin net, équilibré, disposé à bien évoluer.
Earl Patrick Lambert, 6, coteau de Sonnay, 37500 Cravant-les-Coteaux, tél. et fax 02.47.93.92.39
r.-v.

THIERRY LANDRY
Les Puys Vieilles Vignes 2004 *

■ 2 ha n.c. 5 à 8 €

Quand on parle de *puy* en Touraine, on entend une petite hauteur et non une montagne ! Ici, c'est un plateau un peu surélevé dont le sol se compose d'un mélange d'argile et de sable siliceux qui convient admirablement à la vigne. Cette cuvée en témoigne, elle qui, rouge carmin, s'ouvre sur des arômes de fruits rouges nuancés de vanille. La bouche ronde, suave même, revient sur les fruits et s'appuie sur une structure tannique bien faite. La finale fraîche est marquée par le bois. Un peu de patience pour un meilleur fondu.
Thierry Landry, Dom. des Closeaux, 39, rue de Turpenay, 37500 Chinon, tél. et fax 02.47.93.20.20 r.-v.

ANGÉLIQUE LÉON Cuvée fût de chêne 2004

■ 0,4 ha 2 600 5 à 8 €

Angélique Léon a repris en 2002 un bien familial qui faisait partie de ces propriétés, nombreuses dans le Chinonais, vouées à la polyculture et à l'élevage, et qui se sont reconverties à la viticulture à partir des années 1980. Cette cuvée pourpre à reflets presque noirs offre un bouquet élégant de fleurs et de graines torréfiées. D'un bon équilibre général, mais avec des tanins puissants, elle mérite de vieillir quelques années.
Angélique Léon, 2, rue des Capelets, 37420 Savigny-en-Véron, tél. et fax 02.47.58.92.70, e-mail leon.vindechinon@wanadoo.fr
t.l.j. 8h-19h

CH. DE LIGRÉ 2005

■ 2,5 ha n.c. 5 à 8 €

L'élégante maison qui date du XIXᵉs. domine un charmant vallon où les rangs de vignes se perdent au loin. Pierre Ferrand, qui a pris la succession de son père en 1988, conduit avec science les 38 ha de la propriété. Il propose cette année un rosé cuivré, aux senteurs d'épices. Rond, le vin révèle en finale une pointe de fraîcheur appréciable.
Pierre Ferrand, 1, rue Saint-Martin, 37500 Ligré, tél. 02.47.93.16.70, fax 02.47.93.43.29, e-mail chateau.de.ligre@wanadoo.fr
t.l.j. sf dim. 9h-12h 14h-18h

ALAIN LORIEUX Thélème 2004

■ 2,5 ha 8 000 5 à 8 €

Deux frères exploitent un domaine à Saint-Nicolas-de-Bourgueil et un autre à Chinon. Ce dernier, fort de 8 ha, est sous la responsabilité d'Alain Lorieux, mais tous deux mettent en commun leur matériel et leur savoir. Très fruitée au nez, dominée par la groseille, cette cuvée apparaît à la fois ronde et fraîche en bouche. Les tanins sont en net retrait et il reste en finale une évocation balsamique originale. Il faut en profiter dès maintenant.
Pascal et Alain Lorieux, Malvault, 37500 Cravant-les-Coteaux, tél. 02.47.98.35.11, fax 02.47.98.36.11, e-mail contact@lorieux.fr
r.-v.

MANOIR DE LA BELLONNIÈRE
Vieilles Vignes 2004

■ 5 ha 15 000 3 à 5 €

Les gouverneurs de la ville de Chinon, qui savaient ce que bon vin veut dire, avaient au XVIIᵉs. élu domicile au manoir de La Bellonnière qui, s'il n'était pas encore producteur, se situait au cœur du vignoble de Cravant. Ample et grasse, cette cuvée développe volontiers des senteurs de rhubarbe et de bourgeon de cassis. La finale est un peu austère, signe qu'il y a du répondant pour une garde moyenne.
EARL Béatrice et Patrice Moreau, La Bellonnière, 37500 Cravant-les-Coteaux, tél. 02.47.93.45.14, fax 02.47.93.93.65 r.-v.

DOM. DE LA MARINIÈRE
Réserve de La Marinière Élevé en fût de chêne 2004 *

■ 2 ha 4 500 5 à 8 €

En arrivant à La Marinière, deux chênes plus que centenaires signalent l'âge de la propriété. Cette métairie faisait partie autrefois de la châtellenie de Roncée qui relevait de celle de l'Île-Bouchard. Achetée en 1970 par les parents de Renaud Desbourdes, elle est passée progressivement de la polyculture à la vigne. Ce chinon offre un nez très fruits rouges, typique de l'AOC, auquel s'ajoute un léger boisé. Belle attaque, de l'ampleur, de la matière : il joue dans la cour des grands. Un vin à mettre en attente pour un meilleur fondu du bois. La cuvée **Les Ribottées 2004 (3 à 5 €)** est citée.
Renaud Desbourdes, La Marinière, 37220 Panzoult, tél. et fax 02.47.95.24.75, e-mail domaine.la.marinie5ere@wanadoo.fr r.-v.

DOM. DES MILLARGES Les Mûriers 2004 *

■ 4 ha 20 300 3 à 5 €

Le domaine, rattaché au lycée de Tours-Fondettes, sert de support pédagogique aux étudiants qui se destinent aux sciences de la vigne et du vin. Équipé d'un chai fonctionnel semi-enterré et piloté par des techniciens expérimentés, il est une référence dans la région. Pour preuve, ce vin de couleur intense qui décline des notes de marc et de peau de raisin cuite, puis se montre frais à l'attaque. Sa matière puissante et riche le rend intéressant dès maintenant, mais il le sera bien plus dans quelques années.
Lycée agricole de Tours-Fondettes, Centre viti-vinicole, Les Fontenils, 37500 Chinon, tél. 02.47.93.36.89, fax 02.47.93.96.20 r.-v.

DOM. DE LA NOBLAIE 2004 ★

■ 4,5 ha 17 000 ▮ 5 à 8 €

La propriété qui date du XVIIIe s. a été achetée en 1952 par Pierre Manzagol, le père et beau-père des actuels exploitants M. et F. Billard. Ces derniers sont associés maintenant à leur fils Jérôme. Trois vins présentés, trois vins retenus ! Cette cuvée grenat intense évoque la myrtille. Pleine, ronde, dotée d'une structure solide, elle se bonifiera au cours de deux ou trois ans de garde. La cuvée issue du coteau, **Les Blancs Manteaux 2004 rouge** (les templiers étaient présents autrefois sur ce coteau), obtient une étoile, de même que la cuvée **Pierre de Tuf 2004 rouge**.

Manzagol-Billard, 21, rue des Hautes-Cours, 37500 Ligré, tél. 02.47.93.10.96, fax 02.47.93.26.13, e-mail contact@lanoblaie.fr r.-v.

DOM. DE NOIRÉ Élégance 2004

■ 6 ha 20 000 ▮ 5 à 8 €

Le domaine a eu son heure de gloire au siècle dernier ; depuis cinq ans, il connaît un renouveau grâce à sa reprise par une équipe dynamique. Le potentiel est bien présent : sols graveleux ou argilo-calcaires sur tuffeau et ceps d'âges respectables. À la robe sombre et aux arômes de fruits compotés, nuancés de réglisse, répond une bouche riche et ronde, signe d'une récolte faite à bonne maturité. Une petite austérité en finale invite à être patient.

Dom. de Noiré, Noiré, 37500 Chinon, tél. 06.76.81.91.29, fax 02.47.98.32.33, e-mail jmmanceau@club-internet.fr r.-v.

O. Manceau

DOM. DE NUEIL Cuvée des Cigales 2004

■ 0,45 ha 1 500 ▮ 5 à 8 €

La ferme de Nueil renferme les ruines de l'ancien manoir qui a appartenu à Marie de Mauléon. Il reste encore une porte du XVIe s. en plein cintre accompagnée de deux échauguettes et un long corps de bâtiments élevé au XVIIe s. Le vignoble s'étend sur 11 ha dont une partie est plantée sur argilo-calcaire. Cette cuvée en est issue. Elle exprime discrètement le fruit mûr et les épices, le bois n'étant pas totalement absent. Ronde en bouche, assez persistante, elle est simple et légère, prête à s'adapter à de bons plats mijotés. La cuvée principale **Domaine de Nueil 2004 rouge (3 à 5 €)** est citée.

Laurent Gilloire, Dom. de Nueil, 37500 Cravant-les-Coteaux, tél. 02.47.93.19.24, fax 02.47.98.32.91, e-mail laurent.gilloire@wanadoo.fr r.-v.

JEAN-LOUIS PAGE Cuvée Vieilles Vignes 2004

■ 1,2 ha 7 000 5 à 8 €

Avec un diplôme de technicien viticole en poche, Jean-Louis Page a repris l'exploitation paternelle sans difficultés. La cuvée Vieilles Vignes est quasiment abonnée au Guide : elle y figure régulièrement. De la robe grenat brillant s'échappent des senteurs de fruits cuits intenses. À l'attaque élégante répondent des tanins fins et mesurés. Ce vin a tout autant vocation à être servi maintenant qu'à être mis en cave. Une citation est accordée à la **Cuvée sélectionnée rouge 2004**.

Jean-Louis Page, 12, rte de Candes, 37420 Savigny-en-Véron, tél. 02.47.58.96.92, fax 02.47.58.86.65, e-mail jlpage1@aol.com r.-v.

JAMES PAGET Vieilles Vignes 2004 ★

■ 1,5 ha 6 000 ▮ 5 à 8 €

Installés au cœur de l'appellation touraine-azay-le-rideau, James et Nicolas Paget, le père et le fils, possèdent des vignes sur Chinon qui donnent régulièrement de beaux produits. Les fruits rouges et la violette sont au cœur du bouquet. L'attaque souple et la matière ronde prennent dans un premier temps le pas sur les tanins, mais ces derniers finissent par avoir le dernier mot ; un peu de garde les fera rentrer dans le rang.

Dom. James et Nicolas Paget, 7, rte de la Gadouillère, lieu-dit Armentières, 37190 Rivarennes, tél. 02.47.95.54.02, fax 02.47.95.45.90

t.l.j. sf dim. lun. 9h-12h 14h30-19h

DOM. CHARLES PAIN Cuvée Prestige 2004 ★

■ 10 ha 30 000 ▮ 5 à 8 €

Le domaine de près de 28 ha s'étend sur les trois communes les plus à l'est de l'aire d'appellation. L'exposition de la rive droite de la Vienne, la large vallée qui permet aux influences atlantiques de pénétrer favorisent la production de vins de qualité. Celui-ci en est un exemple par sa rondeur, ses tanins souples et sa typicité. Il est agréable dès maintenant. La **cuvée du Domaine 2004 rouge (3 à 5 €)** est citée, de même que le **rosé de saignée 2005 (3 à 5 €)**.

Dom. Charles Pain, Chézelet, 37220 Panzoult, tél. 02.47.93.06.14, fax 02.47.93.04.43, e-mail charles.pain@wanadoo.fr

r.-v. 2 B

DOM. DE PALLUS 2004

■ 12 ha 60 000 ▮ 5 à 8 €

Josette et Jean-Bernard Sourdais sont en charge des 16 ha du domaine de Pallus depuis près de quarante ans. Ils sont conseillés par un œnologue qui dirige également un grand cru espagnol de Ribera del Duero... Le cépage breton n'a plus qu'à bien se tenir. C'est ce qu'il fait dans cette cuvée puissante au nez, qui mêle épices et fruits rouges. La matière ronde et riche conduit à une finale soyeuse que relève une légère vivacité.

Jean-Bernard Sourdais, Pallus, 37500 Cravant-les-Coteaux, tél. 02.47.93.00.05, fax 02.47.93.05.06, e-mail jeanbernard.sourdais@free.fr

t.l.j. 9h-19h

DOM. DE LA PERRIÈRE 2004 ★

■ 20 ha 120 000 ▮ 5 à 8 €

Le vignoble de La Perrière appartient à la même famille depuis six siècles. Planté sur les premières terrasses graveleuses de la Vienne, il donne naissance à des vins bouquetés et finement structurés. Celui-ci le confirme. Un bouquet intense de fleurs et de fruits émane de la robe sombre, violacée. La charpente légère, élégante et bien enrobée, s'estompe dans une finale raisonnable. À laisser évoluer un temps. La cuvée **Vieilles Vignes 2004**, qui mérite également de vieillir, est citée.

Christophe Baudry, Dom. de La Perrière, La Perrière, 37500 Cravant-les-Coteaux, tél. 02.47.58.53.01, fax 02.47.58.64.06, e-mail info@baudry-detour.fr

t.l.j. sf sam. dim. 10h-12h 14h30-18h D

VIGNOBLE DE LA POËLERIE
Vieilles Vignes 2004 *

■ 5 ha 4 000 ▮ 3 à 5 €

Les terrasses graveleuses de la Vienne sont réputées produire des vins fruités et gouleyants. Aidées par un vinificateur de talent, elles se surpassent et peuvent donner naissance à des cuvées denses et concentrées. La couleur à la limite du noir est déjà un signe. La matière riche, soutenue par des tanins consistants, en est un autre. Une cuvée à suivre et à ne pas perdre !

François Caillé, Le Grand Marais, 37220 Panzoult, tél. 02.47.95.26.37, fax 02.47.58.56.67, e-mail caille37@wanadoo.fr ☑ Y ⚘ r.-v. ⌂ ❶

DOM. PRÉVEAUX Cuvée du Plessis 2005 *

■ 1,2 ha 5 000 ▮ 3 à 5 €

Un domaine de superficie modeste (16 ha), mais où l'on travaille la qualité. Les trois couleurs sont récompensées. Le rosé se distingue par un bouquet complexe, dominé par la fraise des bois. Puissant en attaque, riche d'arômes épicés, vif et long en finale, il est typique des chinon. La **cuvée Le Plessis Prestige 2005 blanc (5 à 8 €)** obtient une étoile également, tandis que la cuvée **La Pointe des Montifaults 2004 Vieilles Vignes Élevé en fût rouge (5 à 8 €)** est citée.

EARL Bruno Préveaux, 19, rue de Launay, 37500 La Roche-Clermault, tél. 02.47.93.23.19, fax 02.47.93.30.84 ☑ Y ⚘ r.-v. ⌂ ©

DOM. DU PUY Cuvée Baptiste 2004 *

■ 6 ha 13 000 ▮ⓘ 3 à 5 €

Le domaine a vu se succéder cinq générations de vignerons. Aujourd'hui fort de près de 27 ha, il est mené par Patrick Delalande qui travaille dans l'esprit de ses ancêtres, fidèle à la tradition. Cette cuvée est un exemple de vin bien fait, léger, souple, qui a une place toute trouvée à une tablée d'amis. La **cuvée Mathilde 2005 rosé**, rafraîchissante, est citée.

Patrick Delalande, EARL du Puy, 11, Le Puy, 37500 Cravant-les-Coteaux, tél. 02.47.98.42.31, fax 02.47.93.39.79 ☑ Y ⚘ r.-v.

DOM. DU PUY RIGAULT Vieilles Vignes 2004

■ 1,5 ha 8 000 ⓘ 5 à 8 €

Le domaine est situé au cœur du Véron, petite région délimitée par la Loire et la Vienne, et chère à Rabelais. Les sols constitués de sables et de graves sont favorables à la qualité. Ce chinon est un vin simple, tout en rondeur et en persistance. Le bouquet de menthe et de réglisse contribue à son charme.

EARL Dom. du Puy Rigault, 6, rue de la Fontaine-Rigault, 37420 Savigny-en-Véron, tél. 02.47.58.44.46, fax 02.47.58.99.50 ☑ Y ⚘ r.-v.

Michel Page

DOM. DES QUATRE VENTS
Cuvée Vieilles Vignes 2004 *

■ 3 ha n.c. ⓘ 5 à 8 €

Le domaine est situé sur une butte battue par les vents, d'où son nom. Mais rassurons-nous : Éole ne se manifeste en Touraine qu'avec beaucoup de modération et il règne sur les collines de Cravant un climat tempéré, propice à la vigne. Cette cuvée de couleur dense offre un bouquet discret. Au palais, un festival de fruits mûrs accompagne une matière abondante et des tanins fondus. Un vin riche et équilibré avec lequel vous prendrez rendez-vous dans cinq ou dix ans. La **cuvée Sélection 2004 rouge**, friande, est citée.

Philippe Pion, La Bâtisse, 37500 Cravant-les-Coteaux, tél. 02.47.93.46.79, fax 02.47.93.99.59, e-mail pionphilipp@aol.com ☑ Y ⚘ r.-v.

CAVES DES VINS DE RABELAIS
La Croix Sénard 2004 *

■ 6,6 ha 44 000 ▮ 3 à 5 €

Ce groupement de soixante viticulteurs représente 10 % du volume total des chinon. Ses vins sont le plus souvent mis en bouteilles chez le producteur et commercialisés sous son étiquette. Celui-ci, grenat profond, s'ouvre sur les fruits rouges, la fraise notamment. Après une attaque douce, il monte en puissance grâce à une structure tannique solide. La longue finale donne une impression de fraîcheur. À laisser dormir en cave un temps. **Les Ménilles 2004 rouge** obtient une citation.

SICA des Vins de Rabelais, Les Aubuis-Saint-Louans, 37500 Chinon, tél. 02.47.93.42.70, fax 02.47.98.35.40, e-mail loire-wines@uapl.fr ☑ Y ⚘ r.-v.

JEAN-MAURICE RAFFAULT
Clos des Capucins 2004 *

■ 1,4 ha 8 000 ⓘ 11 à 15 €

Rodolphe Raffault gère maintenant la société que son père a créée il y a plus de trente ans. En 2004, il s'est attaché à travailler une parcelle dont la réputation a traversé les âges : le Clos des Capucins. Séduisant par sa robe pourpre et son bouquet généreux de fruits mûrs et de vanille, ce vin confirme en bouche cette première impression grâce à une attaque souple, mais à une matière riche, finement associée à des flaveurs de fruits mûrs. La structure tannique est fondue. Il serait dommage de ne pas le laisser en cave se bonifier encore.

SARL Jean-Maurice Raffault, La Minotière, 37420 Savigny-en-Véron, tél. 02.47.58.42.50, fax 02.47.58.83.73, e-mail rodolphe-raffault@wanadoo.fr ☑ Y ⚘ r.-v.

MARIE-PIERRE RAFFAULT La Chevesserie 2004

■ 3 ha 5 000 ▮ 5 à 8 €

Le domaine couvre 13 ha sur les pentes argilo-calcaires de la commune de Chinon. Passionnée, Marie-Pierre Raffault a produit un vin fruité aux tanins de soie, susceptible d'être servi à tout instant. Une opportunité pour ceux qui ne disposent pas de cave.

Marie-Pierre Raffault, Les Loges, 37500 Chinon, tél. 02.47.93.17.89, fax 02.47.93.92.60, e-mail mpraffault@aol.com ☑ Y ⚘ r.-v.

DOM. DU RAIFAULT Clos du Villy 2004

■ 2,5 ha 10 000 ▮ⓘ 5 à 8 €

La gentilhommière des XVe et XVI[e]s. est au centre d'un vignoble de près de 27 ha. Les sols vont des graves de la Vienne aux argilo-calcaires des premières côtes. Au Clos du Villy, le tuffeau n'est pas loin et la surface est chargée en éléments grossiers de silex et de craie. Il en résulte un vin harmonieux qui trouve un équilibre entre matière et tanins. Il est aimable dès aujourd'hui, mais peut évoluer favorablement pendant quelques années. La cuvée **Les Allets 2004 rouge**, fruitée et structurée, est également citée.

Julien Raffault, 23-25, rte de Candes, 37420 Savigny-en-Véron, tél. 02.47.58.44.01, fax 02.47.58.92.02, e-mail domaineduraifault@wanadoo.fr
t.l.j. 8h30-12h30 14h-19h; dim. sur r.-v.

PHILIPPE RICHARD Cuvée Tyfaine 2004

1 ha 3 000 5 à 8 €

La passion de la vigne et du vin est héréditaire. Philippe Richard la tient de son grand-père qui lui a laissé ce petit vignoble de 6,30 ha, bien abrité des vents du nord par la forêt. La cave creusée au pic est aussi un souvenir de l'aïeul. Couleur presque noire, senteurs de marc et de fruits cuits, ce vin s'appuie sur des tanins encore imposants. Une matière bien mûre vient à la rescousse, rectifiant l'équilibre. Une vocation de garde. Dans le même registre, la **cuvée Tymothé Vieilli en fût de chêne 2004 rouge (8 à 11 €)** est également citée.

Philippe Richard, Le Sanguier, 37420 Huismes, tél. 02.47.95.45.82, fax 02.47.95.59.27, e-mail Philipperichard.vins-chinon@wanadoo.fr
t.l.j. 9h-12h30 14h-19h; dim. sur r.-v.

DOM. DE LA ROCHE HONNEUR Diamant Prestige 2004 ★★

3,5 ha 16 000 5 à 8 €

La grande cave dans le rocher entièrement sculptée est une curiosité à ne pas manquer à La Roche Honneur. Mais les vins méritent aussi intérêt, en particulier cette cuvée grenat qui livre de généreux parfums d'épices et de fumée, sur un délicat fond boisé. Pleine, élégante, elle bénéficie de tanins fins, l'ensemble étant agrémenté de notes de fruits rouges et de grillé. Laissez-lui un peu de temps. La **cuvée Rubis 2004 rouge** est citée pour sa présence en bouche.

Dom. de la Roche Honneur, 1, rue de la Berthelonnière, 37420 Savigny-en-Véron, tél. 02.47.58.42.10, fax 02.47.58.45.36, e-mail roche.honneur@club-internet.fr r.-v.
Stéphane Mureau

DOM. DU RONCÉE Clos des Marronniers 2004 ★

7 ha 37 000 8 à 11 €

Le domaine de Roncée était une châtellenie relevant de celle de l'Île-Bouchard. L'ancien château a disparu, mais il reste une belle fuye (colombier) du XVIIe s. Le vignoble a été pris en main par une équipe de vignerons qui proposent ici un vin aux senteurs de fruits mûrs, assorties de touches vanillées et épicées. La bouche pleine et puissante est soutenue par des tanins satinés, puis la finale revient longuement sur les fruits noirs. Une petite garde est possible.

Baudry-Dutour, La Morandière, 37220 Panzoult, tél. 02.47.58.53.01, fax 02.47.58.64.06, e-mail info@baudry-dutour.fr
t.l.j. sf dim. 10h-12h 14h30-18h

DOM. DES ROUET 2005

10,49 ha 8 000 3 à 5 €

Issu de vignes plantées sur sols sableux et limoneux, ce rosé est représentatif de l'appellation. Sa robe saumon soutenu, brillante, libère des arômes intenses d'agrumes. Le palais rafraîchissant et tout en finesse fait preuve d'harmonie. Une bouteille à réserver à des grillades.

Dom. des Rouet, Chézelet, 37500 Cravant-les-Coteaux, tél. 02.47.93.19.41, fax 02.47.93.96.58
t.l.j. 9h-18h30; sam. dim. sur r.-v.

WILFRID ROUSSE Cuvée Terroir 2004 ★★

6 ha 10 000 5 à 8 €

La Halbardière est surmontée d'une girouette qui date du XVIIe s. et représente une sirène gobant un poisson. Nous sommes en plein Véron, une petite région du Chinonais « où la Loire et la Vienne sont plus rivales qu'amies et où le vigneron ne craint pas sa peine ». Il a certainement fallu beaucoup d'efforts à Wilfrid Rousse pour élaborer ce remarquable chinon qui développe un bouquet intense de cassis. La bouche souple en attaque s'appuie sur des tanins puissants, mais non agressifs. Elle s'étire ensuite longuement en évoquant les fruits rouges et noirs. Ce vin est plaisant dès maintenant, mais peut attendre. La cuvée **Les Puys 2004 rouge**, légèrement boisée, obtient deux étoiles ; celle du **Clos de la Roche 2004 rouge (11 à 15 €)** est citée.

Wilfrid Rousse, 21, rte de Candes, La Halbardière, 37420 Savigny-en-Véron, tél. 02.47.58.84.02, fax 02.47.58.92.66, e-mail wilfrid.rousse@wanadoo.fr
r.-v.

CAVES DE LA SALLE Fief de la Rougellerie 2004

4 ha 6 000 3 à 5 €

Le domaine s'étend sur 13 ha et comprend un ancien corps de ferme du XVIIIe s. Le chai, plus récent, vient d'être rénové. Sur le domaine a été créé un camping à la ferme ouvert de Pâques à la Toussaint ; les vacanciers auront ainsi l'occasion de s'initier aux chinon. Ils apprécieront cette cuvée coulante, fruitée et d'un bon équilibre. Un vin de détente.

EARL Rémi Desbourdes, La Salle, 37220 Avon-les-Roches, tél. 02.47.95.24.30, fax 02.47.95.24.83, e-mail remi.desbourdes@wanadoo.fr
t.l.j. 9h-12h30 14h30-19h30; dim. 9h-12h30

LOIRE

DOM. DE LA SEMELLERIE Cuvée Déborah Vieilles Vignes Élevé en fût de chêne 2004 ★

1,3 ha 7 000 8 à 11 €

Tout en haut de Cravant-les-Coteaux, les rayons du soleil bercent ce domaine de 40 ha. Cette énergie solaire s'est transformée dans le vin en puissance et forte potentialité. Les tanins présents, déjà fondus, n'ont rien de rebutant. Restent les arômes : les fruits mûrs et le chocolat sont plaisants, mais le boisé soutenu doit mieux s'intégrer. À laisser évoluer.

🗝 Fabrice Delalande, EARL de La Semellerie,
37500 Cravant-les-Coteaux, tél. 02.47.93.18.70,
fax 02.47.93.94.00, e-mail la-semellerie@wanadoo.fr
☑ Ɪ ⚲ r.-v.

PIERRE SOURDAIS Tradition 2004 *

■ n.c. 40 000 ◐ 3 à 5 €

Au moulin à tan, on broyait autrefois les écorces de chêne destinées aux tanneries, nombreuses dans la région. Vous y viendrez dès la sortie du Guide y découvrir un assemblage savamment réalisé des différents terroirs du domaine. Pierre Sourdais tient compte de la nature du sol, de l'exposition, de l'âge des vignes. Le passage en fût a marqué ce vin, mais les tanins bien assagis sont en harmonie avec la matière consistante. Les arômes de fruits sont préservés et se manifestent en finale. Un chinon qui saura se faire attendre.

🗝 Pierre Sourdais, 12, Le Moulin à Tan,
37500 Cravant-les-Coteaux, tél. 02.47.93.31.13,
fax 02.47.98.30.48, e-mail pierre.sourdais@wanadoo.fr
☑ Ɪ ⚲ r.-v. 🏠 Ⓓ

FRANCIS SUARD
Cuvée Prestige Élevé en fût de chêne 2004 *

■ 1,1 ha 5 000 ◐ 5 à 8 €

Rendez-vous chez Francis Suard pour voir la maison et les bâtiments du XIXe s. en pierre de tufffeau, dans un style typiquement tourangeau. Le vignoble de plus de 13 ha s'étend non loin. Demandez également à goûter ce chinon qui « bretonne » au nez (arôme de poivron) : c'est chose rare en 2004 ! Souple, rond, gouleyant, il est dans l'esprit de ces vins de printemps, harmonieux et faciles à boire.

🗝 Francis Suard, 74, rte de Candes,
37420 Savigny-en-Véron, tél. 02.47.58.91.45 ☑ Ɪ ⚲ r.-v.

DOM. DE LA TRANCHÉE 2004 *

■ 4 ha 5 000 ▮◐ 5 à 8 €

La commune de Beaumont-en-Véron, par les hasards des mouvements géologiques, se trouve sur une hauteur dominant la Vienne, ce qui lui assure une belle exposition. De plus, le sous-sol calcaire n'étant guère profond, les terres sont chaudes et bien drainées. La vigne est gâtée et les vins souvent bien nés. Celui-ci, sous une robe d'un rouge dense, reste encore un peu fermé. La matière assez présente emplit la bouche, sans être contrariée par les tanins, déjà policés, mais la finale légèrement austère invite à une petite garde.

🗝 Pascal Gasné, 33, rue de la Tranchée,
37420 Beaumont-en-Véron, tél. 02.47.58.91.78,
fax 02.47.58.85.25 ☑ Ɪ ⚲ r.-v.

CH. DE VAUGAUDRY
Clos du Plessis-Gerbault 2004 **

■ 1 ha 7 000 ▮◐ 8 à 11 €

Vaugaudry, un autre haut lieu de la guerre picrocholine ! Le château actuel fut reconstruit en 1820 sur les vestiges de l'ancienne maison noble de Vaugaudry. Il est entouré d'un mur qui constitue un clos de 58 ha. Le vignoble, un temps disparu, fut reconstitué à partir de 1980. Il compte aujourd'hui plus de 12 ha. Le chinon qui en est issu offre un bouquet ouvert sur des notes de grillé, de framboise et de vanille. Agréablement fruité en bouche, il réunit une matière enveloppante à des tanins élégants. Sa vocation à la garde est certaine. La cuvée principale **Château de Vaugaudry 2004 rouge (5 à 8 €)**, prête à boire, est citée.

🗝 Ch. de Vaugaudry, Vaugaudry, 37500 Chinon,
tél. 02.47.93.13.51, fax 02.47.93.23.08,
e-mail chateau-de-vaugaudry@wanadoo.fr
☑ Ɪ ⚲ r.-v. 🏠 Ⓓ
🗝 Belloy

CH. DE LA VRILLAYE 2004 *

■ 3,2 ha 4 000 ◐ 5 à 8 €

Le corps principal du château a été remanié en 1840 dans le style Renaissance. Cependant, l'imposant pigeonnier du XVIe s. a été conservé. Acquis par un ancien industriel en l'an 2000, le domaine a maintenant une vocation viticole. L'accueil du visiteur se fait dans la salle du pressoir de l'ancien chai du XVIIe s., complètement aménagée. Ce vin, à la limite du noir, laisse s'élever des senteurs de fleurs, de vanille et de tabac blond. Les tanins surprennent à l'attaque, mais ils se fondent bientôt dans la matière de qualité. Il reste un boisé léger qui ne demande qu'à se fondre au cours de deux ans de garde.

🗝 Michel Constant, Ch. de La Vrillaye,
37120 Chaveignes, tél. 06.08.57.36.13,
fax 02.47.58.24.40,
e-mail michel.constant@chateaudelavrillaye.com
☑ Ɪ ⚲ t.l.j. 9h-20h

Coteaux-du-loir

Avec le jasnières, voici le seul vignoble de la Sarthe, sur les coteaux de la vallée du Loir. Il renaît après avoir failli disparaître il y a vingt-cinq ans. Les vignes sont plantées sur l'argile à silex qui recouvre le tuffeau. En 2005, une production intéressante de 1 767 hl d'un rouge léger et fruité (pineau d'Aunis, assemblé aux cabernet, gamay ou cot) et de rosé, ainsi que 1 310 hl de blanc sec (chenin ou pineau blanc de la Loire).

DOM. AUBERT LA CHAPELLE 2005

■ 3 ha 10 000 ◐ 5 à 8 €

Jean-Michel Aubert a créé ce domaine, qui dispose de 13 ha de vignes, en 1989. Pur pineau d'Aunis, son rosé se montre intense au nez où cerise, pivoine et poivre bataillent pour la première place. La rondeur s'installe en bouche. Cette bouteille trouvera facilement sa place sur des salades composées et du poisson froid.

🗝 Dom. Aubert La Chapelle, La Roche,
72340 Marçon, tél. et fax 02.43.79.17.82,
e-mail domaineaubertlachapelle@wanadoo.fr
☑ Ɪ ⚲ r.-v.

DOM. DE LA CHARRIÈRE
Pineau d'Aunis 2004 **

■ 1,1 ha 7 000 ▮ 5 à 8 €

Ce vin rouge est une remarquable expression du terroir au travers du pineau d'Aunis, cépage parfaitement adapté à la région. Robe rubis clair, nez finement épicé sur des notes de cerise burlat : l'entrée en matière annonce un vrai régal. En bouche, de l'équilibre, des tanins soyeux, une finale ample, et toujours cette petite saveur poivrée. Une viande blanche ? Accord classique. Et pourquoi pas un plat asiatique ?

Joël Gigou, 4, rue des Caves,
72340 La Chartre-sur-le-Loir, tél. 02.43.44.48.72,
fax 02.43.44.42.15, e-mail vins.gigou@wanadoo.fr
r.-v.

CHRISTOPHE CROISARD Rasné 2005

2 ha 5 000 5 à 8 €

Sur l'étiquette, de lourdes portes de caves troglodytiques fermées sur leur secret. La dégustation Hachette met au jour une partie de son contenu : ce Rasné, un moelleux de couleur paille limpide et au nez de botrytis. La bouche est souple, chaleureuse, un peu grillée et ne lésine pas sur la douceur. À essayer à l'apéritif avec des toasts au bleu. Le **rosé pineau d'Aunis 2005 (3 à 5 €)** reçoit la même note. Habillé de saumon, il manque un peu de nerf mais possède une réelle intensité aromatique dominée par le poivré.

Christophe Croisard, La Pommeraie,
72340 Chahaignes, tél. 02.43.79.14.90 r.-v.

JEAN-JACQUES MAILLET
Pineau d'Aunis 2005 ★★

2 ha 3 000 3 à 5 €

Magnifique représentant des vins rosés de la vallée du Loir, ce 2005 à la robe œil-de-perdrix a séduit le jury par son équilibre et par son fruité inimitable dû au pineau d'Aunis. Épices et petits fruits rouges au menu, de la fraîcheur, de la rondeur et une finale dans la douceur. Salades, viandes blanches, ou encore petit goûter salé sur le coup de 17 heures, il trouvera sa place à tout moment et en toutes occasions. Discret, un peu linéaire mais agréable, le **blanc 2005 (5 à 8 €)**, un demi-sec, recueille une citation.

Jean-Jacques Maillet, La Pâquerie,
72340 Ruillé-sur-Loir, tél. 02.43.44.47.45,
fax 02.43.44.35.30 r.-v.

Jasnières

C'est le cru des coteaux du Loir, bien délimité sur un unique versant plein sud de 4 km de long sur environ 66 ha. Une production en 2005 de 2 461 hl de vin blanc, issu du seul cépage chenin ou pineau de la Loire, qui peut donner des produits sublimes les grandes années. Curnonsky n'a-t-il pas écrit : « Trois fois par siècle, le jasnières est le meilleur vin blanc du monde » ? Il accompagne élégamment, dit-on, la « marmite sarthoise », spécialité locale, où il rejoint d'autres produits du terroir : poulets et lapins finement découpés, légumes cuits à la vapeur. Vin rare, à découvrir.

DOM. DE CÉZIN 2005 ★

1,7 ha 10 000 5 à 8 €

Bien connu des fidèles lecteurs du Guide, François Fresneau est depuis 1981 à la tête de son domaine et dispose de 12,50 ha de vignes et de caves creusées dans le tuffeau il y a deux cent cinquante ans. Trois vins présentés dans les deux appellations voisines, trois fois une étoile. Ce jasnières a su conserver sa fraîcheur, malgré sa puissance, alors que le millésime 2005 a souvent apporté un lot de chaleur dans les vins. La pêche de vigne est son leitmotiv, dans un ensemble équilibré et rond, qui finit sur une certaine douceur. Le **coteaux-du-loir blanc 2005 (3 à 5 €)** offre un bon équilibre. Plutôt demi-sec, il accompagnera volontiers une viande blanche, tandis que le **coteaux-du-loir rosé Aunis 2005 (3 à 5 €)**, issu comme son nom l'indique du pineau d'Aunis, est un vin racé et frais, aux arômes de fruits rouges relevés d'épices (coriandre et poivre blanc), à servir tout au long du repas.

François Fresneau, rue de Cézin, 72340 Marçon,
tél. et fax 02.43.44.13.70,
e-mail earl.francois.fresneau@wanadoo.fr r.-v.

CHRISTOPHE CROISARD Clos des Molières 2005

1 ha 6 000 5 à 8 €

Christophe Croisard tient les rênes depuis 1996 du domaine familial (13 ha). Il signe un jasnières jaune très pâle, qui surprend par ses intenses parfums de fruits exotiques. Le fruit blanc entre en scène dans une bouche ronde à l'attaque et puissante, qui aurait aussi tendance à... sauvignonner par certaines nuances fraîches. À servir dès à présent.

Christophe Croisard, La Pommeraie,
72340 Chahaignes, tél. 02.43.79.14.90 r.-v.

DOM. DES GAULETTERIES
Cuvée Saint-Vincent 2005 ★

13 ha 12 000 5 à 8 €

Une maison de 1850 en tuffeau ; à côté, un chai couvert d'ardoises ; derrière, le coteau ; sous terre, cinq caves creusées dans la roche ; 15 ha de vignes : voilà le royaume sur lequel la famille Lelais veille avec soin. Remarquable dans le millésime précédent, cette cuvée est encore très réussie. Le jury a qualifié ce 2005 de « tendre » : il hésite entre le sec et le demi-sec. Au nez, les fleurs, le foin coupé et la pêche de vigne, qui se prolonge en bouche. D'une douceur onctueuse au palais, ce vin finit sur une note de fraîcheur, ce qui permettra de le servir à l'apéritif ou avec du fromage de chèvre affiné. Citée, la cuvée **Le Tradition 2005** est davantage dans le type sec. Une bouteille élégante et fruitée.

Francine et Raynald Lelais, Dom. des Gauletteries,
72340 Ruillé-sur-Loir, tél. et fax 02.43.79.09.59,
e-mail vins@domainelelais.com
t.l.j. 10h-12h30 14h-19h; f. une semaine en fév. et fin août

PASCAL JANVIER Cuvée du Silex 2005 ★

1,5 ha 9 000 5 à 8 €

Deux terroirs différents au sein de la même région pour deux vins blancs très proches, qui tirent leurs caractères des conditions exceptionnelles de la récolte 2005. Un même cépage : le chenin. Pâle de couleur, ce jasnières offre un nez complexe, panier de fruits mûrs. En bouche, le sucre lui apporte la rondeur, tandis que la finale est marquée par une touche d'amertume. Quant au **coteaux-du-loir 2005 (3 à 5 €)**, il s'habille d'or et offre des arômes de miel et d'acacia qui lui donnent un type demi-sec. Une finale légèrement acidulée contribue à son équilibre. Deux vins que l'on pourrait essayer sur une salade d'agrumes ou d'ananas. Même note : goûtez aux deux et faites votre choix !

Pascal Janvier, La Minée, 72340 Ruillé-sur-Loir, tél. 02.43.44.29.65, fax 02.43.79.25.25, e-mail vins-p.janvier@wanadoo.fr ☑ Y ⛹ r.-v.

JEAN-JACQUES MAILLET 2005

4 ha 8 000 ▮ 5 à 8 €

Jean-Jacques Maillet a déjà produit des merveilles en blanc. Ce 2005 permettra de découvrir le jasnières. La franchise est son principal argument : netteté de ses arômes de fruits blancs et de l'attaque sur la prune et la pêche, bonne présence en bouche. Un « sec tendre », représentant plus qu'honnête de l'appellation.

Jean-Jacques Maillet, La Pâquerie, 72340 Ruillé-sur-Loir, tél. 02.43.44.47.45, fax 02.43.44.35.30 ☑ Y ⛹ r.-v.

LES MAISONS ROUGES Clos des Jasnières 2004 *

0,3 ha 1 800 ⬮ 11 à 15 €

Installé voici une douzaine d'années, Benoît Jardin exploite désormais ses 6 ha de vignes en agriculture biologique. Élevé un an en fût, son jasnières jaune pâle limpide n'en respire pas moins intensément le fruit, la pêche blanche. Sec en bouche, il est aussi rond et marqué par la maturité. Sa finale chaleureuse et fruitée lui donne un air de jovialité. Une étoile pour le **Clos des Molières 2004 (8 à 11 €)**, plus nerveux, fruité et boisé, doté d'une belle structure chaleureuse.

Élisabeth et Benoît Jardin, Les Chaudières, 72340 Ruillé-sur-Loir, tél. et fax 02.43.79.50.09, e-mail mr@maisonsrouges.com ☑ Y ⛹ r.-v.

JEAN-MARIE RENVOISÉ 2004 *

4 ha 20 000 ▮ 5 à 8 €

Jean-Marie Renvoisé signe une bouteille dans la tradition des grands jasnières, à savoir un vin dans le type sec, avec une présence persistante au nez de cette minéralité apportée par le silex du coteau. Une attaque ferme, puis gras et rondeur règnent dans un palais qui se rafraîchit en finale sur une note citronnée. « Un vin droit » selon le jury. Du potentiel.

Jean-Marie Renvoisé, 20, rue Fontaine-Marot, 72340 Chahaignes, tél. et fax 02.43.44.89.37 ☑ Y ⛹ r.-v.

PHILIPPE SEVAULT Cuvée Louis 2005 *

n.c. 4 500 ▮ 8 à 11 €

Fort belle expression du millésime 2005, cette cuvée pâle de couleur est un demi-sec au séduisant nez de pêche. La complexité vient en bouche, une touche minérale venant nuancer le fruité. Marqué par la fraîcheur, ce jasnières peut attendre : dix ans de garde sont à sa portée. Très réussie également, la **cuvée principale 2005 (5 à 8 €)** propose vingt mille bouteilles au nez de fleurs blanches légèrement fumé et à la finale citronnée fort agréable.

Philippe Sevault, rue Élie-Savatier, 72340 Poncé-sur-le-Loir, tél. 02.43.79.07.75 ☑ Y ⛹ r.-v.

Montlouis-sur-loire

La Loire au nord, la forêt d'Amboise à l'est, le Cher au sud limitent l'aire d'appellation (1 000 ha de vignes dont 400 environ revendiqués en AOC montlouis-sur-loire). Les sols « perrucheux » (argile à silex), localement recouverts de sable, sont plantés de chenin blanc (ou pineau de la Loire) et produisent des vins blancs vifs et pleins de finesse, tranquilles, secs ou doux, ou effervescents (18 940 hl en 2005). Les premiers gagnent à évoluer longuement en bouteilles dans les caves de tuffeau. Ils ont un potentiel de garde d'une dizaine d'années.

PATRICE BENOÎT Brut

3 ha 12 000 ▮ 3 à 5 €

Patrice Benoît dispose du temps nécessaire pour bien s'occuper de ses vignes d'un âge respectable. Autant de conditions favorables à l'élaboration de vins sérieux. Celui-ci en témoigne par son bouquet fruité, son ampleur et sa longue finale qui le rendent tout indiqué à l'apéritif.

Patrice Benoît, 3, rue des Jardins, Nouy, 37270 Saint-Martin-le-Beau, tél. 02.47.50.62.46, fax 02.47.50.63.93 ☑ Y ⛹ r.-v.

CLAUDE BOUREAU Brut *

2,5 ha 10 000 ▮ 5 à 8 €

Claude Boureau, artisan vigneron, possède 8 ha de vignes dont il s'occupe avec passion et signe des vins bien faits. De la robe vieil or de cette méthode traditionnelle s'échappent des senteurs de coing, de fruits confits et de violette. Sa fraîcheur, sa richesse, sa longueur sur le fruit lui donnent vocation à accompagner un plat sucré-salé ou un dessert. Le **sec Les Maisonnettes 2004**, frais et fruité, mérite une citation.

Claude Boureau, 1, rue de la Résistance, 37270 Saint-Martin-le-Beau, tél. et fax 02.47.50.61.39 ☑ Y ⛹ r.-v.

LAURENT CHATENAY Demi-sec La Vallée 2004

4 ha 12 000 ⬮ 8 à 11 €

Les coteaux de Saint-Martin-le-Beau, dont la couverture du sol est faite d'éléments grossiers de silex et de calcaire, ont une vocation viticole affirmée. Pour preuve ce demi-sec qui propose un jeu de cache-cache entre la vanille et un léger boisé, au nez comme en bouche. Un brin de fraîcheur apporte une note gaie à sa structure plutôt solide qui le destine à une garde de deux ans au moins.

Laurent Chatenay, 41, rte de Montlouis, 37270 Saint-Martin-le-Beau, tél. 02.47.50.65.58, fax 02.47.35.64.32, e-mail laurent.chatenay@wanadoo.fr ☑ Y ⛹ r.-v.

FRANÇOIS CHIDAINE Demi-sec Les Tuffeaux 2004

5 ha 10 000 ⬮ 11 à 15 €

François Chidaine gère un domaine de 32 ha à Montlouis auquel s'ajoutent quelques vignes à Vouvray. De plus, il possède une enseigne, *La Boutique insolite*, sur les bords de Loire, en plein village. Le visiteur y trouvera ce vin dont la robe hésite entre le jaune paille et l'or. Aux nuances de beurre témoignant d'une fermentation malolactique répond une bouche puissante et riche qui décline une palette d'arômes : depuis l'amande jusqu'au grillé en passant par la brioche. Bouteille originale que l'on peut attendre ou servir dès à présent.

GAEC François Chidaine, 5, Grande-Rue, Husseau, 37270 Montlouis-sur-Loire, tél. 02.47.45.19.14, fax 02.47.45.19.08, e-mail francois.chidaine@wanadoo.fr
t.l.j. sf dim. 10h-12h 14h30-19h (au caveau, 30, quai Albert-Baillet)

DAMIEN DELECHENEAU Sec Clef de sol 2004 *

1 ha 4 000 8 à 11 €

Si, au XVII[e]s., le domaine portait le nom de son premier propriétaire, le sieur Tiphaine, sa destinée fut surtout marquée par les quatre générations de Delecheneau qui s'y sont succédé. Aujourd'hui, Damien propose une cuvée dont les notes de fleurs et de fruits composent la partition, au rythme d'un léger boisé. L'équilibre au palais a de quoi séduire, mais la finale qui fait la part belle au bois invite à remettre à deux ou trois ans une présentation au public. La cuvée **demi-sec Les Grenouillères 2004 (5 à 8 €)** et la méthode traditionnelle **Les Bulles 2004 (5 à 8 €)** sont citées.

Damien Delecheneau, La Grange Tiphaine, 37400 Amboise, tél. 02.47.57.64.17, fax 02.47.57.39.49, e-mail lagrangetiphaine@wanadoo.fr
t.l.j. 9h-12h30 14h-19h

DOM. DE L'ENTRE-CŒURS Brut

2,6 ha 20 000 5 à 8 €

Le nom du domaine joue sur le cœur. Pourquoi pas ? Ses vins sont toujours à l'honneur dans le Guide ; Alain Lelarge, sérieux technicien et communicant, sait les faire apprécier du plus grand nombre. La robe un peu pâle de ce brut se rattrape par une effervescence fine et abondante. Des senteurs de fruits et de grillé s'en dégagent. L'attaque vive laisse place à un fond fruité qui évolue en finale sur une impression délicate de pâtisserie.

Alain Lelarge, 10, rue d'Amboise, 37270 Saint-Martin-le-Beau, tél. 02.47.50.61.70, fax 02.47.50.68.92, e-mail entre-coeurs@wanadoo.fr
r.-v.

DANIEL FISSELLE Sec 2004 **

1 ha 5 000 3 à 5 €

Les vendanges manuelles, le tri, le soin porté à la vinification finissent toujours par se reconnaître. Voici un vin sec hors normes, signé Daniel Fisselle qui travaille 8 ha de vignes depuis plus de trente ans. Robe brillante et nez expressif d'agrumes, de poire, de prune et de brioche sont de bon augure. La bouche n'est que souplesse et richesse jusqu'à une finale savoureuse. Une réussite complète dans un millésime pas si évident. Le **demi-sec 2004** est cité.

Daniel Fisselle, Les Caves du Verger, 43 bis, rte de Saint-Aignan, 37270 Montlouis-sur-Loire, tél. et fax 02.47.50.93.59
t.l.j. 9h30-13h 14h-19h30

DOM. FLAMAND-DELÉTANG Moelleux Grande Réserve 2003 **

1 ha 3 000 23 à 30 €

Gérard Delétang a donné ses lettres de noblesse à un domaine des coteaux de Saint-Martin-le-Beau. Après y avoir travaillé plus de vingt ans, ses petits-enfants ont pris leur indépendance. C'est ainsi que le couple Flamand Delétang a racheté une partie du domaine et les caves situées dans le bourg. Il présente un moelleux dont l'expression aromatique évoque la poire, le coing et la grenade. Un gras ample emplit le palais jusqu'à une finale

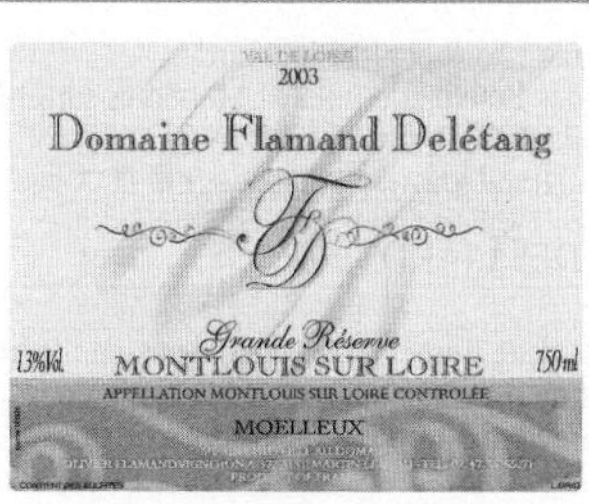

suave que relève un léger accent d'agrumes. Cité, le **brut Domaine Flamand-Delétang Fines Bulles 2003 (5 à 8 €)** est un effervescent assez puissant pour accompagner un poisson en sauce.

Dom. Olivier Flamand-Delétang, 19, rue d'Amboise, 37270 Saint-Martin-le-Beau, tél. 02.47.35.65.71, fax 02.47.35.67.64, e-mail flamandolivier@aol.com
t.l.j. 9h-20h
Flamand

JEAN-PAUL HABERT Brut 2003 *

2,5 ha 15 000 5 à 8 €

La cave du Vieux Cangé, où Jean-Paul Habert possède toutes ses installations de vinification et ses demi-muids, était autrefois une dépendance du château de La Bourdaisière, résidence de Gabrielle d'Estrée. Le vignoble de 8 ha est en outre bien orienté sur les coteaux du Cher. Ainsi est née cette méthode traditionnelle appréciée pour ses arômes de fruits secs et d'agrumes, pour son attaque vive et sa longue persistance.

Jean-Paul Habert, Le Gros Buisson, 3, imp. des Noyers, 37270 Saint-Martin-le-Beau, tél. et fax 02.47.50.26.47, e-mail caveduvieuxcange@aol.com r.-v.

ALAIN JOULIN Sec Les Quarts de Boulay 2004

1 ha 5 000 3 à 5 €

Alain Joulin travaille maintenant avec ses deux fils pour conduire ce domaine de près de 12 ha. Des vendanges manuelles, c'est toujours un plus pour la qualité. Pour preuve, ce montlouis sec qui sent la noisette et les fleurs blanches. La bouche est souple, légère, mais une bonne matière est perceptible.

EARL Alain Joulin et Fils, 58, rue de Chenonceaux, 37270 Saint-Martin-le-Beau, tél. 02.47.50.28.49, fax 02.47.50.69.73, e-mail alain-joulin@wanadoo.fr
t.l.j. sf dim. 8h-12h30 14h-20h

BERTRAND JOUSSET ET LISE GIRARD Sec Singulier 2004 *

n.c. 1 500 11 à 15 €

Une installation récente sur plus de 9 ha, à l'emplacement d'une ancienne closerie. Les bâtiments en pierre de tuffeau ne manquent pas de cachet, de même que les caves attenantes, creusées dans le roc. Toute première récolte, toute première étoile. Le bouquet complexe de ce vin se partage entre fleurs, fruits et épices, avec une pointe de vanille qui traduit le passage sous bois. La bouche souple possède assez de gras à l'attaque, la vivacité restant en léger retrait. Une bonne longueur en finale vient parfaire l'équilibre de l'ensemble. Accordez à cette bouteille une courte garde et l'empreinte boisée s'atténuera. La méthode traditionnelle, **L'Appétillant 2004 (5 à 8 €)**, souple et fruitée, obtient la même note.

🔑 Bertrand Jousset et Lise Girard,
36, rue des Bouvineries, 37270 Montlouis-sur-Loire,
tél. 02.47.50.70.33, fax 02.47.45.09.87,
e-mail bertrand.jousset@wanadoo.fr ☑ Y ⚲ r.-v.

DOM. DES LIARDS Brut

● 4 ha 13 000 **5 à 8 €**

Les deux frères Berger, fondateurs de l'entreprise il y a plus de quarante ans, ont depuis longtemps passé le relais à leurs fils respectifs, mais ils sont encore là pour donner un coup de main et recevoir le visiteur. Ce montlouis éveille l'intérêt dans sa robe d'or, parsemée de bulles fines. Le palais à la structure délicate s'ouvre sur des senteurs champêtres. De l'ampleur et un équilibre réussi.

🔑 EARL Berger Frères, 33, rue de Chenonceaux,
37270 Saint-Martin-le-Beau, tél. 02.47.50.67.36,
fax 02.47.50.21.13 ☑ Y ⚲ r.-v.

DOM. DES LOGES DE LA FOLIE
Sec Le Chemin des Loges 2004

▥ 6,3 ha 7 466 ▮ **5 à 8 €**

Valérie Mordelet et Jean-Daniel Kloeckle se sont associés en 2004 sur ce domaine de 7 ha, face au midi, sur les coteaux d'Husseau. La brillance de la robe de ce 2004 annonce un vin droit et franc. Vif en première impression, celui-ci s'adoucit grâce à quelques sucres résiduels. L'harmonie d'ensemble est bonne. Pour un poisson en sauce.

🔑 Les Loges de la Folie, 21, rue des Rocheroux,
Husseau, 37270 Montlouis-sur-Loire,
tél. et fax 02.47.45.18.30,
e-mail leslogesdelafolie@yahoo.fr
☑ Y ⚲ t.l.j. sf dim. lun. 10h-13h 15h-20h
🔑 Mordelet-Kloeckle

DOM. MARNÉ Sec 2004

▥ 1,2 ha 5 600 ▮◐ **3 à 5 €**

Un domaine de 12 ha situé aux portes de l'appellation. Les terres argilo-siliceuses, sur les premières côtes, face au midi, sont de premier choix. Certes, le bouquet de ce vin est modeste, mais il est compensé par une attaque franche, suivie de notes d'amande, de fleurs, de fruits et d'un léger boisé. La longueur est appréciable. Une agréable bouteille dès aujourd'hui.

🔑 Patrick Marné, 21, rue du Chapitre,
37270 Montlouis-sur-Loire, tél. 02.47.45.11.32,
fax 02.47.45.07.49, e-mail domaine.marne@wanadoo.fr
☑ Y ⚲ r.-v.

ALEX MATHUR
Moelleux Cuvée Loire rive gauche 2003 ★★

▥ 1,8 ha 3 300 ◐ **23 à 30 €**

Éric Gougeat, non issu du milieu de la vigne et du vin, a repris il y a cinq ans le domaine que Claude Levasseur avait patiemment constitué sur les coteaux d'Husseau qui dominent la Loire. Fort de 10 ha, le vignoble est superbement exposé. Ainsi est né ce liquoreux à 120 g/l de sucres résiduels. Le nez intense reflète la surmaturation : miel, abricot, fruits confits... « Complet » est le mot récurrent dans les commentaires. Souple, gras, savoureux, le vin paresse au palais, en laissant une impression de fruits très mûrs. Certes, il peut être attendu, mais il défendra dès maintenant la cause d'un bleu d'Auvergne ou d'une tarte aux prunes. Une étoile revient au **demi-sec Dionys 2003 (8 à 11 €)**, tandis que le **sec Les Lumens 2004 (8 à 11 €)** est cité.

🔑 Dom. Levasseur-Alex Mathur,
38, rue des Bouvineries, Husseau,
37270 Montlouis-sur-Loire, tél. 02.47.50.97.06,
fax 02.47.50.96.80, e-mail alex.mathur@wanadoo.fr
☑ Y ⚲ r.-v.
🔑 Éric Gougeat

CAVE DES PRODUCTEURS DE MONTLOUIS-SUR-LOIRE Brut ★

● 72,58 ha 600 000 ▮ **3 à 5 €**

À sa fondation, il y a plus de quarante ans, cette société coopérative s'était donné pour mission de produire et de commercialiser des montlouis effervescents. Les volumes qu'elle traite aujourd'hui dans ses caves profondes lui permettent d'aborder différents marchés avec succès. Cette méthode traditionnelle évoque la pêche et la poire au nez comme au palais. Sa fraîcheur en attaque, son équilibre général flatteur et sa finale tout en douceur sont ses autres qualités. Autre montlouis brut, la **cuvée des Anges (5 à 8 €)** est citée. Il en va de même du **moelleux Sélection 2003 (8 à 11 €)**.

🔑 Cave des Producteurs de Montlouis-sur-Loire,
2, rte de Saint-Aignan, 37270 Montlouis-sur-Loire,
tél. 02.47.50.80.98, fax 02.47.50.81.34,
e-mail cave-montlouis@france-vin.com ☑ Y ⚲ r.-v.

DANIEL ET THIERRY MOSNY
Sec Les Graviers 2004 ★

▥ 2 ha 3 500 ▮ **5 à 8 €**

Daniel et Thierry Mosny ont fort à faire sur ce domaine de 14 ha. Les terres argilo-siliceuses, exposées au sud, sont un atout sérieux. Elles ont donné naissance à ce montlouis sec, charmeur par ses nuances d'agrumes et d'acacia. Celui-ci convainc plus encore par sa bouche franche et souple, agrémentée d'arômes de fruits secs qui persistent dans une finale assez fraîche. Le **demi-sec Le Chesneau 2004** (22 g/l de sucres résiduels) est cité pour sa typicité.

🔑 GAEC Daniel et Thierry Mosny, 6, rue des Vignes,
37270 Saint-Martin-le-Beau, tél. et fax 02.47.50.61.84,
e-mail thierry.mosny@wanadoo.fr
☑ Y ⚲ t.l.j. 8h-19h 🏠 Ⓑ

DOM. MOYER Sec 2004

▥ 3 ha 10 000 ▮ **5 à 8 €**

Les deux frères, Damien et Michaël Moyer, ont repris le domaine de leurs parents en 2002. Plus de 14 ha sur les pentes d'Husseau, terroir renommé. La maison du XVIIe s., ancien rendez-vous de chasse du duc de Choiseul, ne manque pas d'allure. À découvrir également la nouvelle salle de dégustation claire et conviviale. C'est toujours l'expression aromatique qui prime au domaine Moyer ; le terroir y est pour beaucoup. Acacia, fleurs blanches, coing,

fruits mûrs se déploient abondamment. Souple tout en étant assez sec, ce vin garde son équilibre jusqu'à sa finale légèrement terroitée.
🔑 Dom. Moyer, 2, rue de la Croix-des-Granges, Husseau, 37270 Montlouis-sur-Loire, tél. 02.47.50.94.83, fax 02.47.45.10.48, e-mail domaine.moyer@wanadoo.fr ☑ 🍷 r.-v.

DOM. DE L'OUCHE GAILLARD
Sec Pic d'Ouzy 2004 ★★

	2 ha	4 000		5 à 8 €

Ce domaine grandit chaque année : il atteint aujourd'hui une superficie de 15 ha. L'accueil du visiteur est soigné, d'autant que l'on y parle anglais et allemand. Si ce vin se montre discret au nez, il laisse percevoir un peu de vanille et de miel. Au palais, il affiche une matière bien équilibrée entre sucrosité et vivacité. Son fruité ne passe pas inaperçu, souligné d'un boisé léger et fondu. C'est l'élégance même ! La cuvée **Opale sec 2004** est citée.
🔑 SCEA Dansault-Baudeau, 94, av. George-Sand, 37700 La Ville-aux-Dames, tél. 02.47.44.36.23, fax 02.47.44.95.30, e-mail regis.dansault@wanadoo.fr ☑ 🍷 🚶 r.-v.
🔑 Régis Dansault

DOM. DE LA ROCHEPINAL Sec Les Landes 2004

	1,5 ha	10 000		3 à 5 €

Hervé Denis a ouvert l'année dernière une salle de dégustation dans le tuffeau ; cette année, il propose un gîte aux visiteurs. Il n'aura pas de mal à convaincre ses hôtes de l'intérêt de ce montlouis. Fruits secs et fleurs s'imposent au nez. En bouche, c'est l'importance de la matière qui surprend, son ampleur et sa persistance. Il y a juste ce qu'il faut de vivacité pour donner une note fraîche à cet ensemble harmonieux.
🔑 Hervé Denis, 4, rue de la Barre, 37270 Montlouis-sur-Loire, tél. 02.47.45.16.65, fax 02.47.50.71.70, e-mail herve.denis.vigneron@wanadoo.fr ☑ 🍷 🚶 r.-v. 🏠 B

DOM. DE LA TAILLE AUX LOUPS
Sec Les Dix Arpents 2004 ★

	n.c.	8 720		5 à 8 €

Voilà plus de seize ans que Jacky Blot s'est installé à Montlouis. Il a fait du chemin. D'abord en agrandissant son domaine, puis en s'implantant à Vouvray et à Bourgueil avec un même souci de qualité. Deux vins secs de belle venue sont à son actif. Le premier, Les Dix Arpents, dévoile une expression aromatique complexe (noisette, vanille et fumée). À l'attaque souple succède une sensation de gras et de richesse, la fraîcheur n'apparaissant qu'en finale. L'harmonie est déjà présente, mais un petit temps de garde ne pourrait que la conforter. Le second, **Rémus 2004 (8 à 11 €)**, n'a rien à envier au premier ; il obtient également une étoile.
🔑 Dom. de La Taille aux Loups, 8, rue des Aitres, 37270 Montlouis-sur-Loire, tél. 02.47.45.11.11, fax 02.47.45.11.14, e-mail lataillea uxloups@wanadoo.fr ☑ 🍷 🚶 t.l.j. 9h-12h30 14h30-18h; f. dim. de nov. à mars
🔑 Jacky Blot

DOM. DES TOURTERELLES Brut

	1 ha	5 000		5 à 8 €

Jean-Pierre Trouvé tient de son grand-père ce domaine d'une douzaine d'hectares sur les pentes de la vallée du Cher, face au midi. Il y a produit ce vin plein de gaieté, dont le nez passe progressivement du minéral aux fruits mûrs. L'attaque est plaisante, les bulles foisonnent et des nuances de fruits exotiques se manifestent bientôt. Vivacité et douceur s'équilibrent. Un bon apéritif en perspective. La **méthode traditionnelle demi-sec** mérite également une citation.
🔑 Jean-Pierre Trouvé, 1, rue de la Gare, 37270 Saint-Martin-le-Beau, tél. et fax 02.47.50.63.62 ☑ 🍷 🚶 r.-v.

Vouvray

Un long vieillissement en cave et en bouteilles révèle toutes les qualités des vouvray, blancs nés au nord de la Loire, sur un vignoble de 2 170 ha qu'écorne au nord l'autoroute A10 (le TGV passe en tunnel) et que traverse la large vallée de la Brenne. Le cépage blanc de Touraine, le chenin (ou pineau de la Loire), donne ici des vins tranquilles de haut niveau, colorés, très racés, secs ou moelleux selon les années, et des vins mousseux ou pétillants, très vineux. Si ces derniers sont bus assez jeunes, les vins tranquilles sont parfaitement aptes à une longue garde, qui leur donne de la complexité aromatique. Poissons, fromages (de chèvre) iront bien avec les uns, plats fins ou desserts légers avec les autres, qui feront aussi d'excellents apéritifs. Le millésime 2005 a produit 125 961 hl.

JEAN-CLAUDE ET DIDIER AUBERT
Brut 2003 ★★

	5 ha	35 000		5 à 8 €

Situé à 500 m de la Loire, le domaine de Jean-Claude et Didier Aubert, d'une superficie de 28 ha, s'étend sur les pentes qui bordent la vallée Coquette. L'influence du fleuve, les très belles expositions est et ouest des vignes, sans oublier le tour de main du père et du fils, expliquent la qualité des vins, régulièrement présents dans le Guide. C'est une méthode traditionnelle à la robe claire, garnie de bulles fines et abondantes, qui se distingue cette année. Au nez fruité succède une bouche souple qu'un accent citronné rend fraîche et désaltérante. Un vouvray d'apéritif ou d'été. Le **demi-sec 2004 (3 à 5 €)** obtient une étoile pour son équilibre et sa persistance.
🔑 Jean-Claude et Didier Aubert, 10, rue Vallée-Coquette, 37210 Vouvray, tél. 02.47.52.71.03, fax 02.47.52.68.38 ☑ 🍷 🚶 t.l.j. 9h-12h30 14h-19h

PASCAL BERTEAU ET VINCENT MABILLE
Brut ★

	16 ha	10 000		5 à 8 €

Une association de deux vignerons qui date de quinze ans déjà et qui tourne bien. Partie de rien, elle a maintenant à son actif une exploitation de 20 ha sur les pentes d'une des meilleures vallées de la commune de Vernou et un équipement de cave hors pair. Cette méthode tradition-

LOIRE

nelle à la robe claire parsemée de fines bulles libère de délicates notes florales. Elle ne montre en bouche qu'harmonie et fraîcheur. La finale sur le fruit est des plus charmantes. Le **demi-sec 2004 (3 à 5 €)** est cité pour son équilibre.

🔑 GAEC B.M., P. Berteau - V. Mabille, Vaugondy, 37210 Vernou-sur-Brenne, tél. et fax 02.47.52.03.43, e-mail vincent.mabille1@libertysurf.fr ☑ Y ⚲ r.-v.

CHRISTIAN BLOT
Moelleux Cuvée Beauclair 2004 ★

| 2 ha | 2 000 | 8 à 11 € |

Noizay est la commune la plus continentale de l'aire d'appellation, mais la vallée de la Loire s'ouvre largement à son niveau et les influences maritimes y pénètrent profondément. De plus, l'exposition sud des vignes renforce cette situation exceptionnelle. Christian Blot travaille pour son fils ; il lui cède dès cette année le domaine et lui donne un bon exemple avec ce vin jaune doré, aux senteurs de raisins surmûris, d'amande, de coing et d'abricot sur fond de brioche. Au palais, on perçoit du gras, un équilibre sucre-acide réussi et de la longueur. Le **vouvray brut (5 à 8 €)** obtient une étoile pour sa personnalité affirmée, tandis que le **demi-sec (5 à 8 €)** est cité pour ses accents floraux délicats et son harmonie.

🔑 Christian Blot, 306, coteau de Beauclair, 37210 Noizay, tél. 02.47.52.11.32, fax 02.47.52.07.48, e-mail freddyblot@aol.com
☑ Y ⚲ t.l.j. 9h-12h 14h-19h; dim. 9h-12h

DOM. DE LA BLOTIÈRE Brut 2004

| 4 ha | 22 000 | 5 à 8 € |

Une maison tourangelle toute blanche en pierre tuffeau, des caves creusées dans le roc et 12 ha de vignes sur les meilleures côtes de l'appellation, Jean-Michel Fortineau a de quoi bien faire. En témoigne cette méthode traditionnelle fraîche et fruitée. Servez-la lors d'un déjeuner au jardin.

🔑 Jean-Michel Fortineau, La Blotière, 37210 Vouvray, tél. 02.47.52.74.24, fax 02.47.52.65.11, e-mail christianefortineau@voila.fr ☑ Y ⚲ r.-v.

MARC BRÉDIF Demi-sec 2004

| 8 ha | 50 000 | 8 à 11 € |

La maison Marc Brédif est l'un des plus anciens établissements du Vouvrillon. Créée en 1893, elle dispose de caves immenses et exploite un vignoble important pour son approvisionnement. Toutefois, elle se livre aussi à des achats auprès des vignerons en procédant à une sélection sévère. À sa tête, un œnologue responsable de la marche technique de l'entreprise et de la réussite de ce demi-sec jaune pâle brillant. Le vin se montre vif en attaque avant de retrouver un équilibre parfait et de révéler en finale des arômes d'agrumes inattendus.

🔑 Marc Brédif, 87, quai de la Loire, 37210 Rochecorbon, tél. 02.47.52.50.07, fax 02.47.52.53.41, e-mail bredif.loire@wanadoo.fr
☑ Y ⚲ t.l.j. 9h-12h30 14h-18h
🔑 de Ladoucette

YVES BREUSSIN Brut ★

| 5 ha | 15 000 | 5 à 8 € |

Chez Yves Breussin, on ne cultive pas le passé : il est là, naturellement, dans les méthodes culturales, la façon de faire le vin et l'accueil dans l'ancienne maison troglodytique de la famille. Cette méthode traditionnelle est classique par sa richesse et sa vinosité. C'est le vin « mûr », comme on dit ici, pour les amateurs d'un vouvray typé. On y retrouve tous les arômes classiques. Le **demi-sec 2004 (3 à 5 €)** reçoit une citation pour sa fraîcheur et sa délicatesse.

🔑 EARL Yves et Denis Breussin, Vaugondy, 37210 Vernou-sur-Brenne, tél. 02.47.52.18.75, fax 02.47.52.13.66, e-mail breussindenis@aol.com
☑ Y ⚲ r.-v.

VIGNOBLES BRISEBARRE Sec 2004

| 5 ha | 20 000 | 5 à 8 € |

Les 22 ha de vignes sont installés sur les pentes de la vallée Chartier qui dominent le lit majeur de la Loire. Une remarquable exposition qui a permis à Philippe Brisebarre de produire ce vin séduisant par ses arômes à dominante d'abricot. La suite de la dégustation est à l'avenant : palais rond, gras, nuancé de fruits mûrs et nanti d'une finale légèrement miellée. Un sec tendre d'équilibre, à l'avenir prometteur. La **cuvée Amédée 2004 sec**, harmonieuse, est également citée.

🔑 Philippe Brisebarre, 34, La Vallée-Chartier, 37210 Vouvray, tél. 02.47.52.63.07, fax 02.47.52.65.59, e-mail brisebarre.ph@wanadoo.fr
☑ Y ⚲ t.l.j. 9h30-18h30; dim. sur r.-v.

ROGER FÉLICIEN BROU Brut

| 14,5 ha | 120 000 | 3 à 5 € |

L'établissement Roger Félicien Brou, créé en 1969, est devenu l'un des principaux opérateurs en méthodes traditionnelles de Vouvray. Il est très présent dans la distribution et réussit bien à l'exportation. Cette cuvée s'ouvre sur des arômes de pain et de brioche. Vive et puissante au palais, elle montre de bonnes dispositions au vieillissement et gagnera en aménité. La cuvée **Désiré Soudrille brut** est citée également.

🔑 SAS Roger Félicien Brou, 10, rue Vauvert, 37210 Rochecorbon, tél. 02.47.52.54.85, fax 02.47.52.82.05, e-mail rf.brou@wanadoo.fr

DOM. GEORGES BRUNET
Moelleux Cuvée du Paradis 2003 ★

| 1,6 ha | 9 000 | 15 à 23 € |

Plus de 13 ha à mi-parcours de la vallée Coquette, sur des pentes exposées est-ouest, composées de calcaire et de silex. La parcelle dite le Clos du Paradis est réputée être l'une des meilleures du site. Elle est à l'origine de ce moelleux présenté après une longue maturation. Une teneur en sucres résiduels de 105 g/l, une robe d'or, brillante, des senteurs de brioche, d'amande et de raisin mûr : c'est un vin rare. La finale tout en longueur laisse espérer un bon avenir. Les accords gourmands ne manqueront pas, mais pourquoi ne pas déguster ce vouvray à l'apéritif, pour lui-même ?

🔑 Georges Brunet, 12, rue de la Croix-Mariotte, 37210 Vouvray, tél. 02.47.52.60.36, fax 02.47.52.75.38, e-mail info@vouvray-brunet.com
☑ Y ⚲ t.l.j. sf dim. 8h-19h30

JEAN-CHARLES CATHELINEAU Moelleux 2004

| 1 ha | 4 000 | 5 à 8 € |

Les caves anciennes, profondes, font tout l'intérêt du domaine, d'autant que Jean-Charles Cathelineau y a installé un musée de la Vigne, du Vin et de la Tonnellerie qui vaut le détour. Le moelleux mérite aussi que l'on s'y attarde. Coing, tilleul, amande et brioche se mêlent au nez, tandis qu'en bouche ampleur et gras font la loi. Si la sucrosité domine aujourd'hui, elle sera harmonieusement fondue dans quelques années.

Jean-Charles Cathelineau, 24, rue des Violettes, 37210 Chançay, tél. et fax 02.47.52.20.61 r.-v.

CHAMPALOU Brut *

4 ha 22 000 5 à 8 €

Catherine et Didier Champalou nous ont habitués aux vins tranquilles demi-secs et moelleux de grande facture, décrochant même parfois le coup de cœur. Le millésime 2004 n'a pas été favorable à la surmaturation. Peu importe. Ils ont réussi ce vouvray brut, jaune pâle à reflets verts, parsemé de fines bulles. Le nez léger est à tendance florale et miellée tout comme le palais, tandis que la finale laisse un souvenir de fruits mûrs. Un vin à attendre deux ans pour une meilleure expression. **La cuvée des Fondraux 2004 demi-sec (8 à 11 €)**, à essayer avec du fromage, est citée.

Catherine et Didier Champalou, Le Portail, 7, rue du Grand-Ormeau, 37210 Vouvray, tél. 02.47.52.64.49, fax 02.47.52.67.99, e-mail champalou@wanadoo.fr r.-v.

PIERRE CHAMPION Demi-sec 2004 *

1 ha 2 800 3 à 5 €

Depuis trois campagnes, Pierre Champion a la responsabilité du domaine familial : près de 14 ha sur les pentes qui bordent la vallée de Cousse, un lieu de production renommé à Vernou. Mais son père, Gilles, ne décroche pas et sera bien souvent présent à l'accueil pour vous faire visiter la cave. Ce demi-sec jaune doré évoque l'acacia et l'aubépine. En bouche, son registre est des plus classiques, sa structure très présente et sa sucrosité parfaitement équilibrée avec l'acidité. Vin de semi-garde qui gagnera en expression avec le temps. Une citation pour la **méthode traditionnelle Réserve 2000 brut (5 à 8 €)**, légèrement vanillée.

EARL Pierre Champion, 57, Vallée-de-Cousse, 37210 Vernou-sur-Brenne, tél. 02.47.52.02.38, fax 02.47.52.05.69
t.l.j. sf dim. 8h-12h30 14h-19h

DOM. DE LA CHÂTAIGNERAIE Brut 2004

8 ha 50 000 5 à 8 €

Benoît Gautier dispose de beaux clos situés sur le coteau même qui domine la Loire, aux premières loges pour bénéficier du soleil et des influences du fleuve. Il possède également, ouverte au public, une cave dans le tuffeau, au sein d'un réseau de galeries de plus de 1 km. Enfin, il s'est doté récemment d'un équipement de vinification complet. Autant d'atouts pour élaborer cet effervescent de bon niveau. Riche d'arômes de fruits, frais et souple en bouche, il sera apprécié à l'apéritif. Le **sec Argilex de Gautier 2004 (8 à 11 €)** est également cité.

Benoît Gautier, Dom. de La Châtaigneraie, 37210 Rochecorbon, tél. 02.47.52.84.63, fax 02.47.52.84.65, e-mail info@vouvraygautier.com r.-v.

DOM. DU CLOS DE L'ÉPINAY Demi-sec

2 ha 16 000 5 à 8 €

La propriété est l'une des plus anciennes de l'appellation. Les bâtiments datent du début du XVIII[e]s. et le plateau qui les entoure est sans doute l'un des premiers plantés à Vouvray. Luc Demange et son épouse ont fort à faire avec leurs 16 ha de vignes et la gestion des chambres d'hôtes aménagées avec goût dans ces vieux murs. Ils présentent une méthode traditionnelle riche d'arômes de fruits secs et de sous-bois ; l'harmonie entre douceur et vivacité l'emporte en finale. Un vin qui plaira aux palais délicats et fera alliance avec une tarte aux fruits. Le **vouvray brut Tête de cuvée**, plus classique, obtient lui aussi une citation.

Luc Dumange, Dom. du Clos de L'Épinay, 37210 Vouvray, tél. 02.47.52.61.90, fax 02.47.52.71.31, e-mail domaine.clos.epinay@cegetel.net
r.-v. 4

CLOS DE NOUYS Sec 2004 **

2 ha 6 000 8 à 11 €

Si une seule étiquette par domaine peut être reproduite dans le Guide, le sec du Clos de Nouys n'en obtient pas moins dans l'anonymat du grand jury un coup de cœur. C'est un vin de terroir qui allie une minéralité dominante à un boisé bien fondu et laisse une impression de fraîcheur surprenante. Le **demi-sec 2004**, souple et élégant, obtient une étoile.

François et Myrella Chainier, 46, rue de la Vallée-de-Nouy, 37210 Vouvray, tél. 02.47.52.73.35, fax 02.47.52.13.17, e-mail myrella.chainier@wanadoo.fr r.-v.

CLOS DE NOUYS
Moelleux Cuvée des Grains dorés 2003 ***

4 ha 3 000 23 à 30 €

2003
CLOS DE NOUYS
CUVÉE DES GRAINS DORÉS
VOUVRAY
PRODUCE OF FRANCE
500ml

François et Myrella Chainier ont la responsabilité de cette propriété viticole de 27 ha sur les pentes des hauts de Vouvray, que les premières cartes géologiques notaient en 1907 comme les meilleures de la commune. En 1936, les vins qui y étaient produits étaient servis sur le paquebot *Le Normandie*. Ce moelleux y aurait fait bel effet. De la robe d'or s'échappent des senteurs multiples, parmi lesquelles le coing et l'abricot, le miel et le tilleul. Au palais, le même festival se déroule, prolongé par une délicate note vanillée. Le taux de sucres résiduels dépasse les 140 g/l. Un futur centenaire pour les générations à venir. (Bouteilles de 50 cl.)

François et Myrella Chainier, 46, rue de la Vallée-de-Nouy, 37210 Vouvray, tél. 02.47.52.73.35, fax 02.47.52.13.17, e-mail myrella.chainier@wanadoo.fr r.-v.

DOM. DU CLOS DES AUMÔNES Brut 2003 **

5 ha 40 000 5 à 8 €

Les petites industries et bureaux de la zone artisanale de Rochecorbon ont été ravis de l'installation d'un chai climatisé à proximité. Le raisin et le vin attirent toujours la sympathie, et Philippe Gaultier a résolu son problème

LOIRE

de place dans ses anciens bâtiments adossés au coteau. Souvent bien noté pour ses méthodes traditionnelles, il présente ici un vin remarquable. Beaucoup de fines bulles dans une robe très colorée. À la limite du demi-sec par sa souplesse, c'est un vouvray complexe et structuré, mêlant les fruits secs aux fruits frais.
Philippe Gaultier, 18, rue Vaufoynard, 37210 Rochecorbon, tél. 02.47.54.69.82, fax 02.47.42.62.01, e-mail dcagaultier@aol.com
r.-v.

DOM. THIERRY COSME Brut 2002

8 ha 12 000 5 à 8 €

Thierry Cosme est bien occupé avec ses 18,50 ha sur les coteaux de Noizay, mais il trouve le temps d'agrandir sa cave pendant l'hiver, quand le temps n'autorise pas la sortie dans les vignes. Il lui faut de l'espace pour ses méthodes traditionnelles. Celle-ci en a profité. Ses senteurs se portent nettement sur les fruits blancs. La bouche est vive en attaque, mais s'arrondit bientôt. La finale s'éternise dans un équilibre réussi. Vouvray tranquille harmonieux, le **demi-sec 2004** est cité.
EARL Thierry Cosme, 1127, rte de Nazelles, 37210 Noizay, tél. 02.47.52.05.87, fax 02.47.52.11.36
r.-v.

DOM. DE LA FONTAINERIE Demi-sec 2004

2 ha 2 000 5 à 8 €

Catherine Dhoye-Déruet tient de sa famille cette propriété sise à mi-parcours de la vallée Coquette. Les bâtiments des XIVe et XV[e]s. ne manquent pas d'allure et les caves profondes attenantes sont d'une grande utilité pour l'élaboration de vins de qualité. Après un coup de cœur l'an dernier, c'est au tour de ce demi-sec jaune doré de séduire. Très miellé au nez comme en bouche, il trouve un équilibre entre ses composants, avec des accents de griotte en finale.
Catherine Dhoye-Déruet, Dom. de La Fontainerie, 64, Vallée-Coquette, 37210 Vouvray, tél. 02.47.52.67.92, fax 02.47.52.79.41, e-mail lafontainerie@club-internet.fr
r.-v.

DOM. DE LA GALINIÈRE
Demi-sec Tradition Les Déronnières 2004

1 ha 5 000 5 à 8 €

Perché sur les hauts de la vallée de Cousse, ce domaine de près de 17 ha était autrefois voué à la polyculture. Reconverti à la production de vin, il compte des bâtiments anciens restaurés et aménagés avec goût. Une cuvée demi-sec réussie dans une année plutôt difficile. Elle libère des arômes d'acacia et d'aubépine, se révèle tendre à l'attaque, puis évolue en souplesse. La finale est un peu plus austère, mais l'équilibre sucre-acide est respecté.
Dom. de La Galinière, La Galinière, 37210 Vernou-sur-Brenne, tél. 02.47.52.15.92, fax 02.47.52.19.50 r.-v.

CH. GAUDRELLE Sec 2004

10 ha 45 000 5 à 8 €

Près de l'élégante gentilhommière, une loge de vignes (petite maison servant d'abri pour le vigneron et son cheval qui, loin de chez eux, venaient travailler dans les vignes) vient d'être restaurée et ajoute au charme du lieu. Du charme aussi dans ce vin, simple, équilibré, souple à l'attaque et qu'une petite vivacité rehausse en finale. Un autre vouvray sec, **Le sec de Château Gaudrelle 2004 (8 à 11 €)**, est cité. Légèrement boisé, il doit attendre.
A. Monmousseau, Ch. Gaudrelle, 87, rte de Monnaie, 37210 Vouvray, tél. 02.47.52.67.50, fax 02.47.52.67.98, e-mail gaudrelle1@libertysurf.fr
r.-v.

DOM. SYLVAIN GAUDRON Brut 2002

4 ha 30 000 5 à 8 €

Le père a débuté sur 7 ha de vignes, qu'il a agrandies sensiblement en acquérant le domaine actuel, avec maison bourgeoise et caves dans le roc. Aujourd'hui, le fils Gilles gère cet ensemble de plus de 19 ha. Voici un effervescent classique, ample, équilibré et long, qui finit sur une agréable petite vivacité. Des arômes de fleurs blanches et d'acacia se fondent dans la matière. Le **vouvray sec 2004**, mariage de fruits mûrs et de minéralité, est également cité.
EARL Dom. Sylvain Gaudron, 59, rue Neuve, 37210 Vernou-sur-Brenne, tél. 02.47.52.12.27, fax 02.47.52.05.05 r.-v.
Gilles Gaudron

DOM. DE LA GAVERIE Brut ★

3 ha 20 000 3 à 5 €

Deux jeunes vignerons se sont associés en 1993 pour exploiter un domaine de 18 ha hérité de leurs parents. Les sols sont si favorables à la qualité que l'abbaye de Marmoutier, au temps de sa splendeur, se les était appropriés. Aujourd'hui, ces producteurs ont élaboré un effervescent brut qui s'ouvre sur les fruits mûrs, mêlés de miel. La bonne matière se révèle dès l'attaque, puis s'estompe dans une finale fraîche. Deux vins tranquilles, le **vouvray sec 2004** et le **demi-sec 2004** sont cités.
GAEC de La Pinsonnière, 13, rue de la Pinsonnière, 37210 Parçay-Meslay, tél. et fax 02.47.29.14.43, e-mail lapinsonniere@tiscali.fr
r.-v.
Philippe et Vincent Gasnier

DOM. GENDRON Sec Cuvée Clos Cartaud 2004 ★

1 ha 6 940 8 à 11 €

Philippe et Danielle Gendron mettent en valeur un beau domaine de 23 ha sur les hautes côtes de Vouvray et de Rochecorbon. Les vendanges 2004 ont été propices à l'élaboration de vouvray secs. Celui-ci en témoigne. Aux arômes de pêche et de fleurs blanches répond une matière ronde, intense, que relève un boisé harmonieusement fondu. La finale fraîche lui donne un goût de revenez-y. Pour une charcuterie tourangelle. Le **vouvray brut (5 à 8 €)** obtient une étoile également pour son caractère rafraîchissant.
Dom. Philippe Gendron, 10, rue de la Fuye, 37210 Vouvray, tél. 02.47.52.63.98, fax 02.47.52.74.71, e-mail gendron@terre-net.fr
t.l.j. 8h-12h30 14h-20h; f. 15-31 août

LA GRAND TAILLE Brut 2003 ★

1 ha 7 500 5 à 8 €

Deux ouvriers viticoles ont récemment repris le domaine de leur patron : un ensemble de 26 ha doté d'un chai fonctionnel, situé sur la commune de Vernou. La présence de deux vins dans le Guide est un signe encourageant. Le premier est une méthode traditionnelle plutôt classique. Bulles fines et mousse légère, il s'avère souple en bouche, avec une bonne harmonie des composants. Le second vin, le **demi-sec tranquille 2004 (3 à 5 €)**, est cité.

🔑 GAEC de La Grand Taille, Pouvray, 37210 Vernou-sur-Brenne, tél. 02.47.52.06.98, fax 02.47.52.06.43, e-mail bedus@wanadoo.fr
🅅 Y ⛹ r.-v.

C. GREFFE Brut

● n.c. 32 000 **5 à 8 €**

Voilà quarante ans que la maison Greffe élabore des effervescents. Apportant beaucoup de soins dans le choix des vins de base et dans les étapes de leur transformation, elle propose cette méthode traditionnelle à reflets verts et aux bulles fines. Fruit et souplesse sont les traits principaux de la dégustation. Une bouteille pour les amis.

🔑 C. Greffe, 35, rue Neuve, 37210 Vernou-sur-Brenne, tél. 02.47.52.12.24, fax 02.47.52.09.56, e-mail contact@c-greffe.fr 🅅 Y ⛹ r.-v.
🔑 Jacques Savard

DOM. GUERTIN BRUNET Moelleux 2004 *

■ 1,8 ha 6 000 ▮ **5 à 8 €**

C'est dans le bourg de Vouvray que Gérard Guertin présente le fruit de son domaine de 12 ha. Vous y découvrirez ce moelleux qui exprime avec finesse le coing et le tilleul avant d'évoluer vers la brioche et l'amande. D'un bon équilibre sucre-acide, plein et gras, il termine sur une note élégante. Le **demi-sec 2004** est cité pour sa tendance minérale.

🔑 Gérard Guertin, 3, RN 152, 37210 Vouvray, tél. 02.47.52.77.77, fax 02.47.52.65.13
🅅 Y ⛹ t.l.j. 9h30-19h30

DOM. DE LA HAUTE BORNE Tendre 2004 *

■ 2 ha 6 000 ⏺ **11 à 15 €**

Le domaine de 14 ha a été créé en 1999, mais il s'est complété récemment de bâtiments du XVII[e]s., dont une magnifique cave voûtée. Jaune clair à reflets dorés, ce vin laisse percevoir une palette aromatique plaisante de laquelle ressort une note boisée. L'attaque riche annonce une bonne matière issue de raisins mûrs. Puis le boisé revient dans une longue finale.

🔑 Vincent Carême, 1, rue du Haut-Clos, 37210 Vernou-sur-Brenne, tél. 02.47.52.71.28, fax 02.47.52.61.36 🅅 Y ⛹ r.-v.

DOM. LE CAPITAINE Sec Les Flots Rians 2004 *

■ 2 ha 5 000 ⏺ **5 à 8 €**

Les frères Le Capitaine en sont à leur dixième récolte. Que de chemin parcouru depuis leur installation qui s'est faite sur une toute petite parcelle ! Ils possèdent aujourd'hui un vignoble de 21 ha et des caves à Rochecorbon, dans la vallée pittoresque de Saint-Georges où veille une petite chapelle romane du XI[e]s. Très clair, ce vin est marqué par le fruit. La bouche souple et dense fait preuve d'équilibre. Le **demi-sec cuvée Adrien 2004** est cité pour son accent de terroir.

🔑 Dom. Le Capitaine, 11, rue Saint-Georges, 37210 Rochecorbon, tél. 02.47.52.51.84, fax 02.47.52.85.23, e-mail info@domainelecapitaine.com 🅅 Y ⛹ r.-v.

DOM. DES LOCQUETS Brut 2004 *

● 3,5 ha 30 000 ▮ **5 à 8 €**

Stéphane Deniau a pris récemment la succession de son père sur ces 12 ha de vignes des Locquets. C'est donc une de ses toutes premières méthodes traditionnelles qu'il présente. De couleur paille, ornée d'un chapelet de bulles fines, celle-ci laisse échapper des arômes de fleurs blanches et de fruits frais. L'attaque franche est bien celle d'un brut, mais une petite rondeur ne tarde pas à se manifester. La finale, pourtant, reste fraîche. Un agréable apéritif en perspective.

🔑 Stéphane Deniau, 27, rue des Locquets, 37210 Parçay-Meslay, tél. et fax 02.47.29.15.29, e-mail stephanedeniau2@wanadoo.fr 🅅 Y ⛹ r.-v.

FRANCIS MABILLE Sec 2004 **

■ 0,83 ha 5 820 ▮ **5 à 8 €**

Un domaine de 1 ha qui couvre les pentes de la vallée de Vaugondy. Francis Mabille a construit et aménagé un beau chai classique, dans lequel il a élaboré ce vouvray sec qui met remarquablement en valeur le caractère du chenin. Fruits blancs dans ses arômes, minéral et vif dans sa structure, c'est un vin déjà agréable aujourd'hui, mais qui sera à redécouvrir dans deux ans. Le **demi-sec 2004**, parfait pour une charcuterie tourangelle, brille d'une étoile.

🔑 Francis Mabille, 17, Vallée-de-Vaugondy, 37210 Vernou-sur-Brenne, tél. 02.47.52.01.87, fax 02.47.52.19.41, e-mail earl.francis.mabille@wanadoo.fr 🅅 Y ⛹ r.-v.

MAILLET PÈRE ET FILS Brut *

● 3,5 ha 20 000 ▮⏺ **5 à 8 €**

Un domaine de 24 ha conduit par deux frères depuis une dizaine d'années. Leur méthode traditionnelle est une bonne référence. Ronde et vive à la fois, bien structurée, elle fait preuve de puissance et de longueur. Les arômes de fruits ne lui font pas défaut. La **méthode traditionnelle demi-sec** et le **demi-sec tranquille 2004** sont cités.

🔑 EARL Laurent et Fabrice Maillet, 101, Vallée-Coquette, 37210 Vouvray, tél. 02.47.52.76.46, fax 02.47.52.63.06
🅅 Y ⛹ t.l.j. 9h-19h; dim. et groupes sur r.-v.

DOM. DU MARGALLEAU Brut **

● 5 ha 15 000 ▮ **5 à 8 €**

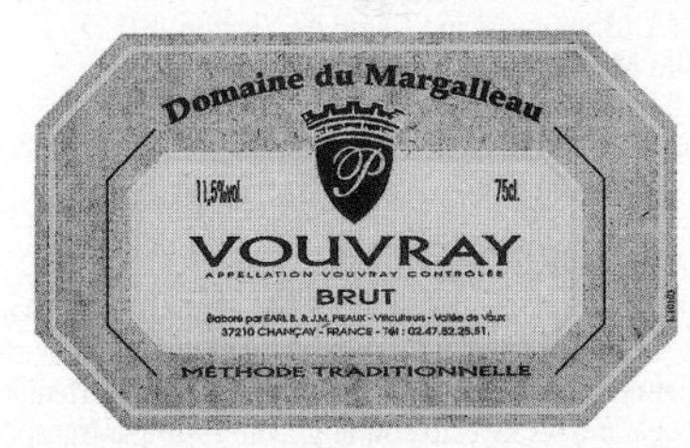

On savait que les deux frères, Jean-Michel et Bruno Pieaux, installés au cœur de la vallée de Vaux, un haut lieu de la production du vouvray sur la commune de Vernou, étaient capables du meilleur. Ils le prouvent aujourd'hui encore. Leur méthode traditionnelle est un modèle du genre. La mousse fine et régulière laisse place à une montée généreuse de bulles aériennes. À l'attaque souple répondent un fruit persistant, une rondeur et une vivacité parfaitement équilibrées jusqu'à la finale. Un vin d'apéritif. Le **vouvray pétillant** du domaine, ainsi que le **sec 2004** sont cités.

🔑 EARL Bruno et Jean-Michel Pieaux, vallée de Vaux, rue du Clos-Baglin, 37210 Chançay, tél. 02.47.52.25.51, fax 02.47.52.27.59, e-mail earl.pieaux@terre-net.fr
🅅 Y ⛹ t.l.j. sf dim. 8h-12h 14h-18h30

MAISON MIRAULT Demi-sec

n.c. 22 000 5 à 8 €

La maison Mirault est fidèle dans son approvisionnement auprès des vignerons. Son agrandissement récent dans de nouvelles caves témoigne de sa réussite. Spécialiste des méthodes traditionnelles, elle propose un demi-sec jaune paille brillant qui s'ouvre progressivement sur des senteurs d'agrumes. La bouche est vive, avec une sucrosité modérée. La finale, longue, joue sur la cerise. Un classique pour l'apéritif.

Maison Mirault, 15, av. Brûlé, 37210 Vouvray,
tél. 02.47.52.71.62, fax 02.47.52.60.90,
e-mail maisonmirault@wanadoo.fr
t.l.j. 8h-12h 14h-18h; dim. sur r.-v.

CH. MONCONTOUR Sec Les Chapelles 2004 *

0,4 ha 4 400 5 à 8 €

À l'entrée de Vouvray, dominant la Loire, le château Moncontour n'échappe pas à la vue du voyageur. Bâti au XVes. et rénové au XVIIIe, il possède un vignoble de 102 ha et un chai en rapport, sous le coteau. Son vouvray, jaune pâle, hésite entre la fleur et le fruit : autant de senteurs de bon augure. À l'attaque franche et ronde succède une impression de gras rehaussée d'arômes d'abricot. Bel équilibre, grande générosité : difficile de faire mieux. Le **demi-sec La Belle Angerie 2004** est cité.

Ch. Moncontour, rue de Moncontour,
37210 Vouvray, tél. 02.47.52.60.77, fax 02.47.52.65.50,
e-mail infos@moncontour.com r.-v.
M. Feray

MONMOUSSEAU Brut 2004

25,2 ha 209 000 5 à 8 €

Les caves Monmousseau, dont la création remonte à 1886, sont aujourd'hui une filiale du groupe luxembourgeois Massard. Elles possèdent des équipements sur Montrichard et Vouvray. Cette méthode traditionnelle se présente dans une robe jaune paille que couvre une fine mousse. Grâce à sa fraîcheur et à son fruité discret, elle sera bienvenue par une chaude journée.

SA Monmousseau, 71, rte de Vierzon, BP 25,
41400 Montrichard, tél. 02.54.71.66.66,
fax 02.54.32.56.09,
e-mail monmousseau@monmousseau.com r.-v.
Bernard Massard

DOM. D'ORFEUILLES Brut *

6 ha 25 000 5 à 8 €

Les bâtiments de caractère sont les vestiges des anciennes dépendances du château médiéval d'Orfeuilles. Un chai à trois niveaux, où la gravité assure le transport tout en douceur du raisin, est attenant. Le choix du vin de base est la clé de la réussite de cette méthode traditionnelle. Un vouvray riche et dense, aux senteurs de miel et d'abricot, qui laisse en finale une impression d'élégance. Le **sec Silex d'Orfeuilles 2004 (8 à 11 €)** est cité pour sa générosité.

EARL Bernard Hérivault, La Croix-Blanche,
37380 Reugny, tél. 02.47.52.91.85, fax 02.47.52.25.01,
e-mail earl.herivault@france-vin.com r.-v.

VINCENT PELTIER 2004 *

1,5 ha 10 000 3 à 5 €

Les bâtiments ont été construits par le grand-père à l'emplacement d'une ancienne carrière dont les matériaux ont servi à l'aménagement de la voie ferrée desservant Château-Renault. Depuis, deux générations ont amélioré les lieux en y installant un hangar et un chai fonctionnel. Après un coup de cœur pour le moelleux 2003 l'an passé, c'est une méthode traditionnelle jaune doré qui se distingue : évocations de fruits secs et de poire mûre, attaque déjà riche, matière pleine qui se prolonge dans une finale assez ronde. Un vin d'apéritif pour des amis choisis.

Vincent Peltier, 41 bis, rue de la Mairie,
37210 Chançay, tél. 02.47.52.93.34, fax 02.47.52.96.98
r.-v.

DOM. DE LA POULTIÈRE Brut 2003 **

8 ha 50 000 3 à 5 €

Depuis cinq ans, Damien Pinon est associé à son père sur ce domaine de plus de 20 ha. Une équipe bien rodée qui a élaboré cette méthode traditionnelle proche du coup de cœur. La mousse persistante et les bulles fines invitent à découvrir les arômes de mûre, de banane et de poire. Elle confirme ensuite ses qualités aromatiques en bouche tout en révélant une structure équilibrée jusqu'à une finale souple et distinguée. Incontournable à l'apéritif. Une étoile pour le **demi-sec tranquille 2004**, un vin coulant.

GAEC Michel et Damien Pinon,
29, rte de Château-Renault, 37210 Vernou-sur-Brenne,
tél. 02.47.52.15.16, fax 02.47.52.07.07,
e-mail gaec.pinon@wanadoo.fr
t.l.j. 9h-12h 14h-19h

J. G. RAIMBAULT Sec 2004

2 ha 3 000 3 à 5 €

Un frère et une sœur mettent en valeur ce petit vignoble des premières côtes de Noizay. L'exposition est au midi et les sols très pierreux reposent sur le tuffeau. Des conditions favorables comme en témoigne ce vouvray sec : gras et vivacité s'allient pour donner un vin solide et gai à la fois. Les senteurs de fruits mûrs, dont celles de pomme, ne gâtent rien. Une bouteille à savourer sans attendre sur un poisson grillé.

GAEC J. G. Raimbault, 186, coteau des Vérons,
37210 Noizay, tél. 02.47.52.00.10, fax 02.47.52.05.29
t.l.j. 10h-12h 14h-19h; sam. dim. sur r.-v.

VIGNOBLE ALAIN ROBERT ET FILS
Demi-sec Le Meslier 2004 *

0,58 ha 4 000 5 à 8 €

Une équipe père et fils qui gagne en notoriété. Elle conduit un vignoble de 26 ha bien exposé sur les pentes sud et ouest de la vallée de la Brenne, par où remontent les infuences de la Loire. Régulièrement distinguée dans le Guide, elle est encore aux avant-postes cette année grâce à ce demi-sec jaune clair, brillant, dont les fragrances de fleurs et de fruits sont relevées d'une touche de citronnelle. Volume et souplesse caractérisent la bouche, avec un petit accent minéral qui rappelle le terroir de Chançay. Ce 2004 ne demande qu'à faire plaisir en accompagnement d'une charcuterie ou d'un fromage de chèvre. La cuvée principale **demi-sec 2004 (3 à 5 €)** du domaine est citée.

Vignoble Alain Robert et Fils, Charmigny,
37210 Chançay, tél. 02.47.52.97.95, fax 02.47.52.27.24,
e-mail vignoblerobert@wanadoo.fr r.-v.

DOM. DE ROCHE BLONDE Brut 2002 *

2,5 ha 22 000 5 à 8 €

La rue Neuve à Vernou, que jadis Jeanne d'Arc emprunta pour se rendre à Orléans, ne manque pas de beaux domaines viticoles. En voilà un de près de 12 ha que

Christophe Gaudron mène avec science. Il propose une méthode traditionnelle jaune pâle, nantie de fines bulles, dont la structure est souple et légère. L'élégance est de mise jusqu'à la finale.

Christophe Gaudron, 90, rue Neuve, 37210 Vernou-sur-Brenne, tél. 02.47.52.12.17, fax 02.47.52.08.56 t.l.j. sf dim. 9h-19h

DOM. DE LA ROCHE FLEURIE
Sec Renaissance 2004

1 ha 1 500 5 à 8 €

Michel Brunet est présent sur ses 15 ha de vignes des coteaux de Chancay depuis plus de trente ans. Cette année marque un tournant. Son fils Sébastien prend le relais avec des projets d'agrandissement. Ce blanc sec est une preuve que l'on peut bien faire dans ce coin du Vouvrillon. La robe jaune d'or est un premier atout. Le second se trouve dans les arômes de coing, de tilleul et de raisin bien mûr. La bouche structurée, d'une légère rondeur, est un plus également. Attendre que se fonde le boisé perçu en finale.

Michel Brunet, 6, rue Roche-Fleurie, 37210 Chançay, tél. 02.47.52.90.72, fax 02.47.52.96.25 r.-v.

DOM. RONSARD Brut

16 ha 80 000 5 à 8 €

Le domaine est l'ancienne exploitation viticole de Raoul Diard, un fin connaisseur du terroir, bien connu des anciens. A-t-il laissé son empreinte à son vignoble ? Certainement, si l'on apprécie cette méthode traditionnelle légère et aérienne qui contribuera à une amicale atmosphère au déjeuner.

Ève Dumange, Dom. Ronsard, la Vallée-Chartier, 37210 Vouvray, tél. 02.47.52.80.85, fax 02.47.52.54.85

DOM. DE LA ROULETIÈRE Brut

8 ha 65 000 5 à 8 €

François et Jean-Marc Gilet confirment leur vocation de bons vignerons avec cet effervescent qui exprime de fins et longs arômes au nez comme en bouche. La rondeur ne manque pas et la finale persiste agréablement sur le coing.

Jean-Marc et François Gilet, 20, rue de la Mairie, 37210 Parçay-Meslay, tél. 02.47.29.14.88, fax 02.47.29.08.50, e-mail info@vouvray-gilet.com t.l.j. sf dim. 10h-12h 15h-19h

DOM. DE LA TAILLE AUX LOUPS
Sec Clos de Venise 2004 *

1 ha 3 580 8 à 11 €

La table de trie, le transport des raisins en cagettes et les soins méticuleux apportés à la vinification expliquent les succès obtenus par Jacky Blot. Son Clos de Venise a été jugé comme un « vin d'équilibre et de plaisir ». Il est très expressif au nez par ses notes de grillé sur une touche de boisé fondu et un peu de minéralité. Il ne l'est pas moins en bouche, harmonieusement nuancée d'une pointe de vanille. Une réussite dans un millésime délicat. Le **vouvray sec Les Caburoches 2004 (5 à 8 €)** est cité. Il mérite d'attendre en cave.

Dom. de La Taille aux Loups, 8, rue des Aitres, 37270 Montlouis-sur-Loire, tél. 02.47.45.11.11, fax 02.47.45.11.14, e-mail latailleauxloups@wanadoo.fr t.l.j. 9h-12h30 14h30-18h; f. dim. de nov. à mars

Jacky Blot

CHRISTIAN THIERRY Brut Réserve 2002 *

2 ha 4 000 5 à 8 €

La vallée de Cousse est une suite de caves creusées dans le roc, dont les entrées sont souvent en pierre tuffeau et les portes travaillées. À chacune d'entre elles correspond le siège d'un domaine viticole. Celui de Christian Thierry, au cœur de la vallée, est pourvu de caves profondes. Les vignes sont sur le plateau, en majorité aux Déronnières, lieu-dit réputé. Cette méthode traditionnelle couleur or s'ouvre sur des senteurs florales, puis évolue vers les fruits (coing). Elle fait preuve d'équilibre jusqu'à la finale fraîche qui renoue avec le coing.

Christian Thierry, 37, rue Jean-Jaurès, La Vallée-de-Cousse, 37210 Vernou-sur-Brenne, tél. 02.47.52.18.95, fax 02.47.52.13.23, e-mail christianthierry-vins@wanadoo.fr t.l.j. sf dim. 10h-12h 14h-18h; f. fin août-début septembre

ÉRIC ET YVES THOMAS Brut *

1,5 ha 8 000 3 à 5 €

Deux cousins ont repris en 1995 le domaine des parents. Ils ont monté un chai moderne et travaillent avec soin les raisins des vignes du plateau, dont l'abbaye de Marmoutier était propriétaire au Moyen Âge. Les ceps ne sont plus les mêmes bien sûr, mais leur potentiel demeure. Ils sont à l'origine de cette méthode traditionnelle couleur jaune paille, aux bulles fines. Les évocations de fleurs blanches et de fruits secs indiquent une grande maturité. Franche et légère, la bouche révèle une légère amertume qui lui donne du relief. Pour un apéritif classique.

GAEC Yves et Éric Thomas, 24, rue des Boissières, 37210 Parçay-Meslay, tél. et fax 02.47.29.09.13 t.l.j. sf sam. dim. 8h-12h 14h-19h

VIGNEAU-CHEVREAU
Sec Abbaye de Marmoutier Clos de Rougemont 2004 *

1,5 ha n.c. 5 à 8 €

Outre les 26 ha qu'il met en valeur sur les côtes de Chancay, le domaine Vigneau-Chevreau exploite une vigne sise au-dessus de l'abbaye de Marmoutier, là même où, au IVe s., saint Martin planta le premier cep du vignoble vouvrillon. Ce vouvray, léger et subtil au nez, rappelle les fruits exotiques. La bouche vive et minérale, toujours marquée de cette note exotique, est digne d'un vin de caractère. La finale, plus câline, est légèrement briochée. La **cuvée Domaine sec 2004** est citée.

Vigneau-Chevreau, 4, rue du Clos-Baglin, 37210 Chançay, tél. 02.47.52.93.22, fax 02.47.52.23.04, e-mail contact@vigneau-chevreau.com t.l.j. sf dim. 9h-12h 14h-18h

DOM. DU VIKING Brut 2003

4 ha 12 000 5 à 8 €

Lionel Gauthier, dit le Viking, doit son surnom à ses traits qui s'apparentent davantage à ceux d'un homme du Nord que de la Loire. Accueillant, il vous fera goûter cette méthode traditionnelle, réussie, par Thor ! Le nez développé et évolué témoigne d'un séjour sur lattes prolongé, ce qui est un bon point. La suite est classique : fruits mûrs, amande et bouche souple. Le **Domaine du Viking sec 2004**, tout en finesse et en fraîcheur, est également cité.

Lionel Gauthier, 1300, rte de Monnaie, Melotin, 37380 Reugny, tél. 02.47.52.96.41, fax 02.47.52.24.84, e-mail viking@france-vin.com t.l.j. 8h-12h30 14h-19h; dim. sur r.-v.; f. 15-30 août

LOIRE

CAVE DES PRODUCTEURS DE VOUVRAY
Brut Tête de cuvée 2002

30 ha 160 000 5 à 8 €

Nombreux sont les curieux qui s'arrêtent à la cave de Vouvray pour visiter les caves spectaculaires. Si vous vous y rendez, profitez-en pour découvrir les trois vins retenus par le jury, dont cette méthode traditionnelle jaune doré qui fleure le miel, l'acacia et la poire mûre. Vous percevrez une même complexité en bouche, avec une fraîcheur finale un brin printanière. Le **sec Confidence 2004** et le **demi-sec tranquille Les Fosses d'Hareng 2004** sont cités également.

Cave des Producteurs de Vouvray,
38, Vallée-Coquette, 37210 Vouvray, tél. 02.47.52.75.03,
fax 02.47.52.66.41,
e-mail cavedesproducteurs@cp-vouvray.com
t.l.j. 9h-12h30 14h-19h

Cheverny

Consacré AOC le 26 mars 1993, cheverny était né VDQS en 1973. Dans cette appellation (plus de 2 000 ha délimités, 532 ha en production), dont le terroir à dominante sableuse (des sables sur argile de Sologne aux terrasses de la Loire) s'étend le long de la rive gauche du fleuve depuis la Sologne blésoise jusqu'aux portes de l'Orléanais, les cépages sont nombreux. Les producteurs ont réussi à les assembler, en proportions variant légèrement selon les terroirs, pour trouver le « style » cheverny. Les vins rouges à base de gamay et de pinot noir, sont fruités dans leur jeunesse et acquièrent, en évoluant, des arômes animaux... en harmonie avec l'image cynégétique de cette région. Les rosés à base de gamay, sont secs et parfumés. Rouges et rosés ont représentés 12 918 hl. Les blancs (11 688 hl), où le sauvignon est assemblé avec un peu de chardonnay, sont floraux et fins.

DOM. DE L'AUMONIÈRE 2005 ★

4,29 ha 10 000 3 à 5 €

1836, telle est la date de création de ce domaine familial. Gérard Givierge propose un vin jaune pâle brillant qui, s'il semble un peu fermé au nez, exprime après une légère aération des arômes de buis caractéristiques. La bouche laisse une impression intense de fraîcheur, soulignée de notes fumées en finale.

Gérard Givierge, Dom. de L'Aumonière,
41700 Cour-Cheverny, tél. 02.54.79.25.49,
fax 02.54.79.27.06
t.l.j. 8h-12h 14h-20h; groupes sur r.-v.

PASCAL BELLIER 2005 ★★★

6 ha 38 000 3 à 5 €

À Vineuil, vous pourrez voir de drôles de ponts fortifiés, les ponts chartrains, construits au Moyen Âge sur la grande voie qui relie Chartres à Bourges, pour faciliter

la traversée de la Loire et du Cosson. Ils sont en cours de restauration par un chantier de jeunes bénévoles. Vous ne rencontrerez aucune embûche pour trouver le domaine de Pascal Bellier et découvrir ce vin qui a fait l'unanimité du jury. Jaune pâle à reflets verts, celui-ci est né de raisins parfaitement mûrs, comme en témoignent ses arômes puissants de pamplemousse et de cassis. La bouche ronde se développe jusqu'à une longue finale rafraîchissante. Un fleuron de cheverny. La cuvée **Sélection 2005 rouge (5 à 8 €)** obtient deux étoiles, tandis que le **rouge 2005** brille d'une étoile.

Pascal Bellier, 3, rue Reculée, 41350 Vineuil,
tél. 02.54.20.64.31, fax 02.54.20.58.19
lun. mer. ven. sam. 9h-12h 14h-19h

ÉRIC CHAPUZET Cuvée Les Souchettes 2005 ★

4 ha 15 000 3 à 5 €

La vigne a toujours fait partie du paysage à La Gardette, ancienne closerie du château de Fougères. Vous y viendrez pour apprécier ce vin généreusement aromatique, tout en agrumes et en fleurs blanches. L'attaque est souple, la bouche onctueuse et équilibrée, avec une finale bien sympathique, marquée par le sauvignon. La **cuvée Mont-Crochet rouge 2005** est citée.

Éric Chapuzet, La Gardette, rte de Chitenay,
41120 Fougères-sur-Bièvre, tél. et fax 02.54.20.27.21,
e-mail e.chapuzet@wanadoo.fr r.-v.

CAVE DE LA CHARMOISE 2005 ★

2,5 ha 12 000 3 à 5 €

Jacky et Laurent Pasquier, père et fils, travaillent en duo sur leurs 18 ha de vignes. Ils ont élaboré un vin grenat brillant, dont la légère nuance tuilée traduit une dominante de pinot noir dans l'assemblage. Cette présence se confirme par des arômes de noyau de cerise, puis par une belle structure tannique. Le cheverny **Cave de la Charmoise blanc 2005**, jaune pâle et flatteur en bouche, mérite une citation.

GAEC Laurent et Jacky Pasquier, La Charmoise,
41700 Cour-Cheverny, tél. 06.87.11.15.19,
fax 02.54.79.92.76 r.-v.

MICHEL CONTOUR 2005

2,04 ha 6 000 3 à 5 €

Les pistes cyclables ne manquent pas dans la région et vous rejoindrez aisément ce domaine après une visite du château de Beauregard, à 3 km de distance. Emportez dans votre panier quelques charcuteries ; elles accompagneront parfaitement ce vin d'un rouge éclatant, qui laisse une bonne fraîcheur en bouche, ainsi qu'une sensation fruitée. Un cheverny gouleyant.

🗝 Michel Contour, 7, rue La Boissière, 41120 Cellettes, tél. 02.54.70.40.03, fax 02.54.70.36.68, e-mail m.contour@wanadoo.fr
☑ Y ⚲ t.l.j. 8h-12h30 14h-19h

DOM. DU CROC DU MERLE 2005 *

■ 1,2 ha 6 000 ▮ 3 à 5 €

Bienvenue à Damien qui vient de rejoindre ses parents, Patrice et Anne-Marie Hahusseau, sur cette propriété de 9 ha. Réussira-t-il l'an prochain un vin aussi sympathique que ce rosé ? De teinte soutenue, celui-ci livre un nez intense de fraise et de framboise, nuancé d'épices. Équilibré, il offre en finale une fraîcheur bienvenue. Une bouteille à savourer lors d'un pique-nique au bord de la Loire. Le **Domaine du Croc du Merle rouge 2005** est cité pour ses notes de griotte typiques du pinot noir et sa matière harmonieuse.

🗝 Patrice et Anne-Marie Hahusseau, Dom. du Croc du Merle, 38, rue de La Chaumette, 41500 Muides-sur-Loire, tél. 02.54.87.58.65, fax 02.54.87.02.85, e-mail patricehahusseau@aol.com
☑ Y ⚲ t.l.j. 9h-12h30 14h-19h; f. dim. l'hiver; groupes sur r.-v.

BENOÎT DARIDAN 2005 *

■ 2 ha 11 000 ▮ 5 à 8 €

Sortez le fromage de chèvre, des tranches de bon pain de campagne, une terrine de poisson. N'oubliez pas la nappe à carreaux et cette bouteille de cheverny. Ce 2005, typique du terroir, affiche une couleur jaune pâle à reflets verts, ainsi qu'un nez intense d'agrumes, avant de s'étirer plaisamment en bouche. Un bon déjeuner en plein air en perspective.

🗝 Benoît Daridan, 16, voie de La Marigonnerie, 41700 Cour-Cheverny, tél. et fax 02.54.79.94.53, e-mail benoitdaridan@wanadoo.fr ☑ Y ⚲ r.-v.

DOM. DE LA DÉSOUCHERIE 2005 *

■ 9 ha 50 000 ▮ 5 à 8 €

À mi-chemin entre les châteaux de Cheverny et de Chambord, La Désoucherie est un domaine de 29 ha conduit en culture raisonnée. Père et fils ont élaboré un 2005 typique de l'appellation et du millésime. Vous ne sentez pas beaucoup d'arômes dans le verre ? Cherchez encore : les fruits mûrs se révèlent avec subtilité à l'aération. Le vin se rattrape au palais en révélant sa souplesse, son soyeux et sa bonne persistance minérale.

🗝 Christian et Fabien Tessier, Dom. de La Désoucherie, 41700 Cour-Cheverny, tél. 02.54.79.90.08, fax 02.54.79.22.48, e-mail infos@christiantessier.com ☑ Y ⚲ r.-v. 🏠 C

MICHEL DRONNE 2005 *

■ 1 ha 3 400 ▮ 3 à 5 €

Du gamay à 70 % et du pineau d'Aunis, ce cépage qui, au XIIIe s. déjà, produisait un vin clairet apprécié à la table du roi Henri III Plantagenêt. Ce rosé de teinte corail soutenu décline des notes fruitées et légèrement épicées, puis offre une chair ronde, souple et équilibrée. De quoi créer la bonne humeur lors d'une réunion amicale. Le **rouge 2005**, encore timide mais prometteur par sa structure typique du pinot noir, reçoit la même note.

🗝 Michel Dronne, 1, voie des Méraudières, 41700 Cour-Cheverny, tél. 06.08.07.67.89, fax 02.54.79.92.15 ☑ Y ⚲ r.-v. 🏠 D

DOM. DE LA GAUDRONNIÈRE

Cuvée Tradition 2005 **

■ 6,38 ha 34 000 ▮ 3 à 5 €

Au bord du Beuvron, Cellettes est une petite commune paisible. On vous signalera sans difficulté le domaine de La Gaudronnière, fort de 17 ha de vignes, où Christian Dorléans a élaboré ce vin grenat, puissamment aromatique (fruits noirs) et voluptueux au palais. On reste sous le charme. La **cuvée Laetitia 2005 blanc (5 à 8 €)**, chaleureuse, obtient une étoile.

🗝 Christian Dorléans, Dom. de La Gaudronnière, 41120 Cellettes, tél. 02.54.70.40.41, fax 02.54.70.38.83
☑ Y ⚲ r.-v.

DOM. DE LA GRANGE 2004 *

■ n.c. n.c. ▮ 3 à 5 €

Une ancienne grange dîmière donne son nom à ce domaine. Pinot noir (55 %) et gamay composent un vin rubis, aux reflets légèrement tuilés. Si le nez évoque discrètement le fruit et les épices, la bouche exprime parfaitement le pinot par sa structure équilibrée et sa souplesse. Une bouteille bien représentative du millésime, à servir dans l'année.

🗝 GAEC de La Grange, rue de la Charmoise, La Grange, 41350 Huisseau-sur-Cosson, tél. et fax 02.54.20.31.17 ☑ Y ⚲ r.-v.

DOM. DES HUARDS 2005 **

■ 8 ha 42 000 ▮ 5 à 8 €

Quand on vend son vin en bouteilles et en direct depuis plus de trente ans, on connaît son public. Jocelyne et Michel Gendrier sauront lui faire plaisir avec ce 2005 rubis sombre qui offre une palette complexe de fruits noirs mûrs et d'épices. En bouche, le vin caresse les papilles de sa chair souple et ronde, étayée par des tanins parfaitement fondus. Le **Domaine des Huards blanc 2005**, citronné et joliment équilibré entre rondeur et fraîcheur, est cité.

🗝 Jocelyne et Michel Gendrier, Les Huards, 41700 Cour-Cheverny, tél. 02.54.79.97.90, fax 02.54.79.26.82, e-mail infos@gendrier.com
☑ Y ⚲ t.l.j. 9h-12h 14h-19h; dim. sur r.-v.

DOM. HUGUET 2005 *

■ 1,7 ha 10 000 ▮ 3 à 5 €

Les terroirs des terrasses de la Loire confèrent à ce cheverny beaucoup de personnalité : un nez puissant, dominé par le buis, une bouche ronde et persistante, relevée d'une pointe de fraîcheur. Le **Domaine Huguet 2005 rouge**, caractéristique du millésime, est cité.

🗝 Patrick Huguet, 12, rue de la Franchetière, 41350 Saint-Claude-de-Diray, tél. 02.54.20.57.36
☑ Y ⚲ r.-v.

DOM. MAISON PÈRE ET FILS 2005 **

■ 25 ha 40 000 ▮ 5 à 8 €

Rappelez-vous : le millésime 2004 fut coup de cœur l'an passé. Pinot noir, gamay et cot composent le 2005 : un vin rouge foncé, puissant dans ses arômes de fruits (mûre) et élégant par ses tanins caressants. Le **rosé 2005**, harmonieux, et le **blanc 2005**, aromatique, obtiennent une étoile.

🗝 EARL Maison Père et Fils, 22, rue de la Roche, 41120 Sambin, tél. 02.54.20.22.87, fax 02.54.20.22.91, e-mail domaine.maison@wanadoo.fr ☑ Y ⚲ t.l.j. 8h-19h
🗝 J.-F. Maison

DOM. JÉRÔME MARCADET
Cuvée des Gourmets 2005 ★

■ 2,5 ha 13 000 ▮ 3 à 5 €

La longère (maison paysanne tout en longueur) typiquement solognote a été aménagée en cave de vinification. Vous vous y arrêterez pour déguster les trois jolis vins de Jérôme Marcadet. Ce cheverny rouge, d'abord, qui se présente dans une robe rubis et offre un fruité persistant jusqu'en finale de la bouche ronde. Le **rosé 2005** brille d'une étoile pour sa fraîcheur et ses notes florales, tandis que le **blanc Cuvée de l'Orme 2005**, encore timide mais prometteur, est cité.

Jérôme Marcadet, 5, rte de l'Orme, Favras, 41120 Feings, tél. et fax 02.54.20.28.42, e-mail domaine-jeromemarcadet@wanadoo.fr
t.l.j. sf dim. 8h-12h30 14h-19h

DOM. DE MONTCY
Cuvée Louis de La Saussaye 2005 ★

■ 2 ha 10 000 ▮ 5 à 8 €

Bien que l'architecture actuelle soit contemporaine, la destinée de ce domaine fut liée à celle du château de Troussay dès le XVIes. et jusqu'au début du XXes. Récoltés sur sols argilo-calcaires, pinot noir, gamay et cot ont donné naissance à ce vin rubis net et vif qui exprime avec élégance des arômes de fruits mûrs. Après une attaque franche, l'équilibre se réalise entre rondeur et fraîcheur. Du charme. Le **Clos des Cendres 2005 blanc** obtient une étoile également : sauvignon et chardonnay s'y associent harmonieusement.

R. et S. Simon, La Porte Dorée, 32, rte de Fougères, 41700 Cheverny, tél. 02.54.44.20.00, fax 02.54.44.21.00, e-mail info@domaine-de-montcy.com
t.l.j. 10h-18h30

LES VIGNERONS DE MONT-PRÈS-CHAMBORD 2005 ★

10,85 ha 71 300 ▮ 3 à 5 €

Fondée en 1931, la cave de Mont-près-Chambord rassemble vingt-huit sociétaires pour lesquels la culture de la vigne n'est pas la seule occupation : ils sont aussi maraîchers, producteurs de pommes, de cassis, de fraises et de poireaux sur les rives sableuses de la Loire. Ce 2005, jaune pâle à reflets verts, libère des senteurs intenses de fleurs blanches et d'agrumes, annonce d'une bouche rafraîchissante et longue. Le **rouge 2005**, de bonne personnalité, est cité.

Les Vignerons de Mont-Près-Chambord, 816, la Petite-Rue, 41250 Mont-Près-Chambord, tél. 02.54.70.71.15, fax 02.54.70.70.65, e-mail cavemont@club-internet.fr
t.l.j. sf dim. et lun. matin 9h-12h 14h-18h

PIERRE PARENT 2005 ★

2,34 ha 11 000 ▮ 5 à 8 €

Si vous parcourez à vélo la route des châteaux, dirigez-vous rive droite de la vallée du Beuvron, vers le petit village de Mont-près-Chambord. Pierre Parent vous y attend sur son domaine de 9 ha. Son cheverny de teinte claire et brillante est certes timide au nez, mais il s'exprime au mieux au palais, révélant sa puissance, sa générosité et son caractère floral.

Pierre Parent, 201, rue de Chancelée, 41250 Mont-près-Chambord, tél. 02.54.70.73.57, fax 02.54.70.89.72 r.-v.

LE PETIT CHAMBORD 2005 ★

■ 4,5 ha 30 000 ▮ 5 à 8 €

Un domaine de 18 ha sur la commune de Cheverny. François Cazin a élaboré un vin rouge vif à reflets violets dont les arômes évoquent intensément les épices. La bouche souple et équilibrée s'avère tout aussi expressive, persistante même. Le **2005 blanc**, fondant, est cité.

François Cazin, Le Petit Chambord, 41700 Cheverny, tél. 02.54.79.93.75, fax 02.54.79.27.89
r.-v.

MARQUIS DE LA PLANTE D'OR 2005 ★

■ 4 ha 13 000 ▮ 5 à 8 €

La plante d'or, c'est le lupin jaune qui, autrefois, prospérait sur les sables argileux de la Sologne. Aujourd'hui, on vient chez Philippe Loquineau pour les vins. Ce 2005, issu de raisins très mûrs, offre une couleur dense et un nez intense de fruits rouges. Les tanins fondus contribuent à l'impression de souplesse du palais. Le **2005 blanc** obtient également une étoile pour ses arômes puissants de fleurs et sa rondeur chaleureuse.

Philippe Loquineau, La Demalerie, 41700 Cheverny, tél. 02.54.44.23.09, fax 02.54.44.22.16
r.-v.

DOM. LE PORTAIL 2005 ★

■ 15 ha 50 000 ▮ 5 à 8 €

Le château de Cheverny n'est qu'à 600 m. Aucune excuse n'est donc valable pour ne pas s'arrêter au Portail. D'autant que son rouge 2005 est bien tentant : couleur grenat caractéristique d'une vendange mûre à point, arômes intenses de fruits rouges, équilibre et franchise. Le **2005 blanc**, tout en rondeur, n'est pas moins intéressant et obtient lui aussi une étoile.

Michel Cadoux, Le Portail, 41700 Cheverny, tél. 02.54.79.91.25, fax 02.54.79.28.03, e-mail leportailcadoux@wanadoo.fr r.-v.

DOM. SAUGER ET FILS Vieilles Vignes 2005 ★

3 ha 16 000 ▮ 5 à 8 €

La commune de Fresnes se situe entre Chaumont et Cheverny. L'été 2005 a permis au raisin de parvenir à bonne maturité, d'où ce vin blanc aux senteurs subtiles mais complexes de fleurs blanches et de coing, qui révèle rondeur et consistance en bouche. Le **2005 rouge**, fruité mais encore un peu ferme, est cité : laissez-le vieillir un peu.

EARL Dom. Sauger, 4, rue des Touches, 41700 Fresnes, tél. 02.54.79.58.45, fax 02.54.79.03.35, e-mail domaine.sauger@terre-net.fr r.-v.

DOM. PHILIPPE TESSIER 2005 ★

■ 4 ha 28 000 ▮ 5 à 8 €

Le château de Troussay est tout proche du domaine de Philippe Tessier (20 ha sur sol silico-argileux). Ce 2005, typique de l'appellation, dévoile sous une teinte soutenue des arômes de griotte à l'eau-de-vie et un bon équilibre gustatif, dominé par la rondeur. Le pinot noir ne représente que 30 % de l'assemblage, contre 60 % de gamay et 10 % de cot, mais il s'exprime nettement.

EARL Philippe Tessier, 3, voie de la Rue-Colin, 41700 Cheverny, tél. 02.54.44.23.82, fax 02.54.44.21.71, e-mail domaine.ph.tessier@wanadoo.fr r.-v.

DANIEL TÉVENOT 2005 ★★

■ 2 ha 9 000 ▮ 3 à 5 €

Un moulin à vent se trouvait à l'emplacement du chai, à Madon, lieu-dit dont les premières vignes furent plantées par les moines de l'abbaye de Saint-Lomer. Ce 2005, rouge foncé, fait preuve de puissance dans ses arômes de fruits rouges mûrs. La chair suave, équilibrée, décline les épices jusqu'à une longue finale. Le **2005 rosé**, intensément aromatique et frais, remporte une étoile.

Daniel Tévenot, 4, rue du Moulin-à-Vent, Madon, 41120 Candé-sur-Beuvron, tél. et fax 02.54.79.44.24, e-mail daniel.tevenot@wanadoo.fr ▼ Y ⛹ r.-v.

LE VIEUX CLOS 2005 ★

▒ 10 ha 75 000 ▮ 5 à 8 €

Une maison solognote en U du XVIIIes. commande ce domaine de 35 ha sur sols argilo-sablonneux. Sauvignon et chardonnay ont donné de beaux résultats en 2005, comme en témoignent les deux cheverny blancs appréciés du jury. Le premier développe des arômes de cassis avec intensité, puis laisse une impression de fraîcheur légèrement muscatée au palais. Le second, **Domaine du Salvard 2005 blanc**, floral, souple et frais, obtient la même note. Que ces deux vins ne vous fassent pas oublier le **Domaine du Salvard 2005 rouge**, cité.

EARL Delaille, Dom. du Salvard, 41120 Fougères-sur-Bièvre, tél. 02.54.20.28.21, fax 02.54.20.22.54, e-mail delaille@libertysurf.fr ▼ Y ⛹ r.-v.

Cour-cheverny

Le décret du 24 mars 1993 a reconnu l'AOC cour-cheverny. Celle-ci est réservée aux vins blancs de cépage romorantin, produits dans l'aire de l'ancienne AOS cour-cheverny mont-près-chambord et quelques communes des alentours où ce cépage s'est maintenu. Le terroir est typique de la Sologne (sable sur argile). La vendange de 2005 a représenté 2 294 hl pour une superficie de 48 ha.

DOM. DE L'AUMONIÈRE 2005

▒ 1,75 ha 10 000 ▮ 3 à 5 €

Jaune à peine doré, ce vin livre avec discrétion des arômes de fruits à noyau comme la pêche. Il se fait plus charmeur au palais par sa fraîcheur et ses flaveurs de fruits exotiques. Pour un canard à l'orange.

Gérard Givierge, Dom. de L'Aumonière, 41700 Cour-Cheverny, tél. 02.54.79.25.49, fax 02.54.79.27.06 ▼ Y ⛹ t.l.j. 8h-12h 14h-20h; groupes sur r.-v.

BENOÎT DARIDAN Vieilles Vignes 2004 ★

▒ 0,4 ha 4 000 ▮ 5 à 8 €

Des vignes de romorantin cinquantenaires sont à l'origine de ce vin jaune doré qui présente de généreux arômes de miel et d'agrumes. La bouche suave bénéficie d'une note acidulée qui souligne les longues flaveurs. Attendez cette bouteille, elle n'en sera que plus harmonieuse. La **cuvée tardive 2004 (8 à 11 €)**, moelleuse, est citée.

Benoît Daridan, 16, voie de La Marigonnerie, 41700 Cour-Cheverny, tél. et fax 02.54.79.94.53, e-mail benoitdaridan@wanadoo.fr ▼ Y ⛹ r.-v.

DOM. DE LA GAUDRONNIÈRE
Le Mûr Mûr de La Gaudronnière 2005 ★

▒ 1,32 ha 9 000 ▮ 5 à 8 €

Marie Dorléans a acquis en 1921 cette jolie propriété qui compte aujourd'hui 17 ha sur des sols d'argiles à silex. Son descendant, Christian Dorléans, propose aujourd'hui un vin moelleux, encore jeune et prometteur. Jaune brillant, celui-ci offre un nez fruité, marqué par les agrumes, puis une bouche souple en attaque, tout aussi aromatique dans le registre des fruits secs et des fleurs. Une pointe d'amertume apparaît en finale de sa riche matière comme une note de complexité. Une garde lui permettra de se bonifier encore avant de rejoindre un gâteau aux fruits.

Christian Dorléans, Dom. de La Gaudronnière, 41120 Cellettes, tél. 02.54.70.40.41, fax 02.54.70.38.83 ▼ Y ⛹ r.-v.

DOM. DE LA GRANGE 2004

▒ 1,33 ha 4 700 ▮ 5 à 8 €

Une couleur jaune doré attrayante habille ce vin aux senteurs d'agrumes, de fruits exotiques et d'acacia. Une grande vivacité marque le palais, à peine apaisée par la douceur. Un cour-cheverny qui mérite d'attendre.

Jean-Michel et Guy Genty, GAEC de La Grange, rue de la Charmoise, La Grange, 41350 Huisseau-sur-Cosson, tél. et fax 02.54.20.31.17 ▼ Y ⛹ r.-v.

DOM. DES HUARDS 2004 ★

▒ 5,5 ha 32 000 ▮ 5 à 8 €

Du potentiel, ce vin en a, mais il est déjà appréciable aujourd'hui par son caractère amène manifeste. Des reflets dorés brillent dans le verre et de longues larmes s'écoulent sur les parois. Agrumes, coing et pêche se partagent la palette, annonçant une matière souple et mûre, dotée d'une touche de fruits secs en finale. Associez cette bouteille à un plat sucré-salé.

Jocelyne et Michel Gendrier, Les Huards, 41700 Cour-Cheverny, tél. 02.54.79.97.90, fax 02.54.79.26.82, e-mail infos@gendrier.com ▼ Y ⛹ t.l.j. 9h-12h 14h-19h; dim. sur r.-v.

PHILIPPE LOQUINEAU Cuvée Salamandre 2004

▒ 2,5 ha 13 000 ▮ 5 à 8 €

Bel hommage à François Ier, dont la salamandre était le symbole. Le vin, jaune doré, offre des arômes intenses de fruits exotiques et de fleurs. Serait-ce un demi-sec, voire un moelleux ? Nullement, ce cour-cheverny affiche en bouche une grande fraîcheur et un style minéral caractéristique du terroir. Dans trois ans, il se mariera à un poisson en sauce.

Philippe Loquineau, La Demalerie, 41700 Cheverny, tél. 02.54.44.23.09, fax 02.54.44.22.16 ▼ Y ⛹ r.-v. 🏠 D

DOM. DE MONTCY 2004 ★

▒ 1,5 ha 7 500 ▮ 5 à 8 €

Au menu : crustacés et poulet aux abricots, accompagnés de ce vin jaune or, au nez de poire et de miel. Après

LOIRE

une attaque souple, la bouche laisse une impression de fraîcheur, nuancée de flaveurs de fruits secs persistantes. À boire dans les deux ans.

R. et S. Simon, La Porte Dorée,
32, rte de Fougères, 41700 Cheverny,
tél. 02.54.44.20.00, fax 02.54.44.21.00,
e-mail info@domaine-de-montcy.com
t.l.j. 10h-18h30

LES VIGNERONS DE MONT-PRÈS-CHAMBORD 2004 *

0,85 ha 6 800 3 à 5 €

Difficile de ne pas s'arrêter à la cave coopérative, située rive sud de la Loire, entre les châteaux de Blois, Cheverny et Chambord. Vous y trouverez ce romorantin généreux, aux notes d'abricot, de pêche, de miel et de fleurs blanches. Au palais, une note acidulée lui donne un caractère rafraîchissant, encore souligné par les arômes fruités. Dans trois ans, il se sera arrondi et pourra rejoindre un poisson de la Loire.

Les Vignerons de Mont-Près-Chambord,
816, la Petite-Rue, 41250 Mont-Près-Chambord,
tél. 02.54.70.71.15, fax 02.54.70.70.65,
e-mail cavemont@club-internet.fr
t.l.j. sf dim. et lun. matin 9h-12h 14h-18h

LE PETIT CHAMBORD 2004 **

3,7 ha 16 000 5 à 8 €

Élevé six mois en foudre, ce romorantin aux légers reflets verts s'ouvre sur des senteurs de fruits secs et d'agrumes. Dès l'attaque, il fait preuve d'ampleur et d'intensité aromatique, puis se développe sur une vivacité équilibrée. Il a tout pour bien vieillir jusqu'en 2009.

François Cazin, Le Petit Chambord,
41700 Cheverny, tél. 02.54.79.93.75, fax 02.54.79.27.89
r.-v.

DOM. PHILIPPE TESSIER 2004 *

1,5 ha 8 000 5 à 8 €

Des notes d'agrumes et de miel d'acacia s'élèvent de ce vin jaune or. Encore jeune, il n'en est pas moins souple et équilibré, avec un léger côté minéral en finale. D'ici deux ou trois ans, il sera parvenu à son apogée.

EARL Philippe Tessier, 3, voie de la Rue-Colin,
41700 Cheverny, tél. 02.54.44.23.82, fax 02.54.44.21.71,
e-mail domaine.ph.tessier@wanadoo.fr r.-v.

Orléans AOVDQS

L'AOVDQS vins-de-l'orléanais a changé de nom et précisé sa production au travers de la reconnaissance par l'INAO de deux appellations d'origine distinctes : orléans et orléans-cléry. Parmi les « vins françois », ceux d'Orléans eurent leur heure de gloire à l'époque médiévale. À côté des jardins, des pépinières et des vergers, la vigne a encore sa place aujourd'hui (90 ha). Les vignerons ont su adapter des cépages mentionnés depuis le Xes. et que l'on disait venir d'Auvergne mais qui sont identiques à ceux de Bourgogne : auvernat rouge (pinot noir), auvernat blanc (chardonnay) et gris meunier, auxquels est venu s'ajouter le cabernet (ou breton), qui donne des vins au bouquet de groseille et de cassis.

La tradition s'est notamment maintenue sur les terrasses sablo-graveleuses de la rive sud de la Loire, où l'INAO a reconnu l'appellation orléans-cléry (36 ha), réservée aux vins rouges issus du cabernet franc. L'appellation orléans s'étend quant à elle des deux côtés de la Loire. Elle est réservée aux vins blancs de chardonnay et aux vins rouges et rosés issus du pinot meunier et du pinot noir qui donne ici des vins très originaux. On pourra boire les vins rouges sur du perdreau ou du faisan rôti, des pâtés de gibier de la Sologne voisine et les blancs avec des fromages cendrés du Gâtinais.

VIGNOBLE DU CHANT D'OISEAUX 2005

1,5 ha 8 000 3 à 5 €

Un petit tour sur le marché du dimanche matin s'impose avant de partir pique-niquer. Mettez dans le panier quelques charcuteries et cette bouteille d'orléans, couleur cerise. Les arômes de fruits rouges se font-ils attendre ? Un léger bol d'air suffira à les éveiller. La bouche est souple et gouleyante, toute de fraîcheur. Le **2005 rouge**, de pinot meunier, est cité également.

Jacky Legroux, 315-321, rue des Muids,
45370 Mareau-aux-Prés, tél. 02.38.45.60.31,
fax 02.38.45.62.35,
e-mail jlegroux-vignoblechant-oiseau@wanadoo.fr
r.-v.

CLOS SAINT-FIACRE 2005 **

1,89 ha 13 200 3 à 5 €

C'est au cœur du village que vous trouverez ce domaine d'un peu plus de 20 ha, clos de murs. Bénédicte et Hubert Piel ont su récolter des raisins mûrs à point et maîtriser parfaitement la température de vinification pour obtenir ce petit bijou de l'Orléanais. De couleur pâle, le vin livre un nez intense de bonbon anglais et de framboise écrasée. De la douceur au palais, de la fraîcheur en finale : l'équilibre est remarquable. Le **2005 blanc**, floral et rond, obtient une étoile. Vous le servirez avec un brochet au beurre blanc. Une étoile également pour le **2005 rouge**, tout en fruits noirs et charmeur.

Montigny-Piel, GAEC Clos Saint-Fiacre,
560, rue de Saint-Fiacre, 45370 Mareau-aux-Prés,
tél. 02.38.45.61.55, fax 02.38.45.66.58,
e-mail clos.saintfiacre@wanadoo.fr
t.l.j. sf dim. 9h-12h30 14h-19h

LES VIGNERONS DE LA GRAND'MAISON 2005 ★★

22 ha 35 000 3 à 5 €

Jaune pâle, cet orléans exprime toute la générosité du chardonnay. Le voici, floral et fruité, qui révèle sa souplesse dès l'attaque, puis évolue avec rondeur, égayé de flaveurs de fruits exotiques. Un vin charmeur, destiné à une friture de la Loire. Le **rosé 2005** est cité pour ses notes de fleurs et sa fraîcheur.

Les Vignerons de la Grand'Maison,
550, rte des Muids, 45370 Mareau-aux-Prés,
tél. 02.38.45.61.08, fax 02.38.45.65.70,
e-mail vignerons.orleans@free.fr r.-v.

DOM. SAINT-AVIT 2005 ★

2,25 ha 5 000 3 à 5 €

Un chardonnay très typé. Il offre généreusement ses senteurs de fleurs blanches, emplit le palais de sa chair souple et persistante, agréablement fruitée. Le **2005 rouge**, fruité et léger, est cité.

EARL Javoy et Fils, 450, rue du Buisson,
45370 Mézières-lez-Cléry, tél. 02.38.45.66.95,
fax 02.38.45.69.77 t.l.j. sf dim. 9h-12h 14h-19h
Pascal Javoy

Orléans-cléry AOVDQS

Cette nouvelle appellation VDQS porte le nom de la commune de Cléry dont la basilique renferme le tombeau de Louis XI.

VIGNOBLE DU CHANT D'OISEAUX 2005 ★★

2,8 ha 10 000 3 à 5 €

Au lieu-dit Les Chants d'Oiseaux, cette propriété familiale, née à l'aube du XXe s., est dirigée par Jacky Legroux depuis plus de vingt-cinq ans. Celui-ci connaît bien ces sols sablo-siliceux, riches de graviers filtrants, favorables au cabernet franc. À peine avait-il terminé la rénovation de sa cave qu'il a élaboré ce vin de teinte soutenue qui développe des arômes intenses de fruits noirs (cassis). La structure tannique de qualité promet de se fondre dans la riche matière persistante.

Jacky Legroux, 315-321, rue des Muids,
45370 Mareau-aux-Prés, tél. 02.38.45.60.31,
fax 02.38.45.62.35,
e-mail jlegroux-vignoblechant-oiseau@wanadoo.fr
r.-v.

CLOS SAINT-FIACRE 2005 ★

2,83 ha 13 300 3 à 5 €

En 2001, Bénédicte et Hubert Piel, diplômés en viticulture et en œnologie, ont repris les commandes de cette propriété familiale depuis 1635. La bonne maturité de la vendange 2005 leur a permis d'élaborer ce cabernet rouge profond, à reflets violacés, expressif par ses arômes de fruits noirs nuancés de la pointe de poivron attendue chez ce cépage. Des tanins fins soutiennent la chair ronde et souple, invitant à une dégustation dans les prochains mois.

Montigny-Piel, GAEC Clos Saint-Fiacre,
560, rue de Saint-Fiacre, 45370 Mareau-aux-Prés,
tél. 02.38.45.61.55, fax 02.38.45.66.58,
e-mail clos.saintfiacre@wanadoo.fr
t.l.j. sf dim. 9h-12h30 14h-19h

LES VIGNERONS DE LA GRAND'MAISON 2005 ★

22,92 ha 35 000 3 à 5 €

Fondée en 1931, la coopérative propose un vin rouge profond, au nez de fruits noirs bien développé. La bouche aimable et persistante révèle quelques tanins en finale, signe qu'une petite garde sera profitable à l'harmonie de ce 2005.

Les Vignerons de la Grand'Maison,
550, rte des Muids, 45370 Mareau-aux-Prés,
tél. 02.38.45.61.08, fax 02.38.45.65.70,
e-mail vignerons.orleans@free.fr r.-v.

DOM. SAINT-AVIT 2005

6,12 ha 15 000 3 à 5 €

Des écrits notariés attestent de la présence de la famille Javoy à Mézières depuis 1792. À la tête de plus de 15 ha de vignes, Pascal Javoy propose aujourd'hui un vin encore timide au nez, mais doté de beaucoup de matière et d'une charpente de bon augure pour l'avenir. Les arômes de fruits noirs persistent bien.

EARL Javoy et Fils,
450, rue du Buisson,
45370 Mézières-lez-Cléry,
tél. 02.38.45.66.95, fax 02.38.45.69.77
t.l.j. sf dim. 9h-12h 14h-19h

Coteaux-du-vendômois

Les coteaux-du-vendômois ont été reconnus en appellation d'origine en 2001. La particularité, unique en France, de cette appellation produite entre Vendôme et Montoire, est constituée par le vin gris de pineau d'Aunis, dont la robe doit rester très pâle et les arômes exprimer des nuances poivrées. On y apprécie également un blanc de chenin, comme dans les AOC coteaux-de-loir et jasnières voisines, au terroir similaire.

Depuis quelques années, les rouges tendent à se développer. La nervosité légèrement épicée du pineau d'Aunis est tempérée par le calme gamay et rehaussée soit en finesse par le pinot noir, soit en tanins par le cabernet. La production a atteint 6 905 hl en 2005 pour une superficie d'environ 142 ha.

Le touriste pourra apprécier les bords du Loir, les coteaux truffés d'habitations troglodytiques et de caves taillées dans le tuffeau.

DOM. DE LA CHARLOTTERIE Tradition 2005 ★★

■ 1,2 ha 7 000 ▮ 3 à 5 €

Un domaine de 9 ha que Dominique Houdebert conduit depuis 1983 sur des sols d'argiles à silex. Cabernet, pinot noir et pineau d'Aunis ont donné naissance à ce vin rouge foncé à reflets violets, dont les arômes de fruits rouges se libèrent volontiers. Des tanins mûrs s'enrobent dans la chair riche et persistante. Un remarquable représentant du Vendômois. La cuvée **Raisin doré 2005 (8 à 11 €)**, vin blanc moelleux, apte à accompagner un foie gras, obtient une étoile, tandis que le **vin gris 2005**, frais et typique du pineau d'Aunis, est cité.

🔑 Dominique Houdebert, Dom. de la Charlotterie, 2, rue du Bas-Bourg, 41100 Villiersfaux, tél. 02.54.80.29.79, fax 02.54.73.10.01, e-mail dominique.houdebert@wanadoo.fr ☑ Y ⚲ r.-v.

PATRICE COLIN Gris 2005 ★

■ 4,12 ha 20 000 ◖◗ 3 à 5 €

Étiquette sobre et élégante pour ce vin gris. Élégance encore à la dégustation. Sous une robe saumonée apparaissent des arômes de fruits exotiques, rehaussés de la note de poivre attendue. Cette dernière se retrouve au palais, dans un environnement fait de rondeur et de fraîcheur en finale. Le **2005 blanc**, encore timide, mais souple et équilibré, est cité.

🔑 Patrice Colin, 41100 Thoré-la-Rochette, tél. 02.54.72.80.73, fax 02.54.72.75.54, e-mail patrice.colin1@tiscali.fr ☑ Y ⚲ r.-v.

DOM. DU FOUR À CHAUX 2005 ★

■ 2 ha 5 000 ▮ 3 à 5 €

Un jambon au pineau d'Aunis, voilà un accord tout trouvé pour ce vin jaune pâle à reflets dorés. Un chenin riche de senteurs de fruits exotiques et de fleurs blanches, qui tire profit d'une note acidulée pour trouver un bon compromis entre rondeur et fraîcheur. Le **vin gris 2005**, souple et bien persistant sur des arômes d'agrumes, obtient la même note.

🔑 EARL Dominique Norguet, Berger, 41100 Thoré-la-Rochette, tél. 02.54.77.12.52, e-mail norguet.dominique@wanadoo.fr ☑ Y ⚲ r.-v.

CHARLES JUMERT 2005 ★★

■ 2,01 ha 6 000 ▮ 3 à 5 €

Rubis à reflets violets, ce vin généreux en arômes de fruits rouges et d'épices se montre rond dès l'attaque au palais. Il se développe avec suavité, puis laisse s'exprimer en finale quelques tanins encore jeunes qui ne tarderont pas à se fondre. Le **vin gris 2005**, très frais, est cité, à l'instar du **2005 blanc** typique du cépage chenin.

🔑 Charles Jumert, 4, rue de la Berthelotière, 41100 Villiers-sur-Loir, tél. et fax 02.54.72.94.09 ☑ Y ⚲ r.-v. 🏠 B

DOM. J. MARTELLIÈRE Cuvée Balzac 2005 ★

■ 0,8 ha 3 500 ▮◖◗ 3 à 5 €

J. Martellière, qui possède des caves troglodytiques creusées dans le tuffeau, a bien maîtrisé l'élevage de ce 2005, avec un passage de deux mois sous bois, respectueux de l'expression délicate des cépages. De teinte soutenue, le vin offre un nez intense, à la fois fruité et poivré, puis maintient un bon équilibre au palais, grâce à des tanins présents, mais soyeux. Si vous manquez d'idées pour un accord gourmand, demandez conseil à ce producteur qui tient aussi un restaurant en centre-ville, où il sert les spécialités locales.

🔑 SCEA du Dom. J. Martellière, 46, rue de Fosse, Fosse, 41800 Montoire-sur-le-Loir, tél. et fax 02.54.85.16.91 ☑ Y ⚲ r.-v.

DOM. JACQUES NOURY Gris 2005 ★

■ 0,44 ha 2 500 ▮ 3 à 5 €

Un pineau d'Aunis au nez expressif de fruits mûrs à point. Il se montre souple, frais et persistant, de bonne composition pour accompagner des grillades et des tourtes faites maison. Le **2005 blanc**, flatteur, est cité, de même que le **2005 rouge** qui a connu le bois.

🔑 Dom. Jacques Noury, Montpot, 41800 Houssay, tél. 02.54.85.36.04, fax 02.54.85.19.30 ☑ Y ⚲ r.-v.

LES VIGNERONS DU VENDÔMOIS Gris 2005 ★★★

■ 4,5 ha 31 000 ▮ 3 à 5 €

Un vin gris du Vendômois qui fait l'unanimité. Couleur saumoné brillant, il libère généreusement ses arômes fruités, nuancés de la note poivrée caractéristique du cépage pineau d'Aunis. Au palais, la rondeur est équilibrée par une juste fraîcheur perceptible en finale. La coopérative présente ainsi un fleuron de l'appellation. Une étoile revient au **2005 blanc**, aux notes de fruits exotiques, comme au **2005 rouge**, typique des coteaux-du-vendômois.

Cave des Vignerons du Vendômois,
60, av. du Petit-Thouars, 41100 Villiers-sur-Loir,
tél. 02.54.72.90.69, fax 02.54.72.75.09,
e-mail caveduvendomois@wanadoo.fr
t.l.j sf lun. 9h-12h 14h-19h

Valençay

Dans cette région marquée par le passage de Talleyrand, aux confins du Berry, de la Sologne et de la Touraine, la vigne alterne avec les forêts, la grande culture et l'élevage de chèvres. Les sols sont à dominante argilo-siliceuse ou argilo-limoneuse. Le vignoble s'étend sur plus de 300 ha, dont moins de la moitié déclarée en valençay (142 ha en 2005). L'encépagement y est classique de la moyenne vallée de la Loire et les vins sont à boire jeunes le plus souvent. Le sauvignon fournit des vins aromatiques aux touches de cassis ou de genêt, avec un complément apporté par le chardonnay. Les vins rouges assemblent gamay, cabernets, cot et pinot noir. La production 2005 a atteint 2 161 hl en blanc et 4 828 hl en rouge et rosé.

La même appellation désigne un fromage de chèvre, qui a obtenu l'AOC en 1998. Ces pyramides s'accordent, selon leur degré d'affinage, avec les vins rouges ou les vins blancs.

DOM. AUGIS 2005 *

1,2 ha 7 000 3 à 5 €

Un mariage très réussi entre le sauvignon et le chardonnay. Si le premier domine au nez, à travers de fins arômes de fleurs blanches, le second donne de la rondeur et de la sagesse à la bouche. Un valençay destiné à un poisson en sauce. Le **2005 rouge** est cité pour ses senteurs de fruits mûrs et sa suavité.

Dom. Augis, 1465, rue des Vignes, 41130 Meusnes, tél. 02.54.71.01.89, fax 02.54.71.74.15, e-mail philippe.augis@wanadoo.fr
t.l.j. sf dim. 8h-12h 14h-19h; f. 15-30 août
Philippe Augis

DOM. BARDON 2005 **

2 ha 5 000 5 à 8 €

Les vignes de sauvignon et de chardonnay poussent ici sur des sols riches en silex, ces silex que l'on taillait autrefois en pierre à fusil. Denis Bardon saura vous parler de ce terroir qui lui a permis d'élaborer ce vin jaune pâle. Le sauvignon (80 %) laisse son empreinte dans la palette puissante et complexe : mangue, notes miellées, nuances florales. Le chardonnay apporte rondeur et souplesse au palais, qu'un léger côté acidulé rehausse en finale comme pour mieux soutenir les flaveurs persistantes. Une vinification soignée pour ce fleuron de l'appellation. Le **Domaine Bardon 2005 rouge** est cité pour sa bonne présence en bouche.

Denis Bardon, 22, rue Paul-Couton, 41130 Meusnes, tél. 02.54.71.01.10, fax 02.54.71.75.20, e-mail denisbardon@vinsbardon.com r.-v.

DOM. DES CHAMPIEUX 2005 *

0,35 ha 1 500 3 à 5 €

Régis Mandard et sa mère conduisent un domaine de 16 ha sur sols argilo-siliceux. Le sauvignon constitue à lui seul ce 2005 aux notes d'agrumes et de fleurs blanches, tout en rondeur et en finesse. Un valençay charmeur. Le **2005 rouge**, généreusement aromatique, mais aux tanins encore un peu accrocheurs, est cité.

Régis Mandard, Dom. des Champieux, 26, Puits-de-Saray, 36600 Lye, tél. 02.54.41.02.44, fax 02.54.41.09.66 r.-v.

LE CLOS DELORME 2005 **

6 ha 40 000 5 à 8 €

Les fidèles lecteurs du Guide les connaissent bien, Albane et Bertrand Minchin, ces producteurs de menetou-salon qui, en 2004, ont eu un coup de cœur pour un terroir du valençay. En 2005, ils ont su patienter pour récolter un raisin mûr à point et le vinifier avec doigté. Au final, c'est un vin de teinte sombre qui coule dans le verre. Les arômes de fruits compotés annoncent une bouche ronde, aux tanins soyeux. **Le Clos Delorme 2005 blanc** est cité ; il convient de le laisser vieillir quelques mois pour favoriser son expression.

Albane et Bertrand Minchin, EARL Le Clos Delorme, 8, rue des Landes, 41130 Selles-sur-Cher, tél. 02.48.25.02.95, fax 02.48.25.05.03 r.-v.

DOM. GARNIER 2005

3 ha 20 000 3 à 5 €

Éric et Olivier, deux frères, exploitent les 26 ha de cette propriété familiale, implantée sur des sols d'argiles à silex. Leur 2005 paraît timide dans ses évocations de fruits rouges, mais il offre en bouche une chair souple et fruitée. Quelques tanins encore adolescents méritent de se discipliner à la faveur d'un an de garde.

Dom. Garnier, 81, rue Eugène-Delacroix, 41130 Meusnes, tél. 02.54.00.10.06, fax 02.54.05.13.36, e-mail garnier@terre-net.fr r.-v.

VIGNOBLE GIBAULT 2005

1,7 ha 12 000 3 à 5 €

Au menu d'un pique-nique après la visite du musée de la Taille du silex, à Meusnes : asperges de Sologne et pyramide de valençay, fromage de chèvre, sans oublier la bouteille de valençay. Tout est délicatesse et douceur dans ce 2005 jaune pâle. Après de fins arômes de fruits exotiques, d'agrumes et de fleurs blanches se manifeste au palais une pointe acidulée qui apporte de la fraîcheur.

⊶ Vignoble Gibault, 183, rue Gambetta,
41130 Meusnes, tél. 02.54.71.02.63, fax 02.54.71.58.92,
e-mail vignoblegibault@wanadoo.fr
☑ Y ⚘ t.l.j. sf dim. 9h-12h 14h-19h

FRANCIS JOURDAIN Les Terrajots 2005

▒ 1 ha 6 000 ▮ 3 à 5 €

À une dizaine de kilomètres du parc de Beauval et du château de Valençay, Francis Jourdain cultive 20 ha de vignes sur un terroir d'argile sur tuffeau jaune. Ses deux valençay blancs ont été retenus par le jury. Assemblage de 75 % de sauvignon et de 25 % de chardonnay, celui-ci s'affiche sous une teinte jaune légèrement dorée, signe d'une bonne maturité. Encore timide au nez, il se développe avec rondeur au palais, jusqu'à une finale chaleureuse. La **Cuvée Chèvrefeuille 2005** est citée pour ses notes de fleurs et d'agrumes comme pour son gras.

⊶ Francis Jourdain, Les Moreaux, 36600 Lye,
tél. 02.54.41.01.45, fax 02.54.41.07.56,
e-mail jourdain.earl@wanadoo.fr ☑ Y ⚘ r.-v.

DOM. MALET Prestige 2005 ★★★

■ 1 ha 6 600 ▮ 3 à 5 €

L'ensemble du jury a été surpris par l'élégance et la puissance de ce vin. Vêtu d'une robe grenat soutenu, celui-ci libère des arômes de fruits frais : framboise et mûre. Des tanins fins étayent la chair ronde et aromatique, d'une longueur remarquable. Le **2005 blanc** et le **2005 rosé** obtiennent chacun une étoile pour leur harmonieuse fraîcheur.

⊶ GAEC Malet Frères, 3, rue Pointeau, 36600 Lye,
tél. 02.54.41.05.36, fax 02.54.41.01.24
☑ Y ⚘ t.l.j. sf dim. 8h-19h; groupes sur r.-v.

JEAN-FRANÇOIS ROY Cuvée des Pinotes 2004

■ 3 ha 10 000 ▮ 3 à 5 €

Cuvée des Pinotes. Ce nom fait-il référence au pinot noir qui compose 60 % de ce vin, assemblé au gamay (30 %) et au cot ? Couleur cerise clair, celui-ci offre volontiers ses arômes de fruits rouges (griotte à l'eau-de-vie), puis il se montre rond et souple, tout en légèreté. Un valençay à servir avec des viandes blanches ou des fromages. Dans la même veine, le **2004 rouge** est cité également.

⊶ Jean-François Roy, 3, rue des Acacias, 36600 Lye,
tél. 02.54.41.00.39, fax 02.54.41.06.89,
e-mail jeanfrancois.roy@wanadoo.fr ☑ Y ⚘ r.-v.

HUBERT ET OLIVIER SINSON 2005 ★

▒ 3,09 ha 10 000 ▮ 3 à 5 €

Si vous êtes invité à faire les vendanges dans ce domaine de 23 ha, vous marcherez sur les traces de célébrités qui y ont joué du sécateur. Hors saison, vous viendrez ici déguster ce valençay délicatement aromatique dans le registre des agrumes. La douceur caractérise l'expression gustative agréablement persistante. Encore timide dans ses évocations de fruits à noyau très mûrs, le **2005 rouge** devra patienter en cave pour fondre ses tanins. Il est cité.

⊶ EARL Hubert et Olivier Sinson,
1397, rue des Vignes, 41130 Meusnes,
tél. 02.54.71.00.26, fax 02.54.71.50.93,
e-mail o.sinson@wanadoo.fr ☑ Y ⚘ r.-v.
⊶ Olivier Sinson

GÉRARD TOYER 2005 ★

▒ 0,5 ha 3 000 ▮ 3 à 5 €

Selles-sur-Cher est un village au patrimoine intéressant : une église des XIIe et XIII^e^s., Notre-Dame-la-Blanche, avec ses frises romanes, et un château bâti à l'emplacement d'une forteresse médiévale. Vous ferez un détour par la cave de Gérard Toyer pour découvrir ce rosé brillant, intensément fruité, qui, par sa souplesse, sa vivacité et sa persistance, constitue un excellent compagnon des grillades. Une étoile revient aussi à la **Cuvée du Prince 2005 rouge** : robe grenat, rondeur et tanins fondus, elle a du charme.

⊶ Gérard Toyer, 63, Grande-Rue, Champcol,
41130 Selles-sur-Cher, tél. 02.54.97.49.23,
fax 02.54.97.46.25 ☑ Y ⚘ r.-v.

VIGNERONS RÉUNIS DE VALENÇAY Terroir 2005 ★★

■ 7,3 ha 53 000 3 à 5 €

Trois vins présentés, trois vins retenus. La cave de Valençay, fondée en 1965, porte haut les couleurs de l'appellation. Ce 2005 a fait belle impression par la puissance de ses arômes de fruits noirs légèrement poivrés comme par sa matière ronde et fruitée, soutenue par des tanins fondus. Une remarquable harmonie entre le nez et la bouche. La cuvée **Terroir 2005 blanc**, fraîche et d'une grande finesse, obtient une étoile, de même que la cuvée **Tradition 2005 blanc**, bien typée sauvignon. Pensez à rapporter de votre voyage dans le vignoble une pyramide de valençay, célèbre fromage de chèvre, pour l'accord gourmand.

⊶ Cave des Vignerons réunis de Valençay, La Lie,
36600 Fontguenand, tél. 02.54.00.16.11,
fax 02.54.00.05.55, e-mail vigneronvalencay@aol.com
☑ Y ⚘ t.l.j. sf dim. 8h-12h 14h-18h

Les vignobles du Centre

Des côtes du Forez à l'Orléanais, les secteurs viticoles du Centre occupent les endroits les mieux exposés des coteaux ou plateaux modelés au cours des âges géologiques par la Loire et ses affluents, l'Allier et le Cher. Ceux qui, sur les côtes d'Auvergne, à Saint-Pourçain en partie ou à Châteaumeillant, sont implantés sur les flancs est et nord du Massif central, restent cependant ouverts sur le bassin de la Loire. Siliceux ou calcaires, les sols viticoles de ces régions portent un nombre restreint de cépages, parmi lesquels ressortent surtout le gamay pour les vins rouges et rosés, et le sauvignon pour les vins blancs. Quelques spécialités : tressalier à Saint-Pourçain et chasselas à Pouilly-sur-Loire pour les blancs ; pinot noir à Sancerre, Menetou-Salon et Reuilly pour les rouges et rosés, avec encore le délicat pinot gris dans ce dernier vignoble ; et enfin le meunier qui, près d'Orléans, fournit l'original « gris meunier ».Tous les vins du Centre ont en commun légèreté, fraîcheur et fruité, qui les rendent particulièrement agréables et en harmonie avec la cuisine régionale.

Châteaumeillant AOVDQS

Le gamay retrouve ici les terroirs qu'il affectionne, dans un site très anciennement viticole qui compte 98 ha en 2005 pour une production de 4 283 hl.

La réputation de Châteaumeillant s'est établie grâce à son célèbre « gris », vin issu du pressurage immédiat des raisins de gamay et présentant un grain, une fraîcheur et un fruité remarquables. Les rouges (à boire jeunes et frais), produits de sols d'origine éruptive, allient légèreté, bouquet et gouleyance.

DOM. DU CHAILLOT 2005 ★

■ 4 ha 14 000 **5 à 8 €**

Pierre Picot poursuit avec méthode et persévérance, mais aussi avec succès, son objectif de qualité. Une fois de plus, les deux vins qu'il a présentés sont sélectionnés. Les arômes de son rouge 2005 (fruits rouges) sont typés et déjà intenses. Le palais, d'abord marqué par la souplesse, évolue vers le gras, prélude à une finale veloutée qui croque dans le fruit. Un châteaumeillant gourmand. Le **rosé 2005** est cité pour sa structure corsée.

Dom. du Chaillot, pl. de la Tournoise, 18130 Dun-sur-Auron, tél. 02.48.59.57.69, fax 02.48.59.58.78, e-mail pierre.picot@wanadoo.fr ☑ Y ☨ r.-v.

DOM. GEOFFRENET-MORVAL
Cuvée Version originale 2005 ★★

■ 1,3 ha 5 200 ▮ 5 à 8 €

Un terroir de prédilection, un vigneron jeune mais déjà expert, tels sont les secrets de la consécration de cette Version originale 2005. L'œil ouvre la cérémonie sur une robe très sombre animée de larmes abondantes. Puis se dévoilent des arômes subtils qui laissent présager une grande concentration. Impression confirmée par la bouche, puissamment fruitée qui offre beaucoup de matière et

un petit côté sauvage à discipliner. Un châteaumeillant au potentiel énorme. Le **rosé 2005 Cuvée Comte de Barcelone** est recommandé avec une étoile pour sa rondeur et sa vivacité.

Dom. Geoffrenet-Morval, 2, rue de La Fontaine, 18190 Venesmes, tél. 02.48.60.50.15, fax 02.48.60.55.64, e-mail fabien.geoffrenet@wanadoo.fr ☑ Y ☨ r.-v.

PRESTIGE DES GARENNES 2005 ★★

■ 5 ha 35 000 3 à 5 €

La cave de Tivoli vinifie une proportion importante des vins de Châteaumeillant. Elle s'est récemment modernisée, tant sur le plan technique que pour l'accueil de ses clients. Sa cuvée Prestige séduit l'œil par sa couleur gris-rose et le nez par des arômes intenses de fruits (pêche

LOIRE

jaune) et des nuances florales. En bouche, il frappe par son originalité : très gras, riche et fin. L'ensemble se montre harmonieux et équilibré, d'une belle longueur. Un coup de cœur plein d'élégance, qui ne vous laissera pas indifférent.
Cave du Tivoli, rte de Culan,
18370 Châteaumeillant, tél. 02.48.61.33.55,
fax 02.48.61.44.92, e-mail cave@chateaumeillant.com
t.l.j. sf dim. 8h-12h 13h30-17h30; dim. juil.-août

DOM. DES TANNERIES 2005 *

5,39 ha 24 000 3 à 5 €

Avant de rendre visite à la famille Raffinat, vous pourrez faire un détour par le château de Culan situé à 12 km de Châteaumeillant. Ensuite, vous goûterez au domaine ce vin qui offre, au nez comme en bouche, une expression fort agréable marquée par les fruits rouges. Les tanins fins s'affirment en finale, sans nuire à la persistance aromatique. Un joli vin qui s'accordera avec un chou farci.
Raffinat et Fils, Dom. des Tanneries,
18370 Châteaumeillant, tél. 02.48.61.35.16,
fax 02.48.61.44.27 r.-v.

Côtes-d'auvergne AOVDQS

Qu'ils soient issus de vignobles des puys, en Limagne, ou de vignobles des monts (dômes) en bordure orientale du Massif central, les bons vins d'Auvergne proviennent du gamay, très anciennement cultivé ainsi que du pinot noir pour les rouges et rosés et du chardonnay pour les blancs. Ils ont droit à la dénomination AOVDQS depuis 1977 et naissent de 412 ha de vignes. Les rosés malicieux et les rouges agréables sont particulièrement indiqués sur les fameuses charcuteries locales ou les plats régionaux réputés. Dans les crus, Boudes, Chanturgue, Châteaugay, Corent et Madargues, ils peuvent prendre un caractère, une ampleur et une personnalité surprenants. 16 550 hl ont été produits en 2005 dont 1 822 hl en blanc.

JACQUES ABONNAT Boudes Les Rivaux 2005 **

1,8 ha 4 000 5 à 8 €

Après avoir visité le château de Villeneuve-Lembron, bâti à la fin du XV^e^s. pour le maître d'hôtel de la cour de France, vous n'aurez qu'à parcourir deux petits kilomètres pour parvenir au domaine de Jacques Abonnat et découvrir ce gamay grenat foncé. Une palette complexe se révèle à l'aération, déclinant les fruits rouges et noirs très mûrs. Remarquablement équilibrée, la bouche apparaît ronde dès l'attaque, puis ample et soyeuse grâce à des tanins fondus. Cette bouteille saura attendre deux ans en cave. La cuvée principale **Boudes 2005** obtient une étoile pour sa souplesse.
Jacques Abonnat, 63340 Chalus,
tél. et fax 04.73.96.45.95 r.-v.

YVAN BERNARD Corent 2005 *

1,2 ha 6 000 3 à 5 €

Montpeyroux est un village vigneron qui a gardé son caractère médiéval grâce, notamment, à un donjon du XII^e^s. Yvan Bernard y propose ce Corent qui célèbre le mariage du pinot noir et du gamay : des arômes épicés se développent au nez, tandis que la bouche, ronde et chaleureuse, fait la part belle au pinot noir dans ses flaveurs finales. Vous servirez cette bouteille avec un gigot d'agneau. La cuvée principale **gamay 2005 rouge (5 à 8 €)** est citée, de même que le **Corent 2005 rosé**.
Yvan Bernard, rue de la Reine,
63114 Montpeyroux, tél. 04.73.55.31.97,
e-mail bernard_corent@hotmail.com r.-v.

MARCEL BONJEAN-VERDIER
Châteaugay Cuvée Élisa 2005

1 ha 5 800 5 à 8 €

Stéphane Bonjean travaille dans une cave creusée dans la lave. Pas de doute, vous voici au pays des volcans. Encore jeune, ce Châteaugay exprime de plaisants arômes de fruits rouges et de bonbon anglais, puis livre une chair vive qui devrait s'assouplir dans les deux ans à venir. Le **gamay 2005** reçoit également une citation.
GAEC Bonjean, rue du Clos, 63112 Blanzat,
tél. 04.73.87.90.50, fax 04.73.87.62.59 r.-v.
Stéphane Bonjean

NOËL BRESSOULALY Gamay-pinot noir 2005

2 ha 10 000 3 à 5 €

Les origines de ce domaine remonteraient à la fin du XVI^e^s. et la cave fut bâtie en 1761. Aujourd'hui, c'est un vin grenat, orienté vers les fruits rouges que Noël Bressoulaly a élaboré. Les tanins se montrent encore rebelles au palais, mais ils composent une structure de qualité qui devrait bien évoluer dans le temps. Le **Corent 2005 rosé** est lui aussi cité.
Noël Bressoulaly, chem. des Pales, 63114 Authezat,
tél. 04.73.39.50.20, fax 04.73.24.18.01 r.-v.

CHARMENSAT Boudes 2005

0,48 ha 3 000 5 à 8 €

Exposé plein sud, le vignoble de 10 ha occupe des coteaux argilo-calcaires aménagés en terrasses. Certains ceps sont presque centenaires. Le gamay a donné naissance à ce rosé couleur pelure d'oignon qui se montre expressif (fruits rouges), à la fois frais et rond, de bonne longueur. Mariez-le avec des charcuteries auvergnates ou des plats épicés.
EARL Charmensat, rue du Coufin, 63340 Boudes,
tél. 04.73.96.44.75, fax 04.73.96.58.04,
e-mail charmensat@freesurf.fr r.-v.

DESPRAT La Légendaire 2004 *

20 ha 1 500 5 à 8 €

La Légendaire rend hommage au grand-père de Pierre Desprat qui découvrit dans les montagnes du Cantal un lieu propice au vieillissement des vins : une cave enfouie sous des hêtraies en altitude. Un élevage d'un an en fût a contribué au caractère de ce 2004 jaune doré, reflet d'un raisin mûr. Celui-ci présente une attaque franche, puis de la souplesse, le bois respectant l'expression du fruit. **La Légendaire 2004 rouge** est citée : marquée par le pinot noir, elle tire cependant profit du gamay qui assouplit sa structure.
Desprat Vins, 10, av. Jean-Baptiste-Veyre,
15000 Aurillac, tél. 04.71.48.25.16, fax 04.71.48.45.45,
e-mail desprat-vins@wanadoo.fr r.-v.

P. GOIGOUX Châteaugay 2005 *

	1,3 ha	7 600		3 à 5 €

La teinte jaune paille à reflets dorés laisse imaginer une vendange mûre à point. Hypothèse confirmée par le nez généreux de fruits exotiques comme par la bouche fruitée, ronde et chaleureuse. Le **Chateaugay 2005 rouge**, issu du gamay, est cité, de même que le **Chanturgue 2005 rouge**, assemblage de pinot noir et de gamay à parts égales.

GAEC Pierre Goigoux, Dom. de la Croix Arpin, Pompignat, 63119 Châteaugay, tél. 04.73.25.00.08, fax 04.73.25.17.07, e-mail gaec.pierre.goigoux@63.sideral.fr
t.l.j. sf lun. dim. 10h-11h30 15h-18h30; 15 sept.-15 avr. sam. uniquement

ODETTE ET GILLES MIOLANNE Volcane 2005 *

	3,8 ha	20 937		5 à 8 €

Le pinot noir et le gamay s'équilibrent dans ce vin grenat brillant qui livre un nez complexe de fruits noirs mûrs. Au palais, les tanins sont certes présents, mais élégants, de sorte qu'ils ne nuisent en rien à l'impression de souplesse.

Odette et Gilles Miolanne, EARL de la Sardissère, 17, rte de Coudes, 63320 Neschers, tél. 04.73.96.72.45, fax 04.73.96.25.79, e-mail gilles.miolanne@wanadoo.fr
r.-v.

BENOÎT MONTEL Châteaugay Bourrassol 2005 **

	1,1 ha	6 000		5 à 8 €

Une sauce plutôt relevée sur un poisson ou une viande blanche devrait mettre en valeur ce chardonnay aux senteurs complexes de miel et de fleurs. Des flaveurs de fruits cuits contribuent au charme de la bouche équilibrée et persistante, tout en rondeur.

Benoît Montel, 33, Grande-Rue, 63200 Ménétrol, tél. et fax 04.73.64.96.14 r.-v.

DAVID PÉLISSIER Boudes 2005 *

	0,6 ha	3 000		3 à 5 €

À l'occasion d'une soirée barbecue ou en accompagnement d'un plateau de charcuteries auvergnates, vous apprécierez ce rosé de teinte saumon pâle. Un vin gris délicat dans son expression florale, aérien par sa fraîcheur et son fruité nuancé d'épices perceptibles au palais.

David Pélissier, rue de Dauzat, 63340 Boudes, tél. et fax 04.73.96.43.45, e-mail dfpelissier@hotmail.com
t.l.j. 8h-12h 14h-19h

MICHEL PÉLISSIER
Boudes Vieilles Vignes Cuvée Prestige
Élevé en fût de chêne 2004

	2 ha	4 000		5 à 8 €

À Boudes, vous visiterez l'église romane, puis irez déjeuner au restaurant gastronomique avant de vous rendre chez Michel Pélissier. Vous y trouverez cette cuvée sympathique, à laquelle un élevage en fût de huit mois a légué une note boisée. La chair est souple et légère, empreinte de flaveurs de réglisse.

Michel Pélissier, rue de Dauzat, 63340 Boudes, tél. et fax 04.73.96.43.45, e-mail dfpelissier@hotmail.com
t.l.j. 8h-12h 14h-19h

GILLES PERSILIER Corent Cuvée Luern 2005 ***

	0,5 ha	3 500	3 à 5 €

Issu de gamay mûr à point, ce rosé pâle offre des senteurs délicates de fruits rouges et de fleurs (violette, pivoine). Un même caractère aromatique, dominé par le registre floral, accompagne l'expression d'une chair élégante et fondue, à la finale rafraîchissante. Un vin typé, à servir avec des grillades. Le **Celtil Vieilles Vignes rouge (5 à 8 €)**, un gamay, est cité.

Le Centre

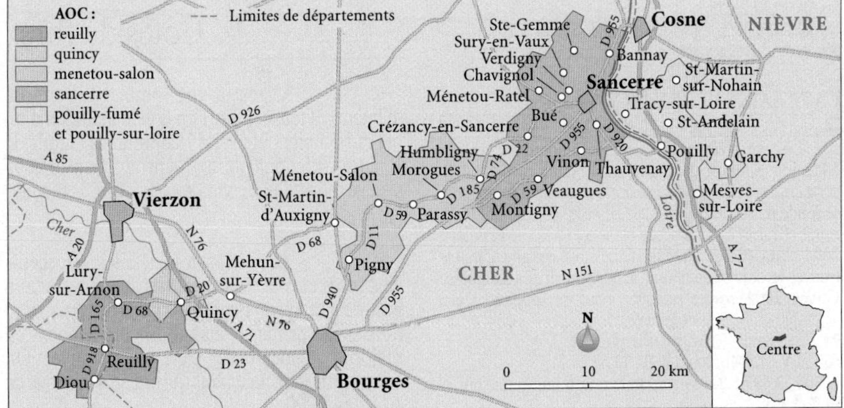

⊶ Gilles Persilier, 27, rue Jean-Jaurès, 63670 Gergovie, tél. 04.73.79.44.42, e-mail gilles-persilier@wanadoo.fr
☑ Y ☆ r.-v.

MARC PRADIER Corent 2005 *

■ 1,33 ha 6 500 ▮ 3 à 5 €

En 2005, Marc Pradier et son frère Jean-Pierre se sont partagé l'exploitation familiale. Ce vin constitue donc le premier millésime vinifié en solo par ce producteur. La cuvée Tradition, assemblage de gamay et de pinot noir, a retenu l'attention du jury par son fruité et sa souplesse. Grenat brillant, elle sera plus charmeuse encore avec un plateau de charcuteries. Cité, le **rosé de Corent 2005** de teinte saumon brillant, aux senteurs discrètes de fruits mûrs, flatte par sa rondeur.

⊶ Marc Pradier, 9, rue Saint-Jean-Baptiste,
63730 Les Martres-de-Veyre, tél. 04.73.39.86.41,
fax 04.73.39.88.17, e-mail jpmpradier@wanadoo.fr
☑ Y ☆ r.-v.

DOM. ROUGEYRON
Châteaugay Cuvée Bousset d'or 2005 **

■ 5 ha 22 000 ▮ 3 à 5 €

Un Châteaugay grenat, au nez subtil de fruits rouges bien mûrs. L'attaque est ronde, la bouche équilibrée et structurée par des tanins fins, enrobés de gras. Les flaveurs de fruits noirs persistent durablement, apportant une pointe de fraîcheur agréable. Du corps et de l'harmonie : un fleuron de l'appellation. La **cuvée Bousset d'Or 2005 rosé**, tout en fruits rouges acidulés, est citée.

⊶ Dom. Rougeyron, 27, rue de La Crouzette,
63119 Châteaugay, tél. 04.73.87.24.45,
fax 04.73.87.23.55,
e-mail domaine.rougeyron@wanadoo.fr ☑ Y r.-v.
⊶ Roland Rougeyron

CAVE SAINT-VERNY Les Volcans 2005 *

■ 60 ha 80 000 3 à 5 €

La cave, créée en 1993, compte aujourd'hui cent dix adhérents. Son rosé de gamay, habillé d'une robe saumon, se montre séduisant par ses arômes de bonbon comme par sa rondeur. Son agréable finale laisse le souvenir des fruits rouges (fraise) et de la pêche blanche. La cuvée **Privilège 2004 blanc (8 à 11 €)** obtient une étoile également tant le fruit et le bois s'équilibrent agréablement. La **Première Cuvée 2004 rouge** est citée pour sa souplesse ; elle assemble pinot noir et gamay.

⊶ Cave Saint-Verny, rte d'Issoire, BP 2,
63960 Veyre-Monton, tél. 04.73.69.60.11,
fax 04.73.69.65.22, e-mail saint.verny@limagrain.com
☑ Y ☆ r.-v.

ANNIE SAUVAT
Boudes Pinot noir Élevage bois 2004 **

■ 2,5 ha 8 000 ◍ 5 à 8 €

Un père et sa fille exploitent ce domaine de 11 ha dans la vallée des Saints. Ils proposent un vin rubis aux légers reflets d'évolution, dont les arômes évoquent la griotte typique du pinot noir, unique cépage vinifié. Quelques notes boisées héritées de douze mois de fût s'y mêlent avec subtilité. La bouche est encore fraîche, dotée de tanins soyeux qui lui donnent de la souplesse. En finale, une pointe vanillée rehausse les notes persistantes de fruits rouges. Le **Boudes Les Demoiselles Gamay 2005 (3 à 5 €)** obtient la même note : intensément coloré, empreint d'épices et de fruits noirs, il est si structuré et charnu qu'il saura attendre trois ans.

⊶ Claude et Annie Sauvat, 63340 Boudes,
tél. 04.73.96.41.42, fax 04.73.96.58.34,
e-mail sauvat@terre-net.fr ☑ Y ☆ r.-v.

THIERRY SCIORTINO Corent 2005 *

■ 0,84 ha 5 000 3 à 5 €

Si vous partez en randonnée sur les sentiers de Vic-le-Comte, vous trouverez aisément la maison vigneronne de Thierry Sciortino. Un rosé vous y attend : pâle, élégamment parfumé de fruits rouges mûrs, il laisse une sensation de rondeur, avec une pointe chaleureuse en finale. Le **2005 rouge** est cité.

⊶ Thierry Sciortino, Dom. de Lachaux,
63270 Vic-le-Comte, tél. 06.64.18.48.84,
fax 04.73.69.08.06 ☑ Y ☆ r.-v.

DOM. DES TROUILLÈRES Corent 2005 *

■ 2,5 ha n.c. ▮ 3 à 5 €

Ce pur gamay offre généreusement ses arômes de fruits mûrs presque compotés. La bouche est ronde, relevée en finale d'un léger perlant qui lui redonne de la fraîcheur. Voilà un rosé prêt à accompagner tout un repas.

⊶ Jean-Pierre Pradier, rue de Tobize,
63730 Martres-de-Veyre, tél. et fax 04.73.39.95.63
☑ Y ☆ r.-v.

Côtes-du-forez

C'est à une somme d'efforts intelligents et tenaces que l'on doit le maintien d'un bel et bon vignoble sur 17 communes autour de Boën-sur-Lignon (Loire). La production en 2005 s'élève à 6 608 hl de vins rouges et rosés récoltés sur 146 ha.

La quasi-totalité des excellents vins rosés et rouges, secs et vifs, exclusivement à base de gamay, est issue de terrains du tertiaire au nord et du primaire, au sud. Ils proviennent en majorité d'une belle cave coopérative. On consomme jeunes ces vins qui ont été reconnus en AOC en 2000.

GILLES BONNEFOY
Mémoire de Madone Gamay du volcan
Vieilles Vignes 2005 ★★

■	n.c.	3 000	🍷	8 à 11 €

Installé en 1997, Gilles Bonnefoy cultive en agriculture biologique des vignes de soixante-dix ans. Elles sont à l'origine de cette cuvée rubis intense aux reflets grenat d'une belle profondeur, qui a séduit le grand jury. Sa belle palette de notes vanillées, de café et de pain grillé s'associe à une agréable minéralité et à des arômes de fruits rouges. La bouche ample, charnue et fruitée, révèle un superbe équilibre des tanins et un élégant boisé. Résultat d'un élevage bien maîtrisé, ce 2005 est à servir avec une entrecôte charolaise ou des fromages. Du même domaine, la cuvée **La Madone 2005 (3 à 5 €)** est citée.

Gilles Bonnefoy, Jobert, 42600 Champdieu, tél. 04.77.97.07.33, fax 04.77.97.79.38, e-mail g.bonnefoy@42.sideral.fr ☑ Y ⚲ r.-v.

DOM. DE COUZAN Cuvée Alexis 2005 ★

■	1,7 ha	5 000	▮	5 à 8 €

Créé en 2001, le domaine compte 2,3 ha de vignes menées en culture raisonnée. Saluons une nouvelle fois les efforts de replantation entrepris par Frédéric Murat dans sa commune. Dotée d'une robe grenat d'une belle profondeur, sa cuvée Alexis livre des parfums de réglisse où se mêlent des nuances de pierre volcanique. Sa chair ronde et fruitée, marquée par la fraîcheur de la minéralité des arômes, a beaucoup de charme. D'une bonne longueur, ce vin est prêt. On le servira avec du fromage de tête ou des viandes grillées.

Frédéric Murat, Cremière, 42890 Sail-sous-Couzan, tél. et fax 04.77.97.63.57, e-mail viti@domaine-de-couzan.com ☑ Y ⚲ r.-v.

STÉPHANIE GUILLOT
Opéra Fleur de vigne 2005 ★★★

■	1 ha	4 000	▮ 🍷	5 à 8 €

Une étoile avait été attribuée l'année dernière à la production 2004 élaborée par Robert Guillot. Le 2005, vinifié par Stéphanie, qui a pris la direction du domaine depuis le 1er mai 2005, est plébiscité par le grand jury. Dotée d'une superbe robe grenat, limpide et profonde, cette cuvée livre d'intenses et purs parfums de cassis, de myrtille et de framboise évoluant vers la gelée de mûre. Ronde, sa chair qui emplit totalement le palais, montre de fins tanins serrés, mariés à un séduisant fruité de framboise et de fraise. Ce vin gourmand, puissant et structuré, accompagnera sans plus attendre, des terrines ou un poulet de Bresse à la crème et aux morilles.

Stéphanie Guillot, RN 89 Loge des Pères, La Bouteresse, 42130 Sainte-Agathe-la-Bouteresse, tél. 06.82.49.26.44, fax 04.77.97.37.40 ☑ Y ⚲ r.-v.

C. & D. MONDON Caractère 2005 ★

■	1 ha	4 500	▮	3 à 5 €

En 2002, Daniel Mondon quitte la cave coopérative pour vinifier directement l'intégralité des vignes de son domaine. Grenat limpide, cette cuvée livre des notes expressives de vanille, d'amande grillée mêlées aux fruits rouges. Elles accompagnent une bouche ronde et longue. Structuré et bien travaillé, ce 2005 est à boire sur une viande rouge, de la charcuterie, ou même un poisson.

Christiane et Daniel Mondon, Fontvial, 42560 Boisset-Saint-Priest, tél. et fax 04.77.76.33.30 ☑ Y ⚲ t.l.j. 8h-20h

DOM. DE LA PIERRE NOIRE 2005

■	0,4 ha	2 000		3 à 5 €

Le domaine est une nouvelle fois cité pour son rosé. Celui-ci, limpide, offre d'agréables et fraîches senteurs de pétales de rose et de fruits. Leur relative discrétion en bouche est contrebalancée par une matière nette et chaleureuse qui garde de la vivacité. Ce 2005, complet et réussi, est à boire dans l'année.

Hélène et Christian Gachet, Dom. de La Pierre Noire, 9, chem. de l'Abreuvoir, 42610 Saint-Georges-Hauteville, tél. 04.77.76.08.54 ☑ Y ⚲ r.-v.

DOM. DU POYET Cuvée des Vieux Ceps 2005 ★

■	1,5 ha	7 000	▮	5 à 8 €

Les plus vieilles vignes du domaine, âgées d'une cinquantaine d'années, ont donné cette cuvée rubis aux beaux reflets violets qui exprime des parfums bien développés de groseille, de cassis et de framboise, ponctués de notes minérales. La bouche charnue, d'une remarquable fraîcheur, est imprégnée d'arômes fruités et de nuances évoquant les schistes. Très typé et d'une plaisante rondeur, c'est un vin à déguster avec de la charcuterie ou une tarte Tatin.

Jean-François Arnaud, Dom. du Poyet, Le Bourg, 42130 Marcilly-le-Châtel, tél. 04.77.97.48.54, fax 04.77.97.48.71 ☑ Y ⚲ t.l.j. 8h-12h 13h30-19h; groupes sur r-v.

STÉPHANE RÉAL 2005

■	1 ha	5 500	▮	3 à 5 €

Une fraîche aquarelle représentant le grand-père de Stéphane Réal au travail dans les vignes orne la bouteille. Le vin rubis brillant a d'élégants reflets violines. Les parfums de bonne intensité évoquent les fruits rouges, avec des notes de schiste, de poivre et de gingembre. Ils accompagnent une matière corsée aux tanins enrobés, laissant en fin de bouche une impression de fraîche minéralité. Très structuré, équilibré, ce 2005 est à boire avec de la charcuterie.

Stéphane Réal, Fontvial, 42560 Boisset-Saint-Priest, tél. 04.77.76.63.04 ☑ Y ⚲ r.-v.

O. VERDIER ET J. LOGEL

Cuvée des Gourmets 2005

■ n.c. 25 000 ▮ 3 à 5 €

Depuis la reprise du domaine familial en 1992, le couple s'est investi dans la promotion du vignoble de l'appellation mais aussi de ceux du département, à travers des salons ou des échanges avec des cuisiniers de la Loire et même des États-Unis. Déjà retenue dans le millésime précédent, cette cuvée rubis brillant aux parfums expressifs de framboise et de fraise des bois emplit la bouche d'une matière souple et aromatique. Ce vin gouleyant au fruité frais sera le bienvenu avec une tarte aux pommes ou une salade de fruits.

Odile Verdier et Jacky Logel, La Côte, 42130 Marcilly-le-Châtel, tél. 04.77.97.41.95, fax 04.77.97.48.80, e-mail cave.verdierlogel@wanadoo.fr t.l.j. 9h-12h30 14h-19h; dim. sur r.-v.; f. 20 déc-5 jan

Coteaux-du-giennois

Sur les coteaux de Loire réputés depuis longtemps, tant dans la Nièvre que dans le Loiret, s'étendent des sols siliceux ou calcaires. En 2005, les trois cépages traditionnels, le gamay, le pinot et le sauvignon, ont donné 9 981 hl dont 4 478 hl de vins blancs, légers et fruités, peu tanniques, authentique expression d'un terroir original ; les rouges peuvent être servis jusqu'à cinq ans d'âge, sur toutes les viandes.

Les plantations progressent toujours nettement dans la Nièvre, elles reprennent aussi dans le Loiret, attestant la bonne santé du vignoble qui atteint 184 ha. Les coteaux du giennois ont accédé à l'AOC en 1998.

ÉMILE BALLAND 2005 *

0,5 ha 3 500 8 à 11 €

Héritier de l'expérience acquise par dix générations de vignerons, fort de sa formation d'ingénieur agricole et d'œnologue, Émile Balland a vinifié trois cuvées appréciées du jury. Celle-ci s'ouvre sur une pointe de végétal fugace à laquelle succèdent de discrètes notes de fruits exotiques. Très grasse à l'attaque, elle laisse progressivement apparaître sa structure et un boisé fondu. La cuvée **Les Beaux Jours 2005 rouge (5 à 8 €)**, non boisée, et la cuvée **Domaine Émile Balland 2005 rouge Élevé en fût**, obtiennent une étoile.

Émile Balland, RN 7, BP 9, 45420 Bonny-sur-Loire, tél. 03.86.39.26.51, fax 03.86.39.22.57, e-mail emile.balland@infonie.fr r.-v.

BALLAND PÈRE ET FILS Le Suzin 2005 **

1 ha 7 800 ▮ 5 à 8 €

Le Suzin est le nom du sauvignon à Bonny-sur-Loire, d'où la dénomination de cette cuvée. Des arômes riches et puissants n'empêchent pas l'élégance. La dominante fruitée de poire et de pêche est ainsi relevée d'agréables notes de buis et d'agrumes. La bouche est franche, ample, dotée d'une finale vive de bonne longueur. Un vin prometteur. La cuvée **Gouleyance 2005 rosé** reçoit une étoile pour sa puissance au palais.

Balland Père et Fils, RN7, BP9, 45420 Bonny-sur-Loire, tél. 03.86.39.26.51, fax 03.86.39.22.57 r.-v.

EMMANUEL CHARRIER Prémices 2005

■ 0,8 ha 2 500 ▮ 5 à 8 €

Emmanuel Charrier, installé en 2004, projette de rénover ses bâtiments pour offrir aux visiteurs un accueil à la ferme. D'ores et déjà, vous pourrez lui rendre visite afin d'apprécier sa toute jeune production, dont ce 2005. Après aération apparaissent des arômes de confiture de cerises et une pointe anisée. Les tanins équilibrés et souples respectent l'expression aromatique fruitée jusqu'en finale. Un vin typé.

Emmanuel Charrier, L'Épineau, Paillot, 58150 Saint-Martin-sur-Nohain, tél. 03.86.26.13.11, fax 03.86.26.17.80, e-mail emmanuel.charrier58@tiscali.fr t.l.j. sf dim. 8h-12h30 13h30-19h; f. début janv.

LYCÉE AGRICOLE DE COSNE-SUR-LOIRE 2005

0,2 ha 1 500 ▮ 3 à 5 €

Claude Raulet a pris le relais à la tête de l'exploitation du lycée, juste à la veille des vendanges 2005. Il obtient sa première sélection avec ce rosé de teinte soutenue, très légèrement orangé. Les arômes de fruits compotés et d'agrumes se prolongent jusque dans la chair ronde et coulante dès l'attaque, mais non dénuée de nerf en finale. Cette bouteille accompagnera volontiers une charcuterie.

Lycée agricole de Cosne-sur-Loire, 66, rue Jean-Monnet, Les Cottereaux, BP132, 58206 Cosne-sur-Loire Cedex, tél. et fax 03.86.26.99.84 t.l.j. 8h-12h30 13h30-17h30; f. 8-31 août

DOM. COUET 2005 *

2 ha 15 000 ▮ 3 à 5 €

D'une apparence classique, or pâle à reflets verts, ce vin exprime des arômes d'abord végétaux, puis évolue vers le fruité et le bonbon gourmand. L'attaque est ronde, l'équilibre bâti sur la souplesse et la rondeur, avec un retour aromatique sur la réglisse et une finale citronnée bienvenue. Pour les amateurs de vins blancs pas trop secs. Le **2005 rouge** est cité pour ses arômes de grande maturité.

Dom. Couet, Croquant, 58200 Saint-Père, tél. 03.86.28.14.80 t.l.j. 8h-20h

FOUCHER-LEBRUN Les Bachots 2005 *

■ n.c. n.c. ▮ 5 à 8 €

Paulin Lebrun, fondateur de la maison, était tonnelier. Aujourd'hui, son petit-fils Jack Foucher en assure la direction. Les Bachots est un vin bien aromatique, évocateur de cerise cuite et de fumée. Ronde en attaque, sa structure franche présente des tanins encore un peu stricts, mais qui ne nuisent ni à l'équilibre d'ensemble ni à l'expression persistante des arômes de fruits rouges.

Foucher-Lebrun, 29, rte de Bouhy, 58200 Alligny-Cosne, tél. 03.86.26.87.27, fax 03.86.26.87.20, e-mail foucher.lebrun@wanadoo.fr t.l.j. sf dim. lun. 8h-12h 14h-18h

DOM. DE LA GRANGE ARTHUIS
Les Daguettes 2005

3 ha 16 260 5 à 8 €

Le chantier médiéval du château de Guédélon n'est qu'à quelques kilomètres de ce domaine, dont le propriétaire fut aussi celui des sirops Tesseyre. Ce vin porte le nom du lieu-dit où furent plantées les premières vignes. Assez intense, il révèle des notes florales élégantes, puis une bouche fluide et équilibrée, de bonne fraîcheur. Une bouteille sympathique pour accompagner un crottin de Chavignol.

Dom. de la Grange Arthuis, 89170 Lavau, tél. 03.86.74.06.20, fax 03.86.74.18.01 r.-v.

M. Reynaud

MICHEL LANGLOIS 2005

3,5 ha 30 000 5 à 8 €

Le choix est large chez Michel Langlois qui produit aussi bien du pouilly-fumé et du coteaux-du-giennois que des vins de pays, des effervescents et des crèmes de fruit. Son 2005 exhale d'abord des accents végétaux avant d'offrir son caractère fruité et floral. Il fait preuve de vivacité au palais, mais aussi de légèreté, avec en finale des notes acidulées d'agrumes. Le **Champ de la Croix 2004 rouge** est cité.

Michel Langlois, Le Bourg, 58200 Pougny, tél. 03.86.28.06.52, fax 03.86.28.59.29, e-mail catmi-langlois@wanadoo.fr

t.l.j. 9h-12h30 14h-19h; dim. sur r.-v.

DOM. DES LOUPS 2005

10 ha 85 000 5 à 8 €

S'ils sont encore timides, les arômes n'en ont pas moins de la finesse. Les nuances de fruits jaunes dominent, accompagnées de bourgeon de cassis. L'acidité bien présente laisse cependant percevoir le caractère rond et même chaleureux apporté par l'alcool. À boire jeune pour profiter des arômes.

SCEA Dom. Balland-Chapuis, allée des Soupirs, 45420 Bonny-sur-Loire, tél. 02.48.54.06.67, fax 02.48.54.07.97, e-mail balland.chapuis@wanadoo.fr

r.-v.

J.-L. Saget

ALAIN PAULAT Les belles Fornasses 2005

4,88 ha 70 000 5 à 8 €

Alain Paulat pratique la culture biologique depuis 1982 sur un peu plus de 5 ha de vignes. Gamay (80 %) et pinot noir ont donné naissance à ce vin joliment parfumé de fruits rouges, de réglisse et d'épices légères. Rond en attaque, il bénéficie de gentils tanins et d'une pointe de gras. Ses arômes persistent agréablement en finale.

Alain Paulat, Villemoison, 58200 Saint-Père, tél. 03.86.26.75.57, fax 03.86.28.06.78

t.l.j. 9h-18h; dim. sur r.-v.

POUPAT ET FILS Le Trocadéro 2005 ★★

1,26 ha 10 000 5 à 8 €

Briare est connu pour son canal et ses émaux. Vous pourrez ajouter à ces buts de visite la cave des Poupat afin d'y découvrir ce rosé couleur œil-de-perdrix. Intense et fin à la fois, celui-ci dévoile un nez floral et fruité (pêche, agrumes), nuancé d'une pointe épicée. Sa matière ronde et souple est équilibrée par une vivacité poivrée en finale. Notez aussi sa remarquable persistance. De quoi encourager d'autres producteurs à élaborer ce style de rosé à l'ancienne. Une étoile revient à la cuvée **Le Trocadéro 2005 rouge**.

Dom. Poupat et Fils, Rivotte, 45250 Briare, tél. et fax 02.38.31.39.76

t.l.j. 9h-12h 14h-18h; dim. sur r.-v.

SÉBASTIEN TREUILLET
Élevé en fût de chêne 2005 ★

1 ha 6 500 5 à 8 €

Cette cuvée constituée de 80 % de pinot noir et de 20 % de gamay a été élevée dix mois en fût de chêne. Bois neuf ? Probablement pas, car son empreinte est à peine perceptible. Les arômes restent discrets : bigarreau mûr, marc de raisin. Des tanins frais se manifestent au palais, équilibrés par une légère rondeur qui donne à la chair une bonne ampleur.

Sébastien Treuillet, 12, rte de Boisfleury, Fontenille, 58150 Tracy-sur-Loire, tél. et fax 03.86.26.17.06

r.-v.

DOM. DE VILLARGEAU 2005 ★

10 ha 60 000 5 à 8 €

Que de chemin parcouru et que d'étoiles obtenues dans le Guide depuis la création de ce domaine en 1991 par François et Jean-Fernand Thibault. Aujourd'hui, c'est un vin au joli nez intense de fleurs blanches, de fruits exotiques et d'épices qui joue le premier rôle. Sans une once de vivacité, il fait preuve de volume et offre une longue finale fruitée. La cuvée **Les Licotes 2004 rouge**, élevée douze mois en fût, brille d'une étoile elle aussi pour ses tanins fondus et son équilibre.

GAEC Thibault, Villargeau, 58200 Pougny, tél. 03.86.28.23.24, fax 03.86.28.47.00, e-mail fthibault@wanadoo.fr

t.l.j. sf dim. 9h-12h 14h-19h

DOM. DE VILLEGEAI 2005 ★★

3 ha 25 000 5 à 8 €

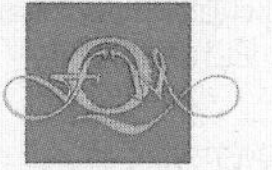

C'est dans une cave voûtée, en pierre de taille, que les frères François et Michel Quintin reçoivent les visiteurs. À

LOIRE

leur actif cette cuvée intensément aromatique et fine qui offre un fruité de pêche rehaussé de notes d'agrumes et d'une touche de bonbon anglais. La chair ronde, ample et vineuse également, emplit le palais durablement. La cuvée **Terre des violettes 2005 rouge** reçoit deux étoiles pour sa complexité aromatique et sa structure de qualité.

🔑 SCEA Quintin Frères, Villegeai, 58200 Cosne-sur-Loire, tél. 03.86.28.31.77, fax 03.86.28.20.77, e-mail quintin.francois@wanadoo.fr ☑ 🍷 🚶 r.-v.

Saint-pourçain AOVDQS

Le paisible et plantureux Bourbonnais (département de l'Allier) possède aussi, sur dix-neuf communes, un beau vignoble de 577 ha au sud-ouest de Moulins qui a donné 29 004 hl en 2005.

Les coteaux et les plateaux calcaires ou graveleux bordent la charmante Sioule ou sont proches d'elle. C'est surtout l'assemblage des vins issus de gamay et de pinot noir qui confère aux vins rouges et rosés leur charme fruité.

Les blancs ont fait autrefois la réputation de ce vignoble ; un cépage local, le tressallier, est assemblé au chardonnay et au sauvignon, conférant une grande originalité aromatique à ces vins.

DOM. DE BELLEVUE Grande Réserve 2005 *

7 ha 37 000 ■ 3 à 5 €

Il joue de sa jeunesse ce 2005 jaune pâle brillant, qui développe des arômes de fleurs. Le voici souple et frais qui laisse un agréable souvenir en finale. Une étoile brille également pour la **Grande Réserve 2005 rouge**, assemblage de pinot noir et de gamay à parts égales.

🔑 Jean-Louis Pétillat, Bellevue, 03500 Meillard, tél. 04.70.42.05.56, fax 04.70.42.09.75, e-mail jean-louis.petillat1@wanadoo.fr ☑ 🍷 t.l.j. sf dim. 9h-12h 14h-19h

CH. COURTINAT 2005 **

■ 4 ha 26 000 ■ 3 à 5 €

Rubis brillant, ce vin décline tout en délicatesse des arômes floraux associés à des notes de petits fruits rouges et d'épices. Il surprend au palais par son équilibre et sa finale longue et élégante, au fruité mûr. Un digne représentant de l'appellation. Le **saint-pourçain rosé 2005**, aromatique (bonbon anglais) et frais, mérite une étoile, tandis que le **2005 blanc**, chaleureux, est cité.

🔑 Cave Courtinat, 11, rue de Venteuil, 03500 Saulcet, tél. 04.70.45.44.84, fax 04.70.45.80.13, e-mail cavecourtinat@wanadoo.fr ☑ 🍷 r.-v.

BERNARD GARDIEN ET FILS
Le Nectar des fées 2005 *

6,8 ha 40 000 ■ 3 à 5 €

Les fées se sont peut-être penchées sur le berceau de Bernard Gardien. Déjà plusieurs coups de cœur dans le Guide et des étoiles régulières pour ses saint-pourçain. 2005 ne fait pas exception. Doré comme il se doit pour un « nectar », le vin dispense généreusement ses arômes de fruits exotiques et de miel. Des raisins mûrs lui ont légué cette rondeur, ce caractère confituré et cette très longue finale. La **cuvée du Terroir 2005 rouge**, un pur gamay, est citée pour ses arômes de fruits rouges.

🔑 Dom. Gardien, 7 Chassignolles, 03210 Besson, tél. 04.70.42.80.11, fax 04.70.42.80.99, e-mail c.gardien@03.sideral.fr ☑ 🍷 t.l.j. sf dim. 8h-12h 14h-19h

DOM. GROSBOT-BARBARA 2005

■ 0,5 ha 3 500 ■ 3 à 5 €

Un rosé plein de finesse qui laisse une impression de fraîcheur, soulignée par un léger perlant. Un vin indiqué pour un repas léger, autour de grillades et de salades composées. La **Grande Réserve 2005 rouge**, très fraîche, obtient la même note, de même que **Le Vin d'Alon 2005 blanc**, tout en légèreté.

🔑 Dom. Grosbot-Barbara, Montjournal, rte de Montluçon, 03500 Cesset, tél. 04.70.45.26.66, fax 04.70.45.54.95 ☑ 🍷 🚶 r.-v.

DOM. HAUT DE BRIAILLES 2005 *

1 ha 5 000 ■ 3 à 5 €

Voilà six ans déjà que Jean Meunier a repris les vignes familiales, autour d'une chapelle romane. Son saint-pourçain ne laisse pas indifférent, tant par sa teinte jaune doré que par son nez floral. Il offre en bouche équilibre et rondeur. Vous le proposerez avec une viande blanche.

🔑 Jean Meunier, Dom. Haut de Briailles, 03500 Saint-Pourcain-sur-Sioule, tél. 04.70.45.38.88, fax 04.70.45.60.07, e-mail jeanmeunier@freesbee.fr ☑ 🍷 🚶 r.-v.

CAVE JALLET Les Ceps centenaires 2005

■ 1,55 ha 6 000 ■ 3 à 5 €

En 1913, l'arrière-grand-père de Philippe Jallet a repris ce petit domaine du Bourbonnais qui compte aujourd'hui 6,60 ha de vignes. Ce n'est pas une citation, mais trois que le jury a attribuées aux vins de ce producteur. La première pour ces Ceps centenaires aux arômes

subtils de fruits rouges. Quelques tanins manifestent leur jeunesse au palais, mais le temps devrait y remédier. La seconde pour la **cuvée Tradition 2005 Élevé en fût de chêne (5 à 8 €)**, composée de pinot noir à 70 % et de gamay. La troisième pour le **2005 blanc**, discret et rond.
Dom. Jallet, 30, pl. des Cailles, 03500 Saulcet, tél. et fax 04.70.45.39.78 t.l.j. 8h-12h 13h-19h

FAMILLE LAURENT Cuvée Prestige 2005 *

2 ha 5 000 5 à 8 €

Jean-Pierre et Corinne Laurent ont agrandi en 2005 leur cave de vinification. Cette cuvée, assemblage de chardonnay, de tressalier et de sauvignon, a donc profité de ces aménagements. Jaune paille, elle affiche un nez fruité intense, puis une bouche chaleureuse et ronde. Le **2003 rouge Élevé en fût de chêne** obtient la même note. Empyreumatique dans son expression, il se montre souple.
Famille Laurent, Montifaud, 03500 Saulcet, tél. 04.70.45.90.41, fax 04.70.45.90.42, e-mail cave.laurent@wanadoo.fr
t.l.j. sf dim. 9h-12h30 14h-19h

DOM. NEBOUT 2005 *

9 ha 60 000 3 à 5 €

Le gamay, majoritaire, bénéficie d'un appoint de 20 % de pinot noir. Il en résulte un vin encore timide de prime abord, mais qui s'éveille à l'aération sur les fruits rouges. Souple et rond, il évolue harmonieusement au palais, avec une pointe de fraîcheur. Citée, la **cuvée des Gravières 2005 blanc (5 à 8 €)** fait preuve de personnalité grâce à ses notes minérales.
Dom. Nebout, rte de Montluçon, 03500 Saint-Pourçain-sur-Sioule, tél. 04.70.45.31.70, fax 04.70.45.12.54 r.-v.

FRANÇOIS RAY 2005 **

3 ha 8 500 5 à 8 €

Dans la même famille depuis 1929, ce domaine couvre aujourd'hui 15 ha. François Ray a élaboré un remarquable 2005 à partir d'une vendange parfaitement mûre, dont témoigne la teinte jaune or. L'assemblage de chardonnay, de sauvignon et de tressalier apporte de la complexité à la palette de fleurs blanches, de miel et de fruits exotiques. La bouche est toute de douceur et d'onctuosité, de persistance aussi. Pour une terrine de poisson ou un saint-nectaire. Encore jeune, la **cuvée des Gaumes 2005 rouge** obtient une étoile.
Cave François Ray, 8, rue Louis-Neillot, 03500 Saulcet, tél. 04.70.45.35.46, fax 04.70.45.64.96
t.l.j. sf dim. 9h-12h 15h-19h; groupes sur r.-v.

DOM. DE LA SOURDE 20

3,8 ha 26 6

Le cadre d'un monastère du XV père de Jean-Pierre Purseigle qui y créa viticole en 1942. Ce saint-pourçain, couleur ru ses arômes de fruits rouges des notes de réglisse. rond et frais, il régale le palais. La **cuvée Amélie 2 blanc** est citée pour son caractère désaltérant.
Jean-Pierre Purseigle, La Sourde, 9, rue Sainte-Catherine, 03500 Louchy-Montfand, tél. 04.70.45.42.53, fax 04.70.45.69.13
t.l.j. sf dim. 8h-12h 14h-19h

CAVE TOUZAIN 2005

1 ha 6 900 3 à 5 €

Yannick Touzain, BTS viti-œnologie en poche, a travaillé six ans comme chef de culture et maître de chai dans les Graves, en Bordelais, avant de s'installer dans le vignoble de Saint-Pourçain, en 2001. Son 2005, jaune clair brillant, fait la part belle aux arômes floraux et à la fraîcheur. Le **2005 rouge**, encore marqué par les tanins de la jeunesse, est également cité. Il faudra l'attendre une petite année.
Yannick Touzain, 9, RN 9, 03500 Contigny, tél. et fax 04.70.45.95.05 r.-v.

Côte-roannaise

Des sols d'origine éruptive face à l'est, au sud et au sud-ouest, sur les pentes d'une vallée creusée par une Loire encore adolescente : voilà un milieu naturel qui appelle aussi le gamay. Quatorze communes (220 ha) situées sur la rive gauche du fleuve produisent d'excellents vins rouges et de frais rosés, plus rares. La production (10 000 hl en 2005) de vins originaux et de caractère intéresse les chefs les plus prestigieux de la région. On évoque les traditions viticoles au Musée forézien d'Ambierle.

ALAIN BAILLON Montplaisir 2005 *

1,5 ha 6 500 5 à 8 €

Cité l'année dernière pour son rosé, Alain Baillon décroche aujourd'hui une étoile pour cette cuvée d'un grenat profond qui associe d'agréables parfums de fruits rouges assez intenses à des notes de cassis et de mûre. Le fruité se fait plus discret au palais, qui séduit cependant par son ampleur et sa structure prometteuse. Les tanins qui dominent tout d'abord s'estompent pour laisser place à de la rondeur et à de la vinosité. Un ensemble harmonieux qui sera apprécié pendant les trois prochaines années.
Alain Baillon, Montplaisir, 42820 Ambierle, tél. 04.77.65.65.51, fax 04.77.65.65.65, e-mail alain.baillon2@free.fr r.-v.

JEAN-PIERRE BÉNÉTIÈRE 2005

1 ha 4 800 3 à 5 €

Rouge sombre, cette cuvée s'exprime dans d'agréables nuances de cassis et de fruits rouges frais. Les tanins

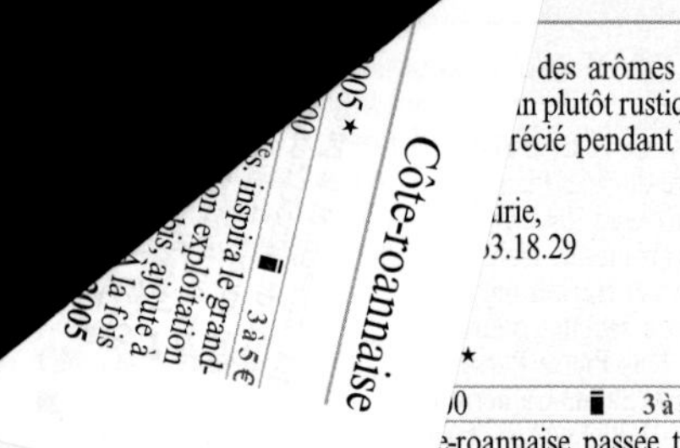

des arômes de … n plutôt rustique … récié pendant les …

… irie, … 3.18.29

… ★

… 0 ■ 3 à 5 €

… -roannaise passée très près du … ouge sombre aux reflets violets de cette sédu… accompagne d'élégants parfums de mûre, de groseille et de pêche jaune. Son fruité aux senteurs de noyau de cerise, de fruits mûrs et de myrtille est marié à une généreuse structure de tanins fermes mais non agressifs. Un vin harmonieux et typé qui accompagnera pendant deux à trois ans une pièce de bœuf.
André et Frédéric Villeneuve, Champagny, 42370 Saint-Haon-le-Vieux, tél. 04.77.64.42.88, fax 04.77.62.12.55 r.-v.

DOM. DU FONTENAY L'Authentique 2005 ★

■ 2 ha 8 800 ■ 5 à 8 €

Cette cuvée est réalisée, comme l'indique l'étiquette, « à la manière du 12 mai 1855 », jour où l'archevêque de Lyon bénissait la chapelle du domaine ! On l'aura compris, c'est un vin de tradition, sans levures, chaptalisation ou filtration. Séduisant dans sa robe pourpre aux reflets violets très soutenus, il livre de discrets parfums fruités, où l'on reconnaît la pêche jaune et la prune. La bouche puissante, avec des tanins vifs et ronds à la fois, montre une riche matière. Ce vin typé, encore un peu sauvage, gagnera à être gardé deux à trois ans, voire cinq.
Dom. du Fontenay, 42155 Villemontais, tél. 04.77.63.12.22, fax 04.77.63.15.95 t.l.j. 9h-20h ❹
Hawkins

DOM. DE LA PAROISSE Tradition 2005 ★

■ 5 ha 25 000 ■ 3 à 5 €

Jean-Claude Chaucesse représente la treizième génération sur le domaine, géré de père en fils depuis 1610. Grenat très soutenu, sa cuvée Tradition livre des parfums intenses de cassis et de petits fruits rouges et garnit avec ampleur le palais. Sa matière charnue où se révèlent quelques tanins plutôt doux se montre élégante. Ce vin typé, harmonieux, agréable et persistant, sera à déguster au cours des deux prochaines années.
Jean-Claude Chaucesse, La Paroisse, 42370 Renaison, tél. et fax 04.77.64.26.10, e-mail jclaude.c@infonie.fr r.-v.

DOM. DU PAVILLON 2005

■ 7 ha 40 000 ■ 5 à 8 €

Des vignes de quarante ans, cultivées de façon traditionnelle sur des arènes granitiques, ont donné une séduisante cuvée rouge soutenu à reflets violets ; elle libère des parfums moyennement intenses mais purs de framboise et de groseille. Sa matière charnue se montre très structurée par des tanins encore austères qui ne cachent pas les arômes de fruits rouges (dont la cerise). Ce vin un peu fermé sera à attendre un an.
E. Villeneuve, Le Pavillon, 42820 Ambierle, tél. 04.77.65.64.35, fax 04.77.65.69.69 r.-v.

DOM. DE LA PERRIÈRE Granits 2005

■ 2,5 ha 15 000 ■ 5 à 8 €

L'histoire de ce domaine est associée à celle de deux hommes venus de l'industrie : Alain Demon, qui l'a créé en 1980 et Philippe Peulet, qui l'a repris en 2004. Rubis avec des reflets violets étincelants, cette cuvée livre des parfums de griotte, de pêche, de fruits noirs. La bouche, assez ample, aux tanins encore fermes caractéristiques du millésime, révèle de frais arômes de fruits rouges persistants. Équilibré, ce vin typé et agréable sera apprécié au cours des deux prochaines années avec une pièce de bœuf.
Philippe Peulet, Dom. de La Perrière, 42820 Ambierle, tél. et fax 04.77.65.65.49, e-mail philippe.peulet@wanadoo.fr r.-v.

DOM. DES POTHIERS 2005

■ 1 ha 6 000 ■ 3 à 5 €

Une maison à galerie commande ce domaine qui compte aujourd'hui 7 ha. Il propose un 2005 rouge grenat très intense, qui s'ouvre sur des parfums timides et fins de cassis et de mûre. Arômes que l'on retrouve au palais, accompagnés de notes de coing et de pamplemousse. Riche et charnu, ce vin peut être bu dès maintenant, mais gagnera cependant à attendre deux ans de plus.
Denise et Georges Paire, Dom. des Pothiers, 42155 Villemontais, tél. 04.77.63.15.84, fax 04.77.63.19.24, e-mail domainedespothiers@yahoo.fr r.-v. Ⓑ

JEAN-FRANÇOIS PRAS 2005

■ 0,3 ha 1 500 ■ 5 à 8 €

Jean-François Pras s'installe en 1988 comme fermier puis acquiert, en 2000, ses premières vignes. De couleur rose tendre avec quelques reflets orange, son rosé livre des parfums assez intenses de fleurs (pivoine). Charnu et frais, il garnit avec ampleur le palais d'arômes fruités et floraux. Assez long et harmonieux, il est à boire au cours des deux prochaines années. Également citée, la cuvée **rouge Vieilles Vignes 2005**.
Jean-François Pras, Magnerot, 42370 Saint-Haon-le-Vieux, tél. 04.77.64.45.56, fax 04.77.62.12.52, e-mail jfpras@la-cote-roannaise.com r.-v. ❷

DOM. DE LA ROCHETTE
Les Vieilles Vignes du château 2005

■ 2 ha 8 000 3 à 5 €

Le développement de la propriété commencé en 1980 se concrétise aujourd'hui par la présence d'un gîte rural pouvant accueillir six personnes. Dans les caves datant du XIX[e]s. a été élevée pendant six mois une cuvée rouge violacé aux parfums encore discrets de mûre et de boisé. La bouche ample, assez puissante, dévoile des tanins doux aux arômes de fruits noirs et d'épices. Bien structuré, ce 2005 révèle déjà une bonne évolution ; il sera apprécié au cours des deux prochaines années. La cuvée **Bératard rouge 2005** du domaine est également citée.
Antoine Néron, Dom. de La Rochette, 42155 Villemontais, tél. 04.77.63.10.62, fax 04.77.63.35.54, e-mail antoine-neron@wanadoo.fr t.l.j. sf dim. 8h-12h 14h-19h Ⓓ

ROBERT SÉROL ET FILS
Les Vieilles Vignes 2005 ★★

■ 7 ha 45 000 ■ 3 à 5 €

Le domaine familial dont les origines remontent au XVIII[e]s. se distingue une nouvelle fois avec une cuvée **Les**

Originelles 2005 qui reçoit une étoile, et cette production de Vieilles Vignes qui est passée très près d'un coup de cœur. Dotée d'une robe pourpre très profonde, cette dernière livre une remarquable palette de parfums fruités aux nuances de cassis, de framboise, de pêche de vigne et de fruits exotiques. La bouche, agréable et franche, révèle le somptueux équilibre des tanins enrobés et des notes élégantes de cassis et de myrtille. Ce vin sera apprécié au cours des deux prochaines années.

EARL Robert Sérol et Fils, Les Estinaudes, 42370 Renaison, tél. 04.77.64.44.04, fax 04.77.62.10.87, e-mail contact@domaine-serol.com

t.l.j. 9h-12h 14h-19h; dim. sur r.-v.

PHILIPPE ET JEAN-MARIE VIAL

Bouthéran Vieille Vigne 2005 *

■ 1 ha 6 000 ■ 3 à 5 €

Les vieilles vignes de soixante-dix ans du Bouthéran, ce lieu-dit emblématique de la commune, cultivées en agriculture raisonnée, sont à l'origine d'une cuvée grenat aux reflets bleutés. Au nez, ce 2005 mêle des nuances de petits fruits noirs et rouges, des notes de poivre et de sous-bois. L'attaque agréable sur les fruits rouges est accompagnée d'impressions charnues et plutôt tendres. Harmonieusement structuré et typé, ce vin accompagnera pendant deux à trois ans un sauté de lapin, des viandes en sauce. Le **Bouthéran rouge 2005** est cité.

GAEC Vial, Bel-Air, 42370 Saint-André-d'Apchon, tél. et fax 04.77.65.81.04, e-mail gaec.vial@akeonet.com

t.l.j. 9h-12h 14h-18h30

Menetou-salon

Menetou-Salon doit son origine viticole à la proximité de la métropole médiévale qu'était Bourges ; Jacques Cœur y eut des vignes. À la différence de nombreux vignobles jadis célèbres mais aujourd'hui disparus, la région est demeurée viticole, et son vignoble de 549 ha est de qualité. Sur ses coteaux bien adaptés, Menetou-Salon partage, avec son prestigieux voisin Sancerre, sols favorables et cépages nobles : sauvignon blanc et pinot noir sur kimmeridgien. D'où ces vins blancs frais, épicés, ces rosés délicats et fruités, ces rouges harmonieux et bouquetés, à boire jeunes. Fierté du Berry viticole, ils accompagnent à ravir une cuisine classique mais savoureuse (apéritif, entrées chaudes pour les blancs ; poisson, lapin, charcuterie pour les rouges, à servir frais). La production a atteint 17 964 hl de vin blanc et 10 798 hl de vin rouge et rosé en 2005.

DOM. DE BEAUREPAIRE 2005

7 ha 50 000 ■ 5 à 8 €

Voilà vingt ans que la famille Gilbon a planté ses premières vignes et dix ans que Jean-François, le fils, s'est installé. Tout en subtilité, son 2005 révèle des odeurs florales et minérales. À la fois franc et souple, ce vin gouleyant pourra accompagner un fromage de chèvre. Le **rouge 2005**, classique, obtient également une citation.

Cave Gilbon, Beaurepaire, 18220 Soulangis, tél. 02.48.64.41.09, fax 02.48.64.39.89, e-mail cave-gilbon@wanadoo.fr

t.l.j. sf dim. 9h-12h 14h-18h30, sam. sur r.-v.; f. 15-31 août

DOM. DE CHAMPARLAN 2005

■ 0,2 ha 1 300 ■ 5 à 8 €

Jeune vigneron, David Girard en est à son troisième millésime et, déjà, il obtient sa deuxième citation dans le Guide. Classique, son 2005 d'une teinte grenat, ouvert et franc, exhale des parfums de fruits rouges mais aussi des notes végétales appuyées. Les tanins s'affirment rapidement et demandent un à deux ans de garde.

David Girard, Champarlan, 18250 Humbligny, tél. et fax 02.48.69.58.44 r.-v.

DOM. DE CHÂTENOY 2005 *

35 ha 250 000 ■ 8 à 11 €

La première preuve formelle de l'existence du vignoble de Menetou-Salon date de 1063 ; il s'agit d'un acte mentionnant le clos de Davet, actuellement exploité par Isabelle et Pierre Clément. Les senteurs de ce vin sont aussi typées que variées : fenouil, fleurs blanches, pointe minérale. La bouche, encore un peu marquée par des arômes de jeunesse, est ample et harmonieuse. Cette bouteille vous séduira tout de suite ; vous pourrez aussi la conserver.

Isabelle et Pierre Clément, Dom. de Châtenoy, 18510 Menetou-Salon, tél. 02.48.66.68.70, fax 02.48.66.68.71, e-mail ip.clement@wanadoo.fr

t.l.j. sf sam. dim. 8h30-12h 13h30-17h30; f. août

CHAVET 2005 *

■ 9,98 ha 80 000 ■ 8 à 11 €

Les Chavet exploitent ce domaine viticole en famille et pratiquent l'agriculture raisonnée. Profonde, la robe pourpre est nuancée de reflets violets. Les petits fruits rouges forment le fond de l'olfaction ; s'y mêlent aussi des touches de vanillé et de torréfaction. Le tanin, d'abord friand, se montre plus sévère en finale et demande quelque temps pour trouver son harmonie ; celle-ci, n'en doutez pas, sera au rendez-vous. Le **blanc 2005** reçoit une étoile et le **rosé 2005** est cité.

G. Chavet et Fils, GAEC des Brangers, rte de Bourges, 18510 Menetou-Salon, tél. 02.48.64.80.87, fax 02.48.64.84.78, e-mail contact@chavet-vins.com

t.l.j. sf dim. 8h-12h 13h30-18h

LOIRE

DOM. DE COQUIN 2005

7,5 ha 55 000 ■ 5 à 8 €

Au XV[e]s., Jacques Cœur, argentier de Charles VII, possédait la majeure partie du vignoble de Menetou-Salon. Peut-être quelques parcelles lui appartenaient-elles parmi celles que cultive Francis Audiot. Au nez, les arômes de coing, témoignage de surmaturité, sont agrémentés d'un soupçon de minéralité. La bouche, équilibrée et vive, joue la fraîcheur avec une dominante de zeste d'agrumes. À consommer dans les deux ans.

Francis Audiot, Dom. de Coquin, 18510 Menetou-Salon, tél. 02.48.64.80.46, fax 02.48.64.84.51 r.-v.

FOURNIER 2005

7,45 ha 55 000 ■ 5 à 8 €

Un terroir de marnes argilo-calcaires porte le vignoble. Il a produit ce vin qui surprend par un premier nez explosif et gourmand : fruits très mûrs (ananas), pêche confiturée, fleur d'acacia. La bouche, en revanche, un peu jeune est sur la réserve. Pour les amateurs de vins aromatiques, ou pour ceux qui sauront attendre quelques mois afin que ce 2005 atteigne l'harmonie qui se dessine.

Fournier Père et Fils, Chaudoux, BP 7, 18300 Verdigny, tél. 02.48.79.35.24, fax 02.48.79.30.41, e-mail claude@fournier-pere-fils.fr
t.l.j. 8h-12h 13h30-18h30; sam. dim. sur r.-v.
GFA Chanvières

CAVE FRAISEAU-LECLERC 2005 ★★

2,59 ha 18 000 ■ 5 à 8 €

C'est le vingtième millésime que vinifie Viviane Fraiseau-Leclerc ; elle célèbre cet anniversaire avec un magnifique vin à la robe pourpre, profonde et soutenue. Le nez associe une superbe palette d'arômes : notes florales (violette), fruits rouges (cassis), épices, vanille. La trame tannique se révèle bien présente et fort soyeuse. Du volume, de l'harmonie et une agréable finale fruitée : ce menetou-salon possède un potentiel intéressant.

Viviane Fraiseau, 3 et 5, rue du Chat, 18510 Menetou-Salon, tél. 02.48.64.88.27, fax 02.48.64.86.09
sam. dim. 9h-12h 13h30-19h; en semaine sur r.-v.

DOM. GILBERT 2005 ★

n.c. 99 488 ■ 8 à 11 €

Philippe Gilbert et son œnologue Jean-Philippe Louis forment une bonne équipe sur cette propriété fondée en 1768. Dès le premier nez, les arômes d'agrumes et de fruits exotiques de ce vin sont bien présents. L'impression en attaque est souple ; puis une nervosité non dénuée de gras se manifeste, conférant un bon tonus. Des fruits de mer lui conviendront parfaitement. Les cuvées **Les Renardières blanc 2004 (15 à 23 €)** et **Les Renardières rouge 2004 (15 à 23 €)** sont toutes les deux citées.

Dom. Philippe Gilbert, Les Faucards, 18510 Menetou-Salon, tél. 02.48.66.65.90, fax 02.48.66.65.99, e-mail pg@domainegilbert.fr
t.l.j. sf sam. dim. 8h-12h 13h30-18h; f. 21 août-2 sept.

DOM. GÉRARD MILLET 2005

2,02 ha 18 000 ■ 5 à 8 €

Gérard Millet officie principalement en Sancerrois. Il s'est diversifié par la reprise, en 1979, de vignes de menetou-salon appartenant à ses grands-parents. Cette cuvée plaît par ses nuances odorantes complexes et intenses où le fruité côtoie le floral et le végétal. La bouche est souple et facile. Un ensemble réussi.

Gérard Millet, rte de Bourges, 18300 Bué, tél. 02.48.54.38.62, fax 02.48.54.13.50, e-mail gmillet@terre-net.fr r.-v.

DOM. HENRY PELLÉ Morogues 2005 ★★

20 ha 130 000 ■ 8 à 11 €

La famille Pellé a construit cet important domaine à partir de 1959, date de création de l'appellation contrôlée menetou-salon. Le jury a retenu cette année plusieurs vins du domaine. En premier, ce Morogues au fruité remarquable de raisin bien mûr (ananas, épices). Le palais est doté de tout l'équilibre qu'on recherche : il a du corps, du gras, mais aussi de la vinosité. Il peut être apprécié sans plus attendre. Le **Clos de Ratier Morogues blanc 2005** et **Les Cris Morogues rouge 2004 (11 à 15 €)** obtiennent chacun une citation. Enfin, le **Henry Pellé blanc 2005**, issu de raisins de plusieurs propriétés, décroche une étoile : intense et mûr au nez, il offre une belle rondeur avant une finale longue et élégante.

SARL Henry Pellé, rte d'Aubinges, 18220 Morogues, tél. 02.48.64.42.48, fax 02.48.64.36.88, e-mail info@henry-pelle.com
t.l.j. sf sam. dim. 8h30-12h 13h30-17h30

PRÉVOST FRÈRES 2005

3,5 ha 30 000 ■ 5 à 8 €

Accueillis pour la dégustation dans une petite cave voûtée, en pierre de taille vous pourrez y apprécier ce menetou-salon blanc aux arômes de sauvignon, où les notes de buis, de genêt et de bourgeon de cassis sont marquées. Bien que ce vin soit sec, la bouche est dominée par une sensation de sucrosité. Bonne finale sur les agrumes.

Cave Prévost, Le Colombier, 3, rte de Quantilly, 18110 Vignoux-sous-Les-Aix, tél. et fax 02.48.64.68.36
r.-v.

LE PRIEURÉ DE SAINT-CÉOLS 2005 ★

3 ha 25 000 ■ 5 à 8 €

La cave de Pierre Jacolin est située dans un ancien prieuré bénédictin qui a donné son nom à ce vin. Coup de cœur pour le millésime 2003, pour sa cuvée des Bénédictins, ce domaine ne démérite pas. La couleur de ce 2005 est intense, rubis foncé à reflets violets. Au premier abord, le nez évoque les fruits rouges, puis il évolue vers le kirsch. L'attaque est souple et ouvre sur une bouche de forte concentration aux tanins encore un peu sévères. Prometteur, ce menetou-salon a besoin de mûrir pour exprimer toute sa valeur.

Pierre Jacolin, Le Prieuré de Saint-Céols, 18220 Saint-Céols, tél. 02.48.64.40.76, fax 02.48.64.41.15, e-mail sarl-jacolin@cegetel.net
t.l.j. 8h-19h; sam. dim. sur r.-v.

LE PRIEURÉ DES AUBLATS 2005 ★

4,1 ha 31 699 ■ 8 à 11 €

La réputation de la maison Henri Bourgeois, installée à Sancerre, n'est plus à faire. Un fruité complexe s'échappe de son menetou-salon, qui va de l'ananas à l'orange mûre, d'une touche anisée aux notes mentholées. La vivacité est bien présente en bouche, évoquant les agrumes. Équilibré, de bonne persistance aromatique, ce vin pourra être servi sur un sandre. De la même maison, le **coteaux-du-giennois Henri Bourgeois Terre de Fumée 2005** obtient une citation

Dom. Henri Bourgeois, Chavignol, 18300 Sancerre, tél. 02.48.78.53.20, fax 02.48.54.14.24, e-mail domaine@henribourgeois.com r.-v.

DOM. JEAN TEILLER 2005 ★

7 ha 55 000 ■ 5 à 8 €

Jean et Denise Teiller dans les années 1950, puis Jean-Jacques et Monique Teiller et aujourd'hui leur fille Patricia et Olivier Luneau, son mari, voilà l'histoire des générations récentes de cette famille attachée à la viticulture. Paré d'une robe jaune clair, ce 2005 offre les

délicieuses senteurs des grappes dorées du sauvignon (abricot confit, pêche). La première sensation gustative est fraîche, puis apparaissent rondeur et sucrosité, avant une finale équilibrée. Une bonne bouteille au potentiel certain.
Dom. Jean Teiller, 13, rte de la Gare, 18510 Menetou-Salon, tél. 02.48.64.80.71, fax 02.48.64.86.92, e-mail domaine-teiller@wanadoo.fr
t.l.j. sf dim. 8h30-12h 14h-18h
Jean-Jacques Teiller

LA TOUR SAINT-MARTIN Morogues 2005 *

6,85 ha 33 000 8 à 11 €

Voici trois vins de Bertrand Minchin, dont la régularité dans la réussite se confirme. Ce Morogues tout d'abord, dont le nez encore un peu fermé laisse cependant entrevoir des notes de fruits rouges et de grillé. La bouche, ronde et bien construite, rejoue les arômes de fruits sur un lit de tanins souples et fondus. Une bouteille au fort potentiel qu'il faudra attendre. Également retenus avec une étoile, le **Morogues blanc 2005**, floral et fruité, et la cuvée **Honorine blanc 2004 (11 à 15 €)**, élevée en fût.
Minchin, EARL La Tour Saint-Martin, 18340 Crosses, tél. 02.48.25.02.95, fax 02.48.25.05.03, e-mail tour.saint.martin@wanadoo.fr r.-v.

CHRISTOPHE ET GUY TURPIN Morogues 2005 *

6 ha 40 000 5 à 8 €

Christophe Turpin a installé un gîte rural sur sa propriété. Si vous y séjournez, vous aurez sans doute l'occasion de goûter ce vin à l'expression olfactive riche et aux arômes développés. La bouche montre d'abord de la rondeur, puis elle laisse apparaître à la fois de la fluidité et de la nervosité. Une bouteille qui se tiendra bien et qu'on pourra servir sur des fruits de mer. Le **Morogues rouge 2005** est cité pour son fruité.
EARL Turpin, 11, pl. de l'Église, 18220 Morogues, tél. et fax 02.48.64.32.24, e-mail christopheturpin@wanadoo.fr
t.l.j. sf dim. 9h-12h 14h-19h

Pouilly-fumé et pouilly-sur-loire

Œuvre de moines, et qui plus est de bénédictins, voilà l'heureux vignoble des vins blancs secs de Pouilly-sur-Loire ! La Loire s'y heurte à un promontoire calcaire qui la rejette vers le nord-ouest, mais dont le sol, moins calcaire cependant qu'à Sancerre, sert de support privilégié au vignoble exposé sud-sud-est. C'est là que l'on retrouve les vignes de sauvignon « blanc fumé », lequel aura bientôt entièrement supplanté le chasselas, pourtant historiquement lié à Pouilly et producteur d'un vin non dénué de charme lorsqu'il est cultivé sur sols siliceux. Le pouilly-sur-loire (2 722 hl) est produit sur 43 ha alors que le pouilly-fumé représente 1 147 ha qui ont donné 74 733 hl en 2005 d'un vin qui traduit bien les qualités enfouies en terres calcaires : une fraîcheur qui n'exclut pas une certaine fermeté, un assortiment d'arômes spécifiques du cépage, affinés par le milieu de culture et les conditions de fermentation du moût.

Ici encore la vigne s'intègre harmonieusement aux paysages de Loire où le charme des lieux-dits (les Cornets, les Loges, le calvaire de Saint-Andelain...) fait pressentir la qualité des vins. Fromages secs et fruits de mer leur conviendront, mais ils seront séduisants aussi en apéritif, servis bien frais.

Pouilly-fumé

JEAN-PIERRE BAILLY 2005

13 ha 60 000 5 à 8 €

Jean-Pierre Bailly et son fils Patrice, œnologues, exploitent cette propriété dont la cave est située en bordure de Loire. Les notes végétales de leur pouilly-fumé s'imposent au nez ; dans un deuxième temps, le fruité prend le dessus et parvient à exprimer une belle présence. Souple en attaque, la bouche se révèle bien équilibrée, avant une finale harmonieuse. Pour accompagner un brochet de Loire.
Jean-Pierre Bailly, Les Girarmes, 58150 Tracy-sur-Loire, tél. 03.86.26.14.32, fax 03.86.26.16.13 r.-v.

DOM. CÉDRICK BARDIN 2005

6 ha 35 000 5 à 8 €

L'expression olfactive reste discrète, mais montre beaucoup de finesse dans son propos : odeurs florales et fruitées (agrumes), note anisée. Après une attaque nette et souple, la bouche montre un bel équilibre et une persistance sur des arômes d'orange et de pamplemousse. Un vin pour crustacés. La **cuvée des Bernadats 2005 (8 à 11 €)** est citée pour son intensité aromatique.
Cédrick Bardin, 12, rue Waldeck-Rousseau, 58150 Pouilly-sur-Loire, tél. 03.86.39.11.24, fax 03.86.39.16.50, e-mail cedrick.bardin@wanadoo.fr
r.-v.

DOM. DE BEL AIR 2005

10 ha 40 000 5 à 8 €

Ce pouilly-fumé trouve ses racines dans des marnes argilo-calcaires. Son bouquet est marqué par les nuances végétales (buis, genêt, feuille de cassis). La bouche est nette et équilibrée ; une nervosité citronnée revient en finale. Doté d'une fraîcheur agréable, ce vin pourra être servi dans l'année.
Mauroy-Gauliez, Dom. de Bel Air, Le Bouchot, 6 rue Waldeck-Rousseau, 58150 Pouilly-sur-Loire, tél. 03.86.39.15.85, fax 03.86.39.19.52, e-mail mauroygauliez@aol.com
t.l.j. 8h-12h30 13h30-18h30

DOM. DES BERTHIERS Cuvée d'Ève Vieilles Vignes 2004

3 ha 20 000 11 à 15 €

La teinte présente de jolis reflets dorés qui témoignent de la belle maturité de ce vin. Le nez confirme cette

LOIRE

impression, par ses arômes de fruits surmûris, accompagnés de discrètes notes d'agrumes et de fleurs blanches. Bien équilibrée, la bouche affiche fraîcheur et légèreté.
⊶ Jean-Claude Dagueneau, SCEA Dom. des Berthiers, BP 30, 58150 Saint-Andelain, tél. 03.86.39.12.85, fax 03.86.39.12.94, e-mail claude@fournier-pere-fils.fr
☑ Y ⁂ t.l.j. 10h-17h; sam. dim. sur r.-v.

DOM. BRUNO BLONDELET 2005 *

5 ha 48 000 ▮ 5 à 8 €

Installé au cœur du village vigneron du Bouchot, Bruno Blondelet a pris la tête de cette exploitation en 1979. Or pâle et brillant, son vin offre des parfums intenses de bourgeon de cassis qui évoluent vers le fruité (pêche, mangue). D'une belle finesse, la bouche pleine et charnue affirme de la présence. Un pouilly-fumé à servir en apéritif.
⊶ EARL Dom. Bruno Blondelet, Le Bouchot, 58150 Pouilly-sur-Loire, tél. 03.86.39.18.75, fax 03.86.39.06.65 ☑ Y ⁂ t.l.j. 8h-20h

BOUCHIÉ-CHATELLIER Argile à S 2005

2 ha 10 000 ▮ 8 à 11 €

Déjà citée dans la précédente édition pour le millésime 2003, cette cuvée qui affiche son terroir (S comme silex) offre un nez fin et expressif, aux notes de fleurs blanches et de fruits exotiques. Ronde, la bouche sait aussi dévoiler de la fraîcheur. Un vin à la finale acidulée, à servir sur une viande blanche. La nouvelle étiquette est très réussie.
⊶ EARL Bouchié-Chatellier, La Renardière, 58150 Saint-Andelain, tél. 03.86.39.14.01, fax 03.86.39.05.18, e-mail pouilly.fume.bouchie.chatellier@wanadoo.fr
☑ Y r.-v.

DOM. DU BOUCHOT 2005

8,5 ha n.c. ▮ 5 à 8 €

C'est en 1968 que la famille Kerbiquet a repris ce domaine alors en ruine, et en 1983 elle s'est lancée dans la viticulture. Elle obtenait dans l'édition 2002 un coup de cœur pour ce même vin dans le millésime 2000. Élégants et flatteurs, les arômes de ce 2005 évoquent le pamplemousse et la mangue tant au nez qu'en bouche ; celle-ci structurée et équilibrée choisit le registre de la fraîcheur et de la nervosité. La finale se montre acidulée (citron, fenouil). La cuvée **Prestige 2004** obtient une citation pour son nez agréable.
⊶ Dom. du Bouchot, 58150 Saint-Andelain, tél. 03.86.39.13.95, fax 03.86.39.05.92 ☑ Y ⁂ r.-v.
⊶ Kerbiquet

HENRI BOURGEOIS
La Demoiselle de Bourgeois 2004 **

4,7 ha 42 000 ▮ ◍ 11 à 15 €

Les années se suivent et la Demoiselle de Bourgeois reste toujours aussi séduisante. Elle se fait d'abord remarquer par son parfum intense et de grande classe, mentholé et vanillé. La bouche confirme l'harmonie entre le vin et le fût : parmi les notes fruitées et minérales, le boisé fait une apparition discrète, avant une finale persistante et tout en finesse. C'est certain, cette Demoiselle a de belles années devant elle ! Rappelons que ce vaste domaine a créé en Nouvelle-Zélande un vignoble de 28 ha, le Clos Henri.
⊶ Dom. Henri Bourgeois, Chavignol, 18300 Sancerre, tél. 02.48.78.53.20, fax 02.48.54.14.24, e-mail domaine@henribourgeois.com ☑ Y ⁂ r.-v.

DOM. A. CAILBOURDIN Les Cris 2005 *

4 ha 25 000 ▮ 8 à 11 €

Pour le vingt-cinquième anniversaire de l'exploitation, Alain Cailbourdin a élaboré un beau millésime 2005. Au nez se déroule un tapis de fleurs blanches de grande finesse. Après une attaque souple, l'équilibre s'installe : gras, plein, le palais repose sur une bonne acidité et s'achève sur des notes de fruits frais. La cuvée **Les Cornets 2005** obtient une citation pour son fruité de bourgeon de cassis.
⊶ Dom. Alain Cailbourdin, Maltaverne, 58150 Tracy-sur-Loire, tél. 03.86.26.17.73, fax 03.86.26.14.73, e-mail domaine-cailbourdin@wanadoo.fr ☑ Y ⁂ r.-v.

DOM. CHAMPEAU Sélection vieilles vignes 2004 **

1,5 ha 2 500 ◍ 11 à 15 €

C'est sur un sol d'argilo-siliceux qu'est né ce vin assez minéral ; il permet de distinguer les arômes de ce 2004 (coing, fleurs) et ceux apportés par un élevage en fût de huit mois (vanille, boisé). Ces différentes facettes sont bien fondues. La bouche, élégante, confirme cette harmonie. Une cuvée bien ciselée, qu'on pourra garder trois à quatre ans.
⊶ SCEA Dom. Champeau, Le Bourg, 58150 Saint-Andelain, tél. 03.86.39.15.61, fax 03.86.39.19.44, e-mail domaine.champeau@wanadoo.fr
☑ Y ⁂ t.l.j. 8h30-12h 14h-18h; dim. sur r.-v.

LES CHANTALOUETTES 2005 *

3,02 ha 27 466 ▮ 8 à 11 €

Le nez riche et plein de finesse de ce 2005 mêle des senteurs d'agrumes (orange) et de tubéreuses agrémentées d'une touche vanillée. Au palais, les sensations sont équilibrées et la rondeur est bien modulée par la vivacité. Une pointe de gras et une bonne persistance viennent compléter le tableau. Un vin dans le style de l'appellation.
⊶ EARL Les Chantalouettes, 1, rue René-Couard, 58150 Pouilly-sur-Loire, tél. 06.67.26.76.99, e-mail bruno.mineur@fr.oleane.com

LES CHARMES CHATELAIN 2004

2 ha 16 000 ▮ ◍ 5 à 8 €

Si Vincent Chatelain a pris les rênes de la cave, nul doute que Jean-Claude, son père, ne s'éloigne guère et continue de lui prodiguer quelques conseils. Une aération est nécessaire pour découvrir la complexité olfactive de cette cuvée, où fruité (agrumes), végétal et minéral se côtoient. La bouche apparaît légère et fraîche jusqu'à la finale. L'élevage partiel en fût est réussi, car à peine perceptible. La cuvée **Chatelain 2005** est citée pour son intensité aromatique.
⊶ Dom. Chatelain, Les Berthiers, 58150 Saint-Andelain, tél. 03.86.39.17.46, fax 03.86.39.01.13, e-mail jean-claude.chatelain@wanadoo.fr
☑ Y ⁂ t.l.j. 8h-12h 13h30-17h30; sam. dim. sur r.-v.

DOM. LES CHAUMES 2005 **

14,5 ha 110 000 ▮ 5 à 8 €

C'est au milieu des vignes, au lieu-dit Les Chaumes, que vous trouverez la cave de Jean-Jacques Bardin, où vous pourrez déguster ce pouilly-fumé qui respire à pleins poumons le raisin de sauvignon. Rondeur, fraîcheur et ampleur se marient dans une bouche ample qui donne la sensation de croquer le fruit ; sa texture est d'une grande complexité. Un ensemble élégant et racé.

SCEV Jean-Jacques Bardin, Lieu-dit Les Chaumes, 58150 Pouilly-sur-Loire, tél. 03.86.39.15.87, fax 03.86.39.08.77, e-mail jean-jacquesbardin@wanadoo.fr t.l.j. sf dim. 9h30-19h

DOM. CHAUVEAU Cuvée Sainte Clélie 2005 *

1 ha 3 000 11 à 15 €

Ayant repris cette exploitation en 1998, Benoît Chauveau s'attache depuis à développer la vente en bouteilles et à l'export. Le nez de son 2005 est très aromatique et complexe : fleurs blanches, agrumes, fruits au sirop. La bouche se montre tendre et gracieuse, donnant la sensation de mordre dans le fruit mûr. Une belle bouteille pour une viande blanche en sauce. La cuvée **La Charmette 2005 (8 à 11 €)** est citée pour sa fraîcheur.

EARL Dom. Chauveau, Les Cassiers, 58150 Saint-Andelain, tél. 03.86.39.15.42, fax 03.86.39.19.46, e-mail pouillychauveau@aol.com r.-v.

DOM. DE CONGY Cuvée Les Galfins 2005 *

1,7 ha 14 000 5 à 8 €

Le domaine de Congy est situé à proximité de Saint-Andelain, célèbre village vigneron. À la fois floral et fruité, le nez élégant de cette cuvée s'exprime sans modération. Franc en attaque, le vin fait preuve ensuite de souplesse. Marquée par des notes végétales et un peu minérales, la bouche finit sur une agréable pointe d'acidité. La cuvée principale **Domaine de Congy 2005** est citée pour son fruité bien mûr.

SCEA Bonnard, Dom. de Congy, 58150 Saint-Andelain, tél. 03.86.39.14.20, fax 03.86.39.10.79, e-mail c.bonnard@cerb.cernet.fr r.-v.

DOM. SERGE DAGUENEAU ET FILLES Clos des Chaudoux 2004 *

0,45 ha 2 500 11 à 15 €

Le clos des Chaudoux repose sur un sol de marne kimméridgienne. Serge Dagueneau et ses filles Florence et Valérie cherchent à élaborer des vins de fort potentiel de garde. Après un élevage de seize mois en cuve ce 2004 est d'un or assez soutenu. Le nez apparaît très mûr, sur le fruit (abricot) et les amandes, agrémenté d'une franche note beurrée. Tendre et fraîche, la bouche révèle aussi un gras étonnant pour le millésime. Un vin agréable, à servir sur un poisson en sauce.

Serge Dagueneau et Filles, Les Berthiers, 58150 Saint-Andelain, tél. 03.86.39.11.18, fax 03.86.39.05.32, e-mail sergedagueneaufilles@wanadoo.fr r.-v.

MARC DESCHAMPS Cuvée Vieilles Vignes 2005 **

2,35 ha 13 000 8 à 11 €

Installé comme viticulteur en 1992 et régulièrement sélectionné, Marc Deschamps a encore ravi le jury avec ce nouveau millésime. C'est une corbeille de fruits qui vous accueille, avec toute l'harmonie d'une belle composition (poire, pêche blanche, coing). Ample, la bouche confirme cette bonne impression par une attaque très grasse, puis par le juste dosage de la vivacité. Un pouilly-fumé très riche. La cuvée **Tradition Les Loges 2005** reçoit une étoile pour la finesse de ses arômes et sa rondeur.

Marc Deschamps, Les Loges, 3, rue des Pressoirs, 58150 Pouilly-sur-Loire, tél. 03.86.69.16.43, fax 03.86.39.06.90 r.-v.

Colette Figeat

JEAN DUMONT La Grande Pièce 2005 *

7,13 ha 64 600 5 à 8 €

Sous une robe jaune pâle limpide et brillante, cette cuvée présente un nez certes discret, mais où la minéralité est bien présente. L'attaque est friande, puis la bouche offre des sensations équilibrées, avec de la rondeur et une belle vivacité. Tout cela est très réussi et constitue un ensemble élégant et agréable. Une étoile également pour **Les Charmilles 2005**, très aromatique et ronde en bouche, et une citation pour la cuvée **Les Coques Vieilles 2005**.

Loiret Frères, BP 26, 58150 Pouilly-sur-Loire, tél. 03.86.39.56.60, fax 03.86.39.08.30, e-mail mineurbruno@yahoo.fr

CH. FAVRAY 2005

15 ha 123 000 8 à 11 €

C'est en 1981 que Quentin David a fait revivre la vocation viticole de château Favray. Son 2005 vient apporter une nouvelle fois la preuve de la clairvoyance de son choix. Le nez est intense et très typé, avec ses notes fruitées (cassis, pêche) et minérales. Souple et de tournure relativement simple, la bouche est à la fois ferme et encore fermée. Cette bouteille devrait évoluer favorablement et être prête fin 2006.

Ch. Favray, 58150 Saint-Martin-sur-Nohain, tél. 03.86.26.19.05, fax 03.86.26.11.59, e-mail chateaufavray@wanadoo.fr r.-v.

Quentin David

ANDRÉ ET EDMOND FIGEAT Les Chaumiennes 2005

5 ha 30 000 8 à 11 €

André et Edmond Figeat seront heureux de vous accueillir dans leur cave rénovée en 2004, pour vous faire déguster ce 2005 aux arômes puissants de fruits exotiques (kiwi) et de notes minérales. Le gras est bien présent en bouche. Un pouilly-fumé, à servir sur des fruits de mer. La **cuvée Prestige 2005 (11 à 15 €)** obtient une citation pour sa puissance aromatique.

Dom. André et Edmond Figeat, Côte du Nozet, 58150 Pouilly-sur-Loire, tél. 03.86.39.19.39, fax 03.86.39.19.00 r.-v.

DOM. DES FINES CAILLOTTES 2005 *

15 ha 133 000 8 à 11 €

Ce 2005 offre un bon nez, porté sur les fruits exotiques (pamplemousse, mangue). L'attaque est tendre et soyeuse puis la vivacité va crescendo, tout en restant mesurée. La persistance aromatique est intéressante. C'est un vin né de raisin mûr, bien travaillé, qui sait mettre en valeur le terroir de pierres blanches calcaires appelées caillottes. Pour l'apprécier pleinement, il faudra penser à ouvrir la bouteille une heure à l'avance.

Jean Pabiot et Fils, 9, rue de la Treille, Les Loges, 58150 Pouilly-sur-Loire, tél. 03.86.39.10.25, fax 03.86.39.10.12, e-mail info@jean-pabiot.com t.l.j. 8h-12h 14h-18h; sam. dim. sur r.-v.

FOURNIER 2005

n.c. 70 000 ■ **5 à 8 €**

La maison Fournier, qui officie dans plusieurs appellations du Centre, présente ce pouilly-fumé à l'air juvénile, dont le nez encore fermé laisse percer quelques notes florales et végétales. Le gaz présent ne masque ni n'altère en rien la finesse de la bouche, dont la texture et l'équilibre sont bien dessinés. Le fruité finit par percer et s'impose en finale.

Fournier Père et Fils, Chaudoux, BP 7, 18300 Verdigny, tél. 02.48.79.35.24, fax 02.48.79.30.41, e-mail claude@fournier-pere-fils.fr
t.l.j. 8h-12h 13h30-18h30; sam. dim. sur r.-v.
GFA Chanvrières

DOM. NICOLAS GAUDRY 2005

1 ha 6 680 ■ **5 à 8 €**

Voici un pouilly-fumé issu d'un calcaire portlandien. Son nez est l'expression même du cépage sauvignon avec des senteurs végétales qui, après aération, s'ouvrent progressivement sur des notes minérales. L'attaque est tendre et la fraîcheur est bien soutenue par une acidité de qualité. Vous le servirez pour accompagner des huîtres.

Nicolas Gaudry, Boisgibault, 58150 Tracy-sur-Loire, tél. 06.08.98.95.78, fax 03.86.26.18.05 r.-v.

DOM. DOMINIQUE GUYOT
Les Loges Vieilles Vignes 2005

2 ha 17 000 ■ **5 à 8 €**

Cette cuvée provient de vignes plantées il y a une cinquantaine d'années, sur un terroir marneux et vendangées à la main. À l'œil, elle présente un bel éclat or vert à reflets argentés. Le nez laisse facilement percer le sauvignon et les arômes végétaux (buis) dominent ; une note de bourgeon de cassis vient apporter de la complexité. En bouche, c'est un vin facile et coulant, qui finit sur une nette vivacité citronnée et un bon retour des arômes.

Dominique Guyot, Les Loges, 4, rue des Pressoirs, 58150 Pouilly-sur-Loire, tél. 03.86.39.14.76, fax 03.86.39.18.73 r.-v.

DOM. LANDRAT-GUYOLLOT Carte noire 2005

0,75 ha 5 000 ■ **11 à 15 €**

Cette cuvée spéciale est produite sur les argiles à silex de Saint-Andelain, fort réputés. Fait de fruits frais et de notes végétales (genêt), son nez apparaît relativement expressif. Le palais ressent d'abord une fermeté toute minérale, puis le gras se manifeste dans une finale très plaisante. À servir sur des coquilles Saint-Jacques. La cuvée **La Rambarde 2005 (8 à 11 €)** est également citée, pour ses arômes.

Dom. Landrat-Guyollot, Les Berthiers, 58150 Saint-Andelain, tél. 03.86.39.11.83, fax 03.86.39.11.65
t.l.j. 9h-12h 13h-18h; sam. dim. sur r.-v.

LAPORTE Les Duchesses 2005

4,15 ha 36 000 ■ **8 à 11 €**

Cette cave est située sur les hauts de Saint-Satur, au milieu des vignes. Déjà bien ouvert, le nez de ce 2005 exhale d'agréables senteurs végétales (buis), mais également fruitées (mirabelle) et florales (rose). La bouche confirme les arômes de buis et y ajoute une nuance de zeste de pamplemousse avec, en finale, un côté pomme verte qui lui communique une certaine nervosité, gage de bonne tenue. À servir sur des crustacés.

Dom. Laporte, rte de Sury-en-Vaux, 18300 Saint-Satur, tél. 02.48.78.54.20, fax 02.48.54.34.33, e-mail philippe.longepierre@domaine-laporte.com
r.-v.
Bourgeois

DOM. MASSON-BLONDELET
Les Angelots 2005 ★★

6 ha 39 000 ■ **8 à 11 €**

Voici une belle manière de célébrer le trentième anniversaire de cette exploitation fondée par Michelle et Jean-Michel Masson : trois vins sélectionnés et avec quel panache ! Les Angelots séduisent par les odeurs fines et complexes : fruits blancs, coing, pêche et noisette. Ils se montrent doux au palais, avec beaucoup de gras, relevé par une touche de fraîcheur minérale. Un très beau représentant de l'appellation. La cuvée **Villa Paulus 2005** décroche aussi deux étoiles pour son fruité et son équilibre ; enfin, la cuvée **Les Pierres de Pierre 2005** est citée.

Jean-Michel Masson, 1, rue de Paris, 58150 Pouilly-sur-Loire, tél. 03.86.39.00.34, fax 03.86.39.04.61, e-mail info@masson-blondelet.com
t.l.j. 9h-12h 13h30-17h30

JOSEPH MELLOT Le Troncsec 2004 ★★

9,15 ha 60 000 ■ **8 à 11 €**

Le nez est superbe ; il concilie la puissance, la distinction et la complexité, avec ses arômes de fleurs blanches et de fruits bien mûrs, relevés d'une pointe de minéralité. La bouche réussit un très bel équilibre entre le gras et une acidité au juste niveau. Très fin et long en bouche, ce vin est le fruit d'un beau travail, tant à la vigne qu'à la cave. Cette maison commercialise également la cuvée **La Chesnaie 2004** de Jean-Baptiste Thibault, qui obtient une citation pour la vivacité de ses saveurs d'agrumes.

Vignobles Joseph Mellot, rte de Ménétréol, 18300 Sancerre, tél. 02.48.78.54.54, fax 02.48.78.54.55, e-mail josephmellot@josephmellot.com
t.l.j. sf sam. dim. 8h15-12h 13h30-17h
Catherine Corbeau-Mellot

FRÉDÉRIC MICHOT 2005

3 ha 20 000 ■ **5 à 8 €**

L'expression olfactive de ce vin né sur les marnes kimméridgiennes est originale, dominée au nez comme en bouche par les épices (cannelle, poivre). L'attaque est franche et donne un bon rythme, puis le gras l'emporte et prolonge les sensations. Un pouilly-fumé qui fera un bon accord avec de la cuisine exotique.

Frédéric Michot, Soumard, 58150 Saint-Andelain, tél. 03.86.39.03.54, fax 03.86.39.08.57, e-mail michotfrederic@wanadoo.fr r.-v.

JEAN-PAUL MOLLET Les Sables 2005

2 ha 15 000 ■ **8 à 11 €**

Une fois de plus, cette cuvée Les Sables est sélectionnée dans le Guide. Curieusement elle est originaire d'un sol argilo-calcaire. Son nez est vif et fruité (banane écrasée, pêche blanche). Après une attaque énergique, le palais développe une fraîcheur typée qui évolue vers une minéralité nerveuse (citron mûr). À servir avec des fruits de mer. La cuvée principale **Jean-Paul Mollet 2005** est également citée.

🔑 Jean-Paul Mollet, 11, rue des Écoles, Boisgibault, 58150 Tracy-sur-Loire, tél. 02.48.54.13.88, fax 02.48.54.09.28, e-mail jpmollet@wanadoo.fr
☑ Ι ⚘ t.l.j. 8h-12h 14h-19h

DOM. MOREUX 2005

10,7 ha 65 000 5 à 8 €

Voilà trente ans que Patrice Moreux conduit cette propriété à Pouilly-sur-Loire. Son 2005 offre une expression végétale du cépage (asperge, poivron vert), à laquelle une nuance florale apporte une touche d'élégance. De la rondeur en attaque, suivie d'un peu de gras et, pour finir, une vivacité de citron mûr. Le retour aromatique agréable se fait sur une note d'amande fraîche. Un vin qui devrait bien convenir à des fruits de mer.

🔑 Patrice Moreux, 1, chem. des Vallées, Les Loges, 58150 Pouilly-sur-Loire, tél. 03.86.39.13.55, fax 03.86.39.17.79, e-mail patrice.moreux@wanadoo.fr ☑ Ι ⚘ r.-v.

LES MOULINS À VENT 2005 ★★

6 ha 40 000 ▮ 8 à 11 €

Véritable institution, les caves de Pouilly-sur-Loire contribuent depuis plus d'un demi-siècle à la vitalité du vignoble. Ce vin, qui a séduit le grand jury, est en majorité issu de marnes. Celles-ci ont conféré puissance, finesse, fraîcheur et persistance. La bouche est ample, parfaitement équilibrée, avec une vivacité franche et typée. Toute la saveur et toute la complexité d'un grand 2005. La cuvée **La Croix Grimault 2005** est citée.

🔑 Caves de Pouilly-sur-Loire, Les Moulins à Vent, 39, av. de la Tuilerie, BP 9, 58150 Pouilly-sur-Loire, tél. 03.86.39.10.99, fax 03.86.39.02.28, e-mail caves.pouilly.loire@wanadoo.fr ☑ Ι ⚘ r.-v.

DIDIER PABIOT 2005

13 ha 100 000 ▮ 5 à 8 €

Jonathan Pabiot a rejoint Didier, son père, en 2005. Ils proposent cette cuvée qui représente l'ensemble du domaine et dont le nez est à la fois minéral et d'une vivacité végétale. La bouche affirme du gras en attaque, puis une touche d'amertume lui donne du relief, avant une finale d'une bonne longueur. En accompagnement de poisson en sauce.

🔑 Didier Pabiot, Les Loges, BP 5, 58150 Pouilly-sur-Loire, tél. 03.86.39.01.32, fax 03.86.39.03.27, e-mail didier-pabiot@wanadoo.fr
☑ Ι ⚘ t.l.j. 9h-12h 14h-18h; sam. dim. sur r.-v.

DOM. ROGER PABIOT

Coteau des Girarmes 2005 ★

12 ha 60 000 ▮ 5 à 8 €

Le village de Boisgibault est situé au bord de la réserve naturelle de la Loire. C'est là que Gérard et Bernard Pabiot élaborent ce pouilly-fumé, dont le bouquet aux nuances minérales, florales mais aussi végétales, montre une intéressante complexité. L'attaque est agréable, avec une sensation de rondeur affirmée suivie par un développement harmonieux. Cette bouteille sera en accord avec un pâté berrichon.

🔑 Dom. Roger Pabiot et ses Fils, 13, rte de Pouilly, Boisgibault, 58150 Tracy-sur-Loire, tél. 03.86.26.18.41, fax 03.86.26.19.89, e-mail domainerogerpabiot@wanadoo.fr ☑ Ι ⚘ r.-v.

DOM. DU PETIT SOUMARD Vieilles Vignes 2005

1 ha 5 000 ⏸ 8 à 11 €

Emmanuel Langoux préside aujourd'hui aux destinées de cette exploitation d'une vingtaine d'hectares, et présente cette cuvée élevée en fût pendant six mois. Elle en a gardé la trace tant au nez, où les notes vanillées et torréfiées dominent, qu'en bouche. Il faudra l'attendre pendant au moins deux ans pour que l'harmonie entre le vin et le bois se fasse pleinement.

🔑 Monique Langoux, Dom. du Petit Soumard, Le Petit Soumard, 58150 Saint-Andelain, tél. 03.86.39.11.17, fax 03.86.39.13.62
☑ Ι ⚘ t.l.j. 8h-12h 13h30-19h

DOM. RAIMBAULT-PINEAU

La Montée des Lumeaux 2005 ★★

3 ha 25 000 ▮ 8 à 11 €

Sonia et Jean-Marie Raimbault ont ouvert en 2004 un gîte rural. Lors de votre séjour, ne manquez pas de commander ce 2005 particulièrement expressif, dont le nez traduit la grande maturité des raisins par de puissantes notes fruitées. Il se place bien en bouche : rond, il sait maintenir une bonne sensation de fraîcheur. De grande élégance, il sera agréable dès maintenant et pourra encore croître en complexité pendant au moins deux ans. N'oubliez pas non plus le **coteaux-du-giennois blanc Les Vignes du dimanche 2005 (5 à 8 €)** cité.

🔑 Dom. Raimbault-Pineau, rte de Sancerre, 18300 Sury-en-Vaux, tél. 02.48.79.33.04, fax 02.48.79.36.25, e-mail scev.raimbault-pineau@terre-net.fr
☑ Ι ⚘ t.l.j. 8h-12h 14h-18h; sam. dim. sur r.-v. 🏠 Ⓔ

DOM. DE RIAUX 2005 ★

11,63 ha 90 000 ▮ 8 à 11 €

Les Jeannot sont vignerons sur la commune de Saint-Andelain depuis plus de deux cents ans ; c'est en 1923 qu'ils se sont établis sur le domaine de Riaux. Le nez de ce vin apparaît déjà bien ouvert : d'abord amylique, il laisse ensuite percevoir des notes fruitées (agrumes). La bouche est dense, pleine, et on sent qu'elle saura encore se développer au fur et à mesure que l'élevage la fera respirer. Un vin de raisin ensoleillé dont le potentiel est certain.

🔑 GAEC Jeannot Père et Fils, Dom. de Riaux, 58150 Saint-Andelain, tél. 03.86.39.11.37, fax 03.86.39.06.21, e-mail alexis.jeannot@wanadoo.fr
☑ Ι ⚘ r.-v.

LE DOM. SAGET 2005 ★★

	2,8 ha	25 466	▮	8 à 11 €

Aujourd'hui présente dans toute la région, la maison Saget s'est tout d'abord implantée à Pouilly-sur-Loire. Ce pouilly-fumé est un bien bel hommage à ces premiers pas. Une impression de puissance s'en dégage globalement. Le nez intense associe une remarquable palette de notes variétales (genêt, bourgeon de cassis). La bouche trouve le bon équilibre entre le gras en attaque, l'ampleur en milieu de bouche et la fraîcheur en finale. Le retour aromatique est persistant et très fin. Un vin superbe.

SCEA Dom. Saget, 4 bis, rue René-Couard, 58150 Pouilly-sur-Loire, tél. 03.86.39.57.75, fax 03.86.39.08.30, e-mail bruno-mineur@guy-saget.com r.-v.

GUY SAGET Les Logères 2005 ★★★

	1,5 ha	13 600	▮	8 à 11 €

La maison Guy Saget, fondée en 1975, produit 25 AOC de Loire et possède en propre 250 ha de vigne. Ces Logères dévoilent un nez d'une expression exubérante dominé par les arômes du cépage (cassis, pamplemousse, fruit de la Passion). La bouche est généreuse et très fruitée (pêche, poire, abricot) ; une pointe de vivacité vient lui donner du relief, du grain. Un vin exceptionnel pour le plaisir et la gourmandise. La cuvée **Les Roches 2005 (11 à 15 €)** reçoit deux étoiles pour son gras et son fruit.

SA Guy Saget, La Castille, 58150 Pouilly-sur-Loire, tél. 03.86.39.57.75, fax 03.86.39.08.30, e-mail guy.saget@wanadoo.fr t.l.j. sf sam. dim. 8h-12h 13h45-18h30

DOM. CHRISTIAN SALMON Clos des Criots 2005 ★★

	3,22 ha	20 000		11 à 15 €

Terroir argilo-calcaire, cette parcelle des Criots produit chaque année un vin aux caractéristiques originales. En 2005, on découvre un nez intense et complexe, floral, fruité (agrumes, mirabelle, pêche), avec des notes végétales et vanillées qui rehaussent le ton. La bouche affiche fermeté et tonus. Minérale, pleine et longue, elle marie finesse et harmonie. Un pouilly-fumé d'une richesse remarquable.

Dom. Christian Salmon, Le Carroir, 18300 Bué, tél. 02.48.54.20.54, fax 02.48.54.30.36, e-mail domainechristiansalmon@wanadoo.fr r.-v.

DOM. HERVÉ SEGUIN 2005 ★

	14 ha	90 000	▮	5 à 8 €

Si le domaine a été créé en 1880, la cave actuelle date de 1973. La pierre à fusil, arôme typique de l'appellation, est particulièrement intense dans ce vin issu de marnes kimméridgiennes. La bouche bien charpentée est aussi dominée par les arômes de terroir. Un pouilly-fumé à la personnalité intéressante qu'on pourra servir sur une viande blanche.

Dom. Hervé Seguin, Le Bouchot, 58150 Pouilly-sur-Loire, tél. 03.86.39.10.75, fax 03.86.39.10.26, e-mail herve.seguin@wanadoo.fr t.l.j. 9h-12h 14h-19h

DOM. TABORDET 2005

	8,37 ha	75 000	▮	8 à 11 €

Yvon et Pascal Tabordet sont frères. Ils ont épousé deux sœurs. Ensemble, ils ont repris le domaine familial en 1980. Dans sa robe or pâle à reflets verts, ce 2005 se fait classique, développant des fragrances fruitées (poire, pomme), ponctuées d'une touche végétale (genêt). La bouche, pleine et équilibrée, révèle une belle concentration. Elle est très souple et de bonne longueur. Une bouteille à ouvrir maintenant.

Yvon et Pascal Tabordet, rue du Carroir-Perrin, Chaudoux, 18300 Verdigny, tél. 02.48.79.34.01, fax 02.48.79.32.69, e-mail domaine.tabordet@wanadoo.fr t.l.j. sf dim. 9h-12h 14h-18h

DOM. THIBAULT 2005 ★★

	14,5 ha	100 000	▮	8 à 11 €

Voici un pouilly-fumé typé par l'assemblage des terroirs : 20 % de terres blanches, 30 % d'argilo-siliceux et 50 % de calcaires. Typé, il l'est également par ses grandes qualités gustatives. Le nez est élégant et raffiné, sans exubérance ; il associe des notes florales et fruitées, animées d'une pointe amylique. La bouche présente un grain savoureux et une longueur remarquable. Un vin riche et harmonieux.

SCEV André Dezat et Fils, rue des Tonneliers, Chaudoux, 18300 Verdigny, tél. 02.48.79.38.82, fax 02.48.79.38.24 r.-v.

F. TINEL-BLONDELET L'Arret Buffatte 2005 ★

	3,5 ha	24 000	▮	8 à 11 €

Annick Tinel-Blondelet conduit avec compétence cette propriété familiale qui en est à la sixième génération vigneronne. Discrets, les arômes de son 2005 affichent déjà de belles nuances florales mêlées de minéral et relevées d'une note de coumarine. D'attaque ronde, la bouche se montre souple, rehaussée d'un perlant subtil. Sa jolie structure n'attend que l'épanouissement des saveurs. La cuvée **Genetin 2005** obtient une citation.

Dom. Tinel-Blondelet, La Croix-Canat, 58150 Pouilly-sur-Loire, tél. 03.86.39.13.83, fax 03.86.39.02.94, e-mail tinel-blondelet@wanadoo.fr t.l.j. 9h-12h30 14h-18h

CH. DE TRACY 2004 ★★

	23 ha	175 000	▮	15 à 23 €

Il est attesté que le vignoble du château de Tracy existait déjà en 1396, soit il y a plus de six siècles. Le premier nez de ce 2004 est fermé, mais une bonne aération révèle sa richesse aromatique : fleur de pêcher, fruits blancs, fruits exotiques (pamplemousse). La structure est magnifiquement construite : fraîcheur et finesse se conjuguent pour donner une remarquable harmonie jusque dans une finale très longue. Un vin de haut niveau, à mettre en réserve car il a un énorme potentiel.

SARL Ch. de Tracy, 58150 Tracy-sur-Loire, tél. 03.86.26.15.12, fax 03.86.26.10.73, e-mail tracy@wanadoo.fr
t.l.j. 8h-12h 13h30-17h30; sam. dim. sur r.-v.

SÉBASTIEN TREUILLET 2005 *

3 ha 25 000 5 à 8 €

L'apparence or pâle de ce vin est égayée d'un reflet vert particulièrement soutenu. Encore sur la réserve, le nez respire le terroir : racine d'iris, rose fraîche, orange sanguine. La bouche est ferme, non sans un certain gras au milieu et de la vivacité en finale. Tout cela forme une bonne structure. Prêt dès maintenant, ce pouilly-fumé pourra accompagner un fromage de chèvre. Le **pouilly-sur-loire 2005 (3 à 5 €)** obtient une citation.

Sébastien Treuillet, 12, rte de Boisfleury, Fontenille, 58150 Tracy-sur-Loire, tél. et fax 03.86.26.17.06
r.-v.

Pouilly-sur-loire

BARILLOT PÈRE ET FILS 2005 *

0,35 ha 2 000 3 à 5 €

Né aux environs de 1770, ce domaine familial se trouve au cœur du vignoble de Pouilly. S'il s'exprime avec une timidité de jeunesse, son vin laisse paraître ses qualités dans un fruité subtil de pêche blanche. Souplesse et fraîcheur se complètent harmonieusement, de sorte que ce 2005 est un digne représentant de l'appellation.

Barillot Père et Fils, Le Bouchot, 58150 Pouilly-sur-Loire, tél. 03.86.39.15.29, fax 03.86.39.09.52
t.l.j. 9h-12h 13h30-19h; groupes sur r.-v.

DOM. DE BEL AIR 2005 *

0,6 ha 3 000 3 à 5 €

D'un abord réservé, ce vin s'ouvre à l'aération sur des nuances de fleurs blanches. C'est au palais qu'il affirme sa personnalité. Après une attaque franche, il dévoile une vivacité équilibrée et une bonne persistance sur les agrumes (citron mûr).

Mauroy-Gauliez, Dom. de Bel Air, Le Bouchot, 6 rue Waldeck-Rousseau, 58150 Pouilly-sur-Loire, tél. 03.86.39.15.85, fax 03.86.39.19.52, e-mail mauroygauliez@aol.com
t.l.j. 8h-12h30 13h30-18h30

GILLES BLANCHET 2005 *

0,76 ha 6 000 3 à 5 €

Coup de cœur pour son 2004, Gilles Blanchet peut encore être fier de son pouilly-sur-loire dans ce nouveau millésime. Des arômes typés de noisette fraîche, du fruité et des notes minérales participant de son charme. L'harmonie est au rendez-vous au palais, grâce à la rondeur de la chair et à la persistance des flaveurs.

EARL Gilles Blanchet, Le Bourg, 58150 Saint-Andelain, tél. 03.86.39.14.03, fax 03.86.39.00.54 r.-v.

GILLES CHOLLET 2005

0,75 ha 3 500 3 à 5 €

Plutôt discrets, les arômes fruités se rehaussent d'une note citronnée. Le vin est rond en attaque, puis souple, doté d'une bonne fraîcheur et, en finale, d'une pointe d'amertume qui lui donne du relief. Une bouteille à apprécier dans sa jeunesse.

Gilles Chollet, Le Bouchot, 58150 Pouilly-sur-Loire, tél. 03.86.39.02.19, fax 03.86.39.06.13, e-mail gilleschollet@wanadoo.fr
t.l.j. 10h-12h 14h-18h; f. 15-30 août

PATRICK COULBOIS 2005 *

0,5 ha 3 000 5 à 8 €

La butte de Saint-Andelain est célèbre pour ses argiles à silex. C'est là que Patrick Coulbois garde une parcelle de chasselas pour élaborer ce pouilly-sur-loire. Le nez, légèrement surmûri, exprime les agrumes, puis la bouche affiche sa vivacité appuyée qui ne nuit en rien à la longueur finale.

Patrick Coulbois, Les Berthiers, 58150 Saint-Andelain, tél. 03.86.39.15.69, fax 03.86.39.12.14 r.-v.

ANDRÉ ET EDMOND FIGEAT 2005

1 ha 6 000 5 à 8 €

Un domaine de 14,5 ha de vignes, dont une parcelle de chasselas qui a donné naissance à ce vin de caractère par ses arômes prononcés de genêt et de fruits légers. La fraîcheur domine au palais où les flaveurs persistent agréablement. Pour des charcuteries.

Dom. André et Edmond Figeat, Côte du Nozet, 58150 Pouilly-sur-Loire, tél. 03.86.39.19.39, fax 03.86.39.19.00 r.-v.

DOM. NICOLAS GAUDRY 2005 *

0,54 ha 4 860 3 à 5 €

Nicolas Gaudry fait son chemin en solo depuis qu'il a quitté le domaine familial en 2003. Il propose un vin or pâle à reflets argentés, de bel éclat, qui se caractérise par sa délicatesse au nez comme en bouche. Une pointe de vivacité en finale rehausse l'ensemble et contribue à son équilibre. Servez-le à l'apéritif.

Nicolas Gaudry, Boisgibault, 58150 Tracy-sur-Loire, tél. 06.08.98.95.78, fax 03.86.26.18.05 r.-v.

ALBERT GRÉBET ET FILS 2005

0,16 ha 1 000 3 à 5 €

La production du pouilly-sur-loire diminue chaque année et cette cuvée est des plus confidentielles. Au nez discret de fleurs nuancé d'une touche fruitée de poire répond une structure légère et élégante. Un vin agréable, tout en simplicité.

Gérard et Fabrice Grébet, Les Loges, 58150 Tracy-sur-Loire, tél. 03.86.39.00.11, fax 03.86.39.04.50, e-mail scea.grebetfils@libertysurf.fr
r.-v.

DOM. LANDRAT-GUYOLLOT La Roselière 2005

n.c. 5 600 5 à 8 €

Une curiosité parmi les pouilly-sur-loire : de bonne intensité, le vin exhale des arômes inhabituels de fruits blancs (poire) et surtout de fleurs, la violette dominant le nez. La bouche légère est d'une extrême rondeur, fort heureusement égayée par une nuance de fruits exotiques qui relance la finale.

Dom. Landrat-Guyollot, Les Berthiers, 58150 Saint-Andelain, tél. 03.86.39.11.83, fax 03.86.39.11.65
t.l.j. 9h-12h 13h-18h; sam. dim. sur r.-v.

LES MOULINS À VENT 2005 ★★

	6 ha	40 000	■	5 à 8 €

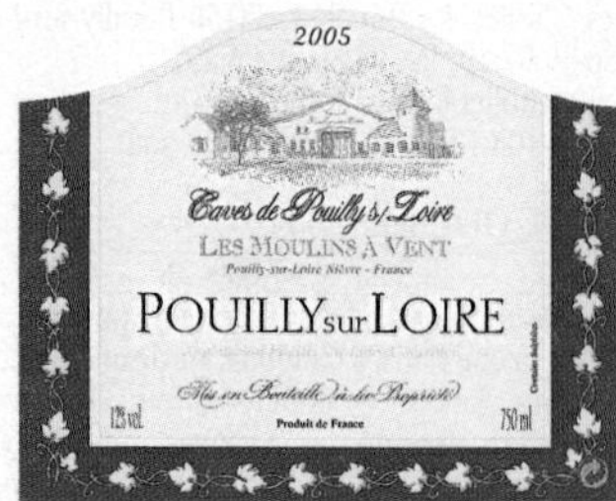

Les caves de Pouilly-sur-Loire sont l'un des plus gros producteurs de l'appellation. Elles se situent sur la colline des Moulins à Vent, dominant la réserve naturelle du Val de Loire. Leur pouilly-sur-loire réunit délicatesse et complexité en exprimant des notes caractéristiques de noisette harmonieusement complétées de nuances minérales (fumée), florales et fruitées (agrumes). La bouche ample et volumineuse se développe jusqu'à une longue finale. Un remarquable ambassadeur de l'appellation.

🔑 Caves de Pouilly-sur-Loire, Les Moulins à Vent, 39, av. de la Tuilerie, BP 9, 58150 Pouilly-sur-Loire, tél. 03.86.39.10.99, fax 03.86.39.02.28, e-mail caves.pouilly.loire@wanadoo.fr ☑ Y ⚲ r.-v.

DOM. ROGER PABIOT 2005 ★

	0,4 ha	2 000	■	3 à 5 €

Un domaine de 21 ha dont certains ceps ont plus de quatre-vingt-dix ans. De vieilles vignes de chasselas ont donné naissance à ce vin d'abord marqué par des notes végétales, mais qui exprime en bouche la variété de ses arômes dominés par le fruité (fruits secs, noisette). L'équilibre est réussi, l'ensemble léger et persistant.

🔑 Dom. Roger Pabiot et ses Fils, 13, rte de Pouilly, Boisgibault, 58150 Tracy-sur-Loire, tél. 03.86.26.18.41, fax 03.86.26.19.89, e-mail domainerogerpabiot@wanadoo.fr ☑ Y ⚲ r.-v.

DOM. DU PETIT SOUMARD 2005 ★★

	0,5 ha	4 800	■	3 à 5 €

Créé en 1895, ce domaine familial de 20 ha est conduit par l'épouse et les fils de Marcel Langoux, disparu en 1995. Le chasselas récolté sur un sol argilo-calcaire s'exprime dans ce vin particulièrement attrayant et complexe par sa palette de fruits mûrs, presque surmûris même (pêche, pâte de fruits), auxquels se mêlent des notes florales d'acacia. Supportés par une bonne structure, ces arômes se prolongent longuement au palais.

🔑 Monique Langoux, Dom. du Petit Soumard, Le Petit Soumard, 58150 Saint-Andelain, tél. 03.86.39.11.17, fax 03.86.39.13.62 ☑ Y ⚲ t.l.j. 8h-12h 13h30-19h

DOM. DE RIAUX Vieilles Vignes 2005 ★

	0,4 ha	3 000	■	5 à 8 €

Ce domaine s'est déjà distingué dans le Guide en obtenant un coup de cœur pour son pouilly-fumé 2003. Il ne déçoit pas ici tant son 2005 se montre élégant par des évocations de fruits et par une originale touche poivrée. La bouche confirme ces qualités : vive, elle procure des sensations persistantes, des plus plaisantes.

🔑 GAEC Jeannot Père et Fils, Dom. de Riaux, 58150 Saint-Andelain, tél. 03.86.39.11.37, fax 03.86.39.06.21, e-mail alexis.jeannot@wanadoo.fr ☑ Y ⚲ r.-v.

Quincy

C'est sur les bords du Cher, non loin de Bourges et près de Mehun-sur-Yèvre, lieux riches en souvenirs historiques du XVI^{e}s., que les vignobles de Quincy et de Brinay s'étendent sur 208 ha, sur des plateaux de graves sablo-argileuses sur calcaires lacustres.

Le seul cépage sauvignon blanc fournit les quincy (11 935 hl en 2005), qui présentent une grande légèreté, une certaine finesse et de la distinction dans le type frais et fruité.

Si, comme l'écrivait le Dr Guyot au XIX^{e}s., le cépage domine le cru, le quincy apporte aussi la démonstration que, dans une même région, la même variété peut s'exprimer en vins différents selon la nature des sols ; et c'est tant mieux pour l'amateur, qui trouvera ici l'un des plus élégants vins de Loire, à déguster avec les poissons et les fruits de mer aussi bien qu'avec les fromages de chèvre.

DOM. SYLVAIN BAILLY
Beaucharme La Croix Saint-Ursin 2005 ★★

	4,5 ha	30 000	■	5 à 8 €

Riche au nez, avec des senteurs de fleurs jaunes, de bourgeon de cassis et de fumée, voici du classique, mais du beau classique. Si l'attaque hésite entre la fraîcheur et le gras, le citronné et la minéralité finissent par prendre le dessus. Un joli quincy, à la personnalité intéressante, à servir sur un poisson grillé ou en sauce. Élégante, la cuvée **Les Grands Cœurs 2005** reçoit une étoile.

🔑 SCEA Dom. Sylvain Bailly, 71, rue de Venoize, 18300 Bué, tél. 02.48.54.02.75, fax 02.48.54.28.41, e-mail jacquesbailly3@wanadoo.fr
☑ Y ⚲ t.l.j. 8h-12h 14h-18h; dim. sur r.-v.
🔑 Jacques Bailly

GÉRARD BIGONNEAU 2005

	2,36 ha	16 000	■	5 à 8 €

La jeunesse de ce quincy est évidente. Sa couleur est d'un or très pâle. Ses arômes réservés demandent une bonne aération pour s'émanciper. Sa bouche un peu chaude est nuancée d'une fine et agréable pointe d'amertume. Ce vin gagnera à être attendu quelques mois avant d'accompagner une volaille rôtie ou des poissons grillés.

🔑 Gérard Bigonneau, La Chagnat, 18120 Brinay, tél. 02.48.52.80.22, fax 02.48.52.83.41
☑ Y ⚲ r.-v. 🏠 Ⓒ

DOM. DES BRUNIERS 2005

	8,5 ha	42 000	■	5 à 8 €

Ce 2005 était peu bavard le jour de notre dégustation mais son corps bien constitué a emporté l'adhésion du jury.

Derrière ses caractéristiques juvéniles percent des sensations friandes et de gras. Doté d'un potentiel intéressant, il devrait être prêt au printemps 2007.
Jérôme de La Chaise, Les Bruniers, 18120 Quincy, tél. et fax 02.48.51.34.10 r.-v.

DOM. DE CHEVILLY 2005 **

6,16 ha 50 000 5 à 8 €

Les vins d'Yves et Antoine Lestourgie figurent régulièrement dans le Guide. Cette année, leur millésime 2005 témoigne une nouvelle fois de leur savoir-faire. Intenses, les arômes évoquent les fleurs et la garrigue. L'attaque est souple et ronde, le cœur est tendre. L'ensemble affiche beaucoup de fraîcheur ainsi qu'une touche originale et séduisante. Une autre cuvée **Vin noble 2005 (8 à 11 €)**, issue de vignes âgées de trente ans, obtient une citation.
Yves Lestourgie, 52, rte de Chevilly, 18120 Méreau, tél. et fax 02.48.52.80.45,
e-mail domaine.de.chevilly@free.fr
t.l.j. 8h-12h 14h-18h

DOM. DE LA COMMANDERIE 2005

6,47 ha 50 000 5 à 8 €

Jean-Charles Borgnat est de ceux qui privilégient le respect de la vigne, conscient qu'un bon vin ne peut être obtenu qu'à partir de beaux raisins. Il pratique l'enherbement et la lutte raisonnée. Le nez de ce 2005 s'épanouit tranquillement laissant s'échapper d'abord de subtiles notes citronnées, puis des odeurs de fleurs blanches. En bouche, l'attaque flatteuse est suivie d'une montée progressive de la nervosité. Un équilibre gustatif idéal pour accompagner des fruits de mer ou du poisson.
EARL de La Commanderie, Boisgisson,
18120 Cerbois, tél. 02.48.51.30.16, fax 02.48.51.32.94,
e-mail jcborgnat@aol.com r.-v.
Borgnat

DOM. DES CROIX 2005

2 ha 15 000 5 à 8 €

Discret, le nez de ce quincy laisse échapper des notes d'agrumes, mêlées de fougère. Le palais se montre léger mais bien construit. Souple et rond, il offre une élégante finale citronnée. À découvrir sans attendre, sur du poisson ou sur des coquillages.
Sylvie Lavault-Rouzé, chem. des vignes,
18120 Quincy, tél. 02.48.51.35.61, fax 02.48.51.05.00,
e-mail rouze@terre-net.fr r.-v.

PIERRE DURET 2005

10,58 ha 90 290 5 à 8 €

D'un bel éclat or vert pâle, ce 2005 exprime des arômes de fruits exotiques et de banane. La bouche plaisante est nette, linéaire et montre une franche vivacité. Un quincy très bien vinifié qui accompagnera volontiers des crustacés ou un fromage de chèvre.
SARL Dom. Pierre Duret, Le Buisson-Long,
rte de Quincy, 18120 Brinay, tél. 02.48.51.30.17,
fax 02.48.51.35.47 r.-v.
Catherine Mellot

CHRISTOPHE GALLON 2005

2 ha 13 000 5 à 8 €

En entrant chez Christophe Gallon, vous verrez une demeure dont le pigeonnier date du XVIIIe s. ; le bâtiment est inscrit au patrimoine des communes. Le nez de ce 2005, de bonne intensité, est à dominante variétale. La bouche, assez ronde, affiche une finale quelque peu acidulée. À servir sur un salé aux lentilles vertes du Berry.
Christophe Gallon, Les Grands Ormes,
18120 Brinay, tél. 02.48.51.09.06, fax 02.48.51.14.53
r.-v.

JEAN-PAUL GODINAT 2005 *

6 ha 40 000 5 à 8 €

Négociant en Touraine, Jean-Paul Godinat s'est installé dans le Berry en 1996 en reprenant une propriété à Quincy. Son 2005 est très jeune. Le premier nez est encore sur des notes de croûte de pain à la sortie du four. L'aération l'ouvre sur des évocations florales et fruitées, avec un soupçon de menthe. Au palais, rondeur et vigueur sont harmonieusement alliées. Un quincy très réussi et dynamique.
SCEA Les Coudereaux, 34, rte de Bourges,
18510 Menetou-Salon, tél. 02.48.64.88.88,
fax 02.48.64.87.97,
e-mail chais.du.val.de.loire@wanadoo.fr
t.l.j. sf sam. dim. 8h-11h45 13h45-17h15
Godinat

DOM. MARDON 2005 *

12 ha 90 000 5 à 8 €

Hélène Mameaux assure la continuité de cette exploitation familiale ancrée dans l'histoire de l'appellation quincy. Les arômes de son vin sont discrets, exprimant le bonbon anglais, le fruit de la Passion et le pamplemousse. L'attaque est franche et plaisante. L'équilibre gustatif repose sur une fraîcheur acidulée. Un vin droit, qu'on sent encore sur la réserve et qui arrivera à sa pleine expression fin 2006. La **cuvée Saint-Edme 2004** issue de vieilles vignes est citée.
Dom. Mardon, 40, rte de Reuilly, 18120 Quincy,
tél. 02.48.51.31.60, fax 02.48.51.35.55,
e-mail contact@domaine-mardon.com r.-v.
Hélène Mameaux

PHILIPPE PORTIER 2005 *

10,5 ha 90 000 5 à 8 €

C'est dans la ferme du château, datant des XVIII et XIXe s., que vous serez accueillis et pourrez découvrir ce vin au bouquet plaisant et typé. Si la dominante est minérale, on perçoit également des notes de feuilles de cassis froissées. Une attaque souple, une jolie persistance sur des arômes légers et nuancés, qui dansent autour de notes minérales et fleuries. À boire avec un merlan au beurre persillé. Philippe Portier obtient une autre étoile pour son **Domaine des Victoires 2005**, un quincy friand, tonique et charmeur.
EARL Philippe Portier, Dom. de la Brosse,
18120 Brinay, tél. 02.48.51.04.47, fax 02.48.51.00.96,
e-mail philippe.portier@wanadoo.fr r.-v.

DIDIER RASSAT Cuvée Prestige 2005

1 ha 3 000 8 à 11 €

Cette cuvée est issue de macération pelliculaire, ce qui contribue à lui donner un caractère original. Le nez, très expressif, affiche le bourgeon de cassis et le buis avec ostentation. En bouche, ce vin présente beaucoup de rondeur, de gras, heureusement réveillé par des notes citronnées. Pour ceux qui aiment les quincy consistants.
Didier Rassat, Dom. Champ-Martin, 18120 Cerbois, tél. 02.48.51.70.19, fax 02.48.51.79.27 r.-v.

VALÉRY RENAUDAT 2005 ★

3 ha 27 000 5 à 8 €

Entourant une robe or pâle aux reflets brillants, les arômes de ce vin sont typés : bourgeon de cassis, citron, pointe de minéralité. Équilibré, doté d'une agréable sucrosité et de fraîcheur évoquant le bonbon acidulé, un quincy tout en délicatesse qui laisse présager un bel avenir. À servir sur une viande blanche.

Dom. Valéry Renaudat, 3, pl. des Écoles, 36260 Reuilly, tél. 02.54.49.38.12, fax 02.54.49.38.26 r.-v.

DOM. ADÈLE ROUZÉ 2005

1 ha 8 000 5 à 8 €

Adèle Rouzé a repris une ancienne exploitation en 2003. Depuis, elle la développe progressivement par de nouvelles plantations. Très ouvert, le nez de ce 2005 apparaît minéral. Si l'attaque est souple et tendre, le développement est léger. Un quincy au caractère primesautier et à l'équilibre harmonieux. Pour un repas d'été.

Adèle Rouzé, chem. des Vignes, 18120 Quincy, tél. 02.48.51.35.61, fax 02.48.58.90.56, e-mail arouze@terre-net.fr r.-v.

DOM. JACQUES ROUZÉ Vignes d'antan 2005 ★★

3 ha 25 000 5 à 8 €

L'étiquette nous fournit l'explication du nom de cette cuvée : elle est issue de vignes plantées entre 1920 et 1940. Bien développés, les arômes sont à dominante fruits blancs (pêche et poire). Égayée par une pointe de gaz carbonique, la bouche paraît souple, puis le gras s'impose avant que la finale persiste sur une belle vivacité, agrémentée de notes de fleurs et d'agrumes. La cuvée **Tradition 2005** est citée.

Jacques Rouzé, chem. des Vignes, 18120 Quincy, tél. 02.48.51.35.61, fax 02.48.51.05.00, e-mail rouze@terre-net.fr r.-v.

JEAN-MICHEL SORBE 2005

5 ha 40 000 5 à 8 €

Sous une robe or vert pâle, cette cuvée offre un nez assez discret, mais classique de l'appellation, aux notes de citron et de bourgeon de cassis. L'attaque souple annonce une bouche fraîche, aromatique, qui laisse poindre une touche d'amertume en finale. À servir maintenant.

SARL Jean-Michel Sorbe, Le Buisson-Long, rte de Quincy, 18120 Brinay, tél. 02.48.51.30.17, fax 02.48.51.35.47, e-mail jeanmichelsorbe@jeanmichelsorbe.com r.-v.

Catherine Mellot

DOM. DU TONKIN 2005 ★

3,24 ha 20 000 5 à 8 €

Sur le domaine du Tonkin, Jacques Masson produit cette unique cuvée. L'œil est frappé par son aspect pâle et cristallin. Le nez d'une bonne intensité évoque les fruits à chair blanche (pêche) et la mie de pain. La bouche se réjouit de l'équilibre parfaitement réussi entre rondeur et fraîcheur. À servir sur des fruits de mer ou des fromages.

EARL du Tonkin, Le Tonkin, 18120 Brinay, tél. 02.48.51.09.72, fax 02.48.51.11.67 r.-v.

Jacques Masson

DOM. DU TREMBLAY Cuvée Vieilles Vignes 2005 ★★

8,6 ha 13 000 5 à 8 €

Jean Tatin a constitué son vignoble dans les années 1990 en louant et en achetant de vieilles vignes. Il l'a ensuite étendu peu à peu. Aujourd'hui, son exploitation est située pour moitié sur des sables graveleux et pour moitié sur des sables argileux. L'expression olfactive de cette cuvée est intense et complexe, mélange de notes empyreumatiques (pain grillé) et minérales. En bouche, le gras donne une grande présence à ce vin. Sa persistance aromatique est remarquable. Un quincy très élégant et plaisant qui vous séduira tout de suite, mais qui pourra aussi attendre quelques années. La cuvée principale **Domaine du Tremblay 2005** est citée. Une citation également pour le **Domaine des Ballandors 2005** produit sur la même propriété avec Chantal Wilk.

Jean Tatin, Le Tremblay, 18120 Brinay, tél. 02.48.75.20.09, fax 02.48.75.70.50, e-mail jeantatin@wanadoo.fr r.-v.

DOM. TROTEREAU 2005

12,88 ha 26 000 5 à 8 €

Pierre Ragon est installé dans des bâtiments construits en 1830 et qui ont conservé leur architecture d'époque. Le nez de ce quincy est fermé mais intéressant, malgré une pointe d'oxydation. La bouche est souple, tout juste réveillée par une subtile acidité. Le retour aromatique apparaît plaisant, sur des notes légères de fleurs blanches et une pointe minérale.

Pierre Ragon, rte de Lury, 18120 Quincy, tél. et fax 02.48.51.32.23, e-mail p-ragon@hotmail.com r.-v.

Reuilly

Par ses coteaux accentués et bien ensoleillés, ses sols remarquables, Reuilly était prédestiné à la plantation de la vigne. Sur une superficie de 179 ha, l'appellation recouvre sept communes situées dans l'Indre et le Cher, dans une région charmante traversée par les vertes vallées du Cher, de l'Arnon et du Théols. Elle a produit 10 470 hl en 2005.

Le sauvignon blanc produit 5 397 hl dans la gamme des blancs secs et fruités, qui prennent ici une ampleur remarquable. Le pinot gris fournit localement un rosé de pressoir tendre, délicat, distingué à souhait, mais qui risque de disparaître, supplanté par le pinot noir dont on tire également d'excellents rosés, plus colorés, frais et gouleyants, mais surtout des rouges pleins, enveloppés, toujours légers, au fruité affirmé.

DOM. AUJARD 2005 ★★

■ 0,52 ha 4 500 ▮ 5 à 8 €

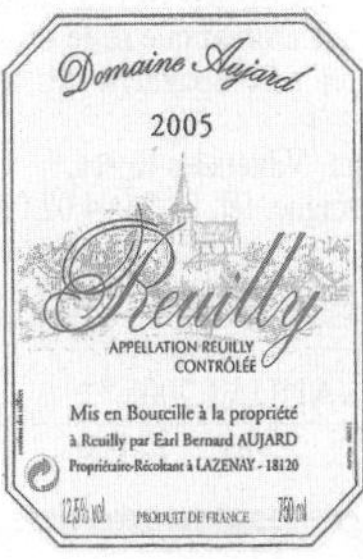

Déjà plusieurs fois sélectionné dans le Guide, Bernard Aujard confirme avec ce millésime 2005 toute la qualité de son terroir et de son travail. Ce coup de cœur d'un rose très pâle offre un bouquet intense rappelant la fraise des bois, le pamplemousse et la mangue. La bouche, suave et fine, joue sur des notes identiques. Très harmonieux, puissant et long, ce vin sera agréable dès maintenant, mais il possède également un excellent potentiel de garde (au moins un à deux ans). À servir sur un dessert. Le **blanc 2005** reçoit une étoile pour sa richesse.

🔑 EARL Bernard Aujard, 2, rue du Bas-Bourg, 18120 Lazenay, tél. 02.48.51.73.69, fax 02.48.51.79.74, e-mail domaineaujard@wanadoo.fr
☑ Y ✱ t.l.j. 8h-12h 14h-18h30; dim. sur r.-v.

ANDRÉ BARBIER Les Sables 2005 ★★

■ 0,43 ha 3 700 ▮ 5 à 8 €

Suivez la route des vins de Reuilly ; elle vous conduira à la cave d'André Barbier. Ne manquez pas de vous y arrêter. Ce vin dont le nez discret n'en dévoile pas moins toute sa complexité et toute sa délicatesse : notes d'ananas et de pamplemousse agréables. La bouche pleine et charnue est soutenue par une juste pointe acidulée. Une superbe bouteille, tout près des sommets. Le **blanc 2005 Les Varennes** est cité pour ses arômes typés.

🔑 André Barbier, Le Crot-au-Loup, 18120 Chéry, tél. 02.48.51.75.81, fax 02.48.51.72.47 ☑ Y ✱ r.-v.

DOM. HENRI BEURDIN ET FILS 2005

■ 3,9 ha 31 000 ▮ 5 à 8 €

Jean-Louis Beurdin a pris en main les destinées du domaine familial avec la même exigence que son père Henri, ce qui lui permet d'être lui aussi sélectionné pour ce millésime d'une teinte rouge pâle aux reflets orangés. Le nez « pinote » et livre des notes végétales et fruitées (cerise et framboise). La bouche, souple en attaque, offre une finale légère. Le **rosé 2005** est cité pour sa fraîcheur.

🔑 SCEV Dom. H. Beurdin et Fils, 14, Le Carroir, 18120 Preuilly, tél. 02.48.51.30.78, fax 02.48.51.34.81, e-mail domaine.beurdin@terre-net.fr
☑ Y ✱ t.l.j. 8h-12h 13h30-18h30, dim. sur r.-v.

GÉRARD BIGONNEAU Les Bouchauds 2005 ★

■ 1,45 ha 11 000 ▮ 5 à 8 €

Le domaine Gérard Bigonneau bouge : la fille Virginie, œnologue, vient de s'installer et un nouveau chai est en construction. Une courte macération de quatre heures a apporté à ce rosé 2005 cette jolie couleur pelure d'oignon. Le style olfactif est printanier et fleuri (violette). Au palais, une belle acidité donne du relief à ce vin, avant une finale toute chaleureuse. Le **blanc 2005** reçoit une étoile pour sa puissance aromatique.

🔑 Gérard Bigonneau, La Chagnat, 18120 Brinay, tél. 02.48.52.80.22, fax 02.48.52.83.41
☑ Y ✱ r.-v. 🏠 G

FRANÇOIS CHARPENTIER 2005 ★

■ 3,3 ha 20 000 ▮ 5 à 8 €

François Charpentier est le descendant de l'une de ces familles de vignerons qui ont maintenu le vignoble de Reuilly dans les années 1950. Sur les 8 ha de son domaine installé sur un terroir argilo-siliceux, il a produit ce vin aux senteurs d'agrumes (orange, mandarine), d'une grande finesse. La bouche confirme cette impression : tendre et fraîche, elle montre beaucoup de gras en finale. Le **rosé 2005** est cité pour son amplitude en bouche.

🔑 François Charpentier, 12, rue Jean-Jaurès, 36260 Reuilly, tél. 02.54.49.28.74, fax 02.54.49.29.91
☑ Y ✱ r.-v.

CHANTAL ET MICHEL CORDAILLAT 2005 ★

■ 1,3 ha 8 000 ▮ **8 à 11 €**

Créé en 1995 sur 2 ha, ce domaine atteint aujourd'hui 5,5 ha. Âgées de dix ans, les vignes de pinot plantées sur un sol argilo-calcaire ont donné ce vin rubis pourpre profond, prometteur. Le nez de bigarreau et de fumé, égayé d'une curieuse note anisée, est plaisant. La bouche affirme un grand caractère (mûre, framboise) et livre une finale sur un tanin quelque peu fougueux, qui traduit la jeunesse de ce millésime. Sans aucun doute, on pourra le garder (cinq ans). Le **blanc 2005 (5 à 8 €)**, d'une jolie persistance aromatique, est cité.

🔑 Dom. Cordaillat, Le Montet, 18120 Méreau, tél. 02.48.52.83.48, fax 02.48.52.83.09, e-mail michel.cordaillat@wanadoo.fr
☑ Y ✱ t.l.j. 10h-19h; dim. matin

PASCAL DESROCHES Les Varennes 2005

■ 4 ha n.c. ▮ **5 à 8 €**

Les vins de Pascal Desroches apparaissent régulièrement dans le Guide. 2005 ne fait pas exception : ce reuilly au nez puissant et persistant, fait de bourgeon de cassis et de fruits exotiques laisse en bouche une forte et étonnante impression de sucrosité, judicieusement relevée en finale par une touche de vivacité. Le **rouge 2005 La Sablière** est également cité, pour sa bonne structure.

🔑 Pascal Desroches, 13, rte de Charost, 18120 Lazenay, tél. et fax 02.48.51.71.60 ☑ Y ✱ r.-v.

DYCKERHOFF 2005

■ 0,7 ha 7 000 ▮ **5 à 8 €**

Bénédicte Dyckerhoff s'est lancée dans la viticulture en 2001. La voici aujourd'hui récompensée par une

première citation. Son reuilly blanc 2005 est dominé par les odeurs fruitées : il est une salade de fruits à lui tout seul ! La bouche est fraîche et agréable, et apparaît bien équilibrée. Un vin qui ravira à l'apéritif.
Dyckerhoff, Le Carroir du Gué, Plou, 18290 Charost, tél. 02.48.26.20.46, fax 02.48.26.22.67, e-mail cri.dycker@libertysurf.fr r.-v.

CH. GAILLARD 2005

1,6 ha 13 000 5 à 8 €

Un château à Reuilly ? C'est tout simplement le nom de cette propriété ressuscitée en 1999 par un vigneron, Claude Lafond, et un châtelain, Gérard Chomette. Le nez de ce vin ne cherche pas à cacher qu'il est issu du sauvignon : intense et vif, il rappelle le bourgeon de cassis ; une note pétrolée donne une touche originale. Soutenue par de fines perles de gaz, la bouche est nerveuse. Pour accompagner des noix de Saint-Jacques.
SCEA Ch. Gaillard, Le Bois-Saint-Denis, rte de Grasay, 36260 Reuilly, tél. 02.54.49.22.17, fax 02.54.49.26.64, e-mail claude.lafond@wanadoo.fr r.-v.
Chomette

JEAN-PAUL GODINAT 2005

1 ha 6 500 5 à 8 €

En 1996, Jean-Paul Godinat s'est installé en Centre-Loire (reuilly, quincy et menetou-salon). Le nez de ce 2005 a séduit le jury par l'intensité de ses notes d'agrumes. La bouche est ferme, équilibrée, très aromatique elle aussi, jouant sur des nuances de fruits mûrs (melon et à nouveau agrumes) d'une bonne longueur.
Jean-Paul Godinat, SCEA Coudereaux, 34, rte de Bourges, 18510 Menetou-Salon, tél. 02.47.57.94.09, fax 02.47.57.94.64, e-mail chais.du.val.de.loire@wanadoo.fr
t.l.j. sf sam. dim. 8h-11h45 13h45-17h15

JEAN-SYLVAIN GUILLEMAIN 2005

1,5 ha n.c. 5 à 8 €

Vous pouvez profiter de votre passage à Lury-sur-Arnon pour visiter le jardin conservatoire de Manzay qui rassemble quelque 350 essences dont plusieurs plantes tinctoriales. De retour au domaine situé à 10 km, vous attend ce 2005 dont les arômes évoquent les fruits rouges (cerises tout juste mûres). En bouche, l'attaque est souple, puis les tanins s'affirment jusque dans la finale qui confirme le nez. Le temps (un an) devrait le voir s'assagir et permettre son épanouissement. À servir sur une viande grillée.
EARL Guillemain, Palleau, 18120 Lury-sur-Arnon, tél. 02.48.52.99.01, fax 02.48.52.99.09 r.-v.

CLAUDE LAFOND La Raie 2005 *

6 ha 50 000 5 à 8 €

Sur un terroir de marnes et de sables graveleux, La Raie, coup de cœur à deux reprises, est une parcelle de référence chez Claude Lafond. Encore discret, le nez de ce 2005 fait preuve de délicatesse sur des tonalités d'agrumes et de melon. Rejoignant cette palette d'arômes, la bouche affirme une belle structure avec une sucrosité marquée en finale. À servir sur des poissons grillés.
Claude Lafond, Le Bois-Saint-Denis, rte de Graçay, 36260 Reuilly, tél. 02.54.49.22.17, fax 02.54.49.26.64, e-mail claude.lafond@wanadoo.fr
t.l.j. sf dim. 9h30-12h 13h30-19h (18h30 oct. à mars)

ALAIN MABILLOT 2005 *

1,5 ha 10 000 5 à 8 €

Saluons ici la qualité du travail d'Alain Mabillot dont les vins, blancs comme rouges, figurent très régulièrement dans le Guide. Ce 2005 en témoigne, avec sa teinte pourpre de bonne intensité et son fruité (mûre) élégant, bien dans le style de l'appellation. Souple et léger en approche, il laisse peu à peu percer les tanins qui se révèlent en finale. Le retour aromatique reste discret. L'ensemble est harmonieux et accompagnera des fromages à pâte cuite.
Alain Mabillot, Villiers-les-Roses, 36260 Sainte-Lizaigne, tél. 02.54.04.02.09, fax 02.54.04.01.33, e-mail alain.mabillot@wanadoo.fr
r.-v.

VALÉRY RENAUDAT 2005 **

3 ha 27 000 5 à 8 €

Pour Valéry Renaudat les millésimes se suivent et se ressemblent ; seule la couleur change : après un coup de cœur pour le rouge l'an passé, il en obtient un cette année pour le blanc. Les arômes intenses et fins mêlent des notes fleuries et une agréable pointe végétale. L'attaque tendre ouvre sur une bouche ample et grasse, d'une longue persistance sur un fruité très mûr. Remarquable. À servir dès maintenant ou à attendre un à deux ans. Le **rouge 2005** décroche également deux étoiles pour son fruité de grande maturité et ses tanins soyeux.
Dom. Valéry Renaudat, 3, pl. des Écoles, 36260 Reuilly, tél. 02.54.49.38.12, fax 02.54.49.38.26
r.-v.

DOM. DE REUILLY 2005 *

3,7 ha 25 000 5 à 8 €

Les coteaux sur lesquels sont plantées les vignes de ce domaine ont été exploités au VII[e]s. par les moines de l'Abbaye royale de Saint-Denis. Les fragrances de ce 2005 sont intenses et typées (fruits rouges, épices). L'attaque est fraîche et le milieu de bouche consistant. Les tanins, un peu nerveux, ne gênent pas le retour prolongé sur la cerise. Il faudra savoir attendre un à deux ans cette bouteille avant de la servir sur une viande rouge. Le **rosé 2005** reçoit lui aussi une étoile pour sa persistance aromatique sur les petits fruits rouges.

🔑 Dom. de Reuilly, chem. des Petites-Fontaines, 36260 Reuilly, tél. 02.38.66.16.74, fax 02.38.66.74.69, e-mail denis-jamain@wanadoo.fr ☑ 🍷 🚶 r.-v.
🔑 Jamain

DOM. DE SERESNES 2005

■ 1,51 ha 9 600 ▮ 5 à 8 €

En visite chez Jacques Renaudat, demandez à visiter la chapelle du XIIIe s. qui figure sur son étiquette et qui est située à l'entrée de sa cave. Un bel endroit pour découvrir ce 2005 à la robe rose pâle attrayante, dont les arômes pleins de finesse s'ouvrent sur la framboise et la pêche de vigne. La bouche est dominée par une sensation de gras. Servi frais, ce vin conviendra à un dessert à base de fruits. Le **reuilly blanc 2005** est également cité, pour sa puissance aromatique.

🔑 Jacques Renaudat, Seresnes, 36260 Diou, tél. 02.54.49.21.44, fax 02.54.49.30.42
☑ 🍷 🚶 t.l.j. sf dim. 8h-12h 14h-18h

JEAN-MICHEL SORBE 2005 *

■ 2,5 ha 20 000 ▮ 5 à 8 €

Le château royal de Mehun-sur-Yèvre, résidence de Charles VII, est à seulement 9 km. Vous pourrez ensuite découvrir au domaine ce cru d'une grande maturité dont le bouquet évoque les fruits confits (abricot). La bouche est en harmonie, laissant une impression de souplesse et une bonne longueur. Une citation pour le **reuilly rouge 2005**, au fruité sympathique, ainsi que pour la cuvée **La Commanderie rouge 2004 (8 à 11 €)**, élevée un an en fût, au boisé et au fruité bien fondus.

🔑 SARL Jean-Michel Sorbe, Le Buisson-Long, rte de Quincy, 18120 Brinay, tél. 02.48.51.30.17, fax 02.48.51.35.47, e-mail jeanmichelsorbe@jeanmichelsorbe.com
☑ 🍷 🚶 r.-v.
🔑 Catherine Mellot

JACQUES VINCENT 2005

■ 2,5 ha 14 000 ▮ 5 à 8 €

Maintes fois cité pour son rosé, Jacques Vincent est aujourd'hui retenu pour son reuilly rouge. D'aspect rubis à reflets grenat, le vin présente un fruité évoquant la fraise très mûre. Rond et souple, encore tannique, il offre un élégant retour aromatique sur les fruits rouges. C'est un vin plaisant et facile à boire.

🔑 Jacques Vincent, 11, chem. des Caves, 18120 Lazenay, tél. 02.48.51.73.55, fax 02.48.51.14.96
☑ 🍷 🚶 t.l.j. 9h-12h 14h-19h; dim. sur r.-v.

Sancerre

Sancerre, c'est avant tout un lieu prédestiné dominant la Loire. Sur quatorze communes, s'étend un magnifique réseau de collines parfaitement adaptées à la viticulture, bien orientées, exposées et protégées. Les sols portent des noms locaux : « Terres blanches » (marnes argilo-calcaires du kimméridgien ; « caillottes » et « griottes » (calcaires) ; « cailloux » ou « silex » (siliceux du tertiaire). Ils conviennent à la vigne et contribuent à la qualité des vins ; 2 762 ha sont plantés et ont produit 166 901 hl en 2005 dont 131 740 hl de vin blanc.

Deux cépages règnent à Sancerre : le sauvignon blanc et le pinot noir, deux raisins éminemment nobles, capables de traduire l'esprit du milieu et du terroir, d'exprimer au mieux les dons des sols qui s'épanouissent dans des blancs (les plus nombreux) frais, jeunes, fruités ; dans des rosés tendres et subtils ; dans des rouges légers, parfumés, enveloppés.

Mais Sancerre, c'est aussi un milieu humain particulièrement attachant. Il n'est pas facile, en effet, de produire un grand vin avec le sauvignon, cépage de deuxième époque de maturité, non loin de la limite nord de la culture de la vigne, à des altitudes de 200 à 300 m qui influencent encore le climat local et sur des sols qui comptent parmi les plus pentus de notre pays, d'autant plus que les fermentations se déroulent dans une conjoncture délicate de fin de saison tardive !

On appréciera particulièrement le sancerre blanc sur les fromages de chèvre secs, comme l'illustre « crottin » de Chavignol, village lui-même producteur de vin, mais aussi sur les poissons ou les entrées chaudes peu épicées ; les rouges iront sur les volailles et les préparations locales de viandes.

PIERRE ARCHAMBAULT 2005 *

■ 4 ha 31 000 ▮ 8 à 11 €

Une champignonnière était exploitée dans cette immense grotte avant que Magloire Archambault n'y installe sa cave viticole en 1910. Fort aujourd'hui de 40 ha, le domaine propose un 2005 fruité, finement nuancé de notes grillées. La bouche apparaît riche et pleine en attaque, puis concentrée, bien que les tanins apportent une certaine austérité en finale. Deux ans de garde devraient permettre à ce sancerre prometteur de s'affiner.

🔑 SA Pierre Archambault, Cave de la Perrière, 18300 Verdigny, tél. 02.48.54.16.93, fax 02.48.54.11.54, e-mail info@domainelaperriere.com
☑ 🍷 🚶 t.l.j. 8h-12h 14h-18h; groupes sur r.-v.
🔑 Jean-Louis Saget

DOM. AUCHÈRE Cuvée de l'Abbaye 2004 *

■ 0,4 ha 2 400 ▮ 11 à 15 €

Les admirateurs de Harry Potter feraient bien de passer à Bué, le 1er août, et d'emprunter les sentiers de randonnée de la Ronde des Sorciers. Il n'y a rien de sorcier dans ce 2005, mais une bonne maîtrise de la vinification. Après quelques notes végétales se manifestent des arômes fruités (agrumes) et floraux. L'attaque est franche, la chair pleine et volumineuse, charnue. Ce vin équilibré s'accordera avec un poisson en sauce. Le **Domaine Auchère 2005 blanc (5 à 8 €)** obtient une étoile pour son équilibre gourmand.

LOIRE

⊶ Jean-Jacques Auchère, 18, rue de l'Abbaye,
18300 Bué, tél. 02.48.54.15.77, fax 02.48.78.03.46,
e-mail jean-jacques.auchere@terre-net.fr ☒ Y ⛹ r.-v.

DOM. SYLVAIN BAILLY

La Croix Saint-Ursin 2005

9 ha 70 000 ▮ 8 à 11 €

Issu d'un assemblage de raisins récoltés sur terroirs calcaires et argilo-calcaires, ce vin affirme une franche minéralité (pierre à fusil). Il se montre souple en attaque, puis vif. À la fin de l'année, il pourra rejoindre des coquillages.

⊶ SCEA Dom. Sylvain Bailly, 71, rue de Venoize,
18300 Bué, tél. 02.48.54.02.75, fax 02.48.54.28.41,
e-mail jacquesbailly3@wanadoo.fr
☒ Y ⛹ t.l.j. 8h-12h 14h-18h; dim. sur r.-v.
⊶ Jacques Bailly

DOM. JEAN-PAUL BALLAND 2004 *

n.c. n.c. ▮▮ 8 à 11 €

Les filles de Jean-Paul Balland ont une formation et des compétences complémentaires : Isabelle est œnologue et Élise commerciale. Une équipe qui saura défendre les couleurs de ce vin grenat, dont le premier nez, légèrement animal (cuir), cède place, après aération, au fruité et aux notes torréfiées héritées de l'élevage sous bois. Des tanins fondus laissent une agréable sensation et participent à l'élégance du vin. La **Grande Cuvée 2004 blanc (11 à 15 €)** est citée pour son potentiel d'évolution.

⊶ SAS Dom. Jean-Paul Balland,
10, chem. de Marloup, 18300 Bué, tél. 02.48.54.07.29,
fax 02.48.54.20.94, e-mail balland@balland.com
☒ Y t.l.j. sf dim. 8h-12h 13h30-18h

PASCAL BALLAND 2005

7,5 ha 50 000 ▮ 5 à 8 €

Pascal Balland, qui ne manque pas d'humour, affirme pratiquer une viticulture raisonnable. La raison lui a sans doute permis d'élaborer ce 2005 franc, dont le nez ne demande qu'à s'ouvrir : une pointe végétale et des nuances d'agrumes (pamplemousse). Encore jeune, le vin offre une grande fraîcheur sans rien perdre de son équilibre.

⊶ EARL Pascal Balland, rue Saint-Vincent,
18300 Bué, tél. 02.48.54.22.19, fax 02.48.78.08.59,
e-mail pascalballand@wanadoo.fr
☒ Y t.l.j. 8h-12h 14h-18h; dim. sur r.-v.

JOSEPH BALLAND-CHAPUIS Le Chatillet 2005

n.c. 16 000 8 à 11 €

Une cuvée issue des terroirs de Bué, d'Amigny et de Sancerre, à dominante calcaire. Cerise noire, telle est sa couleur dominante, nuancée de reflets violets. Cerise noire, tel est l'arôme principal de sa palette intense, complétée d'une touche animale. Sa structure témoigne d'une bonne extraction de la matière première. Un sanglier en sauce sera le bienvenu à table. Le **Domaine Carroy de Marlou 2005 blanc**, rond et plein, est cité.

⊶ SARL Joseph Balland-Chapuis,
La Croix-Saint-Laurent, 18300 Bué, tél. 02.48.54.06.67,
fax 02.48.54.07.97, e-mail balland-chapuis@wanadoo.fr
☒ Y ⛹ t.l.j. 8h-12h 13h30-17h30
⊶ Jean-Louis Saget

DOM. CÉDRICK BARDIN 2005 *

3,5 ha 30 000 ▮ 5 à 8 €

Cédrick Bardin est le fils d'une Sancerroise et d'un Pouillyssois. Deux influences complémentaires, somme toute. Le vin, floral et fruité (pêche, poire), semble encore timide, mais ne manque pas d'élégance déjà. L'attaque est franche, le milieu de bouche à la fois gras et frais. De la densité, du corps et de l'équilibre : un sancerre représentatif de l'appellation.

⊶ Cédrick Bardin, 12, rue Waldeck-Rousseau,
58150 Pouilly-sur-Loire, tél. 03.86.39.11.24,
fax 03.86.39.16.50, e-mail cedrick.bardin@wanadoo.fr
☒ Y r.-v.

HENRI BOURGEOIS Grande réserve 2005 *

11,55 ha 100 000 ▮ 8 à 11 €

Face à la côte des Monts-Damnés, ce domaine, créé il y a cinquante ans, possède en propre 67 ha répartis en majorité en sancerre, mais mène aussi une activité de négoce en Sancerrois qu'illustre cette cuvée élégante. Celle-ci libère des arômes de fruits et de fleurs blanches, des notes légères de bourgeon de cassis ainsi que des touches minérales. Si elle est ample, elle n'en garde pas moins le caractère sec et frais typique de l'appellation. **La Côte des Monts Damnés 2005 blanc (11 à 15 €)** brille d'une étoile elle aussi pour ses notes d'abricot confit et de miel rehaussées d'une juste vivacité. Élevée partiellement en fût, la cuvée **Jadis 2004 blanc (15 à 23 €)** est citée.

⊶ Dom. Henri Bourgeois, Chavignol, 18300 Sancerre,
tél. 02.48.78.53.20, fax 02.48.54.14.24,
e-mail domaine@henribourgeois.com ☒ Y ⛹ r.-v.

DOM. DES BUISSONNES 2005 *

10,73 ha 90 000 ▮ 5 à 8 €

Dominique Naudet s'occupe du vignoble de 15 ha, pendant que son beau-frère, Régis Jouan, suit le travail en cave. Bonne équipe qui a produit ce 2005 équilibré, aux arômes intenses de buis, de pierre à fusil, soulignés d'une touche originale, quelque peu sauvage. L'attaque franche introduit une bouche ample, aromatique et fraîche. Un sancerre classique, destiné à des coquilles Saint-Jacques.

⊶ Roger Naudet et Fils, SCEA des Buissonnes,
Maison Sallé, 18300 Sury-en-Vaux,
tél. et fax 02.48.79.34.68,
e-mail regis.jouan@wanadoo.fr
☒ Y ⛹ t.l.j. 10h-13h 14h-19h

LES CARACTÈRES 2005 ***

13,25 ha 120 000 ▮ 5 à 8 €

Il vous faudra fréquenter les magasins Leclerc pour trouver cette bouteille « de caractère ». Le nez puissant et complexe s'inscrit dans le registre floral et, plus encore, dans celui des fruits (banane, litchi, orange sanguine et même fruits confits). Une fraîcheur discrète vient rehausser la rondeur de ce vin riche et persistant, né d'une récolte très mûre, presque surmûrie. Un sancerre exceptionnel pour le millésime qui s'accordera, par exemple, à un velouté de lentilles à la truffe.

⊶ Jean Dumont, La Castille, BP 26,
58150 Pouilly-sur-Loire, tél. 03.86.39.56.60,
fax 03.86.39.08.30
⊶ J.-L. Saget

DOM. DU CARROIR PERRIN 2005 **

9 ha 50 000 ▮ 8 à 11 €

Le domaine, situé à 4 km de Sancerre, a aménagé un gîte à côté de ses caves. Les amateurs pourront ainsi y étudier de près la vinification et le terroir (marnes et silex) du sancerre. Le 2005, intensément floral et fruité, fait preuve de finesse. S'il possède du gras, il offre aussi une juste vivacité et des flaveurs persistantes de fruits. Vous le dégusterez dès maintenant ou le conserverez deux ans sans crainte.

Pierre Riffault, Chaudoux, 18300 Verdigny, tél. 02.48.79.31.03, fax 02.48.79.35.68, e-mail pierre.riffault@tiscali.fr
t.l.j. sf dim. 9h-12h 13h-19h

ROGER CHAMPAULT Le Clos du Roy 2005 ★★

2,3 ha 20 000 8 à 11 €

D'anciennes caves voûtées ont été aménagées pour la vinification des 20 ha de vignes de ce domaine. La récolte 2005, bien mûre, a donné naissance à un vin suave par ses arômes de fleurs, de fruits (pêche, poire), rehaussés d'une ligne minérale. Si l'attaque est vive, la bouche gagne ensuite en ampleur et en gras avant de revenir en finale sur une agréable fraîcheur aromatique.

EARL Roger Champault et Fils, Champtin, 18300 Crézancy-en-Sancerre, tél. 02.48.79.00.03, fax 02.48.79.09.17 r.-v.

DANIEL CHOTARD 2004

7,7 ha 60 000 5 à 8 €

Les collectionneurs et amateurs pourront admirer l'exposition de tire-bouchons que Daniel Chotard présente dans sa cave avant de découvrir ce vin qui a tout l'avenir devant lui. Déjà son apparence or vert pâle retient l'attention, puis le nez de fleurs blanches, éclatant de jeunesse, étonne. Et la bouche de charmer par son charnu et sa fraîcheur.

Daniel Chotard, Reigny, 18300 Crézancy-en-Sancerre, tél. 02.48.79.08.12, fax 02.48.79.09.21, e-mail daniel.chotard@wanadoo.fr
t.l.j. 9h-12h 14h-19h; dim. sur r.-v.

DOM. DES CLAIRNEAUX 2005

6,56 ha 45 000 5 à 8 €

Le raisin était mûr, très mûr même. Cela se sent dans les arômes intenses et originaux : le vin muscate, évoque l'orange et la violette. De sa chair souple et ronde il emplit la bouche, puis laisse en finale quelques notes éphémères de confiture de coings.

Jean-Marie Berthier, Dom. des Clairneaux, 18240 Sainte-Gemme-en-Sancerrois, tél. 02.48.79.40.97, fax 02.48.79.39.55, e-mail domaine-des-clairneaux@wanadoo.fr
r.-v. 3

DANIEL CROCHET 2005 ★

0,73 ha 6 000 5 à 8 €

Un vignoble de moins de 10 ha réparti entre Bué et Sancerre. À peine teinté de rose, ce vin propose un panier de fruits rouges (framboise et fraise) tant au nez qu'au palais soutenu par un léger perlant et une agréable vivacité. Un rosé harmonieux et frais pour des repas de fin d'été. La **cuvée Prestige 2004 (8 à 11 €)**, élevée en fût, est citée, de même que le **2005 blanc**, aux arômes exotiques.

Daniel Crochet, 61, rue de Venoize, 18300 Bué, tél. 02.48.54.07.83, fax 02.48.54.27.36, e-mail daniel-crochet@wanadoo.fr
t.l.j. sf dim. 9h-12h 14h-18h

DOMINIQUE ET JANINE CROCHET 2005 ★

2,52 ha 18 000 5 à 8 €

Partis de 2 ha de vignes en 1982, Dominique et Janine Crochet cultivent maintenant 10 ha, dont 3 ha de pinot noir. Leur 2005, cerise noire à reflets violacés, présente des notes animales avant de libérer des arômes puissants de fruits rouges un peu confits (framboise). La bouche équilibrée bénéficie de tanins affirmés mais soyeux, bien fondus à la matière ronde. À servir avec un gibier ou, après quelques années de garde, avec un gâteau au chocolat. La **cuvée Prestige 2005 blanc (8 à 11 €)** est citée pour sa fine minéralité.

EARL Dominique et Janine Crochet, 64, rue de Venoize, 18300 Bué, tél. 02.48.54.19.56, fax 02.48.54.12.61 t.l.j. 9h-12h 14h-19h

DOM. ROBERT ET FRANÇOIS CROCHET 2004 ★★★

2 ha 10 000 8 à 11 €

Robert Crochet a pris sa retraite en 2006. Ce sera désormais le nom de son fils qui figurera sur l'étiquette des sancerre de ce domaine de plus de 10 ha. Une robe grenat sombre, nuancée de violet, témoigne d'emblée de la qualité de la vinification. Finesse et complexité caractérisent la palette d'arômes de cerise, de réglisse, de grillé léger hérité d'un élevage partiel en fût. Les tanins ronds constituent une élégante structure, respectueuse de la longue expression fruitée de la chair. Un grand sancerre. Le **2005 blanc (5 à 8 €)**, souple et fruité, est cité, de même que la cuvée **Les Amoureuses 2004 blanc (11 à 15 €)**, structurée, ample et fraîche.

Robert et François Crochet, Marcigoué, 18300 Bué, tél. 02.48.54.21.77, fax 02.48.54.25.10, e-mail francoiscrochet@wanadoo.fr
t.l.j. 9h-12h 13h30-19h; dim. sur r.-v.

DOM. DAULNY 2005 ★

11 ha 80 000 5 à 8 €

À la tête de ce domaine familial depuis 1972, Étienne Daulny propose un sancerre or pâle dont les arômes évoquent avec intensité le fruit de la Passion, le litchi, soulignés d'une ligne minérale. D'attaque franche, la bouche possède du gras, rafraîchi par un léger perlant et des flaveurs d'agrumes persistantes. La vivacité perceptible en finale est le gage d'une bonne tenue dans le temps. La cuvée **Le Clos de Chaudenay 2004 (8 à 11 €)** est citée pour son caractère floral et frais.

Étienne Daulny, Chaudenay, 18300 Verdigny, tél. 02.48.79.33.96, fax 02.48.79.33.39 r.-v.

DOM. VINCENT DELAPORTE 2005

16,5 ha 145 000 5 à 8 €

Un bel exemple d'assemblage de terroirs : 10 % d'argilo-calcaire, 40 % de caillottes, 50 % de silex. Si le nez est encore timide, des senteurs de fruits blancs et des notes végétales se devinent. La bouche est marquée par une vivacité évocatrice d'agrumes. Un vin sec, harmonieux, destiné aux fruits de mer. La **cuvée Maxime 2005 blanc vinifiée en fût de chêne (8 à 11 €)** est citée.

SCEV Vincent Delaporte et Fils, Chavignol, 18300 Sancerre, tél. 02.48.78.03.32, fax 02.48.78.02.62, e-mail delaportevincent.sancerre@wanadoo.fr
r.-v.

ANDRÉ DEZAT ET FILS 2005 ★

15,2 ha 110 000 8 à 11 €

André Dezat et ses fils ont vu maintes fois leurs vins sélectionnés dans le Guide. Nouveau millésime, nouvelle mention. Une agréable minéralité (pierre à fusil) constitue la ligne aromatique, complétée d'arômes floraux (muguet) intenses. Souple à l'attaque, la bouche présente beaucoup de fraîcheur et toujours ce caractère minéral persistant qui lui donne de l'élégance : une « allure aristocratique », dit un dégustateur. Le **2005 rouge**, élevé en fût, reçoit une étoile pour son boisé harmonieux.

SCEV André Dezat et Fils, rue des Tonneliers, Chaudoux, 18300 Verdigny, tél. 02.48.79.38.82, fax 02.48.79.38.24 r.-v.

PAUL DOUCET ET FILS 2005

9 ha 20 000 5 à 8 €

L'histoire de ce domaine est semblable à celle de beaucoup d'exploitations sancerroises qui débutèrent par des activités de polyculture et d'élevage, avant de se tourner exclusivement vers la viticulture. Paul Doucet a franchi ce pas en 1978. Aujourd'hui, il propose un 2005 encore sur la réserve mais de qualité par ses notes de fruits mûrs. La rondeur et le gras dominent au palais, relevés d'une agréable pointe de fraîcheur citronnée en finale.

EARL Paul Doucet, Les Plessis, 18300 Sury-en-Vaux, tél. 02.48.79.33.40, fax 02.48.79.28.14 r.-v.

DOM. GÉRARD FIOU 2005

6,8 ha 32 000 8 à 11 €

Au siècle dernier, le grand-père de Gérard Fiou comptait parmi ces Sancerrois à la fois vignerons et tonneliers. Gérard, lui, ne se consacre qu'à la vigne pour élaborer des vins tels que ce 2005 flatteur par ses arômes de fruits frais, d'amande et par ses notes minérales. Construit autour de la rondeur, celui-ci témoigne de son terroir de silex et de marnes en exprimant une fermeté typée en finale.

Gérard Fiou, 15, rue Hilaire-Amagat, 18300 Saint-Satur, tél. 02.48.54.16.17, fax 02.48.54.36.89
t.l.j. 8h-12h 14h-19h; sam. dim. 10h; f. début août

FONTAINE 2005 **

0,4 ha 3 400 8 à 11 €

Cette cuvée confidentielle provient des coteaux qui entourent le village de Chavignol, également célèbre pour ses fromages de chèvre. Paraît-elle timide au nez ? Ce n'est là que la marque du terroir argilo-calcaire et elle s'exprimera pleinement dans quelques mois. Au palais, elle ne cache pas son potentiel : de la rondeur, de l'ampleur, de la structure et de la persistance. Vous pourrez la conserver entre trois et cinq ans.

Fontaine, Le Caveau, Cidex M73, 18300 Chavignol, tél. 02.48.54.13.47 r.-v.

CH. DE FONTAINE-AUDON 2005

10 ha 54 000 11 à 15 €

Un habit des plus classiques, or pâle à reflets argentés. Le premier nez iodé cède place, après aération, à un fruité de banane, de pomme et de kiwi. La bouche franche, bâtie autour de la vivacité, laisse une fine impression de fraîcheur citronnée.

SA Langlois-Château, 3, rue Léopold-Palustre, 49400 Saint-Hilaire-Saint-Florent, tél. 02.41.40.21.40, fax 02.41.40.21.49, e-mail contact@langlois-chateau.fr
t.l.j. 10h-12h30 14h30-18h30

DOM. FOUASSIER Les Chasseignes 2005 *

4 ha 30 000 5 à 8 €

Travail des sols, enherbement : les vieilles méthodes ont du bon lorsque l'on s'attache à respecter le terroir de la vigne. La famille Fouassier valorise ses parcelles en élaborant des cuvées séparées. Ce 2005 provient de calcaire de Buzançais et de calcaires lités supérieurs. D'abord mentholé, le nez ne tarde pas à s'ouvrir sur le fruit (pêche jaune), tandis que la bouche, souple en attaque, gagne en vivacité en se développant avant de conclure sur une impression de volume. Un vin élégant. Les sancerre blancs **le Clos de Bannon 2005** (argiles à silex et marnes de Saint-Doulchard) et **Les Romains 2005** (argiles à silex) brillent eux aussi d'une étoile.

Fouassier Père et Fils, 180, av. de Verdun, 18300 Sancerre, tél. 02.48.54.02.34, fax 02.48.54.35.61, e-mail domaine-fouassier@wanadoo.fr r.-v.

DOM. DE LA GARENNE 2005 ***

7 ha 58 000 8 à 11 €

Une longue expérience de vignerons – Bernard-Noël Reverdy et son épouse se sont installés en 1978 –, des terroirs de calcaires et de marnes, un grand millésime : tels sont les facteurs de réussite de cette cuvée exceptionnelle. À nul autre pareil tant il est intensément parfumé d'arômes complexes, ce vin décline à l'envi cassis, fruits exotiques (ananas, pamplemousse). Au palais, le voici enjôleur, qui développe sa chair pleine, élégante et fraîche, longuement aromatique. Réservez-lui des poissons en sauce, comme un saumon, un brochet ou un sandre. Le **2005 rosé**, floral et fruité, obtient une étoile.

Bernard-Noël Reverdy, Dom. de La Garenne, rue Saint-Vincent, 18300 Verdigny, tél. 02.48.79.35.79, fax 02.48.79.32.82, e-mail domaine-de-la-garenne@wanadoo.fr r.-v.

DOM. LA GEMIÈRE 2005

11,8 ha 100 000 5 à 8 €

C'est dans la cave, récemment rénovée, située entre les villages de Reigny et de Champtin, que travaillent Daniel Millet et ses fils, Sébastien et Nicolas. Tous trois ont élaboré un vin quelque peu timide, laissant s'échapper des notes de fleur de sureau et d'agrumes. Il s'exprime avec délicatesse au palais, grâce à sa grande douceur rehaussée en finale d'une pointe vive tonique. Le **2004 rouge** est cité pour son équilibre gustatif.

Daniel Millet et Fils, Dom. La Gemière, Champtin, 18300 Crézancy-en-Sancerre, tél. 02.48.79.07.96, fax 02.48.79.02.10, e-mail daniel.millet5@wanadoo.fr
t.l.j. 8h-12h 13h30-19h; groupes sur r.-v.

MICHEL GIRARD ET FILS 2005 **

0,9 ha 6 000 5 à 8 €

Michel Girard et ses fils, Philippe et Benoît, ont particulièrement bien réussi ce millésime 2005, puisque leurs sancerre des trois couleurs sont retenus dans le Guide. Ce rosé, habillé d'une robe saumon brillant, se révèle d'une rare intensité aromatique ; frais, il exhale des senteurs de fleurs (pivoine) et de fruits à noyau. On perçoit une grande matière au palais, qui laisse une impression de richesse chaleureuse, de persistance remarquable et d'harmonie. Le **2005 blanc**, tendre et minéral, et le **2005 rouge (8 à 11 €)**, fruité, finement tannique, reçoivent chacun une étoile.

Dom. Michel Girard et Fils, Chaudoux, 18300 Verdigny, tél. 02.48.79.33.36, fax 02.48.79.33.66, e-mail michelgirard.fils@wanadoo.fr
t.l.j. 9h-12h 14h-18h; sam. dim. sur r.-v.

VINCENT GRALL Le Manoir 2005

0,6 ha 4 500 8 à 11 €

En remontant dans le village de Sancerre, en direction de l'esplanade de Porte César, vous trouverez aisément la cave de Vincent Grall qui possède un peu plus de 3 ha sur le coteau de Sancerre. Assemblage de vins élevés en cuve et en fût, cette cuvée libère des arômes végétaux et fruités (agrumes, pomme verte), puis révèle à la fois de la vivacité et un caractère vineux. Une ou deux années de garde devraient lui permettre de trouver l'harmonie.

Vincent Grall, 149, av. Nationale, 18300 Sancerre, tél. 02.48.78.00.42, fax 02.48.54.14.23, e-mail vincent.grall@wanadoo.fr
t.l.j. 10h-19h; oct.-mars sur r.-v. sauf sam. dim.

DOM. DES GRANDES PERRIÈRES 2005 *

4,5 ha 38 000 5 à 8 €

Un domaine de 11 ha de vignes, dont 3 ha à Saint-Comme et 2 ha à Chavignol. Il est clair que le raisin de sauvignon était bien mûr en 2005. Sentez-vous ces arômes complexes de fruits exotiques, de pamplemousse ? Percevez-vous cette rondeur, cette mâche et cette persistance ? Certes, certains regretteront un léger manque de vivacité, mais la qualité est bien au rendez-vous. Le **2005 rosé**, aromatique lui aussi, est cité.

Jérôme Gueneau, Panquelaine, 18300 Sury-en-Vaux, tél. 02.48.79.39.31, fax 02.48.79.40.27, e-mail gueneau.jerome@wanadoo.fr r.-v.

ALAIN GUENEAU La Guiberte 2005 *

6 ha 48 000 5 à 8 €

Alain Gueneau a repris le flambeau en 1970 après ses parents Suzanne et Maxime. Aujourd'hui, sa fille Élisa le rejoint pour assurer la suite le moment venu. Elle est à bonne école et pourra prendre exemple sur ce 2005 parfumé de discrètes notes de tubéreuse et d'acacia. Franc en attaque, le vin fait preuve non seulement de fermeté, mais aussi de charnu. Davantage marqué par le terroir que par le cépage, il demande une bonne année de garde pour s'ouvrir. Le **2005 rouge (8 à 11 €)** est cité pour ses arômes de fraise, de framboise et d'épices.

Alain Gueneau, Maison-Sallé, 18300 Sury-en-Vaux, tél. 02.48.79.30.51, fax 02.48.79.36.89, e-mail agueneau@terre-nef.fr r.-v.

DOM. SERGE LALOUE 2005 *

10 ha 80 000 8 à 11 €

En bordure du canal latéral à la Loire, aujourd'hui utilisé pour la navigation de plaisance, vous trouverez Thauvenay et la cave de Serge Laloue dont le vin, minéral et légèrement végétal, floral et fruité est d'une grande délicatesse. Souple en attaque, la bouche révèle gras et rondeur, tout en s'enveloppant de flaveurs d'ananas et de fruits au sirop. Bel équilibre. Le **2004 rouge**, marqué par les fruits rouges, est cité.

SAS Serge Laloue, rue de la Mairie, 18300 Thauvenay, tél. 02.48.79.94.10, fax 02.48.79.92.48, e-mail laloue@terre-net.fr
r.-v.

DOM. LAPORTE Les Grandmontains 2004

2,7 ha 22 660 8 à 11 €

Cette cuvée trouve ses origines dans des sols argilo-calcaires. Or très pâle, elle décline des arômes discrets mais complexes de fleurs (lilas), de fruits exotiques, de minéral. Une grande fraîcheur la caractérise d'un bout à l'autre de la dégustation. Un sancerre qui fera bon effet avec des crustacés. Provenant d'un sol riche en silex et élevée partiellement en fût, la cuvée **Le Rochoy blanc 2004** est citée pour sa palette de fruits et de vanille.

Dom. Laporte, rte de Sury-en-Vaux, 18300 Saint-Satur, tél. 02.48.78.54.20, fax 02.48.54.34.33, e-mail philippe.longepierre@domaine-laporte.com
r.-v.
Bourgeois

DOM. RENÉ MALLERON 2005 *

13 ha 7 300 8 à 11 €

La couleur rose orangé soutenu laisse présager de la puissance. Il en est ainsi des arômes fruités (fraise) intenses. L'attaque est souple, la bouche tendre, avec en finale une discrète fraîcheur. Une bouteille harmonieuse. Le **2005 blanc**, élégant et vif, est cité.

EARL Dom. René Malleron, Champtin, 18300 Crézancy-en-Sancerre, tél. 02.48.79.06.90, fax 02.48.79.42.18 r.-v.

ALPHONSE MELLOT En Grands Champs 2004 **

n.c. n.c. 38 à 46 €

Les Mellot père et fils aiment les sommets tant pour l'implantation de leur cave sur le piton de Sancerre que pour leurs investissements à la cave. Au sommet également ce 2004 pourpre à reflets violets, dense. Des arômes fruités de cassis, de cerise noire et de griotte se mêlent aux senteurs d'épices, de grillé, de vanille flatteuses. À l'attaque souple et ronde, succèdent une sensation soyeuse grâce à des tanins fondus, puis une finale longue et complexe. La cuvée **La Moussière 2005 blanc (11 à 15 €)**, élevée partiellement en fût, est citée pour sa générosité.

Alphonse Mellot, Dom. La Moussière, 18300 Sancerre, tél. 02.48.54.07.41, fax 02.48.54.07.62, e-mail alphonse@mellot.com r.-v.

JOSEPH MELLOT La Chatellenie 2005

25,03 ha 200 000 8 à 11 €

D'une célèbre lignée de vignerons remontant à 1513, la maison Joseph Mellot propose une cuvée encore sur la réserve, dominée par les agrumes. Sa construction est cohérente, sur le thème de la vivacité et de la minéralité. Laissez-la évoluer jusqu'en fin d'année avant de la déguster avec un crottin de Chavignol. Ne manquez pas non plus le **coteaux-du-giennois Les Champs de chaumes rouge 2004 (5 à 8 €)**, cité, destiné à accompagner les grillades.

Vignobles Joseph Mellot, rte de Ménétréol, 18300 Sancerre, tél. 02.48.78.54.54, fax 02.48.78.54.55, e-mail josephmellot@josephmellot.com
t.l.j. sf sam. dim. 8h15-12h 13h30-17h
Catherine Corbeau Mellot

THIERRY MERLIN-CHERRIER 2005 *

11 ha 87 000 5 à 8 €

Une pointe de buis fugace fait place à une dominante de fleurs blanches et d'agrumes (orange bien mûre). Rond en attaque, puis gras, le vin se prolonge avec une vivacité réminiscente de zeste de citron. Une dégustation en douceur, une bonne longueur : il ne reste plus qu'à le présenter à table aux côtés d'une volaille en sauce.

SAS Thierry Merlin-Cherrier, 43, rue Saint-Vincent, 18300 Bué, tél. 02.48.54.06.31, fax 02.48.54.01.78
r.-v.

LOIRE

DOM. GÉRARD MILLET 2005

13,72 ha 121 000 8 à 11 €

En arrivant à Bué par la route de Bourges, vous passerez devant la cave que Gérard Millet a construite il y a une dizaine d'années. Vous y trouverez ce vin aux arômes intenses, d'abord orientés sur le végétal, puis sur le fruité (agrumes, banane, compote de pommes) et le floral (sureau). La bouche est équilibrée, fraîche, avec une pointe de gras. Cette bouteille pourra accompagner un poisson en sauce.

Gérard Millet, rte de Bourges, 18300 Bué, tél. 02.48.54.38.62, fax 02.48.54.13.50, e-mail gmillet@terre-net.fr r.-v.

DOM. DE LA PERRIÈRE 2005 *

2 ha 13 000 11 à 15 €

Creusées au cœur de la roche crayeuse de Verdigny, les caves de La Perrière sont un but de visite incontournable par leur beauté, certes, mais aussi par la qualité de leurs vins. Celui-ci, puissamment fruité et chaleureux, évoque la cerise noire avec une touche de réglisse. Le palais, ample à l'attaque, décline un boisé vanillé et s'appuie sur des tanins encore jeunes qui laissent une petite impression austère en finale. Il vous faudra simplement patienter deux ans pour savourer ce beau sancerre. Le **Domaine de La Perrière 2005 blanc (8 à 11 €)**, gras, obtient une étoile, tandis que le **Comte de La Perrière 2005 blanc (8 à 11 €)** est cité pour ses arômes typés de bourgeon de cassis et de fleurs blanches.

SCEA Dom. de La Perrière, Caves de La Perrière, 18300 Verdigny, tél. 02.48.54.16.93, fax 02.48.54.11.54, e-mail info@domainelaperriere.com
t.l.j. 8h-12h 14h-18h; groupes sur r.-v.; f. sam. dim. 1er déc.- 20 mars

J.-L. Saget

JEAN-PAUL PICARD 2005

5,5 ha 46 000 5 à 8 €

L'équipe s'est agrandie : Mickaël Picard a rejoint ses parents Jean-Paul et Marie-Noëlle sur cette exploitation de 11 ha. Tous trois ont élaboré ce vin intensément fruité (cassis), épicé (poivre blanc) et même miellé, nous rappelant l'ensoleillement et la chaleur du millésime. Une impression confirmée au palais par le gras de la matière.

Jean-Paul Picard, 11, chem. de Marloup, 18300 Bué, tél. 02.48.54.16.13, fax 02.48.54.34.10, e-mail jean-paul.picard18@wanadoo.fr
t.l.j. sf dim. 8h-12h 13h30-18h30

DOM. DES CAVES DU PRIEURÉ

Les Chassenoys 2004 **

57,6 ha 4 000 8 à 11 €

Jacques Guillerault a pris sa retraite en 2005. Gilles, son fils, et Sébastien Fargette, son gendre, lui ont succédé. Ces deux sancerre remarquables sont donc encore son œuvre. Le premier, riche de notes de cassis, d'agrumes, d'épices et de brioche au nez, se montre rond et persistant au palais, tout en fruits mûrs. La cuvée **Facétie 2004 blanc (11 à 15 €)** obtient deux étoiles pour son équilibre et son bouquet de fruits confits.

Dom. des Caves du Prieuré, Reigny, 18300 Crézancy-en-Sancerre, tél. 02.48.79.02.84, fax 02.48.79.01.02, e-mail caves.prieure@wanadoo.fr
t.l.j. sf dim. 9h-12h 14h-18h 2

G. Guillerault et S. Fargette

PAUL PRIEUR ET FILS 2005 *

1,11 ha 8 500 8 à 11 €

Didier et Philippe Prieur, qui conduisent cette exploitation de près de 17 ha, sont passionnés de musique traditionnelle. Aussi entendrez-vous peut-être le son de la cornemuse lors de votre passage à la cave. Saumon à reflets gris, ce rosé au nez complexe de fleurs et de petits fruits rouges (cassis, framboise) révèle un léger perlant en bouche qui souligne son caractère finement acidulé et sa structure. Un sancerre tonique. Le **2005 rouge** est cité pour son fruité.

Paul Prieur et Fils, rte des Monts-Damnés, 18300 Verdigny, tél. 02.48.79.35.86, fax 02.48.79.36.85, e-mail paulprieurfils@wanadoo.fr
t.l.j. 9h-12h 14h-18h; dim. sur r.-v.

DOM. ANDRÉ RAFFAITIN 2005 **

6 ha 15 000 5 à 8 €

Jacques Raffaitin réalise le grand chelem : les trois vins présentés ont été sélectionnés. Avec ce 2005 intensément aromatique, on croque dans le fruit : pêche, poire, orange, citron. Il laisse une sensation de fraîcheur en bouche, tout en étant rond et charpenté. Un sancerre gourmand qui joue la finesse. Le **2005 rouge** brille d'une étoile pour sa maturité, alors que le **rosé 2005**, bien concentré, est cité.

Jacques Raffaitin, 39, rue Saint-Vincent, 18300 Bué, tél. 02.48.54.25.62, fax 02.48.54.11.87, e-mail domaineandreraffaitin@wanadoo.fr
t.l.j. 9h-12h 14h-18h; sam. dim. sur r.-v.

NOËL ET JEAN-LUC RAIMBAULT

Le Cotelin 2005

10,8 ha 5 500 8 à 11 €

Chambre est un hameau situé sur la route qui conduit de Sancerre à Sury-en-Vaux. C'est là que vous rencontrerez Noël et Jean-Luc Raimbault. Leur vin, tout en simplicité et en jovialité, affiche des arômes persistants de fruits rouges mûrs (cerise). Les tanins frais ont encore la fougue de la jeunesse, mais ils ne devraient pas tarder à se discipliner.

Dom. Noël et Jean-Luc Raimbault, Lieu-dit Chambre, rte de Sancerre, 18300 Sury-en-Vaux, tél. et fax 02.48.79.36.56 r.-v.

ROGER ET DIDIER RAIMBAULT 2005 **

1 ha 8 000 5 à 8 €

Roger et Didier Raimbault ont inauguré leur nouvelle cave à l'occasion des dernières vendanges. Enterrée, celle-ci leur permet de travailler par gravité, sur trois niveaux. Le résultat est pour le moins concluant : leurs trois vins ont été appréciés du jury. La belle couleur œil-de-perdrix caractéristique des rosés traditionnels, les arômes généreux de fruits, de fleurs (violette) et de bonbon anglais, la fraîcheur, l'équilibre et la persistance : autant de qualités auxquelles les amateurs de sancerre ne resteront pas insensibles. Intense et fin en bouche, le **2005 blanc** obtient une étoile, cependant que le **2005 rouge (8 à 11 €)** est cité pour ses arômes fruités et épicés.

Roger et Didier Raimbault, Chaudenay, 18300 Verdigny, tél. 02.48.79.32.87, fax 02.48.79.39.08, e-mail didier@raimbault-sancerre.com
t.l.j. 8h-12h 13h30-18h30; dim. sur r.-v.

DOM. RAIMBAULT-PINEAU 2005 ★

8,5 ha 65 000 **8 à 11 €**

Au premier coup d'œil, on est séduit par cet or vert, franc, une couleur attendue dans les sancerre blancs de ce millésime. Intenses, les senteurs de tubéreuse et de racine d'iris n'en finissent pas de s'échapper du verre. Une grande douceur envahit le palais, judicieusement relevée en finale d'une fraîcheur vivifiante.

Dom. Raimbault-Pineau, rte de Sancerre, 18300 Sury-en-Vaux, tél. 02.48.79.33.04, fax 02.48.79.36.25, e-mail scev.raimbault-pineau@terre-net.fr t.l.j. 8h-12h 14h-18h; sam. dim. sur r.-v.
Sonia et Jean-Marie Raimbault

DOM. HIPPOLYTE REVERDY 2005 ★★

10,5 ha 65 000 8 à 11 €

Les arômes forment un long défilé : fleurs blanches (acacia) en tête, suivies de genêt, de fruits comme l'orange sanguine, le cassis, puis de notes iodées, épicées, mentholées. Quelle finesse dans cette palette. Rond en attaque, le vin déroule sa chair suave, avant de manifester en finale une certaine fermeté. Un sancerre à la fois sobre et complexe. Le **2005 rosé** obtient deux étoiles pour sa richesse aromatique et sa structure.

Dom. Hippolyte Reverdy, rue de la Croix-Michaud, Chaudoux, 18300 Verdigny, tél. 02.48.79.36.16, fax 02.48.79.36.65, e-mail domaine.hreverdy@wanadoo.fr r.-v.

PASCAL ET NICOLAS REVERDY
Terre de Maimbray 2005 ★

9 ha 60 000 **8 à 11 €**

Coup de cœur l'an dernier pour leur 2004, Pascal et Nicolas Reverdy sont de retour avec un 2005 toujours aussi élégamment étiqueté : de la calligraphie, rien que de la calligraphie. Ce vin épanoui brille par l'intensité de ses arômes très frais de fruits exotiques, de citron, de pamplemousse et de petites notes d'ajonc. Au palais, la vivacité s'impose, typique du sauvignon, sur fond de rondeur. Une étoile revient à la cuvée **Vieilles Vignes 2005 blanc (11 à 15 €)** pour sa finesse aromatique comme au **2005 rosé** pour son fruité velouté.

Pascal et Nicolas Reverdy, Maimbray, 18300 Sury-en-Vaux, tél. 02.48.79.37.31, fax 02.48.79.41.48, e-mail reverdypn@wanadoo.fr r.-v.

DOM. REVERDY-DUCROUX Beau Roy 2005 ★★

5 ha 30 000 8 à 11 €

Les arômes explosent en un feu d'artifice : un fruité complexe et puissant, puis un bouquet de roses et de violettes, ponctué de touches minérales remarquables. Plein, charnu, le palais dévoile une juste fraîcheur, celle que tout amateur de sancerre recherche. De la finesse, du charme et des flaveurs qui se succèdent en un long écho en finale. Véritablement royal, ce Beau Roy. La cuvée **Montée de Bouffant blanc 2004 (11 à 15 €)**, élevée en fût, obtient deux étoiles pour son boisé fondu et son potentiel de garde.

Dom. Reverdy-Ducroux, rue du Pressoir, 18300 Verdigny, tél. 02.48.79.31.33, fax 02.48.79.36.19, e-mail reverdy.ducroux-sancerre@wanadoo.fr r.-v.

BERNARD REVERDY ET FILS 2005 ★

8,6 ha 65 000 **8 à 11 €**

L'arbre généalogique des Reverdy remontant au XVIe s. trône dans la cave. Aucun doute : ici, le sancerre est une spécialité familiale. En témoigne ce 2005 qui explose d'arômes fruités, nuancés de notes de feuille de cassis et de pierre à fusil. Attardez-vous sur le fond de verre : vous percevrez des senteurs d'agrumes. L'attaque vive annonce la grande fraîcheur d'une bouche persistante et typée. Autre spécialité de la maison : le **2005 rosé**, joliment structuré et fruité, reçoit une étoile.

Bernard Reverdy et Fils, rte des Petites-Perrières, Chaudoux, 18300 Verdigny, tél. 02.48.79.33.08, fax 02.48.79.37.93 r.-v.

DANIEL REVERDY ET FILS 2005 ★★

3,88 ha 35 000 5 à 8 €

Les vignes de Daniel et Cyrille Reverdy se trouvent essentiellement sur les communes de Verdigny et de Sury-en-Vaux. Cette cuvée, issue de terres blanches (marnes kimméridgiennes) décline une gamme complète et complexe : des fruits blancs, du buis, une pointe mentholée. Remarquablement fine, elle est exemplaire par sa structure, sa chair vineuse et ample, toujours équilibrée par une juste fraîcheur. Un sancerre distingué qui pourra être conservé au moins trois ans.

GAEC Daniel Reverdy et Fils, rue du Graveron, Chaudenay, 18300 Verdigny, tél. et fax 02.48.79.33.29, e-mail daniel-et-fils.reverdy@wanadoo.fr r.-v.

JEAN REVERDY ET FILS Les Villots 2005 ★★

1 ha 8 000 5 à 8 €

Ce n'est pas une étoile filante, ni même une étoile montante, mais deux étoiles coup de cœur pour un domaine qui voit chaque année ses vins sélectionnés par les jurys du Guide. Comment douter qu'un grand sancerre puisse être rosé après cette dégustation. Sous un rose très pâle à reflets argentés, se manifestent une palette de fruits rouges (framboise) nuancée de buis et d'une pointe

LOIRE

minérale, puis une structure aussi puissante qu'élégante. Un 2005 harmonieux qui garde sa finesse jusqu'en finale.

Jean Reverdy et Fils, 18300 Verdigny, tél. 02.48.79.31.48, fax 02.48.79.32.44 r.-v.

DOMINIQUE ROGER

La Jouline Vieilles vignes 2004 ★★

0,6 ha 4 000 11 à 15 €

Dominique Roger se passionne pour le pinot noir qu'il cultive d'ailleurs dans une proportion de 35 %, soit bien plus qu'il n'est usuel dans le Sancerrois (25 %). Cette cuvée élevée sous bois pendant un an s'habille d'une robe grenat et livre des senteurs de vanille, de bois, d'amande grillée, complétées d'une subtile touche animale. Les tanins légers et fondus en attaque intensifient progressivement leur présence. Une garde d'un an ou deux assagira cette bouteille et lui permettra de tenir ses promesses d'harmonie. Le **2005 rosé (5 à 8 €)**, aux senteurs plaisantes de petits fruits rouges, est cité.

Dominique Roger, 7, pl. du Carrou, 18300 Bué, tél. 02.48.54.10.65, fax 02.48.54.38.77, e-mail dominique.roger11@wanadoo.fr t.l.j. 8h30-12h 13h30-19h; dim. sur r.-v.

DOM. DE LA ROSSIGNOLE 2004

2 ha 9 000 8 à 11 €

Cette cuvée témoigne de son élevage en cuve et en fût par ses arômes de fruits associés aux nuances de cuir et de toasté. Une aération est bénéfique à son expression au palais : elle fait disparaître la pointe d'amertume pour mettre en valeur son côté tendre et ses tanins ronds. À servir avec une viande rouge en sauce.

Pierre Cherrier et Fils, rue de la Croix-Michaud, Chaudoux, 18300 Verdigny, tél. 02.48.79.34.93, fax 02.48.79.33.41, e-mail cherrier@easynet.fr r.-v.

DOM. DE SAINT-PIERRE 2005 ★★

3,65 ha 28 000 8 à 11 €

Bruno et Thierry Prieur dirigent ce domaine de 17 ha environ, familial depuis le XVIIe s. Ils n'exportent pas moins de 45 % de leur production, en Europe et jusqu'en Chine. Difficile de rester insensible à ce vin pourpre profond qui livre un nez riche et puissant, à dominante de fruits rouges (cerise, fraise des bois). Les tanins se font velours au palais, tout en structurant le vin pour lui donner du volume. Une bouteille harmonieuse, au sommet de l'appellation. Une étoile revient au **Domaine de Saint-Pierre 2005 rosé**, aux saveurs équilibrées.

SAS Pierre Prieur et Fils, Dom. de Saint-Pierre, 18300 Verdigny, tél. 02.48.79.31.70, fax 02.48.79.38.87, e-mail prieur-pierre@netcourrier.com t.l.j. sf dim. 8h30-12h 14h-18h

DOM. DE SAINT ROMBLE 2005 ★

8,5 ha 60 000 5 à 8 €

La cave de vinification se trouve au hameau de Maimbray, dans la commune de Sury-en-Vaux, mais c'est aux caves Fournier, à Verdigny, qu'il faudra vous rendre pour déguster cette cuvée. Belle déclinaison aromatique : du végétal (fougère, lierre), des fleurs blanches, des évocations fruitées (agrumes). L'attaque *mezzo voce* augure un juste équilibre entre la matière ronde et la vivacité finale, garante de longévité.

SARL Paul Vattan, Dom. de Saint Romble, BP 45, Maimbray, 18300 Sury-en-Vaux, tél. 02.48.79.30.36, fax 02.48.79.30.41, e-mail claude@fournier-pere-fils.fr r.-v. chez Fournier à Verdigny

DOM. CHRISTIAN SALMON

Le Chêne Marchand 2005 ★

0,35 ha 1 800 11 à 15 €

Le Chêne Marchand est un lieu-dit au sol calcaire, réputé pour la qualité de ses vins blancs. L'élégance caractérise les arômes de cette cuvée : de la minéralité d'abord, puis, à l'aération, du fruité intense. La bouche chaleureuse et pleine traduit parfaitement la maturité du raisin.

Dom. Christian Salmon, Le Carroir, 18300 Bué, tél. 02.48.54.20.54, fax 02.48.54.30.36, e-mail domainechristiansalmon@wanadoo.fr r.-v.

CH. DE SANCERRE 2004 ★★

4,5 ha 36 000 11 à 15 €

Le savez-vous ? La société Marnier-Lapostolle produit la liqueur Grand Marnier dont une bouteille est vendue toutes les deux secondes dans le monde ! Elle est également propriétaire de la tour des Fiefs qui domine Sancerre. Montez à son sommet pour apprécier le paysage sur plusieurs dizaines de kilomètres alentour. Couleur cerise noire, étincelant et profond, ce vin offre une remarquable palette, union de fruits cuits, de griotte et de boisé. De la souplesse, du volume, une rare concentration : quelle classe ! Élevée en fût, la **Cuvée du connétable 2004 blanc (15 à 23 €)** reçoit une étoile pour son mariage réussi entre le vin et le bois.

Sté Marnier-Lapostolle, Ch. de Sancerre, 18300 Sancerre, tél. 02.48.78.51.52, fax 02.48.78.51.56 r.-v.

CAVE DES VINS DE SANCERRE Élégance 2005

n.c. n.c. 5 à 8 €

En arrivant de Bourges, vous vous arrêterez à cette cave phare de l'appellation, à l'entrée de la ville de Sancerre. Celle-ci est équipée en matériel performant et menée par une équipe compétente. Dès que vous poserez le nez au-dessus du verre, vous admettrez que cette cuvée porte bien son nom : les arômes sont intenses et complexes, évocateurs de pêche, de fleurs blanches, avec une pointe végétale. La bouche paraît plus réservée, vive en attaque, puis douce et chaleureuse.

🔑 Cave des Vins de Sancerre, av. de Verdun,
18300 Sancerre, tél. 02.48.54.19.24, fax 02.48.54.16.44,
e-mail infos@vins-sancerre.com
t.l.j. 8h-12h 13h30-17h

DAVID SAUTEREAU 2005

4,2 ha 29 000 5 à 8 €

Ce hameau de la commune de Crézancy, Les Epsailles, est situé en bordure ouest du vignoble sancerrois, là où affleurent les formations du portlandien. Très aromatique, ce vin porte la marque du cépage : buis, genêt, bourgeon de cassis. L'attaque est douce, puis le gras se manifeste, apportant une bonne ampleur. Aucune vivacité n'est perceptible, si ce n'est, en finale, cette pointe de zeste de citron si discrète. Bonne longueur.

🔑 David Sautereau, Les Epsailles,
18300 Crézancy-en-Sancerre, tél. 02.48.79.42.52,
fax 02.48.79.44.12, e-mail david.sautereau@wanadoo.fr
t.l.j. 8h-12h 13h30-19h; dim. sur r.-v.

DOM. TABORDET 2005

2,45 ha 21 000 8 à 11 €

Marqués par le cépage, les arômes de bourgeon de cassis, de buis et de fleurs blanches laissent une impression de fraîcheur. La bouche, ronde et ample dès l'abord, garde cette ligne jusqu'en finale, ponctuée de flaveurs d'agrumes. Un sancerre aérien, à servir en entrée. Le **2005 rouge**, élevé en fût, mérite une citation également pour son potentiel.

🔑 Yvon et Pascal Tabordet, rue du Carroir-Perrin,
Chaudoux, 18300 Verdigny, tél. 02.48.79.34.01,
fax 02.48.79.32.69,
e-mail domaine.tabordet@wanadoo.fr
t.l.j. sf dim. 9h-12h 14h-18h

DOM. MICHEL THOMAS 2005 ★

2,75 ha 19 000 5 à 8 €

C'est à l'entrée des Égrots, petit village vigneron entre Sury-en-Vaux et Verdigny, que se trouve la cave de Michel et Laurent Thomas. Tous deux proposent un vin rose très pâle, légèrement nuancé de violet. Le nez libère des arômes intenses de fruits et de fleurs qui trouvent écho au palais, souple et frais. Une bouteille qui procurera un réel plaisir à l'apéritif.

🔑 SCEV Michel Thomas et Fils, Les Égrots,
18300 Sury-en-Vaux, tél. 02.48.79.35.46,
fax 02.48.79.37.60, e-mail thomas.mld@wanadoo.fr
t.l.j. sf dim. 8h-12h 14h-19h

DOM. THOMAS ET FILS Le Pierrier 2005 ★★

10 ha 90 000 11 à 15 €

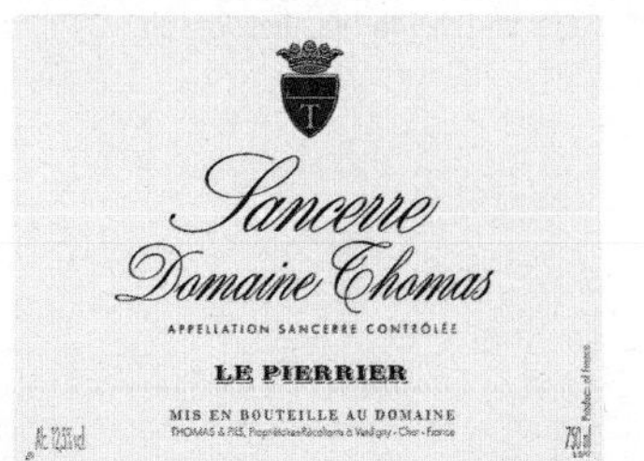

Un terroir de calcaire à astrates, de marnes à *exogyra virgula*. Avez-vous oublié vos cours de géologie ? Ce vin vous les rappellera d'une originale manière. « Pierrier » désigne les tas de pierres ramassés par les vignerons avant la plantation de la vigne. C'est un vin intensément aromatique qui se découvre dans le verre. Des senteurs élégantes de fleurs blanches, savoureuses de fruits, bien fraîches d'agrumes. La bouche est ronde, volumineuse, égayée d'une juste vivacité. Une harmonie sans faille. La cuvée **Grand'Chaille 2005 blanc** est citée pour sa bonne structure.

🔑 Dom. Thomas et Fils, rue du Pressoir,
18300 Verdigny, tél. 02.48.79.38.71, fax 02.48.79.38.14,
e-mail thomasgntt@wanadoo.fr
t.l.j. 9h-12h 14h-18h; dim. sur r.-v.

DOM. THOMAS ET FILS Terres blanches 2005 ★★

0,89 ha 6 000 11 à 15 €

Une seule étiquette par producteur peut être reproduite dans le Guide dans une même AOC. Il n'en reste pas moins que ce sancerre issu de marnes kimméridgiennes a lui aussi été élu coup de cœur par le jury. Habillé d'un pourpre violacé intense, il révèle un bouquet fondu de vanille, de grillé et de fruits rouges caractéristiques d'une bonne maturité du raisin. Ample, il possède du charnu et du corps. Certes, les tanins se manifestent, mais, soyeux, ils tapissent finement le palais. La longue finale convainc définitivement de la grande classe de ce 2005.

🔑 Dom. Thomas et Fils, rue du Pressoir,
18300 Verdigny, tél. 02.48.79.38.71, fax 02.48.79.38.14,
e-mail thomasgntt@wanadoo.fr
t.l.j. 9h-12h 14h-18h; dim. sur r.-v.

CLAUDE ET FLORENCE THOMAS LABAILLE L'Authentique 2005 ★

4 ha 25 000 8 à 11 €

De la finesse pour commencer, de la puissance pour convaincre. Ainsi apparaissent les arômes de fleurs blanches et de bourgeon de cassis. De la mâche, une pointe d'amertume bienvenue en finale. Ainsi se développe la bouche ample. Un vin distingué en somme, destiné à un poisson de rivière nappé de sauce à la crème. La cuvée **Les Aristides 2005 blanc (11 à 15 €)**, très mûre, est citée.

🔑 EARL Thomas-Labaille, Chavignol, 18300 Sancerre,
tél. 02.48.54.06.95, fax 02.48.54.07.80 r.-v.

DOM. TINEL-BLONDELET La Croix Canat 2005

2,12 ha 17 000 8 à 11 €

De teinte pâle, platine à reflets argentés, ce vin libère des arômes de bonne intensité, rappelant le végétal et les agrumes (citron, pamplemousse). Franc, il est tenu par une vivacité équilibrée qui lui communique une sympathique fraîcheur. Un classique.

🔑 Dom. Tinel-Blondelet, La Croix-Canat,
58150 Pouilly-sur-Loire, tél. 03.86.39.13.83,
fax 03.86.39.02.94, e-mail tinel-blondelet@wanadoo.fr
t.l.j. 9h-12h30 14h-18h
🔑 Annick Tinel-Blondelet

DOM. ROLAND TISSIER ET FILS 2005

6 ha 50 000 5 à 8 €

Trois hommes aux commandes – Roland Tissier et ses fils Rodolphe et Florent –, trois vins sélectionnés. Bonne équipe... Ce sancerre blanc affiche des arômes assez intenses d'agrumes, nuancés de végétal. De la rondeur en bouche, de l'ampleur et de la longueur. Un fromage de chèvre chaud lui conviendra. Le **2005 rosé**, très fruits rouges (griotte), et le **2004 rouge**, gourmand, sont cités.

⊶ Dom. Roland Tissier et Fils, Le Petit Morice, 18300 Sancerre, tél. 02.48.54.02.93, fax 02.48.78.04.32, e-mail sancerretissier@wanadoo.fr ☒ Y ♿ r.-v.

DOM. DES TROIS NOYERS 2005 ★

7 ha 57 000 ▮ 5 à 8 €

Georges, Roger et, depuis 2004, Claude, sont les trois générations vigneronnes de ce domaine de 10 ha. Issu de caillottes, ce 2005 exhale des arômes minéraux et végétaux intenses. Souple en attaque, il se rehausse progressivement d'une franche vivacité et de flaveurs d'agrumes (orange, pamplemousse) persistantes. Il devrait s'associer à des plats légèrement épicés. Le **2005 rosé** obtient également une étoile pour sa générosité, tandis que le **2005 rouge**, puissant et encore austère, est cité.

⊶ EARL Reverdy Cadet, rte de la Perrière, Chaudoux, 18300 Verdigny, tél. 02.48.79.38.54, fax 02.48.79.35.25 ☒ Y ♿ r.-v.

⊶ Claude Reverdy Cadet

JEAN-PIERRE VACHER ET FILS 2005 ★

0,5 ha 2 000 ▮ 5 à 8 €

Dans une cave rénovée en 2003 juste avant l'arrivée de Jérôme, père et fils vinifient le fruit d'un peu moins de 10 ha de vignes. Leur rosé, nuancé d'orangé, est dominé par des senteurs de fruits rouges et noirs (myrtille). Un léger perlant met en valeur la structure de qualité comme le caractère acidulé agréable, réminiscent de bonbon anglais. Le **2005 blanc**, aromatique et rond, est cité.

⊶ EARL Jean-Pierre Vacher et Fils, rte de Sancerre, 18300 Menetou-Ratel, tél. 02.48.79.38.89, fax 02.48.79.27.31 ☒ Y ♿ r.-v.

DOM. ANDRÉ VATAN Saint-François 2005 ★★

0,3 ha 2 500 ▮ ◍ 11 à 15 €

Une remarquable réussite dans un remarquable millésime pour André Vatan. Cette cuvée issue de sols riches en silex a été élevée pour deux tiers en cuve et pour un tiers en fût. Le mariage est harmonieux : les notes vanillées respectent parfaitement le fruité et le floral. Le bois est certes perceptible, mais la matière fruitée est telle qu'elle parvient à l'intégrer. Une bouteille d'excellence, à ouvrir dans deux ou trois ans. Le sancerre **Maulin Bèle 2005 rouge (8 à 11 €)** brille d'une étoile grâce à ses arômes de fruits rouges et à ses tanins soyeux. La cuvée **Les Charmes 2005 blanc (5 à 8 €)**, suave, est citée.

⊶ André Vatan, rte des Petites-Perrières, Chaudoux, 18300 Verdigny, tél. 02.48.79.33.07, fax 02.48.79.36.30, e-mail avatan@terre-net.fr ☒ Y ♿ r.-v.

DOM. DU VIEUX PRÊCHE 2005

1,19 ha 7 300 ▮ 8 à 11 €

En 1715, Louis XIV achevait son règne, tandis que les Planchon commençaient leur histoire de vigneron... Les voici au XXI[e]s. sur ce même sol calcaire et argilo-calcaire à silex qui leur a donné ce vin discrètement parfumé de fruits rouges et puissamment structuré. Les tanins, encore jeunes, jouent les gros bras et masquent les flaveurs, mais ils devraient rentrer dans le rang au cours de deux à trois ans de garde.

⊶ SCEV Robert Planchon et Fils, Dom. du Vieux Prêche, 3, rue Porte-Serrure, 18300 Sancerre, tél. 02.48.54.22.22, fax 02.48.54.09.31, e-mail robert-planchon@terre-net.fr ☒ Y ♿ r.-v.

DOM. DES VIEUX PRUNIERS 2005 ★

1,5 ha 10 000 ▮ 5 à 8 €

Partis d'une petite parcelle en 1984, Christian et Jocelyne Thirot possèdent maintenant 10 ha sur les sols calcaires de Bué. Ils ont élaboré un 2005 puissamment aromatique, évocateur de buis, de genêt et d'agrumes. Au palais, rondeur et fraîcheur dialoguent sans jamais se couper la parole. À servir en début de repas, dès l'apéritif et avec des crustacés. N'oubliez pas le **2005 rosé**, cité.

⊶ Christian Thirot-Fournier, 1, chem. de Marcigoi, 18300 Bué, tél. 02.48.54.09.40, fax 02.48.78.02.72, e-mail thirot.fournier-christian@wanadoo.fr ☒ Y ♿ t.l.j. sf dim. 8h-12h 14h-19h; f. 15-31 août

DOM. DE LA VILLAUDIÈRE 2005 ★

2 ha 20 000 ▮ 5 à 8 €

Une succession de senteurs de fruits blancs, de litchi et d'agrumes ouvre la dégustation, telle une salade de fruits. Des notes de fleurs blanches et des touches minérales s'y mêlent plaisamment. Cette fraîcheur se prolonge au palais, nuancée de notes épicées. Une lotte sauce curry est un accord tout trouvé.

⊶ Jean-Marie Reverdy, rte de Chaudenay, 18300 Verdigny, tél. 02.48.79.30.84, fax 02.48.79.38.16, e-mail reverdy.ferry@wanadoo.fr ☒ Y ♿ r.-v.

DOM. LA VOLTONNERIE 2005

11,5 ha 90 000 ▮ 8 à 11 €

À La Voltonnerie, Jack Pinson s'active pour construire de nouveaux bâtiments de vinification et de réception de la vendange de ses quelque 13 ha. Pour l'heure, c'est un 2005 mi-agrumes mi-fleurs jaunes qu'il propose à la dégustation. Si l'attaque peut sembler légère, ne vous y fiez pas. Une texture soyeuse et dense se manifeste ensuite, avec, en finale, une impression acidulée. Pensez à inscrire cette bouteille au menu, aux côtés d'une viande blanche en sauce. Le **2004 blanc** est cité pour sa minéralité typique.

⊶ Jack Pinson, Le Bourg, 18300 Crézancy-en-Sancerre, tél. 02.48.79.00.94, fax 02.48.79.00.11, e-mail j.pinson@terre-net.fr ☒ Y ♿ t.l.j. 9h-12h 14h-19h, dim. 9h-12h

LA VALLÉE DU RHÔNE

LA VALLÉE DU RHÔNE

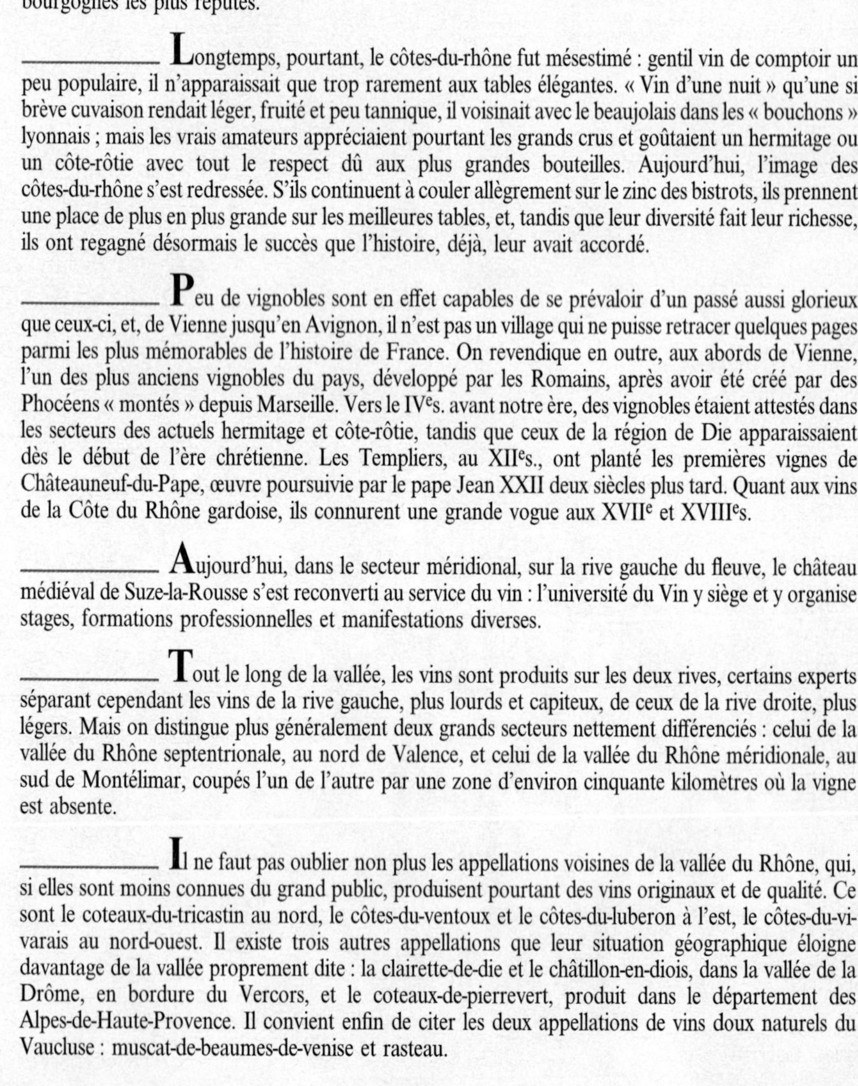

Fougueux, le Rhône file vers le Midi, vers le soleil. Sur ses rives, le long des pays qu'il unit plus qu'il ne les divise, s'étendent des vignobles parmi les plus anciens de France, ici prestigieux, plus loin méconnus. La vallée du Rhône est, en production de vins fins, la seconde région viticole de l'Hexagone après le Bordelais. En qualité aussi, elle peut rivaliser sans honte avec certains de ses crus, suscitant l'intérêt des connaisseurs autant que quelques-uns des bordeaux ou des bourgognes les plus réputés.

Longtemps, pourtant, le côtes-du-rhône fut mésestimé : gentil vin de comptoir un peu populaire, il n'apparaissait que trop rarement aux tables élégantes. « Vin d'une nuit » qu'une si brève cuvaison rendait léger, fruité et peu tannique, il voisinait avec le beaujolais dans les « bouchons » lyonnais ; mais les vrais amateurs appréciaient pourtant les grands crus et goûtaient un hermitage ou un côte-rôtie avec tout le respect dû aux plus grandes bouteilles. Aujourd'hui, l'image des côtes-du-rhône s'est redressée. S'ils continuent à couler allègrement sur le zinc des bistrots, ils prennent une place de plus en plus grande sur les meilleures tables, et, tandis que leur diversité fait leur richesse, ils ont regagné désormais le succès que l'histoire, déjà, leur avait accordé.

Peu de vignobles sont en effet capables de se prévaloir d'un passé aussi glorieux que ceux-ci, et, de Vienne jusqu'en Avignon, il n'est pas un village qui ne puisse retracer quelques pages parmi les plus mémorables de l'histoire de France. On revendique en outre, aux abords de Vienne, l'un des plus anciens vignobles du pays, développé par les Romains, après avoir été créé par des Phocéens « montés » depuis Marseille. Vers le IVᵉs. avant notre ère, des vignobles étaient attestés dans les secteurs des actuels hermitage et côte-rôtie, tandis que ceux de la région de Die apparaissaient dès le début de l'ère chrétienne. Les Templiers, au XIIᵉs., ont planté les premières vignes de Châteauneuf-du-Pape, œuvre poursuivie par le pape Jean XXII deux siècles plus tard. Quant aux vins de la Côte du Rhône gardoise, ils connurent une grande vogue aux XVIIᵉ et XVIIIᵉs.

Aujourd'hui, dans le secteur méridional, sur la rive gauche du fleuve, le château médiéval de Suze-la-Rousse s'est reconverti au service du vin : l'université du Vin y siège et y organise stages, formations professionnelles et manifestations diverses.

Tout le long de la vallée, les vins sont produits sur les deux rives, certains experts séparant cependant les vins de la rive gauche, plus lourds et capiteux, de ceux de la rive droite, plus légers. Mais on distingue plus généralement deux grands secteurs nettement différenciés : celui de la vallée du Rhône septentrionale, au nord de Valence, et celui de la vallée du Rhône méridionale, au sud de Montélimar, coupés l'un de l'autre par une zone d'environ cinquante kilomètres où la vigne est absente.

Il ne faut pas oublier non plus les appellations voisines de la vallée du Rhône, qui, si elles sont moins connues du grand public, produisent pourtant des vins originaux et de qualité. Ce sont le coteaux-du-tricastin au nord, le côtes-du-ventoux et le côtes-du-luberon à l'est, le côtes-du-vivarais au nord-ouest. Il existe trois autres appellations que leur situation géographique éloigne davantage de la vallée proprement dite : la clairette-de-die et le châtillon-en-diois, dans la vallée de la Drôme, en bordure du Vercors, et le coteaux-de-pierrevert, produit dans le département des Alpes-de-Haute-Provence. Il convient enfin de citer les deux appellations de vins doux naturels du Vaucluse : muscat-de-beaumes-de-venise et rasteau.

Selon les variations de sol et de climat, il est encore possible de repérer trois sous-ensembles dans cette vaste région de la vallée du Rhône. Au nord de Valence, le climat est tempéré à influence continentale, les sols sont le plus souvent granitiques ou schisteux, disposés en coteaux à très forte pente ; les vins sont issus du seul cépage syrah pour les rouges, des cépages marsanne et roussanne pour les blancs, et le cépage viognier est à l'origine du château-grillet et du condrieu. Dans le Diois, le climat est influencé par le relief montagneux, et les sols calcaires sont constitués par des éboulis de bas de pente ; les cépages clairette et muscat se sont bien adaptés à ces conditions naturelles. Au sud de Montélimar, le climat est méditerranéen, les sols très variés sont répartis sur un substrat calcaire (terrasses à galets roulés, sols rouges argilo-sableux, molasses et sables) ; le cépage principal est alors le grenache, mais les excès climatiques obligent les viticulteurs à utiliser plusieurs cépages pour obtenir des vins parfaitement équilibrés : la syrah, le mourvèdre, le cinsault, la clairette, le bourboulenc, la roussanne.

Après une nette diminution des superficies plantées au XIX[e]s., le seul vignoble de la vallée du Rhône s'est à nouveau étendu. Dans son ensemble, il couvre 60 803 ha, pour une production de 2,360 millions d'hectolitres en 2005 ; dans le secteur septentrional, 50 % de la production est commercialisé par le négoce alors que, dans le secteur méridional, 70 % l'est par les coopératives. S'y ajoute désormais la production des costières-de-nîmes qui ont choisi de s'inscrire dans le contexte des vins du Rhône, soit 216 000 hl.

Côtes-du-rhône

L'appellation régionale côtes-du-rhône a été définie par décret en 1937. En 1996, un nouveau décret a fixé les conditions d'encépagement appliquées depuis 2004 : en rouge, le grenache devra représenter 40 % minimum, syrah et mourvèdre devant tenir leur place. Cette disposition n'est bien sûr valable que pour les vignobles méridionaux situés au sud de Montélimar. La possibilité d'incorporer des cépages blancs n'existera plus que pour les rosés. L'AOC s'étend sur six départements : Gard, Ardèche, Drôme, Vaucluse, Loire et Rhône. Produits sur 41 828 ha situés en quasi-totalité dans la partie méridionale, ces vins ont représenté en 2005 une production de 1 702 702 hl, les vins rouges se taillant la part du lion avec 96 % de la production, rosés et blancs étant à égalité avec 2 %. 10 000 vignerons sont répartis entre 1 610 caves particulières (35 % des volumes) et 70 caves coopératives (65 % des volumes). Sur les trois cents millions de bouteilles commercialisées chaque année, 40 % sont consommées à domicile, 30 % dans la restauration et 30 % sont exportées.

Grâce aux variations des microclimats, à la diversité des sols et des cépages, ces vignobles produisent des vins qui pourront réjouir tous les palais : vins rouges de garde, riches, tanniques et généreux, à servir sur de la viande rouge, produits dans les zones les plus chaudes et sur des sols de diluvium alpin (Domazan, Estézargues, Courthézon, Orange...) ; vins rouges plus légers, fruités et plus nerveux, nés sur des sols eux-mêmes plus légers (Puyméras, Nyons, Sabran, Bourg-Saint-Andéol...) ; vins primeurs enfin (environ 3,5 millions de cols), fruités et gouleyants, à boire très jeunes, à partir du troisième jeudi de novembre, et qui connaissent un succès sans cesse grandissant.

La chaleur estivale prédispose les vins blancs et les vins rosés à une structure caractérisée par l'équilibre et la rondeur. L'attention des producteurs et le soin des œnologues permettent d'extraire le maximum d'arômes et d'obtenir des vins frais et délicats, dont la demande augmente continuellement. On les servira respectivement sur les poissons de mer, sur les salades ou la charcuterie.

DOM. DE L'AIGUILHON

Cuvée Conquête 2003 ★★

■ 3 ha 4 900 ⦀ 15 à 23 €

C'est à l'époque des Templiers que fut bâtie cette vaste demeure dotée de tours d'observation, sise sur un plateau de galets roulés, venté et ensoleillé. Avignon n'est qu'à une dizaine de minutes du domaine ; un détour est donc aisé après une visite de la ville. Ce premier millésime mis en bouteilles à la propriété part bel et bien à la conquête des amateurs. Du fruit, de la concentration et surtout beaucoup de souplesse obtenue par un passage sous bois parfaitement maîtrisé.

Les Vignobles des Templiers, Dom. d'Aiguilhon, 30150 Sauveterre, tél. 04.66.82.54.33, fax 04.66.89.83.05, e-mail aiguilhon@charriere-distribution.com

t.l.j. 9h-12h 14h-17h

Charrière

RHÔNE

DOM. D'ANDÉZON Vieilles Vignes 2004 *

■ 12,5 ha 70 000 ▮ 5 à 8 €

Dans cette cave créée en 1965, Denis Deschamp élabore différents domaines en vinifications séparées, dont celui-ci. Vin de caractère, équilibré et élégant, ce 2004 séduit par ses arômes de fruits mûrs et confiturés. La pointe d'épices en finale sera un atout de plus lors d'un service avec une viande rouge.

Cave des Vignerons d'Estézargues,
rte des Grès, 30390 Estézargues,
tél. 04.66.57.03.64, fax 04.66.57.04.83,
e-mail les.vignerons.estezargues@wanadoo.fr
t.l.j. sf dim. 8h-12h 14h-18h

JEAN BARONNAT 2004 *

■ n.c. n.c. 3 à 5 €

Jean-Jacques Baronnat, petit-fils du fondateur de cette maison créée au début du XXes., à 5 km du château gothique de Montmelas-Saint-Sorlin présente un vin aux arômes puissants, à la fois fruités et poivrés (épices), qui se prolongent dans une chair ronde et souple. Aimable dès à présent.

Jean Baronnat,
491, rte de Lacenas, 69400 Gleizé,
tél. 04.74.68.59.20, fax 04.74.62.19.21,
e-mail info@baronnat.com r.-v.

DOM. DE LA BASTIDE
Cuvée Les Figues 2005 *

■ 3 ha 10 000 ▮ 3 à 5 €

Il faut remonter à l'époque gallo-romaine pour retrouver les origines de ce domaine, puis à celle des Templiers pour comprendre l'architecture de la ferme fortifiée, disposée en U. Après avoir appartenu à plusieurs ordres religieux, l'ensemble fut vendu comme bien national. Depuis 1988, Bernard Boyer conduit la destinée du vignoble de 55 ha. Le succès est au rendez-vous. Légèrement évoluée, ceette cuvée libère des notes de griotte et de cassis, puis enveloppe ses tanins d'une matière souple et persistante. Une étoile revient également au **Domaine de La Bastide 2005 rosé** qui dévoile une rondeur plaisante, un caractère typique de l'appellation : c'est le fruité qui sort vainqueur de la dégustation.

Bernard Boyer,
SCEA La Bastide, 84820 Visan,
tél. 04.90.41.98.61, fax 04.90.41.97.89,
e-mail vinboyer@wanadoo.fr r.-v.

LA BASTIDE SAINT-DOMINIQUE
Cuvée Jules Rochebonne 2004 **

■ 1,5 ha 6 000 ▮ 8 à 11 €

Établie au XVIIes. à l'emplacement d'une ancienne chapelle nommée Saint-Dominique, cette bastide commande un vignoble de 32 ha que Gérard Bonnet s'est attaché à développer sur les communes de Courthézon et d'Orange. Le 2004, issu de 80 % de syrah et de 20 % de grenache, présente une robe profonde, puis un nez complexe de framboise nuancé de notes animales. Les tanins se fondent dans une chair ronde, harmonisée par un élevage sous bois réussi. Beaucoup plus méditerranéenne, la cuvée principale **La Bastide Saint-Dominique 2004 rouge (5 à 8 €)** obtient une étoile : on y retrouve des arômes de fruits mûrs, d'épices et un côté mentholé surprenant.

Gérard et Éric Bonnet, chem. Saint-Dominique,
84350 Courthézon, tél. 04.90.70.85.32,
fax 04.90.70.76.64,
e-mail contact@bastide-st-dominique.com
r.-v.

CH. DE BEAULIEU La Majeure 2004 *

■ n.c. 40 000 ▮ 3 à 5 €

Cette maison de négoce centenaire connaît bien le vignoble de la vallée du Rhône méridionale. En témoigne cette cuvée rouge cerise brillant qui décline volontiers ses arômes de fruits et d'épices avant d'emplir le palais de sa matière ronde et ample, d'une juste fraîcheur. Un vin de bonne tenue, à servir au cours de l'année 2007.

Caves Saint-Pierre, Union des Grands-Crus,
av. Pierre-de-Luxembourg, 84230 Châteauneuf-du-Pape,
tél. 04.90.83.58.35, fax 04.90.83.77.23,
e-mail info@cavessaintpierre.fr

DOM. DE BELLE-FEUILLE 2003 *

■ 32 ha 130 000 ▮ 3 à 5 €

Ne manquez pas de visiter le caveau de ce domaine pour la vue panoramique qu'il offre d'une part, pour le chêne sculpté d'autre part, puis découvrez le chai voûté. Ce 2003 au nez chaleureusement épicé présente au palais une parfaite maturité à travers les flaveurs de fruits confiturés. Un vrai vin du Midi, complexe et harmonieux, prêt à passer à table avec un gigot d'agneau.

Dom. de Belle-Feuille, quartier Prignan,
30200 Vénéjan, tél. 04.66.79.27.33, fax 04.66.79.22.82,
e-mail domaine.bellefeuille@wanadoo.fr
t.l.j. sf dim. 9h-12h 14h-19h
Meunier

DOM. DE BELLEVUE Cuvée Meger 2005

1 ha 2 500 ▮ 3 à 5 €

Voilà de nombreuses années que le cinéma en plein air a disparu au centre du village de Domazan, mais la cave des Meger, elle, n'a pas bougé. En 2004, Jean-Luc Meger a rejoint son père, Marc, sur le domaine familial, fort de 52 ha. Tous deux proposent une cuvée or brillant, équilibrée et ronde malgré une certaine vivacité citronnée. Des notes miellées se mêlent aux agrumes dans la palette intense. Coquillages et poissons à chair blanche seront de bonne compagnie.

SCEA Dom. de Bellevue Meger,
chem. de Sourillac, 30390 Domazan,
tél. 04.66.57.06.18, fax 04.66.57.14.96,
e-mail marcmeger@aol.com r.-v.
Marc Meger

DOM. BENEDETTI 2005 *

■ 1,5 ha 7 000 ▮ 5 à 8 €

Sur un terroir sableux est né ce joli rosé de grenache et de cinsault. La bonne maturité du raisin est perceptible dans sa rondeur comme dans ses arômes de confiture de fruits, de pâtisseries, de pêche et de melon. Un délicieux moment en perspective, de l'originalité aussi. La cuvée **Vieux Clos AB rouge 2004 (8 à 11 €)** obtient une étoile. Le fût est bien maîtrisé.

Dom. Benedetti, 25, chem. Roquette,
84370 Bédarrides, tél. 06.61.77.24.77,
fax 04.90.33.24.97, e-mail domainebenedetti@yahoo.fr
r.-v.

La vallée du Rhône (partie septentrionale)

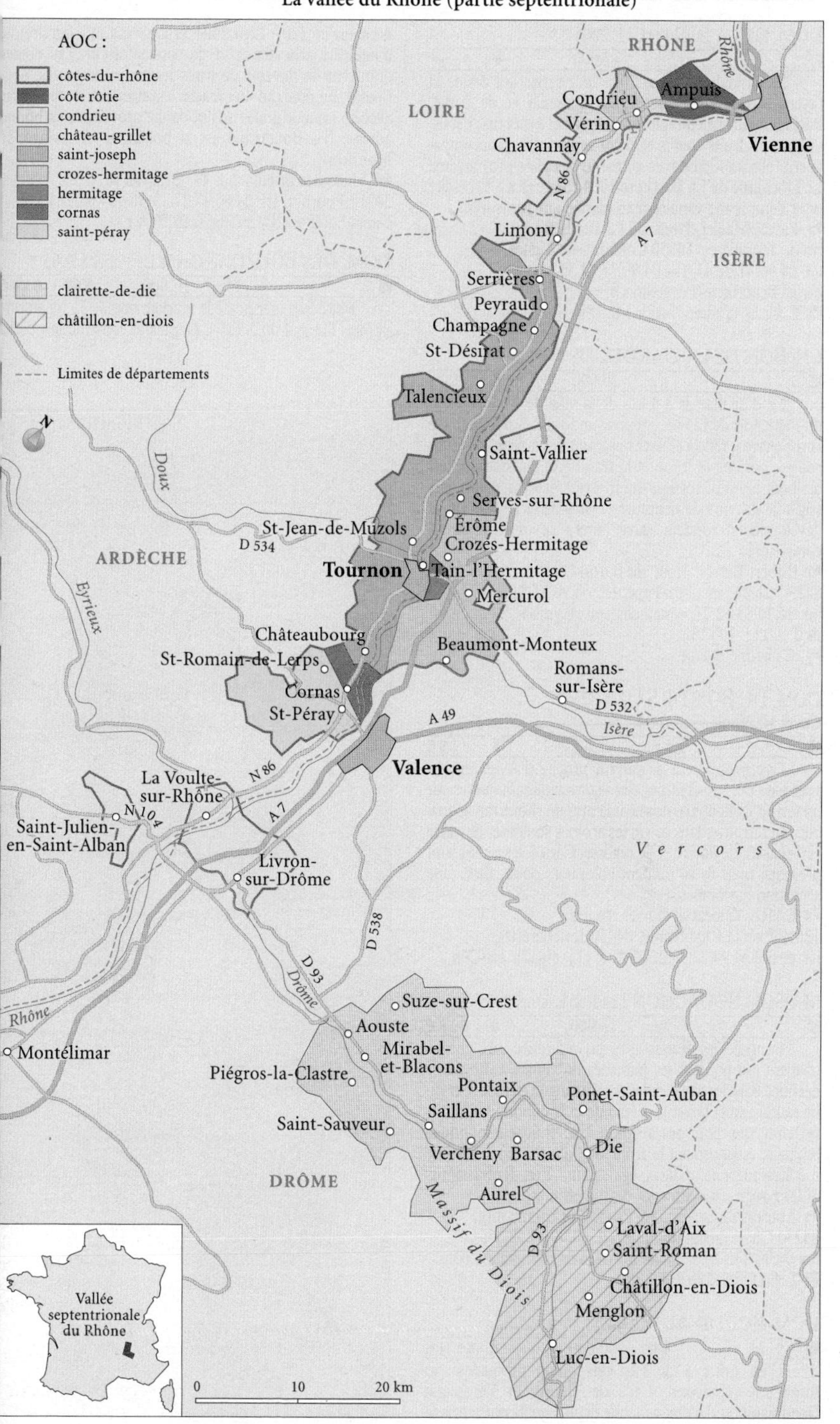

DOM. DE LA BERTHÈTE 2005 ★★

■ 3,5 ha 17 000 ■ 3 à 5 €

Le cinsault compose 70 % de ce rosé qui donne la faveur aux arômes intenses de groseille et de fraise. Parfaitement structuré, le vin est gras et généreux, persistant sur les fruits confits et l'écorce d'orange. Il accompagnera tout un repas, avec au menu des plats provençaux. Le **Domaine de La Berthète 2004 rouge (5 à 8 €)** est cité pour l'empreinte vanillée bien mariée aux fruits mûrs.

➡ Pascal Maillet, Dom. de La Berthète, rte de Jonquières, 84850 Camaret-sur-Aigues, tél. 04.90.37.22.41, fax 04.90.37.74.55, e-mail la.berthete@wanadoo.fr
☑ Y ⛹ t.l.j. sf dim. 9h-12h 14h-18h

CH. BOIS DE LA GARDE 2005 ★★★

■ n.c. 20 000 ■ 5 à 8 €

Ce domaine sis à 4 km de la ville de Châteauneuf-du-Pape, fort de 125 ha, propose un rosé exceptionnel. De la robe vive à reflets violacés naissent des arômes de fruits rouges, comme la fraise et la framboise, auxquels succèdent des notes de réglisse qui trouvent écho au palais, aux côtés de flaveurs de confiture et de pâtisseries. Le vin se développe en rondeur, sans jamais se départir de sa complexité.

➡ Robert Barrot, 1, av. du Baron-Leroy, 84230 Châteauneuf-du-Pape, tél. 04.90.83.51.73, fax 04.90.83.52.77, e-mail chateaux@vmb.fr
☑ Y ⛹ t.l.j. 10h-19h
➡ Catherine Barrot

DOM. DU BOIS DE SAINT-JEAN
Cuvée de Voulongue 2004 ★★

■ 1,5 ha 6 400 ■ 5 à 8 €

Une propriété à découvrir, proche d'Avignon. Du grenache pur, produit par des vignes cinquantenaires sur un terroir caillouteux, donne un côtes-du-rhône remarquable. On retrouve dans ce vin les arômes souhaités de mûre et de cassis, de poivre et de réglisse. Certes, les tanins sont présents, mais ils se fondent volontiers pour laisser une sensation harmonieuse.

➡ EARL Vincent et Xavier Anglès, 126, av. de la République, 84450 Jonquerettes, tél. et fax 04.90.22.53.22 ☑ Y ⛹ t.l.j. 8h-12h 14h-20h

MAISON BOUACHON Les Rabassières 2005

■ n.c. 13 000 ■ 5 à 8 €

Baptisée les Rabassières en référence aux chênes truffiers qui bordent les parcelles de vignes, cette cuvée déclinée dans les trois couleurs se distingue en rosé. Un vin de saignée qui choisit le thème de la framboise tant pour sa teinte que pour ses arômes. Une fraîcheur marquée rehausse efficacement le fruité au palais. Pour la cuisine méditerranéenne. Citées également, **Les Rabassières 2004 rouge**, fruitées, sont déjà avenantes.

➡ Maison Bouachon, av. Pierre-de-Luxembourg, 84230 Châteauneuf-du-Pape, tél. 04.90.83.58.35, fax 04.90.83.77.23, e-mail info@maisonbouachon.com
☑ Y ⛹ t.l.j. 9h-12h 14h-19h

DOM. BOUDINAUD 2004 ★★

■ 8 ha 20 000 ■ 8 à 11 €

C'est grâce à de tels vins qu'un producteur se forge une réputation. Celle de Thierry et Véronique Boudinaud est déjà bien établie depuis qu'ils ont repris le domaine en 2001. Leur 2004, grenat profond, fait preuve d'intensité aromatique et de concentration. Les épices dominent les flaveurs de fruits rouges et les tanins, déjà fondus, lui donnent un caractère gourmand. À découvrir avec une viande grillée ou une daube provençale (la bonne adresse des Boudinaud est la boucherie du village de Montfrin).

➡ Vignobles Boudinaud, 43, Grand-Rue, 30210 Fournès, tél. 04.66.37.27.23, fax 04.66.37.03.56, e-mail boudinaud@infonie.fr ☑ Y ⛹ r.-v.

DOM. DES BOUZONS Cuvée La Félicité 2005 ★

■ 3 ha 16 000 ■ 🛢 5 à 8 €

Marc Serguier possède un domaine de 35 ha autour du mas familial du XVII[e]s. Depuis la construction de sa

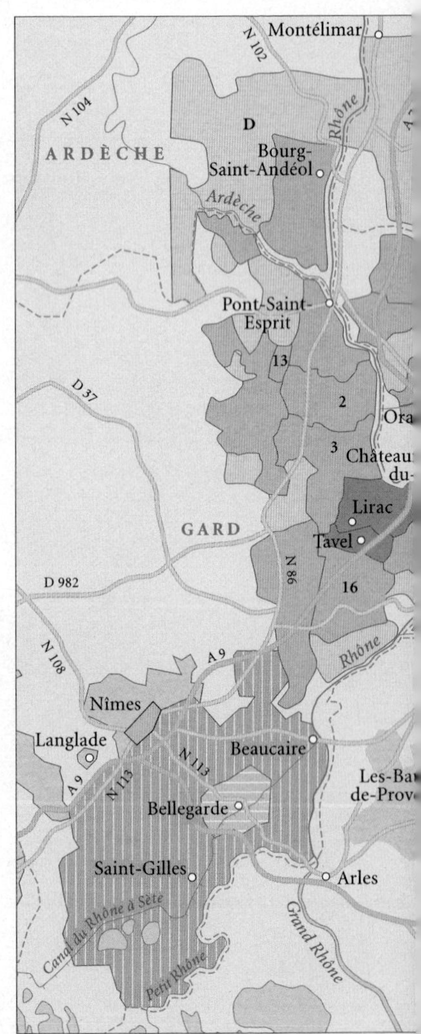

nouvelle cave en 1998, il n'a eu de cesse de faire progresser la qualité de ses vins. Son 2005, à base de syrah, se développe en puissance sur des arômes de fruits mûrs. La structure est déjà assouplie par un élevage en barrique bien maîtrisé, respectueux du fruité. Une bouteille à présenter à table, aux côtés d'un sauté de veau.

Marc Serguier, EARL du Mas des Bouzons,
194, chem. des Manjo-Rassado, 30150 Sauveterre,
tél. et fax 04.66.82.52.43
jeu. sam. 9h-12h 14h-18h30

CH. DE BRESQUET 2005 *

6 ha 36 000 5 à 8 €

Deux vins très réussis présentés par Michel Picard, négociant bourguignon qui a repris cette maison de Châteauneuf-du-Pape en 2001. Le Château de Bresquet, produit dans la commune de Saint-Nazaire dans le Gard, est typique des côtes-du-rhône. Riche d'arômes de fruits mûrs déjà confiturés, il se montre souple et rond, malgré sa jeunesse. Vous l'apprécierez dès aujourd'hui. **Les Portes du Castelas 2004 rouge**, au nez de cassis légèrement évolué, offre une structure simple, aimable en toutes occasions : une étoile. Les deux cuvées de l'AOC **lirac en rouge, Rémy Ferbras 2004** et **La Chapelle-Saint-Benoît 2004, (5 à 8 €)** sont citées.

Les Grandes Serres,
rte de l'Islon-Saint-Luc, BP 17,
84231 Châteauneuf-du-Pape Cedex,
tél. 04.90.83.72.22, fax 04.90.83.78.77,
e-mail les-grandes-serres@wanadoo.fr r.-v.

La vallée du Rhône (partie méridionale)

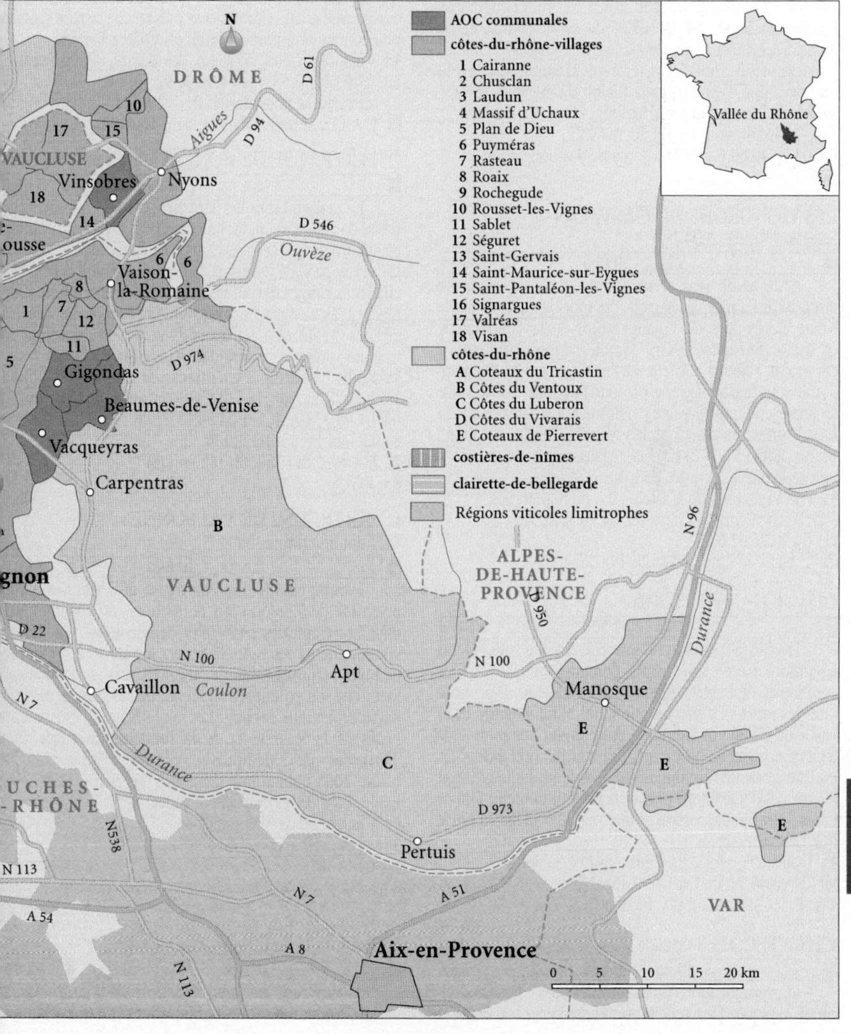

RHÔNE

DOM. BRUSSET Vendange Clavelle 2005 ★

2 ha 6 000 8 à 11 €

Pas moins de soixante-huit terrasses exposées plein sud, où la mécanisation n'a pas lieu d'être, composent ce vignoble dans les Dentelles de Gigondas. Laurent Brusset n'a sélectionné que le viognier pour élaborer ce vin chaleureux aux notes exotiques et subtilement briochées. L'attaque laisse une impression de fraîcheur, bientôt relayée par une grande rondeur, puis une finale finement boisée.

Dom. Brusset, Le Village, 84290 Cairanne,
tél. 04.90.30.82.16, fax 04.90.30.73.31,
e-mail domaine-brusset@wanadoo.fr
t.l.j. 9h-12h 14h-18h

LA CABOTTE Gabriel 2004 ★

1,5 ha 3 700 8 à 11 €

À 6 km de l'université du vin de Suze-la-Rousse, ce domaine de 30 ha a produit un vin élégant et complexe, légèrement boisé. Né de 65 % de syrah complétée de grenache, celui-ci révèle beaucoup de rondeur, soulignée par des notes de fruits mûrs, légèrement confiturés. Le tout est enveloppé d'un pourpre soutenu du meilleur effet.

Marie-Pierre Plumet d'Ardhuy, Dom. La Cabotte,
84430 Mondragon, tél. 04.90.40.60.29,
fax 04.90.40.60.62, e-mail domaine@cabotte.com
r.-v.

LES VIGNERONS DU CASTELAS
Sélection fruitée 2004 ★

5 ha 30 000 3 à 5 €

« Moins de vins et meilleurs », telle est la devise inscrite sur les murs de la cave, des mots prononcés par le baron Leroy lors de l'inauguration de la coopérative, en 1956. Soixante-dix-sept familles de coopérateurs y apportent aujourd'hui leur raisin. Cette cuvée finement florale sous une teinte rubis profond fait preuve d'élégance au palais et d'une agréable persistance. Le côtes-du-rhône **Les Vignerons du Castelas Vinifié en fût de chêne blanc 2005 (5 à 8 €)** est cité : également floral au nez, il tapisse le palais de notes de fruits exotiques.

Les Vignerons du Castelas, av. de Signargues,
30650 Rochefort-du-Gard, tél. 04.90.26.62.66,
fax 04.90.26.62.64
t.l.j. sf dim. 8h30-12h 14h-18h

DOM. CHAMFORT 2005 ★

1 ha 3 500 8 à 11 €

Décidé à poursuivre son chemin en solo, Denis Chamfort a créé son propre domaine en 1990 sur les communes de Sablet, Vacqueyras et Rasteau. Il propose l'un des rares vins très réussis à 100 % de viognier de la vallée du Rhône méridionale. Au premier nez intense de fruits succèdent de délicates touches de fleurs blanches. La bouche s'oriente résolument vers des flaveurs de pêche et d'agrumes d'une bonne persistance. Cette bouteille fera de l'apéritif et d'un accord avec une viande blanche en sauce une gourmandise.

Denis Chamfort, La Pause, 84110 Sablet,
tél. 04.90.46.94.75, fax 04.90.46.99.84,
e-mail denis.chamfort@wanadoo.fr r.-v.

CHANTECÔTES Grande Réserve 2004

50 ha 70 000 3 à 5 €

Une vinification traditionnelle pour un côtes-du-rhône typique. Des reflets grenat soulignent la robe et invitent à rechercher les arômes intenses de fruits confiturés. Ceux-ci annoncent le gras et le caractère plein de la bouche, à peine nuancés en finale par de légers tanins. Un vin franc que les amateurs apprécieront à l'apéritif comme au repas.

Chantecôtes, cours Maurice-Trintignan,
84290 Sainte-Cécile-les-Vignes, tél. 04.90.30.83.25,
fax 04.90.30.74.53, e-mail chantecotes@wanadoo.fr
t.l.j. 8h30-12h30 14h-18h30

DOM. DE LA CHARITÉ Charité 2005 ★

3 ha 4 000 3 à 5 €

La famille Coste a réussi un judicieux assemblage de grenache blanc et de viognier à parts égales. Il en résulte un vin plein de jeunesse, dont les notes de fruits exotiques devraient évoluer dans le temps vers une palette plus complexe. Soyez patient... La souplesse sera tout aussi plaisante et l'équilibre plus probant encore. Le **Rosée d'une nuit 2005**, mariage de grenache et de cinsault, est cité pour ses notes florales et sa puissance : ce rosé sera un bon compagnon pour un saumon grillé à l'aneth.

Vignobles Coste, 5, chem. des Issarts, 30650 Saze,
tél. 04.90.31.73.55, fax 04.90.26.92.50,
e-mail earlvc@club-internet.fr
t.l.j. sf dim. 17h-19h; sam. 15h-19h

CHARTREUSE DE BONPAS 2004 ★

6,5 ha 38 000 5 à 8 €

La maison Louis Bernard vient d'aménager son siège social dans le couvent fortifié du XIIe s., au sud d'Avignon et au bord de la Durance. Dans la catégorie des vins élevés sous bois, ce 2004 joue dans la mesure, laissant la primeur aux fruits rouges devant les notes animales et épicées. Ce n'est qu'au second nez, puis en fin de bouche que les arômes vanillés se manifestent. Un côtes-du-rhône tout en rondeur, prêt à rejoindre une viande blanche.

Louis Bernard, La Chartreuse de Bonpas,
1, chem. Reveillac, 84510 Caumont-sur-Durance,
tél. 04.90.23.09.59, fax 04.90.23.67.96,
e-mail louisbernard@sldb.fr
t.l.j. 9h-17h (10h-18h en été)
FGVS

CHARTREUSE DE VALBONNE
La Font des Dames 2004 ★

2,6 ha 10 800 5 à 8 €

Fondée en 1203, la chartreuse de Valbonne est la propriété de l'Association de secours aux victimes des maladies tropicales (ASVMT) depuis 1926. Une visite vous donnera l'occasion d'admirer son cloître et sa toiture de tuiles vernissées réalisée au XVIIIe s. Alain Steinmaier met toute son expérience au service de ses vins, tel ce 2004 parfumé de fruits des bois. Les tanins fins disparaissent au profit de la légèreté et de la rondeur. La cuvée **Les Terrasses de Montalivet côtes-du-rhône-villages blanc 2005** obtient une citation pour sa fraîcheur et sa finale d'abricot et de pêche blanche.

Chartreuse de Valbonne,
30130 Saint-Paulet-de-Caisson, tél. 04.66.90.41.21,
fax 04.66.90.41.36,
e-mail domaine@chartreusedevalbonne.com
t.l.j. 10h-12h30 13h30-18h

DOM. CHAUME-ARNAUD 2004 ★

4,5 ha 24 800 5 à 8 €

Aujourd'hui reconnu, le terroir de Vinsobres fait partie des crus des côtes-du-rhône. Sur cette aire délimitée précisément, de grands vins sont élaborés, mais, tout à côté, les parcelles restées en appellation régionale n'en donnent pas moins de beaux résultats. Voyez ce 2004 qui associe finesse et chaleur. Des fruits, de la garrigue, des épices : le décor provençal est planté. Malgré sa puissance, il reste flatteur et s'associera à la cuisine goûteuse de la région.

EARL Chaume-Arnaud, Les Paluds, 26110 Vinsobres, tél. 04.75.27.66.85, fax 04.75.27.69.66, e-mail chaume-arnaud@wanadoo.fr Y r.-v.

CH. CHEVALIER BRIGAND Prestige 2004 ★

■ 4 ha 26 000 5 à 8 €

Codolet est l'une des cinq communes historiques des côtes-du-rhône. Jean-Marie Saut y élabore ses propres vins. Un caractère affirmé est perceptible dans ce 2004 dont les arômes évolués traduisent bien les deux années d'élevage : du fruit confituré, des notes légèrement animales. La bouche charnue et ronde persiste bien en finale, laissant une impression de finesse.

Jean-Marie Saut, chem. d'Avignon, Le Pont-de-Codolet, 30200 Codolet, tél. 04.66.90.18.64, fax 04.66.90.11.57
Y t.l.j. sf sam. dim. 8h-12h 14h-19h

CHEVALIER D'ANTHELME 2004 ★

■ 30 ha 130 000 3 à 5 €

C'est au caveau, entièrement rénové, situé en bordure de la N 580 qui relie Avignon à Bagnols, que vous comprendrez l'ambition des vignerons de cette coopérative. De la cave moderne construite en 2001 est né ce Chevalier d'Anthelme agréable et fin, de bonne longueur, dominé par le fruit et les épices. Un côtes-du-rhône typique.

SCA Cellier des Chartreux, RN 580, 30131 Pujaut, tél. 04.90.26.39.40, fax 04.90.26.46.83, e-mail cellier.des.chartreux@wanadoo.fr
Y t.l.j. 9h-12h 15h-18h30

DOM. CLAVEL 2005 ★★

■ 2,4 ha 13 000 3 à 5 €

La jeunesse brille dans ce rosé frais et fruité au nez, tout en rondeur au palais. Après une attaque intense de fruits rouges, des notes confiturées et miellées apparaissent, donnant à la finale un irrésistible caractère flatteur. La teinte rose pâle à reflets orangés n'est pas le moindre atout de ce vin idéal pour un repas exotique. Le **Domaine Clavel 2005 blanc (5 à 8 €)**, un 100 % viognier, est cité pour ses arômes d'abricot et de fleurs jaunes, comme pour son équilibre entre fraîcheur et rondeur.

Dom. Clavel, rue du Pigeonnier, 30200 Saint-Gervais, tél. 04.66.82.78.90, fax 04.66.82.74.30, e-mail clavel@domaineclavel.com
Y t.l.j. sf dim. 9h-12h 14h-19h 4

CLOS DE L'HERMITAGE 2004 ★

■ 3,5 ha 20 000 11 à 15 €

C'est au caveau *Le Chemin du Roy*, à Tavel, que vous irez découvrir cette cuvée issue de la propriété de Jean Alési. Grenache, syrah et mourvèdre ont été assemblés par tiers, élevés douze mois en barrique pour donner naissance à un vin équilibré, riche d'arômes de tabac blond et de garrigue, ponctués de notes plus évoluées de sous-bois et d'animal. Un bon classique.

SCEA Henri de Lanzac, Ch. de Ségriès, chem. de la Grange, 30126 Lirac, tél. 04.66.50.22.97, fax 04.66.50.17.02, e-mail chateaudesegries@wanadoo.fr Y r.-v.

DOM. LE CLOS DES LUMIÈRES 2004 ★

■ 17 ha 50 000 3 à 5 €

La cave, entièrement construite en pierre du Gard, est située entre Remoulins et Domazan, dans la commune de Fournès : on peut l'apercevoir depuis l'A9. Une visite vous permettra de découvrir cette cuvée évocatrice de fruits cuits et d'épices douces, dont les tanins soyeux contribuent à la rondeur et à l'équilibre.

Serrano, Dom. Le Clos des Lumières, 14, rue des Cerisiers, 30210 Fournès, tél. 04.66.01.05.89, fax 04.66.37.14.18, e-mail closdeslumieres@yahoo.fr
Y t.l.j. 9h30-12h 15h-19h; dim. 9h30-12h

CLOS DES MIRAN Cuvée spéciale 2005

■ 2 ha 10 000 3 à 5 €

Depuis la reprise de cette propriété en 2001, Vincent Sauvestre a presque tout rénové et plus particulièrement le vignoble en plantant des cépages de qualité. Ce rosé témoigne de la pertinence de son choix. Il exprime des arômes de griotte et de confiture de fraises, relevés de quelques notes mentholées. La bouche est fraîche et ronde à la fois, de bonne longueur. Pour un poulet au citron.

SCEA Clos des Miran, plaine du Mas-Conil, 30130 Pont-Saint-Esprit, tél. 03.80.21.22.45, fax 03.80.21.28.05, e-mail v.sauvestre@bejot.com

DOM. LE CLOS DU BAILLY 2005 ★

■ 5 ha 15 000 3 à 5 €

Propriété familiale depuis 1770, le Clos du Bailly est un vignoble de 38 ha ; Richard Soulier y produit non seulement des côtes-du-rhône, mais aussi des vins d'apéritif aromatisés d'épices et de fruits. Vous apprécierez ce 2005 habillé d'une robe soutenue et brillante. Les arômes friands de fruits servent de fil conducteur à la dégustation, soulignant la jeunesse aimable de ce vin souple et rond. Le **côtes-du-rhône-village Élevé en fût de chêne 2004 (8 à 11 €)** obtient une citation. Il devra attendre un an ou deux.

Richard Soulier, Clos du Bailly, 17, rue d'Avignon, 30210 Remoulins, tél. 04.66.37.12.23, fax 04.66.37.38.44 Y r.-v.

LE CLOS DU CAILLOU
Bouquet des garrigues 2005 ★

■ 2,6 ha 10 000 8 à 11 €

Réserve de chasse jusqu'en 1956, où Clemenceau aimait à se rendre, ce domaine s'est résolument tourné vers la vigne, profitant des belles caves voûtées creusées au cours de la seconde moitié du XIXe s. Ce 2005 chaleureux s'exprime dans le registre floral, avec une dominante de violette. Il laisse une impression gourmande et équilibrée jusqu'à la longue finale. La cuvée **Bouquet des garrigues 2004 rouge** est citée pour ses arômes de fruits mûrs et d'épices douces comme pour son caractère charnu. Il en va de même de la cuvée **Réserve rouge 2004 (15 à 23 €)**, élevée en foudre, aux notes vanillées plus intenses.

Sylvie Vacheron, Clos du Caillou, 84350 Courthézon, tél. 04.90.70.73.05, fax 04.90.70.76.47, e-mail closducaillou@wanadoo.fr
Y t.l.j. sf dim. 9h-12h30 13h30-17h30

DOM. LE COLOMBIER 2004 ★

■ 2 ha 12 000 ▮ 5 à 8 €

Voilà plus de dix ans que Jean-Louis Mourre a repris le domaine familial situé dans le paysage des Dentelles de Montmirail. « Pour tous les jours, pour tous les moments, pour tous les plats », note un dégustateur séduit par ce 2004 rouge vif, prolixe en arômes de fruits rouges mûrs. La bouche est ronde, souple, festive par sa bonne fraîcheur. Tentez donc la recette du pain perdu à la truffe.

Jean-Louis Mourre, Dom. Le Colombier, 84190 Vacqueyras, tél. 04.90.12.39.71, fax 04.90.65.85.71 r.-v.

COSTEBELLE 2005 ★★

■ 1,47 ha 7 800 ▮ 3 à 5 €

La cave de Costebelle, créée en 1925 et qui a fusionné avec celle de Costes Rousses il y a trois ans, bénéficie du savoir-faire de Bernard Roustan au chai. Celui-ci a ainsi marié le grenache (85 %) et la syrah pour élaborer ce rosé au fruité persistant, à la fois souple et frais. Une bouteille dont vous apprécierez aussi la mignonne étiquette rose : une autre bonne raison pour la proposer sur une table décorée dans les couleurs à la mode.

SCA Cave Costebelle, 2, av. des Alpes, 26790 Tulette, tél. 04.75.97.23.10, fax 04.75.98.38.61, e-mail cave.costebelle@wanadoo.fr r.-v.

DOM. DE LA CROIX BLANCHE
Cuvée Claïas 2004 ★

■ 3,3 ha 18 000 ▮ 5 à 8 €

De 1938 à 1940, le peintre surréaliste Max Ernst s'est réfugié à Saint-Martin-d'Ardèche, où il a poursuivi son travail artistique ; une association locale met aujourd'hui en valeur ses œuvres. Rien de surréaliste dans le côtes-du-rhône ardéchois de Daniel Archambault, mais de la maîtrise. Ce vin exprime le fruit tout au long de la dégustation et vous donne rendez-vous avec l'élégance, la rondeur, des tanins fins et fondus. Une étoile brille également pour le **Domaine de La Croix Blanche 2005 blanc (3 à 5 €)**, assemblage de clairette et d'ugni blanc : le vin fruité de tout un repas.

Daniel Archambault, Dom. de La Croix Blanche, 07700 Saint-Martin-d'Ardèche, tél. 04.75.04.65.07, fax 04.75.98.77.25, e-mail daniel.archambault@free.fr r.-v.

CH. LA CROIX CHABRIÈRE 2004 ★

■ n.c. 13 000 ▮ 5 à 8 €

Il se passe toujours quelque chose à La Croix Chabrière : visites d'artistes et de sportifs, fête des Animaux en mai, vide-grenier en juin, sans compter l'agréable cadre que constituent le parc, les écuries et l'orangerie. Patrick Daniel y propose ce côtes-du-rhône très réussi pour le millésime. Profondément coloré, celui-ci laisse apparaître des arômes subtils de cerise, puis appelle à la gaieté par sa vivacité gouleyante qui met en valeur le fruit. Un 2004 prêt à rejoindre une pintade, puis un picodon.

Patrick Daniel, Ch. La Croix Chabrière, rte de Saint-Restitut, 84500 Bollène, tél. 04.90.40.00.89, fax 04.90.40.19.93, e-mail chateaucroixchabriere@wanadoo.fr t.l.j. 9h-12h 14h-18h; dim. 9h-12h; groupes sur r.-v.

CHARLES DAURRET K 2003 ★

■ n.c. 13 000 ▮ 5 à 8 €

Cette marque créée en 2002 est destinée au commerce traditionnel exclusivement. Fruité au nez et en bouche, ce 2003 allie délicatesse et fondant, avec une juste fraîcheur qui lui assure un équilibre parfait.

Vignobles et Domaines du Rhône, ZA Le Caillou, 6, rue Jules-Verne, 69630 Chaponost, tél. 04.37.24.24.50, fax 04.72.74.41.23, e-mail b.seguin@vignobles-domaines-du-rhone.fr

DAUVERGNE RANVIER 2004 ★

■ n.c. 10 000 ▮ 3 à 5 €

En 2004, François Dauvergne et Jean-François Ranvier ont créé leur maison de négoce. Leur premier millésime est prometteur : robe pourpre à reflets noirs, nez de fruits noirs, de torréfaction et de vanille, bouche fraîche, dont la structure est faite pour la garde.

R & D Vins, Ch. Saint-Maurice, RN 580, L'Ardoise, 30290 Laudun, tél. 04.66.82.96.59, fax 04.66.82.96.58, e-mail rdvins@wanadoo.fr

VIGNOBLES DAVID Le Voyage d'Ulysse 2004 ★

■ 3 ha 2 500 8 à 11 €

Du traditionnel dans cette cuvée destinée à accompagner un agneau provençal. Vous serez transporté vers des notes grillées, des arômes de moka et de vanille à l'olfaction, puis de réglisse au palais. La chair est ronde grâce à des tanins bien amadoués. Deux ou trois ans de garde permettront à l'empreinte du bois de se fondre.

Vignobles David, Dom. de La Clastre, 30210 Saint-Hilaire-d'Ozilhan, tél. 04.66.37.03.99, fax 04.66.37.06.90, e-mail vignoble.david@wanadoo.fr r.-v.

DOM. DEFORGE 2005 ★★

■ 5 ha 30 000 3 à 5 €

Aucun obstacle en vue pour ce vin produit sur la propriété de Jean Deforge, ancien jockey de renommée mondiale. Remarquablement élevé en barrique pendant huit mois par Thierry Deforge, il est gras et long. Les épices dominent le fruit, agrémentées de menthol, tandis que les tanins jouent les gentils, enveloppés de gras. Un classique, sobre, élégant et souple. Une étoile revient au **Domaine Deforge 2005 blanc (5 à 8 €)** pour sa rondeur et son équilibre.

Dom. Deforge, rte de Jonquerettes, 84470 Châteauneuf-de-Gadagne, tél. 04.90.22.42.75, fax 04.90.22.18.29, e-mail info@domainedeforge.com t.l.j. sf dim. 10h-12h30 14h30-18h30

DOM. DUPLESSIS
Élégance Élevé en fût de chêne 2004 ★★★

■ 1,5 ha 7 000 5 à 8 €

Au domaine Duplessis, des journées et des soirées sont organisées autour du thème du vin, ainsi que des initiations à la dégustation par Lionel Duplessis, sommelier devenu vigneron. Les sujets d'exercices y sont d'une indéniable qualité, à l'image de ce 2004 issu d'un assemblage à parts égales de grenache et de syrah récoltés tardivement. Les reflets noirs de la robe sont d'heureux présage, de même que l'extrême finesse des arômes floraux, bientôt rejoints de notes d'anis. En finale, des nuances de moka se déclinent, ajoutant à l'élégance de ce vin, à apprécier dès maintenant.

Dom. Duplessis, 271, chem. du Haut-Débat, 84150 Jonquières, tél. 04.90.70.55.00, fax 04.90.70.57.77, e-mail domaine-duplessis@wanadoo.fr
t.l.j. 8h-19h

DOM. RÉMY ESTOURNEL 2005

2,27 ha 6 000 5 à 8 €

Au pied d'un château féodal, dans ce petit village, Rémy Estournel signe des vins blancs réputés. Celui-ci ne rassemble pas moins de six cépages ; il libère un bouquet de pêche et de miel annonciateur de la rondeur harmonieuse du palais. Le **2004 rouge**, riche de fruits rouges mûrs et de tanins fins, est cité également.

Rémy Estournel, 13, rue de Plaineautier, 30290 Saint-Victor-la-Coste, tél. 04.66.50.01.73, fax 04.66.50.21.85 r.-v.

DOM. DU FAUCON DORÉ Le Bécassier 2004 ★

1 ha 4 000 5 à 8 €

Tourisme viticole et agriculture biologique sont les deux credo de Jean Beaumont qui a créé son domaine en 1985. Il vous parlera des accords entre les vins et les mets, vous guidera dans l'univers des arômes, diaporamas à l'appui. Comment ne pas apprécier ce vin de syrah récoltée sur sables ? Un 2004 qui allie la structure à une chair gourmande, empreinte de cassis, avec quelques notes animales et minérales. Vin de chasseur qui sera apprécié en accompagnement d'une bécasse bien cuisinée.

EARL Jean Beaumont, Dom. du Faucon Doré, 92, chem. du Jas, 84110 Faucon, tél. 04.90.46.46.01, fax 04.90.46.44.73, e-mail faucon.dore@free.fr
r.-v.

DOM. FOND CROZE Cuvée Confidence 2005

0,8 ha 2 000 3 à 5 €

Fond Croze – en patois « fontaine creuse » – désigne un quartier du village. Ici, on se fait des confidences autour d'un rosé produit en très petites quantités. Rose pâle brillant, ce vin évoque les agrumes (orange) et la cerise, complétés de touches florales. Il est équilibré et frais au palais, enveloppé de flaveurs de griotte mûre.

Long Frères, Dom. Fond Croze, Le Village, 84290 Saint-Roman-de-Malegarde, tél. et fax 04.90.28.97.07, e-mail fondcroze@hotmail.com r.-v.

LA FONT DU VENT Cuvée Les Promesses 2004 ★

9 ha 40 000 5 à 8 €

Les Gonnet, déjà réputés pour leurs châteauneuf-du-pape, ont acquis ce domaine dans le Gard en 2002. Des promesses, ce vin n'en est pas avare et il saura les tenir. Sous une teinte légère, il semble encore timide, mais l'équilibre se réalise déjà au palais, avec élégance.

Jean et Michel Gonnet et Fils, Dom. Font de Michelle, 14, imp. des Vignerons, 84370 Bédarrides, tél. 04.90.33.00.22, fax 04.90.33.20.27, e-mail egonnet@terre-net.fr
t.l.j. sf dim. 9h-12h 14h-17h30; sam. sur r.-v.

CH. DE FONTSÉGUGNE Li Felibre 2004 ★

1,5 ha 3 000 5 à 8 €

Dans cette demeure de style florentin naquit en mai 1854 le félibrige, mouvement initié par sept poètes, dont Frédéric Mistral, pour redonner vie à la langue provençale. Des accents provençaux se glissent dans le profil de ce vin, bien que l'élevage en fût d'un an ait laissé sa trace à travers des arômes intenses de vanille et de boisé. Les fruits rouges parviennent à se frayer un chemin, cependant, et de bons tanins se fondent dans la chair ronde pour créer l'harmonie. Ce Felibre aura ses amateurs.

GAEC Fontségugne, 976, rte de Saint-Saturnin, Le Vieux Moulin, 84470 Châteauneuf-de-Gadagne, tél. 04.90.22.58.91, fax 04.90.22.42.40, e-mail gerenjm@aol.com
t.l.j. sf dim. 10h-12h 14h-18h
Famille Géren

LA GAILLARDE Les Estimeurs 2005 ★★

13,5 ha 11 340 3 à 5 €

Les estimeurs : ainsi dénomme-t-on les petits chemins qui traversent les vignobles. Grenache et syrah ont été assemblés pour élaborer ce 2005 puissamment aromatique, dont la souplesse n'est pas le moindre atout. Le bonbon acidulé, la framboise et la fraise, la banane se réunissent en une appétissante salade de fruits. La cuvée **Pied Vaurias 2005 rosé**, notée deux étoiles également, est tout aussi fruitée et ronde. Vous la servirez avec des grillades.

Cave La Gaillarde, av. de l'Enclave-des-Papes, BP 95, 84602 Valréas Cedex, tél. 04.90.35.00.66, fax 04.90.35.11.38, e-mail cave.lagaillarde@wanadoo.fr
t.l.j. 9h-12h 14h30-19h

DOM. LA GARRIGUE Cuvée romaine 2003 ★★

5 ha 13 000 5 à 8 €

Une propriété familiale de 78 ha, remontant à la seconde moitié du XIXᵉs. La sélection ayant été sévère parmi les 2003, ces étoiles brillent d'autant plus pour la Cuvée romaine. Remarquable, elle l'est par la concentration de ses arômes de kirsch, par son caractère fondu et chaleureux comme par sa trame de tanins serrés, garante d'une bonne garde.

SCEA A. Bernard et Fils, Dom. La Garrigue, 84190 Vacqueyras, tél. 04.90.65.84.60, fax 04.90.65.80.79
t.l.j. 8h-12h 14h-18h30; dim. sur r.-v.

DOM. DE LA GAYÈRE 2004 ★

1,1 ha 6 500 5 à 8 €

En 1902, cette cave vinifiait et commercialisait déjà ses vins : une expérience indéniable qu'illustre ce côtes-du-rhône rubis profond aux arômes de fruits mûrs, presque confits, nuancés de notes animales. Un vin de gibier et de plats en sauce car structuré, épicé, puissant et complexe.

🔑 Dom. de La Gayère, Les Garrigues, 84290 Cairanne, tél. 04.90.30.83.34, fax 04.90.30.83.27, e-mail plantevin.christele@wanadoo.fr ☑ Y ☧ r.-v.
🔑 Christèle Plantevin

DOM. DE GIVAUDAN 2004 ★

1,5 ha 7 000 5 à 8 €

Un assemblage de 70 % de grenache et de 30 % de clairette, typique de l'appellation. La finesse de ce vin tient de son équilibre simple, de sa chair souple et ronde, non dénuée de fraîcheur. L'enveloppe en est fruitée, le cœur franc et sincère. Un côtes-du-rhône persistant qui devrait s'épanouir aux côtés de noix de Saint-Jacques poêlées.

🔑 Givaudan, Les Périgouses, 30330 Cavillargues, tél. 04.66.82.05.28, fax 04.66.82.44.58, e-mail givaudandavid@aol.com
☑ Y ☧ t.l.j. sf sam. dim. 14h-18h

DOM. DU GRAND BÉCASSIER 2005 ★

15 ha 80 000 3 à 5 €

Les investissements de ces dernières années, tant au vignoble qu'à la cave, permettent aujourd'hui de produire des vins de plaisir à l'image de ce 2005 souple, si séduisant par ses arômes de fruits rouges. Il est déjà prêt à boire, mais pourrait bien gagner en complexité après deux ans de garde. Comme son nom l'indique, il sera bienvenu à table avec un salmis de bécasse... Cité, le **Domaine Rochemond 2005 rouge** affiche finesse et typicité.

🔑 EARL Philip-Ladet, 1, rue des Cyprès, Cadignac-Sud, 30200 Sabran, tél. et fax 04.66.79.04.42, e-mail domaine-de-rochemond@wanadoo.fr ☑ Y ☧ r.-v.

DOM. DE LA GRAND'RIBE
Vieilles Vignes Tradition 2004 ★★

8 ha 40 000 3 à 5 €

En agriculture biologique depuis 2002, ce domaine propose un côtes-du-rhône inscrit en bonne position dans la catégorie des vins fruités ; ce 2004 est surtout typique du terroir de Sainte-Cécile-les-Vignes. Un classique grenache-syrah qui exprime des arômes de mûre parmi d'autres tonalités complexes. Il insiste sur le fruit mûr au palais comme pour mieux mettre en valeur sa rondeur et sa souplesse. C'est un « grand gouleyant ».

🔑 SCEA Dom. de La Grand'Ribe, rte de Bollène, 84290 Sainte-Cécile-les-Vignes, tél. 04.90.30.83.75, fax 04.90.30.76.12 ☑ Y ☧ t.l.j. sf dim. 9h-12h 14h-18h
🔑 Andrée Sahuc

GRAND VENEUR Réserve 2005 ★★

3 ha 8 000 5 à 8 €

Issu d'un assemblage de quatre cépages, ce vin témoigne de la finesse de la clairette (60 %) lorsqu'elle est bien vinifiée. Au fruit ciselé, délicatement enrobé de douceur, répond une chair ample et équilibrée, toute de séduction. Le **Domaine Grand Veneur 2005 blanc (8 à 11 €)**, de pur viognier, est cité : déjà ouvert sur les notes florales, il faudra juste lui laisser le temps de s'arrondir.

🔑 Alain Jaume et Fils, rte de Châteauneuf-du-Pape, 84100 Orange, tél. 04.90.34.68.70, fax 04.90.34.43.71, e-mail jaume@domaine-grand-veneur.com ☑ Y ☧ r.-v.

DOM. GRANGE BLANCHE 2004 ★★

3 ha 12 000 3 à 5 €

Ancien relais de poste sur la route d'Orange, la maison dénommée Grange Blanche existe toujours, mais les caves se trouvent dans un corps de ferme du XIX[e]s. rénové. Julian et Karine Biscarrat y ont élaboré ce vin expressif, vêtu de rubis foncé. Au nez de fruits frais répond une bouche pleine, chaleureuse et puissante. Si les tanins se manifestent légèrement en finale, ils ne nuisent en rien à l'équilibre, si bien que vous pourrez envisager un service immédiat avec un lapin aux cèpes comme une garde de deux à trois ans. La **cuvée Préférence 2004 rouge** obtient une étoile pour son intensité aromatique ; sa structure imposante mérite de se fondre.

🔑 Julian Biscarrat, Dom. Grange Blanche, hameau de Blovac, 84110 Rasteau, tél. 04.90.46.16.02, fax 04.90.46.11.16 ☑ Y r.-v.

LA GRANGE DE PIAUGIER 2004

12 ha n.c. 5 à 8 €

Il y a vingt ans, Jean-Marc Autran effectuait sa première vinification dans la cave construite par son arrière-grand-père. Une expérience perceptible dans ce vin profondément coloré, marqué par des nuances de fruits mûrs confiturés et de cacao. Le palais souple se développe agréablement jusqu'à une bonne finale.

🔑 Dom. de Piaugier, 3, rte de Gigondas, 84110 Sablet, tél. 04.90.46.96.49, fax 04.90.46.99.48, e-mail piaugier@wanadoo.fr ☑ Y ☧ r.-v. 🏠 D

DOM. DU GROS PATA 2004 ★★

2 ha 8 000 5 à 8 €

Un pata est une ancienne monnaie provençale en cuivre, figurant d'un côté la croix, de l'autre les clés de saint Pierre. Pour passer d'une commune à l'autre il fallait bien verser quelques patas en arrivant à l'octroi de Vaison, situé à l'emplacement actuel de ce domaine. Aujourd'hui, les vins motivent un arrêt. Ce 2004, d'un rouge profond et velouté, exprime puissamment des arômes de truffe et de sous-bois sur fond de fruits. En bouche, il renoue avec une fraîcheur mentholée et épicée, puis laisse en finale le souvenir du bois de rose. S'il est déjà accessible, il pourra attendre trois ans avant de rejoindre une viande rouge marinée au thym et au laurier.

🔑 Gérald et Sabine Garagnon, Dom. du Gros Pata, rte de Villedieu, 84110 Vaison-la-Romaine, tél. 04.90.36.23.75, fax 04.90.28.77.05, e-mail sabine.garagnon@free.fr ☑ Y ☧ r.-v. 🏠 B

DOM. LES HAUTES CANCES
Cuvée Tradition 2003 ★

0,9 ha 4 800 5 à 8 €

Ce domaine de 17 ha exporte 75 % de sa production vers des pays aussi lointains que l'Australie ou le Japon. Cette cuvée issue d'un assemblage de cinq cépages, mais à forte proportion de grenache (50 %), s'épanouit en un élégant bouquet de cerise, de menthol et de réglisse. La bouche est ample, empreinte de flaveurs de fruits cuits et suffisamment structurée.

🔑 SCEA Achiary-Astart, quartier Les Travers, 84290 Cairanne, tél. 04.90.30.76.14, fax 04.90.38.65.02, e-mail contact@hautescances.com ☑ Y ☧ r.-v.

DOM. DE LA JANASSE 2005 ★★

n.c. 6 000 3 à 5 €

Aimé Sabon créa ce domaine en 1973 au lieu-dit La Janasse. Parti de 15 ha, il a su agrandir le vignoble aux 55 ha actuels, dont il vinifie le fruit avec l'aide de ses enfants, Christophe et Isabelle. Le rosé est à l'honneur cette année. Robe framboise soutenu, premier nez de bonbon, suivi de cerise et de fruits noirs, souplesse et

rondeur. N'est-ce pas un vrai vin de plaisir ? Une étoile est attribuée au **Domaine La Janasse 2005 rouge (5 à 8 €)**, aux parfums de fruits et de sous-bois, tandis qu'une citation revient à la **cuvée Les Garrigues 2004 rouge (15 à 23 €)**, légère et épicée.
EARL Aimé Sabon, Dom. de La Janasse, 27, chem. du Moulin, 84350 Courthézon, tél. 04.90.70.86.29, fax 04.90.70.75.93, e-mail lajanasse@free.fr
t.l.j. sf dim. 8h-12h 14h-18h; sam. sur r.-v.

DOM. JAUME Génération 2004 *

n.c. 15 000 3 à 5 €

L'arrière-grand-père de ce producteur s'est engagé dans la promotion de l'appellation côtes-du-rhône sur le terroir de Vinsobres. C'était en 1937. Aujourd'hui, le domaine couvre 80 ha et exporte l'image des vins de la région aux quatre coins du monde. Le 2004, au nez discret, fait partie des vins plaisir. De bonne structure, il est équilibré et frais. La cuvée **Génération rosé 2005** reçoit la même note. Elle affirme son fruité, puis révèle une souplesse agréable bien qu'elle possède le caractère chaleureux typique du terroir ensoleillé du sud de la Drôme.
Dom. Jaume, 24, rue Reynarde, 26110 Vinsobres, tél. 04.75.27.61.01, fax 04.75.27.68.40, e-mail cave.jaume@wanadoo.fr r.-v.

DOM. DE LASCAMP 2005 **

5 ha 7 500 3 à 5 €

Récoltés sur les coteaux sud de Cadignac, au sol argilo-siliceux caillouteux, grenache, cinsault et syrah ont donné naissance à une cuvée riche de fruits (griotte et fraise). Après une attaque fraîche, la bouche développe sa rondeur et ses longues flaveurs avenantes qui ont séduit le jury.
Dom. Clos de Lascamp, Cadignac, 30200 Sabran, tél. 04.66.89.69.28, fax 04.66.89.62.44 r.-v.
Imbert

LES LAUSES 2005 *

1 ha 1 500 3 à 5 €

En 1994, Gilbert Raoux a quitté la coopérative pour créer son propre domaine : 15 ha aujourd'hui dans les garrigues de Sérignan-du-Comtat. C'est un rosé vauclusien typé qu'il propose ici. Les arômes de fruits rouges, notamment de cerise et de fraise, s'épanouissent jusqu'au palais en prenant des accents de confiture en finale. Un vin destiné à l'apéritif, à des entrées et à des viandes blanches, grâce à sa vivacité et à son caractère friand.
Dom. des Lauses, quartier des Pessades, 84830 Sérignan-du-Comtat, tél. et fax 04.90.70.09.13, e-mail raouxg@wanadoo.fr r.-v.
Gilbert Raoux

DOM. LA LÔYANE 2005 *

8 ha 10 000 3 à 5 €

Trois exploitations, sur les communes de Rochefort-du-Gard, Lirac et Saze, ont été réunies pour former ce domaine en 1994. Son côtes-du-rhône d'une couleur profonde libère des arômes de fruits rouges et emplit le palais de sa chair structurée, mais souple. La **cuvée Bonheur 2005 rouge (5 à 8 €)** reçoit également une étoile.
Dominique, J.-Pierre et Romain Dubois, GAEC Dom. de La Lôyane, quartier de La Lôyane, 30650 Rochefort-du-Gard, tél. 06.11.60.86.36, fax 04.90.26.68.04 t.l.j. 10h-12h 15h-19h

DOM. DE LUMIAN 2004 *

9 ha 50 000 5 à 8 €

Né d'un terroir argilo-calcaire, ce vin pourpre violine affiche des arômes de fruits rouges et de fruits secs qui laissent bientôt place aux notes épicées et aux senteurs de garrigue. Malgré sa grande structure, il sait être déjà flatteur car sa matière enveloppe bien les tanins. Pour des viandes rouges.
Gilles Phétisson, Dom. de Lumian, 84600 Valréas, tél. 06.08.09.96.86, fax 04.90.35.18.38, e-mail domainedelumian@wanadoo.fr
t.l.j. 8h30-12h 14h30-19h

DOM. MARIE-BLANCHE Cuvée Caprice 2005

0,5 ha 3 000 5 à 8 €

Marie-Blanche est le prénom de l'épouse de Jean-Jacques Delorme. Ce 2005 légèrement boisé, or pâle à reflets argentés, offre un nez de fleurs blanches et de pêche, puis emplit le palais de sa fraîcheur fruitée (agrumes). Réservez-le à des poissons à chair grasse comme un saumon. Le **Domaine Marie-Blanche 2005 rosé (3 à 5 €)**, chaleureux, est cité également.
Jean-Jacques Delorme, Dom. Marie-Blanche, 30650 Saze, tél. 04.90.31.77.26, fax 04.90.26.94.48, e-mail delorme.guillaume3@wanadoo.fr
t.l.j. 11h-12h30 15h-19h30

CH. DE MARJOLET 2004

16 ha 90 000 3 à 5 €

Retenu pour son potentiel, ce vin pourpre brillant, discret aujourd'hui, ne demande qu'à mûrir. Le fruit s'épanouira et les tanins finiront par se fondre. Il vous faudra patienter un à deux ans. Le **Château de Marjolet 2005 blanc** est cité également pour sa rondeur étonnante qui le destine aux poissons cuisinés.
Bernard Pontaud, Dom. de Marjolet, 30330 Gaujac, tél. 04.66.82.00.93, fax 04.66.82.92.58, e-mail chateau.marjolet@wanadoo.fr
t.l.j. sf sam. dim. 9h-12h 14h-18h

MAS ARNAUD 2005 *

n.c. 300 000 5 à 8 €

Un côtes-du-rhône tout en fruits qui se développe avec souplesse, laissant une impression de délicatesse d'un bout à l'autre de la dégustation. Un vin de plaisir. Dans le même registre, **Le Quart du Roy 2005 rouge** obtient lui aussi une étoile. Ce producteur, déjà confirmé par une pluie d'étoiles et de coup de cœur, est une valeur sûre désormais.
SCEA Frédéric Arnaud, Ch. Courac, 30330 Tresques, tél. 04.66.82.90.51, fax 04.66.82.94.27, e-mail chateaucourac@wanadoo.fr r.-v.

MAS DE LIBIAN Bout d'Zan 2004 **

8 ha 44 000 5 à 8 €

Bout d'Zan ? Comme son nom l'indique, la réglisse est bien au rendez-vous dans ce vin de grenache complété par 20 % de syrah. Les tanins fondus, alliés à une chair concentrée, procurent une sensation de soyeux remarquable. Le compagnon de toute viande rouge bien préparée.
Mas de Libian, Libian, 07700 Saint-Marcel-d'Ardèche, tél. 04.75.04.66.22, fax 04.75.98.66.38, e-mail h.thibon@wanadoo.fr
r.-v.

GABRIEL MEFFRE Sans pareil 2005 ★

■ n.c. 120 000 ▮ 5 à 8 €

Sans pareil est l'ancien nom du cépage grenache qui compose à 99 % cette cuvée, sélection draconienne de raisins mûrs à point. Celle-ci, rouge profond, décline des arômes de fruits mûrs de plus en plus intenses au fil de l'aération. La structure de qualité s'enrobe de gras pour devenir souple et déjà plaisante malgré sa jeunesse. Le compagnon de tout un repas.

Gabriel Meffre, Le Village, 84190 Gigondas, tél. 04.90.12.32.45, fax 04.90.12.32.49

VIGNOBLES MÉGIER Cuvée fruitée 2004 ★

■ 4,5 ha 30 000 5 à 8 €

Les Mégier ont quitté le système coopératif voilà six ans ; ils ont choisi de vinifier des cuvées bien différenciables par leur goût. « Fruitée » annonce l'étiquette. Cette cuvée grenat développe en effet un nez friand de fruits rouges légèrement épicés ; elle se développe avec rondeur jusqu'à une finale toujours fruitée. Sa finesse est assurée par des tanins légers et soyeux. Promesse tenue.

Vignobles Mégier, Le Village, 30330 Saint-Marcel-de-Careiret, tél. 04.66.33.06.62, fax 04.66.33.10.53, e-mail cave@vignoblesmegier.com

t.l.j. 10h-12h 14h-18h

CH. DE MONTFAUCON 2004

■ 8 ha 38 000 ▮ 5 à 8 €

Aucun élevage sous bois, mais un séjour en cuve de dix-huit mois pour ce vin encore jeune dans son expression. La présence des tanins lui donne un caractère un peu austère aujourd'hui, mais ils sauront se fondre dans le temps et rendre la vedette aux arômes de fruits rouges déjà bien perceptibles et légèrement confiturés. Un an ou deux y suffiront.

Rodolphe de Pins, Ch. de Montfaucon, 30150 Montfaucon, tél. 04.66.50.37.19, fax 04.66.50.62.19, e-mail chateau.montfaucon@wanadoo.fr

t.l.j. sf sam. dim. 14h-18h

DOM. DU MOULIN 2005

■ 2 ha 8 000 ▮ 5 à 8 €

En attendant que leurs fils, étudiants en viticulture et en œnologie, reprennent le flambeau, Denis Vinson et son épouse dirigent ce domaine de 21 ha, lui à la vigne, elle à la cave. Ils ont produit un rosé riche de fruits rouges (cerise), rond et bien structuré. Quelques tanins marquent la finale, mais le fruité s'exprime également.

Denis Vinson, Dom. du Moulin, 26110 Vinsobres, tél. 04.75.27.65.59, fax 04.75.27.63.92 r.-v.

MICHEL MOURIER 2 M 2004

■ 2 ha 10 000 5 à 8 €

Michel Mourier a réservé un élevage de douze mois en fût à cette cuvée équilibrée, issue des vignes de syrah, de mourvèdre et de grenache récoltées au pied des Dentelles de Montmirail. On retrouve le soleil dans son caractère chaleureux comme dans ses notes de fruits à l'eau-de-vie nuancées de fumée et de sous-bois. Les tanins discrets autorisent un service immédiat.

Michel Mourier, 53, RN 86, 42410 Chavanay, tél. 04.77.57.29.59, fax 04.77.80.68.71, e-mail mourier.michel@wanadoo.fr r.-v.

DOM. NOTRE-DAME-DE-COUSIGNAC Hommage à Léon Pommier 2004

■ 3 ha 17 000 ▮ 8 à 11 €

Sur le domaine se trouve une chapelle datant des VIe et XI[e]s. en cours de restauration grâce à des dons d'amateurs d'art et d'artisans. La propriété, elle, est un mas du XVI[e]s. Vous aurez tout le loisir d'apprécier ce patrimoine lors d'une visite et de découvrir ce vin puissant, d'un rubis franc dont les arômes de fruits rouges prennent au palais des accents confiturés et une nuance de cannelle. La structure est encore austère, mais le temps devrait lui permettre de s'affiner.

Pommier, Dom. Notre-Dame-de-Cousignac, quartier de Cousignac, 07700 Bourg-Saint-Andéol, tél. 04.75.54.61.41, fax 04.75.54.68.53, e-mail raphael.pommier@libertysurf.fr

t.l.j. 15h-19h; sam. dim. sur r.-v. hors été 3

DOM. DE L'ORATOIRE SAINT-MARTIN 2004 ★

■ 4 ha 15 000 ▮ 5 à 8 €

Un domaine de 28 ha conduit en agriculture biologique, dont les origines remontent à 1692. Frédéric et François Alary obtiennent régulièrement de beaux résultats sur le terroir de Cairanne et leur 2004 en apporte une nouvelle confirmation : chaleureux, il livre des arômes complexes à dominante de fruits cuits, puis il enveloppe le palais de sa matière ronde et épicée. Certes, il présente un petit côté rustique, mais fort plaisant car les tanins ont un joli grain.

Frédéric et François Alary, Dom. de L'Oratoire Saint-Martin, rte de Saint-Roman, 84290 Cairanne, tél. 04.90.30.82.07, fax 04.90.30.74.27, e-mail falary@wanadoo.fr

t.l.j. sf dim. 8h-12h 14h-19h

CH. DE PANERY Cuvée Henry 2004 ★

■ 2 ha 10 000 5 à 8 €

Typée par la syrah présente à 80 %, cette cuvée a bénéficié d'un élevage de douze mois en fût. Il en résulte des tanins présents, mais fondus, des arômes grillés, vanillés et épicés prononcés et pourtant respectueux du fruité. Les viandes grillées y trouveront un faire-valoir. La cuvée **La Marquise 2004 rouge**, non boisée, est citée pour ses notes de fruits noirs confiturés.

SCEA Ch. de Panery, rte d'Uzès, 30210 Pouzilhac, tél. 04.66.37.04.44, fax 04.66.37.62.38, e-mail contact@panery.fr

t.l.j. 9h-12h 14h-18h

Gryseels

CAVES DES PAPES Oratorio 2004

■ n.c. 50 000 5 à 8 €

Cette maison de négoce-éleveur propose une cuvée issue d'un assemblage de grenache et de syrah élevé quatorze mois en demi-muid de 600 l. Le fruit et la matière sont au rendez-vous dans ce vin qui devrait finir de s'épanouir en fin d'année. La cuvée **Héritage d'Ogier Élevé en foudre de chêne 2004 rouge (3 à 5 €)** est citée également. Souple et épicée, elle accompagnera un osso-buco à l'orange.

Ogier-Caves des Papes, 10, av. Louis-Pasteur, BP 75, 84232 Châteauneuf-du-Pape Cedex, tél. 04.90.39.32.32, fax 04.90.83.72.54, e-mail ogiercavesdespapes@ogier.fr r.-v.

PÈRE ANSELME Séduction 2005 ★

■ 3 ha 13 000 ▮ 3 à 5 €

Père Anselme est la marque historique de ce négociant-éleveur qui a créé la gamme Séduction qui devrait satisfaire les jeunes amateurs. Des arômes intenses de fruits rouges confiturés agrémentés de quelques notes d'agrumes font de ce 2005 un vin friand. La souplesse de la matière invite à une dégustation immédiate, notamment avec des plats exotiques. La cuvée **Père Anselme Séduction 2005 côtes-du-ventoux blanc** obtient une étoile.

⊶ Brotte, Le Clos, rte d'Avignon, BP 1, 84230 Châteauneuf-du-Pape, tél. 04.90.83.70.07, fax 04.90.83.74.34, e-mail brotte@brotte.com
☑ ⲩ ⛹ t.l.j. 9h-12h 14h-18h; été 9h-13h 14h-19h

DOM. ROGER PERRIN
Cuvée Prestige Vieilles Vignes 2005

■ 10 ha 55 000 ▮ 5 à 8 €

Citée pour ses notes de fruits rouges, cette cuvée issue de vignes de soixante ans présente les caractères de la jeunesse, mais la part notable de grenache (78 %) dans son assemblage devrait lui assurer rondeur et chair à l'avenir.

⊶ EARL Dom. Roger Perrin, La Berthaude, rte de Châteauneuf-du-Pape, 84100 Orange, tél. 04.90.34.25.64, fax 04.90.34.88.37, e-mail dne.rogerperrin@wanadoo.fr ☑ ⲩ ⛹ r.-v.
⊶ Luc Perrin

PERRIN Réserve 2004 ★

■ 70 ha 300 000 5 à 8 €

En conversion à l'agriculture biologique, ce domaine réputé de 90 ha a produit un vin bien équilibré entre grenache (50 %), mourvèdre et syrah (25 % chacun). Une agréable fraîcheur se dessine, soulignée par les arômes de fruits rouges gourmands. L'évolution devrait être favorable à l'expression d'ensemble. Patientez une petite année.

⊶ Perrin et Fils, La Ferrière, rte de Jonquières, 84100 Orange, tél. 04.90.11.12.00, fax 04.90.11.12.19, e-mail france@vinsperrin.com ☑ ⲩ ⛹ r.-v.

LES PIERRASQUES 2005 ★★

■ n.c. 100 000 ▮ - de 3 €

Élaboré par les Vignobles du Peloux pour Carrefour, ce vin affiche un remarquable rapport qualité-prix. Le jury a apprécié son nez de violette finement poivré, sa bouche suave aux tanins fondus. Un côtes-du-rhône qui prendra sûrement de la valeur dans votre cave.

⊶ Paul Romain, quartier Barrade, 84350 Courthézon, tél. 04.90.70.42.00, fax 04.90.70.42.15, e-mail vignoblesdupeloux@vignoblesdupeloux.com
☑ ⲩ ⛹ r.-v.

DOM. PHILIPPE PLANTEVIN
Le Pérussier 2004 ★★

■ 2,1 ha 11 400 5 à 8 €

Pas moins de cinq cépages s'unissent dans cette cuvée d'une extrême rondeur et souplesse. Floraux et fruités, ses arômes sont aussi intenses au départ qu'à l'arrivée. Grâce à des tanins bien présents, mais fins, l'impression générale est des plus plaisantes. Un ambassadeur des côtes-du-rhône.

⊶ EARL Plantevin Père et Fils, La Daurelle, rte de Sainte-Cécile-les-Vignes, 84290 Cairanne, tél. 04.90.30.71.05, fax 04.90.30.77.75, e-mail philippe-plantevin@wanadoo.fr ☑ ⲩ ⛹ r.-v.

DOM. DE LA PRÉSIDENTE
Grands Classiques 2005 ★

■ 4 ha 6 000 5 à 8 €

La Présidente s'appelait Lucrèce. Épouse de Simon Alexandre, président du parlement de Provence, elle convertit ses terres à la vigne en 1701. Du grand classique ? Pourtant, il n'est plus si courant de trouver un vin si ample et si long au palais. Celui-ci se compose de grenache, de viognier, de marsanne et de roussanne. Le fruit domine et l'équilibre est atteint.

⊶ Dom. Max Aubert, Dom. de La Présidente, rte de Cairanne, 84290 Sainte-Cécile-les-Vignes, tél. 04.90.30.80.34, fax 04.90.30.72.93, e-mail aubert@presidente.fr
☑ ⲩ ⛹ t.l.j. sf dim. 8h30-12h 14h-18h30

CAVE DE RASTEAU Les Viguiers 2005 ★★★

■ 10 ha 60 000 ▮ 3 à 5 €

La cave de Rasteau, créée en 1925, propose en mai des escapades pour gourmets dans le vignoble de Rasteau, ainsi qu'un circuit de 2 km sur les sentiers viticoles. Une occasion toute trouvée pour découvrir cette exceptionnelle cuvée aux arômes de fruits rouges et de bonbon acidulé. Ronde et souple, elle offre un équilibre irréprochable jusqu'à sa longue finale fruitée.

⊶ Cave de Rasteau, rte des Princes-d'Orange, 84110 Rasteau, tél. 04.90.10.90.10, fax 04.90.46.16.65, e-mail rasteau@rasteau.com ☑ ⲩ r.-v.

DOM. LA RÉMÉJEANNE Les Arbousiers 2005 ★

■ 10 ha 50 000 ▮ 5 à 8 €

Un assemblage tout simple de 60 % de grenache et 40 % de syrah. Malgré sa jeunesse, cette cuvée révèle déjà de belles promesses. Des notes prononcées de cassis marquent la dégustation d'un bout à l'autre. La structure encore marquée devrait se fondre dans les deux ans. Une étoile revient également à la cuvée **Les Chèvrefeuilles 2005 rouge** qui réunit six cépages. Plus florale, elle est déjà souple et gouleyante.

⊶ EARL Rémy Klein, Dom. La Réméjeanne, Cadignac, 30200 Sabran, tél. 04.66.89.44.51, fax 04.66.89.64.22, e-mail remejeanne@wanadoo.fr
☑ ⲩ ⛹ t.l.j. sf dim. 9h-12h 14h-18h; sam. 9h-12h

CH. LA RENJARDIÈRE 2005 ★

■ 10 ha 13 000 ▮ 5 à 8 €

Joanny Dupond, négociant en Beaujolais et fondateur de ce domaine en 1880, était ami du naturaliste Jean Henri Fabre dont on peut voir le musée à Sérignan. Ce sont aujourd'hui 125 ha d'un seul tenant, dans l'aire du massif d'Uchaux, que possèdent ses descendants. Robe saumonée, pâle à reflets violacés, nez de fleurs et d'agrumes : ce rosé bien équilibré libère un délicat perlant qui contribue à son caractère rafraîchissant. Il sera apprécié lors d'un apéritif, avec des tapas.

⊶ Pierre Dupond, 235, rue de Thizy, BP 79, 69653 Villefranche-sur-Saône, tél. 04.74.65.24.32, fax 04.74.68.04.14, e-mail p.dupond.cvc@wanadoo.fr
⛹ r.-v.
⊶ Hervé Dupond

DOM. RIGOT Prestige des garrigues 2004 ★★

■ 15 ha 40 000 ▮ 5 à 8 €

Le grenache (80 %) associé à une pointe de syrah a donné naissance à ce 2004 élu coup de cœur à l'unanimité du jury. Le Prestige des garrigues pourrait bien devenir

celui de votre cave si vous êtes amateur de vins complexes et chaleureux. Les épices rivalisent difficilement avec les fruits rouges tant ces arômes dominent agréablement la palette. De la souplesse, du gras, une structure de qualité et de la persistance : chaque élément est à sa place.

Dom. Rigot, Les Hauts Débats, 84150 Jonquières, tél. 04.90.37.25.19, fax 04.90.37.29.19, e-mail contact@domaine-rigot.fr
t.l.j. sf dim. 8h-12h 14h-19h B

DOM. ROCHE-AUDRAN César 2004 *

■ 5 ha 10 000 11 à 15 €

Une sélection draconienne des meilleures vignes de la propriété : des ceps de cinquante ans en moyenne et une conduite en agriculture biologique. Une vinification et un élevage de douze mois en fût bien menés. Au final, un vin ample et généreux, légèrement boisé, dont les arômes de fruits mûrs dominent le grillé et le cacao. La structure s'affinera encore au cours d'un an de garde.

Vincent Rochette, Dom. Roche-Audran, rte de Saint-Roman, 84110 Buisson, tél. 04.90.28.96.49, fax 04.90.28.90.96, e-mail contact@roche-audran.com
r.-v.

CAVE DES VIGNERONS DE ROCHEGUDE 2005 *

■ 3 ha 16 000 3 à 5 €

Tout en simplicité, ce vin franc et équilibré séduit par son fruité dominant, hérité de la forte proportion de grenache (85 % complétés de syrah). Un rosé de saignée typique des côtes-du-rhône méridionaux et d'une bonne vivacité.

Cave des Vignerons de Rochegude, quartier La Luminaille, 26790 Rochegude, tél. 04.75.04.81.84, fax 04.75.04.84.80, e-mail christian.veyrunes@wanadoo.fr r.-v.

DOM. DES ROCHES FORTES Prestige 2004 *

■ 1 ha 5 000 5 à 8 €

Un tiers de barriques neuves, un tiers de barriques de deux vins et un tiers de barriques de trois vins. À base de 90 % de syrah, ce vin paré d'une robe grenat exprime des arômes intenses de fruits mûrs. L'attaque est vanillée et réglissée, la finale poivrée, épicée. Un ensemble fondu et déjà plaisant, qu'une garde de deux ans affinera encore.

EARL Brunel et Fils, quartier Le Château, 84110 Vaison-la-Romaine, tél. 04.90.36.03.03, e-mail roches.fortes@wanadoo.fr
t.l.j. sf dim. 10h30-12h30 13h30-18h30 C

DOM. DES ROMARINS 2004 *

■ 10 ha 20 000 3 à 5 €

« Un pur vin de terroir » note un membre du jury. Ce 2004 est issu de vignes trentenaires cultivées sur un sol argilo-calcaire. Des arômes de sous-bois viennent en contrepoint de senteurs chaleureuses de fruits confiturés qui persistent agréablement au palais. La chair est pleine et ronde, de sorte qu'elle enveloppe la grande structure, garante d'une bonne garde.

Dom. des Romarins, rte d'Estézargues, 30390 Domazan, tél. 04.66.57.43.80, fax 04.66.57.14.87, e-mail domromarin@aol.com
mer. ven. sam. 15h-19h; groupes sur r.-v.
Fabre

CAVE DES VIGNERONS RÉUNIS DE SAINTE-CÉCILE-LES-VIGNES 2005 *

■ n.c. 5 000 5 à 8 €

C'est au caveau créé en 2004 que vous pourrez déguster ce vin de viognier au subtil équilibre entre vivacité et chaleur. Les arômes de fruits frais très présents se prolongent sans faillir dans la chair ronde et ample.

Caveau Sainte-Cécile-les-Vignes, Cave des Vignerons réunis, 35, rte de Valréas, BP 21, 84290 Sainte-Cécile-les-Vignes, tél. 04.90.30.79.36, fax 04.90.30.79.39, e-mail cave@vignerons-saintececile.fr r.-v.

DOM. SAINT-ÉTIENNE Les Albizzias 2005

■ 3,5 ha 20 000 3 à 5 €

Montfrin est le village d'Henri Reynaud, cousin d'Alphonse Daudet qui servit de modèle au personnage de Tartarin de Tarascon. Michel Coullomb, lui, ne joue pas les tartarins sur son domaine de 40 ha. Sa cuvée vous surprendra par ses arômes intenses et francs dès le premier nez et jusqu'au palais. De la cerise, indéniablement, l'accompagne dans son développement souple et long.

Michel Coullomb, Dom. Saint-Étienne, 26, fg du Pont, 30490 Montfrin, tél. 04.66.57.50.20, fax 04.66.57.22.78 r.-v.

CAVE DES VIGNERONS DE SAINT-GERVAIS 2005

■ 26 ha 150 000 3 à 5 €

Non loin des fabuleuses cascades de Sautadet, à La Roque-sur-Cèze, vous vous rendrez aisément à la cave de Saint-Gervais, fondée en 1924, que Michel Renard et son équipe gèrent aujourd'hui. Ce 2005 libère des notes de fruits frais et d'épices, puis se montre accessible au palais, tant il est souple et équilibré.

Cave des Vignerons de Saint-Gervais, Le Village, 30200 Saint-Gervais, tél. 04.66.82.77.05, fax 04.66.82.78.85, e-mail contact@cavesaintgervais.com
t.l.j. sf dim. 8h-12h 14h30-18h30

VIGNERONS DE SAINT-HILAIRE-D'OZILHAN Théline Premium 2005

■ 2,22 ha 12 000 3 à 5 €

Une cuvée harmonieuse qui fera bel effet à l'apéritif ou avec un plateau de fruits de mer. La bouche franche et ronde, gourmande, est en accord avec le nez léger de fruits exotiques. Vous la découvrirez dans le caveau de Saint-Hilaire, après une visite du pont du Gard.

Les Vignerons de Saint-Hilaire-d'Ozilhan, av. Paul-Blisson, 30210 Saint-Hilaire-d'Ozilhan, tél. 04.66.37.16.47, fax 04.66.37.35.12, e-mail contact@cotes-du-rhone-wine.com
t.l.j. sf dim. 9h30-12h 14h-18h

CH. SAINT-JEAN 2005 *

■ 70 ha 350 000 ▮ 3 à 5 €

Sur ce magnifique terroir du plateau de Plan de Dieu, le château Saint-Jean fut la propriété des seigneurs de Sérignan jusqu'à la fin de la Révolution. Un vin puissamment fruité y est né en 2005, fort d'une chair ronde et structurée par des tanins déjà fondus. Une autre étoile brille pour le **Château de Ruth cuvée Nicolas de Beauharnais 2005 rouge** (hommage au descendant de l'impératrice Joséphine et du tsar Nicolas Ier de Russie, propriétaire de ce domaine au début du XX[e]s.). Un côtes-du-rhône puissant et fruité.

SCA Ch. Saint-Jean, Le Plan de Dieu,
84850 Travaillan, tél. 04.90.12.32.40, fax 04.90.12.32.49

CH. SAINT-MAURICE Les Parcellaires 2005 **

□ 4 ha 16 000 ▮ 5 à 8 €

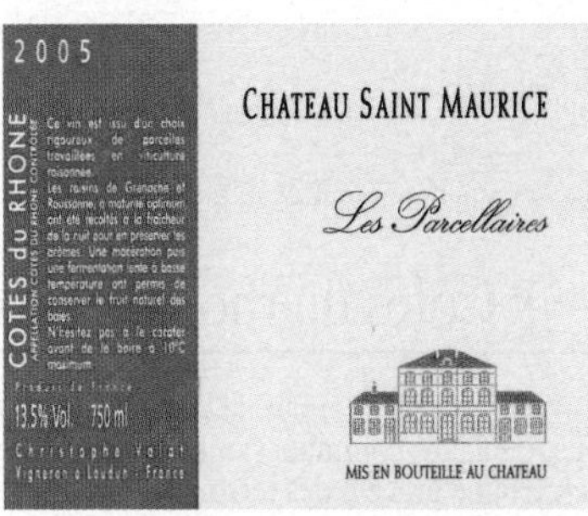

Si le château date du milieu du XIX[e]s., le chai remonte aux XVIIe et XVIII[e]s., témoignant de l'ancienneté de l'art de la vinification dans ce domaine. Christophe Valat s'est entouré des meilleurs techniciens pour vinifier des cuvées parcellaires et, notamment, ce 2005 d'un jaune pâle seyant. Aux notes de fleurs blanches succèdent celles d'agrumes au nez, tandis qu'au palais, un trio harmonieux se forme entre ces derniers arômes et les fruits jaunes, en contrepoint d'une douceur fine et équilibrée. Servez ce côtes-du-rhône dès à présent, avec une terrine de poisson et de légumes.

Christophe Valat, Ch. Saint-Maurice, L'Ardoise,
30290 Laudun, tél. 04.66.50.29.31, fax 04.66.50.40.91,
e-mail chateau.saint.maurice@wanadoo.fr
r.-v. 3 E

DOM. SAINT-PIERRE 2004 *

■ 21 ha 50 000 5 à 8 €

Un bon classique des côtes-du-rhône méridionaux, à base de grenache, de carignan et de syrah. Il est typé, intensément parfumé de fruits rouges et d'une pointe de poivre qui trouve écho en bouche. La finale soyeuse, discrètement vanillée, finit de convaincre.

EARL Fauque, Dom. Saint-Pierre, rte d'Avignon,
84150 Violès, tél. 04.90.70.92.64, fax 04.90.70.90.27,
e-mail domaine.saint-pierre@wanadoo.fr
t.l.j. sf dim. 8h-12h 13h30-19h

SERRE DE BERNON 2005

■ 3 ha 10 000 ▮ 3 à 5 €

Un rosé de saignée issu d'un assemblage de grenache et de cinsault dans une robe brillante. Le nez privilégie les arômes floraux, tandis que le palais laisse paraître des flaveurs de fruits rouges et quelques notes d'agrumes. Une cuvée réussie par Pierre Pappalardo, fort de presque quarante années d'expérience comme directeur et œnologue de la cave.

Cave des Quatre Chemins, 30290 Laudun,
tél. 04.66.82.00.22, fax 04.66.82.44.26,
e-mail cave.4-chemins@wanadoo.fr
t.l.j. sf dim. 8h-12h 14h-18h (t.l.j. pentecôte-août)

CH. SIMIAN Saint-Martin de Jocundaz 2005

□ 0,31 ha 1 800 ▮ 11 à 15 €

L'adaptation du cépage viognier aux terroirs méridionaux est toujours surprenante. Dans cette propriété à l'enherbement permanent, tout est fait pour le vinifier dans les meilleures conditions. Au final, le vin offre des arômes exotiques, une attaque fraîche et une bouche ronde, d'un bon équilibre. Notez que le chemin qui mène au domaine permet de découvrir une collection de dix-huit cépages.

Jean-Pierre Serguier, Clos Simian, 84420 Piolenc,
tél. 04.90.29.50.67, fax 04.90.29.62.33,
e-mail chateau.simian@wanadoo.fr
t.l.j. 9h-12h 14h-19h30; dim. sur r.-v.

TERRES D'AVIGNON Cardinalices 2005

□ 5 ha 16 000 ▮ 3 à 5 €

Une cuvée en accord parfait avec des poissons, des viandes blanches et des fromages de chèvre frais. Elle fait preuve d'intensité dans sa palette de fruits mûrs exotiques, de rondeur et de souplesse au palais. Le **Domaine de La Croisette 2004 rouge** est cité également pour ses arômes subtils de garrigue et de réglisse.

Terres d'Avignon, 457, av. Aristide-Briand,
84310 Morières-les-Avignon, tél. 04.90.22.65.65,
fax 04.90.33.43.31 r.-v.

CH. DU TRIGNON Bois des Dames 2004 *

■ 5 ha 15 000 ▮ 5 à 8 €

Le domaine ménage une vue remarquable sur les Dentelles de Montmirail et réserve un accueil chaleureux aux visiteurs. Un travail rigoureux à la vigne comme à la cave a permis de hisser cette cuvée de grenache et de mourvèdre à un bon niveau. Les arômes de fruits se déclinent tout au long de la dégustation, soulignant la fraîcheur et le côté friand de la bouche. Un côtes-du-rhône à boire jeune de préférence pour profiter de ces caractères ; des côtelettes braisées lui seront de bonne compagnie. Cité, le **Château du Trignon 2005 blanc** libère d'agréables notes de fleurs blanches déjà nuancées de noisette.

Ch. du Trignon, 84190 Gigondas,
tél. 04.90.46.90.27, fax 04.90.46.98.63,
e-mail trignon@chateau-du-trignon.com
t.l.j. sf dim. 9h-19h; sam. 9h-12h

DOM. PIERRE USSEGLIO ET FILS 2004 **

■ 0,74 ha 3 300 ▮ 5 à 8 €

Bien différent des châteauneuf-du-pape de longue garde produits dans cette propriété, ce côtes-du-rhône est un vin de plaisir, déjà aimable. Il flatte par la finesse de ses tanins, par ses arômes de fruits frais qui cèdent bientôt place à des notes confiturées. Il sera excellent avec un rôti de veau aux champignons.

Dom. Pierre Usseglio et Fils, 10, rte d'Orange,
84230 Châteauneuf-du-Pape, tél. 04.90.83.72.98,
fax 04.90.83.56.70,
e-mail domaine-usseglio@wanadoo.fr r.-v.

VIGNERONS DU VALCONTIS
Chemin du Roy 2004 ★

■ 20 ha 13 900 ▮ 3 à 5 €

La mise en bouteilles est très récente dans cette cave coopérative puisqu'elle date seulement de 2003. Deux techniciennes se chargent de la sélection en amont pour obtenir des cuvées de qualité, à l'image de ce 2004 chaleureux, aux arômes intenses de fruits rouges. Les tanins s'enrobent dans la chair ronde, relevée d'une juste fraîcheur. Un côtes-du-rhône déjà élégant, à déguster avec des caillettes aux fines herbes.

Vignerons du Valcontis, RN 86, 30330 Connaux, tél. 04.66.82.00.04, fax 04.66.82.98.43, e-mail vigneronsduvalcontis@wanadoo.fr r.-v.

DOM. DU VAL DES ROIS
Cuvée Les Allards 2004 ★★

■ 2 ha 10 000 ▮ 5 à 8 €

Lors de la fête des producteurs, au mois de mai, vous pourrez découvrir ce vin accompagné d'une assiette de produits du terroir, au milieu des vignes. Vous apprécierez alors son élégance, son caractère floral, sa rondeur caractéristique du grenache, cépage roi des côtes-du-rhône présent à 95 %. Rapportez quelques bouteilles : elles sauront attendre deux ans en cave.

Emmanuel Bouchard, Dom. du Val des Rois, rte de Vinsobres, 84600 Valréas, tél. 04.90.35.04.35, fax 04.90.35.24.14, e-mail info@valdesrois.com
t.l.j. sf dim. 9h-12h30 15h-19h

DOM. DE LA VALÉRIANE 2004 ★★

■ 5 ha 5 000 ▮ 3 à 5 €

Un classique grenache-syrah proposé par Valérie Castan, œnologue, qui a repris en 2004 la propriété familiale. C'est un vin riche de fruits rouges (griotte), légèrement épicé et réglissé. Il emplit le palais de sa chair ample et équilibrée, d'une persistance notable. Vous le marierez avec succès à un lapin aux pruneaux.

Valérie Collomb-Castan, rte d'Estézargues, 30390 Domazan, tél. et fax 04.66.57.04.84, e-mail valeriane.mc@terre-net.fr
t.l.j. sf dim. 10h-12h 14h-18h

DOM. LE VIEUX LAVOIR 2004

■ 7,78 ha 30 000 ▮ 3 à 5 €

Vous ferez sans doute la relation entre les huit colonnes du vieux lavoir du village et celles reproduites sur la façade du caveau de vente créé en 2002. À l'intérieur, vous trouverez ce vin frais et gouleyant, aux arômes fruités, plein de jeunesse. Cité également, le **Domaine Le Vieux Lavoir 2005 blanc** évoque la pêche et l'abricot, ainsi que les fruits exotiques avec subtilité.

EARL Roudil-Jouffret, rte de la Commanderie, Le Palai-Nord, BP 20, 30126 Tavel, tél. 04.66.82.85.11, fax 04.66.82.84.18
t.l.j. sf sam. dim. 8h-12h 14h-18h
Didier Jouffret

LES VIGNERONS DE VILLEDIEU-BUISSON
Cuvée des Templiers 2005

■ 30 ha 100 000 ▮ 3 à 5 €

Un rosé saumon brillant dont les arômes floraux intenses précèdent de peu les notes d'agrumes légèrement citronnés. L'équilibre est élégant et la fine vivacité finale en fait un vin délicat. Pour un accord avec des côtelettes d'agneau grillées.

Cave La Vigneronne, Terre des Frères, 84110 Villedieu, tél. 04.90.28.92.37, fax 04.90.28.93.00, e-mail cavevilledieu@wanadoo.fr
t.l.j. 8h-12h 14h-18h; f. dim. 1er janv.-15 mars

LA VINSOBRAISE 2005 ★★

■ n.c. 16 000 ▮ 3 à 5 €

Cette cuvée témoigne de la rigueur apportée à la vinification. Un 2005 floral, puis fruité, au caractère exotique affirmé. D'une harmonie remarquable, la bouche révèle fraîcheur et rondeur, avec en finale des notes d'agrumes et de mangue tellement plaisantes.

Cave coop. La Vinsobraise, 26110 Vinsobres, tél. 04.75.27.64.22, fax 04.75.27.66.59, e-mail info@la-vinsobraise.com r.-v.

Côtes-du-rhône-villages

À l'intérieur de l'aire des côtes-du-rhône, quelques communes ont acquis une notoriété certaine grâce à des terroirs qui produisent des vins dont la typicité et les qualités sont unanimement reconnues et appréciées. Les conditions de production de ces vins sont soumises à des critères plus restrictifs en matière notamment de délimitation, de rendement et de degré alcoolique par rapport à ceux des côtes-du-rhône. Une très faible production de blanc (4 162 hl en 2005) complète l'important volume des côtes-du-rhône-villages (267 776 hl en 2005).

Il y a d'une part les côtes-du-rhône-villages (5 487 ha) pouvant mentionner un nom de commune, dont quatorze noms historiquement reconnus et qui sont : Chusclan, Laudun et Saint-Gervais dans le Gard ; Cairanne, Sablet, Séguret, Rasteau, Roaix, Valréas et Visan dans le Vaucluse ; Rochegude, Rousset-les-Vignes, Saint-Maurice, Saint-Pantaléon-les-Vignes dans la Drôme. Ont été récemment reconnus Sinargues, dans le Gard, Massif d'Uchaux, Plan de Dieu et Puymeras dans le Vaucluse.

Il y a d'autre part les côtes-du-rhône-villages sans nom de commune (2 211 ha), sur le reste de l'ensemble des communes du Gard, du Vaucluse et de la Drôme dans l'aire côtes-du-rhône. Soixante-dix communes ont été retenues. Cette délimitation avait pour premier objectif de permettre l'élaboration de vins de semi-garde.

DOM. D'AÉRIA Rasteau 2004 ★★

■ 3,2 ha 12 000 ▮ 8 à 11 €

L'Antiquité a légué son logo à ce domaine : il s'agit d'un motif figurant sur une antéfixe, élément de toiture trouvé dans les vignes de la propriété. Celle-ci est installée dans un vieux mas provençal entouré de chênes, à proximité d'une source. Ce vin ? Tirant sur le grenat vif, un vrai Rasteau. Assemblage de grenache (70 %) et de mourvèdre, il livre avec prodigalité et élégance des parfums de fruits rouges, de réglisse et de poivre blanc que l'on retrouve en bouche accompagnés d'une note fraîche de kirsch. Puissant et mûr dans ses développements, un vin gourmand à inviter dès maintenant sur des viandes rouges. Signalons que cette exploitation reçoit son quatrième coup de cœur.

SARL Dom. d'Aéria, rte de Rasteau, 84290 Cairanne, tél. 04.90.30.88.78, fax 04.90.30.78.38, e-mail domaine.aeria@wanadoo.fr r.-v.

Rolland Gap

DOM. DANIEL ET DENIS ALARY
Cairanne La Brunote 2004 ★★

■ 2 ha 10 000 11 à 15 €

Né à la fin du XVII[e]s., ce domaine est toujours resté dans la famille du fondateur, et compte aujourd'hui 25 ha. Grenache (70 %) et mourvèdre ont passé six mois en foudre. Ce vin de garde, puissant et expressif laisse le fruit l'emporter sur les notes vanillées. Les tanins soyeux, d'une grande finesse, accompagnent une longue finale tout entière sur les fruits confits et les épices. **La Font d'Estevenas Cairanne rouge 2004** obtient une étoile.

Dom. Daniel et Denis Alary, La Font d'Estevenas, rte de Rasteau, 84290 Cairanne, tél. 04.90.30.82.32, fax 04.90.30.74.71, e-mail alary.denis@wanadoo.fr t.l.j. sf dim. 8h30-12h 14h30-18h30

DOM. DES AMADIEU
Cairanne Cuvée Vieilles Vignes 2004 ★

■ 3,3 ha 7 046 5 à 8 €

Difficile de résister à un mas provençal au milieu des vignes ! Une propriété familiale depuis 1936, d'une superficie modeste (7 ha) mais sachant tirer du grenache (50 %), du mourvèdre et de la syrah le meilleur. Un vin bien élevé – long passage en barrique – porté de bout en bout sur le fruit rouge, d'une démarche très sûre. Une petite note florale vient, au nez, compléter le tableau. Agneau et tian de légumes se plairont en sa compagnie.

Michel Achiary, quartier Beauregard, 84290 Cairanne, tél. 04.90.66.17.41, fax 04.90.66.01.28, e-mail maryachiary@yahoo.fr r.-v.

LES APHILLANTHES Cuvée des galets 2004

■ 13 ha 32 000 ▮ 8 à 11 €

En 1950, le cheval dans les vignes ressemblait déjà au passé. Un demi-siècle plus tard, il revient, expression de la modernité. Cela rend philosophe... L'étiquette de ce vin honore ainsi le meilleur compagnon de labours. Coloré, le nez fin et expressif, ce *villages* développe des arômes de fruits cuits reposant sur une honnête structure tannique. D'une typicité convenable, il est constitué de grenache en pole position (60 %), de syrah, de mourvèdre et de carignan.

Daniel Boulle, Dom. des Aphillanthes, quartier Saint-Jean, 84850 Travaillan, tél. et fax 04.90.37.25.99 r.-v.

DOM. DES ASSEYRAS Vieilles Vignes 2003 ★★

■ 3,12 ha 10 580 5 à 8 €

Ancien relais de chevaux sur la route d'Orange à Valréas, ce domaine de 25 ha propose un vin issu de vignes cinquantenaires de syrah et de grenache. La remarquable maturité des raisins est perceptible à la dégustation : un nez friand et puissant, nuancé de notes grillées et vanillées dues au passage sous bois parfaitement maîtrisé ; une bouche pleine, aux flaveurs de fruits cuits, de réglisse et de vanille ; des tanins soyeux. Des sensations qui montent crescendo pour un 2003 déjà agréable, mais également apte à deux ou trois ans de garde.

Daniel Blanc, Les Asseyras, rte de Visan, 26790 Tulette, tél. et fax 04.75.98.30.81, e-mail daniel.blanc@cegetel.net t.l.j. 8h30-19h; groupes sur r.-v.

DOM. DES AUZIÈRES Roaix 2004 ★★

■ 3 ha 8 000 ▮ 5 à 8 €

Roaix ? C'est bon, c'est beau et peu connu. Grenache (70 %), syrah et une pincée de cinsault pour un vin très rouge et aux limites du noir violacé. Élevé en cuve, il se montre tout en petits fruits, plutôt noirs (mûre), mêlés aux épices douces (réglisse et vanille). Long et équilibré, il repose sur des tanins serrés garants d'une bonne garde.

Christophe Cuer, Les Auzières, 84110 Roaix, tél. 04.90.46.15.54, fax 04.90.46.12.75, e-mail christophe@auzieres.fr r.-v.

DOM. BEAU MISTRAL
Rasteau Cuvée Florianaëlle 2004 ★★

■ n.c. 5 000 15 à 23 €

Beau Mistral sans aucun doute partagé entre le grenache (70 %) aux vignes centenaires et plantées juste après le phylloxéra, le mourvèdre (20 %) et la syrah. Une robe si profonde que l'on s'y perd avec bonheur. Un nez évocateur de fruits frais et confits, où la syrah ne semble pas jouer les seconds rôles. En bouche, toujours du fruit, une attaque soutenue et une forte constitution pour cette bouteille très typée et intense, qui gagnera à attendre deux à trois ans. Le **blanc Rasteau Sélection en fût de chêne 2005 (5 à 8 €)** semble bien parti, d'une démarche assez douce. Il obtient une étoile.

Jean-Marc Brun, Le Village, rte d'Orange, 84110 Rasteau, tél. 04.90.46.16.90, fax 04.90.46.17.30, e-mail beau.mistral@club-internet.fr t.l.j. 9h-12h 14h-18h

RHÔNE

DOM. DE BEAURENARD Rasteau 2004 ★

■ 13 ha 50 000 8 à 11 €

Sept générations se sont succédé sur ce domaine dont l'extension à Rasteau s'est accompagnée de la création en 1980 d'un musée du Vigneron exposant les outils dont on se servait jadis. La propriété, qui vient d'aménager une nouvelle cave à barriques, a été lauréate de la Grappe d'argent du Guide l'an dernier et a eu trois coups de cœur en châteauneuf-du-pape. En côtes-du-rhône-villages, elle est régulière en qualité. Voyez ce 2004 plus grenache (80 %) que syrah. Sa robe est claire et limpide, son nez rappelle la confiture de vieux garçon. Vous savez, ces fruits conservés dans l'eau-de-vie. Légèrement tannique, ce vin est surtout rond et charmeur, mais il pourra vieillir un peu. Le **côtes-du-rhône rouge 2005 (5 à 8 €)** du domaine obtient une étoile.

🔑 Paul Coulon et Fils, Dom. de Beaurenard, av. Pierre-de-Luxembourg, 84231 Châteauneuf-du-Pape, tél. 04.90.83.71.79, fax 04.90.83.78.06, e-mail paul.coulon@beaurenard.fr
☑ Y ⚲ t.l.j. sf dim. 9h-12h 13h30-17h30

DOM. DE LA BELAISE Valréas 2005

■ 25 ha 150 000 ▮ 3 à 5 €

Jusqu'à la Révolution, quatre communes formèrent une enclave rattachée, comme Angers, aux États pontificaux : l'« enclave des papes » – Valréas en faisait partie. Ce vin pontifie forcément quelque peu. Il hésite entre le violet épiscopal et la pourpre cardinalice. Son nez fruité est très mûr. Franc à l'attaque, évoluant sur le fruit cuit et un peu chaleureux en conclusion, c'est un accord classique entre grenache (75 %) et syrah. Il préférera sur le plateau de fromages le lait de vache au lait de chèvre ou de brebis. Une bouteille vinifiée pour le compte des Macipe, établis depuis trois ans à Valréas.

🔑 Vignerons de L'Enclave des Papes, rte d'Orange, BP 51, 84602 Valréas Cedex, tél. 04.90.41.91.42, fax 04.90.41.90.21, e-mail france@enclavedespapes.com
🔑 Bernard et Bruno Macipe

DOM. DE LA BERTHÈTE 2005 *

□ 1,2 ha 3 600 ▮ 5 à 8 €

Grenache blanc 100 %. De faible acidité, on lui trouve des arômes de narcisse, d'agrumes (pamplemousse) et de pêche blanche. Gras, parfaitement équilibré (le rapport alcool-acidité est excellent), il conviendra à l'apéritif.

🔑 Pascal Maillet, Dom. de La Berthète, rte de Jonquières, 84850 Camaret-sur-Aigues, tél. 04.90.37.22.41, fax 04.90.37.74.55, e-mail la.berthete@wanadoo.fr
☑ Y ⚲ t.l.j. sf dim. 9h-12h 14h-18h

BISHOP'S SÉLECTION 2004 **

■ n.c. 70 000 ▮ 5 à 8 €

Négociant de nationalité britannique, Paul Boutinot a fondé sa maison il y a vingt-cinq ans en Mâconnais. Il est à l'affût des meilleures cuvées. Celle-ci fait la part belle au grenache (70 %), la syrah étant là pour l'appoint. Rouge légèrement foncé, un vin aux arômes intenses de fruits rouges et d'épices. Au palais, le fruit est élégant sur un fond réglissé de tanins fondus et longs. Une réelle élégance.

🔑 Boutinot, La Roche, 71570 Saint-Vérand, tél. 03.85.23.05.40, fax 03.85.23.09.55

CH. BOIS DE LA GARDE 2004 *

■ 1,25 ha 6 500 ▮ 5 à 8 €

La Garde impériale aurait fait bivouac ici et y aurait développé la culture de la vigne. Grenache (60 %) et syrah, voilà vraiment la vieille garde. Elle tient bien sous le feu des dégustateurs dans sa robe sombre affichant un nez confituré cassis, une bouche constante jouant le cuit, l'épice, le fruit rouge et le cassis aussi. Ses tanins sont fins et prometteurs.

🔑 Robert Barrot, 1, av. du Baron-Leroy, 84230 Châteauneuf-du-Pape, tél. 04.90.83.51.73, fax 04.90.83.52.77, e-mail chateaux@vmb.fr
☑ Y ⚲ t.l.j. 10h-19h
🔑 Catherine Barrot

DOM. DU BOIS DE SAINT JEAN
Cuvée du Comte d'Ust et du Saint-Empire 2004 *

■ 1,5 ha 6 600 ▮ 5 à 8 €

Cuvée du Comte d'Ust et du Saint-Empire : syrah, mourvèdre et grenache sont aux pieds d'une telle éminence... Grenat presque noir, ce 2004 enrobé et gras, équilibré, a de quoi tenir sa place à la table familiale. Animal, épicé et assez prometteur, le nez incite à décanter cette bouteille.

🔑 EARL Vincent et Xavier Anglès, 126, av. de la République, 84450 Jonquerettes, tél. et fax 04.90.22.53.22 ☑ Y ⚲ t.l.j. 8h-12h 14h-20h

DOM. DU BOIS DES DAMES Plan de Dieu 2004

■ 10 ha 50 000 ▮ 3 à 5 €

Ces « bois » appartinrent aux chartreusines de Prébayon pendant quelque dix siècles. Bien national sous la Révolution, la propriété passa ensuite entre diverses mains. Elle est devenue exclusivement vignoble à partir de 1946. Grenache (60 %), syrah (35 %) et mourvèdre se marient dans ce 2004 rubis à reflets pourpres, au bouquet intense entre l'animal et le fruit à noyau sur des notes grillées. Équilibré et gras, le palais est dans la continuité aromatique, avec une longue finale fruitée.

🔑 SCEA Dom. du Bois des Dames, rte de Cairanne, 84150 Violès, tél. et fax 04.90.70.92.10, e-mail hmeffre@free.fr ☑ Y ⚲ r.-v. 🏠 Ⓓ

DOM. DU BOIS DES MÈGES Plan de Dieu 2004

■ 1,8 ha 8 000 ▮ 5 à 8 €

Sur des terrasses de galets roulés, l'âme même de ce terroir, un domaine qui va lentement et sûrement. Pas plus de 5 ha de 1983 à 1994, 13 ha ensuite, puis 18 ha de nos jours avec la production d'une dizaine de vins (un seul à l'origine). Rouge profond, ce 2004 demande à s'ouvrir au nez mais il se montre bien disposé en bouche. Impulsif, il a tout du taureau de Camargue qui ronge encore son frein et brûle de s'élancer. Deux à trois ans de sage manade en cave lui feront le plus grand bien. Le **côtes-du-rhône rosé 2005 (3 à 5 €)** est cité.

🔑 Ghislain Guigue, Les Tappys, rte d'Orange, 84150 Violès, tél. 04.90.70.92.95, fax 04.90.70.97.39, e-mail meges@netcourrier.com ☑ Y ⚲ r.-v.

CH. DE BORD Laudun 2005 **

□ 2 ha 9 000 ▮ 5 à 8 €

Père Anselme, Fiole du Pape, les Arlettes... Il faut bien prendre son souffle si l'on veut réciter d'un seul coup toutes les enseignes vineuses de la famille Brotte ! Vignoble situé ici en terrasses sur le flanc sud du « camp de César ». Constitué de grenache blanc pour moitié, de viognier et de roussanne, voici un vin à la robe franche et brillante. Son bouquet est floral, sa bouche soyeuse et confortable. Elle bénéficie du fruit (pêche) en fond de scène. Signalons encore le **Château de Bord Laudun rouge 2004 (8 à 11 €)**. D'excellente tenue lui aussi, il obtient une étoile.

🔑 Brotte, Le Clos, rte d'Avignon, BP 1, 84230 Châteauneuf-du-Pape, tél. 04.90.83.70.07, fax 04.90.83.74.34, e-mail brotte@brotte.com
☑ Y ⛹ t.l.j. 9h-12h 14h-18h; été 9h-13h 14h-19h

CH. LA BORIE 2004

■ 36 ha 6 336 ▮ 8 à 11 €

Ancien domaine des princes d'Orange, le château date du XVIII[e]s. Syrah, grenache et mourvèdre par ordre déclinant d'accession au trône. S'il a peu de bouquet à cette étape de son évolution, ce vin bien né, sur des sables marneux, laisse parler la cerise et les épices, tel le poivre, ainsi que des notes de garrigue. À la fois charnu et gouleyant, il est à déguster maintenant.

🔑 Ch. La Borie, 26790 Suze-la-Rousse, tél. 04.75.04.81.92, fax 04.75.51.33.93, e-mail courrier@chateau-la-borie.fr ☑ Y ⛹ r.-v.
🔑 Margnat

DOM. BOUCHE La Grappe d'or 2005 *

□ 2 ha 4 800 ▮ 8 à 11 €

Viognier et clairette ont été mis à contribution pour ce 2005. Aubépine, acacia : le nez tourne autour de la fleur blanche sur fond or vif. Assez long, ce vin reste équilibré et gras, il ne quitte pas ce charme floral. Excellent pour un poisson grillé.

🔑 Dominique Bouche, chem. d'Avignon, 84850 Camaret-sur-Aigues, tél. 06.62.09.27.19, fax 04.90.37.74.17, e-mail domaine.bouche@wanadoo.fr ☑ Y ⛹ r.-v.

DOM. DES BOUMIANES 2005 *

□ 1 ha 1 500 ⏺ 5 à 8 €

Un mas provençal en pierre de Tavel, un assemblage bien mûr légèrement mâtiné de grenache blanc. Jaune clair à légers reflets verts, assez chaleureux, un 2005 gras et floral (fleurs blanches), un tantinet beurré. Le résumer en un mot ? Vivifiant. Un autre ? Délicieux.

🔑 EARL Dom. des Boumianes, chem. des Bohémiennes, 30390 Domazan, tél. 04.66.57.29.35, fax 04.66.57.01.34
☑ Y ⛹ t.l.j. sf dim. 9h-12h 14h-18h
🔑 Philippe Meger

CH. DE BOUSSARGUES
Cuvée de la Chapelle 2004 *

■ 1,8 ha 8 000 ▮ 5 à 8 €

Ici, *château* n'est pas un mot galvaudé. Riches d'une histoire exceptionnelle, ces vieux murs du XII[e]s. côtoient une chapelle romane remarquablement restaurée dans un cadre magnifique. Issu de grenache et de syrah à 60-40 %, l'assemblage reste dans la tradition. D'une couleur rubis violacé, ce millésime choisit un nez de cerise burlat et de framboise. Les tanins caressants ne masquent pas le fruit qui – de peur de nous manquer – revient une deuxième fois au rendez-vous. Bonne évolution en perspective, sans aller chercher trop loin. Deux autres vins ont été sélectionnés en **AOC côtes-du-rhône, le blanc 2005** et le **rosé 2005 (3 à 5 €)**, tous les deux cités.

🔑 Chantal Malabre, Ch. de Boussargues, 30200 Sabran, tél. 04.66.89.32.20, fax 04.66.79.81.64, e-mail malabre@wanadoo.fr ☑ Y ⛹ t.l.j. 8h-19h 🏠 Ⓔ

DOM. BRESSY-MASSON
Rasteau Cuvée La Souco d'or 2003 *

■ n.c. 7 716 ⏺ 8 à 11 €

« Il y a une sorte de bonheur qui ne dépend ni d'autrui ni du paysage » écrivait Giono. Celui-ci, même si le terroir est bien présent sous le bouchon. Robe moyenne et à tendance évolutive ; arômes de cuir et d'épices largement dus aux six mois en barrique ; garrigue en bouche sur tanins fins. À déboucher dès à présent. Grenache (65 %), syrah et mourvèdre composent un assemblage classique.

🔑 Marie-France Masson, Dom. Bressy-Masson, 84110 Rasteau, tél. 04.90.46.10.45, fax 04.90.46.17.78
☑ Y ⛹ t.l.j. 9h-12h 14h-18h30

LAURENT BRUSSET
Cairanne Vendange Chabrille 2004 **

■ 3 ha 12 000 ▮ 8 à 11 €

Depuis 1947, André, Daniel et Laurent Brusset se sont succédé sur ce domaine situé au cœur des Dentelles de Montmirail. Grenache et syrah à 60-40 % sont plantés sur soixante-huit terrasses plein sud ! Il faut y aller pour ce spectacle, mais aussi pour ce vin d'un rouge éblouissant, d'un bouquet passionnant (petits fruits rouges confits et un rien de complexité) à attendre deux à trois ans car il possède tout le potentiel d'une belle garde. Dans le peloton de tête. Autre cuvée, notée une étoile, **Coteaux des Travers rouge 2004 (5 à 8 €)**.

🔑 Dom. Brusset, Le Village, 84290 Cairanne, tél. 04.90.30.82.16, fax 04.90.30.73.31, e-mail domaine-brusset@wanadoo.fr
☑ Y ⛹ t.l.j. 9h-12h 14h-18h

DOM. DE CABASSE Séguret Cuvée Garnacho 2003

■ 3 ha 12 000 ⏺ 8 à 11 €

Pourquoi Cabasse ? *Casa bassa* au temps des papes, la maison basse. Grenache en chef de file, plus syrah et counoise. Cette cuvée ne manque pas d'arômes avec ses fruits noirs et la réglisse au cœur du sujet. Puis une pointe de Zan accompagne le cassis très mûr, signant le millésime. Le **Séguret blanc Les Primevères 2005 (5 à 8 €)** obtient la même note. Floral et fruité, c'est l'un des rares blancs sélectionnés par le jury. Domaine soutenu par l'Union européenne avec les producteurs du Priorat en Espagne (*Growing greener grapes*).

🔑 Dom. de Cabasse, 84110 Séguret, tél. 04.90.46.91.12, fax 04.90.46.94.01, e-mail info@cabasse.fr ☑ Y ⛹ r.-v.

LA CABOTTE Massif d'Uchaux Cuvée Garance 2004

■ 2,5 ha 5 000 ▮ 11 à 15 €

Plumet d'Ardhuy et la Cabotte : une *cabotte* est en Bourgogne une cabane de vigneron en pierres sèches, en lave. Quant à la famille d'Ardhuy, elle demeure un grand vignoble bourguignon longtemps associé à la Reine Pédauque et au château de Corton-André. Les présentations faites, parlons de ce vin dont la couleur est belle, le nez de fruits rouges, la composition grenache et mourvèdre (70-30 %) et le corps peu tannique. Un 2004 léger et bon pour le service.

🔑 Marie-Pierre Plumet d'Ardhuy, Dom. La Cabotte, 84430 Mondragon, tél. 04.90.40.60.29, fax 04.90.40.60.62, e-mail domaine@cabotte.com
☑ Y ⛹ r.-v.

DOM. CASTAN 2004 ★

■ n.c. 10 000 ■ 5 à 8 €

Près du pont du Gard, il est un beau terroir à vigne (terrasses argilo-calcaires et galets roulés) qui trouvera à coup sûr sa notoriété, si l'on en juge par cette bouteille rubis sombre auréolée de pourpre qui en provient. Le grenache (50 %) est associé à la syrah et au mourvèdre. Notes mentholées et de fruits à noyau s'échappent tout d'abord du verre, puis on passe aux choses sérieuses : épices et tanins dans les normes, ampleur et structure de qualité. Et qui plus est, un bon potentiel de garde (deux ans).

SCEA Chantecler, mas Chantecler, 30390 Domazan, tél. 04.66.57.00.56, fax 04.66.57.07.57 t.l.j. 8h-12h 14h-19h

Damien Castan

DOM. DIDIER CHARAVIN
Rasteau Cuvée Prestige Élevé en fût de chêne 2004

■ 5 ha 20 000 5 à 8 €

Grenache, syrah, mourvèdre, ainsi rime-t-on ici. L'animal et le fruit mûr n'étonnent pas. Le boisé (sept mois) n'est pas trop envahissant. Toujours sauvage, la bouche tend vers la cerise noire sur une longueur qui, sans être démesurée, s'apprécie en chapelet de caudalie. Fort agréable dans sa robe à reflets violets, ce vin pourra accompagner un petit gibier.

Didier Charavin, rte de Vaison, 84110 Rasteau, tél. 04.90.46.15.63, fax 04.90.46.16.22 t.l.j. 9h-12h 14h-18h

DOM. CLAVEL Saint-Gervais 2004 ★

■ 6 ha 30 000 11 à 15 €

Une lignée vigneronne installée depuis le XVII[e]s. à Saint-Gervais, charmant village du Gard provençal, irrigué par la Cèze (on peut s'y baigner sur la petite plage communale, le Gravas). Régulier en qualité, le domaine Clavel obtient une fois encore une étoile avec ce 2004 où le cinsault et le carignan font équipe avec le grenache (50 %) et la syrah. Bien élevé, ce vin n'a pas encore fini sa course et on peut le garder deux ou trois ans. Son bouquet discrètement épicé laisse filtrer de délicats parfums de groseille et de myrtille. Le pain d'épice vient compléter la palette aromatique dans une bouche qui donne une plaisante impression de fruits mûrs.

Dom. Denis, Françoise, Claire Clavel, rue du Pigeonnier, 30200 Saint-Gervais, tél. 04.66.82.78.90, fax 04.66.82.74.30, e-mail clavel@domaineclavel.com t.l.j. 9h-12h 14h-19h

CLOS DELORME
Élevé et vieilli en fût de chêne 2003

■ 2 ha 6 000 3 à 5 €

La famille Delorme exploite 25 ha de vignes autour de Saint-Just, village proche de la confluence du Rhône et de l'Ardèche. Si l'on remonte la rivière, on aboutit aux célèbres gorges. La vigne est plus bas. Le grenache fait ici pratiquement cavalier seul (90 %) auprès de la syrah. Carmin sombre limpide, ce 2003 emplit le nez de cerise à l'eau-de-vie, de kirsch. Ce millésime évolue un peu et c'est normal. Au palais, tout est maturité épicée, chaude, concentrée, ronde, puissante. Les arômes, en harmonie, évoquent les fruits compotés, avec des touches réglissées. Une bouteille à apprécier dès maintenant. Sous le même nom, le **côtes-du-rhône 2005** qui n'a pas connu le fût reçoit la même note. Il ne renie pas ses origines ardéchoises.

Delorme, Clos Delorme, quartier Larignier, 07700 Saint-Just-d'Ardèche, tél. et fax 04.75.04.60.58, e-mail clos.delorme@wanadoo.fr r.-v.

LA COMTADINE Puymeras 2004

■ 10 ha 35 000 3 à 5 €

En passant par Vaison-la-Romaine, faites escale à Puyméras dont la coopérative vinifie 1 200 ha. Rouge foncé lumineux, épicé et réglissé, ce vin est un enfant de grenache (70 %) où syrah et cinsault font à égalité l'appoint. Équilibré, il est prêt à être servi si vous disposez du thym et du romarin pour l'agneau à la broche.

Cave La Comtadine, La Grand-Grange, 84110 Puyméras, tél. 04.90.46.40.78, fax 04.90.46.43.32, e-mail cave-la-comtadine@wanadoo.fr t.l.j. 8h-12h 14h-18h; f. dim. sept-mars

CAVE DES COTEAUX DE SAINT-MAURICE
Saint-Maurice Grande Réserve 2004 ★

■ 5 ha 18 000 3 à 5 €

Douze jours de macération pour les raisins de vieilles vignes sélectionnées par la coopérative. Puis un élevage en fût de chêne de l'Allier qui apporte ce qu'il faut d'élégance vanillée à une touche de fruits rouges dans un chaudron de confiture : une grande bouteille d'un rubis de joaillerie, possédant de la mâche, des tanins onctueux et une belle persistance. Perspective d'avenir ? Deux ou trois ans.

Cave des Coteaux de Saint-Maurice, 26110 Saint-Maurice-sur-Eygues, tél. 04.75.27.63.44, fax 04.75.27.67.32, e-mail cavesaintmaurice@libertysurf.fr r.-v.

DOM. DES COTEAUX DE TRAVERS
Cairanne Cuvée Sélection 2004 ★

■ n.c. 10 700 8 à 11 €

Le Cairanne a la réputation d'un « vin glamour ». Cette cuvée grenache (60 %), syrah et mourvèdre ne prend pas de risques tout en trouvant de bons arguments pour vous plaire. Le pain d'épice en approche, des tanins lisses et soyeux : il faut déguster ce vin sans trop attendre car il se trouve à son point d'équilibre. Pour rester dans un registre méditerranéen, choisissez de le marier à un carré d'agneau à la confiture d'olives. Le **Rasteau Cuvée Prestige 2004 rouge (11 à 15 €)**, élevé huit mois sous bois, obtient une citation. Boisé, torréfié, il trouvera des amateurs.

Robert Charavin, Dom. des Coteaux des Travers, BP 5, 84110 Rasteau, tél. 04.90.46.13.69, fax 04.90.46.15.81, e-mail coteaux.des-travers@wanadoo.fr r.-v.

CH. COURAC Laudun 2005 ★★

■ n.c. 37 000 5 à 8 €

Après un superbe 2004, coup de cœur l'an dernier, voici un vin encore en pleine jeunesse et prometteur : il allie puissance et velouté sur des notes de fruits rouges très mûrs, avec quelques nuances animales. Il sera certainement prêt pour les amateurs avertis dès cet automne, mais « saura affronter le temps qui passe », comme l'écrit un dégustateur humaniste. Le **Château Courac côtes-du-rhône rouge 2005** obtient la même distinction pour sa remarquable structure.

⊶ SCEA Frédéric Arnaud, Ch. Courac,
30330 Tresques, tél. 04.66.82.90.51, fax 04.66.82.94.27,
e-mail chateaucourac@wanadoo.fr ☒ Ỳ ⛹ r.-v.

CH. LA COURANÇONNE

Plan de Dieu Gratitude 2004 *

■ 10 ha 8 000 ▮◍ 5 à 8 €

Vendu comme bien national en 1791, ce domaine appartenait à l'évêché d'Orange. La bastide entourée de ses vignes ne manque pas de charme. Assemblant les trois grands cépages rhodaniens, ce vin révèle toute la maturité des raisins qui lui ont donné naissance. Riche, puissant, il affirme à l'olfaction des notes de fruits confits et de fruits à l'eau-de-vie. La bouche repose sur des tanins fondus jusque dans une finale réglissée.

⊶ EARL Ch. La Courançonne, Le Plan de Dieu,
84150 Violès, tél. 04.90.70.92.16, fax 04.90.70.90.54,
e-mail info@lacouranconne.com
☒ Ỳ t.l.j. 9h-12h 14h-17h30; sam. dim. sur r.-v.

DOM. DE COURON 2004 *

■ 1,52 ha n.c. ▮ 5 à 8 €

À la sortie des gorges de l'Ardèche, le village de Saint-Marcel recèle des grottes (40 km de galeries) que l'on visite à la belle saison. Il y eut ici une *villa* gallo-romaine, et bien plus tard, une ferme expérimentale (au début du XX[e]s.). Classé en côtes-du-rhône dès 1937, ce domaine a été acquis par une famille originaire du Beaujolais il y a quelque soixante-cinq ans. Grenache et mourvèdre se partagent à peu près en deux moitiés ce 2004 bien coloré. Encore un peu fermé, ce vin révèle une belle richesse et une trame de tanins serrés qui laissent espérer un intéressant potentiel de garde.

⊶ Jean-Luc Dorthe, Dom. de Couron,
07700 Saint-Marcel-d'Ardèche, tél. 04.75.98.72.67,
fax 04.75.98.67.86, e-mail jldorthe@free.fr
☒ Ỳ ⛹ t.l.j. sf dim. 10h-12h30 15h-19h30; f. nov.

DOM. CROS DE LA MÛRE

Massif d'Uchaux 2004 **

■ 4 ha 3 000 8 à 11 €

Dans un environnement rouge sombre, grenache (65 %), syrah et mourvèdre forment un parfait assemblage. Le bouquet présente des touches florales. Au palais, on pense à cette « mâle douceur » dont parlait Colette à propos d'un vin qu'elle aimait. Dès l'attaque, on voit à qui on a affaire. Sa « sphéricité » (pour employer encore une expression de Colette qui définit ainsi un vin rond et gras à souhait) et son fruit le rendent gourmand.

⊶ EARL Michel et Fils, Derboux, 84430 Mondragon,
tél. 04.90.30.12.40, fax 04.90.30.46.58,
e-mail crosdelamure@wanadoo.fr ☒ Ỳ ⛹ r.-v.

RÉSERVE DU CROUZAU Saint-Gervais 2005

■ 4 ha 50 000 ▮ 5 à 8 €

Grenache et syrah moitié-moitié. Sous une robe rouge rubis brillant, le fruit noir et le poivre noir. Encore un peu tannique, après une attaque qui ne manque pas de tonus, cette Réserve équilibrée est prometteuse pour la fin d'année. La cuvée **La Boutarie Saint-Gervais 2005 (3 à 5 €)** est également sélectionnée.

⊶ Cave des Vignerons de Saint-Gervais, Le Village,
30200 Saint-Gervais, tél. 04.66.82.77.05,
fax 04.66.82.78.85,
e-mail contact@cavesaintgervais.com
☒ Ỳ ⛹ t.l.j. sf dim. 8h-12h 14h30-18h30

DOM. DE DIONYSOS

Massif d'Uchaux Jardin de Robert 2004

■ 3 ha 12 000 ▮◍ 5 à 8 €

Palette assez large de cépages pour ce 2004 au bouquet de fruits rouges mûrs écrasés : grenache à 60 %, cinsault, syrah et mourvèdre. Plutôt grenache en bouche dans une expression souple et fruitée. On le goûtera sans peine ni effort sur une volaille. Le **côtes-du-rhône La Devèze 2004 (3 à 5 €)** obtient la même note. Il n'a pas connu le fût.

⊶ Farjon, EARL Dionysos, Les Farjons,
84100 Uchaux, tél. et fax 04.90.40.60.33,
e-mail cigalette@free.fr ☒ Ỳ r.-v.

PAUL DURIEU

Plan de Dieu Cuvée Henri Durieu 2004 **

■ 4 ha 6 000 ◍ 8 à 11 €

Rejoint par ses fils Vincent et François, Paul Durieu vinifie les vignes de son père (du Plan de Dieu) et de sa mère (de Châteauneuf-du-Pape, famille Avril). Une cuvée « très féminine » nous dit-on, et prête à être servie sur viande blanche et fromage. Sa robe est évidemment soutenue, son parfum épicé lui vient de quatorze mois en barrique s'ajoutant aux vertus des cépages : grenache (85 %), un peu de syrah et de mourvèdre. Ces impressions se prolongent harmonieusement dans une bouche ronde et fondue, sensuelle et charnue. Un coup d'éclat comme pour saluer la promotion de ce terroir en côtes-du-rhône-villages.

⊶ Paul Durieu, 10, av. Baron-Le-Roy,
84230 Châteauneuf-du-Pape, tél. 04.90.37.28.14,
fax 04.90.37.76.05, e-mail pdurieu@hotmail.com
☒ Ỳ ⛹ r.-v.

L'ENVOL Plan de Dieu 2005 **

□ 2 ha 4 600 ◍ 8 à 11 €

Viognier à 90 %, la roussanne en complément, un vin signé par Lionel Duplessis, sommelier bourguignon passé aux travaux pratiques. Sous le doré de la robe émerge une impression de fruits et de miel. Boisé doux (dix mois) pour une expression finale très épicée. Sucré ou salé ? Un filet de perche sauce hollandaise conviendra. Sous la marque **Distinguo 2004 rouge (15 à 23 €)**, un vin fortement boisé, à attendre deux ans, auquel le jury attribue une étoile.

⊶ Dom. Duplessis-Guyot, 271, chem. du Haut-Débat,
84150 Jonquières, tél. 04.90.70.55.00,
fax 04.90.70.57.77,
e-mail domaine-duplessis@wanadoo.fr
☒ Ỳ ⛹ t.l.j. 8h-19h

DOM. DES ESCARAVAILLES

Cairanne Cuvée Le Ventabren 2004 *

■ 3 ha 16 000 ▮ 5 à 8 €

Daniel et Jean-Pierre Ferran ont défriché et planté la propriété acquise par leur père. Gilles et Nicolas ont rejoint le bateau. Le nom de ce domaine, Escaravailles, déjà vous plonge dans les lumières du Sud. On ne résiste pas non plus au charme de ce vin très présent (grenache à 70 %, syrah et carignan en ordre décroissant). À l'œil, sans doute un petit début d'évolution, mais le plaisir réside dans les arômes de noyau et de fraise, les parfums bien ouverts et explicites. Ample et généreux, ce 2004 est mûr.

⊶ Ferran et Fils, Dom. des Escaravailles,
84110 Rasteau, tél. 04.90.46.14.20, fax 04.90.46.11.45,
e-mail domaine.escaravailles@wanadoo.fr ☒ Ỳ ⛹ r.-v.

DOM. DE L'ESPIGOUETTE Plan de Dieu 2004 ★

■ 5 ha 20 000 ▮ 5 à 8 €

Près de Vaison-la-Romaine, une bonne idée de promenade si vous êtes dans le coin. L'archéologie et le vin sont en effet complémentaires en vallée du Rhône. D'autant plus que nous retrouvons ici de vieilles connaissances : le grenache (nettement sur le devant à 75 %), la syrah et le mourvèdre. L'élevage en cuve ne nous choque pas. Parmi les arômes qui s'expriment librement, on retrouve le kirsch et la cerise à l'eau-de-vie. Un corps tannique pour une gastronomie méridionale où l'on a vraiment quelque chose dans son assiette.

Bernard Latour, Dom. de L'Espigouette, BP 06, 84150 Violès, tél. 04.90.70.95.48, fax 04.90.70.96.06, e-mail espigouette@aol.com ☑ Y ⩚ r.-v.

DOM. RÉMY ESTOURNEL Laudun 2005 ★

□ 1 ha 5 300 ▮ 8 à 11 €

Ce domaine est situé à 200 m du vieux village restauré, avec ses remparts et son château féodal. Ce vin blanc jaune paille, odorant (noisette, abricot sec) provient à égalité de marsanne et de roussanne. Il laisse une impression de douceur. Un rien de sucrosité orientera la cuisinière ou le cuisinier vers un poisson en sauce s'adaptant à ce style.

Rémy Estournel, 13, rue de Plaineautier, 30290 Saint-Victor-la-Coste, tél. 04.66.50.01.73, fax 04.66.50.21.85 ☑ Y ⩚ r.-v.

FIOLE DU CHEVALIER D'ELBÈNE
Séguret 2005 ★

□ 2 ha 10 000 5 à 8 €

Le chevalier d'Elbène régnait au XVII[e]s. sur cette bastide ainsi que sur ses terres. Chevalier du Saint-Esprit, prélat d'Avignon, disait-il sa messe avec un tel blanc issu de viognier, roussanne et grenache ? Si c'était le cas, il ne devait assurément pas faire la grimace au moment de la communion ! Poivré, mentholé, vif en même temps que moelleux, persistant, ce 2005 fera l'unanimité à table sur une poêlée de saint-jacques et un saint-nectaire.

EARL Ch. La Courançonne, Le Plan de Dieu, 84150 Violès, tél. 04.90.70.92.16, fax 04.90.70.90.54, e-mail info@lacouranconne.com
☑ Y t.l.j. 9h-12h 14h-17h30; sam. dim. sur r.-v.

DOM. LA FLORANE Visan 2003

■ 3 ha 6 000 ▮⦀ 5 à 8 €

Florane signifie « fleuri » en provençal. Ce vignoble a quitté la coopérative en 2001 pour s'exprimer seul dans un vallon dédié depuis longtemps aux fruits et aux truffes. Grenat intense, ce Visan né de l'alliance classique du grenache (80 %) et de la syrah offre un nez de cuir, d'épices et de fruits rouges. Au palais, s'ajoutent quelques notes animales. Le grain des tanins accompagne une structure robuste.

Dom. La Florane, Vallon Notre-Dame, Les Ibourdeaux, 84820 Visan, tél. 04.90.41.90.72, fax 04.90.12.02.85, e-mail contact@domainelaflorane.com ☑ Y ⩚ r.-v.
Fabre

FRANÇOIS ARNAUD Cairanne 2004 ★

■ 4,5 ha 26 667 ▮ 5 à 8 €

On est ici partisan des cuvaisons longues. Et on a le goût de la précision : 26 667 bouteilles portant ce nom, à partir du trio grenache (60 %), syrah et carignan. D'un rouge vif et lumineux, ce vin charpenté évolue sur des tanins serrés. Mais il s'avère soyeux, en dernière analyse. Le cassis l'entoure en finale, après une phase réglissée. Le **Domaine du Grézas 2005 rouge** n'est qu'à demi-grenache, mais cette moitié-là compte pour de bon. Il obtient une étoile, tout comme le **Domaine de La Coudette rouge 2005**.

R & D Vins, Ch. Saint-Maurice, RN 580, L'Ardoise, 30290 Laudun, tél. 04.66.82.96.59, fax 04.66.82.96.58, e-mail rdvins@wanadoo.fr

DOM. GALÉVAN Vieilli en fût 2004

■ 3 ha 19 000 ⦀ 5 à 8 €

Coralie Goumarre a succédé à son père Jean-Pierre sur les vignes familiales en 1995. Elle vinifie ce grenache (60 %) avec un appoint de mourvèdre et de syrah. Le résultat est convaincant : pourpre brillant, joliment fruitée sans exubérance, d'une acidité marquée et nécessaire à la garde, cette cuvée affirme une bonne présence sur des notes réglissées, de fraise et de cassis. Encore un peu austère, elle demande un à deux ans pour se fondre.

Coralie Goumarre, 127, rte de Vaison, 84350 Courthézon, tél. 04.90.70.84.26, fax 04.90.70.28.70, e-mail galevan@free.fr
☑ Y ⩚ t.l.j. sf dim. 8h-12h 13h30-19h

DOM. GALUVAL Cairanne Petit Cœur 2004

■ 8,1 ha 24 000 ▮⦀ 5 à 8 €

Existe-t-il des vins féminins ? Longue et vaste querelle... Quand on s'appelle « Petit Cœur » comme ici, on marque forcément un demi-point. Pourquoi serait-il si petit, ce quatuor grenache à 60 %, syrah, carignan et cinsault et qui fait du mieux qu'il peut ? Repas vignerons, expos d'art : c'est l'actualité 2006 au domaine (dont le nom vient de Gaule et de raisin). Cela dit, ce vin est en effet délicat et sensible, pourpre sombre, discrètement tannique et gardant le fruit pour la bonne bouche.

Vincent Moreau, Dom. Galuval, rte de Rasteau, 84290 Cairanne, tél. 04.32.80.97.18, fax 04.32.80.27.03, e-mail galuval@galuval.com ☑ Y ⩚ r.-v.

DOM. LES GRANDS BOIS Cuvée Gabrielle 2004 ★

■ 1,5 ha 6 000 ▮⦀ 5 à 8 €

Entre Mireille et Gabrielle, le cœur hésite... Des noms de cuvées, bien sûr. Gabrielle (grenache 55 %, syrah 35 % et carignan 10 %) affiche une robe très aimable. Son parfum vanillé est utilement complété par la cerise dans l'alcool. Une barrique raisonnée (dix mois) n'obère pas une belle trame lisse dotée de sève et de montant. Mourvèdre en plus (et à 40 %), la **cuvée Mireille 2004 Cairanne rouge (8 à 11 €)** apparaît riche et puissante. C'est ce qu'on appelle un vin d'automne. Une étoile tout comme le **Rasteau cuvée Marc 2004 (11 à 15 €)**.

Dom. Les Grands Bois, 55, av. Jean-Jaurès, 84290 Sainte-Cécile-les-Vignes, tél. 04.90.30.81.86, fax 04.90.30.87.94, e-mail mbesnardeau@grands-bois.com ☑ Y ⩚ r.-v.
M. Besnardeau

DOM. GRANGE BLANCHE
Rasteau Cuvée de l'archange 2004 ★

■ 4 ha 10 000 ⦀ 5 à 8 €

Cette Grange Blanche est un ancien relais de poste de la route d'Orange. Elle demeure sur cette propriété mise en valeur par cinq générations. Grenache pour l'essentiel, syrah et mourvèdre en accompagnement, un Rasteau violacé d'une structure imposante, mûre, sur un fond substantiel. Il est entouré de cerise, de sous-bois, de cuir et attend de pied ferme sa daube, sa gardianne.

Julian Biscarrat, Dom. Grange Blanche, hameau de Blovac, 84110 Rasteau, tél. 04.90.46.16.02, fax 04.90.46.11.16 r.-v.

DOM. LA GUITRANDY

Visan Cuvée Louise Amélie 2004 *

■ 3,6 ha 12 000 11 à 15 €

On trouve ce nom mentionné vers l'an 1000 dans les archives de l'abbaye de Cluny, dont on disait : « partout le vent vente, Cluny prend ses rentes »... Olivier Cuilleras a fait ses premières années en saint-joseph. Depuis 2000, il a pris cette cave. Grenache (80 %) et syrah font cause commune pour mettre au monde ce 2004 rouge profond, encore sur la réserve aromatique (mais il peut s'ouvrir davantage) et aux tanins déterminés. On notera les quinze mois en fût qui n'ont pas perturbé ce vin gourmand.

Olivier Cuilleras, Dom. La Guintrandy, Le Devès, 84820 Visan, tél. 04.90.41.91.12, fax 04.90.41.97.53, e-mail olivier.cuilleras@wanadoo.fr

t.l.j. sf dim. 9h-12h 15h-18h

DOM. DES LAURIBERT La Carelette 2004 **

■ 3 ha 13 000 5 à 8 €

On se demande quelquefois d'où vient le nom d'un domaine. Ici Lauribert c'est Laurent, Marie et Robert. Ils signent ainsi ce 2004 grenache (70 %) et syrah, capable de séduire un novice. Très foncé, jouant sur l'épice et la cerise confite avec quelques notes empyreumatiques (résine), il possède assez d'allant, de fraîcheur pour supporter cette richesse aromatique. Il a les épaules larges et le dos rond. Beaucoup de caractère et plein d'avenir.

Laurent Sourdon, Dom. des Lauribert, 84820 Visan, tél. 04.90.35.26.82, fax 04.90.37.40.98, e-mail lauribert@wanadoo.fr

t.l.j. 8h-12h 14h-19h

LOUIS BERNARD Grande Réserve 2004 ***

■ n.c. 8 000 5 à 8 €

Haut lieu de la vallée du Rhône, la chartreuse de Bonpas est devenue en 2005 le siège de cette maison acquise par Jean-Claude Boisset (Nuits-Saint-Georges). Un couvent fortifié donné jadis aux Chartreux par Jean XXII, un pape d'Avignon. Grenache (60 %) et syrah vivent une lune de miel dans cette Grande Réserve à la robe profonde. Sans doute les quatorze mois en barrique ont-ils de l'influence sur la palette aromatique ; ils ont légué un boisé vanillé intense. Toutefois, ce vin a suffisamment de personnalité pour voler de ses propres ailes. Structure tannique irréprochable. Fruité confit savoureux. Séjour en cave recommandé pour cette bouteille dans le peloton de tête.

Louis Bernard, La Chartreuse de Bonpas, 1, chem. Reveillac, 84510 Caumont-sur-Durance, tél. 04.90.23.09.59, fax 04.90.23.67.96, e-mail louisbernard@sldb.fr

t.l.j. 9h-17h (10h-18h en été)

FGVS

DOM. DE LUCÉNA Visan 2005 *

n.c. n.c. 5 à 8 €

Ne manquez surtout pas le pèlerinage du 8 septembre à Notre-Dame-des-Vignes. L'occasion de bien faire connaissance avec Visan. Composé de 95 % de grenache blanc et d'un peu de clairette, ce 2005 se présente sous des traits légèrement marqués. Son nez croque la pomme verte. Une sensation que l'on retrouve en fin de bouche. Original, frais et harmonieux. Citons aussi le **Visan rouge Élevage barrique 2004 (8 à 11 €)** issu de cinq cépages et passé en fût pour 30 % de l'assemblage, qui a besoin de vieillir ainsi que le **Visan rosé 2005 (3 à 5 €)**, une étoile pour ses parfums agréables.

GAEC de l'Argentière - M. Michel, Le Rastelet, 84820 Visan, tél. 04.90.28.71.22, fax 04.90.41.98.01, e-mail domainelucena@wanadoo.fr

t.l.j. 9h-12h 14h-18h

DOM. DE LUMIAN Cuvée Jean XXII 2004 *

■ 2,5 ha 12 000 5 à 8 €

Si le cardinal Roncalli a béni toutes les vignes de France du haut de la Montagne de Beaune le 7 juin 1951, avant de devenir Jean XXIII, cette cuvée est dédiée à son prédécesseur qui fut pape d'Avignon de 1316 à 1334. Vin biologique certifié Écocert, ce domaine associe grenache et syrah à parts égales. Grenat intense, le vin attaque sur le fruit rouge et évolue jusqu'à quelque chose d'animal. Bien représentatif, il peut vieillir deux à cinq ans pour une daube provençale.

Gilles Phétisson, Dom. de Lumian, 84600 Valréas, tél. 06.08.09.96.86, fax 04.90.35.18.38, e-mail domainedelumian@wanadoo.fr

t.l.j. 8h30-12h 14h30-19h

DOM. DE MAGALANNE

Les Garrigues de Signargues 2004

■ 2,3 ha 6 000 5 à 8 €

Syrah et mourvèdre au coude à coude (40 %), grenache pour le reste. Autre assemblage pour Magalanne, celui des noms des deux filles du précédent propriétaire. D'une teinte appuyée, ce 2004 confirme le précepte de saint Bernard : « il faut donner du temps au temps ». Laissons-le s'arrondir un à deux ans. Un peu épicé, honnêtement boisé (six mois en fût), il a bonne bouche et bon aspect.

André et Jean-Baptiste Crouzet, rte de Signargues, 30390 Domazan, tél. 06.62.03.21.58, fax 04.66.57.21.58, e-mail domainedemagalanne@wanadoo.fr

t.l.j. sf dim. 8h-12h 13h-19h

DOM. MARTIN Rasteau 2004 *

■ 2,2 ha 8 000 5 à 8 €

Julien Martin eut la bonne idée d'acquérir cette propriété en 1905. La famille y a fait souche. Encore sous dénomination *villages*, ce Rasteau chante paisiblement le thym, le romarin et le laurier. Un flot d'arômes sincères grâce au grenache (65 %) et à la syrah. On ne peut pas imaginer la garrigue sur plus grand écran. Le **Plan de Dieu 2004 rouge** obtient une citation.

Dom. Martin, Plan de Dieu, 84850 Travaillan, tél. 04.90.37.23.20, fax 04.90.37.78.87, e-mail martin@domaine-martin.com

t.l.j. 9h-12h 13h30-18h

DOM. DE LA MARTINE Roaix 2004 *

■ 24,49 ha 6 900 3 à 5 €

Lamartine est à coup sûr l'homme qui a inspiré le plus grand nombre de domaines vitivinicoles en France. La Martine se rencontre aussi de façon plus familière dans nos campagnes... Cette vieille propriété familiale est attachée au souvenir des Templiers : grenache pour l'essentiel

RHÔNE

(75 %), syrah et carignan (un zeste) composent ce vin qui porte une jolie couleur rubis, un nez vif et agréable de fruits mûrs et une petite note d'amertume en bouche, dans un esprit complexe mais resserré.

🔑 EARL Dom. de La Martine, rte de Villedieu, 84110 Roaix, tél. et fax 04.90.46.11.40, e-mail contact@la-martine.com
☑ Y t.l.j. sf dim. 8h-12h 14h-18h
🔑 Édith Marquion

MAS DE BOISLAUZON 2004 *

■ 5 ha 22 000 ▮⚫ 5 à 8 €

Cette propriété est singulière. L'une de ses parcelles comprend les dix-huit cépages de châteauneuf-du-pape – vous pourrez ainsi découvrir ce qu'est l'ampélographie. Voici donc un côtes-du-rhône-villages. Grenache (65 %), carignan et syrah entrent dans cette cuvée. Fortement teinté, épicé comme il convient, ce 2004 se montre gourmand, sur le fruit, aux tanins bien rabotés. Belle harmonie.

🔑 Christine et Daniel Chaussy, Mas de Boislauzon, rte de Châteauneuf-du-Pape, 84100 Orange, tél. 04.90.34.46.49, fax 04.90.34.46.61, e-mail masdeboislauzon@wanadoo.fr
☑ Y 🚶 t.l.j. sf dim. 10h-12h 13h-18h

LE MAS DES FLAUZIÈRES Séguret 2003 *

■ 3,28 ha 5 000 ▮⚫ 5 à 8 €

Propriété de la famille Benoit depuis la fin du XIXe s., cette ferme appartenait autrefois au château d'Entrechaux, au pied du Ventoux. Burlat intense et d'une belle limpidité, ce Séguret place son nez sur un registre de cuir et de fruits noirs. D'un grain assez fin, son corps apparaît équilibré dans un style robuste et fruité. Grenache-syrah à 70-30.

🔑 Le Mas des Flauzières, rte de Vaison-la-Romaine, 84340 Entrechaux, tél. et fax 04.90.46.00.08, e-mail masdesflauzieres@aol.com
☑ Y 🚶 t.l.j. 9h-19h; janv.-mars sur r.-v.
🔑 Jérôme Benoit

LES MOIRETS Élevé en fût de chêne 2004 *

■ n.c. 140 000 ⚫ 3 à 5 €

Maison fondée en 1859 à Châteauneuf-du-Pape, implantée dans plusieurs domaines rhodaniens dont un château des Coccinelles qui paraît tout droit sorti d'un conte de fées. L'établissement de négoce-éleveur possède l'un des plus vastes chais de la cité. Dans ces Moirets, grenache (60 %), syrah (30 %), mourvèdre et carignan se mettent en quatre pour composer un 2004 dans la bonne moyenne. L'œil est vif, le nez riche et de bonne qualité. La mûre et la myrtille occupent en bouche une place agréable, avec un vanillé légué par huit mois d'élevage en barrique. Si cette bouteille est déjà prête, une garde moyenne (un à trois ans) est dans ses possibilités. Un vin de rôti.

🔑 Ogier-Caves des Papes, 10, av. Louis-Pasteur, BP 75, 84232 Châteauneuf-du-Pape Cedex, tél. 04.90.39.32.32, fax 04.90.83.72.54, e-mail ogiercavesdespapes@ogier.fr ☑ Y 🚶 r.-v.

DOM. LA MONTAGNE D'OR
Séguret Cuvée Excellence 2004 **

■ 4,5 ha 20 000 ▮ 5 à 8 €

Un seul dieu, une seule foi : grenache jusqu'au bout des ongles, ce 2004 fait l'unanimité au sein du jury. On le découvrira à 2 km du théatre antique de Vaison-la-Romaine. Les pommettes très colorées, il emprunte son

parfum à... l'olive noire. Ce sont là des choses qui arrivent au sud de Lyon. On y trouve aussi du fruit à noyau, du petit fruit noir, le tout très mûr et épicé. La matière tannique, concentrée, laisse une impression de puissance ; la persistance est réelle. Deux ans en cuve, pas un seul jour en fût, le résultat n'est pas sans intérêt. Les dégustateurs ont bien remarqué cette absence de boisé qui ne les a pas empêchés de distinguer cette bouteille. Un vin complet, fourni, qui atteindra sa plénitude dans un an. N'oubliez pas que le coq se plaît en compagnie des vins de la vallée du Rhône.

🔑 Alain Mahinc, La Combe, 84110 Vaison-la-Romaine, tél. et fax 04.90.36.22.42, e-mail alain.mahinc@9business.fr ☑ Y r.-v.

DOM. MONTMARTEL Visan 2004 *

■ 2 ha 8 000 ▮ **8 à 11 €**

Dans la famille depuis 1919, cette propriété de 90 ha délivre un message agréable avec cette bouteille qui certes montre quelques signes d'évolution (à l'œil), mais le fruit occupe toute sa place en bouche. Grenache et syrah se partagent à égalité leurs devoirs.

🔑 SCEA Monnier Marres, 2, rte de Saint-Roman, 26790 Tulette, tél. 04.75.98.01.82, e-mail vmarres@hotmail.com ☑ Y r.-v.

CH. DE MONTPLAISIR Valréas 2004 *

■ 8 ha 20 000 ⚫ 5 à 8 €

Ce château domine tout Valréas côté sud. Sa magnifique collection de faïences a disparu, mais il subsiste le bon vin. Grenache (60 %), syrah (30 %) et carignan jouent leur partition. D'un rouge profond, ce vin naturellement épicé, joliment boisé, subtilement complexe, évoque le fruit mûr en compote et tapisse le palais de velours. Plaisir promis dès la sortie du Guide. Le **Domaine de La Prévosse 2004 en Valréas** obtient une citation. Original, il est à « boire hors des repas » !

🔑 EARL Henry Davin, Dom. de La Prévosse, 84600 Valréas, tél. 04.90.35.67.13, fax 04.90.35.61.81, e-mail domaine-de-la-prevosse@wanadoo.fr
☑ Y 🚶 t.l.j. sf dim. 9h-12h 13h30-19h

DOM. DE MOURCHON
Séguret Grande Réserve 2004 ***

■ 10 ha 30 000 ▮⚫ 15 à 23 €

Cette propriété acquise en 1998 par la famille McKinlay possède une bonne vingtaine d'hectares près d'un des plus beaux villages de France. Deux tiers de grenache, un tiers de syrah pour une pure merveille, une leçon de séduction et qui fait suite à un 2003 également coup de cœur. Rubis limpide et étincelant, ce vin élevé pour partie douze mois en fût s'exprime sur le fruit rouge confit discrètement vanillé. En bouche, ces sensations se

confirment dans un superbe équilibre. La longueur ne fait pas défaut, les tanins sont déjà fondus. Une bouteille déjà superbe et que l'on peut oublier trois ans dans la fraîcheur d'une bonne cave avant de la marier à une viande rouge ou à du gibier.

⊶ Dom. de Mourchon, La Grande-Montagne, 84110 Séguret, tél. 04.90.46.70.30, fax 04.90.46.70.31, e-mail info@domainedemourchon.com
☒ Y 🚶 t.l.j. 8h-12h 14h-18h; sam. sur r.-v.
⊶ McKinlay

DOM. DE LA NORIA Chusclan 2004 ★★

■ 3,75 ha 20 000 ▮ 3 à 5 €

Perchée sur un promontoire, la forteresse de Gicon a été construite à l'emplacement d'une *villa* gallo-romaine. Elle a été achetée par les Vignerons de Chusclan qui perpétuent une œuvre bimillénaire de mise en valeur de ces terres. La coopérative vinifie 1 150 ha de vignes. La conjonction du grenache (65 %) et de la syrah sur un ciel très étoilé a donné ce vin d'un rapport qualité-prix imbattable. La robe sombre sait préserver ses nuances de jeunesse. Nettement animal, avec des notes de garrigue, le nez nous entraîne sur des chemins gras et ronds. Longue garde possible, voire indispensable (trois ans environ), pour apprécier à son optimum cette bouteille haut de gamme. Quant à la cuvée **Les Amouriers Chusclan 2004**, elle propose 200 000 bouteilles d'un vin étoffé, profond, structuré et long : deux étoiles.

⊶ SCA Vignerons de Chusclan, rte d'Orsan, 30200 Chusclan, tél. 04.66.90.11.03, fax 04.66.90.16.52, e-mail cave.chusclan@wanadoo.fr ☒ Y 🚶 r.-v.

DOM. DE L'OLIVIER 2004 ★★

■ n.c. n.c. 5 à 8 €

Des reflets entre framboise et cassis resplendissent dans ce vin très dense qui livre généreusement des arômes de fruits, de vanille et de laurier, des notes boisées et grillées. La bouche ronde est tout aussi aromatique, structurée et de bonne longueur. Pour les amateurs de syrah qui auront la patience d'attendre entre trois et cinq ans avant de servir cette bouteille avec des viandes rouges grillées.

⊶ Éric Bastide, EARL Dom. de L'Olivier, 1, rue de la Clastre, 30210 Saint-Hilaire-d'Ozilhan, tél. 04.66.37.08.04, fax 04.66.37.00.46
☒ Y 🚶 t.l.j. 8h-12h 14h-19h

DOM. DE L'ORATOIRE SAINT-MARTIN
Cairanne Haut-Coustias 2003 ★

■ 10 ha 25 000 ◖◗ 15 à 23 €

Chez les Alary, on est vigneron depuis 1692. Il n'est pas étonnant de les retrouver parmi les domaines sélectionnés. Cette cuvée, mourvèdre à 60 %, syrah et grenache à parts égales, s'offre au regard dans une robe grenat intense. Mûre, sous-bois, bois animent le nez. Les vingt-quatre mois en barrique s'implantent solidement. Soigné ? Sûrement. Puissant ? Oui. Mais la bouche est assez ronde et lisse, révélant tout à la fois le fruit noir, la vanille et la réglisse sur des tanins accommodants. La **cuvée Prestige Cairanne rouge 2004 (11 à 15 €)** est citée.

⊶ Frédéric et François Alary, Dom. de L'Oratoire Saint-Martin, rte de Saint-Roman, 84290 Cairanne, tél. 04.90.30.82.07, fax 04.90.30.74.27, e-mail falary@wanadoo.fr
☒ Y t.l.j. sf dim. 8h-12h 14h-19h

DOM. DU PARANDOU Sablet 2004 ★

■ 6 ha 6 600 ▮ 5 à 8 €

Si vous aimez vivre dans les vignes, vous trouverez ici une aire de camping-car. Le domaine compte une trentaine d'hectares. Ce vin, à majorité de grenache (70 %), de syrah et de mourvèdre, se présente déjà sur des notes de grande maturité avec quelques reflets tuilés. Les « fondamentaux » sont respectés : fruit, persistance. L'évolution n'est pas sensible au palais dont les tanins mûrs sont fort agréables.

⊶ Dom. du Parandou, 84110 Sablet, tél. 04.90.46.96.12, fax 04.90.46.96.13, e-mail dgrangeon@wanadoo.fr
☒ Y 🚶 t.l.j. 8h-12h 14h-18h; sam. dim. sur r.-v.
⊶ Denis Grangeon

DOM. DE PÉRILLIÈRE Vieilles Vignes 2004 ★★

■ 10,25 ha 45 000 ▮ 5 à 8 €

421 ha sont vinifiés par cette coopérative située à 5 km du pont du Gard. Trois cuvées ont été sélectionnées par le jury. Syrah (70 %) et grenache forment pour celle-ci un fameux couple. D'un rubis pourpre, il se montre merveilleusement bouqueté (réglisse, violette) et sa bouche structurée, ample, est assez explosive. Ce *villages* ne durera pas aussi longtemps que le pont du Gard, mais comptez encore sur lui en 2010. Voir également le **Domaine d'Andezon rouge 2004** où la syrah reste à 70 % sur un assemblage plus diversifié. Encore un beau potentiel sur un nez à confirmer et une constitution bien mûre, le coing jouant en rétro-olfaction. Enfin, le **Domaine La Montagnette 2004 rouge** obtient, comme le précédent, une étoile.

⊶ Cave des Vignerons d'Estézargues, rte des Grès, 30390 Estézargues, tél. 04.66.57.03.64, fax 04.66.57.04.83, e-mail les.vignerons.estezargues@wanadoo.fr
☒ Y 🚶 t.l.j. sf dim. 8h-12h 14h-18h

DOM. DU PETIT BARBARAS Tradition 2004

■ 4,5 ha 20 000 ▮ ◖◗ 5 à 8 €

Grenache à 80 %, syrah en dame de compagnie. Dans une robe rubis pourpre, ce vin long et gras ne manque pas de fraîcheur pour un 2004. Typé, avec des fruits rouges en bandoulière, il est bien fait.

⊶ SCEA Feschet, quartier Barbaras, 26790 Bouchet, tél. 04.75.04.80.02, fax 04.75.04.84.70
☒ Y 🚶 t.l.j. 9h-12h 14h-19h; dim. 9h-12h

RHÔNE

DOM. DE PONT-LE-VOY
Laudun Les Lauzes Élevé en fût de chêne 2003 ★

■ 4 ha 10 000 ▮ ◖◗ 5 à 8 €

Grenache, cinsault, carignan, mourvèdre et syrah répondent ici à l'appel. Un 2003 passé par dix-huit mois de barrique. Son fruit rouge est presque confit, la vanille très

présente, les tanins supportables et la réglisse comme il convient. Long et bien fait.
🔑 Dom. de Pont Le Voy, chem. de Saint-Paul, 30330 Saint-Paul-les-Fonts, tél. 06.08.24.44.29, fax 04.66.82.08.29, e-mail domaine.de.pont-le-voy@wanadoo.fr ☑ Y ⚘ r.-v.
🔑 Xavier Dumas

CAVE DE RASTEAU Rasteau Tradition 2005 ★

■ 50 ha 800 000 ▮ 5 à 8 €

Fondée en 1925, la coopérative de Rasteau propose un vin de tradition : grenache pour les deux tiers, syrah et mourvèdre se partageant le reste pour donner une couleur pourpre violacé. Les arômes encore au berceau s'éveillent sur la confiture de cerises. Réglissé en fin de bouche, ce 2005 repose sur des tanins fins et courtois. On appréciera sa fraîcheur. Nous conseillons de le servir durant le premier semestre 2007 sur une viande légère ou un fromage doux et frais.
🔑 Cave de Rasteau, rte des Princes-d'Orange, 84110 Rasteau, tél. 04.90.10.90.10, fax 04.90.46.16.65, e-mail rasteau@rasteau.com ☑ Y r.-v.

DOM. LA RÉMÉJEANNE Les Églantiers 2004

■ 1,5 ha 3 000 ⓘ 15 à 23 €

Du Maroc à la vallée du Rhône, ce domaine sur 40 ha illustre l'ouvrage de ces familles deux fois pionnières. Syrah et grenache à parts égales, un soupçon de mourvèdre (10 %), le compte est bon. Grenat intense à reflets mauves, ce vin n'a pas oublié ses dix-huit mois en fût mais le vanillé est ici intéressant. La bouche se révèle ample à nuances mentholées, relativement complexe et assez chaleureuse, bien mûre en finale. À choisir pour un magret de canard braisé lorsque le bois se sera bien fondu.
🔑 EARL Rémy Klein, Dom. La Réméjeanne, Cadignac, 30200 Sabran, tél. 04.66.89.44.51, fax 04.66.89.64.22, e-mail remejeanne@wanadoo.fr ☑ Y ⚘ t.l.j. sf dim. 9h-12h 14h-18h; sam. 9h-12h

DOM. DE LA RENJARDE Réserve de Cassagne 2004

■ n.c. 5 000 ⓘ 8 à 11 €

Domaine proche d'Orange sur le coteau sud de Sérignan-du-Comtat. Cette parcelle (Cassagne) porte grenache, syrah et mourvèdre. Après un séjour en barrique (six mois), le vin conserve un petit air vanillé sous une robe violacée, dans un contexte aromatique en devenir. Les tanins sont solides et appelleront la côte de bœuf. Alain Dugas dirige par ailleurs le château La Nerthe à Châteauneuf-du-Pape.
🔑 Dom. de La Renjarde, rte d'Uchaux, 84830 Sérignan-du-Comtat, tél. 04.90.83.59.01, fax 04.90.70.12.66, e-mail renjarde@wanadoo.fr ☑ Y ⚘ r.-v.

CH. LA RENJARDIÈRE Massif d'Uchaux 2004 ★

■ 4 ha 20 000 ▮ 5 à 8 €

Négociant en Beaujolais à la fin du XIXe s., Joanny Dupond mit le cap au sud et créa cette vaste exploitation d'un seul tenant sur 125 ha. Il était le voisin et ami du naturaliste J. H. Fabre. Grenache, syrah et une pincée de mourvèdre donnent ce vin rouge-grenat d'une nuance assez vive. Kirsché, il rappelle les fruits à l'eau-de-vie et la réglisse. Équilibré et d'une bonne complexité, il est à déboucher maintenant.
🔑 Pierre Dupond, 235, rue de Thizy, BP 79, 69653 Villefranche-sur-Saône Cedex, tél. 04.74.65.24.32, fax 04.74.68.04.14, e-mail p.dupond.cvc@wanadoo.fr

CH. DE ROCHECOLOMBE 2004

■ 2,9 ha 13 500 ▮ 5 à 8 €

Les amours franco-belges sont nombreuses dans le vignoble. Preuve en est cette propriété acquise en 1925 par Robert Herberigs, auteur-compositeur, artiste peintre cherchant l'inspiration dans la vallée du Rhône. À voir, ce château Directoire construit sur un immense bloc calcaire, d'où ce nom. Syrah et grenache à parts égales ont donné à cette cuvée une robe colorée ; la myrtille ajoute une touche de sensibilité au bouquet épicé. Chaleureux et tannique, un 2004 bien présent en bouche, équilibré. Le **Rochecolombe 2003 Vieilli en fût de chêne** obtient la même note.
🔑 Roland Terrasse, Ch. Rochecolombe, 07700 Bourg-Saint-Andéol, tél. 04.75.54.50.47, fax 04.75.54.80.03, e-mail rochecolombe@aol.com ☑ Y ⚘ t.l.j. 9h-12h 14h-19h

CAVE DES VIGNERONS DE ROCHEGUDE Rochegude Cuvée du président 2004 ★

■ 6 ha 24 000 ▮ 3 à 5 €

Alliance de grenache (60 %) et de syrah en tout point classique pour ce 2004 épanoui. D'un rubis pourpre à l'œil, le nez flatteur (fraise, framboise), il montre un fruit persistant et une ampleur consistante. Inutile de laisser dormir cette bouteille : elle attend les plaisirs de la table.
🔑 Cave des Vignerons de Rochegude, quartier La Luminaille, 26790 Rochegude, tél. 04.75.04.81.84, fax 04.75.04.84.80, e-mail christian.veyrunes@wanadoo.fr ☑ Y ⚘ r.-v.

DOM. DE ROCHEMOND 2005 ★

■ 2 ha 8 000 ▮ 8 à 11 €

Éric Philip veille sur une centaine d'hectares. Il s'agit donc ici d'une cuvée spéciale, un *must* (2 ha) au sein du domaine en marche ascendante depuis le milieu des années 1990. Grenache et syrah en équilibre parfait. Équilibre qui se retrouve au palais où chaque chose est agréable et souple. Seul le nez poivré montre une certaine puissance. La douceur des tanins et la robe sont très réussis.
🔑 EARL Philip-Ladet, 1, rue des Cyprès, Cadignac-Sud, 30200 Sabran, tél. et fax 04.66.79.04.42, e-mail domaine-de-rochemond@wanadoo.fr ☑ Y ⚘ r.-v.

DOM. ROCHER Cairanne Monsieur Paul 2003 ★★

■ 1 ha 5 500 ⓘ 11 à 15 €

Drôle de nom pour un vin ! Monsieur Paul porte un habit grenat. On a l'impression qu'il rentre d'une promenade à cheval dans la garrigue : un parfum animal et sauvage de garrigue, légèrement épicé, boisé comme il faut (onze mois de fût). Grenache et syrah respectent la parité à 50-50. Sûrement un vin de garde. Sa matière et sa concentration s'accompagnent déjà de mille prévenances réglissées et de notes de fruits mûrs. On sent bien la personnalité des cépages. Très belle bouteille.
🔑 SARL Dom. Dominique Rocher, rte de Saint-Roman, 84290 Cairanne, tél. et fax 04.90.30.87.44, e-mail dorocher@wanadoo.fr ☑ Y t.l.j. 9h-12h 14h-18h

CH. DE ROUANNE Vinsobres 2003

■ 3 ha 7 000 ▮ 5 à 8 €

Le grand-père de l'actuel propriétaire acheta ce domaine en 1960. Il y planta la vigne et y créa sa cave autour d'une ancienne bâtisse reconstruite après la Révolution. Du grenache, de la syrah et une pointe de mourvèdre composent ce 2003 rouge soutenu et brillant. Certes, le nez semble encore timide, mais le fruit apparaît, ainsi qu'une note animale après avoir fait tourner le vin dans le verre. La bouche équilibrée s'exprime plus volontiers sur des flaveurs de fruits cuits et d'épices, avec en finale quelques tanins. Vous servirez cette bouteille dans deux ou trois ans, en prenant soin de l'aérer.

Lambert-Ferrentino, Ch. de Rouanne, D 94, 26110 Vinsobres, tél. 04.75.27.77.40, fax 04.75.27.76.67 t.l.j. 9h-12h 14h-18h

DOM. ROUGE GARANCE 2004 *

■ 5 ha 20 000 8 à 11 €

Jean-Louis Trintignant a pris part à la création de ce domaine, comme son oncle, le pilote automobile qui avait lui aussi investi une part de sa passion dans les vins du Rhône. Un nom qui rappelle le personnage de Garance, interprété par Arletty, dans *Les Enfants du Paradis*. Nettement syrah (70 %), avec mourvèdre et grenache, nous voici en présence d'un 2004 de caractère, violet foncé, mentholé et fruité. Rond et élégant, il peut être servi dans les temps qui viennent.

Dom. Rouge Garance, chem. de Massacan, 30210 Saint-Hilaire-d'Ozilhan, tél. 06.14.41.52.88, fax 04.66.37.06.92, e-mail contact@rougegarance.com r.-v.

Cortellimi

DOM. SAINT-ANDÉOL Cairanne 2004 *

■ 5,67 ha 22 600 ▮ 5 à 8 €

Trois générations successives sur les hauteurs de Cairanne. Des raisins portés tout d'abord à la coopérative, puis vinifiés, élevés, vendus par la famille. Grenache (60 %), syrah et vieux carignan produisent ce vin bien typé et qu'on attendra un an. Épices, réglisse, pruneau : il fait ses gammes sans s'écarter du sujet, mais avec une sensibilité personnelle. Les tanins vont s'adoucir. Sa structure est très agréable.

Beaumet, Dom. Saint-Andéol, 84290 Cairanne, tél. 04.90.30.81.53, fax 04.90.30.88.94, e-mail cave.beaumet@free.fr r.-v.

DOM. SAINTE-ANNE Saint-Gervais Les Mourillons 2003 **

■ 1 ha 5 000 11 à 15 €

Les Steinmaier ont conquis de nombreux marchés sur tous les continents depuis 1965, puisqu'ils exportent aujourd'hui 70 % de leur production. Ils offrent ainsi une belle image de la France. Belle ? Certainement lorsqu'on analyse leur palmarès dans ce Guide : des pluies d'étoiles et seize coups de cœur ! Voici une cuvée en Saint-Gervais, syrah à 99 % avec un ajout de grenache, vieilles vignes nées sur les grès calcaires. Douze mois de barrique ont donné un vin épicé par ses notes de poivre, de garrigue, et portant une robe pourpre des plus élégantes. Ample, ronde, la bouche est riche de nuances de réglisse et de cacao. Structuré et puissant, un millésime bien maîtrisé.

EARL Dom. Sainte-Anne, Les Cellettes, 30200 Saint-Gervais, tél. 04.66.82.77.41, fax 04.66.82.74.57 t.l.j. sf sam. dim. 9h-11h 14h-18h

Steinmaier

DOM. SAINT-ÉTIENNE Les Molières 2003 *

■ 1 ha 3 600 8 à 11 €

Comme le théâtre, le vin possède ses Molières. Mise à l'affiche en 2003, cette cuvée tient bon et l'heure n'est pas venue de baisser le rideau. Grenache comme premier rôle, syrah et mourvèdre lui donnant la réplique. Rouge violacé, respirant le poivre et la mûre, un vin élevé en fût. Ses tanins font une prestation remarquée, mais la rondeur finit par l'emporter. Dense, puissant et long. Michel Coullomb, une fois de plus, montre son talent.

Michel Coullomb, Dom. Saint-Étienne, 26, fg du Pont, 30490 Montfrin, tél. 04.66.57.50.20, fax 04.66.57.22.78 r.-v.

DOM. SAINT-GAYAN Rasteau 2004 *

■ 5 ha 18 000 ▮ 5 à 8 €

L'hiver 1956 a été comparé à celui de 1709. De longues et terribles gelées. Les oliviers sont ici morts de froid et on les a remplacés par la vigne. L'acidité, les tanins, l'alcool s'entendent dans cette bouteille aussi bien que le grenache (65 %), la syrah et le mourvèdre. La robe est assez dense à reflets framboisés. Le bouquet complexe serait capable de relancer la conversation si elle faiblissait à table : réglisse, pivoine, jusqu'à de petites notes de marinade. Ferme et généreux, ce 2004 a l'ambition de durer au moins trois ans pour la daube ou le civet.

SCEA Jean-Pierre et Martine Meffre, Dom. Saint-Gayan, 84190 Gigondas, tél. 04.90.65.86.33, fax 04.90.65.85.10, e-mail martine@saintgayan.com t.l.j. 9h-11h45 14h-18h30; sam. dim. sur r.-v.

CAVES SAINT-PIERRE Séguret Préférence 2004

■ 3 ha 13 300 ▮ 3 à 5 €

Un des piliers du négoce à Châteauneuf-du-Pape, non pas depuis saint Pierre mais depuis un bon siècle. Grenache (50 %), syrah, mourvèdre : la composition est classique et de bon goût. Rouge à reflets violines, voilà un vin très facile à aborder. Capiteux et chaud, tannique sans en abuser, il correspond bien au portrait-robot de l'appellation. Le **châteauneuf-du-pape blanc cuvée Préférence 2005 (8 à 11 €)** obtient une citation. C'est un délicieux vin d'apéritif.

Caves Saint-Pierre, Union des Grands-Crus, av. Pierre-de-Luxembourg, 84230 Châteauneuf-du-Pape, tél. 04.90.83.58.35, fax 04.90.83.77.23, e-mail info@cavessaintpierre.fr

DOM. SALADIN Haut Brissan 2004

■ 0,8 ha 40 000 11 à 15 €

Marie-Laurence et Élisabeth Saladin ont de la terre à vigne sous les pieds. Elles illustrent la vingt et unième génération présente et active sur ces galets roulés. Elles connaissent le sens du mot *terroir*. Du vieux grenache de ce lieu-dit, accompagné d'un rien de syrah, tous deux élevés dix mois en foudre, ont donné ce vin aux multiples arômes (épices, humus, truffe...) qui se plaira sur du gibier.

🔑 Dom. Saladin, La Tour,
07700 Saint-Marcel-d'Ardèche,
tél. et fax 04.75.04.63.20,
e-mail domaine.saladin@wanadoo.fr ☑ 🍷 🚶 r.-v.

CH. SIGNAC Chusclan Cuvée Terra Amata 2004 ★

■ 38 ha 138 000 ⓓ 8 à 11 €

La syrah prend l'avantage (55 %) par rapport au grenache, ce qui n'est pas si fréquent. Cette ancienne ferme fortifiée du XVIIe s. au pied de la Dent de Signac et d'un des nombreux « camps de César » en Gaule a réservé plus d'une fois un bon moment à l'amateur : cette Terra Amata fut coup de cœur dans le millésime 1997. Dans la dernière édition, c'est la Combe d'Enfer qui a été couronnée. Quant à ce 2004, il présente une robe classique, un nez discret et s'affirme en bouche sur des arômes de fruits rouges. Ses tanins permettront de l'apprécier pendant deux à cinq ans sur une viande en sauce. La **cuvée Combe d'Enfer 2004 rouge (3 à 8 €)** obtient la même note.

🔑 SCA Ch. Signac, rte d'Orsan,
30200 Bagnols-sur-Cèze, tél. 04.66.89.58.47,
fax 04.66.50.28.32, e-mail chateausignac@wanadoo.fr
☑ 🍷 🚶 r.-v.

DOM. LA SOUMADE
Rasteau Fleur de confiance 2003 ★

■ 3 ha 4 000 ⓓ 30 à 38 €

Un conseiller bordelais, plutôt partisan du bio, pour ce vin estimable mais dont le prix atteint celui d'un cru classé du Médoc ! D'un magenta éclatant, ce 2003 possède une bonne intensité aromatique sur le fruit surmûri, canicule oblige. Suave et soyeux, il réussit à maintenir un juste équilibre entre acidité et tanins. Moka, cacao, épices portent la marque du bois. Il faut encore attendre trois à quatre ans avant de lui offrir une épaule d'agneau.

🔑 André et Frédéric Roméro, La Soumade,
84110 Rasteau, tél. 04.90.46.13.63, fax 04.90.46.18.36,
e-mail dom.lasoumade@wanadoo.fr
☑ 🍷 🚶 t.l.j. sf dim. 8h30-11h 14h-18h

BERTRAND STEHELIN Sablet 2004

■ 1,1 ha 4 500 ▮ⓓ 8 à 11 €

Un jeune (vingt-cinq ans l'an passé) tenant le flambeau familial allumé il y a cinq générations. Son approche est intéressante avec ce vin associant la syrah et le mourvèdre à 45-45, laissant le grenache loin derrière. Pour un Sablet inondé de lumière, moyennement aromatique (type fruits mûrs), à l'acidité raisonnable, aux tanins désireux de s'exprimer. La finale choisit les fruits à l'eau-de-vie. Un dégustateur conseille de le servir sur une viande rouge marinée.

🔑 Bertrand Stehelin, rue de l'Église, 84110 Roaix,
tél. et fax 04.90.46.10.52,
e-mail bertrand.stehelin@wanadoo.fr
☑ 🍷 🚶 t.l.j. 9h-12h 13h-20h

CH. SUZEAU Rousset-les-Vignes 2004 ★

■ 2,22 ha 12 600 ▮ 5 à 8 €

Xavier Tronc a pris pied en 2001 au château Suzeau. Il n'a pas tardé à vinifier. On se trouve ici au nord des côtes-du-rhône méridionales. À la charnière, dirait-on. Syrah à 60 % et grenache pour la suite, ce 2004 n'est pas du tout pressé de passer à table. Il possède de bonnes et sûres réserves. Son bouquet n'est pas encore tout à fait dessiné, sur un léger fruité. Si la structure est souple, le vin a du répondant.

🔑 EARL Ch. Suzeau, quartier Tronc,
26770 Rousset-les-Vignes, tél. 04.75.53.55.59,
fax 04.75.53.68.18 ☑ 🍷 t.l.j. 8h-20h

CH. DU TRIGNON Sablet 2004 ★★

■ 11,5 ha 40 000 ▮ⓓ 5 à 8 €

Au pied des fabuleuses Dentelles de Montmirail, cette propriété de qualité d'une soixantaine d'hectares se situe dans un ravissant cadre provençal. Il n'est pas question ici de petites cuvées de garage : le terroir doit parler. Voici un Sablet complet, complexe et capiteux. Ses arômes retiennent particulièrement l'attention : réglisse, pruneau, cuir, garrigue... Un festival ! Ferme sans agressivité, chaleureux sans excès de puissance, il associe 70 % de grenache à la syrah. Le **Rasteau 2004 rouge (8 à 11 €)** est plus robuste sur une base de grenache et de mourvèdre. Il provient de petits galets sur argile rouge. Il obtient une étoile (20 000 bouteilles).

🔑 Ch. du Trignon, 84190 Gigondas,
tél. 04.90.46.90.27, fax 04.90.46.98.63,
e-mail trignon@chateau-du-trignon.com
☑ 🍷 🚶 t.l.j. sf dim. 9h-19h; sam. 9h-12h

DOM. VERQUIÈRE Sablet 2004 ★

■ 4 ha 15 000 ▮ 8 à 11 €

Jazz dans les vignes, conférences dans les caves, on se remue à Sablet ! Grenache (65 %), syrah et mourvèdre aussi puisqu'ils donnent naissance à ce 2004 plein de feu et d'esprit, très fondu et onctueux, un tantinet animal mais apôtre du fruit rouge. Il tourne rond. Un domaine tenu de père en fils depuis quatre générations.

🔑 Dom. de Verquière, 84110 Sablet,
tél. 04.90.46.90.11, fax 04.90.46.99.69,
e-mail chamfort@domaine-de-verquiere.com
☑ 🍷 🚶 t.l.j. sf sam. dim. 8h-12h 14h-18h 🏠 Ⓔ
🔑 B. Chamfort

Côte-rôtie

Situé à Vienne, sur la rive droite du fleuve, c'est le plus ancien vignoble de la vallée du Rhône réparti entre les communes d'Ampuis, de Saint-Cyr-sur-Rhône et de Tupins-Sémons. Il représente 8 420 hl en 2005 sur 229 ha 74 a. La vigne est cultivée sur des coteaux très abrupts, presque vertigineux. Et si l'on peut distinguer la Côte Blonde et la Côte Brune, c'est en souvenir d'un certain seigneur de Maugiron qui aurait, par testament, partagé ses terres entre ses deux filles, l'une blonde, l'autre brune. Notons que les vins de la Côte Brune sont les plus corsés, ceux de la Côte Blonde les plus fins.

Le sol est le plus schisteux de la région. Les vins sont uniquement des rouges, obtenus à partir du cépage syrah, mais aussi du viognier, dans une proportion maximale de 20 %. Le côte-rôtie est d'un rouge profond, et offre un bouquet délicat, fin, à dominante de framboise et d'épices, avec une touche de violette. D'une bonne structure, tannique et très long en bouche, il a indéniablement sa place au sommet de la gamme des vins du Rhône et s'allie parfaitement aux mets convenant aux grands vins rouges.

DOM. GILLES BARGE Cuvée du Plessy 2004

■ 4,5 ha 10 000 23 à 30 €

Il n'est nul besoin de présenter Gilles Barge, descendant d'une longue lignée de viticulteurs, et personnalité de cette appellation dont il fut le président. Sa cuvée 2004, à 5 % de viognier, joue la carte du fruit, de la groseille et du cassis, que retrouve la bouche généreuse et ronde, avant une finale légèrement réglissée. Un côte-rôtie classique à servir maintenant ou à attendre un peu.

Gilles Barge, 8, bd des Allées, 69420 Ampuis, tél. 04.74.56.13.90, fax 04.74.56.10.98
t.l.j. sf dim. 8h-12h 14h-18h; f. fév. 3

DE BOISSEYT-CHOL Côte Blonde 2004

■ 0,6 ha 3 000 23 à 30 €

Cette parcelle très pentue de Côte Blonde, achetée en 1977 par Didier Chol, est remarquable par ses murs en pierres sèches. Elle donne un vin souvent cité, coup de cœur l'an dernier pour son 2003, et que l'on retrouve dans ce nouveau millésime. Le nez discret laisse d'abord échapper quelques nuances animales, puis après aération apparaissent des notes d'épices, de genièvre et de bois frais. La barrique n'est pas encore totalement assimilée, mais ce vin possède une grande densité en bouche et devrait s'épanouir dans trois ans.

De Boisseyt-Chol, 178, RN 86, 42410 Chavanay, tél. 04.74.87.23.45, fax 04.74.87.07.36, e-mail infos@deboisseyt-chol.com
t.l.j. sf dim. 9h-12h 14h-18h; f. 15 août-10 sept.
Didier Chol

PATRICK ET CHRISTOPHE BONNEFOND Les Rochains 2004 **

■ 1 ha 3 500 38 à 46 €

Le jury a été davantage séduit par la bouche que par le nez, mais le vin n'est-il pas fait pour être bu ? Pour l'instant, celui-ci, sans doute tout à sa jeunesse, se montre encore distrait, même s'il laisse déjà échapper un peu de cuir, d'eucalyptus et de garrigue. En bouche en revanche, c'est un vin très puissant, riche et harmonieux, qui offre une finale racée. Une remarquable bouteille à garder au moins trois ans avant de la déboucher.

Patrick et Christophe Bonnefond, Mornas, 69420 Ampuis, tél. 04.74.56.12.30, fax 04.74.56.17.93, e-mail gaec.bonnefond@terre-net.fr r.-v.

DOM. DE BONSERINE La Viallière 2003 *

■ 1 ha 3 000 30 à 38 €

Régulièrement sélectionné, ce domaine présente sa cuvée La Viallière dont la forte personnalité a séduit le jury. Le nez très élégant mêle les fruits noirs aux épices et aux notes grillées. La bouche joue dans le registre des vins de garde tant sa matière encore austère mais prometteuse demande à s'harmoniser. Autre production, **Les Hauts des Cheys 2004 (23 à 30 €)**, est citée pour sa finesse.

Dom. de Bonserine, 2, chem. de la Viallière, Verenay, 69420 Ampuis, tél. 04.74.56.14.27, fax 04.74.56.18.13, e-mail bonserine@aol.com
t.l.j. 9h-17h
Colcombet

M. CHAPOUTIER La Mordorée 2004 **

■ n.c. 6 000 + de 76 €

« *Fac et spera* », travailler et espérer, telle est la devise de cette maison réputée sur tous les continents. Le travail, c'est certain, est sérieux tant à la vigne (en biodynamie) qu'au chai. Quant aux espoirs, ils sont comblés avec cette bouteille dont la finesse confine à la beauté pure. On découvre un vin composé par petites touches qui s'imbriquent sans efforts et sans heurts, comme une dentelle artisanale. Le bois, totalement intégré, laisse s'exprimer des notes de cuir, de fraise, de laurier, d'olive et d'épices. Une rondeur vient souligner toute la beauté de l'extraction.

Maison M. Chapoutier, 18, av. du Dr-Paul-Durand, BP 38, 26601 Tain-l'Hermitage Cedex, tél. 04.75.08.28.65, fax 04.75.08.81.70, e-mail chapoutier@chapoutier.com
t.l.j. 9h-12h30 14h-19h; groupes sur r.-v.

DELAS Seigneur de Maugiron 2003 **

■ n.c. 8 400 30 à 38 €

Le seigneur de Maugiron fait partie de la légende de l'appellation et cette cuvée qui porte son nom pourrait bien elle aussi devenir légendaire. Le millésime 2003, exhalant des arômes de cerises à l'eau-de-vie très sucrées, offre une bouche charnue d'une remarquable structure, à laquelle une pointe d'acidité, caractéristique des vins de côte-rôtie, vient apporter un souffle de fraîcheur.

Delas Frères, ZA de l'Olivet, 07300 Saint-Jean-de-Muzols, tél. 04.75.08.92.97, fax 04.75.08.53.67, e-mail detail@delas.com r.-v.

BENJAMIN ET DAVID DUCLAUX 2004 *

■ 5,5 ha 25 000 30 à 38 €

Benjamin et David Duclaux travaillent les vignes et vinifient ensemble sur leur domaine situé au sud de l'appellation. Leur principe est simple : ils ne font qu'un seul vin sur les 5,5 ha qu'ils possèdent en côte-rôtie. Pari gagné avec ce 2004 déjà bien ouvert où s'expriment dans un bouquet harmonieux des notes fumées, grillées, de fruits rouges et d'épices. La bouche est concentrée avec beaucoup de volume et montre un potentiel de vieillissement de trois ans minimum.

Benjamin et David Duclaux, RN 86, 69420 Tupin-et-Semons, tél. 04.74.59.56.30, fax 04.74.56.64.09, e-mail contact@coterotie-duclaux.com r.-v.

PIERRE GAILLARD 2004

■ 4 ha 16 000 ⓘ 30 à 38 €

Voici un quart de siècle que Pierre Gaillard produit du côte-rôtie sur ce domaine qu'il a défriché et replanté en syrah et en viognier. Son 2004 est encore très marqué, au nez comme en bouche, par l'élevage en fût de dix-huit mois, qui lui confère une certaine austérité. Il n'en montre pas moins de la fraîcheur et un bon équilibre au palais. On patientera donc quelques années afin que les tanins s'affinent et se fondent.

Pierre Gaillard, Lieu-dit Chez Favier, 42520 Malleval, tél. 04.74.87.13.10, fax 04.74.87.17.66, e-mail vinsp.gaillard@wanadoo.fr r.-v.

JEAN-MICHEL GERIN
Champin Le Seigneur 2004 ★★

■ 7 ha 38 000 ⓘ 23 à 30 €

Peut-on encore parler « d'habitué » des sélections ? Cela fait au moins dix ans que Jean-Michel Gerin figure sans interruption dans le Guide avec cette cuvée, raflant au passage plusieurs coups de cœur, dont un l'an dernier avec son 2003. Ce Seigneur porte encore bien son nom dans le millésime suivant. Au nez complexe se fondent des arômes de framboise, d'épices, de torréfaction et même d'agrumes, agrémentés d'une pointe de rose. De belle extraction, avec des tanins très nobles, la matière affirme sa présence, soutenue par un boisé qui se met au service du vin sans le dominer. Une bouteille taillée pour la garde, qui fera honneur à une viande rouge ou à un gibier.

Jean-Michel Gerin, 19, rue de Montmain, BP 7, 69420 Ampuis, tél. 04.74.56.16.56, fax 04.74.56.11.37, e-mail gerin.jm@wanadoo.fr r.-v.

DOM. JAMET 2003 ★★

■ 7 ha 15 000 ⓘ 30 à 38 €

Vingt mois d'élevage en fût, et voici cette cuvée 2003 qui a enchanté le jury. Par sa robe pourpre sombre soutenue, d'abord. Par son nez intense et délicat ensuite, qui mêle les épices, le tabac blond, le moka et les notes empyreumatiques. Par sa bouche enfin, dont la matière fine et élégante s'exprime avec beaucoup de délicatesse et livre une finale aromatique d'une grande persistance. Comme le souligne un dégustateur, ce vin est « une très belle expression du terroir ». Vous saurez patienter trois à cinq ans avant de l'ouvrir.

Jean-Paul et Jean-Luc Jamet, Le Vallin, 69420 Ampuis, tél. 04.74.56.12.57, fax 04.74.56.02.15 r.-v.

LA LANDONNE 2002 ★★

■ 2,3 ha n.c. ⓘ + de 76 €

Coup de cœur l'an dernier, cette cuvée est un des fleurons, un des trésors de la maison Guigal et, tout simplement, de l'appellation. Qui a dit que 2002 était un millésime difficile ? Cette bouteille démontre en tout cas le savoir-faire de la famille Guigal. Après quarante-deux mois passés en pièces neuves, on ne peut pas reprocher à ce vin une certaine austérité : on s'en féliciterait plutôt car c'est ici le signe d'une bouteille taillée pour la garde tant sa matière est riche. Dès le nez, dominé par les notes de torréfaction, on devine une grande concentration. La bouche confirme cette impression première, s'affichant ample et grasse, portée par un parfait équilibre. Du grand art.

E. Guigal, Ch. d'Ampuis, 69420 Ampuis, tél. 04.74.56.10.22, fax 04.74.56.18.76, e-mail contact@guigal.com r.-v.

VIGNOBLES DU MONTEILLET Fortis 2004 ★★

■ 1 ha 5 000 ⓘ 30 à 38 €

Représentant de la dixième génération de vignerons, Stéphane Montez a dégusté, au cours de ses expériences internationales, les plus belles syrahs du monde mais de son propre aveu, il n'a nulle part retrouvé la classe et la finesse que le terroir de côte-rôtie apporte à ce cépage. À en juger par cette cuvée, on est prêt à le croire. De sa robe pourpre émanent des parfums complexes et intenses de griotte, de chocolat, d'épices et de moka que l'on retrouve au palais. Celui-ci, riche et bien construit, se révèle puissant et long. Ses tanins fins et concentrés à la fois promettent une excellente garde.

Stéphane Montez, Dom. du Monteillet, 42410 Chavanay, tél. 04.74.87.24.57, fax 04.74.87.06.89, e-mail stephanemontez@aol.com r.-v.

MOUTON PÈRE ET FILS 2004 ★

■ 1 ha 3 500 ⓘ 23 à 30 €

Des chambres d'hôtes et un gîte rural à 1 km du domaine, une auberge en face du caveau, l'endroit est accueillant et vous vous y arrêterez avec plaisir pour découvrir ce 2004, à l'élevage parfaitement maîtrisé salué par les dégustateurs. Le boisé apparaît finement au nez, accompagnant des notes de mûre, tandis que la bouche joue la fraîcheur et la finesse, soutenue par des tanins soyeux.

Dom. Mouton Père et Fils, Le Rozay, 69420 Condrieu, tél. 04.74.87.82.36, fax 04.74.87.84.55 r.-v.

CHRISTOPHE PICHON 2004 ★

■ 1,05 ha 3 000 ⓘ 15 à 23 €

2005 fut l'année de la rénovation du chai pour Christophe Pichon. Pour l'instant, c'est un 2004 vinifié dans l'ancienne cave qui se présente dans le verre. Ce vin franc, dont la matière et les arômes sont harmonieusement mariés, se montre ample et équilibré, doté de tanins pleins de finesse. Et les arômes ? Ils accompagnent toute la dégustation, sur une mélodie de girofle, de griotte et de violette. À garder trois à cinq ans.

Christophe Pichon, 36, Le Grand Val, Verlieu, 42410 Chavanay, tél. 04.74.87.06.78, fax 04.74.87.07.27, e-mail christophe.pichon@terre-net.fr r.-v.

SAINT-COSME 2004 ★

■ 3 ha 9 000 ⓘ 23 à 30 €

Ce négociant-éleveur de Gigondas ne faillit pas à sa réputation avec cette cuvée 2004 au profil très moderne. D'une grande complexité aromatique, elle égrène des notes de cassis, de poivre et de torréfaction. La bouche révèle une bonne présence tannique, sans astringence, et une finale grillée d'une belle longueur.

Louis Barruol, Ch. de Saint-Cosme, 84190 Gigondas, tél. 04.90.65.80.80, fax 04.90.65.81.05, e-mail louis@chateau-st-cosme.com t.l.j. sf sam. dim. 9h-17h

LA TURQUE Côte Brune 2002 ★★★

■ 0,85 ha 4 000 + de 76 €

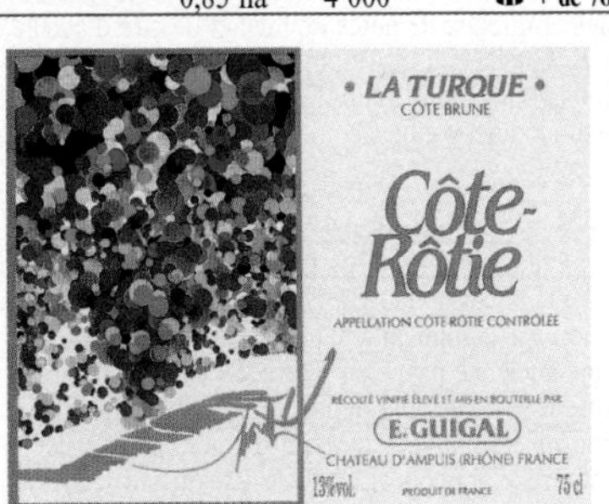

Ce n'est plus seulement un vin, c'est un mythe pour les amateurs du monde entier ! Son étiquette envahie par une explosion de couleurs a été créée par Moretti. La Turque, admirable parcelle de côte-rôtie, vignoble dont l'histoire remonte à l'Antiquité romaine, est de ces choses précieuses auxquelles on attache d'autant plus de valeur qu'on a failli les perdre. En effet, restée plus de cinquante ans en friche, elle a fini par renaître en 1985 grâce aux efforts des Guigal pour la hisser à nouveau à son rang, c'est-à-dire le premier. Une pincée de viognier et la syrah de la Côte Brune composent ce 2002 d'une grande complexité et d'une puissance aromatique au nez, qui va des notes de garrigue aux fruits rouges surmûris écrasés (fraise, framboise) en passant par une pointe de menthol. Celle-ci vient égayer la bouche et lui dessiner un profil aérien, avant une finale d'une impressionnante longueur. Coup de cœur unanime.

É. Guigal, Ch. d'Ampuis, 69420 Ampuis, tél. 04.74.56.10.22, fax 04.74.56.18.76, e-mail contact@guigal.com r.-v.

VERNAY 2004 ★

■ 5,5 ha 13 000 15 à 23 €

Ce 2004 élevé dix-huit mois en demi-muid s'affirme comme un vrai côte-rôtie plein de franchise et de personnalité. Le nez est un feu d'artifice de senteurs : truffe, cuir, cassis, myrtille et raisin frais. En bouche, il joue sur la finesse et la vivacité, avec une finale très nette. Un vin élégant à déguster dans trois à cinq ans.

GAEC Daniel, Roland et Gisèle Vernay, Le Plany, 69560 Saint-Cyr-sur-Rhône, tél. 04.74.53.18.26, fax 04.74.53.63.95, e-mail gaecvernay@wanadoo.fr r.-v.

DOM. GEORGES VERNAY
Maison rouge 2003 ★★★

■ 1,5 ha 4 000 38 à 46 €

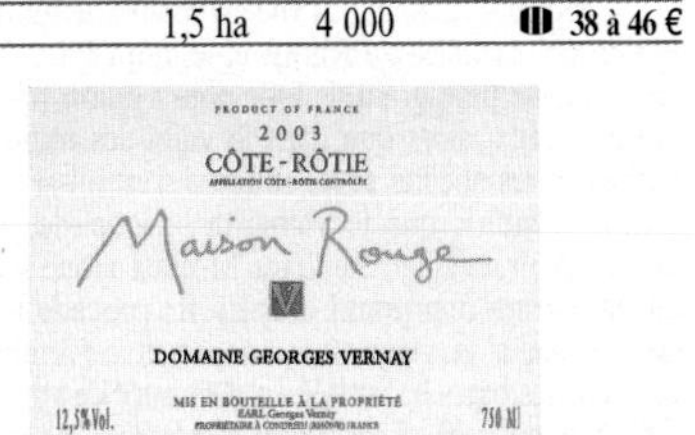

Christine Vernay officie depuis dix ans au côté de son père Georges dans ce domaine célèbre pour ses condrieu, mais dont la réputation en côte-rôtie n'est pas usurpée si l'on en croit la sélection de cette année. Dans un millésime 2003 difficile, elle a su transcender les conditions climatiques pour produire deux cuvées, souvent sélectionnées par les jurys du Guide, et que seul un coup de cœur parvient à départager cette fois-ci. Distinction donc pour cette Maison rouge, pleine de complexité (fruits confiturés, truffe, épices, grillé) et d'élégance, que les dégustateurs s'accordent à décrire comme « une superbe expression du terroir ». Peut-on rêver plus beau compliment ? Trois étoiles brillent également pour la **Blonde du Seigneur 2003 (30 à 38 €)**, aux arômes de violette, d'épices et de fruits noirs, qui s'affirme comme un vin de grande classe.

Dom. Georges Vernay, 1, rte Nationale, 69420 Condrieu, tél. 04.74.56.81.81, fax 04.74.56.60.98, e-mail pa@georges-vernay.fr r.-v.

FRANÇOIS VILLARD Le Gallet blanc 2004

■ 1,5 ha 9 000 30 à 38 €

L'étiquette de cette cuvée joue sur le noir et le blanc, qui se côtoient et se rencontrent dans des nuances de gris. Ce n'est pourtant pas un vin manichéen et tranché que l'on découvre, mais plutôt un vin en point d'interrogation, encore au milieu du gué avec son boisé pas totalement fondu. Il pointe à peine son nez pour l'instant, avec de discrets arômes de petits fruits rouges, mais s'il est sélectionné, c'est bien que les dégustateurs ont fait pour lui le pari du temps.

François Villard, Montjoux, 42410 Saint-Michel-sur-Rhône, tél. 04.74.56.83.60, fax 04.74.56.87.78, e-mail vinsvillard@wanadoo.fr r.-v.

Condrieu

Le vignoble est situé à 11 km au sud de Vienne, sur la rive droite du Rhône et sur des sols granitiques. Seuls les vins provenant uniquement du cépage viognier peuvent bénéficier de l'appellation. L'aire d'appellation, répartie sur sept communes et trois départements, n'a qu'une superficie de 124,12 ha. Ces caractéristiques contribuent à donner au condrieu une image de vin très rare puisqu'il a produit 4 835 hl en 2005. Blanc, il est riche en alcool, gras, souple, mais avec de la fraîcheur. Très parfumé, il exhale des arômes floraux – où domine la violette – et des notes d'abricot. Un vin unique, exceptionnel et inoubliable, à servir jeune (sur toutes les préparations à base de poisson), mais qui peut se développer en vieillissant. Il apparaît depuis peu une production de vendanges tardives avec des tries successives des raisins (allant parfois jusqu'à huit passages par récolte).

DOM. BOISSONNET 2004

0,8 ha 3 300 15 à 23 €

Une deuxième cave voûtée a été découverte en 1992 sous cette demeure bâtie en 1600. Les barriques y prennent place, accueillant les vins pour leur élevage. Ce 2004, qui y a séjourné neuf mois durant, a pour atout un boisé discret qui respecte les arômes d'abricot et de pêche, ainsi qu'une originale note de violette. Il joue sur la souplesse et la rondeur, sans oublier la pointe de fraîcheur recherchée pour garantir une bonne garde au cours des trois ans à venir.

Dom. Boissonnet, rue de la Voûte, 07340 Serrières, tél. 04.75.34.07.99, fax 04.75.34.04.55 r.-v.

DOM. DU CHÊNE Julien 2004 *

1 ha 800 23 à 30 €

Au cœur des vignes de Saint-Joseph, le caveau de dégustation ménage une belle vue sur la chaîne des Alpes. Le domaine, fort de 15 ha, se trouve dans le parc régional du Pilat. Son vin a surpris les dégustateurs : les uns le rapprochent d'un liquoreux du Val de Loire, les autres d'une vendange tardive alsacienne. Pourtant, il est bien dans son terroir, avec ses notes d'abricot sec, de fleur d'acacia et de miel. L'attaque est ronde, la bouche opulente, mais sans excès, la finale longue et fraîche. Vous réserverez cette bouteille à un foie gras.

Marc et Dominique Rouvière, 8, Le Pêcher, 42410 Chavanay, tél. 04.74.87.27.34, fax 04.74.87.02.70, e-mail m.rouviere@terre-net.fr r.-v.

YVES CUILLERON Les Chaillets 2004 *

3 ha 13 000 30 à 38 €

En 1987, Yves Cuilleron a repris la propriété gérée par son oncle André Cuilleron, lui permettant ainsi de rester dans le giron familial. Il a progressivement agrandi le domaine qui atteint aujourd'hui 30 ha dans les aires de condrieu, côte-rôtie et saint-joseph. Ce vin d'une couleur jaune à reflets or possède une certaine richesse. Issu probablement d'une vendange très mûre, il mêle des arômes de fruits confiturés aux notes de torréfaction héritées de neuf mois d'élevage en fût. L'empreinte du bois est plus manifeste au palais, mais elle se fondra dans la chair puissante à la faveur de deux ans de garde.

Yves Cuilleron, 58, RN 86, Verlieu, 42410 Chavanay, tél. 04.74.87.02.37, fax 04.74.87.05.62, e-mail cave@cuilleron.com r.-v.

DELAS La Galopine 2004 *

2,3 ha 12 000 23 à 30 €

Une grange bicentenaire sert de cadre au caveau de cette grande maison de négoce. Ce vin bien fait, toasté, beurré, brioché, développe aussi des arômes de fleurs suaves, puis se montre rond en bouche, aussi soyeux qu'une étoffe lyonnaise.

Delas Frères, ZA de l'Olivet, 07300 Saint-Jean-de-Muzols, tél. 04.75.08.92.97, fax 04.75.08.53.67, e-mail detail@delas.com r.-v.

Champagne Deutz

LA DORIANE 2004 ***

n.c. n.c. 46 à 76 €

Des vignes de vingt-cinq ans issues de la Côte Châtillon, à Condrieu, au sol schisteux et silico-calcaire, ainsi que de Colombier, sur la commune de Saint-Michel-sur-Rhône, au sol granitique, sont à l'origine de La Doriane, dont le premier millésime est apparu en 1994. Vous serez d'emblée séduit par la robe jaune soutenu étincelante, puis par le premier nez qui dévoile un boisé fin, un caractère brioché nuancé de frangipane rappelant la galette des rois. Attendez un peu : bientôt explosent les arômes d'abricot mûr. La bouche est grasse, volumineuse, toute empreinte de notes de miel et de cire d'abeille.

É. Guigal, Ch. d'Ampuis, 69420 Ampuis, tél. 04.74.56.10.22, fax 04.74.56.18.76, e-mail contact@guigal.com r.-v.

DOM. FARJON Les Graines dorées 2004 *

0,6 ha 400 23 à 30 €

De la cuisine au vin, il n'y a qu'un pas que Thierry Farjon a accompli en créant ce domaine en 1992, autour d'une ancienne ferme en pierre. Sa cuvée porte bien son nom car sa robe apparaît doré intense. Elle possède un nez puissant et complexe de pain d'épice, de cannelle et de confiture d'abricots. Le côté sucré prend le dessus au palais, tandis que se développent d'autres arômes comme la mangue.

Thierry Farjon, Morzelas, 42520 Malleval, tél. 04.74.87.16.84, fax 04.74.87.95.30 r.-v.

PHILIPPE FAURY 2004

3 ha 12 000 15 à 23 €

La plantation d'anciens coteaux, à partir de 1979, a permis d'étendre le vignoble aux 14 ha actuels. Philippe Faury a élaboré un vin de teinte citron, qui ne cherche ni le volume ni la puissance, mais plutôt la fraîcheur. Des arômes d'abricot s'associent à un joli boisé et à une ligne minérale. Un poulet en sauce blanche sera de bonne compagnie.

Philippe Faury, La Ribaudy, 42410 Chavanay, tél. 04.74.87.26.00, fax 04.74.87.05.01, e-mail p.faury@42.sideral.fr r.-v.

VIGNOBLE DU MONTEILLET Grain de folie 2004 **

1 ha 1 700 30 à 38 €

Depuis le domaine, la vue est splendide sur les Alpes, le Vercors, la vallée du Rhône et le mont Pilat. Ne faut-il pas avoir un petit grain de folie pour vouloir produire un vin liquoreux, alors que dans la vigne les moineaux, les corbeaux, les abeilles et les fourmis sont aussi friands de raisins surmûris que le vigneron ? Coup de cœur l'an dernier pour un 2003, Stéphane Montez a joué son va-tout en 2004, quitte à surprendre le jury. Il a procédé à trois tries successives à la vigne, en octobre et novembre, pour récolter des baies botrytisées et produire ce vin confidentiel, contenant 60 g/l de sucres résiduels. Une incroyable palette aromatique se décline : abricot, datte, fruits confits, vanille, fleur d'acacia, le tout élégamment fondu. Une attaque riche et onctueuse introduit la bouche moelleuse, équilibrée, témoignant d'un boisé bien maîtrisé. Cette bouteille pourra fêter les vingt-cinq ans de la fille de Stéphane Montez, née en 2004.

🔑 Stéphane Montez, Dom. du Monteillet, 42410 Chavanay, tél. 04.74.87.24.57, fax 04.74.87.06.89, e-mail stephanemontez@aol.com ☑ 🍷 🚶 r.-v.

ANDRÉ PERRET Clos Chanson 2004 *

	0,5 ha	1 800	🛢 23 à 30 €

Depuis 1986, André Perret, qui avait pris la succession de son père quelques années auparavant sur le domaine de Chavanay, cultive la parcelle du Clos Chanson en location. Celle-ci lui offre ce 2004 jaune citron à reflets dorés, marqué par des arômes de torréfaction hérités de douze mois d'élevage sous bois. La fraîcheur apparaît en bouche, soulignée d'arômes de fruits blancs mûrs (pêche) et de fleurs blanches (acacia).

🔑 André Perret, 17, RN 86, Verlieu, 42410 Chavanay, tél. 04.74.87.24.74, fax 04.74.87.05.26, e-mail andre.perret@terre-net.fr ☑ 🍷 🚶 r.-v.

CHRISTOPHE PICHON 2004 *

	3,65 ha	19 000	▮🛢 15 à 23 €

Christophe Pichon, la trentaine, a travaillé aux côtés de son père de 1993 à 1999, avant de reprendre seul les commandes du domaine. Il a parfaitement conduit le viognier pour obtenir ce vin puissant et harmonieux. Certes, le nez est intense, mais il joue aussi la finesse dans ses évocations de fruits exotiques, de fleur d'acacia et de genêt. Certes, il est riche et très rond, mais la fraîcheur ne manque pas, rehaussée de longues notes de pain d'épice et de fleurs des champs.

🔑 Christophe Pichon, 36, Le Grand Val, Verlieu, 42410 Chavanay, tél. 04.74.87.06.78, fax 04.74.87.07.27, e-mail christophe.pichon@terre-net.fr ☑ 🍷 🚶 r.-v.

DOM. DE PIERRE BLANCHE La Légende 2004 *

	0,5 ha	1 000	🛢 23 à 30 €

Au-dessus du site médiéval de Malleval, les vignes de viognier occupent une pente de 40 à 60 %. Des coteaux qu'il a fallu défricher, puis organiser en parcelles retenues par des murets avant de planter la vigne. Xavier Mourier a vinifié en pièce, puis élevé sur lies fines pendant dix mois ce vin chaleureux et expressif, évocateur d'iris et d'abricot. L'élevage a été maîtrisé : le bois ne domine pas.

🔑 Xavier Mourier, Dom. de Pierre Blanche, RN 86, 42410 Chavanay, tél. et fax 04.74.87.04.07 ☑ 🍷 🚶 r.-v.

DOM. RICHARD L'Amaraze 2004 *

	1 ha	4 300	▮🛢 15 à 23 €

En 1986, Hervé Richard et son père se sont lancés dans la remise en valeur de ce coteau laissé à l'abandon. Vingt ans plus tard, vous en mesurerez le résultat dans ce vin jaune citron à reflets verts, assez timide au nez, mais gras et chaleureux au palais, riche d'arômes de fruits blancs (pêche et poire bien mûres).

🔑 Hervé et Marie-Thérèse Richard, 3, RN 86, Verlieu, 42410 Chavanay, tél. 04.74.87.07.75, fax 04.74.87.05.09, e-mail earl.caverichard@42.sideral.fr ☑ 🍷 🚶 r.-v.

DOM. VALLET 2004 *

	0,4 ha	1 800	🛢 15 à 23 €

À Serrières, vous visiterez le musée des Mariniers et de la Batellerie du Rhône, installé dans l'église Saint-Sorlin. Du fleuve, remontez sur les coteaux pour retrouver la vigne. Louis et Anthony Vallet vous proposeront ce 2004 d'une teinte prometteuse, or à reflets verts. Le vin révèle beaucoup de finesse au nez, entre des notes de cire d'abeille et de pêche blanche mûre. Il ne joue pas avec le boisé, mais insiste sur les fruits exotiques, les fruits confits et à noyau pour souligner sa rondeur. Pour un gâteau au chocolat dès aujourd'hui et jusqu'en 2010.

🔑 Dom. Vallet, La Croisette RN 86, 07340 Serrières, tél. 04.75.34.04.64, fax 04.75.34.14.68, e-mail domainevallet@wanadoo.fr ☑ 🍷 🚶 r.-v.

DOM. GEORGES VERNAY
Les Terrasses de l'Empire 2004 **

	4 ha	20 000	▮ 23 à 30 €

Depuis 1997, Christine Vernay, la fille de Georges, conduit ce prestigieux vignoble de 17 ha. Le nom de cette cuvée est une référence à l'histoire de la région, lorsque le Rhône dessinait la frontière entre l'empire germanique et le royaume de France. Limpide, le 2004 fait scintiller des reflets dorés. Invite à déceler les arômes de poire et de pêche, d'acacia qui se fondent subtilement. De la souplesse, de l'équilibre et une juste fraîcheur contribuent à un remarquable caractère. Tendance Nouveau Monde pour le **Coteau de Vernon 2004 (38 à 46 €)**, dominé par le bois, que le jury a cité. Il pourrait vous surprendre dans deux ans.

🔑 Dom. Georges Vernay, 1, rte Nationale, 69420 Condrieu, tél. 04.74.56.81.81, fax 04.74.56.60.98, e-mail pa@georges-vernay.fr ☑ 🍷 🚶 r.-v.
🔑 Christine Vernay

LES VINS DE VIENNE La Chambée 2004

	1,5 ha	7 500	🛢 23 à 30 €

En 2003, Pierre-Jean Villa a rejoint Yves Cuilleron, Pierre Gaillard et François Villard dans leur entreprise de renaissance du vignoble ancestral de Seyssuel, débutée en 1996 par la création de leur maison de négoce. Ensemble, ils proposent ce vin souple et rond, non dénué de fraîcheur. Les nuances boisées se marient à l'abricot avec simplicité. Pensez à un accord avec des poissons grillés.

🔑 Les Vins de Vienne, 1108, rte de Roche-Couloure, Le Bas-Seyssuel, 38200 Seyssuel, tél. 04.74.85.04.52, fax 04.74.31.97.55, e-mail vdv@lesvinsdevienne.fr ☑ 🍷 🚶 r.-v.

FRANÇOIS VILLARD Deponcins 2004

	1,5 ha	7 500	🛢 30 à 38 €

En 1989, François Villard, ancien cuisinier, s'est installé à Saint-Michel-sur-Rhône et n'a pas hésité à investir dans le vignoble (13,5 ha) comme dans la construction d'un chai cathédrale où ce vin puissant, jaune or, a séjourné onze mois durant. Il développe des arômes de fleurs, de pêches blanche et jaune et d'abricot. Gras et rond, il évoque la surmaturité, si bien qu'une dégustation immédiate est conseillée.

🔑 François Villard, Montjoux, 42410 Saint-Michel-sur-Rhône, tél. 04.74.56.83.60, fax 04.74.56.87.78, e-mail vinsvillard@wanadoo.fr ☑ 🍷 🚶 r.-v.

CAVE DE LA VISITATION 2004 *

	0,23 ha	900	🛢 15 à 23 €

Les vins de cette maison de négoce, dont l'histoire remonte à 1876, sont bien présents dans les restaurants lyonnais. Vous rechercherez ce 2004 sur leurs cartes pour accompagner un carpaccio de saumon, par exemple.

Celui-ci fait preuve d'élégance dans ses arômes d'abricot frais, de pêche blanche et de violette. Gras et rond en bouche, il dévoile une juste fraîcheur et se prolonge agréablement en finale.
Vins Dénuzière, 73, rue Nationale, 69420 Condrieu, tél. 04.74.59.50.33, fax 04.74.56.61.01, e-mail vins.denuziere@wanadoo.fr r.-v.

Saint-joseph

Sur la rive droite du Rhône, dans le département de l'Ardèche, l'appellation saint-joseph s'étend sur vingt-six communes de l'Ardèche et de la Loire et totalise 1 006 ha déclarés en 2005. Les coteaux sont constitués de pentes granitiques rudes, qui offrent de belles vues sur les Alpes, le mont Pilat et les gorges du Doux. Issus de syrah, les saint-joseph rouges (32 268 hl en 2005) sont élégants, fins, relativement légers et tendres, avec des arômes subtils de framboise, de poivre et de cassis, qui se révéleront sur les volailles grillées ou sur certains fromages. Les vins blancs (3 693 hl), issus des cépages roussanne et marsanne, rappellent ceux de l'hermitage. Ils sont gras, avec un parfum délicat de fleurs, de fruits et de miel. Il est conseillé de les servir assez jeunes.

DE BOISSEYT-CHOL Les Rivoires 2004 *

1,2 ha 6 000 15 à 23 €

La charpente métallique de la cuverie, datant de 1828, a été réalisée sur le modèle de la gare de Lyon-Perrache. Lors d'une visite au domaine, jetez-y un coup d'œil. Puis revenez à l'essentiel : ce vin d'un rouge-noir profond qui s'ouvre lentement sur des arômes de fruits rouges frais et d'épices. Au palais, il se développe plus volontiers, dévoilant souplesse et ampleur. Une bonne construction, en somme, faite pour durer.
De Boisseyt-Chol, 178, RN 86, 42410 Chavanay, tél. 04.74.87.23.45, fax 04.74.87.07.36, e-mail infos@deboisseyt-chol.com
t.l.j. sf dim. 9h-12h 14h-18h; f. 15 août-10 sept.
Didier Chol

DOM. BOISSONNET Cuvée de la Belive 2004 *

1 ha 4 000 15 à 23 €

Certains aiment déguster un chocolat noir avec un vin rouge charpenté. Ce saint-joseph est fait pour eux. Un nez expressif sur les épices, le cuir et les fruits rouges. Une bouche séduisante, pleine et concentrée, avec une petite pointe d'austérité en finale qui ne sera que passagère. Le **blanc 2004 (11 à 15 €)**, caractérisé par un nez floral (aubépine, acacia), reçoit une étoile. Mariez-le à un fromage de chèvre.
Dom. Boissonnet, rue de la Voûte, 07340 Serrières, tél. 04.75.34.07.99, fax 04.75.34.04.55 r.-v.

M. CHAPOUTIER Deschants 2004 **

n.c. 11 000 11 à 15 €

La maison Chapoutier est propriétaire du coteau de Saint-Joseph, cœur de l'appellation éponyme, entre Mauves et Tournon. Elle offre ici un vin jaune pâle brillant, qui allie avec finesse fleurs blanches (aubépine), miel et cire d'abeille. Quelle finesse et quelle fraîcheur en bouche ! Les arômes durent et durent encore : « entre dix et douze caudalies », note un dégustateur. La cuvée **Les Granits 2004 rouge (30 à 38 €)**, notée une étoile, promet de s'affiner dans le temps.
Maison M. Chapoutier, 18, av. du Dr-Paul-Durand, BP 38, 26601 Tain-l'Hermitage Cedex, tél. 04.75.08.28.65, fax 04.75.08.81.70, e-mail chapoutier@chapoutier.com
t.l.j. 9h-12h30 14h-19h; groupes sur r.-v.

DOM. JEAN-LOUIS CHAVE 2004 **

n.c. n.c. 23 à 30 €

Pour la première fois, ce domaine prestigieux en appellation hermitage présente son saint-joseph au jury du Guide qui est conquis. Dans une robe rouge velours, le vin révèle une note légèrement animale, puis développe de subtils arômes de fruits rouges écrasés. Souple en bouche, il tire profit d'une note mentholée qui lui donne de la fraîcheur.
Jean-Louis Chave, 37, av. du Saint-Joseph, 07300 Mauves, tél. 04.75.08.24.63, fax 04.75.07.14.21

DOM. DU CHÊNE 2004 *

6 ha 20 000 11 à 15 €

En plein cœur du vignoble de saint-joseph, les chais de ce domaine de 15 ha ménagent une belle vue sur les Alpes. Marc et Dominique Rouvière proposent un vin grenat à reflets violacés, qui exprime une note animale typique de la syrah bien mûre, accompagnée de cacao et de réglisse. Laissez l'air agir et magnifier ses arômes. Après une attaque fraîche, une structure sérieuse enveloppée d'une chair toute fruitée se manifeste. Un saint-joseph de caractère à redécouvrir dans trois ans.
Marc et Dominique Rouvière, 8, Le Pêcher, 42410 Chavanay, tél. 04.74.87.27.34, fax 04.74.87.02.70, e-mail m.rouviere@terre-net.fr r.-v.

DOM. COURBIS Les Royes 2004 *

1,4 ha 1 900 15 à 23 €

Remontant au XVIe s., ce domaine d'une trentaine d'hectares est aujourd'hui conduit par Dominique et Laurent Courbis. Leur 2004, jaune pâle, possède des arômes flatteurs, évocateurs de fruits. Au palais, le boisé joue les seconds rôles, laissant la vedette aux flaveurs intenses de fleurs blanches en harmonie avec la chair ronde et pleine. Vous pourrez déjà apprécier cette bouteille comme la conserver trois ans durant.
Dom. Courbis, rte de Saint-Romain, 07130 Châteaubourg, tél. 04.75.81.81.60, fax 04.75.40.25.39, e-mail domaine-courbis@wanadoo.fr
t.l.j. sf dim. 9h-12h 14h-18h; sam. sur r.-v.

CUILLERON Les Serines 2003 *

3 ha 13 000 23 à 30 €

Depuis son arrivée, il y a vingt ans, Yves Cuilleron a su mettre en valeur ce domaine en achetant et en louant des vignes en différents endroits de la vallée du Rhône septentrionale. Son saint-joseph joue la carte de la puissance et des arômes de fruits confiturés. Il a ce côté sec en finale, qui est la marque du millésime, mais une chair concentrée, issue du raisin de vieilles vignes, l'enveloppe. La cuvée **Saint-Pierre 2004 blanc (15 à 23 €)**, marquée actuellement par la vinification en barrique, est citée.

Yves Cuilleron, 58, RN 86, Verlieu, 42410 Chavanay, tél. 04.74.87.02.37, fax 04.74.87.05.62, e-mail cave@cuilleron.com r.-v.

DELAS François de Tournon 2003 **

n.c. 17 000 11 à 15 €

François de Tournon est une sélection de raisins provenant des communes de Sainte-Épine, Tournon et Vion. Le vin est élevé pendant quinze mois en fût de chêne. Il y a une certaine virilité dans ce 2003 très épicé et minéral, qui s'identifie totalement au terroir de schiste, de gneiss et de granit. **Les Challeys 2004 blanc**, vifs, marqués par des notes de pierre à fusil élégantes, brillent d'une étoile.

Delas Frères, ZA de l'Olivet, 07300 Saint-Jean-de-Muzols, tél. 04.75.08.92.97, fax 04.75.08.53.67, e-mail detail@delas.com r.-v.

Champagne Deutz

PHILIPPE FAURY 2004

1,5 ha 7 500 11 à 15 €

D'anciens coteaux ont été replantés depuis 1979 pour constituer ce domaine de 14 ha. Philippe Faury a élevé en partie en barrique et en partie en cuve Inox ce saint-joseph composé de marsanne (60 %) et de roussanne. Les cépages s'expriment dans la palette de fruits blancs et de fleurs blanches, nuancée de miel. Il en va de même au palais, marqué par une fraîcheur acidulée et suffisamment persistant.

Philippe Faury, La Ribaudy, 42410 Chavanay, tél. 04.74.87.26.00, fax 04.74.87.05.01, e-mail p.faury@42.sideral.fr r.-v.

GILLES FLACHER Cuvée Prestige 2004 **

1 ha 3 500 11 à 15 €

Tout en coteaux, ce domaine de 7 ha remonte au début du XIXᵉs. Les dégustateurs sont unanimes sur l'aptitude à la garde de ce vin. Certes, celui-ci doit s'ouvrir, mais la matière est là et les arômes complexes de fruits (fraise des bois, framboise, cassis) nuancés de grillé se développent longuement au palais, dans une agréable fraîcheur.

Gilles Flacher, Le Village, 07340 Charnas, tél. 04.75.34.09.97, fax 04.75.34.09.96 r.-v.

PIERRE GAILLARD 2004

4 ha 15 000 11 à 15 €

Ce producteur a acquis le domaine Madeloc, à Banyuls-sur-Mer, en Roussillon, mais ne néglige pas ce vignoble en saint-joseph, ni son activité de négociant au sein des Vins de Vienne. Il propose un 2004 vêtu de noir, plus ouvert au nez qu'au palais actuellement. Une élégante ligne vanillée accompagne les arômes fruités. Il faudra attendre que le bois et les tanins se fondent pour qu'il révèle pleinement sa personnalité.

Pierre Gaillard, Lieu-dit Chez Favier, 42520 Malleval, tél. 04.74.87.13.10, fax 04.74.87.17.66, e-mail vinsp.gaillard@wanadoo.fr r.-v.

PIERRE GONON Les Oliviers 2004

2 ha 8 500 15 à 23 €

Un vin de l'instant. Laissez-vous transporter par le feu d'artifice des arômes, fins et complexes : vanille, miel, fleurs blanches et fruits blancs. Franc, il se développe avec fraîcheur et équilibre.

Pierre Gonon, 34, av. Ozier, 07300 Mauves, tél. 04.75.08.45.27, fax 04.75.08.65.21, e-mail gonon.pierre@wanadoo.fr r.-v.

DOM. BERNARD GRIPA 2004 *

6 ha 25 000 11 à 15 €

Le vins de Bernard Gripa sont des classiques de l'appellation. Un domaine de taille humaine maintes fois récompensé d'un coup de cœur dans le Guide, le dernier lui ayant été attribué dans l'édition 2006. Bien dans le type saint-joseph, avec sa pointe de fraîcheur en bouche, le 2004 est ample et charnu. Ses tanins serrés le brident un peu actuellement, mais la complexité du nez qui mêle pruneau, poivre noir et clou de girofle est attirante. Le **blanc 2004**, qualifié de vin de printemps tant il sent bon les fleurs blanches, est cité également.

Dom. Bernard Gripa, 5, av. Ozier, 07300 Mauves, tél. 04.75.08.14.96, fax 04.75.07.06.81 r.-v.

GABRIEL MEFFRE Les Chaponnes 2003 *

4 ha 20 000 8 à 11 €

Ce négociant de Gigondas a bien sélectionné ses raisins et réussi ses assemblages ; il offre une bouteille plaisante, toute disposée à développer une palette d'arômes allant de la réglisse au cassis en passant par la mûre et la fraise. Sa fraîcheur la rend très agréable dès maintenant.

Gabriel Meffre, Le Village, 84190 Gigondas, tél. 04.90.12.32.45, fax 04.90.12.32.49

VIGNOBLES DU MONTEILLET Fortior 2003 **

2,5 ha 6 200 15 à 23 €

Un vin d'amoureux. Nous vous l'avions appris l'an dernier, lorsque Stéphane Montez a obtenu un coup de cœur pour un condrieu 2003 : ce vigneron, marié le 14 août 2003, puis parti en voyage de noces, fut le dernier à vendanger dans l'aire d'appellation. Bien lui en prit car, après quelques pluies, la vigne redémarra sa photosynthèse, ce qui entraîna une remontée d'acidité naturelle, bienvenue dans ce millésime très chaud. Il en résulte un vin remarquablement équilibré qui laisse une impression de fraîcheur friande. Ne croyez pas qu'il manque de puissance, bien au contraire. Celle-ci est perceptible dans les arômes de cassis, de réglisse et de pain grillé comme dans la structure complexe. Le **Domaine du Monteillet 2004 blanc (11 à 15 €)**, destiné aux amateurs de vins boisés, est cité.

Stéphane Montez, Dom. du Monteillet, 42410 Chavanay, tél. 04.74.87.24.57, fax 04.74.87.06.89, e-mail stephanemontez@aol.com r.-v.

DIDIER MORION Les Échets 2004

9 ha 4 000 11 à 15 €

Lorsque, en 1993, Didier Morion a repris la propriété familiale, la polyculture était encore de mise. Un an plus tard, il se lance dans la construction de sa cave qu'il agrandira par la suite. Quinze mois d'élevage en fût, cela se sent dans ce 2004 noir à reflets violines. Les épices envahissent le nez, tandis qu'en bouche les tanins jouent les vedettes, soutenant encore massivement la chair puissante. Prenez patience.

Didier Morion, Epitaillon, 42410 Chavanay, tél. 04.74.87.26.33, fax 04.74.48.23.57, e-mail domaine.didier.morion@cegetel.net r.-v.

OGIER CAVES DES PAPES Les Chaillés 2004 ★

■ 9 ha 45 300 8 à 11 €

Un vin harmonieux quoique timide encore. Des tanins enrobés lui assurent une bonne structure tout en respectant l'expression d'une matière ronde et enveloppante. D'un bout à l'autre de la dégustation pointent des arômes de pruneau et de myrtille, associés à la violette typique de la syrah. Pour des viandes grillées.

Ogier-Caves des Papes, 10, av. Louis-Pasteur, BP 75, 84232 Châteauneuf-du-Pape Cedex, tél. 04.90.39.32.32, fax 04.90.83.72.54, e-mail ogiercavesdespapes@ogier.fr r.-v.

LE PARADIS SAINT-PIERRE 2004 ★★

■ 0,8 ha 3 000 23 à 30 €

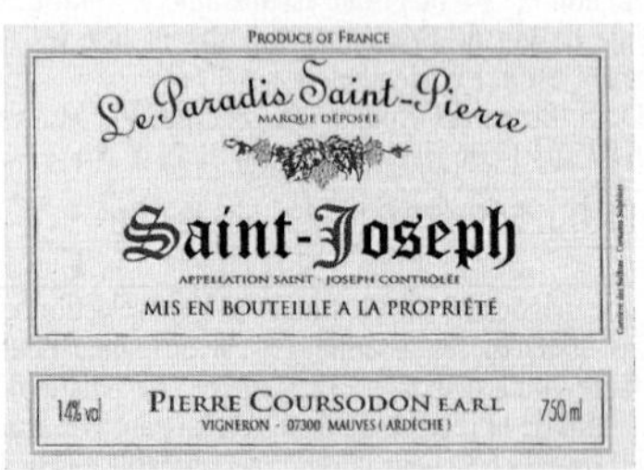

Abonné au coup de cœur, ce domaine mène à nouveau les amateurs de saint-joseph... au paradis. Ce vin, issu de vignes de quatre-vingts ans, n'a subi aucune filtration. Il y a de la profondeur dans la teinte pourpre, de même que dans les arômes : épices, notes fumées, fraise mûre donnent envie d'y croquer à pleines dents. L'équilibre et la concentration sont réunis au palais ; les tanins soyeux et une longue finale vous invitent à un voyage aromatique.

EARL Pierre Coursodon, pl. du Marché, 07300 Mauves, tél. 04.75.08.18.29, fax 04.75.08.75.72, e-mail pierre.coursodon@wanadoo.fr r.-v.

ALAIN PARET 420 Nuits 2004 ★

■ 3 ha 11 300 15 à 23 €

Le vieillissement en fût de chêne neuf est une règle chez ce producteur régulièrement présent dans le Guide. Alain Paret a d'ailleurs restauré une ancienne cave voûtée pour y mener l'élevage de ses vins. Toujours aux avant-postes, il a élaboré un 2004 encore marqué de reflets violets, signe de jeunesse. Au nez grillé, toasté, agrémenté de baies rouges macérées ou compotées et d'épices, répond une bouche dominée par le bois mais non dénuée de fraîcheur ni de puissance. Un avenir de cinq ans au moins peut être prédit à cette bouteille.

Alain Paret, pl. de l'Église, 42520 Saint-Pierre-de-Bœuf, tél. 04.74.87.12.09, fax 04.74.87.17.34 r.-v.

ANDRÉ PERRET 2004

0,6 ha 2 500 8 à 11 €

La marsanne a été l'un des premiers cépages plantés sur ce domaine lorsque, en 1982, André Perret a décidé de développer le vignoble familial. Elle entre à parts égales avec la roussanne dans ce saint-joseph qui a hérité, d'un élevage d'un an en fût, de notes fumées et grillées en contrepoint des arômes floraux et miellés. L'équilibre se réalise entre douceur et fraîcheur, et la finale minérale est élégante.

André Perret, 17, RN 86, Verlieu, 42410 Chavanay, tél. 04.74.87.24.74, fax 04.74.87.05.26, e-mail andre.perret@terre-net.fr r.-v.

DOM. RICHARD 2004

0,7 ha 3 800 8 à 11 €

Martial Richard pratiquait la polyculture dans les années 1950 ; ce n'est qu'en 1980 que le domaine s'orienta vers la production de saint-joseph, avec l'arrivée d'Hervé Richard. Ce vin s'adresse aux amateurs de vins boisés : nez toasté, vanillé ; bouche ronde, dans la même gamme aromatique. La finale fraîche laisse sur une bonne impression.

Hervé et Marie-Thérèse Richard, 3, RN 86, Verlieu, 42410 Chavanay, tél. 04.74.87.07.75, fax 04.74.87.05.09, e-mail earl.caverichard@42.sideral.fr r.-v.

ÉRIC ROCHER Terroir de Champal 2004 ★

■ 3,5 ha 11 000 11 à 15 €

Une pointe de roussanne (3 %), cépage blanc, entre dans l'élaboration de ce vin, mais la syrah imprime bel et bien tous ses caractères à ce saint-joseph : des reflets violines, des arômes de violette avec une pointe de menthol. Ici, tout se joue dans la finesse, autour d'une matière ronde, dotée d'une pointe de fraîcheur en finale. Vous pourrez servir cette bouteille avec une côte à l'os grillée au four, garnie de champignons.

Éric Rocher, Dom. de Champal, quartier Champal, 07370 Sarras, tél. 04.78.34.21.21, fax 04.78.34.30.60, e-mail vignobles.rocher@wanadoo.fr r.-v.

CAVE SAINT-DÉSIRAT Septentrio 2004 ★★

■ 8 ha 40 000 8 à 11 €

Cette coopérative vient d'absorber la cave de Sarras ; elle devient ainsi un acteur clé de l'appellation. Un défi qu'elle devrait savoir relever si l'on en juge par ce vin. Aucune volonté de montrer ses muscles, mais plutôt celle d'envelopper le palais d'une chair souple et ronde, persistante. Les arômes de cerise, de chocolat, de cannelle et de poivre se libèrent généreusement de la robe rouge profond. Un saint-joseph qui s'exprime crescendo. La **cuvée Champtenaud 2003 rouge Élevé en fût de chêne**, tout en finesse, reçoit une étoile.

Cave Saint-Désirat, 07340 Saint-Désirat, tél. 04.75.34.22.05, fax 04.75.34.30.10, e-mail cave.saint.desirat@wanadoo.fr r.-v.

CAVE DE TAIN Esprit de Granit 2003 ★★

■ n.c. 25 000 ⊕ 11 à 15 €

Un vin qui a fait l'unanimité au sein du jury pour son caractère festif. Certains le conseillent avec un pot-au-feu... Et pourquoi pas ? Élégant par ses arômes de cassis mûr et même très mûr, il est soutenu par une agréable fraîcheur et une bonne structure jusqu'à une longue finale. La cuvée **Terre de violette 2004 rouge (8 à 11 €)**, tout aussi équilibrée, reçoit une étoile, de même que **Les Perdrigolles 2004 rouge (8 à 11 €)**, saint-joseph prometteur.

Cave de Tain-l'Hermitage, 22, rte de Larnage, 26603 Tain-l'Hermitage Cedex, tél. 04.75.08.20.87, fax 04.75.07.15.16, e-mail contact@cavedetain.com

r.-v.

DOM. DU TUNNEL 2004 ★

■ 2 ha 8 000 ⊕ 11 à 15 €

Un élevage en barrique de cinq vins pendant quatorze mois a façonné ce 2004 flatteur, à apprécier dès maintenant. Les dégustateurs ont perçu beaucoup de finesse dans les arômes intenses de violette et de framboise comme dans la douce fraîcheur qui enveloppe le palais dont la structure est souple.

Stéphane Robert, Dom. du Tunnel, 20, rue de la République, 07130 Saint-Péray, tél. 04.75.80.04.66, fax 04.75.80.06.50, e-mail caveau@domaine-du-tunnel.com

t.l.j. sf dim. 14h-18h30

DOM. GEORGES VERNAY
La Dame brune 2003 ★

■ 0,5 ha 2 000 ⊕ 23 à 30 €

Des vignes de syrah de quarante-cinq ans en moyenne ont donné naissance à cette Dame vêtue de rubis. Des arômes de fruits rouges mûrs, presque confiturés, laissent une impression chaleureuse jusqu'en finale, reflet du millésime 2003. Un travail rigoureux du bois lui donne une élégante structure et des notes de torréfaction bien assimilées. Mariez cette bouteille à un pavé de biche aux airelles.

Dom. Georges Vernay, 1, rte Nationale, 69420 Condrieu, tél. 04.74.56.81.81, fax 04.74.56.60.98, e-mail pa@georges-vernay.fr r.-v.

LES VINS DE VIENNE 2004

■ 6 ha 30 000 ⊕ 8 à 11 €

Une maison de négoce qui poursuit intelligemment son chemin depuis sa création en 1998. Son saint-joseph, d'un rouge profond, dévoile des arômes de réglisse, de fruits rouges et d'épices, le boisé enrobant le tout. Une bonne fraîcheur due à un caractère mentholé s'associe à une structure équilibrée. **L'Élouède 2004 blanc (11 à 15 €)**, jugé très classique, est également cité.

Les Vins de Vienne, 1108, rte de Roche-Couloure, Le Bas-Seyssuel, 38200 Seyssuel, tél. 04.74.85.04.52, fax 04.74.31.97.55, e-mail vdv@lesvinsdevienne.fr

r.-v.

FRANÇOIS VILLARD Reflet 2004 ★★

■ 2,5 ha 10 000 ⊕ 23 à 30 €

Une étiquette qui ne manquera pas de créer le débat à votre table par le petit texte de François Villard. Les dégustateurs ne l'ont pas lu, bien sûr, lors de leur analyse du vin à l'aveugle. Ils ont juste retenu la puissance et la typicité de ce 2004. D'un noir profond, celui-ci libère des senteurs de pruneau, d'épices et de torréfaction, avec une touche animale. L'attaque est souple, la bouche ronde et structurée. Cette bouteille a tous les atouts pour vieillir au moins cinq ans. La cuvée **Mairlant 2004 blanc (15 à 23 €)**, remarquée pour son nez fin de fruits et fleurs blanches, soutenu par un boisé fin, reçoit une étoile.

François Villard, Montjoux, 42410 Saint-Michel-sur-Rhône, tél. 04.74.56.83.60, fax 04.74.56.87.78, e-mail vinsvillard@wanadoo.fr

r.-v.

Crozes-hermitage

Cette appellation, couvrant des terrains moins difficiles à cultiver que ceux de l'hermitage, s'étend sur onze communes environnant Tain-l'Hermitage. C'est le plus grand vignoble des appellations septentrionales : la superficie de production est de 1 311 ha et le volume a représenté 55 954 hl en rouge et 4 725 hl en blanc en 2005. Les sols, plus riches que ceux de l'hermitage, donnent des vins moins puissants, fruités et à servir jeunes. Rouges, ils sont assez souples et aromatiques ; blancs, ils sont secs et frais, légers en couleur, à l'arôme floral, et, comme les hermitage blancs, ils iront parfaitement sur les poissons d'eau douce.

DOM. BERNARD ANGE 2005 ★★

□ 0,8 ha 4 000 ⊕ 8 à 11 €

Un habitué du Guide qui nous fait la surprise de se distinguer grâce à un vin blanc, alors que les vins de ce domaine brillent habituellement en rouge. Élaboré à partir de 80 % de roussanne, ce 2005 affiche un caractère harmonieux en alliant élégamment les nuances vanillées du bois à des arômes de fleurs blanches et de fruits blancs. Un vrai travail d'orfèvre que cette palette d'arômes fournie. La bouche n'est pas en reste, ronde, fine et persistante. Vous serez tenté de savourer cette bouteille dès aujourd'hui ; pourtant, une petite garde de deux ans lui permettrait de se magnifier encore davantage.

Bernard Ange, Pont-de-l'Herbasse, 26260 Clérieux, tél. et fax 04.75.71.62.42

t.l.j. sf dim. 9h-12h15 13h30-19h

ARNOUX ET FILS Petites Collines 2003 ★

■ 3 ha 15 000 8 à 11 €

L'histoire viticole de la famille Arnoux a débuté en 1717, lorsque le seigneur de Lauris lui fit don d'une parcelle de vignes. Depuis, l'activité s'est largement étendue dans différentes appellations du Rhône, Aimé Arnoux s'étant lancé en 1936 dans le négoce. Des arômes de cassis mûr entourent ce vin vêtu d'une robe noire limpide. Après une attaque puissante, il trouve appui sur des tanins encore fougueux, mais disposés à se fondre dans les deux ans à venir. En finale, le côté fruit mûr persiste longuement.

🔑 Arnoux et Fils, Cave du Vieux Clocher,
84190 Vacqueyras, tél. 04.90.65.84.18,
fax 04.90.65.80.07, e-mail info@arnoux-vins.com
☑ Y ⛹ t.l.j. sf dim. 9h-12h 14h-18h 🏠 4 🏠 G

DOM. BELLE Les Pierrelles 2004

■ 10,5 ha 53 000 ⓘ 8 à 11 €

Philippe Belle a repris ce domaine de 20,5 ha en 2003. Son vin retient l'attention par son nez de kirsch et de pruneau associés à la réglisse, aux fruits secs et à une touche vanillée. D'un abord souple, il s'achève cependant sur des notes boisées et l'expression de quelques tanins. Le **Domaine Belle 2004 blanc (11 à 15 €)**, dominé par le bois, est également cité.

🔑 Philippe Belle, Dom. Belle, quartier Les Marsuriaux,
26600 Larnage, tél. 04.75.08.24.58, fax 04.75.07.10.58,
e-mail domaine-belle@wanadoo.fr ☑ Y r.-v.

DOM. ROLAND BETTON 2004 *

■ 2,6 ha 16 000 ⓘ 8 à 11 €

Après une citation dans le Guide précédent, ce domaine monte un échelon en obtenant cette étoile pour son 2004. Une macération à froid a permis d'obtenir des arômes de fruits rouges frais, acidulés et croquants. La structure est de qualité, l'équilibre entre gras et fraîcheur très réussi. De la finesse dans cette syrah.

🔑 Roland Betton, Les Châssis, RN 7,
26600 La Roche-de-Glun, tél. 04.75.84.70.40,
fax 04.75.84.13.07 ☑ Y ⛹ r.-v.

BROTTE Les Coteaux de Gervans 2004 **

■ 1,5 ha 4 000 ⓘ 11 à 15 €

C'est un vin de partenariat qu'élabore ce négociant de Châteauneuf avec Aimé et Pascal Fayolle. Les raisins proviennent de deux parcelles situées sur des coteaux exposés sud-ouest. Les arômes de fruits rouges s'expriment intensément, associés à de la violette, tandis qu'au palais l'équilibre se réalise entre des tanins fondus et une chair ample, toute empreinte de fruits.

🔑 Brotte, Le Clos, rte d'Avignon, BP 1,
84230 Châteauneuf-du-Pape, tél. 04.90.83.70.07,
fax 04.90.83.74.34, e-mail brotte@brotte.com
☑ Y ⛹ t.l.j. 9h-12h 14h-18h; été 9h-13h 14h-19h

DOM. LES BRUYÈRES
Les Croix Vieilles Vignes 2004 *

■ 4 ha 15 000 ⓘ 8 à 11 €

En agriculture biologique depuis 2000, cette exploitation familiale est en biodynamie depuis 2005. Après une entrée dans le Guide l'an passé, elle retrouve une bonne place aujourd'hui. Cette cuvée, issue de vignes de cinquante ans et élevée douze mois en fût, a tous les atouts pour se développer dans les trois ans à venir. Elle propose un bouquet de fruits, d'épices et de sous-bois (mousse et lichens), puis révèle une structure élégante, finement boisée. La **cuvée Georges Reynaud 2004 rouge**, fruitée, obtient la même note.

🔑 David Reynaud, Dom. Les Bruyères,
chem. du Stade, 26600 Beaumont-Monteux,
tél. 04.75.84.74.14, fax 04.75.84.14.06,
e-mail david.reynaud2@free.fr ☑ Y ⛹ r.-v.

YANN CHAVE Le Rouvre 2004 **

■ 4,8 ha 21 500 ⓘ 15 à 23 €

Yann Chave ne vend pas à la propriété, mais il est tout disposé à vous donner les adresses des cavistes chez lesquels vous trouverez cette remarquable bouteille. Un côté friand, mais aussi un côté réservé en fin de bouche signalent qu'une garde de trois ans permettra au vin de s'épanouir davantage. D'ores et déjà, des arômes de petits fruits frais (cassis, myrtille), intenses, enveloppés de notes fumées et toastées marquent la palette. Au palais, la charpente est solide, rehaussée d'une juste fraîcheur.

🔑 Yann Chave, La Burge, 26600 Mercurol,
tél. 04.75.07.42.11, fax 04.75.07.47.34,
e-mail chaveyann@free.fr

DOM. LES CHENÊTS Mont Rousse 2004 *

■ 1 ha 4 500 ⓘ 8 à 11 €

Une petite production d'un crozes-hermitage rubis franc, qui fait preuve d'intensité par ses arômes de fruits à l'eau-de-vie et de vanille. Des tanins présents, mais souples lui apportent une bonne structure avec, en contrepoint, une juste fraîcheur et un fruité persistant. Un vin déjà agréable.

🔑 Étienne Berthoin, Dom. Les Chenêts,
26600 Mercurol, tél. 04.75.07.48.28, fax 04.75.07.45.60
☑ Y ⛹ t.l.j. 8h-12h 14h-19h; dim. sur r.-v.

CAVE DES CLAIRMONTS
Cuvée des Pionniers 2003 **

■ 2 ha 12 000 ⓘ 8 à 11 €

Créée en 1992 en hommage aux fondateurs, Joseph Borja et Léon Defrance, cette cuvée donne une haute idée de la cave. Grenat à reflets noirs, elle parvient à marier les tanins et les arômes de fruits si harmonieusement qu'il en résulte un caractère suave. Les fruits noirs et la réglisse s'associent dans une longue finale, ajoutant à la complexité de l'ensemble. Un crozes-hermitage prêt à rejoindre la table. La cuvée principale **Cave des Clairmonts 2004 rouge (5 à 8 €)** est citée pour son caractère franc et élégant.

🔑 SCA Cave des Clairmonts, Vignes Vieilles,
26600 Beaumont-Monteux, tél. 04.75.84.61.91,
fax 04.75.84.56.98,
e-mail contact@cavedesclairmonts.com
☑ Y ⛹ t.l.j. sf dim. 9h-12h 14h-18h

DOM. DU COLOMBIER Cuvée Gaby 2004 **

■ 4 ha 18 000 ▮ 15 à 23 €

Florent Viale, fort de 16 ha de vignes, a commencé à élaborer son propre vin en 1991, alors que son père vendait ses vendanges à la maison Guigal. Sa réputation n'est plus à faire. Nouveau succès avec cette cuvée Gaby de présentation impeccable, noire à nuances violines. Le nez déjà ouvert mêle les arômes de fruits noirs mûrs, la violette, les épices et la réglisse. Puis le palais harmonieux laisse le souvenir d'un vin pulpeux et gourmand. À savourer dès à présent ou à attendre trois ans. Le **Domaine du Colombier 2004 blanc (11 à 15 €)**, riche et complexe, reçoit une étoile.

🔑 SCEA Viale, Dom. du Colombier,
2, rte de Chantemerle-les-Blés - Mercurol,
26600 Tain-l'Hermitage, tél. 04.75.07.44.07,
fax 04.75.07.41.43 ☑ Y ⛹ r.-v.

DOM. COMBIER Clos des Grives 2004 *

■ 5 ha 21 000 ⓘ 15 à 23 €

Le Clos des Grives est le porte-drapeau de la production de Laurent Combier. Grenat profond, le 2004 libère des arômes intenses, mais fins de sous-bois et de truffe, sans oublier le fruité, tandis qu'au palais il se montre ample et rond, de bonne longueur sur des notes de moka.

Il vous faudra simplement attendre que les tanins se fondent pour un plaisir optimal. Le **Domaine Combier 2004 rouge (11 à 15 €)**, gras et fruité, obtient la même note.
🔑 Dom. Combier, RN 7, 26600 Pont-de-l'Isère, tél. 04.75.84.61.56, fax 04.75.84.53.43, e-mail domaine-combier@wanadoo.fr ☑ 🍷 🚶 r.-v.

CH. CURSON 2005 ★

	1 ha	5 000	⏺	11 à 15 €

Propriété familiale depuis plus de deux cent trente ans, comme l'atteste un bail établi par un notaire royal en 1774, ce château de la fin du XVI[e]s. possède plusieurs caves voûtées. Un élevage de quatre mois en fût a suffi à donner à ce vin or pâle une palette vanillée et florale. D'une grande rondeur, le palais finit sur une note de fraîcheur, alliant harmonieusement le bois et le fruit blanc. Un crozes-hermitage authentiquement élégant qui devrait s'épanouir encore dans les deux ans.
🔑 Dom. Pochon, Ch. de Curson, 26600 Chanos-Curson, tél. 04.75.07.34.60, fax 04.75.07.30.27, e-mail domainespochon@wanadoo.fr ☑ 🍷 🚶 r.-v.
🔑 SCI du Château

EMMANUEL DARNAUD
Les Trois Chênes 2004 ★

■	n.c.	20 000	⏺	11 à 15 €

Emmanuel Darnaud conduit ce domaine de 5 ha depuis 2001 et exporte déjà la moitié de sa production outre-Manche, outre-Atlantique et jusqu'au Japon. Ce vin d'un noir intense et brillant évoque le bourgeon et le fruit du cassis, nuancé d'une légère empreinte boisée. Il joue de sa charmante souplesse et de son fruité croquant au palais pour procurer un plaisir immédiat. Le **2004 blanc**, riche en arômes et ample, reçoit lui aussi une étoile.
🔑 Emmanuel Darnaud, 21, rue du Stade, lot Rémy Sottet, 26600 La Roche-de-Glun, tél. et fax 04.75.84.81.64 ☑ 🍷 🚶 r.-v.

DELAS Les Launes 2003 ★★

■	n.c.	92 000	🛢⏺	8 à 11 €

De nombreux investissements ont été réalisés dans cette maison de négoce sélectionnée par le jury du Guide dans plusieurs appellations de la vallée du Rhône septentrionale. Les installations de Saint-Jean-de-Muzols ont ainsi été totalement rénovées. Devant ce vin fruité qui emplit la bouche de sa fraîcheur, un dégustateur s'exclame : « Quelle jeunesse ! » La structure permet d'envisager une évolution favorable dans le temps, mais un service immédiat n'est pas interdit. La **Tour d'Albon 2003 rouge (11 à 15 €)**, au fruité mûr, reçoit également deux étoiles tandis que **Les Launes 2004 blanc**, très cire d'abeille, gras et concentré, brille d'une étoile.
🔑 Delas Frères, ZA de l'Olivet, 07300 Saint-Jean-de-Muzols, tél. 04.75.08.92.97, fax 04.75.08.53.67, e-mail detail@delas.com ☑ 🍷 🚶 r.-v.
🔑 Champagne Deutz

FAYOLLE FILS ET FILLE Les Pontaix 2004

■	3 ha	18 000	⏺	8 à 11 €

Laurent Fayolle peut s'appuyer sur la longue expérience familiale de la vente aux particuliers, puisque la première mise en bouteilles dans ce domaine remonte à 1959. Il a repris les commandes en 2000 et s'est efforcé depuis de mettre en valeur les 8 ha de vignes. Son 2004 libère des arômes intenses de fruits rouges et noirs, complétés d'une touche boisée. L'attaque est franche, la bouche équilibrée, quoique marquée encore de quelques tanins. Il ne servirait à rien d'attendre trop longtemps cette bouteille : profitez-en dès cette fin d'année.
🔑 Cave Fayolle Fils et Fille, 9, rue du Ruisseau, 26600 Gervans, tél. 04.75.03.33.74, fax 04.75.03.32.52, e-mail laurent@cave-fayolle.com ☑ 🍷 🚶 r.-v.

FERRATON PÈRE ET FILS La Matinière 2004 ★

■	n.c.	25 000	🛢⏺	8 à 11 €

Samuel Ferraton a repris en 1994 la maison fondée par son grand-père, Jean Ferraton, en 1946. S'il travaille aujourd'hui en partenariat avec la maison Chapoutier, il n'en imprime pas moins son empreinte sur les vins. En témoigne cette cuvée structurée, encore timide certes, mais non dénuée d'arômes de fruits rouges macérés et de poivre. Après une attaque souple, elle joue de la puissance de ses tanins tout en développant une chair ample, suffisamment persistante.
🔑 Ferraton Père et Fils, 13, rue de la Sizeranne, 26600 Tain-l'Hermitage, tél. 04.75.08.59.51, fax 04.75.08.81.59, e-mail s.ferraton@ferraton.fr ☑ 🍷 🚶 r.-v.

DOM. DES HAUTS CHÂSSIS Les Galets 2004 ★★

■	5 ha	22 000	⏺	8 à 11 €

Propriété familiale depuis trois cents ans, ce domaine couvre 13 ha. Franck Faugier a choisi de sortir de la coopérative et de vinifier lui-même en 2003. Après une entrée dans le Guide avec une étoile l'an passé, le vigneron et l'œnologue des Hauts Châssis confirment leur talent. Rubis, ce crozes-hermitage puissant bénéficie de tanins fins et ronds ; le boisé équilibré respecte un fruité persistant, accompagné d'épices.
🔑 Franck Faugier, Dom. des Hauts Châssis, 26600 La Roche-de-Glun, tél. et fax 04.75.84.50.26, e-mail domaine.des.hauts.chassis@wanadoo.fr ☑ 🍷 🚶 r.-v.

LES JALETS 2004 ★

■	n.c.	n.c.	🛢	8 à 11 €

Les jalets désignent localement les galets roulés d'origine glaciaire, tels ceux qui couvrent les sols de ce vignoble de 6 ha situé au lieu-dit éponyme. La maison Jaboulet qui vient d'être acquise par le groupe Frey élabore ce crozes-hermitage qui, dans le millésime 2004, apparaît encore jeune, brillant de reflets violets sur fond rubis profond. Des tanins serrés lui offrent une charpente aussi puissante que celle d'un château médiéval. À l'intérieur d'un beau volume, des arômes de fruits noirs bien mûrs (cassis) viennent enchanter les sens. À attendre.

Paul Jaboulet Aîné, Les Jalets, RN 7,
26600 La Roche-de-Glun, tél. 04.75.84.68.93,
fax 04.75.84.56.14, e-mail info@jaboulet.com
r.-v.
M. Frey

DOM. DES MARTINELLES 2004 ★★

1,2 ha 3 100 8 à 11 €

Au domaine des Martinelles, les vins sont élevés dans des demi-muids (600 l). Il en est ainsi de ce 2004 à dominante de marsanne (95 %) « vinifié dans les règles de l'art », selon l'ensemble du jury séduit par la robe or pâle brillant, les arômes intenses de fleurs blanches et de fruits frais qui persistent longtemps au palais. Un vin d'un remarquable équilibre, parfaitement fondu, qui séduira les plus impatients, mais qui saura aussi réserver des surprises aux plus patients.

Dom. des Martinelles, 2, rte des Vignes,
26600 Gervans, tél. et fax 04.75.07.70.60,
e-mail contacts@domaine-des-martinelles.fr r.-v.
Pascal et Aimé Fayolle

DOM. MICHELAS-SAINT JEMMS
La Chasselière 2004

3 ha 3 950 8 à 11 €

Un vin d'approche facile et bien présenté dans sa robe rouge à reflets noirs. Il décline des arômes de cassis et de violette, avec un soupçon de menthol rafraîchissant au nez, puis offre une chair ronde et réglissée, soutenue par des tanins souples, déjà amènes. Un dégustateur recommande de le servir frais.

Dom. Michelas-Saint-Jemms, Bellevue, Les Châssis,
26600 Mercurol, tél. 04.75.07.86.70, fax 04.75.08.69.80,
e-mail michelas.st.jemms@wanadoo.fr r.-v.

DOM. MUCYN 2004

0,5 ha 3 000 8 à 11 €

Quittant le monde de l'industrie pour vivre sa passion, Jean-Pierre Mucyn s'est formé à Beaune avant de s'installer dans cet ancien relais de bateliers construit vers 1750. Il rentre sur la pointe des pieds pour sa première présentation au Guide. Il vous faudra attendre pour apprécier totalement ce 2004 car le bois est actuellement très présent. Néanmoins, dans un écrin jaune d'or, le vin laisse éclater des arômes puissants d'acacia.

Dom. Mucyn, quartier des Îles, 26600 Gervans,
tél. et fax 04.75.03.34.52, e-mail mucyn@club-internet.fr
t.l.j. sf dim. 9h-12h 13h-19h

DOM. DU MURINAIS Vieilles Vignes 2004

6 ha 30 000 8 à 11 €

Fini le temps où la vendange était portée à la cave coopérative. Depuis 1998, ce domaine élabore ses propres vins à partir de 14 ha de vignes. Celui-ci est un 2004 simple à déguster, déjà marqué par des notes d'évolution. Il est plaisant par ses arômes de fruits rouges confiturés et sa souplesse.

Dom. du Murinais, quartier Champ-Bernard,
26600 Beaumont-Monteux, tél. 04.75.07.34.76,
fax 04.75.07.35.91 r.-v.

J. ET J.-L. PRADELLE Les Hirondelles 2003 ★★

4 ha 10 000 11 à 15 €

Jacques et Jean-Louis Pradelle fêtent leurs trente ans à la tête de cette propriété de 9 ha. Après les deux étoiles obtenues l'an passé pour leur 2004 blanc, ils proposent un crozes-hermitage rouge tout aussi remarquable. Il suffit d'aérer le verre pour que surgissent les arômes de myrtille, de mûre et de burlat : une vraie gourmandise. Le boisé ne vient qu'après, comme un soutien. Certes, ce vin fait preuve de puissance, mais l'équilibre se réalise et le fruité persiste longuement, nuancé d'une note fumée en finale. Vous le savourerez dès maintenant tout en conservant quelques bouteilles pour les trois prochaines années.

GAEC Pradelle, 26600 Chanos-Curson,
tél. 04.75.07.31.00, fax 04.75.07.35.34,
e-mail domainepradelle@yahoo.fr
t.l.j. sf dim. 8h-12h 14h-18h

DOM. DES REMIZIÈRES Cuvée particulière 2004 ★

6 ha 25 000 8 à 11 €

Au début des années 1970, le fruit de cette propriété familiale d'à peine 4 ha était vendu en cave coopérative. Aujourd'hui, 30 ha constituent son patrimoine en hermitage et en crozes-hermitage. De teinte grenat foncé à reflets noirs et d'aspect velouté, ce vin apparaît puissant par ses arômes de raisin frais et de mûre, d'épices (poivre) et d'encre de Chine, accompagnés d'une note de menthol. Sa structure et sa chair dense sont un gage d'évolution favorable dans le temps. La **cuvée Christophe 2004 blanc (11 à 15 €)** reçoit une étoile pour sa concentration, tout comme la **Cuvée particulière 2004 blanc**, appréciée pour son élégance.

Cave Desmeure, Dom. des Remizières,
rte de Romans, 26600 Mercurol, tél. 04.75.07.44.28,
fax 04.75.07.45.87,
e-mail desmeure.philippe@wanadoo.fr r.-v.

GILLES ROBIN Cuvée Albéric Bouvet 2004 ★

10 ha 30 000 11 à 15 €

Ce jeune domaine fête en 2006, ses dix ans d'existence. Il propose un vin souple, dont les tanins fondus s'agrémentent de notes vanillées et réglissées héritées d'un élevage bien maîtrisé. Équilibre et finesse sont les maîtres mots de la dégustation, si bien que l'on pourra servir dès à présent cette bouteille ou bien l'attendre trois ans.

Gilles Robin, Les Châssis Sud, RN 7,
26600 Mercurol, tél. 04.75.08.43.28, fax 04.75.08.43.64,
e-mail gillesrobin@wanadoo.fr r.-v.

ÉRIC ROCHER Chaubayou 2004

2,2 ha 11 000 8 à 11 €

Vingt ans durant, Éric Rocher n'a eu de cesse de défricher pour planter la vigne sur les sols rocailleux. Il possède aujourd'hui près de 25 ha. Son 2004 présente une légère austérité à ce jour, mais on perçoit un bon potentiel. C'est une syrah toute jeune, aux légers arômes de fruits noirs, qui devra s'affirmer dans les deux ans à venir.

Éric Rocher, Dom. de Champal, quartier Champal,
07370 Sarras, tél. 04.78.34.21.21, fax 04.78.34.30.60,
e-mail vignobles.rocher@wanadoo.fr r.-v.

CAVE DE TAIN 2004 ★

n.c. 1 000 000 5 à 8 €

Cette grande structure de production propose dans cette AOC trois vins bien notés par le jury. Ce 2004 est encore marqué par l'élevage sous bois. Pourtant, il possède des atouts : du gras, de la fraîcheur, des arômes de fruits rouges et d'épices de bonne intensité. Il faut juste l'attendre un peu. La cuvée **Les Perdrigolles 2004 rouge**, qui présente un beau volume, obtient une étoile également, de même que la cuvée **Blason 2004 rouge**, ornée d'un blason rouge.

Cave de Tain-l'Hermitage, 22, rte de Larnage, 26603 Tain-l'Hermitage Cedex, tél. 04.75.08.20.87, fax 04.75.07.15.16, e-mail contact@cavedetain.com r.-v.

CHARLES ET FRANÇOIS TARDY
Les Machonnières 2004 ★★

4 ha 8 000 11 à 15 €

Ce domaine a souvent décroché des coups de cœur en années impaires du Guide. Jugez-en : éditions 2003, 2005 et... 2007. Les superlatifs ne manquent pas dans les commentaires de dégustation. La conduite rigoureuse de l'élevage a permis d'obtenir un vin souple, porté sur les fruits plutôt que sur le bois, tandis que la vendange de qualité s'est traduite par une chair ronde, ample et longue. La cuvée **Les Pends 2004 rouge (8 à 11 €)**, issue de vignes plus jeunes, reçoit une étoile ; le boisé est davantage présent.

Dom. des Entrefaux, quartier de La Beaume, 26600 Chanos-Curson, tél. 04.75.07.33.38, fax 04.75.07.35.27
t.l.j. sf dim. 9h-12h 14h-18h, f. sam. à 17h

CAVE DE LA VISITATION Les Sarralières 2004

3 ha 12 000 **8 à 11 €**

Cette maison familiale, implantée à Condrieu depuis 1873, propose une cuvée à l'attaque fraîche et fruitée, nuancée de notes de fruits secs et de réglisse. Souple, c'est un crozes-hermitage friand, tout disposé à accompagner un cervelas en brioche.

Vins Dénuzière, 73, rue Nationale, 69420 Condrieu, tél. 04.74.59.50.33, fax 04.74.56.61.01, e-mail vins.denuziere@wanadoo.fr r.-v.

Hermitage

Le coteau de l'Hermitage, très bien exposé au sud, est situé au nord-est de Tain-l'Hermitage. La culture de la vigne y remonte au IVe s. av. J.-C., mais on attribue l'origine du nom de l'appellation au chevalier Gaspard de Sterimberg qui, revenant de la croisade contre les Albigeois en 1224, décida de se retirer du monde. Il édifia un ermitage, défricha et planta de la vigne.

L'appellation couvre 135 ha. Le massif de Tain est constitué à l'ouest d'arènes granitiques, terrain idéal pour la production de vins rouges (les Bessards). Dans les parties est et sud-est, formées de cailloutis et de lœss, se trouvent les zones ayant vocation à produire des vins blancs (les Rocoules, les Murets).

L'hermitage rouge (3 097 hl en 2005) est un vin tannique, extrêmement aromatique, qui demande un vieillissement de cinq à dix ans, voire vingt ans, avant de développer un bouquet d'une richesse et d'une qualité rares. C'est donc un très grand vin de garde, que l'on servira entre 16 °C et 18 °C, sur le gibier ou les viandes rouges goûteuses. L'hermitage blanc (1 198 hl) – roussanne, et surtout marsanne – est un vin très fin, peu acide, souple, gras et parfumé. Il peut être apprécié dès la première année, mais atteindra son plein épanouissement après un vieillissement de cinq à dix ans. Cependant les grandes années, en blanc comme en rouge, peuvent supporter un vieillissement de trente ou quarante ans.

DOM. BELLE 2003 ★

0,5 ha 1 800 **30 à 38 €**

En 1987, Philippe Belle a rejoint le domaine familial ; trois ans plus tard, il quittait le système coopératif pour vendre sa propre production comme le faisait déjà son arrière-grand-père. Issu d'un tiers de roussanne et de deux tiers de marsanne, ce 2003, élevé douze mois en fût, révèle des notes de miel et de noix de cajou qui se prolongent en bouche. On perçoit à la fois de la délicatesse et de la structure dans ce vin rond. Un bel exercice de style.

Philippe Belle, Dom. Belle, quartier Les Marsuriaux, 26600 Larnage, tél. 04.75.08.24.58, fax 04.75.07.10.58, e-mail domaine-belle@wanadoo.fr r.-v.

DOM. ROLAND BETTON 2004

0,13 ha 600 **15 à 23 €**

Cet hermitage, issu de marsanne, a bénéficié d'un élevage de dix mois en fût. Il présente des arômes boisés (vanille) dominant tant au nez qu'au palais. Certes, il faut attendre que cette empreinte se fonde, mais les atouts ne manquent déjà pas : du gras, de la fraîcheur et de la longueur.

Roland Betton, Les Châssis, RN 7, 26600 La Roche-de-Glun, tél. 04.75.84.70.40, fax 04.75.84.13.07 r.-v.

M. CHAPOUTIER Le Méal 2004 ★★

n.c. 5 800 **+ de 76 €**

De la marsanne pure, plus que centenaire, sur sol d'alluvions fluvioglaciaires, offre son fruit à cet hermitage distingué, couleur paille soutenu. Celui-ci laisse échapper des arômes complexes de fleurs (acacia, tilleul), de fruits confits et un boisé miellé. Il fait preuve d'ampleur au palais, tant et si bien que la finale s'étire longuement sur un boisé fin. De la délicatesse et de la concentration : du grand art. La cuvée **Chante-Alouette 2004 blanc (30 à 38 €)**, très florale et dotée d'une légère amertume en finale, est citée tout comme le **crozes-hermitage Les Meyssonniers 2004 (8 à 11 €)**, à servir dans sa jeunesse.

Maison M. Chapoutier, 18, av. du Dr-Paul-Durand, BP 38, 26601 Tain-l'Hermitage Cedex, tél. 04.75.08.28.65, fax 04.75.08.81.70, e-mail chapoutier@chapoutier.com
t.l.j. 9h-12h30 14h-19h; groupes sur r.-v.

DOM. JEAN-LOUIS CHAVE 2003 ★★★

n.c. n.c. + de 76 €

Au XVes. déjà, les Chave cultivaient la vigne à Mauves. Gérard et son fils Jean-Louis dirigent aujourd'hui ce domaine de 12 ha titulaire de nombreux coups de cœur et dont la réputation dépasse depuis longtemps les frontières de l'Europe. Marsanne à 80 % et roussanne composent ce vin élevé dans des fûts de chêne du Limousin. L'élégance est le leitmotiv de la dégustation. Raffinement de la robe jaune paille. Délicatesse des arômes de verveine et d'iris. Travail d'orfèvre qui se traduit par une chair ample et souple, d'une incroyable fraîcheur.

Jean-Louis Chave, 37, av. du Saint-Joseph, 07300 Mauves, tél. 04.75.08.24.63, fax 04.75.07.14.21

DOM. JEAN-LOUIS CHAVE 2003 ★★

n.c. n.c. + de 76 €

Jean-Louis Chave a fait de l'usage de fûts neufs une habitude de la maison pour la production des hermitage rouges. Le bois est ainsi bien présent dans ce 2003, mais il respecte l'expression des arômes fruités, comme la confiture de mûres, associés à des notes de fumée, tout en délicatesse. Le millésime se traduit par un côté chaleureux au palais, par de la puissance et une trame veloutée.

Jean-Louis Chave, 37, av. du Saint-Joseph, 07300 Mauves, tél. 04.75.08.24.63, fax 04.75.07.14.21

DELAS Marquise de la Tourette 2003 ★★

9 ha 12 500 30 à 38 €

Départ à Tournon-sur-Rhône : le chemin de fer du Vivarais traverse les gorges du Doux et parcourt une trentaine de kilomètres jusqu'à Lamastre. Saint-Jean-de-Muzols est le premier arrêt. Là, la maison Delas propose deux hermitage de belle facture. Le 2003 rouge joue sur une juste fraîcheur et des arômes de fraise nuancés de boisé élégant. La cuvée **Marquise de la Tourette blanc 2003** obtient deux étoiles également : elle demande à être aérée pour exprimer ses arômes minéraux et floraux, avec des notes de chèvrefeuille et d'aubépine.

Delas Frères, ZA de l'Olivet, 07300 Saint-Jean-de-Muzols, tél. 04.75.08.92.97, fax 04.75.08.53.67, e-mail detail@delas.com r.-v.
Champagne Deutz

LES DIONNIÈRES 2004 ★★

1,52 ha 1 500 30 à 38 €

Remontant à 1946, ce domaine a trouvé un nouvel élan en établissant un partenariat avec la maison Chapoutier en 1998. Il s'est notamment converti à la biodynamie. « Ce vin a bien le caractère hermitage » commente un dégustateur. Et un autre de souligner : « un hermitage fin, avec beaucoup d'ampleur, des notes de fruits noirs et un boisé bien maîtrisé ; une finale longue aux tanins de qualité. »

Ferraton Père et Fils, 13, rue de la Sizeranne, 26600 Tain-l'Hermitage, tél. 04.75.08.59.51, fax 04.75.08.81.59, e-mail s.ferraton@ferraton.fr
r.-v.

DOM. DES REMIZIÈRES Cuvée Émilie 2004 ★★

2 ha 10 000 30 à 38 €

Huitième coup de cœur pour ce domaine ! Ce vin de garde a l'avenir devant lui. Profondément coloré, brillant de reflets violets, il livre un nez intense de fruits rouges mûrs et épicés, puis une structure ample, mais souple enveloppée d'une chair ronde et longuement fruitée. Un hermitage à conserver précieusement durant cinq à sept ans.

Cave Desmeure, Dom. des Remizières, rte de Romans, 26600 Mercurol, tél. 04.75.07.44.28, fax 04.75.07.45.87, e-mail desmeure.philippe@wanadoo.fr r.-v.

Cornas

En face de Valence, l'appellation (102 ha 63 a déclarés en 2005) s'étend sur la seule commune de Cornas. Les sols, en pente assez forte, sont composés d'arènes granitiques, maintenues en place par des murets. Avec des rendements faibles (34 hl/ha), le cornas (3 529 hl) est un vin rouge viril, charpenté, qu'il faut faire vieillir au moins trois années (mais il peut attendre parfois beaucoup plus) afin qu'il puisse exprimer ses arômes fruités et épicés sur viandes rouges et gibiers.

LES ARLETTES 2004 ★

1 ha 300 30 à 38 €

Les Arlettes est un lieu-dit de Cornas, au sol granitique et argilo-calcaire. Les vignes y sont conduites selon

les règles de la biodynamie. Ce négociant propose un cornas tout en souplesse et en fraîcheur. Le nez délicat et fin rappelle la violette, la groseille et le cassis, nuancés de cannelle. Un vin à déguster à la sortie du Guide et à garder deux ans maximum.
Brotte, Le Clos, rte d'Avignon, BP 1, 84230 Châteauneuf-du-Pape, tél. 04.90.83.70.07, fax 04.90.83.74.34, e-mail brotte@brotte.com
t.l.j. 9h-12h 14h-18h; été 9h-13h 14h-19h

DOM. DU BIGUET 2004 ★★

■ 0,5 ha 2 500 15 à 23 €

Un domaine de 6 ha créé en 1981. Nous sommes en présence d'un vin de garde comme cette appellation sait en produire. Bien sûr les tanins encore très présents sont jugés austères par certains dégustateurs, mais ils sont un gage de vieillissement. Le nez n'est pas encore intense... Patience ! Il s'affirmera avec le temps. Ce qui est remarquable dans ce 2004, c'est sa concentration et sa longueur. Attendez deux ans avant de le servir et vous ne serez pas déçu. Êtes-vous prêt à le conserver plus longtemps, il ne s'en portera que mieux.
Jean-Louis et Françoise Thiers, Dom. du Biguet, 07130 Toulaud, tél. 04.75.40.49.44, fax 04.75.40.33.03
r.-v.

DOM. CLAPE 2004 ★★★

■ 4 ha 18 000 30 à 38 €

76 **78 85** 88 |**89**| |**90**| **91** |**95**| 96 97 |**98**| |**99**| **01 02** ⓪③ ⓪④

À la fin des années 1980, Pierre-Marie Clape est venu rejoindre son père, Auguste, sur le domaine : 6,5 ha, dont 4 en AOC cornas. Il suit la philosophie paternelle en matière d'élevage : jamais de chêne neuf, mais des fûts déjà vieux qui n'imprimeront pas un boisé offensif à la syrah. Dans une robe rouge profond, le 2004 explose d'arômes d'épices, de sureau et de violette, avec une nuance de torréfaction. En bouche, une ligne minérale apporte de la fraîcheur à la chair ample, encore sous l'emprise des tanins de la jeunesse. Si vous êtes l'un des heureux acquéreurs de ce vin, laissez-le vieillir dans votre cave.
SCEA Dom. Clape, 146, rte Nationale, 07130 Cornas, tél. 04.75.40.33.64, fax 04.75.81.01.98
r.-v.
Auguste et Pierre Clape

DOM. COURBIS Les Eygats 2004 ★★

■ 2 ha 9 000 23 à 30 €

Sur ce domaine familial dont les origines remontent au XV^e^s., Dominique et Laurent Courbis conduisent 30 ha de vignes, dont 7 ha sur Cornas. Récoltée sur une parcelle en altitude, les Eygats, la syrah a donné naissance à ce vin plein de jeunesse et d'avenir, élevé quinze mois durant en fût de un et deux vins. Un 2004 velouté, charnu, structuré par des tanins élégants et ronds, qui développe des flaveurs de violette et de cassis. Le nez concentré est dominé par la cerise noire, le boisé lui servant de faire-valoir. Une garde de dix ans est à la portée de ce grand cornas. La cuvée **Champelrose 2004 (15 à 23 €)** est un peu moins concentrée, mais reste dans le même registre ; elle reçoit une étoile.
Dom. Courbis, rte de Saint-Romain, 07130 Châteaubourg, tél. 04.75.81.81.60, fax 04.75.40.25.39, e-mail domaine-courbis@wanadoo.fr
t.l.j. sf dim. 9h-12h 14h-18h; sam. sur r.-v.

DELAS Chante-Perdrix 2003 ★★

■ 2,3 ha 12 000 15 à 23 €

Perché sur un rocher de granite, le château de Tournon, bâti entre le XIVe et le XVI^e^s., n'est qu'à 2 km de cette maison de négoce qui présente un petit bijou en cornas. Cerise confite (burlat) au premier nez, puis, après une légère aération, des arômes de cassis intenses. Au palais, une ligne minérale confère de la fraîcheur, tandis que les tanins offrent tout leur soyeux.
Delas Frères, ZA de l'Olivet, 07300 Saint-Jean-de-Muzols, tél. 04.75.08.92.97, fax 04.75.08.53.67, e-mail detail@delas.com r.-v.
Champagne Deutz

ÉRIC ET JOËL DURAND Empreintes 2004 ★

■ 3 ha 14 000 23 à 30 €

Les deux frères Durand possèdent 12 ha de vignes entre cornas et saint-joseph. Un petit domaine qu'ils cherchent à agrandir. Leur vin harmonieux et équilibré a ravi le jury par son nez complexe, intense, mariant cassis mûr et sous-bois. Il est déjà fort appétent.
Éric et Joël Durand, 2, imp. de la Fontaine, 07130 Châteaubourg, tél. 04.75.40.46.78, fax 04.75.40.29.77, e-mail ej.durand@wanadoo.fr
r.-v.

LES GRANDES TERRASSES 2003

■ n.c. 11 300 15 à 23 €

Des terrasses abruptes, dont les sols à dépôts limoneux sont étayés par des murets : un paysage unique auquel se réfère le nom de ce vin. La maison Jaboulet n'a pas cherché une grande concentration, mais a voulu jouer sur le fruit. En effet, les dégustateurs ont perçu des arômes de fruits rouges confiturés (cerise) accompagnés de notes vanillées. La chair est fraîche et ronde, agréablement persistante. Ce cornas sera bientôt prêt à rejoindre un gibier à plume.
Paul Jaboulet Aîné, Les Jalets, RN 7, 26600 La Roche-de-Glun, tél. 04.75.84.68.93, fax 04.75.84.56.14, e-mail info@jaboulet.com
r.-v.
Frey

RHÔNE

DOM. JOHANN MICHEL 2004

■ 2,05 ha 5 400 11 à 15 €

Créé en 1997, ce domaine a produit un vin agréable et frais, doté de beaucoup de rondeur malgré des tanins encore adolescents en finale. Il mise toute sa palette aromatique sur le cassis. À servir dans les deux ans.

🗝 Dom. Johann Michel, 52, Grande-Rue, 07130 Cornas, tél. et fax 04.75.40.56.43, e-mail johann-michel@wanadoo.fr
☑ 🍷 🚶 t.l.j. 9h-12h 13h30-20h

CAVE DE TAIN Arènes sauvages 2003

■ n.c. 12 000 🛢 15 à 23 €

La cave de Tain bénéficie d'une équipe efficace, conduite par Julie Compos et les œnologues Alain Bourgeois et Xavier Frouin. Ce vin se présente dans une robe rouge foncé, cerise noire. Le nez voluptueux reflète une vendange très mûre et se nuance d'un boisé moderne, élégant. L'opulence de la bouche contribue au charme de ce 2003.

🗝 Cave de Tain-l'Hermitage, 22, rte de Larnage, 26603 Tain-l'Hermitage Cedex, tél. 04.75.08.20.87, fax 04.75.07.15.16, e-mail contact@cavedetain.com
☑ 🍷 r.-v.

DOM. DU TUNNEL Vin noir 2004 ★★

■ 1 ha 2 600 🛢 23 à 30 €

Une voie ferrée traversait autrefois ces terres ; en témoigne l'ancien tunnel encore visible sur le domaine. Créé en 1994, celui-ci compte 7 ha de vignes. Les ceps de syrah les plus vieux, âgés de quatre-vingts à cent ans, ont donné naissance à ce Vin noir qui se pare de reflets violets et développe des arômes intenses de fruits rouges mûrs, de menthe, de garrigue, sur fond boisé léger. Plein de jeunesse, il est encore un peu fougueux, mais quelle concentration, quel charnu ! Il a l'avenir devant lui. Il vous faudra patienter cinq ans avant de le présenter à table.

🗝 Stéphane Robert, Dom. du Tunnel, 20, rue de la République, 07130 Saint-Péray, tél. 04.75.80.04.66, fax 04.75.80.06.50, e-mail caveau@domaine-du-tunnel.com
☑ 🍷 🚶 t.l.j. sf dim. 14h-18h30

Saint-péray

Situé face à Valence, le vignoble de Saint-Péray (52,23 ha, 1 682 hl en 2005) est dominé par les ruines du château de Crussol. Un microclimat relativement plus froid et des sols plus riches que dans le reste de la région sont favorables à la production de vins plus acides, secs et moins riches en alcool, remarquablement bien adaptés à l'élaboration de blanc de blancs par la méthode traditionnelle. C'est d'ailleurs la principale production de l'appellation, et l'un des meilleurs vins effervescents de France. On y trouve aussi des vins blancs secs tranquilles.

BIGUET Brut 2003 ★

○ 4 ha 16 000 ▮ 5 à 8 €

Cet effervescent réussit à fédérer les dégustateurs qui s'accordent sur la qualité de la mousse fine dans un écrin légèrement doré. L'élégance des notes miellées et florales, la franchise de l'attaque, la douceur et une juste vivacité en font un digne représentant de l'appellation. Très mûr, le saint-péray tranquille **Domaine du Biguet 2004**, 100 % marsanne, est cité.

🗝 Jean-Louis et Françoise Thiers, Dom. du Biguet, 07130 Toulaud, tél. 04.75.40.49.44, fax 04.75.40.33.03
☑ 🍷 🚶 r.-v.

M. CHAPOUTIER 2004

□ n.c. 8 000 🛢 8 à 11 €

La maison Chapoutier possède 62 ha sur les coteaux d'arènes granitiques de Saint-Péray et de Toulaud. Son 2004 offre une minéralité notable, nuancée de notes boisées et d'arômes de fleurs blanches. La matière est élégante, quoique légère. Un vin typé.

🗝 Maison M. Chapoutier, 18, av. du Dr-Paul-Durand, BP 38, 26601 Tain-l'Hermitage Cedex, tél. 04.75.08.28.65, fax 04.75.08.81.70, e-mail chapoutier@chapoutier.com
☑ 🍷 🚶 t.l.j. 9h-12h30 14h-19h; groupes sur r.-v.

DOM. BERNARD GRIPA Les Figuiers 2004 ★★

□ 1 ha 4 000 🛢 11 à 15 €

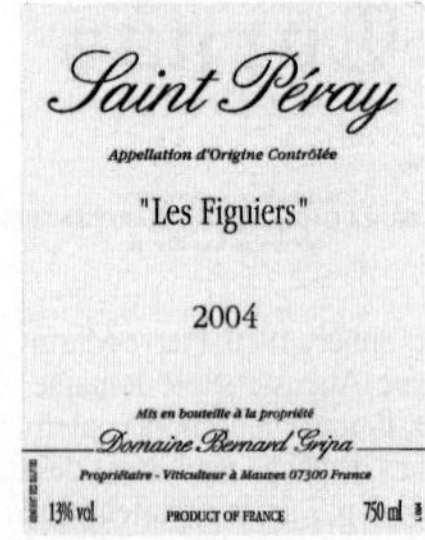

Sur un sol granitique, roussanne (60 %) et marsanne ont donné naissance à un vin or brillant attirant. Des arômes fondus de vanille et de miel s'associent à des notes de fleurs et d'agrumes. Le palais tout en équilibre, élégant, possède une structure veloutée et puissante à la fois. Pour une viande blanche en sauce, comme une blanquette de veau. Le **Domaine Bernard Gripa 2004**, plein de vivacité, est cité.

🗝 Dom. Bernard Gripa, 5, av. Ozier, 07300 Mauves, tél. 04.75.08.14.96, fax 04.75.07.06.81 ☑ 🍷 🚶 r.-v.

CAVE DE TAIN 2004 ★★

□ n.c. 60 000 ▮🛢 5 à 8 €

Une robe jaune pâle, brillante et limpide, flatte l'œil, tandis que le nez est stimulé par des arômes puissants de

vanille, de pain grillé, de fleurs blanches, de pamplemousse, sans oublier les notes de pierre à fusil. Un bon équilibre se réalise au palais et la finale vive, sans excès, apporte le souffle de fraîcheur recherché dans un vin blanc.
Cave de Tain-l'Hermitage, 22, rte de Larnage, 26603 Tain-l'Hermitage Cedex, tél. 04.75.08.20.87, fax 04.75.07.15.16, e-mail contact@cavedetain.com
r.-v.

LES VINS DE VIENNE Les Bialères 2004 *

0,8 ha 4 000 11 à 15 €

Un vin qui se pare d'or et brille de reflets verts. Le nez délicat mêle le pain grillé à des notes minérales, puis il développe des senteurs de fleurs et de fruits blancs. Tout en rondeur, c'est un saint-péray bien fait, agréablement persistant sur des flaveurs de pêche et de vanille. Pour un sandre aux morilles.
Les Vins de Vienne, 1108, rte de Roche-Couloure, Le Bas-Seyssuel, 38200 Seyssuel, tél. 04.74.85.04.52, fax 04.74.31.97.55, e-mail vdv@lesvinsdevienne.fr
r.-v.

Vinsobres

L'appellation a été reconnue par le décret du 17 février 2006. Elle concerne uniquement les vins rouges nés sur la commune de Vinsobres, dans la Drôme, délimitée sur une superficie de 1 387 ha. C'est la quinzième AOC locale. En 2005, la déclaration effectuée encore en côtes-du-rhône-villages Vinsobres, s'étendait sur 470 ha pour 16 214 hl soit 34 hl/ha de moyenne.

Les vins doivent provenir d'un assemblage d'au moins deux cépages principaux dont le grenache qui doit représenter 50 % minimum ; la syrah et/ou le mourvèdre devant atteindre 25 % minimum à l'horizon 2015.

ALTITUDE 420 2004 *

5 ha 24 000 5 à 8 €

Ce n'est pas à 420 m d'altitude, mais à 280 m que se situe le village de Vinsobres, à moins de 10 km de Nyons, dans la Drôme provençale. Mais c'est bien sur les coteaux que poussent les vignes : du grenache à 60 % et de la syrah à 40 % pour produire ce vin de couleur franche à reflets violets. Les épices, le grillé, la vanille se mêlent au fruité. Au palais, l'équilibre se réalise entre les tanins souples, la chair ronde et une pointe de fraîcheur, tandis que persistent longuement les notes cacaotées et épicées.
Dom. Jaume, 24, rue Reynarde, 26110 Vinsobres, tél. 04.75.27.61.01, fax 04.75.27.68.40, e-mail cave.jaume@wanadoo.fr r.-v.

DOM. LA DIVINE 2005

4,2 ha 25 334 5 à 8 €

En juin, le domaine resplendit de toutes les tonalités de bleu et de mauve de la lavande. La floraison de la vigne est plus discrète, mais elle donne de jolis résultats après les vendanges. Ainsi ce 2005 de teinte soutenue à reflets violets qui livre un nez compoté de mûre, nettement relevé d'épices. Une chair ronde tapisse le palais de ses flaveurs d'épices, de cacao et de fruits rouges persistants.
R & D Vins, Ch. Saint-Maurice, RN 580, L'Ardoise, 30290 Laudun, tél. 04.66.82.96.59, fax 04.66.82.96.58, e-mail rdvins@wanadoo.fr
M. Cornud

DOM. DU MOULIN
Vieilles Vignes de Jean Vinson 2004

5 ha 20 000 5 à 8 €

Les fils de Denis Vinson poursuivent leurs études dans le secteur viticole. Tous les espoirs sont ainsi permis de les voir actifs au domaine d'ici quelques années. Ils sont à bonne école comme en témoigne ce 2004 à reflets cerise qui joue sur les arômes de fruits rouges et de grillé. La bouche, riche de flaveurs de fruits rouges écrasés, se montre friande et fraîche. Un vinsobres prêt à être dégusté.
Denis Vinson, Dom. du Moulin, 26110 Vinsobres, tél. 04.75.27.65.59, fax 04.75.27.63.92 r.-v.

CAVE LA VINSOBRAISE 2005 *

6,5 ha 35 000 3 à 5 €

Une cuvée à base de grenache (70 %) et de syrah qui ne manque pas de charme grâce à son nez de fruits rouges et noirs (mûre), de pruneau et d'épices. Son potentiel est manifeste au palais, les tanins, la fraîcheur et la rondeur s'équilibrant harmonieusement, avec en finale des évocations de fruits rouges et de réglisse. À garder en cave de deux à cinq ans. La cuvée **Symphonie 2004 rouge** est citée, de même que la cuvée **Thérapius 2004 rouge (8 à 11 €)**.
Cave coop. La Vinsobraise, 26110 Vinsobres, tél. 04.75.27.64.22, fax 04.75.27.66.59, e-mail info@la-vinsobraise.com r.-v.

Gigondas

Au pied des étonnantes Dentelles de Montmirail, le célèbre vignoble de Gigondas ne couvre que la commune de Gigondas et est constitué d'une série de coteaux et de vallonnements. La vocation viticole de l'endroit est très ancienne, mais son réel développement date du XIX^e^s. (vignobles du Colombier et des Bosquets), sous l'impulsion d'Eugène Raspail. D'abord côtes-du-rhône, puis, en 1966, côtes-du-rhône-villages, gigondas obtient ses lettres de noblesse en tant qu'appellation spécifique en 1971. L'AOC couvre 1 197 ha déclarés en 2005 pour un volume de 35 489 hl.

Les caractéristiques du sol et son climat font que les vins de gigondas sont, dans une très grande proportion, des vins rouges à forte teneur en alcool, puissants, charpentés et bien équilibrés, tout en présentant une finesse aromatique où se mêlent épices et fruits à noyau. Bien adaptés au gibier, ils mûrissent lentement et peuvent garder leurs qualités pendant de nombreuses années. Il existe également quelques vins rosés, puissants et capiteux.

PIERRE AMADIEU Grande Réserve 2004 ★★

■ 40 ha 20 000 🛢 11 à 15 €

Toutes les conditions étaient réunies pour obtenir cette Grande Réserve remarquable : un travail rigoureux de la taille à la vendange, une cuvaison longue et un élevage en foudre et en vieux fût pendant quinze mois. Le nez puissant conjugue des arômes de cassis mûrs et confits, d'épices douces bien fondues et des notes toastées. Au palais, des tanins serrés, disposés à s'arrondir avec le temps, soutiennent la chair élégante, au boisé parfaitement maîtrisé, respectueux des flaveurs persistantes de fruits rouges. La cuvée **Muriel Amadieu 2004 (8 à 11 €)**, qui n'a pas connu le bois, est citée.

Pierre Amadieu, 84190 Gigondas, tél. 04.90.65.84.08, fax 04.90.65.82.14, e-mail pierre.amadieu@pierre-amadieu.com r.-v.

DOM. DU BOIS DES MÈGES 2004 ★★

■ 0,5 ha 2 400 8 à 11 €

En 1994, ce domaine ne comptait encore que 5 ha et ne produisait qu'un seul et unique vin. Ghislain Guigue n'a pas ménagé ses efforts depuis pour agrandir le vignoble à 18 ha et proposer une gamme de dix vins, dont ce remarquable 2004. La couleur est aussi intense que les arômes de cassis, de myrtille, de garrigue et de sous-bois, nuancés d'une touche minérale et vanillée. La dégustation est tout aussi rythmée au palais : attaque puissante, tanins présents, mais fondus, équilibre notable et persistance. Un gigondas parti pour dix ans de garde.

Ghislain Guigue, Les Tappys, rte d'Orange, 84150 Violès, tél. 04.90.70.92.95, fax 04.90.70.97.39, e-mail meges@netcourrier.com r.-v.

DOM. DE BOISSAN Sélection de Victor 2003 ★

■ 3 ha 40 000 11 à 15 €

Typiquement gigondas ce 2003 pourpre intense qui livre des arômes de fruits noirs, d'épices et une chair pleine, empreinte de fruit. Rondeur et équilibre autorisent un service dès aujourd'hui comme dans les deux à trois prochaines années.

Christian Bonfils, Dom. de Boissan, 84110 Sablet, tél. 04.90.46.93.30, fax 04.90.46.99.46, e-mail c.bonfils@wanadoo.fr r.-v.

DOM. BRUSSET Tradition Le Grand Montmirail 2004 ★

■ 12 ha 40 000 11 à 15 €

Laurent Brusset dirige ce domaine familial créé en 1947. Ce vin de grenache, de syrah et de cinsault est habillé de pourpre soutenu. Au nez intense de myrtille, de cassis, d'épices et de réglisse répond une bouche tout aussi puissante et persistante, étayée par des tanins veloutés. Le boisé bien intégré respecte les flaveurs de myrtille. De la complexité, de la finesse et de la puissance : vous aimerez ce gigondas.

Dom. Brusset, Le Village, 84290 Cairanne, tél. 04.90.30.82.16, fax 04.90.30.73.31, e-mail domaine-brusset@wanadoo.fr t.l.j. 9h-12h 14h-18h

BURLE Les Pallieroudas 2004 ★

■ 1,62 ha 5 300 8 à 11 €

Certes, la robe grenat est déjà avenante, mais ce sont les arômes qui ont séduit le jury : des fruits rouges comme la griotte se mêlent au cuir et au cacao. Au palais, des flaveurs de gibier précèdent des notes de pruneau et d'épices, faire-valoir d'une chair ample et ronde. Dans deux ou trois ans, vous servirez ce gigondas avec un gibier et des fromages à croûte fleurie.

EARL Burle, La Beaumette, 84190 Gigondas, tél. 04.90.70.94.85, fax 04.90.70.94.61 r.-v.

DOM. DE CASSAN 2004 ★

■ 7,5 ha 28 000 11 à 15 €

Créé en 1929 par un industriel lyonnais, ce domaine est entré dans la famille Croset en 1974. Le temps n'a encore marqué ni la robe grenat intense à reflets violines ni le nez de fruits mûrs, de garrigue et de cacao, avec une touche de réglisse. Harmonieux, le vin bénéficie de tanins fondus dans une matière très ronde et souple. À déguster dès maintenant, avec des grillades, au retour d'une excursion dans les Dentelles de Montmirail.

Dom. de Cassan, Lafare, 84190 Beaumes-de-Venise, tél. 04.90.62.96.12, fax 04.90.65.05.47, e-mail domainedecassan@wanadoo.fr t.l.j. sf dim. 8h-12h 14h-19h

Famille Croset

DOM. DU CAYRON 2004

■ 16 ha 59 900 11 à 15 €

Le col du Cayron des Dentelles de Montmirail, point de départ de nombreuses randonnées, n'est qu'à 5 km de ce domaine de 16 ha, dont les origines remontent au milieu du XIX[e]s. Le 2004, limpide, ne cherche pas la profondeur. Il livre ses arômes par vagues successives : d'abord les fruits rouges, puis les fruits cuits, enfin le sous-bois et les épices de manière subtile. Son attaque souple et ses tanins fondus l'invitent à passer à table dès à présent.

Michel Faraud, Dom. du Cayron, 84190 Gigondas, tél. 04.90.65.87.46, fax 04.90.65.88.81 t.l.j. sf dim. 9h-12h30 14h-19h; sam. 10h-12h30 14h-18h

PIERRE CHANAU 2004 ★

■ n.c. 100 000 5 à 8 €

Élaboré par le groupe Bouachon pour Auchan, ce vin arbore une robe grenat foncé et des arômes discrets, évocateurs de fruits à l'alcool et de réglisse. Il sait se mettre en valeur par son équilibre et sa souplesse. À déguster dans les deux prochaines années.

Caves Saint-Pierre, Union des Grands-Crus, av. Pierre-de-Luxembourg, 84230 Châteauneuf-du-Pape, tél. 04.90.83.58.35, fax 04.90.83.77.23, e-mail info@cavessaintpierre.fr

DOM. DU COL SAINT-PIERRE 2004

■ 14 ha 20 000 8 à 11 €

Voilà trois siècles que la famille Bertrand est installée sur ces terres argilo-calcaires, caillouteuses et ensoleillées. Le grenache (80 %) s'associe à une pointe de mourvèdre et de syrah pour composer ce vin encore porté par le fruit :

des fruits rouges mûrs comme la fraise, le coing, soulignés par des notes épicées et fumées. La bouche, un peu en retrait, fait preuve de rondeur, grâce à des tanins fins et persistants. Pour accompagner une viande rouge.
⊶ SCEA Col Saint-Pierre, rte de Vaison, 84190 Vacqueyras, tél. 04.90.65.86.53, fax 04.90.65.80.73 ☑ Y r.-v.
⊶ Raymond Bertrand

CROS DE LA MÛRE 2004 *

■	1 ha	3 000	▮ 11 à 15 €

Selon la légende, un dragon vivait sur les falaises qui dominent le village de Mondragon, ancienne forteresse médiévale, dont on peut voir les vestiges des remparts, ainsi que ceux d'un château du XIIᵉs. Au domaine Cros de la Mûre, c'est un vin sage et gourmand qu'Éric Michel vous présentera. D'un rouge intense, ce 2004 décline des arômes discrets de fruits rouges et noirs (cassis), puis il se montre souple et soyeux, nuancé de réglisse en finale. Une daube provençale sera prétexte à un accord au cours des deux prochaines années.
⊶ EARL Michel et Fils, Derboux, 84430 Mondragon, tél. 04.90.30.12.40, fax 04.90.30.46.58, e-mail crosdelamure@wanadoo.fr ☑ Y ⛹ r.-v.

DELAS FRÈRES Les Reinages 2003 *

■	n.c.	20 000	▮ 15 à 23 €

Les établissements Delas appartenaient aux champagnes Deutz depuis 1977 lorsque les deux maisons furent rachetées par Roederer en 1993. Ils exportent leur production dans plus de quarante-cinq pays. Ce gigondas devrait trouver bon accueil, lui qui révèle des arômes de fruits noirs cuits (mûre, cassis) sous une teinte profonde. Le grenache parfaitement mûr lui a légué des notes de réglisse, tandis que le millésime est à l'origine de l'expression marquée des tanins en finale. Un vin de garde, assurément.
⊶ Delas Frères, ZA de l'Olivet, 07300 Saint-Jean-de-Muzols, tél. 04.75.08.92.97, fax 04.75.08.53.67, e-mail detail@delas.com ☑ Y ⛹ r.-v.
⊶ Champagne Deutz

DOM. DE FONTAVIN
Cuvée Combe sauvage 2004 *

■	7 ha	20 000	▮ 8 à 11 €

Traversé par la Seille, bordé par l'Ouvèze, Courthézon, village médiéval entouré de remparts, ne possède pas moins de quinze fontaines qui contribuent à son charme provençal. Ce gigondas très harmonieux est issu d'un assemblage original de grenache, de mourvèdre, de cinsault et de clairette rose. Un fruité intense se libère, mêlé de quelques épices. Les saveurs s'équilibrent agréablement, laissant une impression de souplesse en attaque, puis de soyeux grâce à des tanins bien fondus à la chair chaleureuse. Deux ans, pas plus, suffiront à l'épanouissement du vin.
⊶ EARL Hélène et Michel Chouvet, Dom. de Fontavin, 1468, rte de la Plaine, 84350 Courthézon, tél. 04.90.70.72.14, fax 04.90.70.79.39, e-mail helene-chouvet@fontavin.com ☑ Y ⛹ r.-v.

LA CAVE DES VIGNERONS DE GIGONDAS
Le Primitif 2004 *

■	n.c.	20 000	▮ 15 à 23 €

Nette et limpide, la robe présente encore des reflets violacés. Un peu de temps est nécessaire au nez pour exprimer ses arômes d'épices et de fruits rouges (cerise, framboise). Une touche de violette apparaît en bouche, parmi les flaveurs de fruits à l'alcool dont la finesse tranche avec des tanins encore bourrus. Mais ce vin ne s'appelle-t-il pas le Primitif ? La cuvée **Hallali Grande Réserve 2003 (8 à 11 €)** est citée.
⊶ La Cave des Vignerons de Gigondas, rte de Sablet, Les Blaches, 84190 Gigondas, tél. 04.90.65.86.27, fax 04.90.65.80.13, e-mail gigondas.lacave@wanadoo.fr ☑ Y ⛹ r.-v.

DOM. DU GRAND BOURJASSOT
Cuvée Cécile 2004 ***

■	1,9 ha	8 500	▮ ⦀ 8 à 11 €

Des vignes de soixante ans sont à l'origine de ce gigondas grenat soutenu, dont le boisé intense, aux notes vanillées, épouse des arômes de fruits noirs. Après une attaque ronde, une structure équilibrée se déploie, faite pour durer. La puissance n'est jamais écrasante et les arômes de fruits rouges persistent longuement. Un gigondas de grande classe qui réserve encore des surprises pour les quatre à cinq années à venir.
⊶ Pierre et Cécile Varenne, Dom. du Grand-Bourjassot, quartier Les Parties, 84190 Gigondas, tél. 04.90.65.88.80, fax 04.90.65.89.38 ☑ Y r.-v.

DOM. DU GRAND MONTMIRAIL
Cuvée Vieilles Vignes 2004 **

■	13 ha	48 000	▮ ⦀ 11 à 15 €

Au cœur des Dentelles de Montmirail, sur le versant sud, ce domaine de 34 ha occupe un cirque bien ensoleillé, auquel on accède par Beaumes-de-Venise. Grenache et syrah composent ce 2004 de couleur sombre, brillant de reflets violacés. Attirant, il l'est plus encore par ses intenses arômes de fruits noirs (cassis) mêlés de réglisse et de fruits à l'alcool. Il emplit le palais de sa chair toute fruitée et réglissée, veloutée et d'un parfait équilibre. Un vin digne de vieilles vignes. Élevé en cuve, **Le Coteau de mon rêve 2004 (8 à 11 €)**, dominé par les épices, rond et ample, est cité. Le **vacqueyras 2004 (8 à 11 €)** du domaine obtient une citation.
⊶ Dom. du Grand Montmirail, 84190 Gigondas, tél. 04.90.62.94.28, fax 04.90.65.89.23 ☑ Y ⛹ t.l.j. sf sam. dim. 10h-12h 14h-18h; f. 1ᵉʳ-21 août
⊶ Denis Chéron

DOM. DU GRAPILLON D'OR 2004

■	14,5 ha	60 000	▮ ⦀ 8 à 11 €

Un mas en pierre de la fin du XVIIIᵉs. accueille le visiteur venu découvrir la collection de tire-bouchons de Bernard Chauvet, exposée au caveau, et plus encore ce

2004 grenat profond. Discret de prime abord, celui-ci laisse monter des notes de fumée et de fruits rouges, mêlées d'épices. Ces mêmes épices se prolongent au palais jusqu'en finale, nuancées de flaveurs de pain grillé. Les tanins encore marqués invitent à une garde de deux ans.
Bernard Chauvet, Dom. du Grapillon d'Or,
Le Péage, 84190 Gigondas, tél. 04.90.65.86.37,
fax 04.90.65.82.99,
e-mail c.chauvet@domainedugrapillondor.com
t.l.j. sf dim. 9h-12h 14h-18h

LOUIS BERNARD 2004 *

11 ha 50 000 8 à 11 €

Noir profond, ce 2004 affiche des notes de cerise griotte associées au cacao, au tabac blond, au sous-bois et au pruneau. Ces mêmes arômes se développent au cœur de la bouche puissante et longue, dont les tanins encore fermes invitent à une garde de trois ans. De la même maison, le **Domaine des Carbonnières 2004**, déjà prêt à passer à table, est cité.
Louis Bernard, La Chartreuse de Bonpas,
1, chem. Reveillac, 84510 Caumont-sur-Durance,
tél. 04.90.23.09.59, fax 04.90.23.67.96,
e-mail louisbernard@sldb.fr
t.l.j. 9h-17h (10h-18h en été)
FGVS

DOM. DE LA MACHOTTE 2004 *

30 ha 85 000 8 à 11 €

Un domaine de 60 ha sis à 400 m d'altitude sur des coteaux. Une grande maturité est perceptible dans ce 2004 aux senteurs de garrigue, de fruits mûrs (griotte à l'eau-de-vie) et de torréfaction. Il s'impose crescendo au palais, d'abord souple en attaque, puis ample, charpenté et persistant. En 2008, il accompagnera un gibier (sanglier ou chevreuil).
Claude Amadieu, SCEA de Gigondas,
Dom. La Machotte, 84190 Gigondas,
tél. 04.90.65.85.90, fax 04.90.65.82.14,
e-mail claude.amadieu@pierre-amadieu.com
r.-v.

DOM. DE LA MAVETTE 2004 *

4,5 ha 20 000 8 à 11 €

Une robe noire intense pour ce vin issu du couple grenache-syrah, complété de mourvèdre et de cinsault. Complexe, le nez évoque le poivron rouge confit, tandis que la bouche volumineuse s'appuie sur des tanins très serrés qui laissent en finale des accents de cacao. Quelques mois de vieillissement sont conseillés.
Jean-François Lambert, EARL Lambert et Fils,
Dom. de La Mavette, 84190 Gigondas,
tél. 04.90.65.85.29, fax 04.90.65.87.41,
e-mail mavette@club-internet.fr r.-v.

GABRIEL MEFFRE La Payouse 2004 **

2 ha 6 600 11 à 15 €

Une nouvelle gamme de cette maison de négoce, vendue auprès des cavistes et restaurateurs, en France et à l'export. Le fruité et le toasté se volent la vedette dès le premier nez, puis les fruits cuits et la réglisse font leur entrée sur scène. À l'attaque souple succède l'expression de tanins soyeux et d'une matière ample et persistante sur les épices. Un sans faute. Il faudra toutefois attendre deux ou trois ans avant de servir cette bouteille. La cuvée **Les Théores 2004**, souple, marquée par des arômes de fruits confiturés, est citée.
Gabriel Meffre, Le Village, 84190 Gigondas,
tél. 04.90.12.32.45, fax 04.90.12.32.49

MONTIRIUS Confidentiel 2004 *

2 ha 6 645 23 à 30 €

En 1996, Christine et Éric Saurel ont converti leur vignoble à la biodynamie. Ils ont élaboré cette cuvée grenat intense qui livre des arômes discrets de fruits cuits, de grillé, de sous-bois... La bouche est à l'avenant, ronde et souple.
Christine et Éric Saurel, SARL Montirius,
Le Devès, 84260 Sarrians, tél. 04.90.65.38.28,
fax 04.90.65.48.72, e-mail montirius@wanadoo.fr
r.-v.

MOULIN DE LA GARDETTE
La Cuvée Ventabren 2004

2 ha n.c. 15 à 23 €

La robe d'un grenat sombre laisse apparaître quelques reflets de jeunesse. Les fruits à noyau dominent la palette aromatique : cuits, compotés, aux accents de pruneau ou de kirsch. Une légère note de cuir vient en contrepoint. Si l'attaque paraît souple, les tanins ne tardent pas à s'imposer, mais ils promettent de se fondre dans la matière ronde et équilibrée.
Jean-Baptiste Meunier,
Moulin de la Gardette, pl. de la Mairie,
84190 Gigondas, tél. 04.90.65.81.51,
fax 04.90.65.86.80, e-mail moulingardette@wanadoo.fr
r.-v.

DOM. NOTRE-DAME-DES-PALLIÈRES 2004

n.c. 18 000 8 à 11 €

On venait de loin, au Moyen Âge, se recueillir dans l'oratoire pour se prémunir contre la peste. Ce domaine en a gardé le nom. La tradition se reconnaît aisément dans ce gigondas de teinte soutenue qui affiche un nez puissant, expressif, de cassis et d'épices. La structure assez souple repose sur une chair fruitée persistante. Quelques mois de garde permettront d'affiner l'harmonie d'ensemble et d'apporter plus de complexité au bouquet.
Jean-Pierre et Claude Roux,
Dom. Notre-Dame-des-Pallières,
chem. des Tuileries-de-Lencieu, 84190 Gigondas,
tél. et fax 04.90.65.83.03,
e-mail n.d-pallieres@wanadoo.fr
t.l.j. sf dim. 9h-12h 13h30-20h; f. sept.

L'OUSTAU FAUQUET Cuvée Cigaloun 2004 **

3 ha 13 000 8 à 11 €

Un bijou rubis que cette cuvée. Intensité et finesse sont les fils conducteurs de la dégustation. La pêche, la violette et la réglisse s'éveillent dès le premier nez. Au palais, la matière laisse une impression de soyeux et de fraîcheur délicieuse. Un gigondas pour aujourd'hui comme pour demain. La même note revient au **Secret de la barrique 2004 (11 à 15 €)** qui affiche une solide construction. Il mérite d'attendre pour exprimer tout son potentiel.
Roger Combe et Filles, Dom. La Fourmone,
rte de Bollène, 84190 Vacqueyras, tél. 04.90.65.86.05,
fax 04.90.65.87.84, e-mail contact@fourmone.com
t.l.j. sf dim. 9h30-12h 14h-18h; ouv. dim. de Pâques à septembre

PAILLÈRE ET PIED-GU 2004 **

■ n.c. n.c. 8 à 11 €

Un lapin aux pruneaux fera alliance avec ce vin issu de raisins mûrs à point récoltés sur de vieilles vignes de cinquante ans. Une maturité dont témoignent les arômes de fruits cuits mariés au pain d'épice, au cuir et au grillé. L'attaque est franche, les tanins bien enrobés et la finale toastée enchante le palais déjà conquis par l'harmonie d'ensemble.

Stehelin, Dom. Paillère et Pied-Gu, 84190 Gigondas, tél. et fax 04.90.65.84.14, e-mail bertrand.stehelin@wanadoo.fr r.-v.

DOM. DES PASQUIERS 2004 **

■ 0,25 ha 1 200 8 à 11 €

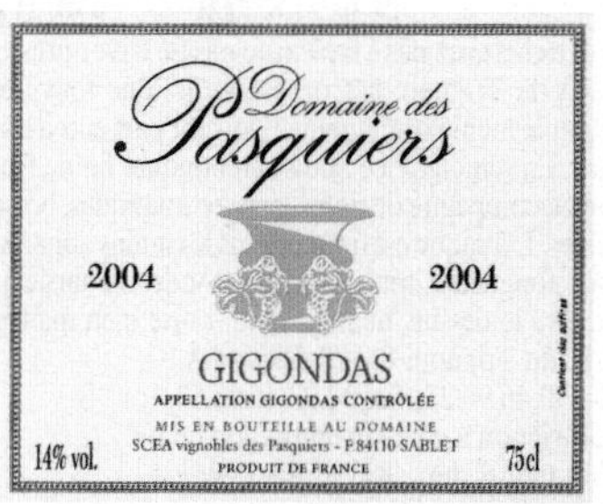

Jean-Claude et Philippe Lambert ont repris ce domaine de 100 ha en 1998 et se sont lancés dans la vente en bouteilles quatre ans plus tard, en développant leurs marchés à l'export (60 % de leur production). Au printemps 2006, ils ont ouvert des chambres d'hôtes, nouvel atout pour faire connaître leur travail. Ce coup de cœur unanime leur assurera-t-il de nombreux visiteurs ? Couleur d'ébène, le vin résulte d'un assemblage à parts égales de grenache et de syrah. Cassis et myrtille se déploient intensément jusque dans la chair puissante, ronde et fraîche, qui enrobe des tanins impressionnants. Quatre à cinq ans de garde permettront à ce gigondas de gagner en finesse. Si vous avez la patience de l'attendre !

SCEA Vignobles des Pasquiers, rte d'Orange, 84110 Sablet, tél. et fax 04.90.46.83.97, e-mail vinpasquiers@wanadoo.fr t.l.j. 8h-12h 13h30-18h; sam. dim. sur r.-v.

DOM. LE PÉAGE 2004 *

■ 15 ha 70 000 8 à 11 €

D'un rouge si profond qu'il en paraît presque noir, ce vin offre un nez de fruits rouges et noirs (cerise, mûre). L'assemblage fait la part belle au grenache tout en laissant une petite place à la syrah et au mourvèdre. Il en résulte une bouche ronde, légèrement épicée, dotée d'une pointe de fraîcheur. Un gigondas de bonne tenue, apte à deux ans de garde. Du même producteur, le **Domaine La Bouscatière 2004** est cité.

Saurel-Chauvet, La Beaumette, 84190 Gigondas, tél. et fax 04.90.70.96.80, e-mail saurel-chauvet@wanadoo.fr r.-v.

DOM. DU PRADAS 2004 **

■ 4,6 ha 20 000 8 à 11 €

Une robe majestueuse, sombre à reflets violines, habille ce gigondas qui laisse poindre des arômes de fruits noirs mûrs, de garrigue, de réglisse et bien d'autres encore que chaque dégustateur s'amuse à reconnaître. Tabac peut-être ? Une structure de tanins soyeux soutient l'expression d'une matière puissante et longue. De belles perspectives pour l'avenir. Jeune, ce vin appréciera les viandes rouges ; après deux à quatre ans de garde, il appellera un civet.

Dom. du Pradas, Le Grand-Montmirail, 84190 Gigondas, tél. 04.90.62.94.28 r.-v.

Sylvie Cottet

CH. RASPAIL 2004

■ 20,45 ha 20 000 11 à 15 €

La famille Meffre a acquis en 1979 ce château qui doit son nom à Eugène Raspail, neveu de l'homme politique. Le vignoble couvre 43 ha entre la plaine et les coteaux de Gigondas. Grenache, syrah, mourvèdre et cinsault composent ce vin grenat à reflets violacés, dont les arômes évoquent la framboise et le cassis. La bouche est dans la même ligne aromatique qui tranche avec la palette classique des gigondas. Agréable dès maintenant.

Christian Meffre, Ch. Raspail, 84190 Gigondas, tél. 04.90.65.88.93, fax 04.90.65.88.96, e-mail chateau.raspail@wanadoo.fr t.l.j. sf sam. dim. 8h30-12h 13h30-17h

DOM. RASPAIL-AY 2004 *

■ 18 ha 45 000 11 à 15 €

Couvrant 18 ha d'un seul tenant, ce domaine est conduit par Dominique Ay depuis 1982. Le 2004 affiche une robe aussi profonde que les arômes mêlant au cassis et à la mûre des senteurs de musc et de ventre de lapin évidentes. La bouche est plus subtile, avec des flaveurs d'épices, de pruneau et de truffe du meilleur effet. Finalement, la rondeur l'emporte sur le caractère sauvage du bouquet. Passez ce vin en carafe avant de l'associer à un gibier à poil.

Dominique Ay, Dom. Raspail-Ay, 84190 Gigondas, tél. 04.90.65.83.01, fax 04.90.65.89.55, e-mail domaine.raspail-ay@wanadoo.fr r.-v.

DOM. LE ROUCAS DE SAINT-PIERRE 2003

■ 5 ha 6 950 8 à 11 €

Baptiste Grangeon et sa sœur Dominique ont repris le domaine que leur grand-père avait créé en 1942, à partir de 2 ha seulement, et que leur père a développé, vendant son vin en vrac aux maisons de négoce. Aujourd'hui, ils jouent eux aussi le rôle de négociants en élevant ce gigondas. Un 2003 aux notes d'épices et de fruits à l'eau-de-vie, nuancées d'une pointe de cuir. Après une attaque franche, des tanins puissants se manifestent, en soutien d'une chair ample, empreinte de flaveurs poivrées et fruitées. À attendre trois ans.

SARL Grangeon et Fils, 31, fg Saint-Georges, 84350 Courthézon, tél. 04.90.70.24.09, fax 04.90.70.25.38, e-mail domainedecristia@hotmail.com t.l.j. 8h-12h 14h-18h; vend. a.-m. sam. dim. sur r.-v.

CH. DE SAINT-COSME Valbelle 2004 *

■ 4 ha 12 000 23 à 30 €

Les origines de ce domaine remontent à 1490, lorsque les Vaton, ancêtres de l'actuel propriétaire, plantèrent la vigne dans un vallon frais. La chapelle de

Saint-Cosme, des Xe et XII[e]s., est un remarquable exemple de l'art roman. Un assemblage classique du fruit de vignes âgées de quatre-vingts ans est à l'origine de ce 2004 riche d'arômes de fruits cuits et mûrs, agrémentés de notes animales d'évolution. Au palais, la puissance s'exprime, tandis que rivalisent le fruité et le boisé. Certes, la finale est encore marquée par les tanins, mais les promesses sont réelles pour les trois à quatre années à venir.

Louis Barruol, Ch. de Saint-Cosme,
84190 Gigondas, tél. 04.90.65.80.80, fax 04.90.65.81.05,
e-mail louis@chateau-st-cosme.com
t.l.j. sf sam. dim. 9h-17h

SAINT-DAMIEN 2004 **

■ 3,5 ha 14 000 8 à 11 €

Le palmarès est époustouflant pour le millésime 2004 de ce domaine qui reçut deux coups de cœur dans les éditions passées du Guide. Cette cuvée classique délivre progressivement des effluves de garrigue, de gibier et de vanille, puis épanouit au palais sa chair volumineuse, aux tanins soyeux. Elle sera bientôt disposée à rejoindre un civet de lièvre. **La Louisiane 2004 (11 à 15 €)** obtient deux étoiles également pour son nez fruité mêlé de fleur d'oranger et sa bouche riche. Une étoile revient à la cuvée **Les Souteyrades 2004 (11 à 15 €)**, structurée et empreinte de fruits noirs épicés.

Joël Saurel, Dom. Saint-Damien, 84190 Gigondas,
tél. et fax 04.90.70.96.42
t.l.j. sf dim. 10h-12h 15h-19h B

DOM. SAINT-FRANÇOIS-XAVIER
Sélection fruitée 2004 *

■ 13 ha 10 000 8 à 11 €

Les princes d'Orange possédaient des vignes au milieu du XVIe s. sur ce terroir que François-Xavier Lambert a choisi en 1930 pour constituer un domaine. Aujourd'hui André Gras et ses fils conduisent les 26 ha de vignes. Leur cuvée porte bien son nom, elle qui livre des arômes fruités, de cassis surtout, ponctués de notes fumées, grillées et animales. La matière plaisante joue sur la fraîcheur et le soyeux de tanins qui viennent flirter avec le palais avant de céder la place à une longue finale épicée.

André Gras et Fils, Dom. Saint-François-Xavier,
84190 Gigondas, tél. 06.20.52.64.54, fax 04.90.65.86.76,
e-mail gigondasvin@wanadoo.fr r.-v. C

DOM. SAINT-GAYAN Fontmaria 2004

■ 1 ha 3 000 15 à 23 €

Dans la même famille depuis 1709, ce domaine de 38 ha est commandé par une bastide du XVII[e]s. Certes, les oliviers ont péri lors du terrible gel de 1956, mais des vignes les ont remplacés. Des ceps noueux de grenache, de syrah et de mourvèdre de cinquante ans ont ainsi offert leur raisin à cette cuvée aux arômes de fumé, de grillé et de cacao. Les tanins sont encore un peu fougueux, mais la chair ronde devrait parvenir à les enrober d'ici deux ou trois ans. La **cuvée Tradition 2004 (8 à 11 €)**, virile, mérite aussi une citation.

SCEA Jean-Pierre et Martine Meffre,
Dom. Saint Gayan, 84190 Gigondas,
tél. 04.90.65.86.33, fax 04.90.65.85.10,
e-mail martine@saintgayan.com
t.l.j. 9h-11h45 14h-18h30; sam. dim. sur r.-v.

SEIGNEUR DE LAURIS 2003 **

■ 1 ha 4 500 11 à 15 €

La famille Arnoux reçut du seigneur de Lauris une parcelle de vignes en 1717 ; elle se devait de créer une cuvée à son nom. Le 2003 laisse une impression de fraîcheur grâce à ses arômes de fruits rouges mêlés de réglisse. Les flaveurs de griotte, aux accents confiturés, marquent la bouche puissante et ronde, soutenue par des tanins fins. De remarquables qualités.

Arnoux et Fils, Cave du Vieux Clocher,
84190 Vacqueyras, tél. 04.90.65.84.18,
fax 04.90.65.80.07, e-mail info@arnoux-vins.com
t.l.j. sf dim. 9h-12h 14h-18h 4 C

CH. DU TRIGNON 2004 *

■ 24 ha 85 000 11 à 15 €

Ne cherchez pas ! Il n'existe pas de cuvée prestige au château du Trignon, car on estime ici que tous les vins méritent le même traitement et doivent parvenir à un haut niveau. En témoigne ce 2004 : un bouquet fin de fruits se révèle, accompagné de notes empyreumatiques, boisées et vanillées. L'attaque est franche puis les tanins apparaissent encore fougueux, mais la chair ronde ne tarde pas à reprendre le dessus, nuancée d'un boisé bien maîtrisé.

Ch. du Trignon, 84190 Gigondas,
tél. 04.90.46.90.27, fax 04.90.46.98.63,
e-mail trignon@chateau-du-trignon.com
t.l.j. sf dim. 9h-19h; sam. 9h-12h

DOM. VARENNE 2004

■ 2,7 ha 12 600 8 à 11 €

Une robe ni soutenue ni claire, un nez tout en légèreté. Une introduction discrète à la dégustation de ce vin qui trouve en bouche plus d'expression : de jolies notes de fruits confits, de cerise à l'eau-de-vie, une chaleur intense, des tanins souples et une bonne persistance. Un gigondas qui devrait trouver rapidement sa place aux côtés d'une viande rouge.

Dom. Varenne, Le Petit Chemin, 84190 Gigondas,
tél. 04.90.65.86.55, fax 04.90.12.39.28
t.l.j. 9h30-12h30 14h-19h

Beaumes-de-venise

Cette appellation, reconnue par le décret du 25 octobre 2005, concerne uniquement les vins rouges issus de quatre communes du Vaucluse : Beaumes-de-Venise, Lafare, la Roque-Alric, Suzette qui représentent une surface délimitée de 1 456 ha, limitrophes des AOC gigondas et vacqueyras. C'est la quatorzième AOC locale de la Vallée du Rhône.

Les vins doivent provenir d'un assemblage de deux cépages principaux dont le grenache noir représente 50 % minimum de l'encépagement et la syrah 25 % minimum à l'horizon 2015.

En 2005, la première déclaration officielle concerne 541 ha pour 17 949 hl soit un rendement de 33 hl/ha en moyenne.

CH. DES APPLANATS 2004 ★★

■ n.c. 58 660 ▮ 3 à 5 €

Une maison centenaire de Châteauneuf-du-Pape qui trouve dans cette nouvelle AOC matière à exprimer son talent. Voyez ce vin si brillant qui livre des arômes complexes d'épices et de fruits rouges. Le palais ni trop chaleureux ni trop riche en tanins en fait un beaumes-de-venise friand, à savourer en 2007.

Caves Saint-Pierre, Union des Grands-Crus, av. Pierre-de-Luxembourg, 84230 Châteauneuf-du-Pape, tél. 04.90.83.58.35, fax 04.90.83.77.23, e-mail info@cavessaintpierre.fr

DOM. DE BEAUMALRIC 2005

■ 5,2 ha 26 000 ▮ 5 à 8 €

Remparts et fontaines, vestiges du château féodal : il faut arpenter les ruelles de Beaumes-de-Venise pour en saisir l'âme. Puis vous vous arrêterez pour acquérir les vins de la région. Grenache pour les deux tiers et syrah composent ce 2005 aux subtils arômes de fruits rouges : cerise et fraise surtout. L'équilibre repose sur la rondeur et la finesse, tant et si bien que le plaisir est immédiat. Le **côtes-du-ventoux 2005 (3 à 5 €)** obtient une citation. Ces deux vins peuvent accompagner un gigot aux herbes de Provence.

EARL Begouaussel, Dom. de Beaumalric, Saint-Roch, BP 15, 84190 Beaumes-de-Venise, tél. 04.90.65.01.77, fax 04.90.62.97.28 r.-v.

DOM. BEAUVALCINTE Les Trois Amours 2004 ★

■ 5,7 ha 5 600 ▮ 8 à 11 €

Après une promenade dans les Dentelles de Montmirail, faites halte à Suzette, dans ce vignoble de 8 ha conduit en agriculture biologique qui s'étend autour d'une ferme du XVIIe s. Cette cuvée, dédiée aux trois enfants de Sylvie et Bernard Mendez, ne comprend pas moins de cinq cépages. Les fruits rouges se déclinent, inscrits dans la chair ronde, à l'agréable finale. Vous pourrez attendre cette bouteille deux ou trois ans.

Dom. Beauvalcinte, La Grange Neuve, 84190 Suzette, tél. et fax 04.90.65.08.37, e-mail contacts@domainebeauvalcinte.com r.-v.

Mendez

DOM. DE CASSAN Cuvée Saint Christophe 2004 ★

■ 3 ha 10 000 ▮ 8 à 11 €

Créé en 1929 par un industriel lyonnais, le domaine est idéalement situé dans les Dentelles de Montmirail. Marie-Odile Croset et son mari proposent deux jolies cuvées notées une étoile. Celle-ci, rubis brillant, affiche un nez puissant de confiture de cerises, de la rondeur au palais qui semble faire disparaître toute trace des tanins. Une pointe chaleureuse marque la finale. Le **Domaine de Cassan 2004 rouge (5 à 8 €)**, aux tanins plus serrés devra attendre un peu.

Dom. de Cassan, Lafare, 84190 Beaumes-de-Venise, tél. 04.90.62.96.12, fax 04.90.65.05.47, e-mail domainedecassan@wanadoo.fr
t.l.j. sf dim. 8h-12h 14h-19h

Famille Croset

DOM. DE LA FERME SAINT-MARTIN Cuvée Saint-Martin 2004 ★★

■ 2,5 ha 10 000 ▮ 8 à 11 €

Des grottes, ou beaumes, creusées dans la colline contre laquelle repose la commune, ont donné leur nom à Beaumes-de-Venise. À 7 km du cœur de l'appellation, le petit village de Suzette occupe le versant est des Dentelles de Montmirail, à 410 m d'altitude. Du grenache très mûr à 90 %, complété par 10 % de syrah composent ce vin d'une étonnante puissance aromatique qui se manifeste dans le verre, sous une robe rouge vif. Des épices, surtout, mais aussi des fruits rouges d'une parfaite maturité qui trouvent un long écho au palais, soulignant la chair ronde, soutenue par une structure équilibrée, sans une once d'agressivité.

Guy Jullien, Dom. de La Ferme Saint-Martin, 84190 Suzette, tél. 04.90.62.96.40, fax 04.90.62.90.84, e-mail guy-jullien@tiscali.fr
t.l.j. sf dim. 10h-12h30 14h-18h; jan. fév. sur r.-v.

LE PARADOU 2004 ★

■ n.c. 199 700 ▮ 8 à 11 €

La maison Jaboulet, rachetée en 2006 par M. Frey, propose un vin rouge profond, puissamment marqué par les fruits rouges. Les tanins se fondent dans la chair chaleureuse, aux accents épicés, qui saura s'affiner dans l'année à venir.

Paul Jaboulet Aîné, Les Jalets, RN 7, 26600 La Roche-de-Glun, tél. 04.75.84.68.93, fax 04.75.84.56.14, e-mail info@jaboulet.com
r.-v.

M. Frey

DOM. SAINT AMANT Grangeneuve 2004

■ 3,5 ha 13 000 ▮ 8 à 11 €

Délicieuse étiquette que celle qui habille cette bouteille faite de grenache et de syrah mûris sur les terrasses sud du village de Suzette. Au nez d'épices encore timide répond une bouche puissante, dont les tanins fougueux demandent à se fondre à la faveur de quelques mois de garde.

Dom. Saint Amant, 84190 Suzette, tél. 04.90.62.99.25, fax 04.90.65.03.56, e-mail contact@saint-amant.com r.-v.

Famille Wallut

TERRES BLANCHES DE BEL AIR 2004 ★★

■ 40 ha 48 000 ▮ 5 à 8 €

Sur des terres blanches, argilo-calcaires, ont été récoltés le grenache (80 %) et la syrah pour élaborer ce vin d'un rouge profond à reflets noirs. Les fruits mûrs, voire confiturés, éclatent dès le premier nez et ne quittent la bouche chaleureuse, ample et ronde qu'après un long moment. Il est déjà prêt à passer à table. La **Chapelle Notre Dame d'Aubune 2004 rouge** obtient la même note, tandis que le **Domaine Pied Redon 2004 rouge (8 à 11 €)** est cité.

Les Vignerons de Beaumes-de-Venise, quartier Ravel, 84190 Beaumes-de-Venise, tél. 04.90.12.41.14, fax 04.90.12.41.21, e-mail vignerons@beaumes-de-venise.com
t.l.j. 8h-12h 14h-18h

Vacqueyras

L'appellation d'origine contrôlée vacqueyras, dont les conditions de production ont été définies par décret du 9 août 1990, est la treizième des AOC communales de la vallée du Rhône.

Elle rejoint gigondas et châteauneuf-du-pape à ce niveau hiérarchique dans le département du Vaucluse. Situé entre Gigondas au nord et Beaumes-de-Venise au sud-est, son territoire s'étend sur les deux communes de Vacqueyras et de Sarrians. Les 1 335 ha de vignes ont produit en 2005 un peu plus de 42 275 hl de vin rouge et rosé et 1 002 hl de vin blanc.

Les vins rouges, élaborés à base de grenache, de syrah, de mourvèdre et de cinsault, sont aptes au vieillissement (trois à dix ans). Les rosés (4 %) sont issus d'un encépagement similaire. Les blancs restent confidentiels (cépages : clairette, grenache blanc, bourboulenc, roussanne).

ARNOUX ET FILS Cuvée 1717 2003 ★★

■ 0,5 ha 2 000 ▮ 23 à 30 €

Cette cuvée de vieilles vignes, au nez expressif mêlant la cerise à l'eau-de-vie et la fraise bien mûre se montre souple et légère, puissante et d'une grande maturité. Les arômes de fruits surmûris dominent, appuyés sur des tanins très soyeux et un boisé bien fondu. Deux autres cuvées reçoivent une étoile : le **Vieux Clocher 2004 rouge (5 à 8 €)**, au nez complexe et élégant et aux tanins pleins et présents ; et le **Seigneur de Lauris 2003 rouge (11 à 15 €)**, marqué au nez et en bouche par un léger boisé vanillé.

Arnoux et Fils, Cave du Vieux Clocher, 84190 Vacqueyras, tél. 04.90.65.84.18, fax 04.90.65.80.07, e-mail info@arnoux-vins.com
t.l.j. sf dim. 9h-12h 14h-18h 4 C

DOM. LA BOUÏSSIÈRE La Ponche 2004

■ 1,5 ha 4 800 11 à 15 €

Des terrasses au pied des Dentelles de Montmirail : c'est le paysage enchanteur où s'épanouissent pleinement les vieux ceps de grenache et de mourvèdre qui ont servi à produire cette cuvée, coup de cœur l'an passé. Son bouquet expressif mêle les notes fumées et vanillées avec la violette et la figue. Sa bouche au boisé fondu offre des tanins nets et francs, et une finale d'une belle longueur.

EARL Faravel, rue du Portail, 84190 Gigondas, tél. 04.90.65.87.91, fax 04.90.65.82.16, e-mail labouissiere@aol.com
t.l.j. 10h-12h 13h-19h

DOM. DE LA BRUNÉLY 2004 ★

■ n.c. 8 000 ▮ 5 à 8 €

Fils, petit-fils et arrière-petit-fils de vigneron, Charles Carichon exploite aujourd'hui le domaine racheté en 1976 par sa famille. Ce 2004 attire l'attention par sa robe grenat intense aux reflets violacés. Ensuite, le nez complexe mêle la réglisse, les épices, les fruits secs et le cassis. Enfin, la bouche achève de séduire par sa puissance et sa matière ; elle demandera encore un peu de temps pour s'arrondir. À servir sur un gibier ou une daube.

Charles Carichon, Dom. de La Brunély, rte de La Brunély, 84260 Sarrians, tél. 04.90.65.41.24, fax 04.90.65.30.60, e-mail domaine-de-la-brunely@wanadoo.fr
t.l.j. sf sam. dim. 8h30-12h 13h30-17h30

DOM. CHAMFORT 2003 ★

■ 10 ha 30 000 ▮ 8 à 11 €

Ce 2003 surprend par son nez, qui exprime les épices et le poivre vert agrémentés de notes animales ; signe d'un passage en bois très modéré, il est légèrement fumé. Ce côté évolué se retrouve en bouche avec des arômes épicés qui perdurent longtemps. Un vin plein de finesse et prêt à être dégusté.

Denis Chamfort, La Pause, 84110 Sablet, tél. 04.90.46.94.75, fax 04.90.46.99.84, e-mail denis.chamfort@wanadoo.fr r.-v.

DOM. DE LA CHARBONNIÈRE 2004

■ 4,33 ha 19 000 ▮ 11 à 15 €

Un rouge bien brillant colore la robe de ce vacqueyras aux arômes de fruits compotés agrémentés de notes grillées. Douce en attaque, la bouche expressive livre des notes de fruits rouges, soutenus par des tanins très présents, avant une finale d'une bonne ampleur.

EARL Michel Maret et Filles, Dom. de La Charbonnière, rte de Courthézon, 84230 Châteauneuf-du-Pape, tél. 04.90.83.74.59, fax 04.90.83.53.46, e-mail maret-charbonniere@club-internet.fr r.-v.

DOM. LE CLOS DE CAVEAU 2003 ★

■ 12 ha 25 000 ▮ 8 à 11 €

Soutenu et puissant, tels sont les deux qualificatifs qui conviennent le mieux à ce vacqueyras, dont l'assemblage grenache-syrah s'accompagne d'une touche de cinsault. Soutenu, pour la robe sombre et la matière pleine qui tient le rythme tout au long de la dégustation. Puissant, tant pour le nez que pour la bouche : au nez, ce sont les fruits surmûris et confiturés mêlés aux notes de sous-bois ; en bouche, c'est l'ampleur et la structure enrobés d'une longue persistance. Un vin bien extrait, à boire dès maintenant.

🗝 EARL Le Clos de Caveau, rte de Montmirail, chem. de Caveau, 84190 Vacqueyras, tél. 04.90.65.85.33, fax 04.90.65.83.17, e-mail domaine@closdecaveau.com ☑ 🍷 🚶 r.-v. 🏠 D
🗝 H. Bungener

DOM. LE CLOS DES CAZAUX Prestige 2003 ★★

■ 1 ha 3 000 🛢 11 à 15 €

Quatre générations de vignerons ont travaillé au remembrement du vignoble autour du mas, et les sélections régulières des vins de ce domaine attestent bien de la réussite de ces efforts. Cette année encore, plusieurs cuvées sont retenues, à commencer par ce Prestige, moitié grenache moitié syrah, dont le nez marie de classiques fruits rouges à d'originales notes de menthe. L'élevage en fût lui a conféré une matière d'une forte personnalité, enrobée d'un boisé bien travaillé. Patientez quelques mois avant de le servir pour accompagner une bécasse. Pendant ce temps, vous profiterez de la **cuvée Saint-Roch 2003 rouge (5 à 8 €)**, citée, pleine de charme et d'originalité avec ses notes d'orange confite et de fruits rouges. Enfin, la cuvée **Les Clefs d'Or 2004 blanc (5 à 8 €)** reçoit une étoile pour son bel équilibre entre rondeur, gras et vivacité.

🗝 EARL Archimbaud-Vache, Dom. Le Clos des Cazaux, 84190 Vacqueyras, tél. 04.90.65.85.83, fax 04.90.41.75.32, e-mail closdescazaux@wanadoo.fr
☑ 🍷 🚶 t.l.j. sf sam. dim. 9h-11h30 14h-18h

CLOS DES FRÈRES Cuvée J & E 2004 ★

■ 5 ha 10 000 🍾🛢 11 à 15 €

Deux tiers de grenache, un tiers de syrah et une touche de cinsault forment l'assemblage de cette cuvée spéciale née de la rencontre fraternelle de Jérémy Onde et Erwin Devriendt autour d'une même idée du vin. S'il ne se livre pas immédiatement, le nez de ce 2004 s'avère néanmoins élégant et prometteur avec ses jolies notes minérales et fumées sur fond de fruits noirs. Structurée, la bouche offre une belle rondeur et une longue finale aux accents boisés.

🗝 Jérémy Onde, Dom. Les Ondines, Les Garrigues Sud, 84260 Sarrians, tél. et fax 04.90.65.86.45, e-mail jeremy.ondines@wanadoo.fr
☑ 🍷 🚶 t.l.j. sf dim. 9h-12h 14h-18h30

CLOS MONTIRIUS 2004 ★

■ 8,5 ha 30 000 🍾 11 à 15 €

Composée à parts égales de grenache et de syrah, cette cuvée est issue de vignes plutôt jeunes : le résultat est prometteur pour les millésimes à venir. Le nez agréable aux arômes fins encore sur le fruit, tout comme la bouche dont la structure tannique se montre ample et pleine de vivacité.

🗝 Christine et Éric Saurel, SARL Montirius, Le Devès, 84260 Sarrians, tél. 04.90.65.38.28, fax 04.90.65.48.72, e-mail montirius@wanadoo.fr
☑ 🍷 🚶 r.-v.

DOM. LE COLOMBIER Cuvée G 2004 ★

■ 2,3 ha 9 600 🍾🛢 11 à 15 €

Moitié grenache moitié syrah, cette cuvée montre puissance et plénitude dès que l'on se penche au-dessus du verre d'où émanent des fruits rouges et noirs (cassis, cerise), de la réglisse et des notes étonnantes de marron et de farine de froment. La matière soyeuse et équilibrée se prolonge dans une finale harmonieuse.

🗝 Jean-Louis Mourre, Dom. Le Colombier, 84190 Vacqueyras, tél. 04.90.12.39.71, fax 04.90.65.85.71 ☑ 🍷 r.-v.

DOM. LE COUROULU Cuvée classique 2004

■ 10 ha 45 000 🍾 8 à 11 €

La robe sombre de ce 2004 semble dans un premier temps presque retenir ses arômes. Puis, à l'aération, elle dévoile des senteurs de fruits rouges et d'épices. En bouche, une structure tannique fortement marquée lui donne du caractère mais invite à patienter un ou deux ans pour plus de rondeur et d'harmonie.

🗝 EARL Le Couroulu, La Pousterle, 84190 Vacqueyras, tél. 04.90.65.84.83, fax 04.90.65.81.25
☑ 🍷 🚶 t.l.j. sf dim. 9h30-12h30 14h30-18h

DOM. DE L'ESPIGOUETTE 2004 ★★

■ 3,6 ha 10 000 🍾🛢 5 à 8 €

Depuis 1979 à la tête de ce domaine familial, Bernard Latour signe fièrement ses étiquettes, et il a raison tant ce vacqueyras 2004 est remarquable. Au regard, il séduit par sa robe rouge sang limpide et brillante. L'intensité du nez est marquée par les fruits secs, la figue et les fruits compotés. En bouche, les fruits rouges apparaissent, soutenus par des tanins fins et enrobés, faits pour durer. Un vin plein d'équilibre et d'harmonie, à déguster dans quatre ou cinq ans.

🗝 Bernard Latour, Dom. de L'Espigouette, BP 06, 84150 Violès, tél. 04.90.70.95.48, fax 04.90.70.96.06, e-mail espigouette@aol.com ☑ 🍷 🚶 r.-v.

LA FONT DE PAPIER 2004 ★

■ n.c. n.c. 11 à 15 €

Conduit en agriculture biologique, ce domaine établi sur des terrasses calcaires caillouteuses propose ce vacqueyras à la robe soutenue, aux reflets violacés et foncés. Le bouquet est un concentré de fruits à l'eau-de-vie (griotte). Grenache et syrah réalisent en bouche un équilibre entre rondeur, sucrosité et tanin d'une harmonie grandissante. Quant au **Clos du Joncuas gigondas 2004**, encore sévère, il est cité.

🗝 F. Chastan, Clos du Joncuas, 84190 Gigondas, tél. 04.90.65.83.88, fax 04.90.65.83.68
☑ 🍷 t.l.j. sf sam. dim. 8h30-12h 14h-17h30

DOM. LA FOURMONE Trésor du poète 2004 ★★

■ 10 ha 25 000 🍾 5 à 8 €

Voici un domaine familial où l'accueil est tout aussi important que la qualité des vins. À en juger par la réussite de cette année – trois cuvées sélectionnées et un coup de

RHÔNE

cœur – on ne peut qu'avoir envie de s'y précipiter ! Ce Trésor du poète offre un nez plein de fraîcheur qui mêle les fruits noirs à l'abricot et aux épices. La bouche souple et ronde, équilibrée par des tanins discrets, offre une finale gourmande sur le fruit. Deux autres cuvées sont citées : les **Ceps d'Or 2004 rouge (8 à 11 €)**, qui joue dans le registre des fruits à noyau ; et la **Sélection Maître de Chais 2004 rouge (8 à 11 €)**, aux arômes de fruits frais (framboise, cassis) et aux tanins encore présents.

Roger Combe et Filles, Dom. La Fourmone, rte de Bollène, 84190 Vacqueyras, tél. 04.90.65.86.05, fax 04.90.65.87.84, e-mail contact@fourmone.com
t.l.j. sf dim. 9h30-12h 14h-18h; ouv. dim. de Pâques à septembre

DOM. LA GARRIGUE Cuvée de l'hostellerie 2004 *

6 ha | 28 000 | 8 à 11 €

Cette propriété, dans la même famille de vignerons depuis plus de cent cinquante ans, affiche sa devise : « Le vin de la Garrigue, jamais ne fatigue ». Choisissez tout de même la modération ! Cette cuvée 2004 séduit en tout cas, par son nez intense qui mêle les fruits rouges et les fruits noirs, que viennent relever quelques notes de cuir et de grillé. La bouche réalise un équilibre harmonieux des arômes, avec un fruité dominant, avant une finale qui profitera de quelques mois de garde pour s'arrondir encore. Citée, la **cuvée spéciale rouge 2004 (23 à 30 €)**, à la petite proportion de mourvèdre, se montre plus épicée et plus tannique ; elle devra attendre un ou deux ans.

SCEA A. Bernard et Fils, Dom. La Garrigue, 84190 Vacqueyras, tél. 04.90.65.84.60, fax 04.90.65.80.79
t.l.j. 8h-12h 14h-18h30; dim. sur r.-v.

ALAIN JAUME Grande Garrigue 2004 *

n.c. | 8 000 | 8 à 11 €

Voici un domaine qui illustre une véritable histoire de famille : ici, on est vigneron de père en fils depuis 1826. Aujourd'hui, on y produit ce 2004 au nez complexe mariant les fruits noirs et les fruits rouges, la réglisse et le boisé, agrémentés de quelques notes florales. L'attaque souple ouvre sur une bouche ample et ronde, riche d'arômes de cerise, d'abricot et de notes de poivre. Le bois bien fondu laisse augurer d'une belle évolution.

Alain Jaume et Fils, rte de Châteauneuf-du-Pape, 84100 Orange, tél. 04.90.34.68.70, fax 04.90.34.43.71, e-mail jaume@domaine-grand-veneur.com r.-v.

DOM. LA MONARDIÈRE Réserve des 2 Monardes 2004 **

8 ha | 30 000 | 8 à 11 €

Habitué des sélections, Christian Vache ne déçoit pas avec cette cuvée 2004 qui a séduit les dégustateurs. Entourant une robe intense et limpide, les parfums de fruits cuits et de fruits noirs sont relevés d'une pointe animale. L'attaque en bouche est modeste, mais ne vous y fiez pas ! Immédiatement après, c'est toute la plénitude d'un vin volumineux qui s'impose. Les arômes restent très présents jusque dans une élégante finale. Un remarquable ambassadeur de l'appellation.

Dom. La Monardière, Les Grès, 84190 Vacqueyras, tél. 04.90.65.87.20, fax 04.90.65.82.01, e-mail monardiere@wanadoo.fr
t.l.j. sf dim. 9h30-12h 14h-18h30; janv. sur r.-v.
Christian Vache

CH. DE MONTMIRAIL Cuvée de l'ermite 2004 **

3 ha | 12 000 | 8 à 11 €

Le domaine est situé sur le site de l'ancienne station thermale de Montmirail, réputée pour ses eaux sulfureuses. Ce n'est évidemment pas le qualificatif qui convient pour cette Cuvée de l'ermite qui offre un nez floral plaisant, aux notes de sauge et de lilas. La bouche, qui joue sur un registre aromatique épicé et fruité, se distingue surtout par ses tanins encore jeunes. une bouteille à garder deux à cinq ans, puis à servir sur un gibier. La **Cuvée des deux frères 2004 rouge** est citée ; ses tanins encore vifs et un peu serrés demandent à s'arrondir.

SCEV Archimbaud-Bouteiller, cours Stassart, BP 12, 84190 Vacqueyras, tél. 04.90.65.86.72, fax 04.90.65.81.31, e-mail archimbaud@chateau-de-montmirail.com
t.l.j. sf dim. 9h-12h 14h-18h
Bouteiller

DOM. DE MONTVAC Variation 2004 *

2 ha | 8 000 | 11 à 15 €

Deux vins de ce domaine ont été sélectionnés avec une étoile. La cuvée Variation, à 80 % de grenache et 20 % de syrah, présente un nez fin marqué par les notes florales. En bouche, l'attaque complexe ouvre sur des tanins veloutés rehaussés d'arômes de fruits légèrement épicés (cannelle). Le **blanc 2004 (8 à 11 €)**, aux parfums de fruits à chair blanche, est marqué par un discret boisé hérité de son élevage en fût.

SCEA Dusserre, Dom. de Montvac, 84190 Vacqueyras, tél. 04.90.65.85.51, fax 04.90.65.82.38, e-mail dusserre@domaine-de-montvac.com
t.l.j. sf dim. 9h-12h 14h-18h

DOM. PALON 2003 *

5 ha | 20 000 | 5 à 8 €

Après vingt-trois ans passés à la tête de la cave coopérative de Gigondas, Jean-Pierre Palon a créé sa cave aidé de son fils Sébastien, afin de réaliser un rêve, celui d'élaborer son propre vin. Les premiers millésimes sont prometteurs, avec tout d'abord ce 2003 au nez intense marqué par le fumé. Sa complexité s'exprime plus volontiers en bouche, révélant de la réglisse et des notes d'olive verte et noire. La qualité des tanins, présents mais bien enveloppés, permettra de l'attendre un peu.

Dom. Palon, rte de Vacqueyras, 84190 Gigondas, tél. 04.90.62.24.84, fax 04.90.28.08.79, e-mail contact@domainepalon.com
t.l.j. 9h-12h30 14h-18h30

DOM. DU PESQUIER 2004 **

1 ha | 4 000 | 8 à 11 €

Si l'assemblage de grenache et de syrah à parts presque égales est courant, cette cuvée est en revanche tout sauf banale. Dès la robe, intense aux reflets noirs, elle montre sa profondeur. Son nez expressif livre d'abord des notes de réglisse et de torréfaction, puis apparaît le fruit. La bouche s'impose par une structure tannique puissante mais sans aucune dureté, et offre beaucoup d'ampleur, de rondeur et une finale longue aux arômes de fruits noirs relevés d'épices. Un vin au grand potentiel.

EARL Boutière et Fils, Dom. du Pesquier, 84190 Gigondas, tél. 04.90.65.86.16, fax 04.90.65.88.48
t.l.j. 9h-12h 14h-18h

DOM. LE PONT DU RIEU 2004 ★

■ n.c. 10 000 🛢 5 à 8 €

Du cinsault et du mourvèdre en petites proportions viennent contribuer à la profondeur du bouquet (fruits à noyau, réglisse) de cet assemblage de grenache (70 %) et de syrah (20 %). La bouche, franche dès l'attaque, offre une belle longueur sur le fruit et les épices. Son ampleur et son gras en font un joli vin pour accompagner le gibier.

Jean-Pierre Faraud, Dom. Le Pont du Rieu, 84190 Vacqueyras, tél. 04.90.65.86.03, fax 04.90.65.89.09, e-mail faraud@le-pont-du-rieu.com r.-v.

CH. DES ROQUES 2005

n.c. 6 000 8 à 11 €

Assemblage de grenache blanc (40 %), de bourboulenc et de marsanne (30 % chacun), ce vacqueyras s'exprime tout en fraîcheur et vivacité. Le nez intense allie harmonieusement les agrumes et les fleurs blanches, tandis qu'en bouche les fruits exotiques prennent le relais dans une longue finale.

SCEA Ch. des Roques, BP 9, 84190 Vacqueyras, tél. 04.90.65.85.16, fax 04.90.65.88.18 t.l.j. sf sam. dim. 8h-12h 13h30-17h30

Séroul

DOM. SAINT-ANTOINE 2004 ★★

■ n.c. 50 000 5 à 8 €

Vinifié par la cave de Rasteau, ce domaine propose un vacqueyras à la robe limpide et soutenue, qui présente un nez intéressant de petites baies, relevé de notes d'épices et de fruits secs. La bouche développe une grande puissance aromatique, marquée par les épices. Ses tanins vifs mais ronds lui confèrent une grande harmonie. À attendre quelques années pour en profiter pleinement.

Les Vignerons de Rasteau et de Tain-l'Hermitage, rte des Princes-d'Orange, 84110 Rasteau, tél. 04.90.10.90.10, fax 04.90.10.90.36

DOM. LE SANG DES CAILLOUX

Cuvée Floureto 2004

■ 3 ha 10 000 🛢 11 à 15 €

Régulièrement sélectionné, ce domaine présente cette année ce 2004 dont le nez allie les fruits rouges frais aux notes plus animales (cuir), témoignage de la présence de syrah (20 %) dans l'assemblage. D'attaque agréable, la bouche équilibrée offre une finale légèrement marquée par le boisé, héritage de l'élevage en fût.

Dom. Le Sang des Cailloux, rte de Vacqueyras, 84260 Sarrians, tél. 04.90.65.88.64, fax 04.90.65.88.75, e-mail le-sang-des-cailloux@wanadoo.fr r.-v.

Châteauneuf-du-pape

Le territoire de production de l'appellation, la première à avoir défini légalement ses conditions de production en 1931, s'étend sur la quasi-totalité de la commune qui lui a donné son nom et sur certains terrains de même nature des communes limitrophes d'Orange, de Courthézon, de Bédarrides et de Sorgues (3 134 ha déclarés en 2005). Ce vignoble est situé sur la rive gauche du Rhône, à une quinzaine de kilomètres au nord d'Avignon. Son originalité provient de son sol, formé notamment de vastes terrasses de hauteurs différentes, recouvertes d'argile rouge mêlée à de nombreux cailloux roulés. Les cépages sont très divers, avec prédominance du grenache, de la syrah, du mourvèdre et du cinsault. Le rendement ne dépasse pas 31 hl/ha en 2005.

Les châteauneuf-du-pape ont toujours une couleur très intense. Ils seront mieux appréciés après un vieillissement qui varie en fonction des millésimes. Amples, corsés et charpentés, ce sont des vins au bouquet puissant et complexe, qui accompagnent avec succès les viandes rouges, le gibier et les fromages à pâte fermentée. Les blancs, produits en petite quantité (6 107 hl), savent cacher leur puissance par leur saveur et la finesse de leurs arômes. La production globale atteint les 98 150 hl en 2005.

VIGNOBLE ABEILLE 2005

13,94 ha 18 000 11 à 15 €

Sur l'étiquette, un sonnet anonyme intitulé « Le Bonheur de ce monde ». Que faut-il pour être heureux ? « Un jardin tapissé d'espaliers odorants, des fruits, d'excellent vin ...] » Ce châteauneuf-du-pape, issu de grenache, de clairette, de roussanne, de bourboulenc et de piquepoul, offrira un plaisir simple par sa palette de pêche, d'abricot et de fruits exotiques, comme par sa bouche fraîche et aromatique.

Ch. Mont-Redon, 84230 Châteauneuf-du-Pape, tél. 04.90.83.72.75, fax 04.90.83.77.20, e-mail contact@chateaumontredon.fr r.-v.

Abeille-Fabre

DOM. PAUL AUTARD

Cuvée La Côte ronde 2004 ★★

■ 12 ha 15 000 🛢 30 à 38 €

Une statue de la Vierge à l'entrée du domaine rappelle qu'il fut une résidence du diocèse d'Avignon. Sous la colline de pins, la cave en safre abrite les barriques de vins pendant de longs mois. Ainsi y a séjourné cette cuvée de grenache et de syrah à parts égales qui livre sous une teinte sombre à reflets violacés un riche bouquet de fruits rouges, d'épices douces et de poivre. À l'attaque franche

et fraîche succède une structure de tanins fins, enveloppée dans une chair ronde, empreinte de fruits noirs. « On se fait plaisir en dégustant ce 2004 », conclut un membre du jury. N'est-ce pas la vraie vocation d'un vin de qualité ?
Dom. Paul Autard, rte de Châteauneuf-du-Pape,
84350 Courthézon, tél. 04.90.70.73.15,
fax 04.90.70.29.59, e-mail jean-paul.autard@wanadoo.fr
r.-v.

LA BASTIDE SAINT-DOMINIQUE 2004 *

7 ha 30 000 15 à 23 €

1653 : telle est la date figurant sur la façade de cette bastide provençale. Depuis 1976, Gérard Bonnet conduit la destinée du domaine de 32 ha. Il a élaboré un 2004 rubis brillant, dont le nez intense rappelle les fruits rouges mûrs, avec une pointe animale. Puissant, concentré, doté de tanins souples, le vin s'épanouit avec élégance. Trois ans de garde suffiront à lui donner toute la sagesse souhaitée. La même note revient à **La Bastide Saint-Dominique 2005 blanc**, rond, fruité et floral.
Gérard et Éric Bonnet, chem. Saint-Dominique,
84350 Courthézon, tél. 04.90.70.85.32,
fax 04.90.70.76.64,
e-mail contact@bastide-st-dominique.com
r.-v.

DOM. DE BEAURENARD 2004 **

19 ha 80 000 15 à 23 €

Les deux frères Daniel et Frédéric Coulon conduisent ce domaine familial de 32 ha dans le respect de l'environnement, en pratiquant la lutte raisonnée. Un souci de bien-faire qui se traduit dans les vins, comme en témoigne la Grappe d'argent du Guide obtenue l'an dernier. Ce 2004 ne démérite pas. Il est prêt à dispenser d'agréables arômes de confitures de prunes et de cerises. Sa robe sombre est en accord avec l'impression gustative : puissance, rondeur, volume et longueur sur des notes fruitées mûres, empyreumatiques et épicées. Déjà plaisante, cette bouteille a aussi suffisamment de potentiel pour affronter le temps.
Paul Coulon et Fils, Dom. de Beaurenard,
av. Pierre-de-Luxembourg, 84231 Châteauneuf-du-Pape,
tél. 04.90.83.71.79, fax 04.90.83.78.06,
e-mail paul.coulon@beaurenard.fr
t.l.j. sf dim. 9h-12h 13h30-17h30

DOM. BENEDETTI 2004

3 ha 12 000 15 à 23 €

Christian Benedetti conduit en agriculture biologique ce petit vignoble de 8 ha, partagé entre les AOC châteauneuf-du-pape et côtes-du-rhône. Son 2004, grenat à reflets violacés, révèle des arômes de fruits mûrs épicés, puis une matière puissante et persistante, encore marquée par de robustes tanins. Quatre à cinq ans de garde devraient lui permettre de s'affiner.
Dom. Benedetti, 25, chem. Roquette,
84370 Bédarrides, tél. 06.61.77.24.77,
fax 04.90.33.24.97, e-mail domainebenedetti@yahoo.fr
r.-v.

DOM. BOSQUET DES PAPES
À la gloire de mon grand-père 2004 *

2,1 ha 8 000 15 à 23 €

Les Bosquets est le nom d'un quartier de Châteauneuf-du-Pape, où sont situés les chais de Maurice et Nicolas Boiron. À la gloire des châteauneuf-du-pape d'autrefois, ce vin se pare de légers reflets d'évolution sur fond cerise. Aux arômes de fruits noirs nuancés de notes de café répond une bouche ronde et puissante, légèrement vanillée en finale.
Maurice et Nicolas Boiron,
Dom. Bosquet des Papes, 18, rte d'Orange,
84230 Châteauneuf-du-Pape, tél. 04.90.83.72.33,
fax 04.90.83.50.52,
e-mail bosquet.des.papes@club-internet.fr
t.l.j. sf dim. 9h-12h 14h-18h30; sam. sur r.-v.

MAISON BOUACHON La Tiare du Pape 2004 *

n.c. 20 000 15 à 23 €

Créée en 1898, cette maison fabriquait des fûts de chêne avant de se lancer dans la vinification. Issu d'une longue macération, son 2004 déroule une ligne boisée et vanillée intense tout au long de la dégustation. Il se montre puissant et équilibré, suffisamment persistant, apte à être présenté à table au cours des trois prochaines années. Vous le servirez avec un rôti de bœuf aux cèpes ou un pavé de cerf.
Maison Bouachon, av. Pierre-de-Luxembourg,
84230 Châteauneuf-du-Pape, tél. 04.90.83.58.35,
fax 04.90.83.77.23, e-mail info@maisonbouachon.com
t.l.j. 9h-12h 14h-19h
Skalli

DOM. DE LA BRUNÉLY 2004 *

2,29 ha 4 000 15 à 23 €

Venu de Vérone, Pellegrin de Brunellis prit possession à Sarrians des terres que lui avait offertes le pape Martin V. C'était au XV[e]s., début de la longue histoire de ce domaine que la famille Carichon a repris en 1976. Les fruits cuits, tels sont les arômes de ce vin puissant et intense, que son caractère chaleureux destine à des viandes en marinade et à des plats relevés. L'attendre ? Un an, pas davantage.
Charles Carichon, Dom. de La Brunély,
rte de La Brunély, 84260 Sarrians, tél. 04.90.65.41.24,
fax 04.90.65.30.60,
e-mail domaine-de-la-brunely@wanadoo.fr
t.l.j. sf sam. dim. 8h30-12h 13h30-17h30

DOM. DU CAILLOU Les Quartz 2004 *

3,22 ha 14 000 30 à 38 €

Élie Dussaud, constructeur notamment du port de Suez et de celui de Marseille, est à l'origine de la cave voûtée creusée dans le safre. Sylvie et Jean-Denis Vacheron y ont élevé leur cuvée en foudre pendant dix-huit mois. Au nez de fruits et de toasté épicé correspond une bouche ronde et puissante, dont les flaveurs de fruits sont soulignées d'une ligne vanillée. Dans deux ou trois ans, cette bouteille côtoiera une viande en sauce ou un plateau de fromages.
Sylvie Vacheron, Clos du Caillou,
84350 Courthézon, tél. 04.90.70.73.05,
fax 04.90.70.76.47, e-mail closducaillou@wanadoo.fr
t.l.j. sf dim. 9h-12h30 13h30-17h30

CHANTE CIGALE 2004 *

25 ha 75 000 15 à 23 €

La cigale peut chanter, le vigneron a bien travaillé dans la vigne comme au chai pour élaborer cette cuvée à la robe cardinale, éclatante de jeunesse. Les fruits rouges se manifestent avec intensité, trouvant écho dans la matière ronde et friande, de bonne longueur. Dans cinq ans, l'expression se sera encore épanouie.

🔑 Dom. Chante Cigale, av. Louis-Pasteur,
84232 Châteauneuf-du-Pape Cedex, tél. 04.90.83.70.57,
fax 04.90.83.58.70,
e-mail domaine.chante.cigale@club-internet.fr ☑ 🍷 r.-v.
🔑 Favier

DOM. CHANTE-PERDRIX 2005

□ 1 ha 3 500 ▮ 11 à 15 €

Étienne Pécoul créa ce domaine en 1896. Une vingtaine d'hectares aujourd'hui, conduits par Guy et Frédéric Nicolet qui ont produit en volumes confidentiels ce 2005 jaune pâle, aux légers reflets dorés. Ne passez pas trop vite sur les arômes : les fruits confits ne tardent pas à apparaître comme des indices de la concentration de la matière qui laisse une impression de volume et de rondeur. À savourer avec des fromages crémeux dans les deux à trois ans.

🔑 Guy et Frédéric Nicolet, Dom. Chante-Perdrix,
BP 6, 84231 Châteauneuf-du-Pape Cedex,
tél. 04.90.83.71.86, fax 04.90.83.53.14,
e-mail chante-perdrix@wanadoo.fr ☑ 🍷 ⛹ r.-v.
🔑 GFA Nicolet

DOM. DE LA CHARBONNIÈRE

Cuvée Vieilles Vignes 2004 ★★

■ 3 ha 10 000 ▮ 🛢 30 à 38 €

En 1912, ce joli domaine fut offert en cadeau par Eugène Maret à sa femme, elle-même fille de vigneron. Depuis 1972, le petit-fils, Michel Maret, conduit ses quelque 18 ha en châteauneuf-du-pape, aidé à présent par ses filles. Plantées sur une petite parcelle de La Crau, des vignes de quatre-vingt-dix ans sont à l'origine de ce vin : 90 % de grenache pour 10 % de mourvèdre. « J'adore », dit un dégustateur. Il ne fut pas le seul à apprécier la profondeur de sa robe, l'intensité de ses arômes de cacao, de café, de tabac et de fruits rouges. La bouche ronde, aromatique et persistante, laisse une sensation friande à laquelle il est difficile de rester insensible dès maintenant. Gardez quelques bouteilles pour les cinq années à venir. La cuvée classique **Domaine de La Charbonnière 2004 (15 à 23 €)** obtient une étoile. Elle mérite de vieillir pour s'exprimer pleinement.

🔑 EARL Michel Maret et Filles,
Dom. de La Charbonnière, rte de Courthézon,
84230 Châteauneuf-du-Pape, tél. 04.90.83.74.59,
fax 04.90.83.53.46,
e-mail maret-charbonniere@club-internet.fr ☑ 🍷 ⛹ r.-v.

CLOS DE L'ORATOIRE DES PAPES

Les Chorégies 2003 ★

■ 2 ha 5 150 🛢 30 à 38 €

Élevé douze mois durant, ce vin intense à reflets pourpres évoque les fruits, le cuir et les épices (vanille). Équilibré, il révèle des tanins soyeux et un boisé encore marqué qui devrait se fondre à la faveur de trois à quatre ans de garde. Un magret de canard aux cèpes lui conviendra alors.

🔑 Ogier-Caves des Papes, 10, av. Louis-Pasteur,
BP 75, 84232 Châteauneuf-du-Pape Cedex,
tél. 04.90.39.32.32, fax 04.90.83.72.54,
e-mail ogiercavesdespapes@ogier.fr ☑ 🍷 ⛹ r.-v.

CLOS DES BRUSQUIÈRES 2004 ★

■ 7 ha 25 000 ▮ 🛢 11 à 15 €

Claude Courtil a adjoint le prénom de son grand-père au nom de sa société, comme un hommage à celui qui créa cette propriété. Le 2004 séduit dès l'abord par ses senteurs profondes de fruits mûrs et ses notes de cuir. Certes, les tanins jouent le premier rôle au palais, mais sans agressivité à l'égard de la riche matière fruitée. Vous le servirez avec un gigot d'agneau après un vieillissement de deux ans au moins.

🔑 EARL Courtil-Thibaut, rte d'Orange,
84230 Châteauneuf-du-Pape, tél. et fax 04.90.83.74.47
☑ 🍷 ⛹ r.-v.
🔑 Claude Courtil

CLOS DU CALVAIRE 2005 ★

□ 3 ha 6 000 ▮ 15 à 23 €

En 1923 déjà, les grands-parents de Didier Mayard, fondateurs du Clos du Calvaire, vendaient leurs vins en bouteilles. Longue expérience que la nouvelle génération poursuit avec succès à en juger par ce millésime limpide et pâle. De la discrétion dans les arômes de fleur d'oranger. De l'élégance et de la finesse dans les saveurs dominées par la rondeur. La moindre occasion de prendre l'apéritif entre amis sera opportune pour servir cette bouteille.

🔑 Vignobles Mayard, 24, av. Baron-Le-Roy, BP 16,
84230 Châteauneuf-du-Pape, tél. 04.90.83.70.16,
fax 04.90.83.50.47,
e-mail francoise.roumieux@wanadoo.fr
☑ 🍷 ⛹ t.l.j. sf sam. dim. 8h30-12h30 14h-18h30;
groupes sur r.-v.

CLOS DU MONT-OLIVET 2005

□ 1,8 ha 8 000 ▮ 🛢 11 à 15 €

Au sommet de l'arbre généalogique se trouvent Romain Jausset qui créa le domaine, puis son gendre, Séraphin Sabon, et le petit-fils Joseph Sabon. Trois nouvelles branches se sont ajoutées : Jean-Claude, Pierre et Bernard, puis quatre autres encore représentées par Thierry, David, Céline et Mylène, dernière venue en 2006. Ce 2005 jaune pâle brillant joue la finesse dans le registre floral (tilleul) et la légèreté. Pour une réunion de famille.

🔑 Famille Sabon, SCEA Clos du Mont-Olivet,
15 av. Saint-Joseph, 84230 Châteauneuf-du-Pape,
tél. 04.90.83.72.46, fax 04.90.83.51.75,
e-mail clos.montolivet@wanadoo.fr
☑ 🍷 t.l.j. 8h-12h 14h-18h; sam. dim. sur r.-v.

DOM. DE LA CÔTE DE L'ANGE

Vieilles Vignes 2003 ★

■ 1,25 ha 3 500 🛢 15 à 23 €

Le domaine de 16 ha se répartit sur plusieurs lieux-dits, parmi lesquels les coteaux de l'Ange. Yannick Gasparri propose une petite production de ce 2003 issu de vignes de quatre-vingts ans : grenache presque exclusivement, avec 5 % de syrah. Une telle composition ne pouvait donner qu'un vin de teinte sombre ; l'élevage de neuf mois sous bois se traduit par des accents d'épices et de torréfaction, tandis que la matière ronde et chaleureuse se pare de flaveurs fruitées. La structure solide demande un peu de temps pour s'assagir. Ce sera chose faite dans cinq ans. Un style traditionnel.

🔑 Yannick Gasparri, Dom. de La Côte de l'Ange,
La Font du Pape, BP 79, 84232 Châteauneuf-du-Pape,
tél. 04.90.83.72.24, fax 04.90.83.54.88,
e-mail cotedelange@libertysurf.fr
☑ 🍷 ⛹ t.l.j. sf dim. 9h-12h 13h30-18h30

DOM. DE CRISTIA 2004 **

■ 9 ha 36 000 15 à 23 €

Alain Grangeon poursuit depuis 1999 le travail commencé par son grand-père en 1942, puis par son père : agrandissement du vignoble à 21,5 ha, amélioration des techniques de vinification, développement de la commercialisation en bouteilles. Des efforts constants qui lui permettent d'obtenir un résultat remarquable en 2004. Un vin de teinte profonde, à reflets violines, qui décline une palette complexe de garrigue, d'épices et de fruits rouges à l'eau-de-vie. Un bel équilibre se réalise entre les tanins, soyeux, et la matière ronde et ample, longuement aromatique. Un châteauneuf-du-pape prêt à boire, mais qui se bonifiera encore au cours des cinq prochaines années. Le **Domaine de Cristia Vieilles Vignes 2004 (30 à 38 €)**, boisé et épicé, obtient une étoile.

Baptiste Grangeon, 31, fg Saint-Georges,
84350 Courthézon, tél. 04.90.70.24.09,
fax 04.90.70.25.38,
e-mail domainedecristia@hotmail.com
t.l.j. 8h-12h 14h-18h; sam. dim. sur r.-v.

CROIX DE BOIS 2004 *

■ n.c. 7 700 38 à 46 €

Du grenache à l'exclusion de tout autre cépage dans cette cuvée de la maison Chapoutier, issue de l'agriculture biodynamique. Si le nez de fruits rouges et noirs, nuancé de torréfaction, est encore sur la réserve, la bouche s'exprime volontiers, flatteuse par tant de rondeur et de souplesse. Les promesses sont grandes pour 2010.

Maison M. Chapoutier, 18, av. du Dr-Paul-Durand,
BP 38, 26601 Tain-l'Hermitage Cedex,
tél. 04.75.08.28.65, fax 04.75.08.81.70,
e-mail chapoutier@chapoutier.com
t.l.j. 9h-12h30 14h-19h; groupes sur r.-v.

DOM. DE FERRAND 2004 *

■ 5,2 ha 13 000 11 à 15 €

À 3 km du théâtre antique d'Orange, ce domaine propose un vin harmonieux, prêt dès aujourd'hui. Chaque élément a trouvé sa juste place : les arômes de fruits frais, le léger accent poivré, la matière souple, structurée par des tanins fins, sans oublier le plaisir de l'œil devant la robe grenat intense. Gardez-en un peu pour plus tard, car cinq années de garde sont à la portée de ce 2004.

EARL Charles Bravay,
256, chem. de Saint-Jean,
84100 Orange, tél. et fax 04.90.34.26.06,
e-mail domaine.ferrand@club-internet.fr r.-v.

CH. DES FINES ROCHES 2004 *

■ 43 ha 173 500 15 à 23 €

Ce château de style médiéval, doté de tours crénelées, fut bâti au XIX[e]s. Propriété du poète Folco de Baroncelli, il accueillit des personnalités aussi marquantes de la culture provençale qu'Alphonse Daudet et Frédéric Mistral. La famille Mousset conduit depuis les années 1930 sa destinée ; elle a notamment développé une activité hôtelière en complément du vignoble. Ce vin élevé en foudre décline des arômes de fruits mûrs et confits, ponctués de touches de poivre. Aucune trace des tanins : ils se sont totalement fondus dans la chair souple et persistante. Un châteauneuf-du-pape à saisir dans l'instant. La cuvée **Fines Roches 2004 rouge (23 à 30 €)** est citée.

Robert Barrot, 1, av. du Baron-Leroy,
84230 Châteauneuf-du-Pape, tél. 04.90.83.51.73,
fax 04.90.83.52.77, e-mail chateaux@vmb.fr
t.l.j. 10h-19h
Catherine Barrot

DOM. FONT DE MICHELLE
Cuvée Étienne Gonnet 2004 **

■ 3 ha 11 700 38 à 46 €

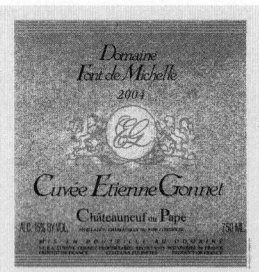

Étienne Gonnet fonda en 1950 ce domaine idéalement exposé sur le flanc sud-est de l'aire d'appellation. Cette cuvée, lancée en 1988, lui rend hommage de remarquable façon dans ce millésime. Une robe sombre à reflets violacés l'habille, aussi intense que les arômes de torréfaction, de chocolat, de poivre et de fruits noirs, mêlés d'une touche animale. La bouche, fortement structurée, révèle une mâche ample et fruitée. Un châteauneuf-du-pape de caractère et d'avenir, qui ne rejoindra que dans trois ou cinq ans une daube avignonnaise.

Jean et Michel Gonnet et Fils,
Dom. Font de Michelle, 14, imp. des Vignerons,
84370 Bédarrides, tél. 04.90.33.00.22,
fax 04.90.33.20.27, e-mail egonnet@terre-net.fr
t.l.j. sf dim. 9h-12h 14h-17h30; sam. sur r.-v.

DOM. DU GALET DES PAPES
Vieilles Vignes 2004 *

■ 3 ha 10 600 15 à 23 €

Au pied de Châteauneuf-du-Pape, cette propriété, dont les origines remontent à Napoléon III, se répartit en dix-huit parcelles aux sols variés : argilo-calcaires au nord, sablonneux au sud-est, galets roulés au sud. Des ceps de soixante-dix ans ont donné naissance à cette cuvée encore discrète, mais toute disposée à s'ouvrir sur les arômes typiques de l'appellation : fruits rouges, cuir et épices. Les tanins soyeux contribuent à la souplesse de la bouche. Dans trois ans, l'ensemble aura gagné en expression.

Jean-Luc Mayard, Dom. du Galet des Papes,
15, rte de Bédarrides, 84230 Châteauneuf-du-Pape,
tél. 04.90.83.73.67, fax 04.90.83.50.22,
e-mail galet.des.papes@terre-net.fr r.-v.

CH. DE LA GARDINE
Cuvée des Générations Gaston Philippe 2004 **

■ 4 ha 8 000 46 à 76 €

Négociant, Gaston Brunel fut l'un des acteurs de la création de l'interprofession à Châteauneuf-du-Pape et le fondateur de ce domaine fort, aujourd'hui, de plus de cent hectares. Ses fils, Patrick et Maxime, et son petit-fils Philippe continuent de mettre en valeur ce patrimoine. Ils ont élaboré un 2004 habillé de velours grenat foncé, aux étonnants arômes de menthol, de fruits noirs et d'encre de Chine. L'élevage sous bois de dix-huit mois a laissé sa marque vanillée et réglissée entourant une chair ample. « Un vin bien travaillé », écrit un dégustateur. La cuvée principale **Château de La Gardine 2004 Tradition (23 à 30 €)**, authentique, complexe et soyeuse, obtient la même note.

🔑 Brunel, Ch. de La Gardine, rte de Roquemaure, 84230 Châteauneuf-du-Pape, tél. 04.90.83.73.20, fax 04.90.83.77.24, e-mail chateau@gardine.com
☑ Y ⛹ t.l.j. sf dim. 8h30-12h 13h-18h; sam. sur r.-v.

CH. GIGOGNAN Clos du Roi 2003

■ 20 ha 51 000 ▮◍ 23 à 30 €

Ancienne propriété de l'évêque d'Avignon, le château Gigognan commande aujourd'hui 72 ha de vignes, dont une partie implantée au sud de l'aire de châteauneuf-du-pape. Un grand classicisme émane de la dégustation du Clos du Roi qui privilégie le fruité et le caractère chaleureux du grenache, accentué par le millésime. La syrah (22 %) apporte la structure tannique qui lui assurera une bonne garde.

🔑 Ch. Gigognan, chem. du Castillon, 84700 Sorgues, tél. 04.90.39.57.46, fax 04.90.39.15.28, e-mail info@chateau-gigognan.fr
☑ Y ⛹ t.l.j. sf dim. 10h-12h 14h-18h
🔑 Jacques Callet

DOM. GIRAUD 2003 ★

■ 8 ha 30 000 ▮◍ 15 à 23 €

Pierre Giraud a su faire évoluer son domaine depuis son arrivée en 1974. De la vente en vrac qui concernait 80 % de sa production, il est passé à la commercialisation en bouteilles en 1998. Heureuse décision qui lui permet de figurer dans le Guide avec un 2003 élégamment vêtu de grenat. Des épices, du cuir et surtout des arômes de fruits confiturés typiques du millésime. De la souplesse en attaque, des tanins fondus et une finale chaleureuse mais qui ne déséquilibre en rien l'architecture. Il serait dommage d'attendre plus longtemps pour partager ce vin.

🔑 Pierre Giraud, 19, Le Bois de la Ville, 84230 Châteauneuf-du-Pape, tél. 04.90.83.73.49, fax 04.90.83.52.05, e-mail giraud.pierre@wanadoo.fr
☑ Y ⛹ r.-v.

GRANDES SERRES La Cour des Papes 2003 ★

■ n.c. 24 000 ◍ 15 à 23 €

Michel Picard, investisseur dans de nombreuses régions viticoles – jusqu'en Ontario –, a repris en 2001 cette maison de négoce rhodanienne. Autre réussite à inscrire à son actif, ce 2003 qui prend la cerise pour référence à l'œil comme au nez. Les tanins fins soutiennent une bouche souple et équilibrée, avec en finale une pointe d'austérité qui ne demande qu'à disparaître à la faveur de deux petites années de garde.

🔑 Les Grandes Serres, rte de l'Islon-Saint-Luc, BP 17, 84231 Châteauneuf-du-Pape Cedex, tél. 04.90.83.72.22, fax 04.90.83.78.77, e-mail les-grandes-serres@wanadoo.fr ☑ Y ⛹ r.-v.

DOM. DU GRAND TINEL 2005 ★

□ 2,9 ha 11 000 ▮ 11 à 15 €

Le mot « tinel » vient du latin *tina*, tonneau ou cave. Au Grand Tinel, la cave construite en 1974 est vaste, étagée sur trois niveaux de façon à recevoir le fruit des 74 ha de vignes, dont 56 ha en châteauneuf-du-pape. Depuis peu, Christophe Jeune et ses sœurs Béatrice et Isabelle sont aux commandes ; ils proposent un 2005 de couleur or, séducteur par ses arômes de fruits exotiques et de fruits à chair blanche, de miel et d'acacia qui se prolongent au palais. Le vin est souple, d'une agréable fraîcheur. Autre propriété d'Élie Jeune, le **Domaine de Saint-Paul cuvée Jumille rouge 2003 (15 à 23 €)** obtient une étoile.

🔑 SAS Les Vignobles Élie Jeune, 3, rte de Bédarrides, BP 58, 84230 Châteauneuf-du-Pape, tél. 04.90.83.70.28, fax 04.90.83.78.07, e-mail beatrice@domainegrandtinel.com ☑ Y ⛹ r.-v.

DOM. GRAND VENEUR Les Origines 2004 ★★

■ 6 ha 18 000 ▮◍ 23 à 30 €

Sébastien et Christophe Jaume épaulent leur père Alain dans la conduite des 60 ha de vignes répartis entre côtes-du-rhône, lirac et châteauneuf-du-pape. Une lignée de vignerons qui débuta en 1826 par Mathieu Jaume venu s'installer sur le terroir castelpapal. Retour aux sources avec cette cuvée grenat qui livre un nez fruité concentré, aux tonalités animales. Des flaveurs de confitures de prunes et de cerises envahissent le palais ample et persistant sur des notes poivrées et réglissées. Certes, les tanins se manifestent par une légère austérité, mais ils promettent de faire patte de velours avec le temps. La cuvée principale **Domaine Grand Veneur 2004 (15 à 23 €)**, minérale, obtient une étoile.

🔑 Alain Jaume et Fils, rte de Châteauneuf-du-Pape, 84100 Orange, tél. 04.90.34.68.70, fax 04.90.34.43.71, e-mail jaume@domaine-grand-veneur.com ☑ Y ⛹ r.-v.

DOM. DE LA JANASSE 2004 ★

■ n.c. 12 000 ◍ 15 à 23 €

Un vignoble dominé par le grenache qui s'éparpille entre Courthézon et La Crau. En tout 55 ha qu'Aimé Sabon surveille minutieusement. À la cave, son fils Christophe est aux commandes. Un an, c'est le temps nécessaire à l'élevage d'un 2004 brillant comme un rubis, complexe mais encore timide dans son approche. Pourtant, le fruit est bien présent, perceptible dans la matière riche et équilibrée, dotée de tanins fins. Dans deux ans, ce vin vous accordera sa compagnie.

🔑 EARL Aimé Sabon, Dom. de La Janasse, 27, chem. du Moulin, 84350 Courthézon, tél. 04.90.70.86.29, fax 04.90.70.75.93, e-mail lajanasse@free.fr
☑ Y ⛹ t.l.j. sf dim. 8h-12h 14h-18h; sam. sur r.-v.

DOM. LAFOND ROC-ÉPINE 2003

■ 2,5 ha n.c. 15 à 23 €

C'est à Tavel que ce domaine est apparu en 1780 et qu'il s'est développé jusqu'à ce qu'en 2001 la famille Lafond décide de l'étendre à l'appellation châteauneuf-du-pape. Jean-Pierre Lafond et son fils Pascal proposent ainsi un 2003 rouge sombre, au nez de fruits confits et d'épices. La bouche est ample, les tanins ronds et sages. Un vin chaleureux à servir dans deux ans avec un civet de lapin.

🔑 SCEA Lafond Roc-Épine, rte des Vignobles, 30126 Tavel, tél. 04.66.50.24.59, fax 04.66.50.12.42, e-mail lafond@roc-epine.com ☑ Y ⛹ r.-v.

MAS DE BOISLAUZON Cuvée du Quet 2003 ★

■ 1,3 ha 4 200 ▮◍ 23 à 30 €

Seuls le grenache (65 %) et le mourvèdre composent cette cuvée confidentielle. De légères notes animales se

RHÔNE

libèrent de prime abord, bientôt rejointes par les fruits noirs mûrs. Dans la matière ronde et chaleureuse, les tanins imposants tendent à se fondre ; il leur faudra encore deux ou trois ans pour s'assagir. Cette bouteille accompagnera une viande rouge ou un gibier.

🗝 Christine et Daniel Chaussy, Mas de Boislauzon, rte de Châteauneuf-du-Pape, 84100 Orange, tél. 04.90.34.46.49, fax 04.90.34.46.61, e-mail masdeboislauzon@wanadoo.fr
☑ Ɪ ✦ t.l.j. sf dim. 10h-12h 13h-18h

CH. MAUCOIL 2005 ★★

1,7 ha | 5 500 | 11 à 15 €

Propriété du secrétaire du prince d'Orange-Nassau au début du XVIIe s., ce domaine situé au cœur des garrigues revendique des origines plus lointaines encore puisque des vestiges romains y ont été mis au jour. Guy et Danièle Arnaud préservent ce patrimoine et le mettent en valeur, comme en témoignent les deux jolis vins retenus par le jury. Ce 2005, élégamment parfumé de pamplemousse, de pêche et de fruits confits, s'épanouit longuement au palais, en procurant une sensation de volume et de fraîcheur. Une étoile est décernée à la cuvée **Parc des Papes 2004 rouge**, fruité (cassis) et velouté.

🗝 Ch. Maucoil, BP 7, 84231 Châteauneuf-du-Pape Cedex, tél. 04.90.34.14.86, fax 04.90.34.71.88, e-mail contact@chateau-maucoil.com
☑ Ɪ ✦ t.l.j. sf sam. dim. 9h-12h 14h-18h; groupes sur r.-v.
🗝 Arnaud

VIGNOBLES MÉGIER 2004 ★

5 ha | 25 000 | 11 à 15 €

Implanté en basses Cévennes, dans le Gard, ce domaine possède aussi des vignes en châteauneuf-du-pape qui ont donné ce vin agréable par ses arômes de fruits, agrémentés d'épices et de cacao qui se prolongent durablement au palais. Une agréable note de fraîcheur relève avec justesse la matière ronde. Difficile de ne pas être séduit. Pourtant, il serait dommage de ne pas laisser à ce 2004 la possibilité de se bonifier encore au cours des quatre prochaines années.

🗝 Vignobles Mégier, Le Village, 30330 Saint-Marcel-de-Careiret, tél. 04.66.33.06.62, fax 04.66.33.10.53, e-mail cave@vignoblesmegier.com
☑ Ɪ ✦ t.l.j. 10h-12h 14h-18h

CHRISTOPHE MESTRE
Cuvée des sommeliers 2004

8 ha | 37 000 | 11 à 15 €

Une robe grenat profond qui attire le regard. On a envie d'en savoir plus. Les arômes de fruits rouges à l'alcool se révèlent volontiers, annonçant le caractère chaleureux du vin. Il en est ainsi au palais : matière ample, bonne longueur et des tanins encore rebelles que le temps devra impérativement dompter.

🗝 Christophe Mestre, 5, rte de Bédarrides, 84230 Châteauneuf-du-Pape, tél. 04.90.83.56.67, fax 04.90.83.52.98 ☑ Ɪ ✦ r.-v.

CH. MONT-THABOR 2004 ★★

4 ha | 4 500 | 15 à 23 €

D'origine suisse, la famille Stehelin s'installa en 1881 sur ce domaine, ancien relais de diligence. Daniel Stehelin conduit aujourd'hui la destinée d'un vignoble de 10 ha. Ce vin pourpre qui décline des arômes intenses d'épices (cannelle) et de fruits noirs, complétés de réglisse à l'aération, est produit en petite quantité. On sent de la mâche, de la puissance et de la personnalité dans ce châteauneuf-du-pape persistant. La structure de tanins fins assurera une bonne garde au cours des deux à cinq années à venir...

🗝 EARL Daniel Stehelin, Ch. Mont-Thabor, 84370 Bédarrides, tél. et fax 04.90.33.16.21, e-mail stehelin.daniel@club-internet.fr ☑ Ɪ ✦ r.-v.

DOM. DE LA MORDORÉE
La Reine des Bois 2004 ★

4,5 ha | 15 000 | 30 à 38 €

La reine des bois est un autre nom de la bécasse, appelée encore mordorée, emblème choisi par les Delorme lors de la création de leur domaine en 1986. Cette Reine des bois revêt un ramage pourpre aux reflets multiples et laisse dans son sillage des parfums d'épices, de fruits rouges et noirs, de sous-bois. Ample et longue, elle prend son envol pour parcourir de longues distances ; les tanins encore très perceptibles en finale finiront par s'assouplir après quatre à cinq ans.

🗝 Dom. de La Mordorée, chem. des Oliviers, 30126 Tavel, tél. 04.66.50.00.75, fax 04.66.50.47.39, e-mail info@domaine-mordoree.com
☑ Ɪ ✦ t.l.j. sf dim. 8h-12h 14h-18h
🗝 C. Delorme

CH. LA NERTHE Clos de Beauvenir 2004 ★★

1 ha | 3 800 | 46 à 76 €

Le 25 novembre 1560, la famille des Tulle de Villefranche fit l'acquisition du château Grange de Beauvenir, futur château La Nerthe, et fit prospérer le domaine viticole jusqu'à la crise phylloxérique. Une même conviction anima les propriétaires postérieurs, Joseph Ducos, président du premier syndicat de Châteauneuf, puis la famille Richard, aidée d'Alain Dugas. Après un coup de cœur pour le 2003, le Clos de Beauvenir réapparaît en 2004 sous une teinte jaune pâle à reflets or. Il soulève l'enthousiasme par ses arômes fruités intenses, évocateurs de pêche blanche et d'abricot, auxquels se mêlent quelques notes florales et un léger boisé. Tout n'est qu'équilibre au palais : de la rondeur, du soyeux, la fraîcheur des flaveurs d'agrumes persistantes. Dès à présent et pour longtemps.

🗝 SCA Ch. La Nerthe, rte de Sorgues, 84230 Châteauneuf-du-Pape, tél. 04.90.83.70.11, fax 04.90.83.79.69, e-mail la.nerthe@wanadoo.fr
☑ Ɪ ✦ t.l.j. sf dim. 9h-12h 14h-18h
🗝 Pierre Richard

SYMBOLES UTILISÉS DANS LE GUIDE

La reproduction d'une étiquette signale un « coup de cœur » de la commission

★★★ vin exceptionnel

★★ vin remarquable

★ vin très réussi

vin cité

2005 millésime ou année du vin dégusté

■ vin tranquille blanc

■ vin tranquille rosé

■ vin tranquille rouge

● vin effervescent blanc

● vin effervescent rosé

50 000 nombre de bouteilles du vin présenté

4 ha superficie de production du vin présenté

élevage en cuve

élevage en fût

adresse

vente à la propriété

chambre d'hôte

gîte rural

dégustation à la propriété

conditions de visite (r.-v. = sur rendez-vous)

nom du propriétaire, si différent de celui figurant dans l'adresse

n.c. information non communiquée.

FOURCHETTES DE PRIX

Chambre d'hôte prix moyen par nuit en haute saison	Gîte rural prix moyen par semaine en haute saison
1 = – 35 €	A = – 200 €
2 = 35 à 45 €	B = 200 à 300 €
3 = 46 à 55 €	C = 301 à 400 €
4 = 56 à 65 €	D = 401 à 500 €
5 = 66 à 75 €	E = + de 500 €
6 = 76 à 85 €	
7 = + de 85 €	

(prix moyen de la bouteille en France par carton de 12)

– 3 €	11 à 15 €	38 à 46 €
3 à 5 €	15 à 23 €	46 à 76 €
5 à 8 €	23 à 30 €	+ 76 €
8 à 11 €	30 à 38 €	

En rouge, le symbole signale un bon rapport qualité/prix

COMMENT UTILISER LE GUIDE HACHETTE DES VINS

La sélection des vins

Pour découvrir **les meilleurs rapports qualité-prix**, repérez les symboles de prix en rouge.

Les étiquettes reproduites dans le Guide signalent les vins élus « **coup de cœur** » par les commissions de dégustation.

LES MILLÉSIMES (voir aussi p. 6)

93 **95** |96| 97 |**98**| |(99)| **00** 01 |02| **03** 04 **05**

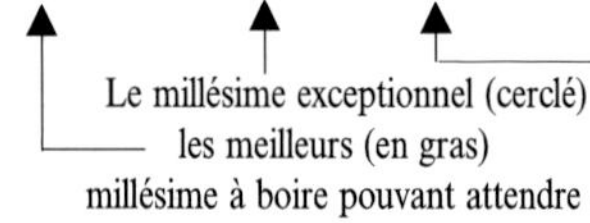

à boire (rouge) — à garder (noir)

DOM. ROGER PERRIN 2005 ★

1,5 ha 7 800 11 à 15 €

Des fleurs, de la pêche blanche et des fruits exotiques (litchi, mangue) composent la palette de ce 2005 frais et léger. Des reflets brillants, légèrement verts, séduisent le regard, premier signe du raffinement d'un châteauneuf-du-pape prêt à être savouré.

EARL Dom. Roger Perrin, La Berthaude,
rte de Châteauneuf-du-Pape, 84100 Orange,
tél. 04.90.34.25.64, fax 04.90.34.88.37,
e-mail dne.rogerperrin@wanadoo.fr r.-v.
Luc Perrin

DOM. DES RELAGNES 2004 ★

9,56 ha n.c. 15 à 23 €

Domaine de la famille Boiron depuis le début du XVIII[e]s., cette propriété est dirigée par Olivier Hillaire, ancien rugbyman. Le 2004, pourpre brillant, exprime volontiers des arômes de fruits mûrs, ponctués de boisé. Il se montre plein, souple et d'une bonne longueur au palais, si bien qu'il peut déjà être apprécié.

Dom. des Relagnes, rte de Bédarrides,
84230 Châteauneuf-du-Pape, tél. 04.90.83.73.37,
fax 04.90.83.52.16,
e-mail domaine-des-relagnes@wanadoo.fr r.-v.
Boiron-Hillaire

CH. DE SAINT-COSME 2004 ★

6 ha 21 000 15 à 23 €

La demeure, d'architecture provençale des XVIIe au XX[e]s., doit son nom à une chapelle romane, mais le site fut occupé de plus longue date, comme en témoignent les cuves gallo-romaines mises au jour. Depuis 1997, il représente une marque de négoce. Un élevage de douze mois en fût a donné à ce 2004 grenat foncé une palette épicée qui perdure jusque dans la matière ronde et longue, structurée par de beaux tanins qui lui garantiront une bonne évolution dans le temps.

Louis Barruol, Ch. de Saint-Cosme,
84190 Gigondas, tél. 04.90.65.80.80, fax 04.90.65.81.05,
e-mail louis@chateau-st-cosme.com
t.l.j. sf sam. dim. 9h-17h

DOM. SAINT-PRÉFERT
Réserve Auguste Favier 2004 ★★

5 ha 9 000 23 à 30 €

En 2003, Isabelle Ferrando a repris ce domaine d'un peu plus de 13 ha. Elle a produit un vin unanimement apprécié pour ses arômes de fruits rouges et noirs, sa bouche ronde et longue. La structure de tanins fins et déjà soyeux est digne de celle des grands vins de garde. Quatre à cinq ans de vieillissement suffiront à sa pleine expression. Vous le servirez alors avec une daube provençale.

Dom. Saint-Préfert, quartier des Serres,
84230 Châteauneuf-du-Pape, tél. 04.90.83.75.03,
fax 04.90.33.26.23, e-mail iferrando@aol.com
r.-v.
Ferrando

DOM. DE SAINT-SIFFREIN 2004 ★

12 ha 10 000 11 à 15 €

Rubis brillant, ce vin décline élégamment des arômes d'épices, de fleurs et de griotte. Une même ligne aromatique souligne sa chair ronde et chaleureuse dès l'attaque, dans laquelle se fondent déjà les tanins. Un 2004 que vous apprécierez dès maintenant et jusqu'en 2008.

Claude Chastan, Dom. de Saint-Siffrein,
rte de Châteauneuf-du-Pape, 84100 Orange,
tél. 04.90.34.49.85, fax 04.90.51.05.20,
e-mail domainesaintsiffrein@wanadoo.fr
t.l.j. 8h-12h 14h-19h

DOM. DES SÉNÉCHAUX 2004 ★

22 ha 70 000 11 à 15 €

Cet ancien domaine de Châteauneuf-du-Pape, remontant au XIV[e]s., est la propriété de Pascal Roux depuis 1993. Sous une délicieuse étiquette et une calligraphie tout en élégance, vous découvrirez ce vin d'un rouge violacé qui développe sans ambages ses senteurs de fruits noirs comme la mûre, de torréfaction, de café et de chocolat. Frais en attaque, le palais rond se pare d'un fruité confituré, agrémenté de légères notes grillées. Le charme opère déjà et sera encore intact dans deux ans.

Pascal Roux, Dom. des Sénéchaux,
3, rue de la Nouvelle-Poste, BP 27,
84231 Châteauneuf-du-Pape Cedex,
tél. 04.90.83.73.52, fax 04.90.83.52.88
t.l.j. sf dim. 8h-12h30 13h30-18h30

DOM. SERGUIER 2004 ★

0,6 ha 1 000 11 à 15 €

Un petit domaine de 6 ha non loin des remparts de Châteauneuf. Après une période de métayage de 1977 à 1997, Daniel Nury a repris les commandes, marchant sur les traces de son arrière-grand-père, Hippolyte Serguier, le fondateur de la propriété. Il a élaboré un vin chaleureux sous une teinte jaune paille. Les arômes ? « Indéfinissables », selon un dégustateur, tant ils sont complexes et imbriqués. Une agréable fraîcheur garantit l'équilibre de la bouche ronde et persistante. Le **Domaine Serguier 2004 rouge**, fruité et déjà aimable, obtient la même note.

Daniel Nury, 13, rue Alphonse-Daudet,
84230 Châteauneuf-du-Pape, tél. et fax 04.90.83.73.42,
e-mail nury.daniel@wanadoo.fr r.-v.

DOM. DE LA SOLITUDE Cuvée Barberini 2004 ★★

0,8 ha 2 750 38 à 46 €

Un domaine historique fondé au XIV[e]s. par la famille Barberini et que les descendants se sont transmis jusqu'à aujourd'hui. Une centaine d'hectares en tout et des vins d'une régularité remarquable. Le 2004 parvient à trouver un équilibre parfait entre le fruit et le boisé. Il fait preuve de fraîcheur dans le registre des agrumes, et de souplesse, jusqu'à une longue finale. Il accompagnera un poisson en sauce lors d'un repas raffiné au cours des deux prochaines années. La **Réserve secrète rouge 2004 (plus de 76 €)** reçoit une étoile pour son caractère soyeux.

SCEA Dom. Pierre Lançon, Dom. de La Solitude,
BP 21, 84231 Châteauneuf-du-Pape, tél. 04.90.83.71.45,
fax 04.90.83.51.34, e-mail solitude@mnet.fr
t.l.j. sf dim. 9h-12h 14h-18h

TERRES DES PONTIFES 2003 ★★

n.c. 50 000 11 à 15 €

Le regard se perd dans la robe profonde, éclairée de reflets pourpres. Au nez de fruits rouges nuancés de cuir répond une bouche ample et puissante, empreinte de flaveurs épicées séduisantes. Les tanins encore présents s'assoupliront volontiers à la faveur de deux ans de garde. Un faisan en sauce sera de bonne compagnie avec cette bouteille.

🔑 Gabriel Meffre, Le Village, 84190 Gigondas, tél. 04.90.12.32.45, fax 04.90.12.32.49

DOM. RAYMOND USSEGLIO ET FILS 2004 *

■ 8 ha 28 000 ■ ■ 11 à 15 €

Des achats successifs ont permis à Raymond Usseglio d'agrandir à 21 ha le domaine constitué par son père, venu d'Italie en 1931. Il propose aujourd'hui un 2004 encore timide, qui laisse poindre de prometteuses notes de fruits rouges compotés, de garrigue et d'épices. Présents, mais équilibrés, les tanins demandent trois à quatre ans pour se discipliner. Assoupli, le vin sera alors un agréable compagnon d'un carré d'agneau au thym. Le **2005 blanc**, minéral, est cité.

🔑 Dom. Raymond Usseglio et Fils, 16, rte de Courthézon, BP 29, 84230 Châteauneuf-du-Pape, tél. 04.90.83.71.85, fax 04.90.83.50.42, e-mail stef.usseglio@wanadoo.fr

☑ Y ⚘ t.l.j. sf dim. 10h-12h 14h-18h

DOM. DE VAL FRAIS Révélation 2004 **

■ 3 ha 1 500 ■ 15 à 23 €

Les deux filles d'André Vaque travaillent depuis 1993 sur ce domaine de 54 ha. À elles, désormais, de révéler le potentiel du terroir. Révélation en effet que ce 2004 pourpre, riche d'arômes de fruits rouges et noirs, d'épices aussi. Il se montre ample, équilibré, longuement aromatique en finale, sur des notes de garrigue et de fruits. Il rejoindra un salmis de pintade dans cinq ans. Le **vacqueyras 2004 (5 à 8 €)** du domaine obtient une citation pour sa fraîcheur, ses tanins bien enrobés et sa jolie finale.

🔑 SCEA André Vaque, Dom. de Val Frais, 84350 Courthézon, tél. 04.90.70.84.33, fax 04.90.70.73.61, e-mail domaine.valfrais@cario.fr

☑ Y ⚘ r.-v.

CUVÉE DU VATICAN Réserve sixtine 2004 *

■ 9 ha 36 000 ■ ■ 30 à 38 €

Belle réconciliation entre Rome et Châteauneuf-du-Pape matérialisée par le nom de ce domaine. L'étiquette figurerait-elle la magnifique coupole de la chapelle Sixtine ? Nullement, mais le vin est à la hauteur des grands de l'appellation. Rubis profond, celui-ci affiche des arômes toastés et épicés derrière le fruité, puis offre une chair ronde et puissante, inscrite de tanins fins. Vous l'apprécierez d'ici 2010.

🔑 Vignobles Diffonty, 10, rte de Courthézon, BP 33, 84231 Châteauneuf-du-Pape Cedex, tél. 04.90.83.70.51, fax 04.90.83.50.36, e-mail vignoblesdiffonty@free.fr

☑ Y ⚘

CH. DE VAUDIEU 2004 ***

■ 30 ha 45 600 ■ ■ 15 à 23 €

Vaste domaine de 60 ha, le château de Vaudieu appartient à la famille Bréchet depuis 1990. Celle-ci, propriétaire de trois autres domaines dans la vallée du Rhône, s'est engagée dans une rénovation minutieuse de son vignoble et de son chai. Un élevage de quatorze mois en cuve et de douze mois en fût a affiné les caractères de cet exceptionnel 2004. Couleur intense, nez élégant et complexe de cerise, de réglisse, de fruits en confiture : une invitation à poursuivre la dégustation pour apprécier les tanins fondus dans la chair toute fruitée, à peine nuancée de grillé et de cacao, qui s'évase en finale. Déjà agréable, ce vin ne fera que gagner en complexité au cours des

cinq à huit années à venir. Du même domaine, le **Val de Dieu 2004 rouge (38 à 46 €)**, épicé et volumineux, obtient deux étoiles.

🔑 Famille Bréchet, Ch. de Vaudieu, rte de Courthézon, 84230 Châteauneuf-du-Pape, tél. 04.90.83.70.31, fax 04.90.83.51.97, e-mail laurent.brechet@famillebrechet.fr

☑ Y ⚘ t.l.j. sf sam. dim. 8h30-17h30

DOM. DU VIEUX LAZARET 2004 *

■ 83 ha 300 000 ■ 15 à 23 €

Vieux Lazaret, le nom rappelle la vocation première de ce domaine, celle d'un hôpital tenu par des lazaristes au XIIIe s. D'une vaste superficie de 93 ha, celui-ci appartient depuis le XIXe à la famille Quiot. On se souvient que Jérôme Quiot présida l'INAO. À l'œil déjà, le caractère velouté de ce 2004 est manifeste. Le nez expressif de fruits mûrs (pruneau, mûre) est en harmonie avec la bouche ample et soyeuse, dont la finale décline des notes persistantes de réglisse. Un excellent représentant de l'appellation. Le **Domaine du Vieux Lazaret 2005 blanc**, frais et aromatique, obtient une étoile.

🔑 Vignobles Jérôme Quiot, av. Baron-Le-Roy, 84231 Châteauneuf-du-Pape, tél. 04.90.83.73.55, fax 04.90.83.78.48, e-mail contact@jeromequiot.com

☑ Y r.-v.

Lirac

Dès le XVIe s., Lirac produisait des vins de qualité que les magistrats de Roquemaure authentifiaient en apposant sur les fûts, au fer rouge, les lettres « C d R ». Nous y trouvons à peu près le même climat et le même terroir qu'à Tavel, au nord, sur une aire répartie entre Lirac, Saint-Laurent-des-Arbres, Saint-Geniès-de-Comolas et Roquemaure. Depuis l'accession de vacqueyras à l'AOC, ce n'est plus le seul cru méridional qui offre les trois couleurs : les rosés et les blancs, tout de grâce et de parfums, se marient agréablement avec les fruits de la Méditerranée toute proche et se boivent jeunes et frais ; les rouges, puissants, au goût de terroir prononcé, généreux, accompagnent parfaitement les viandes rouges. En 2005, l'appellation a produit 18 960 hl, dont 1 460 hl en blanc, sur 623 ha.

DOM. AMIDO 2004 *

■ 5,98 ha 20 000 ▮ 5 à 8 €

Belle maturité pour ce vin d'un rouge profond qui sait parler de framboise et de groseille. Bien construit, il a de l'étoffe. Ne pas le convier tout de suite à table ; choisissez dans deux ans un petit gibier.

SCEA Dom. Amido, Le Palai-Nord, BP 27, 30126 Tavel, tél. et fax 04.66.50.04.41, e-mail domaineamido@free.fr
t.l.j. 8h30-12h 14h-18h; sam. dim. sur r.-v.

CH. D'AQUÉRIA 2005 *

3,8 ha 15 000 ▮ 8 à 11 €

On n'est pas mécontent de les rencontrer tous, grenache, clairette, bourboulenc, roussanne et viognier, comme des cousins heureux de se retrouver en vacances. Aquéria fut reconstitué par Jean Olivier à partir de 1920 ; l'œuvre fut poursuivie par son gendre Paul de Bez, puis par ses petits-fils de nos jours. Souvent coup de cœur notamment pour les millésimes 2001 et 2003. Ce vin blanc doré choisit l'abricot comme référence aromatique. La pêche blanche, la mangue prennent ensuite le relais. L'acidité, de qualité, garantit une bonne garde. La cuvée **L'Héritage d'Aquéria rouge 2003 (15 à 23 €)** obtient une étoile pour sa bouche soyeuse reposant sur des tanins fins et son fruité complexe.

SCA Jean Olivier, Ch. d'Aquéria, 30126 Tavel, tél. 04.66.50.04.56, fax 04.66.50.18.46, e-mail contact@aqueria.com r.-v.

CH. DE BOUCHASSY 2005 *

1 ha 4 000 ▮ 5 à 8 €

Lirac n'entend pas laisser à tavel le monopole des rosés. Celui-ci offre des joues carminées. Largement grenache (65 %) complété par le mourvèdre et le cinsault, il est odorant sur des arômes de fraise ou de framboise. Il montre en bouche du volume, de l'élan, de la chair, de beaux arômes persistants. Il conviendra à une viande blanche.

Gérard Degoul, Ch. de Bouchassy, rte de Nîmes, 30150 Roquemaure, tél. 04.66.82.82.49, fax 04.66.82.87.80, e-mail gerard.degoul@wanadoo.fr
t.l.j. sf dim. 8h-12h 14h-19h

DOM. DES CARABINIERS 2004 *

■ 9 ha 40 000 8 à 11 €

La moitié de grenache, un quart de syrah et autant de mourvèdre, la recette est apparemment assez simple. Pas si facile en vérité ! Rubis grenat, ce vin attire d'emblée l'attention. Frais, franc et vif, il est forcément encore un peu tannique. Son nez rappelle les fruits rouges à l'eau-de-vie.

Christian Leperchois, Dom. des Carabiniers, 30150 Roquemaure, tél. 04.66.82.62.94, fax 04.66.82.82.15, e-mail carabinier@wanadoo.fr
t.l.j. sf sam. dim. 9h-12h 14h-18h

PIERRE CHANAU 2004 *

■ 20 ha 66 660 ▮ 3 à 5 €

La maison Bouachon plus que centenaire signe ce lirac destiné à Auchan. Il est bien mis (robe noire à nuances violines). Son bouquet traduit la maturité (pruneau cuit, cerise à l'eau-de-vie). On rencontre ensuite de joyeux tanins qui, sans être agressifs, doivent encore terminer leurs humanités. Ce sera chose faite cet hiver comme le promettent son volume et son agréable harmonie qui ne cède pas à la facilité.

Union des Grands Crus, av. Pierre-de-Luxembourg, 84230 Châteauneuf-du-Pape, tél. 04.90.83.58.35, fax 04.90.83.77.23

DOM. CORNE-LOUP Vieilli en fût de chêne 2004 *

■ 8 ha 40 000 8 à 11 €

Pour nos nouveaux lecteurs, précisons que le nom du domaine remonte aux temps anciens où un villageois sonnait de la corne pour prévenir de l'arrivée des loups. Les six mois en fût donnent à ce vin un petit côté grillé qui s'ajoute à la confiture de cerises. D'une bonne acidité et doté de tanins très policés, il devra être débouché dans les temps qui viennent. Le **côtes-du-rhône blanc 2005 (5 à 8 €)** du domaine obtient une citation.

Jacques Lafond, SCEA Corne-Loup, rue Mireille, 30126 Tavel, tél. 04.66.50.34.37, fax 04.66.50.31.36, e-mail corne-loup@wanadoo.fr
t.l.j. sf sam. dim. 9h-12h 14h-18h

DOM. COUDOULIS 2003

■ 2 ha 8 500 ▮ 5 à 8 €

Deux tiers de grenache et un tiers de syrah pour ce lirac né sur un domaine de 30 ha d'un seul tenant. Rubis brillant, il accorde à une bouche assez ample les fruits rouges et de jolis tanins. Ce 2003 est parvenu à son apogée.

Dom. Coudoulis, rte de Saint-Victor-la-Coste, 30126 Saint-Laurent-des-Arbres, tél. et fax 04.66.22.85.89, e-mail guillaumeperraud@aol.com r.-v.
Callet

DOM. DUSEIGNEUR Angélique 2003

■ 12 ha 50 000 ▮ 5 à 8 €

On a planté ici grenache, syrah, mourvèdre, cinsault sur la garrigue, transformant les méthodes culturales en bio en 1997, puis en biodynamie en 2003. L'étiquette ne porte pas mention d'une certification. Ce 2003 en légère évolution offre un nez de cuir et d'épices, ce qui ne surprend pas aujourd'hui. Il n'a pas énormément de gras ni de structure, mais les tanins sont fins et le terroir s'exprime, rappelant peut-être par ses arômes sa végétation sauvage initiale.

Frédéric Duseigneur, rue Nostradamus, 30126 Saint-Laurent-des-Arbres, tél. 04.66.50.02.57, fax 04.66.50.43.57, e-mail info@domaineduseigneur.com r.-v.

DOM. LA GENESTIÈRE
Cuvée Eliott Élevé en barrique 2004 **

1 ha 3 000 15 à 23 €

Clairette et grenache moitié-moitié, cette cuvée remarquable n'a qu'un défaut : son prix. « Parce que je le vaux bien ! », dirait toutefois cette bouteille si elle faisait de la pub à la télé... Oui, c'est vrai, l'élevage en barrique (douze mois) a été soigneusement conduit. Un type de vin boisé, gras, onctueux même et pourtant frais et long. La **cuvée Raphaël rouge 2004 (8 à 11 €)**, charpentée, de forte extraction, obtient une étoile. Il faudra l'attendre avant de la servir sur une viande robuste et en sauce.

🔑 J.-C. Garcin, Dom. La Genestière, chem. de Cravailleux, 30126 Tavel, tél. 04.66.50.07.03, fax 04.66.50.27.03, e-mail garcin-layouni@domaine-genestiere.com
☑ 🍷 🚶 r.-v.

DOM. DE LA GRIVELIÈRE Mont-Pégueirol 2004 *

■ 2,3 ha 7 000 5 à 8 €

Exemple de coopération privilégiée entre un viticulteur, Robert Gent qui cultive et vinifie, et une maison de négoce-éleveur qui le conseille et assure la commercialisation. Ce partenariat dure depuis longtemps. À en juger par cette bouteille, le résultat est positif. Parmi les commentaires des dégustateurs, le mot franchise revient souvent. Friand, soyeux, ce vin permet au grenache (pour moitié), à la syrah et au mourvèdre de trouver en commun leur juste expression.

🔑 Brotte, Le Clos, rte d'Avignon, BP 1, 84230 Châteauneuf-du-Pape, tél. 04.90.83.70.07, fax 04.90.83.74.34, e-mail brotte@brotte.com
☑ 🍷 🚶 t.l.j. 9h-12h 14h-18h; été 9h-13h 14h-19h
🔑 Robert Gent

DOM. LAFOND ROC-ÉPINE 2004 **

■ 14 ha 50 000 🛢 8 à 11 €

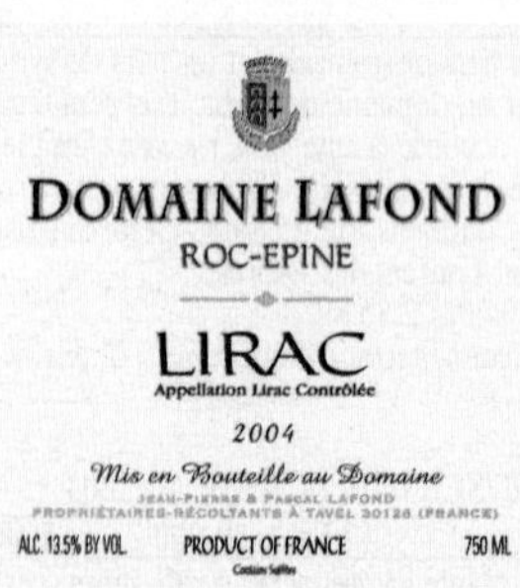

Coup de cœur en 2004 (millésime 2001) en Ferme romaine et l'année d'avant (millésime 2001) en Roc-Épine. Rouge sombre à reflets bleutés, un 2004 très glamour. Son nez de surmaturité évoque aussi la cannelle. Avec une grande douceur, un bel équilibre entre l'alcool et les tanins, il se montre dense et soyeux. Un authentique grand vin dont le charme ne doit pas faire oublier la structure et la maturité. Le lirac **La Ferme romaine rouge 2003 (15 à 23 €)** mérite une étoile.

🔑 Dom. Lafond Roc-Épine, rte des Vignobles, 30126 Tavel, tél. 04.66.50.24.59, fax 04.66.50.12.42, e-mail lafond@roc-epine.com 🍷 🚶 r.-v.

CAVE DES VINS DU CRU DE LIRAC
Cuvée Vieilles Vignes 2005

■ 12 ha 37 000 🛢 5 à 8 €

Archevêque d'Avignon, Giuliano Della Rovere mit en valeur ce vignoble avant de devenir sous le nom de Jules II le pape que l'on sait. Si la robe de ce rosé à reflets violines ne peut pas rivaliser avec Michel-Ange, son nez épicé à tendance balsamique semble intéressant. Une attaque prudente, de la cerise à la mi-bouche, la petite pointe de fraîcheur en finale, un enfant de grenache et de cinsault d'une droiture indéniable.

🔑 Cave des vins du cru de Lirac, av. du Baron-Leroy, 30126 Saint-Laurent-des-Arbres, tél. 04.66.50.01.02, fax 04.66.50.37.23, e-mail philippe.bonnet@cavelirac.fr
☑ 🍷 🚶 t.l.j. 9h-12h 14h-17h

DOM. MABY La Fermade Cuvée Prestige 2003 *

■ n.c. 5 000 🛢🛢 8 à 11 €

Le millésime 2000 reçut le coup de cœur et ce domaine fait partie des institutions. Il a été repris en 2005 par Richard Maby. Le mourvèdre prend ici le dessus à 50 %, suivi de près par la syrah et une pincée de grenache. Ce 2003 affiche vingt-quatre mois en barrique. Il est vrai que son rubis a de la classe. Épicé, kirsché, le nez est plutôt friand, en tout cas succulent. Il possède un coffre tannique comme un meuble haute époque. Mais c'est joliment fait et la finale donne envie d'y revenir. La cuvée **Variations côtes-du-rhône blanc 2005 (3 à 5 €)** obtient une citation.

🔑 Dom. Maby, rue Saint-Vincent, BP 8, 30126 Tavel, tél. 04.66.50.03.40, fax 04.66.50.43.12, e-mail domaine-maby@wanadoo.fr
☑ 🍷 🚶 t.l.j. 8h-12h 13h30-18h; sam. dim. sur r.-v.

CH. MONT-REDON 2003 **

■ 10,85 ha 40 000 🛢🛢 8 à 11 €

Coup de cœur pour le millésime 2001, beau doublé pour ce domaine renommé, fondé en 1923, Château Mont-Redon se présente ici sous deux couleurs. À dominante grenache, complété par 20 % de syrah et 10 % de cinsault, il porte une robe intense. Son nez très ouvert joue sur des notes d'épices, de garrigue, de fruits rouges. Le boisé se fait discret laissant le fruit mûr s'exprimer en bouche. Celle-ci, bien dotée en gras, se fait ronde, équilibrée. Le **blanc 2005** à base de clairette (60 %) et grenache, encore un peu émoustillé lors de notre dégustation, est élégant et d'une qualité certaine. Il obtient deux étoiles.

🔑 Ch. Mont-Redon, 84230 Châteauneuf-du-Pape, tél. 04.90.83.72.75, fax 04.90.83.77.20, e-mail contact@chateaumontredon.fr ☑ 🍷 🚶 r.-v.
🔑 Abeille et Fabre

DOM. DE LA MORDORÉE
La Reine des bois 2004 **

■ 24 ha 29 000 🛢🛢 11 à 15 €

La Mordorée pense comme ce personnage de Musset : « J'aime mieux, comme César, être le premier au village que le second dans Rome. » Et si elle ne badine pas, c'est avec les prix. Mais c'est à coup sûr une cuvée superbe. À tous égards, à l'œil par sa robe intense, au nez jouant sur le cassis, en bouche, posée sur des tanins soyeux. Et capable de s'épanouir encore. Le **Reine des bois blanc 2005**, noté une étoile, retient également l'attention, sans ıtteindre le même sommet. Quant à la cuvée principale **Domaine de La Mordorée rouge 2004 (8 à 11 €)**, elle ›btient deux étoiles. C'est un vin de garde.

Dom. de La Mordorée, chem. des Oliviers,
30126 Tavel, tél. 04.66.50.00.75, fax 04.66.50.47.39,
-mail info@domaine-mordoree.com
t.l.j. sf dim. 8h-12h 14h-18h
C. Delorme

DOM. MOULIN-LA-VIGUERIE
Cuvée réservée 2004

0,87 ha 4 700 5 à 8 €

« Je veux la suivre », écrit Mistral dans le premier hant de *Mireille*. Précisons que Mireille est ici le prénom le la productrice, présente depuis 1998 sur le domaine amilial installé dans un mas du XIX[e]s. en plein cœur du village. Elle nous présente un lirac à la robe intense, d'un assis presque bourguignon. Ces notes fruitées ont un léveloppement au palais. Plus gourmand que structuré, ce in est prêt.

SCEA les Vignobles Mireille Petit-Roudil,
ue de la Combe, 30126 Tavel, tél. 04.66.50.06.55,
ax 04.66.79.37.07 r.-v.

DOM. PÉLAQUIÉ 2004

4 ha 20 000 5 à 8 €

Grenache et mourvèdre se partagent équitablement 'assemblage de ce rouge à la robe entreprenante, au nez haud et puissant. Chaud comme le soleil de l'année récédente, soumis à l'alcool et aux tanins, ne manquant ›ourtant pas d'une certaine habileté à se libérer au bon noment de sa large carrure d'épaules pour épouser le erre. Et même avec de la distinction.

Dom. Pélaquié, 7, rue du Vernet,
30290 Saint-Victor-la-Coste, tél. 04.66.50.06.04,
ax 04.66.50.33.32,
-mail contact@domaine-pelaquie.com
t.l.j. 9h-12h 14h-18h

PRIEURÉ SAINT-SIXTE
Cuvée des Prémices 2004 *

n.c. 4 000 5 à 8 €

De quel saint Sixte s'agit-il ? Plusieurs papes portant e nom ont été canonisés... en des temps très lointains. Géré depuis trois générations par des femmes, ce domaine a été repris en 2003 par Élise Sestini, dans l'enthousiasme le ses vingt-cinq ans. Dans cette cuvée, carignan et grenache n'ont pas de peine à tomber d'accord : rouge ›rofond, fruité (cassis), un vin souple et bien fondu.

Prieuré Saint-Sixte, Saint-Sixte,
30126 Saint-Laurent-des-Arbres, tél. 04.66.50.18.78,
ax 04.66.79.96.04, e-mail prieuresaintsixte@wanadoo.fr
r.-v.
Élise Sestini

DOM. LA ROCALIÈRE 2004 *

5 ha 20 000 8 à 11 €

Vin de garde, à conserver plusieurs années. Sa belle onstitution, sa plénitude, sa force en font en effet un 2004 rès solide. Sa texture tannique serrée et bien enrobée dans e gras complète une attaque enlevée. Forte coloration et ›arfums réglissés évoluant vers le fruit confit. Pour un apin aux herbes. De Provence évidemment... En l'attenlant, servez le **côtes-du-rhône rouge 2004 (5 à 8 €)** du lomaine sur les plats de tous les jours.

Dom. La Rocalière, Le Palais-Nord, BP 21,
30126 Tavel, tél. 04.66.50.12.60, fax 04.66.50.23.45,
e-mail rocaliere@wanadoo.fr
t.l.j. 8h-12h 14h-18h; sam. dim. sur r.-v.

LES VIGNERONS DE ROQUEMAURE
Terra ancestra 2004 **

1 ha 4 500 11 à 15 €

Terra ancestra date de 2003, mais il est permis de remercier les frères fondateurs de cette cave qui regroupe sur 350 ha quelque quatre-vingt-dix adhérents sur cinq communes. On a ici affaire sur un seul hectare à un trio syrah, mourvèdre, grenache en harmonie. Grenat foncé, le nez jouant sur la truffe, le sous-bois et pour tout dire l'indispensable tapenade, ce 2004 se montre velouté, fondu, doté d'une matière concentrée qui conseille de laisser dormir cette bouteille en cave deux bonnes années. Pas davantage, notez-le bien sur votre livre de cave.

Les Vignerons de Roquemaure,
1, rue des Vignerons, 30150 Roquemaure,
tél. 04.66.82.82.01, fax 04.66.82.67.28,
e-mail contact@vignes-de-roquemaure.com r.-v.

ROGER SABON Chapelle de Maillac 2004 *

5,5 ha 26 000 5 à 8 €

Roger Sabon : la marque a dépassé le demi-siècle au sein d'une famille castelpapale depuis le XVI[e]s. Autant dire qu'on a ici de la bouteille ! Celle-ci peut se conserver jusqu'à la fin 2007. Magenta pourpre, elle a passé une année en barrique et n'en garde pas mauvais souvenir. Le fruit confit s'insinue dans le fumé. Ce vin s'appuie sur une bonne structure tannique. Profil très classique destiné à un civet.

Dom. Roger Sabon, av. Impériale,
84230 Châteauneuf-du-Pape, tél. 04.90.83.71.72,
fax 04.90.83.50.51, e-mail roger.sabon@wanadoo.fr
t.l.j. sf dim. 8h-12h 14h-18h (sam. 9h)

CH. SAINT-ROCH 2005 *

2 ha 7 000 8 à 11 €

Si les rosés admis cette année dans le Guide sont plus nombreux en tavel qu'en lirac, il y a ici de bonnes choses. Celui-ci notamment : grenache, cinsault, syrah et le millésime ont donné un vin d'une légère brillance à reflets orangés. Les arômes vont à l'exotique après un passage obligé par la fraise. Malgré une finale menée tambour battant, la bouche est fine, élégante, longue, avec ce rien de fraîcheur qui nous fait croire en l'éphémère. Un rosé de soif. Le **blanc 2005** élevé en fût obtient une citation tout comme la **Cuvée confidentielle rouge 2004 (11 à 15 €)**. La première pour ses arômes d'agrumes et son équilibre, la seconde pour sa structure et ses parfums épicés.

Ch. Saint-Roch Brunel Frères, chem. de Lirac,
30150 Roquemaure, tél. 04.66.82.82.59,
fax 04.66.82.83.00,
e-mail brunel@chateau-saint-roch.com
t.l.j. sf sam. dim. 8h-12h 14h-17h; f. 1er-15 août

DOM. TOUR DES CHÊNES 2004 *

3 ha 13 000 5 à 8 €

Il faut vraiment faire ici le tour du propriétaire. Le **rosé 2005** et le **blanc 2005** sont deux vins très prometteurs, à boire pour le premier et à attendre un peu pour le second. Notre préférence (si l'on peut comparer car les notes sont égales) s'est portée sur le 2004 rouge, parfumé de kirsch et de pruneau, à la trame tannique très serrée, fortement concentrée mais aux angles bien arrondis. Sa complexité n'est pas banale.

Dom. Tour des Chênes, chem. de la Coste-de-l'Évêque, 30126 Saint-Laurent-des-Arbres, tél. 04.66.50.01.19, fax 04.66.50.34.69, e-mail tour-des-chenes@wanadoo.fr
t.l.j. 9h-12h30 15h-19h; sam. dim. sur r.-v.
J.-C. Sallin

DOM. TRASLEPUY 2004

1 ha 4 800 5 à 8 €

Un « fou de vin » descendu du nord de la France, sans antécédent dans la vigne et faisant l'acquisition de 5 ha en 2000. On aime bien ces personnalités pleines de sève et d'esprit qui succombent au coup de foudre et changent de vie. Il a planté grenache (70 % ici), syrah et cinsault. Franc et fruité, son vin est à boire d'ici fin 2007. Intense, tout en fruits rouges confits mais frais ; il est tout compte fait assez complet.

Frédéric Zobel, 2563, chem. de Truel, 30150 Roquemaure, tél. et fax 04.66.89.35.09, e-mail frederic_zobel@yahoo.fr r.-v.

DOM. VERDA Cuvée de la Barotte 2003

1,5 ha 3 000 8 à 11 €

Barotte ou bariotte : une petite brouette pour le travail aux vignes a donné son nom à cette cuvée. Grenache et syrah à 60 et 40 % : la robe de ce 2003 est engageante. Le boisé ne surprend pas après un an de fût ; encore frais, avec son nez de fruits rouges très typé, il se révèle tannique et persistant mais garde des réserves.

Dom. Verda, 2749, chem. de la Barotte, 30150 Roquemaure, tél. et fax 04.66.82.87.28
t.l.j. sf dim. 8h30-12h 14h30-19h

Tavel

Considéré par beaucoup comme le meilleur rosé de France, ce grand vin de la vallée du Rhône provient d'un vignoble situé dans le département du Gard, sur la rive droite du fleuve. Sur des sols de sable, d'alluvions argileuses ou de cailloux roulés, c'est la seule appellation rhodanienne à ne produire que du rosé, sur le territoire de Tavel et sur quelques parcelles de la commune de Roquemaure, soit 939 ha ; la production a été de 39 082 hl en 2005. Le tavel est un vin généreux, au bouquet floral puis fruité, qui accompagnera le poisson en sauce, la charcuterie et les viandes blanches.

DOM. AMIDO Les Amandines 2005 *

14,29 ha 65 000 5 à 8 €

Le pont du Gard, ici, c'est le grenache (60 %) ! Cinsault, syrah et clairette offrent à l'ouvrage leurs nuances nées des galets roulés et de pierres plates. Cette cuvée limpide et brillante a besoin d'un peu d'air pour révéler u[n] parfum abricoté. Son acidité participe à une natur[e] puissante, élancée. Ne considérez pas les mets exotique[s] comme la seule solution. Tentez le veau normand.

SCEA Dom. Amido, Le Palai-Nord, BP 27, 30126 Tavel, tél. et fax 04.66.50.04.41, e-mail domaineamido@free.fr
t.l.j. 8h30-12h 14h-18h; sam. dim. sur r.-v.

DOM. DES CARABINIERS 2005 *

5 ha 22 000 5 à 8

Installé depuis 1972 en face de l'entrée de l'autoroute Christian Leperchois s'est converti à l'agriculture biolo[-] gique depuis une dizaine d'années. Il a obtenu la certifi[-] cation Ecocert. Son rosé issu de nombreux cépages laiss[e] le grenache dominer. D'une teinte affirmée, il offre u[n] bouquet amylique et des notes de fruits frais, de bon goû[t] pour accompagner un palais puissant, vif et fruité, d'un[e] jolie longueur.

Christian Leperchois, Dom. des Carabiniers, 30150 Roquemaure, tél. 04.66.82.62.94, fax 04.66.82.82.15, e-mail carabinier@wanadoo.fr
t.l.j. sf sam. dim. 9h-12h 14h-18h

DOM. CORNE-LOUP 2005 *

27 ha 150 000 8 à 11

Ce nom provient d'un quartier de Tavel (les Vestides où l'on avait chargé une bonne âme de prévenir de l'arrivé[e] des loups en soufflant dans une corne. Rosé à cépages s[i] nombreux que l'on n'ose les citer tous... Franc, élégant a[u] nez, plus vif que gras, un vin faisant un beau parcours tou[t] en finesse. Préférons au loup, la chèvre de M. Seguin, pour son fromage d'accompagnement.

Jacques Lafond, SCEA Corne-Loup, rue Mireille, 30126 Tavel, tél. 04.66.50.34.37, fax 04.66.50.31.36, e-mail corne-loup@wanadoo.fr
t.l.j. sf sam. dim. 9h-12h 14h-18h

DOM. LA GENESTIÈRE Cuvée Raphaël 2005

36,28 ha 50 000 8 à 11

Comme les Trois Mousquetaires, ils sont quatre grenache (70 %), clairette, syrah et cinsault. Cette ancienn[e] magnanerie, après l'élevage des vers à soie, se consacr[e] maintenant à la vigne sur de vastes espaces. Sous une rob[e] classique au pays, le nez de ce 2005 paraît discret mais e[n] réalité il est long à s'ouvrir ; lorsqu'il s'épanouit, c'est pou[r] égréner un chapelet d'agrumes (orange, citron) avec un[e] pointe de fruits rouges. D'un tempérament assez chaud, [il] conviendra à toutes les entrées ou à une pizza.

J.-C. Garcin, Dom. La Genestière, chem. de Cravailleux, 30126 Tavel, tél. 04.66.50.07.03, fax 04.66.50.27.03, e-mail garcin-layouni@domaine-genestiere.com
r.-v.

DOM. LAFOND ROC-ÉPINE 2005 **

30 ha 200 000 8 à 11

Tavel n'est pas l'un de ces rosés qui descendent tou[t] debout et ne laissent rien dans la bouche. Il a de l'amour comme on disait jadis de certains vins. Rose orangé tiran[t] légèrement sur le rouge (c'est ici un trait de caractère) for[t] apprécié, un 2005 bien aromatique et dont la montée e[n] puissance est excellente. La chaleur s'accompagne d[e] cassis et de mûre puis de griotte, sur un fond poivré, dan[s] un joli retour. Le jury attend un couscous !

Dom. Lafond Roc-Épine, rte des Vignobles, 30126 Tavel, tél. 04.66.50.24.59, fax 04.66.50.12.42, e-mail lafond@roc-epine.com r.-v.

DOM. DE LANZAC
Cuvée Grande Tradition 2005 ★★

8 ha 40 000 8 à 11 €

Raoul, Norbert, Lionel, la dynastie de Lanzac a beaucoup développé depuis un demi-siècle la légende de ces vins généreux et bien typés. C'est le cas ici. Grenache, cinsault, syrah, clairette et carignan composent un ensemble vif, frais, très fruits rouges qui reste en bouche.

EARL Dom. de Lanzac, rte de Pujaut, BP 11, 30126 Tavel, tél. 04.66.50.22.17, fax 04.66.50.47.44, e-mail domainedelanzac@hotmail.com t.l.j. sf dim. 9h-12h 15h-19h
Norbert de Lanzac

LOUIS BERNARD 2005 ★★

15,8 ha 100 000 5 à 8 €

Installé en un haut lieu historique, le Bourguignon Jean-Claude Boisset réussit ici un sans-faute. Ce rosé à la douceur printanière, au nez de fruits frais et remarquable en bouche par sa tempérance, est avant tout d'une légèreté subtile.

Louis Bernard, La Chartreuse de Bonpas, 1, chem. Reveillac, 84510 Caumont-sur-Durance, tél. 04.90.23.09.59, fax 04.90.23.67.96, e-mail louisbernard@sldb.fr t.l.j. 9h-17h (10h-18h en été)
FGVS

DOM. MABY La Forcadière 2005

18,11 ha 90 000 5 à 8 €

Première vinification de Richard, nouvelle génération des Maby. Orange clair teinté de violine, ce vin assemble grenache et cinsault à une kyrielle de cépages. Cela dit, le corps est souple, sur le fruit rouge légèrement macéré et la cerise à l'eau-de-vie. Plutôt léger et pour une cuisine italienne de préférence.

Dom. Maby, rue Saint-Vincent, BP 8, 30126 Tavel, tél. 04.66.50.03.40, fax 04.66.50.43.12, e-mail domaine-maby@wanadoo.fr t.l.j. 8h-12h 13h30-18h; sam. dim. sur r.-v.

DOM. DE LA MORDORÉE
La Dame rousse 2005 ★★★

9 ha 50 000 8 à 11 €

Souvent à l'honneur, ce domaine, titulaire de neuf coups de cœur en dix ans, gagne le tiercé dans l'ordre : grenache (60 %), cinsault et syrah à égalité. Tout est en adéquation à la dégustation. Belle robe soutenue à reflets cerise, nez explosif : la framboise ouvre le bal. La fraîcheur de l'attaque se développe ensuite en une structure de grand rosé. Riche, complet, gras, persistant, on l'imagine bien discuter d'égal à égal avec un curry.

Dom. de La Mordorée, chem. des Oliviers, 30126 Tavel, tél. 04.66.50.00.75, fax 04.66.50.47.39, e-mail info@domaine-mordoree.com t.l.j. sf dim. 8h-12h 14h-18h
C. Delorme

DOM. MOULIN-LA-VIGUERIE
Cuvée réservée 2005 ★★

2,17 ha 13 333 5 à 8 €

Deux bouteilles au coude à coude, à prix équivalents et d'un même niveau de qualité : **La Combe des Rieu 2005** et cette cuvée dite réservée qui l'emporte d'un rien. Le bourboulenc ferait défaut ici par rapport au précédent (grenache majoritaire). La robe est superbe, le nez très intense, la bouche friande. Il sait à merveille concilier la fraîcheur et le gras, commençant par l'un et terminant sur l'autre. La devise du domaine « Cultiver et élever » est ici accomplie. Coup de cœur l'an dernier pour son 2004.

SCEA les Vignobles Mireille Petit-Roudil, rue de la Combe, 30126 Tavel, tél. 04.66.50.06.55, fax 04.66.79.37.07 r.-v.

DOM. PÉLAQUIÉ 2005 ★

2 ha 10 000 8 à 11 €

Première mise en bouteilles dans la famille en 1924. Cela vaut brevet de citoyenneté dans l'appellation. Ce domaine fut aussi coup de cœur dans notre édition 2000 parmi d'autres distinctions. Sur ses lauzes calcaires plein sud, seulement grenache (60 %) et cinsault composent ce tavel. Rose violine orangé, il suit son destin d'agrumes du premier nez jusqu'à la fin de bouche. Le pamplemousse contribue à sa vivacité. On note encore sa longueur, de belle tenue.

Dom. Pélaquié, 7, rue du Vernet, 30290 Saint-Victor-la-Coste, tél. 04.66.50.06.04, fax 04.66.50.33.32, e-mail contact@domaine-pelaquie.com t.l.j. 9h-12h 14h-18h
GFA du Grand Vernet

PRIEURÉ DE MONTÉZARGUES 2005 ★

30 ha 120 000 8 à 11 €

Guillaume Dugas, depuis 2003, vinifie les vignes de ce domaine fondé au XIe s. Vous pouvez en toute confiance choisir cette bouteille tout en fruits rouges (la framboise domine). Elle montre un corps de belle tenue habillé d'une robe grenadine aux reflets violets. Vin d'assiette plutôt que d'apéritif. Tentez un veau Marengo.

Prieuré de Montézargues, rte de Rochefort, 30126 Tavel, tél. 04.66.50.04.48, fax 04.66.50.30.41, e-mail gdugas@prieuredemontezargues.fr r.-v.

DOM. ROC DE L'OLIVET 2005 ★

2,8 ha 2 500 5 à 8 €

Marsannay en Bourgogne a longtemps disputé à Tavel la palme du meilleur rosé. Ce village de la Côte a cependant commis quelques infidélités envers cette couleur alors que celui de la vallée du Rhône maintient fermement la tradition. Très foncé et presque violacé, ce 2005 suggère au nez les fruits rouges, le caramel. L'attaque est douce puis la dégustation se poursuit sur des notes de cerises à l'eau-de-vie d'une jolie longueur.

Thierry Valente, chem. de la Vaussière, 30126 Tavel, tél. 06.87.71.42.87, fax 04.66.50.37.87 r.-v.

CH. DE SÉGRIÈS 2005 ★

6,6 ha 40 000 5 à 8 €

Depuis Maurice Trintignant, les vins de la vallée du Rhône ont souvent séduit les pilotes automobiles. Château de Ségriès gère ainsi le Clos de l'Hermitage en côtes-du-rhône, propriété de Jean Alési. Nous sommes ici en tavel (grenache à moitié) et si la robe est légère, elle brille d'un saumoné délicat. Le nez, porté sur la fleur blanche et les agrumes, annonce une bouche vive et fine qui, elle, préfère le fruit rouge frais. Un style élégant. Le **lirac blanc 2005 du château** obtient une citation. Pour ceux qui auront la chance de se rendre sur la propriété, signalons la présence de 250 oliviers en production.

⊶ SCEA Henri de Lanzac, Ch. de Ségriès, chem. de la Grange, 30126 Lirac, tél. 04.66.50.22.97, fax 04.66.50.17.02, e-mail chateaudesegries@wanadoo.fr ☑ Y ✻ r.-v.

LES VIGNERONS DE TAVEL
Cuvée royale 2005 ★★★

■	n.c.	52 000	▮	5 à 8 €

Grenache, picpoul, carignan... Toute la collection ampélographique est au rendez-vous dans ce vin coup de cœur. On sait que le tavel est le meilleur rosé de France. Et cela depuis longtemps. Dès lors, sous sa robe grenadine, ce 2005 vif et d'une fraîcheur magnifique porte une remarquable corbeille de fruits printaniers. L'offrira-t-on à un saumon en croûte ? À un agneau en navarin ?

⊶ Les Vignerons de Tavel, rte de la Commanderie, 30126 Tavel, tél. 04.66.50.03.57, fax 04.66.50.46.57, e-mail tavel.cave@wanadoo.fr ☑ Y ✻ r.-v.

Costières-de-nîmes

Ce sont 25 000 ha de terrains de cailloutis du villafranchien classés en AOC dont 4 193 ont été déclarés en 2005. Les vins rouges, rosés ou blancs sont élaborés dans un vignoble établi sur les pentes ensoleillées de coteaux constitués de cailloux roulés, dans un quadrilatère délimité par Meynes, Vauvert, Saint-Gilles et Beaucaire, au sud-est de Nîmes, au nord de la Camargue. 216 042 hl de vin ont été agréés en 2005 sous l'appellation costières-de-nîmes (dont 9 496 hl de blanc), produits sur le territoire de vingt-quatre communes. Les cépages autorisés en rouge sont le carignan, le cinsault, le grenache noir, le mourvèdre et la syrah ; en blanc, ce sont la clairette, la marsanne, la roussanne et le rolle. Les rosés s'associent aux charcuteries des Cévennes, les blancs se marient fort bien aux coquillages et aux poissons de la Méditerranée et les rouges, chaleureux et corsés, préfèrent les viandes grillées. Une route des Vins parcourt cette région au départ de Nîmes.

CH. AMPHOUX 2005 ★

■	8 ha	20 000	▮	3 à 5 €

Alain Giran a entrepris de reconstituer le vignoble acquis par ses ancêtres en 1840. Il présente un rosé très plaisant, d'une jolie couleur rose cerise. Derrière un nez aux arômes intenses de groseille et de cassis, éclate une bouche vive, fraîche, acidulée (note citronnée) suivie d'une rondeur gourmande. À apprécier dans l'année.

⊶ Alain Giran, EARL Ch. Amphoux, rue de la Chicanette, 30640 Beauvoisin, tél. 04.66.01.92.57, fax 04.66.01.97.73, e-mail chateauamphoux@wanadoo.fr ☑ Y ✻ t.l.j. sf sam. dim. 9h-17h; f. 1-15 août

CH. BEAUBOIS Élégance 2005 ★

■	5 ha	30 000	▮	5 à 8 €

La famille Boyer exploite ce domaine de 100 ha depuis 1920. Fanny et François en ont pris la tête en 2000. Voici une cuvée d'expression à la robe violine nuancée de reflets noirs et aux arômes de violette, de fruits rouges et de baies sauvages (mûre) agrémentés d'une touche finale de chocolat. Frais et friand malgré l'extraction poussée, ce vin méritera d'attendre un à deux ans afin de s'assouplir. Exploité également par la famille Boyer, le **Domaine de La Roche rouge 2005 (3 à 5 €)** obtient une étoile pour sa robe noire, ses arômes puissants de violette et framboise, sa structure solide. Un joli vin en devenir.

⊶ Boyer, Ch. Beaubois, 30640 Franquevaux, tél. 04.66.73.30.59, fax 04.66.73.33.02, e-mail chateau-beaubois@wanadoo.fr ☑ Y ✻ t.l.j. sf dim. 9h-12h 14h-18h 🏠 D

CH. BELLE-COSTE Cuvée Saint-Marc 2005 ★

■	5 ha	5 000		5 à 8 €

Propriété de 60 ha implantée sur les sols lessivés des coteaux nord des Costières à 4 km de Nîmes. 10 % de viognier complète la roussanne pour ce vin à la robe jaune paille brillant. Le nez de fleurs blanches, d'agrumes, de miel et de cire, précède une bouche ronde légèrement acidulée. La finale est agréable et fruitée. Une viande blanche lui conviendra.

⊶ Bertrand du Tremblay, Dom. de Belle-Coste, 30132 Caissargues, tél. 04.66.20.26.48, fax 04.66.20.16.90, e-mail dutremblay@belle-coste.com ☑ Y ✻ t.l.j. sf dim. 9h-12h 14h-18h

CH. BELLEFONTAINE Grande Cuvée 2005 ★

■	15 ha	26 000	▮	5 à 8 €

Le nom de ce cru fait référence à la source artésienne qui coule dans le jardin de ce domaine de 70 ha. Cette cuvée est d'un beau rouge rubis. Le nez est fin à dominante de fruits rouges et de fruits noirs (cassis, mûre). La bouche ample, est tapissée par des tanins à la fois puissants et fins d'une grande élégance.

⊶ Thierry de Combarieu, Ch. Bellefontaine, Franquevaux, 30640 Beauvoisin, tél. 04.66.73.34.72, fax 04.66.73.34.40, e-mail contact@chateau-bellefontaine.com ☑ Y ✻ t.l.j. sf dim. 10h-17h 🏠 C

CH. PAUL BLANC 2005 ★

■	1 ha	5 000	⏸	8 à 11 €

Un mas du XVIII[e]s., une maison de maître du XIX[e]s. Nathalie Blanc-Marès propose un joli blanc assemblant 5 % de marsanne à la roussanne implantées sur les galets roulés. La robe se pare d'un beau jaune brillant. Derrière

un nez marqué par une note fumée, l'attaque est franche puis l'équilibre s'impose. En bouche, les arômes empyreumatiques dominent : cette bouteille sera très certainement appréciée par les amateurs de vin élevé en barrique.
Nathalie Blanc-Marès, Mas Carlot, rte de Redessan, 30127 Bellegarde, tél. 04.66.01.11.83, fax 04.66.01.62.74, e-mail mascarlot@aol.com
t.l.j. sf sam. dim. 8h-12h 14h-17h

CH. BOLCHET Cuvée Léonore 2005 ★★

5 ha | 15 000 | 5 à 8 €

Voilà un domaine qui prend ses habitudes dans le Guide ! Et ce millésime lui réussit parfaitement puisque deux vins sont sélectionnés. Fin, frais, fruité, équilibré, tel est ce rosé couleur pétale de rose, clair et fragile. La finesse du nez associe des arômes de fleurs blanches à des notes amyliques plus fraîches. L'équilibre en bouche allie fruité et croquant, vivacité et rondeur. Beau compromis entre le style technologique et les vins de terroir plus gras et longs. La **cuvée Amaury Tradition rouge 2005**, sombre à nuances violettes, obtient une étoile. On retrouve la violette parmi ses parfums de cassis et de poivre. Denses et gras, les tanins offrent une grande persistance.
Béatrice Becamel, Ch. Bolchet, 30132 Caissargues, tél. et fax 04.66.29.14.79, e-mail vin.chateau.bolchet@wanadoo.fr
t.l.j. sf dim. 9h-12h 14h-19h

CH. BONICE 2005 ★

2,5 ha | 9 000 | 5 à 8 €

Une étiquette noire pour ce 2005 (syrah 74 %, grenache 22 % et mourvèdre 4 %). La robe est violine. Le nez offre des arômes de poivre et de petits fruits noirs (cassis, mûre) alors que les tanins serrés et mûrs apportent une note veloutée à l'ensemble. À apprécier d'ici à trois ans sur un plat de gibier.
SARL Vignoble Bois et Fils, Mas Sainte-Olympe, 30129 Manduel, tél. 04.66.01.10.35, fax 04.66.01.75.35, e-mail vignoble.bois@wanadoo.fr r.-v.

DOM. CABANIS Jardin secret 2005 ★★

1,5 ha | 6 000 | 11 à 15 €

Une cuvée spéciale élaborée à parts égales de grenache noir et de syrah issus de l'agriculture biologique. Entourant une robe rubis brillant, les senteurs très agréables évoquent à la fois les fleurs, les fruits (pêche, cerise, mûre) et la vanille. En bouche, le côté épicé et les notes de garrigue (cyste, thym) ressortent joliment accompagnant des tanins fins.
Cabanis, Mas Madagascar, Vauvert, 30640 Beauvoisin, tél. 04.66.88.78.33, fax 04.66.88.41.73, e-mail domaine.cabanis@free.fr
r.-v.

CH. CADENETTE Siracanta 2005 ★

2,1 ha | 14 000 | 8 à 11 €

Un joli nom (né de l'association du nom du cépage syrah avec le nom de piracantas, plantes qui cernent le domaine) pour un joli vin. On perçoit des notes discrètes de fruits rouges très mûrs compotés et de cerise écrasée. L'équilibre d'ensemble repose sur des tanins fins et enrobés. À apprécier sur une côte de bœuf grillée.
Pierre Dideron, La Cadenette, 30600 Vestric-et-Candiac, tél. 04.66.88.21.76, fax 04.66.88.20.59, e-mail cadenette@9online.fr
r.-v.

DOM. DES CANTARELLES Tradition 2005 ★★

2,8 ha | 20 000 | 3 à 5 €

Quand la passion est là ! mêmes des études de droit peuvent vous conduire à la vigne et au vin. Et avec succès pour Jean-François Fayel qui a élaboré ce rosé couleur cerise, aux reflets ocre et fuschia. La finesse des arômes de fruits rouges bien mûrs, fruits des bois écrasés et banane séduit tout autant que la fraîcheur et la souplesse de ce rosé destiné à la table. La **cuvée Tradition rouge 2005** obtient une étoile tout comme la **cuvée Tradition blanc 2005 (5 à 8 €)**. La première, très aromatique (violette, fruits noirs, kirsch, menthol) est fort bien équilibrée. La seconde, dorée à l'œil, fleurs d'acacia et pêche au nez, a été très bien élevée, le bois accompagnant harmonieusement l'ensemble.
Jean-François Fayel, Dom. des Cantarelles, 30127 Bellegarde, tél. 04.66.01.16.78, fax 04.66.01.01.26, e-mail domaine.cantarelles@wanadoo.fr
t.l.j. sf dim. 8h-12h 15h-19h

DOM. DE LA CIGALIÈRE 2005 ★

4 ha | 26 000 | 5 à 8 €

Né d'une propriété vinifiée par la cave coopérative de Redessan, ce vin rouge est léger dans un style fruité. Autour d'une robe d'intensité moyenne teintée de rubis, les arômes jouent sur des notes de fleurs, de fruits rouges et noirs, accompagnées d'une touche épicée. La bouche est souple avec des tanins déjà ronds. À apprécier sans complexe. La **cuvée Élégance rouge 2004** reçoit également une étoile.
Cellier du Bondavin, 43, av. de Provence, 30129 Redessan, tél. 04.66.20.22.06, fax 04.66.20.59.41, e-mail cellierdubondavin@hotmail.com r.-v.

DOM. DE DONADILLE Cuvée Réserve 2005

n.c. | 4 000 | 3 à 5 €

Le domaine du lycée agricole de Rodilhan propose un rosé gourmand paré d'une robe rose clair à reflets saumonés. Le nez fruité et la bouche vive et suave où s'expriment des notes florales et de fraise garriguette peuvent être appréciés sans attendre.
Dom. de Donadille, av. Yves-Cazeaux, 30230 Rodilhan, tél. 04.66.20.67.68, fax 04.66.20.15.12
mar. à sam. 13h30-17h30, sam. 9h-12h

DOM. GALUS Cuvée G 2004 ★

0,25 ha | 1 500 | 8 à 11 €

Ce jeune couple de vignerons originaires de Bourgogne s'est installé depuis 2002 sur 13 ha de vignes. Il signe son entrée dans le Guide. Cette cuvée, très limitée, offre une robe profonde, légèrement tuilée, un nez fin, alliant le fruit à la garrigue, le thym et les aromates et une bouche puissante, ample, d'une bonne longueur.
Dom. Galus, rte de Redessan, 30840 Meynes, tél. et fax 04.66.22.88.37, e-mail galus@free.fr
r.-v.

CH. GRANDE CASSAGNE 2005 ★

2 ha | 15 000 | 3 à 5 €

En 1887, Hippolyte Dardé achète la Grande Cassagne, située à 5 km de l'abbatiale Saint-Gilles. Ce domaine de 53 ha propose un très joli blanc (60 % roussanne, 40 % marsanne) né sur argilo-calcaire. La couleur jaune clair très limpide s'orne de reflets verts. Le nez assez intense évoque fleurs, miel avec une note fumée. En bouche,

RHÔNE

derrière des arômes de fruits exotiques (mangue), il laisse une agréable sensation d'équilibre et une finale rafraîchissante.

Dardé Fils, Ch. Grande Cassagne, 30800 Saint-Gilles, tél. et fax 04.66.87.32.90, e-mail chateaugrandecassagne@wanadoo.fr t.l.j. sf dim. 9h-12h 14h-18h

LA JASSE DU PIN 2005 ★★

20 ha 150 000 3 à 5 €

Deux marques produites par les vignobles Gassier ont retenu l'attention du jury. Celle-ci se décline en blanc 2005 et en rouge. Ce dernier, grenat sombre, affiche un nez puissant mais c'est en bouche qu'il s'exprime pleinement avec complexité. L'attaque franche ouvre sur des notes de fruits noirs confiturés, de violette et aussi de réglisse. Les tanins charnus et pleins possèdent un joli grain. De la matière donc qui lui permettra d'atteindre une belle harmonie d'ici deux à trois ans. Le **blanc 2005** est également très réussi : doré, fleur d'acacia et pain grillé au nez, citronné, abricot et fleurs jaunes en rétro-olfaction, et d'une grande fraîcheur. La seconde marque, **Le Bois de Magnan rouge 2005 (5 à 8 €)**, deux étoiles, devra attendre un peu.

Vignobles Michel Gassier, Mas de Nages, chem. des Canaux, 30132 Caissargues, tél. 04.66.38.44.30, fax 04.66.38.44.39, e-mail info@michelgassier.com r.-v.

LES VIGNERONS DE JONQUIÈRES
Tradition 2005 ★

150 ha 150 000 3 à 5 €

Coup de cœur l'an dernier pour cette même cuvée en 2004, la coopérative qui vinifie 580 ha a bien réussi son 2005. D'une teinte orangé-saumoné à reflets brillants, ce rosé est agréable par son nez fruité et floral et sa bouche équilibrée, alliant la rondeur à une bonne vivacité. À apprécier dans l'année.

SCA Les Vignerons de Jonquières, 20, rue de Nîmes, 30300 Jonquières-Saint-Vincent, tél. 04.66.74.50.07, fax 04.66.74.49.40, e-mail cave.jonquieres@wanadoo.fr r.-v.

CH. LAMARGUE Cuvée Aegidiane 2004

3 ha 13 000 8 à 11 €

Sous sa robe sombre, ce vin riche et puissant développe des arômes de fruits noirs à l'eau-de-vie portés par des notes boisées qui se prolongent en rétro-olfaction. La bouche ample, encore dominée par les tanins, demande quelques mois de patience.

SC Dom. de Lamargue, rte de Vauvert, 30800 Saint-Gilles, tél. 04.66.87.31.89, fax 04.66.87.41.87, e-mail domaine-de-lamargue@wanadoo.fr t.l.j. sf sam. dim. 8h-12h 14h-17h30; f. août

Campari

CUVÉE DES LAUNES 2005 ★

4 ha 26 000 5 à 8 €

Au nord, le vignoble des costières-de-nîmes, au sud, la Camargue et ses étangs : la cave coopérative de Gallician est implantée dans un site exceptionnel. Elle propose un vin gourmand et fruité, aux arômes de petits fruits rouges et acidulés (grenade) avec une note d'épices douces qui s'impose en finale. Souple et rond, c'est un vin de plaisir, tout entier sur la fraîcheur.

SCA Cave Pilote de Gallician, av. des Costières, 30600 Gallician, tél. 04.66.73.31.65, fax 04.66.73.34.95, e-mail cavegallician@wanadoo.fr r.-v.

MAS DES BRESSADES
Cuvée Excellence Élevé en fût de chêne 2005 ★

2 ha 12 000 8 à 11 €

Depuis dix ans maintenant à la tête de ce domaine créé par son père en 1964, Cyril Marès propose ce beau vin à la couleur jaune paille doré dont la puissance olfactive est encore très marquée par l'élevage sous bois, avec ses caractères empyreumatiques. Ample et charnu, un vin de repas à réserver aux amateurs avertis. Le **rosé cuvée Tradition 2005 (5 à 8 €)** développe de complexes arômes de fruits confits. Une pointe perlante apporte de la fraîcheur à un ensemble équilibré, titulaire d'une étoile.

Cyril Marès, Le Grand Plagnol, rte de Bellegarde, 30129 Manduel, tél. 04.66.01.66.00, fax 04.66.01.80.20, e-mail masdesbressades@aol.com r.-v.

CH. MAS NEUF Tradition 2005 ★

3,5 ha 20 000 5 à 8 €

Sur l'étiquette, une représentation de la monnaie frappée des quatre lettres VOLC du nom des premiers occupants de la région et qui a été trouvée sur le domaine au début du siècle dernier. D'un jaune légèrement grisé cette cuvée Tradition présente des arômes de fleurs blanches, de pêche et d'agrumes. Fine et acidulée, une bouteille d'une grande fraîcheur.

SAS Ch. Mas Neuf, 30600 Gallician, tél. 04.66.73.33.23, fax 04.66.73.33.49, e-mail contact@chateaumasneuf.com r.-v.

Luc Baudet

DOM. DE LA MIRAVINE 2005 ★

15 ha 20 000 3 à 5 €

Vauvert vinifie 450 ha de vignes. Ce vin, à la robe rouge cerise à reflets violines, est aromatique marqué par de petites touches fruitées (cerise, framboise) et une note de pâtisserie (pâte sablée). Souple et rond, l'équilibre est relevé par une pointe de gaz carbonique. Original et agréable à boire, un vin de plaisir.

Cave des vignerons de Vauvert, 12, rue Ausselon, 30600 Vauvert, tél. 04.66.88.20.31, fax 04.66.88.35.09, e-mail cavedesvigneronsdevauvert@wanadoo.fr t.l.j. sf dim. 9h-12h 14h-18h

DOM. DE MONTIEL La Reale 2004

0,6 ha 3 000 5 à 8 €

Ce jeune vigneron qui a repris le domaine en 200[illegible] vinifie chaque cépage et chaque parcelle séparément. Cela donne une cuvée confidentielle à la robe rouge légèrement tuilée, au nez fin, typé, associant épices douces, safran et torréfaction. En bouche, on aime son ampleur avec un tanin qui doit encore s'arrondir. Bonne finale.

Dom. de Montiel, 174, rue de la Chicanette, 30640 Beauvoisin, tél. 04.66.01.93.15, fax 04.66.51.76.58, e-mail info@domainedemontiel.com r.-v.

CH. MOURGUES DU GRÈS Galets dorés 2005

6 ha 44 000 5 à 8 €

Un mas en pierre du XVII[e]s., un jardin où découvrir les arômes du vin, un parcours pédestre (ou VTT) au cœur des vignes... ce domaine, maintes fois élu coup de cœur propose ici une cuvée inaugurant l'introduction du vermentino. La robe pâle a des reflets verts. La roussanne apporte quelques notes d'abricot, le vermentino ou rolle, des notes de citron et de la vivacité, le tout reposant sur un équilibre porté par le grenache blanc. À apprécier sur un poisson en sauce légère.

François Collard, Ch. Mourgues du Grès, rte de Bellegarde, 30300 Beaucaire, tél. 04.66.59.46.10, fax 04.66.59.34.21, e-mail mourguesdugres@wanadoo.fr t.l.j. sf dim. 9h-12h 14h-18h30; sam. 9h-12h ; a.-m. sur r.-v.

CH. DE MOUSSIÉ Les Maritimes 2005 ★★

7 ha 50 000 3 à 5 €

Luc Baudet, depuis peu installé sur le vignoble des costières-de-nîmes, a réussi un vin remarquable dont l'expression traduit l'excellente maturité des cépages traditionnels. La robe est sombre aux reflets violines. L'intensité aromatique exprime le fruit mûr (myrtille, cassis, mûre), le marc de raisin agrémenté d'une touche de tabac et de menthol. En cours de dégustation, l'expression du raisin mûr s'enrichit d'une note réglissée. Appréciez dès aujourd'hui et pendant trois à quatre ans. Le **Château François de Posquières rouge 2005** obtient une étoile. Doté d'une riche matière, complexe et puissant, il devra être attendu deux ans.

Luc Baudet, Ch. de Moussié, 30600 Gallician, tél. 04.66.73.33.23, fax 04.66.73.33.49, e-mail contact@chateaumasneuf.com r.-v.

NUMA 2004 ★★

5 ha 15 000 5 à 8 €

Production du domaine de Guiot, Numa est le prénom transmis de père en fils depuis des générations dans la famille Cornut. La robe, noire et brillante, présente des reflets pourpres. Le nez combine des arômes de petits fruits sauvages (mûre), des notes animales et un boisé agréablement fondu, alors qu'en bouche apparaît une note de chocolat accompagnant des tanins fins et longs. L'élevage sous bois, léger, est réussi. Le **Château Guiot rosé 2005 (3 à 5 €)** obtient une étoile.

François Cornut, GFA Dom. de Guiot, 30800 Saint-Gilles, tél. 04.66.73.30.86, fax 04.66.73.32.09, e-mail chateau-guiot.cornut@wanadoo.fr r.-v.

CH. D'OR ET DE GUEULES Les Cimels 2005 ★★

12 ha 34 000 5 à 8 €

Ce domaine de 50 ha appartient depuis 1998 à Diane de Puymorin qui l'a rebaptisé aux couleurs du blason de sa famille. D'une belle profondeur, le nez joue sur des notes aux accents frais et joyeux : odeur florales et minérales légères, fruits noirs et rouges friands, cassis et framboise sauvage, eucalyptus frais. En bouche, après une attaque douce, fruits exotiques et épices s'entremêlent sur des tanins soyeux et enrobés. D'une belle longueur, élégant et harmonieux, il est aussi « délicieux ». La **cuvée Trassegum rouge 2004 (8 à 11 €)**, élevée sous bois, obtient une étoile.

Ch. d'Or et de Gueules, rte de Générac, chem. des Cassagnes, 30800 Saint-Gilles, tél. 04.66.87.32.86, fax 04.66.87.39.11, e-mail chateaudoretdegueules@wanadoo.fr t.l.j. sf dim. 9h-12h 13h-19h

Diane de Puymorin

DOM. DE LA PATIENCE 2005 ★

4 ha 6 000 3 à 5 €

Sous sa robe saumonée aux reflets brillants, ce rosé offre un nez de petits fruits rouges et de garrigue. La bouche, souple et suave, assied son équilibre sur une pointe de gaz carbonique ; la finale se prolonge sur des notes de groseille et de framboise. Joli vin qui accompagnera entrées et grillades.

EARL Dom. de La Patience, chem. de Marguerittes, 30320 Bezouce, tél. et fax 04.66.37.40.99, e-mail domaine-patience@tele2.fr t.l.j. sf dim. lun. 8h-12h 14h-18h

Christophe Aguilar

DOM. DU PETIT ROMAIN Grande Réserve Vieilles Vignes 2004 ★★

5,5 ha 15 000 8 à 11 €

La robe rouge foncé à nuances orangées annonce un nez intense et agréable jouant sur les fruits mûrs, compotés et une note de kirsch. La bouche ample repose sur des tanins serrés, accompagnés de beaucoup de gras et d'alcool, de notes de figue, de pruneau et d'épices jusque dans une finale longue et douce. Un joli vin qui peut attendre trois à quatre ans.

SCA Costières et Soleil, rue Émile-Bilhau, 30510 Générac, tél. 04.66.01.31.31, fax 04.66.01.38.85, e-mail costieres-et-soleil@wanadoo.fr t.l.j. sf dim. lun. 10h-12h30 15h30-19h

DOM. DE PIERREFEU 2004 ★★

20 ha 30 000 3 à 5 €

Syrah et grenache (60-40) ont donné ce 2004 remarquable dont la robe grenat révèle une réelle profondeur. Le nez exprime la maturité du raisin : fruits rouges frais (cerise, fraise), bâton de réglisse, eucalyptus, menthol. Franche et nette, la bouche souple, aux tanins équilibrés, compose un vin élégant, de belle longueur, dans un style traditionnel.

Olivier Gibelin, Ch. d'Espérite Gallician, Les Amphores des Silex, 30600 Vauvert, tél. 04.66.73.33.00, fax 04.66.53.46.21, e-mail olivier.gibelin@wanadoo.fr r.-v.

DOM. DE POULVAREL 2005 ★

1 ha 6 000 5 à 8 €

Après son entrée dans le Guide l'an dernier, ce tout jeune domaine confirme ses qualités avec ce millésime. Dans sa robe rose pâle aux reflets saumonés, il s'exprime sur des notes amyliques et de fruits des bois. Annoncée par une attaque douce et fraîche, soutenue par une pointe de gaz carbonique, la bouche ample et suave joue sur les fruits secs (amande, noisette). À boire sans attendre. Du même domaine, le **rouge 2005** est cité : puissant et chaleureux, dominé par le marc et le pruneau à l'eau-de-vie associés au laurier sauce, il est supporté par des tanins fins.

Pascal Glas, Dom. de Poulvarel, chem. de La Soubeyrane, 30210 Sernhac, tél. et fax 04.66.01.67.46, e-mail domaine.poulvarel@wanadoo.fr r.-v.

CH. ROUBAUD Cuvée Tradition 2005 *

40 ha 200 000 3 à 5 €

Élaboré à partir de cépages traditionnels de l'appellation, ce vin présente une robe sombre aux reflets pourpres et un nez frais de cassis, de poivre et de Zan. D'une très belle complexité en bouche, franc, puissant, il évolue sur des tanins soyeux et laisse une impression d'harmonie et d'élégance. À attendre deux à trois ans. La **cuvée Prestige rosé 2005 (5 à 8 €)** est très réussie : couleur pivoine, notes aromatiques de fraise et de citron, bouche vive dominée par la fraîcheur et un côté acidulé rappelant la groseille.

SCEA Vignobles Molinier, Ch. Roubaud, Gallician, 30600 Vauvert, tél. 04.66.73.30.64, fax 04.66.73.34.13 t.l.j. sf dim. 9h-12h 14h-17h30; sam. mat. sur r.-v.

CH. ROUSTAN 2005 *

8 ha 60 000 3 à 5 €

Voici un vin représentatif du millésime 2005 avec sa robe sombre aux reflets violets. Les arômes de fruits rouges très mûrs, un peu compotés s'expriment surtout en bouche, accompagnés de notes de réglisse et d'épices. La structure riche et harmonieuse repose sur des tanins encore jeunes qui demandent deux à trois ans de garde.

Michel Castillon, Ch. Roustan, 30800 Saint-Gilles, tél. 04.66.87.04.49, fax 04.66.87.16.02 t.l.j. sf dim. 9h-12h 14h-17h30

CH. SAINT ANDRÉ 2005 *

n.c. n.c. 3 à 5 €

Annoncés par la couleur jaune paille, les arômes sont complexes, variant des fruits mûrs (pêche, poire) aux fruits secs (amande) et figue sèche. La rondeur de la bouche est soulignée par une finale acidulée. Beaucoup de personnalité pour ce 2005.

Ch. Saint André, Dom. du Petit Saint André, 30800 Saint-Gilles, tél. 04.66.87.30.27, fax 04.66.87.01.62, e-mail salimandres@wanadoo.fr r.-v.

DOM. DE SAINT ANTOINE 2005 **

8 ha 16 000 3 à 5 €

Aux portes de la Camargue, Saint-Gilles donne à voir une superbe abbatiale. Ce joli domaine de 25 ha présente un rosé aux reflets violines évoluant sur des arômes de framboise et un cortège de fleurs blanches. Rond et gourmand en bouche, il s'épanouit en rétro-olfaction, riche en fruits mûrs confiturés. À apprécier aussi bien à l'apéritif ou sur des grillades.

Jean-Louis Emmanuel, EARL Dom. de Saint-Antoine, 30800 Saint-Gilles, tél. et fax 04.66.01.87.29 t.l.j. sf dim. 8h-12h 14h-18h

CH. SAINT-BÉNÉZET Les Hauts de Coste-Rives 2005 *

19 ha 140 000 3 à 5 €

D'une belle robe grenat, ce vin est une véritable friandise. Ses arômes de fruits frais (framboise) légèrement amyliques, ses notes florales et minérales s'expriment tant au nez qu'en bouche. La structure est légère mais équilibrée. Un vin joyeux pour des plats légers ou des salades fraîches.

SCEA Saint-Bénézet, Dom. Saint-Bénézet, 30800 Saint-Gilles, tél. 04.66.70.17.45, fax 04.66.70.05.11 r.-v.

Bosse-Platière et Soulairac

CH. SAINT-CYRGUES 2005 **

1,5 ha 5 000 5 à 8 €

Vin et art font bon ménage au domaine Saint-Cyrgues qui présente une exposition des tableaux d'Évelyne de Mercurio, maîtresse des lieux, et un superbe blanc. Sous des reflets verts, des notes fraîches, anisées, mentholées puis plus capiteuses (fleurs jaunes, violette, abricot, buis) et une bouche onctueuse, ce 2005 s'accommodera de plats sucrés-salés d'une cuisine asiatique. Le **rosé 2005** reçoit une étoile.

SCEA de Mercurio, Ch. Saint-Cyrgues, rte de Montpellier, 30800 Saint-Gilles, tél. 04.66.87.31.72, fax 04.66.87.70.76, e-mail info@saint-cyrgues.com r.-v.

CH. LA TOUR DE BÉRAUD 2005 *

6 ha 40 000 3 à 5 €

La couleur rouge intense se pare ici de reflets pourpres. Le nez complexe, de belle intensité, s'ouvre sur les fruits rouges et les épices. La structure ronde est servie par des tanins de qualité qui perdurent jusque dans une ample finale.

François Collard, Ch. Mourgues du Grès, rte de Bellegarde, 30300 Beaucaire, tél. 04.66.59.46.10, fax 04.66.59.34.21, e-mail mourguesdugres@wanadoo.fr t.l.j. sf dim. 9h-12h 14h-18h30; sam. 9h-12h ; a.-m. sur r.-v.

CH. DES TOURELLES Grande Cuvée 2004 *

2,5 ha 14 000 8 à 11 €

Situé à l'emplacement d'une *villa* gallo-romaine du Iers., ce domaine de 45 ha en AOC costières-de-nîmes est célèbre pour avoir reconstitué une exploitation gallo-romaine où il élabore des vins « archéologiques » selon les méthodes romaines. D'une belle couleur cerise noire, cette Grande Cuvée élevée quinze mois dans le bois présente un nez où les arômes de torréfaction, de café et de vanille se fondent joliment à la liqueur de cassis. La bouche ample et complexe repose sur un équilibre subtil. Autre cuvée, **Le Grand Amandier blanc 2005 (5 à 8 €)** obtient une étoile : fleurs blanches, agrumes et fruits blancs dominent la dégustation de ce vin ample et harmonieux.

Hervé et Guilhem Durand, Ch. des Tourelles, 4294, rte de Bellegarde, 30300 Beaucaire, tél. 04.66.59.19.72, fax 04.66.59.50.80, e-mail tourelles@tourelles.com r.-v.

CH. DE LA TUILERIE Carte blanche 2005 *

8,06 ha 34 000 5 à 8 €

Ce domaine de 100 ha fête cette année le cinquantième anniversaire de l'arrivée des Comte. Mais ici, comme souvent sur ces terres méditerranéennes, son vignoble remonte à l'Antiquité. Une nuance bronze donne de la profondeur à la robe jaune clair de cette cuvée. Les fleurs blanches apportent de la finesse au nez alors qu'une belle harmonie se crée en bouche entre le fruit et la rondeur.

Chantal Comte, Ch. de La Tuilerie, rte de Saint-Gilles, 30900 Nîmes, tél. 04.66.70.07.52, fax 04.66.70.04.36, e-mail chantal.comte@chateautuilerie.com

t.l.j. sf lun. 9h-12h30 14h-18h

CH. DE VALCOMBE Prestige 2005 ★★

25 ha 15 000 5 à 8 €

Dominique Ricome a été rejoint par ses deux fils, Basile, œnologue, et Nicolas chargé des relations commerciales. Ce domaine, un des plus importants de l'appellation, est aussi une valeur sûre. La robe aux reflets violines intenses annonce le caractère affirmé de ce vin : confiture de fruits rouges, fraise et cerise burlat, rehaussées de cannelle. En bouche, le vin se montre capiteux, d'une belle concentration ; ses tanins devront se fondre avec le temps (trois ans). La **cuvée Garance 2004 (11 à 15 €)** a obtenu une étoile. Noir, aux odeurs de pain toasté, de café, de vanille puis de pruneau et de myrtille, ce vin, encore sous l'emprise de son élevage en fût, montre un beau potentiel de garde. Le **Château de Surville, cuvée Intense rouge 2005 (3 à 5 €)** obtient une étoile.

EARL Vignobles Dominique Ricome, Ch. de Valcombe, 30510 Générac, tél. 04.66.01.32.20, fax 04.66.01.92.24, e-mail valcombe@wanadoo.fr

t.l.j. sf dim. 10h-12h 14h-18h; sam. sur r.-v.

CH. VESSIÈRE 2005 ★★

3,6 ha 25 000 3 à 5 €

Ce domaine vieux de plus de deux siècles propose un vin blanc remarquable dans sa robe doré clair. Ses arômes fins et intenses d'agrumes, sa bouche équilibrée, fraîche à l'attaque, puis ronde et longue, séduisent. Le **rosé 2005** est parfait pour accompagner les soirées d'automne.

Philippe Teulon, Ch. Vessière, rte de Montpellier, 30800 Saint-Gilles, tél. 04.66.73.30.66, fax 04.66.73.33.04, e-mail chateauvessiere@aol.com

r.-v.

Clairette-de-bellegarde

Reconnue en AOC en 1949, la clairette-de-bellegarde est produite dans la partie sud-est des Costières de Nîmes, dans une petite région comprise entre Beaucaire et Saint-Gilles, et entre Arles et Nîmes, sur des sols rouges caillouteux. Produite à partir du cépage clairette, elle présente un bouquet caractéristique. En 2005, 1 659 hl de vin ont été produits.

MAS CARLOT Cuvée Tradition 2005

5,4 ha 37 000 3 à 5 €

Cette clairette-de-bellegarde est empreinte de classicisme, comme le révèlent sa robe jaune pâle et ses arômes fins et légers de fleurs blanches (acacia) et de fruits exotiques agrémentés d'une note miellée ; l'équilibre repose sur un certain gras avec une finale plus fraîche.

Nathalie Blanc-Marès, Mas Carlot, rte de Redessan, 30127 Bellegarde, tél. 04.66.01.11.83, fax 04.66.01.62.74, e-mail mascarlot@aol.com

t.l.j. sf sam. dim. 8h-12h 14h-17h

TERRE DES CHARDONS 2005 ★

2,04 ha 5 300 8 à 11 €

Jérôme Chardon est installé depuis 1999 sur le domaine familial qu'il conduit en biodynamie. Il propose aujourd'hui une clairette-de-bellegarde qui a passé six mois en fût. La robe est d'un jaune pâle à reflets irisés. Le nez s'annonce fin et élégant, mêlant la vanille et le miel aux notes de fleurs blanches (chèvrefeuille) et de fruits à chair jaune (abricot, pêche). Après une attaque fraîche portée par une pointe de gaz carbonique, l'équilibre allie rondeur et vivacité. Notes boisées, pêche blanche et fruits secs se retrouvent avec une pointe d'amertume en finale. Audace couronnée de succès.

Jérôme Chardon, Terre des Chardons, Mas Sainte-Marie des Costières, 30127 Bellegarde, tél. 04.66.70.02.51, fax 04.66.70.07.28, e-mail tdchardons@yahoo.fr

t.l.j. sf dim. 8h-12h 13h-19h

Clairette-de-die

La clairette-de-die est l'un des vins les plus anciennement connus au monde. Le vignoble occupe les versants de la moyenne vallée de la Drôme, entre Luc-en-Diois et Aouste-sur-Sye. On produit ce vin mousseux essentiellement à partir du cépage muscat (75 % minimum). La fermentation se termine naturellement en bouteille. Il n'y a pas adjonction de liqueur de tirage. C'est la méthode dioise ancestrale. La production a atteint 85 298 hl en 2005.

CUVÉE CÉSAR Tradition 2005

10 ha 75 000 5 à 8 €

Sept vignerons se sont associés et présentent leurs vins dans un caveau d'architecture moderne. « Un train de bulles irrégulières, mais un joli cordon est à noter dans le verre », commente un dégustateur. Ce vin ne joue pas sur l'intensité, mais sur la fraîcheur. Au nez marqué par la pêche mûre répond un côté agrumes, avec une touche de mangue en bouche.

Union des jeunes viticulteurs Vercheny, La Plaine, rte de Die, 26340 Vercheny, tél. 04.75.21.70.88, fax 04.75.21.73.73, e-mail ujvr@terre-net.fr

t.l.j. 9h-12h 14h-18h30

JAILLANCE Tradition ★

n.c. 50 000 8 à 11 €

Issu de l'agriculture biologique – d'où son étiquette verte – cet effervescent né de l'une des caves les plus importantes de France se pare d'une couleur jaune pâle à reflets verts et de bulles fines. Il laisse éclater des arômes intenses de pêche blanche et de muscat, puis affiche un réel équilibre en bouche, en conservant son caractère floral et fruité ; une bonne fraîcheur lui donne un dynamisme en finale. La cuvée **Tradition étiquette dorée (5 à 8 €)**, très fraîche elle aussi, est citée.

La Cave de Die Jaillance, av. de la Clairette, BP 79, 26150 Die, tél. 04.75.22.30.00, fax 04.75.22.21.06
t.l.j. 9h-12h30 14h-19h

JEAN-CLAUDE RASPAIL
Grande Tradition 2004 ★★

5 ha 26 545 5 à 8 €

Coup de cœur l'an passé, Jean-Claude Raspail renoue avec le succès grâce à cette cuvée Grande Tradition qui a tout pour elle : une couleur jaune doré, un nez intense et élégant sur la rose et le muscaté. La bouche dense, toute douce, développe des flaveurs généreuses de pêche blanche, de fruits exotiques comme le litchi et de rose toujours. Un vin flatteur. La cuvée **Tradition 2004**, composée de 25 % de clairette associée au muscat, est moins ample, quoique aussi bien charpentée. Elle obtient une étoile. N'oubliez pas lors de votre visite d'admirer la collection de pressoirs anciens.

Jean-Claude Raspail et Fils, Dom. de la Mûre, 26340 Saillans, tél. 04.75.21.55.99, fax 04.75.21.57.57, e-mail jc.raspail@wanadoo.fr
t.l.j. 9h-12h 14h-18h30; f. 5-31 jan.

LE SERRE DU GARÉ

35 ha 280 000 5 à 8 €

Si vous souhaitez comprendre l'élaboration de la clairette-de-die, rendez-vous au musée des caves Carod. Puis, dégustez cette cuvée aux arômes de muscat prononcés. La bouche d'une extrême douceur ne se départ pas de cette ligne aromatique. Tout juste lui manque-t-il un peu de fraîcheur pour la rehausser.

SARL Carod, 26340 Vercheny, tél. 04.75.21.73.77, fax 04.75.21.75.22, e-mail caves-carod@wanadoo.fr
r.-v.

Crémant-de-die

Le décret du 26 mars 1993 a reconnu l'AOC crémant-de-die, produite uniquement à partir du cépage clairette selon la méthode dite traditionnelle qui consiste en une seconde fermentation en bouteille. En 2005, l'appellation a produit 2 238 hl.

CHAMBÉRAN 2001 ★

2,7 ha 20 000 5 à 8 €

Pas moins de 61 ha de vignes sont dirigés par ce groupement de vignerons installé au pied du Vercors. Une union qui donne des résultats probants, à en juger par ce vin dont les bulles fines et persistantes animent la robe jaune pâle. De la finesse dans les légères notes d'agrumes, de la fraîcheur au palais : il a tout pour être le compagnon idéal de l'apéritif.

Union des jeunes viticulteurs Vercheny, La Plaine, rte de Die, 26340 Vercheny, tél. 04.75.21.70.88, fax 04.75.21.73.73, e-mail ujvr@terre-net.fr
t.l.j. 9h-12h 14h-18h30

GEORGES RASPAIL 2004 ★

1 ha 3 400 5 à 8 €

Un crémant-de-die jaune pâle brillant, dont les bulles forment un cordon persistant. Au nez puissant de fleurs et de fruits blancs répond une bouche ample et grasse, aux notes de poires et de fruits secs. Le dosage assez marqué se traduit par des notes sucrées.

EARL Georges Raspail, rte du Camping-Municipal, La Roche, 26340 Aurel, tél. et fax 04.75.21.71.89
t.l.j. 9h30-12h30 13h30-19h30

JEAN-CLAUDE RASPAIL
Cuvée Flavien Brut-extra 2001 ★★★

3,5 ha 19 992 5 à 8 €

Jean-Claude Raspail, qui décroche déjà le coup de cœur en clairette-de-die, remporte ici un nouveau succès. Son crémant-de-die fait preuve d'intensité dans ses arômes de noisette, de pêche et d'abricot. « Délibérément peu dosé, il le supporte bien », commente un juré. Il laisse une impression de complexité, de longueur et magnifie en bouche le côté noisette pralinée qui distingue les grands vins de cette appellation.

Jean-Claude Raspail et Fils, Dom. de la Mûre, 26340 Saillans, tél. 04.75.21.55.99, fax 04.75.21.57.57, e-mail jc.raspail@wanadoo.fr
t.l.j. 9h-12h 14h-18h30; f. 5-31 jan.

Châtillon-en-diois

Le vignoble du châtillon-en-diois occupe 50 ha, sur les versants de la haute vallée de la Drôme, entre Luc-en-Diois (550 m d'altitude) et Pont-de-Quart (465 m). L'appellation produit des rouges (cépage gamay), légers et fruités, à consommer jeunes, ou des blancs (cépages aligoté et chardonnay), agréables et nerveux. Production totale : 1 794 hl en 2005.

DIDIER CORNILLON 2005 *

	2,5 ha	13 000		3 à 5 €

D'un jaune pâle brillant fort seyant, ce vin entre en scène en souplesse, puis fait dialoguer de manière équilibrée des notes de noisette, de fleurs et de beurre typiques... « Du chardonnay », écrit un dégustateur. Pourtant, il s'agit bien d'un aligoté fort agréable, que vous goûterez à l'apéritif ou avec un poisson grillé. La cuvée **Les Gamay d'Antan 2004** reçoit aussi une étoile pour son côté animal et ses arômes intenses de cerise.

Didier Cornillon, 26410 Saint-Roman, tél. 04.75.21.81.79, fax 04.75.21.84.44 r.-v.

LA CAVE DE DIE JAILLANCE
Grande Cuvée 2004

	27 ha	5 000		5 à 8 €

Ce vin plein de jeunesse est dominé par le gamay, que le pinot complète à 25 %. Cela est perceptible dans la teinte rubis, dans les arômes de fruits comme dans la fraîcheur tonique du palais. En 2007, cette bouteille sera prête à rejoindre le panier à pique-nique avec des charcuteries.

La Cave de Die Jaillance, av. de la Clairette, BP 79, 26150 Die, tél. 04.75.22.30.00, fax 04.75.22.21.06 t.l.j. 9h-12h30 14h-19h

DOM. DE MAUPAS Altitude 640 2004

	7 ha	20 000	5 à 8 €

À 640 m d'altitude, ce domaine est l'un des plus hauts de France. Le pinot qui ne représente pourtant que 25 % de l'assemblage marque fortement ce vin : les senteurs de fruits rouges se manifestent intensément sous une robe rubis et la bouche garde cette même ligne aromatique. Seuls les tanins encore indisciplinés suggèrent d'attendre une bonne année avant de le servir.

La Cave de Die Jaillance, av. de la Clairette, BP 79, 26150 Die, tél. 04.75.22.30.00, fax 04.75.22.21.06 t.l.j. 9h-12h30 14h-19h

Jérôme Cayol

Coteaux-du-tricastin

Cette appellation couvre 2 576 ha répartis sur vingt-deux communes de la rive gauche du Rhône, depuis La Baume-de-Transit au sud, en passant par Saint-Paul-Trois-Châteaux, jusqu'aux Granges-Gontardes, au nord. Les terrains d'alluvions anciennes très caillouteuses et les coteaux sableux, situés à la limite du climat méditerranéen, ont produit 91 526 hl de vins en 2005.

DOM. BONETTO-FABROL Le Colombier 2004 *

	2 ha	6 000		3 à 5 €

Voici un domaine bien ancré dans le terroir. Le vieux four à pain est encore en activité, les confitures sont faites maison et, en saison, on y vend même des truffes. C'est dire si l'on est en confiance pour aborder ce vin dont la grande jeunesse de la robe contraste avec la richesse du bouquet naissant. À l'aération, on y découvre des fruits rouges, des épices et des notes de sous-bois. La rondeur de la bouche témoigne d'une vinification respectueuse d'une belle matière première. À boire ou à laisser vieillir quelques années.

Philippe Fabrol, Dom. Bonetto-Fabrol, 26700 La Garde-d'Adhémar, tél. 04.75.04.42.01, e-mail philippe.fabrol@tiscali.fr r.-v.

CH. LA CROIX CHABRIÈRE Marquise 2003 *

	n.c.	1 500		5 à 8 €

De cette superbe propriété chargée d'histoire, le jury a retenu deux cuvées dans cette AOC. Les reflets grenat de la robe de cette belle Marquise sont en harmonie avec les notes de fruits mûrs que l'on découvre dans les parfums boisés bien fondus, relevés d'une pointe d'épices. La bouche, ample, s'inscrit dans le droit fil, portée par des tanins serrés mais soyeux. (Bouteilles de 50 cl.) La cuvée principale du château **rouge 2004 (3 à 5 €)**, même note, joue l'équilibre et la finesse sur un bouquet de fruits rouges, de violette et de garrigue.

Patrick Daniel, Ch. La Croix Chabrière, rte de Saint-Restitut, 84500 Bollène, tél. 04.90.40.00.89, fax 04.90.40.19.93, e-mail chateaucroixchabriere@wanadoo.fr t.l.j. 9h-12h 14h-18h; dim. 9h-12h; groupes sur r.-v.

DOM. DE GRANGENEUVE 2005 *

	8 ha	30 000		3 à 5 €

Depuis quarante ans, la famille Bour travaille sur ce domaine que les parents, Odette et Henri, ont créé de toutes pièces au prix d'années d'efforts. La qualité est à nouveau au rendez-vous cette année avec trois cuvées. Le nez du rosé, d'abord discret, dévoile à l'aération des notes de fruits à chair blanche (pêche) agrémentées de touches minérales. La bouche équilibrée, ronde et fruitée, offre une bonne vivacité. La cuvée **Vieilles Vignes rouge 2004 (5 à 8 €)**, même note, au nez puissant de fruits rouges mûrs et d'épices, patientera avantageusement un an. Citée, la **Terre d'épices rouge 2004 (8 à 11 €)**, élevée en fût, présente un vanillé puissant autour de notes fruitées.

Domaines Bour, Grangeneuve, 26230 Roussas, tél. 04.75.98.50.22, fax 04.75.98.51.09, e-mail domaines.bour@wanadoo.fr t.l.j. 9h-12h30 14h30-19h

DOM. DE MONTINE 2005

	5 ha	20 000	5 à 8 €

Coup de cœur pour une cuvée en rouge l'an dernier, on retrouve cette année ce domaine bien connu des lecteurs. Ce vin blanc décline toute la gamme des cépages, puisque son assemblage en comporte pas moins de six. Le nez suave joue sur des notes florales, d'épices et d'agrumes (pamplemousse). L'attaque franche ouvre sur un joli volume, puis les arômes prennent place et se prolongent. Également cité, le **rosé 2005 (3 à 5 €)** offre des senteurs d'agrumes et d'abricot relevées d'une pointe minérale.

Monteillet, Dom. de Montine, La Grande Tuilière, 26230 Grignan, tél. 04.75.46.54.21, fax 04.75.46.93.26, e-mail domainedemontine@wanadoo.fr t.l.j. 9h-12h 14h-19h

RHÔNE

DOM. DES ROSIER Paul 2004 ★★

■ n.c. 20 000 🍷 8 à 11 €

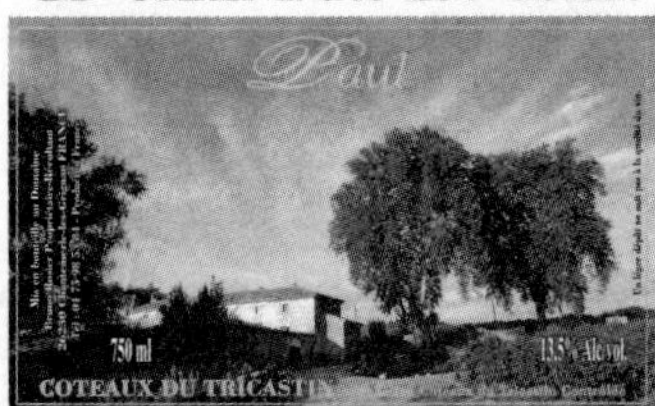

Depuis une quinzaine d'années, Bruno Rosier est à la tête du domaine familial, belle demeure provençale entourée de vignes, de lavandin et de chênes truffiers. Il célèbre ici son grand-père Paul. Sous une robe reflétant sa jeunesse, ce vin intense et harmonieux est dominé par les fruits et les épices, auxquels une pointe de fruit de la Passion vient apporter une touche d'originalité. Ample, puissante, la bouche a déjà tous les attributs des grands vins. Des notes grillées et cacaotées, héritage de l'élevage en fût accompagnent toute la dégustation jusque dans une longue finale. Dans un registre plus classique, mais jouant sur les mêmes arômes, la cuvée principale **Domaine des Rosier rouge 2004 (3 à 5 €)** décroche une étoile.

🔑 Dom. des Rosier, quartier Saint-Maurice, 26230 Chantemerle-lès-Grignan, tél. et fax 04.75.98.53.84
☑ Y ⛹ t.l.j. sf dim. 9h30-12h30 14h-19h 🏠 G

DOM. ROZEL 2004

■ 2 ha 4 000 🍷 5 à 8 €

La robe rubis intense est marquée d'un reflet brun, léger signe d'évolution ; les arômes déroulent un chapelet de notes d'épices, de cassis et de fruits surmûris. La bouche puissante et ronde rejoue la même gamme, avant une finale longue et vive qui étonne.

🔑 Bruno Rozel, Les Planes, 26230 Valaurie, tél. 04.75.98.57.23, fax 04.75.98.64.38, e-mail dom-b.rozel@wanadoo.fr ☑ Y t.l.j. 9h-19h

LA SUZIENNE Sélection Le Lutin 2005

□ 5 ha 25 000 3 à 5 €

Située tout près du château de Suze-la-Rousse qui abrite l'université du Vin, cette cave propose un assemblage réussi, où le viognier dominant (90 %) s'appuie sur le grenache blanc. Le bouquet offre une palette aromatique mêlant les agrumes, le buis et les épices, que la bouche retrouve autour de notes florales et de fruits à chair blanche. L'ensemble est soyeux mais encore vif.

🔑 Cave La Suzienne, 26790 Suze-la-Rousse, tél. 04.75.04.48.38, fax 04.75.98.23.77, e-mail info@la-suzienne.com ☑ Y ⛹ r.-v.

Côtes-du-ventoux

A la base du massif calcaire du Ventoux, le Géant du Vaucluse (1 912 m), des sédiments tertiaires portent ce vignoble qui s'étend sur cinquante et une communes (5 873 ha déclarés en 2005), entre Vaison-la-Romaine au nord et Apt au sud. Les vins produits sont essentiellement des rouges et des rosés. Le climat plus froid que celui des côtes-du-rhône, entraîne une maturité plus tardive. Les vins rouges sont de moindre degré alcoolique, mais frais et élégants dans leur jeunesse ; ils sont cependant davantage charpentés dans les communes situées le plus à l'ouest (Caromb, Bédoin, Mormoiron). Les vins rosés sont agréables et demandent à être bus jeunes. La production totale a atteint 246 862 hl en 2005.

L'ÂME DU TERROIR 2005 ★★

■ n.c. n.c. - de 3 €

Un excellent rapport qualité-prix pour cette cuvée à la robe soutenue et au nez intense de fruits rouges. Elle se montre expressive, structurée, volumineuse et remarquablement équilibrée. Deux ou trois ans de garde, tel est le bel avenir auquel elle est promise.

🔑 Vignobles du Peloux, quartier Barrade, 84350 Courthézon, tél. 04.90.70.42.00, fax 04.90.70.42.15, e-mail vignoblesdupeloux@vignoblesdupeloux.com
☑ Y ⛹ t.l.j. sf sam. dim. 8h-12h 14h-18h; ven. 8h-12h; f. 5-12 août

DOM. DES ANGES L'Archange 2004 ★★

■ 1,8 ha 5 400 🍷 11 à 15 €

Le domaine des Anges est situé en haut d'une colline au sud de Mormoiron, de laquelle la vue est superbe sur le Géant de Provence. Vêtu de rouge intense à reflets violacés, cet Archange dispense généreusement ses arômes de cassis et de mûre enchanteurs, avant de révéler sa puissance et sa complexité, sa rondeur et sa finesse. Certes il est bâti pour la garde, mais son expression est déjà si accomplie que le plaisir sera immédiat si vous le servez avec une daube provençale. Le **Domaine des Anges 2005 blanc (5 à 8 €)**, floral et fruité, ainsi que le **2005 rosé (5 à 8 €)**, aux notes exotiques, reçoivent une étoile.

🔑 SCA Dom. des Anges, 84570 Mormoiron, tél. 04.90.61.88.78, fax 04.90.61.98.05, e-mail ciaranrooney@wanadoo.fr
☑ Y ⛹ t.l.j. sf dim. 9h-12h 14h-18h 🏠 E

L'AUBÉPINE 2005 ★★

□ 12,17 ha 30 000 3 à 5 €

Au Moyen Âge, des lumières mystérieuses seraient apparues aux habitants de Goult, aux confins du Ventoux et du Luberon. Sur le site de Notre-Dame-des-Lumières ancien lieu de pèlerinage, s'est implantée en 1925 une coopérative. Aujourd'hui, les amateurs pourront se fier à la lueur des étoiles qui brillent sur trois vins sortis de la cave. Auréolée d'un coup de cœur, cette Aubépine dominée par la clairette livre d'agréables effluves de genêt et d'abricot. Ce vin allie gras et fraîcheur. Deux étoiles aussi pour le **Domaine Terrus rosé 2005** (grenache 90 %) : grenadine à l'œil, groseille au nez, il est plein, souple et gras : un rosé de repas. Enfin le **Roque de l'Amant rouge 2003 (8 à 11 €)** obtient une étoile : sa matière concentrée, ronde et structurée, aux flaveurs de réglisse, de cerise confite et d'épices s'accordera avec gibier et fromage.

Cave de Lumières, 84220 Goult, tél. 04.90.72.20.04, fax 04.90.72.42.52, e-mail info@cavedelumieres.com
r.-v.

DOM. DE L'AUVIÈRES
Cuvée des Amandiers 2005 ★

1,2 ha 3 300 5 à 8 €

Les Zimmerlin ont créé de toutes pièces ce domaine d'un peu plus de 13 ha. Si vous y séjournez en chambre d'hôte, vous serez invité à une visite de la cave et à une dégustation. Ce sera l'occasion d'apprécier ce vin jaune paille, au nez d'agrumes et d'abricot. Son attaque franche, son équilibre et sa fraîcheur sont autant de raisons de le servir à l'apéritif ou en accompagnement d'un poisson grillé.

Zimmerlin, Dom. de L'Auvières, rte de Murs, 84220 Joucas, tél. 04.90.05.67.70, fax 04.90.05.81.25, e-mail domainedelauvieres@free.fr
t.l.j. 8h-19h

DOM. AYMARD 2005 ★

1,8 ha 10 000 3 à 5 €

Jaune paille, ce vin séduit par ses arômes de fruits mûrs (banane, pomme) qui reviennent au palais, soulignés par une vivacité bien présente. Il est si frais qu'il se mariera parfaitement avec des coquilles Saint-Jacques ou des filets de sole. La cuvée **Vieilles Vignes 2004 rouge** mérite d'être citée pour sa structure plaisante.

Dom. Aymard, Les Galères, Serres, 84200 Carpentras, tél. 04.90.63.35.32, fax 04.90.67.02.79, e-mail jeanmarie.aymard@free.fr
r.-v.

DOM. DE LA BASTIDONNE 2005 ★

3 ha 15 000 5 à 8 €

Une vieille ferme surmontée d'un pigeonnier commande ce domaine de 25 ha, dont les ceps de grenache et de syrah ont donné naissance à parts égales à ce vin. Pétale de rose, celui-ci libère des parfums floraux et fruités, puis emplit la bouche d'une grande fraîcheur. Un côtes-du-ventoux harmonieux. Le **Domaine de La Bastidonne 2005 blanc**, expressif et équilibré, ainsi que le **2004 rouge**, qui possède beaucoup de matière, obtiennent une étoile également.

Gérard Marreau, SCEA Dom. de La Bastidonne, 84220 Cabrières-d'Avignon, tél. 04.90.76.70.00, fax 04.90.76.74.34, e-mail domaine.bastidonne1@tiscali.fr
t.l.j. sf dim. 9h-12h 14h-18h

VIGNERONS DE BEAUMES-DE-VENISE
Cuvée des Toques 2005 ★

100 ha 60 000 3 à 5 €

Cette cuvée habillée d'une robe brillante, d'un rose soutenu, livre un fruité et une fraîcheur agréables. Les grillades lui serviront de faire-valoir. Une étoile également pour le **Domaine Juvenal 2005 rouge**, au nez de fruits mûrs, qui devra attendre pour s'exprimer pleinement. Le **Domaine Alban 2005 rouge** est cité pour l'intensité de ses arômes de fruits rouges.

Les Vignerons de Beaumes-de-Venise, quartier Ravel, 84190 Beaumes-de-Venise, tél. 04.90.12.41.14, fax 04.90.12.41.21, e-mail vignerons@beaumes-de-venise.com
t.l.j. 8h-12h 14h-18h

DOM. DE BÉRANE Les Agapes 2004

2 ha 6 000 5 à 8 €

À quelques kilomètres du mont Ventoux, ce domaine créé en 2000 se situe sur la commune de Mormoiron, village typiquement provençal. Ce 2004, dominé par les fruits rouges mûrs, reflète bien son terroir. Il est porté par une structure légère, sans agressivité, qui laisse une sensation veloutée. Le fruité persiste bien, nuancé de réglisse en finale. Un vin au goût du jour, destiné à une cuisine moderne.

A. C. Rabatel et B. Ferary, rte de Flassan, 84570 Mormoiron, tél. 04.90.61.77.32, e-mail domainedeberane@wanadoo.fr
t.l.j. sf dim. lun. 10h-12h30 16h-19h30; r.-v. 1er nov.-31 mars; f. jan.

CH. BLANC À mon père 2004 ★

2 ha 13 000 8 à 11 €

Roussillon est l'un des plus beaux villages de France, avec ses falaises d'ocre que vous pourrez voir depuis ce domaine. Un cadre de grande beauté pour apprécier cette cuvée pourpre intense, dont les arômes de fruits noirs se nuancent d'épices. La bouche équilibrée, de bon volume, est structurée par des tanins présents mais amènes. Un vin de garde qui fera alliance avec une viande rouge ou un gibier. La cuvée **Grimaud 2004 rouge (3 à 5 €)** reçoit également une étoile pour ses arômes de fruits et de sous-bois.

SCEA Ch. Blanc, quartier Grimaud, 84220 Roussillon, tél. 04.90.05.64.56, fax 04.90.05.72.79
t.l.j. 8h-12h 14h-18h30
Lelièvre

DOM. DU BON REMÈDE
Secret de Vincent Élevé en fût de chêne 2004

2 ha 5 000 5 à 8 €

À 25 km d'Avignon, le domaine ménage une vue exceptionnelle sur le mont Ventoux. La syrah (90 %) et le grenache (10 %) récoltés sur un terroir gravelo-calcaire sont à l'origine de ce 2004 au nez de fruits rouges et de vanille. L'attaque est ample, la bouche volumineuse et persistante sur des notes fruitées et mentholées. Un vin à boire jeune avec un mets épicé ou à attendre deux ou trois ans avant de le servir avec un gibier.

Lucile et Frédéric Delay, 1248, rte de Malemort, 84380 Mazan, tél. et fax 04.90.69.69.76, e-mail fredericdelay@aol.com
t.l.j. 9h-13h 14h-19h

RHÔNE

DOM. DE LA CAMARETTE Armonia 2005

3 ha 12 000 3 à 5 €

Ancienne pépinière viticole, cette propriété familiale, d'un seul tenant, possède une collection de cépages méridionaux et septentrionaux. Cinsault, grenache et carignan composent cette cuvée rose pâle, au nez fruité

discret. À l'attaque fraîche succède une impression de rondeur plaisante. La cuvée **Armonia 2005 blanc** est également citée pour son caractère floral et fruité (pêche).
SCEA La Camarette, 439, chem. des Brunettes, 84210 Pernes-les-Fontaines, tél. 04.90.61.60.78, fax 04.90.66.46.20, e-mail nancy.gontier@business.fr
t.l.j. sf dim. 9h-12h 15h-19h
Nancy-Gontier

LES VIGNERONS DE CANTEPERDRIX
Marquis de Sade 2005 *

15 ha 20 000 3 à 5 €

Mazan possède de nombreux buts de visite, parmi lesquels le château du marquis de Sade. La cuvée qui porte son nom affiche un bouquet fruité subtil, nuancé de grillé. Équilibrée, elle charme le palais par ses touches de fruits rouges et sa fraîcheur. À proposer dès maintenant à l'apéritif.
Les Vignerons de Canteperdrix, 84380 Mazan, tél. 04.90.69.70.31, fax 04.90.69.87.41, e-mail oenologue@cotes-du-ventoux.com
t.l.j. sf dim. 9h-12h30 14h30-19h

DOM. CHAMP LONG
Les Essareaux Élevé en fût de chêne 2004

2 ha 10 000 8 à 11 €

Une ancienne ferme provençale commande ce domaine familial de 37 ha que Jean-Christophe Gély conduit depuis 1977. Ce vin à la robe profonde, brillant de reflets violacés, offre d'emblée des arômes boisés intenses, ponctués de touches animales. Sa structure s'enveloppe d'une matière ronde et persistante. Déjà agréable, il saura également attendre deux ou trois ans. La **cuvée spéciale 2005 rosé (5 à 8 €)** est citée pour sa fraîcheur fruitée.
Christian et Jean-Christophe Gély, Dom. de Champ-Long, 84340 Entrechaux, tél. 04.90.46.01.58, fax 04.90.46.04.40, e-mail domaine@champlong.fr
t.l.j. sf dim. 9h-12h30 14h-19h

DOM. DU COULET ROUGE
Harmony des Ocres 2004 **

3,5 ha 20 000 5 à 8 €

Coulet signifie en provençal « petite colline ». Depuis 1937, quatre générations de Bonnelly se sont succédé à la tête du domaine, dont trois sont encore présentes. Le 2004 offre une robe pourpre intense et libère des arômes complexes de fruits, d'épices et de garrigue. Il ne manque pas de caractère grâce à des tanins présents, mais bien enrobés, qui laissent en finale un accent de réglisse. Un vin élégant qui « honore son appellation », selon un juré. Servez-le avec une cuisine gastronomique.
Bonnelly Père & Fils, Dom. du Coulet Rouge, Les Bâtiments Neufs, 84220 Roussillon, tél. et fax 04.90.05.61.40, e-mail le.coulet.rouge@wanadoo.fr
t.l.j. 8h-13h 13h30-19h

LA COURTOISE 2005 *

n.c. 34 000 - de 3 €

Vinifié par saignée et à basse température, ce rosé composé de grenache (80 %) et de syrah (20 %) se présente dans une robe soutenue à reflets violacés. Un bouquet discret d'agrumes et autres fruits frais contribue à son caractère gouleyant et rehausse sa rondeur. La **cuvée des Oliviers 2005 rouge (3 à 5 €)**, structurée, vive et fruitée, reçoit une citation.
SCA La Courtoise, 84210 Saint-Didier, tél. 04.90.66.01.15, fax 04.90.66.13.19, e-mail cave.la.courtoise@wanadoo.fr r.-v.

DOM. DE CRESSENTON 2005 *

15 ha 75 000 - de 3 €

Issu d'un terroir argilo-calcaire, ce vin possède un bouquet original, floral et fruité. Des arômes de cassis se manifestent au palais, en accompagnement de tanins soyeux, responsables d'une rondeur avenante. Pour un jambon braisé ou un navarin d'agneau.
Vignerons de L'Enclave des Papes, rte d'Orange, BP 51, 84602 Valréas Cedex, tél. 04.90.41.91.42, fax 04.90.41.90.21, e-mail france@enclavedespapes.com
M. S. Créter

CROIX DE MISSION 2004 *

60 ha 130 000 3 à 5 €

En 2002, la cave Les Roches Blanches de Mormoiron a fusionné avec celle de La Montagne rouge à Villes-sur-Auzon pour donner naissance à la cave TerraVentoux. Du rouge sombre et des reflets violets pour invite, des arômes de fruits mûrs soulignés de notes minérales pour convaincre, puis une chair pleine pour séduire définitivement : ainsi se développe ce vin représentatif de l'appellation, prêt dès la sortie du Guide. Également une étoile pour le **Clair des Roches 2005 rosé**, frais, gouleyant et très rond. Quant au **Terres de truffes 2004 rouge (5 à 8 €)**, il reçoit une citation.
Cave TerraVentoux, rte de Carpentras, 84570 Villes-sur-Auzon, tél. 04.90.61.80.07, fax 04.90.61.97.23, e-mail infos@cave-terraventoux.com
t.l.j. sf dim. 8h-12h 14h-18h

CH. EDEM
Seigneurie du Ventoux Élevé en fût de chêne 2004 *

3,3 ha 13 000 8 à 11 €

Déjà bien notés en côtes-du-luberon, Emmanuelle et Eduard Van Wely décrochent une nouvelle étoile avec ce côtes-du-ventoux dont l'expression fruitée, la matière pleine et épicée, ainsi que les tanins fondus contribuent au caractère plaisant dans l'immédiateté comme à la bonne aptitude à la garde. À servir avec des grillades. Une citation est attribuée au **Château Edem 2005 rosé (5 à 8 €)**, finement marqué par les agrumes.
Eduard et Emmanuelle Van Wely, Ch. Edem, rte de Lacoste, 84220 Goult, tél. 04.90.72.36.02, fax 04.90.72.34.71, e-mail chateau.edem@wanadoo.fr
t.l.j. sf mer. sam. dim. 9h30-17h30

DOM. DE FENOUILLET 2004

5,37 ha 30 000 3 à 5 €

Si vous visitez le caveau du domaine de Fenouillet, vous découvrirez un diplôme datant de 1902, au nom de l'arrière-grand-père, Casimir, pour la qualité de ses vins. Les Soard conservent précieusement quelques bouteilles de 1953, élaborées par le grand-père Louis. Le 2004, rouge violacé, ne devra pas attendre plus de deux ans dans votre cave, car il est souple, équilibré, joliment parfumé de fruits rouges.
Patrick et Vincent Soard, Dom. de Fenouillet, allée Saint-Roch, 84190 Beaumes-de-Venise, tél. 04.90.62.95.61, fax 04.90.62.90.67, e-mail contact@domaine-fenouillet.fr
t.l.j. sf dim. 9h-12h 14h-19h

DOM. DE LA FERME SAINT-MARTIN
Clos des Estaillades 2004 *

■ 3 ha 10 000 5 à 8 €

Un terroir argilo-calcaire et des vignes âgées de vingt-cinq ans en moyenne sont à l'origine de ce 2004 rouge intense à reflets noirs. Les épices rehaussent le premier nez de fruits noirs, suivis de notes empyreumatiques. Une attaque discrète, des tanins présents mais enrobés : un côtes-du-ventoux puissant et harmonieux, en somme, qui s'épanouira encore au cours des deux ou trois ans à venir.

Guy Jullien,
Dom. de La Ferme Saint-Martin,
84190 Suzette, tél. 04.90.62.96.40, fax 04.90.62.90.84,
e-mail guy-jullien@tiscali.fr
t.l.j. sf dim. 10h-12h30 14h-18h; jan. fév. sur r.-v.

DOM. DE FONDRÈCHE Nadal 2004 **

■ 10 ha 40 000 11 à 15 €

Nanou Barthélemy et son fils Sébastien Vincenti ont acquis en 1993 cette propriété de 35 ha. Déjà bien notée l'an passé, avec une étoile pour le millésime 2003, la cuvée Nadal gagne des galons. Les dégustateurs sont tombés sous le charme de ce 2004 de teinte soutenue à reflets violacés, qui, par son bouquet de fruits rouges et d'épices, offre une remarquable expression de la syrah. La bouche parfaitement équilibrée, souple, est également aromatique, empreinte de flaveurs vanillées et délicatement boisées. Un vin en accord avec un civet de lièvre ou de sanglier. La cuvée **Éclat 2005 blanc (5 à 8 €)** est citée pour ses notes intenses de fleurs blanches.

Dom. de Fondrèche, 84380 Mazan,
tél. 04.90.69.61.42, fax 04.90.69.61.18
t.l.j. sf sam. dim. 14h-18h

DOM. DE FONT ALBA Cuvée X-L 2005 *

2,25 ha 13 000 5 à 8 €

Xavier-Louis Vuitton, petit-fils du célèbre malletier, se passionne pour la vigne. Il a acquis en 1999 ce domaine de 10 ha qui doit son nom à la fontaine du XVIII[e]s. à l'ombre de quatre platanes centenaires. X-L ? Les initiales du propriétaire. Mais ce pourrait être aussi un clin d'œil. Ce vin verrait-il tout en grand ? Il possède, en effet, un bouquet complexe, à la fois fruité et floral, ponctué de boisé. Puis il offre toute sa rondeur au palais, avec en finale des notes d'agrumes et de miel. Une viande blanche et un fromage de chèvre l'accompagneraient volontiers.

Xavier-Louis Vuitton,
Dom. de Font Alba,
SCEA Les 4 Platanes,
84400 Apt, tél. 04.90.74.48.12, fax 04.90.74.62.73,
e-mail fontalba@tiscali.fr r.-v. 7

GRAINS ELECTIO 2004 *

■ 5,5 ha 30 000 3 à 5 €

Des grains choisis de grenache et de syrah pour ce vin grenat soutenu, dont les dégustateurs ont apprécié le bouquet puissant de fruits mûrs nuancés de quelques notes animales. Une matière de qualité, un juste équilibre et beaucoup de persistance contribuent à son charme immédiat tout en lui assurant une bonne tenue au cours des deux à trois ans à venir.

SARL Caravinsérail, quartier du Roland,
84570 Villes-sur-Auzon, tél. 04.90.61.72.18,
fax 04.90.61.94.09, e-mail cascavel@voila.fr

DOM. GRANDJACQUET Le Rabassier 2005 *

1,1 ha 6 000 5 à 8 €

Patricia et Joël Jacquet se sont tournés vers l'agriculture biologique et exploitent une dizaine d'hectares de vignes. Leurs cuvées portent le nom des arbres de la propriété, comme le rabassier, chêne truffier en provençal. Ce 2005 jaune doré à reflets verts développe des notes de vanille et de pain grillé, témoins de son séjour de cinq mois en fût. Il faut lui laisser le temps d'assimiler l'empreinte du bois avant de le servir avec une sole à la crème de gingembre, par exemple. Une citation pour la cuvée **Le Rabassier 2004 rouge**, souple et fruité.

SCEA Grandjacquet, 2869, rte de Carpentras,
84380 Mazan, tél. et fax 04.90.63.24.87,
e-mail contact@domaine-grandjacquet.com r.-v.
Joël Jacquet

CHAIS DU GRILLON 2005 **

20 ha 100 000 3 à 5 €

Le caveau des Vignerons du Mont Ventoux a été agrandi récemment ; plus spacieux et lumineux, il accueille le visiteur dans les meilleures conditions. Ce 2005, assemblage de clairette, de grenache blanc et de bourboulenc, développe des notes florales, annonce de la finesse de la bouche, ronde et longue, remarquablement équilibrée. À servir dès aujourd'hui avec un poisson grillé. Le **Domaine Balaquère rouge 2004**, original par ses arômes d'agrumes, reçoit une étoile. Citée, la cuvée **Altitude 450 rouge 2004** est typiquement provençale par ses nuances de garrigue.

SCA Les Vignerons du Mont Ventoux,
quartier La Salle, 84410 Bédoin, tél. 04.90.12.88.00,
fax 04.90.65.64.43 r.-v.

DOM. LES HAUTES BRIGUIÈRES
Cuvée Prestige 2004

■ 1 ha 3 450 5 à 8 €

François-Xavier Rimbert affectionne les vins riches en arômes fruités, élégants et pas trop chaleureux. Cette cuvée correspond bien à ses attentes, et livre un nez ouvert, souligné d'épices et de vanille. Certes, elle paraît encore jeune au palais, mais elle devrait évoluer au cours des deux prochaines années. Vous la servirez alors avec une viande en sauce. Une citation est en outre attribuée à la **cuvée Élégance 2004 rouge (3 à 5 €)**, au bouquet intense de fruits rouges.

François-Xavier Rimbert,
Dom. Les Hautes-Briguières, 84570 Mormoiron,
tél. 04.90.61.71.97, fax 04.90.61.85.80,
e-mail fxrimbert@aol.com
t.l.j. 14h-18h; sam. dim. 10h-19h

CAVE DU LUBERON Les Fileuses 2005 ★★

■ 1,8 ha 6 600 3 à 5 €

La syrah s'exprime pleinement dans cette cuvée issue d'un terroir sablo-limoneux. D'un rose soutenu, brillant de reflets violacés, celle-ci a séduit le jury par ses parfums de fruits frais, telles la fraise et la banane, et ses notes de bonbon anglais. Son équilibre entre une attaque fraîche et une chair ronde en fait un vin gourmand.

SCA Cave du Luberon, Hameau de Coustellet, 229, rte de Cavaillon, 84660 Maubec, tél. 04.90.76.90.01, fax 04.90.76.72.92, e-mail contact@caveduluberon.com
t.l.j. sf dim. 8h-12h 14h-18h

DOM. DE MAROTTE Cuvée Éline 2004 ★

■ n.c. 15 000 5 à 8 €

Ancienne dépendance du monastère du Barroux, ce domaine garde trace de son histoire dans ses allées de pins plantées en forme de croix. Depuis 1997, Daniel Van Dykman conduit sa destinée. Éline est le nom de sa fille qui, chaque année, illustre d'un de ses dessins l'étiquette du vin. Un côtes-du-ventoux rouge sombre à reflets violets et au bouquet intense de fruits rouges, complété de notes empyreumatiques. Jeune encore, mais prometteur, il ne demande que quelques années pour accompagner gibier et fromages.

EARL La Renarde, Dom. de Marotte, Petit chemin de Serres, 84200 Carpentras, tél. 04.90.63.43.27, fax 04.90.67.15.28, e-mail marotte@wanadoo.fr
t.l.j. 8h30-12h30 14h30-18h30; f. jan. fév.
Daniel Van Dykman

LE MAS DES FLAUZIÈRES Font Aurel 2005

■ 3 ha 8 000 5 à 8 €

L'ancienne ferme située au pied du Géant de Provence, à proximité de Vaison-la-Romaine, appartenait au Moyen Âge au château d'Entrechaux. Elle commande aujourd'hui un domaine de 35 ha réparti sur plusieurs communes. Jérôme Benoit, héritier de ce patrimoine familial et agronome, y a créé son chai de vinification. Il propose un vin pétale de rose aux reflets légèrement orangés. Au bouquet floral répond une bouche fruitée, assez fraîche. Offrez-lui des gambas grillées. Le **vacqueyras cuvée Le Pilon 2004 (8 à 11 €)** obtient une citation.

Le Mas des Flauzières, rte de Vaison-la-Romaine, 84340 Entrechaux, tél. et fax 04.90.46.00.08, e-mail masdesflauzieres@aol.com
t.l.j. 9h-19h; janv.-mars sur r.-v.
Jérôme Benoit

MAS DU FADAN Anna 2004

■ 4 ha 8 000 8 à 11 €

Conduit en agriculture biologique, ce domaine de 10 ha propose un vin de teinte soutenue, au nez de fruits mûrs. Il déploie toute sa richesse au palais, nuancé de notes boisées. Une légère austérité en finale appelle cependant à une petite garde avant de le servir avec un gibier.

David Fayet, Hameau Les Grands Cléments, 84400 Villars, tél. 06.62.85.02.64, fax 04.90.06.03.27, e-mail danielfayet@aol.com
t.l.j. 10h-12h 14h-18h

DOM. LE MURMURIUM Opéra 2004 ★

■ 2 ha 4 000 15 à 23 €

Créé en 1995, Le Murmurium regroupe aujourd'hui 26 ha de vignes conduites en agriculture biologique. Un terroir de graves et d'argile est à l'origine de cet Opéra dont le rôle principal est tenu par le grenache et le second par la syrah. Sur le rythme des fruits mûrs confits, ponctués de musc et de vanille, le vin se développe autour d'une trame de tanins serrés, aux accents grillés, qu'enrobe une chair pleine. Une garde de un à deux ans permettra une meilleure harmonie. La cuvée **Carpe Diem 2004 rouge (11 à 15 €)** reçoit elle aussi une étoile pour son bouquet d'épices et de fruits mûrs.

SCEA Marot-Metzler, Dom. Le Murmurium, rte de Flassan, 84570 Mormoiron, tél. 04.90.61.73.74, fax 04.90.61.74.51, e-mail murmurium@murmurium.com r.-v.

DOM. PÉLISSON 2005

■ n.c. n.c. 3 à 5 €

Ce domaine, conduit en agriculture biologique, ménage un beau panorama sur le village de Gordes. Il est à l'origine d'un vin intensément coloré, qui décline des arômes de fruits rouges avec une pointe de fraîcheur.

Patrick Pélisson, Les Marres, 84220 Gordes, tél. et fax 04.90.72.28.49 r.-v.

DOM. DU PUY MARQUIS Vieilli en fût de chêne 2004 ★

■ 1,75 ha 8 600 5 à 8 €

Des carrières d'ocre ont formé un paysage unique en Luberon, à Rustrel et à Roussillon, dénommé le Colorado provençal. À 5 km de là, ce domaine de 10 ha propose un vin pourpre intense qui livre un nez complexe de fruits mûrs. Structuré, il présente des tanins encore adolescents mais qui ne manqueront pas de s'assouplir en 2007 ; il conviendra alors parfaitement à une viande rouge ou à un gibier.

Claude Leclercq, Dom. du Puy Marquis, rte de Rustrel, 84400 Apt, tél. 04.90.74.51.87, fax 04.90.04.69.80 t.l.j. 9h-12h30 14h-18h30

CH. SAINT-SAUVEUR 2004 ★

■ 1,19 ha 6 600 3 à 5 €

Une chapelle du XIe s. restaurée en 1989 sert aujourd'hui de caveau de dégustation et de vente et propose des expositions de peinture. Florence Rey, œnologue, a élaboré un vin couleur cerise, dont les arômes discrets évoquent les fruits rouges et les fruits secs. La bouche est ronde et friande, sans faiblesse aucune, comme en témoigne la longue finale. Un côtes-du-ventoux typique qui trouvera sa place en toutes circonstances.

Les Héritiers de Marcel Rey, Ch. Saint-Sauveur, rte de Caromb, BP 2, 84810 Aubignan, tél. 04.90.62.60.39, fax 04.90.62.60.46
t.l.j. sf dim. 9h-12h15 14h15-19h
Guy Rey

TERRE DU LEVANT 2005 ★★★

■ 3,6 ha 23 500 3 à 5 €

Assemblage de grenache et de syrah à parts égales, ce vin rose vif à reflets violacés propose un bouquet de fruits frais, évocateurs de fraise et de banane, avec des nuances de bonbon anglais. Après une attaque ronde, une fraîcheur fruitée reprend sa place, à peine ponctuée de réglisse jusqu'à la longue finale. L'apéritif sera le bon moment pour l'apprécier. La cuvée **Orca III 2004 rouge Élevé en fût de chêne (8 à 11 €)** mérite une étoile pour sa forte personnalité et sa palette de fruits mûrs, complétée de notes vanillées et réglissées.

🔑 Cellier de Marrenon, rue Amédée-Giniès, BP 13, La Tour-d'Aigues, 84125 Pertuis Cedex, tél. 04.90.07.40.65, fax 04.90.07.30.77, e-mail marrenon@marrenon.com
☑ 🍷 t.l.j. 8h-12h 14h-18h (été 8h-12h 15h-19h)

DOM. TERRES DE SOLENCE
Moitié Vide - Moitié Pleine 2004

■ 1 ha 2 000 ⓘ 11 à 15 €

Issu de grenache, de carignan et de syrah à parts presque égales, cultivés en agriculture biologique, ce vin brillant de reflets violets décline des arômes de framboise, de groseille et de cassis. L'empreinte boisée héritée de douze mois d'élevage se fond joliment à l'ensemble, soulignant l'impression de souplesse.

🔑 Anne-Marie et Jean-Luc Isnard, Terres de Solence, chem. de la Lègue, 84380 Mazan, tél. et fax 04.90.60.55.31, e-mail domaine@terres-de-solence.com
☑ 🍷 t.l.j. sf dim. 10h-12h 14h30-18h30; f. en hiver

DOM. DE LA VERRIÈRE
Le Haut de la Jacotte 2004 *

■ 3,7 ha 17 300 ⓘ 5 à 8 €

Le roi René de Provence possédait ces terres où il installa des verriers, origine du nom de l'actuel domaine. Une dominante de syrah donne son caractère à ce vin grenat profond à reflets violacés qui affiche un bouquet de cerise et d'épices. La matière concentrée enveloppe des tanins bien présents, garants d'un vieillissement harmonieux dans de bonnes conditions. Vers 2008, cette bouteille pourra rejoindre sur la table une estouffade d'agneau. La cuvée **Saint-Michel 2004 rouge (11 à 15 €)**, destinée aux amateurs de vins boisés, mérite une étoile, tandis que le **Domaine de La Verrière 2005 rosé** est cité pour ses arômes d'agrumes et de groseille.

🔑 Jacques Maubert, Dom. de La Verrière, 84220 Goult, tél. 04.90.72.20.88, fax 04.90.72.40.33, e-mail laverriere2@wanadoo.fr
☑ 🍷 t.l.j. sf dim. 9h-12h 14h-18h

J. VIDAL-FLEURY 2004 *

■ n.c. 200 000 ⓘ 3 à 5 €

La maison Vidal-Fleury, propriété Guigal, propose un côtes-du-ventoux rubis, généreusement fruité et minéral. Les mêmes arômes se prolongent au palais, soulignant la matière ample et structurée. À déguster dès maintenant avec une viande rouge, une volaille ou des beignets d'aubergines.

🔑 J. Vidal-Fleury, 19, rte de la Roche, 69420 Ampuis, tél. 04.74.56.10.18, fax 04.74.56.19.19, e-mail vidal-fleury@wanadoo.fr ☑ 🍷 r.-v.

Côtes-du-luberon

L'appellation côtes-du-luberon a été promue AOC par décret du 26 février 1988. Le vignoble des trente-six communes que compte cette appellation, s'étendant sur les versants nord et sud du massif calcaire du Luberon, représente environ 4 000 ha dont 2 709 déclarés en 2005 pour une production de 97 770 hl. L'appellation donne de bons vins rouges et rosés marqués par un encépagement de qualité (grenache, syrah) et un terroir original. Le climat, plus frais qu'en vallée du Rhône, et les vendanges plus tardives expliquent la part importante des vins blancs (25 % en moyenne) ainsi que leur qualité, reconnue et recherchée.

BASTIDE DU CLAUX L'Orientale 2004 *

■ 0,75 ha 2 100 ⓘ 15 à 23 €

La bastide, isolée au pied d'un coteau, date de la fin du XIXe s. Elle doit son nom à la présence d'un claux, sorte de tombe vaudoise. Deux jeunes vignerons originaires de Bourgogne sont à la tête du domaine depuis 2002. Ils proposent une cuvée grenat à reflets violacés qui livre des arômes de poivre, de thym et de fruits rouges (griotte). Après une attaque franche, la bouche fait preuve de complexité aromatique et de rondeur grâce à des tanins en passe de se fondre. Dans un an, cette bouteille se mariera à une viande grillée.

🔑 Bastide du Claux, Campagne Le Claux, 84240 La Motte-d'Aigues, tél. 04.90.77.70.26, fax 04.90.77.73.27, e-mail bastideduclaux@wanadoo.fr
☑ 🍷 🚶 t.l.j. sf dim. 10h-12h 16h-18h
🔑 Morey

CAVE DE BONNIEUX Les Claples 2005 *

■ 4 ha 20 000 ▮ 3 à 5 €

En 2006, la cave de Bonnieux s'est dotée d'un nouvel espace de dégustation et de vente de 250 m². Une équipe trentenaire conduit aujourd'hui cette doyenne des coopératives du Vaucluse créée en 1920. Elle est à l'origine de ce vin d'un rose soutenu, aux arômes de fruits rouges (cerise, griotte) qui affiche une puissance harmonieuse. Vous l'apprécierez avec une viande ou un poisson grillé. La **cuvée Les Safres 2005 blanc**, au nez floral, est citée.

🔑 Cave de Bonnieux, quartier de la Gare, 84480 Bonnieux, tél. 04.90.75.80.03, fax 04.90.75.98.30, e-mail caveau@cave-bonnieux.com
☑ 🍷 🚶 t.l.j. sf dim. 9h-12h30 14h30-18h30

LES BUGADELLES 2005 *

■ n.c. 100 000 - de 3 €

Groseille, fraise et tant d'autres fruits rouges dominent la palette de ce vin souple et équilibré. Des arômes à l'envi qui feront de cette cuvée une bouteille gourmande dès la sortie du Guide, en accompagnement de charcuteries ou de grillades.

🔑 Vignobles du Peloux, quartier Barrade, 84350 Courthézon, tél. 04.90.70.42.00, fax 04.90.70.42.15, e-mail vignoblesdupeloux@vignoblesdupeloux.com
☑ 🍷 🚶 t.l.j. sf sam. dim. 8h-12h 14h-18h; ven. 8h-12h; f. 5-12 août

CH. LA CANORGUE 2005

■ 6 ha 32 000 ▮ 5 à 8 €

Grenache (70 %) et syrah (30 %) ainsi que des vignes âgées de trente ans en moyenne ont permis d'élaborer ce rosé pâle, dont le nez évoque l'amande et la frangipane. Un vin frais, équilibré, qui sera le bienvenu avec une ratatouille provençale.

EARL J.-P. et N. Margan, Ch. La Canorgue,
84480 Bonnieux, tél. 04.90.75.81.01, fax 04.90.75.82.98,
e-mail chateaucanorgue.margan@wanadoo.fr
r.-v.

DOM. DE LA CAVALE 2005

3 ha 10 715 5 à 8 €

Un terroir argilo-calcaire et une palette de cépages – grenache blanc, clairette, roussanne et ugni blanc – sont à l'origine de ce 2005 jaune pâle à reflets verts. Le nez élégant décline des notes d'agrumes et de fruits blancs, puis une fraîcheur équilibrée envahit le palais. Pour un poisson grillé ou des coquillages.

Paul Dubrule, Dom. de La Cavale,
rte de Lourmarin, 84160 Cucuron, tél. 04.90.77.22.96,
fax 04.90.77.25.64, e-mail domaine-cavale@wanadoo.fr
r.-v.

DOM. DE LA CITADELLE Les Artèmes 2005 ★★★

n.c. 7 000 5 à 8 €

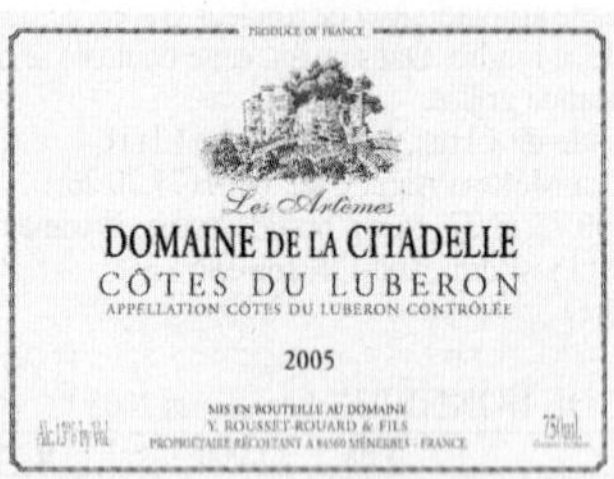

Depuis 1989, Yves Rousset-Rouard a constitué un beau domaine de 44 ha répartis sur soixante-cinq parcelles. Lors de votre passage, prenez le temps de visiter le musée présentant mille deux cents tire-bouchons du XVII[e]s. à aujourd'hui. Ce rosé couleur pétale de rose a séduit l'ensemble des dégustateurs par son bouquet de fruits exotiques (fruit de la Passion). En bouche, les arômes de framboise, d'ananas et de pamplemousse rose se manifestent intensément, participant à l'impression de fraîcheur. Un vin harmonieux. Le **Gouverneur Saint-Auban 2004 rouge (11 à 15 €)**, élevé en fût, brille de deux étoiles grâce à sa palette de fruits noirs que le bois respecte parfaitement. Il peut attendre deux ans. **Le Châtaignier 2005 blanc (3 à 5 €)**, déjà amène, est cité pour ses arômes floraux et minéraux.

Yves Rousset-Rouard, Dom. de la Citadelle,
rte de Cavaillon, 84560 Ménerbes, tél. 04.90.72.41.58,
fax 04.90.72.41.59,
e-mail domainedelacitadelle@wanadoo.fr
t.l.j. 10h-12h 14h-19h; f. sam. dim. nov.-mars

CH. DE CLAPIER 2005 ★

1,3 ha 11 000 5 à 8 €

Le château de Clapier se trouve sur la commune de Mirabeau, village pittoresque où furent tournés *Jean de Florette* et *Manon des sources*. Thomas Montagne, à la tête de la propriété depuis 1995, s'est engagé dans la voie de l'agrotourisme en proposant des cours de cuisine provençale avec un chef. Un accord avec un pâté de foie de volaille ou une blanquette de veau sera idéal pour ce rosé de teinte claire et limpide, marqué par les arômes de fruits rouges et d'une rondeur avenante. Citée, la **cuvée Tessiture 2004 rouge (15 à 23 €)**, élevée en fût, doit attendre deux ou trois ans pour assouplir ses tanins.

Thomas Montagne, Ch. de Clapier,
rte de Manosque, RN 96, 84120 Mirabeau,
tél. 04.90.77.01.03, fax 04.90.77.03.26,
e-mail chateau-de-clapier@wanadoo.fr
t.l.j. sf dim. 9h30-12h30 14h-18h

COLLET D'AYGUES 2005 ★

5 ha 5 000 3 à 5 €

Les deux caves coopératives de La Tour d'Aigues ont fusionné pour donner naissance à la Valdèze. La syrah s'exprime pleinement dans cette cuvée au bouquet finement fruité, qui présente une structure équilibrée, apte à la porter de longues années durant. L'agréable finale est un atout supplémentaire. À savourer avec un civet de lièvre ou de sanglier. Le **Collet d'Aygues 2005 rosé** reçoit une citation : il développe des arômes flatteurs de fraise des bois et de bonbon anglais.

SCA Valdèze, 288, bd de la Libération,
84240 La Tour-d'Aigues, tél. 04.90.07.42.12,
fax 04.90.07.49.08
t.l.j. sf lun. 9h-12h30 15h-19h; dim. 9h-12h30

CH. CONSTANTIN-CHEVALIER

Cuvée des Fondateurs 2005

5 ha 6 000 5 à 8 €

Marie-Laure et Allen Chevallier, avec leurs trois filles, ont fait renaître cette propriété à partir de 1990 : une bastide aixoise entourée de vignes, de jardins et de fontaines. Celle-ci est un but de visite au même titre que le village de Lourmarin et son château Renaissance. Ce vin jaune d'or est prêt à exprimer ses notes boisées, vanillées, comme ses arômes de fruits à chair blanche. Par sa rondeur, il s'associera à une terrine de légumes, à un poisson comme à une viande blanche en sauce.

Ch. Constantin-Chevalier, 84160 Lourmarin,
tél. 04.90.68.38.99, fax 04.90.68.37.37
t.l.j. sf dim. 10h-12h 15h-18h
Marie-Laure et Allen Chevalier

CH. LA DORGONNE

L'Expression du terroir 2004 ★

2,18 ha 8 000 11 à 15 €

Cette bastide des XVIIe et XVIII[e]s. ménage une belle vue sur le Grand Luberon. Reprise fin 1999, la propriété de 28 ha a été réhabilitée et convertie à l'agriculture biologique. Cette cuvée va bien dans le sens de l'expression du terroir, elle qui, sous une teinte pourpre soutenu, affiche un bouquet complexe non seulement de vanille, de cannelle et de boisé, mais aussi de fruits noirs persistants. Riche, la bouche est marquée en finale par des tanins qui ne demandent qu'à se fondre. Reçoivent également une étoile le **Château La Dorgonne L'Expression du terroir 2005 blanc (5 à 8 €)**, floral et rond, le **Château La Dorgonne 2005 rosé (5 à 8 €)**, tout en finesse.

SCEA Ch. la Dorgonne, rte de Mirabeau,
84240 La Tour-d'Aigues, tél. 04.90.07.50.18,
fax 04.90.07.56.55,
e-mail bauduin.parmentier@ladorgonne.com
t.l.j. 8h-20h

DOM. DU DOUVAIN Point d'orgue 2004 ★

1 ha 3 800 5 à 8 €

Le domaine a été créé en 2000 à partir de vignes en propriété et en fermage. Issue d'un terroir argilo-calcaire et siliceux, planté de vignes de trente-cinq ans en moyenne, cette cuvée se caractérise par un bouquet mentholé et

poivré. En bouche, les arômes de vanille et de fruits rouges légèrement acidulés soulignent la chair souple et élégante. À servir avec un gigot à la cuiller ou un lièvre à la royale.
SCEA du Douvain, quartier des Hautes Royères, 84440 Robion, tél. 04.90.76.49.30, fax 40.90.76.49.30, e-mail douvain@wanadoo.fr
t.l.j. 9h-12h30 14h-19h

CH. EDEM

Cuvée des Seigneurs Élevé en fût de chêne 2005 ★★

■	0,9 ha	4 000	11 à 15 €

En 1985, Emmanuelle et Eduard Van Wely se sont installés au cœur de la Provence, mais c'est en 2004 qu'ils ont créé leur cave. Ils ont élaboré une cuvée de teinte sombre dont le nez fruité se nuance de notes animales. La bouche ample, ronde et équilibrée en fait un vin déjà plaisant pour accompagner un gibier, mais l'aptitude à la garde est indéniable. Une citation revient à la cuvée **Les Restanques de Saint-Véran 2004 rouge (3 à 5 €)** pour sa fraîcheur et l'élégance de ses arômes.
Eduard et Emmanuelle Van Wely, Ch. Edem, rte de Lacoste, 84220 Goult, tél. 04.90.72.36.02, fax 04.90.72.34.71, e-mail chateau.edem@wanadoo.fr
t.l.j. sf mer. sam. dim. 9h30-17h30

L'EXCELLENCE D'AMÉDÉE G. 2005 ★★

■	7,5 ha	56 000	3 à 5 €

Une entreprise créée en 1966 qui regroupe treize caves coopératives. Habillée d'une robe rose soutenu, cette cuvée livre des arômes subtils de fruits exotiques (litchi), d'agrumes (pamplemousse rose) et de fruits rouges (griotte) qui se prolongent au palais. La chair est ample et équilibrée, pulpeuse. À servir à l'apéritif, avec quelques charcuteries du Luberon. Le **Grand Marrenon 2004 rouge (5 à 8 €)**, fruité, épicé et vanillé, reçoit une étoile, tandis que le **Grand Marrenon 2005 blanc (5 à 8 €)**, aux notes d'abricot et au boisé intense, est cité.
Cellier de Marrenon, rue Amédée-Giniès, BP 13, La Tour-d'Aigues, 84125 Pertuis Cedex, tél. 04.90.07.40.65, fax 04.90.07.30.77, e-mail marrenon@marrenon.com
t.l.j. 8h-12h 14h-18h (été 8h-12h 15h-19h)

CH. LES EYDINS Fontête 2004 ★

■	7 ha	15 000	5 à 8 €

Le château porte le nom de la famille Eydins, cousins du seigneur de Toulouse, qui y vécut du XII^e^s. à la Révolution. Propriété de la famille Seignon depuis 1907, c'est aujourd'hui Serge qui conduit sa destinée. De la cave créée en 2002 est né ce vin pourpre brillant, à la fois floral (violette) et minéral, qui développe une chair souple et légère, dotée d'un léger caractère chaleureux en finale. Les viandes blanches lui iront bien. Le **Château Les Eydins 2005 blanc (8 à 11 €)**, assemblage de vermentino, de grenache blanc et de roussanne, est cité pour l'intensité de ses arômes d'agrumes et de fleurs.
Serge Seignon, Les Eydins, rte du Pont-Julien, 84480 Bonnieux, tél. 06.81.74.59.65, fax 04.90.75.61.58, e-mail serge.seignon@club-internet.fr r.-v.

LE MAZET DE FAVEROT 2004 ★

■	2,8 ha	10 000	5 à 8 €

Le mazet de Faverot est une ancienne magnanerie autour de laquelle s'étend le vignoble planté principalement dans les années 1920. Une vinification traditionnelle est à l'origine de ce 2004 qui se distingue par l'ampleur de son fruité, sa rondeur et son caractère gouleyant. Un vin plaisir en accord avec une viande rouge (rôti de bœuf, par exemple).
François Faverot, Dom. Faverot, 771, rte de Robion, 84660 Maubec, tél. et fax 04.90.76.65.16, e-mail domainefaverot@wanadoo.fr
t.l.j. sf dim. 9h-12h 15h-19h

DOM. FONDACCI 2005

■	1,5 ha	10 000	3 à 5 €

Un rosé joliment présenté dans une robe pâle à reflets fuchsia. Le nez subtil ne s'exprime pas encore totalement, mais il n'en est pas moins prometteur. En bouche, on apprécie la fraîcheur des arômes de fruits rouges (fraise et groseille). Pizzas et grillades seront au rendez-vous.
Dom. Fondacci, quartier La Sablière, 84580 Oppède, tél. 04.90.76.95.91, fax 04.90.71.40.38, e-mail guyfondacci@aol.com r.-v.

DOM. DE FONTENILLE 2005 ★

■	18 ha	20 000	5 à 8 €

Depuis 1991, Pierre Lévêque est à la tête du domaine familial de 21 ha. Dans cette bastide du XVIII^e^s., la BBC tourna un épisode de la série policière *Bergerac*, avec John Nettles. Aucune énigme dans cette cuvée, mais une qualité évidente dès le premier regard porté sur la robe soutenue, puis au contact des arômes intensément fruités. Les tanins ne se sont pas encore totalement fondus, mais l'équilibre et l'ampleur de la matière sont déjà appréciables. Attendez deux ans avant de servir ce vin avec un agneau du Luberon. Une étoile également pour le **Domaine de Fontenille 2005 rosé**, couleur grenadine, pour son équilibre entre rondeur et vivacité.
EARL Lévêque et Fils, Dom. de Fontenille, 84360 Lauris, tél. 04.90.08.23.36, fax 04.90.08.45.05, e-mail domaine.fontenille@wanadoo.fr
t.l.j. sf dim. 9h-12h30 14h-19h

CH. FONTVERT 2005 ★

■	1,8 ha	8 000	5 à 8 €

Au milieu d'un parc ombragé, un mas provençal du XVII^e^s. accueille le visiteur. La première vinification au domaine date de 2001. Quatre ans plus tard, c'est un rosé pâle qui tient la vedette, grâce à un bouquet prononcé de fruits jaunes comme la pêche et à une juste fraîcheur. Il s'accordera à une salade estivale ou à des grillades. Le **Château Fontvert 2005 blanc (8 à 11 €)** reçoit également une étoile pour ses arômes exotiques (pamplemousse) et boisés tout en finesse.
SCEA Dom. de Fontvert, chem. de Pierrouret, 84160 Lourmarin, tél. 04.90.68.35.83, fax 04.90.68.35.89, e-mail info@fontvert.com
r.-v.
Jérôme Monod

DOM. DE LA GARELLE Cuvée spéciale 2005 ★

■	0,3 ha	3 000	5 à 8 €

Quatre cents ans d'existence pour ce mas bien restauré qui commande un vignoble agrandi par des achats successifs de parcelles. Rolle (80 %) et ugni blanc composent ce vin jaune pâle à reflets verts qui livre un bouquet boisé, vanillé et fruité (pêche, abricot), puis une bouche vive, empreinte d'arômes exotiques. À proposer dès maintenant à l'apéritif, puis avec des fruits de mer.

Dom. de la Garelle, Les Vallats-Ménerbes, 84580 Oppède, tél. 04.90.72.31.20, fax 04.90.72.47.81, e-mail vlasman@lagarelle.fr r.-v.
Vlasman

CH. GRAND CALLAMAND Vous 2005 *

1,5 ha	5 000	5 à 8 €

Cette bastide provençale, construite par Malherbe au XVIe s., offre un beau panorama sur la montagne Sainte-Victoire. Son nom, Callamand, signifie « roseau » ou « poutre faîtière » en provençal. Laurence Santiago, l'œnologue du domaine, a élaboré un vin pétale de rose brillant, dont le nez floral laisse une impression fraîche et élégante. Un rosé à servir avec un gigot rôti ou des beignets d'aubergine farcis.

Nathalie et Albert Souzan, Dom. du Grand Callamand, SCEA L'Arche, rte de la Loubière, 84120 Pertuis, tél. et fax 04.90.09.61.00, e-mail chateaugrandcallamand@wanadoo.fr
t.l.j. 10h-12h 14h-18h; sam. dim. sur r.-v.

CH. DE L'ISOLETTE 2005 *

5 ha	20 000	8 à 11 €

En 1968, Luc Pinatel a constitué ce domaine en agrandissant le vignoble par des plantations de cépages nobles. Sa fille et son gendre proposent aujourd'hui ce vin aromatique, dominé par les fruits exotiques : mangue, litchi, complétés de notes d'écorce d'orange. Le servir à l'apéritif ou avec une volaille rôtie ou un fromage de chèvre. La cuvée **Prestige Vieilles Vignes 2004 rouge (11 à 15 €)**, tout en légèreté et aux notes de cassis frais, est citée.

Ch. de l'Isolette, EARL Luc Pinatel, rte de Bonnieux, 84400 Apt, tél. 04.90.74.16.70, fax 04.90.04.70.73
t.l.j. sf dim. 8h30-11h30 14h-17h30

MICHEL OLIVER 2005 *

5 ha	12 000	5 à 8 €

La syrah s'exprime pleinement dans ce rosé finement floral. En bouche, le fruit de la Passion se manifeste aux côtés du physalis et de la fraise des bois. Un vin équilibré et persistant. La même note revient au **Hau Coulobre 2005 blanc (3 à 5 €)**, à la fois floral et fruité, que le jury recommande à l'apéritif comme avec une viande blanche.

SCA Cave de Lourmarin-Cadenet, montée du Galinier, 84160 Lourmarin, tél. 04.90.68.06.21, fax 04.90.68.25.84, e-mail robert.barthelemy@cario.fr
t.l.j. 8h-12h 14h-18h

DOM. DE LA ROYÈRE L'Oppidum 2005 **

2,8 ha	10 000	5 à 8 €

De quelques hectares de vignes hérités en 1985, Anne Hugues a constitué un domaine de 30 ha où elle produit non seulement du vin, mais aussi des eaux-de-vie de fruits et du marc de Provence. Son rosé laisse éclater les arômes de bonbon et de fruits avant d'emplir le palais de sa chair ronde et parfumée. L'apéritif semble être la meilleure occasion d'apprécier pleinement cette richesse aromatique. La cuvée **La Garance 2004 en côtes-du-ventoux (8 à 11 €)** obtient une citation.

Anne Hugues, Dom. de La Royère, quartier La Royère, 84580 Oppède, tél. 04.90.76.87.76, fax 04.90.76.79.50, e-mail info@royere.com
t.l.j. sf dim. 8h-12h 14h-18h30; f. sam. automne-hiver

DOM. RUFFINATTO L'Infante 2004 *

0,7 ha	2 000	11 à 15 €

Un terroir argilo-calcaire, des vignes de plus de cinquante ans et une dominante de grenache noir sont à l'origine de cette cuvée rouge sombre, au bouquet intense de fruits rouges. Structure, rondeur et longueur autant d'atouts pour affronter deux ans de garde. À servir avec une daube provençale ou un gibier en sauce.

Dom. Ruffinatto, quartier Le Tubet, 84560 Ménerbes, tél. 06.30.80.95.20, fax 04.90.72.39.76
r.-v.

CH. SAINT ESTÈVE DE NÉRI Grande Réserve 2004 *

3 ha	12 000	+ de 76 €

À 1 km du château d'Ansouis, dont le visiteur appréciera les jardins et la décoration intérieure, ce domaine de 18 ha s'étend autour d'une bastide du XVIe s. dans le parc du Luberon. Après neuf mois d'élevage en barrique, cette cuvée apparaît vêtue de rouge sombre et libérant des arômes flatteurs de fruits rouges mûrs. En bouche, le côté boisé domine, avec des notes grillées. Les tanins bien présents s'assoupliront dans les deux ans, mais ce vin pourra être dégusté dès la sortie du Guide.

SAS Ch. Saint Estève de Néri, 84240 Ansouis, tél. 04.90.09.90.16, fax 04.90.09.89.65, e-mail saintestevedeneri@free.fr
t.l.j. sf sam. dim. 10h-12h 14h-18h
Wilson

CH. SAINT-PIERRE DE MEJANS 2005 *

3,5 ha	6 500	5 à 8 €

Le château est un prieuré bénédictin du XIIe s. C'est avec sérieux que travaille Brice Doan pour élaborer des vins à l'image de ce rosé framboise à reflets gris bleuté. Dominé par les fruits rouges, celui-ci se montre rond et persistant, apte à jouer la vedette à l'apéritif. Le **Château Saint-Pierre de Mejans 2005 blanc** mérite la même note pour la finesse de son bouquet de fruits exotiques et jaunes (pêche, abricot).

B. Doan de Champassak, Ch. Saint-Pierre de Mejans, 84160 Puyvert, tél. 04.90.08.40.51, fax 04.90.08.41.96, e-mail bricedoan@yahoo.fr
t.l.j. sf mar. 9h30-12h 14h30-19h; f. jan.

CH. THOURAMME 2005

2,5 ha	9 000	5 à 8 €

Grenache (90 %) et syrah (10 %) ont permis d'élaborer ce rosé fuchsia brillant, d'un bon équilibre. Ses arômes subtils de fraise et de framboise en feront un compagnon apprécié des grillades ou d'un pain perdu aux fruits.

Cave de Lumières, 84220 Goult, tél. 04.90.72.20.04, fax 04.90.72.42.52, e-mail info@cavedelumieres.com
r.-v.

DOM. LE TOURREL 2004 *

2 ha	5 000	5 à 8 €

La robe est sombre, presque noire, digne d'un vin dominé par la syrah (82 %). Le bouquet complexe fait la part belle aux fruits rouges mûrs, nuancés d'épices et de sous-bois. Certes, l'expression n'est pas encore complète, mais la structure témoigne d'un potentiel réel. Un à deux ans de garde permettront à cette bouteille d'être appréciée avec une viande grillée.

SCA Vins de Sylla, BP 141, 84405 Apt Cedex,
tél. 04.90.74.05.39, fax 04.90.04.72.06,
e-mail sylla@sylla.fr r.-v.

DOM. LES VADONS La Melchiorte 2003

■ n.c. n.c. 8 à 11 €

De l'huile et du vin, produits selon les règles de l'agriculture biologique ; les emblèmes de la Méditerranée sont mis en valeur au domaine Les Vadons, où l'on trouve chambre d'hôte. Riche d'arômes de fruits macérés, ce côtes-du-luberon développe une puissante structure et demande du temps pour s'arrondir.

EARL Dom. les Vadons, La Resparine,
84160 Cucuron, tél. 06.03.00.10.29, fax 04.90.77.13.40,
e-mail vadonbreba@terre-net.fr r.-v. 2

CH. VAL JOANIS 2004 *

■ 30 ha 160 000 5 à 8 €

Une *villa* romaine se trouvait à l'emplacement de l'actuel château. Le vignoble s'étale sur les collines, entre 280 m et 500 m d'altitude, point le plus haut où se situe la parcelle des Griottes qui a donné naissance à la Réserve 2003, retenue avec deux étoiles l'an passé. Aujourd'hui, c'est un 2004 vanillé et riche de fruits frais (framboise, cassis), nuancé d'anis, qui tient la vedette. Il se montre puissant et structuré, doté de généreuses notes de fruits à l'eau-de-vie en finale. Réservez-le à une viande rouge ou à un plat en sauce relevé.

SC du Ch. Val Joanis, 84120 Pertuis,
tél. 04.90.79.20.77, fax 04.90.09.69.52
t.l.j. 10h-19h
Chancel

Coteaux-de-pierrevert

Dans le département des Alpes-de-Haute-Provence, la majeure partie des vignes se trouve sur les versants de la rive droite de la Durance (Corbières, Sainte-Tulle, Pierrevert, Manosque...) et couvre 338 ha. Les conditions climatiques, déjà rigoureuses, cantonnent la culture de la vigne dans une dizaine de communes sur les quarante-deux que compte légalement l'aire d'appellation. Les vins rouges, rosés et blancs (15 955 hl en 2005), d'assez faible degré alcoolique et d'une bonne nervosité, sont appréciés par ceux qui traversent cette région touristique. Les coteaux-de-pierrevert ont été reconnus en appellation d'origine contrôlée en 1998.

BASTIDE DES OLIVIERS 2004

■ 6 ha 30 000 5 à 8 €

Issue d'une culture biologique et d'un terroir argilo-calcaire, cette cuvée grenat profond se distingue par un nez frais, un peu sauvage. La bouche ronde exprime volontiers ses arômes d'épices, de vanille et de boisé. Un vin flatteur qui peut attendre deux ans. Deux autres citations sont attribuées au **Château Régusse 2005 blanc (3 à 5 €)** qui exhale des arômes de sureau, ainsi qu'au **Château Régusse 2005 rosé (3 à 5 €)**, aux notes exotiques.

SAS Régusse, Dom. de Régusse,
rte de la Bastide-des-Jourdans, 04860 Pierrevert,
tél. 04.92.72.30.44, fax 04.92.72.69.08,
e-mail domaine-de-regusse@wanadoo.fr r.-v.

DOM. LA BLAQUE 2005 **

■ 6 ha 27 000 5 à 8 €

Une robe pétale de rose habille ce 2005 qui propose un nez fin de bonbon et de cerise blanche. La bouche particulièrement aromatique évoque les fleurs (violette) et l'abricot. Vous apprécierez cette bouteille à l'apéritif.

SCI Châteauneuf de Pierrevert, Dom. La Blaque,
rte de la Bastide-des-Jourdens, 04860 Pierrevert,
tél. 04.92.72.39.71, fax 04.92.72.81.26,
e-mail domaine.lablaque@wanadoo.fr
t.l.j. sf dim. 8h-12h 14h-18h

CAVE DES VIGNERONS DE PIERREVERT Cuvée du Village d'or 2005 *

■ 1,2 ha 6 500 3 à 5 €

Ce 2005, issu à parts égales de grenache blanc et de vermentino, revêt une robe pâle à reflets verts. Il se distingue par son bouquet de fruits exotiques et de fleurs blanches. En bouche, son côté floral domine (violette), avec une pointe de guimauve. Beaucoup de fraîcheur dans ce vin qui accompagnera coquillages et poissons de Méditerranée. La **cuvée du Village d'or 2005 rosé** est citée pour la fraîcheur de ses arômes.

Cave des Vignerons de Pierrevert,
1, av. Auguste-Bastide, 04860 Pierrevert,
tél. 04.92.72.19.06, fax 04.92.72.85.36,
e-mail cave.pierrevert@wanadoo.fr
t.l.j. sf dim. 9h-12h 14h-18h

CH. DE ROUSSET 2005 *

■ 3 ha 20 000 3 à 5 €

Une robe or pâle, mais éclatante habille ce vin, aux notes de bonbon et de fleur d'amandier. Un 2005 équilibré, élégant, qui se caractérise par une finale rafraîchissante de menthol et de pomme verte. À déguster avec une terrine provençale ou un pain d'aubergine. Le **Château de Rousset 2005 rosé**, entre fleurs et fruits, obtient une étoile également.

Hubert et Roseline Emery, SCEV Ch. de Rousset,
04800 Gréoux-les-Bains, tél. 04.92.72.62.49,
fax 04.92.72.66.50, e-mail roseline.emery@wanadoo.fr
r.-v.

Côtes-du-vivarais

A la limite nord-ouest des Côtes du Rhône méridionales, les côtes-du-vivarais chevauchent les départements de l'Ardèche et du Gard, sur 647 ha. Les vins, produits sur des terrains calcaires, sont essentiellement des rouges à base de grenache (30 % minimum), de syrah (30 % minimum), et des rosés, caractérisés par leur fraîcheur et à boire jeunes. Notez que ce VDQS a été reconnu en AOC en mai 1999 et qu'il a produit 20 133 hl en 2005 sur 554 ha déclarés.

DOM. DU BELVEZET 2005

0,4 ha 2 000 3 à 5 €

Sur la route des gorges de l'Ardèche, faites un petit détour par ce domaine familial de 15 ha qui trouve en France comme à l'export (55 % de la production) des amateurs pour ses vins. Ce vin jaune clair brillant doit à la marsanne – qui complète le grenache blanc – ses notes de miel et de grillé. Les mêmes arômes subtils s'expriment en bouche, en accompagnement d'une vivacité toute vivaraise. Le **Domaine du Belvezet rouge 2004**, fruité et souple, est cité également.

René Brunel, Dom. du Belvezet,
rte de Vallon-Pont-d'Arc, Patroux, 07700 Saint-Remèze,
tél. et fax 04.75.04.05.87,
e-mail belvezet.brunel@wanadoo.fr
t.l.j. sf dim. lun. 11h-18h; jan. fév. mars sur r.-v.

LE CLOS DES SENTEURS
Cuvée Terroirs extrêmes 2004

1,2 ha 5 000 5 à 8 €

Un nom charmant pour ce domaine de 4 ha créé en 2002 qui a produit un vin rubis intense, dans lequel l'expression de la syrah est « extrême » : framboise écrasée, fruits macérés, fruits cuits. La chair, sans aspérité, autorise une dégustation immédiate avec un agneau du pays.

Serge et Françoise Coste, Hameau de Massargues,
07150 Orgnac-l'Aven, tél. 06.70.93.91.33,
e-mail coste@iut-nimes.fr r.-v.

DOM. DE MERMÈS 2004

0,3 ha 1 400 3 à 5 €

À 719 m d'altitude, la Dent de Rez domine le mont Ventoux et ménage une vue à 180 degrés sur la vallée du Rhône. Des espèces rares la survolent : un couple de vautours, le grand-duc ou encore le circaète. Autre rencontre dans ce domaine familial, celle d'un vin sombre, concentré. L'expression aromatique animale (gibier) traduit bien la dominante de syrah, tandis qu'au palais la rondeur parvient à apaiser le caractère sauvage de cet Ardéchois.

Patrice Dumarcher, Dom. de Mermès, 07700 Gras,
tél. et fax 04.75.04.37.79,
e-mail domainedemermes@wanadoo.fr
t.l.j. 9h-20h

NOTRE-DAME DE COUSIGNAC 2004 *

4,5 ha 25 000 5 à 8 €

Depuis 2004, Andéol et Raphaël Pommier se sont associés à la maison Ogier-Cave des Papes pour la distribution de leurs vins. Vous pourrez néanmoins les découvrir au domaine, dans le mas provençal du XVI[e]s. Il ne vous faudra patienter que quelques secondes pour percevoir les arômes fruités et les touches animales de ce vin franc et chaleureux, dont la structure encore sensible devrait s'assouplir dans le temps. Le **2005 rosé** est cité pour son caractère fruité, souple et étonnamment frais.

Pommier, Dom. Notre-Dame-de-Cousignac, quartier de Cousignac, 07700 Bourg-Saint-Andéol,
tél. 04.75.54.61.41, fax 04.75.54.68.53,
e-mail raphael.pommier@libertysurf.fr
t.l.j. 15h-19h; sam. dim. sur r.-v. hors été

UNION DES PRODUCTEURS D'ORGNAC-L'AVEN 2005 *

5 ha 25 000 3 à 5 €

La première cave coopérative fondée en Ardèche, c'est elle. C'était en 1924, au cœur des gorges, dans le village tout en pierre d'Orgnac. Cent cinquante adhérents lui apportent à présent matière à élaborer des vins à l'image de ce 2005 charmeur et frais. Rose vif, celui-ci passe des notes de bonbon à de subtiles nuances de framboise et à une pointe minérale. Il est franc en bouche, bien dans le type de l'appellation.

Union des Producteurs d'Orgnac-l'Aven, Le Village,
07150 Orgnac-l'Aven, tél. 04.75.38.60.08,
fax 04.75.38.65.90, e-mail cave.orgnac@free.fr
t.l.j. sf dim. 8h-12h 14h-18h

DOM. VIGNE 2005

2,5 ha 15 000 3 à 5 €

L'Ibie est un affluent de l'Ardèche ; sa vallée qui court de Lagorce à Villeneuve-de-Berg réserve de nombreuses curiosités au naturaliste. La vigne n'est pas absente, comme en témoigne ce domaine de 12 ha qui propose un vin aux arômes de menthe, de fleurs et de résineux, évocateurs des sentiers botaniques de la région. L'attaque est franche, le développement rond, avec seulement une petite accroche en finale qui devrait s'estomper dans le temps.

Bernard Vigne, Dom. Vigne, vallée de l'Ibie,
07150 Lagorce, tél. 04.75.37.19.00
t.l.j. sf dim. 9h-19h

Les vins doux naturels de la vallée du Rhône

Rasteau

Tout au nord du département du Vaucluse, ce vignoble s'étale sur deux formations distinctes : sols de sables, marnes et galets au nord ; terrasses d'alluvions anciennes du Rhône (quaternaire), avec des galets roulés, au sud. Partout, le cépage utilisé est le grenache. La production moyenne est confidentielle : 1 141 hl en 2005 pour 41 ha 53 ares.

DOM. DES BANQUETTES 2004 ★

■ 0,51 ha 3 900 8 à 11 €

Patrice André était mécanicien en travaux publics lorsque, en 1993, il rejoignit son père sur l'exploitation familiale. Il n'a pas tardé à prendre goût aux travaux de la vigne et du vin, si bien qu'en 2002 il est sorti de la coopérative et a créé sa propre cave. Il a élaboré un rasteau aux arômes fins, nuancés de menthe fraîche qui le rend aérien. Un vin de desserts à base de chocolat, que vous pourrez garder quatre ou cinq ans. (Bouteilles de 50 cl.)

Patrice André, quartier La Chevalière, 84110 Rasteau, tél. 04.90.46.10.22, fax 04.90.46.19.66, e-mail patriceandre84@aol.com r.-v.

DOM. DE BEAURENARD 2003 ★

■ 3,7 ha 6 600 15 à 23 €

Des outils de vignerons, Paul Coulon en possédait toute une collection héritée de ses aïeux. De quoi ouvrir un musée. Célèbres producteurs de châteauneuf-du-pape, les Coulon ne négligent pas ce vin doux naturel élevé quinze mois sous bois. Des notes d'humus et de sous-bois marquent le nez, tandis qu'une grande générosité s'exprime au palais. Une bouteille que vous pourrez aisément conserver entre huit et dix ans. (Bouteilles de 50 cl.)

Paul Coulon et Fils, Dom. de Beaurenard, av. Pierre-de-Luxembourg, 84231 Châteauneuf-du-Pape, tél. 04.90.83.71.79, fax 04.90.83.78.06, e-mail paul.coulon@beaurenard.fr t.l.j. sf dim. 9h-12h 13h30-17h30

DOM. DES ESCARAVAILLES 2003

■ 1 ha 5 500 11 à 15 €

Une histoire de famille qui débute avec Jean-Louis Ferran, acquéreur de la propriété, puis se poursuit avec ses fils Daniel et Jean-Pierre qui défrichent et plantent ce terroir argilo-calcaire. Aujourd'hui, Gilles et Nicolas ont rejoint leurs pères dans la cave située au sein des vignes et ménageant une jolie vue sur Séguret, Sablet, Gigondas et les Dentelles de Montmirail. Après un élevage de douze mois en fût, ce rasteau affiche un nez discret de griotte nuancé de cacao. Les tanins apparaissent fondus dans la chair ronde. Servez-le à l'apéritif avec de la tapenade ou un cake aux olives.

Ferran et Fils, Dom. des Escaravailles, 84110 Rasteau, tél. 04.90.46.14.20, fax 04.90.46.11.45, e-mail domaine.escaravailles@wanadoo.fr r.-v.

DOM. GRAND NICOLET 2004

■ 0,8 ha 1 200 8 à 11 €

En 2006, le domaine a fêté ses quatre-vingts ans. Son rasteau fera bel effet avec un gâteau d'anniversaire au chocolat. Il possède une solide structure, renforcée par son élevage de dix-huit mois en fût, mais tire profit d'arômes de confiture de figues pour retrouver une agréable douceur.

Jean-Pierre Bertrand, rte de Violès, 84110 Rasteau, tél. 04.90.46.12.40, fax 04.90.46.11.37, e-mail cave-nicolet-leyraud@wanadoo.fr r.-v.

CAVE DE RASTEAU ★★

■ 35 ha 120 000 5 à 8 €

La cave de Rasteau, créée en 1925, doit beaucoup à M. Galabert qui en fut le gérant entre 1930 et 1945. Celui-ci inaugura, en effet, la vinification du grenache en vin doux naturel en 1935. Le succès ne s'est jamais démenti depuis, comme en témoigne ce vin empreint de notes de griotte, de café et de cacao, qui se développent au palais avec une grande finesse. Tentez différentes alliances avec des figues, du chocolat et des fromages bleus. La même note revient à la cuvée **Signature 2001 (8 à 11 €)**, dont la structure est plus imposante.

Cave de Rasteau, rte des Princes-d'Orange, 84110 Rasteau, tél. 04.90.10.90.10, fax 04.90.46.16.65, e-mail rasteau@rasteau.com r.-v.

DOM. LA SOUMADE 2000 ★★

■ 3 ha 3 000 15 à 23 €

André Romero est un personnage dans le vignoble de Rasteau. On perçoit beaucoup de générosité dans son 2000 qui surprend par l'intensité de ses arômes de cacao. Un long élevage de vingt-trois mois en fût a arrondi les tanins, de sorte que le vin laisse une impression de soyeux. Certes, ce rasteau peut déjà être apprécié, mais une garde est encore possible jusqu'en 2015... (Bouteilles de 50 cl.)

André et Frédéric Roméro, La Soumade, 84110 Rasteau, tél. 04.90.46.13.63, fax 04.90.46.18.36, e-mail dom.lasoumade@wanadoo.fr t.l.j. sf dim. 8h30-11h 14h-18h

Muscat-de beaumes-de-venise

RHÔNE

Au nord de Carpentras, sous les impressionnantes Dentelles de Montmirail, le paysage doit son aspect à des calcaires grisâtres et à des marnes rouges. Une partie des sols est formée de sables, de marnes et de grès, une autre de terrains tourmentés datant du trias et du jurassique. Ici encore, sur 503 ha sont produits des vins doux naturels dont le principe d'élaboration est identique à celui des vins doux naturels du Languedoc-Roussillon (voir ce chapitre). Le seul cépage est le muscat à petits grains ; mais dans certaines parcelles, une mutation donne des raisins roses. Les vins (12 742 hl en 2005) doivent avoir au moins 110 g de sucre par litre de moût ; ils sont aromatiques, fruités et fins, et conviennent parfaitement à l'apéritif ou sur certains fromages.

LES VIGNERONS DE BEAUMES-DE-VENISE Carte or 2005

57 ha 200 000 ■ 8 à 11 €

Depuis 1956, la cave de Beaumes-de-Venise défend bien les couleurs de l'appellation. Elle présente un muscat parfumé de jasmin et d'abricot, qui, par sa fraîcheur, sera apprécié à l'apéritif.

Les Vignerons de Beaumes-de-Venise, quartier Ravel, 84190 Beaumes-de-Venise, tél. 04.90.12.41.14, fax 04.90.12.41.21, e-mail vignerons@beaumes-de-venise.com
t.l.j. 8h-12h 14h-18h

M. CHAPOUTIER 2004

n.c. 6 000 15 à 23 €

La maison Chapoutier est présente dans de très nombreuses appellations de la vallée du Rhône, y compris en muscat-de-beaumes-de-venise. Elle propose un 2004 élégant qui montre déjà une certaine évolution dans ses arômes de rose et de noix. Vous le servirez avec un foie gras poêlé ou un fromage à pâte persillée, à une température de 10 °C, pas en deçà. (Bouteilles de 37,5 cl.)

Maison M. Chapoutier, 18, av. du Dr-Paul-Durand, BP 38, 26601 Tain-l'Hermitage Cedex, tél. 04.75.08.28.65, fax 04.75.08.81.70, e-mail chapoutier@chapoutier.com
t.l.j. 9h-12h30 14h-19h; groupes sur r.-v.

CH. SAINT SAUVEUR 2003 ★★

6,5 ha 13 300 ■ 8 à 11 €

Une chapelle du XIe s., restaurée en 1989, a été convertie en caveau, et c'est là que vous découvrirez ce 2003 aux notes de fruits au sirop, tel l'abricot. Un beau volume emplit le palais, incitant les arômes à se prolonger durablement. Accompagnez cette bouteille de fromages de caractère comme le roquefort dès à présent ou dans quatre ou cinq ans.

Les Héritiers de Marcel Rey, Ch. Saint-Sauveur, rte de Caromb, BP 2, 84810 Aubignan, tél. 04.90.62.60.39, fax 04.90.62.60.46
t.l.j. sf dim. 9h-12h15 14h15-19h
Guy Rey

DOM. DE LA TOURADE Cuvée Mathys 2005 ★

1,75 ha 6 000 11 à 15 €

Hommage à la nouvelle génération représentée par Morgan, Fantine et Mathys. André Richard, toujours prêt à se remettre en question depuis qu'il a repris le domaine familial en 1980, propose un vin de couleur pâle, dont les arômes délicats se déclinent à l'infini. De la finesse, encore et toujours, dans la chair ronde et douce.

EARL André Richard, Dom. de La Tourade, 84190 Gigondas, tél. 04.90.70.91.09, fax 04.90.70.96.31, e-mail tourade@aol.com
t.l.j. 9h-18h (été 19h)

J. VIDAL-FLEURY Réserve 2005 ★

3,6 ha 15 000 11 à 15 €

Ce muscat or pâle libère des arômes muscatés mêlés de notes d'abricot sec, puis offre une bouche ronde et onctueuse, relevée de notes mentholées qui rafraîchissent la finale. À servir à 18 h avec des dés de melons de Cavaillon.

J. Vidal-Fleury, 19, rte de la Roche, 69420 Ampuis, tél. 04.74.56.10.18, fax 04.74.56.19.19, e-mail vidal-fleury@wanadoo.fr r.-v.

DOM. DU VIEUX PIGEONNIER 2005 ★

9 ha 36 000 ■ 11 à 15 €

Thierry Vaute a succédé à son père Claude en 2005 à la tête du domaine. Il a élaboré à partir de vignes de vingt-cinq ans un muscat très aromatique, aux notes de miel et d'acacia. Dégustez-le avec une tarte aux fruits.

Thierry Vaute, rte de Caromb, 84190 Beaumes-de-Venise, tél. 04.90.62.90.00, fax 04.90.62.90.90, e-mail contact@lapigeade.fr
t.l.j. 9h-12h 14h-18h

LES VINS DE PAYS

Les vins de pays

1 Vin de pays des Coteaux de Coiffy
2 Vin de pays de Franche-Comté
3 Vin de pays des Coteaux de l'Auxois
4 Vin de pays de Sainte-Marie-la-Blanche
5 Vin de pays des Coteaux du Cher et de l'Arnon
6 Vin de pays des Coteaux charitois
7 Vin de pays des Coteaux de Tannay
8 Vin de pays du Bourbonnais
9 Vin de pays d'Allobrogie
10 Vin de pays d'Urfé
11 Vin de pays des Balmes dauphinoises
12 Vin de pays des Coteaux du Grésivaudan
13 Vin de pays des Coteaux de l'Ardèche
14 Vin de pays des Collines rhodaniennes
15 Vin de pays des Coteaux des Baronnies
16 Vin de pays du Comté de Grignan
17 Vin de pays des Coteaux de Montélimar
18 Vin de pays des Coteaux du Verdon
19 Vin de pays de Mont-Caume
20 Vin de pays des Maures
21 Vin de pays d'Argens
22 Vin de pays de la Sainte Baume
23 Vin de pays de la Petite Crau
24 Vin de pays d'Aigues
25 Vin de pays de la Principauté d'Orange
26 Vin de pays des Sables du Golfe du Lion
27 Vin de pays du Duché d'Uzès
28 Vin de pays des Cévennes
29 Vin de pays de la Vistrenque
30 Vin de pays des Côtes du Vidourle
31 Vin de pays de la Vaunage
32 Vin de pays des Coteaux de Cèze
33 Vin de pays des Coteaux du Pont du Gard
34 Vin de pays des Coteaux flaviens
35 Vin de pays du Val de Montferrand
36 Vin de pays du Mont Baudile
37 Vin de pays des Côtes du Ceressou
38 Vin de pays des Monts de la Grage
39 Vin de pays des Coteaux d'Enserune
40 Vin de pays des Coteaux du Libron
41 Vin de pays des Coteaux de Murviel
42 Vin de pays des Coteaux de Laurens
43 Vin de pays des Côtes de Thongue
44 Vin de pays de la Bénovie
45 Vin de pays de Cassan
46 Vin de pays de la Haute Vallée de l'Orb
47 Vin de pays de Saint-Guilhem-le-Désert
48 Vin de pays des Coteaux de Bessilles
49 Vin de pays des Côtes du Brian
50 Vin de pays de Cessenon
51 Vin de pays des Coteaux du Salagou
52 Vin de pays de la Vicomté d'Aumelas
53 Vin de pays des Collines de la Moure
54 Vin de pays de Caux
55 Vin de pays des Coteaux de Fontcaude
56 Vin de pays de Bessan
57 Vin de pays du Bérange
58 Vin de pays des Côtes de Thau
59 Vin de pays des Coteaux de Peyriac
60 Vin de pays de la Haute Vallée de l'Aude
61 Vin de pays des Coteaux de Narbonne
62 Vin de pays des Côtes de Prouilhe
63 Vin de pays de la Cité de Carcassonne
64 Vin de pays de Cucugnan
65 Vin de pays du Val de Dagne
66 Vin de pays des Coteaux du Littoral audois
67 Vin de pays des Côtes de Pérignan
68 Vin de pays des Coteaux de la Cabrerisse
69 Vin de pays des Hauts de Badens
70 Vin de pays du Torgan
71 Vin de pays des Côtes de Lastours
72 Vin de pays du Val de Cesse
73 Vin de pays de la Vallée du Paradis
74 Vin de pays des Coteaux de Miramont
75 Vin de pays d'Hauterive
76 Vin de pays cathare
77 Vin de pays des Côtes catalanes
78 Vin de pays de la Côte Vermeille
79 Vin de pays charentais

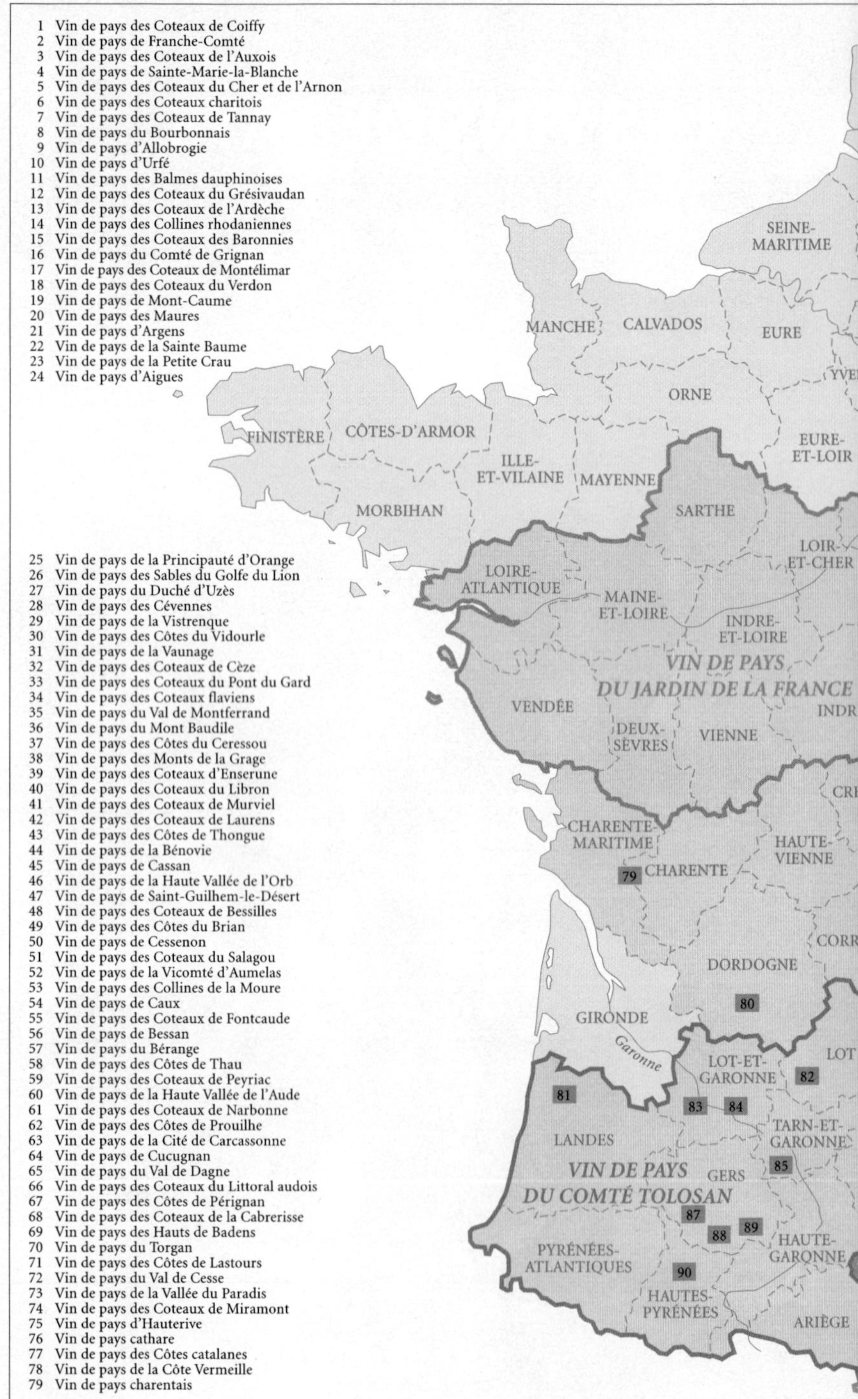

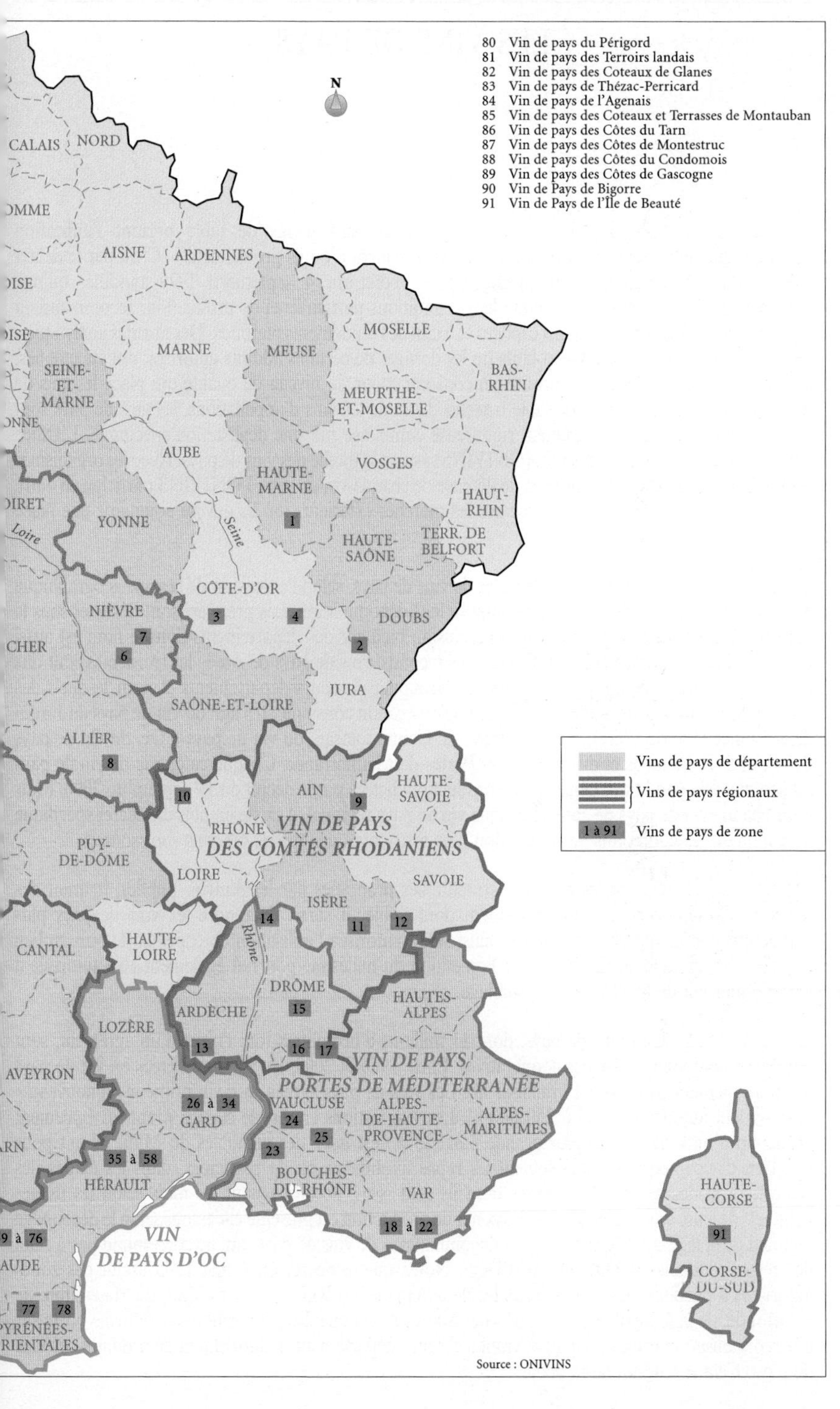

80 Vin de pays du Périgord
81 Vin de pays des Terroirs landais
82 Vin de pays des Coteaux de Glanes
83 Vin de pays de Thézac-Perricard
84 Vin de pays de l'Agenais
85 Vin de pays des Coteaux et Terrasses de Montauban
86 Vin de pays des Côtes du Tarn
87 Vin de pays des Côtes de Montestruc
88 Vin de pays des Côtes du Condomois
89 Vin de pays des Côtes de Gascogne
90 Vin de Pays de Bigorre
91 Vin de Pays de l'Île de Beauté
N
Vins de pays de département
Vins de pays régionaux
1 à 91 Vins de pays de zone
VIN DE PAYS DES COMTÉS RHODANIENS
VIN DE PAYS PORTES DE MÉDITERRANÉE
VIN DE PAYS D'OC
NORD
AISNE
ARDENNES
MARNE
MEUSE
MOSELLE
BAS-RHIN
MEURTHE-ET-MOSELLE
SEINE-ET-MARNE
AUBE
HAUTE-MARNE
VOSGES
HAUT-RHIN
YONNE
HAUTE-SAÔNE
TERR. DE BELFORT
CÔTE-D'OR
NIÈVRE
DOUBS
JURA
SAÔNE-ET-LOIRE
ALLIER
AIN
HAUTE-SAVOIE
RHÔNE
PUY-DE-DÔME
LOIRE
SAVOIE
ISÈRE
CANTAL
HAUTE-LOIRE
DRÔME
ARDÈCHE
HAUTES-ALPES
LOZÈRE
AVEYRON
GARD
VAUCLUSE
ALPES-DE-HAUTE-PROVENCE
ALPES-MARITIMES
HÉRAULT
BOUCHES-DU-RHÔNE
VAR
AUDE
HAUTE-CORSE
CORSE-DU-SUD
Seine
Loire
Rhône
Source : ONIVINS

LES VINS DE PAYS

On appelle « vins de pays », certains « vins de table portant l'indication géographique du secteur, de la région ou du département d'où ils proviennent ». C'est par le décret général du 1er septembre 2000 abrogeant le décret du 4 septembre 1979 modifié, qu'une réglementation spécifique a déterminé leurs conditions particulières de production, recommandant notamment l'utilisation de certains cépages et fixant des rendements plafonds. Des normes analytiques, tels la teneur en alcool, l'acidité volatile ou les dosages de certains additifs autorisés, ont été établies, permettant de contrôler et de garantir au consommateur un niveau de qualité qui place les vins de pays parmi les meilleurs vins de table français. Comme les vins d'appellations, les vins de pays sont soumis à une procédure d'agrément rigoureuse complétée par une dégustation spécifique. L'Office national interprofessionnel des vins (ONIVINS) assure la tutelle des vins de pays. Avec les organismes professionnels agréés et les syndicats de défense de chaque vin de pays, l'ONIVINS participe en outre à leur promotion, tant en France que sur les marchés extérieurs, où ils ont pu conquérir une place relativement importante.

Il existe trois catégories de vins de pays, selon l'extension de la zone géographique dans laquelle ils sont produits et qui compose leur dénomination. Les premiers sont désignés sous le nom du département de production, à l'exclusion bien sûr des départements dont le nom est aussi celui d'une AOC (Jura, Savoie ou Corse) ; les seconds, vins de pays de zone ; les troisièmes sont dits « régionaux », issus de cinq grandes zones regroupant plusieurs départements et pour lesquels des assemblages sont autorisés afin de garantir une expression constante. Il s'agit du vin de pays du Jardin de la France (Val de Loire), du vin de pays du Comté tolosan, du vin de pays d'Oc, du vin de pays des Comtés rhodaniens et du vin de pays Portes de Méditerranée. Chaque catégorie de vin de pays est soumise aux conditions générales de production dictées par le décret du 1er septembre 2000. Mais pour chaque vin de pays de zone et chaque vin de pays régional, il existe en plus un décret spécifique mentionnant les conditions de production plus restrictives auxquelles ces vins sont soumis.

Parmi les réformes structurelles proposées par les pouvoir publics, figurent des règles conduisant vers un assouplissement dont l'objectif serait de rendre les vins de pays plus compétitifs sur les marchés extérieurs : ainsi serait autorisée l'utilisation de copeaux de bois en lieu et place d'un élevage en fût de chêne ; la mention du millésime pourrait également être autorisée à partir d'un seuil de 85 % dans l'assemblage.

Les vins de pays, dont 11 millions d'hectolitres font l'objet d'un agrément, sont essentiellement vinifiés par des coopératives. Entre 1980 et 2000, les volumes agréés en vin de pays ont pratiquement triplé (4 à 11 millions hl). Les vins de pays agréés en « vin primeur ou nouveau » représentent aujourd'hui 200 à 250 000 hl. Les vinifications en vin de cépage prennent également beaucoup d'importance. La plus grande part (85 %) est issue des vignobles du Midi. Ils ont pour vocation d'accompagner agréablement les repas quotidiens, ou de participer, dans les étapes des voyages, à la découverte des régions dont ils sont issus, accompagnant les mets selon les usages habituels de leurs types. L'ensemble des zones de production est présenté ci-dessous selon le découpage régional de la législation spécifique des dénominations de vins de pays, qui ne correspond pas à celui des régions viticoles d'AOC ou AOVDQS. Notez que le décret du 4 mai 1995 exclut des zones autorisées à produire des vins de pays les départements du Rhône, du Bas-Rhin, du Haut-Rhin, de la Gironde, de la Côte-d'Or et de la Marne. Aujourd'hui l'une des propositions de réforme porte sur une réorganisation géographique, ouvrant à certains départements l'autorisation de produire des vins de pays. Cela suscite un large débat.

Vallée de la Loire

Les vins de pays du Jardin de la France, dénomination régionale, représentent, à l'heure actuelle, 95 % de l'ensemble des vins de pays produits en vallée de la Loire ; une vaste région qui regroupe treize départements : Maine-et-Loire, Indre-et-Loire, Loiret, Loire-Atlantique, Loir-et-Cher, Indre, Allier, Deux-Sèvres, Sarthe, Vendée, Vienne, Cher, Nièvre. À ces vins s'ajoutent les vins de pays de départements et les vins de pays à dénominations locales qui sont ici : les vins de pays de Retz (au sud de l'estuaire de la Loire), des Marches de Bretagne (au sud-est de Nantes) et des Coteaux charitois (aux alentours de La Charité-sur-Loire).

La production globale repose sur les cépages traditionnels de la région. Les vins blancs qui représentent 45 % de la production sont secs, frais et fruités, et principalement issus des cépages chardonnay, sauvignon et grolleau gris. Les vins rouges et rosés proviennent, quant à eux, des cépages gamay, cabernets et grolleau noir.

Ces vins de pays sont, en général, à servir jeunes. Cependant, dans certains millésimes, le cabernet peut se bonifier en vieillissant.

Coteaux charitois

DOM. DU PUITS DE COMPOSTELLE
Chardonnay 2004 ★

1,3 ha 6 000 5 à 8 €

Emmanuel Rouquette crée en 1999 le domaine du Puits de Compostelle ; il est bientôt rejoint par des amis œnologues et des membres de sa famille. Ces jeunes vignerons proposent un chardonnay doré à reflets ambrés. Le nez aux notes boisées et grillées décline aussi un fruité agréable, tandis que la bouche trouve un juste équilibre avant une longue finale aux nuances beurrées gourmandes.

Dom. du Puits de Compostelle, Mauvrain, 58700 Celle-sur-Nièvre, tél. 03.86.70.03.29, fax 03.86.70.06.74 r.-v.

DOM. DE LA VERNIÈRE Chardonnay 2004 ★★

2,7 ha 18 000 5 à 8 €

Au début des années 1990, Denis Beaulieu reprend ce vignoble de La Charité-sur-Loire et en commence la restauration. Dix ans plus tard, le pari semble gagné puisque les vins du domaine ont trouvé le chemin de la table de Joël Robuchon. Ce 2004, aux reflets dorés, offre un bouquet de notes fruitées et boisées persistantes. Son passage en fût lui a laissé de bons souvenirs, et la bouche souple en attaque laisse sur une impression de finesse et d'équilibre.

Dom. de La Vernière, La Vernière, 58350 Chasnay, tél. et fax 03.86.70.06.74 r.-v.

Simon-Beaulieu

Jardin de la France

ACKERMAN Sauvignon Sélection Tastemets 2005 ★

34 ha 400 000 - de 3 €

Vinificateur-éleveur depuis 1811, la maison Ackerman-Rémy Pannier propose un sauvignon jaune paille brillant, dont le nez intense mêle le grillé, les fleurs blanches et les fruits exotiques. Un vin subtil, équilibré et frais, qui persiste agréablement sur les épices. La Sélection Tastemets dont il fait partie propose, sur l'étiquette, des recettes de plats à accorder au vin. Essayez donc des filets de lapin aux pousses de soja.

Ackerman-Rémy Pannier, 13, rue Léopold-Palustre, Saint-Hilaire-Saint-Florent, 49412 Saumur, tél. 02.41.53.03.10, fax 02.41.53.03.19, e-mail contact@ackerman.fr

t.l.j. sf dim. 9h30-12h30 14h-18h30

DOM. FRANÇOIS ALLARD Chardonnay 2005 ★

5,26 ha 17 000 - de 3 €

Dans sa cave en pierre, François Allard a vinifié ce chardonnay de couleur or, qui s'ouvre sur des notes de fleurs, de fougère, de fruits secs, de noisette et de grillé. Volumineux en bouche, il se termine en fraîcheur. Un vin souple, complet, qui tirera profit d'un accord avec des fromages de chèvre.

François Allard, 21, rue de la Haute-Ville-Arnoult, 44330 Vallet, tél. 02.40.36.30.10 r.-v.

DOM. DES AUDINIÈRES
Cabernet Cuvée Douceur 2005 ★

2 ha 1 000 3 à 5 €

Le domaine des Audinières, conduit par les frères Guittet, propose ce cabernet rose orangé, dont le nez fruité s'agrémente de quelques notes de bonbon anglais. La bouche soyeuse, légèrement sucrée, offre un cocktail de fraise et de framboise. Idéal pour l'apéritif ou une cuisine exotique. Une étoile également pour le **gamay rouge 2005 (moins de 3 €)**, grenat, charnu et équilibré.

GAEC Clos du Pressoir, Les Audinières, 49230 Saint-Crespin-sur-Moine, tél. et fax 02.41.70.46.95

t.l.j. sf dim. 8h-12h 14h-18h30

Guittet

DOM. D'AVRILLÉ Chardonnay 2005 ★

n.c. 15 000 3 à 5 €

Eusèbe Biotteau ouvrit au château d'Avrillé le premier caveau de dégustation gratuite en Anjou. Ses trois fils et, aujourd'hui, son petits-fils Pascal cultivent ici près de 200 ha de vignes. Leur chardonnay très floral fait preuve d'équilibre et de souplesse en bouche, tant et si bien qu'il offre un plaisir simple.

Biotteau, Ch. d'Avrillé, L'Homois, 49320 Saint-Jean-des-Mauvrets, tél. 02.41.91.22.46, fax 02.41.91.25.80, e-mail chateau.avrille@wanadoo.fr

t.l.j. sf dim. 9h30-12h30 14h30-18h30

DOM. DE BEAUREPAIRE
Marches de Bretagne Gamay 2005 ★

0,6 ha 6 800 - de 3 €

Le style italien de Clisson, cité médiévale située à 3 km, a gagné la propriété de Beaurepaire. Un gamay classique que ce 2005 aux effluves de fleurs et de fruits rouges. La bouche ronde bénéficie du caractère rafraîchis-

sant apporté par un léger perlant, puis développe de savoureuses flaveurs de fraise, de framboise et de pain grillé.
Jean-Paul Bouin-Boumard, 5, La Recivière, 44330 Mouzillon, tél. et fax 02.40.36.35.97
t.l.j. 10h-19h; dim. sur r.-v.

DOM. DU BOIS PERRON Sauvignon 2005 *

0,44 ha 2 000 3 à 5 €

De ce domaine de 2 ha au moment de l'achat, en 1945, les propriétaires et leurs descendants ont fait un vignoble d'une trentaine d'hectares. S'ils projettent de produire du chardonnay et du merlot d'ici 2008, c'est aujourd'hui une petite cuvée de sauvignon qui se distingue, appréciée pour sa robe claire aux reflets dorés, sa vivacité minérale et surtout pour la finesse de ses saveurs, agrémentées de fruits mûrs (poire et pomme) à croquer.
GAEC du Bois Perron, Le Perron, 44430 Le Loroux-Bottereau, tél. 02.51.71.90.63, fax 02.40.03.71.55 r.-v.
Brégeon et Burot

DOM. DES BONNES GAGNES Sauvignon 2005 *

1 ha 8 000 3 à 5 €

Tout près du château de Brissac, la famille Héry exploite un vignoble de 38 ha planté dès 1020 par les abbesses du Ronceray d'Angers sur ce terroir argilo-calcaire. Ce sauvignon jaune doré présente d'élégants arômes floraux et une vivacité minérale. Il ne manque pas de puissance, soulignée par des flaveurs de fruits à l'alcool. Le **grolleau rouge 2004 (moins de 3 €)** obtient la même note.
Vignerons Héry, Orgigné, 49320 Saint-Saturnin-sur-Loire, tél. 02.41.91.22.76, fax 02.41.91.21.58, e-mail hery.vignerons@wanadoo.fr
t.l.j. 9h-12h 14h-19h; dim. sur r.-v.

BOUGRIER Chardonnay 2005 *

25 ha 80 000 - de 3 €

Au cœur de la Touraine, la maison Bougrier existe depuis 1885. Élaboré dans la cave refaite à neuf en 2005, son chardonnay déborde de fruité. Il démarre tout en souplesse pour se terminer rond et ample. Un réel équilibre. La cuvée de **cabernet franc Cadet Rousselle 2005 rosé**, marquée par des notes épicées, obtient une étoile.
SA Bougrier, 1, rue des Vignes, 41400 Saint-Georges-sur-Cher, tél. 02.54.32.31.36, fax 02.54.71.09.61, e-mail stgeorges@bougrier.fr
t.l.j. 8h-12h 14h-17h; f. août

LES CARISANNES Sauvignon 2005 *

3,15 ha 29 000 3 à 5 €

Un sol d'argile et de silex est à l'origine de ce sauvignon aux arômes de fleur de genêt, de pêche blanche, d'agrumes avec une pointe de miel que l'on retrouve dans une bouche ample et structurée. Un vin élégant qui accompagnera asperges ou crottin de chavignol.
Henry Brochard, Chavignol, 18300 Sancerre, tél. 02.48.78.20.10, fax 02.48.78.20.19, e-mail lesvins-henrybrochard@wanadoo.fr
t.l.j. 8h30-12h 13h30-18h

DOM. CHARBONNIER
Chardonnay Élevé en fût de chêne 2005 ***

0,7 ha 2 000 8 à 11 €

Deux frères et un jeune fils pour la partie œnologie c'est le trio gagnant. Le jury a décerné la note maximale

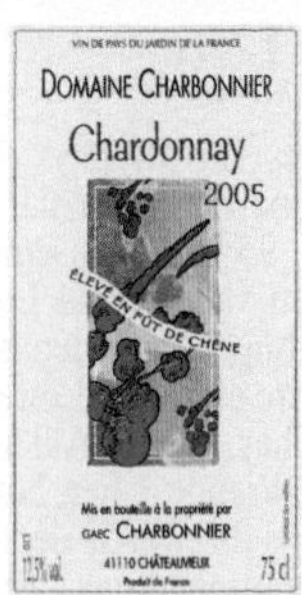

à ce vin débordant de fruit. Une gourmandise dès la mise en bouche, qui se développe avec ampleur, agrémentée des notes fines de grillé et de vanille. À déguster à l'apéritif.
GAEC Charbonnier, 4, chem. de la Cossaie, 41110 Châteauvieux, tél. 02.54.75.49.29, fax 02.54.75.40.74, e-mail dms.charbonnier@wanadoo.fr r.-v.

DOM. DE LA COCHE
Pays de Retz Chardonnay 2005 *

7 ha 10 500 3 à 5 €

À 4 km du parc zoologique Planète sauvage, faites un détour par le caveau d'Emmanuel et Laurent Guitteny. Le jury a apprécié ce chardonnay aux reflets dorés, marqué par des notes beurrées et qui se montre charnu au palais. Un vin équilibré et chaleureux à marier à des saint-jacques poêlées. Le **sauvignon du pays de Retz 2005**, tout en finesse, est également distingué d'une étoile.
Emmanuel et Laurent Guitteny, SCA dom. de La Coche, 44680 Sainte-Pazanne, tél. 02.40.02.44.43, fax 02.40.02.43.55, e-mail lacochevins@aol.com r.-v.

DOM. DU COLOMBIER Chardonnay 2005 *

2 ha 10 000 3 à 5 €

Sous les ailes bienveillantes du Moulin Guillou, monument classé, est né ce chardonnay tout en fleurs blanches. Une vivacité subtile et fruitée lui confère charme et persistance au palais. Également étoilé, le **gamay rouge 2005** est gouleyant.
Jean-Yves Brétaudeau, Le Colombier, 49230 Tillières, tél. 02.41.70.45.96, fax 02.41.70.36.17, e-mail contact@lecolombier.com r.-v.

DOM. DE LA COUCHETIÈRE Grolleau 2005 *

2,2 ha 26 000 - de 3 €

Un grolleau rouge à reflets violets qui développe un nez légèrement épicé. Tout se confirme en bouche. Les caractères du cépages s'expriment : fraîcheur, fruité et équilibre. Agréable en accompagnement de quelques cochonnailles
GAEC Brault, Dom. de La Couchetière, 49380 Notre-Dame-d'Allençon, tél. 02.41.54.30.26, fax 02.41.54.40.98
t.l.j. sf dim. 8h-12h 14h-18h30

DOM. DE LA COUPERIE
Sauvignon Cuvée del Ys 2005 ***

11 ha 5 300 3 à 5 €

En 2005, Claude Cogné a passé les rênes à son fils Yan qui réalise ses premières vinifications. Pour une première, c'est un coup de maître. Ce sauvignon intense et

brillant affiche un nez délicat de fruits et d'agrumes. Il s'exprime avec rondeur et souplesse avant de s'étirer longuement sur une agréable fraîcheur. Le **pinot noir 2005 (moins de 3 €)** obtient deux étoiles pour son gras et ses arômes de fruits rouges.

🔑 EARL Claude Cogné, La Couperie,
49270 Saint-Christophe-la-Couperie, tél. 02.40.83.73.16,
fax 02.40.83.76.71 ☑ 🍷 🚶 ven. sam. 8h-12h 14h-19h

DOM. MICHEL DAVID Cabernet franc 2005 *

■ 2 ha 12 000 🍾 **3 à 5 €**

Ce cabernet franc séduit d'emblée, tant par sa robe rouge profond aux reflets violets que par sa palette d'épices et de confiture de fruits rouges qui se prolonge au palais, aux côtés de tanins souples. Une étoile également pour le **chardonnay 2005** aux notes beurrées.

🔑 EARL Michel David, Le Landreau-Village,
44330 Vallet, tél. 02.40.36.42.88, fax 02.40.33.96.94,
e-mail earl.david.michel@wanadoo.fr
☑ 🍷 🚶 t.l.j. sf dim. 8h30-12h30 14h-18h30

LE DEMI-BŒUF Cabernet franc merlot 2005 *

■ 3 ha 20 000 🍾 **3 à 5 €**

Le Demi-Bœuf : un nom étrange pour un domaine viticole, qui cache en réalité une page de l'histoire des guerres de Vendée : il évoque un repas que les royalistes de 1793 ne purent terminer, dont le « demi-bœuf » restant profita aux républicains. Un repas qui s'accommoderait bien aujourd'hui de ce vin rubis, au nez de fraise mûre et de cassis, et à la bouche souple, équilibrée, fruitée.

🔑 EARL Michel Malidain,
Le Demi-Bœuf, 44310 La Limouzinière,
tél. 02.40.05.82.29, fax 02.40.05.95.97,
e-mail ledemiboeuf@vignoblemalidain.com ☑ 🍷 🚶 r.-v.

DOM. DES DEUX MOULINS Grolleau 2005 *

■ 1 ha 3 000 🍾 **3 à 5 €**

Deux moulins caviers dominent le chai où ce grolleau a été vinifié. Couleur rubis, le vin revêt un caractère épicé, légèrement poivré. Des tanins jeunes assurent une bonne charpente, garante d'une certaine longévité. Les camping-caristes découvriront ce 2005 sur place, puisque l'exploitation est équipée pour bien les accueillir.

🔑 D. Macault, Dom. des Deux Moulins,
20, rte de Martigneau, 49610 Juigné-sur-Loire,
tél. 02.41.54.65.14, fax 02.41.54.67.94,
e-mail les.deux.moulins@wanadoo.fr ☑ 🍷 🚶 r.-v.

DOM. DE L'ERRIÈRE Cabernet 2005 *

■ 2 ha 8 000 - de 3 €

Un cabernet franc d'un rubis soutenu aux reflets violets. Il exhale des arômes de fruits rouges mûrs, puis développe une chair équilibrée grâce à des tanins souples, bien fondus, respectueux des saveurs fruitées de fraise, de cerise et de cassis. Issu du même cépage, le **rosé 2005**, aux parfums légèrement épicés, obtient une étoile.

🔑 GAEC Madeleineau, L'Errière, 44430 Le Landreau,
tél. 02.40.06.43.94, fax 02.40.06.48.82 ☑ 🍷 🚶 r.-v.

DOM. DE L'ESPÉRANCE Cabernet 2005 *

■ 1 ha 3 000 🍾 - de 3 €

Un cabernet franc aux atours rose intense et aux arômes de petits fruits rouges rappelant les confitures. Structure, richesse, harmonie, tels sont les mots du jury pour qualifier ce vin agréable.

🔑 Patrice et Anne-Sophie Chesné,
Dom. de L'Espérance, 49230 Tillières,
tél. et fax 02.41.70.46.09 ☑ 🍷 🚶 r.-v.

DOM. DE FLINES Grolleau 2005 **

■ 2 ha 13 000 🍾 3 à 5 €

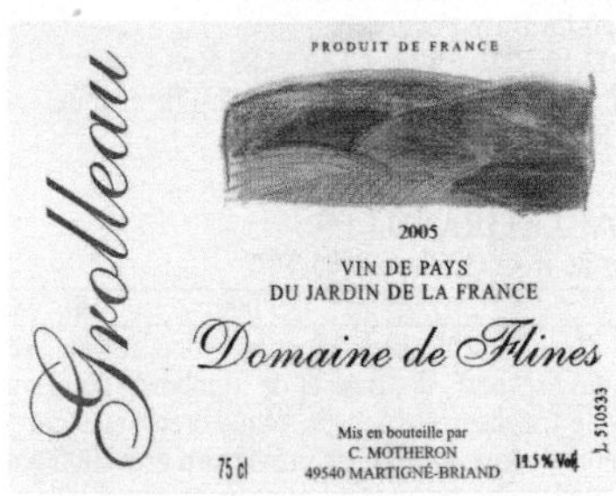

Venant de la proche Touraine où leurs ancêtres étaient vignerons, la famille Motheron a rejoint l'Anjou pour installer un nouveau domaine en 1968, non loin du château de Martigné-Briand. Couleur rubis, ce vin libère d'intenses arômes de cerise et de framboise. L'harmonie se réalise en bouche : ampleur, rondeur, tanins fondus et flaveurs persistantes de griotte. À servir légèrement frais en accompagnement de charcuteries, de salades composées ou de grillades.

🔑 C. Motheron, EARL Dom. de Flines,
102, rue d'Anjou, 49540 Martigné-Briand,
tél. et fax 02.41.59.42.78,
e-mail domaine.de.flines@wanadoo.fr
☑ 🍷 🚶 t.l.j. sf dim. 10h-12h 14h-18h; sam. sur r.-v.

MMM... DE FOURNIER Sauvignon 2005 *

□ n.c. 12 000 🍾 **5 à 8 €**

Les Fournier sont établis non loin de Sancerre depuis trente ans. Ils proposent cette cuvée jaune clair dont le nom invite à la gourmandise. Au nez élégamment sauvignonné répond une bouche tout aussi typée. Après une attaque plaisante de fleurs et d'agrumes, apparaît une chair tendre et persistante.

🔑 Fournier Père et Fils, Chaudoux, BP 7,
18300 Verdigny, tél. 02.48.79.35.24, fax 02.48.79.30.41,
e-mail claude@fournier-pere-fils.fr
☑ 🍷 🚶 t.l.j. 8h-12h 13h30-18h30; sam. dim. sur r.-v.
🔑 GFA Chanvrières

DOM. DE LA GACHÈRE Grolleau gris 2005 *

□ 1 ha 8 400 **3 à 5 €**

Profitez de votre passage pour longer l'Argenton dans la vallée des Deux-Sèvres jusqu'au vieux pont du

XIIIes. Cépage typique du Val de Loir, le grolleau gris a donné naissance à ce vin jaune clair, nuancé de vert, qui mêle d'intenses arômes de thé vert, de fleurs blanches et de pêche. La bouche est fraîche, agrémentée d'une note de bonbon anglais. Un vin de caractère, à déguster dès maintenant.

Alain et Gilles Lemoine, Dom. de La Gachère, 79290 Saint-Pierre-à-Champ, tél. 05.49.96.81.03, fax 05.49.96.32.38, e-mail f.lemoine@wanadoo.fr
r.-v.

DOM. DES GILLIÈRES
Chardonnay Cuvée Prestige 2004 *

5,58 ha 20 000 - de 3 €

Le jury a été séduit par la robe brillante, le nez discret de grillé, de surmaturation et surtout par la finesse des arômes de miel. La texture charnue persistante est un autre atout de ce vin équilibré.

SAS des Gillières, Ch. des Gillières, 44690 La Haye-Fouassière, tél. 02.40.54.80.05, fax 02.40.54.89.56
t.l.j. sf sam. dim. 8h-12h 14h-17h; f. août
Regnier

DOM. LE GRAND FÉ
Pays de Retz Grolleau 2005 ***

1,7 ha 3 000 - de 3 €

Rose groseille, légèrement saumoné, ce vin livre des arômes expressifs de fraise et de framboise, tandis qu'en bouche fraîcheur et rondeur s'équilibrent, soulignées de flaveurs de fruits rouges. Le **sauvignon gris 2005** obtient une étoile pour ses senteurs de genêt breton et d'agrumes méditerranéens.

Jean Boutin, Le Poirier, 44310 La Limouzinière, tél. et fax 02.40.05.83.66, e-mail jean-boutin@wanadoo.fr
t.l.j. sf dim. 10h-12h30 15h-19h30

DOM. DU GRAND LOGIS Sauvignon 2005 *

3 ha 30 000 - de 3 €

Le domaine occupe le site d'une ancienne propriété seigneuriale datant de 1650. Vêtu de nuances jaune clair, ce 2005 s'épanouit en fines fragrances fruitées. Un vin rafraîchissant. Le **cabernet 2005 rouge** obtient également une étoile. C'est un vin grenat, aux arômes de cassis et aux tanins musclés, garants d'une bonne garde.

EARL Lebrin, L'Aujardière, 44430 La Remaudière, tél. 02.40.33.72.72, fax 02.40.33.74.18, e-mail earl.lebrin@wanadoo.fr
t.l.j. sf dim. 9h-12h30 14h-19h; sam. 9h-12h30

DOM. DU HAUT BOURG
Pays de Retz Sauvignon 2005 *

1,8 ha 15 000 3 à 5 €

Un vignoble de 40 ha situé près du lac de Grand-Lieu. Hervé et Nicolas Choblet proposent un sauvignon doré, finement parfumé de fruits exotiques. Ce 2005 plein de gaieté par sa fraîcheur se montre d'une séduisante persistance.

Dom. du Haut Bourg, 11, rue de Nantes, 44830 Bouaye, tél. 02.40.65.47.69, fax 02.40.32.64.01, e-mail hautbourg@free.fr
t.l.j. sf dim. 9h-12h 14h-17h
Choblet

LA HAUTE-VRIGNAIS Chardonnay 2005 **

2,5 ha 28 000 3 à 5 €

Le domaine de l'abbaye de Sainte-Radegonde se trouve sur un des chemins de Saint-Jacques-de-Compostelle. Il a produit un chardonnay aux arômes très frais. La bouche tout aussi revigorante est bien équilibrée, empreinte de flaveurs d'agrumes. Un vin désaltérant pour l'apéritif ou délicat pour le repas.

SCEA Abbaye de Sainte-Radegonde, 44430 Le Loroux-Bottereau, tél. 02.40.03.74.78, fax 02.40.03.79.91, e-mail info@radegonde.fr
t.l.j. sf sam. dim. 8h-12h30 14h-18h30

DOM. HERBAUGES Chardonnay Élégance 2005 *

6 ha 22 000 3 à 5 €

Orienté vers l'export, le domaine accueille cependant les visiteurs en été pour une visite guidée des caves, suivie d'une dégustation. L'occasion de goûter ce chardonnay dont les délicates notes de fruits exotiques s'amplifient en bouche. Un vin tout en souplesse et persistant. La cuvée de **melon 2005 blanc**, cépage emblématique de la région, obtient également une étoile pour ses notes citronnées qui en font un vin vif et guilleret.

Luc et Jérôme Choblet, SCEA Les Herbauges, 44830 Bouaye, tél. 02.40.65.44.92, fax 02.40.65.58.02 r.-v.

DOM. DES ÎLES Chardonnay 2005 **

3,5 ha 30 000 3 à 5 €

Un séducteur que ce chardonnay jaune doré brillant. L'exubérance exotique de ses arômes n'a d'égale que l'ampleur de la bouche longuement fruitée. Un vin à marier avec des poissons en sauce ou à déguster à l'apéritif.

GAEC Dom. des Îles, chem. des Îles, 85670 Saint-Étienne-du-Bois, tél. 02.51.34.50.70, fax 02.51.34.57.42, e-mail domaine.iles@85.cernet.fr r.-v.

DOM. DE L'IMBARDIÈRE Cabernet 2005 **

3 ha 6 000 - de 3 €

À L'Imbardière, vous serez reçu dans d'anciens bâtiments d'élevage en pierre reconvertis en caveau. Vous y dégusterez ce cabernet franc d'un rouge intense, aux arômes de fruits rouges presque compotés. La texture puissante, mais équilibrée et fruitée, d'une remarquable longueur en fait un vin de choix pour accompagner des civets.

Joseph Abline, L'Imbardière, 49270 Saint-Christophe-la-Couperie, tél. 02.40.83.90.62, fax 02.40.83.74.02, e-mail abline49vins@aol.com r.-v.

DOM. DES LOUETTIÈRES Cabernet franc 2005 *

2,3 ha 3 000 - de 3 €

Ce cabernet franc, vinifié par Dominique Peigné, se pare d'une robe grenat soutenu. Il exhale des nuances de cassis et de fruits rouges compotés, puis fait montre de structure, agrémentée de flaveurs complexes, confirmant le nez. Pour une côte de bœuf ou un gibier.

EARL Dominique Peigné, 2, Le Martinet, 44450 Barbechat, tél. 02.40.03.64.49, fax 02.40.33.36.05 r.-v.

DOM. LA MORINIÈRE Chardonnay 2005 *

12 ha 140 000 3 à 5 €

Une propriété de 67 ha qui a su mettre en valeur les caractères du chardonnay dans ce 2005 délicatement floral

et fruité aux nuances d'agrumes. Le vin s'épanouit au palais avec souplesse tout en dévoilant une agréable fraîcheur.
Couillaud Frères, GAEC Ragotière, Ch. Ragotière, 44330 La Regrippière, tél. 02.40.33.60.56, fax 02.40.33.61.89, e-mail freres.couillaud@wanadoo.fr t.l.j. sf sam. dim. 8h-12h 14h-18h

LE MOULIN DE LA TOUCHE
Pays de Retz Chardonnay 2005 ★★★

4,5 ha 12 000 3 à 5 €

Situé à 7 km de la baie de Bourgneuf, ce vignoble, dominé par un moulin datant de 1745, est cultivé avec soin par Joël Hérissé et son fils Vincent. Ce chardonnay aux reflets vert doré explose d'arômes de fruits exotiques, de pamplemousse et de litchi. Un même fruité s'exprime au palais, soulignant la chair ronde et ample, longue de nombreuses caudalies.
Joël Hérissé, Le Moulin de la Touche, 44580 Bourgneuf-en-Retz, tél. et fax 02.40.21.47.89, e-mail herisse.joel@cegetel.net r.-v.

DOM. DE LA NOË Chardonnay 2005 ★★

1,4 ha 15 000 3 à 5 €

Depuis 1878, la même famille est aux commandes de ce domaine, aujourd'hui exploité par quatre frères Drouard. Ce chardonnay doré affiche des arômes épanouis de fleurs blanches qui se prolongent en bouche, accompagnés de notes légèrement grillées. La matière a beau être volumineuse, elle garde de l'élégance. Pour des poissons ou des viandes blanches.
Dom. de La Noë, 44690 Château-Thébaud, tél. et fax 02.40.06.50.57, e-mail domainelanoe@wanadoo.fr t.l.j. sf dim. 8h-12h30 14h-19h
Drouard Frères

LA PERRIÈRE Cabernet-sauvignon 2005 ★

0,6 ha 6 500 3 à 5 €

Le domaine de La Perrière est situé à 1 km du célèbre musée du Vignoble nantais. Vincent Loiret présente un cabernet-sauvignon rose orangé, lumineux, riche de fragrances de fleurs, d'épices et de fraise mûre. Ces arômes s'amplifient en bouche, ponctuant une matière fraîche, pleine de finesse. Un rosé de repas.
Vincent Loiret, La Mare-Merlet, 44330 Le Pallet, tél. 02.40.80.43.24, fax 02.40.80.46.99, e-mail vins.loiret@free.fr t.l.j. sf dim. 8h-12h 14h-19h; f. 15-25 août

DOM. DE LA PIERRE BLANCHE
Pays de Retz Sauvignon 2005 ★

1,38 ha 6 700 - de 3 €

La première pierre posée lors de l'édification des bâtiments était blanche, d'où le nom du domaine où la famille Épiard vous recevra dans une grange restaurée pour y déguster ce sauvignon finement boisé. Les arômes de fleurs blanches et de rose s'épanouissent, accompagnant le développement de la bouche souple, ample et ronde. Un vin agréable, à déguster avec des hors-d'œuvre, des coquilles Saint-Jacques ou un fromage de chèvre.
Gérard Épiard, La Pierre Blanche, 85660 Saint-Philbert-de-Bouaine, tél. 02.51.41.93.42, fax 02.51.41.91.71 r.-v.

VIGNOBLE POIRON-DABIN Chardonnay 2005 ★

1 ha 12 000 3 à 5 €

Après avoir fait leurs classes séparément sous la houlette de leur père Jean Poiron, Laurent et Jean-Michel ont décidé en 2004 d'associer leurs compétences. Ils proposent un vin jaune pâle à reflets dorés, débordant de senteurs de fleurs blanches, de poire, de pomme et de banane. Corpulent et puissant, ce 2005 enchantera les amateurs de chardonnay.
Poiron-Dabin, Chantegrolle, 44690 Château-Thébaud, tél. 02.40.06.56.42, fax 02.40.06.58.02, e-mail dom.poiron@wanadoo.fr r.-v.
Laurent et Jean-Michel Poiron

DOM. DES PRIÉS Pays de Retz Grolleau 2005 ★

2,8 ha 6 000 3 à 5 €

Gérard Padiou est un spécialiste du grolleau. Il le prouve à nouveau avec ce rosé brillant, au nez floral et fruité : lilas, pêche, framboise et groseille. La bouche est fraîche, fringante et persistante. À déguster avec des hors-d'œuvre ou des charcuteries. Le **grolleau gris 2005 blanc**, vif et léger, typique du pays de Retz, obtient aussi une étoile.
Gérard Padiou, Les Priés, 44580 Bourgneuf-en-Retz, tél. 02.40.21.45.16, fax 02.40.21.47.48 r.-v.

PRIEURÉ ROYAL SAINT-LAURENT
Chardonnay 2005 ★

6,58 ha 6 000 3 à 5 €

Un vignoble planté anciennement par des moines. Ce chardonnay se présente dans une robe jaune-vert et livre des arômes discrets d'ananas. En bouche, il donne toute sa mesure, se montrant gras, charnu et distingué.
Michel Morilleau, Saint-Laurent, 44650 Legé, tél. 02.40.26.60.95, fax 02.40.26.63.65, e-mail morilleaumich@aol.com r.-v.

DOM. DES QUATRE ROUTES Cabernet 2005 ★

2 ha 15 000 3 à 5 €

Les aïeux de la famille Poiron étaient déjà vignerons et producteurs de plants de vigne. Un assemblage de cabernets est à l'origine de ce vin rubis qui développe un nez de fruits rouges et noirs (cassis, mûre, cerise). Une gamme aromatique que l'on retrouve en bouche, aux côtés de tanins fondus et harmonieux.
Dom. Henri Poiron et Fils, Les Quatre Routes, 44690 Maisdon-sur-Sèvre, tél. 02.40.54.60.58, fax 02.40.54.62.05, e-mail poiron.henri@wanadoo.fr t.l.j. 9h-12h30 14h-18h30 (17h sam.); dim. sur r.-v. 2 A
Éric Poiron

DOM. DE LA ROCHE BLANCHE
Chardonnay 2005 ★★

10 ha 15 000 3 à 5 €

Au pays de Vallet, capitale du muscadet, quelques propriétés consacrent une surface importante au chardonnay : le domaine de La Roche Blanche en fait partie. Un vin jaune pâle, aux arômes subtils liés à l'élevage en fût. L'équilibre se réalise remarquablement en bouche, tout en finesse.
EARL Lechat et Fils, 12, av. des Roses, 44330 Vallet, tél. 02.40.33.94.77, fax 02.40.36.44.31 r.-v.

VDP

GASTON ROLANDEAU Chardonnay 2005 *

7 ha 60 000 -de 3 €

Un léger perlant anime ce chardonnay jaune pâle à l'œil comme au palais, vif et rafraîchissant. Le nez puissant mêle les arômes de pêche blanche et de fruits exotiques (litchi). Un vin léger et gai.

Les Vendangeoirs du Val de Loir, La Frémonderie, 49230 Tillières, tél. 02.41.70.45.93, fax 02.41.70.43.74

LA RONCIÈRE Pinot noir 2005 *

1 ha 5 000 3 à 5 €

Un pinot noir de belle expression, qui présente une robe légère aux reflets cuivrés. Au nez de violette, de cassis et de cerise répond une bouche souple et veloutée. Un vin équilibré et friand.

Arielle Vatan, rte des Petites-Perrières, 18300 Verdigny, tél. 02.48.79.33.07, fax 02.48.79.36.30, e-mail avatan@terre-net.fr r.-v.

DOM. DE SAINTE-ANNE Sauvignon 2005 *

7 ha 28 000 3 à 5 €

Le domaine se situe sur l'une des croupes argilo-calcaires les plus élevées de Saint-Saturnin-sur-Loire. Il a produit un sauvignon discrètement fruité, mais tout en finesse. Rond et agréable en bouche, c'est un vin plaisant, guilleret, très angevin.

EARL Marc Brault, Dom. de Sainte-Anne, 49320 Brissac-Quincé, tél. 02.41.91.24.58, fax 02.41.91.25.87, e-mail eva.brault@wanadoo.fr t.l.j. sf dim. 9h-12h 14h-19h (18h sam.)

DOM. DE LA TOURLAUDIÈRE
Marches de Bretagne
Cabernet-sauvignon abouriou 2005 **

2,3 ha 5 000 3 à 5 €

Un rosé fuschia à reflets bleutés, enjolivé de perles discrètes. Il allie le cabernet-sauvignon à l'abouriou, cépage du Marmandais. Après un nez intense de groseille, de cassis, de framboise et de bonbon anglais, le vin explose en bouche en un cocktail de fruits mûrs relevé d'une touche épicée.

EARL Petiteau-Gaubert, Dom. de La Tourlaudière, 174, Bonne-Fontaine, 44330 Vallet, tél. 02.40.36.24.86, fax 02.40.36.29.72, e-mail vigneron@tourlaudiere.com t.l.j. 9h30-12h30 14h30-18h

Puy-de-Dôme

VIN DES CARRIERS 2005 *

0,5 ha 1 700 5 à 8 €

Le nom de ce vin rappelle l'époque où le vignoble local était important, soutenu par l'activité des carrières avoisinantes. Aujourd'hui encore, Alain Gaudet vinifie et conserve ses vins dans des caves creusées dans la roche volcanique, tel ce millésime à la robe jaune pâle brillant, qualifié de « vrai pinot » par nos dégustateurs. S'il reste encore timide au nez, ce 2005 s'exprime en bouche, avec une bonne attaque, de la fraîcheur et une finale agréable.

Alain Gaudet, Dom. Sous-Tournoël, 63530 Volvic, tél. 04.73.33.52.12, fax 04.73.33.62.71 t.l.j. sf dim. 10h-12h 15h-19h; groupes sur r.-v.

Vendée

LA CHAUME Orfeo 2003 **

3 ha 6 000 8 à 11 €

Estelle et Christian Chabirand ont créé ce vignoble de toutes pièces en 1997, avec construction de la cave en 2003. Premier millésime remarquable : un assemblage de merlot (70 %) et de cabernet-sauvignon (30 %) arrivés à pleine maturité. Grenat soutenu, le vin dévoile un nez puissant, vanillé. La bouche apparaît ronde et intense, dominée par des saveurs de fruits rouges mûrs. Un 2003 structuré et long qui s'accordera avec des viandes rouges, du gibier ou même un dessert au chocolat. Après l'accueil au Prieuré La Chaume, vous pourrez en plus aller découvrir la Venise verte toute proche.

Christian Chabirand, Prieuré La Chaume, 85770 Vix, tél. et fax 02.51.00.49.38, e-mail contact@la-chaume.net t.l.j. sf dim. 10h-12h30 15h-19h

Aquitaine et Charentes

Entourant largement le Bordelais, cette région est formée par les départements de Charente et Charente-Maritime, Gironde, Landes, Dordogne et Lot-et-Garonne. Une majorité de vins rouges souples et parfumés sont produits dans le secteur aquitain, issus des cépages bordelais que complètent quelques cépages locaux plus rustiques (tannat, abouriou, bouchalès, fer). Charentes et Dordogne donnent surtout des vins de pays blancs, légers et fins (ugni blanc, colombard), ronds (sémillon, en assemblage avec d'autres cépages) ou corsés (baroque). Charentais, Agenais, Terroirs landais et Thézac-Perricard sont les dénominations sous-régionales ; Dordogne, Gironde et Landes constituent les dénominations départementales.

Agenais

CÔTES DES OLIVIERS 2004 *

3 ha 10 000 5 à 8 €

On produit ici le fameux pruneau d'Agen, la noix, ainsi que ce vin rouge assemblant le merlot et les deux cabernets. Au nez de fruits cuits répond une bouche puissante et chaleureuse, longuement aromatique.

Jean-Pierre Richarte, Les Oliviers, 47140 Auradou, tél. 05.53.41.28.59, fax 05.53.49.38.89, e-mail cotes-des-oliviers@wanadoo.fr t.l.j. 9h-12h 14h-19h

DOM. LOU GAILLOT
Réserve Élevé en fût de chêne 2004

1,5 ha 9 000 5 à 8 €

Depuis cette année, vous pouvez profiter au domaine du parcours ludivigne, circuit-découverte du vignoble pour petits et grands. Ces derniers goûteront aussi à ce vin rouge cerise, assemblage de merlot et de cabernet-sauvignon à parts égales. Poivré et vanillé au nez (élevage de huit mois en fût), celui-ci est corpulent et bien construit, plutôt tannique, avec des arômes discrets tirant sur le végétal. Ce 2004 est à servir maintenant avec une terrine de campagne.

Gilles Pons, Les Gaillots, 47440 Casseneuil, tél. 05.53.41.04.66, fax 05.53.01.13.89, e-mail lougaillot@wanadoo.fr
t.l.j. sf dim. 9h-12h 14h-19h

PRINCE DE MONSÉGUR
Élevé en fût de chêne 2004

■ n.c. 10 000 3 à 5 €

Les Sept Monts, vaste cave coopérative, est le repaire de ce prince de sang-mêlé, cabernet et merlot (20 % seulement). Sa robe est rubis sombre. Le nez discret laisse échapper quelques notes de fruits rouges à l'aération. La bouche, d'amertume légère, montre de la chaleur et une note animale, nuancée d'une pointe réglissée.

Cave des Sept Monts, ZAC de Mondésir, 47150 Monflanquin, tél. 05.53.36.33.40, e-mail cave7monts@terres-du-sud.fr r.-v.

LA VIEILLE ÉGLISE 2005 *

15 ha 30 000 - de 3 €

Cabernet et merlot se sont alliés pour offrir ce vin rose pâle. Si la robe séduisante met tout le monde d'accord, la discussion commence quand on passe au nez. Cerise ? Bonbon ? Fraise ? Jusqu'au citron confit, que certains dégustateurs perçoivent. La bouche est agréable, avec de la chair et du gras, mais aussi de la vivacité. Un vin de plaisir, à découvrir maintenant.

Cave du Marmandais, La Vieille Église, 47250 Cocumont, tél. 05.53.94.50.21, fax 05.53.94.52.84, e-mail accueil@origine-marmandais.fr
t.l.j. sf dim. 8h-12h 14h30-18h

Charentais

DOM. DE LA CHAMBRE
Vieilli en fût de chêne 2004

■ 1,5 ha 5 700 3 à 5 €

Un 2004 profondément coloré, qui affiche des arômes séduisants de fraise et de mûre. Il charme le palais par sa souplesse et ses flaveurs fruitées. À boire dès maintenant ou à attendre un peu... Charcuteries et viandes rouges s'y accorderont.

SARL Henri Geffard, La Chambre, 16130 Verrières, tél. 05.45.83.02.74, fax 05.45.83.01.82, e-mail cognac.geffard@tiscali.fr
t.l.j. sf sam. dim. 8h-12h 13h30-18h30
2 B

DOM. DE LA CHAUVILLIÈRE
Chardonnay Cuvée spéciale 2004 **

11 ha 16 000 3 à 5 €

Non loin de l'abbaye médiévale de Sablonceaux s'étendent les vignes du domaine de La Chauvillière où, bien avant l'invasion phylloxérique, régnait une intense

activité viticole. Depuis un quart de siècle, les vins blancs se distinguent en ces lieux. Revêtu d'une robe brillante, ce chardonnay joue les distingués : notes fruitées intenses, nuances de fleurs élégantes, saveurs gourmandes, amples et croquantes. À marier avec des viandes blanches ou des poissons en sauce.

EARL Hauselmann et Fils, Dom. de La Chauvillière, 17600 Sablonceaux, tél. 05.46.94.44.40, fax 05.46.94.44.63, e-mail lachauvilliere@wanadoo.fr r.-v. D

CROIX FADET
Cuvée Mathilde Vieilli en fût de chêne 2004

■ n.c. 5 500 8 à 11 €

Si l'activité de ce domaine reste orientée vers le cognac, une gamme de vins de pays n'en est pas moins développée depuis 2000. Encore soumise aux ardeurs du bois (élevage d'une année en fût de chêne), cette cuvée demande à s'assagir. Sa riche matière devrait alors s'exprimer au mieux pour composer un accord gourmand avec des viandes en sauce ou une daube accompagnée de mogettes.

Claude Thorin, SCEA Dom. Thorin, Chez Boujut, 16200 Mainxe, tél. 05.45.83.33.46, fax 05.45.83.38.93, e-mail claudethorin@cognac-thorin.com
r.-v. C

DOM. DE FONTFRÈDE Merlot 2005

1 ha 3 400 3 à 5 €

Issu de jeunes vignes plantées sur des coteaux argilo-calcaires dominant la vallée de la Charente, le merlot du domaine de Fontfrède se décline en rosé. Un vin jovial à la robe rubis clair, qui se révèle fruité, souple et gouleyant au palais. Il suscitera la convivialité.

Jean Croisard, Fontfroide, 16440 Roullet-Saint-Estèphe, tél. 05.45.66.38.42, e-mail jean.croisard@wanadoo.fr r.-v.

DOM. GARDRAT Sauvignon 2005 **

1,5 ha 16 000 5 à 8 €

Il a frôlé le coup de cœur... et c'est vrai qu'il a de quoi séduire. Les sols argilo-calcaires sur lesquels s'est épanoui ce sauvignon lui ont donné une acidité naturelle, gage d'équilibre. Dès le premier nez s'affirment des arômes complexes, hérités d'une vendange mûre, parmi lesquels le citron et le pamplemousse. Tout en fraîcheur, la bouche s'exprime avec persistance dans la même ligne aromatique. Le compagnon de tout un repas : apéritif, raie au beurre noisette, fromage de chèvre. Du même producteur, **Les Hauts de Talmont Colombard blanc 2005** et le **rosé 2005 Rosae** obtiennent une étoile.

Dom. Jean-Pierre Gardrat,
La Touche, 17120 Cozes,
tél. 05.46.90.86.94, fax 05.46.90.95.22 r.-v.

LOGIS DE MONTIFAUD
Vieilli en fût de chêne 2003 ★

4 ha 1 200 5 à 8 €

Dans le difficile millésime de la canicule, Christian Landreau a fort bien maîtrisé son sujet. Le merlot semble exprimer au mieux les caractères d'un terroir calcaire. Encore un peu sur la réserve, le nez dispense des notes vanillées et un fruité léger, que l'on retrouve dans la chair riche et ronde, marquée de quelques tanins en finale. Un vin qui sera aussi à l'aise sur une volaille rôtie que sur un rosbif.

Christian Landreau,
Logis de Montifaud, 16130 Salles-d'Angles,
tél. 05.45.83.67.45, fax 05.45.83.63.99 r.-v.

MAINE AU BOIS Chardonnay 2004 ★

1,9 ha 13 300 3 à 5 €

Élevé pour un tiers de son volume en fût, ce chardonnay 2004, issu de sols calcaires, s'agrémente d'un léger boisé égayé de notes florales. En bouche, il dévoile un équilibre élégant, avant une longue finale aux accents grillés. Accords assurés avec poissons au gril et viandes blanches. Le **Maine au Bois rouge 2004** obtient également une étoile.

Doni, 24, chem. de l'Alambic, 17520 Saint-Eugène,
tél. 05.46.70.02.40, fax 05.46.70.02.03,
e-mail maineaubois@wanadoo.fr r.-v.

LA MAISON DES MAINES Sire du donjon 2004 ★

3 ha 15 000 5 à 8 €

Pas triste du tout, ce Sire du donjon, cuvée de chardonnay revêtue d'or brillant à reflets verts. Le bouquet s'ouvre sur des notes de fleurs blanches et un léger boisé. Souple à l'attaque, équilibré en bouche, ce vin finement travaillé au chai trouvera sa place à l'apéritif. Le **Domaine du Grollet rouge 2004** obtient une étoile.

ACV La Maison des Maines, Au Malestier, BP 46,
16130 Segonzac, tél. 05.45.36.48.38, fax 05.45.36.48.36,
e-mail contact@maison-des-maines.com
t.l.j. sauf sam. dim. 9h30-12h30 14h-18h

DOM. MONTANSIER 2004 ★

0,5 ha 1 500 3 à 5 €

Au domaine de Montansier, on « brandevine » depuis six générations (pineau, cognac...), mais on s'applique aussi à élaborer du vin susceptible de satisfaire les touristes qui se rendent au château voisin de Bouteville. Issu à 100 % de merlot, ce 2004 est un séducteur, tant par sa rondeur que par ses fragrances fruitées.

Christian Jobit, Chebrat, 16120 Graves-Saint-Amant,
tél. 05.45.97.16.72, fax 05.45.97.34.96,
e-mail christianjobit@cognac.fr r.-v. B

DOM. DE PIERRE LEVÉE
Sauvignon Île d'Oléron 2005

2,5 ha 25 000 3 à 5 €

Avec une vigueur affirmée, le sauvignon marque sa présence de ses arômes de buis et d'agrumes ; le jury a apprécié ce vin pour sa brillante parure jaune paille et pour sa franche vivacité en bouche. Nul doute qu'il plaira aux amateurs de fruits de mer qui ont l'habitude de fréquenter les plages oléronaises.

Guy Videau, 75, rte des Chateliers,
17310 Saint-Pierre-d'Oléron,
tél. 05.46.47.03.97, fax 05.46.47.44.81 r.-v.

CÉPAGES EN SAINTONGE Cabernet 2005 ★

50 ha 200 000 - de 3 €

Des Cépages en Saintonge, le jury a retenu le cabernet-sauvignon. Celui-ci est à l'origine de ce rosé classique qui révèle des notes fruitées. Ses tanins sont suffisamment ronds pour laisser une impression plaisante. À déguster à l'apéritif ou en accompagnement d'une tarte aux fruits.

Cave de La Saintonge Romane,
32, av. Malakoff, 17770 Burie, tél. 05.46.94.97.50,
fax 05.46.95.58.82, e-mail info@merlet.fr r.-v.

SORNIN ERECTUS 2005 ★

15 ha 50 000 3 à 5 €

Motifs rupestres, menhir érigé pointe au ciel... Pas de doute, on est à Saint-Sornin, haut lieu préhistorique des Charentes. Le merlot et le cabernet-sauvignon y font bon ménage sur ce terroir argilo-siliceux. Ils sont à l'origine de ce vin charpenté et puissant, non dénué d'harmonie, qui accompagnera sans complexe une pièce de bœuf. Une garde de quelques années devrait arrondir ses tanins.

Cave de Saint-Sornin, Les Combes,
16220 Saint-Sornin, tél. 05.45.23.92.22,
fax 05.45.23.11.61, e-mail contact@cavesaintsornin.com
t.l.j. sf dim. 8h-12h 14h-18h; groupes sur r.-v.

VIGNOT DES PERTUIS Île d'Oléron 2005 ★

2,32 ha 20 000 - de 3 €

Pédaler dans le vent sur les pistes cyclables de l'île d'Oléron. Une halte-étape réparatrice s'impose au village de La Fromagerie, pour y découvrir ce rosé né d'un assemblage de merlot et de cabernet franc, qui emplit la bouche de flaveurs de fruits rouges. Mariages heureux prévisibles avec quiches et charcuteries. Le **Péchapié blanc 2005** est cité.

Favre et Fils, La Fromagerie,
17310 Saint-Pierre-d'Oléron, tél. 05.46.47.05.43,
fax 05.46.75.03.18, e-mail pas-favr@club-internet.fr
t.l.j. sf dim. 9h-12h30 14h30-19h C

Landes

COMTE DES LANDES Cuvée Sélection 2005 ★

10 ha 35 000 - de 3 €

Des sols de sables fauves ont donné naissance à ce vin assemblant 60 % de tannat au cabernet. Il est vif, équilibré. Ses arômes fruités préludent à une finale longue et soyeuse. Le **rouge 2005 (3 à 5 €)**, bien construit, au fruité persistant, obtient une citation.

Vins Duprat Frères, quai Pièce-Noyée,
chem. Saint-Bernard, 64100 Bayonne,
tél. 05.59.55.65.65, fax 05.59.55.79.20,
e-mail vins.duprat@wanadoo.fr

DOM. D'ESPÉRANCE Vin de Soleil 2005 ★★

3 ha 8 000 3 à 5 €

Coup de cœur pour ce Soleil rosé présenté par Claire de Montesquiou, également productrice d'armagnac. Son domaine organise par ailleurs des cours de cuisine pendant

l'année. Le robuste tannat, élevé sur lies fines après un doux pressurage, se présente dans une robe vive et limpide. Son nez dispense un intense fruité de griotte. Sa bouche se montre charnue et volumineuse. La **Cuvée rouge merlot tannat 2005**, aux saveurs de petits fruits rouges, est citée.
Claire de Montesquiou, Dom. d'Espérance,
40240 Mauvezin-d'Armagnac, tél. 05.58.44.85.93,
fax 05.58.44.87.15, e-mail info@esperance.fr
t.l.j. sf sam. dim. 8h-12h 14h-17h

Périgord

VIN DE DOMME Florimont 2005

1 ha 1 500 3 à 5 €

Cultivés sur un site fabuleux du Périgord noir, cabernet franc (70 %) et merlot ont donné ce vin pourpre aux notes confiturées. Assez chaleureux, il offre une longue finale. Vous le servirez avec un magret, des cèpes, voire une simple grillade.
SCA des Vignerons des Coteaux du Céou,
Moncalou, 24200 Florimont-Gaumier,
tél. 05.53.28.14.47, fax 05.53.28.32.48,
e-mail vignerons-du-ceou@wanadoo.fr
t.l.j. 9h-12h 14h-18h, groupes sur r.-v.

Terroirs landais

DOM. D'AUGERON Sables fauves 2005 ★

10 ha 70 000 - de 3 €

On a vendangé tard (fin novembre 2005) les raisins de cet assemblage judicieux de colombard (50 %), d'ugni blanc (45 %) et de gros manseng. Séduisant dans sa légère parure jaune paille, ce vin de belle maturité confirme à l'olfaction et en bouche les promesses entrevues : arômes floraux, équilibre et rondeur fruitée. Une bouteille aux vertus apéritives incontestables. Le **rosé 2005**, souple au palais, légèrement confit, obtient une étoile.
Régine Bubola, Dom. d'Augeron, 40190 Le Frèche,
tél. 05.58.45.82.30, fax 05.58.03.13.81,
e-mail domaine.augeron@wanadoo.fr
t.l.j. sf dim. 8h-12h 14h-18h

ROUGE DE BACHEN 2004 ★★

10 ha 30 000 11 à 15 €

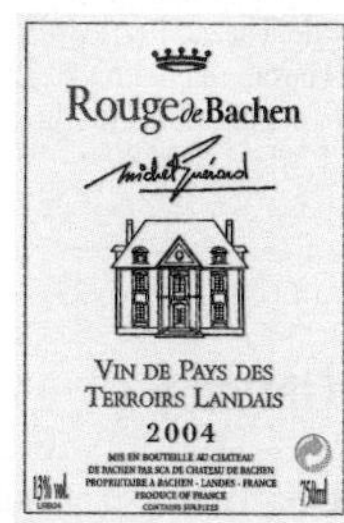

Faut-il présenter ici Michel Guérard qui a su faire d'Eugénie-les-Bains l'un des temples de la gastronomie française ? Le voici dans son activité de vigneron avec cette cuvée pourpre frangée de tuilé clair. Il conviendra de consommer sans trop attendre ce séducteur qui doit son élégance à 80 % de merlot mûr. Rien de tel qu'une volaille rôtie pour s'accorder avec ses arômes fruités et les douces notes vanillées d'une longue finale.
Michel Guérard,
Cie hôtelière et fermière d'Eugénie-les-Bains,
40800 Duhort-Bachen, tél. et fax 05.58.71.77.77,
e-mail direction@michelguerard.com r.-v.

COTEAUX DE CHALOSSE 2005 ★

10 ha 80 000 - de 3 €

Les nombreux touristes qui partagent leurs moments de loisirs entre les plages, les courses landaises et les fêtes de la région connaissent bien la cave des Vignerons Landais de Geaune où ils peuvent déguster des vins agréables à petits prix. Celui-ci porte une robe rouge profond et livre un nez de fruits noirs intense. La bouche puissante s'appuie sur des tanins qui demandent encore à s'assouplir. Ce 2005 sera prêt à rejoindre une entrecôte de bœuf de Chalosse en 2007. De la même cave, le **rosé 2005**, aux saveurs acidulées, obtient également une étoile.
Les Vignerons Landais, 40320 Geaune,
tél. 05.58.44.51.25, fax 05.58.44.40.22,
e-mail tech.vlandais@wanadoo.fr r.-v.

DOM. DU TASTET Coteaux de Chalosse 2005 ★★

1,6 ha 10 660 - de 3 €

Année après année, ce domaine produit des vins en accord avec la gastronomie des coteaux de Chalosse. Ce rosé frais et fruité trouvera sa place à table, tant il est équilibré, d'une rondeur avenante. La finale délicate sur des arômes de fruits rouges est un plus. Un rosé original.
EARL J.-C. Romain et Fils, Dom. du Tastet,
2350, chem. d'Aymont, 40350 Pouillon,
tél. 05.58.98.28.27, fax 05.58.98.27.63,
e-mail domaine-du-tastet@voila.fr r.-v.

Thézac-Perricard

VIN DU TSAR Tradition 2005

5 ha 46 000 3 à 5 €

Le président Fallières offrit ce vin à Nicolas II qui le commanda aussitôt... C'était il y a un siècle. Issu de malbec

et de merlot, ce rosé à la robe discrète se révèle floral, frais, léger et d'une bonne longueur. Étiquette recherchée par les collectionneurs.
Les Vignerons de Thézac-Perricard, Plaisance, 47370 Thézac, tél. 05.53.40.72.76, fax 05.53.40.78.76, e-mail info@vin-du-tsar.tm.fr
t.l.j. 9h15-12h15 14h-18h

Pays de la Garonne

Avec Toulouse en son cœur, cette région regroupe dans la dénomination régionale « vins de pays du Comté tolosan » les départements suivants : Ariège, Aveyron, Haute-Garonne, Gers, Landes, Lot, Lot-et-Garonne, Pyrénées-Atlantiques, Hautes-Pyrénées, Tarn et Tarn-et-Garonne. Les dénominations sous-régionales ou locales sont : côtes du Tarn, coteaux de Glanes (Haut-Quercy au nord du Lot : rouges pouvant vieillir), coteaux et terrasses de Montauban, côtes de Gascogne (zone de production de l'armagnac dans le Gers et quelques communes des départements limitrophes), côtes du Condomois et de Montestruc, et enfin Bigorre.

La diversité des sols et des climats, des rivages atlantiques au sud du Massif central, alliée à une gamme particulièrement étendue de cépages, en fait une région aux vins de pays d'une variété extrême : c'est à la fois son originalité et son attrait. L'ensemble de la région produit environ 1,5 million d'hectolitres, dont plus de 800 000 hl de blancs en Côtes de Gascogne et 250 000 hl en Comté Tolosan.

Ariège

DOM. DE LASTRONQUES 2004 *

1,15 ha 6 600 5 à 8 €

Quelques rares viticulteurs tentent depuis plusieurs années de remettre en valeur le vignoble ariégeois. Le domaine de Lastronques en est un bon ambassadeur. Sa syrah 2004 arbore une robe très soutenue, témoignant d'une juste extraction. Les tanins sont en effet bien présents, sans toutefois manquer de finesse ni de rondeur. La bouche grasse offre une finale longue, encore un peu austère. Deux ou trois années de vieillissement permettront sans doute de découvrir tous les charmes de ce vin.
EARL Cydonia, Dom. de Lastronques, 09210 Lézat-sur-Lèze, tél. 05.61.69.12.13, fax 05.61.69.18.44 r.-v.
A. et Ch. Zeller

Trouver les producteurs d'une commune. Reportez-vous à l'index.

Comté tolosan

VIN LE FLEUR 2005 **

15 ha 80 000 - de 3 €

Élaboré à partir de colombard, d'ugni blanc et de listan, ce Vin Le Fleur fait preuve de beaucoup de caractère. Le nez offre des notes florales (muguet) et fruitées (agrumes et en particulier orange). La bouche ronde, souple, gouleyante et charnue joue sur le fruité avec une légère note citronnée. À boire frais à l'apéritif ou tout au long d'un repas.
Cave de Crouseilles, 64350 Crouseilles, tél. 05.59.68.57.15, fax 05.62.69.66.08, e-mail m.darricau@crouseilles.com r.-v.

MONGINAUT 2005 **

0,5 ha 2 200 5 à 8 €

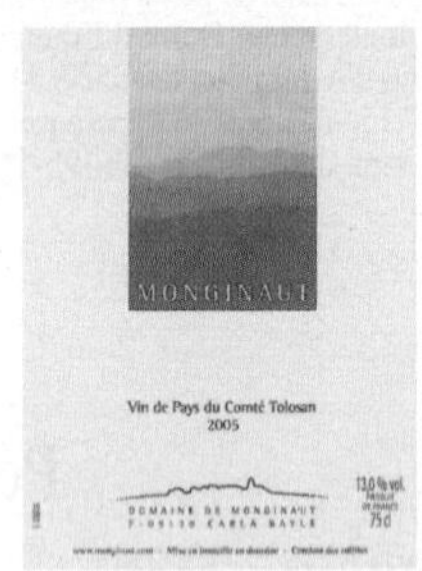

Sur les 30 ha de la propriété, 6 sont dédiés à la vigne, le reste étant constitué de bois et de prairies, pour l'élevage des chevaux. Côté vigne, le domaine, qui a contribué à la renaissance de la viticulture en Ariège, propose toute une gamme de vins de pays, dont ce merlot vinifié en rosé, coup de cœur qu'il faut absolument découvrir. Il se montre étonnamment typé, tout en gardant de la fraîcheur et le côté gouleyant, vif d'un rosé. La bouche est grasse, ample et presque charnue : son volume vous tapisse la bouche. Pour les amateurs de vin de caractère.
Ernst Wirz et Monika Krebs Wirz, Dom. de Monginaut, 09130 Carla-Bayle, tél. 05.61.68.47.53, e-mail monginaut@wanadoo.fr
r.-v.

LES PASTELIERS 2005 **

35 ha 200 000 - de 3 €

Alliant gamay et syrah, les Vignerons de Rabastens nous proposent une vinification en rosé très bien menée. La variété des arômes étonne : agrumes (pamplemousse), fruits rouges (framboise), auxquels s'ajoutent quelques notes florales. La bouche est fraîche, gouleyante, avec un parfait équilibre entre rondeur et vivacité. Tout ce qu'on peut attendre d'un rosé.
Vignerons de Rabastens, 33, rte d'Albi, 81800 Rabastens, tél. 05.63.33.73.80, fax 05.63.33.85.82, e-mail cave@vigneronsderabastens.com r.-v.

LE PETIT NÉGRET Rosé tendre 2005

n.c. 200 000 - de 3 €

La négrette donne d'excellents rosés, surtout quand elle est vinifiée par ceux qui, comme la cave de Fronton, la connaissent bien. Associée dans cette cuvée au cabernet,

elle donne un vin de couleur soutenue, au nez puissant de fruits rouges (groseille, framboise). À l'attaque vive, la bouche retrouve les arômes du nez.
Cave de Fronton,
rte de Montauban, 31620 Fronton,
tél. 05.62.79.97.79, fax 05.62.79.97.70 r.-v.

DOM. DE RIBONNET Syrah 2004 ★

6 ha 18 000 5 à 8 €

Le magnifique château, perché sur la colline, ancienne demeure du célèbre aviateur Clément Ader, donne le ton : enchanteur ! Un adjectif qui convient bien à cette étonnante gamme de vins de pays vinifiés au domaine ; comme cette syrah au nez animal, presque cuir, qui s'ouvre progressivement. La bouche, ronde avec des tanins fins bien que puissants, se termine sur une note épicée, caractéristique du cépage.
SARL Vallées et Terroirs,
Dom. de Ribonnet, 31870 Beaumont-sur-Lèze,
tél. 05.61.08.71.02, fax 05.61.08.08.06,
e-mail vinribonnet31@aol.com r.-v.
Gerber

Corrèze

MILLE ET UNE PIERRES
Élevé en fût de chêne 2004 ★

17 ha 80 000 5 à 8 €

D'anciennes truffières ont laissé place aux vignes par la volonté d'un groupe de viticulteurs. Cabernet franc (80 %), merlot pour l'appoint : voici un rouge grenat, dont le nez boisé exprime aussi les petites baies, la fraise des bois et la groseille. L'attaque est souple et la trame tannique indique un potentiel de garde appréciable.
Cave viticole de Branceilles, Le Bourg,
19500 Branceilles, tél. 05.55.84.09.01,
fax 05.55.25.33.01, e-mail cavebranceilles@wanadoo.fr
t.l.j. sf dim. 10h-12h 15h-18h

Coteaux de Glanes

LES VIGNERONS DU HAUT-QUERCY
Cuvée des Fondateurs 2004

2 ha 12 900 5 à 8 €

Le vignoble de Glanes, perché au nord du Lot, constitue en lui-même une attraction touristique. Il est l'aboutissement du travail mené de père en fils avec persévérance et ténacité pour élaborer un vin de pays de caractère. Les petits rendements donnent à cette cuvée des Fondateurs, force et puissance. Grasse, ronde et bien équilibrée, elle révèle des arômes de pruneau et de torréfaction. À découvrir sur un agneau fermier du Quercy.
Les Vignerons du Haut-Quercy, Le Bourg,
46130 Glanes, tél. et fax 05.65.39.73.42,
e-mail coteauxdeglanes@wanadoo.fr r.-v.

Coteaux et terrasses de Montauban

DOM. DU BIARNÈS 2005 ★

1,56 ha 2 500 3 à 5 €

Cabernet, syrah et tannat donnent toute sa richesse à ce vin du domaine du Biarnès. Sa robe rappelle les nuances rosées des pivoines. Son nez puissant et frais livre des arômes de fruits rouges (framboise) et de cassis. En bouche, on retrouve tout le caractère du cabernet (framboise, cassis), puis de la syrah (épices) et enfin du tannat (volume, puissance mais aussi finesse). Un assemblage très réussi.
Nathalie Patard, Les Falgasses,
82230 La Salvetat-Belmontet,
tél. 05.63.24.00.97, e-mail domainebiarnes@wanadoo.fr
t.l.j. 9h-12h30 14h-20h

LE MAS DES ANGES 2005

4,3 ha 7 500 8 à 11 €

Le terroir des coteaux et terrasses de Montauban est particulièrement riche. Francis Hamard nous le prouve avec cet élégant Mas des Anges à la robe grenat intense, au nez de réglisse, de fruits noirs et de vanille. La bouche, où l'on ne peut ignorer les tanins, offre la même complexité d'arômes. À laisser patienter encore deux ou trois ans.
Francis Hamard, 1623, rte de Verlhac-Tescou,
82000 Montauban, tél. et fax 05.63.24.27.05,
e-mail info@lemasdesanges.com r.-v. 4

DOM. DE MONTELS
Chardonnay Premières Terrasses 2005 ★

1 ha 4 000 3 à 5 €

Régulièrement sélectionné et plusieurs fois coup de cœur, le domaine de Philippe et Thierry Romain mérite qu'on s'y arrête, tant les vins de pays y sont variés et de qualité : monocépages, rouges ou rosés, moelleux élevés ou non en fût. L'attention du jury s'est portée cette année sur ce chardonnay. Le passage en fût particulièrement bien maîtrisé apporte ses notes de grillé, de miel et même d'épices. Floral, presque muscaté, le nez est très expressif. La bouche se révèle légèrement beurrée, voire lactée ; elle a le gras, le volume du chardonnay et une très belle longueur.
Philippe et Thierry Romain, Dom. de Montels,
82350 Albias, tél. 05.63.31.02.82, fax 05.63.31.07.94,
e-mail philippe.romain@aliceadsl.fr
t.l.j. sf dim. 9h-12h 14h-19h

Côtes du Condomois

DONA FLORA 2005

200 ha 120 000 3 à 5 €

Dans une Gascogne dédiée aux vins de pays blancs, le terroir du Condomois donne quelques rouges intéressants à découvrir. C'est le cas de cette cuvée, au nom de fleur mais dont le nez évoque plutôt les fruits rouges, les fruits secs et les épices. La bouche présente beaucoup de structure et de caractère. Une bonne expression du terroir.
Vignoble de Gascogne, 32400 Saint-Mont,
tél. 05.62.69.62.87, fax 05.62.69.66.71,
e-mail f.lhau@plaimont.fr r.-v.

Côtes de Gascogne

ARAMIS Colombard Ugni blanc 2005

22 ha 200 000 3 à 5 €

Situé dans le département des Pyrénées-Atlantiques, le domaine d'Aydie fait le lien entre la Gascogne et les monts pyrénéens. Ainsi Pierre Laplace a-t-il choisi de réaliser cet assemblage de cépages des vignobles gascon et pyrénéen, qui présente une grande variété d'arômes. Le nez, frais et vif, est pour le moins complexe : lacté, levure, fleurs, foin et fruits blancs (pomme). La bouche, ronde et puissante, après une attaque souple, dévoile des arômes d'agrumes (pamplemousse). Un vin particulièrement riche, à découvrir sur du poisson grillé.

SARL Pierre Laplace, Ch. d'Aydie, 64330 Aydie, tél. 05.59.04.08.00, fax 05.59.04.08.08, e-mail pierre.laplace@wanadoo.fr
t.l.j. 9h-12h30 14h-19h

DOM. DE BALLADE Moelleux 2005 **

4 ha 15 000 5 à 8 €

Voici une vinification en moelleux de petit et gros mansengs qui nous fait découvrir ces deux cépages de la Gascogne. Le résultat est cette cuvée qui étonne par la richesse et la complexité de ses arômes, tout au long de la dégustation. Au nez, on découvre d'abord les fruits mûrs (pruneau), puis viennent le fumé et les épices. La bouche est souple, fruitée, d'une sucrosité sans excès, avec de l'équilibre, de la rondeur et enfin une longueur où persistent les arômes de fruits confits.

Christian Morel, Dom. de Bordes, 47170 Sainte-Maure-de-Peyriac, tél. 05.53.65.62.16, fax 05.53.65.21.63, e-mail chateaudebordes@aol.com
t.l.j. 8h-12h 14h-19h; dim. sur r.-v.

DOM. DES CASSAGNOLES Gros Manseng Sélection 2005 *

10,5 ha 50 000 - de 3 €

Le domaine de Cassagnoles est de ceux qui font référence en Gascogne. Il offre une gamme très complète de vins de pays, mais aussi de flocs et d'armagnacs, où tout épicurien est sûr de découvrir ce qu'il recherche. Le jury a retenu cette année ce gros manseng Sélection. Prenez votre temps, laissez-le s'ouvrir et vous découvrirez successivement au nez la vanille, puis les agrumes, pour terminer par une note toastée, grillée.

J. et G. Baumann, Dom. des Cassagnoles, 32330 Gondrin, tél. 05.62.28.40.57, fax 05.62.28.42.42, e-mail j.baumann@domainedescassagnoles.com
t.l.j. sf dim. 9h-18h; sam. 10h-17h30

DOM. CHIROULET Les Terres blanches 2005 **

5 ha 30 000 5 à 8 €

Dans ce domaine Chiroulet (du patois *chiroula*, « vent qui souffle sur les coteaux »), Philippe Fezas a su obtenir le meilleur de chacun des cépages – gros manseng, ugni blanc et sauvignon –, en les assemblant de sorte qu'ils puissent tous affirmer leur personnalité. Le résultat est fort intéressant, avec ce vin au nez intense de fruits exotiques (mangue) et de fruits à noyau (pêche, abricot), agrémenté de quelques notes florales (tilleul), qui se termine sur une pointe citronnée. Une vinification menée de main de maître.

EARL Famille Fezas, Dom. de Chiroulet, 32100 Larroque-sur-l'Osse, tél. 05.62.28.02.21, fax 05.62.28.41.56, e-mail chiroulet@wanadoo.fr
r.-v.

COLOMBELLE 2005 ***

n.c. 400 000 - de 3 €

Issue à majorité (75 %) de colombard, cette cuvée de la cave de Plaimont porte bien son nom. Belle en effet, et ce n'est pas le 2005 qui viendra démentir cette réputation. Ses arômes, principalement d'agrumes (pamplemousse) et de fruits exotiques (mangue), vous sautent au nez, puis vous envahissent les papilles. Un millésime sans conteste dans la grande lignée des Colombelle.

Producteurs Plaimont, rte d'Orthez, 32400 Saint-Mont, tél. 05.62.69.62.87, fax 05.62.69.66.71, e-mail f.lhau@plaimont.fr r.-v.

DOM. DE L'ENCLOS Colombard 2005 **

10 ha 15 000 - de 3 €

Transmise de père en fils depuis trois générations, cette propriété n'a cessé de s'agrandir au fil des ans jusqu'à couvrir aujourd'hui une trentaine d'hectares. Le colombard est un peu le cépage emblématique de la Gascogne. Guy Prévitali nous en dévoile tous les charmes avec cette cuvée, si bien vinifiée dans la cave refaite à neuf. Au nez, elle est florale, puis fruitée (poire, pêche). Sa bouche se montre souple, équilibrée, complexe et grasse, avec une pointe de vivacité et de fraîcheur. À déguster sur des poissons.

Guy Prévitali, Dom. de L'Enclos, 32370 Manciet, tél. 06.80.07.61.21, fax 05.62.09.99.64 r.-v.

FLEUR DE FORTUNET 2005

15 ha 10 000 3 à 5 €

Cette cuvée propose un mariage réussi entre le colombard et le sauvignon. Les arômes d'agrumes (pamplemousse) dominent au nez, comme en bouche. Celle-ci, d'attaque vive, se montre équilibrée et structurée, puis livre une longue finale sur des notes d'ananas.

Dom. de Fortunet, 32110 Lanne-Soubiran, tél. 06.80.32.74.50, fax 05.62.09.16.01, e-mail domaine-fortunet@wanadoo.fr r.-v.
Famille Debets

PRESTIGE DE LA HIGUÈRE 2004 *

19 ha 40 000 - de 3 €

Le domaine de La Higuère propose toute une gamme de rouges fort bien vinifiés ; le jury s'est arrêté sur ce Prestige qui fait honneur à son nom. La robe est soutenue, nette et limpide. Le nez, où dominent les fruits rouges,

affiche une belle complexité. La bouche ample et grasse offre des tanins fins et fondus. Sans aucun doute, une référence pour l'amateur de vins de pays rouges.
Paul et David Esquiro, Dom. de la Higuère, 32390 Mirepoix, tél. 05.62.65.18.05, fax 05.62.65.13.80, e-mail esquiro@free.fr r.-v.

DOM. DE JOŸ L'Étoile 2005 ★★

60 ha 600 000 3 à 5 €

Le domaine de Joÿ, qui propose une large gamme de vins de pays, est un habitué des sélections du Guide. Sa cuvée L'Étoile mérite bien son nom. Le nez fin, discret, laisse s'exprimer des arômes d'agrumes, de fruits exotiques, de fruits blancs et une petite note de buis. La bouche est fruitée et ronde. Un vin élégant.
GAEC Gessler et Fils, Dom. de Joÿ, 32110 Panjas, tél. 05.62.09.03.20, fax 05.62.69.04.46, e-mail contact@domaine-joy.com r.-v.

DOM. DE MAGNAUT 2005 ★

2 ha 4 000 3 à 5 €

Coup de cœur l'an dernier pour son colombard, ce domaine est sélectionné cette année pour son rosé, moitié cabernet-sauvignon, moitié tannat. Tout en admirant sa belle robe rosée, un peu soutenue, vous découvrirez son nez frais aux arômes amyliques, épicés et fruités. La bouche est aussi riche, fruitée, avec ce qu'il faut de vivacité, mais sans excès.
Jean-Marie Terraube, Dom. de Magnaut, 32250 Fources, tél. 05.62.29.45.40, fax 05.62.29.58.42, e-mail domainedemagnaut@wanadoo.fr
t.l.j. 10h-18h

DOM. DE MALARTIC 2005

0,5 ha 1 500 3 à 5 €

Le domaine de Malartic nous propose cette cuvée moelleuse de petit manseng à la robe jaune doré soutenu et aux reflets verts. Au nez intense, se succèdent les arômes d'abricot sec, de coing, puis de grillé, pour terminer sur une note citronnée. Après une attaque souple, la bouche, pleine de richesse, rejoue la palette des arômes du nez.
EARL Périssé Père et Fils, Dom. de Malartic, 32400 Sarragachies, tél. 05.62.69.75.72, fax 05.62.69.80.37, e-mail malartic@aol.com
r.-v.

LE DOM. DE MÉNARD Colombard sauvignon 2005 ★★

20 ha 200 000 3 à 5 €

Ce domaine familial, situé sur la route de Compostelle, récompensé par un coup de cœur il y a deux ans, propose un mariage parfait entre colombard et sauvignon. Au colombard, les arômes d'ananas et de pamplemousse au nez, de litchi et de mangue en bouche. Au sauvignon, la vivacité, la fraîcheur et le nerf, agrémentés de notes florales et de buis. Un vin d'une grande richesse et d'une intéressante complexité.
EARL Charpenties, 32800 Bretagne-d'Armagnac, tél. 05.62.29.13.33, fax 05.62.29.10.71, e-mail contact@domainedemenard.com r.-v.
Prataviera et Jeyerlehner

DOM. DE MIRAIL Colombard 2005 ★

16,44 ha 150 000 5 à 8 €

Le domaine de Mirail a choisi de vinifier du colombard pur. L'amateur de ce cépage y retrouvera tout son caractère : les arômes de fleurs, puis de fruits secs et de fruits mûrs, complétés par une note briochée en finale. Une réussite.
Charles Hochman, EARL du Dom. de Mirail, 32700 Lectoure, tél. 05.62.68.82.52, fax 05.62.68.53.96, e-mail c.hochman@wanadoo.fr r.-v.

DOM. DE MONLUC 2005 ★

12 ha 35 000 5 à 8 €

Ce domaine, coup de cœur pour le millésime 1999, produit toujours des vins de qualité. C'est le cas de ce gros manseng liquoreux, à la belle robe jaune d'or soutenu. Le nez est intense, légèrement évolué, avec des arômes de pruneau, de fruits confits et de fruits secs. La bouche est tout aussi complexe et puissante : le passage en fût lui a conféré une note de torréfaction. Un vin équilibré, riche et agréable.
SAS Dom. de Monluc, Ch. Monluc, 32310 Saint-Puy, tél. 05.62.28.94.00, fax 05.62.28.55.70, e-mail monluc.sa.office@wanadoo.fr
t.l.j. sf lun. 10h-12h 15h-19h; f. jan.
Lassus

DOM. DE PELLEHAUT Harmonie de Gascogne 2005 ★

30 ha 100 000 3 à 5 €

Harmonie est bien le mot qui convient. Harmonie entre tous les cépages de la Gascogne : colombard, ugni blanc, gros manseng, folle blanche, mais également chardonnay et sauvignon. Le résultat est un vin équilibré, où chaque cépage apporte sa note personnelle. L'attaque fraîche et souple ouvre sur une bouche gourmande où se succèdent tous les arômes de fruits mûrs, de mangue, d'ananas et d'agrumes. Un vin plein de complexité et de richesse à découvrir.
Famille Béraut, Ch. de Pellehaut, 32250 Montréal-du-Gers, tél. 05.62.29.48.79, fax 05.62.29.49.90, e-mail contact@pellehaut.com r.-v.

LE RIEUTORT Colombard sauvignon 2005

10 ha 15 000 30 à 38 €

C'est la vivacité, avec un côté presque citronné, qui domine dans cet assemblage de colombard et de sauvignon. D'entrée, le nez est vif, avec des notes de fruits secs. L'attaque en bouche est franche, fraîche, même si elle ne manque pas d'un certain équilibre que lui confère la rondeur du colombard. Un vin très expressif.
Cave des Producteurs réunis de Nogaro, Les Hauts de Montrouge, 32110 Nogaro, tél. 05.62.09.01.79, fax 05.62.09.10.99, e-mail cpr@de-castelfort.com r.-v.

LES TERRASSES DE RUBENS Petit manseng Doux Élevé en fût de chêne neuf 2004 ★★★

3,7 ha 6 000 5 à 8 €

Les vignes d'Olivier Martin recèlent bien des trésors. On y trouve des fossiles marins datant du miocène, et qui sont exposés au caveau dans un petit musée. On y découvre aussi des pièces plus précieuses, comme ce petit manseng sublime qui décroche un coup de cœur. Le jaune paille soutenu et brillant de sa robe nous le rend immédiatement sympathique. La bouche est ronde, grasse, avec des arômes de vanille et des notes de grillé. Le passage en bois ne peut être ignoré, mais il est bien mené. À boire à l'apéritif, ou sur un dessert légèrement sucré. (Bouteilles de 50 cl.)

VDP

Olivier Martin, Dom. de Rubens, 32110 Nogaro, tél. et fax 05.62.69.02.38 t.l.j. 10h-21h

LES TROIS DOMAINES Cuvée Prestige 2003

2 ha 3 000 3 à 5 €

Tannat et cabernet font bon ménage dans la cuvée Prestige de ce domaine, groupement de trois amis viticulteurs associés pour valoriser un terroir et une passion. Au tannat la force et la puissance, la charpente et le corps ; au cabernet cette pointe de poivron vert, cette note épicée, cette rondeur et cette souplesse. Un mariage réussi.

GAEC des Trois Domaines, Lassalle, 32390 Réjaumont, tél. 05.62.65.28.83, fax 05.62.65.27.52, e-mail 3domaines@3domaines.com r.-v.

LA TUILERIE 2005 *

2 ha 6 000 3 à 5 €

Quelques terroirs en Gascogne sont propices aux cépages rouges et y donnent d'excellents résultats, en rouge ou en rosé. Il en est ainsi du domaine de La Tuilerie, où Joël Pellefigue a vinifié un rosé étonnant : son nez dominé par les fruits rouges légèrement confits est puissant. Sa bouche se montre fraîche, gouleyante et fruitée. À boire frais sur des salades.

Joël Pellefigue, Dom. de La Tuilerie, 32810 Roquelaure, tél. 05.62.65.50.30, fax 05.62.65.58.35, e-mail pellefigue.joel@wanadoo.fr r.-v.

UBY Colombard sauvignon N° 1 2005 *

8 ha 20 000 5 à 8 €

La cuvée N ° 3, assemblage de colombard et d'ugni blanc, avait été coup de cœur l'an dernier. Changement de cépage avec ce N ° 1 à la très belle robe brillante, jaune clair avec des reflets verts. Le nez est tout aussi charmeur : complexe, intense et frais, il exprime des notes épicées, puis de fruits mûrs, d'agrumes, de litchi, pour finir sur des arômes de buis. La bouche complète agréablement ce nez : souple, bien équilibrée à l'attaque, elle révèle les mêmes arômes et la même richesse.

SCEA Jean-Charles Morel, Uby, 32150 Cazaubon, tél. 05.62.09.51.93, fax 05.62.09.58.94, e-mail domaineuby@wanadoo.fr t.l.j. 8h-12h 14h-18h; f. déc.

LES VIGNES DE CHLOÉ 2005

1 ha 11 000 3 à 5 €

Pourquoi ne pas s'essayer à vinifier un merlot, surtout quand c'est réussi ? Cela donne un vin rond, équilibré et fin, avec ce qu'il faut de gras et de volume. Les arômes s'y bousculent littéralement tant au nez qu'en bouche : fruits rouges, fruits confits, pruneau, cerise et cassis, avec une légère note de torréfaction.

Famille Dousseau, Dom. Sergent, 32400 Maumusson-Laguian, tél. 05.62.69.74.93, fax 05.62.69.75.85, e-mail b.dousseau@32.sideral.fr t.l.j. sf dim. 8h30-12h30 14h-18h30

Côtes du Tarn

DAVID MAÎTRE VIGNERON

Sauvignon mauzac 2005 *

3 ha 20 000 3 à 5 €

Appartenant à la même famille depuis cinq générations, le domaine produisait à l'origine des vins de messe. Aujourd'hui, François David nous propose cette cuvée de mauzac, cépage traditionnel du Tarn, assemblé au sauvignon. Bonbon anglais, fruits blancs, banane et quelques notes d'agrumes : voici pour la palette d'arômes, aussi expressifs au nez qu'en bouche. Celle-ci offre également du volume et du gras. Un beau vin de plaisir.

François David, Les Fortis, 81310 Lisle-sur-Tarn, tél. 05.63.40.47.80, fax 05.63.40.45.08, e-mail clement-termes@wanadoo.fr t.l.j. sf dim. 9h-12h 14h-19h

LES VIGNES DES GARBASSES

Rosé de saignée 2005 **

0,35 ha 3 100 3 à 5 €

Souvent sélectionné dans le Guide et après une cuvée en rouge distinguée l'an dernier, Guy Fontaine propose ce rosé obtenu par saignée, qui ne peut laisser indifférent. Si vous vous rendez au domaine, vous aurez le plaisir de le découvrir dans le caveau de dégustation installé dans un ancien pigeonnier. Le nez de ce 2005 est particulièrement puissant (framboise) et la bouche, souple à l'attaque, se montre ample, bien équilibrée et très aromatique (framboise, puis cassis).

Guy Fontaine, Le Bousquet, 81500 Cabanes, tél. 05.63.42.02.05 t.l.j. 8h-19h; dim. sur r.-v.

DOM. SARRABELLE Chardonnay 2005 **

1 ha 9 000 3 à 5 €

À la tête de ce domaine, propriété familiale depuis 1795 et huit générations, Laurent et Fabien Caussé ont su tirer le meilleur de leurs pieds de chardonnay. Ils ont ainsi réalisé cette cuvée ample, intense, puissante, à laquelle les arômes ne font pas défaut : acacia, pêche blanche, pomme, agrumes. En bouche, une petite pointe de fraîcheur donne un ensemble remarquable et très agréable.

Laurent et Fabien Caussé, 81310 Lisle-sur-Tarn, tél. 05.63.40.47.78, fax 05.63.81.49.36, e-mail contact@sarrabelle.com r.-v.

Gers

DOM. DE POUYPARDIN Les Lionceaux 2004 *

1 ha 2 500 5 à 8 €

La propriété a été entièrement restructurée entre 1998 et 2003, et on en voit le résultat avec ce 2004. Ce vin de pays du Gers, né sur un terroir propice aux rouges, nous fait découvrir une vinification de cot (malbec) et de fer servadou. Le caractère soutenu de la robe, toasté du nez et charpenté de la bouche témoignent d'une extraction des tanins bien menée. Les flaveurs de fruits mûrs, de poivre et même les notes florales, se succèdent dans un ensemble bien équilibré.

🔑 Antonin Nicollier, Ch. de Pouypardin, 32100 Condom, tél. 05.62.68.34.77, fax 05.62.28.27.18, e-mail antonin-nicollier@wanadoo.fr ☑ Y ⚲ r.-v.

Lot

DOM. DE CAUSE
Malbec Bouquet de Cavagnac 2005

■ 1,1 ha 6 000 ▮ 5 à 8 €

Si le vignoble de Cahors est déjà célèbre pour ses rouges de caractère, il propose également des vins de pays rosés agréables. Ce 2005 offre un nez amylique de fruits rouges, témoin d'une certaine rondeur en bouche. Celle-ci se révèle en effet harmonieuse et souple, et sa puissance lui assure une bonne longueur.

🔑 EARL Durou-Costes, Cavagnac, 46700 Soturac, tél. 05.65.36.41.96, fax 05.65.36.41.95, e-mail domainedecause@wanadoo.fr ☑ Y ⚲ r.-v.

PINERAIE Malbec Rosée 2005 *

■ 1 ha 5 800 ▮ 3 à 5 €

Le malbec, également appelé cot, donne entre les mains de la famille Burc un rosé bien agréable. Sous la belle robe rose pétale, on découvre un nez de fruits rouges (framboise) légèrement amylique et floral. Puissance et complexité caractérisent la bouche, qui offre ce qu'il faut d'acidité pour la fraîcheur, tout en ayant du gras et de la persistance. L'étiquette arbore de jolies perles... de rosée ! Il est vrai que ce vin joue le registre de la fraîcheur.

🔑 Jean-Luc Burc, Leygues, 46700 Puy-l'Évêque, tél. 05.65.30.82.07, fax 05.65.36.44.72, e-mail chateaupineraie@wanadoo.fr
☑ Y ⚲ t.l.j. sf dim. 8h-12h 14h-18h

Pyrénées-Atlantiques

DOM. BORDES-LUBAT 2005 **

■ 3,45 ha 12 000 5 à 8 €

Voici un pur tannat, issu de vieilles vignes conduites en agriculture raisonnée, que Francis Lubat a parfaitement vinifié. Tout en gardant toute la force du cépage, ce vin reste bien équilibré. Les arômes de fruits rouges sont omniprésents, laissant le cassis s'exprimer avec force. La richesse et le corps des tanins, alliés à une pointe de verdeur, invitent à quelques années de vieillissement.

🔑 Francis Lubat, EARL Dom. Bordes-Lubat, 64330 Taron, tél. et fax 05.59.04.95.82, e-mail francis.lubat@wanadoo.fr ☑ Y ⚲ r.-v.

CABIDOS Sauvignon 2004 ***

■ 0,3 ha 2 200 ⏺ 8 à 11 €

C'est pour ne pas perdre des droits de plantation que Vivien de Nazelle a décidé, en 1997, de reprendre le domaine. Quelle bonne idée ! Après un coup de cœur trois étoiles l'an dernier pour une cuvée de tannat, c'est une cuvée de blanc qui est distinguée cette année. Cela montre bien le large éventail de vins de pays de haut de gamme du domaine. Les arômes puissants de ce sauvignon explosent littéralement au nez comme en bouche. Fruits frais, agrumes (pamplemousse, mandarine), buis, fruits exotiques : quelle richesse ! Ajoutez à cela une bouche grasse, ample, volumineuse... et vous êtes comblés.

🔑 Vivien de Nazelle, Ch. de Cabidos, 64410 Cabidos, tél. 05.59.04.43.41, fax 05.59.04.41.83, e-mail vin.de.cabidos@wanadoo.fr
☑ Y ⚲ t.l.j. sf sam. dim. 8h-12h 14h-17h30

Languedoc et Roussillon

Vaste amphithéâtre ouvert sur la Méditerranée, la région Languedoc-Roussillon décline ses vignobles du Rhône aux Pyrénées catalanes. Premier ensemble viticole français, elle produit près de 80 % des vins de pays de France. Les vins de pays de départements (Aude, Gard, Hérault et Pyrénées-Orientales) représentent 3,1 millions d'hectolitres. Dans chacun de ces département les vins de pays produits sur une zone plus restreinte sont nombreux (57 zones) pour 1 million d'hectolitres. Enfin, le vin de pays régional « Vin de Pays d'Oc », constitué à 80 % de vins de cépage avec six grands cépages essentiellement (cabernet-sauvignon, merlot, syrah en rouge et chardonnay, sauvignon, viognier en blanc) représente 3,5 millions d'hectolitres.

Obtenus par la vinification séparée de cuvées, les vins de pays de la région Languedoc-Roussillon sont issus non seulement de cépages traditionnels (carignan, cinsault et grenache, syrah pour les vins rouges et rosés, clairette, grenache blanc, macabeu, muscat, terret pour les blancs) mais aussi de cépages non méridionaux : merlot, cabernet-sauvignon, cabernet franc, cot, petit verdot et pinot noir pour les vins rouges ; chardonnay, sauvignon et viognier pour les vins blancs.

Aude

DOM. DE MARTINOLLES
Grande Réserve Pinot noir 2001 *

■ 2 ha 7 000 ⏺ 8 à 11 €

Au domaine de Martinolles, tout proche de l'abbaye de Saint-Hilaire, on se laisse surprendre par cette cuvée élevée pendant plus d'un an en fût de chêne. Véritable défi à certains pinots septentrionaux, ce vin se distingue par sa structure et son bouquet où épices douces et notes confiturées jouent une élégante partition.

VDP

🔑 Vignobles Vergnes, Dom. de Martinolles, 11250 Saint-Hilaire, tél. 04.68.69.41.93, fax 04.68.69.45.97, e-mail martinolles@wanadoo.fr
t.l.j. sf sam. dim. 8h-12h 13h30-18h30

Cassan

DOM. DE SAINTE MARTHE Syrah 2005 *

15 ha 160 000 5 à 8 €

La syrah de Sainte Marthe trouve régulièrement le chemin de sélection du Guide. Élevée en fût, elle décroche même un coup de cœur pour le millésime 1999. On la retrouve dans ce millésime 2005, parée d'une robe rouge brillante. Au nez fin de fruits rouges et d'épices, succède une bouche souple et onctueuse. À essayer avec des plats d'automne, comme une poêlée de cèpes.

🔑 SCEA Vignobles Olivier Bonfils, 5, rue Descartes, 34760 Boujan-Libron, tél. 04.67.93.10.10, fax 04.67.93.10.05

Caux

DOM. DE NIZAS Carignan Vieilles Vignes 2004 *

2,7 ha 18 000 8 à 11 €

Les terroirs du villafranchien contribuent sans conteste à la réussite des ambitieux efforts de John Goelet pour créer de grands vins languedociens. Ses vignes quinquagénaires de carignan ont produit ce vin grenat soutenu. Le nez intense exprime les fruits noirs sur un fond d'épices. La bouche ample et équilibrée est charpentée par des tanins de qualité. Idéal pour une daube de sanglier.

🔑 John Goelet, SCEA Dom. de Nizas et Sallèles, hameau de Sallèles, 34720 Caux, tél. 04.67.90.17.92, fax 04.67.90.21.78, e-mail contact@domainedenizas.com
t.l.j. sf sam. dim. 10h-17h

Cité de Carcassonne

DOM. DE SERRES 2004 *

1,2 ha 4 000 5 à 8 €

Sur ce domaine créé dans l'entre-deux-guerres, Sabine Le Marié perpétue la tradition familiale depuis maintenant dix ans. À dominante de merlot (60 %) vendangé à pleine maturité, complété de cabernet franc, ce vin dévoile des arômes de fruits rouges et une chair ample, gourmande... Tout est en place pour une rencontre avec un filet de bœuf aux champignons.

🔑 Sabine Le Marié, Dom. de Serres, 11000 Carcassonne, tél. 04.68.25.29.82, fax 04.68.25.03.94, e-mail domaine-de-serres@wanadoo.fr r.-v.

Collines de la Moure

DOM. DU CHAPITRE Cuvée Les Délices 2004 **

2 ha 5 400 8 à 11 €

L'ancien vignoble de l'évêché de Maguelonne a désormais vocation pédagogique, après le legs qu'en fit la comtesse Sabatier d'Espeyran à l'école d'agronomie de Montpellier. On y multiplie donc les expérimentations viticoles. Compagnon de la syrah (15 %) et du merlot (15 %), le marselan, croisement de grenache et de cabernet, vient apporter à cette cuvée complexité et puissance. Un vin au nez intense de fruits rouges et de vanille. La bouche est ample et ronde, marquée par un boisé présent mais fondu, héritage du passage en barrique.

🔑 Dom. du Chapitre, BP 13, 34751 Villeneuve-lès-Maguelonne, tél. 04.67.69.48.04, fax 04.67.69.53.14, e-mail chapitre@ensam.inra.fr
t.l.j. sf dim. lun. 9h-19h

Coteaux d'Ensérune

LOUIS FABRE Tempranillo 2005 *

15 ha 30 000 3 à 5 €

Les origines vigneronnes de la famille Fabre remontent au XVIII[e]s. Ce tempranillo 2005 se pare d'un habit sombre aux reflets ambrés. Le nez, puissant et complexe, s'harmonise sur les fruits secs. Il précède une bouche souple et gouleyante. Pour un barbecue.

🔑 Louis Fabre, Ch. de Luc, rue du Château, 11200 Luc-sur-Orbieu, tél. 04.68.27.10.80, fax 04.68.27.38.19, e-mail vignoble-louisfabre@wanadoo.fr
t.l.j. 9h-12h 14h-17h; sam. dim. sur r.-v.

Coteaux de Miramont

DOM. DE FONTENELLES
Cuvée du Poète Renaissance 2005 **

15 ha 50 000 5 à 8 €

Un assemblage de vieux carignan (30 %), de syrah (30 %), de grenache (5 %) et de merlot (35 %). Cette cuvée se signale par une bouche ronde et souple, où l'on retrouve les stimulantes notes de fruits rouges et de garrigue, perçues à l'olfaction. Plaisirs assurés en compagnie d'un rosbif aux légumes printaniers.

🔑 Thierry Tastu, Dom. de Fontenelles, 78, av. des Corbières, 11700 Douzens, tél. et fax 04.67.58.15.27, e-mail t.tastu@fontenelles.com r.-v.

Coteaux de Narbonne

MAS DU SOLEILLA Terre du Vent 2004 *

2 ha 6 000 11 à 15 €

Des terroirs argilo-calcaires sur les hauteurs de La Clape, d'où le regard se perd dans l'encre bleue du Golfe du Lion. C'est là que Christa Derungs et Peter Wildbolz ont cultivé cabernet franc et merlot pour composer cette Terre du Vent élevée quinze mois en barrique. Un vin au nez intense de fruits cuits, de pruneau et de tabac. La bouche, souple d'attaque, est charpentée par des tanins fondus tout en déclinant des arômes de bonne persistance. De quoi accompagner un filet mignon aux fèves.

Peter Wildbolz, Mas du Soleilla,
rte de Narbonne-Plage, 11100 Narbonne,
tél. 04.68.45.24.80, fax 04.68.45.25.32,
e-mail vins@mas-du-soleilla.com
t.l.j. 8h-20h
Peter Wildbolz, Christa Derungs

Coteaux du Salagou

CLOS DES CLAPISSES Carignan 2005 **

1 ha 5 000 5 à 8 €

Un hectare de carignan quasi centenaire sur des dépôts stratifiés de cendre volcanique, c'est assez rare. Pour sa première année à la tête du domaine, marquée par le retour en cave particulière, Bruno Peyre réussit un vin de beau lignage, pourpre soutenu. Les arômes de fruits rouges et de garrigue apportent une agréable fraîcheur, tandis qu'une matière ample et équilibrée se déploie au palais.

Bruno Peyre, rte de La Molière,
34800 Octon, tél. 04.67.72.20.84,
e-mail clos.clapisses@cegetel.net r.-v.

Côtes catalanes

DOM. DE L'AUSSEIL P'tit Piaf 2005 *

1,5 ha 6 000 5 à 8 €

Il sautille au palais avec grâce, ce P'tit Piaf du domaine de L'Ausseil (qui signifie « oiseau » en langue d'Oc). Gavé de merlot (70 %) et de carignan, câliné par une vinification effectuée tout en douceur, il joue une jolie musique : nez de fruits frais, tanins enrobés et pointe de vivacité assurant un beau retour fruité en finale... Pour des grillades au feu de bois.

Anne et Jacques de Chancel, bd de L'Ausseil,
18, bd Gambetta, 66720 Latour-de-France,
tél. et fax 04.68.29.18.68, e-mail jc@lausseil.com
r.-v.

BABY DEL REY 2004 **

3 ha 10 000 5 à 8 €

Queribus, un des derniers bastions de l'épopée cathare, semble veiller sur les schistes de Maury. Grenache et carignan, à parts égales, ont donné naissance à ce « baby » qui, malgré son jeune âge, affiche déjà beaucoup de puissance et de complexité. Le nez exprime des arômes de fruits mûrs, presque confits, et la bouche charpentée fait preuve d'ampleur. Cette bouteille saura accompagner viande en sauce et cassoulets.

Jacques Montagné, 7, rue Barbusse, 66460 Maury,
tél. et fax 04.68.59.15.08

DOM. CAZES
Le Canon du maréchal Muscat viognier 2005 **

18 ha 25 000 3 à 5 €

Ce domaine familial s'est peu à peu converti à la biodynamie. Il s'est agrandi avec l'achat de vignes appartenant à la famille du maréchal Joffre, lui-même natif de Rivesaltes, auquel cette cuvée rend hommage. Couleur doré, cet assemblage de muscat et de viognier déploie subtilement des notes fraîches de fleurs blanches et de goyave. La bouche, puissante et élégante, achève de convaincre avec sa longue finale où l'on retrouve les arômes du nez.

Dom. Cazes, 4, rue Francisco-Ferrer, BP 61,
66602 Rivesaltes, tél. 04.68.64.08.26, fax 04.68.64.69.79,
e-mail marie.cazes@cazes.com r.-v.

CLOS DU ROMARIN 2003 **

1,5 ha 4 000 5 à 8 €

Décidé à voler de ses propres ailes, Jean-Guy Pujol quitte la cave coopérative en 2002. Confronté à l'atypique millésime 2003, il a su surmonter les difficultés de cet été caniculaire. Avec 80 % de grenache noir et 20 % de carignan, il a élaboré ce vin de pays équilibré, qui dispense des arômes capiteux de fruits à noyau, de moka et de chocolat et livre une bouche chaleureuse, ample, longue. « Le grenache dans toute sa splendeur », conclut un dégustateur. Pour un accord gourmand avec une gigue de chevreuil.

Jean-Guy Pujol, Clos du Romarin, rte des Mas,
66460 Maury, tél. et fax 04.68.59.17.98,
e-mail contact@clos-du-romarin.com r.-v.

MAS BALANDE Muscat moelleux 2005 **

5 ha 9 000 3 à 5 €

La vigne est ici une histoire de famille : achat et restructuration du vignoble par Henri Lacassagne, modernisation de l'outil de vinification par ses filles et établissement d'un chai à barriques par son petit-fils. Aux amateurs de découvertes inattendues, ce fringant moelleux, élaboré avec 100 % de muscat d'Alexandrie est à conseiller. Un vin aux intenses flaveurs d'abricot confit, de miel et de girofle. Équilibrée, la bouche reste fraîche sans sucrosité tapageuse. La compagnie d'un sabayon ne serait pas pour lui déplaire.

Dom. Lacassagne, Mas Balande,
rte d'Elne km 1, 66100 Perpignan, tél. 04.68.50.25.32,
fax 04.68.50.56.52, e-mail info@lacassagne.net
t.l.j. sf sam. dim. 9h-12h 14h-18h

MAS DE LAVAIL
Le Sud Élevé en fût de chêne 2004 *

3 ha 7 600 11 à 15 €

Des vignes vénérables de grenache blanc et gris, vendangées à la main, ont fourni des raisins sains et prometteurs. Huit mois d'élevage en fût de chêne ont fait le reste. La rencontre avec le bois marque encore le vin de notes grillées. Équilibrée, la bouche offre ampleur et persistance aromatique. Viandes blanches et poissons grillés seront de vons accords.

Nicolas Batlle, Dom. de Lavail,
18, rue Henri-Barbusse, 66460 Maury,
tél. 04.68.59.15.22, fax 04.68.29.08.95,
e-mail masdelavail@wanadoo.fr r.-v.

MONTANA Le Rouge Éternel 2005 *

2,5 ha 10 000 5 à 8 €

Un assemblage éclectique (grenache noir, syrah, cabernet-sauvignon, merlot). Le nez intense livre des notes

VDP

de fruits mûrs. Fruits rouges, évidemment, que l'on retrouve au palais, où rondeur, ampleur et longueur sont au rendez-vous. Un vin classique pour des accords simples avec des charcuteries.

Ch. Montana, rte de Saint-Jean-Lasseille, 66300 Banyuls-dels-Aspres, tél. 04.68.37.54.84, fax 04.68.21.86.37, e-mail chateaumontana@wanadoo.fr
t.l.j. sf dim. 10h-12h30 14h30-18h

Saurel

OH D'ÉTÉ Syrah grenache noir 2005 *

3 ha 9 000 3 à 5 €

Sur les terrasses argilo-caillouteuses qui s'étagent au-dessus de l'étang de Canet, grenache noir (80 %) et syrah ont enfanté cette attrayante cuvée de rosé. Délicatement floral, le vin doit son élégance à une bouche fraîche aux saveurs de fruits exotiques. De l'été en bouteille à déguster toute l'année, avec des escargots grillés, en souvenir des vacances... Le **Oh Muscat 2005** obtient également une étoile.

Philippe et Cathy Sisqueille, Ch. de Rey, rte de Saint-Nazaire, 66140 Canet-en-Roussillon, tél. 04.68.73.86.27, fax 04.68.73.15.03, e-mail contact@chateauderey.com
t.l.j. sf sam. dim. 9h-12h 14h-17h

NINET DE PENA Viognier 2005 *

n.c. 5 000 3 à 5 €

En leur château de Pena, les vignerons de Cases-de-Pène veillent sur leurs vignes qui s'étendent du nord-est du département catalan jusqu'aux premiers contreforts des Corbières. Enraciné sur des marnes et des schistes noirs, le viognier a produit cette cuvée qui se présente sous une brillante robe or pâle. Le nez intense de fruits blancs et d'agrumes est encore en accord avec une bouche équilibrée, qui rejoue les arômes du bouquet, égayée d'une pointe de fraîcheur. De sympathiques apéritifs en perspective.

Les Vignerons de Cases-de-Pène, 2, bd Mal-Joffre, 66600 Cases-de-Pène, tél. 04.68.38.93.30, fax 04.68.38.92.41, e-mail chateau-de-pena@wanadoo.fr
t.l.j. sf dim. 9h-12h 14h-18h

JÉRÔME ROUAUD
Frivole Muscat petits grains 2005 *

0,5 ha 2 200 5 à 8 €

Par choix éthique, Jérôme Rouaud a opté, depuis 2004, pour l'agriculture biologique sur son domaine de 9 ha acquis récemment. Il propose un muscat à petits grains à l'élégante robe pâle ornée de reflets or. La finesse des arômes (fleurs blanches) se prolonge en bouche, soulignant l'ample matière. Une entrée printanière (caviar d'aubergines) devrait honorer ce vin comme il le mérite.

Jérôme Rouaud, 7, rue du Portal-d'Amont, 66370 Pézilla-La-Rivière, tél. 08.75.91.82.33, fax 04.68.92.46.59, e-mail rouaud.vigneron@wanadoo.fr r.-v.

DOM. DE VÉNUS 2003 *

2,95 ha 8 214 5 à 8 €

Cette cave particulière créée en 2003 occupe une partie des locaux de la coopérative de Saint-Paul. Son premier millésime, assemblage de grenache, de syrah et de carignan, est une réussite dans une année réputée difficile. La robe tuilée annonce l'évolution de ce vin aux arômes confiturés. Souple et ronde, la bouche retrouve les notes de fruits rouges et d'épices jusque dans une longue finale et s'appuie sur des tanins soyeux. « C'est Vénus tout entière à sa proie attachée »...

SCEA Alta Vigna, 13, av. Jean-Moulin, 66220 Saint-Paul-de-Fenouillet, tél. et fax 04.68.59.18.81, e-mail domainedevenus@aliceadsl.fr

Côtes de Thongue

DOM. DE L'ARJOLLE Équinoxe 2005 *

10 ha 46 000 8 à 11 €

L'Équinoxe 2005 a été vendangé à la main sur les chaudes terres du domaine où sept amoureux de la qualité multiplient les expériences (on y a récemment planté du camenère après le zinfandel il y a quelques années). Une touche de muscat (20 %), pour titiller sauvignon et viognier présents à parité, et un passage en fût : c'est la recette de cette cuvée qui décline un fin boisé, des notes beurrées et des senteurs d'agrumes et de chèvrefeuille persistants. Un vin harmonieux.

Dom. de L'Arjolle, 7 bis, rue Fournier, 34480 Pouzolles, tél. 04.67.24.81.18, fax 04.67.24.81.90, e-mail domaine@arjolle.com
t.l.j. sf dim. 9h-12h 14h-18h

Teisserenc

DOM. BASSAC Syrah 2005 *

4 ha 24 000 3 à 5 €

Ce domaine conduit en agriculture biologique est fort apprécié à l'étranger où part 90 % de sa production. Aussi ne tardez pas si vous voulez goûter cette syrah dont l'attrait réside autant dans la palette de fruits noirs et de garrigue que dans une chair bien structurée.

GAEC Delhon Frères, rue de la Condamine, 34480 Puissalicon, tél. 04.67.36.05.37, fax 04.67.36.63.27, e-mail domainebassac@wanadoo.fr r.-v.

DOM. DES CAPRIERS Les Larmes d'Ema 2005 *

2,5 ha 7 500 5 à 8 €

Bien enraciné dans les terroirs villafranchiens, le chardonnay (90 % de l'assemblage), émoustillé par un zeste de muscat à petits grains, est à l'origine d'un vin parfumé de fleurs blanches et de fruits. La bouche souple et ample conserve une certaine vivacité qui contribue à son équilibre. Pour apéritifs décontractés.

GAEC Marion et Mathieu Vergnes, 605, av. de la Gare, 34480 Puissalicon, tél. et fax 04.67.36.21.08, e-mail contact@domainedescapriers.com r.-v.

DOM. LES FILLES DE SEPTEMBRE
Clos Marine 2004 *

1 ha 4 000 5 à 8 €

Les deux frères Géraud sont aux commandes de ce domaine : Roland conduit le vignoble, tandis que Hugues s'occupe de la vinification. À la génération d'en dessous, vous l'aurez deviné... il n'y a que des filles ! Un élevage de neuf mois en fût de chêne a conféré à cet assemblage de chardonnay, de sauvignon et de viognier une stature à la fois élégante et vigoureuse. Sa matière s'épanouit en bouche, associant les notes de coing, de grillé et de vanille. À savourer avec des truites en papillote. Une étoile également pour la cuvée **Delphine de Saint-André rouge 2004**.

Roland Géraud, Dom. Les Filles de septembre, av. Guynemer, 34290 Abeilhan, tél. et fax 04.67.39.01.65 t.l.j. sf dim. 10h-12h 16h-19h; f. fév.

ICARE 2005 **

n.c. 20 000 3 à 5 €

Empruntez les « circulades » autour du château d'Alignan en songeant aux festivités qui seront l'occasion de servir ce vin. Le sauvignon (60 %), le chardonnay, le viognier et le muscat composent cette cuvée aux notes de pêche blanche et à la fraîche tonicité en bouche. Apprécié aussi pour sa typicité, le **sauvignon 2005** obtient une étoile.

Cave Coopérative Alignan-du-Vent, rue de la Guissaume, 34290 Alignan-du-Vent, tél. 04.67.24.91.31, fax 04.67.24.96.22, e-mail info@cavecooperative.com r.-v.

DELPHINE DE MARGON Chardonnay 2005 *

8 ha 40 000 5 à 8 €

Quand le septentrional chardonnay flirte avec le Languedoc, il donne souvent des résultats surprenants. En témoigne ce vin blanc vinifié à l'ombre du château médiéval de Margon. De sa robe jaune paille brillant s'élèvent de puissants arômes de pain d'épice et de grillé, héritage du fût. Au palais, les saveurs miellées jouent les harmonistes en accompagnement de douces épices. Une truite aux amandes mettra en valeur les rondeurs de cette bouteille.

Delphine de Margon, Ch. de Margon, 34320 Margon, tél. 04.67.24.81.18, fax 04.67.24.81.90, e-mail domaine@arjolle.com t.l.j. sf dim. 9h-12h 14h-18h

DOM. DE MONTBUISSON Le Bois des bécasses 2003 **

1,5 ha 4 000 8 à 11 €

Séjournant au gîte rural du domaine, vous pourrez visiter la cité de Pézenas et les nombreux châteaux et abbayes de la région. De retour de promenade, vous découvrirez ce vin élevé un an en fût, dont la richesse des arômes (fruits confits, fruits noirs et rouges) et la rondeur de la bouche rappellent la chaleur du millésime. Gibier et fromages affinés seront des faire-valoir pour ce 2003 affichant une grande maturité.

Brigitte Maraval, 25, rue Victor-Hugo, 34120 Pézenas, tél. 04.67.98.86.47, fax 04.67.98.88.66, e-mail montbuisson@club-internet.fr r.-v.

DOM. DE MONT D'HORTES Chardonnay 2005 ***

3,5 ha 20 000 3 à 5 €

Décidément, les cépages blancs sont à leur aise chez Jacques Anglade. Après un coup de cœur trois étoiles pour son sauvignon 2002 (Guide 2004), c'est au tour du chardonnay de se distinguer. Un sol argilo-calcaire, un climat de type méditerranéen, un soin méticuleux à la vigne, à la vendange et à la cave ont concouru à cette réussite. Ce 2005 se présente dans une parure d'or aux légers reflets émeraude. Il dévoile un bouquet gourmand de chèvrefeuille, de verveine et d'aubépine, puis s'affirme en bouche sur la fraîcheur. Pour des seiches à la rouille.

Jacques Anglade et Fils, Dom. de Mont d'Hortes, 34630 Saint-Thibéry, tél. 04.67.77.88.08, fax 04.67.30.17.57, e-mail mont-dhortes@wanadoo.fr t.l.j. 9h-12h 14h-18h

DOM. DE MONTMARIN Viognier 2005 *

18 ha 60 000 3 à 5 €

Entre le cap d'Agde et Béziers, à quelques encablures de la mer Méditerranée, s'étend l'ancienne seigneurie royale du domaine de Montmarin. Le propriétaire actuel est le descendant direct du tout premier acquéreur des lieux (1488). Les bonnes conditions climatiques de 2005 ont présidé à l'élaboration de ce sympathique viognier. Charmeur avec ses arômes de fruits mûrs, il présente un bel équilibre. La finale poivrée prédispose à des accords avec des escalopes à la crème.

Philippe de Bertier, Dom. de Montmarin, 34290 Montblanc, tél. 04.67.77.47.70, fax 04.67.77.58.50, e-mail montmarin@terre-net.fr t.l.j. sf sam. dim. 8h-17h; f. 20 déc.-10 jan.

DOM. SAINTE ROSE Le Pinacle Syrah 2004 **

1,24 ha 6 000 15 à 23 €

Cette cuvée porte bien son nom et emmènera les amateurs de syrah vers des sommets gustatifs. Encore marquée par le bois, elle n'en possède pas moins toutes les qualités reconnues à ce cépage : intensité fruitée, force tannique et volume. Laissez-lui un an pour s'arrondir et gagner en harmonie, puis servez-le sur des viandes mijotées. Une étoile pour la cuvée **Barrel Sélection roussanne 2004** du domaine.

SARL du Dom. de Sainte Rose, 34290 Servian, tél. 04.67.39.07.54, fax 04.67.39.09.76, e-mail info@sainterose.com r.-v.

Duché d'Uzès

LES VIGNERONS DE DURFORT 2005 **

5 ha 10 000 3 à 5 €

Les arides coteaux cévenols de l'ancien duché d'Uzès produisent des vins de forte typicité. Pour preuve, ce rosé 2005 où grenache et syrah expriment leur personnalité au travers d'un sémillant bouquet floral et d'une bouche qui laisse la place aux fruits frais. Bienvenue en finale, une

VDP

pointe de fraîcheur se manifeste, tirée des terroirs de marnes feuilletées. À servir avec des brochettes d'inspiration provençale.

SCEA Les Coteaux Cévenols, rte de Canaules, 30170 Durfort, tél. 04.66.77.50.55, fax 04.66.77.02.83, e-mail coteaux.cevenols@wanadoo.fr r.-v.

DOM. REYNAUD 2005 *

4 ha 6 000 3 à 5 €

Le grand-père et le père de Luc Reynaud élevaient leurs vins dans la cave du domaine creusée dans la roche. Mais c'est dans la nouvelle cave construite en 2000 qu'est né ce rosé de caractère, assemblage de syrah (80 %) et de grenache (20 %). À l'aération, on perçoit un agréable bouquet qui décline les petits fruits rouges. La bouche fraîche et bien équilibrée retrouve ces arômes jusqu'en finale. À déguster en apéritif avec des beignets de crevettes.

EARL Luc Reynaud, Dom. Reynaud, 30700 Saint-Siffret, tél. 04.66.03.18.20, fax 04.66.03.12.95, e-mail luc.reynaud@wanadoo.fr t.l.j. sf dim. 9h-12h 15h-17h

Gard

DOM. DE LA PALUNETTE Marselan 2004 *

3,5 ha 5 000 5 à 8 €

Plus ou moins corsés suivant les cépages et le sous-sol qui les produisent, les vins de palus (marais ou terrains d'alluvions) présentent souvent une belle couleur, à l'instar de ce rouge 2004 du domaine de la Palunette, situé en pleine Camargue, non loin d'Aigues-Mortes. Sa puissance aromatique et sa bouche charnue invitent à le marier à des plats solides. Essayez-le donc avec du bœuf à la tapenade.

Gérard Pobéda, chem. de la Palunette, 30470 Aimargues, tél. 04.66.88.55.95, fax 04.66.88.51.41, e-mail domaine.palunette@wanadoo.fr t.l.j. sf sam. dim. 8h-12h 14h-17h

Hérault

DOM. BÉRÉNAS L'Iris 2003 *

2,5 ha 4 000 15 à 23 €

L'iris « dort, roulé, en boule », si l'on en croit Colette. Gourmande, la romancière bourguignonne aurait sans doute goûté ce capiteux Iris aux fines notes de menthol, d'épices et de fruits confits, capables d'éveiller les sens les plus assoupis. Quant au cadre du lac de Salagou où croissent la syrah et le petit verdot qui l'engendrent, il suscite la rêverie créatrice.

Dom. Bérénas, RN 9, 34800 Nébian, tél. 04.67.96.27.80, fax 04.67.96.39.57, e-mail contact@beausgoun-judell.com t.l.j. sf sam. dim. 9h-12h 14h-17h

Tison

MAS LAVAL 2004 *

3 ha 12 000 15 à 23 €

Syrah (55 %), grenache (20 %) et mourvèdre (20 %) ont concouru, avec un zeste de cabernet franc, à l'élaboration de ce vin. À travers ces cépages, c'est l'ensemble des terroirs d'Aniane qui s'exprime dans une complémentarité réussie. Un 2004 plein de verve (fruits rouges vivifiants en bouche), avec la discrète touche d'élégance que confère un élevage de dix-huit mois en barrique maîtrisé.

Mas Laval, 26, rue Jean-Casteran, 34150 Aniane, tél. 04.67.57.79.23, fax 04.67.57.84.38, e-mail mas.laval@cario.fr r.-v.

DOM. DE SALIÈS Cuvée In Situ 2004 **

1,05 ha 4 000 8 à 11 €

On ne le dira jamais assez : les vieux carignans donnent des vins remarquables. Âgés de quarante-cinq ans, plantés sur argilo-calcaire, et représentant 99 % de l'assemblage, ces ceps en font la démonstration : la robe bigarreau, presque noire, le nez complexe très fruité et la bouche alliant rondeur et fraîcheur composent un ensemble fort élégant.

Xavier Gombert, Ch. de Saliès, 34310 Quarante, tél. 04.67.89.32.93, fax 04.67.89.41.72, e-mail gombert.salies@wanadoo.fr t.l.j. 14h-18h

DOM. DE VERCHANT Cuvée Marcelle 2003 ***

2 ha 10 000 8 à 11 €

Sur les grès roulés, les épousailles du merlot et de la syrah ont engendré une cuvée dont le charme a opéré sur les jurés. La robe, un brin tuilée, invite à la servir dès maintenant. Le bouquet de fruits confits est relevé d'épices et de cuir. Souverains, des tanins de velours guident la bouche vers une finale de crème de cassis. Un civet de marcassin lui conviendra.

SCEA Verchant, Dom. de Verchant, BP 70128, 34178 Castelnau-le-Lez, tél. 04.67.22.90.80, fax 04.67.65.16.62 r.-v.

Oc

ARNAUD DE VILLENEUVE Chardonnay 2005 **

n.c. 6 000 3 à 5 €

Médecin, théologien, diplomate et alchimiste, Arnaud de Villeneuve fut une grande figure du XIIIe s. S'il ne parvint pas à transformer le métal en or, il découvrit en revanche le secret des vins doux naturels. Les vignerons du Rivesaltais lui rendent hommage avec leur marque. Il

s'agit ici d'un vin sec, élégant chardonnay au bouquet fruité intense, ample et frais au palais. La même cuvée se décline en **grenache rouge 2005** et obtient une étoile.
Les Vignobles du Rivesaltais,
1, rue de la Roussillonnaise, 66600 Rivesaltes,
tél. 04.68.64.06.63, fax 04.68.64.64.69,
e-mail vignobles.rivesaltais@wanadoo.fr r.-v.

DOM. ASTRUC Sauvignon d.A. 2005 *

n.c. 20 000 3 à 5 €

À l'ouest de Carcassonne, le domaine Astruc étend ses 52 ha de vignes en pays cathare sous la double influence océanique et méditerranéenne. Planté sur marnes calcaires, le sauvignon a l'air de s'y plaire. Il a donné un vin à la robe d'or, au nez fruité et aux fraîches saveurs citronnées. Pour un apéritif entre amis.
SARL Pierjacq Astruc, 20, av. du Chardonnay,
11300 Malras, tél. 04.68.31.13.26, fax 04.68.31.72.11,
e-mail onegraz@domaineastruc.com
t.l.j. 8h-12h 14h-18h
J.-C. Mas

AUBAÏ MEMA Syrah 2004 *

0,74 ha 3 840 11 à 15 €

Restaurant, bar à vin, chambres d'hôtes, Mark Haynes a tout prévu pour accueillir au domaine les visiteurs. Cultivant en biodynamie et vinifiant en cave particulière depuis 2002, il propose cette cuvée de syrah, élevée neuf mois en fût, d'une bonne harmonie générale. On appréciera sur des grillades la finesse aromatique de ce vin aux senteurs de garrigue, ainsi que la rondeur et la richesse de sa matière finement boisée.
SARL Les Terres d'Aubais, 20, av. Émile-Léonard,
30250 Aubais, tél. 04.66.73.52.76, fax 04.66.77.02.67,
e-mail contact@aubaimema.com
t.l.j. sf mar. 10h30-14h30 18h-23h; f. fév. 4
Mark Haynes

BARONNIE DE BOURGADE

Grenache Les 3 Poules 2005 *

6,3 ha 9 000 5 à 8 €

On est surpris de ne découvrir que deux poules sur l'étiquette de ce vin... mais on trouve vite la troisième, cachée sur la contre-étiquette ! Ce rosé de grenache, lui, ne se dérobe pas et livre avec intensité ses arômes de fruits rouges mûrs. Équilibre, vivacité et longueur sont réunis dans ce vin qui s'accordera avec une brochette de poisson grillée sur des sarments.
Gilles de Latude, Baronnie de Bourgade,
34500 Béziers, tél. et fax 04.67.39.24.19,
e-mail info@les3poules.com
t.l.j. sf dim. 10h-12h 15h-19h;
f. 15 sep.-15 oct. 4 D

DOM. DE BAUBIAC Merlot 2004 *

2,06 ha 15 000 5 à 8 €

Le terroir argilo-calcaire du domaine, dont les 16 ha de vignobles sont commandés par un mas à l'architecture typique de la région, semble parfaitement convenir au merlot que l'on retrouve dans le millésime 2004. Puissant et riche, ce vin dispense au nez de jolies notes fruitées et épicées. Équilibré, il attend de pied ferme une entrecôte grillée.
SCEA Dom. de Baubiac, 29, av. du 11-Novembre,
30260 Quissac, tél. et fax 04.66.77.33.45,
e-mail philip@dstu.univ-montp2.fr
Philip

LA BAUME

Cabernet-sauvignon Syrah Terroirs 2003 *

1 ha 6 300 8 à 11 €

L'association de deux athlètes complets (cabernet-sauvignon à 60 % et syrah), nés sur argilo-calcaire puis passés par le bois, a produit un vin à la superbe robe grenat. Le nez de violette et d'épices est finement marqué par un bon boisé, tandis que la bouche ample livre des tanins enrobés et soyeux.
Dom. de La Baume, rte de Pézenas, 34290 Servian,
tél. 04.67.39.29.49, fax 04.67.39.29.40,
e-mail domaine@labaume.com
t.l.j. sf sam. dim. 10h-18h

JEAN BERTEAU Merlot 2005 **

n.c. 300 000 - de 3 €

Marque de négoce gardoise proposant un remarquable merlot drapé de pourpre aux reflets noirs. Le nez aux notes de fruits confiturés traduit bien le millésime. La chair ronde et riche aux tanins soyeux accompagnera les fromages à pâte molle.
La Compagnie rhodanienne, chem. Neuf,
30210 Castillon-du-Gard, tél. 04.66.37.49.50,
fax 04.66.37.49.51, e-mail cie.rhodanienne@wanadoo.fr

DANIEL BESSIÈRE Merlot Signature 2005 **

63 ha 350 000 - de 3 €

On imagine assez bien un déjeuner champêtre dans la contemplation du bassin de Thau avec, comme complice, ce merlot affectueux et gourmand. Salade niçoise, charcuterie et fromage pour ce vin rouge vif et brillant au nez intense de fruits rouges et d'épices, rond et frais en bouche et qui imprègne le palais de sa chair veloutée.
Bessière, 40, rue du Port, 34140 Mèze,
tél. 04.67.18.40.40, fax 04.67.43.77.03,
e-mail laboratoire@bessiere.fr

DOM. DU BOSC Petit verdot 2005 **

5 ha 20 000 5 à 8 €

Une curiosité : du petit verdot en pays d'Oc. Ce cépage se rencontre surtout en Médoc où, comme ici, il fournit couleurs généreuses et tanins vifs. Bien enraciné sur les terroirs volcaniques qui lorgnent vers le cap d'Agde, il a produit ce vin à la forte personnalité, aux parfums de fruits rouges et d'épices et à la bouche séveuse construite sur des tanins fondus. La cuvée **Le Bosc chardonnay-sauvignon 2005 (3 à 5 €)** obtient une étoile.
Pierre Bésinet, Dom. du Bosc, 34450 Vias,
tél. 04.67.21.73.54, fax 04.67.21.68.38,
e-mail domaine-du-bosc@delta-domaines.com
t.l.j. sf sam. dim. 9h-18h (19h en été)

DOM. DE CAPENDU Cuvée Prestige 2004 *

7 ha 60 000 3 à 5 €

Après une visite de l'église classée Monument historique, rendez-vous donc au domaine où l'on vous fera goûter cet assemblage de merlot et de cabernet complété par 20 % de carignan. Vous découvrirez un vin tonitruant comme un torrent des Corbières, apte à satisfaire les amateurs de gibier. Franc et équilibré, ouvert sur des arômes de cerise burlat et d'épices, bien structuré en bouche, il sait se montrer bienveillant dans une finale tout en rondeur.

VDP

⊶ SA Ch. Capendu, pl. de la Mairie, 11700 Capendu, tél. 04.68.79.00.61, fax 04.68.79.08.61, e-mail contact@chateau.capendu.com
☑ 𝐓 ⛹ t.l.j. sf sam. dim. 8h-12h 14h-18h
⊶ Ragaru

DOM. LES CHARMETTES Lou Pedregal 2004 ★

■ 1,5 ha 5 000 ◖◗ 5 à 8 €

Établis dans une très vieille bâtisse languedocienne, Nicolas et Éric Alcon perpétuent la tradition familiale. Non loin de leurs terres argilo-calcaires, le petit port de Marseillan veille sur ses chais de vermouth. Associé à la syrah pour ce rosé, le grenache (90 %) délivre d'opulents arômes de fruits. Équilibré et plein de vivacité, ce vin accompagnera des brochettes de crevettes aux poivrons.
⊶ Famille Alcon, Rte de Florensac, 34340 Marseillan, tél. et fax 04.67.77.66.16, e-mail alcon.nicolas@laposte.net ☑ 𝐓 ⛹ r.-v.

CHARTREUSE DE MOUGÈRES Maccabeo 2005 ★

■ 1 ha 11 000 ▮ 3 à 5 €

Les pères chartreux ont exploité leur vignoble jusqu'en 1977. Aujourd'hui, le lycée agricole privé de Pézenas a pris le relais pour le compte des pères. Issu des argiles graveleuses de Mougères, ce maccabeo s'ouvre au nez sur l'abricot et s'attarde en bouche sur de fraîches notes de fruits exotiques. Le domaine produit aussi un **vin de pays de Caux rosé 2005** qui obtient également une étoile.
⊶ Chartreuse de Mougères, 34720 Caux, tél. 04.67.98.40.01, fax 04.67.98.46.39, e-mail n.lebecq@wanadoo.fr
☑ 𝐓 t.l.j. sf mer. dim. 9h-12h 14h-17h

DOM. DU CHÊNE Grenache 2005 ★

■ 2,8 ha 5 000 ▮ 3 à 5 €

Une légende prétend qu'une partie du trésor des Templiers est enterrée sous le chêne, vieux de huit cents ans, qui trône au milieu de la cour du domaine... De passage à Castelnau-Valence, vous aurez plus de facilité en tout cas à dénicher une bouteille de ce rosé. Son nez discret et fin livre des notes anisées et des nuances d'agrumes, et sa bouche équilibrée est vive et persistante.
⊶ Sylvain Ozil, rue Mistral, 30190 Castelnau-Valence, tél. et fax 04.66.83.21.91, e-mail sylvain.ozil@free.fr ☑ 𝐓 r.-v.

CIGALUS 2004 ★

■ 10 ha 15 000 ◖◗ 23 à 30 €

Enfant du merlot et du cabernet plantés sur sol argilo-calcaire et assemblés à parité, ce Cigalus se pare d'un habit pourpre éclatant ; il invite à la découverte de parfums de vanille et de fruits noirs compotés. La bouche n'est pas en reste, ferme à l'attaque, dotée d'une charpente de tanins enveloppés et charnus, et marquée en finale par un boisé bien dosé.
⊶ SCEA Gérard Bertrand, Ch. L'Hospitalet, rte de Narbonne-Plage, 11100 Narbonne, tél. 04.68.45.36.00, e-mail vins@gerard-bertrand.com

DOM. COSTEPLANE Cuvée spéciale 2005 ★★

■ 8,35 ha 18 000 ▮ 3 à 5 €

C'est dans un site agreste, sur les contreforts des Cévennes, que Françoise et Vincent Coste exploitent en agriculture biologique leur vignoble, propriété familiale depuis le XVes. Rafraîchis par des brises favorables aux lentes maturations, grenache et syrah développent leur bouquet dans ce superbe rosé, dont la fraîcheur en bouche repose sur de friandes saveurs de fruits rouges. Une bonne alliance pour une salade aux magrets de canard.
⊶ Françoise et Vincent Coste, Dom. Costeplane, rte de Saint-Théodorit, 30260 Cannes-et-Clairan, tél. 04.66.77.85.02, fax 04.66.77.85.47, e-mail fetvcoste@hotmail.com ☑ 𝐓 ⛹ r.-v.

COULEURS DU SUD Syrah 2005 ★

■ n.c. n.c. - de 3 €

Cette gamme de vins de la maison Skalli se décline en différents cépages et couleurs. Après le cabernet-sauvignon l'an dernier en rouge, on découvre aujourd'hui la syrah vinifiée en rosé. Un vin simple, sans artifice, aux notes de fruits rouges et d'épices. Son grain, sa fraîcheur et sa persistance aromatique seront vivement appréciés à l'apéritif.
⊶ Caves Saint-Pierre, Union des Grands-Crus, av. Pierre-de-Luxembourg, 84230 Châteauneuf-du-Pape, tél. 04.90.83.58.35, fax 04.90.83.77.23, e-mail info@cavessaintpierre.fr

FALLET Intense 2004 ★

■ 2,5 ha 6 300 ◖◗ 5 à 8 €

Ancien président de la cave de Pompignan, Noël Fallet a créé ce domaine en 2003 et c'est donc son deuxième millésime que l'on découvre ici. Nés sur un terroir limono-sableux, syrah (70 %), cabernet et grenache composent un vin au bouquet intense et complexe, qui mêle des notes florales à un boisé discret, héritage de l'élevage de huit mois en fût. La bouche souple et soyeuse retrouve les mêmes arômes dans un ensemble plein d'harmonie.
⊶ Dom. Fallet, 30170 Pompignan, tél. et fax 04.66.71.55.32, e-mail noel@fallet.fr
☑ 𝐓 ⛹ r.-v.

DOM. DE LA FERRANDIÈRE Prestige 2005 ★★

■ 2 ha 10 000 ◖◗ 3 à 5 €

Dans cette importante propriété familiale (70 ha), il faut éliminer les excédents salins qui remontent du sous-sol et détruisent la végétation. L'exercice est aujourd'hui maîtrisé à en juger par cette cuvée, assemblage de viognier, de chardonnay et de sauvignon. Le nez affiche de fins arômes de fruits confits, de miel et de coing. Fraîcheur, équilibre et longueur en bouche viennent confirmer la qualité du travail du vinificateur.
⊶ SARL Les Ferrandières, Dom. de La Ferrandière, 11800 Aigues-Vives, tél. 04.68.79.29.30, fax 04.68.79.29.39, e-mail info@ferrandiere.com
☑ 𝐓 ⛹ t.l.j. sf sam. dim. 8h-12h 14h-18h
⊶ Jacques Gau

FORTANT Syrah 2005 ★

■ 10 ha 100 000 ▮ 3 à 5 €

La maison Skalli est établie à Sète, ville qui garde le souvenir de Georges Brassens. Son rosé de syrah, sympathique et harmonieux, est pour « les copains d'abord ». L'intensité explosive de ses arômes de fruits frais et de fleurs blanches, sa bouche vive et fraîche en font un vin plaisir, pour des buffets froids conviviaux.
⊶ Les vins Skalli, 278, av. du Mal-Juin, BP 76, 34204 Sète Cedex, tél. 04.67.46.70.00, fax 04.67.46.71.99, e-mail info@skallifamily.com

FRENCH RABBIT Merlot 2005 ★

■ 60 ha 500 000 ▮ 3 à 5 €

La maison Boisset, grand groupe bourguignon, dans ses œuvres languedociennes à destination du marché américain. Folâtre-t-il dans les règes, ce French Rabbit enivré de merlot ? Bien campé sur ses tanins, il distille en bouche des sensations suaves de fruits rouges un brin confits. Pour déjeuners sur l'herbe. Le **French Rabbit pinot noir 2005** obtient également une étoile.

René Clément, rte de Sérignan, 84100 Orange,
tél. 04.90.11.86.86, fax 04.90.34.87.30,
e-mail sldb@sldb.fr

MAISON GALHAUD
Cabernet-sauvignon Classic 2005 ★★★

■ n.c. 300 000 ▮ - de 3 €

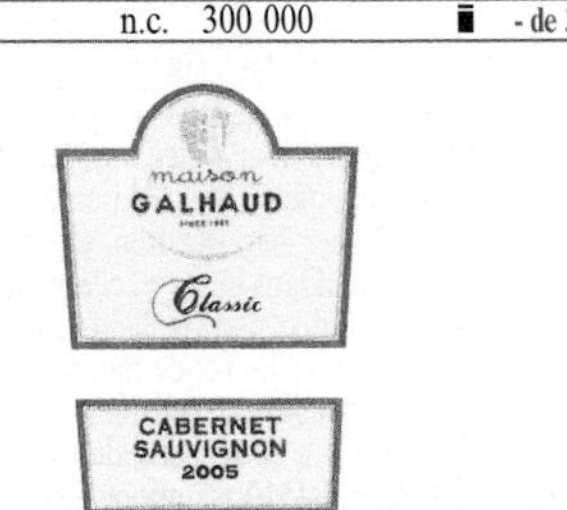

Ce cabernet-sauvignon a conquis les jurés. Un bel hommage à Léon Galhaud, fondateur de la maison de négoce, qui œuvra avec le professeur Ravaz pour le développement des porte-greffes dans la lutte contre le phylloxéra. D'un pourpre éclatant, ce 2005 offre un bouquet à la fois puissant et élégant, mariage harmonieux de cassis et de cerise burlat. Sa riche matière déploie ses exquises saveurs et bat le rappel des fruits noirs. On dégustera cette cuvée, sans se presser, avec une venaison.

Œnoalliance, Cave de Vinassan,
av. Dr-E.-Montestruc, 11110 Vinassan,
tél. 04.68.42.84.28, fax 04.68.42.72.48,
e-mail dgentile@oenoalliance.com

GARGANTUAVIS
Pinot noir Terroir des dinosaures 2004 ★

■ n.c. 10 000 ◐ 5 à 8 €

Dans les vignes de la haute vallée de l'Aude ont été mis au jour des ossements et des œufs du plus gros des oiseaux de l'ère secondaire, appelé Gargantuavis. L'élégante étiquette de ce vin incitera les paléontologues à l'acquérir, d'autant plus qu'un euro par bouteille vendue est reversé à l'association de recherche Dinosauria. Le vin ? Une robe pourpre à reflets mauves l'habille. Tous les arômes du pinot se retrouvent dans un palais fin, équilibré, frais, agréable et long. À choisir pour une selle d'agneau.

Cave Anne de Joyeuse, 34, promenade du Tivoli,
11300 Limoux, tél. 04.68.74.79.40, fax 04.68.74.79.49,
e-mail commercial.france@cave-adj.com
t.l.j. 9h-12h30 15h-19h

DOM. DE GOURGAZAUD Viognier 2005 ★★

8 ha 30 000 ▮ 8 à 11 €

En Minervois, on sait avec bonheur profiter du diluvium caillouteux descendu de la montagne Noire pour produire d'adorables vins de pays. Roger Piquet en apporte la preuve avec ce viognier qui bénéficie des qualités du millésime. Les reflets cristallins de son habit d'or pâle, les fragrances de pêche blanche, d'abricot et d'ananas témoignent d'un travail au chai précis et méthodique. À goûter sur des asperges à la crème.

SAS Ch. de Gourgazaud, 34210 La Livinière,
tél. et fax 04.68.78.10.02,
e-mail contact@gourgazaud.com r.-v.
Famille Piquet

DOM. DU GRAND CHEMIN Viognier 2005 ★★

2,2 ha 8 000 ▮ 5 à 8 €

Ce grand chemin vous mènera tout droit à un grand vin qui vous fera passer de grands moments. Les familières notes abricotées du viognier s'expriment avec intensité dans le bouquet complexe. Ample et ronde, la bouche offre des saveurs friandes. Le **cabernet-sauvignon 2005** du même domaine vient confirmer, avec ses deux étoiles, la qualité du travail de Jean-Marc Floutier en rouge comme en blanc.

EARL Jean-Marc Floutier,
Dom. du Grand Chemin, 30350 Savignargues,
tél. 04.66.83.42.83, fax 04.66.83.44.46,
e-mail domainedugrandchemin@wanadoo.fr
t.l.j. 8h30-12h 14h-18h30; dim. sur r.-v.

GRANGE DES ROUQUETTE Agrippa 2004 ★

■ 2,26 ha 6 000 ◐ 5 à 8 €

Sur cette ancienne propriété viticole (1684) qui s'étale sur des dépôts éoliens de lœss en piémont de colline, certaines parcelles sont traversées par l'ancien conduit de l'aqueduc romain rattaché au Pont du Gard. Dans cette cuvée Agrippa, la syrah majoritaire est épaulée par 10 % de mourvèdre. L'élevage de quatorze mois en fût a conféré à l'ensemble un fruité vanillé intense et une bouche ample, épicée et finement boisée. Des tomates farcies conviendront à cette bouteille.

Vignobles Boudinaud, 43, Grand-Rue,
30210 Fournès, tél. 04.66.37.27.23, fax 04.66.37.03.56,
e-mail boudinaud@infonie.fr r.-v.

LE SAUVIGNON DU DOM. GUILHEM 2005 ★★

3 ha 18 000 ▮ 5 à 8 €

Ici, l'Histoire n'est pas un vain mot : des amphores romaines ont été retrouvées sur la propriété construite à l'emplacement d'une *villa* romaine puis d'un château cathare. Le château emprunte au style Directoire. Quant à l'étiquette, elle évoquerait plutôt la Belle Époque. Ce sauvignon éclatant de jeunesse, au bouquet floral marqué de notes beurrées et à la bouche fraîche, longue et gourmande, trouvera sa place à l'apéritif accompagné de blinis au saumon fumé.

Dom. Guilhem, Le Château de Malviès,
11300 Malviès, tél. 04.68.31.14.41, fax 04.68.31.58.09,
e-mail contact@chateauguilhem.com
t.l.j. sf dim. 9h-12h 14h-18h
B. Gourdou

DOM. DES HOSPITALIERS Chardonnay 2005 ★

0,8 ha 1 931 ◐ 5 à 8 €

Si l'ordre des Hospitaliers siège aujourd'hui à Rome, après plusieurs siècles passés sur l'île de Malte, et, au temps des Croisades, en Terre Sainte, des traces perdurent de leur activité, en particulier au cœur des vignobles. À Saint-Christol, les Hospitaliers défrichèrent la forêt pour planter

VDP

de la vigne. Ce chardonnay harmonieux et riche, au boisé maîtrisé, déploie des arômes de vanille, de torréfaction et de fruits secs. À servir avec du poisson en sauce.
SCEA Ch. des Hospitaliers,
923, av. Boutonnet, 34400 Saint-Christol,
tél. 04.67.86.03.50, fax 04.67.86.90.02,
e-mail martin-pierrat@wanadoo.fr t.l.j. 9h-19h
Martin-Pierrat

RÉGINE ET FRANCIS LACOSTE
Muscat à petits grains passerillé
Élevé en fût de chêne 2004 ★★

	3 ha	2 500		15 à 23 €

Aux derniers feux de l'automne, les pieds de muscat offrent aux patients vendangeurs leurs grappes surmûries, prêtes à donner d'inimitables moelleux pleins de sève sucrée. La vendange d'octobre, après douze mois de fût de chêne, envahit la bouche de saveurs fruitées (coing confit, raisin de Corinthe et amande grillée). Une symphonie parfaitement orchestrée.
EARL Francis et Régine Lacoste, Mas de Bellevue, rte de Sommières, 34400 Saturargues,
tél. 04.67.83.24.83, fax 04.67.71.48.23,
e-mail muscatlacoste@wanadoo.fr
t.l.j. sf dim. 9h-18h (19h en été)

DOM. DE LARZAC
Roussanne chardonnay 2005 ★★★

	2,5 ha	13 000		5 à 8 €

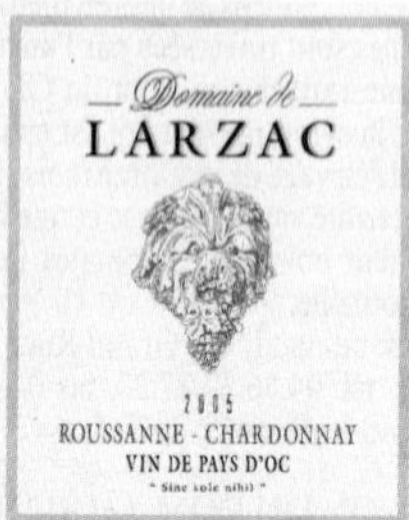

Rien ne se fait sans le soleil, dit en substance (et en latin) la devise du domaine. Ici en tout cas, le soleil a présidé aux noces dorées de la roussanne et du chardonnay que l'on avait rarement vus aussi heureux d'être ensemble. On s'attarde, conquis, sur les reflets verts de la robe légère ; on aime le bouquet d'agrumes, de menthe et d'épices. La bouche allie fraîcheur et souplesse sur une trame veloutée. Du charme à l'état pur. À servir avec une truite au bleu.
Dom. de Larzac,
rte de Roujan, 34120 Pézenas, tél. 04.67.90.76.29,
fax 04.67.98.10.59, e-mail chateau.larzac@wanadoo.fr
Bonafé

DOM. DE LONGUEROCHE
Chardonnay Élevé en fût de chêne 2004 ★

	0,5 ha	3 000		5 à 8 €

Roger Bertrand travaille en biodynamie des vignes de santé florissante qui croissent sur un terroir argilo-calcaire. Son chardonnay 2004 s'invitera à l'apéritif, puis tout au long du repas. Limpide et brillant, il joue les séducteurs sur des notes d'acacia miellées pour, en bouche, s'équilibrer en finesse sur un boisé bien fondu et des rondeurs avenantes.
Dom. de Longueroche,
11200 Saint-André-de-Roquelongue,
tél. 04.68.41.48.26, fax 04.68.32.22.43,
e-mail contact@rogerbertrand.fr r.-v.
Roger Bertrand

LOS TRES BANDIDOS Grenache 2005 ★

	n.c.	6 600		3 à 5 €

Inspirée par de légendaires hors-la-loi mexicains, cette bouteille à l'étiquette western criblée d'impacts de balles cache un vin fougueux, au nez épicé et à la bouche ronde et riche de saveurs fruitées. Une étoile (de shérif ?) pour le **chardonnay 2005 Wild Pig** de la même maison.
Maison Gabriel Meffre, Le Village,
84190 Gigondas, tél. 04.90.12.32.45, fax 04.90.12.32.49

LULU B Syrah 2005 ★

	55 ha	500 000		3 à 5 €

Si le siège de la maison Louis Bernard (groupe Jean-Claude Boisset) vient d'être transféré à la chartreuse de Bompas, la Lulu qui en sort n'a rien de monacal ! Jupe moulante, décolleté et béret coquin, elle dévoile ses charmes sur l'étiquette ! Dans le verre, elle séduit tout autant : robe pourpre aux reflets noirs brillants, nez de petits fruits rouges et noirs et bouche ronde aux tanins fondus agrémentés de notes vanillées et beurrées.
Louis Bernard, La Chartreuse de Bonpas,
1, chem. Reveillac, 84510 Caumont-sur-Durance,
tél. 04.90.23.09.59, fax 04.90.23.67.96,
e-mail louisbernard@sldb.fr
t.l.j. 9h-17h (10h-18h en été)

JACQUES ET FRANÇOIS LURTON
Sauvignon Les Fumées blanches 2005 ★★

	35 ha	333 333	5 à 8 €

Jacques et François Lurton, implantés sur plusieurs continents, appartiennent à une famille bordelaise qui a su créer ou développer de grands crus. Ils se sont également intéressés au Languedoc et aux vins de pays. Ils excellent dans la vinification du sauvignon : séduisant dès le premier regard, celui-ci offre un nez puissant où se retrouvent les fruits exotiques et les fleurs de buis. Équilibré, frais, rond et vif à la fois, le palais est d'une longueur remarquable. Deux autres vins obtiennent deux étoiles : le **viognier 2005 Les Salices** et le **Terret sauvignon 2005 Les Bateaux**.
SA Jacques et François Lurton,
Dom. de Poumeyrade, 33870 Vayres,
tél. 05.57.55.12.12, fax 05.57.55.12.13,
e-mail jfl@jflurton.com

LA MADELEINE SAINT-JEAN
Cuvée la Maison blanche 2005 ★★

	1 ha	2 800	5 à 8 €

La cave de vinification, le chai et le caveau de dégustation du domaine jouxtent le petit port de pêche de Marseillan, là où le canal du Midi rejoint l'étang de Thau. Les terres à vigne sont complantées des cépages du Midi, mais également de viognier, de sauvignon et de chardonnay. Ces trois variétés ont donné un vin gourmand et équilibré, aux notes de fruits blancs et de cédrat, qui parle admirablement la langue du terroir et s'accommodera d'un gratin de fruits de mer.
Banq, Dom. La Madeleine Saint-Jean,
rue Édouard-Adam, 34340 Marseillan,
tél. et fax 04.67.26.12.42 t.l.j. 9h-12h30 14h-19h

DOM. DE MAIRAN Cabernet franc 2004 ★★

■ 4 ha 30 000 ▮ 5 à 8 €

Jean-Baptiste Peitavy a repris en 2004 les rênes du domaine familial. Il y produit avec le même succès que ses prédécesseurs un cabernet franc issu de vignes de trente ans enracinées sur un terroir argilo-calcaire exposé au levant. Il ne sera pas nécessaire d'attendre ce vin pour apprécier, sur des viandes braisées, ses saveurs de cerise et d'épices. Rond, concentré et charnu, avec des tanins tendres, il se montre gourmand. Le **chardonnay 2004** obtient lui aussi deux étoiles.

Jean-Baptiste Peitavy,
SCEA Dom. de Mairan, 34620 Puisserguier,
tél. 04.67.11.98.01, fax 04.67.11.92.67,
e-mail domaine.mairan@terre-net.fr r.-v.

DOM. DE MALLEMORT
Cuvée La Mouette Cabernet-sauvignon 2005 ★

■ 2 ha 14 000 ▮ 3 à 5 €

Au moment de goûter ce rosé, fiez-vous au nom de sa cuvée plutôt qu'à celui du domaine, car ce vin est bien vivant et plutôt rieur. La robe rose chair est un appel aux sensations les plus vives. La bouche, de belle prestance, s'anime sur les fruits rouges avec lesquels elle se plaît à s'attarder dans une finale agréable. Apéritif ? Oui ! Et pourquoi pas, ensuite, une salade de soja aux poivrons agrémentée de petits morceaux de magret cuit ?

Luc et Agnès Peitavy,
Dom. de Mallemort, 34620 Puisserguier,
tél. et fax 04.67.32.86.99 r.-v.

LES VIGNERONS
DE MARUÉJOLS-LÈS-GARDON
Chardonnay 2005 ★★

■ n.c. 4 000 ▮ 3 à 5 €

Animé d'une vive légèreté qu'annonce sa robe d'or aux reflets verts, ce chardonnay offre d'intenses arômes variétaux, de fines notes épicées et livre une bouche ample, soyeuse, aux notes florales. À servir sur un brochet au beurre blanc. Dans la même veine fringante, la cave aligne un **rosé de syrah 2005**, une étoile.

Les Vignerons de Maruéjols-lès-Gardon,
30350 Maruéjols-lès-Gardon,
tél. 04.66.83.40.52, fax 04.66.83.44.73,
e-mail vignerons.mlg@neuf.fr r.-v.

MAS DES CABRES Cuvée Estive 2005 ★

■ 2,81 ha 2 000 ▮ 5 à 8 €

Florent Boutin, ingénieur agronome et œnologue, a repris en 2003 la propriété familiale située à 6 km de Sommières. Assemblant un cépage océanique, le merlot, au grenache, plant méditerranéen, il a réussi un vin puissant, au nez épanoui de fruits rouges et d'épices. Longue et équilibrée, la bouche aromatique est délicate. Excellente bouteille à servir dès cet hiver avec un gigot d'agneau braisé.

Florent Boutin,
Le Plan, Cidex 1160, 30250 Aspères,
tél. 06.23.68.14.24, fax 04.66.80.05.60 r.-v.

MAS SAINT-ANTOINE
Carignan grenache Saint-Nicolas 2004 ★

■ 1,5 ha 5 000 ▮ 5 à 8 €

La petite chapelle qui domine la cave a donné son nom au domaine et inspiré l'étiquette découpée en forme de nef. Ce domaine est conduit par trois anciens coopérateurs, installés dans une ancienne bergerie, et qui signent ici une cuvée fort plaisante. La macération carbonique a permis l'extraction de beaux arômes, bonifiés par un passage en fût raisonnable. Un nez frais et mentholé, une bouche structurée aux fines notes vanillées, un boisé fondu : voilà un vin qui doit attendre, impatient, l'ouverture de la chasse.

Mas Saint-Antoine, descente de la Bergerie,
34120 Castelnau-de-Guers,
tél. 06.62.82.08.31, fax 04.67.98.33.62,
e-mail robertjaeger@club-internet.fr
t.l.j. 10h-12h30 17h-19h30; dim. sur r.-v.
Jaeger, Portes, Woimant

LES VIGNERONS DE LA MÉDITERRANÉE
Chardonnay muscat Cuvée Mythique Duo 2005 ★★

■ 7 ha 50 000 ▮ 3 à 5 €

Marier le muscat au chardonnay pouvait paraître une gageure. Pari tenu – et gagné – par les Vignerons de la Méditerranée. Dans cet assemblage, le chardonnay (70 %) transmet vigueur et finesse, et le muscat générosité aromatique. Ouvrez cette bouteille à l'apéritif et gardez-la ensuite pour des rougets au four.

Les Vignerons de la Méditerranée, ZI Plaisance,
12, rue du Rec-de-Veyret, 11100 Narbonne,
tél. 04.68.42.75.52, fax 04.68.42.75.01,
e-mail mbarbe@vvo.fr

MONTPEZAT Sauvignon 2005 ★★

■ 5,46 ha 20 000 ▮ 3 à 5 €

Le sauvignon se plairait-il en Languedoc ? Cette bouteille fournit un début de réponse. Ce cépage exige des conditions climatiques particulières ; il a su ici profiter de la fraîcheur que dispense la rivière Peyne mais aussi d'un sol argilo-calcaire. Christophe Blanc en a tiré un vin élégant ; l'œil est séduit par la robe d'or traversée de reflets verts ; intense et fin, le nez joue sur des notes d'agrumes et de poire que l'on retrouve dans une bouche ample et fraîche, bien dans le type du cépage. Ce sauvignon étonnera plus d'un convive sur un poisson grillé.

Christophe Blanc, Ch. de Montpezat,
34120 Pézenas, tél. 04.67.98.10.84, fax 04.67.98.98.78,
e-mail contact@chateau-montpezat.com
t.l.j. 10h-12h 14h-19h

MORIN-LANGARAN 2005 ★

■ 4,5 ha 20 000 3 à 5 €

En 1595, à la fin des guerres de Religion qui ravagèrent la contrée, François Engaran devint propriétaire de ce domaine jusqu'alors administré par l'ordre du Saint-Esprit. Aujourd'hui l'exploitation est située à proximité de l'écosite de Mèze. La trinité syrah, cinsault, cabernet s'est faite une en ce rosé, à la robe saumonée et au nez élégant dominé par les notes fruitées, qui offre grain et rondeur dans une bouche fraîche et longue.

Morin, Dom. Morin-Langaran, 34140 Mèze,
tél. 04.67.43.71.76, fax 04.67.43.77.24,
e-mail domainemorin-langaran@wanadoo.fr
r.-v.

MOULIN DE BREUIL
Cabernet-sauvignon merlot
Grande Réserve du Club Élevage 2003 ★★

■ 5,13 ha 3 600 ▮ 5 à 8 €

Le comte de Massia élève ses vins avec les mêmes soins que certains mettent à élever des pur-sang. L'aventure commence bien avant la mise en barrique par une sélection attentive des terroirs : argilo-calcaires pour le cabernet-sauvignon et sablo-limoneux pour le merlot. L'excellente maturité phénolique de la vendange permet ensuite un patient travail au chai (micro-oxygénation, élevage de douze mois en fût). Le résultat ? Une somptueuse parure pourpre tigrée d'éclairs violacés, un nez libérant des notes de pruneau assorties de cuir et de tabac ; une bouche à la texture veloutée qui monte en puissance pour tapisser le palais de saveurs de fruits noirs et de réglisse. Un vin de grande classe. Le **chardonnay 2004**, du domaine, a également droit à ses deux étoiles.

Joseph de Massia, SCEA Mg-AM,
Moulin de Breuil, 66740 Montesquieu,
tél. 06.72.33.20.71, fax 04.68.89.75.81,
e-mail josephdemassia@moulindebreuil.com
t.l.j. sf dim. 10h-13h 15h-19h

DOM. NATURA 2004 *

1,25 ha 5 000 5 à 8 €

Porté par la marque Natura nouvellement créée, le domaine partage son activité entre production viticole et production fruitière (cerises, abricots, figues et prunes). Côté vigne, on découvre ce vin de bonne complexité mariant syrah (70 %) et cabernet-sauvignon (30 %), dominé au nez comme en bouche par les fruits rouges. Sa rondeur et sa persistance le qualifient pour faire escorte à des daubes doucement mijotées.

Dom. Natura, rte de Fontarèches,
30330 Saint-Laurent-la-Vernède, tél. 06.09.76.84.59,
fax 04.66.72.89.01, e-mail gaecnatura@tiscali.fr
t.l.j. 10h-12h 14h-19h
Jean-Paul Boisson

DOM. DE NIDOLÈRES
Verema de San Martí 2002 **

2 ha 2 500 15 à 23 €

Surprenez vos terrines de foie gras avec ce liquoreux onctueux et velouté issu de grenache blanc vendangé à la Saint-Martin (le 11 novembre). À moins que vous ne le préfériez en dessert, dans le cadre convivial et rustique de l'auberge du domaine. La bouche aux parfums de miel est capiteuse ; elle succède, chaleureuse, aux arômes raffinés de tabac blond et de fruits secs perçus à l'olfaction.

Pierre Escudié, Dom. de Nidolères,
66300 Tresserre, tél. 04.68.83.15.14, fax 04.68.83.31.26,
e-mail dom-nidoleres@wanadoo.fr r.-v.

NUIT BLANCHE Muscat sec 2005 *

27,5 ha 250 000 3 à 5 €

Très prisé des abeilles, qui annoncent au vigneron le moment de sa vendange, le muscat blanc donne une vie étonnante à de jolis vins secs. Ce 2005 de la cave de Frontignan en est la preuve. De couleur jaune paille, il développe un nez expressif mêlant les fruits aux parfums légers des fleurs d'acacia. Le palais retrouve ces arômes, relevés d'une pointe d'épices. Un ensemble de grande originalité.

SCA Coop. de Frontignan,
14, av. du Muscat, 34110 Frontignan,
tél. 04.67.48.12.26, fax 04.67.43.07.17
t.l.j. 9h30-12h30 14h30-18h30; groupes sur r.-v.

PAVILLON Syrah 2004 *

7 ha 45 000 5 à 8 €

L'union fait la force : sept communes se sont ainsi regroupées autour de la bannière de la cave de Bourdic. Avec ses 1 650 ha, c'est la plus importante coopérative du Gard. Elle attire une partie des nombreux touristes venus admirer les beautés architecturales du château ducal ou de l'hôtel de ville d'Uzès, à 7 km. Son Pavillon, bien construit, révèle d'avenants arômes de vendange mûrie au soleil et des saveurs équilibrées qui reposent sur des tanins fermes mais de qualité.

SCA Les Collines du Bourdic,
chem. de Saint-Chaptes, 30190 Bourdic,
tél. 04.66.81.20.82, fax 04.66.81.23.20,
e-mail contact@bourdic.fr
t.l.j. sf dim. 9h-12h 14h-19h

DOM. PEYRONNET Étoile d'automne 2003 ***

1 ha 3 600 8 à 11 €

Après avoir visité l'église fortifiée de la Conversion-de-Saint-Paul, construite au XIe s., vous n'aurez que 50 m à parcourir pour découvrir ce domaine conduit depuis 1990 par un œnologue. L'élevage patient (neuf mois de cuve, un an de fût neuf) a conféré à ce vin un vrai supplément d'âme. Le boisé discret du nez se pare d'arômes d'abricot confit, de vanille et de cire d'abeille. Le palais est gratifié d'impressionnantes saveurs gourmandes qui prolongent le plaisir dans une finale harmonieuse. Appelez un foie gras d'oie à la rescousse pour savourer cette bouteille selon ses mérites.

EARL Dom. Peyronnet, 9, av. de la Libération,
34110 Frontignan, tél. 04.67.48.34.13,
fax 04.67.48.14.42, e-mail caves.favier-bel@tiscali.fr
t.l.j. 9h-12h 14h-19h

DOM. DES POURTHIÉ Petit verdot 2004 **

4 ha 20 000 5 à 8 €

C'est un grand petit verdot gorgé des forces telluriques des moraines glaciaires que proposent ici Jean et André Pourthié. Son habit d'un brillant grenat profond révèle un nez tendre d'essence d'écorce d'orange assortie de nuances florales tirant sur la violette. La bouche aux tanins puissants mais soyeux s'ouvre, élégante, sur les fruits noirs. Une très belle originalité languedocienne.

Pourthié, GAF Grange-Rouge, Dom. des Pourthié,
34300 Agde, tél. 04.67.94.21.76, fax 04.67.21.73.54,
e-mail domaine-grange-rouge@delta-domaines.com
t.l.j. 9h-12h 13h-17h

PRIEURÉ DE RAMEJAN Sauvignon 2005 *

4 ha 2 000 3 à 5 €

Ils sont légion les vestiges du passé sur cette exploitation fondée – comme beaucoup – à l'époque gallo-romaine, devenue au Moyen Âge bien ecclésiastique de l'évêque d'Agde. Le sauvignon s'y plaît, enraciné sur des terroirs calcaires qui lui dispensent une acidité naturelle.

De son bouquet jaillissent des parfums de fleurs blanches (chèvrefeuille) associés aux fruits exotiques. Nerveuse, la bouche s'équilibre en finale sur des notes d'agrumes pleines de fraîcheur.
SCEA Hérail-Planes, Dom. du Prieuré de Ramejan, 34370 Maureilhan, tél. et fax 04.67.90.50.58, e-mail perez-sebastien@wanadoo.fr r.-v.

DOM. LA PROVENQUIÈRE
Chardonnay Réserve Élevé en fût de chêne 2005 *

22 ha 30 000 5 à 8 €

Une salade de fruits exotiques aux crevettes constituera une entrée rafraîchissante accompagnée de ce chardonnay aux notes de thé et d'agrumes agrémentées de senteurs de fleurs blanches. L'équilibre du palais entre rondeur et fraîcheur répondra avec gourmandise au mélange de saveurs de ce plat.
Brigitte et Claude Robert, Dom. La Provenquière, 34310 Capestang, tél. 04.67.90.54.73, fax 04.67.90.69.02, e-mail la.provenquiere@wanadoo.fr r.-v.

DOM. SAINT-JEAN-DE-CONQUES
Grenache 2005 *

n.c. 25 000 3 à 5 €

De cette ancienne métairie templière, ayant appartenu ensuite à l'archevêque de Narbonne, subsistent quelques vestiges sur la propriété. Au bouquet intense de fruits rouges répond un palais ample et plein, qui s'appuie sur des tanins ronds s'épanouissant dans une finale fruitée. Un grenache 2005 intéressant pour des plats sucrés-salés.
François-Régis Boussagol, Dom. Saint-Jean-de-Conques, 34310 Quarante, tél. 04.67.89.34.18, fax 04.67.89.35.46, e-mail fr.boussagol@wanadoo.fr
t.l.j. sf sam. dim. 9h-12h 14h-18h

DOM. SAINT-JEAN DU NOVICIAT
Chardonnay 2005 *

6 ha 26 000 5 à 8 €

« Voyageur, assois-toi et prie », telle était l'invitation inscrite en latin sur un calvaire érigé sur le domaine, ancienne grange de l'abbaye de Valmagne, à l'intention des pèlerins se rendant à Compostelle. C'est toujours la devise de ce domaine, qui élabore un chardonnay à la robe pâle et brillante. Son nez fin et élégant aux notes d'abricot et de fruits exotiques et sa bouche ample et fraîche, typique du cépage, achèveront de vous convaincre de faire halte dans cette propriété.
SAS Saint-Jean du Noviciat, Mas du Novi, rte de Villeveyrac, 34530 Montagnac, tél. et fax 04.67.24.07.32, e-mail masdunovi@wanadoo.fr t.l.j. 10h-19h
M. Palu

CELLIER DU TERRAL Cabernet 2005 **

2 ha 20 000 3 à 5 €

Voici un cabernet-sauvignon de robuste constitution qui a favorablement impressionné les jurés. Pourpre aux nuances carminées, ce vin produit un bel effet visuel. Les fruits noirs (cassis, myrtille) dominent l'olfaction et la bouche évolue sur une matière fière, dense et tout en rondeur. À carafer avant de le servir avec un civet ou des fromages crémeux.
Coteaux du Terral, 9, chem. de l'Amour, 34660 Cournonterral, tél. 04.67.85.00.35, fax 04.67.85.03.47, e-mail coteauxduterral@neuf.fr
t.l.j. sf sam. dim. 8h-12h 13h30-17h30

TERRE D'AMANDIERS
Les Flacons Saveurs d'élites 2004 *

n.c. 6 000 8 à 11 €

Maurel-Vedeau, c'est d'abord une association de dénicheurs de terroirs, une maison de négoce qui a l'âme vigneronne. Dans la série « Saveurs d'élites », chardonnay (80 %) et sauvignon font ici alliance pour affronter les plat les plus sophistiqués : des langoustines aux girolles déglacées au jus de veau, par exemple. On n'en attendait pas moins d'un vin aussi complexe et élégant, qui associe les notes de noisette du chardonnay, les fragrances sauvageonnes du sauvignon à un boisé délicat.
Maison Maurel-Vedeau, ZI La Baume, 34290 Servian, tél. 04.67.39.21.20, fax 04.67.39.22.13, e-mail contact@maurelvedeau.com

TERRE DES CHARDONS 2004 **

3,49 ha 18 000 5 à 8 €

Splendide terroir de galets roulés à proximité de l'historique Pont du Gard. Le domaine familial, d'un seul tenant, est passé récemment de l'agriculture biologique à la biodynamie. Cette cuvée (syrah à 70 % et grenache) se présente dans une robe rouge grenat léger. Voluptueux, le bouquet s'oriente vers le pruneau sur un joli fond épicé. La bouche, équilibrée et fine, se montre chaleureuse. Mijotez un lapin de garenne aux olives : ce vin saura y faire face.
Jérôme Chardon, Terre des Chardons, Mas Sainte-Marie des Costières, 30127 Bellegarde, tél. 04.66.70.02.51, fax 04.66.70.07.28, e-mail tdchardons@yahoo.fr
t.l.j. sf dim. 8h-12h 13h-19h

LES TERRES ROUSSES Sauvignon 2005 *

n.c. 1 400 3 à 5 €

Dominé par l'oppidum d'Ensérune et bordé en partie par le canal du Midi, ce domaine est né en 2001 de l'association d'un viticulteur et d'un œnologue, qui ont décidé de mettre en commun leurs savoir-faire et leurs vignobles. Vif et léger, leur sauvignon exprime toute la typicité du cépage avec ses notes florales et fruitées et sa bouche nerveuse, qui en font un candidat de choix pour accompagner les fruits de mer.
Brenaledoc, 6, bd de Cantaussels, 34440 Nissan-lez-Ensérune, tél. 06.22.54.17.76, fax 04.67.37.22.99, e-mail jesus.aledo@9business.fr r.-v.

LES ARÔMES DE TOUR SAINT-MARTIN
Cinsault 2005 **

7,15 ha 32 000 - de 3 €

Sacré cinsault ! Ses grosses baies ovoïdes tentent également les amateurs de raisins de table... Pourtant, sur les terrasses argilo-calcaires de la cave de Peyriac, il donne des vins intéressants. Le regard peut bien s'attarder sur sa couleur rose brillant, le meilleur est pour la suite. Une fraîche olfaction marquée par des notes végétales et une bouche qui se révèle gourmande et persistante. Pour des déjeuners à base de charcuteries ou de grillades.

VDP

🔑 SCAV Tour Saint-Martin,
av. Ferroul, 11160 Peyriac-Minervois,
tél. 04.68.78.11.20, fax 04.68.78.17.93,
e-mail contact@tour-saint-martin.com
☒ 🍷 🚶 t.l.j. sf dim. 9h-12h 14h-18h

VIGNERONS DU VALCONTIS Merlot 2004 *

■ 1,5 ha 6 000 ■ 3 à 5 €

Sur 1,5 ha d'alluvions sablonneuses, cette coopérative gardoise a produit du merlot, cépage aquitain par excellence. Cela donne un vin aimable et rond, marqué par le fruit mûr, qui s'accordera facilement avec des viandes blanches et des plats gratinés.

🔑 Vignerons du Valcontis,
Cave de Saint-Victor-la-Coste,
30290 Saint-Victor-la-Coste, tél. 04.66.50.68.48,
fax 04.66.50.43.92,
e-mail vigneronsduvalcontis@wanadoo.fr ☒ 🍷 🚶 r.-v.

DOM. ROBERT VIC
Grains de cabernet franc 2005 **

■ 4 ha 40 000 ■ 5 à 8 €

La pierre de lave donne un cachet tout particulier au château de Preignes-le-Vieux (XIIIe s.) ainsi qu'aux bâtisses du village de Vias. Les terroirs sont donc ici basaltiques, avec tout ce que cela peut comporter de minéralités originales. Ce Grains de cabernet franc tire sa séduction d'une resplendissante robe pourpre, d'un bouquet aromatique mêlant poivron, vanille et fruits rouges et d'une fraîcheur en bouche soutenue, en finale, par un beau retour minéral. Le **Domaine de Preignes Vermentino sur lies 2005** obtient une étoile.

🔑 SARL Les Domaines Robert Vic,
Preignes-le-Vieux, 34450 Vias, tél. 04.67.21.67.82,
fax 04.67.21.76.46, e-mail jeromevic@wanadoo.fr
☒ 🍷 🚶 t.l.j. sf sam. dim. 8h-18h

DOM. LES YEUSES Syrah Les Épices 2004 *

■ 3 ha 25 000 ■ 🛢 5 à 8 €

Entre garrigue et Méditerranée, on accède à ce domaine planté de 80 ha de vignes par une allée d'oliviers. Le nom de cette cuvée est on ne peut plus explicite. Ce vin puissant, poivré et charnu, doit en partie à son séjour boisé l'expression de sa finale aux longues notes de fumée et de moka. Sa chair et ses arômes se marieront avec ceux d'une pièce de gibier.

🔑 Jean-Paul et Michel Dardé, Dom. Les Yeuses,
rte de Marseillan, 34140 Mèze, tél. 04.67.43.80.20,
fax 04.67.43.59.32, e-mail domaine.yeuses@tiscali.fr
☒ 🍷 🚶 t.l.j. sf dim. 9h-12h 15h-19h

Sables du Golfe du Lion

DUNE Gris de gris 2005 **

■ 5 ha 50 000 ■ 3 à 5 €

Située à 3 km à peine des remparts d'Aigues-Mortes, capitale des vins des Sables, la cave Sabledoc propose cette Dune qui marie le grenache, le merlot et le carignan. Sous la robe pâle et brillante aux nuances pétale de rose, de délicates notes fruitées se manifestent. La bouche joue l'équilibre entre rondeur et fraîcheur, avant une longue finale. Le **gris Prestige 2005** obtient une étoile.

🔑 SCA Sabledoc, rte d'Arles, 30220 Aigues-Mortes,
tél. 04.66.53.75.20, fax 04.66.53.78.11,
e-mail sabledoc@wanadoo.fr ☒ 🍷 🚶 r.-v.

Provence, basse vallée du Rhône, Corse

Majorité de vins rouges dans cette vaste zone, constituant 60 % des 900 000 hl produits dans les départements de la région administrative Provence-Alpes-Côte d'Azur. Les rosés (30 %) sont surtout issus du Var, et les blancs, du Vaucluse et du nord des Bouches-du-Rhône. On retrouve dans ces régions la diversité des cépages méridionaux, mais ceux-ci sont rarement utilisés seuls ; selon des proportions variables et en fonction des conditions climatiques et pédologiques, ils sont employés avec des cépages plus originaux, d'origine extérieure : chardonnay, sauvignon, cabernet-sauvignon ou merlot, cépages bordelais, auxquels s'ajoute la syrah venue de la vallée du Rhône. Les dénominations départementales s'appliquent au Vaucluse, aux Bouches-du-Rhône, au Var, aux Alpes-de-Haute-Provence, aux Alpes-Maritimes et aux Hautes-Alpes ; les dénominations de petites zones sont les suivantes : principauté d'Orange, Petite Crau (au sud-est d'Avignon), Mont Caumes (à l'ouest de Toulon), Argens (entre Brignoles et Draguignan, dans le Var), Maures, Coteaux du Verdon (Var), Aigues (Vaucluse), reconnues récemment, et Île de Beauté (Corse). Depuis la récolte 1999, le vin de pays Portes de Méditerranée à vocation régionale vient compléter ce panorama. Son bassin de production couvre les régions PACA (à l'exception du département des Bouches-du-Rhône) et Corse, ainsi que la Drôme et l'Ardèche dans la région Rhône-Alpes.

Alpes-de-Haute-Provence

DOM. LA MADELEINE Marselan 2005 *

■ 2 ha 3 000 3 à 5 €

Souvent sélectionné pour ses cabernet-sauvignon, couronné par un coup de cœur dans l'édition 2004 du Guide on retrouve cette année Pierre Bousquet pour une cuvée de marselan, cépage réputé pour sa structure ; ce 2005 ne fait pas exception. Le nez est encore fermé et les tanins très présents mais le potentiel est là. C'est un vin que l'on doit laisser s'arrondir au moins deux ans, puis servir avec une viande en sauce ou un gratin.

🔑 Pierre Bousquet,
Cave La Madeleine, 04130 Volx, tél. 04.92.72.13.91
☒ 🍷 🚶 t.l.j. sf dim. 9h-12h 14h-18h30

CAVE DES VIGNERONS DE PIERREVERT
Cabernet-sauvignon 2005

■ 5,51 ha 25 000 ■ - de 3 €

Ce rosé de saignée issu de cabernet-sauvignon séduit par sa robe violine brillant, sa vivacité, son expression aromatique et sa bonne longueur. Il accompagnera volontiers un plateau de charcuteries ou des côtes d'agneau grillées.

Cave des Vignerons de Pierrevert, 1, av. Auguste-Bastide, 04860 Pierrevert, tél. 04.92.72.19.06, fax 04.92.72.85.36, e-mail cave.pierrevert@wanadoo.fr
t.l.j. sf dim. 9h-12h 14h-18h

DOM. DE RÉGUSSE Cabernet-sauvignon 2005 ★

■ 4 ha 21 000 ■ 3 à 5 €

Ce château, ancienne bastide provençale, a été repris en 2003 par un groupe d'investisseurs passionnés par le vin. Ils ont poursuivi le travail de qualité réalisé par les anciens propriétaires comme le prouve la sélection de cette année. Ce rosé issu de cabernet-sauvignon exprime les arômes du cépage (poivron) et offre une bouche équilibrée. Il accompagnera un tian de légumes provençaux. Le **merlot rouge 2004**, aromatique, fin et soyeux, obtient la même note.

SAS Régusse, Dom. de Régusse, rte de la Bastide-des-Jourdans, 04860 Pierrevert, tél. 04.92.72.30.44, fax 04.92.72.69.08, e-mail domaine-de-regusse@wanadoo.fr r.-v.

Alpes-Maritimes

LOU VIN D'AQUI 2005 ★

■ 0,1 ha 800 ■ 5 à 8 €

Le dénivelé important du domaine oblige à une culture en terrasses. Le « vin d'ici » se distingue par ses notes de bonbon anglais et de fruits exotiques... On pourrait presque croire qu'il est d'ailleurs ! La même cuvée en **rouge 2005 (8 à 11 €)** obtient une étoile pour son équilibre et son élégance.

Dom. de Toasc, 213, chem. de Crémat, 06200 Nice, tél. 04.92.15.14.14, fax 04.92.15.14.00
r.-v.
Nicoletti

GEORGES ET DENIS RASSE
Cuvée du Pressoir romain
Vinifié en fût de chêne 2005 ★

■ 2 ha 8 500 ■ 8 à 11 €

C'est à un voyage dans les couleurs et les millésimes que Georges et Denis Rasse vous invitent cette année. En effet, que ce soit en blanc ou en rouge, la cuvée du Pressoir romain a été pareillement appréciée par les dégustateurs. Très aromatique, le **blanc 2005** révèle un boisé réussi. Le **rouge 2004 Élevé en fût de chêne** est bien équilibré, avec un nez de myrtille et de cassis. Enfin, la cuvée **Longo Maï rouge 2002 Élevé en fût de chêne (15 à 23 €)** obtient également une étoile.

Georges et Denis Rasse, Les Hautes Collines de la Côte d'Azur, 800, chem. des Sausses, 06640 Saint-Jeannet, tél. et fax 04.93.24.96.01, e-mail vignoble-stjeannet@club-internet.fr
lun., mer., ven. 9h30-13h 14h30-18h30

Argens

DOM. GIROUD 2005

■ 0,6 ha 3 500 ■ 3 à 5 €

Les époux Giroud ont créé de toutes pièces ce domaine de 10 ha en 2003 et assument à eux deux tous les travaux de la vigne et du vin. Issu majoritairement de rolle (90 %), complété d'ugni blanc, leur vin expressif développe des notes d'agrumes, puis offre une bouche souple, à la vivacité maîtrisée. Bon accord avec des fruits de mer.

Thierry Giroud, Ch. Giroud, rte du Luc, 83340 Cabasse, tél. 06.82.86.52.29, fax 04.94.80.29.83, e-mail contact@chateaugiroud.fr
t.l.j. 9h-18h; sam. dim. sur r.-v.

DOM. LUDOVIC DE BEAUSÉJOUR 2005 ★

■ 0,77 ha 6 600 ■ 3 à 5 €

Les rosés de ce domaine sont des habitués des sélections du Guide ; l'un fut même coup de cœur en vin du pays du Var (millésime 2003). C'est en pays d'Argens que l'on déguste cette année ce rosé tout en finesse, délicat comme sa robe pétale de rose ; il offre une finale longue et harmonieuse sur le fruit, animée d'une pointe de fraîcheur. Le **blanc 2005** est cité pour son côté vif et citronné.

Dom. Ludovic de Beauséjour, hameau de la Basse-Maure, rte de Salernes-Flayosc, 83510 Lorgues, tél. 04.94.50.91.90, fax 04.94.50.91.97 r.-v.
Maunier

PESQUE LUNE 2005 ★

■ n.c. n.c. ■ 5 à 8 €

Toutes les parcelles de la cave coopérative de Correns sont conduites en agriculture biologique. L'assemblage du rolle et d'ugni blanc a donné naissance à un vin de terroir original, marqué par des notes d'anis et de fenouil. De tels arômes, que l'on retrouve dans la bouche souple et grasse, le destinent à accompagner un filet de saumon. Le **Pesque Lune rouge 2004** est cité pour son équilibre et son harmonie.

Les Vignerons de Correns et du Val, rue de l'Église, 83570 Correns, tél. 04.94.59.59.46, fax 04.94.59.50.32
t.l.j. sf dim. 9h-17h

Bouches-du-Rhône

DOM. L'ATTILON Marselan 2005

■ 4 ha 12 000 ■ 3 à 5 €

Dans cette ancienne propriété datant du XVII[e]s. le comte de Roux soigne ses vignes en agrobiologie. Il a produit un marselan au nez fin, marqué d'une pointe de

VDP

torréfaction. En bouche, les tanins sont encore un peu fermes et demandent deux à trois ans pour s'assouplir. Ce 2005 accompagnera alors une gardiane. Le **chardonnay 2005**, rond en bouche, est également cité.
⊶ de Roux, Dom. L'Attilon, mas Thibert, 13200 Arles, tél. 04.90.98.70.04, fax 04.90.98.72.30 ☑ 𝕋 ⚘ r.-v.

DOM. BAGRAU 2005

■ 1,5 ha 5 000 3 à 5 €

Ce 2005 est le premier millésime de Mireille Bastard. Assemblage de caladoc (65 %) et de merlot (35 %), ce vin se pare d'une robe rubis. Son nez est marqué par les fruits rouges, que l'on retrouve en bouche ; celle-ci, d'une jolie persistance aromatique, est équilibrée. À servir sur des grillades.
⊶ Mireille Bastard, EARL Dom. Bagrau,
Le Grand Saint-Paul, rte des Mauvares, 13840 Rognes,
tél. et fax 04.42.50.12.53,
e-mail domainebagrau@wanadoo.fr
☑ 𝕋 ⚘ t.l.j. 10h-12h 14h-19h

DOM. DE BEAUJEU Cuvée Vincent 2004 *

■ 2,15 ha 3 000 ⏺ 5 à 8 €

Depuis cinq générations, la famille de Pierre Cartier maintient sur la propriété l'équilibre caractéristique des exploitations camarguaises d'autrefois, entre vignes, céréales et herbages. Le domaine est conduit en agriculture biologique. Cette cuvée Vincent, à 80 % de marselan, présente un nez fruité et réglissé, puis une bouche fine, longue et équilibrée. Le **Merlot de Julien 2004 (3 à 5 €)**, aux notes de cacao et d'orange, est cité.
⊶ Pierre Cartier, Dom. de Beaujeu, rte du Sambuc, 13200 Arles, tél. 04.90.97.22.30, fax 04.90.97.21.58, e-mail beaujeuwinerop@yahoo.fr ☑ 𝕋 ⚘ r.-v.

DOM. DE BOUCHAUD Merlot 2005 *

■ 4 ha 10 000 ▮ 3 à 5 €

Léguée dans les années 1970 à l'ordre des Bénédictins, cette propriété abrite le prieuré Notre-Dame-des-Champs, où résident une quinzaine de moines. Parée d'une robe pourpre sombre, cette cuvée de merlot développe un nez d'une grande élégance qui marie la truffe, le cassis confit et la mûre de ronce. La bouche, complexe, est construite sur des tanins encore fermes qui demanderont deux à trois ans pour s'arrondir pleinement.
⊶ EARL Bonistalli, Dom. de Bouchaud, 13200 Arles, tél. 04.90.97.00.31, fax 04.90.97.08.66, e-mail earlbonistalli@wanadoo.fr ☑ 𝕋 ⚘ r.-v.
⊶ Congrégation des Bénédictins

DOM. DE BOURNISSAC 2005 **

■ 13 ha 100 000 3 à 5 €

Syrah, merlot et cabernet-sauvignon se sont mariés ici pour le meilleur, offrant un vin à la robe sombre, rubis intense, et au nez d'épices douces. La bouche, d'une grande élégance, s'appuie sur des tanins enrobés qui mènent à une finale réglissée. À servir avec une pièce de gibier.
⊶ Terres d'Avignon,
457, av. Aristide-Briand, 84310 Morières-lès-Avignon, tél. 04.90.22.65.65, fax 04.90.33.43.31 ☑ 𝕋 ⚘ r.-v.

DOM. LA COSTE Rosé de cabernet 2005

■ 1 ha 7 000 ▮ 3 à 5 €

De ce domaine, on a un point de vue sur tout le Luberon et le massif de la Trévaresse. Vous vous laisserez tenter par ce rosé de cabernet-sauvignon de couleur saumon clair, dont la bouche ample et gourmande livre des notes de litchi et de poire mûre. Un rosé à servir avec une assiette de charcuteries du pays.
⊶ SCEA du Ch. La Coste,
CD 14, 13610 Le Puy-Sainte-Réparade,
tél. 04.42.61.89.98, fax 04.42.61.89.41,
e-mail contact@chateau-la-coste.com ☑ 𝕋 r.-v.

FLORIE 2005 **

■ 100 ha n.c. - de 3 €

Régulièrement sélectionnée pour ses vins, dont l'un fut coup de cœur en 2003, la cave de Lambesc propose une cuvée remarquable. Sous sa robe rouge intense aux reflets grenat, elle développe un bouquet fruité d'une grande finesse. En bouche, les tanins discrets dessinent un vin élégant, à découvrir avec un gigot d'agneau de Sisteron. Le **merlot 2005 (3 à 5 €)** obtient une étoile pour son nez expressif (cacao, pain grillé, cassis) et ses tanins enrobés.
⊶ Les Vignerons du Roy René,
6, av. du Gal-de-Gaulle, RN 7, 13410 Lambesc,
tél. 04.42.57.19.35, fax 04.42.92.91.52,
e-mail lesvigneronsduroyrene@wanadoo.fr ☑ 𝕋 ⚘ r.-v.

LES VIGNERONS DU GARLABAN Lou Goustous 2004 *

■ 7 ha 4 000 ▮ 3 à 5 €

Grâce à une sélection parcellaire rigoureuse, les Vignerons du Garlaban ont parfaitement réussi ce vin d'assemblage (grenache 80 %, syrah 15 %, carignan 5 %). La robe est sombre, le nez ouvert sur des notes de confiture de cerises. En bouche, le vin est gourmand, avec des tanins qui apparaissent en finale, mais sans nuire à l'équilibre général. À découvrir avec des côtelettes d'agneau. Le **caladoc rosé 2005 (moins de 3 €)** est cité pour la finesse de ses flaveurs, son ampleur en bouche et sa finale épicée.
⊶ Les Vignerons du Garlaban,
8, chem. Saint-Pierre, 13390 Auriol,
tél. 04.42.04.70.70, fax 04.42.72.89.49,
e-mail vignerons.garlaban@wanadoo.fr
☑ 𝕋 t.l.j. sf dim. 9h-12h 15h-19h

LA GRANDE BAUQUIÈRE 2005 *

■ 1 ha 6 600 ▮ - de 3 €

Restaurée en 2002 par la famille Francart, d'origine champenoise, cette bastide du XIXe s. est située à 4 km de la Sainte-Victoire. Ce rosé d'assemblage (grenache, syrah et carignan), au nez de bonbon anglais et de fruits rouges (cerise), vous séduira par sa rondeur et son harmonie.
⊶ G. et A. Francart, Ch. La Grande Bauquière,
13114 Puyloubier, tél. et fax 04.42.66.39.27,
e-mail lagrandebauquiere@cegetel.net
☑ 𝕋 ⚘ t.l.j. 9h-12h 14h-17h

DOM. DE LANSAC
Saint Louis Élevé en fût de chêne 2003 *

■ 5,9 ha 3 900 ■◐ 5 à 8 €

Ancienne commanderie des Templiers, ce domaine appartient depuis des générations à la famille Sabran. Ce carignan élevé en fût s'affirme comme un vin de garde concentré, aux légers arômes de fruits et aux tanins présents mais soyeux, qui saura tenir tête à un plat de gibier. Le **chardonnay 2005 (3 à 5 €)**, au nez discret de fleurs blanches, est cité.

Éléonore de Sabran-Pontevès, Dom. de Lansac, 13150 Tarascon, tél. et fax 04.90.91.38.38, e-mail contact@domaine-lansac.com
t.l.j. sf dim. 9h-12h 14h-19h

DOM. DE LUNARD Cuvée Prestige 2003 *

■ 1,5 ha 8 000 ◐ 5 à 8 €

Installé sur des coteaux argilo-calcaires au milieu des pins et de la garrigue, le domaine de François Michel constitue avec ses chambres d'hôtes une étape intéressante pour visiter la Provence. Ce vin, élevé en fût, offre un nez vanillé agrémenté de notes de fruits rouges. Le boisé est présent au palais, mais bien fondu, preuve du savoir-faire du vinificateur. À ouvrir sur une viande rouge.

EARL Dom. de Lunard, 13140 Miramas, tél. 04.90.50.93.44, fax 04.90.50.73.27, e-mail dlunard@cario.fr
t.l.j. sf dim. lun. 9h-12h 15h-19h 4
Michel

MAS DE REY Chasan 2005 **

■ 5 ha 15 000 ■ 5 à 8 €

Ce domaine se distingue par sa chapelle Renaissance, érigée sur des fondations datant des Templiers, que l'on peut visiter, mais aussi côté vigne par les efforts entrepris pour réguler la salinité de son vignoble. Planté sur des sables d'alluvion, ce chasan produit un vin au nez complexe d'agrumes et de lys, remarquable par son élégance et sa finesse en bouche. Le jury a accordé une étoile au **marselan 2005**, cépage né du croisement du cabernet-sauvignon et du grenache noir.

M. Mazzoleni, ancienne rte de St-Gilles, VC 114, 13200 Arles, tél. 04.90.96.11.84, fax 04.90.96.59.44, e-mail mas.de.rey@provnet.fr
t.l.j. 9h-12h 14h-19h

MAS DE VALÉRIOLE Marselan 2004

■ 4,5 ha 5 000 ■◐ 5 à 8 €

Ce vignoble situé au cœur du Parc naturel régional de Camargue est cultivé dans le respect de l'environnement. Il a produit un marselan à la robe profonde et au nez vanillé, héritage de son passage en fût, qu'il faudra garder encore deux à trois ans afin de laisser ses tanins s'assouplir, avant de le servir avec du taureau... de Camargue !

P. et J.-P. Michel, GAEC Mas de Valériole, Gageron, 13200 Arles, tél. 04.90.97.00.38, fax 04.90.97.01.78, e-mail hpmichel@wanadoo.fr r.-v.

DOM. DES MASQUES
Cabernet-sauvignon Syrah 2005 *

■ 3 ha 13 000 ■ 5 à 8 €

« Qui sait déguster ne boit plus jamais de vin mais goûte des secrets », affirme Salvador Dalí sur l'étiquette de ce vin. Ses secrets, ce rosé les a volontiers livrés derrière sa robe couleur grenadine. Ce sont des arômes de fruits cuits (poire, coing) et une bouche ample et généreuse, agréablement animée d'un léger perlant plein de fraîcheur. Un rosé de repas pour accompagner une grillade et des tomates à la provençale.

Carl Mestdagh, SCEA Dom. des Masques, chem. Maurelly, 13100 Saint-Antonin-sur-Bayon, tél. 06.70.19.54.67, fax 04.42.12.38.50 r.-v.

DOM. NAÏS Cabernet-sauvignon 2004

■ 1 ha 3 800 ■ 3 à 5 €

Vinifiant depuis 2002 en cave particulière, le domaine propose cette cuvée de cabernet-sauvignon dont le nez exprime toute la typicité du cépage, avec ses notes de cacao et de poivron grillé. De facture classique, la bouche est encore marquée par des tanins qui demanderont un ou deux ans pour se fondre davantage. À choisir pour des grillades.

Laurent Bastard et Éric Davin, rte du Puy, 13840 Rognes, tél. et fax 04.42.50.16.73, e-mail domainenais@club-internet.fr
t.l.j. 9h-12h 14h30-18h30

DOM. L'OPPIDUM DES CAUVINS
Cassus Le Muscat 2005 *

■ 1 ha 6 000 ■ 5 à 8 €

Situé sur une ancienne place forte romaine au cœur du massif de la Trévaresse, ce domaine a produit un muscat blanc moelleux aux notes d'écorce d'orange. Plaisant et bien équilibré en bouche, ce 2005 accompagnera vos desserts.

Rémy et Dominique Ravaute, Dom. L'Oppidum des Cauvins, 13840 Rognes, tél. 04.42.50.13.85, fax 04.42.50.29.40
t.l.j. 9h-12h 14h-19h

LES VIGNERONS DE ROQUEFORT-LA-BÉDOULE La Cigale 2005 *

■ 5 ha 25 000 ■ - de 3 €

Une étiquette en forme de cigale, à la couleur lavande, et un assemblage de cinsault, de syrah et de vermentino pour ce rosé friand : pas de doute, vous êtes bien en Provence ! La robe tendre et vive invite à découvrir le nez explosif et gourmand avec ses notes de bonbon anglais, puis la bouche tendre en attaque et vive en finale. Un rosé de plaisir pour des petits farcis de Provence.

Les Vignerons de Roquefort-la-Bédoule, rte de Cuges-les-Pins, 13830 Roquefort-la-Bédoule, tél. 04.42.73.22.80, fax 04.42.73.01.37, e-mail lesvigneronsderoquefort@wanadoo.fr
t.l.j. sf dim. 8h30-12h 14h-19h

VDP

SOLAR NECTAR 2005 ★★

■ n.c. n.c. - de 3 €

Solar Nectar est une marque de négoce qui regroupe des cuvées élaborées à partir de raisins sélectionnés par James de Roany. Pari réussi avec ce rosé pétale de rose. Les dégustateurs ont été séduits par son nez de fruits rouges et sa bouche tonique et rafraîchissante. À servir avec de la charcuterie fine ou un navarin d'agneau.

Rayons Vins, 165, chem. de Maliverny, 13540 Puyricard, tél. 04.42.92.06.83, fax 04.42.92.24.12, e-mail roany@fr.inter.net

DOM. DE VALDITION 2005 ★

■ n.c. 18 000 5 à 8 €

Le Guide saluait l'an dernier la remarquable constance dans la qualité des vins de ce domaine situé au cœur des Alpilles. On ne s'étonnera pas de retrouver dans le millésime 2005 son rosé, léger et harmonieux, aux notes de bonbon anglais et à la bouche ronde et fraîche. Le jury a retenu avec une étoile la **Cuvée des Filles blanc 2005 (8 à 11 €)**, issue du cépage chasan, pour son nez d'agrumes et sa persistance en bouche.

SCEA Dom. de Valdition, rte d'Eygalières, 13660 Orgon, tél. 04.90.73.08.12, fax 04.90.73.05.95, e-mail contact@valdition.com r.-v.

François Faure

DOM. VIRANT Chardonnay 2005 ★

■ 2 ha 6 000 3 à 5 €

Situé au cœur du pays d'Aix, ce grand domaine s'étend sur 12 ha de vignes et 22 ha d'oliviers. S'il produit de l'huile d'olive en AOC, c'est pour son vin de pays de chardonnay qu'il est connu des lecteurs depuis son coup de cœur en 2002. En 2005, on découvre un vin à l'expression aromatique typique du cépage, qui plaît par sa finesse, son équilibre et sa persistance.

Cheylan Père et Fils, Ch. Virant, CD 10, 13680 Lançon-de-Provence, tél. 04.90.42.44.47, fax 04.90.42.54.81, e-mail contact@chateauvirant.com

t.l.j. 8h-12h 13h30-18h30

Coteaux du Verdon

VIGNELAURE

Cabernet-sauvignon Esprit de Nijinsky 2004 ★★

■ 14 ha 33 600 5 à 8 €

À la tête de ce domaine réputé depuis 1994, David O'Brien obtient son troisième coup de cœur en Coteaux du Verdon. Cette cuvée, élevée douze mois en fût, se distingue par ses arômes de fruits noirs relevés de notes animales, qui en font le compagnon idéal d'une pièce de gibier ou d'une côte de bœuf grillée.

Ch. Vignelaure, rte de Jouques, 83560 Rians, tél. 04.94.37.21.10, fax 04.94.80.53.39, e-mail david.obrien@wanadoo.fr

t.l.j. 9h-12h30 14h-18h

Hautes-Alpes

DOM. ALLEMAND Vieilles Vignes 2004 ★

■ 2 ha 5 000 5 à 8 €

Connaissez-vous le mollard, cépage originaire des Hautes-Alpes ? Ce 2004 qui en est issu à 100 % est une bonne occasion de le découvrir. Élevé huit mois en fût, il présente des notes de vanille et de noix de coco, et des tanins fondus. Un vin qui accompagnera un carré d'agneau de Sisteron aux épices.

EARL Allemand et Fils, La Plaine de Théüs, 05190 Théüs, tél. 04.92.54.40.20, fax 04.92.54.41.50, e-mail marc.allemand@wanadoo.fr

t.l.j. sf dim. 9h-12h 14h-18h

CAVE DES HAUTES VIGNES Chardonnay 2005 ★

■ 2 ha 9 000 3 à 5 €

Voici deux raisons de vous rendre dans la région : visiter le Parc naturel des Écrins et goûter ce chardonnay de la cave des Hautes Vignes, dont la production est uniquement vendue localement. C'est un joli blanc qui séduira les amateurs de vins ronds et pleins. Arborant un nez d'agrumes et de fleurs miellés, il présente une bouche bien équilibrée entre gras et fraîcheur. À déguster avec des fromages frais.

Cave des Hautes Vignes, Le Village, 05130 Valserres, tél. 04.92.54.33.02, fax 04.92.54.31.34, e-mail cavedeshautesvignes@wanadoo.fr

t.l.j. sf dim. 8h-12h 14h-17h30

DOM. DE TRESBAUDON 2005 ★

■ 3 ha 22 000 3 à 5 €

Coup de cœur pour le millésime 2003, on retrouve cette année ce rosé, assemblage de merlot (50 %), de syrah (40 %) et de viognier (10 %). Harmonieux et friand avec ses notes de myrtille et de framboise, c'est un vin de convivialité à boire avec une grillade d'agneau. Une étoile également pour la cuvée **Lou Prestige rouge 2005 Élevé en fût de chêne (5 à 8 €)**, au nez intense de fruits mûrs et aux tanins fondus.

Olivier Ricard, rte de Tresbaudon, 05130 Tallard, tél. 04.92.54.19.28, fax 04.92.54.17.67

t.l.j. sf dim. 9h-12h 14h-18h

Île de Beauté

VIGNERONS D'AGHIONE

Collection privée 2005 ★

■ 60 ha 200 000 3 à 5 €

Créée il y a trente ans, la coopérative d'Aghione a modernisé sa cave en 2005. Elle a élaboré ce vin couleur fraise, issu de niellucciu (70 %) et de syrah (30 %). Laissez-le

s'aérer dans le verre, ses arômes en tireront profit. Sur une tonalité assez réglissée, il affiche un équilibre sans défaut. Vous pourrez profiter de cette cuvée pas si « privée » que ça avec ses 200 000 bouteilles, ou vous laisser tenter par le **Domaine Casanova gris 2005** qui obtient une citation.
Cave coop. d'Aghione, Samuletto, 20270 Agjione,
tél. 04.95.56.60.20, fax 04.95.56.61.27,
e-mail coop.aghione.samuletto@wanadoo.fr r.-v.

DOM. AGHJE VECCHIE
Chardonnay Vecchio 2004 ★★

0,83 ha 4 500 8 à 11 €

Jacques Giudicelli a créé l'exploitation en 1960, mais ce n'est que quarante ans plus tard que la cave verra le jour sous la houlette de sa fille Florence pour des vinifications au domaine. Le chardonnay réussit bien ici, puisqu'il a déjà obtenu un coup de cœur dans le Guide 2002 pour le millésime 2000. Jaune doré, ce 2004 a passé douze mois sous le chêne et il en garde le souvenir. Riche et fruité, d'une persistance appréciée, il s'alliera à des poissons en sauce.
Antoine-Jacques Giudicelli, Dom. Aghje Vecchie,
20230 Canale-di-Verde, tél. 06.03.78.09.96,
fax 04.95.38.03.37, e-mail vecchio@tele2.fr
t.l.j. sf dim. 10h-12h 16h-19h; hiver sur r.-v.

DOM. CASABIANCA
Muscat doux Cantabilé Nectar d'automne 2005 ★★

15 ha n.c. 5 à 8 €

Créateur du pastis Casanis, Emmanuel Casabianca fonda en 1954 le vignoble de Santa Maria sur les coteaux de Bravone. Appartenant toujours à la même famille, ce domaine comprend aujourd'hui plus de 250 ha de vignes complantées en cépages locaux et continentaux. Le muscat à petits grains occupe une place de choix dans l'encépagement ; il a produit ce vin doux au nez intense d'agrumes confits et d'abricot sec, à la bouche équilibrée et pleine de caractère. La cuvée **Moderato Nectar d'automne blanc (8 à 11 €)** joue dans le même registre et obtient une étoile.
SCEA du Dom. Casabianca,
Coteaux de Santa Maria, 20230 Bravone,
tél. 04.95.38.96.00, fax 04.95.38.81.91,
e-mail domainecasabianca@wanadoo.fr r.-v.

GASPA MORA 2005 ★

40 ha 180 000 - de 3 €

À l'entrée de Ghisonaccia, cette coopérative représente près de 400 ha de vignoble situés en plaine orientale. Assemblage de niellucciu (70 %) et de merlot (30 %), cette cuvée rubis donne la vedette aux arômes de pruneau agrémentés d'une note de pétrole. Au palais, elle fait preuve de structure, mais aussi de rondeur, et dévoile des accents réglissés et épicés. Cité, le **muscat moelleux 2005 (5 à 8 €)** léger et délicatement mentholé, affiche une bouche « originale et surprenante », qui a plu aux dégustateurs.
Coop. de Saint-Antoine,
Saint-Antoine, 20240 Ghisonaccia,
tél. 04.95.56.61.00, fax 04.95.56.61.60,
e-mail info@cavesaintantoine.com r.-v.

DOM. PASQUA Cabernet-sauvignon Syrah 2005 ★★

10 ha 30 000 8 à 11 €

Au nord de l'île, non loin de Bastia, la coopérative de Borgo a vinifié dans sa cave rénovée en 2004 deux belles cuvées. Ce vin, issu d'une sélection parcellaire de syrah et de cabernet-sauvignon, se distingue par son intensité colorante et son bouquet de fruits rouges qui le rendent expressif. Cette sensation fruitée persiste en bouche dans un ensemble équilibré, intense. Du même domaine le **chardonnay doux 2005**, provenant d'une vendange passerillée, obtient une étoile pour son caractère gourmand.
Cave coop. de la Marana, Rasignani, 20290 Borgo,
tél. 04.95.58.44.00, fax 04.95.38.38.10,
e-mail uval.sica@corsicanwines.com
t.l.j. sf dim. 9h-12h 15h-19h

DOM. PETRA CORSA 2005 ★

n.c. n.c. 3 à 5 €

Une cuvée intéressante, marquée par le poivré mais qui sait aussi faire la part belle à la cerise et autres fruits rouges. Ample et long, ce vin se montre encore jeune et devra être attendu au moins deux ans.
Marie Poli, Linguizzeta, 20230 San-Nicolao,
tél. 04.95.38.86.38, fax 04.95.38.94.71 r.-v.

RÉSERVE DU PRÉSIDENT Chardonnay 2005 ★★

n.c. 150 000 3 à 5 €

Nouveau coup de cœur pour cette imposante Union des coopératives et sa Réserve du Président. Cette année, c'est la cuvée de chardonnay de la cave Casinca qui est distinguée. En Corse, ce cépage a le vent en poupe. Jaune pâle à reflets verts, ce vin se montre complexe et équilibré, un léger vanillé témoignant du passage en fût. L'expression aromatique (pêche blanche notamment) se révèle persistante. Un blanc qui s'adaptera au loup grillé comme au colin froid mayonnaise. Deux autres cuvées sont citées, cette fois vinifiées par la cave d'Aléria : la **Réserve du Président gris de grenache 2005 (moins de 3 €)**, un rosé à la rondeur plaisante, et la **Réserve du Président merlot 2005 rouge (moins de 3 €)**, bien structurée, qui pourra attendre ou être bue maintenant après un passage en carafe.
Union des Vignerons de l'Île de Beauté,
Cave coop. La Casinca, 20215 Arena-Vescovato,
tél. 04.95.36.51.45 r.-v.

TERRA VECCHIA
Merlot niellucciu Réserve 2005 ★★

63 ha 50 000 - de 3 €

Un assemblage de merlot et de niellucciu parfaitement vinifiés. Rubis profond, ce vin riche d'arômes de fruits rouges livre une matière de qualité étayée par des tanins soyeux, avant une finale longue. Deux autres vins sont sélectionnés : le **Domaine Terra Vecchia rouge 2005** qui obtient deux étoiles pour ses notes réglissées et animales, et sa structure ; et le **Domaine Terra Vecchia blanc 2005**, floral (jasmin), noté une étoile.

CORSICA
Reserve 2005
MERLOT-NIELLUCCIO
PRODUIT DE FRANCE
FAMILLE SKALLI

SAS Terra Vecchia, Dom. Terra Vecchia, 20270 Tallone, tél. 04.95.57.20.30, fax 04.95.57.08.98

TERRAZZA ISULA Nielluccìu merlot 2005 ★★

■ 40 ha 230 000 3 à 5 €

Assemblage de niellucciu (60 %) et de merlot, ce vin rubis intense offre un nez floral soutenu (rose), relevé d'une légère pointe anisée. En bouche, c'est le fruit qui domine dans un ensemble élégant et long, porté par des tanins soyeux. La même maison propose en blanc la cuvée **Terra Mariana chardonnay 2005**, citée pour sa fraîcheur.

Uval, Les Vignerons Corsicans, Rasignani, 20290 Borgo, tél. 04.95.58.44.00, fax 04.95.38.38.10, e-mail uval.sica@corsicanwines.com t.l.j. sf dim. 9h-12h 15h-19h

Maures

DOM. D'ASTROS 2005 ★★

3,65 ha 23 000 3 à 5 €

MIS EN BOUTEILLE AU DOMAINE
DOMAINE D'ASTROS
Vin de Pays des Maures
2005
750ml

Depuis 1802, le domaine d'Astros appartient à la famille Maurel. Une cuvée, moitié sauvignon moitié ugni blanc, a conquis le jury. Sous la robe pâle, on découvre un nez puissant marqué par des notes de fruits blancs (poire) et de buis. La matière pleine et riche reste agréable, sans aucune lourdeur. Le **rosé 2005** obtient une étoile pour ses arômes plaisants de fruits rouges frais.

Bernard Maurel, Ch. d'Astros, rte de Lorgues, 83550 Vidauban, tél. 04.94.99.73.00, fax 04.94.73.00.18, e-mail chateau-astros@wanadoo.fr t.l.j. sf dim. 8h30-12h30 14h-18h

DOM. LE BASTIDON Rosé de saignée 2005

■ 1,2 ha 6 600 3 à 5 €

Jean-Pierre Rose propose un rosé élaboré par saignée à partir de cinsault et de grenache. Les arômes discrets d'agrumes marquent la dégustation de ce vin volumineux, à servir avec un poisson gras ou un gratin d'aubergines. Le **rouge 2005**, assemblage de merlot (70 %) et de grenache (30 %), est cité pour son fruité et son équilibre.

Jean-Pierre Rose, Dom. Le Bastidon, rte du Pansard, 83250 La Londe-les-Maures, tél. 04.94.66.80.15, fax 04.94.66.68.23, e-mail vigneronvar@aol.com r.-v.

DOM. BEAUMET Cabernet-sauvignon merlot 2005 ★

■ 0,5 ha 2 000 5 à 8 €

Le domaine de Beaumet, qui est passé en 2006 à l'agriculture biologique, prouve avec ce vin que les cépages bordelais se plaisent aussi sous le soleil de la Provence. Au nez fruité jouant les notes de cerise répond une bouche harmonieuse. À découvrir également, la **syrah rouge 2005**, suffisamment puissante pour tenir tête aux gibiers.

Dom. Beaumet, quartier Beaumet, 83590 Gonfaron, tél. 04.98.05.21.00, fax 04.94.78.27.40, e-mail chateaubeaumet@wanadoo.fr t.l.j. 9h-12h 14h-18h

Gierling

DOM. BORRELY-MARTIN Mourvèdre 2004 ★

■ 1 ha 3 000 8 à 11 €

Un élevage de dix-huit mois en cuve a permis de faire ressortir les arômes de fruits mûrs et les notes animales du mourvèdre. Les tanins se sont aussi arrondis, jusqu'à devenir soyeux. Un vin prêt à être dégusté.

Dom. Borrely-Martin, Grande rue, 83340 Les Mayons, tél. et fax 04.94.60.09.39, e-mail jacques.martin132@wanadoo.fr r.-v.

Martin Frères

DOM. DE LA FERME
Cuvée des vieux salins Merlot 2005

■ 4 ha 12 000 5 à 8 €

Armand Mathieu-Resuge, président du syndicat des vignerons du Var, accueille les visiteurs au domaine dans une bergerie entièrement rénovée et leur fait partager les plaisirs de sa table qui met en valeur les produits de saison issus du potager de la maison. Pour accompagner le repas, tentez sa cuvée de merlot, au nez fruité et à la bouche bien équilibrée.

Armand Mathieu-Resuge, 83400 Les Salins-d'Hyères, tél. 04.94.66.40.15, fax 04.94.66.49.30, e-mail mra@club-internet.fr r.-v. 4

CELLIER SAINT-BERNARD Chardonnay 2005 ★★

5 ha 2 000 3 à 5 €

Déjà distingué de deux étoiles l'an dernier, on retrouve le chardonnay de la cave de Flassans dans le millésime 2005. Un vin brillant de reflets verts, au nez franc et expressif. Il se révèle harmonieux en bouche, offrant fruité et vivacité. Un poisson grillé lui conviendra.

Cellier Saint-Bernard, av. du Gal-de-Gaulle, 83340 Flassans-sur-Issole, tél. 04.94.69.71.01, fax 04.94.69.71.80 r.-v.

DOM. DU VIEIL ASTROS 2005 *

1,05 ha 9 000 3 à 5 €

Issu du seul cépage ugni blanc, ce 2005 vert pâle, dévoile un nez franc aux notes de fleurs et de buis. D'attaque souple, la bouche révèle ensuite beaucoup de gras, avant une longue finale. Le **rosé 2005** est cité pour son fruité agréable.

Christian Maurel, Vieux Château d'Astros, rte de Lorgues, 83550 Vidauban, tél. 04.94.99.73.00, fax 04.94.73.00.18, e-mail chateau-astros@wanadoo.fr

t.l.j. sf dim. 8h30-12h30 14h-18h

Mont-Caume

LA CADIÉRENNE Cuvée spéciale 2005

31,43 ha 100 000 - de 3 €

Regroupant quatre cent vingt viticulteurs, la cave de La Cadière d'Azur rassemble 800 ha de vignes. Elle propose cette cuvée spéciale, assemblage de carignan, de mourvèdre, de grenache et de cinsault qui joue la carte du plaisir et de la simplicité, avec son attaque légère et sa bouche tout en souplesse.

Les Vignerons de la Cadiérenne, quartier Le Vallon, 83740 La Cadière-d'Azur, tél. 04.94.90.11.06, fax 04.94.90.18.73, e-mail cadierenne@wanadoo.fr

r.-v.

DOM. DU PEY-NEUF 2005 *

6 ha 40 000 3 à 5 €

Après un coup de cœur l'an dernier, ce domaine revient avec deux vins qui reçoivent chacun une étoile. Le soin apporté à la vendange (manuelle et triée) se ressent dans ce rosé fruité, aux notes gourmandes de bonbon anglais, qui séduit par son harmonie d'ensemble. Le **rouge 2005** a gardé de son élevage en fût un nez puissant aux notes de vanille et de grillé.

Guy Arnaud, Dom. du Pey-Neuf, 367, rte de Sainte-Anne, 83740 La Cadière-d'Azur, tél. 04.94.90.14.55, fax 04.94.26.13.89, e-mail domaine.peyneuf@wanadoo.fr r.-v.

Petite Crau

CAPRICE DE LAURE
Cabernet-sauvignon merlot 2004 *

6 ha 34 000 3 à 5 €

Laure de Noves fut la muse du poète Pétrarque, mais aujourd'hui ce sont les vignerons de Noves qu'elle inspire pour leurs cuvées. Un jour de caprice leur demanda-t-elle de marier ainsi merlot et cabernet ? Si vous cédez à ce Caprice, vous découvrirez une robe sombre, des notes d'épices et de truffe, puis des tanins fins. À boire avec une viande grillée ou un plateau de fromages.

SCA Cellier de Laure, 1, av. Agricol-Viala, 13550 Noves, tél. 04.90.94.01.30, fax 04.90.92.94.85, e-mail cellierdelaure@wanadoo.fr

t.l.j. sf dim. 8h-12h 14h-18h30

Portes de Méditerranée

LA BASTIDE SAINT DOMINIQUE 2005 *

1 ha 4 000 3 à 5 €

Construite sur le site d'une ancienne chapelle, cette bastide date du XVIIe s. On peut y déguster une cuvée issue de roussanne et de clairette, qui exprime la grande maturité de ses raisins. Les arômes évocateurs de fruits mûrs (pêche et abricot) se développent jusque dans une bouche ronde et charnue. À déguster avec un poisson en sauce ou un plateau de fromages de chèvre.

Gérard et Éric Bonnet, chem. Saint-Dominique, 84350 Courthézon, tél. 04.90.70.85.32, fax 04.90.70.76.64, e-mail contact@bastide-st-dominique.com

r.-v.

DOM. EDEM
Chardonnay Élevé en fût de chêne 2005 *

0,9 ha 5 300 5 à 8 €

Un élevage en fût bien maîtrisé a apporté à cette cuvée de chardonnay des notes grillées et épicées. La bouche ample exprime les fruits blancs (pêche) avec persistance. À servir sur un poisson en sauce pour sa fraîcheur aromatique et son côté gouleyant. Le **merlot rouge 2005 Élevé en fût de chêne (3 à 5 €)** est cité.

Eduard et Emmanuelle Van Wely, Ch. Edem, rte de Lacoste, 84220 Goult, tél. 04.90.72.36.02, fax 04.90.72.34.71, e-mail chateau.edem@wanadoo.fr

t.l.j. sf mer. sam. dim. 9h30-17h30

DOM. MEILLAN-PAGÈS Merlot 2005 **

1,2 ha 6 000 3 à 5 €

Jean-Pierre Pagès a quitté la cave coopérative en 1998 pour vinifier ses propres cuvées, et on connaît la suite : coup de cœur dès 1999 pour son sauvignon, on l'a retrouvé au fil des ans dans la sélection du Guide pour d'autres cuvées. Dans son domaine, il accueille volontiers les pique-niqueurs pour lesquels il met à disposition un barbecue. Ça tombe bien, son merlot aux notes de truffe et de tabac blond, aux tanins riches et suaves, se plaît bien avec les grillades.

Jean-Pierre Pagès, Dom. Meillan-Pagès, La Garrigue, 84580 Oppède, tél. 04.32.52.17.50, fax 04.90.76.94.78, e-mail meillan@terre-net.fr

t.l.j. 10h-20h; groupes sur r.-v.

LES VIGNERONS
DU MONT VENTOUX 2005 ***

25 ha 135 000 3 à 5 €

Dans les chais refaits à neuf, les vignerons du mont Ventoux ont vinifié cet assemblage original de chardonnay (60 %) et de viognier (40 %). Le résultat est tout simplement exceptionnel de finesse et d'ampleur. Le nez bien net livre une palette aromatique variée, tandis que la bouche à la rondeur gourmande joue les notes d'ananas et s'anime d'un léger perlant plein de fraîcheur. Un vin à savourer pour lui-même à l'apéritif ou à marier à un saumon à l'oseille.

SCA Les Vignerons du Mont Ventoux, quartier La Salle, 84410 Bédoin, tél. 04.90.12.88.00, fax 04.90.65.64.43 r.-v.

LE CHARDONNAY DU PESQUIÉ 2005 *

2,39 ha 2 600 5 à 8 €

Conduit en agriculture raisonnée, ce domaine familial, où trois générations unissent leurs efforts pour pro-

duire des vins de plaisir, a modernisé son chai en 2005. Les deux cuvées de blanc produites en ont clairement bénéficié. Le chardonnay, tout d'abord, qui a conquis le jury par son fruité et sa longueur en bouche, est à déguster sur des brochettes de seiche marinées. **Le viognier du Pesquié 2005 (8 à 11 €)** obtient aussi une étoile ; il sera un bon compagnon à l'apéritif, puis avec du poisson en sauce.
SCEA Ch. Pesquié, rte de Flassan, BP 6, 84570 Mormoiron, tél. 04.90.61.94.08, fax 04.90.61.94.13, e-mail chateaupesquie@yahoo.fr
t.l.j. 9h-12h 14h-18h; f. dim. oct.-Pâques
Famille Chaudière-Bastide

LE PLAN VERMEERSCH Syrah GT-S 2004 ★★

1,5 ha 2 000 11 à 15 €

Le lycée viticole d'Orange ou la course automobile en Flandre, tous les chemins conduisent à la vigne. C'est ce que démontrent les parcours respectifs d'Ann et de Dick Vermeersch, qui proposent avec ce 2004 leur troisième millésime issu de vignes conduites en agriculture biologique. Cette syrah sur garrigues se dévoile sous une robe rubis grenat. Le bois est bien fondu et les tanins mûrs s'inscrivent dans un décor aromatique de réglisse et de pruneau. Chaud, bien porté sur le fût, c'est un vin concentré qui devrait se plaire avec le civet de lièvre ou le lapin, selon votre fortune.
Le Plan-Vermeersch, Dom. Le Plan, 26790 Tulette, tél. 04.75.98.36.84, fax 04.75.98.60.75, e-mail info@leplan.net r.-v. G E

DOM. LA RIGOULINE 2003 ★

3 ha 3 000 8 à 11 €

Cette cuvée de la coopérative de Venelles est issue du cépage marselan, croisement de cabernet-sauvignon et de grenache noir, cultivé sur un terroir argilo-calcaire. Douze mois d'élevage en fût ont permis d'arrondir ses tanins. Grâce aux soins du maître de chai, le résultat est un vin harmonieux, aux notes animales, que l'on pourra déguster avec un civet de sanglier ou un fromage à pâte molle.
Les Quatre Tours, RN 96, 13770 Venelles, tél. 04.42.54.71.11, fax 04.42.54.11.22 r.-v.

LA CHAPELLE SAINT BACCHI Ugni blanc 2005 ★

0,5 ha 1 550 5 à 8 €

Christian Valensisi a repris ce vignoble en 2003 et construit une cave pour vinifier ses propres cuvées. Notez qu'il produit également des plantes aromatiques, de l'huile d'olive et des céréales. Si le domaine est récent, les vignes, elles, sont anciennes puisque ce sont des pieds d'une cinquantaine d'années qui ont fourni l'ugni blanc de cette cuvée. Celle-ci présente une robe pâle aux reflets verts et un nez discret de fleurs blanches. Le jury a attribué une étoile également au **rosé carignan 2005** pour ses arômes de fleur d'églantine et sa tenue en bouche caractéristique de ce cépage.
Dom. Saint Bacchi, RD 561, 13490 Jouques, tél. et fax 04.42.67.62.92, e-mail valensisi.christian@neuf.fr
t.l.j. sf dim. 9h-12h 14h-19h D

Principauté d'Orange

DOM. DANIEL ET DENIS ALARY La Grange Daniel 2005

6 ha 25 000 5 à 8 €

Cinq cépages se partagent à égalité l'assemblage de cette cuvée : cinsault, syrah, counoise, cabernet-sauvignon et grenache. Le résultat est un vin aux notes de réglisse et de cassis, aux tanins fondus, d'une persistance aromatique satisfaisante. À déguster sans façon sur des charcuteries.
Dom. Daniel et Denis Alary, La Font d'Estevenas, rte de Rasteau, 84290 Cairanne, tél. 04.90.30.82.32, fax 04.90.30.74.71, e-mail alary.denis@wanadoo.fr
t.l.j. sf dim. 8h30-12h 14h30-18h30

DOM. DE LA JANASSE 2005 ★

n.c. 10 000 3 à 5 €

Coup de cœur l'an dernier pour une cuvée rouge, ce domaine décline cette année les deux autres couleurs. Ce rosé d'abord, aux notes complexes de pêche et de réglisse, est un vin de repas prêt à accompagner pâtés en croûte et autres feuilletés à la viande. Même note pour le **viognier 2005 blanc (8 à 11 €)** aux arômes d'abricot.
EARL Aimé Sabon, Dom. de La Janasse, 27, chem. du Moulin, 84350 Courthézon, tél. 04.90.70.86.29, fax 04.90.70.75.93, e-mail lajanasse@free.fr
t.l.j. sf dim. 8h-12h 14h-18h; sam. sur r.-v.

DOM. MORICELLY 2005

21 ha 20 000 3 à 5 €

Assemblage de carignan (55 %), de merlot (25 %) et de grenache (20 %), issu de vieilles vignes, ce vin, d'une jolie couleur, livre une bouche souple aux tanins fins qui invitent à le marier à des viandes blanches.
François Moricelly, rte de Violès, 84850 Camaret-sur-Aigues, tél. 04.90.37.24.74, fax 04.90.37.75.20 r.-v.

CAVE SÉRIGNAN-DU-COMTAT Chardonnay Hoc erat in votis 2005

15 ha 10 000 - de 3 €

Cette cave coopérative, créée en 1926, propose ce chardonnay aux arômes de fleurs blanches, dont la bouche sans grande ampleur n'en est pas moins équilibrée et fraîche en finale. À servir avec des salades composées.
Cave vinicole Sérignan-du-Comtat, Coopérative Côteaux-du-Rhône, 84830 Sérignan-du-Comtat, tél. 04.90.70.04.22, fax 04.90.70.09.23, e-mail coteau.rhone@wanadoo.fr
t.l.j. sf dim. 8h-12h 14h-18h

DOM. TRAPADIS 2005

■ 2 ha 12 000 ▮ 3 à 5 €

Cette cuvée de pur grenache se présente dans une robe couleur framboise. Sa structure légère en fait un vin facile à boire avec des grillades.

Dom. du Trapadis, rte d'Orange, 84110 Rasteau, tél. 04.90.46.11.20, fax 04.90.46.15.96 r.-v.

Helen Durand

Var

DOM. DES ASPRAS Merlot Cuvée Lisa 2005 ★

■ 3,9 ha 30 000 3 à 5 €

Le domaine des Aspras est situé à Correns, premier village où tous les vignerons sont en agriculture biologique. Michaël Latz y cultive 17 ha de vieilles vignes, qui lui permettent de produire des vins plus concentrés en arômes. Sa cuvée Lisa ne fait pas exception, avec son nez intense de fruits et de notes animales (cuir) et sa bouche aux tanins présents mais assez souples. Un merlot qui pourra accompagner des fromages de caractère.

Michaël Latz, Dom. des Aspras, 83570 Correns, tél. 04.94.59.59.70, fax 04.94.59.53.92, e-mail mlatz@aspras.com t.l.j. sf dim. 9h-12h 15h-19h

DOM. DE BERSIA 2005

■ 2,4 ha 25 800 ▮ - de 3 €

À Brue-Auriac dans le haut Var, René Bersia a planté d'un seul tenant les 9 ha de vignes de son domaine, sur un coteau exposé au sud-est. Là ont mûri les grenache, cinsault et syrah qui forment l'assemblage de ce rosé au nez amylique et à la bouche ronde et structurée, qui tiendra compagnie à une poêlée de saint-jacques au miel de romarin. La cave de Brignoles propose également une cuvée **Casaou merlot rouge 2005**, qui obtient une citation.

Le Cellier de Saint-Louis, ZI Les Consacs, 83170 Brignoles, tél. 04.94.37.21.00, fax 04.94.59.14.84, e-mail info@cercleprovence.fr

René Bersia

LA CARÇOISE 2005

■ 60 ha 30 000 ▮ - de 3 €

La coopérative de Carcès possède un moulin à huile, mais c'est avant tout pour ses vins que vous vous y rendrez. Vous y goûterez ce 2005 à la robe rubis, qui joue le registre de la légèreté et de la souplesse grâce à des tanins fondus. Ces qualités en font un candidat de choix pour accompagner grillades et charcuteries. Le **rosé 2005** de la cave est également cité pour son côté amylique et sa rondeur.

Cave La Carçoise, 66, av. Ferrandin, 83570 Carcès, tél. 04.94.04.50.04, fax 04.94.04.34.25, e-mail robert.rouaud@lacarcoise.com r.-v.

DOM. DE LA CASTILLE Syrah 2005 ★

■ 1,66 ha 13 700 3 à 5 €

Ancienne propriété des comtes de Provence, le domaine de la Castille possède un château et des caves voûtées semi-enterrées qui datent de 1730. Cette syrah est digne de ces lieux : elle se distingue par son fruité et ses notes de cuir, puis par un bel équilibre en bouche. À servir avec une viande en sauce.

Fondation la Castille, rte de la Farède, Solliès-Ville, 83260 La Crau, tél. 04.94.00.80.40, fax 04.94.00.80.42 t.l.j. sf lun. dim. 8h-12h 14h-18h

LES CAVES DU COMMANDEUR Syrah 2005 ★

■ n.c. 12 000 ▮ 3 à 5 €

Un rosé de teinte foncée, qui joue sans complexe la carte du fruité. Au nez d'abord, qui livre un bouquet fin, puis au palais, où l'équilibre se réalise entre le gras et la fraîcheur avant une finale marquée par une légère sucrosité. Un vin qui accompagnera les plats sucrés-salés, comme un rôti de porc à l'ananas. La cave propose également un **blanc 2005**, 100 % rolle, qui obtient une citation.

Les Caves du Commandeur, 44, rue de la Rouguière, 83570 Montfort-sur-Argens, tél. 04.94.59.59.02, fax 04.94.59.53.71, e-mail valcommandeur@aol.com r.-v.

CELLIER DE LA CRAU Cabernet 2005

■ 5 ha 15 000 ▮ - de 3 €

Connue des fidèles lecteurs pour ses coups de cœur en merlot, la cave de La Crau propose une cuvée de cabernet-sauvignon issue d'un terroir graveleux et élevée six mois en cuve. Une bouteille qui se distingue par son équilibre, et qui pourra être dégustée sur des côtes d'agneau grillées.

Cellier de La Crau, 85, av. de Toulon, 83260 La Crau, tél. 04.94.66.73.03, fax 04.94.66.17.63, e-mail cellier-lacrau@wanadoo.fr r.-v.

LE MAS DES ESCARAVATIERS 2005

■ 2 ha 3 000 ▮ 3 à 5 €

Cette propriété est établie sur le site d'une ancienne *villa* romaine, où des fouilles ont permis de mettre au jour des vestiges de la IXe légion romaine. Vous pourrez y goûter ce vin issu du seul cépage ugni blanc, souple et agréable en bouche, qui trouvera parfaitement sa place à l'apéritif.

SNC Domaines B.-M. Costamagna, Dom. des Escaravatiers, 83480 Puget-sur-Argens, tél. 04.94.19.88.22, fax 04.94.45.59.83, e-mail escaravatiers@wanadoo.fr mar. jeu. sam. 10h-12h 14h-18h; f. juil.-août

DOM. DU GRAND CROS Chardonnay Jules 2005 ★

■ 1,5 ha 7 000 ▮ 5 à 8 €

Ce domaine est une histoire de famille : Hugh Faulkner, le père, s'est occupé de la restauration de l'oliveraie, qui permet aujourd'hui la production d'huile d'olive à la propriété ; Jane, la mère, artiste, a créé le logo et les étiquettes des vins ; enfin, Julian, le fils, dirige aujourd'hui le domaine et les vinifications. Son chardonnay a plu aux dégustateurs, avec son nez brioché et sa bouche ronde et équilibrée aux notes fruitées.

Julian Faulkner, Dom. du Grand Cros, RD 13, 83660 Carnoules, tél. 04.98.01.80.08, fax 04.98.01.80.09, e-mail info@grandcros.fr t.l.j. sf dim. 9h-12h 14h-18h

DOM. LA LIEUE Chardonnay Cuvée Reinette 2005

6,01 ha 42 000 **5 à 8 €**

Situé en bordure de la voie Aurélienne, ce domaine est conduit en agriculture biologique. Les vignes de chardonnay ont produit cette cuvée Reinette, qui n'offre pas des arômes de pomme mais plutôt des nuances miellées. La bouche équilibrée est soutenue par une pointe de vivacité. Un bon accord pour un poisson en sauce.

EARL Famille Vial, Ch. La Lieue, rte de Cabasse, 83170 Brignoles, tél. 04.94.69.00.12, fax 04.94.69.47.68, e-mail chateau.la.lieue@wanadoo.fr

t.l.j. 9h-12h30 14h-19h; dim. 10h-12h30 15h-18h

DOM. LA MARTINETTE Viognier 2005 ★

1 ha 5 000 **5 à 8 €**

Situé à l'extrémité sud du territoire de Lorgues, le vignoble du château La Martinette s'étend sur plus de 280 ha, mais c'est sur 1 ha seulement qu'est produit ce viognier à la robe jaune pâle. Il se révèle pleinement en bouche, offrant du gras et une longue finale gourmande sur des notes d'ananas et de litchi. À savourer avec une salade d'avocat et de pamplemousse aux miettes de crabe.

EARL Ch. La Martinette, 4005, chem. de La Martinette, 83510 Lorgues, tél. 04.94.73.84.93, fax 04.94.73.88.34 r.-v.

Liégeon

PASTOURETTE Cabernet-sauvignon 2005 ★

n.c. 2 700 - de 3 €

Issu d'un terroir argilo-calcaire, le cabernet a donné ici un rosé de teinte claire aux nuances orangées. Le nez fin et discret livre des arômes de fruits frais. Assez vive en attaque, la bouche se fait gouleyante, avant une finale marquée par une légère pointe d'amertume.

Cellier Saint-Bernard, av. du Gal-de-Gaulle, 83340 Flassans-sur-Issole, tél. 04.94.69.71.01, fax 04.94.69.71.80 r.-v.

DOM. DE REILLANNE Plan Genet 2005 ★

10 ha 60 000 - de 3 €

Des raisins parfaitement mûrs de cabernet-sauvignon (60 %) et de syrah (40 %) sont à l'origine de ce 2005. Une maturité que l'on devine dès la robe rubis foncé d'une belle brillance, puis qui se confirme au travers d'arômes de fruits rouges surmûris. La bouche n'est pas en reste, avec ses tanins puissants mais déjà fondus et sa longue finale. Un vin qui s'accommodera bien d'une viande en sauce.

Comte G. de Chevron Villette, Ch. Reillanne, rte de Saint-Tropez, 83340 Le Cannet-des-Maures, tél. 04.94.50.11.70, fax 04.94.50.11.75, e-mail chateau.reillanne@wanadoo.fr

t.l.j. sf sam. dim. 8h-12h 14h-17h

LES VIGNERONS DE LA SAINTE-BAUME
Cabernet-sauvignon 2005 ★★★

n.c. 1 600 3 à 5 €

La cave de Rougiers est connue pour ses cuvées de syrah, mais c'est avec un cabernet-sauvignon qu'elle obtient un coup de cœur. D'emblée, les dégustateurs ont été sous le charme, qualifiant sa couleur pétale de rose de « parfaite ». Ils ont été séduits ensuite par le nez qui mêle les agrumes et le bonbon anglais. La bouche, aux notes de fruits rouges frais, animée d'une agréable vivacité, a achevé de les convaincre qu'ils avaient dans leur verre un vin hors du commun. La **syrah rosé 2005**, vive et fruitée, obtient une étoile.

Les Vignerons de la Sainte-Baume, 83170 Rougiers tél. 04.94.80.42.47, fax 04.94.80.40.85, e-mail cave.saintebaume@wanadoo.fr

t.l.j. sf dim. 9h-12h 15h-18h

LE CELLIER DE LA SAINTE-BAUME
Grenache 2005 ★

n.c. 45 000 - de 3 €

Après un coup de cœur l'an dernier pour son vin gris c'est un joli rosé de grenache que propose la cave de Saint-Maximin. Sous sa robe rose clair, on découvre un nez subtil et une bouche qui allie gras et vivacité avec équilibre. À marier à une viande blanche. Le **merlot rosé 2005** décroche lui aussi une étoile pour ses arômes épicés.

Le Cellier de la Sainte-Baume, RN 7, 83470 Saint-Maximin-la-Sainte-Baume, tél. 04.94.78.03.97, fax 04.94.78.07.40

t.l.j. 8h-12h 14h-17h45, dim. 8h-12h

SAINT-JULIEN D'AILLE
Viognier Centurion 2005 ★

2 ha 8 000 5 à 8 €

Le domaine tient son nom de saint Julien, centurion romain martyrisé en l'an 304, et de l'Aille, petite rivière affluent de l'Argens qui longe la propriété. La famille Fleury y a produit ce viognier aux reflets verts et au nez de fleurs blanches, dont la bouche fruitée est animée d'un léger perlant agréable. À ouvrir pour un apéritif entre amis.

Ch. Saint-Julien d'Aille, N° 5480, RD 48, rte de La Garde-Freinet, 83550 Vidauban, tél. 04.94.73.02.89, fax 04.94.73.61.31, e-mail contact@saintjuliendaille.com

t.l.j. sf dim. 9h-12h30 14h-18h30

Fleury

THUERRY Exception² 2003 ★★

0,5 ha 1 800 23 à 30 €

Ce vignoble très ancien a été repris en 1998 par Jean-Louis Croquet, qui a procédé à une forte replantation en cépages rouges, puis en 2000 à la construction d'un nouveau chai. Sa cuvée Exception « au carré » tient toutes les promesses de son nom. D'une couleur très soutenue, elle mêle harmonieusement les fruits et un boisé vanillé. La bouche joue la souplesse grâce à des tanins ronds et fondus. La cuvée **L'Exception blanc 2005 Vinifié et élevé en fût de chêne (8 à 11 €)** est citée pour son passage maîtrisé dans le bois.

Ch. Thuerry, 83690 Villecroze, tél. 04.94.70.63.02, fax 04.94.70.67.03 r.-v.

Croquet

TRIENNES Saint-Auguste 2003

■ n.c. n.c. 🛢 8 à 11 €

Connu pour ses vins blancs qui collectionnent les coups de coeur, le domaine de Triennes se décline aussi en rouge avec cet assemblage de syrah (55 %), de merlot (25 %) et de cabernet-sauvignon. Sous la robe soutenue et brillante, couleur grenat, le nez exprime les fruits rouges surmûris. Ces arômes se retrouvent dans une bouche ample et structurée.

SA Dom. de Triennes, RN 560, 83860 Nans-les-Pins, tél. 04.94.78.91.46, fax 04.94.78.65.04, e-mail triennes@wanadoo.fr ☑ Y ✱ r.-v.

Seysses

DOM. DE VALCOLOMBE

Cuvée baroque Élevé en barrique de chêne 2004 ★

■ 1,7 ha 6 000 🛢 8 à 11 €

En 1994, Pierre et Marie-Pascale Leonetti, médecins spécialistes, ont décidé de redonner vie à cette ferme abandonnée et à son vignoble. Ils ont replanté des cépages nobles. Leur Cuvée baroque, assemblage de cabernet-sauvignon, de syrah et de merlot, se distingue. L'élevage en fût lui a conféré une robe rubis foncé et des tanins puissants vanillés qui invitent à la servir sur un plat du terroir.

Pierre et Marie-Pascale Leonetti, Dom. de Valcolombe, chem. des Espèces, 83690 Villecroze, tél. et fax 04.94.67.57.16, e-mail valcolombe@wanadoo.fr ☑ Y ✱ r.-v.

VAL D'IRIS Cuvée Léonore 2004 ★

■ 1,8 ha 6 500 ▮🛢 8 à 11 €

Sur son domaine situé dans un petit vallon typiquement provençal, Anne Dor a élaboré cette cuvée de merlot et de cabernet à la robe grenat foncé et aux arômes de fruits rouges des bois. Au palais, les tanins fondus témoignent d'un élevage en fût maîtrisé et suggèrent un accord avec un cuissot de chevreuil.

Anne Dor, Val d'Iris, chem. de la Combe, 83440 Seillans, tél. 04.94.76.97.66, fax 04.94.76.89.83, e-mail valdiris@wanadoo.fr ☑ Y ✱ r.-v.

Vaucluse

DOM. DE LA BASTIDONNE Chardonnay 2005 ★

□ 1,2 ha 3 500 ▮ 5 à 8 €

Le chardonnay de Gérard Marreau commence à être connu des lecteurs du Guide. 2005 confirme la qualité du travail de vinification. Les arômes de pêche blanche du bouquet laissent place en bouche aux fruits exotiques qui s'expriment longuement dans une finale pleine de fraîcheur. Le **viognier 2005** du domaine obtient une citation.

Gérard Marreau, SCEA Dom. de La Bastidonne, 84220 Cabrières-d'Avignon, tél. 04.90.76.70.00, fax 04.90.76.74.34, e-mail domaine.bastidonne1@tiscali.fr

☑ Y ✱ t.l.j. sf dim. 9h-12h 14h-18h

DOM. CABASSOLE 2005 ★

■ 3 ha 4 500 ▮ - de 3 €

Cabassole est le nom du lieu-dit où se trouve le chai de ce domaine. Ce vin issu de syrah, de carignan et de merlot, en proportions presque égales, présente un nez fin de fruits rouges et une structure légère. À servir avec une ratatouille ou une viande grillée.

Bernadette Faraud, Dom. Cabassole, 84190 Vacqueyras, tél. et fax 04.90.65.81.21, e-mail faraud.marc@free.fr ☑ Y t.l.j. 10h-18h

DOM. DE LA CAMARETTE 2005 ★

■ 3 ha 12 000 ▮ 3 à 5 €

Une ferme du XVIIIe s. et un four à pain, voilà pour la tradition. Pour l'exotisme, le domaine propose ce rosé dont les reflets rappellent l'écorce d'orange et les arômes le pamplemousse. Une agréable rondeur caractérise la bouche. Pourquoi ne pas l'associer à un poulet au curry ?

SCEA La Camarette, 439, chem. des Brunettes, 84210 Pernes-les-Fontaines, tél. 04.90.61.60.78, fax 04.90.66.46.20, e-mail nancy.gontier@gbusiness.fr

☑ Y ✱ t.l.j. sf dim. 9h-12h 15h-19h

LA CANORGUE 2004 ★

■ 3 ha 25 000 🛢 11 à 15 €

Syrah (50 %), cabernet-sauvignon et merlot (tous deux 25 %), issus de l'agriculture biologique, composent cette cuvée au nez confituré relevé d'une pointe animale. Un an d'élevage en fût lui a légué une puissante structure. Ce 2004 persistant pourra encore être gardé deux à trois ans ; son côté animal le destinera à un civet de lièvre.

EARL J.-P. et N. Margan, Ch. La Canorgue, 84480 Bonnieux, tél. 04.90.75.81.01, fax 04.90.75.82.98, e-mail chateaucanorgue.margan@wanadoo.fr

☑ Y ✱ r.-v.

CHANTE COUCOU Merlot 2005 ★

■ 12 ha 4 000 ▮ 3 à 5 €

On ne sait si le coucou chante mieux après avoir croqué les grains de ce merlot, toujours est-il que les dégustateurs ont apprécié les arômes de petits fruits rouges. Un vin gourmand à associer à un gratin d'aubergines. Le **Chante Coucou chardonnay 2005** est cité pour sa fraîcheur.

SCA Valdèze, 288, bd de la Libération, 84240 La Tour-d'Aigues, tél. 04.90.07.42.12, fax 04.90.07.49.08

☑ Y t.l.j. sf lun. 9h-12h30 15h-19h; dim. 9h-12h30

DOM. DE LA CITADELLE

Cabernet-Sauvignon 2005 ★★

■ 6,5 ha 45 000 ▮ 3 à 5 €

Au sein du vignoble de 40 ha, un impressionnant musée du Tire-bouchon rassemble plus de mille pièces, anciennes ou modernes, venues du monde entier. À découvrir également, ce cabernet-sauvignon chaleureux, dont les raisins ont été vendangés à pleine maturité à la mi-octobre. Il en résulte un caractère rond et plein, souligné de notes de fruits à l'eau-de-vie et de grillé. À savourer dès maintenant et pendant les trois ans à venir avec des viandes en sauce.

Yves Rousset-Rouard, Dom. de la Citadelle, rte de Cavaillon, 84560 Ménerbes, tél. 04.90.72.41.58, fax 04.90.72.41.59, e-mail domainedelacitadelle@wanadoo.fr

☑ Y ✱ t.l.j. 10h-12h 14h-19h; f. sam. dim. nov.-mars

DOM. DE COMBEBELLE 2005 ★

■ 4 ha n.c. ▮ 3 à 5 €

Issue d'une saignée de cuve, ce rosé se présente dans une robe soutenue. Les notes de fruits rouges et la fraîcheur gouleyante s'associeront aux saveurs de côtelettes d'agneau grillées.

Éric Sauvan, EARL Dom. de Combebelle, 26110 Piégon, tél. 04.75.27.18.96, fax 04.75.27.15.62, e-mail nathsauvan@aol.com r.-v.

DOM. FONTAINE DU CLOS

Cabernet franc 2005 ★★

	1,5 ha	10 500		3 à 5 €

Ce domaine appartient à la famille Barnier, pépiniériste connu dans la région qui a su sélectionner les meilleurs greffons de cabernet franc pour élaborer ce vin remarquable. Celui-ci se distingue par sa robe brillante, par ses notes de cassis et de framboise comme par ses tanins fondus, signe de la qualité du travail du maître de chai. Le **merlot rouge 2005** est cité pour son expression aromatique.

EARL Jean Barnier, Dom. Fontaine du Clos, 735, bd du Comte d'Orange, 84260 Sarrians, tél. 04.90.65.59.39, fax 04.90.65.30.69, e-mail cave@fontaineduclos.com t.l.j. sf dim. 9h30-12h30 15h-19h

LE FRANÇOUNET 2004

	2,18 ha	8 000		3 à 5 €

Un assemblage dominé par le carignan (60 %), auquel s'ajoutent la syrah, l'alicante, le grenache et la counoise. Tant de cépages n'a rien d'étonnant dans la région de Châteauneuf-du-Pape. Un élevage de douze mois a légué au vin un fin boisé, perceptible tout au long de la dégustation. La structure légère autorise un service immédiat.

SCEA Fr. Laget-Royer, 19, av. Saint-Joseph, BP 67, 84232 Châteauneuf-du-Pape, tél. 04.90.83.70.91, fax 04.90.83.52.97 r.-v.

DOM. DE LA GARELLE

Cuvée des Ducs Viognier 2005

	0,7 ha	3 500		5 à 8 €

Créé en 1997 après le rachat de différentes parcelles de vignes, le domaine de La Garelle propose une cuvée propice à un plaisir simple grâce à sa légèreté et à sa fraîcheur. Le viognier trouve une expression harmonieuse dans ce vin à déguster à l'apéritif ou avec un filet de sole.

Dom. de la Garelle, Les Vallats-Ménerbes, 84580 Oppède, tél. 04.90.72.31.20, fax 04.90.72.47.81, e-mail vlasman@lagarelle.fr t.l.j. 10h-12h

Vlasman

DOM. DE LA GUICHARDE Chardonnay 2005

	1,24 ha	8 000		3 à 5 €

Entre une petite chapelle de style roman et les ruines du château de Derboux, ancien refuge des Cathares, s'étendent les vignes du domaine. Vous y découvrirez ce chardonnay au nez de pomme mûre, dont la bouche grasse et équilibrée offre une finale longue sur les fruits exotiques.

Arnaud Guichard, Dom. de La Guicharde, Derboux, 84430 Mondragon, tél. 04.90.30.17.84, fax 04.90.40.05.69, e-mail domaine-de.la.guicharde@wanadoo.fr t.l.j. sf dim. 10h-19h

DOM. LOU MAGNAN Syrah 2005 ★★

	1,5 ha	5 000		3 à 5 €

Il y a quinze ans, les Favetier ont repris ce domaine et quitté la coopérative pour créer leur propre cave. Charmante et croquante, leur syrah a conquis le jury, séduit par ses notes de menthe poivrée et de fruits exotiques, par sa charpente et la finesse de ses tanins. À déguster jeune pour profiter pleinement de sa fraîcheur et de son fruit.

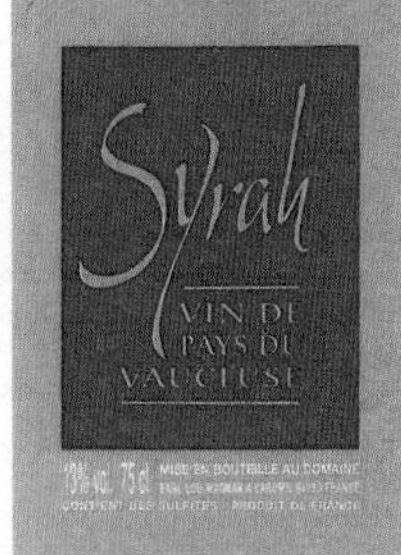

D. Favetier, EARL Dom. Lou Magnan, 283, rte de Modène, 84330 Caromb, tél. et fax 04.90.62.34.78, e-mail loumagnan@wanadoo.fr r.-v.

DOM. DE MAROTTE Cuvée Jules 2005 ★

	7 ha	20 000		5 à 8 €

Il y a trois raisons de visiter le domaine de Marotte. Pour l'histoire d'abord, car cette propriété qui faisait autrefois partie du monastère du Barroux en garde encore trace dans ses allées disposées en croix. Pour la pédagogie ensuite, puisque l'on vous expliquera tout sur la façon d'élaborer le vin. Pour le plaisir, enfin, de déguster ce rosé complexe qui vous étonnera par sa palette de petits fruits rouges relevés de notes mentholées, puis par sa bouche ronde et vive. Un vin harmonieux qui accompagnera un gigot d'agneau. En blanc, le **viognier 2005 (8 à 11 €)** est cité.

EARL la Reynarde, Dom. de Marotte, petit chemin de Serres, 84200 Carpentras, tél. 04.90.63.43.27, fax 04.90.67.15.28, e-mail marotte@wanadoo.fr t.l.j. 9h-12h30 14h-19h; f. jan., fév.

Daan Vandykman

MAS GRANGE BLANCHE 2005 ★

	1 ha	5 000		3 à 5 €

L'étiquette de ce rosé 2005 représente un clown jouant les funambules. Gaieté et équilibre sont bien au rendez-vous dans cette cuvée. Sous la robe brillante pointe un nez agréable de fleurs blanches ; la bouche friande allie vivacité et souplesse, avant une longue finale. Le **rouge 2004**, également issu des trois cépages du Sud (grenache, cinsault et syrah), est cité pour la finesse de ses tanins.

EARL Cyril et Jacques Mousset, Ch. des Fines Roches, 84230 Châteauneuf-du-Pape, tél. 04.90.83.73.10, fax 04.90.22.35.85, e-mail cyril.mousset@wanadoo.fr t.l.j. 10h-19h; f. jan.

DOM. MEILLAN-PAGÈS Sauvignon 2005 ★

	0,96 ha	3 000		3 à 5 €

Sur sa propriété, Jean-Pierre Pagès privilégie la convivialité : les camping-cars sont les bienvenus, et les fêtes de la Vigne et du Vin organisées au domaine rassemblent chaque année plus de monde. L'occasion peut-être de découvrir ce 2005, typique du sauvignon par ses arômes de bourgeon de cassis. Légère, la bouche offre des notes fruitées agréables.

Jean-Pierre Pagès, Dom. Meillan-Pagès, La Garrigue, 84580 Oppède, tél. 04.32.52.17.50, fax 04.90.76.94.78, e-mail meillan@terre-net.fr t.l.j. 10h-20h; groupes sur r.-v.

DOM. DU PARANDOU 2005 ★

	1 ha	6 600		- de 3 €

Sous sa robe rouge sombre, cette cuvée, issue majoritairement de grenache (80 %) complété de cinsault et d'alicante, livre des arômes de réglisse et de fruits confits. La bouche présente structure, équilibre et longueur. Un vin complet qui accompagnera volontiers des côtes d'agneau grillées.

Denis Grangeon, Le Parandou, 84110 Sablet, tél. 04.90.46.96.12, fax 04.90.46.96.13, e-mail dgrangeon@wanadoo.fr r.-v.

LE PÉPIN DE FRED 2005

	5 ha	4 000		- de 3 €

2005 est le premier millésime de ce vin de pays, assemblage de grenache (90 %) et d'alicante (10 %) issus de vignes de trente ans cultivées sur un terroir d'argile et de limons. De couleur sombre, il possède des tanins fins et une structure légère. Vous le servirez légèrement frais avec une salade de pâtes au basilic.

Robert Barrot, ch. des Fines Roches, 1, av. du Baron-Leroy, 84230 Châteauneuf-du-Pape, tél. 04.90.83.51.73, fax 04.90.83.52.77, e-mail chateaux@vmb.fr t.l.j. 10h-19h

LE PETIT CABOCHE 2005 ★

	1 ha	6 500		3 à 5 €

Les ancêtres de Jean-Pierre Boisson étaient à la fois vignerons et maréchaux-ferrants. Cette cuvée de sauvignon est donc un double hommage aux générations précédentes, « caboche » étant le nom provençal du clou servant à fixer les fers aux sabots du cheval. Sous une robe pâle et brillante, elle livre des notes florales, puis offre une bouche ronde, soutenue par une touche de fraîcheur.

Jean-Pierre Boisson, rte de Courthézon, 84230 Châteauneuf-du-Pape, tél. 04.90.83.71.44, fax 04.90.83.50.46, e-mail boisson@jpboisson.com t.l.j. sf sam. dim. 8h30-12h30 13h30-17h30

LES RAMIÈRES 2005 ★

	n.c.	n.c.		5 à 8 €

Merlot (60 %), grenache (30 %) et cinsault (10 %) composent ce 2005 paré d'une robe rouge sombre à reflets violacés. Au nez intense de fruits rouges confits répond une bouche souple et puissante, à la longue finale. Pour accompagner viande en sauce et gibier.

Dom. de Piaugier, 3, rte de Gigondas, 84110 Sablet, tél. 04.90.46.96.49, fax 04.90.46.99.48, e-mail piaugier@wanadoo.fr r.-v.

Jean-Marc Autran

Alpes et pays rhodaniens

De l'Auvergne aux Alpes, la région regroupe les huit départements de Rhône-Alpes et le Puy-de-Dôme. La diversité des terroirs y est donc exceptionnelle et se retrouve dans l'éventail des vins régionaux. Les cépages bourguignons (pinot, gamay, chardonnay) et les variétés méridionales (grenache, cinsault, clairette) se rencontrent. Ils côtoient les enfants du pays que sont la syrah, la roussanne, la marsanne dans la vallée du Rhône, mais aussi la mondeuse, la jacquère ou le chasselas en Savoie, ou encore l'étraire de la dui et la verdesse, curiosités de la vallée de l'Isère. L'usage des cépages bordelais (merlot, cabernet, sauvignon) se développe également.

Dans une production de 500 000 hl, l'Ardèche et la Drôme contribuent largement à la primauté des rouges. Ain, Ardèche, Drôme, Isère et Puy-de-Dôme sont les cinq dénominations départementales (30 000 hl). Neuf dénominations régionales couvrent la région : Allobrogie (Savoie et Ain, 7 500 hl de blancs, en forte majorité), coteaux du Grésivaudan (moyenne vallée de l'Isère, 1 500 hl), Balmes dauphinoises (Isère, 1 500 hl), Urfé (vallée de la Loire entre Forez et Roannais, 1 300 hl), Collines rhodaniennes (16 000 hl, majorité de rouges), comté de Grignan (sud-ouest de la Drôme, 13 000 hl de rouges surtout), coteaux des Baronnies (sud-est de la Drôme, 30 000 hl de rouges) et coteaux de l'Ardèche (400 000 hl en rouges, rosés et blancs) ; la dernière étant celle des coteaux de Montélimar (4 000 hl).

Il existe également deux vins de pays régionaux : le vin de pays des Comtés rhodaniens (environ 3 000 hl), qui peut être produit sur les huit départements de la région (Ain, Ardèche, Drôme, Isère, Loire, Rhône, Savoie, Haute-Savoie) ; le vin de pays Portes de Méditerranée, qui peut être revendiqué dans les régions Provence-Alpes-Côte d'Azur, en Corse, ainsi que dans la Drôme et en Ardèche.

Allobrogie

DOM. DEMEURE-PINET Chardonnay 2005 ★

	1,2 ha	11 000		3 à 5 €

L'Allobrogie ! L'un des charmes des vins de pays, c'est qu'ils nous font déguster nos vieux livres d'histoire et de géographie... Pensez donc au lac d'Aiguebelette, à une dizaine de kilomètres du domaine, s'il vous prend l'envie d'un pique-nique. Servi frais, ce chardonnay savoyard décline des notes fleuries et miellées sous des traits jaune pâle. Si sa bouche est fraîche, elle ne manque pas de gras sur un mode velouté, presque moelleux. Tout en finesse, un 2005 à boire maintenant.

Dom. Demeure-Pinet, Joudin, 73240 Saint-Genix-sur-Guiers, tél. et fax 04.76.31.61.74, e-mail demurepinet@free.fr t.l.j. sf dim. a.-m.

Ardèche

DOM. DU CHÂTEAU VIEUX 2004 ★

	0,01 ha	260		8 à 11 €

Créé il y a une dizaine d'années, ce domaine propose cette cuvée confidentielle, qui montre sa maîtrise de la

VDP

vinification et de l'élevage sous bois. Un 2004 rouge grenat, un peu toasté au premier nez (héritage de son séjour en fût) puis marqué par la griotte. La bouche est élégante, légèrement confiturée et assez équilibrée, avec un boisé qui demande encore à se fondre.
Dom. du Château Vieux, 26750 Triors, tél. 04.75.45.31.65, fax 04.75.71.45.35 r.-v.
Rousset

ÉRIC ROCHER Viognier Arzelle 2005 ★

3,77 ha 12 000 5 à 8 €

Vingt ans de travail et de passion : c'est en 1987 que ces courageux propriétaires ont entrepris de remplacer ici les chênes par des pieds de vigne, sur des sols maigres et rocailleux. Le chêne finit par retrouver le vin car ce viognier a été élevé sous bois. Ce 2005 montre des reflets argentés et exprime des arômes assez classiques (tilleul, bourgeon de cassis, litchi). Vivacité du corps, touche d'amertume en finale et persistance moyenne caractérisent au palais ce vin qui tiendra volontiers compagnie à une botte d'asperges.
Éric Rocher, Dom. de Champal, quartier Champal, 07370 Sarras, tél. 04.78.34.21.21, fax 04.78.34.30.60, e-mail vignobles.rocher@wanadoo.fr r.-v.

Collines rhodaniennes

SOTANUM 2003 ★

7 ha 20 000 23 à 30 €

Les œnographiles (collectionneurs d'étiquettes de vin) apprécieront grandement le long texte historique figurant sur cette bouteille et expliquant son nom : *Sotanum*. Il s'agit des vins produits à Vienne du temps des Romains. Aujourd'hui, on y trouve cette syrah millésimée MMIII : 2003, vous l'aurez traduit. D'une couleur très intense, d'un parfum de cerise, elle dévoile un tempérament généreux et puissant. Sa structure tannique, renforcée par son élevage en fût, lui offre les perspectives d'une garde raisonnable (deux ans).
Les Vins de Vienne, 1108, rte de Roche-Couloure, Le Bas-Seyssuel, 38200 Seyssuel, tél. 04.74.85.04.52, fax 04.74.31.97.55, e-mail vdv@lesvinsdevienne.fr r.-v.

Comté de Grignan

DOMAINES ANDRÉ AUBERT
Chardonnay 2005 ★

25 ha 50 000 3 à 5 €

Donzère, c'est ici l'eau changée en vin et l'électricité muée en chaleur humaine. On sait que le chardonnay se plaît partout. Or pâle, celui-ci a bien appris sa leçon : des arômes citronnés et beurrés, une attaque souple et un bon renfort d'acidité qui lui permettra de tenir debout sur ses deux jambes d'ici les premiers mois de 2007. Une étoile également pour le **viognier 2005**, frais et d'une belle ampleur en bouche.
GAEC Aubert Frères, Le Devoy, 26290 Donzère, tél. et fax 04.75.51.63.01 r.-v.

LA VINSOBRAISE Merlot 2005 ★

2 ha 13 300 - de 3 €

Cette bouteille dit à la manière de la marquise de Sévigné écrivant à sa fille :« Je veux qu'on voie que vous m'aimez ! » Ne sommes-nous pas ici à deux pas du château de Grignan, demeure familiale et tombeau de cette célèbre épistolière ? Jolie robe, netteté du bouquet (fruits rouges, framboise surtout), voici en effet un merlot à la jeunesse agréable mais qui doit enrober davantage ses tanins. Plaisant aujourd'hui par ce côté presque primeur, il aura probablement plus de panache courant 2007. Le **chardonnay 2005**, aux arômes mielleux, obtient également une étoile.
Cave coop. La Vinsobraise, 26110 Vinsobres, tél. 04.75.27.64.22, fax 04.75.27.66.59, e-mail info@la-vinsobraise.com r.-v.

Comtés rhodaniens

TERRE D'AMANDIER Chardonnay 2004 ★★

n.c. n.c. 5 à 8 €

Les Vignerons ardéchois ont développé une gamme de vins de cépages, aux élégantes étiquettes, intitulée Terres d'Ardèche. Si les rouges sont sélectionnés en vin de pays des coteaux de l'Ardèche, on retrouve en Comtés rhodaniens ce chardonnay à la robe jaune paille, nacrée et brillante. Le nez puissant exprime la vanille, le miel et des notes de grillé. La bouche prolonge ces arômes accompagnés de fruits cuits et d'amande.
Vignerons ardéchois, quartier Chaussy, 07120 Ruoms, tél. 04.75.39.98.00, fax 04.75.39.69.48, e-mail uvica@uvica.fr
t.l.j. sf dim. 8h-12h 15h-19h

Coteaux de l'Ardèche

CAVE COOP. D'ALBA-LA-ROMAINE
Syrah Cuvée Chaud-Abri Élevé en fût de chêne 2005 ★

4 ha 17 000 5 à 8 €

Confrontée au bois pendant une année, cette cuvée de pure syrah en a gardé une forte empreinte. Rubis aux reflets violacés, elle offre un nez aux intenses expressions de fruit confit. La bouche puissante est structurée par des tanins riches qui demandent à s'arrondir encore.
Cave coop. d'Alba-la-Romaine, La Planchette, 07400 Alba-la-Romaine, tél. 04.75.52.40.23, fax 04.75.52.48.76, e-mail cave.alba@free.fr
t.l.j. sf dim. 9h-12h 14h-19h (été); 13h30-18h (hiver)

DOM. DE BOURNET Merlot 2004 ★

5 ha 20 000 5 à 8 €

Un mas du XVIIe s., avec son vignoble d'un seul tenant où l'on exploite la vigne depuis 1755 : voici le domaine de Bournet. Élevé pour partie en barrique, le merlot 2004 est un vin d'une belle plénitude. Son rubis vif et brillant est très engageant. Le nez, un brin sensuel, développe fruits frais et douces épices. La fin de bouche évolue en parfait équilibre sur des notes minérales. Un merlot vinifié avec maîtrise, à servir sur une fricassée de cèpes.
Olivier de Bournet, Dom. de Bournet, 07120 Grospierres, tél. 04.75.39.68.20, fax 04.75.39.06.96, e-mail domaine_de_bournet@hotmail.com
t.l.j. sf dim. 9h-12h30 15h-18h30; f. déc. à jan.

LA CÉVENOLE Chatus Monnaie d'or 2004 ★

■ n.c. 22 000 5 à 8 €

Il vous faudra oublier en cave cette cuvée Monnaie d'or robuste et charpentée. Issu du cépage chatus si bien décrit autrefois par Olivier de Serres, ce vin de gibier et viande en sauce a subi un long élevage d'abord en cuve puis en barrique (douze mois). D'un rouge foncé presque noir, il exprime au nez de puissants arômes balsamiques et de fortes notes de pruneau macérés dans l'alcool. La bouche charnue se structure autour de riches tanins. À découvrir sur plusieurs années.

Sté Coop. la Cévenole, Le Grillou, 07260 Rosières, tél. 04.75.39.52.09, fax 04.75.39.92.30, e-mail cave.rosieres@wanadoo.fr
t.l.j. sf dim. 9h-12h 14h-19h

LES VIGNERONS DES COTEAUX D'AUBENAS Merlot Sélection 2005 ★

■ 5 ha 10 000 3 à 5 €

Aux portes du Parc régional des monts d'Ardèche, cinq caves coopératives se sont unies sous la même bannière des Vignerons des Coteaux d'Aubenas. Une partie de la vendange de ce merlot a été élevée en barrique, ce qui a contribué à donner un peu de caractère à l'ensemble. Caractéristique du cépage par le rouge sombre de sa robe, ce vin se révèle discret à l'olfaction. Quant à la bouche, volumineuse, elle délivre de fines notes de cacao lors d'une finale enlevée. Un bon vin quotidien !

Les Vignerons des Coteaux d'Aubenas, 07200 Saint-Étienne-de-Fontbellon, tél. 04.75.35.17.58, fax 04.75.35.54.98, e-mail caves.vivaraises@wanadoo.fr r.-v.

DUET Chardonnay viognier 2004 ★★

40 ha 130 000 8 à 11 €

Alba-la-Romaine... Les vestiges de la Pax Romana y côtoient la modernité de la maison bourguignonne Louis Latour, entichée de l'Ardèche depuis plus d'un quart de siècle au point d'y avoir planté le noble chardonnay sur plus de 350 ha. L'assemblage avec le viognier a donné ce Duet 2004, dont la vinification irréprochable privilégie la finesse. Sous une parure d'or léger aux reflets émeraude, le nez intense exprime les fleurs blanches (acacia, genêt) et des notes de pain grillé. Long, équilibré, gras en bouche, ce vin se plaira à courtiser un turbot à la crème. Du même producteur, le **Grand Ardèche chardonnay 2004** aux saveurs toastées, au boisé vanillé, élégamment fondu, décroche lui aussi deux étoiles.

Maison Louis Latour, La Téoule, 07400 Alba-la-Romaine, tél. 04.75.52.45.66, fax 04.75.52.87.99 r.-v.

PROPRIÉTÉ CASIMIR GASCON Syrah 2005

■ 5 ha 4 000 3 à 5 €

Les amateurs de balades sportives dans un cadre pittoresque aimeront Rochecolombe, ses escarpements, ses constructions médiévales et son église, la plus petite de France. Un détour chez Claude Gascon permettra de goûter un rosé 100 % syrah, de teinte soutenue, déployant en bouche des saveurs de fruits rouges. À boire avec d'appétissantes charcuteries ardéchoises.

Claude Gascon, Sauveplantade, 07200 Rochecolombe, tél. et fax 04.75.37.71.22 r.-v.

CAVE COOPÉRATIVE LA GRAPPE Syrah Cuvée Prestige 2005 ★

■ 6 ha 8 640 - de 3 €

C'est, en 1926, pendant les « années folles », que la cave La Grappe naquit à Saint-Sauveur-de-Cruzières, aux confins des Cévennes, là où l'olivier occupe une place prépondérante. Née sur sols calcaires et marneux, la syrah a enfanté ce beau rosé. La bouche est intensément fruitée : cerise, groseille et framboise s'animent en une ronde aromatique gracieuse, ample et équilibrée. On suggérera à cette cuvée un tour de valse canaille avec un pélardon.

Coop. Saint-Sauveur-de-Cruzières-Rochegude, 07460 Saint-Sauveur-de-Cruzières, tél. 04.75.39.30.51, fax 04.75.39.06.84, e-mail la.grappe1@wanadoo.fr
t.l.j. sf dim. 9h30-12h30 15h30-18h30

DOM. DE MERMÈS Merlot 2004 ★

■ 0,5 ha 2 600 3 à 5 €

Sur un rude plateau, à proximité de Gras, petit village de pierres sèches accroché à sa colline, vigne et garrigue se partagent l'espace. C'est ici que campe le domaine de Mermès où Patrice Dumarcher joue avec ce merlot 2004 la carte du vin plaisir, rond et souple en bouche, qui s'équilibre sur des fruits frais et des tanins doux. La robe pourpre, avenante, le nez vif aux notes de fruits rouges annonçaient cette amabilité. À consommer avec une viande rouge.

Patrice Dumarcher, Dom. de Mermès, 07700 Gras, tél. et fax 04.75.04.37.79, e-mail domainedemermes@wanadoo.fr
t.l.j. 9h-20h

CAVE COOP. DE MONTFLEURY Syrah 2005 ★

■ 40 ha n.c. 3 à 5 €

Près de l'ancienne bastide royale de Villeneuve-de-Berg s'est établie la cave de Montfleury. Avec cette syrah 2005, elle propose un vin rouge chaleureux et puissant. Si le regard s'accroche, conquis, à la brillante et profonde robe pourpre, le nez, lui, s'attarde volontiers sur le chemin des fruits rouges parsemé de senteurs de pain grillé, de cuir et de tabac. La bouche, ample et grasse, exprime les potentialités d'une vendange mûre. Une petite garde sera profitable à ce vin que l'on associera aux saveurs gourmandes d'une viande en civet.

Cave coop. de Montfleury, quartier Gare, 07170 Villeneuve-de-Berg, tél. 04.75.94.82.76, e-mail cooperative-montfleury@wanadoo.fr r.-v.

DOM. CH. DE LA SELVE Grenache cinsault Cuvée Maguelonne 2005 ★

■ 5 ha 29 000 5 à 8 €

Au château médiéval de La Selve, ancien relais de chasse du duc de Joyeuse, on s'efforce de produire des vins de qualité. Examen réussi pour ce rosé 2005 pâle et limpide, élaboré à partir de grenache (60 %) et de cinsault, qui séduit par l'intensité de ses arômes floraux. Harmonieux et souple en bouche, il sera très apprécié en apéritif.

Ch. de La Selve, 07120 Grospierres, tél. 04.75.93.02.55, fax 04.75.93.09.37, e-mail contact@chateau-de-la-selve.fr
t.l.j. sf dim. 8h30-12h30 14h-18h
Chazallon

TERRE DE FIGUIER Syrah 2005 ★★

■ n.c. 60 000 3 à 5 €

Les Vignerons ardéchois ont le vent en poupe, et ils signent de bien belles cuvées tirées d'une géologie colorée.

Pour preuve ce coup de cœur décerné au rosé Terre de Figuier 2005, né de syrah enracinée sur un terroir argilo-calcaire. La robe rose vif brillant suggère la chaleur tendre des baies mûres. Les arômes de fraise et de framboise exaltent une souple harmonie, portée par une ferme acidité. Un vin de caractère. Deux cuvées se voient décerner une étoile : un **merlot Terre de Mûrier 2004**, rond et de bon volume, et un **cabernet-sauvignon Terre de Cade 2004**, étoffé et chaleureux.

Vignerons ardéchois,
quartier Chaussy, 07120 Ruoms, tél. 04.75.39.98.00,
fax 04.75.39.69.48, e-mail uvica@uvica.fr
t.l.j. sf dim. 8h-12h 15h-19h

LA VIGNE AU CŒUR Viognier 2005 ★★

n.c. 10 666 3 à 5 €

Portée par l'énergie de ses vignerons-coopérateurs, la cave du pittoresque village médiéval de Valvignères (quel nom prédestiné !) multiplie les efforts qualitatifs. Le cépage viognier – c'est un peu l'enfant chéri du vignoble ardéchois... – a été entouré de soins attentifs : vendanges manuelles, vinification en cuves thermorégulées. De fins arômes abricotés, une bouche fluide, élégante, une longue finale rafraîchissante : autant d'arguments qui ont conquis le jury. À choisir dès maintenant pour escorter des fromages bleus.

Cave coop. de Valvignères,
quartier Auvergne, 07400 Valvignères,
tél. 04.75.52.60..60, fax 04.75.52.60.33,
e-mail cave.valvigneres@wanadoo.fr r.-v.

DOM. DES VIGNEAUX À l'abri du Chêne 2004 ★★

1 ha 6 500 5 à 8 €

Doucement pressuré, bichonné en fût pendant une année, ce mariage de raisins issus de l'agriculture biologique (30 % syrah, 70 % merlot) a produit un vin racé qui mérite d'attendre quelques années afin de livrer toutes ses bontés. Il est signé par Christophe Comte, héritier des savoirs d'une longue tradition vigneronne. Les atouts de ce 2004 ? Une robe pourpre intense nuancé de violine, une olfaction complexe (épices douces mêlées aux fruits noirs confits) et une bouche équilibrée, ample et élégante, associant avec maestria finesse tannique et chair fruitée. Une canette rôtie pour des épousailles voluptueuses avec cette bouteille.

Christophe Comte, Serre de Gouy,
07400 Valvignères, tél. et fax 04.75.52.51.91,
e-mail christophe.comte.vigneaux@wanadoo.fr
r.-v.

Coteaux de Montélimar

CAVE DE LA VALDAINE Viognier 2005 ★

0,65 ha 5 619 3 à 5 €

Si Montélimar est universellement connu pour son nougat, on produit aussi par ici un vin qui retient l'attention. Ainsi, ce viognier à la robe légère et brillante, dont les arômes de pêche blanche et de violette (ce dernier plus fréquent en rouge qu'en blanc) gagneront à être savourés dans l'éclat de leur jeunesse. La bouche présente une structure correcte, des arômes secondaires évolutifs (abricot sec) et une heureuse finition. La **syrah 2005 (moins de 3 €)**, d'une bonne typicité, obtient également une étoile.

Cave de la Valdaine, av. Max-Dormoy,
26160 Saint-Gervais-sur-Roubion,
tél. 04.75.53.80.08, fax 04.75.53.93.90,
e-mail cave.valdaine@wanadoo.fr r.-v.

Coteaux des Baronnies

DOM. DU RIEU FRAIS Chardonnay 2004 ★

3 ha 12 000 3 à 5 €

Un païs autentico : les « montagnes sèches » de la Drôme. Ce domaine s'étendant sur près de 28 ha est une propriété familiale reprise en 1983 et aménagée alors en un vignoble multi-cépages. Le chardonnay s'y trouve bien, c'est sûr. Élevé à la bourguignonne, il semble ici se dorer au soleil. Un rien de grillé et des notes miellées au nez conduisent à une bouche souple et fine. À déboucher dans les mois qui viennent.

Jean-Yves Liotaud, Dom. du Rieu Frais,
26110 Sainte-Jalle, tél. 04.75.27.31.54,
fax 04.75.27.34.47, e-mail jean-yves.liotaud@wanadoo.fr
t.l.j. 9h-12h 14h-18h; f. dim. nov.-fév.

Urfé

LA VIGNE D'ALDEBERTUS Viognier 2005 ★★★

2 ha 10 000 8 à 11 €

La bouteille de vin a succédé ici au pot au lait depuis 2001. L'année suivante a vu la construction d'un chai et le démarrage de la vente directe à la propriété. Cette terre volcanique a donné naissance à un viognier jaune paille dont le bouquet marie l'exotique et le minéral. Au palais s'unissent harmonieusement le litchi, le fruit de la Passion et les agrumes. Gras et rond, ce vin peut s'accommoder d'un bleu de Bresse ou d'un roquefort.

VIOGNIER
2005
13,5% vol VIN DE PAYS D'URFÉ 75 Cl
Mis en bouteille à la propriété par C. & D. MONDON
Paysans vignerons à Fontvial 42560 Boisset-Saint-Priest
PRODUIT DE FRANCE

Christiane et Daniel Mondon,
Fontvial, 42560 Boisset-Saint-Priest,
tél. et fax 04.77.76.33.30 t.l.j. 8h-20h
GAEC du Pic

DOM. DE LA PIERRE NOIRE
Chardonnay 2005 ★★

1 ha 4 400 3 à 5 €

Un chardonnay jaune pâle brillant de quelques reflets verts. Son nez mêle le terroir aux arômes variétaux : pierre à fusil et fleurs blanches. Frais à l'attaque, le vin suggère la noisette au palais tout en révélant équilibre et persistance. Il conviendra bien à l'apéritif.

Maxime Gachet, Dom. de La Pierre Noire,
9, chem. de l'Abreuvoir,
42610 Saint-Georges-Haute-Ville, tél. 06.80.17.31.88,
e-mail domainedelapierrenoire@wanadoo.fr
t.l.j. 8h-19h

Régions de l'Est

On trouvera ici des vins originaux, fort modestes, vestiges de vignobles décimés par le phylloxéra mais qui eurent leur heure de gloire, bénéficiant du voisinage prestigieux de la Bourgogne ou de la Champagne. Ce sont d'ailleurs les cépages de ces régions que l'on retrouve, avec ceux de l'Alsace ou du Jura, vinifiés le plus souvent individuellement ; les vins ont alors le caractère de leur cépage : auxerrois, chardonnay, pinot noir, gamay ou pinot gris.

Vins de pays de Franche-Comté, de la Meuse, de Saône-et-Loire, de la Haute-Marne ou de l'Yonne, ils sont tous le plus souvent fins, légers, agréables, frais et bouquetés ; en augmentation, surtout pour les vins blancs, la production n'est encore que de 9 000 hl dont 5 000 hl en blanc et 3 000 hl en rouge.

Coteaux de l'Auxois

VIGNOBLE DE FLAVIGNY-ALÉSIA
Auxerrois La Convivialité 2005 ★

1,31 ha 12 000 5 à 8 €

Flavigny est sans doute l'un des plus beaux villages de Bourgogne, médiéval et siège d'une grande abbaye. On y produit les célèbres Anis de Flavigny et on y a tourné le film *Le Chocolat* (2001) avec Juliette Binoche. Ce vignoble de reconquête, planté sur des coteaux à vignes délaissés après le phylloxéra, propose cet auxerrois aux arômes de gingembre, vif et fruité, d'une certaine longueur en bouche. Le **pinot beurot La Mystérieuse 2004**, curiosité bien bourguignonne, jeune et plein d'élan, obtient une étoile. Enfin, le **pinot noir 2004 L'Harmonie**, frais et fruité, est cité.

Ida Nel, Vignoble de Flavigny-Alésia,
Pont-Laizan, 21150 Flavigny-sur-Ozerain,
tél. 03.80.96.25.63, fax 03.80.96.25.83,
e-mail vignoble-de-flavigny@wanadoo.fr
t.l.j. 10h-19h

Coteaux de Coiffy

LES COTEAUX DE COIFFY Pinot gris 2004 ★

2,06 ha 12 000 3 à 5 €

L'eau et le vin peuvent fort bien s'entendre. Ici par exemple, on se trouve à deux pas de la station thermale de Bourbonne-les-Bains, dans un vignoble relancé en 1982 sur des terres occupées par la vigne avant le phylloxéra. Jaune pâle à reflets dorés, ce pinot gris a son franc-parler. Ouvert sur la fleur blanche discrètement épicée, il a plus d'ampleur que de longueur. Une étoile également pour le **chardonnay 2005**, frais et fruité.

Renaut-Camus, SCEA les Coteaux de Coiffy,
rue des Bourgeois, 52400 Coiffy-le-Haut,
tél. 03.25.84.80.12, fax 03.25.84.80.12,
e-mail renautlaurent@aol.com r.-v.

FLORENCE PELLETIER Auxerrois 2005 ★

1,3 ha 6 800 3 à 5 €

Florence Pelletier a passé l'an dernier le cap des dix ans au sein de l'exploitation. Elle conduit une partie de ses vignes en lyre, mode de taille rencontré parfois en Bourgogne. La qualité est là, avec son auxerrois 2005 jaune argenté. Le nez se partage équitablement entre le zeste d'agrumes et le tilleul. D'une bonne tenue en bouche, sur un ton floral, ce vin a encore des caractères de jeunesse. Le **pinot noir 2004, vieilli en fût (5 à 8 €)**, cité, est d'un esprit léger.

Florence Pelletier,
3, rue des Bourgeois, 52400 Coiffy-le-Haut,
tél. 03.25.90.21.12, fax 03.25.84.48.65,
e-mail caves-de-coiffy@wanadoo.fr r.-v.

Franche-Comté

VIGNOBLE GUILLAUME
Pinot noir Collection réservée 2004 ★★

1,5 ha 3 500 11 à 15 €

Sixième coup de cœur pour ce domaine, propriété d'une famille de pépiniéristes depuis plus de deux siècles et demi. Son pinot noir joue en ligue 1. Profonde et brillante, la robe annonce un nez puissant et assez boisé. La bouche, ample et dense, finit de convaincre. Un vin qu'il faut attendre un peu afin de lui permettre d'adoucir ses tanins. Deux étoiles également pour le **chardonnay 2004 Collection réservée** : vanillé, brioché, doré, c'est la générosité même. Enfin, le **chardonnay 2004 Vieilles Vignes (8 à 11 €)** est cité.

VDP

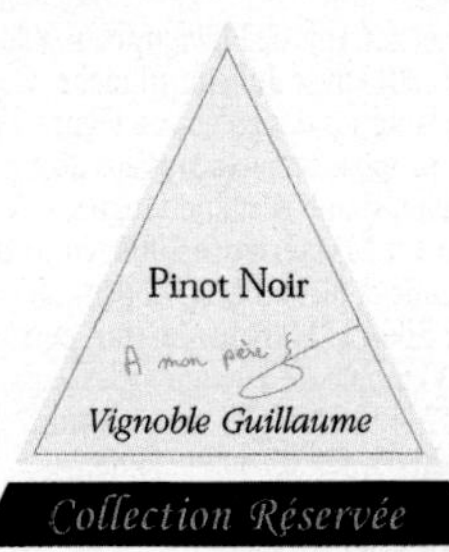

🔑 Vignoble Guillaume, rte de Gy, 70700 Charcenne, tél. 03.84.32.77.22, fax 03.84.32.84.06, e-mail vignoble@guillaume.fr
☑ 🍷 🚶 t.l.j. sf dim. 9h-12h 14h-18h; groupes sur r.-v.

Haute-Marne

LE MUID MONTSAUGEONNAIS
Pinot noir Élevé en fût de chêne 2004 ★

■ n.c. 13 210 5 à 8 €

Dans le Midi de la Haute-Marne, ce domaine, plusieurs fois coup de cœur, prouve que ce vignoble renaissant a déjà trouvé sa place. Grenat violacé, son pinot noir est très mûr (coulis de fruits rouges). Les tanins ont une rondeur aimable et soyeuse. La bouche, marquée par le fût, ne présente aucune agressivité et dessine un vin plutôt délicat. En blanc, l'**auxerrois 2004** est cité.

🔑 SA Le Muid Montsaugeonnais, 23, av. de Bourgogne, 52190 Vaux-sous-Aubigny, tél. et fax 03.25.90.04.65 ☑ 🍷 🚶 r.-v.

Meuse

L'AUMONIÈRE Pinot noir 2005 ★

■ n.c. 5 700 3 à 5 €

Situé à un jet de pierre du château d'Hattonchatel, ancienne résidence des évêques de Verdun puis des ducs de Lorraine, ce domaine présente un pinot noir à la robe rubis et au nez fruité, dominé par les baies rouges. La bouche est agréable, bien servie par de la fraîcheur et des tanins soyeux.

🔑 L'Aumonière, Viéville-sous-les-Côtes, 55210 Vigneulles, tél. 03.29.89.31.64, fax 03.29.90.00.92 ☑ 🍷 🚶 r.-v.

DOM. DE MUZY Auxerrois 2005 ★★

4 ha 15 000 5 à 8 €

Limpide à reflets paille, cet auxerrois livre une palette intense, fruitée, aux notes d'agrumes (pamplemousse). Le palais, équilibré, souple et rond, présente une fraîcheur agréable et retrouve les arômes du nez, avant une longue finale sur des notes de poire. Le **gris 2005 (3 à 5 €)**, rosé issu du cépage pinot noir, marqué par les fruits rouges, obtient également deux étoiles. Enfin, le **pinot noir 2005 Élevé en fût de chêne**, fin et boisé, est cité.

🔑 Véronique et Jean-Marc Liénard, EARL Dom. de Muzy, 3, rue de Muzy, 55160 Combres-sous-les-Côtes, tél. 03.29.87.37.81, fax 03.29.87.35.00, e-mail muzylienard@wanadoo.fr ☑ 🍷 🚶 r.-v.

Sainte-Marie-la-Blanche

BLANCHE Pinot noir 2005 ★

■ 3,05 ha 25 000 3 à 5 €

Tout près de Beaune, aux abords de la Plaine, Sainte-Marie-la-Blanche livre depuis longtemps le combat de la chèvre de M. Seguin pour maintenir sa vocation viticole qui n'est pas usurpée. Natif de Côte-d'Or, terre de grands bourgognes, ce pinot noir s'affirme sans complexe : robe cerise burlat, nez de fruits rouges, bouche équilibrée avec un peu de mordant et de la mâche. L'**auxerrois 2005** aux notes minérales agrémenté de fougère, est cité.

🔑 Cave des Hautes-Côtes, rte de Verdun, 21200 Sainte-Marie-la-Blanche, tél. 03.80.25.01.00, e-mail vinche@wanadoo.fr ☑ 🍷 r.-v.

Saône-et-Loire

VINS DES FOSSILES Pinot noir 2004

■ 2 ha 10 000 5 à 8 €

Nous sommes près d'Iguerande en Brionnais. Il y eut ici jusqu'à 4 000 ha de vigne, en pleine zone d'élevage charolais. Depuis les années 1990, le vignoble renaît sous la dénomination de vin de pays de Saône-et-Loire. Rubis brillant, ce pinot noir offre un bouquet discret. En revanche, il montre au palais du relief et du fruit. Un peu minéral, ponctué de fleurs séchées, il trouve un bon accord entre sa vivacité et ses tanins.

🔑 SC Berthillot, Les Chavannes, 71340 Mailly, tél. et fax 03.85.84.01.23 ☑ 🍷 🚶 sam. 14h-19h

Yonne

DOM. JACKY RENARD Sauvignon 2005

1,3 ha 15 000 3 à 5 €

Une rareté. Ce sauvignon vin de pays de l'Yonne est né d'un classement INAO des années 2000 qui réserve l'orientation nord pour les saint-bris et offre l'exposition sud sur terrain pentu à ce vin de pays bien servi par la nature. Teinte argentée, nez expansif, bouche enveloppée dans le minéral, ce 2005 se montre déjà épanoui.

🔑 Jacky Renard, La Côte-de-Chaussan, 89530 Saint-Bris-le-Vineux, tél. 03.86.53.38.58, fax 03.86.53.33.50, e-mail domainejacky.renard@laposte.net ☑ 🍷 🚶 r.-v.

LE LUXEMBOURG

LES VINS DU LUXEMBOURG

Petit État prospère au cœur de l'Union européenne, situé à la charnière des mondes germanique et latin, le grand-duché de Luxembourg est un pays viticole à part entière. La consommation de vin y est proche de celle que l'on observe en France et en Italie. Le vignoble s'inscrit le long du cours sinueux de la Moselle, dont les coteaux portent des ceps depuis l'Antiquité. Il donne des vins blancs secs, vifs et aromatiques.

La production vinicole du grand-duché est confidentielle (140 000 hl), à la mesure de sa modeste superficie (1 300 ha). Les vins sont produits par des viticulteurs membres d'une coopérative vinicole (62 % de la production), par des vignerons indépendants (21 %) et par des négociants (17 %). Remich est le siège d'un centre de recherche et de l'organisation officielle de la viticulture.

On sait l'importance que prit le vignoble mosellan au IV^{e}s., lorsque Trèves – très proche de la frontière actuelle du grand-duché de Luxembourg – devint résidence impériale et l'une des quatre capitales de l'Empire romain. Aujourd'hui, de Schengen à Wasserbillig, les coteaux de la rive gauche de la Moselle forment un cordon continu de vignobles, autour des cantons de Remich et de Grevenmacher. Orientés au sud et au sud-est, ceux-ci bénéficient de l'effet bienfaisant des eaux du fleuve, qui estompent les courants d'air froid venant du nord et de l'est, et modèrent l'ardeur du soleil de l'été. En raison de leur latitude septentrionale (49 degrés de latitude N.), ils produisent presque exclusivement des vins blancs. Près de 30 % d'entre eux proviennent du cépage rivaner (ou muller-thurgau). L'elbling, cépage typique du Luxembourg (10 % de la surface viticole), donne un vin léger et rafraîchissant. Les vins les plus recherchés proviennent des cépages auxerrois, riesling, pinot blanc, chardonnay, pinot gris, pinot noir et gewurztraminer.

Créée en 1935, la marque nationale des vins de la Moselle luxembourgeoise a pour objet d'encourager la qualité et de permettre au consommateur de réaliser ses choix sous la garantie officielle de l'État. En 1985 est apparue l'appellation contrôlée moselle luxembourgeoise. Il existe aussi une hiérarchie des vins (marque nationale – appellation contrôlée, vin classé, premier cru, grand premier cru). L'originalité du classement des vins, en fonction de leur notation lors de chaque agrément, mérite d'être soulignée : les vins qui ont obtenu entre 18 et 20 points sont qualifiés de grand premier cru, entre 16 et 17,9 de premier cru, entre 14 et 15,9 de vin classé, entre 12 et 13,9 de vin de qualité sans mention particulière et en dessous de 12 points de simple vin de table. En 1991 est née l'appellation crémant-de-luxembourg. Depuis 2001, les viticulteurs peuvent produire des vins de vendanges tardives, des vins de glace et des vins de paille.

Moselle luxembourgeoise

ART & VIN VINGT

Grevenmacher Fels Riesling 2005 ★★

Gd 1er cru — 2,5 ha — 8 400 — 8 à 11 €

Une étiquette ravissante habille les bouteilles de la série Art & Vin qui en est à sa vingtième édition avec le millésime 2005. Le contenu est à l'image du contenant, remarquable par ses reflets or vert comme par ses arômes subtils de fruits surmûris, proches de ceux d'une vendange tardive. La bouche est à l'avenant, aromatique, ronde et harmonieuse jusqu'à l'élégante finale minérale. Un riesling prometteur, à déguster en 2007 ou 2008.

Les Domaines de Vinsmoselle, Caves de Grevenmacher, 12, rue des Caves, 6718 Grevenmacher, tél. 75.01.75, fax 75.95.13

t.l.j. sf dim. lun. 10h-12h 13h-18h

DOM. MATHIS BASTIAN

Pinot gris Domaine et Tradition 2005 ★★★

	1,33 ha	8 270	■	8 à 11 €

Mathis Bastian est l'un des sept membres de Domaine et Tradition, réunion de producteurs qui se sont imposé une charte de qualité. Rappelez-vous : son pinot gris 2004 a été coup de cœur l'an passé. Le 2005 ne démérite pas. Vêtu de jaune à reflets verts, il offre de riches arômes de fruits secs et de fleurs, puis s'ouvre au palais avec fraîcheur avant de dévoiler toute son étoffe. Un chef-d'œuvre. Deux étoiles brillent pour le **pinot gris 2005 du grand 1er cru Wellenstein Foulschette**, expressif et rafraîchissant.

Mathis Bastian, 29, rte de Luxembourg, 5551 Remich, tél. 23.69.82.95, fax 23.66.91.18, e-mail cavesbastian@email.lu r.-v.

CAVES RENÉ BENTZ

Bech-Kleinmacher Jongeberg Pinot gris 2005 ★

	n.c.	1 350	■	5 à 8 €

Un domaine de 6,50 ha répartis sur plusieurs lieux-dits tel le Bech-Kleinmacher Jongeberg dont est issu ce pinot gris. Les arômes de fruits mûrs accompagnés de nuances fumées et grillées s'affirment au nez, tandis qu'au palais l'équilibre se porte vers la vivacité, garante d'une bonne évolution dans le temps. La longue finale est un autre atout de ce 2005.

Caves René Bentz, 4, Albaach, 5471 Wellenstein, tél. 23.66.08.84, fax 26.66.08.68, e-mail bentzvin@pt.lu r.-v.

CAVES BERNARD-MASSARD

Wormeldange Weinbour Pinot blanc 2005 ★

Gd 1er cru	2 ha	13 600	■	5 à 8 €

À Grevenmacher, deux visites s'imposent : le jardin des Papillons et les caves Bernard-Massard. Le point commun ? Des couleurs et une impression de légèreté... Voyez ce vin or pâle à reflets verts qui exprime des notes de fruits blancs, tels que la poire et la pomme, nuancées d'une pointe minérale. La fraîcheur caractérise la bouche légèrement citronnée et épicée en finale. Un pinot banc harmonieux et plein de jeunesse, tout disposé à accompagner un poisson d'eau douce ou un plateau de fruits de mer.

SA Caves Bernard-Massard, 8, rue du Pont, 6773 Grevenmacher, tél. 75.05.451, fax 75.06.06, e-mail info@bernard-massard.lu t.l.j. 9h30-18h; f. 1er nov.-31 mars

DOM. CLOS DES ROCHERS

Pinot gris Domaine et Tradition 2005

	0,6 ha	4 400	■	8 à 11 €

Freddy Sinner et Stefan Krämer forment une bonne équipe autour de Hubert Clasen, propriétaire du Clos des Rochers. Ils ont produit un pinot gris à la fois fruité (fruits exotiques) et floral sous une teinte brillante à reflets verts. La fraîcheur s'impose au palais, équilibrée cependant par le gras, avant que de longues notes finales d'abricot ne viennent marquer l'esprit du dégustateur.

SARL Dom. Clos des Rochers, 8, rue du Pont, 6773 Grevenmacher, tél. 75.05.451, fax 75.06.06, e-mail info@bernard-massard.lu t.l.j. 9h30-18h; f. 1er nov.-31 mars

Le Luxembourg

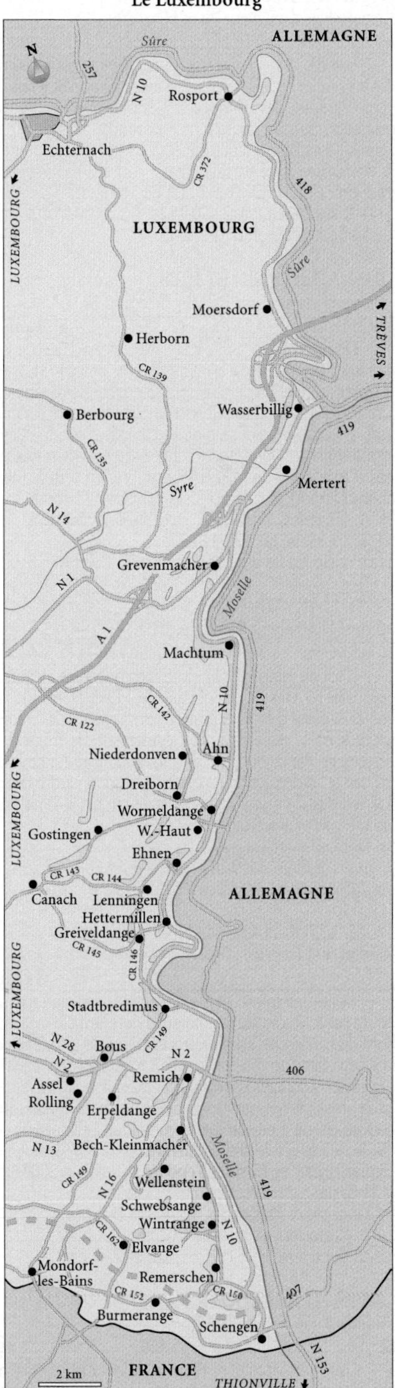

DOM. CHARLES DECKER

Remerschen Kreitzberg Pinot blanc 2004 ★★

	0,18 ha	1 400	5 à 8 €

Issu d'une vendange très mûre, ce pinot blanc séduit dès le premier regard porté sur sa teinte jaune pâle à reflets verts. Il décline des arômes complexes de miel et de fruits exotiques, puis se révèle ample et rond, souligné d'une agréable fraîcheur et d'une minéralité typée. Aucun doute : la vinification a été parfaitement maîtrisée.

Dom. Charles Decker, 7, rte de Mondorf, 5441 Remerschen, tél. 23.60.95.10, fax 23.60.95.20, e-mail deckerch@pt.lu r.-v.

DOM. A. GLODEN ET FILS

Schengen Markusberg Riesling Sélection 2004 ★★

Gd 1er cru	0,23 ha	12 000	8 à 11 €

Deux cent cinquante-cinq ans, tel est l'âge de ce domaine. Il appartient à la même famille depuis 1751. Une expérience que l'on perçoit dans la qualité de ce vin aux arômes de fruits jaunes et de citron. Bien structuré par une juste vivacité, celui-ci se montre complexe et persistant, apte à la garde. Deux étoiles sont également accordées au **pinot gris 2004 du grand 1er cru Wellenstein Foulschette (5 à 8 €)**, plus floral (genêt) et miellé, plus rond aussi.

A. Gloden et Fils, 2, Albaach, 5471 Wellenstein, tél. 23.69.83.24, fax 23.69.81.32, e-mail a.gloden-fils@village.uunet.lu r.-v.

DOM. HÄREMILLEN

Mertert Herrenberg Pinot gris 2004

Gd 1er cru	n.c.	7 000	5 à 8 €

C'est au vieux moulin de Ehnen que vous viendrez découvrir les vins de ce domaine de 13 ha. Demandez à goûter ce pinot gris qui exprime de prime abord de timides notes de fruits blancs, avant de s'ouvrir sur des arômes de noisette et d'amande, réminiscents de nougat. La bouche évoque le miel et les fruits confits sans rien perdre de sa fraîcheur grâce à une ligne minérale en finale. Pour des grillades de viande blanche.

Dom. Häremillen, 3, op der Borreg, 5419 Ehnen, tél. 76.84.36, fax 76.91.93, e-mail hmillen@pt.lu r.-v.

DOM. ALICE HARTMANN

Riesling Vin de glace 2004 ★★★

	n.c.	n.c.	46 à 76 €

Le riesling trouve sa meilleure expression au Luxembourg sur le terroir de la commune de Wormeldange, au bord de la Moselle, et, plus précisément, sur la colline de la Koeppchen, exposée plein sud. Récolté gelé sur souche, son raisin a donné naissance à cet exceptionnel vin jaune paille, bien ouvert sur des arômes de fruits confits. La bouche est aussi puissante que complexe, à l'image de ce que les amateurs de grands vins liquoreux attendent. Une citation revient au **riesling Vendanges tardives 2004 (15 à 23 €)** qui garde une élégante fraîcheur.

Dom. Alice Hartmann, 72-74, rue Principale, 5480 Wormeldange, tél. 76.00.02, fax 76.04.60, e-mail domaine@alice-hartmann.lu r.-v.

CAVES HLEHLEGOART

Wainbour Pinot noir 2004 ★

	0,21 ha	2 000	5 à 8 €

Une robe grenat profond à reflets mauves légers attire le regard. Le nez typique du pinot noir libère après aération des arômes de griotte, d'autres fruits rouges et un boisé grillé délicat. Les tanins souples et mûrs soutiennent la chair fruitée et fraîche de ce vin de bonne garde.

Famille Mesenburg-Sadler, Caves Hlehlegoart, 41, rue Hiehl, 5485 Wormeldange-Haut, tél. 76.05.85, fax 26.74.70.98, e-mail meseroby@pt.lu r.-v.

DOM. KOHLL-LEUCK

Rousemen Pinot gris 2005 ★★★

Gd 1er cru	1 ha	8 200	5 à 8 €

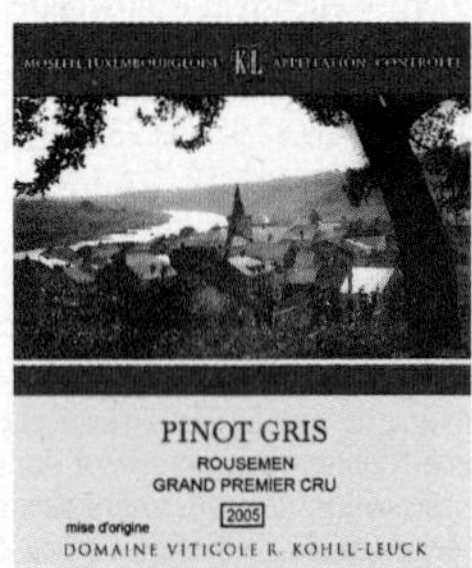

À Luc Kohll de faire évoluer ce domaine de 9,8 ha, aux côtés de ses parents qui, dès 1973, se sont orientés résolument vers la viticulture, en abondonnant l'activité agricole. Le pinot gris est le porte-drapeau de leur production cette année. Un vin de couleur claire à reflets jaunes qui affiche des arômes complexes de fruits exotiques. Il se montre rond, d'un fruité persistant et d'un excellent équilibre. Une petite année de garde est à sa portée.

Dom. R. Kohll-Leuck, 4, an der Borreg, 5419 Ehnen, tél. 76.02.42, fax 76.90.40, e-mail dukohll@pt.lu r.-v.

DOM. KOHLL-REULAND

Ehnen Wousselt Riesling Vieilles Vignes 2005 ★★★

Gd 1er cru	0,12 ha	1 866	5 à 8 €

Depuis le XVIIe s., la famille Kohll cultive la vigne à Ehnen. Le vignoble couvre à présent quelque 6,5 ha, complantés d'auxerrois, de pinots blanc, gris et noir, de chardonnay et de riesling. Ce dernier cépage est à l'origine de cet exceptionnel vin jaune pâle, dont le nez fruité laisse une sensation d'opulence et la bouche celle d'une puissance équilibrée. En 2007, vous le savourerez avec une sole nappée de sauce, par exemple.

🔑 Dom. Kohll-Reuland,
5, am Stach, 5418 Ehnen, tél. 76.00.18, fax 76.06.40,
e-mail mkohll@pt.lu ☑ Y r.-v.
🔑 Esther Kohll, Frank Keyser-Kohll

DOM. KRIER-WELBES Bech-Kleinmacher

Jongeberg Gewurztraminer 2005 ★★★

	0,07 ha	530	11 à 15 €

En 1993, Guy Krier a repris la tête du domaine familial de quelque 7 ha, répartis sur les communes de Wellenstein, Remerschen, Stadtbredimus, Wintringen et Bech-Kleinmacher, cette dernière abritant le cru Jongeberg dont est issu ce vin typique du gewurztraminer. Sous une teinte jaune pâle brillant se manifestent des arômes intenses de fruits confits qui se prolongent au palais durablement. (Bouteilles de 37,5 cl.)

🔑 Dom. Krier-Welbes, 3, rue de la Gare,
5690 Ellange-Gare, tél. 23.67.71.84, fax 23.66.19.31,
e-mail info@krier-welbes.lu ☑ Y ⚘ r.-v.
🔑 Guy Krier

CAVES PAUL LEGILL

Coteaux de Schengen Pinot blanc 2005 ★

Gd 1er cru	0,15 ha	1 400	5 à 8 €

Toute l'expression du pinot blanc, élégant, frais, floral et fruité (agrumes, fruits exotiques) se traduit dans ce vin qui respire la jeunesse. Les plus impatients le découvriront dès maintenant à l'apéritif et apprécieront son caractère désaltérant. Les plus patients attendront deux ou trois ans pour le redécouvrir sous des notes minérales et légèrement épicées.

🔑 Caves Paul Legill,
27, rte du Vin, 5445 Schengen, tél. 23.66.40.38,
fax 23.60.90.97, e-mail plegill@pt.lu ☑ Y ⚘ r.-v.

DOM. JEAN LINDEN-HEINISCH

Ehnen Wousselt Riesling 2004 ★★

Gd 1er cru	0,4 ha	3 200	5 à 8 €

Ehnen est un joli village au bord de la Moselle, dont les anciennes demeures racontent l'histoire : certaines ont appartenu aux baillis de Trèves, d'autres à des nobles venus de France, d'autres encore à des bourgeois luxembourgeois. En vous promenant dans ses ruelles, vous percevrez cette harmonie culturelle. Rendez-vous ensuite chez Jean Linden pour apprécier ce riesling racé, aux senteurs de fruits exotiques. Structuré, il doit à une ligne minérale son agréable fraîcheur et son élégance. Le **pinot gris 2004 du grand 1er cru Ehnerberg** est cité pour sa rondeur et ses arômes de fruits surmûris.

🔑 Jean Linden-Heinisch, 8, rue Isidore-Comes,
5417 Ehnen, tél. 76.06.61, fax 76.91.29 ☑ Y ⚘ r.-v.

DOM. MATHES

Wormeldange Heiligenhäus'chen Riesling 2004

Gd 1er cru	0,39 ha	3 800	**5 à 8 €**

En 2005, Paule et Jean-Paul Hoffmann-Mathes ont repris la direction de ce domaine de 8 ha partagés entre pinots gris et blanc, auxerrois et riesling. Ce 2004, issu de raisins bien mûrs, ne manque ni de corps ni de longueur. Une fine vivacité souligne son expression de pêche, de mangue et de noix.

🔑 Dom. Mathes, 73, rue Principale, BP 3,
5507 Wormeldange, tél. 76.93.93, fax 76.93.90,
e-mail mathes@pt.lu ☑ Y ⚘ r.-v.

DOM. SAINT-MARTIN

De Nos Rochers Pinot gris 2005 ★★

Gd 1er cru	0,85 ha	9 600	▮	5 à 8 €

Cette maison de négoce dirigée par Marc Gales bénéficie de 56 ha de vignes. Arno Bauer est aux commandes dans les chais ; on lui doit ce pinot gris de couleur claire à reflets jaune-vert qui livre des arômes puissants de fruits exotiques. Assez gras, élégant et fin, il se développe dans une parfaite harmonie avec, en contrepoint, des notes de mirabelle.

🔑 SA Caves Saint-Martin, BP 20, 5501 Remich,
tél. 23.61.991, fax 23.69.90.34
☑ Y ⚘ t.l.j. sf lun. 10h-12h 14h-18h; f. déc.-jan.

CAVES ST-REMY DESOM

Wellenstein Foulschette Pinot gris 2005

Gd 1er cru	0,8 ha	8 000	▮	**5 à 8 €**

La première pièce de théâtre écrite en luxembourgeois est due à Edmond de La Fontaine, surnommé Dicks (1823-1891). Si son musée se situe à Vianden, c'est à Remich, dans un bâtiment du XVIIIe s., que l'on trouve trace de la tisserie que l'auteur exploitait. Celle-ci abrite aujourd'hui les caves St-Remy. Vous y trouverez ce vin raffiné, à dominante de fruits exotiques mêlés de touches florales. La bouche équilibrée donne une impression de finesse et de fraîcheur, typique du cépage et du terroir. Inutile d'attendre : ce 2005 est déjà plaisant.

🔑 Caves St-Remy Desom, 9, rue Dicks, BP 19,
5501 Remich, tél. 23.60.401, fax 23.69.93.47,
e-mail desom@pt.lu ☑ Y ⚘ r.-v.

CAVES JEAN SCHLINK-HOFFELD

Wormeldange Heiligenhäuschen Pinot gris
Cuvée personnelle 2005

Gd 1er cru	0,33 ha	3 100	▮	**5 à 8 €**

En 1993, René et Jean-Paul Schlink ont repris le domaine paternel. Ils proposent une cuvée confidentielle d'un pinot gris clair à reflets jaune-vert. Les arômes intenses d'abricot, nuancés de minéral, se déclinent jusqu'au palais, avec persistance, soulignant l'harmonie des saveurs.

🔑 Caves Jean Schlink-Hoffeld,
1, rue de l'Église, 6841 Machtum,
tél. 75.84.68, fax 75.92.62,
e-mail info@caves-schlink.lu
☑ Y ⚘ t.l.j. sf dim. 8h-12h 13h-18h; groupes sur r.-v.

DOM. SCHUMACHER-KNEPPER

Wintrange Felsberg Pinot gris 2004

Gd 1er cru	0,29 ha	3 300	▮	**5 à 8 €**

Les Schumacher sont vignerons depuis le XVIIIe s. à Wintrange, mais c'est en 1965 que leur domaine s'agrandit grâce à l'acquisition des vignes du notaire Constant Knepper, à Remich. Le vignoble compte aujourd'hui plus de 8 ha, complantés de huit cépages, parmi lesquels le pinot gris. Or pâle, ce vin de deux ans d'âge a gardé toute sa fraîcheur et sa finesse : des arômes de pêche de vigne, des flaveurs exotiques et légèrement anisées en finale, de la fraîcheur et de la rondeur en équilibre. Servez-le avec une truite aux amandes ou un lapin aux noix.

🔑 Dom. Schumacher-Knepper,
28, rte du Vin, 5495 Wintrange,
tél. 23.60.451, fax 23.66.48.03,
e-mail contact@schumacher-knepper.lu ☑ Y ⚘ r.-v.

DOM. SCHUMACHER-LETHAL
Wormeldange Pietert Pinot noir 2005
■ 1,2 ha 5 000 5 à 8 €
Un pinot noir habillé de rubis comme il se doit, dont le nez juvénile est tout simplement plaisant. La bouche ronde, légère, évoque la cerise bien mûre, légèrement vanillée. N'attendez pas : ce vin se cueille tel un fruit, dès maintenant.
Dom. Schumacher-Lethal et Fils,
114, rue Principale, 5450 Wormeldange, tél. 76.01.34,
fax 76.85.04, e-mail contact@schumacher-lethal.lu

DOM. THILL
Gewurztraminer Domaine et Tradition 2005 ★★★
0,35 ha 2 060 8 à 11 €
Le domaine Thill Frères fait partie du groupe Bernard-Massard. Réputé exploiter d'excellents terroirs en coteaux le long de la Moselle, il en apporte la preuve avec ce gewurztraminer jaune pâle, typique et d'une réelle finesse aromatique : fruits confits, poire, orange. Franche et fruitée, la bouche se développe durablement, généreuse et équilibrée.
Dom. Thill Frères, 8, rue du Pont,
6773 Grevenmacher, tél. 75.05.45.400, fax 75.92.36,
e-mail info@bernard-massard.lu
t.l.j. 9h30-18h; f. 1er nov.-31 mars

DOM. VINSMOSELLE
Grevenmacher Paradäis Riesling 2005
Gd 1er cru 1,2 ha 5 600 5 à 8 €
Fondés en 1966, les Domaines de Vinsmoselle constituent un groupement de six caves réparties dans différentes communes de la Moselle. Celle de Grevenmacher a élaboré ce riesling brillant de reflets or, aux arômes légers de compote de fruits. Après une attaque minérale, la bouche révèle son fruité et un équilibre avenant. Dommage que les flaveurs s'évanouissent si vite en finale.
Les Domaines de Vinsmoselle,
Caves de Grevenmacher, 12, rue des Caves,
6718 Grevenmacher, tél. 75.01.75, fax 75.95.13
t.l.j. sf dim. lun. 10h-12h 13h-18h

DOM. DE VINSMOSELLE
Wintrange Felsberg Riesling 2005
Gd 1er cru 12 ha 13 866 5 à 8 €
Autre riesling des Domaines de Vinsmoselle, mais originaire de Remerschen. Des notes de fruits exotiques annoncent un vin plaisant et ample, dont le taux de sucres résiduels assez élevé se traduit par une grande rondeur. À déguster dès à présent.
Domaines de Vinsmoselle,
Caves de Remerschen, 32, rte du Vin,
5440 Remerschen, tél. 23.66.41.65, fax 23.66.41.66,
e-mail f.hemmen@vinsmoselle.lu r.-v.

DOM. DE VINSMOSELLE
Stadtbredimus Dieffert Pinot blanc 2005 ★
Gd 1er cru 0,7 ha 3 600 5 à 8 €
Dieffert est l'un des cinq lieux-dits représentatifs de la production de la cave de Stadtbredimus, créée en 1927. Un vin délicat, de teinte brillante et fraîche. Le voici qui décline des notes florales et minérales au nez. Le registre floral poursuit sa déclinaison en attaque, rejoint par des flaveurs d'agrumes qui contribuent à la sensation de fraîcheur persistante. Un pinot blanc de repas, destiné à un saumon fumé à la crème, aux zestes d'agrumes.
Domaines de Vinsmoselle, Caves de Stadtbredimus,
Kellereiswee, 5450 Stadtbredimus, tél. 23.69.661,
fax 23.69.91.89, e-mail m.vanbeusekom@vinmoselle.lu

DOM. DE VINSMOSELLE
Wormeldange Wousselt Riesling 2005
Gd 1er cru 4,2 ha 26 500 5 à 8 €
Fondée en 1930, la cave possède des vignes dans les lieux-dits Köppchen, Weinbour, Elterberg, Nussbaum, Niedert, Ahn-Pietert, Mohrberg, Ehnen-Gaschtwengert, Stiereberg et Wousselt d'où provient ce vin brillant de reflets vert-jaune. Celui-ci présente des arômes de fruits confits, puis une bouche ronde, assez complexe et légèrement réglissée, avec un côté minéral en finale. De l'élégance.
Les Domaines de Vinsmoselle,
Caves de Wormeldange,
115, rte du Vin, 5481 Wormeldange, tél. 76.82.11,
fax 76.82.15 t.l.j. 7h-18h

Crémant-de-luxembourg

CAVES BERNARD-MASSARD
Cuvée de l'Écusson 2003 ★★★
6 ha n.c. 8 à 11 €
Pinot blanc et riesling composent ce crémant équilibré, à la fois fruité (pêche blanche) et floral, avec une pointe minérale distinguée. Celui-ci séduit par sa finesse, son corps ample et crémeux comme par sa bonne longueur. Dans le verre virevoltent des bulles dynamiques sur fond jaune-vert.
SA Caves Bernard-Massard, 8, rue du Pont,
6773 Grevenmacher, tél. 75.05.451, fax 75.06.06,
e-mail info@bernard-massard.lu
t.l.j. 9h30-18h; f. 1er nov.-31 mars

DOM. CEP D'OR 2004
3 ha 10 000 8 à 11 €
Auxerrois, pinot blanc et riesling à parts égales dans ce vin aux arômes de pomme mûre. Une vivacité équilibrée lui donne un caractère élégant et aérien typique. Un crémant faiblement dosé, rafraîchissant.
SA Cep d'Or, 15, rte du Vin, 5429 Stadtbredimus,
tél. 76.83.83, fax 76.91.91, e-mail info@cepdor.lu
r.-v.
Famille Vesque

DESOM ★
5 ha 16 000 5 à 8 €
Un assemblage de riesling et de pinot blanc à parts égales. Or pâle à reflets verts, ce vin libère de discrets arômes de fruits blancs. Il se montre souple au palais, très doux, ponctué d'agréables flaveurs de cassis.
Caves St-Remy Desom, 9, rue Dicks, BP 19,
5501 Remich, tél. 23.60.401, fax 23.69.93.47,
e-mail desom@pt.lu r.-v.

DOM. R. KOHLL-LEUCK ★

	2 ha	18 000	8 à 11 €

Un vin délicat qui gagne à être dégusté avec soin. La teinte or pâle met en valeur un cordon de bulles fines qui semblent porter les premiers arômes floraux. Viennent ensuite des senteurs d'agrumes (citron), de fruits exotiques (ananas). La bouche est fraîche, d'abord marquée par la citronnelle, tandis que la note de tête se fait plus exotique (ananas, banane verte, mangue) et la finale mentholée. Servez cette bouteille avec une truite fumée ou un poulet à l'orange.

Dom. R. Kohll-Leuck, 4, an der Borreg, 5419 Ehnen, tél. 76.02.42, fax 76.90.40, e-mail dukohll@pt.lu r.-v.

DOM. KOHLL-REULAND La Cuvée du Domaine ★★

	0,5 ha	10 666	8 à 11 €

De nombreuses portes ouvertes sont organisées au cours de l'année dans ce domaine. L'occasion de découvrir ce crémant qui laisse s'épanouir une mousse fine et un cordon bien fourni. Une telle générosité se retrouve dans la palette complexe de fleurs, puis de brioche légèrement miellée. Une telle harmonie est encore perceptible en bouche, soulignée de flaveurs de fruits mûrs et épicés. Une viande blanche sera un compagnon tout indiqué.

Dom. Kohll-Reuland, 5, am Stach, 5418 Ehnen, tél. 76.00.18, fax 76.06.40, e-mail mkohll@pt.lu r.-v.

Esther Kohll, Frank Keyser-Kohll

LAURENT ET RITA KOX Laurent Benoît

	0,5 ha	5 000	5 à 8 €

Des arômes de pêche jaune et de coing, frais et élégants, sont perceptibles lorsque l'on se penche vers ce vin jaune paille à la mousse persistante. La bouche, légèrement acidulée en attaque, présente des notes de miel et de pain d'épice, avant de céder place en finale à des flaveurs d'agrumes et de mirabelle. Un crémant plutôt destiné à l'apéritif, mais qui pourra également accompagner une viande blanche cuisinée avec des fruits.

Laurent et Rita Kox, 6A, rue des Prés, 5561 Remich, tél. 23.69.84.94, fax 23.69.81.01, e-mail kox@pt.lu r.-v. 3 B

POLL-FABAIRE ★★

	n.c.	40 000	8 à 11 €

Poll-Fabaire est la marque des Domaines de Vinsmoselle utilisée pour les crémants-de-luxembourg. Cette cuvée jaune-vert brillant, couronnée d'une mousse crémeuse, présente un caractère vanillé, légèrement toasté. Après une attaque ronde, elle exprime une vivacité équilibrée qui lui donne du relief et de l'élégance.

Domaines de Vinsmoselle, Caves de Grevenmacher, 12, rue des Caves, 6718 Grevenmacher, tél. 75.01.75, fax 75.95.13 t.l.j. sf dim. lun. 10h-12h 13h-18h

POLL-FABAIRE ★★

	n.c.	40 000	5 à 8 €

Ce crémant dévoile des bulles fines sur fond vert à reflets jaunes. Aux arômes d'agrumes répond une bouche ample et fruitée (citron) qui se prolonge sur des notes torréfiées en finale. De l'élégance.

Domaines de Vinsmoselle, Caves de Stadtbredimus, Kellereiswee, 5450 Stadtbredimus, tél. 23.69.661, fax 23.69.91.89, e-mail m.vanbeusekom@vinmoselle.lu

POLL-FABAIRE Spirit of Schengen

	n.c.	30 000	8 à 11 €

Un cordon de bulles abondantes attire le regard et invite à découvrir les arômes de fruits jaunes mûrs. Le vin apparaît souple, vineux, empreint de notes de miel d'acacia et de vanille. Servez-le avec un poulet aux morilles.

Domaines de Vinsmoselle, Caves de Remerschen, 32, rte du Vin, 5440 Remerschen, tél. 23.66.41.65, fax 23.66.41.66, e-mail f.hemmen@vinsmoselle.lu r.-v.

POLL-FABAIRE 2003 ★★

	n.c.	55 000	8 à 11 €

Quatrième mention pour un crémant des Domaines de Vinsmoselle. Celui-ci se distingue par ses arômes de fruits secs et confits, sa structure complexe et sa persistance sur des notes de pamplemousse. Sa teinte soutenue annonce bien son caractère riche et puissant.

Domaines de Vinsmoselle, Caves de Wellenstein, 13, rue des Caves, 5471 Wellenstein, tél. 26.66.141, fax 23.69.76.54, e-mail info@vinsmoselle.lu r.-v.

SUNNEN-HOFFMANN Cuvée L et F Tradition ★★

	0,8 ha	7 200	8 à 11 €

Dès le versement dans le verre, ce vin laisse paraître son élégance. Des bulles fines et vives dansent sur fond or pâle, tandis que s'élèvent de frais arômes de fleurs nauncés de notes minérales. L'harmonie se réalise au palais entre les caractères de la jeunesse et une structure ample. Un crémant complexe que vous apprécierez dès maintenant, à l'apéritif comme dans deux ou trois ans, au cours du repas.

Dom. Sunnen-Hoffmann, 6, rue des Prés, 5441 Remerschen, tél. 23.66.40.07, fax 23.66.43.56, e-mail info@caves-sunnen.lu r.-v.

Yves Sunnen et Corinne Kox-Sunnen

LA SUISSE

LES VINS SUISSES

Comparé à ses voisins européens, le vignoble suisse est modeste avec ses 14 900 ha de superficie. Il s'étend à la naissance des trois grands bassins fluviaux drainés par le Rhône à l'ouest des Alpes, par le Rhin au nord et par le Pô au sud de cette chaîne. Il compte ainsi une grande diversité de sols et de climats qui forment autant de terroirs différents malgré leur relative proximité. Traditionnellement cultivée sur les coteaux ensoleillés, très pentus ou en terrasses, la vigne compose le paysage. On distingue trois régions viticoles principales en fonction du découpage linguistique du pays. Cependant celles-ci sont loin d'être uniformes, tant les contrastes qu'elles présentent sont saisissants. À l'ouest, le vignoble de la Suisse romande couvre plus des trois quarts de la surface viticole du pays. De Genève, il s'étire jusqu'au cœur des Alpes dans le canton du Valais, en longeant les rives du lac Léman, dans le canton de Vaud. Plus au nord, il s'approprie encore les rives des lacs de Neuchâtel, de Morat et de Bienne (Canton de Berne) sur les contreforts du Jura. Beaucoup plus éparpillé, le vignoble de la Suisse alémanique totalise 17 % de la surface viticole. Il s'égrène tout au long de la vallée du Rhin où, à partir de Bâle, il remonte le cours du fleuve jusqu'à l'est du pays. Il pénètre également loin à l'intérieur du territoire sur les meilleurs sites des coteaux dominant de nombreux lacs et vallées. En Suisse italophone, la vigne se concentre dans les vallées méridionales du Tessin où les conditions naturelles du versant sud des Alpes se distinguent nettement de celles des autres régions viticoles. Outre toute une gamme de spécialités, les vignerons de Suisse romande privilégient par tradition le cépage blanc chasselas. Le pinot noir est ici le cépage rouge le plus cultivé, suivi du gamay. Le pinot noir domine en Suisse alémanique où il côtoie le cépage blanc müller-thurgau et diverses variétés locales très recherchées par les amateurs. En Suisse italienne, c'est le merlot qui fait la renommée des vins de cette partie du pays où les cépages blancs sont peu représentés. Signalons enfin un événement majeur de la vie viticole suisse : la fête des Vignerons de Vevey. Remontant au Moyen Âge, cette manifestation somptueuse associe l'ensemble des vignerons et des habitants et célèbre leur travail dans la vigne. La dernière s'est déroulée en août 1999 ; la prochaine se tiendra entre 2021 et 2023.

Lac de Bienne

« De toutes les habitations où j'ai demeuré (et j'en ai eu de charmantes), aucune ne m'a rendu si véritablement heureux et ne m'a laissé de si tendres regrets que l'île de Saint-Pierre au milieu du lac de Bienne. » J.-J. Rousseau, *Rêveries du promeneur solitaire*, Cinquième promenade.

Face à l'île, le pied du Jura, d'où dévale le vignoble. Retenu dans son élan par les murs de pierre, celui-ci forme un long ruban en épousant les contours calcaires de la montagne, se faufile entre les villages viticoles pour rattraper les rives du lac.

Sur les 235 ha des surfaces viticoles, 45 % sont occupés par le chasselas, 36 % par le pinot noir. À côté de ces cépages principaux d'autres variétés gagnent du terrain : pinot gris, chardonnay, sauvignon blanc, riesling x sylvaner (müller-thurgau).

Le chasselas produit un subtil vin blanc léger et perlant qui traduit bien son terroir. Il est apprécié à l'apéritif et accompagne les poissons du lac. Le pinot noir progresse dans les vignobles ; il est à l'origine de vins élégants et fruités.

DOM. DE LA VILLE DE BERNE

Schafiser Pinot noir 2005 ★

■ 7 ha 25 000 ▮ 11 à 15 €

Sis sur la colline des Lorettes, la cave se fond entre le vignoble et le lac. Des rendements bas de 750 g/m² ont permis de produire ce vin complexe, habillé de pourpre. Un pinot noir souple, structuré et fruité qui pourra encore attendre dans votre cave un an ou deux.

🔑 Dom. de la ville de Berne, Chem. de Poudeille, 2520 La Neuveville, tél. 32.751.21.75, fax 32.751.58.03, e-mail rebgut.neuveville@freesurf.ch ☑ Ῑ ⛹ r.-v.

DOM. HÔPITAL DE SOLEURE Schafiser Malbec 2004 ★

■ 0,3 ha 1 500 15 à 23 €

Au Moyen Âge, le vin était transporté par les bateliers par voie fluviale. Aujourd'hui, l'amateur de vin fait le chemin inverse, venant à la cave déguster les derniers millésimes. Novateur, Christophe Kaser, l'œnologue du domaine, a fait le bon choix il y a cinq ans. Le malbec, de maturité précoce, est à l'origine de ce vin apprécié du jury pour sa robe sombre à reflets violets, pour ses tanins bien présents qui ne masquent pas le caractère aromatique (fruits noirs, épices, nuances de tabac). Déjà plaisant, ce 2004 pourra encore affiner ses tanins à la faveur de deux à cinq ans de garde.

🔑 Dom. Hôpital de Soleure, Russie 8, 2525 Le Landeron, tél. 32.751.46.01, fax 32.751.46.56, e-mail cave@bgs-so.ch ☑ Ῑ ⛹ r.-v.

E. ET H. KLÖTZLI Ligerzer Chasselas 2005 ★

0,5 ha 3 000 5 à 8 €

Cet ancien moulin, devenu un temps restaurant, situé au pied de la cascade qui débouche des gorges de Douanne (Twann en allemand), est depuis cent ans un domaine viticole familial. Hermann Klötzli, épaulé par son fils Adrien, propose un chasselas équilibré et typique, aux arômes d'agrumes. La fraîcheur et la franchise de ce 2005 ont séduit le jury. La même note revient au nouveau-né d'Adrien Klötzli, **Le Rêve 2004 (15 à 23 €)**, vin moelleux issu de l'assemblage de raisins de riesling x sylvaner, de sylvaner et de pinot noir séchés sur paille.

🔑 Hermann Klötzli, Weingut zum Twannbach, Kleintwann 25, 2513 Twann, tél. 32.315.10.84, fax 32.315.70.87, e-mail kloetzli-h@bluewin.ch ☑ Ῑ ⛹ r.-v.

SCHOTT Twanner Gutedel 2005 ★

0,5 ha 5 000 8 à 11 €

Un domaine familial typique du lac de Bienne qui s'attache à maîtriser les rendements. Le chasselas (*gutedel* en allemand) a donné naissance à un vin élégant, aux arômes de citrus. La vivacité est harmonieusement équilibrée par une rondeur suffisante qui permettra des accords avec perches, brochets et truites du lac ou tout simplement un service à l'apéritif.

🔑 Peter Schott, Dorfgasse 43, 2513 Twann, tél. 32.315.24.86, fax 32.315.74.22, e-mail peterschott@bluewin.ch ☑ Ῑ ⛹ r.-v.

Canton de Fribourg-Vully

AIMETERRE Pinot noir 2005 ★★

■ 0,3 ha 2 800 8 à 11 €

Envoûtant dès le premier nez, ce pinot noir rubis exprime des arômes concentrés de fruits noirs, de tabac et de réglisse. La bouche, tout en rondeur dès l'attaque, laisse

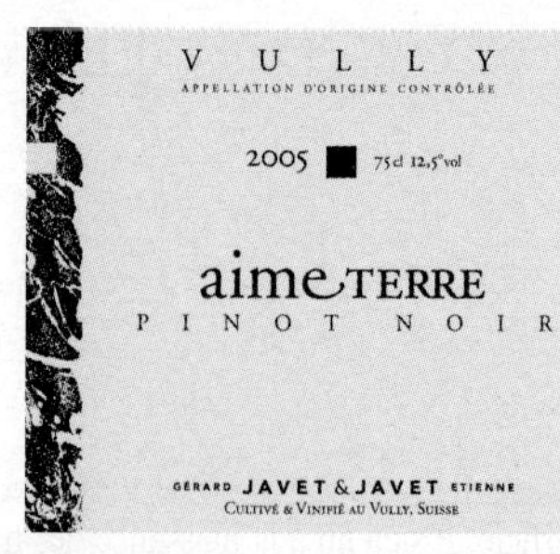

apparaître une fraîcheur bienvenue, ainsi que des tanins encore jeunes, mais bien extraits, prêts à se fondre dans le temps. La longue finale ajoute au remarquable caractère de l'ensemble.

🔑 Javet & Javet, Quart-dessus 8, 1789 Lugnorre, tél. 26.673.10.67, e-mail info@javet-javet.ch ☑ Ῑ ⛹ ven.16h-19h; sam. 10h-19h

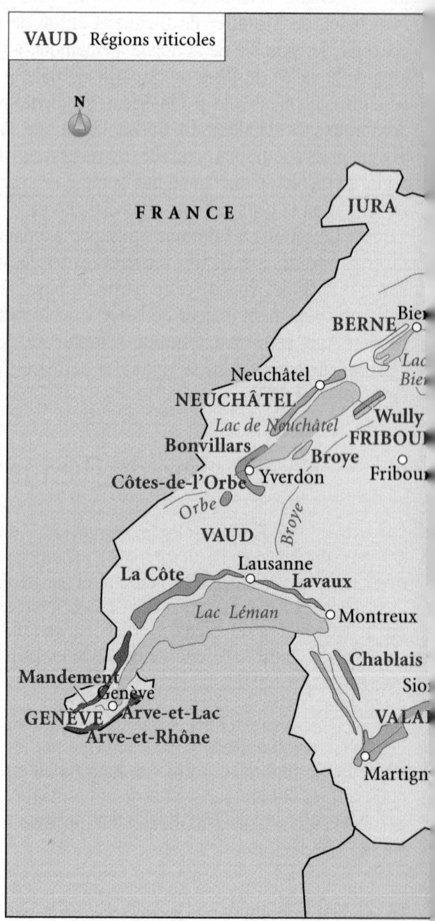

JEAN-BERNARD DERRON

Prélude Chasselas 2005 ★

	2,2 ha	18 000		8 à 11 €

Couleur jaune pâle, ce vin s'ouvre sur de délicates notes minérales et fruitées. Tout en finesse, il offre une bouche fraîche et ronde à la fois, soulignée d'une ligne minérale jusqu'à une finale longue et typée. Un chasselas prêt à savourer.

Jean-Bernard Derron,
rte des Baumes, Nant-Vully, 1786 Sugiez,
tél. 26.673.11.80, fax 26.673.33.80,
e-mail jbderron@bluewin.ch ☑ Y r.-v.

ANDRÉ PARISOD ET FILS

Chasselas 2005 ★★

	0,7 ha	10 000		5 à 8 €

Fin et complexe, ce chasselas dévoile des arômes floraux, puis une structure minérale qui lui apporte de la fraîcheur. En finale s'expriment des notes de terroir typiques des sols de molasse, ainsi que des arômes fruités persistants.

André Parisod et Fils, 1585 Bellerive,
tél. 26.677.17.18, fax 26.677.42.18,
e-mail parisod@bluewin.ch ☑ Y ✠ r.-v.

Canton de Vaud

Au Moyen Âge, les moines cisterciens ont défriché une grande partie de cette région de la Suisse et constitué le vignoble vaudois. Si, au milieu du siècle passé, celui-ci était le premier canton viticole devant le vignoble zurichois, les ravages du phylloxéra imposèrent une reconstitution complète. Aujourd'hui, avec 3 850 ha, il vient en deuxième position derrière le Valais.

La Suisse

Depuis plus de quatre cent cinquante ans, le vignoble vaudois s'est donné une véritable tradition viticole reposant aussi bien sur ses châteaux – on en compte près d'une cinquantaine – que sur l'expérience des grandes familles de vignerons et de négociants.

Les conditions climatiques déterminent quatre grandes zones viticoles : les rives vaudoises du lac de Neuchâtel et celles de l'Orbe produisent des vins friands aux arômes délicats. Les rives du Léman, entre Genève et Lausanne, protégées au nord par le Jura et bénéficiant de l'effet régulateur thermique du lac, donnent naissance à des vins tout en finesse. Les vignobles de Lavaux, entre Lausanne et Château-de-Chillon, avec en leur cœur les vignobles en terrasses du Dézaley, bénéficient à la fois de la chaleur accumulée dans les murets et de la lumière reflétée par le lac ; ils produisent des vins structurés et complexes qui se distinguent souvent par des notes de miel et des saveurs grillées. Enfin, les vignobles du Chablais sont situés au nord-est du Léman et remontent la rive droite du Rhône. Les terroirs se caractérisent par des sols pierreux et un climat très marqué par le fœhn ; les vins sont puissants avec des arômes de pierre à fusil.

La spécificité du vignoble vaudois tient à son encépagement. C'est la terre d'élection du chasselas (70 % de l'encépagement) qui atteint ici sa pleine expression.

Les cépages rouges représentent quant à eux 27 % : 15 % de pinot noir et 12 % de gamay. Ces deux cépages souvent assemblés sont connus sous l'appellation d'origine contrôlée salvagnin.

Quelques spécialités (variétés) représentent 3 % de la production : pinot blanc, pinot gris, gewurztraminer, muscat blanc, sylvaner, auxerrois, charmont, mondeuse, plantrobert, syrah, merlot, gamaret, garanoir, etc.

L'AS DE CŒUR
Chardonnay pinot blanc pinot gris 2004 ★★★

n.c. 5 900 8 à 11 €

As de cœur... La cave de Dolimont a tiré la bonne carte en assemblant le chardonnay, le pinot blanc et le pinot gris. Son vin jaune or affiche des arômes intenses de vanille et de fruits mûrs comme la mangue et le coing. Gras dès l'attaque, il se montre riche sans rien perdre de son équilibre entre le fruité et un élégant boisé. Un feuilleté de champignons en entrée, suivi d'un poulet aux morilles : tel sera votre menu.

SA Cave de Dolimont,
1185 Mont-sur-Rolle, tél. 21.822.02.90,
e-mail schenk@schenk-wine.ch r.-v.

AU GRAND CLOS Bursinel 2005 ★

4 ha 45 000 5 à 8 €

La suite est assurée : les enfants d'Éric et ceux de Roland Widmer poursuivent leurs études dans des écoles fédérales d'œnologie. Ils ne manqueront pas de pratique et pourront s'inspirer de ce vin doré, tout en fruits. Une note de tilleul apparaît en attaque, suave introduction d'une bouche riche et équilibrée. Pour l'apéritif.

Éric et Roland Widmer, centre village,
1195 Bursinel, tél. 21.824.13.14, fax 21.824.26.61,
e-mail widmer.freres@bluewin.ch r.-v.

LES BARBERONNES Villette 2005 ★

3,1 ha 21 000 8 à 11 €

Samuel Vogel, ingénieur hydraulicien, suivit des cours du soir pour apprendre le métier de vigneron avant de créer ce domaine en 1933. Un vignoble de 4 ha que son fils, Jean, a développé jusqu'aux 28 ha actuels. Épanoui, c'est ainsi que se définit ce chasselas issu de raisins parfaitement mûrs : couleur jaune pâle à reflets verts, nez de miel et de raisin de Corinthe, bouche riche et souple aux flaveurs de pêche de vigne, rafraîchie cependant d'une pointe de perlant. L'apéritif sera le moment le plus opportun pour apprécier cette bouteille.

Jean Vogel et Fils, rte de Chenaux 2,
Dom. de La Croix Duplex, 1091 Grandvaux,
tél. 21.799.15.31, fax 21.799.38.13,
e-mail info@domaine-vogel.ch r.-v.

LA BAUDELIÈRE Yvorne 2004 ★

1 ha 6 000 8 à 11 €

Au cœur de la ville d'Aigle, une maison de maître du début du XIXe s. entourée de jardins et de vignes. Celle de Christine et Stéphanie Delarze, mère et fille, qui, depuis 2000, conduisent la destinée de ce petit domaine familial. Leur chasselas est un vin de repas, susceptible de souligner les faveurs d'une volaille ou d'une viande blanche. Doré à reflets verts dans le verre, il livre un nez fruité de mangue et de raisin confit, nuancé d'une note résineuse. Il se montre ample et gras même si la finale présente une légère austérité. Dans quelques mois, il n'y paraîtra plus.

Christine et Stéphanie Delarze,
av. des Ormonts 10, 1860 Aigle, tél. et fax 24.466.11.56
ven. 16h-18h; sam. 10h-15h

FAMILLE BEETSCHEN
Vinzel Chasselas Tradition 2005 ★

1,1 ha 10 000 5 à 8 €

Une randonnée de 6 km sur le sentier des Châtaignes vous conduira de Luins à Vinzel, puis à Bursins. Une halte sera la bienvenue au domaine de Frédy Beetschen qui vous présentera dans sa salle de dégustation fambant neuve un chasselas jaune à reflets gris, au discret bouquet de tilleul et de mandarine. Fraîcheur n'est pas incompatible avec volume : vous en conviendrez à la dégustation de ce vin friand.

Beetschen Vins, Chem. de Bourdouzan 5,
1183 Bursins, tél. 21.824.10.56, fax 21.824.13.40,
e-mail beetschen-vins@bluewin.ch r.-v.

JEAN-JACQUES BOLLE Pinot noir Barrique 2003 ★

1,5 ha 7 500 11 à 15 €

La famille Bolle compte parmi les pionniers de la vinification du pinot noir dans le canton de Vaud, puisqu'elle procéda à ses premières mises en bouteilles en 1978. L'expérience est perceptible dans ce 2003 de

couleur dense qui livre un bouquet puissant, empyreumatique. Des arômes de griotte s'expriment au palais, soulignant la chair structurée par d'imposants tanins. Certes, ce vin sera déjà de bonne compagnie avec une côte de bœuf, mais une garde de deux ans ne pourra que lui profiter.
SA Bolle et Cie, rue Louis-de-Savoie 75, 1110 Morges, tél. 21.801.27.74, fax 21.803.00.76, e-mail bolle@bolle.ch r.-v.

PHILIPPE BOVET Nyon Givrins Pacifique 2005 ***

0,35 ha 1 800 8 à 11 €

Cette cuvée a pour parrain le navigateur vaudois Stève Ravussin. Un gamay intense aux nuances violacées qui livre un bouquet de fruits confits, de cerise noire et de violette. Le fruité s'affirme au palais, enveloppant des tanins encore jeunes, mais qui ne nuisent en rien à l'équilibre général. Un vin à proposer avec des charcuteries ou un papet vaudois (saucisse au chou et aux poireaux).
Philippe Bovet, La Cour, 1271 Givrins, tél. et fax 22.369.38.14, e-mail pbovet@bluewin.ch t.l.j. sur r.-v.; sam. 9h-12h

LES BUJARDISES Mont-sur-Rolle Cuvée spéciale Élevé en barrique 2004 *

n.c. 3 500 8 à 11 €

Dans la gamme Bujard, la marque Les Bujardises, créée en 2003, désigne des vins élevés en barrique. L'empreinte du fût est perceptible, en effet, dans ce 2004 jaune intense à reflets verts. De la vanille, du pain grillé, des épices se déclinent jusqu'au palais. La structure puissante et les notes toastées de la finale en témoignent également. Prenez patience : le temps arrondira sa personnalité.
SA Bujard Vins, 1180 Rolle, tél. 218.22.02.02, fax 218.22.03.03, e-mail schenk@schenk.wine.ch r.-v.

DOM. LA CAPITAINE Begnins Sauvignon gris 2005 **

Gd cru 1 ha 6 000 11 à 15 €

Premier domaine conduit en agriculture biologique dans le canton de Vaud, La Capitaine est sous le commandement d'un ancien professeur de l'école d'ingénieurs viti-œno de Changins. Ce chasselas jaune intense à reflets dorés offre volontiers ses arômes de mangue et de fruit de la Passion. Puissant et gras en attaque, il laisse une douce sensation au palais, équilibrée par des notes fraîches de pamplemousse. Un compagnon de choix de la cuisine asiatique.
Reynald Parmelin, Dom. La Capitaine, 1268 Begnins, tél. et fax 22.366.08.46, e-mail info@lacapitaine.ch r.-v.

DOM. DU CAPITOLE Nyon Pinot noir 2004

1,16 ha 7 000 5 à 8 €

Le château de Nyon, qui abrite une riche collection de porcelaines et de faïences, n'est qu'à 2,5 km de ce domaine d'un peu plus de 5 ha, qui fête cette année ses cent cinquante ans. Élevé en foudre de chêne, ce pinot s'habille d'une robe pâle et livre un nez discret de fruits. Certes, il privilégie la légèreté au palais, mais les tanins ne s'en manifestent pas moins, adolescents encore. La finale acidulée évocatrice de sureau noir devrait bien s'accorder avec les saveurs d'un jambon cru ou d'une volaille grillée.
Jean-Robert et Guillaume Técou, Dom. du Capitole, rue des Fontaines, 1274 Signy-Avenex, tél. et fax 22.361.16.34, e-mail cave.capitole@bluewin.ch t.l.j. sf dim. 7h30-12h 13h30-18h30; sam. 7h30-17h

CHAMP-NOÉ Villette 2005

0,66 ha 5 000 8 à 11 €

Un domaine de 7 ha qui réunit les vignes des familles Blondel et Duboux sur des terroirs réputés de la côte de Lavaux. Ce chasselas de Villette est tout indiqué à l'apéritif. Ses reflets gris ont quelque chose de rafraîchissant, de même que les discrètes notes minérales et la bouche légère, finissant sur des arômes de pierre à fusil.
Jean-Luc Blondel, chem. du Vigny 12, 1096 Cully, tél. 21.799.31.92, fax 21.799.21.92, e-mail info@domaine-blondel.ch r.-v.

DOM. DE CHANTEMERLE Tartegnin 2005 ***

7 ha 20 000 8 à 11 €

De 1620 à 1830, Chantemerle était une maison de la Dîme. Le chasselas s'est ensuite développé sur ce terroir argilo-calcaire et a régné en maître jusqu'en 1999, lorsque Jean-Claude Jaccoud a planté d'autres cépages. Il a produit en 2005 un vin jaune-gris, aux élégantes notes de fleurs blanches. Soyeuse et légère comme il se doit, la bouche bénéficie d'un perlant subtil qui la rafraîchit.
Jean-Claude et Nicolas Jaccoud, rue des Pressoirs 11, 1180 Tartegnin, tél. 21.825.19.49, fax 21.825.27.18, e-mail chantemerle@tartegnin.com t.l.j. sf dim. 16h-18h; sam. 9h-12h

ALEXANDRE CHAPPUIS ET FILS Rivaz En Rosset 2005 **

0,6 ha 4 000 8 à 11 €

2005 a été marqué par de fortes grêles dans le canton de Vaud. Pourtant, Alexandre Chappuis a su tirer le meilleur de ses vendanges de chasselas. En témoigne ce vin doré, au nez typé de brûlon (bois brûlé) et de tourbe. Après une attaque épanouie, il se montre ample et structuré, avec en finale la touche minérale attendue. Accordez-le à un vieux gruyère d'appellation.
Alexandre Chappuis et Fils, En Bons Voisins, 1071 Rivaz, tél. 21.946.13.06, fax 21.946.27.29, e-mail info@vins-chappuis.ch r.-v.

DOM. CHATELANAT Perroy Chasselas 2005 ***

Gd cru 4 ha 2 000 5 à 8 €

Entre Perroy et Bougy-Villars, Raymond Metzener cultive près de 6 ha de vignes selon des principes écologiques. Une propriété familiale vieille de cent cinquante ans où domine encore le chasselas, même si d'autres cépages comme le pinot gris, le garanoir et le gamaret ont été introduits récemment. Sous une teinte jaune doré apparaissent des notes minérales et des touches d'amande

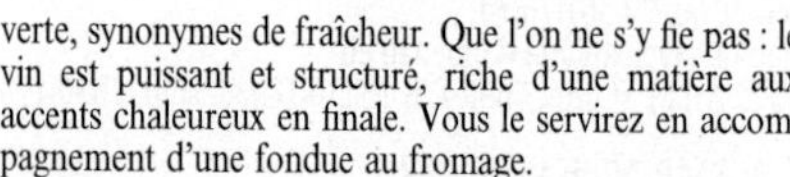
verte, synonymes de fraîcheur. Que l'on ne s'y fie pas : le vin est puissant et structuré, riche d'une matière aux accents chaleureux en finale. Vous le servirez en accompagnement d'une fondue au fromage.

Dom. Chatelanat, Grand-Rue 16, 1166 Perroy, tél. 21.825.17.21, fax 21.825.18.12 r.-v.

DOM. DES CHENTRES Morges Chasselas 2005

4 ha 4 260 5 à 8 €

Une touche orientaliste contribue au charme du château d'Aubonne, apportée par sa tour blanche semblable à un minaret, qu'un grand voyageur français du XVII[e]s. fit élever. À 3 km de là, vous découvrirez chez Jean-Luc Rochat un chasselas jaune pâle à reflets gris, dont les arômes évoquent avec discrétion le citron vert et le minéral. Une grande fraîcheur caractérise ce vin jusqu'en finale, accentuant son caractère friand.

Jean-Luc Rochat, Dom. des Chentres, 1163 Étoy, tél. et fax 21.808.74.22, e-mail jeanluc.rochat@freesurf.ch r.-v.

CLOS DES ABBESSES Morges Chasselas 2005 *

1 ha 7 000 5 à 8 €

Domaine de la famille Cruchon, le terroir argilo-calcaire du Clos des Abbesses a donné naissance à un vin jaune pâle, partagé entre des arômes d'agrumes et des notes minérales. D'attaque franche, la bouche équilibrée accorde la vedette aux flaveurs de poire et autres fruits blancs, puis offre en finale la légère amertume typique du chasselas. Pour un poisson du lac Léman ou un gruyère d'appellation.

Dom. Henri Cruchon, CP 60, 1112 Echichens, tél. 21.801.17.92, fax 21.803.33.18, e-mail contact@henricruchon.com t.l.j. sf dim.10h-12h 14h-18h; sam. 10h-12h

CLOS DES TRUITS Mont-sur-Rolle 2005 *

Gd cru 1,8 ha 20 000 5 à 8 €

Truit signifie pressoir en vieux français. Ce nom rappelle l'antériorité de l'activité viticole et pépiniériste de cette famille, débutée en 1785. Un chasselas à reflets gris or, dont le nez légèrement beurré est en accord avec le gras du palais. L'attaque vive et l'amertume finale apportent ce qu'il faut de fraîcheur. Un vin typique du terroir de Mont-sur-Rolle.

Philippe Rosset, Dom. Rosset, chem. de Jolimont 8, 1180 Rolle, tél. 21.825.14.68, fax 21.825.15.83, e-mail rossetp@worldcom.ch r.-v.

CLOS DU CHÂTELARD
Villeneuve Merlot cabernet franc 2004 ***

1 ha 4 500 15 à 23 €

Merlot (60 %) et cabernet franc composent ce 2004 si sombre qu'il en paraît presque noir, à reflets carmin. Un

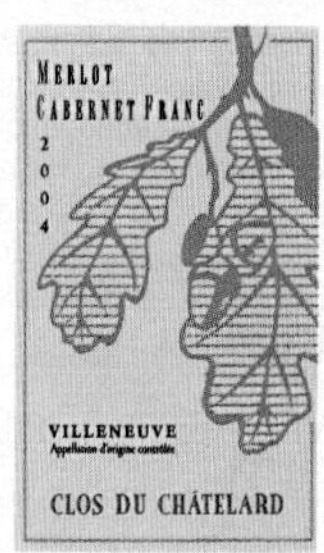

signe de concentration que confirment les arômes puissants de cannelle et de tabac, puis la chair volumineuse, structurée par des tanins serrés. Le fruité n'est pas en reste, nuancé de fines notes torréfiées en finale. Un vin d'avenir qui rejoindra sur votre table un gigot de chevreuil.

Caves Hammel, Les Cruz, 1180 Rolle, tél. 21.822.07.07, fax 21.822.07.00, e-mail hammel@bluewin.ch r.-v.

COUDRILLON La Côte Gamay 2005 *

0,3 ha 3 000 5 à 8 €

Luc Pellet possède un peu plus de 7 ha de vignes réparties entre les terroirs de Mont-sur-Rolle et de Morges. Le gamay est à l'origine de ce rosé couleur saumon qui sent bon la pêche blanche et offre une fraîcheur gourmande. Vous le destinerez à des plateaux de charcuteries ou à des grillades.

Luc Pellet, chem. du Stand 11, 1185 Mont-sur-Rolle, tél. 21.825.44.48, fax 21.825.54.25, e-mail lu.pellet@bluewin.ch r.-v.

LE COURSET Couquin 2004 **

0,24 ha 1 700 15 à 23 €

Si vous séjournez à Lavey pour profiter des bains thermaux, il serait dommage de ne pas parcourir les vignobles alentours. Arrêtez-vous à la cave du Courset pour saisir toute la spécificité de l'assemblage des cépages. Sylvaner, gewurztraminer et pinot gris composent ce vin vieil or, au nez explosif de pêche confite, nuancé de notes de pétale de rose et de minéral (pétrole). Au palais, la douceur s'impose, renforcée par des flaveurs de pâte de fruits. Un liquoreux à découvrir avec un fromage bleu de Neuchâtel – un bleuchâtel.

Cave du Courset, rte des Bains 11, 1892 Lavey, tél. 24.485.33.05, e-mail caveducourset@bluewin.ch r.-v.

CH. DE CRANS
Nyon Gewurztraminer Galisse 2005 ***

0,32 ha 1 200 8 à 11 €

Antoine Saladin, noble genevois qui travaillait à Paris pour le compte de la Compagnie des glaces de Saint-Gobain, fit construire ce château en 1765. Aujourd'hui, sa descendante, Gisèle de Marignac, est la propriétaire du domaine de 11 ha, mais c'est Pierre Cretegny qui, depuis le début des années 1980, assure sa conduite. Il propose un gewurztraminer légèrement doré, au nez complexe de rose, de lithci et de menthe. Des arômes qui se prolongent au palais, rehaussant l'onctuosité de la chair. Vous l'apprécierez avec les plats aigre-doux de la cuisine asiatique. Le **pinot noir Galisse Barrique 2004 de Nyon (11 à 15 €)** est cité.

🔑 Pierre Cretegny, rue Antoine-Saladin, 1299 Crans, tél. 22.776.34.04, fax 22.776.88.10, e-mail pierre.cretegny@bluewin.ch ☑ Y ⛹ r.-v.
🔑 Gisèle de Marignac

DOM. DU CRÉPON

Villeneuve Chardonnay Réserve 2002 *

	n.c.	n.c.	15 à 23 €

À cinquante ans, il est encore grand temps de débuter une nouvelle carrière. Les Schenk l'ont prouvé en créant ce domaine en 1981. Aujourd'hui, leurs enfants sont aux commandes des 4 ha de vignes. Leur chardonnay, or soutenu, affiche un nez de citron confit, nuancé de toasté. C'est un vin riche et mûr, au boisé dominant, qui s'associera avec un émincé de veau à la vaudoise.

🔑 Dom. du Crépon, Le Crépon, CP 347, 1844 Villeneuve, tél. 21.960.24.01, e-mail info@crepon.ch ☑ Y ⛹ r.-v.
🔑 Famille Schenk

DOM. DE LA CROSETTAZ

Tartegnin-Gilly 2005 *

	3 ha	25 000	5 à 8 €

Un domaine situé sur les hauteurs de la côte vaudoise. Autrefois, la maison servait de relais de chevaux entre le château de Vincy et celui de la Motte. Vous vous y arrêterez pour découvrir le goût du chasselas. Sous une teinte jaune à reflets verts, ce 2005 livre des arômes de citron et de banane, annonce d'une bouche souple et fruitée (abricot), dont la vivacité finale aiguisera les papilles à l'apéritif, avec des malakoffs, spécialité fromagère suisse.

🔑 Daniel Bovy, Dom. de La Crosettaz, 1182 Gilly, tél. 21.824.13.52, e-mail bovyvins@bluewin.ch ☑ Y ⛹ r.-v.

LA CURE Vinzel 2005 *

	1,5 ha	2 800	5 à 8 €

La vue est remarquable depuis le sommet du vignoble. Couleur doré, ce chasselas s'exprime tout en douceur dès les premiers arômes de miel, puis par sa bouche charnue et ronde, à peine nuancée de minéral. Vous le présenterez à table aux côtés de crustacés ou d'un gruyère salé.

🔑 Claude Berthet, Dom. de la Capite, 1268 Begnins, tél. et fax 22.366.11.16, e-mail famille.berthet@bluewin.ch ☑ Y ⛹ r.-v.

DOM. DU DALEY

Villette The Swiss Sushi Wine 2004

	4 ha	8 500	8 à 11 €

Sushi, sashimi, nigiri, tempura... Cyril Severin japonise sous une étiquette pourtant parfaitement suisse. Le chasselas à 90 % complété de chardonnay et de 2 % de sauvignon composent ce vin jaune soutenu à reflets dorés, dont le bouquet mûr décline la vanille et le coing. L'attaque est grasse, le développement riche et ample, marqué par des notes confites. Pensez aussi aux mets aigres-doux de la cuisine asiatique pour accompagner cette bouteille.

🔑 Cyril Severin, Dom. du Daley, chem. des Moines, 1095 Lutry, tél. 21.791.15.94, fax 21.791.58.61, e-mail info@daley.ch ☑ Y ⛹ r.-v.

DOM. DELAHARPE

Vinzel Pinot noir Le Secret d'Épicure 2004 *

■	0,27 ha	1 200	11 à 15 €

Au cœur du village de Bursins se trouve la maison du XVII[e]s. qui commande ce domaine de 4 ha. Yann Menthonnex propose un pinot simple et plaisant. Vêtu de pourpre léger, celui-ci offre un nez vanillé avant de laisser place aux fruits rouges au palais. Il se montre tendre et de bon volume, malgré quelques tanins perceptibles en finale. Une côte de bœuf sera son meilleur allié.

🔑 Yann et Karine Menthonnex, Dom. Delaharpe, rue de l'Église 13, 1183 Bursins, tél. 21.824.22.30, fax 21.824.22.23, e-mail yannmenthonnex@hotmail.com ☑ Y ⛹ t.l.j. sur r.-v.; sam. 10h-14h

DOM. DES DÉSERTS

Saint-Saphorin Réserve 2004 *

	0,5 ha	4 000	11 à 15 €

La famille Chappuis est connue à Rivaz depuis le milieu du XIV[e]s. Brillant de reflets gris, ce 2004 est partagé entre une ligne minérale au nez et des flaveurs de fumé, de miel, de lys et de banane séchée au palais. À marier avec une terrine de volaille ou un poisson en sauce.

🔑 François Chappuis, Dom. des Déserts, En Bons Voisins, 1071 Rivaz, tél. 21.946.37.14, fax 21.946.13.51 ☑ Y r.-v.

DOM. DE LA DOYE Nyon Sauvignon blanc 2005 *

	0,5 ha	2 500	8 à 11 €

Christian et Julien Dutruy, respectivement âgés de trente et de vingt-six ans, gèrent un vignoble de 17 ha, partagé entre le domaine de La Treille, dont ils sont propriétaires, et celui de La Doye qu'ils cultivent en location depuis 1994. Celui-ci a donné naissance à ce vin jaune pâle à reflets verts qui livre un nez typé de buis, de pamplemousse et de citron. D'attaque fraîche, la bouche se développe élégamment, ponctuée de flaveurs d'agrumes et de feuille de cassis. Idéal avec des crustacés.

🔑 Christian et Julien Dutruy, Grand-Rue 18, 1297 Founex, tél. 22.776.54.02, e-mail dutruy@latreille.ch ☑ Y ⛹ r.-v.

OLIVIER DUCRET

Saint-Saphorin Pinot noir diolinoir 2004 *

■	0,1 ha	1 000	11 à 15 €

Le diolinoir est un cépage typiquement suisse, créé en 1970 par croisement du rouge de Diolly et du pinot noir. Il s'associe à ce dernier dans ce 2004 rubis à reflets violines, dont le nez décline des notes de fumé, de tourbe et de bois brûlé. Les tanins fondus se font discrets, tandis qu'une fraîcheur agréable se manifeste, avec une touche d'eucalyptus. Les plats de la cuisine chinoise devraient bien convenir à ce vin.

🔑 Olivier Ducret, village 61, 1803 Chardonne, tél. 21.921.55.68, fax 21.921.57.77, e-mail info@vins-ducret.ch ☑ Y ⛹ r.-v.

LES ÉCHELETTES Villette 2005 ★★★

	1,2 ha	9 000	🍷	8 à 11 €

Nul besoin de parcourir de nombreux kilomètres après Lausanne pour voir la vigne plonger dans le lac Léman. À 8 km à peine, Jean-Daniel Porta ouvre les portes de sa cave qui ménage une belle vue sur le vignoble. Son chasselas doré à reflets gris affiche un nez complexe, à dominante de tilleul, puis offre une bouche souple et ronde, longuement aromatique sur une ligne minérale. De l'apéritif à la table, avec un poisson grillé, ce vin gardera tout son éclat.

Jean-Daniel Porta, Les Daillettes, 1091 Aran-sur-Villette, tél. et fax 21.799.23.63, e-mail info@vins-porta.ch Y r.-v.

LA FINE GOUTTE
Perroy Réserve du Domaine 2005 ★

	6 ha	15 000	🍷	5 à 8 €

Une fine goutte de ce vin jaune citron dans le verre et des arômes intenses se révèlent, évocateurs de noisette et de minéral. L'attaque est fraîche, la bouche ample, dans la même ligne aromatique que le nez. La finale *bitter*, d'une légère amertume, confirme le caractère typique de ce chasselas qui pourra attendre en cave ou être dégusté dès maintenant avec des filets de perche ou une terrine de poisson.

Daniel Dupuis, Grand-Rue 70, 1166 Perroy, tél. et fax 21.825.11.38, e-mail daniel.dupuis@bluewin.ch Y r.-v.

LE GOLLIEZ Aigle 2005 ★

	1 ha	5 000	🍷	8 à 11 €

Une cave créée en 1985 et rénovée en 2003 dans laquelle officient père et fils. Ardoise, craie... Ce sont bien les arômes minéraux du chasselas. Un vin jaune-gris, non seulement tendre mais également frais, friand en somme, qu'il conviendra de servir à l'apéritif ou avec un poisson.

Charly Blanc et Fils, 1852 Versvey-sur-Yvorne, tél. 24.466.51.45, fax 24.466.51.07, e-mail blancfred@bluewin.ch Y r.-v.

DOM. DES GRÂCES Begnins 2005

Gd cru	2,5 ha	27 000	🍷	5 à 8 €

Il vous faudra attendre un peu avant de savourer ce chasselas. Il se montre encore timide dans son expression aromatique, mais on y décèle déjà la note minérale typique. Certes, il manifeste une amertume prononcée, mais là encore caractéristique. Il possède charpente et vivacité, des atouts pour la garde. Un accord avec une poêlée de crustacés récompensera votre patience.

Cave de La Côte-Uvavins, Chem. du Saux, 1131 Tolochenaz, tél. 21.804.54.54, fax 21.804.54.55, e-mail export@uvavins.ch Y r.-v.

NOÉ GRAFF Begnins Gamay Le Satyre 2005 ★

	2 ha	10 000	🍷	5 à 8 €

En quittant la réserve naturelle du Bois de Chênes, le chemin ne sera pas long jusqu'à ce domaine qui cultive depuis 1940 la tradition des cépages rouges dans ce pays de vin blanc. Le gamay associé à 2 % d'ancellotta est à l'origine de ce vin violine et frais, dont les tanins encore austères invitent à une petite garde. Vous le servirez dans un an avec une viande en sauce ou des rognons à la moutarde.

Noé Graff, 1 ch. Fleuri, 1268 Begnins, tél. et fax 22.366.12.96, e-mail ngraff@bluewin.ch Y r.-v.

GRAND BROCARD Pinot noir 2005

	3 ha	31 000	🍷	5 à 8 €

Ce Grand Brocard n'est pas un vin de chasse, mais un pinot noir fruité et souple, habillé de rouge profond. Une touche de pivoine agrémente la finale comme pour lui donner un rien de complexité. Des saucisses à rôtir ou un jambon lui seront de bonne compagnie.

SA Caves Cidis, chem. du Saux, 1131 Tolochenaz, tél. 21.804.54.64, fax 21.804.54.55, e-mail cidis@cidis.ch

CAVE LA GRAPPE D'OR
Commugny en Terre-Sainte Gamay sur le fruit 2004 ★

	2 ha	4 300	🍷	8 à 11 €

Un 2004 signé Cécilia Renaud, toute jeune recrue pour gérer cette cave. Ce gamay rubis est fruité, en effet, orienté sur le pruneau avec une touche de fumé. D'attaque soyeuse, il laisse une impression d'harmonie et de fraîcheur grâce à sa finale de groseille. Les charcuteries lui iront bien.

Cave La Grappe d'Or, Grande-Rue 6, CP 51, 1297 Founex, tél. 22.776.97.37, fax 22.776.97.36, e-mail info@cavegrappedor.ch Y r.-v.

GROGNUZ FRÈRES ET FILS
Saint-Saphorin Syrah 2004 ★★

	0,2 ha	1 100	🛢	15 à 23 €

À 1 km de l'imposant château médiéval de Chillon, les frères Grognuz possèdent quelque 17 ha de vignes. Leur syrah de Saint-Saphorin n'a encore jamais manqué un rendez-vous du Guide. Le 2004 ne fait pas défaut, lui qui, sous une robe pourpre à reflets violacés, livre un nez d'épices (poivre blanc), puis affiche sa chair ronde, empreinte de flaveurs de café torréfié, avant une finale d'épices douces. Accompagnez-le d'un carré d'agneau cuit au feu de bois.

Grognuz Frères et Fils, chem. des Bulesses 91, 1814 La Tour-de-Peilz, tél. et fax 21.944.41.28, e-mail info@cavedesrois.ch Y r.-v.

LA GRUYRE Dézaley 2005 ★★★

Gd cru	0,7 ha	7 000		11 à 15 €

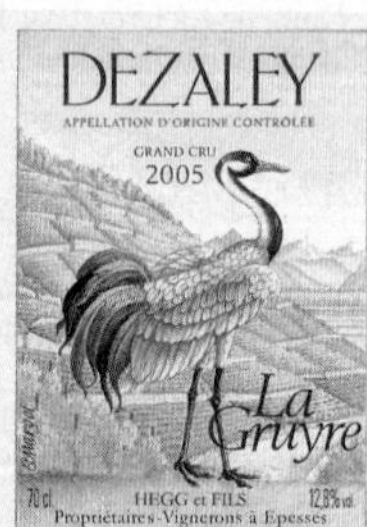

Des terrasses de vignes au sol argilo-calcaire : tel est le paysage qui illustre l'étiquette de ce chasselas élégant, parfaitement représentatif de Dézaley. Jaune pâle à reflets verts, celui-ci évoque presque le calcaire par ses arômes minéraux. À l'attaque puissante succède une bouche ronde et volumineuse, également empreinte de flaveurs de pierre chaude (pierre à fusil). En finale, on perçoit la petite note d'amande amère attendue dans cette appellation. Un vin destiné à une viande blanche ou à une volaille.

🔑 Hegg et Fils, La Mottaz, 1098 Épesses,
tél. 21.799.14.51, fax 21.799.54.04,
e-mail hegg-fils@bluewin.ch ☑ Y ✝ r.-v.

HAMMEL Vendanges tardives Élixir 2004 ★★★

▒	1 ha	3 500	▮⏀	11 à 15 €

Souvenez-vous : le millésime 2003 était coup de cœur l'an passé. Le 2004 n'est pas moins exceptionnel. Ambré, il dévoile d'intenses arômes de pêche cuite, d'ananas confit et d'abricot. Un goût de rôti, effet de la pourriture noble, marque la bouche parfaitement équilibrée entre vivacité et richesse en sucre, puis la finale s'étire longuement sur la pêche et le coing. Laissez-le patienter dans votre cave : il gagnera encore en complexité.

🔑 Caves Hammel, Les Cruz, 1180 Rolle,
tél. 21.822.07.07, fax 21.822.07.00,
e-mail hammel@bluewin.ch ☑ Y ✝ r.-v.

LA MAISON DU LÉZARD Yvorne Pinot noir Vinifié et élevé en barrique de chêne 2004 ★

■	4,5 ha	9 943	⏀	15 à 23 €

Le lézard qui illustre l'étiquette a été dessiné par le peintre Frédéric Rouge. Ce pinot noir de teinte pourpre arbore une nez de fumé et de tourbe, légèrement toasté. L'attaque est ronde, suivie de l'expression de tanins encore jeunes et de flaveurs de griotte caractéristiques. Un vin à proposer avec une entrecôte grillée aux sarments après une petite garde.

🔑 SA Vins Henri Badoux, av. du Chamossaire 18,
CP 448, 1860 Aigle, tél. 24.468.68.88, fax 24.468.68.89,
e-mail info@badoux-vins.ch ☑ Y ✝ r.-v.

ROBIN MANI Dully Gamaret garanoir 2004 ★★

■	0,15 ha	860	⏀	11 à 15 €

Un assemblage de deux cépages typiquement suisses, dont l'un des parents est le gamay. Il en résulte un vin rubis intense, au nez de fruits noirs, qui se montre souple et frais, agréablement ponctué de cassis en finale. Pour des filets mignons de porc aux zestes de citron.

🔑 Robin Mani, au Village,
1195 Dully, tél. 79.317.31.19,
e-mail robinmani@bluewin.ch ☑ Y r.-v.

MARTHERAY Féchy 2005 ★★

▒	3,5 ha	7 600	▮	5 à 8 €

Au pied de l'église du XIe s. vous découvrirez un incroyable vignoble dénommé la Vigne du monde. Il est planté de ceps rapportés des quatre coins du monde par les vignerons de Féchy depuis 1996. Vous, c'est un remarquable chasselas que vous rapporterez de votre voyage dans le Vaudois. Ce 2005 à reflets or gris livre un bouquet aux notes confites d'abricot. Il est riche, gras, avec un léger accent d'amertume que compense une finale douce et flatteuse. Vous le dégusterez avec un poisson en sauce.

🔑 Rémy et Richard Aguet,
Chem. du Martheray-Dessus 5, 1173 Féchy,
tél. 21.808.62.92, fax 21.808.63.42,
e-mail richard.aguet@bluewin.ch ☑ Y ✝ r.-v.

DOM. DU MARTHERAY Féchy Chasselas 2005 ★★★

▒ Gd cru	n.c.	82 000	▮	8 à 11 €

Vous partirez à pied depuis l'église du XIIe s. de Féchy-Dessus pour rejoindre ce domaine de 16 ha, propriété de la famille Schenk depuis 1912. Le chasselas y a

produit un vin jaune à reflets verts qui libère de discrètes notes aromatiques avant de révéler sa structure équilibrée et son volume. Des arômes de peau de mandarine accompagnent la dégustation, toujours soulignés d'une ligne minérale typée. Pour des filets de perche meunière.

🔑 SA Dom. du Martheray,
1173 Féchy, tél. 218.09.52.53,
e-mail schenk@schenk-wine.fr Y ✝ r.-v.

MERVEILLE DES ROCHES Aigle Cuvée Sélectionnée 2005 ★★★

▒	3 ha	15 000	▮	8 à 11 €

À 2 km du château d'Aigle, la cave coopérative, créée en 1904, défend efficacement les couleurs des vins vaudois. Cette Merveille des Roches porte bien son nom. Issue de chasselas planté sur sols graveleux, elle brille de reflets verts sur fond jaune pâle et exhale un bouquet de fruits mûrs, souligné d'une discrète minéralité. La bouche est ronde, empreinte d'arômes d'abricot et d'ananas, avant une finale minérale typée. Vous préparerez une terrine de légumes ou de volaille pour mettre en valeur un tel vin. **Le Florin 2005 d'Yvorne**, chasselas davantage marqué par le tilleul et le miel, obtient une étoile.

🔑 Association vinicole d'Aigle, av. Margencel 9,
1860 Aigle, tél. 24.466.24.51, fax 24.466.62.15,
e-mail info@vinicole-aigle.ch ☑ Y ✝ r.-v.

DOM. DU MONTET Bex Quatuor 2004 ★★

■	1 ha	5 400	⏀	15 à 23 €

Un Quatuor bien dans le rythme que cet assemblage de merlot (40 %), de cabernet franc, de cabernet-sauvignon et de syrah à parts égales. D'un pourpre profond à reflets violacés, le vin décline des arômes de réglisse et de fruits rouges avant de dévoiler sa chair tendre et cacaotée, sans boisé ni tanins dominants. Une puissance cachée sous une élégante enveloppe. Mariez ce 2004 à un filet d'agneau.

🔑 Dom. du Montet, 1880 Bex,
tél. 21.822.07.07, fax 21.822.07.00,
e-mail hammel@bluewin.ch ☑ Y ✝ r.-v.

JEAN-CLAUDE PALEY DE CROUSAZ ET FILS Épesses Florilège 2005

▒	2 ha	13 000	▮	8 à 11 €

Une étiquette aux couleurs tendres figurant à l'aquarelle une fleur de vigne illustre ce chasselas tout aussi délicat. Jaune pâle, celui-ci décline le registre des fleurs blanches avec discrétion, suivies de notes citronnées et minérales. La légère amertume finale contribue à sa typicité. Un omble chevalier du lac Léman sera le bienvenu en sa compagnie.

🔑 Jean-Claude Paley et Fils,
sur la Place, 1098 Épesses, tél. 21.799.14.75,
fax 21.799.44.75, e-mail info@paley.ch ☑ Y ✝ r.-v.

YVES-ALAIN PERRET Villette Chasselas 2005

0,12 ha 1 000 5 à 8 €

Le perroquet qui illustre l'étiquette est un élément des armoiries de la famille Perret. Le chasselas a donné naissance à un vin jaune pâle, parfumé de fleurs blanches, qui laisse une impression chaleureuse au palais, suivie d'une légère pointe d'amerturme.

Yves-Alain Perret, rue du Village 34, Savuit, 1095 Lutry, tél. et fax 21.791.58.39 r.-v.

LE REPLAN Épesses 2005

8 ha 8 000 5 à 8 €

Fondée en 1937, la cave de Cully compte une soixantaine d'adhérents répartis entre les crus de Villette et d'Épesses, d'où provient ce chasselas tout indiqué pour accompagner une fondue ou un fromage bleu. Il demande à être aéré pour libérer ses arômes de fruits blancs très mûrs. Au palais, il se révèle riche et chaleureux, rehaussé d'un perlant bien perceptible.

Union Vinicole de Cully, rue de la Gare 10, 1096 Cully, tél. 21.799.12.96, fax 21.799.12.66, e-mail info@uvc.ch r.-v.

DOM. DE SARRAUX-DESSOUS Luins 2005 *

Gd cru 2,2 ha 20 000 5 à 8 €

Avant 1909, les domaines de Serreaux-Dessus et de Serreaux-Dessous ne faisaient qu'un. Après leur scission, on les a distingués par l'orthographe de leur nom, d'où l'actuel de Sarraux-Dessous. Un peu de tourbe, une ligne minérale : voici un chasselas à la personnalité affirmée. De teinte pâle à reflets verts, il présente un caractère perlant à l'attaque, puis développe longuement sa minéralité.

SA Bolle et Cie, rue Louis-de-Savoie 75, 1110 Morges, tél. 21.801.27.74, fax 21.803.00.76, e-mail bolle@bolle.ch r.-v.

CAVE DU CHÂTEAU DE VALEYRES Côtes-de-L'Orbe Gamaret garanoir Le Courson 2005 *

1 ha 6 000 5 à 8 €

Valeyres est un château du début du XVII[e]s. dont les murs intérieurs sont peints de fresques : scènes de la commedia dell'arte, de batailles légendaires, de chasse. Un domaine acheté en 1935 par Alphonse Morel, avocat, et que conduit aujourd'hui son petit-fils, Benjamin. Gamaret et garanoir à parts égales sont à l'origine de ce vin rubis à reflets violacés, tout disposé à livrer ses arômes fruités nuancés d'une touche iodée. Une fraîcheur que l'on retrouve au palais, soulignée par des flaveurs persistantes de cassis. Pour un plateau de charcuteries.

Benjamin Morel, Cave du Ch. de Valeyres, 1358 Valeyres-sous-Rances, tél. 24.441.07.01, fax 24.441.03.73, e-mail info@chateauvaleyres.ch r.-v.

VIGNE D'OR Yvorne Vieilles Vignes 2004

1 ha 9 500 11 à 15 €

Le chasselas représente 86 % de la production de cette cave créée en 1902, qui réunit cent vingt adhérents aujourd'hui. Ce 2004 jaune pâle mérite d'être aéré pour s'exprimer pleinement. On perçoit alors des arômes de pain grillé, une structure de qualité quoique rustique encore. Le temps sera l'allié de ce vin.

Association viticole d'Yvorne, Les Maisons Neuves, 1853 Yvorne, tél. 24.466.23.44, fax 24.466.59.19, e-mail avy@span.ch r.-v.

CH. DE VINCY Coteau de Vincy Pinot noir 2004 **

1,1 ha 3 900 8 à 11 €

Jean-Jacques Steiner est un passionné des parfums de la vigne (voyez plutôt son adresse e-mail). Sur ses 11 ha répartis entre Tartegnin, Bursinel et le Coteau de Vincy, il cherche à extraire tout le potentiel aromatique du raisin. Une chance : le pinot noir, ce grand fruité, s'est traduit en 2004 par un vin pourpre, riche de fruits confits et de pruneau. Une trame de tanins subtils soutient sa chair soyeuse, marquée par la cannelle en finale. Dès maintenant et pendant quelques années encore, vous pourrez servir ce Coteau de Vincy avec un coq au vin.

Jean-Jacques Steiner, Sous-les-Vignes 26, 1195 Dully-Bursinel, tél. 21.824.11.22, fax 21.824.23.38, e-mail info@parfumdevigne.ch r.-v.

Canton du Valais

Pays de contrastes, la vallée du haut Rhône a été façonnée au cours des millénaires par le retrait du glacier. Un vignoble a été implanté sur des coteaux souvent aménagés en terrasses.

Le Valais, un air de Provence au cœur des Alpes : à proximité des neiges éternelles, la vigne côtoie l'abricotier et l'asperge. Sur le sentier des bisses (nom local des canaux d'irrigation), le promeneur rencontre l'amandier et l'adonis, le châtaignier et le cactus, la mante religieuse et le scorpion ; il peut palper le long des murs, l'absinthe et l'armoise, l'hysope et le thym.

Plus de quarante cépages sont cultivés dans le Valais, certains introuvables ailleurs tels l'arvine et l'humagne, l'amigne et le cornalin. Le chasselas se nomme ici fendant et, dans un heureux mariage, le pinot noir et le gamay donnent la dôle, tous deux crus AOC qui se distinguent selon les divers terroirs par leur fruité ou leur noblesse.

CAVE ARDÉVAZ Pinot noir 2005 **

2 ha 4 200 8 à 11 €

Non loin de l'église de Saint-Pierre-des-Clages et des châteaux de Valère et de Tourbillon, ce domaine a su parfaitement acclimater le pinot noir sur le cône d'alluvions de Chamoson. De la densité dans la robe rouge sombre, de la concentration dans le bouquet de fruits rouges et noirs. Au palais, le vin se révèle tout en dentelle, frais en attaque, délicatement soutenu par des tanins soyeux, pareil à du satin en finale. Une vivacité assez marquée a surpris certains membres du jury, alors que d'autres ont apprécié cet apport de fraîcheur. Une forte personnalité qui fera alliance avec les viandes rouges d'ici à 2010. La **dôle 2005**, aux senteurs de cèdre, de myrtille et d'épices, obtient deux étoiles.

Michel Boven, Cave Ardévaz, rue de Latigny 4, 1955 Chamoson, tél. 27.306.28.36, fax 27.306.74.00, e-mail michel.boven@revaz.com r.-v.

LE BANNERET Chamoson Fendant 2005 ★★★

2,5 ha 8 000 ■ 5 à 8 €

Le nom de Banneret rend hommage à Alexandre Maye qui, à la fin du XVIII[e]s. était capitaine du navire *La Bannière*. Aujourd'hui, Carlo Maye et son fils Jean-Charles, œnologue, conduisent 7 ha de vignes, parmi lesquelles le chasselas tient encore une place à part. Un fendant jaune pâle à reflets gris brille dans le verre, alliant en un bouquet fin le caractère floral typique du cépage à la minéralité du terroir. Dès l'attaque, il séduit par son élégance et son équilibre parfait jusqu'à la longue finale. Vous pourrez apprécier ce vin dès maintenant et dans les deux à quatre années à venir.

🔑 Carlo et Jean-Charles Maye, Cave Le Banneret, rte de La Crettaz 15, 1955 Chamoson, tél. 27.306.40.51, fax 27.306.85.55 ☒ Y ⚲ r.-v.

GÉRALD BESSE Martigny Petite arvine 2005 ★★★

0,5 ha 3 500 ■ 15 à 23 €

Ne manquez pas la visite de la fondation Gianadda à Martigny, avant de rejoindre la cave de Gérald Besse. Depuis la route, vous apercevrez quelques-unes de ses terrasses plantées de vignes (16 ha en tout). La petite arvine appelle ici les fruits de mer et les poissons grillés tant elle est séveuse. D'un jaune pâle, elle fait preuve de fraîcheur déjà par son bouquet de pomelo et de glycine, puis affiche un juste équilibre entre vivacité et gras, avec en finale une subtile amertume et une touche salée. Deux étoiles brillent pour la **dôle de Champortay 2005 (8 à 11 €)**, bien structurée.

🔑 Gérald et Patricia Besse, Les Rappes, 1921 Martigny-Croix, tél. 27.722.78.81, fax 27.723.21.94, e-mail gerald@besse.ch Y ⚲ r.-v.

LA BONNE CONDUITE
Coteaux de Sierre Pinot noir 2005 ★★★

■ n.c. 15 000 ■ 8 à 11 €

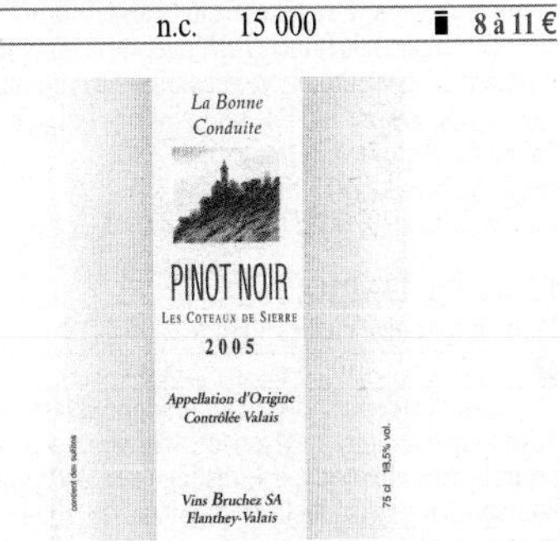

Cette maison de négoce créée en 1912 possède 6,5 ha de vignes et se fournit également auprès de viticulteurs de la région. Sa gamme Bonne Conduite est réservée aux cépages classiques des coteaux de Sierre : le fendant, la dôle et le pinot noir. Celui-ci est à l'origine de ce 2005 rubis chatoyant qui, outre des senteurs de sous-bois, de café et de pruneau, libère des notes de terroir. Le vin se fait velours, souligné d'arômes de torréfaction et de fruits noirs. Des tanins soyeux le soutiennent jusqu'à la finale marquée d'une touche beurrée. Deux à quatre ans de garde sont à sa portée.

🔑 SA Vins Bruchez, rte de Granges 91, 3978 Flanthey, tél. 27.458.12.14, fax 27.458.46.10, e-mail info@vinsbruchez.ch ☒ Y ⚲ r.-v.

BONVIN Petite arvine 2005 ★★★

n.c. 14 000 ■ 15 à 23 €

La petite arvine est, avec le fendant, le pinot noir, la syrah et l'humagne rouge, l'un des cépages vedettes de cette maison de négoce fondée en 1858. Une « grande » petite arvine que ce 2005 jaune clair lumineux, discret, mais frais par ses arômes de pomelo nuancés de compote de rhubarbe. Une légère amertume de peau blanche de pamplemousse se révèle en attaque, puis le vin se montre fringant et offre en finale la salinité typique du cépage. Dès aujourd'hui et jusqu'en 2010, cette bouteille séduira en accompagnement de crustacés et de terrines de poisson.

🔑 Charles Bonvin Fils, av. Grand-Champsec 30, 1950 Sion 4, tél. 27.203.41.31, fax 27.203.47.07, e-mail info@charlesbonvin.ch ☒ Y ⚲ r.-v.

CAPRICE DU TEMPS Humagne blanche 2005 ★★★

0,4 ha 2 500 ■ 11 à 15 €

Hugues Clavien et son fils Léonard ont beau produire une palette de vingt-deux vins de variétés différentes, c'est à l'humagne blanche que va leur préférence. Autrefois, le vin de ce cépage était servi aux jeunes mamans pour leur redonner des forces. C'est avec un fromage d'alpage que vous apprécierez ce 2005 jaune clair lumineux, évocateur de mangue, avec des notes de foin et des nuances animales. Plein de finesse à l'attaque, celui-ci gagne en puissance tout en conservant de la fraîcheur en finale et ses subtils arômes de fruits exotiques.

🔑 Hugues Clavien et Fils, Cave Caprice du Temps, rte de la Coin-du-Cârro 33, 3972 Miège, tél. et fax 27.455.76.40, e-mail clavien@capricedutemps.com ☒ Y ⚲ r.-v.

CAVE LA CHAPELLE Dôle 2005 ★★

■ n.c. 10 000 ■ 11 à 15 €

Pinot noir (60 %) et gamay composent cette dôle brillante comme un rubis. Du cuir, du beurre frais, du cassis en bourgeon et en fruit : voilà pour la palette. De la fraîcheur depuis l'attaque jusqu'en finale, ponctuée de quelques tanins encore adolescents, mais prometteurs. Dans deux ans, magret de canard et fromages feront un mariage heureux avec un tel vin.

🔑 AG M. Gebr & B. Cina, Cave La Chapelle, Bahnhofstrasse 25, 3970 Salgesch, tél. 27.455.18.36, fax 27.456.36.61, e-mail info@cavelachapelle.ch ☒ Y ⚲ r.-v.

VINS DES CHEVALIERS Chardonnay 2005 ★★★

0,7 ha 6 000 ■ ⓘ 15 à 23 €

Certes, le terroir calcaire, peu profond, de Salquenen est favorable au pinot noir et aux autres cépages constitutifs de la dôle, mais le chardonnay les affectionne aussi. Il n'est pour s'en convaincre que de déguster ce 2005 qui dévoile les arômes de noisette recherchés des amateurs,

ainsi que toutes les notes complémentaires : beurre, brioche, pain grillé, melon. Souple, un rien timide en attaque, il développe bientôt une agréable fraîcheur et une élégante structure. Au fruité se joignent de délicates notes fumées et une subtile amertume qui soutient l'expression finale. Pour un saumon fumé ou un risotto aux fruits de mer. La **syrah Vins des Chevaliers Patrimoine 2005** obtient la même note pour sa typicité et son aptitude à la garde.
⊶ Vins des Chevaliers, Varenstrasse 40,
3970 Salgesch, tél. 27.455.14.34, fax 27.455.34.28,
e-mail info@chevaliers.ch ☑ Y ⛹ t.l.j. 8h-12h 13h30-17h
⊶ Constantin

CAVES FERNAND CINA

Salquenen Pinot noir Sélection Pachien 2004 ★★

■ 0,35 ha 2 500 **11 à 15 €**

Spécialistes du pinot noir, les frères Manfred et Damian Cina le déclinent en quatre cuvées. Le Pachien provient des vignes de quarante ans du terroir calcaire de Salquenen. Un nez de mûre et de sureau, nuancé d'une touche de tabac, se révèle d'emblée, puis la bouche souple et ronde, étayée par des tanins fermes mais élégants, témoigne de la bonne maturité de la vendange, dont la robe rouge sombre était déjà l'indice. Le **cornalin Réserve du caveau 2005** est noté une étoile.
⊶ Manfred et Damian Cina, SA Caves Fernand Cina,
Bahnhofstrasse 27, 3970 Salgesch, tél. 27.455.09.08,
fax 27.456.43.81, e-mail caves@fernand-cina.ch
☑ Y ⛹ t.l.j. sf dim. 9h-12h 14h-17h

CLAUDY CLAVIEN

Cornalin Carmin des Pierre Fût de chêne 2004 ★★★

■ 1 ha 2 500 **15 à 23 €**

Claudy Clavien recherche la structure dans ses vins. Le cornalin se prête volontiers à un élevage en barrique : ce vin a ainsi séjourné quatorze mois sous bois avant d'apparaître, rouge-noir à reflets violacés, marqué d'arômes de fumé sur fond fruité. Si la première impression est celle de rondeur et de souplesse, soulignée de flaveurs complexes, les tanins puissants, notables en finale, demandent à s'assouplir à la faveur de quatre à six ans de garde. De la personnalité.
⊶ Claudy Clavien, Cave des Champs,
3972 Miège, tél. et fax 27.455.24.23,
e-mail vins@claudy-clavien.ch ☑ Y ⛹ r.-v.

CLOS D'ANZIER Fendant 2005 ★★★

n.c. 5 000 **8 à 11 €**

Sis à Conthey, le clos d'Anzier est complanté de syrah, de cabernet-sauvignon et de chasselas. Ce dernier cépage s'exprime de manière originale dans ce 2005 jaune-gris, bien structuré. Un mélange de fleurs et de fragrances citronnées caractérise le bouquet fin, tandis que le palais, très souple en attaque, se développe bientôt autour d'un joli gras et de flaveurs fruitées persistantes. Une garde de deux ou trois ans est possible avant un service en apéritif comme avec une raclette ou une fondue. La **petite arvine de Saillon Domaine de Régalesse 2005 (8 à 11 €)**, fraîche, florale et fruitée, est retenue avec une étoile.
⊶ Jacques-Alphonse et Philip Orsat,
Cave Taillefer SA, 1906 Charrat,
tél. 27.747.15.25, fax 27.747.15.29 Y ⛹ r.-v.

CLOS DE CHÂTEAUNEUF Cornalin 2005 ★★★

■ 0,5 ha 2 500 **15 à 23 €**

Le clos de Châteauneuf est l'un des quatre domaines phares de Philippe Varone. Il s'illustre avec un cornalin presque noir, à la fois élégant et complexe par ses arômes de fruits mûrs, de pruneau et d'épices, comme par sa bouche soyeuse que soutiennent de délicats tanins. Le charme.
⊶ SA Vins Frédéric Varone, av. Grand Champsec 30,
CP 4326, 1950 Sion 4, tél. 27.203.56.83,
fax 27.203.47.07, e-mail info@varone.ch
☑ Y ⛹ t.l.j. sf dim. 10h-12h 14h-18h30

CLOS DES MONTZUETTES Cornalin 2004 ★★

■ 0,4 ha 2 000 **15 à 23 €**

Un domaine récent, créé en 2001 par Charles-André Lamon, ancien pépiniériste, dans les communes de Sierre et de Lens. Le clos des Montzuettes en est l'épicentre, planté d'humagne, de pinot noir et de cornalin. Ce dernier a donné naissance à un vin surprenant sous une teinte rouge sombre. Certes, le bouquet a quelque chose de rustique dans ses notes de musc, de fumé, de pain grillé et de caramel. Mais le palais, lui, ne manque pas d'élégance et de complexité : délicatement fruité, il révèle une matière ample, une vivacité parfaitement intégrée, des tanins bien fondus, puis une finale longue et fraîche. Le **Domaine Montzuettes Humagne rouge 2005 (11 à 15 €)**, typé et raffiné, obtient la même note.
⊶ Charles-André Lamon,
Dom. Montzuettes, Saint-Clément 8, 3978 Flanthey,
tél. 27.458.44.79, fax 27.458.25.35,
e-mail ch.-andre@montzuettes.ch ☑ Y ⛹ r.-v.

CAVE LA CORNE ROUGE Petite arvine 2005 ★

n.c. 1 600 **8 à 11 €**

Le cépage se manifeste sans ambages dans ce vin jaune brillant, marqué par une fraîcheur végétale. Une grande douceur marque la bouche, heureusement rehaussée de flaveurs de rhubarbe et d'une finale soutenue par une juste vivacité. Vous destinerez cette bouteille à l'apéritif, à des ris de veau ou à un poisson dès aujourd'hui et pendant deux ou trois ans encore.
⊶ Renald Tenud, Cave La Corne-Rouge,
ch. du Cornalin 27, 3960 Sierre,
tél. 27.455.85.43, fax 27.456.41.91,
e-mail renald.tenud@netplus.ch ☑ Y ⛹ r.-v.

PIERRE-ANTOINE CRETTENAND

Un Vin de vigneron Élevé en fût de chêne 2004 ★★

■ 0,5 ha 1 500 **15 à 23 €**

Le carminoir, le diolinoir, le gamaret, le merlot et la syrah sont les secrets de ce Vin de vigneron. Des secrets ? Il vous faudra les percer un à un à la dégustation, sous une teinte rouge-noir. Des notes fruitées apparaîtront alors derrière les senteurs de fumée, l'élégance de la matière derrière un caractère chaleureux. Ne vous laissez pas dérouter : dans trois à cinq ans, ce 2004 ne sera plus une énigme.
⊶ Pierre-Antoine Crettenand,
rte de Tobrouk, 1913 Saillon,
tél. 79.220.31.20, fax 27.744.29.60 ☑ Y ⛹ r.-v.

PHILIPPE DARIOLI

Humagne rouge Vieilles Vignes 2005 ★★★

■ 0,25 ha 2 000 **11 à 15 €**

Installé depuis dix ans, Philippe Darioli possède 2,2 ha répartis entre Leytron et Chamoson. S'il a un faible pour les vins liquoreux, il se distingue en 2005 grâce à une humagne rouge séductrice, habillée de rouge sombre. Prenez des fruits rouges mûrs, un peu d'abricot et une pincée d'épices : vous aurez réuni les principales composantes du bouquet. Dès l'attaque, le vin révèle puissance et structure. La matière ample et complexe décline la même ligne aromatique, complétée en finale d'une touche de réglisse et d'une délicate fraîcheur. Un gibier à plume ou à poil sera un bon compagnon de table d'ici 2010-2012.

🔑 Philippe Darioli, av. de la Fusion 160,
1920 Martigny, tél. et fax 27.723.27.66,
e-mail philippe.darioly@bluewin.ch ☑ r.-v.

CAVE DU FORUM

Chamoson Johannisberg Sélection Village 2005 ★★

0,5 ha 3 500 11 à 15 €

Le johannisberg n'est autre que le sylvaner, originaire d'Autriche et implanté dans le Valais vers 1870. Une vendange mûre est à l'origine des arômes de fruits exotiques (mangue) nuancés d'une touche d'amande amère. Léger en attaque, le vin laisse une impression de finesse au palais et ajoute à ses arômes des flaveurs d'abricot. La finale est délicatement soutenue par les notes d'amande. Servez cette bouteille avec des asperges ou une truite du lac.

🔑 Henri Magistrini, Cave du Forum, CP 682,
1920 Martigny, tél. 27.722.50.76,
e-mail cave-du-forum@bluewin.ch ☑ ፲ ★ r.-v.

GRAND BRÛLÉ Johannisberg 2005 ★★★

0,35 ha 2 700 8 à 11 €

Vingt-sept cépages sont cultivés sur les 12,5 ha d'un seul tenant, dont le sol léger est riche des alluvions de la Lozentze. Ce domaine est voué à la recherche sur les variétés tant locales qu'internationales. Le johannisberg a donné naissance à un 2005 dont la teinte rappelle celle des blés mûrs, les arômes ceux des fruits mûrs intenses et de l'amande douce. La charpente apparaît dès l'attaque, enveloppée d'une chair ample et ronde, empreinte de flaveurs d'amande. Une délicate amertume confère à ce vin de grande classe une persistance notable. Toutes les qualités sont réunies pour charmer d'ores et déjà avec une cassolette de champignons comme après une garde de cinq à dix ans.

🔑 Dom. du Grand Brûlé, État du Valais,
Service de Viticulture, 1912 Leytron,
tél. 27.306.21.05, fax 27.306.36.05,
e-mail pierre-andre.roduit@admin.vs.ch ☑ ፲ ★ r.-v.

LE GRILLON Petite arvine mi-flétrie 2005 ★★

Gd cru 0,2 ha 2 000 15 à 23 €

Ne cherchez pas : Jean-Michel Dorsaz n'élève aucun de ses vingt-deux vins en barrique, car il préfère garder toute leur identité aux cépages qu'il cultive sur 2,5 ha, à mi-coteau. Ainsi a-t-il obtenu ce vin jaune clair brillant, dominé par les notes florales, auxquelles se mêlent des senteurs de pomme verte, de miel et de cire d'abeille. Un léger perlant souligne l'attaque, suivi de l'expression d'un même bouquet complexe. L'empreinte de la petite arvine n'est pas si marquée, mais le résultat n'en est pas moins plaisant. Profitez-en dès cette année à l'apéritif, puis avec une terrine de poisson ou une truite à l'oseille.

🔑 Jean-Michel Dorsaz, Cave Le Grillon,
rte du Chavalard 77, 1926 Fully, tél. 27.746.14.27,
fax 27.746.42.27, e-mail grillon@bluewin.ch ☑ ፲ ★ r.-v.

JOHANNITERKELLEREI

Johannisberg Johannestrunk 2005 ★

0,44 ha 2 000 + de 76 €

Cette ancienne cave de Salquenen, créée en 1913, propose un représentant gracile du johannisberg. Jaune clair, ce 2005 décline avec discrétion des notes d'amande, puis révèle un léger perlant, annonce de la fraîcheur de la bouche, toujours marquée par l'amande. Il en résulte une fine amertume en finale, non dénuée de typicité. Avez-vous pensé à une choucroute pour accompagner ce vin valaisan ?

🔑 AG Kuonen & Grichting, Johanniter-Kellerei,
Unterdorfstrasse 8, 3970 Salgesch, tél. 27.455.14.07,
fax 27.456.24.75, e-mail info@johanniterkellerei.ch
☑ ፲ ★ t.l.j. 8h-12h 13h30-17h30

GREGOR KUONEN

Ermitage flétri Vinifié en barrique 2004 ★★★

1 ha 3 000 23 à 30 €

François Kuonen et son œnologue Hansueli Pfenninger aiment à expérimenter l'élevage en barrique sur les vins en utilisant du chêne d'origines française, américaine et hongroise. Cet ermitage (autre nom de la marsanne) a ainsi séjourné quinze mois sous bois. Un liquoreux or intense, dont le bouquet impressionnant transporte le dégustateur sur le marché aux truffes d'Alba... Après une attaque moelleuse, il emplit le palais de saveurs douces et fraîches en parfait équilibre, puis de cet arôme de truffe blanche insistant en finale. Toutes les caractéristiques d'une grande marsanne à découvrir et à redécouvrir au cours des dix à vingt prochaines années, aux côtés de fromages bleu et de foie gras truffé. Très rond, le **pinot noir Grand Maître 2004 25e vendange Élevé en fût de chêne (15 à 23 €)** obtient trois étoiles, tandis que le **pinot noir Collection Artiste 2004 (15 à 23 €)** brille d'une étoile.

🔑 Gregor Kuonen, Caveau de Salquenen,
Unterdorfstrasse 11, 3970 Salgesch, tél. 27.455.82.31,
fax 27.455.82.42, e-mail gregor.kuonen@rhone.ch
☑ ፲ ★ t.l.j. sf dim. 8h-12h 13h30-17h30; sam. 8h-12h

LEUKERSONNE Pinot noir Grande Cuvée 2005 ★★

0,6 ha 2 800 15 à 23 €

Le pinot noir est, avec le fendant et la dôle, l'un des vins traditionnels des frères Jörg et Damian Seewer, à la tête du vignoble familial de 16 ha depuis 1998. Pareil à un rubis, le 2005 marie les arômes typiques du cépage (fruits sauvages et sous-bois) aux senteurs de café apportées par l'élevage en barrique. S'il semble un peu austère en attaque, il se développe avec élégance, soutenu par une trame tannique tout en dentelle jusqu'à une petite touche fumée en finale. Il est prêt à rejoindre des grillades et le plateau de fromages.

🔑 R. Seewer & Söhne, Leukersonne, Sportplatzstrasse 5,
3952 Susten, tél. 27.473.20.35, fax 27.473.40.15,
e-mail info@leukersonne.ch ☑ ፲ ★ r.-v.

MADELEINE ET JEAN-YVES MABILLARD-FUCHS Venthône Fendant 2005 ★★

0,4 ha 3 500 8 à 11 €

Madeleine et Jean-Yves Mabillard-Fuchs sont peut-être tous deux œnologues, ils ne déploient pas force technologie pour vinifier le fruit de leurs 3,5 ha. Car tout commence à la vigne. Sur les sols calcaires légers de Venthône, le fendant a produit un vin de gastronomie. À l'aération, une réelle complexité apparaît dans le bouquet marqué par la minéralité, empreinte du terroir. Cette ligne aromatique se prolonge au palais, soulignant la structure et l'ampleur de la chair. Le terroir, encore et toujours, signe la finale soutenue par une fine amertume.

Madeleine et Jean-Yves Mabillard-Fuchs,
Cave Mabillard-Fuchs, rte de Montana,
3973 Venthône, tél. 27.455.34.76, fax 27.456.34.00,
e-mail mabillard-fuchs@bluewin.ch r.-v.

CAVE LA MADELEINE Vétroz Amigne 2005 ★★★

Gd cru 0,6 ha 3 000 15 à 23 €

Née de trois parcelles, dont une de ceps plantés en 1938, les plus vieux de Vétroz, cette amigne rappelle subtilement l'écorce de mandarine sous une teinte jaune clair, éclatante. À l'attaque ronde et moelleuse répond une vinosité équilibrée, rehaussée des arômes fruités perçus au nez. La finale longue ajoute à la typicité et aux qualités originales du cépage. Un vin à savourer à l'apéritif, puis avec un foie gras en brioche.

André Fontannaz,
Cave La Madeleine, rte cantonale 118, 1963 Vétroz,
tél. 27.346.46.54, fax 27.346.45.54,
e-mail info@fontannaz.ch r.-v.

SIMON MAYE ET FILS
Chamoson Petite arvine 2005 ★★★

1 ha 5 000 15 à 23 €

Jean-François Maye est au vignoble (10 ha sur le cône de déjection de Chamoson et le coteau en terrasses d'Ardon), Axel à la cave. Les deux frères ont produit une petite arvine dont la subtilité est perceptible dès le premier regard porté sur sa teinte jaune, puis dans le bouquet qui se dessine par légères touches de végétal et de zeste d'agrumes. Les caractères du cépage ne sont pas moins précis : flaveurs de rhubarbe et d'agrumes, soutenues par une agréable salinité au palais, tandis qu'en finale apparaissent des arômes de noisette et une fraîcheur pleine d'allant. Pour des fruits de mer.

Simon Maye et Fils,
rue de Collombey 3, 1955 Saint-Pierre-de-Clages,
tél. 27.306.41.81, fax 27.306.80.02,
e-mail simon.maye@bluewin.ch r.-v.

MELODIE Heida 2005 ★★★

1 ha 8 000 11 à 15 €

Le foehn marque le climat de ce vignoble, le plus haut d'Europe, depuis ses 650 à 1150 m d'altitude. Outre la rèze, très ancien cépage valaisan, l'heida fait la spécificité de ce terroir. Voyez ce vin d'un jaune brillant qui libère des arômes frais de citron et de melon. La vivacité apparaît dès l'attaque, nuancée d'une certaine douceur en milieu de bouche et d'un fruité persistant. Un 2005 que les nouveaux consommateurs devraient apprécier à l'apéritif.

Saint-Jodernkellerei,
Unterstalden, 3932 Visperterminen,
tél. 27.946.41.46, fax 27.946.80.79,
e-mail info@jodernkellerei.ch r.-v.

MITIS Vétroz Amigne 2002 ★★

Gd cru 3 ha 28 000 15 à 23 €

Un terroir de schistes noirs caractérise le coteau de Vétroz cultivé en terrasses. Mitis est l'un des piliers de la maison Germanier. On le comprend aisément à la dégustation de ce 2002 d'un or aussi soutenu que ses arômes de miel et de cire d'abeille, nuancés d'une touche toastée. Ample dès l'attaque, la bouche déroule ses flaveurs de coing, de miel d'acacia et de fleur d'oranger, tandis qu'en finale le *botrytis* appose sa signature avec une touche grillée provenant de la chauffe de la barrique. Dans cinq ans, le boisé se sera fondu ; le vin pourra alors être servi avec des fromages bleus ou un foie gras, ou bien patienter en cave une dizaine d'années encore.

SA Jean-René Germanier, Balavaud, 1963 Vétroz,
tél. 27.346.12.16, fax 27.346.51.32,
e-mail info@jrgermanier.ch
t.l.j. sf sam. dim. 8h-12h 13h30-17h30

DOM. DU MONT D'OR
Petite arvine Sous l'escalier 2004 ★★★

2,3 ha 4 000 15 à 23 €

2004
SOUS L'ESCALIER
PETITE ARVINE DU VALAIS
APPELLATION D'ORIGINE CONTRÔLÉE

Peut-on croire qu'aux 21 ha de ce vignoble correspondent deux cent vingt terrasses complantées de treize cépages. Ainsi se présente le domaine, créé en 1848, qui réserve 80 % de sa récolte de raisins blancs à des vins de vendanges tardives. Cette petite arvine en apporte l'illustration : jaune clair, elle laisse sur le verre de fines larmes, puis dispense ses arômes intenses de pamplemousse rose et de kumquat bien mûr. L'attaque est riche et puissante, la bouche douce et ample, mais relevée d'une juste fraîcheur longuement persistante. Un roquefort ou un gâteau sec aux amandes suffiront à mettre en valeur ce vin apte à une garde de cinq à sept ans. Le **pinot gris Crête ardente 2004**, vin moelleux puissant, obtient deux étoiles. (Bouteilles de 50 cl.)

SA Dom. du Mont d'Or, CP 240,
1964 Conthey 1, tél. 27.346.20.32, fax 27.346.51.78,
e-mail montdor@montdor-wine.ch
t.l.j. 9h30-19h30

DOM. DE LA MURAZ Sion Pinot noir 2005 ★★★

1,5 ha 8 500 11 à 15 €

Un amphithéâtre exposé plein sud abrite les 2 ha de ce domaine, soumis à l'action bienfaitrice du foehn en automne. Le pinot noir, délicat cépage, a trouvé terroir à sa mesure sur ces sols calcaires, mêlés de schiste noir et

d'argile. Ainsi est né ce vin rubis, dont les notes boisées s'harmonisent aux senteurs de framboise, de cassis et de myrtille. Frais et élégant, il ne manque pas de relief ; les tanins souples s'enrobent dans la chair fruitée qui trouve en finale une expression chaleureuse. À déguster dès à présent avec des grillades ou à attendre quatre ans.
SA PA. Hammel, SA La Torrentière, Les Cruz, 1180 Rolle, tél. 21.822.07.07, fax 21.822.07.00, e-mail fpenta@hammelvins.com r.-v.

CAVE NOUVELLE SÈVE
Coteaux de Sierre Johannisberg
Promesse de la Nature 2005 *

1,7 ha 1 500 8 à 11 €

À petits pas, Pierre-José Tschopp a fait évoluer ces 3 ha qu'il a pris en location en 1995 : il produit quatorze vins, dont ce johannisberg jaune soutenu, encore sur la retenue au nez, malgré de fines notes d'amande grillée. Une touche de douceur le rend moelleux à l'attaque, tandis qu'au palais le gras s'impose, souligné d'arômes d'abricot sec et même de sucre de canne en finale. Un 2005 opulent, à déguster à l'apéritif ou avec des fromages à pâte molle.
Pierre-José Tschopp, Cave Nouvelle Sève, ch. de Retâna, 3973 Venthône, tél. et fax 27.455.72.63, e-mail pjtschopp@bluewin.ch r.-v.

L'OISELEUR Vétroz Amigne 2005 ***

0,15 ha 7 000 11 à 15 €

Cette maison familiale créée en 1889 vinifie le fruit de 150 ha. Une amigne souple, pleine et harmonieuse est née en 2005. D'un jaune éclatant, elle offre un délicat fruité, puis se révèle vineuse et ample au palais, évocatrice de sirop d'orange tant elle est douce. Alliance originale : une soupe à la courge y associera sa saveur un peu sucrée. Deux étoiles reviennent au **Fendant Grand-Gousier 2005 (5 à 8 €)**, à la fois citronné et minéral.
Les Fils Maye, rue des Caves, 1908 Riddes, tél. 27.305.15.00, fax 27.305.15.01, e-mail info@maye.ch r.-v.

CAVE DU PARADOU
La Pépite du trappeur 2005 ***

0,18 ha 1 600 11 à 15 €

À l'entrée du val d'Hérens, à plus de 900 m d'altitude sur les premiers contreforts schisteux et calcaires du Mont Noble, 4 ha de vignes permettent à Augusto Magallanes de vinifier le fruit de vingt-cinq cépages, dont le gamaret, le garanoir et la syrah qui composent ce vin rouge. Au bouquet animal corsé et complexe répond une bouche structurée par une trame de tanins serrés, pourtant respectueuse de l'expression persistante des arômes de fruits noirs, de torréfaction, de cèdre et de réglisse. Une « pépite » dans le plus grand classicisme.
Cave du Paradou, La Villetaz, 1973 Nax, tél. 27.203.23.59, fax 27.203.61.13, e-mail paradou.vins@bluewin.ch r.-v.

LES FRÈRES PHILIPPOZ
Leytron Humagne rouge 2005 ***

0,5 ha 2 500 15 à 23 €

L'humagne rouge est un classique de ce domaine de 9 ha répartis entre Leytron, Chamoson, Fully, Saxon et Riddes. Le 2005, rouge violacé, traduit la concentration de la vendange par des arômes de compote de fruits, agrémentés d'une touche de violette. L'attaque est souple et soyeuse, la bouche impressionnante de puissance, mais élégante grâce à des tanins parfaitement intégrés qui la soutiennent jusqu'en finale. Pour des gibiers à poil ou à plume.
Philippoz Frères, rte de Riddes 13, 1912 Leytron, tél. 27.306.30.16, fax 27.306.71.33 r.-v.

PIERRAFEU Fendant 2005 ***

50 ha 300 000 5 à 8 €

En 2002, plus de soixante-dix ans après leur création, les quatre caves Provins ont fusionné, formant un ensemble de 1 250 ha cultivés par 5 200 adhérents. Leur fendant affiche des reflets verts typiques sur fond jaune, puis enchante par son bouquet de fruits exotiques, nuancé d'une touche beurrée. Dès l'attaque, il se montre gras, souple et rond, rafraîchi par des arômes de citron vert et une légère minéralité. La finale renoue alors avec la vivacité. À proposer à l'apéritif, comme avec une raclette ou une fondue. Le **johannisberg Rhonegold 2005 (8 à 11 €)**, fruité et minéral, brille de deux étoiles.
Provins Valais, rue de l'Industrie 22, 1951 Sion, tél. 84.066.61.12, fax 27.328.66.60, e-mail info@provins.ch r.-v.

PIERROUGE 2005 ***

6 ha 4 600 11 à 15 €

Pinot noir, gamaret, dioly et syrah composent ce vin encore très jeune, mais déjà charmeur. D'un rouge sombre, il s'exprime avec discrétion, dominé par une touche de réglisse complexe. Souplesse et fruité caractérisent l'attaque, suivis de l'expression de tanins présents mais soyeux et d'une chair puissante, longuement aromatique. Une garde de trois ans permettra à ce 2005 de s'épanouir.
SA Cave Régence-Balavaud, rte cantonale 267, 1963 Vétroz, tél. 27.346.69.69, fax 27.346.68.68, e-mail cave-regence@netplus.ch r.-v.

CAVE DES PLACES Syrah 2004 **

0,55 ha 4 000 11 à 15 €

Laurent Hug soigne ses syrahs plantées en 1985, soit quatre ans après la création de sa cave. Il leur réserve un élevage en barrique ; six mois pour ce 2004 encre noire qui s'ouvre à l'aération sur des arômes de cassis et de violette. D'attaque puissante, la bouche s'étire sur des flaveurs plus complexes encore : cassis, mûre, poivre, poivron et une touche de tabac. Les tanins ne demandent qu'à se fondre davantage à la faveur de trois à cinq ans de garde. Une épaule d'agneau, des cailles farcies : de savoureux accords en perspective.
Laurent Hug, Cave des Places, 1971 Champlan, tél. 27.398.31.43, fax 27.398.31.01, e-mail info@hugvins.ch r.-v.

LES PYRAMIDES
Pinot noir Réserve de Salquenen 2005 **

1 ha 8 000 11 à 15 €

Un domaine familial depuis 1951, dont Diego Mathier assure depuis 2002 la continuité : 35 ha entre Chamoson et Salquenen. Le pinot noir se distingue tout naturellement sur les sols d'éboulis calcaires, donnant en 2005 un vin complexe, riche d'arômes de cerise noire, d'autres fruits rouges et de confiture sous une robe rouge sombre. Souple et élégant, celui-ci s'appuie sur des tanins soyeux, en harmonie avec le fruité intense. Tout le charme du pinot noir.
Adrian Mathier, Nouveau Salquenen SA, Bahnhofstrasse 50, 3970 Salgesch, tél. 27.455.75.75, fax 27.456.24.13, e-mail info@mathier.com r.-v.
Diego Mathier

CAVE DES REMPARTS Malvoisie flétrie 2005 ★★★

0,3 ha 2 000 ■ 11 à 15 €

Yvon Cheseaux produit deux malvoisies flétries, dont l'une est élevée en barrique, l'autre en cuve. Cette dernière joue les vedettes dans une robe or soutenu. Miel, champignon et fruits secs composent la ligne dominante du bouquet, cependant qu'un dégustateur y perçoit des senteurs de cette pâtisserie appelée nonnette. Après une attaque très suave, une fraîcheur bienvenue se manifeste, rétablissant l'équilibre. Les arômes se confirment jusqu'à une longue finale. Sans avoir la concentration d'un vin de raisins surmûris, ce 2005 moelleux est harmonieux.

Yvon Cheseaux, Cave des Remparts, 1913 Saillon, tél. et fax 27.744.33.76, e-mail cave.des.remparts@saillon.ch r.-v.

CAVES DU RHODAN Salgesch 2004 ★★★

n.c. 4 000 8 à 11 €

Un vin qui se fait l'interprète du terroir subtil de Salquenen. Jaune clair, il libère des arômes de noisette grillée et une délicate minéralité. Les dégustateurs ont été séduits par l'équilibre élégant, un léger caractère perlant apportant une fraîcheur exquise. Le **cornalin Vieilles Vignes 2004 Élevé en barrique (15 à 23 €)**, fruité et rond, reçoit deux étoiles.

Caves du Rhodan, AG Gebr. Mounir Weine, Flantheystrasse 1, 3970 Salgesch, tél. 27.455.04.07, fax 27.455.82.07, e-mail mounir@rhodan.ch r.-v.

GÉRARD RODUIT ET JEAN-MARIE ARLETTAZ Fully Ermitage 2005 ★★

0,6 ha 3 300 ■ 15 à 23 €

Cousins par alliance, Gérard Roduit et Jean-Marie Arlettaz se sont associés en 2003 pour conduire les 8 ha de vignes sises à l'ouest de Fully. Leur ermitage (marsanne) dévoile un bouquet aussi intense que complexe, réunissant des notes de liqueur de framboise, de mangue et de mirabelle. Le perlant s'impose en attaque, mais les arômes fruités reprennent la vedette avec élégance. La finale persistante est à la fois marquée par une fine amertume et une douceur plaisante. Pour des fromages de chèvre frais.

Gérard Roduit & Jean-Marie Arlettaz, ch. de Liaudise 31, 1926 Fully, tél. 27.746.28.10, fax 27.746.48.10, e-mail caveroduit@bluewin.ch r.-v.

CAVE LA ROMAINE Coteaux de Sierre Cornalin Cuvée des Empereurs 2005 ★★

0,7 ha 2 500 ■ 11 à 15 €

Joël Briguet a décidé d'augmenter sa production de cornalin. Choix judicieux à en juger par ce vin intensément aromatique, porté sur le fruit et le bourgeon de cassis, associés au musc et au cuir. D'un rouge sombre, celui-ci se montre d'abord souple et rond, puis solidement structuré et puissant. Un tempérament. À servir aujourd'hui comme dans trois à cinq ans, avec un râble de lièvre.

Joël Briguet, Cave La Romaine, rte de Granges 124, 3978 Flanthey, tél. 27.458.46.22, e-mail info@cavelaromaine.ch r.-v.

ROUVINEZ Les Grains nobles 2002 ★★★

4 ha 12 000 15 à 23 €

C'est à la mi-décembre qu'ont été vendangés la marsanne, le pinot gris et la petite arvine pour élaborer ce 2002 or clair et lumineux qui a tout d'un grand liquoreux. Quoique discret, le bouquet s'exprime avec finesse. Onctueux, complexe et structuré dès l'attaque, le vin trouve une parfaite harmonie entre douceur et fraîcheur, tout en développant à l'infini ses arômes de miel, de fruits confits et une note de truffe blanche. Dès maintenant et pendant dix à quinze ans, cette bouteille vous rappellera les paysages du Valais.

Rouvinez Vins, colline de Géronde, 3960 Sierre, tél. 27.452.22.52, fax 27.452.22.44, e-mail info@rouvinez.com r.-v.

RUINETTES NOIR 2005 ★★★

0,5 ha 3 600 11 à 15 €

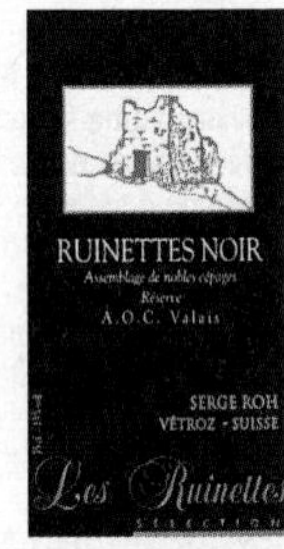

Dans les communes de Vétroz et de Chamoson, Serge Roh privilégie les cépages autochtones comme l'amigne. Un assemblage de syrah, de diolinoir, de gamaret et de cornalin lui permet de se distinguer cette année. Un rouge sombre mais brillant, presque noir, habille ce vin aux arômes complexes de café, de cacao, de tabac, de mûre et autre cerise noire. Tous les attributs d'un grand s'y retrouvent : attaque puissante, rondeur, trame de tanins serrés et fraîcheur, apports boisés parfaitement fondus avec le fruit, finale veloutée. Dans quatre à six ans, cette bouteille sera encore charmante. La **petite arvine de Vétroz Les Ruinettes 2005** obtient deux étoiles pour son bouquet de glycine et son équilibre entre douceur et vivacité, avec la touche saline typique du cépage.

Serge Roh, Cave Les Ruinettes, rue de Conthey 43, 1963 Vétroz, tél. 27.346.13.63, fax 27.346.50.53, e-mail serge.roh@bluewin.ch r.-v.

CAVE SAINTE-ANNE Lentine 2005 ★

n.c. 4 096 ■ 8 à 11 €

Lentine désigne l'un des parchets de cette maison située tout près de la tour des Sorciers. Il n'est planté que de chasselas. Ce 2005 affiche sous une teinte jaune pâle des senteurs de noisette et de fruits exotiques (agrumes), accompagnés d'une touche beurrée. Si le perlant apporte fraîcheur à l'attaque, la rondeur s'impose, accentuée par les mêmes arômes que ceux perçus au nez, d'une intéressante complexité.

SA Héritier et Favre, Cave Sainte-Anne, av. Saint-François 2, CP 2176, 1950 Sion 2, tél. 27.322.24.35, fax 27.322.92.21, e-mail info@sainte-anne.ch r.-v.

CAVE SAINT-GEORGES Heida 2005 ★★

3 ha 10 000 11 à 15 €

Récolté sur des schistes ardoisiers, l'heida (savagnin blanc) est à l'origine de ce 2005 à la couleur des blés mûrs, tout en discrétion dans ses évocations de réglisse, de foin sec et de tilleul. Ample, le vin se montre étonnamment rond

pour un savagnin, souligné d'arômes complexes et persistants, à dominante de réglisse. Pour des mets au fromage.
SA Georges Clavien et Fils, Cave Saint-Georges, rte du Simplon 12, 3960 Sierre, tél. 27.455.11.50, fax 27.456.58.10, e-mail info@saintgeorges.ch r.-v.

CAVE SAINT-PHILIPPE
Les Bernunes Fendant 2005 ★★

5 ha	3 500	15 à 23 €

Les Bernunes est un terroir réputé de Sierre, aux sols calcaires. Philippe Constantin y a produit un chasselas jaune pâle à reflets verts, qui révèle tour à tour des arômes d'ananas mûr, de noisette et de tilleul, ainsi qu'une délicate minéralité. L'attaque est assez ample pour un fendant, la bouche d'une rusticité originale, dans la même ligne aromatique que le nez. La finale révèle une amertume assez prononcée, mais agréable. Une personnalité, une nature.
Philippe Constantin, Cave Saint-Philippe, Pachienstrasse 19, 3970 Salgesch, tél. 27.455.72.36, fax 27.455.63.91, e-mail info@cave-st-philippe.ch r.-v.

CAVE SAINT-PIERRE
Sierre Pinot Réserve des Administrateurs Élevé en fût de chêne 2004 ★★★

n.c.	50 000	8 à 11 €

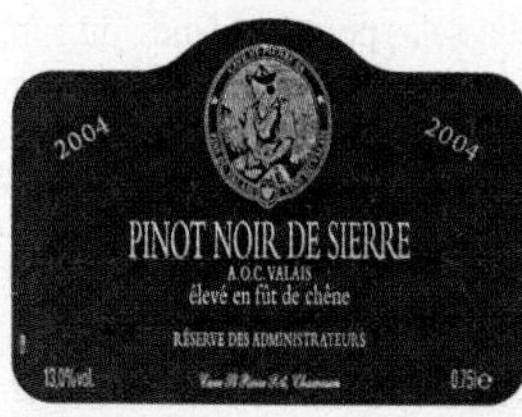

Une grande maison de négoce qui achète son raisin dans tout le canton. L'élevage de ce pinot noir pendant onze mois en barrique a été parfaitement maîtrisé. En témoigne le nez de tabac et de cuir, mêlés de fines touches de torréfaction, de fumée et de vanille. Rouge sombre, le vin se montre presque austère en attaque, mais il ne tarde pas à développer une chair puissante, riche de flaveurs complexes et d'un boisé bien intégré. La longue finale harmonieuse est un autre signe de qualité. Après deux ans de garde, les tanins auront gagné le soyeux attendu.
SA Cave Saint-Pierre, rue de Ravanay, CP 54, 1955 Chamoson, tél. 27.306.53.54, fax 27.306.53.88, e-mail saintpierre@saintpierre.ch
t.l.j. sf dim. 8h-17h; f. 24 juil.-14 sept.

SALCONIO 2005 ★

1 ha	6 000	11 à 15 €

Syrah, pinot noir et une pointe de diolinoir composent ce vin opulent qui fait preuve d'originalité par son bouquet complexe, alliance de fruits, de menthol et d'eucalyptus. Il se montre souple en attaque, rond et fruité, complété de notes un peu sauvages. Les tanins se fondent parfaitement au gras de la chair. Un vin persistant, apte à une garde de deux à quatre ans.
Albert Mathier et Söhne, Bahnhofstrasse 3, 3970 Salgesch, tél. 27.455.14.19, fax 27.456.36.07, e-mail albert@mathier.ch
t.l.j. sf dim. 8h-12h 13h30-17h30; sam. 9h-12h 13h-16h

CAVE LES SENTES Johannisberg 2005 ★★

0,3 ha	1 500	8 à 11 €

Serge Heymoz défend les cépages autochtones ; il réintroduit sur ses 4 ha la rèze, variété qui avait presque disparu du Valais. Son johannisberg semble sur la retenue, malgré quelques notes de poire et d'aubépine. La fraîcheur le caractérise dès l'attaque, soulignée d'un intense fruité, puis d'une agréable amertume en finale et d'une légère note d'évolution. Asperges et coquilles Saint-Jacques seront ses meilleurs alliées.
Serge Heymoz, Cave Les Sentes, Entre-deux-Torrents 39, 3960 Sierre, tél. 27.456.25.75, fax 27.456.52.44, e-mail serge@heymozvins.ch
r.-v.

LA SISERANCHE Chamoson Petite arvine 2005 ★

0,5 ha	2 500	11 à 15 €

Maurice et Xavier Giroud sont aussi curieux l'un que l'autre, de sorte qu'ils se sont vite accordés à planter des cépages aussi originaux pour le Valais que le tannat et le chenin sur leurs 5,6 ha. Plus classique, cette petite arvine aux senteurs de citron confit et de glycine fait preuve de finesse en attaque. Le perlant souligne la fraîcheur des arômes de pamplemousse rose, tandis que la finale laisse une impression de douceur étonnante pour ce cépage généralement caractérisé par une note saline.
Maurice et Xavier Giroud, Cave la Siseranche, rue de Pommey 21, 1955 Chamoson, tél. 27.306.44.52, fax 27.306.90.19, e-mail infos@siseranche.ch r.-v.

CAVE LA TINE Vétroz Amigne 2005 ★

0,5 ha	4 000	15 à 23 €

Vétroz est le terroir par excellence de l'amigne. Malgré sa grande douceur, ce vin est bien typé par le cépage. Jaune clair étincelant, il livre des parfums exotiques d'ananas frais et de mandarine, puis laisse une impression d'ampleur, avec une légère amertume dans une finale persistante. Pour un magret de canard en sauce au miel ou un fromage aux noix.
Hervé Fontannaz, Cave La Tine, chem. du Repos 8, 1963 Vétroz, tél. et fax 27.346.47.47, e-mail info@cave-latine.ch t.l.j. sf dim. 8h-18h

LA TORNALE Chamoson Dôle 2005 ★★

n.c.	12 000	8 à 11 €

Une dôle de pinot noir, de gamay, de gamaret et de diolinoir dans l'esprit des vins modernes. Comprenez accessible dès à présent. Rouge sombre, brillante, elle se révèle d'une étonnante complexité par sa déclinaison successive de notes d'humus, de fruits secs, de tabac et de violette. D'attaque souple, elle devient de plus en plus charnue et ample, pleine d'arômes de fruits rouges et de violette. Les tanins soyeux forment une trame fine, parfaitement intégrée. Volailles, charcuteries et grillades seront ses compagnons pour un repas convivial.
J.-Daniel Favre, Cave La Tornale, rue de Plantys 22, 1955 Chamoson, tél. 27.306.22.65, fax 27.306.64.43, e-mail jd.favre@bluewin.ch r.-v.

LA TOURMENTE
Chamoson Johannisberg 2005 ★★★

n.c.	2 000	11 à 15 €

La Tourmente fête ses vingt ans en 2006, sur ce terroir calcaire, schisteux et graveleux : 3 ha que Bernard Coudray a bien étudiés avant d'y planter onze cépages. Ce johannisberg a tout d'un original, lui qui accorde à la rose ses premières notes, suivies de celles de l'abricot et du litchi. Souple en attaque, fruité, il charme plus par son élégance que par une structure impressionnante, la finale étant soutenue par une fine amertume. Les fromages à pâte molle le serviront. Le **pinot noir Réserve 2005**, prometteur, obtient la même note.

⊶ Les fils et Bernard Coudray,
Cave La Tourmente, rte de Tsavez 6, 1955 Chamoson,
tél. 27.306.59.61, fax 27.306.34.56,
e-mail tourmente.cave@bluewin.ch ☑ Y ⛹ r.-v.

CAVE DU VERSEAU Arvine 2005 ★★

▒ 0,3 ha 1 500 ▮ 8 à 11 €

Des fleurs pour le bouquet, avec une touche de rhubarbe. Un caractère cajoleur pour l'attaque, de la douceur ensuite, rehaussée de fraîcheur. Les arômes de compote de rhubarbe se complètent d'une touche minérale tandis que la finale persistante révèle la légère salinité attendue d'un vin d'arvine.

⊶ Stéphane et Wil Clavien, Cave du Verseau,
rte de Montana, 3968 Veyras, tél. et fax 27.455.37.03,
e-mail clavienstef@bluewin.ch ☑ Y ⛹ r.-v.

CAVE DU VIDÔMNE
Chamoson Johannisberg 2005 ★★

▒ 0,5 ha 3 000 ▮ 8 à 11 €

Si Meinrad Gaillard affiche un goût pour l'élevage sous bois, il sait que la cuve peut avoir d'autres atouts. Ce johannisberg (sylvaner) a ainsi gardé tous ses caractères : un jaune lumineux, pas trop dense, un bouquet austère de prime abord, mais d'une minéralité remarquable qui trouve écho au palais, aux côtés de flaveurs d'amande et de poire mûre. Une élégante amertume prolonge la dégustation. Choucroute et viandes blanches seront au rendez-vous au moment de le servir.

⊶ Meinrad Gaillard, Cave du Vidômne,
rue du Prieuré 8, 1955 Saint-Pierre-de-Clages,
tél. 27.306.27.80, fax 27.306.27.02 ☑ Y ⛹ r.-v.

CAVE DU VIEUX-MOULIN
Vétroz Cornalin 2004 ★★

■ 0,5 ha 3 500 ▮ 15 à 23 €

Amigne, petite arvine et cornalin sont des cépages autochtones que Romain Papilloud affectionne sur son vignoble de 4 ha. Un caractère espiègle émane de ce vin rouge sombre, aux notes fraîches de groseille. Un même fruité acidulé marque la bouche, tandis que les tanins ont encore la fougue de la jeunesse en finale. Quelques mois de patience et ce 2004 rejoindra un râble de lièvre ou un plateau de fromages. (Bouteilles de 50 cl.)

⊶ Romain Papilloud, Cave du Vieux Moulin,
rue des Vignerons 43, 1963 Vétroz,
tél. 27.346.43.22, fax 27.346.05.22,
e-mail papilloud@bluewin.ch ☑ Y ⛹ r.-v.

MAURICE ZUFFEREY Sierre Fendant 2005 ★

▒ 2 ha 8 000 ▮ 8 à 11 €

Réputé pour ses vins de cornalin, dont il a hérité de vieilles vignes en reprenant le domaine de son oncle en 1982, Maurice Zufferey se distingue ici grâce à un fendant fringant, qui fait la part belle au terroir. Des reflets gris brillent sur fond jaune pâle, cependant que des arômes minéraux se libèrent, accompagnés de senteurs de noisette et de tilleul. Expression aboutie du chasselas sur un sol argilo-calcaire que confirment le perlant, la structure légère et la finale fraîche.

⊶ Maurice Zufferey, rue des Moulins 52, 3960 Sierre,
tél. 27.455.47.16, fax 27.456.35.27,
e-mail maurice-zufferey@netplus.ch ☑ Y ⛹ r.-v.

Canton de Genève

Déjà présente en terre genevoise avant l'ère chrétienne, la vigne a survécu aux vicissitudes de l'histoire pour s'épanouir pleinement dès la fin des années 1960.

Avec un climat tempéré dû à la proximité du lac, à un très bon ensoleillement et à un sol favorable, le vignoble genevois se partage entre trente-deux appellations. Les efforts entrepris pour améliorer le potentiel des vins genevois, par des méthodes culturales respectueuses de l'environnement, le choix de cépages moins productifs et appropriés à un sol généralement caractérisé par une forte teneur en calcaire, permettent de garantir au consommateur un vin de haute qualité. Les exigences contenues dans les textes de loi traduisent autant la volonté des autorités que celle de la profession de mettre sur le marché des vins qui satisfont aux normes des AOC.

Outre les principaux crus provenant du chasselas pour les blancs, du gamay et du pinot noir pour les rouges, les spécialités comme le chardonnay, le pinot blanc, l'aligoté, le gamaret et le cabernet rencontrent un franc succès auprès de l'amateur avisé.

CAVE DES BAILLETS
Peissy Riesling x sylvaner La Pine sucrée 2002 ★★

▒ 0,3 ha 2 400 ◐ 11 à 15 €

Six cépages rouges et neuf blancs sont cultivés sur ce domaine de 10 ha d'un seul tenant. Le riesling x sylvaner se distingue en 2002 grâce à ce vin liquoreux de teinte or, au bouquet d'amande et d'agrumes relevé d'une pointe vanillée. Douceur et vivacité s'équilibrent remarquablement jusqu'à une longue finale de litchi et d'abricot.

⊶ Jean Mallet, Cave des Baillets, 54, rte des Baillets,
1281 Russin, tél. 22.754.14.97, fax 22.754.14.50,
e-mail infos@cavedesbaillets.ch
☑ Y ⛹ t.l.j. sf dim. 9h-12h 14h-18h; sam. 9h-13h

LES CURIADES
Coteaux de Lully Les Filles de Gamaret 2004 ★★

■ 1er cru 2 ha 5 000 11 à 15 €

D'une robe rouge sombre à nuances violacées s'élèvent des arômes concentrés de fruits noirs évocateurs de myrtille et d'épices. Une même concentration est perceptible au palais structuré par des tanins serrés, mais tout en finesse. L'expression remarquable du gamaret.

⊶ Jacques et Christophe Dupraz,
49, chem. des Curiades, 1233 Lully, tél. 22.757.28.15,
fax 22.757.47.85, e-mail info@curiades.ch ☑ Y ⛹ r.-v.

PATRICK ET MARC FAVRE Gamaret 2004 ★

■ 0,4 ha 2 000 ◐ 8 à 11 €

Le coteau de Bernex ménage un beau point de vue sur la ville de Genève. Vos pas vous mèneront vers Sézenove, où se situe la maison du XIX[e]s. qui commande ce domaine.

Voici un gamaret rouge sombre, prêt à livrer des notes de fruits rouges persistants et frais. Une trame de tanins serrés et jeunes étayent sa chair fruitée déjà agréable, mais qui s'arrondira encore dans le temps.
🔑 Patrick et Marc Favre,
13, chem. des Grands-Buissons, Sézenove, 1233 Bernex,
tél. 22.757.10.20, fax 22.757.10.22,
e-mail info@grands-buissons.ch
☑ Y ⚲ ven. 17h-19h; sam. 10h-12h 🏠 ❷

DOM. DE LA RÉP. ET CANTON DE GENÈVE
Coteau de Lully Gewurztraminer 2004 **

	0,25 ha	1 300	8 à 11 €

Une vingtaine de cépages sont plantés sur les 6 ha du domaine du canton de Genève, parmi lesquels le gewurztraminer. Celui-ci compose seul ce vin jaune clair, aux élégantes notes de rose. Une dominante aromatique dont il ne semble jamais devoir se départir au palais. L'équilibre est remarquable, la typicité réelle.
🔑 Dom. de la Rép. et du canton de Genève,
chem. du Signal 3, 1233 Bernex,
tél. 22.757.56.95, fax 22.757.39.72 ☑ r.-v.

DOM. DES GRAVES Gamaret Noir Combe 2003 *

■	0,9 ha	4 000	⏀ 8 à 11 €

Une étoile l'an passé pour le 2002. Une étoile encore pour ce 2003 qui libère sous une robe rouge sombre un nez épicé et fruité (fruits noirs). Un caractère un peu sauvage, caractéristique du cépage, se manifeste au palais, mais les tanins soyeux laissent une impression d'aménité. Un vin déjà agréable, mais qui saura évoluer favorablement.
🔑 Nicolas Cadoux, Dom. des Graves,
56, rte de Forestal, 1285 Athenaz,
tél. 22.756.28.81, fax 22.756.26.31 ☑ Y ⚲ r.-v.

LES HUTINS
Coteaux de Dardagny Pinot noir 2004 **

■	2 ha	15 000	▮ 8 à 11 €

Vous souvenez-vous de la charmante et élégante étiquette de ce domaine ? Le chasselas Bertholier 2003 était coup de cœur l'an passé. Au tour du pinot noir de s'illustrer par un bouquet de fruits rouges frais et fin, comme par des tanins soyeux. Est-il encore jeune ? Peut-être, mais l'on perçoit déjà une remarquable typicité et le potentiel pour se bonifier au fil des ans.
🔑 Pierre et Jean Hutin, 8, chem. de Brive,
1283 Dardagny, tél. 22.754.12.05, fax 22.754.12.27,
e-mail domaine.les.hutins@bluewin.ch
☑ Y ⚲ ven. 17h-18h30; sam. 9h-12h

DOM. DE LA MERMIÈRE
Gamaret Expression 2004 **

■	0,7 ha	4 000	⏀ 8 à 11 €

Le croisement du gamay et du reichensteiner a permis d'obtenir le gamaret, un cépage fertile et résistant à la pourriture, réputé pour la couleur et les tanins fins qu'il lègue aux vins. Ce 2004 en est l'illustration : teinte rouge sombre, arômes de fruits rouges et noirs avec une pointe de vanille, structure de tanins soyeux et longue finale fruitée. Un vin harmonieux que vous apprécierez dès maintenant et pendant quelques années encore.
🔑 Yves Batardon, 9, rue du Faubourg, 1286 Soral,
tél. 22.756.19.33 ☑ Y r.-v.

DOM. DE MIOLAN Velours noir 2003 **

■	0,9 ha	1 200	⏀ 8 à 11 €

Lorsque Bertrand Favre a repris ce domaine en 1997, il a totalement rénové le vignoble. Des ceps de pinot noir

et de gamaret âgés seulement de cinq ans ont ainsi été vendangés pour vinifier cette cuvée rubis. Au nez fin de fruits noirs, souligné de vanille fine, répond une structure de tanins serrés, mais fins, enrobée d'une chair empreinte de flaveurs fruitées. Un vin prêt à savourer, mais qui saura également vieillir.
🔑 Bertrand Favre, Dom. de Miolan,
83, chem. des Princes, 1244 Choulex-Genève,
tél. et fax 22.750.04.40 ☑ Y r.-v.

DOM. DES MOLARDS Russin Merlot 2003 *

■	0,21 ha	1 800	▮ 8 à 11 €

Un domaine dont les origines remontent à 1352, auquel la famille Desbaillet a toujours été liée. Dans le caveau du XVIII^{e}s., vous découvrirez ce merlot typé, aux arômes de fruits rouges. Un vin si souple, si soyeux et si fruité qu'il sera difficile de résister à le servir dès à présent. Pourtant, il a tous les atouts pour bien vieillir.
🔑 Michel et Claire-Lise Desbaillet, Dom. des Molards,
21, rte des Molards, 1281 Russin, tél. 22.754.15.40,
fax 22.754.15.62, e-mail info@molards.ch ☑ Y ⚲ r.-v.

DOM. DES PENDUS Coteaux de Peney Syrah Cuvée Victoria Élevé en fût de chêne 2003 *

■ 1er cru	0,45 ha	3 500	⏀ 23 à 30 €

Le domaine tient son nom d'un fait historique remontant à 1534 : les habitants du château de Peney, vainqueur de leurs assiégeants genevois, auraient pendu leurs cadavres aux arbres environnants. Aucune once d'agressivité dans ce vin rouge sombre, car si les tanins sont présents et jeunes, ce n'est que pour lui assurer une bonne tenue dans le temps. La chair riche, discrètement fruitée et cacaotée, de même que les arômes de fumé et d'épices gardent voix au chapitre.
🔑 Christian Sossauer, 1, rte de Peney-Dessous,
1242 Satigny, tél. et fax 22.753.19.61,
e-mail csossauer@domaine-des-pendus.ch ☑ Y r.-v.

DOM. DES PINS Dardagny Scheurebe 2004 *

	0,36 ha	3 000	▮ 8 à 11 €

Le scheurebe est un ancien croisement réalisé en 1916 par Georges Scheu en Allemagne. Ses parents sont le sylvaner vert et le riesling. De la finesse et une expresson fruitée, tels sont les atouts de ce vin pour une dégustation immédiate. Une structure de qualité : un avantage pour la garde. Gardez quelques bouteilles en cave.
🔑 Marc Ramu, Clos des Pins, 458, rte du Mandement,
1283 Dardagny, tél. 22.754.14.57, fax 22.754.17.23
☑ Y ⚲ t.l.j. sf dim. 17h30-18h30; sam. 9h-12h

CLAUDE RAMU Dardagny Sphinx Findling 2004 *

	0,4 ha	3 500	▮ 5 à 8 €

En 1925, le grand-père de Claude Ramu fut l'un des premiers à introduire la taille Guyot sur fil de fer. Dix cépages blancs et six rouges sont complantés sur le domaine, parmi lesquels le findling qui serait une mutation du müller-thurgau. Les fruits et les fleurs se mêlent dans ce vin jaune d'or qui exprime au palais une juste fraîcheur. L'équilibre déjà harmonieux autorise une dégustation immédiate.

Claude Ramu, Dom. du Centaure,
480, rte du Mandement, 1282 Dardagny,
tél. 22.754.15.09, fax 22.754.14.11,
e-mail info@domaine-du-centaure.ch r.-v.

LES RENARDES Muscat 2004 *

	n.c.	2 000		5 à 8 €

Un vin jaune clair, dont le bouquet discret laisse une impression de finesse. Une note muscatée souligne la bouche tendre et élégante. Dégustez-le avec des poissons de rivière.

Claude, Gilbert et Sébastien Dupraz,
Cave des Chevalières, 8, chem. de Placet, 1286 Soral,
tél. 22.756.15.66, fax 22.756.36.65,
e-mail cdupraz@infomaniok.ch
t.l.j. sf dim. 10h-12h 17h-19h; sam. 10h-12h

CAVE DE SÉZENOVE
Sézenove Gamay Les Moraines 2004

	1,5 ha	6 000		5 à 8 €

Du fruit à volonté dans ce vin rouge violacé. Accents de cerise mêlés de touches florales. Tanins jeunes mais équilibrés, enveloppés d'une fraîcheur fruitée. L'attendre serait perdre l'avantage de cette expression printanière. Rapprochez-le d'un plateau de charcuteries.

Jacques et Claude Bocquet-Thonney,
9, chem. des Grands-Buissons, 1233 Bernex,
tél. et fax 22.757.45.63
t.l.j. sf dim. 17h-19h; sam. 10h-12h

DOM. DES TROIS ÉTOILES
Merlot Élevé en fût de chêne 2003 ***

	2 ha	10 000		11 à 15 €

Ce domaine fut pionnier de la culture du merlot dans le canton de Genève en 1936. Son 2003, d'un rouge sombre presque noir, livre un bouquet intense de myrtille, nuancé de vanille. La matière riche bénéficie du soutien de tanins puissants, dont la jeunesse invite à une garde de quelques années. Le vin aura alors atteint sa pleine expression.

Jean-Charles Crousaz, Dom. des Trois Étoiles,
41, rte de Peissy, 1242 Satigny,
tél. 22.753.11.08, fax 22.753.41.55,
e-mail info@trois-etoiles.ch r.-v.

LES VALLIÈRES Gamay 2004 **

	1,5 ha	6 000		5 à 8 €

Quelques pointes d'épices, des arômes de fruits : le caractère du gamay. Des tanins soyeux soutiennent la chair ronde et fruitée, garantissant non seulement une bonne tenue dans le temps, mais aussi un plaisir immédiat.

Famille Serex, Les Vallières,
36, rte de Charny, 1242 Satigny, tél. 22.753.16.04,
fax 22.753.03.33, e-mail lesvallieres@bluewin.ch
t.l.j. sf dim. 11h-12h 17h-18h; sam. 10h-12h

Canton de Neuchâtel

Proche du lac qui reflète le soleil, adossé aux premiers contreforts du Jura qui lui offrent une exposition privilégiée, le vignoble neuchâtelois s'étire sur une étroite bande de 40 km entre Le Landeron et Vaumarcus. Le climat sec et ensoleillé de cette région, de même que les sols calcaires jurassiques qui y prédominent conviennent bien à la culture de la vigne, ce que confirment encore les historiens qui nous apprennent que la première vigne y fut officiellement plantée en 998 ; à Neuchâtel, la vigne est donc millénaire.

Dans ce petit vignoble de 610 ha, le chasselas et le pinot noir règnent en maître ; il y a bien quelques spécialités (pinot gris, chardonnay, gewurztraminer et riesling x sylvaner), mais leur culture occupe à peine 6 % des surfaces. Cet encépagement apparemment limité cache en réalité une très large palette de vins et de saveurs différentes, grâce au savoir-faire des vignerons et à la diversité des terroirs.

Les vins rouges issus du pinot noir, élégants et fruités, souvent racés sont aptes au vieillissement. Le très typique œil-de-perdrix est un rosé inimitable originaire du vignoble neuchâtelois, ainsi que la Perdrix blanche obtenue par pressurage sans macération. Quelques caves élaborent même un vin mousseux.

La variété des sols du canton, d'est en ouest, ainsi que les styles personnels des vinificateurs, sont à l'origine d'une grande diversité de goûts et d'arômes des vins blancs de chasselas et promettent à l'amateur curieux plus d'une découverte intéressante. On relèvera encore deux spécialités locales issues du même cépage : le « Non filtré », vin primeur qui ne peut pas être mis en vente avant le troisième mercredi du mois de janvier, et les vins sur lies.

Chacune des dix-huit communes viticoles produit sa propre appellation, alors que l'appellation Neuchâtel est applicable à l'ensemble des productions du canton de première catégorie.

JEAN-CLAUDE ANGELRATH

Le Landeron Chasselas 2005 ★★

	1 ha	5 000	■	5 à 8 €

La cave Angelrath propose ses vins étiquetés en braille. À la tête du domaine familial, Jean-Claude Angelrath dirige ce dernier parallèlement au commerce de matériel vinicole transmis par son père Jean. Son chasselas exprime une remarquable minéralité liée au terroir de la région de l'Entre-deux-Lacs. À noter également l'**œil-de-perdrix 2005**, fin et bien typé.

Jean-Claude Angelrath, rue de la Gare 20, 2525 Le Landeron, tél. 32.751.37.95, fax 32.751.31.44, e-mail cave@angelrath.ch ☑ Y ✦ r.-v.

CAVE BURGAT Colombier Pinot noir 2005 ★★

	2 ha	5 000		8 à 11 €

Exploitation familiale de 4,5 ha créée en 1980 par Jacques-Aloïs Burgat, actuellement secondé par son fils David à la cave. Ce pinot noir typique de Neuchâtel, rubis soutenu, s'ouvre sur un nez prononcé de cerise. Sa souplesse et son élégance surprennent pour un vin aussi jeune. Belle réussite également pour le **chasselas 2005**, d'une grande finesse.

Cave Burgat, Muriers 1, 2013 Colombier, tél. 32.841.22.41, e-mail info@caveburgat.ch ☑ Y ✦ r.-v.

Jacques A. Burgat

GRILLETTE Chardonnay Premier 2003 ★★★

	0,9 ha	4 800	■ ⓘ	15 à 23 €

Le domaine Grillette fut pionnier dans la culture du chardonnay à Neuchâtel, dont il introduisit les premiers ceps en 1964. Ce 2003 au nez brioché et subtilement vanillé est un vin complet. Des notes d'acacia et de miel complètent ce feu d'artifice de parfums. La structure est riche et complexe, d'une grande élégance.

Grillette Les Horlogers du Vin, Molondin 2, 2088 Cressier, tél. 32.758.85.29, fax 32.758.85.21, e-mail info@grillette.ch ☑ Y ✦ r.-v.

Murset

OLIVIER LAVANCHY Pinot noir 2004 ★★★

	3,5 ha	10 000	ⓘ	8 à 11 €

Champréveyres, le champ aux prêtres, doit son nom aux chanoines de l'abbaye de Fontaine-André, auxquels le comte de Neuchâtel fit dont de vignes par une charte de 1143. La cave Lavanchy est une des rares à être située sur la commune de Neuchâtel, ville au glorieux passé viticole où subsistent encore quelques ceps au milieu des villas. Olivier Lavanchy a repris les rênes du domaine familial et a sensiblement étoffé la gamme de vins. Son pinot noir, à la robe sombre, séduit par la complexité de son bouquet. Vin sans artifice, représentatif de son terroir,

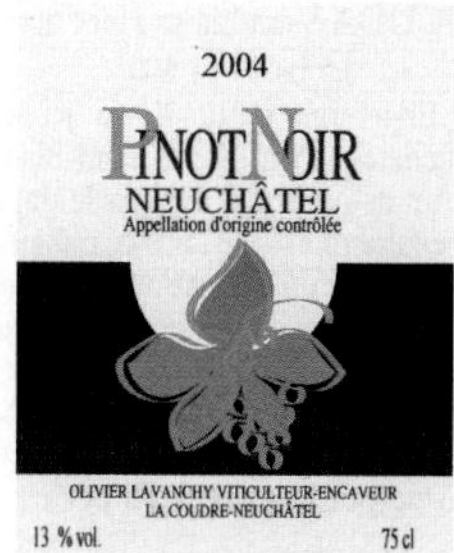

il atteindra son apogée d'ici quatre à cinq ans. Le **chasselas 2005** entre aussi dans la sélection.

Olivier Lavanchy, rue de la Dîme 48, 2000 Neuchâtel, tél. et fax 32.753.68.89, e-mail vins.lavanchy@bluewin.ch ☑ Y ✦ r.-v.

DOM. E. DE MONTMOLLIN FILS

Auvernier 2005 ★★★

	n.c.	20 000	■	5 à 8 €

Domaine familial depuis le XVIe s. comptant 47 ha de vignes, au bord du Lac de Neuchâtel. Son jeune maître de chai a réussi un 2005 quasi parfait. Le chasselas non-filtré est une tradition purement neuchâteloise qui consiste en une mise en bouteilles précoce d'un vin élevé sur lies. Celui-ci présenté aux consommateurs le 3e mercredi de janvier surprend par son bouquet exubérant de pêche blanche et par ses notes citronnées subtiles. C'est un vin riche, d'une rondeur presque insolente. À apprécier à l'apéritif, tout simplement. L'**œil-de-perdrix 2005**, élégant, est cité.

Dom. E. de Montmollin Fils, Grand-Rue 3, 2012 Auvernier, tél. 32.737.10.00, fax 32.737.10.01, e-mail info@montmollinwine.ch ☑ Y ✦ r.-v.

DOM. DE L'ÉTAT DE NEUCHÂTEL

Œil-de-perdrix 2005 ★★

	0,3 ha	2 800	■	8 à 11 €

L'État de Neuchâtel est propriétaire d'un petit domaine situé principalement sur la commune d'Auvernier. Ce dernier est rattaché à la station viticole cantonale, service officiel à disposition des professionnels pour tous les aspects techniques et administratifs liés à la vitiviniculure dans le canton. L'œil-de-perdrix 2005 est un vin riche et de grande classe. Avec un nez d'épices, de coing et une bouche ample, il joue dans le registre des vins de gastronomie. L'**Auvernier pinot noir 2004** est également retenu.

Station cantonale de viticulture d'Auvernier, rue des Fontenettes 37, 2012 Auvernier, tél. 32.731.21.07, fax 32.730.24.39, e-mail service.viticulture@ne.ch ☑ Y ✦ r.-v.

État de Neuchâtel

À PIQUELIOUDA Saint-Blaise Pinot noir 2004 ★★

■ 0,5 ha 4 500 8 à 11 €

Dimitri Engel fait partie de la jeune garde des vignerons neuchâtelois. Installé à Saint-Blaise, vieux village méritant un détour, où il a repris le domaine de son oncle, il a su se faire une place dans ce milieu assez fermé. Son pinot noir issu d'un lieu-dit au nom pour le moins surprenant, À Piqueliouda, se présente sous une livrée rubis clair. C'est un vin souple, avec un nez de cerise noire et quelques notes empyreumatiques, typiques des vins rouges de Neuchâtel après deux à trois années de vieillissement. L'**œil-de-perdrix 2005**, fin et racé est lui aussi retenu.

Dimitri Engel, Daniel-Dardel 17, 2072 Saint-Blaise, tél. et fax 32.753.29.46, e-mail dimitri-engel@bluewin.ch r.-v.

CAVES DU PRIEURÉ DE CORMONDRÈCHE Œil-de-perdrix 2005 ★★

■ 60 ha 30 000 8 à 11 €

Ancienne maison vigneronne des moines de Môtiers, le prieuré de Cormondrèche est un chai depuis près d'un demi-millénaire. La cave de la chapelle et ses voûtes en pierre d'Hauterive font partie du patrimoine historique neuchâtelois. Cet œil-de-perdrix offre un nez frais de fraise des bois et autres petits fruits, signe incontestable de la typicité du cépage pinot noir. La couleur rose saumoné assez pâle pourrait servir d'étalon à l'appellation tant elle semble parfaite. Un vin à apprécier à l'apéritif. Retenu également l'assemblage de cépages rouges, baptisé **Magie noire 2004**, fruit d'un élevage patient en barrique.

Caves du Prieuré du Cormondrèche, Grand-Rue 25, 2036 Cormondrèche, tél. 32.731.53.63, fax 32.731.56.13 r.-v.

Les Vignerons de la côte neuchâteloise

Canton d'Argovie

BÜCHLI Effingen Pinot noir Barrique 2003 ★★

■ 0,25 ha 1 500 11 à 15 €

Quelques nuances d'évolution se dessinent dans la robe rubis. Un caractère que l'on décèle aussi dans la palette d'arômes de cerise sauvage, de prune et de fruits cuits relevés de poivre. À l'attaque ample succède l'expression de tanins encore austères, mais qui ne tarderont pas à s'amabiliser dans les prochains mois. Vous pourrez alors profiter de la bonne fraîcheur de ce vin avec des viandes grillées.

Büchli-Weine Effingen, Rebsiedlung, 5078 Effingen, tél. 62.876.10.75, fax 62.87.631.83, e-mail mail@buechli-weine.ch t.l.j. sf dim. 8h-12h 13h-18h

Willi Büchli

FEHR & ENGELI Ueker Blauburgunder Barrique 2003 ★★★

■ 1 ha 3 000 15 à 23 €

Sous-bois, poivre, framboise, cerise et un rien de cuir composent une palette fraîche qui invite à découvrir la bouche ample, aux tanins mûrs. La finale longue ajoute au caractère déjà plaisant de ce vin pourtant apte à la garde.

Fehr et Engeli Weinbau, 5028 Ueken, tél. 62.871.33.73, fax 62.871.56.05, e-mail info@fehr-engeli.com r.-v.

Urs Gasser

NAUER Tegerfelden Pinot noir Prestige Barrique 2003 ★★★

■ n.c. 5 000 15 à 23 €

Coup double pour ce domaine qui s'illustre en rouge comme en blanc. Ce pinot noir, d'un rouge foncé, rappelle son élevage sous bois de douze mois par des effluves de moka, de cacao et de clou de girofle sans oublier le fruité du raisin (mûre et prune). Ample en attaque, il fait preuve d'équilibre, de rondeur et de puissance jusqu'à la finale persistante, marquée par le tabac. Le **Mennetto Assemblage barrique 2004 (11 à 15 €)** brille de deux étoiles. Pinot noir, chardonnay, sauvignon et pinot gris composent ce vin blanc de bonne fraîcheur.

Gebrüder Nauer AG, Oberebenstrasse 3, 5620 Bremgarten, tél. 56.648.27.27, fax 56.648.27.17, e-mail info@nauer-weine.ch r.-v.

MICHAEL WETZEL Goldwändler Spätburgunder Barrique 2003 ★★

■ 1 ha 5 400 15 à 23 €

Un vin aujourd'hui tout disposé à passer à table, mais qui garde aussi de bonnes prespectives d'avenir. Couleur rubis, il révèle de subtiles notes de vanille en contrepoint des arômes de fruits des bois. Il se montre souple au palais grâce à des tanins mûrs, bien intégrés dans la chair ample et ronde, chaleureuse.

Michael Wetzel, Rebgut Goldwand, 5408 Ennetbaden, tél. 56.221.88.23, fax 56.221.88.10, e-mail info@rebgut-goldwand.ch r.-v.

Canton de Bâle

JAUSLIN Muttenz Lion rouge 2003 ★★

■ 0,9 ha 3 800 11 à 15 €

L'assemblage du pinot noir et du diolinoir a donné naissance à ce vin riche d'arômes de réglisse, de cerise cuite, de chocolat et de massepain. D'attaque complexe, la bouche se développe autour d'une structure puissante, mais soyeuse, nuancée d'un élégant boisé. La longue finale sur la framboise ajoute à son caractère plaisant.

Jauslin Weine, Baselstrasse 32, 4132 Muttenz, tél. 61.461.84.35, fax 61.461.84.80, e-mail info@jauslinweine.ch jeu. 17h-19h; sam. 8h30-12h

Canton des Grisons

WEINGUT ADANK
Fläsch Pinot noir Barrique 2004 ★★

■ 1,5 ha 5 000 15 à 23 €

Quelques touches de bois de chêne et de cacao se mêlent à la palette de framboise et de cerise, pleine de fraîcheur. Les tanins sont certes encore jeunes, mais il assurent une remarquable structure à ce vin ample et persistant. Le temps fera son œuvre.
Weingut Familie Hansruedi Adank, St-Luzi, 7306 Fläsch, tél. 81.302.65.56, fax 81.302.19.24, e-mail hr.adank@bluewin.ch r.-v.

SPRECHER VON BERNEGG
Jenins Blauer Burgundes 2004 ★★★

■ 0,35 ha 2 000 11 à 15 €

Un tout petit vignoble d'un demi-hectare, dont Dorothea von Sprecher obtient des vins concentrés à l'image de ce 2004 marqué par la framboise, la groseille et les épices. Des tanins encore fermes, mais de qualité apparaissent en soutien de la chair ample, invitant à une garde de quelques années pour apprécier ce pinot noir à son meilleur niveau. Du caractère.
Dorothea von Sprecher, Kreuzgasse 4, 7307 Jenins, tél. 81.302.56.37, fax 81.330.70.24, e-mail vonsprecher@bluewin.ch r.-v.

PATRICK CANTIERI
Malanser Chardonnay Barrique Plantanot 2004 ★★

0,17 ha 1 500 11 à 15 €

Un chardonnay jaune éclatant, au nez de banane et de melon, de vanille et de coriandre. Doté d'une structure minérale, il montre de l'allant grâce à une juste vivacité et marie harmonieusement les arômes boisés de pain grillé à ceux de prune jaune en finale. Le **Malanser Blauburgunder Barrique 2003** est un pinot noir apte à la garde. Il obtient une étoile.
Patrik Cantieri, Plantanot 205, 7302 Landquart, tél. 81.307.45.45, fax 81.307.45.46, e-mail cantierip.lbbz@bluewin.ch r.-v.
LBBZ Plantanot

LIESCH Malans Deseo 2004 ★★★

0,2 ha 200 23 à 30 €

Pinot gris, riesling et kerner composent ce vin de teinte or, tout disposé à libérer ses arômes intenses de coing, de poire, de pêche et de fruits au sirop. Des notes de botrytis se manifestent également, ajoutant à la complexité de la palette. L'équilibre se réalise au palais entre douceur et fraîcheur, tandis que la finale décline longuement ses flaveurs de melon, d'abricot et de fruits secs.

Deux étoiles brillent pour le **pinot noir Barrique 2004 de Malans (11 à 15 €)**, bien structuré, qui trouve un bon compromis entre le fruité et le boisé.
Ueli et Jürg Liesch, Weingut Treib, 7208 Malans, tél. 81.322.12.25, fax 81.330.05.85, e-mail info@liesch-weine.ch r.-v.

MANDRED MEIER Zizers Chardonnay 2005 ★★★

0,45 ha 2 000 15 à 23 €

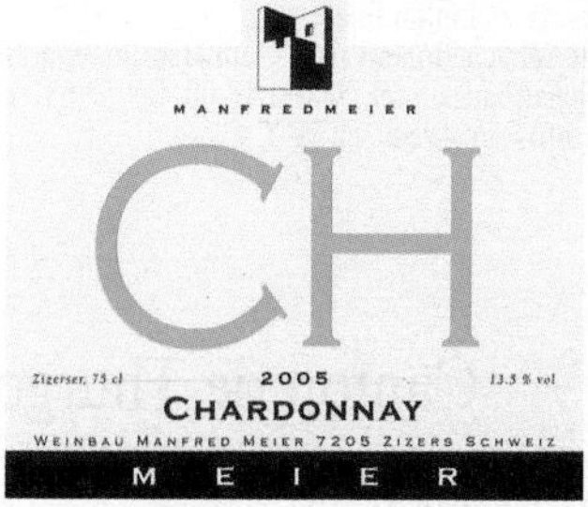

Il faudra attendre quelques années ce vin de chardonnay, mais la récompense sera à la hauteur de votre patience. Jaune doré, celui-ci dévoile des arômes de lait de coco, de pain grillé et de moka, héritage de son séjour de six mois dans le chêne. Son corps ample et rond bénéficie de tanins de qualité, encore sous l'emprise du bois, mais disposés à se fondre à la faveur du temps. Quelques notes de pamplemousse s'ajoutent aux flaveurs de torréfaction comme pour rafraîchir la longue finale.
Manfred Meier, Vorburgstrasse 16, 7205 Zizers, tél. 81.330.09.99, fax 81.330.09.98, e-mail weinbau.meier@bluewin.ch r.-v.

OBRECHT Jeninses Pinot gris 2005 ★★

0,5 ha 2 800 11 à 15 €

Un pinot gris moelleux d'un jaune intense qui mêle harmonieusement le coing, la poire, le moka, la vanille et le miel, avec quelques notes de fleurs des champs en complément. Au palais, il joue de sa rondeur et de sa fraîcheur, de ses flaveurs de miel, de thym et de lavande. Une légère amertume soutient sa finale persistante, florale et miellée.
Obrecht Weine, Ausserdorf 14, 7307 Jenins, tél. 81.302.26.80, fax 81.302.39.48, e-mail info@obrechtweine.ch r.-v.
Jürg Obrecht

WEGELIN Malanser Blauburgunder Reserva 2004 ★★

■ 1,2 ha 5 200 15 à 23 €

Tous les caractères d'un pinot noir apte à la garde sont réunis dans ce vin rubis : des arômes de fruits cuits,

de fruits noirs et rouges fraîchement récoltés dans les bois se succèdent, accompagnés d'une pointe de genièvre. Après une attaque souple, des tanins puissants se manifestent en soutien d'une matière fraîche, aux longs accents de framboise.
Peter Wegelin Scadenagut, Bothmarweg 1, 7208 Malans, tél. 81.322.11.64, fax 81.322.81.69, e-mail wein@pwegelin.ch r.-v.

Canton de Schaffhouse

SCHACHENMANN
Gächlingen Räckedorn Riesling x sylvaner 2005 ★★

1,6 ha 9 300 8 à 11 €

Le riesling x sylvaner est l'autre nom du cépage müller-thurgau. Ce 2005, couleur jaune, possède de délicats arômes d'agrumes nuancés d'épices et de notes muscatées. Le corps est équilibré et rond, prolongé de flaveurs de melon en finale.
Gus Schachenmann AG, Gennersbrunnerstrasse 61, 8207 Schaffhausen, tél. 52.631.18.00, fax 52.631.18.01, e-mail info@gvs-weine.ch r.-v.

Canton de Thurgovie

WEINGUT BURKHART
Weinfelden Pinot noir Reserva Barrique 2003 ★★

0,85 ha 2 000 15 à 23 €

Willi Burkhart récoltait déjà le fruit de ses 5 ha de vignes avant 2003, mais ne produisait pas de vin. Le voici à la tête d'une toute nouvelle cave, distingué pour son premier millésime. Un vin rouge foncé, au nez de pain grillé, de fumée et de chocolat. Les tanins fins se fondent dans la chair ronde et ample qui renoue en finale avec les notes de cacao héritées de douze mois d'élevage en fût.
Weingut Burkhart, Hagholzstrasse 5, 8570 Weinfelden, tél. 71.622.47.79, fax 71.622.47.89, e-mail info@lonwy.ch r.-v.
Willi Burkhart

THOMAS MAX SCHMID
Schlattingen Sélection Chardonnay Barrique 2005 ★★

n.c. 1 500 15 à 23 €

Seulement quatre mois d'élevage en barrique et déjà ce chardonnay jaune franc affiche des notes de moka en complément de ses arômes d'agrumes et de banane mûre. La douceur des flaveurs de crème brûlée caractérise la bouche en attaque, bientôt relayée par une élégante fraîcheur. Un vin agréable, mais qui gagnera encore en harmonie après quelques années de garde. Le **pinot noir Sélection Auslese 2004 (11 à 15 €)**, dont les tanins s'affineront dans le temps, obtient une étoile.
Thomas Max Schmid, Weinkellerei Im Chloster, 8255 Schlattingen, tél. 52.657.24.95, fax 52.657.34.90, e-mail schmidweine@bluewin.ch r.-v.

Canton de Zurich

WEINGUT GEHRING
Freienstein Pinot noir Barrique exklusive 2003 ★★★

0,5 ha 1 000 15 à 23 €

La teinte est encore jeune pour un 2003, tandis que le nez évoque avec discrétion la prune et la poire séchée, les fruits macérés dans le rhum. Ample et rond, le vin s'appuie sur des tanins fins qui laissent une impression de velours, encore soulignée par les flaveurs d'épices et de myrtille.
Weingut Gehring, Peter Gehring, Im Geissstig, 8427 Freienstein, tél. 44.865.27.15, fax 44.865.27.65, e-mail info@weingut-gehring.ch
sam. 8h-12h 13h-17h

URS GRAF
Rafz Blauburgunder Barrique Müli Wy 2003 ★★★

0,4 ha 1 500 11 à 15 €

L'harmonie est au rendez-vous dès maintenant. D'un rouge légèrement évolué, ce vin rond aux tanins soyeux décline une palette fraîche de framboise mûre, agrémentée de notes de pain grillé héritées des douze mois passés en fût. Il rejoindra un rôti ou un gibier.
Urs Graf, Chnübrachi 2, 8197 Rafz, tél. 44.869.04.83, fax 44.869.07.24, e-mail info@mueliwy.ch sam. 9h-12h 13h-16h

URS PIRCHER
Eglisauer Stadtberger Blauburgunder Auslese 2004 ★★★

0,6 ha 3 000 11 à 15 €

Brillant comme un rubis, ce vin laisse un sillage de fruits rouges et d'épices (poivre et clou de girofle). Il se montre ample et velouté, souple grâce à des tanins bien intégrés à sa chair ronde, toute fruitée. En finale, la vanille et le moka se mêlent subtilement. **L'Eglisauer Stadtberger pinot noir 2004 (15 à 23 €)**, destiné à la garde, obtient la même note.
Urs Pircher, Stadtbergstrasse 368, 8193 Eglisau, tél. 44.876.00.76, fax 44.876.10.29, e-mail urs.pircher@bluewin.ch

AUGUST PÜNTER Sternhatde Rubin 2004 ★★

0,15 ha 1 500 11 à 15 €

Un assemblage de pinot noir, de diolinoir et de malbec est à l'origine de ce vin rouge foncé, marqué par les notes héritées de six mois d'élevage en fût : pain grillé, cannelle et autres épices se déclinent sur un fond fruité évocateur de mûre. Si l'attaque est d'une grande souplesse, la structure ne tarde pas à apparaître, faite de tanins présents, mais fins. En finale reviennent les flaveurs de bois et de fruits noirs. Un 2004 déjà accessible, mais qui gagnera à attendre un peu.
August Pünter, Glärnischstrasse 53, 8712 Stäfa, tél. 44.926.12.24, fax 44.796.26.24, e-mail puenter-weinbau@dplanet..ch r.-v.

JÜRG SAXER Nobler Weisser 2005 ★★

0,8 ha 7 000 8 à 11 €

Un riesling x silvaner (alias müller-thurgau) issu de raisins récoltés dans les cantons de Zurich et de Thurgovie. Jaune pâle, il livre au nez des parfums de fleur de sureau et de banane, puis se montre doux à l'attaque, équilibré et persistant. Les flaveurs de pomme granny smith et de

fraise, agrémentées d'une touche d'ananas lui confèrent de la fraîcheur. Le **cabernet-pinot 2004 (11 à 15 €)**, lui aussi originaire des deux cantons, obtient la même note.
Jürg Saxer, 8413 Neftenbach, tél. 52.315.32.00, fax 52.315.32.30, e-mail js@juergsaxer.ch r.-v.

WEINGUT SCHWARZ
Freiensteiner Cuve Weisse Dame 2005 ★★

	n.c.	1 000		11 à 15 €

Une Dame blanche née de sauvignon (60 %) et de chardonnay, qui s'habille d'or et se parfume de citrus et de vanille délicate. Une juste vivacité l'anime au palais, accentuée par des flaveurs de bourgeon de cassis et de poivron typique du cépage dominant. Deux étoiles reviennent également au **pinot noir Steitröpfli 2005 (8 à 11 €)** qui mérite d'attendre pour fondre ses tanins.
Weingut Schwarz, Im Geistig, 8427 Freienstein, tél. 44.865.13.12, fax 44.865.14.22 r.-v.
Andreas Schwarz

VOLG WEINKELLEREIEN
Tegerfelden Pinot noir Barrique 2003 ★★★

■	0,77 ha	1 842		11 à 15 €

Neuf mois de barrique ont légué à ce vin rouge foncé des arômes d'épices et de thé noir en complément des senteurs de framboise et de figue. Les tanins s'intègrent parfaitement dans la chair ample et puissante, ponctuée de notes de chocolat noir, puis de longues évocations de réglisse en finale. Un pinot noir de garde.
Volg Weinkellereien, Schaffhauserstr. 6, CP 344, 8401 Winterthur, tél. 52.264.26.68, fax 52.264.26.27, e-mail mailbox@volgweine.ch r.-v.

ZWEIFEL & CO Pinot noir Barrique 563 2003 ★★

■	2 ha	8 000		15 à 23 €

Il faudra à ce vin des plats puissants comme un gigot d'agneau ou un gibier pour mettre en valeur ses arômes de cerise et de prune légèrement épicées. L'empreinte des seize mois d'élevage sous bois se fond harmonieusement dans la chair ample et ronde, soutenue par des tanins présents, mais veloutés. En finale, les arômes boisés prennent le dessus, mais le temps devrait leur permettre de se fondre.
Zweifel & Co AG, Regensdorferstrasse 20, 8049 Zürich-Höngg, tél. 44.344.22.11, fax 44.344.24.03, e-mail u.zweifel@zweifelweine.ch r.-v.
Walter Zweifel

Canton du Tessin

Le vignoble tessinois s'étend de Giornico au nord à Chiasso au sud, sur une surface de 1020 ha. Une grande partie des trois mille huit cents viticulteurs du canton possèdent des petites parcelles auxquelles ils consacrent leurs loisirs ; depuis quelques années, une trentaine se consacrent à la viticulture, vinifient et commercialisent. Environ cent viticulteurs travaillent leurs vignes à plein temps et vendent leur raisin aux coopératives. Le cépage prince du canton est le merlot d'origine bordelaise, qui a été introduit dans le Tessin au début du XXe s. Actuellement, le merlot recouvre 85 % de la surface viticole du canton. Ce cépage permet la production de plusieurs types de vins : le blanc, le rosé et le rouge. Le vin rouge de merlot, sans doute le plus répandu, peut être léger ou bien corsé, apte au vieillissement en fonction du temps de cuvage. Certains sont élevés en barrique. La production moyenne décennale de merlot du Tessin se monte à 55 000 quintaux. 2006 est l'année du centenaire de ce cépage dans le canton.

AGRA Merlot del Ticino Réserve-barrique 2003 ★★

■	0,5 ha	3 000		15 à 23 €

Un an de garde suffira à parfaire l'expression de ce vin rubis qui livre un nez intense d'épices, de tabac, de cacao et de fruits confits. Ample, il trouve un bon équilibre et persiste agréablement sur des flaveurs de fruits confits et de sureau. Pour des gibiers.
Vitivinicola Pelossi et Co, Via Carona 8, 6912 Lugano-Pazzallo, tél. et fax 91.994.56.77, e-mail s.pelossi@gmail.com r.-v.

GUIDO BRIVIO
Merlot del Ticino Riflessi d'Epoca 2003 ★★

■	n.c.	35 000		23 à 30 €

Œnologue formé en France et aux États-Unis, Guido Brivio a repris, à la fin des années 1980, une ancienne cave creusée dans la pierre du Monte Generoso, qu'il a totalement rénovée. Son merlot d'un rouge foncé livre un nez puissant de fruits rouges, annonce d'un corps structuré, mais souple, aux accents persistants de fruits, de tabac et de cacao. Une garde de huit ans est à sa portée.
SA I Vini di Guido Brivio, via Vignöo 8, 6850 Mendrisio, tél. 91.646.07.57, fax 91.646.08.05, e-mail brivio@brivio.ch r.-v.

KLAUSENER Rosso di sera 2002 ★★

■	n.c.	n.c.		15 à 23 €

De teinte intense, ce merlot décline de puissants arômes de cerise, de pain d'épice et de rumtopf (fruits macérés dans du rhum). Une agréable fraîcheur souligne la bouche souple dès l'attaque, ronde et empreinte de flaveurs de cuir, de torréfaction et de fruits rouges. Vous destinerez ce vin à des viandes rouges comme à des fromages affinés.
E. et F. Klausener, 6989 Purasca, tél. et fax 91.606.35.22, e-mail klausener@bluewin.ch r.-v.

LENÉO Merlot del Ticino Riserva 2003 ★★

■	n.c.	4 500		15 à 23 €

Remontant à 1792, lorsque les ancêtres des Corti ouvrirent une auberge sur la route du Gothard, ce domaine se situe au sud du Tessin dans la région de Mendrisiotto. Son merlot exprime des nuances d'épices, de fruits rouges et de torréfaction, annonce d'une chair ample et fraîche, longuement aromatique. Seuls quelques tanins encore austères invitent à une garde.

⊶ SA Fratelli Corti, Via Sottobisio 13 A, 6828 Balerna, tél. 91.683.37.02, fax 91.683.17.85, e-mail vino@fratellicorti.ch ☑ Y ⚲ r.-v.

MEZZANOTTE Merlot del Ticino 2004 **

■ 0,8 ha 4 000 ⓘ 23 à 30 €

Un jeune domaine créé il y a cinq ans sur 1,5 ha. Ce merlot rubis brillant de reflets violacés libère des arômes intenses de fruits rouges et d'épices qui trouvent écho au palais, complétés de notes de tabac, de cacao et de fruits confits. Un vin franc, à savourer dans les deux ans.

⊶ Othmar Amstutz, Via Loco Coste 36, 6596 Gordola, tél. 78.720.02.50, e-mail amstutz.vini@swissonline.ch ☑ Y ⚲ r.-v.

TENUTA MONTALBANO
Merlot del Ticino Riserva 2002 **

■ 1,5 ha 6 460 ⓘ 15 à 23 €

Les raisins de 20 ha de vignes cultivées en terrasses sont vinifiés dans cette cave coopérative qui s'illustre en 2002 par un merlot tout en fruits rouges, à peine nuancés d'un boisé discret. Souple, rond, c'est un vin de bonne longueur sur la cerise et le cacao, à déguster dès à présent et jusqu'en 2010.

⊶ Cantina Sociale Mendrisio, Via Bernasconi 22, 6850 Mendrisio, tél. 91.646.46.21, fax 91.646.43.64, e-mail info@cantinemendrisio.ch ☑ Y ⚲ r.-v.

MORCOTE Merlot del Ticino 2004 **

■ 7,3 ha 30 000 ⓘ 15 à 23 €

Créée en 1944, cette maison de négoce possède 30 ha de vignobles dans le Tessin, dont celui de Morcote, autour des ruines du château, replanté à partir de 1988. Un merlot élégant y est né, habillé de pourpre. Aux arômes de fruits rouges répond une chair ample, finement épicée (vanille) et fruitée, que des tanins présents mais fins soutiennent jusqu'à la longue finale.

⊶ SA Vini Tamborini, Via Cantonale, 6814 Lamone, tél. 91.935.75.45, fax 91.935.75.49, e-mail info@tamborini-vini.ch
☑ Y ⚲ t.l.j. sf dim. 9h-12h 14h-18h ⌂ E

SASSI GROSSI Merlot del Ticino 2003 ***

■ n.c. 23 000 ⓘ 23 à 30 €

Fondé en 1953 par le père de Feliciano Gialdi, ce domaine produit les vins de la gamme Sassi Grossi à partir des vignes de merlot cultivées dans les Tre Valli (vallées de Leventina, Riviera et Benio), au nord du Tessin. Couleur rubis, ce 2003 affiche des notes complexes de fruits mûrs, de tabac, de cacao et de minéral. Il se montre souple à l'attaque, puis structuré par des tanins mûrs qui respectent l'expression du fruité jusqu'à la longue finale. L'élégance.

⊶ SA Casa Vinicola Gialdi, via Vignöo 3, 6850 Mendrisio, tél. 91.646.40.21, fax 91.646.67.06, e-mail info@gialdi.ch ☑ Y ⚲ r.-v.

TENUTA TRAPLETTI
Merlot du Tessin Culdrée 2004 ***

■ 1 ha 2 000 ⓘ 30 à 38 €

Enrico Trapletti travaillait pour une compagnie de chemin de fer tout en cultivant les quelques hectares de merlot de son père lorsque, en 2003, encouragé par les bons résultats de ses vinifications commencées en 1992, il décida de consacrer tout son temps à la production de vin. Ce merlot à reflets violacés décline d'intenses senteurs de sureau, de groseille, de tabac et de cacao. Rond dès l'attaque, ample et long, il sait allier puissance et élégance. Il possède la structure suffisante pour bien vieillir jusqu'en 2014.

⊶ Tenuta Vitivinicola Trapletti, via Mola 34, 6877 Coldrerio, tél. 91.646.03.61, e-mail traplettivini@ticino.com ☑ Y ⚲ r.-v. ⌂ A

TRE ROCCHE Merlot del Ticino 2003 **

■ 0,8 ha 4 000 ⓘ 15 à 23 €

Des nuances cerise noire apparaissent dans la robe de ce merlot comme dans la palette fruitée, soulignée d'un fin boisé. Leur doit-on cette pointe de fraîcheur qui rehausse la bouche ronde et souple, d'une intensité durable ? Un merlot que vous pourrez laisser en cave huit ans.

⊶ Cantina Pizzorin, via alla Serta 8A, 6514 Sementina, tél. 91.857.37.86, fax 91.857.37.41, e-mail info@pizzorin.ch ☑ Y ⚲ r.-v.

TENUTA VALLOMBROSA
Castelrotto Merlot del Ticino 2003 **

■ 5 ha 5 000 ⓘ 15 à 23 €

Entre les lacs de Ceresis et de Verbano, sur fond de Préalpes, ce domaine s'intègre dans un cadre naturel préservé, où les artistes du Land Art se sont réunis cet été 2006. Créé en 1908, il a connu une rénovation complète en 2004. Il propose un merlot rouge sombre à reflets violacés, riche d'arômes de fruits rouges, d'épices et de tabac, soulignés d'un boisé discret. Ample dès l'attaque, la bouche est harmonieuse jusqu'à la longue finale à dominante fruitée. Une personnalité déjà amène et qui le restera jusqu'en 2010

⊶ SA Giovanni Lucchini, Tenuta Vallombrosa, Via Serta, 6814 Lamone, tél. 91.942.13.33, fax 91.941.32.93, e-mail info@lucchini-vini.ch ☑ Y ⚲ r.-v. ⌂ 7

VINDALA Merlot del Ticino 2004 **

■ 0,6 ha 2 400 ⓘ 15 à 23 €

Intensité, c'est ainsi que se définit ce merlot aux arômes puissants de fruits rouges, d'épices et de tabac. S'il attaque avec fraîcheur, le vin gagne en ampleur au palais tout en associant les flaveurs fruitées à un boisé discret. L'élégance est un autre de ses atouts.

⊶ Cantina Settemaggio, Via Pedmut 15, 6513 Montecarasso, tél. et fax 91.825.69.01, e-mail settemaggio@freesurf.ch ☑ Y ⚲ r.-v.

LES CÉPAGES FRANÇAIS

Le vin, c'est du raisin. Certes, mais la vigne domestiquée, *Vitis vinifera*, admet plusieurs variétés, plus proprement dénommées cultivars ou cépages, dont les caractères sont fort différents dans la nature comme dans le vin produit à partir de leurs fruits. L'ampélographe Pierre Galet a recensé quelque 9 600 cépages dans le monde : un patrimoine incommensurable dont les vignerons n'exploitent aujourd'hui qu'une infime partie.

Certains cépages, casaniers, ont trouvé une niche dans des régions précises, dans des aires viticoles limitées ; d'autres, grands voyageurs, ont fait carrière dans les deux hémisphères. Ainsi de la syrah qui a essaimé depuis la vallée du Rhône pour gagner non seulement la Suisse toute proche, mais aussi le Languedoc ; elle a traversé les océans jusqu'en Californie et surtout en Australie, dont elle a forgé la réputation vinicole. Casaniers ou voyageurs, les cépages participent de l'identité d'une région.

Toutefois, seul, le cépage serait bien incapable de donner aux vins leur caractère : quelle différence y aurait-il entre des chenins de Loire et d'Afrique du Sud, entre des sauvignons du Bordelais et de Nouvelle-Zélande ? Le vin n'est pas un produit industriel, reproductible partout à l'identique. Il entretient un lien privilégié avec un sol, un climat, un relief, un cours d'eau... avec un terroir. La Bourgogne est à ce titre exemplaire, car elle se consacre presque entièrement à la culture de deux cépages : le pinot noir pour ses vins rouges, le chardonnay pour ses vins blancs. Or, ses vins sont loin de se ressembler. Les amateurs débutants sauront distinguer un chablis de tout autre cru bourguignon ; les plus expérimentés percevront le raffinement du bâtard-montrachet et la rigueur du chevalier-montrachet, deux grands crus du sud de la Côte de Beaune : le premier est récolté sur une faible pente aux sols bruns calcaires et argileux, le second plus haut sur le coteau, exposé à l'est et au sud, sur des sols pierreux très légers. C'est bien là que réside toute la différence, le terroir apportant au vin sa structure. Aujourd'hui, partout dans le monde, les vignerons ont saisi l'intérêt de sélectionner les terroirs, et les producteurs de vins de pays ne sont pas en reste.

Un cépage, un terroir... Un terroir et des cépages alliés aussi. Car le vin peut être issu d'un seul cépage (il est alors monocépage) ou de l'assemblage de plusieurs variétés de raisin qui se complètent : le merlot apporte de la rondeur au cabernet-sauvignon ; le carignan de la puissance au grenache. S'il doit respecter les règles en vigueur dans son aire d'appellation d'origine, chaque producteur possède une marge de liberté qui lui permet de moduler les proportions de tel ou tel cépage dans son vin. Autre individualité. Les vins sont différents d'un pays à l'autre, d'une région à l'autre, d'une aire à l'autre, d'un vigneron à l'autre.

Cette table des cépages est une nouvelle porte d'entrée dans le *Guide Hachette des vins*. Classés par ordre alphabétique, les cépages renvoient aux vins d'appellation d'origine auxquels ils participent. Le lecteur se reportera à l'index des appellations pour retrouver la présentation des vins et la sélection de l'année. Chaque nom de cépage est suivi d'un symbole indiquant sa couleur. Les vins dont il constitue la seule composante sont identifiés par une étoile.

■ ABOURIOU
Sud-Ouest :
côtes-du-marmandais.

■ ALIGOTÉ
Beaujolais :
coteaux-du-lyonnais.
Bourgogne :
bourgogne-aligoté* ; bouzeron* ; crémant-de-bourgogne.
Bugey.
Rhône :
châtillon-en-diois.

■ ALTESSE
Bugey.
Savoie :
roussette-de-savoie* ; seyssel ; vin-de-savoie.

■ ARAGNAN
Provence :
palette.

■ ARRUFIAC
Sud-Ouest :
béarn ; béarn-bellocq ; côtes-de-saint-mont ; pacherenc-du-vic-bilh.

■ AUXERROIS
Alsace :
alsace-pinot blanc ; crémant-d'alsace.
Est :
moselle.

■ BARBAROSSA
Corse :
ajaccio ; vin-de-corse.

■ BARBAROUX
Provence :
cassis.

■ BAROQUE
Sud-Ouest :
tursan.

■ BOURBOULENC (DOUCILLON)
Languedoc :
corbières ; coteaux-du-languedoc ; minervois.
Provence :
bandol ; cassis ; coteaux-d'aix-en-provence.
Rhône :
châteauneuf-du-pape ; côtes-du-rhône ; côtes-du-rhône-villages ; côtes-du-ventoux ; lirac ; tavel ; vacqueyras.

■ BRAQUET (BRACHET)
Provence :
bellet.

■ CABERNET FRANC (BRETON ; BOUCHY)
Bordelais :
bordeaux, bordeaux supérieur ; bordeaux clairet, bordeaux rosé, bordeaux-côtes-de-francs ; côtes-de-blaye ; canon-fronsac ; côtes-de-bourg ; côtes-de-castillon ; fronsac ; graves-de-vayres ; haut-médoc ; graves ; lalande-de-pomerol ; lussac-saint-émilion ; margaux ; médoc ; montagne-saint-émilion ; moulis-en-médoc ; pauillac ; pessac-léognan ; pomerol ; premières-côtes-de-bordeaux ; puissseguin-saint-émilion ; sainte-foy-bordeaux ; saint-émilion ; saint-émilion grand cru ; saint-estèphe ; saint-georges-saint-émilion ; saint-julien.
Loire :
anjou, anjou-villages ; anjou-villages-brissac ; bourgueil ; cabernet-d'anjou ; cabernet-de-saumur ; cheverny ; chinon ; coteaux-d'ancenis ; coteaux-du-loir ; coteaux-du-vendômois ; crémant-de-loire ; fiefs-vendéens ; haut-poitou ; orléanais ; rosé-d'anjou ; rosé-de-loire ; saint-nicolas-de-bourgueil ; saumur ; saumur-champigny ; touraine ; touraine-amboise ; touraine-mesland ; valençay.
Poitou-Charentes :
pineau-des-charentes.
Provence :
coteaux-varois.
Sud-Ouest :
béarn ; béarn-bellocq ; bergerac ; buzet ; coteaux-du-quercy ; côtes-de-bergerac ; côtes-de-duras ; côtes-de-saint-mont ; côtes-du-brulhois ; côtes-du-frontonnais ; côtes-du-marmandais ; floc-de-gascogne ; gaillac ; irouléguy ; madiran ; marcillac ; pécharmant ; saint-sardos ; tursan ; vin-d'entraygues-et-du-fel.

■ CABERNET-SAUVIGNON
Bordelais :
côtes-de-blaye ; bordeaux ; bordeaux supérieur, bordeaux clairet ; bordeaux rosé ; bordeaux-côtes-de-francs ; canon-fronsac ; côtes-de-bourg ; côtes-de-castillon ; fronsac ; graves ; graves-de-vayres ; haut-médoc ; lalande-de-pomerol ; listrac-médoc ; lussac-saint-émilion ; margaux ; médoc ; montagne-saint-émilion ; moulis-en-médoc ; pauillac ; pessac-léognan ; pomerol ; premières-côtes-de-bordeaux ;

puissseguin-saint-émilion ; sainte-foy-bordeaux ; saint-émilion,
saint-émilion grand cru ; saint-estèphe ;
saint-georges-saint-émilion ; saint-julien.

Languedoc :
cabardès ; côtes-de-la malepère ; limoux.

Loire :
anjou ; anjou-villages ; anjou-villages-brissac ;
bourgueil ; cabernet-d'anjou ;
cabernet-de-saumur ; chinon ;
crémant-de-la-loire ; orléanais ; rosé-d'anjou ;
rosé-de-loire ; saint-nicolas-de-bourgueil ;
saumur ; saumur-champigny ; touraine ;
valençay.

Poitou-Charentes :
pineau-des-charentes.

Provence :
baux-de-provence ; coteaux-d'aix-en-provence ;
côtes-de-provence.

Sud-Ouest :
béarn ; béarn-bellocq ; bergerac ; buzet ;
côtes-de-bergerac ; côtes-de-duras ;
côtes-de-millau ; côtes-de-saint-mont ;
côtes-du-brulhois ; côtes-du-frontonnais ;
côtes-du-marmandais ; floc-de-gascogne ;
gaillac ; irouléguy ; madiran ; marcillac ;
pécharmant ; tursan ; vin-d'entraygues-et-du-fel.

■ CALITOR

Provence :
tavel.

■ CAMARALET

Sud-Ouest :
béarn, béarn-bellocq.

■ CARIGNAN

Languedoc :
corbières ; costières-de-nîmes ;
coteaux-du-languedoc ; faugères ; fitou ;
limoux ; minervois ; saint-chinian.

Roussillon :
banyuls, banyuls grand cru ; collioure ;
côtes-du-roussillon, côtes-du-roussillon-villages.

Provence :
bandol ; baux-de-provence ; cassis ;
coteaux-d'aix-en-provence ; coteaux-varois ;
côtes-de-provence.

Rhône :
coteaux-de-pierrevert ; coteaux-du-tricastin ;
côtes-du-rhône, côtes-du-rhône-villages ; lirac ;
tavel.

■ CARMENÈRE

Bordelais :
bordeaux, bordeaux supérieur.

■ CÉSAR

Bourgogne :
irancy.

■ CHARDONNAY

Alsace :
crémant-d'alsace.

Beaujolais :
beaujolais* ; coteaux-du-lyonnais.

Bourgogne :
aloxe-corton* ; auxey-duresses* ;
bâtard-montrachet* ; beaune* ;
bienvenues-bâtard-montrachet* ; bourgogne*,
bourgogne-côtes-chalonnaise*,
bourgogne-hautes côtes-de-beaune* ;
bourgogne-hautes-côtes-de-nuits* ; chablis*,
chablis grand cru*, chablis premier cru* ;
chassagne-montrachet* ;
chevalier-montrachet* ;
chorey-lès-beaune* ; corton* ;
corton-charlemagne* ;
côte-de-beaune* ;
côte-de-nuits-villages* ;
crémant-de-bourgogne ;
criots-bâtard-montrachet* ; fixin* ; givry* ;
ladoix* ;
mâcon*, mâcon-villages* ; maranges* ;
marsannay ; mercurey* ; meursault* ;
montagny* ; monthélie* ; montrachet* ;
morey-saint-denis ; musigny* ;
nuits-saint-georges* ; pernand-vergelesses* ;
petit-chablis* ; pouilly- fuissé* ; pouilly-loché* ;
pouilly-vinzelles* ; puligny-montrachet* ;
rully* ; saint-aubin* ; saint-romain* ;
saint-véran* ; santenay* ; savigny-lès-beaune* ;
viré-clessé* ; vougeot*.

Bugey

Champagne :
champagne ; coteaux- champenois.

Jura :
arbois ; côtes-du-jura ; crémant-du-jura ;
l'étoile ; macvin-du-jura.

Languedoc :
blanquette-de-limoux ; crémant-de-limoux ;
limoux.

Loire :
anjou ; cheverny ; côtes-d'auvergne ;
crémant-de-loire ; fiefs-vendéens ; orléanais ;
saint-pourçain ; saumur ; touraine-mesland ;
valençay.

Poitou-Charentes :
haut-poitou.

Provence :
bellet.

Rhône :
châtillon-en-diois.

CHASSELAS

Loire :
pouilly-sur-loire*.

Savoie :
crépy* ; vin-de-savoie.

CHENIN BLANC (PINEAU DE LA LOIRE)

Loire :
anjou ; anjou-coteaux-de-la-loire* ; bonnezeaux* ; chinon ; coteaux-d'ancenis ; coteaux-de-l'aubance* ; coteaux-du-layon* ; coteaux-du-loir ; coteaux-du-vendômois ; crémant-de-loire ; fiefs-vendéens ; jasnières* ; montlouis-sur-loire* ; quarts-de-chaume* ; saumur ; savennières* ; savennières-coulée-de-serrant* ; savennières-roche-aux-moines* ; touraine ; touraine-amboise* ; touraine-mesland ; vouvray.

Languedoc :
blanquette-de-limoux ; crémant-de-limoux ; limoux.

Sud-Ouest :
côtes-de-duras ; côtes-de-millau ; vin-d'entraygues-et-du-fel.

CINSAULT

Corse :
ajaccio.

Languedoc :
corbières ; costières-de-nîmes ; coteaux-du-languedoc ; côtes-de-la-malepère ; faugères ; minervois ; saint-chinian.

Provence :
bandol ; baux-de-provence ; bellet ; cassis ; coteaux-d'aix-en-provence ; coteaux-varois ; côtes-de-provence ; palette.

Rhône :
châteauneuf-du-pape ; coteaux-de-pierrevert ; coteaux-du-tricastin ; côtes-du-luberon ; côtes-du-rhône ; côtes-du-rhône-villages ; côtes-du-ventoux ; gigondas ; lirac ; tavel ; vacqueyras.

Roussillon :
collioure.

CLAIRETTE

Languedoc :
clairette-de-bellegarde* ; clairette-du-languedoc* ; costières-de-nîmes ; coteaux-du-languedoc.

Provence :
bandol ; cassis ; coteaux-d'aix-en-provence ; coteaux-varois ; côtes-de-provence ; palette.

Rhône :
châteauneuf-du-pape ; clairette-de-die ; coteaux-de-pierrevert ; coteaux-du-tricastin ; côtes-du-luberon ; côtes-du-rhône ; côtes-du-rhône-villages ; côtes-du-ventoux ; côtes-du-vivarais ; crémant-de-die ; lirac ; tavel ; vacqueyras.

Sud-Ouest :
côtes-de-saint-mont.

COLOMBARD

Bordelais :
côtes-de-blaye ; premières-côtes-de-blaye ; côtes-de-bourg ; crémant-de-bordeaux.

Poitou-Charentes :
pineau-des-charentes.

Sud-Ouest :
floc-de-gascogne.

COUNOISE

Provence :
baux-de-provence ; coteaux-d'aix-en-provence.

Rhône :
côtes-du-rhône, côtes-du-rhône-villages.

COURBU

Sud-Ouest :
béarn, béarn-bellocq ; côtes-de-saint-mont ; irouléguy ; jurançon, jurançon sec ; pacherenc-du-vic-bilh.

DURAS

Sud-Ouest :
gaillac.

DURIF

Provence :
palette.

FER-SERVADOU (BRAUCOL, PINENC)

Sud-Ouest :
béarn, béarn-bellocq ; côtes-de-millau ; floc-de-gascogne ; gaillac ; madiran ; marcillac ; vin-d'entraygues-et-du-fel.

FOLLE BLANCHE (GROS PLANT)

Loire :
gros-plant du pays nantais*.

Sud-Ouest :
floc-de-gascogne.

FUELLA NERA

Provence :
bellet.

■ GAMAY NOIR

Beaujolais :
beaujolais* ; beaujolais-villages* ; brouilly* ; côtes-de-brouilly* ; chénas* ; chiroubles* ; coteaux-du-lyonnais* ; côte-roannaise* ; fleurie* ; juliénas* ; morgon* ; moulin-à-vent* ; régnié* ; saint-amour*.

Bourgogne :
bourgogne-passetoutgrain ; crémant-de-bourgogne ; mâcon.

Bugey

Est :
côtes-de-toul ; moselle.

Loire :
aujou-gamay* ; châteaumeillant ; cheverny ; coteaux-d'ancenis ; coteaux-du-giennois ; coteaux-du-loir ; coteaux-du-vendômois ; côte-roannaise ; côtes-d'auvergne ; côtes-du-forez* ; fiefs-vendéens ; rosé-d'anjou ; saint-pourçain ; saumur ; touraine ; touraine-amboise ; touraine-mesland ; valençay.

Poitou-Charentes :
haut-poitou.

Rhône :
châtillon-en-diois.

Savoie :
vin-de-savoie.

Sud-Ouest :
coteaux-du-quercy ; côtes-de-millau ; côtes-du-marmandais ; gaillac ; vin-d'entraygues-et-du-fel.

GEWURZTRAMINER

Alsace :
alsace-gewurztraminer* ; alsace grand cru gewurztraminer*.

GRENACHE BLANC

Languedoc :
corbières ; costières-de-nîmes ; coteaux-du-languedoc ; faugères ; minervois ; saint-chinian.

Provence :
coteaux-d'aix-en-provence ; coteaux-varois ; palette.

Roussillon :
banyuls ; banyuls grand cru ; côtes-du-roussillon ; maury ; rivesaltes.

Rhône :
châteauneuf-du-pape ; coteaux-de-pierrevert ; coteaux-du-tricastin ; côtes-du-luberon ; côtes-du-rhône, côtes-du-rhône-villages ; côtes-du-ventoux ; côtes-du-vivarais ; lirac ; rasteau ; vacqueyras.

GRENACHE GRIS

Provence :
coteaux-varois.

Rhône :
rasteau.

Roussillon :
banyuls, banyuls grand cru ; collioure ; maury ; rivesaltes.

■ GRENACHE NOIR

Corse :
ajaccio ; patrimonio ; vin-de-corse.

Languedoc :
cabardès ; corbières ; costières-de-nîmes ; coteaux-du-languedoc ; fitou ; minervois ; saint-chinian.

Provence :
bandol ; baux-de-provence ; bellet ; cassis ; coteaux-d'aix-en-provence ; coteaux-varois ; côtes-de-provence ; palette.

Rhône :
châteauneuf-du-pape ; coteaux-de-pierrevert ; coteaux-du-tricastin ; côtes-de-la-malepère ; côtes-du-luberon ; côtes-du-rhône-villages ; côtes-du-ventoux ; côtes-du-vivarais ; gigondas ; lirac ; rasteau ; tavel ; vacqueyras.

Roussillon :
banyuls, banyuls grand cru ;. collioure ; côtes-du-roussillon ; rivesaltes.

■ GROLLEAU (GROSLOT)

Loire :
coteaux-du-loir ; fiefs-vendéens ; crémant-de-loire ; rosé-d'anjou ; rosé-de-loire ; saumur.

■ LLEDONER PELUT

Languedoc :
coteaux-du-languedoc ; minervois.

Rousillon :
côtes-du-roussillon ; côtes-du-roussillon-villages.

JACQUÈRE

Bugey.

Savoie :
vin-de-savoie.

■ JURANÇON NOIR

Sud-Ouest :
cahors.

LEN DE L'EL

Sud-Ouest :
gaillac.

MACABEU (MACCABÉO)

Languedoc :
corbières ; minervois.

Roussillon :
banyuls, banyuls-grand cru ;
côtes-du-roussillon ; maury ; rivesaltes.

■ MALBEC (CÔT ; AUXERROIS)

Bordelais :
bordeaux ; bordeaux supérieur ;
bordeaux-côtes-de-francs ; canon-fronsac ;
côtes-de-bourg ; fronsac ; haut-médoc ;
lalande-de-pomerol ; médoc ; moulis-en-médoc ;
pessac-léognan ; pomerol ;
premières-côtes-de-bordeaux ; saint-julien.

Est :
côtes-de-toul.

Languedoc :
côtes-de-la malepère ; limoux.

Loire :
cheverny ; coteaux-du-loir ; rosé-d'anjou ;
saumur ; touraine ; touraine-amboise ;
touraine-azay-le-rideau ; touraine-mesland ;
valençay.

Sud-Ouest :
bergerac ; cahors ; coteaux-du-quercy ;
côtes-de-bergerac ; côtes-de-duras ;
côtes-du-brulhois ; côtes-du-frontonnais ;
côtes-du-marmandais ; floc-de-gascogne ;
pécharmant.

MALVOISIE (VERMENTINO)

Corse :
ajaccio ; patrimonio ; vin-de-corse.

Languedoc :
corbières ; minervois.

Rhône :
coteaux-de-pierrevert ; côtes-du-luberon.

Roussillon :
banyuls ; banyuls grand cru ;
côtes-du-roussillon ; maury ; rivesaltes.

■ MANOSQUIN

Provence :
palette.

MANSENG (PETIT)

Sud-Ouest :
béarn ; béarn-bellocq ; côtes-de-saint-mont ;
floc-de-gascogne ; irouléguy ; jurançon ;
jurançon sec ; pacherenc-du-vic-bilh.

MANSENG (GROS)

Sud-Ouest :
béarn ; béarn-bellocq ; irouléguy ; jurançon ;
jurançon sec ; pacherenc-du-vic-bilh.

MARSANNE

Languedoc :
corbières ; costières-de-nîmes ;
coteaux-du-languedoc ; faugères ; minervois ;
saint-chinian.

Provence :
cassis.

Rhône :
coteaux-du-tricastin ; côtes-du-rhône ;
côtes-du-rhône-villages ; côtes-du-vivarais ;
crozes-hermitage ; hermitage ; lirac ;
saint-joseph ; saint-péray.

Roussillon :
côtes-du-roussillon.

MAUZAC

Languedoc :
blanquette-de-limoux ; crémant-de-limoux ;
limoux.

Sud-Ouest :
côtes-de-duras ; côtes-de-millau ;
floc-de-gascogne ; gaillac ;
vin-d'entraygues-et-du-fel.

MELON DE BOURGOGNE

Loire :
fiefs-vendéens ; muscadet*,
muscadet-sèvre-et-maine*,
muscadet-coteaux-de-la-loire*,
muscadet-côtes-de-grandlieu*.

■ MÉRILLE

Sud-Ouest :
bergerac, bergerac sec ; côtes-de-bergerac ;
côtes-du-frontonnais.

■ MERLOT

Bordelais :
blaye ; bordeaux ; bordeaux supérieur ;
bordeaux clairet ; bordeaux rosé ;
bordeaux-côtes-de-francs ; canon-fronsac ;
côtes-de-bourg ; côtes-de-castillon ; fronsac ;
graves ; graves-de-vayres ; haut-médoc ;
lalande-de-pomerol ; listrac-médoc ;
lussac-saint-émilion ; margaux ; médoc ;
montagne-saint-émilion ; moulis-en-médoc ;
pauillac ; pessac-léognan ; pomerol ;
premières-côtes-de-bordeaux ;
puisseguin-saint-émilion ; sainte-foy-bordeaux ;
saint-émilion ; saint-émilion grand cru ;
saint-estèphe ; saint-georges-saint-émilion ;
saint-julien.

Languedoc :
côtes-de-la-malepère ; limoux.

Poitou-Charentes :
pineau-des-charentes.

Sud-Ouest :
bergerac ; buzet ; cabardès ; cahors ; côtes-de-bergerac ; côtes-de-duras ; côtes-de-saint-mont ; côtes-du-brulhois ; côtes-du-marmandais ; floc-de-gascogne ; gaillac ; marcillac ; pécharmant ; saint-sardos.

MOLETTE

Bugey

Savoie :
seyssel.

■ MONDEUSE

Bugey.

Savoie :
vin-de-savoie.

MONTILS

Poitou-Charentes :
pineau-des-charentes.

■ MOURVÈDRE

Corse :
vin-de-corse.

Languedoc :
costières-de-nîmes ; coteaux-du-languedoc ; faugères ; fitou ; minervois ; saint-chinian.

Provence :
bandol ; baux-de-provence ; cassis ; coteaux-d'aix-en-provence ; coteaux-varois ; côtes-de-provence ; palette.

Rhône :
châteauneuf-du-pape ; côtes-du-luberon ; côtes-du-rhône ; côtes-du-rhône-villages ; côtes-du-ventoux ; gigondas ; lirac ; tavel ; vacqueyras.

Roussillon :
côtes-du-roussillon ; côtes-du-roussillon-villages.

MUSCADELLE

Bordelais :
barsac ; côtes-de-blaye ; premières-côtes-de-blaye ; bordeaux-côtes-de-francs ; bordeaux sec ; cadillac ; cérons ; côtes-de-bourg ; crémant-de-bordeaux ; entre-deux-mers ; graves supérieures ; graves-de-vayres ; loupiac ; pessac-léognan ; premières-côtes-de-bordeaux ; sainte-croix-du-mont ; sainte-foy-bordeaux ; sauternes.

Languedoc :
corbières.

Roussillon :
collioure.

Sud-Ouest :
bergerac ; bergerac sec ; côtes-de-bergerac ; côtes-de-duras ; côtes-du-marmandais ; gaillac ; monbazillac ; montravel ; saussignac.

■ MUSCARDIN

Rhône :
châteauneuf-du-pape.

MUSCAT BLANC À PETITS GRAINS

Alsace :
alsace-muscat ; alsace grand cru muscat.

Corse :
muscat-du-cap-corse*.

Languedoc :
muscat-de-frontignan* ; muscat-de-lunel* ; muscat-de-mireval* ; muscat-de-saint-jean-de-minervois*.

Provence :
palette.

Rhône :
clairette-de-die* ; muscat-de-beaumes-de-venise*.

Roussillon :
muscat-de-rivesaltes.

MUSCAT D'ALEXANDRIE

Roussillon :
muscat-de-rivesaltes.

MUSCAT OTTONEL

Alsace :
alsace-muscat ; alsace grand cru muscat.

MUSCAT ROSE À PETITS GRAINS

Alsace :
alsace-muscat ; alsace grand cru muscat.

■ NÉGRETTE

Loire :
fiefs-vendéens.

Sud-Ouest :
côtes-du-frontonnais.

■ NIELLUCCIU

Corse :
patrimonio ; vin-de-corse.

ONDENC

Sud-Ouest :
côtes-de-duras ; gaillac.

■ PETIT VERDOT

Bordelais :
bordeaux ; bordeaux supérieur ; haut-médoc ; listrac-médoc ; médoc ; moulis-en-médoc ; pessac-léognan ; saint-estèphe ; saint-julien.

PICARDAN

Rhône :
châteauneuf-du-pape.

PIQUEPOUL

Languedoc :
coteaux-du-languedoc (Picpoul-de-Pinet*) ; minervois.

Provence :
palette.

Rhône :
châteauneuf-du-pape ; lirac ; tavel.

PINEAU D'AUNIS

Loire :
cheverny ; coteaux-du-loir ; coteaux-du-vendômois ; crémant-de-loire ; rosé-d'anjou ; rosé-de-loire ; saumur ; touraine.

PINOT BLANC

Alsace :
alsace-pinot blanc ; crémant-d'alsace.

Bourgogne :
marsannay ; morey-saint-denis.

Est :
moselle.

PINOT GRIS

Alsace :
alsace-tokay-pinot gris*, alsace grand cru tokay-pinot gris* ; crémant-d'alsace.

Est :
moselle.

Jura :
crémant-du-jura.

Loire :
châteaumeillant ; reuilly (rouge) ; coteaux-d'ancenis ; touraine-noble-joué (rosé).

PINOT MEUNIER

Champagne :
champagne ; coteaux-champenois.

Loire :
orléanais ; touraine-noble-joué (rosé).

PINOT NOIR

Alsace :
alsace-pinot noir* ; crémant-d'alsace.

Bourgogne :
aloxe-corton* ; auxey-duresses* ; beaune* ; blagny* ; bonnes-mares* ; bourgogne* ; bourgogne-côte-chalonnaise* ; bourgogne-hautes côtes-de-baune* ; bourgogne-hautes-côtes-de-nuits* ; bourgogne-passetougrain* ; chambertin* ; chambertin-clos-de-bèze* ; chambolle-musigny* ; chapelle-chambertin* ; charmes-chambertin* ; chassagne-montrachet* ; chorey-lès-beaune* ; clos-de-la-roche* ; clos-des-lambrays* ; clos-de-tart* ; clos-de-vougeot* ; clos-saint-denis* ; corton* ; côte-de-beaune* ; côte-de-nuits-villages* ; crémant-de-bourgogne ; échézeaux* ; fixin* ; gevrey-chambertin* ; givry* ; la grande-rue* ; grands-échézeaux* ; griotte-chambertin* ; irancy* ; ladoix* ; latricières-chambertin* ; mâcon ; maranges* ; marsannay* ; mazis-chambertin* ; mazoyères-chambertin* ; mercurey* ; meursault* ; monthélie* ; morey-saint-denis* ; musigny* ; nuits-saint-georges* ; pernand-vergelesses* ; pommard* ; puligny-montrachet* ; richebourg* ; la romanée* ; romanée-conti* ; romanée-saint-vivant* ; ruchottes-chambertin* ; rully* ; saint-aubin* ; saint-romain* ; santenay* ; savigny-lès-beaune* ; la tâche* ; volnay* ; vosne-romanée* ; vougeot*.

Bugey

Champagne :
champagne ; coteaux-champenois ; rosé-des-riceys.

Est :
côtes-de-toul ; moselle.

Jura :
arbois ; côtes-du-jura ; crémant-du-jura ; macvin-du-jura.

Loire :
châteaumeillant ; cheverny ; coteaux-du-giennois ; coteaux-du-vendômois ; côtes-d'auvergne ; crémant-de-loire ; fiefs-vendéens ; menetou-salon ; reuilly ; saint-pourçain ; sancerre* ; touraine-noble-joué ; valençay.

Rhône :
châtillon-en-diois.

Savoie :
vin-de-savoie.

POULSARD

Jura :
arbois ; côtes-du-jura ; crémant-du-jura ; l'étoile ; macvin-du-jura.

Bugey

RIESLING

Alsace :
alsace-riesling* ; alsace grand cru riesling* ; crémant-d'alsace.

ROLLE

Languedoc :
costières-de-nîmes.

Provence :
bellet ; coteaux-d'aix-en-provence ; coteaux-varois ; côtes-de-provence.

ROMORANTIN

Loire :
cour-cheverny*.

ROUSSANNE

Languedoc :
corbières ; costières-de-nîmes ; coteaux-du-languedoc ; faugères ; minervois ; saint-chinian.

Rhône :
châteauneuf-du-pape ; coteaux-de-pierrevert ; coteaux-du-tricastin ; côtes-du-luberon ; côtes-du-rhône ; côtes-du-rhône-villages ; côtes-du-ventoux ; crozes-hermitage ; hermitage ; lirac ; saint-joseph ; saint-péray ; vacqueyras.

Roussillon :
côtes-du-roussillon.

Savoie :
vin-de-savoie.

SAUVIGNON (BLANC FUMÉ)

Bourgogne :
saint-bris*.

Bordelais :
barsac ; côtes-de-blaye ; premières-côtes-de-blaye ; bordeaux-côtes-de-francs ; bordeaux sec ; cadillac ; cérons ; côtes-de-bourg ; crémant-de-bordeaux ; entre-deux-mers ; graves ; graves supérieures ; graves-de-vayres ; loupiac ; pessac-léognan ; premières-côtes-de-bordeaux ; sainte-croix-du-mont ; sainte-foy-bordeaux ; sauternes.

Loire :
anjou ; cheverny ; coteaux-du-giennois ; fiefs-vendéens ; menetou-salon* ; quincy* ; reuilly* ; saint-pourçain ; sancerre* ; saumur ; touraine ; touraine-mesland ; valençay.

Poitou-Charentes :
haut-poitou.

Provence :
bandol ; cassis ; coteaux-d'aix-en-provence.

Sud-Ouest :
béarn ; béarn-bellocq ; bergerac ; bergerac sec ; buzet ; côtes-de-bergerac ; côtes-de-duras ; côtes-du-marmandais ; floc-de-gascogne ; gaillac ; monbazillac ; montravel ; pacherenc-du-vic-bilh ; saussignac.

SAVAGNIN

Jura :
arbois ; château-chalon* ; côtes-du-jura ; crémant-du-jura ; l'étoile ; macvin-du-jura.

SCIACCARELLU

Corse :
ajaccio ; patrimonio ; vin-de-corse.

SÉMILLON

Bordelais :
barsac ; côtes-de-blaye ; premières-côtes-de-blaye ; bordeaux-côtes-de-francs ; bordeaux sec ; cadillac ; cérons ; côtes-de-bourg ; crémant-de-bordeaux ; entre-deux-mers ; graves ; graves supérieures ; graves-de-vayres ; loupiac ; pessac-léognan ; premières-côtes-de-bordeaux ; sainte-croix-du-mont ; sainte-foy-bordeaux ; sauternes.

Poitou-Charentes :
pineau-des-charentes.

Provence :
coteaux-d'aix-en-provence ; coteaux-varois ; côtes-de-provence.

Sud-Ouest :
bergerac ; bergerac sec ; buzet ; côtes-de-bergerac ; côtes-de-duras ; côtes-du-marmandais ; floc-de-gascogne ; gaillac ; monbazillac ; montravel ; pacherenc-du-vic-bilh ; saussignac.

SYLVANER

Alsace :
alsace-sylvaner*.

SYRAH

Languedoc :
cabardès ; corbières ; costières-de-nîmes ; coteaux-du-languedoc ; faugères ; fitou ; limoux ; minervois ; saint-chinian.

Provence :
bandol ; baux-de-provence ; coteaux-d'aix-en-provence ; coteaux-varois ; côtes-de-provence.

Rhône :
châteauneuf-du-pape ; châtillon-en-diois ; cornas* ; coteaux-de-pierrevert ; coteaux-du-tricastin ; côtes-du-rhône ; côtes-du-rhône-villages ; côtes-du-luberon ; côtes-du-ventoux ; côtes-du-vivarais ; côte-rôtie ; crozes-hermitage* ; gigondas ; hermitage* ; lirac ; saint-joseph* ; tavel ; vacqueyras.

Roussillon :
collioure ; côtes-du-roussillon ; côtes-du-roussillon-villages.

Sud-Ouest :
côtes-de-millau ; côtes-du-frontonnais ; côtes-du-marmandais ; gaillac ; saint-sardos.

■ TANNAT

Sud-Ouest :
béarn ; béarn-bellocq ; cahors ; coteaux-du-quercy ; côtes-de-saint-mont ; côtes-du-brulhois ; floc-de-gascogne ; irouléguy ; madiran ; saint-sardos ; tursan.

■ TERRET

Provence :
palette.

Rhône :
châteauneuf-du-pape.

■ TIBOUREN

Provence :
coteaux-varois ; côtes-de-provence ; palette.

■ TRESSALIER

Loire :
saint-pourçain.

■ TROUSSEAU

Jura :
arbois ; côtes-du-jura ; crémant-du-jura ; macvin-du-jura.

■ UGNI BLANC

Bordelais :
crémant-de-bordeaux.

Corse :
ajaccio; patrimonio.

Poitou-Charentes :
pineau-des-charentes.

Provence :
bandol ; bellet ; cassis ; coteaux-d'aix-en-provence ; coteaux-varois ; côtes-de-provence ; palette.

Rhône :
coteaux-de-pierrevert ; lirac.

Sud-Ouest :
bergerac ; bergerac sec ; côtes-de-duras ; côtes-du-marmandais ; floc-de-gascogne.

■ VACCARÈSE

Rhône :
châteauneuf-du-pape.

■ VIOGNIER

Languedoc :
coteaux-du-languedoc.

Rhône :
château-grillet* ; condrieu* ; coteaux-du-tricastin ; côte-rôtie ; côtes-du-rhône ; côtes-du-rhône-villages ; lirac.

GLOSSAIRE

Acerbe. Se dit d'un vin rendu âpre et vert par un fort excès de tanin et d'acidité. Défaut très grave.

Acescence. Maladie provoquée par des micro-organismes et donnant un vin piqué.

Acidité. Présente sans excès, l'acidité contribue à l'équilibre du vin, en lui apportant fraîcheur et nervosité. Mais lorsqu'elle est très forte, elle devient un défaut, en lui donnant un caractère mordant et vert. En revanche, si elle est insuffisante, le vin est mou.

Agressif. Se dit d'un vin montrant trop de force et attaquant désagréablement les muqueuses.

Aigreur. Caractère acide élevé, assorti d'une odeur particulière rappelant celle du vinaigre.

Aimable. Vin dont tous les aspects sont agréables et pas trop marqués.

Alcool. Composant le plus important du vin après l'eau, l'alcool éthylique apporte au vin son caractère chaleureux. Mais s'il domine trop, le vin devient brûlant.

Ambre. En vieillissant longuement, ou en s'oxydant prématurément, les vins blancs prennent parfois une teinte proche de celle de l'ambre.

Amertume. Normale pour certains vins rouges jeunes et riches en tanin, l'amertume est dans les autres cas un défaut dû à une maladie bactérienne.

Ampélographie. Science étudiant les cépages.

Ample. Se dit d'un vin harmonieux donnant l'impression d'occuper pleinement et longuement la bouche.

Analyse sensorielle. Nom technique de la dégustation.

Animal. Qualifie l'ensemble des odeurs du règne animal : musc, venaison, cuir..., surtout fréquentes dans les vins rouges vieux.

AOC. Appellation d'origine contrôlée. Système réglementaire garantissant l'authenticité d'un vin issu d'un terroir donné. Les grands vins proviennent de régions d'AOC.

Âpreté. Sensation rude, un peu râpeuse, provoquée par un fort excès de tanin.

Arôme. Dans le langage technique de la dégustation, ce terme devrait être réservé aux sensations olfactives perçues en bouche. Mais le mot désigne aussi fréquemment les odeurs en général.

Assemblage. Mélange de plusieurs vins pour obtenir un lot unique. Faisant appel à des vins de même origine, l'assemblage est très différent du coupage – mélange de vins de provenances diverses –, qui a une connotation péjorative.

Astringence. Caractère un peu âpre et rude en bouche, souvent présent dans de jeunes vins rouges riches en tanin et ayant besoin de s'arrondir.

B

Balsamique. Qualificatif d'odeurs venues de la parfumerie et comprenant, entre autres, la vanille, l'encens, la résine et le benjoin.

Ban des vendanges. Date autorisant le début des vendanges ; souvent occasion de fêtes.

Barrique. Fût bordelais de 225 litres, ayant servi à déterminer le « tonneau » (unité de mesure correspondant à quatre barriques).

Botrytis cinerea. Nom d'un champignon entraînant la pourriture des raisins. Généralement très néfaste, il peut sous certaines conditions climatiques produire une concentration des raisins qui est à la base de l'élaboration des vins blancs liquoreux.

Bouche. Terme désignant l'ensemble des caractères perçus dans la bouche.

Bouquet. Caractères odorants se percevant au nez lorsque l'on flaire le vin dans le verre, puis dans la bouche sous le nom d'arôme.

Bourbe. Eléments solides en suspension dans le moût. Voir débourbage.

Brillant. Se dit d'une couleur très limpide dont les reflets brillent fortement à la lumière.

Brûlé. Qualificatif, parfois équivoque, d'odeurs diverses, allant du caramel au bois brûlé.

Brut. On appelle bruts des vins effervescents comportant très peu de sucre (juste assez pour tempérer l'acidité du vin) ; « brut zéro » correspond à l'absence totale de sucre.

C

Capiteux. Caractère d'un vin très riche en alcool, jusqu'à en être fatigant.

Carafe. On appelle « vins de carafe » les vins qui se boivent jeunes et qu'autrefois on tirait directement au tonneau. Par exemple, le muscadet ou le beaujolais.

Casse. Accident (oxydation ou réduction) provoquant une perte de limpidité du vin.

Caudalie. Unité de mesure de la durée de persistance en bouche des arômes après la dégustation.

Cépage. Nom de la variété, en matière de vignes.

Chai. Bâtiment situé au-dessus du sol et destiné aux vins (synonyme de cellier) dans les régions où l'on ne creuse pas de caves.

Chair. Caractéristique d'un vin donnant dans la bouche une impression de plénitude et de densité, sans aspérité.

Chaleureux. Se dit d'un vin procurant, notamment par sa richesse alcoolique, une impression de chaleur.

Chaptalisation. Addition de sucre dans la vendange, contrôlée par la loi, afin d'obtenir un bon équilibre du vin par augmentation de la richesse en alcool lorsque celle-ci est trop faible.

Charnu. Se dit d'un vin ayant de la chair.

Charpente. Bonne constitution d'un vin avec une prédominance tannique ouvrant de bonnes possibilités de vieillissement.

Chartreuse. Dans le Bordelais, petit château du XVIIIe siècle ou du début du XIXe.

Château. Terme souvent utilisé pour désigner des exploitations vinicoles, même si parfois elles ne comportent pas de véritable château.

Clairet. Vin rouge léger et fruité, ou vin rosé produit en Bordelais et en Bourgogne.

Claret. Nom donné par les Anglais au vin rouge de Bordeaux.

Clavelin. Bouteille de forme particulière et d'une contenance de 60 cl, réservée aux vins jaunes du Jura.

Climat. Nom de lieu-dit cadastral dans le vignoble bourguignon.

Clone. Ensemble des pieds de vigne issus d'un pied unique par multiplication (bouturage ou greffage).

Clos. Très usité dans certaines régions pour désigner les vignes entourées de murs (Clos de Vougeot), ce terme a pris souvent un usage beaucoup plus large, désignant parfois les exploitations elles-mêmes.

Collage. Opération de clarification réalisée avec un produit (blanc d'œuf, colle de poisson) se coagulant dans le vin en entraînant dans sa chute les particules restées en suspension.

Cordon. Mode de conduite des vignes palissées.

Corps. Caractère d'un vin alliant une bonne constitution (charpente et chair) à de la chaleur.

Corsé. Se dit d'un vin ayant du corps.

Coulant. Un vin coulant (ou gouleyant) est un vin souple et agréable, glissant bien dans la bouche.

Coulure. Non transformation de la fleur en fruit due à une mauvaise fécondation, pouvant s'expliquer par des raisons diverses (climatiques, physiologiques, etc.).

Courgée. Nom de la branche à fruits laissée à la taille et qui est ensuite arquée le long du palissage dans le Jura (en Mâconnais, elle porte le nom de queue).

Court. Se dit d'un vin laissant peu de traces en bouche après la dégustation (on dit aussi « court en bouche »).

Crémant. Vin mousseux d'AOC élaboré par méthode traditionnelle avec des contraintes spécifiques dans les régions d'Alsace, du Bordelais, de Bourgogne, de Die, du Jura, de Limoux et dans le Val de Loire.

Cru. Terme dont le sens varie selon les régions (terroir ou domaine), mais contenant partout l'idée d'identification d'un vin à un lieu défini de production.

Cruover (marque commerciale). Appareil permettant de conserver le vin en bouteille entamée sous gaz inerte (azote) pour le servir au verre.

Cuvaison. Période pendant laquelle, après la vendange en rouge, les matières solides restent en contact avec le jus en fermentation dans la cuve. Sa longueur détermine la coloration et la force tannique du vin.

D

Débourbage. Clarification du jus de raisin non fermenté, séparé de la bourbe.

Débourrement. Ouverture des bourgeons et apparition des premières feuilles de la vigne.

Décanter. Transvaser un vin de sa bouteille dans une carafe, pour lui permettre de se rééquilibrer ou d'abandonner son dépôt.

Déclassement. Suppression du droit à l'appellation d'origine d'un vin ; celui-ci est alors commercialisé comme vin de table.

Décuvage. Séparation du vin de goutte et du marc après fermentation (on dit aussi écoulage).

Dégorgement. Dans la méthode traditionnelle, élimination du dépôt de levures formé lors de la seconde fermentation en bouteille.

Degré alcoolique. Richesse du vin en alcool exprimée en général en degrés (correspondant au pourcentage de volume d'alcool contenu dans le vin).

Dépôt. Particules solides contenues dans le vin, notamment dans les vins vieux (où il est enlevé avant dégustation par la décantation).

Dosage. Apport de sucre sous forme de « liqueur de tirage » à un vin effervescent, après le dégorgement.

Doux. Terme s'appliquant à des vins sucrés.

Dur. Le vin dur est caractérisé par un excès d'astringence et d'acidité, pouvant parfois s'atténuer avec le temps.

E

Échelle des crus. Système complexe de classement des communes de Champagne en fonction de la valeur des raisins qui y sont produits. Dans d'autres régions, situation hiérarchique des productions classées par des autorités diverses.

Écoulage. Voir décuvage.

Effervescent. Se dit d'un vin dégageant des bulles de gaz.

Égrappage. Séparation des grains de raisin de la rafle.

Élevage. Ensemble des opérations destinées à préparer les vins au vieillissement jusqu'à la mise en bouteilles.

Empyreumatique. Qualificatif d'une série d'odeurs rappelant le brûlé, le cuit ou la fumée.

Enveloppé. Se dit d'un vin riche en alcool, mais dans lequel le moelleux domine.

Épais. Se dit d'un vin très coloré, donnant en bouche une impression de lourdeur et d'épaisseur.

Épanoui. Qualificatif d'un vin équilibré qui a acquis toutes ses qualités de bouquet.

Équilibré. Désigne un vin dans lequel l'acidité et le moelleux (ainsi que le tanin pour les rouges) s'équilibrent bien mutuellement.

Étampage. Marquage des bouchons, des barriques ou des caisses à l'aide d'un fer.

Éventé. Se dit d'un vin ayant perdu tout ou partie de son bouquet à la suite d'une oxydation.

F

Fatigué. Terme s'appliquant à un vin ayant perdu provisoirement ses qualités (par exemple après un transport) et nécessitant un repos pour les recouvrer.

Féminin. Caractérise les vins offrant une certaine tendreté et de la légèreté.

Fermé. S'applique à un vin de qualité encore jeune, n'ayant pas acquis un bouquet très prononcé et qui nécessite donc d'être attendu pour être dégusté.

Fermentation. Processus permettant au jus de raisin de devenir du vin, grâce à l'action de levures transformant le sucre en alcool.

Fermentation malolactique. Transformation, sous l'effet de bactéries lactiques, de l'acide malique en acide lactique et en gaz carbonique ; elle a pour effet de rendre le vin moins acide.

Fillette. Petite bouteille de 35 cl, utilisée dans le Val de Loire.

Filtration. Clarification du vin à l'aide de filtres.

Finesse. Qualité d'un vin délicat et élégant.

Fleur. Maladie du vin se traduisant par un voile blanchâtre et un goût d'évent.

Fondu. Désigne un vin, notamment un vin vieux, dans lequel les différents caractères se mêlent harmonieusement entre eux pour former un ensemble bien homogène.

Foudre. Tonneau de grande capacité (200 à 300 hl).

Foulage. Opération consistant à faire éclater la peau des grains de raisin.

Foxé. Désigne l'odeur, entre celle du renard et celle de la punaise, que dégage le vin produit à partir de certains cépages hybrides.

Frais. Se dit d'un vin légèrement acide, mais sans excès, qui procure une sensation de fraîcheur.

Franc. Désigne l'ensemble d'un vin, ou l'un de ses aspects (couleur, bouquet, goût...) sans défaut ni ambiguïté.

Friand. Qualificatif d'un vin à la fois frais et fruité.

Fumé. Qualificatif d'odeurs proches de celle des aliments fumés, caractéristiques, entre autres, du cépage sauvignon ; d'où le nom de blanc fumé donné à cette variété.

Fumet. Synonyme ancien de bouquet.

G

Garde (vin de). Désigne un vin montrant une bonne aptitude au vieillissement.

Généreux. Caractère d'un vin riche en alcool, mais sans être fatigant, à la différence d'un vin capiteux.

Générique. Terme pouvant avoir plusieurs acceptions, mais désignant souvent un vin de marque par opposition à un vin de cru ou de château, employé parfois abusivement pour désigner les appellations régionales (par exemple bordeaux, bourgogne...).

Glissant. Synonyme de coulant.

Glycérol. Tri-alcool légèrement sucré, issu de la fermentation du jus de raisin, qui donne au vin son onctuosité.

Gouleyant. Voir coulant.

Goutte (vin de). Dans la vinification en rouge, vin issu directement de la cuve au décuvage (voir presse).

Gras. Synonyme d'onctueux.

Gravelle. Terme désignant le dépôt de cristaux de tartre dans les vins blancs en bouteille.

Graves. Sol composé de cailloux roulés et de graviers, très favorable à la production de vins de qualité, que l'on trouve notamment en Médoc et dans les Graves.

Greffage. Méthode employée depuis la crise phylloxérique, consistant à fixer sur un porte-greffe résistant au phylloxéra un greffon d'origine locale.

Gris (vin). Vin obtenu en vinifiant en blanc des raisins rouges.

H

Harmonieux. Se dit d'un vin présentant des rapports heureux entre ses différents caractères, allant au-delà du simple équilibre.

Hautain (en). Taille de la vigne en hauteur.

Herbacé. Désigne des senteurs ou arômes rappelant l'herbe (ce terme a souvent une connotation péjorative).

Hybride. Terme désignant les cépages obtenus à partir de deux espèces de vignes différentes.

I

INAO. Institut national des appellations d'origine. Établissement public chargé de déterminer et de contrôler les conditions de production des vins d'AOC et d'AOVDQS.

ITV. Institut technique de la vigne et du vin. Organisme technique professionnel de recherche et d'expérimentation sur la vigne et le vin.

J

Jambes. Synonyme de larmes.

Jéroboam. Grande bouteille contenant l'équivalent de quatre bouteilles.

Jeune. Qualificatif très relatif pouvant désigner un vin de l'année déjà à son optimum, aussi bien qu'un vin ayant passé sa première année mais n'ayant pas encore développé toutes ses qualités.

L

Lactique (acide). Acide obtenu par la fermentation malolactique.

Larmes. Traces laissées par le vin sur les parois du verre lorsqu'on l'agite ou l'incline.

Léger. Se dit d'un vin peu coloré et peu corsé, mais équilibré et agréable. En général, à boire assez rapidement.

Levures. Champignons microscopiques unicellulaires provoquant la fermentation alcoolique.

Limpide. Se dit d'un vin de couleur claire et brillante ne contenant pas de matières en suspension.

Liquoreux. Vins blancs riches en sucre, obtenus à partir de raisins sur lesquels s'est développée la pourriture noble, et se distinguant entre autres par un bouquet spécifique.

Long. Se dit d'un vin dont les arômes laissent en bouche une impression plaisante et persistante après la dégustation. On dit aussi : « d'une bonne longueur ».

Lourd. Se dit d'un vin excessivement épais.

M

Macération. Contact du moût avec les parties solides du raisin pendant la cuvaison.

Macération carbonique. Mode de vinification en rouge par macération de grains entiers dans des cuves saturées de gaz carbonique ; il est utilisé surtout pour la production de certains vins de primeur.

Mâche. Terme s'appliquant à un vin possédant à la fois épaisseur et volume et qui, par image, donne l'impression qu'il pourrait être mâché.

Madérisé. Se dit d'un vin blanc qui, en vieillissant, prend une couleur ambrée et un goût rappelant d'une certaine façon celui du madère.

Magnum. Bouteille correspondant à deux bouteilles ordinaires.

Malique (acide). Acide présent à l'état naturel dans beaucoup de vins et qui se transforme en acide lactique par la fermentation malolactique.

Marc. Matières solides restant après le pressurage.

Mathusalem. Autre nom pour la bouteille impériale, équivalant à huit bouteilles ordinaires.

Maturation. Transformation subie par le raisin quand il s'enrichit en sucre et perd une partie de son acidité pour arriver à maturité.

Méthode traditionnelle. Technique d'élaboration des vins effervescents comprenant une prise de mousse en bouteille, conforme à la méthode d'élaboration du champagne.

Mildiou. Maladie provoquée par un champignon parasite qui attaque les organes verts de la vigne.

Millésime. Année de récolte d'un vin.

Mistelle. Moût de raisin frais, riche en sucre, dont la fermentation a été arrêtée par l'adjonction d'alcool.

Moelleux. Qualificatif s'appliquant généralement à des vins blancs doux se situant entre les secs et les liquoreux proprement dits. Se dit aussi, à la dégustation, d'un vin à la fois gras et peu acide.

Mousseux. Vins effervescents rentrant dans les catégories des vins de table et des VQPRD.

Moût. Désigne le liquide sucré extrait du raisin.

Musquée. Se dit d'une odeur rappelant celle du musc.

Mutage. Opération consistant à arrêter la fermentation alcoolique du moût en y ajoutant de l'alcool vinique.

N

Nabuchodonosor. Bouteille géante équivalant à vingt bouteilles ordinaires.

Négoce. Terme employé pour désigner le commerce des vins et les professions s'y rapportant. Est employé parfois par opposition à viticulture.

Négociant-éleveur. Dans les grandes régions d'appellations, négociant ne se contentant pas d'acheter et de revendre les vins mais, à partir de vins très jeunes, réalisant toutes les opérations d'élevage jusqu'à la mise en bouteilles.

Négociant-manipulant. Terme champenois désignant le négociant qui achète des vendanges pour élaborer lui-même un vin de Champagne.

Nerveux. Se dit d'un vin marquant le palais par des caractères bien accusés et une pointe d'acidité, mais sans excès.

Net. Se dit d'un vin franc, aux caractères bien définis.

Nouveau. Se dit d'un vin des dernières vendanges.

O

Odeur. Perçues directement par le nez, à la différence des arômes de bouche, les odeurs du vin peuvent être d'une grande variété, rappelant aussi bien les fruits ou les fleurs que la venaison.

Œil. Synonyme de bourgeon.

Œnologie. Science étudiant le vin.

Oïdium. Maladie de la vigne provoquée par un petit champignon et qui se traduit par une teinte grise et un dessèchement des raisins ; se traite par le soufre.

OIV. Organisation internationale de la vigne et du vin. Organisme intergouvernemental étudiant les questions techniques, scientifiques ou économiques soulevées par la culture de la vigne et la production du vin.

Onctueux. Qualificatif d'un vin se montrant en bouche agréablement moelleux, gras.

Onivins. Office national interprofessionnel des vins. Organisme ayant pris la suite de l'Onivit dans sa mission d'orientation et de régularisation du marché du vin.

Organoleptique. Désigne les qualités ou propriétés perçues par les sens lors de la dégustation, comme la couleur, l'odeur ou le goût.

Ouillage. Opération consistant à rajouter régulièrement du vin dans chaque barrique pour la maintenir pleine et éviter le contact du vin avec l'air.

Oxydation. Résultat de l'action de l'oxygène de l'air sur le vin. Excessive, elle se traduit par une modification de la couleur (tuilée pour les rouges) et du bouquet.

P

Parfum. Synonyme d'odeur avec, en plus, une connotation laudative.

Passerillage. Dessèchement du raisin à l'air s'accompagnant d'un enrichissement en sucre.

Pasteurisation. Technique de stérilisation par la chaleur mise au point par Pasteur.

Perlant. Se dit d'un vin dégageant de petites bulles de gaz carbonique.

Persistance. Phénomène se traduisant par la perception de certains caractères du vin (saveur, arômes) après que celui-ci a été avalé. Une bonne persistance est un signe positif.

Pétillant. Désigne un vin dont la mousse est moins forte que celle des vins mousseux.

Phylloxéra. Puceron qui, entre 1860 et 1880, ravagea le vignoble français en provoquant la mort des racines par sa piqûre.

Pièce. Nom du tonneau de Bourgogne (capacité de 228 ou de 216 litres).

Pierre à fusil. Se dit d'un arôme qui évoque l'odeur du silex venant de produire des étincelles.

Piqué. Qualificatif d'un vin atteint d'acescence, maladie se traduisant par une odeur aigre prononcée.

Piqûre (acétique). Synonyme d'acescence.

Plein. Se dit d'un vin ayant les qualités demandées à un bon vin, et qui donne en bouche une sensation de plénitude.

Pourriture noble. Nom donné à l'action du *Botrytis cinerea* dans les régions où elle permet de réaliser des vins blancs liquoreux.

Presse (vin de). Dans la vinification en rouge, vin tiré des marcs par pressurage après le décuvage.

Pressurage. Opération consistant à presser le marc de raisin pour en extraire le jus ou le vin.

Primeur (vin de). Vin élaboré pour être bu très jeune.

Primeur (achat en). Achat fait peu après la récolte et avant que le vin soit consommable.

Prise de mousse. Nom donné à la deuxième fermentation alcoolique que subissent les vins mousseux.

Puissance. Caractère d'un vin qui est à la fois plein, corsé, généreux et d'un riche bouquet.

R

Rafle. Terme désignant dans la grappe le petit branchage supportant les grains de raisin et qui, lors d'une vendange non éraflée, apporte une certaine astringence au vin.

Rancio. Caractère particulier pris par certains vins doux naturels (arômes de noix), au cours de leur vieillissement.

Râpeux. Se dit d'un vin très astringent, donnant l'impression de racler le palais.

Ratafia. Vin de liqueur élaboré par mélange de marc et de jus de raisin en Champagne et en Bourgogne.

Rebêche (vin de). Vin issu des dernières presses, qui ne participera pas à l'élaboration de cuvées destinées à la champagnisation.

Récoltant-manipulant. En Champagne, viticulteur élaborant lui-même son champagne.

Remuage. Dans la méthode traditionnelle, opération visant à amener les dépôts contre le bouchon par le mouvement imprimé aux bouteilles placées sur des pupitres. Le remuage peut être manuel ou mécanique (à l'aide de gyropalettes).

Riche. Qualificatif d'un vin coloré, généreux, puissant et en même temps équilibré.

Robe. Terme employé souvent pour désigner la couleur d'un vin et son aspect extérieur.

Rognage. Action de couper le bout des rameaux de vigne en fin de végétation.

Rond. Se dit d'un vin dont la souplesse, le moelleux et la chair donnent en bouche une agréable impression de rondeur.

Rôti. Caractère spécifique donné par la pourriture noble aux vins liquoreux, qui se traduit par un goût et des arômes de confit.

S

Saignée (rosé de). Vin rosé tiré d'une cuve de raisin noir au bout d'un court temps de macération.

Salmanazar. Bouteille géante contenant l'équivalent de douze bouteilles ordinaires.

Sarment. Rameau de vigne de l'année.

Saveur. Sensation (sucrée, salée, acide ou amère) produite sur la langue par un aliment.

Sec. Pour les vins tranquilles, caractère dépourvu de saveur sucrée (moins de 4 g/l) ; dans l'échelle de douceur des vins effervescents, il s'agit d'un caractère peu sucré (entre 17 et 35 g/l).

Solide. Se dit d'un vin bien constitué, possédant notamment une bonne charpente.

Souple. Se dit d'un vin coulant, dans lequel le moelleux l'emporte sur l'astringence.

Soutirage. Opération consistant à transvaser un vin d'un fût dans un autre pour en séparer la lie.

Soyeux. Qualificatif d'un vin souple, moelleux et velouté, avec une nuance d'harmonie et d'élégance.

Stabilisation. Ensemble des traitements destinés à la bonne conservation des vins.

Structure. Désigne à la fois la charpente et la constitution d'ensemble d'un vin.

Sulfatage. Traitement, jadis pratiqué à l'aide de sulfate de cuivre, appliqué à la vigne pour prévenir les maladies cryptogamiques.

Sulfitage. Introduction de solution sulfureuse dans un moût ou dans un vin pour le protéger d'accidents ou maladies, ou pour sélectionner les ferments.

T

Taille. Coupe des sarments pour régulariser et équilibrer la croissance de la vigne afin de contrôler la productivité.

Tanin. Substance se trouvant dans le raisin, et qui apporte au vin sa capacité de longue conservation et certaines de ses propriétés gustatives.

Tannique. Caractère d'un vin laissant apparaître une note d'astringence due à sa richesse en tanin.

Tastevinage. Label accordé par la confrérie des Chevaliers du Tastevin à certains vins bourguignons.

Terroir. Territoire s'individualisant par certaines caractéristiques physiques (sol, sous-sol, exposition...) déterminantes pour son vin.

Thermorégulation. Technique permettant de contrôler et de maîtriser la température des cuves pendant la fermentation.

Tirage. Synonyme de soutirage.

Tranquille (vin). Désigne un vin non effervescent.

Tuilé. Caractère des vins rouges qui, en vieillissant, prennent une teinte rouge jaune.

V

VDL. Vin de liqueur. Vin doux ne répondant pas aux normes réglementaires des VDN, ou vin obtenu par mélange de moût et d'alcool (pineau des charentes).

VDN. Vin doux naturel. Vin obtenu par mutage à l'alcool vinique du moût en cours de fermentation, issu des cépages muscat, grenache, macabeu et malvoisie, et correspondant à des conditions strictes de production, de richesse et d'élaboration.

VDP. Vin de pays. Vin appartenant au groupe des vins de table, mais dont on mentionne sur l'étiquette la région géographique d'origine.

VDQS. Devenu AOVDQS. Appellation d'origine vin délimité de qualité supérieure, produit dans une région selon une réglementation précise.

Végétal. Se dit du bouquet ou des arômes d'un vin (principalement jeune) rappelant l'herbe ou la végétation.

Venaison. S'applique au bouquet d'un vin rappelant l'odeur de grand gibier.

Vert. Se dit d'un vin trop acide.

Vieux. Terme pouvant avoir plusieurs acceptions, mais désignant en général un vin ayant plusieurs années d'âge et ayant vieilli en bouteille après avoir séjourné en tonneau.

Vif. Se dit d'un vin frais et léger, avec une petite dominante acide mais sans excès, et agréable.

Village. Terme employé dans certaines régions pour individualiser un secteur particulier au sein d'une appellation plus large (beaujolais, côtes-du-rhône).

Vineux. Se dit d'un vin possédant une certaine richesse alcoolique et présentant de façon nette les caractéristiques distinguant le vin des autres boissons alcoolisées.

Vinification. Méthode et ensemble des techniques d'élaboration du vin.

Viril. Se dit d'un vin à la fois charpenté, corsé et puissant.

Volume. Caractéristique d'un vin donnant l'impression de bien remplir la bouche.

VQPRD. Vin de qualité produit dans une région déterminée. Se distingue des vins de table, dans le langage réglementaire de l'Union européenne, et regroupe, en France, les AOC et AOVDQS.

INDEX DES APPELLATIONS

APPELLATIONS

INDEX DES COMMUNES

COMMUNES

COMMUNES

M

N

O

P

Q

R

COMMUNES

INDEX DES PRODUCTEURS

L'indexation ne tient pas compte de l'article défini

PRODUCTEURS

PRODUCTEURS

PRODUCTEURS

D

PRODUCTEURS

G

PRODUCTEURS

H

PRODUCTEURS

I

J

K

L

PRODUCTEURS

PRODUCTEURS

M

PRODUCTEURS

PRODUCTEURS

PRODUCTEURS

PRODUCTEURS

S

PRODUCTEURS

U

V

W

X

Y

Z

INDEX DES VINS

L'indexation ne tient pas compte de l'article défini

VINS

VINS

VINS

VINS

C

VINS

VINS

VINS

VINS

VINS

VINS

E

F

VINS

G

VINS

VINS

H

VINS

I

K

L

VINS

M

VINS

VINS

VINS

VINS

N

O

P

VINS

VINS

VINS

Q

R

VINS

VINS

S

VINS

VINS

T

VINS

VINS

VINS

W

X

Y

Z

LIEBHERR

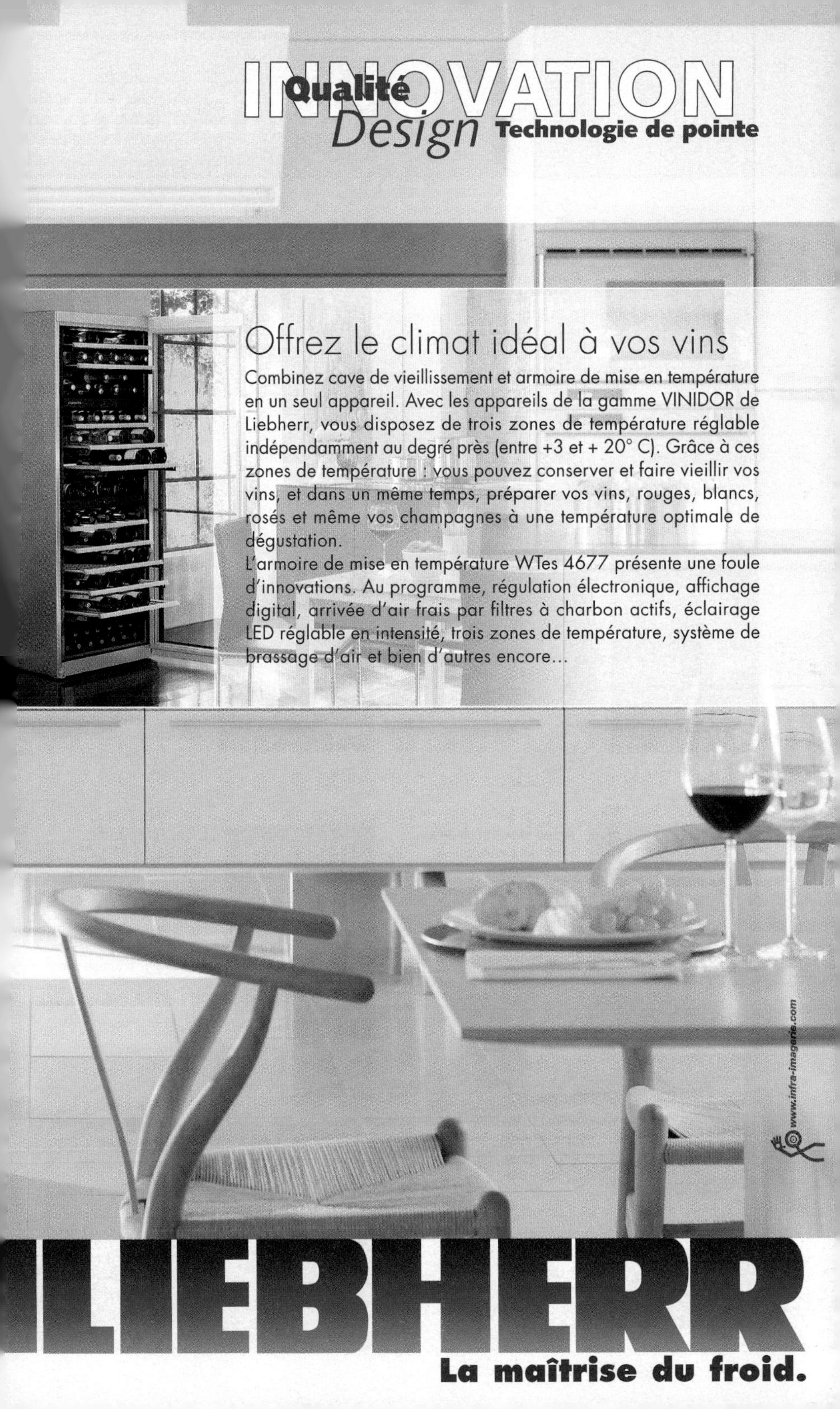

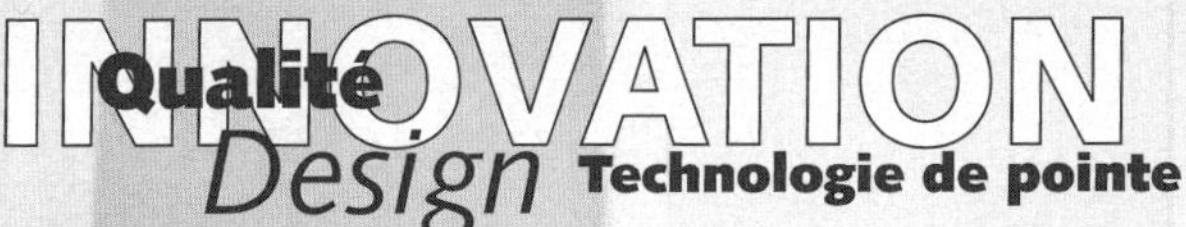

INNOVATION
Qualité
Design
Technologie de pointe
Offrez le climat idéal à vos vins
Combinez cave de vieillissement et armoire de mise en température en un seul appareil. Avec les appareils de la gamme VINIDOR de Liebherr, vous disposez de trois zones de température réglable indépendamment au degré près (entre +3 et + 20° C). Grâce à ces zones de température : vous pouvez conserver et faire vieillir vos vins, et dans un même temps, préparer vos vins, rouges, blancs, rosés et même vos champagnes à une température optimale de dégustation.
L'armoire de mise en température WTes 4677 présente une foule d'innovations. Au programme, régulation électronique, affichage digital, arrivée d'air frais par filtres à charbon actifs, éclairage LED réglable en intensité, trois zones de température, système de brassage d'air et bien d'autres encore...
www.infra-imagerie.com
LIEBHERR
La maîtrise du froid.

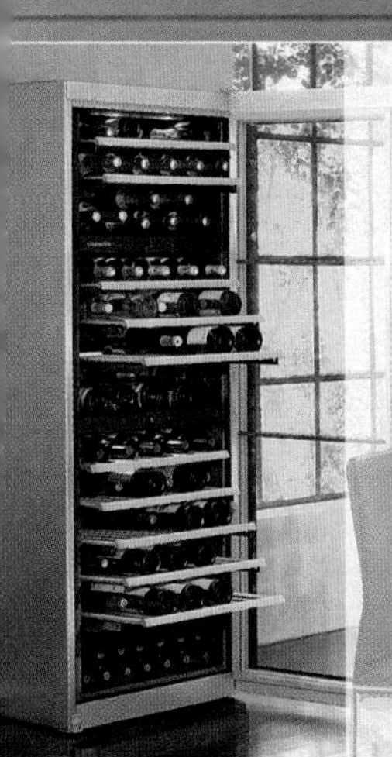

Bibliothèque **HACHETTE** du **VIN**

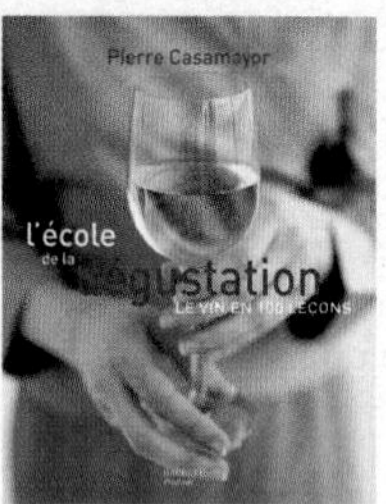

L'école de la dégustation
Pierre Casamayor
272 p., 230 x 285 mm,
350 illustrations en couleurs,
25 €
À la découverte du goût du vin. Comprendre l'influence des cépages et des terroirs sur les arômes et les saveurs.

L'école des alliances
Pierre Casamayor
304 p., 230 x 285 mm,
350 illustrations en couleurs,
32,50 €
Le vin à table : comment réussir les accords gourmands.

Les Terroirs du vin
Jacques Fanet
240 p., 230 x 285 mm,
78 coupes et cartes géologiques en couleurs, 37,85 €
Les grands terroirs viticoles de France et du monde expliqués à l'amateur de vin.

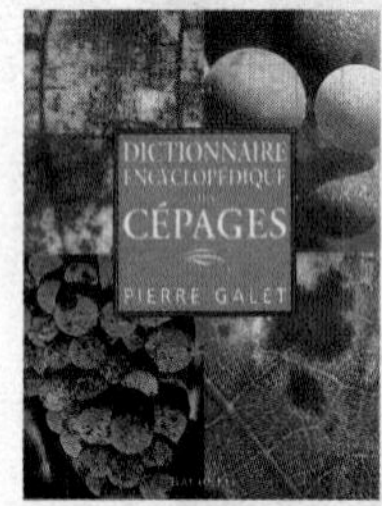

Dictionnaire encyclopédique des cépages
Pierre Galet
1024 p., 36 planches ampélographiques, 415 dessins,
190 x 250 mm, 54,70 €
Tout savoir sur les cépages. Plus de 9 600 cépages du monde décrits par un ampélographe de renommée internationale.

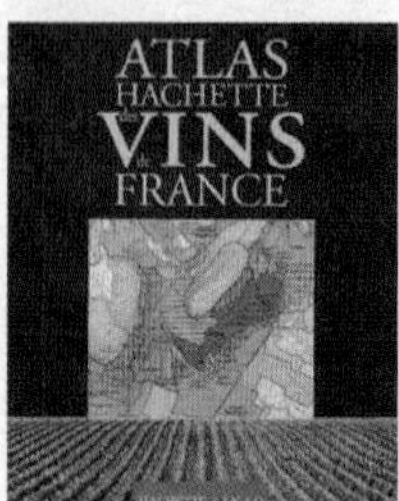

Atlas Hachette des vins de France
300 p., 250 x 300 mm,
500 photos et 74 cartes en couleur, 54,70 €
Un panorama complet de la civilisation du vin en France et la présentation des appellations d'origine.

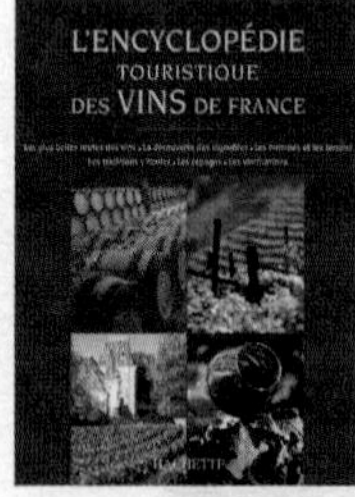

L'Encyclopédie touristique des vins de France
448 p., 205 x 285 mm,
21,80 €
Promenade au cœur des paysages viticoles de France, cet ouvrage propose une double approche du vin : il est à la fois guide touristique et guide de consommation.

Une histoire mondiale du vin
Hugh Johnson
480 p., 175 x 250 mm,
49,90 €
À une échelle universelle, l'histoire du vin de ses origines à nos jours, racontée par un spécialiste mondial.

Par monts et par vignes
Didier Gentilhomme
192 p., 255 x 214mm,
plus de 100 photos, 27,00 €
L'album du monde viticole : les paysages, les gestes et le regard des travailleurs de la vigne. Pour découvrir la diversité des cultures où la vigne s'enracine.

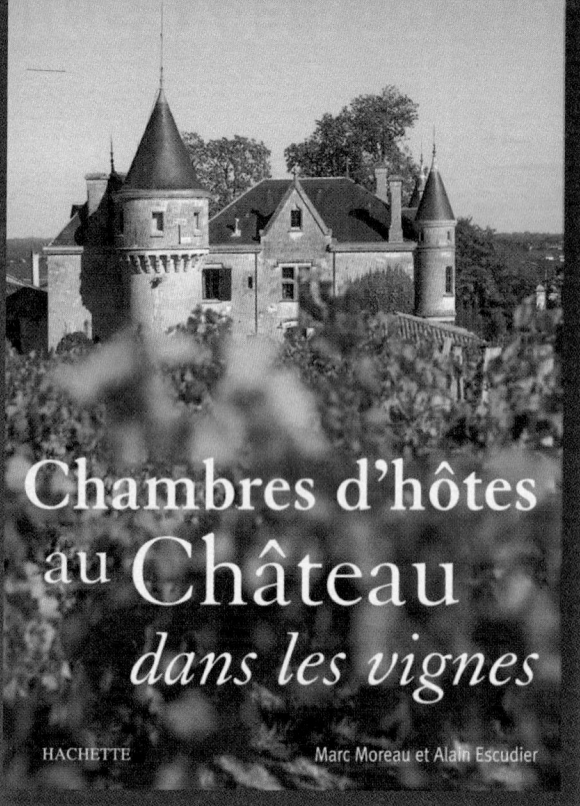

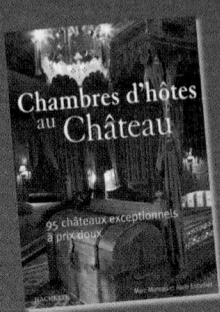

MIKASA
OENOLOGY
Révélations sensorielles
Open Up
Explosion des vins jeunes…
…design sensoriel
MADE OF
Kwarx
un nouveau matériau exclusif d'une transparence absolue,
d'un éclat perpétuel lavage après lavage et extrêment résistant.
Leur forme élégante et technique brise les molécules et libère les arômes des vins jeunes pour un vrai plaisir des sens.
www.mikasa-fr.com et contact : 0810 810 759
Mikasa Oenology propose aussi les verres Select en Kwarx,
Grand Cru en cristal soufflé bouche et des carafes techniques et contemporaines.

Bibliothèque **HACHETTE** du **VIN**

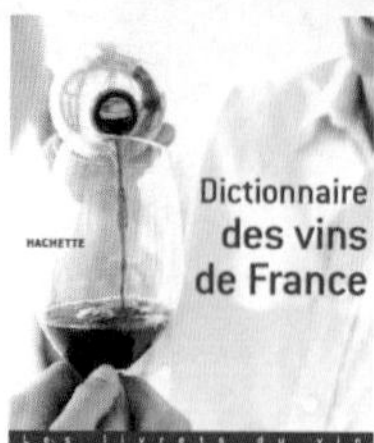

Dictionnaire des vins de France
384 p., 190 x 220 mm, 19,90 €
Toutes les appellations de France : leurs cépages, leurs terroirs, leurs goût, les accords mets-vins, la garde, les chiffres...

Le Goût de l'origine
256 p., 190 x 220 mm, 19,90 €
L'histoire des appellations d'origine et un panorama illustré des divers produits d'origine (AOC et IGP) de France.

La Dégustation
Pierre Casamayor
256 p., 190 x 220 mm, 12,50 €
Apprendre à déguster, reconnaître les types et styles de vins, organiser une dégustation, servir le vin.

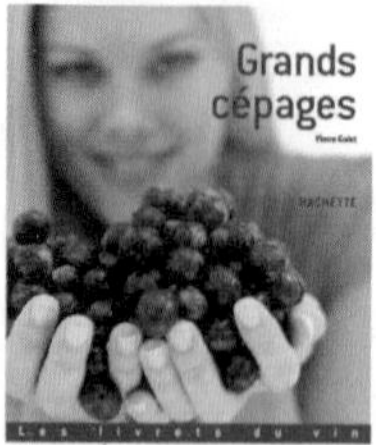

Grands cépages
Pierre Galet
256 p., 190 x 220 mm, 12,50 €
Découvrir 36 cépages parmi les plus connus dans le monde : comment les reconnaître ? où les trouver ? quels vins produisent-ils ?

Arômes du vin
M. Moisseeff et P.Casamayor
256 p., 190 x 220 mm, 12,50 €
Comprendre l'origine des arômes qui composent la palette des vins...
Découvrir les familles d'arômes (floraux, fruités, épicés, minéraux....)

Le vin en 80 questions
Pierre Casamayor
256 p., 190 x 220 mm, 12,50 €
Une encyclopédie du vin dans le petit format pratique des Livrets du vin.

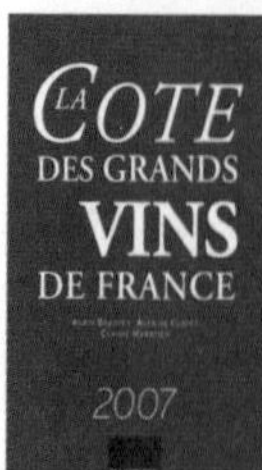

La Cote des grands vins de France 2007
Alain Bradfer, Alex de Clouet, Claude Maratier
454 p., 115 x 210 mm, 29,00 €
L'Argus des vins : 150 ventes aux enchères, plus de 19 000 millésimes. Entièrement mis à jour.

1000 vins du monde
256 p., 115 x 210 mm, 19,80 €
La sélection de l'Union des œnologues de France.

2000 mots du vin
Michel Dovaz
256 p., 190 x 220 mm, 12,00 €
Pour tout savoir sur la vigne et le vin.

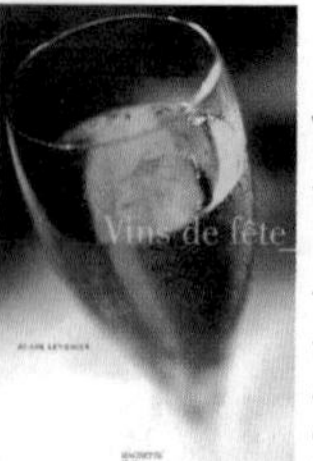

Vins de fête
Alain Leygnier
128 p., 175 x 285 mm, 18,00 €
Toutes les bulles de fête : le champagne et aussi les nombreux crémants produits en France.

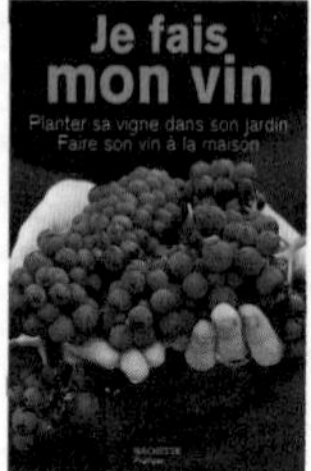

Je fais mon vin
Christian Chervin
128 p., 157 x 260 mm, 14,90 €
Tout savoir pour cultiver sa vigne dans son jardin ou sur son balcon et pour faire son vin à la maison.